Mar Negro

ASIA MENOR

Antioquía
(de Pisidia)

Tarso

MONTAÑAS DE ARARAT

Jardín
de Edén(?)

ASIRIA

Harán

MEDIA

NÍNIVE

Antioquía
(de Siria)

CHIPRE

SIRIA

Río Éufrates

Río Tigris

Sidón

Damasco

Tiro

Cesarea

BABILONIA

Susa

TIERRA
PROMETIDA

JERUSALÉN

MOAB

CALDEA

Qadés

Ur

MENFIS

EDOM

EGIPTO + *Mte. Sinaí*

ARABIA

Río Nilo

Mar Rojo

Traducción del Nuevo Mundo
de las
Santas Escrituras

Una traducción revisada basada en la versión
de 1984 en inglés, pero consultando fielmente
los antiguos textos hebreo y griego
—1987—

Traducción del Nuevo Mundo de las Santas Escrituras

EDITORES
WATCHTOWER BIBLE AND TRACT SOCIETY
OF NEW YORK, INC.
Brooklyn, New York, U.S.A.

Ediciones de la versión entera se publican en afrikáans,
albanés, alemán, árabe, búlgaro, cebuano, checo, chino,
chino simplificado, cibemba, coreano, croata, danés,
eslovaco, esloveno, español (también en braille), finlandés,
francés, georgiano, griego, holandés, húngaro, igbo, ilocano,
indonesio, inglés (también en braille), italiano, japonés, lingala,
macedonio, malgache, maltés, noruego, polaco, portugués
(también en braille), rumano, ruso, serbio, serbio (alfabeto
latino), sesoto, shona, suajili, sueco, tagalo, tsonga, tsuana,
turco, twi akuapem, xhosa, yoruba y zulú.
(Además, partes en amárico, armenio, camboyano, chichewa,
cingalés, efik, estonio, ewé, hiligaynon, hindi, italiano en braille,
kannada, kiniaruanda, kirguís, kirundi, lenguaje de señas
americano [en DVD], lenguaje de señas brasileño [en DVD],
luganda, malayálam, myanmar, osético, samoano, sango,
sepedi, sranangtongo, tai, tamil, tumbuka y ucraniano)

Impresión total de todas las ediciones
de la *Traducción del Nuevo Mundo:* 158.709.727 ejemplares

Esta publicación se distribuye como parte
de una obra mundial de educación bíblica que
se sostiene con donativos. Prohibida su venta.

New World Translation of the Holy Scriptures
Spanish   (*bi12*-S)

Made in the United States of America
Impreso en Estados Unidos de América

PRÓLOGO

Es UNA gran responsabilidad traducir las Santas Escrituras de sus lenguas originales —el hebreo, el arameo y el griego— al habla moderna. Traducir las Santas Escrituras quiere decir verter a otro idioma los pensamientos y dichos de Jehová Dios, el Autor celestial de esta biblioteca sagrada de sesenta y seis libros que hombres santos de la antigüedad pusieron, por inspiración, en forma escrita para provecho de nosotros los que vivimos hoy.

Ciertamente esta tarea impresiona por su seriedad. Los traductores de esta obra, que temen y aman al Autor Divino de las Santas Escrituras, sienten hacia Él la responsabilidad especial de transmitir Sus pensamientos y declaraciones con la mayor exactitud posible. También se sienten responsables ante los lectores anhelantes de conocimiento que dependen de una traducción de la Palabra inspirada del Dios Altísimo para su salvación eterna.

Imbuidos del sentido de tan solemne responsabilidad, en el transcurso de muchos años este comité de hombres dedicados ha producido en inglés la *Traducción del Nuevo Mundo de las Santas Escrituras*. Al principio, entre 1950 y 1960, la obra entera se presentó en seis tomos. Desde el comienzo fue el deseo de los traductores unificar todos los tomos en un solo libro, dado que las Santas Escrituras son en realidad un solo libro de un Solo Autor. Aunque los tomos originales contenían referencias marginales y notas a pie de página, la edición revisada que vio la luz pública en 1961, en forma de un solo volumen, no contuvo notas ni referencias marginales. En 1970 se presentó una segunda revisión, y en 1971 la tercera revisión, con notas a pie de página. En 1969 el comité presentó una traducción interlineal, *The Kingdom Interlinear Translation of the Greek Scriptures,* que bajo cada línea del texto griego revisado por Westcott y Hort (reimpresión de 1948) interpola una traducción literal, palabra por palabra, al inglés. Durante los pasados 36 años la *Traducción del Nuevo Mundo* ha sido traducida en parte o por entero a otros diez idiomas, y cuenta con una impresión y distribución total que sobrepasa los 48.000.000 de ejemplares.

Esta nueva edición no es simplemente una refinación del texto traducido que supere las revisiones anteriores; incluye una completa actualización y revisión de las referencias (remisiones) marginales que originalmente se presentaron en inglés, entre 1950 y 1960.

Hemos presentado la revisión de 1984 en inglés a la Watch Tower Bible and Tract Society of Pennsylvania para su impresión, traducción a otros idiomas principales y distribución. La hacemos así asequible, con un profundo sentido de gratitud al Autor Divino de las Santas Escrituras, que nos ha favorecido con tal privilegio, y en cuyo espíritu hemos confiado al realizar esta revisión. Esperamos que Él bendiga a los que usen esta traducción para progresar en sentido espiritual.

New World Bible Translation Committee

(Comité de la Traducción del Nuevo Mundo)
1 de enero de 1987, Nueva York, N.Y.

LOS NOMBRES Y EL ORDEN DE LOS LIBROS:
de las Escrituras Hebreoarameas

LIBRO	ABREVIATURA	PÁGINA	LIBRO	ABREVIATURA	PÁGINA
Génesis	Gé	7	Eclesiastés	Ec	862
Éxodo	Éx	76	El Cantar de los		
Levítico	Le	133	Cantares	Can	874
Números	Nú	176	Isaías	Isa	879
Deuteronomio	Dt	233	Jeremías	Jer	953
Josué	Jos	284	Lamentaciones	Lam	1034
Jueces	Jue	317	Ezequiel	Eze	1044
Rut	Rut	352	Daniel	Da	1117
1 Samuel	1Sa	357	Oseas	Os	1139
2 Samuel	2Sa	402	Joel	Joe	1150
1 Reyes	1Re	440	Amós	Am	1154
2 Reyes	2Re	484	Abdías	Abd	1162
1 Crónicas	1Cr	526	Jonás	Jon	1163
2 Crónicas	2Cr	565	Miqueas	Miq	1166
Esdras	Esd	614	Nahúm	Na	1172
Nehemías	Ne	627	Habacuc	Hab	1175
Ester	Est	647	Sofonías	Sof	1178
Job	Job	658	Ageo	Ag	1182
Salmos	Sl	704	Zacarías	Zac	1184
Proverbios	Pr	828	Malaquías	Mal	1196

de las Escrituras Griegas Cristianas

LIBRO	ABREVIATURA	PÁGINA	LIBRO	ABREVIATURA	PÁGINA
Mateo	Mt	1201	1 Timoteo	1Ti	1467
Marcos	Mr	1242	2 Timoteo	2Ti	1472
Lucas	Lu	1268	Tito	Tit	1476
Juan	Jn	1312	Filemón	Flm	1478
Hechos	Hch	1345	Hebreos	Heb	1479
Romanos	Ro	1389	Santiago	Snt	1494
1 Corintios	1Co	1407	1 Pedro	1Pe	1498
2 Corintios	2Co	1426	2 Pedro	2Pe	1504
Gálatas	Gál	1438	1 Juan	1Jn	1507
Efesios	Ef	1445	2 Juan	2Jn	1512
Filipenses	Flp	1451	3 Juan	3Jn	1513
Colosenses	Col	1456	Judas	Jud	1514
1 Tesalonicenses	1Te	1460	Revelación	Rev	1515
2 Tesalonicenses	2Te	1465			

GÉNESIS

1 En [el] principio[a] Dios[b] creó[c] los cielos y la tierra.[d] 2 Ahora bien, resultaba que la tierra se hallaba sin forma y desierta y había oscuridad sobre la superficie de [la] profundidad acuosa;[e] y la fuerza activa de Dios se movía de un lado a otro[f] sobre la superficie de las aguas.[g] 3 Y Dios procedió a decir:[h] "Llegue a haber luz". Entonces llegó a haber luz.[i] 4 Después de eso Dios vio que la luz era buena, y efectuó Dios una división entre la luz y la oscuridad.[j] 5 Y Dios empezó a llamar a la luz Día,[k] pero a la oscuridad llamó Noche.[l] Y llegó a haber tarde y llegó a haber mañana, un día primero.

6 Y Dios pasó a decir: "Llegue a haber una expansión[m] en medio de las aguas, y ocurra un dividir entre las aguas y las aguas".[n] 7 Entonces Dios procedió a hacer la expansión y a hacer una división entre las aguas que deberían estar debajo de la expansión y las aguas que deberían estar sobre la expansión.[o] Y llegó a ser así. 8 Y Dios empezó a llamar a la expansión Cielo.[p] Y llegó a haber tarde y llegó a haber mañana, un día segundo.

9 Y Dios pasó a decir: "Que las aguas [que están] debajo de los cielos se reúnan en un mismo lugar y aparezca lo seco".[q] Y llegó a ser así. 10 Y Dios empezó a llamar a lo seco Tierra,[r] pero a la reunión de aguas llamó Mares.[s] Además, vio Dios que [era] bueno.[t] 11 Y pasó Dios a decir: "Haga brotar la tierra hierba, vegetación que dé semilla,[u] árboles frutales que lleven fruto según sus géneros,[v] cuya semilla esté en él,[w] sobre la tierra". Y llegó a ser así. 12 Y la tierra empezó a producir hierba, vegetación que da semilla según su género[a] y árboles que llevan fruto, cuya semilla está en él según su género.[b] Entonces Dios vio que [era] bueno. 13 Y llegó a haber tarde y llegó a haber mañana, un día tercero.

14 Y Dios pasó a decir: "Llegue a haber lumbreras en la expansión de los cielos para hacer una división entre el día y la noche;[c] y tienen que servir de señales y para estaciones y para días y años.[d] 15 Y tienen que servir de lumbreras en la expansión de los cielos para brillar sobre la tierra".[e] Y llegó a ser así. 16 Y Dios procedió a hacer las dos grandes lumbreras, la lumbrera mayor para dominar el día y la lumbrera menor para dominar la noche, y también las estrellas.[f] 17 Así las puso Dios en la expansión de los cielos para brillar sobre la tierra,[g] 18 y para dominar de día y de noche y para hacer una división entre la luz y la oscuridad.[h] Entonces vio Dios que [era] bueno.[i] 19 Y llegó a haber tarde y llegó a haber mañana, un día cuarto.

20 Y Dios pasó a decir: "Enjambren las aguas un enjambre de almas vivientes,[j] y vuelen criaturas voladoras por encima de la tierra sobre la faz de la expansión de los cielos".[k] 21 Y Dios procedió a crear los grandes monstruos marinos[l] y toda alma viviente que se mueve,[m] los cuales las aguas enjambraron según sus géneros, y toda criatura voladora alada según su género.[n] Y llegó a ver Dios que [era] bueno. 22 Con eso los bendijo Dios, y dijo: "Sean fructíferos y háganse muchos y llenen las aguas en las cuencas de los ma-

CAP. 1

a Heb 1:10
b Éx 6:3
  Éx 33:20
  Dt 6:4
  Mr 10:18
  Jn 4:24
  Ro 1:20
  1Co 8:4
  1Ti 1:11
  1Ti 2:5
  Heb 9:24
  1Jn 4:8
  Rev 4:8
c Sl 148:5
  Isa 45:18
  Rev 4:11
d Job 38:4
  Sl 102:25
  Isa 42:5
  Rev 10:6
  Pr 8:27
e Sl 33:6
  Isa 40:26
f Sl 104:6
g Sl 33:9
i Isa 45:7
j Job 26:10
  2Co 4:6
k Gé 8:22
l Jer 33:20
m Gé 1:20
n Sl 33:7
  2Pe 3:5
o Gé 7:11
  Pr 8:28
p Gé 27:28
  Dt 4:17
  1Re 8:35
q Job 38:11
  Sl 104:8
  Sl 136:6
r Sl 24:1
  Sl 95:5
  Job 38:8
  Pr 8:29
t Dt 32:4
  1Ti 4:4
u Gé 1:29
  Sl 72:16
  Mt 13:32
v Lu 6:44
w Ag 2:19
  Snt 3:12

2.ª col.

a Le 19:19
  Sl 104:14
b Gál 6:7
c Dt 4:19
  Sl 148:3
d Gé 8:22
  1Cr 23:31
  Sl 104:19
e Jer 33:25
  Eze 32:8
f Sl 8:3
  Sl 136:8
  Jer 31:35
g Isa 13:10
h Sl 74:16
  Isa 45:7
i Sl 104:31
j Le 11:10

k Gé 2:19; Gé 9:10; Dt 4:17; Job 12:7; 1Job 7:12; Sl 148:7; m Le 11:46; n Gé 7:14; Le 11:14; Dt 14:13; 1Co 15:39.

res,[a] y háganse muchas las criaturas voladoras en la tierra". 23 Y llegó a haber tarde y llegó a haber mañana, un día quinto.

24 Y Dios pasó a decir: "Produzca la tierra[b] almas vivientes según sus géneros, animal doméstico[c] y animal moviente[d] y bestia salvaje[e] de la tierra según su género". Y llegó a ser así. 25 Y Dios procedió a hacer la bestia salvaje de la tierra según su género y el animal doméstico según su género y todo animal moviente del suelo según su género.[f] Y Dios llegó a ver que [era] bueno.

26 Y Dios pasó a decir: "Hagamos[g] [al] hombre a nuestra imagen,[h] según nuestra semejanza,[i] y tengan ellos en sujeción los peces del mar y las criaturas voladoras de los cielos y los animales domésticos y toda la tierra y todo animal moviente que se mueve sobre la tierra".[j] 27 Y Dios procedió a crear al hombre a su imagen, a la imagen de Dios lo creó;[k] macho y hembra los creó.[l] 28 Además, los bendijo[m] Dios y les dijo Dios: "Sean fructíferos[n] y háganse muchos y llenen la tierra y sojúzguenla,[o] y tengan en sujeción[p] los peces del mar y las criaturas voladoras de los cielos y toda criatura viviente que se mueve sobre la tierra".

29 Y Dios pasó a decir: "Miren que les he dado toda vegetación que da semilla que está sobre la superficie de toda la tierra y todo árbol en el cual hay fruto de árbol que da semilla.[q] Que les sirva de alimento.[r] 30 Y a toda bestia salvaje de la tierra y a toda criatura voladora de los cielos y a todo lo que se mueve sobre la tierra en que hay vida como alma he dado toda la vegetación verde para alimento".[s] Y llegó a ser así.

31 Después de eso vio Dios todo lo que había hecho y, ¡mire!, [era] muy bueno.[t] Y llegó a haber tarde y llegó a haber mañana, un día sexto.

CAP. 1

a Ne 9:6
b Ec 3:20
c Dt 28:11
  Rev 10:6
d Gé 6:7
e Sl 104:11
  Mr 1:13
f Gé 7:14
  Sl 148:10
g Gé 11:7
  Pr 8:30
  Jn 1:3
  Col 1:16
h Gé 9:6
  1Co 11:7
  Col 3:10
i Gé 5:1
  Hch 17:29
  Snt 3:9
j Gé 9:2
k Sl 139:14
l Mr 10:6
  1Co 11:9
m Sl 107:38
n Gé 9:1
  Le 26:9
o Gé 2:15
p Sl 8:6
  Isa 11:9
q Job 36:31
r Gé 9:3
  Sl 104:14
  Hch 14:17
s Sl 136:25
  Sl 147:9
  Mt 6:26
t Dt 32:4
  Sl 104:24
  1Ti 4:4

2.ª col.

CAP. 2

a Ne 9:6
  Sl 146:6
  Isa 42:5
  Zac 12:1
  Hch 4:24
b Éx 31:17
  Heb 4:4
c Éx 20:11
d Isa 45:18
e Mt 5:45
f Job 36:27
g Sl 135:7
h Gé 3:19
  Sl 103:14
  Gé 2:9
  1Co 15:47
i Job 33:6
  Isa 64:8
j Gé 7:22
  Job 27:3
  Job 33:4
  Isa 42:5
  Hch 17:25
k Eze 18:4
  1Co 15:45
  1Pe 3:20
l Gé 2:15
  Gé 3:23
  Isa 51:3
  Eze 28:13
m Gé 1:26
  Sl 139:14
  Ro 9:20
n Gé 3:24
o Gé 2:17
  Gé 3:22

2 Así quedaron terminados los cielos y la tierra y todo su ejército.[a] 2 Y para el día séptimo Dios vio terminada su obra que había hecho, y procedió a descansar en el día séptimo de toda su obra que había hecho.[b] 3 Y Dios procedió a bendecir el día séptimo y a hacerlo sagrado, porque en él ha estado descansando de toda su obra que Dios ha creado con el propósito de hacer.[c]

4 Esta es una historia de los cielos y la tierra en el tiempo en que fueron creados, en el día que Jehová Dios hizo tierra y cielo.[d]

5 Ahora bien, todavía no se hallaba ningún arbusto del campo en la tierra y ninguna vegetación del campo brotaba aún, porque Jehová Dios no había hecho llover[e] sobre la tierra y no había hombre que cultivara el suelo. 6 Pero una neblina[f] subía de la tierra y regaba toda la superficie del suelo.[g]

7 Y Jehová Dios procedió a formar al hombre del polvo[h] del suelo[i] y a soplar en sus narices el aliento de vida,[j] y el hombre vino a ser alma viviente.[k] 8 Además, Jehová Dios plantó un jardín en Edén,[l] hacia el este, y allí puso al hombre que había formado.[m] 9 Así Jehová Dios hizo crecer del suelo todo árbol deseable a la vista de uno y bueno para alimento, y también el árbol de la vida[n] en medio del jardín, y el árbol del conocimiento de lo bueno y lo malo.[o]

10 Ahora bien, había un río que procedía de Edén para regar el jardín, y de allí empezaba a dividirse y llegaba a ser, por decirlo así, cuatro cabeceras. 11 El nombre del primer [río] es Pisón; es el que rodea toda la tierra de Havilá,[p] donde hay oro. 12 Y el oro de aquella tierra es bueno.[q] Allí hay también el bedelio[r] y la piedra de ónice.[s] 13 Y el nombre del segundo río

p Gé 25:18; 1Sa 15:7; q Gé 13:2; r Nú 11:7; s Éx 25:7; 1Cr 29:2; Job 28:16.

es Guihón; es el que rodea toda la tierra de Cus. 14 Y el nombre del tercer río es Hidequel;[a] es el que va al este de Asiria.[b] Y el cuarto río es el Éufrates.[c]

15 Y Jehová Dios procedió a tomar al hombre y a establecerlo en el jardín de Edén[d] para que lo cultivara y lo cuidara.[e] 16 Y también impuso Jehová Dios este mandato al hombre: "De todo árbol del jardín puedes comer hasta quedar satisfecho.[f] 17 Pero en cuanto al árbol del conocimiento de lo bueno y lo malo, no debes comer de él, porque en el día que comas de él, positivamente morirás".[g]

18 Y Jehová Dios pasó a decir: "No es bueno que el hombre continúe solo. Voy a hacerle una ayudante, como complemento de él".[h] 19 Ahora bien, Jehová Dios estaba formando del suelo toda bestia salvaje del campo y toda criatura voladora de los cielos, y empezó a traerlas al hombre para ver lo que llamaría a cada una; y lo que el hombre la llamaba, a cada alma viviente,[i] ese era su nombre.[j] 20 De modo que el hombre iba dando nombres a todos los animales domésticos y a las criaturas voladoras de los cielos y a toda bestia salvaje del campo, pero para el hombre no se halló ayudante como complemento de él. 21 Por lo tanto Jehová Dios hizo caer un sueño[k] profundo sobre el hombre y, mientras este dormía, tomó una de sus costillas, y entonces cerró la carne sobre su lugar. 22 Y Jehová Dios procedió a construir de la costilla que había tomado del hombre una mujer, y a traerla al hombre.

23 Entonces dijo el hombre:

"Esto por fin es hueso de mis huesos
   y carne de mi carne.[m]
Esta será llamada Mujer,
   porque del hombre fue tomada esta".[n]

CAP. 2
a Da 10:4
b Gé 10:11
  Miq 5:6
c Gé 15:18
  Dt 11:24
d Gé 3:24
  Eze 28:13
e Gé 1:28
  Gé 2:8
  Sl 115:16
f Gé 2:9
  Gé 3:2
  Le 25:19
g Gé 3:19
  Sl 146:4
  Ec 9:5
  Eze 18:4
  Ro 5:12
  1Co 15:22
h Pr 31:11
  1Co 11:9
  1Ti 2:13
i Gé 9:10
j Gé 1:26
  Gé 9:2
  Sl 8:6
k 1Sa 26:12
l 1Pr 18:22
  Pr 19:14
  Mr 10:9
  1Ti 2:13
m Gé 29:14
  Jue 9:2
  2Sa 5:1
  2Sa 19:12
n 1Co 11:8

2.ª col.
a Gé 24:58
  Sl 45:10
  Mr 10:7
b Pr 5:18
  Mal 2:16
  Mt 19:5
  Ro 7:2
  1Co 6:16
  1Co 7:10
  Ef 5:31
  Heb 13:4
c Gé 3:7
d Sl 31:17

CAP. 3
e 2Co 11:3
  Rev 12:9
  Rev 20:2
f Mt 10:16
g Gé 1:24
h Gé 2:22
  Nú 22:28
i Gé 2:17
j Gé 2:16
k Gé 2:9
l Éx 19:12
m Gé 5:5
  Jn 8:44
  1Jn 3:8
  Rev 21:8
n Gé 3:22
  Isa 46:5
  Flp 2:6
o Snt 1:14
  1Jn 2:16
p Ro 5:12
  2Co 11:3
  1Ti 2:14
q Job 1:21
r Gé 3:21
s Dt 4:33
  Dt 23:14
  Hch 7:31

24 Por eso el hombre dejará a su padre y a su madre,[a] y tiene que adherirse a su esposa, y tienen que llegar a ser una sola carne.[b] 25 Y ambos continuaban desnudos,[c] el hombre y su esposa, y sin embargo no se avergonzaban.[d]

3 Ahora bien, la serpiente[e] resultó ser la más cautelosa[f] de todas las bestias salvajes del campo que Jehová Dios había hecho.[g] De modo que empezó a decir a la mujer:[h] "¿Es realmente el caso que Dios ha dicho que ustedes no deben comer de todo árbol del jardín?".[i] 2 Ante esto, la mujer dijo a la serpiente: "Del fruto de los árboles del jardín podemos comer.[j] 3 Pero en cuanto al [comer] del fruto del árbol que está en medio del jardín,[k] Dios ha dicho: 'No deben comer de él, no, no deben tocarlo para que no mueran'".[l] 4 Ante esto, la serpiente dijo a la mujer: "Positivamente no morirán.[m] 5 Porque Dios sabe que en el mismo día que coman de él tendrán que abrírseles los ojos y tendrán que ser como Dios, conociendo lo bueno y lo malo".[n]

6 Por consiguiente, la mujer vio que el árbol era bueno para alimento, y que a los ojos era algo que anhelar, sí, el árbol era deseable para contemplarlo.[o] De modo que empezó a tomar de su fruto y a comerlo. Después dio de este también a su esposo cuando [él estuvo] con ella, y él empezó a comerlo.[p] 7 Entonces se les abrieron los ojos a ambos, y empezaron a darse cuenta de que estaban desnudos.[q] Por lo tanto cosieron hojas de higuera y se hicieron coberturas para los lomos.[r]

8 Más tarde oyeron la voz de Jehová Dios que andaba en el jardín hacia la parte airosa del día,[s] y el hombre y su esposa procedieron a esconderse del rostro de Jehová Dios entre los árboles

del jardín.[a] 9 Y Jehová Dios siguió llamando al hombre y diciéndole: "¿Dónde estás?".[b] 10 Por fin él dijo: "Oí tu voz en el jardín, pero tuve miedo porque estaba desnudo, y por eso me escondí".[c] 11 A lo que dijo él: "¿Quién te informó que estabas desnudo?[d] ¿Del árbol del que te mandé que no comieras has comido?".[e] 12 Y pasó el hombre a decir: "La mujer que me diste para que estuviera conmigo, ella me dio [fruto] del árbol y así es que comí".[f] 13 Ante eso, Jehová Dios dijo a la mujer: "¿Qué es esto que has hecho?". A lo cual respondió la mujer: "La serpiente... ella me engañó, y así es que comí".[g]

14 Y Jehová Dios procedió a decir a la serpiente:[h] "Porque has hecho esta cosa, tú eres la maldita de entre todos los animales domésticos y de entre todas las bestias salvajes del campo. Sobre tu vientre irás, y polvo es lo que comerás todos los días de tu vida.[j] 15 Y pondré[k] enemistad[k] entre ti[l] y la mujer,[m] y entre tu descendencia[n] y la descendencia de ella.[o] Él[p] te magullará[q] en la cabeza[r] y tú[s] le magullarás[t] en el talón".[u]

16 A la mujer dijo: "Aumentaré en gran manera el dolor de tu preñez;[v] con dolores de parto darás a luz hijos,[w] y tu deseo vehemente será por tu esposo, y él te dominará".[x]

17 Y a Adán dijo: "Porque escuchaste la voz de tu esposa y te pusiste a comer del árbol respecto al cual te di este mandato:[y] 'No debes comer de él', maldito está el suelo por tu causa.[z] Con dolor comerás su producto todos los días de tu vida.[a] 18 Y espinos y cardos hará crecer para ti,[b] y tienes que comer la vegetación del campo. 19 Con el sudor de tu rostro comerás pan hasta que vuelvas al suelo, porque de él fuiste tomado.[c] Porque polvo eres y a polvo volverás".[d]

20 Después de esto Adán llamó a su esposa por nombre Eva,[e] porque ella tenía que llegar a ser la madre de todo el que viviera.[a] 21 Y Jehová Dios procedió a hacer largas prendas de vestir de piel para Adán y para su esposa, y a vestirlos.[b] 22 Y Jehová Dios pasó a decir: "Mira que el hombre ha llegado a ser como uno de nosotros al conocer lo bueno y lo malo,[c] y ahora, para que no alargue la mano y efectivamente tome [fruto] también del árbol de la vida[d] y coma y viva hasta tiempo indefinido...". 23 Con eso Jehová Dios lo echó del jardín de Edén[e] para que cultivara el suelo del cual había sido tomado.[f] 24 De modo que expulsó al hombre, y al este del jardín de Edén[g] apostó los querubines[h] y la hoja llameante de una espada que continuamente daba vueltas para guardar el camino al árbol de la vida.

4 Ahora bien, Adán tuvo coito con Eva su esposa, y ella quedó encinta.[i] Con el tiempo ella dio a luz a Caín[j] y dijo: "He producido un hombre con la ayuda de Jehová".[k] 2 Más tarde volvió a dar a luz, a su hermano Abel.[l]

Y Abel llegó a ser pastor de ovejas,[m] pero Caín se hizo cultivador del suelo.[n] 3 Y al cabo de algún tiempo aconteció que Caín procedió a traer algunos frutos del suelo[o] como ofrenda a Jehová.[p] 4 Pero en cuanto a Abel, él también trajo algunos primogénitos[q] de su rebaño, aun sus trozos grasos.[r] Ahora bien, aunque Jehová miraba con favor a Abel y su ofrenda,[s] 5 no miraba con ningún favor a Caín ni su ofrenda.[t] Y Caín se enardeció de gran cólera,[u] y empezó a decaérsele el semblante. 6 Por lo cual Jehová dijo a Caín: "¿Por qué estás enardecido de cólera, y por qué se te ha decaído el semblante? 7 Si te diriges a hacer lo bueno, ¿no habrá ensal-

---

CAP. 3
a Da 10:7
  Am 9:3
  Heb 4:13
  1Jn 4:18
b Mig 6:9
c Éx 3:6
d Gé 2:25
e Gé 2:17
f 1Sa 15:24
  Snt 1:14
g 2Co 11:3
  1Ti 2:14
h Gé 3:1
i Isa 65:25
  Miq 7:17
j Isa 35:4
  Isa 43:11
  Heb 10:31
k Gé 22:17
  Snt 4:4
  Jud 9
  Rev 12:7
  Rev 12:17
l Eze 28:14
  Rev 12:9
m Isa 54:5
  Gál 4:26
  Rev 12:1
n Mt 23:33
  Jn 8:44
  1Jn 3:10
o Gé 22:18
  Gé 49:10
  Gál 3:16
  Gál 3:29
p Jn 18:37
q Rev 20:2
r Rev 20:10
s Heb 2:14
t Miq 5:1
  Mt 27:50
u Hch 3:15
  Flp 2:8
v 1Cr 4:9
w Gé 35:16
x 1Co 7:28
  Gé 2:17
  Ec 12:13
z Gé 4:12
  Gé 5:29
a Sl 127:2
  Ag 1:6
b Heb 6:8
c Gé 2:7
d Job 34:15
  Ec 3:20
e Gé 2:19
  Gé 4:1

2.ª col.
a Hch 17:26
b Rev 3:18
c Gé 3:5
  Flp 2:6
d Gé 2:9
e Gé 2:8
f Gé 2:5
  Gé 3:19
g Gé 2:8
h Sl 80:1
  Isa 37:16
  Eze 10:4

CAP. 4
i Gé 1:28
j Jud 11
k Gé 3:16
l Mt 23:35
m Gé 46:34

n Gé 3:23; o Re 10:35; p Le 2:14; q Éx 13:12; r Le 3:9; s Heb 11:4; t Am 5:22; u Pr 14:30; Pr 15:18; Pr 27:4.

zamiento?[a] Pero si no te diriges
a hacer lo bueno, hay pecado
agazapado a la entrada, y su deseo vehemente es por ti;[b] y tú,
por tu parte, ¿lograrás el dominio sobre él?”.[c]
8 Después de eso, Caín dijo a
Abel su hermano: [“Vamos allá
al campo”.] De modo que aconteció que, mientras estaban en el
campo, Caín procedió a atacar a
Abel su hermano y a matarlo.[d]
9 Más tarde Jehová dijo a Caín:
“¿Dónde está Abel tu her-
mano?”,[e] y él dijo: “No sé. ¿Soy
yo el guardián de mi hermano?”.[f]
10 A lo cual él dijo: “¿Qué has
hecho? ¡Escucha! La sangre de
tu hermano está clamando a mí
desde el suelo.[g] 11 Y ahora se
te maldice con destierro del
suelo,[h] que ha abierto su boca
para recibir la sangre de tu hermano [derramada] por mano
tuya.[i] 12 Cuando cultives el
suelo, no te devolverá su poder.[j]
Errante y fugitivo llegarás a ser
en la tierra”.[k] 13 Por lo cual
Caín dijo a Jehová: “Mi castigo
por el error es demasiado grande para llevarlo. 14 Aquí efectivamente estás expulsándome
hoy de sobre la superficie del
suelo, y de tu rostro estaré oculto;[l] y tendré que llegar a ser
errante[m] y fugitivo en la tierra,
y es cosa segura que cualquiera que me halle me matará”.[n]
15 Ante eso, Jehová le dijo: “Por
esa razón, cualquiera que mate a
Caín tiene que sufrir venganza
siete veces”.[o]
De modo que Jehová estableció una señal para Caín a fin de
que nadie que lo hallara lo hirie-
se.[p] 16 Con eso, Caín se fue de
ante el rostro de Jehová[q] y se
puso a morar en la tierra de la
Condición de Fugitivo, al este de
Edén.
17 Después Caín tuvo coito
con su esposa,[r] y ella quedó encinta y dio a luz a Enoc. Entonces [Caín] se ocupó en edificar
una ciudad, y llamó la ciudad
por el nombre de su hijo Enoc.[s]
18 Más tarde, a Enoc le nació
Irad. E Irad llegó a ser padre de
Mehujael, y Mehujael llegó a ser
padre de Metusael, y Metusael
llegó a ser padre de Lamec.
19 Y Lamec procedió a tomar
para sí dos esposas. El nombre
de la primera fue Adá y el
nombre de la segunda fue Zilá.
20 Con el tiempo, Adá dio a luz
a Jabal. Él resultó fundador de
los que moran en tiendas[a] y tienen ganado.[b] 21 Y el nombre
de su hermano fue Jubal. Él resultó fundador de todos los que
manejan el arpa[c] y el caramillo.[d]
22 En cuanto a Zilá, ella también dio a luz a Tubal-caín, forjador de toda clase de herra-
mienta de cobre y de hierro.[e] Y la
hermana de Tubal-caín fue Naamá. 23 Por consiguiente, Lamec compuso estas palabras
para sus esposas Adá y Zilá:

“Oigan mi voz, esposas de
Lamec;
presten oído a mi dicho:
A un hombre he matado por
haberme herido,
sí, a un joven por haberme
dado un golpe.
24 Si siete veces ha de ser vengado[f] Caín,
entonces Lamec setenta
veces y siete”.

25 Y Adán procedió a tener
coito otra vez con su esposa, de
modo que ella dio a luz un hijo y
lo llamó por nombre Set,[g] porque, según dijo ella: “Dios ha
nombrado otra descendencia en
lugar de Abel, porque Caín lo
mató”.[h] 26 Y a Set también le
nació un hijo, y él procedió a
llamarlo por nombre Enós.[i] En
aquel tiempo se dio comienzo a
invocar el nombre de Jehová.[j]

5 Este es el libro de la historia
de Adán. En el día que Dios
creó a Adán, lo hizo a la semejanza de Dios.[k] 2 Macho y
hembra los creó.[l] Después los
bendijo, y por nombre los llamó

CAP. 4
a Lu 14:11; 1Pe 5:6
b Pr 11:6; Snt 1:14
c Ec 8:13; Eze 18:27
d Mt 23:35; 1Jn 3:12; Jud 11
e Sl 10:13; Pr 28:13
f Sl 50:20; Pr 17:17
g Gé 18:20; 2Re 9:26; Isa 26:21; Heb 12:24
h Esd 7:26
i Gé 9:5
j Gé 3:17; Le 26:20; Dt 28:18
k Dt 28:65; Pr 28:17; Os 9:17
l Job 34:29; Isa 59:2; Miq 3:4
m Sl 36:11
n Ro 12:19
o Gé 4:24; Dt 32:35; Heb 10:30
p Eze 9:6
q Sl 34:16
r Gé 5:4
s 2Sa 18:18; Sl 49:11

2.ª col.
a Gé 25:27; Heb 11:9
b Gé 13:7; Dt 3:19
c Sl 33:2; 1Co 14:7
d Job 21:12; Sl 150:4
e Dt 27:5; 2Sa 12:31; Isa 2:4
f Gé 4:15; Le 19:18
g Gé 5:3
h Gé 4:8; Mt 23:35; Heb 11:4
i Gé 5:6; Lu 3:38
j Éx 20:7; 2Re 19:16

CAP. 5
k Gé 1:26; 1Co 11:7; Snt 3:9
l Gé 1:27; Mr 10:6

Hombre[a] en el día que fueron creados.[b]

3 Y Adán siguió viviendo ciento treinta años. Entonces llegó a ser padre de un hijo a su semejanza, a su imagen, y lo llamó por nombre Set.[c] 4 Y los días de Adán después de engendrar a Set llegaron a ser ochocientos años. Entretanto, llegó a ser padre de hijos e hijas.[d] 5 De modo que todos los días de Adán que él vivió ascendieron a novecientos treinta años, y murió.[e]

6 Y Set siguió viviendo ciento cinco años. Entonces llegó a ser padre de Enós.[f] 7 Y después de engendrar a Enós, Set continuó viviendo ochocientos siete años. Entretanto, llegó a ser padre de hijos e hijas. 8 De modo que todos los días de Set ascendieron a novecientos doce años, y murió.

9 Y Enós siguió viviendo noventa años. Entonces llegó a ser padre de Quenán.[g] 10 Y después de engendrar a Quenán, Enós continuó viviendo ochocientos quince años. Entretanto, llegó a ser padre de hijos e hijas. 11 De modo que todos los días de Enós ascendieron a novecientos cinco años, y murió.

12 Y Quenán siguió viviendo setenta años. Entonces llegó a ser padre de Mahalalel.[h] 13 Y después de engendrar a Mahalalel, Quenán continuó viviendo ochocientos cuarenta años. Entretanto, llegó a ser padre de hijos e hijas. 14 De modo que todos los días de Quenán ascendieron a novecientos diez años, y murió.

15 Y Mahalalel siguió viviendo sesenta y cinco años. Entonces llegó a ser padre de Jared.[i] 16 Y después de engendrar a Jared, Mahalalel continuó viviendo ochocientos treinta años. Entretanto, llegó a ser padre de hijos e hijas. 17 De modo que todos los días de Mahalalel as-

cendieron a ochocientos noventa y cinco años, y murió.

18 Y Jared siguió viviendo ciento sesenta y dos años. Entonces llegó a ser padre de Enoc.[a] 19 Y después de engendrar a Enoc, Jared continuó viviendo ochocientos años. Entretanto, llegó a ser padre de hijos e hijas. 20 De modo que todos los días de Jared ascendieron a novecientos sesenta y dos años, y murió.

21 Y Enoc siguió viviendo sesenta y cinco años. Entonces llegó a ser padre de Matusalén.[b] 22 Y después de engendrar a Matusalén, Enoc siguió andando con el Dios [verdadero] trescientos años. Entretanto, llegó a ser padre de hijos e hijas. 23 De modo que todos los días de Enoc ascendieron a trescientos sesenta y cinco años. 24 Y Enoc siguió andando[c] con el Dios [verdadero].[d] Entonces no fue más, porque Dios lo tomó.[e]

25 Y Matusalén siguió viviendo ciento ochenta y siete años. Entonces llegó a ser padre de Lamec.[f] 26 Y después de engendrar a Lamec, Matusalén continuó viviendo setecientos ochenta y dos años. Entretanto, llegó a ser padre de hijos e hijas. 27 De modo que todos los días de Matusalén ascendieron a novecientos sesenta y nueve años, y murió.

28 Y Lamec siguió viviendo ciento ochenta y dos años. Entonces llegó a ser padre de un hijo. 29 Y procedió a llamarlo por nombre Noé,[g] diciendo: "Este nos traerá consuelo [aliviándonos] de nuestro trabajo y del dolor de nuestras manos que resulta del suelo que Jehová ha maldecido".[h] 30 Y después de engendrar a Noé, Lamec continuó viviendo quinientos noventa y cinco años. Entretanto, llegó a ser padre de hijos e hijas. 31 De modo que todos los días de Lamec ascendieron a se-

CAP. 5
a Gé 7:21
  Ec 3:21
  Hch 17:30
  1Co 15:39
b Gé 1:27
  Gé 2:23
  Dt 4:32
  Isa 45:12
  Mt 19:4
c Gé 4:25
  1Cr 1:1
d Gé 6:1
e Gé 2:17
  Gé 3:19
  Sl 146:4
  Pr 21:16
  Ec 6:6
  Ec 9:5
  Eze 18:4
  Ro 6:23
  1Co 15:22
f Gé 4:26
  Lu 3:38
g 1Cr 1:2
h Lu 3:37
i 1Cr 1:2
  Lu 3:37

2.ª col.
a 1Cr 1:3
  Jud 14
b 1Cr 1:3
  Lu 3:37
c Dt 8:6
  Jue 2:22
  Sl 15:2
  Pr 2:7
  Miq 6:8
  Col 1:10
  1Te 2:12
  Jn 4
d Gé 6:9
  Dt 13:4
  Jud 14
  Jud 15
e Dt 34:6
  Jn 3:13
  Heb 11:5
f 1Cr 1:3
  Lu 3:36
g Gé 7:1
  Eze 14:14
  Mt 24:37
  Heb 11:7
  1Pe 3:20
  2Pe 2:5
h Gé 3:17

tecientos setenta y siete años, y murió.

32 Y Noé llegó a tener quinientos años de edad. Después Noé llegó a ser padre de Sem,[a] Cam[b] y Jafet.[c]

6 Ahora bien, aconteció que cuando los hombres comenzaron a crecer en número sobre la superficie del suelo y les nacieron hijas,[d] 2 entonces los hijos del Dios [verdadero][e] empezaron a fijarse[f] en las hijas de los hombres, que ellas eran bien parecidas; y se pusieron a tomar esposas para sí, a saber, todas las que escogieron. 3 Después de eso dijo Jehová: "Ciertamente no obrará mi espíritu[g] para con el hombre por tiempo indefinido,[h] ya que él también es carne.[i] Por consiguiente, sus días tendrán que llegar a ser ciento veinte años".[j]

4 Los nefilim se hallaban en la tierra en aquellos días, y también después, cuando los hijos del Dios [verdadero] continuaron teniendo relaciones con las hijas de los hombres y ellas les dieron a luz hijos, estos fueron los poderosos que eran de la antigüedad, los hombres de fama.

5 Por consiguiente, Jehová vio que la maldad del hombre abundaba en la tierra, y que toda inclinación[k] de los pensamientos del corazón de este era solamente mala todo el tiempo.[l] 6 Y Jehová sintió pesar[m] por haber hecho a hombres en la tierra, y se sintió herido en el corazón.[n] 7 De modo que Jehová dijo: "Voy a borrar de sobre la superficie del suelo a hombres que he creado,[o] desde hombre hasta animal doméstico, hasta animal moviente y hasta criatura voladora de los cielos,[p] porque de veras me pesa haberlos hecho".[q] 8 Pero Noé halló favor en los ojos de Jehová.

9 Esta es la historia de Noé.
Noé fue hombre justo.[r] Resul-

tó exento de falta entre sus contemporáneos. Noé andaba con el Dios [verdadero].[a] 10 Con el tiempo Noé llegó a ser padre de tres hijos: Sem, Cam y Jafet.[b] 11 Y la tierra llegó a estar arruinada a la vista del Dios [verdadero],[c] y la tierra se llenó de violencia.[d] 12 De modo que Dios vio la tierra y, ¡mire!, estaba arruinada,[e] porque toda carne había arruinado su camino sobre la tierra.[f]

13 Después de eso Dios dijo a Noé: "El fin de toda carne ha llegado delante de mí,[g] porque la tierra está llena de violencia como resultado de ellos; y, ¡mira!, voy a arruinarlos junto con la tierra.[h] 14 Haz para ti un arca de madera de árbol resinoso.[i] Harás compartimientos en el arca, y tendrás que cubrirla por dentro y por fuera con alquitrán.[j] 15 Y de esta manera la harás: trescientos codos[k] la longitud del arca, cincuenta codos su anchura, y treinta codos su altura. 16 Harás un *tsóhar* [techo; o ventana] para el arca, y la completarás hasta el punto de un codo hacia arriba, y pondrás la entrada del arca en su costado;[i] la harás con un [piso] bajo, un [piso] segundo y un [piso] tercero.

17 "Y en cuanto a mí, aquí voy a traer el diluvio[m] de aguas sobre la tierra para arruinar de debajo de los cielos a toda carne en la cual esté activa la fuerza de vida.[n] Todo lo que está en la tierra expirará.[o] 18 Y de veras establezco mi pacto contigo; y tienes que entrar en el arca, tú y tus hijos y tu esposa y las esposas de tus hijos contigo.[p] 19 Y de toda criatura viviente de toda clase de carne,[q] dos de cada una, traerás dentro del arca para conservarlas vivas contigo.[r] Macho y hembra serán. 20 De las criaturas voladoras según sus géneros y de los animales domésticos según sus géneros,[s] de

CAP. 5

a Gé 10:21
  Gé 11:10
  Lu 3:36
b Gé 6:10
  Gé 10:6
c Gé 10:2
  Gé 10:21

CAP. 6

d Gé 1:28
e Job 1:6
  Job 38:7
  2Pe 2:4
  Jud 6
f Job 31:1
  Snt 1:14
g Ro 9:22
  1Pe 3:20
h Gé 7:4
i Sl 78:39
  Jn 3:6
j Ro 9:22
  1Pe 3:20
  2Pe 3:9
  Snt 3:15
k Ec 7:29
  Jer 17:9
  Mt 15:19
m Éx 32:14
  1Sa 15:11
n Sl 78:40
  Sl 95:10
o Gé 1:27
  Gé 5:1
  Dt 4:32
p Gé 7:3
q Os 4:3
r Gé 7:1
  Eze 14:14
  Heb 11:7

2.ª col.

a Sl 37:37
  Lu 1:6
  2Pe 2:5
b Gé 5:32
c Heb 4:13
d Sl 11:5
e Rev 11:18
f Mt 24:38
  2Pe 2:5
g Eze 7:2
  Am 8:2
  1Pe 4:7
h Gé 7:4
i Heb 11:7
  1Pe 3:20
  Éx 2:3
k Gé 7:20
  Dt 3:11
i Gé 7:16
m Gé 7:7
  Gé 7:6
  Mt 24:39
  2Pe 2:5
n Gé 7:15
  Ec 3:19
o Gé 7:21
  Sl 104:29
p Gé 7:13
  Isa 26:20
q Gé 8:17
  1Co 15:39
r 1Pe 3:20
s Gé 1:25
  Gé 7:14

todos los animales movientes del suelo según sus géneros, dos de cada uno entrarán a donde ti allí para conservarlos vivos.[a] 21 Y en cuanto a ti, toma para ti toda clase de alimento que se come;[b] y tienes que recogértelo, y tiene que servir de alimento para ti y para ellos".[c]

22 Y Noé procedió a hacer conforme a todo lo que le había mandado Dios. Hizo precisamente así.[d]

7 Después de eso Jehová dijo a Noé: "Entra, tú y toda tu casa,[e] en el arca, porque es a ti a quien he visto justo delante de mí en medio de esta generación.[f] 2 De toda bestia limpia tienes que tomar para ti de siete en siete, el macho y su hembra;[g] y de toda bestia que no es limpia solamente dos, el macho y su hembra; 3 también de las criaturas voladoras de los cielos de siete en siete, macho y hembra,[h] para conservar viva prole sobre la superficie de toda la tierra.[i] 4 Porque dentro de solo siete días más voy a hacer que llueva[j] sobre la tierra cuarenta días y cuarenta noches;[k] y ciertamente borraré de sobre la superficie del suelo toda cosa existente que he hecho".[l] 5 Y Noé procedió a hacer conforme a todo lo que le había mandado Jehová.

6 Y Noé tenía seiscientos años de edad cuando ocurrió el diluvio de aguas sobre la tierra.[m] 7 De modo que entró Noé, y con él sus hijos, y su esposa, y las esposas de sus hijos, en el arca antes de [que empezaran] las aguas del diluvio.[n] 8 De toda bestia limpia y de toda bestia que no es limpia, y de las criaturas voladoras y de todo lo que se mueve sobre el suelo,[o] 9 entraron de dos en dos a donde Noé en el arca, macho y hembra, tal como Dios había mandado a Noé. 10 Y a los siete días re-

sultó que las aguas del diluvio vinieron sobre la tierra.

11 En el año seiscientos de la vida de Noé, en el segundo mes, en el día diecisiete del mes, en este día fueron rotos todos los manantiales de la vasta profundidad acuosa, y las compuertas de los cielos fueron abiertas.[a] 12 Y siguió la fuerte precipitación sobre la tierra por cuarenta días y cuarenta noches.[b] 13 En ese mismo día entró Noé —y con él Sem y Cam y Jafet, los hijos de Noé,[c] y la esposa de Noé y las tres esposas de sus hijos— en el arca;[d] 14 ellos y toda bestia salvaje según su género,[e] y todo animal doméstico según su género, y todo animal moviente que se mueve sobre la tierra según su género,[f] y toda criatura voladora según su género,[g] todo pájaro, toda criatura alada.[h] 15 Y siguieron yendo a Noé dentro del arca, de dos en dos, de toda clase de carne en la cual estaba activa la fuerza de vida.[i] 16 Y los que iban entrando, macho y hembra de toda clase de carne, entraron, tal como le había mandado Dios. Después Jehová cerró tras él la puerta.[j]

17 Y el diluvio siguió sobre la tierra por cuarenta días, y las aguas siguieron aumentando y empezaron a llevar el arca, y esta estaba flotando muy por encima de la tierra. 18 Y las aguas se hicieron anegadoras y siguieron aumentando mucho sobre la tierra, pero el arca siguió yendo sobre la superficie de las aguas.[k] 19 Y a grado tan grande anegaron la tierra las aguas que todas las altas montañas que estaban debajo de todos los cielos quedaron cubiertas.[l] 20 Hasta quince codos [por encima] las anegaron las aguas, y las montañas quedaron cubiertas.[m]

21 De modo que expiró toda carne que estaba moviéndose sobre la tierra,[n] entre las criaturas voladoras y entre los animales

CAP. 6
a Gé 7:15
b Gé 1:30
  Isa 11:7
c Gé 1:29
d Éx 40:16
  Heb 11:7
  1Jn 5:3

CAP. 7
e Pr 11:21
  2Pe 2:5
f Sl 91:14
  Sl 101:6
  Mal 3:18
  Heb 10:38
  1Pe 3:12
  2Pe 2:9
g Le 11:3
  Dt 14:4
h Gé 8:19
i Gé 7:23
j Gé 2:5
  Job 37:6
k Gé 7:12
l Gé 2:19
  Gé 6:7
  Gé 6:17
m Gé 8:13
n Lu 17:27
  Heb 11:7
o Gé 6:20

2.ᵃcol.
a Gé 1:7
  Gé 8:2
b 1Re 19:8
c Gé 6:18
  1Cr 1:4
d Gé 6:18
  1Pe 3:20
  2Pe 2:5
e Gé 1:24
f Gé 6:7
g Le 11:14
h Gé 9:10
i Gé 6:17
  Sl 146:4
  Ec 3:19
j Isa 26:20
k Sl 69:15
l Job 12:15
  2Pe 3:6
m Sl 104:6
n Gé 6:17

domésticos y entre las bestias salvajes y entre todos los enjambres que estaban enjambrando sobre la tierra, y toda la humanidad.ᵃ 22 Todo lo que tenía activo en sus narices el aliento de la fuerza de vida, a saber, cuanto había en el suelo seco, murió.ᵇ 23 Así borró él toda cosa existente que había sobre la superficie del suelo, desde hombre hasta bestia, hasta animal moviente y hasta criatura voladora de los cielos, y fueron borrados de sobre la tierra;ᶜ y solo Noé y los que con él estaban en el arca siguieron sobreviviendo.ᵈ 24 Y las aguas continuaron anegando la tierra por ciento cincuenta días.

8 Después de eso Dios se acordóᵉ de Noé y de toda bestia salvaje y de todo animal doméstico que estaba con él en el arca,ᶠ y Dios hizo pasar un viento sobre la tierra, y las aguas empezaron a bajar.ᵍ 2 Y se cerraron los manantiales de la profundidad acuosaʰ y las compuertasⁱ de los cielos, y así se contuvo la fuerte precipitación del cielo. 3 Y las aguas empezaron a retirarse de sobre la tierra, retirándose progresivamente; y al cabo de ciento cincuenta días faltaban las aguas.ʲ 4 Y en el séptimo mes, en el día dieciséis del mes, el arcaᵏ llegó a descansar sobre las montañas de Ararat.ˡ 5 Y las aguas siguieron menguando progresivamente hasta el mes décimo. En el mes décimo, en el primer día del mes, aparecieron las cimas de las montañas.ᵐ

6 Así sucedió que al cabo de cuarenta días Noé procedió a abrir la ventanaⁿ del arca que había hecho. 7 A continuación envió un cuervo,ᵒ y este continuó volando al aire libre, yendo y volviendo, hasta que las aguas se secaron de sobre la tierra.

8 Más tarde él envió de consigo una palomaᵖ para ver si las aguas habían decrecido de sobre la superficie del suelo. 9 Y la paloma no halló lugar de descanso para la planta de su pie, de modo que volvió a él dentro del arca porque las aguas todavía estaban sobre la superficie de toda la tierra.ᵃ Por lo cual él alargó la mano y la tomó y la trajo a sí dentro del arca. 10 Y siguió esperando aún otros siete días, y volvió a enviar la paloma fuera del arca. 11 Más tarde la paloma volvió a él como a la hora del atardecer y, ¡mire!, tenía en el pico una hoja de olivoᵇ recién arrancada, y así Noé se enteró de que las aguas habían decrecido de sobre la tierra.ᶜ 12 Y siguió esperando aún otros siete días. Entonces envió a la paloma, pero esta ya no volvió más a él.ᵈ

13 Ahora bien, en el año seiscientos uno,ᵉ en el primer mes, en el primer día del mes, aconteció que se habían secado las aguas de sobre la tierra; y Noé procedió a quitar la cubierta del arca y a mirar, y resultó que la superficie del suelo se había desecado.ᶠ 14 Y en el segundo mes, en el día veintisiete del mes, la tierra quedó completamente seca.ᵍ

15 Ahora Dios habló a Noé, y dijo: 16 "Sal del arca, tú y tu esposa y tus hijos y las esposas de tus hijos contigo.ʰ 17 Toda criatura viviente que está contigo de toda clase de carne,ⁱ entre las criaturas voladorasʲ y entre las bestiasᵏ y entre todos los animales movientes que se mueven sobre la tierra,ˡ sácala contigo, puesto que tienen que enjambrar en la tierra y ser fructíferos y llegar a ser muchos sobre la tierra".

18 Con eso salió Noé, y con él también sus hijosⁿ y su esposa y las esposas de sus hijos. 19 Toda criatura viviente, todo animal moviente y toda criatura voladora, todo lo que se mueve sobre la tierra, según sus familias salieron del arca.ᵒ

CAP. 7
a Lu 17:27
b Gé 6:17
Gé 7:15
Job 27:3
Ec 3:19
Isa 42:5
c Gé 6:7
d Pr 2:21
Mt 24:37
1Pe 3:20
2Pe 2:9
2Pe 3:6

CAP. 8
e Gé 19:29
Éx 2:24
1Sa 1:19
Sl 94:14
f Gé 6:20
Heb 11:7
g Sl 33:7
h Gé 7:11
Pr 8:28
i 2Re 7:2
j Job 38:11
Jer 5:22
k Gé 7:18
l 2Re 19:37
m Gé 7:20
n Gé 6:16
o Gé 6:20
Le 11:15
1Re 17:4
Job 38:41
p Sl 55:6

2.ᵃ col.
a Gé 7:19
b Ne 8:15
c Gé 7:20
Gé 8:3
d Jer 48:28
e Gé 7:11
f Gé 1:9
g Éx 14:21
h Gé 7:7
1Pe 3:20
2Pe 2:5
i Gé 7:15
1Co 15:39
j Gé 1:20
Gé 2:19
Gé 6:20
k Gé 1:25
l Gé 1:24
Gé 9:2
m Gé 1:22
Sl 144:13
n Gé 6:10
o Gé 7:14
Sl 36:6

20 Y Noé empezó a edificar un altar[a] a Jehová y a tomar algunas de todas las bestias limpias[b] y de todas las criaturas voladoras limpias[c] y a ofrecer ofrendas quemadas sobre el altar.[d] 21 Y Jehová empezó a oler un olor conducente a descanso,[e] de modo que dijo Jehová en su corazón:[f] "Nunca más invocaré el mal sobre el suelo[g] a causa del hombre, porque la inclinación[h] del corazón del hombre es mala desde su juventud;[i] y nunca más asestaré un golpe a toda cosa viviente tal como he hecho.[j] 22 Durante todos los días que continúe la tierra, nunca cesarán siembra y cosecha, y frío y calor, y verano e invierno, y día y noche".[k]

9 Y Dios pasó a bendecir a Noé y a sus hijos y a decirles: "Sean fructíferos y háganse muchos y llenen la tierra.[l] 2 Y un temor a ustedes y un terror a ustedes continuarán sobre toda criatura viviente de la tierra y sobre toda criatura voladora de los cielos, sobre todo lo que va moviéndose sobre el suelo, y sobre todos los peces del mar. En mano de ustedes ahora se han dado.[m] 3 Todo animal moviente que está vivo puede servirles de alimento.[n] Como en el caso de la vegetación verde, de veras lo doy todo a ustedes.[o] 4 Solo carne con su alma[p] —su sangre[q]— no deben comer.[r] 5 Y, además de eso, su sangre de sus almas la reclamaré. De la mano de toda criatura viviente la reclamaré; y de la mano del hombre, de la mano de cada uno que es su hermano, reclamaré el alma del hombre.[s] 6 Cualquiera que derrame la sangre del hombre, por el hombre será derramada su propia sangre,[t] porque a la imagen de Dios hizo él al hombre. 7 Y en cuanto a ustedes, sean fructíferos y lleguen a ser muchos, hagan que la tierra enjambre de ustedes y lleguen a ser muchos en ella".[a]

8 Y Dios pasó a decir a Noé y a sus hijos con él: 9 "Y en cuanto a mí, aquí estoy estableciendo mi pacto[b] con ustedes y con su prole después de ustedes,[c] 10 y con toda alma viviente que está con ustedes, entre aves, entre bestias y entre todas las criaturas vivientes de la tierra con ustedes, desde todas las que salieron del arca hasta toda criatura viviente de la tierra.[d] 11 Sí, de veras establezco mi pacto con ustedes: Nunca más será cortada [de la vida] toda carne por aguas de un diluvio, y nunca más ocurrirá un diluvio para arruinar la tierra".[e]

12 Y Dios añadió: "Esta es la señal[f] del pacto que estoy dando entre yo y ustedes y toda alma viviente que está con ustedes, por las generaciones hasta tiempo indefinido. 13 De veras doy mi arco iris[g] en la nube, y tiene que servir como señal del pacto entre yo y la tierra. 14 Y tiene que suceder que cuando yo traiga una nube sobre la tierra, entonces ciertamente aparecerá el arco iris en la nube. 15 Y ciertamente me acordaré de mi pacto[h] que hay entre yo y ustedes y toda alma viviente entre toda carne;[i] y nunca más llegarán a ser las aguas un diluvio para arruinar toda carne".[j] 16 Y el arco iris tiene que ocurrir en la nube,[k] y ciertamente lo veré para acordarme del pacto hasta tiempo indefinido[l] entre Dios y toda alma viviente entre toda carne que está sobre la tierra".[m]

17 Y le repitió Dios a Noé: "Esta es la señal del pacto que de veras establezco entre yo y toda carne que está sobre la tierra".[n]

18 Y los hijos de Noé[o] que salieron del arca fueron Sem y Cam y Jafet. Más tarde, Cam fue padre de Canaán.[p] 19 Es-

CAP. 8
a Gé 12:7
Gé 22:9
Gé 26:25
b Gé 7:2
Le 20:25
Dt 14:4
c Dt 14:11
d Le 1:10
Le 1:14
Le 17:11
Dt 27:6
e Le 26:31
Eze 20:41
Ef 5:2
Heb 13:16
f Gé 6:6
g Gé 3:17
Gé 5:29
h Gé 31:21
1Co 28:9
i Gé 6:5
Ec 7:20
Mt 15:19
j Gé 6:17
Isa 54:9
k Gé 1:14
Ec 1:4
Jer 33:20

CAP. 9
l Gé 1:28
Gé 8:17
m Gé 1:26
Snt 3:7
n 1Ti 4:3
o Gé 1:29
p Gé 1:30
Le 17:11
Le 17:14
Le 17:10
r Le 3:17
Le 7:26
Le 17:13
Dt 12:16
Dt 12:23
Hch 15:20
Hch 15:29
Hch 21:25
s Gé 4:10
Éx 21:12
Nú 35:31
Rev 19:2
t Éx 20:13
Nú 35:31
Nú 35:30
Dt 19:6
2Sa 4:11
Mt 24:30
Rev 21:8

2.ª col.
a Gé 1:28
Gé 10:32
b Gé 15:18
Isa 54:9
c Gé 6:18
Gé 9:18
d Gé 8:1
Gé 8:17
e Gé 8:21
f Éx 3:12
g Eze 1:28
Rev 4:3
h Le 26:42
Isa 54:9
i 1Co 15:39
j Gé 8:21
k Job 38:36
1Sl 105:8
Sl 111:5
m Dt 7:9
Heb 6:18

n Gé 9:13; o Gé 5:32; Gé 7:7; Gé 10:1; p Gé 10:6.

tos tres fueron los hijos de Noé, y de estos se esparció la población de toda la tierra.ᵃ

20 Ahora bien, Noé comenzó [a trabajar] de labradorᵇ y procedió a plantar una viña.ᶜ 21 Y empezó a beber del vino y se embriagó,ᵈ y así se desarropó en medio de su tienda. 22 Más tarde, Camᵉ el padre de Canaán vio la desnudezᶠ de su padre y se puso a informarlo a sus dos hermanos afuera.ᵍ 23 Ante aquello, Sem y Jafet tomaron un mantoʰ y se lo pusieron sobre los dos hombros y entraron caminando hacia atrás. Así cubrieron la desnudez de su padre, mientras tenían vuelto el rostro, y no vieron la desnudez de su padre.ⁱ

24 Por fin Noé despertó de su vino y llegó a saber lo que le había hecho su hijo menor. 25 Por lo cual dijo:

"Maldito sea Canaán.ʲ
Llegue a ser él el esclavo más
   bajo para sus hermanos".ᵏ

26 Y añadió:

"Bendito sea Jehová,ˡ el Dios
   de Sem,
y llegue a ser Canaán esclavo para él.ᵐ

27 Conceda Dios amplio espacio
   a Jafet,
y resida él en las tiendas de
   Sem.ⁿ
Llegue a ser Canaán esclavo para él también".

28 Y Noé continuó viviendo trescientos cincuenta años después del diluvio.ᵒ 29 De modo que todos los días de Noé ascendieron a novecientos cincuenta años, y murió.ᵖ

10 Y esta es la historia de los hijos de Noé:ᵖ Sem, Cam y Jafet.

Ahora bien, empezaron a nacerles hijos después del diluvio.ʳ 2 Los hijos de Jafet fueron Gómerˢ y Magogᵗ y Madaiᵘ y Javánᵛ y Tubalʷ y Mesecˣ y Tirás.ʸ

3 Y los hijos de Gómer fueron Askenazᵃ y Rifatᵇ y Togarmá.ᶜ

4 Y los hijos de Javán fueron Elisáᵈ y Tarsis,ᵉ Kitimᶠ y Dodanim.ᵍ

5 Procedente de estos la población de las islas de las naciones se esparció por sus tierras, cada una según su lengua, según sus familias, por sus naciones.

6 Y los hijos de Cam fueron Cusʰ y Mizraimⁱ y Putʲ y Canaán.ᵏ

7 Y los hijos de Cus fueron Sebáˡ y Havilá y Sabtá y Raamámᵐ y Sabtecá.

Y los hijos de Raamá fueron Seba y Dedán.ⁿ

8 Y Cus llegó a ser padre de Nemrod.ᵒ Él dio comienzo a lo de hacerse un poderoso en la tierra. 9 Se exhibió [como un] poderoso cazador en oposición a Jehová. Por eso hay un dicho: "Como Nemrod, poderoso cazador en oposición a Jehová".ᵖ 10 Y el principio de su reino llegó a ser Babelᵠ y Erecʳ y Akkad y Calné, en la tierra de Sinar.ˢ 11 De aquella tierra salió para Asiriaᵗ y se puso a edificar a Níniveᵘ y a Rehobot-Ir y a Cálah 12 y a Resen entre Nínive y Cálah: esta es la gran ciudad.

13 Y Mizraimᵛ llegó a ser padre de [los] ludimʷ y de [los] anamim y de [los] lehabim y de [los] naftuhimˣ 14 y de [los] patrusimʸ y de [los] casluhimᶻ (de entre quienes procedieron los filisteosᵃ) y de [los] caftorim.ᵇ

15 Y Canaán llegó a ser padre de Sidónᶜ su primogénito y de Hetᵈ 16 y del jebuseoᵉ y del amorreoᶠ y del guirgaseo 17 y del heveoᵍ y del arqueo y del sineo 18 y del arvadeoʰ y del zemareo y del hamateo;ⁱ y después las familias del cananeo fueron esparcidas. 19 De modo que el límite del cananeo

CAP. 9
a 1Cr 1:4
  1Pe 3:20
b Gé 2:15
  2Ti 2:6
c Dt 20:6
d Gé 19:35
  Pr 23:35
e 1Cr 1:8
f Le 18:7
  Eze 22:10
g Pr 12:13
  Pr 17:9
  Ef 5:3
h Gé 37:34
  Éx 22:27
i Éx 20:12
  Le 19:32
  Isa 58:7
j Le 18:3
  Dt 7:1
  Dt 21:16
  Ro 1:27
k Jos 17:13
l Éx 18:10
  Dt 8:10
  1Re 1:48
  1Cr 29:20
  Lu 1:68
m Jos 9:23
  Jue 1:28
  1Re 9:21
n 1Cr 1:5
o Gé 7:6
p Heb 11:7

CAP. 10
q 1Cr 1:4
  Lu 3:36
r Gé 9:19
s Eze 38:6
  Gál 1:2
t Eze 38:2
u 2Re 17:6
  Isa 66:19
v Zac 9:13
w Isa 66:19
  Eze 27:13
x Sl 120:5
  Eze 32:26
y 1Cr 1:5

2.ᵃ col.
a Jer 51:27
b 1Cr 1:6
c Eze 27:14
  Eze 38:6
d Eze 27:7
e 1Re 10:22
  Jon 1:3
f Isa 23:1
g 1Cr 1:7
h 1Cr 1:8
i Gé 50:11
j Jer 46:9
  Na 3:9
k Nú 34:2
l Sl 72:10
m Eze 27:22
n 1Cr 1:9
o 1Cr 1:10
p Sl 35:4
q Gé 11:9
r Esd 4:9
s Da 1:2
t Miq 5:6
u Jon 3:3
  Mt 12:41
v 1Cr 1:8
w Jer 46:9
x 1Cr 1:11

y Eze 29:14; z 1Cr 1:12; a Jos 13:3; Jer 47:4; b Dt 2:23; c Jos 13:6; Mr 7:24; d Gé 25:10; Gé 27:46; e Jue 1:21; f Gé 15:16; Dt 3:8; g Jos 11:3; h Eze 27:11; i 1Re 8:65; Zac 9:2.

llegó a ser desde Sidón hasta Guerar,[a] cerca de Gaza,[b] hasta Sodoma y Gomorra[c] y Admá[d] y Zeboyim,[e] cerca de Lasa. 20 Estos fueron los hijos de Cam según sus familias, según sus lenguas, en sus tierras, por sus naciones.

21 Y a Sem, el antepasado de todos los hijos de Éber,[f] el hermano de Jafet el mayor, también le nació descendencia. 22 Los hijos de Sem fueron Elam[g] y Asur[h] y Arpaksad[i] y Lud y Aram. 23 Y los hijos de Aram fueron Uz y Hul y Guéter y Mas.[j]

24 Y Arpaksad llegó a ser padre de Selah,[k] y Selah llegó a ser padre de Éber.

25 Y a Éber le nacieron dos hijos. El nombre del uno fue Péleg,[l] porque en sus días se dividió la tierra;[m] y el nombre de su hermano fue Joqtán.[n]

26 Y Joqtán llegó a ser padre de Almodad y de Sélef y de Hazarmávet y de Jérah[o] 27 y de Hadoram y de Uzal y de Diqlá[p] 28 y de Obal y de Abimael y de Seba[q] 29 y de Ofir[r] y de Havilá[s] y de Jobab;[t] todos estos fueron los hijos de Joqtán.

30 Y el lugar de su morada llegó a extenderse desde Mesá hasta Sefar, la región montañosa del Oriente.

31 Estos fueron los hijos de Sem según sus familias, según sus lenguas, en sus tierras, según sus naciones.[u]

32 Estas fueron las familias de los hijos de Noé según sus descendencias familiares, por sus naciones, y procedentes de estas las naciones se esparcieron por la tierra después del diluvio.[v]

11 Ahora bien, toda la tierra continuaba siendo de un solo lenguaje y de un solo conjunto de palabras. 2 Y aconteció que, al ir viajando hacia el este, finalmente descubrieron una llanura-valle en la tierra de Sinar,[w] y se pusieron a morar allí. 3 Y empezaron a decirse,

cada uno al otro: "¡Vamos! Hagamos ladrillos y cozámoslos con un procedimiento de quema". De modo que el ladrillo les sirvió de piedra, pero el betún les sirvió de argamasa.[a] 4 Entonces dijeron: "¡Vamos! Edifiquémonos una ciudad y también una torre con su cúspide en los cielos,[b] y hagámonos un nombre célebre,[c] por temor de que seamos esparcidos por toda la superficie de la tierra".[d]

5 Y Jehová procedió a bajar para ver la ciudad y la torre que los hijos de los hombres habían edificado.[e] 6 A continuación dijo Jehová: "¡Mira! Son un solo pueblo y hay un solo lenguaje para todos ellos,[f] y esto es lo que comienzan a hacer. Pues, ahora no hay nada que tengan pensado hacer que no les sea posible lograr.[g] 7 ¡Vamos! Bajemos[h] y confundamos[i] allí su lenguaje para que no se escuche el uno el lenguaje del otro".[j] 8 Por consiguiente, Jehová los esparció desde allí sobre toda la superficie de la tierra,[k] y poco a poco dejaron de edificar la ciudad.[l] 9 Por eso se le dio el nombre de Babel,[m] porque allí había confundido Jehová el lenguaje de toda la tierra, y de allí los había esparcido[n] Jehová sobre toda la superficie de la tierra.

10 Esta es la historia de Sem.[o] Sem tenía cien años de edad cuando llegó a ser padre de Arpaksad,[p] dos años después del diluvio. 11 Y después de engendrar a Arpaksad, Sem continuó viviendo quinientos años. Entretanto, llegó a ser padre de hijos e hijas.[q]

12 Y Arpaksad vivió treinta y cinco años. Entonces llegó a ser padre de Selah.[r] 13 Y después de engendrar a Selah, Arpaksad continuó viviendo cuatrocientos tres años. Entretanto, llegó a ser padre de hijos e hijas.

14 Y Selah vivió treinta años. Entonces llegó a ser padre de

CAP. 10
a Gé 20:1
b Jos 15:47
   Hch 8:26
c Gé 13:10
   Gé 19:24
   2Pe 2:6
   Jud 7
d Gé 29:23
e Gé 14:8
f Gé 11:10
g Gé 4:9
   Hch 2:9
h Eze 27:23
i Gé 11:10
j 1Cr 1:17
k Gé 11:12
   Lu 3:35
l Gé 11:16
m Gé 11:19
n 1Cr 1:19
o 1Cr 1:20
p 1Cr 1:21
q 1Cr 1:22
r 1Re 9:28
   1Re 10:11
   1Cr 29:4
s Gé 2:11
   Gé 25:18
t 1Cr 1:23
u Gé 10:5
v Gé 9:7
   Gé 9:19
   Hch 17:26

CAP. 11
w Gé 10:10
   Da 1:2

2.ª col.
a Éx 1:14
   Éx 2:3
b Am 9:2
c Sl 49:11
   Da 4:30
   Jn 5:44
d Gé 9:1
   Lu 1:51
e Gé 18:21
   Sl 11:4
   Heb 4:13
f Gé 11:1
g Ec 7:29
   1Co 1:19
h Gé 1:26
   Pr 8:30
i Job 5:12
   Sl 33:10
   Sl 55:9
j Gé 10:5
k Dt 32:8
   Lu 1:51
l Job 12:14
   Sl 127:1
m Jer 50:1
   1Pe 5:13
n Sl 68:30
   Lu 1:51
o Gé 10:1
   1Cr 1:4
   Lu 3:36
p Gé 10:22
   1Cr 1:17
q Gé 10:24
   1Cr 1:18
   Lu 3:35

Éber.ᵃ 15 Y después de engendrar a Éber, Selah continuó viviendo cuatrocientos tres años. Entretanto, llegó a ser padre de hijos e hijas.

16 Y Éber siguió viviendo treinta y cuatro años. Entonces llegó a ser padre de Péleg.ᵇ 17 Y después de engendrar a Péleg, Éber continuó viviendo cuatrocientos treinta años. Entretanto, llegó a ser padre de hijos e hijas.

18 Y Péleg siguió viviendo treinta años. Entonces llegó a ser padre de Reú.ᶜ 19 Y después de engendrar a Reú, Péleg continuó viviendo doscientos nueve años. Entretanto, llegó a ser padre de hijos e hijas.

20 Y Reú siguió viviendo treinta y dos años. Entonces llegó a ser padre de Serug.ᵈ 21 Y después de engendrar a Serug, Reú continuó viviendo doscientos siete años. Entretanto, llegó a ser padre de hijos e hijas.

22 Y Serug siguió viviendo treinta años. Entonces llegó a ser padre de Nacor.ᵉ 23 Y después de engendrar a Nacor, Serug continuó viviendo doscientos años. Entretanto, llegó a ser padre de hijos e hijas.

24 Y Nacor siguió viviendo veintinueve años. Entonces llegó a ser padre de Taré.ᶠ 25 Y después de engendrar a Taré, Nacor continuó viviendo ciento diecinueve años. Entretanto, llegó a ser padre de hijos e hijas.

26 Y Taré siguió viviendo setenta años, después de lo cual llegó a ser padre de Abrán,ᵍ Nacorʰ y Harán.

27 Y esta es la historia de Taré.

Taré llegó a ser padre de Abrán, Nacor y Harán; y Harán llegó a ser padre de Lot.ⁱ 28 Más tarde, Harán murió mientras estaba en compañía de Taré su padre en la tierra de su nacimiento, en Urʲ de los caldeos.ᵏ 29 Y Abrán y Nacor

CAP. 11
a Gé 10:21
1Cr 1:18
b Gé 10:25
1Cr 1:19
c 1Cr 1:25
Lu 3:35
d Gé 3:35
e 1Cr 1:26
f Gé 11:32
Lu 3:34
g Gé 12:7
Gé 15:6
Gé 17:5
Gé 18:19
Jn 8:39
Ro 4:11
Gál 3:16
Heb 11:17
Snt 2:23
h Jos 24:2
i Gé 12:4
Gé 29:1
2Pe 2:7
j Gé 15:7
Ne 9:7
k 2Re 24:2
Hch 7:4

2.ª col.
a Gé 12:11
Gé 17:15
Gé 20:12
1Pe 3:6
b Gé 22:20
Gé 24:15
c Gé 16:2
Gé 18:11
Ro 4:19
Heb 11:11
d Gé 11:27
Gé 12:5
Gé 18:5
f Gé 9:26
Gé 10:19
Gé 12:7
Nú 24:2
Hch 13:19
g Gé 12:4
Gé 27:43
Hch 7:2

CAP. 12
h Jos 24:3
Hch 7:4
i Gé 13:16
Gé 15:5
Gé 17:5
Gé 22:17
Heb 6:14
j Gé 27:29
Éx 23:22
Nú 24:9
k Zac 8:23
Lu 1:73
Hch 3:25
Gál 3:8
l Heb 11:8
m Gé 11:29
n Gé 11:31
o Gé 13:6
Ec 5:19
p Gé 26:3
q Hch 7:16
r Gé 35:4
Dt 11:30
s Gé 3:15
Gé 21:12
Gé 28:14
Ro 9:7
Gál 3:16

procedieron a tomar esposas para sí. El nombre de la esposa de Abrán fue Sarai,ᵃ mientras que el nombre de la esposa de Nacor fue Milcá,ᵇ la hija de Harán, el padre de Milcá y padre de Iscá. 30 Pero Sarai continuó estéril;ᶜ no tenía hijo alguno.

31 Después de eso Taré tomó a Abrán su hijo y a Lot, el hijo de Harán, su nieto,ᵈ y a Saraiᵉ su nuera, la esposa de Abrán su hijo, y estos salieron con él de Ur de los caldeos para ir a la tierra de Canaán.ᶠ Con el tiempo llegaron a Haránᵍ y se pusieron a morar allí. 32 Y los días de Taré llegaron a ser doscientos cinco años. Entonces murió Taré en Harán.

12 Y Jehová procedió a decir a Abrán: "Vete de tu país y de tus parientes y de la casa de tu padre al país que yo te mostraré;ʰ 2 y haré de ti una nación grande y te bendeciré y de veras haré grande tu nombre; y resulta ser tú una bendición.ⁱ 3 Y ciertamente bendeciré a los que te bendigan, y al que invoque mal sobre ti lo maldeciré,ʲ y ciertamente se bendecirán por medio de ti todas las familias del suelo".ᵏ

4 Ante eso, Abrán se fue tal como le había hablado Jehová, y Lot lo acompañó. Y Abrán tenía setenta y cinco años de edad cuando salió de Harán.ˡ 5 Así que Abrán tomó a Sarai su esposaᵐ y a Lot el hijo de su hermanoⁿ y todos los bienes que ellos habían acumuladoᵒ y las almas que habían adquirido en Harán, y procedieron a salir para ir a la tierra de Canaán.ᵖ Por fin llegaron a la tierra de Canaán. 6 Y Abrán siguió a través de la tierra hasta la ubicación de Siquem,ᑫ cerca de los árboles grandes de Moré;ʳ y en aquel tiempo el cananeo estaba en la tierra. 7 Jehová ahora se apareció a Abrán y dijo: "A tu descendenciaˢ voy a

dar esta tierra".[a] Después de eso él edificó allí un altar a Jehová, que se le había aparecido. 8 Más tarde se mudó de allí a la región montañosa, al este de Betel,[b] y asentó su tienda, con Betel al oeste y Hai[c] al este. Entonces edificó allí un altar a Jehová[d] y empezó a invocar el nombre de Jehová.[e] 9 Después Abrán levantó el campamento, y fue entonces de campamento en campamento hacia el Néguev.[f]

10 Ahora bien, surgió un hambre en el país, y Abrán procedió a bajar hacia Egipto para residir allí como forastero,[g] porque era grave el hambre en el país.[h] 11 Y aconteció que tan pronto como estuvo próximo a entrar en Egipto, entonces dijo a Sarai su esposa: "¡Mira, por favor! Bien sé yo que eres mujer de hermosa apariencia.[i] 12 Por eso de seguro sucederá que los egipcios te verán y dirán: 'Esta es su esposa'. Y ciertamente me matarán, pero a ti te conservarán viva. 13 Por favor, di que eres mi hermana,[j] a fin de que me vaya bien por causa tuya, y con certeza mi alma vivirá debido a ti".[k]

14 Sucedió, pues, que tan pronto como Abrán entró en Egipto, los egipcios llegaron a ver a la mujer, que ella era muy hermosa. 15 Y también los príncipes de Faraón llegaron a verla y empezaron a alabársela a Faraón, de modo que la mujer fue llevada a casa de Faraón. 16 Y él trató bien a Abrán por causa de ella, y este llegó a tener ovejas y ganado vacuno y asnos y siervos y siervas y asnas y camellos.[l] 17 Entonces Jehová tocó a Faraón y a su casa con grandes plagas[m] por causa de Sarai, esposa de Abrán.[n] 18 Por lo tanto Faraón llamó a Abrán y dijo: "¿Qué es esto que me has hecho? ¿Por qué no me informaste que era tu esposa?[o] 19 ¿Por qué dijiste: 'Es mi hermana',[p] de modo que yo estuve a punto de tomarla por esposa? Y

CAP. 12
a Gé 13:15
Gé 15:7
Gé 17:8
Dt 34:4
b Gé 28:19
Gé 31:13
c Gé 13:3
Jos 7:2
d Gé 8:20
Gé 35:3
e Gé 26:25
Pr 18:10
Ro 10:13
f Gé 20:1
Gé 24:62
g Gé 47:4
Dt 23:7
Sl 105:13
Hch 7:6
h Gé 26:1
i Gé 26:7
j Gé 12:19
k Gé 20:12
Gé 20:14
Gé 24:35
m 1Sa 5:11
Gé 11:29
Gé 17:15
Gé 23:19
o Ro 7:3
p Gé 20:2
Gé 20:12

2.ᵃ col.
a Sl 105:14

CAP. 13
b Gé 12:9
c Gé 24:35
Dt 8:18
d Gé 12:8
Jos 7:2
e Gé 12:7
f Gé 21:33
Isa 12:4
Ro 10:13
g Gé 36:7
h Gé 10:19
Gé 15:18
i Gé 11:27
j Sl 133:1
Pr 15:18
Ro 12:10
k Pr 17:14
Ro 12:18
Heb 12:14
l Gé 19:28
m Gé 2:9
Isa 51:3
Eze 36:35
n Gé 19:22

ahora, aquí está tu esposa. ¡Tómala y vete!". 20 Y Faraón dio mandatos respecto de él a unos hombres, y estos se fueron acompañándolo en despedida a él y a su esposa y todo cuanto tenía.[a]

13 Después de eso Abrán subió de Egipto —él y su esposa y todo cuanto tenía, y Lot con él— al Néguev.[b] 2 Y Abrán tenía gran cantidad de manadas y plata y oro.[c] 3 Y siguió adelante de campamento en campamento desde el Néguev hasta Betel, al lugar donde primero había estado su tienda entre Betel y Hai,[d] 4 al lugar del altar que había hecho allí originalmente;[e] y Abrán procedió a invocar allí el nombre de Jehová.[f]

5 Ahora bien, Lot, que iba junto con Abrán, también era dueño de ovejas y ganado vacuno y tiendas. 6 Así que la tierra no permitía que moraran todos juntos, porque se habían hecho muchos sus bienes y ellos no podían morar todos juntos.[g] 7 Y se suscitó una riña entre los manaderos del ganado de Abrán y los manaderos del ganado de Lot; y en aquel tiempo el cananeo y el perizita moraban en el país.[h] 8 Por eso dijo Abrán a Lot:[i] "Por favor, que no continúe riña alguna entre yo y tú y entre mis manaderos y tus manaderos, porque somos hermanos.[j] 9 ¿No está a tu disposición todo el país? Por favor, sepárate de mí. Si tú vas a la izquierda, entonces yo ciertamente iré a la derecha; pero si tú vas a la derecha, entonces yo ciertamente iré a la izquierda".[k] 10 De modo que Lot alzó los ojos y vio todo el Distrito del Jordán,[l] que todo él era una región bien regada, antes de que Jehová arruinara a Sodoma y Gomorra, como el jardín de Jehová,[m] como la tierra de Egipto hasta Zóar.[n] 11 Entonces Lot escogió para sí todo el Distrito del Jordán, y Lot mudó

su campamento al este. Así que
se separaron el uno del otro.
12 Abrán moró en la tierra de
Canaán, pero Lot moró entre las
ciudades del Distrito.[a] Por fin
asentó su tienda cerca de Sodoma. 13 Y los hombres de Sodoma eran malos, y eran pecadores en extremo contra Jehová.[b]

14 Y Jehová dijo a Abrán después que Lot se hubo separado
de él: “Alza los ojos, por favor, y
mira desde el lugar donde estás,
hacia el norte y hacia el sur y
hacia el este y hacia el oeste,[c]
15 porque toda la tierra que estás mirando, a ti y a tu descendencia la voy a dar hasta tiempo
indefinido.[d] 16 Y ciertamente
constituiré a tu descendencia
como las partículas de polvo de
la tierra, de modo que, si un
hombre pudiera contar las partículas de polvo de la tierra, entonces podría ser contada tu
descendencia.[e] 17 Levántate,
ve de un sitio a otro en la tierra
por su largo y por su ancho,
porque a ti te la voy a dar”.[f]
18 De modo que Abrán continuó viviendo en tiendas. Más
tarde vino y moró entre los árboles grandes de Mamré,[g] que están en Hebrón;[h] y allí se puso a
edificar un altar a Jehová.[i]

14 Ahora bien, aconteció en
los días de Amrafel rey de
Sinar,[j] Arioc rey de Elasar, Kedorlaomer[k] rey de Elam[l] y Tidal
rey de Goyim,[m] 2 que estos hicieron guerra contra Bera rey de
Sodoma,[n] y contra Birsá rey de
Gomorra,[o] Sinab rey de Admá[p] y
Seméber rey de Zeboyim,[q] y el
rey de Bela (es decir, Zóar).[r]
3 Todos estos marcharon como
aliados[s] a la llanura baja de Sidim,[t] es decir, el mar Salado.[u]

4 Doce años habían servido a
Kedorlaomer, pero al año decimotercero se rebelaron. 5 Y
en el año decimocuarto vino Kedorlaomer, y también los reyes
que con él estaban, y asestaron
derrotas a los refaím en Asterot-
qarnaim,[a] y a los zuzim en
Cam, y a los emim[b] en Savé-
quiryataim, 6 y a los horeos[c]
en su montaña de Seír,[d] hasta
El-parán,[e] que está junto al desierto. 7 Entonces se volvieron y vinieron a En-mispat,
es decir, Qadés,[f] y derrotaron a
todo el campo de los amalequitas[g] y también a los amorreos[h]
que moraban en Hazazón-
tamar.[i]

8 Entonces fue cuando salió
en marcha el rey de Sodoma, y
también el rey de Gomorra y el
rey de Admá y el rey de Zeboyim
y el rey de Bela (es decir, Zóar),
y se formaron en orden de batalla contra ellos en la llanura baja
de Sidim,[j] 9 contra Kedorlaomer rey de Elam y Tidal rey de
Goyim y Amrafel rey de Sinar y
Arioc rey de Elasar;[k] cuatro reyes contra los cinco. 10 Ahora
bien, la llanura baja de Sidim[l]
era pozo tras pozo de betún;[m] y
los reyes de Sodoma y Gomorra[n]
se dieron a la fuga y fueron
cayendo en estos, y los que
quedaron huyeron a la región
montañosa.[o] 11 Entonces los
vencedores tomaron todos los
bienes de Sodoma y Gomorra y
todo su alimento y se fueron por
su camino.[p] 12 También tomaron a Lot, hijo del hermano
de Abrán, y sus bienes, y siguieron su camino. En aquel entonces él moraba en Sodoma.[q]

13 Después de eso, un hombre
que había escapado vino y se lo
informó a Abrán el hebreo.[r] Él
residía entonces entre los árboles grandes de Mamré el
amorreo,[s] el hermano de Escol y
hermano de Aner;[t] y ellos eran
confederados de Abrán. 14 Así
llegó a oír Abrán que su hermano había sido llevado cautivo.[u]
En seguida juntó en formación
militar a sus hombres adiestrados,[v] trescientos dieciocho
esclavos nacidos en su casa,[w] y
fue en persecución de ellos hasta
Dan.[x] 15 Y de noche se puso a

CAP. 13
a Gé 19:29
b Gé 18:20, Gé 19:5, Ro 1:27, 2Pe 2:6, Jud 7
c Dt 34:1
d Gé 12:7, Gé 15:18, Gé 24:7, Éx 33:1
e Gé 12:2, Gé 15:5, Éx 1:7, Dt 26:5, Heb 11:12
f Dt 34:4, Jos 12:7
g Gé 18:1, Gé 23:19, Gé 25:9
h Gé 23:2
i Gé 12:7

CAP. 14
j Gé 10:10
k Gé 14:17
l Gé 10:22
m Gé 14:9
n Gé 10:19, Gé 13:12, 2Pe 2:6
o Gé 13:10, Gé 18:20, Jud 7
p Os 11:8
q Dt 29:23
r Dt 34:3
s Jue 20:11
t Gé 14:10
u Dt 3:17

2.ª col.
a Dt 1:4
b Dt 2:10
c Dt 2:12
d Gé 36:8
e Gé 21:21
f Nú 20:1
g Gé 36:12, 1Sa 15:2
h Gé 10:16
i 2Cr 20:2
j Gé 14:3
k Gé 14:1
l Gé 14:3
m Gé 11:3, Éx 2:3
n Dt 29:23
o Gé 19:30
p Gé 14:16
q Gé 19:1, 2Pe 2:7
r Gé 40:15, Éx 3:18
s Gé 10:16, Gé 13:18
t Gé 14:24, Nú 32:9
u Gé 11:27
v 1Re 20:27
w Gé 17:12
x Jue 18:29

dividir sus fuerzas,[a] él y sus esclavos, contra ellos, y así los derrotó y siguió persiguiéndolos hasta Hobá, que está al norte de Damasco. 16 Y procedió a recobrar todos los bienes,[b] y recobró también a Lot su hermano, y sus bienes, y también a las mujeres y a la gente.[c]

17 Entonces el rey de Sodoma salió a su encuentro después que él volvió de derrotar a Kedorlaomer y a los reyes que con él estaban, a la llanura baja de Savé, es decir, a la llanura baja del rey.[d] 18 Y Melquisedec[e] rey de Salem[f] sacó pan y vino,[g] y él era sacerdote del Dios Altísimo.[h] 19 Entonces lo bendijo y dijo:

　"¡Bendito sea Abrán del Dios
　　Altísimo,[i]
　Productor de cielo y tierra;[j]
20 y bendito sea el Dios Altísimo,[k]
　　que ha entregado a tus
　　opresores en tu mano!".[l]

Ante aquello, Abrán le dio el décimo de todo.[m]

21 Después de eso el rey de Sodoma dijo a Abrán: "Dame las almas,[n] pero toma los bienes para ti". 22 Ante esto, Abrán dijo al rey de Sodoma: "De veras alzo la mano [en juramento][o] a Jehová el Dios Altísimo, Productor de cielo y tierra, 23 [y juro] que, desde un hilo hasta una correa de sandalia, no, no tomaré nada de lo que es tuyo,[p] para que no digas: 'Yo fui quien enriqueció a Abrán'. 24 ¡Nada para mí![q] Solamente lo que ya hayan comido los jóvenes, y la parte que les corresponde a los hombres que fueron conmigo, Aner, Escol y Mamré[r]... que tomen ellos la parte que les corresponde".[s]

15 Después de estas cosas vino la palabra de Jehová a Abrán en una visión,[t] y dijo: "No temas,[u] Abrán. Soy para ti un escudo.[v] Tu galardón será muy grande".[w] 2 A lo que dijo

Abrán: "Señor Soberano Jehová, ¿qué me darás, cuando voy quedándome sin hijo y el que poseerá mi casa es un hombre de Damasco, Eliezer?".[a] 3 Y Abrán añadió: "¡Mira! No me has dado descendencia,[b] y, ¡mira!, un hijo[c] de mi casa me sucede como heredero". 4 Pero, ¡mire!, la palabra de Jehová a él fue en estas palabras: "Este hombre no te sucederá como heredero; más bien, uno que saldrá de tus propias entrañas te sucederá como heredero".[d]

5 Entonces lo sacó afuera y dijo: "Mira hacia arriba, por favor, a los cielos, y cuenta las estrellas, si es que se te hace posible contarlas".[e] Y pasó a decirle: "Así llegará a ser tu descendencia".[f] 6 Y él puso fe en Jehová;[g] y él procedió a contárselo por justicia.[h] 7 Entonces le añadió: "Yo soy Jehová, que te hizo salir de Ur de los caldeos para darte esta tierra para que la tomes en posesión".[i] 8 A lo cual él dijo: "Señor Soberano Jehová, ¿en qué sabré que la tomaré en posesión?".[j] 9 Él a su vez le dijo: "Toma para mí una novilla de tres años y una cabra de tres años y un carnero de tres años y una tórtola y un pichón".[k] 10 De modo que él tomó para sí todos estos y los partió en dos y puso cada parte de ellos de modo que hiciera juego con la otra, pero no cortó en pedazos los pájaros.[l] 11 Y las aves de rapiña empezaron a descender sobre los cadáveres,[m] pero Abrán seguía ahuyentándolas.

12 Después de un rato el sol estaba para ponerse, y un sueño profundo cayó sobre Abrán,[n] y, ¡mire!, una oscuridad aterradoramente grande estaba cayendo sobre él. 13 Y él empezó a decir a Abrán: "Puedes saber con seguridad que tu descendencia llegará a ser residente forastera en tierra ajena,[o] y tendrá que servirles, y estos ciertamente

la afligirán por cuatrocientos años.[a] 14 Pero a la nación que ellos servirán yo la voy a juzgar,[b] y después de aquello saldrán con muchos bienes.[c] 15 En cuanto a ti, irás a tus antepasados en paz; serás enterrado en buena vejez.[d] 16 Pero a la cuarta generación ellos volverán acá,[e] porque todavía no ha quedado completo el error de los amorreos".[f]

17 Ahora el sol se estaba poniendo y vino una densa oscuridad y, ¡mire!, un horno humeante y una antorcha de fuego que pasó por entre estos trozos.[g] 18 En aquel día Jehová celebró un pacto[h] con Abrán, diciendo: "A tu descendencia ciertamente daré esta tierra,[i] desde el río de Egipto hasta el gran río, el río Éufrates:[j] 19 los quenitas[k] y los quenizitas y los qadmonitas 20 y los hititas[l] y los perizitas[m] y los refaím[n] 21 y los amorreos y los cananeos y los guirgaseos y los jebuseos".[o]

16 Ahora bien, Sarai, esposa de Abrán, no le había dado hijos;[p] pero ella tenía una sierva egipcia, y el nombre de esta era Agar.[q] 2 Por lo tanto Sarai dijo a Abrán: "¡Ah, por favor! Jehová me ha excluido de dar a luz hijos.[r] Por favor, ten relaciones con mi sierva. Quizás yo consiga hijos de ella".[s] De modo que Abrán escuchó la voz de Sarai.[t] 3 Entonces Sarai, esposa de Abrán, tomó a Agar, su sierva egipcia, al cabo de diez años de haber morado Abrán en la tierra de Canaán, y se la dio por esposa a Abrán su marido.[u] 4 Por consiguiente, él tuvo relaciones con Agar, y ella quedó encinta. Cuando ella se dio cuenta de que estaba encinta, entonces su ama empezó a ser despreciada a los ojos de ella.[v]

5 Ante esto, Sarai dijo a Abrán: "Venga sobre ti la violencia que se me ha hecho. Yo mis-

ma entregué mi sierva en tu seno, y ella se dio cuenta de que estaba encinta, y empecé a ser despreciada a sus ojos. Juzgue Jehová entre yo y tú".[a] 6 De modo que Abrán dijo a Sarai:[b] "¡Mira! Tu sierva está a disposición tuya. Hazle lo que parezca bien a tus ojos".[c] Entonces Sarai se puso a humillarla de modo que esta huyó de ella.[d]

7 Más tarde, el ángel[e] de Jehová la halló junto a una fuente de aguas en el desierto, junto a la fuente en el camino a Sur.[f] 8 Y empezó a decir: "Agar, sierva de Sarai, ¿precisamente de dónde has venido, y a dónde vas?". A lo cual dijo ella: "Pues, estoy huyendo de Sarai mi ama". 9 Y el ángel de Jehová pasó a decirle: "Vuélvete a tu ama y humíllate bajo su mano".[g] 10 Entonces le dijo el ángel de Jehová: "Multiplicaré en gran manera tu descendencia,[h] de modo que no será contada por su multitud".[i] 11 Además, el ángel de Jehová le añadió: "Mira que estás encinta, y ciertamente darás a luz un hijo, y tienes que llamarlo por nombre Ismael;[j] porque Jehová ha oído tu aflicción.[k] 12 En cuanto a él, llegará a ser un hombre [con características de] cebra. Su mano estará contra todos, y la mano de todos estará contra él;[l] y delante del rostro de todos sus hermanos residirá".[m]

13 Entonces ella empezó a llamar por nombre a Jehová, que le estaba hablando: "Tú eres un Dios de la vista[n] —porque dijo ella—: ¿Realmente he mirado yo aquí al que me ve?". 14 Por eso se llamó el pozo Beer-lahai-roi.[o] Aquí está entre Qadés y Bered. 15 Más tarde Agar le dio a luz un hijo a Abrán, y Abrán llamó por nombre Ismael[p] a su hijo que Agar dio a luz. 16 Y Abrán tenía ochenta y seis años de edad cuando Agar dio a luz a Ismael a Abrán.

CAP. 15
a Gé 21:9
Éx 1:14
Éx 3:7
Hch 7:6
b Éx 7:4
Nú 33:4
c Éx 3:22
Sl 105:37
d Gé 25:8
e Jos 14:1
Hch 7:7
f 1Re 21:26
2Re 21:11
1Te 2:16
g 1Cr 21:26
Jer 34:18
h Gé 17:19
Gé 22:17
Gál 3:17
i Éx 3:8
j 1Re 4:21
k 1Sa 15:6
l Jos 1:4
m Éx 3:17
n Jos 17:15
o Dt 7:1

CAP. 16
p Gé 15:3
q Gé 12:16
Gál 4:25
r Gé 20:17
s Gé 30:3
t Gé 21:12
Ef 5:21
u Gé 30:9
v 1Sa 1:6

2.ª col.
a Éx 5:21
1Sa 24:12
Sl 43:1
b Pr 15:1
Pr 15:18
c Pr 29:19
d Pr 15:12
Ec 10:4
1Pe 2:20
e Gé 22:11
f Gé 25:18
Éx 15:22
g Ec 10:4
Ef 6:5
Tit 2:9
h Gé 17:20
Gé 25:13
1Cr 1:29
Ef 6:8
j Gé 17:18
k Sl 22:24
l Gé 37:28
m Gé 21:20
n 2Cr 16:9
Pr 5:21
Pr 15:3
Heb 4:13
o Gé 24:62
p Gé 21:9
Gál 4:24

17 Cuando Abrán alcanzó la edad de noventa y nueve años, entonces Jehová se apareció a Abrán y le dijo:[a] "Yo soy Dios Todopoderoso.[b] Anda delante de mí y resulta exento de falta.[c] 2 Y ciertamente daré mi pacto entre yo y tú,[d] para multiplicarte muchísimo".[e]

3 Ante aquello, Abrán cayó sobre su rostro,[f] y Dios continuó hablando con él, y dijo: 4 "En cuanto a mí, ¡mira!, mi pacto es contigo,[g] y ciertamente llegarás a ser padre de una muchedumbre de naciones.[h] 5 Y ya no te llamarás más por el nombre Abrán, y tu nombre tiene que llegar a ser Abrahán, porque padre de una muchedumbre de naciones de seguro te haré yo. 6 Y ciertamente te haré fructífero en sumo grado, y de veras haré que llegues a ser naciones, y reyes saldrán de ti.[i]

7 "Y ciertamente pondré por obra mi pacto entre yo y tú[j] y tu descendencia después de ti según sus generaciones para un pacto hasta tiempo indefinido,[k] para que yo resulte ser Dios para ti y para tu descendencia después de ti.[l] 8 Y ciertamente te daré a ti, y a tu descendencia después de ti, la tierra de tus residencias como forastero,[m] sí, toda la tierra de Canaán, para posesión hasta tiempo indefinido; y ciertamente resultaré ser Dios para ellos".[n]

9 Y Dios dijo además a Abrahán: "En cuanto a ti, tú has de guardar mi pacto, tú y tu descendencia después de ti según sus generaciones.[o] 10 Este es mi pacto que ustedes guardarán, entre yo y ustedes, incluso tu descendencia después de ti:[p] Todo varón de ustedes tiene que ser circuncidado.[q] 11 Y tienen que ser circuncidados ustedes en la carne de su prepucio, y esto tiene que servir como señal del pacto entre yo y ustedes.[r] 12 Y todo varón de ustedes que tenga ocho días de edad tiene que ser circuncidado,[a] según sus generaciones, cualquiera nacido en la casa y cualquiera comprado con dinero de cualquier extranjero que no sea de tu descendencia. 13 Sin falta tiene que ser circuncidado todo el nacido en tu casa y todo el comprado con dinero tuyo;[b] y mi pacto en la carne de ustedes tiene que servir de pacto hasta tiempo indefinido.[c] 14 Y el varón incircunciso que no quiera circuncidarse la carne de su prepucio, esa misma alma tiene que ser cortada de su pueblo.[d] Ha quebrantado mi pacto".

15 Y Dios pasó a decir a Abrahán: "En cuanto a Sarai tu esposa, no debes llamarla por el nombre Sarai, porque su nombre es Sara.[e] 16 Y ciertamente la bendeciré y también te daré de ella un hijo;[f] y ciertamente la bendeciré, y ella de veras llegará a ser naciones;[g] reyes de pueblos provendrán de ella".[h] 17 Ante esto, Abrahán cayó sobre su rostro y se puso a reír y a decir en su corazón:[i] "¿A un hombre de cien años de edad le nacerá un hijo, y Sara, sí, una mujer de noventa años de edad, dará a luz?".[j]

18 Después Abrahán dijo al Dios [verdadero]: "¡Oh que viviera Ismael delante de ti!".[k] 19 A lo cual dijo Dios: "Sara tu esposa realmente te va a dar a luz un hijo, y tienes que llamarlo por nombre Isaac.[l] Y ciertamente estableceré mi pacto con él por pacto hasta tiempo indefinido para su descendencia después de él.[m] 20 Pero tocante a Ismael te he oído. ¡Mira! Ciertamente lo bendeciré y lo haré fructífero y lo multiplicaré muchísimo.[n] Ciertamente producirá él doce principales, y de veras haré que llegue a ser una nación grande.[o] 21 Sin embargo, mi pacto lo estableceré con Isaac,[p] que Sara te dará a luz a este tiempo señalado el año próximo".[q]

22 Con eso Dios acabó de hablar con él y subió de donde [es-

CAP. 17

a Gé 12:7
b Rev 16:7
c Sl 15:2
  Sl 18:23
d Sl 105:8
  Gál 3:17
e Gé 22:17
  Dt 1:10
  Heb 11:12
f Jue 13:20
  Mt 17:6
g Sl 105:9
h Gé 13:16
  Ro 4:17
i 2Re 1:18
j Miq 7:20
  Lu 1:72
k Jue 2:1
  Sl 105:10
l Ex 19:5
  Mr 12:26
m Éx 6:4
  Heb 11:9
n Dt 14:2
  Sl 105:11
o Éx 19:5
  Dt 11:13
p Gé 21:4
  Lu 2:21
q Gé 34:15
  Jos 5:2
  Ro 2:29
r Hch 7:8
  Ro 4:11

2.ª col.

a Gé 21:4
  Lu 2:21
  Flp 3:5
b Éx 12:44
  Hch 16:3
c Jue 2:1
  Sl 111:5
d Éx 4:24
  Nú 15:31
  Jn 7:23
e Gé 11:29
f Gé 18:10
  Ro 9:9
g Gé 35:11
h 2Cr 28:26
i Gé 18:12
  Gé 21:6
  Lu 2:19
j Ro 4:19
  Heb 11:11
k Gé 16:11
l Mt 1:2
  Ro 9:7
  Gál 4:28
m Gé 26:24
  Sl 105:9
  Lu 1:33
  Gál 4:28
n Gé 16:10
  Gé 21:13
  Gé 25:13
  1Cr 1:29
o Gé 26:3
  Éx 2:24
  Heb 11:9
q Gé 18:14
  Gé 21:1

taba] Abrahán.[a] **23** Entonces
Abrahán procedió a tomar a Ismael su hijo y a todos los hombres nacidos en su casa y a todos
los comprados con dinero suyo,
a todo varón entre los hombres
de la casa de Abrahán, y se puso
a circuncidar la carne de su prepucio en aquel mismo día, tal
como había hablado Dios con él.[b]
24 Y Abrahán tenía noventa y
nueve años de edad cuando le
fue circuncidada la carne de su
prepucio.[c] **25** E Ismael su hijo
tenía trece años de edad cuando
le fue circuncidada la carne
de su prepucio.[d] **26** En aquel
mismo día fue circuncidado
Abrahán, y también Ismael su
hijo.[e] **27** Y todos los hombres
de su casa, todo nacido en la casa
y todo comprado de extranjero por dinero, fueron circuncidados con él.[f]

18 Después Jehová se le apareció[g] entre los árboles
grandes de Mamré,[h] mientras él
estaba sentado a la entrada de
su tienda como al calor del día.[i]
2 Cuando él alzó los ojos,[j] entonces miró y allí estaban tres
hombres de pie a alguna distancia de él. Cuando alcanzó a verlos, echó a correr a su encuentro
desde la entrada de la tienda y
procedió a inclinarse a tierra.[k]
3 Entonces dijo: "Ah, Jehová, si
he hallado favor a tus ojos, sírvete no pasar de largo a tu siervo.[l]
4 Que se traiga un poco de agua,
por favor, y se les tiene que lavar
los pies.[m] Entonces recuéstense
debajo del árbol.[n] **5** Y permítaseme traer un pedazo de pan, y
refresquen sus corazones.[o] Después de eso pueden pasar adelante, porque por eso han pasado
por este camino a donde su siervo". A lo cual dijeron: "Está bien.
Puedes hacer tal como has hablado".
6 De modo que Abrahán fue
apresurándose a la tienda a donde Sara y dijo: "¡Apresúrate!
Toma tres medidas de sea de flor
de harina, amásala y haz tortas
redondas".[a] **7** Luego Abrahán
corrió a la vacada y procedió a
tomar un toro joven, tierno y
bueno, y a darlo al servidor, y
este fue apresurándose a adere-
zarlo.[b] **8** Tomó entonces mantequilla y leche y el toro joven
que había aderezado y lo puso
delante de ellos.[c] Entonces él
mismo se quedó de pie al lado de
ellos debajo del árbol mientras
ellos comían.[d]
9 Ahora ellos le dijeron:
"¿Dónde está Sara tu esposa?".[e]
A lo cual él dijo: "¡Aquí en
la tienda!".[f] **10** De modo que
continuó él: "De seguro volveré a
ti el año próximo por este tiempo, y, ¡mira!, Sara tu esposa tendrá un hijo".[g] Ahora bien, Sara
estaba escuchando a la entrada
de la tienda, y esta estaba detrás
del hombre. **11** Y Abrahán y
Sara eran viejos, avanzados en
años.[h] A Sara le había cesado
la menstruación.[i] **12** Por eso
Sara empezó a reírse dentro de
sí,[j] diciendo: "Después que estoy
gastada, ¿verdaderamente tendré placer, siendo, además, viejo
mi señor?".[k] **13** Entonces Jehová dijo a Abrahán: "¿Por qué
se rió Sara, y dijo: '¿Es que de
veras y ciertamente daré a
luz, aunque he envejecido?'?[l]
14 ¿Hay cosa alguna demasiado
extraordinaria para Jehová?[m] Al
tiempo señalado volveré a ti, el
año próximo por este tiempo, y
Sara tendrá un hijo". **15** Pero
Sara empezó a negarlo, diciendo: "¡No me reí!". Pues tenía miedo. A lo cual dijo él: "¡No!, pero sí
te reíste".[n]
16 Más tarde los hombres se
levantaron de allí y miraron abajo hacia Sodoma,[o] y Abrahán iba
andando con ellos para acom-
pañarlos.[p] **17** Y Jehová dijo:
"¿Estoy yo manteniendo encubierto de Abrahán lo que voy a
hacer?[q] **18** Pues Abrahán de
seguro llegará a ser una nación
grande y poderosa, y todas las

CAP. 17
a Dt 5:4
b Gé 17:13, Jos 5:2, Ro 2:29
c Hch 7:8, Ro 4:11
d Gé 16:16
e Sl 119:60
f Éx 12:44

CAP. 18
g Gé 16:7, Jue 13:21, Hch 7:2
h Gé 13:18, Gé 14:13
i Gé 31:40, Mt 20:12
j Gé 19:1, Gé 22:4
k Gé 23:7, Rut 2:10
l Hch 16:15
m Gé 24:32, 1Sa 25:41, Jn 13:5
n Jn 6:10
o Sl 104:15

2.ª col.
a Gé 19:3, Éx 12:39
b Lu 15:23
c Dt 32:14, 2Sa 17:29
d Lu 12:37, Ro 12:13, Heb 13:2
e Gé 17:15
f Gé 24:67, Gé 31:33
g Gé 21:2, Mt 3:9, Ro 9:9
h Gé 17:17
i Le 15:19, Ro 4:19
j Gé 17:17
k Lu 11:27, Heb 11:11, 1Pe 3:6
l Isa 40:29
m Mt 19:26, Lu 1:37
n Sl 44:21, Heb 4:13
o Gé 13:12
p 2Sa 19:31, Hch 20:38, Ro 15:24
q Sl 25:14, Am 3:7

naciones de la tierra tendrán que bendecirse por medio de él.[a] 19 Porque he llegado a conocerlo a fin de que dé mandato a sus hijos y a su casa después de él de modo que verdaderamente guarden el camino de Jehová para hacer justicia y juicio;[b] a fin de que Jehová ciertamente haga venir sobre Abrahán lo que ha hablado acerca de él".[c]

20 Por consiguiente, Jehová dijo: "El clamor de queja acerca de Sodoma y Gomorra[d] es ciertamente fuerte, y su pecado es ciertamente muy grave.[e] 21 Estoy completamente resuelto a bajar para ver si obran del todo conforme al clamor que acerca de ello ha llegado a mí, y, si no, podré llegar a saberlo".[f]

22 Entonces los hombres se volvieron de allí y procedieron a irse a Sodoma; pero en cuanto a Jehová,[g] él todavía estaba de pie delante de Abrahán.[h] 23 Entonces Abrahán se aproximó y empezó a decir: "¿Verdaderamente barrerás al justo con el inicuo?[i] 24 Supongamos que haya cincuenta hombres justos en medio de la ciudad. ¿Los barrerás, pues, y no perdonarás el lugar por causa de los cincuenta justos que estén en él?[j] 25 ¡Es inconcebible de ti el que vayas a obrar de esta manera para dar muerte al justo con el inicuo, de modo que tenga que ocurrirle al justo lo mismo que le ocurre al inicuo! Es inconcebible de ti.[l] ¡El Juez de toda la tierra no va a hacer lo que es recto?".[m] 26 Entonces dijo Jehová: "Si hallo en Sodoma cincuenta hombres justos en medio de la ciudad, ciertamente perdonaré a todo el lugar por causa de ellos".[n] 27 Pero Abrahán pasó a contestar y decir: "Por favor, mira que he tomado a mi cargo hablar a Jehová, cuando soy polvo y ceniza.[o] 28 Supongamos que de los cincuenta justos faltaran cinco. ¿Arruinarás por los cinco a toda la ciudad?". A lo cual él dijo: "No la arruinaré si hallo allí cuarenta y cinco".[a]

29 Pero volvió a hablarle de nuevo, y dijo: "Supongamos que se hallen allí cuarenta". A su vez, él dijo: "No lo haré por causa de los cuarenta". 30 Pero continuó: "Que Jehová, por favor, no se enardezca de cólera,[c] sino que se me permita seguir hablando:[c] Supongamos que se hallen allí treinta". A su vez, él dijo: "No lo haré si hallo allí treinta". 31 Pero continuó: "Por favor, mira que he tomado a mi cargo hablar a Jehová:[d] Supongamos que se hallen allí veinte". A su vez, él dijo: "No la arruinaré por causa de los veinte".[e] 32 Por fin dijo: "Que Jehová, por favor, no se enardezca de cólera,[f] sino que se me permita hablar esta sola vez:[g] Supongamos que se hallen allí diez". A su vez, él dijo: "No la arruinaré por causa de los diez".[h] 33 Entonces Jehová[*] procedió a irse cuando hubo acabado de hablar a Abrahán, y Abrahán se volvió a su lugar.

19 Ahora bien, los dos ángeles llegaron a Sodoma al atardecer, y Lot estaba sentado a la puerta de Sodoma.[i] Cuando Lot alcanzó a verlos, entonces se levantó para ir a su encuentro y se inclinó rostro a tierra.[k] 2 Y procedió a decir: "Por favor, ahora, señores míos, desvíense, por favor, a casa de su siervo, y quédense toda la noche, y que se les laven los pies.[l] Luego tienen que levantarse temprano y seguir viajando por su camino".[m] A lo que dijeron ellos: "No, sino que en la plaza pública nos quedaremos toda la noche".[n] 3 Pero él los instó mucho,[o] de modo que se desviaron a donde él y entraron en su casa. Entonces él les hizo un banquete,[p] y coció tortas no fermentadas,[q] y ellos se pusieron a comer.

CAP. 18
a Gé 12:3
  Zac 8:23
  Gál 3:14
b 2Sa 22:25
  Sl 15:2
  Pr 21:3
  Pr 21:3
c Dt 4:9
d Pr 21:13
  2Pe 2:8
e Gé 9:25
  Gé 13:13
  Isa 3:9
  Jud 7
f Gé 11:5
  Éx 3:7
  Jos 22:22
  Sl 14:2
g Gé 31:11
  Gé 32:30
  Jue 6:11
  Sl 106:23
i Gé 20:4
  Nú 16:22
  Job 34:19
  Jer 15:1
  Mt 13:49
  Ro 3:5
k Sl 37:10
  Pr 29:16
  Mal 3:18
l Dt 32:4
m Job 34:12
  Sl 50:6
  Sl 94:2
  Isa 33:22
  Zac 7:9
n Jer 5:1
  Eze 22:30
o Gé 3:19
  Job 30:19
  Sl 113:7
  1Co 15:47

2.ᵃ col.
a Nú 14:18
  Sl 78:38
  Isa 65:8
b Éx 34:6
  Esd 5:12
  Sl 86:15
d Heb 4:16
d Job 40:4
  Mt 7:7
  Lu 11:8
e Sl 9:12
  Hch 27:24
f Jue 6:39
  Heb 3:15
g Gé 32:28
h Sl 86:6
  Isa 1:9
  Eze 14:16
i Gé 18:22

CAP. 19
j Rut 4:1
  Est 2:19
k Gé 18:2
  1Sa 24:8
l Gé 18:4
  Job 31:32
  Jn 13:12
m Jue 19:9
  1Sa 29:10
  Jue 19:15
  Lu 24:29
  Hch 16:15

p Gé 18:8; 2Re 6:23; q Jue 6:19; 1Sa 28:24.

4 Antes que pudieran acostarse, los hombres de la ciudad, los hombres de Sodoma, cercaron la casa,[a] desde el muchacho hasta el viejo, toda la gente en una chusma.[b] 5 Y siguieron llamando a Lot y diciéndole: "¿Dónde están los hombres que entraron contigo esta noche? Sácanoslos para que tengamos ayuntamiento con ellos".[c]

6 Por fin Lot salió a donde ellos, a la entrada, pero cerró la puerta tras sí. 7 Entonces dijo: "Por favor, hermanos míos, no obren mal.[d] 8 Por favor, miren que tengo dos hijas que nunca han tenido coito con hombre.[e] Por favor, déjenme sacarlas a ustedes. Entonces háganles lo que parezca bien a sus ojos.[f] Solo no hagan nada a estos hombres,[g] porque por eso han venido bajo la sombra de mi techo".[h] 9 A lo que dijeron: "¡Quítate allá!". Y añadieron: "Este hombre solitario vino acá a morar como forastero[i] y, no obstante, realmente quiere hacer de juez.[j] Ahora vamos a hacerte peor a ti que a ellos". Y con ímpetu vinieron echándose pesadamente sobre el hombre,[k] sobre Lot, y estaban acercándose para forzar la puerta.[l] 10 De modo que los hombres alargaron la mano y metieron a Lot consigo, dentro de la casa, y cerraron la puerta. 11 Pero a los hombres que estaban a la entrada de la casa los hirieron con ceguera,[m] desde el menor hasta el mayor,[n] de modo que estos se agotaban tratando de hallar la entrada.[o]

12 Entonces los hombres dijeron a Lot: "¿Tienes otros aquí? Yerno y tus hijos y tus hijas y cuantos sean tuyos en la ciudad, ¡sácalos del lugar![p] 13 Pues vamos a arruinar este lugar, porque el clamor contra ellos se ha hecho fuerte delante de Jehová,[q] de modo que Jehová nos ha enviado para arruinar la ciudad".[r]

14 Por lo tanto Lot salió y empezó a hablar a sus yernos que habían de tomar a sus hijas, y siguió diciendo: "¡Levántense! ¡Sálganse de este lugar, porque Jehová va a arruinar la ciudad!".[a] Pero a los ojos de sus yernos parecía como hombre que bromeaba.[b]

15 No obstante, cuando ascendió el alba, entonces los ángeles se pusieron a apremiar a Lot, diciendo: "¡Levántate! ¡Toma a tu esposa y a tus dos hijas que se hallan aquí,[c] por temor de que seas barrido en el error de la ciudad!".[d] 16 Cuando siguió demorándose,[e] entonces, por la compasión de Jehová para con él,[f] los hombres asieron la mano de él y la mano de su esposa y las manos de sus dos hijas y procedieron a sacarlo y a situarlo fuera de la ciudad.[g] 17 Y aconteció que, tan pronto como los hubieron sacado a las afueras, él empezó a decir: "¡Escapa por tu alma![h] ¡No mires atrás[i] y no te detengas en todo el Distrito![j] ¡Escapa a la región montañosa por temor de que seas barrido!".[k]

18 Entonces les dijo Lot: "¡Eso no, por favor, Jehová! 19 Ahora, por favor, tu siervo ha hallado favor a tus ojos[l] de modo que estás engrandeciendo tu bondad amorosa,[m] la cual has ejercido conmigo para conservar viva mi alma,[n] pero yo... yo no puedo escapar a la región montañosa por temor de que la calamidad se mantenga cerca de mí y yo ciertamente muera.[o] 20 Ahora, por favor, esta ciudad está cerca para huir allá, y es cosa pequeña.[p] Permítaseme, por favor, escapar allá —¿no es cosa pequeña?— y mi alma seguirá viviendo".[q] 21 Así que él le dijo: "Mira que verdaderamente te muestro consideración hasta este grado también,[r] al no derribar la ciudad de la cual has hablado.[s] 22 ¡Apresúrate! ¡Escapa allá, porque no puedo hacer

CAP. 19
a Jue 19:22
b Pr 4:16
Ef 4:19
c Le 18:22
Le 20:13
Ro 1:27
1Co 6:9
Jud 7
d Ro 1:24
2Pe 2:12
Jud 10
e Gé 24:16
f Jue 19:24
g Ro 1:26
2Pe 2:9
h Dt 10:19
Jue 19:23
Isa 58:7
i Éx 22:21
j Heb 7:27
1Pe 4:4
k Sl 118:13
l Pr 14:16
m 2Re 6:18
Hch 13:11
n Jer 8:10
o Ec 10:15
Mt 15:14
p Nú 16:26
1Sa 15:6
Jer 51:6
q Gé 13:13
Gé 18:20
Isa 3:9
r 1Cr 21:15
Sl 11:6
Mt 13:41

2.ª col.
a Nú 16:45
Rev 18:4
b 2Cr 36:16
Lu 17:28
c Lu 17:31
d Nú 16:26
e Ro 12:11
f Éx 33:19
Joe 2:18
g Jos 6:23
2Pe 2:9
h 1Sa 19:11
i Lu 9:62
Flp 3:13
j Gé 13:10
Jer 45:5
Jer 51:50
k Mt 24:16
Heb 2:3
l Gé 18:3
Jue 6:17
m Éx 15:13
Miq 7:18
n Sl 41:2
Sl 143:11
o Sl 6:4
Mt 8:25
p 2Re 3:18
q Sl 68:20
Sl 119:175
r Sl 34:15
s Gé 19:30

nada hasta que llegues allá!".ᵃ Por eso él llamó la ciudad por nombre Zóar.ᵇ

23 El sol había salido sobre la tierra cuando Lot llegó a Zóar.ᶜ 24 Entonces Jehová hizo llover azufre y fuego desde Jehová, desde los cielos, sobre Sodoma y sobre Gomorra.ᵈ 25 De modo que siguió adelante derribando a estas ciudades, sí, al Distrito entero, y a todos los habitantes de las ciudades, y las plantas del suelo.ᵉ 26 Y la esposa de él empezó a mirar alrededor desde detrás de él, y se convirtió en columna de sal.ᶠ

27 Ahora bien, muy de mañana Abrahán se dirigió al lugar donde había estado de pie delante de Jehová.ᵍ 28 Entonces miró abajo hacia Sodoma y Gomorra y hacia toda la tierra del Distrito, y vio una escena. ¡Pues mire, humo denso ascendía de la tierra como el humo denso de un horno de calcinación!ʰ 29 Y aconteció que, cuando Dios arruinó las ciudades del Distrito, Dios tuvo presente a Abrahán, pues dio pasos para enviar a Lot de en medio del derribo cuando derribó las ciudades en medio de las cuales había estado morando Lot.ⁱ

30 Más tarde Lot subió desde Zóar y empezó a morar en la región montañosa, y sus dos hijas junto con él,ʲ porque le dio miedo morar en Zóar.ᵏ De modo que empezó a morar en una cueva, él y sus dos hijas. 31 Y la primogénita procedió a decir a la más joven: "Nuestro padre es viejo, y no hay hombre en el país que tenga relaciones con nosotras según la manera de toda la tierra.ˡ 32 Ven, demos a beber vino a nuestro padreᵐ y acostémonos con él y conservemos prole de nuestro padre".ⁿ

33 De modo que siguieron dando a beber vino a su padre durante aquella noche;ᵒ entonces la primogénita entró y se acostó con su padre, pero él no supo cuando ella se acostó ni cuando se levantó. 34 Y al día siguiente sucedió que la primogénita dijo entonces a la más joven: "Mira, anoche me acosté con mi padre. Démosle a beber vino también esta noche. Entonces entra tú, acuéstate con él, y conservemos prole de nuestro padre". 35 De modo que repetidas veces dieron a beber vino a su padre durante aquella noche también; entonces la más joven se levantó y se acostó con él, pero él no supo cuando ella se acostó ni cuando se levantó. 36 Y ambas hijas de Lot quedaron encinta de su padre.ᵃ 37 Con el tiempo la primogénita llegó a ser madre de un hijo, y lo llamó por nombre Moab.ᵇ Es el padre de Moab, hasta el día de hoy.ᶜ 38 En cuanto a la más joven, ella también dio a luz un hijo, y entonces lo llamó por nombre Ben-ammí. Es el padre de los hijos de Ammón,ᵈ hasta el día de hoy.

20 Ahora bien, Abrahán mudó su campamento de allíᵉ a la tierra del Négueb y se puso a morar entre Qadésᶠ y Surᵍ y a residir como forastero en Guerar.ʰ 2 Y repitió Abrahán respecto a Sara su esposa: "Es mi hermana".ⁱ Ante aquello, Abimélec rey de Guerar envió, y tomó a Sara.ʲ 3 Después Dios vino a Abimélec en un sueño de noche y le dijo: "Mira que puedes darte por muerto a causa de la mujer que has tomado,ᵏ puesto que es poseída por otro dueño como esposa".ˡ 4 Sin embargo, Abimélec no se había acercado a ella.ᵐ Por eso dijo: "Jehová, ¿matarás a una nación que es verdaderamente justa?ⁿ 5 ¿No me dijo él: 'Es mi hermana'?, y ella... ¿no dijo ella también: 'Es mi hermano'? En la honradez de mi corazón y con inocencia de mis manos he hecho esto".ᵒ 6 Ante aquello, el Dios [verdadero] le

CAP. 19
a Hab 2:3
2Pe 3:9
Rev 7:3

b Gé 14:2

c Gé 19:27

d Dt 29:23
Sl 11:6
Isa 1:9
Am 4:11
Lu 17:29
2Pe 2:6

e Gé 13:10
Sl 107:34
Jer 49:18
Sof 2:9

f Lu 17:32
Heb 10:38

g Gé 18:22

h Jud 7

i 2Pe 2:7

j Gé 19:17

k Gé 19:22

l Gé 38:8

m Gé 9:21
Hab 2:15

n Le 18:6

o 1Te 5:7

2.ᵃ col.
a Le 18:7
Eze 22:10

b Dt 2:9

c Rut 2:6
1Cr 18:2

d Dt 2:19
Jue 11:4
Ne 13:1
Sof 2:9

CAP. 20
e Gé 13:18

f Nú 13:26

g Gé 25:18

h Gé 10:19

i Gé 12:13
Gé 20:12

j Gé 12:15

k Gé 12:17
Sl 105:14

l Dt 22:22

m Le 18:19

n Gé 18:25

o 1Cr 29:17
Sl 26:6

dijo en el sueño: "Yo también he sabido que has hecho esto en la honradez de tu corazón,[a] y también estaba deteniéndote de pecar contra mí.[b] Por eso no te permití tocarla.[c] 7 Pero ahora, devuelve la esposa del hombre, porque es profeta,[d] y él hará súplica por ti.[e] Así que, sigue viviendo. Pero si no la vas a devolver, sabe que positivamente morirás, tú y todos los que son tuyos".[f]

8 De modo que Abimélec se levantó muy de mañana y procedió a llamar a todos sus siervos y a hablar de todas estas cosas a oídos de ellos. Y a los hombres les dio mucho miedo. 9 Entonces llamó Abimélec a Abrahán y le dijo: "¿Qué nos has hecho, y qué pecado he cometido yo contra ti, para que hayas traído sobre mí y sobre mi reino un pecado grande?[g] Obras que no debieran haberse hecho has hecho tú respecto a mí".[h] 10 Y Abimélec pasó a decir a Abrahán: "¿Qué tenías en mira para que hayas hecho esta cosa?".[i] 11 A esto Abrahán dijo: "Fue porque me dije a mí mismo: 'Sin duda no hay temor de Dios en este lugar,[j] y ciertamente me matarán por causa de mi esposa'.[k] 12 Y, además, ella en verdad es mi hermana, hija de mi padre, solo que no es hija de mi madre; y vino a ser mi esposa.[l] 13 Y aconteció que, cuando Dios me hizo salir errante de la casa de mi padre,[m] entonces le dije a ella: 'Esta es tu bondad amorosa[n] que puedes ejercer para conmigo: En todo lugar adonde lleguemos, di de mí: "Es mi hermano"'."[o]

14 Después de eso Abimélec tomó ovejas y ganado vacuno y siervos y siervas y los dio a Abrahán, y le devolvió a Sara su esposa.[p] 15 Además dijo Abimélec: "Mira, mi tierra está a tu disposición. Mora donde parezca bien a tus ojos".[q] 16 Y a Sara dijo:

CAP. 20
a 1Sa 16:7
Pr 21:1
Jer 17:10
b Gé 39:9
c Pr 6:29
1Co 7:1
d Éx 7:1
Sl 105:15
e Dt 9:20
Job 42:8
Snt 5:16
1Pe 3:12
f Eze 3:19
g Le 20:10
Heb 13:4
h Pr 28:10
i Gé 12:18
Gé 26:10
j Job 1:1
Pr 8:13
k Gé 12:12
Gé 26:7
l Gé 11:29
m Gé 12:1
Hch 7:3
n Gé 47:29
Rut 3:10
2Sa 9:7
Col 3:12
o Gé 12:13
Ef 5:22
p Gé 12:16
q Gé 47:6

2.ª col.
a Gé 12:13
Gé 20:2
b Pr 12:16
c Pr 15:8
Snt 5:16
d Gé 12:17

CAP. 21
e Gé 18:10
f Heb 11:11
g Gé 17:21
Gé 18:14
2Re 4:17
Ro 9:9
h Gé 17:19
Jos 24:3
Ro 9:7
i Gé 17:12
Le 12:3
Lu 2:21
Jn 7:22
Hch 7:8
j Gé 18:12
k 1Sa 1:22
l Gé 16:4
m Gé 15:13
Hch 7:6
Gál 4:29

"Mira que de veras doy mil piezas de moneda de plata a tu hermano.[a] Mira que es para ti una cobertura[b] de los ojos para todos los que están contigo, y ante todo el mundo, y quedas libre de oprobio". 17 Y Abrahán se puso a hacer súplica al Dios [verdadero];[c] y Dios procedió a sanar a Abimélec y a su esposa y a sus esclavas, y estas empezaron a dar a luz hijos. 18 Porque Jehová había cerrado completamente toda matriz de la casa de Abimélec por causa de Sara, esposa de Abrahán.[d]

21 Y Jehová dirigió su atención a Sara tal como había dicho, y ahora Jehová hizo para con Sara tal como había hablado.[e] 2 Y Sara quedó encinta[f] y entonces le dio a luz un hijo a Abrahán, en la vejez de él, al tiempo señalado del cual le había hablado Dios.[g] 3 Por tanto Abrahán llamó por nombre Isaac[h] a su hijo que le había nacido, que Sara le había dado a luz. 4 Y Abrahán procedió a circuncidar a Isaac su hijo cuando este tenía ocho días de edad, tal como le había mandado Dios.[i] 5 Y Abrahán tenía cien años de edad cuando le nació Isaac su hijo. 6 Entonces dijo Sara: "Dios me ha preparado risa: todo el que oiga de ello se reirá de mí".[j] 7 Y añadió: "¿Quién hubiera expresado [esto] a Abrahán: 'Sara ciertamente amamantará hijos', cuando el caso es que he dado a luz un hijo cuando él es viejo?".

8 Ahora bien, el niño siguió creciendo y llegó a ser destetado;[k] y entonces Abrahán preparó un gran banquete el día en que Isaac fue destetado. 9 Y Sara observaba de continuo que el hijo de Agar la egipcia,[l] que esta le había dado a luz a Abrahán, se burlaba.[m] 10 De modo que empezó a decir a Abrahán: "¡Expulsa a esta esclava y a su hijo, porque el hijo de esta esclava no

va a ser heredero con mi hijo, con Isaac!".[a] 11 Pero muy desagradable le resultó [aquella] cosa a Abrahán, en lo que tocaba a su hijo.[b] 12 Entonces Dios dijo a Abrahán: "No te sea desagradable nada de lo que Sara siga diciéndote acerca del muchacho y acerca de tu esclava. Escucha su voz, porque es por medio de Isaac por quien lo que será llamado descendencia tuya será.[c] 13 Y en cuanto al hijo de la esclava,[d] también a él lo constituiré en nación, porque es prole tuya".[e]

14 De modo que Abrahán se levantó muy de mañana y tomó pan y un odre de agua y se lo dio a Agar,[f] poniéndolo sobre el hombro de ella, y al niño,[g] y entonces la despidió. Y ella se puso en marcha y anduvo errante por el desierto de Beer-seba.[h] 15 Por fin se agotó el agua[i] del odre, y ella arrojó[j] al niño bajo uno de los arbustos. 16 Entonces siguió adelante y se sentó sola, como a la distancia de un tiro de arco, porque decía: "Que no vea yo cuando muera el niño".[k] De modo que se sentó a lo lejos y se puso a alzar la voz y a llorar.[l]

17 En esto Dios oyó la voz del muchacho,[m] y el ángel de Dios llamó a Agar desde los cielos y le dijo:[n] "¿Qué te pasa, Agar? No tengas miedo, porque Dios ha escuchado la voz del muchacho allí donde está. 18 Levántate, alza al muchacho y áselo con tu mano, porque lo constituiré en nación grande".[o] 19 Entonces Dios le abrió los ojos de modo que ella alcanzara a ver un pozo de agua;[p] y ella fue y se puso a llenar de agua el odre y a dar de beber al muchacho. 20 Y Dios continuó estando con el muchacho,[q] y él siguió creciendo y morando en el desierto; y se hizo arquero.[r] 21 Y se puso a morar en el desierto de Parán,[s] y su

madre procedió a tomarle esposa de la tierra de Egipto.

22 Ahora bien, por aquel tiempo aconteció que Abimélec, junto con Ficol, el jefe de su ejército, dijo a Abrahán: "Dios está contigo en todo lo que estás haciendo.[a] 23 De modo que ahora júrame aquí por Dios[b] que no me resultarás falso a mí, ni a mi prole, ni a mi posteridad;[c] que, conforme al amor leal con que yo he tratado contigo,[d] tú tratarás conmigo y con la tierra en la cual has estado residiendo como forastero".[e] 24 De modo que Abrahán dijo: "Juraré".[f]

25 Cuando Abrahán criticó severamente a Abimélec respecto al pozo de agua del que se habían apoderado con violencia los siervos de Abimélec,[g] 26 entonces dijo Abimélec: "No sé quién hizo esta cosa, ni tú mismo me lo informaste, y yo mismo tampoco lo he oído hasta hoy".[h] 27 Ante aquello, Abrahán tomó ovejas y ganado vacuno y los dio a Abimélec,[i] y ambos procedieron a celebrar un pacto.[j] 28 Cuando Abrahán puso aparte siete corderas del rebaño, 29 Abimélec pasó a decir a Abrahán: "¿Pues qué significan estas siete corderas que has puesto aparte?". 30 Entonces él dijo: "Has de aceptar de mi mano las siete corderas, para que ello me sirva de testimonio[k] de que yo he cavado este pozo". 31 Por eso llamó a aquel lugar Beer-seba,[l] porque allí ambos habían prestado juramento. 32 Así que celebraron un pacto[m] en Beer-seba, después de lo cual Abimélec se levantó junto con Ficol, el jefe de su ejército, y se volvieron a la tierra de los filisteos.[n] 33 Después de aquello él plantó un tamarisco en Beer-seba e invocó allí el nombre de Jehová[o] el Dios de duración indefinida.[p] 34 Y Abrahán extendió su residencia como forastero en la tierra de los filisteos muchos días.[q]

CAP. 21
a Gé 15:4
Jn 8:35
Gál 4:30
b Gé 17:18
c Gé 17:19
Ro 9:7
Heb 11:18
d Gál 4:22
e Gé 16:10
Gé 17:20
Gé 25:12
f 1Sa 119:60
g Gé 25:6
h Gé 22:19
i Éx 15:22
Éx 17:3
Sl 63:1
j Mt 15:30
k Est 8:6
Isa 49:15
l 2Sa 12:16
Lu 7:13
m Gé 16:11
Sl 22:24
Sl 68:5
Sl 146:9
n Gé 16:7
o 1Cr 1:29
p 2Re 6:17
q Gé 16:16
Gé 21:5
r Gé 27:3
s Nú 10:12

2.ª col.
a Gé 20:17
Gé 26:28
Ro 8:31
1Co 14:25
b Dt 6:13
c Jos 2:12
1Sa 20:42
Jer 4:2
d Gé 24:14
e Gé 20:15
Gé 26:3
f Gé 14:22
Heb 6:16
g Gé 26:15
Gé 26:20
Éx 2:17
h 2Co 7:11
i Gé 33:11
Pr 17:8
j Gé 26:28
1Sa 18:3
Gál 3:15
k Gé 31:52
l Gé 26:33
m Gé 26:28
n Gé 26:1
Éx 13:17
o Gé 12:8
Gé 26:25
p Sl 90:2
Isa 40:28
Jer 10:10
1Ti 1:17
q Heb 11:9

22 Ahora bien, después de estas cosas aconteció que el Dios [verdadero] puso a prueba a Abrahán. Por consiguiente, le dijo: "¡Abrahán!", a lo cual dijo él: "¡Aquí estoy!".[b] 2 Y él pasó a decir: "Toma, por favor, a tu hijo, a tu hijo único a quien amas tanto,[c] a Isaac,[d] y haz un viaje a la tierra de Moria,[e] y allí ofrécelo como ofrenda quemada sobre una de las montañas que yo te designaré".[f]

3 De modo que Abrahán se levantó muy de mañana y aparejó su asno y tomó consigo a dos de sus servidores y a Isaac su hijo;[g] y partió la leña para la ofrenda quemada. Entonces se levantó y emprendió el viaje al lugar que le designó el Dios [verdadero]. 4 Fue por primera vez al tercer día cuando Abrahán alzó los ojos y empezó a ver el lugar desde lejos. 5 Entonces Abrahán dijo a sus servidores:[h] "Quédense aquí con el asno, pero yo y el muchacho queremos ir allá, y adorar,[i] y volver a ustedes".

6 Después de eso, Abrahán tomó la leña de la ofrenda quemada y la puso sobre Isaac su hijo,[j] y tomó en sus manos el fuego y el cuchillo de degüello, y ambos siguieron adelante juntos.[k] 7 E Isaac empezó a decir a Abrahán su padre: "¡Padre mío!".[l] Él a su vez dijo: "¡Aquí estoy, hijo mío!".[m] De modo que continuó: "Aquí están el fuego y la leña, ¿pero dónde está la oveja para la ofrenda quemada?".[n] 8 A lo cual dijo Abrahán: "Dios se proveerá la oveja para la ofrenda quemada,[o] hijo mío". Y ambos siguieron andando juntos.

9 Finalmente llegaron al lugar que le había designado el Dios [verdadero], y allí Abrahán edificó un altar[p] puso en orden la leña y ató de manos y pies a Isaac su hijo y lo puso sobre el altar, encima de la leña.[q] 10 Entonces Abrahán extendió la mano y tomó el cuchillo de degüello para matar a su hijo.[a] 11 Pero el ángel de Jehová se puso a llamarlo desde los cielos y a decir:[b] "¡Abrahán, Abrahán!", a lo cual él contestó: "¡Aquí estoy!". 12 Y pasó a decir: "No extiendas tu mano contra el muchacho y no le hagas nada,[c] porque ahora sé de veras que eres temeroso de Dios, puesto que no has retenido de mí a tu hijo, tu único".[d] 13 En esto Abrahán alzó los ojos y miró, y allí, a poca distancia enfrente de él, había un carnero prendido por los cuernos en un matorral. De modo que Abrahán fue y tomó el carnero y lo ofreció como ofrenda quemada en lugar de su hijo.[e] 14 Y Abrahán se puso a llamar aquel lugar por nombre Jehová-yiré. Por eso se acostumbra decir hoy: "En la montaña de Jehová se proveerá".[f]

15 Y el ángel de Jehová procedió a llamar a Abrahán por segunda vez desde los cielos 16 y a decir: " 'Por mí mismo de veras juro —es la expresión de Jehová[g]— que por motivo de que has hecho esta cosa y no has retenido a tu hijo, tu único,[h] 17 yo de seguro te bendeciré y de seguro multiplicaré tu descendencia como las estrellas de los cielos y como los granos de arena que hay en la orilla del mar;[i] y tu descendencia tomará posesión de la puerta de sus enemigos.[j] 18 Y mediante tu descendencia[k] ciertamente se bendecirán todas las naciones de la tierra debido a que has escuchado mi voz' ".[l]

19 Después de eso Abrahán volvió a sus servidores, y se levantaron, y juntos procedieron a irse a Beer-seba;[m] y Abrahán continuó morando en Beer-seba.

20 Ahora bien, después de estas cosas aconteció que se llegó a Abrahán el informe: "Mira que Milcá[n] misma también le ha

CAP. 22
a Job 1:12
  Heb 4:15
  Heb 5:8
  1Pe 1:7
b Gé 6:8
c Pr 4:3
  Pr 8:30
  Jn 3:16
  Jn 10:17
d Gé 17:19
  Jos 24:3
  Ro 9:7
e 2Cr 3:1
f Dt 12:14
g Gé 26:5
  Sl 119:60
h Gé 12:16
i Sl 95:6
  Mt 4:10
j Jn 19:17
k Isa 53:7
  1Pe 2:23
l Mt 26:39
  Ro 8:15
m Sl 58:9
  Jn 8:29
n Éx 12:5
  Ro 8:36
  Jn 1:29
  Ef 5:2
  Heb 10:5
  1Pe 1:19
o Gé 12:7
  Éx 20:25
  Heb 13:10
q Mt 27:2
  Jn 10:18
  Hch 8:32
  Flp 2:8

2.ª col.
a Mt 10:37
  Ro 8:32
  Heb 2:18
  Heb 11:17
  Snt 2:21
b Sl 34:7
  Sl 91:11
c Sl 34:20
  Jn 19:36
d Gé 26:5
  Heb 11:19
  Snt 2:21
  1Jn 4:10
  1Jn 5:3
e Le 16:3
f Gé 22:2
  2Cr 3:1
  Isa 25:6
g Sl 105:9
  Isa 45:23
  Heb 6:13
h Jn 3:16
  Ro 8:32
  Heb 11:17
i Gé 13:16
  Gé 15:5
  Hch 3:25
  Gál 3:29
  Heb 6:14
j Isa 11:23
  Sl 2:8
  Da 2:44
  Heb 2:14
  Rev 11:15
k Gé 3:15
  Ro 9:7
  Gál 3:16
l Zac 8:23
  Gál 3:8
m Gé 21:31
n Gé 11:29

dado a luz hijos a Nacor[a] tu hermano: 21 Uz su primogénito y Buz[b] su hermano y Quemuel el padre de Aram, 22 y Késed y Hazó y Pildás y Jidlaf y Betuel".[c] 23 Y Betuel llegó a ser padre de Rebeca.[d] Estos ocho se lo dio a luz Milcá a Nacor el hermano de Abrahán. 24 Estaba también su concubina, cuyo nombre era Reumá. Con el tiempo ella misma también dio a luz a Tébah y Gaham y Tahas y Maacá.[e]

23 Y la vida de Sara llegó a ciento veintisiete años. Estos fueron los años de la vida de Sara.[f] 2 De modo que murió Sara en Quiryat-arbá,[g] es decir, Hebrón,[h] en la tierra de Canaán,[i] y Abrahán entró a plañir a Sara y a llorarla. 3 Entonces se levantó Abrahán de delante de su muerto y procedió a hablar a los hijos de Het,[j] diciendo: 4 "Residente forastero y poblador soy yo entre ustedes.[k] Denme la posesión de una sepultura entre ustedes para que entierre a mi muerto fuera del alcance de mi vista".[l] 5 Ante esto, los hijos de Het contestaron a Abrahán, y le dijeron: 6 "Escúchanos, señor mío.[m] Un principal de Dios eres tú en medio de nosotros.[n] En la más selecta de nuestras sepulturas entierra a tu muerto.[o] Ninguno de nosotros retendrá de ti su sepultura para impedir el entierro de tu muerto".[p]

7 Por lo tanto Abrahán se levantó y se inclinó ante los naturales,[q] ante los hijos de Het,[r] 8 y habló con ellos, y dijo: "Si sus almas convienen en enterrar a mi muerto fuera del alcance de mi vista, escúchenme e insten por mí a Efrón el hijo de Zóhar,[s] 9 para que me dé la cueva de Macpelá,[t] que es suya, la cual está a la extremidad de su campo. Por la plena cantidad de plata, que me la dé en medio de ustedes para la posesión de una sepultura".[u] 10 El caso era que Efrón esta-

ba sentado en medio de los hijos de Het. Así que Efrón el hitita[a] contestó a Abrahán, a oídos de los hijos de Het junto con todos los que entraban por la puerta de su ciudad, diciendo:[b] 11 "¡No, señor mío! Escúchame. El campo sí te lo doy, y la cueva que está en él a ti te la doy, sí. Ante los ojos de los hijos de mi pueblo de veras te la doy.[c] Entierra a tu muerto". 12 En esto se inclinó Abrahán ante los naturales 13 y habló a Efrón, oyéndolo los naturales, y dijo: "Solamente si tú... ¡no, escúchame! Ciertamente te daré la cantidad de plata por el campo. Tómala de mí,[d] para que yo entierre allí a mi muerto".

14 Entonces contestó Efrón a Abrahán, diciéndole: 15 "Señor mío, escúchame. Una porción de terreno que vale cuatrocientos siclos de plata, ¿qué es eso entre yo y tú? De modo que entierra a tu muerto".[e] 16 Por consiguiente, escuchó Abrahán a Efrón, y Abrahán le pesó a Efrón la cantidad de plata de que había hablado a oídos de los hijos de Het, cuatrocientos siclos de plata, corriente entre mercaderes.[f] 17 Así el campo de Efrón que estaba en Macpelá, que está enfrente de Mamré, el campo y la cueva que estaba en él, y todos los árboles que estaban en el campo,[g] que estaban dentro de todos sus límites en derredor, quedaron confirmados[h] 18 a Abrahán como propiedad suya comprada ante los ojos de los hijos de Het, entre todos los que entraban por la puerta de su ciudad.[i] 19 Y después de aquello Abrahán enterró a Sara su esposa en la cueva del campo de Macpelá, enfrente de Mamré, es decir, Hebrón, en la tierra de Canaán.[j] 20 Así el campo y la cueva que estaba en él quedaron confirmados a Abrahán para posesión de sepultura, de mano de los hijos de Het.[k]

CAP. 22
a Gé 11:26
b Job 32:2
c Gé 25:20
d Gé 24:15
Ro 9:10
e 2Sa 10:6

CAP. 23
f Gé 17:17
g Jos 14:15
h Gé 35:27
Nú 13:22
i Gé 13:18
Sl 105:11
j Gé 10:15
Gé 23:20
k Gé 17:8
Heb 11:9
l Gé 49:30
Hch 7:5
m Gé 43:20
n Gé 21:22
o Isa 53:9
Jn 19:41
p Jos 24:32
q 1Pe 2:17
r 1Cr 1:13
s Gé 25:9
t Gé 49:30
u Gé 23:15

2.ª col.
a Gé 50:13
b Gé 34:20
Gé 16:18
Rut 4:1
c Dt 19:15
Rut 4:4
d Gé 14:23
Ro 8:8
e 2Sa 2:5
f Esd 8:25
Hch 7:16
g Gé 25:9
Gé 49:30
h Rut 4:11
Jer 32:44
i Job 29:7
Jer 32:12
j Gé 25:10
Gé 50:13
k Gé 49:31
Hch 7:5

24 Ahora bien, Abrahán era viejo, avanzado en años; y Jehová había bendecido a Abrahán en todo.[a] **2** Por lo tanto Abrahán dijo a su siervo, al más viejo de su casa, que administraba todo lo que tenía:[b] "Pon tu mano, por favor, debajo de mi muslo,[c] **3** porque tengo que hacerte jurar por Jehová,[d] el Dios de los cielos y el Dios de la tierra, que no tomarás esposa para mi hijo de las hijas de los cananeos, entre quienes estoy morando,[e] **4** sino que irás a mi país y a mis parientes,[f] y ciertamente tomarás esposa para mi hijo, para Isaac".

5 Sin embargo, el siervo le dijo: "¿Y si la mujer no desea venir conmigo a esta tierra? ¿Sin falta tendré que devolver a tu hijo a la tierra de donde saliste?".[g] **6** Ante esto, Abrahán le dijo: "Cuídate de devolver a mi hijo a aquel lugar.[h] **7** Jehová el Dios de los cielos, que me tomó de la casa de mi padre y de la tierra de mis parientes,[i] y que me habló y que me juró,[j] diciendo: 'A tu descendencia[k] voy a dar esta tierra',[l] él enviará a su ángel delante de ti,[m] y ciertamente tomarás de allá esposa para mi hijo.[n] **8** Pero si la mujer no deseara venir contigo, tú también habrás quedado libre de este juramento que me prestaste.[o] Solamente que no debes devolver a mi hijo a aquel lugar". **9** Ante aquello, el siervo puso su mano debajo del muslo de Abrahán su amo y le juró respecto a este asunto.

10 De modo que el siervo tomó diez camellos de los camellos de su amo y procedió a ir con toda suerte de cosa buena de su amo en la mano.[q] Entonces se levantó y se puso en camino a Mesopotamia, a la ciudad de Nacor. **11** Por fin hizo arrodillar los camellos fuera de la ciudad junto a un pozo de agua, como al atardecer,[r] como a la hora en que

acostumbraban salir las mujeres que sacan agua.[a] **12** Y pasó a decir: "Jehová, el Dios de mi amo Abrahán,[b] haz que suceda, por favor, ante mí en este día, y ejecuta bondad amorosa[c] para con mi amo Abrahán.[d] **13** Aquí estoy apostado junto a una fuente de agua, y las hijas de los hombres de la ciudad están saliendo para sacar agua.[e] **14** Lo que tiene que suceder es que la joven a quien yo diga: 'Baja tu jarro de agua, por favor, para que yo beba', y que realmente diga: 'Bebe, y también daré de beber a tus camellos', esta sea la que tienes que asignar a tu siervo,[f] a Isaac; y mediante esto déjame saber que has ejecutado amor leal para con mi amo".[g]

15 Ahora bien, aconteció que antes que hubiera acabado de hablar,[h] pues, aquí venía saliendo Rebeca, que le había nacido a Betuel[i] hijo de Milcá[j] la esposa de Nacor,[k] hermano de Abrahán, y llevaba su jarro de agua sobre el hombro.[l] **16** Pues bien, la joven era de apariencia muy atractiva,[m] virgen, y ningún hombre había tenido coito con ella;[n] y vino bajando hasta la fuente y empezó a llenar su jarro de agua, y entonces subió. **17** En seguida el siervo corrió a su encuentro y dijo: "Dame, por favor, un sorbito de agua de tu jarro".[o] **18** Ella, a su vez, dijo: "Bebe, señor mío". Con eso, rápidamente bajó su jarro sobre su mano y le dio de beber.[p] **19** Cuando acabó de darle de beber, entonces dijo: "También para tus camellos sacaré agua hasta que acaben de beber".[q] **20** De modo que ella rápidamente vació su jarro en el abrevadero y corrió vez tras vez al pozo para sacar agua,[r] y siguió sacando para todos los camellos de él. **21** Entretanto, el hombre se quedó mirándola con fijeza, admirado, guardando silen-

CAP. 24

a Gé 13:2
  Gál 3:9
b Gé 15:2
  Gé 41:40
  1Co 4:2
c Gé 47:29
d Gé 21:23
e Gé 28:1
  Dt 7:3
  1Co 7:39
  2Co 6:14
f Gé 22:20
g Gé 11:28
  Gé 15:7
h Heb 11:15
i Gé 12:1
  Heb 11:8
j Miq 7:20
  Lu 1:73
  Heb 6:13
k Gé 26:4
  Hch 7:5
  Heb 11:18
l Gé 13:15
  Éx 32:13
  Dt 34:4
m Éx 23:20
  Sl 34:7
  Heb 1:14
n Gé 12:5
  Hch 7:4
o Jos 2:17
p Gé 24:2
  Gé 47:29
q Gé 24:35
  Gé 43:11
r Pr 12:10

2.ª col.

a Éx 2:16
  1Sa 9:11
  Jn 4:7
b Gé 32:9
  1Re 18:36
  Mt 22:32
c 1Sa 20:8
  Zac 7:9
d Ne 1:11
  Sl 37:5
  Flp 4:6
e Gé 29:10
f Pr 19:14
g Jue 6:17
  Jue 18:5
h Sl 34:15
  Sl 65:2
  Isa 58:9
  Isa 65:24
  1Jn 5:14
i Gé 22:23
j Gé 11:29
k Gé 11:26
l Gé 21:14
m Gé 26:7
n Dt 22:20
  2Co 11:2
o Jn 4:7
p Mt 10:42
  Mt 25:35
q Ro 12:13
  1Pe 4:9
r Pr 31:17
  Pr 31:31

cio para saber si Jehová había dado éxito a su viaje o no.[a]

22 Por consiguiente, aconteció que, cuando los camellos habían acabado de beber, entonces el hombre tomó una nariguera[b] de oro de medio siclo de peso, y dos brazaletes[c] para las manos de ella —diez siclos de oro era el peso de estos—, 23 y pasó a decir: "¿De quién eres hija? Infórmame, por favor. ¿Hay lugar en casa de tu padre para que pasemos la noche?".[d] 24 Ante aquello, ella le dijo: "Soy la hija de Betuel[e] el hijo de Milcá, que ella le dio a luz a Nacor".[f] 25 Y además le dijo: "Hay con nosotros paja, así como también mucho forraje, también lugar donde pasar la noche".[g] 26 Y el hombre procedió a inclinarse y postrarse ante Jehová,[h] 27 y a decir: "Bendito sea Jehová[i] el Dios de mi amo Abrahán, que no ha abandonado su bondad amorosa y su confiabilidad para con mi amo. Estando yo en camino, Jehová me ha guiado a la casa de los hermanos de mi amo".[j]

28 Y la joven echó a correr y refirió estas cosas a la casa de su madre. 29 Ahora bien, Rebeca tenía un hermano, y el nombre de este era Labán.[k] Así que Labán fue corriendo a donde el hombre que estaba fuera, junto a la fuente. 30 Y aconteció que, al ver la nariguera, y los brazaletes[l] en las manos de su hermana, y al oír las palabras de Rebeca su hermana, que decía: "De esta manera me habló el hombre", entonces vino al hombre, y allí estaba él, de pie al lado de los camellos, junto a la fuente. 31 En seguida dijo: "Ven, bendito de Jehová.[m] ¿Por qué te quedas parado aquí afuera, cuando yo mismo he alistado la casa, y lugar para los camellos?". 32 Ante aquello, el hombre entró en la casa, y él se puso a desaparejar los camellos y a dar paja y forraje a los camellos y agua para lavar los pies de aquel

y los pies de los hombres que con él estaban.[a] 33 Entonces pusieron algo de comer delante de él, pero dijo: "No comeré hasta que haya hablado acerca de mis asuntos". Por lo tanto él dijo: "¡Habla!".[b]

34 Entonces pasó a decir: "Soy siervo de Abrahán.[c] 35 Y Jehová ha bendecido a mi amo muchísimo, por cuanto sigue haciéndolo más grande y dándole ovejas y ganado vacuno y plata y oro y siervos y siervas y camellos y asnos.[d] 36 Además, Sara la esposa de mi amo le dio a luz un hijo a mi amo después de haber envejecido ella;[e] y él le dará todo lo que tiene.[f] 37 De modo que mi amo me hizo jurar, diciendo: 'No debes tomar esposa para mi hijo de las hijas de los cananeos en cuya tierra estoy morando.[g] 38 No, sino que irás a la casa de mi padre y a mi familia,[h] y tienes que tomar esposa para mi hijo'.[i] 39 Pero yo dije a mi amo: '¿Y si la mujer no quiere venir conmigo?'.[j] 40 Entonces él me dijo: 'Jehová, delante de quien he andado,[k] enviará a su ángel[l] contigo y ciertamente dará éxito a tu camino;[m] y tienes que tomar esposa, para mi hijo, de mi familia y de la casa de mi padre.[n] 41 En aquel tiempo quedarás desligado de tu obligación a mí por juramento cuando llegues a mi familia, y si no quieren dártela, entonces llegarás a estar libre de obligación a mí por juramento'.[o]

42 "Cuando llegué a la fuente hoy, entonces dije: 'Jehová el Dios de mi amo Abrahán, si realmente vas a dar éxito a mi camino por el cual estoy yendo,[p] 43 aquí estoy apostado junto a una fuente de agua. Lo que tiene que suceder es que la doncella[q] que salga a sacar agua a quien yo en efecto diga: "Por favor, permíteme beber un poco de agua de tu jarro", 44 y que realmente me diga: "Bebe tú, y también

sacaré agua para tus camellos", ella es la mujer que Jehová ha asignado para el hijo de mi amo'.[a]

45 "Antes que acabara de hablar[b] en mi corazón,[c] pues, allí estaba Rebeca que salía, con su jarro sobre el hombro; y vino bajando hasta la fuente y empezó a sacar agua.[d] Entonces me dije: 'Dame de beber, por favor'.[e] 46 De modo que ella rápidamente bajó su jarro de sobre sí y dijo: 'Bebe,[f] y también daré de beber a tus camellos'. Entonces bebí, y también a los camellos dio ella de beber. 47 Después le pregunté y dije: '¿De quién eres hija?',[g] a lo cual ella dijo: 'La hija de Betuel el hijo de Nacor, que Milcá le dio a luz'. Por consiguiente, le puse la nariguera en la nariz y los brazaletes en las manos.[h] 48 Y procedí a inclinarme y postrarme ante Jehová y a bendecir a Jehová el Dios de mi amo Abrahán,[i] que me había guiado por el camino verdadero[j] a tomar la hija del hermano de mi amo para su hijo. 49 Y ahora, si ustedes realmente están ejerciendo bondad amorosa y confiabilidad para con mi amo,[k] declárenmelo; pero si no, declárenmelo, para que me vuelva o a la derecha o a la izquierda".[l]

50 Entonces contestaron Labán y Betuel, y dijeron: "De Jehová ha procedido esta cosa.[m] No podemos hablarte lo malo ni lo bueno.[n] 51 Aquí está Rebeca delante de ti. Tómala y vete, y llegue ella a ser esposa del hijo de tu amo, tal como ha hablado Jehová".[o] 52 Y aconteció que cuando el siervo de Abrahán hubo oído sus palabras, en seguida se postró en tierra ante Jehová.[p] 53 Y el siervo empezó a sacar objetos de plata y objetos de oro y prendas de vestir y a darlos a Rebeca; y dio cosas selectas al hermano y a la madre de ella.[q] 54 Después comieron y bebieron, él y los hombres que

con él estaban, y pasaron la noche allí, y se levantaron por la mañana.

Entonces dijo él: "Envíenme a donde mi amo".[a] 55 A lo cual dijeron el hermano y la madre de ella: "Que la joven se quede con nosotros por lo menos diez días. Después de eso puede ir". 56 Pero él les dijo: "No me detengan, ya que Jehová ha dado éxito a mi camino.[b] Envíenme, para que vaya a mi amo".[c] 57 Así que dijeron: "Llamemos a la joven, e inquiramos de su boca".[d] 58 Entonces llamaron a Rebeca y le dijeron: "¿Quieres ir con este hombre?". A su vez, ella dijo: "Estoy dispuesta a ir".

59 Por lo tanto enviaron a Rebeca[f] su hermana y a la nodriza[g] de esta, y al siervo de Abrahán y sus hombres. 60 Y empezaron a bendecir a Rebeca y a decirle: "Oh tú, hermana nuestra, que llegues a ser millares de veces diez mil, y que tu descendencia tome posesión de la puerta de los que la odien".[h] 61 Después Rebeca y sus servidoras[i] se levantaron y fueron cabalgando en los camellos[j] y siguiendo al hombre; y el siervo tomó a Rebeca y procedió a irse.

62 Ahora bien, Isaac había venido del camino que va a Beerlahai-roí,[k] porque moraba en la tierra del Négueb.[l] 63 E Isaac estaba afuera paseando a fin de meditar[m] en el campo como al caer la tarde. Cuando alzó los ojos y miró, pues, ¡allí venían [unos] camellos! 64 Cuando Rebeca alzó los ojos, alcanzó a ver a Isaac, y se bajó del camello. 65 Entonces dijo al siervo: "¿Quién es aquel hombre que viene andando por el campo a nuestro encuentro?", y el siervo dijo: "Es mi amo". Y ella procedió a tomar una mantilla y a cubrirse.[n] 66 Y el siervo se puso a contar a Isaac todas las cosas que había hecho. 67 Después

CAP. 24
a Gé 24:14
Pr 18:22
Pr 19:14

b Sl 65:2
Isa 58:9
Isa 65:24
Da 9:21

c 1Sa 1:13
Ne 2:4

d Gé 24:15

e Gé 24:17

f Gé 24:18

g Gé 24:23

h Gé 24:22
Eze 16:11

i Gé 24:27
Lu 1:68

j Isa 30:21
Isa 48:17

k Gé 32:10
Gé 47:29
Jos 2:14

l Gé 24:8

m Sl 118:23
Mr 12:11

n Gé 31:24
Isa 46:10
Hch 5:39

o Pr 18:22
Pr 19:14

p 1Cr 29:20
2Cr 20:18

q Gé 34:12

2.ª col.
a Gé 30:25
Gé 31:27

b Gé 39:3
Sl 1:3
Isa 48:15

c Sl 123:2
Col 3:22
1Pe 2:18

d Jn 9:21

e Gé 2:24
Sl 45:10

f Gé 28:5

g Gé 35:8

h Gé 22:17
2Sa 12:29

i Sl 45:14

j Gé 31:17
Gé 31:34

k Gé 16:14
Gé 25:11

l Gé 12:9
Gé 20:1
Nú 13:22
Jue 1:9
2Sa 24:7
Abd 19

m Sl 77:12
Sl 143:5

n 1Co 11:6

Isaac la introdujo en la tienda de Sara su madre.ᵃ Así tomó a Rebeca, y ella llegó a ser su esposa;ᵇ y él se enamoró de ella,ᶜ e Isaac halló consuelo después de la pérdida de su madre.ᵈ

25 Además, Abrahán volvió a tomar esposa, y el nombre de esta fue Queturá.ᵉ 2 Con el tiempo, ella le dio a luz a Zimrán y a Joqsán y a Medán y a Madiánᶠ y a Isbaq y a Súah.ᵍ

3 Y Joqsán llegó a ser padre de Sebaʰ y de Dedán.ⁱ

Y los hijos de Dedán llegaron a ser [los] asurim y [los] letusim y [los] leumim.

4 Y los hijos de Madián fueron Efáʲ y Éfer y Hanok y Abidá y Eldaá.ᵏ

Todos estos fueron los hijos de Queturá.

5 Más tarde Abrahán dio todo cuanto tenía a Isaac.ˡ 6 pero a los hijos de las concubinas que Abrahán tuvo, Abrahán dio dádivas.ᵐ Entonces los envió de donde estaba Isaac su hijo,ⁿ mientras todavía estaba vivo, hacia el este, a la tierra del Oriente.º 7 Y estos son los días de los años de la vida de Abrahán que él vivió: ciento setenta y cinco años. 8 Entonces expiró Abrahán y murió en buena vejez, viejo y satisfecho, y fue recogido a su pueblo.ᵖ 9 De modo que Isaac e Ismael sus hijos lo enterraron en la cueva de Macpelá, en el campo de Efrón el hijo de Zóhar el hitita, que está enfrente de Mamré,ᑫ 10 el campo que Abrahán había comprado a los hijos de Het. Allí fue enterrado Abrahán, y también Sara su esposa.ʳ 11 Y resultó que después de la muerte de Abrahán Dios continuó bendiciendo a Isaac su hijo,ˢ e Isaac moraba cerca de Beer-lahai-roi.ᵗ

12 Y esta es la historia de Ismael,ᵘ hijo de Abrahán, que Agar la egipcia, la sierva de Sara, le dio a luz a Abrahán.ᵛ

13 Ahora bien, estos son los nombres de los hijos de Ismael, por sus nombres, según los orígenes de sus familias: el primogénito de Ismael, Nebayot,ᵃ y Quedarᵇ y Adbeel y Mibsamᶜ 14 y Mismá y Dumá y Masá, 15 Hadadᵈ y Temá,ᵉ Jetur, Nafís y Quedemá.ᶠ 16 Estos son los hijos de Ismael, y estos son sus nombres por sus patios y por sus campamentos amurallados:ᵍ doce principales según sus clanes.ʰ 17 Y estos son los años de la vida de Ismael: ciento treinta y siete años. Entonces expiró y murió y fue recogido a su pueblo.ⁱ 18 Y se pusieron a residir desde Haviláʲ cerca de Sur,ᵏ que está enfrente de Egipto, hasta Asiria. Enfrente de todos sus hermanos se estableció.ˡ

19 Y esta es la historia de Isaac el hijo de Abrahán.ᵐ

Abrahán llegó a ser padre de Isaac. 20 Y contaba Isaac con cuarenta años de edad cuando tomó por esposa a Rebeca la hija de Betuelⁿ el sirioº de Padán-aram, hermana de Labán el sirio. 21 E Isaac siguió rogando a Jehová especialmente por su esposa,ᵖ porque ella era estéril;ᑫ y así que Jehová se dejó rogar a favor de él,ʳ y Rebeca su esposa quedó encinta. 22 Y los hijos dentro [del vientre] de ella empezaron a pugnar el uno con el otro,ˢ de modo que ella dijo: "Si es de esta manera, ¿exactamente por qué estoy viva?" Y se fue a inquirir de Jehová.ᵗ 23 Y Jehová procedió a decirle: "Dos naciones están en tu vientre,ᵘ y dos grupos nacionales serán separados de tus entrañas;ᵛ y un grupo nacional será más fuerte que el otro grupo nacional,ʷ y el mayor servirá al menor".ˣ

24 Gradualmente se le cumplieron los días para dar a luz, y, ¡mire!, había gemelos en su vien-

CAP. 24
a Gé 18:6
   Heb 11:9
b Mt 19:5
c Gé 26:8
   Ef 5:25
d Gé 23:2
   Gé 23:19

CAP. 25
e Ro 7:2
f Gé 37:28
   Ex 2:15
   Nú 22:4
   Nú 31:2
   Jue 6:2
g 1Cr 1:32
   Job 2:11
h 1Re 10:1
i Jer 25:23
   Eze 27:20
j Isa 60:6
k 1Cr 1:33
l Gé 24:36
   Pr 13:22
   Heb 1:2
m 2Cr 21:3
n Gé 21:14
   Jn 8:35
   Gál 4:30
o Jue 6:3
p Gé 35:29
   Pr 9:11
q Gé 23:9
   Gé 49:28
r Gé 23:19
   Gé 17:19
   Gé 26:13
t Gé 16:14
   Gé 16:10
u Gál 4:24

2.ᵃ col.
a Gé 36:3
   Isa 60:7
b Sl 120:5
   Jer 49:28
   Eze 27:21
c 1Cr 1:29
d 1Cr 1:30
e Job 2:11
   Job 6:19
f 1Cr 1:31
g 1Cr 6:54
   Ne 8:16
h Gé 17:20
   Sl 117:1
i Gé 25:8
j Gé 2:11
   1Sa 15:7
k Gé 16:7
l Gé 16:12
m Gé 22:2
   Mt 1:2
n Gé 22:23
o Dt 26:5
p Dt 4:29
q 1Sa 1:5
r 2Sa 21:14
   2Cr 33:13
   Lu 1:13
s Ro 9:10
t 1Re 18:37
u Sl 139:15
   Ec 11:5
v Gé 36:31
   Nú 20:14
w Gé 27:29
   Dt 2:4

x 2Sa 8:14; Mal 1:2; Ro 9:12.

tre.[a] 25 Entonces salió el primero, rojo por todas partes como
un vestido oficial de pelo;[b] así
que lo llamaron por nombre
Esaú.[c] 26 Y después salió su
hermano, y con la mano tenía
asido el talón de Esaú;[d] de modo
que él lo llamó por nombre Jacob.[e] E Isaac tenía sesenta años
de edad cuando ella los dio a luz.

27 Y fueron creciendo los muchachos, y Esaú llegó a ser hombre que sabía cazar,[f] hombre del
campo, pero Jacob hombre sin
culpa,[g] que moraba en tiendas.[h]
28 E Isaac amaba a Esaú, porque significaba caza en su boca,
mientras que Rebeca amaba a
Jacob.[i] 29 Una vez Jacob estaba cociendo un guisado, cuando
Esaú venía del campo, y estaba cansado. 30 De modo que
Esaú dijo a Jacob: "¡Aprisa, por
favor, dame un bocado de lo
rojo... lo rojo [que está] allí, porque estoy cansado!". Por eso
fue llamado por nombre Edom.[j]
31 A esto dijo Jacob: "¡Vénde-
me, ante todo, tu derecho de
primogénito!".[k] 32 Y Esaú
continuó: "Aquí estoy que simplemente voy a morirme, ¿y de
qué provecho me es una primogenitura?". 33 Y añadió Jacob: "¡Júrame, ante todo!".[l] Y
procedió a jurarle, y a vender su
derecho de primogénito a Jacob.[m] 34 Y Jacob dio a Esaú
pan y guisado de lentejas, y él se
puso a comer y beber.[n] Entonces
se levantó y se puso en marcha.
Así que Esaú despreció la primogenitura.[o]

26 Ahora bien, surgió un
hambre en el país, ade-
más de la primera hambre que
ocurrió en los días de Abrahán,[p]
de modo que Isaac se dirigió hacia Abimélec, rey de los filisteos,
a Guerar.[q] 2 Entonces Jehová
se le apareció y dijo:[r] "No bajes a
Egipto. Reside en el país que yo
te designe.[s] 3 Reside como forastero en este país,[t] y yo continuaré contigo y te bendeciré,
porque a ti y a tu descendencia
daré todas estas tierras,[a] y ciertamente pondré por obra la declaración jurada que juré a
Abrahán tu padre:[b] 4 'Y ciertamente multiplicaré tu descendencia como las estrellas de los
cielos y verdaderamente daré
a tu descendencia todas estas
tierras;[c] y por medio de tu descendencia ciertamente se bendecirán todas las naciones de la
tierra',[d] 5 debido a que Abrahán escuchó mi voz y continuó
guardando sus obligaciones
para conmigo, mis mandatos,
mis estatutos y mis leyes".[e]
6 De modo que Isaac siguió morando en Guerar.[f]

7 Ahora bien, los hombres del
lugar preguntaban de continuo
acerca de su esposa, y él decía:
"Es mi hermana".[g] Pues tenía
miedo de decir: "Mi esposa", por
temor de que, según decía él, "los
hombres del lugar me maten a
causa de Rebeca", porque era de
apariencia atractiva.[h] 8 Aconteció, pues, que como se le extendían los días allí, Abimélec,
rey de los filisteos, estaba mirando por la ventana y observando la escena, y allí estaba
Isaac divirtiéndose con Rebeca
su esposa.[i] 9 En seguida Abimélec llamó a Isaac y dijo: "¡Claro está que ella es tu esposa! Entonces, ¿cómo es que dijiste: 'Es
mi hermana'?". Ante esto, le dijo
Isaac: "Lo dije por temor de morir a causa de ella".[j] 10 Pero
Abimélec continuó: "¿Qué es
esto que nos has hecho?[k] ¡Un
poco más y ciertamente alguno
del pueblo se hubiera acostado
con tu esposa, y habrías traído sobre nosotros culpa!".[l]
11 Entonces mandó Abimélec a
todo el pueblo, diciendo: "¡Cualquiera que toque a este hombre
y a su esposa, de seguro será
muerto!".

12 Después Isaac empezó a
sembrar en aquella tierra,[m] y en
aquel año estaba consiguiendo

CAP. 25
a Gé 38:27
b Gé 27:11 2Re 1:8 Zac 13:4
c Gé 27:32 Gé 36:9 Mal 1:3
d Os 12:3
e Gé 27:36 Hch 7:14
f Gé 27:3
g Sl 37:37
h Heb 11:9
i Gé 27:6 Gé 27:46
j Gé 36:1 Dt 2:4 Mal 1:4
k Gé 43:33 Dt 21:17 1Cr 5:1
l Gé 14:22 Heb 6:16
m Heb 12:16
n 1Co 15:32
o Job 21:15 Job 34:9

CAP. 26
p Gé 12:10
q Gé 26:26
r Éx 6:3 Nú 12:6 1Jn 4:12
s Éx 32:13
t Gé 20:1 Heb 11:9

2.ª col.
a Gé 12:7 Gé 15:18 Ro 15:8 Gál 4:28
b Gé 22:16 Sl 105:9 Miq 7:20 Heb 6:13
c Gé 15:5 Dt 34:4 Heb 11:12
d Gé 12:3 Gé 22:18 Hch 3:25 Gál 3:8
e Gé 17:23 Heb 11:8 Snt 2:21
f Gé 26:17
g Gé 12:13
h Gé 24:16
i Gé 24:67 Pr 5:18 Ec 9:9
j Gé 20:11
k Gé 12:18
l Gé 20:9 Gé 39:9 Pr 6:29 Heb 13:4
m Gé 8:22 Isa 55:10 2Co 9:10

hasta cien medidas por una,[a] puesto que Jehová lo estaba bendiciendo.[b] 13 Por consiguiente, el hombre se engrandeció y siguió avanzando más y más y engrandeciéndose, hasta que se hizo muy grande.[c] 14 Y llegó a tener rebaños de ovejas y manadas de ganado vacuno y una gran servidumbre,[d] de modo que los filisteos empezaron a envidiarle.[e]

15 En cuanto a todos los pozos que habían cavado los siervos de su padre en los días de Abrahán su padre,[f] estos los cegaron los filisteos, y los llenaron de tierra seca.[g] 16 Por fin Abimélec dijo a Isaac: "Múdate de nuestra vecindad, porque te has hecho mucho más fuerte que nosotros".[h] 17 Así que Isaac se mudó de allí y acampó en el valle torrencial de Guerar,[i] y se puso a morar allí. 18 E Isaac procedió a cavar de nuevo los pozos de agua que habían cavado en los días de Abrahán su padre, pero los cuales los filisteos fueron cegando después de la muerte de Abrahán;[j] y volvió a ponerles por nombre los nombres que su padre les había puesto.[k]

19 Y los siervos de Isaac siguieron cavando en el valle torrencial, y así hallaron allí un pozo de agua dulce. 20 Y los pastores de Guerar se pusieron a reñir con los pastores de Isaac,[l] diciendo: "¡Nuestra es el agua!". Por lo tanto, él llamó al pozo por nombre Éseq, porque habían contendido con él. 21 Y se dirigieron a cavar otro pozo, y se pusieron a reñir por él también. Por lo tanto lo llamó por nombre Sitná. 22 Más tarde se mudó de allí y cavó otro pozo,[m] pero no riñeron por él. Por lo tanto lo llamó por nombre Rehobot, y dijo: "Es porque ahora nos ha dado Jehová amplio espacio[n] y nos ha hecho fructíferos en la tierra".[o]

23 Entonces subió de allí a Beer-seba.[a] 24 Y Jehová procedió a aparecérsele durante aquella noche y a decir: "Yo soy el Dios de Abrahán tu padre.[b] No tengas miedo,[c] porque yo estoy contigo, y ciertamente te bendeciré, y multiplicaré tu descendencia por causa de Abrahán mi siervo".[d] 25 Por consiguiente, él edificó allí un altar e invocó el nombre de Jehová[e] y asentó allí su tienda,[f] y los siervos de Isaac se pusieron a excavar un pozo allí.

26 Más tarde Abimélec vino a él desde Guerar con Ahuzat su amigo íntimo y Ficol el jefe de su ejército.[g] 27 Por lo cual les dijo Isaac: "¿Por qué han venido a mí, puesto que ustedes mismos me odiaron y por eso me enviaron fuera de su vecindad?".[h] 28 A esto dijeron: "Hemos visto, innegablemente, que Jehová ha resultado estar contigo.[i] Por eso dijimos: 'Ocurra, por favor, un juramento de obligación entre nosotros,[j] entre nosotros y ti, y déjanos celebrar un pacto contigo,[k] 29 de que no harás nada malo para con nosotros así como nosotros no te hemos tocado a ti y así como nosotros hemos hecho solamente lo bueno para contigo puesto que te enviamos en paz.[l] Tú ahora eres el bendito de Jehová'".[m] 30 Entonces él les hizo un banquete y comieron y bebieron.[n] 31 A la mañana siguiente madrugaron y se hicieron declaraciones juradas el uno al otro.[o] Después Isaac los envió y ellos se fueron de él en paz.[p]

32 Ahora bien, en aquel día ocurrió que los siervos de Isaac procedieron a venir a él e informarle acerca del pozo que habían cavado,[q] y a decirle: "¡Hemos hallado agua!". 33 Por lo tanto lo llamó por nombre Sibá. Por eso el nombre de la ciudad es Beer-seba,[r] hasta el día de hoy.

34 Y Esaú llegó a tener cuarenta años de edad. Entonces

CAP. 26

a 1Co 3:6
b Gé 24:1
  Job 42:12
  Sl 3:8
  Sl 67:6
  Pr 10:22
  Heb 6:7
c Gé 24:35
d Gé 12:16
  Job 1:3
e Gé 37:11
  1Sa 18:9
  Pr 27:4
  Ro 1:29
  Tit 3:3
f Gé 21:30
g Pr 25:26
h Ex 1:9
  Sl 105:24
i Gé 10:19
  Gé 20:1
j Gé 21:25
k Gé 21:31
  Gé 13:7
m Gé 13:9
  Pr 17:14
  Ro 12:18
n Le 26:9
  Sl 18:19
  Sl 118:5
o Gé 17:6
  Gé 28:3
  Eze 36:11

2.ª col.

a Gé 21:31
b Gé 17:1
  Gé 28:13
  Ex 3:6
  Mt 22:32
  Hch 7:32
c Gé 15:1
  Dt 31:8
  Sl 27:1
  Heb 13:6
d Gé 17:19
  Sl 105:9
  Gál 3:29
e Gé 12:8
  Ro 10:13
f Gé 4:20
  Heb 11:9
g Gé 21:32
h Jue 11:7
i Gé 21:22
  Gé 39:5
  Jos 3:7
  Zac 8:23
  1Co 14:25
j Gé 21:31
k Gé 21:27
  Gé 31:44
l Pr 16:7
m Gé 21:31
  Gé 22:17
  Sl 115:15
  Isa 61:9
  Mt 25:34
n Gé 19:3
  2Re 6:23
o Gé 14:22
  Gé 21:23
  1Sa 20:17
p Ro 12:18
  Heb 12:14
  1Pe 3:11
q Gé 26:18
r Jue 20:1

tomó por esposa a Judit hija de Beerí el hitita, y también a Basemat hija de Elón el hitita.[a] 35 Y ellas fueron una fuente de amargura de espíritu para Isaac y Rebeca.[b]

27 Ahora bien, aconteció que cuando Isaac era viejo y se le habían oscurecido tanto los ojos que no veía,[c] entonces llamó a Esaú su hijo mayor y le dijo:[d] "¡Hijo mío!", por lo cual él le dijo: "¡Aquí estoy!". 2 Y él pasó a decir: "Pues mira, yo me he envejecido.[e] No sé el día de mi muerte.[f] 3 Así que toma, ahora mismo, por favor, tus útiles, tu aljaba y tu arco, y sal al campo y cázame una pieza.[g] 4 Entonces hazme un plato sabroso de los que me gustan y tráemelo y, ah, déjame comer, a fin de que me bendiga mi alma antes que yo muera".[h]

5 Sin embargo, Rebeca estaba escuchando mientras Isaac hablaba a Esaú su hijo. Y Esaú procedió a ir al campo para cazar algo de caza y para traerlo.[i] 6 Y Rebeca dijo a Jacob su hijo:[j] "Mira, acabo de oír a tu padre hablar a Esaú tu hermano, diciendo: 7 'Tráeme algo de caza y hazme un plato sabroso y, ah, déjame comer, para que te bendiga delante de Jehová antes de mi muerte'.[k] 8 Y, ahora, hijo mío, escucha mi voz en lo que te estoy mandando.[l] 9 Ve, por favor, a la manada y consígueme de allí dos cabritos de las cabras, buenos, para que haga de ellos para tu padre un plato sabroso de los que le gustan. 10 Entonces tú tienes que llevarlo a tu padre y él tiene que comerlo, a fin de que te bendiga antes de su muerte".

11 Y Jacob procedió a decir a Rebeca su madre: "Pero Esaú mi hermano es hombre velludo, y yo soy hombre lampiño.[m] 12 ¿Y si me palpa mi padre?[n] Entonces ciertamente llegaré a ser a sus ojos como quien está mofándo-

se,[a] y ciertamente traeré sobre mí una invocación de mal y no una bendición".[b] 13 Ante aquello, su madre le dijo: "Sobre mí venga la invocación de mal propuesta para ti, hijo mío.[c] Solo escucha mi voz y ve, consígueme[los]".[d] 14 Por lo tanto él se fue y [los] consiguió y [los] trajo a su madre, y su madre hizo un plato sabroso de los que le gustaban a su padre. 15 Después de eso Rebeca tomó prendas de vestir de Esaú su hijo mayor,[e] las más deseables que estaban en casa con ella,[f] y se las puso a Jacob su hijo menor.[g] 16 Y las pieles de los cabritos de las cabras se las puso a él sobre las manos y sobre la parte lampiña del cuello.[h] 17 Entonces puso en la mano de Jacob su hijo el plato sabroso y el pan que había hecho.[i]

18 De modo que él entró a donde estaba su padre y dijo: "¡Padre mío!", a lo cual dijo él: "¡Aquí estoy! ¿Quién eres, hijo mío?". 19 Y Jacob pasó a decir a su padre: "Soy Esaú tu primogénito.[j] He hecho tal como me hablaste. Levántate, por favor. Siéntate y come de mi caza, para que me bendiga tu alma".[k] 20 Ante esto, Isaac dijo a su hijo: "¿Cómo pudiste hallarla tan rápidamente, hijo mío?". A su vez él dijo: "Porque Jehová tu Dios hizo que se encontrara conmigo". 21 Entonces Isaac dijo a Jacob: "Acércate, por favor, para que te palpe, hijo mío, para saber si verdaderamente eres mi hijo Esaú o no".[l] 22 De modo que se acercó Jacob a Isaac su padre, y él se puso a palparlo, después de lo cual dijo: "La voz es la voz de Jacob, pero las manos son las manos de Esaú".[m] 23 Y no lo reconoció, porque sus manos resultaban velludas como las manos de Esaú su hermano. Por lo tanto lo bendijo.[n] 24 Después dijo: "¿Tú realmente eres mi hijo Esaú?", a lo

---

CAP. 26
a Gé 36:2
  Dt 7:3
b Gé 27:46
  Gé 28:8

CAP. 27
c Gé 48:10
  Ec 12:3
d Gé 25:28
e Isa 46:4
f Gé 48:21
  Pr 27:1
  Ec 9:12
  Snt 4:14
g Gé 25:27
h Gé 48:9
  Gé 49:28
  Heb 11:20
i Gé 27:30
j Gé 25:28
k Gé 27:31
  Gé 49:1
  Dt 33:1
l Gé 27:13
  Gé 27:43
  Pr 1:8
  Ef 6:1
m Gé 25:25
  Gé 27:23
n Gé 27:21

2.ª col.
a Jos 9:6
b Dt 11:26
  Dt 23:5
  Dt 30:1
c Gé 43:9
d Gé 27:8
  Pr 6:20
e Gé 25:23
f 1Sa 28:8
g Gé 25:26
h Gé 25:25
  Gé 27:11
i Gé 27:9
j Gé 25:33
  Ro 9:12
k Gé 27:4
  Heb 11:20
l Gé 27:21
m Gé 27:16
n Dt 21:17
  Ro 9:11
  Heb 11:20

cual dijo: "Yo soy".[a]　25 Entonces dijo: "Acércamela para que coma de la caza de mi hijo, a fin de que te bendiga mi alma".[b] Con eso se la acercó y él empezó a comer, y le trajo vino, y él empezó a beber.　26 Entonces le dijo Isaac su padre: "Acércate, por favor, y bésame, hijo mío".[c]　27 De modo que se acercó y lo besó, y él pudo percibir el olor de sus prendas de vestir.[d] Y procedió a bendecirlo y decir:

"Mira, el olor de mi hijo es como el olor del campo que Jehová ha bendecido.　28 Y déte el Dios [verdadero] los rocíos de los cielos[e] y los terrenos fértiles de la tierra[f] y una abundancia de grano y vino nuevo.[g]　29 Sírvante pueblos e inclínense ante ti grupos nacionales.[h] Llega a ser amo sobre tus hermanos, e inclínense ante ti los hijos de tu madre.[i] Maldito sea cada uno de los que te maldigan, y bendito cada uno de los que te bendigan".[j]

30 Ahora bien, aconteció tan pronto como Isaac hubo acabado de bendecir a Jacob, sí, en efecto aconteció cuando apenas hubo salido Jacob de delante del rostro de Isaac su padre, que Esaú su hermano volvió de su caza.[k]　31 Y él también se puso a hacer un plato sabroso. Entonces lo llevó a su padre y dijo a su padre: "Levántese mi padre y coma de la caza de su hijo, a fin de que me bendiga tu alma".[l]　32 Ante esto, le dijo Isaac su padre: "¿Quién eres?", a lo cual él dijo: "Soy tu hijo, tu primogénito, Esaú".[m]　33 E Isaac empezó a estremecerse con gran temblor en sumo grado, y así que dijo: "¿Quién, pues, fue en busca de caza y vino a traérmela, de modo que comí de todo antes que pudieras entrar tú, y lo bendije? ¡Bendito también llegará a ser!".[n]

34 Al oír las palabras de su padre, Esaú empezó a clamar de una manera extremadamen-

te fuerte y amarga, y a decir a su padre:[a] "¡Bendíceme a mí, sí, a mí también, padre mío!".[b]　35 Pero él pasó a decir: "Vino tu hermano con engaño para conseguir la bendición propuesta para ti".[c]　36 Ante aquello, él dijo: "¿No es por eso por lo que se le llama por nombre Jacob, puesto que me ha suplantado estas dos veces?[d] ¡Mi primogenitura ya la ha tomado,[e] y, mira, en esta ocasión ha tomado mi bendición!".[f] Entonces añadió: "¿No has reservado una bendición para mí?".　37 Pero en respuesta a Esaú, Isaac continuó: "Mira que lo he nombrado amo sobre ti,[g] y todos sus hermanos se los he dado por siervos,[h] y grano y vino nuevo he otorgado para su sostén,[i] y ¿dónde hay algo que pueda hacer por ti, hijo mío?".

38 Entonces Esaú dijo a su padre: "¿Es solamente una la bendición que tienes, padre mío? ¡Bendíceme a mí, sí, a mí también, padre mío!".[j] Con eso Esaú alzó la voz y prorrumpió en lágrimas.[k]　39 De modo que en respuesta Isaac su padre le dijo:

"Mira, lejos de los terrenos fértiles de la tierra se hallará tu morada, y lejos del rocío de los cielos arriba.[l]　40 Y por tu espada vivirás,[m] y a tu hermano servirás.[n] Pero ciertamente ocurrirá que, cuando te inquietes, verdaderamente romperás su yugo de sobre tu cuello".[o]

41 Sin embargo, Esaú le abrigó animosidad a Jacob por causa de la bendición con que lo había bendecido su padre,[p] y Esaú siguió diciendo en su corazón:[q] "Van acercándose los días del período de duelo por mi padre.[r] Después de eso voy a matar a Jacob mi hermano".[s]　42 Cuando le fueron referidas a Rebeca las palabras de Esaú su hijo mayor, en seguida ella envió y llamó a Jacob su hijo menor y le dijo: "¡Mira! Esaú tu hermano está consolándose respecto de

CAP. 27

a Gé 25:33
b Dt 32:28
　Pr 10:6
c Gé 48:10
d Gé 25:27
　Gé 27:15
　Can 4:11
e Dt 11:11
　Isa 45:8
　Os 14:5
f Gé 45:18
　Nú 13:27
g Gé 27:37
　Dt 7:13
　2Re 18:32
　Sl 104:15
h 2Sa 8:1
　Da 2:44
i Gé 25:23
　Gé 49:8
j Gé 12:3
　Gé 28:3
　Gé 31:42
　Nú 24:9
　Eze 25:12
k Gé 27:3
l Heb 7:7
m Gé 25:25
　Gé 25:31
　Heb 12:16
n Ro 9:13

2.ª col.

a Lu 13:28
b Heb 12:17
c Dt 21:17
　Mal 1:2
　Gál 3:9
d Gé 25:26
　Gé 32:28
　Os 12:3
e Gé 25:34
　Mt 5:33
　Heb 6:16
f Gé 27:28
g Gé 25:23
　Gé 27:29
　Ro 9:12
h Gé 49:8
i Dt 33:28
　Jue 2:19
j Heb 12:17
k Isa 65:14
l Jos 24:4
m Gé 32:6
　Nú 20:18
n Gé 25:23
　2Sa 8:14
o 2Re 8:20
　2Cr 28:17
p Gé 4:5
　Gé 37:11
　Am 1:11
　1Jn 2:11
q Sl 140:2
　Mr 7:21
r Gé 35:29
s Gé 4:8
　1Jn 3:15

ti... para matarte.ª 43 Ahora, pues, hijo mío, escucha mi voz y levántate,ᵇ huye a donde Labán mi hermano, en Harán.ᶜ 44 Y tendrás que morar con él algunos días, hasta que se calme la furia de tu hermano,ᵈ 45 hasta que la cólera de tu hermano se aparte de ti y haya olvidado lo que le has hecho.ᵉ Y yo ciertamente enviaré y te traeré de allá. ¿Por qué debo quedar privada también de ustedes dos en un solo día?".

46 Después Rebeca siguió diciendo a Isaac: "He llegado a aborrecer esta vida mía a causa de las hijas de Het.ᶠ Si alguna vez Jacob toma esposa de las hijas de Het como estas de las hijas del país, ¿de qué me sirve la vida?".ᵍ

28 Por consiguiente, Isaac llamó a Jacob y lo bendijo y le mandó y le dijo: "No debes tomar esposa de las hijas de Canaán.ʰ 2 Levántate, ve a Padán-aram, a la casa de Betuel, padre de tu madre, y de allí tómate una esposa de las hijas de Labán el hermano de tu madre.ⁱ 3 Y Dios Todopoderoso te bendecirá y te hará fructífero y te multiplicará, y ciertamente llegarás a ser una congregación de pueblos.ʲ 4 Y a ti te dará la bendición de Abrahán,ᵏ a ti y a tu descendencia contigo,ˡ para que tomes posesión de la tierra de tus residencias como forastero,ᵐ que Dios ha dado a Abrahán".ⁿ

5 De modo que Isaac envió a Jacob, y este partió para Padán-aram, hacia Labán hijo de Betuel el sirio,ᵒ hermano de Rebeca,ᵖ madre de Jacob y Esaú.q

6 Cuando Esaú vio que Isaac había bendecido a Jacob y lo había enviado a Padán-aram para que se tomara esposa de allá, y que cuando lo bendijo le impuso el mandato, diciendo: "No tomes esposa de las hijas de Canaán"; 7 y que Jacob estaba obedecien-

CAP. 27
a Gé 37:18
Sl 64:6
Pr 6:17
b Pr 1:8
Lu 3:20
c Gé 28:5
d Sl 37:8
e Éx 4:19
Mt 5:22
f Gé 26:35
Gé 28:8
g Gé 24:3

CAP. 28
h Gé 24:37
Éx 34:15
1Re 11:1
1Co 7:39
2Co 6:14
i Gé 29:16
j Gé 17:5
Gé 46:15
1Cr 2:1
Ro 4:17
k Gé 12:2
l Gé 15:5
Ro 9:7
Gál 3:29
m Gé 12:7
Gé 15:13
Gé 17:8
n Heb 11:9
o Gé 25:20
p Gé 24:29
q Gé 25:28
r Gé 28:1
2Co 6:14

2.ª col.
a Gé 27:43
Éx 20:12
Le 19:3
b Gé 24:3
Gé 27:46
c Gé 36:2
d Gé 11:31
Gé 27:43
e Gé 28:19
f Nú 12:6
Job 33:15
g Mt 28:2
Jn 1:51
Heb 1:14
h Da 7:9
i Gé 26:24
Mr 12:26
Hch 7:32
j Gé 12:7
Gé 28:4
Sl 105:11
Hch 7:5
k Gé 13:16
1Re 4:20
l Gé 13:14
m Gé 18:18
Gé 22:18
n Gé 35:6
Gé 46:4
o Gé 31:3
Nú 23:19
Jos 23:14
p Éx 3:6
Jue 13:22
Mt 17:6

do a su padre y a su madre y estaba yendo a Padán-aram;ª 8 entonces vio Esaú que las hijas de Canaán eran desagradables a los ojos de Isaac su padre.ᵇ 9 Por lo tanto Esaú fue a Ismael y tomó por esposa a Mahalat la hija de Ismael el hijo de Abrahán, la hermana de Nebayot, además de sus otras esposas.ᶜ

10 Y Jacob continuó su salida de Beer-seba y siguió encaminándose hacia Harán.ᵈ 11 Con el tiempo llegó a un lugar y se puso a pasar la noche allí porque se había puesto el sol. De modo que tomó una de las piedras del lugar y la puso como apoyo para su cabeza, y se acostó en aquel lugar.ᵉ 12 Y empezó a soñar,ᶠ y, ¡mire!, allí estaba una escalera situada sobre la tierra, y su parte superior alcanzaba hasta los cielos; y, ¡mire!, allí estaban los ángeles de Dios ascendiendo y descendiendo por ella.ᵍ 13 Y, ¡mire!, allí estaba Jehová apostado por encima de ella, y procedió a decir:ʰ

"Yo soy Jehová el Dios de Abrahán tu padre y el Dios de Isaac.ⁱ La tierra sobre la cual estás acostado, a ti te la voy a dar, y a tu descendencia.ʲ 14 Y tu descendencia ciertamente llegará a ser como las partículas de polvo de la tierra,ᵏ y ciertamente te extenderás hacia el oeste y hacia el este y hacia el norte y hacia el sur,ˡ y por medio de ti y por medio de tu descendencia todas las familias del suelo ciertamente se bendecirán.ᵐ 15 Y aquí estoy yo contigo y ciertamente te guardaré en todo el camino por el cual estás yendo, y ciertamente te haré volver a este suelo,ⁿ porque no voy a dejarte hasta que realmente haya hecho lo que le he hablado".ᵒ

16 Entonces Jacob despertó de su sueño y dijo: "Verdaderamente Jehová está en este lugar, y yo mismo no lo sabía". 17 Y se llenó de temor, y añadió:ᵖ

"¡Cuán inspirador de temor es este lugar!ª Esta no es otra cosa sino la casa de Dios,b y esta es la puerta de los cielos". 18 Así que Jacob se levantó muy de mañana y tomó la piedra que estaba allí como apoyo de su cabeza y la erigió como columna y derramó aceite sobre la parte superior de ella.c 19 Además, llamó a aquel lugar por nombre Betel;d pero, de hecho, Luz era el nombre de la ciudad anteriormente.e

20 Y Jacob pasó a hacer un voto,f diciendo: "Si continúa Dios conmigo y con certeza me guarda en este camino por el cual estoy yendo, y con certeza me da pan que comer y prendas de vestir que ponerme,g 21 y con certeza vuelvo en paz a la casa de mi padre, entonces Jehová habrá resultado ser mi Dios.h 22 Y esta piedra que he erigido como columna llegará a ser casa de Dios,i y en cuanto a todo lo que me des, sin falta te daré la décima parte de ello".j

29 Después de eso Jacob puso en movimiento sus pies y siguió viajando a la tierra de los orientales.k 2 Ahora miró, y he aquí que había un pozo en el campo y, sí, tres hatos de ovejas estaban echados allí cerca de él, porque de aquel pozo acostumbraban abrevar los hatos;l y había una piedra grande sobre la boca del pozo.m 3 Cuando todos los hatos habían sido recogidos allí, hacían rodar la piedra de sobre la boca del pozo, y abrevaban los rebaños, después de lo cual volvían a su lugar la piedra sobre la boca del pozo.

4 De modo que les dijo Jacob: "Hermanos míos, ¿de qué lugar son ustedes?", a lo cual dijeron: "Somos de Harán".n 5 Entonces les dijo: "¿Conocen a Labáno el nieto de Nacor?",p a lo cual dijeron: "Lo conocemos". 6 Ante esto, les dijo: "¿Le va

bien?".ª A su vez, dijeron: "Le va bien. ¡Y aquí está Raquelb su hija, que viene con las ovejas!".c 7 Y él pasó a decir: "¡Si todavía estamos en pleno día! No es hora de recoger las manadas. Abreven las ovejas, entonces vayan a apacentarlas".d 8 A lo cual dijeron: "No se nos permite hacerlo hasta que estén recogidos todos los hatos y realmente hagan rodar la piedra de sobre la boca del pozo. Entonces tenemos que abrevar las ovejas".

9 Mientras él todavía estaba hablando con ellos, llegó Raquele con las ovejas que pertenecían a su padre, pues ella era pastora.f 10 Y aconteció que cuando Jacob vio a Raquel la hija de Labán el hermano de su madre, y las ovejas de Labán el hermano de su madre, se acercó Jacob al instante e hizo rodar la piedra de sobre la boca del pozo y abrevó las ovejas de Labán el hermano de su madre.g 11 Entonces Jacob besóh a Raquel y alzó la voz y prorrumpió en lágrimas.i 12 Y Jacob empezó a declarar a Raquel que él era el hermanoj del padre de ella y que era el hijo de Rebeca. Y ella se fue corriendo a referirlo a su padre.k

13 Ahora bien, aconteció que luego que oyó Labán el informe acerca de Jacob el hijo de su hermana, fue corriendo a su encuentro.l Entonces lo abrazó y lo besó y lo trajo dentro de su casa.m Y él empezó a contar a Labán todas estas cosas. 14 Después de eso Labán le dijo: "Realmente eres hueso mío y carne mía".n De modo que moró con él un mes entero.

15 Después Labán dijo a Jacob: "¿Eres tú mi hermano,o y tienes que servirme de balde?p Decláreme: ¿Cuál ha de ser tu salario?".q 16 El caso era que Labán tenía dos hijas. El nombre de la mayor era Lear y el nombre de la menor Raquel. 17 Pero

CAP. 28
a Sl 47:2
Sl 66:2
Sl 68:35
b Gé 35:1
Sl 27:4
c Gé 31:13
d Jue 4:5
Os 12:4
e Gé 35:6
Jos 16:2
Jue 1:23
f Ec 5:4
g Mt 6:30
h Ex 15:2
Dt 26:17
i Gé 35:1
j Gé 14:20
Le 27:30
Mal 3:8

CAP. 29
k Jue 6:3
1Re 4:30
Job 1:3
l Gé 30:40
Can 4:1
m Gé 24:11
Ex 2:15
Jn 4:6
n Gé 27:43
Hch 7:2
o Gé 24:29
p Gé 24:24
Gé 31:53

2.ª col.
a Gé 43:27
1Sa 17:22
b Gé 31:4
Gé 46:19
Rut 4:11
c Ex 2:16
d Sl 23:2
Can 1:7
e Gé 30:1
Gé 35:19
f Ex 2:16
g Ex 2:17
h Gé 33:4
Gé 45:15
Lu 15:20
Ro 16:16
i Gé 43:30
Gé 45:2
j Gé 13:8
Gé 14:14
k Gé 24:28
l Gé 24:29
m Hch 20:37
n Gé 9:2
2Sa 5:1
o Gé 27:43
Gé 28:5
p Dt 25:4
1Ti 5:18
q Gé 30:28
Gé 31:7
r Gé 30:19
Gé 46:15
Rut 4:11

los ojos de Lea no tenían brillo, mientras que Raquel[a] había llegado a ser de hermosa figura y de hermoso semblante.[b] 18 Y Jacob se había enamorado de Raquel. Así que dijo: "Estoy dispuesto a servirte siete años por Raquel tu hija menor".[c] 19 A lo cual dijo Labán: "Mejor me es darla a ti que darla a otro hombre.[d] Sigue morando conmigo". 20 Y Jacob procedió a servir siete años por Raquel,[e] pero a sus ojos resultaron como unos cuantos días debido al amor que le tenía.[f]

21 Entonces Jacob dijo a Labán: "Dame mi esposa, porque se han cumplido mis días, y déjame tener relaciones con ella".[g] 22 Ante aquello, Labán reunió a todos los hombres del lugar e hizo un banquete.[h] 23 Pero resultó que durante la noche recurrió a tomar a Lea su hija y a traérsela para que tuviera relaciones con ella. 24 Además, a Lea, su hija, Labán le dio por sierva a Zilpá[i] la sierva de él. 25 De modo que por la mañana resultó que ¡pues, era Lea! Por consiguiente, él dijo a Labán: "¿Qué es esto que me has hecho? ¿No fue por Raquel que serví contigo? Entonces, ¿por qué me has embaucado?".[j] 26 A lo cual dijo Labán: "No se acostumbra hacerlo así en nuestro lugar, el dar la menor antes de la primogénita. 27 Celebra[k] en su plenitud la semana de esta mujer. Después de eso ciertamente se te dará también esta otra mujer por el servicio que puedas servir conmigo durante otros siete años".[l] 28 Por consiguiente, Jacob lo hizo, y celebró plenamente la semana de esta mujer, después de lo cual él le dio a Raquel su hija por esposa. 29 Además, a Raquel, su hija, Labán le dio por sierva a Bilhá[m] la sierva de él.

30 Entonces [Jacob] tuvo relaciones también con Raquel y también expresó más amor a Raquel que a Lea,[a] y se puso a servirle otros siete años más.[b] 31 Cuando Jehová llegó a ver que Lea era odiada, entonces le abrió la matriz,[c] pero Raquel era estéril.[d] 32 Y Lea quedó encinta y dio a luz un hijo y entonces lo llamó por nombre Rubén,[e] porque dijo: "Es porque Jehová ha mirado mi miseria,[f] por cuanto ahora mi esposo empezará a amarme". 33 Y de nuevo quedó encinta y dio a luz un hijo y entonces dijo: "Es porque Jehová ha escuchado,[g] por cuanto era odiada, y por eso me dio también este". Por eso lo llamó por nombre Simeón.[h] 34 Y quedó encinta una vez más y dio a luz un hijo, y entonces dijo: "Ahora esta vez mi esposo se unirá a mí, porque le ha dado a luz tres hijos". Por lo tanto fue llamado por nombre Leví.[i] 35 Y quedó encinta otra vez y dio a luz un hijo, y entonces dijo: "Esta vez elogiaré a Jehová". Por lo tanto lo llamó por nombre Judá.[j] Después de eso cesó de dar a luz.

30 Cuando Raquel llegó a ver que no le había dado hijos a Jacob, Raquel se puso celosa de su hermana y empezó a decir a Jacob:[k] "Dame hijos, o si no seré mujer muerta".[l] 2 Ante esto, la cólera de Jacob ardió contra Raquel, y él dijo:[m] "¿Estoy yo en el lugar de Dios, que ha retenido de ti el fruto del vientre?".[n] 3 De modo que ella dijo: "Aquí está mi esclava Bilhá.[o] Ten relaciones con ella, para que dé a luz sobre mis rodillas y para que yo, sí, yo, consiga de ella hijos".[p] 4 Con eso le dio a Bilhá su sierva por esposa, y Jacob tuvo relaciones con ella.[q] 5 Y Bilhá quedó encinta y con el tiempo le dio a luz un hijo a Jacob.[r] 6 Entonces dijo Raquel: "Dios ha obrado como juez[s] mío

---

CAP. 29

a Gé 30:25
Gé 35:16
b Gé 12:11
Gé 24:16
Est 2:7
c Gé 31:41
Gé 34:12
d Sl 12:2
e Gé 30:26
Os 12:12
f Can 8:6
g Rut 4:13
Pr 5:18
1Co 7:3
h Jue 14:10
Mt 22:2
Rev 19:9
i Gé 16:1
Gé 30:9
Gé 46:18
j Gé 31:7
Gé 31:42
Le 19:11
Mt 5:37
2Co 4:2
k Dt 24:5
Sl 19:5
l Gé 31:41
m Gé 30:3
Gé 35:22

2.ª col.

a Dt 21:15
b Os 12:12
c Gé 46:15
Rut 4:11
d Gé 30:22
e Gé 35:22
Gé 37:22
Gé 49:3
Éx 6:14
1Cr 5:1
Rev 7:5
f Gé 30:20
1Sa 1:8
Lu 1:25
g Gé 30:6
Sl 34:15
h Gé 34:25
Gé 42:24
Gé 49:5
1Cr 4:24
Rev 7:7
i Gé 34:25
Gé 49:5
Éx 6:16
Nú 3:12
1Cr 6:1
Rev 7:7
j Gé 35:23
Gé 37:26
Gé 38:15
Gé 44:18
Gé 49:8
1Cr 2:3
Rev 5:5
Rev 7:5

CAP. 30

k Gé 16:5
1Sa 1:6
Pr 14:30
Tit 3:3
l Nú 11:15
1Sa 1:10
Jer 20:18
m Ef 4:26
Col 3:19
n 1Sa 1:5
Sl 127:3
Os 9:11
o Gé 29:29

p Gé 16:2; Gé 50:23; Rut 4:17; q Gé 22:24; Gé 25:6; Gé 35:22; r Gé 16:15; s Jue 11:27; Sl 26:1; Sl 75:7.

y también ha escuchado mi voz, de modo que me dio un hijo". Por eso lo llamó por nombre Dan.[a] 7 Y Bilhá, la sierva de Raquel, quedó encinta otra vez, y con el tiempo le dio a luz un segundo hijo a Jacob. 8 Entonces dijo Raquel: "Con enérgicas luchas he luchado con mi hermana. ¡También he salido vencedora!". De modo que lo llamó por nombre Neftalí.[b]

9 Cuando Lea llegó a ver que había cesado de dar a luz, procedió a tomar a Zilpá su sierva y darla a Jacob por esposa.[c] 10 Con el tiempo Zilpá, la sierva de Lea, le dio a luz un hijo a Jacob. 11 Entonces dijo Lea: "¡Con buena fortuna!". De modo que lo llamó por nombre Gad.[d] 12 Después Zilpá, la sierva de Lea, le dio a luz un segundo hijo a Jacob. 13 Entonces dijo Lea: "¡Con mi felicidad! Porque las hijas ciertamente me pronunciarán feliz".[e] De modo que lo llamó por nombre Aser.[f]

14 Ahora bien, Rubén[g] fue a andar en los días de la siega del trigo[h] y llegó a hallar mandrágoras en el campo. Así que las llevó a Lea su madre. Entonces Raquel dijo a Lea: "Dame, por favor, de las mandrágoras de tu hijo".[i] 15 Ante esto, ella le dijo: "¿Es esto cosa pequeña, el que hayas tomado a mi esposo,[j] que ahora hayas de tomar también las mandrágoras de mi hijo?". De modo que Raquel dijo: "Por esa razón él va a acostarse contigo esta noche a cambio de las mandrágoras de tu hijo".

16 Cuando Jacob venía del campo al atardecer,[k] Lea salió a su encuentro y entonces dijo: "Es conmigo con quien vas a tener relaciones, porque te he alquilado directamente por las mandrágoras de mi hijo". Por consiguiente, él se acostó con ella aquella noche.[l] 17 Y Dios oyó a Lea y le respondió, y ella quedó encinta y con el tiempo le

dio a luz un quinto hijo a Jacob.[a] 18 Entonces dijo Lea: "Dios me ha dado salario de persona alquilada, por haberle dado mi sierva a mi esposo". De modo que lo llamó por nombre Isacar.[b] 19 Y otra vez quedó encinta Lea y con el tiempo le dio a luz un sexto hijo a Jacob.[c] 20 Entonces dijo Lea: "Dios me ha dotado a mí, sí, a mí, con una buena dote. Por fin me tolerará[d] mi esposo, porque le he dado a luz seis hijos".[e] De modo que lo llamó por nombre Zabulón.[f] 21 Y después dio a luz una hija y entonces la llamó por nombre Dina.[g]

22 Por fin Dios se acordó de Raquel, y Dios la oyó y le respondió, por cuanto le abrió la matriz.[h] 23 Y ella quedó encinta y dio a luz un hijo. Entonces dijo: "¡Dios ha quitado mi oprobio!".[i] 24 De modo que lo llamó por nombre José,[j] diciendo: "Jehová me añade otro hijo".

25 Y resultó que cuando Raquel hubo dado a luz a José, Jacob dijo inmediatamente a Labán: "Envíame para que me vaya a mi lugar y a mi país.[k] 26 Entrégame mis esposas y mis hijos, por quienes he servido contigo, para que me vaya; porque tú mismo debes saber el servicio que te he prestado".[l] 27 Entonces le dijo Labán: "Si ahora he hallado favor a tus ojos..., por los agüeros he entendido que Jehová me está bendiciendo debido a ti".[m] 28 Y añadió: "Estipúlame tu salario y lo daré".[n] 29 De modo que él le dijo: "Tú mismo tienes que saber cómo te he servido y cómo se le ha ido a tu manada conmigo;[o] 30 que era poco lo que realmente tenías antes de mi venida, y se fue ensanchando hasta ser una multitud, puesto que Jehová te bendijo desde que yo entré.[p] De modo que, ahora, ¿cuándo he de hacer algo yo también por mi propia casa?".[q]

CAP. 30
a Gé 35:25
Gé 46:23
Gé 49:16
b Gé 35:25
Gé 46:24
Gé 49:21
Dt 33:23
Rev 7:6
c Gé 35:26
d Gé 49:19
Nú 32:33
Rev 7:5
e Can 6:9
Lu 1:48
f Gé 35:26
Gé 46:17
Gé 49:20
Dt 33:24
Rev 7:6
g Gé 29:32
h Éx 34:22
Jn 4:35
i Can 7:13
j Gé 29:30
k Lu 2:8
l 1Co 7:3

2.ª col.
a Sl 65:2
Lu 1:13
b Gé 35:23
Gé 46:13
Gé 49:14
Dt 33:18
1Cr 12:32
Rev 7:7
c Rut 4:11
d Gé 29:32
Sl 127:3
e Gé 35:23
Gé 46:15
f Gé 46:14
Gé 49:13
Dt 33:18
Rev 7:8
g Gé 34:1
h Gé 29:31
1Sa 1:6
Sl 113:9
i Isa 54:1
j Gé 35:24
Gé 45:4
Dt 33:13
Hch 7:9
Rev 7:8
k Gé 28:15
Gé 31:13
l Gé 31:41
Os 12:12
m Gé 12:3
Gé 39:3
n Gé 31:7
Le 19:13
o Gé 33:18
Ef 6:8
p Sl 107:38
q Gé 32:10
1Ti 5:8

31 Entonces él dijo: "¿Qué te daré?". Y pasó a decir Jacob: "¡No me darás absolutamente nada!ª Si quieres hacerme esta cosa, volveré a pastorear tu rebaño.ᵇ Continuaré guardándolo.ᶜ **32** Ciertamente pasaré hoy entre todo tu rebaño. Aparta tú de allí toda oveja moteada y con manchas de color, y toda oveja morena oscura entre los carneros jóvenes y cualquiera con manchas de color y moteada entre las cabras. De aquí en adelante las tales tienen que ser mi salario.ᵈ **33** Y mi recto obrar tiene que responder por mí en cualquier día futuro que vengas para examinar mi salario;ᵉ todo lo que no sea moteado y con manchas de color entre las cabras y moreno oscuro entre los carneros jóvenes es algo hurtado si se halla conmigo".ᶠ

34 Ante esto, Labán dijo: "¡Pues, eso es excelente! Sea conforme a tu palabra".ᵍ **35** Entonces apartó en aquel día los machos cabríos rayados y con manchas de color y todas las cabras moteadas y con manchas de color, todo aquel en que hubiera algo de blanco y todo el que fuera moreno oscuro entre los carneros jóvenes, pero los entregó en manos de sus hijos. **36** Después de eso fijó una distancia de tres días de camino entre él y Jacob, y Jacob estaba pastoreando los rebaños de Labán que quedaban.

37 Entonces Jacob tomó para su uso varas todavía húmedas de estoraqueʰ y de almendroⁱ y de plátano,ʲ y descortezó en ellas partecitas blancas descortezadas por medio de dejar al descubierto los lugares blancos que había en las varas.ᵏ **38** Por fin colocó las varas que había descortezado enfrente del rebaño, en los canales, en los abrevaderos de agua,ˡ adonde venían los rebaños a beber, para que se pusieran en celo delante de ellos cuando vinieran a beber.

39 Por consiguiente, se ponían en celo los rebaños delante de las varas, y los rebaños producían [carneros] rayados, moteados y manchados de color.ª **40** Y Jacob separó los carneros jóvenes y entonces volvió las caras de los rebaños hacia los rayados y todos los morenos oscuros entre los rebaños de Labán. Entonces puso sus propios hatos aparte y no los puso cerca de los rebaños de Labán. **41** Y siempre sucedía que, cuando los rebaños robustosᵇ se ponían en celo, Jacob colocaba las varas en los canalesᶜ delante de los ojos de los rebaños, para que se pusieran en celo cerca de las varas. **42** Pero cuando los rebaños se mostraban endebles, no las colocaba allí. Así que los endebles siempre llegaban a ser de Labán, pero los robustos de Jacob.ᵈ

43 Y el hombre siguió aumentando más y más, y llegaron a ser suyos grandes rebaños, y siervas y siervos, y camellos y asnos.ᵉ

31 Andando el tiempo, él llegó a oír las palabras de los hijos de Labán, que decían: "Jacob ha tomado todo lo que pertenecía a nuestro padre; y de lo que pertenecía a nuestro padre ha acumulado todo este caudal".ᶠ **2** Cuando Jacob miraba el rostro de Labán, pues, no era para con él como antes.ᵍ **3** Por fin Jehová dijo a Jacob: "Vuélvete a la tierra de tus padres y a tus parientes,ʰ y yo continuaré contigo".ⁱ **4** Entonces Jacob envió y llamó a Raquel y a Lea al campo donde tenía su rebaño, **5** y les dijo:

"Estoy viendo el rostro de su padre, que él no es lo mismo para conmigo como antes;ʲ pero el Dios de mi padre ha resultado estar conmigo.ᵏ **6** Y ustedes mismas ciertamente saben que con todo mi poder he servido al padre de ustedes.ˡ **7** Y su padre se ha burlado de mí y ha

---

CAP. 30
a Sl 118:8
Heb 13:5

b Gé 46:34
Gé 47:3

c 1Sa 25:7
Os 12:12

d Gé 31:7
Dt 24:15
1Re 5:6
Job 7:2
Jer 22:13
1Ti 5:18

e Mal 3:5

f Éx 22:1

g Gé 31:8

h Os 4:13

i Nú 17:8
Ec 12:5

j Eze 31:8

k Nú 21:18
Zac 11:7

l Gé 24:20

2.ª col.

a Gé 31:10

b Job 39:4

c Éx 2:16

d Gé 31:9
Gé 32:5

e Gé 32:5
Gé 36:7

CAP. 31
f Gé 30:33
Ec 4:4

g Gé 30:27
1Sa 18:9

h Gé 28:15
Gé 32:9
Gé 35:27

i Isa 41:10
Ro 8:31
Heb 13:5

j Gé 30:27

k Gé 48:15

l Gé 30:29
Ef 6:8
Col 3:23

cambiado mi salario diez veces, pero Dios no le ha permitido hacerme daño.ª 8 Si por una parte él decía: 'Los moteados llegarán a ser tu salario', entonces todo el rebaño producía moteados; pero si por otra parte él decía: 'Los rayados llegarán a ser tu salario', entonces todo el rebaño producía rayados.ᵇ 9 De modo que Dios siguió quitando la manada de su padre y dándomela a mí. 10 Por fin aconteció, al tiempo en que el rebaño se ponía en celo, que alcé los ojos y vi una escena en un sueño,ᵈ y sucedía que los machos cabríos que se lanzaban sobre el rebaño eran rayados, moteados y manchados.ᵉ 11 Entonces me dijo el ángel del Dios [verdadero] en el sueño: '¡Jacob!', a lo cual dije: 'Aquí estoy'.ᶠ 12 Y continuó él: 'Alza los ojos, por favor, y ve que todos los machos cabríos que se lanzan sobre el rebaño son rayados, moteados y manchados, porque yo he visto todo lo que Labán te está haciendo.ᵍ 13 Yo soy el Dios [verdadero] de Betel,ʰ donde ungiste una columnaⁱ y donde me hiciste un voto.ʲ Ahora levántate, sal de esta tierra y vuelve a la tierra de tu nacimiento'".ᵏ

14 Ante esto, Raquel y Lea contestaron y le dijeron: "¿Acaso hay todavía parte que nos corresponda de la herencia en la casa de nuestro padre? 15 ¿No se nos considera realmente como extranjeras para con él ya que nos ha vendido, de modo que sigue comiendo de continuo hasta del dinero que se dio por nosotras?ᵐ 16 Porque todas las riquezas que Dios se ha quitado a nuestro padre son nuestras y de nuestros hijos.ⁿ Ahora pues, haz todo lo que te ha dicho Dios".º

17 Entonces Jacob se levantó y subió a sus hijos y a sus esposas sobre los camellos;ᵖ 18 y

empezó a conducir toda su manada y todos los bienes que había acumulado,ª la manada de su adquisición que había acumulado en Padán-aram, a fin de irse a donde Isaac su padre, a la tierra de Canaán.ᵇ

19 Ahora bien, Labán había ido a esquilar sus ovejas. Entretanto, Raquel hurtó los terafimᶜ que pertenecían a su padre. 20 De modo que Jacob fue más listo que Labán el sirio, porque no le había informado que iba a huir. 21 Y procedió a huir y a levantarse y cruzar el Río,ᵈ él y todo cuanto tenía. Después dirigió su rostro hacia la región montañosa de Galaad.ᵉ 22 Más tarde, al tercer día, a Labán le fue referido que Jacob había huido. 23 Ante aquello, él tomó consigo a sus hermanos y se fue corriendoᶠ tras él la distancia de siete días de camino, y lo alcanzó en la región montañosa de Galaad. 24 Entonces Dios vino a Labán el sirioᵍ en un sueño de noche,ʰ y le dijo: "Cuídate de no andar hablando ni lo bueno ni lo malo con Jacob".ⁱ

25 De modo que Labán se acercó a Jacob, puesto que Jacob había plantado su tienda en la montaña y Labán había acampado a sus hermanos en la región montañosa de Galaad. 26 Entonces Labán dijo a Jacob: "¿Qué has hecho, que te has puesto a engañarme por tretas y a conducir a mis hijas como cautivas tomadas a espada?ʲ 27 ¿Por qué tuviste que huir secretamente y engañarme y no informarme, para que te enviara con regocijo y con canciones,ᵏ con pandereta y con arpa?ˡ 28 Y no me diste la oportunidad de besar a mis hijos y a mis hijas.ᵐ Ahora bien, has obrado tontamente. 29 Está en el poder de mi mano hacerles daño,ⁿ pero el Dios del padre de ustedes me habló anoche, diciendo: 'Cuí-

CAP. 31
a Sl 37:28
Ec 8:12
Isa 54:17
1Pe 3:13
b Gé 30:32
c Pr 13:22
d Nú 12:6
e Gé 30:39
f Isa 6:8
g Gé 29:25
Gé 31:39
Dt 24:15
h Gé 12:8
Gé 35:15
i Gé 28:18
Gé 35:14
j Gé 28:22
Dt 23:21
Ec 5:4
k Gé 37:1
l Nú 27:4
m Gé 31:41
Os 12:12
n Gé 31:1
o Gé 31:3
Gé 32:9
Sl 45:10
p Gé 33:13

2.ª col.
a Gé 30:43
b Gé 35:27
c Gé 31:14
Gé 31:30
Gé 35:2
Jos 24:2
Eze 21:21
Zac 10:2
d Gé 15:18
e Nú 32:1
f Sl 10:2
g Gé 25:20
Dt 26:5
Os 12:12
h Gé 20:3
Mt 27:19
i Gé 24:50
Nú 24:13
Sl 105:15
j Gé 2:24
k Sl 98:5
l Éx 15:20
Job 21:12
Sl 149:3
m Gé 31:55
n Sl 52:1
Jn 19:10

date contra hablar ni lo bueno ni lo malo con Jacob'.[a] 30 Aunque realmente te has ido ya debido a que has estado anhelando intensamente la casa de tu padre, ¿por qué, sin embargo, has hurtado mis dioses?".[b]

31 En respuesta Jacob procedió a decir a Labán: "Fue porque tuve miedo.[c] Porque me dije: 'Quizás arranques a tus hijas de mí'. 32 Quienquiera que sea con quien hayas hallado tus dioses, que no viva.[d] Delante de nuestros hermanos, examina por ti mismo lo que tengo conmigo, y llévate[los]".[e] Pero Jacob no sabía que Raquel los había hurtado.[f] 33 De modo que Labán entró en la tienda de Jacob y en la tienda de Lea y en la tienda de las dos esclavas,[g] pero no [los] halló. Por fin salió de la tienda de Lea y entró en la tienda de Raquel. 34 Ahora bien, Raquel había tomado los terafim, y recurrió a meterlos en la cesta de la silla de montar las mujeres a camello, y se quedó sentada encima de ellos. De modo que Labán fue palpando por toda la tienda, pero no [los] halló. 35 Entonces dijo ella a su padre: "No chispeen de cólera los ojos de mi señor,[h] porque no puedo levantarme delante de ti, porque estoy con lo que es común entre las mujeres".[i] Así que él siguió escudriñando cuidadosamente, pero no halló los terafim.[j]

36 Y Jacob se encolerizó[k] y se puso a reñir con Labán, y en respuesta Jacob pasó a decir a Labán: "¿Cuál es la sublevación de parte mía,[l] cuál el pecado mío, como razón para que me hayas perseguido acaloradamente?[m] 37 Ya que has palpado todos mis efectos, ¿qué has hallado de todos los efectos de tu casa?[n] Ponlo aquí enfrente de mis hermanos y tus hermanos,[o] y decidan ellos entre nosotros dos.[p] 38 Estos veinte años he

estado contigo. Tus ovejas y tus cabras no sufrieron abortos,[a] y los carneros de tu rebaño nunca comí. 39 El animal despedazado no te lo llevaba a ti.[b] Yo mismo sufría la pérdida de él. Si uno era hurtado de día o si era hurtado de noche, de mi mano lo demandabas.[c] 40 Ha sido mi experiencia que de día el calor me consumía, y de noche el frío, y el sueño huía de mis ojos.[d] 41 Van ya para mí veinte años en tu casa. Te he servido catorce años por tus dos hijas y seis años por tu rebaño, y seguiste cambiando mi salario diez veces.[e] 42 Si el Dios de mi padre,[f] el Dios de Abrahán y el Pavor de Isaac,[g] no hubiera resultado estar de parte mía, me habrías enviado ahora con las manos vacías. Mi miseria y el afán de mis manos los ha visto Dios, de modo que te censuró anoche".[h]

43 Entonces, en respuesta Labán dijo a Jacob: "Las hijas son mis hijas, y los hijos mis hijos, y el rebaño mi rebaño, y todo aquello que estás mirando es mío y de mis hijas. ¿Qué puedo hacer hoy contra estas o contra sus hijos que ellas han dado a luz? 44 Y ahora, ven, celebremos un pacto,[i] yo y tú, y tiene que servir de testigo entre yo y tú".[j] 45 Por consiguiente, tomó Jacob una piedra y la erigió como columna.[k] 46 Entonces Jacob dijo a sus hermanos: "¡Recojan piedras!". Y se pusieron a tomar piedras y a hacer un majano.[l] Después comieron allí sobre el majano. 47 Y Labán empezó a llamarlo Jegarsahadutá, pero Jacob lo llamó Galeed.

48 Y procedió Labán a decir: "Este majano es testigo entre yo y tú hoy". Por eso lo llamó por nombre Galeed,[m] 49 y La Atalaya, porque dijo él: "Atalaye Jehová entre yo y tú cuando estemos situados sin vernos el uno al

CAP. 31

a Gé 31:7
Gé 31:24
Hch 5:39

b Gé 31:19
Gé 35:2
Jue 18:24
Isa 37:12
Hch 19:26
1Co 10:14

c Gé 31:43

d Gé 44:9

e Gé 30:33

f Gé 31:19

g Gé 46:18
Gé 46:25

h Gé 18:12
Le 19:3
Ef 6:2

i Le 15:19
Eze 22:10

j Gé 31:19
2Re 23:24
Zac 10:2

k Gé 30:2
Pr 19:11
Ef 4:26

l 1Sa 24:11
Sl 59:3

m Lam 4:19

n Éx 22:8

o Gé 13:8

p 1Sa 12:3
1Ti 5:19

2.ª col.

a Gé 30:27
Job 21:10

b Éx 22:13
1Sa 17:34

c Pr 29:7
Lam 3:36

d Gé 47:9
Col 3:23

e Gé 31:7

f Gé 28:13
Gé 31:29

g Gé 31:53
Isa 8:13

h Gé 31:24
Sl 31:7

i Gé 26:28
Gál 3:15

j Gé 21:30
Jos 22:27
3Jn 12

k Gé 28:18

l Jos 4:7
Jos 4:20
Jos 24:26

m Gé 31:23

otro.[a] 50 Si te pones a afligir a mis hijas[b] y si te pones a tomar esposas además de mis hijas, no hay hombre alguno con nosotros. ¡Mira! Dios es testigo entre yo y tú".[c] 51 Y pasó Labán a decir a Jacob: "Aquí está este majano y aquí está la columna que he erigido entre yo y tú. 52 Este majano es testigo, y la columna es algo que da testimonio,[d] de que yo ciertamente no pasaré este majano contra ti y de que tú no pasarás este majano y esta columna contra mí para daño.[e] 53 Juzguen entre nosotros el dios de Abrahán[f] y el dios de Nacor,[g] el dios del padre de ellos". Pero Jacob juró por el Pavor de su padre Isaac.[h]

54 Después de aquello, Jacob sacrificó un sacrificio en la montaña e invitó a sus hermanos a comer pan.[i] Por consiguiente, comieron pan y pasaron la noche en la montaña. 55 Sin embargo, Labán se levantó muy de mañana y besó[j] a sus hijos y a sus hijas y los bendijo.[k] Entonces Labán se puso en camino para volver a su propio lugar.[l]

32 Y en cuanto a Jacob, él se puso en camino, y ahora los ángeles de Dios se encontraron con él.[m] 2 Inmediatamente dijo Jacob, cuando los vio: "¡El campamento de Dios es este!"[n] Por lo tanto llamó a aquel lugar por nombre Mahanaim.[o]

3 Entonces envió Jacob mensajeros[p] delante de sí a Esaú su hermano, a la tierra de Seír,[q] al campo de Edom,[r] 4 y les dio orden, diciendo: "Esto es lo que dirán a mi señor,[s] a Esaú: 'Esto es lo que ha dicho tu siervo Jacob: "Con Labán he residido como forastero y me he quedado por largo tiempo hasta ahora.[t] 5 Y he llegado a tener toros y asnos, ovejas, y siervos y siervas,[u] y quisiera enviar a notificar a mi señor, para hallar favor a tus ojos"'".[v]

6 Con el tiempo los mensajeros volvieron a Jacob, y dijeron: "Llegamos a tu hermano Esaú, y él también viene a tu encuentro, y cuatrocientos hombres con él".[a] 7 Y a Jacob le dio mucho miedo, y se inquietó.[b] De modo que dividió a la gente que venía con él, y los rebaños y el ganado vacuno y los camellos, en dos campamentos,[c] 8 y dijo: "Si viniera Esaú al primer campamento y lo asaltara, entonces de seguro habrá un campamento que quede para escapar".[d]

9 Después de eso dijo Jacob: "Oh Dios de mi padre Abrahán y Dios de mi padre Isaac,[e] oh Jehová, tú que me estás diciendo: 'Vuélvete a tu tierra y a tus parientes y yo ciertamente te trataré bien',[f] 10 indigno soy de todas las bondades amorosas y de toda la fidelidad que has ejercido para con tu siervo,[g] porque con solo mi bastón crucé este Jordán y ahora he llegado a ser dos campamentos.[h] 11 Líbrame, te ruego,[i] de la mano de mi hermano, de la mano de Esaú, porque tengo miedo de él, que venga y ciertamente me asalte,[j] a madre juntamente con hijos. 12 Y tú, tú has dicho: 'Indisputablemente te trataré bien y con certeza constituiré tu descendencia como los granos de arena del mar, que no pueden contarse por su multitud'".[k]

13 Y se quedó alojado allí aquella noche. Y de lo que venía a su mano procedió a tomar un regalo para Esaú su hermano:[l] 14 doscientas cabras y veinte machos cabríos, doscientas ovejas y veinte carneros, 15 treinta camellas que estaban dando de mamar y sus crías, cuarenta vacas y diez toros, veinte asnas y diez asnos adultos.[m] 16 Entonces entregó a sus siervos un hato tras otro por separado y dijo repetidas veces a sus siervos: "Crucen delante de mí, y han de fijar un intervalo

entre hato y hato".[a] 17 Además dio orden al primero, y dijo:
"En caso de que te encuentre
Esaú mi hermano y te pregunte,
diciendo: '¿A quién perteneces, y
adónde vas y a quién pertenecen
estos delante de ti?', 18 entonces tienes que decir: 'A tu siervo,
a Jacob. Un regalo es,[b] enviado a
mi señor,[c] a Esaú, y ¡mira!, él
mismo también está detrás de
nosotros'". 19 Y pasó a dar orden también al segundo, también al tercero, también a todos
los que venían siguiendo a los
hatos, diciendo: "Según esta palabra han de hablar a Esaú
al encontrarlo.[d] 20 Y también tienen que decir: 'Aquí está
tu siervo Jacob detrás de nosotros'".[e] Porque se decía a sí
mismo: "Quizás lo aplaque mediante el regalo que va delante
de mí,[f] y después veré su rostro.
Tal vez él dé una acogida afa-
ble".[g] 21 Así que el regalo fue
cruzando delante de él, pero él
mismo se alojó aquella noche en
el campamento.[h]

22 Más tarde durante aquella
noche se levantó y tomó a sus
dos esposas[i] y a sus dos siervas[j]
y a sus once hijos jóvenes[k] y
cruzó el vado de Jaboq.[l] 23 De
modo que los tomó y los hizo
pasar al otro lado del valle
torrencial,[m] e hizo pasar al otro
lado lo que tenía.

24 Por fin Jacob quedó solo.
Entonces un hombre se puso a
forcejear con él hasta ascender
el alba.[n] 25 Cuando llegó a ver
que no había prevalecido contra
él,[o] entonces tocó el hueco de la
coyuntura de su muslo; y el hueco de la coyuntura del muslo de
Jacob se salió de su lugar
mientras forcejeaba con él.[p]
26 Después de eso él dijo: "Suél-
tame, porque ha ascendido el
alba". A lo cual dijo él: "No te
voy a soltar hasta que me bendi-
gas".[q] 27 De modo que le dijo:
"¿Cuál es tu nombre?", a lo cual
dijo: "Jacob". 28 Entonces él
dijo: "Ya no serás llamado por
nombre Jacob, sino Israel,[a] porque has contendido[b] con Dios y
con hombres de modo que por
fin prevaleciste". 29 A su vez,
Jacob preguntó y dijo: "Declárame, por favor, tu nombre". Sin
embargo, él dijo: "¿Por qué preguntas por mi nombre?".[c] Con
eso lo bendijo allí. 30 Por eso
Jacob llamó al lugar por nombre
Peniel,[d] porque, dijo él: "He visto
a Dios cara a cara y, no obstante,
mi alma fue librada".[e]

31 Y el sol empezó a fulgurar
sobre él tan pronto como pasó
por Penuel, pero él iba cojeando
sobre su muslo.[f] 32 Por eso los
hijos de Israel no acostumbran
comer el tendón del nervio del
muslo, que está en el hueco de
la coyuntura del muslo, hasta el
día de hoy, porque él tocó el hueco de la coyuntura del muslo de
Jacob cerca del tendón del nervio del muslo.[g]

33 Con el tiempo Jacob alzó
los ojos y miró, y aquí venía Esaú, y con él cuatrocientos hombres.[h] Por consiguiente,
procedió a repartir los hijos a
Lea y a Raquel y a las dos siervas,[i] 2 y puso a las siervas y
sus hijos en el primer lugar,[j] y a
Lea y sus hijos después de ellos,[k]
y a Raquel y José detrás de ellos.[l]
3 Y él mismo se adelantó a ellos
y procedió a inclinarse a tierra
siete veces hasta que llegó cerca
de su hermano.[m]

4 Y Esaú fue corriendo a su
encuentro,[n] y empezó a abrazar-
lo[o] y a caer sobre su cuello y besarlo, y prorrumpieron en lágrimas. 5 Entonces alzó los ojos
y vio a las mujeres y a los niños
y dijo: "¿Quiénes son estos [que
están] contigo?", a lo cual él dijo:
"Los hijos con quienes Dios ha
favorecido a tu siervo".[p] 6 En
esto se presentaron las siervas,
ellas y sus hijos, y se inclinaron; 7 y se presentó también
Lea, y sus hijos, y se inclinaron,

CAP. 32
a Gé 33:8; Mt 10:16
b Gé 32:13; 1Sa 25:27
c Gé 33:8; Lu 14:32
d Pr 13:17
e Pr 25:13
f Gé 43:11; 1Sa 25:18; Pr 17:8
g Sl 133:1; Pr 6:3
h Gé 32:13
i Gé 29:30; Rut 4:11
j Gé 30:3; Gé 30:9
k Gé 30:26
l Dt 3:16; Jue 11:13
m Jos 12:2
n Os 12:3
o Os 12:4
p Gé 32:32; 2Co 12:7
q 1Cr 4:10; Sl 115:12; Os 12:4

2.ª col.
a Gé 35:10; 2Re 17:34; Sl 22:23; Sl 78:71
b Os 12:3
c Jue 13:18
d Jue 8:8; 1Re 12:25
e Gé 16:7; Gé 16:13; Jue 6:22; Jn 1:18
f Gé 32:25
g Job 10:11

CAP. 33
h Gé 14:14; Gé 32:6
i Gé 32:22
j Gé 30:7; Gé 30:12
k Gé 30:19
l Gé 30:22
m Pr 6:3; Lu 14:11
n Gé 27:44
o Ec 3:5
p Gé 32:22; Sl 127:3

y después se presentó José, y Raquel, y se inclinaron.[a]

8 Ahora dijo él: "¿Qué quieres decir con todo este campamento de viajeros que he encontrado?".[b] A lo cual él dijo: "A fin de hallar favor a los ojos de mi señor".[c] 9 Entonces dijo Esaú: "Tengo muchísimo, hermano mío.[d] Continúe tuyo lo que es tuyo". 10 Sin embargo, Jacob dijo: "No, por favor. Si he hallado favor a tus ojos,[e] pues, entonces tienes que aceptar mi regalo de mi mano, porque en armonía con su propósito he visto tu rostro como si viera el rostro de Dios, puesto que me recibiste con placer.[f] 11 Toma, por favor, el regalo que se fue traído que encierra mi bendición,[g] porque Dios me ha favorecido y porque yo lo tengo todo".[h] Y continuó instándolo, de modo que lo tomó.[i]

12 Más tarde dijo: "Partamos y vámonos, y déjame ir delante de ti". 13 Pero él le dijo: "Mi señor se da cuenta de que los niños son delicados y que ovejas y ganado vacuno que están dando de mamar están a mi cargo,[j] y si los arrean con demasiada prisa un solo día, entonces todo el rebaño ciertamente morirá.[k] 14 Pase mi señor, por favor, delante de su siervo, pero que yo mismo continúe el viaje a mi comodidad, según el paso del ganado[l] que va delante de mí y según el paso de los niños,[m] hasta que llegue a mi señor en Seír".[n] 15 Entonces dijo Esaú: "Déjame, por favor, poner a disposición tuya parte de la gente que viene conmigo". A lo cual dijo él: "¿Para qué esto? Halle yo favor a los ojos de mi señor".[o] 16 Así que en aquel día Esaú se volvió por su camino a Seír.

17 Y Jacob partió para Sucot,[p] y procedió a edificar una casa, y para su manada hizo cabañas.[q] Por eso llamó el lugar por nombre Sucot.

18 Con el tiempo Jacob llegó sano y salvo a la ciudad de Siquem,[a] que está en la tierra de Canaán,[b] cuando venía de Padán-aram;[c] y asentó campamento enfrente de la ciudad. 19 Entonces adquirió una porción del campo donde asentó su tienda, de la mano de los hijos de Hamor el padre de Siquem, por cien piezas de moneda.[d] 20 Después de eso erigió allí un altar y lo llamó Dios el Dios de Israel.[e]

34 Ahora bien, solía salir Dina la hija de Lea,[f] que esta le había dado a luz a Jacob, para ver[g] a las hijas del país.[h] 2 Y llegó a verla Siquem el hijo de Hamor el heveo,[i] un principal del país, y entonces la tomó y se acostó con ella y la violó.[j] 3 Y su alma empezó a adherirse a Dina la hija de Jacob, y se enamoró de la joven, y hablaba persuasivamente a la joven. 4 Por fin Siquem dijo a Hamor su padre:[k] "Consígueme a esta jovencilla por esposa".[l]

5 Y Jacob oyó que este había contaminado a Dina su hija. Y sus hijos se hallaban en el campo con la manada de él;[m] y guardó silencio Jacob hasta que ellos vinieran.[n] 6 Más tarde, Hamor, el padre de Siquem, salió a Jacob para hablar con él.[o] 7 Y los hijos de Jacob volvieron del campo tan pronto como oyeron de ello; y quedaron los hombres heridos en su sensibilidad, y se encolerizaron mucho,[p] porque él había cometido una locura deshonrosa contra Israel al acostarse con la hija de Jacob,[q] cuando no se debía hacer cosa semejante.[r]

8 Y Hamor procedió a hablar con ellos, y dijo: "En cuanto a Siquem mi hijo, su alma se ha apegado a la hija de ustedes.[s] Dénsela, por favor, por esposa,[t] 9 y formen alianzas matrimoniales con nosotros.[u] Ustedes han de darnos sus hijas, y han de tomar nuestras hijas para uste-

CAP. 33

a Gé 33:2
b Gé 32:16
c Gé 32:5
  Gé 33:15
  Pr 18:16
d Gé 36:7
e Gé 47:29
f Gé 32:11
  Gé 32:20
  Job 33:26
g Gé 32:13
  Pr 18:16
h Gé 30:43
  Heb 13:5
i Hch 16:15
j Gé 31:17
  Isa 40:11
k Pr 12:10
l Pr 12:10
m Isa 40:11
  Ro 15:1
n Gé 27:39
  Gé 32:3
o Gé 34:11
  Rut 2:13
p Jos 13:27
  1Re 7:46
q Heb 11:9

2.ª col.

a Gé 37:14
  Jos 24:1
b Gé 10:19
  Gé 12:6
c Gé 25:20
  Gé 28:6
d Jos 24:32
  Hch 7:16
e Gé 35:1
  Gé 35:7

CAP. 34

f Gé 30:21
  Gé 46:15
g 1Re 11:2
  1Co 15:33
  2Co 6:14
h Gé 26:35
  Gé 27:46
i Dt 7:1
  1Cr 1:15
j Gé 6:2
  Gé 34:26
  Dt 22:29
  2Sa 13:14
  1Co 6:18
k Gé 33:19
l Gé 21:21
  Jue 14:2
m Gé 37:13
n Sl 39:1
  Ec 3:7
o Dt 7:3
  Ne 13:25
p Sl 37:8
  Snt 1:20
q Dt 22:21
  Heb 13:4
s Dt 21:11
t Éx 22:16
u Éx 34:12
  Jos 23:12
  Esd 9:14

des.ª 10 Y pueden morar con nosotros, y la tierra llegará a estar a su disposición. Moren y negocien en ella y establézcanse en ella".ᵇ 11 Entonces dijo Siquem al padre y a los hermanos de ella: "Halle yo favor a los ojos de ustedes, y lo que me digan lo daré. 12 Suban muy alto el dinero matrimonial y la dádiva impuesta sobre mí,ᶜ y me hallo dispuesto a dar según lo que me digan; solo denme a la joven por esposa".

13 Y los hijos de Jacob empezaron a contestar a Siquem y a Hamor su padre con engaño, y a hablar así porque él había contaminado a Dina su hermana.ᵈ 14 Y pasaron a decirles: "No nos es posible hacer tal cosa, dar nuestra hermana a un hombre que tiene prepucio,ᵉ porque eso es un oprobio para nosotros. 15 Solo con esta condición podemos darles consentimiento, que lleguen a ser como nosotros, siendo circuncidado todo varón de ustedes.ᶠ 16 Entonces ciertamente les daremos nuestras hijas, y tomaremos las hijas suyas para nosotros, y ciertamente moraremos con ustedes y llegaremos a ser un solo pueblo.ᵍ 17 Pero si no nos escuchan para circuncidarse, entonces ciertamente tomaremos a nuestra hija y nos iremos".

18 Y sus palabras parecieron buenas a los ojos de Hamor y a los ojos de Siquem, el hijo de Hamor,ʰ 19 y el joven no tardó en ejecutar la condición,ⁱ porque de veras se deleitaba en la hija de Jacob, y él era el más honorableʲ de toda la casa de su padre.ᵏ 20 De modo que Hamor y Siquem su hijo fueron a la puerta de su ciudad y empezaron a hablar a los hombres de su ciudad,ˡ diciendo: 21 "Estos hombres son amadores de la paz para con nosotros.ᵐ Por lo tanto, que moren en el país y negocien en él, puesto que la tierra es bastante

CAP. 34

a Gé 24:3
  Dt 7:3
  1Re 11:2
  1Co 7:39

b Gé 42:34
  Lu 19:15

c Gé 24:53
  1Sa 18:25
  Os 3:2

d Pr 6:18
  Pr 16:29
  Pr 26:26
  Mr 7:22

e Gé 17:12
  Ro 4:11

f Gé 17:10
  Éx 12:48

g Pr 4:24

h Gé 33:19
  Gé 34:2

i Gé 34:15

j Miq 7:4

k 1Sa 22:14

l Gé 23:10
  Rut 4:1
  Zac 8:16

m Pr 14:15

2.ª col.

a Gé 13:9

b Gé 34:9
  Dt 7:3
  Esd 9:1

c Gé 17:11

d Pr 23:4
  1Ti 6:9

e Sl 35:20

f Jos 5:8

g Gé 49:5

h Gé 46:15

i Gé 49:6
  Gé 49:7
  Sl 140:2
  Miq 2:1

j 2Sa 2:26

k Gé 34:2

l Gé 34:2

m Nú 31:11

n Dt 2:35
  Dt 20:14
  Jos 8:2

o Gé 49:5

p Éx 5:21
  Pr 11:17

q Dt 7:1

ancha delante de ellos.ª Podemos tomar sus hijas por esposas nuestras y les podemos dar nuestras propias hijas.ᵇ 22 Solo con esta condición nos darán los hombres su consentimiento para morar con nosotros para llegar a ser un solo pueblo: que cada varón nuestro sea circuncidado así como ellos están circuncidados.ᶜ 23 Entonces sus bienes y su caudal y todos sus ganados, ¿no serán nuestros?ᵈ Solo démosles nuestro consentimiento para que moren con nosotros.ᵉ 24 Entonces todos los que salían por la puerta de su ciudad escucharon a Hamor y a Siquem su hijo, y todos los varones fueron circuncidados, todos los que salían por la puerta de su ciudad.

25 Sin embargo, aconteció que al tercer día, cuando se hallaban adoloridos,ᶠ los dos hijos de Jacob: Simeón y Leví,ᵍ hermanos de Dina,ʰ procedieron a tomar cada uno su espada y a ir insospechadamente a la ciudad y a matar a todo varón.ⁱ 26 Y a Hamor y a Siquem su hijo mataron a filo de espada.ʲ Entonces tomaron a Dina de la casa de Siquem y se salieron.ᵏ 27 Los otros hijos de Jacob atacaron a los hombres mortalmente heridos y se pusieron a saquear la ciudad, porque habían contaminado a su hermana.ˡ 28 Tomaron sus rebaños y sus vacadas y sus asnos y lo que había en la ciudad y lo que había en el campo.ᵐ 29 Y todos sus medios de mantenimiento y todos sus niñitos y sus esposas se los llevaron cautivos, de modo que saquearon todo lo que había en las casas.ⁿ

30 Ante aquello, Jacob dijo a Simeón y a Leví:ᵒ "Me han acarreado extrañamente, haciendo de mí un hedor a los habitantes del país,ᵖ para los cananeos y los perizitas; mientras que yo soy pocos en número,ᵠ y

ellos ciertamente se reunirán contra mí y me asaltarán y tendré que ser aniquilado, yo y mi casa". 31 A su vez, ellos dijeron: "¿Había alguien de tratar a nuestra hermana como a una prostituta?".[a]

35 Después de eso Dios dijo a Jacob: "Levántate, sube a Betel y mora allí,[b] y haz allí un altar al Dios [verdadero] que se te apareció cuando estabas huyendo de Esaú tu hermano".[c]

2 Entonces Jacob dijo a su casa y a todos los que con él estaban: "Aparten los dioses extranjeros que hay en medio de ustedes[d] y límpiense y muden sus mantos,[e] 3 y levantémonos y subamos a Betel. Y allí haré un altar al Dios [verdadero] que me contestó en el día de mi angustia,[f] puesto que resultó estar conmigo en el camino por el cual he ido".[g] 4 Así que ellos dieron a Jacob todos los dioses extranjeros[h] que había en sus manos y los aretes que traían en las orejas, y Jacob los escondió[i] debajo del árbol grande que estaba cerca de Siquem.

5 Después de eso partieron, y el terror de Dios vino a estar sobre las ciudades que estaban en derredor de ellos,[j] de modo que no corrieron tras los hijos de Jacob. 6 Con el tiempo Jacob llegó a Luz,[k] que está en la tierra de Canaán, es decir, a Betel, él y toda la gente que estaba con él. 7 Entonces edificó allí un altar y empezó a llamar al lugar Elbetel, porque allí se le había revelado el Dios [verdadero] cuando él huía de su hermano.[l] 8 Más tarde murió Débora,[m] la nodriza de Rebeca, y fue enterrada al pie de Betel, debajo de un árbol macizo. Por eso él lo llamó por nombre Alón-bacut.

9 Ahora Dios apareció otra vez a Jacob mientras venía este de Padán-aram,[n] y lo bendijo.[o] 10 Y Dios pasó a decirle: "Tu

nombre es Jacob.[a] Ya no has de ser llamado por nombre Jacob, sino que Israel llegará a ser tu nombre". Y empezó a llamarlo por nombre Israel.[b] 11 Y Dios dijo además: "Yo soy Dios Todopoderoso.[c] Sé fructífero y hazte muchos. Naciones y una congregación de naciones procederán de ti, y reyes saldrán de tus lomos.[d] 12 En cuanto a la tierra que he dado a Abrahán y a Isaac, a ti te la daré, y a tu descendencia[e] después de ti daré la tierra".[f] 13 Después de eso Dios subió de sobre él en el lugar donde había hablado con él.[g]

14 Por consiguiente, Jacob estacionó una columna en el lugar donde había hablado con él,[h] una columna de piedra, y derramó sobre ella una libación y derramó sobre ella aceite.[i] 15 Y Jacob continuó llamando por nombre Betel[j] al lugar donde Dios había hablado con él.

16 Entonces partieron de Betel. Y mientras todavía quedaba un buen trecho de tierra antes de llegar a Efrat,[k] Raquel procedió a dar a luz, y le estaba siendo trabajoso el parto.[l] 17 Pero sucedió que, mientras experimentaba dificultad en el parto, la partera le dijo: "No tengas miedo, porque tendrás este hijo también".[m] 18 Y el resultado fue que, al ir saliendo el alma[n] de ella (porque murió),[o] lo llamó por nombre Ben-oní; pero su padre lo llamó Benjamín.[p] 19 Así murió Raquel, y fue enterrada en el camino a Efrat, es decir, Belén.[q] 20 Por lo tanto Jacob estacionó una columna sobre el sepulcro de ella. Esta es la columna del sepulcro de Raquel hasta el día de hoy.

21 Después Israel partió y asentó su tienda a alguna distancia más allá de la torre de Éder.[s] 22 Y mientras Israel residía[t] en aquella tierra, aconteció que una vez Rubén fue y se acostó con Bilhá la concubina de

CAP. 34
a 2Sa 13:32

CAP. 35
b Gé 28:19
Gé 31:13
c Gé 27:43
d Gé 31:19
Dt 5:7
Jos 23:7
1Co 10:14
e Éx 19:10
f Gé 28:13
g Gé 28:20
Gé 31:42
Pr 3:6
Isa 43:2
h Jos 24:23
1Jn 5:21
i Dt 7:25
j Éx 1:12
Éx 23:27
Dt 11:25
Jos 2:9
Sl 14:5
k Gé 28:19
Gé 12:8
m Gé 24:59
n Gé 25:20
o Os 12:4

2.ª col.
a Gé 25:26
Gé 27:36
b Gé 32:28
1Re 18:31
c Gé 17:1
Éx 6:3
2Co 6:18
Rev 15:3
d Gé 17:5
Gé 48:4
Mr 15:32
Jn 12:13
e Gál 3:16
f Gé 15:18
Dt 34:4
g Jue 13:20
Lu 24:31
h Gé 31:52
Jue 9:6
i Gé 28:18
j Gé 28:19
Miq 5:2
k Gé 48:7
Miq 5:2
Mt 2:6
m Gé 30:24
1Sa 4:20
n Gé 2:7
o Sl 146:4
Ec 9:5
p Gé 46:21
Gé 49:27
Dt 33:12
q Gé 48:7
1Sa 10:2
r Miq 4:8
t Gé 14:13
2Sa 7:6

su padre, e Israel llegó a oír de ello.[a]

De modo que llegó a haber doce hijos de Jacob. 23 Los hijos de Lea: el primogénito de Jacob, Rubén,[b] y Simeón y Leví y Judá e Isacar y Zabulón. 24 Los hijos de Raquel: José y Benjamín. 25 Y los hijos de Bilhá, la sierva de Raquel: Dan y Neftalí. 26 Y los hijos de Zilpá, la sierva de Lea: Gad y Aser. Estos son los hijos de Jacob que le nacieron en Padán-aram.

27 Por fin llegó Jacob a donde Isaac su padre, a Mamré,[c] a Quiryat-arbá,[d] es decir, Hebrón, donde Abrahán y también Isaac habían residido como forasteros.[e] 28 Y los días de Isaac ascendieron a ciento ochenta años.[f] 29 Después Isaac expiró y murió y fue recogido a su pueblo, viejo y satisfecho de días,[g] y Esaú y Jacob, sus hijos, lo enterraron.[h]

36

Y esta es la historia de Esaú, es decir, Edom.[i]

2 Esaú tomó a sus esposas de las hijas de Canaán:[j] Adá[k] hija de Elón el hitita[l] y Oholibamá[m] hija de Anah, nieta de Zibeón el heveo, 3 y Basemat[n] hija de Ismael, hermana de Nebayot.[o]

4 Y a Esaú, Adá procedió a dar a luz a Elifaz, y Basemat dio a luz a Reuel,

5 y Oholibamá dio a luz a Jeús y a Jalam y a Coré.[p] Estos son los hijos de Esaú que le nacieron en la tierra de Canaán. 6 Después de eso Esaú tomó a sus esposas y a sus hijos y a sus hijas y a todas las almas de su casa, y su manada y todas sus otras bestias y todo su caudal,[q] que había acumulado en la tierra de Canaán, y se fue a un país lejos de Jacob su hermano,[r] 7 porque los bienes de ellos se habían hecho demasiado grandes para que moraran juntos, y la tierra de sus residencias como forasteros no podía sustentarlos como resultado de sus ma-

nadas.[a] 8 De modo que Esaú se puso a morar en la región montañosa de Seír.[b] Esaú es Edom.[c]

9 Y esta es la historia de Esaú el padre de Edom en la región montañosa de Seír[d]

10 Estos son los nombres de los hijos de Esaú: Elifaz hijo de Adá, esposa de Esaú; Reuel hijo de Basemat, esposa de Esaú.[e]

11 Y los hijos de Elifaz llegaron a ser: Temán,[f] Omar, Zefó y Gatam y Quenaz.[g] 12 Y Timná[h] vino a ser concubina de Elifaz, hijo de Esaú. Con el tiempo, a Elifaz ella le dio a luz a Amaleq.[i] Estos son los hijos de Adá, esposa de Esaú.

13 Estos son los hijos de Reuel: Náhat y Zérah, Samah y Mizá.[j] Estos llegaron a ser los hijos de Basemat,[k] esposa de Esaú.

14 Y estos llegaron a ser los hijos de Oholibamá la hija de Anah, nieta de Zibeón, esposa de Esaú, puesto que a Esaú ella le dio a luz a Jeús y Jalam y Coré.[l]

15 Estos son los jeques[m] de los hijos de Esaú: Los hijos de Elifaz, primogénito de Esaú: El jeque Temán,[n] el jeque Omar, el jeque Zefó, el jeque Quenaz, 16 el jeque Coré, el jeque Gatam, el jeque Amaleq. Estos son los jeques de Elifaz[o] en la tierra de Edom. Estos son los hijos de Adá.

17 Estos son los hijos de Reuel, hijo de Esaú: El jeque Náhat, el jeque Zérah, el jeque Samah, el jeque Mizá. Estos son los jeques de Reuel en la tierra de Edom.[p] Estos son los hijos de Basemat, esposa de Esaú.

18 Por último, estos son los hijos de Oholibamá, esposa de Esaú: El jeque Jeús, el jeque Jalam, el jeque Coré. Estos son los jeques de Oholibamá la hija de Anah, esposa de Esaú.

19 Estos son los hijos de Esaú,

CAP. 35
a Gé 49:4
Le 18:8
1Cr 5:1
1Co 5:1
b Gé 49:3
c Gé 31:18
d Gé 23:2
e Gé 15:13
Éx 6:4
Éx 23:9
Hch 7:6
Heb 11:9
f Gé 25:20
Gé 25:26
g Gé 25:8
1Cr 29:28
h Gé 49:31

CAP. 36
i Gé 25:30
Dt 23:7
Eze 25:12
Ro 9:13
j Dt 7:3
Dt 9:5
Jue 3:5
k Gé 36:10
l Gé 26:34
m Gé 36:18
n Gé 36:17
o Gé 25:13
Gé 28:9
p 1Cr 1:35
q 1Cr 33:9
Abd 6
r Gé 27:39
Gé 32:3

2.ª col.
a Gé 13:6
Gé 28:4
b Gé 14:6
Dt 2:5
c Gé 25:30
d Dt 2:12
Abd 8
e 1Cr 1:35
f Gé 36:34
Eze 25:13
Abd 9
g Gé 36:42
1Cr 1:36
h 1Cr 1:39
i Éx 17:8
Nú 13:29
Nú 24:20
Dt 25:19
1Sa 15:8
1Sa 30:1
j 1Cr 1:37
k Gé 26:34
l 1Cr 1:35
m Éx 15:15
n 1Cr 1:53
Job 4:1
Jer 49:20
o 1Cr 1:36
p Nú 20:23
Jue 11:18
1Re 9:26

y estos son sus jeques. Él es Edom.ª

20 Estos son los hijos de Seír el horeo, los habitantes del país:b Lotán y Sobal y Zibeón y Anahc 21 y Disón y Ézer y Disán.d Estos son los jeques del horeo, los hijos de Seír, en la tierra de Edom.

22 Y los hijos de Lotán llegaron a ser Horí y Hemam; y la hermana de Lotán era Timná.e

23 Y estos son los hijos de Sobal: Alván y Manáhat y Ebal, Sefó y Onam.

24 Y estos son los hijos de Zibeón: Ayá y Anah. Este es el Anah que halló los manantiales de aguas termales en el desierto mientras estaba cuidando los asnos a Zibeón su padre.f

25 Y estos son los hijos de Anah: Disón y Oholibamá la hija de Anah.

26 Y estos son los hijos de Disón: Hemdán y Esbán e Itrán y Kerán.g

27 Estos son los hijos de Ézer: Bilhán y Zaaván y Aqán.

28 Estos son los hijos de Disán: Uz y Arán.h

29 Estos son los jeques del horeo: El jeque Lotán, el jeque Sobal, el jeque Zibeón, el jeque Anah, 30 el jeque Disón, el jeque Ézer, el jeque Disán.i Estos son los jeques del horeo según sus jeques en la tierra de Seír.

31 Ahora bien, estos son los reyes que reinaron en la tierra de Edomj antes que reinara rey alguno sobre los hijos de Israel.k 32 Y Bela el hijo de Beor procedió a reinar en Edom,l y el nombre de su ciudad fue Dinhabá. 33 Cuando murió Bela, Jobab el hijo de Zérah de Bozrám empezó a reinar en lugar de él.n 34 Cuando murió Jobab, Husam de la tierra de los temanitas empezó a reinar en lugar de él.p 35 Cuando murió Husam, Hadad el hijo de Bedad, que derrotó a los madianitasq en el campo de Moab,r empezó a reinar en lugar

CAP. 36
a Gé 25:30
Gé 32:3
Mal 1:3
b Gé 14:6
Dt 2:12
Dt 2:22
c 1Cr 1:40
d 1Cr 1:38
1Cr 1:39
f Gé 36:2
g 1Cr 1:41
h 1Cr 1:42
i 1Cr 1:38
j Nú 20:14
k Dt 17:14
Dt 17:15
1Sa 10:19
l 1Cr 1:43
m Isa 34:6
Jer 49:13
n 1Cr 1:44
o Job 2:11
p 1Cr 1:45
q Gé 25:2
Éx 2:15
Nú 31:2
r Rut 1:1

2.ª col.
a 1Cr 1:46
b 1Cr 1:47
c 1Cr 1:48
d 1Cr 1:49
e 1Cr 1:50
f 1Cr 1:51
g 1Cr 1:52
h 1Cr 1:53
i 1Cr 1:54
j Dt 2:5
k Gé 25:30
Gé 36:8

CAP. 37
l Gé 23:4
Gé 28:4
Heb 11:9
m Gé 17:8
n Gé 30:25
Gé 46:19
o Gé 47:3
p Gé 35:25
q Gé 35:26
r Le 5:1
1Sa 2:24
Jn 7:7
s Gé 2:1
t Gé 37:32
u Pr 14:30
Pr 27:4
v Gál 5:20
Tit 3:3

de él, y el nombre de su ciudad fue Avit.ª 36 Cuando murió Hadad, Samlá de Masreqá empezó a reinar en lugar de él.b 37 Cuando murió Samlá, Shaúl de Rehobot junto al Río empezó a reinar en lugar de él.c 38 Cuando murió Shaúl, Baalhanán el hijo de Acbor empezó a reinar en lugar de él.d 39 Cuando murió Baal-hanán el hijo de Acbor, Hadar empezó a reinar en lugar de él; y el nombre de su ciudad fue Paú, y el nombre de su esposa fue Mehetabel la hija de Matred la hija de Mezahab.e

40 De modo que estos son los nombres de los jeques de Esaú según sus familias, según sus lugares, por sus nombres: El jeque Timná, el jeque Alvá, el jeque Jetet,f 41 el jeque Oholibamá, el jeque Elah, el jeque Pinón,g 42 el jeque Quenaz, el jeque Temán, el jeque Mibzar,h 43 el jeque Magdiel, el jeque Iram. Estos son los jeques de Edomi según sus moradas en la tierra de su posesión.j Este es Esaú padre de Edom.k

37 Y Jacob continuó morando en la tierra de las residencias de forastero de su padre,l en la tierra de Canaán.m

2 Esta es la historia de Jacob.

José,n a los diecisiete años de edad, se hallaba cuidando ovejas con sus hermanos entre el rebaño,o y, puesto que solo era un muchacho, estaba con los hijos de Bilháp y con los hijos de Zilpá,q las esposas de su padre. Así que José llevó un mal informe acerca de ellos a su padre.r 3 E Israel amaba a José más que a todos sus otros hijos,s porque era el hijo de su vejez; y mandó hacerle una prenda de vestir parecida a camisa, larga y rayada.t 4 Cuando sus hermanos llegaron a ver que su padre lo amaba más que a todos sus hermanos, empezaron a odiarlo,u y no podían hablarle pacíficamente.v

5 Más tarde José tuvo un sueño y lo refirió a sus hermanos,[a] y ellos hallaron más razón para odiarlo. 6 Y pasó a decirles: "Escuchen, por favor, este sueño que he soñado.[b] 7 Resulta, pues, que estábamos atando gavillas en medio del campo, cuando sucedió que mi gavilla se levantó y también quedó enhiesta, y sucedió que las gavillas de ustedes procedieron a rodear mi gavilla y a inclinarse ante ella".[c] 8 Y sus hermanos empezaron a decirle: "¿Vas a ser rey sobre nosotros de seguro?,[d] ¿o vas a dominar sobre nosotros de seguro?".[e] Así que hallaron nueva razón para odiarlo por sus sueños y por sus palabras.

9 Después, todavía tuvo otro sueño, y lo contó a sus hermanos y dijo: "Miren que otra vez he tenido un sueño, y resulta que el sol y la luna y once estrellas estaban inclinándose ante mí".[f] 10 Entonces lo contó a su padre así como a sus hermanos, y su padre empezó a reprenderlo y a decirle:[g] "¿Qué significa este sueño que has soñado? ¿Acaso yo y también tu madre y tus hermanos vamos a venir de seguro e inclinarnos a tierra ante ti?". 11 Y sus hermanos se pusieron celosos de él,[h] pero su padre observó el dicho.[i]

12 Luego sus hermanos fueron a apacentar el rebaño de su padre cerca de Siquem.[j] 13 Poco después, Israel dijo a José: "¿No están tus hermanos cuidando [rebaños] cerca de Siquem? Ven, y déjame enviarte a ellos". Ante esto, él le dijo: "¡Aquí estoy!".[k] 14 De modo que le dijo: "Anda, por favor. Ve si tus hermanos están sanos y salvos y si el rebaño está sano y salvo, y tráeme palabra de vuelta".[l] Con eso, lo envió de la llanura baja de Hebrón,[m] y él prosiguió hacia Siquem. 15 Más tarde lo halló un hombre, y sucedía que andaba errante en un campo. Entonces el hombre le preguntó, diciendo: "¿Qué estás buscando?". 16 A esto él dijo: "Es a mis hermanos a quienes estoy buscando. Infórmame, por favor: ¿Dónde están cuidando rebaños?". 17 Y el hombre continuó: "Han partido de aquí, porque les oí decir: 'Vamos a Dotán'". De modo que José siguió tras sus hermanos y los halló en Dotán.

18 Ahora bien, ellos alcanzaron a verlo de lejos, y antes que llegara cerca de ellos se pusieron a maquinar astutamente contra él para darle muerte.[a] 19 De modo que se dijeron unos a otros: "¡Miren! Ahí viene ese soñador.[b] 20 Y ahora vengan y matémoslo y arrojémoslo en una de las cisternas,[c] y tenemos que decir que una feroz bestia salvaje lo devoró.[d] Entonces veremos en qué vendrán a parar sus sueños". 21 Cuando Rubén oyó esto, trató de librarlo de las manos de ellos.[e] Por eso dijo: "No hiramos mortalmente su alma".[f] 22 Y Rubén pasó a decirles: "No viertan sangre.[g] Arrójenlo en esta cisterna que está en el desierto y no pongan sobre él mano violenta".[h] Era su propósito librarlo de la mano de ellos a fin de devolverlo a su padre.

23 De modo que aconteció que, en cuanto José llegó a sus hermanos, estos se pusieron a quitar a José su prenda de vestir larga, sí, la larga prenda de vestir rayada que llevaba puesta,[i] 24 después de eso lo tomaron y lo arrojaron en la cisterna.[j] En aquella ocasión la cisterna estaba vacía; no había agua en ella.

25 Entonces se sentaron a comer pan.[k] Cuando alzaron los ojos y miraron, pues, aquí venía de Galaad una caravana de ismaelitas,[l] y sus camellos iban cargados de ládano y bálsamo y cáscara resinosa,[m] e iban bajando para llevarlo a Egipto. 26 En esto Judá dijo a sus her-

CAP. 37
a Gé 37:19
b Nú 12:6
c Gé 42:6
  Gé 42:9
d Gé 45:8
e Gé 49:26
f Gé 44:14
  Gé 45:9
g Pr 17:10
  Ec 7:5
h Pr 14:30
  Hch 7:9
  Snt 3:14
i Da 7:28
  Lu 2:19
j Gé 33:18
k 1Sa 3:4
  Isa 6:8
l 1Sa 17:17
  Pr 15:30
m Gé 23:19
  Gé 35:27

2.ª col.
a Sl 37:14
  Sl 94:21
  Pr 6:17
  Mt 15:19
b Gé 37:5
c Sl 64:5
  Pr 1:11
  Pr 27:4
d Gé 31:39
  Éx 22:13
e Sl 97:10
  Da 3:17
f Gé 9:5
  Éx 20:13
  Le 24:17
  1Jn 3:15
g Gé 4:10
  Gé 42:22
  Pr 6:17
h Gé 42:21
  Sl 37:8
  Jer 22:3
i Gé 37:3
j Sl 69:8
k Am 6:6
l Gé 25:12
m Gé 43:11
  Éx 25:6

manos: "¿Qué ganancia habría en caso de que matáramos a nuestro hermano y de veras encubriéramos su sangre? 27 Vengan y vendámoslo a los ismaelitas,[b] y no esté nuestra mano sobre él.[c] Después de todo, es nuestro hermano, nuestra carne". Así que ellos escucharon a su hermano.[d] 28 Ahora bien, iban pasando hombres, mercaderes madianitas.[e] Por lo tanto halaron y alzaron a José de la cisterna,[f] y entonces vendieron a José a los ismaelitas por veinte piezas de plata.[g] Con el tiempo estos llevaron a José a Egipto.

29 Más tarde Rubén volvió a la cisterna, y resultó que José no estaba en la cisterna. Por consiguiente, rasgó sus prendas de vestir.[h] 30 Cuando volvió a sus otros hermanos exclamó: "¡El niño ha desaparecido! Y yo... ¿adónde realmente he de ir yo?".[i]

31 Sin embargo, ellos tomaron la larga prenda de vestir de José y degollaron un macho cabrío y metieron la larga prenda de vestir repetidas veces en la sangre.[j] 32 Luego enviaron la larga prenda de vestir rayada y la mandaron llevar a su padre y dijeron: "Esto es lo que hallamos. Examina,[k] por favor, si es la prenda de vestir larga de tu hijo o no".[l] 33 Y él se puso a examinarla y exclamó: "¡Es la larga prenda de vestir de mi hijo! ¡Una feroz bestia salvaje debe de haberlo devorado![m] ¡De seguro ha sido despedazado José!".[n] 34 Con eso, Jacob rasgó sus mantos y se puso saco sobre las caderas y se dio al duelo de su hijo por muchos días.[o] 35 Y todos sus hijos y todas sus hijas siguieron levantándose para consolarlo,[p] pero él siguió rehusando recibir consuelo, y diciendo: "¡Porque en duelo bajaré a donde mi hijo, al Seol!". Y su padre continuó llorándolo.

36 Sin embargo, los madianitas lo vendieron en [manos de] Egipto, a Potifar, un oficial de la corte de Faraón,[a] el jefe de la guardia de corps.

38 Ahora bien, entretanto aconteció que, cuando Judá bajó de donde estaban sus hermanos, asentó [su tienda] cerca de un hombre, un adulamita,[c] y el nombre de este era Hirá. 2 Y allí llegó a ver Judá a la hija de cierto cananeo,[d] y el nombre de este era Súa. De modo que la tomó y tuvo relaciones con ella. 3 Y ella quedó encinta. Más tarde ella dio a luz un hijo y él lo llamó por nombre Er.[e] 4 Otra vez quedó encinta ella. Con el tiempo, dio a luz un hijo y lo llamó por nombre Onán. 5 Volvió otra vez a dar a luz un hijo, y entonces lo llamó por nombre Selah. Ahora bien, sucedió que él estaba en Aczib cuando ella lo dio a luz.[f]

6 Con el tiempo Judá tomó esposa para Er su primogénito, y el nombre de ella era Tamar.[g] 7 Pero Er, primogénito de Judá, resultó malo a los ojos de Jehová;[h] por lo tanto Jehová le dio muerte.[i] 8 En vista de aquello, Judá dijo a Onán: "Ten relaciones con la esposa de tu hermano y realiza con ella el matrimonio de cuñado y levanta prole para tu hermano".[j] 9 Pero Onán sabía que la prole no llegaría a ser suya;[k] y sucedió que, cuando sí tuvo relaciones con la esposa de su hermano, desperdició su semen en la tierra para no dar prole a su hermano.[l] 10 Ahora bien, lo que hizo fue malo a los ojos de Jehová;[m] por lo tanto él también le dio muerte.[n] 11 Así que Judá dijo a Tamar su nuera: "Mora como viuda en casa de tu padre hasta que crezca Selah mi hijo".[o] Porque se decía: "Quizás muera él también como sus hermanos".[p] Por consiguiente, Tamar se fue y continuó morando en casa de su propio padre.[q]

12 Así llegaron a ser muchos

CAP. 37
a Gé 4:10
 Éx 21:14
b Éx 21:16
 Ne 5:8
 Hch 7:9
c Jer 22:3
d Pr 12:15
e Gé 25:2
f Jer 38:13
g Gé 40:15
 Gé 45:4
 Dt 24:7
 Sl 105:17
h Gé 44:13
 Hch 14:14
i Gé 49:3
j Pr 28:17
k Gé 38:25
 Nú 35:24
l Gé 37:3
 1Ti 5:24
m Gé 44:28
n Éx 22:13
 2Re 2:24
o 2Sa 1:11
 Job 1:20
p 1Te 5:14
q Sl 77:2
 Mt 2:18

2.ª col.
a Gé 39:1
b Gé 40:3

CAP. 38
c Jos 12:15
 1Sa 22:1
d Gé 24:3
 Gé 28:1
e Nú 26:19
f Jos 19:29
 Jue 1:31
g Mt 1:3
h Dt 21:20
 Gál 5:19
 1Pe 3:12
i 2Sa 6:7
 Hch 12:23
j Dt 25:5
 Dt 25:6
 Rut 1:11
 Mt 22:24
k Rut 4:6
l Dt 25:9
m Isa 65:12
n 1Cr 2:3
 Sl 55:23
o Rut 1:13
 Mt 22:24
p Nú 26:19
q Le 22:13

los días, y murió la hija de Súa, esposa[a] de Judá; y Judá guardó el período de duelo.[b] Después subió a Timnah,[c] a los esquiladores de sus ovejas, él y su compañero Hirá el adulamita.[d] 13 Entonces le fue referido a Tamar: "Mira que tu suegro va subiendo a Timnah para esquilar sus ovejas".[e] 14 Ante aquello, ella se quitó de sobre sí las prendas de vestir de su viudez y se cubrió con un chal y se veló y se sentó a la entrada de Enaim, que está en el camino a Timnah. Porque veía que Selah había crecido y, no obstante, ella no le había sido dada por esposa.[f]

15 Cuando alcanzó a verla Judá, al instante la tomó por ramera,[g] porque ella se había cubierto el rostro.[h] 16 De modo que se apartó hacia ella al lado del camino y dijo: "Permíteme, por favor, tener relaciones contigo".[i] Pues no sabía que era su nuera.[j] Sin embargo, ella dijo: "¿Qué me darás para tener relaciones conmigo?".[k] 17 A lo cual dijo él: "Yo mismo enviaré de la manada un cabrito de las cabras. Pero ella dijo: "¿Darás una garantía hasta que lo envíes?".[l] 18 Y continuó él: "¿Cuál es la garantía que te daré?", a lo cual dijo ella: "Tu sortija con sello[m] y tu cordón y tu vara que tienes en la mano". Entonces él se los dio y tuvo relaciones con ella, de modo que ella quedó encinta de él. 19 Después ella se levantó y se fue y se quitó su chal de sobre sí y se vistió con las prendas de vestir de su viudez.[n]

20 Y Judá procedió a enviar el cabrito de las cabras por mano de su compañero el adulamita[o] a fin de recobrar la garantía de mano de la mujer, pero este no la halló. 21 Y fue inquiriendo de los hombres de su lugar, diciendo: "¿Dónde está aquella prostituta de templo de Enaim junto al camino?". Pero ellos seguían

diciendo: "Nunca ha habido ninguna prostituta[a] de templo en este lugar". 22 Por fin él volvió a Judá y dijo: "No la hallé y, además, los hombres del lugar dijeron: 'Nunca ha habido ninguna prostituta de templo en este lugar'". 23 Así que Judá dijo: "Que se quede con ellos, a fin de que no lleguemos a ser objeto de desprecio.[b] Sea como sea, yo he enviado este cabrito, pero tú... tú no la hallaste".

24 Sin embargo, unos tres meses después sucedió que le fue referido a Judá: "Tamar tu nuera ha estado de ramera,[c] y mira que también está encinta[d] de su prostitución". A lo cual dijo Judá: "Sáquenla, y que sea quemada".[e] 25 Cuando la iban sacando, ella misma envió a decir a su suegro: "Del hombre a quien pertenecen estos estoy encinta".[f] Y añadió: "Examina,[g] por favor, a quién pertenecen estos: la sortija con sello y el cordón y la vara".[h] 26 Entonces los examinó Judá y dijo:[i] "Ella es más justa que yo,[j] por razón de que yo no la di a Selah mi hijo".[k] Y no volvió a tener más coito con ella después de aquello.[l]

27 Ahora bien, resultó que, al tiempo de dar a luz, pues, ¡mire!, había gemelos en su vientre. 28 Además, sucedió que, cuando ella estaba dando a luz, uno extendió la mano, y al instante la partera tomó y le ató un marcador de color escarlata alrededor de la mano, diciendo: "Este salió primero". 29 Finalmente resultó que, luego que él retiró la mano, pues, sucedió que salió su hermano, de modo que ella exclamó: "¿Qué quieres decir con esto, que has producido para ti una ruptura perineal?". Por lo tanto fue llamado por nombre Pérez.[m] 30 Y después salió su hermano, en cuya mano estaba el marcador de color escarlata, y él llegó a ser llamado por nombre Zérah.[n]

CAP. 38
a Gé 38:2
b Nú 20:29
Dt 34:8
c Jos 15:10
Jue 14:1
d Gé 38:1
e 1Sa 25:4
f Dt 25:5
Rut 1:11
Mt 22:24
g Jer 3:2
h Pr 7:10
i 1Co 6:18
Heb 13:4
j Gé 38:11
k Dt 23:18
Eze 16:33
Lu 15:30
l Pr 20:16
m Gé 41:42
1Re 21:8
Est 8:8
Da 6:17
n 2Sa 14:2
o Gé 38:1

2.ª col.
a Dt 23:17
b Pr 6:33
Pr 12:14
Pr 18:3
Ro 6:21
2Co 4:2
Ef 5:12
c Gé 34:31
Nú 5:12
d Gé 19:36
2Sa 11:5
e Le 21:9
Dt 24:16
f Gé 38:16
Pr 18:17
1Co 4:5
g Gé 31:32
Gé 37:32
Jn 19:15
h Gé 38:18
i Ro 2:1
j 1Sa 24:17
Job 33:27
Pr 11:6
k Gé 38:11
Dt 25:5
Rut 3:12
l Job 34:32
m Gé 46:12
Rut 4:12
1Cr 2:4
Lu 3:33
n 1Cr 9:6
Mt 1:3

39 En cuanto a José, él fue bajado a Egipto,[a] y Potifar,[b] un oficial de la corte de Faraón, el jefe de la guardia de corps, egipcio, llegó a comprarlo de la mano de los ismaelitas[c] que lo habían bajado allá. 2 Pero Jehová resultó estar con José, de modo que este llegó a ser un hombre que en todo tenía éxito,[d] y vino a estar sobre la casa de su amo, el egipcio. 3 Y su amo llegó a ver que Jehová estaba con él y que Jehová hacía que todo lo que él efectuaba tuviera éxito en su mano.

4 Y José siguió hallando favor a sus ojos, y lo atendía de continuo, de modo que él lo nombró sobre su casa,[e] y todo lo que era suyo lo dio en su mano. 5 Y resultó que, desde el tiempo en que lo nombró sobre su casa y a cargo de todo lo suyo, Jehová siguió bendiciendo la casa del egipcio debido a José, y la bendición de Jehová vino a estar sobre todo lo que él tenía en la casa y en el campo.[f] 6 Finalmente él dejó todo lo suyo en la mano de José;[g] e ignoraba por completo lo que estaba con él al salvo el pan que comía. Además, José llegó a ser de hermosa figura y de hermosa apariencia.

7 Ahora bien, después de estas cosas aconteció que la esposa de su amo empezó a alzar los ojos[h] hacia José y a decir: "Acuéstate conmigo".[i] 8 Pero él rehusaba,[j] y decía a la esposa de su amo: "Mira que mi amo ignora lo que está conmigo en la casa, y todo lo que tiene lo ha dado en mi mano.[k] 9 No hay nadie mayor que yo en esta casa, y él no ha retenido de mí cosa alguna salvo a ti, porque eres su esposa.[l] Así es que, ¿cómo podría yo cometer esta gran maldad y realmente pecar contra Dios?". 10 Resultó, pues, que al hablar ella a José día tras día, él no la escuchó para acostarse a su lado, para continuar con ella.[n]

11 Pero sucedió que en este día, como en otros días, él entró en la casa para atender a su negocio, y no había ninguno de los hombres de la casa allí en la casa.[a] 12 Entonces ella se agarró de él por su prenda de vestir,[b] y dijo: "¡Acuéstate conmigo!".[c] Pero él dejó su prenda de vestir en la mano de ella y echó a huir y salió afuera.[d] 13 Sucedió, pues, que luego que ella vio que él había dejado su prenda de vestir en la mano de ella para poder huir afuera, 14 se puso a gritar a los hombres de su casa y a decirles: "¡Miren! Él nos trajo un hombre, un hebreo, para hacer de nosotros un hazmerreír. Este vino a mí para acostarse conmigo, pero yo me puse a gritar a voz en cuello.[e] 15 Y resultó que luego que oyó que yo alzaba la voz y gritaba, entonces dejó su prenda de vestir a mi lado y echó a huir y salió afuera". 16 Después de aquello, ella mantuvo la prenda de vestir de él colocada a su lado hasta que el amo de él vino a casa.[f]

17 Entonces ella le habló de acuerdo con estas palabras, y dijo: "El siervo hebreo que nos trajiste vino a mí para hacer de mí un hazmerreír. 18 Pero sucedió que luego que alcé la voz y empecé a gritar, entonces dejó su prenda de vestir al lado mío y se fue huyendo afuera".[g] 19 El resultado fue que luego que el amo de él oyó las palabras de su esposa que ella le habló, diciendo: "De esta y esta manera me hizo tu siervo", la cólera de él se encendió.[h] 20 De modo que el amo de José lo tomó y lo entregó a la casa de encierro, al lugar donde tenían en reclusión a los presos del rey, y él continuó allí en la casa de encierro.[i]

21 Sin embargo, Jehová continuó con José y siguió extendiéndole bondad amorosa y otorgándole hallar favor a los ojos del oficial principal de la

CAP. 39
a Sl 105:17
  Hch 7:9
b Gé 37:36
c Gé 17:20
  Gé 37:25
d Sl 1:3
  Ro 8:31
  Heb 13:6
e Pr 14:35
  Lu 12:44
  1Co 4:2
f Gé 30:27
  Dt 28:3
  2Sa 6:11
g Lu 16:10
  Lu 19:17
h Mt 5:28
  2Pe 2:14
i Le 20:10
  Pr 2:16
  1Co 6:9
j Pr 1:10
  Pr 5:20
  Pr 22:6
k Lu 16:12
  1Co 4:2
l Pr 6:29
  Mr 10:8
m Gé 2:24
  Gé 20:6
  Sl 51:4
  Gál 5:19
  Heb 13:4
n Pr 5:3
  Pr 22:14

2.ª col.
a Job 24:15
  Jer 23:24
b Ec 7:26
  Snt 1:14
c 2Sa 13:11
d Pr 6:32
  1Co 6:18
  2Ti 2:22
e Sl 35:20
  Pr 6:19
  Pr 12:17
f Sl 37:12
g Éx 20:16
  Pr 12:22
  Pr 19:5
h Dt 19:15
  Pr 6:34
  Pr 29:12
i Sl 105:18
  1Pe 2:20
  1Pe 3:14

casa de encierro.ª 22 Así que el oficial principal de la casa de encierro entregó en la mano de José a todos los presos que estaban en la casa de encierro; y resultó que él era quien se encargaba de que se hicieraᵇ todo lo que ellos hacían allí. 23 El oficial principal de la casa de encierro no atendía a absolutamente nada de lo que estaba en su mano, porque Jehová estaba con [José], y lo que él efectuaba, Jehová hacía que tuviera éxito.ᶜ

40 Ahora bien, después de estas cosas aconteció que el coperoᵈ del rey de Egipto y el panadero pecaron contra su señor el rey de Egipto.ᵉ 2 Y Faraón se indignó contra sus dos oficiales,ᶠ contra el jefe de los coperos y contra el jefe de los panaderos.ᵍ 3 De modo que mandó meterlos en la cárcel de la casa del jefe de la guardia de corps,ʰ en la casa de encierro,ⁱ el lugar donde estaba preso José. 4 Entonces el jefe de la guardia de corps asignó a José a estar con ellos para que los atendiera;ʲ y ellos continuaron en la cárcel algunos días.

5 Y ambos procedieron a soñar un sueño,ᵏ cada uno su propio sueño en la misma noche, cada uno su sueño con su propia interpretación,ᵐ el copero y el panadero que pertenecían al rey de Egipto [y] que estaban presos en la casa de encierro.ⁿ 6 Cuando José entró a donde ellos por la mañana y los vio, pues, sucedía que se veían decaídos.ᵒ 7 Y él se puso a inquirir de los oficiales de Faraón que estaban con él en la cárcel de la casa de su amo, diciendo: "¿Por qué razón están tristes hoy sus rostros?".ᵖ 8 Por lo cual le dijeron: "Hemos soñado un sueño, y no hay intérprete con nosotros". De modo que les dijo José: "¿No pertenecen a Dios las interpretaciones?ᵠ Cuéntenmelo, por favor".

9 Y el jefe de los coperos se puso a contar su sueño a José y a decirle: "En mi sueño, pues, mira que había una vid delante de mí. 10 Y en la vid había tres ramitas, y al parecer brotaba sarmientos.ª Salieron sus flores. Sus racimos maduraron sus uvas. 11 Y yo tenía en la mano la copa de Faraón, y procedí a tomar las uvas y a exprimirlas en la copa de Faraón.ᵇ Después di la copa en la mano de Faraón".ᶜ 12 Entonces le dijo José: "Esta es su interpretación:ᵈ Las tres ramitas son tres días. 13 Dentro de tres días Faraón alzará tu cabeza y ciertamente te devolverá a tu puesto;ᵉ y ciertamente darás la copa de Faraón en su mano, según la costumbre anterior cuando estabas de copero suyo.ᶠ 14 Sin embargo, tienes que guardarme en tu memoria tan pronto como te vaya bien,ᵍ y, por favor, tienes que ejercer bondad amorosa conmigo y mencionarme a Faraón,ʰ y tienes que sacarme de esta casa. 15 Porque de hecho fui secuestrado de la tierra de los hebreos;ⁱ y tampoco aquí he hecho cosa alguna para que me metieran en el hoyo carcelario".ʲ

16 Cuando el jefe de los panaderos vio que había interpretado algo bueno, él, a su vez, dijo a José: "También yo estaba en mi sueño, y mira que yo tenía tres cestas de pan blanco sobre la cabeza, 17 y en la cesta de encima había toda clase de comestibles para Faraón,ᵏ el producto de un panadero, y había avesⁱ comiéndoselos de la cesta sobre mi cabeza". 18 Entonces José contestó y dijo: "Esta es su interpretación:ᵐ Las tres cestas son tres días. 19 Dentro de tres días Faraón alzará tu cabeza de sobre ti y ciertamente te colgará en un madero;ⁿ y las aves ciertamente comerán tu carne de sobre ti".ᵒ

CAP. 39
a Gé 40:3
Sl 105:19
Pr 16:7
Da 1:9
Hch 7:9
b Gé 39:6
c Gé 49:2
Sl 1:3
Hch 7:10

CAP. 40
d Gé 40:11
Gé 41:9
e Hch 7:10
f Gé 41:10
Pr 16:14
Pr 19:12
g Gé 40:20
h Gé 37:36
i Gé 39:20
Sl 105:18
j Gé 39:22
k Job 33:15
l Gé 41:11
m Gé 41:12
n Gé 41:10
o Pr 15:13
Da 1:10
p Lu 24:17
q Gé 41:16
Sl 25:14
Da 2:28
Da 2:45

2.ª col.
a Nú 13:23
b Pr 3:10
c Gé 40:21
d Gé 41:12
Da 2:30
e Gé 40:21
Gé 41:13
Jer 52:31
f Ne 2:1
g 1Sa 25:31
Lu 23:42
h 2Sa 9:1
i Gé 14:13
Gé 37:28
Gé 41:12
Éx 21:16
Hch 7:9
j Gé 39:8
Sl 105:19
Sl 119:86
Da 6:22
Jn 15:25
Heb 12:11
1Pe 3:17
k Gé 49:20
1Cr 12:40
l Gé 15:11
m Gé 41:12
n Gé 41:12
Dt 21:22
Jos 8:29
Jos 10:26
o Gé 3:17:44
2Sa 21:10
Jer 16:4
Eze 39:4
Rev 19:17

20 Ahora bien, al tercer día resultó que era el cumpleaños[a] de Faraón, y él procedió a hacer un banquete para todos sus siervos y a alzar la cabeza del jefe de los coperos y la cabeza del jefe de los panaderos en medio de sus siervos.[b] 21 Por consiguiente, devolvió al jefe de los coperos a su puesto de copero,[c] y este continuó dando la copa en la mano de Faraón. 22 Pero al jefe de los panaderos lo colgó,[d] tal como les había dado la interpretación José.[e] 23 Sin embargo, el jefe de los coperos no se acordó de José, y siguió olvidándolo.[f]

41 Y al cabo de dos años completos aconteció que Faraón estaba soñando,[g] y he aquí que estaba de pie junto al río Nilo. 2 Y sucedía que del río Nilo venían ascendiendo siete vacas de hermosa apariencia y gruesas de carnes, y se pusieron a pacer entre la hierba del Nilo.[h] 3 Y aquí otras siete vacas venían ascendiendo del río Nilo tras ellas, de fea apariencia y flacas de carnes,[i] y se pararon al lado de las vacas junto a la margen del río Nilo. 4 Entonces las vacas de fea apariencia y flacas de carnes se pusieron a devorar a las siete vacas de hermosa apariencia y gordas.[j] Con eso, Faraón despertó.[k]

5 Sin embargo, volvió a dormirse y soñó por segunda vez. Y he aquí que siete espigas estaban subiendo en una sola caña, gruesas y buenas.[ ] 6 Y sucedía que siete espigas, delgadas y chamuscadas por el viento del este,[m] estaban creciendo después de ellas.[n] 7 Y las espigas delgadas empezaron a tragarse a las siete espigas gruesas y llenas.[o] Con eso, Faraón despertó, y he aquí que era un sueño.

8 Y por la mañana resultó que se le agitó el espíritu.[p] De modo que envió y llamó a todos los sacerdotes practicantes de magia de Egipto[q] y a todos los sa-

bios de este,[a] y se puso Faraón a contarles sus sueños.[b] Pero no hubo intérprete de estos para Faraón.

9 Entonces el jefe de los coperos habló con Faraón,[c] y dijo: "De mis pecados hoy hago mención.[d] 10 Faraón estaba indignado con sus siervos.[e] De modo que mandó que me metieran en la cárcel de la casa del jefe de la guardia de corps,[f] tanto a mí como al jefe de los panaderos. 11 Después, ambos soñamos un sueño en la misma noche, yo y también él. Soñamos cada uno su sueño con su propia interpretación.[g] 12 Y estaba allí con nosotros un joven, un hebreo,[i] siervo del jefe de la guardia de corps.[i] Cuando se los contamos a él,[i] él procedió a interpretarnos nuestros sueños. Le interpretó a cada uno según su sueño. 13 Y resultó que, tal como nos lo había interpretado, así sucedió. A mí me devolvió a mi puesto,[k] pero a él lo colgó".[ ]

14 Y Faraón procedió a enviar y llamar a José,[m] para que lo trajeran apresuradamente del hoyo carcelario.[n] Por lo tanto, él se afeitó[o] y mudó sus mantos[p] y entró a donde Faraón. 15 Entonces Faraón dijo a José: "He soñado un sueño, pero no hay intérprete de él. Ahora bien, yo mismo he oído decir de ti que al oír un sueño puedes interpretarlo".[q] 16 En esto José contestó a Faraón, y dijo: "¡A mí no se me tiene que tomar en cuenta! Dios anunciará bienestar a Faraón".[r]

17 Y Faraón pasó a hablar a José: "Pues bien, en mi sueño yo estaba de pie en la margen del río Nilo. 18 Y aquí venían ascendiendo del río Nilo siete vacas, gruesas de carnes y hermosas de forma, y se pusieron a pacer entre la hierba del Nilo.[s] 19 Y aquí venían ascendiendo otras siete vacas detrás de ellas, pobres y de forma muy mala y flacas de carnes.[t] En cuanto a lo

CAP. 40
a Ec 7:1
  Mr 6:21
b Pr 16:14
c Ne 2:1
d Gé 41:13
  Est 7:10
e Gé 40:8
  Da 2:30
f Gé 40:14
  Job 19:14

CAP. 41
g Gé 20:3
  Gé 40:5
  Job 33:15
  Da 2:1
h Gé 1:30
  Gé 41:18
i Gé 41:19
j Gé 41:20
k Gé 41:21
  1Re 3:15
l Gé 41:22
m 2Re 19:26
  Eze 17:10
  Os 13:15
n Gé 41:23
o Gé 41:24
p Da 2:1
q Ex 7:11

2.ª col.
a Isa 19:11
  Da 2:2
  1Co 3:20
b Da 4:7
c Gé 40:21
d Pr 28:13
e Gé 40:2
f Gé 37:36
  Gé 40:3
g Gé 40:5
h Gé 39:17
i Gé 39:1
j Gé 40:8
k Gé 40:21
l Gé 40:22
m 1Sa 2:8
  Sl 105:20
n Gé 40:15
  Da 2:25
o Jer 9:26
p Jer 52:33
q Sl 25:14
  Da 5:12
  Hch 7:10
r Gé 40:8
  Da 2:23
  Da 2:28
s Gé 41:2
t Gé 41:3

malo, no he visto cosa semejante a ellas en toda la tierra de Egipto. 20 Y las vacas flacas y malas empezaron a devorar a las primeras siete vacas gordas.[a] 21 Así es que estas entraron en sus vientres, y, no obstante, no podía saberse que hubieran entrado en sus vientres, porque su apariencia era mala lo mismo que al comienzo.[b] Con eso desperté.

22 "Después de eso vi en mi sueño, y sucedía que estaban subiendo siete espigas en una sola caña, llenas y buenas.[c] 23 Y sucedía que había siete espigas secas, delgadas, chamuscadas por el viento del este,[d] que venían creciendo después de ellas. 24 Y las espigas delgadas empezaron a tragarse a las siete espigas buenas.[e] De modo que se lo dije a los sacerdotes practicantes de magia,[f] pero no hubo quien me lo declarara".[g]

25 Entonces José dijo a Faraón: "El sueño de Faraón es uno solo. Lo que el Dios [verdadero] va a hacer lo ha declarado a Faraón.[h] 26 Las siete vacas buenas son siete años. Igualmente, las siete espigas buenas son siete años. El sueño es uno solo. 27 Y las siete vacas flacas y malas que subieron después de ellas son siete años; y las siete espigas vacías, chamuscadas por el viento del este,[i] resultarán ser siete años de hambre.[j] 28 Esta es la cosa que he hablado a Faraón: Lo que el Dios [verdadero] va a hacer, él ha hecho que Faraón lo vea.[k]

29 "Mira que vienen siete años de gran abundancia en toda la tierra de Egipto. 30 Pero ciertamente se levantarán siete años de hambre después de ellos, y ciertamente será olvidada toda la abundancia en la tierra de Egipto, y el hambre simplemente consumirá la tierra.[l] 31 Y la abundancia que habrá habido en el país no se conocerá como resultado de aquella hambre [que

habrá] después, porque esta ciertamente será muy grave. 32 Y el hecho de que el sueño le fue repetido dos veces a Faraón significa que la cosa está firmemente establecida de parte del Dios [verdadero],[a] y el Dios [verdadero] está apresurándose a hacerlo.[b]

33 "Por tanto, busque Faraón un hombre discreto y sabio y establézcalo sobre la tierra de Egipto.[c] 34 Actúe Faraón y nombre superintendentes sobre la tierra,[d] y tiene que recoger la quinta parte de la tierra de Egipto durante los siete años de abundancia.[e] 35 Y que junten todos los víveres de estos buenos años que vienen, y que amontonen grano bajo la mano de Faraón como víveres en las ciudades,[f] y tienen que resguardarlo. 36 Y los víveres tienen que servir de abastecimiento a la tierra para los siete años de hambre, que van a producirse en la tierra de Egipto,[g] a fin de que la tierra no sea cortada por el hambre".[h]

37 Pues bien, la cosa pareció buena a los ojos de Faraón y de todos sus siervos.[i] 38 De modo que Faraón dijo a sus siervos: "¿Podrá hallarse otro hombre como este en quien está el espíritu de Dios?".[j] 39 Después Faraón dijo a José: "Puesto que Dios te ha hecho saber todo esto,[k] no hay nadie tan discreto y sabio como tú.[l] 40 Tú estarás personalmente sobre mi casa,[m] y todo mi pueblo te obedecerá sin reserva.[n] Solo en cuanto al trono seré yo más grande que tú".[o] 41 Y añadió Faraón a José: "Mira, de veras te coloco sobre toda la tierra de Egipto".[p] 42 Con eso se quitó Faraón su anillo de sellar[q] de su propia mano y lo puso en la mano de José, y lo vistió con prendas de vestir de lino fino y le colocó un collar de oro alrededor del cuello,[r] 43 Además, hizo que fuera montado en el segundo carro de honor que te-

CAP. 41
a Gé 41:4
b Le 26:26
Isa 9:20
c Gé 41:5
d Gé 41:6
Sl 129:6
e Gé 41:7
f Gé 41:8
Éx 7:11
Da 2:2
g Da 2:27
Da 4:7
h Sl 98:2
Isa 41:22
Da 2:28
Am 3:7
i Éx 14:21
j Gé 12:10
2Re 8:1
k Da 2:28
l Isa 24:4
Mt 24:7
Hch 7:11
Hch 11:28

2.ª col.
a Dt 19:15
Job 33:14
Mt 18:16
b 2Te 3:1
c Dt 1:13
1Co 4:2
d 1Re 11:28
e Gé 41:47
Gé 47:26
f Gé 41:48
Pr 8:21
Hch 7:12
g Gé 47:13
h Gé 45:11
Gé 47:19
i Da 1:20
j Nú 27:18
Job 32:8
Isa 61:1
Da 4:8
k Sl 32:8
Pr 14:35
1Co 1:27
l Pr 2:6
1Co 2:6
m Gé 39:6
Sl 105:21
Hch 7:10
n Gé 49:10
o Est 10:3
Da 6:3
p Da 5:7
q Est 8:10
Da 6:17
r Est 8:2
Sl 75:7
Da 5:29

nía,[a] para que clamaran delante de él: *"¡Avrekj!"*, y así lo puso sobre toda la tierra de Egipto.

44 Y Faraón dijo además a José: "Yo soy Faraón, pero sin autorización tuya no podrá hombre alguno alzar la mano ni el pie en toda la tierra de Egipto".[b] 45 Después de aquello Faraón llamó a José por nombre Zafenat-panéah, y le dio por esposa a Asenat[c] la hija de Potifera el sacerdote de On.[d] Y José empezó a salir por toda la tierra de Egipto.[e] 46 Y José tenía treinta años de edad[f] cuando estuvo de pie delante de Faraón el rey de Egipto.

Entonces José salió de delante de Faraón y recorrió toda la tierra de Egipto. 47 Y durante los siete años de abundancia la tierra siguió produciendo a manos llenas.[g] 48 Y él siguió juntando todos los víveres de los siete años que vinieron sobre la tierra de Egipto, y ponía los víveres en las ciudades. Los productos alimenticios del campo circundante a una ciudad, los ponía en medio de ella.[i] 49 Y José continuó amontonando grano en grandísima cantidad,[j] como la arena del mar, hasta que por fin cesaron de contarlo, porque era sin número.[k]

50 Y antes que llegara el año del hambre, le nacieron a José dos hijos,[l] que le dio a luz Asenat la hija de Potifera el sacerdote de On. 51 De modo que José llamó al primogénito por nombre Manasés,[m] porque, decía él: "Dios me ha hecho olvidar todas mis desgracias y toda la casa de mi padre".[n] 52 Y al segundo lo llamó por nombre Efraín,[o] porque, decía él: "Dios me ha hecho fructífero en la tierra de mi miseria".[p]

53 Y gradualmente terminaron los siete años de abundancia que hubo en la tierra de Egipto,[q] 54 y, a su vez, comenzaron a venir los siete años de hambre, tal como había dicho José.[r] Y se

produjo el hambre en todos los países, pero en toda la tierra de Egipto se halló pan.[a] 55 Por fin toda la tierra de Egipto llegó a tener hambre, y el pueblo empezó a clamar a Faraón por pan.[b] Entonces dijo Faraón a todos los egipcios: "Vayan a José. Lo que les diga, eso han de hacer".[c] 56 Y el hambre se halló sobre toda la superficie de la tierra.[d] Entonces José empezó a abrir todos los depósitos de grano que había entre ellos, y a vender a los egipcios,[e] puesto que el hambre se agarró fuertemente de la tierra de Egipto. 57 Además, personas de toda la tierra vinieron a Egipto a comprarle a José, porque el hambre tenía fuertemente agarrada a toda la tierra.[f]

42 Por fin Jacob llegó a ver que había cereales en Egipto.[g] Entonces Jacob dijo a sus hijos: "¿Por qué siguen mirándose unos a otros?". 2 Y añadió: "Miren que he oído que hay cereales en Egipto.[h] Bajen allá y cómprennos de allí, para que nos mantengamos vivos y no muramos". 3 Por consiguiente, bajaron diez hermanos[i] de José a comprar grano de Egipto. 4 Pero Jacob no envió a Benjamín,[j] el hermano de José, con sus otros hermanos, porque dijo: "De otro modo puede que le acaezca un accidente mortal".[k]

5 Así que vinieron los hijos de Israel con los otros que venían a comprar, porque existía el hambre en la tierra de Canaán.[l] 6 Y José era el hombre que estaba en el poder sobre el país.[m] Él era quien hacía la venta a toda la gente de la tierra.[n] Por consiguiente, vinieron los hermanos de José y se inclinaron ante él, rostro a tierra.[o] 7 Cuando José llegó a ver a sus hermanos, en seguida los reconoció, pero se hizo irreconocible para ellos.[p] De modo que les habló con dureza y les dijo: "¿De dónde han venido?", a lo cual dijeron: "De la

CAP. 41
a 1Re 1:38
   Est 6:11
b Gé 44:18
   Gé 45:8
   Hch 7:10
c Gé 46:20
d Jer 43:13
   Eze 30:17
e Sl 105:21
f Nú 4:3
   2Sa 5:4
   Lu 3:23
g Gé 26:12
   Sl 65:9
h Éx 1:11
i 1Re 9:19
   2Cr 32:28
j Sl 107:37
k Dt 28:11
   Mal 3:10
l Gé 48:5
m Gé 50:23
   Nú 1:35
   Rev 7:6
n Sl 30:11
   Isa 65:16
   Rev 21:4
o Gé 48:17
   Nú 1:33
   Dt 33:17
   Jos 14:4
p Sl 105:18
   Sl 107:41
   Am 6:6
   Hch 7:10
q Gé 41:26
r Gé 41:30
   Hch 7:11

2.ª col.
a Gé 45:11
   Gé 47:17
b Gé 47:13
   Lam 5:10
c Sl 105:21
d Sl 146:7
d Gé 43:1
   Lu 4:25
e Gé 41:48
   Gé 47:16
   Pr 11:26
f Gé 47:4
   Sl 33:19

CAP. 42
a Gé 41:48
h Hch 7:12
i 1Cr 2:1
j Gé 35:18
   Gé 42:38
   Gé 44:20
k Gé 43:14
l Gé 41:57
   Hch 7:11
m Gé 41:44
   Gé 45:8
   Hch 7:10
n Gé 47:14
o Gé 37:7
   Gé 37:9
p Gé 42:23
   Sl 81:5

tierra de Canaán para comprar víveres".[a]

8 Así reconoció José a sus hermanos, pero ellos mismos no lo reconocieron a él. 9 Inmediatamente se acordó José de los sueños que había soñado acerca de ellos,[b] y pasó a decirles: "¡Son espías! ¡Han venido para ver la condición desvalida del país!".[c] 10 Entonces ellos le dijeron: "No, señor mío,[d] sino que tus siervos[e] han venido para comprar víveres. 11 Todos nosotros somos hijos de un mismo hombre. Somos hombres rectos. Tus siervos no actúan como espías".[f] 12 Pero él les dijo: "¡No es así! ¡Porque han venido para ver la condición desvalida del país!".[g] 13 A lo cual dijeron ellos: "Tus siervos somos doce hermanos.[h] Somos hijos de un mismo hombre,[i] en la tierra de Canaán; y mira que el más joven está con nuestro padre hoy,[j] mientras que el otro ya no es".[k]

14 Sin embargo, José les dijo: "Es lo que les he hablado, diciendo: '¡Son espías!'. 15 Mediante esto serán probados. Tan ciertamente como que Faraón vive, no saldrán de aquí sino hasta que venga acá su hermano menor.[l] 16 Envíen a uno de ustedes para que consiga a su hermano mientras ustedes quedan atados, para que sus palabras sean probadas como la verdad en el caso de ustedes.[m] Y si no, entonces, tan ciertamente como que Faraón vive, son espías".[17] Con eso, los puso juntos en custodia por tres días.

18 Después José les dijo al tercer día: "Hagan esto y manténganse vivos. Yo temo[d] al Dios [verdadero]. 19 Si son rectos, que uno de sus hermanos se quede atado en su casa de custodia,[o] pero los demás de ustedes vayan, lleven cereales para el hambre de sus casas.[p] 20 Entonces me traerán a su hermano menor, para que sus palabras sean ha-

lladas fidedignas; y no morirán".[a] Y ellos procedieron a hacer aquello.

21 Y empezaron a decirse uno a otro: "Indisputablemente somos culpables tocante a nuestro hermano,[b] porque vimos la angustia de su alma cuando suplicaba de nosotros que tuviéramos compasión, pero no escuchamos. Por eso nos ha sobrevenido esta angustia".[c] 22 Entonces les contestó Rubén, y dijo: "¿No les dije yo: 'No pequen contra el niño', pero no escucharon?[d] Y ahora, miren, su sangre ciertamente está siendo reclamada".[e] 23 En cuanto a ellos, no sabían que José estaba escuchando, porque había un intérprete entre ellos. 24 Por consiguiente, él se apartó de ellos y empezó a llorar.[f] Entonces volvió a ellos y les habló y tomó de ellos a Simeón[g] y lo ató ante los ojos de ellos.[h] 25 Después de eso José dio el mandato, y se pusieron a llenarles de grano sus receptáculos. Además, habían de devolver el dinero de los hombres al saco individual de cada uno[i] y darles provisiones para el viaje.[j] En efecto, así se hizo con ellos.

26 De modo que ellos cargaron sus cereales sobre sus asnos y procedieron a irse de allí. 27 Cuando uno abrió su saco para dar pienso a su asno en el lugar de alojamiento,[k] llegó a ver su dinero, y aquí estaba en la boca de su costal.[l] 28 Ante aquello, dijo a sus hermanos: "¡Me ha sido devuelto mi dinero, y ahora aquí está en mi costal!". Entonces se les hundió el corazón, de modo que, temblando, se dirigieron unos a otros[m] y dijeron: "¿Qué es esto que nos ha hecho Dios?".[n]

29 Por fin llegaron a donde Jacob su padre, a la tierra de Canaán, y le refirieron todas las cosas que les habían acaecido, diciendo: 30 "El hombre que

---

CAP. 42

a Gé 37:1
Hch 7:12
b Gé 37:7
Gé 37:9
Nú 12:6
c Gé 47:13
d Ro 13:7
e Gé 37:8
f Gé 41:30
h 1Cr 2:1
i Éx 1:1
j Gé 35:18
Gé 42:38
Gé 43:7
k Gé 37:27
Gé 37:35
Gé 44:20
Gé 45:26
Hch 7:9
l Gé 42:34
Gé 43:29
m Sl 7:9
n Gé 20:11
Le 25:43
Ne 5:15
Pr 8:13
2Co 7:1
o Gé 42:24
p Gé 43:2
Gé 45:23

2.ª col.

a Gé 43:5
Gé 44:23
b Gé 37:18
Gé 37:28
Gé 50:17
Hch 7:9
c Nú 32:23
Pr 21:13
Mt 7:2
1Ti 5:24
d Gé 37:21
Ro 2:15
e Gé 9:5
Sl 9:12
Rev 6:10
f Gé 43:30
g Gé 42:19
Gé 49:5
h Gé 43:23
Job 36:8
i Gé 44:1
j Gé 45:21
1Pe 3:9
k Gé 43:21
Pr 12:10
Jer 9:2
Jer 41:17
l Gé 43:21
m Le 26:36
Lu 19:21
n Isa 45:7
Am 3:6
Heb 10:30

es el señor del país nos habló con dureza,[a] puesto que nos tomó por hombres que espiaban el país.[b] 31 Pero nosotros le dijimos: 'Somos hombres rectos.[c] No actuamos como espías. 32 Somos doce hermanos,[d] los hijos de nuestro padre.[e] Uno ya no es,[f] y el menor está hoy con nuestro padre en la tierra de Canaán'.[g] 33 Pero el hombre que es el señor del país nos dijo:[h] 'Por medio de esto sabré que son rectos:[i] Hagan que uno de sus hermanos se quede conmigo.[j] Entonces tomen algo para el hambre [que hay] en sus casas y váyanse.[k] 34 Y tráiganme a su hermano menor, para que sepa yo que no son espías, sino que son rectos. Les devolveré a su hermano, y pueden negociar en el país'".[l]

35 Y aconteció que, al vaciar sus sacos, he aquí que el atado de dinero de cada uno estaba en su saco. Y llegaron a ver, tanto ellos como su padre, sus atados de dinero, y les dio miedo. 36 Entonces Jacob su padre les exclamó: "¡Es a mí a quien han privado de hijos![m] ¡José ya no es y Simeón ya no es,[n] y a Benjamín se lo van a llevar! ¡Es sobre mí sobre quien han venido todas estas cosas!". 37 Pero Rubén dijo a su padre: "A los dos hijos míos les puedes dar muerte si no te lo traigo de vuelta.[o] Entrégalo a mi cuidado, y yo seré el que te lo devuelva".[p] 38 Sin embargo, él dijo: "No bajará mi hijo con ustedes, porque su hermano está muerto y él ha quedado solo.[q] Si le acaeciera un accidente mortal por el camino en que fueran, entonces ciertamente harían descender mis canas con desconsuelo al Seol".[r]

43 Y el hambre se hizo grave en el país.[s] 2 Y aconteció que tan pronto como ellos hubieron acabado de comer los cereales que habían traído de Egipto,[a] su padre procedió a decirles: "Vuelvan, cómprennos un poco de alimento".[b] 3 Entonces Judá le dijo:[c] "Terminantemente nos testificó el hombre, diciendo: 'No deben volver a ver mi rostro a menos que esté su hermano con ustedes'.[d] 4 Si vas a enviar a nuestro hermano con nosotros,[e] estamos dispuestos a bajar y a comprarte alimento. 5 Pero si no lo vas a enviar, no bajaremos, porque de veras nos dijo el hombre: 'No deben volver a ver mi rostro a menos que esté su hermano con ustedes'".[f] 6 E Israel exclamó:[g] "¿Por qué tuvieron que hacerme daño declarándole al hombre que tenían otro hermano?". 7 A lo cual dijeron ellos: "El hombre inquirió precisamente acerca de nosotros y de nuestros parientes, diciendo: '¿Todavía está vivo su padre?[h] ¿Tienen otro hermano?', y proseguimos informándole conforme a estos hechos.[i] ¿Cómo podíamos saber de seguro que él diría: 'Hagan bajar a su hermano'?".[j]

8 Por fin Judá dijo a Israel su padre: "Envía al muchacho conmigo,[k] para que nos levantemos y vayamos y para que nos mantengamos vivos y no muramos,[l] tanto nosotros como tú y nuestros niñitos.[m] 9 Yo seré fianza por él.[n] De mi mano podrás exigir la penalidad por él.[o] Si no te lo traigo y te lo presento, entonces habré pecado contra ti para siempre. 10 Pero si no nos hubiéramos demorado, ya habríamos ido allá y vuelto estas dos veces".[p]

11 De modo que les dijo Israel su padre: "Si ese, pues, es el caso,[q] hagan esto: Tomen en sus receptáculos los productos más finos del país y llévenlos al hombre como regalo:[r] un poco de bálsamo,[s] y un poco de miel,[t] ládano y cáscara resinosa,[u] pistachos y

---

CAP. 42
a Gé 42:7
b Jos 2:1
  Jue 1:23
  2Sa 10:3
c Gé 42:11
  Pr 11:6
  Pr 14:2
d Gé 42:13
e Hch 7:8
f Gé 37:28
  Gé 37:35
g Gé 35:18
  Gé 42:4
h Gé 45:9
i Pr 14:9
j Gé 42:19
k Gé 42:2
  Lam 4:9
l Gé 34:10
  Gé 42:20
  Snt 4:13
m Gé 43:14
  Gé 37:28
  Gé 37:35
  Gé 42:24
o Gé 37:22
  Gé 46:9
p Gé 43:9
  Gé 44:32
  Gé 37:33
  Gé 44:20
  Gé 37:35
  Nú 16:30
  1Re 2:6
  Sl 49:14
  Sl 89:48
  Ec 9:10
  Os 13:14
  Hch 2:27
  Rev 20:13

CAP. 43
s Gé 41:30
  Hch 7:11

2.ª col.

a Gé 42:2
  Hch 7:12
b Dt 2:6
c Gé 29:35
d Gé 42:15
e Gé 42:20
  Gé 42:36
f Gé 42:15
  Gé 44:26
g Gé 32:28
h Gé 43:27
i Gé 42:13
j Gé 42:16
k Gé 37:26
  Gé 42:38
l Gé 42:2
  Lam 4:9
m Hch 7:14
n Gé 44:32
  Jn 15:13
o Éx 21:23
  1Re 20:39
  Ro 5:7
p 1Cr 5:2
q 2Re 7:4
  Hch 21:14
r Gé 32:20
  Pr 18:16
s Éx 30:6
  Est 2:12
  Jer 8:22
  Jer 46:11
  Eze 27:17

---

t 1Sa 14:25; Pr 25:16; Mt 3:4; u Gé 37:25.

almendras.ª 12 También, lleven en la mano el doble de dinero; y el dinero que fue devuelto en la boca de sus costales lo llevarán de vuelta en su mano.ᵇ Tal vez fue equivocación.ᶜ 13 Y tomen a su hermano y levántense, vuelvan al hombre. 14 Y déles Dios Todopoderoso piedad delante del hombre,ᵈ para que ciertamente les suelte a su otro hermano y a Benjamín. ¡Pero yo, en caso de que tenga que ser privado de hijos, ciertamente seré privado de hijos!".ᵉ

15 Por consiguiente, los hombres tomaron este regalo, y tomaron el doble de dinero en su mano, y a Benjamín. Entonces se levantaron y se pusieron a bajar a Egipto, y llegaron a estar de pie delante de José.ᶠ 16 Cuando José vio a Benjamín con ellos, dijo en seguida al hombre que estaba sobre su casa: "Lleva los hombres a la casa y degüella animales y haz los preparativos,ᵍ porque los hombres han de comer conmigo al mediodía". 17 Inmediatamente el hombre hizo tal como había dicho José.ʰ Así que el hombre llevó a los hombres a casa de José. 18 Pero a los hombres les dio miedo porque los habían llevado a casa de José,ⁱ y empezaron a decir: "¡Es por motivo del dinero que volvió con nosotros en nuestros costales al comienzo por lo que se nos está trayendo acá, para caer sobre nosotros y asaltarnos y para tomarnos como esclavos, y también nuestros asnos!".ʲ

19 Por lo tanto se acercaron al hombre que estaba sobre la casa de José y le hablaron a la entrada de la casa, 20 y dijeron: "¡Dispénsanos, señor mío! Por cierto, vinimos al principio para comprar alimento.ᵏ 21 Pero lo que sucedió fue que cuando llegamos al lugar de alojamientoⁱ y empezamos a abrir nuestros costales, pues, ¡mira!, el dinero de cada uno estaba en la boca de su cos-

tal, nuestro dinero en su peso completo. De modo que quisiéramos devolverlo con nuestras propias manos.ª 22 Y hemos traído más dinero en nuestras manos para comprar alimento. Ciertamente no sabemos quién colocó nuestro dinero en nuestros costales".ᵇ 23 Entonces él dijo: "Todo está bien en cuanto a ustedes. No tengan miedo.ᶜ El Dios de ustedes y el Dios de su padre les dio tesoro en sus costales.ᵈ Su dinero llegó primero a mí". Después de eso les sacó a Simeón.ᵉ

24 Entonces el hombre introdujo a los hombres en casa de José y dio agua para que les lavaran los pies,ᶠ y dio pienso para sus asnos.ᵍ 25 Y ellos se pusieron a alistar el regaloʰ para la venida de José al mediodía, porque habían oído que era allí donde iban a comer pan.ⁱ 26 Cuando José venía entrando en la casa, entonces el regalo que tenían en la mano se lo llevaron a él en la casa, y se postraron ante él en tierra.ʲ 27 Después de esto él les preguntó si les iba bien, y dijo:ᵏ "¿Le va bien a su padre, el hombre de edad de quien han hablado? ¿Todavía está vivo?".ˡ 28 A lo cual dijeron: "Le va bien a tu siervo nuestro padre. Todavía está vivo". Entonces se inclinaron y se postraron.ᵐ

29 Cuando él alzó los ojos y vio a Benjamín su hermano, el hijo de su madre,ⁿ pasó a decir: "¿Es este su hermano, el menor de quien me han hablado?".º Y añadió: "Que Dios le muestre su favor,ᵖ hijo mío". 30 José ahora tenía prisa, porque se le habían excitado sus emociones internas para con su hermano, q de modo que buscó [un lugar donde] llorar, y entró en un cuarto interior y allí cedió a las lágrimas.ʳ 31 Después se lavó el rostro y salió y se contuvo y dijo:ˢ "Sirvan la comida".ᵗ 32 Y procedieron a servírsela a

CAP. 43

a Nú 17:8
b Gé 42:25
  Gé 42:35
c Ro 13:8
  2Co 8:21
  Heb 13:18
d Ne 1:11
  Lu 1:50
  2Co 5:10
e Gé 27:45
  Gé 42:36
f Gé 37:7
g Gé 18:7
  Pr 9:2
h Gé 41:40
i Gé 20:11
  Gé 42:21
j Gé 42:25
  Gé 42:35
k Gé 42:3
l Gé 42:27
  Lu 2:7

2.ª col.

a Dt 22:2
  Hch 20:33
  Ro 13:8
  Heb 13:5
  1Pe 2:12
b Gé 43:12
c Jue 6:23
d Ec 5:19
  Hch 11:23
e Gé 42:24
f Gé 18:4
  Gé 19:2
  1Sa 25:41
  Jn 13:12
g Gé 24:32
  Jue 19:21
h Gé 43:11
  Pr 18:16
i Gé 43:16
  Éx 2:20
  Job 42:11
j Gé 37:7
  Gé 42:6
k Éx 18:7
  1Sa 17:22
l Gé 43:7
m Gé 37:9
  2Sa 1:2
  2Cr 24:17
n Gé 35:24
o Gé 42:13
p Nú 6:25
q 1Re 3:26
  Flp 1:8
  Col 3:12
r Gé 42:24
s Gé 45:1
t Gé 43:25

él aparte y a ellos aparte y a los egipcios que estaban comiendo con él aparte; puesto que los egipcios no podían comer una comida con los hebreos, porque eso es cosa detestable a los egipcios.ª

33 Y fueron sentados delante de él, el primogénito según su derecho como primogénito,ᵇ y el más joven según su juventud; y los hombres se miraban unos a otros con asombro. 34 Y él hacía que les llevaran porciones de delante de sí, pero aumentaba la porción de Benjamín a cinco veces el tamaño de las porciones de todos los demás.ᶜ De manera que ellos continuaron banqueteando y bebiendo con él a satisfacción.ᵈ

44 Más tarde él dio orden al hombre que estaba sobre su casa,ᵉ y dijo: "Llena de alimento los costales de los hombres hasta el límite de lo que puedan llevar, y coloca el dinero de cada uno en la boca de su costal.ᶠ 2 Pero tienes que colocar mi copa, la copa de plata, en la boca del costal del más joven, y el dinero de los cereales de él". De modo que él hizo según la palabra de José que este había hablado.ᵍ

3 Había rayado el alba cuando los hombres fueron enviados,ʰ ellos y también sus asnos. 4 Salieron de la ciudad. No habían ido lejos cuando José dijo al hombre que estaba sobre su casa: "¡Levántate! Corre tras los hombres y alcánzalos de seguro y diles: '¿Por qué han pagado mal por bien?ⁱ 5 ¿No es esta la cosa en que bebe mi amo y por la cual con pericia lee agüeros?ʲ Es un hecho malo el que han cometido'".

6 Por fin él los alcanzó y les habló estas palabras. 7 Pero ellos le dijeron: "¿Por qué habla mi señor tales palabras? Es inconcebible que tus siervos hicieran cosa semejante. 8 ¡Si el dinero que hallamos en la boca de

nuestros costales te lo trajimos de vuelta desde la tierra de Canaán!ª Entonces, ¿cómo podríamos hurtar plata u oro de la casa de tu amo?ᵇ 9 Que muera aquel de tus esclavos con quien se halle, y que nosotros mismos también lleguemos a ser esclavos de mí amo".ᶜ 10 Entonces dijo él: "Sea ahora exactamente conforme a sus palabras.ᵈ Así aquel con quien se halle llegará a ser esclavo mío,ᵉ pero ustedes mismos quedarán probados inocentes". 11 Ante aquello, apresuradamente bajó cada uno su costal a tierra y abrió cada uno su propio costal. 12 Y él se puso a escudriñar cuidadosamente. Comenzó por el de más edad y acabó por el más joven. Por fin se halló la copa en el costal de Benjamín.ᶠ

13 Entonces ellos rasgaron sus mantos,ᵍ y cada uno alzó su carga otra vez sobre su asno y volvieron a la ciudad. 14 Y Judáʰ y sus hermanos fueron entrando en la casa de José, y él estaba allí todavía; y procedieron a caer a tierra delante de él.ⁱ 15 José ahora les dijo: "¿Qué suerte de acción es esta que han hecho? ¿No sabían que un hombre como yo puede leer con pericia los agüeros?".ʲ 16 A lo cual exclamó Judá: "¿Qué podemos decir a mi amo? ¿Qué podemos hablar? ¿Y cómo podemos probarnos justos?ᵏ El Dios [verdadero] ha descubierto el error de tus esclavos.ˡ ¡Mira que somos esclavos de mi amo,ᵐ tanto nosotros como aquel en cuya mano se halló la copa!". 17 Sin embargo, él dijo: "¡Es inconcebible que yo haga esto!ⁿ El hombre en cuya mano se halló la copa es el que llegará a ser esclavo mío.º En cuanto a los demás de ustedes, suban en paz a donde su padre".ᵖ

18 Judá ahora se le acercó y dijo: "Te ruego, amo mío, que por favor permitas a tu esclavo hablar una palabra a oídos de mi

CAP. 43
a Gé 46:34
Éx 8:26

b Gé 49:3
Dt 21:17

c Gé 45:22
Mt 20:15

d Jue 14:10
Job 1:4

CAP. 44
e Gé 43:16

f Gé 42:25

g Gé 41:40

h Gé 19:2
Jue 19:5

i Sl 109:5
Pr 17:13

j Gé 44:15
Le 19:26

2.ª col.
a Gé 43:12

b Le 9:11
Pr 29:24
1Pe 3:16

c Hch 25:11

d Pr 6:2

e Éx 22:3
Mt 18:25

f Gé 44:2

g Gé 37:29
Jos 7:6
Hch 14:14

h Gé 43:8
Gé 44:32

i Gé 37:7
Gé 50:18

j Gé 44:5

k Mt 7:20

l Gé 37:28
Gé 42:21
Pr 28:17
Hch 2:37

m Gé 50:18

n Gé 42:18

o Gé 44:9

p Gé 26:29

amo,[a] y que no se enardezca tu cólera[b] contra tu esclavo, porque es lo mismo contigo que con Faraón.[c]   19 Mi amo preguntó a sus esclavos, diciendo: '¿Tienen padre o hermano?'.   20 De modo que dijimos a mi amo: 'Sí, tenemos un padre envejecido y un niño de su vejez, el más joven.[d] Pero su hermano murió, de modo que él es el único que queda de su madre,[e] y su padre de veras lo ama'.   21 Después de eso dijiste a tus esclavos: 'Bájenmelo para que ponga mi ojo sobre él'.[f]   22 Pero nosotros dijimos a mi amo: 'El muchacho no puede dejar a su padre. Si dejara a su padre, él ciertamente moriría'.[g]   23 Entonces dijiste a tus esclavos: 'A menos que baje con ustedes su hermano menor, no podrán volver a ver mi rostro'.[h]

24 "Y aconteció que subimos a donde tu esclavo mi padre y entonces te referimos las palabras de mi amo.   25 Posteriormente dijo nuestro padre: 'Vuelvan, cómprennos un poco de alimento'.[i]   26 Pero nosotros dijimos: 'No podemos bajar. Si nuestro hermano menor está con nosotros ciertamente bajaremos, porque no podemos verle el rostro al hombre en caso de no estar con nosotros nuestro hermano menor'.[j]   27 Entonces nos dijo tu esclavo mi padre: 'Ustedes mismos bien saben que mi esposa solo me dio a luz dos hijos.[k]   28 Más tarde uno salió de mi compañía, y exclamé: '¡Ah, de seguro ha sido despedazado!',[l] y no lo he visto hasta ahora.   29 Si se llevaran a este también fuera de mi vista y le acaeciera un accidente mortal, ciertamente harían descender mis canas con calamidad al Seol'.[m]

30 "Y ahora, luego que llegara yo a tu esclavo mi padre sin el muchacho junto con nosotros, siendo que el alma de aquel está ligada con el alma de este,[n]   31 entonces con certeza sucede-

rá que tan pronto como vea que no está allí el muchacho, simplemente morirá, y tus esclavos realmente harán descender las canas de tu esclavo nuestro padre con desconsuelo al Seol.   32 Porque tu esclavo se hizo fianza[a] por el muchacho cuando estuviera ausente de su padre, y dijo: 'Si no te lo traigo de vuelta, entonces habré pecado contra mi padre para siempre'.[b]   33 Ahora pues, por favor, deja que tu esclavo quede en vez del muchacho por esclavo de mi amo, para que el muchacho suba con sus hermanos.[c]   34 Porque ¿cómo podré yo subir a donde mi padre sin el muchacho junto conmigo, por temor de que entonces mire la calamidad que descubrirá a mi padre?".[d]

45 Ante esto, José no pudo contenerse más delante de todos los que estaban apostados junto a él.[e] De modo que gritó: "¡Hagan salir a todos de delante de mí!". Y no permaneció con él ningún otro mientras José se dio a conocer a sus hermanos.[f]   2 Y empezó a alzar la voz llorando,[g] de modo que los egipcios llegaron a oírlo y la casa de Faraón llegó a oírlo.   3 Al fin dijo José a sus hermanos: "Yo soy José. ¿Todavía está vivo mi padre?". Pero sus hermanos no pudieron contestarle en absoluto, porque quedaron perturbados a causa de él.[h]   4 De modo que José dijo a sus hermanos: "Acérquense a mí, por favor". Con eso, se le acercaron.

Entonces dijo: "Yo soy José su hermano, a quien ustedes vendieron en [manos de] Egipto.[i]   5 Pero ahora no se sientan heridos[j] y no se encolericen contra ustedes mismos por haberme vendido acá; porque para la conservación de vida me ha enviado Dios delante de ustedes.[k]   6 Pues este es el segundo año del hambre en medio de la tierra,[l] y todavía hay cinco años

CAP. 44
a Gé 18:30
b Pr 14:29
  Pr 19:11
  Pr 29:8
c Gé 41:44
  Gé 45:8
d Gé 42:13
  Gé 43:7
e Gé 35:18
  Gé 37:33
f Gé 42:15
  Gé 43:29
g Gé 42:38
h Gé 42:20
  Gé 43:3
i Gé 43:2
j Gé 43:5
k Gé 29:18
  Gé 30:23
  Gé 35:18
  Gé 46:19
l Gé 37:33
m Gé 37:35
  Gé 42:38
  Sl 16:10
  Sl 88:3
  Ec 9:10
  Dt 13:14
  Mt 11:23
  Hch 2:31
  Rev 20:13
n 1Sa 18:1
  2Sa 18:33

2.ª col.
a Ro 16:4
b Gé 43:9
  1Re 20:39
c Ro 9:3
d Est 8:6

CAP. 45
e Gé 43:30
f Hch 7:13
g Rut 1:9
h Mr 6:50
i Gé 37:28
  Hch 7:9
j 2Co 2:7
k Gé 47:25
  Gé 50:20
  1Sa 2:6
  Sl 33:19
  Sl 105:17
l Gé 41:30
  Gé 47:18

en que no habrá tiempo en que se are, ni habrá siega.ᵃ 7 Por consiguiente, Dios me envió delante de ustedes a fin de colocarles un restoᵇ en la tierra y para mantenerlos vivos mediante un gran escape. 8 Así pues, no fueron ustedes los que me enviaron acá,ᶜ sino el Dios [verdadero], para nombrarme padreᵈ de Faraón y señor de toda su casa y como uno que domina sobre toda la tierra de Egipto.

9 "Suban apresuradamente a mi padre, y tienen que decirle: 'Esto es lo que ha dicho tu hijo José: "Dios me ha nombrado señor de todo Egipto.ᵉ Baja a mí. No vayas a tardar. 10 Y tendrás que morar en la tierra de Gosén,ᶠ y tendrás que continuar cerca de mí, tú y tus hijos y los hijos de tus hijos y tus rebaños y tus vacadas y todo cuanto tienes. 11 Y yo ciertamente te proveeré de alimento allí, porque todavía hay cinco años de hambre;ᵍ por temor de que queden reducidos a pobreza tú y tu casa y todo cuanto tienes' ". 12 Y aquí los ojos de ustedes y los ojos de mi hermano Benjamín están viendo que es mi boca la que les habla.ʰ 13 De modo que tienen que informar a mi padre acerca de toda mi gloria en Egipto y de todo lo que han visto; y tienen que darse prisa y hacer que mi padre baje acá".

14 Entonces cayó sobre el cuello de Benjamín su hermano y cedió al llanto, y Benjamín lloró sobre su cuello.ⁱ 15 Y él se puso a besar a todos sus hermanos y a llorar sobre ellos,ʲ y después sus hermanos hablaron con él.

16 Y en casa de Faraón se oyó la noticia, que decía: "¡Han venido los hermanos de José!". Y aquello resultó bueno a los ojos de Faraón y de sus siervos.ᵏ 17 Por lo tanto Faraón dijo a José: "Di a tus hermanos: 'Hagan esto: Carguen sus bestias de

carga y vayan y entren en la tierra de Canaán,ᵃ 18 y tomen a su padre y sus casas y vengan acá a mí, para que les dé lo bueno de la tierra de Egipto; y coman la parte más rica de la tierra.ᵇ 19 Y a ti mismo se te manda:ᶜ "Hagan esto: Tomen para ustedes carruajesᵈ de la tierra de Egipto para sus pequeñuelos y para sus esposas, y tienen que alzar a su padre sobre uno y venir acá.ᵉ 20 Y no vaya a sentirse apenado su ojo a causa de su equipo,ᶠ porque lo bueno de toda la tierra de Egipto es de ustedes" ' ".ᵍ

21 Luego lo hicieron así los hijos de Israel, y José les dio carruajes conforme a las órdenes de Faraón, y les dio provisionesʰ para el camino. 22 A cada uno de ellos dio mudas individuales de mantos,ⁱ pero a Benjamín dio trescientas piezas de plata y cinco mudas de mantos.ʲ 23 Y a su padre envió lo siguiente: diez asnos que llevaban buenas cosas de Egipto y diez asnas que llevaban grano y pan y sustento para su padre para el camino. 24 De este modo envió a sus hermanos, y ellos procedieron a irse. Sin embargo, él les dijo: "No se exasperen unos con otros en el camino".ᵏ

25 Y ellos emprendieron su subida de Egipto y finalmente llegaron a la tierra de Canaán, a Jacob su padre. 26 Entonces le informaron, diciendo: "¡Todavía está vivo José, y él es quien domina sobre toda la tierra de Egipto!".ˡ Pero el corazón de él se aturdió, porque no les creía.ᵐ 27 Cuando siguieron hablándole todas las palabras de José que él les había hablado y él llegó a ver los carruajes que José había enviado para llevarlo, el espíritu de Jacob su padre empezó a revivir.ⁿ 28 Entonces exclamó Israel: "¡Basta! ¡Todavía está vivo José mi hijo! ¡Ah, permítaseme ir y verlo antes de morir!".ᵒ

CAP. 45
a 1Co 9:10
b Gé 46:26
c Ro 8:28
d Jue 17:10
Job 29:16
Sl 105:21
e Gé 45:26
Hch 7:10
1Jn 4:14
f Gé 46:34
Gé 47:1
Éx 8:22
Éx 9:26
g Gé 47:12
Pr 3:27
Hch 7:14
h Gé 42:23
i Gé 33:4
Gé 46:29
j Éx 4:27
1Sa 20:41
Lu 15:20
k 2Sa 3:36
Est 1:21

2.ª col.
a Gé 42:25
Gé 43:18
b Gé 27:28
Gé 47:6
c Gé 41:40
d Gé 45:27
Gé 46:5
Nú 7:3
1Sa 6:14
e Gé 47:9
f Gé 46:6
g Isa 1:19
h Gé 21:14
Gé 42:25
i 2Re 5:5
j Gé 43:34
k Gé 42:21
Sl 133:1
l Sl 105:21
m Gé 42:38
Gé 44:28
Lu 24:11
n Isa 57:15
1Co 16:18
2Co 7:13
o Gé 46:30
Lu 2:29

46 Por consiguiente, Israel partió con todos los suyos y vino a Beer-seba,[a] y se puso a sacrificar sacrificios al Dios de su padre Isaac.[b] 2 Entonces Dios habló a Israel en visiones de la noche y dijo:[c] "¡Jacob, Jacob!", a lo cual dijo él: "¡Aquí estoy!".[d] 3 Y él pasó a decir: "Yo soy el Dios [verdadero],[e] el Dios de tu padre.[f] No tengas miedo de bajar a Egipto, porque allí te constituiré en gran nación.[g] 4 Yo mismo bajaré contigo a Egipto y yo mismo de seguro te haré subir también;[h] y José pondrá su mano sobre tus ojos".[i]

5 Después de eso Jacob procedió a levantarse de Beer-seba, y los hijos de Israel continuaron transportando a Jacob y a sus pequeñuelos y a sus esposas en los carruajes que Faraón había enviado para transportarlo.[j] 6 Además, se llevaron sus manadas y sus bienes, que habían acumulado en la tierra de Canaán.[k] Por fin entraron en Egipto, Jacob y toda su prole con él. 7 Trajo consigo a sus hijos y a los hijos de sus hijos, a sus hijas y a las hijas de sus hijos, aun a toda su prole, consigo a Egipto.

8 Ahora bien, estos son los nombres de los hijos de Israel que entraron en Egipto:[m] Jacob y sus hijos: El primogénito de Jacob, Rubén.[n]

9 Y los hijos de Rubén: Hanok y Palú y Hezrón y Carmí.[o]

10 Y los hijos de Simeón:[p] Jemuel y Jamín y Ohad y Jakín y Zóhar y Shaúl[r] el hijo de una cananea.

11 Y los hijos de Leví:[s] Guersón,[t] Qohat[u] y Merarí.[v]

12 Y los hijos de Judá:[w] Er[x] y Onán[y] y Selah[z] y Pérez[a] y Zérah.[b] Sin embargo, Er y Onán murieron en la tierra de Canaán.[c]

Y los hijos de Pérez llegaron a ser Hezrón[d] y Hamul.[e]

13 Y los hijos de Isacar:[f] Tolá[g] y Puváh[h] y Yob y Simrón.[i]

14 Y los hijos de Zabulón:[a] Séred y Elón y Jahleel.[b]

15 Estos son los hijos de Lea,[c] que ella le dio a luz a Jacob en Padán-aram, junto con su hija Dina.[d] Todas las almas de sus hijos y de sus hijas fueron treinta y tres.

16 Y los hijos de Gad:[e] Zifión y Haguí, Suní y Ezbón, Erí y Arodí y Arelí.[f]

17 Y los hijos de Aser:[g] Imnah e Isvá e Isví y Berías,[h] y Sérah hermana de ellos.

Y los hijos de Berías: Héber y Malkiel.[i]

18 Estos son los hijos de Zilpá,[j] la cual Labán dio a su hija Lea. Con el tiempo le dio a luz estos a Jacob: dieciséis almas.

19 Los hijos de Raquel,[k] esposa de Jacob: José[l] y Benjamín.[m]

20 Y llegaron a nacerle a José, en la tierra de Egipto, Manasés[n] y Efraín,[o] los cuales le dio a luz Asenat[p] la hija de Potifera el sacerdote de On.

21 Y los hijos de Benjamín: Bela[q] y Béker[r] y Asbel, Guerá[s] y Naamán,[t] Ehí y Ros, Mupim[u] y Hupim[v] y Ard.

22 Estos son los hijos de Raquel que le nacieron a Jacob. Todas las almas fueron catorce.

23 Y los hijos de Dan:[w] Husim.[x]

24 Y los hijos de Neftalí:[y] Jahzeel y Guní[z] y Jézer y Silem.[a]

25 Estos son los hijos de Bilhá,[b] la cual Labán dio a su hija Raquel. Con el tiempo le dio a luz estos a Jacob; todas las almas fueron siete.

26 Todas las almas que vinieron con Jacob a Egipto fueron las que procedieron de la parte superior de su muslo,[c] aparte de las esposas de los hijos de Jacob.

CAP. 46

a Gé 21:31
b Gé 31:42
Éx 3:6
Lu 20:37
c Nú 12:6
Job 33:15
d 1Sa 3:4
e Gé 5:22
1Re 18:21
1Co 8:6
f Gé 28:13
Mt 22:32
g Gé 12:2
Éx 1:7
Dt 26:5
Hch 7:17
h Gé 15:16
Gé 28:15
Gé 47:29
Gé 50:13
Éx 3:8
Sl 105:37
i Gé 50:1
j Gé 45:19
k Gé 31:18
Gé 36:7
1Nú 20:15
Sl 105:23
Isa 52:4
Hch 7:15
m Éx 1:1
n Gé 35:23
Gé 49:3
1Cr 5:1
o Éx 6:14
Nú 26:5
p Gé 29:33
q Nú 26:12
r Éx 6:15
1Cr 4:24
s Gé 29:34
1Cr 6:16
t Éx 6:16
Nú 3:23
u Éx 6:18
Nú 3:27
Nú 9:32
1Cr 6:63
w Gé 29:35
Gé 49:10
Rev 5:5
x Gé 38:3
y Gé 38:4
z Gé 38:5
a Rut 4:12
Lu 3:33
b Gé 38:30
c Gé 38:7
d Gé 38:10
d Nú 26:21
e 1Cr 2:5
f Gé 49:14
Jos 19:17
g Nú 26:23
h 1Cr 7:1
i Nú 26:24

2.ᵃ col.

a Gé 30:20
Gé 49:13
b Nú 26:26
c Gé 35:23
d Gé 30:21
e Gé 30:11
Gé 49:19
f Nú 26:15
g Gé 30:13
Gé 49:20
Dt 33:24
h Nú 26:44

i Nú 26:45; j Gé 29:24; Gé 35:26; k Gé 29:18; Gé 35:24; l Gé 30:24; Gé 49:22; m Gé 35:18; Gé 49:27; n Gé 41:51; Gé 48:14; o Gé 41:52; p Gé 41:50; q Nú 26:38; r 1Cr 7:6; s 1Cr 8:3; t Nú 26:40; u Nú 26:39; v 1Cr 7:12; w Gé 30:6; x Gé 49:16; x Nú 26:42; y Gé 30:8; Gé 49:21; z Nú 26:48; a Nú 26:49; b Gé 29:29; Gé 35:25; c Gé 35:11.

Todas las almas fueron sesenta y seis. 27 Y los hijos de José que le nacieron en Egipto fueron dos almas. Todas las almas de la casa de Jacob que entraron en Egipto fueron setenta.[a]

28 Y él envió a Judá[b] delante de sí a José para impartir información antes de él a Gosén. Después de eso entraron en la tierra de Gosén.[c] 29 Entonces José hizo alistar su carro y subió al encuentro de Israel su padre en Gosén.[d] Cuando se le apareció, cayó al instante sobre su cuello y cedió a las lágrimas sobre su cuello vez tras vez.[e] 30 Al fin Israel dijo a José: "Esta vez estoy dispuesto a morir,[f] ya que he visto tu rostro, puesto que todavía estás vivo".

31 Entonces José dijo a sus hermanos y a la casa de su padre: "Déjenme subir y presentar informe a Faraón y decirle:[g] 'Mis hermanos y la casa de mi padre, que estaban en la tierra de Canaán, han venido acá a mí.[h] 32 Y los hombres son pastores,[i] porque se hicieron ganaderos;[j] y sus rebaños y sus vacadas y todo cuanto tienen lo han traído acá'.[k] 33 Y lo que tiene que suceder es que cuando Faraón los llame y realmente les diga: '¿Cuál es su ocupación?', 34 tienen que decir: 'Tus siervos hemos continuado siendo ganaderos desde nuestra juventud hasta ahora, tanto nosotros como nuestros antepasados',[l] a fin de que moren en la tierra de Gosén,[m] porque todo pastor de ovejas es cosa detestable a Egipto".[n]

47 Por consiguiente, José vino y presentó informe a Faraón y dijo:[o] "Mi padre y mis hermanos y sus rebaños y sus vacadas y todo cuanto tienen han venido de la tierra de Canaán, y aquí están en la tierra de Gosén".[p] 2 Y del número cabal de sus hermanos tomó a cinco hombres, para presentárselos a Faraón.[a]

3 Entonces dijo Faraón a sus hermanos: "¿Cuál es su ocupación?".[b] De modo que dijeron a Faraón: "Tus siervos somos pastores de ovejas,[c] tanto nosotros como nuestros antepasados".[d] 4 Después dijeron a Faraón: "Hemos venido a residir como forasteros en la tierra,[e] porque no hay pastos para el rebaño que tienen tus siervos,[f] porque es grave el hambre en la tierra de Canaán.[g] Y ahora permite que tus siervos moren, por favor, en la tierra de Gosén".[h] 5 Ante esto, Faraón dijo a José: "Tu padre y tus hermanos han venido acá a ti. 6 La tierra de Egipto está a tu disposición.[i] En lo mejor de la tierra haz morar a tu padre y a tus hermanos.[j] Que moren en la tierra de Gosén,[k] y si sabes que hay entre ellos hombres valientes,[l] tienes que nombrarlos mayorales del ganado sobre lo mío".[m]

7 Entonces José trajo a Jacob su padre y se lo presentó a Faraón, y procedió Jacob a bendecir a Faraón.[n] 8 Faraón ahora dijo a Jacob: "¿Cuántos son los días de los años de tu vida?". 9 Así que Jacob dijo a Faraón: "Los días de los años de mis residencias como forastero son ciento treinta años.[o] Pocos y angustiosos han resultado los días de los años de mi vida,[p] y no han alcanzado a los días de los años de la vida de mis padres en los días de sus residencias como forasteros".[q] 10 Después de eso Jacob bendijo a Faraón y salió de delante de Faraón.[r]

11 Así José hizo morar a su padre y a sus hermanos, y les dio una posesión en la tierra de Egipto, en lo mejor de la tierra, en la tierra de Ramesés,[s] tal como había mandado Faraón. 12 Y José siguió proveyendo de pan a su padre y a sus hermanos y a toda la casa de su padre,[t] según el número de los pequeñuelos.[u]

CAP. 46
a Éx 1:5
Dt 10:22
Hch 7:14
b Gé 43:8
Gé 44:18
c Gé 45:10
Gé 47:1
d Gé 41:43
e Gé 33:4
Gé 45:14
f Gé 45:28
Lu 2:29
g Gé 41:40
h Gé 45:10
Gé 47:1
Hch 7:13
i Gé 31:18
Gé 47:3
j Gé 31:38
Gé 46:6
k Gé 30:35
Gé 34:5
m Gé 45:10
Gé 47:27
n Gé 43:32

CAP. 47
o Gé 46:31
p Gé 45:10
Éx 8:22

2.ªcol.
a Hch 7:13
b Gé 46:33
c Gé 31:18
d Gé 12:16
Gé 26:14
Gé 46:34
e Gé 15:13
Dt 26:5
Sl 105:23
Isa 52:4
Hch 7:6
f Joe 1:18
g Hch 7:11
h Gé 45:10
i Gé 42:34
j Gé 13:10
Gé 45:18
k Gé 46:34
l Pr 22:29
m 1Cr 27:31
n Éx 12:32
1Sa 13:10
2Re 10:15
o 1Cr 29:15
Sl 39:12
Heb 11:9
p Job 14:1
Snt 4:14
q Gé 25:7
Gé 35:28
Éx 6:4
r 2Sa 19:39
1Re 8:66
s Gé 45:10
Éx 1:11
Éx 12:37
Nú 33:3
t Pr 11:25
1Ti 5:8
u Gé 50:8

13 Ahora bien, no había pan en todo el país, porque era muy grave el hambre;[a] y la tierra de Egipto y la tierra de Canaán quedaron agotadas como resultado del hambre.[b] 14 Y José siguió recogiendo todo el dinero que se hallaba en la tierra de Egipto y en la tierra de Canaán por los cereales que la gente iba comprando;[c] y José siguió introduciendo el dinero en la casa de Faraón. 15 Con el tiempo se agotó el dinero de la tierra de Egipto y de la tierra de Canaán, y todos los egipcios empezaron a venir a José, y a decir: "¡Danos pan!d Y ¿por qué debemos morir enfrente de ti porque se ha acabado el dinero?".[e] 16 Entonces dijo José: "Entreguen su ganado y les daré pan a cambio de su ganado, si se ha acabado el dinero". 17 Y ellos empezaron a traer su ganado a José; y José siguió dándoles pan a cambio de sus caballos y del ganado del rebaño y del ganado de la vacada y los asnos,[f] y siguió proveyéndoles pan a cambio de todo su ganado durante aquel año.

18 Gradualmente terminó aquel año, y ellos empezaron a venir a él en el año siguiente y a decirle: "No se lo ocultaremos a mi señor, pero el dinero y las manadas de animales domésticos se han gastado ante mi señor.g No queda nada delante de mi señor sino nuestros cuerpos y nuestra tierra.[h] 19 ¿Por qué debemos morir delante de tus ojos,i tanto nosotros como nuestra tierra? Cómpranos a nosotros y a nuestra tierra por pan,j y nosotros junto con nuestra tierra nos haremos esclavos de Faraón; y danos semilla para que vivamos y no muramos y nuestra tierra no vaya a quedar desolada".[k] 20 Así que José compró toda la tierra de los egipcios para Faraón,l por cuanto los egipcios vendieron cada uno su campo, porque el hambre los tenía fuertemente agarrados;

y la tierra llegó a ser de Faraón.

21 En cuanto al pueblo, él lo trasladó a las ciudades desde un extremo del territorio de Egipto hasta su otro extremo.[a] 22 Solo la tierra de los sacerdotes no compró,b porque las raciones de los sacerdotes provenían de Faraón y ellos comían sus raciones que les daba Faraón.c Por eso no vendieron su tierra.[d] 23 Entonces José dijo al pueblo: "Miren, hoy los he comprado a ustedes y su tierra para Faraón. Aquí tienen semilla, y tienen que sembrar la tierra con ella.[e] 24 Cuando haya resultado en producto,f entonces tendrán que dar la quinta parte a Faraón,g pero cuatro partes llegarán a ser de ustedes como semilla para el campo y como alimento para ustedes y para los que están en sus casas y para que coman sus pequeñuelos".[h] 25 Por consiguiente, ellos dijeron: "Nos has conservado la vida.i Hallemos favor a los ojos de mi señor, y nos haremos esclavos de Faraón".[j] 26 Y José procedió a hacer que fuera decreto hasta el día de hoy sobre los terrenos de Egipto el que Faraón recibiera la quinta parte. Solo la tierra de los sacerdotes como grupo distinto no llegó a ser de Faraón.[k]

27 E Israel continuó morando en la tierra de Egipto, en la tierra de Gosén;l y quedaron establecidos en ella y fueron fructíferos y llegaron a ser muchísimos.[m] 28 Y Jacob siguió viviendo en la tierra de Egipto dieciséis años, de modo que los días de Jacob, los años de su vida, llegaron a ser ciento cuarenta y siete años.[n]

29 Gradualmente se aproximaron los días en que Israel había de morir.o De modo que llamó a su hijo José y le dijo: "Si, pues, he hallado favor a tus ojos, coloca tu mano, por favor, debajo de mi muslo,p y tienes que ejercer bondad amorosa y confiabilidad para conmigo.q (Por favor, no me entierres en Egip-

CAP. 47
a Gé 41:31
b Gé 41:30
c Gé 41:56
Gé 44:25
d Éx 16:3
e Ec 7:12
Lam 1:11
f 1Re 10:28
g Ne 5:3
h Ne 5:2
Mr 8:37
i Job 2:4
j Lam 4:9
k Heb 2:15
l Pr 11:26

2.ª col.
a Gé 41:48
Sl 33:19
Sl 107:36
b Gé 41:45
c Ne 13:13
Mt 10:10
1Co 9:13
d Esd 7:24
e Gé 45:6
Sl 41:1
2Co 9:10
f Sl 85:12
Sl 107:37
g Gé 41:34
1Sa 8:15
Ro 13:7
h Pr 12:11
1Ti 5:18
i Gé 45:5
Pr 11:26
Hch 7:11
j Gé 47:19
Pr 14:21
k Gé 47:22
l Gé 47:4
m Éx 1:7
Dt 10:22
Sl 105:24
Hch 7:17
n Gé 47:9
o Gé 49:33
Heb 11:21
p Gé 24:9
q Gé 24:49

to.)ª **30** Y tengo que yacer con mis padres,ᵇ y tienes que sacarme de Egipto y enterrarme en el sepulcro de ellos".ᶜ Por consiguiente, él dijo: "Yo mismo haré en conformidad con tu palabra". **31** Entonces él dijo: "Júramelo". De modo que se lo juró.ᵈ Tras esto, Israel se postró sobre la cabecera del lecho.ᵉ

48 Y después de estas cosas aconteció que le fue dicho a José: "Mira, tu padre está debilitándose". Por lo cual él tomó consigo a sus dos hijos, Manasés y Efraín.ᶠ **2** Entonces le fue informado a Jacob y dicho: "Mira que tu hijo José ha venido a ti". De modo que Israel hizo un gran esfuerzo y se incorporó en su lecho. **3** Y Jacob se puso a decir a José:

"Dios Todopoderoso se me apareció en Luz,ᵍ en la tierra de Canaán, para bendecirme.ʰ **4** Y pasó a decirme: 'Mira que estoy haciéndote fructífero,ⁱ y ciertamente haré que seas muchos y de veras te transformaré en congregación de pueblosʲ y ciertamente daré esta tierra a tu descendencia después de ti para posesión hasta tiempo indefinido'.ᵏ **5** Y ahora tus dos hijos, que te nacieron en la tierra de Egipto antes que yo viniera acá a ti en Egipto, son míos.ˡ Efraín y Manasés llegarán a ser míos como Rubén y Simeón.ᵐ **6** Pero tu descendencia de la cual llegarás a ser padre después de ellos llegará a ser tuya. Junto con el nombre de sus hermanos serán llamados en su herencia.ⁿ **7** Y en cuanto a mí, cuando yo venía de Padán,ᵒ Raquel murióᵖ al lado mío en la tierra de Canaán, en el camino, mientras todavía quedaba un buen trecho de tierra antes de llegar a Efrat,ᑫ de modo que la enterré allí en el camino a Efrat, es decir, Belén".ʳ

8 Entonces Israel vio a los hijos de José y dijo: "¿Quiénes son estos?".ˢ **9** De modo que José dijo a su padre: "Son mis hijos que Dios me ha dado en este lugar".ª A lo cual dijo él: "Tráemelos, por favor, para que los bendiga".ᵇ **10** Ahora bien, los ojos de Israel estaban ofuscados debido a la vejez.ᶜ No podía ver. Por consiguiente, él se los acercó, y entonces él los besó y los abrazó.ᵈ **11** E Israel pasó a decir a José: "No tenía idea de que vería tu rostro,ᵉ pero mira que Dios me ha dejado ver también a tu prole". **12** Después José los hizo salir de entre las rodillas de aquel, y se inclinó, rostro a tierra.ᶠ

13 José ahora tomó a los dos, a Efraín con su mano derecha a la izquierdaᵍ de Israel, y a Manasés con su mano izquierda a la derechaʰ de Israel, y se los acercó a él. **14** Sin embargo, Israel extendió su mano derecha y la puso sobre la cabeza de Efraín,ⁱ aunque era el menor,ʲ y su mano izquierda sobre la cabeza de Manasés.ᵏ De propósito puso sus manos así, pues Manasés era el primogénito.ˡ **15** Y procedió a bendecir a José y decir:ᵐ

"El Dios [verdadero] delante de quien anduvieronⁿ mis padres Abrahán e Isaac,

el Dios [verdadero] que ha estado pastoreándome durante toda mi existencia hasta el día de hoy,ᵒ

16 el ángel que ha estado recobrándome de toda calamidad,ᵖ bendiga a los muchachos.ᑫ

Y sea llamado sobre ellos mi nombre y el nombre de mis padres, Abrahán e Isaac,ʳ

y aumenten hasta una multitud en medio de la tierra".ˢ

17 Al ver José que su padre mantenía su mano derecha puesta sobre la cabeza de Efraín,

---

CAP. 47
a Gé 46:4
  Gé 50:13
  Hch 7:16
b Gé 49:33
c Gé 25:9
  Gé 49:29
d Gé 50:5
e 1Re 1:47
  Heb 11:21

CAP. 48
f Gé 41:50
  Jos 14:4
g Gé 28:19
h Gé 28:13
  Os 12:4
i Gé 28:14
  Gé 32:12
j Gé 28:3
  Gé 35:11
  Hch 7:17
k Gé 28:13
  Dt 32:8
  Am 9:15
  Hch 7:5
l Jos 14:4
  1Cr 5:1
m Gé 35:23
n Jos 13:29
  Jos 16:5
  Sl 77:15
o Gé 33:18
  Os 12:12
p Gé 35:19
q Rut 4:11
  Miq 5:2
r 1Sa 17:12
  Mt 2:6
s Gé 27:18

2.ª col.
a Gé 41:50
b Gé 27:4
  Gé 28:1
  Dt 33:1
  Heb 11:21
c Gé 27:1
  Ec 12:3
d Gé 27:26
e Gé 37:35
  Gé 42:36
  Gé 46:30
f Gé 18:2
  Gé 33:3
g Gé 41:52
h Gé 41:51
  Sl 89:13
  Hch 2:34
  Ef 1:20
i Éx 15:6
  Sl 110:1
  1Pe 3:22
  Rev 1:17
j Gé 25:23
k Mr 10:16
l Gé 41:51
  Gé 46:20
m 1Cr 5:2
n Gé 17:1
  Gé 24:40
o Gé 28:13
  Sl 23:1
  1Pe 2:25
p Gé 28:15
  Gé 31:11
  Éze 15:13
  Job 19:23
  Sl 34:7
q Gé 32:26
r Gé 32:28
  Isa 44:5

s Éx 1:7; Nú 26:34; Nú 26:37.

le fue desagradable,[a] y trató de asir la mano de su padre para apartarla de la cabeza de Efraín a la cabeza de Manasés.[b] 18 Por lo tanto José dijo a su padre: "Así no, padre mío, porque este es el primogénito.[c] Pon tu mano derecha sobre su cabeza". 19 Pero su padre siguió rehusando y dijo: "Lo sé, hijo mío, lo sé. Él también llegará a ser pueblo y él también llegará a ser grande.[d] Pero, de todos modos, su hermano menor llegará a ser más grande que él,[e] y su prole llegará a ser el pleno equivalente de naciones".[f] 20 Y continuó bendiciéndolos en aquel día,[g] diciendo:

"Por medio de ti pronuncie Israel bendición repetidas veces, diciendo: 'Constitúyate Dios como a Efraín y como a Manasés'".[h]

Así siguió él poniendo a Efraín antes de Manasés.[i]

21 Después de eso Israel dijo a José: "Mira, estoy para morir,[j] pero Dios ciertamente continuará con ustedes y los volverá a la tierra de sus antepasados.[k] 22 En cuanto a mí, de veras te doy yo una porción saliente [de tierra] más que a tus hermanos,[l] la cual tomé de la mano de los amorreos mediante mi espada y mediante mi arco".

49 Algún tiempo después Jacob llamó a sus hijos y dijo: "Reúnanse para que les declare lo que les sucederá a ustedes en la parte final de los días.[m] 2 Júntense y escuchen, hijos de Jacob, sí, escuchen a Israel su padre.[m]

3 "Rubén, tú eres mi primogénito,[n] mi vigor y el principio de mi facultad generativa,[o] y la excelencia de dignidad y la excelencia de fuerza. 4 Con precipitada licencia como de aguas, no sobresalgas,[p] porque has subido a la cama de tu padre.[q] En aque-

CAP. 48
a Ro 9:16
b 1Sa 16:7
c Gé 41:51
  Dt 21:17
d Nú 10:22
e Nú 2:19
  Nú 2:21
f Gé 25:23
  Nú 1:33
  Nú 1:35
  Dt 33:17
  Jer 31:9
g Heb 11:21
h Dt 10:22
i Dt 33:17
  Dt 34:2
  Jos 17:17
j Gé 50:24
k Gé 15:14
  Gé 26:3
  Dt 31:8
l Dt 21:17
  Jos 17:14
  Eze 47:13

CAP. 49
m Gé 49:28
n Gé 29:32
  Ex 6:14
  1Cr 5:1
o Dt 21:17
  Sl 78:51
p Dt 33:6
q Gé 35:22

2.ª col.
a Le 18:8
  Dt 27:20
  1Co 5:1
b Gé 29:33
  Gé 29:34
  Gé 35:23
c Gé 34:25
d Sl 64:2
e Gé 34:7
  Gé 12:19
f Pr 22:24
  Ef 4:31
g Heb 11:17
h Gé 34:25
i Jos 19:1
  Jos 21:41
j Gé 29:35
k Gé 43:9
  Gé 46:28
  1Cr 5:2
l Jos 10:24
  Jue 1:2
  Gé 33:24:41
m Nú 10:14
  Dt 33:7
  2Sa 5:3
n Os 5:14
  Rev 5:5
o Nú 24:9
p Nú 24:17
  2Sa 2:4
  2Sa 7:16
q 1Sa 9:6
  Eze 21:27
  Lu 1:32
  Heb 7:14
r Dt 18:18
  Sl 2:8
  Is 11:10
  Mt 2:6
  Jn 10:16
  Rev 7:9
s Isa 63:2

lla ocasión profanaste mi canapé.[a] ¡Subió a él!

5 "Simeón y Leví son hermanos.[b] Instrumentos de violencia son sus armas de degüello.[c] 6 En su grupo íntimo no entres,[d] oh alma mía. Con su congregación no vayas a unirte,[e] oh disposición mía, porque en su cólera mataron a hombres,[f] y en su arbitrariedad desjarretaron toros. 7 Maldita sea su cólera,[g] porque es cruel,[h] y su furor, porque actúa con dureza.[i] Permítaseme distribuirlos en Jacob, y permítaseme esparcirlos en Israel.[j]

8 "En cuanto a ti, Judá,[k] tus hermanos te elogiarán.[l] Tu mano estará en la cerviz de tus enemigos.[m] Ante ti se postrarán los hijos de tu padre.[n] 9 Cachorro de león es Judá.[o] De la presa, hijo mío, ciertamente subirás. Se inclinó, se estiró como león y, como león, ¿quién se atreve a hacer que se levante?[p] 10 El cetro no se apartará de Judá,[q] ni el bastón de comandante de entre sus pies, hasta que venga Siló;[r] y a él pertenecerá la obediencia de los pueblos.[s] 11 Él atará su asno adulto a una vid, y el descendiente de su propia asna a una vid selecta, y ciertamente lavará su ropa en vino y su prenda de vestir en la sangre de uvas.[t] 12 De color rojo oscuro están sus ojos debido al vino, y la blancura de sus dientes se debe a la leche.

13 "Zabulón residirá junto a la orilla del mar,[u] y estará junto a la orilla donde se hallan ancladas las naves;[v] y su lado remoto estará hacia Sidón.[w]

14 "Isacar[x] es un asno de huesos fuertes, echado entre dos alforjas. 15 Y verá que el descansadero es bueno y que la tierra es agradable; y doblará su hombro para llevar cargas y llegará a estar sujeto a trabajos forzados de esclavo.

16 "Dan juzgará a su pueblo

u Dt 33:19; Isa 9:1; v Mt 4:13; w Jos 19:10; x Dt 33:18; Jos 19:17; 1Cr 7:5.

como una de las tribus de Israel.[a]
17 Resulte ser Dan serpiente a la orilla del camino, culebra cornuda a la orilla del sendero, que muerde los talones del caballo de modo que su jinete cae hacia atrás.[b] 18 Verdaderamente esperaré salvación de parte tuya, oh Jehová.[c]

19 "En cuanto a Gad, una partida merodeadora hará incursión contra él, pero él hará incursión contra la extrema retaguardia.[d]

20 "De Aser su pan será pingüe,[e] y él dará los bocados exquisitos de un rey.[f]

21 "Neftalí[g] es una cierva delgada. Está dando palabras de elegancia.[h]

22 "Retoño de árbol frutal,[i] José es retoño de árbol frutal junto a la fuente,[j] que impele sus ramas por encima de un muro.[k] 23 Pero los arqueros siguieron hostigándolo, y dispararon contra él y siguieron abrigándole animosidad.[l] 24 Y sin embargo su arco moraba en lugar permanente,[m] y la fuerza de sus manos era flexible.[n] De las manos del Poderoso de Jacob,[o] de allí es el Pastor, la Piedra de Israel.[p] 25 Él procede del Dios de tu padre,[q] y él te ayudará;[r] y él está con el Todopoderoso,[s] y te bendecirá con las bendiciones de los cielos arriba,[t] con las bendiciones de la profundidad acuosa que yace allá abajo,[u] con las bendiciones de los pechos y la matriz.[v] 26 Las bendiciones de tu padre ciertamente serán superiores a las bendiciones de las montañas eternas,[w] al adorno de las colinas de duración indefinida.[x] Continuarán sobre la cabeza de José, aun sobre la coronilla de la cabeza del singularizado de entre sus hermanos.[y]

27 "Benjamín seguirá desgarrando como lobo.[z] Por la mañana se comerá el animal prendido, y al atardecer dividirá el despojo".[a]

28 Todos estos son las doce tribus de Israel, y esto es lo que les habló su padre cuando estuvo bendiciéndolos. Bendijo a cada uno conforme a su propia bendición.[a]

29 Después de eso les mandó y les dijo: "Voy a ser recogido a mi pueblo.[b] Entiérrenme con mis padres, en la cueva que está en el campo de Efrón el hitita,[c] 30 en la cueva que está en el campo de Macpelá, que está enfrente de Mamré, en la tierra de Canaán, el campo que Abrahán compró a Efrón el hitita para la posesión de una sepultura.[d] 31 Allí enterraron a Abrahán y a Sara su esposa.[e] Allí enterraron a Isaac y a Rebeca su esposa,[f] y allí enterré yo a Lea. 32 El campo que se compró y la cueva que hay en él provinieron de los hijos de Het".[g]

33 Así acabó Jacob de dar mandatos a sus hijos. Entonces recogió los pies en el lecho y expiró, y fue recogido a su pueblo.[h]

50 Entonces José cayó sobre el rostro de su padre[i] y prorrumpió en lágrimas sobre él y lo besó.[j] 2 Luego mandó José a sus siervos, los médicos, que embalsamaran[k] a su padre. De modo que los médicos embalsamaron a Israel, 3 y tomaron cuarenta días completos para él, pues esos son los días que suelen tomar para el embalsamamiento, y los egipcios continuaron derramando lágrimas por él setenta días.[l]

4 Por fin pasaron los días de llorarlo, y José habló a la casa de Faraón, diciendo: "Si es que he hallado favor a los ojos de ustedes,[m] hablen, por favor, a oídos de Faraón, y digan: 5 'Mi padre me hizo jurar,[n] y dijo: '¡Mira! Estoy para morir.[o] En mi sepultura que he excavado para mí en la tierra de Canaán[p] es donde

CAP. 49
a Jue 13:2
  Jue 13:24
b Dt 33:22
  Jue 14:19
  Jue 15:15
c Si 14:7
d Dt 33:20
  Jos 13:8
e Dt 32:14
  Si1 81:16
f Dt 33:24
  Jos 19:24
  1Re 4:7
  1Re 4:16
g Dt 33:23
  Jos 19:32
  Mt 4:15
h Mt 4:13
  Jn 7:46
i Éx 1:5
j Dt 33:13
  Jos 16:1
k Dt 33:17
  Jos 16:4
m Gé 50:20
n Nú 13:8
  Jos 1:6
  Jos 8:18
  Jue 6:14
  Jue 11:32
o Si 80:1
p Gé 45:7
  Gé 50:20
  Isa 28:16
  Mt 21:42
  1Pe 2:4
q Jn 17:3
r Flp 4:19
s Heb 10:12
t Mal 3:10
u Dt 33:13
  Isa 11:9
v Isa 59:21
w Jos 17:14
x Isa 54:10
y Dt 33:16
  Hch 7:9
z Dt 33:12
  Jue 20:16
  1Sa 9:16
a Est 2:5
  Est 8:7

2.ª col.

a Heb 11:21
b Gé 35:29
  Gé 49:33
c Gé 23:17
d Gé 33:20
  Gé 25:10
  Gé 25:10
f Gé 35:29
g Gé 23:18
h Gé 25:8
  Si1 116:15
  Mt 22:32
  Hch 7:15

CAP. 50

i Gé 46:4
j Ec 7:2
  Jn 11:35
  Nú 20:29
k Gé 50:26
l Nú 20:29
m Gé 18:3
n Gé 47:31
  Mt 5:33
  Heb 6:16

o Gé 48:21; 1Co 15:22; p Gé 23:17; Gé 49:30.

has de enterrarme".ᵃ Y ahora, por favor, permíteme subir y enterrar a mi padre, después de lo cual estoy dispuesto a volver'".
6 Por consiguiente, Faraón dijo: "Sube y entierra a tu padre tal como él te hizo jurar".ᵇ

7 De modo que José subió para enterrar a su padre, y con él subieron todos los siervos de Faraón, los ancianosᶜ de su casa y todos los ancianos de la tierra de Egipto, 8 y toda la casa de José y sus hermanos y la casa de su padre.ᵈ Solo a sus niñitos y sus rebaños y sus vacadas dejaron en la tierra de Gosén.
9 También subieron con él tanto carrosᵉ como hombres de a caballo, y el campamento llegó a ser muy numeroso. 10 Entonces llegaron a la eraᶠ de Atad, que está en la región del Jordán,ᵍ y allí se dieron a un plañido muy grande y grave, y él siguió con los ritos de duelo por su padre siete días.ʰ 11 Y los habitantes de la tierra, los cananeos, llegaron a ver los ritos de duelo en la era de Atad, y exclamaron: "¡Grave duelo es este para los egipcios!". Por eso se le llamó por nombre Abel-mizraim, que está en la región del Jordán.ⁱ

12 Y sus hijos procedieron a hacer con él exactamente como les había mandado.ʲ 13 De modo que lo llevaron sus hijos a la tierra de Canaán y lo enterraron en la cueva del campo de Macpelá, el campo que Abrahán había comprado para posesión de sepultura a Efrón el hitita, enfrente de Mamré.ᵏ 14 Después José volvió a Egipto, él y sus hermanos y todos los que subieron con él para enterrar a su padre, después que él hubo enterrado a su padre.

15 Al ver los hermanos de José que su padre había muerto, se pusieron a decir: "Quizás José nos esté abrigando animosidadˡ y sin falta nos haya de pagar todo el mal que le hemos he-

cho".ᵃ 16 Por eso le expresaron un mandato a José en estas palabras: "Antes de su muerte tu padre dio el mandato, diciendo: 17 'Esto es lo que han de decir a José: "Te ruego, perdona,ᵇ por favor, la sublevación de tus hermanos y su pecado, por cuanto te han hecho mal"'.ᶜ Y ahora perdona, por favor, la sublevación de los siervos del Dios de tu padre".ᵈ Y José prorrumpió en lágrimas cuando le hablaron. 18 Tras eso sus hermanos vinieron también y cayeron delante de él y dijeron: "¡Aquí estamos como esclavos tuyos!".ᵉ 19 Entonces les dijo José: "No tengan miedo, ¿pues acaso estoy yo en el lugar de Dios?ᶠ 20 En cuanto a ustedes, ustedes tenían pensado un mal contra mí. Dios lo tenía pensado para bien, con el propósito de obrar como sucede hoy, para conservar viva a mucha gente.ᵍ 21 Ahora pues, no tengan miedo. Yo mismo seguiré proveyéndoles alimento a ustedes y a sus niñitos".ʰ Así los consoló y les habló alentadoramente.

22 Y José continuó morando en Egipto, él y la casa de su padre; y vivió José ciento diez años. 23 Y José logró ver a los hijos de Efraín de la tercera generación,ⁱ también a los hijos de Makir,ʲ hijo de Manasés. Nacieron sobre las rodillas de José.ᵏ 24 Al fin José dijo a sus hermanos: "Estoy para morir; pero Dios sin falta dirigirá su atención a ustedes,ˡ y ciertamente los hará subir de esta tierra a la tierra acerca de la cual juró a Abrahán, a Isaac y a Jacob".ᵐ 25 Por eso José hizo jurar a los hijos de Israel, y dijo: "Dios sin falta dirigirá su atención a ustedes. Por consiguiente, tienen que llevarse de aquí mis huesos".ⁿ 26 Después de eso José murió, a la edad de ciento diez años; y mandaron embalsamarlo,ᵒ y fue puesto en un ataúd en Egipto.

CAP. 50
a Gé 46:4
Gé 47:29
Jn 19:38
b Gé 47:31
c Sl 105:22
Hch 4:8
d Gé 32:5
Gé 46:27
e Gé 41:43
Gé 46:29
Hch 8:28
f Mt 3:12
g Dt 1:1
h 1Sa 31:13
Mr 5:38
i Gé 10:19
Gé 47:29
Gé 49:29
Ef 6:1
k Gé 23:17
Gé 25:9
Gé 35:27
Gé 49:30
l Gé 27:41
Lu 19:17
Pr 19:11
Pr 28:1

2.ᵃ col.
a Gé 37:28
Gé 42:21
Sl 105:17
Pr 24:29
Lu 17:3
Ro 12:17
1Co 13:5
b Mt 6:12
Mt 18:35
Lu 17:3
Ef 4:32
c Gé 37:28
1Sa 24:17
Pr 28:13
Ro 13:10
d 2Co 7:10
e Gé 37:7
Ef 6:7
f Dt 32:35
Ro 12:19
g Gé 37:18
Gé 45:5
Sl 105:17
Sl 119:71
Ro 8:28
h Gé 47:12
1Pe 3:9
i 1Cr 7:20
j Jos 17:1
1Cr 7:14
k Gé 30:3
l Éx 4:31
m Gé 12:7
Gé 17:8
Gé 26:3
Gé 28:13
n Éx 13:19
Jos 24:32
Heb 11:22
o Gé 50:2

ÉXODO

1 Ahora bien, estos son los nombres de los hijos de Israel que entraron en Egipto con Jacob; cada hombre y su casa vinieron:[a] **2** Rubén,[b] Simeón,[c] Leví[d] y Judá,[e] **3** Isacar,[f] Zabulón[g] y Benjamín,[h] **4** Dan[i] y Neftalí,[j] Gad[k] y Aser.[l] **5** Y todas las almas que procedieron de la parte superior del muslo[m] de Jacob llegaron a ser setenta almas, pero José estaba ya en Egipto.[n] **6** Con el tiempo murió José,[o] y también todos sus hermanos y toda aquella generación. **7** Y los hijos de Israel se hicieron fructíferos y empezaron a pulular; y siguieron multiplicándose y haciéndose más poderosos a muy extraordinaria proporción, de modo que el país llegó a estar lleno de ellos.[p]

8 Con el tiempo se levantó sobre Egipto un rey nuevo que no conocía a José.[q] **9** Y procedió a decir a su pueblo: "¡Miren! El pueblo de los hijos de Israel es más numeroso y poderoso que nosotros.[r] **10** ¡Vamos! Tratemos astutamente con ellos,[s] por temor de que se multipliquen, y tenga que resultar que, en caso de que nos sobrevenga una guerra, entonces ellos ciertamente también se agreguen a los que nos odian y peleen contra nosotros y suban y se vayan del país".

11 De modo que pusieron sobre ellos jefes de trabajos forzados con el propósito de oprimirlos mientras llevaban sus cargas;[t] y ellos estuvieron edificando ciudades como lugares de depósito para Faraón, a saber, a Pitom y Raamsés.[u] **12** Pero cuanto más los oprimían, tanto más se multiplicaban y tanto más seguían extendiéndose, de modo que [los egipcios] sintieron un pavor morboso como resultado de los hijos de Israel.[v]

13 Por consiguiente, los egipcios hicieron trabajar a los hijos de Israel como esclavos bajo tiranía.[a] **14** Y siguieron amargándoles la vida con dura esclavitud en [trabajos de] argamasa de barro[b] y ladrillos y con toda forma de esclavitud en el campo,[c] sí, toda forma de esclavitud suya en la cual los usaban como esclavos bajo tiranía.[d]

15 Más tarde el rey de Egipto dijo a las parteras[e] hebreas —el nombre de una de las cuales era Sifrá y el nombre de la otra Puá—, **16** sí, llegó al extremo de decir: "Cuando ayuden a las hebreas a dar a luz y de veras las vean en el asiento para partos, si es hijo, entonces tienen que darle muerte; pero si es hija, entonces tiene que vivir". **17** Sin embargo, las parteras temían al Dios [verdadero],[f] y no hacían como les había hablado el rey de Egipto,[g] sino que conservaban vivos a los varoncitos.[h] **18** Con el tiempo el rey de Egipto llamó a las parteras y les dijo: "¿Por qué han hecho esta cosa, de haber conservado vivos a los niños varones?"[i] **19** A su vez las parteras dijeron a Faraón: "Porque las hebreas no son como las mujeres egipcias. Por cuanto son vigorosas, ya han dado a luz antes que la partera pueda entrar a donde ellas".

20 Por eso Dios trató bien a las parteras;[j] y el pueblo siguió haciéndose más numeroso y llegando a ser muy poderoso. **21** Y aconteció que, porque las parteras habían temido al Dios [verdadero], más tarde él les concedió familias.[k] **22** Por fin Faraón dio orden a todo su pueblo, diciendo: "Todo hijo recién nacido lo han de arrojar al río Nilo, pero a toda hija la han de conservar viva".[l]

CAP. 1
a Gé 46:8
b Éx 6:14
c Éx 6:15
d Éx 2:1
Éx 6:16
e 1Cr 2:3
Heb 7:14
f Gé 46:13
g Gé 46:14
h Gé 46:21
i Gé 46:23
j 1Cr 7:13
k Gé 46:16
l 1Cr 7:30
m Gé 46:26
n Dt 10:22
Hch 7:14
o Gé 50:26
p Gé 46:3
Dt 26:5
Hch 7:17
q Éx 7:18
r Nú 22:3
Hch 5:24
s Sl 105:25
Pr 21:30
Hch 7:19
1Co 3:19
t Gé 15:13
Éx 3:7
Nú 20:15
Dt 26:6
Hch 7:34
u Gé 47:11
v Sl 105:24
Sl 105:38

2.ª col.
a Gé 2:23
Pr 14:31
Hch 7:6
b Na 3:14
c Éx 5:7
Sl 81:6
Sl 81:8
Éx 20:2
Le 25:43
Le 26:13
Pr 29:2
Isa 14:6
e Gé 35:17
Gé 38:28
Eze 16:4
f Ne 5:15
Pr 8:13
g Da 3:16
Da 6:13
Mt 10:28
Hch 5:29
h Ec 8:4
i Sl 41:2
j Pr 11:18
Pr 19:17
Ec 8:12
Isa 3:10
Lu 1:50
Heb 6:10
k Sl 107:41
Sl 127:3
l Sl 105:25
Mt 2:16
Hch 7:19

2 Entretanto, cierto hombre de la casa de Leví fue y tomó a una hija de Leví.ᵃ 2 Y la mujer quedó encinta y dio a luz un hijo. Cuando ella vio lo bien parecido que este era, lo tuvo ocultoᵇ por espacio de tres meses lunares.ᶜ 3 Cuando ya no pudo ocultarlo,ᵈ entonces tomó para él un arca de papiro y le dio una mano de betún y pez,ᵉ y puso en ella al niño, y la puso entre las cañas,ᶠ junto a la margen del río Nilo. 4 Además, la hermana de él se apostó a cierta distancia para averiguar qué se haría con él.ᵍ

5 Después de un rato la hija de Faraón bajó para bañarse en el río Nilo, y sus criadas de compañía iban andando por el lado del río Nilo. Y ella alcanzó a ver el arca en medio de las cañas. En seguida envió a su esclava para que la consiguiera.ʰ 6 Cuando la abrió, pudo ver al niño, y resultó que el muchachito estaba llorando. Ante esto, ella tuvo compasión de él,ⁱ aunque dijo: "Este es uno de los niños de los hebreos". 7 Entonces la hermana de él dijo a la hija de Faraón: "¿Quieres que vaya y que especialmente te llame una nodriza de entre las hebreas para que te críe al niño?". 8 De modo que la hija de Faraón le dijo: "¡Ve!". Al instante, la doncella se fue y llamó a la madreʲ del niño. 9 Entonces la hija de Faraón dijo a esta: "Llévate a este niño y críamelo, y yo misma te daré tu salario".ᵏ Por consiguiente, la mujer se llevó al niño y lo crió. 10 Y creció el niño. Entonces ella lo trajo a la hija de Faraón, de modo que él vino a ser para ella un hijo;ⁱ y esta procedió a ponerle por nombre Moisés, y a decir: "Es porque lo he sacado del agua".ᵐ

11 Ahora bien, en aquellos días aconteció que, al ir fortaleciéndose Moisés, salió a donde sus hermanos para mirar las cargas que llevaban;ⁿ y alcanzó a ver a cierto egipcio golpeando a cierto hebreo de sus hermanos.ᵒ 12 Así que se volvió para acá y para allá y vio que no había nadie a la vista. Entonces derribó al egipcio y lo escondió en la arena.ᵃ

13 Sin embargo, salió al día siguiente y sucedió que había dos hombres hebreos luchando el uno con el otro. De modo que dijo al que tenía la culpa: "¿Por qué deberías golpear a tu compañero?".ᵇ 14 A lo que dijo: "¿Quién te nombró a ti príncipe y juez sobre nosotros?ᶜ ¿Tienes pensado matarme tal como mataste al egipcio?".ᵈ Ahora a Moisés le dio miedo, y dijo: "¡De seguro ha llegado a conocerse el asunto!".ᵉ

15 Posteriormente Faraón llegó a oír de este asunto, y trató de matar a Moisés;ᶠ pero Moisés huyóᵍ de Faraón para morar en la tierra de Madián;ʰ y se sentó junto a un pozo. 16 Ahora bien, el sacerdoteⁱ de Madián tenía siete hijas, y estas vinieron como de costumbre y sacaron agua y llenaron los canales para abrevar el rebaño de su padre.ʲ 17 Y como de costumbre vinieron los pastores y las echaron de allí. Ante esto, se levantó Moisés y ayudó a las mujeres y les abrevó su rebaño.ᵏ 18 Por eso, cuando ellas llegaron a casa, a Reuelⁱ su padre, él exclamó: "¿Por qué han venido a casa tan pronto hoy?". 19 A lo cual ellas dijeron: "Cierto egipcioᵐ nos libró de la mano de los pastores y, además, hasta nos sacó agua para él abrevar el rebaño". 20 Entonces él dijo a sus hijas: "¿Pero dónde está? ¿Por qué han dejado allá al hombre? Llámenlo, para que coma pan".ⁿ 21 Después de aquello Moisés se mostró dispuesto a morar con el hombre, y él dio a Ziporáᵒ su hija a Moisés. 22 Más tarde ella dio a luz un hijo, y él le puso por nombre Guersom,ᵖ porque dijo: "Residente forastero he llegado a ser en tierra extranjera".ᵠ

23 Y durante aquellos mu-

CAP. 2
a Éx 6:20
  Nú 26:59
b 2Re 11:2
c Hch 7:20
  Heb 11:23
d Hch 7:19
e Gé 6:14
  Gé 14:10
f Job 8:11
g Éx 15:20
  1Cr 6:3
  Miq 6:4
h Hch 7:21
i 1Re 8:50
  Sl 106:46
  1Pe 3:8
j Éx 6:20
k 1Ti 5:18
l Heb 11:24
m Hch 7:21
n Éx 1:11
  Éx 3:7
  Hch 7:23
o Éx 5:14

2.ᵃ col.

a Hch 7:24
  Heb 11:24
b Gé 13:8
  Hch 7:26
c Nú 16:13
  Hch 7:27
d Hch 7:28
e Pr 19:12
f Éx 4:19
g Pr 22:3
  Heb 11:27
h Gé 25:2
  Éx 3:1
i Éx 18:12
j Gé 24:20
k Gé 29:10
l Éx 4:18
  Éx 18:1
  Nú 10:29
m Hch 7:22
n Gé 19:3
  Gé 24:31
  Job 31:32
  Ro 12:13
  Heb 13:2
o Éx 18:3
  Nú 12:1
p Éx 18:3
  1Cr 23:15
q Hch 7:29

chos días aconteció que por fin murió el rey de Egipto,[a] pero los hijos de Israel continuaron suspirando a causa de la esclavitud y clamando en son de queja,[b] y su clamor por ayuda siguió subiendo al Dios [verdadero] a causa de la esclavitud.[c] 24 Con el tiempo Dios oyó[d] su gemido,[e] y se acordó Dios de su pacto con Abrahán, Isaac y Jacob.[f] 25 De modo que Dios miró a los hijos de Israel y Dios se dio por avisado.

3 Y Moisés llegó a ser pastor del rebaño de Jetró,[g] el sacerdote de Madián, de quien era yerno.[h] Mientras arreaba el rebaño al lado occidental del desierto, llegó por fin a la montaña del Dios [verdadero],[i] a Horeb.[j] 2 Entonces se le apareció el ángel de Jehová en una llama de fuego en medio de una zarza.[k] Mientras él seguía mirando, pues, he aquí que la zarza ardía con el fuego y, no obstante, la zarza no se consumía. 3 Ante esto, Moisés dijo: "Solo voy a desviarme para inspeccionar este gran fenómeno, en cuanto a por qué no se quema la zarza".[l] 4 Cuando Jehová vio que él se desviaba para inspeccionar, en seguida Dios lo llamó de en medio de la zarza y dijo: "¡Moisés!, ¡Moisés!", a lo cual él dijo: "Aquí estoy".[m] 5 Entonces él dijo: "No te acerques acá. Quítate las sandalias de los pies, porque el lugar donde estás de pie es suelo santo".[n]

6 Y siguió diciendo: "Yo soy el Dios de tu padre, el Dios de Abrahán, el Dios de Isaac y el Dios de Jacob".[o] Entonces Moisés ocultó su rostro, porque temía mirar al Dios [verdadero]. 7 Y Jehová añadió: "Indisputablemente he visto la aflicción de mi pueblo que está en Egipto, y he oído el clamor de ellos a causa de los que los obligan a trabajar; porque conozco bien los dolores que sufren.[p] 8 Y estoy procediendo a bajar para librarlos de

la mano de los egipcios[a] y para hacerlos subir de aquella tierra a una tierra buena y espaciosa, a una tierra que mana leche y miel,[b] a la localidad de los cananeos y los hititas y los amorreos y los perizitas y los heveos y los jebuseos.[c] 9 Y ahora, ¡mira!, el clamor de los hijos de Israel ha llegado a mí, y también he visto la opresión con que los egipcios los están oprimiendo.[d] 10 Y ahora ven y déjame enviarte a Faraón, y saca tú de Egipto a mi pueblo, los hijos de Israel".[e]

11 Sin embargo, Moisés dijo al Dios [verdadero]: "¿Quién soy yo para que vaya a Faraón y para que tenga que sacar a los hijos de Israel de Egipto?".[f] 12 A lo cual él dijo: "Porque yo resultaré estar contigo,[g] y esta es la señal para ti de que soy yo quien te ha enviado:[h] Después que hayas sacado de Egipto al pueblo, ustedes servirán al Dios [verdadero] sobre esta montaña".[i]

13 Sin embargo, Moisés dijo al Dios [verdadero]: "Supongamos que llego ahora a los hijos de Israel y de hecho les digo: 'El Dios de sus antepasados me ha enviado a ustedes', y ellos de hecho me dicen: ¿Cuál es su nombre?[j] ¿Qué les diré?". 14 Ante esto, Dios dijo a Moisés: "YO RESULTARÉ SER LO QUE RESULTARÉ SER".[k] Y añadió: "Esto es lo que has de decir a los hijos de Israel: 'YO RESULTARÉ SER me ha enviado a ustedes'".[l] 15 Entonces Dios dijo otra vez a Moisés:

"Esto es lo que habrás de decir a los hijos de Israel: 'Jehová el Dios de sus antepasados, el Dios de Abrahán,[m] el Dios de Isaac[n] y el Dios de Jacob,[o] me ha enviado a ustedes'. Este es mi nombre hasta tiempo indefinido,[p] y este es la memoria de mí a generación tras generación.[q] 16 Ve tú, y tienes que reunir a los ancianos de Israel, y tienes que de-

CAP. 2

a Éx 4:19
Ex 7:7
Hch 7:30
b Éx 6:5
Nú 20:16
Dt 26:7
Sl 12:5
c Éx 3:7
1Re 8:51
Ne 9:9
Sl 107:19
d Jue 2:18
Ne 9:27
1Pe 5:7
e Hch 7:34
f Gé 15:14
2Re 13:23
Sl 105:8

CAP. 3

g Éx 2:16
Éx 18:1
h Jue 1:16
Jue 4:11
i Éx 24:13
j Éx 17:6
1Re 19:8
Mal 4:4
k Dt 33:16
Hch 7:30
1Gé 18:14
Da 3:27
Hch 7:31
m 1Sa 3:4
n Jos 5:15
Hch 7:33
o Gé 26:24
Gé 32:9
Mt 22:32
Hch 7:32
p Éx 1:11
Éx 6:5
Sl 106:44
Isa 63:9
Hch 7:34

2.ª col.

a Éx 12:51
b Nú 13:27
Dt 27:3
c Gé 10:16
Éx 33:2
Dt 7:1
Jos 3:10
Ne 9:8
d Éx 1:11
e 1Sa 12:6
Sl 105:26
Isa 63:11
Hch 7:34
f Éx 6:12
2Sa 7:18
Jer 1:6
g Dt 31:23
Jos 1:5
Isa 41:10
Ro 8:31
Flp 4:13
h Jue 6:17
i Éx 19:2
Dt 4:11
j Éx 15:3
Jn 17:45
Sl 96:8
Sl 135:13
Os 12:5
Mt 21:9
Jn 17:26
Ro 10:13

k Le 11:45; Job 23:13; Isa 14:27; Da 4:35; Jn 12:28; l Éx 6:3; Éx 6:7; Ro 9:17; m Gé 17:7; Mt 22:32; n Gé 26:24; o Gé 28:13; p Sl 135:13; q Sl 30:4; Sl 102:12; Os 12:5.

cirles: 'Jehová el Dios de sus antepasados se me ha aparecido,[a] el Dios de Abrahán, de Isaac y de Jacob, y ha dicho: "Yo sin falta ciertamente les daré atención[b] a ustedes y a lo que se les está haciendo en Egipto. 17 Y por eso digo: Los haré subir de la aflicción[c] de los egipcios a la tierra de los cananeos y de los hititas y de los amorreos[d] y de los perizitas y de los heveos y de los jebuseos,[e] a una tierra que mana leche y miel' ".[f]

18 "Y ellos ciertamente escucharán tu voz,[g] y tienes que ir, tú y los ancianos de Israel, al rey de Egipto, y tienen que decirle: 'Jehová el Dios de los hebreos[h] se ha puesto en comunicación con nosotros,[i] y ahora queremos ir, por favor, camino de tres días al desierto, y queremos hacer sacrificios a Jehová nuestro Dios'.[j] 19 Y yo, sí, yo bien sé que el rey de Egipto no les dará permiso para ir, salvo por una mano fuerte.[k] 20 Y yo tendré que extender mi mano[l] y herir a Egipto con todas mis maravillosas obras que haré en medio de él; y después de eso él los enviará.[m] 21 Y ciertamente daré a este pueblo favor a los ojos de los egipcios; y ciertamente ocurrirá que, cuando ustedes se vayan, no se irán con las manos vacías.[n] 22 Y cada mujer tendrá que pedir a su vecina y a la mujer que reside como forastera en su casa objetos de plata y objetos de oro y mantos, y tienen que ponerlos sobre sus hijos y sus hijas; y tienen que despojar a los egipcios".[o]

4 Sin embargo, al contestar, Moisés dijo: "Pero supongamos que no me crean y no escuchen mi voz,[p] porque van a decir: 'No se te apareció Jehová' ". 2 Entonces le dijo Jehová: "¿Qué tienes en la mano?", a lo cual él dijo: "Una vara".[q] 3 En seguida dijo: "Arrójala a tierra". De modo que él la arrojó a tierra, y esta se convirtió en

una serpiente;[a] y Moisés empezó a huir de ella. 4 Jehová ahora dijo a Moisés: "Alarga la mano y agárrala por la cola". De modo que él alargó la mano y la agarró, y esta se convirtió en una vara en la palma de su mano. 5 "Para que —según dijo él— crean que se te ha aparecido[b] Jehová el Dios de sus antepasados,[c] el Dios de Abrahán,[d] el Dios de Isaac[e] y el Dios de Jacob".[f]

6 Entonces Jehová le dijo otra vez: "Mete tu mano, por favor, en el pliegue superior de tu prenda de vestir". De modo que él metió la mano en el pliegue superior de su prenda de vestir. Cuando la sacó, pues, ¡resultó que su mano estaba herida de lepra como la nieve![g] 7 Después de eso [Dios] dijo: "Vuelve tu mano al pliegue superior de tu prenda de vestir". De modo que él volvió la mano al pliegue superior de su prenda de vestir. Cuando la sacó del pliegue superior de su prenda de vestir, pues, ¡resultó que estaba herida y restaurada como el resto de su carne![h] 8 "Y tiene que suceder —según dijo él— que si no quieren creerte ni quieren escuchar la voz de la primera señal, entonces ciertamente creerán la voz de la señal posterior.[i] 9 Sin embargo, tiene que suceder que, si no quieren creer ni aun a estas dos señales y no quieren escuchar tu voz,[j] entonces tendrás que tomar agua del río Nilo y derramarla en tierra seca; y el agua que tomes del río Nilo ciertamente se convertirá, sí, realmente se convertirá en sangre sobre la tierra seca".[k]

10 Entonces Moisés dijo a Jehová: "Dispénsame, Jehová, pero no soy persona que hable con fluidez, ni desde ayer ni desde antes de eso ni desde que hablaste con tu siervo, porque soy lento de boca y lento de lengua".[l] 11 Ante esto, Jehová le dijo: "¿Quién asignó boca al hombre o quién asigna al mudo o al sordo o al de vista perspicaz o al ciego? ¿No soy yo, Jehová?[m]

CAP. 3
a Gé 17:1
b Gé 48:15
b Gé 50:24
Éx 13:19
Sl 80:14
Lu 1:68
c Gé 15:13
Le 26:13
Ne 9:9
Hch 7:34
d Gé 15:16
e Éx 23:23
f Nú 13:27
Dt 8:7
g Éx 4:31
Éx 20:19
h Gé 14:13
Gé 40:15
Éx 10:3
i Éx 5:3
j Éx 7:16
Éx 8:27
Éx 10:26
k Éx 5:2
Éx 7:4
Éx 14:8
Ro 9:17
l Sl 118:15
m Éx 7:3
Éx 12:33
Dt 6:22
Sl 135:9
Hch 7:36
n Éx 11:2
Éx 12:35
o Gé 15:14
Éx 12:36
Sl 105:37

CAP. 4
p Éx 2:14
Éx 7:25
q Éx 8:5
Éx 17:5
Nú 20:11

2.ª col.
a Éx 7:9
b Éx 3:16
Éx 4:31
Jer 31:3
c 1Sa 2:27
Hch 7:32
d Hch 7:2
Ro 4:3
e Gé 28:13
Éx 18:16
f Gé 28:21
Lu 20:37
g Nú 12:10
2Re 5:27
h 2Re 5:14
Mt 8:3
i Jn 10:38
Hch 7:36
j 2Te 3:2
k Éx 4:30
l Éx 6:12
Nú 12:3
Jer 1:6
Hch 7:22
Hch 13:11
m Sl 94:9
Isa 6:10
Lu 1:20
Hch 13:11

12 Ahora pues, ve, y yo mismo resultaré estar con tu boca y ciertamente te enseñaré lo que debes decir".[a] 13 Pero él dijo: "Dispénsame, Jehová, pero envía, por favor, por la mano de aquel a quien vas a enviar". 14 Entonces la cólera de Jehová se enardeció contra Moisés, y él dijo: "¿No es hermano tuyo Aarón el levita?[b] Sé con certeza que él sí puede hablar. Y, además, mira que ha salido a tu encuentro. Cuando verdaderamente te vea, ciertamente se regocijará en su corazón.[c] 15 Y tienes que hablarle y poner las palabras en su boca;[d] y yo mismo resultaré estar con tu boca y con su boca,[e] y yo realmente les enseñaré lo que han de hacer.[f] 16 Y él tiene que hablar por ti al pueblo; y tiene que suceder que él te servirá de boca,[g] y tú le servirás de Dios.[h] 17 Y esta vara la tomarás en tu mano para que ejecutes con ella las señales".[i]

18 Por consiguiente, se fue Moisés y volvió a Jetró su suegro y le dijo:[j] "Quiero irme, por favor, y volver a mis hermanos, que están en Egipto, para ver si todavía viven".[k] De modo que Jetró dijo a Moisés: "Vete en paz".[l] 19 Después de eso Jehová dijo a Moisés en Madián: "Ve, vuelve a Egipto, porque han muerto todos los hombres que buscaban tu alma".[m]

20 Entonces Moisés tomó a su esposa y a sus hijos y los hizo cabalgar sobre un asno, y procedió a volver a la tierra de Egipto. Además, Moisés tomó la vara del Dios [verdadero] en su mano.[n] 21 Y Jehová pasó a decir a Moisés: "Después que te hayas ido y hayas vuelto a Egipto, ve que ustedes realmente ejecuten delante de Faraón todos los milagros que he puesto en tu mano.[o] En cuanto a mí, yo dejaré que él se le haga obstinado[p] el corazón, y él no enviará al pueblo.[q] 22 Y tendrás que decir a Faraón: 'Esto es lo que ha dicho Jehová: "Israel es mi hijo, mi primogénito.[a] 23 Y yo te digo: Envía a mi hijo para que me sirva. Pero si rehúsas enviarlo, ¡mira!, voy a matar a tu hijo, a tu primogénito'"'".[b]

24 Ahora bien, aconteció en el camino, en el lugar de alojamiento,[c] que Jehová consiguió encontrarse con él[d] y siguió buscando la manera de darle muerte.[e] 25 Por fin Zipora[f] tomó un pedernal y le cortó el prepucio[g] a su hijo e hizo que este tocara a pies de él y dijo: "Es porque eres novio de sangre para mí". 26 En consecuencia, él lo soltó. En ese tiempo ella dijo: "Novio de sangre", por motivo de la circuncisión.

27 Entonces Jehová dijo a Aarón: "Sal al encuentro de Moisés en el desierto".[h] Con eso, él se fue y se encontró con él en la montaña del Dios [verdadero],[i] y lo besó. 28 Y se puso Moisés a referir a Aarón todas las palabras de Jehová, que lo había enviado,[j] y todas las señales que le había mandado hacer.[k] 29 Después de eso Moisés y Aarón se fueron y reunieron a todos los ancianos de los hijos de Israel.[l] 30 Entonces Aarón habló todas las palabras que Jehová había hablado a Moisés,[m] y él ejecutó las señales[n] a los ojos del pueblo. 31 Con eso el pueblo creyó.[o] Al oír que Jehová había dirigido su atención[p] a los hijos de Israel y que había visto su aflicción,[q] entonces se inclinaron y se postraron.[r]

5 Y después Moisés y Aarón entraron y procedieron a decir a Faraón:[s] "Esto es lo que ha dicho Jehová el Dios de Israel: 'Envía a mi pueblo para que me celebre una fiesta en el desierto'".[t] 2 Pero dijo Faraón: "¿Quién es Jehová,[u] para que yo obedezca su voz y envíe a Is-

CAP. 4
a Sl 51:15
  Sl 143:10
  Isa 50:4
  Mr 13:11
  Lu 12:12
b Nú 26:59
c Gé 33:4
  Éx 4:27
  Hch 7:30
d Éx 4:28
  Éx 7:1
e Jer 1:9
f Isa 54:13
  1Co 1:5
  2Co 3:5
g Éx 7:2
h Éx 7:1
  Sl 82:6
  Jn 10:34
i Éx 7:19
j Éx 2:18
  Éx 18:1
  Nú 10:29
k Gé 30:25
  Hch 7:30
l 1Sa 1:17
m Éx 2:15
  Éx 4:19
n Éx 7:9
o Éx 7:3
  Éx 10:1
  Éx 11:10
  Dt 2:30
  1Sa 6:6
  Da 5:20
  Ro 9:18
q Éx 7:22
  Éx 8:15

2.ª col.
a Dt 7:6
  Dt 14:2
  Jer 31:9
  Os 11:1
  Ro 9:4
b Éx 12:29
  Sl 105:36
  Sl 135:8
c Gé 42:27
  Jer 9:2
d Nú 22:22
  1Cr 21:16
e Gé 17:14
f Éx 2:21
  Éx 18:2
g Jos 5:2
h Éx 4:14
i Éx 3:1
  Éx 20:18
  Éx 24:16
  1Re 19:8
j Éx 4:15
  Éx 7:1
k Éx 4:8
l Éx 3:16
  Éx 24:1
m Éx 3:16
n Éx 4:3
  Éx 4:6
  Éx 4:9
o Éx 3:18
  Éx 4:8
p Gé 50:25
  Éx 13:19
q Éx 1:14
  Éx 3:7
  Dt 26:6
r Gé 43:28
  2Cr 7:3
  Ne 8:6

CAP. 5   s Éx 7:1; Éx 7:10; Sl 119:46; t Éx 10:9; u Éx 7:5; Éx 9:16; 1Sa 25:10.

rael?ª No conozcoᵇ a Jehová en absoluto y, lo que es más, no voy a enviar a Israel".ᶜ **3** Sin embargo, ellos pasaron a decir: "El Dios de los hebreos se ha puesto en comunicación con nosotros.ᵈ Queremos ir, por favor, camino de tres días al desierto y hacer sacrificios a Jehová nuestro Dios;ᵉ de lo contrario quizás nos hiera con peste o con espada".ᶠ **4** Ante esto, les dijo el rey de Egipto: "¿Por qué, Moisés y Aarón, hacen ustedes que el pueblo desista de sus trabajos?ᵍ ¡Vayan a llevar sus cargas!".ʰ **5** Y continuó Faraón: "¡Miren! La gente de la tierra ahora es mucha,ⁱ y ustedes realmente la hacen desistir de llevar sus cargas".ʲ

6 Inmediatamente en aquel día Faraón mandó a los que obligaban a la gente a trabajar y a sus oficiales,ᵏ y dijo: **7** "Ustedes no deben recoger paja para dársela al pueblo para que haga ladrillosˡ como antes. Que vayan ellos mismos y recojan la paja para sí. **8** Además, la cantidad de ladrillos que les era exigida y que hacían antes, todavía se la impondrán. No deben hacerles ninguna reducción, porque están holgando.ᵐ Por eso andan clamando, y dicen: '¡Queremos irnos, queremos hacer sacrificios a nuestro Dios!'.ⁿ **9** Dejen que el servicio pese sobre los hombres y que se ocupen en él, y que no presten atención a palabras falsas".ᵒ

10 De modo que salieron los que obligaban a la gente a trabajar,ᵖ y sus oficiales, y dijeron al pueblo: "Esto es lo que ha dicho Faraón: 'Ya no les doy más paja. **11** Vayan ustedes mismos, consíganse paja dondequiera que la hallen, porque no ha de haber ni una pizca de reducción de sus servicios'".ᑫ **12** Por lo tanto, se esparció el pueblo por toda la tierra de Egipto a fin de recoger rastrojo para [usarlo como] paja. **13** Y los que los obligaban a tra-

CAP. 5

a 2Re 18:35
Job 21:15
Ro 1:21
b 1Sa 2:12
Jn 16:3
2Te 1:8
c Éx 3:19
Éx 7:3
d Éx 3:18
Ro 3:29
e Gé 46:1
Éx 8:27
f Dt 28:21
2Re 17:25
g Jer 38:4
Hch 16:20
h Éx 1:11
Éx 2:11
i Éx 1:9
j Éx 6:6
Éx 3:7
l Gé 11:3
Éx 1:14
Na 3:14
m Éx 5:17
n Éx 10:25
o 2Re 18:20
Jer 43:2
p Éx 1:11
Éx 2:11
q 1Re 12:10
Ec 7:7

2.ª col.

a Éx 3:9
b Dt 26:7
Ec 4:1
c Dt 29:10
d Éx 2:11
Hch 7:24
e Na 3:14
f Gé 15:13
g Nú 11:16
Jn 18:12
h Sl 37:12
i Éx 5:8
j Éx 3:18
Éx 5:3
Éx 10:25
k Éx 1:14
l Éx 5:7
m Éx 5:8
n Éx 7:1
o Jue 11:27
1Sa 2:10
Isa 33:22
p Gé 34:30
1Sa 13:4
1Cr 19:6
q Éx 6:9
Éx 17:3
r Éx 17:4
Jer 12:1
s Nú 11:11
1Sa 30:6
t Éx 3:12
u Éx 5:1
v Éx 5:9

bajar seguían apremiándolos,ª diciendo: "Acaben sus trabajos, cada uno su tarea, día por día, tal como cuando estaba disponible la paja".ᵇ **14** Más tarde, los oficialesᶜ de los hijos de Israel, que habían sido puestos sobre estos por los señaladores de tareas de Faraón, fueron golpeados,ᵈ mientras estos decían: "¿Por qué no acabaron su tarea prescrita de hacer ladrillosᵉ como antes, ni ayer ni hoy?".ᶠ

15 En consecuencia, entraron los oficialesᵍ de los hijos de Israel y se pusieron a clamar a Faraón, diciendo: "¿Por qué tratas de esta manera a tus siervos? **16** No se da paja a tus siervos y, sin embargo, nos están diciendo: '¡Hagan ladrillos!', y ¡mira!, se golpea a tus siervos, cuando la falta es de tu propio pueblo".ʰ **17** Pero él dijo: "¡Están holgando, están holgando!ⁱ Por eso andan diciendo: 'Queremos irnos, queremos hacer sacrificios a Jehová'.ʲ **18** Y ahora, ¡vayan, sirvan! Aunque no se les dará paja, aun así han de dar la cantidad fija de ladrillos".ᵏ

19 Entonces los oficiales de los hijos de Israel se vieron en un mal aprieto a causa del dicho:ˡ "No deben rebajar de sus ladrillos ni una pizca de la cuota diaria de nadie".ᵐ **20** Después de eso se encontraron con Moisés y Aarón,ⁿ que estaban de pie allí para encontrarse con ellos cuando salieran de con donde Faraón. **21** En seguida les dijeron: "Que Jehová los mire y juzgue,ᵒ puesto que nos han hecho tener un olor ofensivoᵖ delante de Faraón y delante de sus siervos, a fin de poner una espada en mano de ellos para matarnos".ᑫ **22** Entonces se volvió Moisés a Jehová y dijo: "Jehová, ¿por qué le has causado mal a este pueblo?ˢ ¿Para qué me has enviado? **23** Porque desde el tiempo en que fui delante de Faraón para hablar en tu nombre,ᵘ él le ha hecho mal a este pueblo,ᵛ y tú de ninguna manera has librado a tu pueblo".[a]

6 De modo que Jehová dijo a Moisés: "Ahora verás lo que yo le haré a Faraón,[b] porque a causa de una mano fuerte los enviará, y a causa de una mano fuerte los expulsará de su tierra".[c]

2 Y Dios siguió hablando a Moisés y diciéndole: "Yo soy Jehová.[d] 3 Y yo solía aparecerme a Abrahán,[e] Isaac[f] y Jacob[g] como Dios Todopoderoso,[h] pero en cuanto a mi nombre Jehová[i] no me di a conocer[j] a ellos. 4 Y también establecí mi pacto con ellos para darles la tierra de Canaán, la tierra de sus residencias como forasteros, en la cual residieron como forasteros.[k] 5 Y yo, sí, yo, he oído el gemido de los hijos de Israel,[l] a quienes los egipcios tienen esclavizados, y me acuerdo de mi pacto.[m]

6 "Por lo tanto, di a los hijos de Israel: 'Yo soy Jehová, y ciertamente los sacaré de debajo de las cargas de los egipcios y los libraré de ser sus esclavos,[n] y verdaderamente los reclamaré con brazo extendido y con grandes juicios.[o] 7 Y ciertamente los tomaré a ustedes como pueblo para mí,[p] y verdaderamente resultaré ser Dios para ustedes;[q] y ustedes ciertamente sabrán que yo soy Jehová su Dios que los está sacando de debajo de las cargas de Egipto.[o] 8 Y ciertamente los introduciré en la tierra acerca de la cual alcé mi mano en juramento[s] para darla a Abrahán, Isaac y Jacob; y verdaderamente la daré a ustedes como cosa que han de poseer.[t] Yo soy Jehová' ".[u]

9 Después Moisés habló de este modo a los hijos de Israel, pero ellos no escucharon a Moisés por su desánimo, y a causa de la dura esclavitud.[v]

10 Entonces Jehová habló a Moisés, diciendo: 11 "Entra, habla a Faraón, rey de Egipto,[w] que debe enviar a los hijos

CAP. 5
a Éx 3:8

CAP. 6
b Éx 12:29
Éx 14:13
Sl 12:5
c Éx 9:3
Éx 11:1
Éx 12:31
d Isa 43:11
e Gé 18:1
f Gé 26:2
g Gé 28:13
h Gé 17:1
Gé 35:11
i Éx 10:2
Sl 83:18
Lu 11:2
Hch 15:14
Rev 15:3
j Gé 12:8
Gé 27:27
Gé 28:16
2Sa 7:23
Sl 9:16
Isa 52:6
Jer 16:21
Jer 31:34
k Gé 15:18
Gé 28:4
Gé 35:11
m Gé 17:7
Hé 4:20
o Éx 7:5
Éx 3:20
1Cr 17:21
Hch 13:17
p Dt 7:6
2Sa 7:24
Sl 33:12
q Éx 29:45
Dt 20:4
r Éx 1:14
Éx 3:20
Éx 9:16
Ro 9:17
s Heb 6:13
t Gé 15:18
Gé 26:3
Gé 35:12
u Éx 20:2
Isa 42:8
v Éx 5:21
w Éx 1:8

2.ª col.
a Éx 3:10
Éx 5:1
b Éx 5:21
Éx 6:9
c Éx 5:2
d Éx 4:10
Jer 1:6
Hch 7:22
e Éx 7:4
Éx 9:13
f Gé 49:3
g Gé 46:9
h Nú 26:7
i 1Cr 4:24
j Nú 26:14
Jos 21:9
k Gé 29:34
1Cr 6:1
l Nú 26:57
Gé 46:11
n 1Cr 23:7
o Nú 3:18
p Nú 3:19
1Cr 23:12

de Israel fuera de su tierra".[a] 12 Sin embargo, Moisés habló delante de Jehová, y dijo: "¡Mira! Los hijos de Israel no me han escuchado;[b] y ¿cómo es posible que Faraón me escuche,[c] puesto que soy incircunciso de labios?".[d] 13 Pero Jehová continuó hablando a Moisés y Aarón y dando por ellos el mandato a los hijos de Israel y a Faraón, el rey de Egipto, a fin de sacar a los hijos de Israel de la tierra de Egipto.[e]

14 Estos son las cabezas de la casa de sus padres: Los hijos de Rubén, el primogénito[f] de Israel, fueron Hanok y Palú, Hezrón y Carmí.[g] Estas son las familias de Rubén.[h]

15 Y los hijos de Simeón fueron Jemuel y Jamín y Ohad y Jakín y Zóhar y Shaúl el hijo de una cananea.[i] Estas son las familias de Simeón.[j]

16 Y estos son los nombres de los hijos de Leví,[k] según sus descendencias familiares:[l] Guersón y Qohat y Merarí.[m] Y los años de la vida de Leví fueron ciento treinta y siete años.

17 Los hijos de Guersón fueron Libní y Simeí,[n] según sus familias.[o]

18 Y los hijos de Qohat fueron Amram e Izhar y Hebrón y Uziel.[p] Y los años de la vida de Qohat fueron ciento treinta y tres años.

19 Y los hijos de Merarí fueron Mahlí y Musí.[q]

Estas fueron las familias de los levitas, según sus descendencias familiares.[r]

20 Ahora bien, Amram tomó por esposa a Jokébed, hermana de su padre.[s] Más tarde, ella le dio a luz a Aarón y a Moisés.[t] Y los años de la vida de Amram fueron ciento treinta y siete años.

21 Y los hijos de Izhar fueron Coré[u] y Néfeg y Zicrí.

q Nú 3:20; 1Cr 23:21; r Jos 21:40; 1Cr 6:19; s Éx 2:1; Nú 26:59; t 1Cr 23:13; u Nú 16:1; Nú 16:32; Nú 26:10.

22 Y los hijos de Uziel fueron Misael y Elzafán y Sitrí.[a]

23 Ahora bien, Aarón tomó por esposa a Eliseba, hija de Aminadab, la hermana de Nahsón.[b] Más tarde, ella le dio a luz a Nadab y a Abihú, a Eleazar y a Itamar.[c]

24 Y los hijos de Coré fueron Asir y Elqaná y Abiasaf.[d] Estas fueron las familias de los coreítas.[e]

25 Y Eleazar, hijo de Aarón,[f] tomó para sí por esposa a una de las hijas de Putiel. Más tarde, ella le dio a luz a Finehás.[g]

Estos son los cabezas de los padres de los levitas, según sus familias.[h]

26 Este es el Aarón y Moisés a quienes dijo Jehová:[i] "Saquen a los hijos de Israel de la tierra de Egipto según sus ejércitos".[j]

27 Ellos fueron los que hablaron a Faraón, rey de Egipto, para sacar a los hijos de Israel de Egipto.[k] Este es el Moisés y Aarón.

28 Y aconteció el día en que Jehová habló a Moisés en la tierra de Egipto,[l] 29 que Jehová siguió hablando a Moisés, diciendo: "Yo soy Jehová.[m] Habla a Faraón rey de Egipto todo lo que te estoy hablando". 30 Entonces Moisés dijo delante de Jehová: "¡Mira! Soy incircunciso de labios, de modo que ¿cómo es posible que Faraón me escuche?".[n]

7 Por consiguiente, Jehová dijo a Moisés: "Mira, te he hecho Dios para Faraón,[o] y Aarón tu propio hermano llegará a ser tu profeta.[p] 2 Tú... tú hablarás todo lo que te mande;[q] y Aarón tu hermano se encargará de hablar a Faraón,[r] y él tiene que enviar de su tierra a los hijos de Israel.[s] 3 En cuanto a mí, yo dejaré que se haga obstinado[t] el corazón de Faraón, y ciertamente multiplicaré mis señales y mis milagros en la tierra de Egipto.[u] 4 Y no les escuchará Faraón;[v] y tendré que poner mi mano sobre Egipto y sacar a mis

ejércitos,[a] mi pueblo,[b] los hijos de Israel,[c] de la tierra de Egipto con grandes juicios.[d] 5 Y ciertamente sabrán los egipcios que yo soy Jehová cuando extienda mi mano contra Egipto,[e] y verdaderamente sacaré a los hijos de Israel de en medio de ellos".[f]

6 Y Moisés y Aarón se pusieron a hacer como Jehová les había mandado.[g] Hicieron precisamente así.[h] 7 Y Moisés tenía ochenta años de edad y Aarón tenía ochenta y tres años de edad cuando hablaron a Faraón.[i]

8 Jehová ahora dijo a Moisés y a Aarón: 9 "En caso de que les hable Faraón, diciendo: 'Prodúzcanse un milagro',[j] entonces tienes que decir a Aarón: 'Toma tu vara[k] y arrójala delante de Faraón'. Se convertirá en una culebra grande".[l] 10 De modo que Moisés y Aarón entraron a donde Faraón e hicieron exactamente como había mandado Jehová. Por consiguiente, Aarón arrojó su vara delante de Faraón y de sus siervos, y esta se convirtió en una culebra grande. 11 Sin embargo, Faraón también llamó a los sabios y a los hechiceros;[m] y los mismos sacerdotes practicantes de magia de Egipto también procedieron a hacer la misma cosa con sus artes mágicas.[n] 12 De modo que ellos arrojaron cada uno su vara, y estas se convirtieron en culebras grandes; pero la vara de Aarón se tragó las varas de ellos. 13 Sin embargo, el corazón de Faraón se hizo obstinado,[o] y no les escuchó, tal como había hablado Jehová.

14 Entonces Jehová dijo a Moisés: "El corazón de Faraón es insensible.[p] Ha rehusado enviar al pueblo.[q] 15 Ve a Faraón por la mañana. ¡Mira! ¡Va a salir al agua! Y tienes que ponerte en tal posición que te encuentres con él a la orilla del río Nilo,[s] y has de llevar en tu mano la vara

CAP. 6
a Le 10:4
   Nú 3:30
b Rut 4:20
   Mt 1:4
c Nú 3:2
d Nú 26:11
   1Cr 6:37
e Nú 26:58
   1Cr 9:19
f Nú 3:32
g Nú 25:7
   Nú 31:6
   Jos 22:31
   Jue 20:28
h Éx 6:19
i Jos 24:5
   1Sa 12:6
j Éx 7:4
   Éx 12:41
   Hch 7:34
k Éx 33:1
   Sl 77:20
   Miq 6:4
l Éx 6:1
m Éx 6:2
n Éx 4:10
   Éx 6:12

CAP. 7
a Éx 4:16
   Sl 82:6
p Éx 4:15
   Éx 4:30
q Éx 4:12
r Éx 4:15
s Éx 6:11
t Éx 4:21
   Éx 8:15
   Éx 9:12
   Ro 9:18
u Éx 3:20
   Éx 11:9
   Sl 105:27
   Hch 7:36
v Éx 9:35

2.ª col.
a Éx 12:51
b Éx 5:1
c Éx 6:11
d Éx 6:6
   Éx 12:12
e Éx 3:19
   Éx 8:19
   Éx 8:22
   Éx 14:4
   Sl 83:18
f Éx 3:20
g Éx 4:28
h Gé 6:22
   Éx 12:28
   Hch 7:23
i Isa 7:11
   Mt 12:39
   Jn 6:30
k Éx 4:2
   Éx 9:23
l Éx 4:3
m Gé 41:8
   Isa 19:11
   Jer 27:9
   Da 2:2
   2Ti 3:8
   Rev 21:8
n Éx 7:22
   Éx 8:18
   Éx 9:11
   Hch 8:9
   2Te 2:9

o Éx 4:21; Éx 7:3; Éx 8:15; Ro 9:18; p Éx 10:1;
1Sa 6:6; q Éx 10:20; r Éx 2:5; Éx 8:20; s Éx 9:13.

que se convirtió en serpiente.ª
16 Y tienes que decirle: 'Jehová el Dios de los hebreos me ha enviado a ti,ᵇ diciendo: "Envía a mi pueblo para que me sirva en el desierto",ᶜ pero ¡mira!, no has obedecido hasta ahora. 17 Esto es lo que ha dicho Jehová:ᵈ "Por esto sabrás que yo soy Jehová.ᵉ Aquí voy a golpear con la vara que está en mi mano sobre el agua que está en el río Nilo,ᶠ y ciertamente se convertirá en sangre.ᵍ 18 Y los peces que están en el río Nilo morirán,ʰ y el río Nilo realmente hederá,ⁱ y a los egipcios simplemente no les quedarán ganas de beber agua del río Nilo'".ʲ

19 Más tarde Jehová dijo a Moisés: "Di a Aarón: 'Toma tu vara y extiende tu manoᵏ sobre las aguas de Egipto, sobre sus ríos, sobre sus canales del Nilo y sobre sus estanques llenos de cañasˡ y sobre todas sus aguas represadas, para que se conviertan en sangre'. Y ciertamente habrá sangre en toda la tierra de Egipto y en las vasijas de madera y en las vasijas de piedra. 20 Al instante hicieron esto Moisés y Aarón,ᵐ tal como había mandado Jehová,ⁿ y él alzó la vara y golpeó el agua que estaba en el río Nilo a los ojos de Faraón y de sus siervos,ᵒ y toda el agua que estaba en el río Nilo fue convertida en sangre.ᵖ 21 Y los peces que estaban en el río Nilo murieron,ᵠ y el río Nilo empezó a heder; y los egipcios no podían beber agua del río Nilo;ʳ y la sangre vino a estar por toda la tierra de Egipto. 22 No obstante, los sacerdotes practicantes de magia de Egipto procedieron a hacer la misma cosa con sus artes ocultas;ˢ de modo que el corazón de Faraón continuó obstinado,ᵗ y no les escuchó, tal como había hablado Jehová.ᵘ 23 Por tanto, Faraón se volvió y entró en su casa, y no fijó su corazón en hacer caso a esto tampoco.ᵛ 24 Y todos los

egipcios anduvieron cavando alrededor del río Nilo por agua para beber, porque no podían beber del agua del río Nilo.ª 25 Y llegaron a cumplirse siete días después que Jehová hirió el río Nilo.

8 Entonces Jehová dijo a Moisés: "Entra a donde Faraón, y tienes que decirle: 'Esto es lo que ha dicho Jehová: "Envía a mi pueblo para que me sirva.ᵇ 2 Y si sigues rehusando enviarlo, aquí voy a plagar de ranas todo tu territorio.ᶜ 3 Y el río Nilo realmente rebosará de ranas, y ciertamente subirán y entrarán en tu casa y en tu alcoba interior y sobre tu lecho y en las casas de tus siervos y sobre tu pueblo y en tus hornos y en tus artesas.ᵈ 4 Y sobre ti y sobre tu pueblo y sobre todos tus siervos subirán las ranas"'".ᵉ

5 Más tarde Jehová dijo a Moisés: "Di a Aarón: 'Extiende tu mano con tu varaᶠ sobre los ríos, los canales del Nilo y los estanques llenos de cañas y haz subir las ranas sobre la tierra de Egipto'". 6 Por lo cual Aarón extendió la mano sobre las aguas de Egipto, y las ranas empezaron a subir y a cubrir la tierra de Egipto. 7 Sin embargo, los sacerdotes practicantes de magia hicieron la misma cosa por sus artes ocultas e hicieron subir las ranas sobre la tierra de Egipto.ᵍ 8 Con el tiempo Faraón llamó a Moisés y a Aarón y dijo: "Rueguen a Jehováʰ para que quite las ranas de mí y de mi pueblo, puesto que quiero enviar al pueblo para que haga sacrificios a Jehová".ⁱ 9 Entonces Moisés dijo a Faraón: "Toma de sobre mí la gloria de decir cuándo he de rogar por ti y tus siervos y tu pueblo a fin de cortar las ranas de ti y tus casas. Solo en el río Nilo quedarán". 10 A lo cual él dijo: "Mañana". De modo que [Moisés] dijo: "Será conforme a tu palabra, a fin de que

sepas que no hay otro como Jehová nuestro Dios,[a] 11 por cuanto las ranas ciertamente se apartarán de ti y tus casas y tus siervos y tu pueblo. Solo en el río Nilo quedarán".[b]

12 Por consiguiente, Moisés y Aarón salieron de donde Faraón, y Moisés clamó a Jehová[c] a causa de las ranas que Él había puesto sobre Faraón. 13 Entonces Jehová hizo conforme a la palabra de Moisés,[d] y las ranas empezaron a morir de las casas, los patios y los campos. 14 Y fueron juntándolas en montón sobre montón, y la tierra empezó a heder. 15 Cuando Faraón llegó a ver que se había efectuado el alivio, hizo insensible[f] su corazón; y no les escuchó, tal como había hablado Jehová.[g]

16 Jehová ahora dijo a Moisés: "Di a Aarón: 'Extiende tu vara[h] y golpea el polvo de la tierra, y tiene que convertirse en jejenes por toda la tierra de Egipto'". 17 Y procedieron a hacer esto. De modo que Aarón extendió su mano con su vara y golpeó el polvo de la tierra, y los jejenes llegaron a estar sobre hombre y bestia. Todo el polvo de la tierra se convirtió en jejenes en toda la tierra de Egipto.[i] 18 Y trataron de hacer lo mismo los sacerdotes practicantes de magia por sus artes ocultas,[j] a fin de producir jejenes, pero no pudieron.[k] Y los jejenes llegaron a estar sobre hombre y bestia. 19 Por lo tanto, los sacerdotes practicantes de magia dijeron a Faraón: "¡Es el dedo[l] de Dios!".[m] Pero el corazón de Faraón continuó obstinado,[n] y no les escuchó, tal como había hablado Jehová.

20 Entonces Jehová dijo a Moisés: "Levántate muy de mañana y toma una posición enfrente de Faraón.[o] ¡Mira! ¡Va a salir al agua! Y tienes que decirle: 'Esto es lo que ha dicho Jehová: "Envía a mi pueblo para que me sirva.[p] 21 Pero si no envías a mi pueblo, aquí voy a enviar

sobre ti y tus siervos y tu pueblo y en tus casas el tábano;[a] y simplemente estarán llenas del tábano las casas de Egipto, y también el suelo sobre el cual están. 22 Y ciertamente haré distinta en aquel día la tierra de Gosén sobre la cual está situado mi pueblo, para que no exista allí tábano alguno;[b] a fin de que sepas que yo soy Jehová en medio de la tierra.[c] 23 Y verdaderamente fijaré una demarcación entre mi pueblo y tu pueblo.[d] Mañana se efectuará esta señal'"'".

24 Y Jehová procedió a hacerlo así; y densos enjambres de tábanos empezaron a invadir la casa de Faraón y las casas de los siervos de este y toda la tierra de Egipto.[e] Quedó arruinada la tierra como resultado de los tábanos.[f] 25 Por fin Faraón llamó a Moisés y Aarón y dijo: "Vayan, hagan sacrificios a su Dios en el país".[g] 26 Pero Moisés dijo: "No es admisible hacerlo así, porque sacrificaríamos a Jehová nuestro Dios algo que es cosa detestable a los egipcios.[h] Suponiendo que sacrificáramos una cosa detestable a los egipcios delante de sus ojos; ¿no nos apedrearían? 27 Iremos camino de tres días al desierto y definitivamente haremos sacrificios a Jehová nuestro Dios tal como él nos lo ha dicho".[i]

28 Ahora Faraón dijo: "Yo... yo los enviaré,[j] y verdaderamente harán sacrificios a Jehová su Dios en el desierto.[k] Solo no hagan que sea tan lejos el lugar adonde van. Rueguen a favor de mí".[l] 29 Entonces Moisés dijo: "Mira que voy a salir de delante de ti, y verdaderamente rogaré a Jehová, y mañana los tábanos ciertamente se apartarán de Faraón, de sus siervos y de su pueblo. Solo que no vaya a burlarse de nuevo Faraón dejando de enviar al pueblo para hacer sacrificios a Jehová".[m] 30 Después de eso Moisés salió de donde Fa-

CAP. 8
a Éx 9:14
Ex 15:11
2Sa 7:22
Sl 83:18
Sl 86:8
Isa 46:9
Jer 10:6
Ro 9:17
b Éx 8:3
c Éx 8:30
Ex 9:33
Snt 5:16
d Dt 34:10
e Éx 7:21
f Éx 4:21
Ex 7:3
Pr 21:29
Ro 9:18
g Isa 26:10
Jer 34:11
h Éx 17:9
i Sl 105:31
j Éx 7:11
Ex 9:11
Da 1:20
2Ti 3:8
k Gé 41:8
Da 2:10
l Éx 31:18
Mt 12:28
Lu 11:20
m Éx 12:12
n Éx 14:8
Dt 2:30
Jos 11:20
1Sa 6:6
o Éx 7:15
p Éx 8:1

2.ª col.
a Sl 78:45
Sl 105:31
b Éx 9:4
Ex 10:23
Ex 11:7
Ex 12:13
c Éx 7:5
Ex 8:10
1Sa 17:46
1Re 20:28
2Re 19:19
Eze 34:30
d Mal 3:18
e Éx 8:3
f Sl 78:45
Sl 105:31
g Éx 5:2
Ex 7:2
h Gé 43:32
Gé 46:34
Gé 10:26
i Gé 8:20
Ex 3:12
Ex 3:18
Ex 5:3
j Éx 9:28
k Éx 7:16
l Éx 8:8
Ex 9:28
1Sa 12:19
Hch 8:24
m Éx 8:8
Ex 8:15
Sl 78:36
Gál 6:7

raón y le rogó a Jehová.[a]   31 De modo que Jehová hizo conforme a la palabra de Moisés,[b] y los tábanos se apartaron de Faraón, de sus siervos y de su pueblo.[c] No quedó ni uno.   32 Sin embargo, Faraón hizo insensible su corazón esta vez también y no envió al pueblo.[d]

9 En consecuencia, Jehová dijo a Moisés: "Entra a donde Faraón, y tienes que declararle:[e] 'Esto es lo que ha dicho Jehová el Dios de los hebreos: "Envía a mi pueblo para que me sirva. 2 Pero si continúas rehusando enviarlos y todavía los tienes asidos,[f]   3 ¡mira!, la mano[g] de Jehová va a venir sobre tu ganado[h] que está en el campo. Sobre los caballos, los asnos, los camellos, la vacada y el rebaño habrá una peste gravísima.[i]   4 Y Jehová ciertamente hará distinción entre el ganado de Israel y el ganado de Egipto, y no morirá ni una sola cosa de todo lo que pertenece a los hijos de Israel" '".[j]   5 Además, Jehová fijó un tiempo señalado, diciendo: "Mañana hará Jehová esta cosa en el país".[k]

6 Por consiguiente, Jehová hizo esta cosa al día siguiente, y empezó a morir toda suerte de ganado de Egipto;[l] pero no murió ni uno solo del ganado de los hijos de Israel.   7 Entonces envió Faraón, y, ¡mire!, no había muerto ni siquiera uno del ganado de Israel. No obstante, el corazón de Faraón continuó insensible,[m] y él no envió al pueblo.

8 Después de eso Jehová dijo a Moisés y a Aarón: "Llévense ambas manos llenas de hollín de un horno,[n] y Moisés tiene que aventarlo hacia los cielos a la vista de Faraón.   9 Y tiene que convertirse en polvo menudo sobre toda la tierra de Egipto, y tiene que convertirse en diviesos que hagan erupción en ampollas[o] sobre hombre y bestia en toda la tierra de Egipto".

10 De modo que ellos tomaron el hollín de un horno y estuvieron de pie delante de Faraón, y Moisés aventó [el hollín] hacia los cielos, y este se convirtió en diviesos con ampollas,[a] que les salieron a hombre y bestia. 11 Y los sacerdotes practicantes de magia no pudieron estar de pie ante Moisés como resultado de los diviesos, porque los diviesos se habían desarrollado en los sacerdotes practicantes de magia y en todos los egipcios.[b] 12 Pero Jehová dejó que el corazón de Faraón se hiciera obstinado, y este no les escuchó, tal como Jehová se lo había declarado a Moisés.[c]

13 Entonces Jehová dijo a Moisés: "Levántate muy de mañana y toma una posición enfrente de Faraón,[d] y tienes que decirle: 'Esto es lo que ha dicho Jehová el Dios de los hebreos: "Envía a mi pueblo para que me sirva.[e] 14 Porque en esta ocasión voy a enviar todos mis golpes contra tu corazón y sobre tus siervos y sobre tu pueblo, a fin de que sepas que no hay ninguno como yo en toda la tierra.[f] 15 Porque ya podría haber alargado mi mano para herirte a ti y a tu pueblo con peste y para que fueras raído de la tierra.[g] 16 Pero, en realidad, por esta causa te he mantenido en existencia,[h] a fin de mostrarte mi poder y para que mi nombre sea declarado en toda la tierra.[i] 17 ¿Todavía estás portándote altivamente contra mi pueblo al no enviarlo?[j] 18 ¡Mira!, voy a hacer que llueva mañana como a esta hora una granizada muy fuerte, tal como nunca ha sucedido una en Egipto desde el día en que se fundó hasta ahora.[k] 19 Y ahora envía, haz que se ponga al abrigo todo tu ganado y todo lo que es tuyo en el campo. En cuanto a todo hombre y bestia que se halle en el campo y no recogido en la casa, tendrá que

CAP. 8
a Éx 9:33
  Snt 5:16
b Sl 65:2
c 1Re 13:6
d Éx 4:21
  Pr 28:14
  Hch 28:27
  Ro 2:5
  Ro 9:18

CAP. 9
e Éx 5:1
  Éx 8:1
f Éx 4:23
  Éx 8:2
  Sl 68:21
  Pr 6:15
g Éx 7:4
  Éx 8:19
  1Sa 5:7
  Sl 39:10
h Sl 78:48
i Éx 9:15
  Sl 78:50
  Eze 14:21
  Am 4:10
j Éx 8:22
  Éx 10:23
  Éx 11:7
  Éx 12:13
  Isa 65:13
  Mal 3:18
k Éx 8:23
  Sl 76:12
l Sl 78:48
m Éx 4:21
  1Sa 6:6
  Job 9:4
  Pr 29:1
  Da 5:20
  Ro 9:18
n Gé 11:3
  Gé 19:28
o Le 13:18
  Dt 28:35
  Job 2:7

2.ᵃ col.
a Dt 28:27
b Éx 7:11
  Éx 8:18
  2Ti 3:8
c Éx 4:21
  Éx 8:32
  Éx 14:17
  Jos 11:20
  2Cr 36:13
  Sl 75:5
d Éx 7:15
e Éx 7:16
f Éx 8:10
  Dt 33:26
  2Sa 7:22
  Sl 71:19
  Sl 83:18
  Isa 45:5
  Isa 46:9
  Jer 10:7
g Éx 3:20
  Éx 9:3
h Éx 14:17
  Pr 16:4
i Jos 2:10
  1Cr 16:24
  Isa 63:12
  Mal 1:11
  Ro 9:17
j Job 9:4
  Isa 37:23
k Sl 78:47
  Sl 105:32

venir sobre ellos el granizo,[a] y tendrán que morir" '".

20 Cualquiera que temió la palabra de Jehová entre los siervos de Faraón hizo que sus propios siervos y su ganado huyeran a las casas,[b] 21 pero todo el que no fijó su corazón en hacer caso a la palabra de Jehová dejó a sus siervos y su ganado en el campo.[c]

22 Ahora Jehová dijo a Moisés: "Extiende tu mano[d] hacia los cielos, para que venga granizo[e] sobre toda la tierra de Egipto, sobre hombre y sobre bestia y sobre toda la vegetación del campo en la tierra de Egipto". 23 De modo que Moisés extendió su vara hacia los cielos; y Jehová dio truenos y granizo,[f] y fuego bajaba corriendo a la tierra, y Jehová siguió haciendo llover granizo sobre la tierra de Egipto. 24 Así que vino granizo, y fuego trémulo en medio del granizo. Era muy fuerte, de modo que no había ocurrido uno semejante en toda la tierra de Egipto desde el tiempo en que esta llegó a ser nación.[g] 25 Y el granizo fue hiriendo toda la tierra de Egipto. El granizo hirió todo lo que estaba en el campo, desde hombre hasta bestia, y toda clase de vegetación del campo; y destrozó toda clase de árboles del campo.[h] 26 Solo en la tierra de Gosén, donde estaban los hijos de Israel, no hubo granizo.[i]

27 Con el tiempo Faraón envió a llamar a Moisés y Aarón y les dijo: "He pecado esta vez.[j] Jehová es justo,[k] y yo y mi pueblo tenemos la culpa. 28 Rueguen a Jehová que baste con esto en cuanto a ocurrir truenos y granizo de Dios.[l] Entonces estoy dispuesto a enviarlos, y ya no se quedarán más". 29 De modo que le dijo Moisés: "Luego que salga de la ciudad extenderé las manos hacia Jehová.[m] Cesarán los truenos y no continuará más el granizo, para que sepas que a

Jehová pertenece la tierra.[a] 30 En cuanto a ti y tus siervos, yo ya sé que ni siquiera entonces mostrarán temor a causa de Jehová Dios".[b]

31 Ahora bien, el lino y la cebada habían sido heridos, porque la cebada estaba en la espiga y el lino tenía botones de flor.[c] 32 Pero el trigo y la espelta[d] no habían sido heridos, porque eran tardíos. 33 Moisés ahora salió de la ciudad de donde Faraón y extendió las manos hacia Jehová, y empezaron a cesar los truenos y el granizo, y la lluvia no descendió sobre la tierra.[e] 34 Cuando Faraón llegó a ver que la lluvia y el granizo y los truenos habían cesado, se puso a pecar de nuevo y a hacer insensible[f] su corazón, tanto él como sus siervos. 35 Y continuó obstinado el corazón de Faraón, y él no envió a los hijos de Israel, tal como había declarado Jehová por medio de Moisés.[g]

10 Entonces Jehová dijo a Moisés: "Entra a donde Faraón, porque yo... yo he dejado que se hagan insensibles[h] su corazón y el corazón de sus siervos, a fin de poner estas señales mías justamente delante de él,[i] 2 y a fin de que declares a oídos de tu hijo y del hijo de tu hijo cuán severamente he tratado con Egipto, y mis señales que he establecido entre ellos;[j] y ciertamente sabrán ustedes que yo soy Jehová".[k]

3 De modo que Moisés y Aarón entraron a donde Faraón y le dijeron: "Esto es lo que ha dicho Jehová el Dios de los hebreos: '¿Hasta cuándo tienes que rehusar someterte a mí?[l] Envía a mi pueblo para que me sirva. 4 Pues si continúas rehusando enviar a mi pueblo, ¡mira!, voy a traer dentro de tus límites, mañana, langostas.[m] 5 Y estas realmente cubrirán la superficie visible de la tierra y no será posible ver la tierra; y simplemente se comerán lo restante de lo que

CAP. 9
a Jos 10:11
b Pr 22:3
  Jon 3:5
c Éx 7:23
d Éx 7:19
e Éx 8:5
  Job 38:22
  Sl 78:47
  Sl 105:32
f Sl 148:8
  Isa 30:30
g Éx 9:18
h Sl 105:33
i Éx 8:22
  Éx 9:4
j 1Sa 26:21
  Sl 12:2
  Mt 27:4
k Sl 129:4
  Sl 145:17
  Da 9:14
  Ro 2:5
l Éx 8:8
  Éx 10:17
  Hch 8:24
m 1Re 8:22
  Esd 9:5
  Sl 143:6

2.ᵃ col.

a Dt 10:14
  Sl 24:1
  Sl 50:12
  1Co 10:26
b Pr 16:6
  Isa 26:10
  Lu 16:31
c Rut 1:22
d Isa 28:25
  Eze 4:9
e Éx 10:18
  Snt 5:17
f Éx 4:21
  Éx 8:15
  Dt 2:30
  Jos 11:20
  Ro 9:18
g Éx 7:4
  Éx 8:15

CAP. 10

h Éx 4:21
  Éx 9:34
  Sl 7:11
i Éx 7:4
  Éx 9:16
  1Sa 4:8
  Sl 78:12
  Sl 135:9
  Ro 9:17
j Éx 13:8
  Éx 10:2
  Dt 6:21
  Sl 44:1
  Sl 78:5
  Joe 1:3
k Éx 6:3
l Éx 9:17
  Éx 16:28
  Pr 18:12
  Isa 2:11
  Jer 13:18
m Sl 78:46
  Sl 105:34
  Pr 30:27
  Joe 1:4

ha escapado, lo que les fue dejado a ustedes por el granizo, y ciertamente comerán del campo todo árbol de ustedes que esté brotando.[a] 6 Y tus casas y las casas de todos tus siervos y las casas de todo Egipto se llenarán a tal grado como no lo han visto tus padres ni los padres de tus padres desde el día en que existieron sobre el suelo hasta el día de hoy' ".[b] Con eso, se volvió y salió de donde Faraón.[c]

7 Después de eso los siervos de Faraón le dijeron: "¿Hasta cuándo resultará este hombre como un lazo para nosotros?[d] Envía a los hombres para que sirvan a Jehová su Dios. ¿No sabes todavía que Egipto ha perecido?".[e] 8 De modo que se hizo que Moisés y Aarón volvieran a Faraón, y él les dijo: "Vayan, sirvan a Jehová su Dios.[f] ¿Quiénes en particular son los que van a ir?". 9 Entonces dijo Moisés: "Con nuestros jóvenes y con nuestros viejos iremos. Con nuestros hijos y con nuestras hijas,[g] con nuestras ovejas y con nuestro ganado vacuno iremos,[h] porque tenemos una fiesta para Jehová".[i] 10 A su vez él les dijo: "¡Resulte así, que Jehová esté con ustedes cuando yo los envíe a ustedes y a sus pequeñuelos![j] Miren, al contrario, algo malo es la intención de ustedes.[k] 11 ¡No sea así! Vayan, por favor, ustedes los que son hombres físicamente capacitados, y sirvan a Jehová, porque eso es lo que están tratando de conseguir". Con eso fueron expulsados de delante de Faraón.[l]

12 Jehová ahora dijo a Moisés: "Extiende[m] tu mano sobre la tierra de Egipto para las langostas, para que suban sobre la tierra de Egipto y se coman toda la vegetación de la tierra, todo lo que el granizo ha dejado que quede".[n] 13 En seguida extendió Moisés su vara sobre la tierra de Egipto, y Jehová hizo que un viento del este[o] soplara sobre el

país todo aquel día y toda la noche. Llegó la mañana y el viento del este trajo las langostas. 14 Y empezaron las langostas a subir sobre toda la tierra de Egipto y a posarse sobre todo el territorio de Egipto.[a] Fueron sumamente gravosas.[b] Antes de ellas nunca se habían presentado de esta manera langostas semejantes, y nunca se presentarán otras de esta manera después de ellas. 15 Y fueron cubriendo la superficie visible de todo el país,[c] y el país se oscureció;[d] y siguieron comiéndose toda la vegetación del país y todo el fruto de los árboles que el granizo había dejado;[e] y no quedó nada verde en los árboles ni en la vegetación del campo en toda la tierra de Egipto.[f]

16 De modo que Faraón, apresuradamente, llamó a Moisés y Aarón y dijo: "He pecado contra Jehová su Dios y contra ustedes.[g] 17 Y ahora perdonen,[h] por favor, mi pecado sólo esta vez y rueguen[i] a Jehová su Dios para que aparte de sobre mí tan solo esta plaga mortífera". 18 De modo que él salió de donde Faraón y rogó a Jehová.[j] 19 Entonces Jehová hizo un cambio a un viento muy fuerte del oeste, y este se llevó las langostas y las precipitó en el mar Rojo. No se dejó que quedara ni una sola langosta en todo el territorio de Egipto. 20 No obstante, Jehová dejó que el corazón de Faraón se hiciera obstinado,[k] y él no envió a los hijos de Israel.

21 Entonces Jehová dijo a Moisés: "Extiende tu mano hacia los cielos,[l] para que ocurra oscuridad sobre la tierra de Egipto, y la oscuridad pueda palparse". 22 Inmediatamente extendió Moisés su mano hacia los cielos, y empezó a acaecer una oscuridad tenebrosa en toda la tierra de Egipto por tres días.[m] 23 No se vieron unos a otros, y ninguno de ellos se levantó de su

CAP. 10
a Éx 9:32
Sl 105:35
Joe 2:3

b Éx 9:24
Joe 2:9

c Éx 11:8
Heb 11:27

d Pr 29:6

e Sl 107:34

f Éx 12:31

g Dt 31:12
Sl 148:12

h Gé 46:6
Gé 50:8
Éx 10:26

i Éx 3:18
Éx 5:1

j Éx 12:31

k 2Cr 32:15

l Éx 10:28

m Éx 7:19

n Dt 28:38
Joe 2:3

o Gé 41:6
Éx 14:21
Sl 78:26
Jon 4:8

2.ª col.
a Sl 78:46
Sl 105:34

b Éx 10:5

c Joe 1:6

d Joe 2:10

e Sl 105:35

f Joe 1:7
Joe 2:3

g Éx 9:27
1Sa 26:21

h Sl 76:12

i Éx 9:28
1Re 13:6
Hch 8:24

j Éx 8:30

k Éx 7:3
Éx 11:10
Jn 12:40
Ro 9:18

l Éx 8:5

m Sl 105:28
Am 5:8

propio lugar por tres días; pero para todos los hijos de Israel resultó que hubo luz en sus moradas.[a] 24 Después de eso llamó Faraón a Moisés y dijo: "Vayan, sirvan a Jehová. Solo sus ovejas y su ganado vacuno serán detenidos. Sus pequeñuelos también pueden ir con ustedes".[c] 25 Pero dijo Moisés: "Tú mismo también darás en nuestras manos sacrificios y ofrendas quemadas, puesto que tenemos que ofrecerlos a Jehová nuestro Dios.[d] 26 Y nuestro ganado también irá con nosotros.[e] No se dejará que quede ni una sola pezuña, porque de ellos tomaremos algunos para adorar a Jehová nuestro Dios,[f] y nosotros mismos no sabemos qué ofreceremos en adoración a Jehová hasta que lleguemos allá".[g] 27 Con eso, Jehová dejó que el corazón de Faraón se hiciera obstinado, y él no consintió en enviarlos.[h] 28 De modo que Faraón le dijo: "¡Vete de mí![i] ¡Cuídate! No trates de volver a ver mi rostro, porque en el día que veas mi rostro morirás".[j] 29 A lo cual dijo Moisés: "De esa manera has hablado. Ya no trataré de ver tu rostro".[k]

11 Y Jehová procedió a decir a Moisés: "Una plaga más voy a traer sobre Faraón y Egipto. Después de eso él los enviará de aquí.[l] Al tiempo que los envíe del todo, literalmente los expulsará de aquí.[m] 2 Habla, ahora, a oídos del pueblo, para que cada hombre pida a su compañero y cada mujer a su compañera objetos de plata y objetos de oro".[n] 3 En conformidad, Jehová dio al pueblo favor a los ojos de los egipcios.[o] El hombre Moisés también era muy grande en la tierra de Egipto, a los ojos de los siervos de Faraón y a los ojos del pueblo.

4 Y Moisés pasó a decir: "Esto es lo que ha dicho Jehová: 'Como a la medianoche voy a salir en medio de Egipto,[q] 5 y tiene

que morir todo primogénito[a] en la tierra de Egipto, desde el primogénito de Faraón que está sentado sobre su trono hasta el primogénito de la sierva que está junto al molino de mano, y todo primogénito de bestia.[b] 6 Y ciertamente ocurrirá un gran alarido en toda la tierra de Egipto, como el cual nunca ha ocurrido uno todavía, y como el cual nunca volverá a efectuarse uno.[c] 7 Pero contra cualquiera de los hijos de Israel no moverá agitadamente ningún perro su lengua, desde hombre hasta bestia;[d] a fin de que ustedes que Jehová puede hacer distinción entre los egipcios y los hijos de Israel'.[e] 8 Y todos estos siervos tuyos ciertamente descenderán a mí y se postrarán delante de mí,[f] diciendo: 'Vete, tú y todo el pueblo que sigue tus pasos'. Y después de eso yo saldré". Con eso, salió de donde Faraón en ardor de cólera.

9 Entonces Jehová dijo a Moisés: "No les escuchará Faraón,[g] a fin de que sean aumentados mis milagros en la tierra de Egipto".[h] 10 Y Moisés y Aarón ejecutaron todos estos milagros delante de Faraón;[i] pero Jehová dejaba que el corazón de Faraón se hiciera obstinado, de modo que él no envió a los hijos de Israel de su tierra.[j]

12 Ahora Jehová dijo a Moisés y Aarón en la tierra de Egipto: 2 "Este mes será para ustedes el comienzo de los meses. Será para ustedes el primero de los meses del año.[k] 3 Hablen a toda la asamblea de Israel, y digan: 'El día diez de este mes han de tomar para sí cada cual una oveja[l] para la casa ancestral, una oveja por casa. 4 Pero si la familia resulta demasiado pequeña para la oveja, entonces él y su vecino próximo tienen que llevarla a su casa, según el número de almas; deben computar a cada uno en proporción con lo que come, en lo que

CAP. 10
a Éx 8:22
  Éx 9:6
  Éx 9:26
  Mal 3:18
b Éx 8:28
  Éx 9:28
c Gé 34:23
  Éx 10:10
d Éx 3:18
  Éx 5:3
  Éx 8:27
e Éx 12:32
f Mal 1:11
g Pr 3:9
h Éx 4:21
  Éx 14:4
  Ro 9:18
i Éx 10:11
j 2Cr 16:10
k Heb 11:27

CAP. 11
l Éx 12:31
  Dt 4:34
m Éx 3:20
  Éx 12:32
n Éx 3:22
  Éx 12:35
  Sl 105:37
  Pr 13:22
o Éx 3:21
  Éx 12:36
p 2Sa 7:9
  Est 9:4
  Hch 7:22
q Éx 12:29
  Am 4:10

2.ª col.
a Éx 4:23
  Éx 13:15
  Sl 78:51
  Sl 105:36
  Sl 136:10
  Heb 11:28
b Éx 12:12
  Sl 135:8
c Éx 12:30
d Jos 10:21
e Éx 8:22
  Éx 9:4
  Éx 10:23
  Éx 12:13
  Sl 91:7
  Mal 3:18
f Éx 12:33
g Éx 3:19
  Éx 7:4
  Ro 9:18
h Éx 7:3
  Jer 32:20
i Sl 135:9
j Éx 4:21
  Éx 9:16
  Éx 10:20
  1Sa 6:6
  Isa 26:10

CAP. 12
k Éx 13:4
  Éx 23:15
  Éx 34:18
  Nú 28:16
  Dt 16:1
  Est 3:7
l Gé 22:8
  Jn 1:29
  1Co 5:7
  Rev 5:6
  Rev 7:10

toca a la oveja. 5 La oveja debe resultar sana,[a] macho, de un año de edad, para ustedes.[b] Pueden escoger de los carneros jóvenes o de las cabras. 6 Y tiene que continuar bajo salvaguardia de parte de ustedes hasta el día catorce de este mes,[c] y toda la congregación de la asamblea de Israel tiene que degollarlo entre las dos tardes.[d] 7 Y ellos tienen que tomar parte de la sangre y salpicarla sobre las dos jambas de la puerta y sobre la parte superior de la entrada de las casas en las cuales lo comerán.[e]

8 " 'Y tienen que comer la carne esa misma noche.[f] Deben comerla asada al fuego y con tortas no fermentadas[g] junto con verduras amargas.[h] 9 No coman nada de él crudo ni hervido, cocido en agua, sino asado al fuego, su cabeza junto con sus canillas y sus partes interiores. 10 Y no deben dejar que nada de él quede hasta la mañana, sino que lo que de él sobre hasta la mañana lo deben quemar con fuego.[i] 11 Y de esta manera deben comerlo: teniendo ustedes ceñidas las caderas,[j] sandalias[k] en sus pies y su bastón en la mano; y tienen que comerlo apresuradamente. Es la pascua de Jehová.[l] 12 Y tengo que pasar por la tierra de Egipto esta noche[m] y herir a todo primogénito en la tierra de Egipto, desde hombre hasta bestia;[n] y en todos los dioses de Egipto ejecutaré juicios.[o] Yo soy Jehová.[p] 13 Y la sangre tiene que servirles de señal suya sobre las casas donde estén; y tengo que ver la sangre y pasarlos por alto,[q] y no vendrá sobre ustedes la plaga como arruinamiento cuando hiera yo a la tierra de Egipto.

14 " 'Y este día tiene que servirles de memoria, y tienen que celebrarlo con fiesta a Jehová durante todas sus generaciones. Como estatuto hasta tiempo indefinido deben celebrarlo. 15 Siete días han de comer tor-

tas no fermentadas. Sí, en el primer día han de quitar la masa fermentada de sus casas, porque el que coma lo leudado, desde el primer día hasta el séptimo,[a] esa alma tiene que ser cortada de Israel.[b] 16 Y el primer día ha de efectuarse para ustedes una convocación santa, y el día séptimo una convocación santa.[c] No ha de hacerse ningún trabajo en ellos.[d] Solo lo que cada alma necesite comer, solo eso puede hacerse para ustedes.[e]

17 " 'Y tienen que guardar la fiesta de las tortas no fermentadas,[f] porque en este mismo día tengo que sacar de la tierra de Egipto a los ejércitos de ustedes. Y tienen que guardar este día durante todas sus generaciones como estatuto hasta tiempo indefinido. 18 En el primer mes, el día catorce del mes, por la tarde han de comer tortas no fermentadas hasta la tarde del día veintiuno del mes.[g] 19 Por siete días no ha de hallarse masa fermentada en sus casas, porque cualquiera que guste lo leudado, sea residente forastero o natural del país,[h] esa alma tiene que ser cortada de la asamblea de Israel.[i] 20 Nada leudado han de comer ustedes. En todas sus moradas han de comer tortas no fermentadas' ".

21 En seguida llamó Moisés a todos los ancianos de Israel[j] y les dijo: "Saquen y tomen para ustedes mismos ganado menor según sus familias, y degüellen la víctima pascual.[k] 22 Y tienen que tomar un manojo de hisopo[l] y mojarlo en la sangre en una fuente y golpear la parte superior de la entrada y las dos jambas de la puerta con parte de la sangre que está en la fuente; y ninguno de ustedes debe salir de la entrada de su casa hasta la mañana. 23 Entonces, cuando Jehová de veras pase para plagar a los egipcios y de seguro vea la sangre sobre la parte superior de la entrada y sobre las dos jambas

CAP. 12

a Le 22:19
Dt 17:1
Mal 1:14
Heb 7:26
Heb 9:14
1Pe 1:19
b Le 1:3
Le 23:12
c Nú 28:16
Eze 45:21
d Éx 12:18
Éx 16:12
Le 23:5
Nú 9:3
Dt 16:6
e 1Co 5:7
Ef 1:7
Heb 11:28
1Pe 1:2
f Dt 16:7
Mt 26:17
g Éx 13:3
Éx 34:25
Dt 16:3
1Co 5:8
h Éx 1:14
Nú 9:11
i Le 7:15
Le 22:30
Dt 16:4
j Lu 12:35
Ef 6:14
1Pe 1:13
k Ef 6:15
l Nú 28:16
Dt 16:6
m Éx 11:4
Am 5:17
n Éx 11:5
Éx 12:29
o Nú 33:4
Isa 19:1
Jer 43:13
Sof 2:11
p 1Co 8:6
q Mt 20:28
Ro 5:9
Heb 11:28
1Jn 1:7

2.ª col.

a Éx 23:15
Le 23:6
b Nú 9:13
c Le 23:4
d Mt 12:1
e Mt 12:1
f Le 23:6
Lu 22:1
1Co 5:8
g Le 23:5
Le 23:6
Eze 45:21
h Éx 12:49
Nú 9:14
Dt 16:3
Le 23:7
i Nú 9:13
j Éx 3:16
Éx 19:7
Nú 11:16
k Nú 9:2
Jos 5:10
2Re 23:21
2Cr 35:6
Esd 6:20
Lu 22:7
l Le 14:6
Sl 51:7
Heb 9:19

de la puerta, Jehová ciertamente pasará por alto la entrada, y no permitirá que el arruinamiento entre en las casas de ustedes para plagarlos.[a]

24 "Y ustedes tienen que guardar esta observancia como disposición reglamentaria[b] para ti y tus hijos hasta tiempo indefinido.[c] 25 Y tiene que suceder que cuando entren en la tierra que Jehová les dará, tal como él lo ha declarado, entonces tienen que guardar este servicio.[d] 26 Y tiene que suceder que cuando sus hijos les digan: '¿Qué significa este servicio para ustedes?',[e] 27 entonces tienen que decir: 'Es el sacrificio de la pascua a Jehová,[f] que pasó por alto las casas de los hijos de Israel en Egipto cuando plagó a los egipcios, pero libró nuestras casas'".

Entonces el pueblo se inclinó y se postró.[g] 28 Posteriormente, los hijos de Israel fueron e hicieron tal como Jehová había mandado a Moisés y Aarón.[h] Hicieron precisamente así.

29 Y sucedió que a medianoche Jehová hirió a todo primogénito en la tierra de Egipto,[i] desde el primogénito de Faraón sentado sobre su trono hasta el primogénito del cautivo que estaba en el hoyo carcelario, y todo primogénito de bestia.[j] 30 Entonces se levantó Faraón de noche, él y todos sus siervos y todos los [demás] egipcios; y empezó a alzarse un gran alarido entre los egipcios,[k] porque no había casa en que no hubiera un muerto. 31 En seguida él llamó a Moisés y Aarón de noche y dijo: "Levántense, salgan de en medio de mi pueblo, tanto ustedes como los [demás] hijos de Israel, y vayan, sirvan a Jehová, tal como han declarado.[m] 32 Llévense sus rebaños así como también sus vacadas, tal como han declarado,[n] y váyanse. También, tienen que bendecirme además".

33 Y los egipcios empezaron

CAP. 12
a Isa 37:36
  Eze 9:6
  Heb 11:28
b Le 23:4
  Dt 16:3
c Ef 2:15
  Col 2:14
  Heb 8:13
d Jos 5:10
  Sl 105:45
e Éx 13:8
  Dt 6:7
  Jos 4:6
  Sl 78:6
  Sl 145:4
f Éx 34:25
  Dt 16:2
  1Co 5:7
g Éx 4:31
  Ne 8:6
h Heb 11:28
i Gé 15:14
  Nú 33:4
  Sl 78:51
  Sl 105:36
  Sl 136:10
  Heb 11:28
j Éx 11:5
  Nú 3:13
  Sl 135:8
k Éx 11:6
  Le 10:29
m Éx 3:20
  Éx 6:1
  Éx 10:9
  Sl 105:38
n Éx 10:26

2.ª col.

a Éx 12:11
b Gé 20:3
  Éx 10:7
  Nú 17:12
c Gé 15:14
  Éx 3:21
  Éx 11:2
  Sl 105:37
d Éx 11:3
  Pr 16:7
e Dt 15:15
f Éx 3:22
g Gé 47:11
h Nú 33:5
i Gé 12:2
  Gé 15:5
  Gé 46:3
  Éx 1:7
  Éx 38:26
  Nú 2:32
  Nú 11:21
j Nú 11:4
  Zac 8:23
k Éx 6:1
  Éx 11:1
  Éx 12:31
l Gé 12:4
  Gé 21:5
  Gé 25:26
  Gé 47:9
m Gé 46:3
  Gé 47:27
  Hch 13:17
n Gé 15:13
  Hch 7:6
  Gál 3:17
o Éx 7:4
p Éx 12:14
  Dt 16:1

a instar al pueblo para enviarlo apresuradamente[a] fuera del país, "porque —decían— ¡todos podemos darnos por muertos!".[b] 34 Por consiguiente, el pueblo cargó su masa de harina antes que se leudara, con sus artesas envueltas en sus mantos sobre su hombro. 35 Y los hijos de Israel hicieron conforme a la palabra de Moisés, por cuanto fueron pidiendo a los egipcios objetos de plata y objetos de oro y mantos.[c] 36 Y Jehová dio favor al pueblo a los ojos de los egipcios,[d] de modo que estos les concedieron lo que se pidió;[e] y ellos despojaron a los egipcios.[f]

37 Y los hijos de Israel procedieron a partir de Ramesés[g] para Sucot,[h] en número de seiscientos mil hombres físicamente capacitados a pie, además de pequeñuelos.[i] 38 Y también subió con ellos una vasta compañía mixta,[j] así como también rebaños y vacadas, un numerosísimo conjunto de animales. 39 Y de la masa de harina que habían sacado de Egipto empezaron a cocer tortas redondas, tortas no fermentadas, porque no se había leudado, por cuanto habían sido expulsados de Egipto y no habían podido demorarse, y además no habían preparado para sí provisiones.[k]

40 Y la morada de los hijos de Israel, que habían morado[l] en Egipto,[m] fue de cuatrocientos treinta años.[n] 41 Y aconteció al cabo de los cuatrocientos treinta años, sí, aconteció en este mismo día, que todos los ejércitos de Jehová salieron de la tierra de Egipto.[o] 42 Es noche de observancia con respecto a Jehová por haberlos sacado de la tierra de Egipto. Con respecto a Jehová, esta noche es una de observancia de parte de todos los hijos de Israel durante todas sus generaciones.[p]

43 Y pasó Jehová a decir a Moisés y Aarón: "Este es el esta-

tuto de la pascua:[a] Ningún extranjero puede comer de ella.[b] 44 Pero donde haya un esclavo comprado con dinero, tienes que circuncidarlo.[c] Entonces por primera vez puede participar en comerla. 45 El poblador y el trabajador asalariado no pueden comer de ella. 46 En una misma casa ha de comerse. No debes sacar de la casa nada de la carne a algún lugar afuera. Y no deben quebrarle hueso alguno.[d] 47 Toda la asamblea de Israel ha de celebrarla.[e] 48 Y en caso de que un residente forastero resida contigo como forastero y realmente quiera celebrar la pascua a Jehová, que haya un circuncidar de todo varón suyo.[f] Entonces por primera vez podrá acercarse para celebrarla; y tiene que llegar a ser como un natural del país. Pero ningún incircunciso podrá comer de ella. 49 Una sola ley ha de existir para el natural y para el residente forastero que reside como forastero en medio de ustedes".[g]

50 De modo que todos los hijos de Israel hicieron tal como Jehová había mandado a Moisés y Aarón. Hicieron precisamente así.[h] 51 Y en aquel mismo día sucedió que Jehová sacó de la tierra de Egipto a los hijos de Israel junto con sus ejércitos.[i]

13 Y Jehová habló adicionalmente a Moisés, y dijo: 2 "Santifícame todo primogénito varón que abre cada matriz entre los hijos de Israel, entre hombres y bestias. Es mío".[j]

3 Y Moisés pasó a decir al pueblo: "Que haya un recordar este día en que salieron ustedes de Egipto,[k] de la casa de esclavos, porque por fuerza de mano los sacó Jehová de aquí.[l] De modo que no puede comerse nada leudado.[m] 4 Hoy van a salir en el mes de Abib.[n] 5 Y tiene que suceder que cuando Jehová te haya introducido en la tierra de los cananeos y de los

hititas y de los amorreos y de los heveos y de los jebuseos,[a] la cual juró a tus antepasados darte,[b] tierra que mana leche y miel,[c] entonces tienes que prestar este servicio en este mes. 6 Siete días has de comer tortas no fermentadas,[d] y el séptimo día es fiesta a Jehová.[e] 7 Han de comerse tortas no fermentadas por los siete días;[f] y no ha de verse contigo nada leudado,[g] y no ha de verse contigo masa fermentada dentro de todos tus límites.[h] 8 Y tienes que informar a tu hijo en aquel día, diciendo: 'Es a causa de aquello que Jehová hizo por mí cuando salí de Egipto'.[i] 9 Y tiene que servirte de señal sobre tu mano y de memoria entre tus ojos,[j] para que la ley de Jehová resulte estar en tu boca;[k] porque por mano fuerte te sacó Jehová de Egipto.[l] 10 Y tienes que guardar este estatuto en su tiempo señalado de año en año.[m]

11 "Y tiene que suceder que cuando Jehová te introduzca en la tierra de los cananeos,[n] tal como les ha jurado a ti y a tus antepasados,[o] y cuando de veras te la dé,[o] 12 entonces tienes que dar por entero a Jehová todo el que abre la matriz,[p] y todo primer parto, la cría de la bestia,[q] que llegue a ser tuyo. Los machos pertenecen a Jehová.[r] 13 Y todo primer parto de asno lo has de redimir con una oveja, y si no quieres redimirlo, entonces tienes que quebrarle la cerviz.[s] Y todo primogénito de hombre entre tus hijos, lo has de redimir.[t]

14 "Y tiene que suceder que en caso de que tu hijo te pregunte más tarde,[u] diciendo: '¿Qué significa esto?', entonces tienes que decirle: 'Por fuerza de mano nos sacó Jehová de Egipto,[v] de la casa de esclavos,[w] 15 Y aconteció que Faraón mostró obsti-

CAP. 12
a Le 23:5
Nú 9:14
Dt 16:2
Jos 5:10
Mr 14:1
b Le 22:10
Ef 2:12
c Gé 17:12
Gé 17:23
d Nú 9:12
Sl 34:20
Jn 19:33
Jn 19:36
e Nú 9:14
f Gé 17:12
g Le 24:22
Nú 15:16
Gál 3:28
Col 3:11
h Éx 7:6
Éx 39:32
Dt 12:32
i Éx 6:26
Éx 13:18

CAP. 13
j Le 27:26
Nú 3:13
Nú 18:15
Dt 15:19
Lu 2:23
k Éx 12:42
Dt 16:3
l Éx 6:1
Dt 4:34
Ne 9:10
m Éx 12:20
1Co 5:7
n Éx 23:15
Éx 34:18
Dt 16:1

2.ᵃcol.
a Éx 3:8
Éx 34:11
1Re 9:20
b Gé 15:18
Éx 6:8
Hch 7:5
c Éx 3:17
Dt 6:3
Dt 8:8
d Éx 12:15
Éx 34:18
1Co 5:8
e Éx 10:9
Le 23:8
Lu 22:1
f Éx 23:15
Dt 16:3
g Éx 12:19
h Éx 12:27
i Éx 12:14
Dt 6:8
Dt 11:18
k Pr 23:16
k Éx 7:4
m Éx 12:24
Éx 23:15
Dt 16:3
n Ne 9:24
o Gé 15:18
Sl 105:42
p Nú 3:13
q Le 27:26

r Éx 22:29; Éx 34:19; Nú 8:17; Dt 15:19; Lu 2:23;
s Éx 34:20; t Nú 18:15; u Éx 12:26; Dt 6:20; Sl 145:4; v Dt 26:8; w Dt 7:8.

nación en cuanto a enviarnos,[a] y Jehová procedió a matar a todo primogénito de la tierra de Egipto,[b] desde el primogénito de hombre hasta el primogénito de bestia.[c] Por eso voy a sacrificar a Jehová todos los machos que abren la matriz,[d] y a todo primogénito de mis hijos redimo'.[e] 16 Y tiene que servir de señal sobre tu mano y de venda frontal entre tus ojos,[f] porque por fuerza de mano nos sacó Jehová de Egipto'.[g]

17 Y aconteció, al tiempo en que Faraón envió al pueblo, que Dios no los guió por el camino de la tierra de los filisteos simplemente porque estaba cerca, porque dijo Dios: "Puede ser que el pueblo sienta pesar al ver guerra y ciertamente se vuelva a Egipto".[h]   18 Por lo tanto, Dios hizo que el pueblo rodeara por el camino del desierto del mar Rojo.[i] Pero fue en orden de batalla como subieron los hijos de Israel de la tierra de Egipto.[j]   19 Y Moisés llevaba consigo los huesos de José, porque este había hecho jurar solemnemente a los hijos de Israel, diciendo: "Dios sin falta dirigirá su atención a ustedes,[k] y tienen que llevar mis huesos de aquí con ustedes".[l]   20 Y procedieron a partir de Sucot y a acampar en Etam en la orilla del desierto.[m]

21 Y Jehová iba delante de ellos durante el día en una columna de nube para guiarlos por el camino,[n] y durante la noche en una columna de fuego para darles luz, para ir de día y de noche.[o]   22 La columna de nube no se alejaba de delante del pueblo durante el día, ni la columna de fuego durante la noche.[p]

14 Jehová ahora habló a Moisés, diciendo: 2 "Habla a los hijos de Israel, que se vuelvan y acampen delante de Pihahirot, entre Migdol y el mar, a vista de Baal-zefón.[q] Frente a él han de acampar junto al mar.

3 Entonces ciertamente dirá Faraón respecto a los hijos de Israel: 'Andan errantes en confusión en la tierra. El desierto los tiene encerrados'.[a]   4 De modo que yo realmente dejaré que se haga obstinado[b] el corazón de Faraón, y él ciertamente correrá tras ellos, y yo me conseguiré gloria por medio de Faraón y de todas sus fuerzas militares;[c] y los egipcios ciertamente sabrán que yo soy Jehová".[d] Por consiguiente, ellos hicieron precisamente aquello.

5 Más tarde, al rey de Egipto se dio informe de que el pueblo había huido. Inmediatamente se mudó el corazón de Faraón, y también el de sus siervos, respecto al pueblo,[e] de modo que dijeron: "¿Qué es esto que hemos hecho, de haber enviado a Israel de servirnos como esclavo?".[f]   6 De modo que él procedió a alistar sus carros de guerra, y tomó consigo a su pueblo.[g]   7 Y procedió a tomar seiscientos carros[h] escogidos y todos los demás carros de Egipto, y guerreros sobre cada uno de ellos.   8 Así dejó Jehová que se hiciera obstinado[i] el corazón de Faraón, el rey de Egipto, y este se fue corriendo tras los hijos de Israel, mientras los hijos de Israel iban saliendo con mano alzada.[j]   9 Y los egipcios se fueron corriendo tras ellos, y todos los caballos de los carros de Faraón y sus soldados de caballería[k] y sus fuerzas militares iban alcanzándolos mientras estaban acampados junto al mar, junto a Pihahirot, a vista de Baal-zefón.[l]

10 Cuando Faraón logró acercarse, los hijos de Israel empezaron a alzar los ojos, y aquí venían los egipcios marchando tras ellos; y a los hijos de Israel les dio mucho miedo,[m] y empezaron a clamar a Jehová.[m]   11 Y se pusieron a decir a Moisés: "¿Es porque no hay absolutamente ninguna sepultura en Egipto por lo que nos has traído acá a morir en

CAP. 13
a Éx 5:2
b Sl 78:51
  Sl 135:8
c Éx 11:5
  Éx 12:29
d Éx 13:2
  Éx 13:12
  Dt 21:17
e Éx 6:6
f Éx 6:8
  Dt 11:18
g Éx 6:1
  Jud 5
h Éx 14:11
  Éx 16:3
  Nú 14:3
  Ne 9:17
  Heb 7:39
i Éx 14:2
  Nú 33:5
j Éx 12:51
k Sl 135:4
  Lu 1:68
  Lu 7:16
l Gé 50:25
  Jos 24:32
  Heb 11:22
m Nú 33:6
n Éx 14:19
  Nú 9:15
  Dt 1:33
  Ne 9:12
  Sl 99:7
o Éx 14:24
  Nú 14:14
  Sl 78:14
p Sl 105:39
  1Co 10:1

CAP. 14
q Éx 13:18
  Nú 33:7

2.ª col.
a Sl 71:11
b Éx 4:21
  Éx 7:13
  Ro 9:18
c Éx 9:16
  Éx 15:11
  Éx 18:11
  Jos 2:10
  Ne 9:11
  Isa 2:11
  Ro 9:17
d Éx 7:5
  Éx 8:22
  Sl 83:18
  Eze 26:6
e Éx 12:33
  Sl 105:25
f Jue 6:8
  1Sa 2:27
  1Sa 6:6
g Éx 14:23
h Jos 17:16
  Jue 4:3
i Éx 7:3
  Dt 2:30
  Jos 11:20
  Sl 10:2
  Pr 16:18
j Nú 33:3
k Éx 15:19
l Éx 15:9
m Jos 24:7
  Ne 9:9
  Sl 34:17
  Sl 107:6

el desierto?[a] ¿Qué es esto que nos has hecho, al habernos sacado de Egipto? 12 ¿No es esta la palabra que te hablamos en Egipto, diciendo: 'Déjanos, para que sirvamos a los egipcios'? Porque nos es mejor servir a los egipcios que morir en el desierto".[b] 13 Entonces Moisés dijo al pueblo: "No tengan miedo.[c] Estén firmes y vean la salvación de Jehová, que él ejecutará para ustedes hoy.[d] Pues a los egipcios que ustedes realmente ven hoy, no los volverán a ver, no, nunca jamás.[e] 14 Jehová mismo peleará por ustedes,[f] y ustedes mismos guardarán silencio".

15 Jehová ahora dijo a Moisés: "¿Por qué sigues clamando a mí?[g] Habla a los hijos de Israel para que levanten el campamento. 16 En cuanto a ti, alza tu vara[h] y extiende tu mano sobre el mar y pártelo,[i] para que los hijos de Israel vayan por en medio del mar en tierra seca.[j] 17 En cuanto a mí, ¡mira!, voy a dejar que se haga obstinado[k] el corazón de los egipcios, para que entren tras ellos y para que yo me consiga gloria por medio de Faraón y todas sus fuerzas militares, sus carros de guerra y sus soldados de caballería.[l] 18 Y los egipcios ciertamente sabrán que yo soy Jehová cuando me consiga gloria por medio de Faraón, sus carros de guerra y sus soldados de caballería".[m]

19 Entonces el ángel[n] del Dios [verdadero] que iba delante del campamento de Israel partió y se puso detrás de ellos, y la columna de nube partió de la vanguardia de ellos y se situó detrás de ellos.[o] 20 De manera que se introdujo entre el campamento de los egipcios y el campamento de Israel.[p] Por una parte resultaba ser una nube junto con oscuridad. Por otra parte seguía alumbrando la noche.[q] Y este grupo no se acercó a aquel grupo durante toda la noche.

21 Moisés ahora extendió su mano sobre el mar;[a] y Jehová empezó a hacer que el mar se retirara por un fuerte viento del este durante toda la noche, y que la cuenca del mar se convirtiera en suelo seco,[b] y se iba efectuando una partición de las aguas.[c] 22 Por fin los hijos de Israel fueron por en medio del mar sobre tierra seca,[d] mientras las aguas eran un muro para ellos a su derecha y a su izquierda.[e] 23 Y los egipcios emprendieron la persecución, y todos los caballos de Faraón, sus carros de guerra y sus soldados de caballería empezaron a entrar tras ellos,[f] en medio del mar. 24 Y durante la vigilia matutina aconteció que Jehová empezó a mirar hacia el campamento de los egipcios desde dentro de la columna de fuego y nube,[g] y empezó a poner en confusión el campamento de los egipcios.[h] 25 Y siguió quitándoles ruedas a sus carros, de modo que los conducían con dificultad;[i] y los egipcios empezaron a decir: "Huyamos de todo contacto con Israel, porque Jehová ciertamente pelea por ellos contra los egipcios".[j]

26 Por fin Jehová dijo a Moisés: "Extiende tu mano sobre el mar,[k] para que las aguas se vuelvan sobre los egipcios, sus carros de guerra y sus soldados de caballería". 27 En seguida extendió Moisés su mano sobre el mar, y el mar empezó a volver a su estado normal al amanecer. Mientras tanto los egipcios huían para no encontrarse con él, pero Jehová sacudió a los egipcios, echándolos en medio del mar.[l] 28 Y las aguas siguieron regresando.[m] Finalmente cubrieron los carros de guerra y a los soldados de caballería que pertenecían a todas las fuerzas militares de Faraón y que habían entrado en el mar tras ellos.[n] No se dejó que quedara ni siquiera uno solo de entre ellos.[o]

CAP. 14

a Éx 16:3
Éx 17:3
Nú 14:2
Sl 106:7
b Éx 5:21
Éx 6:9
Heb 3:16
Heb 10:38
c Nú 14:9
Dt 20:3
2Cr 20:15
Sl 27:1
Sl 46:1
Isa 41:10
d 2Cr 20:17
Pr 29:25
e Éx 14:30
Éx 15:5
Sl 136:15
Pr 16:4
Ne 9:11
f Dt 1:30
Dt 20:4
2Cr 20:29
g Jos 7:10
h Éx 4:20
Éx 17:9
i Sl 78:13
j Ne 9:11
k Éx 4:21
Éx 7:13
Ro 9:18
l Éx 9:16
Jos 24:6
Ro 9:17
m Éx 14:4
n Gé 48:16
Éx 32:34
Nú 20:16
Jud 9
o Éx 13:21
Sl 34:7
Isa 52:12
p Jos 24:7
q Sl 105:39

2.ª col.

a Éx 14:16
Hch 7:36
b Jos 2:10
Sl 66:6
Sl 106:9
Sl 114:3
Isa 51:10
c Ne 9:11
Sl 78:13
Sl 136:13
Isa 63:12
d Éx 15:19
Nú 33:8
Isa 63:13
1Co 10:1
Heb 11:29
e Éx 15:8
Éx 14:17
Sl 10:2
g Éx 13:21
h Éx 23:27
1Sa 5:11
1Sa 14:15
Sl 18:14
i Sl 76:6
j Éx 14:4
Dt 3:22
1Sa 4:8
k Éx 7:19
Éx 8:5
l Éx 15:1
m Éx 15:10
Dt 11:4
Ne 9:11
Sl 78:53
Heb 11:29
n Gé 15:14
Éx 14:23
Jos 24:7

o Éx 14:13; Sl 106:11; Sl 136:15.

29 En cuanto a los hijos de Israel, anduvieron en tierra seca en medio del lecho del mar,[a] y las aguas fueron para ellos un muro a su derecha y a su izquierda.[b] 30 Así salvó Jehová en aquel día a Israel de mano de los egipcios,[c] e Israel alcanzó a ver a los egipcios muertos en la orilla del mar.[d] 31 Israel también alcanzó a ver la gran mano que Jehová puso en acción contra los egipcios; y el pueblo empezó a temer a Jehová y a poner fe en Jehová y en Moisés su siervo.[e]

15 En aquella ocasión Moisés y los hijos de Israel procedieron a cantar esta canción a Jehová, y a decir lo siguiente:[f]

"Cante yo a Jehová, porque se ha ensalzado soberanamente.[g]
Al caballo y a su jinete ha lanzado en el mar.[h]
2 Mi fuerza y [mi] poderío es Jah,[i] puesto que él sirve para mi salvación.[j]
Este es mi Dios, y yo lo elogiaré;[k] el Dios de mi padre,[l] y lo enalteceré.[m]
3 Jehová es persona varonil de guerra.[n] Jehová es su nombre.[o]
4 Los carros de Faraón y sus fuerzas militares él ha echado en el mar,[p]
y los selectos de sus guerreros han sido hundidos en el mar Rojo.[q]
5 Las aguas agitadas procedieron a cubrirlos;[r] como piedra bajaron a las profundidades.[s]
6 Tu diestra, oh Jehová, está demostrando que es poderosa en habilidad;[t]
tu diestra, oh Jehová, puede destrozar a un enemigo.[u]
7 Y en la abundancia de tu superioridad puedes echar abajo a los que se levantan contra ti;[v]
envías tu cólera ardiente, los consume cual rastrojo.[w]

8 Y por un soplo de tus narices[a] se amontonaron aguas;
quedaron inmóviles como una represa de inundaciones;
las aguas agitadas se quedaron cuajadas en el corazón del mar.
9 Dijo el enemigo: '¡Iré en pos![b] ¡Alcanzaré![c]
¡Dividiré despojo![d] ¡Mi alma se llenará de ellos!
¡Desenvainaré mi espada! ¡Los expulsará mi mano!'.[e]
10 Soplaste con tu aliento,[f] los cubrió el mar;
se hundieron como plomo en aguas majestuosas.[h]
11 ¿Quién entre los dioses es como tú, oh Jehová?[i]
¿Quién es como tú, que resultas poderoso en santidad?[j]
Aquel que ha de ser temido[k] con canciones de alabanza,[l] Aquel que hace maravillas.[m]
12 Extendiste tu diestra,[n] procedió la tierra a tragárselos.[o]
13 Tú en tu bondad amorosa has guiado al pueblo que has recobrado;[p]
tú en tu fuerza ciertamente los conducirás a tu lugar santo de habitación.[q]
14 Tendrán que oír los pueblos,[r] se agitarán;[s]
dolores de parto[t] tendrán que apoderarse de los habitantes de Filistea.
15 En aquel tiempo los jeques de Edom verdaderamente se perturbarán;
en cuanto a los déspotas de Moab, temblor se apoderará de ellos.[u]
Todos los habitantes de Canaán verdaderamente se desalentarán.[v]

CAP. 14
a Sl 66:6
Sl 77:19
b Éx 14:22
Éx 15:8
c Dt 4:20
Sl 106:8
d Sl 58:10
Sl 59:10
Sl 91:8
Pr 16:4
e Éx 4:31
Éx 19:9
Sl 106:12

CAP. 15
f Jue 5:1
2Sa 22:1
Rev 15:3
g Éx 9:16
Éx 18:11
Sl 106:12
h Sl 15:21
Sl 136:15
i Éx 17:16
Sl 18:1
Isa 12:2
Flp 4:13
j Rev 7:10
k 2Sa 22:47
Sl 99:5
Isa 25:1
l Éx 3:15
Sl 83:18
Sl 148:13
n Ne 4:20
Sl 24:8
o Éx 6:3
Isa 42:8
p Éx 14:27
Jos 24:6
q Éx 14:7
r Jos 24:7
s Ne 9:11
t Sl 17:7
Sl 60:5
Sl 89:13
Sl 118:15
1Pe 5:6
u Heb 10:31
v Sl 148:13
Isa 5:16
Isa 37:23
w Dt 4:24
Sl 59:13
Heb 12:29

2.ª col.
a 2Sa 22:16
Sl 18:15
b Éx 14:8
c Éx 14:9
d Eze 38:12
e Éx 14:5
Isa 36:20
f Gé 8:1
Éx 14:21
g Éx 14:28
Dt 11:4
h Éx 15:5
Ne 9:11
i Dt 3:24
2Sa 7:22
1Co 8:5
j Le 19:2
Isa 6:3
1Pe 1:16
k Lu 12:5
Heb 12:28
l Heb 2:12
m Éx 11:9
n Éx 15:6

o Sl 78:53; Heb 11:29; p Sl 106:10; q Sl 78:54;
r Nú 14:14; Jos 2:10; s Sl 99:1; t Sl 48:6; u Nú
22:3; v Jos 2:11; Jos 5:1.

16 Sobre ellos caerán terror y
pavor.[a]
A causa de la grandeza de
tu brazo quedarán in-
móviles como una pie-
dra,
hasta que pase tu pueblo,[b] oh
Jehová,
hasta que pase el pueblo
que tú has producido.[c]
17 Tú los traerás y los plantarás
en la montaña de tu he-
rencia,[d]
un lugar establecido que
has alistado para habi-
tarlo tú,[e] oh Jehová,
un santuario,[f] oh Jehová,
que tus manos han esta-
blecido.
18 Jehová reinará hasta tiempo indefinido, aun para
siempre.[g]
19 Cuando los caballos[h] de Faraón con sus carros de
guerra y sus soldados de
caballería entraron en el
mar,[i]
entonces Jehová hizo vol-
ver sobre ellos las aguas
del mar,[j]
mientras los hijos de Israel
anduvieron en tierra
seca por en medio del
mar”.[k]

20 Y Míriam la profetisa, hermana[l] de Aarón, procedió a tomar una pandereta en la mano;[m]
y todas las mujeres empezaron a
salir con ella con panderetas y
en danzas.[n] 21 Y Míriam siguió respondiendo a los hombres:[o]

“Canten a Jehová,[p] porque se
ha ensalzado soberana-
mente.[q]
Al caballo y a su jinete en el
mar ha lanzado”.[r]

22 Más tarde, Moisés hizo que
Israel partiera del mar Rojo, y
ellos salieron al desierto de Sur[s]
y siguieron marchando por tres
días en el desierto, pero no hallaron agua.[t] 23 Por fin llegaron
a Marah,[u] pero no pudieron beber el agua de Marah porque era
amarga. Por eso él le puso por
nombre Marah.[a] 24 Y el pueblo empezó a murmurar contra
Moisés,[b] diciendo: “¿Qué hemos
de beber?”. 25 Entonces él
clamó a Jehová.[c] De modo que
Jehová lo dirigió a un árbol, y él
lo arrojó en el agua, y el agua se
puso dulce.[d]

Allí Él les estableció una disposición reglamentaria y una
causa para juicio y allí los puso a
prueba.[e] 26 Y pasó a decir: “Si
escuchas estrictamente la voz de
Jehová tu Dios y haces lo que
es recto a sus ojos y verdaderamente prestas oído a sus mandamientos y guardas todas sus disposiciones reglamentarias,[f] no
pondré sobre ti ninguna de las
dolencias que puse sobre los
egipcios;[g] porque yo soy Jehová,
quien te sana”.[h]

27 Después de eso llegaron a
Elim, donde había doce manantiales de agua y setenta palmeras.[i] De modo que se pusieron a
acampar allí junto al agua.

16 Más tarde partieron de
Elim,[j] y por fin llegó toda
la asamblea de los hijos de Israel
al desierto de Sin,[k] que está entre Elim y Sinaí, el día quince del
segundo mes después de haber
salido de la tierra de Egipto.

2 Y toda la asamblea de los
hijos de Israel empezó a murmurar contra Moisés y Aarón en
el desierto.[l] 3 Y siguieron diciéndoles los hijos de Israel:
“¡Si siquiera hubiéramos muerto[m] por la mano de Jehová en la
tierra de Egipto, mientras nos
sentábamos junto a las ollas de
carne,[n] mientras comíamos pan
hasta quedar satisfechos, porque ustedes nos han sacado a
este desierto para hacer que
toda esta congregación muera
de hambre!”.[o]

4 Entonces Jehová dijo a Moisés: “¡Mira!, voy a hacer que llueva pan para ustedes desde los
cielos;[p] y el pueblo tiene que salir y recoger cada cual su canti-

CAP. 15
a Dt 11:25, Jos 2:9
b Éx 19:5, Dt 32:9, 2Sa 7:23
c Nú 20:17, Nú 21:22, Dt 2:27, Isa 43:1
d Dt 4:21, Sl 44:2, Sl 78:54, Sl 80:8
e 1Re 8:27
f Éx 25:8
g Sl 10:16, Sl 146:10, Da 4:3
h Éx 14:23, Pr 21:31
i Jos 24:6
j Éx 14:28, Heb 11:29
k Éx 14:22
l Nú 26:59
m Sl 81:2
n Jue 11:34, 1Sa 18:6, 2Sa 6:5, Sl 150:4, Jer 31:4
o 1Sa 18:7
p Jue 5:3
q Éx 14:17, Éx 18:11
r Éx 14:27
s Gé 16:7, Gé 25:18
t Éx 17:1
u Nú 33:8

2.ª col.
a Rut 1:20
b Éx 16:2, Éx 17:3, Nú 11:1, 1Co 10:10, Jud 16
c Éx 17:4, Sl 50:15
d 2Re 2:21
e Éx 16:4, Dt 8:2, 1Pe 1:7
f Le 26:3, Dt 28:1, 1Jn 5:3
g Éx 9:10, Dt 7:15
h Éx 23:25, Sl 103:3
i Nú 33:9

CAP. 16
j Nú 33:10
k Nú 33:11
l Éx 15:24, Sl 106:25, 1Co 10:10
m Nú 14:2, Jon 4:8
n Nú 11:4
o Éx 17:3, Nú 16:13, Dt 8:3, Lam 4:9
p Sl 78:24, Sl 105:40, Jn 6:31, 1Co 10:3

dad día por día,[a] a fin de que los ponga yo a prueba en cuanto a si andarán en mi ley o no.[b]   5 Y el día sexto[c] tiene que ocurrir que tienen que preparar lo que hayan de traer, y tiene que resultar el doble de lo que siguen recogiendo día a día".[d]

6 De manera que Moisés y Aarón dijeron a todos los hijos de Israel: "Al atardecer ciertamente sabrán que es Jehová quien los ha sacado de la tierra de Egipto.[e]   7 Y por la mañana realmente verán la gloria de Jehová,[f] porque él ha oído sus murmuraciones contra Jehová. ¿Y qué somos nosotros para que murmuren contra nosotros?".   8 Y continuó Moisés: "Será cuando Jehová por la tarde les dé carne para comer y por la mañana pan hasta quedar satisfechos, porque Jehová ha oído sus murmuraciones que murmuran contra él. ¿Y qué somos nosotros? Sus murmuraciones no son contra nosotros, sino contra Jehová".[g]

9 Y Moisés pasó a decir a Aarón: "Di a la entera asamblea de los hijos de Israel: 'Acérquense delante de Jehová, porque él ha oído sus murmuraciones'".[h]   10 Entonces ocurrió que tan pronto como hubo hablado Aarón a la entera asamblea de los hijos de Israel, ellos se volvieron y dirigieron sus rostros hacia el desierto, y, ¡mire!, la gloria de Jehová apareció en la nube.[i]

11 Y Jehová habló nuevamente a Moisés, y dijo: 12 "He oído las murmuraciones de los hijos de Israel.[j] Háblales, y diles: 'Entre las dos tardes comerán carne, y por la mañana se satisfarán con pan;[k] y ciertamente sabrán que yo soy Jehová su Dios'".[l]

13 Por consiguiente, ocurrió que al atardecer las codornices[m] empezaron a subir y a cubrir el campamento, y por la mañana se había desarrollado una capa de rocío alrededor del campamento.[n]   14 Con el tiempo la capa de rocío se evaporó, y resultó que

sobre la superficie del desierto había una cosa fina, hojaldrada,[a] fina como la escarcha[b] sobre la tierra.   15 Cuando alcanzaron a verla los hijos de Israel, empezaron a decirse unos a otros: "¿Qué es?". Pues no sabían lo que era. Por eso les dijo Moisés: "Es el pan que Jehová les ha dado para alimento.[c]   16 Esta es la palabra que ha mandado Jehová: 'Recojan de él, cada cual en proporción con lo que coma. Han de tomar la medida de un omer[d] por cada individuo, según el número de almas que tenga cada uno de ustedes en su tienda'".   17 Y empezaron a hacerlo así los hijos de Israel; y fueron recogiéndolo, algunos juntando mucho y algunos juntando poco.   18 Cuando lo medían con el omer, el que había juntado mucho no tenía sobrante y el que había juntado poco no tenía escasez.[e] Lo recogieron cada cual en proporción con lo que comía.

19 Entonces les dijo Moisés: "Que nadie deje nada de él hasta la mañana".[f]   20 Pero no escucharon a Moisés. Cuando algunos hombres dejaban de él hasta la mañana, producía gusanos y hedía;[g] de modo que Moisés se indignó contra ellos.[h]   21 Y lo recogían mañana[i] a mañana, cada uno en proporción con lo que comía. Cuando el sol calentaba, aquello se derretía.

22 Y aconteció que el día sexto recogieron el doble de pan,[j] dos medidas de omer para una persona. De modo que todos los principales de la asamblea vinieron y lo informaron a Moisés.   23 Ante esto, él les dijo: "Es lo que ha hablado Jehová. Mañana habrá una observancia sabática de un sábado santo a Jehová.[k] Lo que puedan cocer, cuézanlo, y lo que puedan hervir, hiérvanlo,[l] y todo lo sobrante que haya resérvenlo para ustedes como algo que ha de guardarse hasta la mañana".   24 Por consiguiente, lo reservaron hasta la mañana, tal

CAP. 16
a Ne 11:23
  Pr 30:8
  Mt 6:11
b Éx 8:2
  Snt 1:3
  1Pe 1:7
c Éx 35:2
d Éx 16:22
e Éx 6:7
  Nú 16:28
  Sl 77:20
  Isa 63:11
f Éx 24:10
  Le 9:6
  Nú 16:42
  Jn 11:40
g Nú 21:7
  1Sa 8:7
  Isa 32:6
  Lu 10:16
h Éx 16:2
  Nú 11:1
i Éx 13:21
  Nú 16:19
  1Re 8:11
  Mt 17:5
j Nú 14:27
  Jud 16
k Sl 105:40
l Éx 4:5
  Éx 6:7
  Eze 34:31
m Nú 11:31
  Sl 78:27
n Nú 11:9

2.ª col.
a Nú 11:7
  Dt 8:3
  Ne 9:15
  Sl 78:24
b Sl 147:16
c Nú 21:5
  Dt 8:16
  Jos 5:12
  Jn 6:31
  Jn 6:58
  1Co 10:3
  Heb 9:4
d Éx 16:36
e 2Co 8:15
f Éx 12:10
  Mt 6:34
g Mt 6:19
h Éx 32:19
  Nú 16:15
  Ef 4:26
i Mt 6:11
j Éx 16:5
k Éx 20:8
  Éx 31:15
  Éx 35:2
  Le 23:3
  Mr 2:27
l Nú 11:8

como había mandado Moisés; y no hedió ni se desarrollaron en él cresas.ª 25 Entonces dijo Moisés: "Cómanlo hoy, porque hoy es un sábadoᵇ a Jehová. Hoy no lo hallarán en el campo. 26 Seis días lo recogerán, pero en el séptimo día hay sábado.ᶜ En él no se formará". 27 Sin embargo, el séptimo día aconteció que algunos del pueblo sí salieron para recogerlo, pero no lo hallaron.

28 Por consiguiente, Jehová dijo a Moisés: "¿Hasta cuándo tendrán ustedes que negarse a guardar mis mandamientos y mis leyes?ᵈ 29 Tomen nota del hecho de que Jehová les ha dado el sábado.ᵉ Por eso les da en el día sexto el pan de dos días. Quédese sentado cada uno en su propio lugar.ᶠ No salga nadie de su localidad en el séptimo día". 30 Y el pueblo procedió a observar el sábado en el séptimo día.ᵍ

31 Y la casa de Israel se puso a llamar aquello por nombre "maná". Y era blanco como la semilla de cilantro, y su sabor era como el de tortas aplastadas con miel.ᵉ 32 Entonces dijo Moisés: "Esta es la palabra que Jehová ha mandado: 'Llena de él la medida de un omer como algo que ha de guardarse durante todas las generaciones de ustedes,ⁱ a fin de que ellos vean el pan que hice que ustedes comieran en el desierto cuando estaba sacándolos de la tierra de Egipto'".ʲ 33 Así que Moisés dijo a Aarón: "Toma una jarra y pon en ella un omer completo de maná y deposítala delante de Jehová como algo que ha de guardarse durante todas las generaciones de ustedes".ᵏ 34 Tal como Jehová había mandado a Moisés, Aarón procedió a depositarla delante del Testimonioˡ como algo que había de guardarse. 35 Y los hijos de Israel comieron el maná durante cuarenta años,ᵐ hasta su llegada a una tierra habitada.ⁿ El maná fue lo que comieron hasta su llegada a la frontera de la tierra de Canaán.ª 36 Ahora bien, el omer es la décima parte de una medida de efá.

17 Y la entera asamblea de los hijos de Israel procedió a partir del desierto de Sinᵇ por etapas, las cuales hicieron conforme a la orden de Jehová,ᶜ y se pusieron a acampar en Refidim.ᵈ Pero no había agua para que el pueblo bebiera.

2 Y el pueblo se puso a reñir con Moisés y a decir:ᵉ "Danos agua para que bebamos". Pero Moisés les dijo: "¿Por qué riñen conmigo? ¿Por qué siguen poniendo a prueba a Jehová?".ᶠ 3 Y el pueblo siguió allí sediento de agua, y el pueblo siguió murmurando contra Moisés y diciendo: "¿Por qué nos has hecho subir de Egipto para hacernos morir de sed, a nosotros y a nuestros hijos y nuestro ganado?".ᵍ 4 Por fin clamó Moisés a Jehová, y dijo: "¿Qué haré con este pueblo? ¡Un poco más y me apedrearán!".ʰ

5 Entonces Jehová dijo a Moisés: "Pasa enfrente del puebloⁱ y toma contigo a algunos de los ancianos de Israel, y tu vara con que golpeaste el río Nilo.ʲ Tómala en tu mano y tienes que seguir andando. 6 ¡Mira! Yo estoy de pie delante de ti allí sobre la roca en Horeb. Y tienes que golpear en la roca, y de ella tiene que salir agua, y el pueblo tiene que beberla".ᵏ Posteriormente, Moisés lo hizo así a los ojos de los ancianos de Israel. 7 De modo que llamó el lugar por nombre Masahˡ y Meribá,ᵐ a causa del reñir de los hijos de Israel y a causa de que pusieron a prueba a Jehová,ⁿ diciendo: "¿Está Jehová en medio de nosotros, o no?".ᵒ

8 Y los amalequitasᵖ procedieron a venir y a pelear contra Israel en Refidim.ᵠ 9 Ante esto, Moisés dijo a Josué:ʳ "Escógenos hombres y sal tú,ˢ pelea

CAP. 16

a Ex 16:33
b Ne 9:14
c Ex 20:9
  Ex 31:13
  Dt 5:15
  Jer 17:22
  Mt 12:12
  Lu 13:15
d Nú 14:11
  2Re 17:14
  Sl 78:10
  Sl 81:13
  Sl 106:13
  Lu 16:31
e Ex 31:13
  Isa 58:13
  Eze 20:12
f Lu 23:56
g Le 23:3
  Dt 5:14
h Ex 16:15
  Nú 11:7
i Sl 105:5
  Sl 111:4
  Sl 78:20
k Heb 9:4
i Ex 27:21
  Ex 30:6
  Ex 40:20
  1Re 8:9
n Dt 8:2
  Ne 9:21
  Sl 78:24
  Jn 6:49
n Jos 5:12
  Ne 9:15

2.ª col.

a Nú 33:48
  Dt 1:8
  Dt 34:1

CAP. 17

b Nú 33:12
c Nú 33:2
d Nú 33:14
e Ex 5:21
  Nú 14:2
  Nú 20:3
f Nú 14:22
  Sl 78:18
  Sl 95:9
  Sl 106:14
  Lu 4:12
  1Co 10:9
  Heb 3:9
g Ex 16:2
h 1Sa 30:6
  Jn 10:31
i Eze 2:6
k Nú 20:8
  Dt 8:15
  Ne 9:15
  Sl 78:15
  Sl 105:41
  Sl 114:8
  Isa 48:21
  1Co 10:4
l Ex 17:2
  Dt 33:8
m Sl 81:7
n Dt 6:16
  Sl 95:8
  Sl 106:32
o Ex 34:9
  Dt 31:17
  Hch 7:39
p Gé 36:12
q Dt 25:17
  1Sa 15:2

r Nú 11:28; Dt 32:44; Hch 7:45; s Nú 31:3.

contra los amalequitas. Mañana voy a apostarme sobre la cima de la colina, con la vara del Dios [verdadero] en la mano".ᵃ
10 Entonces hizo Josué tal como le había dicho Moisés,ᵇ a fin de pelear contra los amalequitas; y Moisés, Aarón y Hurᶜ subieron a la cima de la colina.

11 Y ocurría que tan pronto como Moisés alzaba la mano, los israelitas resultaban superiores;ᵈ pero tan pronto como dejaba bajar la mano, los amalequitas resultaban superiores. 12 Cuando las manos de Moisés se hicieron pesadas, entonces tomaron una piedra y se la pusieron debajo, y él se sentó sobre ella; y Aarón y Hur sostenían las manos, uno de este lado y el otro de aquel lado, de modo que sus manos se mantuvieron firmes hasta que se puso el sol. 13 Por lo tanto Josué venció a Amaleq y su pueblo a filo de espada.ᵉ

14 Ahora Jehová dijo a Moisés: "Escribe esto como memoria en el libroᶠ y propónlo a oídos de Josué: 'Borraré por completo el recuerdo de Amaleq de debajo de los cielos'".ᵍ 15 Y procedió Moisés a edificar un altar y a llamarlo por nombre Jehovánisí, 16 diciendo: "Por estar una mano contra el tronoʰ de Jah,ⁱ Jehová tendrá guerra con Amaleq de generación en generación".ʲ

18 Ahora bien, Jetró el sacerdote de Madián, suegroᵏ de Moisés, llegó a oír acerca de todo lo que Dios había hecho por Moisés y por Israel su pueblo, cómo Jehová había sacado a Israel de Egipto.ˡ 2 De modo que Jetró, suegro de Moisés, tomó a Ziporá, esposa de Moisés, después de haber sido enviada, 3 y a los dos hijosᵐ de ella, el nombre de uno de los cuales era Guersom,ⁿ "porque —dijo él— residente forastero he llegado a ser en tierra extranjera"; 4 y el nombre del otro era Eliezer,ᵒ

CAP. 17
a Éx 4:2
b Jos 11:15
c Éx 24:14
d Sl 56:9
e Jos 11:12
f Éx 34:27
g Nú 24:20
Dt 25:19
1Cr 4:43
h Isa 66:1
Hch 7:49
i Sl 94:12
Isa 12:2
Isa 26:4
Rev 19:1
j 1Sa 15:20
Est 3:1
Est 7:10
Est 9:24

CAP. 18
k Éx 2:21
Éx 3:1
l Jos 2:10
Jos 9:9
m Hch 7:29
n Éx 2:22
o 1Cr 23:15

2.ª col.
a Éx 2:15
2Co 1:10
b Éx 19:2
1Re 19:8
c Éx 4:18
Nú 10:29
d Gé 33:3
2Sa 14:33
Ro 12:10
e Éx 7:3
Éx 14:28
Dt 4:34
Ne 9:10
f Éx 15:22
Éx 16:3
Nú 20:14
g Sl 81:7
Sl 102:2
Da 3:29
h Dt 33:29
Ro 15:10
i Gé 14:20
Lu 1:68
j Éx 15:11
2Cr 2:5
Sl 95:3
Sl 97:9
Da 2:47
k Mal 1:11
Gé 31:54
m Mt 23:2

"porque —según dijo él— el Dios de mi padre es mi ayudante, puesto que me libró de la espada de Faraón".ᵃ

5 De modo que Jetró, suegro de Moisés, y los hijos y la esposa de este vinieron a Moisés en el desierto, donde él estaba acampado, a la montaña del Dios [verdadero].ᵇ 6 Entonces [Jetró] mandó palabra a Moisés: "Yo, tu suegro, Jetró,ᶜ he venido a ti, y también tu esposa y sus dos hijos con ella". 7 En seguida salió Moisés al encuentro de su suegro, y procedió a postrarse y a besarlo;ᵈ y cada uno empezó a preguntar al otro cómo le iba. Tras eso, entraron en la tienda.

8 Y Moisés se puso a contar a su suegro todo lo que Jehová había hecho a Faraón y a Egipto por causa de Israel,ᵉ y toda la penalidad que les había sobrevenido en el camino,ᶠ y todavía Jehová los estaba librando.ᵍ 9 Entonces se sintió alegre Jetró debido a todo el bien que Jehová había hecho a Israel al haberlos librado de la mano de Egipto.ʰ 10 Por consiguiente, dijo Jetró: "Bendito sea Jehová, que los ha librado de la mano de Egipto y de la mano de Faraón, y que ha librado al pueblo de debajo de la mano de Egipto.ⁱ 11 Ahora sí sé que Jehová es mayor que todos los [demás] dioses,ʲ en virtud de este asunto en que aquellos obraron presuntuosamente contra ellos". 12 Entonces Jetró, suegro de Moisés, tomó una ofrenda quemada y sacrificios para Dios;ᵏ y Aarón y todos los ancianos de Israel vinieron a comer pan con el suegro de Moisés, delante del Dios [verdadero].ˡ

13 Y al día siguiente aconteció que Moisés se sentó como de costumbre para servir de juez al pueblo,ᵐ y el pueblo se quedó de pie delante de Moisés desde la mañana hasta la tarde. 14 Y el suegro de Moisés llegó a ver todo lo que él hacía por el pueblo. De modo que dijo: "¿Qué clase de negocio es este que haces por el

pueblo? ¿Por qué te quedas sentado tú solo y toda la gente continúa tomando su puesto delante de ti desde la mañana hasta la tarde?”. 15 Entonces Moisés dijo a su suegro: “Porque el pueblo sigue viniendo a mí para inquirir de Dios.[a] 16 En caso de que se les suscite una causa,[b] esta tiene que venir a mí y yo tengo que juzgar entre una parte y la otra, y tengo que dar a conocer las decisiones del Dios [verdadero] y sus leyes”.[c]

17 Ante esto, el suegro de Moisés le dijo: “La manera como lo estás haciendo no es buena. 18 De seguro te agotarás, tanto tú como este pueblo que está contigo, porque este negocio es una carga demasiado grande para ti.[d] No puedes hacerlo tú solo.[e] 19 Escucha ahora mi voz.[f] Yo te aconsejaré, y Dios resultará estar contigo.[g] Tú mismo sirve de representante al pueblo delante del Dios [verdadero],[h] y tú mismo tienes que traer las causas al Dios [verdadero].[i] 20 Y tienes que advertirles acerca de lo que son las disposiciones reglamentarias y las leyes,[j] y tienes que darles a conocer el camino en que deben andar y el trabajo que deben hacer.[k] 21 Pero tú mismo debes seleccionar de entre todo el pueblo hombres capaces,[l] temerosos de Dios,[m] hombres dignos de confianza,[n] que odien la ganancia injusta;[o] y tienes que establecer a estos sobre ellos como jefes sobre millares,[p] jefes sobre centenas, jefes sobre cincuentenas y jefes sobre decenas.[q] 22 Y ellos tienen que juzgar a la gente en toda ocasión apropiada; y tiene que suceder que toda causa grande te la traerán a ti,[r] pero toda causa pequeña ellos mismos la manejarán como jueces. Así hazlo más ligero para ti, y ellos tienen que llevar la carga contigo.[s] 23 Si haces esta misma cosa, y Dios te ha mandado, entonces ciertamente podrás soportarlo y, además, todo este pueblo vendrá a su propio lugar en paz”.[a]

24 En seguida Moisés escuchó la voz de su suegro e hizo todo lo que este había dicho.[b] 25 Y Moisés procedió a escoger a hombres capaces de entre todo Israel y a darles puestos como cabezas sobre el pueblo,[c] como jefes de millares, jefes de centenas, jefes de cincuentenas y jefes de decenas. 26 Y ellos juzgaban a la gente en toda ocasión apropiada. La causa que fuera difícil se la traían a Moisés,[d] pero toda causa pequeña ellos mismos la manejaban como jueces. 27 Después de aquello Moisés se despidió[e] de su suegro, y este procedió a irse a su tierra.

19 Al tercer mes después de haber salido los hijos de Israel de la tierra de Egipto,[f] el mismo día, entraron en el desierto de Sinaí.[g] 2 Y procedieron a partir de Refidim[h] y a entrar en el desierto de Sinaí y a acampar en el desierto;[i] e Israel se puso a acampar allí enfrente de la montaña.[j]

3 Y Moisés subió al Dios [verdadero], y Jehová empezó a llamarlo de la montaña,[k] diciendo: “Esto es lo que has de decir a la casa de Jacob y anunciar a los hijos de Israel: 4 ‘Ustedes mismos han visto lo que hice a los egipcios,[l] para llevarlos a ustedes sobre alas de águilas y traerlos a mí mismo.[m] 5 Y ahora si ustedes obedecen estrictamente[n] mi voz y verdaderamente guardan mi pacto,[o] entonces ciertamente llegarán a ser mi propiedad especial de entre todos los [demás] pueblos,[p] porque toda la tierra me pertenece a mí.[q] 6 Y ustedes mismos llegarán a ser para mí un reino de sacerdotes y una nación santa’.[r] Estas son las palabras

CAP. 18

a Éx 20:19; Nú 12:8; Nú 27:5
b Éx 24:14; Dt 17:8; 1Co 6:1
c Dt 4:5; Dt 5:1; Dt 6:1
d Nú 11:11
e Nú 11:14; Dt 1:9; Hch 6:2
f Éx 18:24; Pr 9:9
g Jos 1:17
h Éx 20:19; Dt 5:5
i Nú 27:5
j Dt 7:11; Ne 9:14; Mr 10:3
k 1Sa 12:23; Sl 32:8; Isa 30:21; Jer 42:3; Miq 4:2
l Nú 11:17; Dt 1:13; Hch 6:3; 1Ti 3:2; Tit 1:9
m 2Cr 6:31; 2Cr 19:7; Job 2:3; Pr 8:13
n Eze 18:8; Da 6:5; 1Te 2:10; 1Ti 3:7; Tit 1:7
o Éx 23:8; Hch 20:33; 1Ti 3:3; 1Pe 5:2
p Nú 10:4
q Dt 1:15; Hch 14:23; Tit 1:5
r Le 24:11; Nú 15:33; Dt 1:17
s Nú 11:17

2.ª col.

a Pr 11:14
b Pr 12:15
c Hch 6:5
d Hch 15:2
e Nú 10:29

CAP. 19

f Est 8:9
g Le 7:38
h Éx 17:1
i Nú 33:15
j Éx 3:12
k Ne 9:13; Hch 7:38
l Dt 4:34
m Dt 32:11; Isa 63:9
n Sl 119:4; Pr 19:16; 1Jn 5:3
o 1Re 8:21; Sl 25:10; Gál 4:24
p 1Re 8:53; Sl 135:4
q Dt 10:14; 1Co 10:26

r Le 11:44; Dt 7:6; Isa 61:6; 1Pe 2:9; Rev 5:10.

que has de decir a los hijos de Israel".

7 De modo que Moisés vino y llamó a los ancianos[a] del pueblo y expuso ante ellos todas estas palabras que Jehová le había mandado.[b] 8 Después de eso todo el pueblo respondió unánimemente y dijo: "Todo lo que Jehová ha hablado estamos dispuestos a hacerlo".[c] Inmediatamente llevó Moisés a Jehová las palabras del pueblo.[d] 9 Ante esto, Jehová dijo a Moisés: "¡Mira! Vengo a ti en una nube oscura,[e] a fin de que el pueblo oiga cuando hable contigo,[f] y para que en ti también pongan fe hasta tiempo indefinido".[g] Entonces Moisés informó a Jehová las palabras del pueblo.

10 Y Jehová pasó a decir a Moisés: "Ve al pueblo, y tienes que santificarlos hoy y mañana, y ellos tienen que lavar sus mantos.[h] 11 Y tienen que hallarse listos para el tercer día, porque al tercer día descenderá Jehová ante los ojos de todo el pueblo sobre el monte Sinaí.[i] 12 Y tienes que fijar límites para el pueblo en derredor, diciendo: 'Guárdense de subir a la montaña, y no toquen el borde de ella. Cualquiera que toque la montaña será muerto,[j] positivamente. 13 No ha de tocarle mano alguna, porque positivamente será apedreado o positivamente será asaeteado. Sea bestia u hombre, no vivirá'.[k] Al toque del cuerno[l] de carnero ellos mismos podrán subir hasta la montaña".

14 Entonces Moisés bajó de la montaña al pueblo, y se puso a santificar al pueblo; y ellos se ocuparon en lavar sus mantos.[m] 15 Por consiguiente, dijo a la gente: "Alístense[n] durante los tres días. No se acerquen a mujer".[o]

16 Y al tercer día, cuando amaneció, aconteció que empezó a haber truenos y relámpagos,[p] y una nube densa[q] sobre la montaña y un sonido muy fuerte de cuerno,[r] de manera que toda la gente que estaba en el campamento empezó a temblar.[a] 17 Moisés ahora hizo que el pueblo saliera del campamento al encuentro del Dios [verdadero], y ellos fueron tomando su posición al pie de la montaña.[b] 18 Y el monte Sinaí humeaba por todas partes,[c] debido al hecho de que Jehová había descendido sobre él en fuego;[d] y su humo seguía ascendiendo como el humo de un horno de calcinación,[e] y toda la montaña estaba temblando muchísimo.[f] 19 Cuando el sonido del cuerno continuó haciéndose más y más fuerte, Moisés empezó a hablar, y el Dios [verdadero] empezó a contestarle con una voz.[g]

20 De modo que Jehová descendió sobre el monte Sinaí a la cima de la montaña. Entonces Jehová llamó a Moisés a la cima de la montaña, y Moisés procedió a subir.[h] 21 Jehová ahora dijo a Moisés: "Baja, advierte al pueblo, para que no traten de abrirse camino a Jehová para mirar y muchos de ellos tengan que caer.[i] 22 Y que también los sacerdotes que con regularidad se acercan a Jehová se santifiquen,[j] para que Jehová no irrumpa contra ellos".[k] 23 Ante esto, Moisés dijo a Jehová: "El pueblo no puede subir al monte Sinaí, porque tú mismo ya nos advertiste, diciendo: 'Fíjale límites a la montaña y hazla sagrada' ".[l] 24 Sin embargo, Jehová le dijo: "Ve, desciende, y tienes que subir, tú y Aarón contigo; pero que los sacerdotes y el pueblo no se abran paso para subir a Jehová, para que no irrumpa él contra ellos".[m] 25 Por consiguiente, Moisés descendió al pueblo y se lo dijo.[n]

20 Y Dios procedió a hablar todas estas palabras, diciendo:[o]

2 "Yo soy Jehová tu Dios,[p] que te he sacado de la tierra de Egipto, de la casa de esclavos.[q]

CAP. 19
a Éx 3:16
b Éx 24:3
c Éx 24:7
  Dt 26:17
  Jos 24:24
d Nú 12:8
e Dt 4:11
  1Re 8:12
  Sl 97:2
  Heb 12:18
f Dt 4:12
  Dt 4:36
  Hch 7:38
g Lu 10:16
h Nú 8:21
i Éx 34:5
  Dt 33:2
  Dt 18:9
j Le 10:2
  2Sa 6:7
k Dt 20:18
l Éx 20:18
  Jos 6:4
m Éx 19:10
  Jos 7:13
  1Sa 16:5
n Am 4:12
o 1Sa 21:4
  1Co 7:5
p Sl 77:18
q Dt 4:11
  1Re 8:12
  Sl 97:2
r Heb 12:19

2.ª col.
a Heb 12:21
b Dt 4:10
  Dt 5:5
c Dt 4:11
  Dt 5:22
  Sl 68:8
  Sl 104:32
d Éx 24:17
  2Cr 7:3
e Gé 19:28
  Sl 144:5
f 1Re 19:11
  Sl 68:8
g Ne 9:13
  Sl 81:7
h Éx 24:12
i 1Sa 6:19
j Éx 28:41
k Le 10:2
  1Cr 13:10
  Hch 5:5
l Éx 19:12
m Nú 16:35
n Hch 20:27

CAP. 20
o Dt 5:22
  Hch 7:38
p Sl 81:10
  Os 13:4
  Ro 3:29
q Éx 13:3

3 No debes tener otros dioses[a] contra mi rostro.

4 "No debes hacerte una imagen tallada ni una forma parecida a cosa alguna que esté en los cielos arriba o que esté en la tierra debajo o que esté en las aguas debajo de la tierra.[b] 5 No debes inclinarte ante ellas ni ser inducido a servirlas,[c] porque yo Jehová tu Dios soy un Dios que exige devoción exclusiva,[d] que trae castigo por el error de padres sobre hijos, sobre la tercera generación y sobre la cuarta generación, en el caso de los que me odian;[e] 6 pero que ejerce bondad amorosa para con la milésima generación en el caso de los que me aman y guardan mis mandamientos.[f]

7 "No debes tomar el nombre de Jehová tu Dios de manera indigna,[g] porque Jehová no dejará sin castigo al que tome su nombre de manera indigna.[h]

8 "Acordándo[te] del día del sábado para tenerlo sagrado,[i] 9 seis días has de prestar servicio y tienes que hacer todo tu trabajo.[j] 10 Pero el séptimo día es un sábado a Jehová tu Dios.[k] No debes hacer ningún trabajo, tú, ni tu hijo, ni tu hija, [ni] tu esclavo, ni tu esclava, ni tu animal doméstico, ni tu residente forastero que está dentro de tus puertas.[l] 11 Porque en seis días hizo Jehová los cielos y la tierra, el mar y todo lo que hay en ellos,[m] y procedió a descansar en el séptimo día.[n] Por eso Jehová bendijo el día del sábado y procedió a hacerlo sagrado.[o]

12 "Honra a tu padre y a tu madre[p] para que resulten largos tus días sobre el suelo que Jehová tu Dios te da.[q]

13 "No debes asesinar.[r]

14 "No debes cometer adulterio.[s]

15 "No debes hurtar.[t]

16 "No debes dar testimonio falsamente como testigo contra tu semejante.[u]

17 "No debes desear la casa de tu semejante. No debes desear la esposa[a] de tu semejante, ni su esclavo, ni su esclava, ni su toro, ni su asno, ni cosa alguna que pertenezca a tu semejante".[b]

18 Ahora bien, todo el pueblo estaba viendo los truenos y los relampagueos y el sonido del cuerno y la montaña que humeaba. Cuando el pueblo alcanzó a verlo, entonces se estremecieron y se mantuvieron a cierta distancia.[c] 19 Y empezaron a decir a Moisés: "Habla tú con nosotros, y escuchemos nosotros; pero no hable Dios con nosotros, por temor de que muramos".[d] 20 Así que Moisés dijo al pueblo: "No tengan miedo, porque a fin de ponerlos a prueba[e] ha venido el Dios [verdadero], y para que el temor de él continúe delante del rostro de ustedes para que no pequen".[f] 21 Y el pueblo permaneció a alguna distancia, pero Moisés se acercó a la oscura masa de nubes donde estaba el Dios [verdadero].[g]

22 Y Jehová pasó a decir a Moisés:[h] "Esto es lo que has de decir a los hijos de Israel: 'Ustedes mismos han visto que fue desde los cielos desde donde hablé con ustedes.[i] 23 No deben hacer junto conmigo dioses de plata, y no deben hacer para ustedes dioses de oro.[j] 24 Un altar de tierra[k] me has de hacer, y tienes que sacrificar sobre él tus ofrendas quemadas y tus sacrificios de comunión, tu rebaño y tu vacada.[l] En todo lugar donde yo haga recordar mi nombre, vendré a ti y ciertamente te bendeciré.[m] 25 Y si me haces un altar de piedras, no debes edificarlas como piedras labradas. En caso de que realmente blandas tu cincel sobre él, entonces lo profanarás.[n] 26 Y no debes subir por escalones a mi altar,

CAP. 20
a Dt 5:7
  2Re 17:35
  Jer 25:6
b Le 26:1
  Dt 4:16
  Dt 5:8
  Isa 40:25
  Hch 17:29
  1Co 8:4
  Rev 9:20
c Gé 35:2
  Éx 23:24
  1Co 10:20
  1Jn 5:21
d Éx 34:14
  Nú 25:11
  Mt 4:10
  Lu 10:27
e Dt 5:9
  2Sa 21:6
  1Re 21:29
  Mt 23:35
f Dt 4:37
  Dt 5:10
  Ec 12:13
  Ro 11:28
g Le 19:12
  Pr 30:9
  Eze 36:21
h Le 24:16
  Dt 5:11
  Jos 9:20
i Éx 16:23
  Éx 31:13
  Dt 5:12
j Éx 23:12
  Dt 5:13
  Lu 13:14
k Éx 34:21
  1Éx 16:29
  Dt 5:14
  Ne 13:16
  Jn 7:23
m Hch 4:24
  Hch 14:15
  Rev 10:6
  Rev 14:7
n Gé 2:2
  Heb 4:4
o Dt 5:12
  p Éx 21:15
  Pr 1:8
  Jer 35:18
q Le 19:3
  Dt 5:16
  Mt 15:4
  Ef 6:2
r Gé 9:6
  Dt 5:17
  Stg 2:11
  1Jn 3:15
  Rev 21:8
s Gé 39:9
  Dt 5:18
  Pr 6:32
  Mt 5:28
  Ro 13:9
  1Co 6:18
  Heb 13:4
t Le 19:11
  Dt 5:19
  Mr 10:19
  1Co 6:10
  Ef 4:28
u Le 19:16
  Dt 5:20
  Dt 19:16
  Sl 15:3

2.ª col.

a Mt 5:28

b Jos 7:21; Miq 2:2; Lu 12:15; Ro 7:7; c Éx 19:16; Heb 12:18; d Dt 18:16; Hch 7:38; Gál 3:19; e Gé 22:1; Dt 8:2; f Éx 24:14; Job 28:28; Pr 1:7; Isa 8:13; g Dt 5:5; Sl 97:2; h Éx 33:1; Nú 12:8; i Dt 4:36; Ne 9:13; j Éx 32:4; Sal 4; Hch 17:29; k 2Re 5:17; l Le 6:9; Job 1:5; m Dt 12:5; 2Cr 6:6; n Dt 27:5; Jos 8:31.

para que no se descubran sobre él tus partes naturales'.

21 "Y estas son las decisiones judiciales que has de poner delante de ellos:[a]

2 "En caso de que compres un esclavo hebreo,[b] será esclavo seis años, pero al séptimo saldrá como persona puesta en libertad sin pagar nada.[c] 3 Si entra solo, solo saldrá. Si es dueño de una esposa, entonces su esposa tiene que salir con él. 4 Si su amo le da una esposa y ella efectivamente le da a luz hijos o hijas, la esposa y sus hijos llegarán a ser del amo de ella,[d] y él saldrá solo.[e] 5 Pero si el esclavo dice insistentemente: 'Realmente amo a mi señor, a mi esposa y a mis hijos; no quiero salir como persona puesta en libertad',[f] 6 entonces su amo tiene que acercarlo al Dios [verdadero] y tiene que ponerlo contra la puerta o la jamba de la puerta; y su amo tiene que agujerearle la oreja con un punzón, y él tiene que ser esclavo suyo hasta tiempo indefinido.[g]

7 "Y en caso de que un hombre venda a su hija como esclava,[h] no saldrá ella como salen los esclavos varones. 8 Si ella es desagradable a los ojos de su amo, de modo que no la designa como concubina,[i] sino que hace que sea redimida, él no tendrá autoridad para venderla a un pueblo extranjero al tratar con ella traidoramente. 9 Y si es a su hijo que la designa, ha de hacer con ella conforme al derecho debido de las hijas.[j] 10 Si él toma otra esposa para sí, no han de ser disminuidos el sustento de ella ni su ropa[k] ni su débito conyugal.[l] 11 Si él no quiere darle estas tres cosas, entonces ella tiene que salir sin pagar nada, sin dinero.

12 "El que hiera a un hombre de modo que en efecto muera, ha de ser muerto sin falta.[m] 13 Pero cuando no está al ace-

cho y el Dios [verdadero] permite que ocurra a mano de él,[a] entonces yo tengo que arreglarte un lugar adonde él pueda huir.[b] 14 Y en caso de que un hombre se acalore contra su prójimo al grado de matarlo con astucia,[c] has de llevarlo hasta de estar a mi altar, para que muera.[d] 15 Y el que hiera a su padre y a su madre, ha de ser muerto sin falta.[e]

16 "Y el que secuestre a un hombre[f] y que en efecto lo venda,[g] o en cuya mano haya sido hallado, ha de ser muerto sin falta.[h]

17 "Y el que invoque el mal sobre su padre y su madre ha de ser muerto sin falta.[i]

18 "Y en caso de que unos hombres se pongan a reñir y uno efectivamente hiera a su prójimo con una piedra o un azadón y este no muera, pero tenga que quedarse en cama; 19 si se levanta y va andando fuera sobre algún sostén suyo, entonces el que lo haya herido tiene que estar libre de castigo; dará compensación solo por el tiempo que se haya perdido del trabajo de aquel hasta que lo tenga completamente sanado.

20 "Y en caso de que un hombre hiera[j] a su esclavo o a su esclava con un palo y tal [persona] en efecto muera bajo su mano, se ha de vengar sin falta a tal [persona].[k] 21 Sin embargo, si tarda [en morirse] un día o dos días, no ha de ser vengado, porque es dinero suyo.

22 "Y en caso de que unos hombres luchen el uno con el otro y realmente lastimen a una mujer encinta y los hijos[l] de ella efectivamente salgan, pero no ocurra un accidente mortal, sin falta ha de imponérsele el pago de daños conforme a lo que le imponga el dueño de la mujer; y él tiene que darlo por medio de los jueces.[m] 23 Pero si ocurre un accidente mortal, entonces tienes que dar alma por alma,[n]

CAP. 21
a Éx 24:3
Dt 4:5
Rev 15:4
b Le 25:39
2Re 4:1
Mt 18:25
c Dt 15:12
Jer 34:14
d Le 25:44
Le 25:46
e Dt 15:12
f Dt 15:16
g Dt 15:17
h Ne 5:5
i Gé 16:5
Gál 4:22
j Nú 30:16
k Ef 5:29
1Ti 5:8
l Dt 25:5
1Co 7:3
m Gé 9:6
Nú 35:30
Mt 5:21

2.* col.

a Nú 35:22
Dt 19:4
Ec 9:11
b Nú 35:11
Dt 4:42
Dt 19:3
Jos 20:7
c Nú 15:30
Dt 19:11
2Sa 3:27
1Jn 3:15
d 1Re 1:50
1Re 2:29
2Re 11:15
e Éx 20:12
1Ti 1:9
f Gé 40:15
1Ti 1:10
g Gé 37:28
h Dt 24:7
i Le 20:9
Pr 20:20
Pr 30:11
Pr 30:17
Mt 15:4
j Pr 10:13
k Gé 9:5
Le 24:17
1Sl 139:16
Jer 1:5
l Éx 18:26
Dt 16:18
Dt 17:8
Dt 22:18
2Cr 19:10
n Gé 9:6
Le 24:17
Nú 35:31
Rev 21:8

24 ojo por ojo, diente por diente, mano por mano, pie por pie,[a] 25 marca candente por marca candente, herida por herida, golpe por golpe.[b]

26 "Y en caso de que un hombre hiera el ojo de su esclavo o el ojo de su esclava y realmente lo arruine, ha de enviarlo como persona puesta en libertad en compensación por su ojo.[c] 27 Y si es el diente de su esclavo o el diente de su esclava lo que él hace saltar de un golpe, ha de enviarlo como persona puesta en libertad en compensación por su diente.

28 "Y en caso de que un toro acornee a un hombre o a una mujer y [la persona] en efecto muera, el toro ha de ser apedreado[d] sin falta, pero su carne no ha de comerse; y el dueño del toro queda libre de castigo. 29 Pero si un toro anteriormente hubiera tenido la costumbre de acornear, y ello se hubiera advertido al dueño, pero él no lo hubiera tenido bajo guardia, y este efectivamente hubiera dado muerte a un hombre o a una mujer, el toro ha de ser apedreado, y también ha de darse muerte a su dueño. 30 Si [al dueño] se le impone un rescate, entonces tiene que dar el precio de redención por su alma conforme a todo lo que se le imponga.[e] 31 Sea que [el toro] haya acorneado a un hijo o acorneado a una hija, ha de hacérsele conforme a esta decisión judicial.[f] 32 Si ha sido a un esclavo o a una esclava a quien el toro haya acorneado, [el dueño] dará el precio de treinta siclos[g] al amo de aquel o de aquella, y el toro será apedreado.

33 "Y en caso de que un hombre abriera un hoyo, o en caso de que un hombre excavara un hoyo y no lo cubriera, y un toro o un asno efectivamente cayera en él,[h] 34 el dueño del hoyo ha de dar compensación.[i] El precio se lo ha de devolver a su dueño, y el animal muerto llegará a ser suyo. 35 Y en caso de que el

toro de un hombre lastimara el toro de otro, y este de hecho muriera, entonces tienen que vender el toro vivo y dividir el precio que se haya pagado por él; y también al muerto deben dividir.[a] 36 O si se hubiera sabido que un toro tuviera anteriormente la costumbre de acornear, pero su dueño no lo hubiera tenido bajo guardia,[b] debe sin falta dar compensación[c] de toro por toro, y el muerto llegará a ser suyo.

22 "En caso de que un hombre hurtara un toro o una oveja y efectivamente degollara o vendiera [el animal], ha de compensar con cinco de la vacada por el toro y cuatro del rebaño por la oveja.[d]

2 ("Si se hallara a un ladrón en el acto de forzar su entrada[f] y efectivamente se le hiriera y muriera, no hay culpa de sangre por él.[g] 3 Si el sol ha brillado sobre él, hay culpa de sangre por él.)

"Sin falta ha de dar compensación. Si no tiene nada, entonces él tiene que ser vendido por las cosas que haya hurtado.[h] 4 Si, inequívocamente, lo hurtado fuera hallado vivo en su mano, desde toro hasta asno y hasta oveja, ha de dar compensación doble.

5 "Si un hombre hace pacer en un campo o en una viña y de veras envía sus bestias de carga afuera y causa un consumo en otro campo, ha de dar compensación[i] con lo mejor de su propio campo o con lo mejor de su propia viña.

6 "En caso de que un fuego se extendiera y de veras hiciera arder espinos, y llegaran a consumirse[j] las hacinas o el grano en pie, o un campo, el que haya prendido el fuego ha de dar compensación sin falta [por lo que se haya quemado].

7 "En caso de que un hombre diera a su prójimo dinero u objetos para que se los guardara,[k] y esto llegara a ser hurtado de la

CAP. 21
a Le 24:20
Jue 1:7
Mt 5:38

b 1Sa 15:33
Mt 7:2

c Ef 6:9
Col 4:1

d Gé 9:5
Nú 35:33

e Dt 17:8

f Dt 1:17

g Zac 11:12
Mt 27:9

h Mt 12:11
1Co 10:24

i Éx 22:6
Éx 22:14
Dt 22:8

2.ª col.
a Le 25:17
Mt 7:12

b Pr 22:3

c Le 24:21

CAP. 22
d 2Sa 12:6
Lu 19:8

e Éx 20:15
Ro 13:9
1Co 6:10
Ef 4:28
1Pe 4:15

f Jer 2:26
Mt 6:20
Mt 24:43

g Nú 35:27

h Mt 18:25

i Heb 2:2

j 2Sa 14:30

k Mt 25:14

casa del hombre, si se hallara al ladrón, ha de dar compensación doble.[a]   8 Si no se hallara al ladrón, entonces hay que acercar al dueño de la casa al Dios [verdadero][b] para determinar si este no puso su mano en los bienes de su prójimo.   9 En cuanto a cualquier caso de transgresión,[c] respecto a un toro, un asno, una oveja, una prenda de vestir, cualquier cosa perdida de la cual él diga: '¡Esta es!', la causa de ambos ha de venir al Dios [verdadero].[d] Aquel a quien Dios declare inicuo ha de dar compensación doble a su prójimo.[e]

10   "En caso de que un hombre diera a su prójimo un asno o toro u oveja o cualquier otro animal doméstico para que se lo guardara, y este de veras muriera o se lisiara o se lo llevaran cuando nadie estuviera mirando,   11 ha de efectuarse entre los dos un juramento[f] por Jehová de que él no puso su mano en los bienes de su prójimo;[g] y el dueño de estos tiene que aceptarlo, y el otro no ha de dar compensación.   12 Pero si en efecto le hubieran sido hurtados, ha de dar compensación al dueño de ellos.[h]   13 Si de hecho fuera desgarrado por una fiera,[i] ha de traerlo como evidencia.[j] Por algo que haya desgarrado una fiera no ha de dar compensación.

14   "Pero en caso de que alguien pidiera algo a su prójimo,[k] y esto de veras se lisiara o muriera mientras no estuviera con ello su dueño, sin falta ha de dar compensación.[l]   15 Si su dueño está con ello, no ha de dar compensación. Si está alquilado, esto tiene que ir incluido en su alquiler.

16   "Ahora bien, en caso de que un hombre seduzca a una virgen que no esté comprometida, y efectivamente se acueste con ella,[m] sin falta ha de obtenerla por esposa suya por el precio de compra.[n]   17 Si el padre de ella rehúsa terminantemente dársela, él ha de pagar el dinero a razón del dinero de compra por las vírgenes.[a]

18   "No debes conservar viva a una hechicera.[b]

19   "Positivamente ha de ser muerto cualquiera que se acueste con una bestia.[c]

20   "El que haga sacrificios a dios alguno, aparte de solo a Jehová, ha de ser dado por entero a la destrucción.[d]

21   "Y no debes maltratar al residente forastero ni oprimirlo,[e] pues ustedes llegaron a ser residentes forasteros en la tierra de Egipto.[f]

22   "No deben afligir a viuda alguna ni a un huérfano de padre.[g]   23 Si de manera alguna lo afligieras, entonces si él de manera alguna clama a mí, sin falta oiré su clamor;[h]   24 y verdaderamente se encenderá mi cólera,[i] y ciertamente los mataré a ustedes a espada, y sus esposas tendrán que quedar viudas y sus hijos huérfanos de padre.[j]

25   "Si le prestaras dinero a mi pueblo, al afligido al lado tuyo,[k] no debes llegar a ser como un usurero para con él. Ustedes no deben imponerle interés.[l]

26   "Si de manera alguna te apoderaras del vestido de tu prójimo como prenda,[m] has de devolvérselo al ponerse el sol.   27 Pues es su única cobertura.[n] Es su manto para su piel. ¿En qué se acostará? Y tiene que ocurrir que él clamará a mí, y yo ciertamente oiré, porque soy benévolo.[o]

28   "No debes invocar el mal sobre Dios[p] ni maldecir al [que es] un principal entre tu pueblo.[q]

29   "No debes dar con titubeo[r] la plenitud de tus productos agrícolas ni el desbordamiento de tu lagar. El primogénito de tus hijos me has de dar.[s]   30 De esta manera has de hacer con tu toro y tu oveja:[t] Siete días continuará con su madre.[u] Al octavo día has de dármelo.

31   "Y ustedes deben resultar-

CAP. 22

2.ᵃ col.

a Éx 22:4
b Dt 16:18
  Dt 19:17
  Sl 82:1
c Éx 23:21
d Éx 18:22
  Dt 16:18
  1Sa 2:25
  2Co 19:10
e Éx 22:4
  Heb 6:16
g Le 6:3
  Pr 30:9
h Gé 31:39
i Eze 4:14
j Gé 37:33
  Am 3:12
k Sl 37:21
  Pr 22:7
l Éx 21:34
  Le 24:18
m Gé 34:2
  Dt 22:28
n Gé 34:12

a Dt 22:29
b Le 19:26
  Le 20:6
  Dt 18:10
  1Sa 28:3
  Gál 5:20
  Rev 22:15
c Le 18:23
  Le 20:15
  Dt 27:21
d Nú 25:3
  1Re 18:40
  2Re 10:25
  1Co 10:20
e Le 19:33
  Le 25:35
  Zac 7:10
f Dt 10:19
  Hch 7:6
g Dt 27:19
  Sl 94:6
  Isa 1:17
  Eze 22:7
  Snt 1:27
h Job 34:28
  Sl 10:18
  Lu 18:7
  Snt 5:4
i Sl 69:24
  Heb 10:31
j Dt 32:35
  Sl 109:9
k Le 25:35
l Le 25:36
  Dt 23:19
  Lu 6:35
m Dt 24:6
  Job 24:9
  Am 2:8
n Dt 10:18
  Dt 24:13
  Dt 24:10
o Sl 34:6
  Ef 2:7
p Le 24:14
  Jn 10:36
  Jud 15
q Ec 10:20
  Hch 23:5
  2Pe 2:10
r Pr 3:9
  2Co 9:7
s Éx 13:2
t Dt 15:19

u Le 22:27.

me hombres santos;[a] y no deben comer carne, en el campo, que sea algo desgarrado por una fiera.[b] Deben arrojársela a los perros.[c]

23 "No debes repetir un informe falso.[d] No coopees con el inicuo haciéndote testigo que trama violencia.[e] 2 No debes seguir tras la muchedumbre para fines malos;[f] y no debes testificar en cuanto a una controversia para desviarte con la muchedumbre a fin de pervertir la justicia.[g] 3 En cuanto al de condición humilde, no debes mostrar preferencia en una controversia suya.[h]

4 "Si encontraras el toro de tu enemigo, o su asno, descarriado, sin falta has de devolvérselo.[i] 5 Si vieras echado debajo de su carga el asno de alguien que te odia, entonces debes guardarte de dejarlo. Junto con él, sin falta has de librarlo.[j]

6 "No has de pervertir la decisión judicial de tu pobre en su controversia.[k]

7 "Has de mantenerte alejado de la palabra falsa.[l] Y no mates al inocente ni al justo, porque yo no declararé justo al inicuo.[m]

8 "No has de aceptar un soborno, porque el soborno ciega a hombres de vista clara y puede torcer las palabras de hombres justos.[n]

9 "Y no debes oprimir a un residente forastero,[o] puesto que ustedes mismos han conocido el alma del residente forastero, porque ustedes llegaron a ser residentes forasteros en la tierra de Egipto.[p]

10 "Y durante seis años has de sembrar tu tierra y tienes que recoger su producto.[q] 11 Pero el séptimo año has de dejarla sin cultivar y tienes que dejarla en barbecho; y los pobres de tu pueblo tienen que comer de ella; y lo que ellos dejen lo han de comer las bestias salvajes del campo.[s] De esa manera has de hacer con tu viña y tu olivar.

12 "Seis días has de hacer tu trabajo;[a] pero el séptimo día has de desistir, para que descansen tu toro y tu asno y para que se refresquen el hijo de tu esclava y el residente forastero.[b]

13 "Y ustedes han de mantenerse alerta respecto a todo lo que les he dicho;[c] y no deben mencionar el nombre de otros dioses. No debería oírse en tu boca.[d]

14 "Tres veces en el año me has de celebrar una fiesta.[e] 15 Guardarás la fiesta de las tortas no fermentadas.[f] Siete días comerás tortas no fermentadas,[g] tal como te he mandado, al tiempo señalado en el mes de Abib,[h] porque en él saliste de Egipto. Y ellos no deben presentarse delante de mí con las manos vacías.[i] 16 También, la fiesta de la cosecha de los primeros frutos maduros de tus labores, de lo que siembras en el campo;[k] y la fiesta de la recolección a la salida del año, cuando recojas tus labores del campo.[l] 17 En tres ocasiones del año se presentará todo varón tuyo delante del rostro del Señor [verdadero], Jehová.[m]

18 "No debes sacrificar junto con lo leudado la sangre de mi sacrificio. Y la grasa de mi fiesta no debería permanecer toda la noche hasta la mañana.[n]

19 "Lo mejor de los primeros frutos maduros de tu suelo has de traer a la casa de Jehová tu Dios.[o]

"No debes cocer el cabrito en la leche de su madre.[p]

20 "¡Mira!, voy a enviar un ángel[q] delante de ti para mantenerte en el camino y para introducirte en el lugar que he preparado.[r] 21 Cuídate a causa de él y obedece su voz. No te portes rebeldemente contra él, porque no perdonará la trans-

CAP. 22
a Le 19:2
Nú 15:40
1Pe 1:15
b Le 22:8
Eze 4:14
Hch 10:14
c 1Re 14:11
Jer 15:3

CAP. 23
d Le 19:16
Pr 6:19
Pr 10:18
Jn 8:44
Pr 19:5
Mt 26:59
Hch 6:11
Rev 12:10
f Pr 1:10
Pr 1:11
1Co 15:33
1Pe 4:4
g Job 31:34
Lu 23:23
Hch 25:9
Ro 1:32
h Le 19:15
Snt 3:17
i Pr 25:21
1Te 5:15
j Dt 22:4
Lu 6:27
Ro 12:21
k Dt 16:19
2Cr 19:7
Am 5:12
l Le 19:11
Lu 3:14
Ef 4:25
m Pr 17:15
Na 1:3
Ro 1:18
Ro 2:6
n Dt 16:19
1Sa 8:3
1Sa 12:3
Pr 17:23
Ec 7:7
o Eze 22:7
p Le 19:34
Dt 10:19
q Le 25:3
r Le 25:4
s Sl 147:9

2.ª col.
a Éx 20:9
Lu 13:14
b Dt 5:14
Dt 4:9
1Ti 4:16
d Dt 12:3
Jos 23:7
Os 2:17
e Dt 16:16
f Le 23:6
Lu 22:7
g 1Co 5:8
h Éx 12:18
i Dt 16:17
j Snt 1:18
Rev 14:4
k Le 23:10
Nú 28:26
Dt 16:9
Hch 2:1
l Dt 16:13
Ne 8:14
Jn 7:2
Jn 7:37
m Dt 12:5

n Éx 12:10; Le 7:15; o Éx 34:26; Nú 18:12; Ne 10:35; 1Co 15:20; p Dt 14:21; Pr 12:10; q Éx 14:19; r Nú 20:16.

gresión de ustedes;[a] porque mi nombre está dentro de él. 22 Sin embargo, si obedeces estrictamente su voz y realmente haces todo lo que yo hable,[b] entonces yo ciertamente seré hostil para con tus enemigos y hostigaré a los que te hostiguen.[c] 23 Porque mi ángel irá delante de ti y verdaderamente te llevará a los amorreos y los hititas y los perizitas y los cananeos, los heveos y los jebuseos, y ciertamente te raeré.[d] 24 No debes inclinarte ante sus dioses ni ser inducido a servirles, y no debes hacer nada parecido a las obras de ellos,[e] sino que sin falta los echarás abajo y sin falta derribarás sus columnas sagradas.[f] 25 Y ustedes tienen que servir a Jehová su Dios,[g] y él ciertamente bendecirá tu pan y tu agua;[h] y verdaderamente apartaré yo la dolencia de en medio de ti.[i] 26 No existirá mujer que sufra aborto ni mujer estéril en tu tierra.[j] Haré pleno el número de tus días.[k]

27 "Y enviaré el terror de mí delante de ti,[l] y ciertamente pondré en confusión a toda la gente entre quienes llegues, y verdaderamente te daré la cerviz de todos tus enemigos.[m] 28 Y de veras enviaré el sentimiento de decaimiento delante de ti,[n] y este simplemente expulsará de delante de ti a los heveos, los cananeos y los hititas.[o] 29 No los expulsaré de delante de ti en un solo año, para que la tierra no se convierta en un yermo desolado y las bestias salvajes del campo verdaderamente se multipliquen contra ti.[p] 30 Poco a poco los expulsaré de delante de ti, hasta que te hagas fructífero y realmente tomes posesión de la tierra.[q]

31 "Y ciertamente fijaré tu límite desde el mar Rojo hasta el mar de los filisteos y desde el desierto hasta el Río;[r] porque daré en mano de ustedes a los habitantes del país, y

ciertamente los expulsarás de delante de ti.[a] 32 No has de celebrar un pacto con ellos ni con sus dioses.[b] 33 Ellos no deben morar en tu tierra, para que no te hagan pecar contra mí. En caso de que sirvieras a sus dioses, eso llegaría a ser un lazo para ti".[c]

24 Y a Moisés dijo: "Sube a Jehová, tú y Aarón, Nadab y Abihú,[d] y setenta[d] de los ancianos de Israel, y tienen que inclinarse ustedes desde alguna distancia. 2 Y Moisés tiene que acercarse, solo, a Jehová; pero ellos no deben acercarse, y el pueblo no debe subir con él".[f]

3 Entonces vino Moisés y refirió al pueblo todas las palabras de Jehová y todas las decisiones judiciales,[g] y todo el pueblo respondió con una sola voz y dijo: "Todas las palabras que ha hablado Jehová estamos dispuestos a ponerlas por obra".[h] 4 Por consiguiente, Moisés escribió todas las palabras de Jehová.[i] Entonces se levantó muy de mañana y edificó al pie de la montaña un altar y doce columnas correspondientes a las doce tribus de Israel.[j] 5 Después de eso envió a jóvenes de los hijos de Israel y ellos ofrecieron ofrendas quemadas y sacrificaron toros como sacrificios, como sacrificios de comunión[k] a Jehová. 6 Entonces Moisés tomó la mitad de la sangre y la puso en tazones,[l] y la mitad de la sangre la roció sobre el altar.[m] 7 Finalmente tomó el libro del pacto[n] y lo leyó a oídos del pueblo.[o] Entonces dijeron: "Todo lo que Jehová ha hablado estamos dispuestos a hacerlo, y a ser obedientes".[p] 8 Así que Moisés tomó la sangre y la roció sobre el pueblo[q] y dijo: "Aquí está la sangre del pacto[q] que Jehová ha celebrado con ustedes tocante a todas estas palabras".

CAP. 23
a Nú 14:35; Jos 24:19; Heb 12:25
b Éx 19:5; Dt 30:8
c Gé 12:3; Dt 30:7
d Éx 34:11; Jos 5:13; Jos 24:8
e Éx 20:5; Le 18:3; Dt 12:30; 2Cr 33:2
f Éx 20:3; Nú 33:52; 2Cr 34:3
g Dt 6:13; Dt 10:12; Jos 22:5; Mt 4:10
h Dt 7:13; Mal 3:10
i Dt 7:15; Sl 103:3
j Dt 7:14; Dt 28:4
k Éx 20:12; Sl 92:14
l Dt 2:25; Jos 2:9
m Dt 7:23; Dt 7:20; Jos 2:11
o Jos 24:11
p Dt 7:22
q Dt 9:4; Sl 80:8
r Gé 15:18; Dt 1:7; Jos 1:4; 1Re 4:21

2.ª col.
a Jue 1:4; Jue 11:21
b Éx 34:12; Nú 25:2; Dt 7:2; 2Co 6:14
c Jos 23:13; Jue 1:28; Jue 2:3; Sl 106:36

CAP. 24
d Le 10:1; 1Cr 6:3
e Nú 11:16
f Éx 20:21; Nú 12:8
g Éx 21:1; Dt 4:1; Heb 8:6
h Dt 5:27; Jos 24:22
i Éx 34:27; Dt 31:9
j Jos 4:8
k Le 3:1; Le 7:11
l Le 17:11
m Éx 34:27
o Dt 31:11; Hch 13:15
p Éx 19:8
q Heb 9:18; Heb 12:24

r Gál 3:19; Gál 3:24; Col 2:17; Heb 9:20; Heb 10:1.

9 Y Moisés y Aarón, Nadab y
Abihú, y setenta de los ancianos de Israel procedieron a subir, 10 y llegaron a ver al Dios
de Israel.[a] Y debajo de sus pies
había lo que se parecía a una
obra de losas de zafiro y a
los mismos cielos en pureza.[b]
11 Y él no alargó la mano contra
los hombres distinguidos de los
hijos de Israel,[c] sino que ellos
consiguieron una visión del Dios
[verdadero],[d] y comieron y bebieron.[e]
12 Ahora Jehová dijo a Moisés: “Sube a mí en la montaña y
quédate allí, por cuanto quiero
darte las tablas de piedra y la ley
y el mandamiento que tengo que
escribir a fin de enseñarlos”.[f]
13 De modo que se levantaron
Moisés y Josué, su ministro, y
Moisés subió a la montaña del
Dios [verdadero].[g] 14 Pero a
los ancianos había dicho:
“Aguárdennos en este lugar hasta que volvamos a ustedes.[h] Y,
¡miren!, Aarón y Hur[i] están con
ustedes. Cualquiera que tenga
un asunto en juicio, acérquese a
ellos”.[j] 15 Así, Moisés subió a
la montaña mientras la nube cubría la montaña.[k]
16 Y la gloria[l] de Jehová continuó residiendo sobre el monte
Sinaí,[m] y la nube continuó cu-
briéndolo por seis días. Por fin al
séptimo día él llamó a Moisés
desde en medio de la nube.[n]
17 Y a los ojos de los hijos de
Israel la vista de la gloria de Jehová era como un fuego[o] devorador en la cima de la montaña.
18 Entonces Moisés entró en
medio de la nube y siguió subiendo a la montaña.[p] Y Moisés
continuó en la montaña cuarenta días y cuarenta noches.[q]

25 Y Jehová procedió a hablar a Moisés,[r] diciendo:
2 “Habla a los hijos de Israel,
para que recojan una contribución para mí: De todo hombre
cuyo corazón lo incite, ustedes
han de recoger la contribución
mía.[a] 3 Y esta es la contribución que han de recoger de ellos:
oro[b] y plata[c] y cobre,[d] 4 e hilo
azul, y lana teñida de púrpura
rojiza, y fibra escarlata carmesí,
y lino fino, y pelo de cabra,[e] 5 y
pieles de carnero teñidas de rojo,
y pieles de foca, y madera de acacia;[f] 6 aceite para el alumbrado,[g] aceite balsámico[h] para el
aceite de la unción[i] y para incienso perfumado;[j] 7 y piedras de ónice y piedras de engaste para el efod[k] y para el
pectoral.[l] 8 Y ellos tienen que
hacerme un santuario, por cuanto yo tengo que residir en medio
de ellos.[m] 9 Conforme a todo
lo que te voy a mostrar como
modelo del tabernáculo y como
modelo de todos sus enseres, así
lo han de hacer ustedes.[n]
10 ”Y ellos tienen que hacer
un Arca de madera de acacia,[o] de
dos codos y medio su longitud y
de codo y medio su anchura y de
codo y medio su altura. 11 Y
tienes que revestirla de oro
puro.[p] Por dentro y por fuera la
has de revestir, y tienes que hacer sobre ella un borde de oro
en derredor.[q] 12 Y tienes que
fundirle cuatro anillos de oro y
ponerlos por sobre sus cuatro
pies, de modo que haya dos anillos a un lado de ella y dos anillos
a su otro lado.[r] 13 Y tienes que
hacer varales de madera de acacia y revestirlos de oro.[s] 14 Y
tienes que meter los varales por
los anillos a los lados del Arca, a
fin de que con ellos se lleve el
Arca. 15 En los anillos del
Arca han de quedar los varales.
No se han de quitar de ella.[t]
16 Y tienes que colocar en el
Arca el testimonio que te daré.[u]
17 ”Y tienes que hacer una cubierta de oro puro, de dos codos
y medio su longitud y de codo y
medio su anchura.[v] 18 Y tienes que hacer dos querubines de
oro. De labor a martillo los has
de hacer en ambos extremos de
la cubierta.[w] 19 Y haz un querubín en un extremo y un queru-

CAP. 24
a Éx 24:11, Isa 6:1, Jn 1:18
b Eze 1:26, Rev 4:3
c Éx 24:1
d Nú 12:6
e Gé 31:54, Éx 18:12, 1Co 10:18
f Dt 5:22, Mt 5:19
g Éx 24:2, Nú 11:28
h Éx 32:1
i Éx 17:10
j Éx 18:26
k Éx 19:9
l Éx 16:10, Le 9:23, Nú 16:42, Eze 1:28
m Éx 19:11
n Mt 17:5
o Éx 3:2, Dt 4:24, Eze 1:27, Heb 12:29
p Éx 19:20
q Éx 34:28, Dt 9:9, 1Re 19:8, Mt 4:2

CAP. 25
r Hch 7:53, Gál 3:19

2.ª col.
a Éx 35:5, 1Cr 29:9, 2Co 9:7
b Éx 38:24
c Éx 38:25
d Éx 38:3, Éx 38:29
e Éx 35:6
f Éx 36:20
g Éx 27:20
h Éx 35:8
i Éx 30:23
j Éx 30:34
k Éx 28:6
l Éx 28:15
m Éx 29:45, 1Re 6:13, Heb 9:11
n 1Cr 28:12, Hch 7:44, Heb 8:5, Heb 9:9
o Éx 37:1
p Éx 37:2, Heb 9:4
q Éx 30:3
r Éx 37:5
s Éx 30:5, 1Cr 15:15
t 1Re 8:8
u Éx 16:34, Éx 31:18, Éx 40:20, Nú 17:10, Dt 31:26, 1Re 8:9, Heb 9:4
v Éx 37:6
w 1Sa 4:4, Heb 9:5

bín en el otro extremo.[a] Sobre la cubierta han de hacer ustedes los querubines, en sus dos extremos. 20 Y los querubines tienen que estar con sus dos alas extendidas hacia arriba, cubriendo la cubierta protectoramente con sus alas, con sus rostros el uno hacia el otro.[b] Hacia la cubierta deben estar los rostros de los querubines. 21 Y tienes que colocar la cubierta[c] arriba, sobre el Arca, y en el Arca colocarás el testimonio que te daré. 22 Y allí ciertamente me presentaré a ti, y hablaré contigo desde más arriba de la cubierta,[d] desde entre los dos querubines que están sobre el arca del testimonio, aun todo lo que te mande para los hijos de Israel.[e]

23 "Y tienes que hacer una mesa[f] de madera de acacia, de dos dedos su longitud y de un codo su anchura y de codo y medio su altura. 24 Y tienes que revestirla de oro puro, y tienes que hacerle un borde de oro en derredor.[g] 25 Y tienes que hacerle en derredor un canto del ancho de un palmo menor, y tienes que hacer el borde de oro para su canto en derredor.[h] 26 Y tienes que hacer cuatro anillos de oro y colocar los anillos en las cuatro esquinas que son para los cuatro pies.[i] 27 Los anillos deben estar cerca del canto como apoyos para los varales para llevar la mesa.[j] 28 Y tienes que hacer los varales de madera de acacia y revestirlos de oro, y con estos ellos tienen que llevar la mesa.[k]

29 "Y tienes que hacer sus platos y sus copas y sus cántaros y sus tazones con los cuales se derramarán [las libaciones]. Los has de hacer de oro puro.[l] 30 Y sobre la mesa tienes que poner constantemente delante de mí el pan de la proposición.[m]

31 "Y tienes que hacer un candelabro de oro puro. De labor a martillo se ha de hacer el candelabro.[n] Su base, sus brazos, sus copas, sus globos y sus flores han de proceder de él. 32 Y seis brazos salen de sus costados, tres brazos del candelabro de un costado y tres brazos del candelabro del otro costado.[a] 33 Hay tres copas en forma de flores de almendro en uno de los juegos de brazos, con globos y flores en alternación, y tres copas en forma de flores de almendro en el otro juego de brazos, con globos y flores en alternación.[b] De esta manera sucede con los seis brazos que salen del candelabro. 34 Y en el candelabro hay cuatro copas en forma de flores de almendro, con sus globos y flores en alternación.[c] 35 Y el globo debajo de dos brazos procede de él, y el globo debajo de los otros dos brazos procede de él, y el globo debajo de otros dos brazos procede de él, para los seis brazos que salen del candelabro.[d] 36 Sus globos y sus brazos han de proceder de él. Todo ello es una sola pieza de labor a martillo, de oro puro.[e] 37 Y tienes que hacer para él siete lámparas; y hay que encender las lámparas, y estas tienen que brillar sobre la zona enfrente de él.[f] 38 Y sus despabiladeras y sus braserillos son de oro puro.[g] 39 De un talento de oro puro debe él hacerlo con todos estos utensilios suyos. 40 Y ve que los hagas conforme a su modelo que te fue mostrado en la montaña.[h]

26 "Y el tabernáculo lo has de hacer de diez telas de tienda,[i] de lino fino retorcido e hilo azul y lana teñida de púrpura rojiza y fibra escarlata carmesí.[j] Con querubines,[k] obra de bordador, las harás. 2 La longitud de cada tela de tienda es de veintiocho codos y la anchura de cada tela de tienda es de cuatro codos. Hay una sola medida para todas las telas de tienda.[l] 3 Cinco telas de tienda han de formar una serie, y estarán uni-

CAP. 25
a Gé 3:24
b 1Re 8:7
  1Cr 28:18
c Éx 40:20
  1Cr 28:11
  Heb 9:5
d Éx 30:6
  Le 16:2
  Nú 7:89
  Jue 20:27
  Sl 80:1
e 2Sa 6:2
  2Re 19:15
  Isa 37:16
f Éx 40:22
  Le 24:6
  Nú 3:31
  Heb 9:2
g Éx 37:11
h Éx 37:12
i Éx 37:13
j Éx 37:14
k Éx 37:15
l Éx 37:16
  Nú 4:7
  1Re 7:50
m Le 24:5
  1Sa 21:6
  1Cr 9:32
  2Cr 13:11
  Mt 12:4
n Éx 37:17
  Éx 40:24
  1Re 7:49
  Heb 9:2

2.ª col.
a Éx 37:18
b Éx 37:19
c Éx 37:20
d Éx 37:21
e Nú 8:4
f Éx 30:8
  Le 24:3
  Nú 8:2
g Éx 37:23
  Nú 4:9
h Éx 39:42
  Nú 8:4
  Hch 7:44
  Heb 8:5

CAP. 26
i Heb 8:5
  Heb 9:11
j Éx 36:8
k Éx 26:1
  Sl 99:1
l Nú 4:25
  1Cr 17:1

das una a otra; y cinco telas de tienda, una serie, y estarán unidas una a otra.[a] 4 Y tienes que hacer presillas de hilo azul en la orilla de la tela de tienda [que se halla] al fin de la serie; y has de hacer lo mismo en la orilla de la tela de tienda al extremo en el otro lugar de unión.[b] 5 Harás cincuenta presillas en la primera [de estas] telas de tienda, y harás cincuenta presillas en la extremidad de la tela de tienda que está en el otro lugar de unión, y las presillas estarán contrapuestas una a otra.[c] 6 Y tienes que hacer cincuenta corchetes de oro y unir las telas de tienda una a otra por medio de los corchetes, y aquello tiene que llegar a ser un solo tabernáculo.[d]

7 "Y tienes que hacer telas de pelo de cabra[e] para la tienda que va sobre el tabernáculo. Harás once telas de tienda. 8 La longitud de cada tela de tienda es de treinta codos,[f] y la anchura de cada tela de tienda es de cuatro codos. Hay una sola medida para las once telas de tienda. 9 Y tienes que unir cinco telas de tienda solas y seis telas de tienda solas,[g] y tienes que doblar la sexta tela de tienda en la parte anterior de la tienda. 10 Y tienes que hacer cincuenta presillas en la orilla de la tela de tienda [pertinente], la extrema de la serie, y cincuenta presillas en la orilla de la tela de tienda en el otro lugar de unión. 11 Y tienes que hacer cincuenta corchetes de cobre[h] y meter los corchetes en las presillas y unir la tienda, y esta tiene que llegar a ser una sola.[i] 12 Y lo que sobre de las telas de la tienda es un colgante. La mitad de la tela de tienda que sobre ha de colgar sobre la parte posterior del tabernáculo. 13 Y el codo por este lado y el codo por aquel lado de lo que sobre de lo largo de las telas de la tienda servirán de colgante en los costados del tabernáculo,

para cubrirlo por este lado y por aquel.

14 "Y tienes que hacer para la tienda una cubierta de pieles de carnero teñidas de rojo y una cubierta de pieles de foca por encima.

15 "Y tienes que hacer de madera de acacia los armazones [en forma de marcos][a] para el tabernáculo, parados sobre su extremo. 16 Diez codos es la longitud de un armazón, y codo y medio es la anchura de cada armazón. 17 Cada armazón tiene dos espigas conectadas una con otra. De esa manera harás con todos los armazones del tabernáculo. 18 Y tienes que hacer los armazones para el tabernáculo, veinte armazones para el lado hacia el Négueb, al sur.

19 "Y harás cuarenta pedestales[b] de plata con encajaduras debajo de los veinte armazones; dos pedestales con encajaduras debajo de un armazón con sus dos espigas, y dos pedestales con encajaduras debajo del otro armazón con sus dos espigas. 20 Y para el otro lado del tabernáculo, el lado del norte, veinte armazones,[c] 21 y sus cuarenta pedestales de plata con encajaduras, dos pedestales con encajaduras debajo de un armazón y dos pedestales con encajaduras debajo del otro armazón.[d] 22 Y para las secciones traseras del tabernáculo, hacia el oeste, harás seis armazones.[e] 23 Y harás dos armazones como postes de esquina del tabernáculo[f] en sus dos secciones traseras. 24 Y deben ser dobles en la parte inferior, y juntos deben ser dobles hasta la parte superior de cada uno, donde está el primer anillo. Así debe ser para ambos. Servirán como dos postes de esquina. 25 Y tiene que haber ocho armazones y sus pedestales de plata con encajaduras, dieciséis pedestales, dos pedestales

CAP. 26
a Éx 36:10

b Éx 36:11

c Éx 36:12

d Éx 36:13
Éx 39:33
Heb 9:9

e Éx 35:26

f Dt 3:11

g Éx 36:16

h Dt 8:9
Job 28:2

i Éx 36:13

2.ª col.
a Nú 4:31

b Nú 3:36

c Éx 36:25

d Éx 36:26

e Éx 36:20
Éx 36:27

f Éx 36:28

con encajaduras debajo de un armazón y dos pedestales con encajaduras debajo del otro armazón. 26 "Y tienes que hacer barras de madera de acacia,ª cinco para los armazones de un lado del tabernáculo, 27 y cinco barras para los armazones del otro lado del tabernáculo, y cinco barras para los armazones del lado del tabernáculo, para las dos secciones traseras hacia el oeste.ᵇ 28 Y la barra de en medio, en el centro de los armazones, pasa desde un extremo hasta el otro extremo.

29 "Y revestirás de oro los armazones,ᶜ y sus anillos los harás de oro como apoyos para las barras; y tienes que revestir de oro las barras. 30 Y tienes que erigir el tabernáculo conforme al plan de él que se te ha mostrado en la montaña.ᵈ

31 "Y tienes que hacer una cortinaᵉ de hilo azul y lana teñida de púrpura rojiza y fibra escarlata carmesí y lino fino retorcido. Él la hará con querubines,ᶠ obra de bordador. 32 Y tienes que ponerla sobre cuatro columnas de acacia revestidas de oro. Sus clavijas son de oro. Están sobre cuatro pedestales de plata con encajaduras. 33 Y tienes que poner la cortina debajo de los corchetes y llevar el arca del testimonioᵍ allí al lado interior de la cortina; y la cortina tiene que hacer para ustedes una división entre el Santoʰ y el Santísimo.ⁱ 34 Y tienes que poner la cubierta sobre el arca del testimonio en el Santísimo.

35 "Y tienes que colocar la mesa al lado exterior de la cortina, y el candelabroʲ frente a la mesa en el lado del tabernáculo que da hacia el sur; y la mesa la pondrás en el lado del norte. 36 Y para la entrada de la tienda tienes que hacer una pantallaᵏ de hilo azul y lana teñida de púrpura rojiza y fibra escarlata car-

mesí y lino fino retorcido, obra de tejedor. 37 Y para la pantalla tienes que hacer cinco columnas de acacia y revestirlas de oro. Sus clavijas son de oro. Y tienes que fundir para ellas cinco pedestales de cobre con encajaduras.

27 "Y tienes que hacer el altar de madera de acacia, de cinco codos su longitud y de cinco codos su anchura. El altarª debe ser cuadrado; y su altura, de tres codos. 2 Y tienes que hacer sus cuernosᵇ sobre sus cuatro esquinas. Sus cuernos procederán de él, y tienes que revestirlo de cobre.ᶜ 3 Y tienes que hacer sus recipientes para remover sus cenizas grasosas, y sus palas, y sus tazones, y sus tenedores, y sus braserillos; y todos sus utensilios los harás de cobre.ᵈ 4 Y tienes que hacerle un enrejado, obra a modo de una redᵉ de cobre; y tienes que hacer sobre la red cuatro anillos de cobre en sus cuatro extremidades. 5 Y tienes que ponerlo debajo del canto del altar por dentro, y la red tiene que estar hacia el centro del altar.ᶠ 6 Y tienes que hacer varales para el altar, y sus varales serán de madera de acacia, y tienes que revestirlos de cobre.ᵍ 7 Y sus varales tienen que meterse en los anillos, y los varales tienen que estar a los dos lados del altar cuando sea llevado.ʰ 8 Lo harás [como] un cajón hueco de tablones. Tal como te mostró él en la montaña, así lo harán ellos.ⁱ

9 "Y tienes que hacer el patioʲ del tabernáculo. Para el lado hacia el Négueb, al sur, el patio tiene colgaduras de lino fino retorcido,ᵏ y es de cien codos la longitud para un lado. 10 Y sus veinte columnas y sus veinte pedestales con encajaduras son de cobre. Las clavijas de las columnas y sus conexiones son de plata.ˡ 11 Así, también, sucede para el lado del norte en cuanto a longitud, pues las col-

CAP. 26

a Éx 36:31
b Éx 36:32
c Éx 12:35
   Éx 36:34
d Éx 19:3
   Éx 25:9
   Éx 27:8
   Hch 7:44
   Heb 8:5
e Éx 36:35
   Éx 40:21
   Le 16:2
   Lu 23:45
   Heb 6:19
   Heb 9:3
   Heb 10:20
f Gé 3:24
g 1Re 8:6
   Heb 9:4
h Éx 40:22
   Éx 40:26
   Heb 9:2
i Éx 40:21
   Le 16:2
   1Re 8:6
   Heb 9:3
   Heb 9:12
   Heb 9:24
j Le 24:3
   1Re 7:49
k Éx 36:37

2.ª col.

CAP. 27

a Éx 38:1
   Éx 40:29
   2Cr 4:1
   Heb 13:10
b Le 4:25
   1Re 2:28
   Sl 118:27
c Éx 38:2
   Nú 16:38
   1Re 8:64
d Éx 38:3
   Le 16:12
   1Re 7:45
e Éx 35:16
f Éx 38:4
g Éx 38:6
   Nú 4:14
h Éx 38:7
   Nú 4:15
i Éx 25:40
   1Cr 28:12
   Hch 7:44
   Heb 8:5
j Éx 40:8
   Le 6:36
   1Re 8:64
   Sl 84:10
   Sl 92:13
   Sl 100:4
k Éx 38:9
l Éx 38:10

gaduras son de cien codos de largo, y sus veinte columnas y sus veinte pedestales con encajaduras son de cobre, siendo de plata las clavijas de las columnas y sus conexiones.[a] 12 En cuanto a la anchura del patio, por el lado del oeste las colgaduras son de cincuenta codos, sus columnas son diez y sus pedestales con encajaduras diez.[b] 13 Y la anchura del patio por el lado del este, hacia el naciente, es de cincuenta codos.[c] 14 Y hay quince codos de colgaduras por un lado, y sus columnas son tres y sus pedestales con encajaduras tres.[d] 15 Y para el otro lado hay quince codos de colgaduras, y sus columnas son tres y sus pedestales con encajaduras tres.[e]

16 "Y para la puerta del patio hay una pantalla de veinte codos de largo, de hilo azul y lana teñida de púrpura rojiza y fibra escarlata carmesí y lino fino retorcido, obra de tejedor,[f] y sus columnas son cuatro y sus pedestales con encajaduras cuatro.[g] 17 Todas las columnas del patio en derredor tienen trabas de plata, y sus clavijas son de plata, pero sus pedestales con encajaduras [son] de cobre.[h] 18 La longitud del patio es de cien codos,[i] y la anchura de cincuenta codos, y la altura de cinco codos, de lino fino retorcido, y sus pedestales son de cobre. 19 Y todos los utensilios del tabernáculo en todo su servicio, y todas sus estacas de tienda, y todas las estacas del patio son de cobre.[j]

20 "En cuanto a ti, has de mandar a los hijos de Israel que te consignen aceite de oliva puro, batido, para el alumbrado, para encender las lámparas constantemente.[k] 21 En la tienda de reunión, en el lado exterior de la cortina[l] que está junto al Testimonio, lo pondrán en orden Aarón y sus hijos desde la tarde hasta la mañana, delante de Jehová.[m] Es estatuto hasta tiempo indefinido para las generaciones de ellos,[a] que ha de ser ejecutado por los hijos de Israel.[b]

28 "Y en cuanto a ti, haz que se te acerque Aarón tu hermano, y sus hijos con él, de en medio de los hijos de Israel, para que él me haga trabajo de sacerdote,[c] Aarón,[d] Nadab y Abihú,[e] Eleazar e Itamar,[f] los hijos de Aarón. 2 Y tienes que hacer prendas de vestir santas para Aarón tu hermano, para gloria y hermosura.[g] 3 Y tú mismo has de hablar a todos los que son sabios con un corazón que yo he llenado del espíritu de sabiduría,[h] y ellos tienen que hacer las prendas de vestir de Aarón para santificarlo, a fin de que me haga trabajo de sacerdote.[i]

4 "Y estas son las prendas de vestir que harán: un pectoral,[j] y un efod[k] y una vestidura sin mangas[l] y un traje talar de obra escaqueada, un turbante[m] y una banda;[n] y tienen que hacer las prendas de vestir santas para Aarón tu hermano y para sus hijos, para que él me haga trabajo de sacerdote. 5 Y ellos mismos tomarán el oro y el hilo azul y la lana teñida de púrpura rojiza y la fibra escarlata carmesí y el lino fino.

6 "Y tienen que hacer el efod de oro, hilo azul y lana teñida de púrpura rojiza, fibra escarlata carmesí y lino fino retorcido, obra de bordador.[o] 7 Y ha de tener dos hombreras que han de unirse en sus dos extremos, y tiene que unirse.[p] 8 Y el cinturón,[q] que está sobre él para atarlo apretadamente, conforme a su hechura debe ser de sus materiales, de oro, hilo azul y lana teñida de púrpura rojiza y fibra escarlata carmesí y lino fino retorcido.

9 "Y tienes que tomar dos piedras de ónice[r] y grabar[s] sobre ellas los nombres de los hijos de Israel,[t] 10 seis de sus nombres en una de las piedras y los nombres de los seis restantes en la otra piedra, en el orden de sus

CAP. 27

a Éx 38:11
b Éx 38:12
c Éx 38:13
d Éx 38:14
  Éx 39:40
e Éx 38:15
f Éx 35:25
  Éx 38:18
g Éx 38:19
h Éx 38:17
i Éx 27:9
j Éx 38:20
  Nú 3:36
k Éx 39:37
  Le 24:2
l Éx 26:36
  Éx 40:3
  Heb 6:19
  Heb 9:2
  Heb 9:3
  Heb 10:20
m Éx 30:8
  Éx 24:3
  2Cr 13:11

2.ᵃ col.

a Éx 28:43
  Éx 40:15
b Le 21:21
  Nú 16:40
  Nú 18:23
  2Cr 26:18

CAP. 28

c Le 8:2
d Heb 5:1
d Éx 4:14
  Sl 99:6
  Heb 5:4
e Éx 6:23
  Le 10:1
  Nú 26:61
f Éx 38:21
  Le 10:16
  1Cr 6:3
  1Cr 24:2
g Éx 29:5
  Le 8:7
h Ef 1:17
i Éx 31:6
  Éx 36:1
  Pr 2:6
j Éx 39:8
  Éx 39:15
  Le 8:8
k Éx 39:2
l Éx 39:22
m Éx 39:28
  Éx 39:30
  Le 8:9
  Éx 39:29
  Le 8:7
  Isa 11:5
n Éx 39:3
o Éx 39:4
q Éx 29:5
r Gé 2:12
  Éx 35:9
s Éx 39:6
  2Cr 2:7
t Éx 39:14

nacimientos.[a] 11 Con obra de artífice en piedras, con los grabados de un sello, has de grabar las dos piedras con los nombres de los hijos de Israel.[b] Engastadas en engastes de oro las harás.[c] 12 Y tienes que poner las dos piedras sobre las hombreras del efod como piedras para memoria para los hijos de Israel;[d] y Aarón tiene que llevar los nombres de ellos delante de Jehová sobre sus dos hombreras como memoria. 13 Y tienes que hacer engastes de oro, 14 y las cadenillas de oro puro.[e] Como cordones las harás, con la hechura de cordel; y tienes que fijar las cadenillas parecidas a cordeles en los engastes.[f]

15 "Y tienes que hacer el pectoral de juicio[g] con obra de bordador. Como la obra del efod lo harás. De oro, hilo azul y lana teñida de púrpura rojiza y fibra escarlata carmesí y lino fino retorcido lo harás.[h] 16 Debe ser cuadrado cuando se doble, con un palmo de longitud y un palmo de anchura.[i] 17 Y tienes que llenarlo de guarnición de pedrería, y debe haber cuatro filas de piedras.[j] Fila de rubí,[k] topacio[l] y esmeralda[m] es la primera fila. 18 Y la segunda fila es de turquesa,[n] zafiro[o] y jaspe.[p] 19 Y la tercera fila es de piedra *léschem*,[q] ágata[q] y amatista.[r] 20 Y la cuarta fila es de crisólito[s] y ónice[t] y jade. Debe haber encajaduras de oro en sus guarniciones.[u] 21 Y las piedras deben ser según los nombres de los hijos de Israel, las doce según sus nombres.[v] Con los grabados de un sello deben ser, cada una según su nombre, para las doce tribus.[w] 22 "Y tienes que hacer sobre el pectoral cadenillas enroscadas, en obra de cordel, de oro puro.[x] 23 Y tienes que hacer sobre el pectoral dos anillos de oro,[y] y tienes que poner los dos anillos sobre los dos extremos del pectoral. 24 Y tienes que

CAP. 28
a Gé 43:33
  Ex 1:1
b Ex 35:27
c Ex 39:13
d Ex 39:7
e Ex 39:15
f Ex 39:18
g Ex 28:30
  Le 8:8
  Nú 27:21
h Ex 39:8
i Ex 39:9
j Ex 39:10
k Eze 27:16
l Rev 21:20
m Ex 39:10
  Rev 21:19
n Ex 39:11
o Ex 24:10
  Eze 1:26
p Rev 4:3
  Rev 21:11
q Ex 39:12
r Rev 21:20
s Can 5:14
t 1Cr 29:2
u Ex 39:13
v 1Re 18:31
w Ex 1:1
x Ex 39:15
y Ex 39:16

2.ª col.
a Ex 39:17
  Le 8:8
b Ex 39:18
c Ex 39:19
d Ex 28:8
  Ex 39:20
  Le 8:7
e Ex 39:21
f Le 8:8
  Nú 27:21
  Dt 33:8
  1Sa 28:6
  Esd 2:63
g Isa 58:2
  Jn 8:16
  Heb 4:15
  Heb 5:1
h Ex 39:22
  Le 8:7
i Ex 39:23
j Ex 39:25

meter los dos cordeles de oro por los dos anillos en las extremidades del pectoral.[a] 25 Y meterás los dos extremos de los dos cordeles por los dos engastes, y tienes que poner estos sobre las hombreras del efod, en la parte delantera de él.[b] 26 Y tienes que hacer dos anillos de oro y colocarlos en las dos extremidades del pectoral sobre su orilla que está en el lado que da hacia el efod al interior.[c] 27 Y tienes que hacer dos anillos de oro y ponerlos sobre los dos hombreras del efod por debajo, en su parte delantera, cerca de su juntura, por encima del cinturón del efod.[d] 28 Y atarán el pectoral por sus anillos a los anillos del efod con una cuerdecita azul, para que continúe por encima del cinturón del efod y no se desaloje el pectoral de encima del efod.[e]

29 "Y Aarón tiene que llevar los nombres de los hijos de Israel en el pectoral de juicio sobre su corazón cuando entre en el Santo como memoria delante de Jehová constantemente. 30 Y tienes que poner el Urim[f] y el Tumim dentro del pectoral de juicio, y tienen que hallarse sobre el corazón de Aarón cuando él entre delante de Jehová; y Aarón tiene que llevar los juicios[g] de los hijos de Israel sobre su corazón delante de Jehová constantemente.

31 "Y tienes que hacer la vestidura sin mangas del efod toda de hilo azul.[h] 32 Y tiene que haber una abertura en la parte superior de ella, en su centro. Su abertura debe tener un borde en derredor, producto de obrero de telar. Como la abertura de una cota de malla le debe ser esta, para que no se rompa.[i] 33 Y sobre el dobladillo de ella tienes que hacer granadas de hilo azul y lana teñida de púrpura rojiza y fibra escarlata carmesí, sobre su dobladillo en derredor, y campanillas[j] de oro entre ellas en derredor; 34 una campanilla

de oro y una granada, una campanilla de oro y una granada sobre el dobladillo de la vestidura sin mangas, en derredor.[a] 35 Y tiene que estar sobre Aarón para que ministre, y el sonido procedente de él tiene que oírse cuando entre en el santuario delante de Jehová y cuando salga, para que no muera.[b]

36 "Y tienes que hacer una lámina resplandeciente de oro puro y grabar sobre ella con los grabados de un sello: 'La santidad pertenece a Jehová'.[c] 37 Y tienes que asegurarla con una cuerdecita azul, y tiene que llegar a estar sobre el turbante.[d] En la parte delantera del turbante debe llegar a estar. 38 Y tiene que llegar a estar sobre la frente de Aarón, y Aarón tendrá que responder por el error cometido contra los objetos santos,[e] los cuales los hijos de Israel santificarán, es decir, todas sus dádivas santas; y tiene que quedar sobre su frente constantemente, para ganar aprobación para ellos[f] delante de Jehová.

39 "Y tienes que tejer en obra escaqueada el traje talar de obra fino y hacer un turbante de lino fino,[g] y harás una banda,[h] obra de tejedor.

40 "Y para los hijos de Aarón harás trajes talares,[i] y tienes que hacerles bandas, y les harás tocados[j] para gloria y hermosura.[k] 41 Y con estas tendrás que vestir a Aarón tu hermano y a sus hijos con él, y tendrás que ungirlos[l] y llenarles la mano de poder y santificarlos, y tienen que hacerme trabajo de sacerdotes. 42 Y hazles calzoncillos de lino para cubrir la carne desnuda.[n] Desde las caderas hasta los muslos han de extenderse. 43 Y tienen que estar sobre Aarón y sus hijos cuando entren en la tienda de reunión o cuando se acerquen al altar para ministrar en el lugar santo, para que no incurran en error y ciertamente

mueran. Es estatuto hasta tiempo indefinido para él y para su prole después de él.[a]

29 "Y esta es la cosa que has de hacer con ellos para santificarlos para que me hagan trabajo de sacerdotes: Toma un toro joven, y dos carneros,[b] sanos,[c] 2 y pan no fermentado y tortas anulares no fermentadas, mojadas ligeramente con aceite,[d] y galletitas delgadas no fermentadas, untadas con aceite. De flor de harina de trigo los harás. 3 Y tienes que ponerlos sobre una cesta y presentarlos en la cesta,[e] y también el toro y los dos carneros.

4 "Y presentarás a Aarón y sus hijos en la entrada[f] de la tienda de reunión, y tienes que lavarlos con agua.[g] 5 Entonces tienes que tomar las prendas de vestir[h] y vestir a Aarón con el traje talar y la vestidura sin mangas del efod y con el efod y el pectoral, y tienes que atárselo apretadamente con el cinturón del efod.[i] 6 Y tienes que colocar el turbante sobre su cabeza y poner la santa señal de dedicación sobre el turbante.[j] 7 Y tienes que tomar el aceite de la unción[k] y derramárselo sobre la cabeza y ungirlo.[l]

8 "Entonces harás que se acerquen sus hijos y tienes que vestirlos con los trajes talares.[m] 9 Y tienes que ceñirlos con las bandas, a Aarón así como también a sus hijos, y tienes que envolver sobre ellos el tocado; y el sacerdocio tiene que venir a ser de ellos como estatuto hasta tiempo indefinido.[n] Así tienes que llenar de poder la mano[o] de Aarón y la mano de sus hijos.

10 "Ahora tienes que presentar el toro delante de la tienda de reunión, y Aarón y sus hijos tienen que poner sus manos sobre la cabeza del toro.[p] 11 Y tienes que degollar el toro delante de Jehová, a la entrada de la tienda

CAP. 28
a Éx 39:26
b Le 16:2
  Nú 18:7
  Le 39:30
  Le 8:9
  1Cr 16:29
  Sl 93:5
  Zac 14:20
  Heb 7:26
  1Pe 1:16
d Éx 39:6
  Éx 39:31
e Le 10:17
  Le 22:9
  Nú 18:1
  Isa 53:11
  2Co 5:21
  Heb 9:28
  1Pe 2:24
f Le 23:11
  Ro 8:34
  Heb 7:25
g Éx 28:4
  Rev 19:8
h Éx 39:29
i Éx 39:27
  Le 8:13
  Isa 3:18
j Éx 39:28
  Le 8:13
k Éx 28:2
l Éx 29:7
  Éx 30:30
  Le 10:7
  Hch 10:38
  2Co 1:21
  1Jn 2:27
m Éx 28:42
  Le 8:33
  Nú 3:3
n Le 6:10

2.ª col.
a Éx 27:21

CAP. 29
b Le 8:2
  Le 9:2
  2Cr 13:9
c Dt 15:21
  Dt 17:1
d Le 6:20
  Le 7:12
e Le 8:26
  Éx 26:36
  Éx 40:28
g Le 8:6
  Heb 7:26
  Heb 10:22
h Éx 28:4
  Le 8:7
  Le 16:4
i Éx 28:8
j Éx 28:36
  Éx 39:30
  Le 8:9
k Éx 30:25
  1 Le 8:12
  Sl 133:2
  Isa 61:1
  Hch 10:38
m Éx 28:40
  Le 8:13
n Éx 28:1
  Éx 28:43
  Éx 40:15
o Éx 28:41
  Éx 32:29
  Flp 4:13
p Le 8:14

de reunión.[a] 12 Y tienes que tomar parte de la sangre del toro[b] y con tu dedo ponerla sobre los cuernos del altar,[c] y toda la demás sangre la derramarás a la base del altar.[d] 13 Y tienes que tomar toda la grasa[e] que cubre los intestinos,[f] y el apéndice [que está] sobre el hígado,[g] y los dos riñones y la grasa que está sobre ellos, y tienes que hacerlos humear sobre el altar.[h] 14 Pero la carne del toro y su piel y su estiércol los quemarás con fuego fuera del campamento.[i] Es una ofrenda por el pecado.

15 "Entonces tomarás uno de los carneros,[j] y Aarón y sus hijos tienen que poner sus manos sobre la cabeza del carnero.[k] 16 Y tienes que degollar el carnero y tomar su sangre y rociarla en derredor sobre el altar.[l] 17 Y cortarás el carnero en sus trozos, y tienes que lavar sus intestinos[m] y sus canillas y poner sus trozos uno contra otro y así hasta su cabeza. 18 Y tienes que hacer humear el carnero entero sobre el altar. Es una ofrenda quemada[n] a Jehová, un olor conducente a descanso.[o] Es una ofrenda hecha por fuego a Jehová.

19 "En seguida tienes que tomar el otro carnero, y Aarón y sus hijos tienen que poner sus manos sobre la cabeza del carnero.[p] 20 Y tienes que degollar el carnero y tomar un poco de su sangre y ponerla sobre el lóbulo de la oreja derecha de Aarón y sobre el lóbulo de la oreja derecha de sus hijos y sobre el pulgar de la mano derecha de ellos y sobre el dedo gordo de su pie derecho,[q] y tienes que rociar la sangre en derredor sobre el altar. 21 Y tienes que tomar un poco de la sangre que está sobre el altar y un poco del aceite de la unción,[r] y tienes que salpicarlo sobre Aarón y sus prendas de vestir y sobre sus hijos y las prendas de vestir de sus hijos con él, para que verdaderamente sean santos él y sus prendas de

vestir y sus hijos y las prendas de vestir de sus hijos con él.[a]

22 "Y tienes que tomar del carnero la grasa y la cola gorda[b] y la grasa que cubre los intestinos, y el apéndice del hígado, y los dos riñones y la grasa que está sobre ellos, y la pierna derecha,[c] porque es un carnero de instalación;[d] 23 también un pan redondo y una torta anular de pan aceitado y una galletita delgada de la cesta de tortas no fermentadas que está delante de Jehová.[e] 24 Y tienes que colocarlos todos sobre las palmas de las manos de Aarón y sobre las palmas de las manos de sus hijos,[f] y tienes que mecerlos de acá para allá como ofrenda mecida delante de Jehová.[g] 25 Y tienes que tomarlos de sobre sus manos y hacerlos humear sobre el altar, sobre la ofrenda quemada, como olor conducente a descanso delante de Jehová.[h] Es una ofrenda hecha por fuego a Jehová.[i]

26 "Y tienes que tomar el pecho del carnero de la instalación,[j] que es para Aarón, y mecerlo de acá para allá como ofrenda mecida delante de Jehová, y tiene que llegar a ser porción tuya. 27 Y tienes que santificar el pecho[k] de la ofrenda mecida y la pierna de la porción sagrada que haya sido mecida y que haya sido contribuida del carnero de instalación,[l] de lo que haya sido para Aarón y de lo que haya sido para sus hijos. 28 Y ello tiene que llegar a ser de Aarón y de sus hijos por disposición reglamentaria hasta tiempo indefinido que ha de ser ejecutada por los hijos de Israel, porque es una porción sagrada;[m] y llegará a ser una porción sagrada que ha de ser ofrecida por los hijos de Israel. De sus sacrificios de comunión[n] es su porción sagrada para Jehová.

29 "Y las prendas de vestir santas[o] que son de Aarón servirán para sus hijos[p] después de él para ungirlos[q] en ellas y para lle-

CAP. 29

a Le 1:3
b Le 1:5
b Le 8:15
c Éx 27:2
d Le 4:7
e Le 3:17
  Le 4:8
  Sl 69:9
f Le 1:9
  Le 9:14
g Le 8:16
  Le 9:19
h Le 17:6
i Le 16:27
j Le 8:18
k Le 1:4
l Le 8:19
  Heb 9:22
m Le 1:13
  Le 8:21
n Gé 22:2
  Le 9:24
o Gé 8:21
  Ef 5:2
  Flp 4:18
p Le 8:22
q Le 8:24
r Éx 30:25
  Sl 133:2
  Isa 61:1

2.ª col.

a Le 8:30
b Le 3:9
  Le 7:3
  Le 9:19
c Le 7:32
  Le 9:21
  Nú 18:18
d Le 8:22
e Le 8:26
  1Co 5:8
f Le 8:27
g Le 7:30
h Le 8:28
  Ef 5:2
i Le 10:13
  1Sa 2:28
j Le 8:29
  Sl 99:6
k Le 10:15
l Éx 29:22
  Le 7:37
m Le 7:34
  Le 10:14
  Nú 15:19
  Nú 18:24
  Dt 18:3
n Le 7:11
o Éx 28:4
p Nú 20:26
q Éx 30:30
  Éx 40:15
  Le 8:12
  2Co 1:21

narles la mano de poder en ellas.[a] 30 Siete días[b] las llevará puestas el sacerdote que le suceda de entre sus hijos y que entre en la tienda de reunión para ministrar en el lugar santo.[c]

31 "Y tomarás el carnero de la instalación, y tienes que cocer su carne en un lugar santo.[c] 32 Y Aarón y sus hijos tienen que comer[d] la carne del carnero y el pan que está en la cesta, a la entrada de la tienda de reunión. 33 Y tienen que comer las cosas con las cuales se ha hecho expiación para llenarles de poder la mano, a fin de santificarlos.[e] Pero un extraño no puede comerlas, porque son cosa santa.[f] 34 Y si sobra algo de la carne del sacrificio de la instalación y del pan hasta la mañana, entonces tienes que quemar con fuego lo que sobre.[g] No debe comerse, porque es cosa santa.

35 "Y tienes que hacer de esta manera con Aarón y sus hijos conforme a todo lo que te he mandado.[h] Tomarás siete días para llenarles de poder la mano.[i] 36 Y ofrecerás diariamente el toro de la ofrenda por el pecado para expiación,[j] y tienes que purificar de pecado el altar mediante hacer expiación por él, y tienes que ungirlo[k] para santificarlo. 37 Tomarás siete días para hacer expiación por el altar, y tienes que santificarlo[l] para que verdaderamente llegue a un altar santísimo.[m] Todo el que toque el altar ha de ser santo.[n]

38 "Y esto es lo que ofrecerás sobre el altar: carneros jóvenes de un año de edad cada uno, dos al día constantemente.[o] 39 Y ofrecerás el primer carnero joven por la mañana,[p] y ofrecerás el otro carnero joven entre las dos tardes.[q] 40 Y la décima parte de una medida de efá de flor de harina[r] mojada con un cuarto de hin de aceite batido, y una libación[s] de un cuarto de hin de vino, irán para el primer carnero joven. 41 Y ofrecerás el

segundo carnero joven entre las dos tardes. Con una ofrenda de grano[a] como la de la mañana y con una libación como la de ella, lo ofrecerás como olor conducente a descanso, una ofrenda hecha por fuego a Jehová. 42 Es una ofrenda quemada constante[b] durante todas las generaciones de ustedes a la entrada de la tienda de reunión delante de Jehová, donde me presentaré a ustedes para hablarte allí.[c]

43 "Y de veras me presentaré allí a los hijos de Israel, y él ciertamente será santificado por mi gloria.[d] 44 Y de veras santificaré la tienda de reunión y el altar; y santificaré a Aarón y sus hijos para que me hagan trabajo de sacerdotes. 45 Y ciertamente residiré en medio de los hijos de Israel, y ciertamente resultaré ser su Dios.[f] 46 Y ciertamente sabrán que yo soy Jehová su Dios, que los sacó de la tierra de Egipto para residir en medio de ellos.[g] Yo soy Jehová su Dios.[h]

30 "Y tienes que hacer un altar como lugar para quemar incienso;[i] de madera de acacia lo harás. 2 De un codo su longitud y de un codo su anchura, debe ser cuadrado, y de dos codos su altura. Sus cuernos se extienden desde él.[j] 3 Y tienes que revestirlo de oro puro, su superficie superior y sus lados en derredor y sus cuernos; y tienes que hacerle un borde de oro en derredor.[k] 4 También le harás dos anillos de oro. Más abajo de su borde sobre dos de sus costados lo harás, sobre dos costados opuestos de él, por cuanto tienen que servir de apoyos para los varales con los cuales llevarlo.[l] 5 Y tienes que hacer los varales de madera de acacia y revestirlos de oro.[m] 6 Y tienes que ponerlo delante de la cortina que está cerca del arca del testimonio,[n] delante de la cubierta que está sobre el Tes-

CAP. 29
a Éx 28:41
  Le 8:33
  2Co 3:5
b Le 8:35
  Le 9:1
c Le 8:31
d 1Co 9:13
  1Co 9:14
e Le 10:13
f Le 22:10
  Nú 3:10
  Mt 12:4
g Éx 12:10
  Le 8:32
h Éx 8:4
i Le 8:33
j Le 4:20
k Éx 30:28
  Le 8:11
  Nú 7:1
l Éx 40:10
m Éx 30:29
  Mt 23:19
n Éx 30:29
o 1Cr 16:40
  2Cr 2:4
  2Cr 13:11
  Da 9:27
  Heb 7:27
  Heb 10:11
p 2Re 16:15
  Heb 26:7
q Da 9:21
r Éx 16:36
  Nú 28:5
s Gé 35:14
  Le 23:13
  Flp 2:17

2.ª col.
a 1Re 18:29
  Sl 141:2
b Nú 28:6
c Éx 25:22
  Le 1:1
  Nú 17:4
d Éx 40:34
  Nú 12:5
  1Re 8:11
e Le 21:15
  Le 22:9
  Jn 10:36
f Éx 25:8
  Le 26:12
  Zac 2:11
  2Co 6:16
  Ef 2:22
g Éx 20:2
h Le 11:44
  Le 18:30
  Le 19:2
  Eze 20:5

CAP. 30
i Éx 40:5
  Sl 141:2
j Éx 37:25
  Éx 37:25
  Le 4:7
k Éx 37:26
l Éx 37:27
m Éx 37:28
n Éx 26:33
  Heb 9:3

timonio, donde me presentaré a ti.[a]

7 "Y Aarón tiene que hacer humear[b] sobre él incienso perfumado.[c] Mañana a mañana, cuando disponga las lámparas,[d] lo hará humear. 8 Y al encender Aarón las lámparas entre las dos tardes, lo hará humear. Es un incienso [que ha de estar] constantemente delante de Jehová durante sus generaciones. 9 No deben ustedes ofrecer sobre él incienso ilegítimo,[e] ni ofrenda quemada, ni ofrenda de grano; y no deben derramar sobre él libación. 10 Y Aarón tiene que hacer expiación sobre los cuernos de este una vez al año.[f] Con parte de la sangre de la ofrenda por el pecado[g] [del día] de la expiación hará expiación por él una vez al año durante las generaciones de ustedes. Es santísimo a Jehová".

11 Y Jehová siguió hablando a Moisés, y dijo: 12 "Siempre que tomes la cuenta de los hijos de Israel como censo de ellos,[h] entonces cada uno tiene que dar a Jehová un rescate por su alma cuando se haga el censo de ellos,[i] para que no vaya a haber plaga alguna sobre ellos al hacerse el censo de ellos.[j] 13 Esto es lo que darán todos los que pasen a estar entre los numerados: medio siclo, según el siclo del lugar santo.[k] Veinte guerás equivalen a un siclo. Medio siclo es la contribución a Jehová.[l] 14 Todo el que pase a estar entre los inscritos de veinte años de edad para arriba dará la contribución de Jehová.[m] 15 El rico no debe dar más, y el de condición humilde no debe dar menos del medio siclo,[n] a fin de dar la contribución de Jehová para hacer expiación por sus almas.[o] 16 Y tienes que tomar de los hijos de Israel el dinero de plata de la expiación y darlo a favor del servicio de la tienda de reunión,[p] para que verdaderamente sirva de memoria delante de Jehová para los hijos de Israel, para ha-

cer expiación por las almas de ustedes".

17 Y Jehová habló adicionalmente a Moisés, y dijo: 18 "Tienes que hacer una fuente de cobre y su base de cobre para el lavado,[a] y tienes que ponerla entre la tienda de reunión y el altar y poner agua en ella.[b] 19 Y Aarón y sus hijos tienen que lavarse las manos y los pies allí.[c] 20 Cuando entren en la tienda de reunión se lavarán con agua para que no mueran, o cuando se acerquen al altar para ministrar, a fin de hacer humear una ofrenda hecha por fuego a Jehová.[d] 21 Y tienen que lavarse las manos y los pies para que no mueran,[e] y esto tiene que servirles de disposición reglamentaria hasta tiempo indefinido, a él y a su prole durante todas sus generaciones".[f]

22 Y Jehová continuó hablando a Moisés, y dijo: 23 "En cuanto a ti, toma para ti los perfumes más selectos:[g] de mirra[h] en gotas cuajadas quinientas unidades, y de canela[i] aromática la mitad de esa cantidad, doscientas cincuenta unidades, y de cálamo[j] aromático doscientas cincuenta unidades, 24 y de casia[k] quinientas unidades, según el siclo del lugar santo,[l] y aceite de oliva un hin.[m] 25 Entonces tienes que hacer de ellos un santo aceite de unción, un ungüento, una mezcla que sea obra de ungüentario.[n] Ha de ser un santo aceite de unción.[o]

26 "Y tienes que ungir con él la tienda de reunión[p] y el arca del testimonio, 27 y la mesa y todos sus utensilios y el candelabro y sus utensilios y el altar del incienso, 28 y el altar de la ofrenda quemada y todos sus utensilios y la fuente y su base. 29 Y tienes que santificarlos para que verdaderamente lleguen a ser santísimos.[q] Todo el que los toque ha de ser santo.[r] 30 Y ungirás a Aarón[s] y sus hijos,[t] y tienes que santificarlos

---

CAP. 30

a Éx 25:22
b Le 16:13
  Nú 16:40
  1Sa 2:28
  1Cr 23:13
  Lu 1:9
c Éx 30:34
  2Cr 13:11
  Rev 8:4
d Éx 27:20
  1Sa 3:3
e Le 10:1
  2Cr 26:18
  Eze 8:11
f Le 16:18
  Le 23:27
  Heb 9:7
g Le 16:15
  Le 16:6
  Le 16:19
h Éx 38:25
  Nú 1:2
i Nú 31:50
j 2Sa 24:10
  2Sa 24:15
  1Cr 21:12
k Le 27:25
l 2Cr 24:9
  Ne 10:32
  Mt 17:24
m Éx 38:26
  Nú 1:3
  Nú 26:2
n Job 34:19
  Pr 22:2
  Ef 6:9
o Nú 31:50
p Éx 38:25

2.ª col.

a Éx 38:8
  Le 8:11
  1Re 7:38
b Éx 40:7
c Éx 40:31
  Ef 5:26
  Heb 10:22
d 2Cr 13:11
e Éx 40:31
f Éx 28:43
  2Cr 4:6
g Can 4:14
  Jer 6:20
h Sl 45:8
  Can 1:13
  Can 3:6
i Pr 7:17
  Rev 18:13
j Eze 27:19
k Sl 45:8
l Nú 3:47
m Éx 29:40
  Le 19:36
  Nú 15:5
n Éx 37:29
o Nú 35:25
  Sl 89:20
  Sl 133:2
  Heb 1:9
p Éx 40:9
  Nú 7:1
q Le 8:10
r Éx 29:37
  Le 6:18
s Le 8:12
  Hch 10:38
t Nú 3:3
  2Co 1:21

para que me hagan trabajo de sacerdotes.[a]

31 "Y hablarás a los hijos de Israel, y dirás: 'Este ha de continuar como santo aceite de unción para mí durante las generaciones de ustedes.[b] 32 No ha de untarse en la carne de la humanidad, y de la composición de este no deben ustedes hacer otro semejante. Es cosa santa. Ha de continuar como cosa santa para ustedes. 33 Cualquiera que haga un ungüento semejante a él y que ponga de él sobre un extraño tiene que ser cortado de su pueblo'".[c]

34 Y Jehová pasó a decir a Moisés: "Tómate perfumes:[d] gotas de estacte y uña olorosa y gálbano perfumado y olíbano[e] puro. Debe haber la misma porción de cada uno. 35 Y tienes que hacer de ello un incienso,[f] una mezcla de especias, obra de ungüentario, sazonado con sal,[g] puro, cosa santa. 36 Y tienes que machacar parte de él hasta convertirlo en polvo fino y tienes que poner parte de él delante del Testimonio en la tienda de reunión,[i] donde me presentaré a ti. Debe serles santísimo. 37 Y el incienso que harás con esta composición, no lo deben hacer para ustedes.[j] Ha de continuar para ti como cosa santa a Jehová.[k] 38 Cualquiera que haga uno semejante a él para disfrutar de su olor tiene que ser cortado[l] de su pueblo".

31 Y Jehová continuó hablando a Moisés, diciendo: 2 "Mira, de veras llamo por nombre a Bezalel[m] hijo de Urí hijo de Hur, de la tribu de Judá.[n] 3 Y lo llenaré del espíritu de Dios en sabiduría y en entendimiento y en conocimiento y en habilidad para toda clase de artesanía,[o] 4 para diseñar medios útiles, para trabajar en oro y plata y cobre,[p] 5 y en trabajo de piedras para engastarlas[q] y en trabajo de madera para hacer productos de toda clase.[r] 6 En

cuanto a mí, ¡mira!, efectivamente pongo con él a Oholiab hijo de Ahisamac, de la tribu de Dan,[s] y en el corazón de todos los que son sabios de corazón de veras pongo sabiduría, para que verdaderamente hagan todo lo que te he mandado:[b] 7 la tienda de reunión[c] y el Arca[d] para el testimonio y la cubierta que está sobre[e] ella, y todos los utensilios de la tienda, 8 y la mesa y sus utensilios,[f] y el candelabro de oro puro y todos sus utensilios,[g] y el altar del incienso,[h] 9 y el altar de la ofrenda quemada y todos sus utensilios,[i] y la fuente y su base,[j] 10 y las prendas de vestir de obra tejida y las prendas de vestir santas para Aarón el sacerdote y las prendas de vestir de sus hijos para que hagan trabajo de sacerdotes;[k] 11 y el aceite de la unción y el incienso perfumado para el santuario.[l] Conforme a todo lo que te he mandado harán ellos".

12 Y Jehová dijo además a Moisés: 13 "En cuanto a ti, habla a los hijos de Israel, y di: 'Especialmente mis sábados los han de guardar,[m] porque es una señal entre yo y ustedes durante sus generaciones para que sepan que yo, Jehová, estoy santificándolos.[n] 14 Y tienen que guardar el sábado, porque es cosa santa para ustedes.[o] Positivamente será muerto el que lo profane.[p] En caso de que haya alguien haciendo trabajo en él, entonces esa alma tiene que ser cortada en medio de su pueblo.[q] 15 Seis días puede hacerse trabajo, pero el séptimo día es un sábado de descanso completo.[r] Es cosa santa a Jehová. Todo el que haga trabajo en el día del sábado positivamente será muerto. 16 Y los hijos de Israel tienen que guardar el sábado, para llevar a cabo el sábado durante sus generaciones. Es un pacto hasta tiempo indefinido.[s] 17 Entre yo y los hijos de Israel es una señal hasta tiempo indefinido,[t] porque en seis días

CAP. 30
a Éx 40:15
　Rev 5:10
b Éx 37:29
　1Re 1:39
　1Sa 89:20
c Éx 30:38
　Éx 25:6
　Éx 37:29
e Le 5:11
　Ne 13:5
　Can 3:6
　Mt 2:11
f Sl 141:2
　Rev 5:8
g Le 2:13
h Éx 16:34
　Le 29:42
　Le 16:2
j Éx 30:32
k Éx 29:37
l Le 24:16
　Nú 15:35

CAP. 31
m Éx 37:1
　Éx 35:30
　1Cr 2:20
o Éx 35:31
　1Re 7:14
p 2Cr 2:7
q Éx 28:9
r Éx 35:33

2.ª col.
a Éx 35:34
　Éx 38:23
b Éx 36:1
c Éx 36:8
d Éx 37:1
e Éx 37:6
f Éx 37:10
g Éx 35:14
　Éx 37:17
h Éx 37:25
i Éx 38:1
　Éx 40:6
j Éx 30:18
　Éx 38:8
k Éx 28:2
　Éx 28:15
　Éx 39:1
　Éx 39:27
　Le 8:7
l Éx 30:25
　Éx 30:35
　Éx 37:29
m Éx 20:8
　Le 19:30
　Col 2:17
n Eze 20:12
　Jn 17:17
　1Te 5:23
o Dt 5:12
　Isa 56:2
p Eze 20:13
　Nú 15:32
　Nú 15:35
r Éx 16:23
　Nú 28:10
　Lu 23:56
s Le 24:8
t Éx 31:13

hizo Jehová los cielos y la tierra, y en el séptimo día descansó y procedió a refrescarse’ ”.[a]

18 Ahora bien, tan pronto como hubo acabado de hablar con él en el monte Sinaí, procedió a dar a Moisés dos tablas del Testimonio,[b] tablas de piedra en las que el dedo[c] de Dios había escrito.

32 Entretanto, el pueblo llegó a ver que Moisés tardaba mucho en bajar de la montaña.[d] De modo que el pueblo se congregó en torno a Aarón, y le dijeron: “Levántate, haznos un dios que vaya delante de nosotros,[e] porque en cuanto a este Moisés, el hombre que nos hizo subir de la tierra de Egipto,[f] ciertamente no sabemos qué le habrá pasado”. **2** Ante esto, Aarón les dijo: “Arranquen los aretes de oro[g] que están en las orejas de sus esposas, de sus hijos y de sus hijas, y tráiganmelos”. **3** Y todo el pueblo se puso a arrancar los aretes de oro que estaban en sus orejas y a llevárselos a Aarón. **4** Entonces él tomó [el oro] de manos de ellos, y lo formó[h] con un buril y procedió a hacer de él una estatua fundida de un becerro.[i] Y empezaron a decir: “Este es tu Dios, oh Israel, que te hizo subir de la tierra de Egipto”.[j]

5 Cuando Aarón llegó a ver esto, se puso a edificar un altar delante de él. Por fin clamó Aarón y dijo: “Mañana hay fiesta a Jehová”. **6** De modo que al día siguiente se levantaron temprano, y empezaron a ofrecer ofrendas quemadas y a presentar sacrificios de comunión. Después de eso se sentó el pueblo a comer y beber. Entonces se levantaron para divertirse.[k]

7 Jehová ahora dijo a Moisés: “Ve, desciende, porque tu pueblo que hiciste subir de la tierra de Egipto ha actuado ruinosamente.[l] **8** Se han desviado apresuradamente del camino en que les he mandado ir.[a] Se han hecho una estatua fundida de un becerro y siguen inclinándose ante ella y haciéndole sacrificios y diciendo: ‘Este es tu Dios, oh Israel, que te hizo subir de la tierra de Egipto’ ”.[b] **9** Y Jehová siguió diciendo a Moisés: “He mirado a este pueblo, y he aquí que es un pueblo de dura cerviz.[c] **10** Así que ahora déjame, para que se encienda mi cólera contra ellos y los extermine,[d] y déjame hacer de ti una nación grande”.[e]

11 Y Moisés procedió a ablandar el rostro de Jehová su Dios[f] y a decir: “¿Por qué, oh Jehová, debe encenderse tu cólera[g] contra tu pueblo, a quien sacaste de la tierra de Egipto con gran poder y con mano fuerte? **12** ¿Por qué deben decir los egipcios:[h] ‘Con mala intención los sacó, para matarlos entre las montañas y para exterminarlos de la superficie del suelo’?[i] Vuélvete de tu cólera[j] ardiente y siente pesar[k] respecto al mal contra tu pueblo. **13** Acuérdate de Abrahán, de Isaac y de Israel tus siervos, a quienes juraste por ti mismo,[l] por cuanto les dijiste: ‘Multiplicaré su descendencia como las estrellas de los cielos,[m] y toda esta tierra que he designado la daré a su descendencia,[n] para que verdaderamente tomen posesión de ella hasta tiempo indefinido’ ”.[o]

14 Y Jehová empezó a sentir pesar respecto al mal de que había hablado que haría a su pueblo.[p]

15 Después de eso, Moisés se volvió y bajó de la montaña[q] con las dos tablas del Testimonio[r] en la mano, tablas sobre las cuales estaba escrito por ambos lados. Por este lado y por el otro estaban escritas. **16** Y las tablas eran la obra de Dios, y la escritura era la escritura de Dios grabada sobre las tablas.[s] **17** Y Josué empezó a oír el ruido del pueblo a causa de su gritería, y procedió a decir a Moisés: “Hay

CAP. 31

a Gé 2:2; Isa 40:28; Heb 4:4
b Éx 24:12; Éx 32:15; Dt 4:13; Dt 9:15
c Éx 8:19; Mt 12:28; Lu 11:20; 2Co 3:3

CAP. 32

d Éx 24:18; Dt 9:9
e Dt 4:15; Jn 4:24; Hch 7:40; Hch 17:29
f Os 12:13; Miq 6:4
g Éx 12:35
h Dt 9:16; Isa 44:9; Isa 46:6; Hch 7:41
i 1Re 12:28; 2Re 10:29; Sl 106:19; Os 13:2
j Éx 20:4; Ne 9:18; Sl 106:20; Ro 1:23
k Hch 7:41; 1Co 10:7
l Dt 4:16; Dt 9:12; Dt 32:5; Jue 2:19

2.ª col.

a Éx 18:20; Éx 20:3; Dt 9:16; Jue 2:17
b 1Re 12:28
c Éx 34:9; Dt 9:6; Ne 9:16; Hch 7:51; Heb 3:15
d Dt 9:14
e Nú 14:12
f Dt 9:18; Sl 106:23
g Dt 9:19
h Nú 14:13
i Dt 9:28
j Jos 7:26
k Dt 32:36; 2Sa 24:16
l Gé 22:16; Heb 6:13
m Gé 22:17; Gé 26:4; Gé 35:11
n Ro 9:7
o Gé 13:15
p Sl 106:45; Os 11:9; Joe 2:13
q Dt 9:15
r Éx 40:20; Dt 5:22
s Éx 31:18; Éx 34:1; Dt 9:10; Dt 10:2; 2Co 3:7

ruido de batalla[a] en el campamento”. **18** Pero él dijo:

“No es el sonido del canto por
poderosa hazaña,[b]
y no es el sonido del canto
de derrota;
es el sonido de otro canto el
que estoy oyendo”.

19 Aconteció, pues, que tan pronto como Moisés se acercó al campamento y pudo ver el becerro[c] y las danzas, empezó a encenderse su cólera, y al instante arrojó de sus manos las tablas y las hizo añicos al pie de la montaña.[d] **20** Entonces tomó el becerro que habían hecho y lo quemó con fuego y lo trituró hasta que quedó fino,[e] después de lo cual lo esparció sobre la superficie de las aguas,[f] e hizo que lo bebieran[g] los hijos de Israel. **21** Después de eso Moisés dijo a Aarón: “¿Qué te hizo este pueblo para que hayas traído sobre él un pecado grande?”. **22** A lo cual dijo Aarón: “No se encienda la cólera de mi señor. Tú mismo conoces bien al pueblo, que está inclinado al mal.[h] **23** Así es que me dijeron: ‘Haznos un dios que vaya delante de nosotros,[i] porque en cuanto a este Moisés, el hombre que nos hizo subir de la tierra de Egipto, ciertamente no sabemos qué le habrá pasado’. **24** Por lo tanto les dije: ‘¿Quiénes tienen oro? Tienen que arrancárselo para que me lo den’. Y procedí a arrojarlo al fuego y salió este becerro”.

25 Y llegó a ver Moisés que el pueblo andaba desenfrenado, porque Aarón los había dejado desenfrenarse[j] para ignominia entre sus opositores.[k] **26** Entonces Moisés tomó su puesto en la puerta del campamento y dijo: “¿Quién está de parte de Jehová? ¡A mí!”.[l] Y todos los hijos de Leví empezaron a reunirse en torno a él. **27** Ahora les dijo: “Esto es lo que ha dicho Jehová el Dios de Israel: ‘Ponga cada uno de ustedes su espada sobre el costado. Pasen y vuelvan de una puerta a otra puerta en el campamento y mate cada uno a su hermano y cada uno a su prójimo y cada uno a su conocido íntimo’ ”.[a] **28** Y los hijos de Leví[b] procedieron a hacer como había dicho Moisés, de modo que en aquel día cayeron del pueblo unos tres mil hombres. **29** Y Moisés pasó a decir: “Llenen hoy su mano de poder para Jehová,[c] porque cada uno de ustedes está contra su propio hijo y contra su propio hermano,[d] y para que él les otorgue una bendición hoy”.[e]

30 Y aconteció al mismo día siguiente que Moisés procedió a decir al pueblo: “Ustedes... ustedes han pecado con un gran pecado,[f] y ahora yo subiré a Jehová. Quizás pueda hacer enmienda por el pecado de ustedes”.[g] **31** De modo que Moisés se volvió a Jehová y dijo: “¡Ah, pero este pueblo ha pecado con un gran pecado, por cuanto se hicieron un dios de oro![h] **32** Pero ahora si perdonas su pecado[i]..., y si no, bórrame,[j] por favor, de tu libro[k] que has escrito”. **33** Sin embargo, Jehová dijo a Moisés: “Al que haya pecado contra mí, lo borraré de mi libro.[l] **34** Y ahora, ven, conduce al pueblo al lugar del que te he hablado. ¡Mira! Mi ángel irá delante de ti,[m] y en el día de traer yo castigo ciertamente traeré castigo sobre ellos por su pecado”.[n] **35** Y empezó Jehová a plagar al pueblo porque habían hecho el becerro, que Aarón había hecho.[o]

33 Y Jehová dijo además a Moisés: “Ve, sube de aquí, tú y el pueblo que hiciste subir de la tierra de Egipto,[p] a la tierra acerca de la cual juré a Abrahán, Isaac y Jacob, diciendo: ‘A tu descendencia la daré’.[q] **2** Y ciertamente enviaré un ángel delante de ti[r] y expulsaré a los cananeos, los amorreos, y los hititas y los perizitas, los heveos y los jebuseos;[s] **3** a una tierra

CAP. 32
a Jos 6:5, Am 1:14
b Éx 15:1
c Dt 9:16, Ne 9:18, Sl 106:19, Hch 7:41
d Dt 9:17
e Dt 7:25, Dt 9:21, 2Re 23:6
f Éx 17:6
g Pr 1:31
h Éx 15:24, Éx 16:2, Éx 17:2, Dt 9:7, Dt 31:27
i Éx 32:1, Dt 4:15, Hch 7:40, Hch 17:29
j 2Cr 28:19
k Éx 32:12, Dt 28:37
l Jos 24:15, 2Re 9:32, 2Re 10:15

2.ª col.
a Nú 25:5, Dt 13:8, Zac 13:3
b Dt 33:9, Mal 2:4
c 2Cr 29:31
d Nú 25:11, Dt 13:6, Zac 13:3
e Dt 33:11
f 1Sa 2:17, 1Sa 12:20
g Nú 14:20, Nú 16:47, Nú 21:7, Dt 9:18
h Éx 20:23
i Nú 14:19, Isa 1:18
j Dt 9:14, Ro 9:3
k Sl 69:28, Da 12:1, Flp 4:3, Rev 3:5, Rev 17:8
l Jer 15:1, Eze 18:4
m Éx 23:20, Éx 33:2
n Am 3:14, Ro 2:5
o Hch 7:41

CAP. 33
p Hch 7:36
q Gé 12:7, Gé 15:6, Gé 26:3, Heb 11:9
r Éx 23:20, Éx 32:34
s Dt 7:1, Dt 7:22, Jos 24:11

que mana leche y miel,[a] pues yo no subiré en medio de ti, porque eres un pueblo de dura cerviz,[b] para que no te extermine en el camino".[c]

4 Cuando el pueblo llegó a oír esta palabra mala, se dieron al duelo;[d] y ninguno de ellos se puso sus adornos. 5 Y Jehová pasó a decir a Moisés: "Di a los hijos de Israel: 'Ustedes son un pueblo de dura cerviz.[e] En un momento[f] podría yo subir en medio de ti y ciertamente exterminarte. Ahora, pues, baja tus adornos de sobre ti, puesto que quiero saber lo que voy a hacerte'".[g] 6 Y los hijos de Israel fueron despojándose de sus adornos desde el monte Horeb[h] en adelante.

7 En cuanto a Moisés, él procedió a sacar su tienda, y la asentó fuera del campamento, lejos del campamento; y la llamó tienda de reunión. Y sucedía que todo el que quería inquirir[i] de Jehová salía a la tienda de reunión, que estaba fuera del campamento. 8 Y sucedía que tan pronto como Moisés salía a la tienda, se levantaba[j] todo el pueblo, y se apostaba cada uno a la entrada de su propia tienda, y mantenía fija la mirada en Moisés hasta que entraba en la tienda. 9 Sucedía también que, tan pronto como Moisés había entrado en la tienda, la columna de nube[k] bajaba, y se situaba a la entrada de la tienda, y él hablaba[l] con Moisés. 10 Y todo el pueblo veía la columna de nube[m] parada a la entrada de la tienda, y se levantaba todo el pueblo y se inclinaba cada uno a la entrada de su propia tienda.[n] 11 Y Jehová hablaba a Moisés cara a cara,[o] tal como hablaría un hombre a su compañero. Cuando [Moisés] volvía al campamento, su ministro[p] Josué hijo de Nun,[q] como servidor, no se retiraba de en medio de la tienda.

12 Ahora Moisés dijo a Jehová: "Mira, tú me estás diciendo:

'Haz subir a este pueblo', pero tú mismo no me has dejado saber a quién enviarás conmigo. Además, tú mismo has dicho: 'De veras te conozco por nombre[a] y, además, has hallado favor a mis ojos'. 13 Y ahora, si he hallado favor a tus ojos,[b] sírvete hacerme conocer, por favor, tus caminos,[c] para que te conozca, a fin de que halle favor a tus ojos. Y considera que esta nación es tu pueblo".[d] 14 De modo que él dijo: "Mi propia persona te acompañará[e] y ciertamente te daré descanso".[f] 15 Ante esto él dijo: "Si tu propia persona no va a acompañarnos, no nos hagas subir de aquí. 16 ¿Y mediante qué, entonces, se conocerá que he hallado favor a tus ojos, yo y tu pueblo? ¿No será mediante el que vayas con nosotros,[g] por cuanto a mí y a tu pueblo se nos ha hecho distintos de todo otro pueblo que está sobre la superficie del suelo".[h]

17 Y Jehová pasó a decir a Moisés: "Esta cosa de que has hablado, también la haré,[i] porque has hallado favor a mis ojos y te conozco por nombre". 18 A lo cual dijo él: "Hazme ver, por favor, tu gloria".[j] 19 Pero él dijo: "Yo mismo haré que toda mi bondad pase delante de tu rostro,[k] y ciertamente declararé el nombre de Jehová delante de ti;[l] y ciertamente favoreceré al que favorezca, y ciertamente mostraré misericordia al que le muestre misericordia".[m] 20 Y añadió: "No puedes ver mi rostro, porque ningún hombre puede verme y sin embargo vivir".[n]

21 Y Jehová dijo además: "Aquí hay un lugar conmigo, y tienes que apostarte sobre la roca. 22 Y tiene que suceder que, mientras vaya pasando mi gloria, tengo que colocarte en un hoyo en la roca, y tengo que poner la palma de mi mano sobre ti como pantalla hasta que haya pasado. 23 Después de eso tengo que quitar la palma de mi

CAP. 33
a Éx 3:8
Dt 8:7
Jos 5:6
Jer 11:5
b Éx 32:9
Dt 9:6
Hch 7:51
c Éx 32:10
Nú 16:21
d Nú 14:39
Os 7:14
e Éx 34:9
Sl 78:8
Sl 106:25
f Nú 16:45
Sl 73:19
g Gé 18:21
Dt 8:2
Sl 139:23
h Dt 9:8
i Éx 18:26
Nú 27:5
j Le 19:32
k Éx 33:11
Sl 99:7
l Nú 11:17
Nú 12:5
m Éx 40:35
n Éx 4:31
o Gé 32:30
Éx 33:23
Nú 12:8
Dt 34:10
Jn 1:18
Jn 6:46
Hch 7:38
p Éx 17:9
Éx 24:13
q Nú 11:28
Dt 1:38
Jos 1:1

2.ª col.
a Gé 18:19
Sl 1:6
2Ti 2:19
b Éx 34:9
c Sl 25:4
Sl 27:11
Sl 86:11
Sl 119:33
Isa 30:21
d Dt 9:26
Sl 33:12
e Éx 13:21
Éx 40:34
Jos 1:5
Isa 63:9
f Jos 21:44
Jos 23:1
Jer 6:16
g Nú 14:14
h Dt 4:34
2Sa 7:23
Sl 147:20
i 1Snt 5:16
1Jn 5:14
j Éx 16:10
Éx 24:17
k Lu 2:9
Hch 7:38
Hch 7:53
l Éx 3:13
Éx 6:3
Éx 34:6
m Ro 9:15
Ro 9:18
n Dt 5:24
Jn 4:24

mano, y realmente verás mi espalda. Pero mi rostro no se podrá ver".[a]

34 Entonces Jehová dijo a Moisés: "Tállate dos tablas de piedra como las primeras,[b] y tengo que escribir sobre las tablas las palabras que se hallaban en las primeras tablas,[c] que hiciste añicos.[d] 2 Y alístate para la mañana, puesto que tendrás que subir por la mañana al monte Sinaí y apostarte allí junto a mí en la cima de la montaña.[e] 3 Pero nadie podrá subir contigo y, además, que no se vea a ningún otro en toda la montaña.[f] Además de eso, ningún rebaño ni vacada debe estar paciendo enfrente de esa montaña".[g]

4 Por consiguiente, Moisés talló dos tablas de piedra como las primeras, y se levantó muy de mañana y se puso a subir al monte Sinaí, tal como le había mandado Jehová, y llevaba las dos tablas de piedra en la mano. 5 Y Jehová procedió a bajar[h] en la nube y a apostarse con él allí y a declarar el nombre de Jehová.[i] 6 Y Jehová fue pasando delante del rostro de él y declarando: "Jehová, Jehová, un Dios misericordioso[j] y benévolo,[k] tardo para la cólera[l] y abundante en bondad amorosa[m] y verdad,[n] 7 que conserva bondad amorosa para miles,[o] que perdona error y transgresión y pecado,[p] pero de ninguna manera dará exención de castigo,[q] que hace venir el castigo por el error de padres sobre hijos y sobre nietos, sobre la tercera generación y sobre la cuarta generación".[r]

8 En seguida se apresuró Moisés a inclinarse a tierra y a postrarse.[s] 9 Entonces dijo: "Ahora, si he hallado favor a tus ojos, oh Jehová, que Jehová, por favor, vaya en medio de nosotros,[t] porque es un pueblo de dura cerviz,[u] y tendrás que perdonar nuestro error y nuestro

pecado,[a] y tienes que tomarnos por posesión tuya".[b] 10 A su vez él dijo: "Mira voy a celebrar un pacto: Delante de todo tu pueblo haré cosas maravillosas que nunca han sido creadas en toda la tierra o entre todas las naciones;[c] y todo el pueblo en medio del cual estás verá realmente la obra de Jehová, porque es cosa inspiradora de temor la que estoy haciendo contigo.[d]

11 "En cuanto a ti, guarda lo que te estoy mandando hoy.[e] ¡Mira!, voy a expulsar de delante de ti a los amorreos y los cananeos y los hititas y los perizitas y los heveos y los jebuseos.[f] 12 Cuídate para que no celebres un pacto con los habitantes de la tierra a la cual vas,[g] por temor de que resulte ser un lazo en medio de ti.[h] 13 Pero los altares de ellos ustedes los han de demoler, y sus columnas sagradas las han de hacer añicos, y sus postes sagrados los han de cortar.[i] 14 Pues no debes postrarte ante otro dios,[j] porque Jehová, cuyo nombre es Celoso, él es un Dios celoso;[k] 15 por temor de que celebres un pacto con los habitantes de la tierra, puesto que ellos ciertamente tendrán ayuntamiento inmoral con sus dioses[l] y harán sacrificios a sus dioses,[m] y alguien de seguro te invitará, y ciertamente comerás parte de su sacrificio.[n] 16 Entonces tendrás que tomar algunas de sus hijas para tus hijos,[o] y sus hijas de seguro tendrán ayuntamiento inmoral con sus dioses y harán que tus hijos tengan ayuntamiento inmoral con los dioses de ellas.[p]

17 "No debes hacerte dioses-ídolos de metal fundido.[q]

18 "La fiesta de tortas no fermentadas has de guardar.[r] Comerás tortas no fermentadas, tal

CAP. 33
a Éx 33:20
Jn 1:18

CAP. 34
b Dt 10:1
c Dt 9:10
  2Co 3:3
d Éx 32:19
  Dt 9:17
e Éx 19:20
  Éx 24:12
f Éx 19:12
g Éx 19:13
h Heb 7:38
  Hch 7:53
i Éx 6:3
  Éx 33:19
j 2Cr 30:9
  Ne 9:17
  Joe 2:13
  Lu 6:36
  Heb 8:12
k Éx 22:27
  Ne 9:31
  Sl 86:15
  Jon 4:2
l Nú 14:18
  Na 1:3
  Ro 9:22
  2Pe 3:9
m Jer 31:3
  Lam 3:22
  Miq 7:18
n Sl 31:5
  Ro 3:2
o Jer 32:18
  Da 9:4
p Sl 103:12
  Isa 55:7
  Ef 4:32
  1Jn 1:9
q Dt 32:35
  Jos 24:19
  Ro 2:5
  2Pe 2:4
  Jud 5:1
r Éx 20:5
  Nú 14:18
  Dt 30:19
  1Sa 15:2
s Dt 9:18
t Éx 33:14
u Éx 32:9
  Éx 33:3

2.ª col.
a Nú 14:19
b Sl 33:12
  Sl 94:14
c 1Sa 12:16
  2Sa 7:23
  1Cr 17:21
  Sl 147:20
d Éx 33:16
  Dt 10:21
  Isa 64:3
e Éx 19:5
  Dt 12:28
f Gé 15:18
  Éx 3:8
  Éx 33:2
  Dt 7:1
g Éx 23:32
  Dt 7:2
  Jue 2:2
h Éx 23:33
  Jos 23:13
i Éx 23:24
  Dt 12:3
  Jue 6:25
  2Re 18:4

j Éx 20:3; 1Co 10:14; 1Jn 5:21; k Jos 24:19; Eze 39:25; 1Co 10:22; 1Le 17:7; Dt 31:16; Jue 2:17; Jue 8:33; Jer 3:9; Eze 6:9; m Nú 25:2; 1Co 10:20; n Sl 106:28; Eze 18:6; 2Co 6:14; Pro 23:20; o Esd 9:2; p Nú 25:2; Dt 7:4; 1Re 11:2; Ne 13:26; q Éx 32:8; Le 19:4; r Éx 23:6; 1Co 5:8.

como te he mandado, siete días, al tiempo señalado en el mes de Abib,[a] porque fue en el mes de Abib cuando salistes de Egipto.

19 "Todo lo que abre primero la matriz es mío,[b] y, en cuanto a todo tu ganado, el primerizo macho de toro y de oveja.[c] 20 Y has de redimir con una oveja el primerizo de asno.[d] Pero si no lo redimes, entonces tienes que quebrarle la cerviz. Todo primogénito de tus hijos has de redimir.[e] Y ellos no deben presentarse delante de mí con las manos vacías.[f]

21 "Seis días has de trabajar, pero en el séptimo día guardarás sábado.[g] En el tiempo de arar y en la cosecha guardarás sábado.[h]

22 "Y efectuarás tu fiesta de las semanas con los primeros frutos maduros de la siega del trigo,[i] y la fiesta de la recolección al término del año.[j]

23 "Tres veces al año todo varón tuyo ha de presentarse[k] delante del Señor [verdadero], Jehová, el Dios de Israel. 24 Pues expulsaré las naciones de delante de ti,[l] y ciertamente haré espacioso tu territorio;[m] y nadie deseará tu tierra mientras estés subiendo para ver el rostro de Jehová tu Dios tres veces al año.[n]

25 "No debes degollar junto con lo leudado la sangre de mi sacrificio.[o] Y el sacrificio de la fiesta de la pascua no debería permanecer toda la noche hasta la mañana.[p]

26 "Lo mejor de los primeros frutos[q] maduros de tu terreno has de traer a la casa de Jehová tu Dios.

"No debes cocer el cabrito en la leche de su madre".[s]

27 Y Jehová pasó a decir a Moisés: "Escríbete estas palabras,[t] porque es en conformidad con estas palabras como de veras celebro yo un pacto contigo y con Israel".[u] 28 Y él continuó allí con Jehová cuarenta días y cuarenta noches. No co-

mió pan y no bebió agua.[a] Y él procedió a escribir sobre las tablas las palabras del pacto, las Diez Palabras.[b]

29 Ahora bien, aconteció que cuando Moisés bajó del monte Sinaí las dos tablas del Testimonio estaban en la mano de Moisés cuando bajó de la montaña,[c] y Moisés no sabía que la tez de su rostro emitía rayos a causa de haber hablado con él.[d] 30 Cuando Aarón y todos los hijos de Israel llegaron a ver a Moisés, pues, ¡mire!, la tez de su rostro emitía rayos, y les dio miedo acercarse a él.[e]

31 Y Moisés procedió a llamarlos. De modo que Aarón y todos los principales entre la asamblea se volvieron a él, y Moisés empezó a hablarles. 32 Por primera vez después de eso se le acercaron todos los hijos de Israel, y él se puso a mandarles todo lo que Jehová había hablado con él en el monte Sinaí.[f] 33 Cuando Moisés acababa de hablar con ellos, se ponía un velo sobre el rostro.[g] 34 Pero cuando Moisés entraba delante de Jehová para hablar con él, se quitaba el velo hasta que salía.[h] Y salía y hablaba a los hijos de Israel lo que se le mandaba.[i] 35 Y los hijos de Israel veían el rostro de Moisés, que la tez del rostro de Moisés emitía rayos;[j] y Moisés se ponía de nuevo el velo sobre el rostro hasta que entraba a hablar con él.[k]

35 Más tarde Moisés convocó a toda la asamblea de los hijos de Israel y les dijo: "Estas son las palabras que Jehová ha mandado, para que se pongan por obra:[l] 2 Seis días puede hacerse trabajo,[m] pero el séptimo día llegará a ser cosa santa para ustedes, un sábado de descanso completo a Jehová. Cualquiera que haga trabajo en él será muerto.[n] 3 No deben ustedes encender fuego en ninguna de sus moradas el día de sábado".

CAP. 34
a Éx 23:15
b Éx 13:2
  Lu 2:23
c Éx 22:30
d Éx 13:13
e Éx 13:15
  Nú 18:15
  Nú 18:16
f Dt 16:16
g Dt 5:12
  Mt 12:8
  Lu 13:14
h Jer 17:22
i Éx 23:16
j Le 23:34
k Dt 16:16
l Éx 34:11
  Núm 24:8
m Dt 12:20
  Sl 78:55
n Gé 35:5
  Pr 16:7
o Éx 23:18
p Éx 12:10
  Nú 9:12
q Nú 18:12
  Ro 8:23
  1Co 15:23
  Snt 1:18
  Rev 14:4
r Dt 26:2
  Ne 10:35
  Pr 3:9
  Eze 44:30
s Éx 23:19
  Dt 14:21
t Éx 24:4
  Dt 31:9
  Dt 31:11
u Éx 24:8
  Dt 4:13

2.ª col.

a Dt 9:18
  Mt 4:2
b Éx 31:18
  Dt 10:2
  2Co 3:6
c Éx 32:15
  2Co 3:3
  Heb 9:4
d Mt 17:2
e 2Co 3:7
f Éx 24:3
  Dt 1:3
g 2Co 3:13
h 2Co 3:16
i Dt 27:10
j 2Co 3:7
k 2Co 3:13

CAP. 35
l Éx 34:32
  Ro 2:13
  Snt 1:22
m Éx 20:9
  Éx 31:15
  Le 23:3
  Dt 5:13
  Lu 13:14
n Éx 31:14
  Nú 15:32
  Nú 15:35

4 Y Moisés siguió diciendo a la entera asamblea de los hijos de Israel: "Esta es la palabra que ha mandado Jehová, diciendo: **5** 'De entre ustedes mismos recojan una contribución para Jehová.[a] Que todo el de corazón dispuesto[b] la traiga como la contribución de Jehová, a saber, oro y plata y cobre[c] **6** e hilo azul y lana teñida de púrpura rojiza y fibra escarlata carmesí y lino fino y pelo de cabra[d] **7** y pieles de carnero teñidas de rojo y pieles de foca y madera de acacia **8** y aceite para el alumbrado y aceite balsámico para el aceite de la unción y para el incienso perfumado[e] **9** y piedras de ónice y piedras de engaste para el efod[f] y para el pectoral.[g]

10 "'Y que todos los de corazón sabio[h] entre ustedes vengan y hagan todo cuanto ha mandado Jehová, **11** a saber, el tabernáculo con su tienda y su cubierta, sus corchetes y sus armazones, sus barras, sus columnas y sus pedestales con encajaduras; **12** el Arca[i] y sus varales, la cubierta[k] y la cortina[l] de la pantalla; **13** la mesa[m] y sus varales y todos sus utensilios y el pan de la proposición;[n] **14** y el candelabro[o] de la iluminación y sus utensilios y sus lámparas y el aceite[p] para la iluminación; **15** y el altar del incienso[q] y sus varales; y el aceite de la unción y el incienso perfumado;[r] y la pantalla de la entrada para la entrada del tabernáculo; **16** el altar[s] de la ofrenda quemada y el enrejado de cobre que es para él; sus varales y todos sus utensilios; la fuente[t] y su base; **17** las colgaduras del patio,[u] sus columnas y sus pedestales con encajaduras; y la pantalla de la puerta del patio; **18** las estacas de tienda del tabernáculo y las estacas de tienda del patio, y sus cuerdas;[v] **19** las prendas de vestir[w] de obra tejida para desempeñar el ministerio en el santuario, las

prendas de vestir santas[a] para Aarón el sacerdote y las prendas de vestir de sus hijos para que hagan trabajo de sacerdotes' ".

20 Por consiguiente, toda la asamblea de los hijos de Israel salió de delante de Moisés. **21** Entonces vinieron, todo aquel cuyo corazón lo impelió,[b] y trajeron, todo aquel cuyo espíritu lo incitó, la contribución de Jehová para la obra de la tienda de reunión y para todo su servicio y para las prendas de vestir santas. **22** Y siguieron viniendo, los hombres junto con las mujeres, todo el de corazón dispuesto. Trajeron prendedores y aretes y anillos y adornos femeninos, toda clase de objetos de oro, es decir, todo el que presentó la ofrenda mecida de oro a Jehová.[c] **23** Y todos aquellos en cuyo poder se hallaba hilo azul y lana teñida de púrpura rojiza y fibra escarlata carmesí y lino fino y pelo de cabra y pieles de carnero teñidas de rojo y pieles de foca, los trajeron.[d] **24** Todos los que contribuían la contribución de plata y cobre trajeron la contribución de Jehová, y todos aquellos en cuyo poder se hallaba madera de acacia para toda la obra del servicio la trajeron.

25 Y todas las mujeres que eran sabias de corazón[e] hilaron con sus manos, y siguieron trayendo como hilado el hilo azul y la lana teñida de púrpura rojiza, la fibra escarlata carmesí y el lino fino. **26** Y todas las mujeres cuyo corazón las impelía con sabiduría hilaron el pelo de cabra.

27 Y los principales trajeron piedras de ónice y piedras de engaste para el efod y para el pectoral,[f] **28** y el aceite balsámico y el aceite para la iluminación y para el aceite de la unción y para el incienso perfumado.[g] **29** Todo hombre y mujer cuyo corazón los incitó a traer algo para toda la obra que Jehová ha-

CAP. 35
a Éx 35:29
b 2Co 8:12
  2Co 9:7
c Éx 25:3
d Éx 25:4
  Éx 26:7
  Éx 36:8
e Éx 25:6
  Sl 141:2
  Rev 5:8
f Éx 28:9
  Éx 39:14
g Éx 28:15
h Éx 31:6
  Éx 36:1
i Éx 25:10
j Éx 25:13
k Éx 25:17
l Éx 26:31
m Éx 25:23
n Éx 25:30
  Le 24:5
o Éx 25:31
p Éx 27:20
q Éx 30:1
  Éx 37:25
  Éx 40:5
  Sl 141:2
  Rev 5:8
r Éx 30:34
s Éx 27:1
t Éx 30:18
  Éx 38:8
u Éx 27:9
v Éx 27:19
w Éx 31:10
  Éx 39:41

2.ª col.
a Éx 39:1
b Éx 25:2
  Éx 36:2
  2Co 8:12
  2Co 9:7
c Éx 38:24
d Éx 25:4
e Éx 28:3
  Éx 31:6
  Éx 36:8
f Éx 28:15
  Éx 28:29
  Éx 28:30
  Éx 39:14
  Éx 39:21
g Éx 30:23
  Éx 30:34

bía mandado hacer por medio de Moisés lo hicieron; los hijos de Israel trajeron una ofrenda voluntaria a Jehová.[a]

30 Entonces Moisés dijo a los hijos de Israel: "Miren, Jehová ha llamado por nombre a Bezalel[b] hijo de Urí hijo de Hur, de la tribu de Judá. 31 Y procedió a llenarlo del espíritu de Dios en sabiduría, en entendimiento y en conocimiento y en habilidad para toda clase de artesanía 32 y para diseñar medios útiles, para trabajar en oro y plata y cobre,[c] 33 y en trabajo de piedras para engastarlas y en trabajo de madera para hacer ingeniosos productos de toda clase.[d] 34 Y ha puesto en su corazón que él debe enseñar, él y Oholiab[e] hijo de Ahisamac, de la tribu de Dan. 35 Los ha llenado de sabiduría de corazón[f] para hacer toda obra de artífice y de bordador[g] y de tejedor en hilo azul y lana teñida de púrpura rojiza, en fibra escarlata carmesí y lino fino, y de obrero de telar, hombres que hacen toda clase de obra y que diseñan medios útiles.

36 "Y tiene que trabajar Bezalel, también Oholiab[h] y todo hombre de corazón sabio a quien Jehová ha dado sabiduría[i] y entendimiento[j] en estas cosas para saber hacer toda la obra del servicio santo conforme a todo lo que Jehová ha mandado".[k]

2 Y Moisés procedió a llamar a Bezalel y a Oholiab y a todo hombre de corazón sabio en cuyo corazón Jehová había puesto sabiduría,[l] todo aquel cuyo corazón lo impelió a dirigirse a la obra para hacerla.[m] 3 Entonces ellos tomaron de delante de Moisés toda la contribución[n] que los hijos de Israel habían traído para la obra del servicio santo a fin de hacerla, y, en cuanto a estos, todavía le trajeron una ofrenda voluntaria mañana tras mañana.

4 Y todos los sabios que estaban haciendo toda la obra santa empezaron a venir, un hombre tras otro, desde su obra que estaban haciendo, 5 y a decir a Moisés: "La gente está trayendo mucho más de lo que el servicio precisa para la obra que Jehová ha mandado hacer". 6 De modo que Moisés mandó que hicieran pasar por el campamento un anuncio, y dijeran: "Hombres y mujeres, no presenten ya más material para la contribución santa". De ese modo se restringió a la gente de traerlo. 7 Y el material resultó suficiente para toda la obra que había de hacerse, y más que suficiente.

8 Y todos los de corazón sabio[a] entre los que estaban haciendo el trabajo se pusieron a hacer el tabernáculo,[b] las diez telas de tienda de lino fino retorcido e hilo azul y lana teñida de púrpura rojiza y fibra escarlata carmesí; con querubines, obra de bordador, él los hizo. 9 La longitud de cada tela de tienda era de veintiocho codos, y la anchura de cada tela de tienda de cuatro codos. Había una sola medida para todas las telas de tienda. 10 Entonces unió cinco telas de tienda una a otra,[c] y las otras cinco telas de tienda las unió una a otra. 11 Después hizo presillas de hilo azul en la orilla de la tela de tienda [que se hallaba] en el extremo de unión. Hizo lo mismo en la orilla de la tela de tienda al extremo en el otro lugar de unión.[d] 12 Hizo cincuenta presillas en la primera [de estas] telas de tienda, e hizo cincuenta presillas en la extremidad de la tela de tienda que estaba en el otro lugar de unión, y las presillas estaban contrapuestas una a otra.[e] 13 Finalmente hizo cincuenta corchetes de oro y unió las telas de tienda una a otra por medio de los corchetes, de modo que aquello llegó a ser un solo tabernáculo.[f]

14 Y pasó a hacer telas de

CAP. 35
a Éx 36:5
Esd 2:68
2Co 9:7

b Éx 31:2

c Éx 31:4

d Éx 31:5

e Éx 31:6
Éx 36:1

f Éx 31:3

g Éx 26:1

CAP. 36
h Éx 31:6

i 1Re 4:29
Pr 2:6
2Pe 3:15

j Job 32:8

k Éx 25:9
Éx 39:1

l Éx 28:3
Éx 31:6
Éx 35:10

m Éx 35:21
Éx 35:26

n Éx 35:5
Pr 3:9
2Co 9:7

2.ª col.
a Éx 31:6

b Éx 25:9
Éx 39:32
Heb 9:9

c Éx 26:3

d Éx 26:4

e Éx 26:5

f Éx 26:6
Heb 8:5
Heb 9:9

tienda de pelo de cabra para la tienda sobre el tabernáculo. Once telas de tienda fue lo que hizo.[a] 15 La longitud de cada tela de tienda fue de treinta codos, y la anchura de cada tela de tienda de cuatro codos. Había una sola medida para las once telas de tienda.[b] 16 Entonces unió cinco telas de tienda solas y las otras seis telas de tienda solas.[c] 17 En seguida hizo cincuenta presillas en la orilla de la tela de tienda extrema en el lugar de unión, e hizo cincuenta presillas en la orilla de la otra tela de tienda que se unía a esta.[d] 18 Después hizo cincuenta corchetes de cobre para unir la tienda, para que llegara a ser una sola pieza.[e]

19 Y procedió a hacer para la tienda una cubierta de pieles de carnero teñidas de rojo y una cubierta de pieles de foca[f] por encima.[g]

20 Entonces hizo para el tabernáculo los armazones [en forma de marcos] de madera de acacia,[h] parados sobre su extremo. 21 De diez codos fue la longitud de un armazón, y de codo y medio la anchura de cada armazón.[i] 22 Cada armazón tenía dos espigas ajustadas la una a la otra. De esa manera hizo con todos los armazones del tabernáculo.[j] 23 De modo que hizo los armazones para el tabernáculo, veinte armazones para el lado hacia el Négueb, al sur.[k] 24 E hizo cuarenta pedestales de plata con encajaduras para que fueran debajo de los veinte armazones, dos pedestales con encajaduras debajo de un armazón con sus dos espigas y dos pedestales con encajaduras debajo del otro armazón con sus dos espigas.[l] 25 Y para el otro lado del tabernáculo, el lado del norte, hizo veinte armazones[m] 26 y sus cuarenta pedestales de plata con encajaduras, dos pedestales con encajaduras debajo de un armazón y dos pedestales

con encajaduras debajo del otro armazón.[a]

27 Y para las secciones traseras del tabernáculo, hacia el oeste, hizo seis armazones.[b] 28 E hizo dos armazones como postes de esquina del tabernáculo en sus dos secciones traseras.[c] 29 Y resultaron ser dobles en la parte inferior, y juntos llegaban a ser gemelos hasta la parte superior de cada uno, donde está el primer anillo. Eso hizo con ambos, con los dos postes de esquina.[d] 30 De modo que ascendieron a ocho los armazones y a dieciséis sus pedestales de plata con encajaduras, dos pedestales con encajaduras al lado de dos pedestales con encajaduras debajo de cada armazón.[e]

31 Y prosiguió a hacer barras de madera de acacia, cinco para los armazones de un lado del tabernáculo[f] 32 y cinco barras para los armazones del otro lado del tabernáculo y cinco barras para los armazones del tabernáculo para las dos secciones traseras, hacia el oeste.[g] 33 Entonces hizo la barra de en medio para que corriera por el centro de los armazones desde un extremo hasta el otro.[h] 34 Y revistió de oro los armazones, e hizo sus anillos de oro como apoyos para las barras, y se puso a revestir de oro las barras.[i]

35 Y procedió a hacer una cortina[j] de hilo azul y lana teñida de púrpura rojiza y fibra escarlata carmesí y lino fino retorcido. Con la obra de bordador la hizo, con querubines.[k] 36 Entonces hizo para ella cuatro columnas de acacia y las revistió de oro, siendo de oro sus clavijas, y fundió para ellas cuatro pedestales de plata con encajaduras.[l] 37 Y pasó a hacer para la entrada de la tienda una pantalla de hilo azul y lana teñida de púrpura rojiza y fibra escarlata carmesí y lino fino retorcido, obra de tejedor,[m] 38 y sus cinco columnas y sus clavijas. Y revistió de oro sus partes supe-

CAP. 36	
a	Éx 25:4
	Éx 26:7
b	Éx 26:8
c	Éx 26:9
d	Éx 26:10
e	Éx 26:11
f	Éx 25:5
g	Éx 26:14
h	Éx 25:10
	Éx 25:23
	Éx 26:15
	Éx 27:1
	Éx 30:5
	Éx 36:36
i	Éx 26:16
j	Éx 26:17
k	Éx 26:18
l	Éx 26:19
m	Éx 26:20
2.ᵃ col.	
a	Éx 26:21
b	Éx 26:22
c	Éx 26:23
d	Éx 26:24
e	Éx 26:25
f	Éx 26:26
g	Éx 26:27
h	Éx 26:28
i	Éx 26:29
j	Éx 26:31
	Éx 40:21
	Heb 10:20
k	Gé 3:24
l	Éx 26:32
m	Éx 26:36

riores y sus conexiones, pero sus cinco pedestales con encajaduras eran de cobre.ᵃ

37 Ahora Bezalelᵇ hizo el Arcaᶜ de madera de acacia. De dos codos y medio era su longitud, y de codo y medio su anchura, y de codo y medio su altura.ᵈ **2** Entonces la revistió de oro puro por dentro y por fuera y le hizo un borde de oro en derredor.ᵉ **3** Después de eso le fundió cuatro anillos de oro, para más arriba de sus cuatro pies, con dos anillos en un lado de ella y dos anillos en el otro lado de ella.ᶠ **4** En seguida hizo varales de madera de acacia y los revistió de oro.ᵍ **5** Entonces metió los varales por los anillos en los lados del Arca, para llevar el Arca.ʰ

6 Y pasó a hacer la cubiertaⁱ de oro puro. De dos codos y medio era su longitud, y de codo y medio su anchura.ʲ **7** Hizo además dos querubines de oro. De labor a martillo los hizo en ambos extremos de la cubierta.ᵏ **8** Un querubín estaba en el extremo de allá, y el otro querubín en el extremo de acá. Hizo los querubines en la cubierta en sus dos extremos.ˡ **9** Y resultaron ser querubines que extendían dos alas hacia arriba, cubriendo protectoramente la cubierta con sus alas,ᵐ y sus rostros estaban el uno frente al otro. Los rostros de los querubines resultaron estar dirigidos hacia la cubierta.ⁿ

10 Y procedió a hacer la mesa de madera de acacia.ᵒ De dos codos era su longitud, y de un codo su anchura, y de codo y medio su altura.ᵖ **11** Entonces la revistió de oro puro y le hizo un borde de oro en derredor.ᵠ **12** En seguida le hizo un canto en derredor, del ancho de un palmo menor, e hizo un borde de oro para su canto en derredor.ʳ **13** Además, le fundió cuatro anillos de oro y puso los anillos en las cua-

tro esquinas que eran para los cuatro pies.ᵃ **14** Los anillos resultaron estar cerca del canto, como apoyos para los varales para llevar la mesa.ᵇ **15** Entonces hizo de madera de acacia los varales para llevar la mesa y los revistió de oro.ᶜ **16** Después hizo los utensilios que están sobre la mesa, sus platos y sus copas y sus tazones y sus cántaros con los cuales se derramarían [las libaciones], de oro puro.ᵈ

17 Entonces hizo el candelabroᵉ de oro puro. De labor a martillo hizo el candelabro. Sus lados y sus brazos, sus copas, sus globos y sus flores procedían de él.ᶠ **18** Y seis brazos salían de sus costados, tres brazos del candelabro de un costado y tres brazos del candelabro del otro costado.ᵍ **19** Tres copas en forma de flores de almendro estaban en uno de los juegos de brazos, con globos y flores en alternación; y tres copas en forma de flores de almendro estaban en el otro juego de brazos, con globos y flores en alternación. Así sucedía para los seis brazos que salían del candelabro.ʰ **20** Y en el candelabro había cuatro copas en forma de flores de almendro, con sus globos y sus flores en alternación.ⁱ **21** Y el globo debajo de dos brazos procedía de él, y el globo debajo de otros dos brazos procedía de él, y el globo debajo de otros dos brazos procedía de él, para los seis brazos que salían del candelabro.ʲ **22** Sus globos y sus brazos procedían de él. Todo ello era una sola pieza de labor a martillo, de oro puro.ᵏ **23** Entonces hizo de oro puro sus siete lámparas y sus despabiladeras y sus braserillos.ˡ **24** De un talento de oro puro lo hizo, y todos sus utensilios.

25 Ahora hizo el altar del incienso,ᵐ de madera de acacia.ⁿ De un codo era su longitud y de un codo su anchura, y era cua-

CAP. 36
a Éx 26:37

CAP. 37
b Éx 31:2
Éx 38:22

c Éx 40:3
Nú 10:33

d Éx 25:10

e Éx 25:11
Heb 9:4

f Éx 25:12

g Éx 25:13
2Cr 5:9

h Éx 25:14
Jos 3:8

i Le 16:2
Le 16:14
1Cr 28:11

j Éx 25:17

k Éx 25:18
Éx 40:20

l Éx 25:19

m Gé 3:24
Éx 25:20
Heb 9:5

n 1Sa 4:4
Sl 80:1

o Éx 35:13
Éx 40:4

p Éx 25:23

q Éx 25:24

r Éx 25:25

2.ᵃ col.
a Éx 25:26

b Éx 25:27

c Éx 25:28

d Éx 25:29
Jer 52:19

e Éx 40:24
Le 24:4
2Cr 13:11

f Éx 25:31

g Éx 25:32

h Éx 25:33

i Éx 25:34

j Éx 25:35

k Éx 25:36

l Éx 25:37
Éx 25:38
Nú 8:2

m Éx 30:7
Éx 39:38
Sl 141:2
Lu 1:10
Rev 8:3

n Éx 30:1
Éx 40:5

drado, y su altura era de dos codos. Sus cuernos procedían de él.[a] 26 Entonces lo revistió de oro puro, su superficie superior y sus lados en derredor y sus cuernos, y le hizo un borde de oro en derredor.[b] 27 Y le hizo dos anillos de oro más abajo de su borde sobre dos de sus costados, sobre dos lados opuestos de él, como apoyos para los varales con los cuales llevarlo.[c] 28 Después hizo los varales de madera de acacia y los revistió de oro.[d] 29 Hizo además el santo aceite de la unción[e] y el incienso perfumado,[f] puro, obra de ungüentario.

38 Y pasó a hacer el altar de la ofrenda quemada, de madera de acacia. De cinco codos era su longitud, y de cinco codos su anchura —era cuadrado— y de tres codos su altura.[g] 2 Entonces le hizo sus cuernos[h] sobre sus cuatro esquinas. Sus cuernos procedían de él. En seguida lo revistió de cobre.[i] 3 Después hizo todos los utensilios del altar, los recipientes y las palas y los tazones, los tenedores y los braserillos. Todos sus utensilios los hizo de cobre.[j] 4 Además hizo para el altar un enrejado, obra a modo de red de cobre, debajo de su canto, abajo hacia el centro de este.[k] 5 Entonces fundió cuatro anillos en las cuatro extremidades, cerca del enrejado de cobre, como apoyos para los varales. 6 Después hizo los varales de madera de acacia y los revistió de cobre.[l] 7 Entonces metió los varales en los anillos de los lados del altar para que con ellos fuera llevado.[m] Lo hizo [como] un cajón hueco de tablones.[n]

8 Entonces hizo la fuente de cobre[o] y su base de cobre, usando para ello los espejos de las sirvientas que hacían servicio organizado a la entrada de la tienda de reunión.[p]

9 Y procedió a hacer el patio.[a] Para el lado hacia el Négueb, al sur, las colgaduras del patio eran de lino fino retorcido, por cien codos.[b] 10 Sus veinte columnas y sus veinte pedestales con encajaduras eran de cobre. Las clavijas de las columnas y sus conexiones eran de plata.[c] 11 También, para el lado del norte había cien codos. Sus veinte columnas y sus veinte pedestales con encajaduras eran de cobre. Las clavijas de las columnas y sus conexiones eran de plata.[d] 12 Pero para el lado del oeste las colgaduras [se extendían] por cincuenta codos. Sus columnas eran diez y sus pedestales con encajaduras diez.[e] Las clavijas de las columnas y sus conexiones eran de plata. 13 Y para el lado del este, hacia el naciente, había cincuenta codos.[f] 14 Las colgaduras [se extendían] por quince codos por un ala. Sus columnas eran tres y sus pedestales con encajaduras tres.[g] 15 Y para la otra ala, por este lado así como por el otro, de la puerta del patio, las colgaduras [se extendían] por quince codos. Sus columnas eran tres y sus pedestales con encajaduras tres.[h] 16 Todas las colgaduras del patio en derredor eran de lino fino retorcido. 17 Y los pedestales con encajaduras para las columnas eran de cobre. Las clavijas de las columnas y sus conexiones eran de plata y el revestimiento de sus partes superiores era de plata, y había ligazones de plata para todas las columnas del patio.[i] 18 Y la pantalla de la puerta del patio era obra de tejedor, de hilo azul y lana teñida de púrpura rojiza y fibra escarlata carmesí y lino fino retorcido,[j] y de veinte codos era la longitud, y la altura por toda su extensión era de cinco codos, al igual que las colgaduras del patio.[k] 19 Y

CAP. 37
a Éx 30:2

b Éx 30:3

c Éx 30:4

d Éx 30:5

e Éx 30:25
Éx 30:33
Éx 40:9
1Cr 9:30
Sl 45:7
Heb 1:9

f Éx 30:35
Sl 141:2
Rev 5:8

CAP. 38
g Éx 27:1
Éx 40:10
Heb 13:10

h Éx 27:2

i 2Cr 1:5

j Éx 27:3

k Éx 27:4

l Éx 27:6

m Éx 27:7

n Éx 27:8

o Éx 30:18
Éx 31:9
Éx 40:7
Le 8:11
1Re 7:23

p 1Sa 2:22

2.ª col.
a Éx 40:8
Sl 84:2
Sl 92:13

b Éx 27:9

c Éx 27:10
Nú 3:37

d Éx 27:11

e Éx 27:12

f Éx 27:13

g Éx 27:14

h Éx 27:15

i Éx 27:17

j Éx 35:6

j Éx 27:16

sus cuatro columnas y sus cuatro pedestales con encajaduras eran de cobre. Sus clavijas eran de plata y el revestimiento de sus partes superiores y sus conexiones eran de plata. 20 Y todas las estacas de tienda para el tabernáculo y para el patio en derredor eran de cobre.[a]

21 Las siguientes son las cosas contadas en el inventario del tabernáculo, el tabernáculo del Testimonio,[b] del cual se hizo inventario por mandato de Moisés, como servicio de los levitas[c] bajo la guía de Itamar,[d] hijo de Aarón el sacerdote. 22 Y Bezalel[e] hijo de Urí hijo de Hur, de la tribu de Judá, hizo todo lo que Jehová había mandado a Moisés. 23 Y con él estaba Oholiab[f] hijo de Ahisamac, de la tribu de Dan, artífice y bordador y tejedor en el hilo azul y la lana teñida de púrpura rojiza y fibra escarlata carmesí y lino fino.

24 Todo el oro que se usó para el trabajo en toda la obra del lugar santo ascendió a la cantidad del oro de la ofrenda mecida,[g] veintinueve talentos y setecientos treinta siclos, según el siclo[h] del lugar santo.[i] 25 Y la plata de los inscritos de la asamblea fue cien talentos y mil setecientos setenta y cinco siclos, según el siclo del lugar santo. 26 El medio siclo por individuo era la mitad de un siclo, según el siclo del lugar santo, para cada hombre que pasaba a los inscritos de veinte años de edad para arriba,[j] los cuales ascendieron a seiscientos tres mil quinientos cincuenta.[k]

27 Y se emplearon cien talentos de plata para fundir los pedestales con encajaduras del lugar santo y los pedestales con encajaduras de la cortina. Cien pedestales con encajaduras equivalieron a cien talentos, un talento por pedestal con encajadura.[l] 28 Y de los mil setecientos setenta y cinco siclos él hizo

clavijas para las columnas y revistió sus partes superiores y las enlazó.

29 Y el cobre de la ofrenda mecida fue setenta talentos y dos mil cuatrocientos siclos. 30 Y con esto procedió a hacer los pedestales con encajaduras de la entrada de la tienda de reunión y el altar de cobre y el enrejado de cobre que le pertenecía, y todos los utensilios del altar, 31 y los pedestales con encajaduras del patio en derredor, y los pedestales con encajaduras de la puerta del patio, y todas las estacas de tienda del tabernáculo y todas las estacas[a] de tienda del patio en derredor.

39 Y del hilo azul y la lana teñida de púrpura rojiza y la fibra escarlata carmesí[b] hicieron prendas de vestir[c] de obra tejida para desempeñar el ministerio en el lugar santo.[d] De modo que hicieron las prendas de vestir santas[e] que eran para Aarón, tal como Jehová había mandado a Moisés.

2 Por consiguiente, hizo el efod[f] de oro, hilo azul y lana teñida de púrpura rojiza y fibra escarlata carmesí y lino fino retorcido. 3 Entonces batieron láminas de oro hasta hacerlas hojas delgadas, y él cortó hilos para ir metiéndolos entre el hilo azul y la lana teñida de púrpura rojiza y la fibra escarlata carmesí y el lino fino, como obra de bordador.[g] 4 Le hicieron hombreras que se unían. [El efod] se unía en sus dos extremidades. 5 Y el cinturón, que estaba sobre él para atarlo apretadamente, era del mismo material según su hechura, de oro, hilo azul, y lana teñida de púrpura rojiza y fibra escarlata carmesí y lino fino retorcido,[h] tal como Jehová había mandado a Moisés.

6 Entonces hicieron las piedras de ónice[i] engastadas con engastes de oro, grabadas con los grabados de un sello confor-

CAP. 38
a Éx 27:19

b Éx 25:16
Éx 31:18
Éx 34:29
Nú 17:7

c Nú 3:6
Nú 4:47

d Éx 6:23
Nú 4:28
1Cr 6:3

e Éx 31:2
Éx 35:30
Éx 36:1
Éx 37:1
2Cr 1:5

f Éx 31:6
Éx 35:34
Éx 36:2

g Éx 35:22

h Éx 30:13
Nú 3:47
Nú 18:16

i Le 5:15
Le 27:3

j Éx 30:15

k Éx 12:37
Nú 1:46

l Éx 26:19
Éx 26:25
Éx 26:32

2.ª col.
a Éx 27:19

CAP. 39
b Éx 25:4
Éx 35:23

c Éx 29:5
Éx 31:10
Éx 36:8

d Éx 25:8
Le 16:2

e Éx 28:4

f Éx 25:7
Éx 28:6
Le 8:7

g Éx 26:1
Éx 36:8

h Éx 28:8
Éx 29:5
Isa 11:5

i Éx 25:7
Éx 35:9

me a los nombres de los hijos de Israel.[a] 7 De modo que las colocó sobre las hombreras del efod como piedras para memoria[b] para los hijos de Israel, tal como Jehová había mandado a Moisés. 8 Entonces hizo el pectoral[c] con labor de bordador, como la obra del efod, de oro, hilo azul y lana teñida de púrpura rojiza y fibra escarlata carmesí y lino fino retorcido.[d] 9 Resultó ser cuadrado al doblarlo. Hicieron el pectoral tal que, al doblarlo, era de un palmo su longitud y de un palmo su anchura.[e] 10 Entonces lo llenaron con cuatro filas de piedras. Fila de rubí, topacio y esmeralda era la primera fila.[f] 11 Y la segunda[g] fila era de turquesa, zafiro[h] y jaspe.[i] 12 Y la tercera[j] fila era de piedra *léschem*, ágata y amatista. 13 Y la cuarta[k] fila era de crisólito y ónice[l] y jade. Estaban engastadas con engastes de oro en sus guarniciones. 14 Y las piedras estaban en correspondencia con los nombres de los hijos de Israel. Eran doce conforme a sus nombres, con los grabados de un sello, cada una según su nombre, para las doce tribus.[m]

15 Y ellos procedieron a hacer sobre el pectoral cadenillas enroscadas, en obra de cordel, de oro puro.[n] 16 Entonces hicieron dos engastes de oro y dos anillos de oro y pusieron los dos anillos sobre las dos extremidades del pectoral.[o] 17 Después metieron los dos cordeles de oro por los dos anillos en las extremidades del pectoral.[p] 18 Y metieron los dos extremos de los dos cordeles por los dos engastes. Entonces los pusieron sobre las hombreras del efod, en su parte delantera.[q] 19 En seguida hicieron dos anillos de oro y los colocaron en las dos extremidades del pectoral sobre su orilla que está en el lado que da hacia el efod al interior.[r] 20 Entonces hicieron dos anillos de oro y los pusieron sobre las dos hombreras del efod por debajo, en su parte delantera, cerca de su juntura, por encima del cinturón del efod.[a] 21 Finalmente ataron el pectoral por sus anillos a los anillos del efod con una cuerdecita azul, para que continuara por encima del cinturón del efod y para que el pectoral no se desalojara de encima del efod, tal como Jehová había mandado a Moisés.[b]

22 Entonces él hizo la vestidura sin mangas[c] del efod, trabajo de obrero de telar, toda de hilo azul. 23 Y la abertura de la vestidura sin mangas estaba en su centro, como la abertura de una cota de malla. Su abertura tenía en derredor un borde de para que no se rompiera.[d] 24 Entonces hicieron sobre el dobladillo de la vestidura sin mangas granadas de hilo azul y lana teñida de púrpura rojiza y fibra escarlata carmesí, retorcidos juntos.[e] 25 Además, hicieron campanillas de oro puro y pusieron las campanillas entre las granadas[f] sobre el dobladillo de la vestidura sin mangas, en derredor, entre las granadas; 26 una campanilla y una granada, una campanilla y una granada sobre el dobladillo de la vestidura sin mangas, en derredor,[g] para desempeñar el ministerio, tal como Jehová había mandado a Moisés.

27 En seguida hicieron los trajes talares de lino fino,[h] trabajo de obrero de telar, para Aarón y para sus hijos, 28 y el turbante[i] de lino fino y los tocados ornamentales[j] de lino fino y los calzoncillos de lino,[k] de lino fino retorcido, 29 y la banda[l] de lino fino retorcido e hilo azul y lana teñida de púrpura rojiza y fibra escarlata carmesí, obra de tejedor, tal como Jehová había mandado a Moisés.

30 Finalmente hicieron la lámina resplandeciente, la santa señal de dedicación, de oro puro, e inscribieron sobre ella una inscripción con los grabados de un

CAP. 39
a Ex 1:1
Ex 28:9
Ex 28:10

b Éx 28:12

c Éx 25:7
Le 8:8

d Éx 28:15

e Éx 28:16

f Éx 28:17

g Éx 28:18

h Job 28:6

i Rev 4:3

j Éx 28:19

k Éx 28:20

l Gé 2:12
1Cr 29:2

m Éx 28:21

n Éx 28:22

o Éx 28:23

p Éx 28:24

q Éx 28:25

r Éx 28:26

2.ª col.
a Éx 28:27

b Éx 28:28

c Éx 28:31
Le 8:7
Isa 61:10

d Éx 28:32

e Éx 28:33

f 2Re 25:17

g Éx 28:34

h Éx 28:39
Le 8:7
Le 8:13
Rev 19:8

i Éx 28:4
Éx 28:39

j Éx 28:40
Éx 29:9
Le 8:13

k Éx 28:42
Eze 44:18

l Éx 28:4
Éx 28:39
Isa 11:5

ungirlo[a] y santificarlo, y así tendrá que hacerme trabajo de sacerdote. 14 Después de eso harás que se acerquen sus hijos, y tienes que vestirlos con trajes talares.[b] 15 Y tienes que ungirlos tal como habías ungido a su padre,[c] y así tendrán que hacerme trabajo de sacerdotes, y su unción tendrá que servirles de continuo como sacerdocio hasta tiempo indefinido durante sus generaciones".[d]

16 Y Moisés procedió a hacer conforme a todo lo que le había mandado Jehová.[e] Hizo precisamente así.

17 Por consiguiente, sucedió que en el primer mes, en el segundo año, al primer día del mes, fue erigido el tabernáculo.[f] 18 Cuando Moisés procedió a erigir el tabernáculo, fue colocando sus pedestales con encajadura[s][g] y poniendo sus armazones[h] y metiendo sus barras[i] y levantando sus columnas.[j] 19 Entonces extendió la tienda[k] sobre el tabernáculo, y colocó la cubierta de la tienda por encima sobre ella, tal como Jehová había mandado a Moisés.

20 Después de eso tomó el Testimonio[l][m] y lo puso dentro del Arca[n] y colocó los varales[o] en el Arca[p] y puso la cubierta[q] por encima sobre el Arca.[r] 21 Entonces introdujo el Arca en el tabernáculo y puso en su lugar la cortina[s] de la pantalla y obstruyó el acceso al arca del testimonio,[t] tal como Jehová había mandado a Moisés.

22 En seguida puso la mesa[u] en la tienda de reunión, en el lado del tabernáculo hacia el norte, en el lado exterior de la cortina, 23 y arregló sobre ella la fila de panes[v] delante de Jehová, tal como Jehová había mandado a Moisés.

24 Entonces colocó el candelabro[w] en la tienda de reunión, enfrente de la mesa, en el lado del tabernáculo hacia el sur. 25 Entonces encendió las lámparas[a] delante de Jehová, tal como Jehová había mandado a Moisés.

26 En seguida colocó el altar de oro[b] en la tienda de reunión, delante de la cortina, 27 para hacer humear sobre él[c] incienso perfumado, tal como Jehová había mandado a Moisés.

28 Finalmente puso en su lugar la pantalla[d] de la entrada del tabernáculo.

29 Y colocó el altar[e] de la ofrenda quemada a la entrada del tabernáculo de la tienda de reunión, para ofrecer sobre él la ofrenda quemada[f] y la ofrenda de grano, tal como Jehová había mandado a Moisés.

30 Entonces colocó la fuente[g] entre la tienda de reunión y el altar, y puso en ella agua para lavar,[h] 31 Y Moisés y Aarón y sus hijos se lavaron las manos y los pies allí.[i] 32 Cuando entraban en la tienda de reunión y cuando se acercaban al altar se lavaban, tal como Jehová había mandado a Moisés.

33 Finalmente erigió el patio[j] en derredor del tabernáculo y del altar, y puso la pantalla de la puerta del patio.[k]

De modo que Moisés terminó la obra. 34 Y la nube[l] empezó a cubrir la tienda de reunión, y la gloria de Jehová llenó el tabernáculo.[m] 35 Y Moisés no pudo entrar en la tienda de reunión, porque la nube[n] residía sobre ella y la gloria de Jehová llenaba el tabernáculo.[m]

36 Y cuando la nube se alzaba de sobre el tabernáculo, los hijos de Israel levantaban el campamento durante todas las etapas de su viaje.[n] 37 Sin embargo, si la nube no se alzaba, entonces no levantaban el campamento sino hasta el día en que se alzaba.[o] 38 Porque la nube de Jehová estaba sobre el tabernáculo de día, y de noche continuaba sobre él un fuego a vista de toda la casa de Israel durante todas las etapas de su viaje.[p]

Referencias marginales

CAP. 40
a Le 8:12
b Le 8:13
1 Nú 13:2
Heb 10:38
c Le 8:30
2 Cró 1:21
d Nú 25:13
Heb 7:11
Heb 7:33
e Éx 39:43
f Dt 4:2
1 Nú 7:1
g Nú 9:15
h Éx 26:34
i Éx 26:15
j Éx 35:11
l Éx 16:34
m Éx 31:18
k Éx 26:7
i Éx 36:38
h Éx 36:34
k Éx 25:22
g Éx 30:18
f Éx 29:38
Heb 10:22
e Éx 38:1
Éx 36:37
d Éx 26:36
Éx 30:35
c Éx 30:7
b Éx 30:1
SÍ 119:105
a Éx 26:37

2.ª col.
v Éx 37:1
Mt 12:4
Heb 9:2
Heb 9:3
s Heb 10:19
Éx 26:30
r Éx 36:35
q Le 16:2
1Cor 28:11
p Éx 37:6
o Éx 37:4
n Éx 26:33
Nú 9:15
NÚ 16:42
Rev 15:8
1Re 8:10
1 SÍ 78:14
Éx 39:43
2Cró 5:14
NÚ 10:11
NÚ 9:19
NÚ 9:17
NÚ 9:22
NÚ 13:21
NÚ 9:16
SI 78:14

sello." 31 Entonces le pusieron una cuerdecita de hilo azul a fin de ponerla sobre el turbante por arriba, tal como Jehová había mandado a Moisés.

32 De modo que quedó terminada toda la obra para el tabernáculo de la tienda de reunión, puesto que los hijos de Israel siguieron haciendo conforme a todo lo que Jehová había mandado a Moisés. Hicieron precisamente así.

33 Y procedieron a traer el tabernáculo a Moisés, la tienda y todos sus utensilios, sus corchetes, sus armazones, sus barras y sus columnas y sus pedestales con encajaduras, 34 y su cubierta de pieles de carnero teñidas de rojo y su cubierta de pieles de foca y la cortina de la pantalla, 35 y el arca del testimonio y sus varales y la cubierta, 36 la mesa, todos sus utensilios y el pan de la proposición, 37 el candelabro de oro puro, sus lámparas, la fila de lámparas, y todos sus utensilios y el aceite de la iluminación, 38 y el altar de oro y el aceite de la unción y el incienso perfumado y la pantalla para la entrada de la tienda, 39 el altar de cobre y su enrejado de cobre que le pertenecía, sus varales y todos sus utensilios, la fuente y su base, 40 sus columnas del patio, sus pedestales con encajaduras y la pantalla para la puerta del patio, sus cuerdas de jaduras y la tienda y sus estacas de tienda y todos los utensilios para el servicio del tabernáculo, para la tienda de reunión, 41 las prendas de vestir de obra tejida para desempeñar el ministerio en el santuario, las prendas de vestir santas para Aarón el sacerdote y las prendas de vestir de sus hijos para hacer trabajo de sacerdotes.

42 Conforme a todo lo que Jehová había mandado a Moisés, así hicieron los hijos de Israel todo el servicio. 43 Y llegó a ver Moisés toda la obra, y ¡mire!, la habían hecho tal como había mandado Jehová. Así habían hecho. En consecuencia, los bendijo Moisés.

CAP. 40

Entonces Jehová habló a Moisés, y dijo: 2 "En el día del primer mes, al primero del mes, has de erigir el tabernáculo de la tienda de reunión. 3 Y tienes que colocar en él el arca del testimonio y obstruir el acceso al Arca con la cortina. 4 Y tienes que introducir la mesa y poner en orden su arreglo, y tienes que introducir el candelabro y encender sus lámparas. 5 Y tienes que poner el altar de oro para el incienso delante del arca del testimonio, y colocar en su lugar la pantalla de la entrada para el tabernáculo.

6 "Y tienes que poner el altar de la ofrenda quemada delante de la entrada del tabernáculo de la tienda de reunión. 7 Y tienes que poner la fuente entre la tienda de reunión y el altar, y poner agua en ella. 8 Y tienes que poner el patio en derredor y poner la pantalla de la puerta del patio. 9 Y tienes que tomar el aceite de la unción y ungir el tabernáculo y todo lo que hay en él, y tienes que santificarlo, a él y todos sus utensilios, y así tiene que llegar a ser cosa santa. 10 Y tienes que ungir el altar de la ofrenda quemada y todos sus utensilios y santificar el altar, y así tiene que llegar a ser un altar santísimo. 11 Y tienes que ungir la fuente y su base, y santificarla.

12 "Entonces tienes que hacer que Aarón y sus hijos se acerquen a la entrada de la tienda de reunión, y lavarlos con agua. 13 Y tienes que vestir a Aarón con las prendas de vestir santas

LEVÍTICO

1

1 Y Jehová procedió a llamar a Moisés y a hablarle desde la tienda de reunión,[a] diciendo: 2 "Habla a los hijos de Israel,[b] y tienes que decirles: 'En caso de que algún hombre de ustedes fuera a presentar a Jehová una ofrenda de los animales domésticos, ustedes deben presentar su ofrenda de la vacada y del rebaño.

3 "'Si la ofrenda de él es una ofrenda quemada[c] de la vacada, un macho —uno sano[d]— es lo que debe presentar. A la entrada de la tienda de reunión debe presentarla de su propia voluntad delante de Jehová.[e] 4 Y tiene que poner su mano sobre la cabeza de la ofrenda quemada, y esta tiene que ser aceptada[f] benévolamente a favor suyo para hacer expiación por él.[g]

5 "'Entonces el toro joven tiene que ser degollado delante de Jehová; y los hijos de Aarón, los sacerdotes,[h] tienen que presentar la sangre y rociar la sangre en derredor sobre el altar,[i] que está a la entrada de la tienda de reunión. 6 Y la ofrenda quemada tiene que ser desollada y cortada en sus trozos.[j] 7 Y los hijos de Aarón, los sacerdotes, tienen que poner fuego en el altar[k] y poner en orden la leña sobre el fuego.[l] 8 Y los hijos de Aarón, los sacerdotes, tienen que poner en orden los trozos,[m] con la cabeza y el sebo, encima de la leña que está sobre el fuego que está en el altar. 9 Y sus intestinos[n] y sus canillas serán lavados con agua; y el sacerdote tiene que hacer humear todo ello sobre el altar como ofrenda quemada, ofrenda hecha por fuego, de olor conducente a descanso a Jehová.[o]

10 "'Y si su ofrenda para una ofrenda quemada es del rebaño,[p] de los carneros jóvenes o de las cabras, un macho[q] —uno sano— es lo que presentará.[a] 11 Y tiene que ser degollado al lado del altar que da al norte delante de Jehová, y los hijos de Aarón, los sacerdotes, tienen que rociar su sangre en derredor sobre el altar.[b] 12 Y tiene que cortarlo en sus trozos y su cabeza y su sebo, y el sacerdote tiene que ponerlos en orden encima de la leña que está sobre el fuego que está en el altar.[c] 13 Y lavará con agua los intestinos[d] y las canillas;[e] y el sacerdote tiene que presentarlo todo y hacerlo humear[f] sobre el altar. Es una ofrenda quemada, una ofrenda hecha por fuego, de olor conducente a descanso a Jehová.[g]

14 "'Sin embargo, si su ofrenda como ofrenda quemada a Jehová es de las aves, entonces tiene que presentar su ofrenda de las tórtolas[h] o de los pichones.[i] 15 Y el sacerdote tiene que presentarla en el altar y cortarle la cabeza de una uñada[j] y hacerla humear sobre el altar, pero su sangre tiene que ser escurrida sobre el lado del altar. 16 Y él tiene que quitarle el buche con sus plumas y arrojarlo al lado del altar, hacia el este, al lugar para las cenizas grasosas.[k] 17 Y tiene que henderla por donde están las alas. No debe dividirla.[l] Entonces el sacerdote tiene que hacerla humear en el altar, encima de la leña que está sobre el fuego. Es una ofrenda quemada,[m] una ofrenda hecha por fuego, de olor conducente a descanso a Jehová.[n]

2

2 "'Ahora bien, en caso de que algún alma fuera a presentar como ofrenda una ofrenda de grano[o] a Jehová, su ofrenda debe resultar ser de flor de harina;[p] y tiene que derramarle aceite encima y poner olíbano sobre ella. 2 Y tiene que traerla a los hijos

CAP. 1
a Éx 40:34
  Nú 12:5
b Le 22:18
c Le 12:6
  Nú 15:3
d Éx 12:5
  Le 22:20
  Dt 15:21
  Mal 1:14
  Heb 9:14
  1Pe 1:19
e 2Co 9:7
f Isa 56:7
g Nú 15:25
  Ro 3:25
  1Jn 2:2
h Heb 10:11
i Heb 9:13
  1Pe 1:2
j Le 7:8
k Le 6:12
l Gé 22:9
  Ne 13:31
m Éx 29:17
  Le 9:13
  1Re 18:23
n Le 8:21
  Le 9:14
o Gé 8:21
  Éx 29:18
  Nú 15:3
  Ef 5:2
  Flp 4:18
p Gé 4:4
q Le 22:19

2.ª col.
a Le 22:20
  Mal 1:14
  1Pe 1:19
b Le 9:12
  2Cr 29:22
c Le 9:13
  1Re 18:23
d Le 9:14
e Éx 29:17
f Éx 29:18
g Éx 29:41
  Le 1:9
h Lu 2:24
i Le 5:7
  Le 12:8
j Le 5:8
k Éx 27:3
  Le 4:12
  Le 6:10
l Gé 15:10
m Gé 8:20
  Éx 29:18
n Le 6:21
  Nú 28:8

CAP. 2
o Le 6:14
  Le 9:17
  Nú 15:4
p Éx 29:2
  Nú 7:13

de Aarón, los sacerdotes, y el sacerdote tiene que asir de ella su puñado de su flor de harina y su aceite junto con todo su olíbano; y tiene que hacerlo humear como recordativo[a] de ella en el altar, como ofrenda hecha por fuego, de olor conducente a descanso a Jehová. 3 Y lo que quede de la ofrenda de grano pertenece a Aarón y sus hijos,[b] como cosa santísima[c] de las ofrendas de Jehová hechas por fuego.

4 "'Y en caso de que fueras a presentar como ofrenda una ofrenda de grano en la forma de algo cocido en horno, debe ser de flor de harina, tortas anulares no fermentadas,[d] mojadas ligeramente con aceite, o galletitas delgadas no fermentadas,[e] untadas con aceite.[f]

5 "'Y si tu ofrenda es una ofrenda de grano tomada de la tartera,[g] debe resultar ser de flor de harina mojada ligeramente con aceite, no fermentada. 6 Debe haber un quebrarla en pedazos, y tienes que derramar aceite sobre ella.[h] Es una ofrenda de grano.

7 "'Y si tu ofrenda es una ofrenda de grano sacada de la caldera profunda de freír, debe ser hecha de flor de harina con aceite. 8 Y tienes que traer a Jehová la ofrenda de grano que se haya hecho de estos; y tiene que ser presentada al sacerdote, y él tiene que acercarla al altar. 9 Y el sacerdote tiene que alzar parte de la ofrenda de grano como recordativo[i] de ella y tiene que hacerla humear sobre el altar, como ofrenda hecha por fuego, de olor conducente a descanso a Jehová.[j] 10 Y lo que quede de la ofrenda de grano pertenece a Aarón y a sus hijos, como cosa santísima de las ofrendas de Jehová por fuego.[k]

11 "'Ninguna ofrenda de grano que ustedes presenten a Jehová debe ser cosa hecha con masa fermentada,[l] porque no deben hacer humear absolutamente ninguna levadura ni miel como

ofrenda hecha por fuego a Jehová.

12 "'Como ofrenda de primicias,[a] las presentarán a Jehová, y estas no deben subir al altar para olor conducente a descanso.

13 "'Y toda ofrenda de tu ofrenda de grano la sazonarás con sal;[b] y no debes dejar que falte de sobre tu ofrenda de grano la sal del pacto[c] de tu Dios. Junto con toda ofrenda tuya presentarás sal.

14 "'Y si fueras a presentar la ofrenda de grano de los primeros frutos maduros a Jehová, debes presentar espigas verdes tostadas al fuego, grano nuevo machacado, como ofrenda de grano de tus primeros frutos maduros.[d] 15 Y tienes que echar aceite sobre ella y poner olíbano sobre ella. Es una ofrenda de grano.[e] 16 Y el sacerdote tiene que hacer humear el recordativo[f] de ella, es decir, parte de su grano machacado y aceite, junto con todo su olíbano, como ofrenda hecha por fuego a Jehová.

3 "'Y si la ofrenda de él es un sacrificio de comunión,[g] si la está presentando de la vacada, sea macho o hembra, un [animal] sano[h] es lo que presentará delante de Jehová. 2 Y tiene que poner su mano sobre la cabeza[i] de su ofrenda, y [la ofrenda] tiene que ser degollada a la entrada de la tienda de reunión; y los hijos de Aarón, los sacerdotes, tienen que rociar la sangre en derredor sobre el altar. 3 Y él tiene que presentar parte del sacrificio de comunión como ofrenda hecha por fuego a Jehová, a saber, la grasa[j] que cubre los intestinos, sí, toda la grasa que hay sobre los intestinos,[k] 4 y los dos riñones[l] y la grasa que hay sobre ellos, lo mismo que la que hay sobre los lomos. Y en cuanto al apéndice [que está] sobre el hígado, lo quitará junto con los riñones. 5 Y los hijos[m] de Aarón tienen que hacerlo humear[n] en el altar, sobre la ofrenda quemada que está encima de la leña[o] que está sobre

CAP. 2
a Le 6:15
  Nú 5:26
b Le 7:9
c Le 10:12
  Nú 18:9
d Éx 29:23
  Le 8:26
e Nú 6:19
  1Co 5:7
f Éx 29:2
  Le 7:10
  Nú 6:15
g Le 6:21
  Le 7:9
  1Cr 23:29
h Nú 28:9
i Le 2:2
  Le 5:12
j Éx 29:41
  Nú 28:8
k Nú 18:9
  Heb 13:10
l Éx 12:19
  Le 6:17
  Mt 16:12
  1Co 5:7
  Gál 5:9

2.ª col.
a Éx 23:19
  Nú 15:20
  2Cr 31:5
  Pr 3:9
  1Co 15:20
  Rev 14:4
b Eze 43:24
c Nú 18:19
  2Cr 13:5
d Éx 23:16
  Éx 34:22
  Nú 28:26
e Jer 17:26
  Jer 41:5
f Éx 29:25
  Le 5:12

CAP. 3
g Le 22:21
h Nú 6:14
i Éx 29:10
  Le 8:18
j Éx 29:13
  Le 7:23
  Le 7:30
  1Re 8:64
  Éx 44:15
k Le 1:13
l Le 3:15
  Le 7:4
  Le 8:16
m Nú 3:2
  Mal 2:4
n Le 1:9
  Le 7:31
  Le 9:10
o Le 6:12

el fuego, como ofrenda hecha por fuego, de olor conducente a descanso[a] a Jehová.

6 "'Y si su ofrenda para sacrificio de comunión a Jehová es del rebaño, macho o hembra, un [animal] sano[b] es lo que presentará. 7 Si presenta un carnero joven como su ofrenda, entonces tiene que presentarlo delante de Jehová.[c] 8 Y tiene que poner su mano sobre la cabeza[d] de su ofrenda, y [la ofrenda] tiene que ser degollada[e] delante de la tienda de reunión; y los hijos de Aarón tienen que rociar la sangre de esta en derredor sobre el altar. 9 Y del sacrificio de comunión él tiene que presentar la grasa de esta como ofrenda hecha por fuego a Jehová.[f] La cola[g] grasa entera es lo que quitará, cerca del espinazo, y la grasa que cubre los intestinos, sí, toda la grasa que hay sobre los intestinos,[h] 10 y los dos riñones y la grasa que hay sobre ellos, lo mismo que la que hay sobre los lomos. Y en cuanto al apéndice[i] [que está] sobre el hígado, lo quitará junto con los riñones. 11 Y el sacerdote tiene que hacerlo humear sobre el altar como alimento,[k] una ofrenda hecha por fuego a Jehová.

12 "'Y si su ofrenda de él es una cabra,[l] entonces tiene que presentarla delante de Jehová. 13 Y él tiene que poner su mano sobre la cabeza[m] de ella, y ella tiene que ser degollada[n] delante de la tienda de reunión; y los hijos de Aarón tienen que rociar la sangre de ella en derredor sobre el altar. 14 Y de ella él tiene que presentar como su ofrenda, como ofrenda hecha por fuego a Jehová, la grasa que cubre los intestinos, sí, toda la grasa que hay sobre los intestinos,[o] 15 y los dos riñones y la grasa que hay sobre ellos, lo mismo que la que hay sobre los lomos. Y en cuanto al apéndice [que está] sobre el hígado, lo quitará junto con los riñones. 16 Y el sacerdote tiene que hacerlos humear sobre el altar como alimento, una ofren-

da hecha por fuego, para olor conducente a descanso. Toda la grasa pertenece a Jehová.[a]

17 "'Es un estatuto hasta tiempo indefinido para las generaciones de ustedes, en todos los lugares donde moren: No deben comer grasa alguna ni sangre[b] alguna'".

4 Y Jehová siguió hablando a Moisés, y dijo: 2 "Habla a los hijos de Israel, diciendo: 'En caso de que peque un alma[c] por equivocación[d] en cualquiera de las cosas que Jehová manda que no deben hacerse, y realmente haga una de ellas:

3 "'Si el sacerdote, el ungido,[e] peca[f] de modo que traiga culpabilidad sobre el pueblo, entonces tiene que presentar a Jehová, por su pecado[g] que ha cometido, un toro joven, sano, como ofrenda por el pecado. 4 Y tiene que traer el toro a la entrada de la tienda de reunión[h] delante de Jehová y tiene que poner su mano sobre la cabeza del toro,[i] y tiene que degollar el toro delante de Jehová. 5 Y el sacerdote, el ungido,[j] tiene que tomar parte de la sangre del toro y traerla dentro de la tienda de reunión; 6 y el sacerdote tiene que mojar su dedo[k] en la sangre y salpicar un poco de la sangre siete veces[l] ante Jehová, enfrente de la cortina del lugar santo. 7 Y el sacerdote tiene que poner parte de la sangre sobre los cuernos[m] del altar de incienso perfumado delante de Jehová —[altar] que está en la tienda de reunión—, y todo el resto de la sangre del toro la derramará a la base[n] del altar de la ofrenda quemada, que está a la entrada de la tienda de reunión.

8 "'En cuanto a toda la grasa del toro de la ofrenda por el pecado, alzará de ella la grasa que cubre todos los intestinos, sí, toda la grasa que hay sobre los intestinos,[o] 9 y los dos riñones y la grasa que hay sobre ellos, lo mismo que la que hay sobre los

CAP. 3

a Le 1:17
  Le 4:31
  Le 5:19
b Éx 12:5
  Nú 6:14
  2Co 5:21
  Heb 7:26
  1Pe 1:19
c Heb 9:14
d Le 4:4
e Le 4:15
f 2Cr 7:7
g Éx 29:22
  Le 9:19
h Le 3:3
i Le 4:9
  Le 9:10
j Le 3:5
  Le 4:31
k Le 21:6
l Le 9:3
  Le 22:19
m 2Cr 29:10
  Le 3:2
n Éx 29:11
  Le 3:8
  Le 14:13
o Le 3:3
  Le 3:9
  Le 4:26
  Sl 20:3

2.ª col.

a Le 7:23
  1Sa 2:16
b Gé 9:4
  Le 17:10
  Le 17:13
  Dt 12:23
  Eze 44:7
  Hch 15:20

CAP. 4

c Gé 46:26
d Le 5:17
  Nú 15:28
  Sl 119:67
  Gál 6:1
  Snt 2:10
e Le 8:12
  Le 21:10
  Lu 4:18
  Heb 1:9
f Nú 12:1
  Heb 4:15
  Heb 7:26
g Heb 5:3
  Heb 7:27
h Le 1:3
  Le 6:25
i Éx 29:10
  Le 1:4
j Éx 29:29
  Éx 30:30
k Le 8:15
  Le 16:19
l Le 16:14
m Éx 30:10
n Le 5:9
o Le 4:19
  Le 4:26

lomos. Y en cuanto al apéndice [que está] sobre el hígado, lo quitará junto con los riñones.[a] 10 Será lo mismo que lo que se alza del toro del sacrificio de comunión.[b] Y el sacerdote tiene que hacerlo humear sobre el altar de la ofrenda quemada.[c]

11 "'Pero en cuanto a la piel del toro, y toda su carne junto con su cabeza, y sus canillas y sus intestinos y su estiércol,[d] 12 él tiene que mandar que saquen el toro entero a las afueras del campamento,[e] a un lugar limpio donde se vierten las cenizas grasosas,[f] y tiene que quemarlo sobre leña en el fuego.[g] Debe ser quemado donde se vierten las cenizas grasosas.

13 "'Ahora bien, si toda la asamblea de Israel comete una equivocación[h] y el asunto ha quedado escondido de los ojos de la congregación, y ellos han hecho una de todas las cosas que Jehová manda que no deben hacerse y así se han hecho culpables,[i] 14 y el pecado que han cometido contra él ha llegado a conocerse,[j] entonces la congregación tiene que presentar un toro joven para una ofrenda por el pecado y tiene que traerlo delante de la tienda de reunión. 15 Y los ancianos de la asamblea tienen que poner sus manos sobre la cabeza del toro,[k] delante de Jehová, y el toro tiene que ser degollado delante de Jehová.

16 "'Entonces el sacerdote, el ungido,[l] tiene que traer parte de la sangre del toro dentro de la tienda de reunión.[m] 17 Y el sacerdote tiene que mojar su dedo en parte de la sangre y salpicarla siete veces delante de Jehová, enfrente de la cortina.[n] 18 Y pondrá parte de la sangre sobre los cuernos del altar[o] que está delante de Jehová —[altar] que está en la tienda de reunión—; y todo el resto de la sangre la derramará a la base del altar de la ofrenda quemada,[p] que está a la entrada de la tienda de reunión. 19 Y él al-

CAP. 4

a Le 3:4
  Le 9:10
b Le 3:3
c Le 4:26
  Sl 20:3
  Heb 10:8
d Éx 29:14
  Nú 19:5
e Nú 5:3
  Heb 13:11
f Le 6:11
g Le 8:17
h Jos 7:11
  Pr 14:34
i Éx 32:30
  Nú 15:24
j Ec 12:14
  1Ti 5:24
k Éx 29:10
  Le 1:4
  Le 3:2
  Le 16:21
  Mt 8:17
  Heb 9:28
  Pr 2:24
l Éx 40:15
  Le 4:5
n Éx 26:31
  Éx 40:21
  Heb 10:20
o Éx 30:1
  Éx 30:6
p Éx 27:1
  Éx 40:6
  Le 4:7

2.ª col.

a Le 3:16
b Éx 32:30
  Le 12:8
  Le 16:17
  Nú 15:25
  Ef 1:7
  1Ti 2:5
  Heb 2:17
c Le 4:12
d Le 16:15
  Mt 20:28
  Jn 1:29
  1Jn 2:2
e Éx 18:21
  Nú 16:2
  Nú 34:18
  Jos 22:14
  2Sa 24:10
f Le 5:4
  Le 5:17
  Le 6:4
g 2Sa 12:13
h Le 13:19
  Nú 15:24
  Nú 28:15
  Nú 29:5
i Le 1:4
  Le 4:4
  Pr 28:13
  Isa 53:6
j Le 1:11
  Le 3:2
  Le 6:25
  Le 7:2
k Le 4:3
  Le 8:15
  Le 9:9
  Le 16:18
  Heb 9:22
m Le 3:5
n Éx 32:30
  Nú 15:28
o Éx 12:49
  Nú 5:6
  Nú 15:29
p Le 5:6

zará de ella toda la grasa de esta, y tiene que hacerla humear sobre el altar.[a] 20 Y tiene que hacer con el toro tal como hizo con el otro toro de la ofrenda por el pecado. De esa manera hará con él; y el sacerdote tiene que hacer expiación[b] por ellos, y así tiene que serles perdonado. 21 Y tiene que mandar que saquen el toro a las afueras del campamento, y tiene que quemarlo, tal como quemó el primer toro.[c] Es una ofrenda por el pecado para la congregación.[d]

22 "'Cuando peca un principal[e] y de veras comete sin intención una de todas las cosas que Jehová su Dios manda que no deben hacerse,[f] y así se ha hecho culpable, 23 o se le ha dado a conocer su pecado que ha cometido contra el mandamiento,[g] entonces tiene que traer como ofrenda suya un cabrito[h] de las cabras, uno sano. 24 Y tiene que poner su mano sobre la cabeza[i] del chivo y degollarlo en el lugar donde regularmente se degüella la ofrenda quemada delante de Jehová.[j] Es una ofrenda por el pecado.[k] 25 Y el sacerdote tiene que tomar con su dedo parte de la sangre de la ofrenda por el pecado y ponerla sobre los cuernos[l] del altar de la ofrenda quemada, y derramará el resto de la sangre de esta a la base del altar de la ofrenda quemada. 26 Y hará humear toda la grasa sobre el altar como la grasa del sacrificio de comunión,[m] y el sacerdote tiene que hacer expiación por él por su pecado,[n] y así tiene que serle perdonado.

27 "'Y si un alma cualquiera de la gente de la tierra peca sin intención, y hace una de las cosas que Jehová manda que no deben hacerse y de veras se hace culpable,[o] 28 o se le ha dado a conocer su pecado que ha cometido, entonces tiene que traer como ofrenda suya una cabrita[p] de las cabras, una sana, por su pecado que ha cometido. 29 Y tiene que poner su mano sobre la

cabeza[a] de la ofrenda por el pecado y degollar la ofrenda por el pecado en el mismo lugar que la ofrenda quemada.[b] 30 Y el sacerdote tiene que tomar con su dedo parte de la sangre de ella y ponerla sobre los cuernos[c] del altar de la ofrenda quemada, y derramará todo el resto de la sangre de esta a la base del altar.[d] 31 Y le quitará toda su grasa,[e] tal como se quitó la grasa del sacrificio de comunión;[f] y el sacerdote tiene que hacerla humear sobre el altar como olor conducente a descanso a Jehová;[g] y el sacerdote tiene que hacer expiación por él, y así tiene que serle perdonado.[h]

32 "'Pero si él fuera a traer un cordero[i] como su ofrenda para la ofrenda por el pecado, una hembra sana[j] es lo que debe traer. 33 Y tiene que poner su mano sobre la cabeza de la ofrenda por el pecado y degollarla como ofrenda por el pecado en el lugar donde regularmente se degüella la ofrenda quemada.[k] 34 Y el sacerdote tiene que tomar con su dedo parte de la sangre de la ofrenda por el pecado y ponerla sobre los cuernos del altar de la ofrenda quemada,[l] y todo el resto de la sangre de esta la derramará a la base del altar. 35 Y le quitará toda su grasa lo mismo que se quita regularmente la grasa al carnero joven del sacrificio de comunión, y el sacerdote tiene que hacerlos humear en el altar sobre las ofrendas de Jehová hechas por fuego;[m] y el sacerdote tiene que hacer expiación[n] por él por el pecado que él ha cometido, y así tiene que serle perdonado.[o]

5 "'Ahora bien, en caso de que peque un alma[p] por cuanto ha oído maldecir en público[q] y es testigo, o lo ha visto o ha llegado a saber de ello, si no lo informa,[r] entonces tiene que responder por su error.

2 "'O cuando un alma toca alguna cosa inmunda, sea el cuer-

po muerto de una bestia salvaje inmunda o el cuerpo muerto de un animal doméstico inmundo o el cuerpo muerto de una criatura enjambradora inmunda,[a] aunque haya sido escondido de dicho individuo,[b] sin embargo es inmundo y se ha hecho culpable.[c] 3 O en caso de que toque la inmundicia[d] de un hombre en lo que concierne a cualquier inmundicia suya con que pueda hacerse inmundo, aunque hubiera sido escondido de él, y sin embargo él mismo haya llegado a saberlo, entonces se ha hecho culpable.

4 "'O en caso de que un alma jure al grado de hablar irreflexivamente[e] con sus labios hacer mal[f] o hacer bien respecto a cualquier cosa de que el hombre pudiera hablar irreflexivamente en una declaración jurada,[g] aunque le hubiera sido escondido, y sin embargo él mismo haya llegado a saberlo, entonces se ha hecho culpable respecto a una de estas cosas.

5 "'Y tiene que suceder que, en caso de que llegue a ser culpable respecto a una de estas cosas, entonces tiene que confesar[h] de qué manera ha pecado. 6 Y tiene que traer a Jehová su ofrenda por la culpa[i] por su pecado que ha cometido, a saber, una hembra del rebaño, una cordera o una cabrita[j] de las cabras, para una ofrenda por el pecado; y el sacerdote tiene que hacer expiación por él por su pecado.[k]

7 "'Sin embargo, si no tiene lo suficiente para una oveja,[l] entonces tiene que traer a Jehová como su ofrenda por la culpa por el pecado que ha cometido dos tórtolas[m] o dos pichones, uno para ofrenda por el pecado[n] y uno para ofrenda quemada. 8 Y tiene que traerlos al sacerdote, que tiene que presentar

CAP. 4

a Le 1:4
Le 3:2
Le 4:4
Le 16:21
Pr 28:13
Isa 53:6
Mt 8:17
1Pe 2:24
b Le 1:11
Le 6:25
c Le 4:25
d Le 8:15
Le 9:9
e Le 3:16
Le 4:8
f Le 3:3
g Éx 29:18
Le 1:9
Le 3:5
Le 8:21
Esd 6:10
h Le 4:26
Os 14:2
i Isa 53:7
Jn 1:29
Heb 9:14
1Pe 1:19
j Le 3:6
Heb 7:26
Heb 9:14
1Pe 2:22
k Le 1:11
Le 4:4
l Le 4:25
Le 16:18
m Éx 29:13
Le 3:3
Le 6:12
Le 9:10
n Le 1:4
Le 4:26
Le 4:31
Le 6:7
Le 16:30
Nú 15:28
Col 1:14
1Jn 2:2
o 1Jn 1:7

CAP. 5

p Gé 2:7
Gé 46:26
Eze 18:4
q Pr 30:9
Snt 3:9
r Gé 37:2
1Sa 22:24
Est 6:2
Pr 29:24
1Co 1:11
1Co 5:1

2.ª col.

a Le 11:24
Le 17:15
Le 21:1
Nú 19:11
Le 14:8
b Sl 19:12
c Le 4:13
d Le 12:2
Le 13:3
Le 15:3
Nú 19:11
e Snt 3:8
1Pe 3:10
f Mal 3:5
g Jue 21:7
1Sa 14:24
Mt 5:33
Mr 6:23

h Le 26:40; Nú 5:7; Jos 7:19; Esd 10:11; Sl 32:5;
Pr 28:13; 1Jn 1:9; i Le 7:1; Le 14:12; Le 19:21;
Nú 6:12; j Le 4:28; k Le 4:20; Jn 1:29; 1Ti 2:5;
Heb 9:14; 1Jn 4:10; l Le 12:8; Le 14:21; 2Co 8:12;
Snt 2:5; m Le 1:14; Le 15:14; n Le 14:22; Lu 2:24.

primero el que es para la ofrenda por el pecado y cortarle la cabeza de una uñada[a] por la parte delantera del cuello; pero no debe separarla por completo. 9 Y tiene que salpicar parte de la sangre de la ofrenda por el pecado sobre el lado del altar, pero lo que quede de la sangre se dejará correr a la base del altar.[b] Es una ofrenda por el pecado. 10 Y el otro lo tratará como ofrenda quemada conforme al procedimiento regular;[c] y el sacerdote tiene que hacer expiación[d] por él por su pecado que ha cometido, y así tiene que serle perdonado.[e]

11 "'Ahora bien, si carece de medios[f] para dos tórtolas o dos pichones, entonces tiene que traer como su ofrenda por el pecado que ha cometido un décimo de efá[g] de flor de harina para una ofrenda por el pecado. No debe echar aceite[h] sobre ella y no debe poner olíbano sobre ella, porque es una ofrenda por el pecado.[i] 12 Y tiene que traerla al sacerdote, y el sacerdote tiene que asir de ella un puñado como recordativo[j] de ella y tiene que hacerla humear en el altar sobre las ofrendas de Jehová hechas por fuego.[k] Es una ofrenda por el pecado.[l] 13 Y el sacerdote tiene que hacer expiación[m] por él por su pecado que ha cometido, cualquiera de estos pecados, y así tiene que serle perdonado; y tiene que llegar al sacerdote[n] lo mismo que una ofrenda de grano'".

14 Y Jehová continuó hablando a Moisés, y dijo: 15 "En caso de que un alma se porte infielmente porque de hecho peca por equivocación contra las cosas santas de Jehová,[o] entonces tiene que traer a Jehová como su ofrenda por la culpa[p] un carnero sano del rebaño, conforme a la valoración en siclos[q] de plata, según el siclo del lugar santo, como ofrenda por la culpa. 16 Y hará compensación por el pecado que haya cometido

contra el lugar santo, y le añadirá un quinto[a] de ello, y tiene que dárselo al sacerdote, para que el sacerdote haga expiación[b] por él con el carnero de la ofrenda por la culpa, y así tiene que serle perdonado.[c]

17 "Y si peca un alma porque de hecho hace una de todas las cosas que Jehová manda que no deben hacerse, aunque no lo supiera,[d] sin embargo se ha hecho culpable y tiene que responder por su error.[e] 18 Y tiene que traer al sacerdote un carnero sano del rebaño conforme a la valoración, para ofrenda por la culpa;[f] y el sacerdote tiene que hacer expiación[g] por dicho individuo por la equivocación que cometió sin intención, aunque él mismo no lo supiera, y así tiene que serle perdonada.[h] 19 Es una ofrenda por la culpa. Positivamente se ha hecho culpable[i] contra Jehová".

6 Y Jehová siguió hablando a Moisés, y dijo: 2 "En caso de que peque un alma porque de hecho se porta infielmente para con Jehová,[j] y efectivamente engañe[k] dicho individuo a su asociado acerca de algo encargado a él o de un depósito en su mano[l] o de un robo, o en efecto defrauda a su asociado,[m] 3 o de veras halle algo perdido[n] y en efecto se haga engañoso en cuanto a ello y de hecho jure falsamente[o] sobre cualquiera de todas las cosas que el hombre pudiera hacer y pecar por ellas; 4 entonces tiene que ocurrir en caso de que peque y en realidad se haga culpable,[p] tiene que devolver la cosa robada que haya robado o la cosa extorsionada que haya obtenido por fraude o la cosa encargada a él que haya sido puesta a su cargo, o la cosa perdida que haya hallado, 5 o cualquier cosa que sea sobre la cual jurara falsamente, y tiene que dar compensación[q] por ella en su cantidad total, y le añadirá un quinto de ella. A aquel de quien

---

CAP. 5
a Le 1:15
b Le 1:5
  Le 7:2
  Heb 9:22
c Le 1:17
d Le 6:7
  Heb 2:17
  1Jn 2:2
e Éx 34:9
f 2Co 8:12
g Éx 16:36
h Nú 5:15
i Le 5:6
  Pr 28:13
  2Co 5:21
j Le 6:15
  Nú 5:26
k Le 4:35
l Le 4:3
m Le 4:26
  Le 2:10
  Le 7:6
  1Sa 2:28
  1Co 9:13
o Le 10:18
  Le 22:14
  Nú 18:9
p Le 6:6
q Éx 30:13
  Le 27:35

2.ª col.
a Le 6:5
  Le 22:14
  Le 27:13
  Nú 5:7
b Éx 32:30
  Le 12:8
  Nú 15:25
  Heb 2:17
  1Jn 2:2
c Éx 34:9
  Le 4:20
  Le 6:7
  Le 19:22
d Sl 19:12
  Lu 12:48
  Heb 5:2
e Le 5:2
  1Ti 5:24
f Le 5:7
  Le 6:6
g Le 1:4
h Isa 53:12
i Esd 10:2
  Sl 51:3

CAP. 6
j Le 5:15
  Nú 5:6
  Sl 51:4
k Le 19:11
  Éx 22:7
m Job 24:2
  Miq 2:2
  Hch 13:10
n Dt 22:1
o Éx 22:11
  Le 19:12
  Jer 7:9
  Mal 3:5
  Ef 4:25
  Col 3:9
  1Ti 1:10
p Le 4:13
q Le 5:16
  Nú 5:7
  1Sa 12:3

sea se lo dará en el día que quede probada su culpa. 6 Y como su ofrenda por la culpa traerá a Jehová un carnero sano[a] del rebaño conforme a la valoración, para una ofrenda por la culpa,[b] al sacerdote. 7 Y el sacerdote tiene que hacer expiación[c] por él delante de Jehová, y así tiene que serle perdonado respecto a cualquiera de todas las cosas que pudiera hacer que le resultaran en culpabilidad".

8 Y Jehová continuó hablando a Moisés, y dijo: 9 "Da orden a Aarón y sus hijos, diciendo: 'Esta es la ley de la ofrenda quemada:[d] La ofrenda quemada estará sobre el hogar encima del altar durante toda la noche hasta la mañana, y el fuego del altar estará encendido en él. 10 Y el sacerdote tiene que vestirse de su vestido de lino oficial,[e] y pondrá los calzoncillos[f] de lino sobre su carne. Entonces tiene que alzar las cenizas grasosas[g] de la ofrenda quemada que el fuego regularmente consume sobre el altar, y tiene que colocarlas al lado del altar. 11 Y tiene que despojarse de sus prendas de vestir[h] y ponerse otras prendas de vestir, y tiene que sacar las cenizas grasosas a un lugar limpio fuera del campamento.[i] 12 Y el fuego [que arde] sobre el altar se mantendrá ardiendo sobre él. No debe apagarse. Y el sacerdote tiene que quemar leña[j] sobre él mañana a mañana y poner en orden encima de él la ofrenda quemada, y tiene que hacer humear encima de él los trozos grasos de los sacrificios de comunión.[k] 13 Un fuego[l] se mantendrá ardiendo constantemente sobre el altar. No debe apagarse.

14 "'Ahora bien, esta es la ley de la ofrenda de grano:[m] Ustedes, los hijos de Aarón, preséntenla delante de Jehová enfrente del altar. 15 Y uno de ellos tiene que alzar de a puñado parte de la flor de harina de la ofrenda

CAP. 6

a Le 5:15
 Isa 53:10
 Le 9:14
b Le 7:1
c Le 4:20
 Le 5:10
 Le 5:18
 1Jn 1:7
 1Jn 2:2
d Éx 29:42
 Nú 28:3
 Heb 10:11
e Éx 28:39
 Le 16:32
 Esd 3:10
 Eze 44:17
f Éx 28:42
 Éx 39:28
g Éx 27:3
 Le 1:16
 Le 4:12
h Le 16:23
 Eze 44:19
i Le 4:12
 Le 16:27
 Nú 19:9
 Heb 13:12
j Le 1:7
 Le 3:5
 Ne 13:31
 Le 3:5
 Le 3:16
 Nú 18:17
 1Nú 16:46
 Le 2:1
 Nú 15:4

2.ª col.

a Le 2:2
 Le 2:9
 Le 5:12
b Le 2:3
 Le 5:13
 Eze 44:29
 1Co 9:13
c Le 10:12
d Le 2:11
 Mt 16:12
 1Pe 2:22
e Nú 18:9
f Le 2:3
 Le 2:10
g Nú 18:10
h Le 24:9
i Éx 29:2
j Éx 30:30
 Sl 133:2
 Lu 4:18
 Heb 10:38
 Heb 1:1
 Heb 5:1
 Heb 7:28
 Heb 8:3
k Éx 16:36
 Le 5:11
l Éx 29:40
 Le 2:1
 Le 9:17
 Nú 28:5
m Le 2:5
 Le 7:9
 1Cr 23:29
n Dt 10:6
 Heb 7:23
o Éx 29:41
p Heb 7:28
q Le 4:3
r Le 1:3
 Le 1:11

de grano y parte de su aceite y todo el olíbano que esté sobre la ofrenda de grano, y tiene que hacerlo humear sobre el altar como olor conducente a descanso para recordativo[a] de ella a Jehová. 16 Y lo que quede de ella lo comerán Aarón y sus hijos.[b] Se comerá como tortas no fermentadas[c] en un lugar santo. Lo comerán en el patio de la tienda de reunión. 17 No debe cocerse con ninguna cosa leuda.[d] Lo he dado como la parte que les corresponde de mis ofrendas hechas por fuego.[e] Es cosa santísima,[f] como la ofrenda por el pecado y como la ofrenda por la culpa. 18 Todo varón[g] entre los hijos de Aarón lo comerá. Es una porción asignada hasta tiempo indefinido[h] durante todas las generaciones de ustedes, de las ofrendas de Jehová hechas por fuego. Todo cuanto las toque quedará santificado'".

19 Y Jehová siguió hablando a Moisés, y dijo: 20 "Esta es la ofrenda[i] de Aarón y sus hijos que ellos presentarán a Jehová en el día que él sea ungido:[j] un décimo de efá[k] de flor de harina como ofrenda de grano[l] constantemente, la mitad de ello por la mañana y la mitad de ello por la tarde. 21 Se hará con aceite sobre una tartera.[m] La traerás bien mezclada. Presentarás en pedazos los pasteles de la ofrenda de grano como olor conducente a descanso a Jehová. 22 Y la hará el sacerdote, el que sea ungido en lugar de él de entre sus hijos.[n] Es disposición reglamentaria hasta tiempo indefinido: Como ofrenda entera se hará[o] que humee a Jehová. 23 Y toda ofrenda de grano de un sacerdote[p] debe resultar ser una ofrenda entera. No debe comerse".

24 Y Jehová habló adicionalmente a Moisés, y dijo: 25 "Habla a Aarón y a sus hijos, y di: 'Esta es la ley de la ofrenda por el pecado:[q] En el lugar[r] don-

de regularmente se degüella la ofrenda quemada se degollará la ofrenda por el pecado delante de Jehová. Es cosa santísima.[a] 26 El sacerdote que la ofrece por el pecado la comerá.[b] En un lugar santo[c] se comerá, en el patio[d] de la tienda de reunión.

27 "'Todo cuanto toque su carne quedará santificado,[e] y cuando alguien salpique parte de la sangre de ella sobre la prenda de vestir,[f] lavarás en un lugar santo aquello sobre lo cual salpique la sangre.[g] 28 Y la vasija de barro[h] en que se cueza ha de ser hecha añicos. Pero si se ha cocido en una vasija de cobre, entonces esta tiene que ser restregada y enjuagada con agua.

29 "'Todo varón de los sacerdotes la comerá.[i] Es cosa santísima.[j] 30 Sin embargo, no debe comerse ninguna ofrenda por el pecado de la cual parte de la sangre[k] haya de ser traída dentro de la tienda de reunión para hacer expiación en el lugar santo. Ha de ser quemada con fuego.

7 "'Y esta es la ley de la ofrenda por la culpa.[l] Es cosa santísima.[m] 2 En el lugar[n] donde regularmente degüellan la ofrenda quemada degollarán la ofrenda por la culpa, y su sangre[o] se rociará[p] en derredor sobre el altar. 3 En cuanto a toda su grasa,[q] de ella él presentará la cola grasa y la grasa que cubre los intestinos, 4 y los dos riñones y la grasa que hay sobre ellos, lo mismo que la que hay sobre los lomos. Y en cuanto al apéndice [que está] sobre el hígado, lo quitará junto con los riñones.[r] 5 Y el sacerdote tiene que hacerlos humear sobre el altar como ofrenda hecha por fuego a Jehová.[s] Es una ofrenda por la culpa. 6 Todo varón de los sacerdotes la comerá.[t] En un lugar santo se comerá. Es cosa santísima.[u] 7 Como la ofrenda por el pecado, así es la ofrenda por la culpa. Hay una misma ley

respecto a ellas.[a] Del sacerdote que haga la expiación con ella, de él llegará a ser.

8 "'En cuanto al sacerdote que presente la ofrenda quemada de cualquier hombre, la piel[b] de la ofrenda quemada que él haya presentado al sacerdote llegará a ser de este.

9 "'Y toda ofrenda de grano que sea cocida en el horno,[c] y toda aquella hecha en la caldera[d] profunda de freír y sobre la tartera,[e] pertenece al sacerdote que la presenta. Llegará a ser de él.[f] 10 Pero toda ofrenda de grano que es mojada ligeramente con aceite,[g] o seca,[h] llegará a ser para todos los hijos de Aarón, para el uno lo mismo que para el otro.

11 "'Ahora bien, esta es la ley del sacrificio de comunión[i] que cualquiera presentará a Jehová: 12 Si lo fuera a presentar en expresión de acción de gracias,[j] entonces tendrá que presentar junto con el sacrificio de acción de gracias tortas anulares no fermentadas, mojadas ligeramente con aceite, y galletitas delgadas no fermentadas untadas con aceite,[k] y flor de harina bien mezclada hecha en tortas anulares, mojadas ligeramente con aceite. 13 Con tortas anulares de pan leudo[l] presentará su ofrenda junto con el sacrificio de acción de gracias de sus sacrificios de comunión. 14 Y de ello tiene que presentar una de cada ofrenda como porción sagrada que corresponde a Jehová;[m] en cuanto al sacerdote que rocíe la sangre de los sacrificios de comunión, llegará a ser de él.[n] 15 Y la carne del sacrificio de acción de gracias de sus sacrificios de comunión ha de ser comida en el día de su ofrenda. Él no debe guardar nada de ella hasta la mañana.[o]

16 "'Y si el sacrificio de su

CAP. 6
a Le 21:22
   Le 22:7
b Le 10:17
   Nú 18:9
   Eze 44:29
c Le 6:16
d Éx 27:9
   Éx 38:9
   Éx 40:33
   Eze 42:13
e Mt 9:21
   Mt 14:36
f 1Pe 1:2
g Heb 9:10
h Le 11:33
   Le 15:12
i Le 6:13
   Nú 18:10
j Le 6:25
   Le 21:22
k Le 4:5
   Le 10:18
   Le 16:27
   Heb 13:11

CAP. 7
l Le 5:6
   Le 6:6
   Le 14:12
   Le 19:21
   Nú 6:12
m Le 6:17
   Le 21:22
n Le 1:3
   Le 6:25
o Le 5:9
   Heb 9:22
p Le 1:5
   Le 3:2
   Le 3:8
   1Pe 1:2
q Éx 29:13
   Le 3:9
   Le 3:17
   Le 4:8
   Le 8:20
r Le 3:4
   Le 4:9
s Le 1:9
   Le 3:16
   Le 5:12
t Le 5:13
   Le 6:16
   Nú 18:9
u Le 2:3

2.ª col.
a Le 6:25
b Éx 29:14
   Le 1:6
   Nú 19:5
c Le 2:4
d Le 2:7
e Le 2:5
   Le 6:21
   1Cr 23:29
f Le 2:3
   Nú 18:9
   1Co 9:13
g Le 2:4
   Le 14:21
h Le 5:11
   Nú 5:15
i Le 3:1
   Le 7:20
   Le 22:21
   1Co 10:16
j Le 22:29; 2Cr 29:31; Ne 12:43; Sl 50:14; 2Co 9:11; k Le 2:4; Le 6:16; Nú 6:15; l Le 2:11; Le 23:17; m Le 10:14; n Le 6:26; Le 7:35; Nú 18:8; o Le 22:30.

ofrenda se debe a un voto[a] o es una ofrenda voluntaria,[b] se ha de comer en el día que presente su sacrificio, y al día siguiente lo que quede de ella también puede comerse. 17 Pero lo que quede de la carne del sacrificio al tercer día ha de ser quemado con fuego.[c] 18 Sin embargo, si de manera alguna hubiera de comerse parte de la carne de su sacrificio de comunión al tercer día, el que lo haya presentado no será aceptado con aprobación.[d] No le será puesto en su cuenta.[e] Llegará a ser cosa viciada, y el alma que coma parte de este responderá por su error.[f] 19 Y la carne que toque cualquier cosa inmunda[g] no se ha de comer. Ha de ser quemada con fuego. En cuanto a la carne, toda persona limpia puede comer la carne.

20 ”Y el alma que coma la carne del sacrificio de comunión, que es para Jehová, mientras sobre sí esté su inmundicia, esa alma tiene que ser cortada de su pueblo.[h] 21 Y en caso de que un alma toque cualquier cosa inmunda, la inmundicia de un hombre[i] o una bestia inmunda[j] o cualquier cosa asquerosa inmunda,[k] y realmente coma parte de la carne del sacrificio de comunión, que es para Jehová, esa alma tiene que ser cortada de su pueblo’”.

22 Y Jehová continuó hablando a Moisés, y dijo: 23 ”Habla a los hijos de Israel, y di: ‘No deben ustedes comer grasa[l] de toro ni de carnero joven ni de cabra. 24 Ahora bien, la grasa de un cuerpo [ya] muerto y la grasa de un animal despedazado[m] podrá usarse para cualquier otra cosa imaginable, pero no deben comerla de manera alguna. 25 Porque todo el que coma grasa de la bestia de la cual la presenta como ofrenda hecha por fuego a Jehová, el alma que coma tiene que ser cortada[n] de su pueblo.

26 ”Y ustedes no deben co-

mer ninguna sangre[e] en ninguno de los lugares donde moren, sea la de ave o la de bestia. 27 Cualquier alma que coma sangre alguna, esa alma tiene que ser cortada[b] de su pueblo’”.

28 Y Jehová siguió hablando a Moisés, y dijo: 29 ”Habla a los hijos de Israel, y di: ‘El que presente su sacrificio de comunión a Jehová traerá su ofrenda a Jehová de su sacrificio de comunión.[c] 30 Sus manos traerán como ofrendas de Jehová hechas por fuego la grasa[d] [que hay] sobre el pecho. La traerá con el pecho para mecerlo de acá para allá como ofrenda mecida[e] delante de Jehová. 31 Y el sacerdote tiene que hacer humear[f] la grasa sobre el altar, pero el pecho tiene que llegar a ser de Aarón y de sus hijos.[g]

32 ”Y ustedes darán como porción sagrada[h] al sacerdote la pierna derecha de sus sacrificios de comunión. 33 De aquel de los hijos de Aarón que presente la sangre de los sacrificios de comunión y la grasa, de él llegará a ser la pierna derecha como porción.[i] 34 Porque de veras tomo de los hijos de Israel, de sus sacrificios de comunión, el pecho de la ofrenda mecida[j] y la pierna de la porción sagrada, y los daré a Aarón el sacerdote y sus hijos, como disposición reglamentaria hasta tiempo indefinido, de parte de los hijos de Israel.

35 ”Esta fue la parte que correspondió a Aarón como sacerdote, y la parte que correspondió a sus hijos como sacerdotes, de las ofrendas de Jehová hechas por fuego, el día en que él los presentó[k] para que le hicieran a Jehová trabajo de sacerdotes, 36 tal como había mandado Jehová que se les diera el día en que los ungió[l] de entre los hijos de Israel. Es estatuto hasta tiempo indefinido para sus generaciones’”.[m]

37 Esta es la ley respecto a la

CAP. 7

a Le 22:21
Nú 30:2
Jue 11:30
1Sa 1:11
Si 66:13
Pr 20:25
Ec 5:4
Hch 21:23
b Le 22:23
Dt 12:6
c Le 19:6
d Le 19:7
e Gé 4:5
f Le 5:17
Le 19:8
Nú 9:13
Eze 4:14
g Le 11:24
Nú 19:15
h Le 15:3
Nú 19:20
i Le 12:4
Le 15:2
j Le 11:24
Dt 14:7
k Le 11:10
Dt 14:10
Eze 4:14
l Le 3:16
Le 4:10
Le 4:8
1Sa 2:16
m Éx 22:31
Le 17:15
n Nú 15:31

2.ª col.

a Gé 9:4
Le 3:17
Le 17:10
Dt 12:16
Eze 33:25
Hch 15:20
Hch 15:29
b Le 17:14
c Le 3:1
1Co 10:18
d Le 3:3
e Éx 29:24
Le 8:27
Le 9:21
Nú 6:20
f Le 3:5
g Le 5:13
Le 6:16
Le 8:29
Nú 18:18
h Éx 29:27
Le 10:14
Nú 6:20
i Le 6:26
Dt 18:3
j Éx 29:28
Le 10:14
Nú 18:18
k Éx 28:1
Éx 29:7
Éx 40:13
Nú 3:3
l Éx 40:15
Le 8:12
m Heb 7:12

ofrenda quemada,[a] la ofrenda de grano[b] y la ofrenda por el pecado[c] y la ofrenda por la culpa[d] y el sacrificio de instalación[e] y el sacrificio de comunión,[f] 38 tal como Jehová había mandado a Moisés en el monte Sinaí[g] el día en que mandó a los hijos de Israel que presentaran sus ofrendas a Jehová en el desierto de Sinaí.[h]

8 Y Jehová procedió a hablar a Moisés, y dijo: 2 "Toma a Aarón y sus hijos con él[i] y las prendas de vestir[j] y el aceite de la unción[k] y el toro de la ofrenda por el pecado[l] y los dos carneros y la caja de tortas sin fermentadas,[m] 3 y haz que toda la asamblea se congregue[n] a la entrada de la tienda de reunión".[o]

4 Entonces Moisés hizo tal como le había mandado Jehová, y se congregó la asamblea a la entrada[p] de la tienda de reunión. 5 Luego Moisés dijo a la asamblea: "Esta es la cosa que Jehová ha mandado hacer".[q] 6 Por lo tanto Moisés hizo que se acercaran Aarón y sus hijos, y los lavó[r] con agua.[s] 7 Después puso sobre él el traje talar,[t] y lo ciñó con la banda,[u] y lo vistió con la vestidura sin mangas,[v] y puso sobre él el efod,[w] y lo ciñó con el cinturón[x] del efod, y le ató [el efod] apretadamente con este. 8 En seguida colocó sobre él el pectoral[y] y puso en el pectoral el Urim y el Tumim.[z] 9 Entonces le colocó el turbante[a] sobre la cabeza, y sobre el turbante colocó, en la parte delantera de él, la lámina resplandeciente de oro, la santa señal de dedicación,[b] tal como Jehová había mandado a Moisés.

10 Luego Moisés tomó el aceite de la unción y ungió el tabernáculo[c] y todo lo que había en él, y los santificó. 11 Después de eso salpicó parte de él siete veces sobre el altar, y ungió el altar[d] y todos sus utensilios, y la fuente y su base, para santificarlos. 12 Por fin derramó parte del aceite de la unción sobre la cabeza de Aarón y lo ungió para santificarlo.[a]

13 Moisés entonces acercó[b] a los hijos de Aarón y los vistió con trajes talares y los ciñó con bandas[c] y envolvió sobre ellos el tocado,[d] tal como Jehová había mandado a Moisés.

14 Entonces hizo subir el toro[e] de la ofrenda por el pecado, y Aarón y sus hijos pusieron las manos sobre la cabeza[f] del toro de la ofrenda por el pecado. 15 Y Moisés procedió a degollarlo,[g] y a tomar la sangre[h] y ponerla con su dedo sobre los cuernos del altar en derredor y a purificar de pecado el altar, pero el resto de la sangre la derramó a la base del altar, a fin de santificarlo para hacer expiación[i] sobre él. 16 Después de eso tomó toda la grasa que había sobre los intestinos, y el apéndice del hígado y los dos riñones y su grasa, y los hizo humear Moisés sobre el altar.[j] 17 Y el toro y su piel y su carne y su estiércol los mandó quemar con fuego fuera del campamento,[k] tal como Jehová había mandado a Moisés.

18 Luego acercó el carnero de la ofrenda quemada, y entonces Aarón y sus hijos pusieron las manos sobre la cabeza del carnero.[l] 19 A continuación, Moisés lo degolló, y roció la sangre en derredor sobre el altar.[m] 20 Y cortó el carnero en sus trozos,[n] y procedió Moisés a hacer humear la cabeza y los trozos y el sebo. 21 Y los intestinos y las canillas los lavó con agua, y entonces Moisés hizo humear el carnero entero sobre el altar.[o] Era una ofrenda quemada para un olor conducente a descanso.[p] Era una ofrenda hecha por fuego a Jehová, tal como Jehová había mandado a Moisés.

22 Entonces acercó el segundo carnero, el carnero de la ins-

CAP. 7
a Le 6:9
Am 5:22
Mr 12:33
Heb 10:5
Heb 10:6
b Le 2:1
Le 6:14
c Le 6:25
d Le 5:6
Le 7:1
e Le 7:37
Le 6:20
f Le 3:1
g Éx 34:27
Le 25 1
h Éx 24:5
Le 1:2

CAP. 8
i Éx 28:1
j Éx 28:4
Éx 39:41
k Éx 30:23
Éx 40:15
l Éx 29:1
m Éx 29:2
n Hch 7:38
o Nú 27:2
p Éx 36:37
q Jn 8:28
r Éx 40:12
1Co 6:11
Ef 5:26
Heb 9:10
s Éx 29:4
t Éx 28:39
Rev 19:8
u Éx 39:29
Isa 11:5
v Éx 28:31
Éx 39:22
Nú 15:39
Sl 119:129
w Éx 28:6
Éx 39:2
x Éx 28:8
Éx 39:5
Éx 39:20
y Éx 28:15
Éx 39:9
z Éx 28:30
Esd 2:63
Jn 5:30
a Éx 29:6
Éx 39:28
1Co 11:3
b Éx 28:36
Éx 39:30
c Éx 30:26
d Éx 30:28

2.ª col.
a Éx 29:7
Éx 30:30
Éx 40:13
Le 21:10
Sl 133:2
Hch 10:38
b Éx 29:8
Éx 40:14
c Éx 29:9
d Éx 28:40
e Éx 29:10
Le 4:3
Le 16:6
Eze 43:19
f Le 1:4
Le 4:4
g Éx 29:11
h Éx 29:12
Heb 9:22
i Le 6:7; Le 6:30; j Éx 29:13; Le 4:8; Sl 69:9;
k Éx 29:14; Le 4:11; Le 16:27; Heb 13:12; 1Éx
29:15; Le 1:4; m Éx 29:16; n Éx 29:17; o Éx
29:18; p Gé 8:21; Ef 5:2.

talación,[a] y Aarón y sus hijos pusieron sus manos sobre la cabeza del carnero. 23 A continuación Moisés lo degolló y tomó parte de la sangre de este y la puso sobre el lóbulo de la oreja derecha de Aarón y sobre el dedo pulgar de la mano derecha y sobre el dedo gordo del pie derecho.[b] 24 En seguida Moisés acercó a los hijos de Aarón y les puso parte de la sangre sobre el lóbulo de la oreja derecha y sobre el dedo pulgar de la mano derecha y sobre el dedo gordo del pie derecho; pero Moisés roció el resto de la sangre en derredor sobre el altar.[c]

25 Entonces tomó la grasa y la cola gorda y toda la grasa que había sobre los intestinos,[d] y el apéndice del hígado, y los dos riñones y su grasa, y la pierna derecha.[e] 26 Y de la cesta de tortas no fermentadas que estaba delante de Jehová tomó una torta anular no fermentada[f] y una torta anular de pan aceitado[g] y una galletita delgada.[h] Entonces las colocó sobre los trozos grasos y sobre la pierna derecha. 27 Después de eso los puso todos sobre las palmas de las manos de Aarón y sobre las palmas de las manos de sus hijos, y empezó a mecerlos de acá para allá como ofrenda mecida delante de Jehová.[i] 28 Entonces los quitó Moisés de sobre las palmas de las manos de ellos y los hizo humear sobre el altar, encima de la ofrenda quemada.[j] Eran un sacrificio de instalación[k] para un olor conducente a descanso.[l] Era una ofrenda hecha por fuego a Jehová.[m]

29 Y Moisés procedió a tomar el pecho[n] y a mecerlo de acá para allá como ofrenda mecida delante de Jehová.[o] Del carnero de la instalación esta llegó a ser la porción[p] para Moisés, tal como Jehová había mandado a Moisés.

30 Después de eso, Moisés tomó parte del aceite de la unción[q] y parte de la sangre que

estaba sobre el altar y salpicó aquello sobre Aarón y sus prendas de vestir y sobre los hijos de él y las prendas de vestir de sus hijos juntamente con él. Así santificó[a] a Aarón y sus prendas de vestir y a sus hijos y las prendas de vestir de sus hijos[b] juntamente con él.

31 Entonces Moisés dijo a Aarón y sus hijos: "Cuezan[c] la carne a la entrada de la tienda de reunión, y allí es donde la comerán,[d] y el pan que está en la cesta de la instalación, tal como se me dio el mandato, al decirse: 'Aarón y sus hijos lo comerán'. 32 Y lo que sobre de la carne y del pan ustedes lo quemarán con fuego.[e] 33 Y no deben salir de la entrada de la tienda de reunión por siete días,[f] hasta el día en que se cumplan los días de su instalación, porque tomará siete días llenarles la mano de poder.[g] 34 Tal como se ha hecho este día, Jehová ha mandado que se haga para hacer expiación por ustedes.[h] 35 Y se quedarán ustedes a la entrada de la tienda de reunión día y noche por siete días,[i] y tienen que guardar la vigilia obligatoria de Jehová,[j] para que no mueran, porque así se me ha mandado".

36 Y Aarón y sus hijos procedieron a hacer todas las cosas que Jehová había mandado por medio de Moisés.

9 Y al octavo[k] día aconteció que Moisés llamó a Aarón y sus hijos y a los ancianos de Israel. 2 Entonces dijo a Aarón: "Toma para ti un becerro joven para una ofrenda por el pecado[l] y un carnero para una ofrenda quemada,[m] sanos, y preséntalos delante de Jehová.[n] 3 Pero a los hijos de Israel hablarás, diciendo: 'Tomen un macho cabrío[o] para una ofrenda por el pecado y un becerro y un carnero joven,[p] cada uno de un año de edad, sanos, para una ofrenda quemada, 4 y un toro y un car-

nero para sacrificios de comunión[a] para sacrificarlos delante de Jehová, y una ofrenda de grano[b] mojada ligeramente con aceite, porque hoy es cuando Jehová ciertamente se aparecerá a ustedes' ".[c]

5 Por consiguiente, trajeron delante de la tienda de reunión lo que Moisés había mandado. Entonces la asamblea entera se acercó y se quedó de pie delante de Jehová.[d] 6 Y Moisés pasó a decir: "Esta es la cosa que Jehová ha mandado que ustedes hagan, para que se les aparezca la gloria de Jehová".[e] 7 Entonces Moisés dijo a Aarón: "Acércate al altar y haz tu ofrenda por el pecado[f] y tu ofrenda quemada y haz expiación[g] a favor de ti mismo y a favor de tu casa; y haz la ofrenda del pueblo[h] y haz expiación[i] a favor de ellos, tal como Jehová ha mandado".

8 Al instante Aarón se acercó al altar y degolló el becerro de la ofrenda por el pecado que era para él.[j] 9 Entonces los hijos de Aarón le presentaron la sangre[k] y él mojó su dedo en la sangre[l] y la puso sobre los cuernos del altar,[m] y el resto de la sangre la derramó a la base del altar. 10 E hizo humear sobre el altar la grasa[n] y los riñones y el apéndice del hígado de la ofrenda por el pecado,[o] tal como Jehová había mandado a Moisés. 11 Y quemó con fuego la carne y la piel fuera del campamento.[p]

12 Entonces degolló la ofrenda quemada, y los hijos de Aarón le entregaron la sangre, y él la roció en derredor sobre el altar.[q] 13 Y le entregaron la ofrenda quemada cortada en sus pedazos, y la cabeza, y él procedió a hacerlos humear sobre el altar.[r] 14 Además, lavó los intestinos y las canillas y los hizo humear encima de la ofrenda quemada, sobre el altar.[s]

15 En seguida se puso a presentar la ofrenda del pueblo,[t] y tomó el macho cabrío de la ofrenda por el pecado que era

para el pueblo y lo degolló, e hizo una ofrenda por el pecado con él como con el primero. 16 Entonces presentó la ofrenda quemada e hizo con ella conforme al procedimiento regular.[a]

17 En seguida presentó la ofrenda de grano[b] y llenó su mano con parte de ella y la hizo humear sobre el altar, además de la ofrenda quemada de la mañana.[c]

18 Después degolló el toro y el carnero del sacrificio de comunión[d] que era para el pueblo. Entonces los hijos de Aarón le entregaron la sangre, y él la roció en derredor sobre el altar.[e] 19 En cuanto a los trozos grasos[f] del toro y la cola gorda[g] del carnero y la envoltura de grasa y los riñones y el apéndice del hígado, 20 ellos entonces colocaron los trozos grasos sobre los pechos,[h] después de lo cual él hizo humear los trozos grasos sobre el altar. 21 Pero los pechos y la pierna derecha los meció Aarón de acá para allá como ofrenda mecida[i] delante de Jehová, tal como Moisés había mandado.

22 Entonces Aarón alzó sus manos hacia el pueblo y lo bendijo[j] y bajó[k] de hacer la ofrenda por el pecado y la ofrenda quemada y los sacrificios de comunión. 23 Finalmente Moisés y Aarón entraron en la tienda de reunión, y salieron y bendijeron al pueblo.[l]

Entonces la gloria[m] de Jehová se apareció a todo el pueblo, 24 y salió fuego de delante de Jehová[n] y empezó a consumir la ofrenda quemada y los trozos grasos [que había] sobre el altar. Cuando todo el pueblo llegó a verlo, prorrumpieron en gritos[o] y cayeron sobre sus rostros.

10 Más tarde Nadab y Abihú,[p] los hijos de Aarón, tomaron y llevaron cada uno su braserillo[q] y pusieron en ellos fuego

---

CAP. 9
a Le 3:1
b Le 2:4
   Le 6:14
c Éx 29:43
d Éx 19:17
   Dt 31:12
e Éx 16:10
   Éx 24:16
   Éx 40:34
   2Cr 5:14
f Le 4:3
g Le 8:34
   Heb 5:3
   Heb 7:27
h Le 16:33
   Heb 9:7
j Le 4:4
k Heb 9:22
l Le 8:15
m Le 4:7
   Le 16:18
n Le 3:3
o Le 4:8
p Le 8:16
p Le 4:12
   Le 8:17
   Heb 13:11
q Le 1:5
   Le 8:19
r Le 8:20
s Le 8:21
t Le 4:27
   Isa 53:10
   Jn 1:29
   1Co 15:3
   2Co 5:21
   Gál 1:4
   Ef 5:2
   Tit 2:14
   Heb 2:17
   1Pe 2:24
   1Jn 2:2

2.ª col.
a Le 1:3
   Le 5:10
   Le 6:9
   Le 8:18
b Le 2:1
   Le 2:4
   Le 2:11
   Le 2:13
c Éx 29:39
d Le 3:1
   Le 7:11
e Le 3:2
f Le 3:3
g Éx 29:22
   Le 3:9
   Le 8:25
h Le 7:30
i Éx 29:27
   Le 8:27
j Nú 6:23
   Dt 10:8
   Dt 21:5
   1Cr 23:13
   Lu 24:50
   Hch 3:26
   Heb 7:7
k Éx 20:26
   1Sa 6:18
   2Cr 6:3
m Le 9:6
   Nú 14:10
   Nú 16:42
n Jue 6:21
   1Re 18:38
   1Cr 21:26
   2Cr 7:1

o 1Re 18:39; 2Cr 7:3;   CAP. 10   p Éx 6:23; 1Cr
24:2; q Éx 27:3; Le 16:12.

y sobre él colocaron incienso,[a] y empezaron a ofrecer delante de Jehová fuego ilegítimo,[b] que él no les había prescrito. 2 Con esto salió un fuego de delante de Jehová y los consumió,[c] de modo que murieron ante Jehová.[d] 3 Entonces Moisés dijo a Aarón: "Esto es lo que ha hablado Jehová, diciendo: 'Entre los allegados a mí[e] sea yo santificado,[f] y ante el rostro de todo el pueblo sea yo glorificado'".[g] Y Aarón guardó silencio.

4 De modo que Moisés llamó a Misael y Elzafán, los hijos de Uziel,[h] tío de Aarón, y les dijo: "Acérquense, llévense a sus hermanos de enfrente del lugar santo hasta fuera del campamento".[i] Se acercaron, pues, y se los llevaron en sus trajes talares hasta fuera del campamento, tal como Moisés había hablado.

6 Subsiguientemente Moisés dijo a Aarón y a sus [otros] hijos, Eleazar e Itamar: "No vayan a dejar sus cabezas desaseadas,[j] y no deben rasgar sus prendas de vestir, para que no mueran ustedes y para que no se indigne él contra toda la asamblea;[k] pero sus hermanos de toda la casa de Israel se darán al llanto a causa de la quema, la cual Jehová ha hecho arder. 7 Y de la entrada de la tienda de reunión no deben salir ustedes, por temor de que mueran,[l] porque el aceite de la unción de Jehová está sobre ustedes".[m] Así que hicieron conforme a la palabra de Moisés.

8 Y Jehová procedió a hablar a Aarón, y dijo: 9 "No bebas vino ni licor embriagante,[n] tú ni tus hijos contigo, cuando entren en la tienda de reunión, para que no mueran. Es estatuto hasta tiempo indefinido para sus generaciones, 10 tanto para hacer distinción entre la cosa santa y la profana, y entre la cosa inmunda y la limpia,[o] 11 como para enseñar a los hijos de Israel[p] todas las disposiciones reglamentarias que Jehová

les ha hablado por medio de Moisés".

12 Entonces habló Moisés a Aarón y a Eleazar e Itamar, sus hijos que quedaban: "Tomen la ofrenda de grano[a] que sobró de las ofrendas de Jehová hechas por fuego y cómanla sin fermentar cerca del altar, porque es cosa santísima.[b] 13 Y tienen que comerla en un lugar santo,[c] porque es tu porción asignada y la porción asignada de tus hijos de las ofrendas de Jehová hechas por fuego; porque así se me ha mandado. 14 Y ustedes comerán el pecho de la ofrenda mecida[d] y la pierna de la porción sagrada[e] en un lugar limpio, tú y tus hijos y tus hijas contigo,[f] porque han sido dados como tu porción asignada y la porción asignada de tus hijos de los sacrificios de comunión de los hijos de Israel. 15 Traerán la pierna de la porción sagrada y el pecho de la ofrenda mecida[g] junto con las ofrendas hechas por fuego, de los trozos grasos, a fin de mecer la ofrenda mecida de acá para allá delante de Jehová; y tiene que servir como porción asignada[h] hasta tiempo indefinido para ti y tus hijos contigo, tal como Jehová ha mandado".

16 Y Moisés buscó detenidamente el macho cabrío de la ofrenda por el pecado,[i] y, ¡mire!, había sido quemado. De modo que se indignó contra Eleazar e Itamar, los hijos de Aarón que quedaban, y dijo: 17 "¿Por qué no comieron la ofrenda por el pecado en el lugar que es santo,[j] puesto que es cosa santísima y él la ha dado a ustedes para que respondan por el error de la asamblea para hacer expiación por ellos delante de Jehová?[k] 18 ¡Miren! La sangre de ella no ha sido introducida en el lugar santo en lo interior. Debían habérsela comido sin falta en el lugar santo, tal como se me había mandado".[m] 19 Ante esto, habló Aarón a Moisés: "¡Mira! Hoy

---

CAP. 10
a Éx 30:35
  Le 16:12
b Éx 30:9
  Le 10:9
  Le 16:2
  Isa 28:7
c Nú 16:35
d Le 22:9
  Nú 26:61
e Éx 19:22
  Isa 52:11
f Isa 29:23
  Eze 20:41
  Mt 6:9
g Isa 49:3
  Jn 13:31
  2Te 1:10
h Éx 6:18
i Hch 5:6
j Le 21:10
  Nú 6:7
k Nú 16:22
  Jos 7:1
l Le 21:12
m Éx 28:41
  Le 8:12
n Pr 31:5
  Isa 28:7
  Eze 44:21
  Os 4:11
  Ef 5:18
  1Ti 3:3
  1Ti 3:8
  Tit 1:7
o Eze 22:26
  Eze 44:23
p Dt 24:8
  Dt 33:10
  2Cr 17:9
  Ne 8:8
  Jer 18:18
  Mal 2:7

2.ª col.
a Éx 29:2
  Le 6:16
b Le 21:22
c Le 6:26
  Nú 18:10
d Éx 29:26
  Le 7:31
  Le 9:21
  Nú 18:11
e Le 7:34
f Le 22:13
g Le 8:29
  Nú 18:18
  1Co 9:13
i Le 9:3
  Le 9:15
j Le 6:26
  Le 7:6
  Eze 44:29
k Éx 28:38
  Nú 18:1
  Isa 53:11
  Jn 1:29
  2Co 5:21
  Heb 9:28
  1Pe 2:24
l Le 6:30
m Le 6:26

han presentado su ofrenda por el pecado y su ofrenda quemada delante de Jehová,[a] mientras tales cosas como estas empezaron a acaecerme; y si yo hubiera comido la ofrenda por el pecado hoy, ¿resultaría satisfactorio a los ojos de Jehová?".[b] 20 Cuando Moisés llegó a oír aquello, entonces resultó satisfactorio a sus ojos.

11 Y Jehová procedió a hablar a Moisés y a Aarón, y les dijo: 2 "Hablen a los hijos de Israel, y digan: 'Esta es la criatura viviente que podrán comer[c] de todas las bestias que hay sobre la tierra: 3 Toda criatura que tiene pezuña partida y hendidura formada en las pezuñas y que rumia entre las bestias, eso es lo que podrán comer.[d]

4 'Solo que esto es lo que no deben comer entre los que rumian y entre los que tienen partida la pezuña: el camello, porque es rumiante, pero no tiene pezuña partida. Es inmundo para ustedes.[e] 5 También el damán,[f] porque es rumiante, pero no tiene partida la pezuña. Es inmundo para ustedes. 6 También la liebre,[g] porque es rumiante, pero no tiene la pezuña partida. Es inmunda para ustedes. 7 También el cerdo,[h] porque tiene pezuña partida y hendidura formada en su pezuña, pero él mismo no rumia. Es inmundo para ustedes. 8 No deben comer nada de la carne de ellos, y no deben tocar su cuerpo muerto.[i] Son inmundos para ustedes.[j]

9 'Esto es lo que podrán comer de todo lo que hay en las aguas:[k] Todo lo que tiene aletas y escamas[l] en las aguas, en los mares y en los torrentes, esos podrán comer. 10 Y todo lo de los mares y de los torrentes que no tiene aletas y escamas, de entre toda criatura enjambradora de las aguas y de entre toda alma viviente que hay en las aguas,

son para ustedes cosa asquerosa. 11 Sí, les llegarán a ser cosa asquerosa. No deben comer nada de su carne,[a] y han de tenerle asco a su cuerpo muerto. 12 Todo [lo que haya] en las aguas que no tenga aletas y escamas les es cosa asquerosa.

13 'Y a los siguientes les tendrán asco entre las criaturas voladoras.[b] No deberán comerse. Son cosa asquerosa: el águila[c] y el águila pescadora y el buitre negro, 14 y el milano real y el milano negro[d] según su género, 15 y todo cuervo[e] según su género, 16 y el avestruz[f] y la lechuza y la gaviota y el halcón según su género, 17 y el mochuelo y el cuervo marino y el búho chico,[g] 18 y el cisne y el pelícano y el buitre,[h] 19 y la cigüeña, la garza según su género, y la abubilla y el murciélago.[i] 20 Toda criatura alada enjambradora que anda sobre cuatro patas les es cosa asquerosa.[j]

21 'Solo que esto es lo que podrán comer de todas las criaturas aladas enjambradoras que andan sobre cuatro patas: las que tienen piernas saltadoras por encima de sus patas con las cuales saltar sobre la tierra. 22 De ellas, estas son las que podrán comer: la langosta migratoria[k] según su género, y la langosta comestible[l] según su género, y el grillo según su género, y el saltamontes[m] según su género. 23 Y toda otra criatura alada enjambradora que de veras tiene cuatro patas les es cosa asquerosa.[n] 24 Así es que por medio de estas ustedes se harían inmundos. Todo el que toque sus cuerpos muertos será inmundo hasta el atardecer.[o] 25 Y todo el que lleve alguno de sus cuerpos muertos lavará[p] sus prendas de vestir, y tendrá que ser inmundo hasta el atardecer.

26 'En cuanto a toda bestia que tiene pezuña partida, pero no tiene formada una hendidura y no es rumiante, son inmundas

CAP. 10
a Le 9:8
Le 9:12
b Le 6:29

CAP. 11
c Dt 14:4
Eze 4:14

d Le 14:6

e Le 14:7

f Sl 104:18
Pr 30:26

g Dt 14:7

h Dt 14:8
Isa 65:4
Isa 66:3
Isa 66:17

i Le 11:24

j Hch 10:14

k Le 14:9

l Mt 4:18
Lu 24:42

2.ª col.
a Le 14:3
Dt 14:10

b Dt 14:12

c Job 39:30
Mt 24:28

d Dt 14:13

e Dt 14:14

f Dt 14:15

g Dt 14:16

h Dt 14:17

i Dt 14:18

j Dt 14:19

k Éx 10:12
Pr 30:27
Isa 33:4

l Mt 3:4
Mr 1:6

m 2Cr 7:13

n Dt 14:3

o Le 17:15

p Éx 19:10
Le 14:8
Le 15:5
Nú 19:10

para ustedes. Todo el que las toque será inmundo.ª 27 En cuanto a toda criatura que anda sobre sus garras entre todas las criaturas vivientes que andan sobre cuatro patas, les son inmundas. Todo el que toque sus cuerpos muertos será inmundo hasta el atardecer. 28 Y el que lleve sus cuerpos muertosᵇ lavará sus prendas de vestir,ᶜ y tiene que ser inmundo hasta el atardecer. Les son inmundos.

29 "Y esto es lo que les es inmundo entre las criaturas enjambradoras que enjambran sobre la tierra:ᵈ la rata topo y el jerboeᵉ y el lagarto según su género, 30 y el geco de raquetas y el lagarto grande y la salamandra acuática y la lagartija y el camaleón. 31 Estos les son inmundos entre todas las criaturas enjambradoras.ᶠ Todo el que los toque estando estos muertos será inmundo hasta el atardecer.ᵍ

32 "Ahora bien, cualquier cosa sobre la cual caiga alguno de ellos estando muerto será inmunda, sea alguna vasija de maderaʰ o una prenda de vestir o una pielⁱ o tela de saco.ʲ Cualquier vasija a la que se da algún uso será metida en agua, y tiene que ser inmunda hasta el atardecer, y entonces ser limpia. 33 En cuanto a cualquier vasija de barroᵏ en que caiga alguno de ellos, cualquier cosa que haya dentro de ella será inmunda, y la quebrarán.ˡ 34 Cualquier clase de alimento que pueda comerse sobre el cual venga agua de ella será inmundo, y cualquier bebida que pueda beberse en cualquier vasija será inmunda. 35 Y toda cosa sobre la cual caiga alguno de sus cuerpos muertos será inmunda. Sea horno o estante para jarros, ha de ser derribado. Son inmundos, y llegarán a serles inmundos. 36 Solo un manantial y un hoyo de aguas represadas continuarán limpios, pero todo el que to-

que sus cuerpos muertos será inmundo. 37 Y si algo de los cuerpos muertos de ellos llegara a caer sobre alguna semilla de una planta que haya de sembrarse, es limpia. 38 Pero en caso de que se pusiera agua sobre semilla y algo de sus cuerpos muertos hubiera caído sobre ella, les es inmunda.

39 "Ahora bien, en caso de que muera alguna bestia que ustedes tengan para alimento, el que toque su cuerpo muerto será inmundo hasta el atardecer.ª 40 Y el que comaᵇ de su cuerpo muerto lavará sus prendas de vestir, y tiene que ser inmundo hasta el atardecer; y el que se lleve su cuerpo muerto lavará sus prendas de vestir, y tiene que ser inmundo hasta el atardecer. 41 Y toda criatura enjambradora que anda sobre la tierra es cosa asquerosa.ᶜ No debe comerse. 42 En cuanto a cualquier criatura que anda sobre el vientreᵈ y cualquier criatura que anda sobre cuatro patas o sobre cualquier número grande de patas de todas las criaturas enjambradoras que enjambran sobre la tierra, no deben comerlas, porque son cosa asquerosa.ᵉ 43 No hagan asquerosas sus almas con cualquier criatura enjambradora que enjambra, y no deben hacerse inmundos por medio de ellas y realmente llegar a ser inmundos por medio de ellas.ᶠ 44 Porque yo soy Jehová su Dios;ᵍ y ustedes tienen que santificarse y tienen que resultar santos,ʰ porque yo soy santo.ⁱ De modo que no deben hacer inmundas sus almas por medio de ninguna criatura enjambradora que se mueve sobre la tierra. 45 Porque yo soy Jehová que los estoy haciendo subir de la tierra de Egipto para resultar ser Dios para ustedes;ʲ y ustedes tienen que resultar santos,ᵏ porque yo soy santo.ˡ

46 "Esta es la ley acerca de la bestia y la criatura voladora y

CAP. 11
a Dt 14:8
b Le 5:2
c Le 17:16
d Heb 9:10
e Isa 66:17
f Le 22:5
  Dt 14:19
g Le 11:24
h Éx 7:19
i Gé 21:14
j Gé 37:34
k Le 6:28
  Mr 14:13
l Le 15:12
  Isa 30:14

2.ª col.
a Le 11:24
  Nú 19:11
  Nú 19:16
b Le 17:15
  Le 22:8
  Dt 14:21
  Eze 4:14
  Eze 44:31
  Hch 10:13
c Le 11:21
d Gé 3:14
  Miq 7:17
e Dt 14:3
f Le 20:25
g Éx 20:2
  Dt 5:6
h Éx 19:6
  Le 19:2
  Le 14:2
  1Te 4:7
  1Pe 1:15
i 1Pe 1:16
  Rev 4:8
j Gé 46:4
  Éx 6:7
  Éx 29:46
  Sl 81:10
  Os 11:1
k Éx 22:31
  Le 20:7
  Le 20:26
  Nú 15:40
  Dt 7:6
l Jos 24:19
  1Sa 2:2
  1Sa 6:20

toda alma viviente que se mueve en las aguas,[a] y respecto a toda alma que enjambra sobre la tierra, 47 a fin de hacer una distinción[b] entre lo inmundo y lo limpio, y entre la criatura viviente que se puede comer y la criatura viviente que no se puede comer' ".

12 Y Jehová siguió hablando a Moisés, y dijo: 2 "Habla a los hijos de Israel, y di: 'En caso de que una mujer conciba descendencia[c] y en efecto dé a luz un varón, tiene que ser inmunda siete días; como en los días de la impureza cuando está menstruando será inmunda.[d] 3 Y al octavo día a él se le circuncidará[e] la carne de su prepucio. 4 Por otros treinta y tres días él se quedará en la sangre de purificación. No debe tocar ninguna cosa santa, y no debe entrar en el lugar santo hasta que se cumplan los días de su purificación.[f]

5 "'Ahora bien, si da a luz una niña, entonces tiene que ser inmunda catorce días, como durante su menstruación. Por sesenta y seis días más se quedará con la sangre de purificación. 6 Entonces, al cumplirse los días de su purificación por hijo o por hija, traerá un carnero joven en su primer año para una ofrenda quemada[g] y un pichón o una tórtola[h] para una ofrenda por el pecado, a la entrada de la tienda de reunión, al sacerdote. 7 Y él tiene que presentarlo delante de Jehová y hacer expiación por ella, y ella tiene que ser limpia de la fuente de su sangre.[i] Esta es la ley acerca de la que dé a luz niño o niña. 8 Pero si no tiene lo suficiente para una oveja, entonces tiene que tomar dos tórtolas o dos pichones,[j] uno para una ofrenda quemada y uno para una ofrenda por el pecado, y el sacerdote tiene que hacer expiación[k] por ella, y ella tiene que ser limpia' ".

13 Y Jehová procedió a hablar a Moisés y Aarón, y dijo: 2 "En caso de que un hombre llegue a tener en la piel de su carne una erupción o una costra[a] o una roncha, y esta en efecto llegue a ser en la piel de su carne la plaga de lepra,[b] entonces tiene que ser llevado a Aarón el sacerdote o a uno de sus hijos los sacerdotes.[c] 3 Y el sacerdote tiene que mirar la plaga en la piel de la carne.[d] Cuando el pelo en la plaga se ha vuelto blanco y la apariencia de la plaga es más profunda que la piel de su carne, es la plaga de lepra. Y el sacerdote tiene que mirarla, y tiene que declararlo inmundo. 4 Pero si la roncha es blanca en la piel de su carne, y su apariencia no es más profunda que la piel, y su pelo no se ha vuelto blanco, entonces el sacerdote tiene que poner la plaga en cuarentena[e] por siete días. 5 Y el sacerdote tiene que mirarlo al séptimo día, y si por el aspecto que presenta se ha detenido la plaga, no se ha extendido la plaga por la piel, entonces el sacerdote tiene que ponerlo en cuarentena[f] por otros siete días.

6 "Y el sacerdote tiene que mirarlo al séptimo día por segunda vez, y si la plaga ha quedado sin brillo y no se ha extendido la plaga por la piel, entonces el sacerdote tiene que declararlo limpio. Era una costra. Y tiene que lavar sus prendas de vestir y ser limpio. 7 Pero si indisputablemente se ha extendido la costra por la piel después de haberse presentado ante el sacerdote para que fuera verificada su purificación, entonces tiene que presentarse por segunda vez ante el sacerdote.[g] 8 y el sacerdote tiene que mirar; y si la costra se ha extendido por la piel, entonces el sacerdote tiene que declararlo inmundo. Es lepra.[h] 9 "En caso de que se desarrolle la plaga de lepra en un hom-

CAP. 11
a Gé 1:21

b Le 10:10
Le 20:25
Eze 22:26
Eze 44:23

CAP. 12
c Gé 4:1

d Le 15:19

e Gé 17:12
Gé 21:4
Lu 1:59
Lu 2:21
Jn 7:22

f Lu 2:22

g Le 1:4
Le 1:10

h Le 15:14

i Le 15:28

j Le 1:14
Le 5:7
Le 14:22
Lu 2:24

k Le 4:26
Le 6:7
Nú 15:25

2.ª col.

CAP. 13
a Le 14:56

b Nú 12:10
2Cr 26:19
Mt 8:3

c Dt 24:8
Mal 2:7
Lu 17:14

d Le 10:10
Eze 44:23

e Le 14:38
Nú 12:15

f Le 14:46

g Le 13:27

h Nú 12:12

bre, entonces tiene que ser llevado al sacerdote. 10 Y el sacerdote tiene que mirar;[a] y si hay en la piel una erupción blanca, y esta ha vuelto blanco el pelo, y la desolladura de la carne viva[b] está en la erupción, 11 es lepra crónica[c] en la piel de su carne; y el sacerdote tiene que declararlo inmundo. No debe ponerlo en cuarentena,[d] porque es inmundo. 12 Ahora bien, si la lepra indisputablemente brota en la piel, y la lepra en efecto cubre toda la piel del que tiene la plaga, desde la cabeza hasta los pies, ante la plena vista de los ojos del sacerdote; 13 y el sacerdote ha mirado y he aquí que la lepra ha cubierto toda su carne, entonces tiene que pronunciar limpia la plaga. Toda ella se ha vuelto blanca. Él es limpio. 14 Pero en el día que aparezca en ella la carne viva, él será inmundo. 15 Y el sacerdote[e] tiene que ver la carne viva, y tiene que declararlo inmundo. La carne viva es inmunda. Es lepra.[f] 16 O en caso de que la carne viva en efecto revierta y cambie a blanca, entonces él tiene que ir al sacerdote. 17 Y el sacerdote tiene que mirarlo,[g] y si la plaga se ha cambiado a blanca, el sacerdote entonces tiene que pronunciar limpia la plaga. Él es limpio.

18 "En cuanto a la carne, en caso de que se desarrolle un divieso[h] en la piel y de veras sane, 19 y en el lugar del divieso se haya desarrollado una erupción blanca o una roncha blanca rojiza, entonces tiene que mostrarse al sacerdote. 20 Y el sacerdote tiene que mirar,[i] y si su apariencia es más baja que la piel, y su pelo se ha vuelto blanco, el sacerdote entonces tiene que declararlo inmundo. Es la plaga de lepra. Ha brotado en el divieso. 21 Pero si el sacerdote la mira, y, bien, no hay en ella pelo blanco, y no está más profunda que la piel, y no tiene brillo, el sacerdote entonces tiene que ponerlo en

cuarentena[a] por siete días. 22 Y si innegablemente se extiende por la piel, el sacerdote entonces tiene que declararlo inmundo. Es una plaga. 23 Pero si se detuviera en su lugar la roncha —no se ha extendido— es la inflamación[b] del divieso; y el sacerdote tiene que pronunciarlo limpio.[c]

24 "O en caso de que llegue a haber en la piel de la carne una cicatriz del fuego, y la carne viva de la cicatriz en efecto llega a ser una roncha blanca rojiza o blanca, 25 el sacerdote entonces tiene que mirarla; y si el pelo ha cambiado a blanco en la roncha y la apariencia de esta es más profunda que la piel, es lepra. Ha brotado en la cicatriz, y el sacerdote tiene que declararlo inmundo. Es la plaga de lepra. 26 Pero si el sacerdote la mira, y, bien, no hay pelo blanco en la roncha, y esta no está más baja que la piel y no tiene brillo, el sacerdote entonces tiene que ponerlo en cuarentena por siete días. 27 Y el sacerdote tiene que mirarlo al séptimo día. Si innegablemente se extiende por la piel, el sacerdote entonces tiene que declararlo inmundo. Es la plaga de lepra. 28 Pero si la roncha se detuviera en su lugar —no se ha extendido por la piel y no tiene brillo— es una erupción de la cicatriz; y el sacerdote tiene que pronunciarlo limpio, porque es una inflamación de la cicatriz.

29 "En cuanto a un hombre o una mujer, en caso de que se desarrolle una plaga en tal individuo, en la cabeza o en la barba, 30 el sacerdote[d] entonces tiene que ver la plaga; y si su apariencia es más profunda que la piel, y el pelo es amarillo y escaso en ella, el sacerdote entonces tiene que declarar inmundo a tal individuo. Es una caída anormal de pelo.[e] Es lepra de la cabeza o de la barba. 31 Pero en caso de que el sacerdote vea la plaga de la caída anormal de pelo, y,

CAP. 13
a Le 13:3
2Cr 26:20

b Le 13:24

c 2Cr 26:21

d Le 13:4

e Dt 24:8

f Le 13:8

g Lu 5:14
Lu 17:14

h Dt 28:27
2Re 20:7
Job 2:7

i Le 10:10
Eze 44:23

2.ª col.
a Le 13:4
Le 14:38
Nú 12:15

b Dt 28:22

c Lu 5:14
Lu 17:14

d Dt 24:8
Mal 2:7

e Le 14:54

¡mire!, su apariencia no es más profunda que la piel, y no hay en ella pelo negro, el sacerdote entonces tiene que poner en cuarentena[a] por siete días[b] la plaga de la caída anormal de pelo. 32 Y el sacerdote tiene que mirar la plaga al séptimo día; y si no se ha extendido la caída anormal de pelo, y no se ha desarrollado en ella ningún pelo amarillo y la apariencia de la caída anormal de pelo[c] no es más profunda que la piel, 33 él entonces tiene que hacerse afeitar, pero no hará afeitar la caída anormal de pelo;[d] y el sacerdote tiene que volver a poner en cuarentena por siete días la caída anormal de pelo.

34 "Y el sacerdote tiene que mirar la caída anormal de pelo al séptimo día; y si la caída anormal de pelo no se ha extendido por la piel, y su apariencia no es más profunda que la piel, el sacerdote entonces tiene que pronunciarlo limpio,[e] y él tiene que lavar sus prendas de vestir y ser limpio. 35 Pero si la caída anormal de pelo innegablemente se extiende por la piel después de haberse verificado su purificación, 36 el sacerdote[f] entonces tiene que verlo; y si la caída anormal de pelo se ha extendido por la piel, el sacerdote no tendrá necesidad de hacer el examen en busca de pelo amarillo; es inmundo. 37 Pero si según su aspecto la caída anormal de pelo se ha detenido, y en ella ha crecido pelo negro, la caída anormal de pelo ha sido sanada. Es limpio, y el sacerdote tiene que pronunciarlo limpio.[g]

38 "En cuanto a un hombre o una mujer, en caso de que se desarrollen ronchas[h] en la piel de la carne de estos, ronchas blancas, 39 el sacerdote[i] entonces tiene que mirar; y si las ronchas en la piel de la carne de estos son de un blanco sin brillo, es una erupción innocua. Ha brotado en la piel. Él es limpio.

40 "En cuanto a un hombre,

en caso de que se le ponga calva la cabeza,[a] es calvicie. Es limpio. 41 Y si su cabeza se pone calva en la parte delantera, es calvicie de la frente. Es limpio. 42 Pero en caso de que se desarrolle una plaga blanca rojiza en la calva de la coronilla o de la frente, es lepra que está brotando en la calva de su coronilla o de su frente. 43 Y el sacerdote[b] tiene que mirarlo; y si hay una erupción de la plaga blanca rojiza en la calva de su coronilla o de su frente como la apariencia de lepra en la piel de la carne, 44 es un leproso. Es inmundo. Inmundo es lo que debe declararlo el sacerdote. Su plaga está en su cabeza. 45 En cuanto al leproso en quien esté la plaga, sus prendas de vestir deben ser rasgadas,[c] y su cabeza debe dejarse desaseada,[d] y él debe taparse el bigote[e] y clamar: ¡Inmundo, inmundo!'.[f] 46 Todo el tiempo que esté en él la plaga será inmundo. Es inmundo. Debe morar aislado. Fuera del campamento[g] es su morada.

47 "En cuanto a una prenda de vestir, en caso de que se desarrolle en ella la plaga de lepra, sea en prenda de vestir de lana o en prenda de vestir de lino, 48 o en la urdimbre[h] o en la trama del lino y de la lana, o en una piel o en cualquier cosa hecha de piel,[i] 49 y la plaga verde amarillenta o rojiza en efecto se desarrolle en la prenda de vestir o en la piel o en la urdimbre o en la trama o en cualquier objeto de piel, es la plaga de lepra, y hay que mostrarla al sacerdote. 50 Y el sacerdote[j] tiene que ver la plaga, y tiene que poner la plaga en cuarentena[k] por siete días. 51 Cuando él haya visto la plaga al séptimo día, que la plaga se ha extendido en la prenda de vestir o en la urdimbre o en la trama[l] o en la piel, cualquiera que sea el uso para el cual se haya hecho la plaga, la plaga es lepra maligna.[m] Es inmunda. 52 Y él tiene que quemar la

CAP. 13
a Le 14:38
Nú 12:15

b Le 13:4

c Le 14:54

d Le 14:8

e Le 13:23
Mr 1:42
Lu 5:13

f Eze 22:26
Lu 17:14

g Mt 8:4
Mr 1:44

h Le 13:2

i Le 10:10

2.ª col.
a 2Re 2:23

b Eze 44:23

c 2Sa 13:19
Esd 9:5

d Le 10:6
Le 21:10

e Eze 24:17
Miq 3:7

f Lam 4:15

g Nú 5:2
Nú 12:14
2Re 7:3
2Cr 26:21

h Le 13:53
Le 13:59

i Gé 21:15
Le 13:53
Mr 2:22

j Le 10:10
Eze 44:23

k Le 13:4

l Le 13:58

m Le 14:44

prenda de vestir o la urdimbre o la trama en la lana o en el lino,[a] o cualquier objeto de piel o que se desarrolle la plaga, porque es lepra maligna.[b] Debe quemarse en el fuego.

53 "Pero si el sacerdote mira, y, bien, la plaga no se ha extendido en la prenda de vestir o en la urdimbre o en la trama o en cualquier objeto de piel,[c] 54 entonces el sacerdote tiene que mandar que laven aquello en que esté la plaga, y tiene que ponerla en cuarentena por siete días por segunda vez. 55 Y el sacerdote tiene que mirar la plaga después de haber sido lavada, y si la plaga no ha cambiado de aspecto y sin embargo la plaga no se ha extendido, es inmunda. Debes quemarla en el fuego. Es un lugar bajo en una parte raída, ya sea en el reverso o en el anverso.

56 "Pero si el sacerdote ha mirado, y, bien, la plaga carece de brillo después de haber sido lavada, entonces tiene que arrancarla de la prenda de vestir o de la piel o la urdimbre o la trama. 57 Sin embargo, si todavía aparece en la prenda de vestir o en la urdimbre o en la trama[d] o en cualquier objeto de piel, está brotando. Debes quemar[e] en el fuego lo que sea en que esté la plaga. 58 En cuanto a la prenda de vestir o la urdimbre o la trama o cualquier objeto de piel que laves, cuando la plaga haya desaparecido de ellos, entonces hay que lavarlo por segunda vez; y tiene que ser limpio.

59 "Esta es la ley de la plaga de lepra en una prenda de vestir de lana o de lino,[f] o en la urdimbre o en la trama, o en cualquier objeto de piel, a fin de pronunciarlo limpio o declararlo inmundo"

14 Y Jehová continuó hablando a Moisés, y dijo: 2 "Esta llegará a ser la ley del leproso[g] en el día que se haya de verificar su purificación, cuando

CAP. 13
a Éx 28:39
Éx 39:28
b Le 14:44
c Gé 3:21
Gé 21:14
Eze 16:10
Mt 3:4
d Le 13:48
e Le 13:52
f Le 13:47

CAP. 14
g Le 13:2

2.ª col.
a Mr 1:44
Lu 5:14
b Lu 7:22
Lu 17:15
c Le 1:14
Le 14:30
Le 14:49
d Nú 19:6
e Heb 9:19
f Éx 12:22
Le 14:51
Nú 19:18
1Re 4:33
Sl 51:7
g Le 14:50
Le 15:13
h Heb 9:13
i 2Re 5:10
j Le 13:23
k Le 16:22
Sl 103:12
l Le 13:6
m Le 15:6
n Le 13:5
Nú 5:2
Nú 12:15
o Le 13:33
p Le 15:14
q Le 4:32
r Le 2:1
s Mr 1:44

haya que llevarlo al sacerdote.[a] 3 Y el sacerdote tiene que salir fuera del campamento, y el sacerdote tiene que mirar; y si la plaga de lepra ha sido curada[b] en el leproso, 4 el sacerdote entonces tiene que dar órdenes; y él, para limpiarse, tiene que tomar dos pájaros vivos limpios,[c] y madera de cedro,[d] y fibra escarlata carmesí,[e] e hisopo.[f] 5 Y el sacerdote tiene que dar órdenes, y el primer pájaro tiene que ser muerto en una vasija de barro sobre agua corriente.[g] 6 En cuanto al pájaro vivo, debe tomarlo, y la madera de cedro y la fibra escarlata carmesí y el hisopo, y tiene que mojar estos, y el pájaro vivo, en la sangre del pájaro que habrá sido muerto sobre el agua corriente. 7 Entonces tiene que salpicarla[h] siete veces[i] el que está limpiándose de la lepra, y tiene que pronunciarlo limpio,[j] y tiene que enviar el pájaro vivo sobre el campo abierto.[k]

8 "Y el que está limpiándose tiene que lavar sus prendas de vestir[l] y afeitarse todo el pelo y bañarse[m] en agua, y tiene que ser limpio, y después podrá entrar en el campamento. Y tiene que morar fuera de su tienda siete días.[n] 9 Y tiene que suceder que al séptimo día debe afeitarse todo el pelo de su cabeza[o] y de su barbilla y de sus cejas. Sí, debe afeitarse todo el pelo, y tiene que lavar sus prendas de vestir y bañar su carne en agua; y tiene que ser limpio.

10 "Y al octavo[p] día tomará dos carneros jóvenes sanos y una cordera sana,[q] en su primer año, y tres décimos de efá de flor de harina como ofrenda de grano[r] mojada ligeramente con aceite, y la medida de un log de aceite;[s] 11 y el sacerdote que lo pronuncia limpio tiene que presentar al hombre que está limpiándose, y las cosas, delante de Jehová, a la entrada de la tienda de reunión. 12 Y el sacerdote tiene que to-

mar el primer carnero joven y ofrecerlo para ofrenda por la culpa[a] junto con la medida de un log[b] de aceite, y tiene que mecerlos de acá para allá como ofrenda mecida[c] delante de Jehová. 13 Y tiene que degollar el carnero joven en el lugar[d] donde regularmente se degüellan la ofrenda por el pecado y la ofrenda quemada, en un lugar santo,[e] porque, igual que la ofrenda por el pecado, la ofrenda por la culpa pertenece al sacerdote.[f] Es cosa santísima.

14 "Y el sacerdote tiene que tomar parte de la sangre de la ofrenda por la culpa, y el sacerdote tiene que ponerla sobre el lóbulo de la oreja derecha del que está limpiándose,[g] y sobre el dedo pulgar de su mano derecha, y sobre el dedo gordo de su pie derecho.[g] 15 Y el sacerdote tiene que tomar parte de la medida de un log[h] de aceite y derramarla sobre la palma de la mano izquierda del sacerdote. 16 Y el sacerdote tiene que mojar su dedo derecho en el aceite que está sobre la palma de su mano izquierda, y con su dedo tiene que salpicar parte del aceite siete veces[i] delante de Jehová. 17 Y del resto del aceite que está sobre la palma de su mano el sacerdote pondrá parte sobre el lóbulo de la oreja derecha del que está limpiándose, y sobre el dedo pulgar de su mano derecha, y sobre el dedo gordo de su pie derecho, encima de la sangre de la ofrenda por la culpa.[j] 18 Y lo restante del aceite que está sobre la palma de la mano del sacerdote él lo pondrá sobre la cabeza del que está limpiándose, y el sacerdote tiene que hacer expiación[k] por él delante de Jehová.

19 "Y el sacerdote tiene que sacrificar la ofrenda por el pecado[l] y hacer expiación por el que está limpiándose de su impureza, y después degollará la ofrenda quemada. 20 Y el sacerdote

tiene que ofrecer la ofrenda quemada y la ofrenda de grano[a] sobre el altar, y el sacerdote[b] tiene que hacer expiación por él;[c] y él tiene que ser limpio.[d]

21 "Sin embargo, si es de condición humilde[e] y no tiene medios suficientes,[f] entonces tiene que tomar un carnero joven como ofrenda por la culpa para una ofrenda mecida para hacer expiación por él, y un décimo de efá de flor de harina mojada ligeramente con aceite como ofrenda de grano, y la medida de un log de aceite, 22 y dos tórtolas[g] o dos pichones, según tenga los medios, y el primero tiene que servir de ofrenda por el pecado y el otro como ofrenda quemada. 23 Y al octavo día[h] tiene que traerlos, para que se verifique su purificación,[i] al sacerdote a la entrada de la tienda de reunión[j] delante de Jehová.

24 "Y el sacerdote tiene que tomar el carnero joven de la ofrenda por la culpa[k] y la medida de un log de aceite, y el sacerdote tiene que mecerlos de acá para allá como ofrenda mecida delante de Jehová.[l] 25 Y tiene que degollar el carnero joven de la ofrenda por la culpa, y el sacerdote tiene que tomar parte de la sangre de la ofrenda por la culpa y ponerla sobre el lóbulo de la oreja derecha del que está limpiándose, y sobre el dedo pulgar de su mano derecha y sobre el dedo gordo de su pie derecho.[m] 26 Y el sacerdote derramará parte del aceite sobre la palma de la mano izquierda del sacerdote.[n] 27 Y con el dedo derecho el sacerdote tiene que salpicar[o] siete veces delante de Jehová parte del aceite que está sobre la palma de su mano izquierda. 28 Y el sacerdote tiene que poner parte del aceite que está en la palma de su mano sobre el lóbulo de la oreja derecha del que está limpiándose, y sobre el dedo pulgar de su mano

CAP. 14
a Le 5:2
 Le 6:6
b Le 14:24
c Éx 29:24
 Le 7:30
 Nú 8:11
d Le 1:11
 Le 4 4
 Le 6 25
e Le 7:6
f Le 2:3
 Le 7:7
 1Co 9:13
 Le 10:18
g Éx 29:20
h Le 14:10
 Le 14:24
i Le 4:6
 Le 4:17
j Le 8:24
k Le 6:7
 1Jn 1:7
 1Jn 2:2
l Le 5:6

2.ª col.
a Le 2:1
 Le 14:10
 Nú 15:4
b Le 4:26
 Le 10:10
 Heb 2:17
c Mt 8:4
 Lu 5:14
d Le 14:9
e Sl 72:13
 Pr 17:5
 Pr 22:2
 Lu 6:20
f Le 5:7
 Le 12:8
g Le 1:14
h Le 15:13
 Le 15:14
 Nú 12:14
i Le 14:2
 Le 14:7
j Le 14:11
k Le 5:2
 Le 6:6
l Le 14:12
m Le 8:23
 Le 14:14
n Le 14:15
o Le 14:7

derecha y sobre el dedo gordo de su pie derecho, encima del lugar de la sangre de la ofrenda por la culpa.[a] 29 Y lo que sobre del aceite que está en la palma de la mano del sacerdote él lo pondrá sobre la cabeza[b] del que está limpiándose, a fin de hacer expiación por él delante de Jehová.

30 "Y tiene que ofrecer una de las tórtolas o de los pichones para los cuales tenga los medios,[c] 31 uno de estos para los cuales tenga los medios como ofrenda por el pecado[d] y el otro como ofrenda quemada[e] junto con la ofrenda de grano; y el sacerdote tiene que hacer expiación[f] por el que está limpiándose delante de Jehová.

32 "Esta es la ley para aquel en quien haya estado la plaga de lepra y que no tenga los medios al verificar su purificación."

33 Y Jehová procedió a hablar a Moisés y Aarón, y dijo: 34 "Cuando entren en la tierra de Canaán,[g] que les voy a dar como posesión,[h] y de veras ponga yo la plaga de lepra en una casa de la tierra de su posesión,[i] 35 aquel a quien pertenece la casa entonces tiene que venir e informar al sacerdote, diciendo: 'Algo como una plaga me ha aparecido en la casa'. 36 Y el sacerdote tiene que dar órdenes, y tienen que dejar vacía la casa antes que el sacerdote entre para ver la plaga, para que no declare inmundo todo lo que haya en la casa; y después de eso entrará el sacerdote para ver la casa. 37 Cuando haya visto la plaga, entonces si la plaga está en las paredes de la casa, con depresiones verdes amarillentas o rojizas, y su apariencia es más baja que la superficie de la pared, 38 el sacerdote entonces tiene que salir de la casa a la entrada de la casa y tiene que poner en cuarentena[j] la casa por siete días.

39 "Y el sacerdote tiene que volver al séptimo día y tiene que

mirar;[a] y si la plaga se ha extendido en las paredes de la casa, 40 el sacerdote entonces tiene que dar órdenes, y tienen que arrancar[b] las piedras en que está la plaga, y tienen que arrojarlas fuera de la ciudad, en un lugar inmundo. 41 Y mandará raspar la casa por dentro todo en derredor, y tienen que echar fuera de la ciudad, en un lugar inmundo, el mortero de barro que hayan cortado de ella. 42 Y tienen que tomar otras piedras y meterlas en el lugar de las piedras anteriores; y él hará tomar diferente mortero de barro, y tiene que mandar enlucir la casa.

43 "Sin embargo, si la plaga vuelve y en efecto brota en la casa después de haberse arrancado las piedras y después de haberse cortado la casa y haberse enlucido, 44 el sacerdote[c] entonces tiene que entrar y mirar; y si la plaga se ha extendido en la casa, es lepra maligna[d] en la casa. Es inmunda. 45 Y tiene que mandar demoler la casa con sus piedras y sus maderas y todo el mortero de barro de la casa, y tiene que hacer que lleven aquello fuera de la ciudad a un lugar inmundo.[e] 46 Pero el que entre en la casa cualquiera de los días que esté puesta en cuarentena[f] será inmundo hasta el atardecer;[g] 47 y cualquiera que se acueste en la casa debe lavar sus prendas de vestir,[h] y cualquiera que coma en la casa debe lavar sus prendas de vestir.

48 "Sin embargo, si el sacerdote viene de manera alguna y de hecho mira, y, bien, la plaga no se ha extendido en la casa después de haber enlucido la casa, el sacerdote entonces tiene que pronunciar limpia la casa, porque la plaga ha sido sanada.[i] 49 Y para purificar del pecado la casa tiene que tomar dos pájaros,[j] y madera de cedro,[k] y fibra escarlata carmesí,[l] e hisopo. 50 Y tiene que matar el primer pájaro en una vasija de

CAP. 14
a Le 14:17
b Le 14:10
Le 14:18
c Le 12:8
Le 14:22
2Co 8:12
d Le 5:7
e Le 1:14
f Le 14:20
g Le 23:10
Nú 35:10
Dt 26:1
h Ge 17:8
Nú 32:22
Dt 6:10
i Dt 7:12
Dt 7:15
Pr 3:33
j Nú 12:15

2.ª col.
a Le 10:10
Le 13:6
b Le 13:56
c Le 14:3
Eze 44:23
d Le 13:51
e Le 14:41
f Le 14:38
g Le 11:24
Le 15:8
Le 17:15
Le 22:6
Nú 19:7
h Le 11:25
Le 13:6
Le 15:5
Nú 8:7
i Le 14:3
Dt 32:39
j Le 1:14
k Le 14:4
Nú 19:6
l Heb 9:19

barro sobre agua corriente.[a] 51 Y tiene que tomar la madera de cedro y el hisopo[b] y la fibra escarlata carmesí y el pájaro vivo y mojarlos en la sangre del pájaro que ha sido muerto y en el agua corriente, y tiene que salpicarlo[c] hacia la casa siete veces.[d] 52 Y tiene que purificar del pecado la casa con la sangre del pájaro y con el agua corriente y el pájaro vivo y la madera de cedro y el hisopo y la fibra escarlata carmesí. 53 Y tiene que enviar el pájaro vivo fuera de la ciudad al campo abierto y tiene que hacer expiación[e] por la casa; y esta tiene que ser limpia.

54 "Esta es la ley respecto a cualquier plaga de lepra[f] y respecto a la caída anormal de pelo[g] 55 y respecto a la lepra de la prenda de vestir[h] y en la casa, 56 y respecto a la erupción y la costra y la roncha,[i] 57 para dar instrucciones[j] cuando algo es inmundo y cuando algo es limpio. Esta es la ley acerca de la lepra".[k]

15 Y Jehová continuó hablando a Moisés y Aarón, y dijo: 2 "Hablen a los hijos de Israel, y tienen que decirles: 'En caso de que le ocurra a cualquier hombre un flujo[l] de su órgano genital, su flujo es inmundo. 3 Y esta llegará a ser su inmundicia por su flujo: Sea que de su órgano genital haya manado un flujo o que su órgano genital esté obstruido de su flujo, es su inmundicia.

4 "'Toda cama sobre la cual se acueste el que tenga flujo será inmunda, y todo objeto sobre el cual se siente será inmundo. 5 Y el hombre que toque la cama de él debe lavar sus prendas de vestir, y tiene que bañarse en agua y ser inmundo hasta el atardecer.[m] 6 Y cualquiera que se siente sobre el objeto en que haya estado sentado el que tiene flujo debe lavar[n] sus prendas de vestir, y tiene que bañarse en agua y ser inmundo

hasta el atardecer. 7 Y cualquiera que toque la carne del que tiene flujo[a] debe lavar sus prendas de vestir, y tiene que bañarse en agua y ser inmundo hasta el atardecer.[b] 8 Y en el caso de que el que tiene flujo escupa sobre alguien limpio, en tal caso este tiene que lavar sus prendas de vestir y bañarse en agua y ser inmundo hasta el atardecer. 9 Y toda silla de montar[c] sobre la cual haya estado cabalgando el que tiene flujo será inmunda. 10 Y cualquiera que toque cosa alguna que esté debajo de él será inmundo hasta el atardecer; y el que las lleve lavará sus prendas de vestir, y tiene que bañarse en agua y ser inmundo hasta el atardecer. 11 Y todo aquel a quien toque el que tiene flujo[d] cuando no se ha enjuagado las manos en agua tiene entonces que lavar sus prendas de vestir y bañarse en agua y ser inmundo hasta el atardecer. 12 Y la vasija de barro que toque el que tiene flujo debe quebrarse;[e] y toda vasija de madera[f] debe enjuagarse con agua.

13 "'Ahora bien, en caso de que el que tiene flujo llegue a quedar limpio de su flujo, entonces tiene que contar para sí siete días para su purificación,[g] y tiene que lavar sus prendas de vestir y bañar su carne en agua corriente;[h] y tiene que ser limpio. 14 Y al octavo día tiene que tomar para sí dos tórtolas[i] o dos pichones, y tiene que venir delante de Jehová a la entrada de la tienda de reunión y darlos al sacerdote. 15 Y el sacerdote tiene que ofrecerlos, el primero como ofrenda por el pecado y el otro como ofrenda quemada;[j] y el sacerdote tiene que hacer expiación por él delante de Jehová, tocante a su flujo.

16 "'Ahora bien, en caso de que le salga a un hombre emisión de semen,[k] entonces tiene que bañar toda su carne en agua y ser inmundo hasta el atarde-

---

CAP. 14
a Le 14:6

b Éx 12:22
  Nú 19:18
  1Re 4:33
  Sl 51:7

c Heb 9:13
  1Pe 1:2

d Le 14:7

e Le 12:8
  Le 14:20
  Heb 2:17

f Le 13:59

g Le 13:30

h Le 13:47

i Le 13:2

j Le 10:10
  Eze 44:23

k Dt 24:8

CAP. 15
l Le 22:4
  Nú 5:2
  2Sa 3:29

m Le 11:25
  Le 17:15

n Isa 1:16

2.ª col.

a Le 22:4
  Nú 5:2
  2Sa 3:29

b Le 11:24
  Le 17:15

c Gé 31:34

d Le 15:2

e Le 6:28
  Le 11:33

f Éx 7:19
  Le 11:32

g Le 14:8
  Le 14:23

h Le 15:5

i Le 1:14
  Le 14:22
  Nú 6:10

j Le 5:7
  Le 14:19
  Le 14:31

k Le 22:4
  Dt 23:10

cer. 17 Y cualquier prenda de vestir y cualquier piel sobre la cual llegue a estar la emisión de semen tiene que ser lavada con agua y ser inmunda hasta el atardecer.ª

18 "'En cuanto a la mujer con quien se acueste un hombre con emisión de semen, tienen que bañarse en agua y ser inmundosᵇ hasta el atardecer.

19 "'Y en caso de que una mujer esté teniendo flujo, y su flujo en su carne resulte ser sangre,ᶜ debe continuar siete días en su impurezaᵈ menstrual,ᵉ y cualquiera que la toque será inmundo hasta el atardecer. 20 Y cualquier cosa sobre la cual se acueste en su impureza menstrual será inmunda,ᶠ y todo aquello sobre lo cual se siente será inmundo. 21 Y cualquiera que toque la cama de ella debe lavar las prendas de vestir suyas, y tiene que bañarse en agua y ser inmundo hasta el atardecer.ᵍ 22 Y cualquiera que toque objeto alguno sobre el cual ella hubiera estado sentada debe lavar las prendas de vestir suyas, y tiene que bañarse en agua y ser inmundo hasta el atardecer.ʰ 23 Y si hubiera sido sobre la cama o sobre otro objeto que ella hubiera estado sentada, él, al tocarlo,ⁱ será inmundo hasta el atardecer. 24 Y si un hombre se acuesta con ella de manera alguna y la impureza menstrual de ella llega a estar sobre él,ʲ este tiene que ser inmundo entonces por siete días, y toda cama sobre la cual él se acueste será inmunda.

25 "'En cuanto a una mujer, en caso de que el flujo de su sangre estuviera manando muchos díasᵏ cuando no fuera el tiempo regular de su impureza menstrual,ˡ o en caso de que tuviera flujo que durara más tiempo que su impureza menstrual, todos los días de su flujo inmundo resultarán ser como los días de su impureza menstrual. Ella es in-

munda. 26 Toda cama sobre la cual se acueste en cualquiera de los días de su flujo llegará a ser para ella como la cama de su impureza menstrual,ª y todo objeto sobre el cual se siente llegará a ser inmundo como la inmundicia de su impureza menstrual. 27 Y cualquiera que los toqueᵇ será inmundo, y tiene que lavar sus prendas de vestir y bañarse en agua y ser inmundo hasta el atardecer.

28 "'Sin embargo, si ella ha quedado limpia de su flujo, entonces tiene que contarse siete días, y después será limpia.ᶜ 29 Y al octavo día debe tomar para sí dos tórtolasᵈ o dos pichones, y tiene que traerlos al sacerdote a la entrada de la tienda de reunión.ᵉ 30 Y del primero el sacerdote tiene que hacer una ofrenda por el pecado, y del otro una ofrenda quemada;ᶠ y el sacerdote tiene que hacer expiaciónᵍ por ella delante de Jehová, tocante a su flujo inmundo.

31 "'Y ustedes tienen que mantener a los hijos de Israel separados de su inmundicia, para que ellos no mueran en su inmundicia por contaminar mi tabernáculo, que está en medio de ellos.ʰ

32 "'Esta es la ley acerca del hombre que tenga flujoⁱ y del hombre de quien salga emisión de semenʲ de modo que llegue a ser inmundo por ella; 33 y de la mujer en su inmundicia a causa de menstruar,ᵏ y de cualquiera de quien mane su flujo,ˡ sea varón o hembra, y sea de un hombre que se acueste con una mujer inmunda'".

16 Y Jehová procedió a hablar a Moisés después de la muerte de los dos hijos de Aarón por haberse acercado estos delante de Jehová de modo que murieron.ᵐ 2 Y Jehová procedió a decir a Moisés: "Habla a Aarón tu hermano, que no entre a toda hora en el lugar santoⁿ al interior de la cortina,ᵒ enfrente de la cubierta que está sobre el

CAP. 15
a Le 11:25

b Éx 19:15
1Sa 21:5

c Le 20:18

d Eze 22:10
Eze 36:17

e Le 12:2
Le 12:5
Le 15:26

f Le 15:4

g Le 15:5

h Le 15:6

i Le 15:10

j Le 18:19
Le 20:18

k Mt 9:20
Mr 5:25
Lu 8:43

l Le 12:2
Le 15:19

2.ª col.
a Le 15:21

b Le 15:20
Le 15:22

c Le 15:13

d Le 1:14
Le 15:14
e Nú 6:10

f Le 5:7
Le 14:31
Le 15:15

g Le 4:31
Le 12:7
1Jn 2:2

h Le 19:30
Nú 5:3
Nú 19:20

i Le 15:2

j Le 15:16

k Le 15:19

l Le 15:25

CAP. 16
m Le 10:2

n Éx 30:10
Le 23:27
Heb 9:7

o Éx 40:21
Heb 6:19
Heb 9:3
Heb 10:20

Arca, para que no muera;[a] porque en una nube[b] apareceré encima de la cubierta.[c]

3 "Con lo siguiente debe entrar Aarón en el lugar santo:[d] con un toro joven para una ofrenda por el pecado[e] y un carnero para una ofrenda quemada.[f] 4 Debe ponerse el traje talar[g] santo de lino, y los calzoncillos[h] de lino deben estar sobre su carne, y debe ceñirse con la banda[i] de lino y envolverse con el turbante[j] de lino. Son prendas de vestir santas.[k] Y tiene que bañar su carne en agua,[l] y ponérselas.

5 "Y de la asamblea de los hijos de Israel[m] debe tomar dos cabritos de las cabras para una ofrenda por el pecado[n] y un carnero para una ofrenda quemada.[o]

6 "Y Aarón tiene que presentar el toro de la ofrenda por el pecado, que es para él,[p] y tiene que hacer expiación[q] a favor de sí mismo[r] y de su casa.[s]

7 "Y tiene que tomar los dos machos cabríos y tenerlos parados delante de Jehová a la entrada de la tienda de reunión. 8 Y Aarón tiene que echar suertes[t] sobre los dos machos cabríos, una suerte para Jehová y la otra suerte para Azazel.[u] 9 Y Aarón tiene que presentar el macho cabrío sobre el cual haya venido a dar la suerte[v] para Jehová, y tiene que hacer de él una ofrenda por el pecado.[w] 10 Pero el macho cabrío sobre el cual haya venido a dar la suerte para Azazel debe tenerse parado vivo delante de Jehová para hacer expiación por él, a fin de enviarlo[x] para Azazel al desierto.[y]

11 "Y Aarón tiene que presentar el toro de la ofrenda por el pecado, que es para él, y hacer expiación a favor de sí y de su casa; y tiene que degollar el toro de la ofrenda por el pecado, que es para él.[z]

12 "Y tiene que tomar el braserillo[a] lleno de brasas ardientes de fuego de sobre el altar[b] delan-

CAP. 16

a Nú 4:19
b Éx 40:34
c Éx 25:22
d Le 26:33
   Heb 9:7
e Le 4:3
f Le 1:3
   Le 8:18
g Éx 28:39
   Rev 19:8
h Éx 28:42
i Éx 39:29
j Éx 28:4
   1Co 11:3
k Éx 28:2
l Éx 30:20
   Heb 10:22
m Le 4:14
   Heb 7:27
n Nú 29:11
   2Cr 29:21
   Esd 6:17
o Le 1:3
p Le 8:14
q Heb 10:1
r Le 9:7
   Heb 5:3
s Le 30:30
   Sl 135:19
t Nú 18:10
u Le 14:7
   Le 14:53
v Pr 16:33
w Hch 2:23
x Le 14:7
   Le 16:22
   Isa 53:4
   Ro 15:3
y Le 16:6
b Éx 40:29
   Le 6:13
   Nú 16:46

2.ª col.

a Rev 8:4
b Éx 30:34
   Éx 30:36
   Hch 10:4
   Rev 5:8
   Rev 8:3
c Le 16:2
   Heb 6:19
   Heb 10:20
d Éx 25:22
   Nú 16:7
   2Re 19:15
e Éx 25:18
   Éx 25:21
   1Cr 28:11
f Éx 25:21
   Éx 34:29
g Heb 9:22
h Heb 9:12
   1Pe 1:2
i Ro 3:25
   Heb 9:24
   Heb 9:25
   Heb 10:4
   Heb 10:12
j Le 16:5
   Heb 2:17
   Heb 5:3
   Heb 9:26
   1Jn 2:1
   1Jn 2:2
k Heb 6:19
   Heb 9:7
   Heb 10:20

te de Jehová, y los huecos de ambas manos[a] llenos de incienso fino perfumado,[b] y tiene que traerlos al interior de la cortina.[c]

13 También tiene que poner el incienso sobre el fuego delante de Jehová,[d] y la nube del incienso tiene que extenderse sobre la cubierta del Arca,[e] que está sobre el Testimonio,[f] para que él no muera.

14 "Y tiene que tomar parte de la sangre del toro[g] y salpicarla con su dedo enfrente de la cubierta al lado oriental, y con su dedo salpicará[h] parte de la sangre siete veces delante de la cubierta.[i]

15 "Y tiene que degollar el macho cabrío de la ofrenda por el pecado, que es para el pueblo,[j] y tiene que traer su sangre al interior de la cortina[k] y hacer con su sangre[l] lo mismo que hizo con la sangre del toro; y tiene que salpicarla hacia la cubierta y delante de la cubierta.

16 "Y tiene que hacer expiación por el lugar santo tocante a las inmundicias[m] de los hijos de Israel y tocante a sus sublevaciones en todos sus pecados;[n] y de esa manera debe hacer para la tienda de reunión, que está residiendo con ellos en medio de sus inmundicias.

17 "Y no debe hallarse ningún otro hombre en la tienda de reunión desde que él entre para hacer expiación en el lugar santo hasta que salga; y él tiene que hacer expiación a favor de sí mismo[o] y a favor de su casa y a favor de la entera congregación de Israel.[p]

18 "Y tiene que salir al altar,[q] que está delante de Jehová, y hacer expiación por él, y tiene que tomar parte de la sangre del toro y parte de la sangre del macho cabrío y ponerla sobre los cuernos del altar alrededor.[r]

l Le 17:11; Heb 9:22; m Sl 51:5; Ec 7:20; Ro 3:23; n Dt 32:5; 1Re 8:46; o Le 9:7; Le 16:6; Heb 7:27; p Isa 53:6; Mr 10:45; Heb 2:9; Heb 9:7; Heb 9:12; 1Jn 2:2; Rev 1:5; q Éx 38:1; Le 16:12; r Le 9:9; Heb 9:22.

19 También tiene que salpicar[a] parte de la sangre sobre él siete veces con su dedo y limpiarlo y santificarlo de las inmundicias de los hijos de Israel.

20 "Cuando haya acabado de hacer expiación[b] por el lugar santo y por la tienda de reunión y el altar, también tiene que presentar el macho cabrío vivo.[c] 21 Y Aarón tiene que poner ambas manos[d] sobre la cabeza del macho cabrío vivo y confesar[e] sobre él todos los errores[f] de los hijos de Israel y todas sus sublevaciones en todos sus pecados,[g] y tiene que ponerlos sobre la cabeza del macho cabrío[h] y enviarlo al desierto[i] por mano de un hombre preparado para ello.[j] 22 Y el macho cabrío tiene que llevar sobre sí todos los errores[k] de ellos a una tierra desierta,[l] y él tiene que enviar el macho cabrío al desierto.[m]

23 "Y Aarón tiene que entrar en la tienda de reunión y despojarse de las prendas de vestir de lino que se habrá puesto cuando haya entrado en el lugar santo, y tiene que dejarlas allí.[n]   24 Y tiene que bañar su carne en agua[o] en un lugar santo[p] y ponerse sus prendas de vestir[q] y salir y sacrificar su ofrenda quemada[r] y la ofrenda quemada del pueblo[s] y hacer expiación a favor de sí mismo y a favor del pueblo.[t] 25 Y hará humear sobre el altar la grasa de la ofrenda por el pecado.[u]

26 "En cuanto al[v] que haya enviado el macho cabrío para Azazel,[w] debe lavar sus prendas de vestir, y tiene que bañar su carne en agua,[x] y después de eso puede entrar en el campamento.

27 "Sin embargo, él hará sacar fuera del campamento el toro de la ofrenda por el pecado y el macho cabrío de la ofrenda por el pecado, la sangre de los cuales habrá sido introducida para hacer expiación en el lugar santo; y tienen que quemar en el fuego sus pieles y su carne y su estiércol.[y]   28 Y el que los que-

me debe lavar sus prendas de vestir, y tiene que bañar su carne en agua, y después de eso puede entrar en el campamento.

29 "Y eso tiene que servir a ustedes de estatuto hasta tiempo indefinido:[a] En el mes séptimo, el día diez del mes,[b] deben afligir sus almas,[c] y no deben hacer trabajo alguno,[d] ni el natural ni el residente forastero que esté residiendo como forastero en medio de ustedes.   30 Porque en este día se hará expiación[e] por ustedes para pronunciarlos limpios. Serán limpios de todos sus pecados delante de Jehová.[f] 31 Es un sábado[g] de descanso completo para ustedes, y tienen que afligir sus almas. Es estatuto hasta tiempo indefinido.

32 "Y el sacerdote que ha de ser ungido[h] y cuya mano ha de ser llenada de poder para hacer trabajo de sacerdote[i] como sucesor[j] de su padre tendrá que hacer una expiación y tendrá que ponerse las prendas de vestir de lino.[k] Son prendas de vestir santas.[l]   33 Y tendrá que hacer expiación por el santo santuario,[m] y por la tienda[n] de reunión y por el altar[o] hará expiación; y por los sacerdotes y por todo el pueblo de la congregación hará expiación.[p]   34 Y esto tiene que servir a ustedes de estatuto hasta tiempo indefinido,[q] a fin de hacer expiación por los hijos de Israel respecto a todos sus pecados una vez durante el año".[r]

Por consiguiente, él hizo tal como Jehová había mandado a Moisés.

17 Y Jehová pasó a hablar a Moisés, y dijo: 2 "Habla a Aarón y sus hijos y a todos los hijos de Israel, y tienes que decirles: 'Esta es la cosa que Jehová ha mandado, al decir:

3 ""En cuanto a cualquier

CAP. 16

a Le 9:12
b Éx 29:36
Le 8:15
Le 16:16
c Le 16:8
Le 16:10
Rev 5:9
d Le 1:4
e Ne 1:6
f Sl 69:9
Isa 53:5
Ef 2:3
g 1Co 15:3
1Pe 2:24
h Isa 53:6
2Co 5:21
i Le 14:7
j Mt 4:1
Lu 4:1
k Isa 53:12
Jn 1:29
Ro 15:3
Ef 1:7
Heb 9:28
1Pe 2:24
1Jn 3:5
l Sl 103:12
Eze 18:22
Miq 7:19
m Le 16:10
n Éx 42:14
Eze 44:19
o Éx 30:20
Heb 9:3
Heb 10:22
p Le 6:16
Le 6:26
q Éx 28:4
Le 8:7
r Le 16:3
s Le 16:5
t Heb 9:7
u Éx 29:13
Le 3:16
v Le 16:21
w Le 16:26
x Nú 19:7
Heb 9:10
y Le 4:12
Le 8:17
Heb 13:11
Heb 13:12

2.ª col.

a Éx 30:10
b Le 23:27
Nú 29:7
c Sl 35:13
Isa 58:5
2Co 7:10
d Le 23:28
e Jn 3:16
Ro 8:32
Tit 2:14
1Jn 1:7
1Jn 3:16
f Sl 51:2
Jer 33:8
Eze 36:25
Ef 5:26
Heb 9:14
Heb 10:2
g Le 23:32
h Éx 29:7
Le 8:12
Hch 10:38
Heb 1:9

i Éx 29:29; Le 8:33; Heb 5:5; Heb 5:10; Heb 7:11; Heb 7:16; Jn 20:26; k Éx 28:39; Éx 39:28; Le 16:4; l Éx 28:2; Rev 19:8; m Le 16:16; n Le 16:20; o Éx 29:36; Le 8:15; Le 16:18; p Le 16:24; 1Jn 2:2; q Le 23:31; Nú 29:7; r Éx 30:10; Heb 9:7.

hombre de la casa de Israel que degüelle un toro o un carnero joven o una cabra en el campamento, o que lo degüelle fuera del campamento 4 y no lo traiga en efecto a la entrada de la tienda de reunión[a] para presentarlo como ofrenda a Jehová delante del tabernáculo de Jehová, culpa de sangre se le contará a ese hombre. Ha derramado sangre, y ese hombre tiene que ser cortado de entre su pueblo,[b] 5 a fin de que los hijos de Israel traigan sus sacrificios, que están sacrificando en el campo abierto,[c] que traerlos a Jehová a la entrada de la tienda de reunión, al sacerdote,[d] y tienen que sacrificar estos como sacrificios de comunión a Jehová.[e] 6 Y el sacerdote tiene que rociar la sangre sobre el altar[f] de Jehová a la entrada de la tienda de reunión, y tiene que hacer humear la grasa[g] como olor conducente a descanso a Jehová.[h] 7 Así es que ellos ya no deben sacrificar sus sacrificios a los demonios de forma de cabra[i] con los cuales están teniendo ayuntamiento inmoral.[j] Esto servirá de estatuto hasta tiempo indefinido, durante todas sus generaciones' ".

8 "Y debes decirles: 'En cuanto a cualquier hombre de la casa de Israel o algún residente forastero que esté residiendo como forastero en medio de ustedes que ofrezca una ofrenda quemada[k] o un sacrificio 9 y no lo traiga a la entrada de la tienda de reunión para ofrecerlo a Jehová,[l] ese hombre tiene que ser cortado de su pueblo.[m]

10 "'En cuanto a cualquier hombre de la casa de Israel o algún residente forastero que esté residiendo como forastero en medio de ustedes que coma cualquier clase de sangre,[n] ciertamente fijaré mi rostro contra el alma[o] que esté comiendo la sangre, y verdaderamente lo cortaré de entre su pueblo. 11 Porque el alma de la carne

está en la sangre,[a] y yo mismo la he puesto sobre el altar para ustedes para hacer expiación[b] por sus almas, porque la sangre[c] es lo que hace expiación[d] en virtud del alma [en ella]. 12 Por eso he dicho a los hijos de Israel: "Ninguna alma de ustedes debe comer sangre, y ningún residente forastero que esté residiendo como forastero en medio de ustedes[e] debe comer sangre".[f]

13 "'En cuanto a cualquier hombre de los hijos de Israel o algún residente forastero que esté residiendo como forastero en medio de ustedes que al cazar prenda una bestia salvaje o un ave que pueda comerse, en tal caso tiene que derramar[g] la sangre de esta y cubrirla con polvo.[h] 14 Porque el alma de toda clase de carne es su sangre en virtud del alma en ella. En consecuencia dije yo a los hijos de Israel: "No deben comer la sangre de ninguna clase de carne, porque el alma de toda clase de carne es su sangre.[i] Cualquiera que la coma será cortado".[j] 15 En cuanto a cualquier alma que coma un cuerpo [ya] muerto o algo desgarrado por fiera,[k] sea un natural o un residente forastero, en tal caso tiene que lavar sus prendas de vestir y bañarse en agua y ser inmundo hasta el atardecer;[l] y tendrá que ser limpio. 16 Pero si no las lava y no baña su carne, entonces tendrá que responder por su error' ".[m]

18 Y Jehová continuó hablando a Moisés, y dijo: 2 "Habla a los hijos de Israel, y tienes que decirles: 'Yo soy Jehová el Dios de ustedes.[n] 3 De la manera como hace la tierra de Egipto, en la cual moraron, no deben hacer ustedes;[o] y de la manera como hace la tierra de Canaán, en la cual voy a introducirlos, no deben hacer ustedes;[p] y en los estatutos de ellos no de-

CAP. 17
a Le 1:3
  Dt 6:1
  Dt 13:21
b Le 18:29
  Dt 20:2
c 2Re 16:4
  Eze 20:28
d Dt 12:5
  Dt 12:18
e Le 3:2
  Le 7:11
f Le 3:3
g Le 3:16
  Le 7:31
h Le 3:5
  Le 4:31
i Dt 32:17
  Jos 24:14
  2Cr 11:15
  1Co 10:20
j Éx 34:15
  Dt 31:16
  Jer 3:1
  Eze 23:8
k Le 1:3
l Dt 12:6
  Dt 12:14
m Le 17:4
n Gé 9:4
  Le 3:17
  Le 7:26
  Le 19:26
  Dt 12:16
  1Sa 14:33
  Hch 15:29
o Le 20:3
  Sl 34:16
  Jer 44:11
  1Pe 3:12

2.ª col.
a Gé 9:4
  Le 17:14
  1Cr 11:19
b Le 8:15
  Le 16:18
c Mt 26:28
  Mr 14:24
  Ro 3:25
  Ro 5:9
  Ef 1:7
  Col 1:20
d Heb 9:22
  Heb 13:12
  1Pe 1:2
  1Jn 1:7
  Rev 1:5
e Éx 12:49
f Gé 9:4
  Dt 12:23
  1Cr 11:19
  Heb 15:20
  Hch 15:29
g Dt 12:16
  Dt 15:23
h Eze 24:7
i Le 17:11
  Dt 12:23
j Le 17:10
k Éx 22:31
  Dt 14:21
l Le 11:40
m Le 7:18
  Nú 19:20

CAP. 18 n Gé 17:7; Éx 6:7; Le 11:44; Mr 12:29; o Sl 106:35; Eze 20:7; Snt 4:4; p Éx 23:24; Le 20:23; Dt 12:30; Jer 10:2.

ben andar. 4 Mis decisiones judiciales[a] deben poner por obra, y mis estatutos[b] deben guardar de modo que anden en ellos.[c] Yo soy Jehová su Dios. 5 Y tienen que guardar mis estatutos y mis decisiones judiciales, los cuales, si el hombre los hace, entonces tendrá que vivir por medio de ellos.[d] Yo soy Jehová.[e]

6 "'No deben acercarse ustedes, ningún hombre de ustedes, a nadie que sea parienta carnal próxima de él para poner al descubierto desnudez.[f] Yo soy Jehová. 7 La desnudez de tu padre y la desnudez de tu madre no debes poner al descubierto. Es tu madre. No debes poner al descubierto su desnudez.

8 "'La desnudez de la esposa de tu padre no debes poner al descubierto.[h] Es la desnudez de tu padre.

9 "'En cuanto a la desnudez de tu hermana, la hija de tu padre o la hija de tu madre, sea nacida en la misma casa o nacida fuera de ella, no debes poner al descubierto la desnudez de ellas.[i]

10 "'En cuanto a la desnudez de la hija de tu hijo o la hija de tu hija, no debes poner al descubierto la desnudez de ellas, porque son tu desnudez.

11 "'En cuanto a la desnudez de la hija de la esposa de tu padre, prole de tu padre, siendo ella hermana tuya, no debes poner al descubierto su desnudez.

12 "'La desnudez de la hermana de tu padre no debes poner al descubierto. Es parienta consanguínea de tu padre.[j]

13 "'La desnudez de la hermana de tu madre no debes poner al descubierto, porque es parienta consanguínea de tu madre.

14 "'La desnudez del hermano de tu padre no debes poner al descubierto. No debes acercarte a su esposa. Es tu tía.[k]

15 "'La desnudez de tu nuera[l] no debes poner al descubierto.

Es la esposa de tu hijo. No debes poner al descubierto la desnudez de ella.

16 "'La desnudez de la esposa de tu hermano[a] no debes poner al descubierto. Es la desnudez de tu hermano.

17 "'La desnudez de una mujer y su hija no debes poner al descubierto.[b] A la hija de su hijo y a la hija de su hija no debes tomar para poner al descubierto su desnudez. Son casos de parentesco consanguíneo. Es conducta relajada.[c]

18 "'Y no debes tomar a una mujer además de su hermana como rival[d] para poner al descubierto su desnudez, es decir, además de ella durante su vida.

19 "'Y no debes acercarte a una mujer durante la menstruación[e] e impureza para poner al descubierto su desnudez.[f]

20 "'Y no debes dar tu emisión como semen a la esposa de tu asociado, para hacerte inmundo por ello.[g]

21 "'Y no debes permitir que ninguna prole tuya sea dada por entero[h] a Mólek.[i] No debes profanar[j] el nombre de tu Dios de esa manera. Yo soy Jehová.[k]

22 "'Y no debes acostarte con un varón[l] igual a como te acuestas con una mujer.[m] Es cosa detestable.

23 "'Y no debes dar tu emisión a ninguna bestia[n] para hacerte inmundo por ello, y la mujer no debe ponerse delante de una bestia para tener cópula con ella.[o] Es una violación de lo que es natural.

24 "'No se hagan inmundos por medio de ninguna de estas cosas, porque por medio de todas estas cosas se han hecho inmundas las naciones que voy a enviar de delante de ustedes.[p] 25 En consecuencia la tierra está inmunda, y traeré sobre ella castigo por su error, y la tierra vomitará a sus habitantes.[q] 26 Y ustedes mismos tienen que guardar mis estatutos y mis decisiones judiciales,[r] y no deben

CAP. 18

a Le 19:37
Le 20:22
Dt 4:1
b Dt 6:2
Sl 119:16
Eze 20:19
1Jn 5:3
c Lu 1:6
d Eze 20:11
Lu 10:28
Ro 10:5
Gál 3:12
e Éx 6:2
Mal 3:6
f Le 20:17
Gál 5:19
g Le 9:22
Eze 22:10
h Gé 35:22
Le 20:11
Dt 22:30
Dt 27:20
2Sa 16:21
1Co 5:1
i Le 20:17
Dt 27:22
2Sa 13:12
Eze 22:11
j Le 20:19
k Le 20:20
l Gé 38:26
Le 20:12
Eze 22:11

2.ª col.

a Le 20:21
Dt 25:5
Mr 6:17
Mr 12:19
b Le 20:14
Dt 27:23
c Gál 5:19
d Gé 30:15
1Sa 1:6
e Le 20:18
f Le 15:19
Le 15:24
Le 20:18
Eze 22:10
g Éx 20:14
Le 20:10
Dt 22:22
2Sa 11:4
Pr 6:29
Mt 5:27
1Co 6:9
Heb 13:4
h Dt 18:10
i Le 20:2
1Re 11:7
2Re 23:10
Hch 7:43
j Éx 20:7
Le 19:12
Le 20:3
Eze 36:20
k Isa 42:8
l 1Co 6:9
1Ti 1:10
Jud 7
m Gé 19:5
Le 20:13
Jue 19:22
Ro 1:27
n Éx 22:19
Le 20:15
o Le 20:16
p Le 20:23
Dt 18:12
q Gé 10:19
Le 20:22
Dt 4:1
Dt 4:40
Ro 2:12

hacer ninguna de todas estas cosas detestables, sea un natural o un residente forastero que esté residiendo como forastero en medio de ustedes.ᵃ 27 Porque todas estas cosas detestables las han hecho los hombres de la tierra que fueron antes de ustedes,ᵇ de modo que la tierra está inmunda. 28 Entonces la tierra no los vomitará a ustedes por contaminarla de la misma manera como ciertamente vomitará a las naciones que fueron antes de ustedes.ᶜ 29 En caso de que alguno haga cualquiera de todas estas cosas detestables, entonces las almas que las hagan tienen que ser cortadas de entre su pueblo.ᵈ 30 Y ustedes tienen que guardar su obligación para conmigo de no ocuparse en ninguna de las costumbres detestables que se han efectuado antes de ustedes,ᵉ para que no se hagan inmundos por medio de ellas. Yo soy Jehová el Dios de ustedes'".

19 Y Jehová habló nuevamente a Moisés, y dijo: 2 "Habla a la entera asamblea de los hijos de Israel, y tienes que decirles: 'Deben resultar santos,ᶠ porque yo Jehová su Dios soy santo.ᵍ

3 "'Ustedes deben temer cada uno a su madre y a su padre,ʰ y deben guardar mis sábados.ⁱ Yo soy Jehová su Dios. 4 No se vuelvan a dioses que nada valen,ʲ y no deben hacerse dioses de fundición.ᵏ Yo soy Jehová su Dios.

5 "'Ahora bien, en caso de que sacrifiquen un sacrificio de comunión a Jehová,ˡ deben sacrificarlo para granjearse aprobación.ᵐ 6 En el día de su sacrificio y el mismo día siguiente debe ser comido, pero lo que sobre hasta el tercer día debe ser quemado en el fuego.ⁿ 7 Pero si de manera alguna se comiera al tercer día, es cosa viciada.ᵒ No se aceptará con aprobación.ᵖ 8 Y el que lo coma responderá por su

error,ᵃ porque ha profanado una cosa santa de Jehová; y aquella alma tiene que ser cortada de su pueblo.

9 "'Y cuando ustedes sieguen la mies de su tierra, no debes segar las orillas de tu campo completamente, y no debes recoger la rebusca de tu siega.ᵇ 10 Además, no debes juntar los sobrantesᶜ de tu viña, y no debes recoger las uvas esparcidas de tu viña. Para el afligido y el residente forastero los debes dejar.ᵈ Yo soy Jehová el Dios de ustedes.

11 "'No deben hurtar,ᵉ y no deben engañar,ᶠ y no deben tratar falsamente, ninguno, con su asociado.ᵍ 12 Y no deben jurar en mi nombre a una mentira,ʰ de modo que de veras profanes el nombre de tu Dios. Yo soy Jehová. 13 No debes defraudar a tu prójimo,ⁱ y no debes robar.ʲ El salario del jornalero no debe quedarse contigo toda la noche hasta la mañana.ᵏ

14 "'No debes invocar el mal contra un sordo, y delante de un ciego no debes poner un obstáculo;ˡ y tienes que estar en temor de tu Dios.ᵐ Yo soy Jehová.

15 "'No deben hacer injusticia en el juicio. No debes tratar con parcialidadⁿ al de condición humilde, y no debes preferir la persona de un grande.ᵒ Con justicia debes juzgar a tu asociado.

16 "'No debes andar entre tu pueblo con el fin de calumniar.ᵖ No debes ponerte de pie contra la sangre de tu prójimo.ᵠ Yo soy Jehová.

17 "'No debes odiar a tu hermano en tu corazón.ʳ Debes sin falta censurar a tu asociado,ˢ para que no cargues pecado junto con él.

18 "'No debes tomar venganzaᵗ ni tener rencor contra los hijos de tu pueblo;ᵘ y tienes que

CAP. 18
a Ex 12:49
b Dt 20:18
   2Re 16:3
   2Re 21:2
c Le 20:22
d Le 20:15
e Le 18:3
   Le 20:23
   Dt 18:9

CAP. 19
f Le 11:44
   Ef 1:4
   1Pe 1:16
g Le 21:8
   Isa 6:3
   Rev 4:8
h Ex 20:12
   Ef 6:2
   Heb 12:9
i Ex 20:8
   Ex 20:11
   Ex 31:13
   Lu 6:5
j Ex 20:4
   Le 26:1
   Sl 96:5
   Hab 2:18
   1Co 10:14
k Ex 20:23
   Ex 32:4
   Dt 27:15
l Le 3:1
m Le 7:12
n Le 7:17
o Eze 4:14
p Le 7:18

2.ª col.
a Le 5:17
b Ex 23:11
   Le 23:22
   Dt 24:19
c Isa 17:6
   Jer 49:9
d Le 25:6
   Dt 15:7
   Rut 2:15
   Sl 140:12
e Ex 20:15
   Ef 4:28
f Le 6:2
   Pr 12:22
   Ef 4:25
g 1Re 13:18
   Jer 9:5
h Ex 20:7
   Dt 5:11
   Mt 5:37
   Snt 5:12
i Pr 22:16
   Mr 10:19
j Pr 22:22
k Dt 24:15
   Jer 22:13
   Snt 5:4
m Gé 42:18
   Le 25:17
   Ne 5:15
   Pr 1:7
   Pr 8:13
   1Pe 2:17
n Ex 23:3
   Dt 16:19
   2Cr 19:6
   Pr 24:23
   Ro 2:11
o Dt 1:17
   Snt 2:9

p Sl 15:3; Pr 11:13; 1Ti 3:11; 2Ti 3:3; Tit 2:3; q Éx 20:16; 1Re 21:13; Pr 6:17; Mt 26:60; Hch 6:11; r Gé 27:41; Pr 10:18; 1Jn 2:9; 1Jn 3:15; s Sl 141:5; Pr 9:8; Mt 18:15; Gál 2:11; 1Ti 5:20; Tit 1:13; t Pr 20:22; Ro 12:19; u 18a 18:29; Sl 55:3.

amar a tu prójimo como a ti mismo.ª Yo soy Jehová.

19 "'Ustedes deben guardar mis estatutos: No debes aparear tus animales domésticos de dos tipos para producir híbridos. No debes sembrar tu campo con semillas de dos tipos,b y no debes ponerte una prenda de vestir de hilo de dos tipos, mezclados juntos.c

20 "'Ahora bien, en caso de que un hombre se acueste con una mujer y tenga emisión de semen, cuando ella es sierva designada para otro hombre, y ella no ha sido redimida de manera alguna ni se le ha dado libertad, [un] castigo debe efectuarse. No se les debe dar muerte, porque ella no había sido puesta en libertad.   21 Y él tiene que traer su ofrenda por la culpa a Jehová a la entrada de la tienda de reunión, un carnero de ofrenda por la culpa.d   22 Y el sacerdote tiene que hacer expiación por él con el carnero de la ofrenda por la culpa delante de Jehová por su pecado que él ha cometido; y su pecado que él ha cometido tiene que serle perdonado.e

23 "'Y en caso de que ustedes entren en la tierra, y tengan que plantar cualquier árbol para alimento, también tienen que considerar impuro su fruto como su "prepucio". Por tres años continuará incircunciso para ustedes. No debe comerse.   24 Pero al cuarto año todo su frutof llegará a ser cosa santa de alborozo festivo a Jehová.g   25 Y al quinto año podrán comer su fruto para añadir su producto a ustedes.h Yo soy Jehová su Dios.

26 "'No deben comer nada junto con sangre.i

"'No deben buscar agüeros,j y no deben practicar la magia.k

27 "'No deben cortar los mechones de sus lados de modo que queden cortos en derredor, y no debes destruir la extremidad de tu barba.l

28 "'Y no deben hacerse cortaduras en su carne por un alma

difunta,ª y no deben ponerse marcas de tatuaje. Yo soy Jehová.

29 "'No profanes a tu hija haciéndola prostituta,b para que la tierra no cometa prostitución y la tierra realmente se llene de moral relajada.c

30 "'Mis sábados deben guardar,d y deben abrigar respetuoso temor a mi santuario.e Yo soy Jehová.

31 "'No se vuelvan a los médium espiritistas,f y no consulten a pronosticadores profesionales de acontecimientos,g para hacerse inmundos por medio de ellos. Yo soy Jehová el Dios de ustedes.

32 "'Ante canas debes levantarte,h y tienes que mostrar consideración a la persona del envejecido,i y tienes que estar en temor de tu Dios.j Yo soy Jehová.

33 "'Y en caso de que un residente forastero resida contigo como forastero en la tierra de ustedes, no deben maltratarlo.k   34 El residente forastero que reside como forastero con ustedes debe llegar a serles como natural suyo; y tienes que amarlo como a ti mismo,l porque ustedes llegaron a ser residentes forasteros en la tierra de Egipto.m Yo soy Jehová el Dios de ustedes.

35 "'No deben cometer injusticia al juzgar,n al medir, al pesaro ni al medir líquidos. 36 Debe resultar que tengan balanzas exactas,p un efá exacto y un hin exacto. Jehová su Dios soy yo, quien los ha sacado de la tierra de Egipto. 37 De modo que tienen que guardar todos mis estatutos y todas mis decisiones judiciales, y tienen que ponerlos por obra.q Yo soy Jehová'".

20 Y Jehová siguió hablando a Moisés, y dijo: 2 "Has de decir a los hijos de Israel: 'Cualquier hombre de los hijos de Israel, y cualquier residente forastero que resida como forastero en Israel, que dé de su prole a Mólek,r debe ser muerto sin falta. La gente de la tierra debe lapidarlo

CAP. 19
a Mt 5:43
Mt 22:39
Ro 13:9
Gál 5:14
Snt 2:8
b Dt 22:9
c Dt 22:11
d Le 6:6
e Le 4:31
Le 6:7
f Nú 18:12
Dt 18:4
g Dt 26:2
Pr 3:9
h Le 26:4
i Le 3:17
Le 17:13
Dt 12:23
Hch 15:20
Hch 21:25
j 2Re 17:17
k Éx 8:7
Dt 18:10
2Re 21:6
Gál 5:20
Rev 21:8
l Le 21:5
Jer 9:26

2.ª col.

a Dt 14:1
Jer 16:6
b Le 21:7
Dt 23:17
Heb 13:4
c Pr 21:27
1Pe 4:3
d Éx 20:10
Éx 31:13
e Le 26:2
f Le 20:6
Dt 18:11
1Sa 28:7
1Cr 10:13
2Cr 33:6
Isa 8:19
Gál 5:20
Rev 21:8
g Le 20:27
Hch 16:16
h Pr 16:31
Dt 20:29
i Job 32:6
Pr 23:22
Lam 5:12
1Ti 5:1
j Ne 5:9
Job 28:28
Pr 1:7
Pr 8:13
1Pe 2:17
k Éx 23:9
Mal 3:5
l Éx 12:49
Dt 10:19
m Éx 22:21
n Zac 7:9
o Dt 25:13
Dt 25:15
Pr 20:10
p Pr 11:1
Pr 16:11
q Le 18:5
Dt 4:6

CAP. 20

r Le 18:21
Dt 18:10

hasta que muera. 3 Y en cuanto a mí, fijaré mi rostro contra aquel hombre, y ciertamente lo cortaré de entre su pueblo,[a] porque ha dado de su prole a Mólek con el propósito de contaminar mi lugar santo,[b] y para profanar mi santo nombre.[c] 4 Y si la gente de la tierra deliberadamente escondiera sus ojos de aquel hombre cuando diera de su prole a Mólek, y no le dieran muerte,[d] 5 entonces yo, por mi parte, ciertamente fijaré mi rostro contra aquel hombre y contra su familia,[e] y verdaderamente los cortaré de entre su pueblo a él y a todos los que tienen ayuntamiento inmoral junto con él al tener ayuntamiento inmoral[f] con Mólek.

6 "'En cuanto al alma que se vuelva a los médium espiritistas[g] y a los pronosticadores[h] profesionales de acontecimientos para tener ayuntamiento inmoral con ellos, ciertamente fijaré mi rostro contra aquella alma y la cortaré de entre su pueblo.[i]

7 "'Y ustedes tienen que santificarse y resultar santos,[j] porque yo soy Jehová su Dios. 8 Y tienen que guardar mis estatutos y ponerlos por obra.[k] Yo soy Jehová que está santificándolos.[l]

9 "'En caso de que hubiera algún hombre que invocara el mal contra su padre y su madre,[m] debe ser muerto sin falta.[n] Contra su padre y su madre ha invocado el mal. Su propia sangre está sobre él.[o]

10 "'Ahora bien, un hombre que comete adulterio con la esposa de otro hombre es uno que comete adulterio con la esposa de su semejante.[p] Él debe ser muerto sin falta, el adúltero y también la adúltera.[q] 11 Y un hombre que se acueste con la esposa de su padre ha puesto al descubierto la desnudez de su padre.[r] Ambos deben ser muertos sin falta. Su propia sangre está sobre ellos. 12 Y cuando un hombre se acuesta con su nuera, ambos deben ser muertos

sin falta.[a] Han cometido una violación de lo que es natural. Su propia sangre está sobre ellos.[b]

13 "'Y cuando un hombre se acuesta con un varón igual a como uno se acuesta con una mujer, ambos han hecho una cosa detestable.[c] Deben ser muertos sin falta. Su propia sangre está sobre ellos.

14 "'Y cuando un hombre toma a una mujer y a la madre de ella, es conducta relajada.[d] Deben quemarlos a él y a ellas en el fuego,[e] para que la conducta relajada[f] no continúe en medio de ustedes.

15 "'Y cuando un hombre da su emisión seminal a una bestia,[g] debe ser muerto sin falta, y ustedes deben matar la bestia. 16 Y cuando una mujer se acerca a cualquier bestia para tener cópula con[h] ella, tienes que matar a la mujer y a la bestia. Deben ser muertas sin falta. Su propia sangre está sobre ellas.

17 "'Y cuando un hombre toma a su hermana, hija de su padre o hija de su madre, y de hecho ve la desnudez de ella, y ella misma ve la desnudez de él, es vergüenza.[i] De modo que tienen que ser cortados [de la existencia] ante los ojos de los hijos de su pueblo. Es la desnudez de su hermana lo que él ha puesto al descubierto. Él debe responder por su error.

18 "'Y cuando un hombre se acuesta con una mujer que está menstruando y en efecto pone al descubierto la desnudez de ella, ha expuesto la fuente de ella, y ella misma ha expuesto la fuente de su sangre.[j] De modo que ambos tienen que ser cortados de entre su pueblo.

19 "'Y la desnudez de la hermana de tu madre[k] y la de la hermana de tu padre[l] no debes poner al descubierto, porque es a su parienta consanguínea a quien uno ha expuesto.[m] Deben responder por su error. 20 Y un hombre que se acuesta con la esposa de su tío ha puesto al des-

CAP. 20
a 1Pe 3:12
b Éx 15:17
  Nú 19:20
  Dt 23:14
  Eze 5:11
c Le 18:21
d Dt 13:8
e Éx 20:5
  1Re 20:42
f 1Sa 106:39
  Os 2:13
g Le 19:31
  Dt 18:11
  Gál 5:20
  Rev 21:8
h Le 20:27
  Hch 16:16
i 1Cr 10:13
  Eze 6:9
j Le 11:44
  Ef 1:4
  1Pe 1:16
k Le 18:4
  Ec 12:13
  Lu 1:6
l Éx 31:13
  Le 21:8
  Eze 37:28
  1Te 5:23
  2Te 2:13
m Dt 27:16
  Pr 20:20
  Mt 15:4
n Éx 21:17
o 2Sa 1:16
  1Re 2:32
p Le 18:20
  Dt 5:18
  Jer 29:23
  Ro 7:3
q Dt 22:22
  1Co 6:9
r Le 18:8
  Dt 27:20

2.ᵃ col.
a Le 18:15
b Le 18:29
c Gé 19:5
  Le 18:22
  Jue 19:22
  Ro 1:27
  1Co 6:9
  Jud 7
d Le 18:17
  Dt 27:23
e Le 21:9
f Gál 5:19
g Éx 22:19
  Dt 27:21
h Le 18:23
i Le 18:9
  Dt 27:22
  2Sa 13:12
  Eze 22:11
j Le 15:24
  Le 18:19
  Eze 22:10
k Le 18:13
l Le 18:12
m Le 18:6

cubierto la desnudez de su tío.[a] Deben responder por su pecado. Deben morir sin hijos.[b] 21 Y cuando un hombre toma la esposa de su hermano, es cosa aborrecible.[c] Es la desnudez de su hermano lo que él ha puesto al descubierto. Deben quedar sin hijos.

22 "'Y ustedes tienen que guardar todos mis estatutos[d] y todas mis decisiones judiciales[e] y ponerlos por obra, para que no los vomite la tierra a la cual los llevo para que moren en ella.[f] 23 Y no deben andar en los estatutos de las naciones a quienes voy a enviar de delante de ustedes,[g] porque ellas han hecho todas estas cosas y yo las aborrezco.[h] 24 Por lo tanto les dije a ustedes:[i] "Ustedes, por su parte, tomarán posesión del suelo de ellas, y yo, por mi parte, se lo daré para que tomen posesión de él, tierra que mana leche y miel. Jehová su Dios soy yo, quien los ha separado de los pueblos".[k] 25 Y ustedes tienen que hacer distinción entre la bestia limpia y la inmunda y entre el ave inmunda y la limpia;[l] y no deben hacer asquerosas[m] sus almas con la bestia y el ave y cosa alguna que se mueve sobre el suelo que yo les he separado al declararlas inmundas. 26 Y ustedes tienen que resultarme santos,[n] porque yo Jehová soy santo;[o] y estoy procediendo a separarlos de los pueblos para que lleguen a ser míos.[p]

27 "'Y en cuanto a un hombre o una mujer en quien resulte haber espíritu de médium o espíritu de predicción,[q] deben ser muertos sin falta.[r] Deben lapidarlos hasta que mueran. Su propia sangre está sobre ellos'".[s]

21 Y Jehová pasó a decir a Moisés: "Habla a los sacerdotes, hijos de Aarón, y tienes que decirles: 'Por un alma difunta nadie podrá contaminarse entre su pueblo.[t] 2 Pero por un pariente consanguíneo suyo que le es próximo, por su madre y por

su padre y por su hijo y por su hija y por su hermano 3 y por su hermana, una virgen que le es próxima, que no haya llegado a ser de ningún hombre, por ella podrá contaminarse. 4 No podrá contaminarse por una mujer poseída por un dueño entre su pueblo, de modo que se haga profano. 5 No deben ellos producir calvicie sobre su cabeza,[a] y no deben afeitarse la extremidad de la barba,[b] y no deben hacer incisión en su carne.[c] 6 Deben resultar santos a su Dios,[d] y no deben profanar el nombre de su Dios,[e] porque ellos son los que presentan las ofrendas de Jehová hechas por fuego, el pan de su Dios;[f] y tienen que resultar santos.[g] 7 No deben tomar una prostituta[h] ni una mujer violada; y no deben tomar[i] una mujer divorciada[j] de su esposo, porque [el sacerdote] es santo a su Dios. 8 De modo que tienes que santificarlo,[k] porque él es uno que presenta el pan de tu Dios. Debe resultarte santo,[l] porque yo Jehová, que los estoy santificando a ustedes, soy santo.[m]

9 "'Ahora bien, en caso de que la hija de un sacerdote se profana cometiendo prostitución, es a su padre a quien ella está profanando. Debe ser quemada en el fuego.[n]

10 "'Y en cuanto al sumo sacerdote de sus hermanos, sobre cuya cabeza hubiera de derramarse el aceite de la unción[o] y cuya mano fuera llena de poder para vestir las prendas de vestir,[p] no debe dejar desaseada su cabeza,[q] y no debe rasgar sus prendas de vestir.[r] 11 Y no debe venir a ninguna alma muerta.[s] Por su padre y su madre no podrá contaminarse. 12 Además, no debe salir del santuario ni profanar el santuario de su Dios,[t] porque la señal de la dedicación, el aceite de la unción

---

CAP. 20
a Le 18:14
b Sl 109:13
c Le 18:16
   Dt 25:5
   Mr 6:18
   Mr 12:19
d Le 18:26
   Sl 105:45
   Sl 119:80
   Ec 12:13
e Éx 21:1
   Dt 5:1
   Sl 119:20
   Isa 26:9
f Le 18:28
   Le 18:24
   Dt 12:30
   Jer 10:2
g Le 18:27
   Dt 9:5
i Éx 3:17
   Éx 6:8
j Dt 8:8
   Eze 20:6
k Éx 19:5
   Éx 33:16
   1Re 8:53
   2Co 6:16
   1Pe 2:9
l Le 11:47
   Dt 14:4
   Hch 10:14
m Le 11:43
   Le 11:10
o Sl 99:5
   1Pe 1:16
   Rev 4:8
p Dt 7:6
   Dt 14:2
   Tit 2:14
q Éx 22:18
   Le 19:31
   Dt 18:10
   1Sa 28:7
   Rev 21:8
r Éx 22:18
   Le 20:6
   Miq 5:12
s 2Sa 1:16

CAP. 21
t Nú 19:14

2.ª col.
a Dt 14:1
   Isa 15:2
   Eze 44:20
b Le 19:27
   Jer 48:37
   1Re 18:28
   Jer 16:6
d Éx 29:44
   Le 10:3
   Esd 8:28
e Le 18:21
   Le 19:12
   Le 22:32
f Le 3:11
   Mal 1:7
g Isa 52:11
   1Pe 1:16
h Le 19:29
i Eze 44:22
j Dt 24:1
   Mt 19:8
k Éx 28:41
   Le 20:8
   1Co 6:11
   Heb 9:13
l Le 11:44

m Éx 28:36; Le 11:45; Le 20:7; Isa 43:15; n Gé 38:24; Le 20:14; o Le 8:12; Nú 35:25; Sl 133:2; p Éx 28:2; Éx 29:29; Le 16:32; q Le 10:6; r Gé 37:34; s Nú 6:7; Nú 19:11; Nú 19:14; t Le 10:7; Le 21:23.

de su Dios,[a] está sobre él. Yo soy
Jehová.
13 ”’Y por su parte, debe tomar una mujer en su virginidad.[b]
14 En cuanto a una viuda o una
mujer divorciada y una violada,
una prostituta, a ninguna de estas podrá tomar, sino que debe
tomar por esposa a una virgen de
su pueblo. 15 Y no debe profanar su descendencia entre su
pueblo,[c] porque yo soy Jehová
que lo está santificando’ ”.[d]
16 Y Jehová continuó hablando a Moisés, y dijo: 17 “Habla a
Aarón, y di: ‘Ningún hombre de
tu descendencia durante todas
sus generaciones en quien resulte haber un defecto[e] podrá acercarse para presentar el pan de su
Dios.[f] 18 En caso de que haya
hombre alguno en quien haya
defecto, no podrá acercarse: un
hombre ciego o cojo o con su nariz hendida o con un miembro
demasiado largo,[g] 19 o un
hombre en quien resulte haber
una fractura del pie o una fractura de la mano, 20 o jorobado o
delgado o enfermo de los ojos o
costroso o que tenga culebrilla o
que tenga quebrados los testículos.[h] 21 Ningún hombre de la
descendencia de Aarón el sacerdote en quien haya defecto podrá acercarse para presentar las
ofrendas de Jehová hechas por
fuego.[i] Hay defecto en él. No podrá acercarse para presentar el
pan de su Dios.[j] 22 Podrá comer el pan de su Dios de las cosas
santísimas[k] y de las cosas santas.[l] 23 No obstante, no podrá
entrar cerca de la cortina,[m] y no
podrá acercarse al altar,[n] porque
hay defecto en él;[o] y no debe él
profanar mi santuario,[p] porque
yo soy Jehová que los está santificando a ellos’ ”.[q]
24 En conformidad, Moisés
habló a Aarón y sus hijos y a todos los hijos de Israel.

22 Y Jehová habló nueva-
mente a Moisés, y dijo:
2 “Habla a Aarón y sus hijos,
para que se mantengan separados de las cosas santas de los
hijos de Israel y no profanen mi
santo nombre[a] en las cosas que
me están santificando.[b] Yo soy
Jehová. 3 Diles: ‘Durante todas sus generaciones cualquier
hombre de toda su prole que se
acerque a las cosas santas, que
los hijos de Israel santificarán a
Jehová, mientras esté sobre él su
inmundicia,[c] aquella alma tendrá que ser cortada de delante de
mí. Yo soy Jehová. 4 Ningún
hombre de la prole de Aarón
cuando sea leproso[d] o tenga flujo[e] podrá comer de las cosas santas sino hasta que llegue a ser
limpio,[f] tampoco el que toque a
cualquiera [que se haya] hecho
inmundo por un alma difunta[g] o
un hombre de quien salga una
emisión seminal,[h] 5 ni un
hombre que toque cosa alguna
enjambradora que le es inmunda[i] o toque a un hombre que le es
inmundo respecto de cualquier
inmundicia suya.[j] 6 El alma
que toque a cualquiera de los tales tendrá que ser inmunda hasta el atardecer, y no podrá comer
ninguna de las cosas santas; antes bien, tendrá que bañar su
carne en agua.[k] 7 Cuando se
haya puesto el sol, entonces tendrá que ser limpio, y después podrá comer de las cosas santas,
porque es su pan.[l] 8 Tampoco
debe comer ningún cuerpo [ya]
muerto ni ninguna cosa des-
garrada por fieras, de modo que
se haga inmundo por ello.[m] Yo
soy Jehová.
9 ”’Y ellos tienen que guardar su obligación para conmigo,
para que no lleven pecado debido a ella y tengan que morir[n] por
ella por estar profanándola. Yo
soy Jehová que está santificándolos.
10 ”’Y absolutamente ningún
extraño podrá comer cosa santa.[o] Ningún poblador que esté
con un sacerdote ni un trabajador asalariado podrá comer cosa
santa. 11 Pero en caso de que
un sacerdote comprara un alma,
como compra con su dinero, esta

CAP. 21
a Le 8:12, Lu 4:18, Hch 10:38
b Eze 44:22, 2Co 11:2, Rev 14:4
c Esd 9:2
d 1Te 5:23, 2Te 2:13
e Le 22:21, Ro 12:1, Ef 5:27, Heb 7:26, Rev 14:5
f Le 3:11, Nú 16:5
g Le 22:23
h Le 22:24, Dt 23:1
i Le 2:2
j Le 22:25
k Le 2:10, Le 6:16, Le 24:9, Nú 18:9
l Le 22:10, Nú 18:19
m Éx 30:6, Heb 10:20
n Éx 38:1
o Le 21:17
p Éx 25:8, Le 21:12
q Éx 28:41

2.ª col.
CAP. 22
a Le 21:6, Sl 83:18, Sl 135:13
b Éx 28:38, Nú 18:32, Dt 15:19
c Le 7:20
d Le 13:2
e Le 15:2
f Le 14:2, Le 15:13
g Le 21:1, Nú 19:11, Nú 19:22
h Le 15:16
i Le 11:24, Le 11:43
j Le 15:7, Le 15:19
k Nú 19:7, 1Co 6:11, Heb 10:22
l Le 21:22, Nú 18:11
m Éx 22:31, Le 17:15, Dt 14:21
n Éx 28:43, Le 10:2
o Éx 29:33, Mt 12:4

como tal podrá participar en comerla. En cuanto a esclavos nacidos en su casa, ellos como tales podrán participar en comer el pan de él.[a] 12 Y en caso de que la hija de un sacerdote llegara a ser de un hombre que fuera un extraño, ella como tal no podrá comer de la contribución de las cosas santas. 13 Pero en caso de que la hija de un sacerdote quedara viuda o divorciada cuando no tuviera prole, y tuviera que volver a la casa de su padre como en su juventud,[b] ella podrá comer del pan de su padre;[c] pero absolutamente ningún extraño podrá alimentarse de él.

14 "'Ahora bien, en caso de que un hombre coma una cosa santa por equivocación,[d] entonces tiene que añadir a ella su quinta parte[e] y tiene que dar la cosa santa al sacerdote. 15 De modo que ellos no deben profanar las cosas santas de los hijos de Israel, que contribuyan a Jehová,[f] 16 y realmente hacer que estos carguen con el castigo de culpabilidad por haber comido ellos sus cosas santas; porque yo soy Jehová que está santificándolos'".

17 Y Jehová continuó hablando a Moisés, y dijo: 18 "Habla a Aarón y sus hijos y a todos los hijos de Israel, y tienes que decirles: 'En cuanto a cualquier hombre de la casa de Israel o algún residente forastero en Israel que presente su ofrenda,[g] por cualquiera de sus votos[h] o por cualquiera de sus ofrendas voluntarias,[i] que le presenten a Jehová para ofrenda quemada, 19 para que granjee aprobación[j] para ustedes tiene que ser sana,[k] un macho entre la vacada, entre los carneros jóvenes o entre las cabras. 20 No deben ustedes presentar ninguna cosa en que haya defecto,[l] porque no servirá para granjearles aprobación.

21 "'Y en caso de que un hombre presentara un sacrificio de comunión[m] a Jehová a fin de pa-

gar un voto,[a] o como ofrenda voluntaria, debe resultar ser [animal] sano entre la vacada o el rebaño, a fin de granjearse aprobación. Absolutamente ningún defecto debe resultar haber en él. 22 Ningún caso de ceguera o fractura o de tener un corte o verruga o condición costrosa o culebrilla,[b] ninguno de estos deben ustedes presentar a Jehová, y ninguna ofrenda hecha por fuego[c] tomada de entre ellos deben poner sobre el altar para Jehová. 23 En cuanto a un toro o una oveja que tenga un miembro demasiado largo o demasiado corto,[d] podrás hacer de ello una ofrenda voluntaria; pero para un voto no se aceptará con aprobación. 24 Pero uno que tenga los testículos[e] comprimidos o aplastados o arrancados o cortados no deben presentarlo a Jehová, y en su tierra no los deben ofrecer. 25 Y de la mano de un extranjero no deben presentar ninguno de todos estos como el pan de su Dios, porque en ellos está su corrupción. Hay defecto[f] en ellos. No serán aceptados con aprobación[g] para ustedes'".

26 Y Jehová habló nuevamente a Moisés, y dijo: 27 "En caso de nacer un toro o un carnero joven o una cabra, entonces tiene que continuar bajo su madre siete días,[h] pero desde el día octavo en adelante se aceptará con aprobación como ofrenda, ofrenda hecha por fuego a Jehová. 28 En cuanto a un toro y una oveja, no deben degollar a este y su cría en un mismo día.[i]

29 "Y en caso de que ustedes sacrificaran un sacrificio de acción de gracias a Jehová,[j] deben sacrificarlo para granjearse aprobación. 30 En ese mismo día se debe comer.[k] No deben dejar nada de él hasta la mañana.[l] Yo soy Jehová.

31 "Y tienen que guardar mis mandamientos y ponerlos por obra.[m] Yo soy Jehová. 32 Y no deben profanar mi santo nom-

CAP. 22
a Nú 18:11
b Gé 38:11
c Le 10:14
  Nú 18:19
d Le 5:15
e Le 5:16
  Le 27:13
f Nú 18:32
  Eze 22:26
g Nú 15:14
  Nú 15:16
h Le 7:16
  Le 23:38
  Nú 15:3
  Sl 22:25
  Sl 56:12
i Dt 12:6
j Le 7:18
  Le 23:11
k Le 1:3
  Le 22:22
l Dt 15:21
  Dt 17:1
  Mal 1:8
  Heb 9:14
  1Pe 1:19
m Le 3:1

2.ª col.
a Nú 15:8
  Dt 23:21
  Sl 50:14
  Sl 61:8
  Ec 5:4
b Dt 15:21
  Mal 1:8
c Le 3:3
  Le 3:14
d Le 21:18
e Le 21:20
  Dt 23:1
f Le 21:21
g Le 7:18
  Le 19:7
h Éx 22:30
i Éx 23:19
  Dt 22:6
  Pr 12:10
j Le 7:12
  Sl 107:22
  Sl 116:17
  Am 4:5
k Le 7:15
l Éx 12:10
m Le 19:37
  Nú 15:40
  Dt 4:40

bre,[a] y tengo que ser santificado en medio de los hijos de Israel.[b] Yo soy Jehová que está santificándolos,[c] 33 El que los sacó de la tierra de Egipto para resultar ser Dios para ustedes.[d] Yo soy Jehová".

23 Y Jehová siguió hablando a Moisés, y dijo: 2 "Habla a los hijos de Israel, y tienes que decirles: 'Las fiestas periódicas[e] de Jehová que ustedes deben proclamar[f] son convocaciones santas. Estas son mis fiestas periódicas:

3 "'Seis días podrá hacerse trabajo, pero en el día séptimo hay sábado de descanso completo,[g] una convocación santa. No podrán hacer trabajo de ninguna clase. Es un sábado a Jehová en todos los lugares donde moren.[h]

4 "'Estas son las fiestas periódicas[i] de Jehová, convocaciones santas,[j] que ustedes deben proclamar a sus tiempos señalados:[k] 5 En el primer mes, el día catorce del mes,[l] entre las dos tardes, es la pascua[m] a Jehová.

6 "'Y el día quince de este mes es la fiesta de las tortas no fermentadas a Jehová.[n] Siete días deben comer tortas no fermentadas.[o] 7 En el primer día harán que se celebre una convocación santa.[p] No podrán hacer ninguna clase de trabajo laborioso. 8 Antes bien, tendrán que presentar una ofrenda hecha por fuego a Jehová siete días. En el día séptimo habrá una convocación santa. No podrán hacer ninguna clase de trabajo laborioso'".

9 Y Jehová continuó hablando a Moisés, y dijo: 10 "Habla a los hijos de Israel, y tienes que decirles: 'Cuando por fin entren en la tierra que yo les voy a dar, y hayan segado su mies, entonces tienen que llevar una gavilla de las primicias[q] de su siega al sacerdote. 11 Y él tiene que mecer la gavilla de acá para allá[r] delante de Jehová para granjearles aprobación. Precisamente el día después del sábado debe mecerla el sacerdote de acá para allá. 12 Y en el día que hagan que se meza la gavilla de acá para allá ustedes tienen que ofrecer un carnero joven, sano, en su primer año, para ofrenda quemada a Jehová; 13 y como su ofrenda de grano dos décimas de efá de flor de harina mojada ligeramente con aceite, como ofrenda hecha por fuego a Jehová, un olor conducente a descanso; y como su libación un cuarto de hin de vino. 14 Y no deben comer pan ni grano tostado ni grano nuevo hasta este mismo día,[a] hasta que lleven la ofrenda de su Dios. Es estatuto hasta tiempo indefinido para sus generaciones en todos los lugares donde moren.

15 "'Y desde el día después del sábado, desde el día de llevar ustedes la gavilla de la ofrenda mecida, ustedes tienen que contarse siete sábados.[b] Deben resultar completos. 16 Hasta el día después del séptimo sábado deben contar, cincuenta días,[c] y tienen que presentar una ofrenda de grano nuevo[d] a Jehová. 17 De sus moradas deben llevar dos panes[e] como ofrenda mecida. De dos décimas de efá de flor de harina deben resultar. Deben ser cocidos con levadura,[f] como primeros frutos maduros a Jehová.[g] 18 Y junto con los panes tienen que presentar siete corderos sanos,[h] cada uno de un año de edad, y un toro joven y dos carneros. Deben servir de ofrenda quemada a Jehová junto con la ofrenda de grano y las libaciones de ellos como ofrenda hecha por fuego, de olor conducente a descanso a Jehová. 19 Y tienen que ofrecer un cabrito de las cabras[i] como ofrenda por el pecado, y dos corderos, cada uno de un año de edad, como sacrificio de comunión.[j] 20 Y el sacerdote tiene que mecerlos de acá para allá[k] junto con los panes de los primeros frutos maduros, como

CAP. 22

a Le 18:21
  Le 19:12
  Am 2:7
b Le 10:3
  Isa 29:23
c Éx 19:5
  Le 20:8
  Le 21:8
  Jn 17:17
d Éx 6:7
  Le 11:45
  Nú 15:41

CAP. 23

e Éx 23:14
  Le 23:37
f Nú 10:10
g Éx 16:30
  Éx 20:10
  Le 19:3
  Heh 15:21
h Ne 13:22
  Isa 56:2
  Isa 58:13
i Éx 23:14
j Éx 12:16
  Nú 29:12
k Nú 9:2
l Nú 9:3
  Nú 28:16
m Éx 12:6
  Dt 16:1
  Jos 5:10
  1Co 5:7
n Nú 28:17
  Heh 12:3
  1Co 5:8
o Éx 12:15
  Éx 13:6
  Éx 34:18
p Éx 12:16
q Nú 18:12
  Pr 3:9
  Eze 44:30
  1Co 15:20
  Snt 1:18
r Le 23:15
  1Co 15:20
  1Co 15:23

2.ª col.

a Jos 5:11
b Éx 34:22
  Le 16:9
c Heh 2:1
d Nú 28:26
  Dt 16:16
e Ef 2:16
  Ef 2:18
f Le 7:13
  Ro 5:12
g Éx 23:16
  Éx 34:22
  Snt 1:18
  Rev 14:4
h Nú 28:27
i Le 4:23
  Nú 28:30
j Le 3:1
k Le 7:30

ofrenda mecida delante de Jehová, junto con los dos corderos. Deben servir como cosa santa a Jehová para el sacerdote.ᵃ 21 Y tienen que hacer una proclamaciónᵇ en este mismo día; habrá para ustedes una convocación santa. No podrán hacer ninguna clase de trabajo laborioso. Es estatuto hasta tiempo indefinido en todos los lugares donde moren por sus generaciones.

22 " 'Y cuando sieguen la mies de su tierra, no debes proseguir hasta completar la orilla de tu campo cuando estés segando, y la rebusca de tu mies no debes recoger.ᶜ Debes dejarlas para el afligidoᵈ y para el residente forastero.ᵉ Yo soy Jehová el Dios de ustedes' ".

23 Y Jehová siguió hablando a Moisés, y dijo: 24 "Habla a los hijos de Israel, y di: 'En el mes séptimo,ᶠ al primero del mes, debe ocurrir para ustedes un descanso completo, una conmemoración por el toque de trompeta,ᵍ una convocación santa.ʰ 25 No podrán hacer ninguna clase de trabajo laborioso, y tienen que presentar una ofrenda hecha por fuego a Jehová' ".

26 Y Jehová habló adicionalmente a Moisés, y dijo: 27 "Sin embargo, el día diez de este séptimo mes es el día de la expiación.ⁱ Una convocación santa debe efectuarse para ustedes, y tienen que afligir sus almasʲ y presentar una ofrenda hecha por fuego a Jehová.ᵏ 28 Y no deben hacer ninguna clase de trabajo en este mismo día, porque es día de expiación para hacer expiaciónˡ por ustedes delante de Jehová su Dios; 29 porque toda alma que no se aflija en este mismo día tendrá que ser cortada de su pueblo.ᵐ 30 En cuanto a cualquier alma que haga trabajo de clase alguna en este mismo día, tendré que destruir a esa alma de entre su pueblo.ⁿ 31 No deben hacer trabajo de ninguna clase.ᵒ Es

estatuto hasta tiempo indefinido para sus generaciones en todos los lugares donde moren. 32 Es un sábado de descanso completo para ustedes,ᵃ y tienen que afligirᵇ sus almas el día nueve del mes por la tarde. Desde la tarde hasta la tarde deben observar su sábado".

33 Y Jehová continuó hablando a Moisés, y dijo: 34 "Habla a los hijos de Israel, y di: 'El día quince de este mes séptimo es la fiesta de las cabañas por espacio de siete días a Jehová.ᶜ 35 En el primer día hay convocación santa. No podrán hacer trabajo laborioso de ninguna clase. 36 Siete días deben presentar una ofrenda hecha por fuego a Jehová. En el día octavo debe ocurrir para ustedes una convocación santa,ᵈ y tienen que presentar una ofrenda hecha por fuego a Jehová. Es una asamblea solemne. No podrán hacer trabajo laborioso de ninguna clase.

37 " 'Estas son las fiestas periódicasᵉ de Jehová que ustedes deben proclamar como convocaciones santas,ᶠ para presentar una ofrenda hecha por fuegoᵍ a Jehová: la ofrenda quemadaʰ y la ofrenda de granoⁱ del sacrificio y las libacionesʲ conforme al horario diario, 38 además de los sábados de Jehováᵏ y además de las dádivasˡ de ustedes y además de todas sus ofrendas de votoᵐ y además de todas sus ofrendas voluntarias,ⁿ que ustedes deben dar a Jehová. 39 Sin embargo, el día quince del séptimo mes, cuando hayan recogido el producto de la tierra, deben celebrar la fiestaᵒ de Jehová siete días.ᵖ En el primer día hay descanso completo y en el día octavo hay descanso completo.ᑫ 40 Y tienen que tomar para ustedes en el primer día el fruto de árboles espléndidos, las frondas de palmerasʳ y las ramas mayo-

CAP. 23
a Le 7:34
  Le 10:14
  Nú 18:4
  Dt 18:4
  1Co 9:13
b Nú 10:10
c Le 19:9
  Dt 24:19
  Rut 2:3
d Isa 58:7
e Le 19:33
  Nú 15:15
f 1Re 8:2
g Nú 10:10
  Nú 29:1
h Nú 29:12
i Éx 30:10
  Le 16:30
  Le 25:9
  1Jn 1:7
j Le 16:29
  Nú 29:7
  Sl 35:13
  Isa 58:5
k Le 16:16
  Eze 45:17
l Le 16:34
  Heb 9:12
  Heb 9:24
  Heb 9:26
  Heb 10:10
  1Jn 2:2
m Nú 9:13
  Nú 15:30
n Hch 3:23
o Le 23:28
  Mt 12:12
  Mr 3:4

2.ᵃ col.
a Le 16:31
b Le 16:29
  Le 23:27
  Nú 29:7
  Sl 35:13
c Éx 23:16
  Nú 29:12
  Dt 16:13
  Esd 3:4
  Ne 8:14
  Zac 14:16
  Jn 7:2
d Ne 8:18
  Jn 7:37
e Éx 23:14
  Dt 16:16
f Le 23:4
  Nú 28:26
  Nú 29:7
g Le 1:9
  Le 2:2
h Le 1:3
i Le 2:1
  Le 2:11
j Éx 29:40
  Nú 15:5
  Flp 2:17
k Éx 16:23
  Éx 20:8
  Éx 31:13
  Isa 56:2
l Éx 28:38
  Nú 18:29
m Nú 29:39
  Dt 12:11
n Dt 12:6
  1Cr 29:3
  2Cr 35:8
  Esd 2:68

o Zac 14:16; Mt 13:39; Mt 24:31; Mt 25:31; p Dt 16:13; q Le 23:7; Le 23:24; Nú 29:12; r Ne 8:15; Jn 12:13; Rev 7:9.

res de árboles frondosos y álamos del valle torrencial, y tienen que regocijarse[a] delante de Jehová su Dios siete días.   41 Y tienen que celebrarlo como fiesta a Jehová siete días en el año.[b] Como estatuto hasta tiempo indefinido durante sus generaciones, deben celebrarla en el mes séptimo.   42 Es en las cabañas donde ustedes deben morar siete días.[c] Todos los naturales de Israel deben morar en las cabañas,[d]   43 a fin de que sepan[e] las generaciones de ustedes que fue en las cabañas donde hice yo morar a los hijos de Israel cuando estaba sacándolos de la tierra de Egipto.[f] Yo soy Jehová el Dios de ustedes' ".

44 En conformidad, Moisés habló a los hijos de Israel acerca de las fiestas periódicas[g] de Jehová.

24 Y procedió Jehová a hablar a Moisés, y dijo: 2 "Manda a los hijos de Israel que se consigan aceite de oliva puro, batido, para el alumbrado,[h] para encender la lámpara constantemente. 3 Fuera de la cortina del Testimonio en la tienda de reunión Aarón debe ponerla en orden desde la tarde hasta la mañana delante de Jehová constantemente. Es estatuto hasta tiempo indefinido durante las generaciones de ustedes. 4 Sobre el candelabro[j] de oro puro debe poner en orden las lámparas[k] delante de Jehová constantemente.[l]

5 "Y tienes que tomar flor de harina y cocer de ella doce tortas anulares. Dos décimos de un efá debe ser lo de cada torta anular. 6 Y tienes que colocarlas en dos grupos de capas, seis en cada grupo de capas,[m] sobre la mesa de oro puro delante de Jehová.[n] 7 Y tienes que poner olíbano puro sobre cada grupo de capas, y tiene que servir como el pan para recordativo,[o] una ofrenda hecha por fuego a Jehová. 8 Un día de sábado tras otro él

CAP. 23	
a Dt 16:15	
Ne 8:10	
b Nú 29:12	
Ne 8:18	
c Dt 31:10	
d Ne 8:14	
Ne 8:16	
Ne 8:17	
e Éx 13:14	
Éx 13:11	
Sl 78:5	
f Éx 12:38	
Nú 24:5	
Zac 14:16	
g Le 23:2	
CAP. 24	
h Éx 27:20	
i Nú 8:2;	
2Cr 13:11	
j Éx 25:31	
Jer 52:19	
Heb 9:2	
k Éx 39:37	
l Éx 27:20	
m Éx 40:23	
1Sa 21:4	
Mr 2:26	
n Éx 25:24	
1Re 7:48	
Heb 9:2	
o Le 2:2	
Le 6:15	
2.ª col.	
a Nú 4:7	
1Cr 9:32	
2Cr 2:4	
Ne 10:33	
b Le 22:22	
Le 22:10	
1Sa 21:6	
Mt 12:4	
Lu 6:4	
c Le 6:16	
d Éx 12:38	
Nú 11:4	
e Éx 2:13	
f Sl 8:1	
Sl 83:18	
Os 12:5	
g Éx 20:7	
Éx 21:17	
Éx 22:28	
Le 19:12	
Isa 8:21	
Rev 16:9	
i Nú 15:34	
j Éx 18:15	
k Le 13:46	
Nú 5:3	
l Dt 13:9	
Dt 17:7	
m Le 5:1	
Nú 15:35	
Dt 13:10	
n Dt 5:11	
o 1Re 21:10	
Sl 74:10	
p Gé 9:6	
Éx 21:12	
Nú 35:31	
Dt 19:13	

debe ponerlo en orden delante de Jehová constantemente.[a] Es un pacto hasta tiempo indefinido con los hijos de Israel. 9 Y tiene que llegar a ser de Aarón y sus hijos,[b] y ellos tienen que comerlo en un lugar santo,[c] porque es cosa santísima para él de las ofrendas de Jehová hechas por fuego, como disposición reglamentaria hasta tiempo indefinido".

10 Ahora bien, el hijo de una mujer israelita, que, sin embargo, era hijo de un hombre egipcio,[d] salió en medio de los hijos de Israel, y el hijo de la israelita y un hombre israelita se pusieron a luchar[e] el uno con el otro en el campamento. 11 Y el hijo de la mujer israelita empezó a injuriar el Nombre[f] y a invocar el mal contra él.[g] De modo que lo llevaron a donde Moisés.[h] A propósito, el nombre de su madre era Selomit, hija de Dibrí, de la tribu de Dan. 12 Entonces lo pusieron en custodia[i] hasta que se les hiciera una declaración precisa conforme al dicho de Jehová.[j]

13 Y Jehová procedió a hablar a Moisés, y dijo: 14 "Saca fuera del campamento al que invocó el mal;[k] y todos los que le oyeron tienen que poner sus manos[l] sobre la cabeza de él, y la asamblea entera tiene que lapidarlo.[m] 15 Y debes hablar a los hijos de Israel, diciendo: 'En caso de que cualquier hombre invoque el mal contra su Dios, entonces tiene que responder por su pecado. 16 De manera que el injuriador del nombre de Jehová debe ser muerto sin falta.[n] La entera asamblea debe sin falta lapidarlo. Residente forastero, lo mismo que natural, debe ser muerto por injuriar el Nombre.[o]

17 " 'Y en caso de que un hombre hiera mortalmente a cualquier alma de la humanidad, debe ser muerto sin falta.[p] 18 Y el que hiera mortalmente el alma de un animal doméstico debe dar compensación por ella,

alma por alma.[a] **19** Y en caso de que un hombre le causara un defecto a su asociado, entonces, tal como él haya hecho, así se le debe hacer a él.[b] **20** Fractura por fractura, ojo por ojo, diente por diente; la misma clase de defecto que le cause al hombre, eso es lo que se le debe causar a él.[c] **21** Y el que hiera mortalmente a una bestia[d] debe dar compensación[e] por ella, pero el que hiera mortalmente a un hombre debe ser muerto.[f]

22 "'Una misma decisión judicial debe aplicar a ustedes. El residente forastero debe resultar ser lo mismo que el natural,[g] porque yo soy Jehová el Dios de ustedes'".[h]

23 Después de eso Moisés habló a los hijos de Israel, y ellos sacaron fuera del campamento al que había invocado el mal, y lo lapidaron.[i] Así que los hijos de Israel hicieron tal como Jehová había mandado a Moisés.

25 Y Jehová habló adicionalmente a Moisés en el monte Sinaí, y dijo: **2** "Habla a los hijos de Israel, y tienes que decirles: 'Cuando entren por fin en la tierra que les voy a dar,[k] entonces la tierra tiene que observar un sábado a Jehová.[k] **3** Seis años debes sembrar tu campo, y seis años debes podar tu viña, y tienes que recoger el producto de la tierra.[l] **4** Pero en el año séptimo debe ocurrir un sábado de descanso completo para la tierra,[m] un sábado a Jehová. Tu campo no debes sembrar, y tu viña no debes podar. **5** Lo que crezca de los granos caídos de tu siega no debes segar; y las uvas de la vid no podada no debes vendimiar. Debe ocurrir un año de descanso completo para la tierra. **6** Y el sábado de la tierra tiene que servirles de alimento a ustedes, a ti y tu esclavo y tu esclava y tu trabajador asalariado y el poblador que está contigo, a los que estén residiendo como forasteros contigo, **7** y a tu animal

doméstico y a la bestia salvaje que está en tu tierra. Todo su producto debe servir para comer.

8 "'Y tienes que contarte siete sábados de años, siete veces siete años, y los días de los siete sábados de años tienen que ascender a cuarenta y nueve años para ti. **9** Y tienes que hacer sonar el cuerno de sonido fuerte[a] en el mes séptimo, en el día diez del mes;[b] en el día de expiación[c] ustedes deben hacer sonar el cuerno en toda su tierra. **10** Y tienen que santificar el año cincuenta y proclamar libertad en la tierra a todos sus habitantes.[d] Llegará a ser un Jubileo[e] para ustedes, y ustedes tienen que volver cada uno a su posesión y deben volver cada uno a su familia.[f] **11** Un Jubileo es lo que ese año cincuenta llegará a ser para ustedes.[g] No deben sembrar semilla ni segar lo que en la tierra crezca de los granos caídos ni vendimiar las uvas de sus vides no podadas.[h] **12** Porque es un Jubileo. Debe llegar a ser cosa santa a ustedes. Del campo pueden comer lo que la tierra produzca.[i]

13 "'En este año del Jubileo ustedes deben volver cada uno a su posesión.[j] **14** Ahora bien, en caso de que ustedes vendieran mercancía a tu asociado o estuvieran comprando algo de mano de tu asociado, no se hagan injusticias unos a otros.[k] **15** Según el número de los años después del Jubileo deben comprar de tu asociado; según el número de los años de las cosechas te debe vender él. **16** En proporción con el gran número de años él debe aumentar el valor puesto para su compra,[m] y en proporción con el número reducido de años él debe reducir el valor puesto para su compra, porque el número de las cosechas es lo que te está vendiendo. **17** Y no deben hacer injusticia, cualquiera, a su asociado,[n] y tienes que estar en temor de tu

CAP. 24
a Ex 21:35
b Ex 21:23
c Ex 21:24
  Dt 19:21
  Mt 5:38
d Ex 21:33
e Ex 21:34
  Ex 22:1
f Gé 9:6
  Ex 21:12
g Ex 12:49
  Le 17:10
  Le 19:34
  Nú 9:14
  Nú 15:16
h Ro 3:29
i Nú 15:36
  Dt 17:7

CAP. 25
j Gé 15:16
  Dt 32:8
  Jos 24:1
k Le 26:34
  2Cr 36:21
l Ex 23:10
m Ex 23:11
  Le 26:34

2.ª col.
a Nú 10:2
  Nú 10:10
b Le 23:27
c Le 16:30
  Le 23:28
d Sl 146:7
  Isa 61:1
  Isa 63:4
  Jer 34:8
  Lu 4:18
  Ro 8:21
e Le 27:17
  Le 27:24
f Le 25:13
  Nú 36:4
  Dt 15:1
g Mt 12:8
  Mt 12:12
  Ro 8:21
h Le 25:5
i Ex 23:11
  Le 25:6
j Le 25:30
  Le 27:24
k 1Sa 12:3
  Pr 14:31
  Am 5:11
  Miq 2:2
  1Co 6:8
l Le 27:18
m Le 27:23
n Le 19:13
  Pr 22:22
  Jer 7:6

Dios,ᵃ porque yo soy Jehová el Dios de ustedes.ᵇ 18 De modo que tienen que poner por obra mis estatutos, y deben guardar mis decisiones judiciales y tienen que ponerlas por obra. Entonces ciertamente morarán en la tierra en seguridad.ᶜ 19 Y la tierra verdaderamente dará su fruto,ᵈ y ustedes ciertamente comerán hasta quedar satisfechos, y morarán en ella en seguridad.ᵉ 20 ''Pero en caso de que ustedes dijeran: "¿Qué vamos a comer en el año séptimo, dado que no podemos sembrar semilla ni recoger nuestras cosechas?",ᶠ 21 en ese caso ciertamente ordenaré mi bendición para ustedes en el año sexto, y este tendrá que producir su cosecha para tres años.ᵍ 22 Y el año octavo tendrán que sembrar y tendrán que comer de la cosecha vieja hasta el año noveno. Hasta que venga su cosecha comerán lo viejo.

23 ''Así es que la tierra no debe venderse en perpetuidad,ʰ porque la tierra es mía.ⁱ Pues ustedes son residentes forasteros y pobladores desde mi punto de vista.ʲ 24 Y en toda la tierra de su posesión ustedes deben otorgar a la tierra el derecho de ser recobrada por compra.ᵏ

25 ''En caso de que tu hermano empobrezca y tenga que vender parte de su posesión, un recomprador de parentesco próximo entonces tiene que venir y recobrar por compra lo que su hermano haya vendido.ˡ 26 Y en caso de que alguno no resulte tener recomprador, y su propia mano sí logre obtener ganancia y él de hecho halle lo suficiente para su recompra, 27 entonces tiene que calcular los años desde que vendió aquello, y tiene que devolver el dinero que quede al hombre a quien haya hecho la venta, y tiene que volver a su posesión.ᵐ 28 ''Pero si su mano no halla lo suficiente para devolvérselo, entonces lo que haya vendido

CAP. 25

a Gé 20:11
Gé 22:12
Le 25:43
1Sa 12:24
Ne 5:9
Pr 1:7
Pr 8:13
Hch 9:31
b Isa 33:22
c Dt 12:10
Sl 4:8
Pr 1:33
d Le 26:5
Sl 67:6
Eze 34:27
e Eze 34:25
f Le 25:5
Mt 6:25
g Gé 26:12
Dt 28:8
Mal 3:10
h 1Re 21:3
Eze 48:14
i 2Cr 7:20
Sl 85:1
Sl 85:1
Joe 2:18
j 1Cr 29:15
Sl 39:12
1Pe 2:11
k Le 25:51
l Rut 2:20
Rut 4:4
Rut 4:6
Jer 32:7
m Le 25:50

2.ᵃ col.

a Le 25:10
Le 25:13
Le 25:24
b Le 25:10
Le 25:25
Le 25:51
d Le 25:48
e Le 25:10
f Nú 35:2
Nú 35:8
Jos 21:2
g Jer 32:8
h Le 25:28
i Nú 18:20
Nú 35:4
Dt 18:1
j Nú 35:2
Jos 14:4
Jos 21:2
k Le 25:25
Sl 15:7
Sl 41:1
Pr 14:20
Pr 17:5
Pr 19:17
Mt 14:7
l Sl 37:26
Sl 112:5
Pr 3:27
Pr 14:31
Lu 6:35
Hch 11:29
1Ti 6:18
1Jn 3:17
m Éx 22:21
Éx 23:9
Le 19:34
Dt 10:18
n Éx 22:25
Dt 23:19
Ne 5:7
Sl 15:5
Pr 28:8
Eze 18:13

tiene que continuar en poder de su comprador hasta el año del Jubileo;ᵃ y tiene que salir [de su poder] en el Jubileo, y él tiene que volver a su posesión.ᵇ

29 ''Ahora bien, en caso de que un hombre vendiera una casa de habitación en una ciudad amurallada, entonces tiene su derecho de recompra tiene que continuar hasta que termine un año desde el tiempo de su venta; su derecho de recompraᶜ debe continuar un año entero. 30 Pero si no se recobrara por compra antes de cumplírsele el año completo, entonces la casa que está en la ciudad que tiene muro tendrá que quedar en perpetuidad como la propiedad de su comprador durante sus generaciones. No debe salir en el Jubileo. 31 Sin embargo, las casas de poblados que no tienen muro en su derredor deben considerarse como parte del campo del país. El derecho de recompraᵈ debe continuar para ella, y en el Jubileoᵉ debe salir [libre].

32 ''En cuanto a las ciudades de los levitas con las casas de las ciudades de su posesión,ᶠ el derecho de recompra debe continuar hasta tiempo indefinido para los levitas.ᵍ 33 Y en el caso donde la propiedad de los levitas no se recobre por compra, entonces la casa que se haya vendido en la ciudad de su posesión tendrá que salir [libre] en el Jubileo;ʰ porque las casas de las ciudades de los levitas son la posesión de ellos en medio de los hijos de Israel.ⁱ 34 Además, el campo de dehesaʲ de sus ciudades no podrá venderse, porque es una posesión hasta tiempo indefinido para ellos.

35 ''Y en caso de que tu hermano empobrezca y por eso se halle económicamente débil al lado tuyo,ᵏ entonces tienes que sustentarlo.ˡ Como residente forastero y poblador,ᵐ tiene que mantenerse vivo contigo. 36 No tomes de él interés ni usura;ⁿ antes bien, tienes que es-

tar en temor de tu Dios;[a] y tu hermano tiene que mantenerse vivo contigo. 37 No debes darle tu dinero a interés,[b] y no debes dar tu alimento a usura. 38 Yo soy Jehová el Dios de ustedes, quien los sacó de la tierra de Egipto para darles la tierra de Canaán,[c] para resultar ser Dios de ustedes.[d]

39 "Y en caso de que tu hermano empobrezca al lado tuyo y tenga que venderse a ti,[e] no debes usarlo como trabajador en servicio de esclavitud.[f] 40 Debe resultar estar contigo como trabajador asalariado,[g] como poblador. Debe servir contigo hasta el año del Jubileo. 41 Y tendrá que salir de contigo, él y sus hijos con él, y tendrá que volver a su familia, y debe volver a la posesión de sus antepasados.[h] 42 Porque ellos son esclavos míos a quienes saqué de la tierra de Egipto.[i] Ellos no deben venderse como se vende un esclavo. 43 No debes pisotearlo con tiranía,[j] y tienes que estar en temor de tu Dios.[k] 44 En cuanto a tu esclavo y tu esclava que llegan a ser tuyos de entre las naciones que están en derredor de ustedes, de ellas podrán ustedes comprar un esclavo y una esclava. 45 Y también de los hijos de los pobladores que estén residiendo como forasteros con ustedes,[l] de ellos podrán comprar, y de las familias de ellos que estén con ustedes que les hayan nacido en la tierra de ustedes; y ellos tienen que llegar a ser posesión de ustedes. 46 Y ustedes tienen que pasarlos como herencia a sus hijos después de ustedes para que los hereden como posesión hasta tiempo indefinido.[m] Podrán usarlos como trabajadores, pero a los hermanos de ustedes, los hijos de Israel, no debes pisotear, el uno al otro, con tiranía.[n] 47 "Pero en caso de que la mano del residente forastero o del poblador que esté contigo se enriquezca, y tu hermano se

CAP. 25
a Sl 89:7
Pr 8:13
Heb 12:28
b Dt 23:20
Ne 5:10
Lu 6:35
c Éx 20:2
1Re 8:51
d Éx 6:7
Nú 15:41
e Éx 21:2
Dt 15:12
2Re 4:1
Ne 5:5
f Éx 1:14
g Le 25:53
1Re 9:22
h Éx 21:3
Le 25:10
i Éx 19:5
Le 25:55
j Éx 1:13
Éx 3:7
Isa 47:6
Ef 6:9
Col 4:1
k Éx 1:17
Le 25:17
Ec 12:13
l Éx 12:38
Jos 9:21
m Isa 14:2
n Le 25:39
Le 25:43

2.ª col.
a Ne 5:5
b Le 25:25
c Ne 5:8
d Rut 2:20
e Le 25:26
1Co 7:23
f Le 25:10
Le 25:16
g Le 25:27
h Dt 15:18
Isa 16:14
Isa 21:16
i Le 25:16
Le 27:18
j Le 25:40
k Le 25:43
Col 4:1
l Éx 21:3
Le 25:40
m Le 25:42
n Éx 13:3
Éx 20:2
Lu 1:74
o Dt 1:21
Jos 1:9

CAP. 26
p Éx 20:4
Le 19:4
Sl 96:5
Hch 17:29
1Co 8:4
q Dt 5:8

haya empobrecido al lado de él y tenga que venderse al residente forastero o al poblador que esté contigo, o a un miembro de la familia del residente forastero, 48 después que se haya vendido,[a] en el caso de él el derecho de recompra continuará.[b] Uno de sus hermanos podrá recobrarlo por compra.[c] 49 O su tío o el hijo de su tío podrá recobrarlo por compra, o cualquier pariente consanguíneo de su carne,[d] uno de su familia, podrá recobrarlo por compra.

"O si su propia mano se ha enriquecido, entonces él mismo tiene que recobrarse por compra.[e] 50 Y tiene que calcular con su comprador desde el año en que se vendió a él hasta el año del Jubileo,[f] y el dinero de su venta tiene que estar de acuerdo con el número de años.[g] De la manera como se calculan las jornadas de un trabajador asalariado él debe continuar con él.[h] 51 Si todavía hay muchos años, en proporción con ellos debe pagar el precio de su recompra del dinero de su compra. 52 Pero si solo quedan unos cuantos de los años hasta el año del Jubileo,[i] entonces tiene que hacer un cálculo por sí mismo. En proporción con los años suyos debe pagar el precio de su recompra. 53 Debe continuar con él como trabajador asalariado[j] de año en año. No podrá pisotearlo con tiranía[k] delante de tus ojos. 54 Sin embargo, si no puede recobrarse por compra de acuerdo con estas condiciones, entonces tendrá que salir en el año del Jubileo,[l] él y sus hijos con él.

55 "Porque para mí los hijos de Israel son esclavos. Son mis esclavos[m] a quienes saqué de la tierra de Egipto.[n] Yo soy Jehová el Dios de ustedes.[o]

26 "No deben hacerse dioses que nada valen,[p] y no deben erigirse una imagen tallada[q] ni una columna sagrada, y no deben colocar una piedra como obra de exhibición[a] en su tierra para inclinarse hacia ella;[b] porque yo soy Jehová el Dios de ustedes. 2 Deben guardar mis sábados[c] y abrigar respetuoso temor a mi santuario. Yo soy Jehová.

3 "'Si continúan andando en mis estatutos y guardando mis mandamientos y de hecho los ponen por obra,[d] 4 entonces yo ciertamente les daré sus lluvias cuantiosas a su debido tiempo,[e] y la tierra verdaderamente dará su producto,[f] y el árbol del campo dará su fruto.[g] 5 Y su trilla ciertamente alcanzará a su vendimia, y la vendimia alcanzará a la siembra; y verdaderamente comerán su pan hasta quedar satisfechos,[h] y morarán en seguridad en su tierra.[i] 6 Y yo ciertamente pondré paz en el país,[j] y ustedes verdaderamente se acostarán, sin que nadie [los] haga temblar;[k] y ciertamente haré que deje de estar en el país la bestia salvaje dañina,[l] y una espada no pasará por la tierra de ustedes.[m] 7 Y ustedes ciertamente correrán tras sus enemigos,[n] y ellos verdaderamente caerán delante de ustedes a espada. 8 Y cinco de ustedes ciertamente correrán tras cien, y cien de ustedes correrán tras diez mil, y sus enemigos verdaderamente caerán delante de ustedes a espada.[o]

9 "'Y ciertamente me volveré a ustedes[p] y los haré fructíferos y los multiplicaré,[q] y verdaderamente pondré por obra mi pacto con ustedes.[r] 10 Y ustedes ciertamente comerán lo viejo del año anterior,[s] y sacarán lo viejo antes de lo nuevo. 11 Y ciertamente pondré mi tabernáculo en medio de ustedes,[t] y mi alma no los aborrecerá.[u] 12 Y verdaderamente andaré en medio de ustedes y resultaré ser Dios de ustedes,[v] y ustedes, por su parte, resultarán ser pueblo mío.[w] 13 Yo soy Jehová su Dios, quien los sacó de la tierra de Egipto, de

servirles de esclavos,[a] y procedí a quebrar las varas de su yugo y a hacer que anduvieran erguidos.[b]

14 "'Sin embargo, si ustedes no me escuchan ni ponen por obra todos estos mandamientos,[c] 15 y si rechazan mis estatutos,[d] y si sus almas aborrecen mis decisiones judiciales de modo que no ponen por obra todos mis mandamientos, al grado de violar mi pacto,[e] 16 entonces yo, por mi parte, les haré lo siguiente, y en castigo ciertamente traeré sobre ustedes perturbación con tuberculosis[f] y fiebre ardiente, haciendo fallar los ojos[g] y causando languidez al alma.[h] Y simplemente sembrarán para nada su semilla, puesto que sus enemigos ciertamente se la comerán.[i] 17 Y verdaderamente fijaré mi rostro contra ustedes, y ciertamente serán derrotados delante de sus enemigos;[j] y simplemente los pisotearán aquellos que los odian,[k] y ustedes realmente huirán cuando nadie los esté persiguiendo.[l]

18 "'Sin embargo, si a pesar de estas cosas ustedes no me escuchan, entonces tendré que castigarlos siete veces más por sus pecados.[m] 19 Y tendré que quebrar el orgullo de su fuerza y hacer como hierro sus cielos[n] y como cobre su tierra. 20 Y su poder simplemente se gastará para nada, puesto que su tierra no dará su producto,[o] y el árbol de la tierra no dará su fruto.[p]

21 "'Pero si siguen andando en oposición a mí y sin desear escucharme, entonces tendré que infligirles siete veces más golpes conforme a sus pecados.[q] 22 Y ciertamente enviaré entre ustedes las bestias salvajes del campo,[r] y ciertamente los privarán de hijos[s] y cortarán [de la existencia] a sus animales domésticos y reducirán el número

CAP. 26
a Nú 33:52
b Da 3:18
1Co 10:14
c Le 19:30
d Dt 11:13
Ec 12:13
Isa 48:18
e Dt 28:12
Isa 30:23
Eze 34:26
Joe 2:23
Am 4:7
f Sl 67:6
g Eze 34:27
Eze 36:30
h Dt 11:15
Joe 2:19
i Le 25:18
Pr 1:33
Jer 23:6
j 1Cr 22:9
Sl 29:11
Ag 2:9
Flp 4:9
k Job 11:19
Sl 4:8
Jer 30:10
Miq 4:4
l 2Re 17:26
m Eze 14:17
Sl 18:37
n Dt 28:7
Dt 32:30
Jos 23:10
Jue 7:16
Jue 15:15
1Cr 11:20
p Éx 2:25
2Re 13:23
q Dt 28:4
Ne 9:23
Sl 107:38
r Éx 6:4
s Le 25:22
t Éx 25:8
Jos 22:19
Eze 37:26
Rev 21:3
u Le 20:23
Jer 14:21
v Éx 6:7
Dt 23:14
2Co 6:16
w Jer 7:23
Jer 11:20

2.ᵃ col.
a Éx 20:2
Le 25:38
Jer 11:4
b Jer 2:20
c Dt 28:15
Mal 2:2
d 2Re 17:15
Dt 13:10
e Éx 34:7
Dt 31:16
Jer 11:10
Heb 8:9
f Dt 28:22
g 1Sa 2:33
h Eze 33:10
i Dt 28:33
Jue 6:3
Dt 28:25
Isa 1:14
Isa 4:10
Lam 2:17
k Sl 106:41
Lam 1:5

l Le 26:36; Pr 28:1; m Le 26:21; Sl 76:7; Sl 79:12; n Dt 11:17; 1Re 17:1; o Jer 12:13; Ag 1:6; p Dt 11:17; Dt 28:18; Ag 1:10; q Le 26:18; r Dt 32:24; 2Re 17:25; Jer 15:3; s 2Re 2:24; Eze 5:17.

de ustedes, y sus caminos realmente quedarán desolados.[a]

23 "'Sin embargo, si con estas cosas no se dejan corregir por mí[b] y simplemente tienen que andar en oposición a mí, **24** yo, sí, yo, entonces tendré que andar en oposición a ustedes;[c] y yo, aun yo, tendré que herirlos siete veces por sus pecados.[d] **25** Y ciertamente traeré sobre ustedes una espada que tome venganza[e] debido al pacto;[f] y ustedes realmente se recogerán en sus ciudades, y ciertamente enviaré la peste en medio de ustedes,[g] y tendrán que ser dados en manos de un enemigo.[h] **26** Cuando yo les haya quebrado las varas alrededor de las cuales se suspenden panes anulares,[i] entonces diez mujeres realmente cocerán el pan de ustedes en un solo horno y les devolverán su pan por peso;[j] y ustedes tendrán que comer, pero no quedarán satisfechos.[k]

27 "'Sin embargo, si con esto no me escuchan y simplemente tienen que andar en oposición a mí,[l] **28** entonces tendré que andar en acalorada oposición a ustedes,[m] y yo, sí, yo, tendré que castigarlos siete veces por sus pecados.[n] **29** De modo que tendrán que comer la carne de sus hijos, y comerán la carne de sus hijas.[o] **30** Y ciertamente aniquilaré sus lugares altos sagrados[p] y cortaré sus estantes del incienso y pondré los propios cadáveres de ustedes sobre los cadáveres de sus ídolos estercolizos;[q] y mi alma simplemente los aborrecerá a ustedes.[r] **31** Y verdaderamente daré sus ciudades a la espada[s] y haré desolados sus santuarios,[t] y no oleré sus olores conducentes a descanso.[u] **32** Y yo, por mi parte, ciertamente haré desolado el país,[v] y los enemigos de ustedes que están morando en él simplemente se quedarán mirando asombrados a causa de ello.[w] **33** Y a ustedes los esparciré entre las naciones,[x] y ciertamente desen-

vainaré una espada tras de ustedes;[a] y su tierra tiene que quedar hecha una desolación,[b] y sus ciudades llegarán a ser una ruina desolada.

34 "'En aquel tiempo la tierra pagará sus sábados durante todos los días que yazca desolada, mientras estén ustedes en la tierra de sus enemigos. En aquel tiempo la tierra guardará el sábado, puesto que tiene que pagar sus sábados.[c] **35** Todos los días que yazca desolada guardará el sábado, por motivo de que no guardó el sábado durante los sábados de ustedes cuando ustedes estaban morando en ella.

36 "'En cuanto a los que queden de ustedes,[d] ciertamente introduciré timidez en sus corazones en las tierras de sus enemigos; y al sonido de una hoja impelida de acá para allá realmente emprenderán fuga, y realmente huirán como se huye de una espada, y caerán sin que nadie persiga.[e] **37** Y ciertamente tropezarán los unos contra los otros como si fuera de delante de una espada sin que nadie persiga, y para ustedes resultará que no podrán mantenerse en pie [en resistencia] delante de sus enemigos.[f] **38** Y ustedes tendrán que perecer entre las naciones,[g] y la tierra de sus enemigos tendrá que comérselos. **39** En cuanto a los que queden de ustedes, se pudrirán[h] a causa de su error en las tierras de sus enemigos. Sí, aun a causa de los errores de sus padres,[i] con ellos se pudrirán. **40** Y ciertamente confesarán su propio error[j] y el error de sus padres en su infidelidad cuando se portaron infielmente para conmigo, sí, aun cuando anduvieron en oposición a mí.[k] **41** Sin embargo, yo, por mi parte, procedí a andar en oposición a ellos,[l] y tuve que introducirlos en la tierra de sus enemigos.[m]

CAP. 26
a Jue 5:6
 Isa 33:8
 Eze 14:15
 Zac 7:14
b Isa 1:16
 Jer 2:30
 Jer 5:3
 Heb 12:6
c Job 9:4
 Si 18:26
d Le 26:18
e Eze 6:9
 Heb 10:30
f Ex 24:7
g Dt 28:21
 2Sa 24:15
 Jer 24:10
 Am 4:10
h Jue 2:14
 1Sa 4:10
i Si 105:16
 Eze 5:16
j Eze 4:16
k Isa 9:20
 Miq 6:14
 Ag 1:6
l Le 26:21
m Isa 59:18
 Jer 21:5
n Le 26:18
 Le 26:21
o Dt 28:53
 2Re 6:29
 Jer 19:9
 Lam 2:20
 Lam 4:10
 Eze 5:10
p 1Re 13:2
 2Re 23:8
 2Cr 34:3
 Isa 27:9
q 2Re 23:20
 Jer 16:18
 Eze 6:5
r Si 78:59
s 2Re 25:9
 2Cr 36:17
 Ne 2:3
 Isa 1:7
 Isa 24:7
t Si 74:7
 Jer 52:13
 Lam 1:10
 Mr 13:2
u Gé 8:21
v Dt 29:23
 Jer 9:11
 Lu 21:20
w Dt 28:37
 Jer 18:16
 Lam 2:15
 Eze 5:15
x Si 44:11
 Jer 9:16

2.ª col.

a Eze 12:14
b Jer 9:11
 Zac 7:14
c 2Cr 36:21
d Isa 24:6
e Le 26:17
 Pr 28:1
 Isa 30:17
 Eze 21:7
f Jos 7:12
 Jue 2:14
 Isa 10:4
 Jer 37:10
g Dt 4:27
 Dt 28:48
 Jer 42:17

h Dt 4:27; Dt 28:65; Eze 6:9; i Éx 20:5; Nú 14:18; Dt 5:9; j 1Re 8:33; Ne 9:2; Da 9:5; k Jer 31:19; Eze 36:31; l Le 26:24; m 1Re 8:47; 2Cr 36:20.

" 'Tal vez en aquel tiempo quede humillado[a] su corazón incircunciso,[b] y en aquel tiempo paguen por completo su error. 42 Y verdaderamente me acordaré de mi pacto con Jacob;[c] y hasta de mi pacto con Isaac[d] y hasta de mi pacto con Abrahán[e] me acordaré, y me acordaré de la tierra. 43 Durante todo aquel tiempo la tierra quedó abandonada por ellos y estuvo pagando sus sábados[f] mientras yacía desolada sin ellos y ellos mismos estaban pagando por su error,[g] porque, aun porque, habían rechazado mis decisiones judiciales,[h] y sus almas habían aborrecido mis estatutos.[i] 44 Y aun por todo esto, mientras continúen en la tierra de sus enemigos, ciertamente no los rechazaré[j] ni los aborreceré[k] de modo que los extermine, para violar mi pacto[l] con ellos; porque yo soy Jehová el Dios de ellos. 45 Y ciertamente me acordaré, a favor de ellos, del pacto de los antecesores[m] que saqué de la tierra de Egipto ante los ojos de las naciones,[n] a fin de mostrar ser su Dios. Yo soy Jehová' ".

46 Estas son las disposiciones reglamentarias y las decisiones judiciales[o] y las leyes que Jehová estableció entre él y los hijos de Israel en el monte Sinaí por medio de Moisés.[p]

27 Y Jehová continuó hablando a Moisés, y dijo: 2 "Habla a los hijos de Israel, y tienes que decirles: 'En caso de que un hombre, en cumplimiento de un voto,[q] haga una ofrenda especial de almas a Jehová conforme a la valoración, 3 y la valoración tenga que ser de un varón de veinte años de edad hasta sesenta años de edad, la valoración entonces tiene que llegar a ser de cincuenta siclos de plata, según el siclo del lugar santo. 4 Pero si se trata de una hembra, la valoración entonces tiene que llegar a ser de treinta siclos. 5 Y si la edad es de cinco años hasta veinte años de edad, la valoración del varón entonces tiene que llegar a ser de veinte siclos, y para la hembra diez siclos. 6 Y si la edad es de un mes hasta cinco años de edad, la valoración del varón entonces tiene que llegar a ser de cinco siclos de plata, y para la hembra la valoración tiene que ser de tres siclos de plata.

7 " 'Ahora bien, si la edad es de sesenta años para arriba, si se trata de varón, la valoración entonces tiene que llegar a ser de quince siclos, y para la hembra diez siclos. 8 Pero si él se ha hecho demasiado pobre para [pagar] la valoración,[b] entonces tendrá que hacer que la persona esté delante del sacerdote, y el sacerdote tendrá que fijarle valoración.[c] El sacerdote le fijará valoración de acuerdo con lo que pueda pagar el que hace el voto.[d]

9 " 'Y si es una bestia de las que uno presenta en ofrenda a Jehová, el todo de lo que dé a Jehová llegará a ser cosa santa.[e] 10 No podrá reemplazarlo, y no podrá trocarlo con bueno por malo ni con malo por bueno. Pero si de manera alguna lo trocara con bestia por bestia, ella misma entonces tiene que llegar a ser, y lo trocado por ella debe llegar a ser, cosa santa. 11 Y si es cualquier bestia inmunda[f] de las que uno no pueda presentar en ofrenda a Jehová,[g] entonces tendrá que hacer que la bestia esté delante del sacerdote.[h] 12 Y el sacerdote tendrá que fijarle valoración, sea buena o mala. Conforme a la valoración[i] hecha por el sacerdote, así debe llegar a ser. 13 Pero si acaso quiere de manera alguna recobrarla por compra, entonces tiene que dar la quinta parte[j] de ella además de la valoración.

14 " 'Ahora bien, en caso de que un hombre santificara su casa como cosa santa a Jehová, el sacerdote entonces tiene que valorarla, sea buena o mala.[k] Conforme a la valoración que de ella haga el sacerdote, eso debe

---

Referencias marginales

CAP. 26
a 2Cr 12:7
b Dt 30:6
  Jer 4:4
  Jer 9:26
  Eze 44:7
  Hch 7:51
  Ro 2:29
c Gé 28:13
  Nú 32:11
d Gé 26:3
e Gé 12:7
  Éx 2:24
  Dt 4:31
  Sl 106:45
  Lu 1:72
f Le 26:34
  2Cr 36:21
g Le 26:41
  Nú 14:34
h 2Re 17:15
i Le 26:15
j Dt 4:31
  2Re 13:23
  Ne 9:31
  Ro 11:2
k Le 26:11
l Dt 4:13
  Jer 14:21
m Éx 24:3
  Éx 24:8
  Dt 9:9
n Sl 98:2
  Eze 20:9
o Dt 6:1
p Le 27:34
  Jn 1:17

CAP. 27
q Nú 6:2
  Dt 23:21
  Jue 11:30
  1Sa 1:11
  Ec 5:4

2.ᵃ col.
a Nú 18:16
b Le 5:7
  Le 5:11
  Le 12:8
  Le 14:21
c Nú 3:6
  2Re 12:4
  2Co 8:12
d Le 2:3
  Nú 18:9
f Le 20:25
  Dt 14:7
g Mal 1:11
h Le 10:10
  Nú 3:6
  Éxe 44:23
i Le 5:15
  Le 6:6
j Le 5:16
  Le 5:18
  Le 22:14
  Le 27:19
k Le 27:12

costar. 15 Pero si el santificador quiere recobrar su casa por compra, entonces tiene que dar por añadidura al dinero de la valoración la quinta parte de él;[a] y tiene que llegar a ser suya.

16 " 'Y si fuera parte del campo de su posesión[b] lo que el hombre fuera a santificar a Jehová, la valoración entonces tiene que hacerse en proporción con su semilla: si un homer[c] de semilla de cebada, entonces en cincuenta siclos de plata. 17 Si santificara su campo desde el año del Jubileo[d] en adelante, debe costar conforme a la valoración. 18 Y si es después del Jubileo cuando él santifica su campo, el sacerdote entonces tiene que calcularle el precio en proporción con los años que queden hasta el siguiente año del Jubileo, y debe hacérsele una rebaja a la valoración.[e] 19 Pero si el santificador de él quiere de manera alguna recobrar por compra el campo, entonces tiene que dar por añadidura al dinero de la valoración la quinta parte de él, y tiene que quedar suyo.[f] 20 Ahora bien, si él no recobra por compra el campo, sino que el campo se vende a otro hombre, ya no podrá ser recobrado por compra. 21 Y el campo, cuando salga en el Jubileo, tendrá que llegar a ser cosa santa a Jehová, como campo que está dado por entero.[g] La posesión de él llegará a ser del sacerdote.[h]

22 " 'Y si él santifica a Jehová un campo comprado por él que no es parte alguna del campo de su posesión,[i] 23 el sacerdote entonces tiene que calcularle el importe de la valoración hasta el año del Jubileo, y él tiene que dar la valoración en ese mismo día.[j] Es cosa santa a Jehová.[k] 24 En el año del Jubileo el campo volverá a aquel de quien lo haya comprado, a aquel a quien pertenece la posesión de la tierra.[l]

25 " 'Ahora bien, toda valoración debe hacerse en el siclo del

CAP. 27
a Le 27:13
b Hch 4:34
c Eze 45:11
  Os 3:2
d Le 25:10
  Le 25:50
e Le 25:15
  Le 25:16
  Le 25:27
f Le 27:13
g Dt 22:9
  Eze 44:29
h Nú 18:14
i Le 25:10
  Le 25:25
j Le 27:12
  Le 27:18
k Le 27:9
l Le 25:28

2.ª col.
a Éx 30:13
  Nú 3:47
  Nú 18:16
  Eze 45:12
b Éx 13:2
  Nú 18:17
c Éx 22:30
  Dt 15:19
d Dt 15:21
e Le 27:13
f Éx 22:20
  Dt 7:25
  Dt 7:26
  Jos 6:17
  Jos 7:1
  1Sa 15:3
g Nú 18:14
h Nú 21:2
  1Sa 15:18
i 1Sa 15:33
j Gé 14:20
  Gé 28:22
  Nú 18:21
  Nú 18:26
  Dt 12:6
  Dt 14:22
  2Cr 31:5
  Ne 13:12
  Mal 3:10
  Lu 11:42
  Heb 7:5
k Le 27:13
l Jer 33:13
m Le 27:10
n Le 26:46
  Dt 4:45
o Éx 3:1
  Nú 1:1
  Jn 1:17

lugar santo. El siclo debe equivaler a veinte guerás.[a]

26 " 'Solo que al primogénito entre las bestias, que nace como primogénito para Jehová,[b] nadie debe santificarlo. Sea toro u oveja, pertenece a Jehová.[c] 27 Y si es de las bestias inmundas[d] y él tiene que redimirlo conforme a la valoración, entonces tiene que dar por añadidura a él la quinta parte de ella.[e] Pero si no se recobra por compra, entonces tiene que venderse conforme a la valoración.

28 " 'Solo que ninguna clase de cosa dada por entero que un hombre haya dado por entero a Jehová para destrucción[f] de todo lo que sea suyo, sea de la humanidad o bestias o del campo de su posesión, podrá venderse, y ninguna clase de cosa dada por entero podrá recobrarse por compra.[g] Es cosa santísima a Jehová. 29 Ninguna persona dada por entero que haya sido dada por entero a la destrucción de entre la humanidad podrá ser redimida.[h] Debe ser muerta sin falta.[i]

30 " 'Y toda décima parte[j] de la tierra, de la semilla de la tierra y del fruto del árbol, pertenece a Jehová. Es cosa santa a Jehová. 31 Y si un hombre quiere de manera alguna recobrar por compra algo de su décima parte, debe dar la quinta parte de ello por añadidura a ello.[k] 32 En cuanto a toda décima parte de la vacada y del rebaño, de todo lo que pase bajo el cayado,[l] la cabeza décima debe llegar a ser cosa santa a Jehová. 33 No debe examinar si es bueno o malo; tampoco debe trocarlo. Pero si quiere trocarlo de manera alguna, ello mismo entonces tiene que llegar a ser, y lo trocado por ello debe llegar a ser, cosa santa.[m] No podrá recobrarse por compra' ".

34 Estos son los mandamientos[n] que Jehová dio a Moisés como mandatos a los hijos de Israel en el monte Sinaí.[o]

NÚMEROS

1 Y Jehová procedió a hablar a Moisés en el desierto de Sinaí,[a] en la tienda de reunión,[b] en el primer día del segundo mes, en el segundo año de la salida de ellos de la tierra de Egipto,[c] y dijo: 2 "Tomen la cuenta[d] de la entera asamblea de los hijos de Israel según sus familias, según la casa de sus padres, por el total numérico de nombres, todos los varones, cabeza por cabeza de ellos, 3 de veinte años de edad para arriba,[e] todos los que salen al ejército en Israel.[f] Deben inscribirlos según sus ejércitos, tú y Aarón.

4 "Y deben estar con ustedes algunos hombres, un hombre por cada tribu; cada uno es cabeza para la casa de sus padres.[g] 5 Y estos son los nombres de los hombres que estarán de pie con ustedes: De Rubén,[h] Elizur hijo de Sedeur; 6 de Simeón,[i] Selumiel[k] hijo de Zurisadai; 7 de Judá,[l] Nahsón[m] hijo de Aminadab; 8 de Isacar,[n] Netanel[o] hijo de Zuar; 9 de Zabulón,[p] Eliab[q] hijo de Helón; 10 de los hijos de José:[r] de Efraín,[s] Elisamá hijo de Amihud; de Manasés,[t] Gamaliel hijo de Pedahzur; 11 de Benjamín,[u] Abidán[v] hijo de Guideoní; 12 de Dan,[w] Ahiézer[x] hijo de Amisadai; 13 de Aser,[y] Paguiel[z] hijo de Ocrán; 14 de Gad,[a] Eliasaf hijo de Deuel;[c] 15 de Neftalí,[d] Ahirá[e] hijo de Enán. 16 Estos son los llamados de la asamblea, los principales[f] de las tribus de sus padres. Son las cabezas de los millares de Israel".[g]

17 De modo que Moisés y Aarón tomaron a estos hombres que habían sido designados por nombres. 18 Y congregaron a toda la asamblea en el primer día del segundo mes, para que se hiciera el reconocimiento de su descendencia[a] respecto a sus familias en la casa de sus padres, por el total numérico de los nombres, de veinte años de edad para arriba,[b] cabeza por cabeza de ellos, 19 tal como Jehová había mandado a Moisés; y él procedió a inscribirlos[c] en el desierto de Sinaí.

20 Y los hijos de Rubén, primogénito[d] de Israel, sus nacimientos según sus familias en la casa de sus padres, llegaron a ser por el total numérico de los nombres, cabeza por cabeza de ellos, todos los varones de veinte años de edad para arriba, todos los que salían al ejército, 21 los inscritos de ellos de la tribu de Rubén, cuarenta y seis mil quinientos.[e]

22 De los hijos de Simeón,[f] sus nacimientos según sus familias en la casa de sus padres, los inscritos de él por el total numérico de nombres, cabeza por cabeza de ellos, todos los varones de veinte años de edad para arriba, todos los que salían al ejército, 23 los inscritos de ellos de la tribu de Simeón fueron cincuenta y nueve mil trescientos.[g]

24 De los hijos de Gad,[h] sus nacimientos según sus familias en la casa de sus padres, por el total numérico de nombres de veinte años de edad para arriba, todos los que salían al ejército, 25 los inscritos de ellos de la tribu de Gad fueron cuarenta y cinco mil seiscientos cincuenta.[j]

26 De los hijos de Judá,[k] sus nacimientos según sus familias en la casa de sus padres, por el total numérico de nombres de veinte años de edad para arriba, todos los que salían al ejército, 27 los inscritos de ellos de la tri-

CAP. 1
a Éx 19:1
Dt 33:2
Hch 7:38
b Éx 25:22
c Éx 40:17
d Éx 30:12
e Éx 30:14
f Dt 3:18
g Éx 18:25
Nú 1:16
Jos 22:14
Jos 23:2
1Cr 27:1
h Gé 49:3
i Nú 2:10
j Gé 29:33
Gé 49:5
k Nú 7:36
l Gé 29:35
Gé 49:10
m Rut 4:20
Lu 3:32
n Gé 30:18
Gé 49:14
o Nú 10:15
p Gé 30:20
Gé 49:13
q Nú 7:24
r Gé 30:24
Gé 49:22
1Cr 5:1
s Gé 41:52
Gé 48:20
t Gé 41:51
Gé 35:18
Gé 49:20
v Nú 2:22
w Gé 30:6
Gé 49:17
x Nú 7:66
y Gé 30:13
Gé 49:20
z Nú 7:72
a Nú 2:14
b Nú 7:42
Nú 10:20
c Nú 2:14
d Gé 30:8
Gé 49:21
e Nú 2:29
Nú 10:27
f Éx 18:21
Nú 7:2
g Dt 1:15

2.ª col.

a Esd 2:62
Ne 7:61
b Éx 30:14
Nú 14:29
c Nú 26:2
d Gé 29:32
Gé 49:3
Nú 2:10
1Cr 5:1
e Nú 2:11
f Gé 29:33
Gé 46:10
Nú 2:12
Nú 26:12
g Nú 2:13

h Gé 30:11; Gé 46:16; Nú 26:15; i Nú 26:18; j Nú 2:15; k Gé 29:35; Gé 46:12; Gé 49:10; Nú 2:3; 1Cr 5:2; Mt 1:2; Heb 7:14; Rev 5:5.

bu de Judá fueron setenta y cuatro mil seiscientos.[a]

28 De los hijos de Isacar,[b] sus nacimientos según sus familias en la casa de sus padres, por el total numérico de nombres de veinte años de edad para arriba, todos los que salían al ejército, 29 los inscritos de ellos de la tribu de Isacar fueron cincuenta y cuatro mil cuatrocientos.[c]

30 De los hijos de Zabulón,[d] sus nacimientos según sus familias en la casa de sus padres, por el total numérico de nombres de veinte años de edad para arriba, todos los que salían al ejército, 31 los inscritos de ellos de la tribu de Zabulón fueron cincuenta y siete mil cuatrocientos.[e]

32 De los hijos de José: de los hijos de Efraín,[f] sus nacimientos según sus familias en la casa de sus padres, por el total numérico de nombres de veinte años de edad para arriba, todos los que salían al ejército, 33 los inscritos de ellos de la tribu de Efraín[g] fueron cuarenta mil quinientos.[h]

34 De los hijos de Manasés,[i] sus nacimientos según sus familias en la casa de sus padres, por el total numérico de nombres de veinte años de edad para arriba, todos los que salían al ejército, 35 los inscritos de ellos de la tribu de Manasés fueron treinta y dos mil doscientos.[j]

36 De los hijos de Benjamín,[k] sus nacimientos según sus familias en la casa de sus padres, por el total numérico de nombres de veinte años de edad para arriba, todos los que salían al ejército, 37 los inscritos de ellos de la tribu de Benjamín fueron treinta y cinco mil cuatrocientos.[l]

38 De los hijos de Dan,[m] sus nacimientos según sus familias en la casa de sus padres, por el total numérico de nombres de veinte años de edad para arriba, todos los que salían al ejército, 39 los inscritos de ellos de la tribu de Dan fueron sesenta y dos mil setecientos.[n]

40 De los hijos de Aser,[a] sus nacimientos según sus familias en la casa de sus padres, por el total numérico de nombres de veinte años de edad para arriba, todos los que salían al ejército, 41 los inscritos de ellos de la tribu de Aser fueron cuarenta y un mil quinientos.[b]

42 De los hijos de Neftalí,[c] sus nacimientos según sus familias en la casa de sus padres, por el total numérico de nombres de veinte años de edad para arriba, todos los que salían al ejército, 43 los inscritos de ellos de la tribu de Neftalí fueron cincuenta y tres mil cuatrocientos.[d]

44 Estos son los que fueron inscritos, a quienes Moisés inscribió, juntamente con Aarón y los principales de Israel, doce hombres. Estos representaron cada cual la casa de sus padres. 45 Y llegaron a ser todos los inscritos de los hijos de Israel, según la casa de sus padres, de veinte años de edad para arriba, todos los que salían al ejército en Israel, 46 sí, todos los inscritos llegaron a ser seiscientos tres mil quinientos cincuenta.[e]

47 Sin embargo, los levitas[f] según la tribu de sus padres no fueron inscritos entre ellos.[g] 48 Por consiguiente, Jehová habló a Moisés, y dijo: 49 "Sólo a la tribu de Leví no debes inscribir, y la cuenta de ellos no la debes incluir entre los hijos de Israel.[h] 50 Y tú mismo nombra a los levitas sobre el tabernáculo del Testimonio[i] y sobre todos sus utensilios y sobre todo lo que le pertenece.[j] Ellos mismos llevarán el tabernáculo y todos sus utensilios, y ellos mismos ministrarán[l] con relación a él; y alrededor del tabernáculo han de acampar.[m] 51 Y cuando el tabernáculo vaya a emprender la marcha, los levitas deben desarmarlo;[n] y cuando el tabernáculo acampe, los levitas deben armarlo; y cualquier extraño que se acerque debe ser muerto.[o]

CAP. 1

a Nú 2:4
Nú 26:22
b Gé 30:18
Gé 46:13
Nú 2:5
Nú 26:23
c Nú 2:6
d Gé 30:20
e Nú 2:8
f Gé 41:52
Gé 46:20
Gé 48:19
Nú 2:18
Nú 26:35
Dt 33:17
Jue 12:6
Jer 7:15
g Gé 48:5
h Nú 2:19
i Gé 2:20
Nú 26:29
j Nú 2:21
k Gé 43:29
Nú 26:38
l Nú 2:23
m Gé 30:6
Gé 46:23
Nú 2:25
Nú 26:42
n Nú 2:26

2.ª col.

a Gé 35:26
Nú 2:27
b Nú 2:28
c Gé 30:8
Gé 46:24
Nú 26:48
d Nú 2:30
e Gé 13:16
Gé 22:17
Gé 46:3
Éx 12:37
Éx 38:26
Nú 2:32
f Gé 29:34
Gé 46:11
Nú 3:12
1Cr 6:1
g Nú 2:33
Nú 26:64
h Nú 26:62
i Éx 31:18
j Éx 38:21
Nú 3:8
k Nú 4:15
Nú 4:25
Nú 4:33
l Nú 3:31
Nú 4:12
m Nú 2:17
Nú 3:23
Nú 3:29
Nú 3:35
Nú 3:38
n Nú 10:17
Nú 10:21
o Nú 3:10
Nú 18:22
1Sa 6:19

52 "Y los hijos de Israel tienen que acampar cada uno con relación a su campamento, y cada hombre según su división[a] [de tres tribus], por sus ejércitos. 53 Y los levitas deben acampar en derredor del tabernáculo del Testimonio, para que no se suscite indignación[b] contra la asamblea de los hijos de Israel; y los levitas tienen que guardar el servicio debido al tabernáculo del Testimonio".[c]

54 Y los hijos de Israel procedieron a hacer conforme a todo lo que Jehová había mandado a Moisés. Hicieron precisamente así.[d]

2 Jehová ahora habló a Moisés y Aarón, y dijo: 2 "Los hijos de Israel deben acampar, cada hombre según su división[e] [de tres tribus], según las señales para la casa de sus padres. Frente a la tienda de reunión deben acampar, en su derredor.

3 "Y los que acamparán hacia el este, hacia el naciente, serán [los de] la división [de tres tribus] del campamento de Judá en sus ejércitos, y el principal para los hijos de Judá es Nahsón[f] hijo de Aminadab. 4 Y el ejército de él y los inscritos de ellos son setenta y cuatro mil seiscientos.[g] 5 Y los que acamparán al lado de él serán [los de] la tribu de Isacar,[h] y el principal para los hijos de Isacar es Netanel[i] hijo de Zuar. 6 Y su ejército y sus inscritos son cincuenta y cuatro mil cuatrocientos.[j] 7 Y la tribu de Zabulón; y el principal para los hijos de Zabulón es Eliab[k] hijo de Helón. 8 Y su ejército y sus inscritos son cincuenta y siete mil cuatrocientos.[l]

9 "Todos los inscritos del campamento de Judá son ciento ochenta y seis mil cuatrocientos en sus ejércitos. Ellos deben ser los primeros en emprender la marcha.[m]

10 "La división [de tres tribus] del campamento de Rubén[n] estará hacia el sur en sus ejércitos,

y el principal para los hijos de Rubén es Elizur[a] hijo de Sedeur. 11 Y su ejército y sus inscritos son cuarenta y seis mil quinientos.[b] 12 Y los que acamparán al lado de él serán [los de] la tribu de Simeón, y el principal para los hijos de Simeón es Selumiel[c] hijo de Zurisadai. 13 Y el ejército de él y los inscritos de ellos son cincuenta y nueve mil trescientos.[d] 14 Y la tribu de Gad; y el principal para los hijos de Gad es Eliasaf[e] hijo de Reuel. 15 Y el ejército de él y los inscritos de ellos son cuarenta y cinco mil seiscientos cincuenta.[f]

16 "Todos los inscritos del campamento de Rubén son ciento cincuenta y un mil cuatrocientos cincuenta en sus ejércitos, y ellos deben ser los segundos en emprender la marcha.[g]

17 "Cuando la tienda de reunión[h] tenga que emprender la marcha, el campamento de los levitas[i] estará en medio de los campamentos.

"Tal como deben acampar, así deben emprender la marcha,[j] cada uno en su lugar, según sus divisiones [de tres tribus].

18 "La división [de tres tribus] del campamento de Efraín[k] en sus ejércitos estará hacia el oeste, y el principal para los hijos de Efraín es Elisamá[l] hijo de Amihud. 19 Y el ejército de él y los inscritos de ellos son cuarenta mil quinientos.[m] 20 Y al lado de él estará la tribu de Manasés,[n] y el principal para los hijos de Manasés es Gamaliel[o] hijo de Pedahzur. 21 Y el ejército de él y los inscritos de ellos son treinta y dos mil doscientos.[p] 22 Y la tribu de Benjamín;[q] y el principal para los hijos de Benjamín es Abidán[r] hijo de Guideoní. 23 Y el ejército de él y los inscritos de ellos son treinta y cinco mil cuatrocientos.[s]

24 "Todos los inscritos del campamento de Efraín son ciento ocho mil cien en sus ejércitos,

---

CAP. 1

a Nú 2:2
  Nú 2:34
b Le 10:6
  Nú 8:19
  Nú 16:46
  Nú 18:5
c Nú 8:24
  Nú 18:3
  Nú 31:30
  1Cr 23:32
  2Cr 13:10
d Éx 39:32

CAP. 2

e Nú 1:52
  Nú 24:2
f Nú 7:12
  Nú 10:14
  Rut 4:20
  1Cr 2:10
  Mt 1:4
g Nú 1:27
h Gé 35:23
i Nú 1:8
  Nú 7:18
  Nú 10:15
j Nú 1:29
k Nú 1:9
  Nú 7:24
  Nú 10:16
l Nú 1:31
m Nú 10:14
  1Cr 5:2
n Nú 1:20

2.ᵃ col.

a Nú 1:5
  Nú 7:30
  Nú 10:18
b Nú 1:21
c Nú 1:6
  Nú 7:36
  Nú 10:19
d Nú 1:23
e Nú 1:14
  Nú 7:42
  Nú 10:20
f Nú 1:25
  Nú 10:18
  1Cr 5:1
h Nú 1:51
  Hch 7:44
  Heb 8:5
  Heb 9:11
i Nú 3:6
  Nú 3:12
j 1Co 14:33
  1Co 14:40
k Nú 1:33
l Nú 1:10
  Nú 7:48
  Nú 10:22
m Nú 1:33
n Gé 48:20
o Nú 1:10
  Nú 7:54
  Nú 10:23
p Nú 1:35
q Gé 35:18
  Sl 68:27
r Nú 1:11
  Nú 7:60
  Nú 10:24
s Nú 1:37

y ellos deben ser los terceros en emprender la marcha.[a]

25 "La división [de tres tribus] del campamento de Dan estará hacia el norte en sus ejércitos, y el principal para los hijos de Dan es Ahíézer[b] hijo de Amisadai. **26** Y el ejército de él y los inscritos de ellos son sesenta y dos mil setecientos.[c] **27** Y los que acamparán al lado de él serán [los de] la tribu de Aser, y el principal para los hijos de Aser es Paguiel[d] hijo de Ocrán. **28** Y el ejército de él y los inscritos de ellos son cuarenta y un mil quinientos.[e] **29** Y la tribu de Neftalí;[f] y el principal para los hijos de Neftalí es Ahíra[g] hijo de Enán. **30** Y el ejército de él y los inscritos de ellos son cincuenta y tres mil cuatrocientos.[h]

31 "Todos los inscritos del campamento de Dan son ciento cincuenta y siete mil seiscientos. Ellos deben ser los últimos en emprender la marcha[i]... según sus divisiones [de tres tribus]".

32 Estos fueron los inscritos de los hijos de Israel según la casa de sus padres; todos los inscritos de los campamentos en sus ejércitos fueron seiscientos tres mil quinientos cincuenta.[j] **33** Pero los levitas no fueron inscritos[k] entre los hijos de Israel, tal como Jehová había mandado a Moisés.[l] **34** Y los hijos de Israel procedieron a hacer conforme a todo lo que Jehová había mandado a Moisés. De esa manera acamparon en sus divisiones[m] [de tres tribus], y de esa manera emprendieron la marcha,[n] cada uno en sus familias respecto a la casa de sus padres.

3 Ahora bien, estas fueron las generaciones de Aarón y Moisés el día en que Jehová habló con Moisés en el monte Sinaí.[o] **2** Y estos fueron los nombres de los hijos de Aarón: el primogénito Nadab, y Abihú,[p] Eleazar[q] e Itamar.[r] **3** Estos fueron los nombres de los hi-

CAP. 2
a Nú 10:22
b Nú 1:12
Nú 7:66
Nú 10:25
c Nú 1:39
d Nú 1:13
Nú 7:72
Nú 10:26
e Nú 1:41
f Gé 46:24
g Nú 1:15
Nú 7:78
Nú 10:27
h Nú 1:43
i Nú 10:25
j Gé 15:5
Éx 12:37
Éx 38:26
Nú 1:46
Nú 11:21
Nú 14:29
Nú 26:51
k Nú 1:47
Nú 3:15
Nú 26:62
l Nú 1:54
m Nú 1:52
Nú 2:2
Nú 24:2
n Nú 10:28

CAP. 3
o Éx 19:2
Lé 25:1
p Éx 6:23
Lé 10:1
1Cr 24:2
q Éx 6:25
Dt 10:6
r Éx 38:21
1Cr 6:3

2.ª col.
a Éx 28:1
Lé 8:2
b Lé 10:1
Nú 26:61
c Nú 3:32
Nú 20:26
d Nú 4:28
Nú 7:8
e Éx 32:26
Nú 8:6
Nú 18:2
Mal 2:4
f Nú 1:50
Nú 8:11
Nú 16:9
g Nú 4:12
Nú 15:41
Isa 52:11
i Nú 8:16
Nú 18:6
j Éx 40:15
Nú 18:7
Heb 7:11
k Nú 16:40
18a 6:19
2Cr 26:16
l Nú 3:41
Nú 3:45
Nú 8:18
m Éx 13:2
Éx 34:19
Nú 8:17
Nú 18:15
Lu 2:23
n Éx 13:15
o Lé 27:26
Ne 10:36
p Éx 19:1

jos de Aarón, los sacerdotes ungidos cuyas manos habían sido llenadas de poder para hacer el trabajo de sacerdotes.[a] **4** Sin embargo, Nadab y Abihú murieron delante de Jehová cuando ofrecieron fuego ilegítimo[b] ante Jehová en el desierto de Sinaí, y no llegaron a tener hijos. Pero Eleazar[c] e Itamar[d] continuaron haciendo el trabajo de sacerdotes junto con Aarón su padre.

5 Y Jehová procedió a hablar a Moisés, y dijo: **6** "Haz que se acerque la tribu de Leví,[e] y tienes que hacer que estén de pie delante de Aarón el sacerdote, y tienen que ministrarle.[f] **7** Y tienen que guardar su obligación para con él y su obligación para con toda la asamblea delante de la tienda de reunión al ejecutar el servicio del tabernáculo. **8** Y tienen que encargarse de todos los utensilios[g] de la tienda de reunión, aun la obligación de los hijos de Israel al ejecutar el servicio del tabernáculo.[h] **9** Y tienes que dar los levitas a Aarón y sus hijos. Ellos son gente dada, dados a él de los hijos de Israel.[i] **10** Y debes nombrar a Aarón y sus hijos, y ellos tienen que encargarse de su sacerdocio;[j] y cualquier extraño que se acerque debe ser muerto".[k]

11 Y Jehová continuó hablando a Moisés, y dijo: **12** "En cuanto a mí, ¡mira!, de veras tomo a los levitas de entre los hijos de Israel en lugar de todos los primogénitos[l] de los hijos de Israel que abren la matriz; y los levitas tienen que llegar a ser míos. **13** Porque todo primogénito es mío.[m] El día en que herí a todo primogénito en la tierra de Egipto[n] santifiqué para mí a todo primogénito de Israel, desde hombre hasta bestia.[o] Deben llegar a ser míos. Yo soy Jehová".

14 Y Jehová habló adicionalmente a Moisés en el desierto de Sinaí,[p] y dijo: **15** "Inscribe a los hijos de Leví según la casa de sus padres, por sus familias. A todo varón de un mes de edad para arriba lo debes inscribir".[a] 16 Y Moisés se puso a inscribirlos por orden de Jehová, tal como se le había mandado. 17 Y estos llegaron a ser los hijos de Leví[b] por sus nombres: Guersón y Qohat y Merarí.[c]

18 Ahora bien, estos fueron los nombres de los hijos de Guersón por sus familias: Libní y Simeí.[d]

19 Y los hijos de Qohat[e] por sus familias fueron Amram e Izhar,[f] Hebrón y Uziel.

20 Y los hijos de Merarí[g] por sus familias fueron Mahlí[h] y Musí.[i]

Estas fueron las familias de los levitas según la casa de sus padres.

21 De Guersón hubo la familia de los libnitas[j] y la familia de los simeítas.[k] Estas fueron las familias de los guersonitas. 22 Sus inscritos fueron por el número de todos los varones de un mes de edad para arriba.[l] Sus inscritos fueron siete mil quinientos.[m] 23 Las familias de los guersonitas estaban detrás del tabernáculo.[n] Estaban acampadas hacia el oeste. 24 Y el principal de la casa paterna para los guersonitas era Eliasaf hijo de Lael. 25 Y la obligación de los hijos de Guersón[o] en la tienda de reunión era el tabernáculo y la tienda,[p] su cubierta[q] y la pantalla[r] de la entrada de la tienda de reunión, 26 y las colgaduras[s] del patio y la pantalla[t] de la entrada del patio que está en derredor del tabernáculo y del altar, y sus cuerdas[u] de tienda, para todo su servicio.

27 Y de Qohat hubo la familia de los amramitas y la familia de los izharitas y la familia de los hebronitas y la familia de los uzielitas. Estas fueron las familias de los qohatitas.[v] 28 En el número de todos los varones de un mes de edad para arriba había ocho mil seiscientos, encargados de la obligación para con

el lugar santo.[a] 29 Las familias de los hijos de Qohat estaban acampadas al lado del tabernáculo hacia el sur.[b] 30 Y el principal de la casa paterna para las familias de los qohatitas era Elizafán hijo de Uziel.[c] 31 Y la obligación[d] de ellos era el Arca[e] y la mesa[f] y el candelabro[g] y los altares[h] y los utensilios[i] del lugar santo con los cuales ministrarían, y la pantalla,[j] y todo su servicio.

32 Y el principal de los principales de los levitas era Eleazar[k] hijo de Aarón el sacerdote, que tenía la superintendencia de los encargados de la obligación para con el lugar santo.

33 De Merarí hubo la familia de los mahlitas[l] y la familia de los musitas.[m] Estas fueron las familias de Merarí.[n] 34 Y sus inscritos por el número de todos los varones de un mes de edad para arriba fueron seis mil doscientos.[o] 35 Y el principal de la casa paterna para las familias de Merarí era Zuriel hijo de Abiháil. Ellos estaban acampados al lado del tabernáculo hacia el norte.[p] 36 Y los hijos de Merarí estaban obligados con la superintendencia de los armazones[q] del tabernáculo y sus barras[r] y sus columnas[s] y sus pedestales con encajaduras y todos sus utensilios[t] y su servicio,[u] 37 y las columnas[v] del patio en derredor y sus pedestales con encajaduras[w] y sus estacas de tienda y sus cuerdas de tienda.

38 Y los que acampaban delante del tabernáculo hacia el este, delante de la tienda de reunión hacia el naciente, eran Moisés y Aarón y sus hijos, los encargados de la obligación para con el santuario,[x] como la obligación para los hijos de Israel. Y cualquier extraño que se acerca ra sería muerto.[y]

39 Todos los inscritos de los levitas, a quienes Moisés y Aarón inscribieron por orden de Jehová por sus familias, todos

CAP. 3

a Nú 3:39
b Éx 6:16
  1Cr 6:1
c Nú 26:57
  1Cr 23:6
d Éx 6:17
  1Cr 6:17
  1Cr 23:9
e Éx 6:18
  1Cr 6:18
f 1Cr 6:38
g Éx 6:19
h 1Cr 6:29
i 1Cr 24:30
j 1Cr 6:20
k 1Cr 23:9
l Nú 3:15
m Nú 4:39
n Nú 4:40
o Nú 1:53
o Nú 4:24
p Éx 26:7
  Éx 35:11
  Nú 4:25
q Éx 26:14
r Éx 26:36
s Éx 27:9
t Éx 27:16
u Éx 35:18
v Nú 3:19

2.ª col.

a Nú 4:35
  Nú 4:36
b Nú 1:53
c Éx 6:22
  1Cr 6:18
d Nú 4:15
e Éx 25:10
  Heb 9:4
f Éx 25:23
  Heb 9:2
g Éx 25:31
h Éx 27:1
  Éx 30:1
i Éx 38:3
j Éx 26:31
  Éx 36:35
k Nú 4:16
  Nú 20:28
l Nú 26:58
m 1Cr 24:30
n Nú 3:20
o Nú 4:43
  Nú 4:44
p Nú 1:53
q Éx 36:20
r Éx 36:31
s Éx 26:32
  Éx 26:37
  Éx 26:31
t Éx 27:19
u Nú 4:31
v Éx 27:10
w Éx 27:11
x Nú 18:5
y Nú 3:10

los varones de un mes de edad para arriba,[a] fueron veintidós mil.

40 Entonces Jehová dijo a Moisés: "Inscribe a todos los varones primogénitos de los hijos de Israel de un mes de edad para arriba, y toma el total numérico de sus nombres. **41** Y tienes que tomar a los levitas para mí —yo soy Jehová— en lugar de todos los primogénitos entre los hijos de Israel,[b] y los animales domésticos de los levitas en lugar de todos los primogénitos entre los animales domésticos de los hijos de Israel".[c] **42** Y tal como le había mandado Jehová, Moisés procedió a inscribir a todos los primogénitos entre los hijos de Israel. **43** Y todos los varones primogénitos, por el total numérico de los nombres de un mes de edad para arriba de los inscritos de ellos, llegaron a ser veintidós mil doscientos setenta y tres.

44 Y Jehová continuó hablando a Moisés, y dijo: **45** "Toma a los levitas en lugar de todos los primogénitos entre los hijos de Israel, y los animales domésticos de los levitas en lugar de los animales domésticos de aquellos; y los levitas tienen que llegar a ser míos.[d] Yo soy Jehová. **46** Y como el precio de rescate[e] de los doscientos setenta y tres de los primogénitos de los hijos de Israel, que exceden a los levitas,[f] **47** tienes que tomar cinco siclos por cada individuo.[g] Según el siclo del lugar santo debes tomarlo. Un siclo es veinte guerás.[h] **48** Y tienes que dar el dinero a Aarón y a sus hijos como el precio de rescate de los que hay en exceso de ellos". **49** De modo que Moisés tomó de los que excedían al precio de rescate de los levitas el dinero del precio de redención. **50** Tomó el dinero de los primogénitos de los hijos de Israel, mil trescientos sesenta y cinco siclos, en el siclo del lugar santo. **51** Entonces Moisés dio el dinero del precio de rescate a Aarón y sus hijos

conforme a la orden de Jehová, tal como Jehová había mandado a Moisés.

4 Jehová ahora habló a Moisés y Aarón, y dijo: **2** "Habrá un tomar la cuenta de los hijos de Qohat[a] de entre los hijos de Leví, según sus familias en la casa de sus padres, **3** de treinta años de edad[b] para arriba hasta cincuenta años de edad,[c] todos los que están entrando en el grupo del servicio[d] para hacer el trabajo en la tienda de reunión.

4 "Este es el servicio de los hijos de Qohat en la tienda de reunión.[e] Es cosa santísima: **5** Y Aarón y sus hijos tienen que entrar cuando el campamento esté partiendo, y tienen que bajar la cortina[f] que sirve de pantalla y tienen que cubrir con ella el arca[g] del testimonio. **6** Y tienen que poner sobre ella una cubierta de pieles de foca[h] y extender encima una tela toda azul, y meter sus varales.[i]

7 "Y extenderán una tela azul sobre la mesa[j] del pan de la proposición, y tienen que poner sobre ella los platos[k] y las copas y los tazones[l] y los cántaros de la libación; y el pan[m] constante debe continuar sobre ella. **8** Y tienen que extender sobre ellos una tela de escarlata carmesí,[n] y tienen que cubrirla con una cubierta de pieles de foca,[o] y meter sus varales.[p] **9** Y tienen que tomar una tela azul y cubrir el candelabro[q] del alumbrado y sus lámparas[r] y sus despabiladeras[s] y sus braserillos[t] y todos sus vasos[u] para el aceite con que lo atienden regularmente. **10** Y tienen que ponerlo, y todos sus utensilios, dentro de una cubierta de pieles de foca,[v] y colocarlo sobre una barra. **11** Y sobre el altar de oro[w] extenderán una tela azul, y tienen que cubrirlo con una cubierta de pieles de foca,[x] y meter sus varales.[y] **12** Y tienen que tomar todos los utensilios[z] del ministerio con que regularmente ministran en el lugar santo, y tienen que ponerlos en una tela azul y cubrirlos con una cubierta de pieles de foca[a] y colocarlos sobre una barra.

13 "Y tienen que quitar las cenizas grasosas del altar[b] y extender sobre él una tela de lana teñida de púrpura rojiza. 14 Y tienen que poner sobre él todos sus utensilios con que regularmente ministran en él, los braserillos, los tenedores y las palas y los tazones, todos los utensilios del altar;[c] y tienen que extender sobre él una cubierta de pieles de foca, y meter sus varales.[d]

15 "Y Aarón y sus hijos tienen que acabar de cubrir el lugar santo[e] y todos los utensilios[f] del lugar santo cuando el campamento esté partiendo, y después de eso los hijos de Qohat entrarán para llevarlos,[g] pero no deben tocar[h] el lugar santo, de modo que tengan que morir. Estas cosas son la carga de los hijos de Qohat en la tienda de reunión.[i]

16 "Y Eleazar hijo de Aarón el sacerdote tiene la superintendencia[j] del aceite[k] del alumbrado y del incienso[l] perfumado y de la ofrenda de grano[m] constante y del aceite de la unción,[n] la superintendencia de todo el tabernáculo y de todo lo que hay en él, a saber, el lugar santo y sus utensilios.

17 Y Jehová habló adicionalmente a Moisés y Aarón, y dijo: 18 "No permitan que la tribu de las familias de los qohatitas[o] sea cortada de entre los levitas. 19 Antes bien, háganles esto para que realmente sigan viviendo y no mueran por acercarse a las cosas santísimas.[p] Aarón y sus hijos entrarán, y tendrán que asignar a cada uno a su servicio y a su carga. 20 Y ellos no deben entrar para ver las cosas santas ni por el más mínimo momento, y por lo tanto tengan que morir".[q]

21 Entonces Jehová habló a Moisés, y dijo: 22 "Habrá un tomar la cuenta de los hijos de Guersón,[a] sí, de ellos por la casa de sus padres según sus familias. 23 De treinta años de edad para arriba hasta cincuenta años los inscribirás,[b] a todos los que vienen para entrar en el grupo del servicio para efectuar servicio en la tienda de reunión. 24 Este es el servicio de las familias de los guersonitas en cuanto a servir y en cuanto a llevar.[c] 25 Y tienen que llevar las telas de tienda[d] del tabernáculo y la tienda de reunión,[e] su cubierta[f] y la cubierta de pieles de foca[g] que está encima de ella, y la pantalla[h] de la entrada de la tienda de reunión, 26 y las colgaduras[i] del patio y la pantalla de entrada[j] de la puerta del patio que está alrededor del tabernáculo y del altar, y sus cuerdas de tienda y todos sus utensilios de servicio, y todas las cosas con que regularmente se hace trabajo. Así tienen que servir. 27 Por orden de Aarón y sus hijos[k] debe efectuarse todo el servicio de los hijos de los guersonitas[l] tocante a todas sus cargas y todo su servicio, y ustedes tienen que asignarles todas las cargas de ellos por obligación. 28 Este es el servicio de las familias de los hijos de los guersonitas[m] en la tienda de reunión, y su servicio obligatorio está bajo la mano de Itamar[n] hijo de Aarón el sacerdote.

29 "En cuanto a los hijos de Merarí,[o] los inscribirás por sus familias en la casa de sus padres. 30 De treinta años de edad para arriba hasta cincuenta años los inscribirás, a todos los que entran en el grupo del servicio para efectuar el servicio de la tienda de reunión.[p] 31 Y esta es su obligación, su carga,[q] con arreglo a todo su servicio en la tienda de reunión: los armazones[r] del tabernáculo y sus barras[s] y sus columnas[t] y sus pedestales con encajaduras,[u] 32 y las columnas[v] del patio en derredor y sus pedestales con encajaduras[w] y sus estacas[x] de tienda y sus cuer-

CAP. 4
a Éx 35:23
b Le 6:12
c Éx 27:3
d Éx 27:6
e Nú 4:5
f Nú 3:8
g Nú 7:9
Nú 10:21
Dt 31:9
1Cr 15:2
h 2Sa 6:6
i Nú 3:31
j Nú 3:32
k Éx 27:20
Le 24:2
l Éx 30:34
Sl 141:2
Rev 5:8
m Éx 29:40
n Éx 29:7
Éx 30:23
Le 8:12
Sl 133:2
o Nú 3:27
p Nú 4:4
q Nú 27:21
1Sa 6:19

2.ª col.
a Nú 3:21
b Nú 4:3
c Nú 3:25
d Éx 26:1
Éx 36:8
e Éx 26:7
Éx 36:14
f Éx 26:14
Éx 36:19
h Éx 26:36
Éx 36:37
i Éx 27:9
Éx 38:9
j Éx 27:16
Éx 38:18
k Nú 3:3
Nú 3:10
l Nú 3:21
Nú 3:23
m Nú 3:25
n Éx 6:23
Nú 3:4
Nú 4:33
Nú 7:8
o Éx 6:19
Nú 3:33
p Nú 4:3
Nú 4:23
q Nú 3:36
r Éx 26:15
Éx 36:20
s Éx 26:26
Éx 36:31
t Éx 26:37
Éx 36:38
u Éx 26:19
Éx 38:27
v Éx 27:10
w Éx 27:11
x Éx 27:19

das de tienda junto con todo su equipo y todo su servicio. Y ustedes les asignarán por los nombres de ellos el equipo por el cual están obligados, como carga de ellos.ᵃ 33 Este es el servicio de las familias de los hijos de Meraríᵇ con arreglo a todo su servicio en la tienda de reunión, bajo la mano de Itamar hijo de Aarón el sacerdote".ᶜ

34 Y Moisés y Aarón y los principalesᵈ de la asamblea procedieron a inscribir a los hijos de los qohatitasᵉ por sus familias y por la casa de sus padres, 35 de treintaᶠ años de edad para arriba hasta cincuenta años,ᵍ todos los que entraban en el grupo del servicio en la tienda de reunión.ʰ 36 Y los inscritos de ellos por sus familias llegaron a ser dos mil setecientos cincuenta.ⁱ 37 Estos son los inscritosʲ de las familias de los qohatitas, todos los que sirven en la tienda de reunión, a quienes Moisés y Aarón inscribieron por orden de Jehová, mediante Moisés.

38 En cuanto a los inscritos de los hijos de Guersónᵏ por sus familias y por la casa de sus padres, 39 de treinta años de edad para arriba hasta cincuenta años, todos los que entraban en el grupo del servicio para el servicio en la tienda de reunión,ˡ 40 los inscritos de ellos por sus familias, por la casa de sus padres, llegaron a ser dos mil seiscientos treinta.ᵐ 41 Estos fueron los inscritos de las familias de los hijos de Guersón, todos los que servían en la tienda de reunión, a quienes Moisés y Aarón inscribieron por orden de Jehová.ⁿ

42 En cuanto a los inscritos de las familias de los hijos de Merarí por sus familias, por la casa de sus padres, 43 de treinta años de edad para arriba hasta cincuenta años de edad, todos los que entraban en el grupo del servicio para el servicio en la tienda de reunión,ᵒ 44 los ins-

critos de ellos por sus familias llegaron a ser tres mil doscientos.ᵃ 45 Estos fueron los inscritos de las familias de los hijos de Merarí, a quienes Moisés y Aarón inscribieron por orden de Jehová, mediante Moisés.ᵇ

46 Todos los inscritos a quienes Moisés y Aarón y los principales de Israel inscribieron como levitas por sus familias y por la casa de sus padres, 47 de treinta años de edad para arriba hasta cincuenta años de edad,ᶜ todos los que venían para efectuar el servicio laborioso y el servicio de llevar cargas en la tienda de reunión,ᵈ 48 los inscritos de ellos llegaron a ser ocho mil quinientos ochenta.ᵉ 49 Por orden de Jehová fueron inscritos por medio de Moisés, cada uno conforme a su servicio y su carga; y fueron inscritos tal como Jehová había mandado a Moisés.ᶠ

5 Y Jehová habló nuevamente a Moisés, y dijo: 2 "Manda a los hijos de Israel que envíen fuera del campamento a toda persona leprosaᵍ y a todo el que tenga flujoʰ y a todo el que se haya hecho inmundo por un alma difunta.ⁱ 3 Sea varón o hembra, ustedes deben enviarlos afuera. Deben enviarlos fuera del campamento,ʲ para que no contaminenᵏ los campamentos de aquellos en medio de quienes estoy residiendo".ˡ 4 Y los hijos de Israel procedieron a hacerlo así, aun a enviarlos fuera del campamento. Tal como Jehová había hablado a Moisés, así lo hicieron los hijos de Israel.

5 Y Jehová continuó hablando a Moisés, y dijo: 6 "Habla a los hijos de Israel: 'En cuanto a un hombre o una mujer, en caso de que hagan cualquiera de todos los pecados de la humanidad, al cometer un acto de infidelidad contra Jehová, esa alma también se ha hecho culpable.ᵐ 7 Y ellos tienen que confesarⁿ su pecado que han hecho, y él tiene que devolver la cantidad de su

---

CAP. 4

a Nú 3:8
b Nú 3:33
c Nú 4:28
d Nú 1:16
  Jos 22:14
e Nú 3:19
  Nú 3:27
  Nú 3:29
f Nú 4:47
g Nú 8:25
h Nú 4:3
  Nú 8:26
i Nú 3:28
j Nú 3:15
k Nú 3:21
l Nú 4:3
  Nú 4:23
m Nú 3:22
n Nú 3:15
  Nú 4:22
o Nú 4:3
  Nú 4:23
  Nú 4:30
  Nú 4:35
  Nú 4:39
  Nú 8:26

2.ª col.

a Nú 3:34
b Nú 3:15
  Nú 4:29
c Nú 4:3
  Nú 4:23
  Nú 4:30
d Nú 4:15
  Nú 4:24
  Nú 4:31
e Nú 3:39
f Nú 4:37
  Nú 4:41
  Nú 4:45

CAP. 5

g Le 13:46
  Nú 12:14
  2Cr 26:21
h Le 15:2
i Le 22:4
  Nú 19:11
  Nú 31:19
j 2Re 7:3
k Nú 19:22
l Éx 25:8
  Le 26:11
  Jos 22:19
  2Co 6:16
m Le 5:1
  Le 5:17
  Le 6:2
n Le 5:5
  Jos 7:19
  Sl 32:5
  Snt 5:16

culpa en su principal, añadiendo también a ello su quinta parte,[a] y tiene que darlo a aquel contra quien haya cometido la injusticia.   8 Pero si este no tiene pariente próximo a quien devolver la suma de la culpa, la suma de la culpa que se devuelve a Jehová pertenece al sacerdote, con la excepción del carnero de la expiación con el cual hará expiación por él.[b]

9 "'Y toda contribución[c] de todas las cosas santas[d] de los hijos de Israel, que ellos presenten al sacerdote, debe llegar a ser de él.[e]   10 Y las cosas santas de cada uno quedarán suyas propias. Cualquier cosa que cada uno dé al sacerdote, eso llegará a ser de este'".

11 Y Jehová siguió hablando a Moisés, y dijo: 12 "Habla a los hijos de Israel, y tienes que decirles: 'En caso de que la esposa de cualquier hombre se desvíe, y en efecto cometa un acto de infidelidad contra él,[f]   13 y otro hombre realmente se acueste con ella y tenga una emisión de semen,[g] y ello haya sido escondido de los ojos de su esposo[h] y haya quedado sin descubrirse, y ella, por su parte, se haya contaminado, pero no haya testigo contra ella, y ella misma no haya sido sorprendida;   14 y el espíritu de celos[i] le haya sobrevenido a él, y le hayan entrado sospechas de la fidelidad de su esposa, y ella de hecho se haya contaminado, o el espíritu de celos le haya sobrevenido a él, y le hayan entrado sospechas de la fidelidad de su esposa, pero ella de hecho no se haya contaminado;   15 entonces el hombre tiene que llevar a su esposa al sacerdote,[j] y junto con ella llevar la ofrenda de ella, un décimo de efá de harina de cebada. Él no debe derramar aceite sobre esta ni poner olíbano[k] encima, porque es ofrenda de grano de celos, ofrenda de grano para memoria que hace recordar el error.

16 "'Y el sacerdote tiene que presentar [a la mujer] y hacer que esté de pie delante de Jehová.[a]   17 Y el sacerdote tiene que tomar en una vasija de barro agua santa, y el sacerdote tomará un poco del polvo que haya en el suelo del tabernáculo, y tiene que echarlo en el agua.   18 Y el sacerdote tiene que hacer que la mujer esté de pie delante de Jehová, y soltar el cabello de la cabeza de la mujer y poner sobre las palmas de las manos de ella la ofrenda de grano para memoria, es decir, la ofrenda de grano de celos,[b] y en la mano del sacerdote debe hallarse el agua amarga que trae una maldición.[c]

19 "'Y el sacerdote tiene que hacer que ella jure, y tiene que decir a la mujer: "Si no se ha acostado contigo ningún hombre, y si, estando sujeta a tu esposo,[d] no te has desviado a ninguna inmundicia, queda libre del efecto de esta agua amarga que trae una maldición.   20 Pero tú, en caso de que te hayas desviado mientras estabas sujeta a tu esposo,[e] y en caso de que te hayas contaminado y algún hombre, aparte de tu esposo, haya puesto en ti su emisión seminal'..."   21 El sacerdote entonces tiene que hacer que la mujer jure con un juramento que encierre maldición,[g] y el sacerdote tiene que decir a la mujer: "Que Jehová te ponga por maldición y por juramento en medio de tu pueblo, dejando Jehová que se te decaiga el muslo,[h] y que se te hinche el vientre.   22 Y esta agua que trae una maldición tiene que entrar en tus intestinos para hacer que se te hinche el vientre y decaiga el muslo". A esto la mujer tiene que decir: "¡Amén! ¡Amén!".

23 "'Y el sacerdote tiene que escribir estas maldiciones en el libro[i] y tiene que borrarlas[j] en el agua amarga.   24 Y tiene que hacer que la mujer beba el agua amarga que trae una maldición,[k] y el agua que trae una maldición tiene que entrar en ella como

CAP. 5
a Le 6:5

b Le 5:16
Le 6:7
Le 7:7

c Éx 29:28
Nú 18:8

d Le 6:17
Le 7:6
Le 10:13

e Dt 18:3
Eze 44:29
1Co 9:13

f Nú 5:20
Os 4:13

g Le 18:20
Dt 5:18

h Sl 26:4
Pr 30:20

i 1Pe 6:34
Can 8:6

j Nú 5:30

k Le 5:11

2.ª col.
a Jer 17:10
Mal 3:5
Heb 13:4

b Nú 5:18
Nú 5:25

c Nú 5:22
Nú 5:24

d Ro 7:2
Heb 13:4

e Nú 5:12
1Co 6:9

f Le 18:20
Nú 5:13

g Jos 6:26
1Sa 14:24
1Re 8:31

h Gé 46:26

i 2Cr 34:24
Jer 51:60

j Hch 3:19

k Nú 5:18

cosa amarga. 25 Y el sacerdote tiene que tomar de la mano de la mujer la ofrenda de grano[a] de celos y mecer la ofrenda de grano de acá para allá delante de Jehová, y tiene que acercarla al altar. 26 Y el sacerdote tiene que asir parte de la ofrenda de grano como recordativo[b] de ella y tiene que hacerla humear sobre el altar, y después hará que la mujer beba el agua. 27 Cuando haya hecho que beba el agua, también tiene que ocurrir que, si ella se ha contaminado por haber cometido un acto de infidelidad para con su esposo,[c] el agua que trae una maldición entonces tiene que entrar en ella como cosa amarga, y su vientre tiene que hincharse, y su muslo tiene que decaer, y la mujer tiene que llegar a ser una maldición en medio de su pueblo.[d] 28 Sin embargo, si la mujer no se ha contaminado, sino que es limpia, entonces tiene que quedar libre de tal castigo;[e] y se le tiene que poner encinta con semen.

29 "Esta es la ley acerca de los celos,[f] en caso de que una mujer se desvíe[g] mientras está sujeta a su esposo,[h] y de veras se contamine, 30 o en el caso de un hombre cuando el espíritu de celos le sobrevenga, y él de veras sospeche infidelidad en su esposa; y tiene que hacer que la esposa esté de pie delante de Jehová, y el sacerdote tiene que llevar a cabo para con ella toda esta ley. 31 Y el hombre tiene que ser inocente de error, pero aquella esposa responderá por su error'".

6 Y Jehová habló nuevamente a Moisés, y dijo: 2 "Habla a los hijos de Israel, y tienes que decirles: 'En caso de que un hombre o una mujer haga un voto especial de vivir como nazareo[i] para Jehová, 3 debe abstenerse de vino y licor embriagante.[j] No debe beber vinagre de vino ni vinagre de licor embriagante, ni beber líquido alguno hecho de uvas, ni comer uvas, sean frescas o secas. 4 Durante todos los días de su nazareato no debe comer nada en absoluto que esté hecho de la enredadera del vino, desde las uvas no maduras hasta los hollejos.

5 "'Durante todos los días del voto de su nazareato no debe pasar una navaja sobre su cabeza;[a] hasta que se cumplan los días en que debe estar separado para Jehová, debe resultar santo y dejar que le crezcan los mechones[b] del pelo de la cabeza. 6 Durante todos los días de mantenerse separado para Jehová no podrá venir hacia ninguna alma muerta.[c] 7 Ni siquiera por su padre o su madre o su hermano o su hermana podrá contaminarse cuando mueran,[d] porque la señal de su nazareato a su Dios está sobre su cabeza.

8 "'Durante todos los días de su nazareato él es santo a Jehová. 9 Pero en caso de que alguien que muera sobre su cabeza muy de repente al lado de él,[e] de modo que él haya contaminado la cabeza de su nazareato, entonces tendrá que afeitarse[f] la cabeza en el día de verificar su purificación. En el día séptimo debe afeitarla. 10 Y en el día octavo debe llevar dos tórtolas o dos pichones al sacerdote, a la entrada de la tienda de reunión.[g] 11 Y el sacerdote tiene que tratar a uno [de estos] como ofrenda por el pecado[h] y al otro como ofrenda quemada,[i] y hacer expiación por él, por haber pecado a causa del alma [muerta]. Entonces él tendrá que santificar su cabeza en aquel día. 12 Y tiene que vivir como nazareo[j] para Jehová durante los días de su nazareato, y tiene que traer un carnero joven en su primer año como ofrenda por la culpa;[k] y los días anteriores se dejarán sin contar porque contaminó su nazareato. 13 "'Ahora bien, esta es la ley acerca del nazareo: El día en que se cumplan los días de su naza-

CAP. 5
a Nú 5:15

b Le 2:9
Le 5:12

c Nú 5:13
Nú 5:20

d Dt 27:26
Gál 3:10

e Nú 5:19

f Nú 5:14
Nú 5:15

g Nú 5:12
Nú 5:19

h Ro 7:2

CAP. 6
i Jue 13:5

j Le 10:9
Jue 13:14
Am 2:12
Lu 1:15
Lu 7:33

2.ª col.
a Jue 13:5
Jue 16:17
1Sa 1:11

b Jue 16:19

c Le 21:1

d Le 21:11

e Nú 19:14

f Nú 6:18

g Le 14:22

h Le 5:8

i Le 5:10
Le 14:31

j Nú 6:2
Jue 13:5
Jue 16:17

k Le 14:24

reato,ᵃ se le llevará a la entrada de la tienda de reunión. 14 Y tiene que presentar como su ofrenda a Jehová un carnero joven, sano, en su primer año, como ofrenda quemada,ᵇ y una cordera sana en su primer año como ofrenda por el pecado,ᶜ y un carnero sano como sacrificio de comunión.ᵈ 15 y una cesta de tortas anulares de flor de harina no fermentadas,ᵉ ligeramente mojadas con aceite,ᶠ y galletitas delgadas no fermentadas, untadas con aceite,ᵍ y la ofrenda de granoʰ y las libacionesⁱ de estos. 16 Y el sacerdote tiene que presentarlos delante de Jehová y ofrecer su ofrenda por el pecado y su ofrenda quemada.ʲ 17 Y ofrecerá el carnero como sacrificio de comunιónᵏ a Jehová junto con la cesta de tortas no fermentadas; y el sacerdote tiene que ofrecer su ofrenda de granoˡ y su libación.

18 "'Y el nazareo tiene que afeitarseᵐ la cabeza de su nazareato a la entrada de la tienda de reunión, y tiene que tomar el pelo de la cabeza de su nazareato y ponerlo sobre el fuego que está debajo del sacrificio de comunión. 19 Y el sacerdote tiene que tomar una espaldilla cocidaⁿ del carnero, y una torta anular no fermentada de la cesta, y una galletita delgada no fermentada,ᵒ y ponerlas sobre las palmas de las manos del nazareo, después que él se haya hecho afeitar la señal de su nazareato. 20 Y el sacerdote tiene que mecerlas de acá para allá como ofrenda mecida delante de Jehová.ᵖ Es cosa santa para el sacerdote, junto con el pechoᑫ de la ofrenda mecida y la pierna de la contribución.ʳ Y después el nazareo podrá beber vino.ˢ

21 "'Esta es la ley acerca del nazareoᵗ que hace voto... su ofrenda a Jehová con motivo de su nazareato, además de aquello que sus recursos le permitan. Conforme al voto que haga, así debe hacer a causa de la ley de su nazareato'".

CAP. 6
a Nú 30:2
　Ec 5:4
　Hch 21:26
b Le 1:10
c Le 4:32
　Le 5:6
d Le 3:1
　Le 2:4
　f Le 2:5
g Éx 29:2
h Le 2:1
　Le 6:14
i Nú 15:10
j Le 1:3
　Le 3:1
　Le 2:9
m Nú 6:5
　Hch 18:18
　Hch 21:24
n Le 8:31
　1Sa 2:15
o Éx 29:23
p Éx 29:24
　Le 10:15
q Nú 18:18
r Le 7:34
　Ec 9:7
　Ec 10:19
t Nú 6:2
　Jue 13:5
　Jue 16:17

2.ᵃ col.
a Le 9:22
　Dt 10:8
　Dt 21:5
　Lu 24:50
b Rut 2:4
　Sl 134:3
c Sl 91:11
　Sl 121:7
　Jn 17:11
　1Pe 1:5
d Sl 31:16
　Sl 67:1
　Sl 80:3
e Gé 43:29
f Sl 4:6
g Sl 29:11
　Lu 2:14
　Jn 14:27
h Dt 28:10
　2Cr 7:14
　Isa 43:7
　Isa 43:10
　Da 9:19
i Nú 23:20
　Sl 5:12
　Sl 67:7
　Sl 115:12
　Ef 1:3

CAP. 7
j Éx 40:17
k Éx 30:26
　Le 8:10
l Éx 40:10
m Éx 18:21
　Nú 1:4
　Nú 1:16
n Éx 25:2
　Éx 35:27
　Ne 7:70
o Nú 3:25
　Nú 4:25
p Nú 3:36
　Nú 4:31
q Nú 4:33
r Nú 3:31
　Nú 4:15
s 2Sa 6:13
　1Cr 15:15

22 Entonces Jehová habló a Moisés, diciendo: 23 "Habla a Aarón y sus hijos, diciendo: 'De esta manera deben bendecirᵃ a los hijos de Israel, diciéndoles:

24 "Jehová te bendigaᵇ y te guarde.ᶜ

25 Jehová haga brillar su rostro hacia ti,ᵈ y te favorezca.ᵉ

26 Jehová alce su rostro hacia tiᶠ y te asigne paz"'.ᵍ

27 Y ellos tienen que colocar mi nombreʰ sobre los hijos de Israel, para que yo mismo los bendiga".ⁱ

7 Ahora bien, aconteció que en el día que Moisés acabó de erigir el tabernáculo,ʲ procedió a ungirloᵏ y santificarlo, y todos sus enseres y el altar y todos sus utensilios. Así, los ungió y los santificó.ˡ 2 Entonces los principales de Israel,ᵐ los cabezas de la casa de sus padres, hicieron una presentación,ⁿ pues eran los principales de las tribus y estaban sobre los inscritos, 3 y llevaron su ofrenda delante de Jehová: seis carros cubiertos y doce reses vacunas, un carro por dos principales y un toro por cada uno; y los presentaron delante del tabernáculo. 4 Ante esto, Jehová dijo a Moisés: 5 "Acéptalos de ellos, puesto que tienen que servir para efectuar el servicio de la tienda de reunión, y tienes que darlos a los levitas, a cada uno en proporción con su propio servicio".

6 De modo que Moisés aceptó los carros y el ganado vacuno y los dio a los levitas. 7 Dio dos carros y cuatro reses vacunas a los hijos de Guersón, en proporción con su servicio,ᵒ 8 y dio cuatro carros y ocho reses vacunas a los hijos de Merari, en proporción con su servicio,ᵖ bajo la mano de Itamar hijo de Aarón el sacerdote.ᑫ 9 Pero a los hijos de Qohat no dio ninguno, porque el servicio del lugar santo estaba sobre ellos.ʳ Efectuaban la transportación sobre el hombro.ˢ

10 Ahora bien, los principales hicieron su presentación en la inauguración[a] del altar, el día en que este fue ungido, y prosiguieron los principales con la presentación de su ofrenda delante del altar. 11 De modo que Jehová dijo a Moisés: "Un principal un día y otro principal otro día es como presentarán su ofrenda para la inauguración del altar".[b]

12 Ahora bien, el que presentó su ofrenda el primer día resultó ser Nahsón[c] hijo de Aminadab de la tribu de Judá. 13 Y fue su ofrenda un plato de plata, de ciento treinta siclos de peso, un tazón de plata de setenta siclos, según el siclo del lugar santo,[d] ambos llenos de flor de harina ligeramente mojada con aceite, para ofrenda de grano;[e] 14 una copa de oro de diez siclos, llena de incienso;[f] 15 un toro joven, un carnero, un cordero en su primer año, para ofrenda quemada;[g] 16 un cabrito de las cabras para ofrenda por el pecado;[h] 17 y, para sacrificio de comunión,[i] dos reses vacunas, cinco carneros, cinco machos cabríos, cinco corderos de un año de edad cada uno. Esta fue la ofrenda de Nahsón hijo de Aminadab.[j]

18 El segundo día Netanel[k] hijo de Zuar, el principal de Isacar, hizo una presentación. 19 Presentó como su ofrenda un plato de plata, de ciento treinta siclos de peso, un tazón de plata de setenta siclos, según el siclo del lugar santo, ambos llenos de flor de harina ligeramente mojada con aceite, para ofrenda de grano;[l] 20 una copa de oro de diez siclos, llena de incienso; 21 un toro joven, un carnero, un cordero en su primer año, para ofrenda quemada;[m] 22 un cabrito de las cabras para ofrenda por el pecado;[n] 23 y, para sacrificio de comunión,[o] dos reses vacunas, cinco carneros, cinco machos cabríos, cinco corderos

de un año de edad cada uno. Esta fue la ofrenda de Netanel hijo de Zuar.

24 El tercer día [se presentó] el principal para los hijos de Zabulón, Eliab[a] hijo de Helón. 25 Su ofrenda fue un plato de plata, de ciento treinta siclos de peso, un tazón de plata de setenta siclos, según el siclo del lugar santo, ambos llenos de flor de harina ligeramente mojada con aceite, para ofrenda de grano; 26 una copa de oro de diez siclos, llena de incienso; 27 un toro joven, un carnero, un cordero en su primer año, para ofrenda quemada;[b] 28 un cabrito de las cabras para ofrenda por el pecado;[c] 29 y, para sacrificio de comunión,[d] dos reses vacunas, cinco carneros, cinco machos cabríos, cinco corderos de un año de edad cada uno. Esta fue la ofrenda de Eliab hijo de Helón.[e]

30 El cuarto día [se presentó] el principal para los hijos de Rubén, Elizur[f] hijo de Sedeur. 31 Su ofrenda fue un plato de plata, de ciento treinta siclos de peso, un tazón de plata de setenta siclos, según el siclo del lugar santo, ambos llenos de flor de harina ligeramente mojada con aceite, para ofrenda de grano;[g] 32 una copa de oro de diez siclos, llena de incienso; 33 un toro joven, un carnero, un cordero en su primer año, para ofrenda quemada;[h] 34 un cabrito de las cabras para ofrenda por el pecado;[i] 35 y, para sacrificio de comunión,[j] dos reses vacunas, cinco carneros, cinco machos cabríos, cinco corderos de un año de edad cada uno. Esta fue la ofrenda de Elizur hijo de Sedeur.[k]

36 El quinto día [se presentó] el principal para los hijos de Simeón, Selumiel[l] hijo de Zurisadai. 37 Su ofrenda fue un plato de plata, de ciento treinta siclos de peso, un tazón de plata de setenta siclos, según el siclo del lugar santo, ambos llenos de

CAP. 7

a 1Re 8:63
  2Cr 7:5
b 1Co 14:33
  1Co 14:40
c Nú 1:7
  Nú 2:3
  Nú 10:14
  Rut 4:20
  Mt 1:4
d Éx 30:13
  Le 27:25
e Le 2:1
  Nú 7:19
  Nú 7:25
  Nú 7:31
  Nú 7:37
  Nú 7:43
  Nú 7:49
  Nú 7:55
  Nú 7:61
  Nú 7:67
  Nú 7:73
  Nú 7:79
  Nú 7:87
f Éx 30:34
  Dt 33:10
g Le 1:3
  Sl 20:3
h Le 4:23
i Le 3:1
  Le 7:11
  Mal 3:4
j Éx 6:23
  Lu 3:33
k Nú 1:8
  Nú 2:5
  Nú 10:15
l Nú 7:13
m Le 1:3
n Le 4:23
o Le 3:1

2.ª col.

a Nú 2:7
  Nú 10:16
b Le 1:3
c Le 4:23
d Le 3:1
e Nú 1:9
f Nú 2:10
  Nú 10:18
g Nú 7:13
h Le 1:3
  Sl 20:3
i Le 4:23
j Le 3:1
k Nú 1:5
l Nú 2:12

flor de harina ligeramente mojada con aceite, para ofrenda de grano;[a] 38 una copa de oro de diez siclos, llena de incienso; 39 un toro joven, un carnero, un cordero en su primer año, para ofrenda quemada;[b] 40 un cabrito de las cabras para ofrenda por el pecado; 41 y, para sacrificio de comunión,[d] dos reses vacunas, cinco carneros, cinco machos cabríos, cinco corderos de un año de edad cada uno. Esta fue la ofrenda de Selumiel hijo de Zurisadai.[e]

42 El sexto día [se presentó] el principal para los hijos de Gad, Eliasaf[f] hijo de Deuel. 43 Su ofrenda fue un plato de plata, de ciento treinta siclos de peso, un tazón de plata de setenta siclos, según el siclo del lugar santo, ambos llenos de flor de harina ligeramente mojada con aceite, para ofrenda de grano;[g] 44 una copa de oro de diez siclos, llena de incienso;[h] 45 un toro joven, un carnero, un cordero en su primer año, para ofrenda quemada;[i] 46 un cabrito de las cabras para ofrenda por el pecado;[j] 47 y, para sacrificio de comunión,[k] dos reses vacunas, cinco carneros, cinco machos cabríos, cinco corderos de un año de edad cada uno. Esta fue la ofrenda de Eliasaf hijo de Deuel.[l]

48 El séptimo día [se presentó] el principal para los hijos de Efraín, Elisamá[m] hijo de Amihud. 49 Su ofrenda fue un plato de plata, de ciento treinta siclos de peso, un tazón de plata de setenta siclos, según el siclo del lugar santo, ambos llenos de flor de harina ligeramente mojada con aceite, para ofrenda de grano;[n] 50 una copa de oro de diez siclos, llena de incienso; 51 un toro joven, un carnero, un cordero en su primer año, para ofrenda quemada;[o] 52 un cabrito de las cabras para ofrenda por el pecado;[p] 53 y, para sacrificio de comunión,[q] dos reses vacunas, cinco carneros, cinco

machos cabríos, cinco corderos de un año de edad cada uno. Esta fue la ofrenda de Elisamá hijo de Amihud.[a]

54 El octavo día [se presentó] el principal para los hijos de Manasés, Gamaliel[b] hijo de Pedahzur. 55 Su ofrenda fue un plato de plata, de ciento treinta siclos de peso, un tazón de plata de setenta siclos, según el siclo del lugar santo, ambos llenos de flor de harina ligeramente mojada con aceite, para ofrenda de grano;[c] 56 una copa de oro de diez siclos, llena de incienso;[d] 57 un toro joven, un carnero, un cordero en su primer año, para ofrenda quemada;[e] 58 un cabrito de las cabras para ofrenda por el pecado;[f] 59 y, para sacrificio de comunión,[g] dos reses vacunas, cinco carneros, cinco machos cabríos, cinco corderos de un año de edad cada uno. Esta fue la ofrenda de Gamaliel hijo de Pedahzur.[h]

60 El noveno día [se presentó] el principal[i] para los hijos de Benjamín, Abidán[j] hijo de Guideoní. 61 Su ofrenda fue un plato de plata, de ciento treinta siclos de peso, un tazón de plata de setenta siclos, según el siclo del lugar santo, ambos llenos de flor de harina ligeramente mojada con aceite, para ofrenda de grano;[k] 62 una copa de oro de diez siclos, llena de incienso; 63 un toro joven, un carnero, un cordero en su primer año, para ofrenda quemada;[l] 64 un cabrito de las cabras para ofrenda por el pecado;[m] 65 y, para sacrificio de comunión,[n] dos reses vacunas, cinco carneros, cinco machos cabríos, cinco corderos de un año de edad cada uno. Esta fue la ofrenda de Abidán hijo de Guideoní.[o]

66 El décimo día [se presentó] el principal para los hijos de Dan, Ahiézer[p] hijo de Amisadai. 67 Su ofrenda fue un plato de plata, de ciento treinta siclos de peso, un tazón de plata de setenta siclos, según el siclo del lugar

CAP. 7
a Nú 7:13
b Le 1:3
c Le 4:23
d Le 3:1
Le 7:11
e Nú 1:6
f Nú 2:14
Nú 10:20
g Nú 7:13
h Dt 33:10
i Le 1:3
j Le 4:23
k Le 3:1
l Nú 1:14
m Nú 2:18
Nú 10:22
1Cr 7:26
n Nú 7:13
o Le 1:3
p Le 4:23
q Le 3:1

2.ª col.
a Nú 1:10
b Nú 2:20
Nú 10:23
c Nú 7:13
d Dt 33:10
e Le 1:3
f Le 4:23
g Le 3:1
h Nú 1:10
i Nú 1:16
j Nú 2:22
k Nú 7:13
l Le 1:3
m Le 4:23
n Le 3:1
Le 7:11
o Nú 1:11
p Nú 2:25
Nú 10:25

santo, ambos llenos de flor de harina ligeramente mojada con aceite, para ofrenda de grano;[a] 68 una copa de oro de diez siclos, llena de incienso; 69 un toro joven, un carnero, un cordero en su primer año, para ofrenda quemada;[b] 70 un cabrito de las cabras para ofrenda por el pecado;[c] 71 y, para sacrificio de comunión,[d] dos reses vacunas, cinco carneros, cinco machos cabríos, cinco corderos de un año de edad cada uno. Esta fue la ofrenda de Ahiézer hijo de Amisadai.[e]

72 El undécimo día [se presentó] el principal para los hijos de Aser, Paguiel[f] hijo de Ocrán. 73 Su ofrenda fue un plato de plata, de ciento treinta siclos de peso, un tazón de plata de setenta siclos, según el siclo del lugar santo, ambos llenos de flor de harina ligeramente mojada con aceite, para ofrenda de grano;[g] 74 una copa de oro de diez siclos, llena de incienso;[h] 75 un toro joven, un carnero, un cordero en su primer año, para ofrenda quemada;[i] 76 un cabrito de las cabras para ofrenda por el pecado;[j] 77 y, para sacrificio de comunión,[k] dos reses vacunas, cinco carneros, cinco machos cabríos, cinco corderos de un año de edad cada uno. Esta fue la ofrenda de Paguiel hijo de Ocrán.[l]

78 El duodécimo día [se presentó] el principal para los hijos de Neftalí, Ahirá[m] hijo de Enán. 79 Su ofrenda fue un plato de plata, de ciento treinta siclos de peso, un tazón de plata de setenta siclos, según el siclo del lugar santo, ambos llenos de flor de harina ligeramente mojada con aceite, para ofrenda de grano;[n] 80 una copa de oro de diez siclos, llena de incienso;[o] 81 un toro joven, un carnero, un cordero en su primer año, para ofrenda quemada;[p] 82 un cabrito de las cabras para ofrenda por el pecado;[q] 83 y, para sacrificio de comunión,[r] dos reses vacu-

nas, cinco carneros, cinco machos cabríos, cinco corderos de un año de edad cada uno. Esta fue la ofrenda de Ahirá hijo de Enán.[a]

84 Esta fue la ofrenda de inauguración[b] del altar, el día en que fue ungido, de parte de los principales[c] de Israel: doce platos de plata, doce tazones de plata,[d] doce copas de oro; 85 de ciento treinta siclos cada plato de plata, y de setenta cada tazón, de modo que toda la plata de los vasos era dos mil cuatrocientos siclos según el siclo del lugar santo;[e] 86 las doce copas de oro[f] llenas de incienso eran de diez siclos respectivamente cada copa, según el siclo del lugar santo, de modo que todo el oro de las copas era ciento veinte siclos; 87 y todo el ganado para la ofrenda quemada[g] era doce toros, doce carneros, doce corderos de un año de edad cada uno y sus ofrendas de grano,[h] y doce cabritos de las cabras para ofrenda por el pecado;[i] 88 y todo el ganado del sacrificio de comunión[j] era veinticuatro toros, sesenta carneros, sesenta machos cabríos, sesenta corderos de un año de edad cada uno. Esta fue la ofrenda de inauguración[k] del altar después que fue ungido.

89 Ahora bien, siempre que Moisés entraba en la tienda de reunión para hablar con él,[m] entonces oía la voz que conversaba con él desde más arriba de la cubierta[n] que estaba sobre el arca del testimonio, de entre los dos querubines;[o] y le hablaba.

8 Y Jehová procedió a hablar a Moisés, y dijo: 2 "Habla a Aarón, y tienes que decirle: 'Siempre que enciendas las lámparas, las siete lámparas deben alumbrar la zona [que está] enfrente del candelabro'".[p] 3 Y Aarón empezó a hacerlo así. Encendió las lámparas para la zona enfrente del candelabro,[q] tal como Jehová había mandado a Moisés. 4 Ahora bien, esta era

---

CAP. 7
a Nú 7:13
b Le 1:3
c Le 4:23
d Le 3:1
e Nú 1:12
f Nú 2:27
  Nú 10:26
g Nú 7:13
h Nú 7:44
i Le 1:3
j Le 4:23
k Le 3:1
  Le 7:11
l Nú 1:13
m Nú 2:29
  Nú 10:27
n Nú 7:13
o Nú 7:14
p Le 1:3
q Le 4:23
r Le 3:1

2.ª col.
a Nú 1:15
b Nú 7:10
  Esd 2:68
c Jos 22:14
d Nú 7:13
e Éx 30:13
  Le 27:25
f Nú 7:14
g Nú 7:15
h Nú 7:13
i Nú 7:16
j Nú 7:17
k Nú 7:10
  Nú 7:84
l Nú 7:1
m Éx 33:9
  Nú 11:17
  Nú 12:8
n Éx 25:22
  Éx 37:6
o Éx 25:21
  1Sa 4:4
  Sl 80:1

CAP. 8
p Éx 25:37
  Éx 40:25
  Le 24:2
q Heb 9:2

la hechura del candelabro. Labor a martillo era, de oro. Hasta sus lados y hasta sus flores era labor a martillo.[a] Conforme a la visión[b] que Jehová había mostrado a Moisés, así este había hecho el candelabro.

5 Y Jehová habló nuevamente a Moisés, y dijo: 6 "Toma a los levitas de entre los hijos de Israel, y tienes que limpiarlos.[c] 7 Y esto es lo que les debes hacer para limpiarlos: Salpica sobre ellos agua limpiadora de pecado,[d] y ellos tienen que hacer pasar una navaja por toda su carne[e] y tienen que lavar sus prendas de vestir[f] y limpiarse.[g] 8 Entonces tienen que tomar un toro[h] joven y su ofrenda de grano[i] de flor de harina ligeramente mojada con aceite, y tú tomarás otro toro joven para una ofrenda por el pecado.[j] 9 Y tienes que presentar a los levitas delante de la tienda de reunión y congregar a toda la asamblea de los hijos de Israel.[k] 10 Y tienes que presentar a los levitas delante de Jehová, y los hijos de Israel tienen que poner[l] las manos sobre los levitas.[m] 11 Y Aarón tiene que hacer que los levitas se muevan de acá para allá delante de Jehová como ofrenda mecida[n] de parte de los hijos de Israel, y ellos tienen que prestar servicio para efectuar el servicio de Jehová.[o]

12 "Entonces los levitas pondrán las manos sobre las cabezas de los toros.[p] Después de eso, ofrece uno como ofrenda por el pecado y el otro como ofrenda quemada a Jehová para hacer expiación[q] por los levitas. 13 Y tienes que hacer que los levitas estén de pie delante de Aarón y sus hijos, y tienes que hacer que se muevan de acá para allá como ofrenda mecida a Jehová. 14 Y tienes que separar a los levitas de entre los hijos de Israel, y los levitas tienen que llegar a ser míos.[r] 15 Y después los levitas entrarán para servir con relación a la tienda de

reunión.[a] De modo que tienes que limpiarlos y hacer que se muevan de acá para allá como ofrenda mecida.[b] 16 Porque ellos son gente dada, dados a mí de entre los hijos de Israel.[c] Tengo que tomarlos para mí en lugar de los que abren toda matriz, todos los primogénitos de los hijos de Israel.[d] 17 Porque mío es todo primogénito entre los hijos de Israel, entre hombres y entre bestias.[e] Me los santifiqué[f] el día en que herí a todo primogénito en la tierra de Egipto.[g] 18 Y tomaré a los levitas en lugar de todos los primogénitos entre los hijos de Israel.[h] 19 Y daré a los levitas como gente dada a Aarón y sus hijos de entre los hijos de Israel,[i] para que efectúen el servicio de los hijos de Israel en la tienda de reunión y para que hagan expiación por los hijos de Israel, para que no ocurra plaga entre los hijos de Israel[k] porque los hijos de Israel se acerquen al lugar santo".

20 Y Moisés y Aarón y toda la asamblea de los hijos de Israel procedieron a hacer así a los levitas. Conforme a todo lo que Jehová había mandado a Moisés respecto a los levitas, de aquella manera les hicieron los hijos de Israel. 21 Así que los levitas se purificaron[l] y lavaron sus prendas de vestir, después de lo cual Aarón hizo que ellos se movieran de acá para allá como ofrenda mecida delante de Jehová.[m] Entonces Aarón hizo expiación por ellos para limpiarlos.[n] 22 Tras eso los levitas entraron por primera vez para efectuar su servicio en la tienda de reunión delante de Aarón y sus hijos.[o] Tal como Jehová había mandado a Moisés respecto a los levitas, así les hicieron.

23 Jehová entonces habló a Moisés, y dijo: 24 "Esto es lo que aplica a los levitas: De veinticinco años de edad para arriba él vendrá a entrar en la compañía, en el servicio de la tienda de reunión. 25 Pero después de la

CAP. 8
a Éx 37:17
b Éx 25:9
Éx 25:40
1Cr 28:12
1Cr 28:19
Heb 8:5
c Éx 29:4
Sl 26:6
Isa 52:11
2Co 7:1
d Éx 30:18
Eze 36:25
e Le 14:8
f Éx 19:10
Le 16:28
Nú 19:7
g Sl 51:2
h Le 1:3
i Le 2:1
Nú 15:9
j Le 4:3
Ro 8:3
2Co 5:21
k Le 8:3
l Le 1:4
m Nú 3:9
Nú 3:41
Nú 3:45
n Le 7:30
Le 8:27
Nú 8:21
o Nú 1:50
Nú 3:6
p Éx 29:10
q Le 1:4
r Nú 3:45
Nú 16:9

2.ª col.
a Nú 4:3
Nú 8:11
b Éx 29:24
c Nú 3:45
d Nú 3:12
e Éx 13:2
Éx 13:12
Nú 3:13
Lu 2:23
f Éx 13:15
Ef 27:26
g Éx 12:29
Sl 78:51
Sl 105:36
Sl 135:8
Heb 11:28
h Nú 3:12
i Nú 3:9
Nú 18:6
j 1Cr 23:32
Eze 44:11
k Nú 1:53
Nú 18:5
1Sa 6:19
2Cr 26:16
l Nú 8:7
m Nú 8:11
n Nú 8:12
o Nú 8:15
2Cr 31:2

edad de cincuenta años se retirará de la compañía de servicio y no prestará más servicio. 26 Y él tiene que ministrar a sus hermanos en la tienda de reunión al encargarse de la obligación, pero no debe prestar servicio. Conforme a esto harás a los levitas en sus obligaciones".ᵃ

9 Y Jehová procedió a hablar a Moisés en el desierto de Sinaí en el segundo año de la salida de ellos de la tierra de Egipto, en el primer mes,ᵇ y dijo: 2 "Ahora bien, los hijos de Israel deben preparar el sacrificio de la pascuaᶜ a su tiempo señalado.ᵈ 3 El día catorce de este mes, entre las dos tardes,ᵉ ustedes deben prepararlo a su tiempo señalado. Conforme a todos los estatutos y todos los procedimientos regulares de este deben prepararlo".ᶠ

4 De modo que Moisés habló a los hijos de Israel para que prepararan el sacrificio de la pascua. 5 Entonces prepararon el sacrificio de la pascua en el primer mes, el día catorce del mes, entre las dos tardes, en el desierto de Sinaí. Conforme a todo lo que Jehová había mandado a Moisés, así hicieron los hijos de Israel.ᵍ

6 Ahora bien, sucedió que había unos hombres que se habían hecho inmundos por un alma humana,ʰ de modo que no podían preparar el sacrificio de la pascua en aquel día. Por lo tanto, se presentaron delante de Moisés y Aarón en aquel día.ⁱ 7 Entonces le dijeron aquellos hombres: "Estamos inmundos por un alma humana. ¿Por qué se nos debe restringir de presentar la ofrendaʲ a Jehová a su tiempo señalado en medio de los hijos de Israel?". 8 Ante esto, Moisés les dijo: "Párense allí, y déjenme oír lo que Jehová mande acerca de ustedes".ᵏ

9 Entonces Jehová habló a Moisés, diciendo: 10 "Habla a los hijos de Israel, y di: 'Aun cuando cualquier hombre de ustedes o de sus generaciones esté inmundo por un alma,ᵃ o se halle en un viaje distante, él también tiene que preparar el sacrificio de la pascua a Jehová. 11 Deben prepararlo en el segundo mes,ᵇ el día catorce, entre las dos tardes. Deben comerlo junto con tortas no fermentadas y verduras amargas.ᶜ 12 No deben dejar que quede nada de él hasta la mañana,ᵈ y no deben quebrarle hueso alguno.ᵉ Conforme al estatuto entero de la pascua deben prepararlo.ᶠ 13 Pero cuando el hombre estuviera limpio o no se hallara de viaje, y dejara de preparar el sacrificio de la pascua, aquella alma entonces tiene que ser cortada de su pueblo,ᵍ porque no presentó la ofrenda de Jehová a su tiempo señalado. Aquel hombre responderá por su pecado.ʰ

14 "'Y en caso de que un residente forastero esté residiendo con ustedes como forastero, él también tiene que preparar el sacrificio de la pascua a Jehová.ⁱ Conforme al estatuto de la pascua y conforme a su procedimiento regular es como debe hacerlo.ʲ Debe existir un solo estatuto para ustedes, tanto para el residente forastero como para el natural del país'".ᵏ

15 Ahora bien, el día en que se erigió el tabernáculo,ˡ la nube cubrió el tabernáculo de la tienda del Testimonio,ᵐ pero, al atardecer, lo que parecía ser fuegoⁿ continuó sobre el tabernáculo, hasta la mañana. 16 De esa manera siguió constantemente: La nube lo cubría de día, y la apariencia de fuego de noche.ᵒ 17 Y siempre que la nube subía de sobre la tienda, los hijos de Israel partían inmediatamente después,ᵖ y en el lugar donde residía la nube, allí era donde acampaban los hijos de Israel.ᵠ 18 Por orden de Jehová partían los hijos de Israel, y por orden de Jehová acampaban.ʳ Todos los días que la nube residía sobre el

---

CAP. 8
a Nú 1:53
  Nú 3:32
  Nú 18:4
  1Cr 23:32
  Eze 44:11

CAP. 9
b Éx 40:2
  Nú 1:1
c Éx 12:27
d Éx 12:6
  Le 23:5
  Nú 28:16
  Dt 16:1
  Jos 5:10
  Mr 14:12
  1Co 5:7
e Éx 12:6
f Éx 12:8
g Dt 30:8
  Ec 12:13
h Le 21:11
  Nú 5:2
  Nú 6:6
  Nú 19:14
  Nú 19:16
i Éx 18:15
  Nú 15:33
  Nú 27:2
j Le 7:21
  Dt 16:2
k Éx 25:22
  Le 16:2
  Sl 99:6

2.ª col.
a Nú 5:2
b 2Cr 30:2
  2Cr 30:15
c Éx 12:8
d Éx 12:10
e Éx 12:46
  Sl 34:20
  Jn 19:36
f Éx 12:43
g Éx 12:15
h Snt 4:17
i Éx 12:19
  Éx 12:48
j Éx 12:8
k Éx 12:49
  Le 24:22
  Dt 29:11
  Dt 31:12
  Ro 2:11
l Éx 40:2
  Éx 40:17
m Éx 14:24
  Éx 40:34
  Ne 9:12
n Éx 13:21
  Éx 40:38
  Nú 14:14
o Éx 13:22
  Dt 1:33
  Ne 9:19
p Éx 40:36
  Nú 10:11
  Nú 10:34
q Éx 33:14
  Éx 40:37
r Éx 17:1
  Nú 10:13

tabernáculo, se quedaban acampados. **19** Y cuando la nube prolongaba su detención sobre el tabernáculo muchos días, los hijos de Israel también guardaban para con Jehová su obligación de no partir.[a] **20** Y a veces la nube continuaba unos cuantos días sobre el tabernáculo. Por orden[b] de Jehová se quedaban acampados, y por orden de Jehová partían. **21** Y a veces la nube[c] continuaba desde el atardecer hasta la mañana; y se alzaba la nube por la mañana, ellos partían. Fuera de día o de noche que se alzara la nube, ellos también partían.[d] **22** Fueran dos días o un mes o más días durante los cuales la nube prolongara su detención sobre el tabernáculo, residiendo sobre él, los hijos de Israel se quedaban acampados y no partían; pero cuando se alzaba, partían.[e] **23** Por orden de Jehová acampaban, y por orden de Jehová partían. Guardaban su obligación[f] para con Jehová por orden de Jehová, mediante Moisés.[g]

10 Y Jehová procedió a hablar a Moisés, y dijo: **2** "Hazte dos trompetas[h] de plata. Las harás de labor a martillo, y tienen que estar a tu servicio para convocar[i] la asamblea y para levantar los campamentos. **3** Y ellos tienen que tocar las dos, y la entera asamblea tiene que cumplir su cita contigo a la entrada de la tienda de reunión.[j] **4** Y si tocaran solamente una, entonces los principales como cabezas de los millares de Israel tienen que cumplir su cita contigo.[k]

5 "Y ustedes tienen que tocar una serie de toques cortos, y los campamentos de los que están acampados al este[l] tienen que partir. **6** Y tienen que tocar una serie de toques cortos la segunda vez, y los campamentos de los que están acampados al sur[m] tienen que partir. Debe tocarse una serie de toques cortos

para cada vez que uno de ellos parta.

7 "Ahora bien, al convocar la congregación, ustedes deben tocar,[a] pero no deben dar una serie de toques cortos. **8** Y los hijos de Aarón, los sacerdotes, deben tocar las trompetas,[b] y el uso de ellas tiene que servir de estatuto para ustedes hasta tiempo indefinido durante sus generaciones.

9 "Y en caso de que ustedes entren en guerra en su país contra el opresor que los esté hostigando,[c] entonces tienen que tocar una llamada de guerra con las trompetas,[d] y ciertamente serán recordados delante de Jehová su Dios y serán salvados de sus enemigos.[e]

10 "Y en el día de su regocijo[f] y en sus períodos de fiesta[g] y en los comienzos de sus meses,[h] tienen que tocar las trompetas sobre sus ofrendas quemadas[i] y sus sacrificios de comunión;[j] y el uso de ellas tiene que servir de memoria para ustedes delante de su Dios. Yo soy Jehová su Dios".[k]

11 Ahora bien, aconteció que en el segundo año, en el segundo mes, el día veinte del mes,[l] se alzó la nube de sobre el tabernáculo[m] del Testimonio. **12** Y los hijos de Israel se pusieron a partir, según la manera de sus partidas,[n] del desierto de Sinaí, y la nube procedió a residir en el desierto de Parán.[o] **13** Y empezaron a partir por primera vez, conforme a la orden de Jehová por medio de Moisés.[p]

14 De modo que la división [de tres tribus] del campamento de los hijos de Judá partió primero en sus ejércitos,[q] y Nahsón[r] hijo de Aminadab estaba sobre el ejército de esta. **15** Y sobre el ejército de la tribu de los hijos de Isacar estaba Netanel[s] hijo de Zuar. **16** Y sobre el ejército de la tribu de los hijos de Zabulón estaba Eliab hijo de Helón.[t]

17 Y el tabernáculo fue desarmado,[u] y los hijos de Guersón[v] y los hijos de Merarí[w] partieron

CAP. 9
a Ex 40:37
Nú 1:52
b Sl 48:14
c Sl 78:14
d Ex 40:36
Nú 9:17
e Dt 1:7
Dt 2:3
f Ex 24:3
Nú 9:19
Dt 11:1
Jos 22:3
g Ex 39:42

CAP. 10
h Le 23:24
Le 25:9
i Sl 81:3
Joe 1:14
j Nú 1:18
Dt 29:10
Jer 4:5
k Ex 18:21
Nú 1:16
Nú 7:2
Dt 1:15
Dt 5:23
Dt 31:9
l Nú 2:3
m Nú 2:10

2.ª col.
a Nú 10:3
Joe 2:15
b Nú 31:6
1Cr 15:24
1Cr 16:6
2Cr 29:26
Ne 12:35
Ne 12:41
c Jue 2:18
Jue 6:9
d Jue 3:27
Jue 7:20
2Cr 13:12
2Cr 14:0
e Sl 106:4
f 1Cr 15:28
2Cr 5:12
2Cr 7:6
Esd 3:10
g Le 23:24
Nú 29:1
h Sl 81:3
i Nú 28:11
j Le 3:1
Nú 28:39
k Ex 6:7
Le 11:45
l Nú 1:1
m Nú 9:17
Sl 78:14
n Ex 40:36
Nú 2:9
Nú 2:16
Nú 2:17
Nú 2:24
Nú 2:31
o Gé 21:21
Nú 12:16
Nú 13:26
Dt 1:2
p Nú 2:34
Nú 9:23
q Nú 2:3
r Nú 1:7
s Nú 1:8
Nú 2:5
t Nú 2:7
u Nú 1:51
v Nú 3:25
w Nú 3:36

como portadores del tabernáculo.

18 Y la división [de tres tribus] del campamento de Rubén[a] partió en sus ejércitos, y Elizur[b] hijo de Sedeur estaba sobre el ejército de esta. 19 Y sobre el ejército de la tribu de los hijos de Simeón[c] estaba Selumiel[d] hijo de Zurisadai. 20 Y sobre el ejército de la tribu de los hijos de Gad estaba Eliasaf[e] hijo de Deuel.

21 Y partieron los qohatitas como portadores del santuario,[f] puesto que habrán armado el tabernáculo para el tiempo de su llegada.

22 Y la división [de tres tribus] del campamento de los hijos de Efraín[g] partió en sus ejércitos, y Elisamá[h] hijo de Amihud estaba sobre el ejército de esta. 23 Y sobre el ejército de la tribu de los hijos de Manasés[i] estaba Gamaliel[j] hijo de Pedahzur. 24 Y sobre el ejército de la tribu de los hijos de Benjamín[k] estaba Abidán[l] hijo de Guideoní.

25 Y la división [de tres tribus] del campamento de los hijos de Dan[m] partió, formando la retaguardia[n] para todos los campamentos en sus ejércitos, y Ahiézer[o] hijo de Amisadai estaba sobre el ejército de esta. 26 Y sobre el ejército de la tribu de los hijos de Aser estaba Paguiel[q] hijo de Ocrán. 27 Y sobre el ejército de la tribu de los hijos de Neftalí estaba Ahirá[s] hijo de Enán. 28 De esta manera se efectuaban las partidas de los hijos de Israel en sus ejércitos cuando partían.[t]

29 Entonces Moisés dijo a Hobab hijo de Reuel[u] el madianita, suegro de Moisés: "Estamos partiendo para el lugar acerca del cual Jehová dijo: 'Lo daré a ustedes'.[v] Dígnate venir con nosotros, y ciertamente te haremos bien,[w] porque Jehová ha hablado el bien respecto a Israel".[x] 30 Pero él le dijo: "No iré, sino que iré a mi propio país[y] y a mis parientes". 31 A lo cual él dijo:

"Por favor, no nos dejes, porque, a causa de que conoces bien dónde podemos acampar en el desierto, tienes que servirnos de ojos. 32 Y tiene que suceder que, en caso de que vengas con nosotros,[a] sí, tiene que suceder que, con el bien con que Jehová nos haga bien a nosotros, nosotros, en cambio, te haremos bien a ti".

33 De modo que se fueron marchando de la montaña de Jehová[b] por camino de tres días, y el arca del pacto[c] de Jehová estuvo marchando delante de ellos por camino de tres días, para buscarles un lugar de descanso.[d] 34 Y la nube[e] de Jehová estaba sobre ellos de día, cuando salían marchando del campamento.

35 Y ocurría que, cuando el Arca emprendía la marcha, Moisés decía: "Levántate, sí, oh Jehová, y sean esparcidos tus enemigos;[f] y huyan de delante de ti los que te odian intensamente".[g] 36 Y cuando ella se posaba, decía: "Vuelve, sí, oh Jehová, a las miríadas de millares de Israel".[h]

11 Ahora bien, el pueblo llegó a ser como hombres que tienen algo malo de qué quejarse a oídos de Jehová.[i] Cuando Jehová llegó a oírlo, entonces su cólera se enardeció, y un fuego de Jehová empezó a encenderse contra ellos y a consumir a algunos en la extremidad del campamento.[j] 2 Cuando el pueblo empezó a clamar a Moisés, él entonces hizo súplica a Jehová,[k] y el fuego se apagó. 3 Y aquel lugar llegó a llamarse por nombre Taberá,[l] porque un fuego de Jehová se había encendido contra ellos.

4 Y la muchedumbre mixta[m] que se hallaba en medio de ellos expresó anhelo egoísta,[n] y también los hijos de Israel se pusieron a llorar de nuevo y a decir: "¿Quién nos dará carne para comer?[o] 5 ¡Cómo nos acordamos del pescado que comíamos de balde en Egipto,[p] de los pepinos

CAP. 10

a Nú 2:10
b Nú 1:5
c Nú 2:12
d Nú 1:6
e Nú 1:14
Nú 2:14
f Nú 3:31
g Nú 4:4
Nú 4:15
Nú 7:9
h Nú 2:24
Nú 1:10
Nú 2:18
i Nú 2:20
j Nú 1:10
k Nú 2:22
l Nú 1:11
m Nú 2:25
Nú 2:31
n Jos 6:9
o Nú 1:12
Nú 2:27
q Nú 1:13
Nú 2:29
r Nú 1:15
Nú 2:34
u Éx 2:18
Éx 3:1
Éx 18:1
Éx 18:27
v Gé 12:7
Gé 13:15
Gé 15:18
Hch 7:5
w Jue 1:16
Jue 4:11
1Sa 15:6
x Gé 12:2
Éx 3:8
Éx 6:7
Éx 23:19
y Éx 3:1

2.ᵃ col.

a Jue 1:16
Jue 4:11
b Éx 3:1
Éx 19:3
Éx 24:16
Dt 5:2
1Re 19:8
Mal 4:4
c Éx 25:10
Éx 25:17
d Dt 1:33
Jos 3:3
Jos 3:4
e Éx 14:31
Ne 9:12
Sl 78:14
Sl 105:39
f Sl 17:13
Sl 132:8
g Sl 68:1
h Dt 1:10

CAP. 11

i Dt 9:22
j Sl 78:21
Sl 106:18
k Dt 9:22
Dt 9:19
Sl 106:23
Snt 5:16
l Dt 9:22
Éx 12:38
Le 24:10
n 1Co 10:10
Sl 78:18
Sl 78:22
Sl 106:14
p Éx 16:3

y las sandías y los puerros y las cebollas y el ajo! 6 Pero ahora nuestra alma se halla seca. Nuestros ojos no se posan en cosa alguna sino en el maná".[a]

7 A propósito, el maná[b] era como semilla de cilantro,[c] y su aspecto era como el aspecto del bedelio.[d] 8 El pueblo se esparcía y lo recogía[e] y lo molía en molinos de mano o lo machacaba en mortero, y lo cocía en ollas[f] o hacía de él tortas redondas, y su sabor resultaba como el sabor de una torta dulce aceitada.[g] 9 Y cuando el rocío descendía sobre el campamento por la noche, el maná descendía sobre él.[h]

10 Y Moisés llegó a oír al pueblo llorando en sus familias, cada hombre a la entrada de su tienda. Y la cólera de Jehová empezó a enardecerse en gran manera,[i] y aquello fue malo a los ojos de Moisés.[j] 11 Entonces Moisés dijo a Jehová: "¿Por qué has causado mal a tu siervo, y por qué no he hallado favor a tus ojos, de modo que has colocado sobre mí la carga de todo este pueblo?[k] 12 ¿He concebido yo mismo a todo este pueblo? ¿Soy yo quien los ha dado a luz, para que me digas: 'Llévalos en tu seno,'[l] tal como el que hace de nodriza lleva al niño de pecho',[m] al suelo acerca del cual juraste a sus antepasados?[n] 13 ¿De dónde tengo yo carne para dar a todo este pueblo? Pues, siguen llorando hacia mí, diciendo: '¡Danos carne, sí, y déjanos comer!'. 14 No puedo, por mí solo, llevar a todo este pueblo, porque es demasiado pesado para mí.[o] 15 Por eso, si de esta manera estás haciendo conmigo, por favor, mátame [y acábame] del todo,[p] si he hallado favor a tus ojos, y no mire yo mi calamidad".

16 A su vez Jehová dijo a Moisés: "Reúneme setenta hombres de los ancianos de Israel,[q] de quienes de veras conozcas que son ancianos del pueblo y oficiales suyos,[r] y tienes que llevarlos

a la tienda de reunión, y ellos tienen que apostarse allí contigo. 17 Y yo tendré que descender[s] y hablar contigo allí;[b] y tendré que quitar parte del espíritu[c] que está sobre ti y colocarlo sobre ellos, y ellos tendrán que ayudarte a llevar la carga del pueblo para que no la lleves tú, tú solo.[d] 18 Y debes decir al pueblo: 'Santifíquense para mañana,[e] puesto que ciertamente comerán carne, porque han llorado a oídos de Jehová,[f] diciendo: "¿Quién nos dará carne para comer?, pues nos iba bien en Egipto".[g] Y Jehová ciertamente les dará carne, y verdaderamente comerán.[h] 19 Comerán, no un solo día, ni dos días, ni cinco días, ni diez días, ni veinte días, 20 sino hasta un mes de días, hasta que se les salga por las narices y lleguen a tenerle asco,[i] simplemente porque ustedes rechazaron a Jehová, que está en medio de ustedes, y se pusieron a llorar delante de él, diciendo: "¿Por qué hemos salido de Egipto?" '".[j]

21 Entonces Moisés dijo: "El pueblo en medio de quien estoy cuenta con seiscientos mil hombres[k] de a pie, ¡y, sin embargo, tú... tú has dicho: 'Les daré carne, y ciertamente comerán por un mes de días'! 22 ¿Se les degollarán rebaños y vacadas, para que les baste?[l] ¿O se les pescarán todos los peces del mar, para que les baste?".

23 Ante esto, Jehová dijo a Moisés: "Es que la mano de Jehová está acortada, ¿no?[m] Ahora verás si lo que digo te acaece o no".[n]

24 Después de eso Moisés salió y habló al pueblo las palabras de Jehová. Y se puso a reunir setenta hombres de los ancianos del pueblo, y procedió a hacer que estuvieran de pie alrededor de la tienda.[o] 25 Entonces Jehová descendió en una nube[p] y le habló[q] y le quitó parte del espíritu[r] que estaba sobre él y lo puso sobre cada uno de los setenta

CAP. 11
a Éx 16:35
Nú 21:5
b Éx 16:14
Ne 9:20
Jn 6:31
Jn 6:33
Jn 6:51
c Éx 16:31
d Gé 2:12
e Éx 16:16
f Éx 16:23
g Éx 16:31
h Sl 78:24
i Nú 11:1
Dt 32:22
Sl 78:21
j Pr 29:22
k Éx 17:4
Dt 1:12
l Isa 40:11
m 1Te 2:7
n Gé 13:15
Gé 26:3
Gé 50:24
o Éx 18:18
Dt 1:9
p 1Re 19:4
Job 6:9
q Éx 24:1
Éx 24:9
r Dt 16:18

2.ª col.
a Éx 17:22
Éx 19:11
Éx 25:22
Éx 34:5
Nú 12:5
b Nú 11:25
Nú 12:8
c Nú 27:18
1Sa 10:6
2Re 2:15
Ne 9:20
Heb 2:17
d Éx 18:22
e Éx 19:10
f Éx 16:7
g Nú 11:4
Nú 11:5
h Nú 16:8
i Sl 78:29
Sl 106:15
j Nú 21:5
k Gé 12:2
Éx 12:37
Éx 38:26
Nú 1:46
l Mt 15:33
m Gé 18:14
Isa 50:2
Isa 59:1
Mr 10:27
Lu 1:37
n Isa 55:11
Jer 44:28
Tit 1:2
Heb 6:18
o Nú 11:16
p Éx 33:9
Nú 12:5
Dt 31:15
q Sl 99:7
r Nú 11:17
2Re 2:9
2Re 2:15

ancianos. Y aconteció que, tan pronto como el espíritu se posó sobre ellos, entonces procedieron a actuar como profetas; pero no volvieron a hacerlo.[a]

26 Ahora bien, dos de los hombres habían quedado en el campamento. El nombre del uno era Eldad, y el nombre del otro era Medad. Y el espíritu empezó a posarse sobre ellos, puesto que se contaban entre los anotados, pero no habían salido a la tienda. De modo que se pusieron a actuar como profetas en el campamento. 27 Y un joven se puso a correr e informarlo a Moisés y a decir: "¡Eldad y Medad están actuando como profetas en el campamento!". 28 Entonces Josué hijo de Nun, el ministro[b] de Moisés desde su mocedad en adelante, respondió y dijo: "¡Señor mío, Moisés, deténlos!". 29 Sin embargo, Moisés le dijo: "¿Sientes celos por mí? No, ¡quisiera yo que todo el pueblo de Jehová fueran profetas, porque Jehová pondría su espíritu sobre ellos!".[d] 30 Más tarde Moisés se retiró al campamento, él y los ancianos de Israel.

31 Y un viento[e] prorrumpió de parte de Jehová y empezó a impeler codornices desde el mar[f] y a dejarlas caer sobre el campamento, como el camino de un día por esta dirección y como el camino de un día por la otra dirección, todo en derredor del campamento, y como dos codos sobre la superficie de la tierra. 32 Entonces el pueblo se levantó todo aquel día y toda la noche y todo el día siguiente y siguió recogiendo las codornices. El que menos juntó, recogió diez homeres;[g] y siguieron tendiéndolas extensamente para sí todo en derredor del campamento. 33 La carne estaba todavía entre sus dientes,[h] antes que pudiera ser masticada, cuando se encendió la cólera[i] de Jehová contra el pueblo, y Jehová empezó a herir al pueblo con una matanza sumamente grande.[j]

34 Aquel lugar llegó a lla-

marse por nombre Quibrot-hataavá,[a] porque allí enterraron a la gente que mostró vehemente deseo egoísta.[b] 35 De Quibrot-hataavá el pueblo partió para Hazerot, y continuaron en Hazerot.[c]

12 Ahora bien, Míriam y Aarón empezaron a hablar contra Moisés con motivo de la esposa cusita que él había tomado, porque era esposa cusita la que había tomado.[d] 2 Y siguieron diciendo: "¿Es simplemente por Moisés solo por quien Jehová ha hablado? ¿No ha hablado también por nosotros?".[e] Y Jehová estaba escuchando.[f] 3 Y el hombre Moisés era con mucho el más manso[g] de todos los hombres que había sobre la superficie del suelo.

4 Entonces, de repente Jehová dijo a Moisés y Aarón y Míriam: "Salgan, ustedes tres, a la tienda de reunión". De modo que los tres salieron. 5 Después Jehová descendió en la columna de nube[h] y se situó a la entrada de la tienda y llamó a Aarón y Míriam. Ante esto, ambos salieron. 6 Y él pasó a decir: "Oigan mis palabras, por favor. Si llegara a haber un profeta de ustedes para Jehová, sería en una visión[i] como me daría a conocer a él. En un sueño[j] le hablaría. 7 ¡No así con mi siervo Moisés![k] Tiene confiada a él toda mi casa.[l] 8 Boca a boca le hablo,[m] y así le muestro, y no por enigmas;[n] y la apariencia de Jehová es lo que él contempla.[o] ¿Por qué, pues, no temieron hablar contra mi siervo, contra Moisés?".[p]

9 Y la cólera de Jehová se enardeció contra ellos, y él procedió a irse. 10 Y la nube se apartó de sobre la tienda, y, ¡mire!, Míriam estaba herida de lepra tan blanca como la nieve.[q] Entonces Aarón se volvió hacia Míriam, y, ¡mire!, estaba herida de lepra.[r] 11 Al instante Aarón dijo a Moisés: "¡Dispénsame, señor mío! ¡Por favor, no nos

CAP. 11
a 1Sa 10:6
1Sa 19:20
b Éx 17:9
Éx 24:13
Éx 33:11
Nú 27:18
Dt 31:3
c Mr 9:38
d Joe 2:28
Hch 26:29
e Sl 78:26
Sl 135:7
f Sl 78:27
Sl 105:40
g Éx 16:36
Eze 45:11
h Sl 78:30
Sl 106:15
i Sl 78:31
j 1Co 10:10

2.ª col.
a Nú 33:16
b 1Co 10:6
c Nú 33:17
Dt 1:1

CAP. 12
d Éx 2:16
Éx 2:21
e Éx 4:15
Éx 4:30
Éx 15:20
Éx 28:30
Miq 6:4
f Nú 11:1
2Re 19:4
g Sl 147:6
Sl 149:4
Mt 11:29
Mt 21:5
1Pe 3:4
h Éx 34:5
Nú 11:25
Sl 99:7
i Gé 15:1
Gé 46:2
Éx 24:11
Job 33:15
j Gé 31:10
Jer 23:28
k Sl 105:26
l Heb 3:2
m Éx 33:11
Dt 34:10
n Sl 49:4
1Co 13:12
o Éx 24:10
p Éx 34:30
2Pe 2:10
Jud 8
q Dt 24:9
r 2Cr 26:19

atribuyas el pecado en que hemos obrado tontamente y que hemos cometido[a]   12 ¡Por favor, no la dejes continuar como alguien [que está] muerto,[b] cuya carne al tiempo de salir de la matriz de su madre se halla medio consumida!".   13 Y Moisés se puso a clamar a Jehová, y a decir: "¡Oh Dios, por favor! ¡Sánala, por favor!".[c]

14 Entonces Jehová dijo a Moisés: "Si el padre de ella le escupiera[d] directamente en la cara, ¿no quedaría humillada siete días? Que esté en cuarentena[e] siete días fuera del campamento,[f] y que sea admitida después".[g]   15 Por consiguiente, Míriam fue puesta en cuarentena siete días fuera del campamento,[h] y el pueblo no partió hasta que Míriam fue admitida.   16 Y después el pueblo partió de Hazerot,[i] y se pusieron a acampar en el desierto de Parán.[j]

13 Jehová ahora habló a Moisés, y dijo: 2 "Envíate hombres para que espíen la tierra de Canaán, que yo voy a dar a los hijos de Israel.[k] Enviarán un hombre por cada tribu de sus padres, cada uno un principal[l] entre ellos".

3 Así que Moisés los envió del desierto de Parán[m] por orden de Jehová. Todos los hombres eran cabezas de los hijos de Israel.   4 Y estos son sus nombres: De la tribu de Rubén, Samúa hijo de Zacur;   5 de la tribu de Simeón, Safat hijo de Horí;   6 de la tribu de Judá, Caleb[n] hijo de Jefuné;   7 de la tribu de Isacar, Igal hijo de José;   8 de la tribu de Efraín, Hosea[o] hijo de Nun;   9 de la tribu de Benjamín, Paltí hijo de Rafú;   10 de la tribu de Zabulón, Gadiel hijo de Sodí;   11 de la tribu de José,[p] por la tribu de Manasés,[q] Gaddí hijo de Susí;   12 de la tribu de Dan, Amiel hijo de Guemalí;   13 de la tribu de Aser, Setur hijo de Miguel;   14 de la tribu de Neftalí, Nahbí hijo de Vofsí;   15 de la tribu de Gad,

Gueuel hijo de Makí.   16 Estos son los nombres de los hombres a quienes Moisés envió a espiar la tierra. Y Moisés continuó llamando Jehosúa[a] a Hosea hijo de Nun.

17 Cuando Moisés iba a enviarlos a espiar la tierra de Canaán, procedió a decirles: "Suban acá al Négueb,[b] y tienen que subir a la región montañosa.[c]   18 Y tienen que ver lo que es la tierra[d] y la gente que está morando en ella, si es fuerte o débil, si es poca o mucha;   19 y lo que es la tierra en que está morando, si es buena o mala, y lo que son las ciudades en que está morando, si es en campamentos o en fortificaciones;   20 y lo que es el terreno, si es pingüe o enjuto,[e] si hay árboles en él o no. Y tienen que mostrarse animosos[f] y tomar algo del fruto de la tierra". Ahora bien, los días eran los días de los primeros frutos maduros de las uvas.[g]

21 De modo que subieron y espiaron la tierra desde el desierto de Zin[h] hasta Rehob[i] hasta el punto de entrada de Hamat.[j]   22 Cuando subieron al Négueb,[k] entonces llegaron a Hebrón.[l] Ahora bien, estaban allí Ahimán, Sesai y Talmai,[m] los que nacieron de Anaq.[n] A propósito, Hebrón[o] había sido edificada siete años antes de Zoan[p] de Egipto.   23 Cuando llegaron al valle torrencial de Escol,[q] entonces procedieron a cortar de allí un sarmiento con un racimo de uvas.[r] Y fueron llevándolo con una barra sobre dos de los hombres, y también algunas de las granadas[s] y algunos de los higos.   24 Llamaron a aquel lugar el valle torrencial de Escol,[t] a causa del racimo que los hijos de Israel cortaron de allí.

25 Por fin, al cabo de cuarenta días,[u] volvieron de espiar la tierra.   26 De modo que anduvieron y llegaron a Moisés y Aarón y a toda la asamblea de los hijos de Israel, en el desierto de Parán, en Qadés.[v] Y vinieron trayéndoles palabra de vuelta a

---

CAP. 12

a 2Sa 24:10
Pr 30:32
Mr 7:20
b Le 13:45
c Éx 32:11
Snt 5:16
d Job 30:10
Nú 50:6
e Le 13:4
f Le 13:46
Nú 5:2
g Le 14:9
h Dt 24:9
i Nú 11:35
Nú 33:18
Dt 1:1
j Nú 10:12
Nú 13:26

CAP. 13

k Nú 32:8
Dt 1:22
l Éx 18:25
Dt 1:15
m Nú 12:16
Dt 1:19
n Nú 13:30
Nú 14:30
Nú 14:38
Nú 34:19
1Cr 4:15
o Nú 11:28
Nú 13:16
Nú 14:30
Nú 34:17
p Gé 48:5
q Gé 48:19

2.ª col.

a Éx 17:9
b Gé 20:1
c Dt 1:7
Jue 1:9
d Éx 3:8
Dt 8:7
e Ne 9:25
Ne 9:35
Eze 20:6
f Dt 31:6
Jos 1:6
g Nú 13:23
h Nú 34:3
Jos 15:1
i 2Sa 10:6
2Sa 10:8
j Nú 34:8
Jos 13:5
Am 6:2
k Nú 13:17
1Gé 13:18
Jue 1:10
n Dt 9:2
Jos 11:21
Jos 15:13
o Jos 21:11
p Sl 78:12
Isa 19:11
q Nú 32:9
r Dt 1:25
s Dt 8:8
t Dt 1:24
u Nú 14:34
v Dt 1:19
Jos 14:6
Sl 29:8

ellos y a toda la asamblea y mostrándoles el fruto de la tierra. 27 Y pasaron a informarle y decir: "Entramos en la tierra a la cual nos enviaste, y verdaderamente mana leche y miel,[a] y este es su fruto.[b] 28 Sin embargo, la realidad es que la gente que mora en la tierra es fuerte, y las ciudades fortificadas son muy grandes;[c] y, también, a los nacidos de Anaq vimos allí.[d] 29 Los amalequitas[e] están morando en la tierra del Négueb,[f] y los hititas y los jebuseos[g] y los amorreos[h] están morando en la región montañosa, y los cananeos[i] están morando junto al mar y al lado del Jordán".

30 Entonces Caleb[j] trató de acallar al pueblo para con Moisés, y se puso a decir: "Subamos directamente, y de seguro tomaremos posesión de ella, porque ciertamente podemos prevalecer sobre ella".[k] 31 Pero los hombres que habían subido con él dijeron: "No podemos subir contra la gente, porque es más fuerte que nosotros".[l] 32 Y siguieron presentando a los hijos de Israel un informe malo[m] acerca de la tierra que habían espiado, diciendo: "La tierra, por la cual pasamos para espiarla, es una tierra que se come a sus habitantes; y toda la gente que vimos en medio de ella son hombres de tamaño extraordinario.[n] 33 Y allí vimos a los nefilim, los hijos de Anaq,[o] que son de los nefilim; de modo que llegamos a ser a nuestros propios ojos como saltamontes, y así mismo llegamos a ser a los ojos de ellos".[p]

14 Entonces toda la asamblea alzó la voz, y el pueblo siguió dando salida a su voz y llorando[q] durante toda aquella noche. 2 Y todos los hijos de Israel empezaron a murmurar contra Moisés y Aarón,[r] y toda la asamblea empezó a decir contra ellos: "¡Si siquiera hubiéramos muerto en la tierra de Egip-

to, o si siquiera hubiéramos muerto en este desierto! 3 ¿Y por qué está Jehová llevándonos a esta tierra para caer a espada?[a] Nuestras esposas y nuestros pequeñuelos llegarán a ser botín.[b] ¿No es mejor volvernos a Egipto?".[c] 4 Hasta se pusieron a decir unos a otros: "¡Nombremos un cabeza, y volvámonos a Egipto!".[d]

5 Ante esto, Moisés y Aarón cayeron sobre sus rostros[e] delante de toda la congregación de la asamblea de los hijos de Israel. 6 Y Josué hijo de Nun[f] y Caleb hijo de Jefuné,[g] que eran de aquellos que espiaron la tierra, rasgaron sus prendas de vestir,[h] 7 y procedieron a decir esto a toda la asamblea de los hijos de Israel: "La tierra por la que pasamos para espiarla es una tierra muy, muy buena.[i] 8 Si Jehová se ha deleitado en nosotros,[j] entonces ciertamente nos introducirá en esta tierra y nos la dará, tierra que mana leche y miel.[k] 9 Solo que contra Jehová no se rebelen;[l] y ustedes, no teman a la gente de la tierra,[m] porque son pan para nosotros. Su amparo se ha apartado de sobre ellos,[n] y Jehová está con nosotros.[o] No los teman".[p]

10 Sin embargo, toda la asamblea habló de lapidarlos.[q] Y la gloria de Jehová se apareció sobre la tienda de reunión a todos los hijos de Israel.[r]

11 Por fin Jehová dijo a Moisés: "¿Hasta cuándo me tratará sin respeto[t] este pueblo, y hasta cuándo no pondrán fe en mí por todas las señales que he ejecutado en medio de ellos?[u] 12 Déjame herirlos con peste y expulsarlos, y déjame hacer de ti una nación más grande y más poderosa que ellos".[v]

13 Pero Moisés dijo a Jehová: "Entonces los egipcios de seguro oirán que tú por tu poder has hecho salir de en medio de ellos a este pueblo,[w] 14 Y ellos de seguro lo dirán a los habitantes

CAP. 13

a Éx 3:8
  Le 20:24
b Dt 1:25
c Dt 1:28
d Nú 13:22
  Nú 13:33
e Gé 36:12
  Éx 17:8
  1Sa 15:3
f Nú 13:17
g Gé 10:16
  Éx 23:23
  Dt 7:1
  Jue 1:21
  2Sa 5:8
h Jos 3:10
i Gé 10:19
  Dt 20:17
j Nú 14:6
k Jos 14:7
  Sl 60:12
l Nú 32:9
  Dt 1:28
  Jos 14:8
m Nú 14:36
  Nú 32:9
n Am 2:9
o Dt 1:28
  Dt 9:2
p Dt 2:10

CAP. 14

q Dt 1:32
r Dt 1:27
  Sl 106:25

2.ª col.

a Nú 14:29
  Sl 78:40
b Nú 14:31
  Dt 1:39
c Nú 11:5
d Dt 1:34
  Ne 9:17
  Heb 10:38
e Dt 9:26
f Nú 13:8
  Nú 13:16
g Nú 13:6
h Jos 7:6
i Nú 13:27
  Dt 1:25
  Dt 8:7
  Dt 11:14
j Dt 9:5
  Dt 10:15
k Éx 3:8
l Dt 9:7
m Dt 7:18
  Dt 20:3
n Nú 24:8
o Gé 48:21
  Éx 33:16
  Dt 20:1
  Isa 41:10
  Ro 8:31
p Sl 27:14
q Éx 17:4
r Éx 16:10
  Éx 24:17
  Éx 16:28
s Éx 14:23
  Éx 16:28
t Nú 14:23
u Dt 9:23
  Sl 78:42
  Sl 106:24
  Jn 12:37
  Heb 3:19
v Éx 32:10
w Éx 32:12
  Eze 20:9

de esta tierra. Ellos han oído que tú eres Jehová en medio de este pueblo,[a] el que se ha aparecido cara a cara.[b] Tú eres Jehová, y tu nube está parada sobre ellos, y tú vas delante de ellos en la columna de nube de día y en la columna de fuego de noche.[c] 15 Si tú dieras muerte a este pueblo como a un solo hombre,[d] entonces las naciones que han oído de tu fama ciertamente dirían esto: 16 'Porque Jehová no pudo introducir a este pueblo en la tierra acerca de la cual les juró, procedió a darlos a la matanza en el desierto'.[e] 17 Y ahora, por favor, engrandézcase tu poder,[f] oh Jehová, tal como has hablado, diciendo: 18 'Jehová, tardo a la cólera[g] y abundante en bondad amorosa,[h] que perdona error y transgresión,[i] pero de ninguna manera dará exención de castigo,[j] que hace venir el castigo por el error de los padres sobre los hijos, sobre la tercera generación y sobre la cuarta generación'.[k] 19 Perdona, por favor, el error de este pueblo de acuerdo con la grandeza de tu bondad amorosa, y tal como has perdonado a este pueblo desde Egipto en adelante hasta ahora".[l]

20 Entonces Jehová dijo: "De veras perdono conforme a tu palabra.[m] 21 Y, por otra parte, tan ciertamente como que yo vivo, toda la tierra se llenará de la gloria de Jehová.[n] 22 Pero todos los hombres que han estado viendo mi gloria[o] y mis señales[p] que he ejecutado en Egipto y en el desierto, y, no obstante, han seguido poniéndome a prueba[q] estas diez veces, y no han escuchado mi voz,[r] 23 nunca verán la tierra acerca de la cual juré a sus padres, sí, ninguno de los que me tratan sin respeto la verán.[s] 24 En cuanto a mi siervo Caleb,[t] porque un espíritu diferente ha resultado estar con él y siguió yendo íntegramente en pos de mí,[u] ciertamente lo in-

troduciré en la tierra adonde ha ido, y su prole tomará posesión de ella.[a] 25 Mientras los amalequitas y los cananeos[b] estén morando en la llanura baja, ustedes den la vuelta mañana y partan para marchar al desierto por vía del mar Rojo".[c]

26 Y Jehová siguió hablando a Moisés y Aarón, y dijo: 27 "¿Hasta cuándo tendrá esta mala asamblea esta murmuración que está llevando a cabo contra mí?[d] He oído las murmuraciones de los hijos de Israel que están murmurando contra mí.[e] 28 Diles: '"¡Tan ciertamente como que yo vivo —es la expresión de Jehová—, si no les haré a ustedes justamente como han hablado a mis oídos![f] 29 En este desierto caerán sus cadáveres,[g] sí, todos los inscritos de ustedes de su número total de veinte años de edad para arriba, ustedes los que han murmurado contra mí.[h] 30 En cuanto a ustedes, no entrarán en la tierra en la que alcé la mano[i] [en juramento] para residir con ustedes, salvo Caleb hijo de Jefuné y Josué hijo de Nun.[j]

31 '"'Y a los pequeñuelos de ustedes, que ustedes dijeron que llegarían a ser botín,[k] a estos también ciertamente introduciré, y ellos verdaderamente conocerán la tierra que ustedes han rechazado.[l] 32 Pero los cadáveres de ustedes mismos caerán en este desierto.[m] 33 Y sus hijos llegarán a ser pastores en el desierto[n] cuarenta años, y tendrán que responder por los actos de fornicación[o] de ustedes, hasta que los cadáveres de ustedes se acaben en el desierto.[p] 34 Por el número de los días que ustedes espiaron la tierra, cuarenta días,[q] un día por un año, un día por un año,[r] ustedes responderán por sus errores cuarenta años,[s] puesto que tienen que co-

---

CAP. 14
a Ex 15:14
Jos 2:10
Jos 5:1
b Dt 4:12
Dt 5:4
c Ex 13:21
Ne 9:12
Sl 78:14
Sl 105:39
d Jue 6:16
e Dt 9:28
Dt 32:27
Jos 7:9
f Sl 62:11
Sl 147:5
g Ex 34:6
Ro 9:22
h Sl 103:8
Jon 4:2
Miq 7:18
i Ex 34:7
1Jn 1:9
j Na 1:3
Ro 2:5
k Ex 34:7
l Ex 34:9
Dt 9:12
m Sl 106:14
Heb 3:16
r Sl 81:11
s Nú 26:64
Nú 32:11
Dt 1:35
Sl 95:11
Sl 106:26
Heb 3:18
Heb 4:3
t Nú 13:30
u Nú 14:9

2.ª col.
a Jos 14:14
b Nú 13:29
c Dt 1:40
d Ex 16:28
Nú 14:11
e 1Co 10:10
f Nú 14:2
Nú 26:64
Nú 32:11
Dt 1:35
g 1Co 10:5
Heb 3:17
h Nú 1:45
Jud 5
i Ex 6:8
j Nú 26:65
Nú 32:12
Dt 1:36
Dt 1:38
k Nú 14:3
Dt 1:39
l Nú 26:24
m Sl 106:26
1Co 10:5
Heb 3:17
Jud 5
n Nú 32:13
Jos 14:10
o Eze 16:26
Snt 4:4
p Dt 1:3
Dt 2:14
q Nú 13:25

---

r Eze 4:6; s Sl 95:10; Hch 7:36; Hch 13:18.

nocer lo que significa mi desapego.[a]

35 "'Yo Jehová he hablado si no es esto lo que haré a toda esta mala asamblea,[b] a los que se han reunido contra mí: En este desierto se acabarán, y allí morirán.[c] 36 Y los hombres a quienes Moisés envió a espiar la tierra y que, al volver, empezaron a hacer murmurar a la entera asamblea contra él, presentando un informe malo contra la tierra,[d] 37 sí, los hombres que presentaron el informe malo acerca de la tierra morirán por el azote delante de Jehová.[e] 38 Pero Josué hijo de Nun y Caleb hijo de Jefuné ciertamente seguirán viviendo, de aquellos hombres que fueron a espiar la tierra'".[f]

39 Cuando Moisés procedió a hablar estas palabras a todos los hijos de Israel, entonces el pueblo se dio al duelo en gran manera.[g] 40 Además, se levantaron muy de mañana y trataron de subir hasta la cima de la montaña, diciendo: "Aquí estamos, y tenemos que subir al lugar que Jehová mencionó. Pues hemos pecado".[h] 41 Pero Moisés dijo: "¿Por qué están pasando más allá de la orden de Jehová?[i] Pero eso no tendrá éxito. 42 No suban, porque Jehová no está en medio de ustedes; para que no sean derrotados delante de sus enemigos.[j] 43 Porque los amalequitas y los cananeos están allí delante de ustedes;[k] y con certeza ustedes caerán a espada, porque, a causa de que se han vuelto de seguir a Jehová, Jehová no continuará con ustedes".[l]

44 Sin embargo, ellos se atrevieron a subir a la cima de la montaña,[m] pero el arca del pacto de Jehová y Moisés no se movieron de en medio del campamento.[n] 45 Entonces los amalequitas[o] y los cananeos que estaban morando en aquella montaña vinieron bajando y se pusieron a herirlos, y fueron esparciéndolos hasta Hormá.[p]

15 Y Jehová habló nuevamente a Moisés, y dijo: 2 "Habla a los hijos de Israel, y tienes que decirles: 'Cuando por fin entren en la tierra de sus moradas, que voy a darles,[a] 3 y tengan que ofrecer a Jehová una ofrenda hecha por fuego,[b] una ofrenda quemada[c] o un sacrificio para ejecutar un voto especial o voluntariamente[d] o durante sus fiestas periódicas,[e] para hacer un olor conducente a descanso a Jehová,[f] de la vacada o del rebaño; 4 el que presente su ofrenda también tiene que presentar a Jehová una ofrenda de grano de flor de harina,[g] un décimo de efá, ligeramente mojada con un cuarto de hin de aceite. 5 Y debes ofrecer vino como libación,[h] un cuarto de hin, junto con la ofrenda quemada o para el sacrificio de cada cordero. 6 O, en caso de un carnero, debes ofrecer una ofrenda de grano de dos décimas de flor de harina, ligeramente mojada con la tercera parte de un hin de aceite. 7 Y debes presentar vino como libación, la tercera parte de un hin, como olor conducente a descanso a Jehová.

8 "'Pero en caso de que ofrezcas un macho de la vacada como ofrenda quemada[i] o sacrificio para ejecutar un voto[j] especial o sacrificios de comunión a Jehová,[k] 9 también se tiene que presentar junto con el macho de la vacada una ofrenda de grano[l] de tres décimas de flor de harina, ligeramente mojada con medio hin de aceite. 10 Y debes presentar vino como libación,[m] medio hin, como ofrenda hecha por fuego, de olor conducente a descanso a Jehová. 11 De esta manera se debe hacer por cada toro o por cada carnero o por una cabeza entre los corderos o entre las cabras. 12 Cualquiera que sea el número que ofrezcan ustedes, de esa manera deben hacer por cada uno, conforme al número de ellos. 13 Todo natural debe ofrecer estos de esta mane-

CAP. 14
a SI 60:1
   SI 108:11
b Nú 23:19
c Nú 14:29
   Heb 3:17
d Nú 13:32
e 1Co 10:10
   Jud 5
f Nú 14:30
   Nú 26:65
   Nú 32:12
   Dt 1:36
   Jos 14:6
g Éx 33:4
h Dt 1:41
i Le 26:14
   2Re 21:15
   Cár 24:20
j Le 26:17
   Dt 1:42
   Dt 28:25
k Nú 13:29
l Nú 6:13
   2Cr 15:2
m Dt 1:43
   Pr 21:24
n Nú 10:33
o Dt 1:44
p Nú 21:3

2.ª col.

CAP. 15
a Gé 15:18
   Dt 7:1
b Le 1:2
c Le 1:3
d Le 7:16
   Nú 22:18
   Nú 22:21
e Le 23:4
   Nú 28:16
   Nú 29:1
   Dt 16:13
   Dt 16:16
f Gé 8:21
   Le 1:9
   Ef 5:2
g Nú 29:40
   Le 2:1
   Le 2:11
h Nú 28:7
   Nú 28:14
   2Ti 4:6
i Le 1:3
j Le 7:16
k Le 3:1
   Le 3:3
   Le 7:11
l Le 6:14
   Le 7:37
   Nú 28:12
   Nú 29:6
   1Cr 21:23
m Nú 28:14

ra al presentar una ofrenda hecha por fuego, de olor conducente a descanso a Jehová.[a]

14 "'Y en caso de que esté residiendo como forastero con ustedes un residente forastero o uno que esté en medio de ustedes por generaciones de ustedes, y tenga que ofrecer una ofrenda hecha por fuego, de olor conducente a descanso a Jehová: como deben hacer ustedes, así debe hacer él.[b] 15 Ustedes que son de la congregación y el residente forastero que está residiendo como forastero tendrán un mismo estatuto.[c] Será estatuto hasta tiempo indefinido para sus generaciones. El residente forastero debe resultar ser lo mismo que ustedes delante de Jehová.[d] 16 Debe resultar que haya una misma ley y una misma decisión judicial para ustedes y para el residente forastero que esté residiendo como forastero con ustedes'".[e]

17 Y Jehová siguió hablando a Moisés, y dijo: 18 "Habla a los hijos de Israel, y tienes que decirles: 'Al entrar en la tierra adonde los llevo,[f] 19 entonces tiene que suceder que, cuando coman del pan de la tierra,[g] deben hacer una contribución a Jehová. 20 Deben hacer una contribución de las primicias[h] de su harina a medio moler como tortas anulares. Como la contribución de la era, de esa manera deben contribuirla. 21 Deben dar algo de las primicias de su harina a medio moler como contribución a Jehová durante todas sus generaciones.

22 "'Ahora bien, en caso de que ustedes se equivoquen y no pongan por obra todos estos mandamientos,[i] que Jehová le ha hablado a Moisés, 23 todo lo que Jehová les ha mandado por medio de Moisés desde el día en que Jehová mandó, y en adelante, para sus generaciones, 24 entonces tiene que suceder que, si ello se ha hecho lejos de los ojos de la asamblea por equivocación, la entera asamblea en-

tonces tiene que ofrecer un toro joven como ofrenda quemada para olor conducente a descanso a Jehová, y su ofrenda de grano y su libación conforme al procedimiento regular,[a] y un cabrito de las cabras como ofrenda por el pecado.[b] 25 Y el sacerdote tiene que hacer expiación[c] por toda la asamblea de los hijos de Israel, y aquello tiene que serles perdonado; porque fue una equivocación,[d] y ellos, por su parte, trajeron como su ofrenda una ofrenda hecha por fuego a Jehová y su ofrenda por el pecado delante de Jehová por su equivocación. 26 Y tiene que serles perdonado[e] a la entera asamblea de los hijos de Israel y al residente forastero que esté residiendo como forastero en medio de ellos, porque fue por equivocación de parte de toda la gente.

27 "'Y si algún alma pecara por equivocación,[f] entonces tiene que presentar una cabra en su primer año como ofrenda por el pecado.[g] 28 Y el sacerdote tiene que hacer expiación por el alma que se equivocó por un pecado sin intención delante de Jehová, para hacer expiación por ella, y aquello tiene que serle perdonado.[h] 29 En cuanto al natural de los hijos de Israel y el residente forastero que esté residiendo como forastero en medio de ellos, debe resultar que haya una misma ley para ustedes tocante a hacer algo sin intención.[i]

30 "'Pero el alma que haga algo deliberadamente,[j] sea esta un natural o un residente forastero, puesto que habla injuriosamente de Jehová,[k] en tal caso esa alma tiene que ser cortada de entre su pueblo.[l] 31 Porque la palabra de Jehová es lo que ha despreciado[m] y su mandamiento lo que ha quebrantado,[n] esa alma debe ser cortada sin falta.[o] Su propio error está sobre ella'".[p]

32 Mientras los hijos de Israel continuaban en el desierto, hallaron una vez a un hombre que

CAP. 15

a Gé 8:21
Le 1:9
Le 3:16
Eze 20:41

b Éx 12:49
Le 22:18
Le 24:22
Nú 9:14

c Nú 15:29

d Le 19:34
Le 20:2
Le 24:16
Ro 3:29

e Le 16:29
Le 17:15
Nú 15:14

f Le 23:10
Dt 7:1
Dt 26:1

g Jos 5:11
Jos 5:12

h Éx 23:19
Le 2:14
Nú 18:12
Dt 26:2
Dt 26:10
Ne 10:37
Pr 3:9

i Sl 19:12
Snt 4:17

2.ᵃcol.

a Nú 15:8
Nú 15:10

b Le 4:23
Nú 28:15
2Cr 29:21
Esd 6:17
Esd 8:35

c Le 4:20
Heb 2:17
1Jn 2:2

d Heb 10:17
Snt 4:17

e Éx 34:9
Le 16:30

f Sl 19:12
Hch 17:30

g Le 4:28

h Le 4:35

i Éx 12:49
Le 24:22
Nú 9:14
Nú 15:15

j Éx 21:14
Dt 1:43
Dt 17:12
Heb 10:26

k Le 24:11
Isa 37:23

l Le 24:14

m Isa 30:12
1Te 4:8

n Le 26:15
Heb 10:28

o Nú 14:18
Heb 10:28

p Le 5:1
Nú 27:3
Eze 18:20

andaba recogiendo pedazos de leña en día de sábado.ᵃ 33 Entonces los que lo hallaron recogiendo pedazos de leña fueron y lo llevaron a Moisés y Aarón y a la entera asamblea. 34 De modo que lo pusieron en custodia,ᵇ porque no se había declarado precisamente qué debería hacérsele.

35 Con el tiempo Jehová dijo a Moisés: "Sin falta el hombre debe ser muerto,ᶜ lapidándolo la entera asamblea fuera del campamento".ᵈ 36 Por consiguiente, la entera asamblea lo sacó fuera del campamento y lo lapidó, de modo que murió, tal como Jehová había mandado a Moisés.

37 Y Jehová pasó a decir esto a Moisés: 38 "Habla a los hijos de Israel, y tienes que decirles que tienen que hacerse orillas con flecos en las faldas de sus prendas de vestir durante todas sus generaciones, y tienen que poner una cuerdecita azul más arriba de la orilla con flecos de la falda:ᵉ 39 'Y tiene que servirles de orilla con flecos, y ustedes tienen que verla y recordar todos los mandamientosᶠ de Jehová y ponerlos por obra, y no deben andar siguiendo sus corazones y sus ojos, a los cuales están siguiendo en ayuntamiento inmoral.ʰ 40 El propósito es que recuerden y ciertamente pongan por obra todos mis mandamientos y verdaderamente resulten santos a sus Dios.ᶦ 41 Yo soy Jehová su Dios, que los he sacado de la tierra de Egipto para resultar ser Dios de ustedes.ʲ Yo soy Jehová su Dios' ".ᵏ

16 Y Coréᶦ hijo de Izhar,ᵐ hijo de Qohat,ⁿ hijo de Leví,ᵒ procedió a levantarse, junto con Datánᵖ y Abiramᑫ hijos de Eliab, y On hijo de Pélez, hijos de Rubén.ˢ 2 Y procedieron a levantarse delante de Moisés, ellos y doscientos cincuenta hombres de los hijos de Israel, principales

CAP. 15
a Éx 20:10
Éx 35:2
Dt 5:14
b Le 24:12
c Éx 31:14
d Le 24:14
e Dt 22:12
Mt 23:5
Lu 8:44
f Dt 11:18
g Dt 29:19
Jue 17:6
Job 31:7
Jer 9:14
h Éx 34:15
Sl 106:39
Snt 4:4
i Le 11:44
Ro 12:1
1Pe 1:15
j Gé 17:8
Éx 29:45
Le 25:38
k Éx 3:15
Éx 6:2
Éx 22:33

CAP. 16
l Nú 26:9
Nú 27:3
Jud 11
m Éx 6:21
Nú 3:19
n Éx 6:18
o Éx 6:16
Nú 3:17
p Nú 26:9
q Dt 11:6
r Nú 26:8
s Gé 46:9
1Cr 5:1

2.ᵃ col.
a Nú 12:1
Nú 14:2
1Sa 15:23
Sl 106:16
b Éx 19:6
c Éx 29:45
Nú 14:14
d Nú 12:2
e 2Ti 2:19
f Le 21:6
g Éx 28:43
Le 10:3
h Éx 28:1
Nú 17:5
1Sa 2:28
Sl 105:26
i Le 10:1
Nú 16:38
j Nú 16:2
k Nú 3:10
l Nú 16:1
m Nú 3:9
Nú 3:41
n Nú 1:53
Nú 8:26
Nú 4:4
Dt 10:8
o Pr 13:10
Flp 2:3
p Lu 10:16
q Éx 16:8
Nú 16:16
r Nú 16:1
s 1Sa 15:23
Jud 8
t Éx 16:3
Nú 14:29

de la asamblea, los convocados de la reunión, hombres de fama. 3 De modo que se congregaron contraᵃ Moisés y Aarón y les dijeron: "Ya basta de ustedes, porque la entera asamblea son todos santos,ᵇ y Jehová está en medio de ellos.ᶜ ¿Por qué, pues, deben ustedes alzarse por encima de la congregación de Jehová?".ᵈ

4 Cuando Moisés llegó a oírlo, en seguida cayó sobre su rostro. 5 Entonces habló a Coré y a su entera asamblea, y dijo: "Por la mañana Jehová dará a conocer quién le pertenece yᵉ y quién es santoᶠ y quién tiene que acercársele,ᵍ y quienquiera a quien él escojaʰ se acercará a él. 6 Hagan esto: Tomen para ustedes braserillos,ᶦ Coré y toda su asamblea,ʲ 7 y pongan fuego en ellos y coloquen incienso sobre ellos delante de Jehová mañana, y tiene que suceder que el hombre a quien Jehová escoja,ᵏ él es el santo. ¡Ya basta de ustedes, hijos de Leví!".ᶦ

8 Y Moisés pasó a decir a Coré: "Escuchen, por favor, ustedes, los hijos de Leví. 9 ¿Les es cosa tan pequeña el que el Dios de Israel los haya separadoᵐ de la asamblea de Israel para presentarlos a sí para efectuar el servicio del tabernáculo de Jehová y para estar de pie delante de la asamblea para ministrarles,ⁿ 10 y el que a ti y a todos tus hermanos contigo, los hijos de Leví, los haya hecho acercarse? Así es que ¿también tienen que tratar de conseguir el sacerdocio?ᵒ 11 Por esa razón tú y toda tu asamblea que van reuniéndose están contra Jehová.ᵖ En cuanto a Aarón, ¿qué es para que murmuren contra él?".ᑫ

12 Más tarde Moisés envió a llamar a Datán y Abiram,ʳ hijos de Eliab, pero ellos dijeron: "¡No vamos a subir!ˢ 13 ¿Es cosa tan pequeña el que nos hayas hecho subir de una tierra que mana leche y miel para hacernos morir en el desierto,ᵗ que tam-

bién procuras hacerte príncipe sobre nosotros hasta el límite?ª 14 El caso es que no nos has introducido en una tierra que mane leche y miel,b para que nos des una herencia de campo y viña. ¿Será acaso que quieres perforar y sacar los ojos de aquellos hombres? ¡No vamos a subir!".

15 Ante esto, Moisés se encolerizó mucho y dijo a Jehová: "No te vuelvas para mirar su ofrenda de grano.c Ni un asno he tomado yo de ellos, ni he hecho daño a ninguno de ellos".d

16 Entonces Moisés dijo a Coré:e "Tú y toda tu asamblea, estén presentes delante de Jehová,f tú y ellos y Aarón, mañana. 17 Y tome cada uno su braserillo, y ustedes tienen que poner incienso sobre ellos y presentar cada cual su braserillo delante de Jehová, doscientos cincuenta braserillos, y tú y Aarón cada uno su braserillo." 18 De modo que tomaron cada cual su braserillo y pusieron fuego sobre ellos y colocaron incienso sobre ellos y se quedaron parados a la entrada de la tienda de reunión, junto con Moisés y Aarón. 19 Cuando Coré tenía a toda la asambleaᵍ reunida contra ellos a la entrada de la tienda de reunión, entonces la gloria de Jehová se apareció a toda la asamblea.h

20 Jehová ahora habló a Moisés y Aarón, y dijo: 21 "Sepárensei de en medio de esta asamblea, para que extermineʲ a estos en un instante". 22 Ante esto, ellos cayeron sobre sus rostros y dijeron: "Oh Dios, el Dios de los espíritus de toda clase de carne,k ¿pecará un solo hombre y te indignarás contra la entera asamblea?".ˡ

23 A su vez, Jehová habló a Moisés, y dijo: 24 "Habla a la asamblea, y di: '¡Retírense de alrededor de los tabernáculos de Coré, Datán y Abiram!'".m

25 Después Moisés se levantó y fue a Datán y Abiram, y los ancianosª de Israel fueron con él. 26 Entonces habló a la asamblea, y dijo: "Apártense, por favor, de delante de las tiendas de estos hombres inicuos, y no toquen cosa alguna que pertenezca a ellos,b para que no sean barridos en todo el pecado de ellos". 27 Inmediatamente ellos se retiraron de delante del tabernáculo de Coré, Datán y Abiram, por todos lados, y Datán y Abiram salieron y se plantaron a la entrada de sus tiendas,c junto con sus esposas, y sus hijos y sus pequeñuelos.

28 Entonces Moisés dijo: "En esto sabrán que Jehová me ha enviado a hacer todas estas obras,d que no es de mi propio corazón:e 29 Si fuera según la muerte de toda la humanidad como murieran estas personas, y con el castigo de toda la humanidad como se les impusiera castigo,f entonces no es Jehová quien me ha enviado.ᵍ 30 Pero si es algo creado que Jehová haya de crear,h y el suelo tiene que abrir su boca y tragárselos,i y todo cuanto les pertenece, y ellos tienen que bajar vivos al Seol,ʲ entonces de cierto sabrán ustedes que estos hombres han tratado a Jehová irrespetuosamente".k

31 Y aconteció que, tan pronto como él hubo acabado de hablar todas estas palabras, el suelo que estaba debajo de ellos empezó a partirse.ˡ 32 Y la tierra procedió a abrir su boca y a tragárselos a ellos y a sus casas y a todo el género humano que pertenecía a Coré, y todos los bienes.m 33 Así que abajo fueron ellos, y todos los que les pertenecían, vivos al Seol, y la tierra fue cubriéndolos,ⁿ de modo que perecieron de en medio de la congregación.º 34 Y todos los israelitas que estaban en su derredor huyeron al grito de ellos, porque empezaron a decir: "¡Tenemos miedo de que la tierra nos trague a nosotros!".ᵖ 35 Y

CAP. 16
a Ex 22:28
  Hch 7:35
b Éx 3:8
  Le 20:24
c Gé 4:5
d 1Sa 12:3
  Hch 20:33
  2Co 7:2
  1Pe 3:16
e Nú 16:6
f 1Sa 12:7
g Nú 16:2
  Nú 16:40
h Nú 12:5
  Nú 14:10
i Gé 19:15
  Rev 18:4
j Nú 3:10
  Nú 3:38
  Nú 16:45
  Sl 73:19
k Nú 27:16
  Job 12:10
  Ec 3:19
  Ec 12:7
  Zac 12:1
l Gé 18:23
  2Sa 24:17
m Nú 16:1

2.ª col.
a Nú 11:16
b Éx 23:2
c Job 9:4
  Pr 16:18
  Pr 18:12
d Éx 3:12
  Dt 18:22
  Jn 5:36
e Éx 7:2
  Éx 25:22
  Dt 18:18
  Jn 5:30
f Ec 3:19
  Ec 9:5
  Eze 18:4
  Ro 5:12
g Dt 18:21
h Isa 45:7
i Job 31:3
j Sl 55:15
k Sl 74:18
  Sl 107:11
l Nú 26:10
  Dt 11:6
  Sl 106:17
m Nú 26:11
  1Cr 6:31
  1Cr 6:37
n Sl 55:23
o Jud 11
p Nú 17:13

un fuego salió de Jehová[a] y procedió a consumir a los doscientos cincuenta hombres que ofrecían el incienso.[b]

36 Jehová habló ahora a Moisés, y dijo: 37 "Di a Eleazar hijo de Aarón el sacerdote que recoja los braserillos[c] de dentro del incendio: 'Y esparce allá el fuego; porque son santos, 38 sí, los braserillos de estos hombres que pecaron contra sus propias almas.[d] Y tienen que hacer de ellos láminas delgadas como un revestimiento para el altar,[e] porque los presentaron delante de Jehová, de modo que quedaron santificados; y deben servir de señal a los hijos de Israel'".[f] 39 Por consiguiente, Eleazar el sacerdote tomó los braserillos[g] de cobre, que habían presentado los que habían sido quemados, y se pusieron a batirlos para hacer de ellos un revestimiento para el altar, 40 como memoria para los hijos de Israel, a fin de que ningún hombre extraño[h] que no sea de la prole de Aarón se acerque para hacer humear incienso delante de Jehová,[i] y nadie llegue a ser como Coré y su asamblea,[j] tal como se lo había hablado Jehová por medio de Moisés.

41 Y precisamente al día siguiente la entera asamblea de los hijos de Israel se puso a murmurar contra Moisés y Aarón,[k] diciendo: "Ustedes han dado muerte al pueblo de Jehová". 42 Y aconteció que cuando la asamblea se había congregado contra Moisés y Aarón, entonces se volvieron hacia la tienda de reunión; y, ¡mire!, la nube la cubrió, y la gloria de Jehová empezó a aparecer.[l]

43 Y Moisés y Aarón procedieron a venir delante de la tienda de reunión.[m] 44 Entonces Jehová habló a Moisés, y dijo: 45 "Ustedes, levántense de en medio de esta asamblea, para que extermine a estos en un instante".[n] Ante esto, ellos cayeron

sobre sus rostros.[a] 46 Después Moisés dijo a Aarón: "Toma el braserillo y pon en él fuego de sobre el altar,[b] y pon incienso encima, y ve de prisa a la asamblea y haz expiación por ellos,[c] porque la indignación ha salido del rostro de Jehová.[d] ¡Ha comenzado la plaga!". 47 Aarón lo tomó en seguida, tal como había hablado Moisés, y entró corriendo en medio de la congregación; y, ¡mire!, la plaga había comenzado entre el pueblo. Así que él puso el incienso y empezó a hacer expiación por el pueblo. 48 Y siguió parado entre los muertos y los vivos.[e] Por fin se detuvo el azote.[f] 49 Y los muertos del azote ascendieron a catorce mil setecientos, aparte de los muertos a causa de Coré. 50 Cuando por fin Aarón volvió a Moisés, a la entrada de la tienda de reunión, el azote había sido detenido.

17 Jehová ahora habló a Moisés, y dijo: 2 "Habla a los hijos de Israel y toma de ellos una vara[g] por cada casa paterna de parte de todos sus principales,[h] por la casa de sus padres, doce varas. Escribirás el nombre de cada uno sobre su vara. 3 Y el nombre de Aarón lo escribirás sobre la vara de Leví, porque hay una sola vara para el cabeza de la casa de sus padres. 4 Y tienes que depositarlas en la tienda de reunión, delante del Testimonio,[i] donde regularmente me presento a ustedes.[j] 5 Y lo que tiene que suceder es que el hombre a quien yo escoja,[k] su vara echará botones, y ciertamente haré cesar de en contra de mí las murmuraciones[l] de los hijos de Israel, que ellos están murmurando en contra de ustedes".[m]

6 De modo que Moisés habló a los hijos de Israel, y todos sus principales procedieron a darle una vara por cada principal, una vara por cada principal, por la casa de sus padres, doce varas;[n] y la vara de Aarón estaba en me-

CAP. 16
a Le 10:2
  Nú 11:1
b Nú 16:17
  Nú 26:10
  Sl 106:18
c Nú 16:6
d 1Re 2:23
  Pr 8:36
e Éx 38:1
f Nú 16:5
  Nú 17:10
  Nú 26:10
  1Ti 5:20
g Nú 16:6
h Nú 3:10
  Nú 18:7
  2Cr 26:18
i 2Cr 26:16
j Sl 106:17
  Jud 11
k Nú 14:2
  Sl 106:13
  2Pe 2:10
l Éx 16:7
  Nú 14:10
  Nú 16:19
m Nú 20:6
n Éx 23:21
  Nú 16:21
  1Co 10:10

2.ª col.
a Nú 16:22
b Le 6:12
c Éx 34:9
  Nú 8:19
d Le 10:6
  Nú 1:53
  Nú 18:5
  1Cr 27:24
e 2Sa 24:16
f Éx 23:21
  Nú 25:8

CAP. 17
g Éx 4:2
h Nú 1:4
  Nú 1:16
i Éx 34:29
j Éx 25:22
  Éx 29:42
  Éx 30:36
  Le 16:2
k Nú 16:5
  Lu 9:35
l Nú 11:1
  Nú 14:27
  Nú 16:11
  Nú 16:41
  1Co 10:10
m Nú 14:2
  Nú 16:13
n Nú 17:2

dio de las varas de ellos.[a] 7 Entonces Moisés depositó las varas
delante de Jehová en la tienda
del Testimonio.[b]
8 Y aconteció que al día siguiente, cuando Moisés entró en
la tienda del Testimonio, ¡mire!,
la vara de Aarón para la casa
de Leví había brotado, y estaba echando botones y arrojando flores y estaba produciendo
almendras maduras. 9 Moisés
entonces sacó todas las varas de
delante de Jehová a todos los hijos de Israel, y se pusieron a mirar y a tomar cada hombre su
propia vara.
10 Posteriormente, Jehová
dijo a Moisés: “Vuelve a poner la
vara[c] de Aarón delante del Testimonio como algo que ha de
guardarse como señal[d] para los
hijos de la rebeldía,[e] a fin de que
cesen sus murmuraciones de en
contra de mí, para que no mueran”. 11 En seguida Moisés
hizo tal como Jehová le había
mandado. Hizo precisamente
así.
12 Y los hijos de Israel empezaron a decir esto a Moisés: “Ahora de seguro expirare-
mos, de seguro pereceremos,
de seguro todos pereceremos.[f]
13 ¡Cualquiera que se apro-
xime,[g] que se acerque al tabernáculo de Jehová, morirá![h] ¿Tendremos que acabar expirando de
esa manera?”.[i]

18 Y Jehová procedió a decir
a Aarón: “Tú y tus hijos, y
la casa de tu padre contigo, responderán por el error [que se co-
meta] contra el santuario,[j] y tú
y tus hijos contigo responderán
por el error [que se cometa] contra el sacerdocio de ustedes.[k]
2 Y haz que se acerquen, también, tus hermanos de la tribu de
Leví, el clan de tu padre, contigo,
para que se unan a ti y te ministren,[l] tanto a ti como a tus hijos
contigo, delante de la tienda del
Testimonio.[m] 3 Y ellos tienen
que guardar su obligación para
contigo y su obligación para con
toda la tienda.[a] Solo que a los
utensilios del lugar santo y al
altar no deben acercarse, para
que no mueran,[b] ni ellos ni ustedes. 4 Y tienen que unirse a ti
y tienen que guardar su obligación para con la tienda de reunión tocante a todo el servicio de
la tienda, y ningún extraño puede acercarse a ustedes.[c] 5 Y
ustedes tienen que guardar su
obligación para con el lugar santo[d] y su obligación para con el
altar,[e] para que no ocurra indignación[f] adicional contra los hijos de Israel. 6 Y yo, ¡miren!,
yo he tomado a sus hermanos,
los levitas, de entre los hijos de
Israel,[g] como dádiva para ustedes,[h] como los [que han sido] dados a Jehová para efectuar el
servicio de la tienda de reunión.[i]
7 Y tú y tus hijos contigo deben
salvaguardar su sacerdocio tocante a todo lo que concierne al
altar y tocante a lo que está al
interior de la cortina;[j] y ustedes
tienen que prestar servicio.[k]
Como servicio de dádiva daré su
sacerdocio, y el extraño que se
acerque debe ser muerto”.[l]
8 Y Jehová habló nuevamente
a Aarón: “En cuanto a mí, ¡mira!,
te he dado la custodia de las contribuciones que se me hagan.[m]
De todas las cosas santas de los
hijos de Israel se las he dado a ti
y tus hijos como porción, como
porción asignada hasta tiempo
indefinido.[n] 9 Esto debe llegar
a ser tuyo de las cosas santísimas, de la ofrenda hecha por
fuego, toda ofrenda de ellos junto con toda su ofrenda de grano[o]
y toda su ofrenda por el pecado[p]
y toda su ofrenda por la culpa,[q]
que ellos me devolverán. Es cosa
santísima para ti y para tus hijos. 10 Deben comerla en un
lugar santísimo.[r] Todo varón
debe comerla.[s] Debe llegar a ser
cosa santa para ti.[t] 11 Y esto
te pertenece: la contribución[u] de
su dádiva juntamente con todas

CAP. 17
a Nú 17:3
b Éx 38:21; Nú 17:4; Nú 18:2
c Heb 9:4
d Nú 16:38
e Nú 20:10; Dt 9:7; Dt 31:27; Isa 1:2
f Sl 90:7
g Nú 1:51; Nú 18:4
h Nú 18:7
i Nú 16:26; Nú 16:41; Nú 16:49

CAP. 18
j Éx 25:8; Le 21:12
k Éx 28:38; Le 22:9; Nú 18:23; Heb 5:2
l Nú 3:6; Nú 8:22; Nú 16:9
m Nú 1:53

2.ª col.
a Nú 3:25; Nú 3:31; Nú 3:36
b Nú 4:15; Nú 4:20; Nú 16:40
c Nú 1:51; Nú 3:10
d Éx 27:21; Éx 30:7; Le 24:3; Nú 3:32
e Le 1:17; Le 21:17
f Nú 16:46
g Nú 3:12; Nú 3:45
h Nú 3:9; Nú 8:16
i Nú 8:19
j Le 16:2; Le 16:12; Heb 9:3; Heb 9:7
k 1Sa 2:28; Heb 5:4
l Nú 3:10; Nú 16:40
m Éx 23:19; Le 27:28; Le 27:30; Nú 18:11; Nú 18:26
n Le 7:34; Nú 5:9
o Le 2:3; Le 6:16; Le 10:12
p Le 5:12; Le 6:26; Le 6:29
q Le 5:6; Le 7:1; Le 7:7
r Éx 29:32; Le 6:16; Le 10:13
s Le 6:18; Le 7:6
t Le 14:13; Le 21:22

u Éx 29:27; Nú 15:20; Eze 44:30.

las ofrendas mecidas[a] de los hijos de Israel. Se las he dado a ti y tus hijos y tus hijas contigo,[b] como porción asignada hasta tiempo indefinido. Toda persona limpia de tu casa podrá comerla.[c]

12 "Todo lo mejor del aceite y todo lo mejor del vino nuevo y el grano, sus primicias,[d] que ellos darán a Jehová, te los he dado a ti.[e] 13 Los primeros frutos maduros de todo lo que hay en su tierra, que ellos traerán a Jehová, tuyo debe llegar a ser.[f] Toda persona limpia en tu casa podrá comerlo.

14 "Toda cosa dada por entero en Israel debe llegar a ser tuya.[g]

15 "Todo lo que abre matriz,[h] de toda clase de carne, que ellos presenten a Jehová, de entre hombre y de entre bestia, debe llegar a ser tuyo. Sin embargo, sin falta debes redimir el primogénito de la humanidad;[i] y debes redimir[j] el primogénito de la bestia inmunda. 16 Y debes redimirlo con un precio de redención por él desde un mes de edad en adelante, según la valoración, cinco siclos de plata, según el siclo del lugar santo.[k] Son veinte guerás.[l] 17 Sólo el toro primogénito o el cordero primogénito o el primogénito de la cabra no debes redimir.[m] Son cosa santa. Su sangre[n] debes rociar sobre el altar, y su grasa debes hacer humear como ofrenda hecha por fuego para olor conducente a descanso a Jehová.[o] 18 Y su carne debe llegar a ser tuya. Como el pecho de la ofrenda mecida y como la pierna derecha, debe llegar a ser tuya.[p] 19 Todas las contribuciones[q] santas, que los hijos de Israel contribuirán a Jehová, se las he dado a ti y tus hijos y tus hijas contigo, como una porción asignada hasta tiempo indefinido.[p] Es un pacto de sal hasta tiempo indefinido delante de Jehová para ti y para tu prole contigo".[s]

20 Y Jehová pasó a decir a Aarón: "No tendrás herencia en la tierra de ellos, y no llegará a corresponderte parte alguna en medio de ellos.[a] Yo soy la parte que te corresponde, y tu herencia, en medio de los hijos de Israel.[b]

21 "Y a los hijos de Leví, ¡mira!, he dado toda décima[c] parte en Israel como herencia, en cambio por su servicio que ellos están efectuando, el servicio de la tienda de reunión. 22 Y los hijos de Israel ya no deben acercarse a la tienda de reunión para incurrir en pecado de modo que mueran.[d] 23 Y los levitas mismos tienen que efectuar el servicio de la tienda de reunión, y ellos son los que deben responder por su error.[e] Es estatuto hasta tiempo indefinido durante las generaciones de ustedes, que en medio de los hijos de Israel ellos no deben conseguir posesión de una herencia.[f] 24 Porque la décima parte de los hijos de Israel, que ellos contribuirán a Jehová como contribución, la he dado a los levitas como herencia. Por eso les he dicho: 'En medio de los hijos de Israel ellos no deben conseguir posesión de una herencia'".[g]

25 Entonces Jehová habló a Moisés, y dijo: 26 "Y debes hablar a los levitas, y tienes que decirles: 'Ustedes recibirán de los hijos de Israel la décima parte que les he dado a ustedes procedente de ellos como su herencia,[h] y tienen que contribuir de ella como contribución a Jehová una décima parte de la décima parte.[i] 27 Y esto tiene que contárseles como su contribución, como el grano de la era[j] y como el pleno producto del lagar para el vino o para el aceite. 28 De esta manera ustedes mismos también contribuirán una contribución a Jehová de todas sus décimas partes que recibirán de los hijos de Israel, y de ellas tienen que dar a Aarón el sacerdote la contribución para Jehová. 29 De todas las dádivas

CAP. 18
a Éx 29:27
Le 7:34
b Le 10:14
Dt 18:3
c Le 22:6
d Pr 3:9
e Le 2:14
Dt 18:4
Ne 10:35
f Éx 23:19
g Le 27:21
Le 27:28
h Éx 13:2
Le 27:26
Nú 3:13
Lu 2:23
i Éx 13:13
j Éx 34:20
Le 27:27
k Le 27:2
Le 27:6
l Éx 30:13
Le 27:25
m Éx 22:30
Dt 15:19
n Le 17:11
o Éx 3:16
p Éx 29:26
Le 7:31
Le 7:34
q Éx 23:19
Nú 15:19
Nú 18:11
Nú 18:26
Nú 31:29
r Nú 18:8
2Cr 31:4
s Le 2:13
2Cr 13:5

2.ª col.
a Nú 26:62
Dt 10:9
Dt 12:12
Dt 14:27
Jos 14:3
b Dt 18:2
Jos 13:14
Jos 18:7
Eze 44:28
c Le 27:30
2Cr 31:5
Ne 10:37
Ne 12:44
Ne 13:12
Gál 6:6
Heb 7:5
d Nú 16:40
Nú 17:13
e Nú 3:7
Nú 18:1
f Jos 13:33
g Dt 10:9
h Nú 18:21
Dt 12:19
i Ne 10:38
Heb 7:9
j Nú 15:20

[hechas] a ustedes, contribuirán toda clase de contribución a Jehová, de lo óptimo de ello,ª como alguna cosa santa que procede de ellas'.

30 "Y tienes que decirles: 'Cuando ustedes contribuyan lo mejor de ellas,ᵇ entonces ciertamente les será contado a los levitas como el producto de la era y como el producto del lagar para el vino y para el aceite. 31 Y ustedes tienen que comerlo en todo lugar, ustedes y sus casas, porque es su salario en cambio por su servicio en la tienda de reunión.ᶜ 32 Y no deben incurrir en pecado por ello cuando contribuyan lo mejor de ellas, y no deben profanar las cosas santas de los hijos de Israel, para que no mueran'".ᵈ

19 Y Jehová procedió a hablar a Moisés y Aarón, y dijo: 2 "Este es el estatuto de la ley que Jehová ha mandado, diciendo: 'Habla a los hijos de Israel que tomen para ti una vaca roja, sana, en la cual no haya defectoᵉ y sobre la cual no haya venido yugo.ᶠ 3 Y ustedes tienen que darla a Eleazar el sacerdote, y él tiene que llevarla fuera del campamento, y tiene que ser degollada delante de él. 4 Entonces Eleazar el sacerdote tiene que tomar parte de la sangre de ella con su dedo y salpicar parte de la sangre de ella directamente hacia el frente de la tienda de reunión siete veces.ᵍ 5 Y se tiene que quemar la vaca ante los ojos de él. La piel y la carne y la sangre de esta, junto con su estiércol, se quemarán.ʰ 6 Y el sacerdote tiene que tomar madera de cedroⁱ y hisopoʲ y fibra escarlata carmesíᵏ y arrojarlos en medio de la quema de la vaca. 7 Y el sacerdote tiene que lavar sus prendas de vestir y bañar su carne en agua, y después podrá entrar en el campamento; pero el sacerdote tendrá que ser inmundo hasta el atardecer.

8 "Y el que la haya quemado lavará sus prendas de vestir en agua, y tiene que bañar su carne en agua,ª y tendrá que ser inmundo hasta el atardecer.

9 "Y un hombre limpio tiene que recoger las cenizasᵇ de la vaca y depositarlas fuera del campamento en un lugar limpio; y estas tienen que servir a la asamblea de los hijos de Israel como algo que ha de guardarse para el agua de limpieza.ᶜ Es una ofrenda por el pecado. 10 Y el que recoge las cenizas de la vaca tendrá que lavar sus prendas de vestir y ser inmundo hasta el atardecer.ᵈ

"Y esto tiene que servir a los hijos de Israel y al residente forastero que está residiendo como forastero en medio de ellos como estatuto hasta tiempo indefinido.ᵉ 11 Cualquiera que toque el cadáver de almaᶠ humana alguna, entonces tendrá que ser inmundo siete días.ᵍ 12 El tal debe purificarse con ella al tercer día,ʰ y al día séptimo quedará limpio. Pero si no se purifica al tercer día, entonces al día séptimo no será limpio. 13 Todo el que toque un cadáver, el alma de cualquier hombre que muera, y que no se purifique, ha contaminado el tabernáculoⁱ de Jehová, y aquella alma tiene que ser cortada de Israel.ʲ Porque el agua de limpiezaᵏ no se ha rociado sobre ella, continúa inmunda. Todavía está sobre ella su inmundicia.ˡ

14 "Esta es la ley en caso de que un hombre muera en una tienda: Todo el que entre en la tienda, y todo el que esté en la tienda, quedará inmundo siete días. 15 Y toda vasijaᵐ abierta sobre la cual no haya una tapadera atada es inmunda. 16 Y todo el que en el campo abierto toque a alguien muerto a espada,ⁿ o un cadáver, o un huesoº de algún hombre, o una sepultura, quedará inmundo siete días. 17 Y tienen que tomar para el inmundo un poco del polvo de

CAP. 18
a Nú 18:12
b Pr 3:9
c Mt 10:10
Lu 10:7
1Co 9:9
1Co 9:13
Gál 6:6
1Ti 5:18
d Le 22:2
Le 22:15

CAP. 19
e Le 22:20
Mal 1:14
1Pe 2:22
f Dt 21:3
g Heb 9:13
1Pe 1:2
h Éx 29:14
Le 4:11
i Le 14:4
Le 14:49
j Sl 51:7
k Isa 1:18

2.ª col.
a Le 16:28
b Heb 9:13
c Nú 19:13
Nú 19:21
Nú 31:23
d Nú 19:8
e Éx 12:49
Le 24:22
Le 24:22
f Le 21:1
Le 21:11
Nú 5:2
Nú 6:9
Nú 9:6
g Nú 31:19
Ag 2:13
h Nú 31:19
i Le 15:31
j Heb 2:2
Heb 10:28
k Nú 19:9
Nú 31:23
l Le 22:3
m Le 11:32
n Nú 31:19
o Nú 19:11

la quema de la ofrenda por el pecado y echarle encima agua corriente en una vasija. 18 Entonces un hombre limpio[a] tiene que tomar hisopo[b] y meterlo en el agua y salpicarla sobre la tienda y todas las vasijas y las almas que se hallaran allí, y sobre el que hubiera tocado el hueso o al que hubiera sido muerto o el cadáver o la sepultura. 19 Y la persona limpia tiene que salpicarla sobre el inmundo en el día tercero y en el día séptimo, y tiene que purificarlo de pecado en el día séptimo;[c] y él tiene que lavar sus prendas de vestir y bañarse en agua, y tendrá que quedar limpio al atardecer.

20 ”’Pero el hombre que sea inmundo y que no se purifique... pues, aquella alma tiene que ser cortada[d] de en medio de la congregación, porque es el santuario de Jehová lo que él ha contaminado. El agua de limpieza no fue rociada sobre él. Es inmundo.

21 ”’Y tiene que servirles de estatuto hasta tiempo indefinido, que el que salpique el agua de limpieza debe lavar sus prendas de vestir,[e] también el que toque el agua de limpieza. Quedará inmundo hasta el atardecer. 22 Y cualquier cosa que el inmundo toque será inmunda,[f] y el alma que lo toque será inmunda hasta el atardecer’ ”.[g]

20 Y los hijos de Israel, la entera asamblea, procedieron a entrar en el desierto de Zin[h] en el primer mes, y el pueblo se puso a morar en Qadés.[i] Allí fue donde murió Míriam,[j] y allí fue enterrada.

2 Ahora bien, resultó que no había agua para la asamblea,[k] y ellos empezaron a congregarse contra Moisés y Aarón.[l] 3 Y el pueblo se puso a reñir[m] con Moisés y a decir: “¡Si siquiera hubiéramos expirado cuando expiraron nuestros hermanos delante de Jehová![n] 4 ¿Y por qué han

CAP. 19

a Nú 19:9
b Sl 51:7
c Le 14:9
    Nú 19:12
    Nú 31:19
d Gé 17:14
    Nú 19:13
e Nú 19:18
    Heb 9:10
    Heb 9:13
f Ag 2:13
g Le 15:5

CAP. 20

h Nú 13:21
    Nú 33:36
i Nú 13:26
    Nú 20:22
    Dt 1:46
    Dt 2:14
    Jue 11:16
j Éx 15:20
    Nú 26:59
    Miq 6:4
k Éx 17:1
    Éx 15:24
l Éx 17:2
m Éx 17:2
n Nú 16:35
    Nú 16:41
    Nú 16:49

2.ª col.

a Éx 14:11
    Éx 17:3
    Nú 16:13
    Nú 21:5
b Nú 16:14
    Dt 8:15
    Ne 9:21
c Éx 3:17
    Éx 13:5
    Dt 8:8
    Jer 2:2
d Nú 14:5
e Éx 16:10
    Nú 14:10
f Éx 17:5
g Ne 9:15
    Sl 78:15
    Sl 105:41
    Sl 114:8
    Isa 43:20
    Isa 48:21
h Éx 7:12
    Éx 7:19
    Nú 17:10
    Heb 9:4
i Dt 9:24
    Sl 106:32
j Sl 106:33
k Éx 17:6
    Dt 8:15
    1Co 10:4
l Le 10:3
    Nú 27:14
    Dt 32:51
    Isa 8:13
    Rev 4:11
m Dt 1:37
    Dt 3:26
    Dt 34:4
    Jos 1:2
n Dt 33:8
    Sl 95:8
    Sl 106:32
    Heb 3:8
o Jue 11:17
p Gé 36:8
    Dt 2:4
    Dt 23:7

traído ustedes a la congregación de Jehová a este desierto para que nosotros y nuestras bestias de carga muramos en él?[a] 5 ¿Y por qué nos han hecho subir de Egipto para traernos a este lugar malo?[b] No es lugar de sementera e higos y vides y granadas,[c] y no hay agua para beber”. 6 Entonces Moisés y Aarón vinieron de delante de la congregación a la entrada de la tienda de reunión y cayeron sobre sus rostros,[d] y la gloria de Jehová empezó a aparecérseles.[e]

7 Entonces Jehová habló a Moisés, y dijo: 8 “Toma la vara[f] y convoca a la asamblea, tú y Aarón tu hermano, y ustedes tienen que hablar al peñasco delante de los ojos de ellos para que realmente dé su agua; y tienes que sacarles agua del peñasco y dar de beber a la asamblea y a sus bestias de carga”.[g]

9 De modo que Moisés tomó la vara de delante de Jehová,[h] tal como se lo había mandado. 10 Después Moisés y Aarón convocaron a la congregación delante del peñasco, y él procedió a decirles: “¡Oigan, ahora, rebeldes![i] ¿Es de este peñasco de donde les sacaremos agua?”.[j] 11 Con eso Moisés alzó la mano y golpeó el peñasco con su vara dos veces; y empezó a salir mucha agua, y la asamblea y sus bestias de carga se pusieron a beber.[k]

12 Más tarde Jehová dijo a Moisés y Aarón: “Porque ustedes no mostraron fe en mí para santificarme[l] delante de los ojos de los hijos de Israel, por lo tanto ustedes no introducirán a esta congregación en la tierra que yo ciertamente les daré a ellos”.[m] 13 Estas son las aguas de Meribá,[n] porque los hijos de Israel riñeron con Jehová, de modo que él fue santificado entre ellos.

14 Posteriormente, Moisés envió mensajeros de Qadés al rey de Edom:[o] “Esto es lo que tu hermano Israel[p] ha dicho: ‘Tú

mismo sabes bien toda la penalidad que nos ha alcanzado.[a] 15 Y nuestros padres procedieron a bajar a Egipto,[b] y continuamos morando en Egipto muchos días;[c] y los egipcios se pusieron a hacernos daño, a nosotros y a nuestros padres.[d] 16 Por fin clamamos a Jehová[e] y él oyó nuestra voz y envió un ángel[f] y nos sacó de Egipto; y aquí estamos en Qadés, ciudad al extremo de tu territorio. 17 Déjanos pasar, por favor, por tu tierra. No pasaremos por un campo ni por una viña, y no beberemos el agua de pozo alguno. Por el camino del rey marcharemos.[g] No doblaremos hacia la derecha ni hacia la izquierda,[h] hasta que pasemos por tu territorio'".

18 Sin embargo, Edom le dijo: "No debes pasar por mí, por temor de que salga a tu encuentro con espada". 19 A su vez los hijos de Israel le dijeron: "Por la calzada subiremos; y si yo y mi ganado bebemos tu agua, ciertamente también daré el valor de ella.[j] No quiero otra cosa sino pasar a través a pie".[j] 20 Pero él dijo: "No debes pasar".[k] Con eso, Edom[l] procedió a salir a su encuentro con gran número de gente y mano fuerte. 21 Así que Edom rehusó conceder a Israel paso por su territorio.[m] Por eso Israel se apartó de él.[n]

22 Y los hijos de Israel, la entera asamblea, procedieron a partir de Qadés[o] e ir al monte Hor.[p] 23 Entonces Jehová dijo esto a Moisés y Aarón en el monte Hor, junto al confín de la tierra de Edom: 24 "Aarón será recogido a su pueblo,[q] porque él no entrará en la tierra que yo ciertamente daré a los hijos de Israel, por razón de que ustedes se rebelaron contra mi orden tocante a las aguas de Meríbah.[r] 25 Toma a Aarón a Eleazar su hijo y hazlos subir al monte Hor. 26 Y despoja a Aarón de sus prendas de vestir,[s] y tienes que

vestir con ellas a Eleazar[a] su hijo; y Aarón será recogido [a su pueblo] y tendrá que morir allí".[b] 27 De modo que Moisés hizo tal como Jehová le había mandado; y delante de los ojos de toda la asamblea ellos se pusieron a subir al monte Hor. 28 Entonces Moisés despojó a Aarón de sus prendas de vestir y vistió con ellas a Eleazar su hijo, después de lo cual Aarón murió allí en la cima de la montaña.[c] Y Moisés y Eleazar descendieron de la montaña. 29 Y toda la asamblea llegó a ver que Aarón había expirado, y toda la casa de Israel continuó llorando a Aarón treinta días.[d]

21 Ahora bien, el cananeo, el rey de Arad,[e] que moraba en el Négueb,[f] llegó a oír que Israel había venido por el camino de Atarim, y se puso a pelear contra Israel y a llevarse cautivos a algunos de ellos. 2 Por consiguiente, Israel hizo un voto a Jehová y dijo:[g] "Si das sin falta a este pueblo en mi mano, entonces yo ciertamente daré por entero sus ciudades a la destrucción".[h] 3 De modo que Jehová escuchó la voz de Israel y entregó a los cananeos; y ellos los dieron por entero a la destrucción, tanto a aquellos como sus ciudades. Por lo tanto, llamaron el lugar por nombre Hormá.[i]

4 Mientras continuaron viajando desde el monte Hor[j] por el camino del mar Rojo para dar la vuelta a la tierra de Edom,[k] el alma del pueblo empezó a rendirse de cansancio a causa del camino. 5 Y el pueblo siguió hablando contra Dios[l] y Moisés:[m] "¿Por qué nos han hecho subir de Egipto para morir en el desierto?[n] Pues no hay pan y no hay agua,[o] y nuestra alma ha llegado a aborrecer el pan despreciable".[p] 6 De modo que Jehová envió serpientes venenosas[q] entre el pueblo, y estas siguieron mordiendo a la gente, de modo

CAP. 20
a Éx 18:8
b Gé 46:6
  Hch 7:15
c Gé 15:13
  Éx 12:40
d Éx 1:11
  Éx 1:14
  Dt 26:6
  Hch 7:19
e Éx 2:23
  Éx 3:7
f Éx 14:19
  Éx 23:20
  Éx 33:2
  Hch 7:35
g Nú 21:22
h Dt 2:27
i Dt 2:6
j Dt 2:28
k Jue 11:17
l Gé 36:1
m Dt 2:29
n Dt 2:8
  Jue 11:18
o Nú 13:26
  Nú 33:37
p Nú 21:4
  Nú 34:7
q Gé 25:8
  Nú 33:38
  Dt 32:50
r Nú 20:12
  Dt 32:51
s Éx 28:2
  Éx 29:29
  Heb 7:23

2.ª col.

a Éx 6:23
  Nú 4:16
b Nú 33:38
c Nú 33:39
  Dt 10:6
  Dt 32:50
d Dt 34:8

CAP. 21
e Nú 33:40
  Jos 12:14
f Nú 23:21
g Dt 23:21
h Le 27:28
  Dt 20:17
  Jos 6:18
i Nú 14:45
  Jue 1:17
j Nú 33:41
k Nú 20:21
  Dt 2:8
  Jue 11:18
l Sl 78:19
m Éx 14:11
  Éx 15:24
  Nú 16:13
n Nú 14:24
  Nú 14:34
o Nú 20:5
p Éx 16:15
  Nú 11:6
  Sl 78:24
q Dt 8:15

que murió mucha gente de Israel.[a]

7 Por fin el pueblo vino a Moisés y dijo: "Hemos pecado,[b] porque hemos hablado contra Jehová y contra ti. Intercede con Jehová para que quite las serpientes de sobre nosotros".[c] Y Moisés se puso a interceder por el pueblo.[d] 8 Entonces Jehová dijo a Moisés: "Hazte una culebra abrasadora y colócala sobre un poste-señal. Y tiene que suceder que, cuando cualquiera haya sido mordido, entonces tiene que mirarla y así tendrá que mantenerse vivo".[e] 9 Moisés en seguida hizo una serpiente de cobre[f] y la colocó sobre el poste-señal;[g] y en efecto sucedió que si una serpiente había mordido a un hombre, y él fijaba la vista[h] en la serpiente de cobre, entonces se mantenía vivo.[i]

10 Después de eso, los hijos de Israel partieron y acamparon en Obot.[j] 11 Entonces partieron de Obot y acamparon en Iyéabarim,[k] en el desierto que queda hacia el frente de Moab, hacia el nacimiento del sol. 12 De allí partieron y se pusieron a acampar junto al valle torrencial de Zered.[l] 13 De allí partieron y se pusieron a acampar en la región de Arnón,[m] que está en el desierto que se extiende desde el confín de los amorreos; porque el Arnón es el límite de Moab, entre Moab y los amorreos. 14 Por eso se dice en el libro de las Guerras de Jehová:

"Vaheb en Sufá y los valles torrenciales de Arnón, 15 y la boca de los valles torrenciales, que se ha inclinado hacia el asiento de Ar[n] y se ha recostado contra el confín de Moab".

16 En seguida de allí a Beer.[o] Este es el pozo acerca del cual Jehová dijo a Moisés: "Reúne al pueblo, y déjame darle agua".[p]

17 En aquella ocasión Israel se puso a cantar esta canción:[q]

"¡Brota, oh pozo! ¡Respóndanle, ustedes!

18 Un pozo, príncipes lo cavaron. Los nobles del pueblo lo excavaron,

con el bastón de comandante,[a] con sus propios bastones".

Entonces del desierto a Mataná. 19 Y de Mataná a Nahaliel, y de Nahaliel a Bamot.[b] 20 Y de Bamot al valle que está en el campo de Moab,[c] a la cabeza de Pisgá,[d] y este sobresale hacia la faz de Jesimón.[e]

21 Israel ahora envió mensajeros a Sehón[f] el rey de los amorreos, y dijo: 22 "Déjame pasar por tu tierra. No nos desviaremos para entrar en un campo ni en una viña. No beberemos agua de pozo alguno. Por el camino del rey marcharemos hasta que pasemos por tu territorio".[g] 23 Y Sehón no permitió que Israel pasara por su territorio,[h] sino que Sehón reunió a todo su pueblo y salió al encuentro de Israel en el desierto, y vino a Jáhaz;[i] y se puso a pelear con Israel. 24 Ante eso, Israel lo hirió a filo de espada[j] y tomó posesión de la tierra[k] de este desde el Arnón[l] hasta el Jaboq,[m] cerca de los hijos de Ammón; porque Jazer[n] es el confín de los hijos de Ammón.[o] 25 De modo que Israel tomó todas estas ciudades, e Israel se puso a morar en todas las ciudades de los amorreos,[p] en Hesbón[q] y en todos sus pueblos dependientes. 26 Porque Hesbón era la ciudad de Sehón.[r] Él era rey de los amorreos,[s] y él fue quien peleó con el rey de Moab anteriormente y fue quitando de su mano toda su tierra hasta el Arnón.[t] 27 Por eso decían los pronunciadores de versos burlescos:

"Vengan a Hesbón.
Edifíquese la ciudad de Sehón y resulte firmemente establecida.

28 Porque un fuego ha salido de Hesbón,[u] una llama del pueblo de Sehón.

CAP. 21

a Sl 106:43
1Co 10:9
b Sl 78:34
c Le 26:40
d Éx 32:11
Nú 106:44
f 2Re 18:4
g Jn 3:14
Jn 8:28
Jn 12:32
Gál 3:13
1Pe 2:24
h Jn 1:29
i Jn 3:14
Jn 3:15
Jn 6:40
Ro 1:17
j Nú 33:43
k Nú 33:44
l Dt 2:13
m Nú 22:36
Dt 2:24
Jue 11:18
n Nú 21:28
Dt 2:18
Dt 2:29
Jue 11:19
o Isa 15:8
p Sl 78:52
q Sl 105:2

2.ᵃ col.

a Gé 49:10
b Jos 13:17
c Nú 26:63
Nú 33:49
d Dt 3:27
e Nú 23:28
Jue 9:25
f Dt 2:26
Jue 11:19
g Nú 20:17
h Dt 2:30
Dt 29:7
Jue 11:20
i Dt 2:32
Jos 13:18
j Jos 12:2
Jue 11:21
Sl 135:10
Sl 136:19
Am 2:9
k Nú 32:33
Ne 9:22
l Nú 21:13
Dt 3:16
m Jue 11:22
n Jos 12:1
1Cr 6:81
o Jos 12:2
p Gé 10:16
Gé 15:16
Éx 3:8
Dt 7:1
q Dt 2:26
Jue 11:19
Can 7:4
r Sl 135:11
s Jue 11:19
t Nú 21:13
u Jer 48:45

Ha consumido a Ar[a] de Moab, los dueños de los lugares altos del Arnón.

29 ¡Ay de ti, Moab! ¡Ciertamente perecerás, oh pueblo de Kemós![b]

Ciertamente dará a sus hijos como escapados y a sus hijas en el cautiverio a Sehón, el rey de los amorreos.

30 De modo que disparemos contra ellos.

Hesbón ciertamente perecerá hasta Dibón,[c]

y las mujeres hasta Nófah, los hombres hasta Medebá".[d]

31 E Israel empezó a morar en la tierra de los amorreos.[e] 32 Entonces Moisés envió algunos a espiar a Jazer.[f] De modo que tomaron sus pueblos dependientes y desalojaron a los amorreos que estaban allí.[g] 33 Después volvieron y subieron por el camino de Basán.[h] Ante esto, Og[i] el rey de Basán salió a su encuentro, él y todo su pueblo, a la batalla de Edrei.[j] 34 Jehová ahora dijo a Moisés: "No le tengas miedo,[k] porque en tu mano ciertamente lo daré, a él y todo su pueblo y su tierra;[l] y tienes que hacer con él tal como hiciste con Sehón, el rey de los amorreos, que moraba en Hesbón".[m] 35 Así que se pusieron a herirlo, a él y sus hijos y todo su pueblo, hasta que no le quedó sobreviviente;[n] y se pusieron a tomar posesión de su tierra.[o]

22 Entonces los hijos de Israel partieron y acamparon en las llanuras desérticas de Moab,[p] al otro lado del Jordán desde Jericó. 2 Y Balac[q] hijo de Zipor llegó a ver todo lo que Israel había hecho a los amorreos. 3 Y Moab se atemorizó mucho del pueblo, porque era numeroso; y Moab empezó a sentir un pavor morboso a causa de los hijos de Israel.[r] 4 Y Moab procedió a decir a los an-

cianos de Madián:[a] "Ahora esta congregación lamerá todos nuestros alrededores como el toro que lame el producto verde del campo".

Y Balac[b] hijo de Zipor era rey de Moab en aquel tiempo en particular. 5 Entonces él envió mensajeros a Balaam[c] hijo de Beor en Petor,[d] que está junto al Río[e] de la tierra de los hijos de su pueblo, para llamarlo, diciendo: "¡Mira! Un pueblo ha salido de Egipto. ¡Mira! Han cubierto la tierra hasta donde se alcanza a ver,[f] y están morando directamente enfrente de mí. 6 Y ahora dígnate venir, por favor; de veras maldíceme[g] a este pueblo, porque es más poderoso que yo. Quizás pueda herirlo y pueda expulsarlo del país; porque bien sé yo que aquel a quien tú bendices es bendito y aquel a quien tú maldices es maldito".[h]

7 De modo que los ancianos de Moab y los ancianos de Madián viajaron con los pagos por adivinación[i] en las manos y fueron a Balaam[j] y le hablaron las palabras de Balac. 8 Ante esto, él les dijo: "Alójense aquí esta noche, y ciertamente les devolveré palabra tal como Jehová me hable".[k] Por consiguiente, los príncipes de Moab se quedaron con Balaam.

9 Entonces Dios vino a Balaam y dijo:[l] "¿Quiénes son estos hombres que están contigo?". 10 De modo que Balaam dijo al Dios [verdadero]: "Balac[m] hijo de Zipor, rey de Moab, ha enviado a mí, diciendo: 11 ¡Mira! El pueblo que está saliendo de Egipto, y va cubriendo la tierra hasta donde alcanza a ver el ojo.[n] Ahora, dígnate venir; sí, exécramelo.[o] Quizás pueda pelear contra ellos y realmente los expulse'". 12 Pero Dios dijo a Balaam: "No debes ir con ellos. No debes maldecir al pueblo,[p] porque son benditos".[q]

13 Después de eso, Balaam se levantó por la mañana y dijo a

CAP. 21
a Nú 21:15
Dt 2:9
b Jue 11:24
Jer 11:7
2Re 23:13
Jer 48:7
c Nú 32:34
Jos 13:17
Jer 48:18
d Jos 13:9
e Dt 3:8
f Nú 32:1
g Nú 21:25
h Dt 3:1
i Dt 1:4
Dt 3:11
Dt 4:47
Jos 9:10
j Dt 3:10
Jos 13:12
k Dt 3:2
Dt 3:22
Dt 20:3
l Ex 23:27
Dt 7:24
m Sl 135:11
n Dt 3:3
Jos 13:12
o Jos 12:4
Jos 12:6

CAP. 22
p Nú 33:48
q Nú 24:9
Jue 11:25
r Ex 15:15
Dt 2:25

2.ª col.
a Nú 31:8
Jos 13:21
b Miq 6:5
Rev 2:14
c Jos 13:22
Jos 24:9
2Pe 2:15
Jud 11
d Dt 23:4
e Gé 15:18
f Gé 13:16
g Gé 12:3
Nú 22:17
Jos 24:9
Ne 13:2
h Sl 109:28
i Miq 3:11
Hch 16:16
1Ti 6:10
j 2Pe 2:15
Jud 11
k Nú 12:6
Nú 23:12
Nú 22:20
l Nú 22:4
m Nú 22:5
o Nú 22:6
Nú 23:7
Nú 23:11
Nú 24:10
p Miq 6:5
q Gé 12:2
Gé 22:17
Nú 23:20
Dt 23:5
Dt 33:29

los príncipes de Balac: "Vayan a su país, porque Jehová ha rehusado dejarme ir con ustedes". 14 De modo que los príncipes de Moab se levantaron y fueron a Balac y dijeron: "Balaam ha rehusado venir con nosotros".ᵃ

15 Sin embargo, Balac volvió a enviar otros príncipes, en mayor número y más honorables que aquellos. 16 A su vez, estos llegaron a Balaam y le dijeron: "Esto es lo que ha dicho Balac hijo de Zipor: 'No te detengas, por favor, de venir a mí. 17 Porque sin falta te honraréᵇ y todo cuanto me digas lo haré.ᶜ Así es que dígnate venir, por favor. De veras exécrame a este pueblo' ". 18 Pero Balaam contestó y dijo a los siervos de Balac: "Aunque Balac me diera su casa llena de plata y oro, yo no podría pasar más allá de la orden de Jehová mi Dios, para hacer cosa pequeña o grande.ᵈ 19 Y ahora ustedes también díganse permanecer aquí esta noche, por favor, para que yo sepa qué más hablará Jehová conmigo".ᵉ

20 Entonces Dios vino a Balaam de noche y le dijo: "Si es para llamarte que han venido los hombres, levántate, ve con ellos. Pero solo la palabra que yo te hable es lo que podrás hablar".ᶠ 21 Después de eso, Balaam se levantó por la mañana y aparejó su asna y se fue con los príncipes de Moab.ᵍ

22 Y la cólera de Dios empezó a encenderse porque él iba; y el ángel de Jehová procedió a apostarse en el camino para oponerle resistencia.ʰ Y él iba montado sobre su asna, y dos servidores suyos estaban con él. 23 Y el asna llegó a ver al ángel de Jehová apostado en el camino con su espada desenvainada en la mano;ⁱ y el asna trató de desviarse del camino para entrar en el campo, pero Balaam se puso a golpear al asna para volverla al camino. 24 Y el ángel de Jeho-

CAP. 22
a Nú 22:37

b Nú 24:11
Pr 17:23

c Pr 15:27

d Nú 24:13

e Nú 22:8

f Nú 22:35
Nú 23:12
Nú 24:13

g Snt 1:14
2Pe 2:15
Jud 11

h Éx 23:21

i 2Re 6:17
1Cr 21:16

2.ª col.
a Pr 14:16
Pr 27:4

b Mt 19:26
2Pe 2:16

c Nú 22:32

d Pr 12:10

e 2Pe 2:16

f 2Re 6:17

g Nú 22:12
Dt 23:4
Ec 9:3
2Pe 2:15

h Nú 22:23
Nú 22:25
Nú 22:27

i Pr 16:25

vá seguía parado en la senda angosta entre las viñas, con un muro de piedra por este lado y un muro de piedra por aquel lado. 25 Y el asna siguió viendo al ángel de Jehová y empezó a apretarse contra el muro y, así, a apretar el pie de Balaam contra el muro; y él se puso a golpearla más.

26 El ángel de Jehová entonces volvió a pasar y se paró en un lugar angosto, donde no había modo de desviarse a la derecha ni a la izquierda. 27 Cuando el asna llegó a ver al ángel de Jehová, entonces se echó debajo de Balaam; de modo que la cólera de Balaam se encendió,ᵃ y él siguió golpeando al asna con su bastón. 28 Por fin Jehová abrió la boca al asnaᵇ y ella dijo a Balaam: "¿Qué te he hecho para que me hayas golpeado estas tres veces?".ᶜ 29 Ante esto, Balaam dijo al asna: "Es porque me has tratado despiadadamente. ¡Si siquiera hubiera una espada en mi mano, porque ahora mismo te habría matado!".ᵈ 30 Entonces el asna dijo a Balaam: "¿No soy yo tu asna sobre la cual has montado toda tu vida hasta el día de hoy? ¿He acostumbrado yo jamás hacerte de esta manera?".ᵉ A lo cual él dijo: "¡No!". 31 Y Jehová procedió a destaparle los ojos a Balaam,ᶠ de modo que vio al ángel de Jehová apostado en el camino con su espada desenvainada en la mano. En seguida él se inclinó y se postró sobre su rostro.

32 Entonces el ángel de Jehová le dijo: "¿Por qué has golpeado a tu asna estas tres veces? ¡Mira! Yo... yo he salido para oponer resistencia, porque tu camino ha sido temerario contra mi voluntad.ᵍ 33 Y el asna llegó a verme y trató de desviarse de delante de mí estas tres veces.ʰ ¡Supónte que no se hubiera desviado de delante de mí! Pues para ahora a ti mismo te hubiera matado,ⁱ pero a ella la habría

conservado viva". 34 Ante esto, Balaam dijo al ángel de Jehová: "He pecado,ᵃ porque no sabía que estabas apostado en el camino para encontrarte conmigo. Y ahora, si es malo a tus ojos, déjame volver por mi camino". 35 Pero el ángel de Jehová dijo a Balaam: "Ve con los hombres;ᵇ y nada salvo la palabra que yo te hable es lo que podrás hablar".ᶜ Y Balaam continuó yendo con los príncipes de Balac.

36 Cuando Balac llegó a oír que Balaam había venido, en seguida salió a su encuentro a la ciudad de Moab, que está en la margen del Arnón, que se halla en la extremidad del territorio.ᵈ 37 Entonces Balac dijo a Balaam: "¿No es un hecho, positivamente, que yo he enviado a llamarte? ¿Por qué no viniste a mí? ¿No puedo yo real y verdaderamente honrarte?".ᵉ 38 Ante esto, Balaam dijo a Balac: "Mira que he venido a ti ahora. ¿Podré yo acaso hablar algo?ᶠ La palabra que Dios ponga en mi boca es lo que hablaré".ᵍ

39 De modo que Balaam fue con Balac, y llegaron a Quiryat-huzot. 40 Y Balac procedió a sacrificar ganado vacuno y ovejasʰ y a enviar parte a Balaam y a los príncipes que estaban con él. 41 Y por la mañana aconteció que Balac fue llevando a Balaam y haciéndolo subir a Bamot-baal,ⁱ para que viera desde allí a todo el pueblo.ʲ

23 Entonces Balaam dijo a Balac: "Edifícame en este sitio siete altaresᵏ y alístame en este sitio siete toros y siete carneros". 2 Balac hizo inmediatamente tal como Balaam había hablado. Después de eso Balac y Balaam ofrecieron un toro y un carnero en cada altar.ˡ 3 Y Balaam pasó a decir a Balac: "Apóstate junto a tu ofrenda quemada,ᵐ y déjame ir. Quizás Jehová se ponga en comunicación y salga a mi encuentro.ⁿ En

tal caso, cualquier cosa que me muestre, yo ciertamente te lo informaré". De modo que se fue a una colina pelada.

4 Cuando Dios se comunicó con Balaam,ᵃ este entonces le dijo: "Dispuse los siete altares en filas, y procedí a ofrecer un toro y un carnero en cada altar".ᵇ 5 Por consiguiente, Jehová puso una palabra en la boca de Balaamᶜ y dijo: "Vuelve a Balac, y esto es lo que hablarás".ᵈ 6 De modo que volvió a él, y, ¡mire!, él y todos los príncipes de Moab estaban apostados junto a su ofrenda quemada. 7 Entonces dio principio a su expresión proverbialᵉ y dijo:

"Desde Aram,ᶠ Balac el rey
    de Moab trató de condu-
    cirme,
    desde las montañas del
    este:
'Dígnate venir, de veras mal-
    díceme a Jacob.
    Sí, dígnate venir, de veras
    denuncia a Israel'.ᵍ
8 ¿Cómo pudiera yo execrar a
    los que Dios no ha exe-
    crado?ʰ
    ¿Y cómo pudiera denun-
    ciar a los que Jehová no
    ha denunciado?ⁱ
9 Porque desde la cima de las
    rocas los veo,
    y desde las colinas los con-
    templo.
    Allí como pueblo siguen resi-
    diendo aislados,
    y a sí mismos no se cuentan
    entre las naciones.ᵏ
10 ¿Quién ha numerado las par-
    tículas de polvo de Ja-
    cob,ˡ
    y quién ha contado la cuar-
    ta parte de Israel?
    Muera mi alma la muerte de
    los rectos,ᵐ
    y resulte mi fin después
    como el de ellos".ⁿ

11 Con esto Balac dijo a Balaam: "¿Qué me has hecho? Fue a fin de execrar a mis enemigos para lo que te tomé y resulta que los has bendecido hasta el lími-

CAP. 22
a 1Sa 15:24
b Sl 81:12
c Nú 22:20
d Nú 21:26
e Nú 22:17
  Nú 24:11
f Pr 19:21
g Nú 23:26
  Nú 24:13
h Nú 23:14
i Jos 13:15
  Jos 13:17
j Nú 23:13

CAP. 23
k Nú 22:41
l Nú 23:14
  Nú 23:30
m Nú 23:15
n Nú 23:16
  Nú 24:1

2.ᵃ col.
a Nú 22:20
b Nú 23:2
c Nú 22:35
d Nú 23:3
e Nú 23:18
  Nú 24:3
f Gé 10:22
  Nú 22:5
  Dt 23:4
g Nú 22:6
h Nú 22:12
  Nú 24:10
i Pr 21:30
j Le 20:24
  Dt 33:28
  1Re 8:53
  Est 3:8
k Éx 33:16
  Dt 32:8
l Gé 13:16
  Gé 22:17
  Éx 1:7
m Sl 37:37
  Sl 116:15
  Pr 10:7
n Jos 14:14
  Isa 26:19
  1Co 15:55
  Heb 11:35

te".[a] **12** A su vez él contestó y dijo: "¿No es lo que Jehová ponga en mi boca lo que debo tener cuidado de hablar?".[b]

13 Entonces Balac le dijo: "Ven conmigo, sí, por favor, a otro lugar desde el cual puedas verlos. Solo el extremo de ellos verás,[c] y no los verás a todos. Y exécramelos desde allí".[d] **14** De modo que lo llevó al campo de Zofim, a la cima de Pisgá,[e] y procedió a edificar siete altares y a ofrecer un toro y un carnero en cada altar.[f] **15** Después de eso dijo a Balac: "Apóstate aquí junto a tu ofrenda quemada, y, en cuanto a mí, déjame comunicarme con él allá". **16** Posteriormente, Jehová se comunicó con Balaam y le puso una palabra en la boca y dijo:[g] "Vuelve a Balac,[h] y esto es lo que hablarás". **17** De modo que vino a él, y, ¡mire!, estaba apostado junto a su ofrenda quemada, y los príncipes de Moab con él. Entonces le dijo Balac: "¿Qué ha hablado Jehová?". **18** Con eso él dio principio a su expresión proverbial y dijo:[i]

"Levántate, Balac, y escucha.

Sí, préstame oído, oh hijo de Zipor.[j]

19 Dios no es hombre para que diga mentiras,[k]

ni hijo de la humanidad para que sienta pesar.[l]

¿Lo ha dicho él mismo, y acaso no lo hará,

y ha hablado, y no lo llevará a cabo?[m]

20 ¡Mira! He sido tomado para bendecir,

y Él ha bendecido,[n] y yo no lo revocaré.[o]

21 Él no ha considerado ningún poder mágico[p] contra Jacob,

y ninguna desgracia ha visto contra Israel.

Jehová su Dios está con él,[q]

y la fuerte aclamación de un rey se halla en medio de él.

---

22 Dios está sacándolos de Egipto.[a]

El veloz proceder como el de un toro salvaje es de él.[b]

23 Porque no hay ningún hechizo de mala suerte contra Jacob,[c]

ni ninguna adivinación contra Israel.[d]

En este tiempo puede decirse respecto de Jacob e Israel:

'¡Lo que Dios ha obrado!'.[e]

24 He aquí, un pueblo se levantará como león,

y como el león se alzará.[f]

No se echará hasta que coma presa,

y beberá la sangre de los que habrán sido muertos".[g]

25 Ante esto, Balac dijo a Balaam: "Si, por una parte, de ninguna manera puedes execrarlo, entonces, por otra parte, de ninguna manera debes bendecirlo".

26 A su vez, Balaam contestó y dijo a Balac: "¿No te hablé, y te dije: 'Todo lo que hable Jehová es lo que haré'?".[h]

27 Entonces Balac dijo a Balaam: "Oh ven, por favor. Déjame llevarte a un lugar más. Quizás sea recto a los ojos del Dios [verdadero], de modo que ciertamente me lo execres desde allí".[i]

28 Con eso, Balac llevó a Balaam a la cima de Peor, que mira hacia Jesimón.[j] **29** Entonces Balaam[k] dijo a Balac: "Edifícame en este sitio siete altares y alístame en este sitio siete toros y siete carneros".[l] **30** De modo que Balac hizo tal como Balaam había dicho, y puso a ofrecer un toro y un carnero en cada altar.[m]

24 Cuando Balaam llegó a ver que era bueno a los ojos de Jehová bendecir a Israel, no se fue como las otras veces[n] para dar con agüeros[o] de mala suerte, sino que dirigió su rostro hacia el desierto. **2** Cuando Balaam

---

CAP. 23

a Nú 22:11
  Nú 24:10
  Jos 24:10
  Ne 13:2
  Sl 109:28
  Miq 6:5

b Nú 22:38
  Nú 24:13

c Nú 22:11
d Jos 24:9
e Dt 34:1
f Nú 23:1
  Nú 23:29

g Nú 22:35
  Nú 23:5
  Nú 24:1

h Nú 22:10
i Nú 23:7
  Nú 24:3

j Nú 22:2
  Jos 24:9

k Sl 89:35
  Tit 1:2

l 1Sa 15:29
  Ro 11:29

m Isa 14:24
  Isa 46:10
  Miq 7:20

n Gé 12:2
  Gé 22:17
  Nú 22:12

o Nú 22:18
  Mal 3:6

p 1Sa 15:23
q Éx 13:21
  Éx 23:20
  Éx 29:45
  Éx 34:9
  Isa 8:10

2.ª col.

a Éx 20:2
b Nú 24:8
c Gé 12:3
  Nú 22:6

d Nú 22:7
  Dt 18:10
  Dt 18:12

e Sl 31:19
  Sl 44:1
  Sl 126:3
  Ro 11:33

f Gé 49:9
  Nú 24:9
  Pr 30:30

g Isa 31:4
  Miq 5:8

h Nú 22:38
  Nú 23:12
  Nú 24:13

i Nú 23:13
j Nú 21:20
k Nú 22:5
l Nú 23:1
m Nú 23:2
  Nú 23:14

CAP. 24

n Nú 23:3
  Nú 23:15

o Gé 30:27
  Le 19:26
  Nú 23:23

alzó los ojos y vio a Israel que residía por sus tribus,[a] entonces el espíritu de Dios vino a estar sobre él.[b] 3 Por lo tanto, dio principio a su expresión proverbial[c] y dijo:

"La expresión de Balaam hijo de Beor,
y la expresión del hombre físicamente capacitado con ojo ya no sellado,[d]
4 la expresión del que oye los dichos de Dios,[e]
que llegó a ver una visión del Todopoderoso[f]
mientras caía con los ojos destapados:[g]
5 ¡Cuán bien parecidas son tus tiendas, oh Jacob, tus tabernáculos, oh Israel![h]
6 Como valles torrenciales se han extendido por larga distancia,[i]
como jardines junto al río.[j]
Como áloes que Jehová ha plantado,
como cedros junto a las aguas.[k]
7 El agua sigue saliendo en chorrillos de sus dos cubos de cuero,
y su descendencia está junto a muchas aguas.[l]
Su rey[m] también será más alto que Agag,[n]
y su reino será elevado.[o]
8 Dios está sacándolo de Egipto;
el veloz proceder de un toro salvaje es de él.[p]
Consumirá a las naciones, sus opresores,[q]
y roerá sus huesos,[r] y las hará pedazos con las flechas suyas.[s]
9 Se inclinó, se echó como el león,
y, como león, ¿quién se atreve a hacer que se levante?[t]
Los que te bendigan son los benditos,[u]
y los que te maldigan son los malditos".[v]

10 Con eso la cólera de Balac se encendió contra Balaam y él batió las manos,[a] y Balac pasó a decir a Balaam: "Fue para execrar[b] a mis enemigos para lo que te llamé, y, ¡mira!, los has bendecido hasta el límite estas tres veces. 11 Y ahora vete corriendo a tu lugar. Me había dicho a mí mismo que sin falta iba a honrarte,[c] pero, ¡mira!, Jehová te ha retenido de honor."

12 A su vez Balaam dijo a Balac: "¿No fue también a tus mensajeros que me enviaste a quienes hablé y dije: 13 'Aunque Balac me diera su casa llena de plata y oro, yo no podría pasar más allá de la orden de Jehová para hacer cosa buena o mala de mi propio corazón. Cualquier cosa que Jehová hable es lo que yo hablaré'?[d] 14 Y ahora aquí me voy a mi pueblo. Ven, sí, déjame avisarte[e] lo que este pueblo hará a tu pueblo después, en el fin de los días".[f] 15 De modo que dio principio a su expresión proverbial[g] y dijo:

"La expresión de Balaam hijo de Beor,
y la expresión del hombre físicamente capacitado con ojo ya no sellado,[h]
16 la expresión del que oye los dichos de Dios,[i]
y el que conoce el conocimiento del Altísimo...
Una visión del Todopoderoso llegó a ver[j]
mientras caía con los ojos destapados:[k]
17 Lo veré,[l] pero no ahora;
lo contemplaré, pero no de cerca.
Una estrella[m] ciertamente saldrá de Jacob,
y un cetro verdaderamente se levantará de Israel.[n]
Y él ciertamente partirá las sienes de [la cabeza de] Moab[o]
y el cráneo de todos los hijos de tumulto de guerra.

CAP. 24
a Nú 2:2
b Nú 11:25
  1Sa 19:20
  2Cr 15:1
  1Co 12:10
c Dt 3:7
d Am 3:7
e Nú 24:16
f Nú 12:6
g Eze 1:28
h Nú 1:52
  Nú 2:2
i Nú 2:32
  Nú 22:11
j Isa 58:11
  Jer 31:12
k Isa 37:12
  Sl 92:12
  Jer 17:8
l Dt 8:7
m Gé 49:10
  Sl 2:6
  Jn 1:49
  Flp 2:10
  Rev 19:16
n Nú 24:20
o 1Cr 14:2
  Da 2:44
  Hch 5:31
  Rev 11:15
p Nú 23:22
q Éx 23:27
  Dt 9:5
  Rev 19:15
r Isa 38:13
s Dt 32:42
  Sl 2:9
t Gé 49:9
u Gé 12:3
v Gé 27:29

2.ª col.
a Job 27:23
  Na 3:19
b Nú 22:11
  Nú 23:11
  Dt 23:4
  Jos 24:9
  He 13:2
c Nú 22:17
  Jud 11
d Nú 22:18
  Nú 22:38
e Miq 6:5
f Jer 48:46
g Nú 23:7
  Nú 24:3
h Nú 24:3
i Nú 24:4
j Nú 12:6
k Eze 1:28
l Éx 33:20
  Jn 1:18
m 2Sa 7:16
  Isa 9:7
  Isa 14:13
  Jer 23:5
  Eze 21:27
  2Pe 1:11
  Rev 22:16
n Gé 49:10
  Sl 45:6
  Sl 108:8
  Sl 110:2
  Heb 1:8
o 2Sa 8:2
  1Cr 18:2
  Sl 108:9
  Sl 110:6
  Jer 48:45

18 Y Edom tiene que llegar a ser
      posesión,[a]
   sí, Seír[b] tiene que llegar a
      ser la posesión de sus
      enemigos,[c]
   mientras Israel va desple-
      gando su ánimo.
19 Y de Jacob saldrá uno sojuz-
      gando,[d]
   y tendrá que destruir a
      todo sobreviviente de la
      ciudad".[e]

20 Cuando llegó a ver a Amaleq, prosiguió su expresión proverbial y pasó a decir:[f]

   "Amaleq fue la primera de
      las naciones,[g]
   pero su fin después será aun
      su perecer".[h]

21 Cuando llegó a ver a los
quenitas,[i] prosiguió su expresión proverbial y pasó a decir:

   "Duradera es tu morada, y en
      peñasco está puesta tu
      habitación.
22 Pero llegará a haber uno que
      queme a Qayín.[j]
   ¿Cuánto falta hasta que te
      lleve cautivo Asiria?".[k]

23 Y prosiguió su expresión
proverbial y pasó a decir:

   "¡Ay! ¿Quién sobrevivirá
      cuando Dios lo cause?[l]
24 Y habrá naves de la costa de
      Kitim,[m]
   y ciertamente afligirán a
      Asiria,[n]
   y verdaderamente afligirán a
      Éber.
   Pero él también por fin pe-
      recerá".

25 Después de eso, Balaam se
levantó y se fue y volvió a su
lugar.[o] Y Balac también se fue
por su propio camino.

25 Ahora bien, Israel estaba
morando en Sitim.[p] En-
tonces el pueblo comenzó a tener relaciones inmorales con las
hijas de Moab.[q] 2 Y las mujeres venían llamando al pueblo a
los sacrificios de sus dioses,[r] y el

pueblo empezó a comer y a inclinarse ante los dioses de ellas.[a]
3 De modo que Israel se apegó
al Baal de Peor;[b] y la cólera
de Jehová empezó a encenderse contra Israel.[c] 4 Por lo tanto, Jehová dijo a Moisés: "Toma
a todos los que son cabezas del
pueblo y expónlos a Jehová[d] hacia el sol, para que la ardiente
cólera de Jehová se vuelva
de contra Israel". 5 Entonces Moisés dijo a los jueces de
Israel:[e] "Maten cada uno de ustedes[f] a sus hombres que tienen
apego al Baal de Peor".

6 Pero, ¡mire!, un hombre[g] de
los hijos de Israel vino, y estaba
haciendo que se acercara a sus
hermanos una madianita,[h] ante
los ojos de Moisés y ante los ojos
de toda la asamblea de los hijos
de Israel, mientras ellos se hallaban llorando a la entrada de
la tienda de reunión. 7 Cuando Finehás[i] hijo de Eleazar hijo
de Aarón el sacerdote alcanzó a
ver esto, en seguida se levantó de
en medio de la asamblea y tomó
una lanza en la mano. 8 Entonces fue tras el hombre de Israel dentro de la tienda above-
dada y traspasó a ambos, al
hombre de Israel y a la mujer,
por sus partes genitales. Con eso
se detuvo el azote de sobre los
hijos de Israel.[j] 9 Y los que
murieron del azote ascendieron
a veinticuatro mil.[k]

10 Entonces Jehová habló a
Moisés, y dijo: 11 "Finehás[l]
hijo de Eleazar hijo de Aarón el
sacerdote ha hecho volver mi
ira[m] de sobre los hijos de Israel
porque no toleró ninguna rivalidad hacia mí en medio de ellos,[n]
de manera que no he exterminado a los hijos de Israel en mi
insistencia en devoción exclusiva.[o] 12 Por esa razón di: 'Aquí
estoy dándole mi pacto de paz.
13 Y tiene que servir como pacto de un sacerdocio hasta tiempo
indefinido para él y su prole des-

CAP. 24

a Gé 27:37
  28a 8:14
  1Cr 18:13
  Sl 60:8
  Isa 34:5
  Am 9:12
b Gé 36:8
  Jos 24:4
c 1Cr 4:42
  Eze 25:14
d Gé 49:10
  Sl 2:9
  Sl 72:11
  Rev 6:2
  Rev 19:15
e Rev 19:21
f Nú 23:7
g Éx 17:8
  Éx 17:14
h Dt 25:19
  1Sa 15:3
  1Cr 4:43
i Gé 15:19
  Jue 1:16
j Jue 4:11
k 2Re 15:29
  Esd 4:2
  1Té 32:39
m Gé 10:4
  Isa 23:1
  Eze 27:6
  Da 11:30
n Na 1:1
  Na 3:18
o Nú 31:8

CAP. 25

p Jos 2:1
  Miq 6:5
q Nú 31:16
  1Co 10:8
  Rev 2:14
r Éx 34:15
  1Re 11:2
  Hch 15:29
  1Co 10:20

2.ª col.

a Éx 20:5
  Jos 23:7
  1Co 10:7
b Dt 4:3
  Jos 22:17
  Sl 106:28
  Os 9:10
c Sl 106:29
d 28a 21:6
e Éx 18:21
f Éx 22:20
  Éx 32:27
  Dt 13:8
  Dt 13:9
  1Re 18:40
g Nú 25:14
h Nú 25:15
i Éx 16:25
  Jos 22:30
  1Cr 6:4
j Éx 23:21
  Sl 106:30
k Nú 25:4
  Dt 4:3
  1Co 10:8
l Nú 25:7
m Sl 106:30
n Sl 106:31
  2Co 11:2
o Éx 20:5
  Éx 34:14
  Dt 4:24
  Jos 24:19

pués de él,[a] debido al hecho de que no toleró ninguna rivalidad hacia su Dios,[b] y procedió a hacer expiación por los hijos de Israel'".[c]

14 A propósito, el nombre del hombre israelita mortalmente herido que fue herido mortalmente con la madianita era Zimrí hijo de Salu, un principal[d] de la casa paterna de los simeonitas. 15 Y el nombre de la mujer madianita mortalmente herida era Cozbí hija de Zur;[e] este era de los que son cabeza de los clanes de una casa paterna de Madián.[f]

16 Más tarde Jehová habló a Moisés, y dijo: 17 "Que haya un hostigar de los madianitas, y ustedes tienen que herirlos,[g] 18 porque ellos los están hostigando a ustedes con sus actos de astucia[h] que han cometido contra ustedes astutamente en el asunto de Peor[i] y en el asunto de Cozbí,[j] hija de un principal de Madián, la hermana de ellos que fue mortalmente herida[k] en el día del azote por el asunto de Peor".[l]

26 Y después del azote[m] aconteció que Jehová pasó a decir esto a Moisés y Eleazar hijo de Aarón el sacerdote: 2 "Tomen la cuenta de la entera asamblea de los hijos de Israel, de veinte años de edad para arriba, según la casa de sus padres, todos los que salen al ejército en Israel".[n] 3 Y Moisés y Eleazar[o] el sacerdote procedieron a hablar con ellos en las llanuras desérticas de Moab,[p] junto al Jordán, frente a Jericó,[q] diciendo: 4 "[Tomen la cuenta de ellos] de la edad de veinte años para arriba, tal como Jehová había mandado a Moisés".[r]

Ahora bien, los hijos de Israel que salieron de la tierra de Egipto fueron: 5 Rubén, primogénito[s] de Israel; los hijos de Rubén: De Hanok,[t] la familia de los hanokitas; de Palú,[u] la familia de los paluitas; 6 de Hezrón,[v]

la familia de los hezronitas; de Carmí,[a] la familia de los carmitas. 7 Estas fueron las familias de los rubenitas, y sus inscritos ascendieron a cuarenta y tres mil setecientos treinta.[b]

8 Y el hijo de Palú fue Eliab. 9 Y los hijos de Eliab: Nemuel y Datán y Abiram. Este Datán[c] y Abiram[d] fueron [hombres] convocados de la asamblea, que entraron en lucha contra Moisés y Aarón en la asamblea de Coré,[e] cuando entraron en lucha contra Jehová.

10 Entonces la tierra abrió su boca y se los tragó.[f] En cuanto a Coré, [murió] en la muerte de la asamblea, cuando el fuego consumió a doscientos cincuenta hombres.[g] Y ellos llegaron a ser un símbolo.[h] 11 Sin embargo, los hijos de Coré no murieron.[i]

12 Los hijos de Simeón[j] por sus familias: De Nemuel,[k] la familia de los nemuelitas; de Jamín,[l] la familia de los jaminitas; de Jakín,[m] la familia de los jakinitas; 13 de Zérah, la familia de los zerahítas; de Shaúl,[n] la familia de los shaulitas. 14 Estas fueron las familias de los simeonitas: veintidós mil doscientos.[o]

15 Los hijos de Gad[p] por sus familias: De Zefón, la familia de los zefonitas; de Hagui, la familia de los haguitas; de Suní, la familia de los sunitas; 16 de Ozní, la familia de los oznitas; de Erí, la familia de los eritas; 17 de Arod, la familia de los aroditas; de Arelí,[q] la familia de los arelitas. 18 Estas fueron las familias de los hijos de Gad, de sus inscritos: cuarenta mil quinientos.[r]

19 Los hijos de Judá[s] fueron Er[t] y Onán.[u] Sin embargo, Er y Onán murieron en la tierra de Canaán.[v] 20 Y los hijos de Judá llegaron a ser, por sus familias: De Selah,[w] la familia de

---

CAP. 25

a 1Cr 6:4
  1Cr 6:50
  Esd 7:5
  Esd 8:2
b 1Re 19:10
c Éx 32:30
d Nú 1:16
  Nú 31:8
  Jos 13:21
f Gé 25:2
  1Cr 1:32
h Nú 31:16
  2Pe 2:14
  Rev 2:14
i Nú 25:3
  Ne 13:2
  2Pe 2:15
  Jud 11
j Nú 25:15
k Nú 25:8
l Nú 25:9

CAP. 26

m Nú 25:5
  Nú 25:8
n Éx 30:12
  Éx 38:26
  Nú 1:2
o Nú 20:26
p Nú 22:1
  Nú 31:12
  Nú 33:48
q Dt 34:3
  Jos 6:1
r Nú 1:3
s Gé 29:32
  Gé 46:8
  1Cr 5:1
t Éx 6:14
u Gé 46:9
v 1Cr 5:3

2.ª col.

a Éx 6:14
b Nú 16:24
c Nú 16:24
  Dt 11:6
d Nú 16:1
  Nú 16:12
  Nú 16:27
  Sl 106:17
e Nú 16:5
  Nú 16:19
  Jud 11
f Nú 16:32
g Nú 16:35
  Sl 106:18
h Nú 16:38
  Eze 14:8
  1Co 10:11
  2Pe 2:6
i Éx 6:24
  Nú 26:58
  Sl 42:Enc
  Sl 45:Enc
j Gé 35:23
  Gé 46:10
k Gé 46:10
l 1Cr 4:24
m Éx 6:15
n 1Cr 4:24
o Nú 1:23
p Gé 35:26
q Gé 46:16
r Nú 1:25
s Gé 29:35
  Gé 49:10
  1Cr 5:2
  Heb 7:14
t Gé 38:3

u Gé 38:4; 1Cr 2:3; v Gé 38:7; Gé 38:9; Gé 38:10;
w Gé 38:5; Gé 38:26; 1Cr 4:21.

los selanitas; de Pérez,[a] la familia de los perezitas; de Zérah,[b] la familia de los zerahitas. 21 Y los hijos de Pérez llegaron a ser: De Hezrón,[c] la familia de los hezronitas; de Hamul,[d] la familia de los hamulitas. 22 Estas fueron las familias de Judá,[e] de sus inscritos: setenta y seis mil quinientos.[f]

23 Los hijos de Isacar[g] por sus familias fueron: De Tolá,[h] la familia de los tolaítas; de Puvá, la familia de los punitas; 24 de Jasub, la familia de los jasubitas; de Simrón,[i] la familia de los simronitas. 25 Estas fueron las familias de Isacar, de sus inscritos: sesenta y cuatro mil trescientos.[j]

26 Los hijos de Zabulón[k] por sus familias fueron: De Séred, la familia de los sereditas; de Elón, la familia de los elonitas; de Jahleel,[l] la familia de los jahleelitas. 27 Estas fueron las familias de los zabulonitas, de sus inscritos: sesenta mil quinientos.[m]

28 Los hijos de José[n] por sus familias fueron Manasés y Efraín.[o] 29 Los hijos de Manasés[p] fueron: De Makir,[q] la familia de los makiritas. Y Makir llegó a ser padre de Galaad.[r] De Galaad, la familia de los galaaditas. 30 Estos fueron los hijos de Galaad: De Yézer,[s] la familia de los yezeritas; de Héleq, la familia de los helequitas; 31 de Asriel, la familia de los asrielitas; de Siquem, la familia de los siquemitas; 32 de Semidá,[t] la familia de los semidaítas; de Héfer,[u] la familia de los heferitas. 33 Ahora bien, resultó que Zelofehad hijo de Héfer no tuvo hijos, sino hijas,[v] y los nombres de las hijas de Zelofehad fueron Mahlá y Noá, Hoglá, Milcá y Tirzá.[w] 34 Estas fueron las familias de Manasés, y sus inscritos fueron cincuenta y dos mil setecientos.[x]

35 Estos fueron los hijos de Efraín[y] por sus familias: De Sutélah,[z] la familia de los sutelahí-

tas; de Béker, la familia de los bekeritas; de Tahán,[a] la familia de los tahanitas. 36 Y estos fueron los hijos de Sutélah: De Erán, la familia de los eranitas. 37 Estas fueron las familias de los hijos de Efraín,[b] de sus inscritos: treinta y dos mil quinientos. Estos fueron los hijos de José por sus familias.[c]

38 Los hijos de Benjamín[d] por sus familias fueron: De Bela,[e] la familia de los belaítas; de Asbel,[f] la familia de los asbelitas; de Ahiram, la familia de los ahiramitas; 39 de Sefufam, la familia de los sufamitas; de Hufam,[g] la familia de los hufamitas. 40 Los hijos de Bela llegaron a ser Ard y Naamán:[h] [De Ard,] la familia de los arditas; de Naamán, la familia de los naamitas. 41 Estos fueron los hijos de Benjamín[i] por sus familias, y sus inscritos fueron cuarenta y cinco mil seiscientos.[j]

42 Estos fueron los hijos de Dan[k] por sus familias: De Suham, la familia de los suhamitas. Estas fueron las familias de Danl por sus familias. 43 Todas las familias de los suhamitas, de sus inscritos, fueron sesenta y cuatro mil cuatrocientos.[m]

44 Los hijos de Aser[n] por sus familias fueron: De Imnah,[o] la familia de los imnitas; de Isví,[p] la familia de los isvitas; de Berías, la familia de los beritas; 45 de los hijos de Berías: De Héber, la familia de los heberitas; de Malkiel,[q] la familia de los malkielitas. 46 Y el nombre de la hija de Aser fue Sérah.[r] 47 Estas fueron las familias de los hijos de Aser,[s] de sus inscritos: cincuenta y tres mil cuatrocientos.[t]

48 Los hijos de Neftalí[u] por sus familias fueron: De Jahzeel,[v] la familia de los jahzeelitas; de Guní,[w] la familia de los gunitas; 49 de Jézer,[x] la familia de los jezeritas; de Silem,[y] la familia de los silemitas. 50 Estas fueron las familias de Neftalí[z] por sus

CAP. 26

a Gé 38:29
Gé 46:12
Rut 4:18
Mt 1:3
b Gé 38:30
1Cr 2:4
c Rut 4:19
d Gé 46:12
1Cr 2:5
e Gé 49:8
f Nú 1:27
g Gé 30:18
Gé 35:23
Gé 46:13
h 1Cr 7:2
i 1Cr 7:1
j Nú 1:29
k Gé 30:20
l Gé 46:14
m Nú 1:31
n Gé 30:24
Gé 35:24
o Gé 41:52
Gé 46:20
Dt 33:17
p Gé 48:5
q Gé 50:23
Nú 36:1
Dt 3:15
1Cr 7:14
r Jos 17:1
s Jos 17:2
t Jos 17:2
u Nú 27:1
v Nú 27:7
Nú 36:2
Jos 17:3
1Cr 7:15
w Nú 27:1
Nú 36:11
x Nú 1:35
y Gé 41:52
z 1Cr 7:20

2.ª col.

a 1Cr 7:25
b Gé 48:20
Jos 17:17
c Nú 1:33
d Gé 35:24
e 1Cr 7:6
f 1Cr 8:1
g Gé 46:21
h Gé 46:21
1Cr 8:7
i Gé 49:27
Jue 1:21
j Nú 1:37
k Gé 30:6
l Gé 49:16
m Nú 1:39
n Gé 30:13
Gé 35:26
o Gé 46:17
p 1Cr 7:30
q Gé 46:17
r 1Cr 7:30
s Gé 49:20
Dt 33:34
t Nú 1:41
u Gé 30:8
Gé 35:25
Gé 46:24
w 1Cr 7:13
x Gé 46:24
y 1Cr 7:13
z Gé 49:21

familias, y sus inscritos fueron cuarenta y cinco mil cuatrocientos.[a]

51 Estos fueron los inscritos de los hijos de Israel: seiscientos un mil setecientos treinta.[b]

52 Después de eso, Jehová habló a Moisés, y dijo: 53 "A estos debe repartirse la tierra proporcionalmente para herencia, por el total numérico de los nombres.[c] 54 Conforme al gran número debes aumentar la herencia de uno, y conforme al corto número debes reducir la herencia de uno.[d] A cada uno se debe dar su herencia en proporción con sus inscritos. 55 Solo que por sorteo[e] debe repartirse proporcionalmente la tierra. Conforme a los nombres de las tribus de sus padres deben conseguir una herencia. 56 Por la determinación del sorteo debe repartirse a uno proporcionalmente su herencia entre los muchos y los pocos".

57 Ahora bien, estos fueron los inscritos de los levitas[f] por sus familias: De Guersón,[g] la familia de los guersonitas; de Qohat,[h] la familia de los qohatitas; de Merarí,[i] la familia de los meraritas. 58 Estas fueron las familias de los levitas: la familia de los libnitas,[j] la familia de los hebronitas,[k] la familia de los mahlitas,[l] la familia de los musitas,[m] la familia de los coreítas.[n]

Y Qohat[o] llegó a ser padre de Amram.[p] 59 Y el nombre de la esposa de Amram fue Jokébed,[q] hija de Leví, hija que la esposa de Leví le dio a luz en Egipto. Con el tiempo ella le dio a luz a Amram [estos:] Aarón y Moisés, y Míriam la hermana de ellos.[r] 60 Entonces a Aarón le nacieron Nadab y Abihú,[s] Eleazar e Itamar.[t] 61 Pero Nadab y Abihú murieron por haber presentado fuego ilegítimo delante de Jehová.[u]

62 Y sus inscritos ascendieron a veintitrés mil, todos varones de un mes de edad para

arriba.[a] Pues ellos no fueron inscritos entre los hijos de Israel,[b] porque no había de dárseles herencia entre los hijos de Israel.[c]

63 Estos fueron los inscritos por Moisés y Eleazar el sacerdote cuando inscribieron a los hijos de Israel en las llanuras desérticas de Moab, junto al Jordán, frente a Jericó.[d] 64 Pero entre estos resultó que no había hombre alguno de los inscritos por Moisés y Aarón el sacerdote cuando inscribieron a los hijos de Israel en el desierto de Sinaí.[e] 65 Porque Jehová había dicho respecto a ellos: "Morirán sin falta en el desierto".[f] De modo que no quedó de ellos un solo hombre, salvo Caleb hijo de Jefuné y Josué hijo de Nun.[g]

27 Entonces se acercaron las hijas de Zelofehad[h] hijo de Héfer hijo de Galaad hijo de Makir hijo de Manasés,[i] de las familias de Manasés hijo de José. Y estos fueron los nombres de sus hijas: Mahlá, Noá y Hoglá y Milcá y Tirzá.[j] 2 Y ellas procedieron a pararse ante Moisés y ante Eleazar el sacerdote[k] y ante los principales y toda la asamblea a la entrada de la tienda de reunión, y dijeron: 3 "Nuestro padre ha muerto en el desierto,[l] y, sin embargo, no resultó estar entre la asamblea, es decir, entre aquellos que tomaron su posición en contra de Jehová en la asamblea de Coré,[m] sino que por su propio pecado ha muerto;[n] y no llegó a tener hijos. 4 ¿Por qué debe ser quitado el nombre de nuestro padre de en medio de su familia porque no tuvo hijo?[o] Oh, danos una posesión en medio de los hermanos de nuestro padre".[p] 5 Ante esto, Moisés presentó la causa de ellas delante de Jehová.[q]

6 Jehová entonces dijo a Moi-

CAP. 26
a Nú 1:43
b Éx 38:26
  Nú 1:46
  Nú 1:49
  Nú 2:32
  Nú 14:29
  Nº 9:23
c Jos 11:23
  Jos 14:1
d Nú 33:54
  Jos 17:14
  Nú 34:13
  Jos 14:2
  Jos 17:4
  Jos 18:6
  Pr 16:33
f Éx 6:19
  Nú 3:15
  Jos 18:7
g Gé 46:11
  Nú 3:17
  Jos 21:6
h Éx 6:16
  Nú 3:19
  Nú 21:4
i Jos 21:7
  1Cr 6:1
j Éx 6:17
  Nú 3:18
k Nú 3:27
  1Cr 6:2
l Éx 6:19
  Nú 3:33
  1Cr 23:21
m Nú 3:20
  1Cr 6:2
n Éx 6:24
  1Cr 6:33
  1Cr 6:37
o 1Cr 23:12
p Éx 6:18
  Nú 3:19
q Éx 2:1
  Éx 6:20
r Éx 15:20
  Miq 6:4
s Éx 28:43
  Éx 24:9
  Le 10:1
t Le 10:16
  Nú 3:2
u Le 10:2
  Nú 3:4
  1Cr 24:2

2.ª col.
a Nú 3:39
b Nú 1:49
c Nú 18:24
  Dt 10:9
  Dt 14:27
  Jos 14:3
h Nú 26:3
e Nú 1:2
  Dt 2:14
  1Co 10:5
f Nú 14:29
  Heb 3:17
g Nú 14:30
  Jos 14:14
  Jos 19:49

CAP. 27
h Nú 26:33
  1Cr 7:15
i Nú 26:28
j Jos 17:3
k Éx 6:23
  Dt 17:8
l Nú 14:35

m Nú 16:2; Nú 16:19; Nú 16:35; n Eze 18:4; Ro 5:12; Ro 6:23; o Nú 26:64; p Jos 17:4; q Éx 18:15; Éx 33:11; Le 24:12.

sés: 7 "Las hijas de Zelofehad están hablando rectamente. Sin falta debes darles la posesión de una herencia en medio de los hermanos de su padre, y tienes que hacer que la herencia de su padre pase a ellas. 8 Y debes hablar a los hijos de Israel, y decir: 'En caso de que algún hombre muera sin tener hijo, ustedes entonces tienen que hacer que su herencia pase a su hija. 9 Y si no tiene hija, entonces tienen que dar su herencia a sus hermanos. 10 Y si no tiene hermanos, entonces tienen que dar su herencia a los hermanos de su padre. 11 Y si su padre no tiene hermanos, entonces tienen que dar su herencia a su pariente consanguíneob que sea el más cercano de su familia, y él tiene que tomar posesión de ella. Y esto tiene que servir como estatuto de decisión judicial para los hijos de Israel tal como Jehová ha mandado a Moisés'".

12 Posteriormente, Jehová dijo a Moisés: "Sube a esta montaña de Abarimc y ve la tierra que ciertamente daré a los hijos de Israel.d 13 Cuando la hayas visto, entonces tienes que ser recogido a tu pueblo,e sí, tú, tal como fue recogido Aarón tu hermano,f 14 por cuanto ustedes se rebelaron contra mi orden en el desierto de Zin ante el reñir de la asamblea,g en lo referente a santificarmeh junto a las aguas, ante los ojos de ellos. Estas son las aguas de Meribái en Qádes,j en el desierto de Zin".k

15 Entonces Moisés habló a Jehová, y dijo: 16 "Que Jehová, el Dios de los espíritusl de toda clase de carne,m nombre sobre la asamblea a un hombren 17 que salga delante de ellos y que entre delante de ellos y que los saque y que los introduzca,o para que la asamblea de Jehová no llegue a ser como ovejas que no tienen pastor".p 18 Por eso Jehová dijo a Moisés: "Toma para ti a Josué hijo de Nun, un hombre en quien hay espíritu,a y tienes que poner tu mano sobre él;b 19 y tienes que tenerlo de pie delante de Eleazar el sacerdote y delante de toda la asamblea, y tienes que comisionarlo ante los ojos de ellos.c 20 Y tienes que poner parte de tu dignidad sobre él,d a fin de que toda la asamblea de los hijos de Israel le escuche.e 21 Y es delante de Eleazar el sacerdote donde tiene que estar de pie, y este tiene que inquirirf a favor de él por medio del juicio del Urimg delante de Jehová. Por orden de él saldrán y por orden de él entrarán, él y todos los hijos de Israel con él, y toda la asamblea".

22 Y Moisés se puso a hacer tal como le había mandado Jehová. Por consiguiente, tomó a Josué y lo hizo estar de pie delante de Eleazar el sacerdote y delante de toda la asamblea, 23 y puso las manos sobre él y lo comisionó,i tal como Jehová había hablado por medio de Moisés.j

28 Y Jehová habló nuevamente a Moisés, y dijo: 2 "Manda a los hijos de Israel, y tienes que decirles: 'Deben tener cuidado de presentarme mi ofrenda, mi pan,k para mis ofrendas hechas por fuego como olor conducente a descanso a mí,l a sus tiempos señalados'.m

3 "Y tienes que decirles: 'Esta es la ofrenda hecha por fuego que ustedes presentarán a Jehová: dos corderos sanos de un año de edad, cada día, como ofrenda quemada, constantemente.n 4 Un cordero lo ofrecerás por la mañana, y el otro cordero lo ofrecerás entre las dos tardes,o 5 junto con un décimo de efáp de flor de harina como ofrenda de granoq ligeramente mojada con un cuarto de hin de aceite batido;r 6 la ofrenda quemada constante,s que se ofrecía en el

CAP. 27

a Nú 36:2
  Jos 17:6
b Le 25:25
  Le 25:49
  Rut 4:3
  Jer 32:8
c Nú 33:47
  Dt 32:49
d Gé 13:15
  Dt 3:27
  Dt 32:52
  Dt 34:1
e Nú 31:2
  Dt 34:7
f Nú 20:24
  Nú 20:28
  Nú 33:38
  Dt 10:6
  Dt 32:50
g Nú 20:10
  Dt 1:37
  Sl 106:33
h Nú 20:12
  i Sl 106:32
j Dt 1:2
  Dt 32:51
k Nú 13:21
  Jos 15:1
  Dt 27:18
  Sl 31:15
  Sl 104:29
m Nú 16:22
  Job 12:10
n Dt 31:2
o Dt 31:2
p 1Re 22:17
  Mt 9:36

2.ª col.

a Nú 14:24
  2Re 2:9
  Lu 1:17
b Dt 34:9
  Hch 6:6
  1Ti 4:14
c Dt 31:7
d Dt 1:38
  Dt 31:3
  Dt 34:10
e Jos 1:17
f 1Sa 22:10
  1Sa 28:6
g Éx 28:30
  Le 8:8
  Dt 33:8
  1Sa 23:9
  1Sa 28:6
  Ne 7:65
h Nú 20:28
i Nú 27:18
  Dt 31:14
j Dt 3:28
  Dt 31:23

CAP. 28

k Le 3:11
  Le 21:6
  Nú 28:24
  Mal 1:7
l Gé 8:21
  Éx 29:18
  Ef 5:2
  Flp 4:18
m Éx 23:14
  Dt 8:13
  Esd 3:5
  Ne 10:33
n Éx 29:38
  Le 6:9
  Nú 29:11
  Eze 46:15

o Éx 12:6; Éx 29:39; Dt 16:6; p Éx 16:36; q Nú 15:4; r Éx 29:40; s Éx 29:42; 2Cr 2:4; Esd 3:3.

monte Sinaí como olor conducente a descanso, ofrenda hecha por fuego a Jehová,[a] 7 junto con su libación,[b] un cuarto de hin por cada cordero.[c] Derrama para Jehová en el lugar santo la libación de licor embriagante.[d] 8 Y ofrecerás el otro cordero entre las dos tardes. Con la misma ofrenda de grano como el de la mañana y con su misma libación lo ofrecerás como ofrenda hecha por fuego, de olor conducente a descanso a Jehová.[e]

9 "'Sin embargo, en el día del sábado[f] habrá dos corderos sanos de un año de edad y una medida de dos décimas de flor de harina como ofrenda de grano ligeramente mojada con aceite, junto con su libación, 10 como ofrenda quemada del sábado en su sábado, junto con la ofrenda quemada constante[g] y su libación.[h]

11 "'Y en los comienzos de sus meses ustedes presentarán como ofrenda quemada a Jehová dos toros jóvenes y un carnero, siete corderos sanos, de un año de edad cada uno,[i] 12 y una medida de tres décimas de flor de harina como ofrenda de grano[j] ligeramente mojada con aceite por cada toro y una medida de dos décimas de flor de harina como ofrenda de grano ligeramente mojada con aceite por el carnero,[k] 13 y una medida de décima de flor de harina, respectivamente, como ofrenda de grano ligeramente mojada con aceite por cada cordero, como ofrenda quemada, olor conducente a descanso,[l] ofrenda hecha por fuego a Jehová. 14 Y como sus libaciones debe ponerse medio[m] hin de vino por un toro y la tercera parte[n] de un hin por el carnero y la cuarta parte[o] de un hin por un cordero. Esta es la ofrenda quemada mensual en su mes para los meses del año.[p] 15 También, debe ofrecerse a Jehová un cabrito[q] de las cabras como ofrenda por el pecado, ade-

más de la ofrenda quemada constante, junto con su libación.[a]

16 "'Y en el primer mes, el día catorce del mes, habrá la pascua[b] de Jehová. 17 Y en el día quince de este mes habrá una fiesta. Siete días se comerán tortas no fermentadas.[c] 18 En el primer día habrá una convocación santa.[d] No deben hacer ninguna clase de trabajo laborioso.[e] 19 Y tienen que presentar como ofrenda hecha por fuego, una ofrenda quemada[f] a Jehová, dos toros jóvenes y un carnero y siete corderos de un año de edad cada uno.[g] Deben resultarles sanos.[h] 20 Y como sus ofrendas de grano[i] de flor de harina ligeramente mojada con aceite ofrecerán una medida de tres décimas por un toro y una medida de dos décimas[j] por el carnero. 21 Ofrecerás una medida de décima,[k] respectivamente, por cada cordero de los siete corderos; 22 y un macho cabrío de ofrenda por el pecado para hacer expiación por ustedes.[l] 23 Además de la ofrenda quemada de la mañana, que es para la ofrenda quemada constante,[m] ofrecerán estos. 24 Lo mismo que estos ofrecerán diariamente durante los siete días, como pan,[n] una ofrenda hecha por fuego, de olor conducente a descanso a Jehová.[o] Junto con la ofrenda quemada constante debe ofrecerse esta, y su libación. 25 Y en el día séptimo deben celebrar una convocación santa.[p] Ninguna clase de trabajo laborioso deben hacer.[q]

26 "'Y en el día de los primeros frutos[r] maduros, cuando presenten una ofrenda de grano nuevo a Jehová, en su fiesta de las semanas[s] deben celebrar una convocación santa. Ninguna clase de trabajo laborioso deben hacer.[t] 27 Y tienen que presentar como ofrenda quemada para olor conducente a descanso a Jehová dos toros jóvenes, un car-

CAP. 28
a Le 8:21
b Le 23:13
c Éx 29:40
d Nú 15:10
  Nú 28:14
  Dt 14:26
e Éx 29:41
f Éx 16:29
  Éx 20:10
  Eze 20:12
g Nú 28:3
h Nú 28:7
i Nú 10:10
  1Cr 23:31
  2Cr 2:4
  Ne 10:33
  Col 2:16
j Le 2:1
k Le 1:10
l Le 1:13
m Nú 15:10
n Nú 15:7
o Nú 15:5
p Nú 29:6
q Le 4:23
  Nú 15:24
  Nú 28:22

2.ª col.
a Nú 29:19
b Éx 12:14
  Le 23:5
  Eze 45:21
  Lu 22:7
  1Co 5:7
c Éx 12:15
  Le 23:6
  Le 5:8
d Le 23:2
e Le 23:7
f Le 1:9
g Nú 28:11
h Le 22:20
  Le 22:22
  Dt 15:21
i Le 2:1
j Nú 28:12
k Nú 28:13
l Nú 28:15
  Nú 29:5
m Nú 28:3
  Nú 28:6
  Da 11:31
  Da 12:11
n Le 3:11
  Le 21:6
  Nú 28:2
o Nú 28:8
p Éx 12:16
  Éx 13:6
  Éx 23:8
q Dt 16:8
r Éx 23:16
s Éx 34:22
  Le 23:16
  Le 23:21
  Dt 16:10
  Hch 2:1
t Éx 31:14
  Nú 28:18

nero, siete corderos de un año de edad cada uno;[a] 28 y como su ofrenda de grano de flor de harina ligeramente mojada con aceite una medida de tres décimas por cada toro, una medida de dos décimas[b] por el carnero, 29 una medida de décima,[c] respectivamente, por cada cordero de los siete corderos; 30 un cabrito de las cabras para hacer expiación por ustedes.[d] 31 Además de la ofrenda quemada constante y su ofrenda de grano, los ofrecerán.[e] Deben resultarles sanos,[f] junto con sus libaciones.[g]

29 "Y en el séptimo mes, al primero del mes, deben celebrar una convocación santa.[h] Ninguna clase de trabajo laborioso deben hacer.[i] Debe resultar ser día del toque de trompeta para ustedes.[j] 2 Y tienen que ofrecer como ofrenda quemada para olor conducente a descanso a Jehová un toro joven, un carnero, siete corderos de un año de edad cada uno, sanos;[k] 3 y su ofrenda de grano de flor de harina ligeramente mojada con aceite, una medida de tres décimas por el toro, una medida de dos décimas por el carnero,[l] 4 y una medida de décima por cada cordero de los siete corderos;[m] 5 y un cabrito de las cabras como ofrenda por el pecado para hacer expiación por ustedes;[n] 6 además de la ofrenda quemada mensual[o] y su ofrenda de grano[p] y la ofrenda quemada constante[q] y su ofrenda de grano,[r] junto con sus libaciones,[s] conforme al procedimiento regular para ellas, como olor conducente a descanso, ofrenda hecha por fuego a Jehová.[t]

7 "Y el diez de este séptimo mes deben celebrar una convocación santa,[u] y tienen que afligir sus almas.[v] Ninguna clase de trabajo deben hacer.[w] 8 Y tienen que presentar como ofrenda quemada a Jehová, como olor conducente a descanso, un toro

joven, un carnero, siete corderos de un año de edad cada uno.[a] Deben resultarles sanos.[b] 9 Y como su ofrenda de grano de flor de harina ligeramente mojada con aceite, una medida de tres décimas por el toro, una medida de dos décimas por el carnero,[c] 10 una medida de décima, respectivamente, por cada cordero de los siete corderos;[d] 11 un cabrito de las cabras como ofrenda por el pecado, además de la ofrenda por el pecado [del día] de la expiación[e] y la ofrenda quemada constante y su ofrenda de grano, junto con sus libaciones.[f]

12 "Y el día quince del séptimo mes[g] deben celebrar una convocación santa.[h] Ninguna clase de trabajo laborioso deben hacer,[i] y tienen que celebrar una fiesta a Jehová por siete días.[j] 13 Y tienen que presentar como ofrenda quemada,[k] ofrenda hecha por fuego, de olor conducente a descanso a Jehová, trece toros jóvenes, dos carneros, catorce corderos de un año de edad cada uno. Deben resultar sanos.[l] 14 Y como su ofrenda de grano de flor de harina ligeramente mojada con aceite, una medida de tres décimas por cada toro de los trece toros, una medida de dos décimas por cada carnero de los dos carneros;[m] 15 y una medida de décima por cada cordero de los catorce corderos;[n] 16 y un cabrito de las cabras como ofrenda por el pecado, además de la ofrenda quemada constante, su ofrenda de grano y su libación.[o]

17 "Y el segundo día, doce toros jóvenes, dos carneros, catorce corderos de un año de edad cada uno, sanos;[p] 18 y su ofrenda de grano[q] y sus libaciones[r] por los toros, los carneros y los corderos, según el número de ellos, conforme al procedimiento regular;[s] 19 y un cabrito de las cabras como ofrenda por el pecado,[t] además de la ofrenda quemada constante y su ofrenda

CAP. 28

a Le 23:18
b Nú 28:12
c Nú 28:13
d Le 23:19
  Nú 28:15
e Nú 28:3
  Nú 28:5
  Nú 28:23
f Le 1:3
g Nú 28:19
  Nú 28:7

CAP. 29

h Le 23:24
i Le 23:25
j Nú 10:2
  Sl 81:3
k Nú 28:20
l Nú 28:20
m Nú 28:21
n Nú 28:15
  Nú 28:22
o Nú 28:11
p Nú 28:12
q Nú 28:3
r Nú 28:5
s Nú 28:7
t Le 23:25
  Nú 28:6
u Le 16:29
  Le 23:27
v Le 16:29
  Le 23:29
  Sl 35:13
  Isa 58:5
w Le 23:31

2.ª col.

a Nú 29:2
b Le 1:3
  Le 22:22
  Dt 15:21
  Dt 17:1
c Nú 28:12
  Nú 29:3
d Nú 28:13
  Nú 29:4
e Le 16:3
f Nú 28:7
g Éx 23:16
  Le 23:34
  Dt 16:13
  Ne 8:14
h Le 23:37
  Ne 8:18
i Le 23:35
j Dt 16:15
k Le 1:3
  Esd 3:4
l Le 22:22
  Dt 17:1
m Nú 28:12
  Nú 29:3
n Nú 28:13
  Nú 29:4
o Nú 28:3
  Nú 28:5
  Nú 28:7
p Dt 16:15
q Nú 29:3
  Nú 29:14
r Nú 28:14
s Nú 28:12
t Nú 28:15

de grano, junto con sus libaciones.[a]

20 "'Y el tercer día, once toros, dos carneros, catorce corderos de un año de edad cada uno, sanos;[b] 21 y su ofrenda de grano[c] y sus libaciones[d] por los toros, los carneros y los corderos, según el número de ellos, conforme al procedimiento regular; 22 y un macho cabrío como ofrenda por el pecado,[e] además de la ofrenda quemada constante y su ofrenda de grano y su libación.

23 "'Y el cuarto día, diez toros, dos carneros, catorce corderos de un año de edad cada uno, sanos;[f] 24 su ofrenda de grano[g] y sus libaciones[h] por los toros, los carneros y los corderos, según el número de ellos, conforme al procedimiento regular;[i] 25 y un cabrito de las cabras como ofrenda por el pecado,[j] además de la ofrenda quemada constante,[k] y su ofrenda de grano y su libación.[l]

26 "'Y el quinto día, nueve toros, dos carneros, catorce corderos de un año de edad cada uno, sanos;[m] 27 y su ofrenda de grano[n] y sus libaciones[o] por los toros, los carneros y los corderos, según el número de ellos, conforme al procedimiento regular;[p] 28 y un macho cabrío como ofrenda por el pecado,[q] además de la ofrenda quemada constante y su ofrenda de grano y su libación.[r]

29 "'Y el sexto día, ocho toros, dos carneros, catorce corderos de un año de edad cada uno, sanos;[s] 30 y su ofrenda de grano[t] y sus libaciones[u] por los toros, los carneros y los corderos, según el número de ellos, conforme al procedimiento regular;[v] 31 y un macho cabrío como ofrenda por el pecado,[w] además de la ofrenda quemada constante, su ofrenda de grano y sus libaciones.[x]

32 "'Y el séptimo día, siete toros, dos carneros, catorce corderos de un año de edad cada uno,

sanos;[a] 33 y su ofrenda de grano[b] y sus libaciones[c] por los toros, los carneros y los corderos, según el número de ellos, conforme al procedimiento regular para ellos;[d] 34 y un macho cabrío como ofrenda por el pecado,[e] además de la ofrenda quemada constante, su ofrenda de grano y su libación.[f]

35 "'Y el octavo día deben celebrar una asamblea solemne.[g] Ninguna clase de trabajo laborioso deben hacer.[h] 36 Y tienen que presentar como ofrenda quemada, una ofrenda hecha por fuego, de olor conducente a descanso a Jehová, un toro, un carnero, siete corderos de un año de edad cada uno, sanos;[i] 37 y su ofrenda de grano[j] y sus libaciones[k] por el toro, el carnero y los corderos, según el número de ellos, conforme al procedimiento regular;[l] 38 y un macho cabrío como ofrenda por el pecado,[m] además de la ofrenda quemada constante y su ofrenda de grano y su libación.[n]

39 "'Estos los ofrecerán a Jehová en sus fiestas periódicas,[o] además de sus ofrendas de voto[p] y sus ofrendas voluntarias[q] como sus ofrendas quemadas[r] y sus ofrendas de grano[s] y sus libaciones[t] y sus sacrificios de comunión'".[u] 40 Y Moisés procedió a hablar a los hijos de Israel conforme a todo lo que Jehová había mandado a Moisés.[v]

30 Entonces Moisés habló a los cabezas[w] de las tribus de los hijos de Israel, y dijo: "Esta es la palabra que Jehová ha mandado: 2 En caso de que un hombre haga un voto[x] a Jehová o un juramento[y] para atar sobre su alma un voto de abstinencia,[z] no debe violar su palabra.[a] Conforme a todo lo que haya salido de su boca debe hacer.[b]

CAP. 29
a Nú 28:3
  Nú 28:5
  Nú 28:7
b Nú 29:13
c Nú 29:9
  Nú 29:14
d Nú 28:14
e Nú 28:15
f Le 22:22
  Nú 29:13
g Nú 29:14
h Nú 28:14
i Nú 28:12
j Le 4:23
  Nú 28:15
k Nú 28:3
l Nú 28:7
m Dt 15:21
  Dt 17:1
n Nú 29:14
o Nú 28:14
p Nú 28:12
q Le 4:23
  Nú 28:15
r Nú 28:7
s Le 1:3
  Nú 29:8
t Nú 29:14
u Nú 28:14
v Nú 28:12
w Le 4:23
  Nú 28:15
x Nú 28:7

2.ᵃ col.

a Le 1:3
  Le 22:22
b Nú 29:3
  Nú 29:14
c Nú 28:14
d Nú 28:12
e Le 4:23
f Nú 28:7
g Nú 29:35
h Le 23:36
  Le 23:39
i Nú 29:2
  Nú 29:14
j Nú 29:3
k Nú 28:14
l Nú 28:12
m Le 4:23
  Nú 28:15
n Nú 28:7
o Le 23:2
  Dt 16:16
p Nú 15:3
  Dt 12:6
q Le 7:16
  Nú 22:21
r Le 1:3
s Le 2:1
t Nú 15:5
u Le 3:1
v Éx 40:16
  Nú 4:5

CAP. 30
w Éx 18:25
x Gé 28:20
  Le 27:2
  Jue 11:30
y Nú 30:10
  Sl 132:2
z Nú 30:11
  Hch 23:14

a Dt 23:21; Sl 76:11; Sl 116:14; Sl 119:106; Ec 5:4; Mt 5:33; b Nú 22:25; Sl 50:14; Sl 66:13; Na 1:15.

3 "Y en caso de que una mujer haga un voto a Jehová[a] o de veras se ate con un voto de abstinencia en la casa de su padre, en su juventud, 4 y su padre realmente oiga su voto o su voto de abstinencia que ella haya atado sobre su alma, y su padre en efecto guarde silencio para con ella, todos sus votos también tienen que subsistir, y todo voto de abstinencia[b] que ella se haya atado sobre el alma subsistirá. 5 Pero si su padre se lo ha prohibido en el día de oír sus votos o sus votos de abstinencia que ella se haya atado sobre el alma, no subsistirá, pero Jehová la perdonará, porque su padre se lo prohibió.[c]

6 "Sin embargo, si de manera alguna sucede que ella pertenece a un esposo, y el voto de ella está sobre ella,[d] o la promesa irreflexiva de sus labios que ella ha atado sobre su alma, 7 y su esposo realmente lo oye y guarda silencio para con ella en el día de oírlo, entonces los votos de ella tienen que subsistir, o sus votos de abstinencia que se ha atado sobre el alma subsistirán.[e] 8 Pero si su esposo, en el día de oírlo, se lo prohíbe,[f] entonces él ha anulado el voto de ella que estaba sobre ella o la promesa irreflexiva de sus labios que ella se ató sobre el alma, y Jehová la perdonará.[g]

9 "En el caso del voto de una viuda o de una divorciada, todo lo que haya atado sobre su alma subsistirá contra ella.

10 "Sin embargo, si es en casa de su esposo donde ella ha hecho voto o ha atado sobre su alma un voto de abstinencia[h] por juramento, 11 y su esposo lo ha oído y ha guardado silencio para con ella, él no se lo ha prohibido; y todos los votos de ella tienen que subsistir, o cualquier voto de abstinencia que se haya atado sobre su alma subsistirá.

12 Pero si su esposo los ha anulado totalmente en el día de oír cualquier expresión de sus labios como votos de ella o como voto de abstinencia de su alma, no subsistirán.[a] Su esposo los ha anulado, y Jehová la perdonará.[b] 13 Cualquier voto o cualquier juramento de un voto de abstinencia para afligir el alma,[c] su esposo debe establecerlo o su esposo debe anularlo. 14 Pero si su esposo guarda silencio de modo absoluto para con ella de día en día, él también ha establecido todos los votos de ella o todos los votos de abstinencia que están sobre ella.[d] Los ha establecido porque guardó silencio para con ella en el día de oírlos. 15 Y si él los anula totalmente después de oírlos, entonces él realmente carga con el error de ella.[e]

16 "Estas son las disposiciones reglamentarias que Jehová mandó a Moisés para entre un esposo y su esposa,[f] para entre un padre y su hija en su juventud, en la casa de su padre".[g]

31 Jehová entonces habló a Moisés, y dijo: 2 "Véngate[h] en los madianitas por los hijos de Israel.[i] Después serás recogido a tu pueblo".[j]

3 De modo que Moisés habló al pueblo, y dijo: "Equipen hombres de entre ustedes para el ejército, para que sirvan contra Madián, para ejecutar la venganza de Jehová en Madián.[k] 4 Enviarán al ejército a mil de cada tribu de todas las tribus de Israel". 5 Por consiguiente, de los millares de Israel,[l] mil fueron asignados de cada tribu, doce mil equipados para el ejército.[m]

6 Entonces Moisés los envió, mil de cada tribu, al ejército, a ellos y a Finehás[n] hijo de Eleazar el sacerdote, al ejército, y en su mano estaban los utensilios santos y las trompetas[o] para tocar llamadas. 7 Y se pusieron a hacer la guerra contra Madián, tal como Jehová había mandado a Moisés, y procedieron a matar

---

CAP. 30
a 1Sa 1:11

b Nú 30:10
Nú 30:13

c Mr 7:10
Ef 6:1

d 1Sa 1:11
1Sa 1:22

e 1Sa 1:23

f Ro 7:2
1Co 11:3
Ef 5:22

g Nú 30:5

h Nú 30:6

2.ª col.
a 1Co 11:3
1Pe 3:1

b Nú 30:5
Nú 30:8

c Sl 35:13
Isa 58:5

d Nú 30:7

e Dt 23:21

f Nú 30:6
Nú 30:10

g Nú 30:3

CAP. 31
h Dt 32:41
Sl 94:1
Isa 1:24
Na 1:2

i Nú 25:2
Nú 25:17

j Nú 27:13
Dt 32:50

k Nú 22:7
Nú 25:18
1Co 10:8
Rev 2:14

l Nú 26:51

m Le 26:8

n Nú 25:7
Nú 25:11

o Nú 10:2
Nú 10:9

a todo varón.ᵃ **8** Y mataron a los reyes de Madián junto con los demás que fueron muertos, a saber, Eví y Réquem y Zur y Hur y Reba, los cinco reyes de Madián;ᵇ y mataron a espada a Balaamᶜ hijo de Beor. **9** Pero los hijos de Israel se llevaron cautivas a las mujeres de Madián y a sus pequeñuelos;ᵈ y saquearon todos sus animales domésticos y todo su ganado y todos sus medios de mantenimiento. **10** Y quemaron a fuego todas sus ciudades en que se habían establecido y todos sus campamentos amurallados.ᵉ **11** Y se pusieron a tomar todo el despojoᶠ y todo el botín en lo que respecta a humanos y animales domésticos. **12** Y vinieron trayendo a Moisés y a Eleazar el sacerdote y a la asamblea de los hijos de Israel los cautivos y el botín y el despojo, al campamento, a las llanuras desérticas de Moab,ᵍ que están junto al Jordán, frente a Jericó.

13 Entonces Moisés y Eleazar el sacerdote y todos los principales de la asamblea salieron al encuentro de ellos fuera del campamento. **14** Y Moisés se indignó contra los hombres nombrados de las fuerzas de combate,ʰ los jefes de los millares y los jefes de las centenas que venían entrando de la expedición militar. **15** De modo que Moisés les dijo: "¿Han conservado viva a toda hembra?ⁱ **16** ¡Miren! Ellas son las que, por la palabra de Balaam, sirvieron para inducir a los hijos de Israel a cometer infidelidadʲ para con Jehová tocante al asunto de Peor,ᵏ de modo que vino el azote sobre la asamblea de Jehová.ˡ **17** Y ahora, maten a todo varón entre los pequeñuelos, y maten a toda mujer que haya tenido coito con hombre acostándose con varón.ᵐ **18** Y conserven vivas para ustedes a todas las pequeñuelas entre las mujeres que no hayan conocido el acto de acos-

tarse con varón.ᵃ **19** En cuanto a ustedes mismos, acampen fuera del campamento por siete días. Todos los que hayan matado un almaᵇ y todos los que hayan tocado a alguien que haya sido muerto,ᶜ deben purificarseᵈ al tercer día y al séptimo día, ustedes y sus cautivos. **20** Y toda prenda de vestir y todo objeto de piel y toda cosa hecha de piel de cabra y todo objeto de madera los deben purificar del pecado para ustedes".ᵉ

21 Eleazar el sacerdote entonces dijo a los hombres del ejército que habían entrado en la batalla: "Este es el estatuto de la ley que Jehová mandó a Moisés: **22** 'Solo el oro y la plata, el cobre, el hierro, el estaño y el plomo **23** —todo lo que se somete a procedimiento de fuegoᶠ— lo deben pasar por el fuego, y tendrá que ser limpio. Solo que debe ser purificado por el agua de limpieza.ᵍ Y todo lo que no se someta a procedimiento de fuego lo deben pasar por el agua.ʰ **24** Y tienen que lavar sus prendas de vestir en el séptimo día y ser limpios, y después podrán entrar en el campamento' ".ⁱ

25 Y Jehová procedió a decir esto a Moisés: **26** "Toma la cuenta del botín, los cautivos del género humano así como de los animales domésticos, tú y Eleazar el sacerdote y los cabezas de los padres de la asamblea. **27** Y tienes que dividir el botín en dos, entre los que hayan participado en la batalla, que salieron a la expedición, y todos los demás de la asamblea.ʲ **28** Y como impuestoᵏ para Jehová tienes que tomar de los hombres de guerra que salieron a la expedición un alma de cada quinientas, del género humano y del ganado vacuno y de los asnos y del ganado lanar. **29** De la mitad que es de ellos ustedes deben tomarlo, y tienes que darlo a Eleazar el sacerdote como contribución de Jehová.ˡ **30** Y de la mitad que

---

CAP. 31
a Dt 20:13

b Jos 13:21

c Nú 22:12
Nú 24:25
Jos 13:22
2Pe 2:15
Jud 11
Rev 2:14

d Dt 20:14

e Jos 6:24

f Dt 2:35
Jos 8:2

g Nú 22:1

h Nú 31:5

i Jer 48:10

j Nú 25:2
2Pe 2:15
Rev 2:14

k Nú 25:18
Dt 4:3
Jos 22:17

l Nú 25:9
1Co 10:8

m Jue 21:11

2.ᵃ col.

a Nú 31:35

b Nú 5:2
Nú 19:11

c Nú 19:16

d Nú 19:20

e Nú 31:23

f Pr 17:3
Pr 25:4

g Nú 19:9

h Nú 31:20

i Nú 19:19
Nú 19:20

j Jos 22:8
1Sa 30:24
Sl 68:12

k Gé 14:20
1Cr 26:27

l Nú 18:20
Nú 18:29

es de los hijos de Israel debes tomar uno de cada cincuenta, del género humano, del ganado vacuno, de los asnos y del ganado lanar, de animal doméstico de todo tipo, y tienes que darlos a los levitas,ª los que guardan la obligación del tabernáculo de Jehová".ᵇ

31 Y Moisés y Eleazar el sacerdote se pusieron a hacer tal como Jehová había mandado a Moisés. 32 Y el botín, lo demás de lo saqueado que la gente de la expedición había tomado en saqueo, ascendió a seiscientos setenta y cinco mil del ganado lanar, 33 y setenta y dos mil del ganado vacuno, 34 y sesenta y un mil asnos. 35 En cuanto a almas humanas de las mujeres que no habían conocido el acto de acostarse con varón,ᵈ todas las almas fueron treinta y dos mil. 36 Y la mitad que fue la parte correspondiente de los que salieron a la expedición ascendió en número a trescientos treinta y siete mil quinientos del ganado lanar. 37 Y el impuestoᵉ para Jehová, del ganado lanar, ascendió a seiscientos setenta y cinco. 38 Y del ganado vacuno había treinta y seis mil, y el impuesto sobre ellos para Jehová fue setenta y dos. 39 Y los asnos eran treinta mil quinientos, y el impuesto sobre ellos para Jehová fue sesenta y uno. 40 Y las almas humanas eran dieciséis mil, y el impuesto sobre ellas para Jehová fue treinta y dos almas. 41 Entonces Moisés dio el impuesto como contribución de Jehová a Eleazar el sacerdote,ᶠ tal como Jehová había mandado a Moisés.ᵍ

42 Y de la mitad que pertenecía a los hijos de Israel, que Moisés dividió de lo que pertenecía a los hombres que guerrearon: 43 Ahora bien, la mitad del ganado lanar, que era para la asamblea, ascendió a trescientos treinta y siete mil quinientos, 44 y del ganado vacuno,

treinta y seis mil, 45 y los asnos, treinta mil quinientos, 46 y almas humanas, dieciséis mil. 47 Entonces Moisés tomó de la mitad que pertenecía a los hijos de Israel el que había de ser tomado de cada cincuenta, del género humano y de los animales domésticos, y los dio a los levitas,ª los que guardan la obligaciónᵇ del tabernáculo de Jehová, tal como Jehová había mandado a Moisés.

48 Y los hombres nombrados que eran de los millares del ejército,ᶜ los jefes de los millares y los jefes de las centenas,ᵈ procedieron a acercarse a Moisés, 49 y a decir a Moisés: "Tus siervos han tomado la cuenta de los hombres de guerra que están a nuestro cargo y no se ha informado que falte ni uno solo de nosotros.ᵉ 50 Así es que déjanos presentar cada cual lo que ha hallado como ofrenda de Jehová,ᶠ objetos de oro, cadenillas para los tobillos, y brazaletes, anillos de sellar,ᵍ zarcillos y adornos femeninos,ʰ a fin de hacer expiación por nuestras almas delante de Jehová".

51 Por consiguiente, Moisés y Eleazar el sacerdote aceptaron de ellos el oro,ⁱ todas las alhajas. 52 Y todo el oro de la contribución que contribuyeron a Jehová ascendió a dieciséis mil setecientos cincuenta siclos, de parte de los jefes de los millares y los jefes de las centenas. 53 Los hombres del ejército habían tomado saqueo cada uno para sí.ʲ 54 De modo que Moisés y Eleazar el sacerdote aceptaron el oro de los jefes de los millares y de las centenas, y lo introdujeron en la tienda de reunión como memoriaᵏ para los hijos de Israel delante de Jehová.

32 Ahora bien, los hijos de Rubénˡ y los hijos de Gadᵐ habían llegado a tener una gran cantidad de ganado; de hecho, muchísimo. Y empezaron a ver

CAP. 31
a Dt 12:12
Dt 12:19
Jos 13:14

b Nú 3:7
Nú 18:3
1Cr 23:32

c Gé 2:7
1Co 15:45

d Nú 31:18

e Gé 14:20
1Cr 26:27

f Nú 18:8
Nú 18:19
1Co 9:14
Gál 6:6
Heb 7:5

g Nú 5:9

2.ª col.
a Dt 12:12
Dt 12:19

b Nú 3:7
Nú 18:3
Nú 31:30
1Cr 23:32

c Nú 31:4

d Nú 1:4
Nú 1:16
Nú 31:14
Dt 1:15

e Éx 23:27
Le 26:7

f Sl 96:8

g Gé 41:42

h Éx 35:22

i Nú 18:8
Nú 18:19

j Dt 20:14

k Éx 30:16

CAP. 32
l Nú 26:7
Jos 13:15

m Nú 26:18
Jos 13:24

la tierra de Jazer[a] y la tierra de Galaad, y, ¡mire!, el lugar era lugar para ganado. 2 Por lo tanto, los hijos de Gad y los hijos de Rubén vinieron y dijeron esto a Moisés y Eleazar el sacerdote y a los principales de la asamblea: 3 "Atarot[b] y Dibón[c] y Jazer y Nimrá[d] y Hesbón[e] y Elealé[f] y Sebam y Nebo[g] y Beón,[h] 4 la tierra que Jehová derrotó[i] delante de la asamblea de Israel, es tierra para ganado, y tus siervos tienen ganado".[j] 5 Y siguieron diciendo: "Si hemos hallado favor a tus ojos, que se dé esta tierra a tus siervos como posesión. No nos hagas cruzar el Jordán".[k]

6 Entonces Moisés dijo a los hijos de Gad y a los hijos de Rubén: "¿Han de ir sus hermanos a la guerra mientras ustedes mismos se quedan morando aquí?[l] 7 ¿Y por qué deben ustedes desalentar a los hijos de Israel para que no crucen a la tierra que Jehová ciertamente les dará? 8 Así hicieron los padres[m] de ustedes cuando los envié desde Qadés-barnea[n] para ver la tierra. 9 Cuando subieron hasta el valle torrencial de Escol[o] y vieron la tierra, entonces desalentaron a los hijos de Israel, para que no entraran en la tierra que Jehová de seguro iba a darles.[p] 10 Por consiguiente, se encendió la cólera de Jehová en aquel día, de modo que juró,[q] y dijo: 11 'Los hombres que subieron de Egipto de veinte años de edad para arriba[r] no verán el suelo acerca del cual he jurado a Abrahán, Isaac y Jacob,[s] porque no me han seguido íntegramente, 12 con excepción de Caleb[t] hijo de Jefuné el quenizita y Josué[u] hijo de Nun, porque ellos han seguido a Jehová íntegramente'. 13 Así es que se encendió la cólera de Jehová contra Israel y él hizo que anduvieran errantes por el desierto cuarenta años,[v] hasta que se acabó toda la generación que estaba haciendo mal a los

ojos de Jehová.[a] 14 Y resulta que ustedes se han levantado en el lugar de sus padres como la ralea de hombres pecaminosos para añadir más a la cólera ardiente de Jehová[b] contra Israel. 15 En caso de que ustedes se volvieran de seguirlo,[c] entonces él ciertamente volvería a dejar que ellos se quedaran más tiempo en el desierto,[d] y ustedes habrían obrado ruinosamente para con todo este pueblo".[e]

16 Más tarde se acercaron a él y dijeron: "Déjanos edificar aquí apriscos de piedra para nuestro ganado y ciudades para nuestros pequeñuelos. 17 Pero nosotros mismos iremos equipados en forma de batalla[f] delante de los hijos de Israel hasta cuando sea que los hayamos introducido en su lugar, mientras que nuestros pequeñuelos tendrán que morar en las ciudades con fortificaciones, alejados del rostro de los habitantes del país. 18 No volveremos a nuestras casas hasta que los hijos de Israel se hayan provisto de propiedad en tierras, cada uno de su propia herencia.[g] 19 Porque nosotros no conseguiremos herencia con ellos desde el lado del Jordán y más allá, porque nuestra herencia nos ha venido del lado del Jordán hacia el naciente".[h]

20 Ante esto, Moisés les dijo: "Si hacen esta cosa, si se equipan delante de Jehová para la guerra,[i] 21 y todo hombre equipado de ustedes realmente pasa el Jordán delante de Jehová, hasta que él expulse a sus enemigos de delante de sí,[j] 22 y la tierra realmente queda sojuzgada delante de Jehová,[k] y después vuelven ustedes,[l] entonces realmente resultarán libres de culpa delante Jehová y contra Israel; y esta tierra tendrá que llegar a ser de ustedes como posesión delante de Jehová.[m] 23 Pero si no lo hacen de esta manera, entonces cierta-

mente pecarán contra Jehová.[a]
En tal caso, sepan que su pecado
los alcanzará.[b] 24 Edifíquense
ciudades para sus pequeñuelos y
apriscos de piedra para sus rebaños, y deben hacer lo que ha procedido de su boca".[c]
25 Entonces los hijos de Gad y
los hijos de Rubén dijeron esto a
Moisés: "Tus siervos harán tal
como está mandando mi señor.[d]
26 Nuestros pequeñuelos, nuestras esposas, nuestro ganado y
todos nuestros animales domésticos se quedarán allí en las ciudades de Galaad,[e] 27 pero tus
siervos pasarán a través, todos
equipados para el ejército,[f] delante de Jehová para la guerra,
tal como está hablando mi señor".
28 Por consiguiente, Moisés
dio mandato respecto a ellos a
Eleazar el sacerdote y a Josué
hijo de Nun y a los cabezas de los
padres de las tribus de los hijos
de Israel. 29 De modo que les
dijo Moisés: "Si los hijos de Gad
y los hijos de Rubén pasan con
ustedes el Jordán, todos equipados para la guerra,[g] delante de
Jehová, y la tierra realmente
queda sojuzgada delante de ustedes, entonces tienen que darles la tierra de Galaad como posesión.[h] 30 Pero si no pasan
equipados al otro lado con ustedes, entonces tienen que ser establecidos en medio de ustedes
en la tierra de Canaán".[i]
31 A lo cual contestaron los
hijos de Gad y los hijos de Rubén, diciendo: "Lo que Jehová ha
hablado a tus siervos, eso es
lo que haremos.[j] 32 Nosotros
mismos ciertamente pasaremos
equipados delante de Jehová a la
tierra de Canaán,[k] y la posesión
de nuestra herencia estará con
nosotros de este lado del Jordán".[l] 33 Ante esto, Moisés les
dio, es decir, a los hijos de Gad[m]
y a los hijos de Rubén[n] y a la
mitad de la tribu de Manasés[o]
hijo de José, el reino de Sehón[p] el
rey de los amorreos y el reino de
Og[a] el rey de Basán, la tierra que
pertenecía a las ciudades de este
en los territorios, y las ciudades
de la tierra en derredor.
34 Y los hijos de Gad se pusieron a edificar a Dibón[b] y Atarot[c]
y Aroer,[d] 35 y Atrot-sofán y
Jazer[e] y Jogbehá,[f] 36 y Bet-
nimrá[g] y Bet-harán,[h] ciudades
con fortificaciones,[i] y apriscos
de piedra.[j] 37 Y los hijos de
Rubén edificaron a Hesbón[k] y
Elealé[l] y Quiryataim,[m] 38 y
Nebo[n] y Baal-meón[o] —cambiados sus nombres— y Sibmá; y
empezaron a llamar por sus propios nombres los nombres de las
ciudades que edificaron.
39 Y los hijos de Makir[p] hijo
de Manasés procedieron a marchar a Galaad y a tomarla y a
expulsar a los amorreos que estaban en ella. 40 De modo que
Moisés dio Galaad a Makir hijo
de Manasés, y este se puso a morar en ella.[q] 41 Y Jaír hijo de
Manasés marchó y fue tomando
las aldeas de tiendas de ellos, y
empezó a llamarlas Havot-jaír.[r]
42 Y Nóbah marchó y fue tomando a Quenat[s] y sus pueblos
dependientes; y se puso a llamarla Nóbah, por el propio nombre de él.

33 Estas fueron las etapas de
los hijos de Israel que salieron de la tierra de Egipto[t] en
sus ejércitos[u] por la mano de
Moisés y Aarón.[v] 2 Y Moisés
siguió apuntando los lugares de
partida por sus etapas, por orden de Jehová; y estas fueron sus
etapas de un lugar de partida a
otro:[w] 3 Y procedieron a partir
de Ramesés[x] en el primer mes, el
día quince del primer mes.[y] Precisamente el día después de la
pascua[z] los hijos de Israel salieron con mano alzada ante
los ojos de todos los egipcios.[a]
4 Durante todo aquel tiempo los
egipcios estaban enterrando a
los que Jehová había herido entre ellos, es decir, a todos los pri-

CAP. 32
a Nú 15:22
Snt 4:17
b Pr 13:21
Isa 59:12
Gál 6:7
c Nú 32:16
Nú 32:34
Nú 32:37
d Jos 1:13
e Jos 1:14
f Jos 4:12
g Nú 32:20
h Jos 1:15
Jos 13:15
Jos 13:24
i Nú 32:5
j Nú 32:25
k Jos 4:13
l Jos 1:15
2Re 10:33
m Dt 3:12
n Jos 13:8
o Dt 29:8
Jos 12:6
Jos 22:7
1Cr 5:18
p Nú 21:23
Nú 21:24
Dt 2:31
Sl 136:19

2.ª col.
a Dt 3:4
Sl 135:11
b Nú 21:30
Nú 33:45
Jos 13:17
c Nú 32:3
d Dt 2:36
Jos 12:2
Jue 11:26
e Nú 21:32
Jos 13:25
f Jue 8:11
g Nú 32:3
h Jos 13:27
i Nú 32:17
j Nú 32:24
k Nú 21:26
Jos 13:17
l Nú 32:3
Jer 48:34
m Jos 13:19
n Nú 32:3
o Jos 13:17
Eze 25:9
p Nú 26:29
q Dt 3:13
Jos 13:31
Jos 17:1
r Dt 3:14
Jos 13:30
s 1Cr 2:23

CAP. 33
t Éx 12:51
u Éx 13:18
v Jos 24:5
1Sa 12:8
Sl 77:20
Miq 6:4
w Nú 9:17
x Gé 47:11
Éx 12:37
y Éx 12:2
Éx 13:4
z Éx 12:6
Nú 9:3
Dt 16:1
a Éx 14:8

mogénitos;[a] y Jehová había ejecutado juicios en sus dioses.[b]

5 De modo que los hijos de Israel partieron de Ramesés[c] y se pusieron a acampar en Sucot.[d] 6 Entonces partieron de Sucot y se pusieron a acampar en Ezam,[e] que está en la orilla del desierto. 7 Luego partieron de Ezam y se volvieron hacia Pihahirot,[f] que está a vista de Baal-zefón;[g] y se pusieron a acampar delante de Migdol.[h] 8 Después partieron de Pihahirot y fueron pasando por en medio del mar[i] al desierto,[j] y siguieron marchando camino de tres días en el desierto de Ezam,[k] y se pusieron a acampar en Marah.[l]

9 Entonces partieron de Marah y llegaron a Elim.[m] Ahora bien, en Elim había doce manantiales de agua y setenta palmeras. Por lo tanto acamparon allí. 10 Luego partieron de Elim y se pusieron a acampar junto al mar Rojo. 11 Después partieron del mar Rojo y se pusieron a acampar en el desierto de Sin.[n] 12 Entonces partieron del desierto de Sin y se pusieron a acampar en Dofqá. 13 Más tarde partieron de Dofqá y se pusieron a acampar en Alús. 14 Luego partieron de Alús y se pusieron a acampar en Refidim.[o] Y resultó que no había agua allí para que bebiera el pueblo. 15 Entonces partieron de Refidim y se pusieron a acampar en el desierto de Sinaí.[p]

16 Posteriormente, partieron del desierto de Sinaí y se pusieron a acampar en Quibrot-hataavá.[q] 17 Entonces partieron de Quibrot-hataavá y se pusieron a acampar en Hazerot.[r] 18 Después partieron de Hazerot y se pusieron a acampar en Ritmá. 19 Luego partieron de Ritmá y se pusieron a acampar en Rimón-pérez. 20 Entonces partieron de Rimón-pérez y se pusieron a acampar en Libná. 21 Más tarde partieron de Libná y se pusieron a acampar en Risá.

22 Luego partieron de Risá y se pusieron a acampar en Quehelatá. 23 Entonces partieron de Quehelatá y se pusieron a acampar en el monte Séfer.

24 Después partieron del monte Séfer y se pusieron a acampar[a] en Haradá. 25 Entonces partieron de Haradá y se pusieron a acampar en Maqhelot. 26 En seguida partieron[b] de Maqhelot y se pusieron a acampar en Táhat. 27 Después partieron de Táhat y se pusieron a acampar en Taré. 28 Entonces partieron de Taré y se pusieron a acampar en Mitqá. 29 Más tarde partieron de Mitqá y se pusieron a acampar en Hasmoná. 30 Luego partieron de Hasmoná y se pusieron a acampar en Moserot. 31 Entonces partieron de Moserot y se pusieron a acampar en Bene-jaaqán.[c] 32 Después partieron de Bene-jaaqán y se pusieron a acampar en Hor-haguidgad. 33 Luego partieron de Hor-haguidgad y se pusieron a acampar en Jotbatá.[d] 34 Más tarde partieron de Jotbatá y se pusieron a acampar en Abroná. 35 Entonces partieron de Abroná y se pusieron a acampar en Ezión-guéber.[e] 36 Después partieron de Ezión-guéber y se pusieron a acampar en el desierto de Zin,[f] es decir, Qadés.

37 Más tarde partieron de Qadés y se pusieron a acampar en el monte Hor,[g] en la frontera de la tierra de Edom. 38 Y Aarón el sacerdote procedió a subir al monte Hor, por orden de Jehová, y a morir allí en el año cuarenta de la salida de los hijos de Israel de la tierra de Egipto, en el quinto mes, el primero del mes.[h] 39 Y Aarón tenía ciento veintitrés años de edad cuando murió en el monte Hor.

40 Entonces el cananeo, el rey de Arad,[i] mientras moraba en el Négueb,[j] en la tierra de Canaán, llegó a oír de la venida de los hijos de Israel.

CAP. 33
a Éx 12:29
SI 78:51
b Éx 12:12
Éx 18:11
c Gé 47:11
d Éx 12:37
e Éx 13:20
f Éx 14:2
g Éx 14:9
h Éx 14:2
i Éx 14:22
SI 106:9
Heb 11:29
j Éx 15:22
k Éx 13:20
l Éx 15:23
m Éx 15:27
n Éx 16:1
o Éx 17:1
Éx 17:8
p Éx 18:5
Éx 19:1
Éx 19:2
Nú 1:1
Nú 3:4
Nú 9:1
q Nú 11:34
Dt 9:22
r Nú 11:35
Nú 12:16
Dt 1:1

2.ª col.
a Nú 2:3
Nú 2:10
Nú 2:18
Nú 2:25
Nú 2:34
b Nú 9:17
c Dt 10:6
d Dt 10:7
e Dt 2:8
1Re 9:26
2Cr 8:17
f Nú 13:21
Nú 14:25
Nú 20:1
Nú 27:14
Dt 32:51
Jos 15:1
g Nú 20:22
Nú 20:23
Dt 32:50
h Dt 10:6
i Nú 21:1
Jue 1:16
j Nú 13:17
Jos 10:40

41 Con el tiempo estos partieron del monte Hor[a] y se pusieron a acampar en Zalmoná. **42** Después partieron de Zalmoná y se pusieron a acampar en Punón. **43** Luego partieron de Punón y se pusieron a acampar en Obot.[b] **44** Entonces partieron de Obot y se pusieron a acampar en Iyé-abarim, en el confín de Moab.[c] **45** Más tarde partieron de Iyim y se pusieron a acampar en Dibón-gad.[d] **46** Después partieron de Dibón-gad y se pusieron a acampar en Almón-diblataim. **47** Entonces partieron de Almón-diblataim[e] y se pusieron a acampar en las montañas de Abarim,[f] delante de Nebo.[g] **48** Por fin partieron de las montañas de Abarim y se pusieron a acampar en las llanuras desérticas de Moab,[h] junto al Jordán, frente a Jericó. **49** Y continuaron acampando junto al Jordán desde Bet-jesimot[i] hasta Abel-sitim,[j] en las llanuras desérticas de Moab.

50 Y Jehová procedió a hablar a Moisés en las llanuras desérticas de Moab, junto al Jordán, frente a Jericó,[k] diciendo: **51** "Habla a los hijos de Israel, y tienes que decirles: 'Van a cruzar el Jordán a la tierra de Canaán.[l] **52** Y tienen que expulsar a todos los habitantes de la tierra de delante de ustedes, y destruir todas sus figuras de piedra;[m] y todas sus imágenes de metal fundido[n] las deben destruir, y todos sus lugares altos sagrados los deben aniquilar.[o] **53** Y tienen que tomar posesión de la tierra y morar en ella, porque a ustedes ciertamente les daré la tierra para que tomen posesión de ella.[p] **54** Y tienen que repartirse proporcionalmente la tierra como posesión, por sorteo,[q] según sus familias.[r] Al populoso deben aumentarle su herencia, y al escaso deben reducirle su herencia.[s] A donde le resulte [la herencia] por sor-

teo, allí llegará a ser suya.[a] Por las tribus de sus padres deben proveerse de propiedad en tierras.[b] **55** "'Sin embargo, si no expulsan a los habitantes de la tierra de delante de ustedes,[c] entonces los que dejen de ellos ciertamente llegarán a ser como púas en sus ojos y como espinas en sus costados, y verdaderamente los hostigarán en la tierra en que van a morar.[d] **56** Y tiene que ocurrir que tal como yo había calculado hacerles a ellos, les haré a ustedes'".[e]

34 Y Jehová habló nuevamente a Moisés, y dijo: **2** "Da orden a los hijos de Israel, y tienes que decirles: 'Van a entrar en la tierra de Canaán.[f] Esta es la tierra que les caerá por herencia,[g] la tierra de Canaán conforme a sus límites.[h]

3 "'Y tiene que resultar que su lado del sur sea desde el desierto de Zin a lo largo de Edom,[i] y tiene que resultar que su límite del sur sea desde la extremidad del mar Salado[j] al este. **4** Y su límite tiene que cambiar de dirección desde el sur de la subida de Aqrabim[k] y cruzar a Zin, y su terminación tiene que hallarse al sur de Qadés-barnea;[l] y tiene que salir a Hazar-addar[m] y pasar a Azmón. **5** Y en Azmón el límite tiene que cambiar de dirección hacia el valle torrencial de Egipto,[n] y su terminación tiene que hallarse en el Mar.[o]

6 "'En cuanto a un límite occidental,[p] tiene que resultar que para ustedes ese sea el mar Grande y la tierra litoral. Esto llegará a ser su límite occidental.

7 "'Ahora bien, esto llegará a ser su límite del norte: Desde el mar Grande lo trazarán hasta el monte Hor[q] como límite para ustedes. **8** Desde el monte Hor trazarán el límite hasta el punto de entrada de Hamat,[r] y la terminación del límite tiene que hallarse en Zedad.[s] **9** Y tiene

CAP. 33

a Nú 21:4
b Nú 21:10
c Gé 19:37
d Nú 21:11
Nú 21:13
d Nú 21:30
Nú 32:34
e Jer 48:22
f Nú 27:12
Dt 32:49
g Dt 34:1
h Nú 22:1
i Jos 12:3
Jos 13:20
j Nú 25:1
Miq 6:5
k Nú 22:1
Jos 2:2
Heb 11:30
l Dt 7:1
Dt 9:1
Jos 3:17
m Le 26:1
n Éx 34:17
Le 19:4
Dt 27:15
o Éx 23:24
Éx 34:13
Dt 7:5
Dt 12:3
p Dt 32:8
Jer 27:5
Da 4:35
q Pr 16:33
r Nú 26:53
s Nú 26:54

2.ᵃ col.

a Jos 15:1
b Jos 16:1
Jos 18:11
c Jue 1:21
Sl 106:34
d Éx 23:33
Dt 7:4
Jos 23:13
Jue 2:3
Sl 106:36
e Le 18:28
Jos 23:15

CAP. 34

f Gé 15:18
Gé 17:8
Sl 105:11
g Dt 4:38
Jos 1:4
Jos 14:1
Jer 3:19
h Gé 10:19
Hch 17:26
i Jos 15:1
j Gé 14:3
Jos 15:2
k Jue 1:36
l Nú 13:26
Nú 32:8
m Jos 15:3
n Jos 15:4
Jos 15:47
o Éx 23:31
p Jos 1:4
Jos 15:12
q Nú 33:37
Dt 32:50
r Nú 13:21
2Re 14:25
s Eze 47:15

que salir el límite a Zifrón, y tiene que resultar que su terminación sea Hazar-enán.[a] Esto llegará a ser el límite norteño de ustedes.

10 "'Entonces tienen que señalarse como su límite al este desde Hazar-enán hasta Sefam. 11 Y el límite tiene que bajar desde Sefam a Riblá al este de Ain, y el confín tiene que bajar y dar con la ladera oriental del mar de Kinéret.[b] 12 Y el confín tiene que bajar hasta el Jordán, y tiene que resultar que su terminación sea el mar Salado.[c] Esta llegará a ser la tierra[d] de ustedes conforme a sus límites circundantes'".

13 De modo que Moisés dio orden a los hijos de Israel, y dijo: "Esta es la tierra que ustedes se repartirán proporcionalmente como posesión, por sorteo,[e] tal como Jehová ha mandado darla a las nueve tribus y media.[f] 14 Porque la tribu de los hijos de los rubenitas, por la casa de sus padres, y la tribu de los hijos de los gaditas, por la casa de sus padres, ya han tomado, y la media tribu de Manasés, ya han tomado su herencia.[g] 15 Las dos tribus y media ya han tomado su herencia de la región del Jordán junto a Jericó hacia el este, en dirección al naciente".[h]

16 Y Jehová habló nuevamente a Moisés, y dijo: 17 "Estos son los nombres de los hombres que les dividirán la tierra por posesión: Eleazar[i] el sacerdote y Josué hijo de Nun.[j] 18 Y ustedes tomarán un principal de cada tribu para dividir la tierra por posesión.[k] 19 Y estos son los nombres de los hombres: De la tribu de Judá,[l] Caleb hijo de Jefuné;[m] 20 y de la tribu de los hijos de Simeón,[n] Semuel hijo de Amihud; 21 de la tribu de Benjamín,[o] Elidad hijo de Kislón; 22 y de la tribu de los hijos de Dan[p] un principal, Buquí hijo de Joglí; 23 de los hijos de José,[q] de la tribu de los hijos de

Manasés[a] un principal, Haniel hijo de Efod; 24 y de la tribu de los hijos de Efraín[b] un principal, Quemuel hijo de Siftán; 25 y de la tribu de los hijos de Zabulón[c] un principal, Elizafán hijo de Parnac; 26 y de la tribu de los hijos de Isacar[d] un principal, Paltiel hijo de Azán; 27 y de la tribu de los hijos de Aser[e] un principal, Ahihud hijo de Selomí; 28 y de la tribu de los hijos de Neftalí[f] un principal, Pedahel hijo de Amihud". 29 Estos son aquellos a quienes Jehová mandó que hicieran a los hijos de Israel terratenientes en la tierra de Canaán.[g]

35 Y Jehová pasó a hablar a Moisés en las llanuras desérticas de Moab, junto al Jordán,[h] frente a Jericó, y dijo: 2 "Da a los hijos de Israel el mandato de que de la herencia de su posesión tienen que dar a los levitas ciudades[i] en donde habitar, y deben dar a los levitas la dehesa de las ciudades todo en derredor de ellas.[j] 3 Y las ciudades tienen que servirles para habitar, mientras que sus dehesas servirán para sus animales domésticos y sus bienes y para todas sus bestias salvajes. 4 Y las dehesas de las ciudades, que ustedes darán a los levitas, serán desde el muro de la ciudad y hacia fuera por mil codos, todo en derredor. 5 Y ustedes tienen que medir fuera de la ciudad por el lado del este dos mil codos, y por el lado del sur dos mil codos, y por el lado del oeste dos mil codos, y por el lado del norte dos mil codos, con la ciudad en medio. Esto les servirá a ellos como dehesas de las ciudades.

6 "Estas son las ciudades que ustedes darán a los levitas: seis ciudades de refugio,[k] las cuales darán para que huya allá el homicida,[l] además de estas darán otras cuarenta y dos ciudades. 7 Todas las ciudades que darán a los levitas serán cuarenta y ocho ciudades, estas juntamente

CAP. 34
a Eze 47:17
b Dt 3:17
Jos 11:2
Lu 5:1
Jn 6:1
c Jos 15:2
d Dt 8:7
e Nú 26:55
Nú 33:54
Jos 14:2
Jos 18:6
Pr 16:33
f Jos 14:2
g Nú 32:33
Dt 3:12
Dt 3:13
Dt 3:16
h Nú 32:5
Nú 32:32
i Nú 3:32
Nú 20:26
Jos 14:1
Jos 19:51
j Nú 14:38
Nú 27:18
k Nú 1:4
Nú 1:16
l Nú 15:1
m Nú 14:30
Nú 26:65
n Nú 19:1
o Nú 18:11
p Nú 19:40
q Gé 46:20
Gé 48:5
Jos 16:1

2.ª col.
a Jos 17:1
b Jos 16:5
c Jos 19:10
d Jos 19:17
e Jos 19:24
f Jos 19:32
g Nú 34:18
Dt 32:8
Jos 19:51
Hch 17:26

CAP. 35
h Nú 22:1
Nú 31:12
Nú 36:13
i Gé 49:7
Le 25:32
Dt 18:1
Jos 14:3
Jos 21:2
j Le 25:34
Jos 21:3
Jos 21:11
1Cr 6:64
2Cr 11:14
k Nú 35:13
Jos 20:2
Jos 20:7
Jos 20:8
Jos 21:13
Jos 21:21
Jos 21:27
Jos 21:32
Jos 21:36
Jos 21:38
l Dt 4:41
Dt 4:42
Jos 20:3

con sus dehesas.ª 8 Las ciudades que darán serán de la posesión de los hijos de Israel.ᵇ De los muchos tomarán muchas, y de los pocos tomarán pocas.ᶜ Cada uno, en proporción con su herencia que tomará como posesión, dará algunas de sus ciudades a los levitas".

9 Y Jehová continuó hablando a Moisés, y dijo: 10 "Habla a los hijos de Israel, y tienes que decirles: 'Van a cruzar el Jordán a la tierra de Canaán.ᵈ 11 Y tienen que escoger ciudades que les sean convenientes a ustedes. Como ciudades de refugio les servirán, y allí tiene que huir el homicida que, sin intención, hiera mortalmente a un alma.ᵉ 12 Y las ciudades tienen que servirles a ustedes como refugio del vengador de la sangre,ᶠ para que no muera el homicida hasta que esté de pie delante de la asamblea para juicio.ᵍ 13 Y las ciudades que darán, las seis ciudades de refugio, estarán a disposición de ustedes. 14 Tres ciudades darán de este lado del Jordán,ʰ y tres ciudades darán en la tierra de Canaán.ⁱ Como ciudades de refugio servirán. 15 Para los hijos de Israel y para el residente forasteroʲ y para el poblador en medio de ellos estas seis ciudades servirán de refugio, para que huya allá cualquiera que, sin intención, hiera mortalmente a un alma.ᵏ

16 "'Ahora bien, si fue con instrumento de hierro que lo ha herido de modo que muera, es un asesino. El asesino debe ser muerto sin falta.ᵐ 17 Y si fue con una piedra pequeña por la cual podría morir que lo ha herido de modo que muera, es un asesino. El asesino debe ser muerto sin falta. 18 Y si fue con un instrumento pequeño de madera por el cual podría morir que lo ha herido de modo que muera, es un asesino. El asesino debe ser muerto sin falta.

19 "'El vengadorⁿ de la sangre

CAP. 35

a Jos 21:3
b Gé 49:7
c Nú 26:54
 Nú 33:54
d Éx 3:8
 Éx 23:23
 Nú 34:2
e Éx 21:13
 Dt 4:42
 Dt 19:4
f Nú 35:19
 Dt 19:6
 Jos 20:9
g Dt 19:11
 Dt 19:12
 Jos 20:5
h Dt 4:41
 Dt 19:9
i Jos 20:7
j Éx 12:49
 Le 19:34
 Le 24:22
 Nú 15:16
k Jos 20:3
l Dt 19:11
m Gé 9:5
 Éx 21:12
 Le 24:17
 Dt 19:12
n Nú 35:12
 Dt 19:6

2.ᵃcol.

a Gé 4:8
 2Sa 20:10
b Éx 21:14
 Dt 19:11
 Sl 10:8
 Pr 1:18
 Mr 6:19
 Hch 23:21
c Nú 35:19
d Éx 21:13
 Dt 19:5
 Jos 20:3
 Jos 20:5
e Nú 35:12
 Jos 20:4
f Jue 20:13
g Éx 29:7
 Le 21:10
 Heb 3:1
h Nú 35:12
 Nú 35:19
i Jos 20:6
j Dt 17:6
 Dt 19:15
 Mt 18:16
 Jn 8:17
 2Co 13:1
 1Ti 5:19
 Heb 10:28
k Gé 9:6
 Éx 20:13
 Dt 5:17

es el que dará muerte al asesino. Cuando lo encuentre, él mismo le dará muerte. 20 Y si en odio estaba empujándoloª o le ha arrojado algo mientras estaba al acechoᵇ para que muriera, 21 o en enemistad lo ha herido con la mano para que muriera, sin falta debe ser muerto el heridor. Es un asesino. El vengador de la sangre dará muerte al asesino cuando lo encuentre.ᶜ

22 "'Pero si fue inesperadamente, sin enemistad, que lo ha empujado o ha arrojado cualquier objeto hacia él sin estar al acecho,ᵈ 23 o cualquier piedra por la cual podría morir, sin verlo, o la hiciera caer sobre él, de modo que muera, mientras no estaba en enemistad con él y no estaba buscando su daño, 24 la asamblea entonces tiene que juzgar entre el heridor y el vengador de la sangre, de acuerdo con estos juicios.ᵉ 25 Y la asambleaᶠ tiene que librar de la mano del vengador de la sangre al homicida, y la asamblea tiene que devolverlo a su ciudad de refugio a la cual había huido, y él tiene que morar en ella hasta la muerte del sumo sacerdote que fue ungido con el aceite santo.ᵍ

26 "'Pero si el homicida sin falta sale del límite de su ciudad de refugio a la cual puede huir, 27 y el vengadorʰ de la sangre de veras lo halla fuera del límite de su ciudad de refugio, y el vengador de la sangre realmente mata al homicida, no tiene culpa de sangre. 28 Porque él debería morar en su ciudad de refugio hasta la muerte del sumo sacerdote, y después de la muerteⁱ del sumo sacerdote el homicida puede volver a la tierra de su posesión. 29 Y estas cosas tienen que servirles como estatuto de juicio durante todas sus generaciones, en todas sus moradas.

30 "'Todo el que hiera mortalmente a un alma debe, por boca de testigos,ʲ ser muerto como asesino,ᵏ y un solo testigo no

puede testificar contra un alma para que muera. 31 Y no deben tomar rescate por el alma de un asesino que merece morir,[a] pues sin falta debe ser muerto.[b] 32 Y no deben tomar rescate por uno que haya huido a su ciudad de refugio, para que vuelva a morar en la tierra antes de la muerte del sumo sacerdote.

33 "'Y no deben corromper la tierra en que están; porque la sangre es lo que corrompe la tierra,[c] y por la tierra no puede haber expiación respecto de la sangre que se ha vertido en ella salvo por la sangre del que la haya vertido.[d] 34 Y no debes contaminar la tierra en que ustedes están morando, en medio de la cual yo estoy residiendo; porque yo Jehová estoy residiendo en medio de los hijos de Israel'".[e]

36 Y los cabezas de los padres de la familia de los hijos de Galaad, hijo de Makir,[f] hijo de Manasés, de las familias de los hijos de José, procedieron a acercarse y a hablar delante de Moisés y los principales, los cabezas de los padres de los hijos de Israel, 2 y a decir: "Jehová mandó a mi señor que diera la tierra en herencia por sorteo[g] a los hijos de Israel; y a mi señor le fue mandado por Jehová que diera la herencia de Zelofehad nuestro hermano a sus hijas.[h] 3 Si cualesquiera de los hijos de las otras tribus de los hijos de Israel las consiguen por esposas, entonces la herencia de las mujeres tendrá que ser retirada de la herencia de nuestros padres y tendrá que ser añadida a la herencia de la tribu a la cual lleguen a pertenecer, de modo que sería retirada de la porción de nuestra herencia.[i] 4 Ahora bien, si se efectúa el Jubileo[j] para los hijos de Israel, entonces la herencia de las mujeres tiene que ser añadida a la herencia de la tribu a la cual lleguen a per-

necer; de modo que la herencia de ellas sería retirada de la herencia de la tribu de nuestros padres".

5 Entonces Moisés dio orden a los hijos de Israel por mandato de Jehová, y dijo: "La tribu de los hijos de José está hablando rectamente. 6 Esta es la palabra que Jehová ha ordenado para las hijas de Zelofehad,[a] diciendo: 'Pueden llegar a ser esposas de quien, a los ojos de ellas, les parezca bien. Solo que deben llegar a ser esposas de los que son de la familia de la tribu de sus padres.[b] 7 Y ninguna herencia de los hijos de Israel debe circular de tribu en tribu, porque los hijos de Israel deben adherirse cada uno a la herencia de la tribu de sus antepasados. 8 Y toda hija que llegue a tener posesión de una herencia de las tribus de los hijos de Israel, debe llegar a ser esposa de alguien de la familia de la tribu de su padre,[c] a fin de que los hijos de Israel consigan poseer cada uno la herencia de sus antepasados. 9 Y ninguna herencia debe circular de una tribu a otra tribu, porque las tribus de los hijos de Israel deben adherirse cada una a su propia herencia'".

10 Tal como Jehová había mandado a Moisés, de esa manera lo hicieron las hijas de Zelofehad.[d] 11 Por consiguiente, Mahlá, Tirzá y Hoglá y Milcá y Noá, las hijas de Zelofehad,[e] llegaron a ser las esposas de los hijos de los hermanos de su padre. 12 Llegaron a ser esposas de algunos de las familias de los hijos de Manasés hijo de José, para que la herencia de ellas continuara junto con la tribu de la familia de su padre.

13 Estos son los mandamientos[f] y las decisiones judiciales que Jehová mandó por medio de Moisés a los hijos de Israel en las llanuras desérticas de Moab, junto al Jordán, frente a Jericó.[g]

CAP. 35
a 1Jn 3:15

b Gé 9:5
Éx 21:14
Dt 19:13

c Gé 4:10
Sl 106:38
Lu 11:50

d Gé 9:6

e Éx 25:8
Éx 29:46
Le 26:12
1Re 6:13

CAP. 36
f Nú 26:29
Jos 17:1

g Nú 26:55
Nú 33:54

h Nú 27:1
Nú 27:7

i Nú 27:4

j Le 25:10

2.ª col.
a Nú 36:2

b Nú 36:12

c 1Cr 23:22

d Nú 36:6

e Nú 27:1

f Dt 30:8
Jos 22:5
Ec 12:13

g Nú 26:3
Nú 33:50
Nú 35:1

DEUTERONOMIO

1 Estas son las palabras que Moisés habló a todo Israel en la región del Jordán[a] en el desierto, en las llanuras desérticas enfrente de Suf, entre Parán[b] y Tófel y Labán y Hazerot[c] y Dizahab, **2** a once días de viaje desde Horeb por camino del monte Seír hasta Qadés-barnea.[d] **3** Y aconteció que en el año cuarenta,[e] en el mes undécimo, el primero del mes, Moisés habló a los hijos de Israel conforme a todo lo que Jehová le había mandado para ellos, **4** después de haber derrotado a Sehón[f] el rey de los amorreos, que moraba en Hesbón, y a Og[g] el rey de Basán, que moraba en Astarot,[h] en Edrei.[i] **5** En la región del Jordán, en la tierra de Moab, Moisés se puso resueltamente a explicar esta ley,[j] diciendo:

6 "Jehová nuestro Dios nos habló en Horeb,[k] y dijo: 'Ya han morado bastante tiempo en esta región montañosa.[l] **7** Vuélvanse y emprendan su camino y vayan a la región montañosa de los amorreos[m] y a todos sus vecinos en el Arabá,[n] la región montañosa[o] y la Sefelá y el Néguep[p] y la costa marítima,[q] la tierra de los cananeos,[r] y el Líbano,[s] hasta el gran río, el río Éufrates.[t] **8** Miren, de veras pongo la tierra delante de ustedes. Entren y tomen posesión de la tierra acerca de la cual Jehová juró a sus padres, a Abrahán, Isaac[u] y Jacob,[v] que la daría a ellos y a su descendencia después de ellos'.[w]

9 "Y yo procedí a decirles esto en aquel tiempo en particular: 'No puedo yo solo llevarlos.[x] **10** Jehová su Dios los ha multiplicado, y resulta que hoy son como las estrellas de los cielos por su multitud.[y] **11** Que Jehová el Dios de sus antepasados los aumente[z] mil veces más de lo que son, y que los bendiga[a] tal como les ha prometido.[a] **12** ¿Cómo puedo llevar yo solo la carga que son ustedes y el peso que son, y su reñir?[b] **13** Consigan de sus tribus hombres sabios y discretos[c] y experimentados,[d] para que yo los establezca como cabezas sobre ustedes'.[e] **14** Ante esto, ustedes me contestaron y dijeron: 'La cosa que has hablado para que la hagamos es buena'. **15** De modo que tomé los cabezas de sus tribus, hombres sabios y experimentados, y los puse como cabezas sobre ustedes: jefes de millares y jefes de centenas y jefes de cincuentenas y jefes de decenas y oficiales de sus tribus.[f]

16 "Y proseguí a mandar a sus jueces en aquel tiempo en particular, y dije: 'Al celebrar audiencia entre sus hermanos, tienen que juzgar con justicia[g] entre un hombre y su hermano o su residente forastero.[h] **17** No deben ser parciales en el juicio.[i] Deben oír al pequeño lo mismo que al grande.[j] No deben atemorizarse a causa de un hombre,[k] porque el juicio pertenece a Dios;[l] y la causa que sea demasiado difícil para ustedes, deben presentármela, y yo tendré que oírla'.[m] **18** Y procedí a mandarles en aquel tiempo en particular todas las cosas que debían hacer.

19 "Entonces partimos de Horeb y nos pusimos a marchar por todo aquel desierto grande e inspirador de temor,[n] que ustedes han visto, por el camino de la región montañosa de los amorreos,[o] tal como nos había mandado Jehová nuestro Dios; y por fin llegamos a Qadés-barnea.[p] **20** Entonces les dije:

CAP. 1
a Jos 22:4
b Nú 10:12
c Nú 33:18
d Nú 13:26
Dt 9:23
Jos 14:7
e Nú 32:13
Nú 33:38
f Nú 21:23
Jos 12:2
g Nú 21:33
Ne 9:22
Sl 135:11
h Jos 9:10
i Jos 13:12
j Dt 4:8
Dt 17:18
Ne 8:7
k Dt 4:15
1Re 8:9
l Éx 19:1
Nú 10:11
Nú 10:12
m Gé 15:16
Jos 10:6
n Dt 3:17
Dt 4:49
Jos 12:3
o Nú 13:17
p Gé 12:9
Nú 21:1
q Jos 9:1
r Nú 34:2
s Jos 13:1
Jos 13:5
1Re 9:19
t Gé 15:18
u Gé 26:3
v Gé 28:13
w Gé 12:7
Gé 13:15
Gé 17:7
x Éx 18:18
y Gé 15:5
Éx 32:13
Nú 26:51
Dt 10:22
1Cr 27:23
Sl 115:14
a Gé 26:4
Éx 23:25
Pr 10:22

2.ª col.
a Gé 12:2
Gé 22:17
b Éx 18:18
Nú 11:11
Nú 30:3
Nú 27:14
c 1Ti 3:2
d 1Ti 3:4
1Ti 3:6
e Éx 18:21
f Éx 18:25
g Éx 23:8
Dt 16:18
Jn 7:24
h Éx 22:21
Le 19:34
Le 24:22

i Le 19:15; 1Sa 16:7; Pr 24:23; Lu 20:21; Ro 2:11; j Éx 23:3; Snt 2:4; k Pr 29:25; 1Cr 19:6; m Éx 18:26; n Nú 10:12; Dt 8:15; Jer 2:6; o Gé 15:16; Nú 13:29; p Nú 13:26; Nú 32:8.

'Han llegado a la región montañosa de los amorreos, que Jehová nuestro Dios nos da.[a] 21 Mira, Jehová tu Dios ha abandonado la tierra en tu mano.[b] Sube, toma posesión, tal como Jehová el Dios de tus antepasados te ha hablado.[c] No tengas miedo ni te aterrorices'.[d]

22 "No obstante, todos ustedes se me acercaron y dijeron: 'Enviemos hombres delante de nosotros, sí, para que nos exploren la tierra y vuelvan a traernos palabra respecto al camino por el cual debemos subir y las ciudades a las que ciertamente llegaremos'.[e] 23 Pues, la cosa resultó buena a mis ojos, de modo que tomé doce hombres de ustedes, uno por cada tribu.[f] 24 Entonces ellos se volvieron y subieron a la región montañosa[g] y lograron llegar hasta el valle torrencial de Escol[h] y se pusieron a espiarlo. 25 Y procedieron a tomar en su mano parte del fruto del país[i] y a bajar con él a donde nosotros, y vinieron trayéndonos palabra de vuelta y diciendo: 'La tierra que Jehová nuestro Dios nos da es buena'.[j] 26 Pero ustedes no quisieron subir,[k] y empezaron a portarse rebeldemente contra la orden de Jehová su Dios.[l] 27 Y siguieron refunfuñando en sus tiendas y diciendo: 'Porque Jehová nos odió[m] nos sacó de la tierra de Egipto[n] para darnos en mano de los amorreos, para aniquilarnos.[o] 28 ¿Adónde vamos a subir? Nuestros hermanos han hecho que se nos derrita el corazón,[p] diciendo: "Un pueblo más grande y más alto que nosotros,[q] ciudades grandes y fortificadas hasta los cielos,[r] y también a los hijos de los anaquim,[s] vimos allí".'

29 "Así que les dije: 'No deben sufrir un sobresalto ni tener miedo a causa de ellos.[t] 30 Jehová su Dios es el que va delante de ustedes. Él peleará por ustedes[u] conforme a todo lo que hizo con ustedes en Egipto, ante los propios ojos de ustedes,[a] 31 y en el desierto,[b] donde tú viste cómo Jehová tu Dios te llevó[c] justamente como un hombre lleva a su hijo, por todo el camino que anduvieron ustedes hasta llegar a este lugar'.[d] 32 Pero a pesar de esta palabra ustedes no estuvieron poniendo fe en Jehová su Dios,[e] 33 que iba delante de ustedes en el camino a fin de espiar para ustedes un lugar donde acampar,[f] por fuego de noche para que vieran por qué camino deberían andar, y por una nube de día.[g]

34 "Durante todo ese tiempo Jehová oyó la voz de las palabras de ustedes. De modo que se indignó y juró,[h] y dijo: 35 'Ni uno solo entre estos hombres de esta mala generación verá la buena tierra que juré dar a los padres de ustedes,[i] 36 a excepción de Caleb hijo de Jefuné.[j] Él la verá, y a él y a sus hijos daré la tierra que él pisó, debido al hecho de que ha seguido plenamente a Jehová.[k] 37 (Aun contra mí se enojó Jehová a causa de ustedes, y dijo: 'Tampoco tú entrarás allá.[l] 38 Josué hijo de Nun, que está de pie delante de ti, es el que entrará allá'.[m] A él lo ha hecho fuerte,[n] porque él hará que Israel la herede.) 39 En cuanto a los pequeñuelos de ustedes de quienes dijeron: "¡Botín llegarán a ser!",[o] y los hijos de ustedes que hoy día no saben lo bueno ni lo malo, estos entrarán allá, y a ellos se la daré, y ellos tomarán posesión de ella. 40 En cuanto a ustedes mismos, cambien de dirección y partan para el desierto por el camino del mar Rojo'.[p]

41 "Ante esto, ustedes respondieron y me dijeron: 'Hemos pecado contra Jehová.[q] ¡Nosotros... nosotros subiremos y pelearemos conforme a todo lo que Jehová nuestro Dios nos ha mandado!'. De modo que se ciñeron, cada cual, sus armas de

CAP. 1
a Dt 1:7
b Dt 1:8
  Dt 31:6
c Éx 23:27
d Nú 14:9
  Jos 1:9
  Sl 27:1
  Isa 41:10
  Heb 13:6
e Nú 13:2
f Nú 13:3
g Nú 13:17
h Nú 13:24
i Nú 13:23
  Nú 13:26
j Nú 13:27
k Heb 10:38
l Nú 14:1
  Nú 14:4
  Sl 106:24
m Pr 19:3
n Éx 3:8
  Eze 20:6
o Nú 14:3
p Nú 32:9
  Dt 20:8
  Jos 14:8
q Nú 13:33
  Dt 2:10
r Nú 13:28
  Dt 9:1
s Nú 13:22
  Nú 13:21
t Nú 14:9
u Éx 14:14
  Dt 20:4
  Jos 10:42
  2Cr 14:11
  Sl 46:11

2.ª col.
a Nú 14:22
  Sl 78:12
  Sl 105:27
b Sl 78:15
c Éx 19:4
  Dt 32:11
d Sl 77:20
e Sl 78:22
  Sl 106:24
  Heb 3:16
  Heb 3:19
  Jud 5
f Nú 10:33
g Éx 13:21
  Éx 40:36
  Nú 10:34
  Ne 9:12
  Sl 78:14
  Sl 105:39
h Nú 14:28
  Nú 14:35
  Nú 32:10
  Dt 2:14
  Sl 95:11
  Heb 3:11
i Nú 14:29
  Heb 13:18
  1Co 10:5
  Heb 3:17
j Nú 14:30
k Nú 14:24
  Jos 14:9
l Nú 20:12
  Nú 27:13
  Dt 3:26
  Nú 10:32
m Éx 33:11
  Nú 11:28
  Nú 14:38
n Nú 27:18
  Dt 31:7
  Jos 1:6

o Nú 14:3; Nú 14:31; p Nú 14:25; q Nú 14:39.

guerra, y consideraron fácil subir a la montaña.[a] 42 Pero Jehová me dijo: 'Diles: "No deben subir y pelear, porque yo no estoy en medio de ustedes;[b] para que no sean derrotados delante de sus enemigos"'.[c] 43 De modo que les hablé, y ustedes no escucharon, sino que empezaron a portarse con rebeldía[d] contra la orden de Jehová y a acalorarse mucho, y trataron de subir a la montaña.[e] 44 Entonces los amorreos que moraban en aquella montaña salieron a su encuentro y se pusieron a perseguirlos,[f] tal como lo hacen las abejas, y a esparcirlos en Seír hasta Hormá.[g] 45 Después de eso ustedes volvieron y se pusieron a llorar delante de Jehová, pero Jehová no escuchó su voz[h] ni les prestó oído.[i] 46 De modo que siguieron morando en Qadés muchos días, todos los días que en efecto moraron allí.[j]

2 "Entonces nos volvimos y partimos para el desierto por el camino del mar Rojo, tal como me había hablado Jehová;[k] y nos quedamos muchos días dando la vuelta al monte Seír. 2 Por fin Jehová me dijo esto: 3 'Han dado la vuelta a esta montaña por bastante tiempo.[l] Cambien de dirección hacia el norte. 4 Y tú manda al pueblo, y di: "Van pasando a lo largo del confín de sus hermanos,[m] los hijos de Esaú,[n] que moran en Seír;[o] y ellos tendrán miedo a causa de ustedes,[p] y ustedes tienen que tener mucho cuidado. 5 No traben contienda con ellos, porque no les daré de la tierra de ellos ni siquiera la anchura de la planta del pie; porque he dado el monte Seír a Esaú como tenencia.[q] 6 El alimento que compren de ellos por dinero, lo tendrán que comer; y también el agua que adquieran de ellos por dinero, la tendrán que beber.[r] 7 Porque Jehová tu Dios te ha bendecido en todo hecho de tu mano.[s] Bien conoce él tu andar

por este gran desierto. Estos cuarenta[a] años Jehová tu Dios ha estado contigo. No te ha faltado nada"'.[b] 8 Así que pasamos alejándonos de nuestros hermanos, los hijos de Esaú,[c] que moran en Seír, desde el camino del Arabá,[d] desde Elat y desde Ezión-guéber.[e]

"En seguida nos volvimos y procedimos a pasar adelante por el camino del desierto de Moab.[f] 9 Entonces me dijo Jehová: 'No molestes a Moab ni trabes guerra con ellos, porque no te daré nada de su tierra como tenencia, porque a los hijos de Lot[g] he dado Ar[h] como tenencia. 10 (Los emim[i] moraron en ella en tiempos pasados, un pueblo grande y numeroso y alto como los anaquim.[j] 11 En cuanto a los refaím,[k] a ellos también se les consideraba como los anaquim,[l] y los moabitas los llamaban emim. 12 Y los horeos[m] moraron en Seír en tiempos pasados, y los hijos de Esaú[n] procedieron a desposeerlos y a aniquilarlos de delante de ellos y a morar en su lugar,[o] tal como Israel tiene que hacer a la tierra que es su tenencia, que Jehová ciertamente les dará.) 13 Ahora mismo levántense y emprendan su camino a través del valle torrencial de Zered'. Por consiguiente, nos pusimos a cruzar el valle torrencial de Zered.[p] 14 Y los días que anduvimos desde Qadésbarnea hasta que cruzamos el valle torrencial de Zered fueron treinta y ocho años, hasta que toda la generación de los hombres de guerra se hubo acabado de en medio del campamento, tal como les había jurado Jehová.[q] 15 Y la mano[r] de Jehová también resultó estar sobre ellos para inquietarlos de en medio del campamento, hasta que se acabaron.[s]

16 "Y aconteció que tan pron-

CAP. 1

a Nú 14:40
b Le 26:17
   Nú 14:42
c Nú 14:43
d Nú 14:41
   Isa 63:10
   Jer 11:8
   Hch 7:51
e Nú 14:44
f Dt 28:25
   Dt 32:30
g Nú 14:45
h Sl 78:34
   Pr 28:9
i Sl 66:18
j Nú 13:25

CAP. 2

k Nú 14:25
   Dt 1:40
l Dt 2:7
m Gé 36:8
   Nú 30:14
   Dt 23:7
n Gé 27:40
   Gé 36:10
o Gé 27:39
   Gé 36:9
   Dt 2:8
p Éx 15:15
   Éx 23:27
   Dt 2:25
q Gé 32:3
   Gé 36:8
   Dt 32:8
   Jos 24:4
   2Cr 20:10
   Hch 17:26
r Nú 20:19
s Gé 12:2
   Pr 10:22

2.ª col.

a Dt 8:2
   Dt 29:5
   Sl 95:10
   Hch 13:18
b Ne 9:21
   Sl 23:1
   Sl 34:9
   Sl 34:10
   Sl 37:25
   Flp 4:19
c Nú 20:20
   Nú 20:21
   Nú 21:4
   Jue 11:18
d Dt 11:30
   e 2Cr 8:17
f Nú 21:13
   Jue 11:17
   2Cr 20:10
g Gé 19:37
h Nú 21:15
   Dt 2:18
   Isa 15:1
i Gé 14:5
j Nú 13:33
   Jos 14:15
k Gé 14:5
   Dt 3:11
   1Cr 20:4
l Nú 13:22
   Nú 13:28
   Nú 13:33
   Dt 1:28
   Dt 9:2
m Gé 14:6
   Gé 36:20
   1Cr 1:39
n Gé 36:10

o Gé 27:39; Gé 27:40; p Nú 21:12; q Nú 14:33; Nú 32:11; Dt 1:35; Sl 95:11; Sl 106:26; Eze 20:15; Heb 3:18; Jud 5; r Heb 10:31; s 1Co 10:5.

to como todos los hombres de guerra hubieron acabado de morir en medio del pueblo,[a] 17 Jehová me habló nuevamente, y dijo: 18 'Estás pasando hoy por el territorio de Moab, es decir, Ar,[b] 19 y tendrás que aproximarte enfrente de los hijos de Ammón. No los molestes ni trabes contienda con ellos, porque no te daré nada de la tierra de los hijos de Ammón como tenencia, porque la he dado como tenencia a los hijos de Lot.[c] 20 Como la tierra de los refaím[d] también se consideraba esta. (Los refaím moraron en ella en tiempos pasados, y los ammonitas los llamaban zamzumím. 21 Eran un pueblo grande y numeroso y alto como los anaquim;[e] y Jehová fue aniquilándolos[f] de delante de ellos, para que los desposeyeran y moraran en su lugar; 22 tal como hizo por los hijos de Esaú, que moran en Seír,[g] cuando aniquiló a los horeos[h] de delante de ellos, para que los desposeyeran y moraran en su lugar hasta el día de hoy. 23 En cuanto a los avim,[i] que moraban en poblados hasta Gaza,[j] los caftorim,[k] que salieron de Caftor,[l] los aniquilaron, para poder morar en su lugar.)

24 "'Levántense, partan y crucen el valle torrencial de Arnón.[m] Ve que he dado en tu mano a Sehón[n] el rey de Hesbón, el amorreo. Por eso comienza a tomar posesión de su tierra, y traba guerra con él. 25 Hoy mismo comenzaré a poner el pavor de ti y el temor de ti delante de los pueblos debajo de todos los cielos, los cuales oirán el informe acerca de ti; y realmente se agitarán y tendrán dolores como los de parto a causa de ti'.[o]

26 "Entonces envié mensajeros desde el desierto de Quedemot[p] a Sehón[q] el rey de Hesbón con palabras de paz,[r] diciendo: 27 'Déjame pasar por tu tierra. Sólo por el camino andaré. No me apartaré a la derecha ni a la

izquierda.[a] 28 El alimento que me vendas por dinero, lo tendré que comer; y el agua que me des por dinero, la tendré que beber. Solo déjame pasar a pie,[b] 29 tal como hicieron conmigo los hijos de Esaú que moran en Seír[c] y los moabitas[d] que moran en Ar, hasta que pase al otro lado del Jordán a la tierra que Jehová nuestro Dios nos da'.[e] 30 Y Sehón el rey de Hesbón no nos dejó pasar por él, porque Jehová tu Dios había dejado que su espíritu se hiciera obstinado[f] y su corazón se hiciera duro, a fin de darlo en tu mano, como sucede el día de hoy.[g]

31 "Ante esto, Jehová me dijo: 'Ve que he comenzado a abandonar a Sehón y su tierra en tu mano. Comienza a tomar posesión de su tierra'.[h] 32 Cuando salió Sehón, él y todo su pueblo, para encontrarse con nosotros en batalla en Jáhaz,[i] 33 entonces Jehová nuestro Dios lo abandonó en nuestra mano,[j] de modo que los derrotamos a él[k] y a sus hijos y a todo su pueblo. 34 Y proseguimos a tomar todas sus ciudades en aquel tiempo en particular, y a dar toda ciudad por entero a la destrucción,[l] hombres y mujeres y niñitos. No dejamos ningún sobreviviente. 35 Solo los animales domésticos tomamos en saqueo para nosotros, junto con el despojo de las ciudades que habíamos tomado.[m] 36 Desde Aroer,[n] que está junto a la margen del valle torrencial de Arnón, y la ciudad que está en el valle torrencial, hasta Galaad, resultó que no hubo pueblo demasiado alto para nosotros.[o] Jehová nuestro Dios los abandonó todos en nuestra mano. 37 Solo que no te acercaste a la tierra de los hijos de Ammón,[p] toda la margen del valle torrencial de Jaboq,[q] ni a las ciudades de la región montañosa, ni a ninguna cosa acerca de la cual Jehová nuestro Dios había dado mandato.

3 "Entonces nos volvimos y procedimos a subir por el camino de Basán. Ante esto, salió Og[a] el rey de Basán, él y todo su pueblo, para encontrarse con nosotros en batalla en Edrei.[b] 2 Por lo tanto, Jehová me dijo: 'No le tengas miedo,[c] porque ciertamente los daré en tu mano a él y a todo su pueblo y su tierra; y tienes que hacerle a él tal como le hiciste a Sehón[d] el rey de los amorreos, que moraba en Hesbón'. 3 Por consiguiente, Jehová nuestro Dios dio en nuestra mano también a Og el rey de Basán y a todo su pueblo, y seguimos hiriéndolo hasta que no le quedó sobreviviente.[e] 4 Y nos pusimos a tomar todas sus ciudades en aquel tiempo en particular. Resultó que no hubo pueblo que no tomáramos de ellos, sesenta ciudades,[f] toda la región de Argob,[g] el reino de Og en Basán.[g] 5 Todas estas eran ciudades fortificadas con muro alto, puertas y barras, aparte de muchísimos pueblos rurales. 6 Sin embargo, las dimos por entero a la destrucción,[i] tal como habíamos hecho con Sehón el rey de Hesbón, dando por entero toda ciudad a la destrucción, hombres, mujeres y niñitos.[j] 7 Y todos los animales domésticos y el despojo de las ciudades tomamos en saqueo para nosotros.[k]

8 "Y en aquel tiempo en particular procedimos a tomar la tierra de la mano de los dos reyes de los amorreos[l] que estaban en la región del Jordán, desde el valle torrencial de Arnón[m] hasta el monte Hermón;[n] 9 (los sidonios solían llamar Sirión[o] al Hermón, y los amorreos solían llamarlo Senir,)[p] 10 todas las ciudades de la meseta y todo Galaad y todo Basán hasta Salecá[q] y Edrei,[r] las ciudades del reino de Og en Basán. 11 Porque solo Og el rey de Basán quedaba del remanente de los refaím.[s] ¡Mira! Su féretro fue féretro de hierro. ¿No está en

Rabá[a] de los hijos de Ammón? De nueve codos es su longitud, y de cuatro codos su anchura, según el codo de un hombre. 12 Y tomamos posesión de esta tierra en aquel tiempo en particular: desde Aroer,[b] que está junto al valle torrencial de Arnón, y la mitad de la región montañosa de Galaad, y sus ciudades he dado a los rubenitas y a los gaditas.[c] 13 Y el remanente de Galaad[d] y todo Basán[e] del reino de Og lo he dado a la media tribu de Manasés. Toda la región de Argob[f] de todo Basán, ¿no se le llama la tierra de los refaím?[g]

14 "Jaír[h] hijo de Manasés tomó toda la región de Argob[i] hasta el límite de los guesuritas[j] y los maacatitas,[k] y procedió a llamar aldeas de Basán por su propio nombre, Havot-jaír,[l] hasta el día de hoy. 15 Y a Makir[m] he dado Galaad.[n] 16 Y a los rubenitas[o] y a los gaditas he dado desde Galaad[p] hasta el valle torrencial de Arnón, con el medio del valle torrencial como uno de los límites, y hasta Jaboq, el valle torrencial que es el límite de los hijos de Ammón;[q] 17 y el Arabá y el Jordán y el confín, desde Kínéret[r] hasta el mar del Arabá, el mar Salado,[s] al pie de las laderas de Pisgá[t] hacia el naciente.

18 "De modo que les mandé a ustedes en aquel tiempo en particular, y dije: 'Jehová su Dios les ha dado esta tierra para que tomen posesión de ella. Pasarán a través, equipados, delante de sus hermanos, los hijos de Israel, todos los hombres valientes.[u] 19 Solo sus esposas y sus pequeñuelos y su ganado (bien sé yo que tienen mucho ganado) continuarán morando en sus ciudades que les he dado,[v] 20 hasta que Jehová dé descanso a sus hermanos, así como también a ustedes, y ellos también hayan tomado posesión de la tierra que Jehová su Dios les da al otro lado del Jordán; después de lo cual ustedes tienen

CAP. 3

a Nú 21:33
  Dt 29:7
  Jos 9:10
  Ne 9:22
b Nú 21:24
  Jos 13:12
c Nú 14:9
  Nú 21:34
  Dt 20:3
d Nú 21:24
e Nú 21:35
  Jos 13:12
f Nú 32:33
  Jos 13:30
g 1Re 4:13
h Dt 29:8
i Le 27:29
j Le 18:25
  Dt 2:34
  Eze 9:6
k Dt 2:35
  Jos 8:27
l Nú 32:33
m Jos 12:2
  Jos 13:9
n Jos 11:3
  Can 4:8
o Sl 29:6
p 1Cr 5:23
  Eze 27:5
q Jos 12:5
  Jos 13:11
r Nú 21:33
  Jos 13:12
s Gé 14:5

2.ª col.

a 2Sa 12:26
  Jer 49:2
b Nú 32:34
  Dt 4:48
  Jos 12:2
c Nú 32:33
d Gé 31:21
  Nú 32:39
  Jos 13:31
  Jue 10:4
e Jos 13:30
  1Cr 5:23
f 1Re 4:13
g Gé 15:20
h 1Cr 2:22
i Dt 3:4
j Jos 13:13
  2Sa 3:3
k Jos 12:5
l Nú 32:41
m Gé 50:23
  Jos 17:1
n Nú 32:39
o Nú 32:33
p Dt 3:8
  Jos 22:9
q Nú 21:24
  Jos 12:2
r Nú 34:11
s Gé 14:3
  Nú 34:12
  Jos 12:3
t Dt 34:1
u Nú 32:20
v Jos 1:14

que volver, cada cual a su tenencia que les he dado’.[a]
21 ”Y mandé a Josué[b] en aquel
tiempo en particular, y dije: ‘Tus
ojos están viendo todo lo que Jehová el Dios de ustedes ha hecho
a estos dos reyes. De la misma
manera hará Jehová a todos los
reinos a los cuales vas pasando
allá.[c] 22 No deben tenerles
miedo, porque Jehová su Dios es
Aquel que pelea por ustedes’.[d]
23 ”Y me puse a suplicar favor
a Jehová en aquel tiempo en particular, y dije: 24 ‘Oh Señor
Soberano Jehová, tú mismo has
comenzado a hacer que tu siervo
vea tu grandeza[e] y tu brazo fuerte,[f] porque ¿quién es un dios en
los cielos o en la tierra que haga
obras como las tuyas y poderosas hazañas como las tuyas?[g]
25 Déjame pasar, por favor, y
ver la buena tierra[h] que está al
otro lado del Jordán, esta buena
región montañosa[i] y el Líbano’.[j]
26 Y Jehová continuó estando
furioso contra mí por causa de
ustedes[k] y no me escuchó; antes
bien, me dijo Jehová: ‘¡Basta ya!
Nunca me vuelvas a hablar de
este asunto. 27 Sube a la cima
de Pisgá[l] y alza los ojos hacia el
oeste y el norte y el sur y el oriente y ve con tus ojos, porque
no atravesarás este Jordán.[m]
28 Y comisiona[n] a Josué y anímalo y fortalécelo, porque él es
quien ha de atravesar[o] delante
de este pueblo y él es quien ha de
hacer que hereden la tierra que
tú verás’.[p] 29 Durante todo
este tiempo estábamos morando
en el valle enfrente de Bet-peor.[q]

4 ”Y ahora, oh Israel, escucha
las disposiciones reglamentarias y las decisiones judiciales
que les estoy enseñando a poner
por obra, a fin de que vivan[r] y
realmente entren y tomen posesión de la tierra que Jehová el
Dios de sus antepasados les da.
2 No deben añadir a la palabra
que les estoy mandando, ni deben quitar de ella,[s] para que
guarden los mandamientos de

CAP. 3

a Jos 1:15; Jos 22:4; Jos 22:8
b Nú 11:28; Nú 14:30; Nú 27:18
c Jos 10:25
d Éx 14:14; Éx 15:3; Nú 21:34; Dt 1:30; Dt 20:4; Jos 10:42
e Éx 34:6; Dt 11:2; Sl 145:3; Jer 32:18
f Éx 15:16; Sl 44:3
g Éx 15:11; 2Sa 7:22; 1Re 8:23; Sl 71:19; Sl 86:8; Jer 10:6; Jer 49:19
h Éx 3:8; Dt 4:22; Dt 11:12; Eze 20:6
i Dt 1:7
j Jos 13:5; 1Re 9:19
k Nú 20:12; Nú 27:14; Dt 31:2; Sl 106:32
l Nú 21:20; Nú 27:12; Dt 34:1
m Dt 34:4
n Nú 27:19; Dt 1:38; Dt 31:7
o Jos 1:2; Hch 7:45
p Jos 3:7
q Dt 4:46; Dt 34:6; Jos 13:20

CAP. 4

r Le 18:5; Eze 20:11; Ro 10:5
s Dt 12:32; Jos 1:7; Pr 30:6; Rev 22:18

2.ª col.

a Nú 25:3; Jos 22:17; Sl 106:28; Os 9:10; 1Co 10:7
b Nú 25:5; Nú 25:9; 1Co 10:8
c Dt 10:20; Dt 13:4; Jos 22:5
d Le 10:11; Le 26:46; Nú 30:16
e Le 25:18; Nú 36:13; Dt 6:1

Jehová su Dios que les estoy
mandando.
3 ”Los propios ojos de ustedes
son los que vieron lo que Jehová
hizo en el caso del Baal de Peor,[a]
que a todo hombre que anduvo
tras el Baal de Peor, a él fue a
quien Jehová tu Dios aniquiló de
en medio de ti.[b] 4 Pero ustedes los que se mantienen adheri-
dos[c] a Jehová su Dios están todos vivos hoy. 5 Miren, les he
enseñado disposiciones reglamentarias[d] y decisiones judiciales,[e] tal como Jehová mi Dios
me ha mandado, para que ustedes obren de esa manera en medio de la tierra a la cual van para
tomar posesión de ella. 6 Y
tienen que guardarlas y ponerlas
por obra, porque esto es sabiduría[f] de parte de ustedes y entendimiento[g] de parte de ustedes ante los ojos de los pueblos
que oirán acerca de todas estas
disposiciones reglamentarias, y
ciertamente dirán: ‘Esta gran
nación sin duda es un pueblo
sabio y entendido’.[h] 7 Porque
¿qué gran nación[i] hay que tenga
dioses cercanos a ella de la manera como lo está Jehová nuestro Dios en todo nuestro invo-
carlo?[j] 8 ¿Y qué gran nación
hay que tenga disposiciones reglamentarias y decisiones judiciales justas como toda esta ley
que estoy poniendo delante de
ustedes hoy?[k]
9 ”Solo que, cuídate y cuida
bien tu alma,[l] para que no olvides las cosas que tus ojos han
visto[m] y para que no se aparten
de tu corazón todos los días de tu
vida;[n] y tienes que darlas a conocer a tus hijos y a tus nietos,[o]
10 el día que estuviste de pie delante de Jehová tu Dios en Horeb,[p] cuando me dijo Jehová:
‘Congrégame al pueblo para que

f 1Re 2:3; Sl 19:7; Sl 107:43; Sl 111:10; Sl 119:98; Pr 10:8; Jer 8:9; g Sl 119:100; Pr 4:7; h 1Re 4:34; 1Re 10:7; Da 1:20; i 2Sa 7:23; j Éx 25:8; Le 26:12; Dt 5:26; Sl 46:1; Sl 145:18; k Sl 78:5; Sl 147:19; l Pr 4:23; Pr 19:16; m Pr 4:21; n Pr 3:1; Pr 7:1; Heb 2:1; o Gé 18:19; Dt 6:7; Sl 78:5; p Dt 5:2.

le deje oír mis palabras,[a] para que aprendan a temerme[b] todos los días que estén vivos sobre el suelo y para que enseñen a sus hijos'.[c]

11 "Así que ustedes se acercaron y estuvieron parados al pie de la montaña, y la montaña ardía con fuego hasta la mitad del cielo; había oscuridad, nube y densas tinieblas.[d] 12 Y Jehová empezó a hablarles de en medio del fuego.[e] El sonido de palabras era lo que oían, pero no veían ninguna forma[f]... nada sino una voz.[g] 13 Y él procedió a declararles su pacto,[h] el cual les mandó poner por obra... las Diez Palabras,[i] después de lo cual las escribió sobre dos tablas de piedra.[j] 14 Y fue a mí a quien Jehová mandó en aquel tiempo en particular que les enseñara disposiciones reglamentarias y decisiones judiciales, para que las pusieran por obra en la tierra a la cual van a pasar para tomar posesión de ella.[k]

15 "Y tienen que cuidar bien sus almas,[l] porque no vieron ninguna forma[m] en el día que Jehová les habló en Horeb de en medio del fuego, 16 para que no obren ruinosamente[n] y realmente no se hagan una imagen tallada, la forma de símbolo alguno, la representación de macho o hembra,[o] 17 la representación de bestia alguna que haya en la tierra,[p] la representación de pájaro alado alguno que vuele en los cielos,[q] 18 la representación de cosa alguna que se mueva en el suelo, la representación de pez[r] alguno que esté en las aguas debajo de la tierra; 19 y para que no alces tus ojos a los cielos y de hecho veas el sol y la luna y las estrellas, todo el ejército de los cielos, y realmente te dejes seducir y te inclines ante ellos y les sirvas,[s] los cuales Jehová tu Dios ha repartido a todos los pueblos debajo de todos los cielos.[t] 20 Pero a ustedes los tomó Jehová para sacarlos del horno de hierro,[u] de Egipto, para que llegaran a ser para él un pueblo de pertenencia particular,[a] como sucede el día de hoy.

21 "Y Jehová se enojó conmigo por causa de ustedes,[b] de modo que juró que yo no cruzaría el Jordán ni entraría en la buena tierra que Jehová tu Dios te da como herencia.[c] 22 Pues yo muero en esta tierra.[d] No cruzo el Jordán, pero ustedes van a cruzar, y tienen que tomar posesión de esta buena tierra. 23 Cuídense para que no olviden el pacto de Jehová su Dios que él celebró con ustedes[e] y para que no se hagan una imagen tallada, la forma de cosa alguna acerca de la cual Jehová tu Dios te ha mandado.[f] 24 Porque Jehová tu Dios es un fuego consumidor,[g] un Dios que exige devoción exclusiva.[h]

25 "En caso de que llegues a ser padre de hijos y nietos, y ustedes hayan residido largo tiempo en la tierra y de hecho obren ruinosamente[i] y en efecto hagan una imagen tallada,[j] una forma de cosa alguna, y de hecho cometan mal a los ojos de Jehová tu Dios[k] de modo que lo ofendan, 26 de veras tomo como testigos contra ustedes hoy los cielos y la tierra,[l] de que positivamente perecerán de prisa de sobre la tierra hacia la cual van a cruzar el Jordán para tomarla en posesión. No alargarán sus días en ella, porque positivamente serán aniquilados.[m] 27 Y Jehová ciertamente los esparcirá entre los pueblos,[n] y realmente se dejará que queden pocos[o] de ustedes en número entre las naciones a las cuales Jehová los echará. 28 Y allí tendrán que servir a dioses[p] —producto de las manos del hombre, madera y piedra[q]— que no pueden ver, ni oír, ni comer, ni oler.[r]

CAP. 4
a Éx 19:9; Heb 12:25
b Éx 20:20; Dt 5:29; 1Sa 12:24; Lu 1:50
c Pr 22:6; Ef 6:4
d Éx 19:18; Dt 5:23; Heb 12:18
e Dt 9:10; Dt 4:36
f Dt 4:15; Isa 40:18; Jn 1:18; Jn 4:24
g Éx 20:22; Heb 12:19
h Éx 19:5; Dt 5:2; Dt 9:9; Heb 9:20
i Éx 20:1; Éx 34:28; Dt 10:4
j Éx 24:12; Éx 31:18; Éx 32:19; Éx 34:1
k Sl 105:44
l Dt 6:24; Jos 23:11
m Dt 4:12
n Éx 32:7
o Éx 20:4; Dt 27:15; Isa 40:18; Hch 17:29; 1Co 10:14
p Ro 1:23
q Dt 5:8
r 1Sa 5:4
s Dt 17:3; 2Re 17:16; Eze 8:16; Sof 1:5; Hch 7:43
t Sl 136:7; Jer 31:35
u Jer 8:51; Jer 11:4

2.ª col.
a Éx 19:5; Dt 9:26; 1Re 8:53; Sl 135:4
b Nú 20:12; Dt 3:26
c Dt 31:2; Sl 106:32
d Dt 3:27
e Éx 19:5; Éx 24:3
f Éx 20:4; Dt 4:16; 1Co 10:14
g Éx 24:17; Dt 9:3; Heb 12:29
h Éx 20:5
i Éx 34:14; Nú 25:11; Jos 24:19; Na 1:2; Lu 10:27
i Éx 32:7; Dt 4:16

j Jue 18:30; 2Re 17:16; 2Re 21:7; Isa 42:8; k 2Re 17:17; 1Dt 30:19; Dt 31:28; Isa 1:2; m Le 18:28; Le 26:32; Dt 29:28; Jos 23:16; Isa 24:1; n Dt 28:64; Ne 1:8; Eze 12:15; o Dt 28:62; p Jer 16:13; Eze 20:39; q Dt 28:36; Eze 20:32; r Sl 115:5; Sl 135:16; Isa 44:9; Rev 9:20.

29 "Si de allí ustedes en efecto buscan a Jehová tu Dios, entonces ciertamente lo hallarás,ᵃ porque preguntarás por él con todo tu corazón y con toda tu alma.ᵇ 30 Cuando estés en grave aprieto y todas estas palabras te hayan descubierto al fin de los días, entonces tendrás que volverte a Jehová tu Diosᶜ y escuchar su voz.ᵈ 31 Porque Jehová tu Dios es un Dios misericordioso.ᵉ Él no te desamparará ni te arruinará ni se olvidará del pactoᶠ de tus antepasados que él les juró.

32 "Ahora pregunta, por favor, respecto a los días anterioresᵍ que ocurrieron antes de ti, desde el día en que Dios creó al hombre sobre la tierra,ʰ y desde un extremo de los cielos hasta el otro extremo de los cielos: ¿Se efectuó alguna cosa grande semejante a esta o se oyó cosa alguna semejante a ella?ⁱ 33 ¿Ha oído algún otro pueblo la voz de Dios hablar de en medio del fuego como tú mismo la has oído, y ha seguido viviendo?ʲ 34 ¿O intentó Dios venir para tomarse una nación en medio de otra nación con pruebas,ᵏ con señalesˡ y con milagrosᵐ y con guerraⁿ y con mano fuerteⁿ y con brazo extendido y con gran aterramientoⁿ semejante a todo lo que Jehová el Dios de ustedes ha hecho por ustedes en Egipto delante de tus ojos? 35 A ti... a ti se te ha mostrado, para que sepas que Jehová es el Dios [verdadero];ʳ no hay otro además de él.ˢ 36 Desde los cielos te hizo oír su voz para corregirte; y sobre la tierra te hizo ver su gran fuego, y sus palabras oíste de en medio del fuego.ᵗ

37 "Y [sin embargo continúas viviendo], porque él amó a tus antepasados de modo que escogió a su descendencia después de ellosᵘ y te sacó de Egipto a su vista con su gran poder,ᵛ 38 para expulsar de delante de ti a naciones más grandes y más fuertes que tú, a fin de hacerte

entrar, para darte la tierra de ellas como herencia, como sucede el día de hoy.ᵃ 39 Y bien sabes hoy, y tienes que hacer volver a tu corazón, que Jehová es el Dios [verdadero] en los cielos arriba y sobre la tierra abajo.ᵇ No hay otro.ᶜ 40 Y tienes que guardar sus disposiciones reglamentariasᵈ y sus mandamientos que te estoy mandando hoy, para que te vaya bien a ti,ᵉ y a tus hijos después de ti, y a fin de que alargues tus días sobre el suelo que Jehová tu Dios te da,ᶠ siempre."

41 En aquel tiempo Moisés procedió a apartar tres ciudades en el lado del Jordán hacia el nacimiento del sol,ᵍ 42 para que huya allí el homicida que mate a su prójimo sin saberlo,ʰ cuando no le hubiera tenido odio anteriormente;ⁱ y tiene que huir a una de estas ciudades y vivir,ʲ 43 a saber: Bézer,ᵏ en el desierto, sobre la meseta, para los rubenitas, y Ramotˡ en Galaad para los gaditas, y Golánᵐ en Basán para los manasitas.ⁿ

44 Ahora bien, esta es la leyᵒ que Moisés puso delante de los hijos de Israel. 45 Estos son los testimoniosᵖ y las disposiciones reglamentariasᵍ y las decisiones judicialesʳ que Moisés habló a los hijos de Israel al salir ellos de Egipto, 46 en la región del Jordán, en el valle frente a Bet-peor,ˢ en la tierra de Sehón el rey de los amorreos, quien moraba en Hesbón,ᵗ a quien Moisés y los hijos de Israel derrotaron al salir de Egipto.ᵘ 47 Y se pusieron a tomar posesión de su tierra y de la tierra de Ogᵛ el rey de Basán, los dos reyes de los amorreos que estaban en la región del Jordán hacia el nacimiento del sol, 48 desde Aroer,ʷ que está en la margen del valle torrencial de Arnón,

CAP. 4
a Dt 30:10
2Cr 15:4
2Cr 15:15
b Dt 30:2
1Re 8:48
Jer 29:13
Joe 2:12
c Dt 30:10
2Cr 33:13
Ne 1:9
d Jer 7:23
e Éx 34:6
Dt 30:3
2Cr 30:9
Ne 9:31
Isa 86:15
Isa 54:7
Isa 55:7
2Co 1:3
f Le 26:42
Sl 105:8
Lu 1:72
g Sl 44:1
h Gé 2:7
i Éx 15:11
j Dt 5:26
k Dt 7:19
l Éx 7:3
m Sl 105:27
n Éx 13:3
o Éx 13:3
Dt 6:21
p Éx 6:6
q Dt 26:8
Sl 78:49
Jer 32:21
r Éx 3:14
Éx 6:7
1Re 18:37
2Re 19:19
Sl 83:18
s Éx 15:11
Dt 32:39
1Sa 2:2
Isa 45:18
Mr 12:32
t Éx 19:18
Éx 20:22
Dt 4:12
Dt 4:15
Dt 4:33
Ne 9:13
Heb 12:18
Heb 12:25
u Dt 10:15
Sl 105:6
v Éx 13:14
Jer 32:21

2.ª col.
a Éx 23:28
Dt 7:1
Jos 3:10
Sl 44:2
b Jos 2:11
2Cr 20:6
Sl 135:6
Da 4:35
c Dt 4:35
Isa 44:6
d Dt 4:5
e Dt 5:16
Ef 6:3
g Nú 35:14
h Nú 35:11
Nú 35:22
i Dt 19:4
j Nú 35:26
k Jos 21:36
l Jos 21:38
m Jos 21:27
n Jos 20:8

o Dt 17:18; Dt 27:3; Mal 4:4; Jn 1:17; Gál 3:24; p Dt 6:17; 1Re 2:3; q Le 26:46; Dt 4:1; r Le 18:5; Dt 4:5; Ne 9:13; Sl 119:164; Eze 20:11; s Dt 1:5; Dt 3:29; t Nú 21:26; u Nú 21:24; v Nú 21:33; Dt 3:4; Dt 29:7; w Dt 2:36; Dt 3:12.

hasta el monte Siyón, es decir, Hermón.[a] 49 y todo el Arabá[b] en la región del Jordán hacia el oriente, y hasta el mar del Arabá[c] al pie de las laderas de Pisgá.[d]

5 Y Moisés procedió a llamar a todo Israel[e] y a decirles: "Oye, oh Israel, las disposiciones reglamentarias y las decisiones judiciales[f] que estoy hablando hoy a oídos de ustedes, y tienen que aprenderlas y cuidar de ponerlas por obra.[g] 2 Jehová nuestro Dios celebró un pacto con nosotros en Horeb.[h] 3 No fue con nuestros antepasados con quienes Jehová celebró este pacto, sino con nosotros, todos nosotros los que estamos aquí hoy vivos. 4 Cara a cara habló Jehová con ustedes en la montaña de en medio del fuego.[i] 5 Yo estuve de pie entre Jehová y ustedes en aquel tiempo en particular[j] para informarles la palabra de Jehová (porque ustedes tenían miedo a causa del fuego y no subieron a la montaña),[k] y él dijo:

6 "'Yo soy Jehová tu Dios,[l] quien te sacó de la tierra de Egipto, de la casa de esclavos.[m] 7 Nunca debes tener otros dioses contra mi rostro.[n]

8 "'No debes hacerte una imagen tallada,[o] ninguna forma[p] parecida a cosa alguna que esté en los cielos arriba o que esté en la tierra debajo o que esté en las aguas debajo de la tierra. 9 No debes inclinarte ante ellas ni ser inducido a servirlas,[q] porque yo Jehová tu Dios soy un Dios que exige devoción exclusiva,[r] que trae castigo por el error de padres sobre hijos y sobre la tercera generación y sobre la cuarta generación, en el caso de los que me odian;[s] 10 pero que ejerce bondad amorosa para con la milésima generación en el caso de los que me aman y guardan mis mandamientos.[t]

11 "'No debes tomar el nombre de Jehová tu Dios de manera indigna,[a] porque Jehová no dejará sin castigar a nadie que tome su nombre de manera indigna.[b]

12 "'Al guardar el día del sábado para tenerlo sagrado, tal como Jehová tu Dios te mandó,[c] 13 durante seis días has de prestar servicio y tienes que hacer todo tu trabajo.[d] 14 Pero el séptimo día es un sábado a Jehová tu Dios.[e] No debes hacer ningún trabajo,[f] tú, ni tu hijo, ni tu hija, ni tu esclavo, ni tu esclava, ni tu toro, ni tu asno, ni ningún animal doméstico tuyo, ni tu residente forastero que está dentro de tus puertas,[g] a fin de que tu esclavo y tu esclava descansen lo mismo que tú.[h] 15 Y tienes que recordar que llegaste a ser esclavo en la tierra de Egipto[i] y Jehová tu Dios procedió a sacarte de allí con mano fuerte y brazo extendido.[j] Por eso Jehová tu Dios te mandó poner por obra el día sábado.[k]

16 "'Honra a tu padre y a tu madre,[l] tal como Jehová tu Dios te ha mandado; para que resulten largos tus días y te vaya bien[m] sobre el suelo que Jehová tu Dios te da.

17 "'No debes asesinar.[n]

18 "'Tampoco debes cometer adulterio.[o]

19 "'Tampoco debes hurtar.[p]

20 "'Tampoco debes testificar una falsedad contra tu semejante.[q]

21 "'Tampoco debes desear la esposa de tu semejante.[r] Tampoco debes, egoístamente, desear con vehemencia la casa de tu semejante, su campo o su esclavo o su esclava, su toro o su asno o cosa alguna que pertenezca a tu semejante'.[s]

22 "Estas Palabras habló Jehová a toda la congregación de

CAP. 4
a Dt 3:9
  Jos 11:3
b Dt 1:7
  Jos 12:3
c Gé 14:3
  Dt 3:17
d Dt 34:1

CAP. 5
e Dt 1:1
  Dt 29:10
f Dt 4:5
g Dt 4:1
h Éx 19:5
  Dt 4:23
  Heb 9:19
i Éx 19:9
  Éx 19:18
  Éx 20:22
  Dt 4:33
  Hch 7:38
j Éx 20:19
  Dt 34:10
  Gál 3:19
k Éx 19:16
  1Sl 81:10
  Os 13:4
m Éx 13:3
  Éx 20:2
n Éx 20:3
  2Re 17:35
  Jer 25:6
o Éx 20:4
  Le 26:1
  Dt 4:16
  Dt 4:23
  Dt 27:15
p Hch 17:29
q Éx 23:24
  Da 3:18
  1Co 10:14
r Éx 34:14
  Dt 4:24
  Jos 24:19
  Isa 42:8
  Na 1:2
  Mt 4:10
s Éx 20:5
  Éx 34:7
  1Re 21:29
  Mt 23:35
t Éx 20:6
  Jer 32:18
  Da 9:4
  Ro 11:28

2.ª col.
a Éx 20:7
  Éx 22:28
  Le 19:12
b Le 24:16
c Éx 16:23
  Éx 20:8
  Éx 31:13
d Éx 20:9
  Éx 23:12
  Éx 34:21
e Éx 16:29
f Ne 13:15
g Éx 20:10
  Éx 23:12
  Le 24:22
h Dt 10:17
  Ro 2:11
  Ef 6:9
i Dt 15:15
  Dt 24:18
j Éx 6:6
  Dt 4:34
  Isa 63:12
k Éx 31:17

l Éx 21:15; Le 19:3; Dt 27:16; Pr 1:8; Mr 7:10; m Éx 20:12; Ef 6:3; n Gé 9:6; Éx 20:13; Nú 35:21; Mt 5:21; Ro 13:9; o Éx 20:14; Pr 6:32; 1Co 6:18; Heb 13:4; p Éx 20:15; Le 19:11; Pr 30:9; 1Co 6:10; Ef 4:28; q Éx 20:16; Éx 23:1; Le 19:16; Dt 19:16; Pr 6:19; Pr 19:5; r 2Sa 11:3; Mt 5:28; s Éx 20:17; 1Re 21:4; Lu 12:15; Ro 7:7.

ustedes en la montaña, de en medio del fuego,[a] la nube y las densas tinieblas, con voz fuerte, y no añadió nada; después de lo cual las escribió sobre dos tablas de piedra y me las dio.[b]

23 "Y aconteció que tan pronto como hubieron oído la voz de en medio de la oscuridad, mientras la montaña ardía con fuego,[c] ustedes procedieron a acercárseme, todos los cabezas de sus tribus y sus ancianos. 24 Entonces ustedes dijeron: 'Sucede que Jehová nuestro Dios nos ha mostrado su gloria y su grandeza, y hemos oído su voz de en medio del fuego.[d] Este día hemos visto que Dios puede hablar con el hombre y él realmente puede seguir viviendo.[e] 25 Y ahora, ¿por qué debemos morir, visto que este gran fuego puede consumirnos?[f] Si de nuevo seguimos oyendo la voz de Jehová nuestro Dios, entonces de seguro moriremos.[g] 26 Porque, ¿quién hay de toda carne que haya oído la voz del Dios vivo[h] hablando de en medio del fuego como nosotros y, sin embargo, siga viviendo? 27 Tú mismo acércate y oye todo lo que Jehová nuestro Dios diga; y tú serás quien nos hable todo lo que te hable Jehová nuestro Dios,[i] y nosotros ciertamente escucharemos y [lo] pondremos por obra'.

28 "Así que Jehová oyó la voz de las palabras de ustedes cuando me hablaron, y Jehová pasó a decirme: 'He oído la voz de las palabras de este pueblo, que te han hablado. Han hecho bien en todo lo que han hablado.[j] 29 ¡Si tan solo desarrollaran este corazón suyo para temerme[k] y guardar todos mis mandamientos[l] siempre, a fin de que les vaya bien a ellos y a sus hijos hasta tiempo indefinido![m] 30 Ve y diles: "Vuelvan a casa a sus tiendas". 31 Y tú quédate de pie aquí conmigo, y déjame hablarte todo el mandamiento y las disposiciones reglamenta-

rias y las decisiones judiciales que les debes enseñar[a] y que ellos tienen que poner por obra en la tierra que les doy para que tomen posesión de ella'. 32 Y ustedes tienen que poner cuidado en hacer justamente como les ha mandado Jehová su Dios.[b] No deben apartarse a la derecha ni a la izquierda.[c] 33 En todo el camino que Jehová su Dios les ha mandado, deben andar,[d] a fin de que vivan y les vaya bien[e] y realmente alarguen sus días en la tierra de la cual tomarán posesión.

6 "Ahora bien, estos son el mandamiento, las disposiciones reglamentarias y las decisiones judiciales que Jehová su Dios ha mandado que se les enseñen,[f] para que los pongan por obra en la tierra hacia la cual van a pasar allá para tomar posesión de ella; 2 a fin de que temas[g] a Jehová tu Dios de modo que guardes todos sus estatutos y sus mandamientos que yo te estoy mandando, tú y tu hijo y tu nieto,[h] todos los días de tu vida, y a fin de que tus días resulten largos.[i] 3 Y tienes que escuchar, oh Israel, y cuidar de poner[los] por obra,[j] para que te vaya bien[k] y para que ustedes lleguen a ser muchísimos, tal como Jehová el Dios de tus antepasados te ha prometido,[l] respecto a la tierra que mana leche y miel.

4 "Escucha, oh Israel: Jehová nuestro Dios es un solo Jehová.[m] 5 Y tienes que amar a Jehová tu Dios con todo tu corazón[n] y con toda tu alma[o] y con toda tu fuerza vital.[p] 6 Y estas palabras que te estoy mandando hoy tienen que resultar estar sobre tu corazón;[q] 7 y tienes que inculcarlas en tu hijo[r] y hablar de ellas cuando te sientes en tu casa y cuando andes por el camino y cuando te acuestes[s] y cuando te

CAP. 5
a Éx 19:9
  Éx 19:18
  Dt 4:12
b Éx 24:12
  Éx 31:18
  Dt 4:13
c Éx 20:18
  Heb 12:18
d Éx 19:18
  Éx 24:17
  Dt 4:36
e Dt 4:33
f Heb 12:29
g Éx 20:19
  Dt 18:16
  Hch 7:38
  Gál 3:19
h Dt 4:33
  Dt 5:5
  Sl 29:4
  1Te 1:9
i Éx 20:19
  Heb 12:19
j Dt 18:17
k Dt 10:12
  Job 28:28
  Pr 1:7
  Mt 10:28
  1Pe 2:17
l Pr 4:4
  Pr 7:2
  Ec 12:13
  Isa 48:18
  1Jn 5:3
m Sl 19:11
  Snt 1:25

2.ª col.
a Dt 4:45
  Dt 6:1
  Eze 20:11
  Mal 4:4
  Gál 3:19
b Dt 6:3
  Dt 6:25
  Dt 8:1
c Dt 12:32
  Jos 1:7
  Pr 4:27
d Dt 10:12
  Jer 7:23
e Dt 4:40
  Dt 12:28
  Pr 19:16
  Ro 10:5

CAP. 6
f Dt 4:1
  Dt 4:10
g Éx 20:20
  Jos 24:14
  Job 28:28
  Sl 111:10
  Sl 128:1
h Gé 18:19
  Dt 4:9
i Dt 5:16
  Pr 3:2
j Dt 5:32
  2Re 21:8
k Ec 8:12
  Isa 3:10
  1Gé 13:16
m Dt 5:7
  Isa 42:8
  Zac 14:9
  Mr 12:29
  1Co 8:6
n Dt 10:12
  Mt 22:37
o Dt 11:13
  Dt 30:6

p Mr 12:30; Lu 10:27; q Dt 11:18; Pr 7:3; r Gé 18:19; Dt 4:9; Dt 11:19; Pr 22:6; Ef 6:4; s Pr 6:22.

levantes. 8 Y tienes que atarlas como señal sobre tu mano,[a] y estas tienen que servirles de venda frontal entre los ojos;[b] 9 y tienes que escribirlas sobre las jambas de las puertas de tu casa y sobre tus puertas.[c]

10 "Y tiene que suceder que cuando Jehová tu Dios te introduzca en la tierra que a tus antepasados Abrahán, Isaac y Jacob juró darte,[d] ciudades grandes y de buena apariencia que tú no edificaste,[e] 11 y casas llenas de toda suerte de cosas buenas que no llenaste, y cisternas labradas que no labraste, viñas y olivares que no plantaste, y hayas comido y quedado satisfecho,[f] 12 cuídate para que no te olvides[g] de Jehová, que te sacó de la tierra de Egipto, de la casa de los esclavos. 13 A Jehová tu Dios debes temer,[h] y a él debes servir,[i] y por su nombre debes jurar.[j] 14 Ustedes no deben andar tras otros dioses, ninguno de los dioses de los pueblos que se hallan todo en derredor de ustedes[k] 15 (porque Jehová tu Dios que se halla en medio de ti es un Dios que exige devoción exclusiva),[l] por temor de que la cólera de Jehová tu Dios se encienda contra ti[m] y él tenga que aniquilarte de sobre la superficie del suelo.[n]

16 "No deben poner a prueba a Jehová su Dios,[o] como lo pusieron a prueba en Masah.[p] 17 Sin falta deben guardar los mandamientos de Jehová su Dios[q] y sus testimonios[r] y sus disposiciones reglamentarias[s] que él te ha mandado.[t] 18 Y tienes que hacer lo que es recto y bueno a los ojos de Jehová, a fin de que te vaya bien[u] y realmente entres y tomes posesión de la buena tierra acerca de la cual Jehová ha jurado a tus antepasados,[v] 19 empujando de delante de ti a todos tus enemigos, tal como Jehová ha prometido.[w]

20 "En caso de que tu hijo te pregunte en un día futuro,[x] y diga: '¿Qué significan los testimonios y las disposiciones reglamentarias y las decisiones judiciales que Jehová nuestro Dios les ha mandado?', 21 entonces tienes que decir a tu hijo: 'Llegamos a ser esclavos de Faraón en Egipto, pero Jehová procedió a sacarnos de Egipto con mano fuerte.[a] 22 De modo que Jehová siguió poniendo señales y milagros,[b] grandes y calamitosos, sobre Egipto, sobre Faraón y sobre toda su casa ante nuestros ojos.[c] 23 Y nos sacó de allá para traernos acá para darnos la tierra acerca de la cual había jurado a nuestros antepasados.[d] 24 Por eso nos mandó Jehová poner por obra todas estas disposiciones reglamentarias,[e] de temer a Jehová nuestro Dios para nuestro bien siempre,[f] para que nos mantengamos vivos, como sucede el día de hoy.[g] 25 Y significará justicia para nosotros,[h] que cuidemos de poner por obra todo este mandamiento delante de Jehová nuestro Dios, tal como él nos ha mandado'.[i]

7 "Cuando Jehová tu Dios por fin te introduzca en la tierra a la cual vas para tomar posesión de ella,[j] entonces tendrá que quitar de delante de ti naciones populosas:[k] los hititas[l] y los guirgaseos[m] y los amorreos[n] y los cananeos[o] y los perizitas[p] y los heveos[q] y los jebuseos,[r] siete naciones más populosas y más fuertes que tú.[s] 2 Y Jehová tu Dios ciertamente las abandonará en tus manos, y tendrás que derrotarlas.[t] Sin falta debes darlas por entero a la destrucción.[u] No debes celebrar ningún pacto con ellas ni mostrarles ningún favor.[v] 3 Y no debes formar ninguna alianza matrimonial con ellas. No debes dar tu hija al hijo de él, ni debes tomar su hija

---

CAP. 6
a Pr 3:3
Pr 7:3
b Éx 13:9
Éx 13:16
Dt 11:18
c Dt 11:20
d Gé 15:18
e Jos 24:13
Sl 105:44
f Dt 8:10
g Jer 3:7
Jer 2:32
h Dt 10:12
Dt 13:4
Sl 34:9
Sl 128:1
i Lu 4:8
j Dt 10:20
Jue 21:7
Jer 12:16
k Éx 34:14
Dt 8:19
Jer 25:6
l Éx 20:5
Dt 4:24
Jos 24:19
Na 1:2
m Éx 32:10
Nú 25:3
Sl 78:21
Jue 2:14
n 1Re 13:34
2Re 17:18
o Mt 4:7
Lu 4:12
1Co 10:9
p Éx 17:2
Dt 33:8
Sl 95:8
Heb 3:8
q Dt 11:13
Eze 20:11
r 1Re 2:3
s Dt 4:1
Ne 9:13
t Dt 11:22
Sl 119:4
u Dt 5:33
v Gé 15:18
w Éx 23:30
Nú 33:52
x Éx 13:14

2.ª col.
a Éx 15:6
b Éx 7:3
Dt 7:19
c Dt 4:34
d Éx 13:5
Dt 1:8
e Dt 5:1
f Dt 10:12
Sl 111:10
Pr 14:27
Ec 8:12
g Dt 4:1
Lu 10:28
Gál 3:12
h Ro 10:5
i Le 18:5
Ec 12:13

CAP. 7
j Dt 31:3
Sl 44:2
k Éx 33:2
Jos 3:10
l Gé 10:15
m Gé 10:16
n Gé 15:16

o Gé 10:19; p Jos 11:3; q Gé 10:17; r 1Cr 1:14;
s Dt 20:1; t Nú 33:52; Hch 13:19; u Le 27:29; Dt
20:17; Jos 6:17; Jos 10:28; v Éx 23:32; Éx 34:15;
Dt 20:16; Jue 2:2.

para tu hijo.[a] 4 Porque él apartará a tu hijo de seguirme, y ciertamente servirán a otros dioses;[b] y la cólera de Jehová realmente se encenderá contra ustedes, y él ciertamente te aniquilará de prisa.[c]

5 "Por otra parte, esto es lo que deben hacer con ellos: Deben demoler sus altares,[d] y deben derribar sus columnas sagradas,[e] y deben cortar[f] sus postes sagrados,[g] y deben quemar con fuego sus imágenes esculpidas.[h] 6 Porque tú eres un pueblo santo a Jehová tu Dios.[i] Es a ti a quien Jehová tu Dios ha escogido para que llegues a ser su pueblo, una propiedad especial, de entre todos los pueblos que están sobre la superficie del suelo.[j]

7 "No porque ustedes fueran el más populoso de todos los pueblos les mostró Jehová afecto de modo que los escogiera,[k] porque eran los más pequeño de todos los pueblos.[l] 8 Antes bien, por amarlos Jehová,[m] y por guardar la declaración jurada que había jurado a sus antepasados,[n] Jehová los sacó con mano fuerte,[o] para redimirlos de la casa de esclavos,[p] de la mano de Faraón el rey de Egipto. 9 Y bien sabes tú que Jehová tu Dios es el Dios [verdadero],[q] el Dios fiel,[r] que guarda pacto[s] y bondad amorosa en el caso de los que lo aman y de los que guardan sus mandamientos, hasta mil generaciones,[t] 10 pero que paga en su cara al que lo odia, y lo destruye.[u] No titubeará para con aquel que lo odia; le pagará en su cara. 11 Y tienes que guardar el mandamiento y las disposiciones reglamentarias y las decisiones judiciales que estoy mandándote hoy mediante ponerlos por obra.[v]

12 "Y tiene que suceder que, por continuar ustedes escuchando estas decisiones judiciales y en efecto guardarlas y en efecto ponerlas por obra,[a] Jehová tu Dios tiene que guardar para contigo el pacto[b] y la bondad amorosa acerca de los cuales juró a tus antepasados.[c] 13 Y ciertamente te amará y te bendecirá[d] y te multiplicará,[e] y bendecirá el fruto de tu vientre[f] y el fruto de tu terreno,[g] tu grano y tu vino nuevo y tu aceite, la cría de tus vacas y el hijuelo de tu rebaño,[h] sobre el suelo que a tus antepasados juró darte.[i] 14 Llegarás a ser bendito de todos los pueblos.[j] No resultará haber en ti macho ni hembra sin prole, ni entre tus animales domésticos.[k] 15 Y Jehová ciertamente apartará de ti toda enfermedad; y en cuanto a todas las malas dolencias de Egipto que has conocido,[l] no las pondrá sobre ti, y realmente las pondrá sobre todos los que te odien. 16 Y tienes que consumir a todos los pueblos que Jehová tu Dios te va a dar.[m] Tu ojo no debe sentirse apenado por ellos;[n] y no debes servir a sus dioses,[o] porque eso te será un lazo.[p]

17 "En caso de que digas en tu corazón: 'Estas naciones son demasiado populosas para mí. ¿Cómo podré expulsarlas?',[q] 18 no debes tenerles miedo.[r] Sin falta debes acordarte de lo que Jehová tu Dios hizo a Faraón y a todo Egipto,[s] 19 las grandes pruebas que tus ojos vieron,[t] y las señales y los milagros[u] y la mano fuerte[v] y el brazo extendido[w] con que Jehová tu Dios te sacó.[x] De esa manera hará Jehová tu Dios con todos los pueblos delante de quienes tienes miedo.[y] 20 Y Jehová tu Dios también enviará sobre ellos el sentimiento de decaimiento,[z] hasta

---

CAP. 7

a Jos 23:12
1Re 11:2
Esd 9:2
Ne 10:30
b Éx 34:16
1Re 11:4
c Dt 6:15
d Éx 34:13
Dt 12:2
e Dt 32:24
Dt 12:3
Dt 16:22
f Jue 6:25
g Dt 16:21
h Dt 7:25
Dt 12:3
i Éx 19:6
Dt 14:2
Jer 2:3
j Éx 19:5
Sl 135:4
Am 3:2
Mal 3:17
k Dt 4:37
Dt 10:15
Sl 105:6
Ro 9:11
l Dt 10:22
Sl 105:12
Isa 51:2
m Dt 23:5
n Gé 22:16
Éx 32:13
Sl 105:10
Sl 105:9
Lu 1:73
o Éx 13:14
p Éx 6:6
Éx 13:3
Isa 51:10
q Le 26:45
Dt 4:35
Sl 68:20
r Isa 49:7
1Co 10:13
Heb 11:11
s Ne 1:5
Da 9:4
t Éx 34:7
Dt 5:10
u Sl 21:9
Sl 68:2
Pr 2:22
Isa 59:18
Na 1:2
2Pe 3:7
v Dt 5:32
Jn 13:17
Snt 1:22

2.ª col.

a Éx 15:26
Dt 28:1
b Sl 105:8
c Miq 7:20
Lu 1:55
Lu 1:72
d Éx 23:25
Pr 10:22
e Le 26:9
f Dt 28:4
g Le 26:4
h Sl 107:38
i Gé 13:15
j Dt 33:29
Sl 115:15
Sl 147:20
k Éx 23:26
Dt 28:11
Sl 127:3

l Dt 28:27; Dt 28:60; Am 4:10; m Dt 7:2; Dt 20:16; Jos 10:28; a Gé 15:16; Le 18:25; Dt 9:5; o Éx 20:3; p Éx 23:33; Dt 12:30; Jue 2:3; Sl 106:36; q Nú 13:31; r Dt 1:29; Dt 31:6; Sl 27:1; Isa 41:10; s Éx 14:13; t Sl 105:27; Sl 135:8; Hch 7:31; t Dt 29:3; Ne 9:11; u Ne 9:10; Jer 32:20; v Éx 13:3; w Dt 11:2; x Dt 4:34; y Éx 23:28; Jos 3:10; z Dt 2:25; Jos 2:9; Jos 24:12.

que perezcan aquellos a quienes se había dejado quedar,[a] y que andaban ocultándose de delante de ti. 21 No debes sufrir un sobresalto a causa de ellos, porque Jehová tu Dios está en medio de ti,[b] Dios grande e inspirador de temor.[c]

22 "Y Jehová tu Dios ciertamente empujará a estas naciones de delante de ti poco a poco.[d] No se te permitirá acabar con ellas rápidamente, por temor de que las bestias salvajes del campo se multipliquen contra ti. 23 Y Jehová tu Dios realmente las abandonará en tus manos y las hará desbandarse con una gran desbandada, hasta que queden aniquiladas.[e] 24 Y ciertamente dará sus reyes en tu mano,[f] y tienes que destruir sus nombres de debajo de los cielos.[g] Nadie se mantendrá firme contra ti,[h] hasta que los hayas exterminado.[i] 25 Debes quemar en el fuego las imágenes esculpidas de sus dioses.[j] No debes desear la plata ni el oro que haya sobre ellas,[k] ni realmente tomarlo para ti,[l] por temor de que a causa de él seas prendido en un lazo;[m] porque es cosa detestable[n] a Jehová tu Dios. 26 Y no debes introducir una cosa detestable en tu casa y realmente llegar a ser una cosa dada por entero a la destrucción como ella. Debes tenerle asco en sumo grado y detestarla absolutamente,[o] por ser cosa dada por entero a la destrucción.[p]

8 "Ustedes deben cuidar de guardar todo mandamiento que te estoy mandando hoy,[q] a fin de que continúen viviendo[r] y realmente se multipliquen y entren y tomen posesión de la tierra acerca de la cual Jehová juró a los antepasados de ustedes.[s] 2 Y tienes que acordarte de todo el camino que Jehová tu Dios te hizo andar estos cuarenta años en el desierto,[t] a fin de

humillarte,[a] de ponerte a prueba[b] para saber lo que estaba en tu corazón,[c] en cuanto a si guardarías sus mandamientos o no. 3 De modo que te humilló y te dejó padecer hambre[d] y te alimentó con el maná,[e] que ni tú habías conocido ni tus padres habían conocido; para hacerte saber que no solo de pan vive el hombre, sino que de toda expresión de la boca de Jehová vive el hombre.[f] 4 Tu manto no se desgastó sobre ti, ni se te hinchó el pie estos cuarenta años.[g] 5 Y bien sabes tú con tu propio corazón que tal como un hombre corrige a su hijo, Jehová tu Dios iba corrigiéndote.[h]

6 "Y tienes que guardar los mandamientos de Jehová tu Dios, andando en sus caminos[i] y temiéndolo.[j] 7 Porque Jehová tu Dios va a introducirte en una buena tierra,[k] tierra de valles torrenciales de agua, manantiales y profundidades acuosas que brotan en la llanura-valle[l] y en la región montañosa, 8 tierra de trigo y cebada y vides e higos y granadas,[m] tierra de olivas de aceite y miel,[n] 9 tierra en la cual no comerás pan con escasez, en la cual no te faltará nada, tierra cuyas piedras son hierro y de cuyas montañas extraerás cobre.

10 "Cuando hayas comido y te hayas satisfecho,[o] entonces tienes que bendecir[p] a Jehová tu Dios por la buena tierra que te ha dado.[q] 11 Cuídate de que no vayas a olvidar[r] a Jehová tu Dios de modo que no guardes sus mandamientos y sus decisiones judiciales y sus estatutos que yo te estoy mandando hoy;[s] 12 por temor de que comas y realmente te satisfagas, y edifiques casas buenas y realmente mores en ellas,[t] 13 y aumenten tu vacada y tu rebaño, y se te aumenten la plata y el oro, y au-

---

CAP. 7
a Éx 23:29
b Nú 14:9
  Sl 46:5
c Dt 10:17
  1Sa 4:8
  Ne 1:5
  Ne 9:32
d Éx 23:30
e Dt 9:3
f Jos 10:24
  Jos 12:1
g Éx 17:14
  Sl 9:5
h Dt 11:25
  Jos 1:5
  Jos 23:9
  Ro 8:31
i Jos 11:14
j Éx 32:20
  Dt 12:3
  1Cr 14:12
k Isa 30:22
l Jos 7:21
m Dt 7:16
  Jue 8:27
n Dt 27:15
  Dt 29:17
o Ro 2:22
p Le 27:28
  Dt 13:17

CAP. 8
q Dt 5:32
  Sl 119:4
  1Te 4:1
r Pr 3:2
s Gé 15:18
t Dt 2:7
  Dt 29:5
  Am 2:10

2.ª col.
a Sl 101:5
  Lu 18:14
  1Pe 5:6
b Éx 16:4
  Éx 20:20
c Dt 13:3
  Sl 139:23
  Pr 17:3
d Éx 16:3
e Éx 16:31
  Sl 78:24
f Mt 4:4
g Dt 29:5
  Ne 9:21
h 2Sa 7:14
  Pr 3:12
  1Co 11:32
  Heb 12:6
  Rev 3:19
i Dt 5:33
  2Cr 6:31
  Sl 128:1
  Lu 1:6
j 1Sa 12:24
k Éx 3:8
  Le 26:4
  Dt 11:12
  Ne 9:25
l Dt 11:11
m Nú 13:23
n Eze 20:6
o Dt 6:11
p Sl 103:2
  Sl 134:1
q 1Cr 29:14
r Sl 106:21
s Dt 6:12

---

t Dt 32:15; Jer 22:14; Os 13:6.

mente todo lo que es tuyo; 14 y tu corazón realmente se eleve[a] y realmente olvides a Jehová tu Dios, que te sacó de la tierra de Egipto, de la casa de esclavos;[b] 15 que te hizo andar por el desierto grande e inspirador de temor,[c] con serpientes venenosas[d] y escorpiones y con suelo sediento que no tiene agua; que hizo salir para ti agua de la roca pedernalina;[e] 16 que te alimentó con maná[f] en el desierto, el cual no habían conocido tus padres, a fin de humillarte[g] y a fin de ponerte a prueba para hacerte bien en tus días posteriores;[h] 17 y de veras digas en tu corazón: 'Mi propio poder y la plena fuerza de mi propia mano me han hecho esta riqueza'.[i] 18 Y tienes que acordarte de Jehová tu Dios, porque él es para ti el dador de poder para hacer riqueza;[j] a fin de realizar su pacto que él juró a tus antepasados, como sucede el día de hoy.[k]

19 "Y tiene que suceder que si de manera alguna olvidaras a Jehová tu Dios y verdaderamente anduvieras en pos de otros dioses y les sirvieras y te inclinaras ante ellos, de veras doy testimonio contra ustedes hoy de que absolutamente perecerán.[l] 20 Como las naciones que Jehová está destruyendo de delante de ustedes, de esa manera perecerán, por no querer escuchar la voz de Jehová su Dios.[m]

9 "Oye, oh Israel: hoy vas a cruzar el Jordán[n] para entrar y desposeer a naciones más grandes y más fuertes que tú,[o] ciudades grandes y fortificadas hasta los cielos,[p] 2 un pueblo grande y alto, los hijos de los anaquim,[q] acerca de quienes tú mismo has sabido y tú mismo has oído decir: '¿Quién puede mantenerse firme delante de los hijos de Anaq?'. 3 Y bien sabes tú hoy que Jehová tu Dios va a

cruzar delante de ti.[a] Un fuego consumidor es él.[b] Él los aniquilará,[c] y él mismo los sojuzgará delante de ti; y tienes que desposeerlos y destruirlos rápidamente, tal como te ha hablado Jehová.[d]

4 "No digas en tu corazón, cuando Jehová tu Dios los empuje de delante de ti, esto: 'Por mi propia justicia Jehová me ha introducido para tomar posesión de esta tierra',[e] cuando es por la iniquidad de estas naciones por lo que Jehová las va a expulsar de delante de ti.[f] 5 No es por tu justicia[g] ni por la rectitud de tu corazón[h] por lo que vas a entrar para tomar posesión de su tierra; de hecho, es por la iniquidad de estas naciones por lo que Jehová tu Dios las va a expulsar de delante de ti,[i] y a fin de realizar la palabra que Jehová juró a tus antepasados, a Abrahán,[j] Isaac[k] y Jacob.[l] 6 Y tienes que saber que no es por tu justicia por lo que Jehová tu Dios te da esta buena tierra para tomar posesión de ella; pues eres un pueblo de dura cerviz.[m]

7 "Acuérdate: No olvides cómo has provocado a Jehová tu Dios en el desierto.[n] Desde el día en que saliste de la tierra de Egipto hasta la llegada de ustedes a este lugar, han resultado rebeldes en su comportamiento para con Jehová.[o] 8 Aun en Horeb provocaron a ira a Jehová, de modo que se enojó con ustedes hasta el punto de querer aniquilarlos.[p] 9 Cuando subí a la montaña para recibir las tablas de piedra,[q] las tablas del pacto que Jehová había celebrado con ustedes,[r] y seguí morando en la montaña cuarenta días y cuarenta noches[s] (no comí pan ni bebí agua), 10 entonces Jehová me dio las dos tablas de

---

CAP. 8
a Dt 9:4
1Co 4:7
b SI 106:21
c Dt 1:19
Jer 2:6
d Nú 21:6
e Nú 20:11
SI 78:15
SI 105:41
SI 114:8
1Co 10:4
f Éx 16:35
Jn 6:31
Jn 6:49
g SI 8:2
h 2Co 4:17
Heb 12:11
1Pe 1:7
i Os 12:8
Hab 1:16
1Co 4:7
j SI 127:1
Pr 10:22
Os 2:8
k Dt 7:12
l Dt 4:26
Dt 30:18
Jos 23:13
1Sa 12:25
m Da 9:11
Da 9:12
Am 3:2

CAP. 9
n Dt 11:31
Jos 4:19
o Dt 4:38
Dt 7:1
Dt 11:23
p Nú 13:28
q Nú 13:33
Dt 1:28
Dt 2:21

2.ª col.
a Dt 1:30
Dt 20:4
Dt 31:3
Jos 3:11
b Dt 4:24
Na 1:6
Heb 12:29
c Dt 7:23
Dt 20:16
d Éx 23:31
Dt 7:24
e Dt 7:8
Eze 36:22
f Gé 15:16
Dt 12:31
Dt 18:12
g 1Re 8:46
SI 51:5
Ro 3:23
Ro 5:12
Tit 3:5
h Jer 17:9
i Le 18:25
j Gé 13:15
Gé 17:8
k Gé 26:3
m Éx 34:9
SI 78:8
Isa 48:4
Hch 7:51
n Dt 9:22
SI 78:40
Heb 3:16

o Éx 17:2; Nú 11:4; Nú 16:2; Nú 25:2; Dt 31:27; Dt 32:5; Ne 9:16; p Éx 32:4; Éx 32:10; SI 106:19; q Éx 24:12; Éx 31:18; Éx 32:16; r Éx 24:7; Gál 4:24; s Éx 24:18.

piedra escritas con el dedo de Dios;[a] y sobre ellas estaban todas las palabras que Jehová había hablado con ustedes en la montaña, de en medio del fuego, en el día de la congregación.[b] 11 Y aconteció que al fin de los cuarenta días y cuarenta noches Jehová me dio las dos tablas de piedra, las tablas del pacto;[c] 12 y Jehová procedió a decirme: 'Levántate, baja rápidamente de aquí, porque tu pueblo que sacaste de Egipto ha obrado ruinosamente.[d] Rápidamente se han desviado del camino acerca del cual les mandé. Se han hecho una imagen fundida'.[e] 13 Y Jehová pasó a decirme esto: 'He visto a este pueblo, y, ¡mira!, es un pueblo de dura cerviz.[f] 14 Déjame para que los aniquile[g] y borre su nombre de debajo de los cielos,[h] y déjame hacer de ti una nación más fuerte y más populosa que ellos'.[i]

15 "Después de eso me volví y bajé de la montaña, mientras la montaña ardía con fuego;[j] y las dos tablas del pacto estaban en mis dos manos.[k] 16 Entonces miré, ¡y sucedía que habían pecado contra Jehová su Dios! Se habían hecho un becerro fundido.[l] Rápidamente se habían desviado del camino acerca del cual Jehová les había mandado.[m] 17 Ante eso, agarré las dos tablas y las arrojé de mis dos manos y las hice añicos ante los ojos de ustedes.[n] 18 Y procedí a postrarme delante de Jehová, como al principio, cuarenta días y cuarenta noches. No comí pan ni bebí agua,[o] a causa de todo su pecado que ustedes habían cometido, haciendo el mal a los ojos de Jehová para ofenderlo.[p] 19 Pues yo estaba asustado a causa de la ardiente cólera con que Jehová se había indignado con ustedes, hasta el punto de querer aniquilarlos.[q] Sin embargo, Jehová me escuchó también aquella vez.[r]

20 "Con Aarón, también, Je-

hová se enojó mucho hasta el punto de querer aniquilarlo;[a] pero supliqué[b] también por Aarón en aquel tiempo en particular. 21 Y su pecado que ustedes habían hecho, el becerro,[c] lo tomé, y procedí a quemarlo en el fuego y a triturarlo, moliéndolo cabalmente hasta que quedó fino como polvo; después de lo cual arrojé su polvo en el torrente que descendía de la montaña.[d]

22 "Además, en Taberá[e] y en Masah[f] y en Quibrot-hataavá[g] ustedes resultaron ser personas que provocaron a ira a Jehová.[h] 23 Y cuando Jehová los envió desde Qadés-barnea,[i] diciendo: '¡Suban y tomen posesión de la tierra que ciertamente les daré!', entonces se portaron rebeldemente contra la orden de Jehová su Dios,[j] y no ejercieron fe[k] para con él y no escucharon su voz.[l] 24 Han resultado ser rebeldes en comportamiento para con Jehová[m] desde el día en que los conocí.

25 "De modo que seguí postrándome delante de Jehová cuarenta días y cuarenta noches,[n] pues me postré así porque Jehová había dicho de aniquilarlos.[o] 26 Y me puse a suplicar[p] a Jehová y a decir: 'Oh Señor Soberano Jehová, no arruines a tu pueblo, aun a tu propiedad particular,[q] que redimiste con tu grandeza, que sacaste de Egipto[r] con mano fuerte.[s] 27 Acuérdate de tus siervos Abrahán, Isaac y Jacob.[t] No vuelvas tu rostro a la dureza de este pueblo ni a su iniquidad ni a su pecado,[u] 28 por temor de que el país[v] del cual nos sacaste diga: "Porque Jehová no pudo introducirlos en la tierra que les había prometido, y porque los odiaba, los sacó para darles muerte en el desierto".[w] 29 Son, también, tu pueblo y tu propiedad particu-

CAP. 9
a Éx 31:18
  Sl 8:3
  Mt 12:28
  Lu 11:20
b Éx 19:19
  Dt 4:10
  Dt 4:12
c Éx 31:18
  Dt 4:13
d Éx 32:7
  Dt 4:16
e Éx 32:4
f Éx 32:9
g Éx 32:10
h Dt 7:24
  Sl 9:5
i Nú 14:12
j Éx 19:18
  Dt 4:11
k Éx 32:15
l Hch 7:40
m Éx 20:3
  Éx 20:4
  Dt 5:8
  Hch 7:41
n Éx 32:19
o Éx 34:28
p Ne 9:18
q Éx 32:10
r Éx 32:11
  Éx 32:14
  Dt 10:10
  Sl 106:23

2.ᵃ col.
a Éx 32:2
  Éx 32:21
  Éx 32:35
b Pr 15:29
  Snt 5:16
c Éx 32:4
d Éx 32:20
  Isa 30:22
e Nú 11:3
f Éx 17:7
  Dt 6:16
g Nú 11:4
  Nú 11:34
h Dt 9:7
i Nú 13:26
  Dt 1:19
j Nú 14:3
  Nú 14:4
  Isa 63:10
k Dt 1:32
  Sl 106:24
  Heb 3:19
l Sl 106:25
m Dt 31:27
  Hch 7:51
n Éx 34:28
  Dt 9:18
  Mt 4:2
o Dt 9:19
p Sl 99:6
  Pr 15:29
  Snt 5:16
q Éx 19:5
  Dt 32:9
  Sl 135:4
  Am 3:2
r 1Re 8:51
s Éx 32:11
  Sl 99:6
t Éx 3:6
  Éx 6:8
  Dt 9:5
u Éx 32:31
  Sl 78:8
  Miq 7:18
v Dt 5:6
w Éx 32:12; Nú 14:16; Sl 115:2.

lara que tú sacaste con tu gran poder y tu brazo extendido'.b

10 "En aquel tiempo en particular Jehová me dijo: 'Tállate dos tablas de piedra como las primeras,c y sube a mí en la montaña, y tienes que hacerte un arca de madera.d 2 Y escribiré sobre las tablas las palabras que se hallaban en las primeras tablas, que hiciste añicos, y tendrás que colocarlas en el arca'. 3 De modo que hice un arca de madera de acacia y tallé dos tablas de piedra como las primerase y subí a la montaña, y las dos tablas estaban en mi mano. 4 Entonces él escribió sobre las tablas la misma escritura del primerf [escrito], las Diez Palabras,g que Jehová les había hablado en la montaña, de en medio del fuego,h en el día de la congregación;i después de lo cual Jehová me las dio. 5 Entonces me volví y descendí de la montañaj y coloqué las tablas en el arca que yo había hecho, para que continuaran allí, tal como Jehová me había mandado.k

6 "Y los hijos de Israel partieron de Beerot Bene-jaaqánl para Moserá. Allí murió Aarón, y allí fue enterrado;m y Eleazar su hijo emprendió el trabajo de sacerdote en lugar de él.n 7 De allí partieron para Gudgoda, y de Gudgoda para Jotbatá,o una tierra de valles torrenciales abundantes en agua.

8 "En aquel tiempo en particular Jehová separó a la tribu de Levíp para que llevara el arca del pacto de Jehová,q para que estuviera de pie delante de Jehová para servirle de ministror y para bendecir en su nombre, hasta el día de hoy.s 9 Por eso Leví no ha llegado a tener participación ni herenciat con sus hermanos. Jehová es su herencia, tal como Jehová tu Dios le había dicho.u 10 Y yo... yo me quedé en la montaña lo mismo que los primeros días, cuarenta

días y cuarenta noches,a y Jehová procedió a escucharme también en aquella ocasión.b Jehová no quiso arruinarte.c 11 Entonces me dijo Jehová: 'Levántate, ve delante del pueblo para un partir [de aquí], para que entren y tomen posesión de la tierra que he jurado a sus antepasados que les daría'.d

12 "Y ahora, oh Israel, ¿qué está pidiendo de ti Jehová tu Diose sino que temasf a Jehová tu Dios, de modo que andes en todos sus caminos,g y lo ames,h y sirvas a Jehová tu Dios con todo tu corazón y con toda tu alma;i 13 que guardes los mandamientos de Jehová y sus estatutosj que te estoy mandando hoy, para bien tuyo?k 14 He aquí que a Jehová tu Dios pertenecen los cielos,l aun los cielos de los cielos, la tierram y lo que hay en ella. 15 Solo que Jehová se apegó a tus antepasados para amarlos, de modo que escogió a su prole después de ellos,n aun a ustedes, de entre todos los pueblos, como sucede en el día de hoy. 16 Y ustedes tienen que circuncidar el prepucio de sus corazoneso y no endurecer más su cerviz.p 17 Porque Jehová su Dios es el Dios de diosesq y el Señor de señores,r el Dios grande, poderoso e inspirador de temor,s que no trata a nadie con parcialidadt ni acepta soborno,u 18 que ejecuta juicio para el huérfano de padre y la viudav y que ama al residente forasterow para darle pan y un manto. 19 También tienen que amar al residente forastero,x porque ustedes llegaron a ser residentes forasteros en la tierra de Egipto.y

20 "A Jehová tu Dios debes temer.z A él debes servir,a y a él

---

CAP. 9

a Dt 4:20
1Re 8:51
Ne 1:10
Sl 74:2
Sl 95:7
Sl 100:3
b Éx 6:6
Dt 4:34
Isa 63:12

CAP. 10

c Éx 34:1
d Dt 10:3
e Éx 34:4
f Éx 32:15
Éx 34:28
g Éx 20:1
Dt 4:13
h Dt 4:36
Dt 5:4
i Éx 19:17
Dt 5:22
j Éx 34:29
k Dt 10:2
l Nú 33:31
m Nú 20:23
Nú 20:24
Nú 33:38
n Nú 20:28
o Nú 33:33
p Nú 1:50
Nú 3:6
Nú 8:14
Nú 16:9
q Nú 3:31
Nú 4:15
1Cr 15:15
r Dt 18:5
2Cr 29:11
s Nú 6:23
Dt 21:5
2Cr 30:27
t Nú 18:24
Nú 26:62
Dt 18:1
u Nú 18:20

2.ª col.

a Éx 24:18
Éx 34:28
b Éx 32:14
c Eze 33:11
d Gé 15:18
e Miq 6:8
f Dt 5:29
Dt 6:13
Sl 34:9
Pr 8:13
g Dt 5:33
Jos 22:5
Eze 11:20
h Dt 30:16
i Dt 6:5
Dt 11:13
Lu 10:27
j Éx 24:7
k Dt 6:24
l Sl 89:11
Sl 115:16
Isa 66:1
m 1Cr 29:11
Sl 24:1
1Co 10:26
n Dt 4:37
Dt 14:2
o Dt 30:6
Jer 4:4
Ro 2:29
Flp 3:3
Col 2:11

p Éx 34:9; Dt 9:6; Dt 31:27; q Éx 18:11; 2Cr 2:5; Sl 97:9; r Sl 136:3; s Dt 7:21; Ne 1:5; Ne 9:32; t Job 34:19; Hch 10:34; Ro 2:11; Ef 6:9; u 2Cr 19:7; v Sl 68:5; Sl 146:9; Snt 1:27; w Le 19:10; Dt 24:14; x Le 19:34; Éx 22:21; z Dt 6:13; a Lu 4:8.

debes adherirte,[a] y por su nombre debes hacer declaraciones juradas.[b] 21 A él corresponde tu alabanza,[c] y él es tu Dios, quien ha hecho contigo estas cosas grandes e inspiradoras de temor que tus ojos han visto.[d] 22 Con setenta almas bajaron tus antepasados a Egipto,[e] y ahora Jehová tu Dios te ha constituido como las estrellas de los cielos por multitud.[f]

11 "Y tienes que amar a Jehová tu Dios[g] y guardar tu obligación para con él y sus estatutos y sus decisiones judiciales[h] y sus mandamientos, siempre. 2 Y bien conocen ustedes hoy (porque no [me dirijo] a sus hijos que no han conocido y que no han visto la disciplina de Jehová[i] su Dios, su grandeza,[j] su mano fuerte[k] y su brazo extendido,[l] 3 ni sus señales y sus hazañas que él hizo en medio de Egipto[m] a Faraón el rey de Egipto y a toda su tierra; 4 ni lo que hizo a las fuerzas militares de Egipto, sus caballos y sus carros de guerra contra cuyos rostros él hizo que las aguas del mar Rojo se desbordaran cuando iban corriendo tras ellos,[n] y Jehová procedió a destruirlos hasta el día de hoy;[o] 5 ni lo que les ha hecho a ustedes en el desierto hasta su llegada a este lugar; 6 ni lo que hizo a Datán y Abiram,[p] hijos de Eliab, hijo de Rubén, cuando la tierra abrió su boca y procedió a tragárselos a ellos y a sus casas y sus tiendas y toda cosa existente que pisaba tras ellos en medio de todo Israel);[q] 7 porque los ojos de ustedes fueron los que vieron todas las grandes hazañas de Jehová que él hizo.[r]

8 "Y tienen que guardar todo el mandamiento[s] que les estoy mandando hoy, para que se hagan fuertes y verdaderamente entren y tomen posesión de la tierra hacia la cual van a cruzar para tomar posesión de ella,[a] 9 y para que alarguen sus días[b] en el suelo que Jehová juró a sus antepasados darles a ellos y a su descendencia,[c] tierra que mana leche y miel.[d]

10 "Porque la tierra a la cual vas para tomar posesión de ella no es como la tierra de Egipto de la cual salieron, donde sembrabas tu semilla y tenías que hacer el riego con tu pie, como una huerta de legumbres. 11 Pero la tierra a la cual van a cruzar para tomar posesión de ella es una tierra de montañas y de llanuras-valles.[e] De la lluvia de los cielos bebe agua; 12 una tierra de la que Jehová tu Dios está cuidando. Los ojos[f] de Jehová tu Dios están constantemente sobre ella, desde el principio del año hasta el fin del año.

13 "Y tiene que suceder que si ustedes obedecen sin falta mis mandamientos[g] que les estoy mandando hoy de modo que amen a Jehová su Dios y le sirvan con todo su corazón y con toda su alma,[h] 14 entonces ciertamente daré lluvia para su tierra a su tiempo señalado,[i] lluvia de otoño y lluvia de primavera,[j] y verdaderamente recogerás tu grano y tu vino dulce y tu aceite. 15 Y ciertamente daré vegetación en tu campo para tus animales domésticos,[k] y verdaderamente comerás y quedarás satisfecho.[l] 16 Cuídense por temor de que su corazón sea atraído seductoramente,[m] o de veras se desvíen y adoren a otros dioses y se inclinen ante ellos,[n] 17 y la cólera de Jehová ciertamente se encienda contra ustedes, y en efecto cierre él los cielos de modo que no ocurra lluvia,[o] y el suelo no dé su producto, y ustedes tengan que perecer rápidamente de sobre la buena tierra que Jehová les da.[p]

CAP. 10
a Dt 13:4
b Dt 6:13
c Éx 15:2
Sl 105:45
Rev 19:6
d 2Sa 7:23
e Gé 46:27
Éx 1:5
Hch 7:14
f Gé 15:5
Dt 1:10
Ne 9:23

CAP. 11
g Dt 6:5
Dt 10:12
Mr 12:30
h Dt 4:45
i Dt 8:5
Heb 12:6
j Dt 5:24
Dt 9:26
k Éx 13:3
l Dt 7:19
Isa 63:12
m Dt 4:34
Ne 9:10
Sl 105:27
n Éx 14:23
Sl 136:15
Sl 11:29
o Éx 14:28
Éx 15:4
p Nú 16:1
Sl 106:17
q Nú 16:32
r Dt 7:19
Dt 29:3
s Mt 5:19

2.ᵃ col.
a Dt 1:38
b Dt 4:40
Sl 91:16
Pr 3:2
Pr 10:27
c Gé 13:15
Gé 26:3
Gé 28:13
Dt 9:5
d Éx 3:8
Eze 20:6
e Dt 1:7
Dt 8:7
Dt 8:9
f 1Re 9:3
Sl 33:18
Sl 34:15
g Éx 15:26
Dt 6:17
h Dt 4:29
Dt 6:5
Dt 10:12
Mt 22:37
i Le 26:4
Dt 28:12
Sl 65:10
Isa 30:23
Jer 14:22
j Jer 5:24
Joe 2:23
Snt 5:7
k Sl 104:14
l Dt 6:11
Dt 8:10
Dt 2:19
m Dt 29:18
Job 31:27
Heb 3:12
n Dt 8:19
Dt 30:17

o Dt 28:23; 1Re 8:35; 2Cr 7:13; Am 4:7; p Dt 4:26; Dt 8:19; Dt 30:18; Jos 23:13.

18 "Y tienen que aplicar estas palabras mías a su corazón[a] y a su alma y atarlas como señal sobre su mano, y tienen que servirles de venda frontal entre los ojos.[b] 19 También tienen que enseñarlas a sus hijos, para hablar de ellas cuando te sientes en tu casa y cuando andes por el camino y cuando te acuestes y cuando te levantes.[c] 20 Y tienes que escribirlas sobre las jambas de las puertas de tu casa y sobre tus puertas,[d] 21 para que sean muchos los días de ustedes y los días de sus hijos[e] sobre el suelo que Jehová juró a sus antepasados que les daría,[f] como los días de los cielos sobre la tierra.[g]

22 "Porque si guardan estrictamente todo este mandamiento[h] que les estoy mandando para que lo pongan por obra, de amar a Jehová su Dios,[i] de andar en todos sus caminos,[j] y de adherirse a él,[k] 23 entonces Jehová tendrá que expulsar a todas estas naciones a causa de ustedes,[l] y ustedes ciertamente desposeerán naciones más grandes y más numerosas que ustedes.[m] 24 Todo lugar sobre el cual pise la planta de su pie llegará a ser de ustedes.[n] Desde el desierto hasta el Líbano, desde el Río, el río Éufrates, hasta el mar occidental llegará a ser su límite.[o] 25 Ningún hombre se mantendrá firme contra ustedes.[p] Jehová su Dios pondrá el pavor de ustedes y el temor de ustedes ante la haz de toda la tierra[q] sobre la cual pisen, tal como les ha prometido.

26 "Vean que estoy poniendo ante ustedes hoy bendición e invocación de mal:[r] 27 la bendición, a condición de que obedezcan los mandamientos de Jehová su Dios[s] que les estoy mandando hoy; 28 y la invocación de mal,[t] si no obedecen los mandamientos de Jehová su Dios[u] y en efecto se desvían del camino acerca del cual les estoy mandando hoy, para andar tras otros dioses que ustedes no han conocido.

29 "Y tiene que suceder que cuando Jehová tu Dios te introduzca en la tierra a la cual estás yendo para tomar posesión de ella,[a] entonces tienes que dar la bendición sobre el monte Guerizim[b] y la invocación de mal sobre el monte Ebal.[c] 30 ¿No están ellos del lado del Jordán en dirección a la puesta del sol, en la tierra de los cananeos que moran en el Arabá,[d] enfrente de Guilgal,[e] junto a los árboles grandes de Moré?[f] 31 Porque ustedes van a cruzar el Jordán para entrar y para tomar posesión de la tierra que Jehová su Dios les da, y tienen que tomar posesión de ella y morar en ella.[g] 32 Y tienen que cuidar de poner por obra todas las disposiciones reglamentarias y las decisiones judiciales[h] que hoy estoy poniendo ante ustedes.[i]

12 "Estas son las disposiciones reglamentarias[j] y las decisiones judiciales[k] que ustedes deben tener cuidado de poner por obra[l] en la tierra que Jehová el Dios de tus antepasados ciertamente te permitirá tomar en posesión, todos los días que ustedes estén vivos sobre el suelo.[m] 2 Deben destruir por completo[n] todos los lugares donde las naciones que ustedes están desposeyendo han servido a sus dioses, sobre las altas montañas y sobre las colinas y debajo de todo árbol frondoso.[o] 3 Y tienen que demoler sus altares[p] y hacer añicos sus columnas sagradas,[q] y deben quemar sus postes sagrados[r] en el fuego y cortar las imágenes esculpidas[s]

CAP. 11
a Dt 6:6
Sl 37:31
Pr 7:3
b Éx 13:9
Éx 13:16
Dt 6:8
c Dt 4:9
Dt 6:7
Sl 34:11
Sl 78:5
Pr 22:6
Ef 6:4
d Dt 6:9
e Dt 4:40
Dt 6:2
Pr 3:2
Pr 4:10
Pr 9:11
f Gé 13:15
g Sl 72:5
Sl 89:29
h Dt 6:17
Ec 12:13
Dt 12:13
i Dt 6:5
Lu 10:27
j Jos 22:5
Sl 81:13
Eze 11:20
k Dt 10:20
Dt 13:4
l Éx 23:28
Dt 9:5
Jos 3:10
Sl 44:2
m Dt 4:38
Dt 7:1
Dt 9:1
n Jos 1:3
Jos 14:9
o Gé 15:18
Éx 23:31
p Dt 7:24
Jos 1:5
q Éx 23:27
Dt 2:25
Jos 2:9
Jos 5:1
r Dt 28:2
Dt 28:15
Dt 30:1
Dt 30:15
s Dt 28:1
Sl 19:11
Isa 1:19
t Le 26:16
Isa 1:20
u Ro 2:8
Ro 2:9

2.ª col.

a Éx 23:23
Dt 9:1
b Dt 27:12
Jos 8:33
c Dt 27:13
Jos 8:34
d Dt 1:7
Dt 3:17
Jos 12:3
e 2Re 4:38
f Gé 12:6
g Dt 9:1
Jos 1:11
h Dt 4:5
i Dt 5:32
Dt 12:32
Sl 119:4
1Jn 5:3

CAP. 12 j Le 26:46; Dt 4:5; k Le 19:37; Le 25:18; 1Dt 4:40; Dt 6:1; Snt 1:22; m Dt 4:10; 1Re 8:40; n Éx 34:13; o Eze 20:28; p Jue 2:2; Jue 6:25; q Éx 23:24; 2Re 18:4; r Éx 34:13; 1Re 15:13; 2Re 23:14; 2Cr 14:3; s Nú 33:52; Dt 7:5; Dt 7:25.

de sus dioses, y tienen que destruir los nombres de ellos de aquel lugar.[a]

4 "No deben hacerle de esa manera a Jehová su Dios,[b] 5 sino que al lugar que Jehová su Dios escoja de entre todas sus tribus para colocar allí su nombre, para hacerlo residir, ustedes buscarán, y allá tendrás que ir.[c] 6 Y allá tendrán que llevar sus ofrendas quemadas[d] y sus sacrificios y sus décimas partes[e] y la contribución de su mano[f] y sus ofrendas de voto[g] y sus ofrendas voluntarias[h] y los primogénitos de su vacada y de su rebaño.[i] 7 Y allí tendrán que comer delante de Jehová su Dios[j] y regocijarse en toda empresa de ustedes,[k] ustedes y sus casas, porque Jehová tu Dios te ha bendecido.

8 "No deben hacer conforme a todo lo que estamos haciendo aquí hoy, cada cual lo que sea recto a sus propios ojos,[l] 9 porque todavía no han entrado en el lugar de descanso[m] y en la herencia que Jehová tu Dios te da. 10 Y tienen que cruzar el Jordán[n] y morar en la tierra que Jehová su Dios les da como posesión,[o] y él ciertamente les dará descanso de todos sus enemigos en derredor, y verdaderamente morarán en seguridad.[p] 11 Y tiene que suceder que al lugar[q] que Jehová su Dios escoja para que allí resida su nombre es adonde llevarán todo aquello acerca de lo cual les estoy mandando, sus ofrendas quemadas[r] y sus sacrificios, sus décimas partes[s] y la contribución de su mano y toda selección de sus ofrendas de voto[u] que prometan en voto a Jehová. 12 Y tienen que regocijarse delante de Jehová su Dios,[v] ustedes y sus hijos y sus hijas y sus esclavos y sus esclavas y el levita que está dentro de sus puertas, porque él no tiene participación ni herencia con ustedes.[w] 13 Cuídate, no

sea que ofrezcas tus ofrendas quemadas en cualquier otro lugar que veas.[a] 14 Antes bien, en el lugar que Jehová escoja en una de tus tribus es donde debes ofrecer tus ofrendas quemadas, y allí debes hacer todo lo que te estoy mandando.[b]

15 "Solo cuando quiera que tu alma lo desee con vehemencia podrás degollar,[c] y tendrás que comer carne conforme a la bendición de Jehová tu Dios que él te haya dado, dentro de todas tus puertas. El inmundo[d] y el limpio podrán comerla, como [se come] la gacela y como [se come] el ciervo.[e] 16 Solo la sangre no deben comer[f] ustedes. Debes derramarla sobre la tierra como agua.[g] 17 No se te permitirá comer dentro de tus puertas la décima parte de tu grano[h] ni de tu vino nuevo ni de tu aceite, ni los primogénitos de tu vacada y de tu rebaño,[i] ni ninguna de tus ofrendas de voto que prometas en voto, ni tus ofrendas voluntarias,[j] ni la contribución de tu mano.[k] 18 Antes bien, delante de Jehová tu Dios lo comerás, en el lugar que Jehová tu Dios escoja,[l] tú y tu hijo y tu hija y tu esclavo y tu esclava y el levita que está dentro de tus puertas; y tienes que regocijarte[m] delante de Jehová tu Dios en toda empresa tuya. 19 Cuídate para que no abandones al levita[n] durante todos tus días sobre tu suelo.

20 "Cuando Jehová tu Dios ensanche tu territorio,[o] tal como te ha prometido,[p] y de seguro digas: 'Déjame comer carne', porque tu alma desea con vehemencia comer carne, siempre que tu alma la desee con vehemencia podrás comer carne.[q] 21 En caso de que el lugar que

CAP. 12
a Éx 23:13
Jos 23:7
b Le 18:3
Dt 12:31
2Re 17:15
c Dt 26:2
2Cr 7:12
d Le 1:3
e Dt 12:17
Dt 14:22
f Nú 18:19
Dt 12:11
g Le 7:16
Le 22:18
h Le 23:38
1Cr 29:9
Esd 2:68
i Dt 12:17
Dt 15:19
j Dt 14:23
Dt 15:20
k Le 23:40
Dt 12:12
Dt 12:18
Dt 14:26
Sl 32:11
Sl 100:2
Flp 4:4
l Nú 15:39
Jue 17:6
Pr 21:2
m 1Re 8:56
1Cr 23:25
Heb 4:8
n Jos 3:17
o Dt 4:22
Dt 9:1
p Dt 33:28
1Re 4:25
Sl 4:8
Pr 1:33
q Dt 12:6
Dt 14:23
Dt 16:2
Dt 26:2
r Le 1:3
s Dt 14:22
Dt 26:12
t Nú 18:19
Dt 12:6
u Le 7:16
Le 22:18
v Dt 14:26
1Re 8:66
Ne 8:10
Flp 4:4
w Nú 18:24
Dt 10:9
Dt 14:29
Jos 13:14

2.ᵃcol.

a Le 17:4
1Re 12:28
b 2Cr 7:12
c Dt 12:21
Dt 14:26
d Le 5:2
Le 13:3
e Dt 14:5
Dt 15:22
f Gé 9:4
Le 7:26
Le 17:10
Dt 15:23
1Sa 14:33
Eze 33:25
Hch 15:29
g Le 17:13
Dt 15:23
h Dt 14:22
Dt 12:6
i Dt 14:23

j Le 23:38; k Nú 18:11; l Dt 12:11; Dt 14:23; m Dt 12:7; Dt 12:12; Flp 3:1; n Nú 18:21; Dt 14:27; 2Cr 31:4; Ne 10:38; Mal 3:8; o 1Re 4:21; p Gé 15:18; Éx 34:24; Dt 11:24; q Le 11:2; Dt 14:4.

Jehová tu Dios escoja para poner allí su nombre[a] esté a gran distancia de ti, entonces tendrás que degollar algo de tu vacada o algo de tu rebaño que Jehová te haya dado, tal como te he mandado, y tendrás que comer dentro de tus puertas, siempre que tu alma lo desee con vehemencia.[b] 22 Solo de la manera como se puede comer la gacela y el ciervo,[c] así podrás comerlo: el inmundo[d] y el limpio juntos podrán comerlo. 23 Simplemente queda firmemente resuelto a no comer la sangre,[e] porque la sangre es el alma[f] y no debes comer el alma con la carne. 24 No debes comerla. Debes derramarla sobre el suelo como agua.[g] 25 No debes comerla, para que les vaya bien a ti,[h] y a tus hijos después de ti, porque harás lo que es recto a los ojos de Jehová.[i] 26 Tan solo las cosas santas[j] que llegarán a ser tuyas, y tus ofrendas de voto,[k] debes llevar, y tendrás que ir al lugar que Jehová escoja.[l] 27 Y tendrás que ofrecer tus ofrendas quemadas,[m] la carne y la sangre,[n] sobre el altar de Jehová tu Dios; y la sangre de tus sacrificios debe ser derramada contra el altar de Jehová[o] tu Dios, pero podrás comer la carne.

28 "Sé vigilante, y tienes que obedecer todas estas palabras que te estoy mandando,[p] a fin de que les vaya bien a ti[q] y a tus hijos después de ti hasta tiempo indefinido, porque harás lo que es bueno y recto a los ojos de Jehová tu Dios.[r]

29 "Cuando Jehová tu Dios corte de delante de ti las naciones a las que vas para desposeerlas,[s] entonces tienes que desposeerlas y morar en su tierra.[t] 30 Cuídate por temor de que quedes entrampado tras ellas,[u] después que hayan sido aniquiladas de delante de ti, y por temor de que inquieras respecto a sus dioses, diciendo: '¿Cómo

acostumbraban estas naciones servir a sus dioses? Y yo, sí, yo, ciertamente haré de la misma manera'. 31 No debes hacerle de esa manera a Jehová tu Dios,[a] porque toda cosa detestable a Jehová, que él de veras odia, la han hecho ellas a sus dioses, pues hasta a sus hijos y sus hijas queman con regularidad en el fuego a sus dioses.[b] 32 Toda palabra que les estoy mandando a ustedes es lo que deben poner cuidado en hacer.[c] No deben añadir a ello ni quitar de ello.[d]

13 "En caso de que se levante en medio de ti un profeta[e] o un soñador[f] de un sueño y de veras te dé una señal o un portento presagioso,[g] 2 y en efecto se realice la señal o el portento presagioso de que te habló,[h] diciendo: 'Andemos tras otros dioses, que no has conocido, y sirvámosles', 3 no debes escuchar las palabras de ese profeta ni al soñador de ese sueño,[i] porque Jehová su Dios está probándolos[j] a ustedes para saber si están amando a Jehová su Dios con todo su corazón y con toda su alma.[k] 4 Tras Jehová su Dios deben andar, y a él deben temer, y sus mandamientos deben guardar, y a su voz deben prestar atención, y a él deben servir, y a él deben adherirse.[l] 5 Y ese profeta[m] o ese soñador del sueño debe ser muerto,[n] porque ha hablado de sublevación contra Jehová el Dios de ustedes, que los ha sacado de la tierra de Egipto y te ha redimido de la casa de esclavos, para apartarte del camino en que Jehová tu Dios te ha mandado andar;[o] y tienes que eliminar de en medio de ti lo que es malo.[p]

6 "En caso de que tu hermano, el hijo de tu madre, o tu hijo o tu hija o tu esposa estimada o tu

CAP. 12
a Dt 14:23
  2Cr 7:12
b Dt 12:15
c Dt 14:5
  Dt 15:22
d Le 15:3
  Le 15:16
e Le 3:17
f Gé 9:4
  Le 17:11
  Le 17:14
g Le 17:13
  Dt 15:23
h Dt 4:40
  Isa 3:10
i Dt 6:18
  Dt 13:18
j Nú 5:9
  Nú 18:19
k Le 22:18
l Dt 12:11
m Le 1:9
n Le 17:11
o Le 4:30
p Sl 89:31
  Sl 105:45
q Gál 6:7
r Pr 4:4
s Éx 23:23
  Dt 9:3
  Dt 19:1
  Sl 44:2
  Sl 78:55
t Dt 6:10
  Sl 105:44
u Dt 7:16
  Sl 106:36
  Eze 20:28
  Ef 4:17

2.ª col.
a Le 18:3
  Dt 12:4
b Le 18:21
  Le 20:2
  Dt 18:10
  2Re 17:15
  Jer 32:35
c Dt 5:1
  Jos 22:5
  Sl 119:4
d Dt 4:2
  Jos 1:7
  Pr 30:6

CAP. 13
e Dt 18:22
  Jer 6:13
  Eze 13:2
  Zac 13:2
f Jer 23:25
  Jer 27:9
g Mt 13:22
  2Te 2:9
h Jer 28:9
  Mt 7:22
i Isa 8:19
j Dt 8:2
  Sl 66:10
  Mt 24:24
  1Co 11:19
  2Te 2:11
k Dt 10:12
  Mt 22:37
  Mt 10:20
m Isa 9:15
n Dt 18:20
  Jer 14:14
  Zac 13:3

o Dt 6:14; p Dt 17:7; 1Co 5:13.

compañero que es como tu propia alma,[a] tratara de atraerte en secreto, diciendo: 'Vamos y sirvamos a otros dioses',[b] que tú no has conocido, ni tú ni tus antepasados, 7 algunos de los dioses de los pueblos que están todo en derredor de ustedes, los cercanos a ti o los lejanos de ti, desde un extremo del país hasta el otro extremo del país, 8 no debes acceder a su deseo ni escucharle,[c] ni debe tu ojo sentirse apenado por él, ni debes sentir compasión,[d] ni cubrirlo [protectoramente]; 9 sino que debes matarlo sin falta.[e] Tu mano debe ser la primera de todas en venir sobre él para darle muerte, y la mano de todo el pueblo después.[f] 10 Y tienes que apedrearlo con piedras, y tiene que morir,[g] porque ha tratado de apartarte de Jehová tu Dios, quien te ha sacado de la tierra de Egipto, de la casa de esclavos.[h] 11 Entonces todo Israel oirá y tendrá miedo, y no volverán a hacer nada semejante a esta cosa mala en medio de ti.[i]

12 "En caso de que oigas decir en una de tus ciudades, las cuales Jehová tu Dios te da para morar allí: 13 'Unos hombres que no sirven para nada han salido de en medio de ti[j] para tratar de desviar a los habitantes de su ciudad,[k] diciendo: "Vamos y sirvamos a otros dioses", que tú no has conocido, 14 entonces tendrás que escudriñar e investigar e inquirir cabalmente;[l] y si se establece la cosa como la verdad —esta cosa detestable se ha hecho en medio de ti—, 15 debes sin falta herir a los habitantes de aquella ciudad a filo de espada.[m] Dala por entero, y todo lo que hay en ella, y sus animales domésticos, a la destrucción,[n] a filo de espada. 16 Y debes juntar todo su despojo en medio de su plaza pública, y tienes que quemar en el fuego la ciudad[o] y

todo su despojo como ofrenda entera a Jehová tu Dios, y tiene que llegar a ser un montón de ruinas hasta tiempo indefinido.[a] Nunca debe ser reedificada. 17 Y nada en absoluto debe pegarse a tu mano de la cosa hecha sagrada por proscripción,[b] a fin de que Jehová se vuelva de su cólera ardiente[c] y verdaderamente te dé misericordia y ciertamente te muestre misericordia[d] y te multiplique, tal como ha jurado a tus antepasados.[e] 18 Pues debes escuchar la voz de Jehová tu Dios, guardando todos sus mandamientos[f] que te estoy mandando hoy, para que hagas lo que es recto a los ojos de Jehová tu Dios.[g]

14 "Hijos son ustedes de Jehová su Dios.[h] No deben hacerse cortaduras[i] ni imponer calvicie[j] sobre sus frentes por una persona muerta. 2 Porque eres un pueblo santo[k] a Jehová tu Dios, y Jehová te ha escogido para que llegues a ser su pueblo, una propiedad especial,[l] de entre todos los pueblos que hay sobre la superficie del suelo.

3 "No debes comer cosa detestable de clase alguna.[m] 4 Esta es la clase de bestia que ustedes podrán comer:[n] el toro, la oveja y la cabra, 5 el ciervo y gacela y corzo[o] y cabra montés y antílope y oveja salvaje y gamuza; 6 y toda bestia de pezuña partida y que tiene formados con la hendidura dos pesuños, que rumia entre las bestias.[p] Esta podrán comer. 7 Solo los de esta clase no deben comer de entre los que rumian o que tienen pezuña partida, hendida: el camello[q] y la liebre[r] y el damán,[s] porque son rumiantes pero no tienen pezuña partida. Son inmundos para ustedes. 8 El cerdo[t] también, porque tiene la pezuña partida, pero no rumia. Es inmundo para ustedes. No deben comer nada

CAP. 13

a 1Sa 18:1
b 1Re 11:4
    2Pe 2:1
c Pr 1:10
    Gál 1:8
d Eze 9:5
e Éx 22:20
    Éx 32:27
    Nú 25:5
f Dt 17:7
g Le 20:2
    Le 20:27
    Dt 17:5
h Éx 13:3
i Dt 17:13
    Dt 19:20
    1Ti 1:20
    1Ti 5:20
j 1Sa 2:12
    1Re 21:10
    Jud 19
k 2Re 17:21
l Dt 17:4
    Dt 19:15
    1Ti 5:19
    Heb 10:28
m 2Cr 28:6
    Le 27:28
o Jos 6:24

2.ª col.

a Jos 8:28
    Jer 49:2
    Miq 1:6
b Jos 6:18
    Jos 7:1
c Jos 7:26
    Jos 22:20
d Éx 33:19
    Sl 78:38
e Gé 22:17
    Gé 26:4
    Gé 28:14
f Dt 12:32
    Ne 1:5
    Sl 119:4
    1Jn 5:3
g Éx 15:26
    Dt 6:18

CAP. 14

h Isa 63:16
    Isa 64:8
    Jer 3:19
    1Co 8:6
i Le 19:28
    Jer 16:6
j Le 21:5
k Éx 19:6
    Le 19:2
    Le 20:26
    Dt 28:9
    Esd 9:2
    1Pe 1:15
l Éx 19:5
    Dt 7:6
    Dt 26:18
m Le 11:43
    Le 20:25
    Hch 10:14
n Le 11:2
o 1Re 4:23
p Le 11:3
q Le 11:4
r Le 11:6
s Le 11:5
t Le 11:7
    Isa 65:4
    Isa 66:17

de la carne de ellos, y no deben tocar sus cadáveres.ª

9 "Los de esta clase de todo lo que hay en las aguas podrán comer: Todo lo que tiene aletas y escamas lo podrán comer.b 10 Y todo lo que no tiene aletas y escamas no lo deben comer.c Es inmundo para ustedes.

11 "Toda ave limpia la podrán comer. 12 Pero estas son de las que no deben comer: el águila y el águila pescadora y el buitre negro,d 13 y el milano real y el milano negroe y el milano según su género; 14 y todo cuervof según su género; 15 y el avestruzg y la lechuza y la gaviota y el halcón según su género; 16 y el mochuelo y el búho chicoh y el cisne, 17 y el pelícanoi y el buitre y el cuervo marino, 18 y la cigüeña y la garza según su género, y la abubilla y el murciélago.j 19 Y toda criatura alada enjambradora es inmunda para ustedes.k No se deben comer. 20 Toda criatura voladora limpia la podrán comer.

21 "No deben comer ningún cuerpo [ya] muerto.l Al residente forastero que está dentro de tus puertas lo podrás dar, y él tendrá que comerlo; o puede haber un venderlo a un extranjero, porque tú eres un pueblo santo a Jehová tu Dios.

"No debes cocer un cabrito en la leche de su madre.m

22 "Sin falta debes dar un décimo de todo el producto de tu semilla, lo que sale del campo año por año.n 23 Y delante de Jehová tu Dios, en el lugar que él escoja para hacer residir allí su nombre, tienes que comer la décima parte de tu grano,o de tu vino nuevo y de tu aceite, y los primogénitos de tu vacada y de tu rebaño;p a fin de que aprendas a temer a Jehová tu Dios siempre.q

24 "Ahora bien, en caso de que el viaje fuera demasiado largo

para ti,ª porque no podrás llevarlo, puesto que el lugar que Jehová tu Dios escoja para poner allí su nombreb esté demasiado lejos para ti (porque Jehová tu Dios te bendecirá),c 25 entonces tendrás que tornarlo en dinero, y tendrás que envolver el dinero en tu mano y viajar al lugar que Jehová tu Dios escoja. 26 También tendrás que dar el dinero por lo que sea que tu alma desee con vehemenciad en lo que respecta a reses vacunas y ovejas y cabras y vino y licor embriagantee y cualquier cosa que te pida tu alma; y tendrás que comer allí delante de Jehová tu Dios y regocijarte,f tú y tu casa. 27 Y no debes abandonar al levita que está dentro de tus puertas,g porque él no tiene participación ni herencia contigo.h

28 "Al cabo de tres años sacarás la entera décima parte de tu producto de ese año,i y tienes que depositarla dentro de tus puertas. 29 Y el levita,j porque no tiene participación ni herencia contigo, y el residente forasterok y el huérfano de padre y la viuda,l que están dentro de tus puertas, tienen que venir, y tienen que comer y satisfacerse; a fin de que Jehová tu Dios te bendigam en todo hechon de tu mano que hagas.

15 "Al cabo de cada siete años debes efectuar una liberación. 2 Y esta es la manera de la liberación:o habrá un librar por parte de todo acreedor de la deuda que él deje contraer a su prójimo. No debe apremiar a su prójimo ni a su hermano por el pago,p porque tiene que proclamarse una liberación a Jehová.q 3 Podrás apremiar al extranjeror por el pago; pero lo tuyo, que se halle con tu hermano, líbrelo tu mano. 4 Sin embargo, nadie debería llegar a ser pobre entre ti, porque Jehová sin falta te bendecirás en la tierra que Jeho-

CAP. 14

a Le 11:8
b Le 11:9
c Le 11:10
d Le 11:13
e Le 11:14
f Le 11:15
g Le 11:16
h Le 11:17
i Le 11:18
j Le 11:19
k Le 11:20
l Éx 22:31
Le 17:15
Le 22:8
Eze 4:14
m Éx 23:19
Éx 34:26
n Dt 12:11
Dt 26:12
o Dt 12:6
p Dt 12:17
Dt 15:19
q Sl 5:7
Sl 19:9
Sl 111:10
Pr 8:13
Isa 8:13
Heb 12:28

2.ª col.

a Éx 23:31
Dt 11:24
Dt 12:21
b Dt 12:5
c Éx 23:25
Dt 28:5
Pr 10:22
Mal 3:10
d Dt 12:15
e Nú 28:7
f Dt 12:7
Dt 26:11
Sl 100:2
g Nú 18:21
Dt 12:19
2Cr 31:4
1Co 9:13
h Nú 18:20
Nú 26:62
Dt 10:9
Jos 14:3
i Dt 26:12
j Dt 12:12
k Éx 22:21
Dt 10:18
l Dt 26:12
Snt 1:27
m Dt 15:10
Sl 41:1
Mal 3:10
n Pr 11:24
Pr 19:17
Lu 6:35

CAP. 15

o Le 25:2
p Snt 2:13
q Dt 31:10
r Éx 12:43
Dt 14:21
Dt 23:20
s Dt 14:29
Dt 28:8
Pr 11:25
Pr 14:21
Pr 28:27

vá tu Dios te da como herencia para tomar posesión de ella,[a] 5 solo que sin falta escuches la voz de Jehová tu Dios para tener cuidado de poner por obra todo este mandamiento que te estoy mandando hoy.[b] 6 Porque Jehová tu Dios verdaderamente te bendecirá tal como te ha prometido, y ciertamente prestarás[c] a cambio de prenda a muchas naciones, mientras que tú mismo no tomarás prestado; y tienes que dominar sobre muchas naciones, mientras que ellas no dominarán sobre ti.[d]

7 "En caso de que alguno de tus hermanos empobrezca en medio de ti en una de tus ciudades, en tu tierra que Jehová tu Dios te da, no debes endurecer tu corazón ni ser como un puño para con tu hermano pobre.[e] 8 Porque debes abrir tu mano generosamente[f] y sin falta prestarle a cambio de prenda cuanto necesite, de lo que esté necesitado. 9 Cuídate por temor de que llegue a haber una palabra ruin en tu corazón,[g] y digas: 'El año séptimo, el año de la liberación, se ha acercado',[h] y tu ojo realmente llegue a ser poco generoso para con tu hermano pobre,[i] y no le des nada, y él tenga que clamar a Jehová contra ti,[j] y haya llegado a ser un pecado de parte tuya.[k] 10 Sin falta debes darle[l] —y no debe ser mezquino tu corazón al darle—, porque a causa de esto Jehová tu Dios te bendecirá en todo hecho tuyo y en toda empresa tuya.[m] 11 Porque nunca dejará de haber alguien pobre en medio de la tierra.[n] Por eso te estoy mandando, diciendo: 'Debes abrir generosamente tu mano a tu hermano afligido y pobre en tu tierra'.[o]

12 "En caso de que fuera vendido a ti tu hermano, un hebreo o una hebrea,[p] y te haya servido seis años, entonces en el séptimo año lo debes enviar de ti como persona puesta en libertad.[q]

13 Y en caso de que lo enviaras de ti como persona puesta en libertad, no debes enviarlo con las manos vacías.[a] 14 De seguro debes equiparlo con algo de tu rebaño y de tu era y de tu lagar de aceite y de vino. Tal como Jehová tu Dios te ha bendecido a ti, debes dar a él.[b] 15 Y tienes que acordarte de que tú llegaste a ser esclavo en la tierra de Egipto y Jehová tu Dios procedió a redimirte.[c] Por eso te estoy mandando esta cosa hoy.

16 "Y tiene que suceder que en caso de que él te diga: '¡No saldré de tu compañía!', porque de veras los ama a ti y a tu casa, por haberle ido bien mientras estuvo contigo,[d] 17 entonces tienes que tomar un punzón y horadarle la oreja contra la puerta, y él tiene que llegar a ser tu esclavo hasta tiempo indefinido.[e] Y a tu esclava también debes hacer de esta manera. 18 No debe ser cosa dura a tus ojos cuando lo envíes de tu compañía como persona puesta en libertad;[f] pues el doble del valor de un trabajador asalariado[g] te ha servido seis años, y Jehová tu Dios te ha bendecido en todo lo que hacías.[h]

19 "Todo primogénito macho que nazca en tu vacada y en tu rebaño lo debes santificar a Jehová tu Dios.[i] Ningún servicio debes efectuar con el primogénito de tu toro, ni esquilar el primogénito de tu rebaño.[j] 20 Delante de Jehová tu Dios lo debes comer año por año en el lugar que Jehová escoja,[k] tú y tu casa. 21 Y en caso de que resulte haber en él algún defecto, porque sea cojo o ciego, cualquier defecto grave, no debes sacrificarlo a Jehová tu Dios.[l] 22 Dentro de tus puertas lo debes comer, el inmundo y el limpio juntos,[m] como la gacela y como el ciervo.[n] 23 Sólo su

CAP. 15
a Nú 33:53
Sl 135:12
b Dt 4:40
Jos 1:7
Isa 1:19
c Dt 28:12
Pr 22:7
d Dt 28:13
1Re 4:24
e Pr 21:13
Snt 2:16
1Jn 3:17
f Le 25:35
Sl 37:26
Pr 19:17
Mt 5:42
Lu 6:35
Gál 2:10
g Pr 4:23
Jer 17:10
Mt 15:19
h Dt 15:1
i Pr 28:22
1Pe 4:9
j Éx 22:23
Dt 24:15
Job 34:28
Pr 21:13
Snt 5:4
k Mt 25:45
Snt 4:17
l Hch 20:35
2Co 9:7
1Ti 6:18
Heb 13:16
m Dt 15:4
Pr 22:9
Sl 41:1
Pr 22:9
Isa 32:8
2Co 9:8
n Mt 26:11
o Pr 3:27
Mt 5:42
Lu 12:33
Hch 2:45
p Éx 21:2
Le 25:39
q Dt 15:1
Jer 34:14

2.ª col.
a Éx 3:21
Éx 12:36
Pr 3:27
Col 4:1
b Pr 10:22
Hch 20:35
c Éx 20:2
Dt 5:15
Mt 18:33
d Éx 21:5
e Éx 21:6
f Dt 15:10
g Le 19:13
Dt 24:15
h Gé 30:30
i Éx 13:2
Éx 34:19
Le 27:26
Nú 3:13
Nú 18:15
Nú 18:17
j Éx 22:30
Dt 12:6
k Dt 12:5
Dt 14:23
Dt 16:11
l Le 22:20
Dt 17:1
Mal 1:8
Heb 9:14

m Dt 12:15; Dt 12:22; n Dt 14:5; 1Re 4:23.

sangre no debes comer.[a] Debes derramarla sobre la tierra como agua.[b]

16 "Que haya un observar del mes de Abib,[c] y tienes que celebrar la pascua a Jehová tu Dios,[d] porque en el mes de Abib Jehová tu Dios te sacó de Egipto de noche.[e]   2 Y tienes que sacrificar la pascua a Jehová tu Dios,[f] del rebaño y de la vacada, en el lugar que Jehová escoja para hacer residir allí su nombre.[h]   3 No debes comer nada leudado junto con ella por siete días.[i] Debes comer junto con ella tortas no fermentadas, el pan de aflicción, porque fue de prisa como saliste de la tierra de Egipto,[j] para que todos los días de tu vida recuerdes el día en que saliste de la tierra de Egipto.[k]   4 Y por siete días no debe verse masa fermentada contigo en todo tu territorio,[l] tampoco debe quedar toda la noche hasta la mañana parte alguna de la carne que sacrificarás por la tarde el primer día.[m]   5 No se te permitirá sacrificar la pascua en cualquiera de tus ciudades que Jehová tu Dios te va a dar.   6 Antes bien, en el lugar que Jehová tu Dios escoja para hacer residir allí su nombre[n] debes sacrificar la pascua por la tarde, luego que se ponga el sol,[o] al tiempo señalado de tu salida de Egipto.   7 Y tienes que cocerla y comerla[p] en el lugar que Jehová tu Dios escoja,[q] y por la mañana tendrás que dar la vuelta e ir a tus propias tiendas.   8 Seis días debes comer tortas no fermentadas; y en el séptimo día habrá una asamblea solemne a Jehová tu Dios.[r] No debes hacer trabajo alguno.

9 "Debes contarte siete semanas. Desde que primero se mete la hoz en el grano en pie comenzarás a contar siete semanas.[s]   10 Entonces tienes que celebrar la fiesta de las semanas a Jehová

tu Dios,[a] según la ofrenda voluntaria de tu mano que des, como te bendiga Jehová tu Dios.[b]   11 Y tienes que regocijarte delante de Jehová tu Dios,[c] tú y tu hijo y tu hija y tu esclavo y tu esclava y el levita que está dentro de tus puertas y el residente forastero[d] y el huérfano de padre[e] y la viuda,[f] que están en medio de ti, en el lugar que Jehová tu Dios escoja para hacer residir allí su nombre.[g]   12 Y tienes que acordarte de que llegaste a ser esclavo en Egipto,[h] y tienes que observar y poner por obra estas disposiciones reglamentarias.[i]

13 "Debes celebrar para ti la fiesta de las cabañas[j] durante siete días cuando hagas una recolección de tu era y de tu lagar de aceite y de vino.   14 Y tienes que regocijarte durante tu fiesta,[k] tú y tu hijo y tu hija y tu esclavo y tu esclava y el levita y el residente forastero y el huérfano de padre y la viuda, que están dentro de tus puertas.   15 Siete días celebrarás la fiesta[l] a Jehová tu Dios en el lugar que Jehová escoja, porque Jehová tu Dios te bendecirá[m] en todo tu producto y en todo hecho de tu mano, y nada sino gozoso[n] tendrás que llegar a estar.

16 "Tres veces al año todo varón tuyo debe presentarse delante de Jehová tu Dios en el lugar que él escoja:[o] en la fiesta de las tortas no fermentadas[p] y en la fiesta de las semanas[q] y en la fiesta de las cabañas,[r] y ninguno debe presentarse delante de Jehová con las manos vacías.[s]   17 La dádiva de la mano de cada uno debe ser en proporción con la bendición de Jehová tu Dios que él te haya dado.[t]

18 "Debes establecer para ti

CAP. 15
a Gé 9:4
Le 7:26
Le 17:10
1Sa 14:33
Hch 15:20
b Le 17:13
Dt 12:16

CAP. 16
c Éx 12:2
Éx 13:4
d Éx 12:14
Le 23:5
Nú 9:2
Nú 28:16
1Co 5:7
Heb 11:28
e Éx 34:18
f Mt 26:17
Lu 22:7
g Éx 12:5
2Cr 35:7
h Dt 12:5
1Re 8:29
i Éx 13:3
Le 23:6
Nú 28:17
1Co 5:8
j Éx 12:33
k Éx 12:14
Éx 13:8
Éx 13:9
1Éx 12:15
Éx 13:7
m Éx 12:10
Éx 34:25
n Dt 16:2
o Éx 12:6
Nú 9:3
Mt 26:20
p Éx 12:8
2Cr 35:13
q 2Re 23:23
Jn 2:13
Jn 11:55
r Éx 12:16
Le 23:8
s Éx 23:16
Éx 34:22
Le 23:15

2.ª col.
a Nú 28:26
2Cr 8:13
b Dt 16:17
1Co 16:2
2Co 8:12
c Dt 12:7
d Nú 15:16
Dt 10:18
f Snt 1:27
g Dt 12:5
h Gé 15:13
Éx 3:7
Dt 5:15
i Éx 12:13
1Jn 5:3
j Éx 23:16
Le 23:34
Nú 29:12
Dt 31:10
Zac 14:16
Jn 7:2
k Le 23:40
Dt 12:12
Dt 26:11
Ne 8:10
Ne 8:17
Ec 5:18
l Le 23:36
Ne 8:18

m Dt 7:13; Dt 28:8; Dt 30:16; n Flp 4:4; 1Te 5:16;
o Éx 23:14; Éx 34:23; p Éx 23:15; Le 23:6; Nú
28:17; q Dt 16:10; r Dt 16:13; s Éx 23:15; Éx
34:20; Sl 96:8; t Dt 16:10; 2Co 8:12.

jueces[a] y oficiales[b] dentro de todas tus puertas que Jehová tu Dios te va a dar según tus tribus, y tienen que juzgar al pueblo con juicio justo. 19 No debes pervertir el juicio.[c] No debes ser parcial[d] ni aceptar soborno, porque el soborno ciega los ojos de los sabios[e] y tuerce las palabras de los justos. 20 La justicia... la justicia debes seguir,[f] para que te mantengas vivo y realmente tomes posesión de la tierra que Jehová tu Dios te da.[g]

21 "No debes plantar para ti ninguna clase de árbol como poste sagrado cerca del altar de Jehová tu Dios que te harás.[h]

22 "Tampoco debes erigir para ti una columna sagrada,[i] cosa que Jehová tu Dios realmente odia.[j]

17 "No debes sacrificar a Jehová tu Dios un toro o una oveja que resulte haber defecto, cualquier cosa mala; porque es cosa detestable a Jehová tu Dios.[k]

2 "En caso de que se hallara en medio de ti, en una de tus ciudades que Jehová tu Dios te va a dar, un hombre o una mujer que practicara lo que es malo a los ojos de Jehová tu Dios, de modo que traspasara su pacto,[l] 3 y se fuera y adorara a otros dioses y se inclinara ante ellos o ante el sol o la luna o todo el ejército de los cielos,[m] cosa que yo no he mandado,[n] 4 y se te haya informado y lo hayas oído y hayas escudriñado cabalmente, y, ¡mira!, la cosa queda establecida como verdad,[o] ¡esta cosa detestable se ha hecho en Israel!, 5 entonces tienes que sacar hasta tus puertas a ese hombre o a esa mujer que haya hecho esta cosa mala, sí, al hombre o la mujer, y tienes que apedrear a tal persona con piedras, y la tal tiene que morir.[p] 6 Por boca de dos testigos o de tres testigos[q] debe dársele muerte al que ha de morir. No se le dará muerte por

boca de un solo testigo.[a] 7 La mano de los testigos debe ser la primera de todas en venir sobre él para darle muerte, y la mano de todo el pueblo después;[b] y tienes que eliminar de en medio de ti lo que es malo.[c]

8 "En caso de que un asunto para decisión judicial fuera demasiado extraordinario para ti,[d] en uno en que se haya derramado sangre,[e] en que se haya presentado una reclamación legal,[f] o se haya cometido un acto violento, asuntos de litigio,[g] dentro de tus puertas, entonces tienes que levantarte y subir al lugar que Jehová tu Dios escoja,[h] 9 y tienes que ir a los sacerdotes,[i] los levitas, y al juez[j] que esté en funciones en aquellos días, y tienes que inquirir, y ellos tienen que entregarte la palabra de la decisión judicial.[k] 10 Entonces tienes que obrar de acuerdo con la palabra que te entreguen de aquel lugar que Jehová escoja; y tienes que poner cuidado en hacer conforme a todo lo que te instruyan. 11 De acuerdo con la ley que te indiquen, y conforme a la decisión judicial que te digan, debes obrar.[l] No debes desviarte de la palabra que te entreguen, ni a la derecha ni a la izquierda.[m] 12 Y el hombre que se porte con presuntuosidad al no escuchar al sacerdote que está de pie para servir de ministro allí a Jehová tu Dios, o al juez,[n] ese hombre tiene que morir;[o] y tienes que eliminar de Israel lo que es malo.[p] 13 Y todo el pueblo oirá y tendrá miedo,[q] y ya no obrará presuntuosamente.

14 "Cuando por fin entres en la tierra que Jehová tu Dios te da, y hayas tomado posesión de ella y hayas habitado en ella,[r] y hayas dicho: 'Déjame establecer sobre mí un rey como todas las naciones que están en derredor

---

CAP. 16
a Éx 18:26
  Dt 1:16
  2Cr 19:5
b Nú 11:16
  1Cr 23:4
c Éx 23:2
  Le 19:15
  1Sa 8:3
d Dt 1:17
  Pr 24:23
  Hch 10:34
e Éx 23:8
  1Sa 12:3
  Ec 7:7
  Am 5:12
f Dt 25:16
  Eze 18:8
  Miq 6:8
g Dt 4:1
h Éx 34:13
  Jue 3:7
  2Cr 33:3
i Éx 23:24
  Le 26:1
  Dt 12:3
j Dt 12:31
  Jer 44:4

CAP. 17
k Le 22:20
  Dt 15:21
  Mal 1:8
l Dt 4:23
  Dt 13:6
  Jue 2:20
m Dt 4:19
  Jer 8:2
  Eze 8:16
n Jer 7:18
  Jer 19:5
o Dt 13:14
  Jn 7:51
p Dt 13:10
q Nú 35:30
  Mt 18:16
  Jn 8:17
  2Co 13:1
  1Ti 5:19
  Heb 10:28

2.ª col.
a Dt 19:15
b Dt 13:9
c Dt 13:5
  1Co 5:13
d Dt 1:17
e Nú 35:11
f 1Re 3:28
  Isa 1:17
  Jer 5:28
g 1Re 3:16
h Dt 12:5
  Sl 122:2
  Sl 122:5
i Dt 19:17
  Dt 21:5
  Ag 2:11
  Mal 2:7
j 1Sa 7:16
k Dt 19:17
  Dt 21:5
l Mal 2:7
m Dt 5:32
  Dt 12:32
  Jos 1:7
  Pr 4:27
n Dt 19:13
  Pr 11:2
  Os 4:4
o Heb 10:28
p Dt 13:5
  1Co 5:13
q Nú 15:31; Dt 13:11; Dt 19:20; r Dt 7:1; Jos 1:3; Sl 44:2

de mí';[a] 15 sin falta debes establecer sobre ti un rey que Jehová tu Dios escoja.[b] De entre tus hermanos debes establecer sobre ti un rey. No se te permitirá poner sobre ti a un extranjero que no sea tu hermano. 16 Solo que él no debe aumentar para sí caballos,[c] ni hacer volver el pueblo a Egipto a fin de aumentar caballos;[d] cuando Jehová les ha dicho a ustedes: 'Nunca deben volver otra vez por este camino'. 17 Tampoco debe él multiplicarse esposas, para que no se desvíe su corazón;[e] tampoco debe aumentar mucho para sí plata y oro.[f] 18 Y tiene que suceder que, cuando se siente sobre el trono de su reino, tiene que escribir para sí en un libro una copia de esta ley, de aquella que está a cargo de los sacerdotes, los levitas.[g]

19 "Y esta tiene que continuar con él, y él tiene que leer en ella todos los días de su vida,[h] a fin de que aprenda a temer a Jehová su Dios para guardar todas las palabras de esta ley y estas disposiciones reglamentarias, por medio de ponerlas por obra;[i] 20 para que su corazón no se ensalce sobre sus hermanos[j] y para que él no se desvíe del mandamiento a la derecha ni a la izquierda,[k] a fin de que alargue sus días sobre su reino,[l] él y sus hijos en medio de Israel.

18 "Ninguna participación ni herencia con Israel debe llegar a pertenecer a los sacerdotes, los levitas, la entera tribu de Leví.[m] Deben comer las ofrendas de Jehová hechas por fuego, la misma herencia de él.[n] 2 Así que ninguna herencia debe llegar a pertenecerle en medio de sus hermanos. Jehová es su herencia,[o] tal como él lo ha hablado. 3 "Ahora bien, esto debe continuar como el debido derecho de los sacerdotes de parte del pueblo, de parte de los que sacri-

fiquen una víctima, sea toro u oveja: Se tiene que dar al sacerdote la espaldilla y las mandíbulas y el estómago. 4 Debes darle las primicias de tu grano, de tu vino nuevo y de tu aceite, y las primicias de la lana esquilada de tu rebaño.[a] 5 Pues Jehová tu Dios lo ha escogido de entre todas tus tribus para estar de pie para ministrar en el nombre de Jehová, él y sus hijos, siempre.[b]

6 "Y en caso de que un levita salga de una de tus ciudades de todo Israel, donde hubiera residido por algún tiempo,[c] y de veras viniera por cualquier deseo vehemente de su alma al lugar que Jehová escoja,[d] 7 él entonces tiene que ministrar en el nombre de Jehová su Dios lo mismo que todos sus hermanos, los levitas, que están de pie allí delante de Jehová.[e] 8 Debe comer una porción igual,[f] además de lo que consiga de lo que venda de sus bienes patrimoniales.

9 "Cuando hayas entrado en la tierra que Jehová tu Dios te da, no debes aprender a hacer conforme a las cosas detestables de aquellas naciones.[g] 10 No debería hallarse en ti nadie que haga pasar por el fuego a su hijo o a su hija,[h] nadie que emplee adivinación,[i] practicante de magia[j] ni nadie que busque agüeros[k] ni hechicero,[l] 11 ni uno que ate a otros con maleficio[m] ni nadie que consulte a un médium espiritista[o] o a un pronosticador profesional de sucesos[o] ni nadie que pregunte a los muertos.[p] 12 Porque todo el que hace estas cosas es algo detestable a Jehová, y a causa de estas cosas detestables Jehová tu Dios va a expulsarlas de delante de ti.[q] 13 Debes resultar exento de falta con Jehová tu Dios.[r]

14 "Porque estas naciones que

CAP. 17

a 1Sa 8:5
1Sa 8:20
1Sa 10:19
b 1Sa 9:17
1Sa 10:24
1Sa 16:12
c Dt 20:1
2Sa 8:4
Sl 20:7
Pr 21:31
d 1sa 31:1
Isa 36:9
Eze 17:15
e 1Re 11:3
f Job 31:24
Sl 62:10
1Ti 6:9
g Dt 31:9
Dt 31:26
2Re 22:8
h 2Cr 34:18
i Dt 11:18
Sl 1:2
Sl 119:97
j 1Sa 15:17
2Cr 32:25
Sl 131:1
Mr 10:42
1Pe 5:5
k Dt 5:32
1Sa 13:13
1Re 15:5
l Pr 10:27

CAP. 18

m Nú 18:24
Dt 10:9
Jos 13:33
n Nú 18:8
Jos 13:14
1Co 9:13
o Nú 18:20

2.ª col.

a Éx 23:19
Nú 18:12
Dt 26:10
2Cr 31:4
Ne 12:44
b Éx 28:1
Nú 3:10
Dt 10:8
Dt 17:12
c Nú 35:2
d Dt 12:5
Dt 16:2
Sl 26:8
e 2Cr 31:2
f Le 7:10
Lu 10:7
1Ti 5:18
g Le 18:26
Dt 12:30
h Le 18:21
Dt 12:31
Eze 16:3
2Cr 28:3
Sl 106:37
Jer 19:5
Jer 32:35
i 2Re 17:17
Hch 16:16
j Le 19:26
Hch 19:19
k Eze 21:21
l Éx 22:18
Isa 47:9
Le 20:27
1Cr 10:13
o Le 19:31
2Cr 33:6

p 1Sa 28:3; 1Sa 28:11; Isa 8:19; Gál 5:20; q Le 18:24; Dt 9:4; r 2Sa 22:24; Sl 37:18; Mt 5:48; 2Pe 3:14.

vas a desposeer solían escuchar a los que practican magia[a] y a los que adivinan;[b] pero en cuanto a ti, Jehová tu Dios no te ha dado nada semejante a esto.[c] 15 Un profeta de en medio de ti mismo, de tus hermanos, semejante a mí, es lo que Jehová tu Dios levantará para ti —a él ustedes deben escuchar[d]— 16 en respuesta a todo lo que le pediste a Jehová tu Dios en Horeb, en el día de la congregación,[e] diciendo: 'No oiga yo de nuevo la voz de Jehová mi Dios, y no vea yo más este gran fuego, para que no muera.'[f] 17 Ante aquello, Jehová me dijo: 'Ellos han hecho bien al hablar lo que hablaron.[g] 18 Les levantaré un profeta de en medio de sus hermanos, semejante a ti;[h] y verdaderamente pondré mis palabras en su boca,[i] y él ciertamente les hablará todo lo que yo le mande.[j] 19 Y tiene que suceder que al hombre que no escuche mis palabras que él hablará en mi nombre, yo mismo le pediré cuenta.[k] 20 "'Sin embargo, el profeta que tenga la presunción de hablar en mi nombre una palabra que yo no le haya mandado hablar,[l] o que hable en el nombre de otros dioses,[m] ese profeta tiene que morir.[n] 21 Y en caso de que digas en tu corazón: "¿Cómo conoceremos la palabra que Jehová no ha hablado?",[o] 22 cuando hable el profeta en nombre de Jehová y la palabra no suceda ni se realice, esa es la palabra que Jehová no ha hablado. Con presunción la habló el profeta.[p] No debes atemorizarte de él'.[q]

19 "Cuando Jehová tu Dios corte las naciones[r] cuya tierra Jehová tu Dios te da, y las hayas desposeído y hayas morado en sus ciudades y sus casas,[s] 2 apartarás para ti tres ciudades en medio de tu tierra que Jehová tu Dios te da para tomar posesión de ella.[a] 3 Te prepararás el camino, y tienes que dividir en tres partes el territorio de tu tierra que Jehová tu Dios procedió a darte como posesión, y tiene que ser para que huya allí cualquier homicida.[b]

4 "Ahora bien, este es el caso del homicida que podrá huir allí y tendrá que vivir: Cuando hiera a su semejante sin saberlo y no le tuviera odio anteriormente;[c] 5 o cuando vaya con su semejante al bosque a recoger leña, y haya levantado la mano para dar un golpe con el hacha y cortar el árbol, y el hierro se haya salido del mango de madera,[d] y le haya dado a su semejante, y este haya muerto, él mismo debe huir a una de estas ciudades y tendrá que vivir.[e] 6 De otro modo, puede que el vengador[f] de la sangre, por tener enardecido el corazón, corra tras el homicida y de veras lo alcance, dado que es grande el camino; y puede que realmente hiera su alma mortalmente, cuando el caso es que no hay sentencia de muerte[g] para él, porque no le tenía odio con anterioridad. 7 Por eso te estoy mandando, diciendo: 'Apartarás para ti tres ciudades'.[h]

8 "Y si Jehová tu Dios ensancha tu territorio conforme a lo que juró a tus antepasados,[i] y te ha dado toda la tierra que prometió dar a tus antepasados,[j] 9 porque guardarás todo este mandamiento que te estoy mandando hoy por medio de ponerlo por obra, de amar a Jehová tu Dios y de andar en sus caminos siempre,[k] entonces tendrás que añadirte otras tres ciudades a estas tres,[l] 10 para que no vaya a verterse sangre inocente[m] en medio de tu tierra que Jehová tu Dios te va a dar como heren-

CAP. 18
a Le 19:26
2Re 21:2
2Re 21:6
b Jos 13:22
c Sl 147:20
Hch 14:16
d Gé 49:10
Nú 24:17
Lu 7:16
Lu 24:19
Jn 1:45
Jn 6:14
Hch 3:22
Hch 7:37
e Éx 19:17
Dt 9:10
f Éx 20:19
g Dt 5:28
h Éx 34:28
Nú 12:3
Mal 3:1
Mt 4:2
Mt 11:29
Lu 24:27
Lu 24:44
Jn 5:46
i Jn 8:28
Jn 17:8
j Jn 12:49
Jn 15:15
Heb 1:2
k Hch 3:23
l Dt 13:1
Jer 14:14
Jer 28:11
Eze 13:6
Mt 7:15
m Dt 13:2
1Re 18:19
Jer 23:13
n Dt 13:5
Jer 27:15
Zac 13:3
o 1Jn 4:1
p Jer 28:15
q Pr 29:25

CAP. 19
r Éx 34:24
Jos 24:8
s Dt 6:10
Dt 7:1
Dt 9:1
Dt 12:29

2.ª col.
a Éx 21:13
Nú 35:14
Jos 20:7
b Jos 20:9
c Nú 35:15
Dt 4:42
d 2Re 6:5
e Nú 35:25
Nú 35:19
Jos 20:5
2Sa 14:7
g Dt 17:8
Jos 20:4
2Cr 19:10
h Dt 19:2
i Gé 15:18
Éx 23:31
Dt 11:24
j Dt 12:20
k Dt 11:22
Dt 12:32
1Jn 5:3
l Jos 20:8

m Dt 21:9; 2Re 21:16; Pr 6:17; Jer 7:6; Jon 1:14; Mt 27:4.

cia, y no tenga que haber sobre ti ninguna culpa de sangre.ᵃ

11 "Pero en caso de que haya un hombre que odieᵇ a su semejante, y lo haya acechado y se haya levantado contra él y haya herido su alma mortalmente y él haya muerto,ᶜ y el hombre haya huido a una de estas ciudades, 12 los ancianos de su ciudad entonces tienen que enviar y tomarlo de allá, y tienen que entregarlo en manos del vengador de la sangre, y tiene que morir.ᵈ 13 Tu ojo no debe sentirse apenado por él,ᵉ y tienes que eliminar de Israel la culpa por sangre inocente,ᶠ para que te venga el bien.

14 "No debes mover hacia atrás los hitos de tu semejante,ᵍ cuando los antecesores hayan fijado los límites en tu herencia que heredarás en la tierra que Jehová tu Dios te da para tomar posesión de ella.

15 "Ningún testigo solo debe levantarse contra un hombre respecto a cualquier error o cualquier pecado,ʰ en el caso de cualquier pecado que él cometa. Por boca de dos testigos o por boca de tres testigos debe quedar establecido el asunto.ⁱ 16 En caso de que un testigo que esté tramando violencia se levante contra un hombre para presentar contra él una acusación de sublevación,ʲ 17 los dos hombres que tienen el litigio entonces tienen que estar de pie delante de Jehová, delante de los sacerdotes y los jueces que estén en funciones en aquellos días.ᵏ 18 Y los jueces tienen que escudriñar cabalmente,ˡ y si el testigo es testigo falso y ha presentado una acusación falsa contra su hermano, 19 entonces ustedes tienen que hacerle tal como él había tramado hacer a su hermano,ᵐ y tienes que eliminar lo que es malo de en medio de ti.ⁿ 20 Así los que queden oirán y tendrán miedo, y nunca volve-

rán a hacer ninguna cosa mala como esta en medio de ti.ᵃ 21 Y tu ojo no debe sentirse apenado:ᵇ alma será por alma, ojo por ojo, diente por diente, mano por mano, pie por pie.ᶜ

20 "En caso de que salgas a la batalla contra tus enemigos y realmente veas caballos y carros de guerra,ᵈ un pueblo más numeroso que tú, no debes tenerles miedo; porque contigo está Jehová tu Dios,ᵉ quien te hizo subir de la tierra de Egipto.ᶠ 2 Y tiene que suceder que cuando ustedes se hayan acercado a la batalla, entonces el sacerdote tiene que acercarse y hablar al pueblo.ᵍ 3 Y tiene que decirles: 'Oye, oh Israel: ustedes están acercándose hoy a la batalla contra sus enemigos. No dejen que su corazón sea tímido.ʰ No tengan miedo ni corran de pánico ni retiemblen a causa de ellos,ⁱ 4 porque Jehová su Dios está marchando con ustedes para pelear por ustedes contra sus enemigos a fin de salvarlos'.ʲ

5 "También los oficialesᵏ tienen que hablar al pueblo, y decir: '¿Quién es el hombre que ha edificado una casa nueva y no la ha estrenado? Que se vaya y vuelva a su casa, no sea que muera en la batalla y otro hombre la estrene.ˡ 6 ¿Y quién es el hombre que ha plantado una viña y no ha empezado a usarla? Que se vaya y vuelva a su casa, no sea que muera en la batalla y otro hombre empiece a usarla.ᵐ 7 ¿Y quién es el hombre que se ha comprometido con una mujer y no la ha tomado? Que se vaya y vuelva a su casa,ⁿ no sea que muera en la batalla y otro hombre la tome'. 8 Y los oficiales tienen que volver a hablar al pueblo y decir: '¿Quién es el hombre que es temeroso y de corazón tímido?ᵒ Que se vaya y vuelva a su casa, para que no haga que el corazón de sus her-

manos se derrita como su propio corazón'.ᵃ 9 Y tiene que suceder que, cuando los oficiales hayan acabado de hablar al pueblo, ellos entonces tienen que nombrar jefes de los ejércitos a la cabeza del pueblo.

10 "En caso de que te acerques a una ciudad para pelear contra ella, entonces tienes que anunciarle condiciones de paz.ᵇ 11 Y tiene que suceder que si te da una respuesta pacífica y se ha abierto para ti, aun tiene que suceder que todo el pueblo que se halle en ella debe llegar a ser tuyo para trabajos forzados, y tiene que servirte.ᶜ 12 Pero si no hace la paz contigo,ᵈ y realmente te hace la guerra y tienes que sitiarla, 13 entonces Jehová tu Dios ciertamente la dará en tu mano, y tienes que herir a todo varón de ella a filo de espada.ᵉ 14 Solo las mujeres y los niñitosᶠ y los animales domésticosᵍ y todo lo que haya en la ciudad, todo su despojo lo saquearás para ti;ʰ y tienes que comer el despojo de tus enemigos, los cuales Jehová tu Dios te ha dado.ⁱ

15 "De esa manera harás a todas las ciudades muy alejadas de ti que no son de las ciudades de estas naciones. 16 Solamente de las ciudades de estos pueblos que Jehová tu Dios te va a dar como herencia no debes conservar viva ninguna cosa que respire,ʲ 17 porque sin falta debes darlos por entero a la destrucción, a los hititas y los amorreos, los cananeos y los perizitas, los heveos y los jebuseos,ᵏ tal como Jehová tu Dios te ha mandado; 18 a fin de que estos no les enseñen a hacer conforme a todas sus cosas detestables, que ellos han hecho a sus dioses, y ustedes realmente pequen contra Jehová su Dios.ˡ

19 "En caso de que pongas sitio a una ciudad por muchos días, al pelear contra ella para tomarla, no debes arruinar sus árboles blandiendo un hacha contra ellos; porque debes comer de ellos, y no debes cortarlos,ᵃ pues, ¿acaso es el árbol del campo un hombre, para que lo sities? 20 Solo el árbol que tú sabes que no es árbol para alimento, ese es el que debes arruinar, y tienes que cortarlo y construir obras de asedioᵇ contra la ciudad que esté haciéndote la guerra, hasta que caiga.

21 "En caso de que se halle a alguien que haya sido muerto en el suelo que Jehová tu Dios te da para tomar posesión de él, caído en el campo, y no se haya llegado a saber quién lo hirió mortalmente,ᶜ 2 tus ancianos y tus juecesᵈ entonces tienen que salir y medir de allí hasta las ciudades que están todo en derredor del que haya sido muerto; 3 y tiene que resultar ser la ciudad más cercana al que haya sido muerto. Y los ancianos de esa ciudad tienen que tomar una ternera de la vacada con la cual no se haya trabajado, que no haya tirado en un yugo; 4 y los ancianos de aquella ciudad tienen que conducir la ternera abajo a un valle torrencial abundante en agua en el cual comúnmente no se haya arado ni sembrado, y tienen que quebrar la cerviz a la ternera allí en el valle torrencial.ᵉ

5 "Y los sacerdotes, los hijos de Leví, tienen que acercarse, porque ellos son los que Jehová tu Dios ha escogido para que le ministrenᶠ y para que bendiganᵍ en el nombre de Jehová, y por la boca de quienes debe ponerse fin a todo litigio sobre todo acto violento.ʰ 6 Entonces todos los ancianos de aquella ciudad que se hallen más cercanos al que haya sido muerto deben lavarse las manosⁱ sobre la ternera, cuya cerviz habrá sido quebrada en el valle torrencial; 7 y tienen que responder y decir: 'Nuestras

manos no derramaron esta sangre, ni la vieron [derramar] nuestros ojos.[a]   8 No lo cargues en la cuenta de tu pueblo Israel, a quien redimiste,[b] oh Jehová, y no pongas la culpa por sangre inocente[c] en medio de tu pueblo Israel'. Y no debe cargarse en la cuenta de ellos la culpa de sangre.   9 Y tú... tú eliminarás la culpa por sangre inocente de en medio de ti,[d] porque harás lo que es recto a los ojos de Jehová.[e]

10 "En caso de que salgas a la batalla contra tus enemigos, y Jehová tu Dios los haya dado en tu mano[f] y tú los hayas llevado cautivos;[g]   11 y hayas visto entre los cautivos una mujer de forma hermosa, y te hayas apegado a ella[h] y la hayas tomado por esposa,   12 entonces tienes que introducirla en medio de tu casa. Ella ahora tiene que afeitarse la cabeza[i] y arreglarse las uñas,   13 y quitar de sobre sí el manto de su cautiverio y morar en tu casa y llorar a su padre y a su madre un mes lunar entero;[j] y después de eso debes tener relaciones con ella, y debes tomar posesión de ella como novia tuya, y ella tiene que llegar a ser tu esposa.   14 Y tiene que suceder que, si no te has deleitado con ella, entonces tienes que despedirla,[k] al agrado de su propia alma; pero de ninguna manera debes venderla por dinero. No debes tratarla tiránicamente[l] después de haberla humillado.

15 "En caso de que un hombre llegue a tener dos esposas, la una amada y la otra odiada, y ellas, la amada y la odiada, le hayan dado a luz hijos, y el hijo primogénito haya llegado a ser de la odiada,[m]   16 entonces tiene que suceder que el día en que él dé lo que tenga como herencia a sus hijos, no se le permitirá constituir primogénito al hijo de la amada a costa del hijo de la odiada, el primogénito.[n]   17 Pues debe

reconocer como primogénito al hijo de la odiada, dándole dos partes en todo lo que se halle que tenga,[a] porque ese es el principio de su facultad generativa.[b] El derecho del puesto del primogénito le pertenece a él.[c]

18 "En caso de que un hombre llegue a tener un hijo terco y rebelde,[d] que no escucha la voz de su padre ni la voz de su madre,[e] y ellos lo han corregido, pero él no quiere escucharles,[f]   19 entonces su padre y su madre tienen que asirlo y sacarlo a los ancianos de su ciudad y a la puerta de su lugar,[g]   20 y tienen que decir a los ancianos de su ciudad: 'Este hijo nuestro es terco y rebelde; no escucha nuestra voz,[h] es glotón[i] y borracho'.[j]   21 Entonces todos los hombres de su ciudad tienen que lapidarlo, y él tiene que morir. Así tienes que eliminar de en medio de ti lo que es malo, y todo Israel oirá y verdaderamente llegará a tener miedo.[k]

22 "Y en caso de que llegue a haber en un hombre un pecado que merezca la sentencia de muerte, y se le haya dado muerte,[l] lo hayas colgado en un madero,[m]   23 su cuerpo muerto no debería quedarse toda la noche en el madero;[n] antes bien, sin falta debes enterrarlo ese mismo día, porque cosa maldita de Dios es el que se haya colgado;[o] y no debes contaminar tu suelo, que Jehová tu Dios te da como herencia.[p]

22 "No debes ver andando descarriados el toro de tu hermano o su oveja y retirarte deliberadamente de ellos.[q] Sin falta debes conducirlos de vuelta a tu hermano.[r]   2 Y si tu hermano no está cerca de ti y no lo conocieras, entonces tienes que llevar [el animal] contigo en medio de tu casa, y este tiene que continuar contigo hasta que tu hermano lo haya buscado. Y tie-

---

CAP. 21
a 2Sa 3:28
  Sl 7:3
b Dt 13:5
  2Sa 7:23
c Nú 16:22
  Jer 26:15
  Jon 1:14
d Dt 19:13
e Dt 13:18
  Sl 11:4
  Pr 15:3
  Heb 4:13
f Dt 20:13
  Jos 21:44
g Nú 31:9
  Dt 20:14
h Gé 29:20
  Gé 34:3
  Jue 14:2
i Isa 3:24
  1Co 11:6
j Nú 20:29
  Dt 34:8
k Dt 24:1
l Le 25:46
m Gé 29:30
  Gé 29:33
  1Sa 1:4
n 2Cr 21:3

2.ª col.
a 1Cr 5:1
b Gé 49:3
  Sl 105:36
c Gé 25:31
  Heb 12:16
d Pr 30:11
e Éx 20:12
  Dt 27:16
  Pr 1:8
  Pr 20:20
  Eze 22:7
  Ef 6:1
f Dt 8:5
  Pr 13:24
  Pr 19:18
  Pr 23:13
  Heb 12:9
g Dt 16:18
h Pr 15:5
  Pr 19:26
  Pr 30:17
i Pr 23:20
  Pr 28:7
j Pr 20:1
  Pr 23:21
  Ro 13:13
  1Co 6:10
  Ef 5:18
k Dt 13:11
l Nú 25:5
  2Sa 4:12
m Jos 10:26
  Heb 10:39
n Jos 8:29
  Jn 19:31
o 2Co 5:21
  Gál 3:13
p Nú 35:34

CAP. 22
q Éx 23:4
r Zac 7:9

nes que devolvérselo.ᵃ 3 De esa manera también harás con su asno, y de esa manera harás con su manto, y de esa manera harás con cualquier cosa perdida de tu hermano, que se le extravíe y que tú hayas hallado. No se te permitirá retirarte.

4 "No debes ver caerse en el camino el asno de tu hermano, o su toro, y retirarte deliberadamente de ellos. Sin falta debes ayudarle a levantarlos.ᵇ

5 "Nada del ropaje de un hombre físicamente capacitado debe ser puesto sobre una mujer, ni debe un hombre físicamente capacitado llevar puesto el manto de una mujer;ᶜ porque cualquiera que haga estas cosas es algo detestable a Jehová tu Dios.

6 "En caso de que un nido de pájaro esté delante de ti en el camino, en cualquier árbol o en la tierra, con polluelosᵈ o huevos, y la madre esté echada sobre los polluelos o sobre los huevos, no debes llevarte la madre junto con los hijos.ᵉ 7 Sin falta debes soltar la madre, pero puedes tomar los hijos para ti; a fin de que te vaya bien, y verdaderamente alargues tus días.ᶠ

8 "En caso de que edifiques una casa nueva, entonces tienes que hacer un pretil a tu techo,ᵍ para que no coloques sobre tu casa culpa de sangre porque alguien que cayera llegara a caer de él.

9 "No debes sembrar tu viña con semilla de dos tipos,ʰ no sea que pierdas en entrega al santuario el pleno producto de la semilla que sembraras y el producto de la viña.

10 "No debes arar con un toro y un asno juntos.ⁱ

11 "No debes vestir de tela mezclada, hecha de lana y lino juntos.ʲ

12 "Debes hacerte borlas en los cuatro extremos de tu ropa con que te cubres.ᵏ

13 "En caso de que un hombre

CAP. 22

a Pr 24:12
Mt 7:12

b Éx 23:5
Le 19:18
Lu 10:27
Gál 6:10

c 1Ti 2:9

d Lu 12:6

e Le 22:28
Sl 36:6
Sl 145:9
Pr 12:10
Mt 10:29

f Dt 4:40
Pr 3:2

g 2Sa 11:2
Hch 10:9

h Le 19:19
1 Pr 12:10

j Le 19:19

k Nú 15:38
Mt 23:5

2.ᵃ col.

a Ef 5:28
Ef 5:33

b Pr 22:1
Ec 7:1

c Éx 20:16
Éx 23:1
Pr 18:21

d Dt 16:18

e Le 19:17
Dt 22:13

f Gé 38:24
Dt 22:21
Sl 141:4
Os 1:2

g Dt 22:20

h Éx 18:21
Dt 1:13
Dt 16:18
Dt 21:19

i Dt 25:2
Pr 10:13
Pr 19:29
Pr 20:30

j Mal 2:16

k Dt 22:14
Dt 22:17

l Jue 20:6
Jue 20:10
2Sa 13:12
Heb 13:4

m Le 21:9

n Le 11:45
Dt 17:7
Ec 8:13
1Co 5:13

o Gé 20:3
Éx 21:3
Isa 62:5

tome esposa y realmente tenga relaciones con ella y le haya cobrado odio,ᵃ 14 y la haya acusado de hechos escandalosos y le haya acarreado mala famaᵇ y haya dicho: 'Esta es la mujer que he tomado, y procedí a acercarme a ella, y no hallé en ella prueba de virginidad';ᶜ 15 el padre de la muchacha y su madre entonces tienen que llevar y presentar la prueba de la virginidad de la muchacha a los ancianos de la ciudad, a la puerta de esta;ᵈ 16 y el padre de la muchacha tiene que decir a los ancianos: 'Yo di mi hija a este hombre por esposa, y él la cobró odio.ᵉ 17 Y sucede que la está acusando de hechos escandalosos,ᶠ diciendo: "He hallado que tu hija no tiene prueba de virginidad".ᵍ Ahora bien, esta es la prueba de la virginidad de mi hija'. Y tienen que extender el manto delante de los ancianos de la ciudad. 18 Y los ancianosʰ de la ciudad tienen que tomar al hombre y disciplinarlo.ⁱ 19 Y tienen que multarlo en cien siclos de plata y darlos al padre de la muchacha, porque él acarreó mala fama a una virgen de Israel;ʲ y ella continuará siendo esposa suya. A este no se le permitirá divorciarse de ella en todos sus días.

20 "Sin embargo, si esta cosa ha resultado ser verdad, que no se halló prueba de virginidad en la muchacha,ᵏ 21 entonces ellos tienen que sacar a la muchacha a la entrada de la casa de su padre, y los hombres de su ciudad tienen que lapidarla, y ella tiene que morir, porque ha cometido una locura deshonrosaˡ en Israel, al haber cometido prostitución en la casa de su padre.ᵐ Así tienes que eliminar de en medio de ti lo que es malo.ⁿ

22 "En caso de que se halle a un hombre acostado con una mujer poseída por un dueño,ᵒ

ambos entonces tienen que morir juntos, el hombre que estaba acostado con la mujer y la mujer.ª Así tienes que eliminar de Israel lo que es malo.ᵇ

23 "En caso de que hubiera una muchacha virgen comprometida con un hombre,ᶜ y un hombre realmente la hallara en la ciudad y se acostara con ella,ᵈ 24 entonces ustedes tienen que sacar a ambos a la puerta de aquella ciudad y lapidarlos, y ellos tienen que morir, la muchacha por razón de que no gritó en la ciudad, y el hombre por razón de que humilló a la esposa de su semejante.ᵉ Así tienes que eliminar de en medio de ti lo que es malo.ᶠ

25 "Sin embargo, si es en el campo donde el hombre halló a la muchacha que estaba comprometida, y el hombre la agarró y se acostó con ella, entonces el hombre que se acostó con ella tiene que morir solo, 26 y a la muchacha no le debes hacer nada. La muchacha no tiene pecado merecedor de muerte, porque tal como cuando un hombre se levanta contra su semejante y verdaderamente lo asesina,ᵍ sí, a un alma, así es en este caso. 27 Porque fue en el campo donde la halló. La muchacha que estaba comprometida gritó, pero no hubo quien la socorriera.

28 "En caso de que un hombre halle a una muchacha, una virgen que no haya estado comprometida, y realmente la prenda y se acueste con ella,ʰ y hayan sido sorprendidos,ⁱ 29 el hombre que se acostó con ella entonces tiene que dar al padre de la muchacha cincuenta siclos de plata,ʲ y ella llegará a ser su esposa debido a que la humilló. No se le permitirá divorciarse de ella en todos sus días.ᵏ

30 "Ningún hombre debe tomar la esposa de su padre, para que no descubra la falda de su padre.ˡ

23 "Ningún hombre a quien se haya castradoª aplastándole los testículos,ᵇ o que tenga cortado su miembro viril, podrá entrar en la congregación de Jehová.

2 "Ningún hijo ilegítimoᶜ podrá entrar en la congregación de Jehová. Hasta la décima generación misma ninguno de los suyos podrá entrar en la congregación de Jehová.

3 "Ningún ammonita ni moabita podrá entrar en la congregación de Jehová.ᵈ Hasta la décima generación misma ninguno de los suyos podrá entrar en la congregación de Jehová, hasta tiempo indefinido, 4 por razón de que no vinieron en socorro de ustedes con pan y agua en el camino cuando estaban saliendo de Egipto,ᶠ y porque alquilaron contra ti a Balaam, hijo de Beor, de Petor de Mesopotamia, para invocar el mal contra ti.ᵍ 5 Y Jehová tu Dios no quiso escuchar a Balaam;ʰ antes bien, en favor tuyo Jehová tu Dios cambió la invocación de mal en bendición,ⁱ porque Jehová tu Dios te amó.ʲ 6 No debes trabajar en el interés de la paz de ellos ni de la prosperidad de ellos en todos tus días, hasta tiempo indefinido.ᵏ

7 "No debes detestar al edomita, pues es tu hermano.ˡ

"No debes detestar al egipcio, pues llegaste a ser residente forastero en su país.ᵐ 8 Los hijos que a ellos les nazcan como la tercera generación podrán entrar de por sí en la congregación de Jehová.

9 "En caso de que salgas al campamento contra tus enemigos, entonces tienes que guardarte de toda cosa mala.ⁿ 10 En caso de que haya en ti un hombre que no continúe limpio, debido a polución que ocurra de noche,ᵒ entonces tendrá que salir fuera del campamento. No podrá entrar en medio del cam-

CAP. 22

a Ex 20:14
Le 20:10
Mal 3:5
1Co 6:9
1Co 6:18

b Dt 22:24

c Dt 20:7
Mt 1:18

d Dt 5:18

e Le 20:10
1Te 4:6
Heb 13:4

f 1Co 5:2

g Gé 4:8
Nú 35:20
Snt 2:11

h Gé 34:2
2Sa 13:14

i Gé 34:5

j Gé 34:11

k Dt 22:19

l Le 18:8
Le 20:11
Dt 27:20
1Co 5:1

2.ª col.

CAP. 23

a Isa 56:4
Mt 19:12

b Le 21:20

c Éx 20:14
Le 20:10
Jn 8:41
Heb 12:8

d Ne 13:1

e Mt 25:45

f Dt 2:29
Jue 11:18

g Nú 22:6
Jos 24:9
Ne 13:2

h Nú 22:35
Miq 6:5

i Nú 23:11
Nú 23:25
Nú 24:10
Sl 3:8

j Dt 7:7
Dt 33:3
Eze 16:8
Mal 1:2

k 2Sa 8:2
2Sa 12:31
l Gé 25:24
Gé 36:1
Nú 20:14
Abd 10

m Gé 15:13
Gé 46:6
Éx 22:21
Le 19:34
Sl 105:23

n 1Sa 21:5
2Sa 11:11

o Le 15:16

pamento.ª 11 Y tiene que suceder que al caer de la tarde él debe lavarse con agua, y al ponerse el sol podrá entrar en medio del campamento.ᵇ 12 Y debes tener disponible un lugar privado fuera del campamento, y tendrás que salir allá. 13 Y debes tener disponible una estaca junto con tus útiles, y tiene que suceder que cuando te agaches fuera, entonces tienes que cavar un hoyo con ella y volverte y cubrir tu excremento.ᶜ 14 Porque Jehová tu Dios está andando en tu campamento para librarteᵈ y para abandonar en tu mano a tus enemigos;ᵉ y tu campamento tiene que resultar santo,ᶠ para que él no vea en ti nada indecente y ciertamente se aparte de acompañarte.ᵍ

15 "No debes entregar el esclavo a su amo cuando él escape de su amo y huya a ti.ʰ 16 Contigo continuará morando, en medio de ti, en cualquier lugar que escoja en una de tus ciudades,ⁱ dondequiera que le agrade. No debes maltratarlo.ʲ

17 "Ninguna de las hijas de Israel puede hacerse prostitutaᵏ de templo, ni puede hacerse prostitutoˡ de templo ninguno de los hijos de Israel. 18 No debes introducir el alquilerᵐ de una ramera ni el precio de un perroⁿ en la casa de Jehová tu Dios por voto alguno, porque son cosa detestable a Jehová tu Dios, aun ambas cosas.

19 "No debes hacer que tu hermano pague interés,º interés por dinero, interés por alimento,ᵖ interés por cualquier cosa por la cual se pueda demandar interés. 20 Podrás hacer que un extranjeroᑫ pague interés, pero no debes hacer que tu hermano pague interés;ʳ a fin de que Jehová tu Dios te bendiga en toda empresa tuya en la tierra a la cual vas para tomar posesión de ella.ˢ

21 "En caso de que hagas un

voto a Jehováª tu Dios, no debes ser lento en cuanto a pagarlo,ᵇ porque Jehová tu Dios sin falta lo requerirá de ti, y verdaderamente llegaría a ser pecado de parte tuya.ᶜ 22 Pero en caso de que omitas hacer un voto, no llegará a ser pecado de parte tuya.ᵈ 23 Debes guardar lo que tus labios hayan proferido,ᵉ y tienes que hacer tal como en voto te hayas expresado a Jehová tu Dios como ofrenda voluntaria de que hablaste con tu boca.ᶠ

24 "En caso de que entres en la viña de tu semejante, debes comer según suficientes uvas para satisfacer tu alma, pero no debes ponerlas en un receptáculo tuyo.ᵍ

25 "En caso de que entres en el grano en pie de tu semejante, debes arrancar con tu mano solo las espigas maduras, pero no debes blandir la hoz de acá para allá sobre el grano en pie de tu semejante.ʰ

24 "En caso de que un hombre tome a una mujer y de veras la haga su posesión como esposa, entonces tiene que suceder que si ella no hallara favor a sus ojos por haber hallado él algo indecente de parte de ella,ⁱ entonces él tendrá que escribirle un certificado de divorcioʲ y ponérselo en la mano y despedirla de su casa.ᵏ 2 Y ella tendrá que salir de la casa de él e ir y llegar a ser de otro hombre.ˡ 3 Si este último hombre le ha cobrado odio y le ha escrito un certificado de divorcio y se lo ha puesto en la mano y la ha despedido de su casa, o en caso de que muriera el último hombre que la haya tomado por esposa, 4 no se permitirá al primer dueño de ella que la despidió tomarla de nuevo para que llegue a ser su esposa después que ella ha sido contaminada;ᵐ porque eso es cosa detestable ante Jehová, y no debes conducir al pecado la

tierra que Jehová tu Dios te da como herencia.

5 "En caso de que un hombre tome una esposa nueva,[a] no debe salir al ejército, ni debe imponérsele otra cosa alguna. Debe continuar exento en su casa por un año, y tiene que regocijar a su esposa a quien ha tomado.[b]

6 "Nadie debe apoderarse de un molino de mano ni de su muela superior como prenda,[c] porque es de un alma que se está apoderando como prenda.

7 "En caso de que se halle a un hombre secuestrando[d] a un alma de sus hermanos de los hijos de Israel, y él haya tratado tiránicamente a este y lo haya vendido,[e] ese secuestrador entonces tiene que morir. Y tienes que eliminar de en medio de ti lo que es malo.[e]

8 "Mantente alerta en la plaga de la lepra[g] para tener mucho cuidado y hacer conforme a todo lo que los sacerdotes, los levitas, les instruyan.[h] Tal como se he mandado a ellos, deben tener cuidado[i] de hacer ustedes. 9 Debe haber un recordar de lo que Jehová tu Dios hizo a Míriam en el camino, cuando ustedes iban saliendo de Egipto.[j]

10 "En caso de que prestes a tu semejante un préstamo de cualquier clase,[k] no debes entrar en su casa para tomar de él lo que ha prometido en prenda.[l] 11 Debes quedarte parado fuera, y el hombre a quien estás haciendo el préstamo debe sacarte la prenda. 12 Y si el hombre está en un apuro, no debes acostarte con su prenda.[m] 13 Sin falta debes devolverle la prenda en cuanto se ponga el sol,[n] y él tendrá que acostarse en su ropa,[o] y tendrá que bendecirte;[p] y significará justicia para ti delante de Jehová tu Dios.[q]

14 "No debes defraudar a un jornalero que se halle en apuros y pobre, sea de tus hermanos o de tus residentes forasteros que están en tu tierra, dentro de tus puertas.[r] 15 En su día debes darle su salario,[a] y el sol no debe ponerse sobre este, porque él se halla en apuros y está alzando su alma a su salario; para que no clame a Jehová contra ti,[b] y ello tenga que llegar a ser pecado de parte tuya.[c]

16 "Padres no deben ser muertos a causa de hijos, ni hijos deben ser muertos a causa de padres.[d] Cada cual debe ser muerto por su propio pecado.[e]

17 "No debes pervertir el juicio del residente forastero[f] ni del huérfano de padre,[g] y no debes apoderarte de la ropa de una viuda como prenda.[h] 18 Y tienes que recordar que llegaste a ser esclavo en Egipto, y Jehová tu Dios procedió a redimirte de allí.[i] Por eso te estoy mandando hacer esta cosa.

19 "En caso de que siegues tu mies en tu campo,[j] y se te haya olvidado una gavilla en el campo, no debes volverte atrás para conseguirla. Debe quedar para el residente forastero, para el huérfano de padre y para la viuda;[k] a fin de que Jehová tu Dios te bendiga en todo hecho de tu mano.[l]

20 "En caso de que apalees tu olivo, no debes recorrer sus ramas, en rebusca tras de ti. Debe quedar para el residente forastero, para el huérfano de padre y para la viuda.[m]

21 "En caso de que vendimies tu viña, no debes recoger los sobrantes, en rebusca tras de ti. Estos deben quedar para el residente forastero, para el huérfano de padre y para la viuda. 22 Y tienes que recordar que llegaste a ser esclavo en la tierra de Egipto.[n] Por eso te estoy mandando hacer esta cosa.[o]

25 "En caso de que se suscite una disputa entre hombres,[p] y ellos se hayan presentado para el juicio,[q] entonces se les

CAP. 24
a Dt 20:7
Lu 14:20
b Pr 5:18
Ec 9:9
c Éx 22:26
Éx 22:27
d Gé 40:15
Éx 21:16
1Ti 1:10
e Gé 37:28
f Dt 19:19
Dt 21:21
g Le 13:9
Le 14:2
Le 14:34
h Le 13:2
Le 13:15
2Cr 26:20
Mal 2:7
i Lu 17:14
i Sl 119:4
j Nú 12:10
Nú 12:15
k Dt 15:8
Pr 3:27
l Job 24:3
m Job 24:9
Job 24:10
n Éx 22:26
Eze 18:7
Eze 33:15
o Éx 22:27
p 1Sa 25:14
Eze 33:15
2Co 9:13
q Dt 6:25
Sl 112:9
r Dt 25:40
Le 25:43
Pr 14:31
Mal 3:5

2.ª col.
a Le 19:13
Jer 22:13
Mt 20:8
b Éx 22:23
Job 34:28
Sl 25:1
Sl 86:4
Pr 22:23
Snt 5:4
c Snt 4:17
d 2Cr 25:4
Jer 31:30
e Eze 18:20
f Éx 22:21
Eze 22:29
g Éx 22:22
Isa 1:23
Jer 5:28
Mal 3:5
h Éx 22:27
Job 24:3
i Dt 5:15
Dt 15:15
Dt 16:12
j Le 19:9
k Le 23:22
Rut 2:16
Sl 41:1
l Dt 15:10
Pr 11:24
Pr 14:21
Pr 19:17
Lu 6:38
2Co 9:6
1Jn 3:17
m Le 19:10
Dt 26:13
n Éx 13:3
o 2Co 8:8

CAP. 25 p Dt 17:8; Dt 19:17; Dt 21:5; q Dt
16:18; Dt 17:9.

tiene que juzgar, y pronunciar justo al justo y pronunciar inicuo al inicuo.[a] 2 Y tiene que suceder que, si el inicuo merece que se le golpee,[b] el juez entonces tiene que mandar que lo pongan postrado y le den, ante él, varazos[c] que correspondan en número con su hecho inicuo. 3 Con cuarenta varazos podrá golpearlo. No debe añadir ninguno, por temor de que continúe golpeándolo con muchos varazos además de estos[d] y tu hermano realmente quede deshonrado a tus ojos.

4 "No debes poner bozal al toro mientras está trillando.[e]

5 "En caso de que unos hermanos moren juntos y uno de ellos haya muerto sin tener hijo, la esposa del muerto no debe llegar a ser de un hombre extraño afuera. Su cuñado debe ir a ella, y tiene que tomarla por esposa y realizar con ella el matrimonio de cuñado.[f] 6 Y tiene que suceder que el primogénito que ella dé a luz debe suceder al nombre de su hermano muerto,[g] para que el nombre de este no sea borrado de Israel.[h]

7 "Ahora bien, si el hombre no se deleita en tomar la viuda de su hermano, la viuda de su hermano entonces tiene que subir a la puerta, a los ancianos,[i] y decir: 'El hermano de mi esposo ha rehusado conservar el nombre de su hermano en Israel. No ha consentido en ejecutar conmigo el matrimonio de cuñado'. 8 Y los ancianos de su ciudad tienen que llamarlo y hablarle, y él tiene que estar de pie y decir: 'No me he deleitado en tomarla'.[j] 9 Entonces la viuda de su hermano tiene que acercarse a él ante los ojos de los ancianos y quitarle la sandalia de su pie[k] y escupirle en la cara[l] y responder y decir: 'De esa manera debe hacérsele al hombre que no quiere edificar la casa de su hermano'.[m] 10 Y se le tiene que llamar por

nombre en Israel: 'La casa de aquel a quien le fue quitada la sandalia'.

11 "En caso de que unos hombres luchen juntos, el uno con el otro, y la esposa del uno se haya acercado para librar a su esposo de la mano del que lo golpea, y ella haya alargado la mano y lo haya agarrado por las partes naturales,[a] 12 entonces tienes que amputar la mano de ella. Tu ojo no debe sentirse apenado.[b]

13 "No debes llegar a tener en tu bolsa dos clases de pesas,[c] una grande y una chica. 14 No debes llegar a tener en tu casa dos clases de efás,[d] uno grande y uno chico. 15 Debes seguir teniendo una pesa exacta y justa. Debes seguir teniendo un efá exacto y justo, a fin de que tus días lleguen a ser largos en el suelo que Jehová tu Dios te da.[e] 16 Porque todo el que hace estas cosas, todo el que hace injusticia, es cosa detestable a Jehová tu Dios.[f]

17 "Debe haber un recordar de lo que Amaleq te hizo en el camino cuando ustedes iban saliendo de Egipto,[g] 18 cómo salió a tu encuentro en el camino y procedió a herir en tu zaga a todos los que venían rezagados tras de ti, mientras te hallabas agotado y fatigado; y no temió a Dios.[h] 19 Y tiene que suceder que cuando Jehová tu Dios te haya dado descanso de todos tus enemigos en derredor en la tierra que Jehová tu Dios te da como herencia para tomar posesión de ella,[i] debes borrar la mención de Amaleq de debajo de los cielos.[j] No debes olvidar.

26 "Y tiene que suceder que cuando por fin entres en la tierra que Jehová tu Dios te da como herencia, y hayas tomado posesión de ella y morado en ella,[k] 2 entonces tienes que tomar parte de las primicias[l] de todos los frutos del terreno, que recogerás de la tierra tuya que

Jehová tu Dios te da, y tienes que ponerlas en una cesta e ir al lugar que Jehová tu Dios escoja para hacer residir allí su nombre.[a] 3 Y tienes que dirigirte al sacerdote[b] que esté en funciones en aquellos días y decir: 'Tengo que entregar informe hoy a Jehová tu Dios de que he entrado en la tierra que Jehová juró a nuestros antepasados que nos daría'.[c]

4 "Y el sacerdote tiene que tomar la cesta de tu mano y depositarla delante del altar de Jehová tu Dios. 5 Y tienes que responder y decir delante de Jehová tu Dios: 'Mi padre era un sirio a punto de perecer;[d] y procedió a bajar a Egipto[e] y a residir allí como forastero con muy pocas personas en número;[f] pero allí llegó a ser una nación grande, poderosa y numerosa.[g] 6 Y los egipcios se pusieron a tratarnos mal y afligirnos e imponernos dura esclavitud.[h] 7 Y empezamos a clamar a Jehová el Dios de nuestros antepasados,[i] y Jehová procedió a oír nuestra voz[j] y a mirar nuestra aflicción y nuestra desgracia y nuestra opresión.[k] 8 Por fin Jehová nos sacó de Egipto con mano fuerte[l] y brazo extendido,[m] y con gran aterramiento,[n] y con señales y milagros.[o] 9 Entonces nos trajo a este lugar y nos dio esta tierra, tierra que mana leche y miel.[p] 10 Y ahora aquí he traído las primicias de los frutos del suelo que Jehová me ha dado'.[q]

"Entonces tienes que depositarlo delante de Jehová tu Dios e inclinarte delante de Jehová tu Dios.[r] 11 Y tienes que regocijarte[s] por todo el bien que Jehová tu Dios les ha dado a ti y a tu casa, tú y el levita y el residente forastero que está en medio de ti.[t]

12 "Cuando acabes de diezmar[u] el entero décimo de tu producto en el tercer año,[v] el año del décimo, entonces tienes que darlo al levita, al residente forastero, al huérfano de padre y a la viuda, y ellos tienen que comerlo dentro de tus puertas y satisfacerse.[a] 13 Y tienes que decir ante Jehová tu Dios: 'He eliminado lo que es santo de la casa y también lo he dado al levita y al residente forastero, al huérfano de padre y a la viuda,[b] de acuerdo con todo tu mandamiento que me has mandado. No he traspasado tus mandamientos, ni me he olvidado.[c] 14 No he comido de ello durante mi duelo, ni he quitado parte de ello estando inmundo, ni he dado parte de ello para algún muerto. He escuchado la voz de Jehová mi Dios. He hecho de acuerdo con todo lo que me has mandado. 15 Mira, sí, desde tu santa morada,[d] los cielos, y bendice a tu pueblo Israel[e] y al suelo que nos has dado, tal como juraste a nuestros antepasados,[f] la tierra que mana leche y miel'.[g]

16 "Este día Jehová tu Dios te está mandando poner por obra estas disposiciones reglamentarias y decisiones judiciales;[h] y las tienes que observar y poner por obra con todo tu corazón[i] y con toda tu alma.[j] 17 Has inducido a Jehová a decir hoy que llegará a ser Dios tuyo mientras andes en sus caminos y observes sus disposiciones reglamentarias[k] y sus mandamientos[l] y sus decisiones judiciales[m] y escuches su voz.[n] 18 En cuanto a Jehová, él te ha inducido a decir hoy que llegarás a ser pueblo suyo, una propiedad especial,[o] tal como te ha prometido,[p] y que observarás todos sus mandamientos, 19 y que él te pondrá en alto por encima de todas las otras naciones que él ha hecho,[q] con el resultado de alabanza y reputación y hermosura, mientras demuestres ser un

CAP. 26

a Dt 12:5
2Cr 6:6
b Nú 18:28
c Gé 17:8
Gé 26:3
Sl 105:11
Heb 6:13
d Gé 28:5
Gé 31:41
Gé 41:42
Os 12:12
e Gé 46:3
Hch 7:15
f Gé 46:27
Dt 7:7
g Éx 1:7
Dt 10:22
Sl 105:24
h Éx 1:11
Dt 4:20
i Éx 3:9
Sl 116:1
j Sl 102:20
Isa 59:1
1Jn 5:15
k Éx 4:31
Hch 7:34
l Éx 13:3
Dt 6:21
m Éx 6:6
Dt 4:34
n Éx 15:16
Jer 32:21
o Éx 7:3
p Éx 3:8
Dt 8:8
Eze 20:6
q Dt 26:2
r Sl 95:6
s Dt 12:7
Sl 32:11
Sl 63:5
Sl 68:3
Flp 4:4
t Dt 16:14
u Dt 12:6
Dt 14:22
v Dt 14:28

2.ª col.

a Dt 14:29
Pr 14:21
1Jn 3:17
b Snt 1:27
c Sl 119:141
Pr 3:1
Hch 24:16
d Sl 102:19
Isa 40:22
Isa 63:15
e Éx 23:25
Sl 28:9
Sl 115:12
f Gé 15:18
Gé 26:3
Heb 6:13
g Dt 8:8
h Dt 4:1
Dt 6:1
Dt 11:1
i Dt 6:6
Sl 78:7
Sl 119:34
1Jn 5:3
j Dt 13:3
k Le 10:11
Le 26:46
Mr 19:5
l Dt 13:18
Dt 12:13
m Le 19:37
Sl 19:9
n Dt 15:5

o Éx 19:5; Dt 14:2; Sl 135:4; p Dt 29:13; q Dt 4:8; Dt 28:1; Sl 148:14.

pueblo santo a Jehová tu Dios,[a] tal como él ha prometido".

27 Y Moisés, junto con los ancianos de Israel, pasó a mandar al pueblo, y dijo: "Debe haber un observar de todo mandamiento que les estoy mandando hoy.[b] 2 Y tiene que suceder que en el día que crucen el Jordán[c] a la tierra que Jehová tu Dios te da, entonces tienes que erigirte grandes piedras y blanquearlas con cal. 3 Y tienes que escribir sobre ellas todas las palabras de esta ley,[d] cuando hayas cruzado,[e] a fin de que entres en la tierra que Jehová tu Dios te da, tierra que mana leche y miel, conforme a lo que Jehová el Dios de tus antepasados te ha hablado.[f] 4 Y tiene que suceder que, cuando ustedes hayan cruzado el Jordán, deben erigir estas piedras, tal como les estoy mandando hoy, en el monte Ebal,[g] y tienes que blanquearlas con cal.[h] 5 También tienes que edificar allí un altar a Jehová tu Dios, un altar de piedras. No debes blandir sobre ellas instrumento de hierro.[i] 6 De piedras enteras debes edificar el altar de Jehová tu Dios, y tienes que ofrecer sobre él ofrendas quemadas a Jehová tu Dios.[j] 7 Y tienes que sacrificar sacrificios de comunión[k] y comerlos allí,[l] y tienes que regocijarte delante de Jehová tu Dios.[m] 8 Y tienes que escribir sobre las piedras todas las palabras de esta ley,[n] haciéndolas bien claras.[o]

9 Entonces Moisés y los sacerdotes, los levitas, hablaron a todo Israel, y dijeron: "Guarda silencio y escucha, oh Israel. Este día ha llegado a ser el pueblo de Jehová tu Dios.[p] 10 Y tienes que escuchar la voz de Jehová tu Dios y poner por obra sus mandamientos[q] y sus disposiciones reglamentarias,[r] que te estoy mandando hoy".

11 Y Moisés pasó a mandar al pueblo en aquel día, y dijo:

12 "Los siguientes son los que estarán de pie para bendecir al pueblo en el monte Guerizim[a] cuando ustedes hayan cruzado el Jordán: Simeón y Leví y Judá e Isacar y José y Benjamín. 13 Y los siguientes son los que estarán de pie para la invocación de mal[b] en el monte Ebal:[c] Rubén, Gad y Aser y Zabulón, Dan y Neftalí. 14 Y los levitas tienen que responder y decir con voz alzada a todo hombre de Israel:[d]

15 "'Maldito es el hombre que hace una imagen tallada[e] o una estatua fundida,[f] cosa detestable a Jehová,[g] la manufactura de las manos de uno que trabaja en madera y metal,[h] y que la ha puesto en un escondite'. (Y todo el pueblo tiene que responder y decir: '¡Amén!'.)[i]

16 "'Maldito es el que trata con desprecio a su padre o a su madre.'[j] (Y todo el pueblo tiene que decir: '¡Amén!'.)

17 "'Maldito es el que mueve hacia atrás el hito de su semejante.'[k] (Y todo el pueblo tiene que decir: '¡Amén!'.)

18 "'Maldito es el que hace que el ciego se descarríe en el camino.'[l] (Y todo el pueblo tiene que decir: '¡Amén!'.)

19 "'Maldito es el que pervierte[m] el juicio[n] de un residente forastero,[o] un huérfano de padre y una viuda.'[p] (Y todo el pueblo tiene que decir: '¡Amén!'.)

20 "'Maldito es el que se acuesta con la esposa de su padre, porque ha descubierto la falda de su padre.'[q] (Y todo el pueblo tiene que decir: '¡Amén!'.)

21 "'Maldito es el que se acuesta con cualquier bestia.'[r] (Y todo el pueblo tiene que decir: '¡Amén!'.)

22 "'Maldito es el que se acuesta con su hermana, hija de su padre o hija de su madre.'[s] (Y

CAP. 26
a Dt 7:6
  Dt 28:9

CAP. 27
b Dt 11:32
  Dt 26:16
  Lu 11:28
c Dt 6:1
  Jos 4:1
d Éx 24:12
e Jos 8:32
f Le 20:24
  Nú 13:27
  Nú 14:8
  Dt 26:9
  Jer 11:5
  Jer 32:22
g Dt 11:29
  Jos 8:30
h Dt 27:2
i Dt 20:25
  Jos 8:31
j Le 1:9
k Le 3:1
l Le 7:15
m Dt 12:7
  Dt 16:11
n Éx 24:12
o Hab 2:2
p Éx 19:5
  Dt 26:18
q Éx 20:6
  1Re 2:3
  Mt 19:17
  1Jn 5:3
r 1Re 8:61

2.ª col.
a Dt 11:29
b Da 9:11
c Jos 8:33
d Dt 33:10
  Ne 8:7
e Éx 20:4
  Dt 4:16
  Isa 44:9
f Éx 34:17
  Le 19:4
  Nú 33:52
g Dt 7:25
  Dt 29:17
h Os 13:2
i Nú 5:22
  Ne 5:13
j Éx 20:12
  Le 19:3
  Dt 21:18
  Dt 21:21
  Pr 20:20
  Pr 30:17
  Mt 15:4
k Dt 19:14
  Pr 22:28
  Pr 23:10
  Le 19:14
m Pr 17:23
  Miq 3:11
n Dt 16:20
o Éx 22:21
p Éx 22:22
  Dt 10:18
  Dt 24:17
  Mal 3:5
  Snt 1:27
q Le 18:8
  2Sa 16:22
  1Co 5:1
r Éx 22:19
  Le 18:23
  Le 20:15

s Le 18:9; Le 20:17; 2Sa 13:14; Eze 22:11.

23 "Maldito es el que se acuesta con su suegra.'ª (Y todo el pueblo tiene que decir: '¡Amén!'.)

24 "'Maldito es el que hiere mortalmente a su semejante desde un escondite.'b (Y todo el pueblo tiene que decir: '¡Amén!'.)

25 "'Maldito es el que acepta soborno para herir mortalmente a un alma, cuando es sangre inocente.'c (Y todo el pueblo tiene que decir: '¡Amén!'.)

26 "'Maldito es el que no ponga en vigor las palabras de esta ley poniéndolas por obra.'d (Y todo el pueblo tiene que decir: '¡Amén!'.)

28 "Y tiene que suceder que si escuchas sin falta la voz de Jehová tu Dios, y tienes cuidado de poner por obra todos sus mandamientos que te estoy mandando hoy,e entonces Jehová tu Dios ciertamente te pondrá en alto por encima de todas las otras naciones de la tierra.ʰ

2 Y todas estas bendiciones tienen que venir sobre ti y alcanzarte,ᵍ porque sigues escuchando la voz de Jehová tu Dios:

3 "Bendito serás en la ciudad,ʰ y bendito serás en el campo.ⁱ

4 "Benditos serán el fruto de tu vientreʲ y el fruto de tu suelo y el fruto de tu bestia doméstica,ᵏ la cría de tu vacada y el hijuelo de tu rebaño.ˡ

5 "Benditas serán tu cestaᵐ y tu artesa.ⁿ

6 "Bendito serás cuando entres y bendito serás cuando salgas.º

7 "Jehová hará que tus enemigos que se levanten contra ti sean derrotados delante de ti.ᵖ Por un camino saldrán contra ti, pero por siete caminos huirán delante de ti.q 8 Jehová decretará para ti la bendición en tus almacenes de abastecimientoʳ y

en toda empresa tuya,ª y ciertamente te bendecirá en la tierra que Jehová tu Dios te da. 9 Jehová te establecerá como pueblo santo para sí,b tal como lo juró,c porque continúas guardando los mandamientosd de Jehová tu Dios, y has andado en sus caminos. 10 Y todos los pueblos de la tierra tendrán que ver que el nombre de Jehová ha sido llamado sobre ti,e y de veras tendrán miedo de ti.f

11 "Jehová también te hará rebosar en verdad por prosperidad en el fruto de tu vientreᵍ y el fruto de tus animales domésticos y el fruto de tu suelo,ʰ en el suelo que Jehová juró a tus antepasados darte.ⁱ 12 Jehová te abrirá su buen almacén, los cielos, para dar la lluvia sobre tu tierra en su temporadaʲ y para bendecir todo hecho de tu mano;ᵏ y ciertamente prestarás a muchas naciones, mientras que tú mismo no tomarás prestado.ˡ 13 Y Jehová realmente te pondrá a la cabeza y no a la cola; y tienes que llegar a estar solamente arribaᵐ y no llegarás a estar abajo, porque sigues obedeciendo los mandamientosⁿ de Jehová tu Dios, que te estoy mandando hoy para que los observes y pongas por obra. 14 Y no debes desviarte de todas las palabras que les estoy mandando hoy, ni a la derecha ni a la izquierda,º para andar tras otros dioses para servirles.ᵖ

15 "Y tiene que suceder que si no escuchas la voz de Jehová tu Dios, teniendo cuidado de poner por obra todos sus mandamientos y sus estatutos que te estoy mandando hoy, entonces todas estas invocaciones de mal tienen que venir sobre ti y alcanzarte:q

16 "Maldito serás en la ciu-

CAP. 27
a Le 18:17
Le 20:14
b Éx 20:13
Éx 21:12
Le 24:17
Nú 35:31
c Dt 10:17
Eze 22:12
Mt 27:4
Hch 1:18
d Dt 28:15
Sl 119:21
Jer 11:3
Gál 3:10

CAP. 28
e Éx 15:26
Le 26:3
Isa 1:19
Lu 1:6
f Dt 26:19
g Pr 10:22
h Sl 107:36
i Dt 11:14
j Le 26:9
Dt 7:13
Sl 127:3
Sl 128:3
k Dt 30:9
l Sl 107:38
m Dt 26:2
n Éx 12:34
Éx 23:25
Rut 1:6
o Nú 27:17
Dt 31:2
2Cr 1:10
Sl 91:14
Sl 121:8
p Le 26:7
Dt 32:30
Jos 10:11
2Sa 22:38
Sl 89:23
q Dt 7:23
2Cr 14:13
Heb 11:34
r Le 26:10
Pr 3:10
Mal 3:10

2.ª col.
a Dt 15:10
b Dt 7:6
1Pe 1:15
c Gé 17:7
Éx 19:6
Dt 7:8
Heb 6:13
d Dt 27:1
e Nú 6:27
2Cr 7:14
Isa 43:10
Isa 63:19
Da 9:19
Hch 15:17
f Nú 22:3
Dt 11:25
Jos 5:1
g Dt 28:4
Dt 30:9
Sl 65:9
i Gé 15:18
j Le 26:4
Dt 11:14
Jer 14:22
k Dt 14:29
Dt 15:10
Sl 67:7
Sl 115:13
l Dt 15:6
m 1Re 4:21

n Sl 119:98; o Dt 5:32; Jos 1:7; Pr 4:27; Isa 30:21;
p Le 19:4; Dt 11:16; Sl 96:5; 1Co 8:4; q Le 26:16;
Da 9:11; Mal 2:2; Gál 3:13.

dad,[a] y maldito serás en el campo.[b]

17 "Malditas serán tu cesta[c] y tu artesa.[d]

18 "Malditos serán el fruto de tu vientre[e] y el fruto de tu suelo,[f] la cría de tu vacada y el hijuelo de tu rebaño.[g]

19 "Maldito serás cuando entres y maldito serás cuando salgas.[h]

20 "Jehová enviará sobre ti la maldición,[i] confusión[j] y represión[k] en toda empresa tuya que trates de llevar a cabo, hasta que hayas sido aniquilado y hayas perecido de prisa, a causa de la maldad de tus prácticas por haberme abandonado.[l] 21 Jehová hará que la peste se te quede pegada hasta que te haya exterminado de sobre el suelo al cual vas para tomar posesión de él.[m] 22 Jehová te herirá con tuberculosis[n] y fiebre ardiente e inflamación y calor febril y la espada[o] y abrasamiento[p] y tizón,[q] y estos ciertamente te perseguirán hasta que hayas perecido. 23 Tus cielos que están sobre tu cabeza también tienen que llegar a ser de cobre; y la tierra que está debajo de ti, de hierro.[r] 24 Jehová dará por lluvia a tu tierra ceniza y polvo. Desde los cielos vendrá sobre ti hasta que hayas sido aniquilado. 25 Jehová hará que seas derrotado delante de tus enemigos.[s] Por un camino saldrás contra ellos, pero por siete caminos huirás delante de ellos; y tendrás que llegar a ser objeto aterrador para todos los reinos de la tierra.[t] 26 Y tu cuerpo muerto tendrá que servir de alimento a toda criatura voladora de los cielos y a la bestia del campo, sin que haya quien [las] haga temblar.[u]

27 "Jehová te herirá con el divieso de Egipto[v] y hemorroides y eczema y erupción en la piel, de los cuales no podrás ser sanado. 28 Jehová te herirá con locura[w] y pérdida de la vista[a] y aturdimiento de corazón.[b] 29 Y realmente llegarás a ser uno que anda a tientas al mediodía, tal como anda a tientas un ciego en las tinieblas,[c] y no lograrás éxito en tus caminos; y tendrás que llegar a ser tan solo uno que siempre anda defraudado y robado, sin que nadie te salve.[d] 30 Te comprometerás con una mujer, pero otro hombre la forzará.[e] Edificarás una casa, pero no morarás en ella.[f] Plantarás una viña, pero no empezarás a usarla.[g] 31 Tu toro degollado allí ante tus ojos... pero no comerás de él. Tu asno tomado en robo de delante de tu rostro... pero no volverá a ti. Tus ovejas dadas a tus enemigos... pero no tendrás salvador.[h] 32 Tus hijos y tus hijas dados a otro pueblo,[i] y tus ojos mirando y anhelándolos siempre... pero tus manos carecerán de poder.[j] 33 El fruto de tu suelo y toda tu producción lo comerá un pueblo que no has conocido;[k] y tendrás que llegar a ser uno que sólo anda defraudado y aplastado siempre.[l] 34 Y ciertamente enloquecerás ante la vista que con tus ojos verás.[m]

35 "Jehová te herirá con un divieso maligno sobre ambas rodillas y ambas piernas, del cual no podrás ser sanado, desde la planta de tu pie hasta la coronilla de tu cabeza.[n] 36 Jehová te hará marchar, a ti[o] y a tu rey[p] que establecerás sobre ti, a una nación que no has conocido, ni tú ni tus antepasados; y allí tendrás que servir a otros dioses, de madera y de piedra.[q] 37 Y tendrás que llegar a ser un objeto de pasmo,[r] dicho proverbial[s] y escarnio entre todos los pueblos a los cuales Jehová te conducirá.

38 "Llevarás mucha semilla al

CAP. 28
a Jer 7:12
　Jer 26:6
　Lam 1:1
b 1Re 17:1
　Joe 1:4
　Ag 1:6
c Dt 26:2
d Le 26:26
　Miq 6:14
e Dt 5:9
　Lam 2:11
　Lam 2:19
　Lam 4:10
　Os 9:12
f Le 26:20
g Le 26:22
h 2Cr 15:5
i Mal 2:2
j 1Sa 4:10
　2Re 14:12
k Sl 39:11
　Sl 80:16
　Isa 30:17
　Isa 51:20
　Eze 5:15
l Le 26:31
　Dt 4:26
　Jos 23:16
m Le 26:25
　Jer 21:6
　Jer 24:10
n Le 26:16
o Le 26:33
　Jer 16:4
p 1Re 8:37
q 2Cr 6:28
　Am 4:9
　Ag 2:17
r Le 26:19
　Dt 11:17
　1Re 8:35
　1Re 17:1
　Jer 14:4
　Am 4:7
s Le 26:17
　Dt 32:30
t Jer 24:9
　Jer 29:18
　Eze 23:46
　Lu 21:24
u 1Sa 17:44
　Sl 79:2
　Jer 7:33
v Dt 7:15
　Am 4:10
w Ec 7:7

2.ª col.
a Éx 4:11
　Le 26:16
b Jer 4:9
c Isa 59:10
　Sof 1:17
d Jue 3:14
　Jue 6:4
　Ne 9:27
　Sl 106:42
e Jer 8:10
f Isa 5:9
　Lam 5:2
　Sof 1:13
g Am 5:11
　Miq 6:15
h 2Sa 22:42
i 2Cr 29:9
　Joe 3:6
j Ne 5:5
k Le 26:16
　Dt 28:51
　Ne 9:37
　Isa 1:7
　Jer 5:17
l Zac 11:6

m Dt 28:67; n Dt 28:27; Job 2:7; o 2Re 17:6; 2Re 25:26; Isa 39:7; p 2Re 25:7; 2Cr 33:11; 2Cr 36:6; Jer 22:11; q Dt 4:28; Jer 16:13; r 1Re 9:8; Jer 25:9; s 2Cr 7:20; Jer 24:9; Sl 44:14.

campo, pero poco recogerás,[a] porque la langosta la devorará.[b] 39 Viñas plantarás y ciertamente cultivarás, pero no beberás vino ni recogerás nada,[c] porque el gusano se lo comerá.[d] 40 Llegarás a tener olivos en todo tu territorio, pero no te untarás con aceite, porque tus aceitunas se caerán.[e] 41 Engendrarás hijos e hijas, pero no continuarán siendo tuyos, porque se irán al cautiverio.[f] 42 Todos tus árboles y el fruto de tu suelo los tomarán en posesión insectos zumbadores. 43 El residente forastero que está en medio de ti seguirá ascendiendo más y más alto por encima de ti, mientras que tú... tú seguirás descendiendo más y más abajo.[g] 44 Él será quien te prestará, mientras que tú... tú no le prestarás a él.[h] Él llegará a ser la cabeza, mientras que tú... tú llegarás a ser la cola.[i]

45 "Y todas estas invocaciones de mal[j] ciertamente vendrán sobre ti y te perseguirán y te alcanzarán hasta que hayas sido aniquilado,[k] porque no escuchaste la voz de Jehová tu Dios ni guardaste sus mandamientos y sus estatutos que él te mandó.[l] 46 Y estas tienen que continuar sobre ti y tu prole como señal y portento presagioso hasta tiempo indefinido,[m] 47 debido al hecho de que no serviste a Jehová tu Dios con regocijo y gozo[n] de corazón por la abundancia de todo.[o] 48 Y tendrás que servir a tus enemigos[p] que Jehová enviará contra ti, con hambre[q] y sed y desnudez y la falta de todo; y él ciertamente pondrá un yugo de hierro sobre tu cuello hasta que te haya aniquilado.[r]

49 "Jehová levantará contra ti una nación lejana,[s] del extremo de la tierra, tal como se abalanza un águila,[t] una nación cuya lengua no entenderás,[u] 50 una nación de semblante fiero,[v] que no será parcial para con el viejo

CAP. 28
a Isa 5:10
  Ag 1:6
b 1Re 8:37
  2Cr 6:28
  Joe 2:3
  Joe 2:25
c Sof 1:13
d Jon 4:7
e Miq 6:15
f Dt 28:32
  2Re 24:14
  Jer 52:15
  Jer 52:30
  Lam 1:5
g Le 25:47
h Dt 15:5
  Dt 15:6
  Pr 22:7
i Esd 9:7
j Dt 28:15
  Dt 29:27
  Jer 26:6
k Le 26:28
  2Re 17:20
  Isa 1:20
  Jer 24:10
l Dt 11:28
  Sl 119:21
  Jer 7:24
m Jer 25:18
  Eze 14:8
  Os 10:11
n Ne 8:10
  Sl 100:2
o Dt 12:7
  Dt 32:15
  Ne 9:35
p 2Cr 12:8
  Jer 5:19
  Jer 17:4
q Jer 44:27
r Jer 28:14
s Jer 6:22
  Hab 1:6
t Jer 4:13
  Lam 4:19
  Os 8:1
u Isa 28:11
  Jer 5:15
v Eze 21:31

2.ᵃ col.
a 2Cr 36:17
  Isa 47:6
  Lu 19:44
b Dt 28:33
c Le 26:26
  Jer 15:13
d 2Re 17:5
  2Re 25:1
  Jer 39:1
  Lu 19:43
e Le 26:29
  2Re 6:28
  Jer 19:9
  Lam 2:20
  Lam 4:10
  Eze 5:10
f Dt 15:9
  Pr 23:6
g Dt 28:48
  Jer 52:6
h Lam 4:5
i Isa 49:15
j Dt 28:53

ni mostrará favor al joven.[a] 51 Y ellos ciertamente comerán el fruto de tus animales domésticos y el fruto de tu suelo hasta que hayas sido aniquilado,[b] y no dejarán que te quede grano, vino nuevo ni aceite, ninguna cría de tu vacada ni hijuelo de tu rebaño, hasta que te hayan destruido.[c] 52 Y verdaderamente te tendrán sitiado dentro de todas tus puertas hasta que tus muros altos y fortificados en que estás confiando caigan en toda tu tierra; sí, ciertamente te tendrán sitiado dentro de todas tus puertas en toda tu tierra, que Jehová tu Dios te ha dado.[d] 53 Entonces tendrás que comer el fruto de tu vientre, la carne de tus hijos y tus hijas,[e] que Jehová tu Dios te ha dado, a causa de la estrechez y tensión con que tu enemigo te cercará.

54 "En cuanto al hombre muy delicado y melindroso en medio de ti, su ojo[f] estará inclinado al mal para con su hermano y su esposa estimada y los demás de sus hijos que le queden, 55 para no dar a ninguno de ellos parte de la carne de sus hijos que él se comerá, porque no tiene absolutamente nada que le quede por la estrechez y tensión con que te tendrá cercado tu enemigo dentro de todas tus puertas.[g] 56 En cuanto a la mujer delicada y melindrosa en medio de ti, que nunca procuró poner la planta de su pie sobre la tierra por ser de hábito melindroso y por delicadeza,[h] su ojo estará inclinado al mal para con su esposo estimado y su hijo y su hija, 57 aun para con sus secundinas que salen de entre sus piernas y para con sus hijos que procedió a dar a luz,[i] porque se los comerá en secreto por la falta de todo, a causa de la estrechez y tensión con que te tendrá cercado tu enemigo dentro de tus puertas.[j]

58 "Si no tienes cuidado de

poner por obra todas las palabras de esta ley que están escritas en este libro,[a] para que temas este nombre glorioso[b] e inspirador de temor:[c] aun Jehová,[d] tu Dios, 59 entonces Jehová ciertamente hará que tus plagas y las plagas de tu prole sean especialmente severas, plagas grandes y duraderas,[e] y enfermedades malignas y duraderas.[f] 60 Y él verdaderamente hará volver sobre ti todas las dolencias de Egipto ante las cuales te asustaste, y ciertamente quedarán pegadas a ti.[g] 61 También, cualquier enfermedad y cualquier plaga que no está escrita en el libro de esta ley, Jehová las hará venir sobre ti hasta que hayas sido aniquilado. 62 Y ustedes verdaderamente quedarán con muy pocas personas en número,[h] aunque hayan llegado a ser como las estrellas de los cielos por multitud,[i] porque no escuchaste la voz de Jehová tu Dios.

63 "Y tiene que suceder que tal como Jehová se alborozó sobre ustedes para hacerles bien y para multiplicarlos,[j] así se alborozará Jehová sobre ustedes para destruirlos y para aniquilarlos;[k] y simplemente serán arrancados de sobre el suelo al cual vas para tomar posesión de él.[l]

64 "Y Jehová ciertamente te esparcirá entre todos los pueblos desde un extremo de la tierra hasta el otro extremo de la tierra,[m] y allí tendrás que servir a otros dioses que no has conocido, ni tú ni tus antepasados, madera y piedra.[n] 65 Y entre aquellas naciones no tendrás desahogo,[o] ni resultará haber lugar de descanso para la planta de tu pie; y Jehová verdaderamente te dará allí un corazón trémulo[p] y un desfallecimiento de los ojos[q] y desesperación del alma. 66 Y ciertamente estarás en el mayor peligro por tu

vida, y noche y día estarás lleno de pavor, y no estarás seguro de tu vida.[a] 67 Por la mañana dirás: '¡Que fuera la tarde!', y por la tarde dirás: '¡Que fuera la mañana!', a causa del pavor de tu corazón que te tendrá lleno de pavor y a causa de la vista que con tus ojos verás.[b] 68 Y Jehová ciertamente te hará volver a Egipto en naves por el camino acerca del cual te he dicho: 'Nunca volverás a verlo',[c] y ustedes tendrán que venderse allí a tus enemigos como esclavos y siervas,[d] pero no habrá comprador".

29 Estas son las palabras del pacto que Jehová mandó a Moisés que celebrara con los hijos de Israel en la tierra de Moab, aparte del pacto que él había celebrado con ellos en Horeb.[e]

2 Y Moisés procedió a llamar a todo Israel y a decirles: "Ustedes fueron los que vieron todo lo que Jehová hizo delante de sus ojos en la tierra de Egipto a Faraón y a todos los siervos de este y a toda su tierra,[f] 3 las grandes pruebas que tus ojos vieron,[g] aquellas grandes señales[h] y milagros.[i] 4 Y, sin embargo, hasta el día de hoy Jehová no les ha dado a ustedes un corazón para conocer y ojos para ver y oídos para oír.[j] 5 'Mientras seguí guiándolos cuarenta años en el desierto,[k] sus prendas de vestir no se gastaron sobre ustedes, y tu sandalia no se gastó sobre tu pie.[l] 6 Pan no comieron,[m] y vino y licor embriagante no bebieron, para que supieran que yo soy Jehová su Dios.' 7 Por fin llegaron a este lugar, y Sehón el rey de Hesbón[n] y Og[o] el rey de Basán procedieron a salir para encontrarnos en batalla, pero los derrotamos.[p] 8 Después de eso tomamos su tierra y se la dimos como herencia a los rube-

CAP. 28
a Éx 24:7
Le 26:15
Dt 31:26
b Éx 14:4
Le 10:3
Sl 72:19
c Dt 10:17
Ne 1:5
Sl 99:3
Isa 29:23
d Éx 3:15
Éx 6:3
Éx 20:2
Sl 83:18
Sl 113:3
Isa 42:8
Mal 2:2
e Le 26:21
2Cr 21:14
Da 9:12
f Dt 28:22
2Cr 21:15
g Dt 7:12
Dt 7:15
Dt 28:27
Am 4:10
h Dt 4:27
i Dt 10:22
Dt 26:5
Ne 9:23
j Dt 30:9
k Pr 1:26
l Jer 12:14
Jer 18:7
m Le 26:33
Dt 4:27
Ne 1:8
Lu 21:24
n Dt 4:28
Dt 28:36
Jer 16:13
o Eze 5:12
Am 9:4
p Le 26:36
Eze 12:19
q Le 26:16

2.ª col.
a Heb 10:27
b Dt 28:34
c Éx 14:13
Jer 44:12
Os 9:3
d Ne 5:8

CAP. 29
e Éx 24:8
Le 26:45
Dt 5:2
f Éx 19:4
Dt 7:18
Jos 24:5
g Dt 4:34
Dt 7:19
Ne 9:17
Ne 9:19
h Nú 14:11
i Ne 9:10
Sl 78:43
Sl 105:27
j Pr 20:12
Isa 6:10
Mr 4:12
Ro 11:8
Ef 4:18
k Dt 1:3
Dt 8:2
Am 2:10
l Dt 8:4
Ne 9:21
Mt 6:31

m Éx 16:12; Éx 16:31; Ne 9:15; n Nú 21:26; o Nú 21:33; p Sl 135:10; Sl 135:11.

nitas y a los gaditas y a la mitad de la tribu de los manasitas.[a]

9 De modo que ustedes tienen que guardar las palabras de este pacto y ponerlas por obra, a fin de que hagan resultar bien todo cuanto hagan.[b]

10 "Están apostados todos ustedes hoy delante de Jehová su Dios, las cabezas de sus tribus, sus ancianos y sus oficiales, todo hombre de Israel,[c] 11 sus pequeñuelos, sus esposas,[d] y tu residente forastero[e] que está en medio de tu campamento, desde el recogedor de tu leña hasta el sacador de tu agua,[f] 12 a fin de que entres en el pacto[g] de Jehová tu Dios y su juramento, que Jehová tu Dios está celebrando contigo hoy;[h] 13 con el propósito de establecerte hoy como su pueblo[i] y para que él resulte ser tu Dios,[j] tal como te ha prometido y tal como ha jurado a tus antepasados Abrahán,[k] Isaac[l] y Jacob.[m]

14 "Ahora bien, no es solamente con ustedes con quienes estoy celebrando este pacto y este juramento,[n] 15 sino que es con el que está aquí de pie con nosotros hoy delante de Jehová nuestro Dios y con los que no están aquí con nosotros hoy;[o] 16 (porque ustedes mismos bien saben cómo moramos en la tierra de Egipto y cómo pasamos por en medio de las naciones por las cuales ustedes pasaron.[p] 17 Y ustedes veían las cosas repugnantes y los ídolos estercolizos[q] de ellos, madera y piedra, plata y oro, que estaban con ellos;) 18 que no vaya a haber entre ustedes hombre o mujer o familia o tribu cuyo corazón esté apartándose hoy de Jehová nuestro Dios para ir y servir a los dioses de aquellas naciones;[r] que no vaya a haber entre ustedes una raíz que dé el fruto de una planta venenosa y ajenjo.[s]

19 "Y tiene que suceder que cuando alguien haya oído las pa-

labras de este juramento,[a] y se haya bendecido en su corazón, diciendo: 'Llegaré a tener paz,[b] aunque ande en la terquedad de mi corazón',[c] con la intención de barrer el bien regado junto con los sedientos, 20 Jehová no querrá perdonarlo,[d] sino que entonces la cólera de Jehová[e] y su ardor[f] humearán contra ese hombre,[g] y todo el juramento escrito en este libro[h] ciertamente se asentará sobre él, y Jehová verdaderamente borrará su nombre de debajo de los cielos. 21 Así que Jehová tendrá que separarlo[i] de todas las tribus de Israel para calamidad, de acuerdo con todo el juramento del pacto que está escrito en este libro de la ley.

22 "Y la generación futura, los hijos de ustedes que se levantarán después de ustedes, no podrá menos que decir, también el extranjero que vendrá de una tierra distante, [cuando] de hecho hayan visto las plagas de aquella tierra y sus dolencias con que la ha enfermado Jehová,[j] 23 azufre y sal[k] y quema,[l] de modo que su entera tierra no se sembrará, ni brotará, ni nacerá en ella vegetación alguna, como el derribo de Sodoma y Gomorra,[m] Admán[n] y Zeboyim,[o] que Jehová derribó en su cólera y en su ira;[p] 24 sí, todas las naciones no podrán menos que decir: '¿Por qué le hizo así Jehová a esta tierra?[q] ¿Por qué el ardor de esta gran cólera?'. 25 Entonces ellos tendrán que decir: 'Fue porque abandonaron el pacto[r] de Jehová el Dios de sus antepasados, que él celebró con ellos cuando los sacó de la tierra de Egipto.[s] 26 Y procedieron a ir y servir a otros dioses y a inclinarse ante ellos, dioses que no habían conocido y que él no les había repartido.[t] 27 Entonces la cólera de Jehová se encendió

CAP. 29
a Nú 32:33
Dt 3:12
b Dt 4:6
Dt 8:18
Jos 1:7
1Re 2:3
Sl 103:17
Sl 103:18
Lu 11:28
c Dt 31:12
d Ne 8:2
e Éx 12:38
Nú 11:4
f Jos 9:21
g Dt 29:1
Dt 29:29
h Dt 1:3
Dt 7:6
Dt 27:9
Dt 28:9
j Éx 6:7
Éx 29:45
k Gé 17:7
Gé 22:16
Jer 11:5
Heb 6:13
l Gé 26:3
Éx 2:24
Sl 105:9
m Gé 28:13
n Dt 5:3
Eze 16:60
o Jer 32:39
p Dt 2:4
q Nú 25:2
Éze 20:8
r Dt 11:16
Dt 17:3
Heb 3:12
s Jer 9:15
Os 10:4
Am 6:12
Hch 8:23
Heb 12:15

2.ᵃ col.

a Dt 29:12
b Sl 10:6
Jer 5:12
Jer 14:19
c Ne 9:29
Dt 28:14
Isa 30:1
Jer 3:17
Jer 6:28
Zac 7:12
Ro 1:21
Ro 2:5
d Éx 34:7
Jos 24:19
Isa 27:11
e Sl 74:1
f Éx 34:14
Sl 79:5
Éze 23:25
g Sl 18:8
Heb 12:29
h Dt 27:26
Dt 28:15
i Ro 2:5
j Dt 28:59
k Jue 9:45
Sl 107:34
Jer 17:6
l Sl 11:6
m Gé 19:24
Jud 7
n Gé 10:19
o Gé 14:2
Os 11:8
p Jer 20:16
Am 4:11

q 1Re 9:8; 2Cr 7:21; Jer 22:8; r Dt 29:12; 1Re 19:10; Jer 22:9; Jer 31:32; t Jue 2:12; 1Re 9:9; 2Re 17:7; 2Cr 7:22; Jer 19:4.

contra aquella tierra y él trajo
sobre ella la entera invocación
de mal escrita en este libro.[a]
28 Así Jehová los desarraigó de
sobre su suelo en cólera[b] y furia
y gran indignación, y los arrojó
a otra tierra, como sucede hoy
día’.[c]
29 ”Las cosas ocultas[d] pertenecen a Jehová nuestro Dios,
pero las cosas reveladas[e] nos
pertenecen a nosotros y a nuestros hijos hasta tiempo indefinido, para que pongamos por obra
todas las palabras de esta ley.[f]

30 ”Y tiene que suceder que
cuando vengan sobre ti todas estas palabras —la bendición[g] y la invocación de mal[h]—
que he puesto delante de ti, y las
hayas hecho volver a tu corazón[i]
entre todas las naciones adonde
Jehová tu Dios te haya dispersado,[j] 2 y hayas vuelto a Jehová
tu Dios[k] y escuchado su voz conforme a todo lo que te estoy
mandando hoy, tú y tus hijos,
con todo tu corazón y toda tu
alma,[l] 3 Jehová tu Dios también tiene que traer de vuelta a
tus cautivos[m] y mostrarte misericordia[n] y juntarte otra vez de
todos los pueblos adonde Jehová tu Dios te haya esparcido.[o]
4 Si tu gente dispersa estuviera
en el extremo de los cielos, desde
allí te juntará Jehová tu Dios y
desde allí te tomará.[p] 5 Jehová
tu Dios verdaderamente te introducirá en la tierra de la cual
tomaron posesión tus padres, y
ciertamente tomarás posesión
de ella; y él realmente te hará
bien y te multiplicará más que
a tus padres.[q] 6 Y Jehová tu
Dios tendrá que circuncidar tu
corazón[r] y el corazón de tu prole,[s] para que ames a Jehová tu
Dios con todo tu corazón y toda
tu alma en el interés de tu vida.[t]
7 Y Jehová tu Dios ciertamente
pondrá todos estos juramentos
sobre tus enemigos y los que te
odian, que te han perseguido.[u]
8 ”En cuanto a ti, te volverás y
ciertamente escucharás la voz
de Jehová y pondrás por obra
todos sus mandamientos que te
estoy mandando hoy.[a] 9 Y Jehová tu Dios verdaderamente
hará que tengas más de lo suficiente en toda obra de tu mano,[b]
en el fruto de tu vientre y el fruto
de tus animales domésticos[c] y el
fruto de tu terreno,[d] lo cual resultará en prosperidad;[e] porque
Jehová volverá a alborozarse sobre ti para bien, tal como se alborozó sobre tus antepasados;[f]
10 porque escucharás la voz de
Jehová tu Dios para guardar sus
mandamientos y sus estatutos
escritos en este libro de la ley,[g]
porque volverás a Jehová tu Dios
con todo tu corazón y toda tu
alma.[h]
11 ”Porque este mandamiento que te estoy mandando hoy no
es demasiado difícil para ti, ni
está lejos.[i] 12 No está en los
cielos, para que se diga: ‘¿Quién
ascenderá por nosotros a los cielos y nos lo conseguirá, para que
nos deje oírlo para que lo pongamos por obra?’.[j] 13 Tampoco está al otro lado del mar, para
que se diga: ‘¿Quién pasará por
nosotros al otro lado del mar y
nos lo conseguirá, para que nos
deje oírlo para que lo pongamos
por obra?’. 14 Porque la palabra está muy cerca de ti, en tu
propia boca y en tu propio corazón,[k] para que la pongas por
obra.[l]
15 ”Ve que de veras pongo delante de ti hoy la vida y lo bueno,
y la muerte y lo malo.[m] 16 [Si
escuchas los mandamientos de
Jehová tu Dios,] que te estoy
mandando hoy, para amar a Jehová tu Dios,[n] andar en sus
caminos y guardar sus mandamientos[o] y sus estatutos y sus
decisiones judiciales,[p] entonces
de seguro te mantendrás vivo[q] y

CAP. 29
a Le 26:16; Dt 27:26; Dt 29:20
b Dt 28:63; 1Re 14:15; 2Re 17:18; Sl 52:5; Lu 21:24
c Esd 9:7; Da 9:7
d Isa 55:8; Ro 11:33; 1Co 2:16
e Am 3:7; Mt 11:27; Ef 3:5
f Sl 78:5; Ec 12:13; 1Jn 5:3

CAP. 30
g Dt 11:27; Dt 28:2
h Dt 11:28; Dt 28:15
i 1Re 8:47; Ne 1:9; Eze 18:28; Joe 2:13
j 2Re 17:6; 2Re 17:23; 2Re 25:26; 2Cr 36:20
k Isa 55:7; Os 3:5; 1Jn 1:9
l Dt 4:29
m Jer 29:14
n Lam 3:22
o Esd 1:3; Sl 147:2; Isa 56:8; Jer 32:37; Eze 34:13
p Dt 28:64; Isa 11:11; Sof 3:20; Zac 8:7
q Ne 1:9
r Dt 10:16; Ro 2:29
s Jer 32:39
t Dt 6:5
u Gé 12:3; Isa 10:12; Jer 25:12; Lam 3:64; Ro 12:19

2.ª col.
a Dt 30:2
b Isa 65:21; Mal 3:10; Mt 6:33; Flp 4:19
c Dt 7:14; Dt 28:4; Sl 107:38
d Le 26:4; Sl 67:6; 2Co 9:10
e Dt 15:4; Pr 10:22
f Dt 28:63; Jer 32:41
g Dt 26:17; Dt 30:2
h Ne 1:9; Eze 18:21; Eze 33:11; Hch 3:19
i Sl 147:19; Pr 2:4; Isa 45:19

j Ro 10:6; k Ro 10:8; l Mt 7:21; Snt 1:25; m Dt 11:26; Dt 32:47; n Dt 6:5; Dt 30:6; o Pr 19:16; 1Co 7:19; p Le 25:18; Dt 4:45; Sl 19:9; q Le 18:5; Ne 9:29; Gál 3:12.

te multiplicarás, y Jehová tu Dios tendrá que bendecirte en la tierra a la cual vas para tomar posesión de ella.[a]

17 "Pero si tu corazón se aparta y no escuchas,[b] y realmente te dejas seducir y te inclinas ante otros dioses y les sirves,[c] 18 de veras les informo hoy a ustedes que positivamente perecerán.[d] No alargarán sus días sobre el suelo hacia el cual van a cruzar el Jordán, para ir y tomar posesión de él. 19 De veras tomo los cielos y la tierra como testigos contra ustedes hoy,[e] de que he puesto delante de ti la vida y la muerte,[f] la bendición[g] y la invocación de mal;[h] y tienes que escoger la vida a fin de que te mantengas vivo,[i] tú y tu prole,[j] 20 amando a Jehová tu Dios,[k] escuchando su voz y adhiriéndote a él;[l] porque él es tu vida y la longitud de tus días,[m] para que mores sobre el suelo que Jehová juró a tus antepasados Abrahán, Isaac y Jacob que les daría".[n]

31 Entonces Moisés fue y habló estas palabras a todo Israel 2 y les dijo: "Hoy tengo ciento veinte años de edad.[o] Ya no se me permitirá salir y entrar,[p] puesto que Jehová me ha dicho: 'No cruzarás este Jordán'.[q] 3 Jehová tu Dios es el que va a cruzar delante de ti.[r] Él mismo aniquilará a estas naciones de delante de ti, y tú tienes que expulsarlas.[s] Josué es el que va a cruzar delante de ti,[t] tal como ha hablado Jehová. 4 Y Jehová ciertamente les hará tal como ha hecho a Sehón[u] y Og,[v] los reyes de los amorreos, y a su tierra, cuando los aniquiló.[w] 5 Y Jehová las ha abandonado en mano de ustedes,[x] y ustedes tienen que hacerles conforme a todo el mandamiento que les he mandado.[y] 6 Sean animosos y fuertes.[z] No tengan miedo ni sufran un sobresalto delante de ellos,[a] porque Jehová tu Dios es el que marcha contigo. No te

desamparará ni te dejará enteramente".[a]

7 Y Moisés procedió a llamar a Josué y a decirle ante los ojos de todo Israel: "Sé animoso y fuerte,[b] porque tú... tú introducirás a este pueblo en la tierra que Jehová juró a sus antepasados que les daría, y tú mismo se la darás como herencia.[c] 8 Y Jehová es el que marcha delante de ti. Él mismo continuará contigo.[d] No te desamparará ni te dejará enteramente. No tengas miedo ni te aterrorices".[e]

9 Entonces Moisés escribió esta ley[f] y la dio a los sacerdotes, los hijos de Leví,[g] los transportadores del arca del pacto de Jehová,[h] y a todos los ancianos de Israel. 10 Y Moisés pasó a mandarles, diciendo: "Al cabo de cada siete años, en el tiempo señalado del año de la liberación,[i] en la fiesta de las cabañas,[j] 11 cuando todo Israel venga para ver el rostro de Jehová[k] tu Dios en el lugar que él escoja,[l] leerás esta ley enfrente de todo Israel a oídos de ellos.[m] 12 Congrega al pueblo,[n] los hombres y las mujeres y los pequeñuelos y tu residente forastero que está dentro de tus puertas, a fin de que escuchen y a fin de que aprendan,[o] puesto que tienen que temer a Jehová el Dios de ustedes[p] y cuidar de poner por obra todas las palabras de esta ley. 13 Y los hijos de ellos, que no han sabido, deben escuchar,[q] y tienen que aprender a temer a Jehová el Dios de ustedes todos los días que ustedes estén viviendo sobre el suelo hacia el cual van a cruzar el Jordán para tomar posesión de él".[r]

14 Después de eso Jehová dijo a Moisés: "¡Mira! Se han acercado los días en que has de morir.[s] Llama a Josué, y apóstense en la tienda de reunión, para que yo

CAP. 30
a Dt 30:5
b Dt 29:18
1Sa 12:25
Heb 3:12
c Dt 4:19
Dt 31:29
Sl 96:5
d Dt 8:19
Jos 23:15
e Dt 4:26
Dt 31:28
Isa 1:2
f Dt 32:47
g Dt 11:26
Dt 28:2
h Dt 27:26
Dt 28:15
i Jos 24:15
j Dt 6:2
Jer 32:39
k Dt 10:12
l Dt 4:4
m Dt 4:40
n Gé 12:7
Gé 15:18

CAP. 31
o Éx 7:7
Dt 34:7
Hch 7:23
p Nú 27:17
q Nú 20:12
Dt 3:27
Dt 4:21
r Dt 9:3
s Sl 44:2
t Nú 27:18
Dt 3:28
Dt 1:2
Jos 4:14
Hch 7:45
u Nú 21:24
v Nú 21:35
w Éx 23:23
Dt 29:7
x Dt 3:21
Dt 7:2
y Nú 33:52
Dt 7:24
Dt 20:16
z Jos 1:6
Sl 27:14
Sl 118:6
a Nú 14:9
Dt 1:29
Dt 7:18
Sl 56:3

2.ª col.
a Dt 4:31
Jos 1:5
Heb 13:5
b Jos 10:25
Ef 6:10
c Dt 1:38
Éx 33:14
e Jos 1:9
f Rev 34:27
Dt 9:13
g Dt 17:18
h Nú 4:15
Dt 31:25
i Dt 7:5:1
j Le 23:34
k Éx 23:17
Dt 16:16
l Dt 12:5
m Ne 8:7
n Dt 4:10
Heb 10:25
o Dt 29:29

p Sl 34:11; Pr 8:13; q Dt 6:7; Dt 11:2; Sl 78:6; Pr 22:6; Ef 6:4; r Dt 30:16; s Nú 27:13; Dt 31:2.

lo comisione".[a] De modo que Moisés y Josué fueron y se apostaron en la tienda de reunión.[b] 15 Entonces Jehová apareció en la tienda, en la columna de nube, y la columna de nube empezó a situarse junto a la entrada de la tienda.[c]

16 Jehová ahora dijo a Moisés: "¡Mira! Vas a yacer con tus antepasados;[d] y este pueblo ciertamente se levantará[e] y tendrá ayuntamiento inmoral con dioses extranjeros de la tierra a la cual van,[f] en medio de ellos mismos, y ciertamente me abandonarán[g] y quebrantarán mi pacto que he celebrado con ellos.[h] 17 Por lo cual mi cólera verdaderamente se encenderá contra ellos en aquel día,[i] y ciertamente los abandonaré[j] y ocultaré de ellos mi rostro,[k] y tendrán que llegar a ser algo que será consumido; y muchas calamidades y angustias tendrán que venir sobre ellos,[l] y es seguro que dirán en aquel día: '¿No será porque nuestro Dios no está en medio de nosotros por lo que nos han sobrevenido estas calamidades?',[m] 18 En cuanto a mí, yo absolutamente ocultaré mi rostro en aquel día a causa de toda la maldad que han hecho, porque se han vuelto a otros dioses.[n]

19 "Y ahora escríbanse esta canción[o] y enséñala a los hijos de Israel.[p] Colócala en la boca de ellos a fin de que esta canción sirva de testigo mío contra los hijos de Israel.[q] 20 Porque los traeré al suelo acerca del cual he jurado a sus antepasados,[r] que mana leche y miel,[s] y ciertamente comerán[t] y quedarán satisfechos y engordarán,[u] y se volverán a otros dioses,[v] y verdaderamente servirán a estos y los tratarán con falta de respeto y quebrantarán mi pacto.[w] 21 Y tiene que suceder que, cuando vengan muchas calamidades y angustias sobre ellos,[x] entonces esta canción tendrá que responder delante de ellos como testigo, porque no debe ser olvidada de la boca de su prole, porque bien conozco su inclinación[a] que van desarrollando hoy antes de que yo los introduzca en la tierra acerca de la cual he jurado".

22 Así que Moisés escribió esta canción en aquel día, para enseñarla a los hijos de Israel.[b] 23 Y él procedió a comisionar a Josué hijo de Nun[c] y a decir: "Sé animoso y fuerte,[d] porque tú... tú introducirás a los hijos de Israel en la tierra acerca de la cual les he jurado,[e] y yo mismo continuaré contigo".

24 Y aconteció que, tan pronto como Moisés hubo acabado de escribir las palabras de esta ley en un libro hasta dejarlas completas,[f] 25 Moisés se puso a mandar a los levitas, los transportadores del arca del pacto de Jehová,[g] y dijo: 26 "Tomando este libro de la ley,[h] ustedes tienen que colocarlo al lado del arca[i] del pacto de Jehová su Dios, y allí tiene que servir de testigo contra ti.[j] 27 Porque yo... yo conozco bien tu rebeldía[k] y tu dura cerviz.[l] Si ustedes, mientras todavía estoy vivo con ustedes hoy, se han mostrado de comportamiento rebelde para con Jehová,[m] ¡entonces cuánto más después de mi muerte! 28 Congréguenme a todos los ancianos de sus tribus y sus oficiales,[n] y déjenme hablar a oídos de estas palabras, y déjenme tomar los cielos y la tierra como testigos contra ellos.[o] 29 Porque bien sé yo que después de mi muerte ustedes sin falta obrarán ruinosamente,[p] y ciertamente se desviarán del camino acerca del cual les he mandado; y la calamidad[q] de seguro les sobrevendrá al fin de los días, porque harán lo que es malo a los

CAP. 31

a Dt 3:28
b Éx 40:2
c Éx 33:9
  Éx 40:38
  Sl 99:7
d 2Sa 7:12
  Jn 3:13
e Éx 32:6
f Éx 34:15
  Jue 2:17
  Sl 106:37
  Sl 106:39
  Jer 3:1
  Eze 16:15
g Dt 32:15
  Jue 2:12
  1Re 11:33
h Jue 2:20
  Jer 31:32
  Heb 8:9
i Dt 29:20
  Sl 74:1
j 1Cr 28:9
  2Cr 15:2
  2Cr 24:20
k Dt 32:20
  Job 34:29
  Sl 27:9
  Sl 104:29
  Eze 39:23
l Dt 31:21
  Dt 32:23
  Ne 9:27
  Pr 1:27
m Jue 6:13
n Isa 8:17
  Isa 59:2
o Dt 31:30
  Dt 32:44
  Col 3:16
p Dt 4:9
  Dt 11:19
q Dt 31:21
r Gé 15:18
  Dt 6:10
s Éx 3:8
  Nú 13:27
  Eze 20:6
t Dt 8:12
  Ne 9:25
u Dt 32:15
v Dt 32:16
w Éx 24:7
  Dt 29:1
  Ne 9:26
x Dt 28:59
  Dt 29:22

2.ª col.

a Gé 8:21
  Éx 16:4
  1Cr 28:9
  Sl 139:2
b Dt 31:19
c Nú 27:18
  Dt 31:14
d Jos 1:6
  Sl 27:14
  Sl 118:6
e Dt 1:38
  Dt 3:28
f Éx 34:27
  Dt 31:9
g Nú 4:15
  1Cr 15:12
h Dt 17:18
  Dt 31:10
  2Cr 34:14
i 1Re 8:9
  Heb 9:4
j Dt 31:19

k Dt 9:24; Dt 32:20; Jos 1:18; Ne 9:26; l Éx 32:9;
Dt 9:6; Sl 75:5; Pr 29:1; Isa 48:4; m Dt 9:24; Sl
78:8; n Dt 29:10; o Dt 4:26; Dt 30:19; Dt 32:1;
p Dt 32:5; Jue 2:19; Os 9:9; q Dt 28:15.

ojos de Jehová, de modo que lo ofenderán por las obras de sus manos".[a]

30 Y Moisés procedió a hablar a oídos de toda la congregación de Israel las palabras de esta canción hasta que quedaron completas:[b]

32 "Presten oído, oh cielos, y
déjenme hablar;
y oiga la tierra los dichos de mi boca.[c]
2 Goteará como la lluvia mi instrucción,[d]
destilará como el rocío[e] mi dicho,
como suaves lluvias sobre la hierba[f]
y como copiosos chaparrones sobre la vegetación.[g]
3 Porque yo declararé el nombre de Jehová.[h]
¡Atribuyan ustedes grandeza, sí, a nuestro Dios![i]
4 La Roca, perfecta es su actividad,[j]
porque todos sus caminos son justicia.[k]
Dios de fidelidad,[l] con quien no hay injusticia;[m]
justo y recto es él.[n]
5 Ellos han obrado ruinosamente por su propia cuenta;[o]
no son hijos de él; el defecto es de ellos mismos.[p]
¡Generación torcida y aviesa![q]
6 ¿Es a Jehová a quien siguen haciendo de esta manera,[r]
oh pueblo estúpido y no sabio?[s]
¿No es él tu Padre que te ha producido,[t]
el que te hizo y procedió a darte estabilidad?[u]
7 Recuerda los días de la antigüedad,[v]
consideren de generación en generación los años pasados;
pregunta a tu padre, y él podrá informarte;[w]
a los tuyos que han envejecido, y ellos podrán decírtelo.[a]
8 Cuando el Altísimo dio a las naciones una herencia,[b]
cuando separó a los hijos de Adán unos de otros,[c]
procedió a fijar el límite de los pueblos[d]
con consideración para el número de los hijos de Israel.[e]
9 Porque la parte que corresponde a Jehová es su pueblo;[f]
Jacob es el lote asignado que él hereda.[g]
10 Vino a hallarlo en una tierra de desierto,[h]
y en un desierto árido, vacío y aullador.[i]
Se puso a rodearlo,[j] a cuidarlo,[k]
a salvaguardarlo como a la niña de su ojo.[l]
11 Tal como el águila revuelve su nido,
revolotea sobre sus polluelos,[m]
extiende sus alas, los toma,
los lleva sobre sus plumas remeras,[n]
12 solo Jehová siguió guiándolo,[o]
y junto con él no había ningún dios extranjero.[p]
13 Siguió haciéndolo cabalgar sobre los lugares altos de la tierra,[q]
de modo que comió el producto del campo.[r]
Y siguió haciéndolo chupar miel de un peñasco,[s]
y aceite de una roca pedernalina;[t]
14 mantequilla de la vacada y leche del rebaño[u]
junto con la grasa de carneros,
y machos de ovejas, la casta de Basán, y machos cabríos[v]
junto con la grasa de los riñones del trigo;[w]

CAP. 31
a Jer 44:8
b Dt 32:44

CAP. 32
c Dt 4:26; Dt 30:19
d Job 29:22; Isa 55:10
e Pr 19:12; Os 14:5
f Sl 72:6
g Miq 5:7
h Éx 34:5; Sl 105:1; Jn 17:26
i 1Cr 29:11; Sl 145:3
j 2Sa 22:31; Sl 18:2; Sl 19:7; Snt 1:17
k Sl 33:5; Sl 67:4; Da 4:37
l Dt 7:9; Ne 9:33; Sl 98:3; Heb 10:23; 1Pe 4:19
m Dt 25:16; Job 34:10; Ro 3:5
n Gé 18:25; Sl 92:15; Sl 99:4; Os 14:9
o Dt 31:27; Jue 2:19; Sl 14:1
p Isa 1:4; Jer 15:6; Snt 1:14
q Sl 78:8; Lu 9:41; Flp 2:15
r Isa 1:2
s Jer 4:22
t Éx 4:22; Dt 32:18; 2Sa 7:23; Isa 63:16
u Sl 55:22
v Isa 63:11
w Éx 13:14; Sl 44:1

2.ª col.
a Sl 78:3
b Gé 10:5; Sl 115:16
c Gé 11:9
d Dt 2:5; Dt 2:19; Hch 17:26
e Gé 15:18; Éx 23:31; Sl 105:44
f Éx 15:16; Éx 19:5; Dt 7:6; Dt 26:19
g 1Sa 10:1; Sl 74:2; Sl 78:71
h Dt 8:15; Os 13:5
i Sl 107:4; Jer 2:6
j Ne 9:19
k Ne 9:20; Sl 8:4
l Sl 17:8; Zac 2:8
m Isa 31:5

n Éx 19:4; o Dt 1:31; p Isa 43:12; q Dt 33:29; Isa 58:14; r Dt 8:8; s Sl 81:16; t Job 29:6; u Gé 18:8; v Eze 39:18; w Sl 147:14.

y la sangre de la uva seguiste bebiendo como vino.[a]

15 Cuando Jesurún[b] empezó a engordar, entonces pateó.[c]

Has engordado, has engrosado, has quedado harto.[d]

De modo que abandonó a Dios, quien lo hizo,[e] y despreció a la Roca[f] de su salvación.

16 Empezaron a incitarlo a celos[g] con dioses extraños;[h] con cosas detestables siguieron ofendiéndolo.[i]

17 Se pusieron a hacer sacrificios a demonios, no a Dios,[j] a dioses que no habían conocido,[k] a nuevos, recién llegados,[l] que para sus antepasados eran desconocidos.

18 La Roca que te engendró, procediste a olvidar,[m] y empezaste a dejar fuera de la memoria a Dios, Aquel que te produjo con dolores de parto.[n]

19 Cuando Jehová lo vio, entonces ya no les tuvo respeto,[o] debido a la irritación que causaban sus hijos e hijas.

20 De modo que dijo: 'Déjame ocultar de ellos mi rostro,[p] déjame ver cuál será su fin después. Porque son una generación de perversidad,[q] hijos en quienes no hay fidelidad.[r]

21 Ellos, por su parte, me han incitado a celos con lo que no es dios;[s] me han irritado con sus vanos ídolos;[t] y yo, por mi parte, los incitaré a celos con lo que no es pueblo;[u] con una nación estúpida

los ofenderé.[a]

22 Porque se ha encendido un fuego en mi cólera[b] y arderá hasta el Seol, el lugar más bajo,[c] y consumirá la tierra y sus productos[d] e incendiará los fundamentos de las montañas.[e]

23 Aumentaré calamidades sobre ellos;[f] mis flechas agotaré en ellos.[g]

24 Rendidos de hambre[h] estarán, y consumidos por fiebre ardiente[i] y amarga destrucción.[j] Y dientes de bestias enviaré sobre ellos,[k] con la ponzoña de reptiles del polvo.[l]

25 Por fuera una espada los dejará privados[m] —y adentro el terror[n]—, tanto de joven como de virgen,[o] de lactante junto con encanecido.[p]

26 Debí haber dicho: "Los dispersaré,[q] ciertamente haré que cese la mención de ellos de parte de los mortales",[r]

27 si no fuera que temía irritación de parte del enemigo,[s] que lo entendieran mal sus adversarios,[t] que dijeran: "Ha resultado superior nuestra mano,[u] y no fue Jehová quien efectuó todo esto".[v]

28 Porque son una nación en que perece el consejo,[w] y entre ellos no hay entendimiento.[x]

29 ¡Oh, que fueran sabios![y] Entonces reflexionarían acerca de esto.[z]

CAP. 32

a Gé 49:11
b Dt 33:5
  Isa 44:2
c Os 4:16
d Dt 31:20
  Ne 9:25
  Sl 73:7
e Isa 1:4
  Isa 51:13
  Os 13:6
f 2Sa 22:47
  Sl 89:26
  Sl 95:1
g 1Re 14:22
  1Co 10:22
h Jue 2:12
i 1Re 23:13
  Eze 8:17
j Le 17:7
  Sl 106:37
  1Co 10:20
k Dt 28:64
l Jue 5:8
m Sl 106:21
  Isa 17:10
  Jer 2:32
  Jer 3:21
n Dt 4:34
o Jue 2:14
  Sl 78:59
  Sl 106:40
p Dt 31:17
  Job 34:29
  Sl 30:7
q Dt 32:5
  Isa 65:2
  Mt 17:17
r Isa 1:2
  Isa 30:9
s Sl 96:5
  Isa 44:10
  1Co 8:4
  1Co 10:20
t 1Sa 12:10
  1Sa 12:21
  1Re 16:13
  Hch 14:15
u Os 1:10
  Os 2:23
  Ro 9:25
  Ro 11:11
  1Pe 2:10

2.ª col.

a Ro 10:19
b Sl 21:9
  Jer 15:14
  Lam 4:11
c Am 9:2
d Sof 3:8
e Hab 3:10
f Le 26:24
  Dt 28:15
g Sl 7:13
  Eze 5:16
h Dt 28:53
i Dt 28:22
j Dt 28:21
  Am 4:10
k Le 26:22
  Jer 15:3
  Eze 5:17
l Nú 21:6
  Jer 8:17
  Am 9:3
m Jer 9:16
  Lam 1:20
n Jer 9:21
o Jer 7:15
  2Cr 36:17
p Lam 2:21

q Le 26:33; Dt 28:25; Eze 20:23; Lu 21:24; r Dt 9:14; s 1Sa 12:22; Eze 20:14; t Éx 32:12; Nú 14:16; u Sl 115:2; Sl 140:8; v Isa 37:24; w Sl 106:13; Sl 107:11; Lu 7:30; x Isa 6:10; Isa 27:11; Mt 13:15; y Sl 81:13; Pr 1:5; Pr 27:11; z Sl 107:43; Os 14:9; 1Ti 4:15.

Considerarían su fin des-
pués.[a]

30 ¿Cómo podría uno solo perseguir a mil,
y dos poner en fuga a diez
mil?,[b]
a no ser que su Roca los hubiera vendido[c]
y Jehová los hubiera entregado.

31 Porque la roca de ellos no es
como nuestra Roca,[d]
aun dejando que nuestros
enemigos lo decidan.[e]

32 Porque su vid es de la vid de
Sodoma
y de los terraplenes de Gomorra.[f]
Sus uvas son uvas de veneno,
sus racimos son amargos.[g]

33 Su vino es la ponzoña de culebras grandes
y el cruel veneno de co-
bras.[h]

34 ¿No está esto guardado conmigo,
con un sello fijado a ello en
mi almacén?[i]

35 Mía es la venganza, y la retribución.[j]
Al tiempo señalado el pie
de ellos se moverá con
inseguridad,[k]
porque cercano está el día de
su desastre,[l]
y los sucesos ya listos para
ellos de veras se apresu-
ran'.[m]

36 Porque Jehová juzgará a su
pueblo[n]
y sentirá pesar respecto de
sus siervos,[o]
por cuanto verá que ha desaparecido el apoyo
y solo hay un imposibilitado e inútil.

37 Y ciertamente dirá: '¿Dónde
están sus dioses,[p]
la roca en quien buscaban
refugio,[q]

38 los que solían comer la grasa
de sus sacrificios,[r]
beber el vino de sus libaciones?[s]
Que ellos se levanten y les
ayuden.[t]

Que lleguen a ser para ustedes un escondrijo.[a]

39 Vean ahora que yo... yo soy
él,[b]
y no hay dioses junto conmigo.[c]
Yo hago morir, y yo hago
vivir.[d]
Yo he herido gravemente,[e] y
yo... yo ciertamente sa-
naré,[f]
y no hay quien arrebate de
mi mano.[g]

40 Porque alzo al cielo mi mano
[en juramento],[h]
y realmente digo: "Tan
ciertamente como que
estoy vivo hasta tiempo
indefinido",[i]

41 si en verdad afilo mi luciente
espada,[j]
y mi mano ase el juicio,[k]
ciertamente pagaré con venganza a mis adversarios[l]
y haré retribución a los que
me odian intensamen-
te.[m]

42 Embriagaré con sangre mis
flechas,[n]
mientras mi espada come-
rá carne,[o]
con la sangre de los que sean
muertos y de los cauti-
vos,
con las cabezas de los caudillos del enemigo'.[p]

43 Alégrense, oh naciones, con
su pueblo,[q]
porque él vengará la sangre
de sus siervos,[r]
y pagará con venganza a sus
adversarios[s]
y verdaderamente hará ex-
piación por el suelo de
su pueblo".

44 De manera que Moisés vino
y habló todas las palabras de
esta canción a oídos del pueblo,[t] él y Hosea hijo de Nun.[u]

45 Después que Moisés hubo
acabado de hablar todas estas

CAP. 32

a Jer 2:19
  Lam 1:9
b 2Cr 24:24
  Isa 30:17
c Jue 2:14
  1Sa 12:9
  Sl 44:12
  Isa 50:1
d Éx 14:25
  1Sa 2:2
e 1Sa 4:8
  Esd 1:3
  Da 2:47
f Isa 1:10
  Jud 7
g Isa 5:4
  Jer 2:21
h Sl 58:4
  Sl 140:3
i Os 13:12
  Ro 2:5
j Sl 94:1
  Na 1:2
  Ro 12:19
  Heb 10:30
k Sl 9:15
  Sl 73:18
  Isa 8:15
l Jer 10:15
  Lu 19:44
m Isa 30:13
  Hab 2:3
  2Pe 2:3
n Sl 7:8
  Sl 96:13
  Heb 10:30
o Jue 2:18
  Sl 90:13
  Sl 106:45
  Sl 135:14
p Jue 10:14
  Jer 2:28
q Dt 32:31
r Eze 16:19
  1Co 10:20
s Os 2:8
  1Co 10:21
t Jue 10:14

2.ª col.

a Am 9:2
b Isa 41:4
  Isa 48:12
c Dt 4:35
  Isa 45:5
d Isa 2:6
  2Re 5:7
  Sl 68:20
e Nú 12:13
  2Cr 21:18
f Jer 17:14
  Os 6:1
g Isa 43:13
h Éx 6:8
  Isa 45:23
  Heb 6:13
i Sl 90:2
  1Ti 1:17
  Rev 10:6
j Sl 7:12
  Eze 21:10
k Isa 66:16
  Na 1:2
l Dt 32:35
  Isa 1:24
  Isa 59:18
  Isa 66:6
  Na 1:2
m Éx 20:5
n Dt 32:23
o Isa 34:6
  Eze 38:21

p Jos 10:17; Jos 10:26; 1Sa 15:33; q Gé 12:3; 1Re
8:43; Ro 3:29; Ro 15:10; r 2Re 9:7; Rev 6:10;
s Dt 32:41; Miq 5:15; Lu 21:22; t Dt 31:22; Rev
15:3; u Nú 11:28; Dt 31:23.

palabras a todo Israel, 46 pasó a decirles: "Apliquen su corazón a todas las palabras que les estoy hablando hoy en advertencia a ustedes,[a] para que manden a sus hijos que cuiden de poner por obra todas las palabras de esta ley.[b] 47 Porque no es palabra sin valor para ustedes,[c] sino que significa su vida,[d] y por esta palabra podrán alargar sus días sobre el suelo hacia el cual van a cruzar el Jordán para tomar posesión de él".[e]

48 Y Jehová procedió a hablar a Moisés en aquel mismo día, y dijo: 49 "Sube a esta montaña de Abarim,[f] al monte Nebo,[g] que está en la tierra de Moab, que da hacia Jericó, y ve la tierra de Canaán, que doy como posesión a los hijos de Israel.[h] 50 Entonces muere en la montaña a la cual vas a subir, y sé recogido a tu pueblo,[i] tal como murió Aarón tu hermano en el monte Hor[j] y llegó a ser recogido a su pueblo; 51 por razón de que ustedes actuaron en desacato para conmigo[k] en medio de los hijos de Israel, junto a las aguas de Meribá[l] de Qadés, en el desierto de Zin; por razón de que ustedes no me santificaron en medio de los hijos de Israel.[m] 52 Pues desde lejos verás la tierra, pero no entrarás allá en la tierra que doy a los hijos de Israel".[n]

33 Ahora bien, esta es la bendición[o] con que Moisés el hombre del Dios [verdadero][p] bendijo a los hijos de Israel antes de su muerte. 2 Y procedió a decir:

"Jehová... desde Sinaí vino,[q]
y fulguró desde Seír sobre ellos.[r]
Resplandeció desde la región montañosa de Parán,[s]
y con él estaban santas miríadas,[t]
a su diestra guerreros que les pertenecen a ellas.[u]

3 También abrigaba cariño a su pueblo;[a]
todos los santos de estos están en tu mano.[b]
Y ellos... ellos se reclinaron a tus pies;[c]
empezaron a recibir algunas de tus palabras.[d]
4 (Moisés nos impuso como mandato una ley,[e]
una posesión de la congregación de Jacob.)[f]
5 Y él vino a ser rey en Jesurún,[g]
cuando las cabezas del pueblo se reunieron,[h]
el número entero de las tribus de Israel.[i]
6 Que viva Rubén y no muera,[j]
y que sus hombres [no] se hagan pocos".[k]

7 Y esta fue [la bendición] de Judá,[l] al seguir él diciendo:

"Oye, oh Jehová, la voz de Judá,[m]
y que lo traigas a su pueblo.
Sus brazos han contendido por lo que es suyo;
y que resultes ayudante contra sus adversarios".[n]

8 Y en cuanto a Leví, dijo:[o]

"Tu Tumim y tu Urim[p] pertenecen al hombre que te es leal,[q]
a quien pusiste a la prueba en Masah.[r]
Empezaste a contender con él junto a las aguas de Meribá,[s]
9 el hombre que dijo a su padre y su madre: 'No lo he visto'.
A sus hermanos mismos no reconoció,[t]
y a sus hijos no conoció.
Porque ellos guardaron tu dicho,[u]
y tu pacto continuaron observando.[v]
10 Instruyan ellos a Jacob en tus decisiones judiciales[w]

CAP. 32

a Dt 6:6
  Dt 11:18
b Dt 6:7
c 2Ti 3:16
  Heb 4:12
d Le 18:5
  Dt 30:19
  Ro 10:5
e Pr 3:2
f Nú 27:12
g Dt 34:1
h Gé 10:19
  Gé 15:18
  Jos 1:3
i Dt 34:5
j Nú 20:28
  Nú 33:38
k Nú 20:12
  Nú 27:14
l Nú 20:13
m Le 10:3
  Le 22:32
  Isa 8:13
  Mt 6:9
n Nú 27:13
  Dt 3:27
  Dt 34:4

CAP. 33

o Gé 49:28
  Lu 24:50
p Jos 14:6
  Sl 90:Enc
q Éx 19:18
r Jue 5:4
s Hab 3:3
t Da 7:10
  Gál 3:19
  Jud 14
u Sl 68:17

2.ª col.

a Dt 7:8
  Dt 23:5
  Sl 47:4
  Os 11:1
b Éx 19:6
  Sl 50:5
c Éx 19:23
  Dt 20:19
e Éx 24:8
  Jn 1:17
  Hch 15:5
  1Co 9:9
f Dt 4:8
  Hch 7:53
g Dt 32:15
  Isa 44:2
h Éx 18:25
  Éx 19:7
  Nú 1:44
i Nú 1:46
j Gé 49:3
  Jos 22:1
  1Cr 5:1
k Nú 26:7
  Jos 13:15
  Gé 49:8
  1Cr 5:2
m Sl 78:68
n Jue 1:2
  2Sa 7:1
  2Sa 7:9
o Gé 49:5
  Nú 3:12
  Nú 18:24
p Éx 28:30
  Le 8:8
  Esd 2:63
q Éx 32:26
  Heb 7:26
r Éx 17:7
  Dt 6:16

s Nú 20:13; t Éx 32:27; Le 10:6; u Le 10:7; v Mal 2:5; w Le 10:11; Dt 17:9; Jer 18:18.

y a Israel en tu ley.[a]
Ofrezcan incienso ante tus
narices[b]
y una ofrenda entera en tu
altar.[c]
11 Bendice, oh Jehová, su energía vital,[d]
y quieras mostrarte com-
placido en la actividad
de sus manos.[e]
Hiere gravemente en sus caderas a los que se levan-
tan contra él,[f]
y a los que lo odian intensamente, para que no se
levanten".[g]

12 En cuanto a Benjamín,
dijo:[h]
"Que el amado[i] de Jehová resida en seguridad junto
a él,[j]
mientras él lo ampara el
día entero,[k]
y tiene que residir entre
sus hombros".[l]

13 Y en cuanto a José, dijo:[m]
"Que de Jehová sea conti-
nuamente bendecida su
tierra[n]
con las cosas selectas del
cielo, con rocío,[o]
y con la profundidad acuosa que yace allá abajo,[p]
14 y con las cosas selectas, los
productos del sol,[q]
y con las cosas selectas, el
fruto de los meses luna-
res,[r]
15 y con lo más selecto de las
montañas del este,[s]
y con las cosas selectas de
las colinas de duración
indefinida,
16 y con las cosas selectas de la
tierra y su plenitud,[t]
y con la aprobación de
Aquel que reside en la
zarza.[u]
Que vengan sobre la cabeza
de José[v]
y sobre la coronilla de la
cabeza de aquel singula-
rizado de entre sus her-
manos.[w]
17 Como el primogénito de un
toro es su esplendor,[x]
y sus cuernos son los cuernos de un toro salvaje.[a]
Con ellos empujará a pue-
blos[b]
todos juntos hasta los cabos de la tierra,
y ellos son las decenas de millares de Efraín,[c]
y ellos son los millares de
Manasés".

18 Y en cuanto a Zabulón,
dijo:[d]
"Regocíjate, oh Zabulón, en
tu salida;[e]
e Isacar, en tus tiendas.[f]
19 Ellos llamarán pueblos a la
montaña.
Allí sacrificarán los sacrificios de justicia.[g]
Porque chuparán el abun-
dante caudal de los ma-
res[h]
y los tesoros escondidos de
la arena".

20 Y en cuanto a Gad, dijo:[i]
"Bendito es el que ensancha
los confines de Gad.[j]
Como león tiene que resi-
dir,[k]
y tiene que desgarrar el
brazo, sí, la coronilla de
la cabeza.[l]
21 Y escogerá la primera parte
para sí,[m]
porque allí está reservado
el lote asignado del da-
dor de estatutos.[n]
Y los cabezas del pueblo se
reunirán.
La justicia de Jehová ciertamente ejecutará él,
y sus decisiones judiciales
con Israel".

22 Y en cuanto a Dan, dijo:[o]
"Dan es un cachorro de león.[p]
Saltará desde Basán".[q]

23 Y en cuanto a Neftalí, dijo:[r]
"Neftalí está satisfecho con
la aprobación
y lleno de la bendición de
Jehová.

CAP. 33
a 2Cr 15:3
2Cr 17:9
Mal 2:7
b Éx 30:7
Nú 16:40
c Le 1:9
Sl 51:19
d Sl 18:32
Isa 40:29
Hab 3:19
Flp 4:13
e Dt 18:5
Mal 2:6
f Hch 23:4
g Sl 3:7
Am 5:10
h Gé 49:27
i 2Sa 7:16
j Sl 4:8
k Jos 18:11
Sl 68:27
l Jos 18:28
Jue 1:21
2Sa 5:9
Sl 125:2
m Gé 49:22
n Jos 16:1
Pr 10:22
o Gé 27:28
Zac 8:12
p Gé 49:25
q 2Sa 23:4
r Le 26:5
Sl 65:9
s Gé 37:25
Jos 17:18
t Dt 8:8
Sl 24:1
u Éx 3:4
Hch 7:30
v Gé 49:26
1Cr 5:1
w Gé 37:7
1Cr 5:2
x Jos 17:1

2.ª col.
a Sl 22:21
Sl 92:10
b 1Re 22:11
Sl 44:5
c Gé 48:19
d Gé 49:13
e Jos 19:10
Jue 5:14
f Gé 49:14
Jos 19:17
g Sl 4:5
h Gé 49:13
Mt 4:13
i Gé 49:19
j Jos 13:8
Jos 13:24
k 1Cr 12:8
Pr 28:1
l 1Cr 5:18
1Cr 5:20
m Nú 32:1
n Nú 32:21
Nú 32:27
Nú 32:33
Jos 1:14
Jos 1:15
Jos 4:12
Jos 22:1
o Gé 49:16
p Jue 13:2
Jue 13:24
Jue 15:8
Jue 15:20
Jue 16:30

q Jos 19:47; Jue 18:27; Jue 18:29; 1Cr 12:35; r Gé 49:21.

Toma posesión tú, sí, del oeste y del sur".[a]

24 Y en cuanto a Aser, dijo:[b]

"Bendecido con hijos está Aser.[c]

Llegue a ser él uno aprobado por sus hermanos,[d]

y uno que moje su pie en aceite.[e]

25 Hierro y cobre son los cerrojos de tus puertas,[f]

y en proporción con tus días es tu andar reposado.

26 Ninguno hay como el Dios [verdadero][g] de Jesurún,[h]

que cabalga sobre el cielo en tu ayuda[i]

y sobre los cielos nublados en su eminencia.[j]

27 Un escondite es el Dios de la antigüedad,[k]

y debajo están los brazos de duración indefinida.[l]

Y expulsará de delante de ti al enemigo,[m]

y dirá: ¡Aníquila[los]!'.[n]

28 E Israel residirá en seguridad,[o]

la fuente de Jacob a solas,[p]

sobre una tierra de grano y vino nuevo.[q]

Sí, sus cielos dejarán gotear el rocío.[r]

29 ¡Feliz eres tú, oh Israel![s]

¿Quién hay como tú,[t]

pueblo que goza de salvación en Jehová,[u]

el escudo de tu ayuda,

y Aquel que es tu eminente espada?[w]

De modo que tus enemigos se encogerán temerosos ante ti,[x]

y tú... sobre los lugares altos de ellos pisarás".[y]

34 Entonces Moisés procedió a subir de las llanuras desérticas de Moab al monte Nebo,[z] a la cima de Pisgá,[a] que da hacia Jericó.[b] Y Jehová se puso a mostrarle toda la tierra, Galaad hasta Dan,[c] 2 y todo Neftalí y la tierra de Efraín y Manasés y toda la tierra de Judá hasta el mar occidental,[a] 3 y el Négueb[b] y el Distrito,[c] la llanura-valle de Jericó, la ciudad de las palmeras,[d] hasta Zóar.[e]

4 Y Jehová pasó a decirle: "Esta es la tierra acerca de la cual he jurado a Abrahán, Isaac y Jacob, diciendo: 'A tu descendencia se la daré'.[f] Te he hecho verla con tus propios ojos, puesto que no cruzarás allá".[g]

5 Después de eso, Moisés el siervo de Jehová[h] murió allí en la tierra de Moab, por orden de Jehová.[i] 6 Y él procedió a enterrarlo en el valle, en la tierra de Moab, enfrente de Bet-peor,[j] y nadie ha llegado a conocer su sepulcro hasta el día de hoy.[k] 7 Y Moisés tenía ciento veinte años de edad al morir.[l] Su ojo no se había oscurecido,[m] y su fuerza vital no había huido.[n] 8 Y los hijos de Israel se pusieron a llorar a Moisés en las llanuras desérticas de Moab treinta días.[o] Por fin quedaron completos los días del llanto del período de duelo por Moisés.

9 Y Josué hijo de Nun estaba lleno del espíritu de sabiduría,[p] porque Moisés había puesto su mano sobre él;[q] y los hijos de Israel empezaron a escucharle y se pusieron a hacer tal como Jehová había mandado a Moisés.[r] 10 Pero nunca desde entonces se ha levantado en Israel un profeta como Moisés,[s] a quien Jehová conoció cara a cara,[t] 11 tocante a todas las señales y los milagros que Jehová lo envió a hacer en la tierra de Egipto, a Faraón y a todos sus siervos y a toda su tierra,[u] 12 y en cuanto a toda la mano fuerte y todo el grande e imponente respeto que Moisés ejerció ante los ojos de todo Israel.[v]

CAP. 33

a Jos 19:32
b Gé 49:20
c Sl 127:3
Sl 128:3
d Pr 3:4
e Dt 32:13
Job 29:6
f Dt 8:9
g Éx 15:11
Sl 86:8
Sl 89:6
Jer 10:6
h Dt 32:15
Dt 33:5
Isa 44:2
i Sl 68:33
j Sl 68:34
Sl 93:1
Sl 104:3
k Sl 46:11
Sl 90:1
Sl 91:2
Sl 125:2
l Isa 40:11
Os 11:3
m Dt 9:3
n Dt 31:4
o Jer 23:6
Jer 33:16
p Sl 68:26
Isa 48:1
q Dt 8:8
r Dt 11:11
Dt 33:13
s Sl 33:12
Sl 144:15
Sl 146:5
t Dt 4:7
2Sa 7:23
Sl 147:20
u Sl 27:1
Isa 12:2
v Gé 15:1
Sl 115:9
w Jue 7:20
x 2Sa 22:45
Sl 66:3
Sl 81:15
y Dt 32:13

CAP. 34

z Nú 27:12
Dt 32:49
a Nú 21:20
Dt 3:27
b Nú 36:13
c Jos 19:47
Jue 18:29

2.ª col.

a Éx 23:31
Nú 34:6
Dt 11:24
b Jos 15:1
c Gé 13:10
1Re 7:46
d 2Cr 28:15
e Gé 19:22
Isa 15:5
f Gé 12:7
Gé 26:3
Gé 28:13
g Nú 20:12
Dt 32:52
h Nú 12:7
Mal 4:4
i Dt 32:50
Jos 1:2
j Dt 3:29
k Hch 2:31
Jud 9

l Dt 31:2; Hch 7:23; Hch 7:30; Hch 7:36; m Gé 27:1; Gé 48:10; n Jos 14:11; o Nú 20:29; p Jue 3:10; Jue 4:14; Isa 3:12; q Nú 27:18; Dt 31:14; Hch 6:6; 1Ti 4:14; r Nú 27:21; Jos 1:16; Heb 13:17; s Dt 18:15; Hch 3:22; Hch 7:37; t Éx 33:11; Éx 33:20; Nú 12:8; u Dt 4:34; Sl 78:43; v Éx 3:19; Dt 26:8; Lu 24:19.

JOSUÉ

1

Y después de la muerte de Moisés el siervo de Jehová aconteció que Jehová procedió a decir a Josué[a] hijo de Nun, el ministro[b] de Moisés: 2 "Moisés mi siervo está muerto;[c] y ahora levántate, cruza este Jordán, tú y todo este pueblo, a la tierra que les voy a dar a ellos, a los hijos de Israel.[d] 3 Todo lugar sobre el cual pise la planta de su pie, a ustedes ciertamente se lo daré, tal como prometí a Moisés.[e] 4 Desde el desierto y este Líbano hasta el gran río, el río Éufrates, es decir, toda la tierra de los hititas,[f] y hasta el mar Grande, hacia donde se pone el sol, es lo que resultará ser el territorio de ustedes.[g] 5 Nadie se plantará con firmeza delante de ti en todos los días de tu vida.[h] Tal como resulté estar con Moisés resultaré estar contigo.[i] No te desampararé ni te dejaré enteramente.[j] 6 Sé animoso y fuerte,[k] porque tú eres el que hará que este pueblo herede[l] la tierra que juré a sus antepasados que les daría.[m]

7 "Sólo sé animoso y muy fuerte para que cuides de hacer conforme a toda la ley que Moisés mi siervo te mandó.[n] No te desvíes de ella a la derecha ni a la izquierda,[o] para que actúes sabiamente adondequiera que vayas.[p] 8 Este libro de la ley no debe apartarse de tu boca,[q] y día y noche tienes que leer en él, en voz baja, a fin de que cuides de hacer conforme a todo lo que está escrito en él;[r] porque entonces tendrás éxito en tu camino y entonces actuarás sabiamente.[s] 9 ¿No te he dado orden yo?[t] Sé animoso y fuerte. No sufras sobresalto ni te aterrorices,[u] porque Jehová tu Dios está contigo adondequiera que vayas".[v]

10 Y Josué procedió a mandar a los oficiales del pueblo, y dijo: 11 "Pasen por en medio del campamento y manden al pueblo, diciendo: 'Prepárense provisiones, porque de hoy a tres días van a cruzar este Jordán para entrar y tomar posesión de la tierra que Jehová su Dios les da para tomar posesión de ella' ".[a]

12 Y a los rubenitas y a los gaditas y a la media tribu de Manasés, Josué dijo: 13 "Que haya un recordar de la palabra que Moisés el siervo de Jehová les mandó,[b] al decir: 'Jehová su Dios les está dando descanso y les ha dado esta tierra. 14 Sus esposas, sus pequeñuelos y su ganado morarán en la tierra que Moisés les ha dado de este lado del Jordán;[c] pero ustedes pasarán en orden de batalla[d] delante de sus hermanos, todos los hombres valientes y poderosos,[e] y ustedes tienen que ayudarles. 15 Luego que Jehová dé descanso a sus hermanos lo mismo que a ustedes, y ellos también hayan tomado posesión de la tierra que Jehová su Dios les da,[f] entonces ustedes tienen que volver a la tierra de su tenencia y tomar posesión de ella,[g] la que Moisés el siervo de Jehová les ha dado del lado del Jordán hacia el nacimiento del sol' ".[h]

16 Por consiguiente, ellos respondieron a Josué, y dijeron: "Todo cuanto nos has mandado haremos, y adondequiera que nos envíes iremos.[i] 17 Tal como escuchamos a Moisés en todo, así te escucharemos a ti. Solo que Jehová tu Dios resulte estar contigo[j] tal como resultó estar con Moisés.[k] 18 Cualquier hombre que se porte rebeldemente contra tu orden[l] y no escuche tus palabras en todo

CAP. 1

a Dt 31:14
b Éx 24:13
  Nú 11:28
c Dt 34:5
d Nú 27:21
  Dt 3:28
e Dt 11:24
f Nú 13:29
  Jos 11:3
g Gé 15:18
  Éx 23:31
  Nú 34:3
  Dt 1:7
  Jos 15:4
h Dt 7:24
  Dt 11:25
  Ro 8:31
i Éx 3:12
  Jos 3:7
j Dt 31:6
  Heb 13:5
k Dt 1:38
  Dt 31:23
  Sl 27:14
l Nú 34:17
m Gé 12:7
  Gé 15:18
  Gé 26:3
n Dt 31:7
o Dt 5:32
  Dt 28:14
p Dt 29:9
  1Re 2:3
q Dt 6:6
  Dt 30:14
r Dt 17:19
  Sl 1:2
  1Ti 4:15
  Snt 1:25
s 1Cr 22:13
t Dt 31:7
u Dt 31:8
v Éx 23:27
  Sl 46:7

2.ª col.

a Dt 9:1
  Dt 11:31
  Jos 3:2
b Nú 32:20
  Jos 22:2
c Dt 3:19
  Dt 29:8
  Jos 13:8
d Éx 13:18
  Nú 32:21
  Dt 3:18
e Nú 1:3
  Nú 26:2
f Nú 32:17
  Nú 32:22
  Dt 3:20
g Jos 22:4
h Nú 32:33
  Jos 22:9
i Nú 32:25
  Heb 13:17
j 1Sa 16:18
  1Sa 17:37
k Nú 27:20
  Dt 34:9
l 1Sa 12:15
  1Sa 15:23
  Pr 17:11

cuanto le mandes será muerto.[a] Sólo sé animoso y fuerte".[b]

2 Entonces Josué hijo de Nun envió secretamente desde Sitim[c] dos hombres como espías, diciendo: "Vayan, den un vistazo a la tierra y a Jericó". De modo que ellos fueron y llegaron a la casa de una prostituta cuyo nombre era Rahab,[d] y procedieron a alojarse allí. 2 Con el tiempo se le dijo al rey de Jericó: "¡Mira! Hombres de los hijos de Israel han entrado aquí esta noche para explorar el país". 3 Ante eso, el rey de Jericó mandó decir a Rahab: "Saca a los hombres que vinieron a ti, que han entrado en tu casa, porque han venido para explorar todo el país".[e]

4 Entretanto, la mujer tomó a los dos hombres y los ocultó. Y procedió a decir: "Sí, es cierto que los hombres vinieron a mí, y yo no sabía de dónde eran. 5 Y aconteció que, al tiempo de cerrar la puerta,[f] al oscurecer, los hombres salieron. Simplemente no sé adónde se habrán ido los hombres. Corran tras ellos rápidamente, porque los alcanzarán". 6 (Ella, sin embargo, los había llevado arriba al techo,[g] y los mantuvo fuera de la vista entre tallos de lino puestos en filas para ella sobre el techo.) 7 Y los hombres corrieron tras ellos en dirección al Jordán, a los vados,[h] y se cerró la puerta inmediatamente después que los que iban corriendo tras ellos hubieron salido.

8 En cuanto a estos, antes que pudieran acostarse, ella misma subió a donde ellos, en el techo. 9 Y pasó a decir a los hombres: "Yo de veras sé que Jehová ciertamente les dará el país,[i] y que el terror a ustedes ha caído sobre nosotros,[j] y que todos los habitantes del país han quedado desalentados a causa de ustedes.[k] 10 Porque hemos oído cómo Je-

a Dt 17:12
1Sa 11:12
b Dt 31:7
Jos 1:6

c Nú 25:1
Nú 33:49
d Jos 6:17
Mt 1:5
Heb 11:31
Snt 2:25
e Gé 42:9
2Sa 10:3
f Ne 13:19
g Dt 22:8
2Sa 11:2
Hch 10:9
h Jue 3:28
Jue 12:5
i Gé 13:15
Gé 15:18
Éx 3:8
j Éx 23:27
Dt 2:25
Dt 11:25
k Éx 15:15
Jos 5:1
Sl 112:10

2.ᵃ col.
a Éx 14:21
Éx 15:14
Jos 4:23
Jos 9:9
b Nú 21:21
Nú 21:24
c Nú 21:34
Dt 3:3
Jos 9:10
Sl 135:11
d Le 27:29
e Jos 5:1
f Éx 15:15
g Dt 4:39
2Cr 20:6
Sl 83:18
Sl 135:6
Da 4:35
h Dt 10:20
i Est 8:6
j Éx 12:13
Jos 2:18
Jue 6:17
k Ef 6:2
l Jos 6:23
m Nú 30:2
Mt 5:33
n Jue 1:24
1Sa 30:15
Mt 10:41
o Heb 11:31

hová secó las aguas del mar Rojo de delante de ustedes cuando salieron de Egipto,[a] y lo que ustedes hicieron a los dos reyes de los amorreos que estaban al otro lado del Jordán, a saber, Sehón[b] y Og,[c] a quienes dieron por entero a la destrucción.[d] 11 Cuando llegamos a oírlo, entonces empezó a derretírsenos el corazón,[e] y todavía no se ha levantado espíritu en persona alguna a causa de ustedes,[f] porque Jehová su Dios es Dios en los cielos arriba y en la tierra abajo.[g] 12 Y ahora, por favor, júrenme por Jehová[h] que, porque yo he ejercido bondad amorosa para con ustedes, ustedes también ciertamente ejercerán bondad amorosa para con la casa de mi padre,[i] y tienen que darme una señal fidedigna.[j] 13 Y tienen que conservar vivos a mi padre[k] y mi madre y mis hermanos y mis hermanas y a todos los que les pertenecen a ellos, y tienen que librar de la muerte nuestras almas".[l]

14 Por lo cual le dijeron los hombres: "¡Nuestras almas han de morir en lugar de ustedes![m] Si ustedes no informan acerca de este asunto nuestro, entonces tiene que suceder que cuando Jehová nos dé el país, entonces nosotros ciertamente ejerceremos bondad amorosa y confiabilidad para contigo".[n] 15 Después de eso, ella los hizo descender con una soga por la ventana, porque su casa estaba en un lado del muro, y era sobre el muro donde ella moraba.[o] 16 Y procedió a decirles: "Vayan a la región montañosa, para que los que andan en perseguimiento no lleguen a dar con ustedes; y tienen que mantenerse escondidos allí tres días, hasta que los que andan en perseguimiento hayan vuelto, y después pueden ir por su propia dirección". 17 A su vez, los hombres le dijeron: "Estamos libres de culpa

respecto a este juramento que nos has hecho jurar.[a] 18 ¡Mira! Vamos a entrar en el país. Este cordón de hilo escarlata lo debes atar en la ventana por la cual nos has hecho descender, y debes reunir contigo dentro de la casa a tu padre y tu madre y tus hermanos y a toda la casa de tu padre.[b] 19 Y tiene que suceder que si alguien sale de las puertas de tu casa al descubierto,[c] su sangre estará sobre su propia cabeza, y nosotros estaremos libres de culpa; y en cuanto a todo el que continúe contigo en la casa, su sangre estará sobre nuestra cabeza si sobre él viniera mano alguna. 20 Y si informaras acerca de este asunto nuestro,[d] entonces nosotros habremos quedado libres de culpa respecto a este juramento tuyo que nos has hecho jurar". 21 A lo cual ella dijo: "Conforme a sus palabras, así sea".

Con eso los despachó, y ellos se fueron por su camino. Después ella ató el cordón escarlata en la ventana. 22 De modo que ellos fueron y llegaron a la región montañosa y siguieron morando allí tres días, hasta que los perseguidores hubieron vuelto. Ahora bien, los perseguidores fueron buscándolos en todo camino, y no los hallaron. 23 Y los dos hombres procedieron a descender de nuevo de la región montañosa y a cruzar y llegar a Josué hijo de Nun, y empezaron a contarle todas las cosas que les habían sucedido. 24 Y pasaron a decir a Josué: "Jehová ha dado toda la tierra en nuestra mano.[e] Por consiguiente, todos los habitantes de la tierra también se han desalentado a causa de nosotros".[f]

3 Entonces Josué se levantó muy de mañana, y él y todos los hijos de Israel procedieron a partir de Sitim[g] y llegar hasta el Jordán; y pasaron la noche allí antes de cruzar.

2 Aconteció, pues, al cabo de los tres días,[a] que los oficiales[b] procedieron a pasar por en medio del campamento 3 y a dar orden al pueblo, diciendo: "Luego que vean el arca del pacto de Jehová su Dios, y a los sacerdotes, los levitas, llevándola,[c] entonces ustedes mismos partirán de su lugar, y tienen que seguirla 4 —solo que entre ustedes y ella se halle una distancia de unos dos mil codos por medida;[d] no se acerquen a ella— para que sepan el camino por el cual deben ir, porque no han atravesado por ese camino antes".

5 Josué ahora dijo al pueblo: "Santifíquense,[e] porque mañana Jehová hará cosas maravillosas en medio de ustedes".[f]

6 Entonces Josué dijo a los sacerdotes: "Levanten el arca del pacto[g] y pasen delante del pueblo". De modo que ellos levantaron el arca del pacto y fueron delante del pueblo.

7 Y Jehová procedió a decir a Josué: "Este día comenzaré a hacerte grande a los ojos de todo Israel,[h] para que sepan que tal como resulté estar con Moisés[i] resultaré estar contigo.[j] 8 Y tú... tú debes mandar[k] a los sacerdotes que llevan el arca del pacto, y decir: 'Luego que hayan llegado hasta la orilla de las aguas del Jordán, deben detenerse[l] en el Jordán'".

9 Y Josué pasó a decir a los hijos de Israel: "Acérquense acá y escuchen las palabras de Jehová su Dios". 10 Después de eso Josué dijo: "En esto sabrán que un Dios vivo está en medio de ustedes,[m] y que sin falta él expulsará de delante de ustedes a los cananeos y a los hititas y a los heveos y a los perizitas y a los guirgaseos y a los amorreos y a los jebuseos.[n] 11 ¡Miren! El arca del pacto del Señor de toda la tierra va a pasar delante de ustedes [y a entrar] en el Jordán.

CAP. 2
a Nú 30:2

b Jos 6:23
Est 8:6

c Nú 35:26

d Jos 2:14

e Éx 23:31
Jos 6:2
Jos 21:44
Ne 9:24

f Éx 15:15
Jos 2:9
Jos 2:11
Jos 5:1

CAP. 3
g Nú 25:1
Jos 2:1

2.ª col.
a Jos 1:11

b Dt 1:15
Dt 20:5
Dt 31:28
Jos 1:10

c Nú 4:15
Dt 31:9
1Cr 15:2

d Éx 19:12

e Éx 19:10
Le 20:7

f Éx 34:10
Sl 72:18
Sl 86:10

g Éx 25:10
Nú 4:15

h Jos 4:14

i Éx 3:12
Éx 14:31

j Dt 31:8
Jos 1:5
Jos 1:17

k Jos 1:18

l Jos 3:11

m Éx 17:7
Le 26:11
Nú 11:20
Dt 7:21

n Éx 3:8
Dt 7:1
Sl 24:1
Sl 44:2
Zac 4:14

12 Y ahora tómense ustedes doce hombres de las tribus de Israel, un hombre por cada tribu.ª 13 Y tiene que suceder que, al instante que las plantas de los pies de los sacerdotes que llevan el arca de Jehová, el Señor de toda la tierra, descansen en las aguas del Jordán, las aguas del Jordán serán cortadas, las aguas que vienen descendiendo de arriba, y se detendrán como una sola represa".ᵇ

14 Y aconteció que al partir el pueblo de sus tiendas justamente antes de pasar el Jordán, mientras los sacerdotes que llevaban el arcaᶜ del pacto iban delante del pueblo, 15 y al instante que los transportadores del Arca llegaron hasta el Jordán y los pies de los sacerdotes que llevaban el Arca se mojaron en la orilla de las aguas (ahora bien, el Jordán se desborda por todas sus riberasᵈ todos los días de la siega), 16 entonces las aguas que venían descendiendo de arriba empezaron a detenerse. Se elevaron como una sola represaᵉ muy lejos, en Adán, la ciudad al lado de Zaretán,ᶠ mientras que las que iban descendiendo hacia el mar del Arabá, el mar Salado,ᵍ se agotaron. Fueron cortadas, y el pueblo pasó al otro lado enfrente de Jericó. 17 Entretanto los sacerdotes que llevaban el arca del pacto de Jehová permanecieron inmóviles en el suelo seco,ʰ en medio del Jordán, mientras todo Israel iba pasando sobre el suelo seco,ⁱ hasta que la nación entera hubo terminado de pasar el Jordán.

4 Y aconteció que, tan pronto como la nación entera hubo terminado de pasar el Jordán,ʲ Jehová procedió a decir a Josué: 2 "Tómense ustedes doce hombres del pueblo, un hombre de cada tribu,ᵏ 3 y mándenles, diciendo: 'Tomen para ustedes del mismo medio del Jordán, del

CAP. 3
a Jos 4:2

b Éx 15:8
  Sl 114:3

c Éx 25:10
  Jos 3:6
  Hch 7:45

d Jos 4:18
  1Cr 12:15

e Jos 3:13

f 1Re 7:46

g Gé 14:3
  Nú 34:3
  Dt 3:17
  Jos 12:3

h Jos 4:3
  2Re 2:8

i Sl 66:6

CAP. 4
j Nú 14:29
  Nú 26:51
  Nú 26:65

k Jos 3:12

2.ª col.
a Jos 3:17

b Dt 27:2

c Jos 4:19
  Jos 4:20

d Jos 3:12

e Gé 31:45

f Éx 12:26
  Éx 13:14
  Dt 6:20
  Jos 4:21
  Sl 78:3
  Isa 38:19

g Jos 3:13
  Jos 3:16

h Dt 4:9

i Jos 4:2
  Hch 26:7

j Dt 27:2
  Jos 4:3
  Jos 4:19

k Jos 3:17

l Jos 3:13

lugar donde los pies de los sacerdotes se quedaron sin moverse,ª doce piedras,ᵇ y tienen que llevarlas al otro lado consigo y depositarlas en el lugar de alojamientoᶜ en que se alojarán esta noche' ".

4 De modo que Josué llamó a doce hombresᵈ que había nombrado de los hijos de Israel, un hombre de cada tribu; 5 y Josué pasó a decirles: "Pasen delante del arca de Jehová su Dios al medio del Jordán, y álcense cada uno una piedra sobre el hombro, conforme al número de las tribus de los hijos de Israel, 6 para que esto sirva de señal en medio de ustedes.ᵉ En caso de que sus hijos preguntaran en tiempo venidero,ᶠ diciendo: '¿Por qué tienes estas piedras?',ᶠ 7 entonces tendrán que decirles: 'Porque las aguas del Jordán fueron cortadas de delante del arca del pacto de Jehová.ᵍ Cuando ella pasó por el Jordán, las aguas del Jordán fueron cortadas, y estas piedras tienen que servir de memoria a los hijos de Israel hasta tiempo indefinido' ".ʰ

8 Por consiguiente, los hijos de Israel lo hicieron así, tal como Josué había mandado, y levantaron doce piedras de en medio del Jordán, tal como Jehová lo había declarado a Josué, para corresponder al número de las tribus de los hijos de Israel;ⁱ y fueron pasándolas consigo al lugar de alojamientoʲ y depositándolas allí.

9 También hubo doce piedras que Josué erigió en medio del Jordán, en el lugar donde habían estado plantadosᵏ los pies de los sacerdotes que llevaban el arca del pacto, y estas continúan allí hasta el día de hoy.

10 Y los sacerdotes que llevaban el Arca estuvieron parados en medioˡ del Jordán hasta que quedó terminado todo el asunto que Jehová había mandado a Jo-

sué que hablara al pueblo, conforme a todo lo que Moisés había mandado a Josué.[a] Durante todo ese tiempo el pueblo se dio prisa[b] y pasó. 11 Y aconteció que tan pronto como todo el pueblo hubo terminado de pasar, entonces el arca[c] de Jehová pasó, y los sacerdotes, delante del pueblo. 12 Y los hijos de Rubén y los hijos de Gad y la media tribu de Manasés[d] procedieron a pasar en orden de batalla[e] a vista de los hijos de Israel, tal como Moisés les había declarado.[f] 13 Unos cuarenta mil equipados para el ejército pasaron delante de Jehová para la guerra, a las llanuras desérticas de Jericó.

14 En aquel día Jehová hizo grande a Josué a los ojos de todo Israel,[g] y empezaron a temerle tal como habían temido a Moisés todos los días de su vida.[h]

15 Entonces Jehová dijo a Josué: 16 "Manda a los sacerdotes que llevan el arca del testimonio[i] que suban del Jordán". 17 De modo que Josué mandó a los sacerdotes, y dijo: "Suban del Jordán". 18 Y aconteció que cuando los sacerdotes que llevaban el arca[j] del pacto de Jehová subieron de en medio del Jordán, y las plantas[k] de los pies de los sacerdotes fueron sacadas al suelo seco, entonces las aguas del Jordán empezaron a volver a su lugar y fueron desbordándose[l] por todas sus riberas como antes.

19 Y el pueblo subió del Jordán el diez del mes primero y se puso a acampar en Guilgal,[m] en el confín oriental de Jericó.

20 En cuanto a las doce piedras que habían tomado del Jordán, Josué las erigió en Guilgal.[n] 21 Y pasó a decir a los hijos de Israel: "Cuando los hijos de ustedes pregunten a sus padres en tiempo venidero, y digan: '¿Qué significan estas piedras?',[o] 22 entonces ustedes tienen que hacer que sus hijos sepan, di-

ciendo: 'Sobre tierra seca Israel pasó este Jordán,[a] 23 cuando Jehová el Dios de ustedes secó las aguas del Jordán de delante de ellos hasta que hubieron pasado al otro lado, tal como Jehová el Dios de ustedes le había hecho al mar Rojo cuando lo secó de delante de nosotros hasta que hubimos pasado al otro lado;[b] 24 para que todos los pueblos de la tierra conozcan la mano de Jehová,[c] que esta es fuerte;[d] a fin de que ustedes verdaderamente teman a Jehová su Dios siempre' ".[e]

5 Y aconteció que en cuanto a todos los reyes de los amorreos,[f] que estaban del lado del Jordán hacia el oeste, y todos los reyes de los cananeos,[g] que estaban junto al mar, oyeron que Jehová había secado las aguas del Jordán de delante de los hijos de Israel hasta que hubieron pasado al otro lado, entonces empezó a derretírseles el corazón,[h] y resultó que ya no había espíritu en ellos a causa de los hijos de Israel.[i]

2 En aquel tiempo en particular Jehová dijo a Josué: "Hazte cuchillos de pedernal y vuelve a circuncidar[j] a los hijos de Israel, por segunda vez". 3 Por consiguiente, Josué se hizo cuchillos de pedernal y circuncidó a los hijos de Israel en Guibeat-haaralot.[k] 4 Y esta fue la razón por la cual Josué ejecutó la circuncisión: todo el pueblo que había salido de Egipto, los varones, todos los hombres de guerra, habían muerto[l] en el desierto, por el camino, cuando venían en la salida de Egipto. 5 Porque todo el pueblo que salió resultó estar circuncidado, pero a todo el pueblo que nació en el desierto, por el camino, cuando venían en la salida de Egipto, no lo habían circuncidado. 6 Porque los hijos de Israel habían andado cuarenta años[m] en el desierto, hasta que se hubo

CAP. 4
a Dt 27:2
  Dt 34:9
b Sl 119:60
c Jos 3:8
  Jos 3:17
d Jos 1:12
e Éx 13:18
  Nú 32:27
  Jos 1:14
f Nú 32:21
  Nú 32:29
g Jos 3:7
  Sl 75:7
h Éx 14:31
i Éx 25:22
j Nú 4:15
k Jos 3:13
l Jos 3:15
m Jos 4:3
  Jos 5:9
  Jos 10:6
  Miq 6:5
n Dt 27:2
  Jos 4:8
o Jos 4:6
  Sl 44:1

2.ª col.
a Jos 3:17
  Sl 66:6
b Éx 14:21
  Ne 9:11
  Sl 78:13
  Isa 43:16
  Isa 63:12
  Heb 11:29
c Éx 9:16
  Dt 28:10
  1Sa 17:46
  1Re 8:42
  2Re 5:15
  2Re 19:19
d Éx 15:6
  Sl 89:13
  Sl 106:8
e Dt 6:2
  Sl 76:7
  Jer 10:7
  1Pe 2:17

CAP. 5
f Gé 10:16
g Gé 12:6
  Nú 13:29
  Jue 3:3
h Éx 15:15
  Jos 2:9
  Jos 2:11
i Jos 2:24
j Gé 17:11
  Éx 4:25
k Jos 5:9
l Nú 14:29
  Nú 26:65
  Dt 2:14
  1Co 10:5
  Heb 3:17
m Nú 14:33
  Dt 1:3
  Sl 95:10

acabado toda la nación de los hombres de guerra que habían salido de Egipto [y] que no habían escuchado la voz de Jehová, a quienes Jehová juró que nunca les dejaría ver la tierra[a] que Jehová había jurado a sus antepasados darnos,[b] una tierra que mana leche y miel.[c]   7 Y a sus hijos los levantó en lugar de ellos.[d] A estos circuncidó Josué, porque resultó que estaban incircuncisos, pues no los habían circuncidado por el camino.

8 Y aconteció que, cuando hubieron acabado de circuncidar a toda la nación, se quedaron sentados en su lugar en el campamento hasta que revivieron.[e]

9 Entonces Jehová dijo a Josué: "Hoy he hecho rodar de sobre ustedes el oprobio de Egipto".[f] De modo que aquel lugar vino a llamarse por nombre Guilgal,[g] hasta el día de hoy.

10 Y los hijos de Israel continuaron acampados en Guilgal, y procedieron a llevar a cabo la pascua el día catorce del mes,[h] por la tarde, en las llanuras desérticas de Jericó. 11 Y empezaron a comer del fruto de la tierra el día después de la pascua, tortas no fermentadas[i] y granos tostados, en este mismo día. 12 Entonces el maná cesó al día siguiente cuando hubieron comido del fruto de la tierra, y no ocurrió más maná para los hijos de Israel,[j] y empezaron a comer del producto de la tierra de Canaán aquel año.[k]

13 Y aconteció que cuando Josué se hallaba junto a Jericó procedió a alzar los ojos y a mirar, y allí estaba un hombre[l] de pie enfrente de él con su espada desenvainada en la mano.[m] De modo que Josué anduvo hasta donde él y le dijo: "¿Estás de parte de nosotros, o de nuestros adversarios?". 14 A lo cual él dijo: "No, sino que yo... como príncipe del ejército de Jehová he venido ahora".[n] Ante esto, Jo-

suě cayó a tierra sobre su rostro y se postró[a] y le dijo: "¿Qué dice mi señor a su siervo?". 15 A su vez el príncipe del ejército de Jehová dijo a Josué: "Quítate las sandalias de los pies, porque el lugar donde estás de pie es santo". En seguida Josué lo hizo así.[b]

6 Ahora bien, Jericó estaba bien cerrada a causa de los hijos de Israel; nadie salía y nadie entraba.[c]

2 Y Jehová pasó a decir a Josué: "Mira, yo he dado en tu mano a Jericó y su rey, los hombres valientes y poderosos.[d] 3 Y todos ustedes, los hombres de guerra, tienen que marchar alrededor de la ciudad, dando la vuelta a la ciudad una vez. De esa manera debes hacer por seis días. 4 Y siete sacerdotes deben llevar siete cuernos de carnero, delante del Arca, y al séptimo día ustedes deben marchar alrededor de la ciudad siete veces, y los sacerdotes deben tocar los cuernos.[e] 5 Y tiene que suceder que al hacer ellos sonar el cuerno de carnero, cuando ustedes oigan el sonido del cuerno, todo el pueblo debe soltar un gran grito de guerra;[f] y el muro de la ciudad tiene que desplomarse,[g] y el pueblo tiene que subir, cada uno directamente hacia delante de sí".

6 Por consiguiente, Josué hijo de Nun llamó a los sacerdotes[h] y les dijo: "Tomen el arca del pacto,[i] y siete sacerdotes deben llevar siete cuernos de carnero delante del arca[j] de Jehová". 7 Y pasó a decir al pueblo: "Pasen adelante y marchen alrededor de la ciudad, y la fuerza equipada para guerrear[k] debe pasar adelante del arca de Jehová". 8 De modo que aconteció tal como Josué dijo al pueblo; y siete sacerdotes que llevaban siete cuernos de carnero delante de Jehová pasaron adelante y tocaron los

cuernos, y el arca del pacto de Jehová los seguía. 9 Y la fuerza equipada para guerrear iba delante de los sacerdotes que tocaban los cuernos, mientras la retaguardia[a] seguía al Arca con un tocar continuo de los cuernos.

10 Ahora bien, Josué había mandado al pueblo,[b] y dicho: "No deben gritar ni dejar oír su voz, y ninguna palabra debe salir de su boca hasta el día en que yo les diga: '¡Griten!'. Entonces tienen que gritar".[c] 11 E hizo que el arca de Jehová fuera marchando alrededor de la ciudad, dando una sola vuelta, después de lo cual fueron al campamento y se quedaron toda la noche en el campamento.

12 Entonces Josué se levantó muy de mañana,[d] y los sacerdotes se pusieron a llevar el arca[e] de Jehová, 13 y siete sacerdotes que llevaban siete cuernos de carnero delante del arca de Jehová iban andando, tocando los cuernos de continuo, y la fuerza equipada para guerrear iba andando delante de ellos, mientras la retaguardia seguía al arca de Jehová con un tocar continuo de los cuernos.[f] 14 Y fueron marchando alrededor de la ciudad una sola vez el segundo día, después de lo cual se volvieron al campamento. De esa manera hicieron por seis días.[g]

15 Y aconteció que en el séptimo día procedieron a levantarse temprano, en cuanto ascendió el alba, y se pusieron a marchar alrededor de la ciudad de esta manera siete veces. Solo en aquel día marcharon alrededor de la ciudad siete veces.[h] 16 Y aconteció que a la séptima vez los sacerdotes tocaron los cuernos, y Josué procedió a decir al pueblo: "Griten;[i] porque Jehová les ha dado la ciudad." 17 Y la ciudad tiene que llegar a ser una cosa dada por entero a la destrucción;[k] ella con todo cuanto

hay en ella pertenece a Jehová. Solo Rahab[a] la prostituta puede seguir viviendo, ella y todos los que estén en la casa con ella, porque escondió a los mensajeros que enviamos.[b] 18 En cuanto a ustedes, simplemente manténganse alejados de la cosa dada por entero a la destrucción,[c] por temor de que les dé un deseo[d] y de veras tomen algo de la cosa dada por entero a la destrucción[e] y realmente constituyan al campamento de Israel en una cosa dada por entero a la destrucción y le acarreen extrañamiento.[f] 19 Antes bien, toda la plata y el oro y los objetos de cobre y hierro son cosa santa a Jehová.[g] En el tesoro de Jehová debe entrar".[h]

20 Entonces el pueblo gritó, cuando ellos procedieron a tocar los cuernos.[i] Y aconteció que, tan pronto como el pueblo oyó el sonido del cuerno y el pueblo se puso a lanzar un fuerte grito de guerra, entonces el muro empezó a desplomarse.[j] Después de eso el pueblo subió a la ciudad, cada uno directamente hacia delante de sí, y tomaron la ciudad. 21 Y fueron dando por entero todo lo que había en la ciudad, de hombre a mujer, de joven a viejo y a toro y oveja y asno, a la destrucción a filo de espada.[k]

22 Y a los dos hombres que habían servido de espías en el país, Josué dijo: "Entren en la casa de la mujer, la prostituta, y saquen de allí a la mujer y a todos los que le pertenezcan, tal como se lo han jurado".[l] 23 De modo que los jóvenes que habían hecho la obra de espiar entraron y sacaron a Rahab y a su padre y su madre y sus hermanos y a todos los que le pertenecían, sí, a toda su parentela la sacaron;[m] y procedieron a ponerlos fuera del campamento de Israel.

24 Y quemaron la ciudad con fuego, y todo lo que en ella ha-

CAP. 6
a Nú 10:25

b Dt 34:9

c Jos 1:18

d Jos 3:1

e Nú 3:31
Nú 4:15
Dt 31:9
1Cr 15:2

f Jos 6:4

g Jos 6:3

h Jos 6:4

i Jos 6:5
Jos 6:10
2Cr 13:15

j Dt 9:1
Jos 6:1

k Le 27:28
Nú 21:3
Dt 7:2
Dt 20:16

2.ª col.
a Jos 2:1
Mt 1:5
Heb 11:31

b Gé 12:3
Jos 2:4
Jos 2:6
Mt 25:40
Heb 6:10
Snt 2:25

c Dt 7:26

d Dt 13:17
Jos 7:21
Heb 13:5

e Jos 7:11

f Jos 7:25
1Cr 2:7

g Nú 31:22

h Jos 6:24
2Sa 8:11
1Re 7:51
1Cr 18:11

i Jos 6:4
Jos 6:16

j Jos 6:5
Heb 11:30

k Le 27:29
Dt 7:2
Dt 20:16
1Sa 15:3

l Jos 2:14
Heb 11:31

m Jos 2:13
Jos 2:18

bía.ᵃ Solo la plata y el oro y los objetos de cobre y hierro los dieron al tesoro de la casa de Jehová.ᵇ 25 Y a Rahab la prostituta y a la casa de su padre y a todos los que le pertenecían los conservó vivos Josué;ᶜ y ella mora en medio de Israel hasta el día de hoy,ᵈ porque escondió a los mensajeros que Josué envió para espiar a Jericó.ᵉ

26 Entonces Josué hizo que en aquel tiempo en particular se pronunciara un juramento, y dijo: "Maldito sea delante de Jehová el hombre que se levante y de veras edifique esta ciudad, aun a Jericó. Pagando con la pérdida de su primogénito eche los fundamentos de ella, y pagando con la pérdida del menor de los suyos ponga sus puertas".ᶠ

27 Así que Jehová resultó estar con Josué,ᵍ y la fama de este llegó a estar en toda la tierra.ʰ

7 Y los hijos de Israel se pusieron a cometer un acto de infidelidad respecto a la cosa dada por entero a la destrucción, pues Acánⁱ hijo de Carmí, hijo de Zabdí, hijo de Zérah, de la tribu de Judá, tomó algo de la cosa dada por entero a la destrucción.ʲ Ante esto, la cólera de Jehová se enardeció contra los hijos de Israel.ᵏ

2 Entonces Josué envió hombres desde Jericó a Hai,ˡ que está cerca de Bet-aven,ᵐ al este de Betel,ⁿ y les dijo: "Suban y espíen la tierra". Por consiguiente, los hombres subieron y espiaron a Hai.ᵒ 3 Después volvieron a Josué y le dijeron: "Que no suba todo el pueblo. Suban unos dos mil hombres o unos tres mil hombres y hieran a Hai. No fatigues a todo el pueblo haciéndolo ir allá, porque son pocos".

4 De modo que subieron allá unos tres mil hombres del pueblo, pero se pusieron en fuga delante de los hombres de Hai.ᵖ 5 Y los hombres de Hai lograron

derribar de ellos a unos treinta y seis hombres, y fueron persiguiéndolosᵃ desde delante de la puerta hasta Sebarim y continuaron derribándolos en la bajada. En consecuencia, el corazón del pueblo empezó a derretirse y se hizo como agua.ᵇ

6 Ante esto, Josué rasgó sus mantos y cayó en tierra sobre su rostroᶜ delante del arca de Jehová hasta la tarde, él y los ancianos de Israel, y siguieron poniéndose polvo sobre la cabeza.ᵈ 7 Y Josué pasó a decir: "Ay, Señor Soberano Jehová, ¿por qué trajiste a este pueblo todo el camino a través del Jordán, simplemente para darnos en mano de los amorreos para que nos destruyan? ¡Y si solo lo hubiéramos tomado a nuestro cargo y continuado morando al otro lado del Jordán!ᵉ Dispénsame, oh Jehová, pero ¿qué podré decir después que Israel ha vuelto la espalda delante de sus enemigos? 9 Y los cananeos y todos los habitantes del país lo oirán, y ciertamente nos cercarán y cortarán nuestro nombre de la tierra;ᶠ y ¿qué harás por tu gran nombre?".ᵍ

10 A su vez Jehová dijo a Josué: "¡Levántate! ¿Por qué estás cayendo sobre tu rostro? 11 Israel ha pecado, y también han traspasado mi pactoʰ que les impuse como mandato; y también han tomado algo de la cosa dada por entero a la destrucciónⁱ y también han hurtadoʲ y también lo han tenido secretoᵏ y también lo han puesto entre sus propios objetos.ˡ 12 Y los hijos de Israel no podrán levantarse contra sus enemigos.ᵐ La espalda es lo que volverán delante de sus enemigos, porque han llegado a ser una cosa dada por entero a la destrucción. No resultaré estar con ustedes otra vez a menos que aniquilen de en medio de ustedes la cosa dada por entero a la destrucción.ⁿ 13 ¡Levántate!

CAP. 6
a Dt 13:16
b Jos 6:19
c Jos 2:14
Jos 6:17
Jos 6:22
d Mt 1:5
e Heb 6:10
8nt 2:25
f 1Re 16:34
g Dt 31:6
Jos 1:5
Ro 8:31
h Jos 9:1
Jos 9:9

CAP. 7
i Jos 22:20
1Cr 2:7
j Dt 7:26
Jos 6:17
k Jos 6:18
l Gé 12:8
Jos 12:9
m Jos 18:12
n Gé 28:19
o Jos 2:1
p Le 26:17
Dt 28:25
Dt 32:30
Isa 30:17
Isa 59:2

2.ᵃ col.
a Dt 28:45
b Le 26:36
Isa 13:7
c Nú 16:22
Nú 20:6
d Ne 9:1
Job 2:12
e Jos 3:1
f Sl 83:4
g Éx 32:12
Dt 32:27
Sl 106:8
Sl 143:11
Eze 20:9
h Éx 24:7
1Sa 2:25
i Jos 6:17
j Éx 20:15
Isa 61:8
Mt 15:19
k Jer 32:19
Heb 4:13
l Jos 7:21
m Jue 2:14
n Dt 7:26
Jos 6:18

Santifica al pueblo,ª y tienes que decir: 'Santifíquense mañana, porque esto es lo que ha dicho Jehová el Dios de Israel: "Una cosa dada por entero a la destrucción está en medio de ti, oh Israel.ᵇ No podrás levantarte contra tus enemigos hasta que hayan removido de en medio de ustedes la cosa dada por entero a la destrucción. 14 Y tienen que presentarse por la mañana, tribu por tribu, y tiene que suceder que la tribu que Jehová escoja se acercará, familia por familia, y la familia que Jehová escojaᶜ se acercará, casa por casa, y la casa que Jehová escoja se acercará, hombre físicamente capacitado por hombre físicamente capacitado. 15 Y tiene que suceder que el que sea escogido con la cosa dada por entero a la destrucción será quemado con fuego,ᵈ él y todo cuanto le pertenece, porque ha traspasado el pactoᵉ de Jehová y porque ha cometido una locura deshonrosa en Israel'".ᶠ

16 Entonces Josué se levantó muy de mañana e hizo que Israel se acercara, por sus tribus, y la tribu de Judá llegó a ser escogida. 17 En seguida hizo que se acercaran las familias de Judá, y escogió a la familia de los zerahítas,ᵍ después de lo cual hizo que se acercara la familia de los zerahítas, hombre físicamente capacitado por hombre físicamente capacitado, y Zabdí llegó a ser escogido. 18 Por fin hizo que se acercara la casa de este, hombre físicamente capacitado por hombre físicamente capacitado, y Acán hijo de Carmí, hijo de Zabdí, hijo de Zérah, de la tribu de Judá, llegó a ser escogido.ʰ 19 Entonces Josué dijo a Acán: "Hijo mío, da gloria, por favor, a Jehová el Dios de Israel,ⁱ y haz confesión a él,ʲ e infórmame,ᵏ por favor: ¿Qué has hecho? No lo escondasˡ de mí".

20 Ante esto, Acán contestó a Josué y dijo: "De hecho yo... yo he pecado contra Jehová el Dios de Israel,ª y de esa manera y de esa manera he hecho. 21 Cuando llegué a verᵇ entre el despojo un vestido oficial de Sinar,ᶜ uno de buena apariencia, y doscientos siclos de plata y una barra de oro, que pesaba cincuenta siclos, entonces los quise,ᵈ y los tomé;ᵉ y, ¡mire!, están escondidos en la tierra, en medio de mi tienda, con el dinero debajo de él".ᶠ

22 Josué envió mensajeros en seguida, y estos se fueron corriendo a la tienda, y, ¡mire!, estaba escondido en su tienda con el dinero debajo. 23 De modo que los tomaron de en medio de la tienda y los trajeron a Josué y a todos los hijos de Israel, y los vertieron delante de Jehová. 24 Josué, y todo Israel con él, ahora tomó a Acánᵍ hijo de Zérah, y la plata, y el vestido oficial, y la barra de oro,ʰ y sus hijos, y sus hijas, y su toro, y su asno, y su rebaño, y su tienda, y todo lo que era suyo, y los hicieron subir a la llanura baja de Acor.ⁱ 25 Entonces dijo Josué: "¿Por qué nos has acarreado extrañamiento?ʲ Jehová te acarreará extrañamiento a ti en este día". Con eso, todo Israel se puso a lapidarlo,ᵏ después de lo cual los quemaron con fuego.ˡ Así los apedrearon con piedras. 26 Y procedieron a levantar sobre él un gran montón de piedras, hasta el día de hoy.ᵐ Con esto Jehová se apartó de su ardiente cólera.ⁿ Por eso aquel lugar ha sido llamado por nombre llanura baja de Acor,ᵒ hasta el día de hoy.

8 Entonces Jehová dijo a Josué: "No tengas miedo ni te aterrorices.ᵖ Toma contigo a toda la gente de guerra y levántate, sube a Hai. Mira, he dado en tu mano al rey de Hai y su

pueblo y su ciudad y su tierra.ª
2 Y tienes que hacer a Hai y a su
rey tal como hiciste a Jericó y a
su rey.ᵇ Solo que ustedes pueden
saquear su despojo y sus animales domésticos para sí.ᶜ Pon una
emboscada tuya contra la ciudad a espaldas de ella".ᵈ

3 Por consiguiente, Josué y
toda la gente de guerraᵉ se levantaron para subir a Hai, y Josué
procedió a escoger treinta mil
hombres, unos poderosos valientes,ᶠ y a enviarlos de noche.
4 Y se puso a mandarles, diciendo: "Miren, ustedes están em-
boscadosᵍ contra la ciudad en la
parte de atrás de la ciudad. No se
alejen mucho de la ciudad; y todos ustedes tienen que mantenerse listos. 5 En cuanto a mí
y toda la gente que está conmigo, nos acercaremos a la ciudad.
Y tiene que suceder que, en caso
de que ellos salgan a nuestro encuentro tal como la primera
vez,ʰ entonces tenemos que huir
delante de ellos. 6 Y ellos tienen que salir tras nosotros hasta
que los hayamos hecho alejarse
de la ciudad, porque dirán: 'Están huyendo delante de nosotros
tal como la primera vez'.ⁱ Y tenemos que huir delante de ellos.
7 Entonces ustedes... ustedes se
levantarán de la emboscada, y
tienen que tomar posesión de la
ciudad; y Jehová su Dios ciertamente la dará en manos de us-
tedes.ʲ 8 Y tiene que suceder
que, luego que se hayan apoderado de la ciudad, deben prender
fuego a la ciudad.ᵏ Conforme a la
palabra de Jehová deben hacer
ustedes. Vean, se lo he mandado".ˡ

9 Después de eso Josué los
despachó y ellos marcharon al
lugar de la emboscada, y se alo-
jaron entre Betel y Hai, al oeste de Hai, mientras Josué pasó
aquella noche en medio del pueblo.

10 Entonces Josué se levantó
muy de mañanaᵐ y pasó revista

CAP. 8

a Jos 2:24
  Sl 44:3
  Hch 7:45

b Jos 6:21

c Job 27:17
  Pr 13:22
  Ec 2:26

d Pr 20:18

e Jos 8:11

f Dt 3:18
  Dt 20:8
  Heb 11:34

g Jue 20:29
  2Cr 13:13

h Jos 7:5

i Éx 15:9
  Jos 8:16

j Jos 2:24
  Pr 21:31

k Jos 8:19
  Jos 8:28

l Jos 1:9
  Jos 1:16

m Jos 3:1
  Jos 6:12

2.ª col.

a Jos 8:1
  Jos 8:3

b Jos 8:2
  Jue 20:29

c Gé 28:19

d Jos 8:5

e Jos 8:4

f Jue 20:34
  Pr 14:15

g Jue 20:36

h Jos 8:6
  Jos 16:1
  Jos 18:12

i Éx 15:9
  Jue 20:31
  Sl 9:16

j Éx 17:11
  Jos 8:7
  Jos 8:26

k Dt 7:24
  Jos 1:5

a la gente y subió, él y los ancianos de Israel, delante de la gente, a Hai. 11 Y toda la gente de
guerraª que estaba con él subió,
para aproximarse y ponerse enfrente de la ciudad, y se pusieron
a acampar al norte de Hai, con el
valle entre ellos y Hai. 12 Entretanto, él tomó unos cinco mil
hombres y los puso en embosca-
daᵇ entre Betelᶜ y Hai, al oeste de
la ciudad. 13 De modo que el
pueblo situó el campamento
principal que estaba al norte de
la ciudadᵈ y su retaguardia extrema que estaba al oeste de la
ciudad,ᵉ y Josué procedió a entrar durante aquella noche hasta la mitad de la llanura baja.

14 Y aconteció que, en cuanto
el rey de Hai lo vio, entonces los
hombres de la ciudad se apresu-
raron y se levantaron temprano
y salieron al encuentro de Israel
en batalla, él y todo su pueblo, al
tiempo señalado, frente a la llanura desértica. En cuanto a él,
no sabía que había una emboscada contra él a espaldas de
la ciudad.ᶠ 15 Cuando Josué
y todo Israel sufrieron un golpe
delante de ellos,ᵍ entonces se pusieron en fuga por el camino del
desierto.ʰ 16 Con eso, se llamó
a toda la gente que estaba en la
ciudad para que saliera y corriera tras ellos, y ellos se pusieron a
correr tras Josué, y se les hizo
alejarse de la ciudad.ⁱ 17 Y no
quedó un solo hombre en Hai y
Betel que no saliera tras Israel,
de modo que dejaron la ciudad
abierta de par en par y se fueron
corriendo tras Israel.

18 Jehová ahora dijo a Josué:
"Extiende hacia Hai la jabalina
que está en tu mano,ʲ porque en
tu mano la daré".ᵏ Por consiguiente, Josué extendió hacia la
ciudad la jabalina que estaba en
su mano. 19 Y los que se formaban la emboscada se levantaron
prestamente de su lugar, y echaron a correr al instante que él
extendió la mano, y procedieron

a entrar en la ciudad y a tomarla.[a] Entonces se dieron prisa y
prendieron fuego a la ciudad.[b]
20 Y los hombres de Hai empezaron a volverse y a mirar, y
sucedió que el humo de la ciudad
ascendía a los cielos, y resultó
que no hubo en ellos poder para
huir por acá ni por allá. Y la
gente que iba huyendo hacia el
desierto se volvió contra los perseguidores. 21 Y Josué y todo
Israel vieron que los de la emboscada[c] habían tomado la ciudad, y que el humo de la ciudad
ascendía, de modo que se volvieron y se pusieron a derribar a
los hombres de Hai. 22 Y estos otros salieron de la ciudad a
su encuentro, de modo que ellos
llegaron a estar en medio de Israel, estos por este lado y aquellos por aquel, y fueron derribándolos hasta que no quedó de
ellos ni sobreviviente ni quien
escapara.[d] 23 Y al rey[e] de Hai
lo prendieron vivo, y procedieron a acercarlo a Josué.
24 Y aconteció que, mientras
Israel estaba acabando de matar
a todos los habitantes de Hai en
el campo, en el desierto donde
los habían perseguido, siguieron
cayendo, todos ellos, a filo de
espada hasta quedar acabados.
Después de eso, todo Israel regresó a Hai y la hirió a filo de
espada. 25 Y todos los que cayeron en aquel día, desde hombre hasta mujer, ascendieron a
doce mil, toda la gente de Hai.
26 Y Josué no retiró la mano
con que extendió la jabalina[f] hasta que hubo dado por entero a la destrucción[g] a todos los
habitantes de Hai. 27 Solo los
animales domésticos y el despojo de aquella ciudad saqueó Israel para sí, conforme a la palabra de Jehová que él había
impuesto sobre Josué como
mandato.[h]
28 Entonces Josué quemó a
Hai y la redujo a un montículo
de duración indefinida,[i] como
desolación hasta el día de hoy.
29 Y colgó al rey de Hai[a] en un
madero hasta el atardecer;[b] y estando el sol a punto de ponerse
Josué dio el mandato, y entonces
bajaron su cuerpo muerto[c] del
madero y lo arrojaron a la entrada de la puerta de la ciudad
y levantaron sobre él un gran
montón de piedras, hasta el día
de hoy.
30 Fue entonces cuando Josué procedió a edificar un altar[d]
a Jehová el Dios de Israel, en el
monte Ebal,[e] 31 tal como Moisés el siervo de Jehová había
mandado a los hijos de Israel,
como está escrito en el libro de la
ley[f] de Moisés: “Un altar de piedras enteras, sobre las cuales no
se ha blandido instrumento de
hierro”;[g] y se pusieron a ofrecer
sobre él ofrendas quemadas a Jehová y a sacrificar sacrificios de
comunión.[h]
32 Entonces escribió allí sobre las piedras una copia[i] de la
ley de Moisés que él había escrito delante de los hijos de Israel.[j]
33 Y todo Israel y sus ancianos[k]
y los oficiales y sus jueces estaban de pie de este lado y de aquel
lado del Arca enfrente de los
sacerdotes,[l] los levitas, que llevaban el arca del pacto de Jehová,[m] tanto el residente forastero
como el natural,[n] una mitad de
ellos enfrente del monte Guerizim[o] y la otra mitad de ellos enfrente del monte Ebal[p] (tal como
había mandado Moisés el siervo de Jehová),[q] para bendecir[r]
al pueblo de Israel en primer lugar. 34 Y después de esto leyó
en voz alta todas las palabras de
la ley,[s] la bendición[t] y la invocación de mal,[u] conforme a todo lo
que está escrito en el libro de la
ley. 35 Resultó que no hubo ni
una sola palabra de todo lo que
Moisés había mandado que Josué no leyera en voz alta enfrente de toda la congregación de Israel,[v] junto con las mujeres[w] y
los pequeñuelos[x] y los residentes
forasteros[y] que andaban en medio de ellos.

CAP. 8
a Jos 8:7
b Jos 8:8; Jos 8:28
c Jos 8:2; Jue 20:29
d Le 27:29; Dt 7:2
e Jos 8:29; Jos 12:9
f Éx 17:11; Jos 8:18
g Le 27:29
h Nú 31:26; Jos 8:2; Job 27:17; Pr 13:22; Ec 2:26
i Jos 8:8

2.ª col.
a Jos 12:9
b Dt 21:22
c Dt 21:23; Jos 10:27
d Éx 20:24
e Dt 11:29; Dt 27:5
f Dt 31:9; Jos 1:8; 2Cr 34:14; Da 9:13; Mal 4:4
g Éx 20:25; Dt 27:6
h Éx 20:24; Dt 27:7
i Dt 27:3; Dt 27:8; 2Co 3:3
j Éx 24:4; Éx 34:27
k Dt 29:10
l Dt 31:9
m Dt 31:25
n Le 24:22; Nú 15:16
o Dt 27:12
p Dt 27:13
q Dt 11:29
r Pr 10:6
s Dt 31:9; Ne 8:3
t Le 26:3; Dt 28:2
u Dt 27:15; Dt 28:15; Dt 29:21
v Dt 4:2; Dt 12:32
w Dt 31:12; Ne 8:2
x Dt 29:11
y Le 24:22; Nú 15:16

9 Y aconteció que en cuanto oyeron esto todos los reyes[a] que estaban del lado del Jordán en la región montañosa y en la Sefelá y a lo largo de toda la costa del mar Grande[b] y enfrente del Líbano,[c] los hititas[d] y los amorreos, los cananeos,[e] los perizitas,[f] los heveos y los jebuseos,[g] 2 todos ellos empezaron a juntarse para guerrear unánimemente contra Josué e Israel.[h]

3 Y los habitantes de Gabaón[i] oyeron lo que Josué había hecho a Jericó[j] y a Hai.[k] 4 De modo que, aun de su propia cuenta, actuaron con sagacidad[l] y fueron y se abastecieron de provisiones y tomaron sacos gastados para sus asnos, y odres de vino gastados y reventados y atados,[m] 5 y sandalias gastadas y remendadas sobre los pies, y sobre sí prendas de vestir gastadas, y todo el pan de sus provisiones se hallaba seco y desmigajado. 6 Entonces se dirigieron a Josué en el campamento, en Guilgal,[n] y les dijeron a él y a los hombres de Israel: "Es de una tierra distante de donde hemos venido. Y ahora celebren un pacto[o] con nosotros". 7 Ante esto, los hombres de Israel dijeron a los heveos:[p] "Quizás sea en nuestra vecindad donde ustedes moran. ¿Cómo, pues, podríamos celebrar un pacto con ustedes?".[q] 8 A su vez, ellos dijeron a Josué: "Somos tus siervos".[r]

Entonces les dijo Josué: "¿Quiénes son ustedes, y de dónde vienen?". 9 Ante esto, le dijeron: "Es de una tierra muy distante[s] que han venido tus siervos con respecto al nombre[t] de Jehová tu Dios, porque hemos oído de su fama y de todo lo que hizo en Egipto,[u] 10 y de todo lo que hizo a los dos reyes de los amorreos que estaban al otro lado del Jordán, a saber, Sehón[v] el rey de Hesbón y Og[w] el rey de Basán, que estaba en Astarot.[x] 11 Por eso nuestros ancianos y todos los habitantes de nuestra tierra nos dijeron esto:[a] 'Tomen en sus manos provisiones para el viaje y vayan al encuentro de ellos, y tienen que decirles: "Somos siervos de ustedes.[b] Y ahora celebren un pacto con nosotros" '.[c] 12 Este pan nuestro, caliente estaba cuando de nuestras casas lo tomamos como provisiones nuestras el día en que salimos para venir acá a ustedes, y ahora, ¡miren!, está seco y se ha desmigajado.[d] 13 Y estos son los odres de vino que llenamos nuevos, y, ¡miren!, se han reventado,[e] y estas prendas de vestir y sandalias nuestras se han desgastado debido a lo muy largo del viaje".

14 Con eso, los hombres tomaron de las provisiones de ellos, y no inquirieron de la boca de Jehová.[f] 15 Y Josué se puso a hacer la paz con ellos[g] y a celebrar un pacto con ellos para dejarlos vivir, y así los principales[h] de la asamblea les juraron.[i]

16 Y aconteció que al cabo de tres días, después que hubieron celebrado un pacto con ellos, llegaron a oír que estos se hallaban cerca de ellos y que era en su vecindad donde moraban. 17 Entonces los hijos de Israel partieron, y llegaron a las ciudades de ellos al tercer día, y sus ciudades eran Gabaón[j] y Kefirá[k] y Beerot[l] y Quiryat-jearim.[m] 18 Y los hijos de Israel no los hirieron, porque los principales de la asamblea les habían jurado[n] por Jehová el Dios de Israel.[o] Y toda la asamblea empezó a murmurar contra los principales.[p] 19 Ante esto, todos los principales dijeron a toda la asamblea: "Nosotros, por nuestra parte, les hemos jurado por Jehová el Dios de Israel, y ahora no se nos permite lastimarlos.[q] 20 Esto es lo que les haremos a la vez que dejarlos vivir, para que no venga sobre nosotros indignación con motivo del juramento que les hemos

hecho".[a] 21 De modo que los principales les dijeron: "Que vivan y que lleguen a ser recogedores de leña y sacadores de agua para toda la asamblea,[b] tal como les han prometido los principales".[c]

22 Josué ahora los llamó y les habló, y dijo: "¿Por qué nos embaucaron, diciendo: 'Estamos muy lejos de ustedes',[d] cuando moran precisamente en medio de nosotros?[e] 23 Y ahora son ustedes gente maldita,[f] y nunca será cortado de ustedes[g] el estar en condición de esclavo y ser recogedores de leña y sacadores de agua para la casa de mi Dios".[h] 24 Entonces contestaron a Josué y dijeron: "Fue porque a tus siervos se les informó claramente que Jehová tu Dios había mandado a Moisés su siervo que les diera a ustedes toda la tierra y aniquilara a todos los habitantes de la tierra de delante de ustedes,[i] y llegamos a tener mucho miedo por nuestras almas a causa de ustedes.[j] Por eso hicimos esta cosa.[k] 25 Y ahora, aquí estamos, en tu mano. Tal como sea bueno y recto a tus ojos hacer con nosotros, hazlo",[l] 26 Y él procedió a hacer así con ellos y a librarlos de la mano de los hijos de Israel, y no los mataron.[m] 27 Por consiguiente, Josué los constituyó[n] en aquel día recogedores de leña y sacadores de agua para la asamblea[o] y para el altar de Jehová, hasta el día de hoy, en el lugar que él escogiera.[p]

10 Y aconteció que en cuanto Adoni-zédeq el rey de Jerusalén oyó que Josué había tomado a Hai[q] y entonces la había dado por entero a la destrucción,[r] que tal como había hecho a Jericó[s] y su rey,[t] así había hecho a Hai y su rey,[u] y que los habitantes de Gabaón habían hecho la paz con Israel[v] y continuaban en medio de ellos, 2 le dio mucho miedo,[w] porque Gabaón era una ciudad grande, como una de las ciudades reales, y porque era mayor que Hai,[a] y todos sus hombres eran poderosos. 3 Por consiguiente, Adoni-zédeq el rey de Jerusalén[b] mandó decir a Hoham el rey de Hebrón[c] y a Piram el rey de Jarmut[d] y a Jafía el rey de Lakís[e] y a Debir el rey de Eglón:[f] 4 "Suban a mí y ayúdenme, e hiramos a Gabaón, porque ha hecho la paz con Josué y los hijos de Israel".[g] 5 Por lo cual se reunieron y procedieron a subir, cinco reyes de los amorreos:[h] el rey de Jerusalén, el rey de Hebrón, el rey de Jarmut, el rey de Lakís, el rey de Eglón, estos y todos sus campamentos; y se pusieron a acampar contra Gabaón y a guerrear contra ella.

6 En esto, los hombres de Gabaón mandaron a decir a Josué, al campamento en Guilgal:[i] "No dejes aflojar tu mano de con tus esclavos.[j] Sube a nosotros rápidamente y de veras sálvanos y ayúdanos, porque todos los reyes de los amorreos que habitan la región montañosa se han juntado contra nosotros". 7 De modo que Josué subió de Guilgal, él y toda la gente de guerra con él,[k] y todos los hombres valientes y poderosos.[l]

8 Entonces Jehová dijo a Josué: "No les tengas miedo,[m] porque en tu mano los he dado.[n] Ni un solo hombre de ellos se mantendrá en pie contra ti".[o] 9 Y Josué procedió a ir contra ellos por sorpresa. Durante toda la noche había subido de Guilgal. 10 Y Jehová fue poniéndolos en confusión delante de Israel,[p] y empezaron a derribarlos con gran matanza en Gabaón[q] y fueron persiguiéndolos por vía de la subida de Bet-horón y derribándolos hasta Azeqá[r] y Maquedá.[s] 11 Y aconteció que, mientras iban huyendo de delante de Is-

CAP. 9
a 2Sa 21:1
　Pr 6:17
　Pr 8:13
　Zac 5:4
　Zac 8:17
　Mal 3:5
b Dt 29:11
c Jos 9:15
d Jos 9:6
e Jos 9:16
f Gé 9:25
　Gé 9:26
g Dt 29:11
　Esd 8:17
h 1Re 9:21
i Éx 23:31
　Nú 33:52
　Dt 7:1
　Dt 20:16
j Éx 15:15
　Dt 2:25
　Dt 11:25
　Jos 5:1
k Jon 3:9
　Ro 3:29
　Heb 11:31
l Gé 16:6
　Jue 10:15
　2Sa 24:14
　Jer 39:18
m 1Cr 9:2
　Esd 2:43
　Esd 8:17
　Ne 3:26
　Ne 7:60
o Dt 29:11
　Jos 9:21
p Dt 12:5
　1Re 8:29
　2Cr 6:6

CAP. 10
q Jos 8:2
r Jos 8:24
s Jos 6:21
t Jos 6:2
u Jos 8:29
v Jos 9:15
　Jos 11:19
w Éx 15:16
　Dt 2:25
　Dt 11:25
　Jos 2:11
　Jos 5:1

2.ᵃ col.
a Jos 8:25
b Jos 12:10
　Jos 18:28
c Gé 23:2
　Nú 13:22
d Jos 12:11
e 2Re 18:14
f Jos 12:12
　Jos 15:39
g Jos 9:15
　Jos 11:19
h Gé 15:16
i Jos 5:10
　Jos 9:6
j Jos 9:15
　Jos 9:25
k Jos 8:1
l Jos 8:3
m Dt 3:2
　Dt 20:1
n Dt 7:24
　Jos 11:6
o Jos 1:5

p Sl 44:3; Sl 78:55; q Isa 28:21; r Jos 15:35; s Jos 15:41.

rael y estaban en la bajada de Bet-horón, Jehová arrojó sobre ellos grandes piedras[a] desde los cielos hasta Azeqá, de modo que murieron. Fueron más los que murieron debido a las piedras de granizo que los que los hijos de Israel mataron a espada.

12 Fue entonces cuando Josué procedió a hablar a Jehová en el día que Jehová abandonó a los amorreos en manos de los hijos de Israel, y pasó a decir ante los ojos de Israel:

"Sol,[b] tente inmóvil sobre
    Gabaón,[c]
y, luna, sobre la llanura baja
    de Ayalón".[d]

13 En conformidad, el sol se quedó inmóvil, y la luna de veras se paró, hasta que la nación pudo vengarse de sus enemigos.[e] ¿No está escrito en el libro de Jasar?[f] Y el sol se quedó parado en medio de los cielos y no se apresuró a ponerse por más o menos un día entero.[g] 14 Y ningún día ha resultado ser como aquel, ni antes de él ni después de él, por el hecho de que Jehová escuchó la voz de un hombre,[h] porque Jehová mismo estaba peleando por Israel.[i]

15 Después de aquello, Josué, y con él todo Israel, volvió al campamento de Guilgal.[j]

16 Entretanto, estos cinco reyes huyeron[k] y fueron escondidos en la cueva de Maquedá.[l] 17 Entonces se dio informe a Josué, y se le dijo: "Se ha hallado a los cinco reyes escondidos en la cueva de Maquedá".[m] 18 Por lo cual Josué dijo: "Hagan rodar piedras grandes a la boca de la cueva y asignen hombres sobre ella para que los guarden.[n] 19 En cuanto a ustedes, no permanezcan inmóviles. Corran tras sus enemigos, y tienen que herirlos en la zaga.[n] No les permitan entrar en sus ciudades, porque Jehová el Dios de ustedes los ha dado en manos de ustedes".[o]

CAP. 10
a Job 38:22
  Sl 18:13
  Sl 148:8
  Isa 30:30
b Gé 1:16
  2Re 20:10
  Sl 135:6
  Isa 38:8
c Isa 28:21
d Jos 19:42
e Jos 21:44
f 2Sa 1:18
g Sl 74:16
  Sl 135:6
  Sl 136:8
  Mt 19:26
h Dt 9:19
  1Re 17:22
  Sl 113:6
  Snt 5:16
i Éx 14:14
  Dt 1:30
  Dt 3:22
  Jos 23:3
  Sl 33:20
  Isa 42:13
  Zac 14:3
j Jos 5:10
  Jos 9:6
k Sl 48:5
l Jos 10:10
m Jos 10:28
  Sl 139:7
  Am 9:3
n Dt 28:7
o Le 26:8
  Ne 9:24

2.ª col.
a Jos 8:24
b 2Sa 20:6
c Éx 11:7
d Jos 10:3
  Jos 12:10
e Jos 15:13
f Jos 12:11
g Jos 10:5
  Jos 12:12
h Gé 49:8
  2Sa 22:41
  Sl 18:40
i Éx 23:27
  Dt 33:29
  Sl 110:1
j Dt 1:29
  Dt 31:6
  Sl 27:14
k Dt 3:21
  Dt 7:19
l Dt 21:22
  Jos 8:29
m Dt 21:23
  Jos 8:29
n Jos 10:10
  Jos 12:16
  Jos 15:41

20 Y aconteció que luego que Josué y los hijos de Israel hubieron acabado de derribarlos con muy grande matanza, hasta que estos quedaron acabados,[a] y los que de ellos sí lograron sobrevivir escaparon y fueron entrando en las ciudades fortificadas,[b] 21 todo el pueblo entonces empezó a volver al campamento, a Josué, en Maquedá, en paz. Ni un solo hombre movió agitadamente la lengua contra los hijos de Israel.[c] 22 Entonces Josué dijo: "Abran la boca de la cueva y sáquenme de la cueva a estos cinco reyes". 23 Con eso, lo hicieron así, y le sacaron de la cueva a estos cinco reyes: el rey de Jerusalén,[d] el rey de Hebrón,[e] el rey de Jarmut, el rey de Lakís,[f] el rey de Eglón.[g] 24 Y aconteció que en cuanto ellos hubieron sacado estos reyes a Josué, Josué procedió a llamar a todos los hombres de Israel y a decir a los comandantes de los hombres de guerra que habían ido con él: "Salgan acá. Coloquen sus pies sobre la cerviz de estos reyes".[h] De modo que ellos salieron allá y colocaron los pies sobre sus cervices.[i] 25 Y Josué pasó a decirles: "No tengan miedo ni se aterroricen.[j] Sean animosos y fuertes, porque así hará Jehová a todos sus enemigos contra quienes estén guerreando".[k]

26 Y después de eso Josué procedió a herirlos y darles muerte y a colgarlos en cinco maderos, y quedaron colgados en los maderos hasta el atardecer.[l] 27 Y aconteció que al tiempo de ponerse el sol Josué mandó, y se pusieron a bajarlos de los maderos[m] y a arrojarlos en la cueva donde se habían escondido. Entonces colocaron grandes piedras a la boca de la cueva... hasta el día de hoy.

28 Y Josué tomó a Maquedá[n] en aquel día y se puso a herirla a filo de espada. En cuanto a su rey, a él y a toda alma que

había en ella los dio por entero
a la destrucción.[a] No dejó que
quedara un solo sobreviviente.
Así que hizo al rey de Maquedá[b]
tal como había hecho al rey de
Jericó.
29 Entonces Josué, y con él
todo Israel, pasó de Maquedá a
Libná y guerreó contra Libná.[c] 30 Por consiguiente, Jehová también dio a esta y su rey
en mano de Israel, y se pusieron
a herirla, y a toda alma que había
en ella, a filo de espada. No dejaron que quedara en ella un solo
sobreviviente. Así que hicieron a
su rey tal como habían hecho al
rey de Jericó.[d]
31 En seguida Josué, y con él
todo Israel, pasó de Libná a Lakís[e] y se puso a acampar contra ella y a hacerle la guerra.
32 Por consiguiente, Jehová dio
a Lakís en mano de Israel de
modo que la tomaron al segundo
día, y se pusieron a herirla, y a
toda alma que había en ella, a
filo de espada,[f] conforme a todo
lo que habían hecho a Libná.
33 Fue entonces cuando Ho-
ram el rey de Guézer[g] subió para
ayudar a Lakís. Así que Josué los
hirió a él y a su pueblo hasta que
no dejó que le quedara un solo
sobreviviente.[h]
34 Entonces Josué, y con él
todo Israel, pasó de Lakís a
Eglón[i] y se puso a acampar contra ella y a guerrear contra ella.
35 Y lograron tomarla en aquel
día y empezaron a batirla a filo
de espada, y a toda alma que había en ella la dieron por entero a
la destrucción en aquel mismo
día, conforme a todo lo que habían hecho a Lakís.[j]
36 Entonces Josué, y con él
todo Israel, subió de Eglón a Hebrón[k] y empezó a guerrear contra ella. 37 Y lograron tomarla, y se pusieron a herir a filo de
espada a esta y a su rey y a todos
sus pueblos y a toda alma que
había en ella. Él no dejó que
quedara un solo sobreviviente,
conforme a todo lo que había hecho a Eglón. Así que a ella y a
toda alma que había en ella las
dio por entero a la destrucción.[a]
38 Por fin Josué, y con él todo
Israel, volvió a Debir[b] y empezó
a guerrear contra ella. 39 Y logró tomarla, y a su rey y a todos
sus pueblos, y se pusieron a herirlos a filo de espada y a dar
por entero a la destrucción toda
alma que había en ella.[c] No dejó
que quedara un solo sobreviviente.[d] Tal como había hecho
a Hebrón, así hizo a Debir y a su
rey, y tal como había hecho a
Libná y a su rey.[e]
40 Y Josué procedió a herir
toda la tierra de la región montañosa[f] y el Négueb[g] y la Sefelá[h]
y las laderas[i] y a todos sus reyes.
No dejó que quedara un solo sobreviviente, y todo lo que respi-
raba[j] lo dio por entero a la
destrucción,[k] tal como había
mandado Jehová el Dios de Israel.[l] 41 Y Josué fue hiriéndolos desde Qadés-barnea[m] hasta
Gaza[n] y toda la tierra de Gosén[o]
y hasta Gabaón.[p] 42 Y Josué
tomó a todos estos reyes y su
tierra de una sola vez,[q] porque
era Jehová el Dios de Israel
quien estaba peleando por Israel.[r] 43 Después de eso Josué,
y con él todo Israel, regresó al
campamento de Guilgal.[s]

11 Y aconteció que en cuanto
Jabín el rey de Hazor lo
oyó, se puso a enviar [un mensa-
je] a Jobab el rey de Madón[t] y al
rey de Simrón y al rey de Acsaf,[u]
2 y a los reyes que estaban al
norte en la región montañosa, y
en las llanuras desérticas al sur
de Kinéret,[v] y en la Sefelá,[w] y en
las serranías de Dor,[x] al oeste,
3 a los cananeos[y] al oriente y al
oeste, y a los amorreos[z] y a los
hititas[a] y a los perizitas[b] y a los
jebuseos[c] en la región montañosa y a los heveos[d] al pie de Her-

CAP. 10
a Le 27:29, Dt 20:16, Sl 21:8
b Jos 12:16
c Jos 12:15, Jos 15:42, Jos 21:13
d Jos 6:21, Jos 8:2, Jos 8:29
e Jos 10:3, Jos 12:11, Jos 15:39
f Dt 7:2, Dt 20:16
g Jos 12:12, Jos 16:10, Jos 21:21, Jue 1:29, 1Re 9:16
h Le 27:29
i Jos 10:3, Jos 12:12, Jos 15:39
j Dt 20:16, Jos 10:32
k Gé 13:18, Gé 23:19, Nú 13:22, Jos 10:3, Jos 14:13, Jos 15:13, Jos 21:13, Jue 1:10

2.ª col.
a Le 27:29, Jos 6:21
b Jos 12:13, Jos 15:15, Jue 1:11
c Dt 7:2, Dt 20:16
d Jos 11:14
e Jos 10:30, Jos 10:32
f Dt 1:7
g Gé 20:1
h Jos 9:1, Jos 15:33, Jue 1:9
i Jos 12:8
j Dt 20:16, Jos 11:14
k Le 27:29
l Dt 7:2, Dt 9:5
m Nú 34:4, Dt 9:23, Jos 15:3
n Gé 10:19, Dt 2:23
o Jos 11:16, Jos 15:51
p Jos 11:19
q Jos 11:18
r Éx 14:14, Dt 1:30, Dt 3:22
s Jos 4:19

CAP. 11
t Jos 12:19
u Jos 12:20
v Nú 34:11
w Jos 10:40
x Jos 12:23, Jos 17:11, Jue 1:27
y Dt 20:17

z Gé 15:16; Am 2:9; a Dt 7:1; b Éx 3:8; c Nú 13:29; d Jue 3:3.

món,[a] en la tierra de Mizpá.[b] 4 De modo que salieron, ellos y todos sus campamentos con ellos, un pueblo tan numeroso como los granos de arena que están a la orilla del mar por multitud,[c] y muchísimos caballos[d] y carros de guerra. 5 Entonces todos estos reyes se reunieron por cita, y vinieron y acamparon juntos cerca de las aguas de Merom para pelear contra Israel.[e]

6 En esto, Jehová dijo a Josué: "No tengas miedo a causa de ellos,[f] porque mañana, como a esta hora, voy a abandonarlos en manos de Israel, todos ellos muertos. Sus caballos los desjarretarás,[g] y sus carros los quemarás en el fuego".[h] 7 Y Josué, y con él toda la gente de guerra, procedió a ir contra ellos por sorpresa a lo largo de las aguas de Merom, y a caer sobre ellos. 8 Entonces Jehová los dio en mano de Israel,[i] y estos se pusieron a herirlos y perseguirlos hasta la populosa Sidón[j] y Misrefot-maim[k] y la llanura-valle de Mizpá[l] al oriente; y siguieron hiriéndolos hasta no dejar que quedara de ellos un solo sobreviviente.[m] 9 Después de eso Josué les hizo tal como Jehová le había dicho: sus caballos los desjarretó,[n] y sus carros los quemó en el fuego.[o]

10 Más que eso, Josué dio la vuelta en aquel tiempo[p] y tomó a Hazor;[q] y derribó a espada a su rey,[r] porque antes de eso Hazor era la cabeza de todos estos reinos. 11 Y se pusieron a herir a filo de espada a todas las almas que había en ella, dándo[las] por entero a la destrucción.[s] No quedó cosa alguna que respirara,[t] y él quemó a Hazor en el fuego. 12 Y todas las ciudades de estos reyes y a todos sus reyes los tomó Josué y se puso a herirlos a filo de espada.[u] Los dio por entero a la destrucción,[v] tal como Moisés el siervo de Jehová había mandado.[w] 13 Solamente a to-

das las ciudades situadas sobre sus propios montículos Israel no quemó, salvo que Josué sí quemó a Hazor sola. 14 Y todo el despojo de estas ciudades y los animales domésticos los saquearon para sí los hijos de Israel.[a] Fue solamente a todo el género humano a quienes hirieron a filo de espada hasta que los hubieron aniquilado.[b] No dejaron que quedara ninguno que respirara.[c] 15 Tal como Jehová había mandado a Moisés su siervo, así mandó Moisés a Josué,[d] y así lo hizo Josué. No quitó una palabra de todo lo que Jehová había mandado a Moisés.[e]

16 Y Josué procedió a tomar toda esta tierra, la región montañosa y todo el Négueb[f] y toda la tierra de Gosén[g] y la Sefelá[h] y el Arabá[i] y la región montañosa de Israel y su Sefelá,[j] 17 desde el monte Halaq[k] que sube hasta Seír,[l] y hasta Baal-gad[m] en la llanura-valle del Líbano, al pie del monte Hermón,[n] y tomó a todos sus reyes y se puso a herirlos y darles muerte.[o] 18 Muchos días hizo Josué la guerra contra todos estos reyes. 19 Resultó que no hubo ciudad que hiciera la paz con los hijos de Israel, salvo los heveos[p] que habitaban en Gabaón.[q] Todas las demás las tomaron por guerra.[r] 20 Pues resultó ser el proceder de Jehová dejar que se les pusiera terco el corazón,[s] para que declararan guerra contra Israel, a fin de que él los diera por entero a la destrucción, para que no llegaran a recibir consideración favorable,[t] sino para que los aniquilara, tal como Jehová había mandado a Moisés.[u]

21 Además, en aquel tiempo en particular Josué fue y cortó a los anaquim[v] de la región montañosa, de Hebrón, de Debir, de Anab[w] y de toda la región montañosa de Judá y de toda la re-

CAP. 11

a Dt 4:48
  Jos 13:11
b Jos 11:8
c 1Sa 13:5
d Sl 33:17
  Pr 21:31
e Sl 3:6
  Sl 118:10
f Jos 10:8
  Sl 27:1
  Sl 46:1
g Dt 17:16
  Jos 11:9
  2Sa 8:4
h Sl 20:7
  Isa 31:1
i Jos 21:44
  Jos 23:10
  Ne 9:24
j Gé 10:19
  Jos 19:28
k Jos 13:6
l Jos 11:3
m Dt 20:16
n Dt 17:16
  Jos 11:6
o Isa 31:1
p Jos 11:18
q Jos 19:36
r Jos 12:19
  Sl 136:17
s Le 27:29
  Jos 11:14
t Dt 20:16
  Jos 10:40
u Dt 9:5
v Dt 7:16
  Jos 11:20
w Nú 33:52
  Dt 7:2
  Jos 9:24

2.ª col.

a Nú 31:23
  Dt 20:16
  Jos 8:2
  Jos 8:27
b Dt 7:2
c Dt 20:16
d Dt 3:28
  Dt 4:5
  Dt 7:1
  Dt 31:7
e Dt 4:2
  Dt 12:32
  Sl 119:4
f Nú 13:17
  Dt 1:7
  Jos 10:40
  Jos 12:8
g Jos 10:41
  Jos 15:51
h Jue 1:9
i Dt 3:17
  Jos 12:1
  Jos 12:8
  Jos 18:18
j Jos 9:1
k Jos 12:7
l Gé 32:3
  Dt 2:1
m Jos 13:5
n Dt 4:48
  Jos 13:11
o Dt 7:24
  Sl 136:18
p Jos 9:7
q Jos 9:15
r Jos 10:4
r Dt 20:17
s Dt 2:30
  Ro 9:18

t Éx 34:12; Dt 7:2; u Dt 20:16; Jos 11:14; v Nú 13:22; Dt 1:28; Jos 15:13; w Jos 15:50.

gión montañosa de Israel.ª Josué los dio por entero a la destrucción[b] junto con sus ciudades. 22 No quedaron anaquim en la tierra de los hijos de Israel. Fue solo en Gaza,[c] en Gat[d] y en Asdod[e] donde quedaron.[f] 23 De modo que Josué tomó toda la tierra, conforme a todo lo que Jehová había prometido a Moisés,[g] y Josué la dio entonces como herencia a Israel según las partes que les correspondían, conforme a sus tribus.[h] Y la tierra no tuvo disturbio de guerra.[i]

12 Ahora bien, estos son los reyes de la tierra que los hijos de Israel derrotaron y de cuya tierra entonces tomaron posesión del lado del Jordán hacia el nacimiento del sol,[j] desde el valle torrencial de Arnón[k] hasta el monte Hermón,[l] y todo el Arabá[m] hacia el naciente: 2 Sehón[n] el rey de los amorreos, que moraba en Hesbón,[o] gobernando desde Aroer,[p] que estaba en la margen del valle torrencial de Arnón,[q] y el medio del valle torrencial, y la mitad de Galaad hasta Jaboq[r] y el valle torrencial, el límite de los hijos de Ammón, 3 y el Arabá[s] hasta el mar de Kínéret[t] hacia el oriente y hasta el mar del Arabá, el mar Salado,[u] al oriente en dirección a Bet-jesimot,[v] y hacia el sur bajo las laderas de Pisgá.[w] 4 Y el territorio de Og[x] el rey de Basán, de lo que quedó de los refaím,[y] que moraba en Astarot[z] y Edrei,[a] 5 y que gobernaba en el monte Hermón[b] y en Salecá y en todo Basán,[c] hasta el límite de los guesuritas[d] y los maacatitas,[e] y la mitad de Galaad, hasta el territorio de Sehón[f] el rey de Hesbón.[g] 6 Fueron Moisés el siervo de Jehová y los hijos de Israel quienes los derrotaron,[h] después de lo cual Moisés el siervo de Jehová lo dio como tenencia a los rubenitas[i] y a los gaditas[j] y a la mitad de la tribu de Manasés.[k] 7 Y estos son los reyes de la

tierra a quienes Josué y los hijos de Israel derrotaron del lado del Jordán hacia el oeste, desde Baal-gad[a] en la llanura-valle del Líbano[b] y hasta el monte Halaq,[c] que sube hasta Seír,[d] después de lo cual Josué la dio a las tribus de Israel como tenencia, según las partes que les correspondían,[e] 8 en la región montañosa y en la Sefelá y en el Arabá y en las laderas y en el desierto y en el Négueb[f]... los hititas, los amorreos[g] y los cananeos, los perizitas, los heveos y los jebuseos:[h]

9 El rey de Jericó,[i] uno; el rey de Hai,[j] que estaba al lado de Betel, uno;

10 el rey de Jerusalén,[k] uno; el rey de Hebrón,[l] uno;

11 el rey de Jarmut,[m] uno; el rey de Lakís,[n] uno;

12 el rey de Eglón,[o] uno; el rey de Guézer,[p] uno;

13 el rey de Debir,[q] uno; el rey de Guéder, uno;

14 el rey de Hormá, uno; el rey de Arad, uno;

15 el rey de Libná,[r] uno; el rey de Adulam, uno;

16 el rey de Maquedá,[s] uno; el rey de Betel, uno;

17 el rey de Tápuah, uno; el rey de Héfer,[u] uno;

18 el rey de Afeq, uno; el rey de Lasarón, uno;

19 el rey de Madón,[v] uno; el rey de Hazor,[w] uno;

20 el rey de Simrón-merón, uno; el rey de Acsaf,[x] uno;

21 el rey de Taanac, uno; el rey de Meguidó,[y] uno;

22 el rey de Quedes, uno; el rey de Joqneam[z] en Carmelo, uno;

23 el rey de Dor, en la serranía de Dor,[a] uno; el rey de Goyim en Guilgal, uno;

24 el rey de Tirzá, uno;

CAP. 11
a Jos 11:16
b Le 27:29
  Jos 11:12
  Jos 24:11
c Jos 10:41
  Jue 1:18
d 1Sa 17:4
e Jos 15:46
  2Cr 26:6
  Ne 13:23
f Éx 23:29
  Éx 23:30
  S1 105:44
g Éx 23:27
  Nú 34:2
  Dt 11:23
h Nú 26:53
  Jos 14:1
  Jos 15:1
  Jos 16:1
  Jos 17:1
i Jos 14:15
  Jos 21:44
  Jos 23:1
  S1 29:11
  Pr 16:7

CAP. 12
j Dt 4:47
  Jos 1:15
k Nú 21:24
  Dt 2:24
l Dt 3:8
  Dt 4:48
m Dt 4:49
n Nú 21:23
  Ne 9:22
o Dt 2:26
p Dt 3:12
  Jue 11:26
q Nú 21:13
  Jos 13:9
r Jue 11:13
s Dt 3:17
t Jn 6:1
u Dt 3:16
v Dt 13:20
w Dt 3:27
x Nú 21:33
  Dt 3:1
y Dt 3:11
  Dt 3:12
z Dt 1:4
a Dt 3:10
b Jos 12:1
c Dt 29:7
  Jos 9:10
d Dt 3:14
e Jos 13:13
  Jos 12:2
g Nú 21:26
  Dt 3:6
h Nú 21:24
  Nú 21:35
i Dt 3:12
j Nú 32:33
k Dt 3:13

2.ª col.
a Jos 13:5
b Jos 1:4
c Jos 11:17
d Dt 2:12
e Jos 11:23
f Jos 10:40
  Jos 11:16
g Gé 10:16
  Éx 3:8
  S1 136:19
h Éx 23:23
  Dt 7:1

i Jos 6:2; j Jos 8:29; k Jos 10:1; l Jos 10:23; m Jos 10:3; n Jos 10:23; o Jos 10:26; p Jos 10:33; q Jos 10:38; r Jos 10:29; s Jos 10:28; t Jos 8:17; Jue 1.22; u 1Re 4:10; v Jos 11:1; w Jos 11:10; x Jos 11:1; y 1Cr 7:29; z Jos 21:34; a Jos 11:2.

todos los reyes fueron treinta y uno.[a]

13 Ahora bien, Josué era viejo, avanzado en años.[b] De modo que Jehová le dijo: "Tú te has hecho viejo y has avanzado en años, y todavía queda gran parte de la tierra por ser tomada en posesión.[c] 2 Esta es la tierra que todavía queda:[d] todas las regiones de los filisteos[e] y [de] todos los guesuritas[e] 3 (desde el afluente del Nilo que está enfrente de Egipto y hasta el confín de Eqrón al norte,[g] solía considerarse que pertenecía a los cananeos);[h] cinco señores del eje[i] de los filisteos, los gazeos[j] y los asdoditas,[k] los asquelonitas,[l] los guititas[m] y los eqronitas;[n] y los avim.[o] 4 Al sur, toda la tierra de los cananeos; y Mearah, que pertenece a los sidonios,[p] hasta Afeq, hasta el confín de los amorreos; 5 y la tierra de los guebalitas[q] y todo el Líbano hacia el nacimiento del sol, desde Baal-gad[r] al pie del monte Hermón hasta llegar al punto de entrada de Hamat;[s] 6 todos los habitantes de la región montañosa, desde el Líbano[t] hasta Misrefot-maim,[u] todos los sidonios;[v] yo mismo los desposeeré de delante de los hijos de Israel.[w] Solo haz que caiga a Israel como herencia, tal como te he mandado.[x] 7 Y ahora reparte esta tierra proporcionalmente como herencia a las nueve tribus y a la media tribu de Manasés".[y]

8 Con la otra media tribu los rubenitas y los gaditas tomaron su herencia que Moisés les dio del lado del Jordán hacia el oriente, tal como se la había dado Moisés el siervo de Jehová,[z] 9 desde Aroer,[a] que está en la margen del valle torrencial de Arnón,[b] y la ciudad que está en medio del valle torrencial, y toda la meseta de Medebá[c] hasta Dibón;[d] 10 y todas las ciudades de Sehón el rey de los amorreos, que reinó en Hesbón, hasta el confín de los hijos de Ammón;[e]

11 y Galaad y el territorio de los guesuritas[a] y los maacatitas y todo el monte Hermón[b] y todo Basán[c] hasta Salecá;[d] 12 toda la región real de Og[e] en Basán, que reinó en Astarot y en Edreí —él era el que quedaba del remanente de los refaím[g]— y Moisés se puso a herirlos y a desposeerlos.[h] 13 Y los hijos de Israel no desposeyeron[i] a los guesuritas ni a los maacatitas, sino que Guesur[j] y Maacat siguen morando en medio de Israel hasta el día de hoy.

14 Fue solamente a la tribu de Leví a la que no dio herencia.[k] Las ofrendas hechas por fuego[l] de Jehová el Dios de Israel son su herencia,[m] tal como les ha prometido.[n]

15 Entonces Moisés dio una dádiva a la tribu de los hijos de Rubén por sus familias, 16 y llegó a ser de ellos el territorio desde Aroer,[o] que está en la margen del valle torrencial de Arnón, y la ciudad que está en medio del valle torrencial, y toda la meseta junto a Medebá;[p] 17 Hesbón[q] y todos sus pueblos[r] que están en la meseta, Dibón[s] y Bamot-baal[t] y Bet-baal-meón,[u] 18 y Jáhaz[v] y Quedemot[w] y Mefaat,[x] 19 y Quiryataim[y] y Sibmá[z] y Zéret-sáhar en la montaña de la llanura baja, 20 y Bet-peor y las laderas de Pisgá[a] y Bet-jesimot,[b] 21 y todas las ciudades de la meseta[c] y toda la región real de Sehón el rey de los amorreos, que reinó en Hesbón,[d] y a quien Moisés hirió,[e] junto con los principales de Madián, Eví y Réquem y Zur y Hur y Reba,[f] los adalides de Sehón, que moraban en la tierra. 22 Y Balaam hijo de Beor,[g] el adivino,[h] fue uno a quien los hijos de Israel mataron a espada junto con los que de ellos fueron muertos. 23 Y el límite de los hijos de Rubén vino a ser el Jordán; y esto, como territorio, fue la herencia

---

CAP. 12
a Dt 28:1

CAP. 13
b Jos 23:1
Jos 24:29
c Jos 12:7
d Éx 23:29
e Éx 23:31
Sof 2:5
f 1Sa 27:8
g Jos 15:11
h Gé 10:19
i Jos 3:3
1Sa 6:4
j Jos 10:41
k Jos 15:46
1Jue 14:19
m 1Sa 21:9
n 1Sa 5:10
o Dt 2:23
p Jue 1:31
q 1Re 5:18
Eze 27:9
r Jos 11:17
s Nú 34:8
t Dt 3:25
u Jos 11:8
v Jue 3:3
w Éx 23:30
x Nú 34:17
y Nú 34:14
z Nú 35:54
z Nú 32:33
Jos 22:4
a Dt 3:12
Jos 12:2
b Nú 21:13
c Nú 21:30
d Nú 21:24
e Nú 21:24

2.ᵃ col.
a Dt 3:14
Jos 12:5
b Dt 4:48
c Jos 17:1
1Cr 5:11
e Dt 3:10
f Jos 12:4
g Dt 3:11
h Nú 21:24
Nú 21:35
i Nú 33:55
Jos 23:12
j Dt 3:14
k Nú 18:20
Dt 10:9
Dt 12:12
Jos 14:3
1Le 7:33
1Co 9:13
m Le 7:35
Dt 18:1
Nú 18:24
Jos 21:45
o Dt 3:12
Jos 12:2
p Jos 13:9
q Nú 21:26
r Nú 21:25
s Nú 32:3
t Nú 21:20
u Nú 32:38
v Nú 21:23
w Dt 2:26
x Jos 21:37
y Nú 32:37
z Nú 32:38

a Dt 3:17; Jos 12:3; b Nú 33:49; c Dt 3:10; d Nú 21:25; e Dt 2:30; Sl 135:10; f Nú 31:8; g Nú 22:5; 2Pe 2:15; h Nú 22:7; Dt 18:10.

de los hijos de Rubén[a] por sus familias, con las ciudades y sus poblados.

24 Además, Moisés hizo una dádiva a la tribu de Gad, a los hijos de Gad por sus familias,[b] 25 y el territorio de ellos llegó a ser Jazer[c] y todas las ciudades de Galaad[d] y la mitad de la tierra de los hijos de Ammón[e] hasta Aroer,[f] que está enfrente de Rabá;[g] 26 y desde Hesbón[h] hasta Ramat-mizpé y Betonim y desde Mahanaim[i] hasta el confín de Debir;[j] 27 y, en la llanura baja, Bet-haram[k] y Bet-nimrá[l] y Sucot[m] y Zafón, el resto de la región real de Sehón el rey de Hesbón,[n] con el Jordán como confín hasta la extremidad del mar de Kinéret[o] del lado del Jordán hacia el oriente. 28 Esta fue la herencia de los hijos de Gad[p] por sus familias, con las ciudades y sus poblados.

29 Además, Moisés hizo una dádiva a la media tribu de Manasés, y esta vino a ser de la media tribu de los hijos de Manasés por sus familias.[q] 30 Y el territorio de ellos llegó a ser, desde Mahanaim,[r] todo Basán, toda la región real de Og el rey de Basán,[s] y todas las aldeas de tiendas de Jaír[t] que están en Basán, sesenta pueblos. 31 Y la mitad de Galaad, y Astarot[u] y Edrei,[v] las ciudades de la región real de Og en Basán, fueron a los hijos de Makir[w] hijo de Manasés, a la mitad de los hijos de Makir por sus familias.

32 Estos fueron los [territorios] que Moisés [les] hizo heredar, en las llanuras desérticas de Moab del lado del Jordán, frente a Jericó, hacia el oriente.[x]

33 Y a la tribu de los levitas Moisés no dio herencia.[y] Jehová el Dios de Israel es su herencia, tal como se los ha prometido.[z]

14 Ahora bien, esto es lo que los hijos de Israel tomaron como posesión hereditaria en la tierra de Canaán,[a] que Eleazar el sacerdote y Josué hijo de Nun y

los cabezas de los padres de las tribus de los hijos de Israel les hicieron heredar.[a] 2 Su herencia fue por sorteo,[b] tal como había mandado Jehová por medio de Moisés para las nueve tribus y la media tribu.[c] 3 Porque Moisés había dado la herencia de las otras dos tribus y de la otra media tribu al otro lado del Jordán;[d] y a los levitas no les dio herencia en medio de ellos.[e] 4 Pues los hijos de José habían llegado a ser dos tribus,[f] Manasés[g] y Efraín;[h] y a los levitas no se había dado participación en la tierra, salvo ciudades[i] donde morar y sus dehesas para su ganado y su propiedad.[j] 5 Tal como Jehová había mandado a Moisés, así lo hicieron los hijos de Israel; y procedieron a repartir la tierra proporcionalmente.

6 Entonces los hijos de Judá se acercaron a Josué en Guilgal,[k] y Caleb[l] hijo de Jefuné el quenizita[m] le dijo: "Tú mismo sabes bien la palabra que Jehová habló[n] a Moisés el hombre del Dios [verdadero][o] respecto a mí y respecto a ti en Qadés-barnea.[p] 7 Cuarenta años de edad tenía yo cuando Moisés el siervo de Jehová me envió desde Qadés-barnea para espiar la tierra,[q] y vine trayéndole palabra de vuelta tal como se hallaba en mi corazón.[r] 8 Y mis hermanos que subieron conmigo hicieron que el corazón del pueblo se derritiera;[s] pero en cuanto a mí, yo seguí plenamente a Jehová mi Dios.[t] 9 En consecuencia, Moisés juró en aquel día, y dijo: 'La tierra en que ha pisado[u] tu pie llegará a ser tuya y de tus hijos como herencia hasta tiempo indefinido, porque has seguido plenamente a Jehová mi Dios'.[v] 10 Y ahora sucede que Jehová me ha conservado vivo,[w] tal como prometió,[x] estos cuarenta y cinco años desde que Jehová hizo esta pro-

CAP. 13
a Nú 32:33
b Dt 3:12
c Nú 32:35
d Nú 32:26
e Jos 12:2
Jue 11:13
f Dt 2:36
Jue 11:26
g Dt 3:11
2Sa 11:1
h Nú 21:26
i Gé 32:2
j Nú 21:38
j 2Sa 9:5
2Sa 17:27
k Nú 32:36
l Nú 32:36
m Gé 33:17
Jue 8:5
1Re 7:46
Sl 60:6
n Nú 21:26
o Nú 34:11
Dt 3:17
Jn 6:1
p Dt 3:16
Dt 3:13
r 1Cr 6:80
s Nú 32:33
t Nú 32:41
Dt 3:14
u Jos 12:4
v Nú 21:33
w Nú 32:39
x Nú 32:33
Dt 3:12
y Dt 10:9
Jos 13:14
Jos 18:7
z Nú 18:24
Nú 26:62
Dt 18:1
Jos 14:3

CAP. 14
a Nú 34:2

2.ª col.
a Nú 34:17
Jos 19:51
b Nú 26:55
Nú 33:54
Ne 11:1
Pr 16:33
Hch 13:19
c Nú 34:13
d Nú 32:29
Jos 13:8
e Dt 10:9
Jos 13:14
f Gé 48:5
1Cr 5:2
g Gé 48:19
h Gé 48:20
i Nú 35:7
Jos 21:2
1Cr 6:54
j Le 25:34
Nú 35:2
Nú 35:5
k Jos 4:19
Jos 10:43
l Nú 13:36
Nú 14:30
m Nú 32:12
Jos 15:17
n Dt 1:36
o Nú 12:7
Dt 33:1
Sl 90:Enc

p Nú 13:26; Dt 1:19; q Nú 13:2; Nú 13:6; Eze 20:6; r Nú 13:30; Nú 14:6; s Nú 13:32; t Nú 14:24; Nú 32:12; u Dt 1:36; v Sl 101:6; Pr 28:20; w Nú 14:29; x Nú 14:30; Jos 21:45.

mesa a Moisés cuando Israel andaba en el desierto,[a] y ahora me veo aquí hoy con ochenta y cinco años de edad. 11 Sin embargo, hoy me hallo tan fuerte como el día en que Moisés me envió.[b] Como era mi poder entonces, así es mi poder ahora para la guerra, tanto para salir como para entrar.[c] 12 Y ahora dame, sí, esta región montañosa que Jehová prometió en aquel día,[d] porque tú mismo oíste en aquel día que había anaquim[e] allí y grandes ciudades fortificadas.[f] Probablemente Jehová estará conmigo,[g] y ciertamente los desposeeré, tal como Jehová prometió".[h]

13 Ante eso, Josué lo bendijo y dio Hebrón a Caleb hijo de Jefuné como herencia.[i] 14 Por eso Hebrón ha llegado a pertenecer a Caleb hijo de Jefuné el quenizita como herencia hasta el día de hoy, por razón de que siguió plenamente[j] a Jehová el Dios de Israel. 15 El nombre de Hebrón antes de eso era Quiryat-arbá[k] ([dicho Arbá[l] fue] el gran hombre entre los anaquim). Y la tierra no tuvo disturbio de guerra.[m]

15 Y la porción que le tocó en suerte[n] a la tribu de los hijos de Judá, por sus familias, vino a ser hasta el límite de Edom,[o] el desierto de Zin,[p] hasta el Néguev[q] en su extremo del sur. 2 Y su límite del sur vino a ser desde la extremidad del mar Salado,[r] desde la bahía que mira hacia el sur. 3 Y salía hacia el sur a la subida de Aqrabim[s] y pasaba a Zin[t] y subía del sur a Qadés-barnea[u] y pasaba a Hezrón y subía a Addar y daba vuelta a Qarqá. 4 Y pasaba a Azmón[v] y salía al valle torrencial de Egipto;[w] y resultaba que la terminación del límite daba al mar. Esto vino a ser su límite del sur.

5 Y el límite oriental era el mar Salado hasta el fin del Jordán, y el límite en el rincón del norte estaba en la bahía del mar, al fin del Jordán.[x] 6 Y el límite

subía a Bet-hoglá[a] y pasaba al norte de Bet-arabá,[b] y el límite subía a la piedra de Bohán[c] hijo de Rubén. 7 Y el límite subía a Debir desde la llanura baja de Acor[d] y volvía hacia el norte a Guilgal,[e] que está enfrente de la subida de Adumim, que está al sur del valle torrencial; y el límite pasaba a las aguas de En-semes,[f] y su terminación resultaba ser En-roguel.[g] 8 Y el límite subía al valle del hijo de Hinón[h] a la ladera del jebuseo[i] al sur, es decir, Jerusalén;[j] y el límite subía a la cima de la montaña que mira al valle de Hinón al oeste, que está en la extremidad de la llanura baja de Refaím[k] al norte. 9 Y el límite estaba trazado desde la cima de la montaña hasta el manantial de las aguas de Neftóah,[l] y salía a las ciudades del monte Efrón; y estaba trazado el límite hasta Baalá,[m] es decir, Quiryat-jearim.[n] 10 Y el límite daba la vuelta desde Baalá hacia el oeste al monte Seír y pasaba a la ladera del monte Jearim al norte, es decir, Kesalón; y bajaba a Bet-semes[o] y pasaba a Timnah.[p] 11 Y el límite salía a la ladera de Eqrón[q] al norte, y estaba trazado el límite hasta Sikerón y pasaba al monte Baalá y salía a Jabneel; y resultaba que la terminación del límite daba al mar.

12 Y el límite occidental estaba en el mar Grande[r] y su sección litoral. Este era el límite todo en derredor, de los hijos de Judá por sus familias.

13 Y a Caleb[s] hijo de Jefuné él dio una parte en medio de los hijos de Judá por orden de Jehová a Josué, a saber, Quiryat-arbá ([dicho Arbá era] padre de Anaq), es decir, Hebrón.[t] 14 De modo que Caleb expulsó de allí a los tres hijos de Anaq,[u] a saber, Sesai[v] y Ahimán y Talmai,[w] los nacidos de Anaq.[x]

CAP. 14
a Nú 14:33
Jos 11:18
b Sl 90:10
c Dt 31:2
d Jos 14:9
e Nú 13:22
Nú 13:33
Jos 11:21
f Nú 13:28
g Nú 14:8
Sl 60:12
Ro 8:31
Flp 4:13
h Jos 15:14
Jue 1:20
i Jos 10:37
Jos 15:13
Jos 21:11
1Cr 6:56
j Nú 14:24
Dt 1:36
Jos 14:8
k Gé 23:2
Jos 15:13
l Jos 21:11
m Le 26:6
Jos 11:23

CAP. 15
n Nú 26:55
o Gé 36:19
p Nú 33:36
q Dt 1:7
r Nú 34:3
s Jue 1:36
t Nú 34:4
u Nú 32:8
v Nú 34:5
w Gé 15:18
Jos 13:3
1Re 8:65
x Nú 34:12

2.ª col.
a Jos 18:19
b Jos 18:22
c Jos 18:17
d Jos 7:26
e Jos 5:9
f Jos 18:17
g 1Re 1:9
h Jos 18:16
2Re 23:10
Jer 7:31
Mt 5:22
i Jos 18:28
Jue 1:21
j Jue 19:10
2Sa 5:6
k Jos 18:16
2Sa 5:18
l Jos 18:15
m 2Sa 6:2
1Cr 13:6
n Jos 9:17
o Jos 21:16
1Sa 6:12
1Cr 6:59
p Jos 19:43
Jue 14:2
2Cr 28:18
q Jos 19:43
1Sa 5:10
1Sa 7:14
2Re 1:2
r Nú 34:6
Dt 11:24
Jos 15:47

s Nú 13:30; Dt 1:36; Jos 14:13; Jos 21:12; t Gé 23:2; Gé 35:27; Jos 14:15; Jos 20:7; u Nú 13:33; Jos 11:21; v Nú 13:22; w Jue 1:10; x Jue 1:20.

15 Entonces subió de allí a donde los habitantes de Debir.[a] (Ahora bien, el nombre de Debir antes de eso era Quiryat-séfer.)[b] 16 Y Caleb procedió a decir: "Al que hiera a Quiryat-séfer y de veras la tome, ciertamente le daré mi hija Acsá[c] por esposa". 17 Ante eso, Otniel[d] hijo de Quenaz,[e] hermano de Caleb, la tomó. Por lo tanto él le dio por esposa su hija Acsá.[f] 18 Y aconteció que cuando ella iba a casa, siguió incitando a este a pedir un campo a su padre. Entonces ella palmoteó mientras estaba sobre el asno. Por lo cual le dijo Caleb: "¿Qué quieres?".[g] 19 De modo que ella dijo: "Dame una bendición, sí, puesto que es un pedazo de terreno al sur lo que me has dado, y tienes que darme Gulot-maim". Por consiguiente, le dio Gulot Alto y Gulot Bajo.[h]

20 Esta fue la herencia[i] de la tribu de los hijos de Judá[j] por sus familias.

21 Y las ciudades al extremo de la tribu de los hijos de Judá hacia el límite de Edom[k] en el sur llegaron a ser Qabzeel[l] y Éder y Jagur, 22 y Quiná y Dimoná y Adadá, 23 y Quedes y Hazor e Itnán, 24 Zif y Télem[m] y Bealot, 25 y Hazor-hadatá y Queriyot-hezrón, es decir, Hazor, 26 Amam y Sema y Moladá,[n] 27 y Hazar-gadá y Hesmón y Bet-pélet,[o] 28 y Hazar-sual[p] y Beer-seba[q] y Biziotías, 29 Baalá[r] e Iyim y Ézem,[s] 30 y Eltolad y Kesil y Hormá,[t] 31 y Ziqlag[u] y Madmaná y Sansaná, 32 y Lebaot y Silhim y Ain[v] y Rimón;[w] todas las ciudades fueron veintinueve, junto con sus poblados.

33 En la Sefelá[x] estaban Estaol[y] y Zorá[z] y Asnah, 34 y Zanóah[a] y En-ganim, Tapúah y Enam, 35 Jarmut[b] y Adulam,[c] Socoh[d] y Azeqá,[e] 36 y Saaraim[f] y Aditaim y Guederá y Guederotaim; catorce ciudades y sus poblados.

37 Zenán y Hadasá y Migdal-

gad, 38 y Dileán y Mizpé y Joqteel, 39 Lakís[a] y Bozqat[b] y Eglón,[c] 40 y Cabón y Lahmam y Kitlís, 41 y Guederot, Bet-dagón y Naamá y Maquedá;[d] dieciséis ciudades y sus poblados.

42 Libná[e] y Éter[f] y Asán, 43 e Iftah y Asnah y Nezib, 44 y Queilá[g] y Aczib[h] y Maresah;[i] nueve ciudades y sus poblados.

45 Eqrón[j] y sus pueblos dependientes y sus poblados. 46 Desde Eqrón hacia el oeste todo lo que está a lo largo de Asdod y sus poblados.

47 Asdod,[k] sus pueblos dependientes y sus poblados; Gaza,[l] sus pueblos dependientes y sus poblados, hasta el valle torrencial de Egipto, y el mar Grande y la región adyacente.[m]

48 Y, en la región montañosa, Samir y Jatir[n] y Socoh, 49 y Daná y Quiryat-saná, es decir, Debir, 50 y Anab y Estemó[o] y Anim, 51 y Gosén[p] y Holón y Guiló;[q] once ciudades y sus poblados.

52 Arab y Dumá y Esán, 53 y Janim y Bet-tapúah y Afeqá, 54 y Humtá y Quiryat-arbá, es decir, Hebrón,[r] y Zior; nueve ciudades y sus poblados.

55 Maón,[s] Carmelo y Zif[t] y Jutá; 56 y Jezreel y Joqdeam y Zanóah, 57 Qayín, Guibeah y Timnah;[u] diez ciudades y sus poblados.

58 Halhul, Bet-zur y Guedor, 59 y Maarat y Bet-anot y Elteqón; seis ciudades y sus poblados.

60 Quiryat-baal,[v] es decir, Quiryat-jearim,[w] y Rabá; dos ciudades y sus poblados.

61 En el desierto, Bet-arabá,[x] Midín y Secacá, 62 y Nibsán y la Ciudad de la Sal y En-guedí;[y] seis ciudades y sus poblados.

63 En cuanto a los jebuseos[z] que estaban morando en Jerusalén,[a] los hijos de Judá no pudie-

CAP. 15
a Jos 10:39
b Jue 1:11
c Jue 1:13
d Jue 3:9
Jue 3:11
e Jue 1:13
1Cr 4:13
f 1Cr 2:49
g Jue 1:14
h Jue 1:15
i Nú 33:54
j Gé 49:8
Dt 33:7
k Nú 34:3
Dt 2:5
l Ne 11:25
m 1Sa 15:4
n Jos 19:2
1Cr 4:28
o Ne 11:26
p Jos 19:3
1Cr 4:28
q Gé 21:31
Jos 19:2
r Jos 19:3
s 1Cr 4:29
t Nú 14:45
Dt 1:44
Jos 19:4
Jue 1:7
u Jos 19:5
1Sa 27:6
1Cr 12:1
v 1Cr 4:32
w Jos 19:7
Ne 11:29
x Dt 1:7
Jos 9:1
Jue 1:9
y Jos 19:41
Jue 13:25
Jue 16:31
z Ne 11:29
a Ne 11:30
b Jos 10:3
c Jos 12:15
1Sa 22:1
d 1Sa 17:1
e Jos 10:10
f 1Sa 17:52

2.ª col.
a Jos 10:3
2Re 18:14
b 2Re 22:1
c Jos 10:3
d Jos 10:28
e Jos 10:29
2Re 8:22
f Jos 19:7
g 1Sa 23:1
h Gé 38:5
i Miq 1:1
j Jos 13:3
k 1Sa 5:1
l Gé 15:18
m Gé 15:18
Nú 34:5
n Jos 21:14
o 1Sa 30:28
1Cr 6:57
p Jos 10:41
Jos 11:16
q 2Sa 15:12
r Gé 23:2
Jos 14:15
Jos 15:13
s 1Sa 23:25
1Sa 25:2
t 1Sa 23:14
u Gé 38:12

v Jos 18:14; w Jos 9:17; 1Sa 7:1; x Jos 18:22; y 1Sa 23:29; 2Cr 20:2; z Gé 10:16; Jue 1:21; a Jue 1:8; 1Cr 11:4.

ron expulsarlos;[a] y los jebuseos continúan morando con los hijos de Judá en Jerusalén hasta el día de hoy.

16 Y salió la suerte[b] para los hijos de José[c] desde el Jordán[d] junto a Jericó hasta las aguas de Jericó al oriente, en el desierto que sube de Jericó a la región montañosa de Betel.[e] 2 Y salía de Betel, que pertenece a Luz,[f] y pasaba al límite de los arkitas[g] en Atarot, 3 y bajaba hacia el oeste al límite de los jafletitas hasta el límite de Bet-horón Baja[h] y Guézer,[i] y resultaba que su terminación daba al mar.[j]

4 Y los hijos de José,[k] Manasés y Efraín,[l] procedieron a tomar posesión de tierra.[m] 5 Y el límite de los hijos de Efraín por sus familias vino a ser, sí, el límite de su herencia hacia el oriente vino a ser Atarot-addar,[n] hasta Bet-horón Alta;[o] 6 y el límite salía al mar. Micmetat[p] estaba al norte, y el límite daba la vuelta hacia el oriente a Taanat-siló, y pasaba hacia el oriente a Janóah. 7 Y bajaba de Janóah a Atarot y a Naará y llegaba hasta Jericó[q] y salía al Jordán. 8 Desde Tapúah[r] el límite seguía hacia el oeste al valle torrencial de Qaná,[s] y resultaba que su terminación daba al mar.[t] Esta es la herencia de la tribu de los hijos de Efraín por sus familias. 9 Y los hijos de Efraín tenían ciudades enclavadas[u] en medio de la herencia de los hijos de Manasés, todas las ciudades y sus poblados.

10 Y no expulsaron a los cananeos[v] que estaban morando en Guézer,[w] y los cananeos continúan morando en medio de Efraín hasta el día de hoy,[x] y vinieron a estar sujetos a trabajos forzados de esclavo.[y]

17 Y la suerte[z] vino a ser para la tribu de Manasés,[a] porque él era el primogénito[b] de José, para Makir[c] el primogénito

de Manasés, el padre de Galaad,[a] porque él fue uno que resultó ser hombre de guerra;[b] y Galaad[c] y Basán llegaron a pertenecerle. 2 Y llegó a haber [una suerte] para los hijos de Manasés que quedaron, según sus familias, para los hijos de Abí-ézer[d] y los hijos de Héleq[e] y los hijos de Asriel y los hijos de Siquem[f] y los hijos de Héfer y los hijos de Semidá.[g] Estos fueron los hijos de Manasés hijo de José, los varones según sus familias. 3 En cuanto a Zelofehad[h] hijo de Héfer, hijo de Galaad, hijo de Makir, hijo de Manasés, resultó que no tuvo hijos, sino hijas, y estos eran los nombres de sus hijas: Mahlá y Noá, Hoglá, Milcá y Tirzá.[i] 4 De modo que estas se presentaron delante de Eleazar[j] el sacerdote y Josué hijo de Nun y los principales, y dijeron: "Jehová fue quien mandó a Moisés que nos diera una herencia en medio de nuestros hermanos".[k] Por consiguiente, les dio, por orden de Jehová, una herencia en medio de los hermanos de su padre.[l]

5 Y hubo diez lotes que le tocaron a Manasés aparte de la tierra de Galaad y Basán, que estaban al otro lado del Jordán;[m] 6 porque las hijas de Manasés obtuvieron una herencia en medio de los hijos de él; y la tierra de Galaad vino a ser la propiedad de los hijos de Manasés que quedaron.

7 Y el límite de Manasés vino a ser desde Aser hasta Micmetat,[n] que está enfrente de Siquem,[o] y el límite se dirigía a la derecha a los habitantes de En-Tapúah. 8 La tierra de Tapúah[p] vino a ser de Manasés, pero Tapúah, en el límite de Manasés, pertenecía a los hijos de Efraín. 9 Y el límite bajaba al valle torrencial de Qaná, hacia el sur al valle torrencial de estas

CAP. 15
a Ex 23:29
  Nú 33:55
  Jue 1:21
  Jue 2:23
  Jue 3:4
  Jue 19:11
  2Sa 5:6

CAP. 16
b Nú 26:55
  Nú 33:54
  Pr 16:33
c Gé 49:22
  Dt 33:13
d Nú 35:1
  Jos 18:12
e Jos 18:13
f Gé 28:19
g 2Sa 16:16
h Jos 18:13
  1Cr 7:24
i 1Cr 7:28
j Nú 34:6
k Gé 48:5
  Jos 17:14
  1Jos 14:4
m Dt 33:15
n Jos 18:13
o 2Cr 8:5
p Jos 17:7
q Jos 6:20
  Jos 6:26
r Jos 17:8
s Jos 17:9
t Nú 34:6
  Jos 16:3
u Jos 17:9
v Ex 23:29
  Nú 33:55
  Dt 7:22
  Jos 23:13
  Jue 1:29
w Jos 16:3
x Nú 33:52
  Dt 7:1
  Jue 3:1
y Jos 17:13
  1Re 9:21

CAP. 17
z Nú 26:55
  Nú 33:54
  Pr 16:33
a Gé 46:20
b Gé 41:51
  Gé 48:18
  Dt 21:17
c Gé 50:23
  Nú 32:40

2.ª col.
a Nú 26:29
  1Cr 2:23
  1Cr 7:14
b Gé 49:24
c Dt 3:13
  Jos 13:31
d Jue 6:11
  Jue 8:2
  1Cr 7:18
e Nú 26:30
f Nú 26:31
g Nú 26:32
h Nú 26:33
  Nú 36:2
i Nú 27:1
j Nú 27:2
  Nú 34:17
  Jos 14:1
k Nú 27:7

l Nú 27:11; Nú 36:2; Nú 36:6; Nú 36:12; m Jos 13:29; n Jos 16:6; o Jos 20:7; Jos 24:1; 1Cr 6:67; p Jos 16:8.

ciudades[a] de Efraín en medio de las ciudades de Manasés, y el límite de Manasés estaba al norte del valle torrencial, y su terminación llegaba a dar al mar.[b] 10 Al sur era de Efraín; y al norte, de Manasés, y el mar venía a ser su límite;[c] y por el norte llegan hasta Aser, y por el oriente, hasta Isacar.

11 Y vinieron a pertenecer a Manasés,[d] en Isacar y en Aser: Bet-seán[e] y sus pueblos dependientes e Ibleam[f] y sus pueblos dependientes y los habitantes de Dor[g] y sus pueblos dependientes y los habitantes de En-dor[h] y sus pueblos dependientes y los habitantes de Taanac[i] y sus pueblos dependientes y los habitantes de Meguidó[j] y sus pueblos dependientes, tres de las alturas.

12 Y los hijos de Manasés no lograron tomar posesión de estas ciudades,[k] sino que los cananeos persistieron en morar en esta tierra.[l] 13 Y resultó que, cuando los hijos de Israel se hicieron fuertes,[m] fueron poniendo a los cananeos a hacer trabajos forzados,[n] y no los desposeyeron enteramente.[o]

14 Y los hijos de José procedieron a hablar con Josué, y dijeron: "¿Por qué me has dado como herencia una sola suerte[p] y un solo lote, cuando soy un pueblo numeroso por razón de que Jehová me ha bendecido hasta ahora?".[q] 15 Por lo cual Josué les dijo: "Si eres pueblo numeroso, anda, sube al bosque, y tienes que hacerte desmonte allí en la tierra de los perizitas[r] y de los refaím,[s] porque la región montañosa[t] de Efraín se ha hecho demasiado angosta para ti". 16 Entonces los hijos de José dijeron: "No basta para nosotros la región montañosa, y hay carros de guerra[u] con hoces de hierro entre todos los cananeos que moran en la tierra de la llanura baja, tanto los que están en Bet-seán[v] y sus pueblos dependientes como los que están en la lla-

nura baja de Jezreel".[a] 17 De modo que Josué dijo esto a la casa de José, a Efraín y Manasés: "Eres un pueblo numeroso, y gran poder es tuyo.[b] No debes recibir una sola suerte,[c] 18 sino que la región montañosa debe llegar a ser tuya.[d] Porque es bosque, tendrás que desmontarlo, y tiene que llegar a ser el punto de terminación para ti. Pues debes expulsar a los cananeos, aunque tengan carros de guerra con hoces de hierro y sean fuertes".[e]

18 Entonces toda la asamblea de los hijos de Israel se congregó en Siló,[f] y procedieron a situar allí la tienda de reunión,[g] puesto que la tierra estaba ya sojuzgada delante de ellos.[h] 2 Pero todavía quedaban entre los hijos de Israel aquellos a los cuales no se había repartido proporcionalmente su herencia, a saber, siete tribus. 3 Así que Josué dijo a los hijos de Israel: "¿Hasta cuándo van a ser delincuentes en cuanto a entrar para tomar posesión de la tierra[i] que Jehová el Dios de sus antepasados les ha dado?[j] 4 Consíganse tres hombres de cada tribu y déjenme enviarlos, para que se levanten y recorran la tierra y delineen mapas de acuerdo con su herencia, y que vengan a mí.[k] 5 Y tienen que repartirla proporcionalmente entre sí en siete partes.[l] Judá se quedará de pie en su territorio al sur,[m] y la casa de José se quedará de pie en su territorio al norte.[n] 6 En cuanto a ustedes, ustedes delinearán el mapa de la tierra en siete partes, y tienen que traérmelas acá, y tendré que echar suertes[o] para ustedes aquí delante de Jehová nuestro Dios. 7 Porque los levitas no tienen participación en medio de ustedes,[p] por cuanto su herencia es el

CAP. 17
a Jos 16:9
b Jos 16:3
  Jos 16:8
c Nú 34:6
d 1Cr 7:29
e 1Sa 31:10
  1Re 4:12
f 2Re 9:27
g Jos 12:23
  Jue 1:27
h 1Sa 28:7
  Sl 83:10
i Jos 12:21
  Jue 5:19
j 1Cr 7:29
k Jue 1:27
l 1Éx 23:29
m Jue 1:28
n Dt 20:16
  Jos 16:10
  Jue 1:30
  2Cr 8:8
o Éx 23:33
  Nú 33:55
  Dt 20:17
  Jos 23:13
  Jue 2:23
  Jue 3:2
p Nú 33:54
q Gé 48:19
  Nú 26:34
  Nú 26:37
  Dt 33:17
r Éx 33:2
  Esd 9:1
s Gé 15:20
t Jos 19:50
  Jue 24:33
  Jue 7:24
u Dt 20:1
  Jue 1:19
  Jue 4:3
  Pr 21:31
v Jos 17:11
  1Re 4:12

2.ᵃ col.

a Jos 19:18
  Jue 6:33
b Jos 22:9
c Jos 17:14
d Nú 33:53
  Jos 20:7
  Jue 4:5
e Dt 20:1
  Dt 31:6
  Jos 13:6
  Sl 27:1
  Ro 8:31
  Heb 13:6

CAP. 18

f Jos 19:51
  Jos 21:2
  Jos 22:9
  Jue 21:19
g 1Sa 1:3
  1Sa 4:3
  Sl 78:60
  Jer 7:12
h Nú 14:8
  Dt 7:22
  Dt 33:29
  Jos 13:2
  Hch 7:45
i Nú 33:53
  Dt 20:16
j Nú 33:53
  Jue 18:9
  Pr 10:4
k Nú 27:20
  Nú 34:17

l Nú 34:13; Jos 19:51; m Jos 15:1; n Jos 16:1; Jos 16:4; o Nú 26:55; Nú 33:54; Jos 14:2; Pr 16:33; Hch 13:19; p Jos 18:20; Jos 13:33.

sacerdocio de Jehová;[a] y Gad y Rubén[b] y la media tribu de Manasés[c] han tomado su herencia del lado del Jordán hacia el oriente, la cual Moisés el siervo de Jehová les ha dado".[d]

8 De modo que los hombres se levantaron para ir, y Josué procedió a mandar[e] a los que iban a delinear el mapa de la tierra, y dijo: "Vayan y recorran la tierra y delineen el mapa de ella y vuelvan a mí, y aquí es donde echaré suertes[f] para ustedes delante de Jehová en Siló".[g] 9 Con eso, los hombres se fueron y pasaron por la tierra y delinearon su mapa[h] por ciudades en siete partes, en un libro. Después de eso vinieron a Josué, al campamento de Siló, 10 y Josué se puso a echarles suertes en Siló delante de Jehová.[i] De ese modo Josué allí repartió la tierra proporcionalmente a los hijos de Israel en las partes que les correspondían.[j]

11 Entonces se sacó la suerte[k] de la tribu de los hijos de Benjamín,[l] por sus familias, y el territorio de su suerte salió entre los hijos de Judá[m] y los hijos de José.[n] 12 Y su límite vino a ser en el rincón del norte desde el Jordán, y el límite subía hasta la ladera de Jericó[o] al norte y subía por la montaña hacia el oeste, y resultaba que tenía su terminación en el desierto de Bet-aven.[p] 13 Y el límite pasaba de allí a Luz,[q] a la ladera sur de Luz, es decir, Betel;[r] y el límite bajaba a Atarot-addar[s] sobre la montaña que está al sur de Bet-horón Baja.[t] 14 Y el límite estaba trazado y daba la vuelta por el lado occidental hacia el sur desde la montaña que mira a Bethorón al sur; y su terminación daba a Quiryat-baal, es decir, Quiryat-jearim,[u] una ciudad de los hijos de Judá. Este es el lado occidental.

15 Y el lado del sur era desde la extremidad de Quiryat-jearim, y el límite salía hacia el

CAP. 18
a Dt 10:9
   Dt 18:1
b Dt 3:12
c Dt 3:13
d Dt 4:47
e Nú 27:21
f Jos 19:51
g Jue 21:19
h Jos 18:4
i Pr 16:33
j Nú 33:54
k Nú 26:55
l Dt 33:12
m Jos 15:1
  Jos 16:1
o Jos 2:1
  Jos 3:16
  Jos 6:1
p Jos 7:2
q Jos 16:2
r Gé 28:19
s Jos 16:5
t Jos 10:11
  Jos 16:3
  Jos 21:22
u Jos 15:9
  Jos 15:60
  2Sa 6:2
  1Cr 13:6

2.ª col.
a Jos 15:9
b Jos 15:8
  2Cr 28:3
  Jer 7:31
  Jer 19:2
  Mt 5:22
c Dt 2:11
  2Sa 5:18
  Isa 17:5
d Jos 15:63
  Jue 1:8
  Jos 15:8
  Jos 15:7
  1Re 1:9
f Jos 15:7
g Dt 19:14
h Jos 15:6
i Jos 15:6
j Nú 34:12
  Dt 3:17
k Jos 6:21
  Jos 6:24
l Jos 15:6
m Gé 12:8
  Jos 8:17
  1Re 12:29
o 1Sa 13:17
  Esd 2:26
p Jos 9:17
  1Re 3:4
q Jue 20:3
r Esd 2:25
s 2Sa 21:14
t Jos 15:8
  Jue 19:10
  1Cr 11:4
  2Cr 3:1
u Jue 19:12
  Jue 10:26
v Nú 26:54
  Nú 33:54

CAP. 19
w Nú 26:56
  Jos 18:6
x Gé 46:10
y Gé 49:7

oeste y salía al manantial de las aguas de Neftóah.[a] 16 Y bajaba el límite a la extremidad de la montaña que mira al valle del hijo de Hinón,[b] que está en la llanura baja de Refaím[c] al norte, y bajaba al valle de Hinón, a la ladera del jebuseo[d] al sur, y bajaba a En-roguel.[e] 17 Y estaba trazado hacia el norte y salía a En-semes y salía a Guelilot, que está enfrente de la subida de Adumim;[f] y bajaba a la piedra[g] de Bohán[h] hijo de Rubén. 18 Y pasaba a la ladera del norte enfrente del Arabá y bajaba al Arabá. 19 Y el límite pasaba a la ladera del norte de Bet-hoglá,[i] y resultaba que la terminación (del confín) daba a la bahía del norte del mar Salado,[j] en el extremo sur del Jordán. Este era el límite del sur. 20 Y el Jordán le servía de límite en el lado oriental. Esta fue la herencia de los hijos de Benjamín, por sus familias, por sus límites todo en derredor.

21 Y las ciudades de la tribu de los hijos de Benjamín, por sus familias, resultaron ser Jericó[k] y Bet-hoglá y Émeq-queziz, 22 y Bet-arabá[l] y Zemaraim y Betel,[m] 23 y Avim y Pará y Ofrá,[n] 24 y Kefar-amoní y Ofní y Gueba;[o] doce ciudades y sus poblados.

25 Gabaón[p] y Ramá y Beerot, 26 y Mizpé[q] y Kefirá[r] y Mozah, 27 y Réquem e Irpeel y Taralá, 28 y Zelah,[s] Ha-élef y Jebusí, es decir, Jerusalén,[t] Guibeah[u] y Quiryat; catorce ciudades y sus poblados.

Esta fue la herencia de los hijos de Benjamín por sus familias.[v]

19 Entonces salió la segunda suerte[w] para Simeón, para la tribu de los hijos de Simeón,[x] por sus familias. Y su herencia vino a estar en medio de la herencia de los hijos de Judá.[y] 2 Y llegaron a tener en su herencia a Beer-seba[a] con Seba, y a Moladá,[b] 3 y Hazar-sual[c] y Balá y Ézem,[d] 4 y Eltolad[e] y Betul y Hormá, 5 y Ziqlag[f] y Bet-marcabot y Hazar-susah,[g] 6 y Bet-lebaot[h] y Saruhén; trece ciudades y sus poblados. 7 A Ain,[i] Rimón[j] y Éter y Asán;[k] cuatro ciudades y sus poblados, 8 y todos los poblados que estaban todo en derredor de estas ciudades hasta Baalat-beer,[l] Ramá[m] del sur. Esta fue la herencia de la tribu de los hijos de Simeón por sus familias. 9 La herencia de los hijos de Simeón fue tomada del lote de los hijos de Judá, porque la parte que correspondía a los hijos de Judá resultó demasiado grande para ellos.[n] Así que los hijos de Simeón recibieron una posesión en medio de la herencia de ellos.[o]

10 En seguida se sacó la tercera suerte[p] para los hijos de Zabulón[q] por sus familias, y el límite de su herencia vino a dar hasta Sarid. 11 Y su límite subía hacia el oeste también a Mareal y llegaba a Dabéset y llegaba al valle torrencial que está enfrente de Joqneam.[r] 12 Y desde Sarid se volvía al este hacia el nacimiento del sol hasta el confín de Kislot-tabor, y salía a Daberat[s] y subía a Jafía. 13 Y desde allí pasaba al oriente hacia el naciente a Gat-héfer,[t] a Et-qazín, y salía a Rimón y estaba trazado hasta Neá. 14 Y el límite daba la vuelta a esta por el norte a Hanatón, y resultaba que sus terminaciones daban al valle de Iftah-el, 15 y Qatat y Nahalal y Simrón[u] e Idalá y Belén;[v] doce ciudades y sus poblados. 16 Esta fue la herencia[w] de los hijos de Zabulón por sus familias.[x] Estas fueron las ciudades y sus poblados.

17 Fue para Isacar[y] para quien salió la cuarta suerte, para los hijos de Isacar por sus familias. 18 Y su límite vino a ser hasta Jezreel[z] y Kesulot y Sunem,[a] 19 y Hafaraim y Shión y

Anaharat, 20 y Rabit y Quisión y Ébez, 21 y Rémet y En-ganim[a] y En-hadá y Bet-pazez. 22 Y el límite llegaba a Tabor[b] y Sahazuma y Bet-semes, y resultaba que las terminaciones de su confín daban al Jordán; dieciséis ciudades y sus poblados. 23 Esta fue la herencia de la tribu de los hijos de Isacar por sus familias,[c] las ciudades y sus poblados.

24 Entonces salió la quinta suerte[d] para la tribu de los hijos de Aser[e] por sus familias. 25 Y su límite vino a ser Helqat[f] y Halí y Beten y Acsaf,[g] 26 y Alamélec y Amad y Misal.[h] Y en dirección al oeste llegaba a Carmelo[i] y a Sihor-libnat, 27 y se volvía hacia el nacimiento del sol a Bet-dagón y llegaba a Zabulón[j] y al valle de Iftah-el al norte, a Bet-émeq y Neiel, y salía a Cabul a la izquierda, 28 y a Ebrón y Rehob y Hamón y Qaná hasta la populosa Sidón.[k] 29 Y el límite se volvía a Ramá y hasta la ciudad fortificada de Tiro.[l] Y el límite se volvía a Hosá, y sus terminaciones llegaban a dar al mar, en la región de Aczib,[m] 30 y Umá y Afeq[n] y Rehob;[o] veintidós ciudades y sus poblados. 31 Esta fue la herencia de la tribu de los hijos de Aser por sus familias.[p] Estas fueron las ciudades y sus poblados.

32 Fue para los hijos de Neftalí[q] para quienes salió la sexta suerte,[r] para los hijos de Neftalí por sus familias. 33 Y su límite vino a ser desde Hélef, desde el árbol grande en Zaananim,[s] y Adamí-néqueb y Jabneel hasta Laqum; y sus terminaciones llegaban a dar al Jordán. 34 Y el límite se volvía hacia el oeste a Aznot-tabor, y de allí salía a Huqqoq y llegaba a Zabulón[t] al sur, y llegaba a Aser[u] al oeste y a Judá[v] en el Jordán, hacia el nacimiento del sol. 35 Y las ciuda-

CAP. 19

a Gé 21:31
Gé 26:33
Jos 15:28
b Jos 15:26
Ne 11:26
c Jos 15:28
1Cr 4:28
d Jos 15:29
e Jos 15:30
1Cr 4:29
f Jos 15:31
1Sa 27:6
1Sa 30:1
1Cr 4:30
g 1Cr 4:31
h Jos 15:32
1Cr 4:32
j Ne 11:29
k Jos 15:42
1Cr 4:32
1Cr 6:59
l Jos 15:24
m 1Sa 30:27
n Nú 33:54
o Jue 1:3
p Jos 18:6
q Gé 49:13
Dt 33:18
r Jos 12:22
s Jos 21:28
1Cr 6:72
t 2Re 14:25
u Jos 11:1
Jos 12:20
v Jue 12:8
w Nú 26:55
x Nú 26:27
y Gé 49:14
Nú 33:54
Dt 33:18
z Jos 17:16
Jue 6:33
1Re 21:1
a 1Sa 28:4
Jue 1:3
1Re 2:17
2Re 4:8

2.ª col.

a Jos 21:29
b Jue 4:6
Jer 46:18
c Nú 26:25
d Nú 26:55
Jos 18:6
e Jos 49:20
Dt 33:24
Lu 2:36
f Jos 21:31
1Cr 6:75
g Jos 11:1
Jos 12:20
h Jos 21:30
1Cr 6:74
i Jue 18:19
2Re 2:25
Isa 35:2
Jer 46:18
j Jos 19:10
k Gé 10:15
Jos 11:8
Jue 1:31
Mt 11:21
l 2Sa 5:11
Isa 23:17
Hch 12:20
m Jue 1:31
n Jue 1:31
o Jos 21:31
1Cr 6:75
p Nú 26:47
q Dt 33:23

r Nú 26:55; Jos 18:6; s Jue 4:11; t Jos 19:10; u Jos 19:24; v Jos 13:30; 1Cr 2:22.

des fortificadas eran Zidim, Zer y Hammat,ª Raqat y Kinéret,ᵇ 36 y Adamá y Ramá y Hazor,ᶜ 37 y Quedesᵈ y Edrei y En-hazor, 38 y Yirón y Migdal-el, Horem y Bet-anat y Bet-semes;ᵉ diecinueve ciudades y sus poblados. 39 Esta fue la herenciaᶠ de la tribu de los hijos de Neftalí por sus familias,ᵍ las ciudades y sus poblados.

40 Fue para la tribu de los hijos de Dan,ʰ por sus familias, para quienes salió la séptima suerte.ⁱ 41 Y el confín de su herencia vino a ser Zoráʲ y Estaol e Ir-semes, 42 y Saalabínᵏ y Ayalón e Itlá, 43 y Elón y Timnahᵐ y Eqrón,ⁿ 44 y Eltequeh y Guibetónᵒ y Baalat,ᵖ 45 y Jehúd y Bene-beraq y Gat-rimón,ᑫ 46 y Me-jarqón y Raqón, con el confín enfrente de Jope.ʳ 47 Y el territorio de los hijos de Dan fue demasiado estrecho* para ellos. Y los hijos de Dan procedieron a subir y a guerrear contra Lésemᵗ y a tomarla y a herirla a filo de espada. Entonces tomaron posesión de ella y se pusieron a morar en ella, y empezaron a llamar Dan a Lésem, conforme al nombre de Dan su antepasado.ᵘ 48 Esta fue la herencia de la tribu de los hijos de Dan por sus familias. Estas fueron las ciudades y sus poblados.

49 Así acabaron de dividir la tierra para posesión por sus territorios. Entonces los hijos de Israel dieron a Josué hijo de Nun una herencia en medio de ellos. 50 Por orden de Jehová le dieron la ciudad que él pidió,ᵛ a saber, Timnat-sérah,ʷ en la región montañosa de Efraín; y él se puso a edificar la ciudad y a morar en ella.

51 Estas fueron las herencias que Eleazar el sacerdote y Josué hijo de Nun y las cabezas de los padres de las tribus de los hijos de Israel distribuyeronˣ como posesión por sorteo en Siló,ʸ delante de Jehová, a la entrada de la tienda de reunión.ª De modo que cesaron de repartir proporcionalmente la tierra.

20 Entonces Jehová habló a Josué, y dijo: 2 "Habla a los hijos de Israel, y diles: 'Den para ustedes las ciudades de refugioᵇ de que les hablé por medio de Moisés, 3 para que haya allí el homicidaᶜ que sin intención hiera mortalmente sin saberlo a un alma; y estas tienen que servirles como refugio del vengador de la sangre.ᵈ 4 Y él tendrá que huirᵉ a una de estas ciudades y detenerse a la entrada de la puertaᶠ de la ciudad y hablar sus palabras a oídos de los ancianosᵍ de aquella ciudad; y ellos tienen que recibirlo a sí en la ciudad y darle un lugar, y él tiene que morar con ellos. 5 Y en caso de que el vengador de la sangre corra tras él, entonces no deben entregar al homicida en su mano;ʰ porque fue sin saberlo que hirió mortalmente a su semejante, y no le tenía odio anteriormente.ⁱ 6 Y tiene que morar en aquella ciudad hasta que comparezca ante la asamblea para juicio,ʲ hasta la muerte del sumo sacerdoteᵏ que exista en aquellos días. Es entonces cuando el homicida podrá volver,ˡ y tendrá que entrar en su ciudad y en su casa, en la ciudad de la cual había huido'".

7 Por consiguiente, dieron estado sagrado a Quedesᵐ en Galilea, en la región montañosa de Neftalí, y a Siquem,ⁿ en la región montañosa de Efraín, y a Quiryat-arbá,ᵒ es decir, Hebrón, en la región montañosa de Judá. 8 Y en la región del Jordán, junto a Jericó, hacia el oriente, dieron a Bézer,ᵖ en el desierto, en la meseta de la tribu de Rubén,ᑫ y a Ramotʳ en Galaad, de la tribu de Gad, y a Golánˢ en Basán, de la tribu de Manasés.

CAP. 19

a Jos 21:32
b Dt 3:17

c Jos 11:1
Jos 11:10
Jue 4:2
1Sa 12:9
d Jos 20:7
e Jue 1:33
f Nú 26:54
g Nú 26:50
h Gé 49:17
Dt 33:22
i Jos 18:6
Jos 15:33
Jue 13:2
j 2Cr 11:10
k Jue 1:35
1Re 4:9
l Jos 10:12
Jos 21:24
m Jos 15:10
Jue 14:1
n Jos 15:45
o Jos 21:23
p 1Re 9:18
q Jos 21:24
r Jon 1:3
Hch 9:36
Hch 10:8
s Nú 26:54
Nú 33:54
t Jue 18:7
u Jue 18:29
Sl 78:12
Sl 37:4
w Jos 24:30
Jue 2:9
x Nú 34:17
Jos 14:1
y Jos 18:1
Jue 21:19
1Sa 1:3
Jer 7:12

2.ª col.

a Jos 18:8

CAP. 20

b Éx 21:13
Nú 35:6
Nú 35:14
Dt 4:41
c Nú 35:15
d Gé 9:6
Éx 21:23
Nú 35:27
e Dt 19:3
f Dt 16:18
Dt 22:15
Rut 4:1
Job 29:7
g Dt 17:8
h Nú 35:25
Dt 19:10
i Le 19:17
Nú 35:22
Dt 19:6
j Nú 35:12
Nú 35:24
k Nú 35:25
Heb 7:23
l Nú 35:28
m Jos 21:32
2Re 15:29
n Gé 33:18
Jos 21:21
2Cr 10:1
o Jos 14:15
Jos 21:13

p Dt 4:43; Jos 21:36; 1Cr 6:78; q Dt 4:43; r Jos 21:38; 1Re 22:3; 2Re 8:28; 1Cr 6:80; s Dt 4:43; Jos 21:27; 1Cr 6:71.

9 Estas llegaron a ser las ciudades señaladas para todos los hijos de Israel y para el residente forastero que reside como forastero en medio de ellos, para que huya allá cualquiera que hiera mortalmente a un alma sin intención,[a] para que no muera por mano del vengador de la sangre hasta que esté de pie delante de la asamblea.[b]

21 Los cabezas de los padres de los levitas ahora se acercaron a Eleazar[c] el sacerdote y a Josué[d] hijo de Nun y a los cabezas de los padres de las tribus de los hijos de Israel, 2 y procedieron a hablarles en Siló,[e] en la tierra de Canaán, y a decir: "Jehová mandó por medio de Moisés que se nos dieran ciudades donde morar, junto con sus dehesas para nuestros animales domésticos".[f] 3 De modo que los hijos de Israel dieron de su herencia[g] a los levitas,[h] por orden de Jehová, estas ciudades y sus dehesas.

4 Entonces salió la suerte para las familias de los qohatitas,[i] y a los hijos de Aarón el sacerdote, de los levitas, llegaron a pertenecer por sorteo trece ciudades de la tribu de Judá[j] y de la tribu de los simeonitas[k] y de la tribu de Benjamín.[l]

5 Y para los hijos de Qohat[m] que quedaron hubo por sorteo diez ciudades de las familias de la tribu de Efraín[n] y de la tribu de Dan[o] y de la media tribu de Manasés.[p]

6 Y para los hijos de Guersón[r] hubo por sorteo trece ciudades de las familias de la tribu de Isacar[r] y de la tribu de Aser[s] y de la tribu de Neftalí[t] y de la media tribu de Manasés en Basán.[u]

7 Para los hijos de Merarí[v] por sus familias hubo doce ciudades de la tribu de Rubén[w] y de la tribu de Gad[x] y de la tribu de Zabulón.[y]

8 Así los hijos de Israel dieron por sorteo[z] a los levitas es-

tas ciudades y sus dehesas,[a] tal como Jehová había mandado por medio de Moisés.[b]

9 De modo que de la tribu de los hijos de Judá y de la tribu de los hijos de Simeón ellos dieron estas ciudades que fueron llamadas por nombre,[c] 10 y estas llegaron a pertenecer a los hijos de Aarón procedentes de las familias de los qohatitas de los hijos de Leví, porque la primera suerte vino a ser de ellos.[d]

11 Les dieron, pues, Quiryat-arbá[e] ([dicho Arbá era] el padre de Anaq),[f] es decir, Hebrón,[g] en la región montañosa de Judá,[h] y su dehesa todo en derredor de ella; 12 y el campo de la ciudad y sus poblados los dieron a Caleb hijo de Jefuné como posesión suya.[i]

13 Y a los hijos de Aarón el sacerdote dieron la ciudad de refugio[j] para el homicida,[k] a saber, Hebrón,[l] y su dehesa, y también Libná[m] y su dehesa, 14 y Jatir[n] y su dehesa, y Estemoa[o] y su dehesa, 15 y Holón[p] y su dehesa, y Debir[q] y su dehesa, 16 y Aín[r] y su dehesa, y Jutá[s] y su dehesa, Bet-semes[t] y su dehesa; nueve ciudades de estas dos tribus.

17 Y de la tribu de Benjamín: Gabaón[u] y su dehesa, Gueba[v] y su dehesa, 18 Anatot[w] y su dehesa, y Almón[x] y su dehesa; cuatro ciudades.

19 Todas las ciudades de los hijos de Aarón,[y] los sacerdotes, fueron trece ciudades y sus dehesas.[z]

20 Y para las familias de los hijos de Qohat, los levitas que quedaron de los hijos de Qohat, llegó a haber por su sorteo ciudades de la tribu de Efraín.[a]

21 Por lo tanto les dieron la ciudad de refugio[b] para el homicida,[c] a saber, Siquem,[d] y su dehe-

CAP. 20
a Nú 35:11
Nú 35:15
b Nú 35:12
Nú 35:24
Dt 21:5

CAP. 21
c Nú 34:17
Jos 14:1
d Jos 17:4
e Jos 18:1
f Le 25:34
Nú 35:2
Nú 35:4
Jos 14:4
1Cr 6:64
g Nú 35:8
h Gé 49:7
Dt 33:8
i Gé 46:11
Nú 3:27
Nú 3:28
Nú 31:31
j Jos 15:1
1Cr 6:55
k Jos 19:1
l Jos 18:11
1Cr 6:60
m 1Cr 6:61
n Jos 16:5
1Cr 6:66
o Jos 19:40
p Jos 17:1
1Cr 6:70
q Éx 6:17
Nú 3:22
1Cr 6:62
r Jos 19:17
s Jos 19:24
t Jos 19:32
u Nú 32:33
v Éx 6:19
Nú 3:20
1Cr 6:63
w Jos 13:15
x Jos 13:24
y Jos 19:10
z Pr 16:33

2.ª col.
a Nú 35:5
b Nú 35:2
c 1Cr 6:65
d Jos 21:4
e Gé 23:2
Gé 35:27
Jos 15:13
Jue 1:10
f Jos 14:15
g 2Sa 2:1
2Sa 15:10
h Jos 20:7
i Jos 15:13
Jue 1:20
1Cr 6:56
j Nú 35:6
k Nú 35:15
Jos 20:3
1Cr 6:57
l Jos 15:54
m Jos 10:29
Jos 15:42
Isa 37:8
n Jos 15:48
1Sa 30:27
o Jos 15:50
p Jos 15:51
1Cr 6:58
q Jos 15:49

r Jos 15:42; Jos 19:7; 1Cr 6:59; s Jos 15:55; t Jos 15:10; 18a 6:9; u Jos 9:3; Jos 18:25; v Jos 18:24; w 1Re 2:26; Isa 10:30; Jer 1:1; x 1Cr 6:60; y Éx 6:23; Éx 6:25; Nú 3:4; z Le 25:34; Nú 35:4; a 1Cr 6:66; b Nú 35:11; c Nú 35:15; Jos 20:3; d Jos 20:7; Jue 9:1; 1Re 12:1.

sa,[a] en la región montañosa de Efraín, y Guézer[b] y su dehesa, 22 y Quibzaim[c] y su dehesa, y Bet-horón[d] y su dehesa; cuatro ciudades.

23 Y de la tribu de Dan: Eltequé y su dehesa, Guibetón[e] y su dehesa, 24 Ayalón[f] y su dehesa, Gat-rimón[g] y su dehesa; cuatro ciudades.

25 Y de la media tribu de Manasés: Taanac[h] y su dehesa, y Gat-rimón y su dehesa; dos ciudades.

26 Todas las ciudades junto con sus dehesas que tuvieron las familias de los hijos de Qohat que quedaron fueron diez.

27 Y para los hijos de Guersón,[i] de las familias de los levitas, hubo de la media tribu de Manasés[j] la ciudad de refugio para el homicida, a saber, Golán,[k] en Basán, y su dehesa, y Beesterá[l] y su dehesa; dos ciudades.

28 Y de la tribu de Isacar:[m] Quisión[n] y su dehesa, Daberat[o] y su dehesa, 29 Jarmut[p] y su dehesa, En-ganim[q] y su dehesa; cuatro ciudades.

30 Y de la tribu de Aser:[r] Misal[s] y su dehesa, Abdón[t] y su dehesa, 31 Helqat[u] y su dehesa, y Rehob[v] y su dehesa; cuatro ciudades.

32 Y de la tribu de Neftalí:[w] la ciudad de refugio[x] para el homicida,[y] a saber, Quedes[z] en Galilea, y su dehesa, y Hamot-dor[a] y su dehesa, y Qartán[b] y su dehesa; tres ciudades.

33 Todas las ciudades de los guersonitas, por sus familias, fueron trece ciudades y sus dehesas.

34 Y las familias de los hijos de Merarí,[b] los levitas que quedaron, tuvieron, de la tribu de Zabulón:[c] Joqneam[d] y su dehesa, Qartá[e] y su dehesa, 35 Dimná[e] y su dehesa, Nahalal[f] y su dehesa; cuatro ciudades.

36 Y de la tribu de Rubén:[g] Bézer[h] y su dehesa, y Jáhaz[i] y su dehesa, 37 Quedemot[j] y su de-

hesa, y Mefaat[a] y su dehesa; cuatro ciudades.

38 Y de la tribu de Gad:[b] la ciudad de refugio para el homicida, a saber, Ramot en Galaad,[c] y su dehesa, y Mahanaim[d] y su dehesa, 39 Hesbón[e] y su dehesa, Jazer[f] y su dehesa; todas las ciudades fueron cuatro.

40 Todas las ciudades que llegaron a pertenecer a los hijos de Merari[g] por sus familias, los que quedaron de las familias de los levitas, fueron, como suerte para ellos, doce ciudades.

41 Todas las ciudades de los levitas en medio de la posesión de los hijos de Israel fueron cuarenta y ocho ciudades[h] junto con sus dehesas.[i] 42 Estas ciudades llegaron a ser cada cual una ciudad junto con su dehesa todo en derredor de ella... así en cuanto a todas estas ciudades.[j]

43 Así que Jehová dio a Israel toda la tierra que había jurado dar a sus antepasados,[k] y ellos procedieron a tomar posesión[l] de ella y a morar en ella. 44 Además, Jehová les dio descanso[m] todo en derredor, conforme a todo lo que había jurado[n] a sus antepasados, y ni siquiera uno de todos sus enemigos se mantuvo de pie delante de ellos.[o] Todos sus enemigos los dio Jehová en manos de ellos.[p] 45 No falló ni una promesa de toda la buena promesa que Jehová había hecho a la casa de Israel; todo se realizó.[q]

22 En aquel tiempo Josué procedió a llamar a los rubenitas y a los gaditas y a la media tribu de Manasés,[r] 2 y a decirles: "Por su parte, ustedes han guardado todo lo que les mandó Moisés el siervo de Jehová,[s] y fueron obedientes a mi voz en todo lo que les he mandado.[t]

CAP. 21
a Le 25:34
Nú 35:4
b Jos 16:10
Jue 1:29
1Re 9:15
1Cr 6:67
c 1Cr 6:68
d Jos 16:3
Jos 18:13
e Jos 19:44
f Jos 10:12
Jos 19:42
Jue 1:35
1Cr 6:13
2Cr 28:18
g Jos 19:45
1Cr 6:69
h Jos 17:11
Jue 5:19
i Jos 21:6
j Jos 13:29
k Jos 20:8
l 1Cr 6:71
m Jos 19:17
n Jos 19:20
o Jos 19:12
1Cr 6:72
p Jos 19:21
1Cr 6:73
q Jos 19:21
s Jos 19:24
s Jos 19:26
t 1Cr 6:74
u Jos 19:25
v Jos 19:28
Jue 1:31
1Cr 6:75
w Jos 19:32
x Nú 35:14
y Nú 35:15
z Jos 19:37
Jos 20:7
a Jos 19:35
Jos 21:7
1Cr 6:77
c Jos 19:10
d Jos 12:22
Jos 19:11
e Jos 19:13
1Cr 6:77
f Jue 1:30
g Jos 13:15
h 1Cr 4:43
Jos 20:8
1Cr 6:78
i Jos 13:18
j Dt 2:26
Jos 13:18

2.ª col.
a 1Cr 6:79
b Jos 13:24
c Dt 4:43
Jos 20:8
1Re 22:3
1Cr 6:80
d Gé 32:2
2Sa 2:8
e Nú 21:26
Nú 32:37
Jos 13:17
1Cr 6:81
f Nú 32:1
Jos 13:25
Isa 16:8
Jer 48:32
g 1Cr 6:63
h Nú 35:7
i Nú 35:5
j Nú 35:5

k Gé 13:15; Gé 15:18; Gé 26:3; Gé 28:4; 1Éx 23:30; Sl 44:3; Mt 43:3; Jos 1:13; Jos 11:23; Jos 22:4; Pr 16:7; n Dt 12:10; Dt 25:19; o Dt 28:7; p Dt 7:24; Dt 31:3; q Jos 23:14; 18a 15:29; 1Re 8:56; Heb 6:18; CAP. 22 r Nú 32:33; s Nú 32:20; Dt 3:18; t Jos 1:16.

3 No han dejado a sus hermanos en estos muchos días[a] hasta el día de hoy, y han guardado la obligación del mandamiento de Jehová su Dios.[b] 4 Y ahora Jehová su Dios ha dado descanso a sus hermanos, tal como les prometió.[c] De modo que ahora vuélvanse y váyanse a sus tiendas en la tierra de su posesión, que Moisés el siervo de Jehová les dio al otro lado del Jordán.[d] 5 Solo que tengan mucho cuidado de llevar a cabo el mandamiento[e] y la ley que Moisés el siervo de Jehová les mandó, amando a Jehová su Dios[f] y andando en todos sus caminos[g] y guardando sus mandamientos[h] y adhiriéndose a él[i] y sirviéndole[j] con todo su corazón[k] y con toda su alma".[l]

6 Con eso los bendijo[m] Josué y los envió para que se fueran a sus tiendas. 7 Y a la media tribu de Manasés Moisés había hecho una dádiva en Basán,[n] y a la otra mitad de ella Josué hizo una dádiva con sus hermanos del lado del Jordán hacia el oeste.[o] Por eso, también, cuando Josué los envió a sus tiendas, procedió a bendecirlos. 8 Y les dijo además: "Vuelvan a sus tiendas con grandes riquezas y con muchísimo ganado, con plata y oro y cobre y hierro y prendas de vestir en muy grande cantidad.[p] Tomen la parte que les corresponde del despojo[q] de sus enemigos junto con sus hermanos".

9 Después de eso los hijos de Rubén y los hijos de Gad y la media tribu de Manasés regresaron, y se fueron de los otros hijos de Israel, de Siló, que está en la tierra de Canaán, para irse a la tierra de Galaad,[r] a la tierra de su posesión en la cual habían sido establecidos por orden de Jehová por medio de Moisés.[s] 10 Cuando llegaron a las regiones del Jordán que estaban en la tierra de Canaán, entonces los hijos de Rubén y los hijos de Gad y la media tribu de Manasés edificaron allí un altar junto al Jor-

dán, un altar[a] sumamente descollante. 11 Más tarde, los otros hijos de Israel oyeron[b] decir: "¡Mira! Los hijos de Rubén y la media tribu de Manasés han edificado un altar en la frontera de la tierra de Canaán, en las regiones del Jordán, del lado que pertenece a los hijos de Israel". 12 Cuando los hijos de Israel llegaron a oír esto, entonces toda la asamblea de los hijos de Israel[c] se congregó en Siló[d] para subir a iniciar acción militar contra ellos.[e]

13 Entonces, a los hijos de Rubén y a los hijos de Gad y a la media tribu de Manasés, en la tierra de Galaad, los hijos de Israel enviaron[f] a Finehás[g] hijo de Eleazar el sacerdote, 14 y con él a diez principales, un principal de cada casa paterna de todas las tribus de Israel, y cada uno era cabeza de la casa de sus padres de los millares de Israel.[h] 15 Con el tiempo, estos llegaron a los hijos de Rubén y a los hijos de Gad y a la media tribu de Manasés, en la tierra de Galaad, y empezaron a hablar con ellos,[i] y dijeron:

16 "Esto es lo que ha dicho toda la asamblea de Jehová:[j] '¿Qué acto de infidelidad[k] es este que han perpetrado ustedes contra el Dios de Israel, volviéndose[l] hoy de seguir a Jehová al edificarse un altar,[m] para rebelarse hoy contra Jehová? 17 ¿Nos fue demasiado pequeño el error de Peor,[n] del cual no nos hemos limpiado hasta el día de hoy, aunque la plaga vino a estar sobre la asamblea de Jehová?[o] 18 Y ustedes... ustedes quisieran volverse hoy de seguir a Jehová; y tiene que suceder que si ustedes, por su parte, se rebelan hoy contra Jehová, entonces mañana será contra toda la asamblea de Israel contra lo que él se indignará.[p] 19 Ahora bien, si realmente sucede que la tierra de su posesión es inmunda,[q] pasen a la tierra de la pose-

CAP. 22
a Jos 11:18
b Nú 32:27
c Jos 21:44
d Nú 32:33
  Dt 29:8
  Jos 13:8
e Dt 5:1
f Dt 6:6
  Dt 12:32
  2Re 21:8
f Éx 20:6
  Dt 6:5
  Dt 11:1
  Mt 22:37
g Dt 8:6
  Dt 10:12
  1Te 2:12
h Dt 11:22
  Dt 13:4
  1Jn 5:3
i Dt 4:4
  Dt 10:20
  Jos 23:8
j Dt 6:13
  Jos 24:15
  Lu 4:8
k 1Sa 12:20
l Dt 4:29
  Dt 6:5
  Dt 11:13
  Mr 12:30
m Éx 39:43
  Jos 14:13
  2Sa 6:18
n Jos 13:30
o Jos 17:5
p Dt 28:8
  Pr 10:22
q Nú 31:27
  1Sa 30:24
  Sl 68:12
r Nú 32:1
  Dt 3:15
  Jos 13:25
  Sl 60:7
s Nú 32:33
  Dt 3:12

2.ᵃ col.

a Jos 22:28
b Dt 13:12
c Jue 20:1
d Jos 18:1
  Jos 19:51
e Pr 14:15
f Dt 13:14
g Éx 6:25
  Nú 25:11
  Jue 20:28
h Nú 1:16
  Dt 1:13
  Jos 14:1
  Jos 22:21
i Dt 13:14
  Pr 18:13
  Snt 1:19
j Jos 22:12
k Jos 22:11
l Dt 12:13
m Le 17:9
  Dt 12:11
  Dt 12:14
  Dt 12:27
n Nú 25:2
  Nú 25:3
  Dt 4:3
o Nú 25:9
p Nú 16:22
  Jos 7:1
  1Cr 21:14
q Le 18:25

sión de Jehová[a] donde ha residido el tabernáculo de Jehová,[b] y establézcanse en medio de nosotros; y no se rebelen contra Jehová y no hagan de nosotros los que estemos en rebelión al edificar ustedes un altar además del altar de Jehová nuestro Dios.[c] 20 ¿No fue Acán[d] hijo de Zérah el que perpetró un acto de infidelidad en la cosa dada por entero a la destrucción, y no fue contra toda la asamblea de Israel contra quienes vino indignación?[e] Y él no fue el único hombre que expiró en su error' ".[f]

21 Ante esto, los hijos de Rubén y los hijos de Gad y la media tribu de Manasés contestaron[g] y hablaron con los cabezas de los millares de Israel:[h] 22 "Divino,[i] Dios,[j] Divino, Dios, Jehová,[k] él sabe,[l] e Israel, él también sabrá.[m] Si es en rebelión[n] y si es en infidelidad contra Jehová,[o] no nos salves el día de hoy. 23 Si fue para edificarnos un altar para volvernos de seguir a Jehová, y si fue para ofrecer sobre él[p] ofrendas quemadas y ofrendas de grano, y si fue para hacer sobre él, sacrificios de comunión, Jehová mismo indagará;[q] 24 o si no fue más bien debido a solicitud ansiosa por algo distinto por lo que hicimos esto, diciendo: 'En un día futuro los hijos de ustedes dirán a nuestros hijos: "¿Qué tienen que ver ustedes con Jehová el Dios de Israel? 25 Y hay un límite que Jehová ha puesto entre nosotros y ustedes, los hijos de Rubén y los hijos de Gad, a saber, el Jordán. No tienen ustedes parte que les corresponda en Jehová".[r] Y los hijos de ustedes ciertamente harán que nuestros hijos desistan de temer a Jehová'.[s]

26 "Por lo tanto dijimos: 'Obremos en pro de nosotros mismos, por favor, edificando el altar, no para ofrenda quemada ni para sacrificio, 27 sino para que sea un testigo entre nosotros[a] y ustedes, y nuestras generaciones después de nosotros, de que rendiremos el servicio de Jehová delante de él con nuestras ofrendas quemadas y nuestros sacrificios y nuestros sacrificios de comunión,[b] para que los hijos de ustedes no digan a nuestros hijos en un día futuro: "Ustedes no tienen parte que les corresponda en Jehová"'. 28 Así es que dijimos: 'Y tiene que suceder que en caso de que nos dijeran eso a nosotros y a nuestras generaciones en un día futuro, entonces tenemos que decir: "Vean la representación del altar de Jehová que hicieron nuestros padres, no para ofrenda quemada ni para sacrificio, sino que es un testigo entre nosotros y ustedes"'. 29 ¡Es inconcebible, de parte nuestra, rebelarnos de nuestra propia cuenta contra Jehová, y volvernos hoy de seguir a Jehová,[c] edificando un altar para ofrenda quemada, ofrenda de grano y sacrificio, además del altar de Jehová nuestro Dios que está delante de su tabernáculo!".[d]

30 Ahora bien, cuando Finehás[e] el sacerdote y los principales de la asamblea[f] y los cabezas de los millares de Israel que estaban con él oyeron las palabras que hablaron los hijos de Rubén y los hijos de Gad y los hijos de Manasés, aquello resultó bueno a sus ojos. 31 De modo que Finehás hijo de Eleazar el sacerdote dijo a los hijos de Rubén y a los hijos de Gad y a los hijos de Manasés: "Hoy de veras sabemos que Jehová está en medio de nosotros,[g] porque no han perpetrado contra Jehová este acto de infidelidad. Ahora han librado a los hijos de Israel de la mano de Jehová".[h]

32 Tras eso, Finehás hijo de Eleazar el sacerdote y los principales se volvieron[i] de los hijos de Rubén y de los hijos de Gad, en la tierra de Galaad, a la tierra de Canaán, a los otros hijos de Is-

CAP. 22
a Nú 34:2
   Jos 1:11
b Jos 18:1
c Dt 12:13
   Dt 12:27
   Jos 22:11
   1Re 12:28
d Jos 7:1
e Jos 7:11
   Jos 7:15
f Jos 7:5
   Jos 7:24
   Jos 7:25
g Pr 15:1
   Pr 18:17
h Jos 22:14
i Sl 50:1
   Hch 17:29
j Gé 2:4
   Jer 10:10
k Éx 3:15
   Éx 6:3
   Dt 10:17
   Sl 83:18
l 1Re 8:39
   Sl 139:3
   Jer 12:3
m Sl 37:6
n 1Sa 15:23
o Job 31:5
p Dt 12:11
   Dt 12:13
q Sl 44:21
   Ec 12:14
   Jer 32:19
   Heb 4:13
r 1Re 12:16
s Dt 13:4
   Ec 8:13

2.ª col.
a Gé 31:48
   Jos 24:27
b Dt 12:6
   Dt 12:27
c Dt 6:14
d Dt 12:14
   2Cr 34:12
e Jos 22:13
f Nú 1:16
   Jos 22:14
g 2Cr 15:2
h Dt 1:13
i Jos 22:12

rael, y les llevaron palabra de vuelta.[a] 33 Y la palabra resultó buena a los ojos de los hijos de Israel; y los hijos de Israel procedieron a bendecir a Dios,[b] y no hablaron de subir para emprender servicio militar contra ellos para arruinar la tierra en que estaban morando los hijos de Rubén y los hijos de Gad.

34 Y los hijos de Rubén y los hijos de Gad procedieron a dar nombre al altar, porque "es testigo, entre nosotros, de que Jehová es el Dios [verdadero]".[c]

23 Y aconteció muchos días después de haber dado Jehová descanso[d] a Israel de todos sus enemigos todo en derredor, cuando Josué era viejo y avanzado en días,[e] 2 que Josué procedió a llamar a todo Israel,[f] a sus ancianos y sus cabezas y sus jueces y sus oficiales,[g] y a decirles: "En cuanto a mí, yo me he hecho viejo, he avanzado en días. 3 Y en cuanto a ustedes, ustedes han visto todo lo que Jehová su Dios hizo a todas estas naciones por causa de ustedes,[h] porque Jehová su Dios era el que estaba peleando por ustedes.[i] 4 Vean, yo les asigné por sorteo[j] estas naciones que quedan como herencia para sus tribus, y todas las naciones que yo corté,[k] desde el Jordán hasta el mar Grande, donde se pone el sol.[l] 5 Y Jehová su Dios fue el que siguió empujándolas de delante de ustedes,[m] y las desposeyó por causa de ustedes, y ustedes tomaron posesión de la tierra de ellas, tal como les había prometido Jehová su Dios.[n]

6 "Y ustedes tienen que ser muy animosos[o] para guardar y hacer todo lo que está escrito en el libro[p] de la ley de Moisés nunca apartándose de ello a la derecha ni a la izquierda,[q] 7 nunca metiéndose entre estas naciones,[r] estas que quedan con ustedes. Y no deben mencionar

los nombres de sus dioses[a] ni jurar por ellos,[b] ni deben servirles ni inclinarse ante ellos.[c] 8 Antes bien, es a Jehová su Dios a quien deben adherirse,[d] tal como lo han hecho hasta el día de hoy. 9 Y Jehová expulsará de delante de ustedes naciones grandes y poderosas.[e] (En cuanto a ustedes, ningún hombre ha quedado de pie delante de ustedes hasta el día de hoy.)[f] 10 Un solo hombre de ustedes correrá tras mil,[g] porque Jehová su Dios es el que está peleando por ustedes,[h] tal como les ha prometido.[i] 11 Y tienen que estar en guardia constante[j] por sus almas amando a Jehová su Dios.[k]

12 "Pero si de manera alguna se volvieran[l] y realmente se adhirieran al remanente de estas naciones,[m] estas que quedan con ustedes, y de veras formaran alianzas matrimoniales[n] con ellas y se metieran entre ellas, y ellas entre ustedes, 13 deben saber positivamente que Jehová su Dios no continuará desposeyendo a estas naciones por causa de ustedes;[o] y ellas tendrán que llegar a ser para ustedes como trampa y como lazo y como azote en sus costados[p] y como espinas en sus ojos hasta que ustedes hayan perecido de este buen suelo que Jehová su Dios les ha dado.[q]

14 "Ahora, ¡miren!, hoy me voy por el camino de toda la tierra,[r] y ustedes bien saben con todo su corazón y con toda su alma que ni una sola palabra de todas las buenas palabras que Jehová su Dios les ha hablado ha fallado. Todas se han realizado para ustedes. Ni una sola palabra de ellas ha fallado.[s] 15 Y tiene que suceder que, tal como ha venido sobre ustedes toda la palabra buena que Jehová su Dios les ha hablado,[t] igualmente

CAP. 22
a Pr 12:25
Pr 25:13
b Da 2:20
c Gé 5:22
Jos 24:1
Isa 44:8

CAP. 23
d Éx 33:14
Le 26:6
Jos 21:44
e Jos 13:1
f Dt 31:28
g Dt 16:18
h Le 26:7
Dt 4:9
Jos 10:11
Jos 10:13
Jos 10:40
Jos 11:17
i Dt 20:4
Jos 10:14
Jos 10:42
Sl 44:3
j Nú 26:55
Jos 18:10
k Dt 7:1
l Jos 13:2
Jos 13:6
m Éx 23:30
Éx 23:32
Éx 34:11
Dt 11:23
n Nú 33:53
o Jos 1:7
p Éx 24:7
Dt 17:18
Dt 31:26
Jos 1:8
q Dt 5:32
Dt 12:32
Pr 30:6
r Éx 23:33
Dt 7:2
Pr 4:14

2.ª col.
a Éx 23:13
b Jer 5:7
c Éx 20:5
d Dt 10:20
Dt 11:22
Jos 22:5
e Dt 11:23
f Jos 1:5
g Le 26:8
Jue 3:31
1Sa 14:6
2Sa 23:8
h Éx 23:27
Dt 3:22
Dt 20:4
Ro 8:31
i Dt 28:7
j Dt 4:9
Jos 22:5
k Éx 20:6
Dt 6:5
Mt 22:37
1Co 8:3
l Heb 10:38
2Pe 2:20
m Éx 23:29
Jos 13:2
n Éx 34:16
Dt 7:3
Jue 3:6
1Re 11:4
Esd 9:2
Ne 13:23

o Jue 2:3; Jue 2:21; Jue 3:8; p Nú 33:55; Dt 7:16; q Dt 4:26; Dt 28:63; r 1Re 2:2; Ec 9:10; s Jos 21:45; 1Re 8:56; t Le 26:3; Dt 28:1.

traerá Jehová sobre ustedes toda la palabra mala, hasta que los haya aniquilado de sobre este buen suelo que Jehová su Dios les ha dado,[a] 16 por haber traspasado ustedes el pacto de Jehová su Dios que él les mandó, y por haberse ido y haber servido a otros dioses y haberse inclinado ante ellos.[b] Y la cólera de Jehová ciertamente se encenderá contra ustedes,[c] y ciertamente perecerán de prisa de sobre la buena tierra que él les ha dado".[d]

24 Y Josué procedió a congregar a todas las tribus de Israel en Siquem[e] y a llamar a los ancianos de Israel[f] y a sus cabezas y sus jueces y sus oficiales, y ellos vinieron tomando su puesto delante del Dios [verdadero].[g] 2 Y Josué pasó a decir a todo el pueblo: "Esto es lo que ha dicho Jehová el Dios de Israel: 'Fue al otro lado del Río[h] donde hace mucho moraron sus antepasados,[i] Taré padre de Abrahán y padre de Nacor,[j] y ellos solían servir a otros dioses.

3 "'Con el tiempo tomé a su antepasado Abrahán[k] del otro lado del Río[l] y le hice andar por toda la tierra de Canaán, e hice mucha su descendencia.[m] Así que a él le di Isaac.[n] 4 Entonces a Isaac le di Jacob y Esaú.[o] Después di a Esaú el monte Seir para que tomara posesión de él;[p] y Jacob y sus hijos bajaron a Egipto.[q] 5 Más tarde envié a Moisés y Aarón,[r] y me puse a plagar a Egipto con lo que hice en medio de él;[s] y después los saqué a ustedes.[t] 6 Cuando yo estaba sacando de Egipto a sus padres[u] y ustedes llegaron al mar, entonces los egipcios vinieron corriendo[v] tras los padres de ustedes con carros de guerra y soldados de caballería hasta el mar Rojo. 7 Y ellos se pusieron a clamar a Jehová.[w] De modo que él colocó oscuridad entre ustedes y los egipcios,[x] y trajo sobre ellos el mar y los cubrió,[y] y los ojos de ustedes llegaron a ver

lo que hice en Egipto;[a] y ustedes se pusieron a morar en el desierto muchos días.[b]

8 "'Por fin los traje a la tierra de los amorreos que estaban morando al otro lado del Jordán, y ellos se pusieron a pelear contra ustedes.[c] Con eso, los di en mano de ustedes para que ustedes tomaran posesión de la tierra de ellos, y los aniquilé de delante de ustedes.[d] 9 Entonces Balac hijo de Zipor,[e] el rey de Moab, se levantó y se puso a pelear contra Israel.[f] De modo que mandó llamar a Balaam hijo de Beor para que invocara el mal contra ustedes.[g] 10 Y yo no quise escuchar a Balaam.[h] En consecuencia, él los bendijo repetidamente.[i] Así los libré de su mano.[j]

11 "'Entonces ustedes se pusieron a cruzar el Jordán[k] y llegaron a Jericó.[l] Y los terratenientes de Jericó, los amorreos y los perizitas y los cananeos y los hititas y los guirgaseos, los heveos y los jebuseos se pusieron a pelear contra ustedes; pero yo los di en mano de ustedes.[m] 12 De modo que envié el sentimiento de decaimiento delante de ustedes, y este los expulsó poco a poco de delante de ustedes[n] —a dos reyes de los amorreos— no con tu espada ni con tu arco.[o] 13 De esta manera les di una tierra por la cual no se habían afanado y ciudades que no habían edificado,[p] y ustedes se pusieron a morar en ellas. De viñas y olivares que no plantaron están comiendo'.[q]

14 "'Y ahora teman a Jehová[r] y sírvanle exentos de falta y en verdad,[s] y quiten los dioses a quienes sus antepasados sirvieron al otro lado del Río y en Egipto,[t] y sirvan a Jehová. 15 Ahora, si es malo a sus ojos

---

CAP. 23
a Le 26:14
  Dt 28:15
  Dt 28:63
  2Cr 36:16
  Lu 21:24
b Jue 3:6
  Sl 106:36
  Jer 5:19
c 2Re 24:20
d Jos 23:13

CAP. 24
e 1Re 12:1
f Éx 18:25
  Nú 1:16
  Jos 23:2
g Isa 44:8
  1Co 8:4
h Gé 11:28
  Gé 11:31
  Gé 15:18
  Jos 24:15
i Gé 11:26
j Gé 11:27
k Gé 12:1
  Ne 9:7
l Jos 1:4
m Gé 15:5
  Ro 4:18
  Heb 6:14
n Gé 21:3
  Sl 127:3
o Gé 25:26
p Gé 36:8
  Dt 2:5
q Gé 46:3
  Sl 105:23
  Hch 7:15
r Éx 3:10
s Éx 11:1
t Sl 78:52
u Éx 12:37
  Miq 6:4
v Éx 14:9
w Éx 14:10
x Éx 14:20
  Sl 78:14
  Sl 105:39
y Éx 14:27
  Sl 78:53
  Sl 106:11
  Sl 136:15

2.ᵃ col.
a Éx 3:20
  Dt 4:34
b Nú 14:34
  Hch 13:18
c Nú 21:23
d Ne 9:22
  Sl 135:11
e Nú 22:2
f Jue 11:25
g Nú 22:5
  Dt 23:4
h Nú 22:12
  Miq 6:5
i Nú 23:11
  Nú 23:25
  Nú 24:10
j Gé 12:3
  Nú 25:17
  Nú 31:7
  Nú 31:49
k Jos 3:17
  Sl 114:3
l Jos 5:10

m Éx 11:16; Jos 21:44; Ne 9:24; Sl 78:55; Sl 105:44; Hch 7:45; Hch 13:19; Heb 11:30; n Éx 23:28; Dt 7:20; Jos 2:9; o Sl 44:3; p Dt 6:10; Jos 11:14; Pr 13:22; q Dt 6:11; Dt 8:8; r Dt 10:12; 1Sa 12:24; Hch 9:31; s Gé 17:1; Dt 18:13; Sl 119:80; Jn 4:24; t Le 17:7; Eze 23:8.

servir a Jehová, escójanse hoy a quién quieren servir,[a] si a los dioses a quienes sirvieron sus antepasados que estaban al otro lado del Río,[b] o a los dioses de los amorreos en cuya tierra están morando.[c] Pero en cuanto a mí y a mi casa, nosotros serviremos a Jehová".[d]

16 Ante eso, el pueblo respondió y dijo: "Es inconcebible, por nuestra parte, dejar a Jehová para servir a otros dioses. 17 Porque Jehová nuestro Dios es quien nos hizo subir a nosotros y a nuestros padres de la tierra de Egipto,[e] de la casa de esclavos,[f] y quien ejecutó ante nuestros ojos[g] estas grandes señales y quien siguió guardándonos por todo el camino en que anduvimos y entre todos los pueblos por en medio de los cuales pasamos.[h] 18 Y Jehová procedió a expulsar de delante de nosotros a todos los pueblos,[i] aun a los amorreos, que moraban en la tierra. En cuanto a nosotros, también, nosotros serviremos a Jehová, porque él es nuestro Dios".[j]

19 Entonces Josué dijo al pueblo: "Ustedes no pueden servir a Jehová, porque él es un Dios santo;[k] es un Dios que exige devoción exclusiva.[l] No perdonará su sublevación ni sus pecados.[m] 20 En caso de que dejen a Jehová[n] y de veras sirvan a dioses extranjeros,[o] entonces él ciertamente se volverá y les hará daño y los exterminará después de haberles hecho bien".[p]

21 A su vez el pueblo dijo a Josué: "¡No, sino que a Jehová serviremos!".[q] 22 Ante esto, Josué dijo al pueblo: "Ustedes son testigos contra ustedes mismos[r] de que de su propia cuenta han escogido para sí a Jehová, para servirle.[s] A lo cual dijeron: "Somos testigos".

23 "Y ahora quiten los dioses extranjeros que hay entre ustedes,[t] e inclinen su corazón a Jehová el Dios de Israel." 24 A su vez el pueblo dijo a Josué: "¡A

Jehová nuestro Dios serviremos, y a su voz prestaremos atención!".[a]

25 Y Josué procedió a celebrar un pacto con el pueblo en aquel día y a constituirles una disposición reglamentaria y decisión judicial[b] en Siquem. 26 Entonces Josué escribió estas palabras en el libro de la ley de Dios,[c] y tomó una piedra grande[d] y la erigió allí debajo del árbol macizo[e] que está junto al santuario de Jehová.

27 Y Josué pasó a decir a todo el pueblo: "¡Miren! Esta piedra es lo que servirá de testigo contra nosotros,[f] porque ella misma ha oído todos los dichos de Jehová que él ha hablado con nosotros, y tiene que servir de testigo contra ustedes, para que no nieguen a su Dios". 28 Con eso Josué envió al pueblo, cada uno a su herencia.[g]

29 Y aconteció que, después de estas cosas, Josué hijo de Nun, el siervo de Jehová, por fin murió a la edad de ciento diez años.[h] 30 De modo que lo enterraron en el territorio de su herencia, en Timnat-sérah,[i] que está en la región montañosa de Efraín, al norte del monte Gaas. 31 E Israel continuó sirviendo a Jehová todos los días de Josué y todos los días de los ancianos que extendieron sus días después de Josué[j] y que habían conocido toda la obra de Jehová que él había hecho por Israel.[k]

32 Y los huesos de José,[l] que los hijos de Israel habían subido de Egipto, los enterraron en Siquem, en la porción del campo que Jacob había adquirido de los hijos de Hamor,[m] padre de Siquem, por cien piezas de moneda;[n] y esto llegó a pertenecer a los hijos de José como herencia.[o]

33 También, Eleazar hijo de Aarón murió.[p] De modo que lo enterraron en la Colina de Finehás, su hijo,[q] que él le había dado en la región montañosa de Efraín.

CAP. 24

a Dt 30:19
1Re 18:21
b Jos 24:2
c Éx 23:32
Dt 7:25
Éx 23:32
Jue 6:10
Jue 10:6
d Gé 18:19
Dt 30:19
e Éx 19:4
Dt 32:12
Am 2:10
f Dt 6:12
1Sa 2:27
g Éx 14:31
Dt 4:34
Dt 29:2
h Éx 23:23
i Jos 24:18
j Éx 15:2
Jos 24:15
Miq 4:5
k Le 19:2
1Sa 6:20
Sl 99:5
Isa 6:3
1Pe 1:15
l Éx 20:5
Éx 34:14
Nú 25:11
Dt 6:13
Na 1:2
Mt 4:10
r Éx 23:21
Nú 14:35
1Sa 3:14
2Pe 2:9
n Jos 23:12
2Cr 15:2
Esd 8:22
Isa 1:28
Jer 17:13
o Jos 23:16
p Dt 28:20
Isa 63:10
q Éx 19:8
Jos 24:18
Isa 44:5
r Dt 26:17
Ec 5:4
s Jos 24:15
Sl 119:57
t Éx 20:23
Jue 10:16
1Sa 7:3
1Co 8:5

2.a col.

a Dt 5:27
Dt 28:1
b Éx 24:3
c Dt 31:26
d Gé 31:45
e Gé 12:6
Gé 35:4
f Gé 31:48
g Jue 2:6
h Jue 2:8
i Jos 19:50
Jue 2:9
j Jue 2:7
k Dt 11:2
Dt 31:13
l Gé 50:25
Éx 13:19
Heb 11:22
m Hch 7:16
n Gé 33:19
o Jos 20:7
p Nú 3:4
Nú 20:26

q Éx 6:25; Jue 20:28.

JUECES

1 Y después de la muerte[a] de Josué aconteció que los hijos de Israel procedieron a inquirir[b] de Jehová, y a decir: "¿Quién de nosotros subirá primero a los cananeos para pelear contra ellos?". **2** A lo cual dijo Jehová: "Judá subirá.[c] ¡Miren! Ciertamente daré la tierra en su mano". **3** Entonces Judá dijo a Simeón su hermano: "Sube conmigo a la parte que me ha tocado en suerte[d] y peleemos contra los cananeos, y yo mismo a mi vez iré contigo a la parte que te ha tocado en suerte".[e] En conformidad, Simeón fue con él.[f]

4 Con esto subió Judá, y Jehová dio en manos de ellos[g] a los cananeos y a los perizitas, de modo que derrotaron a estos en Bézeq, a diez mil hombres. **5** Cuando hallaron a Adoni-bézeq en Bézeq, entonces pelearon contra él, y derrotaron a los cananeos[h] y a los perizitas.[i] **6** Cuando Adoni-bézeq se puso en fuga, entonces se fueron corriendo tras él y lo prendieron y le cortaron los dedos pulgares de las manos y los dedos gordos de los pies. **7** Por lo cual Adoni-bézeq dijo: "Ha habido setenta reyes con los dedos pulgares de las manos y los dedos gordos de los pies cortados recogiendo alimento debajo de mi mesa. Tal como yo he hecho, así me lo ha pagado Dios".[j] Después de eso lo llevaron a Jerusalén,[k] y allí murió.

8 Además, los hijos de Judá llevaron a cabo guerra contra Jerusalén[l] y lograron tomarla, y se pusieron a herirla a filo de espada, y entregaron la ciudad al fuego. **9** Y después los hijos de Judá bajaron para pelear contra los cananeos que habitaban en la región montañosa y en el Négueb[a] y en la Sefelá.[b] **10** Así que Judá marchó contra los cananeos que moraban en Hebrón[c] (ahora bien, el nombre de Hebrón antes de eso era Quiryat-arbá),[d] y se pusieron a derribar a Sesai y Ahimán y Talmai.[e]

11 Y de allí procedieron a marchar contra los habitantes de Debir.[f] (Ahora bien, el nombre de Debir antes de eso era Quiryat-séfer.)[g] **12** Entonces Caleb[h] dijo: "Al que hiera a Quiryat-séfer y de veras la tome, pues, ciertamente le daré a Acsá[i] mi hija por esposa".[j] **13** Y Otniel[k] hijo de Quenaz,[l] hermano menor de Caleb,[m] logró tomarla. Por eso él le dio por esposa a Acsá su hija.[n] **14** Y aconteció que, mientras ella iba a casa, siguió incitándolo a pedir a su padre un campo. Entonces ella palmoteó mientras estaba sobre el asno.[o] Por lo cual Caleb le dijo: "¿Qué quieres?". **15** De modo que ella le dijo: "Concédeme una bendición,[p] sí, puesto que es un terreno del sur el que me has dado, y tienes que darme Gulot-maim". Por lo tanto Caleb le dio Gulot Alto[q] y Gulot Bajo.

16 Y los hijos del quenita,[r] de quien Moisés fue yerno,[s] subieron de la ciudad de las palmeras[t] con los hijos de Judá al desierto de Judá, que está al sur de Arad.[u] Entonces fueron y se pusieron a morar con el pueblo.[v] **17** Pero Judá marchó adelante con Simeón su hermano, y procedieron a herir a los cananeos que habitaban en Zefat y a darla por entero a la destrucción.[w] Por eso la ciudad se llamó por nombre Hormá.[x] **18** Después de eso Judá tomó a Gaza[y] y su territorio y a Asquelón[z] y su territorio y

CAP. 1

a Jos 24:29
b Nú 27:21
  Jue 20:18
  Pr 3:5
c Gé 49:8
  Dt 33:7
  1Cr 5:2
  1Cr 28:4
d Jos 15:1
  Jos 19:1
e Jos 19:9
f Jue 1:17
g Dt 9:3
  Jos 10:8
h Gé 10:6
  Dt 20:17
i Gé 15:20
  Éx 3:8
  Nú 9:1
  Jue 3:5
  1Re 9:20
j Éx 21:23
  Le 24:19
  Dt 19:21
  1Sa 15:33
  Ro 2:6
  Gál 6:7
k Jos 15:8
l Jos 15:63
  Jue 1:21

2.ª col.

a Nú 21:1
b Dt 1:7
  Jos 11:16
  Jos 15:33
c Jos 11:21
  Jos 15:13
d Jos 14:15
e Jos 15:14
f Jos 10:38
g Jos 15:15
h Nú 13:6
  Nú 14:24
  Dt 1:36
  Jos 14:13
i 1Cr 2:49
j Jos 15:16
k Jos 15:17
  Jue 3:9
  Jue 4:13
m Jue 3:9
n Jos 15:18
o Jos 15:18
p Jos 14:13
  Jos 21:12
q Jos 15:19
r Nú 24:21
  Jue 4:11
s Éx 3:1
  Éx 4:18
  Éx 18:1
  Nú 10:29
t Dt 34:3
  Jue 3:13
  2Cr 28:15
u Nú 21:1
v Nú 10:32
w Le 27:29
  Dt 20:16
  Jos 6:21
x Nú 21:3
  Jos 19:4
  1Cr 4:30

y Gé 10:19; Jos 11:22; Jer 25:20; z Jos 13:3; Jue 14:19; Jer 47:5.

a Eqrón[a] y su territorio. 19 Y Jehová continuó con Judá, de modo que tomó posesión de la región montañosa, pero no pudo desposeer a los habitantes de la llanura baja, porque tenían carros de guerra[b] con hoces de hierro.[c] 20 Cuando dieron Hebrón a Caleb, tal como había prometido Moisés,[d] entonces él expulsó de allí a los tres hijos de Anaq.[e]

21 Y los hijos de Benjamín no expulsaron a los jebuseos que habitaban en Jerusalén;[f] sino que los jebuseos siguen habitando con los hijos de Benjamín en Jerusalén hasta el día de hoy.[g]

22 Mientras tanto, la casa de José[h] misma también subió contra Betel,[i] y Jehová estaba con ellos.[j] 23 Y la casa de José empezó a espiar[k] a Betel (a propósito, el nombre de la ciudad antes de eso era Luz),[l] 24 y los vigilantes llegaron a ver a un hombre que salía de la ciudad. De modo que le dijeron: "Muéstranos, por favor, la manera de entrar en la ciudad, y ciertamente ejerceremos bondad para contigo".[m] 25 Por consiguiente, el hombre les mostró la manera de entrar en la ciudad; y se pusieron a herir la ciudad a filo de espada,[n] pero al hombre y a toda su familia los dejaron ir.[o] 26 Tras eso, el hombre se fue a la tierra de los hititas[p] y edificó una ciudad y le puso por nombre Luz. Ese es su nombre hasta el día de hoy.

27 Y Manasés[q] no tomó posesión de Bet-seán[r] y sus pueblos dependientes, ni de Taanac[s] y sus pueblos dependientes, ni de los habitantes de Dor[t] y sus pueblos dependientes, ni de los habitantes de Ibleam[u] y sus pueblos dependientes, ni de los habitantes de Meguidó[v] y sus pueblos dependientes, sino que los cananeos persistieron en morar en esta tierra.[w] 28 Y aconteció que Israel se hizo fuerte[x] y procedió a poner a los cananeos

a [hacer] trabajos forzados,[a] y no los expulsaron completamente.[b]

29 Tampoco Efraín expulsó a los cananeos que moraban en Guézer, sino que los cananeos continuaron morando en medio de ellos en Guézer.[c]

30 Zabulón[d] no expulsó a los habitantes de Quitrón ni a los habitantes de Nahalol,[e] sino que los cananeos continuaron morando en medio de ellos[f] y llegaron a estar sujetos a trabajos forzados.[g]

31 Aser[h] no expulsó a los habitantes de Akkó, ni a los habitantes de Sidón,[i] ni de Ahlab, ni de Aczib,[j] ni de Helbá, ni de Afiq,[k] ni de Rehob.[l] 32 Y los aseritas continuaron morando en medio de los cananeos que habitaban en la tierra, porque no los expulsaron.[m]

33 Neftalí[n] no expulsó a los habitantes de Bet-semes ni a los habitantes de Bet-anat,[o] sino que continuó morando en medio de los cananeos que habitaban en la tierra;[p] y los habitantes de Bet-semes y de Bet-anat llegaron a ser suyos para trabajos forzados.[q]

34 Y los amorreos siguieron presionando a los hijos de Dan[r] hacia la región montañosa, pues no les permitían bajar a la llanura baja.[s] 35 Así que los amorreos persistieron en morar en el monte Heres y en Ayalón[t] y en Saalbim.[u] Pero la mano de la casa de José se hizo tan pesada que se les obligó a [hacer] trabajos molestos.[v] 36 Y el territorio de los amorreos era desde la subida de Aqrabim,[w] desde Sela para arriba.

2 Entonces el ángel de Jehová[x] subió de Guilgal[y] a Bokim[z] y dijo: "Yo procedí a hacerlos subir de Egipto y a introducirlos en la tierra acerca de la cual juré a sus antepasados.[a] Además, dije yo: 'Nunca romperé mi pacto

CAP. 1
a Jos 13:3
  Jos 15:45
b Dt 20:1
c Jos 17:16
d Nú 14:24
  Jos 14:9
e Nú 13:22
f Jue 3:5
g Jos 15:63
  2Sa 5:6
h Jos 14:4
  Jos 16:1
i Jue 21:19
j Gé 49:24
  Sl 44:3
k Nú 13:2
  Jos 2:1
  Jos 7:2
l Gé 35:6
m Jos 2:14
  1Sa 20:14
  1Sa 30:15
n Jos 8:24
o Jos 6:25
  1Sa 15:6
p Dt 7:1
  Jos 9:1
q Jos 17:1
r Jos 17:11
s Jos 21:25
  Jue 5:19
t Jos 12:23
  Jos 17:12
u 2Re 9:27
  1Cr 6:70
v 1Re 9:15
  2Re 9:27
w Jos 16:10
  Jos 17:12
  Jue 1:19
x Dt 11:8

2.ᵃ col.

a Gé 9:25
  Jos 17:13
  1Re 9:21
b Nú 33:55
  Dt 7:2
  Dt 20:10
c Jos 16:10
  1Re 9:16
d Jos 19:10
e Jos 19:15
f Dt 20:17
g Jue 2:2
h Jos 19:24
i Jos 11:8
  Jos 19:28
j Jos 19:29
k Jos 19:30
l Jos 21:31
m Sl 106:34
  Jer 48:10
n Jos 19:32
o Jos 19:38
p Dt 7:2
q Jue 1:28
r Jos 19:40
s Jos 19:47
  Jue 18:1
t Jos 19:42
u Jos 19:42
v Jos 16:10
  Jos 17:13
w Nú 34:4
  Jos 15:3

CAP. 2   x Éx 3:2; Éx 23:20; Éx 23:23; Jos 5:13;
y Jos 5:9; z Jue 2:5; a Gé 12:7; Gé 26:3.

con ustedes.[a] **2** Y en cuanto a ustedes, no deben celebrar un pacto con los habitantes de esta tierra.[b] Sus altares los deben demoler.[c] Pero ustedes no han escuchado mi voz.[d] ¿Por qué han hecho esto?[e] **3** Por lo tanto, yo, a mi vez, he dicho: 'No los expulsaré de delante de ustedes, y tendrán que llegar a ser lazos para ustedes,[f] y sus dioses les servirán de señuelo' ".[g]

4 Y aconteció que, en cuanto el ángel de Jehová hubo hablado estas palabras a todos los hijos de Israel, el pueblo empezó a alzar la voz y llorar. **5** Por eso llamaron aquel lugar por nombre Bokim. Y procedieron a hacer sacrificios allí a Jehová.

6 Cuando Josué despidió al pueblo, entonces los hijos de Israel procedieron a irse, cada cual a su herencia, para tomar posesión de la tierra.[i] **7** Y el pueblo continuó sirviendo a Jehová todos los días de Josué y todos los días de los ancianos que extendieron sus días después de Josué y que habían visto toda la gran obra de Jehová que él había hecho por Israel.[j] **8** Entonces murió Josué hijo de Nun, el siervo de Jehová, a la edad de ciento diez años.[k] **9** De modo que lo enterraron en el territorio de su herencia, en Timnat-heres,[l] en la región montañosa de Efraín, al norte del monte Gaas.[m] **10** Y toda aquella generación también fue recogida a sus padres,[n] y después de ellos empezó a levantarse otra generación que no conocía a Jehová ni la obra que él había hecho por Israel.[o]

11 Y los hijos de Israel se pusieron a hacer lo que era malo a los ojos de Jehová,[p] y a servir a los Baales.[q] **12** Así abandonaron a Jehová el Dios de sus padres que los había sacado de la tierra de Egipto,[r] y se pusieron a seguir a otros dioses de entre los dioses de los pueblos que estaban todo en derredor de ellos,[s] y empezaron a inclinarse ante

ellos, de modo que ofendieron a Jehová.[a] **13** Así abandonaron a Jehová y se pusieron a servir a Baal y a las imágenes de Astoret.[b] **14** Con esto, la cólera de Jehová se encendió contra Israel,[c] de modo que los dio en manos de los pilladores, y estos empezaron a saquearlos,[d] y él procedió a venderlos en manos de sus enemigos de alrededor,[e] y ya no pudieron mantenerse firmes delante de sus enemigos.[f] **15** Por dondequiera que salían, la mano de Jehová resultaba estar contra ellos para calamidad,[g] tal como había hablado Jehová y tal como se los había jurado Jehová;[h] y llegaron a estar en muy grave aprieto.[i] **16** De modo que Jehová levantaba jueces,[j] y estos los salvaban de la mano de sus pilladores.[k]

17 Y ni siquiera a sus jueces escuchaban, sino que tenían ayuntamiento inmoral[l] con otros dioses[m] y se inclinaban ante ellos. Rápidamente se desviaron del camino en que habían andado sus antepasados obedeciendo los mandamientos de Jehová.[n] Estos no hicieron así. **18** Y cuando Jehová sí les levantaba jueces,[o] Jehová resultaba estar con el juez, y él los salvaba de la mano de sus enemigos todos los días del juez; porque Jehová sentía pesar[p] por el gemido de ellos a causa de sus opresores[q] y de los que los trataban a empujones.

19 Y sucedía que, al morir el juez, ellos se volvían y actuaban más ruinosamente que sus padres, andando tras otros dioses para servirles e inclinarse ante ellos.[r] No se abstenían de sus prácticas ni de su comportamiento terco.[s] **20** Por fin la cólera de Jehová se encendió[t]

CAP. 2
a Gé 17:7
  Le 26:42
  Sl 105:8
  Mal 3:6
  Heb 6:18
b Éx 23:32
  Dt 7:2
  2Co 6:14
c Éx 34:13
  Nú 33:52
d Jos 17:13
  Jue 1:19
  Jue 1:28
  Sl 106:34
e Éx 23:21
f Nú 33:55
  Jos 23:13
g Éx 23:33
  Éx 34:12
  Dt 7:16
  1Re 11:2
  Sl 78:58
  Sl 106:36
h 1Sa 7:6
i Jos 24:28
j Jos 23:3
  Jos 24:31
k Jos 24:29
  Jos 19:50
m Jos 24:30
n Jue 2:7
  Ec 1:4
o Dt 6:12
  Dt 31:13
  Jue 2:17
  1Cr 28:9
p Jue 6:1
  2Cr 33:2
q Jue 3:7
  Jue 10:6
  1Re 18:18
  2Re 28:2
  Jer 2:23
  Os 2:13
r Dt 13:5
  Dt 28:15
  Dt 31:16
s Dt 6:14
  Jue 10:6

2.ᵃ col.
a Éx 20:5
  Dt 7:4
b Jue 3:7
  Jue 10:6
  1Sa 7:3
  1Re 11:5
  2Re 23:13
  Sl 106:36
c Jue 3:8
  2Cr 36:16
  Sl 106:40
d Jue 2:6
  2Re 17:20
  Sl 106:41
e Jue 4:2
  Sl 44:12
  Isa 50:1
f Le 26:37
  Dt 28:25
g Dt 28:15
  Jer 21:10
h Dt 4:25
  Dt 4:26
  Dt 7:4
i Dt 4:30
  Jue 10:9
j Jue 3:9
  1Sa 12:11
k Ne 9:27
  Sl 106:43

l Sl 73:27; Jer 3:8; Jer 3:14; Eze 23:3; Eze 23:30;
Snt 4:4; m Éx 34:15; Le 17:7; n Éx 32:8; Dt 9:12;
Jue 2:7; o Jue 3:9; p Dt 32:36; Sl 90:13; Sl
106:45; q Éx 2:24; Jue 4:3; 2Re 13:4; r Jue 4:1;
Jue 8:33; s Sl 78:8; Isa 48:4; Jer 32:10; Dt 7:4;
Dt 32:22; Jue 10:7; Sl 106:40.

contra Israel, y él dijo: "Por motivo de que esta nación ha traspasado mi pacto[a] que mandé a sus antepasados, y no ha escuchado mi voz,[b] 21 yo también, por mi parte, no volveré a expulsar de delante de ellos ni a una sola nación de las que Josué dejó cuando murió,[c] 22 a fin de probar[d] a Israel mediante ellas, [para ver] si serán personas que guarden el camino de Jehová, andando en él tal como sus padres lo guardaron, o no". 23 Por consiguiente, Jehová dejó que estas naciones se quedaran, no expulsándolas rápidamente,[e] y no las dio en mano de Josué.

3 Ahora bien, estas son las naciones[f] que Jehová dejó que se quedaran para probar[g] a Israel mediante ellas, es decir, a cuantos no habían tenido la experiencia de pasar por ninguna de las guerras de Canaán;[h] 2 fue solamente para que las generaciones de los hijos de Israel tuvieran la experiencia, para enseñarles la guerra, es decir, solo a aquellos que antes de eso no habían experimentado tales cosas: 3 Los cinco señores del eje[i] de los filisteos,[j] y todos los cananeos,[k] hasta los sidonios[l] y los heveos[m] que habitaban en el monte Líbano,[n] desde el monte Baal-hermón[o] hasta llegar al punto de entrada de Hamat.[p] 4 Y siguieron sirviendo como agentes para probar[q] a Israel, para saber si obedecerían los mandamientos de Jehová que él había mandado a sus padres por medio de Moisés.[r] 5 Y los hijos de Israel moraron en medio de los cananeos,[s] los hititas y los amorreos y los perizitas y los heveos y los jebuseos.[t] 6 Y procedieron a tomar a las hijas de estos por esposas para sí,[u] y dieron sus propias hijas a los hijos de ellos,[v] y se pusieron a servir a sus dioses.[w]

7 De modo que los hijos de Is-

rael hicieron lo que era malo a los ojos de Jehová, y fueron olvidándose de Jehová su Dios[a] y se pusieron a servir a los Baales[b] y a los postes sagrados.[c] 8 Ante esto, la cólera de Jehová se encendió contra Israel,[d] de modo que los vendió[e] en mano de Cusán-risataim el rey de Mesopotamia;[f] y los hijos de Israel continuaron sirviendo a Cusán-risataim ocho años. 9 Y los hijos de Israel empezaron a clamar a Jehová por socorro.[g] Entonces Jehová levantó un salvador[h] a los hijos de Israel, para que los salvara, a Otniel[i] hijo de Quenaz,[j] hermano menor de Caleb.[k] 10 El espíritu[l] de Jehová entonces vino sobre él, y llegó a ser el juez de Israel. Cuando salió a la batalla, entonces Jehová dio en su mano a Cusán-risataim el rey de Siria, de modo que su mano subyugó[m] a Cusán-risataim. 11 Después de eso la tierra no tuvo disturbio por cuarenta años. Con el tiempo murió Otniel hijo de Quenaz.

12 Y de nuevo los hijos de Israel se pusieron a hacer lo que era malo a los ojos de Jehová.[n] Ante eso, Jehová dejó que Eglón el rey de Moab[o] se hiciera fuerte contra Israel,[p] porque hicieron lo que era malo a los ojos de Jehová.[q] 13 Además, reunió contra ellos a los hijos de Ammón[r] y Amaleq.[s] Entonces ellos fueron e hirieron a Israel y tomaron posesión de la ciudad de las palmeras.[t] 14 Y los hijos de Israel continuaron sirviendo a Eglón el rey de Moab dieciocho años.[u] 15 Y los hijos de Israel empezaron a clamar a Jehová por socorro.[v] De modo que Jehová les levantó un salvador, a Ehúd[w] hijo de Guerá, benjamita,[x] hombre zurdo.[y] Con el tiem-

CAP. 2
a Éx 24:3
Éx 24:8
Éx 34:27
Dt 29:1
Jos 23:16
b Le 26:14
Dt 28:15
Sl 106:34
c Jos 13:2
d Nú 33:55
Dt 8:2
Jos 23:13
Jue 3:4
Pr 17:3
e Éx 23:30
Dt 7:22

CAP. 3
a Éx 23:30
g Dt 8:2
2Cr 32:31
h Jue 2:10
i Jos 13:3
1Sa 6:18
j Gé 21:32
Jue 1:19
k Gé 10:15
l Jos 13:4
Jue 1:31
m Gé 10:17
Éx 3:17
Jos 9:1
n Dt 1:7
Jos 13:6
o Dt 3:9
Jos 13:5
p Nú 34:8
q Éx 23:33
Nú 33:55
r Jue 2:22
s Jue 1:29
Sl 106:34
t Éx 3:8
Éx 3:17
Dt 7:1
Jos 9:1
u Éx 34:16
v Dt 7:3
Esd 9:12
w Nú 25:2
1Re 11:4

2.ᵃ col.
a Jue 2:11
b Dt 31:16
Jue 10:6
c Éx 34:13
Dt 12:3
Dt 16:21
1Re 16:33
d Jue 2:20
e Le 26:17
Jue 2:14
1Sa 12:9
f Gé 24:10
g Dt 4:30
Jue 2:18
Jue 3:15
Sl 107:19
h Jue 2:16
i Jos 15:17
j 1Cr 4:13
k Jue 1:13
l Nú 11:17
Jue 6:34
Jue 11:29
Jue 14:6
Jue 15:14
1Sa 11:6
1Sa 16:13
2Cr 15:1
Isa 63:11

m Zac 4:6; Heb 11:33; n Jue 2:19; Os 6:4; o Gé 19:37; p Jue 2:14; Jn 9:11; q Le 26:14; r Gé 19:38; Jue 11:4; s Éx 17:8; Jue 6:3; Sl 83:7; t Dt 34:3; Jue 1:16; 2Cr 28:15; u Le 26:25; Dt 28:48; v Jue 3:9; Sl 50:15; Sl 78:34; Sl 107:13; Jer 29:12; w Jue 4:1; x Gé 49:27; y Jue 20:16; 1Cr 12:2.

po los hijos de Israel enviaron tributo por mano de él a Eglón el rey de Moab. 16 Entretanto Ehúd se hizo una espada, y esta tenía dos filos,[a] y su longitud era de un codo. Entonces él se la ciñó debajo de su prenda de vestir, sobre el muslo derecho.[b] 17 Y procedió a presentar el tributo a Eglón el rey de Moab.[c] Ahora bien, Eglón era un hombre muy gordo.

18 Y aconteció que, cuando [Ehúd] hubo acabado de presentar el tributo,[d] en seguida despidió a la gente, a los portadores del tributo. 19 Y él mismo se volvió desde las canteras que había en Guilgal,[e] y procedió a decir: "Tengo una palabra secreta para ti, oh rey". Así que él dijo: "¡Guarda silencio!". Con eso todos los que estaban de pie junto a él salieron de donde él estaba.[f] 20 Y Ehúd vino a él mientras este estaba sentado en su cámara fresca del techo que tenía para sí solo. Y Ehúd pasó a decir: "Una palabra de Dios tengo para ti". Ante eso, él se levantó de su trono. 21 Entonces Ehúd metió su mano izquierda y tomó la espada de sobre su muslo derecho y se la hundió en el vientre [a Eglón]. 22 Y el mango también siguió entrando tras la hoja, de modo que la gordura se cerró sobre la hoja, porque él no le sacó la espada del vientre, y la materia fecal empezó a salir. 23 Y Ehúd procedió a salir por el respiradero, pero cerró tras sí las puertas de la cámara del techo y les echó el cerrojo. 24 Y él mismo salió.[g]

Y vinieron los siervos de aquel y empezaron a mirar, y he aquí que las puertas de la cámara del techo estaban cerradas con cerrojo. De modo que dijeron: "Es que está haciendo del cuerpo[h] en el cuarto fresco de adentro". 25 Y se quedaron esperando hasta que les dio vergüenza, y, ¡mire!, nadie abría las puertas de la cámara del techo.

Ante esto, tomaron la llave y las abrieron, y, ¡mire!, ¡su señor estaba caído en tierra, muerto!

26 En cuanto a Ehúd, escapó mientras ellos estaban demorándose, y él mismo pasó por las canteras[a] y logró escapar a Seirá. 27 Y aconteció que cuando llegó allá se puso a tocar el cuerno[b] en la región montañosa de Efraín;[c] y los hijos de Israel empezaron a descender con él de la región montañosa, con él a la cabeza de ellos. 28 Entonces les dijo: "Síganme,[d] porque Jehová ha dado a sus enemigos, los moabitas, en mano de ustedes".[e] Y se pusieron a seguirlo, y lograron tomar los vados[f] del Jordán contra los moabitas, y no permitieron que nadie pasara. 29 Y en aquella ocasión se pusieron a derribar a Moab, como a diez mil hombres,[g] cada uno robusto[h] y cada uno hombre valiente; y ni siquiera uno escapó.[i] 30 Y Moab quedó sojuzgado aquel día bajo la mano de Israel; y la tierra no tuvo más disturbio por ochenta años.[j]

31 Y después de él resultó que estuvo Samgar[k] hijo de Anat, y él se puso a derribar a los filisteos,[l] a seiscientos hombres, con una aguijada de ganado vacuno; y él también logró salvar a Israel.[m]

4 Entonces los hijos de Israel de nuevo empezaron a hacer lo que era malo a los ojos de Jehová ahora que estaba muerto Ehúd.[n] 2 De modo que Jehová los vendió[o] en mano de Jabín el rey de Canaán, que reinaba en Hazor;[p] y el jefe de su ejército era Sísara,[q] y él moraba en Haróset[r] de las naciones. 3 Y los hijos de Israel empezaron a clamar a Jehová,[s] porque aquel tenía novecientos carros de guerra con hoces de hierro,[t] y él mismo oprimió a los hijos de Israel[u] con dureza durante veinte años.

4 Ahora bien, Débora, profetisa,[v] esposa de Lapidot, juzgaba a Israel en aquel tiempo en par-

---

CAP. 3
a Sl 149:6
b Sl 45:3
c Jue 11:18
d 2Re 23:35
e Jos 4:19
Jos 5:9
f Pr 14:15
g Ec 10:10
h 1Sa 24:3
1Re 18:27

2.ᵃ col.
a Jue 3:19
b Jos 6:5
Jue 6:34
1Sa 13:3
2Sa 2:28
Joe 2:1
c Jos 16:5
Jue 7:24
d Jue 2:16
e Jue 7:15
1Sa 17:47
f Jos 2:7
Jue 12:5
g Le 26:8
Dt 28:7
h Jue 3:17
Sl 17:10
i Le 26:7
j Le 26:6
Jue 3:11
k Jue 5:6
l Éx 23:31
Jos 13:2
Jue 15:3
m Jue 15:15
Jue 13:19
1Sa 13:22
1Sa 17:47
1Sa 17:50

CAP. 4
n Jue 2:19
o Le 26:17
Dt 28:25
Dt 32:30
Jue 2:14
Jue 3:8
Jue 10:7
p Jos 19:36
q Sal 12:9
r Jue 4:16
s Jue 2:18
Jue 3:9
Sl 107:19
Sl 145:19
t Dt 20:1
Jos 17:16
Jue 1:19
u Dt 28:48
Sl 106:42
v Éx 15:20
2Re 22:14
Lu 2:36
Hch 21:9
1Co 11:5

ticular. 5 Y moraba bajo la palmera de Débora, entre Ramá[a] y Betel,[b] en la región montañosa de Efraín; y los hijos de Israel subían a ella para juicio. 6 Y ella procedió a enviar a llamar a Barac[c] hijo de Abinoam desde Quedes-neftalí[d] y a decirle: "¿No ha dado la orden Jehová el Dios de Israel? 'Ve, y tienes que desplegarte sobre el monte Tabor,[e] y tienes que llevar contigo diez mil hombres de los hijos de Neftalí[f] y de los hijos de Zabulón.[g] 7 Y ciertamente atraeré hacia ti,[h] al valle torrencial de Cisón,[i] a Sísara[j] el jefe del ejército de Jabín,[k] y sus carros de guerra y su muchedumbre, y verdaderamente lo daré en tu mano'".[l]

8 Ante esto, Barac le dijo: "Si tú vas conmigo, entonces ciertamente iré; pero si tú no vas conmigo, no iré". 9 A lo cual ella dijo: "Sin falta iré contigo. De todos modos, la cosa de embellecimiento no llegará a ser tuya en el camino por el cual vas, porque en la mano de una mujer[m] Jehová venderá a Sísara". Con eso Débora se levantó y se fue con Barac a Quedes.[n] 10 Y Barac empezó a convocar a Zabulón y Neftalí en Quedes, y diez mil hombres procedieron a subir, siguiendo sus pisadas;[p] y Débora fue subiendo con él.

11 A propósito, Héber[q] el quenita se había separado de los quenitas,[r] los hijos de Hobab, de quien Moisés fue yerno,[s] y tenía asentada su tienda cerca del árbol grande de Zaananim, que está junto a Quedes.

12 Entonces se informó a Sísara que Barac hijo de Abinoam[t] había subido al monte Tabor.[u] 13 En seguida Sísara mandó juntar todos sus carros de guerra, los novecientos carros de guerra con hoces de hierro,[v] y toda la gente que estaba con él, de Haróset de las naciones al valle torrencial de Cisón.[w] 14 Débora ahora dijo a Barac:

"Levántate, porque este es el día en que Jehová ciertamente dará a Sísara en tu mano. ¿No es Jehová quien ha salido delante de ti?".[a] Y Barac vino descendiendo del monte Tabor con diez mil hombres en pos de él. 15 Y Jehová empezó a poner en confusión[b] a Sísara y todos sus carros de guerra y todo el campamento a filo de espada delante de Barac. Por fin Sísara se bajó del carro y echó a huir a pie. 16 Y Barac corrió tras[c] los carros de guerra[d] y el campamento hasta Haróset de las naciones, de modo que todo el campamento de Sísara cayó a filo de espada. No quedó ni siquiera uno.[e]

17 En cuanto a Sísara,[f] él huyó a pie a la tienda de Jael[g] la esposa de Héber el quenita,[h] porque había paz entre Jabín el rey de Hazor[i] y la casa de Héber el quenita. 18 Entonces Jael salió al encuentro de Sísara y le dijo: "Dirígete hacia acá, señor mío, dirígete hacia acá a mí. No tengas miedo". De modo que él se desvió a ella y entró en la tienda. Más tarde ella lo cubrió con una frazada. 19 Andando el tiempo, él le dijo: "Dame de beber, por favor, un poco de agua, porque tengo sed". Por consiguiente, ella abrió un odre[j] de leche y le dio de beber,[k] y después de lo cual lo cubrió. 20 Y él pasó a decirle: "Ponte de pie a la entrada de la tienda, y tiene que suceder que si alguien viene y de veras te pregunta y dice: '¿Hay aquí un hombre?', entonces tienes que decir: '¡No!' ".

21 Y Jael la esposa de Héber procedió a tomar una estaca de la tienda y a poner el martillo en su mano. Entonces fue a él furtivamente y le clavó la estaca en las sienes[l] y la batió hasta que penetró en la tierra, mientras él estaba profundamente dormido y fatigado. Así murió.[m] 22 Y ¡mire!, allí venía Barac en persecución de Sísara. Jael aho-

CAP. 4

a Jos 18:25
Jue 19:13
1Re 15:17
Jer 40:1

b Gé 28:17
Gé 28:19
Jer 48:13
Am 3:14

c Heb 11:32

d Jos 21:32

e Sl 89:12
Jer 46:18

f Gé 30:8
Gé 35:25
Jos 19:32

g Gé 30:20
Gé 35:23
Jos 19:10

h Éx 14:4

i 1Re 18:40
Sl 83:9

j 1Sa 12:9

k Jue 4:2

l Dt 20:1

m Jue 5:24
Jue 5:26
Jue 9:54

n Jos 20:7
Jos 21:32
Jue 4:6

o Jue 5:18

p Jue 4:6

q Jue 1:16

r Gé 15:19
Nú 24:21
Jue 4:11

s Nú 10:29

t Jue 5:12

u Jue 4:6

v Dt 20:1
Jue 4:3

w Jue 4:7
Jue 5:21
Sl 83:9

2.ᵃ col.

a Dt 9:3
Ro 8:31

b Éx 14:24
Jos 10:10
2Re 7:6

c Le 26:7
Jos 10:19

d Isa 43:17

e Dt 7:23

f Jue 4:2
1Sa 12:9

g Jue 5:6
Jue 5:24

h Nú 24:21
Jue 1:16
Jue 4:11

i Jue 4:2

j Gé 21:19

k Jue 5:25
1Jue 5:26

m Jue 4:9
Jue 5:27

ra salió a su encuentro y le dijo: "Ven, y te mostraré al hombre que estás buscando". De modo que él entró donde ella estaba, y, ¡mire!, allí yacía Sísara muerto, con la estaca en las sienes.

23 Así Dios sojuzgó[a] en aquel día a Jabín el rey de Canaán delante de los hijos de Israel. 24 Y la mano de los hijos de Israel siguió haciéndose cada vez más dura contra Jabín el rey de Canaán,[b] hasta que hubieron cortado a Jabín el rey[c] de Canaán.

5 Y en aquel día Débora,[d] junto con Barac[e] hijo de Abinoam,[f] prorrumpió en canto,[g] diciendo:

2 "Por haber dejado el cabello colgar suelto en Israel [para guerra], por haberse ofrecido voluntariamente[h] el pueblo, bendigan a Jehová.[i]

3 Escuchen, reyes;[j] presten oído, altos funcionarios: Yo a Jehová, sí, yo, ciertamente cantaré. Celebraré con melodía[k] a Jehová, el Dios de Israel.[l]

4 Jehová, al salir tú de Seír,[m] al marchar tú del campo de Edom,[n] la tierra se meció,[o] los cielos también gotearon,[p] las nubes también gotearon agua.

5 Las montañas fluyeron de delante del rostro de Jehová,[q] este Sinaí,[r] de delante del rostro de Jehová,[s] el Dios de Israel.[t]

6 En los días de Samgar[u] hijo de Anat, en los días de Jael,[v] no había tránsito en los senderos, y los viajantes de veredas viajaban por senderos indirectos.[w]

7 Los moradores de la campiña

abierta cesaron, en Israel cesaron,[a] hasta que yo, Débora,[b] me levanté, hasta que me levanté como madre en Israel.[c]

8 Ellos procedieron a escoger dioses nuevos.[d] Fue entonces cuando hubo guerra en las puertas.[e] No se veía un escudo, ni una lanza, entre cuarenta mil en Israel.[f]

9 Mi corazón está por los comandantes de Israel,[g] que fueron voluntarios entre el pueblo.[h] Bendigan a Jehová.[i]

10 Ustedes los que cabalgan en asnas[j] de color rojo amarillento, ustedes los que se sientan sobre alfombras preciosas, y ustedes los que andan por el camino: ¡Consideren![lk]

11 Algunas de las voces de los distribuidores de agua, entre los lugares donde se saca agua,[l] allí se pusieron a relatar los actos justos de Jehová,[m] los actos justos de sus moradores en campiña abierta de Israel. Fue entonces cuando el pueblo de Jehová vino bajando a las puertas.

12 ¡Despierta, despierta, oh Débora;[n] despierta, despierta, profiere una canción![o] ¡Levántate, Barac,[p] y llévate a tus cautivos, oh hijo de Abinoam![q]

13 Fue entonces cuando los sobrevivientes descendieron a los majestuosos; el pueblo de Jehová descendió a mí contra los poderosos.

14 De Efraín fue su origen en la llanura baja,[r]

contigo, oh Benjamín, entre tus pueblos.
De Makir[a] descendieron los comandantes,
y de Zabulón los que manejan el equipo de escribano.[b]

15 Y los príncipes de Isacar[c] estuvieron con Débora,
y como Isacar, así fue Barac.[d]
A la llanura baja fue enviado a pie.[e]
Entre las divisiones de Rubén fueron grandes los escudriñamientos del corazón.[f]

16 ¿Por qué te sentaste entre las dos alforjas,
para escuchar el son de caramillos para los rebaños?[g]
Para las divisiones de Rubén hubo grandes escudriñamientos del corazón.[h]

17 Galaad se quedó en su residencia al otro lado del Jordán;[i]
y Dan, ¿por qué continuó morando durante aquel tiempo en naves?[j]
Aser estuvo sentado ocioso a la orilla del mar,
y junto a sus desembarcaderos siguió residiendo.[k]

18 Zabulón fue un pueblo que despreció su alma hasta exponerla a la muerte;[l]
Neftalí[m] también, en las alturas del campo.[n]

19 Reyes vinieron, pelearon;
fue entonces cuando los reyes de Canaán pelearon[o]
en Taanac[p] junto a las aguas de Meguidó.[q]
Ninguna ganancia de plata tomaron.[r]

20 Desde el cielo pelearon las estrellas,[s] sí,
desde sus órbitas pelearon contra Sísara.

21 El torrente de Cisón los arrolló,[t]
el torrente de la antigüedad, el torrente de Cisón.[u]

Fuiste hollando fuerza,[a] oh alma mía.

22 Fue entonces cuando los cascos de los caballos piafaban[b]
a causa de arranque tras arranque de sus fuertes corceles.

23 'Maldigan[c] a Meroz —dijo el ángel de Jehová—,
maldigan a sus habitantes incesantemente,
porque no vinieron en auxilio de Jehová,
en auxilio de Jehová con los poderosos.'

24 Jael[e] la esposa de Héber el quenita[f] será muy bendita entre las mujeres,
entre mujeres en la tienda será muy bendita.[g]

25 Agua pidió él, leche [le] dio ella;
en el gran tazón de banquete de los majestuosos ella presentó cuajada.[h]

26 Su mano a la estaca de tienda ella entonces alargó,
y su diestra al mazo de los que trabajan arduamente.[i]
Y martilló a Sísara, le traspasó la cabeza,[j]
y le partió y cortó las sienes.

27 Entre los pies de ella se desplomó, cayó, yació;
entre los pies de ella se desplomó, cayó;
donde se desplomó, allí cayó vencido.[k]

28 Por la ventana se asomó una mujer y se quedó esperándolo,
la madre de Sísara por entre las celosías:[l]
'¿Por qué ha tardado en venir su carro de guerra?[m]
¿Por qué tiene que demorar tanto el golpeteo de casco y carro?'.[n]

29 Las sabias de sus damas nobles[o] le contestaban,
sí, ella también se respondía con sus propios dichos:

CAP. 5
a Nú 32:39
b 2Re 25:19
2Cr 26:11
c Gé 49:15
1Cr 12:32
d Jue 4:6
Heb 11:32
e Jue 4:14
f Pr 3:27
g Nú 32:1
Nú 32:24
h Snt 4:17
i Jos 22:9
j Jos 19:46
Jon 1:3
k Jos 19:24
l Jue 4:10
Jue 6:35
1Cr 12:33
Sl 68:27
m Jue 4:6
n Jue 4:14
o Dt 7:24
Jue 4:13
p Jue 1:27
q Jos 12:21
r Jue 4:16
Jue 5:30
s Gé 18:14
Jos 10:11
Jue 4:15
1Sa 7:10
Sl 135:7
t Jue 4:7
Sl 83:9
u Jue 4:13
Sl 44:3

2.ª col.
a Sl 44:5
Isa 25:10
Miq 7:10
b Sl 20:7
Sl 147:10
Pr 21:31
Isa 5:28
c Jer 48:10
d Éx 23:23
Jue 2:1
e Jue 4:17
f Nú 24:21
Jue 1:16
Jue 4:11
g Pr 31:31
h Jue 4:19
i Pr 31:17
j Jue 4:21
k Jue 4:22
l Pr 7:6
Can 2:9
m Jue 4:15
1Sa 15:33
n Jue 4:16
o 2Sa 14:2
2Sa 20:16

30 '¿No deben hallar, no deben repartir despojo,[a]
una matriz... dos matrices a cada hombre físicamente capacitado,[b]
despojo de géneros teñidos para Sísara, despojo de géneros teñidos,
una prenda de vestir bordada, géneros teñidos, dos prendas de vestir bordadas
para los cuellos de [hombres de] despojo?'.

31 Así perezcan todos tus enemigos,[c] oh Jehová,
y sean los que te aman[d] como cuando el sol sale en su poderío".[e]

Y la tierra no tuvo más disturbio por cuarenta años.[f]

6 Entonces los hijos de Israel empezaron a hacer lo que era malo a los ojos de Jehová.[g] De modo que Jehová los dio en mano de Madián[h] por siete años. 2 Y la mano de Madián llegó a prevalecer contra Israel.[i] Debido a Madián los hijos de Israel se hicieron los silos que había en las montañas, y las cuevas y los lugares de difícil acceso.[j] 3 Y sucedía que, si Israel sembraba,[k] Madián y Amalec[l] y los orientales[m] subían, sí, subían contra ellos. 4 Y acampaban contra ellos y arruinaban el producto de la tierra por la entera distancia hasta Gaza, y no dejaban que quedara en Israel sustento alguno, ni oveja ni toro ni asno.[n] 5 Porque ellos y sus ganados subían con sus tiendas. Venían tan numerosos como las langostas,[o] y ellos y sus camellos eran sin número;[p] y entraban en la tierra para arruinarla.[q] 6 E Israel vino a quedar muy empobrecido debido a Madián; y los hijos de Israel empezaron a clamar a Jehová por socorro.[r]

7 Y aconteció que, por cuanto los hijos de Israel clamaron a Jehová por socorro a causa de Madián,[s] 8 Jehová procedió a enviar un hombre, un profeta,[a] a los hijos de Israel y a decirles: "Esto es lo que ha dicho Jehová el Dios de Israel: 'Fui yo quien los hice subir de Egipto[b] y así los saqué de la casa de esclavos.[c] 9 Así que los libré de la mano de Egipto y de la mano de todos sus opresores, y a ellos los expulsé de delante de ustedes y les di su tierra.[d] 10 Además, les dije a ustedes: "Yo soy Jehová su Dios.[e] No deben temer a los dioses de los amorreos[f] en cuya tierra están morando".[g] Y ustedes no escucharon mi voz' ".[h]

11 Más tarde el ángel de Jehová vino[i] y se sentó debajo del árbol grande que había en Ofrá, que pertenecía a Joás el abíezrita,[j] mientras Gedeón[k] su hijo estaba batiendo el trigo en el lagar, para retirarlo rápidamente de la vista de Madián. 12 Entonces el ángel de Jehová se le apareció y le dijo: "Jehová está contigo,[l] oh valiente y poderoso". 13 Ante esto, le dijo Gedeón: "Dispénsame, señor mío, pero si Jehová está con nosotros, ¿entonces por qué nos ha sobrevenido todo esto,[m] y dónde están todos sus actos maravillosos[n] que nos contaron nuestros padres,[o] diciendo: '¿No fue de Egipto de donde Jehová nos hizo subir?'?"[p] Y ahora Jehová nos ha abandonado,[q] y nos da en la palma de la mano de Madián". 14 Por lo cual Jehová se volvió hacia él y dijo: "Ve en este poder tuyo,[r] y ciertamente salvarás a Israel de la palma de la mano de Madián.[s] ¿No te envío yo?".[t] 15 A su vez, él le dijo: "Dispénsame, Jehová. ¿Con qué salvaré yo a Israel?[u] ¡Mira! El millar mío es el más pequeño de Manasés, y yo soy el más chico de la casa de mi padre".[v] 16 Pero Jehová le dijo: "Porque yo resultaré estar

CAP. 5
a Éx 15:9
b Dt 20:14
   Dt 21:11
c Sl 68:2
   Sl 83:9
   Sl 92:9
d Éx 20:6
   Sl 91:14
   Sl 97:10
   Ro 8:28
   1Co 8:3
e Sl 110:3
   Da 12:3
   Mt 13:43
f Le 26:6
   Jue 3:11
   Jue 3:30

CAP. 6
g Dt 28:15
   Jue 2:19
   Ne 9:28
h Gé 25:2
   Le 26:17
   Nú 25:17
   Dt 28:48
   Jue 2:14
i Le 26:21
   Nú 33:55
   Dt 28:51
j 1Sa 13:6
k Le 26:16
   Dt 28:33
l Jue 3:13
m Gé 29:1
   Jue 8:10
   1Re 4:30
n Dt 28:31
   Dt 28:48
   Miq 6:15
o Jue 8:10
p Jue 7:12
q Sl 83:4
r Dt 4:30
   Sl 50:15
s Jue 2:18
   Sl 86:7
   Sl 107:19
   Os 5:15

2.ª col.
a Nú 12:6
   Am 3:7
b Éx 20:2
   Le 26:13
c Jue 2:1
   Sl 78:52
   Sl 136:11
d Dt 7:2
   Jos 10:42
   Ne 9:24
   Sl 44:2
   Sl 78:55
e Dt 6:4
   Sl 81:10
   Os 13:4
f Re 17:35
   Jer 10:2
g Jos 24:15
h Dt 28:15
   Jue 2:2
   Jer 3:13
   Sof 3:2
i Jue 2:1
j Jos 17:2
   Jue 6:24
   Jue 8:32
k Gé 49:24
   Heb 11:32
l Jos 1:5
   Jue 2:18
m Jue 6:2

n Isa 63:15; o Dt 4:9; Dt 6:7; Sl 44:1; Sl 78:3;
p Éx 13:14; q Dt 31:17; 2Cr 15:2; r Gé 49:24;
s Jue 6:32; Jue 8:22; 1Sa 12:11; Heb 11:32; t Éx
1:9; Jue 4:6; Ro 8:31; u Sl 44:3; v 1Sa 9:21; Lu
14:11; Flp 2:3.

contigo,[a] y ciertamente derribarás a Madián[b] como si fuera un solo hombre".

17 Ante esto, él le dijo: "Pues, si he hallado favor a tus ojos,[c] entonces me tienes que ejecutar una señal de que tú eres el que está hablando conmigo.[d] 18 Por favor, no te muevas de aquí hasta que venga a ti[e] y haya sacado mi regalo y lo haya puesto delante de ti".[f] Por consiguiente, él dijo: "Yo, por mi parte, me quedaré sentado aquí hasta que vuelvas". 19 Y Gedeón entró y procedió a aderezar un cabrito de las cabras[g] y un efá de harina como tortas no fermentadas.[h] La carne la puso en la cesta, y el caldo lo puso en la olla, después de lo cual se lo sacó debajo del árbol grande y lo sirvió.

20 El ángel del Dios [verdadero] ahora le dijo: "Toma la carne y las tortas no fermentadas y colócalas sobre aquella roca grande,[i] y derrama el caldo". Ante eso, él lo hizo. 21 Entonces el ángel de Jehová alargó la punta del bastón que estaba en su mano y tocó la carne y las tortas no fermentadas, y fuego empezó a ascender de la roca y a consumir la carne y las tortas no fermentadas.[j] En cuanto al ángel de Jehová, desapareció de su vista. 22 Por lo tanto Gedeón se dio cuenta de que era el ángel de Jehová.[k]

En seguida dijo Gedeón: "¡Ay, Señor Soberano Jehová, por causa de que he visto al ángel de Jehová cara a cara!".[l] 23 Pero Jehová le dijo: "Tuya sea la paz.[m] No temas.[n] No morirás".[o] 24 De modo que Gedeón edificó allí un altar[p] a Jehová, y continúan llamándolo[q] Jehová-salom hasta el día de hoy. Todavía está en Ofrá de los abí-ezritas.

25 Y durante aquella noche aconteció que Jehová pasó a decirle: "Toma el toro joven, el toro que pertenece a tu padre, es de-

cir, el segundo toro joven de siete años, y tienes que demoler el altar de Baal[a] que es de tu padre, y el poste sagrado que está junto a él lo debes cortar,[b] 26 Y tienes que edificar un altar a Jehová tu Dios en la cima de esta fortaleza, con la fila de piedras, y tienes que tomar el segundo toro joven y ofrecerlo como ofrenda quemada sobre los pedazos de madera del poste sagrado que cortarás". 27 Por consiguiente, Gedeón tomó diez hombres de sus siervos y se puso a hacer tal como Jehová le había hablado;[c] pero aconteció que, como temía demasiado a la casa de su padre y a los hombres de la ciudad para hacerlo de día, se puso a hacerlo de noche.[d]

28 Cuando los hombres de la ciudad se levantaron muy de mañana como de costumbre, pues, ¡mire!, el altar de Baal había sido demolido, y el poste sagrado[e] que estaba al lado de él había sido cortado, y el segundo toro joven había sido ofrecido sobre el altar que se había edificado. 29 Y empezaron a decirse unos a otros: "¿Quién ha hecho esta cosa?". Y se pusieron a inquirir y a buscar. Al fin dijeron: "Gedeón hijo de Joás es el que ha hecho esta cosa". 30 De modo que los hombres de la ciudad dijeron a Joás: "Saca a tu hijo para que muera,[f] porque ha demolido el altar de Baal, y porque ha cortado el poste sagrado que estaba junto a él". 31 Ante esto, Joás[g] dijo a todos los que se plantaron contra él:[h] "¿Serán ustedes los que harán una defensa legal por Baal para ver si ustedes mismos pueden salvarlo? Cualquiera que le haga defensa legal debe ser muerto aun esta mañana.[i] Si él es Dios,[j] que él mismo se haga defensa legal,[k] porque alguien ha demolido su altar". 32 Y empezó a llamarlo Jerubaal[l] en aquel día, diciendo: "Que Baal haga defensa legal a

CAP. 6
a Dt 3:22
Dt 20:4
Jue 2:18
Isa 41:10
b Le 26:8
Sl 83:9
c Éx 33:13
d Éx 3:12
e Gé 18:3
Gé 19:3
Jue 13:15
f Gé 18:5
Jue 6:19
g Jue 18:7
h Gé 18:6
i Jue 13:19
j Le 9:24
Jue 13:20
1Re 18:38
1Cr 21:26
2Cr 7:1
k Jue 13:8
Jue 13:9
Jue 13:21
Heb 13:2
l Gé 16:7
Gé 16:13
Gé 32:24
Gé 32:30
Jue 13:22
Lu 1:12
m Lu 24:36
n Da 10:19
o Gé 32:30
p Jue 13:20
q Gé 22:14
Éx 17:15
r Jue 8:32
Jue 9:5

2.ª col.
a Éx 23:24
Dt 12:3
b Éx 34:13
Dt 7:5
1Co 8:4
c Dt 12:1
d Mt 10:16
e Dt 12:3
2Re 18:4
2Cr 31:1
f Jer 26:11
Jn 16:2
g Jue 6:11
h Éx 23:2
Jue 6:28
i Dt 13:5
Dt 17:3
Dt 17:5
j Éx 15:11
Sl 115:5
Da 2:47
1Co 8:5
k 1Re 18:26
1Re 18:39
Isa 41:23
Jer 10:5
1Co 8:4
l 1Sa 12:11
2Sa 11:21

favor de sí mismo, porque alguien ha demolido su altar".[a]

33 Y todo Madián[b] y Amaleq[c] y los orientales[d] se reunieron como uno solo[e] y procedieron a cruzar y a acampar en la llanura baja de Jezreel.[f] 34 Y el espíritu de Jehová[g] envolvió a Gedeón de modo que se puso a tocar el cuerno,[h] y los abí-ezritas[i] llegaron a ser convocados en pos de él. 35 Y él envió mensajeros[j] por todo Manasés, y ellos también llegaron a estar convocados en pos de él. También envió mensajeros por Aser y Zabulón y Neftalí, y ellos subieron a encontrarlo.

36 Entonces Gedeón dijo al Dios [verdadero]: "Si vas a salvar a Israel por medio de mí, tal como has prometido,[k] 37 aquí voy a mantener expuesto un vellón de lana en la era. Si llega a haber rocío sólo sobre el vellón, pero sobre toda la tierra hay sequedad, entonces tendré que saber que salvarás a Israel por medio de mí, tal como has prometido". 38 Y resultó así. Cuando él se levantó temprano al día siguiente y exprimió el vellón, logró escurrir del vellón suficiente rocío como para llenar de agua un gran tazón de banquete. 39 Sin embargo, Gedeón dijo al Dios [verdadero]: "No se encienda tu cólera contra mí, pero déjame hablar sólo una vez más. Déjame, por favor, hacer una prueba solamente una vez más con el vellón. Quede seco, por favor, el vellón sólo, y sobre toda la tierra llegue a haber rocío". 40 De modo que Dios lo hizo así en aquella noche; y llegó a haber sequedad solo sobre el vellón, y sobre toda la tierra hubo rocío.

7 Entonces Jerubaal,[l] es decir, Gedeón,[m] y toda la gente que estaba con él, madrugaron y se pusieron a acampar junto al pozo de Harod; y el campamento de Madián se hallaba al norte de él, junto a la colina de Moré, en la llanura baja. 2 Jehová ahora dijo a Gedeón: "La gente que está contigo es demasiada para que yo dé a Madián en tu mano.[a] Israel tal vez se gloriaría[b] contra mí, y diría: 'Mi mano fue la que me salvó'.[c] 3 Y ahora proclama, por favor, a oídos del pueblo, y di: '¿Quién hay que tema y tiemble? Que se retire'".[d] De modo que Gedeón los puso a prueba. Con eso, veintidós mil de los del pueblo se retiraron, y hubo diez mil que quedaron.

4 Sin embargo, Jehová dijo a Gedeón: "Todavía hay demasiada gente.[e] Hazlos bajar al agua para ponértelos a prueba allí. Y tiene que suceder que el que yo te diga: 'Este irá contigo', él es uno que irá contigo, pero todo aquel de quien te diga: 'Este no te acompañará', él es uno que no irá". 5 De modo que él hizo que la gente bajara al agua.[f]

Entonces Jehová dijo a Gedeón: "A todo el que lama un poco del agua con la lengua tal como lame el perro, lo pondrás aparte, también a todo el que se doble sobre las rodillas para beber".[g] 6 Y el número de los que lamieron con la mano a la boca resultó ser trescientos hombres. En cuanto a toda la demás gente, se dobló sobre las rodillas para beber agua.

7 Jehová ahora dijo a Gedeón: "Por los trescientos hombres que lamieron [el agua] los salvaré, y daré a Madián en tu mano.[h] En cuanto a toda la otra gente, que se vaya cada uno a su lugar". 8 De modo que tomaron en la mano las provisiones de la gente, y sus cuernos,[i] y a todos los hombres de Israel los envió, cada cual a su hogar; y retuvo a los trescientos hombres. En cuanto al campamento de Madián, este se hallaba más abajo de él, en la llanura baja.[j]

9 Y durante aquella noche[k]

CAP. 6
a 1Re 18:27

b Gé 25:2
Nú 25:17
Jue 6:2

c Gé 36:12
Éx 17:16
Nú 24:20
Dt 25:19

d Gé 29:1
Jue 6:3

e Jue 7:12

f Jos 17:16
Jos 19:18

g Jue 3:10
Jue 11:29
Jue 13:25
Jue 14:6
Jue 15:14
Isa 63:11
Zac 4:6

h Jue 3:27
Sof 1:16

i Jos 17:2
Jue 8:2

j Jue 11:12
2Cr 30:6

k Jue 6:14

CAP. 7
l Jue 6:32
1Sa 12:11

m Jue 6:11

2.ª col.
a 1Sa 14:6
2Cr 14:11

b Isa 2:11

c 1Sa 17:47
Sl 44:7
Isa 10:13
1Co 1:29
2Co 4:7

d Dt 20:8

e 2Cr 32:8
Sl 33:16

f Sl 7:9

g 1Pe 5:8

h Jue 7:2
1Sa 14:6
Isa 41:14
Heb 11:34

i Jos 6:4
Jue 3:27

j Jue 6:33

k Job 4:13
Job 33:15

aconteció que Jehová procedió a decirle: "Levántate, desciende sobre el campamento, porque lo he dado en tu mano.[a] 10 Pero si temes descender, desciende con Purá tu servidor, al campamento.[b] 11 Y tienes que escuchar lo que hablarán,[c] y después tus manos ciertamente se pondrán fuertes,[d] y de seguro descenderás sobre el campamento". Con eso, él y Purá su servidor fueron bajando hasta el borde de los que, en orden de batalla, se hallaban en el campamento.

12 Ahora bien, Madián y Amaleq y todos los orientales[e] se hallaban echados en la llanura baja, tan numerosos como las langostas;[f] y sus camellos[g] eran sin número, tan numerosos como los granos de arena que están en la orilla del mar. 13 Ahora llegó Gedeón, y, ¡mire!, un hombre estaba contando un sueño a su compañero, y pasó a decir: "Aquí está un sueño que he soñado.[h] Y, ¡mira!, había una torta redonda de pan de cebada que entraba dando vuelta tras vuelta en el campamento de Madián. Entonces llegó a una tienda y le dio de modo que esta cayó,[i] y fue volcándola de arriba abajo, y la tienda cayó a plomo". 14 Ante esto, su compañero contestó[j] y dijo: "Esta no es otra cosa sino la espada de Gedeón[k] hijo de Joás, un hombre de Israel. El Dios [verdadero][l] ha dado en su mano a Madián y todo el campamento".[m]

15 Y aconteció que, en cuanto Gedeón oyó el relato del sueño y su explicación,[n] empezó a adorar.[o] Después de eso volvió al campamento de Israel y dijo: "Levántense,[p] porque Jehová ha dado el campamento de Madián en mano de ustedes". 16 Entonces dividió a los trescientos hombres en tres partidas, y puso cuernos[q] en las manos de todos ellos, y jarrones vacíos, y antorchas dentro de los jarrones.

17 Y pasó a decirles: "Deben aprender al observarme, y así es como deben hacer ustedes. Y cuando yo llegue al borde del campamento, entonces tiene que suceder que tal como yo haga, así harán ustedes. 18 Cuando yo haya tocado el cuerno, yo y todos los que están conmigo, entonces ustedes tienen que tocar los cuernos, ustedes también, alrededor de todo el campamento,[a] y tienen que decir: '¡De Jehová[b] y de Gedeón!'".

19 Con el tiempo Gedeón llegó con los cien hombres que estaban con él al borde del campamento cuando comenzaba la vigilia intermedia de la noche.[c] Justamente se había acabado de apostar a los centinelas. Y ellos procedieron a tocar los cuernos,[d] y hubo un romper violento de los jarrones para agua que llevaban en las manos.[e] 20 En esto, las tres partidas tocaron los cuernos[f] e hicieron añicos los jarrones y asieron de mano las antorchas con la mano izquierda, y con la mano derecha los cuernos para tocarlos, y empezaron a gritar: "¡La espada de Jehová[g] y de Gedeón!". 21 Todo este tiempo se quedaron de pie, cada uno en su lugar todo en derredor del campamento, y el campamento entero echó a correr y rompió a gritar y se fue huyendo.[h] 22 Y los trescientos continuaron tocando los cuernos,[j] y Jehová procedió a poner la espada de cada uno contra el otro en todo el campamento;[k] y el campamento siguió huyendo hasta Bet-sitá, adelante a Zererá, hasta las afueras de Abel-meholá,[l] junto a Tabat.

23 Entretanto, los hombres de Israel fueron convocados de Neftalí[m] y Aser[n] y todo Manasés,[o] y se pusieron a correr[p] tras de Madián. 24 Y Gedeón envió mensajeros por toda la re-

CAP. 7
a Dt 7:2
Jue 3:10
Jue 4:14
2Cr 16:8
2Cr 20:17
b 2Co 13:5
c Jue 7:13
d 1Sa 23:16
Esd 6:22
Ne 6:9
Isa 35:3
e Jue 6:33
f Jer 46:23
g Jue 6:5
h Mt 2:12
i Jue 6:16
j Nú 23:5
k Jue 6:11
Jue 6:14
l Isa 42:8
m Jue 7:7
n Gé 40:8
Jue 7:11
o Éx 4:31
2Cr 20:18
Sl 95:6
p Jue 4:14
q Jue 7:8
Pr 20:18

2.ᵃ col.
a Jue 7:20
b 1Sa 17:47
2Cr 20:17
c Sl 63:6
Lu 12:38
d Jue 7:8
e Jue 7:16
f Jos 6:4
Jue 7:18
g Éx 14:13
2Cr 20:17
h Jue 14:25
Dt 28:7
2Re 7:7
i Jos 7:4
Jue 7:6
j Jos 6:6
Jue 7:8
Jue 7:16
k Isa 14:20
2Cr 20:23
Isa 19:2
Eze 38:21
Zac 14:13
l 1Re 4:12
1Re 19:16
m Jos 19:32
Jue 6:35
n Jos 19:24
o Jos 17:1
p 1Sa 14:22

gión montañosa de Efraín,[a] y dijo: "Bajen al encuentro de Madián y tomen antes que ellos las aguas hasta Bet-bará y el Jordán". De modo que todos los hombres de Efraín fueron convocados, y lograron tomar las aguas[b] hasta Bet-bará y el Jordán. 25 También lograron capturar a los dos príncipes de Madián, a saber, Oreb y Zeeb;[c] y procedieron a matar a Oreb en la roca de Oreb,[d] y mataron a Zeeb en la tina de lagar de Zeeb. Y continuaron persiguiendo a Madián,[e] y trajeron la cabeza de Oreb y la de Zeeb a Gedeón, en la región del Jordán.[f]

8 Entonces los hombres de Efraín le dijeron: "¿Qué clase de cosa es esta que nos has hecho, de no llamarnos cuando fuiste a pelear contra Madián?".[g] Y vehementemente trataron de armar riña con él.[h] 2 Por fin él les dijo: "¿Pues qué he hecho yo en comparación con ustedes?[i] ¿No son mejores las rebuscas de Efraín[j] que la vendimia de Abí-ézer?[k] 3 En mano de ustedes Dios dio a los príncipes de Madián, a Oreb y Zeeb,[l] ¿y qué he podido hacer yo en comparación con ustedes?". Fue entonces cuando el espíritu de ellos se calmó para con él, cuando habló esta palabra.[m]

4 Con el tiempo Gedeón llegó al Jordán, y lo cruzó, él y los trescientos hombres que estaban con él, cansados, pero continuando con el seguimiento. 5 Más tarde dijo a los hombres de Sucot:[n] "Por favor, den panes redondos a la gente que viene siguiendo mis pasos,[o] porque están cansados, y yo estoy corriendo tras de Zébah[p] y Zalmuná,[q] los reyes de Madián". 6 Pero los príncipes de Sucot dijeron: "¿Están ya en tu mano las palmas de las manos de Zébah y de Zalmuná para que se tenga que dar pan a tu ejército?".[r] 7 Por lo cual dijo Gedeón: "Por eso

cuando Jehová dé a Zébah y Zalmuná en mi mano, yo ciertamente daré a la carne de ustedes una trilladura con los espinos del desierto y los abrojos".[a] 8 Y continuó subiendo de allí a Penuel[b] y se puso a hablarles a ellos de esta misma manera, pero los hombres de Penuel le contestaron tal como los hombres de Sucot habían contestado. 9 Por lo tanto dijo también a los hombres de Penuel: "Cuando vuelva en paz, demoleré esta torre".[c]

10 Ahora bien, Zébah y Zalmuná[d] estaban en Qarqor, y sus campamentos con ellos, y eran unos quince mil todos los que quedaban del entero campamento de los orientales;[e] y los que ya habían caído eran ciento veinte mil hombres que solían sacar la espada.[f] 11 Y Gedeón continuó subiendo por el camino de los que residían en tiendas, al este de Nóbah y Jogbehá,[g] y empezó a herir el campamento mientras el campamento se hallaba desprevenido.[h] 12 Cuando Zébah y Zalmuná se pusieron en fuga, él en seguida salió en pos de ellos, y logró capturar a los dos reyes de Madián, Zébah y Zalmuná;[i] y puso tembloroso a todo el campamento.

13 Y Gedeón hijo de Joás emprendió su regreso de la guerra por el paso que sube a Heres. 14 En camino capturó a un joven de los hombres de Sucot[j] y se puso a interrogarle.[k] De modo que él le escribió los nombres de los príncipes[l] de Sucot y de sus ancianos, setenta y siete hombres. 15 Con eso, él fue a los hombres de Sucot y dijo: "Aquí están Zébah y Zalmuná, respecto de quienes ustedes me escarnecieron, diciendo: '¿Están ya en tu mano las palmas de las manos de Zébah y Zalmuná, para que se tenga que dar pan a tus hombres cansados?'".[m] 16 Entonces tomó a los ancianos de la

---

CAP. 7
a Jue 3:27
b Jue 3:28
c Jue 8:3
Sl 83:11
d Isa 10:26
e Jue 8:4
f Isa 17:54

CAP. 8
g Jue 7:2
Pr 8:13
Pr 16:18
h Jue 12:1
2Sa 19:41
2Cr 25:10
i Pr 15:28
Flp 2:3
2Ti 2:24
j Jue 7:25
Pr 11:2
k Jue 6:11
Jue 6:34
l Jue 7:25
Sl 83:11
m Pr 14:29
Pr 15:1
Pr 25:15
Ec 10:4
Gál 5:23
n Gé 33:17
Jos 13:27
Sl 108:7
o 1Sa 25:8
2Sa 17:28
p Jue 8:21
q Sl 83:11
r Dt 23:4
Jue 5:23
1Sa 25:10
1Sa 25:11
Pr 3:27
Snt 2:16

2.ª col.
a Jue 8:16
Gál 6:7
b Gé 32:31
1Re 12:25
c Jue 8:17
d Jue 8:5
Sl 83:11
e Jue 7:12
Heb 11:34
f Dt 28:7
g Nú 32:35
h Jue 18:27
Pr 20:18
i Sl 83:11
j Jue 8:5
k Jue 1:24
1Sa 30:15
l Jue 8:6
m Jue 8:6
Pr 3:27

ciudad, y espinos del desierto y
abrojos, y con estos hizo que los
hombres de Sucot pasaran por
una experiencia.[a] 17 Y demolió[b] la torre de Penuel,[c] y procedió a matar a los hombres de la
ciudad.
18 Ahora dijo a Zébah y Zalmuná:[d] “¿Qué clase de hombres
eran aquellos que ustedes mataron en Tabor?”.[e] A lo cual estos
dijeron: “Como eres tú, así eran
ellos, cada uno, como hijos de un
rey en forma”. 19 Por lo cual
dijo él: “Eran mis hermanos, los
hijos de mi madre. Tan ciertamente como que Jehová vive, si
los hubieran conservado vivos,
no tendría que matarlos a ustedes”.[f] 20 Entonces dijo a Jéter su primogénito: “Levántate;
mátalos”. Y el joven no sacó
su espada, porque tenía miedo,
pues todavía era joven.[g] 21 De
modo que Zébah y Zalmuná dijeron: “Levántate tú mismo y aco-
métenos, porque como es el
hombre, así es su poder”.[h] Por
consiguiente, Gedeón se levantó
y mató[i] a Zébah y Zalmuná, y
tomó los adornos en forma de
luna que había en los cuellos de
los camellos de estos.
22 Más tarde los hombres de
Israel dijeron a Gedeón: “Gobierna sobre nosotros,[j] tú así
como también tu hijo y tu nieto, porque nos has salvado de
la mano de Madián”.[k] 23 Pero
Gedeón les dijo: “Yo mismo no
gobernaré sobre ustedes, ni gobernará sobre ustedes mi hijo.[l]
Jehová es el que gobernará sobre
ustedes”.[m] 24 Y Gedeón pasó
a decirles: “Permítanme hacerles una solicitud: Denme, cada
uno de ustedes, la nariguera[n] de
su botín”. (Pues tenían narigue-
ras de oro, porque eran ismaelitas.)[o] 25 Entonces ellos dijeron: “Con toda certeza las
daremos”. Con eso extendieron
un manto y se pusieron a arrojar
en él cada cual la nariguera de su
botín. 26 Y el peso de las nari-
gueras de oro que él había solicitado ascendió a mil setecientos
siclos de oro, además de los
adornos en forma de luna[a] y los
pendientes y las prendas de vestir de lana teñida de púrpura rojiza[b] que había sobre los reyes de
Madián y además de los collares
que había en los cuellos de los
camellos.[c]
27 Y Gedeón procedió a hacer
de ello un efod[d] y a exhibirlo en
su ciudad, Ofrá;[e] y todo Israel
empezó a tener ayuntamiento
inmoral con este allí,[f] de modo
que sirvió de lazo para Gedeón y
para su casa.[g]
28 Así fue sojuzgado Madián[h]
delante de los hijos de Israel, y
ya no volvieron a levantar la cabeza; y la tierra no tuvo más disturbio por cuarenta años en los
días de Gedeón.[i]
29 Y Jerubaal[j] hijo de Joás
procedió a irse y continuó morando en su casa.
30 Y Gedeón llegó a tener setenta hijos[k] que procedieron de
la parte superior de su muslo,
porque llegó a tener muchas esposas. 31 En cuanto a su concubina que estaba en Siquem,
ella también le dio a luz un hijo.
De modo que él le puso por nombre Abimélec.[l] 32 Con el tiempo Gedeón hijo de Joás murió en
buena vejez y fue enterrado en la
sepultura de Joás su padre, en
Ofrá de los abí-ezritas.[m]
33 Y luego que hubo muerto
Gedeón aconteció que los hijos
de Israel se pusieron de nuevo a
tener ayuntamiento inmoral con
los Baales,[n] de modo que nombraron a Baal-berit como dios
suyo.[o] 34 Y los hijos de Israel
no se acordaron de Jehová su
Dios,[p] quien los había librado de
la mano de todos sus enemigos
en derredor;[q] 35 y no ejercieron bondad amorosa[r] para con
la casa de Jerubaal, Gedeón, en
cambio por toda la bondad que él
había ejecutado para con Israel.[s]

CAP. 8
a Jue 8:7; Pr 10:13; Pr 19:29
b Jue 8:9
c Gé 32:31; Jue 8:8; 1Re 12:25
d Sl 83:11
e Sl 89:12
f Gé 9:6; Nú 35:19
g 1Sa 17:33
h Jue 6:12
i 1Sa 15:33; Sl 83:11
j Dt 17:14; Jue 9:8; 1Sa 8:6; 1Sa 12:12; Os 13:10
k Jue 6:14
l 2Sa 22:26; Pr 2:8
m Éx 15:18; 1Sa 10:19; Sl 10:16; Sl 29:10; Sl 146:10; Isa 33:22; Isa 43:15; Da 4:3
n Gé 24:22
o Gé 16:11; Gé 25:13; Gé 28:9; Gé 37:28

2.ª col.
a Jue 8:21; Isa 3:18
b Est 8:15; Jer 10:9; Eze 27:7
c Jue 8:21
d Éx 28:6; Jue 17:5; Jue 18:14
e Jue 6:11
f Éx 23:33; Jue 2:17; Sl 106:39; Os 4:12
g Jue 8:33
h Jue 6:1; Sl 83:9
i Le 26:6; Jue 3:11; Jue 5:31
j Jue 6:32; 1Sa 12:11
k Jue 9:2
l Jue 9:1; 2Sa 11:21
m Jue 6:11; Jue 6:24
n Jue 2:17; Jue 2:19; Jue 10:6
o Jue 9:4
p Jue 3:7; Sl 106:36
q Sl 106:43
r Gé 40:23; Pr 3:27
s Jue 9:16; Ec 9:15; 2Ti 3:2

9 Con el tiempo, Abimélec[a] hijo de Jerubaal fue a Siquem,[b] a los hermanos de su madre, y empezó a hablarles a ellos y a toda la familia de la casa del padre de su madre, diciendo: 2 "Hablen, por favor, a oídos de todos los terratenientes de Siquem: ¿Qué es mejor para ustedes, que setenta hombres,[c] todos los hijos de Jerubaal, gobiernen sobre ustedes, o que un solo hombre gobierne sobre ustedes? Y tienen que recordar que yo soy hueso de ustedes y carne de ustedes' ".[d]

3 Así que los hermanos de su madre empezaron a hablar todas estas palabras acerca de él a oídos de todos los terratenientes de Siquem, de modo que el corazón de ellos se inclinó hacia Abimélec,[e] porque decían: "Es nuestro propio hermano".[f] 4 Entonces le dieron setenta piezas de plata de la casa de Baal-berit,[g] y con ellas Abimélec procedió a alquilar hombres ociosos e insolentes,[h] para que lo acompañaran. 5 Después de eso fue a la casa de su padre, en Ofrá,[i] y mató a sus hermanos,[j] los hijos de Jerubaal, setenta hombres, sobre una misma piedra, pero quedó Jotán el hijo menor de Jerubaal, porque se había escondido.

6 Posteriormente, se reunieron todos los terratenientes de Siquem y toda la casa de Miló,[k] y fueron e hicieron que Abimélec reinara como rey,[l] junto al árbol grande,[m] la columna que había en Siquem.[n]

7 Cuando se informó esto a Jotán, él fue en seguida y se puso de pie en la cima del monte Guerizim[o] y alzó la voz y clamó y les dijo: "Escúchenme, ustedes los terratenientes de Siquem, y que Dios los escuche a ustedes y:

8 "Sucede que una vez los árboles fueron a ungir sobre sí un rey. De modo que dijeron al olivo:[p] 'Sé rey sobre nosotros',[q] sí'.

9 Pero el olivo les dijo: '¿Tengo acaso que renunciar a mi grosura con la cual se glorifica[a] a Dios y a los hombres, y tengo que ir a mecerme sobre los demás árboles?'.[b] 10 Entonces dijeron los árboles a la higuera:[c] 'Ven tú, sé reina sobre nosotros'. 11 Pero la higuera les dijo: '¿Tengo acaso que renunciar a mi dulzura y a mi buen producto, y tengo que ir a mecerme sobre los demás árboles?'.[d] 12 En seguida dijeron los árboles a la vid: 'Ven tú, sé reina sobre nosotros'. 13 A su vez la vid les dijo: '¿Tengo acaso que renunciar a mi vino nuevo, que regocija a Dios y a los hombres,[e] y tengo que ir a mecerme sobre los árboles?'. 14 Por fin todos los demás árboles dijeron al cambrón:[f] 'Ven tú, sé rey sobre nosotros'. 15 Ante esto, el cambrón dijo a los árboles: 'Si es con verdad que me van a ungir por rey sobre ustedes, vengan, refúgiense bajo mi sombra.[g] Pero si no, salga fuego[h] del cambrón y consuma los cedros[i] del Líbano'.[j]

16 "Y ahora, si es con verdad y exentos de falta que ustedes han obrado y que se pusieron a hacer rey a Abimélec,[k] y si bondad es lo que han ejecutado para con Jerubaal y su casa, y si le han hecho según merecía lo que él hizo con sus manos, 17 cuando mi padre peleó[l] por ustedes y anduvo arriesgando su alma[m] para librarlos de la mano de Madián[n] 18 —y ustedes, por su parte, se han levantado hoy contra la casa de mi padre para matar a sus hijos,[o] setenta hombres,[p] sobre una misma piedra, y para hacer a Abimélec, el hijo de la esclava,[q] rey[r] sobre los terratenientes de Siquem, simplemente porque es el propio hermano de ustedes—, 19 sí, si es con verdad y exentos de falta que han obrado ustedes para con Jerubaal y su casa este día, regocíjense a

CAP. 9

a Jue 8:31
 2Sa 11:21
b Gé 12:6
 Gé 33:18
 Gé 34:27
 1Re 12:1
 Hch 7:16
c Jue 8:30
d Gé 29:14
 1Cr 11:1
e 2Sa 15:6
f Jue 8:31
g Jue 8:33
 Jue 9:46
h 2Cr 13:7
 Hch 17:5
i Jue 6:11
 Jue 8:27
j 2Re 11:1
 2Cr 21:4
k Jue 9:20
l Dt 17:14
 Jue 8:22
 1Sa 8:7
m Gé 35:4
 Jos 24:26
n Jue 9:1
o Dt 11:29
 Jos 8:33
 Jn 4:20
p Os 14:6
q Jue 8:22

2.ª col.

a Éx 29:2
 Le 2:1
b Pr 29:23
 Mt 23:12
 Ro 12:16
c Joe 2:22
d Pr 16:19
e Sl 104:15
 Pr 31:6
 Ec 2:3
 Ec 10:19
f Jue 9:6
 2Re 14:9
 Sl 58:9
 Pr 15:25
 Pr 16:18
g Jue 9:19
 Gál 6:3
h Jue 9:20
 Jue 9:45
 Jue 9:49
 Isa 13:11
i 2Re 14:9
 Isa 2:13
 Isa 37:24
 Eze 31:3
 Am 2:9
 Zac 11:2
j Dt 11:24
 Jos 1:4
k Dt 17:15
 Jue 9:6
 Jue 9:15
l Jue 7:9
m Est 4:16
 Ro 16:4
n Jue 8:28
 Sl 83:9
o Jue 9:5
p Jue 8:30
q Jue 8:31
r Jue 9:6

causa de Abimélec, y que él también se regocije a causa de ustedes.[a]   20 Pero si no, salga fuego[b] de Abimélec y consuma a los terratenientes de Siquem y a la casa de Miló,[c] y salga fuego[d] de los terratenientes de Siquem y de la casa de Miló y consuma a Abimélec".[e]

21 Entonces Jotán[f] se puso en fuga y se fue corriendo y logró llegar a Beer, y se puso a morar allí por causa de Abimélec su hermano.

22 Y Abimélec siguió dándoselas de príncipe sobre Israel por tres años.[g]   23 Entonces Dios dejó que se desarrollara un espíritu malo[h] entre Abimélec y los terratenientes de Siquem, y los terratenientes de Siquem procedieron a tratar traidoramente[i] con Abimélec, 24 para que la violencia que se hizo a los setenta hijos de Jerubaal viniera[j] y para que él pusiera la sangre de ellos sobre Abimélec su hermano, porque los mató,[k] y sobre los terratenientes de Siquem porque fortalecieron las manos[l] de este para matar a sus hermanos. 25 Así que los terratenientes de Siquem le colocaron hombres en emboscada sobre las cimas de las montañas, y estos robaban a todos los que pasaban junto a ellos por el camino. Con el tiempo esto se le informó a Abimélec.

26 Entonces Gaal[m] hijo de Ébed y sus hermanos vinieron y pasaron a Siquem,[n] y los terratenientes de Siquem empezaron a confiar en él.[o] 27 Y salieron al campo como siempre, y se ocuparon en vendimiar las uvas de sus viñas y en pisarlas y en tener un alborozo festivo,[p] después de lo cual entraron en la casa de su dios[q] y comieron y bebieron[r] e invocaron el mal[s] contra Abimélec. 28 Y Gaal hijo de Ébed pasó a decir: "¿Quién es Abimélec,[t] y quién es Siquem para que nosotros le sirvamos? ¿No es él

CAP. 9
a Pr 10:28
Pr 29:2
b Jue 9:15
c Jue 9:6
Jue 9:45
Jue 9:49
d Sl 28:4
e Jue 9:39
Jue 9:53
f Jue 9:5
g Pr 28:2
h 1Sa 16:14
1Re 12:15
i Pr 13:15
Isa 33:1
Mt 7:2
Gál 6:7
j Dt 32:35
1Sa 15:33
Est 9:25
k Gé 9:6
Nú 35:16
Jue 9:5
1Re 2:32
Sl 7:16
Mt 23:35
l Éx 23:7
Jue 9:3
m Jue 9:28
Jue 9:41
n Gé 33:18
Gé 35:4
Jos 21:21
Jos 24:1
Jue 9:1
o Sl 146:3
p Isa 16:10
Jer 25:30
Jer 48:33
q Jue 8:33
Jue 9:4
Jue 9:46
r Éx 32:6
Da 5:4
Am 2:8
s 1Sa 17:43
2Sa 16:5
Sl 4:4
Sl 39:1
t 1Sa 25:10
2Sa 20:1
1Re 12:16

2.ª col.

a Jue 6:32
1Sa 12:11
b Jue 9:41
c Gé 34:2
d 2Sa 15:4
Sl 10:3
Ro 1:30
e Pr 30:33
f Jue 9:26
g Jos 21:21
Jos 24:1
Jue 8:31
h Job 24:14
i Jos 8:4
j Jue 9:26
k Jue 9:32

hijo de Jerubaal,[a] y no es Zebul[b] un comisionado suyo? Sirvan a los hombres de Hamor,[c] el padre de Siquem, los demás de ustedes, ¿pero por qué debemos nosotros mismos servirle? 29 ¡Y si solo estuviera este pueblo en mi mano![d] Entonces quitaría yo a Abimélec". Y pasó a decir a Abimélec: "Haz numeroso tu ejército, y sal".[e]

30 Y Zebul el príncipe de la ciudad llegó a oír las palabras de Gaal hijo de Ébed.[f] Entonces se encendió su cólera. 31 De modo que envió mensajeros a Abimélec so excusa falsa, diciendo: "¡Mira! Gaal hijo de Ébed y sus hermanos han venido ahora a Siquem,[g] y aquí están juntando en masa a la ciudad contra ti. 32 Y ahora levántate de noche,[h] tú y la gente que está contigo, y ponte al acecho[i] en el campo. 33 Y por la mañana tiene que suceder que, en cuanto brille el sol, debes levantarte temprano, y tienes que lanzarte con ímpetu contra la ciudad; y cuando él y la gente que está con él vengan saliendo contra ti, entonces tienes que hacerle tal como lo halle posible tu mano".

34 Por consiguiente, Abimélec y toda la gente que estaba con él se levantaron de noche, y se pusieron al acecho contra Siquem en cuatro partidas. 35 Más tarde, Gaal[j] hijo de Ébed salió y se quedó parado a la entrada de la puerta de la ciudad. Entonces Abimélec y la gente que estaba con él se levantaron del lugar de la emboscada. 36 Cuando Gaal alcanzó a ver a la gente, en seguida dijo a Zebul: "¡Mira! De las cimas de las montañas viene bajando gente". Pero Zebul le dijo: "Las sombras de las montañas es lo que estás viendo como si fueran hombres".[k]

37 Más tarde Gaal volvió a hablar y dijo: "¡Mira! Del centro de

la tierra viene bajando gente, y una partida está viniendo por el camino del árbol grande de Meonenim". 38 En esto le dijo Zebul: "¿Dónde está ahora aquel dicho tuyo que profirió tu boca:[a] '¿Quién es Abimélec para que nosotros le sirvamos?'.[b] ¿No es esta la gente que rechazaste?[c] Sal ahora, por favor, y pelea contra ellos".

39 De modo que Gaal procedió a salir al frente de los terratenientes de Siquem y emprendió la pelea contra Abimélec. 40 Y Abimélec se puso a ir tras él, y él echó a huir delante de aquel; y los muertos siguieron cayendo en cantidades hasta la entrada de la puerta.

41 Y Abimélec continuó morando en Arumá, y Zebul[d] procedió a expulsar a Gaal[e] y a sus hermanos para que no moraran en Siquem.[f] 42 Y al día siguiente aconteció que la gente empezó a salir al campo. De modo que se lo informaron a Abimélec.[g] 43 Por lo tanto, él tomó a la gente y la dividió en tres partidas[h] y se puso al acecho en el campo. Entonces miró, y allí estaba la gente saliendo de la ciudad. Ahora se levantó contra ellos y los derribó. 44 Y Abimélec y las partidas que estaban con él se lanzaron con ímpetu para plantarse a la entrada de la puerta de la ciudad, mientras dos partidas se lanzaban con ímpetu contra todos los que estaban en el campo, y se pusieron a derribarlos.[i] 45 Y Abimélec peleó contra la ciudad todo aquel día y logró tomar la ciudad; y mató a la gente que había en ella,[j] después de lo cual demolió la ciudad[k] y la sembró de sal.[l]

46 Cuando todos los terratenientes de la torre de Siquem oyeron esto, fueron inmediatamente a la bóveda de la casa de El-berit.[m] 47 Entonces se informó a Abimélec que todos los terratenientes de la torre de Siquem se habían juntado. 48 Por lo cual Abimélec subió al monte Zalmón,[a] él y toda la gente que estaba con él. Abimélec ahora tomó un hacha en la mano y cortó una rama de los árboles y la alzó y la puso sobre su hombro, y dijo a la gente que estaba con él: "Lo que me han visto hacer... ¡apresúrense, háganlo como yo!".[b] 49 Así que toda la gente también cortó cada cual una rama para sí, y fueron siguiendo a Abimélec. Entonces las pusieron contra la bóveda, y sobre ellas prendieron fuego a la bóveda, de modo que todos los hombres de la torre de Siquem murieron también, como mil hombres y mujeres.[c]

50 Y Abimélec procedió a ir a Tebez[d] y a acampar contra Tebez y tomarla. 51 Puesto que había una torre fuerte en medio de la ciudad, allí fue adonde todos los hombres y las mujeres y todos los terratenientes de la ciudad se fueron huyendo, después de lo cual la cerraron tras sí y se subieron al techo de la torre. 52 Y Abimélec logró llegar hasta la torre, y empezó a pelear contra ella, y se acercó a la entrada de la torre para quemarla con fuego.[e] 53 Entonces cierta mujer arrojó una piedra superior de molino sobre la cabeza de Abimélec y le hizo pedazos el cráneo.[f] 54 De modo que él llamó apresuradamente al servidor que llevaba sus armas, y le dijo: "Saca tu espada y dame muerte,[g] por temor de que digan de mí: 'Fue una mujer quien lo mató'". En seguida su servidor lo atravesó, de modo que murió.[h]

55 Cuando los hombres de Israel llegaron a ver que Abimélec había muerto, entonces cada cual se fue a su lugar. 56 Así Dios hizo que viniera de vuelta el mal de Abimélec, hecho por este a su padre, al haber matado a sus setenta hermanos.[i] 57 Y todo el mal de los hombres de Siquem

---

CAP. 9
a Sl 94:4
Pr 21:24
Snt 3:5

b Jue 9:28

c Jue 9:29

d Jue 9:30

e Jue 9:26

f Gé 34:5
Jos 21:21
Jos 24:1

g Jue 8:31
Jue 9:1
Jue 9:6

h Pr 20:18

i Jue 9:15

j Jue 9:20

k 1Re 12:25

l Dt 29:23
Job 39:6
Sl 107:34
Jer 17:6

m Jue 8:33
Jue 9:4
Jue 9:27

2.ª col.

a Sl 68:14

b Jue 7:17

c Jue 9:15
Jue 9:20

d 2Sa 11:21

e Jue 9:48
Jue 9:49

f Jue 4:9
Jue 5:26
2Sa 11:21
2Sa 20:22
Job 31:3

g 1Sa 31:4

h Sl 37:2

i Gé 9:6
Jue 9:5
Jue 9:24
1Sa 25:39
Sl 58:10
Sl 94:23
Pr 5:22
Gál 6:7

Dios hizo que viniera de vuelta sobre sus propias cabezas, para que sobre ellos[a] viniera el mal[b] que invocó Jotán[c] hijo de Jerubaal.[d]

10 Ahora bien, después de Abimélec se levantó, para salvar[e] a Israel, Tolá hijo de Puá, hijo de Dodó, hombre de Isacar, y este estaba morando en Samir, en la región montañosa de Efraín.[f] 2 Y continuó juzgando a Israel por veintitrés años, después de lo cual murió y fue enterrado en Samir.

3 Entonces, después de él, se levantó Jaír el galaadita,[g] y continuó juzgando a Israel por veintidós años. 4 Y llegó a tener treinta hijos que cabalgaban en treinta asnos adultos,[h] y tenían treinta ciudades. Continúan llamando a estas Havot-jaír[i] hasta el día de hoy; están en la tierra de Galaad. 5 Después Jaír murió y fue enterrado en Qamón.

6 Y los hijos de Israel de nuevo procedieron a hacer lo que era malo a los ojos de Jehová,[j] y empezaron a servir a los Baales[k] y a las imágenes de Astoret[l] y a los dioses de Siria[m] y a los dioses de Sidón[n] y a los dioses de Moab[o] y a los dioses de los hijos de Ammón[p] y a los dioses de los filisteos.[q] De modo que dejaron a Jehová y no le sirvieron.[r] 7 Ante esto, la cólera de Jehová se encendió contra Israel,[s] de modo que los vendió[t] en mano de los filisteos[u] y en mano de los hijos de Ammón.[v] 8 Por lo tanto, estos destrozaron a los hijos de Israel y los oprimieron mucho aquel año... por dieciocho años, a todos los hijos de Israel que estaban en el lado del Jordán de la tierra de los amorreos que estaba en Galaad. 9 Y los hijos de Ammón cruzaban el Jordán para pelear hasta contra Judá y Benjamín y la casa de Efraín; e Israel se hallaba grandemente angus-

tiado.[a] 10 Y los hijos de Israel empezaron a clamar a Jehová por socorro,[b] diciendo: "Hemos pecado[c] contra ti, porque hemos dejado a nuestro Dios y estamos sirviendo a los Baales".[d]

11 Entonces Jehová dijo a los hijos de Israel: "¿Acaso no fue de Egipto[e] y de los amorreos[f] y de los hijos de Ammón[g] y de los filisteos[h] 12 y de los sidonios[i] y de Amaleq[j] y de Madián,[k] cuando los oprimieron a ustedes[l] y ustedes se pusieron a clamar a mí, de cuya mano yo procedí a salvarlos? 13 En cuanto a ustedes, me abandonaron[m] y se pusieron a servir a otros dioses.[n] Por eso no volveré a salvarlos.[o] 14 Vayan y clamen por socorro a los dioses[p] que han escogido.[q] Sean ellos quienes los salven en el tiempo de su angustia.[r] 15 Pero los hijos de Israel dijeron a Jehová: "Hemos pecado.[r] Tú mismo haz con nosotros conforme a cualquier cosa que sea buena a tus ojos.[s] Solo que nos libres, por favor, este día".[t] 16 Y empezaron a quitar de en medio de sí los dioses extranjeros[u] y a servir a Jehová,[v] de modo que el alma[w] de él se impacientó a causa de la desdicha de Israel.[x]

17 Con el tiempo los hijos de Ammón[y] fueron convocados, y asentaron campamento en Galaad.[z] De modo que los hijos de Israel se reunieron y asentaron campamento en Mizpá.[a] 18 Y la gente y los príncipes de Galaad empezaron a decirse unos a otros: "¿Quién es el hombre que llevará la delantera en pelear contra los hijos de Ammón?[b] Llegue a ser él cabeza de todos los habitantes de Galaad".[c]

CAP. 9
a Jue 9:45
b Jue 9:20
c Jue 9:7
d Jue 6:32
  Jue 7:1
  Jue 8:35

CAP. 10
e Jue 2:16
f Jos 17:15
g Gé 31:48
  Nú 32:29
h Jue 5:10
  Jue 12:14
i Dt 3:14
j Dt 28:15
  Jue 2:11
  Jue 2:19
  Jue 4:1
  Jue 6:1
  Ne 9:28
k Jue 3:7
  Sl 106:36
l Dt 27:15
  Jue 2:13
  1Sa 7:3
m Jue 2:12
  2Cr 28:23
  1Re 11:33
  Jue 16:31
o Nú 25:2
  Rut 1:15
  2Re 23:13
p 1Re 11:5
q Jue 16:23
  1Sa 5:4
  2Re 1:2
r Dt 32:18
  2Cr 15:2
s Le 26:18
  Dt 31:17
  Jue 2:14
  Dt 28:48
  Jue 4:2
  Sl 44:12
u 1Sa 12:9
v Nú 33:56
  Jue 3:13

2.ª col.
a Dt 28:25
  2Cr 15:6
b Dt 4:30
  Jue 2:18
  Sl 106:44
  Sl 107:13
c 1Sa 12:10
d Jue 2:13
  Jue 4:3
e Éx 14:30
  1Sa 12:8
  Sl 78:51
  Heb 11:29
f Nú 21:25
  Sl 135:11
g Jue 3:13
h Jue 3:31
i Jue 3:3
j Jue 5:19
k Jue 6:1
  Sl 106:42
m Nú 32:15
  2Cr 15:2
n Jue 2:12
o Lam 3:4
  Miq 3:4
p Sl 115:6
  Isa 45:20
  Isa 46:7

q Dt 32:37; 1Re 18:27; Jer 2:28; r 1Re 8:46; Jer 3:25; s 1Sa 3:18; 1Sa 12:10; 2Sa 15:26; t Dt 4:29; Jue 10:8; u Dt 7:26; 2Cr 7:14; 2Cr 15:8; 2Cr 33:15; v Éx 20:2; Jer 18:8; w Le 26:11; 1Sa 1:14; Isa 42:1; x 2Cr 33:13; Sl 106:44; Isa 63:9; Jer 31:20; y Gé 19:38; Jue 3:13; Jue 10:7; z Gé 31:21; Nú 32:29; a Jue 11:29; b Jue 11:1; c Jue 11:11; Jue 12:7.

11 Ahora bien, Jefté[a] el galaadita[b] se había hecho hombre poderoso y valiente,[c] y era hijo de una prostituta,[d] y Galaad había llegado a ser padre de Jefté. 2 Y la esposa de Galaad siguió dándole hijos. Cuando los hijos de la esposa se desarrollaron, procedieron a expulsar a Jefté y a decirle: "No debes tener herencia en la casa de nuestro padre,[e] porque eres hijo de otra mujer". 3 De modo que Jefté huyó a causa de sus hermanos y se puso a morar en la tierra de Tob.[f] Y siguieron juntándose a Jefté hombres ociosos, y salían con él.[g]

4 Y después de una temporada aconteció que los hijos de Ammón empezaron a pelear contra Israel.[h] 5 Y aconteció que cuando los hijos de Ammón efectivamente pelearon contra Israel,[i] los ancianos de Galaad fueron inmediatamente a sacar a Jefté de la tierra de Tob.[j] 6 Entonces dijeron a Jefté: "Ven, sí, y sirve como comandante nuestro, y peleemos contra los hijos de Ammón". 7 Pero Jefté dijo a los ancianos[k] de Galaad: "¿No fueron ustedes los que me odiaron, de modo que me expulsaron de la casa de mi padre?[l] ¿Y por qué han venido a mí ahora justamente cuando están en angustia?".[m] 8 Ante esto, los ancianos de Galaad dijeron a Jefté: "Por eso ahora nos hemos vuelto[n] a ti, y tienes que ir con nosotros y pelear contra los hijos de Ammón, y tienes que llegar a ser para nosotros cabeza de todos los habitantes de Galaad".[o] 9 De modo que Jefté dijo a los ancianos de Galaad: "Si me están llevando de vuelta para pelear contra los hijos de Ammón, y Jehová de veras los abandona[p] en mi mano, ¡yo, por mi parte, llegaré a ser cabeza de ustedes!". 10 A su vez, los ancianos de Galaad dijeron a Jefté: "Resulte Jehová ser el oidor entre nosotros[a] si la manera en que lo hiciéramos no fuera conforme a tu palabra".[b] 11 En consecuencia, Jefté fue con los ancianos de Galaad, y el pueblo lo puso sobre sí como cabeza y comandante.[c] Y Jefté procedió a hablar todas sus palabras delante de Jehová[d] en Mizpá.[e]

12 Entonces Jefté envió mensajeros al rey de los hijos de Ammón,[f] y dijo: "¿Qué tengo que ver contigo,[g] para que hayas venido contra mí para pelear en mi tierra?". 13 De modo que el rey de los hijos de Ammón dijo a los mensajeros de Jefté: "Se debe a que Israel tomó mi tierra cuando subió de Egipto,[h] desde el Arnón[i] hasta el Jaboq y hasta el Jordán.[j] Y ahora, en efecto, devuélvela pacíficamente". 14 Pero Jefté volvió a enviar mensajeros al rey de los hijos de Ammón 15 y le dijo:

"Esto es lo que ha dicho Jefté: 'Israel no tomó la tierra de Moab[k] ni la tierra de los hijos de Ammón.[l] 16 Porque cuando subió de Egipto, Israel fue andando por el desierto hasta el mar Rojo[m] y logró llegar a Qadés.[n] 17 Entonces Israel envió mensajeros al rey de Edom,[o] diciendo: "Déjame pasar, por favor, por tu tierra", y el rey de Edom no escuchó. Y también al rey de Moab[p] envió, y él no consintió. E Israel continuó morando en Qadés.[q] 18 Cuando siguieron andando por el desierto, dieron la vuelta a la tierra de Edom[r] y a la tierra de Moab de modo que marcharon en dirección al nacimiento del sol, en lo que toca a la tierra de Moab,[s] y se pusieron a acampar en la región de Arnón; y no pasaron dentro del límite de Moab,[t] porque Arnón era el límite de Moab.[u]

19 "'Después de eso Israel envió mensajeros a Sehón el rey de los amorreos, el rey de Hesbón,[v] y le dijo Israel: "Déjanos pasar, por favor, por tu tierra a mi pro-

---

CAP. 11

a 1Sa 12:11
  Heb 11:32
b Jue 12:7
c Jue 6:12
  2Re 5:1
d 2Sa 2:1
  1Co 6:11
e Gé 21:10
  Dt 21:15
f Jue 11:5
g 1Sa 22:2
h Jue 10:17
i Jue 10:9
j Jue 11:3
k Jos 20:4
  Jue 8:14
l Gé 26:27
  Dt 21:17
  Jue 11:2
m Pr 17:17
n Lu 17:4
o Jue 10:18
p Dt 7:23
  Sl 44:3
  Pr 3:6

2.ª col.

a Gé 31:50
  1Sa 12:5
  Jer 42:5
b Ex 20:7
  Le 19:12
c Jue 11:8
d Jue 6:13
e Jue 10:17
  Jue 11:34
f Gé 19:38
  Jue 10:17
g Jos 22:24
  2Sa 16:10
h Nú 21:24
  Pr 19:5
i Nú 21:26
j Dt 3:16
  Dt 3:17
k Gé 19:37
  Dt 2:9
l Dt 2:19
  Dt 2:37
  2Cr 20:10
m Nú 14:25
  Dt 1:40
n Gé 16:14
  Nú 20:1
o Gé 36:1
  Nú 20:14
  Dt 2:4
p Gé 19:37
  Dt 2:9
q Nú 20:22
r Nú 21:4
s Nú 21:11
t Nú 21:13
u Nú 22:36
v Nú 21:21
  Dt 2:26
  Jos 13:10

pio lugar".[a] 20 Y Sehón no se sintió seguro acerca de que Israel cruzara por su territorio, y Sehón se puso a reunir a todo su pueblo y a acampar en Jáhaz[b] y a pelear contra Israel.[c] 21 Ante esto, Jehová el Dios de Israel dio a Sehón y todo su pueblo en mano de Israel, de manera que ellos los hirieron, e Israel tomó posesión de toda la tierra de los amorreos que habitaban aquella tierra.[d] 22 Así tomaron posesión de todo el territorio de los amorreos desde el Arnón hasta el Jaboq y desde el desierto hasta el Jordán.[e]

23 "'Y ahora Jehová el Dios de Israel fue quien desposeyó a los amorreos de delante de su pueblo Israel,[f] y tú, por tu parte, quisieras desposeerlos. 24 ¿Acaso no es a cualquiera a quien Kemós[g] tu dios te hace desposeer que tú desposees? Y todo aquel a quien Jehová nuestro Dios ha desposeído de delante de nosotros es al que nosotros desposeeremos.[h] 25 Y ahora, ¿eres tú mejor de manera alguna que Balac hijo de Zipor, el rey de Moab? ¿Contendió él alguna vez con Israel, o peleó alguna vez contra ellos? 26 Mientras Israel estaba morando en Hesbón y sus pueblos dependientes,[j] y en Aroer[k] y sus pueblos dependientes, y en todas las ciudades que están junto a las márgenes del Arnón por trescientos años, ¿por qué, pues, nunca los arrebataron durante aquel tiempo?[l] 27 En cuanto a mí, yo no he pecado contra ti, pero tú estás tratando mal conmigo al pelear contra mí. Que Jehová el Juez[m] juzgue hoy entre los hijos de Israel y los hijos de Ammón'".

28 Y el rey de los hijos de Ammón no escuchó las palabras de Jefté que este le había enviado.[n]

29 El espíritu de Jehová ahora vino sobre Jefté,[o] y él procedió a pasar por Galaad y Manasés, y a pasar por Mizpé de Galaad,[p] y

desde Mizpé de Galaad pasó adelante a donde los hijos de Ammón.

30 Entonces Jefté hizo un voto[a] a Jehová y dijo: "Si tú sin falta das a los hijos de Ammón en mi mano, 31 entonces tiene que suceder que el que venga saliendo, que salga de las puertas de mi casa a mi encuentro cuando yo vuelva en paz[b] de los hijos de Ammón, tiene que llegar a ser entonces de Jehová,[c] y tengo que ofrecer a ese como ofrenda quemada".[d]

32 De modo que Jefté pasó adelante a donde los hijos de Ammón para pelear contra ellos, y Jehová procedió a darlos en su mano. 33 Y fue hiriéndolos desde Aroer por todo el camino hasta Minit[e] —veinte ciudades— y hasta Abel-keramim con una matanza sumamente grande. Así fueron sojuzgados los hijos de Ammón delante de los hijos de Israel.

34 Por fin Jefté vino a Mizpá,[f] a su casa, y, ¡mire!, ¡su hija salía a su encuentro con toque de panderetas y baile![g] Ahora bien, ella era absolutamente la única hija. Además de ella, él no tenía ni hijo ni hija. 35 Y aconteció que, cuando él alcanzó a verla, empezó a rasgar sus prendas de vestir[h] y a decir: "¡Ay, hija mía! Realmente has hecho que me doble, y tú misma has llegado a ser la que yo estuve obligando a extrañamiento. Y yo... yo he abierto mi boca a Jehová, y no puedo volverme atrás".[i]

36 Pero ella le dijo: "Padre mío, si has abierto tu boca a Jehová, haz conmigo conforme a lo que ha salido de tu boca,[j] puesto que Jehová ha ejecutado para ti actos de venganza sobre tus enemigos, los hijos de Ammón".[i] 37 Y pasó a decir a su padre: "Que se me haga esta cosa: Déjame por dos meses, y deja que me vaya, y ciertamente descenderé

CAP. 11
a Nú 21:22
    Dt 2:27
b Dt 2:32
c Nú 21:23
    Dt 2:33
    Jos 13:15
    Jos 13:21
    Sl 135:11
d Dt 2:36
    Jos 12:2
f Nú 21:26
    Ne 9:22
g Nú 21:29
    1Re 11:7
    Jer 48:7
h Ex 23:28
    Ex 34:11
    Nú 33:53
    Dt 7:16
    Dt 9:5
    Dt 18:12
    2Cr 20:7
i Nú 22:2
    Dt 23:3
    Jos 24:9
j Nú 21:25
    Dt 2:24
    Dt 3:2
    Dt 12:2
    Jos 13:10
k Dt 2:36
    Dt 3:12
l Nú 21:26
m Gé 18:25
    1Sa 24:15
    Isa 33:22
n Jue 11:14
o Jue 3:10
    Zac 4:6
p Jue 10:17

2.ª col.
a Gé 28:20
    Nú 30:2
    Dt 23:21
    1Sa 1:11
    Ec 5:4
b Gé 28:21
    Jos 10:21
c Jue 13:5
    1Sa 1:11
    1Sa 1:22
d Dt 18:10
    1Sa 1:24
    1Sa 1:28
    Sl 66:13
    Jer 7:31
e Eze 27:17
f Jue 10:17
    Jue 11:11
g Éx 15:20
    1Sa 18:6
    Sl 68:25
h Gé 37:34
i Gé 44:2
    Sl 76:11
    Mt 5:33
j Jue 11:30
    Jue 11:31
    Ef 6:1
    Col 3:20

sobre las montañas, y déjame llorar mi virginidad,[a] yo y mis compañeras".

38 Ante esto, él dijo: "¡Ve!". De modo que la envió por dos meses; y ella siguió yendo, ella con sus compañeras, y llorando su virginidad sobre las montañas. 39 Y al cabo de dos meses aconteció que vino de regreso a su padre, después de lo cual él llevó a cabo su voto que había hecho tocante a ella.[b] En cuanto a ella, nunca tuvo relaciones [sexuales] con ningún hombre. Y vino a ser disposición reglamentaria en Israel: 40 De año en año las hijas de Israel iban a dar encomio a la hija de Jefté el galaadita, cuatro días en el año.[c]

12 Entonces los hombres de Efraín fueron convocados, y cruzaron hacia el norte y dijeron a Jefté: "¿Por qué cruzaste para pelear contra los hijos de Ammón, y a nosotros no nos hiciste una llamada para ir contigo?[d] A tu misma casa la quemaremos sobre ti con fuego".[e] 2 Pero Jefté les dijo: "Yo llegué a ser contendiente especial, yo y mi pueblo, con los hijos de Ammón.[f] Y procedí a clamar a ustedes por socorro, y ustedes no me salvaron de la mano de ellos. 3 Cuando llegué a ver que no eras salvador, entonces me decidí a poner mi alma en la palma de mi propia mano[g] y pasar contra los hijos de Ammón.[h] Ante esto, Jehová los dio en mi mano. ¿Por qué, pues, han subido ustedes contra mí el día de hoy para pelear contra mí?".

4 Inmediatamente juntó Jefté a todos los hombres de Galaad[i] y peleó contra Efraín; y los hombres de Galaad se pusieron a derribar a Efraín, porque estos habían dicho: "Hombres escapados de Efraín es lo que son ustedes, oh Galaad, dentro de Efraín, dentro de Manasés". 5 Y Galaad logró tomar los vados del

Jordán[a] antes que Efraín; y sucedió que cuando los hombres de Efraín que iban escapando decían: "Déjame pasar", entonces los hombres de Galaad decían a cada uno: "¿Eres efraimita?". Cuando decía: "¡No!", 6 entonces le decían: "Por favor, di Schibolet".[b] Y él decía: "Sibolet", puesto que no podía decir la palabra correctamente. Y le echaban mano y lo mataban junto a los vados del Jordán. De modo que cayeron en aquel tiempo cuarenta y dos mil de Efraín.[c]

7 Y Jefté continuó juzgando a Israel por seis años, después de lo cual Jefté el galaadita murió y fue enterrado en su ciudad, en Galaad.

8 E Ibzán de Belén[d] empezó a juzgar a Israel después de él.[e] 9 Y llegó a tener treinta hijos y treinta hijas. Él envió fuera e hizo traer de afuera treinta hijas para sus hijos. Y continuó juzgando a Israel por siete años. 10 Entonces murió Ibzán y fue enterrado en Belén.

11 Y después de él Elón el zabulonita[f] empezó a juzgar a Israel. Y continuó juzgando a Israel diez años. 12 Entonces murió Elón el zabulonita y fue enterrado en Ayalón, en la tierra de Zabulón.

13 Y después de él Abdón hijo de Hilel el piratonita[g] empezó a juzgar a Israel.   14 Y llegó a tener cuarenta hijos y treinta nietos que cabalgaban en setenta asnos[h] adultos. Y continuó juzgando a Israel ocho años. 15 Entonces Abdón hijo de Hilel el piratonita murió y fue enterrado en Piratón, en la tierra de Efraín, en la montaña del amalequita.[i]

13 Y los hijos de Israel se dieron de nuevo a hacer lo que era malo a los ojos de Jehová,[j] de modo que Jehová los dio en mano de los filisteos[k] por cuarenta años.

CAP. 11
a Gé 24:16
Gé 30:23
Rut 4:14
b 1Sa 1:22
1Sa 1:24
c 1Co 7:34
1Co 7:37

CAP. 12
d Jue 8:1
Pr 8:13
Pr 16:18
Snt 3:16
e Jue 14:15
Jue 15:6
2Cr 25:10
f Jue 11:6
Jue 11:9
g Jue 9:17
1Sa 19:5
1Sa 28:21
2Sa 23:17
Job 13:14
Sl 119:109
h Jue 11:29
i Dt 3:12
Dt 3:13

2.ª col.
a Jos 2:7
Jue 3:28
Jue 7:24
b Mt 26:73
c Pr 16:5
Pr 17:19
Ec 10:12
d Jos 19:10
Jos 19:15
e Jue 2:16
f Gé 30:20
Jos 19:10
Jue 5:14
g Jue 12:15
2Sa 23:30
1Cr 27:14
h Jue 5:10
Jue 10:4
i Gé 36:12
Éx 17:16
Nú 13:29
1Sa 15:2

CAP. 13
j Jue 2:11
Jue 2:19
Jue 10:6
k Éx 13:17
Jos 13:2
Jos 13:3
Jue 10:7
1Sa 12:9

2 Entretanto, hubo cierto hombre de Zorá,[a] de la familia de los danitas,[b] y su nombre era Manóah.[c] Y su esposa era estéril y no había dado a luz hijo alguno.[d] 3 Con el tiempo el ángel de Jehová se apareció a la mujer[e] y le dijo: "Mira esto ahora: eres estéril y no has dado a luz hijo alguno. Y ciertamente llegarás a estar encinta y darás a luz un hijo.[f] 4 Y ahora cuídate, por favor, y no bebas vino ni licor embriagante,[g] y no comas nada inmundo.[h] 5 Porque, ¡mira!, estarás encinta y ciertamente darás a luz un hijo, y no debe venir navaja sobre su cabeza,[i] porque nazareo[j] de Dios es lo que el niño llegará a ser desde que salga del vientre;[k] y él es quien llevará la delantera en salvar a Israel de la mano de los filisteos".[l]

6 Entonces la mujer fue y dijo a su esposo: "Hubo un hombre del Dios [verdadero] que vino a mí, y su apariencia era como la apariencia del ángel del Dios [verdadero],[m] muy inspiradora de temor.[n] Y no le pregunté precisamente de dónde era, ni él me informó su nombre.[o] 7 Pero me dijo: ¡Mira! Estarás encinta y ciertamente darás a luz un hijo. Y ahora no bebas vino ni licor embriagante, y no comas ninguna cosa inmunda, porque nazareo de Dios es lo que el niño llegará a ser desde que salga del vientre hasta el día de su muerte' ".[q]

8 Y Manóah se puso a rogar a Jehová y a decir: "Dispénsame, Jehová.[r] El hombre del Dios [verdadero] que acabas de enviar, déjalo venir otra vez a nosotros, y que nos instruya[s] en cuanto a lo que debemos hacer al niño que nacerá".[t] 9 Por consiguiente, el Dios [verdadero] escuchó la voz de Manóah,[u] y el ángel del Dios [verdadero] vino otra vez a la mujer mientras ella estaba sen-

tada en el campo, y Manóah su esposo no estaba con ella. 10 La mujer inmediatamente se apresuró y corrió y lo informó a su esposo[a] y le dijo: "¡Mira! El hombre que vino a mí el otro día se me ha aparecido".[b]

11 Ante esto, Manóah se levantó y acompañó a su esposa y vino al hombre y le dijo: "¿Eres tú el hombre que habló a la mujer?",[c] a lo cual él dijo: "Yo soy". 12 Entonces dijo Manóah: "Ahora que se realicen tus palabras. ¿Cuál llegará a ser el modo de vivir del niño, y su trabajo?".[d] 13 De modo que el ángel de Jehová dijo a Manóah: "De todo lo que mencioné a la mujer ella debe guardarse.[e] 14 Absolutamente nada que proceda de la enredadera del vino debe comer ella, y que no beba vino ni licor embriagante,[f] y que no coma cosa inmunda de clase alguna.[g] Todo lo que le he mandado a ella, que lo guarde".[h]

15 Manóah ahora dijo al ángel de Jehová: "Permítenos, por favor, detenerte y aderezar un cabrito de las cabras delante de ti".[i] 16 Pero el ángel de Jehová dijo a Manóah: "Si me detienes, no me alimentaré de tu pan; pero si quieres ofrecer una ofrenda quemada a Jehová,[j] puedes ofrecerla". Pues Manóah no sabía que era el ángel de Jehová. 17 Entonces Manóah dijo al ángel de Jehová: "¿Cuál es tu nombre,[k] para que cuando se realice tu palabra ciertamente te honremos?".   18 Sin embargo, el ángel de Jehová le dijo: "¿Precisamente por qué debes preguntar acerca de mi nombre, cuando es [nombre] maravilloso?".

19 Y Manóah procedió a tomar el cabrito de las cabras y la ofrenda de grano y a ofrecerlo sobre la roca a Jehová.[l] Y Él estaba haciendo algo de manera maravillosa mientras Manóah y su esposa estaban mirando. 20 Aconteció, pues, que al as-

CAP. 13
a Jos 15:33
  Jos 19:41
  2Cr 11:10
b Gé 49:16
  Dt 33:22
  Jos 19:40
c Jue 16:31
d Gé 16:1
  Gé 25:21
  Lu 1:7
e Gé 16:7
  Lu 1:11
f Gé 18:10
  1Sa 1:20
  2Re 4:16
  Lu 1:13
g Nú 6:3
  Lu 1:15
h Le 11:27
  Le 11:47
i Nú 6:5
  1Sa 1:11
j Nú 6:2
  Jue 16:17
k Lu 1:15
l Jue 2:16
  Jue 13:1
  Ne 9:27
m Mt 28:3
  Hch 6:15
n Gé 28:17
  Éx 3:6
  Da 8:17
o Gé 32:29
  Jue 13:17
  Jue 13:18
p Jue 13:3
q Jue 13:4
r Éx 4:10
  Jue 6:15
s Pr 16:20
t Dt 4:9
  Dt 6:7
u Sl 65:2
  Sl 66:19

2.ª col.

a 1Co 11:3
  Ef 5:24
  1Pe 3:5
b Jue 13:3
c Jue 13:5
d Gé 18:19
  Jue 13:8
  Pr 22:6
  Ef 6:4
e Jue 13:4
f Nú 6:3
g Le 11:27
  Le 11:47
h Dt 12:32
i Gé 18:5
  Gé 18:7
  Jue 6:18
  Heb 13:2
j Gé 6:26
k Gé 32:29
  Jue 13:6
l Jue 6:20

cender la llama de sobre el altar hacia el cielo, entonces el ángel de Jehová ascendió en la llama del altar mientras Manóah y su esposa estaban mirando.[a] En seguida cayeron a tierra sobre sus rostros.[b]   21 Y el ángel de Jehová ya no repitió el aparecerse a Manóah y su esposa. Entonces fue cuando Manóah supo que había sido el ángel de Jehová.[c] 22 En consecuencia, Manóah dijo a su esposa: "Positivamente moriremos,[d] porque es a Dios a quien hemos visto".[e]   23 Pero su esposa le dijo: "Si Jehová se hubiera deleitado solo en hacernos morir, no habría aceptado de nuestra mano una ofrenda quemada y ofrenda de grano,[f] y no nos habría mostrado todas estas cosas, y no nos habría dejado oír como ahora cosa semejante a esta".[g]

24 Más tarde la mujer dio a luz un hijo y lo llamó por nombre Sansón;[h] y el muchacho siguió creciendo, y Jehová continuó bendiciéndolo.[i] 25 Con el tiempo, el espíritu de Jehová[j] comenzó a impelerlo en Mahané-dan,[k] entre Zorá y Estaol.[m]

14 Entonces bajó Sansón a Timnah[n] y vio en Timnah a una mujer de las hijas de los filisteos.   2 De modo que subió e informó a su padre y a su madre y dijo: "Hay una mujer que he visto en Timnah, de las hijas de los filisteos, y ahora consíganmela por esposa".[o] 3 Pero su padre y su madre le dijeron: "¿No hay entre las hijas de tus hermanos y entre todo mi pueblo una mujer,[p] para que vayas a tomar esposa de los incircuncisos filisteos?".[q] Sin embargo, Sansón dijo a su padre: "Consígueme sólo a ella, porque ella es la que a mis ojos es precisamente apropiada".   4 En cuanto a su padre y su madre, no sabían que aquello era de Jehová,[r] que

él estaba buscando ocasión contra los filisteos, puesto que en aquel tiempo en particular los filisteos estaban gobernando sobre Israel.[a]

5 Por consiguiente, Sansón bajó con su padre y su madre a Timnah.[b] Cuando llegó hasta las viñas de Timnah, pues, ¡mire!, un leoncillo crinado que venía rugiendo a su encuentro. 6 Entonces el espíritu de Jehová entró en operación sobre él,[c] de modo que él desgarró [al león] en dos, tal como uno desgarra un cabrito en dos, y no había absolutamente nada en su mano. Y él no informó a su padre ni a su madre lo que había hecho.   7 Y continuó bajando y se puso a hablar a la mujer; y todavía era apropiada a los ojos de Sansón.[d] 8 Ahora bien, después de algún tiempo volvió para llevarla a casa.[e] Entretanto, se desvió para mirar el cadáver del león, y sucedió que había un enjambre de abejas en el cuerpo muerto del león, y miel.[f]   9 De modo que la raspó de allí a las palmas de sus manos y siguió andando, comiendo mientras andaba.[g] Cuando volvió a unirse a su padre y su madre, en seguida les dio parte, y ellos empezaron a comer. Y no les informó que había sido del cuerpo muerto del león que había raspado la miel.

10 Y su padre continuó bajando a donde estaba la mujer, y Sansón procedió a celebrar un banquete allí;[h] porque de esa manera solían hacer los jóvenes. 11 Y aconteció que, al verlo, inmediatamente tomaron treinta compañeros de boda, para que estuvieran con él.   12 Entonces les dijo Sansón: "Permítaseme, por favor, proponerles un enigma.[i] Si ustedes sin falta me lo declaran durante los siete días[j] del banquete y de veras lo resuelven, yo, en tal caso, tendré que darles treinta pren-

CAP. 13

a Hch 1:9
b Gé 17:3
  1Cr 21:16
  Mt 17:6
c Jue 6:22
d Jue 6:23
e Gé 16:7
  Gé 16:13
  Gé 32:24
  Gé 32:30
  Éx 33:20
  Jn 1:18
f Gé 4:4
g Sl 25:14
  Pr 3:32
h Heb 11:32
i 1Sa 3:19
  Lu 1:80
  Lu 2:52
j Jue 3:10
  Jue 6:34
  Jue 11:29
  1Sa 11:6
  Mt 4:1
k Jue 18:12
m Jue 18:11
m Jos 15:33

CAP. 14

n Jos 15:10
  Jos 19:43
o Gé 21:21
  Gé 34:4
  Gé 38:6
p Éx 34:16
  Dt 7:3
  Ne 13:27
  1Co 7:39
q Gé 34:14
  1Sa 14:6
  1Sa 17:26
  1Sa 31:4
  2Sa 1:20
r Jos 11:20
  1Re 12:15

2.ª col.

a Dt 28:48
  Jue 13:1
  Jue 15:11
b Jue 14:1
c Jue 13:25
  Zac 4:6
d Jue 14:2
e Gé 24:67
  Mt 1:24
f Gé 43:11
  Éx 3:8
  Dt 32:13
  Pr 24:13
  Mt 3:4
g 1Sa 14:27
  Pr 25:16
h Gé 29:22
  Mt 22:4
i Sl 49:4
  Sl 78:2
  Pr 1:6
  Eze 17:2
j Gé 29:27

das de vestir interiores y treinta conjuntos de vestidos.[a] 13 Pero si no pueden declarármelo, entonces ustedes mismos tienen que darme treinta prendas de vestir interiores y treinta conjuntos de vestidos". Ante esto, le dijeron: "Propón tu enigma, sí, y que nosotros lo oigamos". 14 De modo que les dijo:

"Del que come[b] salió algo de comer,
y del fuerte salió algo dulce".[c]

Y por tres días resultaron incapaces de declarar el enigma. 15 Y al cuarto día aconteció que empezaron a decir a la esposa de Sansón: "Embauca a tu esposo para que nos declare el enigma.[d] De otro modo lo quemaremos con fuego a ti y a la casa de tu padre.[e] ¿Fue para tomar nuestras posesiones[f] que ustedes nos invitaron acá?". 16 Por consiguiente, la esposa de Sansón empezó a llorarle encima[g] y a decir: "Solamente me odias, sí, y no me amas.[h] Hubo un enigma que propusiste a los hijos de mi pueblo,[i] pero a mí no me lo has declarado". Ante esto, él le dijo: "¡Si a mi propio padre y a mi propia madre no se lo he declarado,[j] ¿y acaso debo declarártelo a ti?". 17 Pero ella siguió llorándole encima los siete días que continuó el banquete para ellos, y al séptimo día aconteció que por fin él se lo declaró, porque ella lo había apremiado.[k] Entonces ella declaró el enigma a los hijos de su pueblo.[l] 18 De modo que los hombres de la ciudad le dijeron al séptimo día, aun antes que él pudiera entrar en el cuarto interior:[m]

"¿Qué es más dulce que la miel,
y qué es más fuerte que un león?".[n]

A su vez, él les dijo:

"Si no hubieran arado con mi ternera,[o]

no habrían resuelto mi enigma".[a]

19 Y el espíritu de Jehová entró en operación sobre él,[b] de manera que él bajó a Asquelón[c] y derribó a treinta de los hombres de ellos y tomó lo que despojó de ellos y dio los vestidos a los que habían declarado el enigma.[d] Y su cólera continuó ardiendo, y él subió a la casa de su padre.

20 Y la esposa[e] de Sansón vino a pertenecer a un compañero de boda[f] suyo que se había asociado con él.

15 Y después de algún tiempo, en los días de la siega del trigo, aconteció que Sansón se fue a visitar a su esposa con un cabrito[g] de las cabras. De modo que dijo: "Ciertamente entraré a donde mi esposa en el cuarto interior".[h] Y el padre de ella no le permitió entrar. 2 Antes bien, el padre de ella dijo: "Realmente dije para mí: 'Indisputablemente debes odiarla'.[i] Por lo tanto se la di a tu compañero de boda.[j] ¿Acaso no es su hermana menor mejor que ella? Que ella, por favor, llegue a ser tuya en lugar de la otra". 3 Sin embargo, Sansón les dijo: "Esta vez tengo que estar libre de culpa contra los filisteos, en caso de que esté tratando con ellos para su perjuicio".[k]

4 Y Sansón se puso en marcha y procedió a atrapar trescientas zorras[l] y a tomar antorchas y a volver cola contra cola y a poner una antorcha entre dos colas, justamente en medio. 5 Tras aquello prendió fuego a las antorchas y envió [las zorras] a los campos de grano en pie de los filisteos. Así incendió todo, desde hacina hasta grano en pie, y las viñas y los olivares.[m]

6 Y los filisteos empezaron a decir: "¿Quién hizo esto?". Entonces dijeron: "Fue Sansón el yerno del timnita, porque este tomó su esposa y entonces se la

CAP. 14
a Gé 45:22
Jue 14:19
2Re 5:5
2Re 5:22
b Jue 14:8
c Jue 14:9
d Jue 16:5
e Jue 12:1
Jue 15:6
f Pr 28:20
g Pr 27:15
h Jue 16:15
i Jue 14:14
j Jue 14:9
k Jue 16:16
Pr 19:13
Pr 21:19
Lu 11:8
l Jue 16:18
Pr 6:18
Pr 25:9
m Jue 15:1
n Jue 14:14
o Jue 14:15

2.ª col.

a Jue 14:14
b Jue 13:25
Jue 14:6
Jue 15:14
1Co 12:4
c Jos 13:3
Jue 1:18
Jer 47:5
d Jue 14:13
e Jue 14:2
f Jue 14:11
Jue 15:2

CAP. 15
g Gé 38:17
1Sa 16:20
Lu 15:29
h Jue 14:18
i Jue 14:17
j Jue 14:11
Jue 14:20
k Jue 14:18
Jue 15:5
1 Can 2:15
Lam 5:18
m 2Sa 14:30

dio a su compañero de boda".[a] Ante esto, los filisteos subieron y los quemaron con fuego a ella y a su padre.[b] 7 A su vez, Sansón les dijo: "Si hacen así, lo único que puedo hacer es vengarme de ustedes,[c] y después cesaré". 8 Y se puso a golpearlos, [amontonando] piernas sobre muslos con gran matanza, después de lo cual bajó y empezó a morar en una hendidura del peñasco Etam.[d]

9 Más tarde los filisteos[e] subieron y acamparon en Judá[f] y se pusieron a andar a paso fuerte por toda Lehí.[g] 10 Entonces los hombres de Judá dijeron: "¿Por qué han subido contra nosotros?", a lo cual dijeron ellos: "Para atar a Sansón hemos subido, para hacerle tal como nos ha hecho a nosotros". 11 De modo que tres mil hombres de Judá descendieron a la hendidura del peñasco Etam[h] y dijeron a Sansón: "¿No sabes que los filisteos están gobernando sobre nosotros?[i] Entonces, ¿qué significa esto que nos has hecho?". Él entonces les dijo: "Tal como me hicieron a mí, así les he hecho a ellos".[j] 12 Pero ellos le dijeron: "Para atarte hemos descendido, para darte en la mano de los filisteos". Ante eso, les dijo Sansón: "Júrenme que ustedes mismos no me acometerán". 13 Y ellos pasaron a decirle: "No, sino que simplemente te ataremos, y ciertamente te daremos en su mano; pero de ninguna manera te daremos muerte".

Por consiguiente, lo ataron con dos sogas nuevas[k] y lo hicieron subir del peñasco. 14 Él, por su parte, vino hasta Lehí, y los filisteos, por su parte, gritaron alborozadamente al encontrarse con él.[l] Y el espíritu de Jehová[m] entró en operación sobre él, y las sogas que estaban sobre sus brazos vinieron a ser como hilos de lino que han sido

chamuscados por el fuego,[a] de modo que sus grilletes se derritieron de sobre sus manos. 15 Ahora halló una quijada húmeda de asno, y alargó la mano y la tomó, y con ella fue derribando a mil hombres.[b] 16 Entonces dijo Sansón:

"¡Con la quijada de un asno...
    un montón, dos montones!

Con la quijada de un asno
    he derribado a mil hombres".[c]

17 Y aconteció que, cuando acabó de hablar, arrojó inmediatamente la quijada de su mano y llamó aquel lugar Ramat-lehí.[d] 18 Ahora le dio mucha sed, y se puso a invocar a Jehová y a decir: "Tú fuiste el que dio esta gran salvación en mano de tu siervo,[e] y ahora moriré de sed, y tendré que caer en la mano de los incircuncisos?".[f] 19 De modo que Dios partió un hueco que había en forma de mortero en Lehí, y de él empezó a salir agua,[g] y de él procedió a beber, después de lo cual su espíritu[h] volvió y él revivió.[i] Por eso lo llamó por nombre En-haqore, que está en Lehí hasta el día de hoy.

20 Y continuó juzgando a Israel, en los días de los filisteos, veinte años.[j]

16 Una vez Sansón fue a Gaza[k] y vio allí a una prostituta y vino a ella.[l] 2 Y se dio informe a los gazeos, y se dijo: "Sansón ha entrado acá". De modo que lo cercaron[m] y lo acecharon toda la noche en la puerta de la ciudad.[n] Y se quedaron quietos toda la noche, diciendo: "En cuanto raye el alba, entonces tenemos que matarlo".[o]

3 Sin embargo, Sansón se quedó acostado hasta la medianoche, y entonces se levantó a la medianoche y agarró las hojas de la puerta[p] de la ciudad y los dos postes de los lados y los arrancó junto con la barra, y se

CAP. 15

a Jue 14:11
  Jue 14:20
  Jue 15:2
b Dt 9:5
  Jue 12:1
  Jue 14:15
  Pr 22:8
c Gé 9:6
  Nú 35:16
  Jue 14:4
d Jue 15:11
e Jos 13:2
  Jue 14:4
f Jue 15:20
g Jue 15:17
  Jue 15:19
  2Sa 23:11
h Jue 15:8
i Dt 28:48
  Jue 13:1
  Jue 14:4
  Sl 106:41
j Le 24:17
  Jue 1:7
  Jue 15:7
k Jue 16:11
l Ec 7:8
  Miq 7:8
m Jue 13:25
  Jue 14:6
  Zac 4:6

2.ª col.

a Jue 16:9
  Jue 16:12
b Le 26:8
  Jos 23:10
  1Sa 14:6
c Jue 16:30
d Jue 15:9
e Sl 3:7
  Sl 18:31
  Sl 44:3
f Jue 14:3
  1Sa 17:26
  2Sa 1:20
g Gé 21:19
  Éx 17:6
  Mt 19:26
h Gé 45:27
  1Sa 30:12
  Isa 40:29
i Sl 34:6
  Sl 120:1
j Gé 49:16
  Jue 2:16
  Jue 13:1
  Jue 13:5
  Jue 16:31
  Ne 9:27
  Heb 11:32

CAP. 16

k Jos 13:3
  Jos 15:47
l Jos 2:1
  Jue 14:4
m Sl 118:11
n Hch 9:24
  2Co 11:32
o Jue 15:10
p Gé 22:17
  Gé 24:60

los echó sobre los hombros y los llevó[a] arriba a la cima de la montaña que está enfrente de Hebrón.[b]

4 Y después de eso aconteció que él se enamoró de una mujer en el valle torrencial de Soreq, y su nombre era Dalila.[c] 5 Y los señores del eje[d] de los filisteos procedieron a subir a donde ella y a decirle: "Embáucalo[e] y ve en qué está su gran poder y con qué podremos prevalecer contra él y con qué podemos estar seguros de atarlo para dominarlo; y nosotros, por nuestra parte, te daremos cada uno mil cien piezas de plata".[f]

6 Más tarde Dalila dijo a Sansón: "Declárame, sí, por favor: ¿En qué está tu gran poder y con qué se te puede atar para dominarte?".[g] 7 Entonces Sansón le dijo: "Si me atan con siete tendones[h] todavía húmedos, que no se hayan secado, entonces tendré que debilitarme y llegar a ser como un hombre cualquiera". 8 Así que los señores del eje[i] de los filisteos le subieron a ella siete tendones todavía húmedos, que no se habían secado. Más tarde, ella lo ató con ellos. 9 Ahora bien, los que formaban la emboscada estaban sentados en el cuarto interior de ella,[j] y ella empezó a decirle: "¡Los filisteos[k] están sobre ti, Sansón!". Ante eso, él rompió los tendones en dos, tal como se rompe en dos un hilo retorcido de estopa cuando huele el fuego.[l] Y su poder no llegó a ser conocido.[m]

10 Posteriormente, Dalila[n] dijo a Sansón: "¡Mira! Te has burlado de mí para hablarme mentiras.[o] Ahora declárame, sí, por favor, con qué se te puede atar". 11 De modo que él le dijo: "Si me atan apretadamente con sogas nuevas con las cuales no se ha hecho trabajo, entonces tendré que debilitarme y llegar a ser como un hombre cualquiera". 12 De modo que Dalila

tomó sogas nuevas y lo ató con ellas y le dijo: "¡Los filisteos están sobre ti, Sansón!". Durante todo ese tiempo los que formaban la emboscada estaban sentados en el cuarto interior.[a] En eso, él las rompió en dos de sobre sus brazos como un hilo.[b]

13 Tras aquello, Dalila dijo a Sansón: "Hasta ahora te has burlado de mí para hablarme mentiras.[c] De veras declárame con qué se te puede atar".[d] Entonces él le dijo: "Si tejes las siete trenzas de mi cabeza con el hilo de la urdimbre".[e] 14 Por consiguiente, ella las fijó con la estaca, después de lo cual le dijo: "¡Los filisteos están sobre ti, Sansón!".[f] De modo que él despertó de su sueño y arrancó la estaca del telar y el lizo.

15 Ella ahora le dijo: "¿Cómo tienes el descaro de decir: 'De veras te amo',[g] cuando tu corazón no está conmigo? Estas tres veces te has burlado de mí y no me has declarado en qué está tu gran poder".[h] 16 Y aconteció que, porque ella lo apremiaba[i] con sus palabras en todo tiempo, y seguía instándolo, el alma de él se impacientó hasta desear morir.[j] 17 Por fin él le descubrió todo su corazón[k] y le dijo: "Nunca ha venido navaja[l] sobre mi cabeza, porque soy nazareo de Dios desde el vientre de mi madre.[m] Si de veras fuera afeitado, entonces mi poder ciertamente se apartaría de mí, y realmente me debilitaría y vendría a ser como todos los demás hombres".[n]

18 Cuando Dalila llegó a ver que él le había descubierto todo su corazón, inmediatamente envió a llamar a los señores del eje[o] filisteos, y dijo: "Suban esta vez, porque me ha descubierto todo su corazón".[p] Y los señores del eje filisteos subieron a donde ella para traer el dinero en la mano.[q] 19 Y ella procedió a hacerlo dormir sobre sus rodi-

CAP. 16
a Zac 4:6
b Gé 33:20
Jos 15:13
Jos 21:11
Jue 1:10
c Jue 16:18
d Jos 13:3
Jue 3:3
e Jue 14:15
f Éx 23:8
Nú 22:17
Jue 16:18
Pr 17:23
Ec 7:7
Mt 26:15
1Ti 6:10
g Sl 12:2
Miq 7:5
h Gé 32:32
Job 10:11
i Jos 13:3
j Jue 16:12
k Jos 13:1
Jos 13:2
Jue 14:4
l Jue 15:14
m Jue 16:5
n Jue 16:4
o Jue 16:7
Jue 16:13
Jue 16:15

2.ª col.
a Jue 16:9
b Jue 15:14
c Jue 16:7
Jue 16:11
d Jue 16:5
e Le 13:48
f Jue 16:9
g Jue 14:16
h Jue 16:7
Jue 16:11
Jue 16:13
i Jue 14:17
Lu 11:8
j Pr 21:19
Pr 25:24
Pr 27:15
Lu 11:8
k Jue 14:17
Miq 7:5
l Nú 6:5
Jue 13:5
1Sa 1:11
n Pr 13:3
o Jos 13:3
Jue 3:3
Jue 16:5
Jue 16:30
1Sa 5:8
1Sa 6:4
Gé 29:2
1Cr 12:21
p Jue 16:7
Jue 16:17
Jue 16:30
Jer 9:4
Miq 7:5
q Jue 16:5
Mt 26:15

llas. Entonces llamó al hombre y le hizo afeitar las siete trenzas de su cabeza, después de lo cual comenzó a mostrar dominio sobre él, y el poder de él siguió apartándose de sobre él. 20 Ahora ella dijo: "¡Los filisteos están sobre ti, Sansón!". Con eso él despertó de su sueño y dijo: "Saldré como otras veces[a] y, sacudiéndome, me libraré". Y él mismo no sabía que era Jehová quien se había apartado de él.[b] 21 De modo que los filisteos lo agarraron y le perforaron y sacaron los ojos[c] y lo bajaron a Gaza[d] y lo sujetaron con dos grilletes de cobre;[e] y vino a ser molendero[f] en la casa de encierro.[g] 22 Entretanto, el cabello de su cabeza comenzó a crecer copiosamente, tan pronto como hubo sido afeitado.[h]

23 En cuanto a los señores del eje filisteos, se reunieron para ofrecer un gran sacrificio a Dagón[i] su dios y para regocijarse, y siguieron diciendo: "¡Nuestro dios ha dado en nuestra mano a Sansón nuestro enemigo!".[j] 24 Cuando el pueblo llegó a verlo, en seguida se pusieron a alabar a su dios,[k] "porque —decían ellos— nuestro dios ha dado en nuestra mano a nuestro enemigo[l] y al devastador de nuestro país" y al que multiplicaba nuestros muertos".[n]

25 Y aconteció que, porque estaba alegre el corazón de ellos,[o] empezaron a decir: "Llamen a Sansón para que nos ofrezca algún entretenimiento".[p] De modo que llamaron a Sansón de la casa de encierro para que sirviera de diversión delante de ellos;[q] y procedieron a colocarlo de pie entre las columnas. 26 Entonces Sansón dijo al muchacho que lo tenía de la mano: "Anda, permíteme palpar las columnas sobre las cuales está firmemente establecida la casa, y deja que me recueste en ellas". 27 (A propósito, la casa

estaba llena de hombres y mujeres, y todos los señores del eje filisteos estaban allí;[a] y sobre el techo había como tres mil hombres y mujeres que miraban mientras Sansón ofrecía algún entretenimiento.)[b]

28 Sansón[c] ahora clamó a Jehová[d] y dijo: "Señor Soberano Jehová, acuérdate de mí,[e] por favor, y fortaléceme,[f] por favor, solo esta vez, oh tú el Dios [verdadero], y deja que me vengue de los filisteos con venganza por uno de mis dos ojos".[g]

29 Con eso Sansón se aseguró contra las dos columnas de en medio sobre las cuales estaba firmemente establecida la casa, y se agarró fuertemente de ellas, de una con la mano derecha y de la otra con la izquierda. 30 Y Sansón procedió a decir: "Muera mi alma[h] con los filisteos". Entonces se inclinó con poder, y la casa vino cayendo sobre los señores del eje y sobre toda la gente que estaba en ella,[i] de modo que los muertos a que dio muerte en su propia muerte vinieron a ser más que aquellos a que había dado muerte durante toda su vida.[j]

31 Más tarde sus hermanos y toda la casa de su padre bajaron y lo alzaron y lo llevaron arriba y lo enterraron entre Zorá[k] y Estaol,[l] en la sepultura de Manóah[m] su padre. En cuanto a él, había juzgado a Israel veinte años.[n]

17 Ahora bien, sucedió que hubo un hombre de la región montañosa de Efraín[o] cuyo nombre era Miqueas. 2 Con el tiempo él dijo a su madre: "Las mil cien piezas de plata que te fueron quitadas y acerca de las cuales pronunciaste una maldición[p] y también lo dijiste a mis oídos... ¡mira!, la plata está conmigo. Yo fui quien la tomó".[q] Ante esto, su madre dijo: "Bendito sea mi hijo de Jehová".[r] 3 Por consiguiente, él devolvió

CAP. 16
a Jue 16:9
  Jue 16:12
  Jue 16:14
b Nú 14:42
  1Sa 18:12
  2Co 15:2
c 1Sa 11:2
  2Re 25:7
d Jue 16:1
e 2Cr 33:11
f Mr 9:42
  Gé 39:20
  2Re 17:4
h Nú 6:5
  Jue 13:5
i 1Sa 5:4
j Dt 32:27
  Jue 13:5
k Sl 135:15
  Da 5:4
  1Co 8:5
l Jue 15:10
m Jue 15:5
n Jue 15:16
o 2Sa 13:28
p Pr 14:13
  Mt 27:29
q Job 30:9
  Sl 35:15
  Sl 69:12
  Heb 11:36

2.ª col.
a Jue 16:18
b Jue 16:25
c Heb 11:32
d Sl 50:15
e Sl 91:15
  Sl 74:18
  Jer 15:15
f Jue 14:6
  Jue 14:19
  Jue 15:14
g Jue 16:21
  Sl 58:10
  Sl 143:12
h Eze 18:4
  Mt 10:28
  Rev 12:11
i Jue 16:27
  Job 31:3
j Jue 14:19
  Jue 15:8
  Jue 15:15
k Jue 13:2
  Jue 13:25
l Jos 19:41
m Jue 13:8
n Gé 49:16
  Jue 2:16
  Jue 15:20

CAP. 17
o Jos 17:15
  Jue 10:1
p 1Sa 14:24
  1Sa 26:19
q Éx 20:12
  Éx 20:15
  Le 6:4
r Pr 19:18

las mil cien piezas de plata a su madre;[a] y su madre pasó a decir: "Sin falta tengo que santificar la plata a Jehová de mi mano por mi hijo, para hacer una imagen tallada[b] y una estatua fundida;[c] y ahora te la devolveré".

4 De modo que él devolvió la plata a su madre, y su madre tomó doscientas piezas de plata y se las dio al platero.[d] Y él se puso a hacer una imagen tallada[e] y una estatua fundida;[f] y llegó a estar en la casa de Miqueas. 5 En cuanto al hombre Miqueas, tenía una casa de dioses,[g] y procedió a hacer un efod[h] y terafim[i] y a llenar de poder la mano[j] de uno de sus hijos, para que le sirviera de sacerdote.[k] 6 En aquellos días no había rey en Israel.[l] En cuanto a todos, lo que era recto a sus propios ojos [cada uno] acostumbraba hacer.[m]

7 Ahora bien, sucedió que hubo un joven de Belén[n] de Judá, de la familia de Judá, y era levita.[o] Y él estuvo residiendo allí por algún tiempo. 8 Y el hombre procedió a irse de la ciudad de Belén de Judá para residir por un tiempo dondequiera que hallara lugar. Por fin, al seguir su camino, entró en la región montañosa de Efraín, hasta la casa de Miqueas.[p] 9 Entonces Miqueas le dijo: "¿De dónde vienes?". Ante esto, él le dijo: "Soy un levita de Belén de Judá, y voy para residir un tiempo dondequiera que halle lugar". 10 De modo que Miqueas le dijo: "Mora conmigo, sí, y sírveme de padre[q] y sacerdote,[r] y yo, por mi parte, te daré diez piezas de plata al año y el acostumbrado conjunto de prendas de vestir y tu sustento". Por consiguiente, el levita entró. 11 Así el levita tomó a su cargo morar con el hombre, y el joven llegó a ser para él como uno de sus hijos. 12 Además, Miqueas llenó de poder la mano[s]

del levita, para que el joven le sirviera de sacerdote[a] y continuara en la casa de Miqueas. 13 Por eso dijo Miqueas: "Ahora sí sé que Jehová me hará bien, porque el levita ha llegado a ser sacerdote para mí".[b]

18 En aquellos días no había rey en Israel.[c] Y en aquellos días la tribu de los danitas[d] andaba buscándose una herencia para morar allí; porque hasta aquel día no se les había caído herencia en medio de las tribus de Israel.[e]

2 Andando el tiempo, los hijos de Dan enviaron cinco hombres de su familia, hombres de entre ellos, hombres que eran individuos valientes, de Zorá[f] y Estaol,[g] para espiar[h] la tierra y para explorarla. De modo que les dijeron: "Vayan, exploren la tierra". Con el tiempo ellos entraron en la región montañosa de Efraín,[i] hasta la casa de Miqueas,[j] y consiguieron pasar la noche allí. 3 Mientras estaban cerca de la casa de Miqueas, reconocieron la voz del joven, el levita, de modo que se desviaron hacia allá. Y procedieron a decirle: "¿Quién te trajo acá?, ¿y qué estás haciendo en este lugar?, ¿y qué interés tienes tú aquí?". 4 A su vez, él les dijo: "De tal y tal modo hizo Miqueas por mí para alquilarme,[k] y para que yo le sirviera de sacerdote".[l] 5 Entonces le dijeron ellos: "Inquiere[m] de Dios,[n] por favor, para que sepamos si tendrá éxito nuestro camino por el cual estamos yendo". 6 De modo que el sacerdote les dijo: "Vayan en paz. Delante de Jehová está su camino en que van".

7 Por consiguiente, los cinco hombres siguieron adelante y llegaron a Lais[o] y vieron que la gente que estaba en ella moraba confiada en sí misma conforme a

CAP. 17
a Le 6:4
b Éx 20:4
  Le 26:1
  Sl 115:4
c Le 19:4
  Isa 40:19
  Hab 2:18
d Isa 46:6
  Jer 10:9
e Dt 5:8
  Dt 27:15
f Dt 9:12
g Gé 31:30
  Dt 13:6
  Esd 1:7
  1Co 8:5
h Éx 28:6
  Jue 8:27
i Gé 31:19
  Jue 18:14
  Os 3:4
j Éx 29:9
  Jue 17:12
  1Re 13:33
  2Cr 13:9
k Nú 3:10
  Dt 12:11
  Jue 18:31
  Dt 33:5
  Jue 18:1
m Dt 12:8
  Dt 28:1
  Jue 21:25
  Pr 14:12
  Pr 16:2
  Pr 21:2
n Gé 35:19
  Jue 19:1
  Rut 1:1
  Miq 5:2
  Mt 2:1
o Nú 3:45
  Jos 14:3
  Jos 18:7
  Jue 18:30
  Jue 18:1
q Gé 45:8
  Jue 18:22
  Isa 22:21
r Jue 18:19
  Jue 18:27
s Jue 17:5

2.ª col.
a Nú 3:10
  1Re 12:31
  1Re 13:33
  2Cr 13:9
b Pr 14:12
  Isa 44:20
  Mt 15:9

CAP. 18
c Gé 36:31
  Dt 33:5
  Jue 8:23
  Jue 17:6
  Jue 19:1
  Jue 21:25
d Jos 19:40
e Nú 33:55
  Jos 19:47
  Jue 1:34
f Jos 19:41
  Jue 13:2
  Jue 13:25
g Jue 16:31
h Nú 13:17
  Jos 2:1
  Jos 7:2
  Jue 1:23
  1Sa 26:4

i Jos 17:15; Jue 19:1; j Jue 17:1; k Jue 17:10; Miq 3:11; l Jue 17:5; Jue 18:27; 1Re 13:33; 2Cr 13:9; m 1Re 22:5; n Jue 17:13; o Jos 19:47; Jue 18:29.

la costumbre de los sidonios, tranquila y sin recelo,[a] y no había ningún conquistador opresivo que anduviera molestando cosa alguna en el país, mientras ellos se hallaban muy lejos de los sidonios[b] y no tenían nada que ver con la humanidad.

8 Por fin llegaron a sus hermanos en Zorá[c] y Estaol,[d] y sus hermanos empezaron a decirles: "¿Cómo les fue?". 9 Ante esto, dijeron ellos: "Levántense, sí, y subamos contra ellos; porque hemos visto el país, y, ¡miren!, es muy bueno.[e] Y ustedes titubean. No sean perezosos acerca de andar para entrar y tomar posesión del país.[f] 10 Cuando entren, llegarán a un pueblo que no tiene recelo,[g] y el país es bastante ancho; pues Dios lo ha dado en mano de ustedes,[h] un lugar donde no falta ninguna clase de cosa que haya en la tierra".[i]

11 Entonces seiscientos hombres ceñidos con armas de guerra, de la familia de los danitas,[j] partieron de allí, es decir, de Zorá y Estaol.[k] 12 Y procedieron a subir y a acampar en Quiryat-jearim,[l] en Judá. Por eso han llamado a aquel lugar Mahané-dan[m] hasta el día de hoy. ¡Mire! Está al oeste de Quiryat-jearim. 13 Después de eso siguieron pasando de allí a la región montañosa de Efraín y llegaron hasta la casa de Miqueas.[n]

14 Entonces los cinco hombres que habían ido a espiar[o] la tierra de Lais[p] respondieron y dijeron a sus hermanos: "¿Sabían ustedes que en estas casas hay un efod y terafim[q] y una imagen tallada[r] y una estatua fundida?[s] Y ahora tengan presente lo que deben hacer".[t] 15 Así que se desviaron hacia allá y llegaron a la casa del joven, el levita,[u] la casa de Miqueas, y empezaron a preguntar cómo le iba.[v] 16 Entretanto, los seiscientos hombres ceñidos con sus armas de guerra,[w] que eran de

los hijos de Dan,[a] estaban parados a la entrada de la puerta. 17 Los cinco hombres que habían ido a espiar el país[b] ahora subieron, para entrar allí a fin de tomar la imagen tallada[c] y el efod[d] y los terafim[e] y la imagen fundida.[f] (Y el sacerdote[g] estaba parado a la entrada de la puerta con los seiscientos hombres ceñidos con armas de guerra.) 18 Y estos entraron en la casa de Miqueas y procedieron a tomar la imagen tallada, el efod y los terafim y la imagen fundida.[h] Ante esto, el sacerdote[i] les dijo: "¿Qué están haciendo?". 19 Pero ellos le dijeron: "Calla. Ponte la mano sobre la boca, y ven con nosotros y llega a ser padre[j] y sacerdote[k] para nosotros. ¿Qué es mejor, que continúes de sacerdote para la casa de un solo[l] hombre, o que llegues a ser sacerdote para una tribu y familia en Israel?".[m] 20 Con esto, el corazón del sacerdote se complació,[n] y ahora tomó el efod y los terafim y la imagen tallada[o] y entró en medio de la gente.

21 Entonces ellos dieron la vuelta y procedieron a irse y pusieron a los pequeñuelos y el ganado y las cosas de valor delante de sí.[p] 22 Ellos mismos se habían alejado cierta distancia de la casa de Miqueas cuando los hombres que estaban en las casas cercanas a la casa de Miqueas[q] fueron convocados, y estos trataron de alcanzar a los hijos de Dan. 23 Cuando siguieron dando voces a los hijos de Dan, entonces ellos volvieron los rostros y dijeron a Miqueas: "¿Qué te pasa? que se te ha convocado?". 24 De modo que él dijo: "Mis dioses[s] que yo hice,[t] ustedes los han tomado, al sacerdote[u] también, y ustedes se van, ¿y qué me queda ya?[v] ¿Cómo, pues, pueden decirme:

CAP. 18

a Jue 18:27
b Jos 13:4
Jos 19:28
Jue 3:3
Jue 10:12
c Jue 13:2
Jue 16:31
d Jos 15:33
Jue 18:2
e Nú 14:7
f Éx 23:30
Nú 13:30
Jos 18:3
g Jue 18:7
h Dt 4:1
Sl 81:14
i Éx 3:8
Dt 8:9
Eze 20:6
j Jos 19:40
k Jue 16:31
Jue 18:2
l Jos 15:60
1Sa 7:1
2Cr 1:4
m Jue 13:25
Jue 17:1
n Jue 18:2
p Jue 18:7
Jue 18:29
q Jue 17:5
r Dt 5:8
Jue 17:4
s Dt 27:15
1Jn 5:21
t Jue 18:18
u Jue 17:7
Jue 17:12
Jue 18:30
v Gé 29:6
Gé 43:27
w Jue 18:11
2Cr 26:14

2.ª col.

a Jue 18:11
b Jue 18:2
c Éx 20:4
Le 26:1
d Jue 17:4
Sl 115:4
e Éze 28:6
Jue 8:27
f Gé 31:19
Gé 31:30
Jue 17:5
Os 3:4
f Le 19:4
Dt 27:15
Jue 17:3
1Jn 5:21
g Jue 17:12
h Jue 17:4
Jue 18:30
i Jue 17:12
Jue 18:4
j Jue 17:10
k Jue 18:4
Jue 18:27
Miq 3:11
l Jue 17:12
m Jue 18:30
n Sl 10:3
Isa 56:11
Heb 5:4
o Jue 17:4
Jue 17:5
Jue 18:14
Jue 18:18

p Gé 33:2; Dt 25:18; q Jue 17:1; r Gé 21:17; 2Sa 14:5; 2Re 6:28; s Jue 17:4; Jue 17:5; t Sl 115:8; Sl 135:18; Isa 44:17; Jer 51:17; u Jue 17:12; v Jue 17:5.

'¿Qué te pasa?'"? 25 Ante
esto, los hijos de Dan le dijeron:
"No dejes que tu voz se oiga cerca de nosotros, por temor de que
hombres amargados de alma[a] los
acometan a ustedes, y tengas
que pagar con la pérdida de tu
propia alma y el alma de tu
casa". 26 Y los hijos de Dan siguieron yendo por su camino; y
Miqueas llegó a ver que eran más
fuertes que él,[b] así que dio la
vuelta y regresó a su casa.
27 En cuanto a ellos, tomaron
lo que Miqueas había hecho, y al
sacerdote[c] que había llegado a
ser de él, y siguieron marchando hacia Lais,[d] contra un pueblo
tranquilo y sin recelo.[e] Y procedieron a herirlos a filo de espada,[f] y quemaron con fuego la ciudad.[g] 28 Y no hubo libertador,
porque estaba lejos de Sidón,[h] y
ellos no tenían nada que ver en
absoluto con la humanidad; y
estaba en la llanura baja que
pertenecía a Bet-rehob.[i] Entonces ellos edificaron la ciudad y
se pusieron a morar en ella.[j]
29 Además, llamaron la ciudad
por nombre Dan, según el nombre de su padre, Dan,[k] que le había nacido a Israel.[l] No obstante,
Lais era el nombre de la ciudad al principio.[m] 30 Después
de aquello los hijos de Dan pusieron de pie para sí la imagen tallada;[n] y Jonatán[o] hijo
de Guersom,[p] hijo de Moisés, él y
sus hijos llegaron a ser sacerdotes para la tribu de los danitas
hasta el día en que el país fue
llevado al destierro.[q] 31 Y
ellos mantuvieron erigida para
sí la imagen tallada de Miqueas,
que él había hecho, todos los
días que la casa[r] del Dios [verda-
dero] continuó en Siló.[s]

19 Ahora bien, sucedía que en
aquellos días no había rey
en Israel.[t] Y aconteció que cierto
levita estaba residiendo por un
tiempo en las partes más remotas de la región montañosa de
Efraín.[u] Con el tiempo tomó por
esposa a una concubina[a] de Belén[b] de Judá. 2 Y su concubina
empezó a cometer fornicación[c]
contra él. Por fin se fue de él a la
casa de su padre en Belén de
Judá, y continuó allí cuatro meses completos. 3 Entonces su
esposo se levantó y se fue tras
ella para hablarle consoladora-
mente para traerla de vuelta; y
estaban con él su servidor[d] y un
par de asnos. De modo que ella lo
hizo entrar en la casa de su padre. Cuando el padre de la joven
llegó a verlo, en seguida se regocijó de recibirlo. 4 Por consiguiente, su suegro, padre de la
joven, se asió de él, de modo que
él continuó morando con él tres
días; y comían y bebían, y él pasaba la noche allí.[e]
5 Y al cuarto día, cuando
se levantaron muy de mañana
como siempre, aconteció que él
se levantó ahora para irse, pero
el padre de la joven dijo a su
yerno: "Sustenta tu corazón con
un poquito de pan,[f] y después
pueden irse". 6 De modo que
se sentaron, y ambos se pusieron
a comer y beber juntos; después
de lo cual el padre de la joven
dijo al hombre: "Ven, por favor,
y pasa aquí la noche,[g] y que
tu corazón se sienta bien".[h]
7 Cuando el hombre se levantó
para irse, su suegro siguió ro-
gándole, de modo que volvió a
pasar la noche allí.[i]
8 Cuando se levantó muy de
mañana al quinto día para irse,
el padre de la joven entonces
dijo: "Por favor, toma sustento
para tu corazón".[j] Y se demo-
raron hasta el desvanecimiento
del día. Y los dos siguieron comiendo. 9 Ahora se levantó el
hombre[k] para irse, él y su concubina[l] y su servidor;[m] pero su suegro, padre de la joven, le dijo:
"¡Ea, mira! El día ha declinado
hacia anochecer. Por favor, pasen aquí la noche.[n] Aquí el día va

CAP. 18

a 1Sa 22:2
b Lu 14:31
c Jue 17:12
Jue 18:19
d Jos 19:47
Jue 18:7
e Jue 18:10
f Jos 19:47
g Jos 11:13
h Gé 10:15
Gé 49:13
Jos 11:8
Jue 10:12
Jue 18:7
i Nú 13:21
2Sa 10:6
j Nú 33:53
k Gé 14:14
Dt 34:1
Jos 19:47
Jue 20:1
2Sa 17:11
1Re 12:29
l Gé 30:6
Gé 32:28
m Jos 19:47
Jue 18:7
n Éx 20:4
Le 26:1
Dt 17:3
Dt 27:15
Jue 17:4
Jue 18:18
o Jue 17:12
p Éx 2:22
Éx 18:3
q 1Sa 4:11
1Sa 4:22
Sl 78:61
r Éx 40:2
Jos 18:1
s 1Sa 1:3
1Sa 4:3
Sl 78:60
Jer 7:12

CAP. 19

t Jue 17:6
Jue 18:1
Jue 21:25
1Sa 8:4
1Sa 8:5
u Jos 17:15
Jos 17:16

2.ª col.

a Gé 16:3
Éx 21:8
2Sa 5:13
2Cr 11:21
b Gé 35:19
Jue 17:7
Miq 5:2
Mt 2:6
c Le 20:10
Dt 22:22
Gál 5:19
Col 3:5
d Nú 22:22
e Gé 24:54
Ro 12:13
Heb 13:2
f Gé 18:5
Sl 104:15
Pr 11:25
g Gé 19:2
h Jue 19:9
Jue 19:22
i Jue 19:4
1Pe 4:9

j Gé 18:5; Jue 19:5; Rut 3:7; Sl 104:15; k Jue 19:1; l Jue 19:2; 2Sa 5:13; m Nú 22:22; Jue 19:3; n Lu 24:29; Ro 12:13.

asentándose. Pasa aquí la noche, y que tu corazón se sienta bien.[a] Y mañana tienen que levantarse temprano para su viaje, y tendrás que irte a tu tienda". 10 Sin embargo, el hombre no consintió en pasar la noche allí, sino que se levantó y se puso en marcha, y llegó hasta enfrente de Jebús,[b] es decir, Jerusalén;[c] y con él estaban el par de asnos aparejados, y su concubina y su servidor.

11 Al hallarse cerca de Jebús, puesto que la luz del día había bajado considerablemente,[d] el servidor ahora dijo a su amo: "Ven, sí, por favor, y desviémonos a esta ciudad de los jebuseos[e] y pasemos la noche en ella". 12 Pero su amo le dijo: "No nos desviemos a una ciudad de extranjeros[f] que no son parte alguna de los hijos de Israel; y tenemos que pasar adelante hasta Guibeah".[g] 13 Y pasó a decir a su servidor: "Ven, y acerquémonos a uno de los lugares, y tendremos que pasar la noche en Guibeah o en Ramá".[h] 14 De modo que pasaron adelante y siguieron caminando, y el sol empezó a ponérseles cuando se hallaban cerca de Guibeah, que pertenece a Benjamín.

15 Por consiguiente, se desviaron hacia allá para entrar a pasar la noche en Guibeah. Y procedieron a entrar y sentarse en la plaza pública de la ciudad, y no hubo nadie que los acogiera en la casa para pasar la noche.[i] 16 Con el tiempo, ¡mire!, un hombre de edad venía de su trabajo en el campo, al atardecer,[j] y el hombre era de la región montañosa de Efraín,[k] y estaba residiendo por un tiempo en Guibeah; pero los hombres del lugar eran benjamitas.[l] 17 Cuando este alzó los ojos llegó a ver al hombre, al viajero, en la plaza pública de la ciudad. De modo que el hombre de edad dijo: "¿Adónde vas y de dónde vienes?".[m] 18 A su vez, él le

dijo: "Estamos de paso desde Belén de Judá hasta las partes más remotas de la región montañosa de Efraín.[a] De allí soy yo, pero fui a Belén de Judá;[b] y es a mi propia casa adonde voy, y no hay nadie que me acoja en la casa.[c] 19 Y hay tanto paja como forraje[d] para nuestros asnos, y hay tanto pan[e] como vino para mí y tu esclava[f] y para el siervo[g] que está con tu siervo. No hace falta cosa alguna". 20 Sin embargo, el hombre de edad dijo: "¡Que tengas paz![h] Simplemente deja que lo que te falte esté sobre mí.[i] Solo que no pases la noche en la plaza pública". 21 Con eso, lo introdujo en su casa[j] y echó una mezcla de granos molidos a los asnos.[k] Entonces ellos se lavaron los pies[l] y se pusieron a comer y beber.

22 Mientras estaban haciendo que su corazón se sintiera bien,[m] ¡mire!, los hombres de la ciudad, hombres que simplemente no servían para nada,[n] cercaron la casa,[o] empujándose unos a otros contra la puerta; y siguieron diciendo al hombre de edad, dueño de la casa: "Saca al hombre que entró en tu casa, para que tengamos ayuntamiento con él".[p] 23 Con eso, el dueño de la casa salió a donde ellos y les dijo:[q] "No, hermanos míos,[r] no hagan nada malo, por favor, puesto que este hombre ha entrado en mi casa. No cometan esta locura deshonrosa.[s] 24 Aquí están mi hija virgen y la concubina de él. Déjenme sacarlas, por favor, y fuércenlas[t] y háganles lo que sea bueno a los ojos de ustedes. Pero a este hombre no le deben hacer esta cosa deshonrosa y loca".

25 Y los hombres no quisieron escucharle. Por lo tanto el hombre asió a su concubina[u] y la sacó afuera a donde ellos; y ellos empezaron a tener coito con ella,[v] y siguieron abusando[w] de ella toda la noche hasta la mañana, después de lo cual la enviaron al

ascender el alba. **26** Entonces la mujer vino al despuntar la mañana, y cayó a la entrada de la casa del hombre donde estaba su amoᵃ..., hasta la luz del día. **27** Más tarde su amo se levantó por la mañana y abrió las puertas de la casa y salió para seguir su camino, y, ¡mire!, ¡la mujer, su concubina,ᵇ caída a la entrada de la casa con las manos sobre el umbral! **28** De modo que él le dijo: "Levántate, y vámonos". Pero no hubo quien contestara.ᶜ Por lo cual el hombre la puso sobre el asno y se levantó y se fue a su lugar.ᵈ

29 Entonces entró en su casa y tomó el cuchillo de degüello y asió a su concubina y la cortó según sus huesos en doce trozos,ᵉ y la envió a todo territorio de Israel.ᶠ **30** Y ocurrió que todo el que lo veía, decía: "Cosa semejante a esta nunca se ha efectuado ni se ha visto desde el día en que los hijos de Israel subieron de la tierra de Egipto hasta el día de hoy. Fijen su corazón en ello, tomen consejoᵍ y hablen".

20 Por consiguiente, todos los hijos de Israel salieronʰ y la asamblea se congregó como un solo hombre,ⁱ desde Danʲ abajo hasta Beer-sebaᵏ junto con la tierra de Galaad,ˡ a Jehová, en Mizpá.ᵐ **2** De modo que los hombres clave de todo el pueblo y todas las tribus de Israel tomaron su puesto en la congregación del pueblo del Dios [verdadero],ⁿ cuatrocientos mil hombres de a pie, que sacaban espada.ᵒ

3 Y los hijos de Benjamín llegaron a oír que los hijos de Israel habían subido a Mizpá.ᵖ

Entonces los hijos de Israel dijeron: "Hablen. ¿Cómo ha llegado a efectuarse esta cosa mala?".ᑫ **4** Ante esto, el hombre, el levita,ʳ el esposo de la mujer asesinada, contestó y dijo: "Fue a Guibeah,ˢ que pertenece a Benjamín, donde llegué, yo y

mi concubina,ᵃ para pasar la noche. **5** Y los terratenientes de Guibeah procedieron a levantarse contra mí y a cercar la casa contra mí de noche. Era a mí a quien tenían calculado matar, pero fue a mi concubina a quien forzaron,ᵇ y por fin murió.ᶜ **6** Por lo tanto, eché mano de mi concubina y la corté en pedazos y la envié a todo campo de la herencia de Israel,ᵈ porque se habían ocupado en conducta relajadaᵉ y locura deshonrosa en Israel.ᶠ **7** ¡Miren! Todos ustedes los hijos de Israel, den aquí su palabra y consejo".ᵍ

8 Así que todo el pueblo se levantó como un solo hombre,ʰ y dijo: "No irá ninguno de nosotros a su tienda, ni se apartará ninguno de nosotros a su casa.ⁱ **9** Y ahora esta es la cosa que haremos a Guibeah. Subamos por sorteoʲ contra ella. **10** Y tenemos que tomar diez hombres de cien de todas las tribus de Israel, y cien de mil, y mil de diez mil, para procurar provisiones para la gente, para tomar medidas yendo contra Guibeah de Benjamín, en vista de toda la locura deshonrosaᵏ que hicieron en Israel". **11** Así todos los hombres de Israel estuvieron reunidos contra la ciudad como un solo hombre, como aliados.

12 Por consiguiente, las tribus de Israel enviaron hombres a todos los miembros de la tribu de Benjamín,ˡ diciendo: "¿Qué es esta cosa mala que se ha efectuado entre ustedes?ᵐ **13** Y ahora entreguen a los hombres,ⁿ los hombres que no sirven para nada,ᵒ que están en Guibeah,ᵖ para que les demos muerte,ᑫ y eliminemos de Israel lo que es malo".ʳ Y los hijos de Benjamín no quisieron escuchar la voz de sus hermanos, los hijos de Israel.ˢ

14 Entonces los hijos de Benjamín fueron reuniéndose de las

CAP. 19
a Jue 19:21
b Jue 19:2
Jue 19:25
c Jue 20:5
d Jue 19:18
e Jue 20:6
f Jos 14:1
1Sa 11:7
g Jue 20:7
Pr 15:22

CAP. 20
h Dt 13:12
Jos 22:12
Jue 21:5
i 1Sa 11:7
Jue 19:14
j Jos 19:47
Jue 18:29
2Sa 3:10
1Cr 21:2
2Cr 30:5
k 1Sa 3:20
2Sa 24:2
l Jos 22:9
m 1Sa 7:5
1Sa 10:17
2Re 25:23
n Sl 83:18
Isa 44:8
o Jue 20:17
2Sa 24:9
2Re 3:26
p Jue 20:1
q Jue 19:22
r Jue 19:1
s Jue 19:13

2.ª col.
a Jue 19:2
b Jue 19:25
c Jue 19:26
d Jue 19:29
e Le 19:29
Le 20:14
Sl 119:150
Pr 10:23
1Pe 4:3
f Jue 19:23
g Jue 19:30
h Jue 20:1
1Pr 21:3
i Jue 1:1
Jue 20:18
1Sa 14:42
Nú 11:1
Jr 16:33
Hch 1:26
k Gé 34:7
Jue 19:23
Jue 19:25
2Sa 13:12
l Jos 18:11
m Dt 13:14
Jue 19:25
Ef 5:11
n 2Sa 20:21
o Jue 19:22
Jue 19:25
p Jue 19:12
q Le 20:10
r Dt 13:5
Dt 17:7
Dt 22:22
1Co 5:6
1Co 5:13

s 1Sa 2:25; Pr 29:1; Os 9:9; Os 10:9; Ro 9:18.

ciudades a Guibeah para salir en batalla contra los hijos de Israel. 15 De modo que los hijos de Benjamín llegaron a estar reunidos con fines militares en aquel día desde las ciudades, veintiséis mil hombres que sacaban espada,[a] aparte de los habitantes de Guibeah, de quienes se reunió con fines militares a setecientos hombres escogidos. 16 De toda esta gente había setecientos hombres escogidos, zurdos.[b] Cada uno de estos podía tirar piedras con la honda[c] a un cabello y no erraba.

17 Y se reunió con fines militares a los hombres de Israel aparte de los hombres de Benjamín, cuatrocientos mil hombres que sacaban espada.[d] Cada uno de estos era hombre de guerra. 18 Y procedieron a levantarse y subir a Betel e inquirir de Dios.[e] Entonces dijeron los hijos de Israel: "¿Quién de nosotros debe subir en el puesto delantero a la batalla contra los hijos de Benjamín?"[f] A lo cual dijo Jehová: "Judá en el puesto delantero".[g]

19 Después de eso los hijos de Israel se levantaron por la mañana y acamparon contra Guibeah.

20 Los hombres de Israel ahora salieron en batalla contra Benjamín; y los hombres de Israel procedieron a disponerse en orden de batalla contra ellos junto a Guibeah. 21 De modo que los hijos de Benjamín salieron de Guibeah[h] y echaron a tierra arruinados en aquel día a veintidós mil hombres de Israel.[i] 22 Sin embargo, la gente, los hombres de Israel, se mostraron animosos y de nuevo fueron disponiéndose en orden de batalla en el lugar donde se habían dispuesto en orden el primer día. 23 Entonces los hijos de Israel subieron y lloraron[j] delante de Jehová hasta la tarde e inquirieron de Jehová, diciendo: "¿Vuelvo a acercarme para batalla con-

tra los hijos de Benjamín mi hermano?"[a] A lo cual Jehová dijo: "Sube contra él".

24 En conformidad, los hijos de Israel se acercaron a los hijos de Benjamín el segundo día.[b] 25 A su vez Benjamín salió a su encuentro desde Guibeah el segundo día y echó a tierra arruinados a otros dieciocho mil hombres de los hijos de Israel;[c] todos estos sacaban espada.[d] 26 Con eso, todos los hijos de Israel,[e] aun toda la gente, subieron y vinieron a Betel y lloraron[f] y se sentaron allí delante de Jehová y ayunaron[g] en aquel día hasta la tarde y ofrecieron ofrendas quemadas[h] y ofrendas de comunión[i] delante de Jehová. 27 Después de eso los hijos de Israel inquirieron de Jehová,[j] puesto que allí era donde estaba el arca del pacto[k] del Dios [verdadero] en aquellos días. 28 Ahora bien, Finehás[l] hijo de Eleazar, hijo de Aarón, estaba de pie delante de ella en aquellos días,[m] y dijo: "¿Vuelvo aún a salir en batalla contra los hijos de Benjamín mi hermano, o ceso?"[n] A lo cual Jehová dijo: "Sube, porque mañana lo daré en tu mano".[o] 29 Entonces Israel colocó hombres en emboscadas[p] contra Guibeah todo en derredor.

30 Y los hijos de Israel procedieron a subir contra los hijos de Benjamín el tercer día, y a disponerse en orden contra Guibeah lo mismo que las otras veces.[q] 31 Cuando los hijos de Benjamín salieron al encuentro del pueblo, se les hizo alejarse de la ciudad.[r] Entonces, lo mismo que las otras veces, estos comenzaron a derribar a algunos del pueblo, hiriéndolos mortalmente en las calzadas, una de las cuales sube a Betel[s] y la otra a Guibeah,[t] en el campo, a unos treinta hombres de Israel.[u] 32 De modo que los hijos de Benjamín empezaron a decir:

CAP. 20

1.ª col.

a Nú 26:41
b Jue 3:15
c Gé 49:27
  1Sa 17:40
  1Sa 17:49
  1Cr 12:2
  2Cr 26:14
d Jue 20:2
e Éx 28:30
  Nú 27:21
  Jue 20:27
  Pr 3:6
f Jue 1:1
g Gé 49:8
  Nú 10:14
  Jue 1:2
  1Cr 5:2
h Jue 19:12
  Os 10:9
i Gé 49:27
  Sl 33:16
  Jer 12:1
j Jue 20:26
  Pr 3:5
  Pr 16:3

2.ª col.

a Jue 20:28
b Jue 20:19
c Jue 20:21
d Jue 20:17
e Jue 20:2
f Jue 20:23
g 2Cr 20:3
  Esd 8:21
  Joe 1:14
h Le 1:3
i Le 3:1
  Le 19:5
  1Sa 10:8
j Nú 27:21
  Jue 20:18
  Sl 85:8
  Pr 16:3
k Jos 18:1
  1Sa 4:3
l Éx 6:25
  Nú 25:7
  Jos 22:13
  Jos 24:33
  Sl 106:30
m Gé 28:43
  Éx 29:9
n Jue 20:23
o 2Sa 5:19
p Jos 8:4
  1Sa 15:5
  Pr 24:6
  Ec 9:18
q Jue 20:20
  Jue 20:22
r Jos 8:16
  Jue 20:36
s Gé 28:19
  Jos 18:22
  Jue 20:26
t Jue 19:12
  1Sa 10:26
u Jue 20:39

"Están sufriendo derrota ante nosotros lo mismo que la primera vez".[a] En cuanto a los hijos de Israel, dijeron: "Huyamos,[b] y ciertamente los haremos alejarse de la ciudad [y venir] a las calzadas". 33 Y todos los hombres de Israel se levantaron de sus lugares y fueron disponiéndose en orden en Baal-tamar, mientras los de Israel que estaban en emboscada[c] fueron lanzándose con ímpetu desde sus lugares en la vecindad de Guibeah.[d] 34 Así diez mil hombres escogidos de todo Israel vinieron enfrente de Guibeah, y el combate fue pesado; y los benjamitas no sabían que la calamidad[e] pendía sobre ellos.

35 Y Jehová procedió a derrotar a Benjamín[f] delante de Israel, de modo que en aquel día los hijos de Israel echaron abajo arruinados en Benjamín a veinticinco mil cien hombres; todos estos sacaban espada.[g]

36 Sin embargo, los hijos de Benjamín se imaginaban que los hombres de Israel se encaraban a la derrota cuando siguieron cediendo terreno[h] ante Benjamín porque confiaban en la emboscada que habían puesto contra Guibeah. 37 En cuanto a los que formaban la emboscada, ellos actuaron rápidamente y fueron lanzándose con ímpetu hacia Guibeah.[i] Entonces la emboscada[j] se desplegó e hirió a toda la ciudad a filo de espada.[k] 38 Ahora bien, los hombres de Israel habían convenido con los que formaban la emboscada en que estos hicieran subir como señal una gran humareda desde la ciudad.[l]

39 Cuando los hijos de Israel volvieron la espalda en la batalla, Benjamín comenzó a derribar a unos treinta hombres a quienes hirió mortalmente entre los hombres de Israel,[m] pues decían: "Indisputablemente no están sufriendo otra cosa sino la derrota delante de nosotros tal como en la primera batalla".[a] 40 Y la señal[b] comenzó a subir de la ciudad como una columna de humo.[c] Por lo tanto, cuando Benjamín volvió el rostro, ¡mire!, la entera ciudad subía hacia el cielo.[d] 41 Y los hombres de Israel dieron media vuelta,[e] y los hombres de Benjamín quedaron perturbados,[f] porque veían que la calamidad los había alcanzado.[g] 42 Por lo tanto, se volvieron delante de los hijos de Israel en dirección al desierto, y la batalla los siguió de cerca, mientras los hombres que habían procedido de las ciudades estaban echándolos abajo arruinados en medio de ellos. 43 Cercaron a Benjamín.[h] Lo persiguieron sin lugar de descanso;[i] lo hollaron directamente enfrente de Guibeah[j] hacia el nacimiento del sol. 44 Por fin cayeron dieciocho mil hombres de Benjamín, todos estos hombres valientes.[k]

45 Así se volvieron y se fueron huyendo al desierto, al peñasco de Rimón.[l] Y ellos hicieron una rebusca de cinco mil hombres de ellos por las calzadas,[m] y continuaron siguiendo de cerca tras ellos hasta Guidom, y así derribaron a otros dos mil de sus hombres. 46 Y todos los de Benjamín que cayeron en aquel día ascendieron, al cabo, a veinticinco mil hombres que sacaban espada,[n] todos estos hombres valientes. 47 Pero seiscientos hombres se volvieron y se fueron huyendo al desierto, al peñasco de Rimón, y continuaron morando en el peñasco de Rimón[o] cuatro meses.

48 Y los hombres de Israel se volvieron contra los hijos de Benjamín y se pusieron a herir a filo de espada a los de la ciudad, [desde] hombres hasta animal doméstico hasta todos los que fueron hallados.[p] También, todas las ciudades que fueron halladas las entregaron al fuego.[q]

CAP. 20
a Jue 20:21
  Jue 20:25
b Jos 8:15
c Jos 8:19
d Jue 19:12
e Jue 8:14
  Jue 20:41
  Pr 4:19
  Pr 28:14
  Pr 29:1
f Nú 26:41
  Jue 20:14
  Jue 20:28
  Jue 20:46
g Le 18:29
  Jue 20:15
  Jue 20:46
h Jos 8:16
  Jue 20:31
i Jos 8:7
  Jue 20:29
k Jos 8:24
l Jos 8:19
m Jue 20:31

2.ª col.
a Jue 20:21
  Jue 20:25
b Jue 20:38
c Gé 19:28
d Jos 8:20
e Jos 8:21
f Isa 13:8
g Jue 20:34
h Jos 8:22
i Jue 10:19
j Os 9:9
  Os 10:9
k Jue 11:1
  Jue 20:15
l Jue 20:47
  Jue 21:13
m Jue 20:31
n Jue 20:15
  Jue 20:35
o Jue 20:45
  Jue 21:13
p Dt 13:15
  Jue 20:34
q Jos 8:19

21 Ahora bien, los hombres de Israel habían jurado en Mizpá,[a] diciendo: "Ni un solo hombre de nosotros dará su hija a Benjamín por esposa".[b] 2 Por consiguiente, el pueblo vino a Betel[c] y se quedaron sentados allí delante del Dios [verdadero][d] hasta el atardecer, y continuaron alzando la voz y llorando con gran abandono.[e] 3 Y decían: "¿Por qué, oh Jehová el Dios de Israel, ha sucedido esto en Israel, que falte hoy de Israel una tribu?".[f] 4 Y al día siguiente aconteció que el pueblo procedió a levantarse temprano y a edificar allí un altar y a ofrecer ofrendas quemadas[g] y ofrendas de comunión.[h]

5 Entonces los hijos de Israel dijeron: "¿Quién hay de todas las tribus de Israel que no haya subido en la congregación a Jehová?, porque hay un gran juramento[i] que se ha hecho respecto al que no haya subido a Jehová en Mizpá, que dice: 'Que se le dé muerte sin falta'".[j] 6 Y los hijos de Israel empezaron a sentir pesar a causa de Benjamín su hermano. Así que dijeron: "Hoy una tribu ha sido cortada por completo de Israel. 7 ¿Qué haremos con los que quedan en lo que toca a esposas, ya que nosotros mismos hemos jurado[k] por Jehová no darles ninguna de nuestras hijas por esposas?".[l]

8 Y pasaron a decir: "¿Cuál de las tribus de Israel es la que no ha subido a Jehová en Mizpá?".[m] Y, ¡mire!, nadie de Jabés-galaad[n] había entrado en el campamento, a la congregación. 9 Cuando se contó la gente, pues, ¡mire!, no había allí hombre alguno de los habitantes de Jabés-galaad. 10 Por lo tanto la asamblea procedió a enviar allá doce mil de los hombres más valientes y a mandarles, diciendo: "Vayan, y tienen que herir a los habitantes de Jabés-galaad a filo de espada, aun a las mujeres y a los pequeñuelos.[o] 11 Y esta es la cosa

que deben hacer: A todo varón y a toda mujer que haya tenido la experiencia de acostarse con varón los deben dar por entero a la destrucción".[a] 12 Sin embargo, de los habitantes de Jabés-galaad[b] hallaron a cuatrocientas muchachas, vírgenes,[c] que no habían tenido coito con hombre acostándose con varón. De modo que las trajeron al campamento de Siló,[d] que está en la tierra de Canaán.

13 Y toda la asamblea ahora envió [mensaje] y habló a los hijos de Benjamín que estaban en el peñasco de Rimón[e] y les ofrecieron la paz. 14 Por consiguiente, Benjamín volvió en aquel tiempo. Entonces les dieron las mujeres que habían conservado vivas de las mujeres de Jabés-galaad;[f] pero no les hallaron suficientes.[g] 15 Y el pueblo sintió pesar a causa de Benjamín,[h] porque Jehová había hecho una ruptura entre las tribus de Israel. 16 En consecuencia, los ancianos de la asamblea dijeron: "¿Qué haremos con los hombres que quedan en lo que toca a esposas, por cuanto las mujeres han sido aniquiladas de Benjamín?". 17 Entonces dijeron: "Debe haber una posesión para los que han escapado de Benjamín,[i] para que no sea borrada de Israel una tribu. 18 En cuanto a nosotros, no se nos permite darles esposas de nuestras hijas, porque los hijos de Israel han jurado, diciendo: 'Maldito es el que dé esposa a Benjamín'".[j]

19 Por fin dijeron: "¡Miren! De año en año hay fiesta de Jehová en Siló,[k] que está al norte de Betel, hacia el oriente de la calzada que sube de Betel a Siquem[l] y hacia el sur de Lebona". 20 Así que dieron orden a los hijos de Benjamín, diciendo: "Vayan, y tienen que ponerse al acecho en las viñas. 21 Y tienen que mirar, y, pues bien, cuando salgan las hijas de Siló para bailar[m] en

CAP. 21
a Jue 20:1
1Sa 7:5
1Re 15:22
Jer 40:6
b Jue 21:18
c Jue 20:18
Jue 20:26
d Jue 20:2
Sl 83:18
e 1Sa 30:4
Ec 3:4
f Dt 28:63
Jue 21:6
g Éx 10:25
Le 1:3
h Le 3:1
Le 19:5
Jue 20:26
2Sa 24:25
i Jue 21:7
j Jue 5:23
Jue 21:10
k Le 5:4
Le 19:12
Sl 15:4
Mt 5:33
l Jue 21:1
Jue 21:18
m Jue 20:1
n 1Sa 11:1
1Sa 31:11
2Sa 21:12
1Cr 10:11
o Jue 21:5

2.ª col.
a Nú 31:17
b Jue 21:8
c Gé 24:16
Est 2:3
d Jos 18:1
Jue 18:31
1Sa 1:3
e Jue 20:47
f Jue 21:8
g Jue 20:47
Jue 21:12
h Jue 21:6
i Jue 20:47
j Le 19:12
Jue 21:1
Sl 15:4
Mt 5:33
k Jos 18:1
Jue 21:12
l Gé 33:18
Jue 9:6
Jue 9:45
1Re 12:1
m Éx 15:20
Nú 11:34
1Sa 18:6
Sl 149:3
Sl 150:4

danzas de corro, entonces ustedes tienen que salir de las viñas y llevarse a la fuerza cada cual su esposa de las hijas de Siló, y tienen que irse a la tierra de Benjamín. 22 Y tiene que suceder que en caso de que vengan los padres o los hermanos de ellas para conducir una causa judicial contra nosotros, entonces ciertamente les diremos: 'Hágannos un favor por bien de ellos, porque no hemos tomado para cada cual su esposa mediante guerra,ᵃ pues no fueron ustedes quienes se las dieron en un tiempo en que ustedes se hubieran hecho culpables' ".ᵇ

23 Por consiguiente, los hijos

CAP. 21
a Jue 21:12
  Jue 21:14
b Jue 21:1
  Jue 21:18

2.ᵃ col.
a Jue 20:47
  Jue 21:12
b Jue 21:21
c Jue 20:48
d Jos 14:2
  Jue 2:6
  Jue 20:8
e Jue 8:23
  Jue 17:6
  Jue 18:1
  Jue 19:1
f Dt 12:8
  Dt 16:18
  Jue 17:6
  1Sa 9:17
  Pr 3:5

de Benjamín lo hicieron justamente así, y procedieron a llevarse esposas, para el número que había de ellos,ᵃ de las mujeres que danzabanᵇ en derredor, a quienes arrebataron, después de lo cual se fueron y volvieron a su herencia y edificaron las ciudadesᶜ y se pusieron a morar en ellas.

24 Y los hijos de Israel empezaron a dispersarse de allí en aquel tiempo, cada uno a su propia tribu y a su propia familia; y fueron saliendo de allí, cada cual a su propia herencia.ᵈ

25 En aquellos días no había rey en Israel.ᵉ Lo que era recto a sus propios ojos era lo que cada uno acostumbraba hacer.ᶠ

RUT

1 Ahora bien, aconteció en los días en que los juecesᵃ administraban justicia que surgió un hambreᵇ en el país, y un hombre procedió a ir de Belénᶜ de Judá a residir como forastero en los campos de Moab,ᵈ él con su esposa y sus dos hijos. 2 Y el nombre del hombre era Elimélec, y el nombre de su esposa Noemí, y los nombres de sus dos hijos eran Mahlón y Kilión, efrateosᵉ de Belén de Judá. Por fin estos llegaron a los campos de Moab y continuaron allí.

3 Andando el tiempo, murió Elimélec el esposo de Noemí, de manera que ella quedó con sus dos hijos. 4 Más tarde los hombres tomaron para sí esposas, mujeres moabitas.ᶠ El nombre de una era Orpá, y Rutᵍ el nombre de la otra. Y siguieron morando allá por unos diez años. 5 Con el tiempo, ellos dos, Mahlón y Kilión, también murieron, de modo que la mujer quedó sin sus dos hijos y sin su esposo. 6 Y procedió a levantarse con

CAP. 1
a Jue 2:16
b Dt 28:15
  Dt 28:38
c Gé 35:19
  Jue 17:7
  Miq 5:2
d Gé 19:37
  Núj 21:20
  Dt 2:9
  Dt 34:1
  Jue 3:30
e Gé 35:19
  Gé 48:7
  1Sa 17:12
f 1Re 11:1
g Mt 1:5

2.ᵃ col.
a Dt 4:31
  Dt 28:11
b Sl 37:25
  Sl 104:14
  Sl 132:15
  Mt 6:11
c Rut 1:4
  2Re 8:3
d Éx 34:6
  Rut 2:20
  Sl 31:16
  Sl 31:21
e Pr 11:17
  Pr 14:31
f Snt 1:17
g Rut 3:1
h Gé 31:55
  Hch 20:37
i Sl 119:63

sus nueras y a volver de los campos de Moab, porque en el campo de Moab había oído que Jehová había dirigido su atención a su puebloᵃ y le había dado pan.ᵇ

7 Y emprendió su salida del lugar donde había continuado,ᶜ y sus dos nueras estaban con ella, y siguieron andando en el camino para volver a la tierra de Judá. 8 Por fin Noemí dijo a sus dos nueras: "Anden, vuélvanse, cada una a la casa de su madre. Que Jehová ejerza bondad amorosa para con ustedes,ᵈ así como ustedes la han ejercido para con los hombres ya muertos y para conmigo.ᵉ 9 Que Jehová les haga una dádiva,ᶠ y de veras hallen un lugar de descanso,ᵍ cada cual en la casa de su esposo". Entonces las besó,ʰ y ellas se pusieron a alzar la voz y llorar. 10 Y siguieron diciendo: "No, sino que contigo volveremos a tu pueblo".ⁱ 11 Pero Noemí dijo: "Vuélvanse, hijas mías. ¿Por qué deben ir conmigo? ¿Tengo yo todavía hi-

jos en mis entrañas, y tendrán ellos que llegar a ser sus esposos?ᵃ 12 Vuélvanse, hijas mías, anden, porque yo me he hecho demasiado vieja para llegar a pertenecer a un esposo. Si hubiera dicho que tuviera esperanza también de que en realidad hubiera de llegar a ser de un esposo esta noche y que también ciertamente hubiera de dar a luz hijos,ᵇ 13 ¿se quedarían ustedes esperándolos hasta que pudieran crecer? ¿Se mantendrían ustedes recluidas por ellos para no llegar a ser de un esposo? No, hijas mías, porque a causa de ustedes me es muy amargo el que la mano de Jehová haya salido contra mí".ᶜ

14 Ante eso, ellas alzaron la voz y lloraron de nuevo, después de lo cual Orpá besó a su suegra. En cuanto a Rut, ella se adhirió a ella.ᵈ 15 Así que ella dijo: "¡Mira! Tu concuñada enviudada se ha vuelto a su pueblo y a sus dioses.ᵉ Vuélvete con tu concuñada enviudada".ᶠ

16 Y Rut procedió a decir: "No me instes con ruegos a que te abandone, a que me vuelva de acompañarte; porque a donde tú vayas yo iré, y donde tú pases la noche yo pasaré la noche.ᵍ Tu pueblo será mi pueblo,ʰ y tu Dios mi Dios.ⁱ 17 Donde mueras tú, yo moriré,ʲ y allí es donde seré enterrada. Que Jehová me haga así y añadaᵏ a ello si cosa alguna aparte de la muerte hiciera una separación entre tú y yo".

18 Cuando ella llegó a ver que persistía en ir con ella,ˡ entonces dejó de hablarle. 19 Y ambas siguieron adelante hasta que llegaron a Belén.ᵐ Y aconteció que, en cuanto llegaron a Belén, toda la ciudad se conmovió a causa de ellas,ⁿ y las mujeres seguían diciendo: "¿Es esta Noemí?".ⁿ 20 Y ella decía a las mujeres: "No me llamen Noemí. Llámenme Mará, porque el Todopoderosoᵖ me ha hecho muy amargaᑫ [la situación]. 21 Estaba llena

cuando me fui,ᵃ y con las manos vacías Jehová me ha hecho volver.ᵇ ¿Por qué deben llamarme Noemí, cuando es Jehová quien me ha humillado,ᶜ y el Todopoderoso quien me ha causado calamidad?".ᵈ

22 Así efectuó Noemí su regreso, y Rut la moabita, su nuera, estaba con ella cuando volvió de los campos de Moab;ᵉ y llegaron a Belénᶠ al comienzo de la siega de la cebada.ᵍ

2 Ahora bien, Noemí tenía un parienteʰ de su esposo, un hombre poderoso en riquezas,ⁱ de la familia de Elimélec, y su nombre era Boaz.ʲ

2 Con el tiempo Rut la moabita dijo a Noemí: "Por favor, déjame ir al campo y rebuscarᵏ entre las espigas, siguiendo detrás de cualquiera a cuyos ojos halle favor". De modo que ella le dijo: "Ve, hija mía". 3 Ante eso, ella se fue, y entró y se puso a espigar en el campo detrás de los segadores.ˡ Así, por casualidad, llegó a dar a la porción del campo que pertenecía a Boaz,ᵐ que era de la familia de Elimélec.ⁿ 4 Y, ¡mire!, Boaz vino de Belén y procedió a decir a los segadores: "Jehová esté con ustedes".ᵒ A su vez, ellos le decían: "Jehová te bendiga".ᵖ

5 Posteriormente, Boazᑫ dijo al joven que estaba puesto sobre los segadores: "¿A quién pertenece esta joven?". 6 De modo que el joven puesto sobre los segadores contestó y dijo: "La joven es una moabita,ʳ que volvió con Noemí del campo de Moab.ˢ 7 Entonces dijo: 'Déjame espigar,ᵗ por favor, y ciertamente recogeré entre las espigas cortadas detrás de los segadores'. De modo que entró y ha estado de pie desde aquel momento de la mañana hasta precisamente ahora que se sentó un ratito en la casa".ᵘ

CAP. 1

a Gé 38:11
  Dt 25:5
b Gé 17:17
c Rut 1:20
  1Sa 3:18
  Job 19:21
d Rut 1:16
  Pr 17:17
  Pr 18:24
  Heb 10:39
e Néh 21:29
  Sl 96:5
  1Co 8:5
  2Pe 2:22
f 2Sa 15:19
g 2Re 2:2
  Heb 11:15
h Rut 2:11
  Est 8:17
  Sl 45:10
  Isa 14:1
i Dt 4:4
  Dt 10:20
  Rut 2:12
  1Re 8:41
j 2Sa 15:21
k 3Sa 3:17
  2Sa 19:13
l Hch 21:14
m Rut 1:1
n Mt 21:10
o Rut 1:2
p Gé 17:1
  Éx 6:3
  Isa 46:9
q Rut 1:13
  1Sa 3:18
  Job 19:21
  Isa 12:1

2.ᵃcol.

a 1Sa 2:7
b Job 1:21
c Rut 1:5
d Job 10:17
  Isa 54:8
e Rút 21:13
  Rut 1:1
f Gé 35:19
  Miq 5:2
g Rut 2:23

CAP. 2

h Rut 3:2
  Rut 3:12
i Dt 8:18
j Rut 4:21
  1Cr 2:11
  Mt 1:5
  Lu 3:32
k Le 19:9
  Le 23:22
  Dt 24:19
l 2Te 3:10
m Rut 2:20
  Pr 16:9
n Rut 1:22
o Jue 6:12
  2Ti 4:22
p Nú 6:24
q Rut 2:1
  Rut 4:21
  1Cr 2:11
r Rut 1:4
s Rut 5:16
  Rut 1:22
t Le 23:22
  Rut 2:2

u Pr 13:4; Pr 31:27; Pr 31:31; 1Te 4:11.

8 Más tarde Boaz dijo a Rut: "¿Has oído, no es verdad, hija mía? No te vayas a espigar en otro campo,[a] y tampoco debes pasar de este lugar, y así debes mantenerte cerca de las jóvenes mías.[b] 9 Estén tus ojos en el campo que ellas sieguen, y tienes que ir con ellas. ¿No he mandado yo a los jóvenes que no te toquen?[c] Cuando tengas sed, entonces tienes que ir a las vasijas y beber de lo que saquen los jóvenes".[d]

10 Ante eso, ella cayó sobre su rostro y se inclinó a tierra[e] y le dijo: "¿A qué se debe que yo haya hallado favor a tus ojos de modo que te fijes en mí, cuando soy extranjera?".[f] 11 Entonces Boaz contestó y le dijo: "Se me hizo un informe[g] completo de todo lo que has hecho a tu suegra después de la muerte de tu esposo,[h] y cómo procediste a dejar a tu padre y tu madre y la tierra de tu parentela y a ir a un pueblo que no habías conocido anteriormente.[i] 12 Que Jehová recompense tu manera de obrar,[j] y que llegue a haber para ti un salario perfecto[k] procedente de Jehová el Dios de Israel, bajo cuyas alas has venido a buscar refugio".[l] 13 A esto ella dijo: "Halle yo favor a tus ojos, señor mío, porque me has consolado y porque has hablado de modo tranquilizador a tu sierva,[m] aunque yo misma no sea como una de tus siervas".

14 Y Boaz procedió a decirle a la hora de comer: "Acércate acá, y tienes que comer parte del pan[o] y mojar tu pedazo en el vinagre". De modo que ella se sentó al lado de los segadores, y él le brindaba grano tostado[p] y ella comía, de modo que quedó satisfecha y aún le sobró algo. 15 Entonces se levantó para espigar.[q] Boaz ahora mandó a sus jóvenes, y dijo: "Déjenla espigar también entre las espigas cortadas, y no deben molestarla.[r]

16 Y también deben estar seguros de sacarle algunas espigas de los manojos, y tienen que dejarlas atrás para que ella las espigue,[a] y no deben reprenderla".

17 Y ella continuó espigando en el campo hasta el atardecer,[b] después de lo cual batió[c] lo que había espigado, y eso llegó a ser como un efá[d] de cebada. 18 Entonces lo alzó y se fue a la ciudad, y su suegra llegó a ver lo que había espigado. Después de eso ella sacó la comida que le había sobrado[e] cuando se había satisfecho, y se la dio.

19 Su suegra ahora le dijo: "¿Dónde espigaste hoy, y dónde trabajaste? Llegue a ser bendito el que se fijó en ti".[f] De modo que ella informó a su suegra con quién había trabajado; y pasó a decir: "El nombre del hombre con quien trabajé hoy es Boaz". 20 Ante eso, Noemí dijo a su nuera: "Bendito sea él de Jehová,[g] que no ha abandonado su bondad amorosa[h] para con los vivos y los muertos".[i] Y Noemí le dijo además: "El hombre es pariente nuestro.[j] Es uno de nuestros recompradores".[k] 21 Entonces dijo Rut la moabita: "También me dijo él: 'Cerca de las personas jóvenes que son mías es donde debes quedarte hasta que hayan acabado toda la siega que tengo' ".[l] 22 Por lo tanto Noemí[m] dijo a Rut su nuera:[n] "Mejor es, hija mía, que salgas con las jóvenes de él, para que no te causen incomodidad en otro campo".[o]

23 Y ella continuó quedándose cerca de las jóvenes de Boaz para espigar hasta que se acabó la siega de la cebada[p] y la siega del trigo. Y siguió morando con su suegra.[q]

3 Noemí su suegra ahora le dijo: "Hija mía, ¿no debo buscarte lugar de descanso,[r] para que te vaya bien? 2 Y

CAP. 2
a Pr 28:27
1Ti 6:18
b Rut 2:22
c 1Ti 5:2
d Pr 11:25
Snt 1:27
e 1Sa 25:23
f Éx 22:21
Éx 23:9
Le 19:34
g Pr 31:31
h Rut 1:14
Rut 1:16
i Sl 45:10
j 1Sa 24:19
Job 34:11
Pr 28:20
Heb 6:10
k Rut 4:11
Rut 4:17
Sl 20:5
Mt 1:5
Mt 1:16
Heb 11:6
l Sl 17:8
Sl 36:7
Sl 57:1
Sl 63:7
Sl 91:4
m Gé 50:21
n 1Sa 25:41
Flp 2:3
o Sl 112:9
Pr 2:29
Isa 58:7
Eze 18:7
p 1Sa 17:17
1Sa 25:18
2Sa 17:28
q Le 19:9
Rut 2:2
Rut 2:9
1Ti 5:2

2.ª col.
a Pr 14:21
Pr 19:17
Heh 20:35
b Rut 2:7
Pr 31:27
c Isa 28:27
d Éx 16:36
Eze 45:11
e Rut 2:14
Jn 6:12
1Ti 5:4
f Sl 41:1
g Rut 2:4
Rut 3:10
2Sa 2:5
h Éx 34:6
Rut 1:8
Sl 36:7
Lam 3:22
i Rut 1:8
j Rut 2:1
k Le 25:25
Dt 25:5
Rut 3:12
Ef 1:7
Heb 2:14
l Rut 2:8
m Rut 1:2
n Rut 1:4
o Job 12:12
Pr 12:15
1Co 15:33
Tit 2:3
p Rut 1:22

q Rut 1:14; Rut 1:16; Rut 3:11; CAP. 3 r Dt 25:6; Rut 1:9.

ahora pues, ¿no es pariente[a] nuestro Boaz, con cuyas jóvenes has continuado? ¡Mira! Esta noche él va a aventar[b] cebada en la era. 3 Y tienes que lavarte y untarte aceite[c] y ponerte encima tus mantos[d] y bajar a la era. No te des a conocer al hombre hasta que haya acabado de comer y beber. 4 Y debe suceder que cuando él se acueste, entonces tienes que fijarte en el lugar donde se acuesta; y tienes que ir y descubrirle por los pies y acostarte; y él, por su parte, te informará lo que debas hacer".

5 Ante eso, ella le dijo: "Todo lo que me dices lo haré". 6 Y procedió a bajar a la era y a hacer conforme a todo lo que le había mandado su suegra. 7 Entretanto, Boaz comió y bebió, y su corazón se sentía bien.[e] Entonces fue a acostarse al extremo del montón de grano. Después de aquello, ella entró furtivamente y le descubrió por los pies y se acostó. 8 Y a medianoche aconteció que el hombre empezó a temblar. De modo que se inclinó hacia delante, y, ¡mire!, ¡una mujer acostada a sus pies! 9 Entonces dijo él: "¿Quién eres?". A su vez, ella dijo: "Soy Rut tu esclava, y tienes que extender tu falda sobre tu esclava, porque tú eres un recomprador".[f] 10 Ante eso, él dijo: "Bendita seas de Jehová,[g] hija mía. Has expresado tu bondad amorosa[h] mejor en el último caso que en el primer caso,[i] al no ir tras los jóvenes, fueran de condición humilde o ricos. 11 Y ahora, hija mía, no tengas miedo. Todo lo que dices lo haré para ti,[j] porque toda persona en la puerta de mi pueblo se da cuenta de que eres una mujer excelente.[k] 12 Y ahora, aunque es un hecho que yo soy un recomprador,[l] también hay un recomprador de parentesco más próximo que yo.[m] 13 Alójate aquí esta noche, y por la mañana

tiene que suceder que, si él quiere recomprarte,[a] ¡excelente! Que se encargue de hacer la recompra. Pero si no se deleita en recomprarte, entonces yo ciertamente te recompraré, yo mismo, tan ciertamente como que Jehová vive.[b] Quédate acostada hasta la mañana".

14 Y ella se quedó acostada a los pies de él hasta la mañana, y entonces se levantó antes que cualquier persona pudiera reconocer a otra. Él ahora dijo: "No se sepa que vino una mujer a la era".[c] 15 Y pasó a decir: "Trae la capa que está sobre ti, y tenla abierta". De modo que ella la tuvo abierta, y él procedió a medir seis medidas de cebada y a colocarla sobre ella, después de lo cual él se fue a la ciudad.

16 Y ella procedió a irse a donde su suegra, quien le dijo ahora: "¿Quién eres, hija mía?". Por consiguiente, ella le refirió todo lo que el hombre le había hecho. 17 Y pasó a decir: "Estas seis medidas de cebada me dio, porque me dijo: 'No vayas a tu suegra con las manos vacías'".[d] 18 Ante aquello, ella dijo: "Siéntate quieta, hija mía, hasta que sepas cómo haya de resultar el asunto, porque el hombre no tendrá descanso a menos que haya acabado con el asunto hoy".[e]

4 En cuanto a Boaz, subió a la puerta[f] y empezó a sentarse allí. Y, ¡mire!, iba pasando el recomprador, a quien Boaz había mencionado.[g] Entonces él dijo: "Desvíate hacia acá, sí, anda, siéntate aquí, Fulano". Por lo tanto este se desvió y se sentó. 2 Después de eso él tomó a diez hombres de los ancianos[h] de la ciudad y dijo: "Siéntense aquí". De modo que se sentaron.

3 Ahora él dijo al recomprador:[i] "La porción del campo que pertenecía a nuestro hermano Elimélec[j] la tiene que vender Noemí, que ha vuelto del campo

---

CAP. 3
a Le 25:25
Dt 25:5
Rut 2:1
Rut 2:20
Rut 3:12
b Isa 30:24
c 2Sa 12:20
2Sa 14:2
Ec 9:8
d 1Ti 2:9
e Jue 19:6
Sl 104:15
Ec 3:13
Ec 10:19
f Le 25:25
Dt 25:5
Rut 2:20
g Rut 2:4
h Pr 11:17
Pr 19:22
i Rut 1:16
j Rut 3:9
k Pr 30:30
Pr 31:31
1Ti 2:10
1Pe 3:4
l Le 25:25
Rut 2:20
m Rut 4:1

2.ª col.
a Rut 3:9
Rut 4:5
Mt 22:24
b Dt 6:13
Jue 8:19
1Sa 14:39
2Co 1:23
c Ro 12:17
Ro 14:16
1Co 10:32
d Sl 37:5
Snt 1:27
e Sl 138:8
Ro 8:28
1Pe 5:7

CAP. 4
f Dt 16:18
Dt 21:19
Dt 22:15
Dt 25:7
g Rut 3:12
h Dt 19:12
Dt 29:10
Jos 20:4
Jue 8:14
1Re 21:8
Pr 31:23
Hch 6:12
i Le 25:25
Dt 25:5
Rut 2:20
j Rut 1:2

de Moab.[a] 4 Por mi parte, pensé que debiera revelártelo, diciendo: 'Cómprala[b] enfrente de los habitantes y los ancianos de mi pueblo.[c] Si quieres recomprarla, recómprala; pero si no quieres recomprarla, infórmamelo, sí, para que yo lo sepa, porque no hay otro aparte de ti que haga la recompra,[d] y yo vengo después de ti' ". A lo cual él dijo: "Yo seré el que la recompre".[e] 5 Entonces dijo Boaz: "El día que compres el campo de mano de Noemí, también es de Rut la moabita, la esposa del muerto, de quien tienes que comprarlo para hacer que el nombre del muerto se levante sobre su herencia.[f] 6 A esto el recomprador dijo: "No puedo recomprarlo para mí, por temor de que arruine mi propia herencia. Recómpratelo tú con mi derecho de recompra, porque yo no puedo hacer la recompra".

7 Ahora bien, esta era la costumbre en otros tiempos en Israel respecto al derecho de recompra y respecto a los cambios, para ratificar toda suerte de cosa: Un hombre tenía que quitarse su sandalia[g] y darla a su prójimo, y esta era la atestación en Israel. 8 Por eso, cuando el recomprador dijo a Boaz: "Cómpratelo", procedió a quitarse su sandalia.[h] 9 Entonces Boaz dijo a los ancianos y a todo el pueblo: "Ustedes son testigos[i] hoy de que en efecto compro de mano de Noemí todo lo que pertenecía a Elimélec y todo lo que pertenecía a Kilión y Mahlón. 10 Y también a Rut la moabita, la esposa de Mahlón, la compro para mí, sí, por esposa, para hacer que el nombre del muerto[j] se levante sobre su herencia, y para que el nombre del muerto no sea cortado de entre sus hermanos y de la puerta de su lugar. Ustedes son testigos[k] hoy".

11 Ante esto, toda la gente que se hallaba en la puerta, y los ancianos, dijeron: "¡Testigos! Conceda Jehová a la esposa que entra en tu casa ser como Raquel[a] y como Lea,[b] las cuales dos edificaron la casa de Israel;[c] y tú, demuestra tu mérito en Efrata[d] y cobra renombre en Belén.[e] 12 Y llegue a ser tu casa como la casa de Pérez, que Tamar le dio a luz a Judá,[f] de la prole que Jehová te dé de esta joven".[g]

13 Por consiguiente, Boaz tomó a Rut y ella llegó a ser su esposa, y él tuvo relaciones con ella. De modo que Jehová le concedió a ella concebir,[h] y ella dio a luz un hijo. 14 Y las mujeres empezaron a decir[i] a Noemí: "Bendito sea Jehová,[j] que no ha dejado que te faltara hoy un recomprador; para que su nombre sea proclamado en Israel. 15 Y él ha venido a ser restaurador de tu alma y uno que nutre tu vejez,[k] porque tu nuera, que de veras te ama,[l] que te es mejor que siete hijos,[m] lo ha dado a luz". 16 Y Noemí procedió a tomar al niño y ponerlo en su seno, y llegó a servirle de nodriza. 17 Entonces las vecinas[n] le dieron nombre, diciendo: "Le ha nacido un hijo a Noemí". Y empezaron a llamarlo por nombre Obed.[o] Él es el padre de Jesé,[p] padre de David.

18 Ahora bien, estas son las generaciones de Pérez:[q] Pérez llegó a ser padre de Hezrón;[r] 19 y Hezrón llegó a ser padre de Ram; y Ram[s] llegó a ser padre de Aminadab; 20 y Aminadab[t] llegó a ser padre de Nahsón;[u] y Nahsón llegó a ser padre de Salmón; 21 y Salmón[v] llegó a ser padre de Boaz; y Boaz[w] llegó a ser padre de Obed; 22 y Obed llegó a ser padre de Jesé;[x] y Jesé llegó a ser padre de David.[y]

CAP. 4
a Rut 1:1
  Rut 1:6
b Jer 32:7
c Gé 23:18
  Jer 32:10
d Le 25:25
  Rut 2:20
e Rut 3:13
f Gé 38:8
  Dt 25:5
  Lu 20:28
g Dt 25:9
h Dt 25:9
i Gé 23:18
  Dt 19:15
  Rut 4:4
  Jer 32:12
j Gé 38:8
  Dt 25:6
  Rut 2:20
k Rut 4:5
  Isa 8:2

2.ª col.
a Gé 29:30
b Gé 29:23
c Gé 28:3
  Gé 35:23
  Gé 35:24
  Gé 46:15
  Gé 46:18
  Gé 46:22
  Gé 46:25
d Gé 35:19
  Gé 48:7
e Rut 1:1
  Miq 5:2
f Gé 38:29
  Nú 26:20
  1Cr 2:4
  Mt 1:3
g Dt 28:4
  Sl 127:3
h Gé 29:31
  1Sa 1:27
  Sl 127:3
i Lu 1:58
  Ro 12:15
j Gé 24:27
  Sl 145:1
  Lu 1:68
k Sl 55:22
  Isa 46:4
  Heb 11:6
l Rut 1:16
  1Co 13:5
m 1Sa 1:8
n Lu 1:58
o Mt 1:5
  Lu 3:32
p 1Sa 17:12
  Isa 11:1
  Ro 15:12
q Rut 4:12
r Gé 46:12
  Nú 26:21
  1Cr 2:5
s 1Cr 2:9
  Mt 1:3
t Éx 6:23
  1Cr 2:10
  Lu 3:33
u Nú 1:7
v 1Cr 2:11
  Lu 3:32
w 1Cr 2:12
x Rut 4:17
  1Sa 16:1
y 2Sa 7:12
  1Cr 2:15
  Mt 1:6
  Lu 3:31

SAMUEL

o, según la versión griega de los *LXX,*
EL PRIMERO DE LOS REYES

1 Ahora bien, había cierto hombre de Ramataim-zofim,[a] de la región montañosa de Efraín,[b] y su nombre era Elqaná,[c] hijo de Jeroham, hijo de Elihú, hijo de Tohu, hijo de Zuf,[d] efraimita. **2** Y tenía dos esposas; el nombre de una era Ana, y el de la otra Peniná. Y Peniná llegó a tener hijos, pero Ana no tenía hijos.[e] **3** Y de año en año aquel hombre subía desde de su ciudad para postrarse[f] y para ofrecer sacrificios a Jehová de los ejércitos en Siló.[g] Y allí era donde los dos hijos de Elí, Hofní y Finehás,[h] eran sacerdotes para Jehová.[i]

4 Y llegó a haber un día en que Elqaná procedió a ofrecer sacrificio, y dio porciones a Peniná su esposa y a todos los hijos e hijas de ella;[j] **5** pero a Ana dio una sola porción. Sin embargo, era a Ana a quien él amaba,[k] y en cuanto a Jehová, él había cerrado la matriz de esta.[l] **6** Y la esposa que era su rival también la irritaba[m] penosamente a fin de hacer que se sintiera desconcertada porque Jehová le había cerrado la matriz. **7** Y así hacía ella año por año,[n] siempre que ella subía a la casa de Jehová.[o] Así la irritaba, de manera que ella lloraba y no comía. **8** Y Elqaná su esposo procedió a decirle: "Ana, ¿por qué lloras, y por qué no comes, y por qué se siente mal tu corazón?[p] ¿No soy yo mejor para ti que diez hijos?".[q]

9 Entonces Ana se levantó, después que hubieron comido en Siló y después del beber, mientras Elí el sacerdote estaba sentado sobre el asiento junto a la jamba de la puerta del templo[a] de Jehová. **10** Y ella estaba amargada de alma,[b] y se puso a orar a Jehová,[c] y a llorar profusamente.[d] **11** Y pasó a hacer un voto[e] y decir: "Oh Jehová de los ejércitos, si miras sin falta la aflicción de tu esclava[f] y realmente te acuerdas de mí,[g] y no te olvidas de tu esclava y realmente das a tu esclava prole varón, yo ciertamente lo daré a Jehová todos los días de su vida, y no vendrá navaja sobre su cabeza".[h]

12 Y sucedió que, mientras ella oraba prolongadamente[i] delante de Jehová, Elí estaba observándole la boca. **13** En cuanto a Ana, ella estaba hablando en su corazón;[j] solo sus labios temblaban, y no se oía su voz. Pero Elí la tomó por borracha.[k] **14** De modo que le dijo Elí: "¿Hasta cuándo te portarás como una borracha?[l] Aparta tu vino de ti". **15** Por lo cual Ana contestó y dijo: "¡No, señor mío! Soy una mujer duramente oprimida de espíritu, y no he bebido vino ni licor embriagante, sino que derramo mi alma delante de Jehová.[m] **16** No tomes a tu esclava por una mujer que no sirve para nada,[n] porque es por la abundancia de mi preocupación y mi irritación que he hablado hasta ahora".[o] **17** Entonces Elí contestó y dijo: "Ve en paz,[p] y que el Dios de Israel conceda tu petición que le has pedido".[q] **18** A lo cual ella dijo: "Halle tu sierva favor a tus

CAP. 1

a 1Sa 1:19
1Sa 7:17
1Sa 28:3
b Jos 16:5
Jos 17:16
c 1Cr 6:27
1Cr 6:35
e Gé 16:1
Gé 29:31
f Sl 95:6
g Éx 23:14
Éx 34:23
Dt 12:5
Jos 18:1
Jue 21:19
Lu 2:41
h 1Sa 2:12
1Sa 2:22
1Sa 2:34
1Sa 4:17
i Nú 3:10
Dt 33:10
Mal 2:7
j Le 7:15
1Sa 9:22
k Gé 29:30
Dt 21:15
l Gé 20:18
Gé 30:2
m Gé 16:4
Dt 16:16
1Sa 1:3
o 1Sa 2:19
p Gé 30:1
q Rut 4:15
Can 8:6

2.ª col.

a Éx 25:8
Éx 40:2
1Sa 1:24
1Sa 3:3
2Sa 7:2
2Sa 22:7
Sl 27:4
b Job 7:11
Isa 38:15
Sl 55:22
Sl 65:2
d 2Re 20:3
e Nú 30:7
Nú 30:14
Dt 23:23
Ec 5:4
f Isa 66:2
Lu 1:38
Heb 4:16
g Gé 30:22
h Nú 6:5
Jue 13:5
Lu 1:15
i Lu 18:1
Col 4:2
1Te 5:17
j Gé 24:45
Ne 2:4
k Hch 2:13
l 1Pr 18:13
Snt 1:19

m Sl 42:4; Sl 42:6; Sl 62:8; Sl 142:2; n Dt 13:13;
1Sa 10:27; 1Sa 25:25; 1Sa 30:22; o Job 6:2; Job
10:1; p Jue 18:6; 1Sa 25:35; Mr 5:34; Lu 7:50; Lu
8:48; q 1Sa 1:11; Sl 20:4; Sl 65:2.

ojos".[a] Y la mujer procedió a irse por su camino y a comer,[b] y su rostro no volvió a mostrar preocupación por su propia situación.[c]

19 Entonces se levantaron muy de mañana y se postraron delante de Jehová, después de lo cual volvieron y entraron en su casa en Ramá.[d] Elqaná ahora tuvo coito[e] con Ana su esposa, y Jehová empezó a acordarse de ella.[f] 20 Así, a la vuelta de un año, aconteció que Ana quedó encinta y dio a luz un hijo y procedió a llamarlo por nombre[g] Samuel, porque, dijo ella, "es a Jehová a quien lo he pedido".[h]

21 Con el tiempo el hombre Elqaná subió con toda su casa a sacrificar para Jehová el sacrificio anual[i] y su ofrenda de voto.[j] 22 En cuanto a Ana, ella no subió,[k] porque había dicho a su esposo: "Tan pronto como el muchacho sea destetado,[l] tengo que llevarlo, y tiene que presentarse delante de Jehová y morar allí hasta tiempo indefinido".[m] 23 Ante esto, Elqaná su esposo[n] le dijo: "Haz lo que sea bueno a tus ojos.[o] Quédate en casa hasta que lo destetes. Solo que Jehová realice su palabra".[p] De modo que la mujer se quedó en casa y siguió amamantando a su hijo hasta que lo destetó.[q]

24 Por consiguiente, tan pronto como lo hubo destetado, lo subió consigo, junto con un toro de tres años y un efá de harina y un jarrón de vino,[r] y procedió a entrar en la casa de Jehová, en Siló.[s] Y el muchacho estaba con ella. 25 Entonces degollaron el toro y llevaron el muchacho a Elí.[t] 26 Con eso, ella dijo: "¡Dispénsame, señor mío! Por la vida de tu alma,[u] señor mío, yo soy la mujer que estuvo de pie contigo en este lugar para orar a Jehová.[v] 27 Respecto a este muchacho oré que Jehová me concediera mi petición[w] que le pedí.[x] 28 Y yo, a mi vez, lo he prestado a Jehová.[y] Todos los días que en efecto él

exista, es uno solicitado para Jehová".

Y él procedió a inclinarse allí ante Jehová.[a]

2 Y Ana pasó a orar[b] y decir:

"Mi corazón sí se alboroza en Jehová,[c]
   mi cuerno realmente está ensalzado en Jehová.[d]
Mi boca está ensanchada contra mis enemigos,
   porque de veras me regocijo en la salvación procedente de ti.[e]

2 No hay nadie santo como Jehová, porque no hay nadie fuera de ti;[f]
   y no hay roca como nuestro Dios.[g]

3 No hablen ustedes muy altivamente tanto,
   no salga nada desenfrenado de su boca,[h]
porque Dios de conocimiento es Jehová;[i]
   y por él los hechos son correctamente evaluados.[j]

4 Los poderosos hombres del arco están llenos de terror,[k]
   pero los que van tropezando sí se ciñen de energía vital.[l]

5 Los saciados tienen que alquilarse por pan,[m]
   pero los hambrientos realmente cesan [de tener hambre].[n]
Hasta la estéril ha dado a luz siete,[o]
   pero la que abundaba en hijos se ha marchitado.[p]

6 Jehová es Uno que mata y Uno que conserva la vida,[q]
Uno que hace bajar al Seol,[r]
   y Él hace subir.[s]

7 Jehová es Uno que empobrece[t] y Uno que enriquece,[u]

CAP. 1
a Gé 33:15
  Rut 2:13
b Ec 9:7
c Flp 4:7
  1Pe 5:7
d 1Sa 1:1
e Gé 4:1
  Rut 4:13
f 1Sa 1:11
  Sl 66:19
  Pr 15:29
g Gé 5:29
  Gé 41:51
  Éx 2:22
  Mt 1:21
h Mt 7:7
  1Jn 5:14
i 1Sa 1:3
j Nú 15:3
  Nú 15:8
  Dt 23:23
k Dt 16:16
l 2Cr 31:16
  Isa 28:9
m 1Sa 1:11
  1Sa 2:11
  1Sa 3:1
n Ef 5:25
  1Pe 3:7
o Nú 30:7
p Isa 55:11
  Tit 1:2
  Heb 6:18
q 2Cr 31:16
  Isa 28:9
r Nú 15:10
s Jos 18:1
  1Sa 1:9
  1Sa 1:3
u 1Sa 17:55
  1Sa 20:3
  2Sa 11:11
  2Re 2:2
  2Re 4:30
  Ec 9:5
v 1Sa 1:15
w Sl 21:2
  Sl 37:4
x 1Sa 1:11
  1Sa 1:17
  Sl 66:19
  Mt 7:7
  1Jn 5:15
y Jue 11:31

2.ᵃcol.
a Sl 95:6

CAP. 2
b Flp 4:6
c Sl 13:6
  Lu 1:46
  Ro 5:11
d Sl 18:2
  Sl 89:17
  Sl 92:10
e Sl 9:14
  Sl 13:5
f Éx 15:11
  Dt 3:24
  Dt 4:35
  Sl 73:25
  Sl 86:8
  Sl 89:6
g Dt 32:4
  2Sa 22:32
h Sl 94:4
  Snt 1:26
  Snt 3:8

i Job 36:4; Job 37:16; Sl 147:5; Ro 11:33; j Pr 16:2; Pr 24:12; k Sl 37:15; Sl 76:3; l Isa 40:29; m Sl 34:10; n Lu 1:53; o 1Sa 1:11; 1Sa 1:20; Sl 113:9; p Isa 54:1; Gál 4:27; q Dt 32:39; Sl 68:20; r Dt 28:12; 2Cr 1:12; Job 42:12; Pr 10:22; 2Co 9:11.

Uno que abate, también
    Uno que ensalza,ª
8 Uno que levanta del polvo al
    de condición humilde;ᵇ
    del pozo de cenizas alza a
        un pobre,ᶜ
    para hacer que se sienten
        con nobles; y un trono de
        gloriaᵈ les da como pose-
        sión.ᵉ
    Porque a Jehová pertenecen
        los apoyos de la tierra,ᶠ
    y sobre ellos coloca la tierra
        productiva.
9 Él guarda los pies de sus lea-
        les;ᵍ
    en cuanto a los inicuos, son
        reducidos a silencio en
        oscuridad,ʰ
    porque no por poder resul-
        ta superior un hombre.ⁱ
10 En cuanto a Jehová, los que
        contiendan contra él se-
        rán aterrorizados;ʲ
    contra ellos él tronará en
        los cielos.ᵏ
    Jehová mismo juzgará los
        cabos de la tierra,ˡ
    para dar fuerza a su rey,ᵐ
    para ensalzar el cuerno de
        su ungido".ⁿ

11 Entonces Elqaná se fue a
Ramá, a su casa; y en cuanto al
muchacho, él llegó a ser minis-
troº de Jehová delante de Elí el
sacerdote.
12 Ahora bien, los hijos de Elí
eran hombres que no servían
para nada;ᵖ no reconocían a Je-
hová.ᑫ 13 En cuanto al debido
derecho de los sacerdotes de
parte del pueblo, cuando cualquier hombre estaba ofreciendo
un sacrificio, venía un servidor
del sacerdote con el tenedor de
tres puntas en la mano, justamente cuando la carne estaba
hirviendo,ˢ 14 y lo metía de repente en la fuente o en la olla de
dos asas o en la caldera o en
la olla de un mango. Cualquier
cosa que el tenedor sacaba, el
sacerdote lo tomaba para sí. De
esa manera solían hacer en Siló
a todos los israelitas que venían allí.ᵗ 15 También, antes
que siquiera pudieran hacer

CAP. 2
a Sl 75:7
Flp 2:9
b Sl 113:7
c Lu 1:52
1Pe 5:6
d Sl 8:13
Mt 18:4
e Gé 41:40
f Job 38:4
Sl 102:25
g Sl 91:11
Sl 97:10
Sl 121:3
Pr 2:8
Lu 1:79
h Sl 37:28
Sof 1:15
i 1Sa 14:6
1Sa 17:50
Sl 33:16
j Éx 15:6
Sl 21:8
Sl 92:9
k 1Sa 7:10
2Sa 22:14
1Sa 18:13
l Sl 50:4
Sl 96:13
Hch 17:31
m Sl 2:6
Sl 45:1
Sl 110:1
Isa 32:1
Mt 28:18
n Sl 75:10
Sl 89:17
Lu 1:69
Hch 4:27
Hch 10:38
o 1Sa 1:11
1Sa 3:1
1Sa 3:15
p 1Sa 2:22
Pr 17:25
q Tit 1:16
Heb 3:12
r Le 7:34
s Le 6:28
Nú 6:19
t Mal 1:6

2.ª col.

a Le 3:5
b Flp 3:19
Jud 12
c Le 3:16
Le 7:25
Le 7:31
d Dt 12:15
e Jue 18:25
Ne 5:15
Miq 2:1
1Pe 5:2
f 1Sa 2:29
Isa 9:16
g 1Sa 2:14
Mal 2:8
h 1Sa 2:11
1Sa 3:15
Pr 20:11
i 1Sa 22:18
2Sa 6:14
j Éx 23:14
1Sa 1:3
1Sa 1:21
k 1Sa 14:19
Nú 6:23
l 1Sa 1:28
m Gé 21:1
Dt 7:14
1Sa 1:19
n Sl 127:3

humear la grasa,ª venía un servidor del sacerdote y decía al hombre que ofrecía el sacrificio: "Da
carne para asarla para el sacerdote, sí, para que él reciba de ti,
no carne cocida, sino cruda".ᵇ
16 Cuando el hombre le decía:
"Que estén seguros de hacer
humear la grasa primero,ᶜ Entonces toma para ti lo que sea
que tu alma desee con vehemencia",ᵈ él realmente decía: "No,
sino que debes darla ahora; y, si
no, ¡tendré que tomarla por la
fuerza!".ᵉ 17 Y el pecado de los
servidores llegó a ser muy grande ante Jehová;ᶠ porque los
hombres trataban la ofrenda de
Jehová con falta de respeto.ᵍ
18 Y Samuel estaba minis-
trandoʰ delante de Jehová, como
muchacho, y tenía ceñido un
efod de lino.ⁱ 19 También, su
madre solía hacerle una vestidura pequeña sin mangas, y se la
traía de año en año cuando subía
con su esposo para sacrificar el
sacrificio anual.ʲ 20 Y Elí ben-
dijoᵏ a Elqaná y a su esposa y
dijo: "Que Jehová te asigne prole
de esta esposa en lugar de la cosa
prestada, que fue prestada a Jehová".ˡ Y se fueron a su lugar.
21 En conformidad, Jehová dirigió su atención a Ana,ᵐ de
modo que ella tuvo gravidez y
dio a luz tres hijos y dos hijas.ⁿ Y
el muchacho Samuel continuó
creciendo con Jehová.º
22 Y Elí era muy viejo, y había
oídoᵖ de todo lo que sus hijos
seguían haciendoᑫ a todo Israel,
y que se acostaban con las muje-
resʳ que servían a la entrada de
la tienda de reunión.ˢ 23 Y solía decirles:ᵗ "¿Por qué siguen
haciendo cosas como estas?ᵘ
Pues las cosas que estoy oyendo acerca de ustedes de parte
de todo el pueblo son malas.ᵛ
24 No,ʷ hijos míos, porque no es

o Jue 13:24; 1Sa 2:26; 1Sa 3:19; Lu 1:80; Lu 2:52;
p Dt 13:12; q 1Sa 2:14; 1Sa 2:17; 1Ti 5:20; r Le
21:6; s Jer 7:10; Eze 22:26; t Pr 13:24; Pr 19:13;
Pr 19:18; u 1Sa 2:14; 1Sa 2:17; 1Sa 2:22; 1Re 1:6;
Snt 5:20; v Pr 13:14; Isa 3:9; Jer 8:12; Flp 3:19;
w Mt 5:37; Snt 5:12.

bueno el informe que estoy oyendo, que el pueblo de Jehová está haciendo circular.[a] 25 Si peca un hombre contra un hombre,[b] Dios decidirá como árbitro por él;[c] pero si es contra Jehová contra quien peca un hombre,[d] ¿quién hay que pueda orar por él?".[e] Pero ellos no escuchaban la voz de su padre,[f] porque a Jehová ahora le agradaba darles muerte.[g] 26 Mientras tanto, el muchacho Samuel iba creciendo y haciéndose más agradable, tanto desde el punto de vista de Jehová como del de los hombres.[h]

27 Y un hombre de Dios[i] procedió a venir a Elí y a decirle: "Esto es lo que ha dicho Jehová: '¿No es un hecho que me revelé a la casa de tu antepasado mientras ellos se hallaban en Egipto como esclavos para la casa de Faraón?[j] 28 Y hubo un escogerlo para mí de todas las tribus de Israel,[k] para que hiciera trabajo de sacerdote y subiera sobre mi altar[l] para hacer ascender en espirales el humo de sacrificios, para que llevara un efod delante de mí, para que yo diera a la casa de tu antepasado todas las ofrendas de los hijos de Israel hechas por fuego.[m] 29 ¿Por qué siguen ustedes pateando mi sacrificio[n] y mi ofrenda que yo he mandado [hacer en mi] morada,[o] y tú sigues honrando a tus hijos más que a mí, engordándose ustedes[p] de lo mejor de toda ofrenda de Israel mi pueblo?[q]

30 "'Por eso es la expresión de Jehová el Dios de Israel es: "De veras dije yo: En cuanto a tu casa y la casa de tu antepasado, andarán delante de mí hasta tiempo indefinido".[r] Pero ahora la expresión de Jehová es: "Es inconcebible, por mi parte, porque a los que me honran[s] honraré,[t] y los que me desprecian serán de poca monta".[u] 31 ¡Mira! Vienen días en que ciertamente cortaré tu brazo y el brazo de la casa de tu antepasado, de modo

que no llegue a haber viejo en tu casa.[a] 32 Y realmente mirarás a un adversario [en mi] morada, en medio de todo el bien que se hace a Israel;[b] y nunca llegará a haber un viejo en tu casa. 33 Y, sin embargo, hay un hombre tuyo que no cortaré de estar junto a mi altar para hacer fallar tus ojos y causar languidez a tu alma; pero, en su mayoría, todos los de tu casa morirán por la espada de los hombres.[c] 34 Y esta es para ti la señal que les vendrá a tus dos hijos, Hofní y Finehás:[d] En un mismo día ambos morirán.[e] 35 Y yo ciertamente levantaré para mí un sacerdote fiel.[f] En armonía con lo que está en mi corazón y en mi alma obrará yo; y ciertamente le edificaré una casa duradera, y él ciertamente andará delante de mi ungido[g] siempre. 36 Y tiene que suceder que cualquiera que quede[h] en tu casa vendrá y se inclinará ante él por el pago de dinero y un pan redondo, y ciertamente dirá: 'Agrégame, por favor, a uno de los oficios sacerdotales para comer un pedazo de pan'"'".[i]

3 Mientras tanto, el muchacho Samuel ministraba[j] a Jehová delante de Elí, y la palabra de Jehová[k] se había hecho rara en aquellos días;[l] no se diseminaba visión[m] alguna.

2 Ahora bien, en aquel día aconteció que Elí estaba acostado en su lugar, y los ojos habían empezado a oscurecérsele;[n] no podía ver. 3 Y la lámpara de Dios aún no se había apagado, y Samuel estaba acostado en el templo[o] de Jehová, donde estaba el arca de Dios. 4 Y Jehová procedió a llamar a Samuel. Ante esto, él dijo: "Aquí estoy".[p] 5 Y se fue corriendo a Elí y dijo: "Aquí estoy, pues me llamaste". Pero él dijo: "No llamé. Vuélvete a acostar". De modo que él se fue

CAP. 2
a 1Ti 3:7
  Tit 1:7
b Dt 25:1
c Dt 17:12
  1Re 8:31
d Nú 15:31
  Nú 18:22
  Dt 28:15
  1Sa 2:17
  1Sa 3:14
  2Re 22:17
e Heb 10:26
f Pr 29:1
  Pr 30:17
g Jos 11:20
  Job 34:11
  Pr 15:10
  Ro 9:18
  Heb 3:13
h 1Sa 2:21
  Pr 3:4
  Lu 2:52
i Jue 6:8
  Heb 1:1
j Éx 4:14
  Éx 4:27
k Éx 28:1
  Éx 39:1
  Nú 16:5
  Nú 17:5
  Nú 17:8
  Sl 99:6
l Nú 18:7
m Le 2:3
  Le 6:16
  Le 10:14
  Nú 5:9
  Nú 18:9
n Mal 1:6
o Éx 25:8
  Jos 18:1
  1Sa 1:3
p Os 4:9
q 1Sa 2:14
r Éx 28:43
s Sl 50:23
  Pr 3:9
  1Ti 1:17
t 1Sa 18:20
  Sl 91:14
  Jn 12:26
u Dt 28:45
  2Re 2:24
  Is 28:24
  Mal 2:9

2.ª col.
a 1Sa 3:14
  1Sa 4:11
  1Sa 4:18
  1Sa 14:3
  1Sa 22:18
  1Cr 24:3
  Sl 37:17
b 1Sa 4:22
  Sl 78:61
c 1Sa 22:18
  1Sa 22:21
d 1Sa 1:3
  1Sa 4:11
  1Sa 4:17
f 1Re 2:35
  1Cr 29:22
g 1Sa 2:10
  1Sa 24:6
  2Cr 6:42
h 1Re 2:27
i Le 2:3
  Nú 5:9

CAP. 3   j 1Sa 2:11; 1Sa 2:18; k 2Sa 7:4; l Sl 74:9;
m Nú 12:6; 1Cr 17:15; n Gé 27:1; 1Sa 4:15; Ec
12:3; o 1Sa 1:9; 1Sa 3:15; Sl 5:7; p Gé 22:1.

y se acostó. 6 Y Jehová pasó
a llamar aun de nuevo: "¡Samuel!".[a] Ante esto, Samuel se levantó y fue a Elí y dijo: "Aquí
estoy, porque sí me llamaste".
Pero él dijo: "No llamé, hijo
mío.[b] Vuélvete a acostar".
7 (En cuanto a Samuel, todavía
no había llegado a conocer a Jehová, y la palabra de Jehová todavía no se le había empezado a
revelar.)[c] 8 De modo que Jehová volvió a llamar por tercera
vez: "¡Samuel!". Ante esto, él se
levantó y fue a Elí y dijo: "Aquí
estoy, porque tienes que haberme llamado".
Y Elí empezó a discernir que
era Jehová el que llamaba al muchacho. 9 En consecuencia,
Elí dijo a Samuel: "Ve, acuéstate, y tiene que suceder que, si él
te llama, tienes que decir: 'Habla, Jehová, porque tu siervo
está escuchando'". Así que Samuel se fue y se acostó en su
lugar.

10 Entonces vino Jehová y
tomó su posición, y llamó
como las otras veces: "¡Samuel,
Samuel!". A lo cual dijo Samuel:
"Habla, porque tu siervo está escuchando".[d] 11 Y Jehová pasó
a decir a Samuel: "¡Mira! Estoy
haciendo[e] algo en Israel que, si
alguien lo oye, ambos oídos le
retiñirán.[f] 12 En aquel día llevaré a cabo para con Elí todo lo
que he dicho respecto a su casa,
desde el principio hasta el fin.[g]
13 Y tienes que informarle que
estoy juzgando su casa[h] hasta
tiempo indefinido por el error
del cual él ha sabido,[i] porque
sus hijos están invocando el mal
contra Dios,[j] y él no los ha reprendido.[k] 14 Y por eso he jurado a la casa de Elí que el error
de la casa de Elí no será llevado
a exención de castigo por sacrificio ni por ofrenda, hasta tiempo indefinido".[l]

15 Y Samuel continuó acostado hasta la mañana. Entonces
abrió las puertas de la casa de
Jehová.[m] Y Samuel tenía miedo
de informar a Elí del aparecimiento.[a] 16 Pero Elí llamó a
Samuel y dijo: "¡Samuel, hijo
mío!". Ante esto, él dijo: "Aquí
estoy". 17 Y él pasó a decir:
"¿Qué es la palabra que te ha
hablado? Por favor, no la escondas de mí.[b] Que Dios te haga así
y añada así a ello[c] si escondes de
mí una palabra de toda la palabra que te ha hablado". 18 De
modo que Samuel le refirió todas las palabras, y no le escondió
nada. Ante eso, él dijo: "Es Jehová. Lo que sea bueno a sus ojos,
que lo haga".[d]

19 Y Samuel continuó cre-
ciendo, y Jehová mismo resultó
estar con él,[e] y no hizo caer a
tierra ninguna de todas sus palabras.[f] 20 Y todo Israel, desde Dan hasta Beer-seba,[g] llegó a
darse cuenta de que Samuel era
persona acreditada para el puesto de profeta para Jehová.[h]
21 Y Jehová procedió a aparecerse de nuevo[i] en Siló, porque
Jehová se reveló a Samuel en
Siló por la palabra de Jehová.[j]

4 Y la palabra de Samuel continuó llegando a todo Israel.
Entonces Israel salió al encuentro de los filisteos en batalla; y se pusieron a acampar junto a Ebenézer,[k] y los filisteos
mismos acamparon en Afeq.[l]
2 Y los filisteos procedieron a
disponerse en orden[m] para encontrarse con Israel, y la batalla
iba mal, de modo que Israel
fue derrotado delante de los filisteos,[n] que fueron derribando a
unos cuatro mil hombres en línea cerrada de batalla en el campo. 3 Cuando la gente vino al
campamento, los ancianos de Israel empezaron a decir: "¿Por
qué nos derrotó hoy Jehová delante de los filisteos?[o] Tomémonos de Siló el arca del pacto de
Jehová,[p] para que esta venga en
medio de nosotros y nos salve de
la palma de la mano de nuestros
enemigos". 4 De modo que la
gente envió a Siló y se llevaron
de allá el arca del pacto de Jehová de los ejércitos, que está sentado sobre los querubines.[q] Y los

CAP. 3

a Sl 99:6
b 1Sa 3:16; 1Sa 4:16
c Am 3:7
d Sl 85:8; Isa 55:2; Da 10:19
e Am 3:7; Hab 1:5
f 2Re 21:12; Jer 19:3
g Nú 23:19; 1Sa 2:31; Isa 46:11; Isa 55:11; Zac 1:6
h Eze 7:8; Eze 18:30
i Le 5:1; 1Sa 2:22; Jn 15:22; Snt 4:17
j Nú 15:30; 1Sa 2:12; 1Sa 2:17; 1Sa 2:30
k 1Sa 2:23; Pr 19:18; Ec 8:11; 1Ti 5:20
l Dt 5:9; 1Sa 2:24; 1Sa 4:11; 1Sa 22:21; 1Re 2:27; Heb 10:26
m 1Sa 2:11; 1Sa 3:1

2.ª col.

a Jer 1:6
b Sl 141:5
c Rut 1:17; 1Sa 20:13; 2Sa 19:13
d Job 1:21; Lam 3:39; Hch 21:14
e Gé 39:3; 1Sa 2:21
f 1Sa 9:6; Isa 44:26
g Jue 20:1
h 1Sa 2:7; Sl 75:7
i 1Sa 3:1
j 1Sa 3:4; Sl 99:6; Am 3:7

CAP. 4

k 1Sa 5:1
l Jos 12:18
m 1Sa 17:21
n Jos 7:12; Sl 44:9; Sl 79:7; Sl 106:41
o Dt 28:25; Dt 32:30; Jue 2:14
p Nú 14:44; Jos 6:4; 1Sa 14:18; 2Sa 15:25
q Éx 25:18; Nú 7:89; 2Sa 6:2; 2Re 19:15; Sl 80:1; Sl 99:1

dos hijos de Elí estaban allí con el arca del pacto del Dios [verdadero], a saber, Hofní y Finehás.[a]

5 Y aconteció que, tan pronto como el arca del pacto de Jehová entró en el campamento, todos los israelitas prorrumpieron en fuerte gritería,[b] de modo que la tierra estuvo en conmoción. 6 Los filisteos también llegaron a oír el sonido de la gritería y empezaron a decir: "¿Qué significa el sonido de esta fuerte gritería[c] en el campamento de los hebreos?". Por fin llegaron a saber que el arca misma de Jehová había entrado en el campamento. 7 Y a los filisteos les dio miedo, porque, dijeron: "¡Dios ha entrado en el campamento!".[d] Así que dijeron: "¡Ay de nosotros, porque una cosa como esta nunca antes ha sucedido! 8 ¡Ay de nosotros! ¿Quién nos salvará de la mano de este majestuoso Dios? Este es el Dios que fue golpeador de Egipto con toda suerte de matanza en el desierto.[e] 9 Muéstrense animosos y pruébense hombres, oh filisteos, para que no sirvan a los hebreos tal como ellos les han servido a ustedes;[f] ¡y tienen que probarse hombres, y pelear!". 10 Por consiguiente, los filisteos pelearon, e Israel fue derrotado,[g] y se fueron huyendo cada uno a su tienda;[h] y la matanza llegó a ser muy grande,[i] de modo que de Israel cayeron treinta mil hombres de a pie.[j] 11 Y la misma arca de Dios fue tomada,[k] y Hofní y Finehás, los dos hijos de Elí, murieron.[l]

12 Y un hombre de Benjamín se fue corriendo de la línea de batalla, de modo que llegó a Siló aquel día con sus prendas de vestir rasgadas[m] y tierra sobre la cabeza.[n] 13 Cuando llegó, allí estaba Elí sentado en el asiento al lado del camino, vigilando, porque su corazón se había puesto tembloroso a causa del arca del Dios [verdadero].[o] Y el hombre mismo entró para dar

informe en la ciudad, y toda la ciudad empezó a gritar. 14 Y Elí llegó a oír el sonido del clamor. De modo que dijo: "¿Qué significa el sonido de esta bulla?".[a] Y el hombre mismo se apresuró para entrar y dar el informe a Elí. 15 (Ahora bien, Elí tenía noventa y ocho años de edad, y sus ojos se habían quedado fijos, de modo que no podía ver.)[b] 16 Y el hombre procedió a decir a Elí: "Yo soy el que acaba de llegar de la línea de batalla, y yo... es de la línea de batalla de donde he huido hoy". Ante esto, él dijo: "¿Qué cosa ha pasado, hijo mío?". 17 De modo que el portador de la nueva contestó y dijo: "Israel ha huido delante de los filisteos, y también ha ocurrido una gran derrota entre el pueblo;[c] y también han muerto tus dos hijos mismos —Hofní y Finehás[d]— y el arca misma del Dios [verdadero] ha sido tomada".[e]

18 Y aconteció que, al momento de mencionar aquel el arca del Dios [verdadero], él empezó a caer del asiento hacia atrás, al lado de la puerta, y se le quebró la nuca, de modo que murió, porque el hombre era viejo y pesado; y él mismo había juzgado a Israel cuarenta años. 19 Y su nuera, la esposa de Finehás, estaba encinta, próxima a dar a luz, y llegó a oír el informe de que el arca del Dios [verdadero] había sido tomada y que su suegro y su esposo habían muerto. Ante eso, se inclinó y empezó a dar a luz, porque sus dolores le sobrevinieron de repente.[f] 20 Y como al tiempo de morir ella, las mujeres que estaban de pie junto a ella empezaron a hablar: "No temas, porque es un hijo el que has dado a luz".[g] Y ella no contestó ni fijó su corazón en ello. 21 Pero llamó al muchacho Icabod,[h] diciendo: "La gloria se ha ido de Israel al destierro",[i] [esto] respecto de haber sido tomada el arca del

CAP. 4

a Nú 4:15
  1Sa 2:12

b Jer 7:4

c Éx 32:17

d Éx 14:25
  Éx 15:14

e Éx 7:5
  Sl 78:43
  Sl 78:51

f Nú 33:56
  Dt 28:48
  Jue 10:7
  Jue 13:1

g Le 26:17
  Dt 28:25
  1Sa 4:2

h 1Re 22:36

i Dt 28:25

j Sl 78:62

k 1Sa 4:3
  Sl 78:61
  Lam 2:17

l 1Sa 2:31
  1Sa 2:34
  1Sa 4:17
  Sl 78:64
  Ec 8:8
  Ec 8:13

m 2Sa 1:2

n Jos 7:6
  2Sa 13:19
  2Sa 15:32
  Ne 9:1
  Job 2:12

o 1Sa 4:4

2.ª col.

a 1Sa 4:10

b 1Sa 3:2
  Sl 90:10

c 1Sa 3:11
  1Sa 4:10

d 1Sa 2:34
  Sl 78:64

e 1Sa 4:11
  Sl 78:61
  Lam 2:17

f Gé 35:16

g Gé 35:17

h 1Sa 14:3

i 1Sa 4:5
  1Sa 4:11
  Sl 78:61

Dios [verdadero], y respecto de su suegro y de su esposo.ª 22 Así que dijo: "La gloria se ha ido de Israel al destierro,ᵇ porque el arca del Dios [verdadero] ha sido tomada".ᶜ

5 En cuanto a los filisteos, ellos tomaron el arcaᵈ del Dios [verdadero] y entonces la llevaron de Ebenézer a Asdod.ᵉ 2 Y los filisteos procedieron a tomar el arca del Dios [verdadero] y a introducirla en la casa de Dagón y a estacionarla al lado de Dagón.ᶠ 3 Entonces los asdoditas madrugaron al mismo día siguiente, y allí estaba Dagón caído en tierra sobre su rostro delante del arca de Jehová. De modo que tomaron a Dagón y lo volvieron a su lugar.ʰ 4 Cuando se levantaron muy de mañana precisamente al día siguiente, allí estaba Dagón caído en tierra sobre su rostro delante del arca de Jehová, con la cabeza de Dagón y las palmas de sus dos manos cortadas, al umbral.ⁱ Solamente la parte de pez se le había dejado encima. 5 Por eso los sacerdotes de Dagón y todos los que entran en la casa de Dagón no pisan el umbral de Dagón en Asdod, hasta el día de hoy.

6 Y la mano de Jehováʲ llegó a ser pesada sobre los asdoditas, y él empezó a causar pánico y a herirlos con hemorroides,ᵏ es decir, a Asdod y sus territorios. 7 Y los hombres de Asdod llegaron a ver que era así, y dijeron: "No more con nosotros el arca del Dios de Israel, porque su mano ha sido dura contra nosotros y contra Dagón nuestro dios".ˡ 8 Por lo tanto, enviaron [mensaje] y reunieron a sí a todos los señores del eje de los filisteos y dijeron: "¿Qué haremos con el arca del Dios de Israel?". Por fin dijeron: "Que dé la vuelta hacia Gatᵐ el arca del Dios de Israel". De modo que llevaron el arca del Dios de Israel alrededor hasta allí. 9 Y aconteció que, después de

haberla llevado alrededor hasta allí, la mano de Jehováª llegó a estar sobre la ciudad con muy grande confusión, y él empezó a herir a los hombres de la ciudad, desde el pequeño hasta el grande, y empezaron a salirles hemorroides.ᵇ 10 Por lo tanto enviaron el arca del Dios [verdadero] a Eqrón.ᶜ Y aconteció que tan pronto como el arca del Dios [verdadero] llegó a Eqrón, los eqronitas empezaron a gritar, diciendo: "¡Han traído el arca del Dios de Israel alrededor a mí para darnos muerte a mí y a mi pueblo!".ᵈ 11 En consecuencia, enviaron [mensaje] y reunieron a todos los señores del eje de los filisteos y dijeron: "Envíen el arca del Dios de Israel para que vuelva a su lugar y no nos dé muerte a mí y a mi pueblo". Pues una confusión mortífera había ocurrido en toda la ciudad;ᵉ la mano del Dios [verdadero] había sido muy pesada allí,ᶠ 12 y los hombres que no murieron habían sido heridos con hemorroides.ᵍ Y el clamorʰ de la ciudad por ayuda siguió ascendiendo a los cielos.

6 Y el arcaⁱ de Jehová resultó estar en el campo de los filisteos siete meses. 2 Y los filisteos procedieron a llamar a los sacerdotes y a los adivinos,ʲ y decir: "¿Qué haremos con el arca de Jehová? Dennos a conocer con qué la hemos de enviar a su lugar". 3 A lo cual ellos dijeron: "Si van a enviar el arca del Dios de Israel, no la envíen sin una ofrenda, porque sin falta deben devolverle una ofrenda por la culpa.ᵏ Es entonces cuando serán sanados, y tendrá que serles manifiesto por qué la mano de él no se apartaba de ustedes". 4 A lo que dijeron: "¿Cuál es la ofrenda por la culpa que debemos devolverle?". Entonces ellos dijeron: "Según el número de los señores del ejeˡ de los filisteos, cinco hemorroides de oro y cinco jerbos de oro, porque cada uno

CAP. 4
a 1Sa 2:32
1Sa 2:34
b Dt 28:15
c 1Sa 4:11
2Cr 8:11
Jer 7:12

CAP. 5
d 1Sa 4:11
1Sa 4:17
Sl 78:61
e Jos 11:22
1Sa 6:17
Hch 8:40
f 1ne 16:23
1Cr 10:10
Sl 115:4
g Éx 12:12
1Cr 16:26
Sl 95:3
Sl 96:5
Sl 97:7
Isa 19:1
Sof 2:11
h Isa 46:7
i Isa 2:18
Jer 10:11
j Éx 9:3
1Sa 5:9
1Sa 5:11
1Sa 7:13
k Dt 28:27
1Sa 6:5
1 1Co 8:5
m 1Sa 17:4

2.ª col.
a Dt 2:15
1Sa 7:13
b 1Sa 5:6
c Jos 15:45
Jue 1:18
2Re 1:2
Am 1:8
d 1Sa 5:7
e Heb 10:31
f 1Sa 5:9
g Dt 28:27
h Sl 115:6
Da 5:23
Hab 2:19

CAP. 6
i 1Sa 4:11
1Sa 5:1
Sl 78:61
j Éx 7:11
Le 19:31
Dt 18:12
Isa 2:6
k 1Sa 6:4
1Sa 6:17
l Jos 13:3
Jue 3:3
1Sa 6:16

de ustedes y sus señores del eje tienen el mismo azote. 5 Y tienen que hacer imágenes de sus hemorroides e imágenes de sus jerbos[a] que están arruinando la tierra, y tienen que dar gloria[b] al Dios de Israel. Quizás aligere su mano de sobre ustedes y de sobre su dios y de sobre su tierra.[c] 6 Además, ¿por qué deben hacer insensible su corazón de la misma manera como Egipto y Faraón hicieron insensible el corazón de ellos?[d] ¿No fue tan pronto como Él los trató severamente[e] cuando procedieron a enviarlos, y ellos se fueron por su camino?[f] 7 Y ahora tomen y hagan un carruaje nuevo,[g] y dos vacas que estén dando de mamar, sobre las cuales no haya subido yugo,[h] y tienen que enganchar las vacas al carruaje, y tienen que hacer que sus crías se vuelvan a casa de seguirlas. 8 Y tienen que tomar el arca de Jehová y colocarla sobre el carruaje, y los objetos de oro[i] que tienen que devolverle como ofrenda por la culpa[j] los deben poner en una caja al lado de ella. Y tienen que enviarla, y tiene que ir. 9 Y ustedes tienen que mirar: si es por el camino a su territorio que sube, a Bet-semes,[k] él es quien nos ha hecho este gran mal; pero si no, tendremos que saber que no fue su mano la que nos tocó; fue un accidente[l] lo que nos pasó".

10 Y los hombres procedieron a hacerlo así. De modo que tomaron dos vacas que estaban dando de mamar y las engancharon al carruaje, y a sus crías las encerraron en casa. 11 Entonces pusieron el arca de Jehová sobre el carruaje,[m] y también la caja y los jerbos de oro y las imágenes de sus hemorroides. 12 Y las vacas empezaron a ir derechas por el camino a Bet-semes.[n] Por una misma calzada fueron, mugiendo al ir, y no se desviaron a la derecha ni a la izquierda. Mientras tanto, los

señores del eje[a] de los filisteos fueron andando detrás de ellas hasta el límite de Bet-semes. 13 Y la gente de Bet-semes estaba segando la cosecha de trigo[b] en la llanura baja. Cuando alzaron los ojos y vieron el Arca, se entregaron al regocijo al verla. 14 Y el carruaje mismo entró en el campo de Josué el bet-semita y se quedó parado allí, donde había una piedra grande. Y ellos se pusieron a partir la madera del carruaje, y ofrecieron las vacas[c] como ofrenda quemada a Jehová.[d]

15 Y los levitas[e] mismos bajaron el arca de Jehová y la caja que estaba con ella, en la cual estaban los objetos de oro, y procedieron a ponerla sobre la piedra grande. Y los hombres de Bet-semes,[f] por su parte, ofrecieron ofrendas quemadas, y continuaron ofreciendo sacrificios a Jehová en aquel día.

16 Y los cinco señores del eje[g] de los filisteos mismos lo vieron y procedieron a volverse a Eqrón en aquel día. 17 Ahora bien, estas son las hemorroides de oro que los filisteos devolvieron como ofrenda por la culpa a Jehová:[h] por Asdod[i] una, por Gaza[j] una, por Asquelón[k] una, por Gat[l] una, por Eqrón[m] una. 18 Y los jerbos de oro fueron tantos como el número de todas las ciudades de los filisteos que pertenecían a los cinco señores del eje, desde la ciudad fortificada hasta la aldea de la campiña abierta.

Y la gran piedra sobre la cual hicieron descansar el arca de Jehová es testigo hasta el día de hoy en el campo de Josué el bet-semita. 19 Y él se puso a derribar a los hombres de Bet-semes,[n] porque habían mirado el arca de Jehová. De modo que derribó entre el pueblo a setenta hombres —cincuenta mil hombres— y el pueblo se puso de duelo porque Jehová había derribado al pueblo con gran matanza.[o] 20 Además, los

CAP. 6

a Le 11:29
  Isa 6:18
  Isa 66:17
  Sl 18:44
  Isa 42:12
c Éx 9:3
  1Sa 5:6
  1Sa 5:11
d Éx 7:13
  Éx 8:15
  Éx 14:17
  Ro 9:18
e Éx 9:14
  Éx 9:16
  Ro 9:17
f Éx 6:1
  Éx 11:1
  Éx 12:33
  Sl 105:38
g Isa 6:3
  1Cr 13:7
h Nú 19:2
i 1Sa 6:4
j 1Sa 6:3
k Jos 15:10
  Jue 21:16
  2Re 14:11
  1Cr 6:59
  2Cr 28:18
l 1Sa 6:4
m 1Sa 6:3
  1Cr 13:7
n 1Sa 6:9

2.ª col.

a Jos 13:3
  Jue 3:3
  1Sa 6:4
b Rut 2:2
  Rut 2:23
c Gé 15:9
  1Sa 6:7
d Éx 20:24
  Jue 21:4
e Nú 3:31
f Jos 21:16
g 1Sa 6:12
h 1Sa 6:4
i 1Sa 5:1
  2Cr 26:6
  Jer 25:20
  Zac 9:6
  Hch 8:40
j Jue 16:1
  Jue 16:21
  Am 1:7
  Hch 8:26
k Jue 1:18
  Zac 9:5
l 1Sa 5:8
  1Sa 17:4
  2Sa 21:22
m Jos 13:3
  1Sa 5:10
  2Re 1:2
  Am 1:8
n Jos 15:10
  Jos 21:16
  1Sa 6:9
o Nú 4:6
  Nú 4:15
  Nú 4:20
  1Cr 13:10

hombres de Bet-semes dijeron: "¿Quién podrá estar de pie delante de Jehová, este Dios santo,[a] y a quién se retirará de sobre nosotros?".[b] 21 Por fin enviaron mensajeros a los habitantes de Quiryat-jearim,[c] diciendo: "Los filisteos han devuelto el arca de Jehová. Bajen. Súbanla a donde ustedes".[d]

7 En conformidad, los hombres de Quiryat-jearim[e] vinieron y subieron el arca de Jehová y la introdujeron en la casa de Abinadab,[f] en la colina, y a Eleazar su hijo lo santificaron para que guardara el arca de Jehová.

2 Y aconteció que los días siguieron multiplicándose desde el día en que el Arca moró en Quiryat-jearim, de modo que ascendieron a veinte años, y toda la casa de Israel empezó a lamentarse en pos de Jehová.[g] 3 Y Samuel procedió a decir a toda la casa de Israel: "Si con todo su corazón están volviéndose a Jehová,[h] quiten de en medio de ustedes los dioses extranjeros[i] y también las imágenes de Astoret,[j] y dirijan su corazón inalterablemente a Jehová y sírvanle solo a él,[k] y él los librará de la mano de los filisteos".[l] 4 Ante eso, los hijos de Israel quitaron los Baales[m] y las imágenes de Astoret,[n] y empezaron a servir solo a Jehová.

5 Entonces dijo Samuel: "Junten a todo Israel[o] en Mizpá,[p] para que yo ore[q] a Jehová por ustedes". 6 De modo que se juntaron en Mizpá, y se pusieron a sacar agua y a derramarla delante de Jehová, y guardaron un ayuno en aquel día.[r] Y empezaron a decir allí: "Hemos pecado contra Jehová".[s] Y Samuel se puso a juzgar[t] a los hijos de Israel en Mizpá.

7 Y los filisteos llegaron a oír que los hijos de Israel se habían juntado en Mizpá, y los señores del eje[u] de los filisteos emprendieron la subida contra Israel.

Cuando lo oyeron los hijos de Israel, empezaron a tener miedo a causa de los filisteos.[a] 8 Así que los hijos de Israel dijeron a Samuel: "No guardes silencio, por consideración a nosotros, de clamar a Jehová nuestro Dios por socorro,[b] para que nos salve de la mano de los filisteos".

9 Entonces Samuel tomó un corderito lechal y lo ofreció como ofrenda quemada, una ofrenda entera,[c] a Jehová; y Samuel empezó a clamar a Jehová por socorro a favor de Israel,[d] y Jehová procedió a contestarle.[e] 10 Y aconteció que, mientras Samuel estaba ofreciendo la ofrenda quemada, los filisteos mismos se acercaron para la batalla contra Israel. Y Jehová ahora hizo que tronara con gran estruendo[f] aquel día contra los filisteos, para ponerlos en confusión;[g] y fueron derrotados delante de Israel.[h] 11 Ante eso, los hombres de Israel hicieron una salida de Mizpá y fueron persiguiendo a los filisteos y siguieron derribándolos hasta el sur de Bet-car. 12 Entonces Samuel tomó una piedra[i] y la colocó entre Mizpá y Jesaná, y empezó a llamarla por nombre Ebenézer. Por consiguiente, dijo: "Hasta ahora nos ha ayudado Jehová".[j] 13 Así fueron sojuzgados los filisteos, y ya no volvieron a entrar en el territorio de Israel;[k] y la mano de Jehová continuó estando contra los filisteos todos los días de Samuel.[l] 14 Y las ciudades que los filisteos habían quitado a Israel siguieron volviendo a Israel, desde Eqrón hasta Gat, e Israel libró el territorio de estas de la mano de los filisteos.

Y llegó a haber paz entre Israel y los amorreos.[m]

15 Y Samuel siguió juzgando a Israel todos los días de su

CAP. 6

a Le 11:45
1Sa 2:2
b Nú 17:12
2Sa 6:9
1Cr 13:12
Sl 76:7
c 1Sa 18:14
Jue 18:12
1Cr 13:5
d 1Cr 13:6
1Cr 16:1
2Cr 1:4

CAP. 7

e 2Sa 6:2
1Cr 13:5
f 2Sa 6:4
1Cr 13:7
g Jue 2:4
Ne 9:28
2Co 7:10
h Dt 30:2
1Sa 12:24
1Re 8:48
Isa 55:7
Joe 2:12
i Jos 24:14
Jos 24:23
Jue 3:7
Jue 10:6
Jue 2:13
k Dt 6:13
Dt 10:20
Dt 13:4
Lu 4:8
l Dt 28:1
m Jue 10:16
n 1Re 11:33
o Joé 2:16
p Jos 18:26
Jue 20:1
Jue 21:1
1Sa 10:17
Jue 15:22
2Re 25:23
Jer 40:6
q 1Sa 12:23
Pr 15:8
Snt 5:16
r 2Cr 20:3
Ne 9:1
Joe 2:12
s Jue 26:40
Jue 10:10
1Re 8:47
Sl 106:6
t Jue 2:18
u 1Sa 13:3
1Sa 6:4

2.ª col.

a Sl 56:3
Pr 29:25
Mt 10:28
b 1Sa 12:19
Sl 78:34
Sl 86:7
Isa 37:4
c Le 1:10
Jue 6:26
1Re 18:38
d Sl 99:6
e Sl 28:6
Sl 50:15
1Jn 5:14
f 1Sa 2:10
2Sa 22:14
g Jos 10:10
Jue 4:15
h Dt 20:4
Dt 28:7

i Gé 31:45; Gé 35:14; Jos 4:9; Jos 24:26; j Sl 44:3; Hch 26:22; k 1Sa 9:16; 1Sa 13:5; l 1Sa 14:23; 1Sa 7:51; m Gé 15:18; Gé 15:21; Jue 11:23.

vida.[a] 16 Y viajaba de año en año y hacía el circuito de Betel[b] y Guilgal[c] y Mizpá,[d] y juzgaba a Israel[e] en todos estos lugares. 17 Pero su regreso era a Ramá,[f] porque allí era donde estaba su casa, y allí juzgaba a Israel. Y procedió a edificar allí un altar a Jehová.[g]

8 Y aconteció que tan pronto como Samuel hubo envejecido hizo nombramientos[h] de sus hijos como jueces para Israel. 2 Ahora bien, sucedió que el nombre de su hijo primogénito fue Joel,[i] y Abías[j] el nombre de su segundo; ellos estuvieron juzgando en Beer-seba. 3 Y sus hijos no andaban en los caminos de él;[k] antes bien, se inclinaban a seguir tras ganancia injusta,[l] y aceptaban sobornos[m] y pervertían el juicio.[n]

4 Con el tiempo todos los ancianos de Israel[o] se juntaron y vinieron a Samuel, a Ramá, 5 y le dijeron: "¡Mira! Tú mismo te has hecho viejo, pero tus propios hijos no han andado en tus caminos. Ahora bien, nómbranos un rey[p] que nos juzgue, sí, como todas las naciones". 6 Pero aquella cosa fue mala a los ojos de Samuel, puesto que habían dicho: "Sí, danos un rey que nos juzgue", y Samuel se puso a orar a Jehová.[q] 7 Entonces Jehová dijo a Samuel:[r] "Escucha la voz del pueblo en cuanto a todo lo que te digan;[s] porque no es a ti a quien han rechazado, sino que es a mí a quien han rechazado de ser rey[t] sobre ellos. 8 De acuerdo con todas sus obras que ellos han hecho desde el día en que los hice subir de Egipto[u] hasta este día al seguir dejándome[v] y sirviendo a otros dioses,[w] así te están haciendo también a ti. 9 Y ahora escucha su voz. Solo esto, que debes advertirles solemnemente, y tienes que informarles del debido derecho del rey que reinará sobre ellos".[x]

10 De modo que Samuel dijo todas las palabras de Jehová al pueblo que estaba pidiéndole un rey. 11 Y procedió a decir: "Este llegará a ser el debido derecho[a] del rey que reinará sobre ustedes: A los hijos de ustedes los tomará[b] y los pondrá como suyos en sus carros[c] y entre sus hombres de a caballo,[d] y algunos tendrán que correr delante de sus carros;[e] 12 y nombrará para sí jefes sobre millares[f] y jefes sobre cincuentenas,[g] y [algunos] para hacer su trabajo de arar[h] y segar sus cosechas[i] y para hacer sus instrumentos de guerra[j] y los instrumentos de sus carros.[k] 13 Y a las hijas de ustedes las tomará como mezcladoras de ungüento y cocineras y panaderas.[l] 14 Y los campos de ustedes, y sus viñas[m] y sus olivares,[n] los mejores, los tomará y realmente los dará a los siervos de él. 15 Y de las sementeras y de las viñas de ustedes tomará el décimo,[o] y ciertamente [los] dará a los oficiales de su corte[p] y a sus siervos. 16 Y a los siervos y a las siervas de ustedes, y sus mejores manadas, y sus asnos, los tomará, y los tendrá que usar para su trabajo.[q] 17 De los rebaños[r] de ustedes tomará el décimo, y ustedes mismos llegarán a ser de él como siervos. 18 Y ustedes ciertamente clamarán en aquel día a causa de su rey,[s] que ustedes se han escogido, pero Jehová no les contestará en aquel día".[t]

19 Sin embargo, el pueblo rehusó escuchar la voz de Samuel[u] y dijo: "No, sino que un rey es lo que llegará a haber sobre nosotros. 20 Y tenemos que llegar a ser, nosotros también, como todas las naciones,[v] y nuestro rey tiene que juzgarnos y salir delante de nosotros y pelear nuestras batallas". 21 Y

CAP. 7
a Jue 2:16
1Sa 3:20
1Sa 12:11
1Sa 25:1
Hch 13:20
b Jos 16:1
c Jos 15:7
1Sa 11:15
d 1Sa 7:5
e 1Sa 3:20
1Sa 12:11
f 1Sa 1:1
1Sa 8:4
1Sa 19:18
g Éx 20:25

CAP. 8
h 1Ti 5:22
i 1Cr 6:28
j 1Cr 6:28
k Ec 2:19
l 1Éx 18:21
1Ti 3:3
1Pe 5:2
m Éx 23:8
Dt 16:19
Sl 15:5
Sl 26:10
Pr 29:4
Isa 1:23
Isa 33:15
Miq 3:11
n Dt 24:17
Job 34:12
Pr 31:5
Jer 22:17
o Éx 18:25
Jue 21:16
1Sa 4:3
2Sa 5:3
1Re 20:7
p Dt 17:14
1Sa 12:13
Os 13:10
Hch 13:21
q Sl 143:10
Mt 6:10
r 1Sa 15:10
Sl 99:6
Sl 81:12
t Jue 8:23
1Sa 10:19
1Sa 12:12
Sl 74:12
Isa 33:22
u Éx 14:30
v Dt 9:24
Jer 22:21
w Dt 32:16
Jue 2:19
Sl 78:58
x Dt 17:15

2.ª col.
a 1Sa 10:25
b 1Sa 14:52
1Re 12:4
c 1Re 9:22
1Re 10:26
d 1Re 4:26
e 2Sa 8:4
2Sa 15:1
1Re 1:5
f 2Sa 18:1
1Cr 27:1
g 2Re 1:14
h 1Cr 27:26
i 1Re 4:7
j 1Cr 12:37
k 1Re 4:26
l 1Re 4:22

m 1Re 21:7; n 1Cr 27:28; o 1Re 12:10; p Gé 37:36;
1Cr 28:1; q 1Re 5:16; r 1Re 4:23; s 1Re 12:4;
t Job 27:9; Sl 18:41; Pr 1:26; Miq 3:4; u 1Re 11:1;
Jer 7:13; Eze 33:31; v Le 20:24; Nú 23:9; Dt 7:6;
1Sa 8:5; Sl 106:35.

Samuel dio audiencia a todas las palabras del pueblo; entonces las habló a oídos de Jehová.[a] 22 Y Jehová procedió a decir a Samuel: "Escucha su voz, y tienes que hacer que reine para ellos un rey".[b] Por consiguiente, Samuel dijo a los hombres de Israel: "Váyase cada uno a su ciudad".

9 Ahora bien, sucedía que había un hombre de Benjamín, y su nombre era Quis,[c] hijo de Abiel, hijo de Zeror, hijo de Becorat, hijo de Afías, un benjaminita,[d] un hombre poderoso en riquezas.[e] 2 Y sucede que tenía un hijo cuyo nombre era Saúl,[f] joven y bien parecido, y no había hombre de los hijos de Israel que fuera mejor parecido que él; de los hombros arriba era más alto que todo el pueblo.[g]

3 Y se perdieron las asnas[h] que pertenecían a Quis el padre de Saúl. De manera que Quis dijo a Saúl su hijo: "Toma contigo, por favor, uno de los servidores y levántate, ve, busca las asnas". 4 Y él fue pasando por la región montañosa de Efraín[i] y pasando adelante por la tierra de Salisá,[j] y no [las] hallaron. Y siguieron pasando por la tierra de Saalim, pero no estaban [allí]. Y él siguió pasando por la tierra de los benjaminitas, y no [las] hallaron.

5 Ellos mismos entraron en la tierra de Zuf; y Saúl, por su parte, dijo a su servidor que estaba con él: "Ven, sí, y volvámonos, para que mi padre no deje de atender a las asnas y realmente se ponga inquieto por nosotros".[k] 6 Pero él le dijo: "¡Mira, por favor! Hay un hombre de Dios[l] en esta ciudad, y es hombre a quien honran. Todo lo que dice se realiza sin falta.[m] Vamos allá ahora. Tal vez nos pueda indicar nuestro camino por el cual tenemos que ir". 7 Por lo cual Saúl dijo a su servidor: "Y si acaso vamos, ¿qué le llevaremos al hombre?,[n] porque el pan mismo ha desaparecido de nuestros receptáculos, y, como regalo,[a] no hay nada que llevar al hombre del Dios [verdadero]. ¿Qué hay con nosotros?". 8 De modo que el servidor volvió a contestar a Saúl y dijo: "¡Mira! En mi mano se halla un cuarto de siclo[b] de plata, y tendré que darlo al hombre del Dios [verdadero], y él tendrá que indicarnos nuestro camino". 9 (En tiempos pasados en Israel el hombre hubiera hablado así al ir a buscar a Dios: "Vengan, y vamos al vidente".[c] Porque al profeta de hoy se le llamaba vidente en tiempos pasados.) 10 Entonces Saúl dijo a su servidor: "Buena es tu palabra.[d] Anda, pues, vamos". Y procedieron a irse a la ciudad donde estaba el hombre del Dios [verdadero].

11 Mientras iban subiendo por la cuesta a la ciudad, ellos mismos hallaron unas muchachas que salían a sacar agua.[e] De modo que les dijeron: "¿Está el vidente[f] en este lugar?". 12 Entonces ellas les contestaron y dijeron: "Sí. ¡Mira! Está delante de ti. Apresúrate ahora, porque hoy ha venido a la ciudad, por cuanto hay un sacrificio[g] hoy para el pueblo en el lugar alto.[h] 13 Tan pronto como ustedes entren en la ciudad, en seguida lo hallarán antes que suba al lugar alto a comer; porque la gente no puede comer sino hasta que él llegue, porque él es el que bendice el sacrificio.[i] Solo después de eso pueden comer los invitados. Y ahora suban, porque a él... ahora mismo lo hallarán". 14 Por consiguiente, procedieron a subir a la ciudad. Cuando iban entrando en el centro de la ciudad, pues, allí estaba Samuel que salía al encuentro de ellos para subir al lugar alto.

15 En cuanto a Jehová, él había destapado el oído[j] a Samuel el día antes de venir Saúl, diciendo: 16 "Mañana como a esta hora te enviaré un hombre

CAP. 8
a Si 99:6
b 1Sa 8:7
  Os 13:11

CAP. 9
c 1Sa 14:51
  1Cr 8:33
  1Cr 9:39
  Hch 13:21
d Jue 21:17
e 1Sa 25:2
  2Sa 19:32
  Job 1:3
f 1Sa 11:15
  1Sa 13:13
  1Sa 15:26
  1Sa 16:23
  1Sa 28:7
  1Sa 31:4
  2Sa 1:23
  Hch 13:21
g 1Sa 10:23
h Jue 5:10
  Jue 10:4
i Jos 17:10
  Jos 17:16
j 2Re 4:42
k 1Sa 9:20
  1Sa 10:2
l Dt 33:1
  1Sa 2:27
  1Re 13:1
  2Re 6:6
m 1Sa 3:19
  Isa 44:26
  Zac 1:6
  Heb 1:1
n 1Re 14:3
  2Re 4:42
  Gál 6:6

2.ᵃ col.
a 2Re 5:15
  2Re 8:8
  Pr 17:8
  Pr 18:16
b Gé 24:22
c 1Sa 9:19
  2Sa 15:27
  1Cr 9:22
  1Cr 29:29
d Pr 13:10
  Pr 15:22
e Gé 24:20
  Éx 2:16
f 1Sa 9:19
  2Sa 15:27
g Gé 31:54
  1Sa 7:9
  1Sa 16:5
h 1Re 3:2
  1Cr 16:39
  2Cr 1:3
i Mr 6:41
  Lu 9:16
j 1Sa 20:2
  2Sa 7:27
  Job 33:16
  Sl 25:14
  Sl 99:6
  Am 3:7

de la tierra de Benjamín,[a] y tienes que ungirlo[b] como caudillo sobre mi pueblo Israel; y él tendrá que salvar a mi pueblo de la mano de los filisteos,[c] porque he visto [la aflicción de] mi pueblo, por cuanto su clamor ha llegado a mí.[d] 17 Y Samuel mismo vio a Saúl, y Jehová, por su parte, le contestó: "Aquí está el hombre de quien te dije: 'Este es el que mantendrá a mi pueblo dentro de límites' ".[e]

18 Entonces Saúl se acercó a Samuel en medio de la puerta y dijo: "Infórmame, sí, por favor: ¿Precisamente dónde está la casa del vidente?". 19 Y Samuel procedió a contestar a Saúl y decir: "Yo soy el vidente. Sube delante de mí al lugar alto, y ustedes tienen que comer conmigo hoy,[f] y tendré que enviarte por la mañana, y todo lo que hay en tu corazón te lo declararé.[g] 20 Respecto a las asnas que se te perdieron hace tres días,[h] no fijes tu corazón[i] en ellas, porque las han hallado. ¿Y a quién pertenece todo lo que es deseable de Israel?[j] ¿No es a ti y a toda la casa de tu padre?". 21 A lo cual Saúl contestó y dijo: "¿No soy yo un benjaminita de la más pequeña[k] de las tribus de Israel,[l] y no es mi familia la más insignificante de todas las familias de la tribu de Benjamín?[m] ¿Por qué, pues, me has hablado semejante cosa?".[n]

22 Entonces Samuel tomó a Saúl y a su servidor y los llevó al comedor y les dio un lugar a la cabeza[o] de los invitados; y eran como treinta hombres. 23 Más tarde Samuel dijo al cocinero: "Da la porción que te he dado, sí, de la cual te dije: 'Ponla aparte junto a ti' ". 24 Ante esto, el cocinero alzó de allí la pierna y lo que había sobre ella, y la puso delante de Saúl. Y él pasó a decir: "Aquí está lo que se ha reservado. Ponlo delante de ti. Come, porque para el tiempo señalado lo han reservado para ti, para que comas con los invi-

tados". De modo que Saúl comió con Samuel en aquel día. 25 Posteriormente, bajaron del lugar alto[a] a la ciudad, y él continuó hablando con Saúl en la azotea.[b] 26 Entonces madrugaron, y aconteció que luego que ascendió el alba Samuel procedió a llamar a Saúl en la azotea, y decir: "Levántate, sí, para que te envíe". De modo que Saúl se levantó, y los dos, él y Samuel, salieron afuera. 27 Mientras iban descendiendo por la orilla de la ciudad, Samuel mismo dijo a Saúl: "Di al servidor[c] que pase delante de nosotros —así que él pasó adelante— y, en cuanto a ti, detente ahora para que te deje oír la palabra de Dios".

10 Samuel entonces tomó el frasco[d] de aceite y lo derramó sobre la cabeza [de Saúl] y besó a [Saúl] y dijo: "¿No es porque Jehová te ha ungido por caudillo[f] sobre su herencia?[g] 2 Al irte de mí hoy ciertamente hallarás dos hombres cerca de la tumba de Raquel,[h] en el territorio de Benjamín, en Zelzah; y ellos ciertamente te dirán: 'Las asnas que has ido a buscar las han hallado, por ahora tu padre ha dejado el asunto de las asnas[i] y se ha puesto inquieto acerca de ustedes, diciendo: "¿Qué haré acerca de mi hijo?" '.[j] 3 Y tienes que pasar de allí más adelante y llegar hasta el árbol grande de Tabor, y allí tienen que encontrarte tres hombres que van subiendo al Dios [verdadero], a Betel,[k] uno llevando tres cabritos[l] y uno llevando tres panes redondos[m] y uno llevando un jarrón de vino.[n] 4 Y ciertamente preguntarán acerca de tu bienestar[o] y te darán dos panes, y tienes que aceptarlos de su mano. 5 Después de eso llegarás a la colina del Dios [verdadero],[p] donde hay una guarnición[q] de los filisteos. Y debe acontecer que, al tiempo de llegar tú allí a la ciudad, ciertamente encontrarás un grupo de profetas[r] que vienen bajando del lugar alto,[s] y

---

CAP. 9
a Jos 18:11
b 1Sa 10:1
   1Sa 15:1
c Gé 49:27
d Éx 2:25
   Sl 106:44
   Sl 107:19
e 1Sa 10:24
   1Sa 15:17
   Hch 13:21
f 1Sa 9:13
   1Sa 9:24
g 1Cr 28:9
   Heb 4:13
h 1Sa 9:3
i 1Sa 4:20
j 1Sa 8:5
   1Sa 8:19
   1Sa 12:13
k Jue 20:46
   Jue 20:47
   Jue 21:6
l 1Sa 21:3
m Jue 6:15
   Pr 3:34
   Pr 11:2
   Pr 22:4
   Lu 14:11
   Snt 4:6
   1Pe 5:5
n 1Sa 2:8
o Lu 14:10

2.ª col.
a 1Sa 9:13
   1Sa 9:19
   1Re 3:2
   1Re 3:3
b Ne 8:16
   Hch 10:9
c 1Sa 9:3
   1Sa 9:10
   1Sa 20:38

CAP. 10
d 1Sa 16:13
   2Re 9:3
e Gé 31:55
   Gé 48:10
   Gé 50:1
   2Sa 19:39
f Gé 49:27
   1Sa 9:16
   1Sa 9:16
   Hch 13:21
g Éx 19:5
   Dt 32:9
h Gé 35:19
i 1Sa 9:3
   1Sa 10:16
j 1Sa 9:5
k Gé 28:19
   Gé 28:22
   Gé 28:22
l Jue 6:19
   Nú 15:1
m Jer 37:21
n Le 23:13
   Nú 15:5
o Jue 18:15
p Gé 5:22
q 1Sa 13:3
r 1Sa 19:20
   2Re 2:3
   2Re 4:38
   2Re 6:1
s 1Sa 9:12

delante de ellos un instrumento de cuerdas[a] y pandereta[b] y flauta[c] y arpa,[d] mientras ellos están hablando como profetas. 6 Y el espíritu[e] de Jehová ciertamente entrará en operación sobre ti, y ciertamente hablarás como profeta[f] junto con ellos y serás mudado en otro hombre. 7 Y tiene que suceder que cuando te vengan estas señales,[g] haz para ti lo que tu mano halle posible,[h] porque el Dios [verdadero] está contigo.[i] 8 Y tienes que bajar antes que yo a Guilgal;[j] y, ¡mira!, voy a descender a donde ti para ofrecer sacrificios quemados, para ofrecer sacrificios de comunión.[k] Siete[l] días debes quedarte esperando hasta que yo venga a ti, y ciertamente te daré a conocer lo que debes hacer".

9 Y sucedió que tan pronto como él volvió el hombro para irse de Samuel, Dios empezó a mudarle el corazón en otro;[m] y todas estas señales[n] procedieron a realizarse en aquel día. 10 De modo que fueron desde allí a la colina, y sucedió que hubo un grupo de profetas que salía a su encuentro; en seguida el espíritu de Dios entró en operación sobre él,[o] y él se puso a hablar como profeta[p] en medio de ellos. 11 Y aconteció que, cuando todos los que lo conocían de antes lo veían, ¡mire!, era con profetas con quienes profetizaba. Por lo tanto la gente se decía uno a otro: "¿Qué es esto que le ha pasado al hijo de Quis? ¿También está Saúl entre los profetas?".[q] 12 Entonces un hombre de allí contestó y dijo: "¿Pero quién es el padre de ellos?". Por eso ha llegado a ser un dicho proverbial:[r] "¿También está Saúl entre los profetas?".

13 Por fin acabó de hablar como profeta y llegó al lugar alto. 14 Más tarde, el hermano del padre de Saúl les dijo a él y a su servidor: "¿Adónde fueron?". A lo cual él dijo: "A buscar las asnas,[s] y seguimos andando para

ver, pero no estaban [allí]. De modo que llegamos a Samuel". 15 A esto el tío de Saúl dijo: "Infórmame, sí, por favor: ¿Qué les dijo Samuel?". 16 A su vez, Saúl dijo a su tío: "Nos declaró inequívocamente que las asnas habían sido halladas". Y del asunto de la gobernación real acerca del cual Samuel había hablado, no le informó.[a]

17 Y Samuel procedió a convocar al pueblo a Jehová en Mizpá[b] 18 y a decir a los hijos de Israel: "Esto es lo que ha dicho Jehová el Dios de Israel:[c] 'Yo fui quien hizo subir a Israel de Egipto y quien los fue librando de la mano de Egipto[d] y de la mano de todos los reinos que los oprimían.[e] 19 Pero ustedes... hoy ustedes han rechazado a su Dios[f] que fue salvador para ustedes de todos sus males y sus angustias, y ustedes pasaron a decir: "No, sino que un rey es lo que debes poner sobre nosotros". Y ahora tomen su puesto delante de Jehová por sus tribus[g] y por sus millares' ".

20 Por consiguiente, Samuel hizo que se acercaran todas las tribus de Israel,[h] y la tribu de Benjamín salió escogida.[i] 21 Entonces hizo que se acercara la tribu de Benjamín por sus familias, y la familia de los matritas salió escogida.[j] Por fin Saúl hijo de Quis salió escogido.[k] Y se pusieron a buscarlo, y no podían hallarlo. 22 Por lo tanto inquirieron[l] nuevamente de Jehová: "¿Ya ha venido aquí el hombre?". A esto Jehová dijo: "Aquí está, escondido[m] entre el equipaje". 23 De modo que fueron corriendo y lo tomaron de allí. Cuando él tomó su puesto en medio del pueblo, era más alto, de los hombros arriba, que toda la demás gente.[n] 24 Entonces Samuel dijo a todo el pueblo: "¿Han visto al que Jehová ha escogido,[o] que no hay ninguno como él entre todo el pueblo?". Y todo el pueblo se puso a gritar y a decir: "¡Viva el rey!".[p]

CAP. 10
a 1Cr 13:8
b 1Sa 16:16
c 1Re 1:40
  Isa 5:12
d 2Sa 6:5
  1Re 10:12
  1Cr 16:5
e Nú 11:25
  Hch 28:25
  2Pe 1:21
f 1Sa 10:10
  1Sa 19:23
  1Re 18:29
  1Re 22:10
g Éx 4:8
  1Sa 10:9
  Jer 44:29
h Jue 9:33
i Dt 20:1
  Que 6:12
j 1Sa 7:16
  1Sa 11:14
k 1Sa 13:9
l 1Sa 13:8
m 1Sa 10:6
  1Re 3:12
  Sl 51:10
n 1Sa 10:7
  Isa 38:7
o 1Jue 14:6
  1Sa 11:6
  1Sa 16:13
  Zac 4:6
  2Co 3:5
p 1Sa 10:6
  1Sa 19:23
q 1Sa 19:24
  Mt 13:54
  Hch 6:15
r Job 27:1
  Sl 78:2
s 1Sa 9:3

2.ª col.
a Sl 141:3
  Pr 10:19
  Pr 13:3
  Pr 21:23
  Pr 27:2
  Jer 9:23
b 1Sa 7:5
c Dt 18:20
d Éx 13:14
  Éx 14:30
  Dt 4:34
  Jue 6:8
  Ne 9:9
e Ne 9:27
  Sl 107:19
f 1Sa 8:7
  1Sa 12:12
  2Cr 30:6
g Jos 7:14
  Hch 1:24
h Jos 7:16
  1Sa 9:21
i Jos 7:17
k 1Sa 7:18
  Hch 13:21
l Jue 1:1
  Jue 20:18
  Jue 20:28
  1Sa 23:2
m 1Sa 9:21
  Pr 11:2
  Lu 9:48
n 1Sa 9:2
o Dt 17:15
  1Sa 9:17
p 1Re 1:25
  1Re 1:39
  2Re 11:12
  Mt 21:9

25 Tras eso, Samuel habló al pueblo acerca del derecho que correspondía a la gobernación real,[a] lo escribió en un libro y lo depositó delante de Jehová. Entonces Samuel envió a todo el pueblo, cada uno a su casa. 26 En cuanto a Saúl mismo, se fue a su casa en Guibeah,[b] y los hombres valientes cuyo corazón Dios había tocado procedieron a ir con él.[c] 27 En cuanto a los hombres que no servían para nada,[d] ellos dijeron: "¿Cómo nos salvará este?".[e] Por consiguiente, lo despreciaron,[f] y no le trajeron ningún regalo.[g] Pero él continuó como uno que ha quedado mudo.[h]

11 Y Nahás el ammonita[i] procedió a subir y a acampar contra Jabés[j] en Galaad. Por lo cual todos los hombres de Jabés dijeron a Nahás: "Celebra un pacto con nosotros para que te sirvamos".[k] 2 Entonces les dijo Nahás el ammonita: "Con esta condición lo celebraré con ustedes, con la condición de perforar y sacarles[l] todo ojo derecho, y tengo que poner eso como oprobio a todo Israel".[m] 3 A su vez, los ancianos de Jabés le dijeron: "Danos un plazo de siete días, y ciertamente enviaremos mensajeros a todo el territorio de Israel y, si no hay salvador[n] de nosotros, entonces tendremos que salir a donde ti". 4 Con el tiempo los mensajeros llegaron a Guibeah[o] de Saúl y hablaron las palabras a oídos del pueblo, y todo el pueblo empezó a levantar la voz y llorar.[p]

5 Pero aquí viene Saúl del campo, detrás de la vacada, y Saúl procedió a decir: "¿Qué le pasa al pueblo, para que esté llorando?". Y se pusieron a contarle las palabras de los hombres de Jabés. 6 Y el espíritu de Dios entró en operación sobre Saúl cuando él oyó estas palabras, y se le enardeció mucho la cólera.[q] 7 De modo que tomó un par de toros y los cortó en pedazos y los envió por todo el territorio de

Israel[a] por la mano de los mensajeros, diciendo: "¡A cualquiera de nosotros que no salga como seguidor de Saúl y de Samuel, así se le hará a su ganado vacuno!".[b] Y el pavor[c] de Jehová[d] empezó a caer sobre el pueblo, de modo que salieron como un solo hombre.[e] 8 Entonces él tomó la cuenta[f] de ellos en Bézeq, y los hijos de Israel ascendieron a trescientos mil, y los hombres de Judá a treinta mil. 9 Ahora dijeron a los mensajeros que habían venido: "Esto es lo que dirán a los hombres de Jabés en Galaad: 'Mañana se efectuará la salvación para ustedes, cuando caliente el sol' ".[g] Con eso los mensajeros vinieron y se lo refirieron a los hombres de Jabés, y ellos se entregaron al regocijo. 10 Por consiguiente, los hombres de Jabés dijeron: "Mañana saldremos a ustedes, y tendrán que hacer con nosotros de acuerdo con todo lo que sea bueno a sus ojos".[h]

11 Y al día siguiente aconteció que Saúl procedió a poner al pueblo en tres partidas;[i] y lograron entrar en medio del campamento durante la vigilia matutina,[k] y fueron derribando a los ammonitas[l] hasta que se puso caliente el día. Cuando resultó que hubo algunos que quedaron, entonces los esparcieron, y no quedaron dos juntos de entre ellos.[m] 12 Y el pueblo empezó a decir a Samuel: "¿Quién es el que decía: 'Saúl... ¿ha de ser rey sobre nosotros?'.[n] Den acá a los hombres, para que les demos muerte".[o] 13 Sin embargo, Saúl dijo: "Ni un solo hombre debe ser muerto en este día,[p] porque hoy Jehová ha ejecutado salvación en Israel".[q]

14 Más tarde Samuel dijo al pueblo: "Vengan y vamos a Guilgal[r] para que constituyamos allí de nuevo la gobernación real".[s] 15 Así que todo el pueblo fue a Guilgal, y allí procedieron a hacer rey a Saúl delante de Jehová en Guilgal. Entonces ofrecieron

CAP. 10
a 1Sa 8:11
b Jos 18:28
  Jue 20:14
  1Sa 11:4
  1Sa 13:2
  2Sa 21:6
c Esd 1:5
d 2Sa 20:1
  2Cr 13:7
  Na 1:15
e 1Sa 11:12
  Hch 7:51
f Ec 10:20
g 1Re 10:10
  Pr 18:16
  Mt 2:11
h Pr 17:27
  Gál 5:23
  Snt 1:19

CAP. 11
i Dt 2:19
j Jue 21:8
  1Sa 31:11
k Dt 23:3
  1Jue 16:21
  2Re 25:7
m Pr 18:3
n Jue 3:9
o 1Sa 10:26
  1Sa 14:2
p Jue 2:4
  Jue 21:2
  Jue 30:4
q Jue 6:34
  Jue 6:34
  Jue 11:29
  Jue 14:6
  1Sa 10:10
  1Sa 16:13
r Éx 11:8
  Éx 32:19
  Ro 12:9

2.ª col.
a Jue 19:29
b Jue 21:5
c 1Cr 14:17
d Gé 35:5
  2Cr 14:14
  2Cr 17:10
e Jue 20:8
f 1Sa 13:15
g Sl 18:17
h 1Sa 11:3
i Jue 7:16
j Jue 7:16
  Jue 9:43
  Pr 24:6
k Éx 14:24
  1Sa 11:11
m Dt 28:7
  Sl 21:8
  Sl 21:12
n 1Sa 10:27
  Pr 24:21
o Pr 25:5
  Lu 19:27
p 2Sa 19:22
  Pr 20:28
  Ro 12:19
q 1Sa 19:5
  1Cr 11:14
  Sl 44:7
  Isa 59:16
r 1Sa 7:16
s 1Sa 10:17
  1Sa 10:24

sacrificios de comunión allí delante de Jehová,[a] y allí Saúl y todos los hombres de Israel continuaron regocijándose en gran manera.[b]

12 Por fin Samuel dijo a todo Israel: "Miren que he escuchado su voz respecto a todo lo que me han dicho,[c] de que debiera hacer que un rey reinara sobre ustedes.[d] 2 ¡Y ahora aquí está el rey andando delante de ustedes![e] En cuanto a mí, he envejecido[f] y encanecido,[g] y mis hijos, aquí están con ustedes,[h] y yo... yo he andado delante de ustedes desde mi juventud hasta este día.[i] 3 Aquí estoy. Contesten contra mí enfrente de Jehová y enfrente de su ungido:[j] ¿El toro de quién he tomado, o el asno de quién he tomado,[k] o a quién he defraudado, o a quién he aplastado, o de mano de quién he aceptado dinero con que se compra el silencio para que cubriera mis ojos con él?[l] Y yo les haré la restitución a ustedes".[m] 4 A esto dijeron: "No nos has defraudado, ni nos has aplastado, ni has aceptado cosa alguna de la mano de siquiera uno".[n] 5 De modo que les dijo: "Jehová es testigo contra ustedes, y su ungido[o] es testigo este día, de que no han hallado nada en mi mano".[p] A esto dijeron: "Es testigo".

6 Y Samuel dijo además al pueblo: "Jehová [es testigo], el que utilizó a Moisés y Aarón, y que hizo subir a los antepasados de ustedes de la tierra de Egipto.[q] 7 Y ahora tomen su puesto, y ciertamente los juzgaré delante de Jehová [y les relataré] todos los actos justos[r] de Jehová que ha hecho con ustedes y con sus antepasados.

8 "En cuanto Jacob hubo entrado en Egipto[s] y los antepasados de ustedes empezaron a clamar a Jehová por socorro,[t] Jehová procedió a enviar a Moisés[u] y Aarón, para que sacaran a los antepasados de ustedes de Egipto y los hicieran morar en este lugar.[a] 9 Y estos fueron olvidándose de Jehová su Dios,[b] de modo que él los vendió[c] en mano de Sísara[d] el jefe del ejército de Hazor, y en mano de los filisteos,[e] y en mano del rey de Moab,[f] y ellos siguieron peleando contra ellos. 10 Y ellos empezaron a clamar a Jehová por socorro[g] y a decir: 'Hemos pecado,[h] porque hemos dejado a Jehová para servir a los Baales[i] y a las imágenes de Astoret;[j] y ahora líbranos[k] de la mano de nuestros enemigos, para que te sirvamos'. 11 Y Jehová procedió a enviar a Jerubaal[l] y a Bedán y a Jefté[m] y a Samuel,[n] y a librarlos de la mano de sus enemigos todo en derredor, para que ustedes moraran en seguridad.[o] 12 Cuando ustedes vieron que Nahás[p] el rey de los hijos de Ammón había venido contra ustedes, siguieron diciéndome: '¡No, sino que un rey es lo que debe reinar sobre nosotros!',[q] en tanto que todo aquel tiempo Jehová el Dios de ustedes era su Rey.[r] 13 Y ahora aquí está el rey que ustedes han escogido, a quien pidieron;[s] y sucede que Jehová ha puesto sobre ustedes un rey.[t] 14 Si ustedes temen a Jehová[u] y realmente le sirven[v] y obedecen su voz,[w] y no se rebelan[x] contra la orden de Jehová, tanto ustedes como el rey que tiene que reinar sobre ustedes ciertamente resultarán ser seguidores de Jehová su Dios. 15 Pero si no obedecen la voz de Jehová[y] y realmente se rebelan contra la orden de Jehová,[z] la mano de Jehová ciertamente resultará estar contra ustedes y sus padres.[a] 16 Ahora, también, tomen su puesto y vean esta cosa grande que Jehová está haciendo ante los ojos de ustedes. 17 ¿No es hoy la siega[b] del trigo? Yo invo-

CAP. 11
a Le 7:11
1Sa 10:8
b 1Re 1:40
2Re 11:14
1Cr 12:40
Rev 19:6

CAP. 12
c 1Sa 8:5
1Sa 8:21
d 1Sa 10:24
1Sa 11:14
e Nú 27:17
1Sa 8:20
f 1Sa 8:1
g Sl 71:18
Pr 16:31
Pr 20:29
Isa 46:4
h 1Sa 8:3
Eze 18:20
i 1Sa 3:19
Sl 99:6
j 1Sa 9:16
1Sa 10:1
1Sa 24:6
2Sa 1:14
Hch 4:27
Hch 10:38
k Nú 16:15
l Dt 16:19
m Eze 22:4
Le 6:4
Lu 19:8
n Sl 37:6
Da 6:4
1Ti 3:2
o 1Sa 26:11
p Sl 17:3
Sl 37:37
Jn 18:38
Hch 20:33
1Ti 2:5
q Ex 6:26
Ne 9:14
Sl 77:20
Sl 105:26
Os 12:13
r Jue 5:11
s Gé 46:6
Nú 20:15
Hch 7:15
t Ex 2:23
Ex 3:9
u Ex 3:10

2.ª col.

a Jos 1:2
Jos 11:23
Sl 44:3
b Dt 32:18
Jue 2:12
Sl 106:39
c Dt 32:30
Jue 2:14
d Jue 4:2
e Jue 10:7
Jue 13:1
f Jue 3:12
Jue 2:18
Jue 3:9
Jue 6:7
h Jue 10:10
i Jue 3:7
j Jue 2:13
k Jue 10:15
1 Jue 6:32
m Jue 11:1
n Heb 11:32
o Le 26:6
Sl 4:8
p 1Sa 11:1

q 1Sa 8:5; 1Sa 8:19; r Dt 33:5; Jue 8:23; 1Sa 8:7; Sl 74:12; Isa 33:22; s 1Sa 8:5; t 1Sa 9:16; 1Sa 10:24; Os 13:11; u Dt 10:12; Dt 6:13; 1Sa 6:13; Jos 24:14; w Dt 13:4; Dt 28:2; x Nú 14:9; Jos 22:29; y Le 26:14; Dt 28:15; z Jos 24:20; a Le 26:17; Nú 33:56; Dt 28:45; b Pr 26:1.

caré[a] a Jehová para que dé truenos y lluvia;[b] entonces sepan y vean que es abundante su mal[c] que han hecho a los ojos de Jehová pidiendo para ustedes un rey".

18 A continuación Samuel clamó a Jehová,[d] y Jehová procedió a dar truenos y lluvia en aquel día,[e] de modo que todo el pueblo tuvo gran temor de Jehová y de Samuel. 19 Y todo el pueblo empezó a decir a Samuel: "Ora[f] a favor de tus siervos a Jehová tu Dios, puesto que no queremos morir; porque a todos nuestros pecados hemos añadido un mal al pedir para nosotros un rey".

20 Así que Samuel dijo al pueblo: "No tengan miedo.[g] Ustedes... ustedes han hecho todo este mal. Solo que no se desvíen de seguir a Jehová,[h] y tienen que servir a Jehová con todo su corazón.[i] 21 Y no deben desviarse para seguir las cosas irreales[j] que no son de ningún provecho[k] y que no libran, porque son irrealidades. 22 Porque Jehová no abandonará[l] a su pueblo, por causa de su gran nombre,[m] porque Jehová ha tomado a su cargo hacerlos pueblo suyo.[n] 23 En cuanto a mí también, es inconcebible, por mi parte, pecar contra Jehová cesando de orar a favor de ustedes;[o] y tengo que instruirles[p] en el camino bueno[q] y recto. 24 Solo que teman[r] a Jehová, y tienen que servirle en verdad con todo su corazón;[s] pues vean cuán grandes cosas ha hecho por ustedes.[t] 25 Pero si descaradamente hacen lo que es malo, serán barridos,[u] así ustedes como su rey".[v]

13 Saúl tenía [?] años de edad cuando empezó a reinar,[w] y por dos años reinó sobre Israel. 2 Y Saúl procedió a escogerse tres mil hombres de Israel; y dos mil llegaron a estar con Saúl en Micmash[x] y en la región montañosa de Betel, y mil se hallaban con Jonatán[y] en Guibeah[z] de Benjamín, y a los demás del pueblo los envió, cada uno a su tienda. 3 Entonces Jonatán derribó la guarnición[a] de los filisteos[b] que había en Gueba;[c] y los filisteos llegaron a oírlo. En cuanto a Saúl, hizo tocar el cuerno[d] por todo el país, diciendo: "¡Oigan los hebreos!". 4 Y todo Israel mismo oyó decir: "Saúl ha derribado una guarnición de los filisteos, y ahora Israel se ha hecho hediondo[e] entre los filisteos". De modo que el pueblo fue convocado para seguir a Saúl a Guilgal.[f]

5 Y los filisteos, por su parte, se juntaron para pelear contra Israel, treinta mil carros de guerra[g] y seis mil hombres de a caballo y gente como los granos de arena que están a la orilla del mar por multitud;[h] y fueron subiendo y empezaron a acampar en Micmash al este de Bet-aven.[i] 6 Y los hombres de Israel mismos vieron que estaban en grave aprieto,[j] pues el pueblo se hallaba en severa estrechez; y la gente fue escondiéndose en las cuevas[k] y en los huecos y en los peñascos y en las bóvedas y en las cisternas. 7 Hubo hebreos que hasta cruzaron el Jordán[l] a la tierra de Gad[m] y Galaad. Pero Saúl mismo estaba todavía en Guilgal, y todo el pueblo iba temblando al seguirlo.[n] 8 Y él continuó esperando siete días hasta el tiempo señalado que Samuel [había dicho];[o] y Samuel no vino a Guilgal, y la gente iba esparciéndose de él. 9 Por fin dijo Saúl: "Acérquenme el sacrificio quemado y los sacrificios de comunión". Con eso, se puso a ofrecer el sacrificio quemado.[p]

10 Y aconteció que tan pronto como hubo acabado de ofrecer el sacrificio quemado, pues, allí estaba Samuel que venía entrando. De modo que Saúl salió a su

CAP. 12
a 1Sa 7:9
  Snt 5:16
b Snt 5:17
c 1Sa 8:7
  Os 13:11
d 1Re 18:37
e 1Re 18:1
f 1Sa 7:5
  1Sa 12:23
  Pr 15:8
  Hch 8:24
  Snt 5:16
g Éx 20:20
h Dt 11:16
  Dt 31:29
  Jos 23:6
  1Sa 12:15
i Dt 6:5
  Mt 22:37
j Dt 32:21
  Jer 2:5
  Jer 2:11
  1Co 8:4
k Sl 115:5
  Jer 10:15
  Jer 16:19
  Hab 2:18
l 1Re 6:13
  Sl 94:14
  Ro 11:1
m Jos 7:9
  Sl 23:3
  Sl 106:8
  Jer 14:21
  Eze 20:14
n Éx 19:5
  Dt 7:7
  Dt 14:2
  Dt 32:9
  Isa 43:21
o Ro 1:9
  Col 1:9
  2Ti 1:3
p Sl 34:11
  Pr 4:11
q 1Re 8:36
  2Cr 6:27
r 1Sa 12:14
  Mt 111:10
  Ec 12:13
s Dt 10:12
t Dt 10:21
u Jos 24:20
v Dt 28:36

CAP. 13
w Hch 13:21
x 1Sa 14:5
  Isa 10:28
y 1Sa 18:1
  2Sa 1:4
  2Sa 21:7
z 1Sa 13:28
  1Sa 10:26
  1Sa 15:34

2.ª col.
a 1Sa 10:5
  2Sa 23:14
b Jos 13:2
  Jos 9:16
c Jos 18:24
  Jos 21:17
  Zac 14:10
d Jue 3:27
  Jue 6:34
  2Sa 2:28
  2Sa 18:27
e Gé 34:30
  Éx 5:21

f Jos 5:9; 1Sa 7:16; 1Sa 11:14; g Dt 20:1; h Gé 22:17; Jos 11:4; Jue 7:12; i Jos 7:2; Jos 18:12; 1Sa 14:23; j Dt 4:30; k Dt 20:3; 1Sa 14:11; 1 Le 26:36; m Nú 32:1; Jos 13:24; n 1Sa 10:26; Pr 24:10; o 1Sa 10:8; p 1Sa 15:11; 1Sa 15:22; 1Sa 15:23; Sl 37:7; Pr 11:2; Pr 13:10; Pr 21:24.

encuentro, y para bendecirlo.[a] 11 Entonces dijo Samuel: "¿Qué has hecho?".[b] A esto dijo Saúl: "Vi que la gente había sido dispersada de mí,[c] y tú... tú no venías dentro de los días señalados,[d] y los filisteos estaban juntándose en Micmasch,[e] 12 de modo que me dije:[f] 'Ahora los filisteos bajarán contra mí en Guilgal, y no he ablandado el rostro de Jehová'. De modo que me obligué[g] y me puse a ofrecer el sacrificio quemado".

13 En esto dijo Samuel a Saúl: "Has obrado tontamente.[h] No has guardado el mandamiento[i] de Jehová tu Dios que él te mandó,[j] porque, si lo hubieras guardado, Jehová habría hecho firme tu reino sobre Israel hasta tiempo indefinido. 14 Y ahora tu reino no durará.[k] Jehová ciertamente se hallará un hombre agradable a su corazón;[l] y Jehová lo comisionará como caudillo[m] sobre su pueblo, porque tú no guardaste lo que Jehová te mandó".[n]

15 Entonces Samuel se levantó y se fue subiendo de Guilgal a Guibeah de Benjamín, y Saúl procedió a tomar la cuenta de la gente, los que todavía se hallaban con él, unos seiscientos hombres.[o] 16 Y Saúl y Jonatán su hijo y la gente que todavía se hallaba con ellos estaban morando en Gueba[p] de Benjamín. En cuanto a los filisteos, ellos habían acampado en Micmasch.[q] 17 Y la tropa de pilladores salía del campamento de los filisteos en tres partidas.[r] La primera partida se dirigía por el camino de Ofrá,[s] hacia la tierra de Sual, 18 y la otra partida se dirigía por el camino de Bet-horón,[t] y la tercera partida se dirigía por el camino del límite que mira hacia el valle de Zeboím, hacia el desierto.

19 Ahora bien, no se hallaba un herrero en toda la tierra de Israel, porque los filisteos habían dicho: "Para que los hebreos no hagan una espada ni una lanza".[a] 20 Y todos los israelitas bajaban a los filisteos para conseguir cada uno que le afilaran su reja de arado o su zapapico o su hacha o su hoz.[b] 21 Y el precio por afilar resultaba ser un pim por las rejas de arado y por los zapapicos y por los instrumentos de tres dientes y por las hachas y por poner firme la aguijada.[c] 22 Y en el día de batalla sucedió que no se hallaba una espada[d] ni una lanza en la mano de ninguna de la gente que estaba con Saúl y Jonatán; pero pudo hallarse una que pertenecía a Saúl[e] y a Jonatán su hijo.

23 Ahora bien, una avanzada[f] de los filisteos salía a la garganta de Micmasch.[g]

14 Y cierto día aconteció que Jonatán[h] hijo de Saúl procedió a decir al servidor que llevaba sus armas: "Ven, sí, y crucemos a la avanzada de los filisteos que está allá al otro lado". Pero no lo informó a su padre.[i] 2 Y Saúl estaba morando en las afueras de Guibeah,[j] debajo del granado que hay en Migrón; y la gente que estaba con él eran unos seiscientos hombres.[k] 3 (Y Ahíya hijo de Ahitub,[l] hermano de Icabod,[m] hijo de Finehás,[n] hijo de Elí,[o] el sacerdote de Jehová en Siló,[p] llevaba el efod.)[q] Y la gente misma no sabía que Jonatán se había ido. 4 Ahora bien, entre los desfiladeros que Jonatán buscaba por donde cruzar contra la avanzada[r] de los filisteos había un peñasco dentado aquí por este lado y un peñasco dentado allá por aquel lado, y el nombre del uno era Bozez y el nombre del otro era Sené. 5 Un diente era una columna situada al norte frente a Micmasch,[s] y el otro estaba al sur, frente a Gueba.[t]

6 De modo que Jonatán dijo al servidor, su escudero: "Ven, sí, y pasemos a la avanzada de estos

---

CAP. 13

a Gé 47:7
Rut 2:4
1Sa 15:13
1Sa 25:14
b Jos 7:19
Ro 4:12
c Dt 20:1
1Sa 13:6
d 1Sa 13:8
e 1Sa 13:5
f Pr 3:5
Pr 14:12
Pr 19:21
g Pr 11:2
Pr 21:24
Miq 6:8
h Pr 13:21
Ec 7:17
Jer 5:4
i Sl 119:4
1Sa 15:22
1Jn 5:3
j 1Sa 10:8
1Sa 15:11
k Dt 17:20
1Sa 15:28
1Sa 16:1
Sal 7:15
Sl 78:70
Sl 89:20
Hch 13:22
m 2Sa 49:10
2Sa 5:2
2Sa 7:8
1Cr 28:4
n 1Sa 10:8
Jer 7:23
Jer 11:7
o 1Sa 13:7
1Sa 14:2
p 1Sa 18:24
1Sa 13:3
1Sa 10:28
r 1Sa 11:11
s Jos 18:23
t Jos 10:11
Jos 18:13
1Cr 6:68
2Cr 8:5

2.ª col.

a 2Re 24:14
b Gé 4:22
Pr 27:17
c Jue 3:31
d Jue 7:20
1Sa 17:47
1Sa 17:50
Sl 44:3
Zac 4:6
e 1Sa 9:16
f 1Sa 14:4
g 1Sa 13:2
1Sa 14:5
Isa 10:28

CAP. 14

h 1Sa 13:22
1Sa 14:49
1Sa 18:1
2Sa 1:4
2Sa 21:7
i Jue 14:6
j 1Sa 10:26
k 1Sa 13:15
l 1Sa 22:9
m 1Sa 4:21
n 1Sa 2:12
1Sa 4:17
o 1Sa 1:9

p Jos 18:1; 1Sa 1:3; q Éx 29:5; Nú 27:21; r 1Sa 13:23; s 1Sa 13:2; t 1Sa 13:3.

incircuncisos.ª Quizás Jehová obre por nosotros, porque para Jehová no hay estorbo en salvar por muchos o por pocos".ᵇ 7 Ante esto, le dijo su escudero: "Haz lo que esté en tu corazón. Dirígete por donde desees. Aquí estoy yo contigo, acorde con tu corazón".ᶜ 8 Entonces dijo Jonatán: "Aquí vamos a cruzar hacia los hombres, y vamos a exponernos a ellos. 9 Si nos dicen así: '¡Deténganse hasta que lleguemos donde están ustedes!', entonces tendremos que quedarnos parados donde estemos, y no debemos subir a ellos. 10 Pero si nos dicen así: '¡Suban contra nosotros!', entonces tenemos que subir, porque Jehová ciertamente los dará en nuestra mano, y esto es para nosotros la señal".ᵈ

11 Con eso, los dos se expusieron a la avanzada de los filisteos. Y los filisteos procedieron a decir: "¡Aquí vienen los hebreos saliendo de los agujeros donde se han escondido".ᵉ 12 De modo que los hombres de la avanzada respondieron a Jonatán y a su escudero y dijeron: "¡Suban a nosotros, y les haremos saber una cosa!".ᶠ Al instante Jonatán dijo a su escudero: "Sube detrás de mí, porque Jehová ciertamente los dará en la mano de Israel".ᵍ 13 Y Jonatán siguió subiendo sobre las manosʰ y los pies, y su escudero detrás de él; y empezaron a caer delante de Jonatán,ⁱ y su escudero estaba dándoles muerte detrás de él. 14 Y la primera matanza con que Jonatán y su escudero los derribaron ascendió a unos veinte hombres en el espacio de como la mitad de una yugada de tierra en un campo.

15 Entonces ocurrió un temblorᵏ en el campamento del campo y entre toda la gente de la avanzada; y la tropa de pilladoresˡ tembló, aun ellos, y la tierra empezó a estremecerse,ᵐ y aquello se desarrolló en un temblor procedente de Dios.ª 16 Y los vigías que pertenecían a Saúl en Guibeahᵇ de Benjamín llegaron a verlo, y, ¡mire!, la ruidosa agitación oscilaba de acá para allá.ᶜ

17 Y Saúl procedió a decir a la gente que estaba con él: "Tomen la cuenta, por favor, y vean quién ha salido de entre nosotros". Cuando tomaron la cuenta, pues, ¡mire!, Jonatán y su escudero no estaban allí. 18 Saúl ahora dijo a Ahíya:ᵈ "¡Anda, acerca el arca del Dios [verdadero]!".ᵉ (Porque el arca del Dios [verdadero] se hallaba en aquel día con los hijos de Israel.)ᶠ 19 Y aconteció que mientras Saúl estaba hablando al sacerdote,ᵍ la ruidosa agitación que había en el campamento de los filisteos siguió, haciéndose cada vez mayor. Entonces Saúl dijo al sacerdote: "Retira la mano". 20 Así a Saúl y a toda la gente que estaba con él se les llamó afuera.ʰ De modo que llegaron hasta la batalla, y allí la espada de cada uno había llegado a estar contra su semejante;ⁱ la desbandada fue muy grande. 21 Y los hebreos que habían llegado a pertenecer a los filisteos,ʲ como anteriormente, que habían subido con ellos al campamento en derredor, aun ellos también estuvieron a favor de demostrarse de parte de Israel que estaba con Saúl y Jonatán. 22 También todos los hombres de Israel que estaban escondidosᵏ en la región montañosa de Efraín oyeron que los filisteos habían huido, y ellos también fueron siguiéndolos de cerca a la batalla. 23 Y Jehová procedió en aquel día a salvarˡ a Israel, y la batalla misma pasó a Bet-aven.ᵐ

24 Y los hombres mismos de Israel se hallaban en severa estrechez en aquel día, y no obstante Saúl puso al pueblo bajo el compromiso de un juramento,ⁿ diciendo: "¡Maldito es el hombre que coma pan antes del atardecer y hasta que me haya venga-

CAP. 14	
a	Gé 17:10
	Jue 14:3
	Jue 15:18
	1Sa 17:36
	2Sa 1:20
	1Cr 10:4
	Jer 9:26
b	Jue 7:2
	2Re 6:16
	2Cr 14:11
	Sl 115:11
	Heb 11:33
c	2Re 10:15
	Pr 17:17
d	Gé 24:14
	Jue 7:11
	1Sa 10:7
e	1Sa 13:6
	1Sa 14:22
f	1Sa 14:10
	1Sa 17:44
	2Re 14:8
g	1Sa 14:6
	2Sa 5:24
	2Re 6:16
	Pr 16:3
h	Sl 18:29
	Heb 11:34
i	2Sa 1:23
j	Le 26:7
	Jos 23:10
	Sl 44:3
	Ro 8:31
k	Jue 7:21
	2Re 7:6
	2Re 13:17
	1Sa 13:17
m	Éx 19:18
	Na 1:5
	Mt 27:51
	Hch 16:26
2.ª col.	
a	Gé 35:5
	Sl 48:5
	Da 5:6
b	1Sa 10:26
	1Sa 14:2
c	Jue 7:22
	1Sa 14:20
	2Cr 20:23
d	1Sa 14:3
e	Éx 25:22
f	1Sa 4:3
	1Sa 5:2
	1Sa 7:1
g	Nú 27:21
h	Nú 10:9
i	Jue 7:22
	2Cr 20:23
	Isa 19:2
	Eze 38:21
j	Jue 15:11
k	1Sa 13:6
	1Sa 14:11
l	Dt 33:29
	Jue 2:18
	2Re 19:34
	Sl 17:7
	Sl 44:7
	Isa 63:8
	Os 1:7
m	1Sa 13:5
n	Le 5:4
	Nú 30:2
	Jue 21:1
	Pr 20:25
	Ec 5:6

doª de mis enemigos!". Y ninguno del pueblo probó pan.ᵇ

25 Y todos los del país entraron en el bosque, cuando había mielᶜ sobre toda la superficie del campo. 26 Cuando el pueblo entró en el bosque, pues, ¡mire!, había un goteo de miel,ᵈ pero no hubo quien se llevara la mano a la boca, porque el pueblo tenía miedo del juramento.ᵉ 27 En cuanto a Jonatán, él no había estado escuchando cuando su padre puso al pueblo bajo juramento,ᶠ de modo que extendió la punta de la vara que estaba en su mano y la metió en el panal de miel y retrajo su mano a la boca, y sus ojos empezaron a brillar.ᵍ 28 En esto, uno del pueblo respondió y dijo: "Tu padre juramentó solemnemente al pueblo, diciendo: '¡Maldito es el hombre que coma pan hoy!'".ʰ (Y la gente empezaba a cansarse.)ⁱ 29 Sin embargo, Jonatán dijo: "Mi padre ha acarreado extrañamientoⱼ al país. Vean, por favor, cómo han brillado mis ojos porque probé este poquito de miel.ᵏ 30 ¡Cuánto más si el pueblo sólo hubiera comidoˡ hoy del despojo de sus enemigos que halló!ˡᵐ Pues ahora la matanza sobre los filisteos no ha sido grande".ⁿ

31 Y en aquel día siguieron derribando a los filisteos desde Micmashᵒ hasta Ayalón,ᵖ y el pueblo llegó a estar muy cansado.ᑫ 32 Y el pueblo empezó a lanzarse vorazmente al despojoʳ y a tomar ovejas y ganado vacuno y becerros y a degollarlos en la tierra, y el pueblo se entregó a comer junto con la sangre.ˢ 33 Así que lo informaron a Saúl, diciendo: "¡Mira! El pueblo está pecando contra Jehová, comiendo junto con la sangre".ᵗ A lo cual él dijo: "Ustedes han obrado traidoramente. En primer lugar, ruédenme una piedra grande. 34 Después de eso Saúl dijo: "Espárzanse entre la gente, y tienen que decirles: 'Acérquen-

me, cada uno de ustedes, su toro y, cada cual, su oveja, y en este lugar tienen que degollar y comer, y no deben pecar contra Jehová comiendo junto con la sangre'".ª En conformidad, toda la gente acercó cada uno su toro que estaba en su mano aquella noche y efectuaron la degollación allí. 35 Y Saúl procedió a edificar un altarᵇ a Jehová. Con este él comenzó la edificación de altares a Jehová.ᶜ

36 Más tarde Saúl dijo: "Bajemos de noche tras los filisteos y saqueémoslos hasta que raye el alba,ᵈ y no dejemos ni uno solo entre ellos".ᵉ A lo cual ellos dijeron: "Cualquier cosa que sea buena a tus ojos, hazla". Entonces dijo el sacerdote: "Acerquémonos aquí al Dios [verdadero]".ᶠ 37 Y Saúl se puso a inquirir de Dios: "¿Bajo tras los filisteos?ᵍ ¿Los darás en mano de Israel?".ʰ Y él no le contestó aquel día.ⁱ 38 De modo que Saúl dijo: "Acérquense acá,ⱼ todos los hombres clave del pueblo,ᵏ y averigüen y vean de qué manera ha venido a haber este pecado hoy. 39 Pues tan ciertamente como que está vivo Jehová, que es el Libertador de Israel, aunque sea en Jonatán mi hijo, sin embargo positivamente morirá".ˡ Pero no hubo nadie entre todo el pueblo que le respondiera. 40 Y pasó a decir a todo Israel: "Ustedes mismos llegarán a estar de un lado, y yo y Jonatán mi hijo... nosotros ciertamente llegaremos a estar del otro lado". Ante esto, el pueblo dijo a Saúl: "Lo que sea bueno a tus ojos, hazlo".ᵐ

41 Y Saúl procedió a decir a Jehová: "¡Oh Dios de Israel, de veras da Tumim!".ⁿ Entonces fueron tomados Jonatán y Saúl, y el pueblo mismo salió [libre].ᵒ 42 Saúl ahora dijo: "Echen suertesᵖ para decidir entre yo y mi hijo Jonatán". Y Jonatán llegó a ser tomado. 43 Entonces Saúl dijo a Jonatán: "Infórma-

---

CAP. 14

a Jos 10:13
Jue 11:36
Jue 14:28
b Dt 23:21
Jue 8:5
2Sa 17:29
Sl 15:4
c Dt 8:8
Dt 27:3
Jos 5:6
d Ex 3:8
Le 20:24
Nú 13:27
Mt 3:4
e Sl 15:4
f 1Sa 14:17
g 1Sa 30:12
h 1Sa 14:24
i Jue 8:4
j Jue 2:3
1Re 18:18
k 1Sa 14:27
l 1Sa 14:26
m Dt 20:14
n Ec 9:18
o 1Sa 13:2
p Jos 10:12
1Sa 19:42
q Jue 8:5
Jue 44:12
r Dt 20:14
1Sa 15:19
s Gé 9:4
Le 3:17
Le 17:10
Dt 12:16
Eze 33:25
Hch 15:29
t Dt 12:23
Dt 15:23

2.ª col.

a 1Sa 14:32
b 1Sa 7:17
2Sa 24:18
2Sa 24:25
c Gé 4:26
d Jos 10:9
1Sa 11:11
Jer 6:5
e Dt 7:2
Dt 7:16
f Nú 27:21
1Sa 30:7
Sl 65:4
Sl 73:28
Mal 2:7
g Jue 1:1
1Sa 30:8
2Sa 5:19
Pr 3:5
h Nú 27:21
i 1Sa 28:6
Sl 66:18
Isa 1:15
Eze 20:3
j Jos 7:14
1Sa 10:19
k Jue 20:2
1 Ec 5:2
m 2Sa 15:15
n Ex 28:30
Dt 33:8
Esd 2:63
o Jos 7:16
1Sa 10:21
p Pr 16:33
Jon 1:7

me: ¿Qué has hecho?”.[a] De manera que Jonatán le informó y
dijo: “De veras gusté un poco de
miel con la punta de mi vara que
está en mi mano.[b] ¡Aquí estoy!
¡Que muera!”.
44 A lo cual dijo Saúl: “Así
haga Dios y así añada a ello,[c]
si positivamente no mueres,[d] Jonatán”. 45 Pero el pueblo dijo
a Saúl: “¿Ha de morir Jonatán,
que ha ejecutado esta gran salvación[e] en Israel? ¡Es inconcebible![f] Tan ciertamente como que
Jehová vive,[g] ni siquiera un cabello[h] de su cabeza caerá en
tierra; porque fue con Dios con
quien él trabajó este día”.[i] Con
eso, el pueblo redimió[j] a Jonatán, y él no murió.
46 De modo que Saúl se retiró
de seguir a los filisteos, y los filisteos mismos se fueron a su lugar.[k]
47 Y Saúl mismo tomó la gobernación real sobre Israel[l] y se
puso a guerrear alrededor contra todos sus enemigos, contra
Moab[m] y contra los hijos de Ammón[n] y contra Edom[o] y contra
los reyes de Zobá[p] y contra los
filisteos;[q] y adondequiera que se
volvía administraba condenación.[r] 48 Y siguió actuando valientemente[s] y procedió a
derribar a Amaleq[t] y a librar a
Israel de la mano de su pillador.
49 Y los hijos de Saúl llegaron
a ser Jonatán[u] e Isví y Malki-
súa,[v] y, en cuanto a los nombres
de sus dos hijas, el nombre de la
que nació primero fue Merab[w] y
el nombre de la menor Mical.[x]
50 Y el nombre de la esposa de
Saúl era Ahinoam hija de Ahimáaz, y el nombre del jefe de su
ejército era Abner[y] hijo de Ner,
tío de Saúl. 51 Y Quis[z] era el
padre de Saúl, y Ner[a] el padre de
Abner era hijo de Abiel.
52 Y el guerrear continuó con
intensidad contra los filisteos
todos los días de Saúl.[b] Cuando
Saúl veía a algún hombre poderoso o a alguna persona valiente,
los recogía a sí.[c]

CAP. 14
a Jos 7:19
b 1Sa 14:27
c Rut 1:17
1Sa 3:17
1Sa 25:22
2Sa 3:9
2Sa 19:13
d Gé 38:24
1Sa 14:24
2Sa 12:5
Snt 2:13
e 1Sa 11:13
1Sa 14:14
1Sa 19:5
Ne 9:27
f Gé 44:7
Jos 22:29
g 1Sa 19:6
1Sa 28:10
h 1Re 1:52
Lu 21:18
Hch 27:34
i 1Sa 14:6
j Job 6:23
k Nú 33:55
Jue 2:3
l 1Sa 13:1
m 1Sa 12:9
n Dt 2:19
1Sa 11:11
o Gé 36:8
Gé 36:43
Mal 1:4
p 2Sa 10:6
1Re 11:23
q 1Sa 9:16
r Jos 13:1
Jos 23:10
s 2Sa 1:23
t Éx 17:14
Dt 25:19
1Sa 15:3
u 1Sa 13:2
1Sa 14:1
1Cr 9:39
v 1Sa 31:2
1Cr 8:33
w 1Sa 18:17
x 1Sa 18:27
1Sa 25:44
2Sa 3:13
2Sa 6:20
y 1Sa 17:55
2Sa 2:8
2Sa 3:27
z 1Sa 9:1
1Cr 9:39
Hch 13:21
a 1Re 2:5
b Gé 49:27
1Sa 9:16
c 1Sa 8:11
1Sa 10:26

2.ª col.

CAP. 15
a 1Sa 9:16
1Sa 10:1
b Dt 17:20
1Sa 12:14
Ec 12:13
c 2Sa 7:26
d Gé 12:3
Zac 2:8
e Éx 17:8
Nú 24:20
Dt 25:17
Dt 25:18
f Éx 17:14
Dt 25:19
1Cr 4:43
g Le 27:28
Le 27:29
1Sa 15:18

15 Entonces Samuel dijo a
Saúl: “Jehová me envió
para ungirte[a] por rey sobre su
pueblo Israel, y ahora escucha la
voz de las palabras de Jehová.[b]
2 Esto es lo que ha dicho Jehová
de los ejércitos:[c] ‘Tengo que llamar a cuentas[d] lo que Amaleq
hizo a Israel cuando se puso contra él en el camino, al venir subiendo de Egipto.[e] 3 Ahora ve,
y tienes que derribar a Amaleq[f] y
darlo por entero a la destrucción[g] con todo cuanto tiene, y no
debes tenerle compasión, y tienes que darles muerte,[h] tanto a
hombre como a mujer, a niño
como a lactante,[i] a toro como a
oveja, a camello como a asno’ ”.[j]
4 Por consiguiente, Saúl convocó al pueblo y tomó la cuenta de
ellos en Telaim,[k] doscientos mil
hombres de a pie y diez mil hombres de Judá.[l]
5 Y Saúl procedió a llegar hasta la ciudad de Amaleq y a emboscarse junto al valle torrencial. 6 Mientras tanto, Saúl
dijo a los quenitas:[m] “Anden, váyanse,[n] bajen de en medio de
los amalequitas, para que no te
barra con ellos. En cuanto a ti, tú
ejerciste bondad amorosa para
con todos los hijos de Israel[o] al
tiempo que subían de Egipto”.[p]
De modo que los quenitas se fueron de en medio de Amaleq.
7 Después de eso Saúl se puso a
derribar a Amaleq[q] desde Havilá[r] hasta Sur,[s] que está enfrente de Egipto. 8 Y logró tomar
vivo a Agag[t] el rey de Amaleq, y
a toda la otra gente la dio por
entero a la destrucción a filo de
espada.[u] 9 Pero Saúl y el pueblo les tuvieron compasión a
Agag y a lo mejor del rebaño y de
la vacada[v] y a los gordos y a los

h Dt 9:3; i Éx 20:5; Isa 14:21; j Dt 13:17; Jos 6:18; k Jos 15:24; l 1Sa 11:8; 1Sa 13:15; m Nú 10:29; Nú 10:32; Nú 24:21; Jue 1:16; Jue 4:11; n Gé 18:25; Gé 19:12; Nú 16:26; 1Re 20:31; Pr 20:28; o Gé 12:3; Éx 18:9; Éx 18:12; Nú 10:29; Heb 6:10; p Dt 5:15; Dt 16:3; q Dt 25:19; 1Sa 14:48; r Gé 25:18; s Gé 16:7; 1Sa 27:8; t 1Sa 15:33; u Le 27:29; 1Sa 15:3; v Le 27:28; Jos 7:12; 1Sa 13:9; Pr 11:2; Pr 14:12; Pr 21:24.

carneros y a todo lo que era bueno, y no deseaban darlos por entero a la destrucción.ᵃ En cuanto a todos los bienes que eran ruines y rechazados, los dieron por entero a la destrucción.

10 La palabra de Jehová ahora vino a Samuel, diciendo: 11 "De veras me pesaᵇ haber hecho que Saúl reinara como rey, porque se ha vueltoᶜ de seguirme, y mis palabras no ha llevado a cabo".ᵈ Y esto le causó angustia a Samuel,ᵉ y él siguió clamando a Jehová toda la noche.ᶠ 12 Entonces Samuel madrugó para ir al encuentro de Saúl por la mañana. Pero se dio informe a Samuel, diciendo: "Saúl vino a Carmelo,ᵍ y, ¡mira!, estaba erigiéndose un monumento,ʰ y entonces dio la vuelta y cruzó y descendió a Guilgal". 13 Por fin llegó Samuel a Saúl, y Saúl empezó a decirle: "Benditoⁱ eres tú de Jehová. He llevado a cabo la palabra de Jehová".ʲ 14 Pero Samuel dijo: "Entonces, ¿qué significa este sonido del rebaño en mis oídos, y el sonido de la vacada que estoy oyendo?".ᵏ 15 A lo cual dijo Saúl: "De los amalequitas los han traído, porque el puebloˡ le tuvo compasión a lo mejor del rebaño y de la vacada, con el propósito de hacer sacrificios a Jehová tu Dios;ᵐ pero lo que quedó lo hemos dado por entero a la destrucción". 16 Ante esto, Samuel dijo a Saúl: "¡Detente! Y yo ciertamente te informaré lo que Jehová me habló anoche".ⁿ De modo que él le dijo: "¡Habla!".

17 Y Samuel pasó a decir: "¿No fue cuando eras pequeño a tus propios ojosᵒ cuando fuiste cabeza de las tribus de Israel, y Jehová procedió a ungirteᵖ por rey sobre Israel? 18 Más tarde Jehová te envió en una misión y dijo: 'Ve, y tienes que dar por entero a la destrucción a los pecadores,q los amalequitas, y tienes que pelear contra ellos hasta que los hayas exterminado'.ʳ

19 ¿A qué se debe, pues, que no obedeciste la voz de Jehová, sino que fuiste lanzándote vorazmente al despojoᵃ y haciendo lo que era malo a los ojos de Jehová?".ᵇ

20 Sin embargo, Saúl dijo a Samuel: "Pero he obedecidoᶜ la voz de Jehová, por cuanto fui a la misión a que me había enviado Jehová y traje a Agagᵈ el rey de Amaleq, pero a Amaleq lo he dado por entero a la destrucción.ᵉ 21 Y el puebloᶠ se puso a tomar del despojo ovejas y ganado vacuno, lo más selecto de ellos como algo dado por entero a la destrucción, para sacrificarloᵍ a Jehová tu Dios en Guilgal".ʰ

22 A su vez Samuel dijo: "¿Se deleita tanto Jehová en ofrendas quemadasⁱ y sacrificios como en que se obedezca la voz de Jehová? ¡Mira! El obedecer es mejor que un sacrificio,ᵏ el prestar atención a la grasaˡ de carneros; 23 porque la rebeldíaᵐ es lo mismo que el pecado de adivinación,ⁿ y el adelantarse presuntuosamente lo mismo que [usar] poder mágico y terafim.ᵒ Puesto que tú has rechazado la palabra de Jehová,ᵖ él, en conformidad con ello, te rechaza de ser rey".q

24 Entonces Saúl dijo a Samuel: "He pecado;ʳ pues he traspasado la orden de Jehová y tus palabras, porque temí al puebloˢ y por eso obedecí su voz. 25 Y ahora, por favor, perdonaᵗ mi pecado y me vuelve conmigo para que me postreᵘ ante Jehová". 26 Pero Samuel dijo a Saúl: "No volveré contigo, porque has rechazado la palabra de Jehová, y Jehová te rechaza para que no continúes como rey sobre Israel".ᵛ 27 Al volverse Samuel para irse, él se agarró al instante de la falda de su vestidura sin mangas, pero esta se rasgó.ʷ

CAP. 15
a Jer 48:10
b Gé 6:6
   1Sa 15:26
   1Sa 15:35
   Jer 18:8
c Sl 36:2
   Sl 125:5
   Ec 4:13
   Mal 3:7
d 1Sa 13:13
   1Sa 15:3
e 1Sa 16:1
   Sl 119:136
f Sl 55:2
g Jos 15:55
   1Sa 25:2
h 1Sa 18:18
   Sl 49:11
   Pr 8:13
   Pr 15:25
i 1Sa 13:10
j Pr 12:15
   Pr 18:17
   Pr 26:12
k 1Sa 15:3
l Gé 3:12
   Éx 32:22
   1Sa 15:21
m 1Cr 28:9
   Pr 28:13
n 1Sa 15:10
o 1Sa 9:21
   1Sa 10:22
p 1Sa 9:16
   1Sa 10:1
q 1Sa 15:3
   Job 31:3
   Pr 10:29
   Pr 13:21
r Dt 25:19

2.ᵃ col.
a Dt 13:17
   1Sa 15:9
   Pr 28:20
   Ef 5:5
b 1Sa 15:24
c Pr 21:29
   Pr 28:14
d Le 27:29
   1Re 20:42
   Jer 48:10
e Dt 7:16
   1Sa 15:3
f Éx 32:22
   1Sa 15:15
g Ec 5:1
h 1Sa 13:4
i Sl 50:8
   Isa 1:11
   Miq 6:6
j Jer 7:23
   Jer 38:20
k Pr 21:3
   Os 6:6
   Mr 12:33
l Le 3:16
m Nú 14:9
   Dt 9:7
   1Sa 12:15
n Le 20:6
   Dt 18:10
   1Sa 28:3
   1Cr 10:13
   Isa 8:19
o Gé 31:19
   Gé 31:30
   2Re 23:24
p 1Sa 15:3

q 1Sa 13:14; 1Sa 16:1; 1Cr 28:9; Hch 13:22; r 1Sa 2:25; 2Co 7:10; Snt 4:17; s Pr 29:25; Isa 51:12; t 1Sa 2:25; u 1Sa 15:30; v Dt 17:20; 1Sa 12:25; 1Sa 13:14; 1Sa 16:1; w 1Re 11:30.

28 En seguida le dijo Samuel: "Jehová ha arrancado[a] hoy de ti el regir real de Israel, y ciertamente se lo dará a un semejante tuyo que sea mejor que tú.[b] **29** Y, además, la Excelencia de Israel[c] no resultará falso,[d] y no sentirá pesar, pues Él no es hombre terrestre para que sienta pesar".[e]

30 Ante esto, él dijo: "He pecado. Ahora hónrame,[f] por favor, enfrente de los ancianos de mi pueblo y enfrente de Israel, y vuelve conmigo, y ciertamente me postraré ante Jehová tu Dios".[g] **31** De modo que Samuel volvió tras Saúl, y Saúl procedió a postrarse ante Jehová. **32** Tras aquello, Samuel dijo: "Acérquenme a Agag el rey de Amaleq". Entonces Agag fue a él de mala gana, y Agag empezó a decirse: "Verdaderamente la amarga experiencia de la muerte se ha ido". **33** Sin embargo, Samuel dijo: "Tal como tu espada[h] ha privado de hijos a mujeres, de igual manera tu madre[i] será privada en gran manera de hijos entre las mujeres".[j] Con eso, Samuel se puso a tajar en pedazos a Agag delante de Jehová en Guilgal.[k]

34 Samuel ahora procedió a irse a Ramá, y Saúl, por su parte, subió a su propia casa en Guibeah[l] de Saúl. **35** Y Samuel no volvió a ver a Saúl hasta el día de su muerte, porque Samuel se había puesto de duelo[m] por Saúl. En cuanto a Jehová, le pesó haber hecho a Saúl rey sobre Israel.[n]

16 Con el tiempo Jehová dijo a Samuel: "¿Hasta cuándo estarás de duelo por Saúl,[o] en tanto que yo, por otra parte, lo he rechazado para que no reine sobre Israel?[p] Llena tu cuerno de aceite[q] y anda. Te enviaré a Jesé el betlemita, porque entre sus hijos me he provisto un rey".[s] **2** Pero Samuel dijo: "¿Cómo puedo ir? Tan pronto como Saúl lo oiga, ciertamente me matará".[a] Y Jehová pasó a decir: "Debes llevar contigo una ternera de la vacada, y tienes que decir: 'Para ofrecer sacrificio a Jehová es para lo que he venido'.[b] **3** Y tienes que llamar a Jesé al sacrificio; y yo, por mi parte, te daré a conocer lo que debes hacer,[c] y tienes que ungirme[d] al que yo te designe".

4 Y Samuel procedió a hacer lo que Jehová había hablado. Cuando llegó a Belén,[e] los ancianos de la ciudad se pusieron a temblar[f] al encontrarlo, así que dijeron: "¿Significa paz tu venida?".[g] **5** A esto él dijo: "Significa paz. Para ofrecer sacrificio a Jehová es para lo que he venido. Santifíquense,[h] y tienen que venir conmigo al sacrificio". Entonces santificó a Jesé y a sus hijos, después de lo cual los llamó al sacrificio. **6** Y aconteció que, al entrar ellos y al alcanzar él a ver a Eliab,[i] en seguida dijo: "De seguro su ungido está delante de Jehová". **7** Pero Jehová dijo a Samuel: "No mires su apariencia ni lo alto de su estatura,[j] porque lo he rechazado. Porque no de la manera como el hombre ve [es como Dios ve],[k] porque el simple hombre ve lo que aparece a los ojos;[l] pero en cuanto a Jehová, él ve lo que es el corazón".[m] **8** Entonces Jesé llamó a Abinadab[n] y lo hizo pasar delante de Samuel, pero él dijo: "Tampoco a este ha escogido Jehová". **9** En seguida Jesé hizo pasar a Samah,[o] pero él dijo: "Tampoco a este ha escogido Jehová". **10** Así que Jesé hizo que siete de sus hijos pasaran ante Samuel; aun así, Samuel dijo a Jesé: "Jehová no ha escogido a estos".

11 Por fin Samuel dijo a Jesé: "¿Son estos todos los muchachos?". A lo que él dijo: "El más joven ha sido omitido hasta ahora,[p] y, ¡mira!, está apacentando las ovejas".[q] Por lo cual Samuel dijo a Jesé: "Manda a traer-

CAP. 15

a 1Re 11:31
b 1Sa 13:14
  1Sa 16:12
  1Sa 28:17
  Hch 13:22
c 1Cr 29:11
  Job 37:22
  Isa 43:3
  Isa 44:49
d Sl 89:35
  Tit 1:2
  Heb 6:18
e Nú 23:19
  Sl 110:4
  Eze 24:14
f Pr 26:1
g 1Sa 15:25
  Isa 29:13
  Mt 15:8
h Mt 26:52
i Jue 5:28
j Gé 9:6
  Lc 24:17
  Dt 19:21
  Jue 1:7
  Mt 7:2
k Éx 17:14
  Dt 25:19
  1Sa 15:3
  1Sa 16:1
l 1Sa 15:11

CAP. 16

o 1Sa 15:35
  Ec 3:4
p 1Sa 15:23
  1Sa 15:26
q Éx 30:25
  1Re 1:39
  Sl 133:2
r Rut 4:17
  1Cr 2:12
  Isa 11:1
s Gé 49:10
  1Sa 13:14
  Sl 78:70
  Sl 89:20
  Hch 13:22

2.ª col.

a 1Sa 22:17
b 1Sa 9:12
  1Sa 20:29
  Mt 10:16
c Am 3:7
d Sl 89:20
e Rut 4:11
  1Sa 20:6
f 1Sa 21:1
  Lu 8:37
g 2Re 2:12
  2Re 9:22
h Éx 19:10
  Le 11:44
  Le 20:7
i 1Sa 17:28
  1Cr 2:13
j 1Sa 10:23
k Job 10:4
  Isa 55:8
l 2Co 5:12
  2Co 10:7
m 1Re 8:39
  1Cr 28:9
  2Cr 16:9
  Sl 7:9
  Pr 24:12
  Jer 17:10
  Hch 1:24
n 1Sa 17:13
  1Cr 2:13

o 2Sa 13:3; p 1Sa 17:14; q 2Sa 7:8; Sl 78:70.

diciendo: "Así se le hará al hombre que lo derribe". 28 Y Eliab[a] su hermano mayor llegó a oír cuando él hablaba con los hombres, y la cólera de Eliab se enardeció contra David,[b] de modo que dijo: "¿Para qué has bajado? ¿Y a cargo de quién dejaste aquellas pocas ovejas allá atrás en el desierto?[c] Yo mismo conozco bien tu presuntuosidad y la maldad de tu corazón,[d] porque has bajado con el propósito de ver la batalla".[e] 29 A esto David dijo: "¿Qué he hecho yo ahora? ¿No era solo una palabra?".[f] 30 Con eso se volvió de su lado hacia algún otro y se puso a decir la misma palabra que antes,[g] y, a su vez, la gente le dio la misma respuesta que anteriormente.[h]

31 Así que las palabras que David habló llegaron a ser oídas, y fueron refiriéndolas delante de Saúl. De modo que él lo mandó traer. 32 Y David procedió a decir a Saúl: "No se desplome en él el corazón de hombre alguno.[i] Tu siervo mismo irá y realmente peleará con este filisteo".[j] 33 Pero Saúl dijo a David: "Tú no puedes ir contra este filisteo para pelear con él,[k] porque solo eres un muchacho,[l] y él es un hombre de guerra desde su mocedad". 34 Y David pasó a decir a Saúl: "Tu siervo llegó a ser pastor de su padre entre el rebaño, y vino un león,[m] y también un oso, y [cada uno] se llevó una oveja del hato. 35 Y yo salí tras él y lo derribé[n] y su boca hice el rescate. Cuando empezó a levantarse contra mí, lo agarré de la barba y lo derribé y le di muerte. 36 Tanto al león como al oso tu siervo los derribó; y este filisteo[o] incircunciso tiene que llegar a ser como uno de ellos, porque ha desafiado con escarnio[a] las líneas de batalla[q] del Dios vivo".[r] 37 Entonces añadió David: "Jehová, que me libró de la garra del león y de la garra del oso, él es quien me

CAP. 17

a 1Sa 16:6
1Cr 2:13
b Sl 37:8
Pr 14:17
Pr 14:29
Pr 27:4
c 1Sa 17:20
d 1Sa 16:7
2Cr 6:30
e Pr 18:13
Ec 7:9
Mt 7:1
Ro 14:4
Snt 4:12
f Pr 15:1
1Pe 3:9
g 1Sa 17:26
h 1Sa 17:25
i Dt 20:3
Sl 27:3
j 1Sa 16:18
Sl 118:6
Pr 28:1
k Nú 13:31
Dt 9:2
l 1Sa 17:42
m 1Sa 14:5
Pr 30:30
Isa 31:4
Am 3:12
n Jue 14:6
2Sa 23:20
o 1Sa 17:26
p 1Sa 17:10
2Re 19:22
q 1Sa 17:20
1Cr 12:38
r Jer 10:10
1Te 1:9

2.ª col.

a Dt 7:21
Ro 6:16
Sl 18:3
Sl 115:11
2Co 1:10
Heb 11:34
b 1Sa 14:6
Sl 97:10
Sl 124:8
c Zac 4:6
d Jue 20:16
1Sa 25:29
2Cr 26:14
e Sl 123:4
f Isa 17:33
g Can 5:10
Lam 4:7
h 1Sa 16:12
i 1Sa 24:14
2Sa 9:8
1Sa 16:9
2Re 8:13
Lu 14:11
j Jue 16:23
2Re 1:2
k Pr 18:12
Jer 9:23
l 1Sa 17:6
Isa 54:17
m 2Sa 5:10
Sl 44:5
Sl 125:1
Heb 11:34
n 1Sa 17:10
2Re 19:22
o Pr 7:2
Dt 9:3
Jos 10:8

librará de la mano de este filisteo".[a] Ante esto, Saúl dijo a David: "Ve, y que Jehová mismo resulte estar contigo".[b]

38 Saúl ahora se puso a vestir a David con las prendas de vestir suyas, y le puso un yelmo de cobre sobre la cabeza, después de lo cual lo vistió con una cota de malla. 39 Entonces David se ciñó la espada de aquel sobre sus prendas de vestir y trató de andar, [pero no pudo,] porque no las había ensayado sobre sí. Por fin David dijo a Saúl: "No puedo ir en estas cosas, porque no las he ensayado sobre mí". De modo que David se las quitó de encima.[c] 40 Y procedió a tomar su cayado en la mano y a escogerse las cinco piedras más lisas del valle torrencial y a ponerlas en su bolsa de pastor que le servía de receptáculo, y llevaba en la mano su honda.[d] Y empezó a acercarse al filisteo.

41 Y el filisteo empezó a venir, acercándose cada vez más a David, y el hombre que llevaba el escudo grande estaba delante de él. 42 Ahora bien, cuando el filisteo miró y vio a David, empezó a despreciarlo,[e] porque resultaba que era un muchacho,[f] y rubicundo,[g] de hermosa apariencia.[h] 43 De modo que el filisteo dijo a David: "¿Soy yo un perro,[i] para que vengas a mí con cayados?". Con eso, el filisteo invocó el mal contra David por sus dioses.[j] 44 Y el filisteo dijo además a David: "Nada más ven a mí, y ciertamente daré tu carne a las aves del cielo y a las bestias del campo".[k] 45 A su vez, David dijo al filisteo: "Tú vienes a mí con una espada y con una lanza y con una jabalina,[l] pero yo voy a ti con el nombre de Jehová de los ejércitos,[m] el Dios de las líneas de batalla de Israel, a quien tú has desafiado con escarnio.[n] 46 Este día Jehová te entregará en mi mano,[o] y yo ciertamente te derribaré y te quitaré la cabeza;

y ciertamente daré los cadáveres del campamento de los filisteos este día a las aves de los cielos y a las bestias salvajes de la tierra;[a] y personas de toda la tierra sabrán que existe un Dios que pertenece a Israel.[b]   47 Y toda esta congregación sabrá que ni con espada ni con lanza salva Jehová,[c] porque a Jehová pertenece la batalla,[d] y él tiene que darlos a ustedes en nuestra mano".[e]

48 Y sucedió que el filisteo se levantó y siguió viniendo y acercándose al encuentro de David, y David empezó a apresurarse y a correr hacia la línea de batalla, al encuentro del filisteo.[f] 49 Entonces David metió la mano en su bolsa y tomó de allí una piedra y la tiró con la honda, de modo que le dio[g] al filisteo en la frente, y la piedra se le hundió en la frente, y él fue cayendo sobre su rostro a tierra.[h] 50 Así que David, con una honda y una piedra, resultó más fuerte que el filisteo, y derribó al filisteo y le dio muerte; y no había espada en la mano de David.[i] 51 Y David continuó corriendo y logró plantarse sobre el filisteo. Entonces le tomó la espada[j] y la sacó de su vaina, y definitivamente le dio muerte cuando con ella le cortó la cabeza.[k] Y los filisteos llegaron a ver que había muerto su poderoso, y echaron a huir.[l]

52 Ante esto, los hombres de Israel y de Judá se levantaron y prorrumpieron en gritos y fueron persiguiendo[m] a los filisteos hasta [el] valle[n] y hasta las puertas de Eqrón,[o] y los mortalmente heridos de los filisteos siguieron cayendo por el camino desde Saaraim,[p] tanto hasta Gat como hasta Eqrón. 53 Después los hijos de Israel volvieron de perseguir acaloradamente a los filisteos, y se pusieron a saquear[q] sus campamentos.

54 Entonces David tomó la cabeza[r] del filisteo y la trajo a Jerusalén, y puso las armas de él en su tienda.[a]

55 Ahora bien, al momento que Saúl vio a David salir al encuentro del filisteo, dijo a Abner[b] el jefe del ejército: "¿De quién[c] es hijo el muchacho,[d] Abner?". A lo que dijo Abner: "¡Por la vida de tu alma, oh rey, no lo sé en absoluto!". 56 Así que dijo el rey: "Pregunta de quién es hijo el mozo". 57 Por consiguiente, luego que David volvió de derribar al filisteo, Abner procedió a tomarlo y a traerlo delante de Saúl, con la cabeza[e] del filisteo en la mano. 58 Saúl ahora le dijo: "¿De quién eres hijo, muchacho?", a lo que dijo David: "El hijo de tu siervo Jesé[f] el betlemita".[g]

18 Y aconteció que, tan pronto como él hubo acabado de hablar a Saúl, la misma alma de Jonatán[h] se ligó[i] con el alma de David, y Jonatán empezó a amarlo como a su propia alma.[j] 2 Entonces Saúl lo tomó en aquel día, y no le permitió volver a la casa de su padre.[k] 3 Y Jonatán y David procedieron a celebrar un pacto,[l] porque él lo amaba como a su propia alma.[m] 4 Además, Jonatán se despojó de su vestidura sin mangas que llevaba puesta y se la dio a David, y también sus prendas de vestir, y aun su espada y su arco y su cinto. 5 Y David empezó a salir. Adondequiera que lo enviaba Saúl, él actuaba prudentemente,[n] de modo que Saúl lo colocó sobre los hombres de guerra;[o] y esto pareció bueno a los ojos de todo el pueblo y también a los ojos de los siervos de Saúl.

6 Y aconteció que, al entrar ellos, cuando David volvió de derribar a los filisteos, las mujeres empezaron a salir de todas las ciudades de Israel con canto[p] y danzas al encuentro de Saúl el

CAP. 17
a Isa 56:9
Rev 19:17
b Ex 9:16
Dt 28:10
1Re 8:43
1Re 18:36
2Re 19:19
Sl 46:10
Isa 52:10
Da 3:29
Sl 44:6
Os 1:7
Zac 4:6
d 2Cr 20:15
Sl 46:11
Pr 21:31
e Dt 20:4
f Sl 27:1
Pr 28:1
g 1Sa 17:57
h 1Sa 17:37
2Sa 21:22
2Sa 22:39
Sl 44:7
i Jue 3:31
Jue 15:15
1Sa 13:22
1Sa 17:47
j 1Sa 21:9
k 1Sa 18:40
l Dt 28:7
Jos 23:10
Heb 11:34
m Sl 18:37
n 1Sa 17:2
1Sa 17:19
o Jos 15:45
p Jos 15:36
q Jer 30:16
r 1Sa 31:9

2.ᵃ col.

a 1Sa 21:9
b 1Sa 14:50
c Ex 5:2
1Sa 25:10
d 1Sa 16:19
1Sa 16:21
e 1Sa 17:54
f Rut 4:22
1Sa 16:1
1Cr 2:13
Isa 11:1
Mt 1:6
Lu 3:32
Hch 13:22
Ro 15:12
g 1Sa 17:12
1Sa 20:6

CAP. 18

h 1Sa 14:1
1Sa 14:49
2Sa 1:4
i Gé 44:30
1Pe 1:22
j 1Sa 19:2
1Sa 20:17
1Sa 20:41
2Sa 1:26
k 1Sa 8:11
1Sa 16:22
1Sa 17:15
l 1Sa 20:8
1Sa 20:42
1Sa 23:18
2Sa 9:1
2Sa 21:7
m Pr 17:17
Pr 18:24
Col 3:14

n Jos 1:7; 1Sa 18:30; Pr 14:35; o 1Sa 14:52; Pr 20:18; p Éx 15:21; Jue 5:1.

rey, con panderetas,[a] con regocijo[b] y con laúdes.   7 Y las mujeres que estaban participando en la celebración siguieron respondiendo y diciendo:

"Saúl ha derribado sus miles,
    y David sus decenas de miles".[c]

8 Y Saúl empezó a encolerizarse en gran manera,[d] y esto dicho fue malo desde su punto de vista, de modo que dijo: "¡A David han dado decenas de miles, pero a mí me han dado los miles, y lo único que falta ya es darle la gobernación real!".[e]   9 Y Saúl estuvo mirando a David de continuo con sospecha desde aquel día en adelante.[f]

10 Y al día siguiente[g] aconteció que el espíritu malo de Dios entró en operación sobre Saúl,[h] de modo que él se portó como profeta[i] dentro de la casa, mientras David estaba tocando música con la mano,[j] como en días anteriores; y la lanza estaba en la mano de Saúl.[k]   11 Y Saúl procedió a arrojar la lanza[l] y decir: "¡Ciertamente clavaré a David aun a la pared!",[m] pero David se desvió de delante de él, dos veces.[n]   12 Y a Saúl le dio miedo[o] de David, porque Jehová resultaba estar con él,[p] pero se había apartado de Saúl.[q]   13 Por consiguiente, Saúl lo alejó de su compañía[r] y lo nombró para sí jefe de mil; y con regularidad él salía y entraba delante del pueblo.[s]   14 Y David estaba actuando prudentemente[t] de continuo en todos sus caminos, y Jehová estaba con él.[u]   15 Y Saúl siguió viendo que estaba actuando muy prudentemente,[v] de modo que le temía.   16 Y todo Israel y Judá amaban a David, porque salía y entraba delante de ellos.

17 Por fin Saúl dijo a David: "Aquí está mi hija mayor Merab.[w] Ella es la que te daré por esposa.[x] Solo muéstrame que eres persona valiente y pelea las

guerras de Jehová".[a] Pero en cuanto a Saúl, él decía para sí: "No llegue a estar mi mano sobre él, sino que llegue a estar sobre él la mano de los filisteos".[b]   18 Ante esto, David dijo a Saúl: "¿Quién soy yo y quiénes son mis parientes, la familia de mi padre, en Israel, para que yo llegue a ser yerno del rey?".[c]   19 Sin embargo, aconteció que cuando era el tiempo en que Merab, la hija de Saúl, había de ser dada a David, ella misma ya había sido dada por esposa a Adriel[d] el meholatita.[e]

20 Ahora bien, Mical,[f] hija de Saúl, estaba enamorada de David, y se lo informaron a Saúl, y el asunto fue de su agrado.   21 Así que Saúl dijo: "Se la daré para que ella le sirva de lazo,[g] y para que la mano de los filisteos llegue a estar sobre él". En conformidad, Saúl dijo a David: "Por [una de] las dos mujeres formarás una alianza matrimonial conmigo hoy".   22 Además, Saúl mandó a sus siervos: "Hablen a David en secreto, y digan: ¡Mira! El rey se ha deleitado en ti, y todos sus siervos mismos se han enamorado de ti. Así es que ahora forma una alianza matrimonial con el rey'".   23 Y los siervos de Saúl se pusieron a hablar estas palabras a oídos de David, pero David dijo: "¿Es cosa fácil a los ojos de ustedes formar una alianza matrimonial con el rey, cuando yo soy un hombre de escasos recursos[h] y estimado en poco?".[i]   24 Entonces los siervos de Saúl se lo informaron, y dijeron: "Con palabras como estas habló David".

25 Por lo cual Saúl dijo: "Esto es lo que dirán a David: 'El rey no se deleita en dinero matrimonial,[j] sino en cien prepucios[k] de los filisteos, para vengarse[l] de

CAP. 18

a Éx 15:20
  Jue 11:34
  Sl 68:25
b Éx 31:13
c 1Sa 21:11
  1Sa 29:5
  Pr 15:30
d Gé 4:5
  Pr 14:30
  Pr 27:4
  Snt 3:16
e 1Sa 13:14
  1Sa 15:28
  1Sa 16:13
  1Sa 20:31
  1Sa 24:20
f 1Sa 20:33
  1Sa 21:10
  Pr 27:4
  1Ti 6:4
g Ef 4:26
h Jue 9:23
  1Sa 16:14
  1Sa 19:9
  Job 34:12
i 1Sa 10:6
  1Sa 10:11
  1Sa 19:24
j 1Sa 16:16
  1Sa 16:23
k 1Sa 19:9
l 1Sa 19:10
  1Sa 20:33
m Pr 27:4
  1Jn 3:15
  1Jn 4:20
n Sl 37:32
  Lu 4:30
  Jn 8:59
o 1Sa 18:29
p 1Sa 16:13
q 1Sa 16:14
  1Sa 28:15
r 1Sa 18:5
s Nú 27:17
  2Sa 5:2
  Sl 121:8
t 1Sa 18:5
u Gé 39:2
  Jos 6:27
  1Sa 10:7
  1Sa 16:18
v Jos 1:7
  Pr 20:18
w 1Sa 14:49
x 1Sa 17:25

2.ª col.

a 1Sa 25:28
b 1Sa 18:25
  2Sa 11:15
  2Sa 12:9
  Sl 7:16
c 2Sa 7:18
  Pr 15:33
  Pr 18:12
  Pr 22:4
  Snt 4:6
  1Pe 5:6
d 2Sa 21:8
e Jue 7:22
  2Sa 21:8
f 1Sa 14:49
  1Sa 19:11
  1Sa 25:44
  2Sa 3:13
  2Sa 6:16
  1Cr 15:29

los enemigos del rey' ". Pero en cuanto a Saúl, él había tramado hacer caer a David por la mano de los filisteos. 26 De modo que sus siervos informaron estas palabras a David, el asunto fue del agrado de David, para formar una alianza matrimonial[a] con el rey, y los días no habían expirado aún. 27 Así que David se levantó, y él y sus hombres fueron y derribaron[b] a doscientos hombres entre los filisteos, y David vino trayendo sus prepucios[c] y dándolos en pleno número al rey, para formar una alianza matrimonial con el rey. A su vez, Saúl le dio a Mical su hija por esposa.[d] 28 Y Saúl llegó a ver y saber que Jehová estaba con David.[e] En cuanto a Mical, hija de Saúl, ella lo amaba.[f] 29 Y Saúl volvió a sentir aún más miedo a causa de David, y Saúl llegó a ser enemigo de David siempre.[g]

30 Y los príncipes[h] de los filisteos salían, y sucedía que, cuantas veces salían, David actuaba más prudentemente[i] que todos los siervos de Saúl; y su nombre llegó a ser muy precioso.[j]

19 Por fin Saúl habló a Jonatán su hijo, y a todos sus siervos, de dar muerte a David.[k] 2 En cuanto a Jonatán, hijo de Saúl, él se deleitaba mucho en David.[l] Así que Jonatán informó a David, y dijo: "Saúl mi padre está procurando que se te dé muerte. Y ahora manténte alerta, por favor, por la mañana, y tienes que morar en secreto y quedarte escondido.[m] 3 Y yo, por mi parte, saldré y ciertamente estaré de pie al lado de mi padre en el campo donde estés tú, y yo mismo le hablaré a mi padre por ti, y ciertamente veré lo que suceda, y con certeza te informaré".[n]

4 En conformidad, Jonatán habló bien[o] acerca de David a Saúl su padre, y le dijo: "No peque[p] el rey contra su siervo David, pues él no ha pecado para

contigo, y sus obras han sido muy buenas para contigo.[a] 5 Y procedió a poner su alma en la palma de su mano[b] y a derribar al filisteo,[c] de modo que Jehová ejecutó una gran salvación[d] para todo Israel. Tú lo viste, y te entregaste al regocijo. ¿Por qué, pues, debes pecar contra sangre inocente, haciendo que se dé muerte[e] a David sin causa?".[f] 6 Entonces Saúl obedeció la voz de Jonatán, y Saúl juró: "Tan ciertamente como que Jehová vive,[g] no se le dará muerte". 7 Después Jonatán llamó a David, y Jonatán le refirió todas estas palabras. Entonces Jonatán trajo a David ante Saúl, y él continuó delante de él lo mismo que antes.[h]

8 Con el tiempo volvió a estallar la guerra, y David fue saliendo y peleando contra los filisteos y derribándolos con gran matanza,[i] y ellos se pusieron a huir de delante de él.

9 Y el espíritu malo[k] de Jehová vino a estar sobre Saúl cuando este estaba sentado en su casa con su lanza en la mano, mientras David estaba tocando música con la mano. 10 Por consiguiente, Saúl procuró clavar a David a la pared[l] con la lanza, pero él se escabulló[m] de delante de Saúl, de modo que él dio con la lanza en la pared. Y David mismo huyó para poder escapar durante aquella noche.[n] 11 Más tarde Saúl envió mensajeros[o] a la casa de David para vigilarla y para que se le diera muerte por la mañana;[p] pero Mical su esposa informó a David, y dijo: "Si no dejas que tu alma escape esta noche, mañana serás hombre muerto". 12 Al instante Mical hizo que David descendiera por la ventana, para que se fuera y huyera y escapara.[q] 13 Entonces Mical

CAP. 18
a 1Sa 18:21
b Jue 14:19
c 2Sa 3:14
d 1Sa 17:25
e 1Sa 16:13
1Sa 24:20
f 1Sa 18:20
g 1Sa 18:9
h 1Sa 18:12
1Sa 20:33
Sl 37:12
h 1Sa 29:3
i 1Sa 18:5
1Re 2:3
Sl 119:99
j 2Sa 7:9
Pr 22:1
Ec 7:1

CAP. 19
k 1Sa 18:9
Pr 27:4
Snt 1:20
l 1Sa 18:1
Pr 18:24
m Pr 22:3
Pr 27:12
n 1Sa 20:9
1Sa 20:13
Pr 17:17
o 1Sa 20:32
1Sa 22:14
Pr 31:9
p Gé 42:22
2Cr 6:23
1Jn 3:15

2.ª col.
a Sl 35:12
Sl 109:5
Pr 17:13
Jer 18:20
b Jue 9:17
Jue 12:3
1Sa 28:21
Sl 119:109
Hch 20:24
Flp 2:30
c 1Sa 17:49
d Éx 14:13
1Sa 11:13
1Sa 14:45
1Cr 11:14
e 1Sa 20:32
Jer 26:15
Mt 27:4
f Sl 69:4
Jn 15:25
g Dt 6:13
1Sa 14:39
Jue 10:10
h 1Sa 16:21
1Sa 18:2
1Sa 18:13
i Dt 7:2
Dt 27:3
j Le 26:7
k 1Sa 16:14
1Sa 18:10
Job 34:12
Heb 3:12
l 1Sa 18:11
1Sa 19:6
Sl 5:6
Ec 4:13
m 1Sa 18:11
Sl 34:19
Isa 54:17

n Sl 18:2; Sl 18:48; Sl 59:16; Sl 124:7; Mt 10:23;
o Sl 59:Enc; Sl 59:3; p Jue 16:2; q Jos 2:15; Hch
9:25; 2Co 11:33.

tomó la imagen de terafim[a] y la colocó sobre el lecho, y puso una red de pelo de cabra en el lugar de su cabeza, después de lo cual la cubrió con una prenda de vestir.

14 Saúl ahora envió mensajeros para prender a David, pero ella dijo: "Está enfermo".[b] **15** De modo que Saúl envió los mensajeros para que vieran a David, y dijo: "Súbanmelo en su lecho para que se le dé muerte".[c] **16** Cuando los mensajeros entraron, pues, allí estaba la imagen de terafim en el lecho, y una red de pelo de cabra en el lugar de su cabeza. **17** Ante esto, Saúl dijo a Mical: "¿Por qué me embaucaste[d] así, de modo que enviaste a mi enemigo[e] para que escapara?". A su vez, Mical dijo a Saúl: "Él mismo me dijo: '¡Envíame! ¿Por qué debo darte muerte?'".

18 En cuanto a David, huyó y logró escapar,[f] y pudo llegar a Samuel en Ramá.[g] Y procedió a referirle todo lo que le había hecho Saúl. Entonces él y Samuel se fueron, y se pusieron a morar en Nayot.[h] **19** Con el tiempo llegó el informe a Saúl, diciendo: "¡Mira! David está en Nayot de Ramá". **20** En seguida Saúl envió mensajeros para prender a David. Cuando llegaron a ver a los de edad madura de los profetas profetizando, y a Samuel de pie en su posición sobre ellos, el espíritu[i] de Dios vino a estar sobre los mensajeros de Saúl, y empezaron a portarse como profetas,[j] ellos también.

21 Cuando refirieron esto a Saúl, este inmediatamente envió otros mensajeros, y estos empezaron a portarse como profetas, ellos también. De modo que Saúl volvió a enviar mensajeros, el tercer grupo, y empezaron a portarse como profetas, ellos también. **22** Por fin él también fue a

Ramá. Cuando llegó hasta la gran cisterna que hay en Secú, se puso a inquirir y decir: "¿Dónde están Samuel y David?". A esto, dijeron: "Allí en Nayot[a] de Ramá". **23** Y él siguió adelante desde allí hasta Nayot de Ramá, y el espíritu[b] de Dios vino a estar sobre él, sí, sobre él, y él siguió andando y continuó portándose como profeta hasta que entró en Nayot de Ramá. **24** Y también procedió a despojarse de sus prendas de vestir y a portarse él también, como profeta delante de Samuel, y quedó caído desnudo todo aquel día y toda aquella noche.[c] Por eso llegaron a decir: "¿También está Saúl entre los profetas?".[d]

20 Y David se fue huyendo[e] de Nayot de Ramá. Sin embargo, vino y dijo enfrente de Jonatán: "¿Qué he hecho?[f] ¿Cuál es mi error, y qué pecado he cometido delante de tu padre, pues anda buscando mi alma?". **2** Ante esto, él le dijo: "¡Es inconcebible![g] No morirás. ¡Mira! Mi padre no hará cosa grande ni cosa pequeña sin que lo revele a mi oído;[h] ¿y por qué razón ha de ocultarme mi padre este asunto?[i] Esto no sucede". **3** Pero David juró[j] además y dijo: "Tu padre de seguro tiene que saber que he hallado favor a tus ojos,[k] y por lo tanto diría: 'Que no sepa esto Jonatán, por temor de que se sienta herido'. ¡Pero, de hecho, tan ciertamente como que Jehová vive,[l] y vive tu alma,[m] solo hay como un paso entre yo y la muerte!".[n]

4 Y Jonatán pasó a decir a David: "Cualquier cosa que diga tu alma, la haré por ti". **5** Ante esto, David dijo a Jonatán: "¡Mira! Mañana es luna nueva,[o] y yo mismo debería, sin falta, estar sentado a comer con el rey; y tú tienes que enviarme, y yo tengo que ocultarme[p] en el campo hasta la tarde del tercer

CAP. 19

a Gé 31:19
  Gé 31:30
  Jue 17:5
  2Re 23:24
  Os 3:4

b Jos 2:5
  Mt 10:16

c 1Sa 18:9
  Sl 37:12
  Pr 27:4

d 1Sa 28:12

e 1Sa 18:29

f Sl 144:2

g 1Sa 7:17
  Pr 17:17

h 1Sa 20:1

i Nú 11:25
  Joe 2:28

j 1Sa 10:5
  1Sa 10:6
  1Sa 10:10

2.ª col.

a 1Sa 19:18

b 1Sa 19:20

c Isa 20:2
  Miq 1:8

d 1Sa 10:11

CAP. 20

e 1Sa 19:10
  1Sa 23:26
  2Pe 2:9

f 1Sa 12:3
  1Sa 24:11
  Sl 7:3
  Sl 18:20

g 1Sa 9:6

h 1Sa 9:15

i 1Sa 20:12

j Dt 6:13
  Heb 6:16

k 1Sa 18:1
  1Sa 19:2

l 2Sa 15:21
  2Re 2:2
  Jer 10:10
  Jer 38:16

m 1Sa 1:26
  1Sa 17:55

n 1Sa 27:1
  Sl 116:3
  2Co 1:9

o Nú 10:10
  Nú 28:11
  2Re 4:23
  1Cr 23:31
  2Cr 2:4
  Ne 10:33
  Col 2:16

p 1Sa 19:2
  Pr 22:3

día. 6 Si tu padre me echa de menos de manera alguna, entonces tienes que decir: 'David solícitamente me pidió licencia para correr a Belén,[a] su ciudad, porque hay un sacrificio anual allí para toda la familia'.[b] 7 Si dice así: ¡Está bien!, eso significa paz para tu siervo. Pero si de manera alguna se encoleriza, sabe que lo que es malo ha sido resuelto por él.[c] 8 Y tienes que usar de bondad amorosa para con tu siervo,[d] porque es en un pacto[e] de Jehová en lo que has introducido a tu siervo contigo. Pero si hay error en mí,[f] dame la muerte tú mismo, pues ¿por qué debe ser a tu padre a quien me hayas de llevar?".

9 A lo cual dijo Jonatán: "¡Eso es inconcebible respecto a ti! Pero si de manera alguna llego a saber que ha sido resuelto por mi padre que te venga maldad, ¿no te lo informaré?".[g] 10 Entonces David dijo a Jonatán: "¿Quién me informará si lo que te contesta tu padre es duro?". 11 A su vez, Jonatán dijo a David: "Ven, pues, y salgamos al campo". De modo que ambos salieron al campo. 12 Y Jonatán pasó a decir a David: "Jehová el Dios de Israel[h] [sea testigo][i] de que sondearé a mi padre como a esta hora mañana, o el tercer día, y si está bien dispuesto para con David, ¿acaso no enviaré yo entonces a ti y ciertamente lo revelaré a tu oído? 13 Así haga Jehová a Jonatán y así añada a ello,[j] si, en caso de parecerle bien a mi padre hacer el mal contra ti, yo realmente no lo revelo a tu oído y te envío, y tú ciertamente no te vas en paz. Y que Jehová resulte estar contigo,[k] tal como resultó estar con mi padre.[l] 14 ¿Y acaso tú, si todavía estoy vivo,[m] sí, acaso tú no ejercerás la bondad amorosa de Jehová para conmigo, para que yo no muera?[n] 15 Y no cortarás tu propia bondad amo-

rosa de estar con mi casa hasta tiempo indefinido.[a] Tampoco, cuando Jehová corte a los enemigos de David, a cada uno de sobre la superficie del suelo, 16 será cortado [el nombre de] Jonatán de la casa de David.[b] Y Jehová tiene que requerirlo de la mano de los enemigos de David." 17 De modo que Jonatán volvió a jurarle a David a causa del amor que le tenía; porque como amaba a su propia alma lo amaba a él.[c]

18 Y Jonatán pasó a decirle: "Mañana es luna nueva,[d] y ciertamente se te echará de menos, porque tu asiento estará vacío. 19 Y ciertamente al tercer día se te echará de menos muchísimo; y tendrás que venir al lugar donde te ocultaste[e] en el día de trabajo, y tendrás que quedarte cerca de esta piedra aquí. 20 Y en cuanto a mí, yo dispararé tres flechas a un lado de ella, para enviarlas a donde yo quiera, a un blanco. 21 Y, ¡mira!, enviaré al servidor, [diciendo:] 'Ve, halla las flechas'. Si dijera específicamente al servidor: '¡Mira! Las flechas están a este lado de ti, tómalas', entonces ven, porque significa paz para ti y nada ocurre, tan ciertamente como que Jehová vive.[f] 22 Pero si dijera al mozo así: '¡Mira! Las flechas están más allá de ti', vete, porque Jehová te ha enviado. 23 Y en cuanto a la palabra que hemos hablado,[g] yo y tú, pues, esté Jehová entre tú y yo hasta tiempo indefinido".[h]

24 Y David procedió a ocultarse en el campo.[i] Y llegó a ser la luna nueva, y el rey tomó su asiento en la comida para comer.[j] 25 Y el rey estaba sentado en su asiento como en otras ocasiones, en el asiento junto a la pared; y Jonatán estaba frente a él, y Abner[k] estaba sentado al lado de Saúl, pero el lugar de David estaba vacío. 26 Y Saúl

CAP. 20
a 1Sa 16:4
  1Sa 16:18
  Jn 7:42
b 1Sa 9:12
  1Sa 20:29
c Est 7:7
  Ec 4:13
d Jos 2:14
  Rut 1:8
  Pr 17:17
  Pr 19:22
e Nú 30:2
  1Sa 18:3
  1Sa 23:18
f 1Sa 20:1
g 1Sa 19:2
h Éx 34:23
  Dt 6:13
  Jos 24:23
i Job 31:4
  Sl 17:3
  Sl 139:1
j Rut 1:17
  1Sa 3:17
  1Sa 25:22
  2Sa 3:9
k 1Sa 16:13
  1Sa 17:37
l 1Sa 10:7
  1Sa 11:6
  1Sa 14:47
  2Sa 1:22
m Jn 15:13
n 2Sa 9:3
  2Sa 9:7

2.ª col.
a 2Sa 9:1
  2Sa 21:7
b 1Sa 18:3
  2Sa 21:7
c 1Sa 18:1
  2Sa 1:26
  Pr 18:24
d 1Sa 20:5
  Esd 3:5
  Isa 1:13
e 1Sa 19:2
  1Sa 20:5
f Dt 6:13
  Dt 10:20
  Jue 8:19
  1Sa 14:39
  1Sa 19:6
  1Sa 20:3
  1Sa 25:26
  Mt 5:33
g 1Sa 20:14
h Gé 16:5
  1Sa 20:42
i Pr 27:12
j 1Sa 20:5
k 1Sa 14:50
  1Sa 17:55

no dijo nada en aquel día, porque se decía: "Algo ha pasado de modo que no está limpio,[a] pues no se ha limpiado". 27 Y acontenció el día después de la luna nueva, al día segundo, que el lugar de David continuó vacío. Ante esto, Saúl dijo a Jonatán su hijo: "¿Por qué no ha venido a la comida el hijo de Jesé[b] ni ayer ni hoy?". 28 De modo que Jonatán contestó a Saúl: "David solícitamente me pidió licencia [para ir] a Belén.[c] 29 Y pasó a decir: 'Envíame, por favor, porque tenemos un sacrificio familiar en la ciudad, y fue mi propio hermano quien me ordenó. Por eso, pues, si he hallado favor a tus ojos, permíteme que me escabulla, por favor, para que vea a mis hermanos'. Por eso no ha venido a la mesa del rey". 30 Entonces la cólera[d] de Saúl se enardeció contra Jonatán, y le dijo: "Oh hijo de criada rebelde,[e] ¿no sé yo bien que estás escogiendo al hijo de Jesé para tu propia vergüenza y para vergüenza de las partes naturales de tu madre?[f] 31 Pues por el total de los días que el hijo de Jesé esté vivo sobre el suelo, tú y tu gobernación real no estarán firmemente establecidas.[g] Así es que ahora manda a traérmelo, porque va con destino a la muerte".[h]

32 Sin embargo, Jonatán respondió a Saúl su padre y le dijo: "¿Por qué debe dársele muerte?[i] ¿Qué ha hecho?".[j] 33 Ante eso, Saúl se puso a arrojar la lanza contra él para herirlo;[k] y Jonatán llegó a saber que había sido resuelto por su padre dar muerte a David.[l] 34 Al instante Jonatán se levantó de la mesa en el ardor de la cólera,[m] y no comió pan el segundo día después de la luna nueva, pues se sentía herido por lo de David,[n] porque su mismo padre lo había humillado.[o]

35 Y por la mañana aconteció que Jonatán procedió a salir al campo lugar señalado de David,[a] y un servidor joven estaba con él. 36 Y él procedió a decir a su servidor: "Corre, por favor, halla las flechas que estoy disparando".[b] El servidor corrió, y él mismo disparó la saeta para hacerla pasar más allá de él. 37 Cuando el servidor llegó hasta el lugar de la saeta que Jonatán había disparado, Jonatán se puso a gritar tras el servidor y a decir: "¿No está la flecha más allá de ti?".[c] 38 Y Jonatán siguió gritando tras el servidor: "¡Date prisa! ¡Obra rápidamente! ¡No te detengas!" Y el servidor de Jonatán se puso a recoger las flechas y entonces vino a su amo. 39 En cuanto al servidor, no supo nada; solo Jonatán y David mismos sabían del asunto. 40 Después de eso Jonatán dio sus armas al servidor que le pertenecía y le dijo: "Vete, llévalas a la ciudad".

41 El servidor se fue. En cuanto a David, se levantó de cerca de allí hacia el sur. Entonces cayó a tierra sobre su rostro[d] y se inclinó tres veces, y empezaron a besarse[e] y a llorar el uno por el otro, hasta que David fue el que más lo había hecho.[f] 42 Y Jonatán pasó a decir a David: "Vete en paz,[g] ya que hemos jurado,[h] los dos, en el nombre de Jehová, diciendo: 'Resulte Jehová mismo estar entre yo y tú y entre mi prole y tu prole hasta tiempo indefinido'".[i]

Por consiguiente, David se levantó y se puso en marcha, y Jonatán mismo entró en la ciudad.

21 Más tarde David llegó a Nob,[j] a Ahimélec el sacerdote; y Ahimélec[k] se puso a temblar al encontrarse con David, y entonces le dijo: "¿Por qué estás solo, y nadie está contigo?" 2 Ante esto, David dijo a Ahimélec el sacerdote: "El rey mis-

CAP. 20
a Le 11:24
Le 15:5
Le 15:16
Le 15:18
Nú 19:16
b Rut 4:22
1Sa 17:12
1Sa 22:7
c 1Sa 20:6
d Pr 14:29
Pr 22:24
e Pr 15:2
Pr 21:24
Ec 4:31
f 1Sa 14:50
g 1Sa 18:8
h 1Sa 19:6
Sl 79:11
Ec 4:13
Ec 8:4
i 1Sa 19:5
Sl 69:4
Pr 17:17
Pr 18:24
j Mt 27:23
Lu 23:22
k 1Sa 18:11
1Sa 19:10
Jn 15:13
l 1Sa 20:7
m Éx 11:8
Éx 32:19
Ef 4:26
n 1Sa 18:1
o 1Sa 20:33

2.ª col.
a 1Sa 20:19
b 1Sa 20:20
c 1Sa 20:22
d Gé 43:28
1Sa 24:8
1Sa 25:23
2Sa 9:6
e Gé 29:13
Gé 45:15
1Sa 10:1
2Sa 19:39
Hch 20:37
f 2Sa 1:26
g Nú 6:26
1Sa 1:17
Lu 7:50
Hch 16:36
h 1Sa 20:17
1Sa 20:23
i 1Sa 20:23
1Sa 23:18
2Sa 9:7

CAP. 21
j 1Sa 22:19
Ne 11:32
Isa 10:32
k 1Sa 22:9
l 1Sa 18:13

mo me dio órdenes en cuanto a un asunto,[a] y pasó a decirme: 'Que nadie sepa nada del asunto respecto al cual te envío y respecto al cual te he dado órdenes'. Y he hecho una cita con los jóvenes para tal y tal lugar. 3 Y ahora, si tienes cinco panes a tu disposición, sólo dalos en mi mano, o lo que sea que se pueda hallar".[b] 4 Pero el sacerdote respondió a David y dijo: "No hay pan común bajo mi mano, pero hay pan santo;[c] con tal que los jóvenes al menos se hayan guardado de mujeres".[d] 5 De modo que David contestó al sacerdote y le dijo: "Pero se ha mantenido a las mujeres apartadas de nosotros, lo mismo que antes cuando yo salía,[e] y los organismos de los jóvenes continúan santos, aunque la misión misma es común. ¿Y cuánto más hoy, cuando uno se hace santo en [su] organismo?". 6 Ante esto, el sacerdote le dio lo que era santo,[f] porque no se hallaba allí pan alguno aparte del pan de la proposición que había sido quitado de delante de Jehová[g] para poner allí pan fresco en el día de ser quitado.

7 Ahora bien, uno de los siervos de Saúl estaba allí aquel día, detenido[h] delante de Jehová, y su nombre era Doeg[i] el edomita,[j] el mayoral de los pastores que pertenecía a Saúl.[k]

8 Y David dijo además a Ahimélec: "¿Y no hay nada aquí a tu disposición, una lanza o una espada? Pues ni mi propia espada ni mis armas tomé yo en la mano, porque el asunto del rey resultó ser urgente". 9 A esto dijo el sacerdote: "La espada de Goliat[l] el filisteo, a quien tú derribaste en la llanura baja de Elah[m]... aquí está, envuelta en un manto, detrás del efod.[n] Si es lo que quieres tomar para ti mismo, tómala, porque no hay otra aquí salvo esta". Y David pasó a decir: "Ninguna hay como ella. Dámela".

10 Entonces David se levantó y continuó huyendo[a] aquel día a causa de Saúl, y por fin llegó a donde Akís el rey de Gat.[b] 11 Y los siervos de Akís empezaron a decirle: "¿No es éste David el rey[c] del país? ¿No fue a este a quien siguieron respondiendo con danzas,[d] diciendo:

'Saúl ha derribado sus miles, y David sus decenas de miles'?".[e]

12 Y David empezó a tomar estas palabras en su corazón, y le dio muchísimo miedo[f] a causa de Akís el rey de Gat. 13 De modo que disfrazó[g] su cordura ante los ojos de ellos[h] y empezó a hacerse el loco en mano de ellos, e hizo de continuo signos de cruz en las hojas de la puerta, y dejó correr la saliva por la barba. 14 Por fin Akís dijo a sus siervos: "Aquí ven ustedes a un hombre que está portándose como un loco. ¿Por qué deben traérmelo? 15 ¿Me hacen falta personas que se hayan vuelto locas, para que hayan traído a este para que se porte como un loco junto a mí? ¿Debe entrar este en mi casa?".

22 De modo que David procedió a irse de allí[i] y a escapar[j] a la cueva[k] de Adulam;[l] y sus hermanos y toda la casa de su padre llegaron a oírlo y se pusieron a bajar allí a donde él. 2 Y todos los hombres que estaban en situación de angustia[m] y todos los hombres que tenían un acreedor[n] y todos los hombres amargados de alma[o] empezaron a juntarse a él,[p] y él vino a ser jefe sobre ellos;[q] y llegaron a estar con él unos cuatrocientos hombres.

3 Más tarde David fue de allí a Mizpé de Moab y dijo al rey de Moab:[r] "Por favor, deja que mi padre y mi madre[s] moren con ustedes hasta que yo sepa lo que

---

CAP. 21
a Mt 10:16
b Sl 37:25
c Éx 25:30
  Le 24:5
  Le 24:9
  Mt 12:4
  Lu 6:4
d Éx 19:15
  Le 15:16
  2Sa 11:11
  Le 15:18
  Dt 23:10
f Le 24:9
  Mt 12:4
  Mr 2:26
g Le 24:8
h Le 13:2
  Nú 5:2
  Sl 66:13
i 1Sa 22:9
  Sl 52:Enc
j Gé 36:1
  Éx 12:49
  Le 19:34
  2Cr 2:4
  1Sa 14:47
k 1Sa 8:17
  1Sa 11:5
  1Cr 27:29
  2Cr 26:10
l 1Sa 17:51
  1Sa 17:54
m 1Sa 17:2
  1Sa 17:50
n Éx 28:6

2.ᵃ col.

a 1Sa 27:1
b Jos 11:22
  1Sa 5:8
  1Sa 17:4
  1Sa 27:2
  1Re 2:39
  2Re 12:17
  Sl 56:Enc
c 1Sa 16:1
  1Sa 16:13
d 1Sa 18:6
  Sl 150:4
  Jer 31:4
e 1Sa 18:7
  1Sa 29:5
f Sl 56:3
g Sl 34:Enc
  Mt 10:16
h Sl 56:6

CAP. 22
i 1Sa 21:10
j Sl 34:19
  Sl 56:13
k Sl 57:Enc
  Sl 142:Enc
  Heb 11:38
l Gé 38:1
  Jos 15:35
  2Sa 23:13
  1Cr 11:15
  Miq 1:15
m Jue 11:3
  Mt 11:28
n Am 2:6
o Jue 18:25
  2Sa 17:8
p Sl 142:7
q 1Sa 30:22
  2Sa 5:2
  1Cr 11:15

r Rut 4:10; Rut 4:17; 1Sa 14:47; 1Sa 20:33; s Gé
47:11; Éx 20:12; Pr 23:24; Mt 19:19.

me va a hacer Dios". 4 Por consiguiente, les fijó su residencia delante del rey de Moab, y continuaron morando con él todos los días que David se halló en el lugar inaccesible.[a]

5 Con el tiempo Gad[b] el profeta dijo a David: "No debes seguir morando en el lugar inaccesible. Vete, y tienes que entrar tú mismo en la tierra de Judá".[c] Por lo tanto David se fue y entró en el bosque de Héret.

6 Y Saúl llegó a oír que David y los hombres que estaban con él habían sido descubiertos, mientras Saúl estaba sentado en Guibeah bajo del tamarisco,[d] en el lugar alto, con su lanza[e] en la mano, y todos sus siervos apostados alrededor de él. 7 Entonces dijo Saúl a sus siervos apostados alrededor de él: "Escuchen, por favor, benjaminitas. ¿Les dará también a ustedes el hijo de Jesé[f] campos y viñas?[g] ¿Los nombrará a todos ustedes jefes de millares[h] y jefes de centenas? 8 Porque han conspirado, todos ustedes, contra mí; y no hay nadie que lo revele a mi oído[i] cuando mi mismo hijo celebra [un pacto][j] con el hijo de Jesé, y no hay ninguno de ustedes que se compadezca de mí y revele a mi oído que mi propio hijo ha levantado a mi propio siervo contra mí como uno que espera en emboscada, como sucede este día".

9 Ante esto, Doeg[k] el edomita, por hallarse apostado sobre los siervos de Saúl, contestó y dijo: "Vi al hijo de Jesé venir a Nob, a donde Ahimélec[l] hijo de Ahitub.[m] 10 Y él procedió a inquirir[n] de Jehová por él; y le dio provisiones,[o] y le dio la espada[p] de Goliat el filisteo". 11 En seguida el rey mandó a llamar a Ahimélec hijo de Ahitub el sacerdote, y a toda la casa de su padre, los sacerdotes que estaban en Nob.[q] De modo que todos vinieron al rey.

12 Saúl ahora dijo: "¡Escucha, por favor, hijo de Ahitub!", a lo que él dijo: "Aquí estoy, señor mío". 13 Y Saúl pasó a decirle: "¿Por qué han conspirado contra mí,[a] tú y el hijo de Jesé, mediante darle tú pan y una espada, y haber un inquirir de Dios por él, para que se levantara contra mí como uno que espera en emboscada, como sucede este día?".[b] 14 Ante esto, Ahimélec contestó al rey y dijo: "¿Y quién entre todos tus siervos es como David,[c] fiel,[d] y tu yerno[e] del rey y un jefe sobre tu guardia de corps y honrado en tu casa?[f] 15 ¿Es hoy cuando he comenzado a inquirir[g] de Dios por él? ¡Ni se piense de parte mía! No imponga el rey cosa alguna contra su siervo [y] contra toda la casa de mi padre, porque en todo esto tu siervo no supo cosa pequeña ni grande".[h]

16 Pero el rey dijo: "Positivamente morirás,[i] Ahimélec, tú con toda la casa de tu padre".[j] 17 Con eso, el rey dijo a los corredores[k] apostados alrededor de él: "¡Vuélvanse y den muerte a los sacerdotes de Jehová, porque también la mano de ellos está con David, y porque sabían que era fugitivo y no lo revelaron a mi oído!".[l] Y los siervos del rey no quisieron alargar la mano para acometer a los sacerdotes de Jehová.[m] 18 Por fin el rey dijo a Doeg:[n] "¡Vuélvete tú y acomete a los sacerdotes!". Al instante Doeg el edomita[o] se volvió, y él mismo acometió a los sacerdotes, y dio muerte[p] en aquel día a ochenta y cinco hombres que llevaban efod[q] de lino. 19 Hasta a Nob,[r] la ciudad de los sacerdotes, él la hirió a filo de espada, así a hombre como a mujer, a niño como a lactante, y a toro y asno y oveja, a filo de espada.

20 Sin embargo, un hijo de

CAP. 22
a 1Sa 22:1
  2Sa 23:13
  Sl 57:1
  Sl 142:Enc
b 2Sa 24:11
  1Cr 21:9
  1Cr 29:29
  2Cr 29:25
c 1Sa 23:3
d Gé 21:33
  1Sa 31:13
  1Cr 10:12
e 1Sa 18:10
  1Sa 19:9
  1Sa 20:33
f Rut 4:22
  1Sa 20:27
  1Sa 25:10
g 1Sa 8:14
h Éx 18:21
  1Sa 8:12
i 1Sa 17:31
  Pr 15:22
j 1Sa 18:3
  1Sa 20:17
k 1Sa 21:7
  Sl 52:Enc
l 1Sa 21:1
m 1Sa 14:3
  1Sa 22:20
n Éx 20:16
  Sl 52:2
  Sl 52:3
  Pr 19:5
  Pr 25:18
  Pr 29:12
  Eze 22:9
  Mt 26:59
o 1Sa 21:6
p 1Sa 21:9
q 1Sa 21:1

2.ª col.

a Nú 35:30
  Dt 19:15
  1Ti 5:19
b Sl 119:69
c 1Sa 19:4
  1Sa 20:32
d 1Sa 24:11
  1Sa 26:23
  1Sa 22:23
e 1Sa 17:25
  1Sa 18:27
f 1Sa 18:5
  1Sa 18:13
g 1Sa 22:10
  1Sa 28:6
h 1Sa 21:1
i 1Sa 14:44
  1Sa 20:31
  Pr 28:5
  Pr 28:15
j Dt 24:16
  2Sa 2:32
k 1Sa 8:11
  2Sa 15:1
  1Re 1:5
  2Re 10:25
l 1Sa 28:16
  Ec 4:13
m Éx 1:17
  Dt 19:10
  Hch 4:19
  Hch 5:29
n 1Sa 22:9
  Sl 52:Enc
o Gé 25:30
  Gé 36:43
  Nú 24:18
  2Re 8:21

p 1Sa 2:31; 2Cr 24:21; Pr 29:10; q 1Sa 2:28; r 1Sa 21:1; 1Sa 22:9.

Ahimélec hijo de Ahitub, cuyo nombre era Abiatar,ª logró escapar, y fue huyendo para seguir a David. 21 Entonces Abiatar refirió esto a David: "Saúl ha matado a los sacerdotes de Jehová". 22 Ante esto, David dijo a Abiatar: "Bien sabía yo aquel día,ᵇ porque allí estaba Doeg el edomita, que sin falta él lo informaría a Saúl.ᶜ Yo personalmente le he hecho mal a toda alma de la casa de tu padre. 23 Mora, pues, conmigo. No tengas miedo, porque quien busca mi alma busca tu alma, porque tú eres uno que necesita protección conmigo".ᵈ

23 Con el tiempo vinieron a informar a David, y dijeron: "Mira que los filisteos están guerreando contra Queilá,ᵉ y están saqueando las eras".ᶠ 2 Y David procedió a inquirirᵍ de Jehová, diciendo: "¿Iré, y tengo que derribar a estos filisteos?". A su vez Jehová dijo a David: "Ve, y tienes que derribar a los filisteos y salvar a Queilá". 3 Ante esto, los hombres de David le dijeron: "¡Mira! Tenemos miedo al estar aquí en Judá,ʰ y ¡cuánto más en caso de que fuéramos a Queilá contra las líneas de batalla de los filisteos!".ⁱ 4 Así que David volvió a inquirir de Jehová.ʲ Jehová ahora le contendió y dijo: "Levántate, desciende a Queilá, porque voy a dar a los filisteos en tu mano".ᵏ 5 Por consiguiente, David fue con sus hombres a Queilá y peleó contra los filisteos, y se fue llevando su ganado, pero a ellos los derribó con una gran matanza; y David llegó a ser el salvador de los habitantes de Queilá.ˡ

6 Ahora bien, aconteció que cuando Abiatarᵐ hijo de Ahimélec huyó a donde David, a Queilá, había un efodᵒ que bajó en su mano. 7 Con el tiempo se hizo este informe a Saúl: "David ha venido a Queilá".ᵒ Y Saúl empezó a decir: "Dios lo ha vendido

en mi mano,ª pues se ha encerrado entrando en una ciudad con puertas y barra". 8 De modo que Saúl convocó a todo el pueblo para guerra, para bajar a Queilá, para sitiar a David y sus hombres. 9 Y David llegó a saber que Saúl estaba urdiendo la maldadᵇ contra él. Por lo tanto dijo a Abiatar el sacerdote: "Anda, acerca el efod".ᶜ 10 Y David pasó a decir: "Oh Jehová el Dios de Israel,ᵈ tu siervo ha oído definitivamente que Saúl está procurando venir a Queilá para arruinar la ciudad por mi causa.ᵉ 11 ¿Me entregarán los terratenientes de Queilá en su mano? ¿Descenderá Saúl, tal como ha oído tu siervo? Oh Jehová el Dios de Israel, informa a tu siervo, por favor". A esto Jehová dijo: "Descenderá".ᶠ 12 Y David pasó a decir: "¿Me entregarán los terratenientes de Queilá a mí y a mis hombres en mano de Saúl?". A su vez Jehová dijo: "Harán la entrega".

13 En seguida David se levantó con sus hombres, unos seiscientos hombres,ʰ y salieron de Queilá y continuaron andando por dondequiera que podían andar. Y a Saúl se le hizo el informe de que David había escapado de Queilá, así que desistió de salir. 14 Y David se puso a morar en el desierto, en lugares de difícil acceso, y siguió morando en la región montañosa, en el desierto de Zif.ⁱ Y Saúl siguió buscándolo siempre,ʲ y Dios no lo dio en su mano.ᵏ 15 Y David continuó en temor porque Saúl había salido a buscar su alma mientras David estaba en el desierto de Zif, en Hores.ˡ

16 Jonatán hijo de Saúl ahora se levantó y fue a David, a Hores, para fortalecerleᵐ la mano

---

CAP. 22
a 1Sa 2:31
  1Sa 14:3
  1Sa 23:6
  1Sa 30:7
  1Sa 20:25
  1Re 2:27
b 1Sa 21:7
c Pr 14:15
d 1Re 2:26

CAP. 23
e Jos 15:44
  1Cr 4:19
  Ne 3:17
f Le 26:16
  Dt 28:33
  Jue 6:6
g Jue 1:1
  1Sa 28:6
  1Sa 30:8
  2Sa 5:19
  Sl 37:5
  Pr 3:5
h 1Sa 22:5
i 1Sa 13:5
  1Sa 14:52
j Jue 6:39
k Jos 8:7
  Jue 7:7
  1Sa 14:6
  2Sa 5:19
  2Re 3:18
l 1Sa 22:5
  1Sa 23:1
m 1Sa 22:20
n Éx 28:30
  1Sa 14:3
o 1Sa 23:1

2.ª col.
a Éx 15:9
  1Sa 23:14
  Sl 71:11
b Pr 12:20
  Pr 14:22
  Pr 16:30
  Pr 24:8
c Nú 27:21
  1Sa 30:7
d Sl 17:6
  Sl 50:15
  Jer 3:30
e 1Sa 22:19
  Pr 28:15
f Sl 118:21
g Sl 31:8
  Sl 62:2
  Sl 94:11
  Sl 118:8
h 1Sa 22:2
  1Sa 25:13
  1Sa 30:9
i Jos 15:55
  1Sa 23:24
  1Sa 26:1
  1Cr 2:42
  Sl 54:Enc
j 1Sa 18:29
  1Sa 20:33
  1Sa 27:1
  Sl 54:3
k 1Sa 2:9
  Sl 33:18
  Sl 54:4
  Sl 124:7
  Pr 21:30
  Ro 8:31
l 1Sa 23:18

m Dt 3:28; Ne 2:18; Job 16:5; Pr 17:17; Pr 27:9; Lu 22:32; Hch 15:32; Heb 10:25.

respecto a Dios.[a] 17 Y pasó a decirle: "No tengas miedo;[b] porque no te hallará la mano de Saúl mi padre, y tú mismo serás rey[c] sobre Israel, y yo mismo llegaré a ser segundo a ti; y Saúl mi padre también tiene conocimiento de que así es en efecto".[d] 18 Entonces los dos celebraron un pacto[e] delante de Jehová; y David siguió morando en Hores, y Jonatán mismo se fue a su propio hogar.

19 Más tarde los hombres de Zif[f] subieron a donde Saúl estaba, a Guibeah,[g] y dijeron: "¿No está ocultándose David[h] cerca de nosotros en los lugares de difícil acceso, en Hores,[i] en la colina de Hakilá,[j] que está al lado derecho de Jesimón?[k] 20 Y ahora, en armonía con todo el deseo vehemente de tu alma,[l] oh rey, de bajar, baja, y nuestra parte será entregarlo en la mano del rey".[m] 21 A lo cual dijo Saúl: "Benditos son ustedes de Jehová,[n] porque me han tenido compasión. 22 Anden, por favor, perseveren un poco más y averigüen y vean el lugar de él donde llega a estar su pie —quienquiera que lo haya visto allí— porque se me ha dicho que él mismo es de veras astuto.[o] 23 Y vean y averigüen todos los escondites donde se esconde; y tienen que volver a mí con la prueba, y yo ciertamente iré con ustedes; y tiene que suceder que, si está en el país, entonces yo ciertamente lo buscaré detenidamente entre todos los millares[p] de Judá".

24 Así que se levantaron y se fueron a Zif[q] delante de Saúl, mientras David y sus hombres estaban en el desierto de Maón,[r] en el Arabá,[s] al sur de Jesimón. 25 Más tarde Saúl vino con sus hombres para buscarlo.[t] Cuando informaron esto a David, él bajó en seguida al peñasco[u] y continuó morando en el desierto de Maón. Cuando Saúl llegó a oírlo, se internó corriendo[v] tras

David en el desierto de Maón. 26 Por fin Saúl llegó a este lado de la montaña, y David y sus hombres estaban en aquel lado de la montaña. De modo que David se daba prisa para irse[a] a causa de Saúl; entretanto, Saúl y sus hombres venían rodeando a David y sus hombres para agarrarlos.[b] 27 Pero hubo un mensajero que vino a Saúl, y dijo: "¡Apresúrate, sí, y ve, porque los filisteos han hecho una incursión en el país!". 28 Ante aquello, Saúl se volvió de correr tras David[c] y fue a encontrarse con los filisteos. Por eso han llamado a aquel lugar el Peñasco de las Divisiones.

29 Entonces David procedió a subir de allí y se puso a morar en los lugares de difícil acceso de En-guedí.[d]

24 Y en cuanto Saúl volvió de seguir a los filisteos[e] aconteció que le vinieron con un informe, y dijeron: "¡Mira! David está en el desierto de En-guedí".[f]

2 Y Saúl procedió a tomar tres mil hombres escogidos[g] de todo Israel e ir en busca de David[h] y sus hombres sobre las rocas peladas de las cabras monteses.[i] 3 Por fin llegó a los apriscos de piedra para ovejas al lado del camino, donde había una cueva. De modo que Saúl entró para hacer del cuerpo;[j] mientras David y sus hombres se hallaban en las partes más al fondo de la cueva,[k] sentados. 4 Y los hombres de David empezaron a decirle: "Aquí está el día en que Jehová de veras te dice: '¡Mira! Estoy dando a tu enemigo en tu mano,[l] y tienes que hacerle tal como parezca bien a tus ojos'".[m] De modo que David se levantó y cortó calladamente la falda de la vestidura sin mangas que pertenecía a Saúl. 5 Pero después aconteció que el corazón de David siguió hiriéndolo[n] por motivo de haber cortado la falda [de la vestidura sin mangas] que

CAP. 23

a SI 37:5
1Pe 5:7
b SI 27:1
Isa 41:10
c 1Sa 16:13
2Sa 2:4
2Sa 5:3
d 1Sa 20:31
1Sa 24:20
e 1Sa 18:3
1Sa 20:42
1Sa 22:8
2Sa 21:7
f 1Cr 2:42
g 1Sa 10:26
1Sa 15:34
h 1Sa 22:17
1Sa 26:1
SI 54:Enc
i 1Sa 23:15
j 1Sa 26:3
k 1Sa 23:24
1Sa 26:1
l 1Sa 18:29
1Sa 20:33
1Ti 1:12:10
Pr 11:23
m SI 54:3
SI 70:2
SI 29:26
n Jue 17:2
o Mt 10:16
p Jos 22:30
1Sa 10:19
q 1Sa 23:14
r Jos 15:55
1Sa 25:2
s Dt 1:7
t 1Sa 26:2
SI 54:3
u 1Sa 23:28
v Pr 11:19

2.ª col.

a 1Sa 19:12
2Sa 15:14
SI 31:22
b 2Cr 20:12
SI 17:9
2Co 1:8
c 2Sa 22:1
SI 18:Enc
SI 18:2
SI 54:7
d Jos 15:62
2Cr 20:2
Can 1:14
Eze 47:10

CAP. 24

e 1Sa 23:28
f 1Sa 23:29
g 1Sa 13:2
h SI 37:32
SI 38:12
i SI 104:18
j Dt 23:13
Jue 3:24
1Re 18:27
k SI 57:Enc
SI 142:Enc
l 1Sa 26:8
1Sa 26:23
m Pr 24:29
Mt 7:12
n 2Sa 24:10
Ro 2:15
1Jn 3:20

pertenecía a Saúl. 6 Por eso dijo a sus hombres: "Es inconcebible, de parte mía, desde el punto de vista de Jehová, que yo haga esta cosa a mi señor, el ungido[a] de Jehová, alargando la mano contra él, pues es el ungido de Jehová".[b] 7 Por consiguiente, David dispersó a sus hombres con estas palabras, y no les permitió levantarse contra Saúl.[c] En cuanto a Saúl, él se levantó de la cueva y prosiguió su camino.

8 Así que David se levantó después y salió de la cueva y gritó tras Saúl, diciendo: "¡Mi señor[d] el rey!". Ante esto, Saúl miró detrás de sí, y David procedió a inclinarse rostro a tierra[e] y a postrarse. 9 Y David pasó a decir a Saúl: "¿Por qué escuchas las palabras del hombre,[f] que dice: '¡Mira! David anda buscando hacerte daño'? 10 Aquí este día han visto tus ojos cómo Jehová te dio hoy en mi mano en la cueva; y alguien dijo que te matara,[g] pero yo te tuve lástima y dije: 'No alargaré la mano contra mi señor, porque es el ungido[h] de Jehová'. 11 Y, padre mío,[i] ve, sí, ve la falda de tu vestidura sin mangas en mi mano, porque cuando corté la falda de tu vestidura sin mangas no te maté. Sabe y ve que no hay en mi mano ni maldad[j] ni sublevación, y yo no he pecado contra ti, mientras que tú estás acechando mi alma para quitármela.[k] 12 Juzgue Jehová entre yo y tú;[l] y Jehová tiene que vengarme[m] de ti, pero mi propia mano no vendrá a estar sobre ti.[n] 13 Tal como dice el proverbio de los antiguos: 'De los inicuos procederá iniquidad',[o] pero mi propia mano no vendrá a estar sobre ti. 14 ¿Tras quién ha salido el rey de Israel? ¿Tras quién estás corriendo? ¿Tras un perro muerto?[p] ¿Tras una sola pulga?[q] 15 Y Jehová tiene que llegar a ser juez, y tiene que juzgar entre yo y tú, y él verá y él conducirá la causa judicial[r] para mí y me juz-

gará [para librarme] de tu mano".

16 Y aconteció que, al momento que David acabó de hablar estas palabras a Saúl, Saúl procedió a decir: "¿Es esta tu voz, hijo mío David?".[a] Y Saúl empezó a alzar su propia voz y a llorar.[b] 17 Y pasó a decir a David: "Tú eres más justo que yo,[c] porque tú eres el que me has hecho el bien,[d] y yo soy el que te he hecho el mal. 18 Y tú... tú has informado hoy el bien que has hecho tocante a mí, puesto que Jehová me entregó en tu mano[e] y no me mataste. 19 Ahora bien, en caso de que un hombre halle a su enemigo, ¿lo enviará por un buen camino?[f] De modo que Jehová mismo te recompensará con bien,[g] debido a que este día tú me lo has hecho a mí. 20 Y ahora, ¡mira!, bien sé yo que tú, sin falta, reinarás,[h] y que en tu mano el reino de Israel ciertamente perdurará. 21 Así es que ahora júrame por Jehová[i] que no cortarás a mi descendencia después de mí y que no aniquilarás mi nombre de la casa de mi padre".[j] 22 Por consiguiente, David le juró a Saúl, después de lo cual Saúl se fue a su casa.[k] En cuanto a David y sus hombres, ellos subieron al lugar de difícil acceso.[l]

25 Con el tiempo murió Samuel;[m] y todo Israel procedió a juntarse y a plañirlo[n] y a enterrarlo en su casa, en Ramá.[o] Entonces David se levantó y bajó al desierto de Parán.[p]

2 Ahora bien, había un hombre en Maón,[q] y su trabajo estaba en Carmelo.[r] Y el hombre era [un personaje] muy grande, y tenía tres mil ovejas y mil cabras; y llegó a estar [ocupado] en esquilar[s] sus ovejas en Carmelo. 3 Y el nombre del hombre era Na-

CAP. 24
a 1Sa 26:11
2Sa 1:14
b Éx 22:28
1Cr 16:22
Sl 105:15
Hch 23:5
c Le 19:18
Sl 7:4
Mt 5:44
Ro 12:17
Ro 12:19
Ro 12:21
d 1Sa 26:17
e 1Sa 20:41
1Sa 25:23
Ro 12:10
Ro 13:7
f Le 19:16
g 1Sa 26:19
Sl 101:5
Pr 16:28
Pr 17:4
g 1Sa 24:4
h 1Sa 9:16
1Sa 10:1
1Sa 26:9
Sl 105:15
i 1Sa 18:27
1Sa 22:14
Pr 15:1
Pr 25:15
j 1Sa 26:18
Sl 7:3
Sl 35:7
k 1Sa 23:14
Sl 140:1
1Sa 26:23
Sl 7:8
m Dt 32:35
Sl 94:1
Na 1:2
Ro 12:19
Heb 10:30
n 1Sa 26:11
o Gé 4:7
Pr 11:5
Mt 7:17
Gál 6:7
p 1Sa 17:43
2Sa 9:8
Pr 22:4
Jos 23:12
q 1Sa 26:20
r Sl 35:1
Sl 43:1
Sl 119:154
Miq 7:9

2.ª col.
a 1Sa 26:17
b Gé 27:38
c 1Sa 26:21
d Pr 25:21
Ro 12:17
e 1Sa 24:4
1Sa 24:10
1Sa 26:8
f Mt 5:44
Ro 12:17
g 1Sa 26:25
2Cr 16:9
Sl 18:20
h 1Sa 13:14
1Sa 15:28
1Sa 16:13
1Sa 20:31
1Sa 23:17
i Le 19:12
Dt 6:13
j 2Sa 9:1
2Sa 21:7
k 1Sa 15:34

l 1Sa 23:29; Pr 14:15; Mt 10:16; CAP. 25
m 1Sa 1:20; 1Sa 2:18; 1Sa 3:20; Sl 99:6; n Nú
20:29; Dt 34:8; Hch 8:2; o 1Sa 7:17; 1Sa 28:3;
p Gé 21:21; Nú 13:26; q 1Sa 23:24; r Jos 15:1;
Jos 15:48; Jos 15:55; s 2Sa 13:23.

bal,[a] y el nombre de su esposa era Abigail.[b] Y la esposa era buena en cuanto a discreción[c] y hermosa en cuanto a forma, pero el esposo era áspero y malo en sus prácticas;[d] y era calebita.[e] **4** Y David llegó a oír en el desierto que Nabal estaba esquilando[f] sus ovejas. **5** De modo que David envió diez jóvenes, y David dijo a los jóvenes: "Suban a Carmelo, y tienen que llegar a donde Nabal y preguntar en mi nombre por su bienestar.[g] **6** Y esto es lo que tienen que decir a mi hermano: 'Que tú estés bien[h] y que también tu casa esté bien y cuanto tienes esté bien. **7** Y ahora he oído que tienes esquiladores. Ahora bien, los pastores que te pertenecen se hallaban ellos mismos con nosotros.[i] No los molestamos,[j] y no resultó faltarles nada de lo suyo todos los días que se hallaron en Carmelo. **8** Pregunta a tus propios jóvenes, y te informarán, para que hallen mis jóvenes favor a tus ojos, porque fue en buen día que vinimos. Simplemente da, por favor, lo que halle tu mano a tus siervos y a tu hijo David'".[k]

9 En conformidad, llegaron los jóvenes de David y hablaron a Nabal conforme a todas estas palabras en el nombre de David, y entonces esperaron. **10** Ante esto, Nabal contestó a los siervos de David y dijo: "¿Quién es David,[l] y quién es el hijo de Jesé? Hoy día los siervos que se escapan, cada cual de delante de su amo, han llegado a ser muchos.[m] **11** ¿Y acaso tengo yo que tomar mi pan[n] y mi agua y mi carne degollada que yo he descuartizado para mis esquiladores, y dar esto a hombres de quienes ni siquiera sé de dónde son?".[o] **12** Ante esto, los jóvenes de David dieron la vuelta en su camino y regresaron y llegaron y se lo informaron conforme a todas estas palabras. **13** Al instante David dijo a sus hombres: "¡Cíñase cada uno su espada!".[p] De modo que se ciñeron cada cual

su espada, y David también se ciñó su propia espada; y empezaron a subir tras David, como cuatrocientos hombres, mientras doscientos se quedaron junto al bagaje.[a]

14 Entretanto, uno de los jóvenes informó a Abigail, la esposa de Nabal, diciendo: "¡Mira! David envió mensajeros desde el desierto a desear el bien a nuestro amo, pero él les gritó reprensiones.[b] **15** Y los hombres fueron muy buenos con nosotros, y no nos molestaron, y no echamos de menos ni una sola cosa todos los días que anduvimos con ellos mientras nos hallábamos en el campo.[c] **16** Un muro[d] fue lo que resultaron ser en derredor nuestro, tanto de noche como de día, todos los días que nos hallamos con ellos, pastoreando el rebaño. **17** Y ahora sabe y ve lo que vas a hacer, porque se ha resuelto calamidad[e] contra nuestro amo y contra toda su casa, puesto que es un sujeto que tan completamente no sirve para nada[f] que no se le puede hablar".

18 En seguida Abigail[g] se apresuró y tomó doscientos panes y dos jarrones de vino[h] y cinco ovejas aderezadas[i] y cinco medidas de sea de grano tostado[j] y cien tortas de pasas[k] y doscientas tortas de higos comprimidos,[l] y los puso sobre los asnos. **19** Entonces dijo a sus mozos: "Pasen delante de mí.[m] ¡Miren! Yo voy tras ustedes". Pero no informó nada a su esposo Nabal.

20 Y sucedió que mientras ella iba cabalgando en el asno[n] y bajando secretamente a la montaña, pues, allí estaban David y sus hombres que venían bajando a su encuentro. De modo que ella se encontró con ellos. **21** En cuanto a David, él había dicho: "Fue del todo para sufrir una desilusión para lo que guardé todo lo que pertenece a este sujeto en el desierto, y no resultó faltarle ni una sola cosa

CAP. 25	
a 1Sa 25:25	
1Sa 25:38	
b 1Sa 27:3	
1Sa 30:5	
c Pr 14:1	
Pr 24:3	
Pr 31:26	
d 1Sa 25:17	
1Sa 25:38	
Isa 32:5	
e Nú 13:6	
Nú 32:12	
f 2Sa 13:23	
g 1Sa 17:22	
h Mt 10:12	
Lu 10:5	
i 1Sa 22:2	
j 1Sa 25:15	
Lu 3:14	
k Dt 15:7	
Pr 3:27	
Lu 11:41	
Hch 20:35	
l Éx 5:2	
Sl 123:4	
m 1Sa 22:2	
n Dt 8:17	
Jue 8:6	
2Co 9:10	
o Pr 21:13	
Ec 9:15	
Isa 32:6	
Lu 6:38	
Snt 2:16	
p Sl 37:8	
Pr 15:1	
Ec 7:9	

2.ª col.	
a 1Sa 10:22	
1Sa 17:22	
1Sa 30:24	
b 1Sa 25:10	
2Sa 16:7	
c 1Sa 25:7	
d 1Sa 23:1	
Job 1:10	
Pr 18:11	
e 1Sa 20:9	
1Sa 25:13	
Est 7:7	
f 1Sa 25:3	
2Cr 13:7	
Isa 32:7	
g 1Sa 25:3	
1Sa 25:23	
1Sa 25:32	
h Gé 32:13	
i 2Sa 17:29	
j Rut 2:14	
1Sa 17:17	
2Sa 17:28	
k 1Sa 30:12	
2Sa 16:1	
1 1Cr 12:40	
Pr 25:21	
Pr 25:22	
m Gé 32:16	
n Jos 15:18	
2Re 4:24	

de todo lo que le pertenece,[a] y no obstante, él me paga mal en cambio por bien.[b] 22 Así haga Dios a los enemigos de David y así añada a ello[c] si dejo permanecer hasta la mañana[d] a uno solo de todos los suyos que orinan contra la pared".[e]

23 Cuando Abigail alcanzó a ver a David, en seguida se apresuró y se bajó del asno y cayó sobre su rostro delante de David y se inclinó[f] a tierra. 24 Entonces cayó a sus pies[g] y dijo: "Sobre mí misma, oh señor mío, esté el error;[h] y, por favor, deja que tu esclava hable a tus oídos,[i] y escucha las palabras de tu esclava. 25 Por favor, no fije mi señor su corazón en este hombre Nabal, que no sirve para nada,[j] porque, como es su nombre, así es él. Nabal es su nombre, y la insensatez está con él.[k] En cuanto a mí, tu esclava, no vi a los jóvenes de mi señor que habías enviado. 26 Y ahora, señor mío, tan ciertamente como que Jehová vive[l] y vive tu alma,[m] Jehová te ha retenido[n] de entrar en culpa de sangre[o] y de hacer que tu propia mano venga en tu salvación.[p] Y ahora, que tus enemigos y los que procuran el perjuicio de mi señor lleguen a ser como Nabal.[q] 27 Y ahora tocante a este regalo de bendición[r] que tu sierva ha traído a mi señor, hay que darlo a los jóvenes que van andando en los pasos[s] de mi señor. 28 Perdona, por favor, la transgresión de tu esclava,[t] porque Jehová sin falta le hará a mi señor una casa duradera,[u] porque las guerras de Jehová son lo que mi señor está peleando;[v] y en cuanto a maldad, no se hallará en ti durante todos tus días.[w] 29 Cuando se levante un hombre para ir en seguimiento de ti y para buscar tu alma, el alma de mi señor ciertamente resultará ser envuelta en la bolsa de la vida[x] con Jehová tu Dios;[y] pero, en cuanto al alma de tus enemigos, la lanzará como de dentro del hueco de la honda.[z]

30 Y tiene que suceder que, porque Jehová hará a mi señor el bien conforme a todo lo que ha hablado, él ciertamente te comisionará como caudillo sobre Israel.[a] 31 Y no llegue a ser esto para ti causa de trastabillar ni un tropiezo al corazón de mi señor, tanto por el derramamiento de sangre sin causa[b] como por hacer que [la mano misma de] mi señor venga en su salvación.[c] Y Jehová ciertamente le hará bien a mi señor, y tienes que acordarte[d] de tu esclava".

32 Ante esto, David dijo a Abigail: "¡Bendito sea Jehová el Dios de Israel,[e] que te ha enviado este día a mi encuentro! 33 Y bendita sea tu sensatez,[f] y bendita seas tú que me has restringido este día de entrar en culpa de sangre[g] y de hacer que mi propia mano venga en mi salvación.[h] 34 Y, por otra parte, tan ciertamente como que vive Jehová el Dios de Israel, que me ha retenido de hacerte perjuicio,[i] si no te hubieras apresurado para venir a mi encuentro,[j] ciertamente no le habría quedado a Nabal hasta la luz de la mañana nadie que orina contra la pared".[k] 35 Con eso David aceptó de mano de ella lo que le había traído, y le dijo: "Sube en paz[l] a tu casa. Ve que he escuchado tu voz para tener consideración[m] a tu persona".

36 Más tarde Abigail entró donde Nabal, y allí estaba él teniendo en su casa un banquete como el banquete del rey;[n] y el corazón de Nabal se sentía bien dentro de él, y él estaba borracho[o] a más no poder; y ella no le informó cosa alguna, ni pequeña ni grande, hasta la luz de la mañana. 37 Y por la mañana,

---

CAP. 25

a 1Sa 25:7
b 1Sa 25:10
  Sl 35:12
  Sl 38:20
  Sl 109:5
  Pr 17:13
c Rut 1:17
  1Sa 3:17
  1Sa 14:44
  1Sa 20:13
  2Sa 3:9
d Pr 17:16
  Pr 14:17
  Pr 26:4
  Ro 12:21
e 1Re 14:10
  1Re 16:11
  1Re 21:21
  2Re 9:8
  2Re 10:7
f 1Sa 24:8
  1Sa 25:41
g 2Re 4:37
  Est 8:3
h 1Sa 20:8
i 1Sa 26:11
  Gé 44:18
i Gé 44:18
  2Sa 14:12
j 1Sa 25:17
k Isa 32:6
  1 1Sa 20:21
  1Re 2:24
m 1Sa 1:26
  2Sa 14:19
  2Re 2:2
n Gé 20:6
  Mt 6:13
o Gé 9:6
  Nú 35:30
p Ro 12:19
q 1Sa 25:25
  Jer 29:22
r Gé 33:11
  1Sa 30:26
  2Re 5:15
  Pr 18:16
  Pr 21:14
  Pr 25:22
s 1Sa 22:2
t Pr 18:12
  Pr 22:4
u 1Sa 15:28
  2Sa 7:11
  1Re 9:5
v 1Sa 17:45
  1Sa 18:17
  2Sa 5:2
w 1Sa 24:11
  1Re 15:5
  Sl 119:1
x Sl 41:2
y Gé 15:1
  Dt 33:29
  Sl 16:11
z Jer 10:18

2.ª col.

a 1Sa 13:14
  1Sa 15:28
  1Sa 23:17
  2Sa 6:21
  2Sa 7:8
  1Cr 17:7
  Sl 89:20
b 1Sa 25:26
  Ef 4:26
c Dt 32:35
  2Sa 24:15
  Sl 94:1
  Ro 12:19
d Gé 40:14
e Sl 41:13
  Sl 72:18

f Sl 141:5; Pr 9:9; Pr 25:12; g Dt 19:10; 1Sa 25:26; Sl 73:2; Pr 15:1; Snt 5:20; h 1Sa 25:31; Sl 56:13; Ro 12:19; 1Sa 25:24; j 1Sa 25:18; Pr 29:8; k 1Sa 25:22; 1 1Sa 20:42; 2Sa 15:9; 2Re 5:19; m Gé 19:21; Pr 28:23; n 2Sa 13:23; 1Re 4:22; Est 1:5; o 1Re 20:16; Pr 20:1; Os 4:11; 1Co 6:10; Ef 5:18.

cuando el vino había salido de Nabal, aconteció que su esposa se puso a referirle estas cosas. Y el corazón[a] de él llegó a estar muerto dentro de él, y él mismo quedó como una piedra. 38 Después de eso pasaron unos diez días, y entonces Jehová hirió[b] a Nabal, de modo que murió.

39 Y David llegó a oír que Nabal había muerto, y por lo tanto dijo: "¡Bendito sea Jehová, que ha conducido la causa judicial[c] de mi oprobio[d] [para librarme] de la mano de Nabal y ha retenido del mal a su siervo,[e] y la maldad de Nabal Jehová se la ha vuelto sobre su propia cabeza!".[f] Y David procedió a enviar y a proponer a Abigail tomarla por esposa suya.[g] 40 De modo que los siervos de David llegaron a Abigail en Carmelo y le hablaron, diciendo: "David mismo nos ha enviado a ti para tomarte por esposa de él". 41 En el acto ella se levantó y se inclinó rostro a tierra[h] y dijo: "Aquí está la esclava como sierva para lavar los pies[i] de los siervos de mi señor".[j] 42 Entonces Abigail se dio prisa y se levantó y se fue cabalgando[l] en el asno, mientras cinco criadas suyas andaban detrás de ella; y fue acompañando a los mensajeros de David y entonces llegó a ser su esposa.

43 David también había tomado a Ahinoam[m] de Jezreel;[n] y las mujeres llegaron a ser, sí, las dos, esposas suyas.[o]

44 En cuanto a Saúl, él había dado su hija Mical,[p] la esposa de David, a Paltí[a] hijo de Lais, que era de Galim.[r]

26 Con el tiempo los hombres de Zif[s] vinieron a Saúl, en Guibeah,[t] y dijeron: "¿No está ocultándose David en la colina de Hakilá,[u] frente a Jesimón?".[v] 2 Y Saúl procedió a levantarse[w] y a bajar al desierto de Zif, y con él tres mil hombres,[x] los escogidos de Israel, para buscar a David en el desierto de Zif. 3 Y Saúl se puso a acampar en la colina de Hakilá, que está frente

a Jesimón, junto al camino, mientras David moraba en el desierto. Y él llegó a ver que Saúl se había internado en pos de él en el desierto. 4 Por lo tanto David envió espías[a] para saber que Saúl en realidad había venido. 5 Más tarde David se levantó y fue al lugar donde había acampado Saúl, y David llegó a ver el lugar donde se había acostado Saúl, y también Abner[b] hijo de Ner el jefe de su ejército; y Saúl yacía en la parte cercada del campamento,[c] con la gente acampada todo en derredor de él. 6 Entonces David respondió y dijo a Ahimélec el hitita[d] y a Abisai[e] hijo de Zeruyá,[f] el hermano de Joab: "¿Quién descenderá conmigo a Saúl dentro del campamento?". A esto dijo Abisai: "Yo mismo descenderé contigo".[g] 7 Y David logró llegar con Abisai a la gente, de noche; y, ¡mire!, Saúl yacía dormido en la parte cercada del campamento, con su lanza hincada en la tierra junto a su cabeza, y Abner y la gente estaban acostados todo en derredor de él.

8 Abisai ahora dijo a David: "Dios ha entregado hoy a tu enemigo en tu mano.[h] Y ahora, por favor, déjame clavarlo a tierra con la lanza una sola vez, y no se lo haré dos veces". 9 Sin embargo, David dijo a Abisai: "No lo arruines, pues, ¿quién ha alargado la mano contra el ungido de Jehová[i] y ha quedado inocente?".[j] 10 Y David siguió diciendo: "Tan ciertamente como que Jehová vive,[k] Jehová mismo le asestará un golpe;[l] o vendrá su día[m] y tendrá que morir, o a la batalla[n] bajará, y ciertamente será barrido.[o] 11 ¡Es inconcebible,[p] por mi parte, desde el punto de vista de Jehová,[q] alargar la mano[r] contra el ungido de

CAP. 25
a Dt 28:28; Sl 102:4; Sl 143:4
b Gé 38:7; Gé 38:10; 2Sa 6:7; 2Re 19:35; Hch 12:23
c Dt 32:35; 1Sa 24:15; Sl 35:1; Sl 43:1; Pr 22:23
d 1Sa 25:10; 1Sa 25:14
e 1Sa 25:34
f Jue 9:57; 1Re 2:44; Sl 7:16
g Pr 18:22; Pr 31:10; Pr 31:31
h Rut 2:10
i Gé 18:4; Lu 7:44; Jn 13:5; 1Ti 5:10
j Pr 15:33; Pr 18:12
k 1Sa 25:3
l Gé 24:61
m 1Sa 27:3; 2Sa 3:2; 1Cr 3:1
n Jos 15:56
o 1Sa 30:5; 2Sa 5:13; 2Sa 12:8
p 1Sa 18:20
q 2Sa 3:15
r Isa 10:30

CAP. 26
s Jos 15:55; 1Sa 23:14; Sl 54:Enc
t Jue 19:14; 1Sa 10:26; 1Sa 11:4
u 1Sa 23:19; 1Sa 23:24
w 1Sa 23:23; 1Sa 24:17
x 1Sa 24:2

2.ª col.
a Jos 2:1; Mt 10:16
b 1Sa 14:50; 1Sa 17:55; 2Sa 2:8; 2Sa 3:27
c 1Sa 17:20
d Gé 10:15; Gé 15:20
e 2Sa 16:9; 2Sa 18:5
f 2Sa 2:18; 2Sa 23:18; 1Cr 2:16
g 1Sa 7:10; 1Sa 14:7
h 1Sa 24:4; 1Sa 26:23
i 1Sa 10:1; 1Sa 24:6; 1Sa 24:8
j 1Cr 16:22
k 1Sa 20:6
l Sl 105:15; Lu 18:7

k 1Sa 20:21; 1Sa 25:26; 1Dt 32:35; 1Sa 24:12; 1Sa 25:38; Sl 94:1; Sl 94:23; Ro 12:19; Jud 9; m Job 14:5; Sl 37:13; Sl 90:10; Ec 8:13; n 1Sa 31:3; 1Sa 31:6; o 1Sa 12:25; p 1Sa 14:45; 1Sa 24:6; q Sl 40:8; Sl 119:97; r Le 19:18; Pr 24:29; Ro 12:17.

Jehová.[a] Por eso toma ahora, por favor, la lanza que está junto a su cabeza, y la jarra del agua, y vámonos". 12 Por consiguiente, David tomó la lanza y la jarra del agua del lugar junto a la cabeza de Saúl, y entonces procedieron a irse; y no hubo quien viera,[b] ni nadie que se diera cuenta, ni nadie que despertara, pues todos estaban dormidos, porque era un sueño profundo[c] procedente de Jehová el que había caído sobre ellos. 13 Entonces David pasó al otro lado y se paró sobre la cima de la montaña a cierta distancia, y era vasto el espacio entre ellos.

14 Y David empezó a gritar a la gente y a Abner hijo de Ner, y dijo: "¿No respondes, Abner?". Y Abner[d] empezó a responder y decir: "¿Quién eres tú que le has gritado al rey?". 15 Y David pasó a decir a Abner: "¿No eres tú un hombre? ¿Y quién hay como tú en Israel? ¿Por qué, pues, no vigilaste a tu señor el rey? Porque uno de la gente vino para arruinar al rey, tu señor.[e] 16 Esta cosa que has hecho no es buena. Tan ciertamente como que vive Jehová,[f] ustedes merecen morir,[g] porque no han vigilado[h] sobre su señor, el ungido de Jehová.[i] Y ahora ve dónde están la lanza del rey y la jarra del agua[j] que estaban junto a su cabeza".

17 Y Saúl empezó a reconocer la voz de David y a decir: "¿Es esta tu voz, hijo mío David?".[k] A esto dijo David: "Es mi voz, mi señor el rey". 18 Y añadió: "¿Por qué esto de correr mi señor tras su siervo?;[l] pues, ¿qué he hecho yo, y qué mal hay en mi mano?[m] 19 Y ahora que mi señor el rey escuche, por favor, las palabras de su siervo: Si es Jehová quien te ha incitado contra mí, huela él una ofrenda de grano.[n] Pero si son los hijos del hombre,[o] malditos son delante de Jehová,[p] porque me han expulsado hoy para que no me sienta unido a la herencia de Je-

hová,[a] diciendo: '¡Anda, sirve a otros dioses!'.[b] 20 Y ahora no dejes que mi sangre caiga a tierra delante del rostro de Jehová;[c] porque el rey de Israel ha salido a buscar una sola pulga,[d] tal como se corre tras una perdiz sobre las montañas".[e]

21 A su vez, Saúl dijo: "He pecado.[f] Vuelve, hijo mío David, porque ya no te haré perjuicio, visto el hecho de que mi alma ha sido preciosa[g] a tus ojos este día. ¡Mira! He obrado tontamente y estoy muy equivocado". 22 Entonces respondió David y dijo: "Aquí está la lanza del rey, y que pase acá uno de los jóvenes y la consiga. 23 Y Jehová es quien pagará a cada cual su propia justicia[h] y su propia fidelidad, ya que Jehová te dio hoy en mi mano, y yo no quise alargar la mano contra el ungido de Jehová.[i] 24 Y, ¡mira!, tal como tu alma fue grande este día a mis ojos, así sea grande mi alma a los ojos de Jehová,[j] para que me libre de toda angustia".[k] 25 Ante su vez, Saúl dijo a David: "Bendito seas, hijo mío David. No solo sin falta trabajarás, sino que también sin falta saldrás ganador".[l] Y David procedió a irse por su camino; y en cuanto a Saúl, se volvió a su lugar.[m]

27 Sin embargo, David dijo en su corazón: "Ahora bien, algún día seré barrido por la mano de Saúl. No hay nada mejor para mí que escapar[n] sin falta a la tierra de los filisteos;[o] y Saúl tendrá que perder la esperanza respecto a mí en cuanto a buscarme por más tiempo en todo el territorio de Israel,[p] y ciertamente escaparé de su mano". 2 De modo que David se levantó, y él y seiscientos hombres[q] que estaban con él pasaron a donde Akís[n] hijo de Maoc, el rey de Gat. 3 Y David continuó morando con Akís en Gat, él y sus hombres, cada uno con su casa,[s] David y sus dos

CAP. 26

a 1Cr 16:22
  Sl 20:6
  Sl 105:15
b 1Sa 24:4
c Gé 2:21
  Gé 15:12
d 1Sa 14:50
  1Sa 17:55
  2Sa 2:8
  2Sa 3:8
e 1Sa 26:8
f 1Sa 14:45
g 2Sa 12:5
  2Sa 19:28
h 1Sa 14:16
i 1Sa 9:16
  1Sa 10:1
j 1Sa 26:11
  1Re 19:6
k 1Sa 24:8
  1Sa 24:16
l Sl 35:7
  Sl 69:4
m 1Sa 24:9
  1Sa 24:11
  Sl 7:3
  Jn 10:32
  Jn 18:23
n Le 19:5
  2Sa 24:25
o 1Sa 24:9
p Pr 30:10

2.ª col.

a Éx 19:5
  Dt 26:18
  Dt 32:9
  2Sa 20:19
  Sl 135:4
b Ro 14:13
c Snt 5:6
d 1Sa 24:14
e Lam 3:52
f Éx 9:27
  1Sa 15:24
  1Sa 24:17
  Mt 27:4
g 1Sa 24:10
  1Sa 26:11
h 1Re 8:32
  Sl 7:8
  Sl 18:20
  Sl 28:4
i 1Sa 24:6
  1Sa 26:9
j Sl 18:25
  Mt 5:7
  Mt 7:2
k Gé 48:16
  Sl 34:19
  2Pe 2:9
l 1Sa 24:19
  Isa 54:17
m Gé 18:33
  Nú 24:25
  1Sa 26:2
  2Sa 27:4
  2Sa 19:39

CAP. 27

n 1Sa 19:18
  1Sa 22:5
  1Sa 22:5
o 1Sa 28:1
  1Sa 29:2
p 1Sa 18:29
  1Sa 23:23
q 1Sa 25:13
  1Sa 30:9
r 1Sa 21:10
  1Sa 27:12
s 1Ti 5:8

esposas, Ahinoam[a] la jezreelita y Abigail,[b] la esposa de Nabal, la carmelita. 4 Con el tiempo se hizo el informe a Saúl de que David había huido a Gat, de modo que ya no volvió a buscarlo.[c]

5 Entonces David dijo a Akís: "Ahora bien, si he hallado favor a tus ojos, que me den un lugar en una de las ciudades de la región rural, para que more allí; pues, ¿por qué ha de morar tu siervo en la ciudad real contigo?". 6 En conformidad, Akís le dio Ziqlag[d] aquel día. Por eso Ziqlag ha venido a pertenecer a los reyes de Judá hasta el día de hoy.

7 Y el número de los días que David moró en la región rural de los filisteos ascendió a un año y cuatro meses.[e] 8 Y David procedió a subir con sus hombres a fin de hacer incursiones contra los guesuritas[f] y los guirzitas y los amalequitas;[g] porque ellos habitaban la tierra que [se extendía] desde Telam[h] hasta Sur[i] y hasta la tierra de Egipto. 9 Y David hirió la tierra, pero no conservó vivo ni a hombre ni a mujer;[j] y tomó rebaños y vacadas y asnos y camellos y prendas de vestir, después de lo cual se volvió y vino a donde Akís. 10 Entonces dijo Akís: "¿Dónde hicieron ustedes incursión hoy?". A lo que dijo David:[k] "Sobre el sur de Judá[l] y sobre el sur de los jerahmeelitas[m] y sobre el sur de los quenitas".[n] 11 En cuanto a hombre y mujer, David no estaba conservando vivo a ninguno para traerlos a Gat, pues decía: "Para que no nos delaten, y digan: 'Así hizo David'".[o] (Y así ha sido su proceder todos los días de haber morado él en la región rural de los filisteos.) 12 Por consiguiente, Akís creyó[p] a David, y decía para sí: "Indisputablemente él se ha hecho un hedor entre su pueblo Israel;[q] y tendrá que llegar a ser mi siervo hasta tiempo indefinido".

28 Y por aquellos días aconteció que los filisteos empezaron a juntar sus campamentos para el ejército con el fin de hacer guerra contra Israel.[a] De modo que Akís dijo a David: "Sin duda sabrás que es conmigo con quien debes salir al campamento, tú y tus hombres".[b] 2 Ante esto, David dijo a Akís: "Por eso tú mismo sabes lo que tu siervo ha de hacer". Por consiguiente, Akís dijo a David: "Por eso te nombraré guarda de mi cabeza para siempre".[c]

3 Ahora bien, Samuel mismo había muerto, y todo Israel había procedido a plañirlo y a enterrarlo en Ramá, su propia ciudad.[d] En cuanto a Saúl, él había quitado del país a los médium espiritistas y a los pronosticadores profesionales de acontecimientos.[e]

4 Posteriormente, los filisteos se juntaron y vinieron y asentaron campamento en Sunem.[f] De modo que Saúl juntó a todo Israel, y asentaron campamento en Guilboa.[g] 5 Cuando Saúl llegó a ver el campamento de los filisteos, le dio miedo, y su corazón empezó a temblar muchísimo.[h] 6 Aunque Saúl inquiría de Jehová,[i] Jehová nunca le contestaba,[j] ni por sueños[k] ni por el Urim[l] ni por los profetas.[m] 7 Por fin Saúl dijo a sus siervos: "Búsquenme una mujer que sea perita en mediación espiritista,[n] y ciertamente iré a ella y la consultaré". Entonces le dijeron sus siervos: "¡Mira! En En-dor[o] hay una mujer que es perita en mediación espiritista".

8 Así que Saúl se disfrazó[p] y se vistió con otras prendas de vestir y se fue, él y dos hombres con él; y llegaron a la mujer de noche.[q] Ahora dijo él: "Usa adivinación[r] para mí, por favor, por mediación espiritista, y haz su-

CAP. 27
a 1Sa 25:43
b 1Sa 25:39
  1Sa 25:42
c 1Sa 23:14
  1Sa 26:25
d Jos 19:5
  1Sa 30:1
  2Sa 1:1
  1Cr 4:30
  1Cr 12:1
  1Cr 12:20
  Ne 11:28
e 1Sa 29:3
f Jos 13:2
g Gé 36:12
  Éx 17:8
  Éx 17:14
  Nú 13:29
  1Sa 15:2
  2Sa 1:1
  1Cr 4:43
h 1Sa 15:4
i Gé 25:18
  Gé 16:7
j 1Sa 15:22
j Dt 25:19
  1Sa 15:3
k Mt 10:16
l Jos 15:21
m 1Cr 2:9
n Nú 24:21
  1Sa 15:6
o Pr 22:3
p Pr 14:15
q Gé 34:30
  1Sa 13:4

2.ª col.

CAP. 28
a Jue 3:2
  1Sa 14:52
b 1Sa 27:12
  1Sa 29:3
c 1Sa 29:2
d 1Sa 25:1
  Isa 57:1
e Éx 22:18
  Le 19:31
  Le 20:6
  Le 20:27
  Dt 18:11
  Rev 21:8
f Jos 19:18
  1Re 1:3
  2Re 4:8
  Can 6:13
g 1Sa 31:1
  2Sa 1:21
  2Sa 21:12
h Dt 28:20
  1Sa 28:20
  Pr 10:24
  Isa 57:21
i 1Sa 14:37
  1Cr 10:14
j Pr 1:28
  Pr 28:9
  Isa 1:15
  Eze 20:3
  Miq 3:4
k Nú 12:6
  Mt 1:20
l Dt 28:30
  Nú 27:21
  Dt 33:8
m Sl 74:9
  Lam 2:9

n Éx 22:18; Le 19:31; Le 20:6; 1Sa 15:23; 1Sa 28:3; Isa 8:19; Heb 3:12; o Jos 17:11; Sl 83:10; p 1Re 14:2; 1Re 22:30; q 1Sa 28:25; r Dt 18:10; 1Cr 10:13; Isa 8:19.

bir para mí al que yo te diga”.
9 Sin embargo, la mujer le dijo:
“Mira que tú mismo sabes bien
lo que Saúl hizo, cómo cortó del
país a los médium espiritistas y
a los pronosticadores profesionales de acontecimientos.[a] ¿Por
qué, pues, estás obrando como
un entrampador contra mi alma
para hacer que se me dé
muerte?”.[b] 10 Inmediatamente Saúl le juró por Jehová, y dijo:
“¡Tan ciertamente como que vive
Jehová,[c] culpa por error no te
sobrevendrá en este asunto!”.
11 Ante esto, la mujer dijo: “¿A
quién hago subir para ti?”. A
esto él dijo: “Haz subir a Samuel
para mí”.[d] 12 Cuando la mujer
vio a “Samuel”[e] se puso a gritar
a voz en cuello; y la mujer pasó a
decir a Saúl: “¿Por qué me embaucaste, cuando tú mismo eres
Saúl?”. 13 Pero el rey le dijo:
“No tengas miedo, pero ¿qué viste?”. Y la mujer pasó a decir a
Saúl: “A un dios[f] vi que subía de
la tierra”. 14 En seguida él le
dijo: “¿Qué forma tiene?”, a lo
que ella dijo: “Es un viejo que
sube, y está cubierto con una
vestidura sin mangas”.[g] Ante
eso, Saúl reconoció que era “Samuel”,[h] y procedió a inclinarse
rostro a tierra, y a postrarse.
15 Y “Samuel” empezó a decir
a Saúl: “¿Por qué me has perturbado y has hecho que me hagan
subir?”.[i] A lo que dijo Saúl: “Estoy en grave aprieto,[j] puesto que
los filisteos están peleando contra mí, y Dios mismo se ha apartado[k] de mí y no me ha contestado más, ni por medio de los
profetas ni por sueños;[l] de modo
que te llamo para que me hagas
saber lo que he de hacer”.[m]
16 Y “Samuel” pasó a decir:
“¿Por qué, pues, inquieres de
mí, cuando Jehová mismo se ha
apartado de ti[n] y resulta ser tu
adversario?[o] 17 Y Jehová hará
para sí tal como habló por medio
de mí, y Jehová arrancará de tu
mano el reino[p] y lo dará a tu
semejante, David.[q] 18 Como
no obedeciste la voz de Jehová,[a]
y no ejecutaste su ardiente cólera contra Amaleq,[b] por eso
esta es la cosa que Jehová ciertamente te hará en el día actual.
19 Y Jehová también dará a Israel juntamente contigo en la
mano de los filisteos,[c] y mañana
tú[d] y tus hijos[e] estarán conmigo.
Hasta el campamento de Israel
dará Jehová en la mano de los
filisteos”.[f]
20 Ante esto, Saúl cayó prontamente a tierra, cuan largo era,
y tuvo muchísimo miedo a causa de las palabras de “Samuel”.
Además, sucedía que no había
poder en él, porque no había comido alimento en todo el día ni
en toda la noche. 21 La mujer
ahora vino a Saúl y vio que había
sido perturbado en gran manera.
De modo que le dijo: “Mira que
tu sierva ha obedecido tu voz, y
procedí a poner mi alma en la
palma de mi mano[g] y a obedecer las palabras que me hablaste. 22 Y ahora, por favor, tú, a
tu vez, obedece la voz de tu sierva; y permíteme poner delante
de ti un pedazo de pan, y come,
para que llegue a haber poder en
ti, por cuanto seguirás tu camino”. 23 Pero él rehusó, y dijo:
“No voy a comer”. Sin embargo,
sus siervos y también la mujer
siguieron instándolo. Por fin
obedeció su voz y se levantó de
la tierra y se sentó en el lecho.
24 Ahora bien, la mujer tenía en
casa un becerro engordado.[h] De
modo que prontamente lo sacrificó[i] y tomó harina y la amasó y
coció de ella unas tortas no fermentadas. 25 Entonces se las
sirvió a Saúl y sus siervos, y ellos
comieron. Después de aquello se
levantaron y se fueron durante
aquella noche.[j]

29 Y los filisteos[k] procedieron a juntar todos sus
campamentos en Afeq, mientras los israelitas estaban acampados junto al manantial que
había en Jezreel.[l] 2 Y los seño-

CAP. 28
a 1Sa 28:3
b Éx 22:18; Le 20:27
c 1Sa 14:39; Isa 48:1; Jer 44:26
d Ro 1:28
e 1Sa 28:3; Sl 146:4; Ec 9:5; 2Co 4:4; 2Co 11:14
f Sl 82:6; Jn 10:34
g 1Sa 15:27
h 2Te 2:10; 2Te 2:11
i 2Sa 12:23; Sl 115:17; Sl 146:4; Ec 9:5; Ec 9:10
j Pr 14:14; Jer 2:17; Gál 6:7
k 1Sa 15:23
l 1Sa 28:6
m Le 19:31
n 1Sa 15:23; 1Sa 16:14; 2Re 6:27
o Dt 28:15
p 1Sa 13:14; 1Sa 15:28
q 1Sa 16:13; 1Sa 24:20

2.ª col.
a 1Sa 13:11; 1Cr 10:13
b 1Sa 15:9; Jer 48:10
c 1Sa 12:25; 1Sa 28:1; 1Sa 31:1
d 1Sa 31:5
e 1Sa 31:2; 2Sa 2:8
f 1Sa 31:7
g Le 20:27; Jue 12:3; 1Sa 19:5; Job 13:14
h Gé 18:7; Lu 15:23
i Dt 12:15
j 1Sa 28:8

CAP. 29
k 1Sa 28:1
l Jos 19:18; 1Sa 29:11; 2Sa 4:4

res del eje[a] de los filisteos iban pasando por centenares y por millares, y David y sus hombres iban pasando después con Akís.[b] 3 Y los príncipes de los filisteos empezaron a decir: "¿Qué significan estos hebreos?".[c] Ante esto, Akís dijo a los príncipes de los filisteos: "¿No es éste David el siervo de Saúl el rey de Israel, que ha estado aquí conmigo durante un año o dos,[d] y no he hallado[e] en él ni una sola cosa desde el día en que se pasó [a mí] hasta el día de hoy?". 4 Y los príncipes de los filisteos se indignaron con él; y los príncipes de los filisteos pasaron a decirle: "Haz volver al hombre,[f] y que se vuelva a su lugar donde lo asignaste; y no lo dejes bajar con nosotros a la batalla, para que no se haga un resistidor[g] de nosotros en la batalla. ¿Y con qué ha de ponerse esta persona en una posición de favor para con su señor? ¿No será con las cabezas de aquellos hombres [nuestros]? 5 ¿No es éste David, a quien seguían respondiendo en las danzas, diciendo: 'Saúl ha derribado sus miles, y David sus decenas de miles'?".[h]

6 Por consiguiente, Akís[i] llamó a David y le dijo: "Tan ciertamente como que vive Jehová,[j] tú eres recto, y tu salir y tu entrar[k] conmigo en el campamento ha sido bueno a mis ojos;[l] pues no he hallado mal en ti desde el día que viniste a mí hasta este día.[m] Pero a los ojos de los señores del eje[n] no eres bueno. 7 Y ahora, regresa y ve en paz, para que no hagas nada malo a los ojos de los señores del eje de los filisteos". 8 Sin embargo, David dijo a Akís: "Pues, ¿qué he hecho yo,[o] y qué has hallado en tu siervo desde el día en que vine a estar delante de ti hasta este día,[p] para que no pueda yo ir y realmente pelear contra los enemigos de mi señor el rey?". 9 Ante esto, Akís contestó y dijo a David: "Bien sé yo que has sido

bueno a mis propios ojos, como un ángel de Dios.[a] Solo que los príncipes de los filisteos son los que han dicho: 'No suba él con nosotros a la batalla'. 10 Y ahora, levántate muy de mañana con los siervos de tu señor que vinieron contigo; y ustedes tienen que levantarse muy de mañana cuando haya esclarecido para ustedes. Entonces váyanse".[b]

11 En conformidad, David madrugó, él y sus hombres, para irse por la mañana[c] y regresar a la tierra de los filisteos; y los filisteos mismos subieron a Jezreel.[d]

30 Y mientras David y sus hombres iban llegando a Ziqlag[e] al tercer día, aconteció que los amalequitas[f] hicieron una incursión en el sur y en Ziqlag; y procedieron a herir a Ziqlag y a quemarla con fuego, 2 y a llevarse cautivas a las mujeres[g] [y a todos los] que había en ella, desde el más pequeño hasta el más grande. No dieron muerte a nadie, sino que fueron conduciéndolos y siguieron su camino. 3 Cuando David llegó con sus hombres a la ciudad, pues, allí estaba quemada con fuego, y, en cuanto a las esposas y los hijos y las hijas de ellos, habían sido llevados cautivos. 4 Y David y la gente que estaba con él empezaron a alzar la voz y llorar,[h] hasta que no hubo en ellos poder para llorar [más]. 5 Y las dos esposas de David habían sido llevadas cautivas, Ahinoam[i] la jezreelita y Abigail[j] la esposa de Nabal el carmelita. 6 Y aquello se le hizo muy angustioso a David,[k] porque la gente dijo que lo apedrearan;[l] pues el alma de toda la gente se había amargado,[m] cada una a causa de sus hijos y sus hijas. De modo que David recurrió a fortalecerse mediante Jehová su Dios.[n]

7 Por eso David dijo a Abiatar[o] el sacerdote, hijo de Ahimé-

CAP. 29

a Jos 13:3
  Jue 3:3
  1Sa 5:8
b 1Sa 28:2
c 1Sa 13:19
  2Co 11:22
d 1Sa 27:7
e 1Sa 27:12
  Pr 14:15
f 1Cr 12:19
g 1Sa 21:11
h 1Sa 18:7
  1Sa 21:11
i 1Sa 21:10
  1Sa 27:2
j 1Sa 20:31
  Jer 12:16
k Nú 17:17
  Sl 121:8
l 1Sa 28:2
m 1Sa 27:11
  1Sa 27:12
  1Sa 29:3
  Mt 10:16
n 1Sa 29:2
o 1Sa 27:11
p 1Sa 28:2

2.ª col.

a 1Sa 27:12
  2Sa 14:17
  2Sa 14:20
  2Sa 19:27
  Pr 14:35
  Gál 4:14
b Sl 37:23
  Pr 16:9
  Pr 21:1
  Jer 10:23
  2Pe 2:9
c Sl 91:11
  Sl 119:133
d Jos 19:18
  1Sa 29:1
  2Sa 4:4

CAP. 30

e Jos 15:31
  1Sa 27:6
f Gé 36:12
  Éx 17:14
  1Sa 15:2
  1Sa 27:8
g Jue 5:30
  1Sa 27:3
h Jue 21:2
i 1Sa 25:43
  2Sa 2:2
j 1Sa 25:42
  1Sa 27:3
k Sl 25:17
  Sl 116:3
l Éx 17:4
  Nú 14:10
m Jue 18:25
  2Sa 22:2
  2Sa 17:8
  2Re 4:27
n Sl 18:6
  Sl 27:1
  Sl 31:1
  Sl 31:9
  Sl 34:19
  Sl 43:5
  Sl 56:4
  Sl 143:5
  Pr 18:10
  Hab 3:18
  Lu 22:43
o 1Sa 22:20
  1Re 2:26

lec: "Por favor, acércame el efod,[a] sí". Y vino Abiatar acercando el efod a David. 8 Y David empezó a inquirir de Jehová,[b] diciendo: "¿Voy en seguimiento de esta partida merodeadora? ¿Los alcanzaré?". A lo cual le dijo:[c] "Ve en seguimiento, porque sin falta los alcanzarás, y sin falta efectuarás una liberación".[d]

9 Prestamente se puso en marcha David, él y los seiscientos hombres[e] que estaban con él, y siguieron adelante hasta el valle torrencial de Besor, y los hombres que habían de ser dejados atrás se detuvieron. 10 Y David continuó el seguimiento,[f] él y cuatrocientos hombres, pero doscientos hombres que estaban demasiado cansados para pasar el valle torrencial de Besor se detuvieron.

11 Y entonces hallaron en el campo a un hombre, un egipcio.[h] De modo que lo llevaron a David y le dieron pan para que comiera y le dieron agua de beber. 12 Además, le dieron una tajada de una torta de higos comprimidos y dos tortas de pasas.[i] Entonces él comió, y le volvió el espíritu;[j] pues no había comido pan ni bebido agua por tres días y tres noches. 13 David ahora le dijo: "¿A quién perteneces, y de dónde eres?", a lo cual él dijo: "Soy un servidor egipcio, esclavo de un amalequita, pero mi amo me dejó porque enfermé hace tres días.[k] 14 Nosotros fuimos los que hicimos una incursión en el sur de los keretitas[l] y sobre lo que pertenece a Judá y sobre el sur de Caleb;[m] y a Ziklag la quemamos con fuego". 15 Ante esto, David le dijo: "¿Me llevas abajo a esta partida merodeadora?". A esto él dijo: "Júrame,[n] sí, por Dios, que no me darás muerte, y que no me entregarás en mano de mi amo,[o] y te llevaré abajo a esta partida merodeadora".

16 En conformidad, lo llevó abajo,[a] y allí estaban desparramados en desorden sobre la superficie de toda la tierra, comiendo y bebiendo y teniendo un banquete[b] con motivo de todo el gran despojo que habían tomado de la tierra de los filisteos y de la tierra de Judá.[c] 17 Y David estuvo derribándolos desde la oscuridad matutina hasta el atardecer, para darlos por entero a la destrucción; y no escapó de ellos hombre alguno[d] salvo cuatrocientos jóvenes que montaron en camellos y se pusieron en fuga. 18 Y David logró librar todo lo que los amalequitas habían tomado,[e] y a sus dos esposas David las libró. 19 Y no hubo cosa alguna de lo suyo que les faltara, de lo más pequeño a lo más grande, ni de hijos e hijas, ni del despojo, ni siquiera de lo que habían tomado para sí.[f] Todo lo recobró David. 20 Así que David tomó todos los rebaños y las vacadas, los cuales condujeron delante de aquel [otro] ganado. Entonces dijeron: "Este es el despojo de David".[g]

21 Por fin David llegó a los doscientos hombres[h] que habían estado demasiado cansados para ir con David, y a quienes habían hecho quedarse junto al valle torrencial de Besor; y ellos salieron al encuentro de David y al encuentro de la gente que estaba con él. Cuando David se acercó a la gente, empezó a preguntarles cómo estaban. 22 Sin embargo, todo hombre malo y que no servía para nada[i] de entre los hombres que habían ido con David respondió y siguió diciendo: "Por razón de que no fueron con nosotros, ciertamente no les daremos nada del despojo que libramos, salvo a cada uno su esposa y sus hijos, y que los conduzcan y se vayan". 23 Pero David dijo: "No deben hacer así, hermanos míos, con lo que Jehová nos ha dado,[j] ya que él nos resguardó[k] y dio en nuestra mano la partida merodeado-

CAP. 30
a 1Sa 23:9

b Nú 27:21
Jue 18:5
Jue 20:28
1Sa 23:2
1Sa 23:11
1Sa 28:6
Pr 3:5

c 1Sa 14:37
Sl 28:6

d 1Sa 30:18
Sl 34:19
Pr 11:8
Pr 24:16

e 1Sa 23:13
1Sa 27:2

f Jue 8:4

g 1Sa 30:21

h Dt 23:7

i 1Sa 25:18

j Jue 15:19

k Pr 12:10

l 2Sa 8:18
1Re 1:38
1Cr 18:17
Eze 25:16
Sof 2:5

m Jos 14:13
Jos 21:12

n Dt 6:13
Jos 2:12
Jos 9:15

o Dt 23:15
Dt 23:16

2.ª col.
a Jue 1:25

b Da 5:1
Lu 12:19

c Jos 15:1
Job 20:5

d Éx 17:14
Sl 73:19

e 1Sa 30:3

f 1Sa 30:8
Sl 34:19

g Nú 31:9
2Cr 20:25

h 1Sa 30:10

i 1Sa 10:27
Na 1:15

j 1Cr 29:12
Sl 33:16

k Nú 31:49

ra que vino contra nosotros.[a]
24 ¿Y quién los escuchará a ustedes tocante a este dicho? Porque como la parte que corresponde al que bajó a la batalla,
aun así será la parte que corresponda al que se quedó junto al
bagaje.[b] Todos participarán juntos”.[c] 25 Y desde aquel día en
adelante aconteció que él lo
mantuvo establecido como disposición reglamentaria y decisión judicial[d] para Israel hasta el
día de hoy.

26 Cuando David llegó a Ziqlag, procedió a enviar parte del
despojo a los ancianos de Judá,
sus amigos,[e] diciendo: “Aquí
está un regalo[f] de bendición para
ustedes del despojo de los enemigos de Jehová”. 27 A los que
estaban en Betel,[g] y a los de Ramot[h] del sur, y a los de Jatir,[i]
28 y a los de Aroer, y a los de
Sifmot, y a los de Estemoa,[j]
29 y a los de Racal, y a los de las
ciudades de los jerahmeelitas,[k] y
a los de las ciudades de los quenitas,[l] 30 y a los de Hormá,[m] y
a los de Borasán,[n] y a los de Atac,
31 y a los de Hebrón,[o] y a todos
los lugares por donde David había andado, él y sus hombres.

31 Ahora bien, los filisteos
estaban peleando contra
Israel,[p] y los hombres de Israel
se pusieron en fuga de delante de
los filisteos, y siguieron cayendo
muertos[q] en el monte Guilboa.[r]
2 Y los filisteos continuaron siguiendo de cerca a Saúl y sus
hijos; y los filisteos por fin derribaron a Jonatán[s] y a Abinadab[t]
y a Malki-súa,[u] hijos de Saúl.
3 Y el pelear se hizo reñido contra Saúl, y los disparadores, los
saeteros, por fin lo hallaron, y
fue gravemente herido por
los disparadores.[v] 4 Entonces
Saúl dijo a su escudero: “Desenvaina tu espada[w] y atraviésame
con ella, para que no vengan estos incircuncisos[x] y ciertamente
me atraviesen y me traten abusivamente”. Y su escudero no
quiso,[a] porque tenía mucho miedo. De modo que Saúl tomó
la espada y cayó sobre ella.[b]
5 Cuando su escudero vio que
Saúl había muerto,[c] entonces él
también cayó sobre su propia espada, y murió con él.[d] 6 Así
Saúl y sus tres hijos y su escudero, aun todos sus hombres, llegaron a morir juntos en aquel día.[e]
7 Cuando los hombres de Israel
que estaban en la región de la
llanura baja y que estaban en la
región del Jordán vieron que los
hombres de Israel habían huido,
y que Saúl y sus hijos habían
muerto, entonces ellos empezaron a dejar las ciudades y huir,[f]
después de lo cual los filisteos
procedieron a entrar y a morar
en ellas.[g]

8 Y al día siguiente aconteció
que, cuando los filisteos vinieron para despojar a los que habían sido muertos,[h] llegaron a
hallar a Saúl y sus tres hijos
caídos sobre el monte Guilboa.[i]
9 Y procedieron a cortarle la cabeza[j] y a despojarlo de su armadura y a enviar a la tierra de los
filisteos todo en derredor para
dar informe[k] a las casas de sus
ídolos[l] y al pueblo. 10 Al fin
pusieron la armadura[m] de él en
la casa de las imágenes de Astoret,[n] y su cadáver lo fijaron en el
muro de Bet-san.[o] 11 Y tocante a él, los habitantes de Jabés-
galaad[p] llegaron a oír lo que los
filisteos habían hecho a Saúl.
12 En seguida todos los hombres valientes se levantaron y
caminaron toda la noche, y quitaron el cadáver de Saúl y los
cadáveres de sus hijos del muro
de Bet-san, y llegaron a Jabés y
los quemaron allí.[q] 13 Entonces tomaron sus huesos[r] y los
enterraron[s] bajo el tamarisco[t] de
Jabés, y se dieron al ayuno por
siete días.[u]

CAP. 30
a 1Sa 30:8 Sl 44:3
b 1Sa 10:22 1Sa 17:22 1Sa 25:13 1Sa 30:10
c Nú 31:27 Jos 22:8 Sl 68:12 1Ti 6:18
d Nú 27:11
e Isa 32:8
f Gé 33:11 2Re 5:15 Pr 11:24 Pr 18:16 Hch 20:35
g Jos 19:4
h Jos 19:8
i Jos 15:48 Jos 21:14
j Jos 15:50 Jos 21:14
k 1Sa 27:10 1Cr 2:9 1Cr 2:26
l Jue 1:16 1Sa 15:6
m Jos 19:4 Jue 1:17
n Jos 19:7
o Jos 14:13 2Sa 2:1

CAP. 31
p 1Sa 14:52 1Sa 29:1
q 1Sa 12:25 1Cr 10:1
r 1Sa 28:4 2Sa 1:21
s 1Sa 13:2
t 1Cr 8:33
u 1Cr 9:39
v 2Sa 1:4 2Sa 1:6
w Jue 9:54 1Cr 10:4
x 1Sa 14:6 1Sa 17:26 2Sa 1:20 Eze 44:7

2.ª col.
a 1Sa 22:17 2Sa 1:14 Sl 105:15
b Éx 20:13 2Sa 17:23 1Re 16:18 1Cr 10:4 Mt 27:5
c 1Sa 26:10 1Cr 10:13 Os 13:11
d 1Cr 10:5
e 1Sa 28:19 1Cr 10:6
f Dt 28:25 1Sa 13:6
g Nú 33:56 Dt 28:33 1Cr 10:7
h 1Cr 10:8 2Cr 20:25
i 1Sa 28:4 1Sa 31:1 2Sa 1:6 2Sa 21:12
j 1Sa 17:51 1Cr 10:9
k 2Sa 1:20

l Jue 16:23; m 1Sa 21:9; 1Cr 10:10; n Jue 2:13; o Jos 17:11; Jue 1:27; 2Sa 21:12; p 1Sa 11:1; 2Sa 2:4; 2Sa 21:12; 1Cr 10:11; q Am 6:10; r 2Sa 21:12; s Gé 35:8; 2Sa 2:5; t Gé 21:33; 1Sa 22:6; 1Cr 10:12; u Gé 50:10.

SAMUEL

1 Y después de la muerte de Saúl, y cuando David mismo hubo vuelto de derribar a los amalequitas,[a] aconteció que David continuó morando en Ziqlag[b] dos días. 2 Y al tercer día aconteció que, ¡mire!, un hombre[c] venía del campamento de Saúl, con sus prendas de vestir rasgadas[d] y tierra sobre la cabeza;[e] y aconteció que cuando llegó a David, en seguida cayó a tierra[f] y se postró.

3 Y David procedió a decirle: "¿De dónde vienes?", ante lo cual él le dijo: "Del campamento de Israel he escapado". 4 Y David pasó a decirle: "¿Cómo resultó el asunto? Infórmame, por favor". A esto él dijo: "La gente ha huido de la batalla, y también muchos del pueblo han caído, de modo que han muerto,[g] y hasta Saúl[h] y Jonatán[i] su hijo han muerto". 5 Entonces David dijo al joven que estaba refiriéndoselo: "¿Cómo sabes de seguro que Saúl ha muerto, y también Jonatán su hijo?".[j] 6 Ante esto, el joven que estaba refiriéndoselo dijo: "Me hallé inesperadamente en el monte Guilboa,[k] y allí estaba Saúl apoyándose sobre su lanza;[l] y, ¡mira!, los conductores de carros y los hombres montados lo habían alcanzado.[m] 7 Cuando él se volvió y me vio, entonces me llamó, y yo dije: '¡Aquí estoy!'. 8 Y él pasó a decirme: '¿Quién eres?', ante lo cual le dije: 'Soy un amalequita'.[n] 9 Entonces dijo: 'Plántate sobre mí, por favor, y definitivamente hazme morir, pues se ha apoderado de mí el calambre, porque aún está en mí toda mi alma'.[a] 10 De modo que me planté sobre él y definitivamente le di muerte,[b] porque sabía que él no podía vivir después de haber caído. Entonces tomé la diadema[c] que estaba sobre su cabeza y el brazalete que estaba sobre su brazo, para traérselos a mi señor aquí".

11 Ante esto, David asió sus prendas de vestir y las rasgó,[d] y así hicieron también todos los hombres que estaban con él. 12 Y se pusieron a plañir y llorar[e] y ayunar[f] hasta el atardecer por motivo de Saúl y por motivo de Jonatán su hijo y por motivo del pueblo de Jehová y por motivo de la casa de Israel,[g] porque habían caído a espada.

13 David ahora dijo al joven que estaba informándole: "¿De dónde eres?", a lo que él dijo: "Soy hijo de un residente forastero, un amalequita".[h] 14 Entonces le dijo David: "¿Cómo fue que no temiste[i] alargar la mano para arruinar al ungido de Jehová?". 15 Con eso David llamó a uno de los jóvenes y dijo: "Acércate. Hiérelo". Por lo tanto él lo derribó, de modo que murió.[k] 16 David entonces le dijo: "Esté la culpa de sangre por ti sobre tu propia cabeza,[l] porque tu propia boca ha testificado contra ti,[m] diciendo: 'Yo mismo definitivamente di muerte al ungido de Jehová'".[n]

17 Y David procedió a salmodiar esta endecha[o] sobre Saúl y Jonatán su hijo,[p] 18 y a decir que a los hijos de Judá[q] se les

---

CAP. 1

a 1Sa 30:17
b 1Sa 27:6
  1Sa 30:26
c 2Sa 4:10
d Gé 37:29
  Nú 14:6
  Jos 7:6
e 1Sa 4:12
f 1Sa 25:23
  2Sa 14:4
g 1Sa 31:1
h 1Sa 31:6
  1Cr 10:4
i 1Sa 31:2
  1Cr 10:6
j Pr 14:15
  Pr 25:2
k 1Sa 28:4
  1Cr 10:1
l 1Sa 18:10
  1Sa 19:9
  1Sa 22:6
  1Sa 26:12
m 1Sa 31:3
  1Cr 10:3
n Éx 17:16
  Nú 14:20
  Dt 25:19
  1Sa 15:20
  1Sa 30:17
  1Sa 30:18

2.ᵃ col.

a Gé 2:7
  1Sa 5:6
  Jn 8:44
c 2Re 11:12
d 2Sa 3:31
  2Sa 13:31
  2Cr 34:27
  Hch 14:14
e Dt 34:8
f 1Sa 31:13
  1Sa 31:1
g 1Sa 31:6
h 2Sa 1:8
i Nú 12:8
j 1Sa 31:4
k 1Sa 24:6
  1Sa 26:9
  Sl 105:15
k 2Sa 4:10
  1Re 2:25
l Jos 2:19
  Jue 9:24
  2Sa 4:11
  1Re 2:37
  Eze 18:13
m Pr 19:5
  Pr 21:28
n 2Sa 1:10
o 2Sa 3:33
  2Cr 35:25
p 1Sa 31:6

q Gé 49:8; 1Sa 30:26.

debía enseñar “El arco”.[a] ¡Mire!
Está escrito en el libro de Jasar:[b]
19 “La hermosura, oh Israel, fue
muerta sobre tus luga-
res altos.[c]
¡Cómo han caído los hom-
bres poderosos!
20 No lo informen, ustedes, en
Gat;[d]
no lo anuncien en las calles
de Asquelón,[e]
por temor de que las hijas de
los filisteos se regocijen,
por temor de que las hi-
jas de los incircuncisos
se alborocen.[f]
21 Oh montañas de Guilboa,[g] no
haya rocío, no haya llu-
via sobre ustedes, ni
haya campos de contri-
buciones santas;[h]
porque allí el escudo de poderosos fue ensuciado,
el escudo de Saúl, de modo
que no hubo ninguno
ungido con aceite.[i]
22 De la sangre de los que fueron muertos, de la grasa
de poderosos,
el arco de Jonatán no volvió atrás,[j]
y la espada de Saúl no volvía sin tener éxito.[k]
23 Saúl y Jonatán,[l] los amables
y los agradables durante
su vida,
y en su muerte no fueron
separados.[m]
Más veloces que las águilas
eran ellos,[n]
más poderosos que los leones eran.[o]
24 Oh hijas de Israel, lloren por
motivo de Saúl,
que las vistió de escarlata
con galas,
que les puso adornos de oro
en su ropa.[p]
25 ¡Cómo han caído los poderosos en medio de la bata-
lla![q]
¡Jonatán muerto sobre tus
lugares altos![r]
26 Estoy angustiado por ti, hermano mío, Jonatán,
muy agradable me fuiste.[s]
Más maravilloso me fue tu
amor que el amor proce-
dente de mujeres.[a]
27 ¡Cómo han caído los poderosos[b]
y perecido las armas de
guerra!”.

2 Y después de esto aconteció
que David procedió a inquirir de Jehová,[c] diciendo: “¿Subiré a una de las ciudades de
Judá?”. Ante esto, Jehová le dijo:
“Sube”. Y David pasó a decir:
“¿Adónde subiré?”. Entonces él
dijo: “A Hebrón”.[d] 2 Por lo
tanto David subió allá, y también sus dos esposas, Ahinoam[e]
la jezreelita y Abigail[f] la esposa de Nabal el carmelita. 3 Y
a los hombres[g] que estaban con
él David los hizo subir, a cada
uno con su casa; y se pusieron a
morar en las ciudades [del terri-
torio] de Hebrón. 4 Entonces
vinieron los hombres de Judá[h] y
ungieron[i] allí a David por rey sobre la casa de Judá.[j]
Y vinieron a informar a David, diciendo: “Los hombres de
Jabés-galaad fueron los que enterraron a Saúl”. 5 Por eso
David envió mensajeros a los
hombres de Jabés-galaad[k] y les
dijo: “Benditos sean ustedes de
Jehová,[l] porque ejercieron esta
bondad amorosa[m] para con su
señor, para con Saúl, por cuanto
lo enterraron.[n] 6 Y ahora ejerza Jehová para con ustedes bondad amorosa[o] y confiabilidad, y
yo también les haré esta bondad,
porque han hecho esta cosa.[p]
7 Y ahora que sus manos se fortalezcan, y muéstrense hombres
valientes,[q] porque su señor Saúl
está muerto, y yo mismo soy
aquel a quien la casa de Judá ha
ungido por rey[r] sobre ellos”.
8 En cuanto a Abner[s] hijo de
Ner, el jefe del ejército que había
pertenecido a Saúl, él tomó a Is-

CAP. 1
a 1Sa 20:36
1Sa 31:3
2Sa 1:22
b Jos 10:13
c 1Sa 31:8
Lam 2:1
d Dt 32:27
1Sa 31:9
e Jos 13:3
Jue 16:23
1Sa 6:17
f Dt 28:37
g 1Sa 31:1
1Cr 10:1
h Le 27:16
i Isa 21:5
j 1Sa 18:4
1Sa 20:20
k 1Sa 14:47
l 1Sa 18:1
m 1Sa 31:6
1Cr 10:6
n Job 9:26
Jer 4:13
Lam 4:19
Hab 1:8
o Jue 14:18
Pr 30:30
p Gé 24:53
q 2Sa 1:19
r 1Sa 31:8
2Sa 1:19
s 1Sa 18:1

2.ª col.
a Rut 1:17
1Sa 18:3
1Sa 19:2
1Sa 20:17
1Sa 20:41
1Sa 23:16
Pr 17:17
Pr 18:24
b 2Sa 1:19

CAP. 2
c Nú 27:21
Jue 1:1
1Sa 28:6
1Sa 30:8
d Gé 23:2
Nú 13:22
Jos 14:14
Jos 20:7
Jos 21:11
Jos 21:12
1Sa 30:31
2Sa 5:1
1Re 2:11
e 1Sa 25:43
1Sa 30:5
f 1Sa 25:42
g 1Sa 22:2
1Sa 27:2
1Cr 12:1
h Gé 49:10
2Sa 19:11
2Sa 19:42
i 1Sa 16:13
j 1Sa 15:28
2Sa 5:5
1Cr 11:3
k 1Sa 31:11
l Rut 3:10
m 1Sa 15:6
Pr 19:22
Os 6:6
Miq 6:8
n 1Sa 31:13
o 2Sa 15:20
Sl 40:11
Sl 57:3

p 2Sa 9:7; 2Sa 10:2; Pr 11:10; q 2Sa 10:12; r Gé 49:10; 2Sa 2:4; s 1Sa 14:50; 1Sa 17:55; 1Sa 26:5; 2Sa 4:1; 1Re 2:5; 1Cr 26:28.

bóset,[a] hijo de Saúl, y procedió a hacerlo pasar a Mahanaim,[b] 9 y a hacerlo rey sobre Galaad[c] y los asuritas y Jezreel[d] y sobre Efraín[e] y Benjamín[f] y sobre Israel, todo ello. 10 Cuarenta años de edad tenía Is-bóset hijo de Saúl cuando llegó a ser rey sobre Israel, y por dos años reinó. Solo los de la casa de Judá[g] resultaron ser seguidores de David. 11 Y el número de los días en que David resultó ser rey en Hebrón sobre la casa de Judá llegó a ser siete años y seis meses.[h]

12 Con el tiempo, Abner hijo de Ner y los siervos de Is-bóset hijo de Saúl salieron de Mahanaim[i] para Gabaón.[j] 13 En cuanto a Joab[k] hijo de Zeruyá[l] y los siervos de David, ellos salieron y más tarde se encontraron junto al estanque de Gabaón; y se quedaron sentados, estos de este lado del estanque y aquellos de aquel lado del estanque. 14 Por fin Abner dijo a Joab: "Que se levanten los jóvenes, por favor, y lleven a cabo un combate delante de nosotros". A lo que dijo Joab: "Que se levanten". 15 De modo que se levantaron y pasaron en número contado, doce pertenecientes a Benjamín y a Is-bóset[m] hijo de Saúl, y doce de los siervos de David. 16 Y empezaron a agarrarse los unos de los otros por la cabeza, con la espada de cada uno en el costado del otro, de modo que cayeron juntos. Y llegó a llamarse aquel lugar Helqat-hazurim, que está en Gabaón.[n]

17 Y el combate se hizo duro en extremo en aquel día, y Abner[o] y los hombres de Israel por fin fueron derrotados delante de los siervos de David. 18 Ahora bien, se hallaban allí los tres hijos de Zeruyá:[p] Joab[q] y Abisai[r] y Asahel;[s] y Asahel era ligero de pies, como una de las gacelas[t] que están en el campo abierto. 19 Y Asahel se fue corriendo tras Abner, y no se inclinó a ir a la derecha ni a la izquierda de

seguir a Abner. 20 Por fin Abner miró detrás de sí y dijo: "¿Eres tú, Asahel?", a lo que él dijo: "Yo soy". 21 Entonces le dijo Abner: "Dirígete a tu derecha o a tu izquierda y prende a uno de los jóvenes por tuyo y toma como tuyo lo que le despojes".[a] Y Asahel no quiso desviarse de seguirlo. 22 Por lo tanto Abner volvió a decir a Asahel: "Desvíate de seguirme. ¿Por qué debo derribarte en tierra?[b] ¿Cómo podría yo entonces alzar mi rostro a Joab tu hermano?". 23 Pero él siguió rehusando desviarse; y Abner logró herirlo en el abdomen[c] con el cuento de la lanza, de modo que la lanza le salió por la espalda; y cayó allí y murió donde estaba. Y aconteció que todos los que llegaban al lugar donde Asahel cayó y entonces murió se detenían.[d]

24 Y Joab y Abisai se fueron corriendo tras Abner. Al ponerse el sol ellos mismos llegaron a la colina de Amá, que está enfrente de Guíah, en el camino al desierto de Gabaón.[e] 25 Y los hijos de Benjamín fueron juntándose detrás de Abner, y llegaron a ser una sola compañía, y se quedaron parados sobre la cima de una colina. 26 Y Abner empezó a gritar a Joab y decir: "¿Va a comer[f] perpetuamente la espada? ¿No sabes tú realmente que lo que se desarrollará por fin es amargura?[g] ¿Hasta cuándo, pues, no dirás al pueblo que se vuelva de seguir a sus hermanos?".[h] 27 Ante eso, Joab dijo: "Tan ciertamente como que vive el Dios [verdadero],[i] si no hubieras hablado,[j] entonces solo por la mañana habría sido retirada la gente, cada uno de seguir a su hermano".[j] 28 Joab ahora tocó el cuerno,[k] y toda la gente hizo alto y no continuó corriendo más tras Israel, y no volvieron más a la pelea.

29 En cuanto a Abner y sus hombres, ellos marcharon por el Arabá[l] toda aquella noche y fue-

CAP. 2

a 2Sa 3:7
  2Sa 4:5
  2Sa 4:12
b Gé 32:2
  Jos 13:30
  2Sa 17:24
c Nú 32:2
  Jos 13:11
  Jos 19:18
e Jos 16:5
f Jos 18:11
g 2Sa 2:4
h 2Sa 5:5
  1Re 2:11
  1Cr 3:4
  1Cr 29:27
i 2Sa 2:8
j Jos 10:1
  Jos 10:12
  Jos 18:25
  Jos 21:17
  2Sa 20:8
  1Re 3:5
  1Cr 14:16
  2Cr 1:3
  Isa 28:21
k 2Sa 8:16
  2Sa 20:23
  1Re 1:7
l 1Cr 2:16
m 2Sa 2:8
n 2Sa 2:12
o 2Sa 2:8
p 1Cr 2:16
q 2Sa 10:7
  2Sa 18:2
  2Sa 24:2
  1Re 11:15
  1Cr 11:6
r 1Sa 26:6
  2Sa 10:10
  2Sa 20:6
  1Cr 11:20
  1Cr 19:11
s 2Sa 3:27
  2Sa 23:24
  1Cr 11:26
  1Cr 27:7
t 1Cr 12:8
  Can 2:17
  Can 8:14

2.ª col.

a Jue 14:19
  2Cr 20:25
b Pr 29:1
  Ec 6:10
c 2Sa 3:27
  2Sa 4:6
  2Sa 20:10
d 2Sa 20:12
e 2Sa 2:12
f 2Sa 11:25
  Isa 1:20
  Jer 2:30
  Jer 12:12
  Jer 46:10
g Pr 17:14
h Hch 7:26
i 1Sa 25:26
  1Re 2:24
  2Re 2:2
j Pr 20:18
  Lu 14:31
k 1Sa 13:3
  2Sa 18:16
  2Sa 20:22
l Dt 1:7
  Jos 12:3

ron cruzando el Jordán[a] y marchando por toda la barranca, y por fin llegaron a Mahanaim.[b] 30 En cuanto a Joab, él se volvió de seguir a Abner y empezó a juntar a toda la gente. Y de los siervos de David faltaban diecinueve hombres y Asahel. 31 Y los siervos de David, por su parte, habían derribado a aquellos de Benjamín y de los hombres de Abner... hubo trescientos sesenta hombres que murieron.[c] 32 Y procedieron a llevar a Asahel[d] y a enterrarlo en la sepultura de su padre,[e] que está en Belén.[f] Entonces Joab y sus hombres siguieron marchando toda la noche, y les amaneció en Hebrón.[g]

3 Y la guerra entre la casa de Saúl y la casa de David llegó a ser muy prolongada;[h] y David siguió haciéndose más fuerte,[i] y la casa de Saúl siguió declinando más y más.[j]

2 Entretanto, a David le nacieron hijos[k] en Hebrón,[l] y su primogénito llegó a ser Amnón,[m] de Ahinoam[n] la jezreelita. 3 Y su segundo fue Kileab,[o] de Abigail[p] la esposa de Nabal el carmelita, y el tercero fue Absalón,[q] hijo de Maacá, hija de Talmai[r] el rey de Guesur. 4 Y el cuarto fue Adonías,[s] hijo de Haguit,[t] y el quinto fue Sefatías,[u] hijo de Abital. 5 Y el sexto fue Itream,[v] de Eglá, esposa de David. Estos fueron los que le nacieron a David en Hebrón.

6 Y mientras la guerra seguía entre la casa de Saúl y la casa de David, aconteció que Abner[w] mismo de continuo estaba fortaleciendo su posición en la casa de Saúl. 7 Ahora bien, Saúl había tenido una concubina cuyo nombre era Rizpá,[x] hija de Ayá.[y] Más tarde Is-bóset[z] dijo a Abner: "¿Por qué tuviste relaciones con la concubina[a] de mi padre?". 8 Y Abner se encolerizó[b] mucho a causa de las palabras de Is-bóset y pasó a decir: "¿Soy yo cabeza de perro[c]

que pertenezca a Judá? Hoy sigo ejerciendo bondad amorosa para con la casa de Saúl tu padre, a los hermanos de él y a sus amigos personales, y no he dejado que te halles en la mano de David; y sin embargo hoy me llamas a cuentas por un error respecto a una mujer. 9 Así haga Dios a Abner y así añada a ello,[a] si, tal como Jehová juró a David,[b] no es como yo le haré, 10 para trasladar el reino de la casa de Saúl y para establecer el trono de David sobre Israel y sobre Judá desde Dan hasta Beerseba".[c] 11 Y él no pudo decir una palabra más en respuesta a Abner, porque le tenía miedo.[d]

12 Por consiguiente, en el acto Abner envió mensajeros a David que dijeron: "¿A quién pertenece el país?", y añadieron: "Celebra conmigo tu pacto, sí, y, ¡mira!, mi mano estará contigo para volver a tu lado a todo Israel".[e] 13 A lo cual él dijo: "¡Bien! Yo mismo celebraré contigo un pacto. Solo una cosa hay que te pido, diciendo: 'No puedes verme el rostro[f] a menos que primero traigas a Mical,[g] hija de Saúl, cuando vengas a ver mi rostro'". 14 Además, David envió mensajeros a Is-bóset,[h] hijo de Saúl, diciendo: "Entrégame mi esposa Mical, sí, a quien comprometí conmigo por cien prepucios[i] de los filisteos". 15 De modo que Is-bóset envió y se la quitó a su esposo, Paltiel[j] hijo de Lais. 16 Pero su esposo siguió andando con ella, llorando mientras anduvo en pos de ella hasta Bahurim.[k] Entonces le dijo Abner: "¡Anda, vuélvete!". Ante esto, se volvió.

17 Entretanto, Abner había llegado a realizar comunicación con los ancianos de Israel, y dijo: "Tanto ayer como antes de eso[l] ustedes resultaron estar buscando a David por rey sobre us-

CAP. 2
a Gé 32:10
  Jos 4:1
b Gé 32:2
  Jos 21:38
  1Re 17:24
c 2Sa 2:26
d 2Sa 2:18
  1Cr 2:15
  1Cr 2:16
e Gé 47:30
  Jue 8:32
  Jue 16:31
  2Sa 17:23
  2Sa 19:37
f Gé 35:19
  Jue 17:7
  Rut 1:19
  Rut 4:11
  1Sa 16:1
g 2Sa 2:1
  2Sa 2:3
  1Cr 11:1

CAP. 3
h 1Re 14:30
i 1Re 15:16
  1Sa 15:28
  1Sa 24:20
  1Sa 26:25
  Job 17:9
j 2Sa 2:17
k Sl 127:3
l 1Cr 3:4
m 2Sa 13:1
  1Sa 25:43
o 1Cr 3:1
p 1Sa 25:42
q 2Sa 15:12
r 2Sa 13:37
s 1Re 1:5
t 1Cr 3:2
u 1Cr 3:3
v 1Cr 3:3
w 2Sa 2:8
x 2Sa 21:8
y 2Sa 21:11
z 2Sa 2:10
a 2Sa 16:21
  2Sa 16:22
  1Re 2:22
  Pr 9:7
b Pr 9:8
c 1Sa 17:43
  1Sa 24:14
  2Sa 16:9

2.a col.
a Rut 1:17
  1Sa 3:17
  1Sa 14:44
  1Sa 15:28
  2Sa 18:17
  1Cr 12:23
  Sl 78:70
  Sl 89:20
c Jue 20:1
  2Sa 17:11
  2Sa 24:2
  1Re 4:25
d 2Sa 3:39
  Pr 29:25
e 2Sa 5:3
  1Cr 11:3
  Hch 13:22
f Gé 43:3
  Gé 44:26
g 1Sa 18:20
  1Sa 18:27
  1Sa 19:11
  1Sa 25:44
  1Cr 15:29

h 2Sa 2:10; i 1Sa 18:25; 1Sa 18:27; j 1Sa 25:44;
k 2Sa 16:5; 2Sa 17:18; 1Re 2:8; l 2Sa 5:2; 1Cr 11:2.

tedes. 18 Y ahora actúen, porque Jehová mismo dijo a David: 'Por la mano de David[a] mi siervo salvaré a mi pueblo Israel de la mano de los filisteos y de la mano de todos sus enemigos'". 19 Entonces Abner también habló a oídos de Benjamín,[b] después de lo cual Abner también fue a hablar a oídos de David en Hebrón todo lo que era bueno a los ojos de Israel y a los ojos de toda la casa de Benjamín.

20 Cuando Abner vino a David, en Hebrón, y con él veinte hombres, David procedió a hacer un banquete[c] para Abner y los hombres que estaban con él. 21 Entonces Abner dijo a David: "Déjame levantarme e ir y juntar a todo Israel a mi señor el rey, para que celebren contigo un pacto, y ciertamente llegarás a ser rey sobre todo lo que tu alma desee con vehemencia".[d] Así que David envió a Abner, y él procedió a irse en paz.[e]

22 Y sucedió que los siervos de David, y Joab, venían de una incursión, y era abundante el despojo[f] que traían consigo. En cuanto a Abner, él no estaba con David en Hebrón, porque este lo había enviado, y seguía su camino en paz. 23 Y entraron Joab[g] y todo su ejército que estaba con él, y entonces se dio informe a Joab, diciendo: "Abner[h] hijo de Ner[i] vino al rey, y él procedió a enviarlo, y va por su camino en paz". 24 De modo que Joab entró a donde el rey y dijo: "¿Qué has hecho?[j] ¡Mira! Abner ha venido a ti. ¿Por qué lo enviaste de modo que se fue con éxito? 25 Tú conoces bien a Abner hijo de Ner, que para embaucarte vino, y para enterarse de tu salida y de tu entrada[k] y para enterarse de todo lo que estás haciendo".[l]

26 Con eso, Joab salió de delante de David y envió mensajeros tras Abner, y ellos entonces lo hicieron volver[m] de la cisterna de Sirá; y David mismo no supo de ello. 27 Cuando Abner volvió a Hebrón,[a] Joab entonces lo condujo aparte, dentro de la puerta, para hablar con él en quietud.[b] Sin embargo, allí lo hirió en el abdomen,[c] de modo que él murió, a causa de la sangre de Asahel[d] su hermano. 28 Cuando David lo oyó después, dijo en seguida: "Yo y mi reino, desde el punto de vista de Jehová, somos inocentes para tiempo indefinido de culpa de sangre[e] por Abner hijo de Ner. 29 ¡Que vuelva remolineando sobre la cabeza[f] de Joab y sobre toda la casa de su padre, y no sea cortado de la casa de Joab[g] hombre que padezca flujo,[h] o leproso,[i] u hombre que asga el huso giratorio,[j] o uno que caiga a espada, o uno que tenga necesidad de pan!".[k] 30 En cuanto a Joab y Abisai[l] su hermano, ellos mataron a Abner[m] por el hecho de que él había dado muerte a Asahel el hermano de ellos en Gabaón, en la batalla.[n]

31 Entonces David dijo a Joab y a toda la gente que estaba con él: "Rasguen sus prendas de vestir[o] y átense saco[p] y plañan delante de Abner". Hasta el rey David iba andando detrás del lecho. 32 Y el entierro de Abner se efectuó en Hebrón; y el rey empezó a alzar la voz y llorar junto a la sepultura de Abner, y todo el pueblo se entregó al llanto.[q] 33 Y el rey pasó a salmodiar sobre Abner y a decir:

"¿Como con la muerte de una persona insensata[r] debía morir Abner?
34 Tus manos no habían sido [manos] atadas,[s]
    y tus pies no habían sido puestos en grilletes de cobre.[t]
    Como quien cae delante de los hijos de la injusticia[u] has caído tú".

Ante eso, todo el pueblo volvió a llorar[v] por él.

CAP. 3
a 1Sa 13:14
  1Sa 15:28
  1Sa 16:1
  1Sa 16:13
  Sl 89:3
  Sl 89:20
  Sl 132:17
  Heb 13:22
b 1Sa 10:20
  1Sa 10:21
  1Cr 12:29
c Ge 26:30
d Dt 14:26
  Jer 11:37
  Sl 20:4
e Ro 12:18
f 1Sa 30:22
  1Sa 30:24
g 2Sa 8:16
h 1Sa 14:50
  1Sa 20:25
  2Sa 2:8
  2Sa 2:22
i 1Sa 14:51
j 2Sa 19:6
k Núm 17:17
  Dt 28:6
  1Sa 29:6
  Sl 121:8
l Os 42:12
  Ge 42:16
m Pr 26:24

2.ª col.

a 2Sa 2:1
  2Sa 3:20
b Sl 55:21
  Pr 26:23
  Pr 26:25
c Dt 27:24
  1Re 2:5
d 2Sa 2:22
  2Sa 2:23
e Gé 4:10
  Ex 21:12
  Nú 35:21
  Nú 35:33
  2Sa 2:24
f Dt 32:43
  Jue 9:57
  2Sa 1:16
  Jer 2:37
  Sl 7:16
  Sl 55:23
  Sl 94:23
  Pr 5:22
  Pr 28:17
g Ex 34:7
  1Sa 5:6
  Nú 5:2
i Le 13:44
  2Re 5:27
j Le 21:18
k Dt 27:24
  Sl 109:10
l 2Sa 2:24
m 2Sa 2:8
  2Sa 2:14
  2Sa 3:27
n Le 19:18
  2Sa 2:23
  Ro 12:19
o Jos 7:6
  2Sa 1:11
p Gé 37:34
  2Re 19:1
q 1Sa 30:4
  2Sa 1:12
r 2Sa 13:13
s Sl 107:10
t Jue 16:21

u 1Re 2:32; v Ec 7:2.

35 Más tarde, toda la gente vino a dar a David pan[a] para consolación mientras todavía era aquel día, pero David juró, y dijo: "¡Así me haga Dios[b] y así añada a ello, si antes de ponerse el sol[c] pruebo yo pan o cosa alguna!". 36 Y todo el pueblo mismo lo notó, y fue bueno a sus ojos. Como todo lo que hacía el rey, fue bueno a los ojos de todo el pueblo.[d] 37 Y toda la gente y todo Israel llegó a saber aquel día que no había provenido del rey el dar muerte a Abner hijo de Ner.[e] 38 Y el rey pasó a decir a sus siervos: "¿No saben que es un príncipe y un gran personaje el que ha caído el día de hoy en Israel?[f] 39 Y hoy yo soy débil, aunque ungido[g] por rey, y estos hombres, los hijos de Zeruyá,[i] son demasiado severos para mí.[i] Pague Jehová al hacedor de lo malo conforme a su propia maldad".[j]

4 Cuando el hijo[k] de Saúl oyó que Abner había muerto en Hebrón,[l] entonces se le debilitaron las manos,[m] y todos los israelitas mismos se perturbaron. 2 Y había dos hombres, jefes de las partidas merodeadoras,[n] que pertenecían al hijo de Saúl; el nombre de uno era Baanah y el nombre del otro Recab, hijos de Rimón el beerotita, de los hijos de Benjamín; porque Beerot,[o] también, solía contarse como parte de Benjamín. 3 Y los beerotitas se fueron huyendo a Guitaim,[p] y llegaron a ser residentes forasteros allí hasta el día de hoy.

4 Ahora bien, Jonatán,[q] hijo de Saúl, tenía un hijo lisiado de los pies.[r] Cinco años de edad tenía este cuando el informe acerca de Saúl y Jonatán vino de Jezreel;[s] y su nodriza empezó a llevarlo y a huir, pero aconteció que, como ella estaba corriendo en pánico para huir, él entonces cayó y quedó cojo. Y su nombre era Mefibóset.[t]

5 Y los hijos de Rimón el beerotita, Recab y Baanah, procedieron a ir y venir a la casa de Is-bóset[a] más o menos cuando se había hecho caluroso el día, al tiempo que él estaba durmiendo su siesta del mediodía. 6 Y he aquí que entraron hasta el centro de la casa como hombres que venían a buscar trigo, y luego lo hirieron en el abdomen;[b] y Recab y Baanah[c] su hermano escaparon sin ser descubiertos. 7 Cuando entraron en la casa, allí estaba acostado sobre su lecho en su alcoba interior, y entonces lo hirieron de modo que lo hicieron morir,[d] después de lo cual le quitaron la cabeza[e] y tomaron su cabeza y anduvieron por el camino del Arabá toda la noche. 8 Por fin llegaron llevando la cabeza de Is-bóset[f] a David, a Hebrón, y dijeron al rey: "Aquí está la cabeza de Is-bóset hijo de Saúl, tu enemigo[g] que buscaba tu alma;[h] pero Jehová da a mi señor el rey desquite[i] el día de hoy contra Saúl y su prole".

9 Sin embargo, David contestó a Recab y a Baanah su hermano, hijos de Rimón el beerotita, y les dijo: "Tan ciertamente como que vive Jehová[j] que ha redimido[k] mi alma[l] de toda angustia,[m] 10 cuando hubo uno que me hizo el informe,[n] diciendo: 'He aquí que Saúl está muerto', y él mismo se hizo a sus propios ojos como portador de buenas noticias, yo, sin embargo, le eché mano y lo maté[o] en Ziqlag cuando [de parte mía] era debido darle albricias de mensajero; 11 ¿con cuánta más razón cuando hombres inicuos[p] mismos han matado a un hombre justo en su propia casa sobre su cama? Y ahora, ¿no debería yo requerir de manos de ustedes la sangre de él,[q] y no tengo yo que eliminarlos de la tierra?". 12 Con eso, David dio orden a los jóvenes, y ellos los mataron[s] y les cortaron las manos y los

CAP. 3
a Jer 16:7
Eze 24:17
b Rut 1:17
c Jue 20:26
2Sa 1:12
d 2Sa 2:10
e 2Sa 3:28
1Re 2:5
f 1Sa 14:50
2Sa 2:8
2Sa 3:12
g 2Sa 2:4
h 1Cr 2:16
i 2Sa 19:13
2Sa 20:10
2Sa 20:23
j 2Sa 3:29
1Re 2:6
1Re 2:34
Sl 28:4
Sl 62:12
Gál 6:7

CAP. 4
k 2Sa 2:8
2Sa 3:7
l 2Sa 3:27
m 2Sa 17:2
Esd 4:4
Isa 13:7
n 2Re 5:2
2Re 6:23
o Jos 9:17
Jos 18:25
p Ne 11:33
q 1Sa 20:16
r 2Sa 9:3
s 1Sa 29:1
1Sa 29:11
t 2Sa 9:13
1Cr 8:34
1Cr 9:40

2.ª col.
a 2Sa 2:8
2Sa 3:7
b 2Sa 2:23
2Sa 3:27
2Sa 20:10
c 2Sa 4:2
d 2Cr 24:25
2Cr 33:24
e 1Sa 17:54
1Sa 31:9
2Re 10:6
Mr 6:28
f 2Sa 2:10
g 1Sa 18:11
1Sa 18:29
1Sa 19:2
h 1Sa 20:1
1Sa 20:33
1Sa 23:15
i Dt 32:35
2Sa 22:48
Ro 12:19
j 1Sa 20:3
k 1Sa 24:12
1Sa 26:25
2Sa 12:7
l Sl 71:23
m 1Re 1:29
n 2Sa 1:2
o 2Sa 1:15
p 2Sa 4:5
1Re 8:32
q Gé 9:6
Éx 21:12
Nú 35:16
Nú 35:30
r Éx 9:15; Sl 109:15; s 2Sa 1:15; Sl 55:23.

pies, y los colgaron[a] junto al estanque de Hebrón; y tomaron la cabeza de Is-bóset y entonces la enterraron en la sepultura de Abner, en Hebrón.[b]

5 Con el tiempo todas las tribus de Israel vinieron a David,[c] en Hebrón,[d] y dijeron: "¡Mira! Nosotros mismos somos hueso tuyo y carne tuya.[e] 2 Tanto ayer como antes de eso,[f] mientras Saúl se hallaba como rey sobre nosotros, tú mismo llegaste a ser quien hacía salir a Israel y lo hacía entrar.[g] Y Jehová procedió a decirte: 'Tú mismo pastorearás[h] a mi pueblo Israel, y tú mismo llegarás a ser caudillo[i] sobre Israel' ". 3 Así que todos los ancianos[j] de Israel vinieron al rey, en Hebrón, y el rey David celebró un pacto[k] con ellos en Hebrón delante de Jehová; después de lo cual ellos ungieron[l] a David por rey sobre Israel.[m]

4 Treinta años de edad tenía David cuando llegó a ser rey. Por cuarenta años[n] reinó. 5 En Hebrón reinó sobre Judá por siete años y seis meses;[o] y en Jerusalén[p] reinó por treinta y tres años sobre todo Israel y Judá. 6 Por consiguiente, el rey y sus hombres fueron a Jerusalén contra los jebuseos[q] que habitaban la tierra, y ellos empezaron a decir a David: "No entrarás tú aquí, sino que los ciegos y los cojos ciertamente te rechazarán",[r] pues ellos pensaban: "David no entrará aquí". 7 A pesar de eso, David procedió a tomar la fortaleza de Sión,[s] es decir, la Ciudad de David.[t] 8 Así que David dijo en aquel día: "¡Cualquiera que hiera a los jebuseos,[u] encuéntrese, por medio del túnel del agua,[v] tanto con los cojos como con los ciegos, odiosos al alma de David!". Por eso dicen: "El ciego y el cojo no entrarán en la casa". 9 Y David se puso a morar en la fortaleza, y se le llegó a llamar la Ciudad de David; y David empezó a

edificar todo en derredor, desde el Montículo[a] y hacia dentro. 10 Así David siguió haciéndose cada vez más grande,[b] y Jehová el Dios de los ejércitos[c] estaba con él.[d]

11 E Hiram[e] el rey de Tiro procedió a enviar mensajeros[f] a David, y también árboles de cedro[g] y trabajadores en [obras de] madera y trabajadores en [obras de] piedra para muros, y empezaron a edificar una casa para David.[h] 12 Y David llegó a saber que Jehová lo había establecido firmemente como rey sobre Israel[i] y que había ensalzado[j] su reino por causa de su pueblo Israel.[k]

13 Entretanto, David siguió tomando más concubinas[l] y esposas[m] de Jerusalén después que vino de Hebrón; y continuaron naciéndole a David más hijos e hijas. 14 Y estos son los nombres de los que le nacieron en Jerusalén: Samúa[n] y Sobab[o] y Natán[p] y Salomón,[q] 15 e Ibhar y Elisúa[r] y Néfeg[s] y Jafía,[t] 16 y Elisamá[u] y Eliadá y Elifélet.[v]

17 Y los filisteos llegaron a oír que se había ungido a David por rey sobre Israel.[w] Ante eso, todos los filisteos subieron para buscar a David. Cuando David lo oyó, entonces bajó al lugar de difícil acceso.[x] 18 Y los filisteos, por su parte, entraron y se pusieron a andar a paso fuerte en la llanura baja de Refaím.[y] 19 Y David empezó a inquirir[z] de Jehová, diciendo: "¿Subo contra los filisteos? ¿Los darás en mi mano?". Ante esto, Jehová dijo a David: "Sube, porque sin falta daré a los filisteos en tus manos".[a] 20 De modo que David vino a Baal-perazim,[b] y David logró derribarlos allí. Por lo cual dijo: "Jehová ha irrumpido a través de mis enemigos[c] delante de

CAP. 4
a Dt 21:22
b 2Sa 3:32

CAP. 5
c 1Cr 11:1
 1Cr 12:23
d 2Sa 2:1
 2Sa 2:11
e Gé 29:14
 Dt 17:15
 Jue 9:2
 2Sa 19:12
f 2Sa 3:17
g Nú 27:17
 1Sa 18:13
 1Sa 25:28
 1Sa 16:1
 2Sa 7:7
 Sl 78:71
i Gé 49:10
 2Sa 25:30
 2Sa 6:21
 2Sa 7:8
 1Cr 28:4
j Éx 3:16
 1Cr 11:3
k 2Re 11:17
l 1Sa 16:13
 2Sa 2:4
m Hch 13:22
n 1Cr 29:27
 2Sa 2:11
p Gé 14:18
q Éx 23:23
 Jos 15:63
 Jue 1:8
 Jue 1:21
r Sl 5:5
s 1Cr 11:5
 1Re 13:28
 1Re 2:10
 Ne 12:37
u 1Cr 11:6
v 2Re 20:20
 2Cr 32:30

2.ᵃ col.
a 1Re 9:15
 1Re 9:24
 1Re 11:27
 1Re 9:24
 2Cr 32:5
b 1Sa 16:13
 2Sa 3:1
 Job 17:9
c 1Sa 17:45
d Sl 46:7
 Ro 8:31
e 1Re 5:1
 1Re 5:8
 1Cr 14:1
f 1Re 20:2
g 2Cr 2:3
h 2Sa 7:2
i 2Sa 7:16
 1Cr 14:2
 Sl 41:11
 Sl 89:21
j Sl 89:27
k 1Re 10:9
 1Cr 14:3
l Gé 25:6
 2Sa 15:16
 1Cr 3:9
m 1Cr 14:3
n 1Cr 14:4
o 1Cr 3:5
p Zac 12:12
 Lu 3:31
q 2Sa 12:24
r 1Cr 14:5

s 1Cr 14:6; t 1Cr 3:7; u 1Cr 14:7; v 1Cr 3:8; w 2Sa 5:3; 1Cr 14:8; Sl 2:2; x 1Sa 22:1; 1Sa 22:5; 1Sa 24:22; 1Sa 23:14; y Jos 15:8; 1Cr 11:15; 1Cr 14:9; Isa 17:5; z Nú 27:21; 1Sa 23:2; 2Sa 2:1; 1Cr 14:10; Pr 3:6; a Jue 20:28; 1Sa 30:8; b 1Cr 14:11; c 2Sa 22:41; Sl 29:2.

mí, como una brecha hecha por aguas". Por eso llamó a aquel lugar por nombre Baal-perazim.[a] 21 En consecuencia, ellos dejaron allí sus ídolos,[b] y David y sus hombres se los llevaron.[c]

22 Más tarde los filisteos volvieron a subir,[d] y anduvieron a paso fuerte en la llanura baja de Refaím.[e] 23 Ante esto, David inquirió[f] de Jehová, pero él dijo: "No debes subir. Da la vuelta a la zaga de ellos, y tienes que venir contra ellos enfrente de los arbustos *bekja*.[g] 24 Y suceda que, cuando oigas el sonido de un marchar en las copas de los arbustos *bekja*, actúa en ese tiempo con decisión,[h] porque en ese tiempo Jehová habrá salido delante de ti para derribar el campamento de los filisteos".[i] 25 Por lo tanto David lo hizo así, tal como le había mandado Jehová,[j] y fue derribando[k] a los filisteos desde Gueba[l] hasta Guézer.[m]

6 Y David procedió de nuevo a reunir a todos los hombres selectos de Israel,[n] treinta mil. 2 Entonces David y toda la gente que estaba con él se levantaron y fueron a Baale-judá[o] para hacer subir de allí el arca[p] del Dios [verdadero], donde se invoca un nombre, el nombre[q] de Jehová de los ejércitos,[r] sentado sobre los querubines.[s] 3 Sin embargo, hicieron que el arca del Dios [verdadero] viniera montada en un carruaje nuevo,[t] para llevarla de la casa de Abinadab,[u] que estaba en la colina; y Uzah y Ahió,[v] hijos de Abinadab, iban conduciendo el carruaje nuevo.

4 De modo que lo llevaron de la casa de Abinadab, que estaba en la colina... con el arca del Dios [verdadero]; y Ahió iba andando delante del Arca. 5 Y David y toda la casa de Israel venían celebrando delante de Jehová con toda suerte de instrumentos de madera de enebro y con arpas[w] y con instrumentos de cuerda[x] y

con panderetas[a] y con sistros y con címbalos.[b] 6 Y gradualmente llegaron hasta la era de Nacón, y Uzah[c] ahora alargó [la mano] al arca del Dios [verdadero] y la agarró,[d] porque las reses vacunas casi causaron un vuelco. 7 Ante aquello, la cólera de Jehová[e] se encendió contra Uzah, y el Dios [verdadero] lo derribó[f] allí por el acto irreverente, de modo que murió allí cerca del arca del Dios [verdadero].[g] 8 Y David se encolerizó debido a que Jehová había irrumpido en una ruptura contra Uzah, y a aquel lugar se le llegó a llamar Pérez-uzah hasta el día de hoy.[h] 9 Y a David le dio miedo de Jehová[i] en aquel día, y empezó a decir: "¿Cómo vendrá a mí el arca de Jehová?".[j] 10 Y David no quiso remover el arca de Jehová [y traerla] a sí, en la Ciudad de David.[k] De modo que David hizo que la llevaran aparte, a la casa de Obed-edom[l] el guitita.[m]

11 Y el arca de Jehová siguió morando en casa de Obed-edom el guitita tres meses; y Jehová siguió bendiciendo a Obed-edom y a toda su casa.[o] 12 Por fin se hizo el informe al rey David, diciendo: "Jehová ha bendecido la casa de Obed-edom y todo lo suyo por razón del arca del Dios [verdadero]". Por lo cual David procedió a ir y hacer sacar y subir el arca del Dios [verdadero] de la casa de Obed-edom a la Ciudad de David, con regocijo.[p] 13 Y acontecía que, cuando los portadores[q] del arca de Jehová habían marchado seis pasos, él sacrificaba inmediatamente un toro y un [animal] cebado.[r]

14 Y David iba danzando en derredor delante de Jehová con todo su poder, y David estaba ceñido con un efod[s] de lino. 15 Y David y toda la casa de Is-

---

CAP. 5

a 1Cr 14:11
Isa 28:21
b 1Sa 31:9
Sl 115:7
Isa 2:20
Hab 2:18
1Co 8:4
c Dt 7:5
Dt 7:25
1Cr 14:12
d 1Cr 14:13
e Jos 15:8
2Sa 5:18
1Cr 11:15
f 1Sa 30:8
2Sa 5:19
Pr 3:5
g 1Cr 14:14
Sl 84:6
h Jue 7:15
Jer 48:10
i 1Cr 14:15
1Cr 14:16
1Ñ 19:4
k Le 26:7
1 Jos 18:24
m Jos 16:10

CAP. 6

n 2Sa 5:1
1Re 8:1
1Cr 13:1
o 1Sa 7:2
1Cr 13:6
q Éx 6:3
Le 24:11
Isa 42:8
r Dt 20:4
1Sa 1:3
1Sa 15:2
1Re 18:15
1Cr 17:24
s Éx 25:22
1Sa 4:4
Sl 80:1
t Éx 25:14
Nú 7:9
Jos 3:14
u 1Sa 7:1
v 1Cr 13:7
w 1Sa 16:16
x 1Sa 10:5
Sl 150:3

2.ª col.

a Éx 15:20
Sl 150:4
b 1Cr 13:8
Sl 150:5
c 1Cr 13:9
d Nú 4:15
Nú 4:19
Nú 4:20
1Cr 15:2
Pr 11:2
Pr 21:24
e Nú 12:9
2Re 24:20
f Le 10:2
1Sa 6:19
g 1Cr 13:10
h 1Cr 13:11
i 1Sa 6:20
Sl 119:120
j 1Cr 13:12
k 2Sa 5:7
1 1Cr 13:14
1Cr 15:25
m 1Cr 13:13

n Gé 30:27; Gé 39:5; Pr 10:22; Mal 3:10; o 1Cr 13:14; p 1Cr 15:25; 3Ñ 24:7; Sl 68:24; q Nú 4:15; Nú 7:9; Jos 3:3; 1Cr 15:2; 1Cr 15:15; r 1Cr 15:26; s 1Sa 2:18; 1Cr 15:27.

rael venían subiendo el arca[a] de Jehová con gozosa gritería[b] y son de cuerno.[c] 16 Y sucedió que, cuando el arca de Jehová entró en la Ciudad de David, Mical[d] misma, hija de Saúl, miró por la ventana y llegó a ver al rey David saltando y danzando en derredor delante de Jehová; y empezó a despreciarlo[e] en su corazón.[f] 17 Así que introdujeron el arca de Jehová y la colocaron en su lugar dentro de la tienda que David había asentado para ella;[g] después de lo cual David ofreció sacrificios quemados[h] y sacrificios de comunión[i] delante de Jehová. 18 Cuando David hubo acabado de ofrecer los sacrificios quemados y los sacrificios de comunión, entonces bendijo[j] al pueblo en el nombre de Jehová[k] de los ejércitos. 19 Además, repartió proporcionalmente a todo el pueblo, a la entera muchedumbre de Israel, así a hombre como a mujer, a cada uno, una torta anular de pan y una torta de dátiles y una torta de pasas,[m] después de lo cual toda la gente se fue, cada uno a su propia casa.

20 David ahora se volvió para bendecir a su propia casa,[n] y Mical[o] hija de Saúl vino saliendo al encuentro de David, y entonces dijo: "¡Cuán glorioso se hizo hoy el rey de Israel[p] cuando se descubrió hoy a los ojos de las esclavas de sus siervos, tal como uno de los casquivanos se descubre completamente!".[q] 21 Ante esto, David dijo a Mical: "Fue delante de Jehová, que me escogió a mí más bien que a tu padre y toda su casa para ponerme al mando como caudillo sobre el pueblo de Jehová, Israel, y ciertamente celebraré delante de Jehová.[s] 22 Y ciertamente haré que se me estime en poco aun a mayor grado que esto,[t] y de veras me haré bajo a mis ojos; y con las esclavas a quienes tú mencionaste, con ellas estoy resuelto a glorificarme".[u] 23 Así que, en cuanto a Mical,[v] hija de Saúl,

no llegó a tener hijo alguno hasta el día de su muerte.

7 Y aconteció que, cuando el rey moraba en su propia casa[a] y Jehová mismo le había dado descanso de todos sus enemigos en derredor,[b] 2 entonces el rey dijo a Natán[c] el profeta: "Ve esto: yo moro en una casa de cedros[d] mientras el arca del Dios [verdadero] mora en medio de telas de tienda".[e] 3 Ante esto, Natán dijo al rey: "Todo lo que esté en tu corazón... anda, hazlo,[f] porque Jehová está contigo".

4 Y aquella noche aconteció que la palabra[g] de Jehová vino a Natán, y dijo: 5 "Ve, y tienes que decir a mi siervo David: 'Esto es lo que ha dicho Jehová: "¿Debes tú mismo edificarme una casa para que more en ella?[h] 6 Porque yo no he morado en una casa desde el día en que hice subir de Egipto a los hijos de Israel hasta el día de hoy,[i] sino que estuve andando[j] de continuo en una tienda[k] y en un tabernáculo.[l] 7 Durante todo el tiempo que he estado andando entre todos los hijos de Israel,[m] ¿hubo una palabra que hablara yo con una de las tribus de Israel[n] a las que mandé pastorear a mi pueblo Israel, diciendo: '¿Por qué no me han edificado ustedes una casa de cedros?' "'. 8 Y ahora esto es lo que dirás a mi siervo David: 'Esto es lo que ha dicho Jehová de los ejércitos: "Yo mismo te tomé del apacentadero, de seguir al rebaño,[o] para que llegaras a ser caudillo[p] sobre mi pueblo Israel. 9 Y resultaré estar contigo adondequiera que en efecto vayas,[q] y ciertamente cortaré a todos tus enemigos de delante de ti;[r] y ciertamente haré para ti un gran nombre,[s] como el nombre de los grandes que hay en la tierra. 10 Y cier-

---

CAP. 6

a Éx 37:1
Sl 132:8
b 1Cr 15:16
1Cr 15:28
Sl 47:1
c 2Cr 15:14
Sl 150:3
d 1Sa 14:49
1Sa 18:20
1Sa 18:27
2Sa 3:14
e 1Cr 15:29
f Jer 17:9
Mt 15:19
g 1Cr 15:1
1Cr 16:1
2Cr 1:4
h Le 1:3
i Le 3:1
Le 19:5
j 1Re 8:55
k 1Cr 16:2
l 2Sa 3:36
Heb 13:16
m 1Cr 16:3
n 1Cr 16:43
1Sa 18:27
p Sl 69:7
q Éx 22:28
1Cr 15:29
r 1Sa 13:14
1Sa 15:28
1Sa 16:1
1Sa 16:12
Hch 13:22
s 2Sa 6:5
2Sa 6:14
t Isa 51:7
Mt 5:11
u 1Sa 2:30
2Sa 5:13
Sl 127:3
v 1Sa 14:49
2Sa 6:16

2.ª col.

CAP. 7

a 1Cr 17:1
b Le 26:6
1Re 5:4
c 2Sa 12:1
1Cr 29:29
d 2Sa 5:11
1Cr 14:1
e 2Sa 6:17
1Cr 15:1
1Cr 16:1
f 1Re 8:17
1Cr 17:2
1Cr 28:2
g Nú 12:6
1Cr 17:3
Heb 1:1
h 1Re 5:3
1Re 8:19
1Cr 17:4
1Cr 28:3
i Jos 18:1
j Éx 33:14
Dt 23:14
k Éx 40:18
Éx 40:34
Hch 7:44
l 1Cr 17:5
m Le 26:12
n 1Cr 17:6
o 1Sa 16:11
1Cr 17:7
Sl 78:70

p 2Sa 5:2; 2Sa 6:21; 1Cr 28:4; Sl 78:71; q 1Sa 18:14; 2Sa 5:10; r Dt 28:7; 2Sa 22:1; Sl 18:37; s 1Sa 2:7; 1Cr 14:2; 1Cr 14:17; 1Cr 17:8; Ec 7:1.

tamente señalaré un lugar[a] para mi pueblo Israel y lo plantaré,[b] y realmente residirá donde está, y ya no se le perturbará; y los hijos de la injusticia no volverán a afligirlo como lo hicieron al principio,[c] 11 aun desde el día en que puse jueces[d] al mando sobre mi pueblo Israel; y ciertamente te daré descanso de todos tus enemigos.[e]

" ' "Y Jehová te ha declarado que una casa[f] es lo que Jehová hará para ti. 12 Cuando se cumplan tus días,[g] y tengas que yacer con tus antepasados,[h] entonces yo ciertamente levantaré tu descendencia después de ti, que saldrá de tus entrañas; y realmente estableceré con firmeza su reino.[i] 13 Él es el que edificará una casa para mi nombre,[j] y ciertamente estableceré el trono de su reino firmemente hasta tiempo indefinido.[k] 14 Yo mismo llegaré a ser su padre,[l] y él mismo llegará a ser mi hijo.[m] Cuando él haga mal, entonces ciertamente lo censuraré con la vara[n] de hombres y con los golpes de los hijos de Adán. 15 En cuanto a mi bondad amorosa, no se apartará de él como se la quité a Saúl,[o] a quien quité por motivo de ti. 16 Y tu casa y tu reino ciertamente serán estables hasta tiempo indefinido delante de ti; tu mismísimo trono llegará a ser un [trono] firmemente establecido hasta tiempo indefinido" ' ".[p]

17 Conforme a todas estas palabras y conforme a toda esta visión fue como Natán habló a David.[q]

18 Ante eso, el rey David entró y se sentó delante de Jehová y dijo: "¿Quién soy yo,[r] oh Señor Soberano Jehová? ¿Y qué es mi casa para que me hayas traído hasta aquí? 19 Como si esto aun fuera cosa pequeña a tus ojos, oh Señor Soberano Jehová, sin embargo, también hablas respecto a la casa de tu siervo hasta para un tiempo del futuro

lejano; y esta es la ley dada para la humanidad,[a] oh Señor Soberano Jehová.[b] 20 ¿Y qué más puede añadir David y hablarte, cuando tú mismo conoces bien a tu siervo,[c] oh Señor Soberano Jehová? 21 Por amor a tu palabra[d] y de acuerdo con tu propio corazón[e] has hecho todas estas cosas grandes para hacer que tu siervo las conozca.[f] 22 Por eso eres realmente grande,[g] oh Señor Soberano Jehová; porque no hay otro como tú,[h] y no hay Dios fuera de ti[i] entre todos aquellos acerca de quienes hemos oído con nuestros oídos. 23 ¿Y qué nación por sí en la tierra es como tu pueblo Israel,[j] a quien Dios fue a redimírselo como pueblo[k] y a asignarse un nombre[l] y a hacer para ellos cosas grandes e inspiradoras de temor[m]... a expulsar debido a tu pueblo —a quien te has redimido[n] de Egipto— a las naciones y sus dioses? 24 Y procediste a establecer a tu pueblo Israel[o] firmemente para ti como pueblo tuyo hasta tiempo indefinido; y tú mismo, oh Jehová, has llegado a ser su Dios.[p]

25 "Y ahora, Jehová Dios, la palabra que has hablado respecto a tu siervo y respecto a su casa, realízala hasta tiempo indefinido y haz tal como has hablado.[q] 26 Y llegue a ser grande tu propio nombre hasta tiempo indefinido,[r] y que se diga: 'Jehová de los ejércitos es Dios sobre Israel',[s] y que la mismísima casa de tu siervo David llegue a ser firmemente establecida delante de ti.[t] 27 Porque tú, Jehová de los ejércitos el Dios de Israel, has hecho una revelación al oído de tu siervo, diciendo: 'Una casa te edificaré'.[u] Por

CAP. 7

a Eze 20:6
b 1Cr 17:9
  Sl 80:8
c Jue 2:14
  Jue 3:4
  Sl 89:22
d Jue 2:16
e Dt 25:19
f 2Sa 7:27
  1Re 2:24
  1Cr 17:10
  1Cr 22:10
  Sl 89:4
g 1Re 2:1
  1Cr 17:11
  Hch 2:29
h Dt 31:16
  1Re 1:21
  Hch 13:36
i Gé 49:10
  1Re 8:20
  Sl 132:11
  Isa 9:7
j Isa 11:1
  Mt 21:9
  Mt 22:42
  Lu 1:32
  Jn 7:42
  Hch 2:30
j 1Re 5:5
  1Re 6:12
  1Cr 17:12
  1Cr 22:10
  Zac 6:13
  Heb 3:6
  1Pe 2:5
k 1Re 1:37
  1Cr 28:7
  Sl 89:4
  Sl 89:36
  Lu 1:33
l 1Cr 17:13
  1Cr 28:6
  Heb 1:5
m Mt 3:17
n Le 26:18
  1Re 8:46
  Sl 89:30
  Sl 89:32
  Jer 52:3
o 1Sa 15:23
p 2Sa 7:12
  1Cr 17:14
  Sl 45:6
  Sl 89:36
  Da 2:44
  Heb 1:8
  Rev 11:15
q 2Sa 7:4
  1Cr 17:15
  2Pe 1:21
r Gé 32:10
  1Sa 2:8
  1Sa 18:18
  1Cr 17:16
  Miq 6:8

2.ª col.

a 1Cr 17:17
b Gé 15:2
c 1Sa 16:7
  1Cr 17:18
  Sl 17:3
  Sl 139:1
  Heb 4:13
d Gé 49:10
  Nú 24:17
  Dt 9:5
  Jos 23:14
  Isa 55:11
  Lu 1:55
e 1Cr 17:19
f Sl 25:14
  Am 3:7
g Dt 3:24; 1Cr 16:25; Sl 86:10; Sl 96:4; h Éx 15:11; 18a 2:2; 1Cr 17:20; Sl 83:18; Sl 89:6; Jer 10:6; i Dt 4:35; Isa 45:5; 1Co 8:4; j Dt 4:7; 1Cr 17:21; Sl 147:20; k Éx 3:8; Éx 19:5; Isa 63:9; l Éx 9:16; m Dt 10:21; n Dt 9:26; Ne 1:10; o Dt 26:18; 1Cr 17:22; p Éx 15:2; q 1Cr 17:23; Sl 89:28; r 1Cr 17:24; 1Cr 29:11; Sl 72:19; Mt 6:9; Jn 12:28; s 2Sa 6:18; Isa 9:7; t Gé 49:10; Jer 33:22; u 2Sa 7:11.

eso tu siervo ha cobrado corazón para orarte con esta oración.[a] 28 Y ahora, oh Señor Soberano Jehová, tú eres el Dios [verdadero]; y en cuanto a tus palabras, resulten ser verdad,[b] ya que prometes a tu siervo este bien.[c] 29 Y ahora tómalo a tu cargo y bendice[d] la casa de tu siervo [para que esta] continúe hasta tiempo indefinido delante de ti;[e] porque tú mismo, oh Señor Soberano Jehová, has prometido, y debido a tu bendición sea bendita la casa de tu siervo hasta tiempo indefinido".[f]

8 Y después de aquello aconteció que David procedió a derribar a los filisteos[g] y a sojuzgarlos,[h] y David logró tomar de mano de los filisteos a Metegamá.

2 Y pasó a derribar a los moabitas[i] y a medirlos con un cordel, haciendo que se acostaran sobre la tierra, para medir dos cordeles para darles muerte, y un cordel completo para conservarlos vivos;[j] y los moabitas llegaron a ser siervos de David[k] para llevar tributo.[l]

3 Y David pasó a derribar a Hadadézer[m] hijo de Rehob el rey de Zobá[n] mientras este iba para poner de nuevo su control junto al río Éufrates.[o] 4 Y David logró capturar de él mil setecientos hombres de a caballo y veinte mil hombres de a pie;[p] y David procedió a desjarretar[q] todos los caballos de los carros,[r] pero dejó que quedaran de ellos cien caballos de carro.

5 Cuando Siria de Damasco vino para ayudar a Hadadézer el rey de Zobá, David entonces derribó entre los sirios a veintidós mil hombres.[t] 6 Además, David puso guarniciones[u] en Siria de Damasco; y los sirios llegaron a ser siervos de David para llevar tributo.[v] Y Jehová continuó salvando a David dondequiera que fue.[w] 7 Además, David tomó los escudos circulares[x] de oro que se hallaban sobre

los siervos de Hadadézer y los trajo a Jerusalén. 8 Y de Bétah y de Berotai, ciudades de Hadadézer, el rey David tomó cobre en muy grande cantidad.[a]

9 Ahora bien, Toi el rey de Hamat[b] llegó a oír que David había derribado toda la fuerza militar de Hadadézer.[c] 10 Por lo tanto Toi envió a Joram su hijo al rey David para preguntarle acerca de su bienestar[d] y felicitarlo por el hecho de que había peleado contra Hadadézer de tal manera que lo había derribado (pues Hadadézer había llegado a estar entrenado en guerrear contra Toi); y en su mano se hallaban objetos de plata y objetos de oro y objetos de cobre.[e] 11 Estos también los santificó el rey David a Jehová, junto con la plata y el oro que había santificado de todas las naciones que había sojuzgado;[f] 12 de Siria y de Moab[g] y de los hijos de Ammón y de los filisteos[h] y de Amaleq[i] y del despojo de Hadadézer hijo de Rehob el rey de Zobá.[j] 13 Y David procedió a hacer un nombre cuando volvió de derribar a los edomitas en el valle de la Sal[k]... dieciocho mil.[l] 14 Y mantuvo guarniciones colocadas en Edom.[m] En todo Edom colocó guarniciones, y todos los edomitas llegaron a ser siervos de David;[n] y Jehová siguió salvando a David dondequiera que fue.[o]

15 Y David siguió reinando sobre todo Israel;[p] y de continuo David ejecutaba decisión judicial y justicia[q] para todo su pueblo.[r] 16 Y Joab[s] hijo de Zeruyá estaba sobre el ejército, y Jehosafat[t] hijo de Ahilud era registrador. 17 Y Sadoc[u] hijo de Ahitub y Ahimélec[v] hijo de Abiatar eran sacerdotes, y Seraya era secretario. 18 Y Benaya[w] hijo

CAP. 7
a 1Cr 17:25
Sl 10:17
b Nú 23:19
1Re 2:4
Sl 89:35
Sl 132:11
Isa 55:11
Jn 17:17
Tit 1:2
c 1Cr 17:26
d 1Cr 17:27
e Sl 89:36
Sl 132:12
f 2Sa 22:51
Sl 72:17

CAP. 8
g Jos 13:2
2Sa 21:15
h 2Sa 22:18
i Nú 24:17
Jue 3:29
1Sa 14:47
j Dt 23:4
Dt 23:6
k 1Cr 18:2
l 2Re 3:4
2Cr 26:8
Sl 72:10
m Jue 18:3
n 1Sa 14:47
2Sa 10:6
1Re 11:23
Sl 60:Enc
o Gé 15:18
Éx 23:31
Dt 11:24
1Re 4:21
Sl 72:8
p 1Cr 18:4
q Jos 11:6
r Dt 17:16
Sl 20:7
Sl 33:17
s 1Re 11:24
Isa 7:8
t 1Cr 18:5
u 1Sa 13:3
v 1Cr 18:6
w Dt 7:24
2Sa 8:14
1Cr 18:13
x 1Cr 18:7
Lu 11:22

2.ª col.
a 1Cr 18:8
b 2Re 14:28
c 1Cr 18:9
d Gé 43:27
Isa 39:1
e 1Cr 18:10
f Jos 6:19
1Re 7:51
1Cr 18:11
1Cr 22:14
1Cr 26:27
g 2Sa 8:2
h 2Sa 8:1
i 1Sa 30:18
j 2Sa 8:7
1Cr 18:7
k Sl 60:Enc
l 1Cr 18:12
m 2Sa 8:6
n Gé 25:23
Gé 27:29
Gé 27:40
Nú 24:18
o 1Cr 18:13
Sl 37:28
Sl 60:12

p 2Sa 5:3; 2Sa 5:5; q 2Sa 23:3; 1Re 3:6; r 1Cr 18:14; Pr 29:4; Pr 29:14; s 2Sa 20:23; 1Cr 11:6; t 2Sa 20:24; 1Re 4:3; 1Cr 18:15; u 2Sa 15:27; 1Cr 6:8; 1Cr 6:53; 1Cr 18:16; 1Cr 24:3; v 1Cr 24:31; w 2Sa 23:20; 1Re 1:44; 1Re 2:35; 1Cr 18:17.

de Jehoiadá [estaba sobre] los keretitas[a] y los peletitas.[b] En cuanto a los hijos de David, llegaron a ser sacerdotes.[c]

9 Y David procedió a decir: "¿Hay todavía alguno que quede de la casa de Saúl, para que yo pueda ejercerle bondad amorosa[d] por causa de Jonatán?".[e] 2 Ahora bien, la casa de Saúl tenía un siervo cuyo nombre era Zibá.[f] De modo que lo llamaron a David, y el rey entonces le dijo: "¿Eres tú Zibá?", a lo cual él dijo: "Soy tu siervo". 3 Y el rey pasó a decir: "¿No hay nadie ya de la casa de Saúl, para que yo pueda ejercerle la bondad amorosa de Dios?".[g] Ante esto, Zibá dijo al rey: "Hay todavía un hijo de Jonatán, lisiado de los pies".[h] 4 Entonces le dijo el rey: "¿Dónde está?". De modo que Zibá dijo al rey: "¡Mira! Está en casa de Makir[i] hijo de Amiel, en Lo-debar".[i]

5 El rey David envió inmediatamente y lo tomó de la casa de Makir hijo de Amiel, en Lo-debar. 6 Cuando Mefibóset hijo de Jonatán hijo de Saúl entró donde estaba David, en seguida cayó sobre su rostro y se postró.[k] Entonces David dijo: "¡Mefibóset!", a lo que él dijo: "Aquí está tu siervo". 7 Y David pasó a decirle: "No tengas miedo, porque sin falta ejerceré bondad amorosa[l] para contigo por causa de Jonatán tu padre;[m] y tengo que devolverte todo el campo[n] de Saúl tu abuelo, y tú mismo comerás pan a mi mesa constantemente".[o]

8 Ante aquello, él se postró y dijo: "¿Qué es tu siervo, para que hayas vuelto tu rostro a un perro muerto[p] como soy?". 9 El rey ahora llamó a Zibá, el servidor de Saúl, y le dijo: "Todo lo que había llegado a pertenecer a Saúl y a toda su casa lo doy[q] en efecto al nieto de tu amo. 10 Y tienes que cultivar el suelo, tú y tus hijos y tus siervos, y tienes que hacer la recolección, y tiene que

servir de alimento para [los que pertenecen] al nieto de tu amo, y tienen que comer; pero Mefibóset mismo, el nieto de tu amo, comerá pan a mi mesa constantemente".[a]

Ahora bien, Zibá tenía quince hijos y veinte siervos.[b] 11 Así que Zibá dijo al rey: "Conforme a todo lo que mi señor el rey manda a su siervo, así lo hará tu siervo; pero Mefibóset[c] está comiendo a mi mesa como uno de los hijos del rey". 12 Ahora bien, Mefibóset tenía un hijo jovencito cuyo nombre era Micá,[d] y todos los que moraban en la casa de Zibá eran siervos de Mefibóset. 13 Y Mefibóset mismo estuvo morando en Jerusalén, porque comía constantemente a la mesa del rey;[e] y era cojo de ambos pies.[f]

10 Y después de esto aconteció que murió el rey de los hijos de Ammón,[g] y Hanún su hijo empezó a reinar en lugar de él.[h] 2 Ante esto, David dijo: "Ejerceré bondad amorosa para con Hanún hijo de Nahás, tal como su padre ejerció bondad amorosa para conmigo".[i] Por consiguiente, David envió por medio de sus siervos[j] a consolarlo en cuanto a su padre, y los siervos de David procedieron a entrar en la tierra de los hijos de Ammón. 3 Sin embargo, los príncipes de los hijos de Ammón dijeron a Hanún su señor: "¿Está David honrando a tu padre a tus ojos al haberte enviado consoladores? ¿No es a fin de explorar la ciudad y para espiarla[k] y para derribarla para lo que David te ha enviado sus siervos?".[l] 4 De modo que Hanún tomó a los siervos de David y les afeitó la mitad de la barba[m] y les cortó sus prendas de vestir por la mitad, hasta sus nalgas, y los envió.[n] 5 Más tarde, ciertas personas informaron esto a David, y él en seguida envió a encontrarlos, porque los hombres habían llegado a sentirse muy humilla-

CAP. 8
a 2Sa 15:18
b 2Sa 20:7
c 2Sa 20:26
1Re 4:5
1Cr 18:17

CAP. 9
d Pr 19:22
Miq 6:8
Zac 7:9
e 1Sa 18:3
1Sa 20:14
1Sa 20:42
Pr 17:17
f 2Sa 16:1
2Sa 19:17
g 1Sa 20:14
h 2Sa 4:4
2Sa 9:13
2Sa 19:26
i 2Sa 17:27
j Jos 13:26
k 1Sa 24:8
1Sa 25:23
l Job 6:14
Pr 11:17
m 2Sa 9:1
n Rut 4:5
o 2Sa 19:28
1Re 2:7
Pr 11:25
Isa 32:8
p 1Sa 24:14
Lu 14:11
q 2Sa 9:1
2Sa 16:4
2Sa 19:29

2.ª col.
a 2Sa 9:7
2Sa 19:28
b 2Sa 19:17
c 2Sa 9:3
d 1Cr 8:34
1Cr 9:40
e 2Sa 9:7
2Sa 19:28
f 2Sa 4:4

CAP. 10
g Gé 19:38
Jue 10:7
Jue 11:12
Jue 11:33
1Sa 11:1
h 1Cr 19:1
i 1Cr 19:2
j 2Sa 2:5
k Gé 42:9
Nú 13:2
Jos 2:1
l 1Cr 19:3
m Le 19:27
n 1Cr 19:4

dos; y el rey pasó a decir: "Moren en Jericó[a] hasta que les crezca abundantemente la barba. Entonces tienen que volver".

6 Con el tiempo los hijos de Ammón vieron que se habían hecho hediondos[b] a David, y los hijos de Ammón procedieron a enviar a alquilar a sirios de Betrehob[c] y a sirios de Zobá,[d] veinte mil hombres de a pie, y al rey de Maacá,[e] mil hombres, y a Istob, doce mil hombres. 7 Cuando David lo oyó, entonces envió a Joab y a todo el ejército [y] los hombres poderosos.[f] 8 Y los hijos de Ammón empezaron a salir y a disponerse en orden de batalla a la entrada de la puerta, también los sirios de Zobá y de Rehob,[g] e Istob y Maacá aparte, en el campo abierto.[h]

9 Cuando Joab vio que las cargas de la batalla habían llegado a estar contra él desde el frente y desde atrás, en seguida escogió algunos de todos los hombres selectos[i] de Israel y los dispuso en orden para encontrarse con los sirios. 10 Y dio a la demás gente en mano de Abisai[j] su hermano, para que los dispusiera en orden para encontrarse con los hijos de Ammón.[k] 11 Y pasó a decir: "Si los sirios se ponen demasiado fuertes para mí, entonces tienes que servirme de salvación; pero si los hijos mismos de Ammón se ponen demasiado fuertes para ti, entonces yo tengo que venir a salvarte.[l] 12 Sé fuerte, para que nos mostremos animosos[m] a favor de nuestro pueblo y a favor de las ciudades de nuestro Dios;[n] y en cuanto a Jehová, él hará lo que es bueno a sus propios ojos".[o]

13 Entonces Joab y la gente que estaba con él avanzaron a la batalla contra los sirios, y estos se fueron huyendo de delante de él.[p] 14 En cuanto a los hijos de Ammón, vieron que los sirios habían huido, y ellos se dieron a la fuga de delante de Abisai y por eso entraron en la ciudad.[q] Des-

pués de aquello Joab regresó de los hijos de Ammón y vino a Jerusalén.[a]

15 Cuando los sirios vieron que habían sido derrotados delante de Israel, procedieron a reunirse. 16 De modo que Hadadézer[b] envió y sacó a los sirios que estaban en la región del Río;[c] y entonces llegaron a Helam, con Sobac[d] el jefe del ejército de Hadadézer delante de ellos. 17 Cuando se le hizo el informe a David, él inmediatamente reunió a todo Israel y cruzó el Jordán y llegó a Helam. Los sirios ahora se dispusieron en orden para encontrarse con David, y empezaron a pelear contra él.[e] 18 Y los sirios se pusieron a huir[f] de delante de Israel; y David logró matar de los sirios a setecientos conductores de carros[g] y a cuarenta mil hombres de a caballo, y a Sobac el jefe de su ejército lo derribó de modo que este murió allí.[h] 19 Cuando todos los reyes,[i] los siervos de Hadadézer, vieron que habían sido derrotados delante de Israel,[j] prontamente hicieron la paz con Israel y se pusieron a servirle;[k] y los sirios tuvieron miedo de seguir tratando de salvar a los hijos de Ammón.[l]

11 Y a la vuelta del año,[m] al tiempo en que suelen salir los reyes a campaña,[n] aconteció que David procedió a enviar a Joab y a sus siervos con él, y a todo Israel, para que arruinaran a los hijos de Ammón[o] y sitiaran a Rabá,[p] mientras David moraba en Jerusalén.

2 Y al tiempo del atardecer aconteció que David procedió a levantarse de su cama y a pasearse sobre la azotea[q] de la casa del rey; y desde la azotea alcanzó a ver a una mujer que estaba bañándose, y la mujer era de muy buena apariencia.[s] 3 Entonces envió David y preguntó acerca de la mujer,[t] y alguien dijo: "¿No es esta Bat-seba[u] hija

CAP. 10
a Jos 6:24
  Jos 18:21
  1Cr 19:5
b Gé 34:30
  Éx 5:21
  1Sa 13:4
  1Sa 27:12
c Nú 13:21
d 2Sa 8:5
  1Cr 19:6
e Jos 13:13
  1Cr 19:7
f 2Sa 23:8
  1Cr 19:8
g Nú 13:21
h 1Cr 19:9
i 1Cr 19:10
j 1Sa 26:6
  2Sa 2:18
  2Sa 23:18
  1Cr 2:16
k 1Cr 19:38
  Nú 21:24
  1Cr 19:11
l 1Cr 19:12
  Pr 20:18
m Dt 31:6
  2Cr 32:7
  1Cr 19:13
n 1Sa 3:18
  1Sa 14:6
  2Sa 15:26
  Sl 37:5
  Sl 44:5
  Pr 29:25
p 1Cr 19:14
q 1Cr 19:15

2.ª col.
a 2Sa 5:5
b 2Sa 8:3
c Gé 15:18
  Éx 23:31
  Dt 11:24
  2Sa 8:5
  1Re 4:21
  Sl 72:8
d 1Cr 19:16
e 1Cr 19:17
f 2Sa 8:4
g Dt 20:1
  Sl 18:38
h 1Cr 19:18
i 2Sa 10:6
j Sl 18:37
k Gé 15:18
  Dt 20:11
  Jos 1:4
l 1Cr 19:19

CAP. 11
m 1Re 20:22
  2Cr 36:10
n 1Sa 8:20
  Ec 3:8
o 1Cr 20:1
p 2Sa 12:26
q 1Sa 9:26
  Hch 10:9
r Job 31:1
  Pr 5:20
  Mt 5:28
s Pr 6:25
t 1Co 10:12
  Snt 1:14
u 2Sa 12:24
  1Re 1:11

de Eliam[a] la esposa de Urías[b] el hitita?".[c] 4 Después de aquello David envió mensajeros para poder tomarla.[d] De modo que ella entró a donde él,[e] y él se acostó con ella,[f] mientras ella estaba santificándose de su inmundicia.[g] Más tarde ella regresó a su casa.

5 Y la mujer quedó encinta. Por lo tanto ella envió e informó a David y dijo: "Estoy encinta". 6 Por lo cual David envió [mensaje] a Joab, diciendo: "Envíame a Urías el hitita". De modo que Joab envió a Urías a donde David. 7 Cuando Urías vino a él, David empezó a preguntar cómo le iba a Joab y cómo le iba a la gente y cómo iba la guerra. 8 Por fin David dijo a Urías: "Baja a tu casa y lávate los pies".[h] Por consiguiente, Urías salió de la casa del rey, y el obsequio del rey salió tras él. 9 Sin embargo, Urías se acostó a la entrada de la casa del rey con todos los demás siervos de su señor, y no bajó a su propia casa. 10 De modo que se lo informaron a David, diciendo: "Urías no bajó a su propia casa". Ante aquello, David dijo a Urías: "¿No es de un viaje que has entrado? ¿Por qué no has bajado a tu propia casa?". 11 Ante esto, Urías dijo a David: "El Arca[i] e Israel y Judá están morando en cabañas, y mi señor Joab y los siervos de mi señor están acampados sobre la faz del campo, y yo... ¿entraré en mi propia casa a comer y beber y acostarme con mi esposa?[k] ¡Tan ciertamente como que vives tú y vive tu alma,[l] yo no haré esta cosa!".

12 Entonces David dijo a Urías: "Mora aquí hoy también, y mañana te enviaré". Por eso Urías siguió morando en Jerusalén aquel día y el día siguiente. 13 Además, David lo llamó para que comiera delante de él y bebiera. De modo que lo emborrachó.[m] No obstante, este salió por la tarde para acostarse en su cama con los siervos de su señor, y no bajó a su propia casa.

14 Y por la mañana aconteció que David procedió a escribir una carta[a] a Joab y a enviarla por mano de Urías. 15 De modo que escribió en la carta, diciendo:[b] "Pongan a Urías enfrente de los ataques más pesados de la batalla,[c] y tienen que retirarse de detrás de él, y él tiene que ser derribado y morir".[d]

16 Y, mientras Joab vigilaba sobre la ciudad, aconteció que mantuvo a Urías puesto en el lugar donde sabía que había hombres valientes.[e] 17 Cuando los hombres de la ciudad salieron y se pusieron a pelear contra Joab, entonces cayeron algunos del pueblo, los siervos de David, y Urías el hitita también murió.[f] 18 Joab entonces envió para informar a David de todos los asuntos de la guerra. 19 Y se puso a mandar al mensajero, y dijo: "Luego que acabes de hablar al rey de todos los asuntos de la guerra, 20 entonces tiene que suceder que, si sube la furia del rey y él te dice en efecto: '¿Por qué tuvieron ustedes que acercarse tanto a la ciudad para pelear? ¿No sabían que ellos dispararían desde encima del muro? 21 ¿Quién fue el que derribó a Abímelec[g] hijo de Jerubéset?[h] ¿No fue una mujer que arrojó sobre él una piedra superior de molino[i] desde encima del muro, de modo que él murió en Tebez? ¿Por qué tuvieron que acercarse tanto al muro?', entonces tienes que decir: 'Tu siervo Urías el hitita murió también'".[k]

22 Así que el mensajero se fue y vino y refirió a David todo aquello acerca de lo cual Joab le había enviado. 23 Y el mensajero pasó a decir a David: "Los hombres resultaron superiores a nosotros, de modo que salieron al campo contra nosotros; pero nosotros seguimos empujándolos precisamente hasta la entra-

CAP. 11
a 1Cr 3:5

b 2Sa 23:39
1Re 15:5
1Cr 11:41

c Gé 10:15
Gé 15:20
Dt 20:17

d Éx 20:17
Le 19:11
1Co 7:1

e Ec 8:4

f Éx 20:14
Le 18:20
Le 20:10
Dt 22:22
Pr 6:32
Heb 13:4
Snt 1:15

g Le 12:2
Le 15:19
Le 15:29
Le 18:19

h 1Sa 25:41

i 2Sa 6:17
2Sa 7:2

j 2Sa 20:6

k Le 15:16
Dt 23:9
1Sa 21:5

l 1Sa 17:55
1Sa 20:3
1Sa 25:26
2Sa 14:19

m Gé 19:33
Pr 20:1
Os 4:11

2.ª col.

a Sl 19:13

b Ec 8:4

c 1Sa 18:17
1Sa 18:25

d 2Sa 12:9
Sl 51:14
Pr 3:29
Pr 17:13
Zac 8:17
Mr 7:21

e Le 19:17
1Cr 21:3

f 2Sa 12:9

g Jue 9:52

h Jue 6:32
Jue 7:1

i Jue 9:53

j Jue 9:50

k 2Sa 3:34
2Sa 11:3

da de la puerta. 24 Y los disparadores siguieron disparando contra tus siervos desde encima del muro,[a] de modo que murieron algunos de los siervos del rey; y tu siervo Urías el hitita también murió".[b] 25 Ante esto, David dijo al mensajero: "Esto es lo que dirás a Joab: 'No parezca malo este asunto a tus ojos, porque la espada lo mismo se come[c] al uno que al otro. Haz más intensa tu batalla contra la ciudad y échala abajo'.[d] Y anímalo".

26 Y la esposa de Urías llegó a oír que Urías su esposo había muerto, y se puso a plañir[e] por su dueño.[f] 27 Cuando hubo pasado el período de duelo,[g] David en seguida envió y la acogió en su casa, y ella llegó a ser su esposa.[h] Andando el tiempo, ella le dio a luz un hijo, pero la cosa que David había hecho pareció mala[i] a los ojos[j] de Jehová.

12 Y Jehová procedió a enviar a Natán[k] a David. Por eso él entró a donde él[l] y le dijo: "Había dos hombres que se hallaban en una ciudad, el uno rico y el otro de escasos recursos. 2 El rico tenía muchísimas ovejas y ganado vacuno;[m] 3 pero el hombre de escasos recursos no tenía más que una cordera, una pequeña, que había comprado.[n] Y estaba conservándola viva, y ella estaba creciendo con él y con sus hijos, todos juntos. De su bocado comía y de su copa bebía, y en su seno yacía, y vino a serle como una hija. 4 Después de un tiempo le vino una visita al hombre rico, pero él evitó tomar algo de sus propias ovejas y de su propio ganado vacuno para aderezárselo al viajero que le había venido. De modo que tomó la corderita del hombre de escasos recursos y la aderezó para el hombre que le había venido".[o]

5 Ante esto, la cólera de David se enardeció en gran manera contra el hombre,[p] de modo que dijo a Natán: "¡Tan ciertamente

como que vive Jehová,[a] el hombre que hizo esto merece morir![b] 6 Y por la cordera debe dar compensación[c] con cuatro,[d] como consecuencia del hecho de que ha hecho esta cosa, y porque no tuvo compasión".[e]

7 Entonces Natán dijo a David: "¡Tú mismo eres el hombre! Esto es lo que ha dicho Jehová el Dios de Israel: 'Yo mismo te ungí[f] por rey sobre Israel, y yo mismo te libré[g] de la mano de Saúl. 8 Y me hallé dispuesto a darte la casa de tu señor[h] y las esposas de tu señor[i] en tu seno, y a darte la casa de Israel y de Judá.[j] Y si no fuera suficiente, estaba dispuesto a añadirte cosas como estas así como otras cosas.[k] 9 ¿Por qué despreciaste la palabra de Jehová, haciendo lo que es malo[l] a sus ojos? A Urías el hitita lo derribaste a espada,[m] y a su esposa la tomaste por esposa tuya,[n] y a él lo mataste por la espada de los hijos de Ammón. 10 Y ahora una espada[o] no se apartará de tu propia casa hasta tiempo indefinido,[p] como consecuencia del hecho de que me despreciaste de modo que tomaste a la esposa de Urías el hitita para que llegara a ser tu esposa'. 11 Esto es lo que ha dicho Jehová: 'Aquí estoy levantando contra ti calamidad procedente de tu propia casa;[q] y ciertamente tomaré a tus esposas ante tus mismos ojos y las daré a tu semejante,[r] y él ciertamente se acostará con tus esposas ante los ojos de este sol.[s] 12 Mientras que tú mismo obraste en secreto,[t] yo, por mi parte, haré esta cosa enfrente de todo Israel[u] y enfrente del sol' ".[v]

13 David ahora dijo[w] a Natán: "He pecado contra Jehová".[x] Ante lo cual Natán dijo a David: "Jehová, a su vez, efectivamente deja pasar tu pecado.[y] No mori-

CAP. 11
a 2Cr 26:15
b 2Sa 11:17
c 2Sa 2:26
  Isa 1:20
  Jer 4:30
  Jer 46:10
d 2Sa 12:26
e 2Sa 3:31
f Gé 20:3
  Joe 1:8
g 1Sa 31:13
h 2Sa 5:13
  2Sa 12:9
i Gé 39:9
  Heb 13:4
j 1Re 15:5
  1Cr 21:7
  Sl 11:4
  Jer 32:19
  Heb 4:13

CAP. 12
a 1Re 1:8
  1Cr 17:1
  1Cr 29:29
l Sl 51:Enc
m 2Sa 5:13
  2Sa 15:16
n 2Sa 11:3
  Pr 5:15
o 2Sa 11:4
p Lu 6:41

2.ª col.
a Dt 6:13
b 1Sa 26:16
c Éx 21:34
d Éx 22:1
  2Sa 21:7
f 1Sa 16:13
g 1Sa 18:11
  1Sa 19:10
  1Sa 23:14
  Sl 18:Enc
h 1Sa 13:14
  1Sa 15:28
i 2Sa 3:7
  1Re 2:22
j 2Sa 2:4
  2Sa 5:5
k 2Sa 7:19
  Sl 84:11
  Snt 1:17
l Éx 20:13
  Éx 20:14
  Éx 20:17
m 2Sa 11:15
n 2Sa 11:27
  Heb 13:4
o 2Sa 13:32
  2Sa 18:33
p Nú 14:18
  Gál 6:7
q 2Sa 12:19
  2Sa 13:14
  2Sa 15:14
r Éx 21:24
  Job 31:10
  Job 34:11
s 2Sa 16:21
t 2Sa 11:4
  2Sa 11:8
  2Sa 11:13
  2Sa 12:9
u 2Sa 16:22
v Mt 10:26
  Lu 12:2
w Sl 51:Enc

x Gé 39:9; Sl 32:5; Sl 38:3; Sl 51:4; Pr 28:13;
y Éx 34:6; Sl 32:1; Sl 130:4; Miq 7:18.

rás.[a] **14** A pesar de esto, por cuanto indisputablemente has tratado a Jehová con falta de respeto[b] mediante esta cosa, también al hijo mismo, que acaba de nacerte, positivamente morirá".[c]

15 Entonces Natán se fue a su propia casa.

Y Jehová procedió a asestar un golpe[d] al niño que la esposa de Urías le había dado a luz a David, de modo que enfermó. **16** Y David se puso a buscar al Dios [verdadero] a favor del muchachito, y emprendió David un ayuno rígido[e] y entró y pasó la noche y se acostó en la tierra.[f] **17** De modo que los ancianos de su casa se levantaron sobre él para levantarlo de la tierra, pero él no consintió, y no tomó pan[g] en compañía con ellos. **18** Y al séptimo día aconteció que el niño gradualmente murió. Y los siervos de David tenían miedo de informarle que el niño había muerto; porque decían: "¡Mira! Mientras el niño continuaba vivo sí le hablábamos, y no escuchaba nuestra voz; por eso, ¿cómo podemos decirle: 'Ha muerto el niño'? Entonces ciertamente hará algo malo".

19 Cuando David llegó a ver que sus siervos estaban cuchicheando entre sí, David empezó a discernir que el niño había muerto. Así que David dijo a sus siervos: "¿Ha muerto el niño?". A lo que dijeron: "Ha muerto". **20** Entonces David se levantó de la tierra y se lavó y se untó[h] con aceite y cambió sus mantos y fue a la casa[i] de Jehová y se postró; después de lo cual entró en su propia casa y pidió, y al punto pusieron pan delante de él, y él empezó a comer. **21** Por lo tanto sus siervos le dijeron: "¿Qué significa esta cosa que has hecho? Por causa del niño, mientras estaba vivo, ayunaste y te quedaste llorando; y tan pronto como el niño hubo muerto te levantaste y empezaste a comer pan". **22** A esto él dijo: "Mien-

CAP. 12

a Le 20:10
Sl 103:10
b Sl 51:4
c Éx 34:7
Dt 23:2
Sl 89:32
Pr 3:11
Heb 12:6
d 1Sa 25:38
2Sa 24:15
e 2Sa 12:22
Jon 3:9
f 2Sa 13:31
g 2Sa 3:35
h Rut 3:3
2Sa 14:2
i 2Sa 6:17
Sl 5:7
j Gé 24:26
1Cr 29:20
Ne 8:6
Sl 95:6

2.ª col.

a 2Sa 12:16
Joe 1:14
b Isa 38:3
c Isa 38:5
Joe 2:14
Am 5:15
Jon 3:9
d Ec 9:6
Isa 26:14
e Job 30:23
Ec 3:20
Ec 9:10
Hch 2:29
Hch 2:34
Hch 13:36
Ro 5:12
f Ec 9:5
g 2Sa 11:3
2Sa 12:9
h Sl 127:3
i 1Cr 3:5
1Cr 22:9
1Cr 28:5
Mt 1:6
j 2Sa 7:12
1Cr 29:1
k 2Sa 7:4
2Sa 12:1
1Re 1:8
l 2Sa 11:25
1Cr 20:1
m Dt 3:11
Dt 23:6
Jos 13:25
Jer 49:3
n 2Sa 11:1
o 1Cr 20:2
p Jos 22:8
1Sa 30:20
2Sa 3:22
2Sa 8:11
q 1Cr 20:3

tras el niño estaba todavía vivo, sí ayuné[a] y seguí llorando,[b] porque me decía: '¿Quién hay que sepa si Jehová me haya de mostrar favor, y el niño ciertamente viva?'.[c] **23** Ahora que ha muerto, ¿para qué estoy ayunando? ¿Puedo yo hacerlo volver de nuevo?[d] Yo estoy yendo a él,[e] pero, en cuanto a él, él no volverá a mí'.[f]

24 Y David empezó a consolar a Bat-seba su esposa.[g] Además, fue a ella y se acostó con ella. Andando el tiempo ella dio a luz un hijo,[h] y llegó a llamársele por nombre Salomón.[i] Y Jehová mismo sí lo amó.[j] **25** De modo que él envió por medio de Natán[k] el profeta y lo llamó por nombre Jedidías, por causa de Jehová.

26 Y Joab[l] continuó peleando contra Rabá[m] de los hijos de Ammón, y logró tomar la ciudad del reino. **27** Por lo tanto Joab envió mensajeros a David y dijo: "He peleado contra Rabá.[n] También he tomado la ciudad de las aguas. **28** Y ahora reúne a la demás gente y acampa contra la ciudad, y tómala; para que yo mismo no sea el que tome la ciudad, y no tenga que llamarse mi nombre sobre ella".

29 Por consiguiente, David reunió a todo el pueblo y fue a Rabá y peleó contra ella y la tomó. **30** Y llegó a tomar la corona de Malcam de sobre la cabeza de este,[o] y el peso de ella era de un talento de oro, junto con piedras preciosas; y esta llegó a estar sobre la cabeza de David. Y el despojo[p] de la ciudad que él sacó fue muchísimo. **31** Y a la gente que había en ella, la sacó para ponerla a serrar piedras y a [trabajo relativo a] instrumentos agudos de hierro[q] y a hachas de hierro, y los hizo servir en la fabricación de ladrillos. Y así procedió a hacer a todas las ciudades de los hijos de Ammón. Por fin David y todo el pueblo regresaron a Jerusalén.

13 Y después de tales cosas aconteció que Absalón[a] hijo de David tenía una hermana hermosa cuyo nombre era Tamar,[b] y Amnón[c] hijo de David se enamoró[d] de ella. 2 Y esto tenía a Amnón tan angustiado que se sentía enfermo[e] por causa de Tamar su hermana, porque ella era virgen, y era difícil a los ojos[f] de Amnón hacerle cosa alguna.[g] 3 Ahora bien, Amnón tenía un compañero cuyo nombre era Jehonadab,[h] hijo de Simeah,[i] hermano de David; y Jehonadab era un hombre muy sabio. 4 Así que le dijo: "¿Por qué estás tú, el hijo del rey, tan abatido, mañana a mañana? ¿No quieres informarme?".[j] Ante esto, Amnón le dijo: "De Tamar la hermana[k] de Absalón mi hermano estoy enamorado".[l] 5 Ante aquello, Jehonadab le dijo: "Acuéstate en tu cama y finge enfermo.[m] Y tu padre ciertamente vendrá a verte, y tienes que decirle: 'Por favor, que entre Tamar mi hermana y me dé pan como a un paciente, y tendrá que hacer el pan de la consolación ante mis ojos para que yo lo vea, y tendré que comer de su mano'".[n]

6 Por consiguiente, Amnón se acostó y se fingió enfermo,[o] y por lo tanto el rey entró a verlo. Entonces Amnón dijo al rey: "Por favor, que entre Tamar mi hermana y haga ante mis ojos dos tortas en forma de corazón, para que yo, como paciente, tome pan de su mano". 7 Ante aquello, David envió [recado] a Tamar en la casa, y dijo: "Ve, por favor, a la casa de Amnón tu hermano y hazle el pan de la consolación". 8 De modo que Tamar fue a casa de Amnón[p] su hermano mientras él estaba acostado. Entonces ella tomó la pasta de harina y la amasó e hizo las tortas ante sus ojos y coció las tortas en forma de corazón. 9 Por fin tomó la sartén honda y la vertió delante de él, pero Amnón rehusó comer, y dijo: "¡Hagan salir a todos

de junto a mí!".[a] Entonces todos salieron de donde estaba él.

10 Amnón ahora dijo a Tamar: "Trae el pan de la consolación al cuarto interior, para que, como paciente, lo tome de tu mano". Por lo tanto Tamar tomó las tortas en forma de corazón que había hecho y las llevó a Amnón su hermano dentro del cuarto interior. 11 Cuando ella se acercó a él para que comiera, él en seguida se agarró[b] de ella y le dijo: "Ven, acuéstate[c] conmigo, hermana mía".[d] 12 Sin embargo, ella le dijo: "¡No, hermano mío! No me humilles;[e] pues no suele hacerse así en Israel.[f] No hagas esta locura deshonrosa.[g] 13 Y yo... ¿adónde haré ir mi oprobio? Y tú... tú llegarás a ser como uno de los insensatos en Israel. Y ahora habla, por favor, al rey; porque él no me retendrá de ti".[?] 14 Y él no consintió en escuchar su voz, sino que usó fuerza superior a la de ella y la humilló[h] y se acostó con ella.[i] 15 Y Amnón empezó a odiarla con un odio sumamente grande, porque el odio con que la odió fue mayor que el amor con que la había amado, de modo que Amnón le dijo: "¡Levántate, vete!". 16 Ante esto, ella le dijo: "¡No, hermano mío; porque esta maldad de enviarme es mayor que la otra que has hecho conmigo!". Y él no consintió en escucharla.

17 Con eso, él llamó a su servidor que lo atendía y dijo: "Envía a esta persona de junto a mí, por favor, afuera, y echa el cerrojo a la puerta tras ella". 18 (Ahora bien, ella llevaba puesto un traje talar rayado;[j] porque así solían vestir las hijas del rey, las vírgenes, con vestiduras sin mangas.) De modo que su criado procedió a sacarla completamente afuera, y echó el cerrojo a la puerta tras ella. 19 Entonces Tamar se puso ceniza[k] sobre la cabeza, y rasgó el traje talar rayado que llevaba

CAP. 13
a 2Sa 3:3
  1Cr 3:2
b 1Cr 3:9
c 2Sa 3:2
  1Cr 3:1
d Gé 34:3
  Mt 5:28
e Pr 4:23
  Col 3:5
f 2Pe 2:14
g Pr 11:19
h 2Sa 13:35
i 1Sa 16:9
  1Cr 2:13
j 1Re 21:5
k Le 18:9
l Le 20:17
  Mt 15:19
  1Te 4:5
m Pr 24:8
n Sl 50:19
o Sl 10:9
p 1Cr 3:1
  1Cr 3:9

2.ª col.
a Job 24:15
  Jn 3:20
b Gé 39:12
c Gé 39:7
d Dt 27:22
  Eze 22:11
e Gé 34:2
f Le 18:9
  Le 20:17
g Gé 34:7
  Jue 20:6
  Pr 7:7
h Le 18:9
  Le 18:29
i Snt 1:15
j Gé 37:3
k Jos 7:6
  Est 4:1
  Job 2:8
  Jer 6:26

puesto; y mantuvo las manos puestas sobre la cabeza[a] y se fue andando de allí, dando gritos al andar.

20 Ante esto, Absalón[b] su hermano le dijo: "¿Acaso fue tu hermano Amnón[c] quien estuvo contigo? Y ahora, hermana mía, calla. Es tu hermano.[d] No pongas tu corazón en este asunto". Y Tamar empezó a morar, impidiéndosele asociación [con otros], en la casa de Absalón su hermano. 21 Y el rey David mismo oyó todas estas cosas,[e] y se encolerizó mucho.[f] 22 Y Absalón no habló con Amnón ni malo ni bueno; pues Absalón odiaba[g] a Amnón por el hecho de que había humillado a Tamar su hermana.

23 Y resultó, después de dos años completos, que Absalón llegó a tener esquiladores[h] en Baal-hazor, que está cerca de Efraín;[i] y Absalón procedió a invitar a todos los hijos del rey.[j] 24 Así que Absalón entró a donde el rey y dijo: "¡Ve que tu siervo tiene esquiladores! Vaya el rey, por favor, y también sus siervos, con tu siervo". 25 Pero el rey dijo a Absalón: "¡No, hijo mío! No vayamos todos, por favor, para no ser una carga sobre ti". Aunque siguió instándolo,[k] no consintió en ir, pero lo bendijo. 26 Por fin dijo Absalón: "Si no [tú], que Amnón mi hermano vaya con nosotros, por favor".[m] A lo que dijo el rey: "¿Por qué debe ir él contigo?". 27 Y Absalón empezó a instarlo,[n] de modo que él envió a Amnón y a todos los hijos del rey con él.

28 Entonces Absalón dio orden a sus servidores, y dijo: "Vean, por favor, que tan pronto como el corazón de Amnón esté de humor alegre con el vino,[o] y yo ciertamente les diga: '¡Derriben a Amnón!', entonces tienen que darle muerte. No tengan miedo.[p] ¿No les he dado orden yo mismo a ustedes? Sean fuertes y prueben que son hombres valientes". 29 Y los servidores de

Absalón procedieron a hacer a Amnón tal como Absalón había mandado;[a] y todos los otros hijos del rey empezaron a levantarse y a montar cada uno en su mulo y a huir. 30 Y aconteció que, estando ellos en camino, llegó a David el informe mismo, que decía: "Absalón ha derribado a todos los hijos del rey, y ni siquiera uno de ellos ha quedado". 31 Ante esto, el rey se levantó y rasgó su ropa[b] y se acostó sobre la tierra,[c] y todos sus siervos estaban parados junto a él con sus prendas de vestir rasgadas.[d]

32 Sin embargo, Jehonadab[e] hijo de Simeah,[f] hermano de David, respondió y dijo: "No piense mi señor que es a todos los jóvenes, los hijos del rey, a quienes han dado muerte, porque es Amnón solo el que ha muerto,[g] porque por orden de Absalón ha ocurrido como algo señalado[h] desde el día en que él humilló[i] a Tamar su hermana.[j] 33 Y ahora no reciba en su corazón mi señor el rey la palabra que dice: 'Todos los hijos mismos del rey han muerto'; antes bien, es Amnón solo el que ha muerto".

34 Entretanto, Absalón se puso en fuga.[k] Más tarde, el joven, el atalaya,[l] alzó sus ojos y vio, y, ¡mire!, había mucha gente que venía del camino detrás de él, junto a la falda de la montaña. 35 Por lo cual Jehonadab[m] dijo al rey: "¡Mira! Los hijos mismos del rey han entrado. Conforme a la palabra de tu siervo, así ha sucedido".[n] 36 Y aconteció que, en cuanto acabó de hablar, sucedió que los hijos mismos del rey entraron, y se pusieron a alzar la voz y llorar; y hasta el rey y todos sus siervos lloraron con un llanto sumamente grande. 37 En cuanto a Absalón, huyó para irse a donde Talmai[o] hijo de Amihud el rey de Guesur.[p] Y [David] continuó de duelo[q] por su hijo todos los días. 38 En cuanto a Absalón, huyó y logró

CAP. 13
a Jer 2:37
b 2Sa 3:3
2Sa 13:1
c 2Sa 3:2
1Cr 3:1
d Le 18:9
Dt 27:22
e 1Sa 2:24
f Pr 19:13
g Gé 34:7
Le 19:17
Pr 18:19
Pr 26:24
Ef 4:26
1Jn 3:15
h 1Sa 25:4
1Sa 25:11
i Jn 11:54
j 1Re 1:9
1Re 1:19
1Re 1:25
k Hch 18:20
l Rut 2:4
m Sl 55:21
Pr 10:18
Pr 26:24
n Pr 26:25
Pr 26:26
o Rut 3:7
1Sa 25:36
Est 1:10
Sl 104:15
Ec 2:3
Ec 10:19
p 1Sa 28:10
1Sa 28:13

2.ª col.

a 1Sa 22:18
1Re 21:11
b Gé 37:34
2Sa 3:31
c 2Sa 12:16
d 2Sa 1:11
e 2Sa 13:3
f 1Sa 16:9
1Cr 2:13
g 2Sa 12:10
h Gé 47:41
Sl 7:14
Pr 18:19
i 2Sa 13:14
j Le 18:9
Le 18:29
k 2Sa 13:38
Pr 28:17
l 2Sa 18:24
2Re 9:17
m 2Sa 13:3
n 2Sa 13:32
o 2Sa 3:3
p 1Cr 3:2
q Ec 7:2

irse a Guesur;[a] y llegó a estar allí tres años.

39 Por fin [el alma de] David el rey anheló salir a donde Absalón; pues se había consolado respecto de Amnón, porque este estaba muerto.

14 Ahora bien, Joab[b] hijo de Zeruyá[c] llegó a saber que el corazón del rey estaba [vuelto] hacia Absalón.[d] 2 Por consiguiente, Joab envió a Teqoa[e] y tomó de allí a una mujer sabia[f] y le dijo: "Ponte de duelo, por favor, y vístete, por favor, con prendas de vestir de duelo, y no te untes con aceite;[g] y tienes que llegar a ser como una mujer, aquí, que ha estado de duelo muchos días por algún muerto.[h] 3 Y tienes que entrar a donde el rey y hablarle una palabra como esta". Con eso, Joab le puso las palabras en la boca.[i]

4 Y la mujer de Teqoa procedió a entrar a donde el rey y a caer a tierra sobre su rostro[j] y a postrarse y decir: "¡Salva,[k] sí, oh rey!". 5 Por lo cual el rey dijo: "¿Qué te pasa?". A lo que ella dijo: "En realidad soy una mujer enviudada,[l] ya que está muerto mi esposo. 6 Y tu sierva tenía dos hijos, y los dos se pusieron a luchar el uno con el otro en el campo,[m] sin haber un libertador[n] que los separara. Por fin el uno derribó al otro y le dio muerte. 7 Y sucede que toda la familia se ha levantado contra tu sierva, y siguen diciendo: '¡Entrega al heridor de su hermano, para que le demos muerte por el alma de su hermano[o] a quien mató,[p] y aniquilemos aun al heredero!'. Y ciertamente extinguirán el brillo de mis brasas que ha quedado, de modo que no se asigne a mi esposo ni nombre ni resto sobre la superficie del suelo".[q]

8 Entonces el rey dijo a la mujer: "Vete a tu casa, y yo mismo daré orden respecto a ti".[r] 9 Por lo tanto, la teqoíta dijo al rey: "Sobre mí, oh mi señor el rey, esté el error, y también sobre la casa de mi padre,[a] mientras el rey y su trono queden inocentes". 10 Y el rey dijo además: "Si hay alguno que te hable, entonces tienes que traérmelo, y nunca volverá a lastimarte". 11 Pero ella dijo: "Que el rey, por favor, se acuerde de Jehová tu Dios,[b] para que el vengador de la sangre[c] no esté arruinando de continuo y para que no aniquilen a mi hijo". A esto él dijo: "Tan ciertamente como que vive Jehová,[d] ni un solo cabello[e] de tu hijo caerá a tierra". 12 La mujer ahora dijo: "Permite que tu sierva[f] hable, por favor, una palabra[g] a mi señor el rey". De modo que él dijo: "¡Habla!".[h]

13 Y la mujer pasó a decir: "¿Por qué, pues, has razonado de esta forma[i] contra el pueblo de Dios?[j] Al hablar el rey esta palabra es como uno que es culpable,[k] por cuanto el rey no hace volver a su propio desterrado.[l] 14 Porque sin falta moriremos[m] y seremos como aguas que están siendo derramadas sobre la tierra, que no se pueden recoger. Pero Dios no quitará un alma,[n] y él ha pensado bien razones por las cuales el desterrado no debe hallarse desterrado de él. 15 Y ahora que he entrado a hablar esta palabra al rey mi señor, es porque la gente me hizo tener miedo. Así que tu sierva dijo: 'Permítaseme hablar, por favor, al rey. Quizás obre el rey conforme a la palabra de su esclava. 16 Por cuanto el rey procedió a escuchar para librar a su esclava de la palma de la mano del hombre [que procurara] aniquilarnos a mí y a mi hijo solitario de la herencia dada por Dios',[o] 17 entonces dijo tu sierva: 'Que la palabra de mi señor el rey sirva, por favor, para dar descanso'. Porque como un ángel[p] del Dios [verdadero], así es mi señor el rey, para distinguir lo que es bueno y lo que es malo,[q] y que

---

CAP. 13
a 2Sa 3:3
Jos 12:5
2Sa 14:23
2Sa 15:8

CAP. 14
b 2Sa 2:18
c 1Cr 2:16
d 2Sa 13:39
2Sa 18:33
2Sa 19:2
e 2Cr 11:6
2Cr 20:20
Ne 3:5
Am 1:1
f 2Sa 20:16
g Ec 9:8
Da 10:3
h Gé 37:34
i 2Sa 14:19
j 1Sa 24:8
2Sa 1:2
k 2Re 6:26
Mt 21:9
l 2Sa 22:22
Snt 1:27
m Gé 4:8
Éx 2:13
n Éx 2:14
o Gé 4:14
p Nú 35:19
Dt 19:12
q Nú 27:4
Dt 25:6
r 1Sa 8:20

2.ª col.
a Gé 27:13
1Sa 25:24
b Gé 14:22
Gé 24:3
c Nú 35:19
Nú 35:27
Dt 19:6
d Dt 6:13
1Sa 28:10
Ec 8:4
e 1Sa 14:45
1Re 1:52
Hch 27:34
f 1Sa 25:41
Gé 44:18
h Hch 26:1
i Dt 1:17
j Éx 19:5
Nú 6:27
k 2Sa 12:7
l 2Sa 13:38
m Ec 3:19
Ec 9:5
n Dt 10:17
o 2Sa 14:2
2Sa 14:7
p 1Sa 29:9
2Sa 19:27
q 1Re 3:9
1Re 3:28

Jehová tu Dios mismo resulte estar contigo".

18 El rey ahora contestó y dijo a la mujer: "No escondas de mí, por favor, una cosa acerca de la cual te voy a preguntar".ᵃ A lo que dijo la mujer: "Hable mi señor el rey, por favor". 19 Y el rey pasó a decir: "¿Está contigo la mano de Joabᵇ en todo esto?".ᶜ Entonces la mujer contestó y dijo: "Tan ciertamente como que vive tu alma,ᵈ oh mi señor el rey, ningún hombre puede ir a la derecha ni a la izquierda de todo lo que ha hablado mi señor el rey; porque fue tu siervo Joab el que me dio orden, y fue quien puso en la boca de tu sierva todas estas palabras.ᵉ 20 En el interés de alterar el aspecto del asunto ha hecho tu siervo Joab esta cosa, pero mi señor es sabio como con la sabiduría del ángelᶠ del Dios [verdadero] para saber todo lo que hay en la tierra".

21 Posteriormente, el rey dijo a Joab: "Pues mira, ciertamente haré esta cosa.ᵍ De modo que ve, haz volver al joven Absalón".ʰ 22 Ante eso, Joab cayó a tierra sobre su rostro y se postró y bendijo al rey;ⁱ y Joab pasó a decir: "Hoy tu siervo de veras sabe que he hallado favor a tus ojos,ʲ oh mi señor el rey, porque el rey ha obrado conforme a la palabra de su siervo". 23 Con eso, Joab se levantó y fue a Guesurᵏ y trajo a Absalón a Jerusalén.ˡ 24 Sin embargo, el rey dijo: "Que se vuelva hacia su propia casa, pero no puede ver mi rostro".ᵐ De modo que Absalón se volvió hacia su propia casa, y en cuanto al rostro del rey, no lo vio.

25 Ahora bien, en comparación con Absalón no se hallaba ningún hombre tan hermosoⁿ en todo Israel como para ser alabado tanto. Desde la planta del pie hasta la coronilla de la cabeza no se hallaba en él defecto alguno. 26 Y cuando se afeitaba la cabeza —y sucedía que al fin de cada año se la afeitaba; porque se le hacía tan pesada,ᵃ se la afeitaba— él pesaba el cabello de su cabeza, doscientos siclos, según el peso real de piedras. 27 Y llegaron a nacerle a Absalón tres hijosᵇ y una hija cuyo nombre fue Tamar. Ella resultó ser una mujer de apariencia sumamente hermosa.ᶜ

28 Y Absalón continuó morando en Jerusalén por dos años completos, y no vio el rostro del rey.ᵈ 29 De modo que Absalón envió por Joab para enviarlo al rey, y este no consintió en ir a él. Entonces volvió a enviar, por segunda vez, y no consintió en ir. 30 Por fin dijo a sus siervos: "Vean la porción de terreno de Joab al lado de la mía, y allí tiene cebada. Vayan e incéndienla con fuego".ᵉ Por consiguiente, los siervos de Absalón incendiaron con fuego la porción de terreno.ᶠ 31 Ante esto, se levantó Joab y vino a Absalón, a la casa, y le dijo: "¿Por qué incendiaron con fuego tus siervos la porción de terreno que es mía?". 32 Así que Absalón dijo a Joab: "¡Mira! Envié a ti, diciendo: 'Ven acá y déjame enviarte al rey para que le digas: "¿Para qué he venido de Guesur?ᵍ Mejor me sería estar allá todavía. Y ahora, déjame ver el rostro del rey y, si hay error alguno en mí,ʰ él entonces tiene que darme muerte"'".

33 Posteriormente, Joab entró a donde el rey y se lo dijo. Entonces él llamó a Absalón, que ahora entró a donde el rey y se postró ante él, [cayendo] a tierra sobre su rostro delante del rey; después de lo cual el rey besó a Absalón.ⁱ

15 Y después de tales cosas aconteció que Absalón mandó a hacerse un carro, con caballos y con cincuenta hombres que corrían delante de él.ʲ 2 Y Absalón se levantaba tempranoᵏ y se paraba al lado del camino [que conducía] a la puer-

CAP. 14
a 1Sa 3:17
  Ef 4:25
b 2Sa 14:1
c Pr 20:5
d 1Sa 1:26
  1Sa 17:55
e 2Sa 14:3
f 2Sa 14:17
g 2Sa 14:13
h 2Sa 13:38
i Nú 6:23
j Rut 2:2
  1Sa 20:3
  Est 5:8
k Dt 3:14
  2Sa 3:3
  2Sa 13:37
l 2Sa 5:5
m Éx 10:28
  2Sa 3:13
n 1Sa 9:2

2.ᵃ col.
a Ec 9:8
b 2Sa 18:18
c Est 2:7
d 2Sa 14:24
e Éx 22:6
  Jue 15:5
f 1Re 21:11
g 2Sa 14:23
h Sl 36:2
i Gé 45:15

CAP. 15
j 1Sa 8:11
  1Re 1:5
  Pr 11:2
k Pr 1:16

ta.[a] Y acontecía que, cuando cualquier hombre tenía una causa judicial por la cual hubiera de ir al rey a juicio,[b] entonces Absalón lo llamaba y decía: "¿De qué ciudad eres tú?", y él decía: "De una de las tribus de Israel es tu siervo". 3 Y Absalón le decía: "Mira, tus asuntos son buenos y rectos; pero no hay nadie de parte del rey que te dé audiencia".[c] 4 Y Absalón decía además: "¡Oh, que yo fuera nombrado juez en el país,[d] para que a mí viniera todo hombre que tenga una causa judicial o juicio! Entonces ciertamente le haría justicia".[e]

5 También sucedía que, cuando se acercaba un hombre para inclinarse ante él, alargaba la mano y lo asía[f] y lo besaba. 6 Y Absalón siguió haciendo una cosa como esta a todos los israelitas que venían al rey a juicio; y Absalón siguió robándose el corazón de los hombres de Israel.[g]

7 Y al cabo de cuarenta años aconteció que Absalón procedió a decir al rey: "Déjame ir, por favor, y pagar en Hebrón[h] mi voto que hice solemnemente a Jehová.[i] 8 Porque tu siervo hizo un voto[j] solemne cuando estaba morando en Guesur,[k] en Siria, y dijo: 'Si Jehová sin falta me trae de vuelta a Jerusalén, entonces tendré que rendir servicio a Jehová' ".[l] 9 De modo que el rey le dijo: "Vete en paz".[m] Por lo cual él se levantó y fue a Hebrón.

10 Absalón ahora envió espías[n] por todas las tribus de Israel para que dijeran: "En cuanto oigan el sonido del cuerno, entonces tienen que decir: '¡Absalón ha llegado a ser rey[o] en Hebrón!' ".[p] 11 Ahora bien, con Absalón habían ido doscientos hombres de Jerusalén, que habían sido llamados e iban sin tener sospecha alguna,[q] ni sabían ni una sola cosa. 12 Además, cuando ofreció los sacrifi-

cios, Absalón envió por Ahitofel[a] el guilonita,[b] consejero de David,[c] de su ciudad de Guiló.[d] Y la conspiración[e] siguió haciéndose más fuerte, y la gente continuó aumentando numéricamente[f] con Absalón.

13 Con el tiempo, vino un informador a David, y dijo: "El corazón[g] de los hombres de Israel ha llegado a estar tras Absalón". 14 En seguida David dijo a todos sus siervos que estaban con él en Jerusalén: "Levántense, y huyamos;[h] ¡porque resultará que no tendremos escape a causa de Absalón! ¡Vayan apresuradamente, por temor de que él se dé prisa y realmente nos alcance y haga venir sobre nosotros lo que es malo y hiera la ciudad a filo de espada!".[i] 15 Ante esto, los siervos del rey dijeron al rey: "Conforme a todo lo que mi señor el rey elija, aquí están tus siervos".[j] 16 Así que el rey salió con toda su casa a sus pies,[k] y el rey dejó a diez mujeres, concubinas,[l] para que cuidaran de la casa. 17 Y el rey continuó saliendo con toda la gente a sus pies; e hicieron alto en Bet-merhaq.

18 Y todos sus siervos iban cruzando a su lado; y todos los keretitas y todos los peletitas[m] y todos los guititas,[n] seiscientos hombres que lo habían seguido desde Gat,[o] iban cruzando delante del rostro del rey. 19 Entonces el rey dijo a Ittai[p] el guitita: "¿Por qué debes ir tú mismo también con nosotros? Vuélvete[q] y mora con el rey; porque tú eres un extranjero y, además, te hallas desterrado de tu lugar. 20 Ayer fue cuando llegaste, ¿y acaso hoy te haré andar errante[r] con nosotros, para ir cuando yo me vaya, adondequiera que me vaya? ¡Vuélvete y llévate a tus hermanos, [y ejerza Jehová para contigo] bondad amorosa[s] y

CAP. 15
a Dt 22:15
Dt 25:7
Rut 4:1
b 1Sa 8:20
c Sl 12:2
Pr 30:17
Mt 15:4
2Pe 2:10
d Éx 20:17
Pr 25:6
Mr 7:22
e Sl 12:2
Pr 27:2
2Pe 2:19
f Sl 10:9
Sl 55:21
Pr 26:25
g Pr 11:9
Ro 16:18
2Pe 2:3
h 3Sa 3:2
i Pr 21:27
j Le 22:21
k 2Sa 13:38
2Sa 14:23
1Jer 9:3
m 1Sa 1:17
n 2Sa 13:28
2Sa 14:30
o Job 20:5
Sl 73:18
Miq 7:6
Mt 23:12
p 2Sa 2:1
2Sa 5:1
2Sa 5:5
1Cr 3:4
q Ro 16:18

2.ª col.

a 2Sa 16:23
2Sa 17:14
b 2Sa 23:34
c 2Sa 15:31
Sl 41:9
Sl 55:13
Miq 7:5
Jn 13:18
d Jos 15:51
e 2Re 12:20
2Re 17:4
2Cr 25:27
f Sl 3:1
Sl 43:1
Pr 24:21
g Jue 9:3
h 2Sa 19:9
Sl 3:Enc
Pr 19:26
i Pr 18:24
La 22:38
Jn 15:14
1Co 4:2
k Jue 4:10
1Sa 25:27
l 2Sa 12:11
2Sa 16:21
2Sa 20:3
m 2Sa 8:18
2Sa 20:7
1Re 1:38
1Cr 18:17
n Jos 13:3
o 1Sa 27:4
1Cr 18:1
p 2Sa 18:2
q Rut 1:8
r Heb 11:38
s Sl 25:10; Sl 57:3; Sl 61:7; Sl 85:10; Sl 89:14.

confiabilidad!".[a]   21 Pero Ittai contestó al rey y dijo: "¡Tan ciertamente como que vive Jehová y que vive mi señor el rey,[b] en el lugar donde llegue a estar mi señor el rey, sea para muerte o para vida, allí es donde tu siervo llegará a estar!".[c]   22 Ante esto, David dijo a Ittai:[d] "Anda y cruza". De modo que Ittai el guitita cruzó, y también todos sus hombres y todos los pequeñuelos que estaban con él.

23 Y toda la gente de la tierra estaba llorando en alta voz,[e] y toda la gente iba cruzando, y el rey estaba parado junto al valle torrencial de Cedrón,[f] y toda la gente iba cruzando al camino abierto hacia el desierto.   24 Y aquí también estaba Sadoc,[g] y con él todos los levitas[h] que llevaban[i] el arca[j] del pacto del Dios [verdadero]; y procedieron a asentar el arca del Dios [verdadero] junto a Abiatar[k] hasta que toda la gente terminó de cruzar desde la ciudad.   25 Pero el rey dijo a Sadoc: "Vuelve a llevar el arca[l] del Dios [verdadero] a la ciudad." Si hallo favor a los ojos de Jehová, entonces él ciertamente me traerá de vuelta y me dejará verla y ver su lugar de habitación.[n]   26 Pero si esto fuera lo que él dijera: 'No me he deleitado en ti', aquí estoy; haga conmigo tal como sea bueno a sus ojos".[o]   27 Y el rey siguió diciendo a Sadoc el sacerdote: "Eres vidente,[p] ¿verdad? Vuelve a la ciudad en paz, sí, y también Ahímaaz tu hijo y Jonatán hijo de Abiatar, los dos hijos de ustedes, con ustedes.   28 Miren, estoy demorándome junto a los vados del desierto hasta que venga palabra de ustedes para informarme".[r]   29 Por consiguiente, Sadoc y Abiatar volvieron a llevar el arca del Dios [verdadero] a Jerusalén, y continuaron morando allí.

30 Y David iba subiendo por la cuesta de los Olivos,[s] llorando al subir, con la cabeza cubierta;[t]

CAP. 15
a 2Sa 2:6
b 1Sa 20:3
  1Sa 25:26
c Rut 1:17
  Pr 17:17
  Pr 18:24
  Mt 8:19
d 2Sa 18:2
e Ro 12:15
f 1Re 2:37
  2Cr 30:14
  Jn 18:1
g 2Sa 8:17
  2Sa 20:25
  1Re 1:8
  1Re 2:35
  1Re 4:2
  1Cr 6:8
h Nú 8:19
  1Cr 23:32
i Nú 4:15
  Nú 7:9
  1Sa 4:4
  1Cr 15:2
j Éx 37:1
  Le 16:2
k 1Sa 22:20
  1Sa 30:7
l 1Sa 4:3
m 2Sa 6:17
n 2Sa 7:2
  Sl 26:8
  Sl 27:4
o 1Sa 3:18
  1Pe 5:6
p 1Sa 9:9
  2Cr 16:7
q 2Sa 17:17
r 2Sa 15:36
  2Sa 17:21
  2Sa 17:21
s Mt 21:1
  Mt 24:3
  Lu 19:29
  Hch 1:12
t Est 6:12
  Jer 14:3

2.ª col.

a Ro 12:15
b Sl 41:9
  Sl 55:12
  Mt 26:15
  Jn 13:18
c Sl 3:Enc
d Flp 4:6
e 2Sa 16:23
  2Sa 17:14
  Job 12:20
  1Co 3:19
f Sl 3:7
  Sl 50:15
g 2Sa 16:16
h Jos 16:2
i 1Sa 4:12
  2Sa 1:2
j 2Sa 19:35
k 2Sa 16:19
  1Sa 17:7
  2Sa 17:14
m 2Sa 17:15
n 2Sa 17:16
o 2Sa 15:27
  2Sa 18:19
p 2Sa 17:17
  1Re 1:42
q 2Sa 16:16
  1Cr 27:33
  Pr 17:17
r 2Sa 16:15

y andaba descalzo, y toda la gente que estaba con él se cubrió cada uno la cabeza, y subían, llorando al subir.[a]   31 Y a David se hizo el informe, y se dijo: "Ahitofel mismo está entre los que están conspirando[b] con Absalón".[c] A lo que dijo David:[d] "¡Vuelve, por favor, en tontedad el consejo de Ahitofel,[e] oh Jehová!".[f]

32 Y aconteció que, cuando David mismo llegó a la cumbre donde la gente solía inclinarse ante Dios, aquí [venía] a su encuentro Husai[g] el arkita,[h] con su traje talar rasgado y tierra sobre la cabeza.[i]   33 Sin embargo, David le dijo: "Si tú realmente cruzaras conmigo, entonces ciertamente llegarías a ser una carga sobre mí.[j]   34 Pero si vuelves a la ciudad y realmente dices a Absalón: 'Soy siervo tuyo, oh rey. Antes demostraba ser siervo de tu padre, aun yo en aquel tiempo, pero ahora yo mismo soy siervo tuyo',[k] entonces me tendrás que frustrar[l] el consejo de Ahitofel.   35 ¿No están allí contigo Sadoc y Abiatar los sacerdotes?[m] Y tiene que suceder que toda cosa que oigas de la casa del rey se la debes informar a Sadoc y a Abiatar los sacerdotes.[n]   36 ¡Mira! Allí están con ellos sus dos hijos: Ahímaaz,[o] que pertenece a Sadoc, y Jonatán,[p] que pertenece a Abiatar; y mediante ellos ustedes tienen que enviarme todo lo que oigan".   37 Por lo tanto, Husai, compañero de David,[q] entró en la ciudad. En cuanto a Absalón,[r] procedió a entrar en Jerusalén.

16 Cuando David mismo hubo cruzado un poco más allá de la cumbre,[s] allí estaba Zibá[t] el servidor de Mefibóset[u] que había salido a su encuentro con un par de asnos[v] aparejados, y sobre ellos doscientos panes[w] y

CAP. 16   s 2Sa 15:30;   t 2Sa 9:2;   2Sa 9:9;   u 2Sa 9:6;   v 1Sa 25:18;   w 1Sa 17:17;   2Sa 17:28.

cien tortas de pasas[a] y cien cargas de fruta de verano[b] y un jarrón de vino.[c] 2 Entonces el rey dijo a Zibá: "¿Qué significan estas cosas de parte tuya?".[d] A lo que dijo Zibá: "Los asnos son para que cabalgue la casa del rey, y el pan y la carga de fruta de verano son para que coman los jóvenes,[e] y el vino para que beba el que se canse[f] en el desierto".[g] 3 El rey ahora dijo: "¿Y dónde está el hijo de tu amo?".[h] Ante esto, Zibá dijo al rey: "Allá está morando en Jerusalén; porque dijo: 'Hoy la casa de Israel me devolverá el regir real de mi padre'".[i] 4 El rey entonces dijo a Zibá: "¡Mira! Tuyo es todo lo que pertenece a Mefibóset".[j] Por lo cual dijo Zibá: "De veras me inclino.[k] Halle yo favor a tus ojos, mi señor el rey".

5 Y el rey David llegó hasta Bahurim,[l] y, ¡mire!, de allí venía saliendo un hombre de la familia de la casa de Saúl, y su nombre era Simeí,[m] hijo de Guerá, saliendo e invocando el mal al salir.[n] 6 Y se puso a tirar piedras a David y a todos los siervos del rey David; y toda la gente y todos los hombres poderosos estaban a su derecha y a su izquierda. 7 Y esto era lo que decía Simeí al invocar el mal: "¡Sal, sal, oh hombre culpable de sangre[o] y hombre que no sirve para nada!"[p] 8 Jehová ha hecho volver sobre ti toda la culpa de sangre por la casa de Saúl en lugar de quien has reinado; y Jehová da la gobernación real en mano de Absalón tu hijo. ¡Y aquí estás tú en tu calamidad, porque eres un hombre culpable de sangre!".[q]

9 Por fin Abisai hijo de Zeruyá[r] dijo al rey: "¿Por qué debe este perro muerto[s] invocar el mal contra mi señor el rey?[t] Déjame pasar, por favor, y quitarle la cabeza".[u] 10 Pero el rey dijo: "¿Qué tengo yo que ver con ustedes,[v] hijos de Zeruyá?[w] Así, pues, que invoque él el mal,[x] por-

que Jehová mismo le ha dicho:[a] '¡Invoca el mal contra David!'. Por lo tanto, ¿quién debe decir: '¿Por qué hiciste así?'".[b] 11 Y David dijo además a Abisai y a todos sus siervos: "Miren que mi propio hijo, que ha salido de mis mismas entrañas, anda buscando mi alma;[c] ¡y cuánto más ahora un benjaminita![d] ¡Déjenlo para que invoque el mal, porque así se lo ha dicho Jehová! 12 Quizás vea Jehová[e] con su ojo, y Jehová realmente me restaure el bien en vez de su invocación de mal este día".[f] 13 Con eso David y sus hombres siguieron adelante por el camino, mientras Simeí andaba por el lado de la montaña, en senda paralela a la de él para poder invocar el mal;[g] y siguió tirando piedras mientras [seguía] en senda paralela a la de él, y tiró mucho polvo.[h]

14 Por fin el rey y toda la gente que estaba con él llegaron cansados. De modo que se refrescaron allí.[i]

15 En cuanto a Absalón y toda la gente, los hombres de Israel, entraron en Jerusalén;[j] y Ahitofel[k] estaba con él. 16 Y aconteció que, tan pronto como Husai[l] el arkita,[m] compañero de David,[n] entró a donde Absalón, Husai procedió a decir a Absalón: "¡Viva el rey![o] ¡Viva el rey!". 17 Ante esto, Absalón dijo a Husai: "¿Es esta tu bondad amorosa para con tu compañero? ¿Por qué no fuiste con tu compañero?".[p] 18 De modo que Husai dijo a Absalón: "No; sino del que Jehová ha escogido y también esta gente y todos los hombres de Israel, de él llegaré a ser yo, y con él moraré. 19 Y por segunda vez [tengo que decir]: ¿A quién serviré yo mismo? ¿No es delante de su hijo? Tal como serví delante de tu padre, así resultaré ser delante de ti".[q]

CAP. 16
a 1Sa 30:12
b Jer 40:10
   Am 8:1
   Miq 7:1
c 1Sa 10:3
d Pr 17:8
   Pr 18:16
e 1Sa 17:29
f 2Sa 17:29
g 2Sa 15:23
h 2Sa 9:3
i Le 19:16
   2Sa 19:27
   Sl 15:3
   Pr 6:19
   Pr 26:22
j Dt 19:15
   2Sa 9:10
k 1Sa 14:22
l 2Sa 3:16
   1Re 2:8
m 2Sa 19:16
   1Re 2:44
n Ex 22:28
   1Sa 17:43
   Pr 1:22
   Pr 26:2
   Ro 10:20
   Hch 23:5
o 1Sa 24:6
   1Sa 26:11
p Dt 13:13
   1Sa 2:12
   1Sa 25:17
   Job 34:18
q Sl 3:1
   Sl 3:2
   Sl 7:1
   Sl 71:11
r 1Cr 2:16
s 1Sa 24:14
   2Sa 3:8
t Ex 22:28
   Hch 23:5
u 1Sa 26:8
   Lu 9:54
   Ro 12:19
v 2Sa 19:22
   2Re 3:13
   Lu 9:55
w 1Re 2:5
x Sl 37:8
   1Pe 2:23

2.ª col.
a 2Sa 12:10
b Ro 9:20
c 2Sa 12:11
   2Sa 15:14
   2Sa 17:12
d 2Sa 19:16
e Gé 29:32
   Ex 2:25
   Ex 3:7
   Dt 25:18
   Pr 15:3
f Dt 23:5
   Sl 109:28
g Ex 22:28
   2Sa 16:5
   Ec 10:20
h Hch 22:23
i 2Sa 16:2
j 2Sa 15:37
k 2Sa 15:12
   2Sa 15:31
l 2Sa 15:32
m 2Sa 16:2
n 2Sa 15:37
   1Cr 27:33
o 1Sa 10:24; 1Re 1:25; 2Re 11:12; Da 2:4; p Gé 26:26; 1Re 4:5; Pr 17:17; Pr 18:24; q 2Sa 15:34; Pr 14:15.

20 Más tarde Absalón dijo a Ahitofel: "Ustedes, den consejo de parte suya.[a] ¿Qué haremos?". 21 Entonces Ahitofel dijo a Absalón: "Ten relaciones con las concubinas de tu padre,[b] que él dejó para que cuidaran la casa.[c] Y todo Israel ciertamente oirá que te has hecho hediondo[d] a tu padre,[e] y las manos[f] de todos los que están contigo ciertamente se pondrán fuertes".   22 Por lo tanto, le asentaron una tienda a Absalón sobre el techo,[g] y Absalón empezó a tener relaciones con las concubinas de su padre[h] ante los ojos de todo Israel.[i]

23 Y el consejo de Ahitofel, con que aconsejaba en aquellos días, era tal como cuando un hombre inquiría de la palabra del Dios [verdadero]. Así les era todo el consejo[j] de Ahitofel,[k] tanto a David como a Absalón.

17 Y Ahitofel procedió a decir a Absalón: "Permíteme escoger, por favor, doce mil hombres, y levantarme y correr tras David esta noche.[l] 2 Y vendré sobre él cuando se halle fatigado y débil de ambas manos,[m] y ciertamente lo pondré tembloroso; y toda la gente que está con él tendrá que huir, y ciertamente derribaré al rey solo.[n] 3 Y déjame traerte a toda la gente de vuelta. Equivale a la vuelta de todos el hombre que tú estás buscando; [y] todo el pueblo mismo llegará a estar en paz". 4 Y la palabra era muy apropiada a los ojos de Absalón[o] y a los ojos de todos los ancianos de Israel.

5 Sin embargo, Absalón dijo: "Llamen, por favor, a Husai[p] el arkita también, y oigamos lo que está en su boca, aun la de él". 6 De modo que Husai entró a donde Absalón. Entonces Absalón le dijo: "Conforme a esta palabra es como habló Ahitofel. ¿Obraremos conforme a su pala-

bra? Si no, habla tú mismo". 7 Por lo cual Husai dijo a Absalón: "¡No es bueno el consejo con que ha aconsejado Ahitofel en este caso!".[a]

8 Y Husai dijo además: "Tú mismo conoces bien a tu padre y a sus hombres, que son poderosos,[b] y están amargados de alma,[c] como una osa que ha perdido sus cachorros en el campo;[d] y tu padre es un guerrero,[e] y no pasará la noche con la gente. 9 ¡Mira! Ahora está escondido[f] en uno de los huecos o en uno de los otros lugares; y ciertamente sucederá que, tan pronto como él caiga sobre ellos al comienzo, el que lo oiga entonces de seguro oirá y dirá: '¡Ha habido una derrota entre la gente que está siguiendo a Absalón!'. 10 Y aun el hombre valiente, cuyo corazón es como el corazón del león,[g] de seguro se hará blando en debilidad;[h] porque todo Israel se da cuenta de que tu padre es un hombre poderoso[i] y así, también, lo son los hombres valientes que están con él.[j] 11 Yo mismo sí digo como consejo: Que todo Israel se reúna sin falta a ti, desde Dan hasta Beer-seba,[k] como las partículas de arena que están junto al mar por multitud,[l] y tú misma personas entre en la pelea.[m] 12 Y tenemos que venir contra él en uno de los lugares donde de seguro se hallará,[n] y nosotros mismos estaremos sobre él tal como cae el rocío[o] sobre el suelo; y ciertamente no quedará ni siquiera uno entre él y todos los hombres que están con él. 13 Y si es dentro de alguna ciudad a donde él se retira, entonces todo Israel tiene que llevar sogas a aquella ciudad, y ciertamente la arrastraremos hasta el valle torrencial, hasta que no se halle allí ni una piedrecita".[p]

14 Entonces Absalón y todos los hombres de Israel dijeron: "¡El consejo de Husai el arkita es mejor[q] que el consejo de Ahito-

CAP. 16
a Sl 37:12
  Pr 21:30
  Isa 8:10
  Mt 27:1
b Le 18:8
  Le 20:11
  2Sa 12:11
  1Re 2:22
  Job 31:10
c 2Sa 15:16
d Gé 34:30
  1Sa 13:4
  1Sa 27:12
e Gé 49:4
f 2Sa 2:7
g 2Sa 11:2
h Dt 22:30
  2Sa 12:11
  2Sa 20:3
i Núm 25:6
  2Sa 12:12
  Isa 3:9
j 2Sa 17:14
k 2Sa 15:12
  2Sa 17:23

CAP. 17
1 Pr 1:16
  Pr 4:16
m 2Sa 25:18
  2Sa 16:14
n 1Re 22:31
  Sl 37:12
  Sl 41:9
  Sl 55:12
o Mt 15:4
  2Ti 3:3
p 2Sa 15:32
  2Sa 16:16

2.ª col.
a 2Sa 15:34
b 1Sa 16:18
  2Sa 15:18
  2Sa 23:8
  2Sa 23:18
  1Cr 11:26
c Jue 18:25
d 2Re 2:24
  Pr 17:12
  Os 13:8
e 1Sa 17:50
  1Sa 18:7
  1Sa 19:8
  2Sa 10:18
f 1Sa 22:1
  1Sa 23:19
g Gé 40:9
  Nú 24:9
  2Sa 1:23
  Isa 31:4
h Dt 1:28
  Jos 2:9
  Jos 7:5
  1Sa 17:11
i 1Sa 18:5
  Heb 11:34
j 2Sa 17:8
k Jue 20:1
l Gé 32:12
  1Re 4:20
m Sl 7:15
  Sl 9:16
n 1Sa 23:23
  2Sa 17:9
o Sl 110:3
p Mt 24:2
q Pr 21:1

fell". Y Jehová mismo había dado orden[a] para que se frustrara el consejo[b] de Ahitofel, aunque bueno,[c] a fin de traer Jehová calamidad[d] sobre Absalón.

15 Más tarde Husai dijo a Sadoc[e] y Abiatar los sacerdotes: "De esta manera y de aquella fue como Ahitofel aconsejó a Absalón y a los ancianos de Israel; y de esta manera y de aquella fue como yo mismo aconsejé. 16 Y ahora envíen rápidamente e informen a David,[f] diciendo: 'No te alojes en las llanuras áridas del desierto esta noche, sino que tú también debes cruzar sin falta,[g] por temor de que el rey y toda la gente que está con él sean tragados' ".[h]

17 Puesto que Jonatán[i] y Ahimáaz[j] se hallaban parados en En-roguel,[k] una sierva se fue y les dio informe. De modo que ellos mismos se fueron, puesto que tenían que informarlo al rey David; porque no podían dejarse ver entrando en la ciudad. 18 Sin embargo, un joven llegó a verlos y lo informó a Absalón. Así que los dos se fueron rápidamente y llegaron a la casa de un hombre de Bahurim,[l] que en su patio tenía un pozo; y a este bajaron. 19 Después, la mujer tomó un lienzo cubridor y lo extendió sobre la faz del pozo y le amontonó encima grano resquebrajado;[m] y no llegó a saberse nada de ello. 20 Los siervos de Absalón entonces llegaron a la mujer en su casa y dijeron: "¿Dónde están Ahimáaz y Jonatán?". Ante esto, la mujer les dijo: "Pasaron de aquí a las aguas".[n] Entonces siguieron buscando,[o] y no los hallaron,[o] y por eso regresaron a Jerusalén.

21 Y después que se fueron, aconteció que entonces ellos salieron del pozo y siguieron adelante e informaron al rey David, y dijeron a David: "Levántense y pasen las aguas rápidamente; porque de esta manera ha aconsejado Ahitofel[p] contra ustedes".

22 David se levantó inmediatamente, y también toda la gente que estaba con él, y siguieron cruzando el Jordán hasta que rayó el alba,[a] hasta que no faltaba ni uno que no hubiera pasado el Jordán.

23 En cuanto a Ahitofel, vio que no se había obrado conforme a su consejo,[b] y procedió a aparejar un asno y a levantarse e irse a casa, a su propia ciudad.[c] Entonces dio órdenes a su casa[d] y se estranguló,[e] y así murió.[f] De modo que fue enterrado[g] en la sepultura de sus antepasados.

24 En cuanto a David, vino a Mahanaim,[h] y Absalón mismo cruzó el Jordán, él y todos los hombres de Israel con él. 25 Y a Amasá[i] fue a quien Absalón puso en el lugar de Joab[j] sobre el ejército; y Amasá era hijo de un hombre cuyo nombre era Itrá[k] el israelita, que tuvo relaciones con Abigail[l] hija de Nahás, hermana de Zeruyá, madre de Joab. 26 E Israel y Absalón se pusieron a acampar en la tierra de Galaad.[m]

27 Y aconteció que, tan pronto como David vino a Mahanaim, Sobí hijo de Nahás, de Rabá[n] de los hijos de Ammón,[o] y Makir[p] hijo de Amiel,[q] de Lo-debar, y Barzilai[r] el galaadita, de Roguelim,[s] 28 [trajeron] camas y fuentes y vasijas de alfarero, y trigo y cebada y harina[t] y grano tostado[u] y habas[v] y lentejas[w] y grano reseco; 29 y miel[x] y mantequilla[y] y ovejas y requesones de vacada presentaron para David y para la gente que estaba con él, para que comieran,[z] porque dijeron: "La gente está hambrienta y cansada y sedienta en el desierto".[a]

18 Y David procedió a contar la gente que estaba con él y a colocar sobre ellos jefes de millares y jefes de centenas.[b] 2 Además, David envió un ter-

CAP. 17
a Dt 2:30
2Cr 25:20
Sl 91:11
b 2Sa 15:31
2Sa 15:34
Job 5:12
Pr 19:21
Pr 21:30
Isa 8:10
1Co 3:19
c 2Sa 16:23
d 1Sa 2:6
Job 34:11
Isa 46:10
e 2Sa 8:17
2Sa 15:35
1Cr 12:28
f 2Sa 15:28
g 2Sa 15:14
h 2Sa 20:19
Sl 35:25
i 2Sa 15:27
1Re 1:42
j 2Sa 15:36
2Sa 15:27
k Jos 15:7
Jos 18:16
1Re 1:9
l 2Sa 3:16
2Sa 16:5
2Sa 19:16
m Jos 2:6
n Éx 1:19
Jos 2:5
1Sa 19:14
1Sa 21:2
Mt 10:16
o Jos 2:22
p 2Sa 17:2

2.ª col.
a Pr 27:12
b Pr 16:18
c Jos 15:51
2Sa 15:12
d 2Re 20:11
e Éx 20:13
1Sa 31:4
1Re 16:18
Mt 27:5
f Sl 5:10
Sl 55:23
g Ec 8:10
h Gé 32:2
Jos 13:26
2Sa 2:8
i 2Sa 19:13
2Sa 20:4
2Sa 20:10
j 2Sa 8:16
k 1Cr 2:16
l 1Cr 2:16
m Nú 32:1
Dt 3:15
n Dt 3:11
2Sa 10:3
2Sa 12:29
o 2Sa 12:26
p 2Sa 9:4
q 2Sa 9:5
r 2Sa 19:32
1Re 2:7
s 2Sa 19:31
t Gé 18:6
1Sa 28:24
u 1Sa 25:18
v Eze 4:9
w Gé 25:34
2Sa 23:11
x Éx 3:8

y Gé 18:8; Pr 30:33; z Pr 11:25; Hch 28:2; a 2Sa 16:2; CAP. 18 b 1Sa 8:12; 1Cr 13:1; 1Co 14:40.

cio[a] de la gente bajo la mano de Joab[b] y un tercio bajo la mano de Abisai[c] hijo de Zeruyá, hermano de Joab,[d] y un tercio bajo la mano de Ittai[e] el guitita. Entonces el rey dijo a la gente: "Yo mismo también sin falta saldré con ustedes". 3 Pero la gente dijo: "No debes salir,[f] porque si de manera alguna huyéramos, no pondrían el corazón en nosotros;[g] y si la mitad de nosotros muriéramos, no pondrían el corazón en nosotros, porque tú vales tanto como diez mil de nosotros;[h] y ahora sería mejor, si nos quieres rendir servicio, dar ayuda[i] desde la ciudad". 4 De modo que el rey les dijo: "Lo que parezca bueno a sus ojos haré". Y él se quedó parado al lado de la puerta,[k] y toda la gente misma salió por cientos y por miles.[l] 5 Y el rey pasó a ordenar a Joab y Abisai e Ittai, diciendo: "Traten con suavidad,[m] por mi causa, al joven Absalón". Y toda la gente misma oyó cuando el rey dio órdenes a todos los jefes acerca del asunto de Absalón.

6 Y la gente continuó saliendo al campo para encontrarse con Israel; y se libró la batalla en el bosque de Efraín.[n] 7 Por fin la gente de Israel[o] fue derrotada[p] allí delante de los siervos de David, y la matanza allí resultó grande en aquel día: de veinte mil hombres. 8 Y la batalla allí llegó a extenderse sobre toda la tierra que estaba a la vista. Además, el bosque hizo más, en cuanto a comerse a la gente, que lo que hizo la espada en comérsela aquel día.

9 Por fin Absalón se encontró delante de los siervos de David. Y Absalón iba cabalgando sobre un mulo, y el mulo llegó a meterse debajo del ramaje de un gran árbol macizo, de modo que [a Absalón] se le quedó firmemente prendida la cabeza en el árbol grande, y él fue alzado entre los cielos y la tierra,[q] puesto que el

mulo mismo que estaba debajo de él siguió adelante. 10 Entonces cierto hombre lo vio e informó a Joab[a] y dijo: "¡Mira! He visto a Absalón colgando de un árbol grande. 11 Por lo cual Joab dijo al hombre que estaba refiriéndoselo: "¡Y qué cosa que lo viste!, y, ¿por qué no lo derribaste en tierra allí? Entonces yo hubiera tenido la obligación de darte diez piezas de plata y un cinto".[b] 12 Pero el hombre dijo a Joab: "Y aunque estuviera yo pesando sobre las palmas de mis manos mil piezas de plata, no alargaría mi mano contra el hijo del rey; porque a nuestros oídos el rey les dio órdenes a ti y Abisai e Ittai, diciendo: 'Cuiden, quienquiera [que sea], del joven, de Absalón'.[c] 13 De otro modo yo hubiera obrado traidoramente contra su alma y todo el asunto mismo no quedaría escondido del rey,[d] y tú mismo tomarías una posición allá al lado". 14 A lo cual dijo Joab: "¡No me detenga yo así delante de ti!". Con eso, tomó tres dardos en la palma de la mano y procedió a clavarlos[e] en el corazón de Absalón mientras estaba todavía vivo en el corazón[f] del árbol grande. 15 Entonces diez servidores que llevaban las armas de Joab fueron alrededor e hirieron a Absalón, para darle muerte.[g] 16 Ahora Joab tocó el cuerno,[h] para que la gente se volviera de correr tras Israel; porque Joab había retenido a la gente. 17 Por fin tomaron a Absalón y lo arrojaron en el bosque en un hueco grande y alzaron sobre él un montón de piedras muy grande.[i] En cuanto a todo Israel, cada cual huyó a su hogar.

18 Ahora bien, Absalón mismo, mientras estaba vivo, había tomado y procedido a alzarse una columna,[j] que está en la llanura baja del Rey,[k] porque decía: "No tengo hijo para que se conserve en recuerdo mi nom-

CAP. 18

a Jue 7:16
Pr 20:18

b 2Sa 8:16
2Sa 10:7

c 2Sa 23:18

d 1Cr 2:16

e 2Sa 15:19
2Sa 15:21

f 2Sa 21:17

g 2Sa 17:2
1Re 22:31

h 2Sa 17:3
Lam 4:20

i Éx 17:10

j Rut 3:5
Snt 3:17

k 2Sa 18:24
1 1Sa 29:2

m 2Sa 18:12

n 2Sa 17:26

o 2Sa 16:15

p 2Sa 2:17
2Cr 13:16
2Cr 28:6
Sl 3:7
Pr 24:22

q 1Cr 21:16

2.ª col.

a 2Sa 8:16
2Sa 18:2

b 1Sa 17:25
1Cr 11:6

c 2Sa 18:5

d Pr 16:14
Pr 24:21

e Jue 4:21
Jue 5:31
Sl 45:5

f 2Sa 18:9

g Dt 27:16
Dt 27:20
2Sa 12:10
Sl 63:9
Pr 2:22
Pr 20:20
Pr 30:17

h 2Sa 2:28

i Jos 7:26
Jos 8:29
Jos 10:27

j 1Sa 15:12

k Gé 14:17

bre".ᵃ De modo que llamó la columna por su propio nombre,ᵇ y se le sigue llamando el Monumento de Absalón hasta el día de hoy.

19 Ahora bien, en cuanto a Ahimáazᶜ hijo de Sadoc, él dijo: "Déjame correr, por favor, y dar las noticias al rey, porque Jehová lo ha juzgado [para librarlo] de la mano de sus enemigos".ᵈ 20 Pero Joab le dijo: "No eres hombre de noticias este día, y tendrás que dar las noticias otro día; pero este día no debes dar las noticias, por la razón misma de que el propio hijo del rey ha muerto".ᵉ 21 Entonces Joab dijo al cusita:ᶠ "Anda, informa al rey lo que has visto". Con eso, el cusita se inclinó ante Joab y echó a correr. 22 Ahimáaz hijo de Sadoc ahora volvió a decir a Joab: "Ahora deja que suceda lo que suceda, deja que yo mismo también, por favor, corra detrás del cusita". Sin embargo, Joab dijo: "¿Por qué tienes que correr tú mismo, hijo mío, cuando no hay noticias que se hallen para ti?". 23 [A pesar de aquello, él dijo:] "Ahora deja que suceda lo que suceda, déjame correr". De modo que le dijo: "¡Corre!". Y Ahimáaz echó a correr por el camino del Distrito,ᵍ y con el tiempo pasó y dejó atrás al cusita.

24 Ahora bien, David estaba sentado entre las dos puertas.ʰ Entretanto, el atalayaⁱ se fue al techo de la puerta junto al muro. Por fin alzó los ojos y vio y, ¡mire!, había un hombre que corría solo. 25 Así que el atalaya gritó e informó al rey, a lo que dijo el rey: "Si está solo, hay noticias en su boca". Y seguía viniendo, acercándose constantemente. 26 El atalaya ahora vio a otro hombre que corría. El atalaya por lo tanto gritó al portero y dijo: "¡Mira! ¡Otro hombre que corre solo!", a lo que dijo el rey: "Este también es portador de noticias". 27 Y el atalaya pasó a decir: "Estoy viendo que

el estilo de correr del primero es como el estilo de correrᵃ de Ahimáazᵇ hijo de Sadoc", a lo que dijo el rey: "Este es un hombre bueno,ᶜ y con buenas noticiasᵈ debe venir". 28 Por fin Ahimáaz gritó y dijo al rey: "¡Bien va!". Con eso se inclinó ante el rey rostro a tierra. Y siguió diciendo: "¡Benditoᵉ sea Jehová tu Dios, que ha entregadoᶠ a los hombres que alzaron la mano contra mi señor el rey!".

29 Sin embargo, el rey dijo: "¿Le va bien al joven Absalón?". A esto Ahimáaz dijo: "Vi la gran conmoción cuando Joab envió al siervo del rey y a tu siervo, y no supe qué era".ᵍ 30 De modo que el rey dijo: "Ponte a un lado, toma tu posición aquí". En seguida él se puso a un lado y quedó de pie quieto.

31 Y aquí venía entrando el cusita,ʰ y el cusita empezó a decir: "Acepte noticias mi señor el rey, porque Jehová te ha juzgado hoy [para librarte] de la mano de todos los que se levantaron contra ti".ⁱ 32 Pero el rey dijo al cusita: "¿Le va bien al joven Absalón?". A esto el cusita dijo: "Que los enemigos de mi señor el rey y todos los que se levantaron contra ti para mal lleguen a ser como el joven".ʲ

33 Entonces el rey se perturbó y subió a la cámara del techoᵏ sobre el paso de entrada y se puso a llorar; y esto decía al andar: "¡Hijo mío, Absalón, hijo mío, hijo mío! ¡Absalón! ¡Oh, que yo pudiera haber muerto, yo mismo, en lugar de ti, Absalón, hijo mío, hijo mío!".ᵐ

19 Más tarde, se informó a Joab: "¡Mira! El rey está llorando, y hace duelo por Absalón".ⁿ 2 Así que la salvación de aquel día vino a ser ocasión de duelo de parte de toda la gente, porque la gente oyó decir aquel día: "El rey se ha sentido herido por su hijo". 3 Y la gente em-

CAP. 18
a Nú 27:4
2Sa 14:27
b Sl 49:11
c 2Sa 15:36
2Sa 17:17
d 2Sa 15:25
Sl 9:4
e 2Sa 18:5
f Gé 10:6
Nú 12:1
2Cr 14:9
g 1Re 7:46
2Cr 4:17
h 2Sa 18:4
i 2Sa 13:34
2Re 9:17
Isa 21:6

2.ᵃ col.
a 2Re 9:20
b 2Sa 18:19
c Pr 25:13
d 1Re 1:42
Pr 25:25
e Gé 14:20
2Sa 22:47
Sl 124:6
Sl 144:1
f 1Sa 26:8
Sl 31:8
g 2Sa 18:19
h 2Sa 18:21
i 2Sa 22:49
Sl 55:18
Sl 94:1
Sl 124:2
j Jue 5:31
Sl 27:2
Sl 68:1
k 2Sa 18:24
l 2Sa 19:1
m 2Sa 12:10
2Sa 17:10
Pr 10:1
Pr 19:13

CAP. 19
n 2Sa 18:5
2Sa 18:14

pezó a irse a hurtadillas aquel día para entrar en la ciudad,[a] tal como suele irse a hurtadillas la gente cuando se siente avergonzada por haber huido en la batalla. 4 Y el rey mismo se cubrió el rostro, y el rey siguió clamando en alta voz: "¡Hijo mío, Absalón! ¡Absalón, hijo mío, hijo mío!".[b]

5 Por fin Joab entró a donde el rey en la casa y dijo: "Tú has avergonzado hoy el rostro de todos tus siervos, los que proveyeron escape para tu alma hoy[c] y para el alma de tus hijos[d] y tus hijas[e] y para el alma de tus esposas[f] y para el alma de tus concubinas,[g] 6 amando a los que te odian y odiando a los que te aman; porque has dado informe de que jefes y siervos nada te son a ti, pues bien sé yo hoy que si solo estuviera vivo Absalón y todos nosotros hoy estuviéramos muertos, pues, en tal caso ello sería recto a tus ojos. 7 Y ahora levántate, sal fuera y habla directamente al corazón[h] de tus siervos, porque, por Jehová, de veras juro que, en caso de que no salgas, no se alojará ni un hombre contigo esta noche;[i] y esto ciertamente te será peor que todo el perjuicio que te ha sobrevenido desde tu juventud hasta ahora". 8 Por lo tanto, el rey se levantó y se sentó en la puerta,[j] y a toda la gente se hizo el informe, diciendo: "Allí está el rey sentado en la puerta". Y toda la gente empezó a venir delante del rey.

En cuanto a Israel, había huido cada cual a su hogar.[k] 9 Y toda la gente se hallaba envuelta en disputa en todas las tribus de Israel, pues decían: "Fue el rey quien nos libró de la palma de la mano de nuestros enemigos,[l] y él fue quien nos proveyó escape de la palma de la mano de los filisteos; y ahora ha salido del país huyendo de Absalón.[m] 10 En cuanto a Absalón, a quien ungimos sobre nosotros,[n] ha muerto en la batalla.[a] Ahora pues, ¿por qué no están haciendo algo para traer de vuelta al rey?".[b]

11 En cuanto al rey David, envió a decir a Sadoc[c] y a Abiatar[d] los sacerdotes: "Hablen a los ancianos de Judá,[e] y digan: '¿Por qué deben ustedes llegar a ser los últimos en traer de vuelta al rey a su casa, cuando la palabra de todo Israel mismo ha llegado al rey en su casa? 12 Hermanos míos son ustedes; mi hueso y mi carne son.[f] ¿Por qué, pues, deben ustedes llegar a ser los últimos en traer de vuelta al rey?'. 13 Y a Amasá ustedes deben decir:[g] '¿No eres tú mi hueso y mi carne? Hágame así Dios y añada así a ello[h] si tú no llegas a ser jefe del ejército delante de mí siempre en lugar de Joab'".[i]

14 Y él procedió a inclinar el corazón de todos los hombres de Judá como un solo hombre,[j] de modo que enviaron a decir al rey: "Vuelve, tú y todos tus siervos".

15 Y el rey empezó a volver y logró venir hasta el Jordán. En cuanto a Judá, vino hasta Guilgal[k] para ir al encuentro del rey, para conducir al rey a través del Jordán. 16 Entonces Simeí[l] hijo de Guerá[m] el benjaminita, que era de Bahurim,[n] se dio prisa y bajó con los hombres de Judá al encuentro del rey David. 17 Y había con él mil hombres de Benjamín. (Y también Zibá[o] el servidor de la casa de Saúl, y con él estaban sus quince hijos[p] y veinte siervos de él, y tuvieron éxito en llegar al Jordán antes que el rey. 18 Y él cruzó el vado[q] para conducir la casa del rey a través y para hacer lo que fuera bueno a sus ojos.) En cuanto a Simeí hijo de Guerá, él cayó delante del rey cuando este estaba a punto de cruzar el Jordán.[r] 19 Entonces dijo al rey: "No vaya mi señor a atribuirme error, y no te acuerdes del mal que tu siervo hizo[s] el día en que mi señor el rey salió de Jerusa-

---

CAP. 19

a 2Sa 17:24
  2Sa 19:32
b 2Sa 18:33
c Sl 18:48
d 2Sa 3:3
  2Sa 5:14
e 2Sa 13:1
f 2Sa 5:13
g 2Sa 15:16
h Isa 40:2
i Pr 14:28
j 2Sa 18:4
  2Sa 18:24
  1Re 22:10
  Jer 38:7
k 2Sa 18:17
  1Re 22:36
l 1Sa 17:50
  1Sa 18:7
  1Sa 19:5
  2Sa 5:25
  2Sa 8:5
m 2Sa 15:14
n 2Sa 15:10
  2Sa 15:12

2.ª col.

a 2Sa 18:14
b 2Sa 3:17
c 2Sa 8:17
  2Sa 15:25
  1Re 1:8
d 1Sa 22:20
  1Sa 30:7
  2Sa 15:24
  1Cr 15:11
e 2Sa 2:4
f Jue 9:2
  2Sa 5:1
g 2Sa 17:25
  1Cr 2:17
h Rut 1:17
  1Sa 3:17
i 2Sa 8:16
  2Sa 18:5
  2Sa 18:14
j Jue 20:1
k Jos 5:9
  1Sa 11:14
l 2Sa 16:5
  1Re 2:36
  1Re 2:44
m 1Re 2:8
n 2Sa 3:16
  2Sa 17:18
o 2Sa 9:2
  2Sa 16:1
p 2Sa 9:10
q 2Sa 15:28
r Sl 66:3
  Sl 81:15
  Ec 10:4
s 1Sa 26:21
  2Sa 16:5

lén, de modo que lo ponga el rey
en su corazón.[a] 20 Porque tu
siervo bien sabe que yo soy el que
pecó; y por eso aquí he venido
hoy el primero de toda la casa de
José[b] para bajar al encuentro de
mi señor el rey".
21 Al instante Abisai[c] hijo de
Zeruyá[d] contestó y dijo: "¿En
pago de esto no debe darse
muerte a Simeí, puesto que invocó el mal contra el ungido de
Jehová?".[e] 22 Pero David dijo:
"¿Qué tengo yo que ver con ustedes,[f] hijos de Zeruyá, para que
lleguen a ser hoy un resistidor[g]
para mí? ¿Se dará muerte hoy a
persona alguna en Israel?[h] ¿Pues
acaso no sé yo bien que hoy
soy rey sobre Israel?". 23 Entonces el rey dijo a Simeí: "No
morirás". Y el rey pasó a jurárse-
lo.[i]
24 En cuanto a Mefibóset[j] nieto de Saúl, bajó al encuentro del
rey; y no había atendido a sus
pies[k] ni había atendido a su bigote[l] ni había lavado sus prendas de vestir desde el día en que
el rey se fue hasta el día en que
vino en paz. 25 Y aconteció
que, cuando vino a Jerusalén al
encuentro del rey, entonces el
rey le dijo: "¿Por qué no fuiste
conmigo, Mefibóset?". 26 A lo
que él dijo: "Señor mío el rey,
fue mi siervo[m] que me embau-
có. Porque tu siervo había dicho: 'Déjame aparejarme el asna
para cabalgar sobre ella e ir con
el rey', porque tu siervo es cojo.[n]
27 De modo que él calumnió[o] a
tu siervo ante mi señor el rey.
Pero mi señor el rey es como un
ángel[p] del Dios [verdadero], y así
es que haz lo que sea bueno a tus
ojos. 28 Porque toda la casa de
mi padre no hubiera llegado a
ser otra cosa sino condenada a
muerte ante mi señor el rey, y,
no obstante, colocaste a tu siervo entre los que comen a tu
mesa.[q] Entonces, ¿qué tengo todavía como justa pretensión siquiera para clamar[r] más al rey?".
29 Sin embargo, el rey le dijo:
"¿Por qué sigues aún hablando
tus palabras? Digo en efecto: Tú
y Zibá deben compartir el campo".[a] 30 Ante esto, Mefibóset
dijo al rey: "Que tome aun todo,[b]
ya que mi señor el rey ha venido
en paz a su casa".
31 Y Barzilai[c] el galaadita
mismo bajó de Roguelim para
pasar hasta el Jordán con el rey,
para escoltarlo hasta el Jordán.
32 Y Barzilai era muy viejo,
pues tenía ochenta años de
edad;[d] y él mismo proveyó al
rey de alimento mientras estuvo morando en Mahanaim,[e] porque el hombre era personaje
muy grande.[f] 33 Así que el rey
dijo a Barzilai: "Cruza tú mismo
conmigo, y ciertamente te proveeré de alimento conmigo en
Jerusalén".[g] 34 Pero Barzilai
dijo al rey: "¿Como qué son los
días de los años de mi vida, para
que yo suba con el rey a Jerusalén? 35 Tengo ochenta años
de edad hoy.[h] ¿Pudiera yo discernir entre lo bueno y lo malo, o
pudiera tu siervo gustar lo que
comiera o lo que bebiera,[i] o pudiera escuchar[j] ya la voz de cantores y cantoras?[k] ¿Por qué,
pues, debe hacerse tu siervo una
carga[l] ya a mi señor el rey?
36 Porque solo por corta distancia tu siervo pudo acompañar al
rey hasta el Jordán, ¿y por qué
debe pagarme el rey con este galardón?[m] 37 Deja que tu siervo
se vuelva, por favor, y déjame
morir[n] en mi ciudad, cerca de la
sepultura de mi padre y mi madre.[o] Pero aquí está tu siervo
Kimham.[p] Que él cruce con mi
señor el rey; y hazle lo que sea
bueno a tus ojos".
38 En conformidad, el rey
dijo: "Conmigo cruzará Kimham, y yo mismo le haré lo que
sea bueno a tus ojos; y todo lo
que escojas [imponer] sobre mí
te lo haré". 39 Toda la gente
entonces empezó a cruzar el Jordán, y el rey mismo cruzó; pero
el rey besó[q] a Barzilai y lo bendi-

CAP. 19

a 2Sa 13:20, 2Sa 13:33
b 2Sa 19:43, 1Cr 5:2
c 2Sa 23:18
d 2Sa 2:18
e Éx 22:28, 2Sa 16:7, 1Re 21:13, Sl 105:15, Ec 10:20, Hch 23:5, 2Pe 2:10
f 2Sa 3:39, 2Sa 16:10
g 1Sa 29:4, 1Re 5:4, Mt 16:23, Snt 1:20
h 1Sa 11:13
i 1Re 2:8, 1Re 2:37, 1Re 2:46, Heb 6:16
j 2Sa 9:6, 2Sa 16:4
k 2Sa 9:3
l Esd 9:3
m 2Sa 9:9
n 2Sa 4:4
o Le 19:16, 2Sa 16:3, Sl 101:5, Pr 6:19, Pr 21:6
p 1Sa 29:9, 2Sa 14:17
q 2Sa 9:1, 2Sa 9:7, 2Sa 9:10, 2Sa 9:13
r 2Sa 9:8

2.ª col.

a 2Sa 16:4, Pr 18:17, Pr 29:4
b Mt 5:40, 1Co 6:7
c 2Sa 17:27, 1Re 2:7
d Sl 90:10
e 2Sa 17:28, Pr 3:27, Heb 13:16
f 1Sa 25:2, Job 1:3
g 2Sa 9:10, Pr 11:25, Mt 7:12, Lu 6:38
h Sl 90:10
i Ec 8:15, Ec 12:5
j Job 12:11, Ec 12:4
k Esd 2:65, Ne 7:67, Ec 2:8
l 2Sa 13:25, 2Sa 15:33
m Lu 6:38
n Jos 23:14, Lu 2:29
o Gé 47:30, Gé 49:29, Gé 50:13
p 1Re 2:7
q Gé 31:55, Rut 1:14, 1Sa 20:41, 1Re 19:20, Hch 20:37

jo,[a] después de lo cual él se volvió a su lugar.   40 Cuando el rey pasó al otro lado a Guilgal,[b] Kimham mismo cruzó con él, y también toda la gente de Judá, y también la mitad de la gente de Israel, para acompañar al rey en el cruce.

41 Y, ¡mire!, todos los hombres de Israel venían al rey, y procedieron a decir al rey: "¿Por qué[c] te hurtaron nuestros hermanos, los hombres de Judá, para hacer ellos que el rey y su casa y todos los hombres de David con él pasaran el Jordán?".[d] 42 Ante esto, todos los hombres de Judá contestaron a los hombres de Israel: "Porque el rey es pariente cercano nuestro;[e] ¿y por qué se han encolerizado ustedes por esta cosa? ¿Acaso hemos comido a expensas del rey, o se nos ha llevado algún regalo?".

43 Sin embargo, los hombres de Israel contestaron a los hombres de Judá y dijeron: "Nosotros tenemos diez partes en el rey,[f] de modo que aun en David nosotros somos más que ustedes. ¿Por qué, pues, nos han tratado con desprecio, y a qué se debe que nuestro asunto no vino a ser primero[g] para que nosotros trajéramos de vuelta a nuestro rey?". Pero la palabra de los hombres de Judá fue más severa que la palabra de los hombres de Israel.

20 Ahora bien, sucedió que se hallaba allí un hombre no servía para nada,[h] cuyo nombre era Seba,[i] hijo de Bicrí, un benjaminita; y él procedió a tocar el cuerno[j] y a decir: "Nosotros no tenemos parte que nos corresponda en David, y no tenemos herencia en el hijo de Jesé.[k] ¡Cada uno a sus dioses,[l] oh Israel!".   2 Ante eso, todos los hombres de Israel empezaron a subir de en pos de David para seguir a Seba hijo de Bicrí;[m] pero en cuanto a los hombres de Judá,

se adhirieron a su rey desde el Jordán hasta Jerusalén.[a]

3 Por fin David llegó a su casa en Jerusalén.[b] Entonces el rey tomó a las diez mujeres,[c] las concubinas que había dejado para cuidar la casa, y las puso en una casa de encierro, pero siguió proveyéndoles alimento. Y no tuvo relaciones con ellas,[d] sino que ellas continuaron muy encerradas hasta el día en que murieron, en viudez con un [esposo] vivo.

4 El rey ahora dijo a Amasá:[e] "Convócame a los hombres de Judá dentro de tres días, y tú mismo está de pie aquí".   5 De modo que Amasá se fue para convocar a Judá; pero tardó más en venir que el tiempo establecido que él le había señalado. 6 Entonces David dijo a Abisai:[f] "Ahora Seba[g] hijo de Bicrí nos será peor que Absalón.[h] Toma tú mismo a los siervos[i] de tu señor y corre tras él, para que realmente no halle para sí ciudades fortificadas y escape ante nuestros ojos".   7 Por consiguiente, los hombres de Joab[j] y los keretitas[k] y los peletitas[l] y todos los hombres poderosos salieron en pos de él; y se fueron saliendo de Jerusalén para correr tras de Seba hijo de Bicrí. 8 Estaban cerca de la gran piedra que hay en Gabaón,[m] y Amasá[n] mismo vino a su encuentro. Ahora bien, Joab estaba ceñido, vestido con una prenda de vestir; y tenía ceñida sobre sí una espada pegada a su cadera, en su vaina. Y él mismo avanzó, y así que esta se cayó.

9 Y Joab procedió a decir a Amasá: "¿Te va bien, hermano mío?".[o] Entonces la mano derecha de Joab asió la barba de Amasá para besarlo.[p] 10 En cuanto a Amasá, no se mantuvo alerta respecto a la espada que estaba en la mano de Joab; de modo que este lo hirió[q] con ella en el abdomen, y sus intestinos

CAP. 19
a Gé 14:19
Gé 47:7
Jos 22:6
b 1Sa 11:14
c Jue 8:1
Jue 12:1
d 2Sa 19:15
e Rut 4:12
Rut 4:22
2Sa 2:4
Sl 78:68
Mt 1:3
Mt 1:6
f 1Re 11:31
1Re 12:16
g Ec 4:4
Lu 22:24
Lu 22:26
Flp 2:3

CAP. 20
h Dt 13:13
1Sa 2:12
i 2Sa 20:21
j Jue 3:27
2Sa 15:10
k 2Sa 19:43
l Dt 13:6
Dt 13:9
1Re 12:16
2Cr 10:16
m 2Sa 15:12
Pr 6:19
Pr 24:21
Gál 5:20

2.ᵃ col.
a 2Sa 19:15
2Sa 19:42
b 2Sa 5:11
c 2Sa 15:16
2Sa 16:21
d 2Sa 16:22
e 2Sa 17:25
2Sa 19:13
1Cr 2:17
f 1Sa 26:6
2Sa 10:10
2Sa 23:18
1Cr 11:20
1Cr 18:12
g 2Sa 20:1
h 2Sa 15:12
i 2Sa 11:11
1Re 1:33
j 2Sa 8:16
k 2Sa 8:18
1Cr 18:17
l 2Sa 15:18
1Re 1:38
m Jos 18:25
Jos 21:17
n 2Sa 17:25
2Sa 19:13
o Sl 55:21
Pr 26:24
Miq 7:2
p Lu 22:47
q Nú 35:16
2Sa 3:27
1Re 2:5
Sl 55:23

se vertieron a tierra, y no tuvo que hacérselo otra vez. De modo que murió. Y Joab y Abisai su hermano, por su parte, corrieron tras de Seba hijo de Bicrí.

11 Y cierto individuo de los jóvenes de Joab se paró junto a él y siguió diciendo: “¡Quienquiera que se haya deleitado en Joab y quienquiera que pertenezca a David,[a] siga a Joab!”. **12** Mientras tanto, Amasá estaba revolcándose en la sangre[b] en medio de la calzada. Cuando el hombre vio que toda la gente se paraba, entonces trasladó a Amasá de la calzada al campo. Por fin echó sobre él una prenda de vestir, puesto que vio que todo el que llegaba hasta él se paraba.[c] **13** Luego que lo hubo removido de la calzada, cada hombre pasó adelante, siguiendo a Joab para correr tras de Seba[d] hijo de Bicrí.

14 Y [Seba] fue pasando por todas las tribus de Israel hasta Abel de Bet-maacá.[e] En cuanto a todos los bicritas, estos entonces se congregaron y entraron también después de él.

15 Y procedieron a llegar y a sitiarlo en Abel de Bet-maacá y a alzar contra la ciudad un cerco de sitiar,[f] puesto que estaba situada dentro de un baluarte. Y toda la gente que estaba con Joab estaba socavando el muro, para echarlo abajo. **16** Y una mujer sabia[g] se puso a gritar desde la ciudad: “¡Escuchen, escuchen! Digan, por favor, a Joab: ‘Acércate hasta acá, y déjame hablarte’ ”. **17** De modo que él se le acercó, y la mujer entonces dijo: “¿Eres tú Joab?”, a lo cual él dijo: “Yo soy”. Ante esto, ella le dijo: “Escucha las palabras de tu esclava”.[h] A su vez, él dijo: “Estoy escuchando”. **18** Y ella siguió diciendo: “Sin excepción solían hablar en tiempos pasados, diciendo: ‘Que solo inquieran en Abel, y así ciertamente acabarán con el asunto’. **19** Yo represento a los pacíficos[a] y fieles[b] de Israel. Tú estás procurando dar muerte a una ciudad[c] y a una madre en Israel. ¿Por qué debes tragarte[d] la herencia[e] de Jehová?”. **20** A lo cual Joab contestó y dijo: “Es absolutamente inconcebible de parte mía que yo trague y que yo arruine. **21** No es así el asunto, sino que un hombre de la región montañosa de Efraín,[f] cuyo nombre es Seba[g] hijo de Bicrí, ha alzado su mano contra el rey David.[h] Entréguenlo a él solo,[i] y yo ciertamente me retiraré de la ciudad”.[j] Entonces la mujer dijo a Joab: “¡Mira! ¡Su cabeza[k] te [será] arrojada por encima del muro!”.

22 En seguida la mujer fue en su sabiduría[l] a todo el pueblo, y procedieron a cortarle la cabeza a Seba hijo de Bicrí y a arrojársela a Joab. Por lo tanto él tocó el cuerno,[m] y así se esparcieron de la ciudad, cada uno a su hogar; y Joab mismo regresó a Jerusalén, al rey.

23 Y Joab estaba sobre todo el ejército[n] de Israel; y Benaya[o] hijo de Jehoiadá[p] estaba sobre los keretitas[q] y sobre los peletitas.[r] **24** Y Adoram[s] estaba sobre los reclutados para trabajo forzado; y Jehosafat[t] hijo de Ahilud era el registrador. **25** Y Sevá[u] era secretario,[v] y Sadoc[w] y Abiatar[x] eran sacerdotes. **26** E Irá el jairita también llegó a ser sacerdote[y] de David.

21 Ahora bien, llegó a haber un hambre[z] en los días de David, por tres años, año tras año; y David procedió a consultar el rostro de Jehová. Entonces Jehová dijo: “Sobre Saúl y sobre su casa hay culpa de sangre, porque dio muerte a los gabaonitas”.[a] **2** De modo que el rey llamó a los gabaonitas[b] y les habló. (A propósito, los gabaonitas no eran de los hijos de Israel, sino del remanente de los amorreos;[c] y los hijos de Israel mismos les

CAP. 20
a 2Sa 20:2, 2Sa 20:4
b Gé 4:10, Gé 9:5
c 2Sa 2:23
d 2Sa 20:1
e 1Re 15:20, 2Re 15:29, 2Cr 16:4
f Ec 9:14, Jer 33:4, Lu 19:43
g 1Sa 25:3, 2Sa 14:2
h 1Sa 25:24

2.ª col.
a Pr 12:20
b Gé 18:23
c Dt 20:10
d 2Sa 17:16, Sl 124:3
e Éx 19:5, Dt 32:9, 2Sa 21:3
f Jos 17:15, Jue 2:9
g 2Sa 20:1
h 2Sa 20:6
i Nú 16:24, Jos 7:13, Pr 17:11
j Nú 16:26
k 1Sa 17:51, 1Sa 31:9, 2Re 10:7
l Ec 9:15, Ec 9:18
m 2Sa 2:28, 2Sa 18:16
n 2Sa 8:16, 2Sa 19:13, 1Cr 18:15
o 2Sa 23:20, 1Re 1:38, 1Cr 27:5
p 1Cr 12:27
q 2Sa 8:18
r 2Sa 15:18, 1Re 1:44
s 1Re 4:6, 1Re 12:18
t 1Re 4:3
u 1Cr 18:16
v 2Sa 8:17
w 2Sa 15:27, 2Sa 17:15, 1Re 4:4
x 2Sa 19:11
y 1Cr 18:17

CAP. 21
z Le 26:20, Dt 11:17
a Gé 9:6, Éx 20:13, Éx 21:23, Nú 35:30, Nú 35:33
b Jos 9:3, Jos 9:17, Jos 9:27
c Gé 10:16, Gé 48:22

habían jurado,[a] pero Saúl procuró derribarlos[b] por sentirse celoso[c] por los hijos de Israel y Judá.) 3 Y David pasó a decir a los gabaonitas: "¿Qué les haré a ustedes, y con qué haré expiación,[d] para que ciertamente bendigan la herencia[e] de Jehová?". 4 Así que los gabaonitas le dijeron: "No es asunto de plata u oro[f] para nosotros respecto a Saúl y su casa, tampoco es de nosotros dar muerte a hombre alguno en Israel". A lo que él dijo: "Cualquier cosa que estén diciendo ustedes, se lo haré". 5 Por lo cual dijeron al rey: "El hombre que nos exterminó[g] y que tramó[h] aniquilarnos para que no subsistiéramos en parte alguna del territorio de Israel..., 6 que se nos den siete hombres de sus hijos;[i] y tendremos que exponérselos[j] a Jehová en Guibeah[k] de Saúl, el escogido de Jehová".[l] En conformidad, el rey dijo: "Yo mismo los daré".

7 Sin embargo, el rey le tuvo compasión de Mefibóset[m] hijo de Jonatán hijo de Saúl por causa del juramento[n] de Jehová que había entre ellos, entre David y Jonatán hijo de Saúl. 8 En consecuencia, el rey tomó a Armoní y Mefibóset, los dos hijos de Rizpá[o] hija de Ayá que ella había dado a Saúl, y a los cinco hijos de Mical[p] hija de Saúl que ella había dado a Adriel[q] hijo de Barzilai el meholatita. 9 Entonces los dio en la mano de los gabaonitas, y ellos procedieron a exponerlos en la montaña delante de Jehová,[r] de modo que los siete cayeron juntos; y ellos mismos fueron muertos en los primeros días de la siega, al comienzo de la siega de la cebada.[s] 10 Sin embargo, Rizpá hija de Ayá[t] tomó tela de saco[u] y la extendió para sí sobre la roca desde el comienzo de la siega hasta que el agua llovió a cántaros sobre ellos desde los cielos;[v] y no permitió que las aves[w] de los cie-

CAP. 21
a Jos 9:15
b Eze 17:18
c Pr 27:4
d Éx 32:30
Le 1:4
e 2Sa 20:19
f Nú 35:31
g 2Sa 21:1
Mt 7:2
h Est 9:24
i Dt 19:21
Sl 9:12
j Gé 40:19
Nú 25:4
Dt 21:22
k 1Sa 10:26
l 1Sa 9:17
m 2Sa 4:4
2Sa 9:10
1Sa 19:24
n 1Sa 18:3
1Sa 20:42
o 2Sa 3:7
p 1Sa 18:20
1Sa 25:44
2Sa 3:14
2Sa 6:23
q 1Sa 18:19
r Nú 35:31
Dt 19:21
1Sa 15:33
s Rut 1:22
t 2Sa 3:7
u 1Re 21:27
Joe 1:13
v Dt 11:14
Jer 5:24
w Gé 40:19

2.ª col.
a Eze 39:4
b Rut 2:11
c 1Sa 31:13
d 2Sa 2:5
e 1Sa 31:10
f 1Sa 31:12
g 1Sa 28:4
1Sa 31:1
2Sa 1:6
2Sa 1:21
1Cr 10:8
h 2Sa 21:9
i Jos 18:28
j 1Sa 9:1
1Sa 10:11
k Jos 7:26
2Sa 24:25
l 2Sa 5:17
2Sa 5:22
m Dt 2:11
n 1Sa 17:7
1Cr 11:23
o 2Sa 23:18
p 2Sa 22:19
q 2Sa 18:3
r 2Sa 14:7
s 1Re 11:36
1Re 15:4
2Re 8:19
t 1Cr 11:29
1Cr 20:4
1Cr 27:11
u 2Sa 23:27
v Gé 14:5
2Sa 21:16

los se posaran sobre ellos de día ni las fieras[a] del campo de noche. 11 Por fin se informó[b] a David lo que había hecho Rizpá hija de Ayá, concubina de Saúl. 12 Así que David fue y tomó los huesos de Saúl[c] y los huesos de Jonatán su hijo de los terratenientes de Jabés-galaad,[d] quienes los habían hurtado de la plaza pública de Bet-san,[e] donde los habían colgado[f] los filisteos el día en que los filisteos derribaron a Saúl en Guilboa.[g] 13 Y procedió a subir de allí los huesos de Saúl y los huesos de Jonatán su hijo; además, recogieron los huesos de los que estaban expuestos.[h] 14 Entonces enterraron los huesos de Saúl y de Jonatán su hijo en la tierra de Benjamín, en Zelá,[i] en la sepultura de Quis[j] su padre, para hacer todo lo que el rey había mandado. De modo que Dios se dejó rogar a favor de la tierra después de esto.[k]

15 Y los filisteos[l] llegaron a tener guerra otra vez con Israel. Por lo tanto David bajó, y sus siervos con él, y pelearon contra los filisteos; y se cansó David. 16 E Isbí-benob, que se contaba entre los nacidos de los refaím,[m] el peso de cuya lanza[n] era trescientos siclos de cobre, y que estaba ceñido con una espada nueva, llegó a pensar en derribar a David. 17 En seguida Abisai[o] hijo de Zeruyá vino en socorro[p] de él y derribó al filisteo y le dio muerte. En aquel tiempo los hombres de David le juraron, diciendo: "¡Ya no debes salir con nosotros a la batalla,[q] para que no extingas[r] la lámpara[s] de Israel!".

18 Y después de esto aconteció que surgió guerra de nuevo con los filisteos en Gob. Entonces fue cuando Sibecai[t] el husatita[u] derribó a Saf, que se contaba entre los nacidos de los refaím.[v] 19 Y otra vez surgió guerra con los filisteos en Gob, y Elha-

nán[a] hijo de Jaaré-oreguim el betlemita logró derribar a Goliat el guitita, el asta de cuya lanza era como el enjulio de los obreros del telar.[b]

20 Y aun de nuevo surgió guerra en Gat,[c] cuando sucedió que hubo un hombre de tamaño extraordinario, con seis dedos en cada una de las manos y seis dedos en cada uno de los pies, veinticuatro en número; y él también les había nacido a los refaím.[d] 21 Y siguió desafiando con escarnio[e] a Israel. Por fin Jonatán[f] hijo de Simeí[g] hermano de David lo derribó.

22 Estos cuatro les habían nacido a los refaím en Gat;[h] y llegaron a caer por mano de David y por mano de sus siervos.[i]

22 Y David procedió a hablar a Jehová las palabras de esta canción[j] el día en que Jehová lo hubo librado de la palma de la mano de todos sus enemigos[k] y de la palma de la mano de Saúl;[l] 2 y pasó a decir:

"Jehová es mi peñasco[m] y mi plaza fuerte[n] y el Proveedor de escape para mí.[o]

3 Mi Dios es mi roca.[p] En él me refugiaré,
mi escudo[q] y mi cuerno[r] de salvación, mi altura segura,[s]
y mi lugar adonde huir,[t] mi Salvador;[u] de violencia me salvas.[v]

4 A Aquel que ha de ser alabado,[w] a Jehová, invocaré,
y de mis enemigos seré salvado.[x]

5 Porque olas mortíferas que rompían me rodeaban;[y]
hubo avenidas impetuosas de [hombres] que no servían para nada que siguieron aterrorizándome.[z]

6 Las sogas mismas del Seol me cercaron;[a]
los lazos de la muerte se

presentaron delante de mí.[a]

7 En mi angustia seguí invocando a Jehová,[b]
y a mi Dios seguí clamando.[c]
Entonces desde su templo oyó mi voz,[d]
con mi clamor por ayuda en sus oídos.[e]

8 Y la tierra empezó a sacudirse de aquí para allá, y a mecerse;[f]
los fundamentos mismos de los cielos se agitaron,[g]
y siguieron sacudiéndose de aquí para allá, porque él se había encolerizado.[h]

9 Humo subió en sus narices,
y de su boca fuego mismo siguió devorando;[i]
carbones mismos flamearon desde él.[j]

10 Y procedió a doblar los cielos hacia abajo, y a descender;[k]
y había densas tinieblas debajo de sus pies.[l]

11 Y vino cabalgando sobre un querubín,[m] y vino volando;
y fue visible sobre las alas de un espíritu.[n]

12 Entonces puso una oscuridad en torno suyo como cabañas,[o]
aguas oscuras, espesas nubes.[p]

13 Del resplandor enfrente de él, ardientes brasas de fuego flamearon.[q]

14 Desde el cielo Jehová empezó a tronar,[r]
y el Altísimo mismo empezó a dar su voz.[s]

15 Y siguió enviando flechas, para esparcirlos;[s]
relámpagos, para ponerlos en confusión.[u]

16 Y los cauces del mar se hicieron visibles,[v]

CAP. 21

a 1Cr 20:5
b 1Sa 17:7
c 1Cr 20:6
d 2Sa 21:16
e 1Sa 17:10
1Sa 17:45
2Re 19:22
f 1Cr 20:7
g 1Sa 16:9
1Sa 17:13
h 1Cr 20:8
i Sl 60:12
Sl 108:13
Eze 32:27

CAP. 22

j Éx 15:1
Jue 5:1
k Sl 18:Enc
Sl 34:19
1Sa 23:14
m Sl 18:2
n Sl 31:3
o Sl 144:2
p Dt 32:4
1Sa 2:2
Sl 144:1
q Gé 15:1
Dt 33:29
Sl 3:3
r 1Sa 2:1
s Sl 9:9
Sl 18:2
Sl 61:3
Pr 18:10
t Sl 59:16
Jer 16:19
u Isa 12:2
Lu 1:47
Tit 3:4
v Sl 72:14
w Sl 148:1
x Sl 18:3
Sl 69:14
z Sl 18:4
a Sl 116:3

2.ᵃ col.

a Sl 18:5
b Sl 120:1
Sl 142:1
Jon 2:2
c Sl 116:4
d Sl 18:6
e Éx 3:7
Sl 34:15
f Jue 5:4
g Job 26:11
h Sl 18:7
Sl 77:18
Sl 97:4
Sl 97:3
Isa 30:27
j Sl 18:8
k Sl 144:5
Isa 64:1
l Dt 4:11
1Re 8:12
Sl 18:9
Sl 97:2
m Sa 4:4
Sl 80:1
Sl 99:1
n Sl 18:10
Heb 1:7
o Job 36:29
p Sl 18:11
q Sl 18:12
r Éx 19:16
1Sa 2:10

s Sl 18:13; Isa 30:30; t Sl 7:13; Sl 77:17; u Sl 18:14; Sl 144:6; v Éx 14:21; Sl 106:9; Sl 114:3; Na 1:4.

los fundamentos de la tierra productiva[a] quedaron al descubierto, a la reprensión de Jehová, de la ráfaga del aliento de sus narices.[b]

17 Estaba enviando desde lo alto, estaba tomándome,[c] estaba sacándome de grandes aguas.[d]

18 Estaba librándome de mi fuerte enemigo,[e] de los que me odiaban; porque eran más fuertes que yo.[f]

19 Siguieron presentándose delante de mí en el día de mi desastre,[g] pero Jehová se hizo mi apoyo.[h]

20 Y procedió a sacarme a un lugar espacioso;[i] estaba librándome, porque se había deleitado en mí.[j]

21 Jehová me recompensa conforme a mi justicia;[k] conforme a la limpieza de mis manos me lo paga.[l]

22 Porque he guardado los caminos de Jehová,[m] y no me he apartado inicuamente de mi Dios.[n]

23 Pues todas sus decisiones judiciales[o] están enfrente de mí; y en cuanto a sus estatutos, no me desviaré de ellos.[p]

24 Y resultaré exento de falta[q] para con él, y ciertamente me guardaré de error de parte mía.[r]

25 Y que me lo pague Jehová conforme a mi justicia,[s] conforme a mi limpieza enfrente de sus ojos.[t]

26 Con alguien leal tú actuarás en lealtad;[u] con el poderoso, exento de falta, tratarás de un modo exento de falta;[v]

27 con el que se mantiene limpio te mostrarás limpio,[w]

y con el torcido tú actuarás como simple.[a]

28 Y a la gente humilde la salvarás;[b] pero tus ojos están contra los altivos, [para] rebajar[los].[c]

29 Pues tú eres mi lámpara, oh Jehová,[d] y es Jehová quien hace brillar mi oscuridad.[e]

30 Pues por ti puedo correr contra una partida merodeadora;[f] por mi Dios puedo trepar un muro.[g]

31 En cuanto al Dios [verdadero], perfecto es su camino;[h] el dicho de Jehová es refinado.[i] Escudo es a todos los que se refugian en él.[j]

32 Porque ¿quién es un Dios fuera de Jehová,[k] y quién es una roca fuera de nuestro Dios?[l]

33 El Dios [verdadero] es mi fortísima fortaleza,[m] y él hará que mi camino sea perfecto,[n]

34 haciendo mis pies como los de las ciervas;[o] y sobre lugares que me son altos me mantiene en pie.[p]

35 Está adiestrando mis manos para la guerra;[q] y mis brazos han doblado un arco de cobre.[r]

36 Y tú me darás tu escudo de salvación,[s] y tu humildad es lo que me hace grande.[t]

37 Harás que haya lugar bastante grande para mis pasos debajo de mí;[u] y mis tobillos ciertamente no vacilarán.[v]

CAP. 22
a 1Sa 2:8
  1Cr 16:30
  Sl 9:8
  Sl 33:8
  Sl 77:18
b Éx 15:8
  Sl 18:15
c Sl 18:16
  Sl 144:7
d Sl 32:6
  Sl 124:4
  Lam 3:54
e Sl 3:7
  Sl 56:9
f Sl 18:17
g 1Sa 19:11
  1Sa 23:26
  2Sa 15:10
h Sl 18:18
  Sl 118:10
  Isa 50:10
i Sl 31:8
  Sl 118:5
j Sl 18:19
  Sl 149:4
k 1Sa 26:23
  1Re 8:32
l Sl 18:20
  Sl 24:4
m Pr 8:32
  Ec 12:13
n Sl 18:21
o Dt 6:1
  Dt 7:12
  Sl 18:9
  Sl 119:30
p Dt 8:11
  Sl 18:22
q Gé 6:9
  Gé 17:1
  Dt 18:13
  Sl 84:11
r Sl 18:23
  Pr 14:16
s Job 34:11
  Sl 7:8
  Isa 3:10
  Heb 11:6
t Sl 18:24
  Pr 5:21
u Sl 37:28
  Sl 86:2
  Sl 97:10
  Jer 3:12
v Sl 18:25
w Sl 18:26
  Mt 5:8
  1Pe 1:16

2.ª col.
a Dt 28:62
  Sl 125:5
  Ro 1:28
b Job 34:28
  Sof 3:12
c Job 40:11
  Sl 18:27
  Sl 101:5
  Da 4:37
  1Pe 5:5
d Job 29:3
  Sl 27:1
  Isa 60:19
e Sl 18:28
  Sl 97:11
  Mt 13:43
f Flp 4:13
  Heb 11:34
g Dt 2:36
  Sl 18:29
h Dt 32:4

i Sl 12:6; Sl 119:140; Pr 30:5; j 2Sa 22:3; Sl 18:30; Sl 35:2; Sl 91:4; k Isa 44:6; Isa 45:5; 1Co 8:4; l Dt 32:31; 1Sa 2:2; Sl 18:31; Sl 94:22; Sl 95:1; m Sl 27:1; Sl 31:4; Isa 12:2; n Sl 18:32; Isa 26:7; o Sl 18:33; Hab 3:19; p Dt 32:13; Isa 33:16; Isa 58:14; q Sl 144:1; r Sl 18:34; s Sl 18:35; t Sl 113:6; u Sl 4:1; Sl 18:36; v Sl 17:5.

38 Ciertamente seguiré tras de
mis enemigos, para aniquilarlos,
y no volveré hasta que
queden exterminados.[a]
39 Y los exterminaré y los haré
pedazos,[b] para que no se
levanten;[c]
y caerán debajo de mis
pies.[d]
40 Y tú me ceñirás con energía
vital para la batalla;[e]
harás que los que se levanten
contra mí se desplomen
debajo de mí.[f]
41 Y en cuanto a mis enemigos,
ciertamente me darás
[su] cerviz;[g]
a los que me odian intensamente...
a ellos también
reduciré a silencio.[h]
42 Claman por ayuda, pero no
hay salvador;[i]
a Jehová, pero realmente
no les contesta.[j]
43 Y los machacaré hasta que
queden finos como el
polvo de la tierra;
como el fango de las calles
los pulverizaré;[k]
los batiré hasta dejarlos
llanos.
44 Y tú me proveerás escape de
la actitud criticona de
mi pueblo.[l]
Me resguardarás para que
sea cabeza de naciones;[m]
un pueblo que no he conocido...
me servirá.[n]
45 Extranjeros mismos vendrán
a mí encogidos de
temor;[o]
oídos serán obedientes
para oírme.[p]
46 Extranjeros mismos se desvanecerán,
y saldrán temblando de
sus baluartes.[q]
47 Jehová vive;[r] y bendita sea
mi Roca;[s]
y ensalzado sea el Dios de
la roca de mi salvación.[t]
48 El Dios [verdadero] es el Dador
de actos de venganza
a favor de mí,[u]
y Aquel que está haciendo
bajar a los pueblos para
que estén debajo de mí,[a]
49 y Aquel que me está sacando
de entre mis enemigos.[b]
Y por encima de los que se
levanten contra mí me
alzarás;[c]
del hombre de hechos violentos
me librarás.[d]
50 Por eso te daré gracias, oh
Jehová, entre las naciones;[e]
y tocaré melodía a tu nombre:[f]
51 Aquel que está haciendo
grandes actos de salvación
para su rey[g]
y ejerciendo bondad amorosa
a su ungido,[h]
a David y a su descendencia
para tiempo indefinido".[i]

23 Y estas son las últimas
palabras de David:[j]
"La expresión de David hijo
de Jesé,[k]
y la expresión del hombre
físicamente capacitado
que fue levantado en
alto,[l]
el ungido[m] del Dios de Jacob,
y el agradable de las melodías[n]
de Israel.
2 El espíritu de Jehová fue lo
que habló por mí,[o]
y su palabra estuvo sobre
mi lengua.[p]
3 El Dios de Israel dijo,
me habló la Roca de Israel:[q]
'Cuando el que gobierna sobre
la humanidad es
justo,[r]
gobernando en el temor de
Dios,[s]
4 entonces es como la luz de
la mañana, cuando brilla
el sol,[t]

k Rut 4:22; 1Sa 17:58; Mt 1:6; l 2Sa 7:8; m 1Sa 16:13; Sl 89:20; n 1Cr 16:9; Am 6:5; o Zac 7:12; Mr 12:36; 2Ti 3:16; p Hch 1:16; 2Pe 1:21; q Dt 32:4; Sl 144:1; r Pr 29:2; Isa 9:7; Isa 32:1; s Éx 18:21; 2Cr 19:7; Ne 5:15; Isa 11:3; t Mal 4:2; Mt 17:2; Rev 1:16.

CAP. 22
a Sl 18:37
b Sl 110:6
c Éx 14:13
d Sl 18:38 Sl 110:1 Mal 4:3
e 1Sa 23:5 Sl 44:3
f 1Sa 17:49 Sl 18:39 Sl 44:5 Sl 144:2
g Gé 49:8 Éx 23:27 Jos 10:24
h Sl 18:40 Sl 21:8
i Sl 18:41
j 1Sa 28:6 Job 27:9 Pr 1:28 Isa 1:15 Eze 20:3 Miq 3:4
k Sl 18:42 Isa 10:6 Miq 7:10 Zac 10:5
l 1Sa 30:6 2Sa 15:12
m Dt 28:13 2Sa 8:3 Sl 2:8 Sl 60:8
n Sl 18:43 Isa 55:5 Isa 65:1 Os 2:23 Hch 15:14
o Dt 33:29 1Re 10:24 Isa 61:5 Zac 8:23
p Sl 18:44
q Sl 18:45 Miq 7:17
r Dt 32:40
s Dt 32:4
t Sl 18:46 Sl 89:26
u 1Sa 25:29 2Sa 18:19 Sl 94:1

2.ª col.
a Sl 18:47 Sl 110:1 Sl 144:2 1Co 15:25
b Sl 18:48
c 2Sa 5:12 2Sa 7:9
d Sl 140:1
e Dt 32:43 Sl 18:49 Sl 117:1 Ro 15:9
f 1Cr 16:9 Sl 145:2 Sl 146:2
g Sl 2:6 Sl 21:1
h Sl 18:50 Sl 89:20
i Sl 89:29 Sl 89:36 Lu 1:33

CAP. 23
j Gé 49:1 Dt 33:1

una mañana sin nubes.
Del resplandor, de la lluvia, hay hierba procedente de la tierra'.[a]

5 Pues, ¿no es mi casa semejante a eso con Dios?[b]
Porque es un pacto de duración indefinida[c] el que me ha asignado,
muy bien ordenado en todo y hecho seguro.[d]
Porque es toda mi salvación[e] y todo mi deleite,
¿acaso no es por eso por lo que él lo hará crecer?[f]

6 Pero a personas que no sirven para nada[g] se les hace huir,[h] como zarzas,[i] todas ellas;
porque no es por la mano que deben ser tomadas.

7 Cuando las toca un hombre debe estar plenamente armado de hierro y del asta de lanza,
y con fuego serán quemadas por completo".[j]

8 Estos son los nombres de los hombres poderosos[k] que pertenecían a David: Joseb-basébet[l] tahkemonita, el cabeza de los tres. Estuvo blandiendo su lanza sobre ochocientos que fueron muertos de una sola vez. 9 Después de él Eleazar[m] hijo de Dodó[n] hijo de Ahohí figuraba entre los tres hombres poderosos [que estaban] con David cuando desafiaron a escarnio a los filisteos. Ellos se habían reunido allí para la batalla, y así que los hombres de Israel se retiraron.[o]   10 Él fue quien se levantó y siguió derribando a los filisteos hasta que se le cansó la mano, y su mano se le quedó adherida a la espada,[p] de modo que Jehová ejecutó una gran salvación en aquel día;[q] y en cuanto a la gente, volvió detrás de él solo para despojar [a los derribados].[r]

11 Y después de él fue Samah hijo de Agué el hararita.[s] Y los filisteos procedieron a reunirse en Lehí, donde sucedió que había entonces una porción del campo llena de lentejas;[a] y el pueblo mismo huyó a causa de los filisteos.   12 Pero él se plantó en medio de la porción [del campo] y la libró y siguió derribando a los filisteos, de modo que Jehová ejecutó una gran salvación.[b]

13 Y tres de los treinta cabezas[c] procedieron a descender y venir al tiempo de [la] siega, a David en la cueva de Adulam;[d] y una aldea de tiendas de los filisteos estaba acampada en la llanura baja de los refaím.[e]   14 Y David entonces estaba en el lugar de difícil acceso;[f] y una avanzada[g] de los filisteos estaba entonces en Belén. 15 Después de un rato David expresó su deseo vehemente y dijo: "¡Ay, que pudiera yo beber del agua de la cisterna de Belén que está a la puerta!".[h]   16 Ante esto, los tres hombres poderosos se abrieron paso por fuerza en el campamento de los filisteos y sacaron agua de la cisterna de Belén que está a la puerta, y vinieron llevándola y trayéndosela a David;[i] y él no consintió en beberla, sino que se la derramó[j] a Jehová.   17 Y pasó a decir: "¡Es inconcebible de parte mía,[k] oh Jehová, que yo haga esto! ¿[Beberé yo] la sangre[l] de los hombres que fueron a riesgo de sus almas?". Y no consintió en beberla.

Estas son las cosas que hicieron los tres hombres poderosos.

18 En cuanto a Abisai[m] hermano de Joab hijo de Zeruyá,[n] él era el cabeza de los treinta, y estuvo blandiendo su lanza sobre trescientos que fueron muertos, y tenía una reputación como la de los tres.[o]   19 Aunque era distinguido hasta más que los demás de los treinta, y vino a ser su jefe, no llegó al nivel de los tres [primeros].[p]

20 En cuanto a Benaya[q] hijo de Jehoiadá[r] hijo de un hombre

---

CAP. 23

a Dt 32:2
  Dt 33:14
  Sl 72:6
  Isa 55:10
  Miq 5:7
b 2Sa 7:19
c 2Sa 7:16
  Ro 9:5
  1Cr 17:11
  Sl 89:3
  Sl 89:28
  Sl 132:11
d 1 Re 11:38
e Sl 62:2
f Isa 9:7
  Isa 11:1
  Am 9:11
g 2Sa 20:1
  2Sa 22:5
  Sl 18:4
h Sl 37:10
  Na 1:15
i Isa 33:12
j Isa 27:4
  Mt 13:40
  Jn 15:6
  Heb 6:8
k 2Sa 10:7
  2Sa 20:7
  1Cr 11:10
l 1Cr 11:11
m 1Cr 11:12
n 1Cr 27:4
o 1Cr 11:13
p Jue 8:4
q Jue 15:14
  1Sa 14:6
  1Sa 19:5
  1Cr 11:14
  Sl 144:10
r Sl 68:12
s 2Sa 23:33
  1Cr 11:34

2.ª col.

a Gé 25:34
  2Sa 17:28
  Eze 4:9
b Sl 3:8
  Sl 44:3
  Pr 21:31
c 1Cr 11:15
d Jos 15:35
  1Sa 22:1
  Miq 1:15
e Jos 15:8
  2Sa 5:22
  1Cr 14:9
f 1Sa 22:4
  1Cr 12:16
  Jue 13:23
  1Sa 14:4
  1Cr 11:16
h 1Cr 11:17
i 1Cr 11:18
j Le 9:9
k 1Cr 11:19
l Gé 9:4
  Le 17:10
  Dt 12:23
  Hch 15:29
m 1Sa 26:6
  2Sa 21:17
n 2Sa 2:18
  1Cr 2:16
o 1Cr 11:20
p 1Cr 11:21
q 2Sa 8:18
  2Sa 20:23
  1Re 1:8
  1Re 2:29
  1Cr 18:17
r 1Cr 27:5

valiente, que hizo muchas hazañas en Qabzeel,[a] él mismo derribó a los dos hijos de Ariel de Moab; y él mismo descendió y derribó a un león[b] dentro de una cisterna en un día de nieve.[c] 21 Y él fue quien derribó al egipcio que era de tamaño extraordinario.[d] Aunque había una lanza en la mano del egipcio, no obstante procedió a bajar a él con una vara, y arrebató la lanza de la mano del egipcio y lo mató con su propia lanza.[e] 22 Estas cosas hizo Benaya[f] hijo de Jehoiadá; y tenía una reputación como la de los tres hombres poderosos.[g] 23 Aunque era distinguido hasta más que los treinta, no llegó al nivel de los tres; pero David lo nombró a su propia guardia de corps.[h]

24 Asahel[i] hermano de Joab figuraba entre los treinta; Elhanán[j] hijo de Dodó de Belén, 25 Samah[k] el harodita, Eliqá el harodita, 26 Hélez[l] el paltita, Irá[m] hijo de Iqués[n] el teqoíta, 27 Abí-ézer[o] el anatotita,[p] Mebunai el husatita,[q] 28 Zalmón el ahohíta,[r] Maharai[s] el netofatita, 29 Héleb[t] hijo de Baanah el netofatita, Ittai[u] hijo de Ribai, de Guibeah de los hijos de Benjamín, 30 Benaya[v] piratonita, Hidai, de los valles torrenciales de Gaas,[w] 31 Abí-albón el arbatita, Azmávet[x] el bar-humita, 32 Eliahbá el saalbonita, los hijos de Jasén, Jonatán,[y] 33 Samah el hararita, Ahiam[z] hijo de Sarar el hararita, 34 Elifélet hijo de Ahasbai hijo del maacatita, Eliam hijo de Ahitofel[a] el guilonita, 35 Hezró[b] el carmelita, Paarai el arbita, 36 Igal hijo de Natán[c] de Zobá, Baní el gadita, 37 Zéleq[d] el ammonita, Naharai el beerotita, escuderos de Joab hijo de Zeruyá, 38 Irá el itrita,[e] Gareb[f] el itrita, 39 Urías[g] el hitita... treinta y siete en conjunto.

24 Y la cólera de Jehová volvió[a] a ponerse ardiente contra Israel, cuando uno incitó a David contra ellos, diciendo: "Anda, toma la cuenta[b] de Israel y Judá". 2 De modo que el rey dijo a Joab[c] el jefe de las fuerzas militares que estaba con él: "Muévete, por favor, por todas las tribus de Israel, desde Dan hasta Beer-seba,[d] e inscriban ustedes al pueblo,[e] y ciertamente sabré el número de la gente".[f] 3 Pero Joab dijo al rey: "Que aun añada Jehová tu Dios al pueblo cien veces más de lo que son mientras lo estén viendo los mismos ojos de mi señor el rey. Pero en cuanto a mi señor el rey, ¿por qué se ha deleitado en esta cosa?".[g]

4 Por fin la palabra del rey prevaleció[h] sobre Joab y los jefes de las fuerzas militares. De modo que Joab y los jefes de las fuerzas militares salieron de delante del rey para inscribir[i] al pueblo, Israel. 5 Entonces cruzaron el Jordán y se pusieron a acampar en Aroer,[j] a la derecha de la ciudad que está en medio del valle torrencial, hacia los gaditas,[k] y a Jazer.[l] 6 Después siguieron adelante a Galaad[m] y a la tierra de Tahtim-hodsí y continuaron hasta Dan-jaán y fueron alrededor a Sidón.[n] 7 Entonces llegaron al fuerte de Tiro[o] y a todas las ciudades de los heveos[p] y de los cananeos, y llegaron al pueblo de terminación en el Néguev[q] de Judá, en Beer-seba.[r] 8 Así fueron moviéndose por todo el país, y llegaron a Jerusalén al cabo de nueve meses y veinte días. 9 Joab entonces dio al rey el número de la inscripción[s] del pueblo; e Israel ascendió a ochocientos mil hombres valientes que sacaban espada, y los hombres de Judá eran quinientos mil hombres.[t]

CAP. 23
a Jos 15:21
b Pr 30:30
c 1Cr 11:22
d 1Cr 11:23
e 1Sa 17:51
1Cr 11:24
f 1Cr 11:24
g 2Sa 23:20
1Cr 27:6
h 1Cr 11:25
i 2Sa 2:18
2Sa 2:23
1Cr 2:16
1Cr 11:26
j 1Cr 11:26
k 1Cr 27:8
l 1Cr 27:10
m 1Cr 27:9
n 1Cr 11:28
o 1Cr 27:12
p Jos 21:18
1Cr 6:60
Jer 1:1
q 1Cr 27:11
r 1Cr 11:29
s 1Cr 27:13
t 1Cr 11:30
u 1Cr 11:31
v 1Cr 27:14
w Jue 2:9
x 1Cr 11:32
y 1Cr 11:33
z 1Cr 11:34
a 2Sa 15:31
2Sa 16:23
2Sa 17:23
1Cr 27:33
b 1Cr 11:37
c 1Cr 11:38
d 1Cr 11:39
e 1Cr 2:53
f 1Cr 11:40
g 2Sa 11:3
1Re 15:5
1Cr 11:41

2.ᵃ col.

CAP. 24
a 2Sa 21:1
b 1Cr 21:1
c 1Cr 27:23
e 2Sa 8:16
2Sa 20:23
d Jue 20:1
2Sa 3:10
e 1Cr 21:2
f 2Sa 24:8
Pr 16:12
Jer 17:5
g 1Cr 21:3
h 1Cr 21:4
Ec 8:4
i Nú 1:2
j Dt 2:36
Jos 13:9
k Nú 32:34
l Nú 32:1
Nú 32:35
m Jos 31:21
Nú 32:40
n Gé 10:15
Gé 49:13
Jos 11:8
o Jos 19:29
p Jos 9:7
Jos 11:19
q Jos 15:1
r Gé 21:31
Jos 15:28

s 1Cr 21:5; t Nú 2:32; Nú 26:51; 1Cr 27:23.

10 Y el corazón de David empezó a darle golpes[a] después de haber contado así al pueblo. Por consiguiente, David dijo a Jehová: "He pecado[b] muchísimo en lo que he hecho. Y ahora, Jehová, deja pasar el error de tu siervo,[c] por favor; porque he obrado muy tontamente".[d] 11 Cuando David procedió a levantarse por la mañana, la palabra misma de Jehová vino al profeta, el hombre de visiones[e] de David, diciendo: 12 "Ve, y tienes que decir a David: 'Esto es lo que ha dicho Jehová: "Tres cosas te estoy imponiendo.[g] Escógete una de ellas para que te la haga"'".[h] 13 Por consiguiente, Gad entró a donde David y le informó y le dijo:[i] "¿Deben venirte siete años de hambre en tu país,[j] o tres meses de huir tú delante de tus adversarios,[k] con ellos persiguiéndote, o deber haber tres días de peste en tu país?[l] Ahora sabe y ve lo que responderé a Aquel que me envió". 14 De modo que David dijo a Gad: "Me es muy angustioso. Caigamos, por favor, en la mano de Jehová,[m] porque son muchas sus misericordias;[n] pero en mano de hombre no se me deje caer".[o]

15 Entonces Jehová dio una peste[p] en Israel desde la mañana hasta el tiempo señalado, de modo que del pueblo, desde Dan hasta Beer-seba,[q] setenta mil personas murieron.[r] 16 Y el ángel[s] mantuvo alargada la mano hacia Jerusalén para arruinarla; y Jehová empezó a sentir pesar[t] respecto a la calamidad, y por eso dijo al ángel que estaba causando ruina entre el pueblo: "¡Basta! Ahora deja caer tu mano". Y el ángel mismo de Jehová se hallaba cerca de la era de Arauna[u] el jebuseo.[v]

17 Y David procedió a decir a Jehová, cuando vio al ángel que estaba derribando al pueblo, sí,

procedió a decir: "Mira que yo soy el que he pecado y yo soy el que he hecho mal; pero estas ovejas[a]... ¿qué han hecho ellas? Venga tu mano, por favor, sobre mí[b] y sobre la casa de mi padre".

18 Más tarde Gad entró a donde David en aquel día y le dijo: "Sube, erige para Jehová un altar en la era de Arauna el jebuseo".[c] 19 Y David empezó a subir conforme a la palabra de Gad, conforme a lo que había mandado Jehová.[d] 20 Cuando Arauna miró hacia abajo y vio al rey y a sus siervos que venían pasando en dirección a él, Arauna salió en seguida y se inclinó ante el rey rostro a tierra.[f] 21 Entonces dijo Arauna: "¿Por qué ha venido mi señor el rey a su siervo?". A lo cual dijo David: "Para comprarte[g] la era a fin de edificar un altar a Jehová, para que se detenga el azote[h] de sobre el pueblo". 22 Pero Arauna dijo a David: "Tómela[i] mi señor el rey y ofrezca lo que sea bueno a sus ojos. Ve ahí el ganado vacuno para la ofrenda quemada y el trillo y los aparejos del ganado vacuno para leña.[j] 23 Todo esto Arauna, oh rey, lo da en efecto al rey". Y Arauna dijo además al rey: "Que Jehová tu Dios se muestre complacido en ti".[k]

24 Sin embargo, el rey dijo a Arauna: "No, sino que sin falta te la compraré por precio;[l] y no ofreceré a Jehová mi Dios sacrificios quemados sin costo".[m] Por consiguiente, David compró[n] la era y el ganado vacuno por cincuenta siclos de plata. 25 Y David procedió a edificar allí un altar[o] a Jehová y a ofrecer sacrificios quemados y sacrificios de comunión, y Jehová empezó a dejarse rogar[p] a favor de la tierra, de modo que se detuvo el azote de sobre Israel.

CAP. 24
a 1Sa 24:5
  Hch 2:37
  Ro 2:15
  2Co 7:10
  1Jn 3:20
b 2Sa 12:13
  1Cr 21:8
c Sl 130:3
  Os 14:2
  Jn 1:9
d 1Sa 13:13
  Sl 107:17
  Ec 10:1
e 1Sa 22:5
  1Cr 21:9
f 1Cr 29:29
g 1Cr 21:10
h Pr 3:12
i 1Cr 21:11
j Le 26:20
  Dt 28:23
  2Sa 21:1
  1Cr 21:12
k Le 26:17
  Le 26:36
  Dt 28:25
l Le 26:16
  Le 26:25
  Dt 28:22
m 1Cr 21:13
  Heb 12:6
n Ne 9:17
  Sl 103:8
  Sl 119:156
o Jue 6:6
  2Cr 28:5
  Isa 47:6
p Nú 16:46
  Dt 28:21
  1Cr 21:14
  1Cr 27:24
q 2Sa 24:2
r Dt 32:4
  Job 34:12
  Lam 3:22
s 1Cr 21:15
t Sl 78:38
  Jer 26:19
  Joe 2:13
u 2Cr 3:1
v Gé 10:16
  Jos 15:8
  2Sa 5:9

2.ª col.
a 1Re 22:17
  Sl 44:11
  Sl 95:7
b Gé 44:33
  1Cr 21:17
c 1Cr 21:18
  2Cr 3:1
d 1Cr 21:19
e Rut 2:10
  2Sa 9:8
f 1Cr 21:21
g 1Cr 21:22
h Nú 16:47
  Nú 25:8
  2Sa 24:15
i Gé 23:11
j 1Sa 6:14
  1Re 19:21
  1Cr 21:23
k Sl 20:3
l Gé 23:13
m 1Cr 21:24
n 1Cr 21:25
o Éx 20:25
  1Cr 21:26
  1Cr 22:1

p 2Sa 21:14; 1Cr 21:27; 2Cr 33:13; Isa 19:22.

REYES

o, según la versión griega de los *LXX*,
EL TERCERO DE LOS REYES

1 Ahora bien, el rey David se hallaba viejo,[a] avanzado en días; y lo cubrían con prendas de vestir, pero no se calentaba. 2 De modo que sus siervos le dijeron: "Que busquen una muchacha, una virgen,[b] para mi señor el rey, y ella tendrá que atender[c] al rey, para que llegue a ser su enfermera;[d] y tendrá que acostarse en tu seno,[e] y mi señor el rey ciertamente se calentará".[f] 3 Y ellos se pusieron a buscar una muchacha hermosa por todo el territorio de Israel, y por fin hallaron a Abisag[g] la sunamita,[h] y entonces la trajeron al rey. 4 Y la muchacha era hermosa en extremo;[i] y llegó a ser la enfermera del rey y siguió atendiéndolo, y el rey mismo no tuvo coito con ella.

5 Durante todo ese tiempo Adonías[j] hijo de Haguit[k] iba alzándose,[l] y decía: "¡Yo mismo voy a reinar!".[m] Y procedió a mandar que le hicieran un carro con hombres de a caballo y cincuenta hombres que corrieran delante de él.[n] 6 Y su padre no le hirió el amor propio en ninguna ocasión diciendo: "¿Por qué has hecho de esta manera?".[o] Y él era también muy bien parecido de forma,[p] y [su madre] lo había dado a luz después de Absalón. 7 Y él llegó a tener tratos con Joab hijo de Zeruyá y con Abiatar[q] el sacerdote, y ellos empezaron a ofrecer ayuda como seguidores de Adonías.[r] 8 En cuanto a Sadoc[s] el sacerdote y Benaya[t] hijo de Jehoiadá y Natán[u] el profeta y Simeí[v] y Reí[w] y los hombres poderosos[w] que per-

tenecían a David, no se envolvieron[a] con Adonías.

9 Andando el tiempo, junto a la piedra de Zohélet, que está al lado de En-roguel,[b] Adonías celebró un sacrificio[c] de ovejas y reses vacunas y [animales] cebados, y procedió a invitar a todos sus hermanos los hijos del rey,[d] y a todos los hombres de Judá los siervos del rey; 10 y a Natán el profeta y a Benaya y a los hombres poderosos y a Salomón su hermano no los invitó. 11 Natán[e] entonces dijo a Bat-seba,[f] la madre de Salomón:[g] "¿No has oído que Adonías hijo de Haguit[h] ha llegado a ser rey, y nuestro señor David no sabe nada de ello? 12 Así es que ahora ven, por favor, déjame aconsejarte solemnemente.[i] Y provee escape para tu propia alma y para el alma de tu hijo Salomón.[i] 13 Ve y entra a donde el rey David, y tienes que decirle: '¿Acaso tú, mi señor el rey, no juraste a tu esclava, diciendo: "Salomón tu hijo es el que llegará a ser rey después de mí, y él es el que se sentará sobre mi trono"?[k] ¿Por qué, pues, ha llegado a ser rey Adonías?'. 14 ¡Mira! Mientras tú estés todavía hablando allí con el rey, entonces yo mismo entraré después de ti, y ciertamente confirmaré tus palabras".[l]

15 Por consiguiente, Bat-seba entró a donde el rey en el cuarto interior,[m] y el rey se hallaba muy viejo,[n] y Abisag,[o] la sunamita, estaba atendiendo al rey. 16 Entonces Bat-seba se inclinó

CAP. 1

a	2Sa 5:4
	1Re 2:11
	1Cr 23:1
	1Cr 29:27
	Sl 90:10
b	Est 2:2
c	2Sa 13:5
	1Re 1:15
d	Rut 4:16
e	Gé 16:5
f	1Re 1:1
g	1Re 2:17
	Ec 2:22
h	Jos 19:18
	2Re 4:8
i	Can 4:7
j	2Sa 3:4
k	1Cr 3:2
	1Pr 16:18
	Lu 14:11
	Ro 12:16
n	2Sa 15:1
o	1Cr 13:24
	Pr 29:17
	Gál 6:1
p	2Sa 14:25
q	2Sa 20:25
r	1Re 2:22
s	2Sa 8:17
	Eze 44:15
t	2Sa 20:23
	1Re 2:35
u	2Sa 7:2
	2Sa 12:1
v	1Re 4:18
w	2Sa 23:8
	1Cr 11:10

2.ª col.

a	Pr 24:21
b	2Sa 17:17
c	2Sa 15:12
d	2Sa 13:23
e	2Sa 7:4
	2Sa 7:17
f	2Sa 11:3
	2Sa 11:27
g	2Sa 12:24
h	2Sa 3:4
i	Pr 20:18
	Pr 27:9
	Heb 1:1
j	Jue 9:5
	1Re 1:21
	2Re 11:1
	Mt 21:38
k	1Cr 22:9
	1Cr 28:5
	1Cr 29:1
	Sl 132:11
l	1Dt 19:15
	2Co 13:1
m	Gé 43:30
	Jue 15:1
	2Sa 13:10

---

n 1Re 1:1; o 1Re 1:3.

y se postró[a] ante el rey, por lo cual el rey dijo: "¿Qué tienes [que pedir]?".[b] 17 Ante esto, ella le dijo: "Señor mío,[c] tú fuiste quien juró por Jehová tu Dios a tu esclava: 'Salomón tu hijo es el que llegará a ser rey después de mí, y él es el que se sentará sobre mi trono'.[d] 18 Y ahora, ¡mira!, Adonías[e] mismo ha llegado a ser rey, y ahora mi señor el rey mismo no sabe nada de ello.[f] 19 Así que sacrificó toros y [animales] cebados y ovejas en gran cantidad e invitó a todos los hijos del rey[g] y a Abiatar[h] el sacerdote y a Joab[i] el jefe del ejército; pero a Salomón tu siervo no lo ha invitado.[j] 20 Y tú mi señor el rey... los ojos[k] de todo Israel están sobre ti, para que les informes quién va a sentarse sobre el trono de mi señor y el rey después de él.[l] 21 Y ciertamente sucederá que en cuanto mi señor el rey yazca con sus antepasados,[m] yo misma y también mi hijo Salomón ciertamente llegaremos a ser ofensores".

22 Y, ¡mire!, mientras todavía estaba ella hablando con el rey, Natán el profeta mismo entró. 23 En seguida se lo informaron al rey, diciendo: "¡Aquí está Natán el profeta!". Después de eso, él entró delante del rey y se postró ante el rey, rostro a tierra.[o] 24 Entonces dijo Natán: "Mi señor el rey, ¿dijiste tú mismo: 'Adonías es el que llegará a ser rey después de mí, y él es el que se sentará sobre mi trono'?[p] 25 Porque hoy ha bajado para sacrificar[q] toros y [animales] cebados y ovejas en gran cantidad, y para invitar a todos los hijos del rey y a los jefes del ejército y a Abiatar el sacerdote;[r] y allí están comiendo y bebiendo delante de él, y siguen diciendo: '¡Viva el rey Adonías!'.[s] 26 Pero en cuanto a mí tu siervo, a mí y a Sadoc[t] el sacerdote y a Benaya[u] el hijo de Jehoiadá y a Salomón tu siervo, no nos ha invitado.[v] 27 Si es de parte de mi señor el

rey que se ha efectuado esta cosa, entonces no has hecho saber a tu siervo[a] quién debe sentarse sobre el trono de mi señor el rey después de él".

28 El rey David entonces contestó y dijo: "Llámenme a Bat-seba".[b] En seguida ella entró delante del rey y se quedó de pie ante el rey. 29 Y el rey procedió a jurar[c] y decir: "Tan ciertamente como que vive Jehová,[d] quien ha redimido[e] mi alma[f] de toda angustia,[g] 30 tal como te he jurado por Jehová el Dios de Israel, diciendo: '¡Salomón tu hijo es el que llegará a ser rey después de mí, y él es el que se sentará sobre mi trono en lugar de mí!', así lo haré este día".[h] 31 Entonces Bat-seba se inclinó rostro a tierra y se postró[i] ante el rey y dijo: "¡Viva mi señor el rey David hasta tiempo indefinido!".[j]

32 Al instante dijo el rey David: "Llámenme a Sadoc[k] el sacerdote y a Natán el profeta y a Benaya[l] hijo de Jehoiadá". Por lo tanto ellos entraron delante del rey. 33 Y el rey pasó a decirles: "Tomen con ustedes a los siervos[m] de su señor, y tienen que hacer que Salomón mi hijo cabalgue sobre la mula que me pertenece,[n] y conducirlo abajo a Guihón.[o] 34 Y Sadoc el sacerdote y Natán el profeta tienen que ungirlo[p] allí por rey sobre Israel; y ustedes tienen que tocar el cuerno[q] y decir: '¡Viva el rey Salomón!'.[r] 35 Y ustedes tienen que subir detrás de él, y él tiene que entrar y sentarse sobre mi trono; y él mismo será rey en lugar de mí, y a él lo tendré que comisionar para que llegue a ser caudillo sobre Israel y sobre Judá". 36 En seguida Benaya hijo de Jehoiadá contestó al rey y dijo: "¡Amén! Así diga Jehová el Dios de mi señor el rey.[t] 37 Tal como Jehová resultó estar con mi señor el rey,[u] así resulte estar con Salomón,[v] y haga

CAP. 1

a 1Sa 25:23
b 1Re 2:20
　Est 7:2
c Gé 18:12
　Pr 3:6
d 1Re 1:13
　1Cr 22:10
e 1Re 1:5
f 1Re 1:11
g 1Re 1:9
h 2Sa 20:25
　1Re 1:7
i 2Sa 8:16
　1Re 2:28
　1Re 1:10
k Sl 123:2
l 2Sa 23:2
　1Re 2:15
　1Re 2:24
　1Cr 29:1
m Gé 15:15
　1Re 2:10
n 1Re 1:14
o 1Sa 24:8
　Rú 13:7
　1Re 2:17
p 1Re 1:5
　1Re 1:18
q 2Sa 15:12
　1Re 1:9
r 1Re 1:7
s 2Sa 16:16
　2Cr 23:11
t 1Re 1:8
　1Cr 27:5
v 1Re 1:10

2.ᵃ col.

a Jn 15:15
b 2Sa 12:24
　1Re 1:15
c Nú 30:2
　Ec 5:4
　Mt 5:33
d 1Sa 20:21
e Sl 19:14
　Sl 31:5
　Sl 103:4
f Sl 71:23
g 2Sa 4:9
　2Co 1:10
h 1Re 1:13
　1Re 1:17
　1Re 1:16
j Re 2:3
　Da 2:4
k 1Re 1:8
l 2Sa 20:23
　2Sa 23:20
　1Cr 27:5
m 2Sa 20:6
n Gé 41:43
　1Re 1:38
　Est 6:8
　Zac 9:9
　Lu 19:35
o 2Sa 5:8
　2Cr 32:30
p 1Sa 10:1
　1Sa 16:13
　2Re 9:3
q 2Sa 15:10
r 1Sa 10:24
　2Re 11:12
　2Cr 23:11
s Sl 72:19
t 1Cr 17:27
　Jer 11:5
　Jer 28:6
u 1Sa 16:13
v 1Cr 28:20

él más grande su trono[a] que el trono de mi señor el rey David".

38 Y Sadoc[b] el sacerdote y Natán[c] el profeta y Benaya[d] hijo de Jehoiadá y los keretitas[e] y los peletitas[f] procedieron a bajar y a hacer que Salomón cabalgara sobre la mula del rey David,[g] y entonces lo llevaron a Guihón.[h] 39 Sadoc el sacerdote ahora tomó de la tienda[i] el cuerno de aceite[j] y ungió[k] a Salomón; y empezaron a tocar el cuerno, y todo el pueblo rompió a decir: "¡Viva el rey Salomón!".[l] 40 Después de aquello, todo el pueblo vino subiendo detrás de él, y la gente estaba tocando flautas[m] y regocijándose con gran gozo,[n] de modo que la tierra[o] se partía por el ruido de ellos.

41 Y Adonías y todos los invitados que estaban con él llegaron a oírlo, cuando ellos mismos habían acabado de comer.[p] Cuando Joab llegó a oír el sonido del cuerno, en seguida dijo: "¿Qué significa el ruido del pueblo en alboroto?".[q] 42 Mientras todavía estaba él hablando, pues, aquí vino Jonatán hijo de Abiatar el sacerdote. Entonces Adonías dijo: "Entra, porque eres un hombre valiente, y traes buenas noticias".[s] 43 Pero Jonatán respondió y dijo a Adonías: "¡No! Nuestro señor el rey David mismo ha hecho rey a Salomón.[t] 44 Así que el rey envió con él a Sadoc el sacerdote y a Natán el profeta y a Benaya hijo de Jehoiadá y a los keretitas y a los peletitas, y lo hicieron cabalgar sobre la mula del rey.[u] 45 Entonces Sadoc el sacerdote y Natán el profeta lo ungieron por rey[v] en Guihón; después de lo cual subieron de allá regocijándose, y el pueblo está en alboroto. Ese fue el ruido que ustedes oyeron.[w] 46 Y, además, Salomón se ha sentado sobre el trono de la gobernación real.[x] 47 Y otra cosa: los siervos del rey han entrado para desear el bien a nuestro señor el rey Da-

vid, diciendo: '¡Haga tu Dios el nombre de Salomón más espléndido que tu nombre, y haga su trono más grande que tu trono!'.[a] En eso, el rey se inclinó sobre la cama.[b] 48 Y, también, esto es lo que dijo el rey: '¡Bendito[c] sea Jehová el Dios de Israel, que hoy ha dado uno que se siente sobre mi trono, y mis propios ojos lo ven!' ".[d]

49 Y todos los invitados que estaban con Adonías se pusieron a temblar y a levantarse y a irse cada uno por su propio camino.[e] 50 Y Adonías mismo tuvo miedo a causa de Salomón. De modo que se levantó y se fue y se agarró de los cuernos del altar.[f] 51 Con el tiempo se dio informe a Salomón, y se le dijo: "Mira que a Adonías mismo le ha dado miedo del rey Salomón; y mira que se ha asido de los cuernos del altar, y dice: 'Que el rey Salomón me jure ante todo que no dará muerte a espada a su siervo' ". 52 A esto dijo Salomón: "Si llega a ser hombre valiente, no caerá ni un solo cabello[g] suyo a tierra; pero si se hallara lo malo en él,[h] entonces tendrá que morir".[i] 53 Por lo tanto el rey Salomón envió, y lo bajaron de sobre el altar. Entonces [Adonías] entró y se inclinó ante el rey Salomón; después de lo cual Salomón le dijo: "Vete a tu propia casa".[j]

2 Y poco a poco se acercaron los días de David en que había de morir,[k] y él procedió a dar órdenes a Salomón su hijo, y a decir: 2 "Yo me voy por el camino de toda la tierra,[l] y tú tienes que ser fuerte[m] y dar prueba de ser hombre.[n] 3 Y tienes que guardar la obligación para con Jehová tu Dios, andando en sus caminos,[o] guardando sus estatutos, sus mandamientos y sus decisiones judiciales[p] y sus testimonios, conforme a lo que está escrito en la ley de Moisés,[q] a fin de que actúes prudentemente en

CAP. 1

a 1Re 3:12
  1Re 10:23
  2Cr 9:22
  Sl 72:8
b 1Re 1:8
c 2Sa 7:2
d 1Cr 27:5
e 1Sa 30:14
  2Sa 8:18
f 2Sa 15:18
  1Re 18:17
g 1Re 1:33
  Mt 21:7
h 2Cr 32:30
i 2Sa 6:17
j Éx 30:25
  1Sa 16:13
k 1Sa 10:1
  1Cr 29:22
l 1Re 1:34
m 1Sa 5:12
  Isa 30:29
n 1Sa 11:15
  2Re 11:14
o Sl 97:1
o 1Sa 4:5
p 1Re 1:9
  1Re 1:25
q Hch 21:30
r 2Sa 15:36
  Mt 17:17
s 2Sa 18:27
t 1Re 1:30
u 1Re 1:33
v 1Re 1:34
w 1Re 1:40
x Re 2:12
  1Cr 29:23
  Sl 132:11

2.ᵃcol.

a 1Re 1:37
  Lu 19:38
  Éx 47:31
  Heb 11:21
c 1Cr 29:10
  Ne 9:5
  Sl 34:1
  Sl 72:18
  Da 4:34
  Ef 1:3
d 2Sa 24:3
e Pr 28:1
f Éx 21:14
  Éx 38:2
  1Re 2:28
g 1Sa 14:45
  2Sa 14:11
  Hch 27:34
h Dt 1:17
  1Re 2:23
  Pr 13:6
  Pr 21:12
i Eze 3:19
j Pr 16:15

CAP. 2

k Sl 89:48
  Ec 12:7
l Jos 23:14
  Job 30:23
  Ec 9:10
  Heb 9:27
m Dt 31:6
  Jos 1:6
  1Cr 28:20
  Ef 6:10
n 1Re 3:7
o Dt 17:19
  Dt 29:9
  Ec 12:13
p Dt 4:1
q Dt 17:20

todo lo que hagas y adondequiera que te vuelvas; 4 a fin de que Jehová realice su palabra que habló respecto de mí,[a] al decir: 'Si tus hijos[b] cuidan su camino, andando[c] delante de mí en verdad[d] con todo su corazón[e] y con toda su alma, no será cortado hombre tuyo de [sentarse] sobre el trono de Israel'.[f]

5 "Y también tú mismo bien sabes lo que me hizo Joab hijo de Zeruyá[g] en lo que hizo a dos jefes de los ejércitos de Israel, a Abner[h] hijo de Ner y a Amasá[i] hijo de Jéter,[j] cuando los mató y colocó la sangre[k] de guerra en tiempo de paz y puso la sangre de guerra sobre su cinto que estaba alrededor de sus caderas y en sus sandalias que estaban sobre sus pies. 6 Y tendrás que actuar conforme a tu sabiduría,[l] y no dejar que sus canas bajen en paz[m] al Seol.[n]

7 "Y para con los hijos de Barzilai[o] el galaadita debes ejercer bondad amorosa, y ellos tienen que hallarse entre los que coman a tu mesa;[p] porque de esa manera se acercaron a mí cuando huí de delante de Absalón tu hermano.[r]

8 "Y aquí está contigo Simeí[s] hijo de Guerá el benjaminita de Bahurim,[t] y él fue quien invocó el mal contra mí con una dolorosa invocación de mal[u] el día en que yo iba a Mahanaim;[v] y él fue quien bajó a mi encuentro al Jordán,[w] de modo que le juré por Jehová, diciendo: 'No te haré morir a espada'.[x] 9 Y ahora no lo dejes sin castigar,[y] porque eres un hombre sabio[z] y bien sabes lo que debes hacerle, y tienes que hacer bajar sus canas[a] con sangre al Seol".[b]

10 Entonces yació David con sus antepasados[c] y fue enterrado en la Ciudad de David.[d] 11 Y los días que había reinado David sobre Israel fueron cuarenta años.[e] En Hebrón[f] había reinado siete años,[g] y en Jerusalén había reinado treinta y tres años.[h]

12 En cuanto a Salomón, se sentó sobre el trono de David su padre;[a] y gradualmente su gobernación real vino a quedar muy firmemente establecida.[b]

13 Con el tiempo Adonías hijo de Haguit vino a Bat-seba,[c] madre de Salomón. Por lo cual ella dijo: "¿Es pacífica tu venida?",[d] a lo que él dijo: "Es pacífica". 14 Y siguió diciendo: "Hay un asunto que tengo para ti". De modo que ella dijo: "Habla".[e] 15 Y él continuó: "Tú misma bien sabes que la gobernación real había de llegar a ser mía, y era hacia mí hacia quien todo Israel había fijado su rostro para que yo llegara a ser rey;[f] pero la gobernación real dio vuelta y llegó a ser de mi hermano, porque de parte de Jehová llegó a ser suya.[g] 16 Y ahora hay una solicitud que te hago. No vuelvas [de ti] mi rostro".[h] Por lo tanto ella le dijo: "Habla". 17 Y él pasó a decir: "Por favor, di a Salomón el rey (porque él no volverá tu rostro [de sí]) que me dé a Abisag[i] la sunamita[j] por esposa". 18 A esto Bat-seba dijo: "¡Bien! Yo misma hablaré por ti al rey".

19 De modo que Bat-seba entró a donde el rey Salomón para hablarle a favor de Adonías.[k] En seguida el rey se levantó[l] a su encuentro y se inclinó ante ella.[m] Entonces se sentó sobre su trono e hizo poner un trono para la madre del rey, para que se sentara a su derecha.[n] 20 Y ella procedió a decir: "Hay una pequeña solicitud que te hago. No vuelvas [de ti] mi rostro". Por lo tanto el rey le dijo: "Hazla, madre mía; porque no volveré [de mí] tu rostro". 21 Y ella pasó a decir: "Que Abisag la sunamita sea dada por esposa a Adonías tu

CAP. 2
a 2Sa 7:16
1Cr 17:11
1Cr 22:9
1Cr 28:7
Sl 89:35
Sl 132:11
b 2Sa 7:19
c Gé 17:1
Le 26:3
2Re 20:3
2Re 23:3
2Cr 17:3
Lu 1:6
d Sl 15:2
Jn 4:24
e Dt 6:5
Dt 10:12
Mt 22:37
f 2Sa 7:12
1Re 8:25
Sl 89:29
Sl 132:12
g 2Sa 3:39
h 2Sa 3:27
i 2Sa 20:10
1Re 17:25
1Cr 2:17
k Nú 35:33
2Sa 3:28
2Sa 3:30
1Re 2:31
l Pr 20:26
m 2Sa 3:29
1Re 2:34
Pr 28:17
Isa 48:22
Mt 26:52
n Gé 37:35
Gé 42:38
Job 7:9
Rev 20:13
o 2Sa 19:31
p 2Sa 9:7
2Sa 19:28
q 2Sa 17:27
2Sa 15:14
s 2Sa 16:7
t 2Sa 16:5
u 2Sa 16:7
v 2Sa 17:24
w 2Sa 19:17
x 2Sa 19:23
y Éx 22:28
Sl 105:15
Pr 11:21
2Pe 2:9
z 1Re 3:12
1Re 3:28
Pr 2:6
a Gé 42:38
Gé 44:31
b 1Re 2:46
c 1Cr 29:28
Job 14:1
Hch 13:36
d 2Sa 5:7
1Re 3:1
1Re 11:43
1Cr 11:7
Hch 2:29
e 2Sa 5:4
f 1Cr 12:23
g 1Cr 29:27
h 2Sa 5:5
1Cr 3:4

2.ª col.

a 1Re 1:46
1Cr 29:23
2Cr 1:1
Sl 132:12

b 2Sa 7:12; Sl 89:37; c 2Sa 12:24; d 1Re 16:4; 1Cr 12:17; e 2Sa 14:12; f 1Re 1:5; 1Re 1:25; g 1Cr 22:9; 1Cr 28:5; Pr 21:30; Da 2:21; h 2Cr 29:6; Jer 2:27; Jer 18:17; i 1Re 1:3; j Jos 19:18; k 1Re 1:7; l Éx 20:12; Le 19:32; Pr 23:22; m Gé 33:3; Gé 48:12; Éx 18:7; n Sl 110:1; Mt 25:33.

hermano". 22 Ante esto, el rey Salomón respondió y dijo a su madre: "¿Y por qué estás solicitando a Abisag la sunamita para Adonías? Solicita también para él la gobernación real[a] (porque es mi hermano que es mayor que yo),[b] aun para él y para Abiatar[c] el sacerdote y para Joab[d] hijo de Zeruyá".[e]

23 Con eso, el rey Salomón juró por Jehová, y dijo: "Así me haga Dios, y así añada a ello,[f] si no fue contra su propia alma contra quien Adonías habló esta cosa.[g] 24 Y ahora, tan ciertamente como que vive Jehová,[h] que me ha establecido firmemente[i] y me mantiene sentado sobre el trono de David mi padre,[j] y que me hizo una casa[k] tal como ha hablado,[l] hoy se dará muerte a Adonías".[m] 25 Inmediatamente el rey Salomón envió por medio de Benaya[n] hijo de Jehoiadá; y este procedió a arrojarse sobre aquel, de modo que murió.[o]

26 Y a Abiatar[p] el sacerdote el rey dijo: "¡Vete a Anatot[q] a tus campos! Pues mereces la muerte;[r] pero en este día no te daré muerte, porque llevaste el arca del Señor Soberano Jehová[s] delante de David mi padre,[t] y porque sufriste aflicción durante todo el tiempo que mi padre sufrió aflicción".[u] 27 De modo que Salomón expulsó a Abiatar para que no rindiera servicio como sacerdote de Jehová, para cumplir la palabra de Jehová que él había hablado contra la casa de Elí[v] en Siló.[w]

28 Y el informe mismo llegó allá a Joab[x] —pues Joab mismo se había inclinado a seguir a Adonías,[y] aunque no se había inclinado a seguir a Absalón— y Joab se fue huyendo a la tienda[a] de Jehová y empezó a asirse de los cuernos del altar.[b] 29 Entonces le fue comunicado al rey Salomón: "Joab ha huido a la tienda de Jehová, y allí está al lado del altar". De modo que Sa-

lomón envió a Benaya hijo de Jehoiadá, y dijo: "¡Anda, arrójate sobre él!".[a] 30 Por lo tanto Benaya fue a la tienda de Jehová y le dijo: "Esto es lo que ha dicho el rey: '¡Sal!'". Pero él dijo: "¡No! Porque aquí[b] es donde moriré". Por lo cual Benaya llevó la palabra de vuelta al rey, diciendo: "Esto es lo que habló Joab, y esto es lo que me respondió". 31 Entonces le dijo el rey: "Haz tal como ha hablado y arrójate sobre él; y tienes que enterrarlo y quitar de sobre mí y de sobre la casa de mi padre la sangre[c] inmerecidamente derramada que Joab vertió.[d] 32 Y Jehová ciertamente hará volver su sangre sobre su propia cabeza,[e] porque se arrojó sobre dos hombres más justos y mejores que él,[f] y procedió a matarlos a espada, cuando mi padre David mismo no había sabido de ello,[g] a saber, a Abner[h] hijo de Ner el jefe del ejército de Israel[i] y a Amasá[i] hijo de Jéter el jefe del ejército de Judá.[k] 33 Y la sangre de ellos tiene que volver sobre la cabeza de Joab y sobre la cabeza de su prole hasta tiempo indefinido;[l] pero para David[m] y para su prole y para su casa y para su trono llegará a haber paz hasta tiempo indefinido de parte de Jehová".[n] 34 Entonces Benaya hijo de Jehoiadá procedió a subir,[o] y se arrojó sobre él y le dio muerte;[p] y llegó a ser enterrado en su propia casa en el desierto. 35 Ante aquello, el rey puso a Benaya[q] hijo de Jehoiadá en lugar de él sobre el ejército;[r] y a Sadoc el sacerdote lo puso el rey en el lugar de Abiatar.[s]

36 Finalmente el rey mandó llamar a Simeí[t] y le dijo: "Edifícate una casa en Jerusalén, y tienes que morar allí y no salir de allí a este lugar ni a aquel. 37 Y tiene que suceder que, en el

CAP. 2

a 2Sa 12:8
  2Sa 16:21
b 1Cr 3:2
c 1Cr 3:5
c 1Re 1:7
d 2Sa 8:16
e 2Sa 2:18
f Dt 6:13
  Rut 1:17
  1Sa 3:17
  1Sa 19:13
g Sl 64:8
  Sl 140:9
h 1Sa 20:21
i 1Re 10:9
  1Cr 22:10
j 1Cr 29:23
  2Cr 1:8
k 1Sa 25:28
  2Sa 7:11
  1Cr 17:10
  Sl 127:1
l 1sa 55:11
m 1Re 1:52
  Ec 8:11
n 2Sa 8:18
  1Re 1:8
  1Cr 27:5
o 1Re 2:34
p 1Sa 22:20
  1Re 1:7
q Jos 21:18
  1Cr 6:60
  Jer 1:1
r 1Re 2:22
s Gé 15:2
t 1Sa 23:6
  2Sa 15:24
  1Cr 15:12
u 1Sa 22:23
v 1Sa 2:31
  1Sa 3:12
w Jos 18:1
x 1Re 2:22
  1Re 1:7
z 2Sa 18:14
a 1Re 3:4
  1Cr 16:39
  1Cr 21:29
b 1Re 1:50

2.ª col.

a 1Re 2:25
b Éx 21:14
c Gé 9:6
  Nú 35:33
  Dt 19:13
d Dt 21:9
  2Re 9:26
  Pr 28:17
e 2Sa 3:28
  1Re 2:5
e Jue 9:57
  Sl 7:16
  Sl 9:16
f Éx 23:7
  2Sa 4:11
  2Sa 21:13
g 2Sa 3:26
h 2Sa 3:27
i 2Sa 2:8
j 2Sa 20:10
k 2Sa 17:25
l 2Sa 3:29
  Sl 109:9
  Mt 27:25
m 2Sa 3:28
n Sl 89:29
  Sl 132:12
  Pr 25:5
  Isa 9:7

o 1Re 2:28; 1Cr 21:29; p 1Re 2:25; Sl 37:38; Ec 12:14; q 1Cr 11:24; 1Cr 27:5; r Job 34:24; s 1Sa 2:35; 1Cr 6:53; 1Cr 12:28; 1Cr 16:39; 1Cr 24:3; Sl 109:8; t 1Re 2:8.

día que salgas, y cuando de veras pases el valle torrencial de Cedrón,[a] debes saber, sin equivocación, que positivamente morirás.[b] La culpa de sangre por ti vendrá ella misma a estar sobre tu propia cabeza".[c] 38 Ante esto, Simeí dijo al rey: "La palabra es buena. Tal como mi señor el rey ha hablado, así hará tu siervo". Y Simeí siguió morando en Jerusalén muchos días.

39 Y al cabo de tres años aconteció que dos esclavos[d] de Simeí se fueron huyendo a donde Akís[e] hijo de Maacá el rey de Gat;[f] y unas personas vinieron a referírselo a Simeí, diciendo: "¡Mira! Tus esclavos están en Gat". 40 Inmediatamente Simeí se levantó y aparejó su asno y se fue a Gat, a donde Akís, para buscar a sus esclavos; después de lo cual Simeí fue y trajo de Gat a sus esclavos. 41 Entonces informaron a Salomón: "Simeí ha salido de Jerusalén a Gat y ha vuelto". 42 Por lo cual el rey envió y llamó[g] a Simeí y le dijo: "¿No te juramenté por Jehová para advertirte,[h] diciendo: 'En el día que salgas y cuando de veras vayas acá y allá debes saber inequívocamente que positivamente morirás'?, y, por eso, ¿no me dijiste tú: 'Buena es la palabra que he oído'?[i] 43 ¿Por qué, pues, no guardaste el juramento de Jehová[j] y el mandamiento que te impuse solemnemente?".[k] 44 Y el rey siguió diciendo a Simeí: "Tú mismo ciertamente sabes todo el perjuicio que tu corazón conoce bien que le hiciste a David mi padre;[l] y Jehová ciertamente hará volver sobre tu propia cabeza[m] el perjuicio [ocasionado] por ti. 45 Pero el rey Salomón será bendito,[n] y el trono mismo de David resultará estar firmemente establecido delante de Jehová para siempre".[o] 46 Con eso, el rey dio orden a Benaya hijo de Jehoiadá, que entonces

CAP. 2
a 2Sa 15:23
  2Re 23:6
  Jn 18:1
b Nú 35:27
  Pr 20:8
  Pr 20:26
c Nú 35:26
  Jos 2:19
  Eze 18:13
d Dt 23:15
e 1Sa 21:10
f 1Sa 27:2
g Pr 16:14
h Tit 3:1
i 1Re 2:38
j Eze 17:19
k Pr 16:5
  Ec 8:2
l 2Sa 16:5
  2Sa 16:13
m Re 2:37
  Sl 7:16
  Pr 5:22
  Eze 18:20
n Sl 21:6
  Sl 72:17
o 1Re 2:24
  Pr 25:5
  Isa 9:7

2.ª col.
a 1Re 2:9
  1Re 2:25
  1Re 2:34
b 1Re 2:12
  2Cr 1:1
  Pr 16:12
  Pr 29:4

CAP. 3
c Esd 9:2
  Esd 9:14
d Dt 7:4
  1Re 7:8
  1Re 9:24
  1Re 11:1
  Esd 10:10
  Ne 13:27
e 2Sa 5:7
  1Cr 11:7
f 1Re 7:1
g 1Re 8:19
h 1Re 9:15
i Le 17:4
  Le 26:30
  Dt 12:6
  1Re 15:14
  1Re 22:43
  2Cr 33:17
j 1Re 5:3
  1Cr 17:4
  1Cr 17:12
  1Cr 28:6
  Hch 7:47
k Dt 6:5
  Dt 10:12
  Sl 145:20
  Mt 22:37
  Lu 8:3
  1Jn 5:3
l 2Cr 17:3
m 1Sa 7:9
  1Sa 10:8
  1Re 15:14
  1Re 22:43
  1Re 21:26
  2Cr 1:3
n Jos 9:3
  1Re 9:2
o 1Cr 16:39
  1Cr 21:29
p 2Cr 1:6

salió y se arrojó sobre aquel, de modo que murió.[a]

Y el reino fue firmemente establecido en la mano de Salomón.[b]

3 Y Salomón procedió a formar una alianza matrimonial[c] con Faraón el rey de Egipto y a tomar la hija de Faraón[d] y traerla a la Ciudad de David,[e] hasta que él acabara de edificar su propia casa[f] y la casa de Jehová[g] y el muro de Jerusalén todo en derredor.[h] 2 Solo que el pueblo sacrificaba en los lugares altos,[i] porque no se había edificado una casa al nombre de Jehová hasta aquellos días.[j] 3 Y Salomón continuó amando[k] a Jehová, andando en los estatutos de David su padre.[l] Solo que era en los lugares altos[m] donde con regularidad sacrificaba y hacía humear las ofrendas.

4 Por consiguiente, el rey fue a Gabaón[n] para ofrecer sacrificios allí, porque aquel era el gran lugar alto.[o] Mil ofrendas quemadas procedió Salomón a ofrecer sobre aquel altar.[p] 5 En Gabaón Jehová se apareció a Salomón en un sueño[q] de noche; y Dios procedió a decir: "Solicita lo que debo darte".[r] 6 A lo que dijo Salomón: "Tú mismo has ejercido gran bondad amorosa[s] para con tu siervo David mi padre conforme él anduvo delante de ti en verdad y en justicia[t] y en rectitud de corazón para contigo; y continuaste guardando para con él esta gran bondad amorosa, de modo que le diste un hijo que se sentara sobre su trono como sucede este día.[v] 7 Y ahora, Jehová mi Dios, tú mismo has hecho rey a tu siervo en el lugar de David mi padre, y no soy más que un muchachito.[w] No sé cómo salir ni cómo entrar.[x] 8 Y tu siervo está en medio de tu

q 1Re 9:2; 2Cr 1:3; r Nú 12:6; Job 33:15; s 2Cr 1:7; t 2Cr 1:8; u Sl 11:7; v 1Re 2:4; w 1Cr 29:1; Jer 1:6; Mt 23:12; 2Co 12:9; x Nú 27:17; Dt 31:2; 2Sa 5:2.

pueblo que tú has escogido,[a] un pueblo cuantioso que no se puede numerar ni contar por su multitud.[b] 9 Y tienes que dar a tu siervo un corazón obediente para juzgar[c] a tu pueblo, para discernir entre lo bueno y lo malo;[d] porque ¿quién es capaz de juzgar[e] a este difícil pueblo tuyo?".[f]

10 Y la cosa fue grata a los ojos de Jehová, porque Salomón había solicitado esta cosa.[g] 11 Y Dios pasó a decirle: "Por razón de que has solicitado esta cosa, y no has solicitado para ti muchos días ni solicitado para ti riquezas[h] ni solicitado el alma de tus enemigos, y has solicitado para ti entendimiento para oír casos judiciales,[i] 12 ¡mira!, ciertamente haré conforme a tus palabras.[j] ¡Mira! Ciertamente te daré un corazón sabio y entendido,[k] de modo que no haya resultado haber ninguno como tú antes de ti, y después de ti no se levantará ninguno como tú.[l] 13 Y también lo que no has solicitado ciertamente te daré,[m] tanto riquezas[n] como gloria, de modo que no resultará haber habido entre los reyes ninguno como tú, todos tus días.[o] 14 Y si andas en mis caminos, guardando mis disposiciones reglamentarias[p] y mis mandamientos, tal como anduvo David tu padre,[q] alargaré tus días".[r]

15 Cuando Salomón despertó,[s] pues, ¡fíjese!, aquello había sido un sueño. Entonces vino a Jerusalén y se paró delante del arca[t] del pacto de Jehová y ofreció sacrificios quemados y sacrificó ofrendas de comunión[u] e hizo un banquete[v] para todos sus siervos.[w]

16 En aquel tiempo, dos mujeres, prostitutas,[x] lograron entrar a donde el rey y estar de pie ante él.[y] 17 Entonces una mujer dijo: "Dispénsame, señor mío,[z] yo y esta mujer estamos morando en una misma casa, de

CAP. 3

a Éx 19:6
  Dt 7:6
b Gé 13:16
  Gé 22:17
c 2Cr 1:10
  Sl 72:1
  Sl 119:34
d 2Sa 14:17
  Heb 5:14
e 1Sa 8:6
f Éx 32:9
  Dt 9:6
g Pr 15:8
h Pr 27:24
  1Ti 6:9
i 1Cr 22:12
  1Cr 29:19
  Pr 16:16
j Sl 10:17
  Ec 1:16
  Isa 65:24
  1Jn 5:14
k 1Re 4:29
  1Re 5:12
  2Cr 1:11
  Pr 3:13
l Mt 12:42
m Sl 84:11
  Mt 6:33
  Ef 3:20
n 1Re 4:21
  Pr 3:16
  Ec 7:11
o 1Re 10:23
  2Cr 1:12
p 1Cr 22:12
q 1Re 15:5
  2Cr 7:17
r Dt 25:15
  Sl 21:4
  Sl 91:16
  Pr 3:16
s Gé 41:7
  Jer 31:26
t 2Sa 6:17
  1Cr 16:1
u Le 7:11
  2Sa 6:18
  1Cr 21:29
v Gé 31:54
  Est 1:3
  Da 5:1
w 1Re 1:33
x Gé 38:15
  Dt 23:17
  Jos 6:17
  Jue 11:1
y 1Sa 8:20
z Ro 13:7
  1Pe 2:17

2.ª col.

a 1Sa 1:23
  1Pe 2:7
b Pr 20:8
c Pr 20:26
d Gé 43:30
  Isa 49:15
  Jer 31:20
  Os 11:8
e 1Te 2:7
f 1Sa 1:26
  1Re 3:17
g Ro 1:31
  2Ti 3:3

modo que di a luz cerca de ella en la casa. 18 Y aconteció que, al tercer día después de dar yo a luz, esta mujer también procedió a dar a luz. Y estábamos juntas. No había ningún extraño con nosotras en la casa, nadie fuera de nosotras dos en la casa. 19 Más tarde, el hijo de esta mujer murió de noche, porque ella se acostó sobre él. 20 Por lo tanto, ella se levantó en medio de la noche y tomó a mi hijo de mi lado mientras tu esclava misma estaba dormida, y lo acostó en su propio seno, y a su hijo muerto lo acostó en mi seno. 21 Cuando me levanté por la mañana para dar el pecho[a] a mi hijo, pues, allí estaba muerto. De modo que lo examiné cuidadosamente por la mañana, y, ¡mira!, resultó que no era el hijo mío que yo había dado a luz". 22 Pero la otra mujer dijo: "¡No, sino que mi hijo es el vivo, y tu hijo es el muerto!". Durante todo este tiempo esta mujer estaba diciendo: "No, sino que tu hijo es el muerto, y mi hijo es el vivo". Y siguieron hablando delante del rey.[b]

23 Por fin el rey dijo: "Esta está diciendo: '¡Este es mi hijo, el vivo, y tu hijo es el muerto!', y esa está diciendo: '¡No, sino que tu hijo es el muerto, y mi hijo es el vivo!'". 24 Y el rey pasó a decir:[c] "Hombres, consíganme una espada". De modo que trajeron la espada delante del rey. 25 Y el rey procedió a decir: "Corten al niño vivo en dos, y den una mitad a una mujer y la otra mitad a la otra". 26 En seguida, la mujer cuyo hijo era el vivo dijo al rey (porque sus emociones internas[d] estaban excitadas para con su hijo,[e] de modo que dijo): "¡Dispénsame,[f] señor mío! Denle a ella el niño vivo. No vayan de ninguna manera a hacerlo morir". Entretanto, la otra mujer estaba diciendo: "Ni mío ni tuyo llegará a ser. ¡Córtenlo!".[g] 27 Ante esto, el rey respondió y

dijo: "Den a aquella el niño vivo, y no deben de ninguna manera hacerlo morir. Ella es su madre".

28 Y todo Israel llegó a oír de la decisión judicial[a] que el rey había dictado; y se llenaron de temor a causa del rey,[b] porque vieron que dentro de él estaba la sabiduría[c] de Dios para ejecutar decisión judicial.

4 Y el rey Salomón continuó de rey sobre todo Israel.[d] 2 Y estos son los príncipes[e] que tenía: Azarías hijo de Sadoc,[f] el sacerdote; 3 Elihóref y Ahíya, hijos de Sisá, secretarios;[g] Jehosafat[h] hijo de Ahilud, el registrador; 4 y Benaya[i] hijo de Jehoiadá estaba sobre el ejército,[j] y Sadoc y Abiatar[k] eran sacerdotes; 5 y Azarías hijo de Natán[l] estaba sobre los comisarios, y Zabud hijo de Natán era sacerdote, el amigo[m] del rey; 6 y Ahisar estaba sobre la casa, y Adoniram[n] hijo de Abdá, sobre los reclutados para trabajo forzado.[o]

7 Y Salomón tenía doce comisarios sobre todo Israel, y ellos proveían de alimento al rey y su casa. Le tocaba a cada uno proveer el alimento un mes del año.[p] 8 Y estos eran sus nombres: El hijo de Hur, en la región montañosa de Efraín;[q] 9 el hijo de Déquer, en Maqaz y en Saalbim[r] y Bet-semes y Elón-bet-hanán; 10 el hijo de Hésed, en Arubot (él tenía a Socoh y toda la tierra de Héfer);[t] 11 el hijo de Abinadab, toda la serranía de Dor[u] (Tafat, hija de Salomón, llegó ella misma a ser su esposa); 12 Baaná hijo de Ahilud, en Taanac[v] y Meguidó[w] y todo Bet-seán,[x] que está al lado de Zaretán[z] más abajo de Jezreel,[z] desde Bet-seán hasta Abel-meholá[a] hasta la región de Joqmeam;[b] 13 el hijo de Guéber, en Ramotgalaad[c] (él tenía las aldeas de tiendas de Jaír[d] hijo de Manasés, que están en Galaad;[e] él tenía la región de Argob,[f] que está en Ba-

sán:[a] sesenta ciudades grandes con muro y barra de cobre); 14 Ahinadab hijo de Idó en, Mahanaim;[b] 15 Ahimáaz, en Neftalí[c] (él, también, tomó a Basemat, la hija de Salomón, por esposa);[d] 16 Baaná hijo de Husai, en Aser[e] y Bealot; 17 Jehosafat hijo de Paruáh, en Isacar;[f] 18 Simeí[g] hijo de Elá, en Benjamín;[h] 19 Guéber hijo de Urí, en la tierra de Galaad,[i] la tierra de Sehón[j] el rey de los amorreos,[k] y de Og[l] el rey de Basán,[m] y había un comisario [sobre todos los demás comisarios] que había en el país.

20 Judá e Israel eran muchos, como los granos de arena que están junto al mar por su multitud,[n] y comían y bebían y se regocijaban.

21 En cuanto a Salomón, resultó ser gobernante sobre todos los reinos desde el Río[o] hasta la tierra de los filisteos y hasta el límite de Egipto. Estuvieron llevándole regalos y sirviendo a Salomón todos los días de su vida.[q]

22 Y el alimento de Salomón para cada día resultó ser, con regularidad, treinta medidas de coro[r] de flor de harina y sesenta medidas de coro de harina, 23 diez reses vacunas gordas y veinte reses vacunas de pasto y cien ovejas, además de algunos ciervos[s] y gacelas[t] y corzos y cuclillos engordados. 24 Pues él tenía todo en sujeción al lado de acá del Río,[u] desde Tifsah hasta Gaza,[v] y a todos los reyes al lado de acá del Río;[w] y la paz[x] misma llegó a ser suya en toda región suya, todo en derredor. 25 Y Judá[y] e Israel continuaron morando en seguridad,[z] cada uno debajo de su propia vid y debajo de su propia higuera,[a]

CAP. 3
a 1Re 2:3
1Re 3:9
b Jos 4:14
1Sa 12:18
1Cr 29:24
Sl 72:5
Pr 24:21
c Esd 7:25
Pr 2:3
Ec 7:19
Col 2:3
Snt 1:5

CAP. 4
d 1Re 1:20
2Cr 9:30
Ec 1:12
e Éx 18:21
f 1Cr 6:8
1Cr 27:17
Eze 44:15
g 2Sa 8:17
1Cr 27:32
h 2Sa 8:16
2Sa 20:24
1Cr 18:15
i 1Re 1:8
1Cr 27:5
j 1Re 2:35
k 1Re 2:26
l 2Sa 12:1
1Re 1:10
m 2Sa 15:37
1Cr 27:33
n 2Sa 20:24
1Re 5:14
1Re 12:18
o 1Re 9:15
p 1Cr 27:1
q Jos 17:18
r Jos 19:42
s 1Sa 6:12
t Jos 12:17
u Jos 12:23
v Jos 17:11
w 2Re 23:29
x 1Sa 31:10
y Jos 3:16
z 1Re 18:46
a 1Re 19:16
b Jos 21:34
c Dt 4:43
Jos 20:8
1Re 22:3
2Re 9:1
d Nú 32:41
Dt 3:14
e Nú 32:1
Jos 22:9
f Dt 3:4

2.ᵃ col.

a Nú 21:33
Jos 13:11
Sl 22:12
b Gé 32:2
2Sa 2:8
2Sa 17:24
c Jos 19:32
d 1Sa 18:18
e Jos 19:24
f Jos 19:17
g 1Re 1:8
h Jos 18:11
i Jos 17:1
j Dt 2:26
k Nú 21:21
l Dt 3:4
m Dt 1:4

n Gé 22:17; Pr 14:28; o Ec 2:24; Ec 9:7; p Gé 15:18; Éx 23:31; Dt 11:24; 2Sa 8:3; 1Cr 19:16; Sl 72:8; q Sl 72:10; r 1Re 5:11; s Dt 14:5; Lam 1:6; t Dt 12:15; Dt 15:22; u Gé 2:14; Dt 1:7; Jos 1:4; v Gé 10:19; w Dt 28:13; x 1Re 5:4; 1Cr 22:9; Sl 72:7; y 2Re 8:19; z Isa 60:18; a Miq 4:4; Zac 3:10.

desde Dan hasta Beer-seba,[a] todos los días de Salomón.

26 Y Salomón llegó a tener cuarenta mil pesebres de caballos[b] para sus carros[c] y doce mil hombres de a caballo.

27 Y estos comisarios[d] suministraban alimento al rey Salomón y a todo el que se acercaba a la mesa del rey Salomón, cada uno en su mes. No dejaban que nada faltara. 28 Y seguían llevando la cebada y la paja para los caballos y para los tiros de caballos[e] adondequiera que resultara ser el lugar, cada uno conforme a su comisión.[f]

29 Y Dios continuó dando a Salomón sabiduría[g] y entendimiento[h] en medida sumamente grande, y una anchura de corazón,[i] como la arena que está sobre la orilla del mar.[j] 30 Y la sabiduría de Salomón era más vasta[k] que la sabiduría de todos los orientales[l] y que toda la sabiduría de Egipto.[m] 31 Y era más sabio que todo otro hombre, más que Etán[n] el ezrahíta y Hemán[o] y Calcol[p] y Dardá hijos de Mahol; y su fama llegó a estar en todas las naciones todo en derredor.[q] 32 Y podía hablar tres mil proverbios,[r] y sus canciones[s] llegaron a ser mil cinco. 33 Y hablaba acerca de los árboles, desde el cedro que está en el Líbano[t] hasta el hisopo[u] que va saliendo en el muro; y hablaba acerca de las bestias[v] y acerca de las criaturas voladoras[w] y acerca de las cosas movientes[x] y acerca de los peces.[y] 34 Y de todos los pueblos seguían viniendo para oír la sabiduría de Salomón,[z] aun de todos los reyes de la tierra que habían oído de su sabiduría.[a]

5 E Hiram[b] el rey de Tiro[c] procedió a enviar sus siervos[d] a Salomón, porque había oído que él era al que habían ungido por rey en lugar de su padre; porque Hiram siempre había resultado ser amador de David.[e] 2 A su vez, Salomón envió a decir a Hi-

ram:[a] 3 "Tú mismo bien sabes que David mi padre no pudo edificar una casa al nombre de Jehová su Dios por causa del guerrear[b] con que lo cercaron, hasta que Jehová los puso debajo de las plantas de sus pies. 4 Y ahora Jehová mi Dios me ha dado descanso todo en derredor.[c] No hay resistidor, y no hay nada malo que esté sucediendo.[d] 5 Y, mira, estoy pensando en edificar una casa al nombre de Jehová mi Dios,[e] tal como lo prometió Jehová a David mi padre, al decir: 'Tu hijo que yo pondré sobre tu trono en lugar de ti, él es el que edificará la casa a mi nombre'.[f] 6 Y ahora manda que me corten cedros del Líbano;[g] y mis siervos mismos resultarán estar con tus siervos, y el salario de tus siervos te lo daré conforme a todo lo que digas, porque tú mismo bien sabes que no hay entre nosotros ninguno que sepa cortar árboles como los sidonios".[h]

7 Y aconteció que, en cuanto Hiram[i] oyó las palabras de Salomón, empezó a regocijarse en gran manera, y pasó a decir: "¡Bendito[j] es Jehová hoy, puesto que ha dado a David un hijo sabio[k] sobre este pueblo numeroso!".[l] 8 Por lo tanto, Hiram envió a decir a Salomón: "He oído lo que me enviaste. Por mi parte, haré todo lo que te deleite en el asunto de maderas de cedros y maderas de enebros.[m] 9 Mis siervos mismos las bajarán del Líbano[n] al mar; y yo, por mi parte, las pondré en armadías [para ir] por mar hasta el mismísimo lugar sobre el que me envíes aviso;[o] y ciertamente haré que las desbaraten allí, y tú, por tu parte, las llevarás; y tú, por tu parte, harás mi deleite al dar el alimento para mi casa".[p]

CAP. 4

a Jue 20:1
  2Sa 17:11
  2Sa 24:15
b Dt 17:16
  2Sa 8:4
  1Re 10:25
c 2Cr 1:17
c 2Cr 1:14
d 1Re 4:7
e Est 8:14
  Miq 1:13
f 1Co 14:40
g 1Re 10:23
  2Cr 1:10
h Pr 4:7
i Sl 119:32
j Gé 41:49
k Lu 11:31
  Col 2:3
l Gé 25:6
  Job 1:3
  Mt 2:1
m Isa 19:11
  Hch 7:22
n 1Cr 2:8
  Sl 89:Enc
o Sl 88:Enc
p 1Cr 2:6
q 1Re 10:1
  1Re 10:7
r Pr 1:1
  Ec 12:9
s Can 1:1
t 2Re 19:23
  Sl 92:12
u Ez 17:22
  Nú 19:18
  Sl 51:7
  Heb 9:19
v Gé 1:24
  Pr 30:30
w Gé 1:20
  Job 12:7
  Pr 7:23
  Pr 30:19
x Gé 1:25
  Pr 6:6
  Pr 30:25
y Gé 1:21
z Pr 13:20
a 2Cr 9:1
  2Cr 9:23

CAP. 5

b 2Cr 2:3
  2Cr 2:12
c Eze 26:15
  Eze 27:3
d 1Re 9:27
e 2Sa 5:11
  1Cr 14:1

2.ª col.

a 2Cr 2:3
b 2Sa 7:5
  2Cr 22:8
  2Cr 6:8
c 1Re 4:24
  Isa 9:7
  Hch 9:31
d Pr 16:7
e 2Cr 2:4
f 2Sa 7:13
  1Cr 17:12
  1Cr 22:10
  1Cr 28:6
  Zac 6:12

g 1Re 6:9; 1Re 6:20; 2Cr 2:8; Sl 104:16; h Jos 19:28; Esd 3:7; i 2Sa 5:11; j 1Re 10:9; 2Cr 2:12; k 1Re 3:9; Pr 10:1; Pr 11:2; Pr 15:20; Pr 23:24; l 2Cr 2:11; m 2Sa 6:5; 1Re 6:15; 2Cr 3:5; n Dt 3:25; o 2Cr 2:16; p 2Cr 2:15; Esd 3:7; Hch 12:20.

10 Por lo tanto, Hiram se hizo dador de maderas de cedros y maderas de enebros a Salomón conforme a todo su deleite. 11 Y Salomón, por su parte, dio a Hiram veinte mil medidas de coro[a] de trigo como víveres para su casa y veinte medidas de coro de aceite batido.[b] Eso fue lo que Salomón siguió dando a Hiram año por año.[c] 12 Y Jehová, por su parte, dio a Salomón sabiduría, tal como le había prometido;[d] y llegó a haber paz entre Hiram y Salomón, y ambos procedieron a celebrar un pacto.

13 Y el rey Salomón siguió haciendo subir a los de todo Israel reclutados para trabajo forzado; y los reclutados para trabajo forzado[e] ascendieron a treinta mil hombres. 14 Y los enviaba al Líbano en turnos de diez mil al mes. Por un mes continuaban en el Líbano, por dos meses en sus hogares;[f] y Adoniram[g] estaba sobre los reclutados[h] para trabajo forzado.[i] 15 Y Salomón llegó a tener[j] setenta mil hombres que llevaban cargas[k] y ochenta mil cortadores[l] en la montaña,[m] 16 además de los comisarios[n] principescos de Salomón que estaban sobre la obra, tres mil trescientos capataces[o] sobre la gente que estaba activa en la obra. 17 Por consiguiente, el rey mandó que sacaran de la cantera piedras grandes, piedras costosas,[p] para colocar el fundamento[q] de la casa con piedras labradas.[r] 18 De modo que los edificadores de Salomón y los edificadores de Hiram y los guebalitas[s] efectuaron el cortar, y siguieron preparando las maderas y las piedras para edificar la casa.

6 Y en el año cuatrocientos ochenta después que los hijos de Israel hubieron salido de la tierra de Egipto,[t] en el año cuarto,[u] en el mes de Ziv,[v] es decir, el segundo mes,[w] después

que Salomón hubo llegado a ser rey sobre Israel, aconteció que él procedió a edificar la casa a Jehová.[a] 2 Y la casa que el rey Salomón edificó[b] a Jehová tenía sesenta codos[c] de longitud, y veinte de anchura, y treinta codos de altura.[d] 3 Y el pórtico[e] enfrente del templo de la casa tenía veinte codos de longitud, enfrente de lo ancho de la casa. Tenía diez codos de fondo, enfrente de la casa.

4 Y él pasó a hacer para la casa ventanas de marcos que se enangostaban.[f] 5 Además, edificó contra el muro de la casa una estructura lateral todo en derredor, [contra] los muros de la casa todo en derredor del templo y del cuarto más recóndito,[g] e hizo cámaras laterales[h] todo en derredor. 6 La cámara lateral más baja tenía cinco codos de anchura, y la de en medio tenía seis codos de anchura, y la tercera tenía siete codos de anchura; porque había entrantes[i] que él dio a la casa todo en derredor por fuera, para que no se afirmara en los muros de la casa.[j]

7 En cuanto a la casa, mientras estaba siendo edificada, fue edificada de piedra de cantera[k] ya terminada; y en cuanto a martillos y hachas o cualesquiera instrumentos de hierro, no se oyeron en la casa[l] mientras estaba siendo edificada. 8 La entrada[m] a la cámara lateral más baja se hallaba al lado derecho de la casa, y por una escalera de caracol se subía a la de en medio, y de la de en medio a la tercera. 9 Además, él continuó edificando la casa para acabarla,[n] y cubrió la casa por dentro con vigas y filas de madera de cedro.[o] 10 Adicionalmente, edificó las cámaras laterales[p] contra toda la casa, [de] cinco codos de altura, y estaba afirmada en la casa por maderas[q] de cedros.

11 Entretanto, la palabra de Jehová vino a Salomón,[r] y dijo:[s] 12 "Por lo que respecta a esta

CAP. 5

a 1Re 4:22
  2Cr 2:10
b Éx 29:40
  Le 24:2
c Mt 10:10
  1Ti 5:18
d 1Re 3:12
  1Re 4:29
  2Cr 1:12
  Snt 1:5
e 1Re 4:6
  1Re 9:15
  1Re 9:21
f Ec 4:6
g 2Sa 20:24
  1Re 4:6
h 1Re 12:18
i Jos 16:10
  Jos 17:13
  Jue 1:28
  1Re 9:22
  2Cr 8:9
j 2Cr 2:17
k 2Cr 2:18
  1 1Cr 22:15
m 1Re 9:23
o 2Cr 2:18
p 1Re 7:9
  1Cr 22:2
q Isa 28:16
  1Co 3:11
  1Pe 2:6
  Rev 21:14
s Jos 13:5
  Eze 27:9

CAP. 6

t Éx 12:14
  Éx 12:51
u 2Cr 3:2
v 1Re 6:37
w Nú 1:1

2.ᵃ col.

a 1Cr 28:12
  1Cr 29:19
b Hch 7:47
c 2Cr 3:3
d Esd 6:3
e 1Cr 28:11
  2Cr 3:4
f Eze 40:16
  Eze 41:26
g Le 16:2
  2Cr 4:20
  2Cr 5:7
  Heb 9:3
h 1Re 6:10
  1Re 4:5
  Eze 41:26
i Eze 41:7
k 1Re 5:17
  1Pe 2:5
l Ef 2:21
  1Pe 2:5
m Eze 41:11
n 1Re 6:38
o 1Re 5:6
  1Re 6:20
  2Cr 2:8
p 1Re 6:5
q Eze 41:6
r 1Cr 17:12
s Sl 11:4
  Pr 15:3

casa que estás edificando, si andas en mis estatutos[a] y ejecutas mis decisiones judiciales[b] y realmente guardas todos mis mandamientos, andando en ellos,[c] yo también ciertamente realizaré para contigo mi palabra que hablé a David tu padre;[d] 13 Y verdaderamente residiré en medio de los hijos de Israel,[e] y no dejaré a mi pueblo Israel".[f]

14 Y Salomón continuó edificando la casa para acabarla.[g] 15 Y procedió a edificar las paredes de la casa dentro de ella con tablas de cedro. Desde el suelo de la casa hasta las vigas del techo las revistió con madera por dentro; y pasó a revestir el piso de la casa con tablas de enebro.[h] 16 Además, edificó veinte codos a los lados posteriores de la casa con tablas de cedro, desde el suelo hasta las vigas [superiores], y por dentro le edificó el cuarto más recóndito,[i] el Santísimo.[j] 17 Y la casa resultó ser de cuarenta codos, es decir, el templo[k] enfrente de ella.[l] 18 Y [la] madera de cedro en la casa, por dentro, era con entalladuras de adornos en forma de calabazas[m] y guirnaldas de flores.[n] Todo ello era de madera de cedro; no había piedra que se dejara ver.

19 Y el cuarto más recóndito[o] en el interior de la casa lo preparó por dentro, para poner allí el arca[p] del pacto[q] de Jehová. 20 Y el cuarto más recóndito tenía veinte codos de longitud, y veinte codos de anchura,[r] y veinte codos de altura; y él procedió a revestirlo de oro puro,[s] y a revestir de madera de cedro el altar.[t] 21 Y Salomón pasó a revestir[u] de oro puro la casa por dentro,[v] y a hacer pasar cadenas[w] de oro enfrente del cuarto más recóndito,[x] y a revestirlo de oro. 22 Y toda la casa la revistió de oro,[y] hasta que toda la casa quedó completa; y todo el altar[z] que estaba hacia el cuarto más recóndito lo revistió de oro.[a]

23 Además, hizo en el cuarto más recóndito dos querubines[a] de madera de árbol oleífero, de diez codos de altura cada uno.[b] 24 Y de cinco codos era un ala del querubín, y de cinco codos era la otra ala del querubín. Medía diez codos desde la punta de su ala hasta la punta de su ala.[c] 25 Y el segundo querubín medía diez codos. Los dos querubines tenían la misma medida y la misma forma. 26 La altura de un querubín era de diez codos, y lo mismo era cierto del otro querubín. 27 Entonces puso los querubines dentro de la casa interior, de modo que extendieron las alas de los querubines.[d] Así el ala del uno alcanzó hasta la pared y el ala del otro querubín alcanzaba hasta la otra pared; y sus alas estaban hacia el medio de la casa, alcanzando ala a ala.[e] 28 Además, revistió de oro los querubines.[f]

29 Y todas las paredes de la casa en derredor las entalló con entalladuras grabadas de querubines[g] y figuras de palmeras[h] y grabados de flores,[i] por dentro y por fuera; 30 y el piso[j] de la casa lo revistió de oro, por dentro y por fuera. 31 Y la entrada del cuarto más recóndito la hizo con puertas[k] de madera de árbol oleífero:[l] columnas laterales, jambas de puerta [y] un quinto. 32 Y las dos puertas eran de madera de árbol oleífero, y entalló sobre ellas entalladuras de querubines y figuras de palmeras y los grabados de flores, y las revistió de oro; y procedió a batir el oro sobre los querubines y sobre las figuras de palmeras. 33 Y así mismo hizo para la entrada del templo, las jambas de puerta de madera de árbol oleífero, cuadradas. 34 Y las dos puertas eran de madera de enebro.[m] Las dos hojas de una puerta giraban sobre quicios, y las dos hojas de la otra puerta giraban sobre quicios.[n] 35 Y entalló querubines y figu-

CAP. 6

a Dt 6:2
Dt 10:13
Dt 17:19
b Dt 11:1
c 1Sa 12:14
1Re 8:25
1Cr 28:9
d 2Sa 7:13
1Cr 22:9
e Éx 25:8
Le 26:12
Sl 132:13
2Co 6:16
Rev 21:3
f 1Sa 12:22
1Cr 28:20
Heb 13:5
g Hch 7:47
h 1Re 5:8
2Cr 3:5
i 1Re 6:5
2Cr 3:8
j Heb 9:3
k 1Re 9:2
l 1Re 6:5
m 1Re 7:24
n Éx 25:33
1Re 7:26
1Re 7:49
o 1Re 6:5
Heb 9:3
p Éx 40:21
1Re 8:6
2Cr 5:7
q Éx 24:7
Dt 4:13
Dt 9:9
1Re 8:9
r 1Re 6:16
s 2Cr 3:8
t Éx 30:1
1Re 7:48
u 2Cr 3:7
w 1Re 7:17
x Éx 26:33
y 2Cr 3:7
z Éx 40:5
a Éx 30:3

2.ª col.

a Gé 3:24
2Re 19:15
2Cr 3:10
Sl 99:1
b 2Cr 5:8
c 2Cr 3:11
d 1Re 8:6
Isa 37:16
Heb 9:5
e 2Cr 3:12
2Cr 5:8
f 2Cr 3:10
g 2Re 19:15
2Cr 3:14
h Eze 40:16
Eze 41:18
i Éx 25:33
1Re 6:18
1Re 7:26
j Éx 21:21
k Jn 10:9
Jn 14:6
l 1Re 6:23
m 2Sa 6:5
1Re 6:15
n Eze 41:24

ras de palmeras y grabados de flores, y revistió con hoja de oro las representaciones.[a]

36 Y pasó a edificar el patio interior[b] con tres filas[c] de piedras labradas y una fila de vigas de madera de cedro.

37 En el cuarto año se colocó el fundamento[d] de la casa de Jehová, en el mes lunar de Zìv;[e] 38 y en el año undécimo, en el mes lunar de Bul, es decir, en el octavo mes, la casa quedó terminada[f] en cuanto a todos sus detalles y todo su plano;[g] de modo que le tomó siete años edificarla.

7 Y Salomón edificó su propia casa en trece años,[h] de modo que terminó toda su propia casa.[i]

2 Y procedió a edificar la Casa del Bosque del Líbano[j] de cien codos su longitud y cincuenta codos su anchura y treinta codos su altura, sobre cuatro filas de columnas de madera de cedro; y había vigas[k] de madera de cedro sobre las columnas. 3 Y estaba revestida de paneles de cedro[l] arriba sobre las viguetas que estaban sobre las cuarenta y cinco columnas. Había quince por fila. 4 En cuanto a ventanas enmarcadas, había tres filas, y había una abertura para iluminación[m] frente a una abertura para iluminación en tres capas. 5 Y todas las entradas y las jambas de puerta estaban cuadradas [con el] marco,[n] y también la parte delantera de la abertura para iluminación frente a una abertura para iluminación en tres capas.

6 E hizo el Pórtico de las Columnas de cincuenta codos de longitud y de treinta codos de anchura; y había otro pórtico enfrente de ellas, con columnas y un cobertizo enfrente de ellas.

7 En cuanto al Pórtico del Trono[o] donde él había de juzgar, hizo el pórtico de juicio;[p] y lo cubrieron por dentro con madera de cedro desde el suelo hasta las vigas [superiores].[q]

8 En cuanto a la casa suya donde había de morar, en el otro patio,[a] estaba alejada de la casa que pertenecía al Pórtico. Resultó semejante a esta en hechura. Y él procedió a edificar una casa al estilo de este Pórtico para la hija[b] de Faraón, que Salomón había tomado.

9 Todas estas [construcciones] eran [de] piedras costosas[c] conformes a medidas, labradas, aserradas con sierras para piedras, por dentro y por fuera, y desde el cimiento hasta lo más alto de las paredes, y por fuera hasta el gran patio.[d] 10 Y las piedras costosas puestas por fundamento eran piedras grandes, piedras de diez codos, y piedras de ocho codos. 11 Y más arriba había piedras costosas conformes a medidas, labradas, y también madera de cedro. 12 En cuanto al gran patio, en derredor había tres filas[e] de piedras labradas y una fila de vigas de madera de cedro; y [lo mismo] también para el patio interior[f] de la casa[g] de Jehová, y para el pórtico[h] de la casa.

13 Y el rey Salomón procedió a mandar a traer desde Tiro a Hiram.[i] 14 Este era hijo de una mujer enviudada de la tribu de Neftalí, y su padre era un hombre de Tiro,[j] trabajador en [obras de] cobre;[k] y estaba lleno de la sabiduría y del entendimiento[l] y del conocimiento para hacer toda clase de obra en cobre. Por consiguiente, vino al rey Salomón y se puso a hacer toda su obra.

15 Entonces fundió las dos columnas de cobre,[m] de dieciocho codos de altura cada columna, y un cordón de doce codos medía en derredor cada una de las dos columnas.[n] 16 E hizo dos capiteles para ponerlos sobre las partes superiores de las columnas, fundidos en cobre.[o] Cinco codos era la altura de un capitel, y cinco codos era la altura del otro capitel. 17 Había mallas

CAP. 6

a Eze 41:25
b Eze 27:9
  2Cr 4:9
  2Cr 7:7
c 1Re 7:12
  1Re 11:15
d 1Pe 2:6
e 1Re 6:1
  2Cr 3:2
f Éx 40:2
g 1Cr 28:11
  1Cr 28:12

CAP. 7

h 1Re 9:10
i Ec 2:4
  Ec 2:5
j 1Re 10:17
  2Cr 9:16
  Isa 22:8
k 1Re 5:8
l 1Re 6:18
m Gé 6:16
n Éx 12:22
o 1Re 10:18
  Sl 122:5
  Isa 9:7
p 1Re 3:9
  1Re 3:28
  Pr 16:12
  Pr 20:8
q 1Re 6:15

2.ª col.

a 2Re 20:4
b 1Re 3:1
  1Re 9:24
  2Cr 8:11
c 1Re 5:17
d 2Cr 4:9
e 1Re 6:36
  Jn 10:23
  Hch 5:12
f Éx 27:9
  1Re 6:36
  2Cr 4:9
  2Cr 7:7
  Rev 11:2
g 1Re 6:1
h 1Re 6:3
i 1Re 7:40
  2Cr 2:13
  2Cr 4:11
j 2Cr 2:14
k 2Cr 4:16
l Éx 31:3
  Éx 35:31
  Éx 36:1
  Da 1:17
m 1Re 7:21
  2Re 25:17
  2Cr 3:15
  Jer 52:21
n 2Re 25:13
  2Cr 4:12
o Éx 36:38
  Éx 38:17
  Éx 38:28

en obra de malla, adornos retorcidos en obra de cadena,[a] para los capiteles que estaban sobre la parte superior de las columnas;[b] siete para un capitel, y siete para el otro capitel. 18 Y pasó a hacer las granadas y dos filas en derredor sobre una obra de malla para cubrir los capiteles que estaban sobre la parte superior de las columnas; y eso fue lo que hizo para el otro capitel.[c] 19 Y los capiteles que estaban sobre la parte superior de las columnas en el pórtico eran de obra de lirios,[d] de cuatro codos. 20 Y los capiteles estaban sobre las dos columnas, también arrimados al lado de la barriga que estaba contigua a la obra de malla; y sobre cada capitel había doscientas granadas[e] en filas todo en derredor.

21 Y procedió a erigir las columnas[f] que pertenecían al pórtico[g] del templo. De modo que erigió la columna de la mano derecha y la llamó por nombre Jakín, y luego erigió la columna de la mano izquierda y la llamó por nombre Boaz. 22 Y sobre la parte superior de las columnas había obra de lirios. Y poco a poco quedó terminada la obra de las columnas.

23 Y procedió a hacer el mar fundido,[h] de diez codos de un borde al otro borde, circular todo en derredor; y su altura era de cinco codos, y se requería una cuerda de treinta codos para rodearlo todo en derredor.[i] 24 Y había adornos[j] en forma de calabazas[k] por debajo de su borde todo en derredor, rodeándolo, diez en cada codo, circundando el mar todo en derredor,[l] con dos filas de adornos en forma de calabazas fundidas en su fundición. 25 Aquello estaba puesto sobre doce toros,[m] tres que miraban al norte, y tres que miraban al oeste, y tres que miraban al sur, y tres que miraban al oriente; y el mar estaba arriba sobre ellos, y las partes traseras

de todos ellos se dirigían hacia el centro.[a] 26 Y el grueso [del mar] era de un palmo menor;[b] y su borde era como la hechura del borde de una copa, una flor de lirio.[c] Dos mil medidas de bato[d] era lo que contenía.[e]

27 Y pasó a hacer las diez carretillas[f] de cobre, y la longitud de cada carretilla era cuatro codos, y cuatro codos su anchura, y tres codos su altura. 28 Y esta era la hechura de las carretillas: tenían paredes laterales, y las paredes laterales estaban entre los travesaños. 29 Y sobre las paredes laterales que estaban entre los travesaños había leones,[g] toros[h] y querubines,[i] y por encima de los travesaños era lo mismo. Más arriba, y por debajo de los leones y los toros, había guirnaldas[j] en obra colgante. 30 Y cada carretilla tenía cuatro ruedas de cobre, con ejes de cobre; y sus cuatro cantoneros les servían de apoyos. Debajo de la fuente estaban los apoyos, fundidos con guirnaldas al lado opuesto de cada uno. 31 Y su boca desde adentro hasta los apoyos y hacia arriba medía [?] codos; y su boca era redonda, la hechura de una base de codo y medio, y también sobre su boca había entalladuras. Y sus paredes laterales eran cuadradas, no redondas. 32 Y las cuatro ruedas estaban por debajo de las paredes laterales, y los apoyos de las ruedas estaban junto a la carretilla; y la altura de cada rueda era de codo y medio. 33 Y la hechura de las ruedas era como la hechura de una rueda de carro.[k] Sus apoyos y sus llantas y sus rayos y sus cubos, todos eran fundidos. 34 Y había cuatro apoyos sobre los cuatro ángulos de cada carretilla; sus apoyos formaban una misma pieza con la carretilla. 35 Y encima de la carretilla había [una base] de medio codo de altura, circular todo en derredor; y sobre la parte superior de

CAP. 7

a Éx 28:14
2Re 25:17

b 2Cr 4:12

c 2Cr 4:13

d 1Re 6:35

e 2Re 25:17
2Cr 3:16
2Cr 4:13
Jer 52:23

f 2Cr 3:17
Rev 3:12

g 1Re 6:3
1Re 7:12
Eze 40:48

h Éx 30:18
Éx 38:8
2Re 25:13
Jer 52:17

i 2Cr 4:2

j Éx 33:4
2Sa 1:24

k 1Re 6:18
2Re 4:39

l 2Cr 4:3

m 2Cr 4:15
Jer 52:20
Rev 4:7

2.ᵃ col.

a 2Cr 4:4

b Jer 52:21

c 1Re 6:18
1Re 6:35

d Eze 45:14

e 2Cr 4:5

f 2Re 25:16
2Cr 4:14
Jer 52:17

g 1Re 10:19
2Cr 9:19
Eze 41:19
Os 5:14

h Eze 1:10
Rev 4:7

i Gé 3:24
Éx 25:18
1Re 6:27
1Cr 28:18
2Cr 3:7
Eze 41:18

j Pr 1:9
Pr 4:9

k Éx 14:25
Isa 5:28
Isa 28:27

la carretilla sus lados y sus paredes laterales formaban una misma pieza con ella. 36 Además, sobre las planchas de sus lados y sobre sus paredes laterales grabó[a] querubines, leones y figuras de palmeras según el espacio libre de cada uno, y guirnaldas todo en derredor.[b] 37 De este modo hizo las diez carretillas;[c] todas tenían una misma fundición,[d] una misma medida, una misma forma.

38 Y procedió a hacer diez fuentes[e] de cobre. Cuarenta medidas de bato era lo que cada fuente contenía. Cada fuente era de cuatro codos. Había una fuente sobre cada carretilla de las diez carretillas. 39 Entonces puso cinco carretillas al lado derecho de la casa, y cinco al lado izquierdo de la casa;[f] y el mar mismo lo puso al lado derecho de la casa hacia el este, en dirección al sur.[g]

40 Y poco a poco Hiram[h] hizo las fuentes[i] y las palas[j] y los tazones.[k] Por fin Hiram acabó de hacer toda la obra que hizo para el rey Salomón tocante a la casa de Jehová: 41 Las dos columnas[m] y los dos capiteles en forma de tazón[n] que estaban sobre la parte superior de las dos columnas, y las dos obras de malla[o] para cubrir los dos capiteles redondos que estaban sobre la parte superior de las columnas, 42 y las cuatrocientas granadas[p] para las dos obras de malla, dos filas de granadas para cada obra de malla, para cubrir los dos capiteles en forma de tazón que estaban sobre las dos columnas; 43 y las diez carretillas[q] y las diez fuentes[r] sobre las carretillas, 44 y el único mar[s] y los doce toros debajo del mar;[t] 45 los recipientes y las palas y los tazones y todos estos utensilios,[u] que Hiram hizo de cobre pulido para el rey Salomón para la casa de Jehová. 46 En el Distrito del Jordán[v] los fundió el rey en el molde de arcilla, entre Sucot[w] y Zaretán.[x]

47 Y Salomón dejó [sin pesar] todos los utensilios,[a] por ser una cantidad tan extraordinariamente grande.[b] No se averiguó el peso del cobre.[c] 48 Y poco a poco Salomón hizo todos los utensilios pertenecientes a la casa de Jehová: el altar[d] de oro y la mesa[e] sobre la cual estaba el pan de la proposición, de oro, 49 y los candelabros,[f] cinco a la derecha y cinco a la izquierda delante del cuarto más recóndito, de oro puro,[g] y las flores[h] y las lámparas[i] y las despabiladeras,[j] de oro, 50 y las fuentes y los apagadores[k] y los tazones[l] y las copas[m] y los braserillos,[n] de oro puro, y las encajaduras para las puertas[o] de la casa interior, es decir, el Santísimo, y para las puertas[p] de la casa del templo,[q] de oro.

51 Por fin toda la obra del rey Salomón tenía que hacer respecto a la casa de Jehová quedó completa;[r] y Salomón empezó a introducir las cosas santificadas por David su padre;[s] la plata y el oro y los objetos los puso en los tesoros de la casa de Jehová.[t]

8 En aquel tiempo Salomón[u] procedió a congregar[v] a los ancianos[w] de Israel, las cabezas de las tribus,[x] los principales de los padres,[y] de los hijos de Israel, ante el rey Salomón en Jerusalén, para subir el arca del pacto[z] de Jehová desde la Ciudad de David,[a] es decir, Sión.[b] 2 De modo que todos los hombres de Israel se congregaron al rey Salomón en el mes lunar de Etanim, en la fiesta,[c] esto es, el mes séptimo.[d] 3 Por lo tanto, vinieron todos los ancianos de Israel, y los sacerdotes empezaron a llevar[e] el Arca.[f] 4 Y vinieron subiendo el arca de Jehová y la tienda[g] de reunión[h] y todos los utensilios santos que había en la tienda; y los sacerdotes y los

CAP. 7

a Éx 28:9
Éx 39:6
Éx 39:30
1Re 6:29
1Re 6:32
b 1Re 7:29
1Re 7:27
d 1Re 7:15
1Re 7:46
2Cr 4:3
e Éx 30:18
Heb 9:10
f 2Cr 4:6
2Cr 4:10
h 1Re 7:13
2Cr 2:13
2Cr 4:6
i 2Cr 4:6
j Éx 27:3
2Re 25:14
2Cr 4:16
Jer 52:18
k Éx 24:6
2Cr 4:8
l Éx 39:32
Éx 39:43
m 1Re 7:15
n 2Cr 4:12
o 1Re 7:17
p 1Re 7:20
q 1Re 7:27
r 1Re 7:38
s 1Re 7:23
2Cr 4:15
u 1Re 7:40
w Gé 33:17
x Jos 3:16
1Re 4:12

2.ª col.

a Éx 38:3
b 2Cr 4:18
c 1Cr 22:14
1Cr 22:16
d Éx 37:25
e Éx 37:10
f Éx 25:37
Éx 37:17
Rev 1:20
Rev 2:5
g 2Cr 4:20
h 1Re 6:18
i Éx 37:23
Nú 8:2
2Cr 29:7
Lu 12:35
j Éx 25:38
Nú 4:9
2Cr 4:21
k 2Re 12:13
Jer 52:18
l 2Cr 4:22
m Éx 25:29
Nú 7:86
n Le 16:12
o 1Re 6:31
p 1Re 6:33
q 1Re 6:5
r Éx 40:33
s 2Sa 8:11
t 2Cr 5:1

CAP. 8

u 2Cr 5:2
v 1Cr 28:1
Ec 1:1
w Jos 23:2
x Jos 24:1

y Nú 7:2; z Jos 6:17; a 2Sa 5:7; b 1Cr 11:5; c 2Cr 5:3; d Le 16:29; Le 23:34; Dt 16:13; e 1Cr 15:2; f 2Cr 5:4; g 2Cr 1:13; h Éx 40:2.

levitas[a] vinieron subiéndolos.[b]
5 Y el rey Salomón y con él toda la asamblea de Israel, los que guardaron su cita con él, estaban delante del Arca, sacrificando[c] ovejas y reses vacunas que, por su multitud, no se podían contar ni numerar.[d]

6 Entonces los sacerdotes introdujeron el arca[e] del pacto de Jehová en su lugar,[f] en el cuarto más recóndito de la casa, el Santísimo, debajo de las alas de los querubines.[g]

7 Porque los querubines extendían sus alas sobre el lugar del Arca, de modo que los querubines cubrían en forma protectora desde arriba el Arca y sus varales.[h] 8 Pero los varales[i] resultaron largos, de modo que las puntas de los varales se podían ver desde el Santo enfrente del cuarto más recóndito, pero no se podían ver desde fuera. Y allí continúan hasta el día de hoy.[j] 9 No había nada en el Arca excepto las dos tablas de piedra[k] que Moisés había depositado[l] allí en Horeb, cuando Jehová había pactado[m] con los hijos de Israel mientras salían de la tierra de Egipto.[n]

10 Y aconteció que, cuando los sacerdotes salieron del lugar santo, la nube[o] misma llenó la casa de Jehová. 11 Y los sacerdotes[p] no pudieron permanecer de pie para desempeñar su ministerio[q] a causa de la nube, pues la gloria[r] de Jehová llenó la casa de Jehová.[s] 12 En aquel tiempo Salomón dijo: "Jehová mismo dijo que él había de residir en las densas tinieblas.[t] 13 He tenido éxito en edificar una casa de morada excelsa para ti,[u] un lugar establecido[v] donde mores hasta tiempo indefinido".[w]

14 Entonces el rey volvió su rostro y se puso a bendecir[x] a toda la congregación de Israel, mientras toda la congregación de Israel estaba de pie. 15 Y él pasó a decir: "Bendito es Jehová[y] el Dios de Israel, que habló por su propia boca con David[a] mi padre y por su propia mano ha dado cumplimiento,[b] al haber dicho: 16 'Desde el día en que saqué a mi pueblo Israel de Egipto no he escogido[c] ciudad de todas las tribus de Israel para edificar una casa[d] para que continúe allí mi nombre; pero escogeré a David para que llegue a estar sobre mi pueblo Israel'.[f] 17 Y llegó a estar junto al corazón de David mi padre el edificar una casa al nombre de Jehová el Dios de Israel.[g] 18 Pero Jehová dijo a David mi padre: 'Por razón de que resultó estar junto a tu corazón el edificar una casa a mi nombre, hiciste bien, porque resultó estar junto a tu corazón.[h] 19 Solo que tú mismo no edificarás la casa, sino que tu hijo que ha de salir de tus lomos es el que edificará la casa a mi nombre'.[i] 20 Y Jehová procedió a realizar su palabra que había hablado, para que me levantara yo en el lugar de David mi padre y me sentara sobre el trono de Israel,[k] tal como había hablado Jehová, y para que yo edificara la casa al nombre de Jehová el Dios de Israel,[l] 21 y para que dispusiera allí un lugar para el Arca donde está el pacto[m] de Jehová que él celebró con nuestros antepasados cuando los estaba sacando de la tierra de Egipto".

22 Y Salomón procedió a ponerse de pie delante del altar[n] de Jehová, enfrente de toda la congregación de Israel, y ahora extendió las palmas de las manos a los cielos;[o] 23 y pasó a decir: "Oh Jehová el Dios de Israel,[p] no hay Dios como tú[q] en los cielos arriba ni en la tierra abajo, que guardas el pacto y la bondad amorosa[r] para con tus siervos[s] que están andando delante de ti con todo su corazón,[t] 24 tú

CAP. 8

a 1Cr 23:27
b 2Cr 5:5
c 1Cr 16:1
  Pr 3:9
d 2Cr 5:6
e 2Sa 6:17
  2Cr 5:7
  Rev 11:19
f Éx 26:33
  Éx 40:21
g 1Re 6:27
  Sl 80:1
  Eze 10:5
h Éx 25:20
  Éx 37:9
i Éx 25:13
  Éx 37:4
j 2Cr 5:9
k Dt 4:13
  Dt 10:5
  Heb 9:4
l Éx 40:20
m Éx 24:8
n Éx 19:1
  Nú 10:11
o Éx 40:34
  Le 16:2
  2Cr 5:14
p Nú 3:10
q Nú 3:6
  1Cr 26:12
r Eze 10:4
  Eze 43:4
  Hch 7:55
  2Co 3:18
  Rev 21:23
s Éx 40:35
  2Cr 5:14
  Eze 44:4
t Éx 20:21
  Dt 5:22
  Sl 18:11
  Sl 97:2
u 2Sa 7:13
  1Cr 17:12
v Sl 78:69
w 2Re 21:7
  Sl 132:14
x Nú 6:23
  1Cr 16:2
  2Cr 6:3
y 1Cr 29:10
  2Cr 6:4
  Ne 9:5
  Sl 41:13
  Lu 1:68
  Rev 4:11

2.ª col.

a 2Sa 7:5
  1Cr 17:12
b Isa 44:26
  Isa 55:11
  Tit 1:2
  Heb 6:18
c 1Cr 17:5
d 2Sa 7:6
  2Cr 6:5
e Dt 12:11
  2Re 23:27
f 2Sa 7:8
g 2Sa 7:12
  1Cr 17:2
h Dt 6:5
  2Cr 6:8
i 2Sa 7:13
  2Cr 6:9
j Isa 55:11
k 1Cr 28:5
l 1Cr 28:6
  2Cr 6:10

m Éx 34:28; Dt 9:9; Dt 31:26; n 2Cr 6:12; o Éx 9:29; Esd 9:5; Sl 63:4; p Gé 32:28; Éx 3:15; 1Cr 29:10; q Éx 15:11; 1Sa 2:2; 2Sa 7:22; Sl 86:8; Jer 10:6; Miq 7:18; r Dt 7:9; Ne 1:5; s 2Cr 6:42; t Gé 17:1; 2Re 20:3.

que has guardado para con tu siervo David mi padre lo que le prometiste, de modo que hiciste la promesa con tu propia boca, y con tu propia mano has efectuado el cumplimiento, como en este día.[a] 25 Y ahora, oh Jehová el Dios de Israel, guarda para con tu siervo David mi padre lo que le prometiste, al decir: 'No será cortado hombre tuyo de delante de mí para que se siente sobre el trono de Israel,[b] con tal que tus hijos cuiden su camino andando delante de mí así como tú has andado delante de mí'. 26 Y ahora, oh Dios de Israel, que tu promesa[c] que has prometido a tu siervo David mi padre resulte fidedigna, por favor.

27 "Pero ¿verdaderamente morará Dios sobre la tierra?[d] ¡Mira! Los cielos,[e] sí, el cielo de los cielos,[f] ellos mismos no pueden contenerte;[g] ¡cuánto menos, pues, esta casa[h] que yo he edificado! 28 Y tienes que volverte hacia la oración[i] de tu siervo y a su petición de favor,[j] oh Jehová mi Dios, para escuchar el clamor rogativo y la oración con que tu siervo está orando delante de ti hoy;[k] 29 para que tus ojos resulten estar abiertos[l] hacia esta casa noche y día, hacia el lugar del cual dijiste: 'Mi nombre resultará estar allí',[m] para escuchar la oración con que tu siervo ore hacia este lugar.[n] 30 Y tienes que escuchar la petición de favor[o] por parte del siervo y de tu pueblo Israel con que oren hacia este lugar; y dígnate oír tú mismo en el lugar de tu morada, en los cielos,[p] y tienes que oír y que perdonar.[q]

31 "Cuando peque un hombre contra su semejante,[r] y realmente le imponga una maldición para hacer que esté expuesto a la maldición,[s] y realmente venga [a estar en] la maldición delante de tu altar en esta casa, 32 entonces dígnate oír tú mismo desde los cielos, y tienes que actuar y juzgar a tus siervos, pronun-

ciando inicuo al inicuo, poniendo su camino sobre su propia cabeza,[a] y pronunciando justo al justo,[b] dándole conforme a su propia justicia.[c]

33 "Cuando tu pueblo Israel sea derrotado delante del enemigo,[d] por seguir pecando contra ti,[e] y verdaderamente se vuelvan a ti[f] y elogien tu nombre[g] y oren[h] y hagan petición de favor hacia ti en esta casa,[i] 34 entonces dígnate oír tú mismo desde el cielo, y tienes que perdonar el pecado de tu pueblo Israel[j] y tienes que traerlos de vuelta[k] al suelo que diste a sus antepasados.[l]

35 "Cuando el cielo esté cerrado de modo que no ocurra lluvia,[m] porque ellos hayan seguido pecando[n] contra ti, y realmente oren hacia este lugar[o] y elogien tu nombre, y de su pecado se vuelvan, porque hayas seguido afligiéndolos,[p] 36 entonces dígnate oír tú mismo desde los cielos, y tienes que perdonar el pecado de tus siervos, sí, de tu pueblo Israel, porque les enseñas[q] el buen camino en que deben andar;[r] y tienes que dar lluvia[s] sobre tu tierra que has dado a tu pueblo como posesión hereditaria.

37 "En caso de que ocurra un hambre[t] en el país, en caso de que ocurra una peste,[u] en caso de que ocurran abrasamiento, tizón,[v] langostas,[w] cucarachas;[x] en caso de que su enemigo los sitie en la tierra de sus puertas —cualquier clase de plaga, cualquier clase de dolencia— 38 sea cual sea la oración,[y] sea cual sea la petición de favor[z] que se haga de parte de cualquier hombre [o] de todo tu pueblo Israel,[a] porque ellos conocen cada cual la plaga de su propio cora-

CAP. 8

a 2Sa 7:16
   2Cr 6:15
b 1Cr 28:8
   2Cr 6:16
c 2Sa 7:25
   1Cr 17:14
d 2Cr 1:9
   Sl 119:49
e 2Cr 6:18
   Isa 66:1
f Dt 10:14
   2Cr 2:6
   Ne 9:6
   2Co 12:2
g Sl 113:4
   Sl 148:13
   Jer 23:24
   Hch 7:49
h Hch 17:24
i Sl 141:2
   Da 9:17
   Lu 18:1
j 2Cr 6:29
   2Cr 33:13
   Sl 6:9
k 2Re 6:19
1 2Re 19:16
   1Pe 3:12
m Éx 20:24
   2Sa 7:13
   Ne 1:9
n 2Cr 6:20
   Da 6:10
o 2Cr 20:9
   Ne 1:6
p 2Cr 6:21
   Sl 33:13
q Éx 34:7
   2Cr 7:14
   Sl 103:3
   Da 9:19
r 1Sa 2:25
s Nú 5:21
   Dt 29:20
   2Cr 34:24

2.ª col.

a Nú 5:27
   Pr 1:31
b Dt 25:1
c Éx 23:7
   Job 34:11
   Pr 17:15
   Isa 3:10
   Gál 6:7
d Le 26:17
   Dt 28:25
   Jos 7:8
e Jos 7:11
   Jer 17:7
f Le 26:40
   2Re 22:19
   Ne 9:2
g Ne 1:11
   Da 9:4
h 2Re 19:20
   Esd 9:5
   Da 9:3
i 2Cr 6:25
j 2Cr 6:25
k Sl 106:47
   1Gé 13:15
   Éx 6:8
   Jos 21:43
m Le 26:19
   Dt 11:17
   Dt 28:23
n Eze 14:13
o 2Cr 6:26

p Jue 2:15; Isa 9:13; Eze 18:30; q Sl 25:4; Sl 27:11; Sl 86:11; Sl 94:12; Sl 119:102; Isa 30:20; Isa 54:13; r 2Cr 6:27; s 1Re 18:1; Sl 68:9; t Le 26:16; 2Re 6:25; u Dt 28:21; v Dt 28:22; Am 4:9; w Sl 105:34; x Sl 78:46; y 2Cr 20:6; z 2Cr 33:13; Sl 6:9; Sl 119:170; a 2Cr 6:29.

zón,[a] y realmente extiendan las
palmas de las manos a esta
casa,[b] 39 entonces dígnate oír
tú mismo desde los cielos,[c] el lugar establecido de tu morada,[d] y
tienes que perdonar[e] y actuar[f] y
dar a cada uno conforme a todos
sus caminos,[g] porque tú conoces
su corazón[h] (porque solo tú mismo conoces bien el corazón de
todos los hijos de la hu-
manidad);[i] 40 a fin de que te
teman[j] todos los días que estén
vivos sobre la superficie del suelo que diste a nuestros antepasados.[k]

41 ”Y también al extranjero,[l]
que no es parte de tu pueblo Israel y que realmente venga de
una tierra distante a causa de
tu nombre[m] 42 (porque ciertamente oirán de tu gran nombre[n] y de tu mano fuerte[o] y de
tu brazo extendido), y realmente venga y ore hacia esta casa,[p]
43 dígnate escuchar tú mismo
desde los cielos, el lugar establecido de tu morada,[q] y tienes que
hacer conforme a todo aquello
por lo cual el extranjero clame a
ti;[r] a fin de que todos los pueblos
de la tierra lleguen a conocer tu
nombre[s] para que te teman lo
mismo que lo hace tu pueblo Israel, y para que sepan que tu
nombre mismo ha sido llamado
sobre esta casa que yo he edificado.[t]

44 ”En caso de que tu pueblo
salga a la guerra[u] contra su enemigo por el camino en que los
envíes,[v] y verdaderamente oren[w]
a Jehová en la dirección de la
ciudad que has escogido[x] y de la
casa que he edificado a tu nombre,[y] 45 entonces tienes que
oír desde los cielos su oración y
su petición de favor, y tienes que
ejecutarles juicio.[z]

46 ”En caso de que pequen
contra ti[a] (porque no hay hombre que no peque),[b] y tengas
que estar enojado contra ellos y
abandonarlos al enemigo, y sus
apresadores realmente se los lleven cautivos al país del enemigo,
distante o cercano;[c] 47 y verdaderamente recobren el juicio
en el país adonde hayan sido llevados cautivos,[a] y realmente se
vuelvan[b] y te dirijan petición[c] de
favor en el país de sus apresadores,[d] y digan: ‘Hemos pecado[e]
y errado,[f] hemos obrado inicuamente’;[g] 48 y verdaderamente
se vuelvan a ti con todo su corazón[h] y con toda su alma en el
país de sus enemigos que se los
hayan llevado cautivos, y verdaderamente te oren en la dirección de su tierra que tú diste a
sus antepasados, la ciudad que
has escogido y la casa que he
edificado a tu nombre;[i] 49 entonces tienes que oír desde los
cielos, el lugar establecido de tu
morada,[j] su oración y su petición
de favor, y tienes que ejecutarles
juicio,[k] 50 y tienes que perdonar[l] a tu pueblo que había
pecado[m] contra ti, y todas sus
transgresiones[n] con que transgredieron contra ti;[o] y tienes que
hacerlos objeto de piedad[p] delante de sus apresadores, y estos tienen que tenerles piedad
51 (porque ellos son tu pueblo
y tu herencia,[q] que sacaste de
Egipto,[r] de dentro del horno de
hierro),[s] 52 para que tus ojos
resulten estar abiertos a la petición de favor de tu siervo y a la
petición de favor[t] de tu pueblo
Israel, y los escuches en todo
aquello por lo cual clamen a ti.[u]
53 Porque tú mismo los sepa-
raste como herencia tuya de todos los pueblos de la tierra,[v] tal
como has hablado por medio de
Moisés[w] tu siervo cuando estabas sacando de Egipto a nuestros antepasados, oh Señor Soberano Jehová”.

54 Y aconteció que, tan pronto como Salomón acabó de orar
a Jehová con toda esta oración y
petición de favor, se levantó de

CAP. 8

a Job 7:11; Sl 73:21; Pr 14:10; Ro 7:24
b 1Re 8:22
c Sl 103:19; Mt 23:22
d Sl 33:14; Isa 63:15
e Sl 130:4
f Dt 32:4
g Job 34:11; Sl 18:20
h Jer 17:10
i 1Sa 16:7; 1Cr 28:9; 2Cr 6:30; Jer 17:10; Hch 1:24
j Éx 20:20; Dt 6:2; Pr 8:13
k Gé 12:7; Jos 1:2; 2Cr 6:31
l Rut 1:16
m Nú 9:14; 2Re 5:15; 2Cr 6:32; Isa 56:6; Hch 8:27
n Ne 9:10
o Dt 3:24; Sl 93:1
p 2Cr 6:33
q Sl 11:4; Heb 9:24
r Ro 3:29
s 1Sa 17:46; Sl 67:2; Sl 102:15
t 1Re 14:28; 2Cr 24:16
u Éx 23:31
v 1Re 20:13
w 2Cr 14:11; 2Cr 20:6
x Sl 78:68; Sl 132:13; Da 9:16
y 2Cr 6:34
z 2Cr 6:35; Sl 3:4; Sl 9:4
a 2Cr 6:36
b Sl 51:5; Sl 130:3; Sl 143:2; Pr 20:9; Ec 7:20; Isa 53:6; Ro 3:23; Gál 3:22; 1Jn 1:8
c Dt 28:36; 2Re 17:6; 2Re 25:21; Da 9:7; Lu 21:24

2.ª col.

a Le 26:40; 2Cr 33:13
b Dt 30:2
c Dt 4:29; 2Cr 33:12
d 2Cr 6:37
e Ne 1:6; Sl 106:6
f Da 9:5
g Esd 9:6; Pr 28:13

h Dt 4:29; Jue 10:15; 1Sa 7:3; Jer 29:13; i 2Cr 6:38; Da 6:10; j 2Cr 6:39; Isa 63:15; Heb 9:24; k Gé 15:14; Dt 30:3; 2Re 19:19; l 1Re 8:30; m 1Re 8:35; n Sl 25:7; o Mr 3:28; Lu 23:34; p 2Cr 30:9; Esd 7:28; Ne 2:8; Sl 106:46; q Éx 19:5; Dt 9:26; Dt 32:8; r Éx 14:30; Ne 1:10; s Dt 4:20; Jer 11:4; t 2Cr 6:40; u Sl 86:5; Sl 145:18; v Éx 19:6; Nú 23:9; Dt 4:34; Dt 32:9; w Nú 12:8; Sl 103:7.

delante del altar de Jehová, de estar hincado de rodillas[a] con las palmas de las manos extendidas a los cielos;[b] **55** y empezó a ponerse de pie[c] y a bendecir[d] a toda la congregación de Israel con voz fuerte, diciendo: **56** "Bendito sea Jehová,[e] que ha dado un lugar de descanso a su pueblo Israel, conforme a todo lo que ha prometido.[f] No ha fallado una sola palabra[g] de toda su buena promesa que él ha prometido por medio de Moisés su siervo.[h] **57** Resulte estar Jehová nuestro Dios con nosotros[i] tal como resultó estar con nuestros antepasados.[j] No nos deje ni nos abandone,[k] **58** para que incline nuestro corazón[l] hacia sí mismo, para que andemos en todos sus caminos[m] y guardemos sus mandamientos[n] y sus disposiciones reglamentarias[o] y sus decisiones judiciales,[p] que impuso como mandato a nuestros antepasados. **59** Y que estas palabras mías, con que he hecho petición de favor delante de Jehová, resulten estar cerca[q] de Jehová nuestro Dios de día y de noche, para que le ejecute juicio a su siervo y juicio a su pueblo Israel, según se requiera día[r] a día; **60** a fin de que todos los pueblos de la tierra sepan[s] que Jehová es el Dios [verdadero].[t] No hay otro.[u] **61** Y el corazón de ustedes tiene que resultar completo[v] para con Jehová nuestro Dios, andando en sus disposiciones reglamentarias y guardando sus mandamientos como en este día".

62 Y el rey y todo Israel con él estaban ofreciendo un gran sacrificio delante de Jehová.[w] **63** Y Salomón procedió a ofrecer los sacrificios de comunión[x] que él tenía para ofrecer a Jehová, veintidós mil reses vacunas y ciento veinte mil ovejas,[y] para que el rey y todos los hijos de Israel inauguraran[z] la casa de Jehová. **64** En aquel día el rey tuvo que santificar el medio del patio que está delante de la casa

CAP. 8

a 2Cr 6:13
Sl 95:6
Lu 22:41
Hch 20:36
b 2Cr 6:12
Esd 9:5
c Ne 9:5
d Nú 6:23
2Sa 6:18
e 1Cr 29:10
2Cr 20:26
Sl 41:13
f 1Re 4:24
2Cr 14:6
Heb 4:3
g Jos 21:45
1Sa 3:19
Heb 6:18
h Dt 10:11
i Mt 1:23
j 2Cr 32:7
Sl 46:7
k Dt 31:6
Jos 1:5
Isa 41:10
Sl 86:11
Sl 119:36
2Te 3:5
m Isa 55:9
Jer 10:23
n Dt 6:1
o Dt 4:45
p Dt 4:1
Efe 6:12
q Sl 102:1
Sl 141:2
r Sl 101:8
s Jos 4:24
1Sa 17:46
t Dt 4:39
1Re 18:39
Jer 10:10
Eze 36:23
Eze 39:7
u Dt 4:35
Isa 44:6
Isa 45:5
v Dt 18:13
1Re 11:4
2Re 20:3
1Cr 28:9
2Cr 31:37
Mt 22:37
w 2Sa 6:17
x Le 3:1
y 2Cr 7:5
z 2Cr 2:4
2Cr 7:5
Esd 6:16
Ne 12:27

2.ᵃ col.

a 2Cr 7:7
b Ex 38:2
Nú 16:38
2Cr 4:1
c Le 3:16
d Le 23:34
2Cr 7:8
e 2Cr 30:13
Sl 40:9
f Nú 34:8
Jos 13:5
2Re 14:25
Am 6:14
g Gé 15:18
Nú 34:5
h 2Cr 7:9
i 2Cr 7:10
j Dt 16:11
Sl 95:1
k Sof 3:14

de Jehová,[a] porque allí tuvo que ofrecer el sacrificio quemado y la ofrenda de grano y los trozos grasos de los sacrificios de comunión; porque el altar de cobre[b] que está delante de Jehová era demasiado pequeño para contener el sacrificio quemado y la ofrenda de grano y los trozos grasos[c] de los sacrificios de comunión. **65** Y Salomón procedió en aquel tiempo a ocuparse en la fiesta,[d] y todo Israel con él, una gran congregación[e] desde el punto de entrada de Hamat[f] hasta el valle torrencial de Egipto,[g] delante de Jehová nuestro Dios, por siete días y otros siete días,[h] catorce días. **66** Al octavo día despidió al pueblo;[i] y ellos empezaron a bendecir al rey e irse a sus hogares, regocijándose[j] y sintiéndose alegres de corazón[k] por todo el bien[l] que Jehová había ejecutado para David su siervo y para Israel su pueblo.

9 Y aconteció que, tan pronto como Salomón hubo acabado de edificar la casa[m] de Jehová y la casa del rey[n] y toda cosa deseable de Salomón que él se deleitó en hacer,[o] **2** entonces Jehová se apareció a Salomón por segunda vez, lo mismo que se le había aparecido en Gabaón.[p] **3** Y Jehová pasó a decirle: "He oído tu oración[q] y tu petición de favor con que solicitaste favor delante de mí. He santificado[r] esta casa que has edificado mediante poner allí mi nombre[s] hasta tiempo indefinido; y mis ojos[t] y mi corazón ciertamente resultarán estar allí siempre.[u] **4** Y tú, si andas[v] delante de mí, tal como anduvo David[w] tu padre, con integridad[x] de corazón y con rectitud,[y] haciendo conforme a todo lo que te he mandado,[z] y guardas mis disposiciones reglamentarias[a] y mis decisiones judiciales,[b] 5 entonces yo verdaderamente estableceré el trono de tu reino sobre Israel hasta tiempo indefinido, tal como prometí a David tu padre, al decir: 'Ni un solo hombre tuyo será cortado de [sentarse] sobre el trono de Israel'.[c] 6 Si ustedes mismos y sus hijos definitivamente se vuelven de seguirme[d] y no guardan mis mandamientos y mis estatutos que he puesto delante de ustedes, y realmente sen y sirven a otros dioses[e] y se inclinan ante ellos, 7 entonces yo ciertamente cortaré a Israel de sobre la superficie del suelo que les he dado;[f] y la casa que he santificado a mi nombre la arrojaré de delante de mí,[g] e Israel verdaderamente llegará a ser un dicho proverbial[h] y escarnio entre todos los pueblos. 8 Y esta casa misma llegará a ser montones de ruinas.[i] Todo el que vaya pasando junto a ella clavará la vista en ella con asombro,[j] y ciertamente silbará[j] y dirá: '¿Por qué razón hizo así Jehová a esta tierra y a esta casa?'.[k] 9 Y tendrán que decir: 'Por razón de que dejaron a Jehová su Dios que había sacado a sus antepasados de la tierra de Egipto,[l] y procedieron a asirse de otros dioses[m] y a inclinarse ante ellos y a servirles. Por eso Jehová trajo sobre ellos toda esta calamidad'".[n]

10 Y al cabo de veinte años, en los cuales Salomón edificó las dos casas, la casa de Jehová[o] y la casa del rey[p] 11 (Hiram[q] el rey de Tiro le mismo ayudado a Salomón[r] con maderas de cedros y maderas de enebros y con oro, cuanto en ello se deleitó),[s] aconteció que en aquel tiempo el rey Salomón procedió a dar a Hiram veinte ciudades en la tierra de Galilea.[t] 12 Por lo tanto, Hiram salió de Tiro para ver las ciudades que Salomón le había dado, y no fueron precisamente apropiadas a sus ojos.[u] 13 Por lo tanto, dijo: "¿Qué clase de

ciudades son estas que me has dado, hermano mío?". Y llegaron a ser llamadas la Tierra de Cabul hasta el día de hoy.

14 Mientras tanto, Hiram envió al rey ciento veinte talentos de oro.[a]

15 Ahora bien, esta es la relación de los que fueron reclutados para trabajo forzado,[b] una leva que el rey Salomón hizo para edificar la casa de Jehová[c] y su propia casa y el Montículo[d] y el muro[e] de Jerusalén y Hazor[f] y Meguidó[g] y Guézer.[h] 16 (Faraón el rey de Egipto había subido él mismo y entonces tomado a Guézer y la había quemado con fuego, y a los cananeos[i] que moraban en la ciudad los había matado. De modo que la dio como regalo de despedida a su hija,[j] la esposa de Salomón.) 17 Y Salomón pasó a edificar a Guézer y a Bet-horón Baja,[k] 18 y a Baalat[l] y a Tamar en el desierto, en el país, 19 y todas las ciudades de almacenamiento[m] que llegaron a ser de Salomón, y las ciudades de los carros[n] y las ciudades para los hombres de a caballo, y las cosas deseables de Salomón[o] que él había deseado edificar en Jerusalén y en el Líbano y en toda la tierra de su dominio. 20 En cuanto a toda la gente que quedó de los amorreos,[p] los hititas,[q] los perizitas,[r] los heveos[s] y los jebuseos,[t] que no eran parte de los hijos de Israel,[u] 21 los hijos de estos que habían quedado después de ellos en el país, a quienes los hijos de Israel no habían podido dar por entero a la destrucción,[v] Salomón siguió haciendo leva de estos para trabajo forzado de esclavos hasta el día de hoy.[w] 22 Y a ninguno de los hijos de Israel constituyó Salomón en esclavo;[x] pues ellos eran los guerreros, y los siervos de él, y sus príncipes, y sus adjutores y jefes de los que conducían sus carros y de sus hombres de a ca-

CAP. 9
a Dt 4:45
b Dt 4:1
c 2Sa 7:16
　1Re 2:4
　Sl 89:29
d 2Sa 7:14
　2Cr 15:2
　Sl 89:30
e Jos 23:16
　1Re 11:4
f Le 18:28
　Dt 4:26
　2Re 17:23
g Dt 25:9
　Jer 7:14
h Dt 28:37
　Sl 44:14
　Joe 2:17
i 2Cr 36:19
　Isa 64:11
　Sl 52:13
j 2Cr 7:21
k Dt 29:24
　Jer 22:8
l Dt 29:25
　2Cr 7:22
m Jer 2:11
　Jer 5:19
　Dt 12:7
n Dt 28:64
　Jer 18:16
o 1Re 6:37
　1Re 6:38
p 1Re 7:1
　2Cr 8:1
q 1Re 5:1
　1Re 5:7
　2Cr 2:3
r 2Cr 8:2
s 1Re 5:8
t Jos 20:7
　Jer 9:1
u Jue 14:3

2.ᵃ col.
a 1Re 9:11
　1Re 10:10
　1Re 10:21
b 1Re 4:6
　1Re 5:13
c 1Re 6:37
d 2Sa 5:9
　1Re 11:27
　2Cr 12:20
e 2Re 14:13
　2Cr 36:19
　Sl 51:18
f Jos 19:36
　2Re 15:29
g Jos 17:11
　Jue 5:19
　Jue 4:12
　2Re 9:27
h Jos 10:33
　Jue 1:29
i 1Re 16:10
j 1Re 3:1
　Isa 16:3
　2Cr 8:5
　Jos 19:44
m Gé 41:48
　Éx 1:11
n 1Re 4:26
o Éc 2:10
p Gé 15:21
q Éx 23:23
r Éx 34:11
s Dt 7:1
t Nú 13:29
　Jue 1:21
u 2Cr 8:7
v Jos 17:12
w Gé 9:25

x Le 25:39; Jer 2:14.

ballo.[a] 23 Estos eran los jefes de los comisarios que estaban sobre la obra de Salomón, quinientos cincuenta, los capataces sobre la gente que estaba activa en la obra.[b]

24 Sin embargo, la hija[c] de Faraón misma subió de la Ciudad de David[d] a su propia casa que él le había edificado. Fue entonces cuando él edificó el Montículo.[e]

25 Y Salomón continuó ofreciendo tres[f] veces al año sacrificios quemados y sacrificios de comunión sobre el altar que había edificado a Jehová,[g] y había un hacer humo de sacrificio sobre el [altar],[h] que estaba delante de Jehová; y completó la casa.[i]

26 Y había una flota de naves que el rey Salomón hizo en Ezión-guéber,[j] que está junto a Elot,[k] sobre la orilla del mar Rojo en la tierra de Edom.[l] 27 E Hiram siguió enviando en la flota de naves a sus propios siervos,[m] hombres de mar, que poseían conocimiento del mar, junto con los siervos de Salomón. 28 Y procedieron a ir a Ofir[n] y a tomar de allí cuatrocientos veinte talentos de oro,[o] y a traerlo al rey Salomón.

10 Ahora bien, la reina de Seba[p] oía el informe acerca de Salomón respecto al nombre de Jehová.[q] Por lo tanto, vino a probarlo con preguntas de las que causan perplejidad.[r] 2 Por fin llegó a Jerusalén con un séquito muy impresionante,[s] camellos[t] que traían aceite balsámico[u] y muchísimo oro y piedras preciosas; y procedió a entrar a donde Salomón y a hablarle todo lo que se hallaba junto a su corazón.[v] 3 Salomón, a su vez, fue declarándole todos los asuntos de ella.[w] Resultó que no hubo asunto escondido al rey que él no le declarara.[x]

4 Cuando la reina de Seba llegó a ver toda la sabiduría de Salomón[y] y la casa que había

edificado,[a] 5 y el alimento de su mesa,[b] y el sentarse de sus siervos, y la manera de servir la mesa sus mozos, y el atavío de ellos, y las bebidas de él,[c] y sus sacrificios quemados que él con regularidad ofrecía en la casa de Jehová, entonces resultó que no hubo más espíritu en ella.[d] 6 De modo que dijo al rey: "Verdad ha resultado ser la palabra que oí en mi propio país acerca de tus asuntos y acerca de tu sabiduría.[e] 7 Y no puse fe en las palabras hasta que yo hubiera venido para que mis propios ojos vieran; y, ¡mira!, no se me había referido ni la mitad.[f] Has superado en sabiduría y prosperidad las cosas oídas a las que escuché.[g] 8 ¡Felices son tus hombres!;[h] ¡felices[i] son estos siervos tuyos que están de pie ante ti constantemente, escuchando tu sabiduría![j] 9 Llegue a ser bendito Jehová tu Dios,[k] que se ha deleitado[l] en ti al ponerte sobre el trono de Israel;[m] porque Jehová ama a Israel hasta tiempo indefinido,[n] de modo que te ha nombrado rey[o] para que ejecutes decisión judicial[p] y justicia".[q]

10 Entonces dio[r] al rey ciento veinte talentos de oro[s] y grandísima cantidad de aceite balsámico y piedras preciosas. Nunca más vino semejante aceite balsámico, en cuanto a cantidad, como el que la reina de Seba dio al rey Salomón.

11 Y la flota de naves de Hiram,[u] que traía oro de Ofir,[v] también trajo de Ofir maderas de árboles *algum*[w] en muy grande cantidad, y piedras preciosas.[x] 12 Y el rey procedió a hacer de las maderas de los árboles *algum* apoyos para la casa de Jehová[y] y para la casa del rey, y también arpas[z] e instrumentos

CAP. 9

a 1Sa 8:11
  2Cr 8:9
b 1Re 5:16
  2Cr 2:18
  2Cr 8:10
c 1Re 3:1
  1Re 7:8
  2Cr 8:11
d 2Sa 5:9
e 1Re 9:15
f Éx 23:14
  Dt 16:16
  2Cr 8:13
g 2Cr 8:12
h Éx 29:38
  1Cr 23:13
i 1Re 6:38
  2Cr 8:16
j Nú 33:35
  Dt 2:8
  1Re 22:48
k 1Re 14:22
l 2Cr 8:17
m 1Re 5:12
  2Cr 2:49
  2Cr 8:18
n 1Cr 10:29
  1Re 10:11
  1Cr 29:4
  2Cr 9:10
  Job 22:24
  Sl 45:9
o 2Cr 8:18
  1Pe 1:7
  Rev 3:18

CAP. 10

p Gé 10:28
q 1Re 4:29
r 2Cr 9:1
  Mt 12:42
s 2Re 8:9
  Sl 72:10
t Isa 60:6
u 2Re 20:13
  2Cr 9:1
w 2Cr 9:2
  Pr 1:5
  Pr 13:20
x 2Sa 14:20
y 1Re 3:28
  2Cr 9:3
  Ec 12:9

2.ª col.

a 1Re 6:1
b 1Re 4:22
c 2Cr 9:4
d Jos 5:1
e 2Cr 9:5
f Jn 7:46
  Ro 11:33
g 2Cr 9:6
h 1Re 4:20
  Sl 33:12
  Sl 144:15
i Dt 33:29
  Pr 3:13
  Pr 8:34
j 2Cr 9:7
k 1Re 5:7
  Sl 72:18
  1Sl 18:19
m Sl 2:6
n Dt 7:8
  1Cr 17:22
  2Cr 2:11

o 1Re 2:45; 2Cr 9:8; Lu 11:31; Jn 1:49; p 2Sa 8:15; Isa 9:7; q 2Sa 23:3; Sl 72:2; Isa 11:4; Jer 22:15; r Sl 72:10; s 2Cr 9:9; t Gé 43:11; u 1Re 9:27; v 2Cr 8:18; Sl 45:9; w 2Cr 2:8; x 2Cr 9:10; y 2Cr 9:11; z 1Cr 13:8; 1Cr 25:1; Sl 92:3; Sl 150:3.

de cuerda[a] para los cantores. Maderas de árboles *algum* así no han venido ni se han visto hasta el día de hoy.

13 Y el rey Salomón mismo dio a la reina de Seba todo lo que la deleitó que ella pidió, además de lo que le dio a mano abierta,[b] según la manera del rey Salomón. Después de eso, ella se volvió y se fue a su propio país, ella junto con sus siervos.[c]

14 Y el peso del oro[d] que vino al rey Salomón en un año ascendió a seiscientos sesenta y seis talentos de oro,[e] 15 aparte de los hombres viajantes y la ganancia de los comerciantes y todos los reyes[f] de los árabes[g] y los gobernadores del país.

16 Y el rey Salomón pasó a hacer doscientos escudos grandes de oro aleado[h] (seiscientos [siclos] de oro procedió a poner sobre cada escudo grande),[i] 17 y trescientos broqueles de oro aleado (tres minas de oro procedió a poner sobre cada broquel).[j] Entonces el rey los puso en la Casa del Bosque del Líbano.[k]

18 Además, el rey hizo un gran trono[l] de marfil,[m] y lo revistió de oro refinado.[n] 19 Había seis escalones hasta el trono, y, detrás, el trono tenía un dosel redondo, y había brazos por este lado y por aquel lado junto al lugar de sentarse, y pie al lado de los brazos[o] estaban dos leones.[p] 20 Y había doce leones de pie allí sobre los seis escalones, por este lado y por aquel lado. Ningún otro reino tenía uno que estuviera hecho exactamente como este.[q]

21 Y todos los vasos de beber del rey Salomón eran de oro, y todos los vasos de la Casa del Bosque del Líbano[r] eran de oro puro.[s] No había nada de plata; en los días de Salomón esta se consideraba como nada absolutamente. 22 Porque el rey tenía en el mar una flota de naves de Tarsis[t] junto con la flota de naves de Hiram. Una vez cada tres años la flota de naves de Tarsis venía y traía oro[a] y plata, marfil,[b] y monos y pavos reales.

23 De modo que el rey Salomón era más grande en cuanto a riquezas[c] y sabiduría[d] que todos los demás reyes de la tierra. 24 Y toda la gente de la tierra venía buscando el rostro de Salomón para oír su sabiduría que Dios había puesto en su corazón.[e] 25 Y traían cada cual su regalo,[f] objetos de plata[g] y objetos de oro y prendas de vestir y armadura[h] y aceite balsámico, caballos y mulos,[i] como cosa de rutina cada año.

26 Y Salomón siguió reuniendo mis carros y corceles; y llegó a tener mil cuatrocientos carros y doce mil corceles,[k] y los mantuvo estacionados en las ciudades de los carros y junto al rey en Jerusalén.[l]

27 Y el rey llegó a hacer que la plata en Jerusalén fuera como las piedras,[m] e hizo que la madera de cedro fuera como los sícomoros que hay en la Sefelá, por su gran cantidad.[n]

28 Y había la exportación de los caballos que Salomón tenía de Egipto, y la compañía de los mercaderes del rey tomaban ellos mismos la manada de caballos a cierto precio.[o] 29 Y un carro comúnmente subía y se exportaba de Egipto por seiscientas piezas de plata, y un caballo por ciento cincuenta; y así era para todos los reyes de los hititas[p] y los reyes de Siria. Era mediante ellos que hacían la exportación.

11 Y el rey Salomón mismo amó a muchas esposas extranjeras[q] junto con la hija de Faraón,[r] a moabitas,[s] ammonitas,[t] edomitas,[u] sidonias[v] [e] hititas,[w] 2 de las naciones de las que Jehová había dicho a los hijos de Israel: "Ustedes no deben meterse entre ellas,[x] y ellas mismas no deben meterse entre ustedes; verdaderamente inclina-

CAP. 10

a 2Sa 6:5
b 2Cr 5:12
b Pr 11:25
c 2Cr 9:12
d 1Cr 29:4
c 2Cr 9:13
f 2Cr 9:14
Sl 72:10
g 2Cr 9:14
2Cr 21:16
h 1Re 14:26
2Cr 12:9
i 2Cr 9:15
j 2Cr 9:16
k 1Re 7:2
l Sl 122:5
m 1Re 22:39
Sl 45:8
Am 6:4
Rev 18:12
n 2Cr 9:17
o 2Cr 9:18
p Gé 49:9
Nú 23:24
Nú 24:9
Pr 28:1
Rev 5:5
q 2Cr 9:19
r 1Re 7:2
s 2Cr 9:20
t Gé 10:4
2Cr 20:36
Sl 72:10
Isa 23:1
Isa 60:9
Eze 27:12
Jon 1:3

2.ª col.

a 2Cr 9:21
b 1Re 10:18
c 1Re 3:13
2Cr 9:22
Ec 5:19
d 1Re 3:12
1Re 4:29
1Re 4:34
Col 2:3
e 2Cr 9:23
Pr 2:6
f Sl 68:29
Pr 18:16
g 1Cr 29:4
h Isa 22:8
i 1Re 1:33
2Cr 2:66
j 2Cr 9:24
k Dt 17:16
1Re 4:26
2Cr 9:25
m 2Cr 1:15
2Cr 9:27
o Dt 17:16
2Cr 9:28
p Jos 1:4
2Re 7:6

CAP. 11

q Dt 17:17
Ne 13:26
r 1Re 3:1
s Gé 19:37
Rut 4:10
t 1Re 14:21
u Dt 23:7
v 1Re 16:31
w Gé 26:34
x Dt 7:3

rán el corazón de ustedes a seguir a los dioses de ellas".ᵃ A
ellas se adhirióᵇ Salomón para
amarlas. 3 Y llegó a tener setecientas esposas, princesas, y
trescientas concubinas; y poco a
pocoᶜ sus esposas le inclinaron el
corazón. 4 Y al tiempo en que
envejeció Salomónᵈ aconteció
que sus esposas mismas habían
inclinadoᵉ el corazón de él a seguir a otros dioses;ᶠ y su corazón
no resultó completoᵍ para con
Jehová su Dios como el corazón
de David su padre. 5 Y Salomón empezó a ir tras Astoret,ʰ la
diosa de los sidonios, y tras Milcom,ⁱ la cosa repugnante de los
ammonitas. 6 Y Salomón empezó a hacer lo que era maloʲ a
los ojos de Jehová, y no siguió de
lleno a Jehová como David su
padre.ᵏ

7 Fue entonces cuando Salomón procedió a edificar un lugar
altoˡ a Kemós,ᵐ la cosa repug-
nanteⁿ de Moab, en la montañaᵒ
que estaba enfrenteᵖ de Jerusalén, y a Mólek, la cosa repugnante de los hijos de Ammón. 8 Y
así hizo para todas sus esposas
extranjerasᑫ que hacían humo
de sacrificio y ofrecían sacrificios a sus dioses.ʳ

9 Y Jehová llegó a estar eno-
jadoˢ con Salomón, porque su
corazón se había inclinado a alejarse de Jehová el Dios de Israel,ᵗ
el que se le había aparecido dos
veces.ᵘ 10 Y respecto a esta
cosa le mandó que no se fuera
tras otros dioses;ᵛ pero él no había guardado lo que Jehová había mandado. 11 Jehová ahora
dijo a Salomón: "Por motivo de
que esto ha sucedido contigo, y
no has guardado mi pacto y mis
estatutos que te impuse como
mandato, sin falta arrancaré el
reino de sobre ti, y ciertamente
lo daré a tu siervo.ʷ 12 Sin embargo, no lo haré en tus días,ˣ
por causa de David tu padre.ʸ De
la mano de tu hijo lo arrancaré.ᶻ
13 Solo que no será todo el reino
lo que arrancaré.ᵃ Daré una tribu
a tu hijo, por causa de David mi

siervo,ᵃ y por causa de Jerusalén
que he escogido".ᵇ

14 Y Jehová empezó a levantar un resistidorᶜ a Salomón,ᵈ a
saber, a Hadad, el edomita, de
la prole del rey. Este estaba
en Edom.ᵉ 15 Y cuando David
derribó a Edom,ᶠ cuando Joab el
jefe del ejército subió a enterrar
a los que habían sido muertos,
aconteció que él trató de derribar a todo varón de Edom.ᵍ
16 (Porque seis meses moró allí
Joab, y todo Israel, hasta que él
hubo cortado [de la existencia]
a todo varón de Edom.) 17 Y
Hadad se fue huyendo, él y junto
con él algunos edomitas de los
siervos de su padre, para entrar
en Egipto, mientras Hadad era
un muchacho de poca edad.
18 De modo que se levantaron
de Madiánʰ y entraron en Parán,
y tomaron consigo hombres de
Paránⁱ y entraron en Egipto, a
donde Faraón el rey de Egipto,
quien entonces le dio una casa.
También, pan le asignó, y tierra
le dio. 19 Y Hadad continuó
hallando favorʲ a los ojos de Faraón, a tal grado que este le dio
una esposa,ᵏ la hermana de su
propia esposa, la hermana de
Tahpenés la dama. 20 Con el
tiempo, la hermana de Tahpenés
le dio a luz su hijo Guenubat, y
Tahpenés llegó a destetarloˡ allí
mismo en la casa de Faraón; y
Guenubat continuó en la casa de
Faraón, allí mismo entre los hijos de Faraón.

21 Y Hadad mismo oyó en
Egipto que David había yacido
con sus antepasadosᵐ y que Joab
el jefe del ejército había muer-
to.ⁿ Por lo tanto, Hadad dijo a
Faraón: "Envíame,ᵒ para que
me vaya a mi propia tierra".
22 Pero Faraón le dijo: "¿Qué te
falta estando conmigo, para que
estés procurando irte a tu propia
tierra?". A lo que él dijo: "Nada;
pero debes enviarme sin falta".

23 Y Dios procedió a levantar-

CAP. 11
a Éx 34:16
  Jos 23:12
  Esd 9:12
  Esd 10:2
  2Co 6:14
b Gé 34:3
c Jer 28:14
  Jer 18:12
  Heb 3:12
d 1Re 11:42
e Dt 7:4
  Dt 17:17
  Ne 13:26
f Dt 31:16
  Dt 32:21
  1Co 8:4
g Rev 2:4
h Jue 2:13
  1Sa 12:10
i Le 18:21
  2Re 23:13
j 2Sa 7:14
k 1Re 15:5
l Le 26:30
  Nú 33:52
  2Re 21:3
m Nú 21:29
  Jer 48:13
n Dt 27:15
  Rev 17:4
o 2Re 23:13
  Mt 26:30
  Hch 1:12
p Eze 11:23
q Ne 13:26
r Jer 1:16
  Jer 7:18
s Sl 90:7
t Dt 7:4
  Pr 4:23
  Heb 3:12
u 1Re 3:5
  1Re 9:2
v 1Re 6:12
  2Cr 7:19
x 1Re 21:29
y Sl 89:35
z 2Cr 10:18
a 2Sa 7:15
  1Cr 17:13
  Sl 89:33

2.ª col.

a 1Re 12:20
  2Cr 11:1
b Dt 12:11
  1Re 11:32
  Isa 60:14
c 1Sa 29:4
  1Re 5:4
d Dt 31:17
  2Sa 7:14
e 2Sa 8:14
  1Cr 18:12
  Sl 60:Enc
f 2Sa 8:13
  Dt 20:13
h Gé 25:2
i Gé 21:21
  Nú 10:12
  Dt 33:2
j Gé 39:4
k Gé 41:45
l Gé 21:8
  1Sa 1:23
m 1Re 2:10
n 1Re 2:34

o Gé 24:56; Gé 30:25; Éx 5:1.

le otro resistidor,[a] a saber, a Rezón hijo de Eliadá, que había huido de Hadadézer,[b] el rey de Zobá,[c] su señor.   24 Y este siguió juntando hombres a su lado y llegó a ser jefe de una partida merodeadora, cuando David los mató.[d] Por eso se fueron a Damasco[e] y se pusieron a morar en ella y empezaron a reinar en Damasco.   25 Y él llegó a ser un resistidor de Israel todos los días de Salomón,[f] y eso junto con el perjuicio que Hadad ocasionó; y le tenía un aborrecimiento[g] a Israel mientras continuaba reinando sobre Siria.

26 Y estuvo Jeroboán[h] hijo de Nebat, efraimita de Zeredá, un siervo de Salomón,[i] y el nombre de su madre era Zeruá, una enviudada. Él también empezó a alzar la mano contra el rey;[j]   27 Y esta es la razón por la cual alzó la mano contra el rey: Salomón mismo había edificado el Montículo.[k] Había cerrado la brecha de la Ciudad de David su padre.[l]   28 Ahora bien, el hombre Jeroboán era un hombre valiente y poderoso.[m] Cuando Salomón llegó a ver que el joven era un trabajador muy asiduo,[n] procedió a hacerlo superintendente[o] sobre todo el servicio obligatorio[p] de la casa de José.[q]   29 Y en aquel tiempo en particular aconteció que Jeroboán mismo salió de Jerusalén, y Ahíya[r] el silonita,[s] el profeta, llegó a hallarlo en el camino, y [Ahíya] estaba cubriéndose con una prenda de vestir nueva; y los dos se hallaban solos en el campo.   30 Ahíya ahora asió la prenda de vestir nueva que traía sobre sí y la rasgó[t] en doce[u] pedazos.   31 Y pasó a decir a Jeroboán:

"Toma para ti diez pedazos; porque esto es lo que ha dicho Jehová el Dios de Israel: 'Mira que voy a arrancar el reino de la mano de Salomón, y ciertamente te daré diez tribus.[v]   32 Y una tribu[w] es lo que continuará siendo suya por causa de mi siervo David[x] y por causa de Jerusa-

lén,[a] la ciudad que he escogido de todas las tribus de Israel.   33 La razón por ello es que me han dejado a mí[b] y han empezado a inclinarse ante Astoret,[c] la diosa de los sidonios, ante Kemós,[d] el dios de Moab, y ante Milcom,[e] el dios de los hijos de Ammón; y no han andado en mis caminos haciendo lo que es recto a mis ojos, y mis estatutos y mis decisiones judiciales, como David su padre.   34 Pero no tomaré de su mano todo el reino, porque por principal lo estableceré todos los días de su vida, por causa de David mi siervo a quien escogí,[f] porque él guardó mis mandamientos y mis estatutos.   35 Y ciertamente tomaré la gobernación real de la mano de su hijo y te la daré a ti, aun diez tribus.[g]   36 Y a su hijo daré una tribu, a fin de que David mi siervo continúe teniendo una lámpara siempre delante de mí en Jerusalén,[h] la ciudad que yo me he escogido para poner allí mi nombre.[i]   37 Y a ti te tomaré, y verdaderamente reinarás sobre todo lo que tu alma desee con vehemencia,[j] y ciertamente llegarás a ser rey sobre Israel.   38 Y tiene que suceder que, si obedeces todo lo que yo te mande, y de veras andas en mis caminos y realmente haces lo que es recto a mis ojos, guardando mis estatutos y mis mandamientos, así como lo hizo David mi siervo,[k] entonces yo ciertamente resultaré estar contigo,[l] y ciertamente te edificaré una casa duradera, tal como se la he edificado a David,[m] y ciertamente te daré Israel.   39 Y humillaré a la prole de David a causa de esto,[n] solo que no para siempre'."[o]

40 Y Salomón empezó a buscar la manera de dar muerte a Jeroboán.[p] Por eso Jeroboán se

CAP. 11

a 1Sa 26:19
2Sa 24:1
1Re 11:14
1Cr 5:26
b 2Sa 8:3
c 2Sa 10:8
1Cr 19:6
d 2Sa 10:18
e Gé 14:15
1Re 19:15
1Re 20:34
Isa 7:8
Hch 9:2
f 1Re 5:4
g Gé 34:30
Sl 68:1
h 1Re 11:31
1Re 12:2
1Re 12:32
1Re 14:10
2Cr 11:14
2Cr 13:3
2Cr 13:20
i 1Re 9:22
2Cr 13:6
j Pr 30:32
k 1Re 9:15
1Re 9:24
2Sa 5:7
l 1Re 14:52
m Pr 22:29
Ro 12:11
o 1Re 5:16
Pr 12:24
p 2Re 25:12
Jer 39:10
q Jue 1:22
2Sa 19:20
Am 5:6
r 1Re 12:15
1Re 14:2
2Cr 9:29
s Jos 18:1
t 1Sa 15:27
u Gé 49:28
Éx 24:4
v 1Re 12:16
x Gé 49:10
1Re 6:12
1Re 12:20

2.ª col.

a Dt 12:5
1Re 11:13
2Re 21:4
2Re 23:27
Sl 132:13
b Dt 28:15
2Cr 15:2
c Jue 2:13
Jue 10:6
1Sa 7:3
d Nú 21:29
Jer 48:13
e Le 18:21
Le 20:4
Sof 1:5
Hch 7:43
f 1Re 9:4
1Re 11:4
Sl 132:17
Isa 9:7
g 1Re 12:20
2Cr 10:16
h 2Sa 7:29
2Sa 14:7
1Re 15:4
2Re 8:19
Lu 1:69
Hch 15:16
i 1Re 11:32

j 2Sa 3:21; k 1Re 3:14; 1Re 15:5; l Jos 1:5; m 2Sa 7:11; 1Cr 17:10; Sl 89:33; n 1Re 12:16; 1Re 14:8; o Gé 49:10; Isa 11:1; Lu 1:32; p Pr 19:21; Pr 21:30.

levantó y se fue huyendo[a] a Egipto, a Sisaq[b] el rey de Egipto, y continuó en Egipto hasta la muerte de Salomón.

41 En cuanto al resto de los asuntos de Salomón, y todo lo que hizo, y su sabiduría, ¿no están escritos en el libro de los asuntos de Salomón? 42 Y los días que Salomón había reinado en Jerusalén sobre todo Israel fueron cuarenta años.[c] 43 Entonces yació Salomón con sus antepasados,[d] y fue enterrado en la Ciudad de David[e] su padre; y Rehoboam[f] su hijo empezó a reinar en lugar de él.

12 Y Rehoboam[g] procedió a ir a Siquem, porque fue a Siquem[h] adonde todo Israel fue para hacerlo rey. 2 Y aconteció que tan pronto como Jeroboán[i] hijo de Nebat oyó de ello, mientras todavía estaba en Egipto (porque había huido a causa del rey Salomón, a fin de morar Jeroboán en Egipto),[j] 3 entonces mandaron a llamarlo. Después de aquello, Jeroboán y toda la congregación de Israel vinieron y empezaron a hablar a Rehoboam y dijeron:[k] 4 "Tu padre, por su parte, hizo duro nuestro yugo, y, en cuanto a ti, ahora haz más ligero[l] el duro servicio de tu padre y su yugo pesado[m] que puso sobre nosotros, y te serviremos".[n]

5 Ante esto, él les dijo: "Váyanse por tres días y vuelvan a mí".[o] De modo que la gente se fue. 6 Y el rey Rehoboam empezó a aconsejarse con los ancianos[p] que habían continuado atendiendo a Salomón su padre mientras este continuó vivo, y dijo: "¿Cómo aconsejan ustedes que se responda a este pueblo?".[q] 7 Por consiguiente, ellos le hablaron, y dijeron: "Si hoy te hicieras siervo de este pueblo y realmente les sirvieras,[r] entonces tendrás que contestarles y hablarles con buenas palabras;[s] y ellos de seguro llegarán a ser tus siervos siempre".[t]

8 Sin embargo, él dejó el consejo de los ancianos con que le habían aconsejado, y empezó a aconsejarse con los jóvenes que se habían criado con él,[a] que eran los que lo atendían.[b] 9 Y pasó a decirles: "¿Qué ofrecen ustedes como consejo[c] para que respondamos a esta gente que me ha hablado, diciendo: 'Haz más ligero el yugo que tu padre puso sobre nosotros'?".[d] 10 A su vez, los jóvenes que se habían criado con él le hablaron, y dijeron: "Esto es lo que debes decir[e] a esta gente que te ha hablado y ha dicho: 'Tu padre, por su parte, hizo pesado nuestro yugo, pero, en cuanto a ti, hazlo más ligero sobre nosotros'; esto es lo que debes hablarles: 'Mi meñique mismo ciertamente será más grueso que las caderas de mi padre.[f] 11 Y ahora bien, mi padre, por su parte, cargó sobre ustedes un yugo pesado; pero yo, por mi parte, añadiré al yugo de ustedes.[g] Mi padre, por su parte, los castigó con látigos, pero yo, por mi parte, los castigaré con azotes [de puntas agudas]' ".[h]

12 Y Jeroboán y todo el pueblo procedieron a venir a Rehoboam al tercer día, tal como el rey había hablado, al decir: "Vuelvan a mí al tercer día".[i] 13 Y el rey empezó a contestar con dureza[j] a la gente, y a dejar el consejo de los ancianos que le habían aconsejado.[k] 14 Y pasó a hablarles conforme al consejo de los jóvenes,[l] y dijo: "Mi padre, por su parte, hizo pesado el yugo de ustedes, pero yo, por mi parte, añadiré a su yugo. Mi padre, por su parte, los castigó con látigos, pero yo, por mi parte, los castigaré con azotes [de puntas agudas]".[m] 15 Y el rey no escuchó al pueblo,[n] porque el que los asuntos tomaran otro giro fue a instancia de Jehová,[o] a fin de que él realmente realizara su palabra[p] que Jehová había hablado por medio de Ahíya,[q] el silonita, a Jeroboán hijo de Nebat.

CAP. 11

a 2Cr 10:2
b 1Re 14:25
  2Cr 12:2
c 2Cr 9:30
d 1Re 1:21
  2Cr 9:31
e 1Re 2:10
  2Cr 21:20
f 1Cr 3:10
  2Cr 13:7
  Mt 1:7

CAP. 12

g 2Cr 10:1
h 2Cr 12:6
  Gé 33:18
  Jos 20:7
  Jue 9:1
  Hch 7:16
i 1Re 11:26
j 1Re 11:40
  2Cr 10:2
k 2Cr 10:3
l Mt 11:30
m 1Sa 8:11
  1Sa 8:18
  1Re 4:7
n 2Cr 10:4
o 1Re 12:12
  2Cr 10:5
p 2Sa 16:20
  Pr 11:14
  Pr 20:29
q 2Cr 10:6
  Pr 22:17
r Ec 4:13
  Mr 10:43
s Pr 15:1
t 2Cr 10:7

2.a col.

a Pr 13:20
  Pr 24:7
  Isa 3:4
b 2Cr 10:8
c 2Sa 17:6
  2Cr 10:9
  e 2Sa 17:7
f 2Cr 10:10
  Sl 140:11
  Pr 18:6
  Pr 29:23
g 2Cr 16:10
  Pr 11:17
h 2Cr 10:11
  Isa 3:5
i 2Cr 10:12
j 2Cr 42:30
  Pr 15:1
  Pr 18:23
  Ec 10:12
k 2Cr 10:13
  Pr 13:20
  1Pr 12:5
m 2Cr 10:14
  Pr 29:2
n Pr 21:13
o Dt 2:30
  2Cr 10:15
  2Cr 22:7
  Sl 5:10
  Pr 21:1
  Am 3:6
  Ro 9:18
p 1Sa 15:29
  Isa 55:11
q 1Re 11:31

16 Cuando todo Israel llegó a ver que el rey no les había escuchado, entonces el pueblo respondió al rey y dijo: "¿Qué parte nos corresponde a nosotros en David?[a] Y no hay herencia en el hijo de Jesé. A tus dioses,[b] oh Israel. ¡Ahora mira por tu propia casa, oh David!".[c] Con eso, Israel empezó a irse a sus tiendas. **17** En cuanto a los hijos de Israel que moraban en las ciudades de Judá, Rehoboam continuó reinando sobre ellos.[d]

18 Posteriormente, el rey Rehoboam envió a Adoram,[e] que estaba sobre los reclutados para trabajo forzado,[f] pero todo Israel lo lapidó,[g] de modo que murió. Y el rey Rehoboam mismo se las arregló para subir al carro y huir a Jerusalén. **19** Y los israelitas siguieron su sublevación[h] contra la casa de David hasta el día de hoy.[i]

20 Y aconteció que en cuanto todo Israel oyó que Jeroboán había vuelto, en seguida enviaron a llamarlo a la asamblea y lo hicieron rey sobre todo Israel.[j] Nadie se hizo seguidor de la casa de David excepto la tribu de Judá sola.[k]

21 Cuando Rehoboam llegó a Jerusalén,[l] inmediatamente congregó a toda la casa de Judá y a la tribu de Benjamín,[m] ciento ochenta mil hombres selectos, físicamente capacitados para la guerra, para pelear contra la casa de Israel, a fin de traer la gobernación real de vuelta a Rehoboam hijo de Salomón. **22** Entonces la palabra del Dios [verdadero] llegó a Semaya[n] el hombre del Dios [verdadero],[o] y dijo: **23** "Di a Rehoboam hijo de Salomón el rey de Judá, y a toda la casa de Judá y a Benjamín y a los demás del pueblo: **24** 'Esto es lo que ha dicho Jehová: "No deben subir y pelear contra sus hermanos, los hijos de Israel.[p] Vuelva cada cual a su casa, porque es a instancia mía como esta cosa se ha efectua-

do"'".[a] Así que ellos obedecieron la palabra de Jehová,[b] y se volvieron a casa, conforme a la palabra de Jehová.[c]

25 Y Jeroboán procedió a edificar a Siquem[d] en la región montañosa de Efraín y a morar en ella. Entonces salió de allí y edificó a Penuel.[e] **26** Y Jeroboán empezó a decir en su corazón:[f] "Ahora el reino se volverá a la casa de David.[g] **27** Si este pueblo continúa subiendo a ofrecer sacrificios en la casa de Jehová en Jerusalén,[h] entonces el corazón de este pueblo de seguro se volverá a su señor, Rehoboam el rey de Judá; y ciertamente me matarán;[e] y se volverán a Rehoboam el rey de Judá". **28** Por lo tanto, el rey tomó consejo[j] e hizo dos becerros de oro[k] y dijo al pueblo: "Es demasiado para ustedes el que suban a Jerusalén. Aquí está tu Dios,[l] oh Israel, que te hizo subir de la tierra de Egipto".[m] **29** Entonces lo colocó uno en Betel,[n] y el otro lo puso en Dan.[o] **30** Y esta cosa llegó a ser causa de pecado,[p] y el pueblo empezó a ir delante de uno [de ellos] hasta Dan.

31 Y él se puso a hacer una casa de lugares altos[q] y a hacer sacerdotes de la gente en general, que, casualmente, no eran de los hijos de Leví.[r] **32** Y Jeroboán hizo además una fiesta en el mes octavo, en el día quince del mes, como la fiesta que había en Judá,[s] a fin de hacer ofrendas sobre el altar que había hecho en Betel, para hacer sacrificios a los becerros que él había hecho; y puso a servir en Betel[t] a los sacerdotes de los lugares altos que había hecho. **33** Y empezó a hacer ofrendas sobre el altar que había hecho en Betel, el día quince del mes octavo, en el mes que él había inventado por sí mismo;[u] y procedió a hacer una fiesta para los hijos de Israel y a hacer ofrendas sobre el altar para hacer humo de sacrificio.[v]

CAP. 12
a 2Sa 20:1
   2Cr 10:16
b Éx 20:3
   Pr 11:9
c 2Sa 7:15
d 1Re 11:13
   2Cr 10:17
   2Cr 11:13
   2Cr 11:16
e 2Sa 20:24
   1Re 4:6
f 1Re 5:14
g Éx 17:4
   Nú 14:10
   2Cr 10:18
   2Cr 24:21
   Hch 5:26
h 2Re 17:21
i 2Cr 10:19
j 1Re 11:31
k 1Re 11:13
   2Cr 13:10
   2Cr 25:5
   Os 11:2
l 2Cr 11:1
m 2Cr 14:8
   2Cr 17:17
n 2Cr 11:2
   2Cr 12:5
o 1Re 13:1
   1Re 17:18
   Heb 1:1
p Nú 14:42

2.ª col.
a 1Re 11:31
   Pr 16:9
b Hch 5:39
c 2Cr 11:4
d 1Re 12:1
e Gé 32:31
   Jue 8:9
f Sl 14:1
g 1Re 11:38
h Dt 12:5
   1Re 8:29
   1Re 11:32
j Isa 30:1
k Éx 20:4
   2Re 10:29
   2Cr 11:15
   Hch 17:29
l Éx 32:4
   2Re 17:41
m Éx 32:8
n Gé 12:8
   Gé 28:19
o Gé 14:14
   Dt 34:1
   Jue 18:29
   Jue 20:1
   2Re 10:29
p 1Re 13:34
   2Re 10:31
   2Re 17:21
q 1Re 13:32
   Eze 16:25
r Nú 3:10
   1Re 13:33
   2Cr 11:14
   2Cr 13:9
s Lee 23:34
   Nú 29:12
   1Re 8:2
t Am 7:13
u 2Co 11:14
v 1Co 10:20

13 Y sucedió que hubo un hombre[a] de Dios que por la palabra[b] de Jehová había salido de Judá hasta Betel, mientras Jeroboán estaba de pie junto al altar[c] para hacer humo de sacrificio.[d] 2 Entonces este gritó contra el altar, por la palabra de Jehová, y dijo: "Oh altar, altar, esto es lo que ha dicho Jehová: '¡Mira! ¡Un hijo que le nace a la casa de David, cuyo nombre es Josías![e] Y ciertamente sacrificará sobre ti a los sacerdotes de los lugares altos que están haciendo humo de sacrificio sobre ti, y huesos de hombres quemará sobre ti'.[f] 3 Y dio un portento presagioso en aquel día, diciendo: "Este es el portento presagioso del cual Jehová ha hablado: ¡Mira! El altar se parte, y las cenizas grasosas que están sobre él ciertamente se verterán."

4 Y aconteció que, tan pronto como el rey oyó la palabra del hombre del Dios [verdadero] que había gritado contra el altar en Betel, en seguida alargó Jeroboán su mano de sobre el altar, y dijo: "¡Préndanlo!".[h] Al instante la mano que había alargado contra él quedó seca, y no pudo retirarla a sí.[i] 5 Y el altar mismo se partió de modo que las cenizas grasosas se vertieron del altar, conforme al portento presagioso que el hombre del Dios [verdadero] había dado por la palabra de Jehová.[j]

6 El rey ahora contestó y dijo al hombre del Dios [verdadero]: "Ablanda, por favor, el rostro de Jehová tu Dios y ora a favor de mí para que se me restaure la mano".[k] Por lo cual el hombre del Dios [verdadero] ablandó[l] el rostro de Jehová, de modo que la mano del rey se le fue restaurada, y llegó a estar como al principio.[m] 7 Y el rey pasó a decir al hombre del Dios [verdadero]: "Ven conmigo a casa, sí, y toma sustento,[n] y déjame darte un regalo".[o] 8 Pero el hombre del Dios [verdadero] dijo al rey: "Aunque me

CAP. 13

a 2Re 23:17
b 1Re 20:35
  Isa 1:2
  Jer 25:3
c 1Re 12:32
  Am 3:14
d Nú 16:40
  2Cr 26:18
  Jer 11:12
e 2Re 21:24
  2Re 22:1
  2Re 23:15
  2Re 23:29
  2Cr 34:33
f 2Re 23:16
  2Cr 34:5
g Dt 13:1
  Jue 6:17
  1Sa 2:34
  Isa 20:3
  1Co 1:22
h 2Cr 16:10
  Sl 105:15
  Jer 20:2
i 2Re 6:18
  Hch 5:39
  Hch 13:11
j Dt 18:22
k Éx 10:17
  Nú 21:7
  Jer 37:3
  Hch 8:24
  Snt 5:16
l 1Sa 12:23
m Éx 4:7
  Nú 12:13
n Jue 13:15
  Jue 19:21
o 1Re 14:3
  2Re 5:15
  Jer 40:5

2.ª col.

a Nú 22:18
  Est 5:3
  Est 7:2
  Mr 6:23
b 2Re 5:16
  Sl 139:21
c Sl 141:4
  1Co 5:11
  Ef 5:11
  2Jn 11
  Rev 18:4
d 1Sa 10:10
  Eze 13:2
  Am 3:7
e Nú 22:21
  Jue 5:10
  2Sa 19:26
f 1Re 19:4
g 1Re 13:1
h Nú 22:13
i Dt 13:3
j 1Re 13:9
k Nú 22:35
  Jue 6:11
  Gál 1:8
l Le 19:11
  Dt 18:20
  Jer 29:31
  Eze 13:19
  Mt 7:15
  2Pe 2:1
  1Jn 4:1
m Pr 23:8

dieras la mitad de tu casa[a] no iría contigo[b] ni comería pan ni bebería agua en este lugar. 9 Porque así me mandó él por la palabra de Jehová, diciendo: 'No debes comer pan[c] ni beber agua, y no debes regresar por el camino que fuiste'". 10 Y empezó a irse por otro camino, y no regresó por el camino por el cual había venido a Betel.

11 Y cierto viejo profeta[d] moraba en Betel, y sus hijos ahora entraron y le contaron toda la obra que el hombre del Dios [verdadero] había hecho aquel día en Betel [y] las palabras que había hablado al rey, y siguieron contándolas a su padre. 12 Entonces les habló su padre: "¿Por qué camino, pues, se fue?". De modo que sus hijos le mostraron el camino por el cual se había ido el hombre del Dios [verdadero] que había salido de Judá. 13 Él ahora dijo a sus hijos: "Aparéjenme el asno". Por lo tanto, le aparejaron el asno,[e] y él se fue cabalgando sobre él.

14 Y se fue siguiendo al hombre del Dios [verdadero] y por fin lo halló sentado debajo del árbol grande.[f] Entonces le dijo: "¿Eres tú el hombre del Dios [verdadero] que ha salido de Judá?",[g] a lo cual él dijo: "Yo soy". 15 Y pasó a decirle: "Ven conmigo a casa y come pan". 16 Pero él dijo: "No puedo volver contigo ni entrar contigo, y no puedo comer pan ni beber agua contigo en este lugar.[h] 17 Porque se me ha hablado mediante la palabra de Jehová:[i] 'No debes comer pan ni beber agua allí. No debes regresar por el camino por el cual fuiste'".[j] 18 Ante esto, él le dijo: "Yo también soy profeta como tú, y un ángel[k] mismo me habló por la palabra de Jehová, diciendo: 'Hazlo volver contigo a tu casa para que coma pan y beba agua'". (Lo engañó.)[l] 19 De modo que regresó con él para comer pan en su casa y beber agua.[m]

20 Y mientras estaban sentados a la mesa aconteció que la palabra[a] de Jehová vino al profeta que lo había traído de vuelta; 21 y él empezó a clamar al hombre del Dios [verdadero] que había salido de Judá, y dijo: "Esto es lo que ha dicho Jehová: 'En virtud de que te rebelaste[b] contra la orden de Jehová y no guardaste el mandamiento con el cual te mandó Jehová tu Dios,[c] 22 sino que volviste para comer pan y beber agua en el lugar acerca del cual él te habló: "No comas pan ni bebas agua", tu cuerpo muerto no entrará en la sepultura de tus antepasados'".[d]

23 Y después que él hubo comido pan y después que hubo bebido aconteció que él en seguida le aparejó el asno, es decir, para el profeta a quien había traído de vuelta. 24 Y este procedió a irse. Más tarde un león[e] lo halló en el camino y le dio muerte,[f] y su cuerpo muerto quedó arrojado en el camino. Y el asno estaba parado a su lado, y el león estaba parado al lado del cuerpo muerto. 25 Y he aquí que unos hombres venían pasando, de modo que llegaron a ver el cuerpo muerto arrojado en el camino, y el león parado al lado del cuerpo muerto. Entonces entraron y hablaron de ello en la ciudad en la cual moraba el viejo profeta.

26 Cuando oyó esto el profeta que lo había traído de vuelta del camino, en seguida dijo: "Es el hombre del Dios [verdadero] que se rebeló contra la orden de Jehová;[g] y por eso Jehová lo dio al león, para que lo quebrantara y le diera muerte, conforme a la palabra de Jehová que él le habló".[h] 27 Y pasó a hablar a sus hijos, y dijo: "Aparéjenme el asno". En seguida se lo aparejaron.[i] 28 Entonces se puso en marcha y halló el cuerpo muerto de aquél arrojado en el camino, con el asno y el león parados al lado del cuerpo muerto. El león

no se había comido el cuerpo muerto, ni había quebrantado al asno.[a] 29 Y el profeta procedió a alzar el cuerpo muerto del hombre del Dios [verdadero] y a depositarlo sobre el asno y a traerlo de vuelta. Así entró en la ciudad del viejo profeta para plañir y enterrarlo. 30 Por consiguiente, depositó el cuerpo muerto en la propia sepultura suya; y siguieron plañendo por él:[b] "¡Qué lástima, hermano mío!". 31 Y aconteció, después de haberlo enterrado, que pasó a decir a sus hijos: "Cuando yo muera tienen que enterrarme en la sepultura en que esté enterrado el hombre del Dios [verdadero]. Al lado de sus huesos depositen mis propios huesos.[c] 32 Porque sin falta se realizará[d] la palabra que él clamó, por la palabra de Jehová, contra el altar[e] que está en Betel y contra todas las casas de los lugares altos[f] que están en las ciudades de Samaria".[g]

33 Después de este asunto Jeroboán no se volvió de su mal camino, sino que de nuevo se puso a hacer sacerdotes de lugares altos de la gente en general.[h] En cuanto a cualquiera que se deleitara en ello, le llenaba la mano de poder[i] [y decía]: "Y llegue a ser él [uno de los" sacerdotes de lugares altos". 34 Y en este asunto llegó a haber causa de pecado por parte de la casa de Jeroboán[j] y ocasión para raerla y aniquilarla de sobre la superficie del suelo.[k]

14 En aquel tiempo enfermó Abías hijo de Jeroboán.[l] 2 Por eso Jeroboán dijo a su esposa: "Levántate, por favor, y tienes que disfrazarte[m] para que no sepan que eres la esposa de Jeroboán, y tienes que ir a Siló. ¡Mira! Allí es donde está Ahías[n] el profeta. Él es el que habló respecto de mí acerca de llegar a ser rey sobre este pueblo.[o] 3 Y tienes que llevar en tu mano diez

CAP. 13
a Nú 23:5
  Nú 23:16
  Nú 24:4
b Nú 20:24
  Nú 22:32
c Sl 119:4
  Pr 19:16
  1Jn 5:3
d 1Re 13:30
  2Re 23:18
e 1Re 20:36
  2Re 17:25
  Am 5:19
f 2Sa 6:7
  Na 1:2
g 1Re 13:9
h 1Re 13:21
  Pr 11:31
  Heb 12:29
i 1Re 13:13

2.ª col.
a Da 6:22
b Hch 8:2
c 2Re 23:18
  Heb 11:22
d Nú 23:19
  Isa 55:11
e 1Re 12:29
  2Re 23:15
f Le 26:30
  1Re 12:31
g 2Re 23:19
h 1Re 12:31
  2Cr 11:14
i 2Cr 11:15
j 1Re 12:30
  1Re 16:31
  2Re 3:3
  2Re 10:31
  2Re 13:2
  2Re 17:21
k 1Re 14:10
  1Re 15:29
  2Re 17:23

CAP. 14
l 2Sa 12:15
  1Re 14:12
m 1Sa 28:8
  2Sa 14:2
  1Re 22:30
n 1Re 12:15
o 1Re 11:31

panes[a] y tortas rociadas y un frasco[b] de miel, y tienes que entrar a donde él.[c] Él ciertamente te informará lo que le va a suceder al muchacho".[d]

4 Y la esposa de Jeroboán procedió a hacerlo así. Por lo tanto se levantó y fue a Siló,[e] y vino a la casa de Ahíya. Ahora bien, Ahíya mismo no podía ver, porque sus ojos habían quedado fijos a causa de su edad.[f]

5 Y Jehová mismo había dicho a Ahíya: "Aquí viene la esposa de Jeroboán a solicitar una palabra de ti respecto a su hijo; porque está enfermo. De esta manera y de aquella es como debes hablarle. Y sucederá que luego que llegue, estará arreglándose para que no se la reconozca".[g]

6 Y aconteció que, en cuanto Ahíya oyó el sonido de los pies de ella al meterse ella por la entrada, empezó a decir: "Entra, esposa de Jeroboán.[h] ¿Por qué estás arreglándote para que no se te reconozca mientras que a mí se me envía a ti con un mensaje severo? 7 Ve, di a Jeroboán: 'Esto es lo que ha dicho Jehová el Dios de Israel: "Por cuanto te levanté de en medio de tu pueblo, para constituirte caudillo sobre mi pueblo Israel,[i] 8 y pasé a arrancar[j] el reino de la casa de David y dártelo a ti, y tú no has llegado a ser como mi siervo David, que guardó mis mandamientos y que anduvo en pos de mí con todo su corazón, haciendo solo lo que era recto a mis ojos,[k] 9 sino que te pusiste a actuar peor que todos los que resultaron ser antes de ti, y fuiste y te hiciste otro dios[l] e imágenes fundidas[m] para ofenderme,[n] y es a mí a quien has echado detrás de tu espalda;[o] 10 por esa razón, ¡mira!, voy a traer calamidad sobre la casa de Jeroboán, y ciertamente cortaré de Jeroboán a cualquiera que orina contra una pared,[p] un imposibilitado e inútil en Israel;[q] y realmente barreré de modo comple-

to detrás de la casa de Jeroboán,[a] así como uno remueve el estiércol hasta acabar con él.[b] 11 Al que de Jeroboán muera en la ciudad, los perros se lo comerán;[c] y al que muera en el campo, las aves de los cielos se lo comerán,[d] porque Jehová mismo lo ha hablado"'.

12 "Y tú misma, levántate, vete a tu casa. Cuando entren tus pies en la ciudad, el niño ciertamente morirá. 13 Y todo Israel verdaderamente lo plañirá[e] y lo enterrará, porque este es el único de Jeroboán que entrará en sepultura; a causa de que algo bueno para con Jehová el Dios de Israel se ha hallado en él, en la casa de Jeroboán.[f] 14 Y Jehová ciertamente levantará para sí un rey[g] sobre Israel que cortará la casa de Jeroboán el día citado, ¿y qué si ahora mismo?[h] 15 Y Jehová verdaderamente derribará a Israel, tal como se agita la caña en el agua;[i] y ciertamente desarraigará[j] a Israel de este buen suelo[k] que dio a sus antepasados, y verdaderamente los esparcirá[l] más allá del Río,[m] por razón de que hicieron sus postes sagrados,[n] ofendiendo[o] así a Jehová. 16 Y entregará a Israel[p] por causa de los pecados de Jeroboán con que pecó y con que hizo pecar a Israel".[q]

17 Ante eso, la esposa de Jeroboán se levantó y se puso en marcha y llegó a Tirzá.[r] Al llegar ella al umbral de la casa, el muchacho mismo murió. 18 Lo enterraron, pues, y todo Israel se puso a plañir por él, conforme a la palabra de Jehová que él había hablado por medio de su siervo Ahíya el profeta.

19 Y el resto de los asuntos de Jeroboán, cómo guerreó[s] y cómo reinó, allí están escritos en el libro[t] de los asuntos de los días de los reyes de Israel. 20 Y los días que reinó Jeroboán fueron

CAP. 14

a 1Sa 9:7
  1Re 13:7
  2Re 4:42
b Jer 19:1
c Gé 33:8
  2Re 5:15
d 2Re 8:8
e Jos 18:1
  1Sa 4:3
  1Re 11:29
  Jer 7:12
f Gé 27:1
  Gé 48:10
  Dt 27:18
  1Sa 3:2
  Sl 90:10
  Ec 12:3
g Pr 21:30
  Jer 32:19
  Lu 20:20
  Heb 4:13
h Job 5:13
  Sl 33:10
i 1Re 11:31
  1Re 12:20
  1Re 16:2
j 1Re 12:16
k 1Re 11:33
  1Re 15:5
  Hch 13:22
l Dt 32:16
  Sl 96:5
  Sl 115:4
  Isa 44:9
  Jer 10:14
m Dt 27:15
  2Cr 11:15
  Isa 41:29
  1Co 8:4
n Dt 9:8
  Sl 78:40
o Ne 9:26
  Sl 50:17
  Eze 23:35
p 1Sa 25:34
  1Re 16:11
  2Re 9:8
q 2Re 32:36

2.ª col.

a 1Re 15:29
b Ezr 21:13
c 1Re 16:4
  1Re 21:24
d 1Sa 17:46
  Jer 15:3
  Rev 19:21
e 1Sa 25:1
f 2Cr 12:12
  Eze 18:14
g 1Re 15:29
h Sl 103:10
  Ec 8:11
  2Pe 2:3
i 1Sa 12:25
  Jer 15:2
j Dt 29:28
  2Re 17:6
  Mt 15:13
k Dt 8:7
  Jos 23:15
l Dt 28:64
  2Re 15:29
  2Re 18:11
m 2Sa 8:3
n Dt 12:3
o 1Re 14:9
p Dt 28:63
q 1Re 12:30
  1Re 13:34
  1Re 14:9
  Mt 18:7

r Jos 12:24; 1Re 15:33; 1Re 16:8; s 2Cr 12:15; 2Cr 13:3; t 1Re 15:31; 1Re 16:5; 1Re 22:39.

veintidós años, después de lo cual yació con sus antepasados;[a] y Nadab[b] su hijo empezó a reinar en lugar de él.

21 En cuanto a Rehoboam,[c] hijo de Salomón, había llegado a ser rey en Judá. Cuarenta y un años de edad tenía Rehoboam cuando empezó a reinar, y diecisiete años reinó en Jerusalén, la ciudad[d] que Jehová había escogido de todas las tribus[e] de Israel para poner allí su nombre.[f] Y el nombre de su madre era Naamá la ammonita.[g] 22 Y Judá siguió haciendo lo que era malo a los ojos de Jehová,[h] de modo que lo incitaron[i] a celos más que todo lo que habían hecho sus antepasados mediante sus pecados con que habían pecado.[j] 23 Y ellos también siguieron edificándose lugares altos[k] y columnas sagradas[l] y postes sagrados[m] sobre toda colina alta[n] y debajo de todo árbol frondoso.[o] 24 Y hasta el prostituto de templo se hallaba en el país.[p] Actuaron conforme a todas las cosas detestables de las naciones que Jehová había expulsado de delante de los hijos de Israel.[q]

25 Y en el año quinto del rey Rehoboam aconteció que Sisaq[r] el rey de Egipto subió contra Jerusalén. 26 Y logró tomar los tesoros de la casa de Jehová y los tesoros de la casa del rey;[s] y todo lo tomó.[t] Y pasó a tomar todos los escudos de oro que Salomón había hecho.[u] 27 Por lo tanto, el rey Rehoboam hizo en lugar de ellos escudos de cobre, y los encomendó al control de los jefes de los corredores,[v] los guardas de la entrada de la casa del rey.[w] 28 Y sucedía que siempre que el rey venía a la casa de Jehová, los corredores los llevaban, y los devolvían a la cámara de la guardia de los corredores.[x]

29 Y el resto de los asuntos de Rehoboam y todo cuanto hizo, ¿no están escritos en el libro[y] de los asuntos de los tiempos de los reyes de Judá? 30 Y hubo guerra misma entre Rehoboam y

Jeroboán siempre.[a] 31 Por fin Rehoboam yació con sus antepasados, y fue enterrado con sus antepasados en la Ciudad de David.[b] Y el nombre de su madre fue Naamá la ammonita.[c] Y Abiyam[d] su hijo empezó a reinar en lugar de él.

15 Y en el año decimoctavo del rey Jeroboán[e] hijo de Nebat,[f] Abiyam llegó a ser rey sobre Judá.[g] 2 Tres años reinó en Jerusalén; y el nombre de su madre era Maacá[h] la nieta de Abisalom.[i] 3 Y él siguió andando en todos los pecados de su padre que este había cometido antes de él; y su corazón no resultó completo[j] para con Jehová su Dios, como el corazón de David su antepasado.[k] 4 Porque, a causa de David,[l] Jehová su Dios le dio una lámpara[m] en Jerusalén, levantando a su hijo después de él y manteniendo en existencia a Jerusalén,[n] 5 porque David hizo lo que era recto a los ojos de Jehová, y no se desvió de nada que Él le hubo mandado todos los días de su vida,[o] excepto en el asunto de Urías el hitita.[p] 6 Y hubo guerra misma entre Rehoboam y Jeroboán todos los días de su vida.[q]

7 En cuanto al resto de los asuntos de Abiyam y todo cuanto hizo, ¿no están escritos en el libro[r] de los asuntos de los días de los reyes de Judá? También hubo guerra entre Abiyam y Jeroboán.[s] 8 Por fin Abiyam yació con sus antepasados, y lo enterraron en la Ciudad de David;[t] y Asá[u] su hijo empezó a reinar en lugar de él.

9 En el año veinte de Jeroboán el rey de Israel, Asá llegó como rey de Judá. 10 Y cuarenta y un años reinó en Jerusalén; y el

CAP. 14
a 2Cr 13:20
Job 14:12
b 1Re 15:25
c 1Re 11:43
2Cr 12:1
d 1Re 8:16
1Re 11:36
2Cr 12:13
e Sl 78:68
Sl 132:13
f Ex 20:24
Dt 12:5
g 1Re 11:1
2Cr 12:13
h Jue 3:7
2Re 17:19
2Cr 12:1
Jer 3:8
i Ex 34:14
Dt 4:24
Sl 78:58
Isa 65:2
1Co 10:22
j Jue 3:7
1Re 11:7
k Dt 12:3
1Le 26:1
2Re 3:2
m Isa 21:3
n Isa 65:7
Jer 2:20
Os 4:13
o Dt 12:2
2Cr 28:4
2Cr 33:3
p Dt 23:17
1Re 15:12
1Re 22:46
q 2Re 23:7
Os 4:14
r 1Re 11:40
2Cr 12:2
s 1Re 7:51
1Re 15:18
2Re 18:15
2Cr 24:13
t 2Cr 12:9
Sl 39:6
u 1Re 10:17
2Cr 9:15
v 1Sa 8:11
1Sa 22:17
w 2Cr 12:10
x 2Cr 12:11
y 1Re 11:41
1Re 15:23
1Cr 27:24
2Cr 12:15

2.ᵃ col.

a 1Re 12:24
1Re 15:6
b 1Re 11:43
1Re 15:24
1Re 22:50
c 1Re 11:1
2Cr 12:13
2Cr 3:10
Mt 1:7

CAP. 15

e 1Re 12:20
f 1Re 12:2
g 2Cr 11:22
2Cr 13:1
h 2Cr 11:20
2Cr 13:2
i 2Cr 11:21

j 2Re 20:3; 2Cr 25:2; 2Cr 31:20; Sl 119:80; k 1Re 11:4; 1Sa 7:12; Sl 89:35; Isa 37:35; Jer 33:21; m 1Re 11:36; 2Cr 21:7; Sl 132:17; Lu 1:69; Lu 2:32; Jn 1:9; Jn 8:12; Rev 22:16; n Sl 87:5; o 1Re 14:8; 2Re 22:2; p 2Sa 11:4; 2Sa 11:15; Sl 51:Enc; q 1Re 14:30; 2Cr 12:15; r 2Cr 13:22; s 2Cr 13:3; t 2Cr 14:1; u 2Cr 3:10; Mt 1:7.

nombre de su abuela era Maacá[a] la nieta de Abisalom.[b] **11** Y Asá procedió a hacer lo que era recto a los ojos de Jehová, como David su antepasado.[c] **12** Por lo tanto, hizo pasar del país a los prostitutos de templo[d] y quitó todos los ídolos estercolizos[e] que sus antepasados habían hecho.[f] **13** En cuanto a Maacá[g] misma, su abuela, pasó a removerla de [ser] dama,[h] porque ella había hecho un ídolo horrible al poste sagrado; después de lo cual Asá cortó el ídolo horrible[i] de ella y lo quemó[j] en el valle torrencial de Cedrón.[k] **14** Y los lugares altos[l] no los quitó.[m] No obstante, el corazón mismo de Asá resultó completo para con Jehová todos sus días.[n] **15** Y empezó a introducir en la casa de Jehová las cosas santificadas por su padre y las cosas santificadas por él mismo, plata y oro y objetos.[o]

16 Y hubo guerra misma entre Asá y Baasá[p] el rey de Israel todos los días de ellos. **17** Por lo tanto, Baasá el rey de Israel subió contra Judá y se puso a edificar a Ramá,[q] para no permitir que nadie saliera ni entrara donde Asá el rey de Judá.[r] **18** Ante eso, Asá tomó toda la plata y el oro que quedaban en los tesoros de la casa de Jehová y los tesoros de la casa del rey y los puso en la mano de sus siervos; y ahora el rey Asá los envió a Ben-hadad[s] hijo de Tabrimón hijo de Hezión, el rey de Siria,[t] que estaba morando en Damasco,[u] y dijo: **19** "Hay un pacto entre yo y tú, entre mi padre y tu padre. Mira que te he enviado un presente[v] de plata y oro. Anda, rompe en efecto tu pacto con Baasá el rey de Israel, para que se retire de mí".[w] **20** Por consiguiente, Ben-hadad escuchó al rey Asá y envió a los jefes de las fuerzas militares que eran suyas contra las ciudades de Israel, y fue derribando a Ijón[x] y Dan[y] y Abel-bet-maacá[z] y todo Kíneret,

hasta toda la tierra de Neftalí.[a] **21** Y aconteció que, tan pronto como Baasá tuvo noticia de ello, inmediatamente dejó de edificar a Ramá[b] y continuó morando en Tirzá.[c] **22** Y el rey Asá, por su parte, mandó llamar a todo Judá[d] —no quedó nadie exento— y procedieron a llevarse las piedras de Ramá y las maderas de ella, con las cuales Baasá había estado edificando; y el rey Asá se puso a edificar con ellas a Gueba[e] en Benjamín, y a Mizpá.[f]

23 En cuanto al resto de todos los asuntos de Asá, y todo su poderío y todo lo que hizo, y las ciudades que edificó, ¿no están escritos en el libro[g] de los asuntos de los días de los reyes de Judá? Solo que al tiempo en que envejeció[h] enfermó de los pies.[i] **24** Por fin Asá yació con sus antepasados,[j] y fue enterrado con sus antepasados en la Ciudad de David su antepasado;[k] y Jehosafat[l] su hijo empezó a reinar en lugar de él.

25 En cuanto a Nadab[m] hijo de Jeroboán, llegó a ser rey sobre Israel en el segundo año de Asá el rey de Judá; y continuó reinando sobre Israel dos años. **26** Y siguió haciendo lo que era malo[n] a los ojos de Jehová y fue andando en el camino de su padre[o] y en su pecado con que hizo pecar a Israel.[p] **27** Y Baasá[q] hijo de Ahíya de la casa de Isacar empezó a conspirar contra él; y Baasá logró derribarlo en Guibetón,[r] que pertenecía a los filisteos, mientras Nadab y todo Israel estaban sitiando a Guibetón. **28** Así que Baasá le dio muerte en el tercer año de Asá el rey de Judá, y empezó a reinar en lugar de él.[s] **29** Y aconteció que, luego que llegó a ser rey, derribó a toda la casa de

CAP. 15
a 1Re 15:2; 2Cr 11:20; 2Cr 13:2 b 1Re 15:2; 2Cr 11:21 c 2Cr 14:2; 2Cr 14:11; 2Cr 15:17 d Dt 23:17; 1Re 14:24; 1Re 22:46; 1Co 6:9 e Éx 20:4; 2Cr 14:3; Jer 10:14 f 1Re 11:7; 1Re 14:23; Eze 20:18 g 2Cr 11:20 h Dt 13:6; 1Re 15:16; Zac 13:3; Mt 10:37; Lu 12:53 i Dt 7:5; 2Re 18:4; 2Cr 34:4 j Dt 9:21 k 2Sa 15:23; Jn 18:1 l Nú 33:52; Dt 12:2; 1Re 22:43 m 1Sa 9:12 n 1Re 8:61; 2Cr 15:17 o 1Cr 26:26; 2Cr 15:18 p 1Re 15:32; 1Re 16:3 1Re 16:12; 1Re 16:3 q Jos 18:25; 2Cr 16:1 r 1Re 12:27; 2Cr 11:14 s 2Cr 16:2 t 2Cr 16:7; 2Cr 16:9 u Gé 15:2; 1Re 11:24; Jer 49:27; Am 1:5 v Pr 17:8 w 2Cr 16:3 x 2Re 15:29 y Jue 18:29; 1Re 12:29 z 2Sa 20:14

2.ª col.
a 2Cr 16:4 b 2Cr 16:5 c 1Re 14:17; Can 6:4 d 2Cr 16:6 e Jos 18:24; Jos 21:17 f Jos 18:26; Jue 20:1; 1Sa 7:5; Jer 40:6 g 1Re 14:29; 2Cr 16:11 h Sl 90:10 i 2Cr 16:12; Ec 12:1 j 2Cr 16:13 k 2Cr 16:14

l 1Re 22:42; 2Cr 17:4; 2Cr 18:1; 2Cr 19:4; 2Cr 20:25; Mt 1:8; m 1Re 14:20; n 1Re 14:9; 1Re 16:7; 1Re 16:25; 1Re 16:30; o 1Re 12:28; 1Re 13:33; p 1Re 12:30; 1Re 14:16; q 1Re 15:16; r Jos 19:44; Jos 21:23; 1Re 16:15; s 1Re 14:6.

Jeroboán. No dejó que quedara ninguno de Jeroboán que respirara, hasta que lo hubo aniquilado, conforme a la palabra de Jehová que él había hablado por medio de su siervo Ahíya el silonita,[a] 30 a causa de los pecados de Jeroboán con que pecó[b] y con que hizo pecar a Israel [y] por lo ofensivo de él con que ofendió a Jehová el Dios de Israel.[c] 31 En cuanto al resto de los asuntos de Nadab y todo cuanto hizo, ¿no están escritos en el libro[d] de los asuntos de los días de los reyes de Israel? 32 Y hubo guerra misma entre Asá y Baasá el rey de Israel todos los días de estos.[e]

33 En el tercer año de Asá el rey de Judá, Baasá hijo de Ahíya llegó a ser rey sobre todo Israel en Tirzá por veinticuatro años.[f] 34 Y siguió haciendo lo que era malo a los ojos de Jehová,[g] y fue andando en el camino de Jeroboán[h] y en su pecado con que hizo pecar a Israel.[i]

16 Ahora vino la palabra de Jehová a Jehú[k] hijo de Hananí[k] contra Baasá, y dijo: 2 "Por cuanto te levanté del polvo[l] para constituirte caudillo sobre mi pueblo Israel,[m] pero te fuiste andando en el camino de Jeroboán[n] y así hiciste pecar a mi pueblo Israel, ofendiéndome con los pecados de ellos,[o] 3 aquí voy a barrer de modo completo tras Baasá y tras su casa, y ciertamente constituiré su casa como la casa de Jeroboán hijo de Nebat.[p] 4 A cualquiera de Baasá que muera en la ciudad, los perros se lo comerán; y a cualquiera suyo que muera en el campo, las aves de los cielos se lo comerán".[q]

5 En cuanto al resto de los asuntos de Baasá y lo que hizo, y su poder,[r] ¿no están escritos en el libro[r] de los asuntos de los días de los reyes de Israel? 6 Por fin Baasá yació con sus antepasados, y fue enterrado en Tirzá;[s]

y Elah su hijo empezó a reinar en lugar de él. 7 Y también por medio de Jehú hijo de Hananí el profeta, la palabra misma de Jehová había venido contra Baasá y contra su casa,[a] tanto por toda la maldad que él cometió a los ojos de Jehová ofendiéndolo[b] con la obra de sus manos,[c] para que ella llegara a ser como la casa de Jeroboán, como porque lo derribó.[d]

8 En el año veintiséis de Asá el rey de Judá, Elah hijo de Baasá llegó a ser rey sobre Israel en Tirzá, por dos años. 9 Y su siervo Zimrí,[e] el jefe de la mitad de los carros, empezó a conspirar contra él, mientras este estaba en Tirzá bebiendo[f] hasta emborracharse en casa de Arzá, que estaba sobre la casa[g] en Tirzá. 10 Y Zimrí procedió a entrar y a derribarlo[h] y darle muerte en el año veintisiete de Asá el rey de Judá, y empezó a reinar en lugar de él. 11 Y aconteció que, cuando empezó a reinar, en cuanto se sentó sobre su trono, derribó a toda la casa de Baasá. No dejó que quedara ninguno de los suyos que orinara contra una pared,[i] ni sus vengadores de sangre[j] ni sus amigos. 12 Así Zimrí aniquiló a toda la casa de Baasá,[k] conforme a la palabra de Jehová[l] que él había hablado contra Baasá mediante Jehú el profeta,[m] 13 a causa de todos los pecados de Baasá y los pecados de Elah[n] su hijo con que pecaron y con que hicieron pecar a Israel, ofendiendo a Jehová el Dios de Israel con sus vanos ídolos.[o] 14 En cuanto al resto de los asuntos de Elah y todo cuanto hizo, ¿no están escritos en el libro[p] de los asuntos de los días de los reyes de Israel?

15 En el año veintisiete de Asá el rey de Judá, Zimrí llegó a ser rey por siete días[q] en Tirzá, mientras el pueblo estaba acampado contra Guibetón,[r] que pertenecía a los filisteos. 16 Con

el tiempo, el pueblo que estaba acampado oyó decir: "Zimrí ha conspirado y también ha derribado al rey". Por lo tanto, todo Israel hizo que el jefe del ejército, Omrí,[a] fuera rey sobre Israel en aquel día en el campamento. 17 Omrí y con él todo Israel ahora fueron subiendo de Guibetón[b] a Tirzá. 18 Y aconteció que, en cuanto Zimrí vio que la ciudad había sido tomada, entonces entró en la torre de habitación de la casa del rey y quemó con fuego sobre sí la casa del rey, de modo que murió,[c] 19 por los pecados suyos con que había pecado haciendo lo que era malo a los ojos de Jehová[d] al andar en el camino de Jeroboán y en su pecado que él cometió, haciendo pecar a Israel.[e] 20 En cuanto al resto de los asuntos de Zimrí y su conspiración con que conspiró, ¿no están escritos en el libro[f] de los asuntos de los días de los reyes de Israel?

21 Entonces fue cuando el pueblo de Israel empezó a dividirse en dos partes.[g] Había [los de] una parte del pueblo que se hicieron seguidores de Tibní hijo de Guinat, para hacerlo rey, y [los de] la otra parte, seguidores de Omrí. 22 Por fin la gente que estaba siguiendo a Omrí venció a la gente que estaba siguiendo a Tibní hijo de Guinat; de manera que Tibní murió, y Omrí empezó a reinar.

23 En el año treinta y uno de Asá el rey de Judá, Omrí llegó a ser rey sobre Israel por doce años. En Tirzá reinó seis años. 24 Y procedió a comprar a Sémer la montaña de Samaria por dos talentos de plata, y se puso a edificar [en] la montaña y a llamar el nombre de la ciudad que edificó por el nombre de Sémer el amo de la montaña: Samaria.[h] 25 Y Omrí siguió haciendo lo que era malo a los ojos de Jehová, y llegó a hacer peor que todos

los que fueron antes de él.[a] 26 Y fue andando en todo el camino de Jeroboán hijo de Nebat[b] y en su pecado con que hizo pecar a Israel, ofendiendo a Jehová el Dios de Israel con sus vanos ídolos.[c] 27 En cuanto al resto de los asuntos de Omrí, lo que hizo, y su poderío con que actuó, ¿no están escritos en el libro[d] de los asuntos de los días de los reyes de Israel? 28 Por fin Omrí yació con sus antepasados, y fue enterrado en Samaria; y Acab[e] su hijo empezó a reinar en lugar de él.

29 Y en cuanto a Acab hijo de Omrí, él llegó a ser rey sobre Israel el año treinta y ocho de Asá el rey de Judá; y Acab hijo de Omrí continuó reinando sobre Israel en Samaria[f] veintidós años. 30 Y Acab hijo de Omrí procedió a hacer peor a los ojos de Jehová que todos los que fueron antes de él.[g] 31 Y aconteció que, [como si fuera] la cosa más insignificante[h] el que anduviera en los pecados de Jeroboán[i] hijo de Nebat, ahora tomó por esposa[j] a Jezabel[k] hija de Etbaal el rey de los sidonios,[l] y se puso a ir y servir a Baal[m] e inclinarse ante él. 32 Además, erigió un altar a Baal en la casa[n] de Baal que edificó en Samaria. 33 Y Acab pasó a hacer el poste sagrado;[o] y Acab llegó a hacer más para ofender[p] a Jehová el Dios de Israel que todos los reyes de Israel que hubo antes de él.

34 En sus días Hiel el betelita edificó a Jericó. Pagando con la pérdida de Abiram, su primogénito, colocó el fundamento de ella, y pagando con la pérdida de Segub, el menor de los suyos, puso sus puertas, conforme a la palabra de Jehová que él había hablado por medio de Josué hijo de Nun.[q]

17 Y Elías[r] el tisbita, de los habitantes de Galaad,[s] procedió a decir a Acab: "¡Tan ciertamente como que vive Je-

CAP. 16

a 2Re 8:26
  Pr 28:2
  Miq 6:16
b Dt 20:19
c Jue 9:54
  1Sa 31:4
  2Sa 17:23
  Mt 27:5
d 1Re 15:30
  Sl 9:16
e 1Re 12:28
  1Re 14:9
f 1Re 14:19
  1Re 15:31
  1Re 16:5
  1Re 22:39
g Pr 28:2
  Mt 12:25
h 1Re 20:1
  1Re 22:37
  2Re 17:24
  Am 6:1
  Hch 8:5

2.ª col.

a 1Re 14:9
  Miq 6:16
b 1Re 12:28
  1Re 13:33
  1Re 16:13
d 1Re 14:19
e 1Re 16:33
  1Re 21:4
  1Re 21:21
  2Re 10:1
  2Cr 18:1
f 1Re 16:24
  1Re 20:10
  Isa 7:14
g 1Re 16:25
  1Re 21:25
  2Re 3:2
h Sof 3:2
i 1Re 12:28
j Dt 7:3
  Jos 23:12
k 1Re 18:4
  1Re 18:19
  1Re 19:1
  1Re 21:7
  1Re 21:25
  2Re 9:30
  Rev 2:20
l Gé 10:15
  1Re 11:1
m Jue 2:11
  Jue 10:6
  2Re 10:19
  2Re 17:16
n 2Re 10:21
  2Re 10:27
o Éx 34:13
  2Re 10:26
  2Re 13:6
p 1Re 14:9
q Jos 6:26
  Jos 23:14
  Zac 1:6

CAP. 17

r 1Re 17:16
  1Re 17:22
  1Re 18:36
  1Re 18:46
  2Re 2:8
  2Re 2:11
  2Cr 21:12
  Lu 1:17
  Jn 1:21
s Jos 22:9
  2Re 10:33

hová[a] el Dios de Israel, delante de quien en efecto estoy de pie,[b] no habrá durante estos años ni rocío ni lluvia,[c] excepto por orden de mi palabra!".[d]

2 Ahora le vino la palabra[e] de Jehová, diciendo: 3 "Vete de aquí, y tienes que dirigirte hacia el este y ocultarte[f] junto al valle torrencial de Kerit, que está al este del Jordán. 4 Y tiene que suceder que debes beber del valle torrencial,[g] y ciertamente daré orden a los cuervos[h] para que te suministren alimento allí".[i] 5 Él se fue inmediatamente e hizo conforme a la palabra de Jehová,[j] así es que se fue y se puso a morar junto al valle torrencial de Kerit, que está al este del Jordán. 6 Y los cuervos mismos le traían pan y carne por la mañana, y pan y carne al atardecer, y siguió bebiendo[k] del valle torrencial. 7 Pero al cabo de algunos días aconteció que el valle torrencial se secó,[l] porque no había ocurrido aguacero sobre la tierra.

8 La palabra de Jehová ahora le vino, diciendo:[m] 9 "Levántate, ve a Sarepta,[n] que pertenece a Sidón, y tienes que morar allí. ¡Mira! Ciertamente daré orden allí a una mujer, una viuda, para que te suministre alimento". 10 Por lo tanto, él se levantó y se fue a Sarepta, y entró por la entrada de la ciudad; y, ¡mire!, allí estaba una mujer, una viuda, recogiendo pedazos de leña. De modo que la llamó y dijo: "Por favor, consígueme un sorbo de agua en una vasija para beber".[o] 11 Cuando ella empezó a ir para conseguirlo, él pasó a llamarla y a decir: "Por favor, consígueme un pedacito de pan[p] en tu mano". 12 Por lo cual ella dijo: "Tan ciertamente como que vive Jehová tu Dios,[q] no tengo torta redonda,[r] sino un puñado[s] de harina en el jarro grande y un poco de aceite[t] en el jarro pequeño; y aquí estoy recogien-

do unos cuantos pedazos de leña, y tengo que entrar y hacer algo para mí y mi hijo, y tendremos que comerlo y morir".[a]

13 Entonces le dijo Elías: "No tengas miedo.[b] Entra, haz conforme a tu palabra. Solo que de lo que hay allí, hazme primero una pequeña torta redonda,[c] y tienes que traérmela acá fuera, y para ti y tu hijo puedes hacer algo después. 14 Porque esto es lo que ha dicho el Dios de Israel: 'El jarro grande de harina mismo no se agotará, y el jarro pequeño de aceite mismo no fallará hasta el día en que Jehová dé un aguacero sobre la superficie del suelo'".[d] 15 Por lo tanto, ella se fue e hizo conforme a la palabra de Elías; y continuó comiendo, ella junto con él y con su casa, por días.[e] 16 El jarro grande de harina mismo no se agotó, y el jarro pequeño de aceite mismo no falló,[f] conforme a la palabra de Jehová que él había hablado por medio de Elías.

17 Y después de estas cosas aconteció que el hijo de la mujer, el ama de la casa, enfermó, y su enfermedad llegó a ser tan grave que no quedó aliento en él.[g] 18 Ante esto, ella dijo a Elías: "¿Qué tengo yo que ver contigo,[h] oh hombre del Dios [verdadero]? Has venido a mí para que se recuerde mi error[i] y para dar muerte a mi hijo". 19 Pero él le dijo: "Dame tu hijo". Entonces lo tomó del seno de ella y lo llevó arriba a la cámara en el techo,[j] donde él moraba, y lo acostó sobre su propio lecho.[k] 20 Y empezó a clamar a Jehová y a decir: "Oh Jehová mi Dios,[l] ¿también sobre la viuda con quien estoy residiendo como forastero tienes que traer perjuicio, dando muerte a su hijo?". 21 Y procedió a estirarse sobre el niño[m] tres veces y a clamar a Jehová y a decir: "Oh Jehová mi Dios, por favor, haz que el alma[n] de este niño

CAP. 17
a Dt 6:13
  1Sa 19:6
  1Re 22:14
  2Re 3:14
  Jer 12:16
b Dt 10:8
  Lu 1:19
c Le 26:21
  Dt 28:23
d Jer 14:22
  Lu 4:25
  Snt 5:17
e Nú 12:6
f 1Sl 19:26
  Sl 83:3
g Sl 110:7
h Sl 147:9
  Ro 8:28
i Sl 37:5
  Sl 37:25
  Mt 6:11
  2Pe 2:9
j Sl 119:60
  Pr 3:5
k Nú 11:23
  Jue 15:19
l 1Re 18:5
  Job 6:15
m Sl 36:10
n Abd 20
  Lu 4:26
o Gé 24:17
  Mt 10:42
  Jn 4:7
  Heb 11:37
p Gé 18:5
q Dt 6:13
  Jer 4:2
r Gé 18:6
s Mt 15:33
t 2Re 4:2

2.ᵃ col.
a Lam 4:9
b Isa 41:10
c Pr 3:9
  Mt 19:21
  1Pe 1:7
d Sl 34:10
  Pr 3:10
  Flp 4:19
e 2Cr 20:20
  Mt 10:41
  Lu 4:25
f Sl 37:19
  Pr 11:24
  Lu 18:27
g Gé 2:7
  2Re 4:20
  Job 34:14
  Ec 9:11
h 2Sa 16:10
  2Sa 19:22
  2Re 3:13
  Mt 8:29
  Mr 1:24
  Jn 2:4
i Job 13:26
j 2Re 4:10
  Hch 9:37
k 2Re 4:21
  2Re 4:32
l 1Re 18:36
  Sl 99:6
  Mt 21:22
m 2Re 4:34
  Hch 20:10
n Gé 35:18
  Jer 15:9

vuelva dentro de él". 22 Finalmente Jehová escuchó la voz de Elías,[a] de modo que el alma del niño volvió dentro de él, y llegó a vivir.[b] 23 Elías ahora tomó al niño y lo bajó desde la cámara en el techo hasta dentro de la casa, y se lo dio a su madre; y entonces dijo Elías: "Mira, tu hijo está vivo".[c] 24 Ante esto, la mujer dijo a Elías: "Ahora, de veras, sí sé que eres un hombre de Dios,[d] y que la palabra de Jehová en tu boca es verdadera".[e]

18 Y [después de] muchos días[f] aconteció que la propia palabra de Jehová vino a Elías al tercer año, diciendo: "Ve, muéstrate a Acab, porque estoy resuelto a dar lluvia sobre la superficie del suelo".[g] 2 Por lo tanto, Elías fue a mostrarse a Acab, mientras el hambre era grave[h] en Samaria.

3 Entretanto, Acab llamó a Abdías, que estaba sobre la casa.[i] (Ahora bien, Abdías mismo había resultado ser uno que temía[j] en gran manera a Jehová. 4 Por eso aconteció que, cuando Jezabel[k] cortó [de la existencia] a los profetas de Jehová,[l] Abdías procedió a tomar a cien profetas y mantenerlos escondidos por cincuentenas en una cueva, y les suministró pan y agua.)[m] 5 Y Acab pasó a decir a Abdías: "Ve por la tierra a todos los manantiales de agua y a todos los valles torrenciales. Tal vez hallemos hierba verde,[n] para que conservemos vivos los caballos y mulos y no nos sean cortadas [más] de las bestias".[o] 6 De modo que dividieron entre sí la tierra por la cual pasar. Acab mismo se fue solo por un camino, y Abdías mismo se fue solo por otro camino.[p]

7 Al continuar Abdías por el camino, pues, allí estaba Elías para encontrarse con él.[q] En seguida [Abdías] lo reconoció y cayó sobre su rostro[r] y dijo:

"¿Eres tú, mi señor[a] Elías?". 8 Ante esto, él le dijo: "Soy yo. Ve, di a tu señor:[b] 'Aquí está Elías'". 9 Pero él dijo: "¿Qué pecado[c] he cometido yo para que pongas a tu siervo en la mano de Acab para que me dé muerte? 10 Tan ciertamente como que vive Jehová tu Dios,[d] no hay nación o reino adonde no haya enviado mi señor a buscarte. Después que habían dicho: 'No está [aquí]', hacía que el reino y la nación juraran que no te podían hallar.[e] 11 Y ahora estás diciendo: 'Ve, di a tu señor: "Aquí está Elías"'. 12 Y de seguro sucederá que, cuando yo mismo me vaya de ti, entonces el espíritu[f] mismo de Jehová te llevará a donde yo no sepa; y yo habré ido a informárselo a Acab, y él no te hallará, y de seguro me matará,[g] por cuanto tu siervo mismo ha temido a Jehová desde su juventud.[h] 13 ¿No le han referido a mi señor lo que hice cuando Jezabel mató a los profetas de Jehová, cómo mantuve escondidos a algunos de los profetas de Jehová, a cien hombres por cincuentenas en una cueva,[i] y seguí suministrándoles pan y agua?[j] 14 Y ahora estás diciendo: 'Ve, di a tu señor: "Aquí está Elías"'. Y él de seguro me matará".[k] 15 Sin embargo, Elías dijo: "Tan ciertamente como que vive[l] Jehová de los ejércitos,[m] delante de quien en verdad estoy de pie, hoy me mostraré a él".

16 Por consiguiente, Abdías se fue a encontrarse con Acab, y se lo informó; y por eso Acab fue a encontrarse con Elías.

17 Y aconteció que, en cuanto Acab vio a Elías, Acab le dijo inmediatamente: "¿Eres tú, el acarreador de extrañamiento a Israel?".[n]

18 A lo que dijo él: "Yo no he acarreado extrañamiento[o] a Israel, sino tú y la casa de tu padre,[p] porque ustedes han aban-

---

CAP. 17
a Sl 65:2
  Pr 15:8
  Hch 9:40
  Heb 11:19
  Snt 5:16
b Dt 32:39
  1Sa 2:6
  2Re 4:34
  2Re 13:21
  Lu 7:15
  Lu 8:55
  Jn 5:28
  Jn 11:44
  Hch 9:41
  Hch 20:10
  Ro 14:9
c Heb 11:35
d Jn 3:2
e 1Te 2:13
  1Jn 2:21

CAP. 18
f Lu 4:25
  Snt 5:17
g Sl 65:9
  Sl 65:10
  Jer 14:22
  Mt 5:45
h Le 26:26
  Dt 28:24
  Lam 4:9
i Gé 24:2
  Pr 8:13
j Pr 8:13
  Pr 14:26
  Mal 3:16
  Hch 10:2
k 1Re 16:31
l Ne 9:26
  Sl 105:15
m Pr 19:17
  Mt 10:42
n Sl 104:14
o Jer 14:5
  Joe 1:18
p Jer 14:3
q 2Re 1:8
r 1Sa 25:23

2.ª col.
a 2Re 8:12
b 1Pe 2:17
c 1Re 17:18
d Dt 6:13
  1Re 1:29
  e 1Re 17:3
  1Re 17:9
f 2Re 2:16
  Eze 3:12
  Mt 4:1
  Hch 8:39
g Pr 16:14
h 1Re 18:21
  Sl 71:17
  Pr 8:13
  Ec 7:18
  Ec 12:1
  Isa 50:10
i 1Re 18:4
j Mt 25:35
k Pr 22:3
l Dt 6:13
  Isa 49:18
m 1Sa 4:4
  Sl 24:10
n Hch 24:13
  2Pe 2:10
  Jud 8
o Jos 7:25
p Eze 3:8

donado los mandamientos de Jehová,[a] y tú te pusiste a seguir a los Baales.[b] 19 Y ahora envía, júntame a todo Israel en el monte Carmelo,[c] y también a los cuatrocientos cincuenta profetas de Baal[d] y a los cuatrocientos profetas del poste sagrado,[e] que están comiendo a la mesa de Jezabel".[f] 20 Y Acab procedió a enviar [mensajeros] entre todos los hijos de Israel y a juntar a los profetas[g] en el monte Carmelo.

21 Entonces Elías se acercó a todo el pueblo y dijo: "¿Hasta cuándo irán cojeando sobre dos opiniones diferentes?[h] Si Jehová es el Dios [verdadero], vayan siguiéndolo;[i] pero si Baal lo es, vayan siguiéndolo a él". Y el pueblo no dijo una palabra en respuesta a él. 22 Y Elías pasó a decir al pueblo: "Yo mismo he quedado como profeta de Jehová,[j] yo solo, mientras que los profetas de Baal son cuatrocientos cincuenta hombres. 23 Ahora que nos den dos toros jóvenes, y que escojan ellos para sí un toro joven y lo corten en pedazos y lo pongan sobre la leña, pero no deben ponerle fuego. Y yo mismo aderezaré el otro toro joven, y tendré que ponerlo sobre la leña, pero no lo pondré fuego. 24 Y ustedes tienen que invocar el nombre de su dios,[k] y yo, por mi parte, invocaré el nombre de Jehová; y tiene que suceder que el Dios [verdadero] que responda por medio de fuego[l] es el Dios [verdadero]".[m] A esto todo el pueblo respondió y dijo: "La cosa está bien".

25 Y Elías ahora dijo a los profetas de Baal: "Escójanse un toro joven y aderécenlo primero, porque ustedes son la mayoría; e invoquen el nombre de su dios, pero no deben ponerle fuego". 26 Por consiguiente, ellos tomaron el toro joven que les dio. Entonces lo aderezaron,

y siguieron invocando el nombre de Baal desde la mañana hasta el mediodía, diciendo: "¡Oh Baal, respóndenos!". Pero no hubo voz,[a] y no hubo quien respondiera.[b] Y siguieron cojeando en derredor del altar que habían hecho. 27 Y al mediodía aconteció que Elías empezó a mofarse[c] de ellos y a decir: "Llamen a voz en cuello, porque él es un dios;[d] porque debe estar preocupado con un asunto, y tiene excremento[e] y tiene que ir al excusado.[f] ¡O quizás esté dormido y deba despertarse!".[g] 28 Y se pusieron a clamar a voz en cuello y a cortarse[h] según su costumbre con dagas y con lancetas, hasta que hicieron chorrear la sangre sobre sí. 29 Y aconteció que, tan pronto como pasó el mediodía y continuaron portándose como profetas[i] hasta la [hora de] ascender la ofrenda de grano, no hubo voz, y no hubo quien respondiera, y no se prestó ninguna atención.[j]

30 Por fin Elías dijo a todo el pueblo: "Acérquense a mí". De modo que todo el pueblo se acercó a él. Entonces procedió a componer el altar de Jehová que estaba demolido.[k] 31 Así que Elías tomó doce piedras, conforme al número de las tribus de los hijos de Jacob, a quien la palabra de Jehová había venido[l] diciendo: "Israel es lo que llegará a ser tu nombre".[m] 32 Y se puso a edificar con las piedras un altar[n] en el nombre de Jehová[o] y a hacer una zanja, de más o menos la extensión que se siembra con dos medidas de sea de semilla, todo en derredor del altar. 33 Después puso en orden los pedazos de leña[p] y cortó en trozos el toro joven y lo colocó sobre los pedazos de leña. Ahora dijo: "Llenen cuatro jarrones de agua y derrámenla sobre la ofrenda quemada y sobre los pedazos de leña".

CAP. 18
a Éx 20:4
1Re 9:9
Jer 2:13
b 1Re 16:31
c Jos 19:26
2Re 2:25
Jer 46:18
Am 1:2
d Eze 13:3
e 1Re 16:33
f 1Re 19:1
g 1Re 22:6
h Dt 4:35
2Re 17:41
Isa 42:8
Jer 2:11
Os 10:2
Mt 12:30
1Co 10:21
2Co 6:14
i Éx 20:5
Jos 24:15
1Sa 7:3
Sl 100:3
j 1Re 19:10
k Jue 6:31
l Dt 4:24
Me 5:9
Jue 6:21
1Cr 21:26
2Cr 7:1

2.ª col.
a Sl 115:7
b Sl 115:5
Sl 135:16
Isa 44:18
Isa 46:20
Jer 10:5
Da 5:23
Hab 2:18
1Co 8:4
1Co 10:19
1Co 12:2
c Jer 10:15
d Isa 41:23
e Mt 15:17
f Jue 3:24
1Sa 24:3
g Sl 121:4
Sl 135:17
Isa 40:28
h Le 19:28
Dt 14:1
i 1Sa 18:10
1Re 22:10
j Isa 44:20
Gál 4:8
k 1Re 19:14
l Éx 24:4
Jos 4:3
m Gé 32:28
Gé 35:10
2Re 17:34
Isa 48:1
n Éx 20:25
Dt 27:6
o Gé 13:18
Dt 12:27
1Re 18:24
p Gé 22:9
Le 1:7

34 En seguida dijo: "Háganlo otra vez". De modo que lo hicieron otra vez. Pero él dijo: "Háganlo la tercera vez". De modo que lo hicieron la tercera vez. **35** Así el agua iba todo en derredor del altar, y él llenó también de agua la zanja.

36 Y al tiempo[a] que asciende la ofrenda de grano aconteció que Elías el profeta empezó a acercarse y a decir: "Oh Jehová, el Dios de Abrahán,[b] Isaac[c] e Israel,[d] conózcase hoy que tú eres Dios en Israel[e] y tú soy tu siervo y que por medio de tu palabra[f] he hecho todas estas cosas. **37** Respóndeme, oh Jehová, respóndeme, para que sepa este pueblo que tú, Jehová,[g] eres el Dios [verdadero] y tú mismo has vuelto atrás el corazón de ellos".[h]

38 Ante eso, el fuego[i] de Jehová vino cayendo, y se puso a comer la ofrenda quemada[j] y los pedazos de leña y las piedras y el polvo, y lamió el agua que estaba en la zanja.[k] **39** Cuando todo el pueblo lo vio, inmediatamente cayeron sobre sus rostros[l] y dijeron: "¡Jehová es el Dios [verdadero]! ¡Jehová es el Dios [verdadero]!". **40** Entonces Elías les dijo: "¡Prendan a los profetas de Baal! ¡No permitan que escape ni uno solo de ellos!". En seguida los prendieron, y Elías entonces los llevó abajo al valle torrencial de Cisón,[m] y allí los degolló.

41 Elías ahora dijo a Acab: "Sube, come y bebe;[o] porque hay el sonido de la ruidosa agitación de un aguacero".[p] **42** Y Acab procedió a subir a comer y beber. En cuanto a Elías, subió a la cima del Carmelo y empezó a agazaparse a tierra[q] y a mantener su rostro entre las rodillas.[r] **43** Entonces dijo a su servidor: "Sube, por favor. Mira en dirección al mar". Él subió, pues, y miró, y entonces dijo: "No hay nada absolu-

tamente". Y él pasó a decir: "Vuelve", siete veces.[a] **44** Y a la séptima vez aconteció que llegó a decir: "¡Mira! Hay una nubecilla como la palma de la mano de un hombre, que viene ascendiendo del mar".[b] Ahora él dijo: "Sube, di a Acab: '¡Engancha [el carro]![c] ¡Y baja para que no te detenga el aguacero!' ". **45** Y mientras tanto aconteció que los cielos mismos se oscurecieron con nubes y viento,[d] y empezó a haber un gran aguacero.[e] Y Acab siguió adelante montado [en su carro], y se encaminó a Jezreel.[f] **46** Y la misma mano de Jehová resultó estar sobre Elías,[g] de modo que él se ciñó las caderas[h] y se fue corriendo delante de Acab todo el camino hasta Jezreel.[i]

19 Entonces Acab[j] refirió a Jezabel[k] todo lo que Elías había hecho y todo acerca de cómo había matado a todos los profetas a espada.[l] **2** Ante eso, Jezabel envió un mensajero a Elías, para decirle: "¡Así hagan los dioses,[m] y así añadan a ello,[n] si mañana a esta hora no hago tu alma como el alma de cada uno de ellos!". **3** Y a él le dio miedo. Por lo tanto, se levantó y empezó a irse por su alma,[o] y llegó a Beer-seba,[p] que pertenece a Judá.[q] Entonces dejó allá atrás a su servidor. **4** Y él mismo entró en el desierto camino de un día, y por fin llegó y se sentó debajo de cierta retama.[r] Y se puso a pedir que muriera su alma, y a decir: "¡Basta! Ahora, oh Jehová, quítame el alma,[s] porque no soy mejor que mis antepasados.

5 Por fin se acostó y se quedó dormido debajo de la retama.[t] Pero, ¡mire!, ahora estaba tocándolo[u] un ángel.[v] Entonces este le dijo: "Levántate, come". **6** Cuando él miró, pues, allí

CAP. 18

a Éxo 29:41
Sl 141:2
Hch 3:1
b Gé 26:24
2Cr 20:7
c Gé 28:13
Gé 31:53
Gé 32:9
Gé 46:3
d 1Cr 29:18
Mt 22:32
e Éxo 20:2
Sl 83:18
Eze 36:23
f Nú 16:28
2Sa 7:21
Jn 11:42
g 2Cr 14:11
Sl 96:5
Isa 44:6
Da 4:37
h Jer 31:18
Eze 18:32
Eze 33:11
i Le 9:24
2Cr 7:1
2Cr 7:3
j 1Re 18:23
k 1Re 18:24
l 2Cr 7:3
Snt 4:10
m Jue 5:21
Sl 83:9
n Dt 13:5
Dt 18:20
o Ec 9:7
p 1Re 17:1
Zac 10:1
q Jos 7:6
Snt 5:16
r Sl 89:7
Heb 12:28
Snt 5:17

2.ª col.

a Lu 18:7
b Lu 12:54
c Miq 1:13
d Sl 107:25
Sl 147:18
Snt 5:18
e 1Sa 12:18
Job 38:37
Sl 68:9
f Jos 19:18
1Re 21:1
g Isa 8:11
Eze 3:14
h Éx 12:11
2Re 4:29
2Re 9:1
1Pe 1:13
i 1Sa 8:11
1Pe 2:17

CAP. 19

j 1Re 16:29
1Re 21:25
k 1Re 16:31
1Re 18:40
m 1Re 20:10
n Hch 23:13
o Éx 2:15
1Sa 27:1
Pr 16:14
Pr 22:3
Mt 10:23
p Gé 21:31
q Jos 15:28
r Jon 4:6

s Nú 11:15; Job 3:21; Jon 4:3; t Job 30:4; u Da 10:10; Hch 12:7; v Sl 34:7.

junto a su cabeza estaba una torta redonda[a] sobre piedras calentadas, y una jarra de agua. Y él se puso a comer y beber, después de lo cual volvió a acostarse. 7 Más tarde el ángel[b] de Jehová volvió por segunda vez y lo tocó y dijo: "Levántate, come, porque el viaje es demasiado para ti".[c] 8 Por lo tanto él se levantó y comió y bebió, y siguió yendo por el poder de aquel alimento durante cuarenta días[d] y cuarenta noches hasta la montaña del Dios [verdadero], Horeb.[e]

9 Allí por fin entró en una cueva,[f] para pasar la noche allí; y, ¡mire!, hubo la palabra de Jehová para él, y pasó a decirle: "¿Qué negocio tienes aquí, Elías?"[g] 10 A lo que él dijo: "He estado absolutamente celoso[h] por Jehová el Dios de los ejércitos; pues los hijos de Israel han dejado tu pacto,[i] tus altares los han demolido,[j] y a tus profetas los han matado a espada,[k] de modo que solo quedo yo;[l] y empiezan a buscar mi alma para quitármela".[m] 11 Pero aquella dijo: "Sal fuera, y tienes que estar de pie en la montaña delante de Jehová".[n] Y, ¡mire!, Jehová iba pasando,[o] y un viento grande y fuerte estaba desgarrando montañas y quebrando peñascos delante de Jehová.[p] (Jehová no estaba en el viento.) Y después del viento hubo un temblor.[q] (Jehová no estaba en el temblor.) 12 Y después del temblor hubo un fuego.[r] (Jehová no estaba en el fuego.) Y después del fuego hubo una voz calmada y baja.[s] 13 Y aconteció que tan pronto como Elías la oyó, inmediatamente se envolvió el rostro con su prenda de vestir oficial[t] y salió fuera y se puso de pie a la entrada de la cueva; y, ¡mire!, hubo una voz para él, y procedió a decirle: "¿Qué negocio tienes aquí, Elías?".[u] 14 A lo que dijo él:

"He estado absolutamente celoso por Jehová el Dios de los ejércitos; pues los hijos de Israel han dejado tu pacto,[a] tus altares los han demolido, y a tus profetas los han matado a espada, de modo que solo quedo yo; y empiezan a buscar mi alma para quitármela".[b]

15 Jehová ahora le dijo: "Anda, vuélvete por tu camino al desierto de Damasco;[c] y tienes que entrar y ungir[d] a Hazael[e] por rey sobre Siria. 16 Y a Jehú[f] nieto de Nimsí[g] lo debes ungir por rey sobre Israel; y a Eliseo[h] hijo de Safat de Abelmeholá[i] lo debes ungir por profeta en lugar de ti.[j] 17 Y tiene que suceder que, al que escape de la espada de Hazael,[k] Jehú le dará muerte;[l] y al que escape de la espada de Jehú, Eliseo le dará muerte.[m] 18 Y he dejado que siete mil permanezcan en Israel,[n] todas las rodillas que no se han doblado a Baal,[o] y toda boca que no lo ha besado".[p]

19 Por lo tanto, él se fue de allí y halló a Eliseo hijo de Safat mientras estaba arando[q] con doce yuntas delante de él, y él con la duodécima. Elías, pues, cruzó a donde él y echó sobre él su prenda de vestir oficial.[r] 20 Por lo cual él dejó los toros y se fue corriendo tras Elías y dijo: "Déjame, por favor, besar a mi padre y a mi madre.[s] Entonces ciertamente iré siguiéndote". Ante esto, él le dijo: "Anda, vuélvete; pues, ¿qué te he hecho yo?". 21 Así que se volvió de seguirlo y entonces tomó una yunta de toros y los sacrificó,[t] y con los aparejos[u] de los toros coció su carne y luego la dio a la gente, y ellos procedieron a comer. Después de aquello se levantó y se puso a seguir a Elías y empezó a ministrarle.[v]

CAP. 19
a 1Re 17:12
  Isa 33:16
b Heb 1:14
c Sl 103:13
d Éx 24:18
  Dt 9:9
  Lu 4:2
e Éx 3:1
  Éx 19:18
  Mal 4:4
f Éx 33:22
  Heb 11:38
g Jue 16:8
  Sl 139:7
h Éx 20:5
  Nú 25:11
  2Re 10:16
  Sl 119:139
  2Co 11:2
i 1Re 29:25
  Jue 2:20
  1Re 8:9
  2Re 17:15
  Heb 8:9
j Ro 11:3
k 1Re 18:4
l 1Re 18:22
  Pr 24:10
  Ro 11:3
m 1Re 19:2
n Éx 34:2
  Éx 33:22
  Hab 3:3
o Job 38:1
  Sl 50:3
  Isa 29:6
q 1Sa 14:15
  Job 9:6
  Sl 68:8
  Na 1:5
r Dt 4:11
s Éx 34:6
  Dt 4:33
t Éx 3:6
u 1Re 19:9

2.ª col.
a Dt 31:20
  Sl 78:37
  Isa 1:4
  Jer 22:9
  Ro 11:3
b 1Re 19:10
c 2Re 8:7
d 1Sa 2:7
e 2Re 8:8
  2Re 8:12
  Am 1:4
f 2Re 9:2
  2Re 9:30
  2Re 9:14
h 2Re 2:9
  Lu 4:27
i Jue 7:22
  1Re 4:12
j 2Re 2:15
k 2Re 9:14
  2Re 9:18
  2Re 10:32
  2Re 13:3
l 2Re 9:24
  2Re 10:6
  2Re 10:25
m 2Re 2:24
n Isa 1:9
  Ro 11:4
  Ro 11:5
o 2Ti 2:19
o Éx 20:5
p Os 13:2

q Éx 3:1; Jue 6:11; 2Sa 7:8; r 2Re 2:8; s Gé 31:28;
t 1Re 19:5; u 2Sa 24:22; v Éx 24:13; 2Re 2:3; 2Re
3:11.

20 En cuanto a Ben-hadad[a] el rey de Siria, este juntó todas sus fuerzas militares y también treinta y dos reyes con él,[b] y caballos[c] y carros,[d] y procedió a subir y a poner sitio[e] a Samaria[f] y a pelear contra ella. 2 Entonces envió mensajeros[g] a Acab el rey de Israel en la ciudad. Y pasó a decirle: "Esto es lo que ha dicho Ben-hadad: 3 'Tu plata y tu oro son míos, y tus esposas y tus hijos, los mejor parecidos, son míos'".[h] 4 A lo cual el rey de Israel respondió y dijo: "Conforme a tu palabra, mi señor rey, tuyo soy con todo lo que me pertenece".[i]

5 Más tarde los mensajeros volvieron y dijeron: "Esto es lo que ha dicho Ben-hadad: 'Yo envié a ti, diciendo: "Tu plata y tu oro y tus esposas y tus hijos me los darás. 6 Pero mañana como a esta hora enviaré a ti mis siervos, y tendrán que registrar cuidadosamente tu casa y las casas de tus siervos; y tendrá que suceder que cuanto sea deseable[j] a tus ojos lo pondrán ellos en su mano, y tendrán que llevárselo"'".

7 Ante eso, el rey de Israel llamó a todos los ancianos del país[k] y dijo: "Fíjense, por favor, y vean que lo que este anda buscando es calamidad;[l] porque envió a mí por mis esposas y mis hijos y mi plata y mi oro, y no los retuve de él". 8 Entonces todos los ancianos y todo el pueblo le dijeron: "No obedezcas, y no debes consentir". 9 Por lo tanto, él dijo a los mensajeros de Ben-hadad: "Digan a mi señor el rey: 'Todo lo que enviaste [a decir] a tu siervo al principio, lo haré; pero esta cosa no la puedo hacer'". Con esto los mensajeros se fueron y le llevaron de vuelta la palabra.

10 Ben-hadad ahora le envió a decir: "¡Así háganme los dioses,[m] y así añadan a ello,[n] si el polvo de Samaria haya de bastar para [dar] puñados a toda la gente que me sigue!".[a] 11 A su vez, el rey de Israel contestó y dijo: "Háblenle: 'El que se ciñe,[b] no se jacte como el que se desabrocha'".[c] 12 Y aconteció que luego que él oyó esta palabra, mientras él mismo y los reyes estaban bebiendo[d] en las cabañas, inmediatamente dijo a sus siervos: "¡Dispónganse!". Y empezaron a disponerse contra la ciudad.

13 Y, ¡mire!, cierto profeta se acercó a Acab el rey de Israel[e] y entonces dijo: "Esto es lo que ha dicho Jehová:[f] '¿Has visto a toda esta gran muchedumbre? Aquí voy a darla en tu mano hoy, y ciertamente sabrás que yo soy Jehová'".[g] 14 Entonces dijo Acab: "¿Por medio de quién?", a lo que dijo: "Esto es lo que ha dicho Jehová: 'Por medio de los jóvenes de los príncipes de los distritos jurisdiccionales'". Finalmente dijo: "¿Quién iniciará la acción de batalla?, a lo que él dijo: "¡Tú!".

15 Y él procedió a tomar la cuenta de los jóvenes de los príncipes de los distritos jurisdiccionales, y llegaron a ser doscientos treinta y dos;[h] y después de ellos tomó la cuenta de toda la gente, todos los hijos de Israel, siete mil. 16 Y empezaron a salir al mediodía, mientras Ben-hadad estaba bebiendo hasta emborracharse[i] en las cabañas, él junto con los reyes, los treinta y dos reyes que estaban ayudándole. 17 Cuando los jóvenes[j] de los príncipes de los distritos jurisdiccionales salieron los primeros, Ben-hadad en seguida envió [a ver]; y vinieron a informarle, diciendo: "Hay hombres que han salido de Samaria". 18 A lo que él dijo: "Sea que para paz hayan salido, deben prenderlos vivos; o sea que para combate hayan salido, vivos es como deben prender-

CAP. 20
a 2Re 6:24
  2Re 8:7
b Isa 10:8
  Eze 26:7
c Pr 21:31
d Dt 20:1
e Le 26:25
  Dt 28:52
f 2Re 6:24
  2Re 17:5
g 2Re 19:9
  2Re 19:23
  Isa 37:9
h Éx 15:9
  Job 40:12
  Isa 10:13
i Le 26:28
  Dt 28:48
j Jue 5:30
  Esd 8:27
k Pr 11:14
l Pr 11:27
m 1Re 19:2
  Jer 5:7
n Hch 23:12

2.ª col.
a Pr 16:18
  Isa 37:24
b 1Sa 2:3
  1Sa 25:13
  Sl 45:3
c Pr 27:1
  Ec 7:8
  Ec 8:7
d Pr 31:4
e 1Re 16:29
f Isa 55:11
g Éx 14:18
  Sl 37:20
h 1Sa 14:6
  2Cr 14:11
i Pr 31:4
  Ec 10:17
  Os 4:11
j 1Re 20:14

los".[a]   19 Y estos fueron los que salieron de la ciudad, los jóvenes con los príncipes de los distritos jurisdiccionales y las fuerzas militares que estaban detrás de ellos.   20 Y se pusieron a derribar cada uno a su hombre; y los sirios[b] emprendieron fuga,[c] e Israel fue persiguiéndolos, pero Ben-hadad el rey de Siria logró escapar sobre un caballo junto con los hombres de a caballo.   21 Pero el rey de Israel salió y siguió derribando los caballos y los carros,[d] y derribó a los sirios con una gran matanza.

22 Más tarde el profeta[e] se acercó al rey de Israel y le dijo: "Ve, fortalécete[f] y nota y ve lo que vas a hacer;[g] porque a la vuelta del año el rey de Siria va a subir contra ti".[h]

23 En cuanto a los siervos del rey de Siria, ellos le dijeron: "El Dios de ellos es un Dios de montañas.[i] Por eso resultaron más fuertes que nosotros. Por el contrario, pues, peleemos contra ellos en la tierra llana, [y ve] si no resultamos más fuertes que ellos.   24 Y haz esta cosa: Remueve a los reyes[j] cada uno de su lugar, y pon gobernadores en vez de ellos.[k]   25 En cuanto a ti, debes numerarte una fuerza militar igual a la fuerza militar que cayó de tu lado, con caballo por caballo y carro por carro; y peleemos contra ellos en la tierra llana, [y ve] si no resultamos más fuertes que ellos".[l] Por consiguiente, él escuchó la voz de ellos e hizo precisamente así.

26 Y a la vuelta del año aconteció que Ben-hadad procedió a reunir con fines militares a los sirios[m] y a subir a Afeq[n] para combate contra Israel.   27 En cuanto a los hijos de Israel, se hallaban reunidos con fines militares y provistos,[o] y empezaron a salir a su encuentro; y los hijos de Israel se pusieron a acampar enfrente de ellos como dos rebañuelos de cabras, mien-

tras los sirios, por su parte, llenaban la tierra.[a]   28 Entonces se acercó el hombre del Dios [verdadero][b] y dijo al rey de Israel, sí, pasó a decir: "Esto es lo que ha dicho Jehová: 'Por razón de que los sirios han dicho: "Jehová es un Dios de montañas, y no es un Dios de llanuras bajas", tendré que dar toda esta gran muchedumbre en tu mano,[c] y ustedes ciertamente sabrán que yo soy Jehová' ".[d]

29 Y continuaron acampados por siete días, estos enfrente de aquellos.[e] Y al séptimo día aconteció que empezó la acción de batalla; y los hijos de Israel fueron derribando a los sirios, a cien mil hombres de a pie en un día.[f]   30 Y los que quedaran fueron huyendo a Afeq,[f] a la ciudad; y el muro vino cayendo sobre veintisiete mil hombres que quedaban.[g] En cuanto a Ben-hadad, huyó,[h] y por fin entró en la ciudad, dentro de la cámara más recóndita.

31 Así que sus siervos le dijeron: "Ve esto: nosotros hemos oído que los reyes de la casa de Israel son reyes de bondad amorosa.[j] Por favor, déjanos llevar sacos[k] sobre nuestros lomos[l] y sogas sobre nuestras cabezas, y déjanos salir al rey de Israel. Tal vez conserve viva tu alma".[m]   32 Por lo tanto, se ciñeron de sacos los lomos, con sogas sobre las cabezas, y vinieron al rey de Israel y dijeron: "Tu siervo Ben-hadad ha dicho: 'Por favor, deja vivir mi alma' ". A lo que dijo él: "¿Todavía está vivo? Es mi hermano".   33 De modo que los hombres[n] mismos lo tomaron como agüero y prestamente lo tomaron como decisión espontánea de parte de él, y pasaron a decir: "Ben-hadad es tu hermano". Por lo cual él dijo: "Anden, tráiganlo". Entonces Ben-hadad salió a donde él; y él en seguida lo hizo subir en el carro.[o]

34 [Ben-hadad] ahora le dijo:

CAP. 20

a Pr 16:18
  Pr 18:12
  Lu 14:11
b Gé 25:20
  Dt 26:5
  2Sa 8:6
  2Re 5:2
  Isa 9:12
c Le 26:8
  Dt 28:7
  Sl 33:16
  Sl 46:6
d Jos 11:6
e 1Re 20:13
  Am 3:7
f 2Cr 25:8
  Sl 25:8
  Dt 17:14
g Pr 20:18
h 2Sa 11:1
  1Cr 20:1
  Re 36:10
i Sl 47:7
  Sl 83:18
  Sl 97:9
  Sl 115:2
  Ro 1:21
  1Co 8:4
j 1Re 20:1
  Sl 20:16
k Pr 21:30
l Sl 10:3
m 1Re 20:20
n 1Sa 29:1
  2Re 13:17
o Jos 1:11

2.ª col.

a Jue 6:5
  1Sa 13:5
  2Cr 32:7
  Heb 11:34
b Sl 18:30
c Dt 32:27
  Sl 58:10
  Eze 20:9
  Eze 36:22
d Éx 6:7
  Éx 7:5
  Éx 8:10
  Eze 6:14
  Eze 39:7
e Jos 6:15
f 1Re 20:26
g Isa 24:18
  Jer 48:44
  Am 2:14
  Am 9:3
h 1Re 20:20
i 1Re 22:25
j Pr 20:28
  Isa 16:5
k Jon 3:8
l Gé 37:34
  1Re 21:27
  Est 4:1
  Isa 22:12
  Rev 11:3
m Jon 3:9
n Pr 25:13
o 2Re 10:15

"Las ciudades[a] que mi padre le tomó a tu padre, las devolveré; y calles te asignarás a ti mismo en Damasco, lo mismo que mi padre asignó en Samaria".

"Y en cuanto a mí, en un pacto[b] te enviaré."

Con esto él celebró un pacto con él y lo envió.

35 Y cierto hombre de los hijos de los profetas[c] dijo a su amigo por la palabra[d] de Jehová: "Hiéreme, por favor". Pero el hombre rehusó herirlo. 36 Por lo tanto, le dijo: "Por razón de que no escuchaste la voz de Jehová, mira, te vas de mí, y un león ciertamente te derribará". Tras eso, se fue de junto a él, y el león[e] logró hallarlo y derribarlo.[f]

37 Y él, al proseguir, halló a otro hombre, y dijo: "Hiéreme, por favor". De modo que el hombre le dio un golpe, golpeando y causando herida.

38 Entonces el profeta se fue y se quedó parado junto al camino [esperando] al rey, y se mantuvo disfrazado[g] con una venda sobre los ojos. 39 Y aconteció que, al ir pasando el rey, él al rey y procedió a decir:[h] "Tu siervo mismo salió y entró en lo más reñido del combate; y, ¡mira!, un hombre salía de la fila, y vino trayéndome un hombre y entonces dijo: 'Guarda a este hombre. Si de manera alguna llegara a faltar, entonces tu alma[i] tendrá que tomar el lugar de su alma,[j] o, si no, pesarás en pago un talento de plata'.[k] 40 Y aconteció que, estando activo tu siervo aquí y allí, pues, aquel mismo se había ido". Ante esto, el rey de Israel le dijo: "Tal es tu propio juicio. Tú mismo lo has decidido".[l] 41 En esto él se quitó apresuradamente la venda de sobre los ojos, y el rey de Israel llegó a reconocerlo, que era de los profetas.[m] 42 Él ahora le dijo: "Esto es lo que ha dicho Jehová: 'Por razón de que

has dejado salir de tu mano al hombre que me ha sido dado por entero para destrucción,[a] tu alma tendrá que tomar el lugar de su alma,[b] y tu pueblo el lugar de su pueblo'".[c] 43 Ante esto, el rey de Israel procedió a irse a su casa, sombrío y decaído,[d] y llegó a Samaria.[e]

21 Y aconteció, después de estas cosas, que había una viña que pertenecía a Nabot el jezreelita, la cual estaba en Jezreel,[f] al lado del palacio de Acab el rey de Samaria. 2 Así que Acab habló a Nabot y dijo: "Dame[g] tu viña,[h] sí, para que me sirva de huerta[i] de legumbres,[j] porque está cerca de mi casa; y déjame darte en lugar de ella una viña mejor que ella. [O] si es bueno a tus ojos,[k] ciertamente te daré dinero por precio de esta". 3 Pero Nabot dijo a Acab: "Es inconcebible[l] por mi parte, desde el punto de vista de Jehová,[m] que yo te dé la posesión hereditaria de mis antepasados".[n] 4 En consecuencia, Acab entró en su casa, sombrío y decaído debido a la palabra que le había hablado Nabot el jezreelita, cuando dijo: "No te daré la posesión hereditaria de mis antepasados". Entonces se acostó sobre su lecho y mantuvo su rostro vuelto,[o] y no comió pan.

5 Por fin entró a donde él Jezabel[p] su esposa y le habló: "¿Por qué estás triste[q] tu espíritu y no estás comiendo pan?". 6 Ante esto, él le habló: "Porque procedí a hablar a Nabot el jezreelita y a decirle: 'Dame tu viña, sí, por dinero. O, si prefieres, déjame darte otra viña en lugar de ella'. Pero él dijo: 'No te daré mi viña'".[r] 7 Entonces le dijo Jezabel su esposa: "¿Eres tú el que ejerce ahora la gobernación real sobre Israel?[s] Levántate, come pan y alégrese tu corazón.

CAP. 20

a 1Re 15:20
  2Cr 16:4
b Éx 23:32
c 2Re 2:3
  Am 7:14
d 1Re 17:14
e 1Re 13:24
f Pr 16:25
g 2Sa 14:2
h 2Sa 12:1
  2Sa 14:1
i Gé 2:7
  Le 17:11
j 2Re 10:24
  Hch 12:19
  Hch 16:27
k Éx 21:30
  Pr 13:8
l Job 34:4
  Lu 19:22
  Gál 6:7
m 1Re 20:35

2.ª col.

a Le 27:29
  Jos 6:18
  1Cr 2:7
  Jer 48:10
b 1Re 22:31
  1Re 22:35
  2Cr 18:33
c 2Re 6:24
  2Re 8:12
  2Cr 18:16
d 1Re 21:4
  Sl 2:10
e 1Re 16:29

CAP. 21

f Jos 19:18
  1Re 18:45
  Os 2:22
g Éx 20:17
  Dt 5:21
  Hab 2:9
  Lu 12:15
  Ro 7:7
  Snt 1:14
  2Pe 2:14
h 1Sa 8:14
i Ec 2:5
j Dt 11:10
k Gé 16:6
l Le 25:18
  Sl 97:10
  Am 5:15
m Jos 22:5
  1Sa 24:6
  1Sa 26:11
n Le 25:23
  Nú 36:7
  Eze 46:18
o Pr 15:13
  Pr 18:14
p 1Re 16:31
  1Re 18:4
  1Re 19:2
  1Re 21:25
  Re 9:34
q Ne 2:2
r 1Re 21:3
s 1Sa 8:14

Yo misma te daré la viña de Nabot el jezreelita".ᵃ 8 Por lo tanto, ella escribió cartasᵇ en nombre de Acab y las selló con el selloᶜ de él, y envió las cartas a los ancianosᵈ y a los nobles que había en la ciudad de él, que moraban con Nabot. 9 Pero escribió en las cartas, diciendo:ᵉ "Proclamen un ayuno, y hagan que Nabot se siente a la cabeza del pueblo. 10 Y hagan que se sienten enfrente de él dos hombres,ᶠ individuos que no sirvan para nada,ᵍ y que testifiquen contra él,ʰ y digan: ¡Has maldecido a Dios y al rey!'.ᶦ Y sáquenlo fuera y apedréenlo para que muera".ʲ

11 De modo que los hombres de su ciudad, los ancianos y los nobles que moraban en su ciudad, hicieron tal como Jezabel les había enviado [palabra], tal como estaba escrito en las cartas que ella les había enviado.ᵏ 12 Proclamaron un ayunoᶦ e hicieron que Nabot se sentara a la cabeza del pueblo. 13 Entonces dos de los hombres, individuos que no servían para nada, entraron y se sentaron enfrente de él; y los hombres que no servían para nada empezaron a testificar contra él, es decir, contra Nabot, enfrente del pueblo, diciendo: "¡Nabot ha maldecido a Dios y al rey!".ᵐ Tras eso lo sacaron a las afueras de la ciudad y lo apedrearon con piedras, de manera que murió.ⁿ 14 Entonces enviaron a decir a Jezabel: "Nabot ha sido apedreado de modo que está muerto".ᵒ

15 Y aconteció que, en cuanto Jezabel oyó que Nabot había sido apedreado de manera que había muerto, Jezabel dijo inmediatamente a Acab: "Levántate, toma posesión de la viña de Nabot el jezreelita,ᵖ que él rehusó darte por dinero; porque Nabot ya no está vivo, sino muer-

CAP. 21
a Miq 2:1
  Miq 7:3
b 2Sa 11:14
c Ne 9:38
  Est 8:8
d Nú 11:16
  Dt 16:18
e Pr 6:18
f Dt 17:6
g 1Sa 2:12
  2Sa 20:1
  Pr 17:23
h Ex 20:16
  Dt 5:20
  Pr 24:28
  Isa 58:4
  Hch 6:13
i Ex 22:28
  Le 24:16
  Mt 26:65
j Le 24:16
  Jn 10:33
  Hch 7:58
k Ex 23:1
  Le 19:15
l Isa 58:4
m 1Re 21:10
  Ec 3:16
  Am 5:12
  Hab 1:4
n Ne 9:26
  Ec 4:1
o Ec 8:14
  Hab 1:13
p 1Re 21:7
  Pr 4:17
  Jer 22:17

2.ᵃ col.
a Sl 50:18
  Hab 2:12
  Ro 1:32
  2Pe 2:15
b Sl 9:12
  Isa 26:21
c 1Re 17:1
d 1Re 16:29
e Gé 4:10
f Hab 2:9
g Ex 21:23
  Sl 7:15
h 1Re 22:38
  2Re 9:25
  Mt 7:2
i 1Re 18:17
  Am 5:10
  Gál 4:16
j 1Re 16:30
k 2Re 9:7
l Ex 20:5
  2Re 9:8
  2Re 10:7
m 2Re 10:17
  2Re 10:30
n 1Re 15:29
o 1Re 16:3
  1Re 16:11
p 1Re 16:26
q 2Re 9:10
  2Re 9:35
  Sl 7:16
r 1Re 14:11
  1Re 16:4
  Jer 15:3
  Rev 19:18
s 1Re 16:30

to". 16 Y aconteció que, en cuanto oyó Acab que Nabot estaba muerto, al punto se levantó Acab para bajar a la viña de Nabot el jezreelita, para tomar posesión de ella.ᵃ

17 Y la palabra de Jehováᵇ vino a Elíasᶜ el tisbita, y dijo: 18 "Levántate, baja al encuentro de Acab el rey de Israel, que está en Samaria.ᵈ Allí está en la viña de Nabot, adonde ha bajado para tomar posesión de ella. 19 Y tienes que hablarle, y decir: 'Esto es lo que ha dicho Jehová: "¿Has asesinado,ᵉ y también tomado posesión?"'.ᶠ Y tienes que hablarle, y decir: 'Esto es lo que ha dicho Jehová: "En el lugarᵍ donde los perros lamieron la sangre de Nabot, los perros lamerán tu sangre, aun la tuya"'".ʰ

20 Y Acab procedió a decir a Elías: "¿Me has hallado, oh enemigo mío?",ᶦ a lo que dijo él: "Te he hallado. 'Por razón de que te has vendido para hacer lo que es malo a los ojos de Jehová,ʲ 21 aquí voy a traer calamidad sobre ti;ᵏ y ciertamente barreré de modo completo tras de tiᶦ y cortaré de Acab a cualquiera que orina contra una paredᵐ y al imposibilitado e inútil en Israel. 22 Y ciertamente constituiré tu casa como la casa de Jeroboánⁿ hijo de Nebat y como la casa de Baasáᵒ hijo de Ahíya, por la ofensa con que has ofendido y luego hecho pecar a Israel'.ᵖ 23 Y también respecto a Jezabel ha hablado Jehová, diciendo: 'Los perros mismos se comerán a Jezabel en la porción de terreno de Jezreel.ᑫ 24 A cualquiera de Acab que muera en la ciudad, los perros se lo comerán; y a cualquiera que muera en el campo, las aves de los cielos se lo comerán.ʳ 25 Sin excepción, nadie ha resultado como Acab,ˢ que se vendió para hacer lo que era malo a los ojos

de Jehová, a quien incitó[a] Jezabel[b] su esposa. 26 Y fue actuando muy detestablemente al ir tras los ídolos estercolizos,[c] igual a todo lo que habían hecho los amorreos, a quienes Jehová expulsó de delante de los hijos de Israel' ".[d]

27 Y aconteció que luego que Acab oyó estas palabras, procedió a rasgar sus prendas de vestir y a ponerse saco[e] sobre la carne; y emprendió un ayuno y siguió acostándose en saco y andando desalentadamente.[f] 28 Y vino la palabra de Jehová a Elías el tisbita, que 29 "¿Has visto cómo se ha humillado Acab a causa de mí? Por razón de que se ha humillado a causa de mí, no traeré la calamidad en sus propios días.[h] En los días de su hijo traeré la calamidad sobre su casa".[i]

22 Y por tres años continuaron morando sin [que hubiera] guerra entre Siria e Israel. 2 Y al tercer año aconteció que Jehosafat[j] el rey de Judá procedió a bajar adonde el rey de Israel. 3 Entonces el rey de Israel dijo a sus siervos: "¿Realmente saben ustedes que Ramot-galaad[k] nos pertenece? No obstante, titubeamos en cuanto a tomarla de la mano del rey de Siria". 4 Y pasó a decir a Jehosafat: "¿Quieres ir conmigo al combate en Ramot-galaad?".[l] Ante esto, Jehosafat dijo al rey de Israel: "Yo soy lo mismo que tú. Mi pueblo es lo mismo que tu pueblo.[m] Mis caballos son lo mismo que tus caballos".

5 Sin embargo, Jehosafat pasó a decir al rey de Israel: "Inquiere,[n] por favor, en primer lugar por la palabra de Jehová". 6 De modo que el rey de Israel juntó a los profetas,[o] como cuatrocientos hombres, y les dijo: "¿Voy contra Ramot-galaad en

guerra, o me guardo de hacerlo?". Y ellos empezaron a decir: "Sube,[a] y Jehová [la] dará en la mano del rey".

7 Pero Jehosafat dijo: "¿No hay aquí un profeta de Jehová todavía? Entonces inquiramos por medio de él".[b] 8 Ante eso, el rey de Israel dijo a Jehosafat: "Todavía hay un hombre por medio de quien inquirir de Jehová;[c] pero yo mismo ciertamente lo odio,[d] porque no profetiza cosas buenas respecto a mí, sino malas[e]... Micaya hijo de Imlá". Sin embargo, Jehosafat dijo: "No diga el rey semejante cosa".[f]

9 Por consiguiente, el rey de Israel llamó a cierto oficial de la corte[g] y dijo: "Trae pronto, sí, a Micaya hijo de Imlá".[h] 10 Ahora bien, el rey de Israel y Jehosafat el rey de Judá estaban sentados cada cual en su trono, en vestidos de vestir,[i] en la era a la entrada de la puerta de Samaria; y todos los profetas estaban actuando como profetas delante de ellos.[j] 11 Entonces Sedequías hijo de Kenaaná se hizo unos cuernos de hierro y dijo: "Esto es lo que ha dicho Jehová:[k] 'Con estos empujarás a los sirios hasta exterminarlos' ".[l] 12 Y todos los demás profetas estaban profetizando de la misma manera, diciendo: "Sube a Ramot-galaad y logra éxito; y Jehová ciertamente [la] dará en la mano del rey".[a]

13 Y el mensajero que había ido a llamar a Micaya le habló, diciendo: "¡Mira esto! Las palabras de los profetas son a una de bien para el rey. Deja que tu palabra, por favor, llegue a ser como la palabra de uno de ellos, y tienes que hablar el bien".[n] 14 Pero Micaya dijo: "Tan ciertamente como que Jehová vive,[o] lo que Jehová me diga, eso es lo que hablaré".[p] 15 Entonces

CAP. 21
a Dt 13:6
  Jue 16:16
  2Cr 22:33
  Rev 2:20
b 1Re 16:31
c 1Sa 12:21
  Miq 96:5
  Jer 10:14
  1Co 8:4
d Éx 23:28
  Dt 9:5
  2Cr 33:2
e 1Re 20:31
  2Co 7:10
f Pr 15:13
g Sl 78:34
h Sl 86:15
  Miq 7:18
i Éx 20:5
  Eze 9:25
  2Re 10:7
  2Re 10:11

CAP. 22
j 1Re 15:24
  2Cr 18:3
k Dt 4:43
  Jos 20:8
  1Re 4:13
l 2Cr 18:2
m 2Re 3:7
  2Cr 18:3
  Pr 13:20
  2Co 6:14
n Nú 27:21
  Pr 3:6
o 1Re 18:19
  Mt 15:14

2.ª col.
a 2Cr 18:5
  Jer 5:31
  Jer 23:30
b 2Re 3:11
  2Cr 18:6
c 1Re 18:4
d 1Re 21:20
  2Cr 36:16
  Sl 34:21
  Pr 9:8
e 2Cr 18:7
  Isa 30:10
  Jer 38:4
f Pr 5:12
  Pr 5:13
  Tit 1:13
g 1Sa 8:16
  Eze 9:32
h 2Cr 18:8
i Est 6:8
  Mt 11:8
  Hch 12:21
j 2Cr 18:9
  Eze 13:2
k Dt 18:20
  Jer 23:16
  Jer 23:17
  Eze 13:6
l 2Cr 18:10
m 2Cr 18:11
n 2Cr 18:12
o Dt 6:13
  Jer 12:16
p Nú 22:35
  2Cr 18:13
  Jer 1:7
  Jer 23:28
  Eze 2:4
  2Pe 1:21

entró a donde el rey, y el rey procedió a decirle: "Micaya, ¿vamos a Ramot-galaad en guerra, o nos guardamos de hacerlo?". Al instante le dijo: "Sube y logra éxito; y Jehová ciertamente la dará en la mano del rey".[a] 16 Ante esto, el rey le dijo: "¿Cuántas veces van que te pongo bajo juramento de que no me hables nada sino la verdad en el nombre de Jehová?".[b] 17 Por lo tanto él dijo: "Ciertamente veo a todos los israelitas esparcidos[c] por las montañas, como ovejas que no tienen pastor.[d] Y Jehová pasó a decir: 'Estos no tienen amos. Que se vuelvan cada uno a su casa en paz'".[e]

18 Entonces el rey de Israel dijo a Jehosafat: "¿No te dije: 'Él no profetizará acerca de mí cosas buenas, sino malas'?".[f]

19 Y él pasó a decir: "Por lo tanto, oye la palabra de Jehová:[g] Ciertamente veo a Jehová sentado sobre su trono,[h] y a todo el ejército de los cielos de pie junto a él, a su derecha y a su izquierda.[i] 20 Y Jehová procedió a decir: '¿Quién engañará a Acab, para que suba y caiga en Ramot-galaad?'. Y este empezó a decir así, mientras que aquel decía asá.[j] 21 Finalmente salió un espíritu[k] y se paró delante de Jehová y dijo: 'Yo mismo lo engañaré'. Ante esto, Jehová le dijo: '¿De qué manera?'.[l] 22 A esto él dijo: 'Saldré, y ciertamente llegaré a ser un espíritu engañoso en la boca de todos sus profetas'.[m] De modo que él dijo: 'Lo engañarás, y, lo que es más, saldrás ganador.[n] Sal y hazlo así'.[o] 23 Y ahora sucede que Jehová ha puesto un espíritu engañoso en la boca de todos estos profetas tuyos;[p] pero Jehová mismo ha hablado calamidad tocante a ti".[q]

24 Sedequías hijo de Kenaaná ahora se acercó y dio un gol-pe a Micaya en la mejilla,[a] y dijo: "¿Por qué [camino], precisamente, pasó el espíritu de Jehová desde mí para hablar contigo?".[b] 25 A lo que dijo Micaya: "¡Mira! Vas a ver [por qué camino] en el día que entres en la cámara más recóndita[c] para esconderte".[d] 26 Entonces el rey de Israel dijo: "Toma a Micaya y devuélvelo a Amón el jefe de la ciudad y a Joás el hijo del rey.[e] 27 Y tienes que decir: 'Esto es lo que ha dicho el rey:[f] "Pongan a este individuo en la casa de detención[g] y aliméntenlo con una ración reducida de pan[h] y una ración reducida de agua hasta que yo venga en paz"'".[i] 28 Ante eso, Micaya dijo: "Si vuelves de manera alguna en paz, Jehová no ha hablado conmigo".[j] Y añadió: "Oigan, gentes todas".[k]

29 Y el rey de Israel y Jehosafat el rey de Judá procedieron a subir a Ramot-galaad.[l] 30 El rey de Israel ahora dijo a Jehosafat: "Habrá [para mí] un disfrazar[me] y entrar en la batalla,[m] pero tú, por tu parte, ponte tus prendas de vestir".[n] Por consiguiente, el rey de Israel se disfrazó[o] y entró en la batalla.[p] 31 En cuanto al rey de Siria, él había dado orden a los treinta y dos jefes[q] de los carros que eran de él, y había dicho: "No deben pelear ni con pequeño ni con grande, sino con el rey de Israel solamente".[r] 32 Y aconteció que, tan pronto como los jefes de los carros vieron a Jehosafat, ellos, por su parte, se dijeron: "De seguro es el rey de Israel".[s] De manera que se desviaron contra él para pelear; y Jehosafat se puso a clamar por socorro.[t] 33 Y aconteció que, en cuanto los jefes de los carros vieron que no era el rey de Israel, inmediatamente se volvieron de seguirlo.[u]

34 Y hubo un hombre que do-

CAP. 22
a 2Cr 18:14
b Dt 5:11
  2Cr 18:15
c Dt 28:25
d Pr 10:24
  Zac 10:2
  Zac 13:7
  Mt 9:36
e 2Cr 18:16
  Eze 33:9
f 2Cr 18:17
g 2Cr 18:18
h Isa 6:1
  Eze 1:26
  Da 7:9
i Job 1:6
  Da 7:10
  Mt 18:10
  Rev 5:11
j 2Cr 18:19
k Sl 104:4
  Heb 1:7
  Heb 1:14
l 2Cr 18:20
m 1Re 22:6
n 2Te 2:11
  1Jn 4:1
o 2Cr 18:21
p Eze 14:9
q Nú 23:19
  1Re 20:42
  2Cr 18:22
  Isa 55:11

2.ª col.
a 1Cr 18:23
  Sl 105:15
b 2Cr 18:23
c 1Re 20:30
d 2Cr 18:24
e 2Cr 18:25
f Ro 9:18
g Heb 11:36
h Sl 104:15
i 2Cr 18:26
j Nú 16:29
k 2Cr 18:27
  2Cr 18:28
m 1Sa 8:20
n 1Re 22:10
o 2Cr 35:22
  Pr 21:30
p 2Cr 18:29
q 1Re 20:1
r 2Cr 18:30
s 2Cr 18:31
t Sl 50:15
  Sl 91:15
  Sl 130:1
u 2Cr 18:32

bló el arco en su inocencia, pero logró darle al rey de Israel entre los accesorios y la cota de malla, de modo que él dijo al conductor de su carro:[a] "Da vuelta a tu mano, y sácame del campamento, porque me han herido gravemente". 35 Y la batalla siguió subiendo en intensidad aquel día, y al rey mismo lo tuvieron que mantener en posición erguida en el carro, de cara a los sirios, y gradualmente murió[b] al atardecer; y la sangre de la herida siguió derramándose en el interior del carro de guerra.[c] 36 Y como a la puesta del sol empezó a pasar por el campamento el grito retumbante que decía: "¡Cada uno a su ciudad, y cada uno a su tierra!".[d] 37 Así murió el rey. Cuando fue llevado a Samaria, entonces enterraron al rey en Samaria.[e] 38 Y empezaron a lavar el carro de guerra junto al estanque de Samaria, y los perros se pusieron a lamer su sangre[f] (y las prostitutas mismas se bañaban allí), conforme a la palabra de Jehová que él había hablado.[g]

39 En cuanto al resto de los asuntos de Acab y todo lo que hizo y la casa de marfil[h] que edificó y todas las ciudades que edificó, ¿no están escritos en el libro[i] de los asuntos de los días de los reyes de Israel? 40 Por fin yació Acab con sus antepasados;[j] y Ocozías[k] su hijo empezó a reinar en lugar de él.

41 En cuanto a Jehosafat[l] hijo de Asá, había llegado a ser rey sobre Judá en el año cuarto de Acab el rey de Israel. 42 Jehosafat tenía treinta y cinco años de edad cuando empezó a reinar, y por veinticinco años reinó en Jerusalén; y el nombre de su madre era Azubá hija de Silhí. 43 Y siguió andando en todo el camino de Asá su padre. No se desvió de él, pues hizo lo que era recto a los ojos de Jehová.[m] Solo

que los lugares altos mismos no desaparecieron. El pueblo todavía estaba sacrificando y haciendo humo de sacrificio en los lugares altos.[a] 44 Y Jehosafat mantuvo relaciones pacíficas con el rey de Israel.[b] 45 En cuanto al resto de los asuntos de Jehosafat, y el poderío con que actuó y cómo guerreó, ¿no están escritos en el libro[c] de los asuntos de los días de los reyes de Judá? 46 Y eliminó del país[d] a los restantes de los prostitutos[e] de templo que habían quedado en los días de Asá su padre.

47 En cuanto a rey, no había ninguno en Edom;[f] un comisario era rey.[g]

48 Jehosafat, por su parte, hizo naves de Tarsis[h] para que fueran a Ofir por oro; pero no fueron, porque las naves fueron destrozadas en Ezión-guéber.[i] 49 Fue entonces cuando Ocozías hijo de Acab dijo a Jehosafat: "Deja que mis siervos vayan con tus siervos en las naves", pero Jehosafat no consintió.[j]

50 Por fin yació Jehosafat con sus antepasados[k] y fue enterrado con sus antepasados en la Ciudad de David[l] su antepasado; y Jehoram[m] su hijo empezó a reinar en lugar de él.

51 En cuanto a Ocozías[n] hijo de Acab, él llegó a ser rey sobre Israel en Samaria en el año diecisiete de Jehosafat el rey de Judá, y continuó reinando sobre Israel por dos años. 52 Y siguió haciendo lo que era malo[o] a los ojos de Jehová, y fue andando en el camino de su padre[p] y en el camino de su madre[q] y en el camino de Jeroboán[r] hijo de Nebat, que había hecho pecar a Israel.[s] 53 Y continuó sirviendo a Baal[t] e inclinándose ante él, y siguió ofendiendo[u] a Jehová el Dios de Israel conforme a todo lo que había hecho su padre.

CAP. 22
a 2Cr 18:33
b 1Re 20:42
2Cr 18:34
c Gé 9:6
d 1Re 22:17
e 1Re 16:28
f 1Re 21:19
g Dt 32:35
Sl 119:89
Isa 14:27
Isa 46:10
Isa 48:3
h 1Re 10:22
Eze 27:15
i 1Re 14:19
1Re 16:5
1Re 16:27
1Re 16:28
k 2Re 1:2
2Cr 20:35
l 1Cr 3:10
2Cr 17:1
2Cr 20:31
Mt 1:8
m 1Re 15:11
2Cr 14:2
2Cr 14:11
2Cr 15:8
2Cr 17:3
Ec 12:13

2.ª col.
a Dt 12:14
1Re 14:23
1Re 15:14
2Re 12:3
2Re 14:4
2Re 18:22
2Cr 20:33
b 2Re 8:18
2Cr 18:1
2Cr 19:2
c 1Re 14:29
d 1Re 15:12
e Le 20:13
Ro 1:27
1Co 6:9
1Ti 1:10
Jud 7
f Gé 36:1
Gé 36:9
g 2Sa 8:14
2Re 8:20
Sl 108:9
h 1Re 10:22
2Cr 9:21
i 1Re 9:26
2Cr 20:37
j Pr 1:10
2Co 6:14
k 1Re 2:10
2Cr 21:1
l 1Re 11:43
1Re 14:31
1Re 15:24
m 2Re 8:16
2Cr 21:5
n 2Re 1:2
o Dt 28:15
p 1Re 16:30
2Re 8:27
2Cr 22:3
q 1Re 21:25
r 1Re 12:28
1Re 13:33
s 1Re 14:9
2Re 3:3
t Jue 2:11
1Re 16:32
1Re 18:19
1Re 19:20
1Re 19:2
1Re 19:12
1Re 20:3
Ex 34:14

REYES

1 Y Moab[a] empezó a sublevar-se[b] contra Israel después de la muerte de Acab.[c]

2 Entonces Ocozías se cayó[d] por el enrejado de su cámara del techo[e] que estaba en Samaria, y enfermó. Por lo tanto, envió mensajeros y dijo a estos: "Vayan, inquieran[f] de Baal-zebub,[g] el dios de Eqrón,[h] si reviviré de esta enfermedad".[i] **3** En cuanto al ángel[j] de Jehová, habló a Elías el tisbita:[k] "Levántate, sube al encuentro de los mensajeros del rey de Samaria y diles: '¿Será por no haber Dios[l] alguno en Israel por lo que ustedes están yendo a inquirir de Baal-zebub, el dios de Eqrón? **4** Así, pues, esto es lo que ha dicho Jehová: "En cuanto al lecho al cual has subido, no bajarás de él, porque positivamente morirás"'".[m] Con eso, Elías se fue.

5 Cuando los mensajeros volvieron a él, les dijo inmediatamente: "¿Por qué han vuelto?". **6** Por lo cual le dijeron: "Hubo un hombre que subió a nuestro encuentro, y procedió a decirnos: 'Vayan, vuélvanse al rey que los envió, y tienen que hablarle: "Esto es lo que ha dicho Jehová:[n] '¿Será por no haber Dios alguno en Israel por lo que estás enviando a inquirir de Baal-zebub, el dios de Eqrón? Por lo tanto, en cuanto al lecho al cual has subido, no bajarás de él, porque positivamente morirás'"'".[o] **7** Ante esto, les habló él: "¿Cuál era la apariencia del hombre que subió a su encuentro y entonces les habló estas palabras?". **8** De modo que le dijeron: "Un hombre que poseía una prenda de vestir de pelo,[a] con un cinto de cuero ceñido a sus lomos".[b] Al instante él dijo: "Fue Elías el tisbita".

9 Y procedió a enviarle un jefe de cincuenta con sus cincuenta.[c] Cuando este subió a donde él estaba, allí estaba sentado sobre la cima de la montaña. Él ahora le habló: "Hombre del Dios [verdadero],[d] el rey mismo ha hablado: 'Dígnate bajar'". **10** Pero Elías contestó y habló al jefe de cincuenta: "Bien, si soy hombre de Dios, que baje fuego[e] de los cielos y se los coma a ti y a tus cincuenta". Y vino descendiendo fuego de los cielos y procedió a comérselos a él y a sus cincuenta.[f]

11 De modo que [el rey] volvió a enviarle otro jefe de cincuenta con sus cincuenta.[g] A su vez, este contestó y le habló: "Hombre del Dios [verdadero], esto es lo que ha dicho el rey: 'Baja, sí, presto'".[h] **12** Pero Elías contestó y les habló: "Si soy hombre del Dios [verdadero], que baje fuego de los cielos y se los coma a ti y a tus cincuenta". Y fuego de Dios vino descendiendo de los cielos y procedió a comérselos a él y a sus cincuenta.

13 Y [el rey] se puso a enviar de nuevo un tercer jefe de cincuenta y sus cincuenta.[i] Pero el tercer jefe de cincuenta subió y llegó y se hincó de rodillas[j] enfrente de Elías y empezó a suplicar[k] favor de él y a hablarle: "Hombre del Dios [verdadero], por favor permite que mi alma[l] y el alma de estos cincuenta siervos tuyos sea preciosa[m] a tus ojos. **14** He aquí que bajó fue-

---

CAP. 1

a Gé 19:37
Nú 24:17
Sl 60:8
b 2Re 3:5
c 2Re 3:5
d Ec 9:11
e Jue 3:20
1Re 17:19
f Éx 20:3
1Sa 15:23
g 2Re 1:16
h Jos 13:3
Sl 5:10
i 1Sa 28:7
1Re 14:3
2Re 8:8
j 2Re 1:15
Hch 8:26
k 1Re 17:1
l 1Re 18:36
Isa 8:19
Jer 2:11
Jon 2:8
m Pr 11:19
Pr 14:32
Ec 8:13
n Isa 46:10
Isa 55:11
o 1Cr 10:14

2.ª col.

a 1Re 19:19
Zac 13:4
b Mt 3:4
Heb 11:37
c Sl 105:15
d Dt 33:1
1Sa 2:27
e Nú 11:1
Nú 16:35
Sl 106:18
Lu 9:54
Jud 7
f Pr 13:17
g Isa 26:11
h Sl 140:11
Pr 22:3
i Pr 27:22
j Mt 17:14
Mr 1:40
Mr 10:17
k Isa 60:14
l Gé 2:7
m 1Sa 26:21
Sl 72:14

go de los cielos y procedió a comerse[a] a los dos jefes de cincuenta anteriores y a sus cincuentenas, pero ahora permite que sea preciosa mi alma a tus ojos".

15 Ante esto, el ángel de Jehová habló a Elías: "Baja con él. No tengas miedo a causa de él".[b] De modo que [Elías] se levantó y bajó con él a donde el rey. 16 Entonces le habló a este: "Esto es lo que ha dicho Jehová: 'Por motivo de que has enviado mensajeros[c] para inquirir de Baal-zebub, el dios de Eqrón,[d] ¿será por no haber Dios alguno en Israel de cuya palabra inquirir? Por lo tanto, en cuanto al lecho al cual has subido, no bajarás de él, porque positivamente morirás'".[e] 17 Y gradualmente murió,[e] conforme a la palabra[f] de Jehová que Elías había hablado; y Jehoram[g] empezó a reinar en lugar de él, en el año segundo de Jehoram[h] hijo de Jehosafat el rey de Judá, porque no había llegado a tener hijo.

18 En cuanto al resto de las cosas de Ocozías[i] que él hizo, ¿no están escritas en el libro[j] de los asuntos de los días de los reyes de Israel?

2 Y cuando Jehová había de llevarse a Elías[k] a los cielos en una tempestad de viento,[l] aconteció que Elías y Eliseo[m] procedieron a partir de Guilgal.[n] 2 Y Elías empezó a decir a Eliseo: "Siéntate aquí, por favor, porque Jehová mismo me ha enviado aun hasta Betel". Pero Eliseo dijo: "Tan ciertamente como que vive Jehová[o] y como que vive tu alma,[p] yo ciertamente no te dejaré".[q] De modo que bajaron a Betel.[r] 3 Entonces los hijos de los profetas[s] que se hallaban en Betel salieron a Eliseo y le dijeron: "¿Realmente sabes tú que hoy Jehová va a quitar a tu amo de la jefatura sobre ti?".[t] A lo que él dijo: "Bien lo sé yo también.[u] Guarden silencio".

4 Elías ahora le dijo: "Eliseo,

siéntate aquí, por favor, porque Jehová mismo me ha enviado a Jericó".[a] Pero él dijo: "Tan ciertamente como que vive Jehová y como que vive tu alma, yo ciertamente no te dejaré". De modo que llegaron a Jericó. 5 Entonces los hijos de los profetas que se hallaban en Jericó se acercaron a Eliseo y le dijeron: "¿Realmente sabes tú que hoy Jehová va a quitar a tu amo de la jefatura sobre ti?". A lo que dijo: "Bien lo sé yo también. Guarden silencio".[b]

6 Elías ahora le dijo: "Siéntate aquí, por favor, porque Jehová mismo me ha enviado al Jordán".[c] Pero él dijo: "Tan ciertamente como que vive Jehová y como que vive tu alma, yo ciertamente no te dejaré".[d] De modo que los dos siguieron adelante. 7 Y había cincuenta hombres de los hijos de los profetas que fueron y se quedaron parados a la vista, a cierta distancia;[e] pero, en cuanto a ellos dos, estuvieron parados junto al Jordán. 8 Entonces Elías tomó su prenda de vestir oficial[f] y la envolvió y golpeó las aguas, y estas se dividieron gradualmente para acá y para allá, de manera que ambos cruzaron por el suelo seco.[g]

9 Y aconteció que, en cuanto habían cruzado, Elías mismo dijo a Eliseo: "Pide lo que he de hacer por ti antes que sea quitado de ti".[h] A lo que dijo Eliseo: "Por favor, que dos partes[i] de tu espíritu[j] vengan a mí".[k] 10 A lo que él dijo: "Has pedido[l] una cosa difícil. Si me ves cuando sea quitado de ti, te sucederá así; pero si no [me ves], no sucederá".

11 Y aconteció que, mientras ellos iban andando, hablando al andar, pues, ¡mire!, un carro de guerra de fuego[m] y caballos de fuego, y estos procedieron a hacer una separación entre los dos; y Elías fue ascendiendo a los cielos en la tempestad de viento.[n] 12 Durante todo este tiempo Eliseo estaba viendo esto, y cla-

CAP. 1
a 2Re 1:10
b Sl 27:1
Jer 1:17
Eze 2:6
c 2Re 1:3
d Jos 13:3
e Pr 13:21
f Isa 44:26
g 2Re 3:1
2Re 9:22
h 2Re 8:16
i 1Re 22:51
j 1Re 14:19
1Re 22:39

CAP. 2
k 1Re 17:1
l 2Re 2:11
m 1Re 19:16
n 2Re 4:38
o Dt 6:13
Jer 4:2
Jer 12:16
p 1Sa 17:55
2Re 4:30
q 2Sa 15:21
1Re 18:24
r Gé 28:19
1Re 12:29
1Re 13:1
2Re 2:23
s 1Re 18:13
1Re 20:35
2Re 4:1
t 1Re 19:16
u Am 3:7

2.ª col.
a Jos 6:26
1Re 16:34
b 2Re 2:3
c 2Sa 19:15
d Gé 32:26
Rut 1:16
2Re 2:2
e 1Re 18:13
f 1Re 19:19
2Re 2:13
g Éx 14:22
Jos 3:17
2Re 2:14
Sl 114:5
Isa 11:15
h Lu 24:51
Heb 7:7
i Dt 21:17
j Dt 34:9
Lu 11:7
Hch 1:8
Hch 8:17
k 1Re 19:16
l Mt 7:7
1Jn 5:14
m 2Re 6:17
Sl 68:17
Hab 3:8
n 2Cr 21:12

maba: "¡Padre mío, padre mío,[a] el carro de guerra de Israel y sus hombres de a caballo!".[b] Y no lo vio más. En consecuencia, asió sus propias prendas de vestir y las rasgó en dos pedazos.[c] 13 Después de eso alzó la prenda de vestir oficial[d] de Elías que se le había caído, y regresó y se situó junto a la orilla del Jordán. 14 Entonces tomó la prenda de vestir oficial de Elías que se le había caído y golpeó las aguas[e] y dijo: "¿Dónde está Jehová el Dios de Elías, aun Él?".[f] Entonces golpeó las aguas, entonces estas se dividieron gradualmente para acá y para allá, de manera que Eliseo cruzó.

15 Cuando los hijos de los profetas que estaban en Jericó lo vieron desde alguna distancia, empezaron a decir: "El espíritu[g] de Elías se ha posado sobre Eliseo". Por consiguiente, fueron a su encuentro y se inclinaron[h] a tierra ante él. 16 Y pasaron a decirle: "Aquí ves que hay con tus siervos cincuenta hombres, personas valientes. Permite que vayan, por favor, y busquen a tu amo. Quizás el espíritu[i] de Jehová lo haya alzado y entonces arrojado sobre una de las montañas o en uno de los valles". Pero él dijo: "No deben enviarlos". 17 Y siguieron instándolo hasta que él se abochornó, de modo que dijo: "Envíen". Ellos ahora enviaron a cincuenta hombres, y siguieron buscando por tres días, pero no lo hallaron. 18 Cuando volvieron a él, él estaba morando en Jericó.[j] Entonces les dijo: "¿No les dije: 'No vayan'?".

19 Con el tiempo los hombres de la ciudad dijeron a Eliseo: "Mira, pues, la situación de la ciudad es buena,[k] tal como ve mi amo; pero el agua[l] es mala, y la tierra está causando abortos".[m] 20 Ante eso, él dijo: "Tráiganme una escudilla nueva y pongan sal en ella". De modo que se la trajeron. 21 Entonces él salió a la fuente del agua y echó sal en ella[a] y dijo: "Esto es lo que ha dicho Jehová: 'De veras hago saludable esta agua.[b] Ya no resultará en muerte ni en causar abortos'". 22 Y el agua continúa saneada hasta el día de hoy,[c] conforme a la palabra de Eliseo que él habló.

23 Y procedió a subir de allí a Betel.[d] Mientras iba subiendo por el camino, hubo unos muchachitos[e] que salieron de la ciudad y empezaron a mofarse[f] de él y que siguieron diciéndole: "¡Sube, calvo![g] ¡Sube, calvo!". 24 Por fin él se volvió hacia atrás y los vio e invocó el mal[h] contra ellos en el nombre de Jehová. Entonces dos osas[i] salieron del bosque y se pusieron a despedazar a cuarenta y dos niños del número de ellos.[j] 25 Y él siguió yendo de allí al monte Carmelo,[k] y de allí se volvió a Samaria.

3 En cuanto a Jehoram[l] hijo de Acab, él llegó a ser rey sobre Israel en Samaria en el año dieciocho de Jehosafat el rey de Judá, y continuó reinando por doce años. 2 Y siguió haciendo lo que era malo a los ojos de Jehová,[a] aunque no como su padre[n] o como su madre, pues quitó la columna sagrada[o] de Baal que su padre había hecho.[p] 3 Solo que se adhirió a los pecados de Jeroboán[q] hijo de Nebat, con que este hizo pecar a Israel.[r] No se apartó de ellos.

4 En cuanto a Mesá[s] el rey de Moab, se hizo ganadero de ovejas, y pagó al rey de Israel cien mil corderos y cien mil carneros sin esquilar. 5 Y aconteció que, tan pronto como murió Acab,[t] el rey de Moab empezó a sublevarse[u] contra el rey de Israel. 6 Por consiguiente, el rey Jehoram salió de Samaria en aquel día y reunió con fines militares[v] a todo Israel. 7 Fue más adelante y ahora envió a decir a Jehosafat el rey de Judá: "El rey de Moab mismo se ha suble-

CAP. 2

a 2Re 5:13
Hch 7:2
1Co 4:15
b 2Re 13:14
c 2Sa 1:11
Job 1:20
d 1Re 19:19
2Re 1:8
Zac 13:4
Mt 3:4
e Jos 3:13
2Re 2:8
f 1Re 18:36
Heb 10:39
g Nú 11:25
Nú 27:20
2Re 2:9
Isa 11:2
h Jos 4:14
Ro 12:10
i 1Re 18:12
j Jos 6:26
1Re 16:34
k Dt 34:3
l Éx 15:23
m Dt 28:18
Os 9:14

2.ª col.

a Éx 15:25
2Re 4:41
b Eze 47:8
c Ec 3:14
d 2Re 2:2
e Pr 20:11
Pr 22:15
f Gé 21:9
2Cr 36:16
Lu 10:16
1Te 4:8
g Isa 22:12
h Jue 9:20
Jue 9:57
2Re 1:10
Hch 8:20
i Pr 17:12
Pr 28:15
Os 13:8
j 1Re 19:17
Pr 9:12
Pr 19:25
Pr 19:29
Na 1:2
k 2Re 4:25

CAP. 3

l 2Re 1:17
m Job 34:21
n 1Re 16:30
o Éx 23:24
Éx 34:13
p 1Re 16:33
q 1Re 12:28
2Re 10:29
r 1Re 14:16
s 2Re 3:27
t 1Re 22:37
u 2Sa 8:2
2Re 1:1
v 1Re 20:27

vado contra mí. ¿Quieres ir conmigo a Moab en guerra?". A esto él dijo: "Iré.ᵃ Yo soy lo mismo que tú; mi pueblo es lo mismo que tu pueblo;ᵇ mis caballos son lo mismo que tus caballos". 8 Y pasó a decir: "¿Precisamente por qué camino subiremos?". De modo que él dijo: "Por el camino del desierto de Edom".ᶜ

9 Y el rey de Israel y el rey de Judáᵈ y el rey de Edomᵈ procedieron a ir, y siguieron yendo por su camino alrededor por siete días, y resultó que no había agua para el campamento ni para los animales domésticos que seguían sus pasos. 10 Por fin el rey de Israel dijo: "¡Qué desdicha que Jehová haya llamado a estos tres reyes para darlos en la mano de Moab!".ᵉ 11 A lo que dijo Jehosafat:ᶠ "¿No hay aquí un profeta de Jehová?ᵍ Entonces inquiramos de Jehová por medio de él".ʰ Por lo tanto, uno de los siervos del rey de Israel contestó y dijo: "Está aquí Eliseoⁱ hijo de Safat, que derramaba agua sobre las manos de Elías".ʲ 12 Entonces dijo Jehosafat: "La palabra de Jehová existe con él". Por lo tanto, el rey de Israel y Jehosafat y el rey de Edom bajaron a él.

13 Y Eliseo procedió al rey de Israel: "¿Qué tengo yo que ver contigo?ᵏ Ve a los profetasˡ de tu padre y a los profetas de tu madre". Pero el rey de Israel le dijo: "No, porque Jehová ha llamado a estos tres reyes para darlos en la mano de Moab".ᵐ 14 A esto Eliseo dijo: "Tan ciertamente como que vive Jehová de los ejércitos,ⁿ delante de quien en efecto estoy de pie, si no fuera que le tengo consideración al rostro de Jehosafat el rey de Judá,ᵒ no te miraría ni te vería.ᵖ 15 Y ahora tráiganme un tañedor de instrumento de cuerdas". q Y sucedió que, tan pronto como el tañedor de instrumento de cuerdas tocó, la manoʳ de Jehová vino a estar sobre él.

16 Y él pasó a decir: "Esto es lo que ha dicho Jehová: 'Que haya un hacer que este valle torrencial esté lleno de zanjas;ᵃ 17 porque esto es lo que ha dicho Jehová: "No verán ustedes un viento, y no verán un aguacero; no obstante, ese valle torrencial se llenará de agua,ᵇ y ustedes ciertamente beberán [de ella],ᶜ ustedes y su ganado y sus animales domésticos"'. 18 Y esto verdaderamente será cosa insignificante a los ojos de Jehová,ᵈ y él ciertamente dará a Moab en su mano.ᵉ 19 Y tendrán que derribar toda ciudad fortificadaᶠ y toda ciudad selecta; y todo árbol buenoᵍ lo deben talar,ʰ y todos los manantiales de agua los deben cegar, y toda buena porción de terreno la deben echar a perder con piedras".

20 Y por la mañana,ⁱ al tiempo en que asciende la ofrenda de grano,ʲ aconteció que, ¡mire!, venía agua de la dirección de Edom, y la tierra quedó llena del agua.

21 En cuanto a todos los moabitas, ellos oyeron que los reyes habían subido para pelear contra ellos. Por lo tanto convocaron [hombres] de cuantos ceñíanᵏ cinto en adelante, y empezaron a plantarse en el límite. 22 Cuando se levantaron muy de mañana, el sol mismo fulguró sobre el agua, de manera que los moabitas desde el lado opuesto vieron el agua roja como sangre. 23 Y empezaron a decir: "¡Esto es sangre! Indisputablemente los reyes han sido dados a la espada, y fueron derribándose unos a otros. Así es que ahora, ¡al despojo,ˡ oh Moab!". 24 Cuando entraron en el campamento de Israel, los israelitasᵐ se levantaron inmediatamente y empezaron a derribar a los moabitas, de modo que estos se pusieron a huir de delante de ellos.ⁿ Así entraron en Moab, derribando a los moabitas al entrar. 25 Y fueron echando abajo las

CAP. 3
a 2Cr 19:2
b 1Re 22:4
2Co 6:14
c Nú 21:4
d 2Sa 8:14
1Re 22:47
Ec 4:12
e 1Cr 15:13
Sl 78:34
Pr 19:3
Isa 8:21
f 1Re 22:7
g Am 3:7
h Jue 20:18
i 1Re 19:16
2Re 2:15
j 1Re 19:21
Lu 22:26
k 1Sa 2:30
Eze 14:3
1Co 10:21
l Jue 10:14
1Re 18:19
1Re 22:6
1Re 22:22
m Dt 32:39
Os 6:1
n Dt 6:13
Jer 12:16
o 2Cr 17:3
2Cr 19:4
p Job 34:18
Pr 15:29
Miq 3:4
q 1Sa 10:5
1Cr 25:1
r 1Re 18:46
Eze 1:3
Eze 3:14
Eze 8:1
Hch 11:21

2.ᵃ col.
a Jer 14:3
b Sl 84:6
Sl 107:35
c Isa 41:17
d Jer 32:17
Mr 10:27
e Dt 28:7
f Dt 3:5
g Dt 20:19
h 2Re 3:25
i Éx 29:39
j Éx 29:41
k 1Re 20:11
l Éx 15:9
Jue 5:30
m 1Re 12:19
n Le 26:7
1Te 5:3

ciudades,[a] y, en cuanto a toda buena porción de terreno, arrojaban cada cual su piedra y realmente la llenaban; y todo manantial de agua lo cegaban,[b] y todo árbol bueno lo talaban,[c] hasta que solo dejaron permanecer en ella las piedras de Quir-haréset;[d] y los honderos empezaron a ir alrededor de ella y a derribarla.

26 Cuando el rey de Moab vio que la batalla había resultado demasiado fuerte para él, en seguida tomó consigo setecientos hombres que desenvainaban espada, para abrirse paso hacia el rey de Edom;[e] pero no pudieron hacerlo. 27 Por fin él tomó a su hijo primogénito, que había de reinar en lugar de él, y lo ofreció[f] como sacrificio quemado sobre el muro. Y llegó a haber gran indignación contra Israel, de manera que ellos se retiraron de contra él y se volvieron a su país.

4 Ahora bien, hubo cierta mujer de las esposas de los hijos de los profetas[g] que clamó a Eliseo, y dijo: "Tu siervo, mi esposo, está muerto; y tú mismo bien sabes que tu propio siervo había temido[h] a Jehová continuamente, y el acreedor[i] mismo ha venido a tomar ambos hijos míos por esclavos suyos". 2 A lo que dijo Eliseo: "¿Qué haré por ti?[j] Decláramelo; ¿qué tienes en la casa?". A lo que ella dijo: "Tu sierva no tiene nada en absoluto en la casa sino un jarro de pico [que contiene] aceite".[k] 3 Entonces él dijo: "Ve, pide vasijas para ti de afuera, de todas tus vecinas, vasijas vacías. No te limites a unas cuantas. 4 Y tienes que ir y cerrar la puerta detrás de ti y tus hijos, y tienes que verter [el aceite] en todas estas vasijas, y debes apartar las llenas". 5 Con esto, ella se fue de él.

Cuando ella cerró la puerta detrás de sí y sus hijos, ellos le fueron acercando [las vasijas], y ella fue vertiendo[a] [el aceite]. 6 Y aconteció que, tan pronto como estuvieron llenas las vasijas, ella pasó a decir a su hijo: "Ea, acércame una vasija más".[b] Pero él le dijo: "No hay otra vasija". Con esto cesó el aceite.[c] 7 Así que ella entró y lo informó al hombre del Dios [verdadero], y él ahora dijo: "Ve, vende el aceite y paga tus deudas,[d] y tú [y] tus hijos deben vivir de lo que quede".[e]

8 Y un día aconteció que Eliseo fue pasando hasta Sunem,[f] donde había una mujer prominente, y ella se puso a constreñirlo[g] para que comiera pan. Y aconteció que, siempre que él pasaba, se desviaba hacia allá para comer pan. 9 Por fin ella dijo a su esposo:[h] "Ve esto: bien sé yo que es un santo hombre de Dios[i] el que va pasando junto a nosotros constantemente. 10 Por favor, hagamos una pequeña cámara en el techo[j] sobre el muro y pongámosle allí un lecho y una mesa y una silla y un candelabro;[k] y tendrá que suceder que siempre que él entre a donde nosotros podrá desviarse hacia allí".[l]

11 Y un día aconteció que, como de costumbre, él entró allí y se desvió a la cámara del techo y se acostó allí. 12 De modo que dijo a Guehazí[m] su servidor: "Llámame a esta sunamita".[n] Ante eso, este la llamó para que estuviera de pie delante de él. 13 Entonces él le dijo a aquel: "Por favor, dile a ella: 'Mira que te has restringido por nosotros con toda esta restricción.[o] ¿Qué hay que se pueda hacer por ti?[p] ¿Hay algo que se pueda hablar por ti al rey[q] o al jefe[r] del ejército?'". A lo que dijo ella: "En medio de mi propio pueblo estoy morando".[s] 14 Y él pasó a decir: "Entonces, ¿qué hay que se pueda hacer por ella?". Guehazí ahora dijo: "De hecho, no tie-

CAP. 3
a Isa 37:26
b Gé 26:15
    2Cr 32:4
c 2Re 3:19
d Isa 15:1
    Isa 16:7
e 2Re 3:9
f Dt 12:31
    1Re 11:7
    2Re 17:17
    2Cr 28:3
    Sl 106:37
    Jer 7:31
    Eze 16:20
    1Co 10:20

CAP. 4
g 2Re 2:3
    2Re 4:38
h 1Re 19:18
    2Re 4:23
i 1Sa 22:2
j Pr 3:27
    Gál 6:10
    Heb 13:16
    Snt 1:27
k 1Re 17:12

2.ª col.
a Mr 6:41
    Mt 8:6
    Jn 2:9
b Mt 14:19
    Mt 15:37
c Jos 5:12
    1Re 17:14
    Jn 6:12
d Sl 37:21
    Ro 13:8
e Sl 128:4
f Jos 19:18
    1Re 1:3
    Can 6:13
g Gé 19:3
    Jue 13:15
    Hch 16:15
h Pr 31:11
    1Co 11:3
i 2Re 2:9
j Jue 3:20
    1Re 17:19
k Mr 4:21
l Mt 10:41
    Ro 12:13
    Heb 13:2
m 2Re 4:29
    2Re 5:20
    2Re 5:27
    2Re 8:4
n Jos 19:18
    1Sa 28:4
o Ro 16:6
    Heb 6:10
p 2Re 2:9
    2Re 4:2
q 2Re 8:3
r 2Re 9:5
s 2Re 8:1

ne hijo,[a] y su esposo es viejo". 15 Al instante él dijo: "Llámala". De modo que él la llamó, y ella se quedó de pie a la entrada. 16 Entonces él dijo: "A este tiempo señalado el año que viene estarás abrazando a un hijo".[b] Pero ella dijo: "¡No, amo mío, oh hombre del Dios [verdadero]! No digas mentiras respecto a tu sierva".

17 Sin embargo, la mujer llegó a estar encinta y dio a luz un hijo,[c] a este tiempo señalado, el año siguiente, tal como le había hablado Eliseo.[d] 18 Y el niño siguió creciendo, y un día aconteció que salió como de costumbre a su padre con los segadores.[e] 19 Y siguió diciendo a su padre: "¡Mi cabeza, ay mi cabeza!".[f] Por fin [el padre] dijo al servidor: "Cárgalo hasta su madre".[g] 20 Por lo tanto, él lo cargó y lo llevó a su madre. Y [el niño] se quedó sentado sobre las rodillas de ella hasta el mediodía, y gradualmente murió.[h] 21 Entonces ella subió y lo acostó sobre el lecho[i] del hombre del Dios [verdadero][j] y le cerró la puerta y salió. 22 Entonces llamó a su esposo y dijo: "Envíame, sí, por favor, uno de los servidores y una de las asnas, y déjame correr hasta donde está el hombre del Dios [verdadero], y volver".[k] 23 Pero él dijo: "¿Por qué vas a él hoy? No es luna nueva[l] ni sábado". Sin embargo, ella dijo: "Está bien". 24 De modo que ella aparejó el asna[m] y dijo a su servidor: "Guía y sigue adelante. No te detengas de cabalgar a causa de mí, a no ser que te lo haya dicho".

25 Y ella procedió a irse y llegar al hombre del Dios [verdadero] en el monte Carmelo. Y aconteció que, tan pronto como el hombre del Dios [verdadero] la vio a la distancia, inmediatamente dijo a Guehazí su servidor:[n] "¡Mira! La sunamita allá. 26 Ahora, por favor, corre a su

CAP. 4

a Gé 15:2
  Gé 30:1
b Gé 18:10
c Sl 127:3
  Mt 10:41
d Dt 18:22
e Mt 13:30
f Isa 49:15
  Isa 66:13
h 1Re 17:17
  Ec 9:12
i 2Re 4:10
j 2Re 4:9
k Jn 11:3
  Hch 9:38
l Nú 10:10
  Nú 28:11
  Eze 46:3
m Éx 4:20
  1Sa 25:20
n 2Re 4:12

2.ª col.

a Mt 28:9
b Mr 10:13
c 2Re 4:9
d Job 29:25
  2Co 1:4
  1Ti 5:11
e Pr 15:13
  Pr 17:22
f Gé 18:17
  Am 3:7
g 2Re 4:16
h 2Re 4:12
i 1Re 18:46
j Éx 4:17
k Lu 10:4
l Hch 19:12
m Dt 6:13
  Jer 12:16
n 1Sa 1:26
  2Re 2:4
o Mt 15:28
  Jn 11:40
p Mt 17:16
  Mr 9:18
q Mr 5:39
  Lu 8:52
  Jn 11:11
r 2Re 4:21
s 1Re 17:19
  Mt 6:6
t 1Re 17:20
  Jn 11:41
  Hch 9:40
u 1Re 17:21
  Hch 20:10

encuentro y dile: '¿Te va bien? ¿Le va bien a tu esposo? ¿Le va bien al niño?'". A lo cual ella dijo: "Va bien". 27 Cuando ella llegó al hombre del Dios [verdadero] en la montaña, en seguida lo asió de los pies.[a] Ante esto, Guehazí se acercó para empujarla de allí,[b] pero el hombre del Dios [verdadero][c] dijo: "Déjala,[d] porque amargada[e] está su alma dentro de ella; y Jehová mismo me lo ha escondido[f] y no me lo ha informado". 28 Ella entonces dijo: "¿Pedí yo un hijo por medio de mi señor? ¿No dije yo: 'No debes conducirme a una esperanza falsa'?".[g]

29 Al punto él dijo a Guehazí:[h] "Ciñe tus lomos[i] y toma mi bastón[j] en tu mano y vete. En caso de encontrar con alguien, no debes saludarlo;[k] y en caso de que alguien te salude, no debes contestarle. Y tienes que colocar mi bastón sobre el rostro del muchacho".[l] 30 En esto la madre del muchacho dijo: "Tan ciertamente como que vive Jehová[m] y como que vive tu alma,[n] yo ciertamente no te dejaré".[o] Por lo tanto él se levantó y se fue con ella. 31 Y Guehazí mismo pasó delante de ellos y entonces puso el bastón sobre el rostro del muchacho, pero no hubo voz ni prestar atención.[p] Por eso se volvió atrás a encontrarlo y se lo informó, diciendo: "El muchacho no despertó".[q]

32 Por fin Eliseo entró en la casa, y el muchacho estaba allí muerto, tendido sobre su lecho.[r] 33 Entonces él entró y cerró la puerta tras ellos dos[s] y empezó a orar a Jehová.[t] 34 Por fin subió y se acostó sobre el niño,[u] y puso su propia boca sobre la boca de él, y sus propios ojos sobre los ojos de él, y las palmas de sus propias manos sobre las palmas de las manos de él, y se quedó doblado sobre él, y la carne del niño se calentó gradualmente. 35 Entonces [Eli-

seo] se puso a andar de nuevo en la casa, una vez hacia acá y una vez hacia allá, después de lo cual subió y se dobló sobre él. Y el muchacho se puso a estornudar hasta siete veces, después de lo cual el muchacho abrió los ojos.ᵃ 36 Ahora él llamó a Guehazí y dijo: "Llama a esta sunamita".ᵇ De modo que él la llamó, y ella entró a donde él. Entonces él dijo: "Alza a tu hijo".ᶜ 37 Y ella procedió a entrar y caer a sus pies e inclinarse a tierra ante él,ᵈ después de lo cual alzó a su hijo y salió.ᵉ

38 Y Eliseo mismo regresó a Guilgal,ᶠ y había hambreᵍ en el país. Puesto que los hijosʰ de los profetas estaban sentados delante de él,ⁱ con el tiempo dijo a su servidor:ʲ "Pon la olla grande y cuece un guisado para los hijos de los profetas".ᵏ 39 Por lo tanto, uno salió al campo a recoger malva,ˡ y llegó a hallar una enredadera silvestre y se puso a recoger de ella calabazas silvestres, su prenda de vestir llena, y luego vino y las rebanó en la olla del guisado, porque no las conocían. 40 Más tarde se lo vertieron a los hombres para que comieran. Y aconteció que, tan pronto como comieron del guisado, ellos mismos clamaron y empezaron a decir: "Hay muerte en la olla,ᵐ oh hombre del Dios [verdadero]".ⁿ Y no pudieron comer. 41 De manera que él dijo: "Pues traigan harina". Después que la echó en la olla, pasó a decir: "Viértelo a la gente para que coma". Y no resultó haber nada dañino en la olla.ᵒ

42 Y hubo un hombre que vino de Baal-salisá,ᵖ y vino trayendoᑫ al hombre del Dios [verdadero] pan de los primeros frutos maduros,ʳ veinte panes de cebada,ˢ y grano nuevo en su bolsa de pan. Entonces él dijo: "Dalo a la gente para que coma".ᵗ 43 Sin embargo, su criado dijo: "¿Cómo pondré esto delante de cien hombres?".ᵃ A esto él dijo: "Dalo a la gente para que coma, porque esto es lo que ha dicho Jehová: 'Habrá comer y sobrar'".ᵇ 44 Ante eso, lo puso delante de ellos, y empezaron a comer, y hubo sobras, conforme a la palabra de Jehová.ᶜ

5 Ahora bien, cierto Naamán,ᵈ el jefe del ejército del rey de Siria, había llegado a ser hombre grande delante de su señor y a ser tenido en estima, porque por medio de él Jehová había dado salvación a Siria;ᵉ y el hombre mismo había resultado ser hombre valiente y poderoso, aunque leproso. 2 Y los sirios, por su parte, habían salido como partidas merodeadoras,ᶠ y llegaron a tomar cautiva de la tierra de Israel a una muchachita,ᵍ y esta llegó a estar delante de la esposa de Naamán. 3 Con el tiempo ella dijoʰ a su ama: "¡Si solo mi señor estuviera delante del profetaⁱ que hay en Samaria! En ese caso él le daría recobro de su lepra".ʲ 4 Posteriormente, alguien vino y se lo informó a su señor, y dijo: "Así y así fue como habló la muchachaᵏ que es de la tierra de Israel!"

5 Entonces el rey de Siria dijo: "¡Anda! Ven, y déjame enviar una carta al rey de Israel". De manera que él procedió a ir y tomar en su manoˡ diez talentos de plata y seis mil piezas de oroᵐ y diez mudas de prendas de vestir.ⁿ 6 Y vino trayendo al rey de Israel la cartaᵒ que decía: "Y ahora bien, al mismo tiempo que te llegue esta carta, aquí realmente te envío a Naamán mi siervo, para que le des recobro de su lepra". 7 Y aconteció que, en cuanto al rey de Israel leyó la carta, inmediatamente rasgóᵖ sus prendas de vestir y dijo: "¿Soy yo Dios,ᑫ para dar muerte y conservar vivo?ʳ Pues esta persona envía a mí para que dé recobro de su lepra a un hombre; porque nada más fíjense, por fa-

CAP. 4
a 2Re 8:1
  2Re 8:5
b 2Re 4:12
c Heb 11:35
d 1Sa 25:23
e 1Re 17:24
  Hch 20:12
f 2Re 2:1
g Dt 28:23
  2Re 8:1
  Eze 14:13
h 2Re 2:3
  2Re 4:1
i Pr 8:34
  Hch 22:3
j 2Re 4:12
k Sl 37:19
  Sl 37:25
l Isa 26:19
m Job 12:11
n 1Re 17:24
  Isa 44:26
o Éx 15:25
  2Re 2:21
p Sl 9:4
q Heb 13:16
r Éx 23:16
  1Sa 9:7
  Gál 6:6
s Dt 8:8
  Jn 6:9
t 1Co 9:11

2.ᵃcol.
a Mt 14:17
  Mr 8:4
b Sl 132:15
  Mt 14:20
  Mr 8:8
c Lu 9:17
  Jn 6:13

CAP. 5
d 2Re 5:14
  Lu 4:27
e Pr 21:31
f Jue 9:34
  1Sa 13:17
  2Re 6:23
g 1Sa 30:2
h 1Sa 48:12
  Sl 148:13
i Nú 11:29
  Jn 19:16
j Mt 8:2
  Mt 11:5
  Lu 4:27
k Sl 8:2
l Nú 22:7
  1Sa 9:8
m 1Re 10:16
n Gé 45:22
  Jue 14:12
o 2Sa 11:14
p Nú 14:6
  Mt 26:65
q Gé 30:2
  Dt 32:39
r 1Sa 2:6
  Da 5:19
  Os 6:1

vor, y vean cómo anda buscando una riña conmigo".[a]

8 Y aconteció que, tan pronto como Eliseo el hombre del Dios [verdadero] oyó que el rey de Israel había rasgado sus prendas de vestir,[b] en seguida envió a decir al rey: "¿Por qué rasgaste tus prendas de vestir? Permite que venga a mí, por favor, para que él sepa que existe profeta en Israel".[c]   9 De manera que Naamán fue con sus caballos y sus carros de guerra y se paró a la entrada de la casa de Eliseo. 10 Sin embargo, Eliseo le envió un mensajero, que dijo: "Yendo allá, tienes que bañarte[d] siete veces[e] en el Jordán para que vuelva a ti tu carne;[f] y sé limpio". 11 Ante esto, Naamán se indignó y empezó a irse y a decir: "Mira que yo [me] había dicho:[h] 'Saldrá a mí hasta afuera, y ciertamente estará de pie e invocará el nombre de Jehová su Dios, y moverá su mano de acá para allá sobre el lugar, y realmente dará recobro al leproso'. 12 ¿No son el Abaná y el Farpar, los ríos de Damasco,[i] mejores que todas las aguas[j] de Israel? ¿No puedo bañarme en ellos y ciertamente ser limpio?".[k] Con eso se volvió y se fue furioso.[l]

13 Sus siervos ahora se acercaron y le hablaron y dijeron: "Padre mío,[m] si hubiera sido una cosa grande la que te hubiera hablado el profeta mismo, ¿no la harías? ¿Cuánto más, pues, dado que te dijo: 'Báñate y sé limpio'?".   14 Por lo cual él bajó y empezó a sumergirse en el Jordán siete veces, conforme a la palabra del hombre del Dios [verdadero];[n] después de lo cual su carne se volvió como la carne de un muchachito,[o] y quedó limpio.[p]

15 Entonces se volvió al hombre del Dios [verdadero],[q] él con todo su campamento, y vino y estuvo de pie delante de él y dijo: "Mira aquí, sé con certeza que no

hay Dios en ninguna parte de la tierra sino en Israel.[a] Y ahora acepta, por favor, un regalo de bendición[b] de parte de tu siervo".   16 Sin embargo, él dijo: "Tan ciertamente como que vive Jehová[c] delante de quien en verdad estoy de pie, yo ciertamente no lo aceptaré".[d] Y al se puso a instarlo a que lo aceptara, pero él siguió rehusando.   17 Por fin Naamán dijo: "Si no, por favor, que se dé a tu siervo un poco de tierra,[e] la carga de un par de mulos; porque tu siervo ya no ofrecerá ofrenda quemada o sacrificio a otros dioses sino a Jehová.[f] 18 En esta cosa que Jehová perdone a tu siervo: Cuando mi señor entre en la casa de Rimón[g] para inclinarse allí, y él esté apoyándose[h] sobre mi mano, y tenga yo que inclinarme[i] en la casa de Rimón, cuando me incline en la casa de Rimón, que Jehová, por favor, perdone a tu siervo en cuanto a esto".[j]   19 Ante esto, él le dijo: "Vete en paz".[k] Por lo tanto, se alejó de él por un buen trecho de tierra.

20 Entonces Guehazí[l] el servidor de Eliseo el hombre del Dios [verdadero][m] dijo: "Mira que mi amo se le ha perdonado [gastos] a este sirio Naamán[n] al no aceptar de su mano lo que trajo. Tan ciertamente como que vive Jehová,[o] yo ciertamente correré tras él y tomaré algo de él".[p] 21 Y Guehazí se fue corriendo tras Naamán. Cuando Naamán vio que alguien corría tras él, en seguida bajó de su carro para ir a su encuentro, y entonces dijo: "¿Va todo bien?". 22 A lo que dijo él: "Todo va bien. Mi amo mismo me ha enviado,[s] diciendo: ¡Mira! Ahora mismo acaban de venir a mí dos jóvenes de la región montañosa de Efraín, de los hijos de los profetas.[t] Dales, sí, por favor, un talento de plata y dos mudas de prendas de vestir'".[u] 23 Ante eso, Naamán dijo: "Anda, toma

CAP. 5

a 2Sa 10:3
  Ec 7:9
b Job 2:12
c 1Re 17:24
  1Re 19:16
  2Re 3:12
  2Re 4:9
  2Re 6:32
  2Re 8:4
d Dt 8:2
  Jn 9:7
e Le 14:7
  Nú 19:4
f Éx 4:7
g Pr 8:13
  Snt 4:10
h Isa 55:8
i 2Sa 8:5
  Hch 9:2
j Jos 3:15
k Jon 2:8
l Pr 14:17
  Ec 7:9
m 2Re 2:12
  2Re 6:21
n 2Re 5:10
  2Cr 20:20
  1Pe 5:5
o Job 33:25
p Lu 4:27
  Lu 5:13
q Lu 17:15

2.ª col.

a Sl 96:5
  Isa 43:10
  Isa 44:6
  Isa 45:5
  1Co 8:4
b 1Sa 25:27
c Dt 6:13
  Jer 12:16
d Mt 10:8
  1Co 9:18
  2Co 11:9
  Rev 22:17
e Éx 20:24
  Éx 20:25
f 1Te 1:9
g Jer 10:14
  1Co 8:5
h 2Re 7:2
i Éx 20:5
  1Re 19:18
  2Re 17:35
j 2Cr 30:18
  2Cr 30:19
k 2Sa 3:22
l 2Re 4:12
  2Re 8:4
m 1Re 17:24
  Isa 44:26
n 2Re 5:1
  Lu 4:27
o 2Sa 12:5
p Sl 10:3
  Jer 17:9
  Lu 12:15
  1Ti 6:10
q 2Re 4:26
r 2Re 2:3
s Jn 8:44
  Ef 4:25
t Pr 6:17
  Pr 21:6
  Col 3:9
u 2Re 5:5

dos talentos". Y siguió instándolo,[a] y por fin ató dos talentos de plata en dos talegas, con dos mudas de prendas de vestir, y dio esto a dos de sus servidores, para que lo llevaran delante de él.

24 Cuando él llegó a Ofel, en seguida lo tomó de la mano de ellos, y lo depositó en la casa,[b] y despidió a los hombres. De manera que ellos se fueron. 25 Y él mismo entró y entonces estuvo de pie junto a su amo.[c] Eliseo ahora le dijo: "¿De dónde [vienes], Guehazí?" Pero él le dijo: "Tu siervo no fue a ninguna parte".[d] 26 Ante esto, él le dijo: "¿No te acompañó mi corazón mismo al momento que se volvió el hombre [para bajar] de su carro para recibirte? ¿Es tiempo de aceptar plata o de aceptar prendas de vestir u olivares o viñas u ovejas o ganado o siervos o siervas?[e] 27 De manera que la lepra[f] de Naamán se te pegará a ti y a tu prole hasta tiempo indefinido".[g] Inmediatamente salió de delante de él, leproso, blanco como la nieve.[h]

6 Y los hijos[i] de los profetas empezaron a decir a Eliseo: "¡Mira esto! El lugar[j] donde estamos morando delante de ti es demasiado estrecho[k] para nosotros. 2 Permítenos ir, por favor, hasta el Jordán y tomar de allí cada uno una viga y hacernos[l] allí un lugar donde morar". De modo que él dijo: "Vayan". 3 Entonces uno pasó a decir: "Decídete, por favor, y ven con tus siervos". A lo que él dijo: "Yo mismo iré". 4 Por consiguiente, fue con ellos, y por fin llegaron al Jordán y empezaron a cortar los árboles.[m] 5 Y aconteció que uno estaba talando su viga, y la cabeza misma del hacha[n] cayó en el agua. Y él se puso a clamar y decir: "¡Ay, amo mío,[o] porque era prestada!".[p] 6 Entonces el hombre del Dios [verdadero]

dijo: "¿Dónde cayó?". De modo que le mostró el lugar. Inmediatamente él cortó un pedazo de madera y lo tiró allí e hizo flotar la cabeza del hacha.[a] 7 Ahora dijo: "Álzala para ti". En seguida él alargó la mano y la tomó.

8 Y el rey de Siria,[b] por su parte, llegó a estar envuelto en guerra contra Israel. Por lo tanto entró en consejo con sus siervos,[c] y dijo: "En tal y tal lugar ustedes acamparán conmigo".[d] 9 Entonces el hombre del Dios [verdadero][e] envió a decir al rey de Israel: "Guárdate de pasar por este lugar,[f] porque es allí adonde están bajando los sirios".[g] 10 De manera que el rey de Israel envió al lugar que le había dicho el hombre del Dios [verdadero].[h] Y él le advirtió,[i] y él se mantuvo alejado de allí, no una vez ni dos.

11 En consecuencia, el corazón del rey de Siria se enfureció por este asunto,[j] de manera que llamó a sus siervos y les dijo: "¿No me declararán quién de los que nos pertenecen está a favor del rey de Israel?".[k] 12 Entonces uno de sus siervos dijo: "Ninguno, mi señor el rey, sino que Eliseo[l] el profeta que está en Israel informa[m] al rey de Israel las cosas que hablas en tu alcoba interior".[n] 13 Por lo tanto él dijo: "Vayan y vean dónde está, para que yo envíe y lo tome".[o] Más tarde se le hizo el informe, diciendo: "Allí está en Dotán".[p] 14 Inmediatamente él envió allá caballos y carros de guerra y una pesada fuerza militar;[q] y procedieron a venir de noche y a rodear la ciudad.

15 Cuando el ministro[r] del hombre del Dios [verdadero] madrugó para levantarse, y salió afuera, pues, allí estaba una fuerza militar que cercaba a la ciudad con caballos y carros de guerra. En seguida su servidor le dijo: "¡Ay, amo mío![s] ¿Qué haremos?". 16 Pero él dijo: "No

---

CAP. 5
a 2Re 5:16
b Jos 7:21
c 2Re 2:3
Jer 6:15
d Sl 63:11
Pr 12:19
Pr 12:22
Isa 59:3
Os 12:8
e Mt 10:8
Hch 5:9
Hch 20:33
f 2Re 5:21
1Ti 6:9
g 2Sa 3:29
h Éx 4:6
Nú 12:10
Pr 21:6

CAP. 6
i 2Re 2:3
2Re 2:5
2Re 9:1
j 2Re 4:38
k Isa 49:20
2Re 6:15
2Te 3:8
n Isa 10:34
o 2Re 6:15
p Éx 22:14
2Re 4:7

2.ª col.
a Lu 18:27
b 1Re 20:1
1Re 20:34
1Re 22:31
c 1Re 20:23
Pr 21:30
d Ne 4:11
e 1Re 17:24
Isa 44:26
f Pr 20:18
j Isa 57:20
k 1Sa 22:8
l 2Re 5:3
2Re 5:8
Am 3:7
m Da 2:28
Da 4:9
n Sl 139:2
Ec 10:20
Da 12:3
o Sl 37:12
p Gé 37:17
q 2Re 1:9
Mt 26:55
r 1Re 19:21
2Re 3:11
s Mt 8:25

tengas miedo,[a] porque hay más que están con nosotros que los que están con ellos".[b] 17 Y Eliseo se puso a orar[c] y decir: "Oh Jehová, ábrele los ojos,[d] por favor, para que vea". Inmediatamente Jehová abrió los ojos al servidor, de manera que él vio; y, ¡mire!, la región montañosa estaba llena de caballos y carros de guerra[e] de fuego todo en derredor de Eliseo.[f]

18 Cuando empezaron a bajar a él, Eliseo se puso a orar a Jehová y decir: "Por favor, hiere a esta nación con ceguera".[g] De modo que él los hirió con ceguera, conforme a la palabra de Eliseo. 19 Eliseo ahora les dijo: "Este no es el camino, y esta no es la ciudad. Síganme, y permítanme conducirlos al hombre que ustedes buscan". Sin embargo, los condujo a Samaria.[h]

20 Y aconteció que, tan pronto como llegaron a Samaria, Eliseo entonces dijo: "Oh Jehová, abre los ojos de estos para que vean".[i] Inmediatamente Jehová les abrió los ojos, y llegaron a ver, y ¡aquí estaban en medio de Samaria. 21 El rey de Israel ahora dijo a Eliseo, luego que los vio: "¿[Los] derribo, [los] derribo,[j] padre mío?".[k] 22 Pero él dijo: "No debes derribar[los]. ¿Es a los que has hecho cautivos con tu espada y con tu arco a quienes vas a derribar?[l] Coloca pan y agua delante de ellos para que coman y beban[m] y se vayan a su señor". 23 Por lo tanto, les hizo un gran banquete; y se pusieron a comer y beber, después de lo cual los envió, y ellos se fueron a su señor. Y ni una sola vez volvieron a entrar las partidas merodeadoras[n] de los sirios en la tierra de Israel.

24 Y después de esto aconteció que Ben-hadad el rey de Siria procedió a juntar todo su campamento y a subir y sitiar[o] a Samaria. 25 Con el tiempo surgió una gran hambre en Sa-

maria,[a] y, ¡mire!, estuvieron sitiándola hasta que la cabeza de un asno[b] llegó a valer ochenta piezas de plata, y el cuarto de una medida de cab de estiércol[c] de paloma valía cinco piezas de plata. 26 Y aconteció que, al ir pasando el rey de Israel sobre el muro, cierta mujer le gritó, y dijo: "¡Salva, sí, oh mi señor el rey!".[d] 27 A lo que él dijo: "Si Jehová no te salva, ¿de qué [fuente] te salvaré yo?,[e] ¿de la era, o del lagar de vino o de aceite?". 28 Y el rey siguió diciéndole: "¿Qué te pasa?". A lo que dijo ella: "Esta mujer misma me dijo: 'Da tu hijo para que nos lo comamos hoy, y a mi propio hijo nos lo comeremos mañana'.[f] 29 Por lo tanto cocimos[g] a mi hijo y nos lo comimos.[h] Entonces le dije yo al día siguiente: 'Da tu hijo para que nos lo comamos'. Pero ella escondió a su hijo".

30 Y aconteció que, en cuanto el rey oyó las palabras de la mujer, al instante rasgó[i] sus prendas de vestir; y al ir pasando él sobre el muro, el pueblo llegó a ver, y, ¡mire!, había saco debajo, sobre su carne. 31 Y él pasó a decir: "¡Así me haga Dios, y así añada a ello, si la cabeza de Eliseo hijo de Safat permanece sobre él hoy!".[j]

32 Y Eliseo estaba sentado en su propia casa, y los ancianos estaban sentados con él,[k] cuando él envió a un hombre de delante de sí. Antes que el mensajero pudiera entrar a donde él, él mismo dijo a los ancianos: "¿Han visto ustedes cómo este hijo de un asesino[l] ha enviado a quitarme la cabeza? Vean: tan pronto como llegue el mensajero, cierren la puerta, y tienen que aguantarlo con la puerta. ¿No se oye el sonido[m] de los pies de su señor detrás de él?". 33 Mientras todavía estaba hablando con ellos, aquí venía el mensajero bajando a él, y [el rey] procedió a decir: "Mira, esta es la

---

CAP. 6

a Éx 14:13
Sl 3:6
Sl 11:1
Sl 18:2
Sl 118:11

b 2Sa 22:31
2Cr 32:7
Sl 27:3
Sl 46:7
Sl 55:18
Ro 8:31

c 2Cr 20:12
Sl 91:15

d Hch 7:56

e 2Re 2:11
Sl 68:17
Zac 6:1

f Sl 34:7
Mt 26:53

g Gé 19:11
Pr 4:19
Isa 59:10
Jn 9:39

h 1Re 16:29

i Lu 24:31

j 1Sa 24:19

k 2Re 2:12
2Re 5:13
2Re 13:14

l Dt 20:11

m Pr 25:21
Mt 5:44
Lu 6:35
Ro 12:20

n 2Re 5:2

o Dt 28:52
1Re 20:1

2.ª col.

a Le 26:26
Dt 28:17
2Re 7:4
Lam 4:9

b Dt 14:3
Eze 4:14
Hch 10:12

c Eze 4:15

d 2Sa 14:4
Lu 18:3

e Sl 60:11
Sl 118:8
Sl 146:3
Isa 2:22
Jer 17:5

f Le 26:29
Dt 28:53
Isa 49:15
Eze 5:10

g Lam 4:10

h Dt 28:55
Dt 28:57

i Gé 37:29
1Re 21:27
2Re 19:1

j Sl 105:15
Jer 38:4

k Eze 8:1
Eze 14:1
Eze 20:1

l 1Re 18:13
1Re 21:10

m 1Re 14:6

calamidad procedente de Jehová.[a] ¿Por qué debo esperar más a Jehová?".[b]

7 Eliseo ahora dijo: "Escuchen la palabra de Jehová.[c] Esto es lo que ha dicho Jehová: 'Mañana como a esta hora una medida de sea de flor de harina valdrá un siclo, y dos medidas de sea de cebada valdrán un siclo en el paso de entrada de Samaria'".[d] 2 Ante eso, el adjutor sobre cuya mano estaba apoyándose[e] el rey estuviera haciendo compuertas en los cielos,[f] ¿pudiera suceder esta cosa?".[g] A lo que dijo él: "Mira que lo vas a ver con tus propios ojos,[h] pero de ello no comerás".[i]

3 Y había cuatro hombres, leprosos, que se hallaban en la entrada de la puerta;[j] y empezaron a decirse el uno al otro: "¿Por qué nos quedamos sentados aquí hasta que hayamos muerto? 4 Si hubiéramos dicho: 'Entremos en la ciudad', cuando el hambre está en la ciudad, entonces tendríamos que morir allí.[k] Y si en efecto nos sentamos aquí, también tendremos que morir. Ahora, pues, vengan e invadamos el campamento de los sirios. Si nos conservan vivos, viviremos; pero si nos dan muerte, entonces tendremos que morir".[l] 5 Por lo tanto, se levantaron en la oscuridad vespertina para penetrar en el campamento de los sirios; y lograron llegar hasta las afueras del campamento de los sirios, y, ¡mire!, no había nadie allí.

6 Y Jehová mismo había hecho que el campamento de los sirios oyera[m] el sonido de carros de guerra, el sonido de caballos, el sonido de una gran fuerza militar,[n] de manera que se dijeron unos a otros: "¡Miren! ¡El rey de Israel ha alquilado contra nosotros a los reyes de los hititas[o]

y a los reyes de Egipto[a] para que vengan contra nosotros!". 7 Inmediatamente se levantaron y echaron a huir en la oscuridad vespertina,[b] dejando sus tiendas y sus caballos[c] y sus asnos —el campamento tal como estaba— y siguieron huyendo por su alma.[d]

8 Cuando estos leprosos llegaron hasta las afueras del campamento, entonces entraron en una tienda y se pusieron a comer y a beber y a llevarse de allí plata y oro y prendas de vestir, y a marcharse y esconderlos. Después de eso volvieron y entraron en otra tienda y se llevaron cosas de allí y se marcharon y las escondieron.[e]

9 Por fin empezaron a decirse el uno al otro: "No es recto lo que estamos haciendo. ¡Este día es un día de buenas noticias![f] Si titubeamos, y realmente esperamos hasta la luz de la mañana, entonces tendrá que alcanzarnos la culpa.[g] Vamos ahora, pues, y entremos y demos informe a la casa del rey". 10 De manera que fueron y llamaron a los porteros[h] de la ciudad y se lo informaron, diciendo: "Entramos en el campamento de los sirios, y, ¡miren!, no había nadie allí, ni sonido de hombre, sino solo los caballos atados y los asnos atados y las tiendas tal como estaban".[i] 11 En seguida los porteros gritaron y se lo informaron a la casa del rey adentro.

12 El rey se levantó inmediatamente de noche y dijo a sus siervos:[j] "Permítanme declararles, por favor, lo que nos han hecho los sirios.[k] Bien saben ellos que tenemos hambre;[l] y por eso salieron del campamento para esconderse en el campo,[m] diciendo: 'Saldrán de la ciudad y los prenderemos vivos, y entraremos en la ciudad'". 13 Entonces uno de sus siervos contestó y dijo: "Permite que tomen, por favor, cinco de los caballos

---

CAP. 6
a Pr 19:3
Isa 8:21
Am 3:6

b Sl 27:14
Pr 14:29
Pr 30:9
2Pe 3:9
Rev 16:9

CAP. 7
c Am 3:7
Heb 1:1

d Dt 32:36
Jue 5:11
2Re 7:18

e 2Re 5:18

f Gé 7:11
Sl 78:23
Mal 3:10

g Nú 14:11
2Te 3:2

h Nú 11:23
2Cr 20:20

i 2Re 7:17

j Le 13:46
Dt 24:8

k 2Re 6:25

l Lam 4:9

m Pr 20:12

n Dt 28:7
2Sa 5:24
2Re 19:7

o 1Re 10:29
2Cr 1:17

2.ª col.

a 2Cr 12:2

b Sl 48:5
Pr 28:1

c Sl 33:17
Pr 21:31

d Gé 2:7

e Jer 41:8

f Na 1:15
1Co 10:24
Flp 2:4
1Te 5:15

g 1Ti 6:10

h 2Sa 18:26
Sl 127:1
Mr 13:34

i 2Re 7:7

j 2Re 6:8

k Pr 14:15

l 2Re 6:25
2Re 6:29

m Jos 8:4
Jos 8:12
Jue 20:29
Jue 20:37

restantes que han quedado en la ciudad.[a] ¡Mira! Son lo mismo que toda la multitud de Israel que ha quedado en ella. ¡Mira! Son lo mismo que toda la multitud de Israel que ha perecido.[b] Y enviemos y veamos". 14 Por consiguiente, tomaron dos carros con caballos y el rey los envió tras el campamento de los sirios, diciendo: "Vayan y vean". 15 Con eso, ellos los siguieron hasta el Jordán; y, ¡mire!, todo el camino estaba lleno de prendas de vestir y utensilios[c] que los sirios habían arrojado al irse precipitadamente.[d] Entonces los mensajeros volvieron y se lo informaron al rey.

16 Y el pueblo procedió a salir y a saquear[e] el campamento de los sirios; y así una medida de sea de flor de harina vino a valer un siclo, y dos medidas de sea de cebada a valer un siclo, conforme a la palabra[f] de Jehová. 17 Y el rey mismo había nombrado al adjutor sobre cuya mano estaba apoyándose[g] a que tuviera a su cargo el paso de entrada; y el pueblo siguió atropellándolo[h] en el paso de entrada, de modo que murió, tal como había hablado el hombre del Dios [verdadero],[i] cuando habló al tiempo en que el rey bajó a él. 18 Así aconteció tal como había hablado el hombre del Dios [verdadero] al rey, cuando dijo: "Dos medidas de sea de cebada al valor de un siclo y una medida de sea de flor de harina al valor de un siclo llegará a haber mañana, a esta hora, en el paso de entrada de Samaria".[j] 19 Pero el adjutor contestó al hombre del Dios [verdadero] y dijo: "Aunque Jehová estuviera haciendo compuertas en los cielos, ¿pudiera suceder conforme a esta palabra?".[k] A lo que él dijo: "Mira que lo vas a ver con tus propios ojos, pero de ello no comerás".[l] 20 Así sucedió,[m] pues, cuando el pueblo siguió atropellándolo[n] en

CAP. 7
a 2Re 6:25
b Lam 4:9
c Est 1:7
  Isa 22:24
d Sl 68:12
  Isa 2:20
  Mt 16:26
e 2Cr 20:25
  Sl 68:12
  Isa 33:1
f Nú 23:19
  2Re 7:1
  Isa 44:26
  Isa 55:11
g 2Re 5:18
h 2Re 9:33
  Isa 25:10
i Dt 32:35
  2Re 7:2
  2Cr 36:16
  Isa 5:24
  Isa 28:22
  Na 1:2
j 2Re 7:1
  Isa 44:26
k Nú 20:12
  Sl 78:19
l 2Re 7:2
m 2Cr 20:20
n Isa 41:25

2.ᵃ col.

CAP. 8
a 2Re 4:35
b Gé 12:10
  Gé 26:1
  Gé 47:4
  Rut 1:1
c Le 26:19
  Dt 28:23
  2Sa 21:1
  1Re 17:1
  Sl 105:16
  Hch 11:28
d Gé 41:27
  2Sa 24:13
  Am 3:2
  Pr 27:12
e Gé 15:3
  1Ti 5:8
f Jos 13:3
  Isa 27:1
g 1Sa 8:5
  2Sa 14:4
  2Re 6:26
  Lu 18:3
i 2Re 4:12
j 2Re 2:14
  2Re 2:20
  2Re 3:17
  2Re 4:4
  2Re 5:14
  2Re 5:27
  2Re 6:6
  2Re 7:1
k 2Re 4:35
l Nú 36:9
m 1sa 26:17
  2Re 6:26
  1Pe 2:17
n 2Re 4:32
o 2Re 9:32
p Sl 82:3
  Pr 21:1
  Pr 29:4
  Pr 31:9
q 1sa 7:8
r 1Re 20:1
  2Re 6:24
s 1Re 17:24

el paso de entrada, de modo que murió.

8 Y Eliseo mismo había hablado a la mujer a cuyo hijo había revivificado,[a] diciendo: "Levántate y vete, tú con tu casa, y reside como forastera dondequiera que puedas residir como forastera;[b] porque Jehová ha llamado un hambre,[c] y, además, tendrá que venir sobre el país por siete años".[d] 2 De manera que la mujer se levantó e hizo conforme a la palabra del hombre del Dios [verdadero] y se fue,[e] ella con su casa,[f] y se quedó residiendo como forastera en la tierra de los filisteos[g] por siete años.

3 Y aconteció que, al cabo de siete años, la mujer procedió a regresar de la tierra de los filisteos y a salir a clamar al rey[h] por su casa y por su campo. 4 Ahora bien, el rey estaba hablando a Guehazí[i] el servidor del hombre del Dios [verdadero], diciendo: "Cuéntame, por favor, todas las cosas grandes que ha hecho Eliseo".[j] 5 Y aconteció que, al contar él al rey cómo había revivificado al muerto,[k] pues, aquí estaba la mujer a cuyo hijo había revivificado, clamando al rey por su casa y por su campo.[l] En seguida dijo Guehazí: "Mi señor[m] el rey, esta es la mujer, y este es su hijo a quien Eliseo revivificó". 6 Ante eso, el rey preguntó a la mujer, y ella se puso a contarle el relato.[n] Entonces el rey le dio un oficial de la corte,[o] y dijo: "Devuélvele todo lo que le pertenece y todos los productos del campo desde el día en que dejó la tierra hasta ahora".[p]

7 Y Eliseo procedió a ir a Damasco;[q] y Ben-hadad[r] el rey de Siria estaba enfermo. Por lo tanto, se le dio informe a este, diciendo: "El hombre del Dios [verdadero][s] ha llegado hasta aquí". 8 Ante eso, el rey dijo a

Hazael:[a] "Toma un regalo[b] en tu mano y ve al encuentro del hombre del Dios [verdadero], y tienes que inquirir[c] de Jehová por medio de él, y decir: '¿Reviviré de esta enfermedad?'". 9 Hazael, pues, se fue a su encuentro y tomó un regalo en la mano, aun toda suerte de cosa buena de Damasco, la carga de cuarenta camellos, y llegó y se paró delante de él y dijo: "Tu hijo,[d] Ben-hadad, el rey de Siria, me ha enviado a ti a decir: '¿Reviviré de esta enfermedad?'". 10 Entonces Eliseo le dijo: "Ve, dile: 'Positivamente revivirás', y Jehová me ha mostrado[e] que positivamente morirá".[f] 11 Y mantuvo una mirada fija y la mantuvo inmóvil al grado de causar bochorno. Entonces el hombre del Dios [verdadero] rompió a llorar.[g] 12 Por esto Hazael dijo: "¿Por qué llora mi señor?". A lo que él dijo: "Porque bien sé qué daño[h] harás a los hijos de Israel. Sus lugares fortificados entregarás al fuego, y a sus hombres selectos matarás a espada, y a sus hijos estrellarás,[i] y a sus mujeres encintas rajarás".[j] 13 Ante eso, Hazael dijo: "¿Qué es tu siervo, [que es meramente un] perro,[k] para que pueda hacer esta cosa grande?". Pero Eliseo dijo: "Jehová me ha mostrado a ti como rey sobre Siria".[l]

14 Después de eso él se fue de Eliseo y llegó a su propio señor, que entonces le dijo: "¿Qué te dijo Eliseo?". A lo que él dijo: "Me dijo: 'Positivamente revivirás'".[m] 15 Y aconteció que al día siguiente procedió a tomar una sobrecama y a meterla en agua y a tenderla sobre el rostro de él,[n] de manera que murió.[o] Y Hazael[p] empezó a reinar en lugar de él.

16 Y en el año quinto de Jehoram[q] hijo de Acab el rey de Israel, mientras Jehosafat era rey de Judá, Jehoram[r] hijo de Jeho-safat el rey de Judá llegó a ser rey. 17 Treinta y dos años de edad tenía cuando llegó a ser rey, y por ocho años reinó en Jerusalén.[a] 18 Y se puso a andar en el camino de los reyes de Israel,[b] así como habían hecho los de la casa de Acab;[c] porque la hija de Acab llegó a ser su esposa,[d] y él siguió haciendo lo que era malo a los ojos de Jehová. 19 Y Jehová no quiso arruinar a Judá,[e] por causa de David su siervo,[f] tal como le había prometido que daría una lámpara[g] a él [y] a sus hijos siempre.

20 En sus días Edom[h] se sublevó de debajo de la mano de Judá, y entonces hicieron reinar sobre sí un rey.[i] 21 En consecuencia, Jehoram pasó a Zaír, como lo hicieron todos los carros con él. Y aconteció que él mismo se levantó de noche y logró derribar a los edomitas que los tenían cercados a él y a los jefes de los carros; y la gente se puso a huir a sus tiendas. 22 Pero Edom siguió su sublevación de debajo de la mano de Judá hasta el día de hoy. Entonces fue cuando Libná[j] empezó a sublevarse en aquel tiempo.

23 Y el resto de los asuntos de Jehoram y todo lo que hizo, ¿no están escritos en el libro[k] de los asuntos de los días de los reyes de Judá? 24 Por fin Jehoram yació con sus antepasados,[l] y fue enterrado con sus antepasados en la Ciudad de David. Y Ocozías[n] su hijo empezó a reinar en lugar de él.

25 En el año doce de Jehoram hijo de Acab el rey de Israel, Ocozías hijo de Jehoram el rey de Judá llegó a ser rey.[o] 26 Veintidós años de edad tenía Ocozías cuando empezó a reinar, y por un año reinó en Jerusalén.[p] Y el nombre de su madre era Atalía[q] la nieta de Omrí[r] el rey de

CAP. 8

a 1Re 19:15
b 1Sa 9:8
  1Re 14:3
c 2Re 5:5
c 2Re 25:22
  1Re 14:2
d 2Re 3:11
  2Re 22:13
d 1Sa 25:8
  2Re 6:21
  1Re 44:26
e Isa 44:26
  Am 3:7
f 2Re 8:15
g Jer 9:1
  Lu 19:41
  Hch 20:19
h 2Re 10:32
  2Re 12:17
  2Re 13:3
  Am 1:3
i Dt 28:45
  Dt 28:63
  2Re 15:16
  Os 10:14
j Isa 13:16
  Os 13:16
  Am 1:13
k 1Sa 17:43
  2Sa 9:8
  Sl 22:20
l 1Sa 2:7
  1Re 19:15
m 2Re 8:10
n Sl 36:1
  Miq 2:1
o 1Re 16:10
  2Re 11:1
  2Re 15:10
  Isa 33:1
p 1Re 19:15
q 2Re 1:17
r 2Cr 21:3

2.ª col.

a 2Cr 21:5
b 1Re 12:28
  1Re 16:32
c 1Re 16:33
  2Re 21:3
  2Re 21:3
  2Cr 21:13
d 2Re 8:26
  2Cr 18:1
  2Cr 21:6
e Gé 49:10
f 2Sa 7:16
  2Cr 21:7
g 1Re 11:36
  Sl 132:17
  Lu 1:69
  Hch 15:16
h Gé 27:40
  2Sa 8:14
  2Re 3:9
  2Cr 21:8
i 2Sa 8:14
  2Re 22:47
j Jos 21:13
  2Re 19:8
  2Cr 21:10
k 1Re 14:29
  2Re 15:23
  2Re 15:6
  2Re 15:36
l 1Re 2:10
  1Re 11:43
  1Re 14:31
  2Cr 21:19
m 1Cr 3:11
  2Cr 21:17

o 2Re 9:29; 2Cr 22:1; p 2Cr 22:2; q 2Re 8:18; 2Re 11:1; 2Re 11:13; 2Re 11:16; r 1Re 16:16; 1Re 16:23; 1Re 16:27; 2Cr 22:2.

Israel. 27 Y él se puso a andar en el camino de la casa de Acab[a] y siguió haciendo lo que era malo a los ojos de Jehová,[b] como la casa de Acab, pues era pariente de la casa de Acab por vía de casamiento.[c] 28 Por consiguiente, él fue con Jehoram hijo de Acab a la guerra contra Hazael[d] el rey de Siria en Ramot-galaad,[e] pero los sirios derribaron[f] a Jehoram. 29 De manera que Jehoram[g] el rey se volvió para sanarse en Jezreel[h] de las heridas que los sirios habían logrado infligirle en Ramá cuando peleó contra Hazael el rey de Siria. En cuanto a Ocozías[i] hijo de Jehoram el rey de Judá, él bajó a ver a Jehoram hijo de Acab en Jezreel, porque estaba enfermo.

9 Y Eliseo el profeta, por su parte, llamó a uno de los hijos[j] de los profetas y entonces le dijo: "Ciñe tus lomos[k] y toma este frasco[l] de aceite en tu mano y ve a Ramot-galaad.[m] 2 Cuando hayas entrado allí, ve allí a Jehú[n] hijo de Jehosafat hijo de Nimsí, y tienes que entrar y hacer que él se levante de en medio de sus hermanos, y lo introducirás en la cámara más recóndita.[o] 3 Y tienes que tomar el frasco de aceite y derramarlo sobre su cabeza[p] y decir: 'Esto es lo que ha dicho Jehová: "De veras te unjo[q] por rey[r] sobre Israel"'. Y tienes que abrir la puerta y huir y no esperar".

4 Y el servidor, el servidor del profeta, procedió a irse a Ramot-galaad. 5 Cuando entró, pues, allí estaban sentados los jefes de la fuerza militar. Él ahora dijo: "Hay una palabra que tengo para ti,[s] oh jefe". Ante esto, Jehú dijo: "¿Para cuál de todos nosotros?". Entonces él dijo: "Para ti, oh jefe". 6 De manera que él se levantó y entró en la casa; y él procedió a derramar el aceite sobre la cabeza de él y a decirle: "Esto es lo que ha dicho Jehová el Dios de Israel: 'De veras te

unjo por rey[a] sobre el pueblo de Jehová,[b] es decir, sobre Israel. 7 Y tienes que derribar a la casa de Acab tu señor, y yo tengo que vengar[c] la sangre de mis siervos los profetas y la sangre de todos los siervos de Jehová de la mano de Jezabel.[d] 8 Y toda la casa de Acab tiene que perecer; y tengo que cortar de la casa de Acab[e] a cualquiera que orina contra una pared[f] y a todo imposibilitado e inútil[g] en Israel. 9 Y tengo que constituir a la casa de Acab como la casa de Jeroboán[h] hijo de Nebat y como la casa de Baasá[i] hijo de Ahíya. 10 Y a Jezabel se la comerán los perros[j] en la porción de terreno de Jezreel, y no habrá quien la entierre'". Con eso, abrió la puerta y echó a huir.[k]

11 En cuanto a Jehú, él salió a donde los siervos de su señor, y ellos empezaron a decirle: "¿Está todo bien?[l] ¿Por qué entró a donde ti ese loco?".[m] Pero él les dijo: "Ustedes mismos bien conocen al hombre y su clase de habla". 12 Pero ellos dijeron: "¡Eso es falso! Infórmanos, por favor". Entonces él dijo: "Así y así fue como me habló, diciendo: 'Esto es lo que ha dicho Jehová: "De veras te unjo por rey sobre Israel"'".[n] 13 Ante eso, ellos tomaron apresuradamente cada cual su prenda de vestir[o] y la pusieron debajo de él, sobre los escalones pelados, y se pusieron a tocar el cuerno[p] y a decir: "¡Jehú ha llegado a ser rey!".[q] 14 Y Jehú[r] hijo de Jehosafat hijo de Nimsí[s] procedió a conspirar[t] contra Jehoram.

Y sucedía que Jehoram mismo había estado vigilando en Ramot-galaad,[u] él con todo Israel, a causa de Hazael[v] el rey de Siria. 15 Más tarde Jehoram[w] el rey se volvió para sanarse en Jezreel[x] de las heridas que los sirios lograron infligirle cuando peleó contra Hazael el rey de Siria.[y]

Jehú ahora dijo: "Si el alma de

CAP. 8	
a	1Re 16:33
	2Cr 22:3
b	2Re 19:22
c	2Re 8:18
	2Co 6:14
d	2Re 9:15
	2Cr 22:5
e	Jos 21:38
	1Re 22:3
f	1Re 19:17
g	2Re 9:15
h	Jos 19:18
	1Re 21:1
	2Cr 22:6
i	2Re 9:16

CAP. 9	
j	2Re 4:1
	2Re 6:1
k	1Re 18:46
	2Re 4:29
	Lu 12:35
l	1Sa 10:1
m	2Re 8:28
	2Cr 22:5
n	1Re 19:17
o	1Re 20:30
	1Re 22:25
p	Éx 29:7
	1Re 19:16
q	2Cr 22:7
r	Jer 27:5
	Da 2:21
s	Jue 3:19

2.ª col.	
a	1Re 19:16
	2Cr 22:7
b	1Re 16:2
c	Dt 32:35
	Dt 32:43
	Sl 94:1
	Lu 18:7
	Ro 12:19
	Ro 13:4
	Heb 10:30
d	1Re 18:4
	1Re 19:2
	1Re 21:15
	1Re 21:25
e	1Re 21:21
f	1Re 14:10
g	1Re 21:21
	1Re 21:21
h	1Re 15:29
i	1Re 16:11
j	1Re 21:23
k	2Re 9:3
l	2Re 4:26
m	1Sa 21:14
n	2Re 9:6
o	Mt 21:7
	2Sa 15:10
	1Re 1:34
	1Re 1:39
q	1Re 19:16
r	1Re 19:16
s	2Re 9:2
t	2Re 10:9
u	1Re 22:3
	2Re 8:28
v	1Re 19:15
	2Re 8:15
	2Re 10:32
w	2Re 8:29
x	Jos 19:18
	1Re 21:1
y	2Cr 22:6

ustedes está de acuerdo,[a] no dejen que nadie salga en escape de la ciudad para ir a dar informe en Jezreel". 16 Y Jehú procedió a montar [en su carro] e irse a Jezreel; porque Jehoram estaba acostado allí, y Ocozías[b] mismo el rey de Judá había bajado a ver a Jehoram. 17 Y el atalaya[c] estaba de pie en la torre[d] de Jezreel,[e] y llegó a ver la oleada en masa [de los hombres] de Jehú a medida que él venía, y en seguida dijo: "Hay una oleada en masa [de hombres] que estoy viendo". A lo que dijo Jehoram: "Toma a un soldado de caballería y envíalo a su encuentro, y que diga: '¿Hay paz?'".[f] 18 Por consiguiente, uno montado a caballo fue a su encuentro y dijo: "Esto es lo que ha dicho el rey: '¿Hay paz?'". Pero Jehú dijo: "¿Qué tienes que ver tú con 'paz'?[g] ¡Da la vuelta a detrás de mí!".

Y el atalaya[h] pasó a dar informe, diciendo: "El mensajero llegó hasta ellos, pero no ha vuelto". 19 De modo que él envió un segundo hombre montado a caballo, que, cuando llegó a ellos, procedió a decir: "Esto es lo que ha dicho el rey: '¿Hay paz?'". Pero Jehú dijo: "¿Qué tienes que ver tú con 'paz'?[i] ¡Da la vuelta a detrás de mí!".

20 Y el atalaya pasó a dar informe, diciendo: "Llegó hasta ellos, pero no ha vuelto; y el guiar se parece al guiar de Jehú[j] el nieto de Nimsí,[k] porque es con locura como guía".[l] 21 Ante eso, Jehoram dijo: "¡Engancha!".[m] De manera que su carro de guerra fue enganchado, y Jehoram el rey de Israel y Ocozías[n] el rey de Judá salieron, cada uno en su propio carro de guerra. Continuando al encuentro de Jehú, llegaron a hallarlo en la porción de terreno de Nabot[o] el jezreelita. 22 Y aconteció que, al momento en que Jehoram vio a Jehú, en seguida dijo: "¿Hay paz, Jehú?". Pero él dijo: "¿Qué paz[a] podría haber mientras haya las fornicaciones de Jezabel[b] tu madre y sus muchas hechicerías?".[c] 23 En seguida Jehoram dio la vuelta con las manos, para huir, y dijo a Ocozías: "¡Hay trampa,[d] Ocozías!". 24 Y Jehú mismo llenó su mano con un arco[e] y procedió a asaetear a Jehoram entre los brazos, de manera que la saeta le salió por el corazón, y él se desplomó en su carro de guerra.[f] 25 Ahora dijo a Bidqar su adjutor:[g] "Álzalo; arrójalo en la porción del campo de Nabot el jezreelita;[h] pues, recuerda: Yo y tú íbamos guiando tiros [de caballos] detrás de Acab su padre, y Jehová mismo alzó esta declaración formal[i] contra él 26 '"Ciertamente vi ayer la sangre[j] de Nabot y la sangre de sus hijos[k] —es la expresión de Jehová—, y yo ciertamente te lo pagaré'en esta porción de terreno", es la expresión de Jehová[l]. Ahora, pues, álzalo; arrójalo en la porción de terreno, conforme a la palabra de Jehová.[m]

27 Y Ocozías[n] el rey de Judá mismo lo vio, y emprendió la fuga por el camino de la casa del jardín.[o] (Más tarde Jehú se fue en seguimiento de él y dijo: "¡A él también! ¡Derríbenlo!". De manera que lo derribaron mientras estaba en el carro, camino arriba a Gur, que está cerca de Ibleam.[p] Y él continuó su huida hasta Meguidó[q] y llegó a morir allí.[r] 28 Entonces sus siervos lo llevaron en un carro a Jerusalén, y así lo enterraron en su sepulcro con sus antepasados en la Ciudad de David.[s] 29 Y había sido en el año undécimo de Jehoram[t] hijo de Acab cuando Ocozías[u] había llegado a ser rey sobre Judá.)

30 Por fin Jehú llegó a Jezreel,[v] y Jezabel[w] misma lo supo. Y ella procedió a pintarse[x] los ojos con pintura negra, y a arreglarse la cabeza hermosamente,[y] y a mirar abajo por la ventana.[z] 31 Y Jehú mismo entró por la

---

CAP. 9

a Pr 20:18
b 2Cr 22:7
c Isa 21:6
  Isa 62:6
  Eze 33:2
d 2Cr 14:7
e 1Re 21:1
f 1Sa 16:4
  1Re 2:13
g Isa 48:22
  Ro 3:17
h 2Sa 18:24
  2Sa 18:26
i Isa 57:21
j 1Re 19:16
k 2Re 9:2
l Zac 12:4
m Miq 1:13
n 2Re 8:25
  2Re 8:29
  2Cr 22:7
o 1Re 21:1
  1Re 21:15
  1Re 21:19

2.ª col.

a Isa 48:22
  Isa 57:21
  Isa 59:8
  Jer 16:5
  Ro 3:17
b 1Re 16:31
  1Re 18:4
  1Re 19:2
  1Re 21:7
  Rev 9:21
c Le 20:0
  2Re 10:10
  1Re 18:10
  1Re 18:19
  Mal 3:5
d 2Re 11:14
e Sl 7:12
f 1Cr 28:9
  Sl 50:22
  Sl 68:13
g 2Re 7:17
  2Re 9:21
i 1Re 21:29
  1Cr 16:12
j Gé 4:10
  Sl 9:12
  Isa 26:21
k 2Cr 24:25
  2Cr 25:4
l Gé 9:5
  Éx 20:5
  Le 24:17
  Dt 5:9
m 1Re 21:24
n 2Re 8:29
  2Cr 22:7
o 1Re 21:2
p Jos 17:11
  Jue 1:27
q 1Re 9:15
r 2Cr 22:7
s 2Sa 5:7
t 2Re 8:25
u 2Re 8:24
  2Cr 22:2
v 1Re 21:1
w 1Re 16:31
  1Re 21:25
x Jer 4:30
  Eze 23:40
y Isa 3:18
  1Pe 3:3
z Pr 7:6

puerta. Ella ahora dijo: "¿Le fue bien a Zimrí,[a] el que mató a su señor?". 32 Ante eso, él alzó el rostro hacia la ventana y dijo: "¿Quién está conmigo? ¿Quién?".[b] Inmediatamente dos o tres oficiales de la corte[c] miraron abajo, a él. 33 Por lo tanto él dijo: "¡Déjenla caer!".[d] Entonces la dejaron caer, y parte de su sangre fue salpicando sobre la pared y sobre los caballos; y él ahora la holló.[e] 34 Después de eso pasó adentro y comió y bebió, y entonces dijo: "Ustedes, por favor, encárguense de esta maldita[f] y entiérrenla, porque es hija de rey".[g] 35 Cuando fueron a enterrarla, no hallaron nada de ella sino el cráneo y los pies y las palmas de las manos.[h] 36 Cuando volvieron y se lo informaron, él pasó a decir: "Es la palabra de Jehová que él habló por medio[i] de su siervo Elías el tisbita, cuando dijo: 'En la porción de terreno de Jezreel los perros se comerán la carne de Jezabel.[j] 37 Y el cuerpo muerto de Jezabel ciertamente llegará a ser como estiércol[k] sobre la faz del campo en la porción de terreno de Jezreel, para que no puedan decir: "Esta es Jezabel"'".[l]

10 Ahora bien, Acab tenía setenta[m] hijos en Samaria.[n] Por lo tanto, Jehú escribió cartas y las envió a Samaria, a los príncipes[o] de Jezreel, a los ancianos[p] y a los cuidadores de Acab, y dijo: 2 "Ahora bien, al mismo tiempo que les llegue esta carta están con ustedes los hijos de su señor, y están con ustedes los carros de guerra y los caballos[q] y una ciudad fortificada y la armadura. 3 Y tienen que ver ustedes cuál es el mejor y el más recto de los hijos de su señor y ponerlo sobre el trono de su padre.[r] Entonces peleen por la casa de su señor".

4 Y a ellos les dio muchísimo miedo y empezaron a decir:

"¡Miren! Dos reyes[a] mismos no pudieron mantenerse en pie delante de él, y ¿cómo podremos nosotros mismos mantenernos en pie?".[b] 5 Por consiguiente, el que estaba sobre la casa y el que estaba sobre la ciudad y los ancianos y los cuidadores[c] enviaron a decir a Jehú: "Somos tus siervos, y todo lo que nos digas lo haremos. No haremos rey a ninguno. Lo que sea bueno a tus propios ojos, hazlo".

6 Por lo cual él les escribió una segunda carta, y dijo: "Si ustedes me pertenecen,[d] y es mi voz la que están obedeciendo, tomen las cabezas de los hombres que son hijos[e] de su señor y vengan a mí mañana a esta hora, a Jezreel".

Ahora bien, los hijos del rey, setenta hombres, estaban con los hombres distinguidos de la ciudad que los estaban criando. 7 Y aconteció que, tan pronto como a estos les llegó la carta, se pusieron a tomar a los hijos del rey y a degollar[los], a setenta hombres,[g] después de lo cual pusieron sus cabezas en cestos y se las enviaron a él en Jezreel. 8 Entonces el mensajero[h] entró y se lo informó, diciendo: "Han traído las cabezas[i] de los hijos del rey". De modo que él dijo: "Pónganlas en dos montones a la entrada de la puerta, hasta la mañana".[j] 9 Y por la mañana aconteció que él procedió a salir. Entonces se quedó parado y dijo a todo el pueblo: "Ustedes son justos.[k] Aquí yo mismo conspiré contra mi señor, y logré matarlo;[m] pero, ¿quién derribó a todos estos? 10 Sepan, pues, que no caerá a tierra [sin cumplirse] nada de la palabra de Jehová[n] que Jehová ha hablado contra la casa de Acab;[o] y Jehová mismo ha hecho lo que habló por medio de su siervo Elías".[p] 11 Además, siguiendo adelante, Jehú derribó a todos los que quedaban de la casa de Acab en Jezreel y a todos sus hombres distinguidos[q]

CAP. 9
a 1Re 16:16
  1Re 16:18
b Éx 32:26
  1Cr 12:18
  Sl 94:16
c Gé 37:36
  1Sa 8:15
  2Re 8:6
  Est 1:10
d Job 31:3
e 2Re 7:20
  Isa 25:10
  Mal 4:3
  Ro 16:20
f Dt 27:15
  Dt 27:25
  1Re 21:25
  Sl 119:21
g 1Re 16:31
h 2Re 9:10
  Isa 14:20
  Jer 22:19
i Isa 44:26
  Isa 55:11
j 1Re 21:23
k Sl 83:10
  Jer 8:2
  Jer 16:4
  1Pr 10:7

CAP. 10
m Jue 8:30
  Jue 12:14
n 1Re 16:29
o Dt 16:18
p 1Re 21:8
q Pr 21:31
r 2Re 10:1

2.ª col.
a 2Re 9:24
  2Re 9:27
b Lu 14:31
c 2Re 10:1
d 2Re 9:32
e Dt 5:9
  Job 21:19
  Isa 14:21
  Rev 2:23
f 2Re 9:30
g Jue 9:5
  1Re 21:21
  Sl 109:13
h 2Sa 4:10
  2Sa 11:19
i 2Sa 20:22
j Dt 21:23
k 1Sa 24:17
  1 2Re 9:14
m 2Re 9:24
n 1Sa 15:29
  Isa 14:27
  Isa 44:26
  Isa 55:11
o 1Re 21:24
p 1Re 21:19
  1Re 21:22
  2Re 9:7
  2Re 9:36
q Sl 125:5
  Pr 13:20

y sus conocidos y sus sacerdotes,[a] hasta que no hubo dejado de él ningún sobreviviente.[b]

12 Y procedió a levantarse y a entrar, entonces a partir para Samaria. La casa para atar de los pastores estaba en el camino. 13 Y Jehú mismo encontró a los hermanos[c] de Ocozías[d] el rey de Judá. Cuando les dijo: "¿Quiénes son ustedes?", entonces ellos dijeron: "Somos los hermanos de Ocozías, y vamos bajando para preguntar si todo les va bien a los hijos del rey y a los hijos de la dama". 14 Inmediatamente dijo él: "¡Préndanlos vivos!".[e] De manera que los prendieron vivos y los degollaron junto a la cisterna de la casa para atar, a cuarenta y dos hombres, y él no dejó que quedara ni uno solo de ellos.[f]

15 Al ir pasando desde allí, llegó a encontrar a Jehonadab[g] hijo de Recab [que venía] a su encuentro. Cuando lo bendijo,[i] él de consiguiente le dijo: "¿Es tu corazón recto conmigo, como mi propio corazón lo es con tu corazón?".[j]

A esto Jehonadab dijo: "Lo es". "Si lo es, dame tu mano, sí." De manera que él le dio la mano. Con eso, [Jehú] lo hizo subir al carro consigo.[k] 16 Entonces dijo: "Ven conmigo, sí, y ve como no tolero rivalidad[l] respecto a Jehová". Y lo hicieron seguir montado con él en su carro de guerra. 17 Por fin [Jehú] llegó a Samaria. Ahora se puso a derribar a todos los que quedaban de Acab en Samaria, hasta que los hubo aniquilado,[m] conforme a la palabra de Jehová que él había hablado a Elías.[n]

18 Además, Jehú juntó a toda la gente y le dijo: "Acab, por una parte, adoró a Baal un poco.[o] Jehú, por otra parte, lo adorará muchísimo. 19 Así es que ahora llamen a mí a todos los profetas[p] de Baal, a todos sus adoradores[q] y a todos sus sacerdotes.[r] Que no falte ni uno solo, porque tengo un gran sacrificio para Baal. Quienquiera que falte no seguirá viviendo". En cuanto a Jehú, él actuó con astucia engañadora,[a] con el propósito de destruir a los adoradores de Baal.

20 Y Jehú pasó a decir: "Santifiquen una asamblea solemne para Baal". Por consiguiente, la proclamaron. 21 Después de aquello Jehú envió por todo Israel,[b] de modo que entraron todos los adoradores de Baal. Y no quedó ni uno que no entrara. Y siguieron entrando en la casa de Baal,[c] y la casa de Baal llegó a estar llena de bote en bote. 22 Él ahora dijo al que estaba sobre el guardarropa: "Saca prendas de vestir para todos los adoradores de Baal". De manera que les sacó el atavío. 23 Entonces Jehú entró en la casa de Baal con Jehonadab,[d] hijo de Recab. Ahora dijo a los adoradores de Baal: "Busquen cuidadosamente y vean que no haya aquí con ustedes ninguno de los adoradores de Jehová, sino únicamente los adoradores de Baal".[e] 24 Por fin entraron para ofrecer sacrificios y ofrendas quemadas, y Jehú mismo apostó ochenta hombres afuera a su disposición, y pasó a decir: "En cuanto al hombre que escape de los hombres que estoy poniendo en manos de ustedes, irá su alma por el alma del otro".[f]

25 Y aconteció que tan pronto como acabó de ofrecer la ofrenda quemada, Jehú inmediatamente dijo a los corredores y a los adjutores: "¡Entren, derríbenlos! No dejen salir ni uno solo".[g] Y los corredores y los adjutores[h] empezaron a derribarlos a filo de espada y a arrojarlos afuera, y siguieron yendo hasta la ciudad de la casa de Baal. 26 Entonces sacaron las columnas sagradas[i] de la casa de Baal y quemaron[j] cada una [de ellas]. 27 Además, demolieron la columna sagrada de Baal[k] y demo-

CAP. 10
a 1Re 18:19
1Re 22:6
2Re 23:20
b 1Re 21:21
c 2Cr 22:8
d 2Re 8:29
2Re 9:21
2Cr 22:1
e 1Re 20:18
f 2Cr 22:8
g Jer 35:6
Jer 35:19
h 1Cr 2:55
i Gé 47:7
Nú 6:23
Rut 2:4
Ro 12:14
j 1Cr 12:17
Pr 17:17
k Zac 8:23
l Nú 25:11
1Re 19:10
m 2Re 9:8
2Cr 22:7
Sl 58:10
n 1Re 21:21
2Re 9:26
Sl 9:16
o 1Re 16:32
1Re 18:22
1Re 18:40
2Re 3:2
p 2Re 3:13
q 2Re 10:21
r 2Re 10:11

2.ᵃ col.
a Pr 24:6
Ec 9:12
b 1Re 11:35
c 1Re 16:32
d 2Re 10:15
Jer 35:6
Jer 35:19
e 1Re 18:22
f 1Re 20:39
g Éx 32:27
Dt 13:6
Dt 13:8
Eze 9:5
h 2Re 7:17
2Re 9:25
i Le 26:1
1Re 14:23
j Dt 7:25
2Sa 5:21
2Re 19:18
k Le 26:30
Dt 7:5

lieron la casa de Baal,[a] y la mantuvieron aparte para excusados[b] hasta el día de hoy.

28 Así exterminó Jehú a Baal de Israel. 29 Fue solamente de seguir los pecados de Jeroboán[c] hijo de Nebat, con que él hizo pecar a Israel,[d] de lo que Jehú no se apartó, [es decir,] los becerros de oro[e] de los cuales uno estaba en Betel y uno en Dan.[f] 30 En consecuencia, Jehová dijo a Jehú: "Por la razón de que has obrado bien y hecho lo que es recto a mis ojos,[g] [y] conforme a todo lo que estaba en mi corazón se lo has hecho a la casa de Acab,[h] hijos mismos hasta la cuarta generación se sentarán para ti sobre el trono de Israel".[i] 31 Y Jehú mismo no puso cuidado en andar en la ley de Jehová el Dios de Israel con todo su corazón.[j] No se apartó de los pecados de Jeroboán, con que él hizo pecar a Israel.[k]

32 En aquellos días Jehová comenzó a cortar a Israel pedazo por pedazo; y Hazael[l] siguió hiriéndolos en todo el territorio de Israel, 33 desde el Jordán hacia el nacimiento del sol, toda la tierra de Galaad,[m] los gaditas[n] y los rubenitas[o] y los manasitas,[p] desde Aroer,[q] que está junto al valle torrencial de Arnón, aun a Galaad y Basán.[r]

34 Y el resto de los asuntos de Jehú y todo lo que hizo y todo su poderío, ¿no están escritos en el libro[s] de los asuntos de los días de los reyes de Israel? 35 Por fin Jehú yació con sus antepasados,[t] y lo enterraron en Samaria; y Jehoacaz[u] su hijo empezó a reinar en lugar de él. 36 Y los días que había reinado Jehú sobre Israel fueron veintiocho años en Samaria.

11 Ahora bien, en cuanto a Atalía[v] la madre de Ocozías,[w] ella vio que su hijo había muerto. De manera que se levantó y destruyó a toda la prole del reino.[x] 2 Sin embargo, Je-

hoseba[a] hija del rey Jehoram, la hermana de Ocozías, tomó a Jehoás[b] hijo de Ocozías y lo hurtó de entre los hijos del rey a quienes iban a dar muerte, aun a él y su nodriza, [y lo metió] dentro del cuarto interior para los lechos, y lo mantuvieron ocultado[c] del rostro de Atalía, y no fue muerto. 3 Y él continuó con ella en la casa de Jehová, escondido por seis años, mientras Atalía reinaba sobre el país.[d]

4 Y al año séptimo Jehoiadá[e] envió y entonces tomó a los jefes de centenas de la guardia de corps caria[f] y de los corredores,[g] y los trajo a sí a la casa de Jehová y celebró con ellos un pacto[h] y los hizo jurar[i] en la casa de Jehová, después de lo cual les mostró al hijo del rey. 5 Y pasó a mandarles, diciendo: "Esta es la cosa que ustedes harán: Una tercera parte de ustedes va a entrar el sábado y guardar bajo rigurosa vigilancia la casa del rey;[j] 6 y una tercera parte estará a la Puerta[k] del Fundamento, y una tercera parte estará a la puerta detrás de los corredores; y ustedes tienen que guardar la casa[l] bajo rigurosa vigilancia por turnos. 7 Y entre ustedes hay dos divisiones de las que todos saldrán el sábado, y ellos tienen que guardar bajo rigurosa vigilancia la casa de Jehová en pro del rey. 8 Y ustedes tienen que rodear al rey todo en derredor, cada uno con sus armas en la mano; y cualquiera que entre dentro de las filas será muerto. Y continúen con el rey cuando salga y cuando entre".

9 Y los jefes de centenas[m] procedieron a hacer conforme a todo lo que había mandado Jehoiadá el sacerdote. De manera que tomaron cada uno a sus hombres que estaban entrando el sábado,[n] junto con los que estaban saliendo el sábado, y luego entraron a donde Jehoiadá

CAP. 10
a 1Re 16:32
b Esd 6:11
   Da 2:5
c 1Re 13:33
d 1Re 14:16
   2Re 14:24
e 1Re 12:28
   Os 8:6
f 1Re 12:29
g Eze 29:20
h 1Re 21:21
i 2Re 13:1
   2Re 13:10
   2Re 14:23
   2Re 15:8
   2Re 15:12
   Jos 34:11
   Heb 6:10
j Dt 10:12
   1Re 2:4
   Sl 78:10
   Pr 4:23
   Os 1:4
   Heb 10:38
k 1Re 12:30
   1Re 13:34
   1Re 14:16
   1Re 19:17
   2Re 8:12
   2Re 13:22
   Am 1:4
m Dt 3:15
   Jos 22:9
n Dt 3:16
o Nú 32:33
p Dt 3:13
q Jos 13:9
r Dt 28:63
   Jos 13:12
s 1Re 14:19
   2Re 13:8
t 2Sa 7:12
u 2Re 13:1
   2Re 13:7

CAP. 11
v 2Re 8:26
   2Re 11:20
   2Cr 21:6
   2Cr 22:10
   2Cr 24:7
w 2Re 9:27
   2Cr 22:1
x 2Cr 21:4
   Ro 1:29

2.ª col.
a 2Cr 22:11
b 2Re 12:1
c Jue 9:5
   2Re 8:19
   Sl 27:5
d 2Cr 22:12
   Sl 12:8
   Isa 3:12
   Mal 3:15
   1Ti 2:12
e 2Re 11:9
   2Cr 23:1
f 2Re 11:15
   2Re 11:19
g 1Sa 8:11
   1Sa 22:17
   2Sa 18:19
   1Re 14:27
h 1Sa 18:3
   2Sa 23:3
   2Cr 15:12
i Dt 6:13
   Jer 12:16
   Heb 6:16
j 1Re 7:1

k 2Cr 23:5; l 1Re 6:1; m 2Re 11:4; n 2Cr 23:8.

el sacerdote. 10 El sacerdote ahora dio a los jefes de centenas las lanzas y los escudos circulares que habían pertenecido al rey David, que estaban en la casa de Jehová.[a] 11 Y los corredores[b] se quedaron de pie, cada uno con sus armas en la mano, desde el lado derecho de la casa hasta el mismo lado izquierdo de la casa, junto al altar[c] y junto a la casa, todo en derredor cerca del rey. 12 Entonces él sacó al hijo[d] del rey y puso sobre él la diadema[e] y el Testimonio;[f] y así lo hicieron rey[g] y lo ungieron.[h] Y se pusieron a batir las manos[i] y a decir: "¡Viva el rey!".[j]

13 Cuando Atalía oyó el sonido de la gente que corría, en seguida fue a la gente en la casa de Jehová.[k] 14 Entonces ella vio, y allí estaba el rey de pie junto a la columna[l] conforme a la costumbre, y los jefes y las trompetas[m] junto al rey, y toda la gente de la tierra regocijándose[n] y tocando las trompetas. Al instante Atalía[o] rasgó sus prendas de vestir y se puso a gritar: "¡Conspiración! ¡Conspiración!".[p] 15 Pero Jehoiadá el sacerdote dio orden a los jefes de centenas los nombrados de la fuerza militar,[q] y les dijo: "¡Sáquenla de dentro de las filas, y, en cuanto a cualquiera que vaya tras ella, que haya una ejecución de muerte a espada!".[r] Porque el sacerdote había dicho: "Que no se le dé muerte en la casa de Jehová." 16 De manera que le echaron manos, y ella vino por el camino de la entrada de los caballos[s] de la casa del rey,[t] y allí le dieron muerte.[u]

17 Entonces Jehoiadá celebró el pacto[v] entre Jehová[w] y el rey y el pueblo, de que resultaran ser el pueblo de Jehová; y también entre el rey y el pueblo.[y] 18 Después de aquello toda la gente de la tierra vino a la casa de Baal y demolieron sus altares;[z] y sus imágenes las quebraron completamente,[a] y a Matán,[b]

el sacerdote de Baal, lo mataron delante de los altares.[a]

Y el sacerdote procedió a poner superintendentes sobre la casa de Jehová.[b] 19 Además, tomó a los jefes de centenas y a la guardia de corps caria[c] y a los corredores[d] y a toda la gente de la tierra, para que hicieran bajar al rey de la casa de Jehová; y ellos vinieron paulatinamente por el camino de la puerta[e] de los corredores a la casa del rey; y él empezó a sentarse sobre el trono[f] de los reyes. 20 Y toda la gente de la tierra continuó regocijándose;[g] y la ciudad, por su parte, no tuvo disturbio, y a Atalía misma le habían dado muerte a espada junto a la casa del rey.[h]

21 Siete años de edad tenía Jehoás[i] cuando empezó a reinar.[j]

12 En el año séptimo de Jehú,[k] Jehoás[i] llegó a ser rey, y por cuarenta años reinó en Jerusalén. Y el nombre de su madre era Zibíah de Beer-seba. 2 Y Jehoás continuó haciendo lo que era recto a los ojos de Jehová todos sus días mientras lo instruyó Jehoiadá el sacerdote.[m] 3 Solo los lugares altos no desaparecieron.[n] El pueblo todavía estaba sacrificando y haciendo humo de sacrificio en los lugares altos.

4 Y Jehoás procedió a decir a los sacerdotes:[o] "Todo el dinero para las ofrendas santas[p] que se trae a la casa de Jehová,[q] el dinero que se fija a cada uno como impuesto personal,[r] el dinero por las almas según valoración individual,[s] todo el dinero que suba al corazón de cada uno traer a la casa de Jehová,[t] 5 que lo tomen los sacerdotes para sí, cada uno de su conocido;[u] y que ellos, por su parte, reparen las rajaduras de la casa dondequiera que se halle una rajadura".[v]

CAP. 11
a 2Cr 23:9
b 1Sa 8:11
  2Sa 15:1
  1Re 14:27
c Éx 40:6
  1Re 8:22
d 2Re 11:2
  2Cr 23:11
e 2Sa 1:10
  Sl 132:18
f Éx 25:21
  Éx 31:18
g Éx 31:18
h Éx 30:23
  1Re 1:39
i 1Re 1:40
  Sl 47:1
j 1Re 1:34
  Sl 72:15
  Ec 10:17
k 2Cr 23:12
l 2Re 23:3
  2Cr 34:31
m 2Cr 5:12
n 1Re 1:40
  Pr 29:2
o 2Re 11:1
  2Re 11:3
p 2Cr 23:13
q 2Re 11:4
  2Cr 23:9
r 2Cr 23:14
  2Cr 23:15
t 1Re 7:1
u Gé 9:6
  Éx 21:12
  Le 24:17
  Nú 35:30
v Jos 24:25
w Dt 5:3
x 1Sa 10:25
  2Sa 5:3
y 2Cr 23:16
z 2Cr 12:3
a Dt 7:25
b 2Cr 23:17

2.ª col.

a Dt 13:5
  Dt 13:9
b 2Cr 23:18
c 2Re 11:4
  2Re 11:15
d 1Re 14:27
e 2Cr 23:20
f 2Sa 7:16
  1Cr 29:23
  Jer 17:25
  Jer 22:4
g Pr 11:10
  Pr 29:2
h 2Cr 23:21
i 2Cr 24:1
j 2Cr 24:1

CAP. 12

k 1Re 19:16
  1Re 10:30
l 2Re 11:2
  1Cr 3:11
  2Cr 24:1
m 2Re 14:3
  2Cr 24:2
n Nú 33:52
  Jer 2:20
o Éx 28:1
  2Cr 35:2
p 1Cr 18:11
  2Cr 31:12
q 1Re 7:51

r Éx 30:13; 2Cr 24:9; s Le 27:2; Le 27:12; t Éx 25:2; Éx 35:21; Ne 10:39; 2Co 9:11; u Nú 18:8; Nú 18:28; v 2Cr 24:7.

6 Y aconteció que, para el año veintitrés del rey Jehoás, los sacerdotes todavía no habían reparado las rajaduras de la casa.[a] 7 De manera que el rey Jehoás llamó a Jehoiadá[b] el sacerdote y a los sacerdotes y les dijo: "¿Por qué no están ustedes reparando las rajaduras de la casa? Ahora, pues, no tomen más dinero de sus conocidos; más bien, ustedes deben darlo para las rajaduras de la casa".[c] 8 Por lo cual los sacerdotes consintieron en no tomar más dinero del pueblo y en no reparar las rajaduras de la casa.

9 Jehoiadá el sacerdote ahora tomó un cofre[d] y le horadó un agujero en la tapa y lo puso al lado del altar, a la derecha de uno al entrar en la casa de Jehová, y allí los sacerdotes, los porteros,[e] echaban todo el dinero[f] que se introducía en la casa de Jehová. 10 Y acontecía que, en cuanto veían que había una gran cantidad de dinero en el cofre, el secretario[g] del rey y el sumo sacerdote subían, y lo ataban y contaban el dinero que se hallaba en la casa de Jehová.[h] 11 Y el dinero que había sido contado lo entregaban en manos de los hacedores[i] del trabajo que estaban nombrados [a] la casa de Jehová. A su vez, ellos lo pagaban a los que trabajaban en madera y a los constructores que estaban trabajando en la casa de Jehová, 12 y a los albañiles y a los canteros,[j] y para comprar maderas y piedras labradas para reparar las rajaduras de la casa de Jehová, y para todo lo que se gastaba en la casa para repararla.

13 Solo que en lo tocante a la casa de Jehová no se hicieron fuentes de plata, apagadores,[k] tazones,[l] trompetas,[m] ninguna clase de objeto de oro ni objeto de plata del dinero que se estaba trayendo a la casa de Jehová;[n] 14 porque era a los hacedores de la obra a quienes lo daban, y con

él ellos reparaban la casa de Jehová.[a] 15 Y no pedían cuentas[b] a los hombres en cuya mano daban el dinero para darlo a los hacedores de la obra,[c] porque con fidelidad[d] estaban trabajando. 16 En cuanto al dinero para las ofrendas por la culpa[e] y el dinero para las ofrendas por el pecado, no se llevaba a la casa de Jehová. De manera que llegó a pertenecer a los sacerdotes.[f]

17 Entonces fue cuando Hazael[g] el rey de Siria procedió a subir y pelear contra Gat[h] y a tomarla, después de lo cual Hazael fijó el rostro[i] en subir contra Jerusalén.[j] 18 Ante eso, Jehoás el rey de Judá tomó todas las ofrendas santas[k] que Jehosafat y Jehoram y Ocozías, sus antepasados, los reyes de Judá, habían santificado, y sus propias ofrendas santas y todo el oro que se hallaba en los tesoros de la casa de Jehová y de la casa del rey, y se los envió[l] a Hazael el rey de Siria. De manera que este se retiró de contra Jerusalén.

19 En cuanto al resto de los asuntos de Jehoás y todo lo que hizo, ¿no están escritos en el libro[m] de los asuntos de los días de los reyes de Judá? 20 Sin embargo, sus siervos[n] se levantaron y se coligaron en una conspiración[o] y derribaron a Jehoás en la casa[p] del Montículo,[q] [en el camino] que baja a Silá. 21 Y Jozacar hijo de Simeat y Jehozabad[r] hijo de Somer, sus siervos, fueron los que lo derribaron, de manera que murió. Por lo tanto lo enterraron con sus antepasados en la Ciudad de David; y Amasías[s] su hijo empezó a reinar en lugar de él.

13 En el año veintitrés de Jehoás[t] hijo de Ocozías[u] el rey de Judá, Jehoacaz[v] hijo de Jehú[w] llegó a ser rey sobre Israel en Samaria por diecisiete años. 2 Y continuó haciendo lo que era malo a los ojos de Jehová,[x] y se puso a andar en pos del pecado de Jeroboán[a] hijo de Nebat, con que él hizo pecar a Israel.[b] No se apartó de él. 3 Y la cólera de Jehová[c] se enardeció contra Israel, de modo que los dio en mano de Hazael[d] el rey de Siria y en mano de Ben-hadad[e] hijo de Hazael todos los días de ellos.

4 Con el tiempo Jehoacaz ablandó[f] el rostro de Jehová, de manera que Jehová le escuchó;[g] pues había visto la opresión sobre Israel,[h] porque el rey de Siria los había oprimido.[i] 5 Por lo tanto, Jehová dio a Israel un salvador,[j] de modo que ellos salieron de debajo de la mano de Siria, y los hijos de Israel continuaron morando en sus hogares como antes.[k] 6 (Solo que no se apartaron del pecado de la casa de Jeroboán, con que él hizo pecar a Israel.[l] En él anduvo;[m] y hasta el poste sagrado[n] mismo quedó de pie en Samaria.) 7 Porque no le había dejado a Jehoacaz gente alguna sino cincuenta hombres de a caballo y diez carros y diez mil hombres de a pie,[o] porque el rey de Siria los había destruido,[p] para hacerlos como al polvo cuando se trilla.[q]

8 En cuanto al resto de los asuntos de Jehoacaz y todo lo que hizo, y su poderío, ¿no están escritos en el libro[r] de los asuntos de los días de los reyes de Israel? 9 Por fin Jehoacaz yació con sus antepasados, y lo enterraron en Samaria;[s] y Jehoás[t] su hijo empezó a reinar en lugar de él.

10 En el año treinta y siete de Jehoás el rey de Judá, Jehoás[u] hijo de Jehoacaz llegó a ser rey sobre Israel en Samaria por dieciséis años. 11 Y continuó haciendo lo que era malo a los ojos de Jehová.[v] No se apartó de todos los pecados de Jeroboán hijo de Nebat, con que él hizo pecar a Israel.[w] En ellos anduvo.

12 En cuanto al resto de los asuntos de Jehoás y todo lo que hizo, y su poderío, [y] cómo pe-

CAP. 13

a 1Re 12:28
  1Re 13:33
b 1Re 14:16
c Le 26:17
  Dt 6:15
  Dt 7:4
  Sl 7:11
  Heb 12:29
d 1Re 19:17
  2Re 8:12
e 2Re 13:24
f Jue 6:6
  Jue 10:10
  2Cr 33:13
  Sl 78:34
g Dt 4:7
  Sl 50:15
  Sl 65:2
  1Jn 5:14
h Gé 31:42
  Éx 3:7
  Jue 10:16
i 2Re 14:26
j Ne 9:27
k Sl 130:4
l 2Re 10:29
  2Re 17:21
m 1Re 16:26
n Dt 7:5
  1Re 14:15
  1Re 16:33
o 2Re 10:32
p Dt 28:45
  2Re 8:12
q Am 1:3
r 1Re 14:19
  2Re 10:34
s 2Re 10:35
t 2Re 14:8
u 2Re 14:1
v 2Re 13:2
  Os 5:11
w 2Re 10:29

2.ª col.

a 2Re 14:8
  2Re 14:13
  2Cr 25:17
b 1Re 14:19
  2Re 10:34
c 2Re 14:28
d 2Re 10:35
  2Re 13:9
e 1Re 19:16
  2Re 5:8
f Zac 1:5
g 2Re 5:13
h 2Re 2:12
i Sl 144:1
j Sl 18:14
k 1Sa 29:1
  1Re 20:26
l Gál 6:9
m Isa 44:26
n 2Re 13:25
o Sl 139:8
p 2Re 24:2
q 2Re 1:1

leó[a] contra Amasías el rey de Judá, ¿no están escritos en el libro[b] de los asuntos de los días de los reyes de Israel? 13 Por fin Jehoás yació con sus antepasados, y Jeroboán[c] mismo se sentó sobre su trono. A su vez, Jehoás fue enterrado en Samaria con los reyes de Israel.[d]

14 En cuanto a Eliseo,[e] él había enfermado de la enfermedad de que había de morir.[f] De modo que Jehoás el rey de Israel bajó a él y empezó a llorar sobre su rostro y a decir: "¡Padre mío,[g] padre mío, el carro de guerra de Israel y sus hombres de a caballo!".[h] 15 Y Eliseo procedió a decirle: "Toma un arco y flechas". De modo que él tomó para sí un arco y flechas. 16 Y [Eliseo] pasó a decir al rey de Israel: "Pon tu mano en el arco". Por lo tanto, él puso su mano en él, después de lo cual Eliseo puso sus manos sobre las manos[i] del rey. 17 Entonces [Eliseo] dijo: "Abre la ventana hacia el este". De modo que él la abrió. Por fin Eliseo dijo: "¡Dispara!". De manera que él disparó. [Eliseo] ahora dijo: "¡La flecha de salvación de Jehová, aun la flecha de salvación[j] contra Siria! Y ciertamente derribarás a Siria en Afeq[k] hasta el punto de acabar". 18 Y siguió diciendo: "Toma las flechas". Por lo cual [las] tomó. Entonces dijo él al rey de Israel: "Golpea la tierra". De manera que él golpeó tres veces, y se detuvo.[l] 19 Y el hombre del Dios [verdadero][m] se indignó con él; por eso dijo: "¡Era entendido que se golpearía cinco o seis veces! En ese caso ciertamente derribarías a Siria hasta el punto de acabar, pero ahora [sólo] tres veces derribarás a Siria".[n]

20 Después de aquello Eliseo murió, y lo enterraron.[o] Y había partidas merodeadoras[p] de los moabitas[q] que penetraban en el país con regularidad a la entrada del año. 21 Y aconteció que, mientras estaban enterran-

do a un hombre, pues, aquí vieron la partida merodeadora. Al punto arrojaron al hombre en la sepultura de Eliseo, y se fueron. Cuando el hombre tocó los huesos de Eliseo, inmediatamente llegó a vivir,[a] y se levantó sobre sus pies.[b] 22 En cuanto a Hazael[c] el rey de Siria, él oprimió[d] a Israel todos los días de Jehoacaz. 23 Sin embargo, Jehová les mostró favor[e] y les tuvo misericordia[f] y se volvió a ellos a causa de su pacto[g] con Abrahán,[h] Isaac[i] y Jacob;[j] y no quiso arruinarlos,[k] y no los echó de delante de su rostro hasta ahora. 24 Por fin murió Hazael el rey de Siria, y Ben-hadad su hijo empezó a reinar en lugar de él. 25 Y Jehoás hijo de Jehoacaz procedió a tomar de nuevo de la mano de Ben-hadad hijo de Hazael las ciudades que él había tomado de la mano de Jehoacaz su padre en guerra. Tres veces lo derribó Jehoás, y logró recobrar las ciudades de Israel.[l]

14 En el año segundo de Jehoás[m] hijo de Jehoacaz el rey de Israel, Amasías[n] hijo de Jehoás el rey de Judá llegó a ser rey. 2 Veinticinco años de edad tenía cuando empezó a reinar, y por veintinueve años reinó en Jerusalén. Y el nombre de su madre era Jehoadín[o] de Jerusalén. 3 Y él continuó haciendo lo que era recto a los ojos de Jehová,[p] solo que no como David su antepasado.[q] Conforme a todo lo que había hecho Jehoás su padre, él hizo.[r] 4 Solo los lugares altos no desaparecieron.[s] El pueblo todavía estaba sacrificando y haciendo humo de sacrificio en los lugares altos.[t] 5 Y aconteció que luego que hubo quedado firme en su mano el reino, él empezó a derribar[u] a sus siervos que habían derribado al rey su padre.[v] 6 Y a los hijos de los que lo derribaron no dio muerte, conforme a lo que está escrito en el libro de la

ley de Moisés que Jehová impuso como mandato, diciendo:[a] "Padres no deben ser muertos por hijos, e hijos mismos no deben ser muertos por padres; sino que por su propio pecado cada uno debe ser muerto".[b] 7 Él mismo derribó a los edomitas[c] en el valle de la Sal,[d] a diez mil hombres, y logró apoderarse de Sela en la guerra, y a esta llegó a llamársele por nombre Joqteel hasta el día de hoy.

8 Entonces fue cuando Amasías envió mensajeros a Jehoás hijo de Jehoacaz hijo de Jehú el rey de Israel, a decir: "Ven, sí. Mirémonos al rostro uno al otro".[e] 9 Ante eso, Jehoás el rey de Israel envió a decir a Amasías el rey de Judá: "El yerbajo espinoso mismo que estaba en el Líbano envió a decir al cedro[f] que estaba en el Líbano: 'Da, sí, tu hija a mi hijo por esposa'. Sin embargo, una bestia salvaje del campo que estaba en el Líbano pasó y holló al yerbajo espinoso.[g] 10 Inequívocamente has derribado[h] a Edom, y tu corazón se ha alzado.[i] Disfruta de tu honra[j] y mora en tu propia casa. ¿Por qué, pues, debes ocuparte en contienda[k] bajo condiciones desfavorables[l] y tener que caer, tú y Judá contigo?". 11 Y Amasías no escuchó.[m]

Por lo tanto, Jehoás el rey de Israel subió, y procedieron a mirarse al rostro uno al otro,[n] él y Amasías el rey de Judá, en Betsemes,[o] que pertenece a Judá. 12 Y Judá llegó a ser derrotado delante de Israel,[p] de manera que echaron a huir, cada uno a su tienda. 13 Y fue a Amasías el rey de Judá hijo de Jehoás hijo de Ocozías a quien Jehoás el rey de Israel capturó en Betsemes, después de lo cual vinieron a Jerusalén, y él hizo una brecha en el muro de Jerusalén, desde la Puerta de Efraín[q] has-

---

CAP. 13
a Jn 11:44
Heb 11:35
b Rev 11:11
c 1Re 19:15
  2Re 10:32
d 2Re 8:12
  Sl 106:41
e Jue 10:16
  2Re 14:27
  Ne 9:31
  Sl 86:15
  Isa 30:18
  Lam 3:32
f Sl 145:8
  2Co 1:3
  Ef 2:4
g Éx 2:24
h Gé 13:16
  Gé 17:7
  Gé 22:17
  Éx 32:13
i Gé 26:3
j Gé 28:13
  Le 26:42
k Sl 105:8
  Miq 7:20
  Heb 6:18
l 2Re 13:19

CAP. 14
m 2Re 13:10
n 1Cr 3:12
o 2Cr 25:1
p 2Cr 25:2
q 1Re 15:5
r 2Cr 24:2
  2Cr 24:18
  Zac 1:4
s 1Re 15:14
  2Re 12:3
t 2Re 15:4
  2Re 15:35
u Gé 9:6
  Éx 21:12
  Nú 35:33
v 2Re 12:20
  2Cr 24:25
  2Cr 25:3

2.ª col.
a 2Cr 25:4
b Dt 24:16
  Eze 18:20
c 2Re 8:20
  2Cr 25:11
d 2Sa 8:13
  1Cr 18:12
  Sl 60:Enc
e 2Sa 2:14
  2Cr 25:17
  Pr 13:10
  Pr 18:6
f Jue 9:15
g 2Cr 25:18
h 2Re 14:7
i 2Cr 26:16
  Pr 16:18
  Hab 2:4
  Gál 6:3
  Snt 4:6
j 1Sa 18:8
k 2Cr 35:21
  Pr 3:30
  Pr 20:3
l Lu 14:31
m 2Cr 25:16
  2Cr 25:20
n 2Cr 25:21
o Jos 15:10
  Jos 21:16
  1Sa 6:12
  1Cr 6:59

p 2Cr 25:22; Pr 16:18; q 2Cr 25:23; Ne 8:16; Ne 12:39.

ta la misma Puerta de la Esquina,[a] cuatrocientos codos. **14** Y
tomó todo el oro y la plata y todos los objetos que se hallaban
en la casa de Jehová[b] y en los
tesoros de la casa del rey, y los
rehenes, y entonces se volvió a
Samaria.

15 En cuanto al resto de los
asuntos de Jehoás, lo que hizo, y
su poderío, y cómo peleó contra
Amasías el rey de Judá, ¿no están escritos en el libro[c] de los
asuntos de los días de los reyes
de Israel? **16** Por fin Jehoás
yació con sus antepasados,[d] y fue
enterrado en Samaria[e] con los
reyes de Israel, y Jeroboán[f] su
hijo empezó a reinar en lugar
de él.

17 Y Amasías[g] hijo de Jehoás
el rey de Judá continuó viviendo
después de la muerte de Jehoás[h]
hijo de Jehoacaz el rey de Israel
por quince años.[i] **18** En cuanto al resto de los asuntos de
Amasías, ¿no están escritos en el
libro[j] de los asuntos de los días
de los reyes de Judá?[k] **19** Por
fin se coligaron contra él en una
conspiración[l] en Jerusalén, y él
se fue huyendo a Lakís;[m] pero
enviaron en perseguimiento de
él hasta Lakís y le dieron muerte
allí.[n] **20** Así que lo llevaron sobre caballos, y fue enterrado[o] en
Jerusalén con sus antepasados
en la Ciudad de David.[p] **21** Entonces todo el pueblo de Judá
tomó a Azarías,[q] que en aquel
tiempo tenía dieciséis años de
edad,[r] y lo hicieron rey en lugar
de su padre Amasías.[s] **22** Él
mismo edificó a Elat[t] y logró res-
tituirla a Judá, después que el
rey yació con sus antepasados.
23 En el año quince de Amasías hijo de Jehoás el rey de
Judá, Jeroboán[u] hijo de Jehoás el
rey de Israel llegó a ser rey en
Samaria por cuarenta y un años.
24 Y continuó haciendo lo que
era malo a los ojos de Jehová. No
se apartó de todos los pecados de
Jeroboán hijo de Nebat, con que
él hizo pecar a Israel.[v] **25** Él
fue quien restauró el límite de
Israel, desde el punto de entrada
de Hamat[a] hasta el mismo mar
del Arabá,[b] conforme a la palabra de Jehová el Dios de Israel
que él habló por medio de su
siervo Jonás[c] hijo de Amitai, el
profeta que era de Gat-héfer.[d]
26 Porque Jehová había visto la
muy amarga aflicción de Israel.[e]
No había ni un desvalido ni un
inútil, ni había ayudante para
Israel.[f] **27** Y Jehová había prometido no borrar el nombre de
Israel de debajo de los cielos.[g]
Por lo tanto los salvó[h] por la
mano de Jeroboán hijo de Jehoás.

28 En cuanto al resto de los
asuntos de Jeroboán y todo lo
que hizo, y su poderío, cómo peleó y cómo restituyó Damasco[i] y
Hamat[j] a Judá en Israel, ¿no están escritos en el libro de los
asuntos de los días de los reyes
de Israel? **29** Por fin Jeroboán
yació con sus antepasados, con
los reyes de Israel, y Zacarías[k] su
hijo empezó a reinar en lugar
de él.

15 En el año veintisiete de Jeroboán el rey de Israel,
Azarías[l] hijo de Amasías[m] el rey
de Judá llegó a ser rey. **2** Dieciséis años de edad tenía cuando
empezó a reinar, y por cincuenta
y dos años reinó en Jerusalén.[n] Y
el nombre de su madre era Jecolías de Jerusalén. **3** Y él continuó haciendo lo que era recto a
los ojos de Jehová, conforme a
todo lo que había hecho Amasías
su padre.[o] **4** Fue solo que los
lugares altos no desaparecieron.[p] El pueblo todavía estaba
sacrificando y haciendo humo
de sacrificio en los lugares altos.[q] **5** Por fin Jehová plagó
al rey,[r] y este continuó leproso[s]
hasta el día de su muerte, y siguió morando en su casa, exento
de deberes,[t] mientras Jotán[u] el
hijo del rey estaba sobre la casa

CAP. 14
a Jer 31:38; Zac 14:10
b 2Re 12:13
c 1Re 14:19; 2Re 13:12
d 2Re 10:35
e 2Re 13:9
f 2Re 13:13; Os 1:1; Am 1:1; Am 7:10
g 2Re 14:1
h 2Re 13:10
i 2Cr 25:25
j 1Re 14:29; 2Re 12:19; 2Re 20:20
k 2Cr 25:26
l 2Re 12:20
m Jos 10:31; Miq 1:13
n 2Cr 25:27
o 2Cr 25:28
p 1Re 2:10; 2Re 12:21
q 2Cr 26:1; Mt 1:8
r 2Re 15:2
s 1Cr 3:12
t Dt 2:8; 1Re 9:26; 2Re 16:6; 2Cr 26:2
u Os 1:1; Am 1:1
v 1Re 12:28; 1Re 13:34; Sl 106:20

2.ª col.
a Nú 13:21; Nú 34:8; Eze 47:16; Am 6:14
b Gé 14:3; Dt 3:17
c Jon 1:1; Mt 12:39
d Jos 19:13
e Éx 3:7; Jue 10:16; Sl 106:44
f 1Re 14:10; 1Re 21:21
g Dt 25:19; Dt 29:20
h 2Re 13:5; Sl 86:15; Jer 31:20; Os 1:7
i 2Sa 8:6
j 2Cr 8:3
k 2Re 15:8

CAP. 15
l 2Re 14:21; 2Cr 26:1
m 2Re 14:1
n 2Cr 26:3
o 2Re 14:3; 2Cr 26:4
p Nú 33:52; Dt 12:14; 2Cr 6:6; 2Cr 32:12
q 1Sa 14:35; 1Re 22:43; 2Re 14:4
r 2Cr 26:19; Job 34:19

s Nú 12:10; 2Re 5:27; t Le 13:46; Dt 24:8; u 2Re 15:32; 1Cr 3:12; 2Cr 26:21.

y juzgaba[a] a la gente de la tierra.
6 En cuanto al resto de los asuntos de Azarías y todo lo que hizo,
¿no están escritos en el libro[b] de
los asuntos de los días de los reyes de Judá? 7 Por fin Azarías
yació con sus antepasados,[c] y lo
enterraron con sus antepasados
en la Ciudad de David; y Jotán
su hijo empezó a reinar en lugar
de él.[d]
8 En el año treinta y ocho de
Azarías[e] el rey de Judá, Zacarías[f]
hijo de Jeroboán llegó a ser rey
sobre Israel en Samaria por seis
meses. 9 Y siguió haciendo lo
que era malo a los ojos de Jehová, tal como habían hecho sus
antepasados.[g] No se apartó de
los pecados de Jeroboán[h] hijo de
Nebat, con que él hizo pecar
a Israel.[i] 10 Entonces Salum
hijo de Jabés conspiró[j] contra él
y lo derribó[k] en Ibleam[l] y le dio
muerte y empezó a reinar en lugar de él. 11 En cuanto al resto de los asuntos de Zacarías, allí
están escritos en el libro[m] de los
asuntos de los días de los reyes
de Israel. 12 Esa fue la palabra
de Jehová[n] que él había hablado
a Jehú, al decir:[o] "Hijos[p] mismos hasta la cuarta generación
se sentarán para ti sobre el trono
de Israel". Y llegó a ser así.[q]
13 En cuanto a Salum hijo de
Jabés, él llegó a ser rey el año
treinta y nueve de Uzías[r] el rey
de Judá, y continuó reinando un
mes lunar completo en Samaria.[s] 14 Entonces Menahem[t]
hijo de Gadí subió de Tirzá[u] y
vino a Samaria y derribó a Salum[v] hijo de Jabés en Samaria, y
le dio muerte; y empezó a reinar
en lugar de él. 15 En cuanto al
resto de los asuntos de Salum y
su conspiración[w] con que conspiró, allí están escritos en el libro de los asuntos de los días de
los reyes de Israel. 16 Fue entonces cuando Menahem procedió a derribar a Tifsah y a todo lo
que había en ella, y a su territorio desde Tirzá afuera, porque
ella no abrió, y él se puso a derribarla. A todas sus mujeres encintas las rajó.[a]
17 En el año treinta y nueve[b]
de Azarías el rey de Judá, Menahem hijo de Gadí llegó a ser rey
sobre Israel por diez años en Samaria. 18 Y continuó haciendo lo que era malo a los ojos de
Jehová.[c] Nunca se apartó de todos los pecados de Jeroboán[d]
hijo de Nebat, con que él hizo
pecar a Israel,[e] en todos sus días.
19 Pul[f] el rey de Asiria[g] entró en
el país. En consecuencia, Menahem dio[h] a Pul mil talentos de
plata,[i] para que sus manos resultaran estar con él para fortalecer el reino en su propia mano.[j]
20 De manera que Menahem
sacó la plata a expensas de Israel, a expensas de todos los
hombres valientes y poderosos,[k]
para dar al rey de Asiria cincuenta siclos de plata por cada
hombre. Con esto el rey de Asiria
se volvió, y no se quedó allí en el
país. 21 En cuanto al resto de
los asuntos de Menahem[l] y todo
lo que hizo, ¿no están escritos en
el libro[m] de los asuntos de los
días de los reyes de Israel?
22 Por fin Menahem yació con
sus antepasados, y Peqahías[n] su
hijo empezó a reinar en lugar
de él.
23 En el año cincuenta de
Azarías el rey de Judá, Peqahías
hijo de Menahem llegó a ser rey
sobre Israel en Samaria por dos[o]
años. 24 Y continuó haciendo
lo que era malo a los ojos de Jehová.[p] No se apartó de los pecados de Jeroboán[q] hijo de Nebat,
con que él hizo pecar a Israel.[r]
25 Entonces Péqah[s] hijo de Remalías su adjutor[t] conspiró[u]
contra él y lo derribó en Samaria, en la torre de habitación de
la casa del rey,[v] con Argob y
Arieh, y con él había cincuenta
hombres de los hijos de Galaad.
Le dio muerte, pues, y empezó
a reinar en lugar de él. 26 En
cuanto al resto de los asuntos de

CAP. 15
a 1Sa 8:5; 1Re 3:9; Sl 72:1
b 1Re 14:29; 2Cr 26:22
c Isa 6:1
d 2Cr 26:23
e 2Re 14:21
f 2Re 14:29
g 2Re 13:2; 2Re 14:24
h 1Re 12:28; 1Re 13:33
i Éx 32:21; 1Re 14:16
j Nú 35:20; Dt 19:11
k Os 1:4; Am 7:9
l Jos 17:11; 2Re 9:27
m 1Re 14:19
n Isa 14:27; Isa 44:26; Isa 55:11
o 2Re 10:30
p 2Re 13:1; 2Re 13:10; 2Re 14:23; 2Re 14:29
q Nú 23:19
r 2Cr 26:1; Mt 1:8
s Os 5:7
t 2Re 15:17
u 1Re 14:17; 1Re 15:21; 1Re 16:8; 1Re 16:17
v 2Re 15:10
w Dt 19:11

2.ª col.
a 2Re 8:12; Am 1:13
b 2Re 15:13
c 1Re 11:38
d 1Re 12:28; 1Re 13:33
e Éx 32:21; 1Re 14:16
f 1Cr 5:26
g Gé 2:14; 2Re 17:23
h Dt 28:45; 2Re 12:18; 2Re 16:8
i 1Re 16:24
j Jer 17:5
k 2Re 23:35
l 2Re 15:14
m 1Re 14:19; 1Co 10:11
n 2Re 15:26
o Job 20:5; Pr 28:2
p 1Re 11:38; 2Re 15:28
q 1Re 12:28; 1Re 13:33
r 1Re 14:16
s 2Cr 28:6
t 2Re 7:17; 2Re 9:25
u Nú 35:20; Dt 19:11
v 1Re 16:18

Peqahías y todo lo que hizo, allí están escritos en el libro[a] de los asuntos de los días de los reyes de Israel.

27 En el año cincuenta y dos de Azarías el rey de Judá, Péqah[c] hijo de Remalías[c] llegó a ser rey sobre Israel en Samaria por veinte años. 28 Y continuó haciendo lo que era malo en los ojos de Jehová.[d] No se apartó de los pecados de Jeroboán[e] hijo de Nebat, con que él hizo pecar a Israel.[f] 29 En los días de Péqah el rey de Israel, Tiglat-piléser[g] el rey de Asiria[h] entró y procedió a tomar a Ijón[i] y Abel-bet-maacá[j] y Janóah y Quedes[k] y Hazor[l] y Galaad[m] y Galilea,[n] toda la tierra de Neftalí,[o] y a llevárselos al destierro en Asiria.[p] 30 Por fin Hosea[q] hijo de Elah formó una conspiración[r] contra Péqah hijo de Remalías y lo hirió[s] y le dio muerte; y empezó a reinar en lugar de él en el año veinte de Jotán[t] hijo de Uzías. 31 En cuanto al resto de los asuntos de Péqah y todo lo que hizo, allí están escritos en el libro[u] de los asuntos de los días de los reyes de Israel.

32 En el año segundo de Péqah hijo de Remalías el rey de Israel, Jotán[v] hijo de Uzías[w] el rey de Judá llegó a ser rey. 33 Veinticinco años de edad tenía cuando empezó a reinar, y por dieciséis años reinó en Jerusalén. Y el nombre de su madre era Jerusá hija de Sadoc.[x] 34 Y él continuó haciendo lo que era recto a los ojos de Jehová.[y] Conforme a todo lo que había hecho Uzías su padre, él hizo.[z] 35 Fue solo que los lugares altos no desaparecieron. El pueblo todavía estaba sacrificando y haciendo humo de sacrificio en los lugares altos.[a] Él fue quien edificó la puerta superior de la casa de Jehová.[b] 36 En cuanto al resto de los asuntos de Jotán, lo que hizo, ¿no están escritos en el libro de los asuntos de los días de los reyes de Judá?[a] 37 En aquellos días Jehová comenzó a enviar[b] contra Judá a Rezín[c] el rey de Siria y a Péqah[d] hijo de Remalías. 38 Por fin Jotán yació con sus antepasados y fue enterrado con sus antepasados en la Ciudad de David su antepasado;[e] y Acaz[f] su hijo empezó a reinar en lugar de él.

16 En el año diecisiete de Péqah hijo de Remalías, Acaz[g] hijo de Jotán el rey de Judá llegó a ser rey. 2 Veinte años de edad tenía Acaz cuando empezó a reinar, y por dieciséis años reinó en Jerusalén; y no hizo lo que era recto a los ojos de Jehová su Dios, como David su antepasado.[h] 3 Y se puso a andar en el camino de los reyes de Israel,[i] e hizo pasar aun a su propio hijo por el fuego;[j] conforme a las cosas detestables[k] de las naciones que Jehová había expulsado a causa de los hijos de Israel. 4 Y siguió sacrificando y haciendo humo de sacrificio en los lugares altos[l] y sobre las colinas[m] y debajo de todo árbol frondoso.[n]

5 Fue entonces cuando Rezín[o] el rey de Siria y Péqah[p] hijo de Remalías el rey de Israel procedieron a subir contra Jerusalén en guerra y se pusieron sitio a Acaz, pero no pudieron pelear.[q] 6 En aquel tiempo Rezín el rey de Siria restituyó Elat[r] a Edom, después de lo cual eliminó de Elat a los judíos; y los edomitas, por su parte, entraron en Elat y siguieron morando allí hasta este día. 7 Por lo tanto, Acaz envió mensajeros a Tiglat-piléser[s] el rey de Asiria, a decir: "Soy tu siervo[t] y tu hijo. Sube y sálvame[u] de la palma de la mano del rey de Siria y de la palma de

CAP. 15

a 1Re 14:19
b 2Cr 28:6
  Isa 7:1
c Isa 7:4
  Isa 7:9
d Ec 12:13
e 1Re 12:28
  1Re 13:33
f Éx 20:3
  1Re 14:16
g 2Re 16:7
  1Cr 5:6
  1Cr 5:26
  2Cr 28:20
h Isa 8:4
i 1Re 15:20
j 2Sa 20:18
k Jos 19:37
  Jos 20:7
l Jos 11:10
  Jue 4:2
m Nú 32:40
  Dt 3:15
n Jos 20:7
  1Re 9:11
  Jos 9:1
  Mt 4:15
o Jos 19:32
p Le 26:38
  2Re 28:64
  2Re 17:23
q 2Re 17:1
  Dt 19:11
s Mt 26:52
t 2Cr 27:1
u 1Re 14:19
v 1Cr 3:12
  2Cr 27:7
  Mt 1:9
w 2Re 14:21
  2Re 15:1
  1Cr 3:12
x 2Cr 27:1
y Dt 28:1
  Ec 12:13
z 2Cr 27:2
a Nú 33:52
  Dt 12:14
  2Cr 6:6
  2Cr 32:12
b 2Cr 27:3

2.ª col.

a 2Re 15:6
  2Cr 27:7
b Dt 28:49
  Sl 78:49
  Sl 106:15
  Jer 43:10
c 2Re 16:5
  Isa 7:2
d Isa 7:1
e 2Re 15:27
  2Cr 28:6
  Isa 7:1
e 1Re 14:31
f 1Cr 3:13

CAP. 16

g Isa 1:1
  Isa 7:1
  Os 1:1
  Miq 1:1
  Mt 1:9
h 2Cr 28:1
i 1Re 12:28
  Re 16:33
  1Re 21:26
  2Re 8:18
  2Cr 28:2

j Le 20:2; Dt 18:10; 2Re 23:10; 2Cr 28:3; 2Cr 33:6; Sl 106:37; Isa 57:5; Jer 7:31; Eze 16:20; Eze 23:37; k Dt 12:31; Sl 106:35; Eze 16:47; 1 Nú 33:52; m Mt 14:23; Jer 17:2; n 2Re 15:37; p 2Cr 28:6; q 2Cr 28:5; r 2Re 14:22; s 2Re 15:29; t 1Re 20:4; u Sl 146:3; Jer 17:5; Lam 4:17.

la mano del rey de Israel, que están levantándose contra mí". 8 Por consiguiente, Acaz tomó la plata y el oro que se hallaba en la casa de Jehová y en los tesoros de la casa del rey,[a] y envió al rey de Asiria un soborno.[b] 9 Ante eso, el rey de Asiria le escuchó, y el rey de Asiria subió a Damasco[c] y la tomó[d] y llevó a [la gente] de esta al destierro a Quir,[e] y dio muerte a Rezín.[f]

10 Entonces el rey Acaz[g] fue al encuentro de Tiglat-piléser[h] el rey de Asiria en Damasco, y llegó a ver el altar[i] que había en Damasco. De manera que el rey Acaz envió a Uriya el sacerdote el diseño del altar y su modelo en cuanto a toda su hechura.[j] 11 Y Uriya[k] el sacerdote procedió a construir el altar.[l] Conforme a todo lo que el rey Acaz había enviado de Damasco, así lo hizo Uriya el sacerdote, en el intervalo de tiempo hasta que viniera el rey Acaz de Damasco. 12 Cuando el rey vino de Damasco, el rey llegó a ver el altar; y el rey empezó a acercarse al altar[m] y a hacer ofrendas sobre él.[n] 13 Y continuó haciendo humear[o] su ofrenda quemada[p] y su ofrenda de grano[q] y derramando su libación[r] y rociando la sangre de los sacrificios de comunión que eran suyos sobre el altar. 14 Y el altar de cobre[s] que estaba delante de Jehová, él ahora lo acercó de enfrente de la casa, de entre su altar y la casa de Jehová,[t] y lo puso al lado del norte de su altar. 15 Y el rey Acaz pasó a mandar, aun a Uriya[u] el sacerdote, y a decir: "Sobre el gran altar haz humear la ofrenda quemada de la mañana,[v] también la ofrenda de grano de la tarde,[w] y la ofrenda quemada del rey[x] y su ofrenda de grano, y la ofrenda quemada de toda la gente de la tierra y su ofrenda de grano y sus libaciones; y toda la sangre de ofrenda quemada y toda la sangre de un sacrificio la

CAP. 16
a 1Re 15:18
  2Re 14:14
  2Cr 16:2
b 2Cr 19:7
c 2Sa 8:6
  2Re 14:28
  2Cr 28:5
  Isa 7:6
d Am 1:5
e Isa 22:6
  Am 9:7
f Isa 7:1
  Isa 9:11
g 2Re 16:7
  h 2Re 15:29
i Dt 12:30
  2Cr 28:23
  Jer 10:2
j Sl 106:39
k Isa 8:2
l Jer 23:11
  Eze 22:26
m 2Cr 26:16
  2Cr 28:25
n Nú 18:4
  Nú 18:7
o Le 2:2
p Le 1:3
q Le 2:1
  1Cr 23:29
r Le 23:13
s 1Cr 28:12
  2Cr 4:1
t 1Re 6:1
u Isa 8:2
v Éx 29:39
  Nú 28:2
  2Cr 28:23
w Nú 28:4
x Le 4:22
  Le 22:21
  2Cr 7:4
  2Cr 29:21

2.ᵃ col.

a Isa 8:2
b 2Re 16:11
c 2Cr 28:24
  2Cr 29:19
d 1Re 7:28
e 1Re 7:27
f 1Re 7:38
  2Cr 4:6
  Jer 52:20
g 1Re 7:23
  2Re 25:13
h 1Re 7:25
  Jer 52:20
i 1Re 14:29
  2Cr 28:26
j 2Cr 28:27
k 2Re 18:1
  1Cr 3:13
  2Cr 29:1
  Isa 1:1
  Os 1:1
  Mt 1:9

CAP. 17

l 2Re 15:30
m Isa 7:9
n 1Re 12:28
  1Re 13:33
  1Re 16:33
o 2Re 18:9
  Os 10:14
p Isa 10:5
q Dt 28:48
  2Re 18:14
  Esd 7:24

debes rociar sobre él. En cuanto al altar de cobre, llegará a ser algo que yo tome en consideración". 16 Y Uriya[a] el sacerdote se puso a hacer conforme a todo lo que había mandado el rey Acaz.[b]

17 Además, el rey Acaz cortó[c] en pedazos las paredes laterales[d] de las carretillas[e] y quitó de sobre ellas las fuentes;[f] y quitó el mar[g] de sobre los toros de cobre[h] que estaban debajo de él y entonces lo puso sobre un pavimento de piedra. 18 Y la estructura cubierta para el sábado, que habían edificado en la casa, y el paso de entrada exterior del rey, él los cambió de la casa de Jehová por causa del rey de Asiria.

19 En cuanto al resto de los asuntos de Acaz, lo que hizo, ¿no están escritos en el libro[i] de los asuntos de los días de los reyes de Judá? 20 Por fin yació Acaz con sus antepasados y fue enterrado con sus antepasados en la Ciudad de David;[j] y Ezequías[k] su hijo empezó a reinar en lugar de él.

17 En el año doce de Acaz el rey de Judá, Hosea[l] hijo de Elah llegó a ser rey en Samaria,[m] sobre Israel, por nueve años. 2 Y continuó haciendo lo que era malo a los ojos de Jehová, solo que no como los reyes de Israel que lo antecedieron.[n] 3 Fue contra él contra quien subió Salmanasar[o] el rey de Asiria,[p] y Hosea llegó a ser su siervo y empezó a pagarle tributo.[q] 4 Sin embargo, el rey de Asiria llegó a hallar conspiración[r] en el caso de Hosea, porque este había enviado mensajeros a So el rey de Egipto,[s] y no hizo subir el tributo al rey de Asiria como en años anteriores. Por lo tanto, el rey de Asiria lo encerró y lo man-

r 2Re 24:1; 2Re 24:20; Eze 17:15; s Isa 30:2; Isa 31:1.

tuvo atado en la casa de detención.ª

5 Y el rey de Asiria procedió a subir contra todo el país y a subir a Samaria y tenerla sitiadaᵇ por tres años. 6 En el año noveno de Hosea, el rey de Asiria tomó a Samariaᶜ y entonces condujo a Israel al destierro,ᵈ a Asiria, y los tuvo morando en Halahᵉ y en Habor, junto al río Gozán,ᶠ y en las ciudades de los medos.ᵍ

7 Ahora bien, esto aconteció porque los hijos de Israel habían pecadoʰ contra Jehová su Dios, que los había hecho subir de la tierra de Egipto de debajo de la mano de Faraón el rey de Egipto,ⁱ y habían empezado a temer a otros dioses;ʲ 8 y siguieron andando en los estatutosᵏ de las naciones que Jehová había expulsado de delante de los hijos de Israel, y [en los estatutos de] los reyes de Israel que estos habían hecho; 9 y los hijos de Israel se pusieron a escudriñar las cosas que no eran rectas para con Jehová su Diosˡ y siguieron edificándose lugares altosᵐ en todas sus ciudades, desde la torreⁿ de los atalayas hasta la misma ciudad fortificada; 10 y siguieron erigiéndose columnas sagradasº y postes sagradosᵖ sobre toda colina altaᑫ y debajo de todo árbol frondoso;ʳ 11 y allí en todos los lugares altos continuaron haciendo humo de sacrificio, lo mismo que las nacionesˢ que Jehová había llevado al destierro a causa de ellos, y siguieron haciendo cosas malas para ofenderᵗ a Jehová;

12 y continuaron sirviendo a ídolos estercolizos,ᵘ acerca de los cuales Jehová les había dicho: "Ustedes no deben hacer esta cosa";ᵛ 13 y Jehová siguió advirtiendoʷ a Israelˣ y Judáʸ por medio de todos sus profetasᶻ [y] todo hombre de visiones,ª diciendo: "Vuélvanse de sus malos caminosᵇ y guarden mis mandamientos,ᶜ mis estatutos,ᵈ confor-

me a toda la leyª que mandé a sus antepasadosᵇ y que he enviado a ustedes por medio de mis siervos los profetas";ᶜ 14 y ellos no escucharon, sino que siguieron endureciendo la cervizᵈ como la cerviz de sus antepasados que no habían ejercido feᵉ en Jehová su Dios; 15 y continuaron rechazando sus disposiciones reglamentarias y su pactoᶠ que él había celebrado con sus antepasados y sus recordatoriosᵍ con que les había dado advertencia, y se pusieron a seguir vanos ídolosʰ y se hicieron vanosⁱ ellos mismos, aun en imitación de las naciones que estaban todo en derredor de ellos, respecto de las cuales Jehová les había mandado que no hicieran lo mismo que ellas;ʲ

16 y siguieron dejando todos los mandamientosᵏ de Jehová su Dios, y procedieron a hacerse estatuas fundidas,ˡ dos becerros,ᵐ y a hacer un poste sagrado,ⁿ y empezaron a inclinarse ante todo el ejército de los cielosº y a servir a Baal;ᵖ 17 y continuaron haciendo pasar a sus hijos y a sus hijas por el fuegoᑫ y practicando la adivinaciónʳ y buscando agüeros,ˢ y siguieron vendiéndoseᵗ a hacer lo que era malo a los ojos de Jehová, para ofenderlo;ᵘ

18 por lo tanto Jehová se enojó muchoᵛ contra Israel, de modo que los quitó de su vista.ʷ No dejó que ninguno quedara, sino la tribu de Judá sola.ˣ

19 Ni aun Judá mismo guardó los mandamientos de Jehová su Dios,ʸ sino que se pusieron a andar en los estatutos de Israel,ᶻ que ellos habían hecho. 20 En

CAP. 17
a Dt 28:36
b Dt 28:52
c 2Re 18:10
  Os 13:16
d Le 26:32
  Dt 4:27
  Dt 28:64
  1Re 14:15
e 1Cr 5:26
f 2Re 18:11
g 2Re 18:11
h Dt 31:29
  Dt 32:16
  Jos 23:16
  Ne 9:26
  Sl 106:35
  Am 5:7
i Éx 20:2
j Dt 20:5
  2Re 17:35
  Jer 10:5
k Sl 89:31
l Dt 13:6
  Dt 27:15
  Eze 8:12
m 2Re 16:4
  Os 12:11
n 2Re 18:8
o Éx 34:13
  Le 26:1
p Dt 7:5
  Dt 16:21
  Miq 5:14
q Dt 12:2
r 2Re 16:4
  Isa 57:5
s Le 20:23
  Jer 44:17
t Pr 15:8
u Éx 34:14
  Le 26:30
  1Re 12:28
  1Re 21:26
v Éx 20:3
  Le 26:1
  Dt 4:23
w Dt 8:19
  Dt 32:16
  Sl 81:8
x Os 4:15
y Jer 3:11
z 2Cr 24:19
  2Cr 36:16
  Heb 1:1
a 1Sa 9:9
  1Cr 29:29
b Isa 55:7
  Jer 18:11
  Jer 25:4
  Eze 18:31
c Éx 24:7
d Dt 8:11

2.ª col.
a Éx 20:1
  Éx 21:1
b Dt 5:1
c Jer 7:25
d Dt 31:27
  Jer 5:29
e Dt 1:32
f Dt 5:2
g Sl 19:7
  Os 4:6
h Dt 32:21
  1Sa 12:21
  Jer 10:15
  1Co 8:4

i Sl 115:8; Isa 44:9; Jer 2:5; Ro 1:21; j Dt 12:30; k Dt 4:2; 1Cr 28:2; m 1Re 12:28; 2Cr 13:8; n 1Re 14:15; 1Re 16:33; o Dt 4:19; 2Re 23:5; Jer 8:2; p 1Re 16:31; 1Re 18:19; 2Re 10:21; q 2Re 16:3; 2Re 21:6; Isa 57:5; r Dt 18:10; 2Cr 33:6; Miq 5:12; Hch 16:16; s Le 20:23; Isa 42:24; Jer 15:1; t 1Re 21:20; u Éx 34:14; 1Re 15:30; v Dt 9:8; Dt 29:20; w 2Re 8:46; w Jos 23:13; Isa 42:24; Jer 15:1; x 1Re 11:32; 1Re 12:20; y 1Re 14:22; 2Cr 21:10; Jer 3:8; z Eze 23:11.

consecuencia, Jehová rechazó a toda la descendencia[a] de Israel y siguió afligiéndolos y dándolos en la mano de pilladores, hasta que los hubo echado de delante de sí.[b] 21 Porque él arrancó a Israel de la casa de David, y ellos procedieron a hacer rey a Jeroboán hijo de Nebat; y Jeroboán[c] procedió a separar a Israel de seguir a Jehová, y los hizo pecar con un gran pecado.[d] 22 Y los hijos de Israel se pusieron a andar en todos los pecados de Jeroboán que él había cometido.[e] No se apartaron de ellos, 23 hasta que Jehová quitó a Israel de su vista,[f] tal como había hablado por medio de todos sus siervos los profetas.[g] De manera que Israel se fue de su propio suelo al destierro en Asiria hasta el día de hoy.[h]

24 Subsiguientemente, el rey de Asiria trajo [gente] de Babilonia[i] y de Cutá y de Avá[j] y de Hamat[k] y de Sefarvaim,[l] y los hizo morar en las ciudades de Samaria[m] en lugar de los hijos de Israel; y ellos empezaron a tomar posesión de Samaria y a morar en sus ciudades. 25 Y aconteció que, al comienzo de su morada allí, no temían[n] a Jehová. Por lo tanto Jehová envió leones[o] entre ellos, y estos llegaron a ser matadores entre ellos. 26 De manera que ellos mandaron palabra al rey de Asiria, y dijeron: "Las naciones que has desterrado y entonces establecido en las ciudades de Samaria no han conocido la religión del Dios del país, de modo que él sigue enviando leones entre ellos;[p] y, ¡mira!, les están dando muerte, puesto que no hay nadie que conozca la religión del Dios del país".

27 Ante eso, el rey de Asiria dio orden, y dijo: "Hagan ir allá a uno de los sacerdotes[q] que ustedes condujeron al destierro de allí, para que vaya y more allí y les enseñe a ellos la religión del Dios del país". 28 Por con-

CAP. 17

a 2Cr 20:7
  Jer 6:30
b 2Re 13:3
c 1Re 11:31
  1Re 12:20
d Éx 32:31
  1Sa 2:17
  1Re 14:16
e 1Re 12:28
  1Re 13:33
f Dt 32:26
  2Re 13:23
  2Re 23:27
g Dt 28:63
  1Re 14:16
  Os 1:4
  Am 5:27
  Miq 1:6
h 2Re 18:11
i 2Re 17:30
j 2Re 17:31
  Isa 37:13
k 2Re 19:13
  Isa 10:9
l 2Re 18:34
  Isa 36:19
m Mt 10:5
n Pr 8:13
  Ec 12:13
  Jer 10:7
  Da 6:26
o Éx 23:29
  Jer 5:6
p Pr 30:30
q Esd 7:10
  Mal 2:7

2.ᵃ col.

a Gé 28:19
  Jos 16:1
  1Sa 7:16
  1Re 12:29
b Ec 8:12
  1Sa 29:13
  Jn 4:22
c Sl 96:5
  Sl 135:15
  Isa 44:9
  Jer 10:5
  Miq 4:5
  Ro 1:23
d 2Re 17:24
e 2Re 17:24
f 2Re 18:34
g 2Re 17:17
  2Cr 28:3
  Sl 106:37
  Isa 57:5
  Eze 20:31
h 1Re 12:31
  1Re 13:33
  2Re 17:41
  Isa 29:13
j Lu 16:13
  2Co 6:16
k 2Re 17:24
l Isa 44:8
  1Co 10:20
m 2Re 17:25
n Dt 5:1
  Dt 8:11
  2Re 17:13
o Dt 1:5
p Dt 6:2
q Gé 28:14
  Gé 46:2
r Gé 32:28
  Gé 35:10
  Isa 48:1

siguiente, uno de los sacerdotes que ellos habían conducido de Samaria al destierro vino y se puso a morar en Betel,[a] y llegó a ser maestro de ellos respecto de cómo habían de temer a Jehová.[b]

29 Sin embargo, cada nación diferente llegó a ser hacedora de su propio dios,[c] el cual entonces depositaron en la casa de los lugares altos que los samaritanos habían hecho, cada nación diferente, en sus ciudades donde estaban morando. 30 Y los hombres de Babilonia, por su parte, hicieron a Sucot-benot, y los hombres de Cut,[d] por su parte, hicieron a Nergal, y los hombres de Hamat, por su parte, hicieron a Asimá. 31 En cuanto a los aveos,[e] ellos hicieron a Nibhaz y a Tartaq; y los sefarvitas[f] estaban quemando a sus hijos en el fuego[g] a Adramélec y Anamélec, los dioses de Sefarvaim. 32 Y llegaron a ser temedores de Jehová, y del pueblo en general se pusieron a hacer sacerdotes[h] de los lugares altos, y estos llegaron a ser funcionarios para ellos en la casa de los lugares altos. 33 De Jehová se hicieron temedores,[i] pero de sus propios dioses resultaron ser adoradores,[j] conforme a la religión de las naciones de entre las cuales los habían conducido al destierro.[k]

34 Hasta el día de hoy están haciendo conforme a sus religiones anteriores.[l] No hubo quienes temieran a Jehová[m] ni quienes hicieran conforme a sus estatutos y sus decisiones judiciales[n] ni [según] la ley[o] y el mandamiento[p] que Jehová había mandado a los hijos de Jacob,[q] cuyo nombre él hizo Israel;[r] 35 cuando Jehová celebró un pacto[s] con ellos y les mandó, diciendo: "No deben temer a otros dioses,[t] y no deben inclinarse ante ellos ni servirles ni hacerles

s Éx 19:5; Éx 24:7; Dt 5:2; Dt 29:1; Jer 31:31;
t Éx 20:4; Jue 6:10.

sacrificios.[a] 36 Antes bien, a
Jehová, que los hizo subir de la
tierra de Egipto con gran poder
y brazo extendido,[b] a Ese es a
quien deben temer,[c] y ante quien
deben inclinarse,[d] y a él deben
hacer sacrificios.[e] 37 Y las disposiciones reglamentarias[f] y las
decisiones judiciales[g] y la ley y
el mandamiento que él escribió
para ustedes,[h] deben cuidar de
ponerlos por obra siempre;[i] y
no deben temer a otros dioses.
38 Y el pacto que yo he celebrado con ustedes, no lo deben olvidar;[j] y no deben temer a otros
dioses.[k] 39 Antes bien, es a Jehová[l] su Dios a quien ustedes
deben temer, puesto que él es el
que los librará de la mano de
todos sus enemigos".[m]
40 Y no obedecieron; antes
bien, era conforme a su religión
anterior que estaban haciendo.[n]
41 Y estas naciones llegaron a
ser temedoras de Jehová,[o] pero
fue a sus propias imágenes esculpidas a quienes resultaron
estar sirviendo. En cuanto a sus
hijos y también a sus nietos, tal
como habían hecho sus antepasados ellos mismos están haciendo hasta el día de hoy.

18 Y en el tercer año de Hosea[p] hijo de Elah el rey de
Israel aconteció que Ezequías[q]
hijo de Acaz[r] el rey de Judá llegó
a ser rey. 2 Veinticinco años
de edad tenía cuando empezó a
reinar, y por veintinueve años
reinó en Jerusalén. Y el nombre
de su madre era Abí hija de Zacarías.[s] 3 Y él continuó haciendo lo que era recto a los ojos
de Jehová,[t] conforme a todo lo
que había hecho David su antepasado.[u] 4 Él fue quien quitó
los lugares altos[v] e hizo pedazos
las columnas sagradas[w] y cortó
el poste sagrado[x] y trituró la
serpiente de cobre[y] que Moisés había hecho;[z] porque hasta aquellos días los hijos de Israel de continuo habían estado
haciéndole humo de sacrificio,[a]
y solía llamársele el ídolo-ser-
piente de cobre.[a] 5 En Jehová
el Dios de Israel confió él;[b] y
después de él resultó que no
hubo nadie como él entre todos
los reyes de Judá,[c] aun los que
habían sido antes de él.[d] 6 Y
él siguió adhiriéndose a Jehová.[e]
No se desvió de seguirlo, sino
que continuó guardando sus
mandamientos que Jehová había mandado a Moisés.[f] 7 Y
Jehová resultó estar con él.[g]
Adondequiera que salía actuaba prudentemente;[h] y procedió
a rebelarse contra el rey de Asiria y no le sirvió.[i] 8 Fue él
quien derribó a los filisteos[j]
aun hasta Gaza,[k] y también sus
territorios, desde la torre[l] de los
atalayas aun hasta la ciudad
fortificada.
9 Y en el año cuarto del rey
Ezequías, es decir, el año séptimo de Hosea[m] hijo de Elah el rey
de Israel, aconteció que Salmanasar[n] el rey de Asiria subió
contra Samaria y empezó a ponerle sitio.[o] 10 Y lograron tomarla[p] al cabo de tres años; en el
año sexto de Ezequías, es decir,
el año noveno de Hosea el rey
de Israel, fue tomada Samaria.[q]
11 Después de aquello el rey de
Asiria[r] se llevó a Israel al destierro[s] en Asiria y los estableció
en Halah[t] y en Habor,[u] junto al
río Gozán, y en las ciudades de
los medos,[v] 12 debido a que
no habían escuchado[w] la voz de
Jehová su Dios, sino que siguieron traspasando su pacto,[x] aun
todo lo que había mandado[y]
Moisés[z] el siervo de Jehová. Ni
escucharon ni ejecutaron.
13 Y en el año catorce del rey
Ezequías, Senaquerib[a] el rey de
Asiria[b] subió contra todas las
ciudades fortificadas de Judá y

CAP. 17
a Éx 20:5
Éx 23:24
Éx 34:14
Dt 4:25
Dt 5:9
b Éx 6:6
Dt 5:15
Jer 32:21
c Dt 6:13
Sl 34:9
Pr 8:13
d Sl 95:6
Sl 96:9
e Le 19:5
Dt 12:6
f Dt 12:1
g Dt 11:32
h Dt 31:9
i Dt 5:29
j Dt 4:23
k Dt 5:9
l Isa 42:8
m Ne 9:27
n Dt 4:28
2Re 17:34
o Jos 24:14
Esd 4:2

CAP. 18
p 2Re 15:30
2Re 17:1
q 1Cr 3:13
2Cr 28:27
Mt 1:9
r 2Re 16:2
2Re 16:20
s 2Cr 29:1
t 2Re 20:3
2Cr 31:20
2Cr 31:21
Sl 119:128
u 1Re 3:14
1Re 15:5
2Cr 29:2
v Le 26:30
Nú 33:52
1Re 3:2
2Re 14:4
Sl 78:58
w Dt 7:5
2Cr 31:1
x Dt 12:3
y Nú 21:8
z Nú 21:9
a Pr 15:8

2.ª col.
a 1Co 8:4
b 2Cr 16:9
2Cr 32:7
Sl 91:2
Jer 17:7
c 2Re 19:15
d 2Cr 15:17
2Cr 20:33
e Dt 10:20
Jos 23:8
f 2Re 17:13
Jer 11:4
g 2Cr 15:2
Sl 46:11
Sl 60:12
h 1Sa 18:14
Pr 20:18
i 2Re 16:7
j 2Cr 28:18
Isa 14:29
k Jos 13:3
l 2Re 17:9
2Cr 26:10
m 2Re 17:1

n 2Re 17:4; o 2Re 17:5; p Os 13:16; Am 3:11; Miq 1:6; Miq 6:16; Miq 7:13; q 2Re 17:6; r 2Re 19:11; Isa 8:4; Os 8:9; Am 5:3; s Am 6:7; Am 9:4; t 2Re 17:6; u 1Cr 5:26; v 2Re 17:6; w Dt 8:20; 1Re 14:15; 2Re 17:7; Ne 9:17; x Dt 29:25; 2Re 17:15; Ne 9:26; Jer 34:18; y Dt 5:1; z Éx 19:3; Éx 24:12; a 2Cr 32:1; Isa 36:1; b Isa 10:5.

procedió a apoderarse de ellas. 14 De manera que Ezequías el rey de Judá envió a decir al rey de Asiria en Laquís: "He pecado. Vuélvete de contra mí. Lo que me impongas llevaré".[a] Por lo tanto, el rey de Asiria impuso a Ezequías el rey de Judá trescientos talentos de plata[b] y treinta talentos de oro. 15 Por eso Ezequías dio toda la plata que se hallaba en la casa de Jehová[c] y en los tesoros de la casa del rey.[d] 16 En aquel tiempo Ezequías cortó las puertas del templo de Jehová[e] y las jambas de puerta que Ezequías el rey de Judá había revestido,[f] y entonces las dio al rey de Asiria.

17 Y el rey de Asiria[g] procedió a enviar a Tartán[h] y a Rabsarís y a Rabsaqué[i] desde Laquís[j] al rey Ezequías con una pesada fuerza militar a Jerusalén, para que subieran y llegaran a Jerusalén. De manera que subieron y llegaron y se detuvieron junto al conducto[k] del estanque superior,[l] que está en la calzada del campo del lavandero.[m] 18 Y se pusieron a llamar vigorosamente al rey, pero salieron a ellos Eliaquim[n] hijo de Hilquías, que estaba sobre la casa, y Sebna[o] el secretario, y Joah hijo de Asaf el registrador.

19 Por consiguiente, Rabsaqué les dijo: "Por favor, digan a Ezequías: 'Esto es lo que ha dicho el gran rey,[q] el rey de Asiria: "¿Cuál es esta confianza en que has confiado?[r] 20 Has dicho (pero es la palabra de labios): 'Hay consejo[s] y poderío para la guerra'. Ahora bien, ¿en quién has cifrado tu confianza, para que te hayas rebelado[t] contra mí? 21 Ahora, ¡mira!, has cifrado tu confianza en el sostén de esta caña quebrantada,[u] Egipto,[v] la cual, si un hombre se apoyara en ella, ciertamente entraría en la palma de su mano y la traspasaría. Así es Faraón[w] el rey de Egipto para todos los que

cifran su confianza en él. 22 Y en caso de que me digan ustedes: 'Es en Jehová[a] nuestro Dios en quien hemos cifrado nuestra confianza',[b] ¿no es este aquel cuyos lugares altos[c] y cuyos altares Ezequías[d] ha quitado, mientras dice a Judá y Jerusalén: 'Ante este altar deben ustedes inclinarse en Jerusalén'?" '.[e] 23 Ahora, pues, sírvete hacer una apuesta[f] con mi señor el rey de Asiria, y déjame darte dos mil caballos [para ver] si puedes, por tu parte, poner jinetes sobre ellos.[g] 24 ¿Cómo, pues, podrías volver atrás el rostro de un solo gobernador de los siervos más pequeños de mi señor,[h] mientras tú, por tu parte, cifras tu confianza en Egipto por carros[i] y por hombres de a caballo?[j] 25 Ahora bien, ¿será sin autorización de parte de Jehová como he subido contra este lugar para arruinarlo? Jehová mismo me dijo:[k] 'Sube contra este país, y tienes que arruinarlo'".

26 Ante esto, Eliaquim[l] hijo de Hilquías, y Sebna[m] y Joah[n] dijeron a Rabsaqué:[o] "Sírvete hablar con tus siervos en el lenguaje siríaco,[p] porque podemos escuchar; y no nos hables en el lenguaje de los judíos[q] a oídos de la gente que está sobre el muro." 27 Pero les dijo Rabsaqué: "¿Acaso es a tu señor y a ti a quienes me ha enviado mi señor a hablar estas palabras? ¿No es a los hombres que se hallan sentados sobre el muro, para que ellos coman su propio excremento[r] y beban sus propios orines con ustedes?".[s]

28 Y Rabsaqué continuó estando de pie y clamando en alta voz en el lenguaje de los judíos;[t] y pasó a hablar y decir: "Oigan la palabra del gran rey,[u] el rey de Asiria. 29 Esto es lo que ha dicho el rey: 'No los engañe Ezequías, porque él no puede librarlos de mi mano.[v] 30 Y no

los haga confiar Ezequías en Jehová,[a] diciendo: "Sin falta Jehová nos librará,[b] y esta ciudad no será dada en la mano del rey de Asiria".[c] 31 No escuchen a Ezequías; porque esto es lo que ha dicho el rey de Asiria: "Háganme una capitulación, y salgan a mí, y coma cada cual de su propia vid y cada cual de su propia higuera,[d] y beba cada cual el agua de su propia cisterna,[e] 32 hasta que yo venga y realmente los lleve a una tierra semejante a su propia tierra,[f] una tierra de grano y vino nuevo, una tierra de pan[g] y viñas,[h] una tierra de olivos aceiteros y miel;[i] y sigan viviendo para que no mueran. Y no escuchen a Ezequías, porque los ilusiona al decir: 'Jehová mismo nos librará'.[j] 33 ¿Acaso los dioses de las naciones han librado[k] de manera alguna cada cual a su propio país de la mano del rey de Asiria?[l] 34 ¿Dónde están los dioses de Hamat[m] y de Arpad?[n] ¿Dónde están los dioses de Sefarvaim,[o] de Hená[p] y de Ivá?[q] ¿Han librado ellos a Samaria de mi mano?[r] 35 ¿Quiénes hay entre todos los dioses de los países que hayan librado su país de mi mano,[s] para que Jehová libre a Jerusalén de mi mano?" ' ".[t]

36 Y la gente se quedó callada[u] y no le respondió[v] palabra, pues fue el mandamiento del rey, que dijo: "No deben contestarle".[w] 37 Pero Eliaquim[x] hijo de Hilquías, que estaba sobre la casa, y Sebnah[y] el secretario, y Joah[z] hijo de Asaf el registrador llegaron a donde Ezequías con sus prendas de vestir rasgadas,[a] y le refirieron las palabras de Rabsaqué.

19 Y aconteció que, tan pronto como el rey Ezequías[b] lo oyó, inmediatamente rasgó sus prendas de vestir[c] y se cubrió de saco[d] y entró en la casa de Jehová.[e] 2 Además,

envió a Eliaquim,[a] que estaba sobre la casa, y a Sebnah[b] el secretario, y a los ancianos de los sacerdotes, cubiertos de saco, a Isaías[c] el profeta hijo de Amoz.[d] 3 Y ellos procedieron a decirle: "Esto es lo que ha dicho Ezequías: 'Este día es día de angustia[e] y de reprensión[f] y de insolencia desdeñosa;[g] porque los hijos han llegado hasta la boca de la matriz,[h] y no hay poder para dar a luz.[i] 4 Tal vez Jehová tu Dios oiga[j] todas las palabras de Rabsaqué, a quien el rey de Asiria su señor envió para desafiar con escarnio[k] al Dios vivo, y realmente le pida cuenta por las palabras que Jehová tu Dios ha oído.[l] Y tienes que elevar oración[m] a favor del resto[n] que se puede hallar' ".

5 De manera que los siervos del rey Ezequías entraron a donde Isaías.[o] 6 Entonces Isaías les dijo: "Esto es lo que deben decir a su señor: 'Esto es lo que ha dicho Jehová:[p] "No tengas miedo[q] a causa de las palabras que has oído, con las cuales hablaron injuriosamente de mí los servidores del rey de Asiria.[r] 7 Aquí estoy poniendo en él un espíritu,[s] y tendrá que oír un informe[t] y regresar a su propia tierra; y ciertamente haré que caiga a espada en su propia tierra' ".[u]

8 Después de aquello Rabsaqué[v] regresó y halló al rey de Asiria peleando contra Libná;[w] pues había oído que este había partido de Lakís.[x] 9 Oyó decir respecto a Tirhaqá el rey de Etiopía: "Mira que ha salido a pelear contra ti". Por lo tanto, volvió a enviar mensajeros[y] a Ezequías, diciendo: 10 "Esto es lo que ustedes deben decir a

CAP. 18
a 2Re 18:19
2Re 19:22
Sl 11:1
Sl 22:8
b Isa 14:6
Sl 71:12
Sl 125:1
c 2Re 19:32
Isa 36:15
d 1Re 4:20
1Re 4:25
e Isa 36:16
f 2Re 17:6
2Re 17:23
g 1Cr 16:3
h Dt 8:8
Isa 36:17
i Pr 24:13
j 2Re 18:29
k Isa 36:18
l 2Re 18:30
m Nú 13:21
2Sa 8:9
2Re 19:13
n Jer 49:23
o 2Re 17:24
Isa 36:19
p Isa 37:13
q 2Re 19:13
r 2Re 17:6
2Re 17:23
s 2Re 19:17
2Re 19:19
3Cr 33:15
Job 15:25
Sl 2:2
Isa 36:20
t Isa 36:18
u Sl 38:13
Sl 39:1
Ec 3:7
v Pr 9:7
Pr 26:4
Isa 36:21
2Ti 2:24
w Sl 38:15
x 2Re 18:18
y Isa 22:15
z Isa 36:3
Isa 36:22
a Gé 37:29
2Re 22:11

CAP. 19
b Isa 37:1
c 1Sa 4:12
2Re 18:37
Esd 9:3
Job 1:20
d Gé 37:34
1Re 21:27
2Re 6:30
Est 4:1
Sl 35:13
Isa 22:12
e 2Cr 7:16
Sl 73:17

2.ª col.
a 2Re 18:18
b Isa 37:2
c Isa 1:1
d Isa 2:1
e 2Sa 19:3
2Cr 20:9
Job 5:19
Os 5:15
f Heb 3:15
g 2Re 18:22
Ne 4:4
h Isa 26:17

i Isa 37:3; j Sl 65:2; k 1Sa 17:45; 2Re 18:35; 1Sl 74:22; m 2Cr 32:20; Sl 50:15; Snt 5:16; n Isa 37:4; o Isa 37:5; p Isa 37:6; q Dt 20:3; Isa 41:10; Isa 51:7; r 2Re 18:17; Sl 74:18; s Job 4:9; Isa 37:7; t 2Re 19:37; Jer 51:1; Abd 1:1; u 2Re 32:21; Isa 37:38; v 2Re 18:17; w Jos 10:29; 2Re 8:22; Isa 37:8; x 2Re 18:14; Miq 1:13; y 2Re 18:17.

Ezequías el rey de Judá: 'No te engañe tu Dios en quien estás confiando,[a] diciendo: "Jerusalén[b] no será dada en la mano del rey de Asiria".[c] 11 ¡Mira! Tú mismo has oído lo que hicieron los reyes de Asiria a todos los países al darlos por entero a la destrucción;[d] ¿y acaso tú mismo serás librado?[e] 12 ¿Acaso los dioses[f] de las naciones que mis antepasados arruinaron las han librado a ellas, aun a Gozán[g] y a Harán[h] y a Rézef y a los hijos de Edén[i] que estaban en Tel-asar?[j] 13 ¿Dónde está él... el rey de Hamat[k] y el rey de Arpad[l] y el rey de las ciudades de Sefarvaim, Hená e Ivá?'".[m]

14 Entonces Ezequías tomó las cartas de la mano de los mensajeros y las leyó,[n] después de lo cual Ezequías subió a la casa de Jehová y extendió aquello delante de Jehová.[o] 15 Y Ezequías se puso a orar[p] delante de Jehová y a decir: "Oh Jehová el Dios de Israel,[q] sentado sobre los querubines,[r] tú solo eres el Dios [verdadero] de todos los reinos[s] de la tierra.[t] Tú mismo has hecho los cielos[u] y la tierra.[v] 16 Inclina tu oído, oh Jehová, y oye.[w] Abre tus ojos,[x] oh Jehová, y ve, y oye las palabras de Senaquerib que él ha enviado para desafiar con escarnio[y] al Dios vivo. 17 Es un hecho, oh Jehová: los reyes de Asiria han devastado las naciones y su tierra.[z] 18 Y han entregado sus dioses al fuego, porque no eran dioses,[a] sino la hechura de manos de hombre,[b] madera y piedra; de modo que los destruyeron. 19 Y ahora, oh Jehová nuestro Dios,[c] sálvanos,[d] por favor, de su mano, para que sepan todos los reinos de la tierra que tú, oh Jehová, eres Dios, tú solo".[e]

20 E Isaías hijo de Amoz procedió a enviar a decir a Ezequías: "Esto es lo que ha dicho Jehová el Dios de Israel:[f] 'La oración[g] que me has hecho respecto a Senaquerib el rey de Asiria la he oído.[a] 21 Esta es la palabra que Jehová ha hablado contra él:

"La virgen hija de Sión te ha despreciado,[b] te ha hecho escarnio.[c]
Detrás de ti la hija de Jerusalén[d] ha meneado la cabeza.[e]

22 ¿A quién has desafiado con escarnio[f] y de quién has hablado injuriosamente?[g]
¿Y contra quién has alzado la voz[h]
y levantas en alto los ojos?[i]
¡Es contra el Santo de Israel![j]

23 Por medio de tus mensajeros[k] has desafiado con escarnio a Jehová y dices:[l]
'Con la multitud de mis carros de guerra yo mismo...[m]
yo ciertamente ascenderé a la altura de regiones montañosas,[n]
las partes más remotas del Líbano;[o]
y cortaré sus cedros encumbrados,[p] sus enebros selectos.[q]
Y ciertamente entraré en su lugar de alojamiento final, el bosque de su huerto.[r]

24 Yo mismo ciertamente cavaré y beberé aguas extrañas,
y secaré con las plantas de mis pies todos los canales del Nilo de Egipto'.[s]

25 ¿No has oído?[t] Desde tiempos remotos es lo que ciertamente haré.[u]
Desde días pasados aun lo he formado.[v]

CAP. 19
a 2Re 18:5
  2Re 18:30
  2Cr 32:15
b 2Cr 32:2
c 2Re 37:10
d 2Re 17:5
  2Cr 32:13
  Isa 10:11
e 2Re 37:11
f 1Cr 16:26
  1Co 8:4
g Isa 37:12
h Gé 11:31
  Gé 29:4
i Eze 27:23
j Isa 37:12
k 2Re 17:24
l 2Re 18:34
m Isa 37:13
n Isa 37:14
o 1Re 8:30
  Esd 9:5
  Sl 74:10
p 2Re 23:20
  Da 9:3
  Flp 4:6
q 1Re 8:23
r Éx 25:22
  Le 16:2
  1Sa 4:4
  Sl 80:1
s 1Cr 29:11
t 2Re 5:15
  Isa 44:6
  Da 4:25
u Gé 1:1
  Sl 96:5
  Sl 102:25
  Jn 1:3
w 1Re 8:29
  Sl 31:2
  Sl 65:2
x 2Cr 16:9
  Da 9:18
y Pr 27:11
  Isa 37:4
  Isa 37:17
z 2Re 16:9
  2Re 17:6
  2Re 17:24
a Sl 96:5
  Isa 37:19
  Isa 41:29
  1Co 8:4
b Sl 115:4
  Jer 10:3
  Hch 17:29
c Sl 135:4
d Isa 37:20
e Sl 83:18
  Isa 45:5
f Isa 37:21
g 2Re 19:15
  Pr 15:8

2.ª col.

a Isa 58:9
b Lam 1:15
  Lam 2:13
  Miq 4:8
  Zac 9:9
c Job 22:19
d Isa 37:22
e Job 16:4
  Sl 22:7
  Sl 109:25
  Mt 27:39
f 2Re 19:10
g Nú 15:30

h 2Re 18:30; Isa 10:13; Isa 14:13; Mt 23:12; i Pr 30:13; Isa 37:23; j Sl 71:22; Sl 89:18; Jer 51:5; k 2Re 18:17; 1 2Re 19:4; 2Cr 32:17; m Job 40:11; Sl 20:7; Sl 68:17; n Isa 10:10; o 1Re 5:6; p Jue 9:9; 1Sa 4:8; Isa 37:26; u Isa 14:24; v Le 26:33; Sl 33:11; Isa 46:11.
q Eze 31:8; r Isa 37:24; s Isa 37:25; t Éx 9:14; Jos

Ahora ciertamente lo haré entrar.[a]

Y tú servirás para hacer que ciudades fortificadas queden desoladas como montones de ruinas.[b]

26 Y sus habitantes se hallarán débiles de mano;[c]

simplemente estarán aterrorizados y avergonzados.[d]

Tienen que llegar a ser como la vegetación del campo y tierna hierba verde,[e]

hierba de los techos,[f] cuando hay un abrasamiento ante el viento del este.[g]

27 Y tu sentarte quieto y tu salir[h] y tu entrar conozco bien,[i]

y tu excitarte contra mí,[j]

28 porque tu excitarte contra mí[k] y tu rugido han subido y entrado en mis oídos.[l]

Y ciertamente pondré mi garfio en tu nariz y mi freno entre tus labios,[m]

y realmente te conduciré de vuelta por el camino por el cual has venido".[n]

29 " 'Y esta será la señal para ti:[o] Este año habrá un comer de lo que crece de los granos caídos,[p] y en el segundo año grano que brota de sí mismo; pero en el tercer año siembren[q] y sieguen y planten viñas y coman su fruto.[r] 30 Y los que escapen de la casa de Judá, los que queden,[s] ciertamente echarán raíces hacia abajo y producirán fruto hacia arriba.[t] 31 Porque de Jerusalén saldrá un resto,[u] y los que escapen del monte Sión.[v] El mismísimo celo[w] de Jehová de los ejércitos hará esto.

32 " 'Por lo tanto, esto es lo que ha dicho Jehová respecto al rey de Asiria:[x] "No entrará en esta ciudad,[y] ni disparará allí una flecha,[z] ni se presentará contra ella con escudo, ni alzará contra ella cerco de sitiar.[a] 33 Por el camino por el cual

procedió a venir, regresará, y en esta ciudad no entrará, es la expresión de Jehová.[a] 34 Y ciertamente defenderé[b] esta ciudad para salvarla por causa de mí mismo[c] y por causa de David mi siervo" ' ".[d]

35 Y aconteció que en aquella noche el ángel de Jehová procedió a salir y a derribar a ciento ochenta y cinco mil [hombres] en el campamento[e] de los asirios.[f] Cuando unas personas se levantaron muy de mañana, pues, allí todos eran cadáveres muertos.[g] 36 Por lo tanto Senaquerib[h] el rey de Asiria partió y se fue y regresó,[i] y se puso a morar en Nínive.[j] 37 Y aconteció que, mientras se inclinaba en la casa de Nisroc[k] su dios,[l] Adramélec y Sarézer, sus hijos, lo derribaron ellos mismos a espada,[m] y ellos mismos escaparon a la tierra de Ararat.[n] Y Esar-hadón[o] su hijo empezó a reinar en lugar de él.

20 En aquellos días Ezequías enfermó de muerte.[p] Por consiguiente, Isaías[q] hijo de Amoz el profeta entró a donde él y le dijo: "Esto es lo que ha dicho Jehová: 'Da mandatos a tu casa,[r] porque tú mismo realmente morirás y no vivirás' ".[s] 2 Ante aquello, él volvió el rostro a la pared[t] y empezó a orar a Jehová,[u] diciendo: 3 "Te ruego, oh Jehová, recuerda,[v] por favor, cómo he andado[w] delante de ti en veracidad[x] y con corazón completo,[y] y lo que era bueno a tus ojos he hecho".[z] Y Ezequías se puso a llorar profusamente.[a]

4 Y aconteció que Isaías mismo aún no había salido al atrio de en medio cuando le vino la palabra misma de Jehová,[b] que

CAP. 19
a Isa 46:10
b Le 26:32
  Isa 10:5
  Isa 37:26
c Sl 48:6
  Jer 51:30
d Sl 48:5
e Sl 92:7
  Isa 40:7
  Snt 1:11
f Sl 129:6
g Sl 102:11
  Isa 37:27
h Dt 28:6
  Sl 121:8
  Pr 5:21
i 2Cr 16:9
  Jer 23:24
  Heb 4:13
  1Pe 3:12
j Isa 37:28
k Sl 10:13
  Isa 46:6
  Isa 10:15
l 2Re 18:35
  Sl 74:4
  Sl 83:2
  Isa 10:13
m Sl 32:9
  Eze 38:4
  Am 4:2
n 2Re 19:33
  Isa 37:29
o 2Re 20:8
  Sl 65:8
  Isa 7:11
p Le 25:5
q Gé 8:22
r Isa 37:30
s 2Cr 32:22
  Isa 10:20
  Isa 37:31
u Isa 10:21
  Jer 44:14
  Ro 9:27
  Ro 11:5
v Isa 37:32
w Isa 9:7
  Isa 59:17
  Eze 5:13
  Zac 1:14
x Isa 10:24
y 2Cr 32:22
z Isa 37:33
a 2Sa 20:15
  Eze 21:22

2.ª col.

a Isa 37:34
b 2Re 20:6
  Isa 31:5
  Isa 37:35
c 1Sa 12:22
  Isa 43:25
  Eze 36:22
d Jer 23:5
e Isa 37:36
f Éx 12:30
  Sl 76:6
h 2Re 19:7
  Isa 37:38
i Isa 37:37
j Col 10:11
  Jon 1:2
  Na 2:8
  Sof 2:13
k Isa 37:38
l Dt 32:31
  2Cr 32:21

m Pr 3:33; Pr 13:21; n Gé 8:4; Jer 51:27; o Esd 4:2; CAP. 20 p 2Cr 32:24; q 2Re 19:2; r 2Sa 17:23; s Isa 38:1; t Mt 23:12; u Sl 50:15; Sl 116:2; Isa 38:2; Mt 6:6; Flp 4:6; v Sl 25:7; Sl 119:49; Heb 6:10; w Gé 17:1; 1Re 2:4; 1Re 3:6; Lu 1:6; x Sl 145:18; Jn 4:24; y 2Cr 31:21; Sl 119:4; z 2Cr 31:20; a 2Sa 12:22; Isa 38:3; b Isa 38:4.

decía: 5 "Vuelve, y tienes que decir a Ezequías el caudillo[a] de mi pueblo: 'Esto es lo que ha dicho Jehová el Dios[b] de David tu antepasado: "He oído[c] tu oración.[d] He visto tus lágrimas.[e] Aquí estoy sanándote.[f] Al tercer día subirás a la casa de Jehová.[g] 6 Y ciertamente añadiré quince años a tus días, y de la palma de la mano del rey de Asiria los libraré a ti y a esta ciudad, y ciertamente defenderé[h] esta ciudad por causa de mí mismo y por causa de David mi siervo"'".[i]

7 E Isaías pasó a decir: "Tomen una torta de higos secos comprimidos".[j] De manera que la tomaron la pusieron sobre el divieso,[k] después de lo cual él revivió gradualmente.[l]

8 Mientras tanto, Ezequías dijo a Isaías: "¿Cuál es la señal[m] de que Jehová me sanará y de que al tercer día ciertamente subiré a la casa de Jehová?". 9 A lo que dijo Isaías: "Esto te es señal[n] de parte de Jehová de que Jehová efectuará la palabra que ha hablado: ¿Realmente avanzará la sombra diez gradas [de la escalera], o debe retroceder diez gradas?". 10 Entonces Ezequías dijo: "Es cosa fácil que la sombra se extienda diez gradas, pero no que la sombra retroceda diez gradas".[o] 11 En esto Isaías el profeta se puso a clamar a Jehová; y él hizo que la sombra que había bajado retrocediera gradualmente sobre las gradas, es decir, sobre las gradas [de la escalera] de Acaz, diez gradas hacia atrás.[p]

12 En aquel tiempo Berodacbaladán[q] hijo de Baladán el rey de Babilonia[r] envió cartas[s] y un regalo a Ezequías; porque había oído que Ezequías había estado enfermo. 13 Y Ezequías procedió a escucharles y a mostrarles toda su casa del tesoro,[t] la plata y el oro[u] y el aceite bal-

sámico[a] y el buen aceite y su arsenal y todo cuanto se hallaba en sus tesoros. Resultó que no hubo cosa alguna que Ezequías no les mostrara en su propia casa y en todo su dominio.[b]

14 Después de aquello Isaías el profeta entró a donde el rey Ezequías y le dijo:[c] "¿Qué dijeron estos hombres, y de dónde procedieron a venir a ti?".[d] De modo que Ezequías dijo: "De una tierra distante vinieron, de Babilonia". 15 Y él pasó a decir: "¿Qué vieron en tu casa?". A lo que dijo Ezequías: "Todo lo que hay en mi casa vieron. Resultó que no hubo cosa alguna que no les mostrara en mis tesoros".[e]

16 Isaías ahora dijo a Ezequías: "Oye la palabra de Jehová:[f] 17 ¡Mira! Vienen días, y todo lo que hay en tu propia casa[g] y que tus antepasados han acumulado hasta este día realmente será llevado a Babilonia.[h] No quedará nada[i] —ha dicho Jehová—. 18 Y algunos de tus propios hijos que saldrán de ti, de quienes llegarás a ser padre, serán tomados[j] ellos mismos y realmente llegarán a ser oficiales de la corte[k] en el palacio del rey de Babilonia'".[l]

19 Ante eso, Ezequías dijo a Isaías: "La palabra de Jehová que has hablado es buena".[m] Y pasó a decir: "¿No lo es, si la paz y la verdad[n] mismas han de continuar en mis propios días?".[o]

20 En cuanto al resto de los asuntos de Ezequías y todo su poderío y cómo hizo el estanque[p] y el conducto[q] y luego introdujo el agua en la ciudad, ¿no están escritos en el libro[r] de los asuntos de los días de los reyes de Judá? 21 Por fin Ezequías yació con sus antepasados;[s] y Manasés[t] su hijo empezó a reinar en lugar de él.

CAP. 20
a 1Sa 9:16
1Sa 10:1
2Sa 5:2
b Mt 22:32
c Sl 65:2
Sl 66:19
d 2Re 20:2
e Job 16:16
Sl 39:12
Sl 126:5
f Dt 32:39
2Cr 7:14
Sl 41:3
Sl 103:3
Sl 147:3
g Sl 66:13
Sl 116:14
Sl 121:1
h 2Cr 32:22
Isa 10:24
Isa 38:6
i 2Re 19:34
Isa 37:35
j 1Sa 25:18
1Sa 30:12
1Cr 12:40
k Job 2:7
1Isa 38:21
m Jue 6:17
Isa 7:11
Isa 38:22
Isa 38:7
o Mr 10:27
p Jos 10:12
2Cr 32:31
Isa 38:8
q 1Sa 39:1
r Gé 10:10
Gé 11:9
s 2Sa 10:2
t 2Cr 32:27
Sl 49:6
Jer 9:23
Snt 4:16
u 1Re 10:15

2.ª col.
a 1Re 10:10
Jer 46:11
b Isa 39:2
c Isa 39:3
d Sl 141:5
Pr 25:12
e Isa 39:4
f Isa 39:5
Isa 55:11
g Pr 15:25
h 2Re 24:13
2Re 25:13
2Cr 36:18
Jer 27:21
Jer 52:17
Da 1:2
i Isa 39:6
j Dt 28:48
Dt 29:22
2Re 24:12
2Re 25:6
2Cr 33:11
k Da 1:19
Da 2:49
l Isa 39:7
m Sl 39:9
Lam 3:22
Lam 3:38
n Est 9:30
Sl 25:5
Sl 38:3
Sl 43:3
Sl 86:11
Isa 38:3
o Isa 39:8
p Jn 9:11

q 2Cr 32:30; Isa 7:3; r 1Re 14:29; 2Re 16:19; s 1Re 2:10; 2Cr 32:33; t 2Re 21:16; 2Re 23:26; 2Cr 33:11; 2Cr 33:13.

21 Doce años de edad tenía Manasés[a] cuando empezó a reinar, y por cincuenta y cinco años reinó en Jerusalén. Y el nombre de su madre era Hefziba. 2 Y él procedió a hacer lo que era malo a los ojos de Jehová,[b] conforme a las cosas detestables de las naciones[c] que Jehová había expulsado de delante de los hijos de Israel. 3 Así que volvió a construir los lugares altos que Ezequías su padre había destruido,[d] y erigió altares a Baal e hizo un poste sagrado, tal como había hecho Acab[e] el rey de Israel; y se puso a inclinarse[f] ante todo el ejército de los cielos[g] y a servirles.[h] 4 Y edificó altares en la casa de Jehová,[i] respecto a la cual Jehová había dicho: "En Jerusalén pondré mi nombre".[j] 5 Y pasó a edificar altares a todo el ejército de los cielos[k] en dos patios de la casa de Jehová.[l] 6 E hizo pasar a su propio hijo por el fuego,[m] y practicó la magia[n] y buscó agüeros e hizo médium espiritistas[o] y pronosticadores[p] profesionales de sucesos. Hizo en gran escala lo que era malo a los ojos de Jehová, para ofenderlo.

7 Además, puso la imagen tallada[q] del poste sagrado, que él había hecho, en la casa[r] de la cual Jehová había dicho a David y a Salomón su hijo: "En esta casa y en Jerusalén, que he escogido de entre todas las tribus de Israel, pondré mi nombre hasta tiempo indefinido.[s] 8 Y no volveré a hacer que el pie de Israel ande errante del suelo que yo di a sus antepasados,[t] con tal que solo cuiden de hacer conforme a todo lo que les he mandado,[u] aun respecto a toda la ley que mi siervo Moisés les mandó". 9 Y no escucharon,[v] sino que Manasés siguió seduciéndolos a hacer lo que era malo,[w] más que las naciones[x] que Jehová había aniquilado de delante de los hijos de Israel.

10 Y Jehová siguió hablando por medio de sus siervos los profetas,[a] y dijo: 11 "Por la razón de que Manasés[b] el rey de Judá ha hecho estas cosas detestables,[c] él ha obrado más inicuamente que todo lo que hicieron los amorreos[d] que fueron antes de él, y procedió a hacer pecar aun a Judá[e] con los ídolos estercolizos de él. 12 Por lo tanto, esto es lo que ha dicho Jehová el Dios de Israel: 'Aquí voy a traer una calamidad sobre Jerusalén[f] y Judá, de la cual, si alguien oye, ambos oídos le retiñirán.[g] 13 Y ciertamente extenderé sobre Jerusalén el cordel de medir[h] que se aplicó a Samaria[i] y también el instrumento de nivelar que se aplicó a la casa de Acab;[j] y simplemente limpiaré a Jerusalén así como uno limpia el tazón sin asa, limpiándolo y volviéndolo boca abajo.[l] 14 Y realmente abandonaré al resto[m] de mi herencia[n] y los daré en la mano de sus enemigos, y simplemente llegarán a ser botín y presa para todos sus enemigos,[o] 15 por razón de que hicieron lo que era malo a mis ojos y de continuo estuvieron ofendiéndome desde el día en que sus antepasados salieron de Egipto hasta el día de hoy'".[p]

16 Y hubo también sangre inocente que Manasés derramó[q] en grandísima cantidad, hasta que hubo llenado a Jerusalén de extremo a extremo, además de su pecado con que hizo pecar a Judá haciendo lo que era malo a los ojos de Jehová.[r] 17 En cuanto al resto de los asuntos de Manasés y todo lo que hizo, y su pecado con que pecó, ¿no están escritos en el libro[s] de los asuntos de los días de los reyes de Judá? 18 Por fin Manasés ya-

CAP. 21
a 1Cr 3:13
2Cr 33:1
Ec 10:16
Mt 1:10
b Le 18:28
2Cr 28:15
2Cr 33:2
c Le 18:25
Dt 12:31
2Cr 36:14
1Re 16:51
d 2Re 18:4
2Re 18:22
2Cr 32:12
e 1Re 16:32
f Dt 4:19
Dt 17:3
g 2Re 23:4
Job 31:26
2Cr 33:3
i Jer 32:34
j Dt 12:5
2Sa 7:13
1Re 8:29
1Re 9:3
Sl 78:68
Sl 132:13
k Jer 8:2
Eze 8:16
l 1Re 6:36
1Re 7:12
m 2Cr 33:6
n Le 19:26
o Le 20:27
p Dt 18:11
q Sl 97:7
1Co 8:4
r 2Re 23:6
s 1Re 8:29
Eze 23:27
2Cr 7:16
t 1Cr 17:9
2Cr 33:8
u Le 26:3
Dt 28:1
v 2Cr 36:16
Esd 9:10
w 2Cr 33:9
Pr 16:29
Eze 16:47
x Dt 7:1

2.ª col.
a 2Cr 33:10
2Cr 36:15
Jer 7:25
Mt 23:37
b 2Re 23:26
2Re 24:3
Jer 15:4
c 1Re 21:26
d Gé 15:16
Le 18:25
Eze 16:3
e Ec 9:18
f 2Re 22:16
Da 9:12
Miq 3:12
g Jer 19:3
h 2Sa 8:2
Isa 28:17
Isa 34:11
Lam 2:8
i 2Re 17:6
Eze 23:33
j 1Re 21:21
2Re 10:11
k Le 18:28
l Jer 25:9
m 2Re 17:23
n Éx 19:5
Dt 32:9

o Le 26:25; Dt 28:63; 2Pe 2:9; p Dt 9:21; Dt 31:29; Jue 2:13; Sl 106:36; Eze 20:4; Hch 7:53; q Le 9:6; Nú 35:33; 2Re 24:4; Pr 6:17; Isa 59:3; Jer 2:34; Mt 23:30; Heb 11:37; r 2Cr 33:9; s 1Re 14:19.

ció con sus antepasados,[a] y fue enterrado en el jardín de su casa, en el jardín de Uzá;[b] y Amón su hijo empezó a reinar en lugar de él.

19 Veintidós años de edad tenía Amón[c] cuando empezó a reinar, y por dos años[d] reinó en Jerusalén. Y el nombre de su madre era Mesulémet hija de Haruz de Jotbá. 20 Y él continuó haciendo lo que era malo a los ojos de Jehová, tal como había hecho Manasés su padre.[e] 21 Y siguió andando en todo el camino en que su padre había andado,[f] y continuó sirviendo a los dioses estercolizos[g] que su padre había servido, e inclinándose ante ellos. 22 Así dejó a Jehová[h] el Dios de sus antepasados, y no anduvo en el camino de Jehová.[i] 23 Con el tiempo, los siervos de Amón conspiraron contra él y dieron muerte al rey[j] en su propia casa. 24 Pero la gente de la tierra derribó a todos los que fueron conspiradores[k] contra el rey Amón. Entonces la gente de la tierra hizo rey a Josías[l] su hijo en lugar de él. 25 En cuanto al resto de los asuntos de Amón, lo que hizo, ¿no están escritos en el libro[m] de los asuntos de los días de los reyes de Judá? 26 Así que lo enterraron en su sepulcro en el jardín de Uzá;[n] y Josías[o] su hijo empezó a reinar en lugar de él.

22 Ocho años de edad tenía Josías[p] cuando empezó a reinar, y por treinta y un años reinó en Jerusalén. Y el nombre de su madre era Jedidá hija de Adaya de Bozcat.[q] 2 Y él procedió a hacer lo que era recto a los ojos de Jehová[r] y a andar en todo el camino de David su antepasado,[s] y no se desvió a la derecha ni a la izquierda.[t]

3 Y aconteció que en el año dieciocho del rey Josías, el rey envió a Safán[u] hijo de Azalías hijo de Mesulam el secretario a la casa de Jehová, diciendo:

4 "Sube a donde Hilquías[a] el sumo sacerdote,[b] y que él complete el dinero[c] que se está introduciendo en la casa de Jehová[d] que los guardas de la puerta[e] han recogido del pueblo; 5 y que ellos lo pongan en la mano de los que están haciendo el trabajo,[f] los nombrados, en la casa de Jehová, para que lo den a los que están haciendo el trabajo, que están en la casa de Jehová para reparar las rajaduras de la casa,[g] 6 a los artífices y a los constructores y a los albañiles, y para comprar maderas y piedras labradas para reparar la casa.[h] 7 Solo que no debe haber rendición de cuentas del dinero de parte de aquellos en cuya mano se está poniendo,[i] porque en fidelidad[j] ellos están trabajando".

8 Más tarde Hilquías[k] el sumo sacerdote dijo a Safán[l] el secretario:[m] "He hallado en la casa de Jehová el mismísimo libro de la ley".[n] De modo que Hilquías dio el libro a Safán, y él empezó a leerlo. 9 Entonces Safán el secretario vino al rey y respondió al rey y dijo: "Tus siervos han vertido el dinero que se hallaba en la casa, y siguen poniéndolo en la mano de los que están haciendo el trabajo, los nombrados, en la casa de Jehová".[o] 10 Y Safán el secretario pasó a informar al rey, y dijo: "Hay un libro[p] que Hilquías el sacerdote me ha dado". Y Safán se puso a leerlo delante del rey.

11 Y aconteció que, en cuanto el rey oyó las palabras del libro de la ley, inmediatamente rasgó sus prendas de vestir.[q] 12 Entonces el rey dio orden a Hilquías el sacerdote y a Ahiqam[r] hijo de Safán y a Acbor hijo de Micaya y a Safán el secretario y a Asayas[s] el siervo del rey, y dijo: 13 "Vayan, inquieran[t] de Jehová a favor de mí mismo y a favor del pueblo y a favor de todo Judá respecto a las palabras de este libro que se ha hallado; porque

CAP. 21

a 1Re 2:10
2Re 20:21
b 2Re 21:26
c 1Cr 3:14
Mt 1:10
d 2Cr 33:21
e Nú 32:14
2Cr 33:22
Hch 7:51
f 2Re 21:3
g Le 26:30
2Re 29:17
2Re 17:12
Jer 10:15
1Co 8:4
h Sl 73:27
i Jue 2:12
2Re 22:17
1Cr 28:9
Jer 2:13
j Pr 28:2
k Pr 5:22
l 2Cr 33:25
m 1Re 14:19
n 2Re 21:18
o Mt 1:10

CAP. 22

p 1Re 13:2
1Cr 3:14
2Cr 34:1
Jer 1:2
Sof 1:1
q Jos 15:39
2Cr 17:3
Eze 18:14
s 1Re 3:6
1Re 15:5
t Dt 5:32
Jos 1:7
Pr 4:27
u 2Re 22:9
2Cr 34:8

2.ª col.

a 1Cr 6:13
1Cr 9:11
b 2Cr 34:9
c 2Re 12:4
2Cr 24:8
d 2Re 12:9
1Cr 26:12
2Cr 8:14
f 2Re 12:11
g 2Cr 34:10
h 2Cr 24:12
2Cr 34:11
i 2Re 12:15
j 2Cr 34:12
Pr 20:6
1Co 4:2
k 1Cr 6:13
2Cr 34:8
m 2Re 22:3
n Dt 31:24
Dt 31:26
2Cr 34:14
o 2Cr 34:17
p Dt 31:9
2Cr 34:16
Ne 13:1
q Gé 44:13
2Sa 1:11
2Cr 34:19
Jer 36:24
Joe 2:13
r 2Re 25:22
2Cr 34:20
t Sl 25:14

grande es la furia de Jehová[a] que se ha encendido contra nosotros por el hecho de que nuestros antepasados[b] no escuchar las palabras de este libro por medio de hacer conforme a todo lo que está escrito concerniente a nosotros".[c]

14 Por lo tanto, Hilquías el sacerdote y Ahiqam y Acbor y Safán y Asaya fueron a Huldá la profetisa[d] la esposa de Salum hijo de Tiqvá hijo de Harhás, el cuidador de las prendas de vestir,[e] pues ella moraba en Jerusalén, en el segundo barrio; y procedieron a hablarle.[f] 15 A su vez ella les dijo: "Esto es lo que ha dicho Jehová el Dios de Israel:[g] 'Digan al hombre que los ha enviado a mí: 16 "Esto es lo que ha dicho Jehová: 'Mira que voy a traer calamidad[h] sobre este lugar y sobre sus habitantes,[i] aun todas las palabras[j] del libro que el rey de Judá ha leído;[k] 17 debido a que me han dejado y se han puesto a hacer humo de sacrificio a otros dioses[l] a fin de ofenderme con toda la obra de sus manos,[m] y mi furia se ha encendido contra este lugar, y no se extinguirá' "'.[n] 18 Y en cuanto al rey de Judá que los envía a inquirir de Jehová, esto es lo que deben decirle: 'Esto es lo que ha dicho Jehová el Dios de Israel: "En cuanto a las palabras que has oído:[o] 19 por razón de que tu corazón[p] estuvo blando, de manera que te humillaste[q] a causa de Jehová al oír lo que he hablado contra este lugar y sus habitantes [para que] llegue a ser objeto de pasmo e invocación de mal,[r] y entonces rasgaste[s] tus prendas de vestir y te pusiste a llorar delante de mí, yo, sí, yo, he oído —es la expresión de Jehová[t]—. 20 Por eso, mira, voy a recogerte[u] a tus antepasados, y ciertamente serás recogido a tu propio cementerio en paz,[v] y tus ojos no mirarán toda la calamidad que voy a traer sobre este lugar" ' ". Y procedieron a llevar la respuesta al rey.

23

Entonces el rey envió, y reunieron a él a todos los ancianos de Judá y de Jerusalén.[a] 2 Después de aquello el rey subió a la casa de Jehová, y también todos los hombres de Judá y todos los habitantes de Jerusalén con él, y también los sacerdotes[b] y los profetas y todo el pueblo, desde el pequeño hasta el grande;[c] y él se puso a leer[d] a oídos de ellos todas las palabras del libro[e] del pacto[f] que se había hallado en la casa de Jehová.[g] 3 Y el rey se quedó de pie junto a la columna[h] y ahora celebró el pacto[i] ante Jehová, de andar[j] tras Jehová y de guardar sus mandamientos[k] y sus testimonios[l] y sus estatutos[m] con todo el corazón[n] y con toda el alma,[o] por medio de poner por obra las palabras de este pacto que estaban escritas en este libro.[p] Por consiguiente, todo el pueblo se levantó en apoyo del pacto.[q]

4 Y el rey pasó a mandar a Hilquías[r] el sumo sacerdote y a los sacerdotes del segundo rango y a los guardas de la puerta[s] que sacaran del templo de Jehová todos los utensilios hechos para Baal[t] y para el poste sagrado[u] y para todo el ejército de los cielos.[v] Entonces los quemó fuera de Jerusalén, en los terraplenes de Cedrón,[w] y trajo el polvo de ellos a Betel.[x] 5 Y a la fuerza dejó sin negocio a los sacerdotes de dioses extranjeros, que los reyes de Judá habían colocado para que hicieran humo de sacrificio en los lugares altos de las ciudades de Judá y en los alrededores de Jerusalén, y también a los que hacían humo de sacrifi-

---

CAP. 22
a Dt 4:24
Dt 29:27
Dt 31:17
Bl 76:7
Ro 4:15
b 2Cr 29:6
Sl 106:6
Jer 16:12
Da 9:8
c 2Cr 34:21
Heb 2:2
d Éx 15:20
Jue 4:4
Ne 6:14
Lu 2:36
Hch 21:9
e 2Re 10:22
Ne 7:72
f 2Cr 34:22
g Job 34:11
Jer 23:28
h 2Re 21:12
i 2Cr 34:24
j Le 26:15
Dt 28:63
Da 9:11
k 2Re 22:8
l Éx 20:3
Dt 32:17
Jue 2:12
1Re 9:6
Sl 106:36
Jer 2:11
m Sl 115:4
Isa 2:8
Isa 44:17
Miq 5:13
n Dt 32:22
2Cr 36:16
Isa 33:14
Jer 7:20
Jer 17:27
Eze 20:48
o 2Cr 34:26
p Sl 34:18
Sl 51:17
Isa 57:15
q Le 26:40
1Re 21:29
Mt 5:4
Snt 4:6
r Dt 28:45
Sl 109:17
Jer 26:6
s 2Re 22:11
t 2Cr 34:27
u Isa 57:1
v 2Cr 34:28

2.ᵃ col.

CAP. 23
a 2Cr 34:29
b Nú 3:10
c 1Sa 5:9
1Sa 30:2
d Dt 31:11
e Dt 31:26
f Éx 24:8
g 2Re 22:8
2Cr 34:30
h 2Re 11:14
2Cr 23:13
i Jos 24:25
2Cr 15:12
2Cr 23:16
j Dt 8:19
k Dt 5:1
l Dt 4:45
1Re 2:3
m Dt 8:11
2Re 17:13

n Dt 6:5; Dt 10:12; o Dt 11:13; p 2Cr 34:31; q Jos 24:24; 2Cr 34:32; Jer 4:2; r 2Re 22:4; 1Cr 6:13; s 2Re 12:9; t 2Re 21:7; u 2Cr 33:3; 2Cr 34:4; v 2Cr 34:33; w Jn 18:1; x 1Re 12:29.

cio a Baal,[a] al sol y a la luna y a las constelaciones del zodíaco y a todo el ejército de los cielos.[b] 6 Además, sacó el poste sagrado[c] desde la casa de Jehová hasta las afueras de Jerusalén, al valle torrencial de Cedrón, y lo quemó[d] en el valle torrencial de Cedrón y lo molió hasta que quedó hecho polvo, y echó su polvo sobre la sepultura[e] de los hijos del pueblo. 7 Además, demolió las casas de los prostitutos de templo[f] que estaban en la casa de Jehová, donde las mujeres tejían tiendas-capillas para el poste sagrado.

8 Entonces trajo a todos los sacerdotes de las ciudades de Judá, a fin de hacer inservibles para adoración los lugares altos donde los sacerdotes habían hecho humo de sacrificio, desde Gueba[g] hasta Beer-seba;[h] y demolió los lugares altos de las puertas que estaban a la entrada de la puerta de Josué, el jefe de la ciudad, que quedaba a la izquierda de una persona que entrara por la puerta de la ciudad. 9 Solo que los sacerdotes[i] de los lugares altos no subían al altar de Jehová en Jerusalén, sino que comían tortas no fermentadas[j] entre sus hermanos. 10 E hizo inservible para adoración a Tófet,[k] que está en el valle de los hijos de Hinón,[l] para que nadie hiciera pasar a su hijo o a su hija por el fuego[m] a Mólek.[n] 11 Además, hizo que los caballos que los reyes de Judá habían dado al sol cesaran de entrar en la casa de Jehová por el comedor[o] de Natán-mélec el oficial de la corte, que estaba en las galerías; y los carros del sol[p] los quemó en el fuego. 12 Y los altares que estaban sobre el techo de la cámara del techo[q] de Acaz, que los reyes de Judá habían hecho, y los altares[r] que Manasés había hecho en dos patios de la casa de Jehová, los demolió el rey, después de lo cual los trituró

allí, y echó su polvo en el valle torrencial de Cedrón. 13 Y los lugares altos que estaban enfrente[a] de Jerusalén, que estaban a la derecha del monte de Arruinamiento, que Salomón[b] el rey de Israel había edificado a Astoret,[c] la cosa repugnante de los sidonios, y a Kemós,[d] la cosa repugnante de Moab, y a Milcom,[e] la cosa detestable de los hijos de Ammón, el rey los hizo inservibles para adoración. 14 E hizo pedazos[f] las columnas sagradas y pasó a cortar los postes sagrados y a llenar sus lugares de huesos humanos. 15 Y también el altar que estaba en Betel,[g] el lugar alto que había hecho Jeroboán[h] hijo de Nebat, que hizo pecar a Israel,[i] aun aquel altar y el lugar alto los demolió. Entonces quemó el lugar alto; [lo] molió hasta que quedó hecho polvo, y quemó el poste sagrado.

16 Cuando Josías se volvió, llegó a ver las sepulturas que había allí en la montaña. De manera que envió y tomó los huesos de las sepulturas y los quemó[j] sobre el altar, para hacerlo inservible para adoración, conforme a la palabra de Jehová[k] que el hombre del Dios [verdadero] había proclamado,[l] [aquel] que proclamó estas cosas. 17 Entonces dijo: "¿Qué es la lápida sepulcral que estoy viendo allá?". Ante eso, los hombres de la ciudad le dijeron: "Es la sepultura[m] del hombre del Dios [verdadero] que vino de Judá[n] y procedió a proclamar estas cosas que tú has hecho contra el altar de Betel".[o] 18 De modo que él dijo: "Déjenlo descansar.[p] No dejen que nadie moleste sus huesos". En consecuencia, dejaron intactos sus huesos junto con los huesos del profeta[q] que había venido de Samaria.

19 Y también todas las casas[r] de los lugares altos que había en las ciudades[s] de Samaria, que los

CAP. 23

a 2Re 17:16
b 2Re 21:3
  Job 31:26
  Jer 8:2
c Jue 3:7
  2Re 21:7
d Dt 7:25
  Dt 9:21
e 2Cr 34:4
f Le 18:22
  Ro 1:27
  1Co 6:9
  1Ti 1:10
  Jud 7
g Jos 21:17
  1Re 15:22
h Gé 21:31
  1Re 19:3
i Eze 44:10
  Mal 2:8
j 1Sa 2:36
  Eze 44:29
k Isa 30:33
  Jer 7:31
  Jer 19:6
  Jer 19:11
l Jos 15:8
m 2Re 16:3
n Jer 32:35
o 1Sa 1:9
  Ne 10:38
  Jer 35:2
p Dt 4:19
  Eze 8:16
q Jer 19:13
  Sof 1:5
r 2Re 21:5
  2Cr 33:5

2.ª col.

a Zac 14:4
  Hch 1:12
b 1Re 11:7
c 1Re 11:5
  1Re 11:33
d Nú 21:29
  Jer 48:13
e Sof 1:5
f Éx 23:24
  Dt 7:5
  2Cr 34:3
g 1Re 12:33
h 1Re 12:28
  2Cr 34:6
i 1Re 14:16
  1Re 15:30
j 2Cr 34:5
k Nú 23:19
  Isa 44:26
l 1Re 13:2
m 1Re 13:30
  1Re 13:31
n 1Re 13:1
o 1Re 12:33
p Isa 57:2
q 1Re 13:29
r 1Re 12:31
  1Re 13:32
s 2Re 17:9
  2Cr 34:6

reyes[a] de Israel habían construido para causar ofensa,[b] las quitó Josías, y pasó a hacer con ellas conforme a todas las obras que había hecho en Betel.[c] 20 Por consiguiente, sacrificó sobre los altares a todos los sacerdotes[d] de los lugares altos que había allí y quemó sobre ellos huesos humanos.[e] Después de eso regresó a Jerusalén.

21 El rey ahora mandó a todo el pueblo, diciendo: "Celebren una pascua[f] a Jehová su Dios conforme a lo que está escrito en este libro del pacto".[g] 22 Pues no se había celebrado pascua como esta desde los días de los jueces que habían juzgado a Israel,[h] ni en todos los días de los reyes de Israel y de los reyes de Judá.[i] 23 Pero en el año dieciocho del rey Josías se celebró esta pascua a Jehová en Jerusalén.[j]

24 Y también a los médium espiritistas[k] y a los pronosticadores[l] profesionales de sucesos y los terafim[m] y los ídolos estercolizos[n] y todas las cosas repugnantes[o] que habían aparecido en la tierra de Judá y en Jerusalén, Josías los eliminó, a fin de realmente poner por obra las palabras de la ley[p] que estaban escritas en el libro[q] que Hilquías el sacerdote había hallado en la casa de Jehová.[r] 25 Y resultó que no hubo rey como él antes de él que se volviera[s] a Jehová con todo su corazón y con toda su alma[t] y con toda su fuerza vital, conforme a toda la ley de Moisés; tampoco después de él se ha levantado uno semejante a él.

26 Sin embargo, Jehová no se volvió del gran ardor de su cólera, con que ardía su cólera contra Judá[u] por todas las cosas ofensivas con las cuales Manasés había hecho que ofendieran.[v] 27 Antes bien, dijo Jehová: "A Judá,[w] también, quitaré de mi vista,[x] tal como he quitado a Israel;[y] y ciertamente rechazaré a

esta ciudad que he escogido, aun a Jerusalén, y a la casa de la que he dicho: 'Mi nombre continuará allí' ".[a]

28 En cuanto al resto de los asuntos de Josías y todo lo que hizo, ¿no están escritos en el libro[b] de los asuntos de los días de los reyes de Judá? 29 En sus días Faraón Nekoh[c] el rey de Egipto subió al rey de Asiria junto al río Éufrates,[d] y el rey Josías procedió a ir a su encuentro;[e] pero aquel le dio muerte[f] en Meguidó[g] tan pronto como lo vio. 30 De manera que sus siervos lo transportaron muerto en un carro desde Meguidó y lo trajeron a Jerusalén[h] y lo enterraron en su sepulcro. Entonces la gente de la tierra tomó a Jehoacaz[i] hijo de Josías y lo ungieron y lo hicieron rey en lugar de su padre.

31 Veintitrés años de edad tenía Jehoacaz[j] cuando empezó a reinar, y por tres meses reinó en Jerusalén. Y el nombre de su madre era Hamutal[k] hija de Jeremías de Libná. 32 Y él se puso a hacer lo que era malo a los ojos de Jehová, conforme a todo lo que habían hecho antepasados suyos.[l] 33 Y Faraón Nekoh[m] logró ponerlo en cadenas[n] en Riblá,[o] en la tierra de Hamat, para que no reinara en Jerusalén, y luego impuso al país una multa[p] de cien talentos de plata[q] y un talento de oro.[r] 34 Además, Faraón Nekoh hizo rey a Eliaquim[s] hijo de Josías en lugar de Josías su padre, y le cambió el nombre al de Jehoiaquim; y a Jehoacaz lo tomó y luego lo llevó a Egipto, donde por fin murió.[t] 35 Y la plata[u] y el oro se los dio Jehoiaquim a Faraón. Solo que fijó un impuesto[v] al país, para dar la plata según la orden de Faraón. Conforme al impuesto[w]

CAP. 23
a 1Re 13:33
  1Re 16:33
  Miq 6:16
b 2Re 17:9
  Sl 78:58
  Jer 7:18
c 1Re 12:29
  2Re 10:29
d Éx 22:20
  Dt 13:5
e 1Re 13:2
  2Cr 34:5
f 2Cr 35:1
g Éx 12:3
  Éx 12:14
  Le 23:5
  Nú 9:13
  Nú 28:16
  Dt 16:1
h 2Cr 35:18
i 2Cr 30:1
  2Cr 30:13
  2Cr 35:19
k Le 19:31
  Le 20:27
  1Sa 28:3
l Dt 18:11
  2Re 21:6
  Isa 8:19
  Hch 16:16
m Gé 31:19
  Gé 31:30
  Os 3:4
n Le 26:30
  Jer 10:15
o Dt 29:17
  1Re 11:5
  1Re 11:7
p Nú 33:52
  Dt 12:2
q 2Re 22:8
r 2Cr 34:14
  Dt 18:5
t Dt 4:29
u 2Re 21:12
  2Re 22:17
  2Cr 36:16
v 2Re 24:4
  Isa 15:4
w 2Re 25:11
  Eze 23:33
x Dt 29:28
  2Re 24:3
y 2Re 17:18
  2Re 18:11
  2Re 21:13

2.ª col.
a Dt 12:5
  1Re 8:29
  1Re 9:3
b 1Re 14:29
  2Re 21:17
c 2Re 23:33
  Jer 46:2
d Gé 15:18
e 2Cr 35:20
  Pr 26:17
  Lu 14:31
f Isa 57:1
g 1Re 9:15
  Zac 12:11
h 2Cr 35:24
i 2Cr 36:1
j 1Cr 3:15
  Jer 22:11
k 2Re 24:18
l 2Re 21:2
  2Re 21:21
  3Jn 11
m 2Re 23:29

n 2Cr 36:3; o 2Re 25:6; Jer 39:5; Jer 52:10; Jer 52:26; p 2Cr 36:3; q 1Re 16:24; r 2Re 18:14; s 2Cr 36:4; t Jer 22:12; u 2Re 23:33; v 2Re 15:20; w Ro 13:1; Ro 13:7.

asignado a cada uno por valuación exigió él la plata y el oro de la gente de la tierra, para darlo a Faraón Nekoh. 36 Veinticinco años de edad tenía Jehoiaquim[a] cuando empezó a reinar, y por once años reinó en Jerusalén.[b] Y el nombre de su madre era Zebidá hija de Pedaya de Rumá. 37 Y él continuó haciendo lo que era malo[c] a los ojos de Jehová, conforme a todo lo que habían hecho antepasados suyos.[d]

24 En sus días Nabucodonosor[e] el rey de Babilonia subió, de modo que Jehoiaquim llegó a ser su siervo[f] por tres años. Sin embargo, se volvió y se rebeló contra él. 2 Y Jehová empezó a enviar contra él partidas merodeadoras de caldeos[g] y partidas merodeadoras de sirios y partidas merodeadoras de moabitas[h] y partidas merodeadoras de los hijos de Ammón, y siguió enviándolas contra Judá para destruirlo, conforme a la palabra de Jehová[i] que él había hablado mediante sus siervos los profetas. 3 Fue solo por orden de Jehová como esto tuvo lugar contra Judá, para quitarlo[j] de su vista por los pecados de Manasés,[k] conforme a todo lo que había hecho; 4 y también [por] la sangre inocente[l] que él había derramado, de manera que llenó a Jerusalén de sangre inocente, y Jehová no consintió en conceder perdón.[m]

5 En cuanto al resto de los asuntos de Jehoiaquim[n] y todo lo que hizo, ¿no están escritos en el libro[o] de los asuntos de los días de los reyes de Judá? 6 Por fin Jehoiaquim yació con sus antepasados,[p] y Joaquín su hijo empezó a reinar en lugar de él.

7 Y nunca más[q] salió el rey de Egipto de su tierra,[r] porque el rey de Babilonia había tomado todo lo que pertenecía al rey de Egipto,[s] desde el valle torrencial[t] de Egipto hasta el río Éufrates.[u]

8 Dieciocho años de edad tenía Joaquín[a] cuando empezó a reinar, y por tres meses reinó en Jerusalén.[b] Y el nombre de su madre era Nehustá hija de Elnatán de Jerusalén. 9 Y él continuó haciendo lo que era malo a los ojos de Jehová, conforme a todo lo que había hecho su padre.[c] 10 Durante aquel tiempo los siervos de Nabucodonosor el rey de Babilonia subieron a Jerusalén, de modo que la ciudad llegó a estar sitiada.[d] 11 Y Nabucodonosor el rey de Babilonia procedió a llegar contra la ciudad, mientras sus siervos la tenían sitiada.[e]

12 Por fin Joaquín el rey de Judá salió al rey de Babilonia,[f] él con su madre[g] y sus siervos y sus príncipes y sus oficiales de la corte; y el rey de Babilonia finalmente lo tomó en el año octavo[h] de ser él rey. 13 Entonces sacó de allí todos los tesoros de la casa de Jehová y los tesoros de la casa del rey,[i] y pasó a cortar en pedazos todos los utensilios de oro[j] que Salomón el rey de Israel había hecho en el templo de Jehová, tal como había hablado Jehová. 14 Y se llevó al destierro[k] a toda Jerusalén y a todos los príncipes[l] y a todos los hombres valientes y poderosos[m] —a diez mil estuvo llevando al destierro— y también a todo artífice[n] y edificador de baluartes. A nadie se había dejado atrás excepto la clase de condición humilde[o] de la gente de la tierra. 15 Así se llevó a Joaquín[p] al destierro a Babilonia;[q] y a la madre del rey y a las esposas del rey y a sus oficiales de la corte[s] y a los hombres de nota del país se los llevó como gente desterrada de Jerusalén a Babilonia. 16 En cuanto a todos los hombres valientes, siete mil, y los artífices y

CAP. 23
a 1Cr 3:15
  Jer 1:3
  Jer 22:19
b 2Cr 36:5
c Jer 26:21
  Jer 36:24
d 2Cr 28:25
  2Cr 33:4

CAP. 24
e 2Cr 25:1
  Jer 46:2
  Da 1:1
  Da 3:1
  Da 4:33
  Da 4:37
f 2Cr 12:8
g Dt 28:63
  Job 1:17
  Hab 1:6
h 2Re 13:20
i Le 26:27
  Dt 28:15
  2Re 23:27
j Le 26:33
  Dt 4:26
  Dt 28:63
  2Re 23:27
k 2Re 21:2
  2Re 21:11
  2Re 23:26
l Nú 35:33
  Dt 19:10
  2Re 21:16
  Sl 106:38
m Jer 2:34
  Jer 19:4
  Jer 22:17
m Jer 15:1
  Lam 3:42
  Eze 33:25
n Jer 22:18
o 2Cr 36:8
p 2Cr 36:6
  Jer 22:19
  Jer 36:30
q Jer 46:2
r Jer 37:7
s Jer 37:5
t Gé 15:18
  Nú 34:5
  Jos 15:4
u 1Re 4:21
  Isa 27:12

2.ª col.
a 1Cr 3:16
  Jer 24:1
  Jer 37:1
  Mt 1:11
b 2Cr 36:9
c 2Re 21:3
  Jer 21:6
d Da 1:1
e 2Re 25:2
f 2Cr 36:10
  Jer 24:1
  Eze 17:12
g Jer 29:2
h Jer 25:1
  Jer 52:28
i 2Re 20:13
  2Re 20:17
  Isa 39:6
j 1Re 7:48
  2Cr 4:7
  2Cr 36:10
  Esd 1:7
  Da 5:2
k Eze 1:2
l 1Ne 9:32

m Est 2:6; Eze 1:2; Da 1:6; n Jer 24:1; o 2Re 25:12; p 2Re 25:27; 1Cr 3:17; Jer 22:24; Jer 52:31; q 2Cr 36:10; Est 2:6; Jer 22:25; r 2Re 24:12; s Jer 29:2.

los edificadores de baluartes, mil, todos los hombres poderosos que se ocupaban en la guerra, el rey de Babilonia procedió a llevarlos como gente desterrada a Babilonia.[a] 17 Además, el rey de Babilonia[b] hizo rey a su tío[c] Matanías en lugar de él. Entonces cambió el nombre de este al de Sedequías.[d]

18 Veintiún años de edad tenía Sedequías[e] cuando empezó a reinar, y por once años reinó en Jerusalén. Y el nombre de su madre era Hamutal[f] hija de Jeremías de Libná. 19 Y él continuó haciendo lo que era malo a los ojos de Jehová, conforme a todo lo que había hecho Jehoiaquim.[g] 20 Porque a causa de la cólera[h] de Jehová esto tuvo lugar en Jerusalén y en Judá, hasta que los hubo echado de su vista.[i] Y Sedequías empezó a rebelarse contra el rey de Babilonia.[j]

25 Y aconteció que en el año noveno[k] de ser él rey, en el mes décimo, al décimo[l] día del mes, Nabucodonosor[m] el rey de Babilonia llegó,[n] sí, él y toda su fuerza militar, contra Jerusalén, y se pusieron a acampar contra ella y a edificar contra ella un muro de asedio todo en derredor.[o] 2 Y la ciudad llegó a estar sitiada hasta el año undécimo del rey Sedequías. 3 El día nueve[p] del mes [cuarto] fue grave el hambre[q] en la ciudad, y resultó que no hubo pan[r] para la gente de la tierra. 4 Y se logró abrir brecha en la ciudad,[s] y todos los hombres de guerra [huyeron] de noche por el camino de la puerta entre el muro doble que está junto al jardín del rey,[t] mientras los caldeos[u] estaban todo en derredor contra la ciudad; y [el rey] empezó a irse[v] en dirección al Arabá.[w] 5 Y una fuerza militar de caldeos[x] fue corriendo tras el rey, y lograron alcanzarlo[y] en las llanuras desérticas de Jericó;[z] y toda su propia fuerza militar fue esparcida

de su lado. 6 Entonces prendieron al rey[a] y lo hicieron subir al rey de Babilonia en Riblá,[b] para que pronunciaran contra él una decisión judicial. 7 Y a los hijos de Sedequías los degollaron delante de sus ojos,[c] y él le cegó[d] los ojos a Sedequías, después de lo cual lo sujetó con grilletes de cobre[e] y se lo llevó a Babilonia.[f]

8 Y en el mes quinto, al séptimo [día] del mes, es decir, el año diecinueve[g] del rey Nabucodonosor el rey de Babilonia, Nebuzaradán[h] el jefe de la guardia de corps, el siervo del rey de Babilonia, llegó a Jerusalén.[i] 9 Y procedió a quemar la casa de Jehová[j] y la casa del rey[k] y todas las casas de Jerusalén;[l] y la casa de todo hombre grande la quemó con fuego.[m] 10 Y en cuanto a los muros de Jerusalén, todo en derredor, la entera fuerza militar de caldeos que estaba con el jefe de la guardia de corps los demolió.[n] 11 Y a los demás del pueblo[o] que dejaron atrás en la ciudad, y a los desertores que se habían pasado al rey de Babilonia, y a los demás de la muchedumbre, se los llevó al destierro[p] Nebuzaradán el jefe de la guardia de corps. 12 Y a algunos de condición humilde de la gente[q] de la tierra, el jefe de la guardia de corps dejó que se quedaran como viñadores y como trabajadores bajo obligación.[r] 13 Y las columnas[s] de cobre que había en la casa de Jehová, y las carretillas[t] y el mar de cobre[u] que había en la casa de Jehová, los hicieron pedazos los caldeos, y fueron llevándose el cobre de ellos a Babilonia.[v] 14 Y tomaron los recipientes y las palas y

CAP. 24
a Jer 52:28
b Jer 37:1
c 1Cr 3:15
d 2Cr 36:10
Jer 52:1
d 2Cr 36:11
f 2Re 23:31
g 2Re 23:37
2Cr 36:12
Jer 24:8
Jer 37:2
Jer 38:5
Jer 21:25
h Jer 4:24
2Re 22:17
i 2Re 23:26
j 2Re 23:27
j 2Cr 36:13
Jer 27:12
Jer 38:17
Eze 17:15

CAP. 25
k Jer 39:1
l Eze 24:1
m 2Re 24:1
Jer 27:8
Jer 32:28
Jer 43:10
2Re 26:7
Da 4:1
n 2Cr 36:17
Jer 34:2
o Isa 29:3
Jer 32:2
Jer 37:11
Jer 52:4
Eze 4:2
Eze 21:22
p Jer 52:6
q Le 26:26
Dt 28:33
Dt 28:63
Eze 4:16
Eze 5:10
r Jer 37:21
Jer 38:2
Lam 4:4
Eze 5:12
Eze 7:15
Eze 14:21
s Jer 39:2
Jer 52:7
Eze 33:21
t Jer 39:4
u Jer 21:4
v Eze 12:12
w Jos 3:16
x Jer 39:5
y Isa 30:16
Jer 24:8
z Jer 52:8

2.ª col.
a Jer 21:7
b 2Re 23:33
Jer 52:10
Jer 52:26
c Dt 28:34
Jer 39:6
d Eze 12:13
e 2Cr 33:11
2Cr 36:6
f Jer 32:5
Jer 34:3
Eze 17:16
g Jer 52:12
h Jer 39:9
Jer 40:1
i Lam 4:12

j 1Re 9:8; 2Cr 36:19; Sl 74:3; Sl 79:1; Isa 64:11; Jer 7:14; Lam 1:10; Lam 2:7; Miq 3:12; k 1Re 7:1; Am 2:5; l Jer 34:22; Jer 37:8; m Jer 52:13; n Ne 1:3; Jer 39:8; Jer 52:14; o Jer 15:2; Eze 5:2; p Jer 39:9; Jer 52:30; Eze 12:15; Eze 22:4; q 2Re 24:14; Jer 39:10; Jer 40:7; r Jer 52:16; s 1Re 7:15; 2Cr 4:12; t 1Re 7:27; 2Cr 4:14; u 1Re 7:23; 2Cr 4:15; v 2Re 20:17.

los apagadores y las copas y todos los utensilios[a] de cobre con que se solía ministrar. 15 Y el jefe de la guardia de corps tomó los braserillos y los tazones que eran de oro genuino[b] y los que eran de plata genuina.[c] 16 En cuanto a las dos columnas, el único mar y las carretillas que Salomón había hecho para la casa de Jehová, sucedió que no había manera de determinar el peso del cobre de todos estos utensilios.[d] 17 De dieciocho codos[e] era la altura de cada columna, y el capitel[f] sobre ella era de cobre; y la altura del capitel era de tres codos; y la obra de malla y las granadas[g] todo en derredor sobre el capitel, todo ello, era de cobre; y la segunda columna tenía lo mismo que estos sobre la obra de malla.

18 Además, el jefe de la guardia de corps tomó a Seraya[h] el sacerdote principal y a Sofonías[i] el segundo sacerdote a tres guardas de la puerta;[j] 19 y de la ciudad tomó a un oficial de la corte que tenía los hombres de guerra a su mando, y a cinco hombres que tenían acceso al rey que se hallaban en la ciudad; y al secretario del jefe del ejército, el que reunía con fines militares a la gente de la tierra, y a sesenta hombres de la gente de la tierra a quienes se halló en la ciudad;[k] 20 y luego los tomó[l] Nebuzaradán[m] el jefe de la guardia de corps y los condujo al rey de Babilonia en Riblá.[n] 21 Y el rey de Babilonia procedió a derribarlos[o] y darles muerte en Riblá, en la tierra de Hamat.[p] Así Judá se fue al destierro de sobre su suelo.[q]

22 En cuanto a la gente[r] que quedó en la tierra de Judá, a quienes Nabucodonosor el rey de Babilonia había dejado atrás, él ahora nombró sobre ellos a Guedalías[s] hijo de Ahiqam[t] hijo de Safán.[u] 23 Cuando todos los jefes de las fuerzas militares,[v]

ellos y sus hombres, oyeron que el rey de Babilonia había nombrado a Guedalías, vinieron inmediatamente a Guedalías en Mizpá,[a] es decir, Ismael hijo de Netanías y Johanán hijo de Qaréah y Seraya hijo de Tanhúmet el netofatita y Jaazanías hijo del maacatita, ellos y sus hombres. 24 Entonces Guedalías les juró[b] a ellos y a sus hombres, y les dijo: "No tengan miedo de [ser] siervos de los caldeos. Moren en la tierra y sirvan al rey de Babilonia, y les irá bien".[c]

25 Y en mes séptimo[d] aconteció que Ismael[e] hijo de Netanías hijo de Elisamá, de la prole real, llegó, y también diez hombres con él, y lograron derribar a Guedalías,[f] de manera que murió, y también a los judíos y a los caldeos que se hallaban con él en Mizpá.[g] 26 Después de aquello toda la gente, desde el pequeño hasta el grande, y los jefes de las fuerzas militares, se levantaron y entraron en Egipto;[h] porque les había dado miedo a causa de los caldeos.[i]

27 Y en el año treinta y siete del destierro de Joaquín[j] el rey de Judá, en el mes duodécimo, el día veintisiete del mes, aconteció que Evil-merodac[k] el rey de Babilonia, en el año que llegó a ser rey, elevó la cabeza[l] de Joaquín el rey de Judá [sacándolo] de la casa de detención; 28 y empezó a hablar cosas buenas con él, y entonces puso el trono de él más alto que los tronos de los reyes que estaban con él en Babilonia.[m] 29 Y le quitó sus prendas de vestir de prisionero;[n] y él comió pan[o] constantemente delante de él todos los días de su vida. 30 En cuanto a su porción designada,[p] una porción designada se le dio constantemente de parte del rey, diariamente como debido, todos los días de su vida.

CAP. 25

2.ª col.

a 2Cr 4:19
b Jer 7:50
  Esd 1:10
c 2Cr 24:14
  2Cr 36:18
  Esd 1:11
  Da 5:2
d 1Re 7:47
e 1Re 7:15
  Jer 52:21
f 1Re 7:16
  Jer 52:22
g 1Re 7:20
  Jer 52:23
h 1Cr 6:14
  Esd 7:1
  Jer 52:24
i Jer 21:1
  Jer 29:25
  Jer 29:29
j 2Re 22:4
  1Cr 26:12
k Jer 52:25
l Jer 52:26
m 2Re 25:8
  Jer 39:9
  Jer 40:1
n 2Re 23:33
  Jer 39:5
  Jer 52:9
o Jer 52:27
  Am 3:2
p Nú 13:21
  Nú 34:8
  1Re 8:65
q Le 26:33
  Dt 4:26
  Dt 28:36
  Dt 28:64
  2Re 23:27
  Jer 24:9
  Jer 25:11
  Eze 12:25
  Eze 24:14
r Jer 40:6
s 2Re 25:25
  Jer 39:14
  Jer 41:2
t 2Re 22:12
  Jer 26:24
u 2Re 22:8
  2Cr 34:20
v Jer 40:7

a Jer 40:8
b Dt 6:13
  Jer 4:2
  Jer 12:16
c Jer 27:12
  Jer 40:9
d Jer 41:1
e Jer 40:15
f Jer 41:2
g Jer 41:16
h Dt 28:68
  Jer 41:17
  Jer 42:14
  Jer 43:7
  Jer 41:18
i 2Re 24:8
  2Re 24:12
  Jer 24:1
  Jer 37:1
  Mt 1:11
k Esd 21:1
  Jer 52:31
l Gé 40:13
m Sl 90:15
  Jer 52:32
n Gé 41:14
  Gé 41:42
o 2Sa 9:7

p Ne 11:23.

CRÓNICAS

1 Adán,[a]
Set,[b]
Enós,[c]
2 Quenán,[d]
Mahalalel,[e]
Jared,[f]
3 Enoc,[g]
Matusalén,[h]
Lamec,[i]
4 Noé,[j]
Sem,[k] Cam[l] y Jafet.[m]

5 Los hijos de Jafet fueron Gómer y Magog[n] y Madai[o] y Javán[p] y Tubal y Mesec[q] y Tirás.[r]

6 Y los hijos de Gómer fueron Askenaz[s] y Rifat[t] y Togarmá.[u]

7 Y los hijos de Javán fueron Elisá[v] y Tarsis,[w] Kitim[x] y Rodanim.[y]

8 Los hijos de Cam fueron Cus[z] y Mizraim,[a] Put[b] y Canaán.[c]

9 Y los hijos de Cus fueron Sebá[d] y Havilá y Sabtá[e] y Raamá[f] y Sabtecá.[g]

Y los hijos de Raamá fueron Seba y Dedán.[h]

10 Y Cus mismo llegó a ser padre de Nemrod.[i] Él fue quien dio comienzo a lo de hacerse un poderoso en la tierra.[j]

11 En cuanto a Mizraim, él llegó a ser padre de [los] ludim[k] y [los] anamim y [los] lehabim y [los] naftuhim[l] **12** y [los] patrusim[m] y [los] casluhim[n] (de entre quienes procedieron los filisteos[o]) y [los] caftorim.[p]

13 En cuanto a Canaán, él llegó a ser padre de Sidón[q] su primogénito y de Het[r] **14** y del jebuseo[s] y el amorreo[t] y el guirgaseo[u] **15** y el heveo[v] y el araquo y el sineo[w] **16** y el arvadeo[x] y el zemareo[y] y el hamateo.[z]

17 Los hijos de Sem[a] fueron Elam[b] y Asur[c] y Arpaksad[d] y Lud[e] y Aram,

y Uz y Hul y Guéter y Mas.[a]

18 En cuanto a Arpaksad, él llegó a ser padre de Selah,[b] y Selah mismo llegó a ser padre de Éber.[c]

19 Y a Éber le nacieron dos hijos. El nombre de uno fue Péleg,[d] porque en sus días se dividió la tierra; y el nombre de su hermano fue Joqtán.

20 En cuanto a Joqtán, él llegó a ser padre de Almodad y Sélef y Hazarmávet y Jérah[e] **21** y Hadoram y Uzal y Diqlá[f] **22** y Obal y Abimael y Seba[g] **23** y Ofir[h] y Havilá[i] y Jobab;[j] todos estos fueron los hijos de Joqtán.

24 Sem,[k]
Arpaksad,[l]
Selah,[m]
25 Éber,[n]
Péleg,[o]
Reú,[p]
26 Serug,[q]
Nacor,[r]
Taré,[s]

27 Abrán,[t] es decir, Abrahán.[u]

28 Los hijos de Abrahán fueron Isaac[v] e Ismael.[w]

29 Estos son los orígenes de sus familias: El primogénito de Ismael, Nebayot,[x] luego Quedar[y] y Adbeel y Mibsam,[z] **30** Mismá y Dumá,[a] Masá, Hadad[b] y Temá, **31** Jetur, Nafís y Que-

a Lu 3:38
  1Co 15:45
b Gé 4:25
c Gé 5:9
d Gé 5:12
e Gé 5:15
f Gé 5:18
g Heb 11:5
  Jud 14
h Gé 5:25
i Gé 5:28
j Gé 5:29
  Gé 6:8
  Isa 54:9
  Eze 14:14
  Mt 24:37
k Gé 11:10
l Gé 6:10
m Gé 10:21
n Gé 10:2
o 2Re 17:6
p Isa 66:19
  Joe 3:6
q Eze 27:13
r Gé 10:2
s Jer 51:27
t Gé 10:3
u Eze 27:14
v Eze 27:7
w 1Re 10:22
x Isa 23:1
y Gé 10:4
z Isa 11:11
a Gé 10:6
b Jer 46:9
  Na 3:9
c Gé 12:5
d Sl 72:10
e Gé 10:7
f Eze 27:22
g Gé 10:7
h Gé 10:7
i Gé 10:8
  Miq 5:6
j Gé 10:9
k Jer 46:9
l Gé 10:13
m Eze 29:14
n Gé 10:14
o Jos 13:3
p Dt 2:23
  Jer 47:4
  Am 9:7
q Isa 23:2
r Gé 25:10
  Gé 27:46
s Nú 13:29
  Jue 1:21
t Gé 10:16
  Dt 3:8
u Gé 10:16
  Dt 7:1
v Éx 3:8
  Jos 9:7
w Gé 10:17
x Eze 27:11
y Gé 10:18
z Jos 13:5
a Gé 5:32
b Esd 4:9
  Hch 2:9

c Eze 27:23; d Gé 11:10; e Gé 10:22; 2.ª col.
a Gé 10:23; b Gé 11:14; c Lu 3:35; d Gé 11:19;
e Gé 10:26; f Gé 10:27; g Gé 10:28; h 1Re 9:28;
Job 22:24; Sl 45:9; i Gé 2:11; Gé 25:18; j Gé
10:29; k Gé 11:10; Lu 3:36; l Gé 10:22; m Gé
11:13; Lu 3:35; n Gé 11:17; Nú 24:24; o Gé 11:18;
p Gé 11:21; q Gé 11:23; r Gé 11:25; s Gé 11:26;
t Gé 11:26; Gé 12:7; u Gé 17:5; Ne 9:7; Snt 2:23;
v Gé 21:3; Ro 9:7; w Gé 16:11; x Gé 28:9; Isa
60:7; y Can 1:5; Isa 21:17; Eze 27:21; z Gé 25:13;
a Gé 25:14; b Gé 25:15.

demá.ª Estos fueron los hijos de Ismael.

32 En cuanto a los hijos de Queturá,ᵇ la concubina de Abrahán,ᶜ ella dio a luz a Zimrán y Joqsán y Medánᵈ y Madiánᵉ e Isbaqᶠ y Súah.ᵍ

Y los hijos de Joqsán fueron Seba y Dedán.ʰ

33 Y los hijos de Madián fueron Efáⁱ y Éfer y Hanok y Abidá y Eldaá.ʲ Todos estos fueron los hijos de Queturá.

34 Y Abrahán llegó a ser padre de Isaac.ᵏ Los hijos de Isaac fueron Esaú e Israel.ᵐ

35 Los hijos de Esaú fueron Elifaz, Reuelⁿ y Jeús y Jalam y Coré.º

36 Los hijos de Elifaz fueron Temánᵖ y Omar, Zefó y Gatam, Quenazᑫ y Timnárʳ y Amaleq.ˢ

37 Los hijos de Reuel fueron Náhat, Zérah, Samah y Mizá.ᵗ

38 Los hijos de Seírᵘ fueron Lotán y Sobal y Zibeón y Anahᵛ y Disón y Ézer y Disán.ʷ

39 Y los hijos de Lotán fueron Horí y Homam. Y la hermana de Lotán fue Timná.ˣ

40 Los hijos de Sobal fueron Alván y Manáhat y Ebal, Sefó y Onam.ʸ

Y los hijos de Zibeón fueron Ayá y Anah.ᶻ

41 Los hijos de Anah: Disón.ª

Y los hijos de Disón fueron Hemdán y Esbán e Itrán y Kerán.ᵇ

42 Los hijos de Ézerᶜ fueron Bilhán y Zaaván y Aqán.ᵈ

Los hijos de Disán fueron Uz y Arán.ᵉ

43 Y estos son los reyes que reinaron en la tierra de Edomᶠ antes que reinara reyᵍ alguno sobre los hijos de Israel: Bela hijo de Beor, el nombre de la ciudad del cual fue Dinhabá.ʰ **44** Con el tiempo Bela murió, y Jobab hijo de Zérahⁱ de Bozráʲ empezó a reinar en lugar de él. **45** Con el tiempo Jobab murió, y Husamª de la tierra de los temanitasᵇ empezó a reinar en lugar de él. **46** Con el tiempo Husam murió, y Hadadᶜ hijo de Bedad, que derrotó a Madiánᵈ en el campo de Moab, empezó a reinar en lugar de él. Y el nombre de su ciudad fue Avit.ᵉ **47** Con el tiempo Hadad murió, y Samlá de Masreqáᶠ empezó a reinar en lugar de él. **48** Con el tiempo Samlá murió, y Shaúl de Rehobotᵍ junto al Río empezó a reinar en lugar de él. **49** Con el tiempo Shaúl murió, y Baal-hanán hijo de Acborʰ empezó a reinar en lugar de él. **50** Con el tiempo Baal-hanán murió, y Hadad empezó a reinar en lugar de él; y el nombre de su ciudad era Paú, y el nombre de su esposa era Mehetabel, hija de Matred, hija de Mezahab.ⁱ **51** Con el tiempo Hadad murió.

Y los jeques de Edom llegaron a ser el jeque Timná, el jeque Alvá, el jeque Jetet,ʲ **52** el jeque Oholibamá, el jeque Elah, el jeque Pinón,ᵏ **53** el jeque Quenaz, el jeque Temán, el jeque Mibzar,ˡ **54** el jeque Magdiel, el jeque Iram.ᵐ Estos fueron los jequesⁿ de Edom.

2 Estos fueron los hijos de Israel:º Rubén,ᵖ Simeón,ᑫ Levíʳ y Judá,ˢ Isacar y Zabulón,ᵘ **2** Dan,ᵛ Joséʷ y Benjamín,ˣ Neftalí,ʸ Gadᶻ y Aser.ª

3 Los hijos de Judá fueron Erᵇ y Onánᶜ y Selah.ᵈ Los tres le nacieron de la hija de Súa, la cananea. Y Er el primogénito de Judá llegó a ser malo a los ojos de Jehová, de manera que él le dio muerte.ᵉ **4** Y Tamarᶠ su nuera fue quien le dio a luz a Pérezᵍ y Zérah. Todos los hijos de Judá fueron cinco.

CAP. 1
a Gé 25:15
b Gé 25:15
c Gé 25:6
d Gé 25:2
e Gé 37:28
   Éx 2:15
   Nú 22:7
f Gé 25:2
g Job 2:11
h Gé 25:3
   Isa 21:13
i Isa 60:6
j Gé 25:4
k Lu 3:34
   Hch 7:8
l Gé 25:25
   Mal 1:3
m Gé 32:28
n Gé 36:4
o Gé 36:5
   Gé 36:14
p Jer 49:7
   Am 1:12
   Abd 9
q Gé 36:11
r Gé 36:12
s Gé 36:12
t Gé 36:13
u Gé 36:8
v Gé 36:20
w Gé 36:21
x Gé 36:22
y Gé 36:23
z Gé 36:24
a Gé 36:25
b Gé 36:26
c 1Cr 1:38
d Gé 36:27
e Gé 36:28
f Gé 32:3
g Gé 49:10
   Nú 24:17
h Gé 36:32
   Gé 36:33
i Isa 34:6
   Isa 63:1
   Jer 49:13
   Am 1:12

2.ª col.
a Gé 36:34
b Job 2:11
c Gé 36:35
d Gé 25:2
   Éx 2:15
   Nú 22:7
   Jue 6:2
e Gé 36:35
f Gé 36:36
g Gé 36:37
h Gé 36:38
i Gé 36:39
j Gé 36:40
k Gé 36:41
l Gé 36:42
m Gé 36:43
n Éx 15:15

CAP. 2
o Gé 32:28
   Gé 49:2
p Gé 35:23
   Gé 49:3
   1Cr 5:1
q Gé 29:33
   Gé 49:5
r Gé 29:34

s Gé 29:35; Gé 49:8; Heb 7:14; t Gé 30:18; Gé 49:14; u Gé 30:20; Gé 49:13; v Gé 30:6; Gé 49:16; w Gé 30:24; Gé 49:22; x Gé 35:18; Gé 49:27; y Gé 30:8; Gé 49:21; z Gé 30:11; Gé 49:19; a Gé 30:13; Gé 49:20; b Gé 38:3; c Gé 38:4; d Gé 38:5; e Gé 38:7; f Gé 38:11; g Lu 3:33.

5 Los hijos de Pérez fueron Hezrón y Hamul.[a]

6 Y los hijos de Zérah[b] fueron Zimrí y Etán y Hemán y Calcol y Dará.[c] Hubo cinco de ellos en total.

7 Y los hijos de Carmí:[d] Acar, el acarreador de extrañamiento a Israel,[e] que cometió un acto de infidelidad respecto a la cosa dada por entero a la destrucción.[f]

8 Y los hijos de Etán:[g] Azarías.

9 Y los hijos de Hezrón[h] que le nacieron fueron Jerahmeel[i] y Ram[j] y Kelubai.

10 En cuanto a Ram, él llegó a ser padre de Aminadab.[k] Aminadab, a su vez, llegó a ser padre de Nahsón,[l] el principal para los hijos de Judá. **11** Nahsón, a su vez, llegó a ser padre de Salmá.[m] Salmá, a su vez, llegó a ser padre de Boaz.[n] **12** Boaz, a su vez, llegó a ser padre de Obed.[o] Obed, a su vez, llegó a ser padre de Jesé.[p] **13** Jesé, a su vez, llegó a ser padre de su primogénito Eliab,[q] y de Abinadab[r] el segundo, y Simeá[s] el tercero, **14** Netanel el cuarto, Radai el quinto, **15** Ozem el sexto, David[t] el séptimo. **16** Y las hermanas de ellos fueron Zeruyá y Abigail;[u] y los hijos de Zeruyá fueron Abisai[v] y Joab[w] y Asahel,[x] tres. **17** En cuanto a Abigail, ella dio a luz a Amasá;[y] y el padre de Amasá fue Jéter[z] el ismaelita.

18 En cuanto a Caleb hijo de Hezrón,[a] él engendró hijos de Azubá su esposa y de Jeriot; y estos fueron los hijos de ella: Jéser y Sobab y Ardón. **19** Con el tiempo Azubá murió. De manera que Caleb tomó para sí a Efrat,[b] que con el tiempo le dio a luz a Hur.[c] **20** Hur, a su vez, llegó a ser padre de Urí.[d] Urí, a su vez, llegó a ser padre de Bezalel.[a]

21 Y después Hezrón tuvo relaciones con la hija de Makir[b] el padre de Galaad.[c] Y él mismo la tomó cuando él tenía sesenta años de edad, pero ella le dio a luz a Segub. **22** Segub, a su vez, llegó a ser padre de Jaír,[d] que llegó a tener veintitrés ciudades[e] en la tierra de Galaad. **23** Más tarde Guesur[f] y Siria[g] tomaron de ellos a Havot-jaír,[h] con Quenat[i] y sus pueblos dependientes, sesenta ciudades. Todos estos fueron los hijos de Makir el padre de Galaad.

24 Y después de la muerte de Hezrón[j] en Caleb-efrata, siendo Abías la esposa de Hezrón, ella entonces le dio a luz a Asjur el padre de Teqoa.[k]

25 Y los hijos de Jerahmeel[l] el primogénito de Hezrón fueron Ram[m] el primogénito y Buná y Orén y Ozem, Ahíya. **26** Y Jerahmeel llegó a tener otra esposa, cuyo nombre fue Atará. Ella fue la madre de Onam. **27** Y los hijos de Ram[n] el primogénito de Jerahmeel llegaron a ser Maaz y Jamín y Équer. **28** Y los hijos de Onam[o] llegaron a ser Samai y Jadá. Y los hijos de Samai fueron Nadab y Abisur. **29** Y el nombre de la esposa de Abisur fue Abiháil, y con el tiempo ella le dio a luz a Ahbán y Molid. **30** Y los hijos de Nadab[p] fueron Séled y Apaim. Pero Séled murió sin hijos. **31** Y los hijos de Apaim: Isí. Y los hijos de Isí: Sesán;[q] y los hijos de Sesán: Ahlai. **32** Y los hijos de Jadá el hermano de Samai fueron Jéter y Jonatán. Pero Jéter

CAP. 2

a Nú 26:21
b Jos 7:1
c 1Re 4:31
d 1Cr 4:1
e Jos 7:25
f Jos 7:26
Jos 6:18
Jos 7:11
Jos 22:20
g 1Re 4:31
h Gé 46:12
i 1Sa 27:10
j Rut 4:19
Mt 1:3
k Rut 4:20
Mt 1:4
l Nú 2:3
Lu 3:32
m Rut 4:21
Lu 3:32
n Rut 2:1
Mt 1:5
o Rut 4:17
p Rut 4:22
1Sa 16:1
1Sa 11:1
q 1Sa 16:6
1Sa 17:13
1Cr 27:18
r 1Sa 16:8
1Sa 17:13
s 1Sa 16:9
1Cr 20:7
t 1Sa 16:13
1Sa 17:12
Mt 1:6
Ro 1:3
u 2Sa 17:25
v 1Sa 16:9
2Sa 20:6
2Sa 21:17
2Sa 23:18
1Cr 11:20
w 2Sa 3:39
2Sa 8:16
2Sa 20:10
1Cr 11:6
x 2Sa 2:18
2Sa 3:30
2Sa 23:24
2Sa 19:13
2Sa 20:4
1Re 2:5
z 1Re 2:32
a 1Cr 2:5
b 1Cr 2:50
1Cr 4:4
c Éx 17:12
Éx 24:14
d Éx 31:2

2.ᵃ col.

a Éx 35:30
Éx 36:1
Éx 37:1
3Cr 1:5
b Gé 50:23
Dt 3:15
Dt 7:14
c Nú 26:29
Jos 17:1
d Dt 3:14
Jos 13:30
e Nú 32:41
f 2Sa 3:3
2Sa 13:38
g 1Re 4:13
i Nú 32:42

j Gé 46:12; Nú 26:21; Rut 4:18; Mt 1:3; k 1Cr 4:5; Ne 3:5; Am 1:1; l 1Cr 2:9; m 1Cr 2:27; n 1Cr 2:25; o 1Cr 2:26; p 1Cr 2:28; q 1Cr 2:34.

murió sin hijos. 33 Y los hijos de Jonatán fueron Pélez y Zazá. Estos llegaron a ser los hijos de Jerahmeel.

34 Y Sesán[a] no llegó a tener hijos, sino hijas. Ahora bien, Sesán tenía un siervo egipcio[b] cuyo nombre era Jarhá. 35 De manera que Sesán dio su hija a Jarhá su siervo por esposa, la cual con el tiempo le dio a luz a Atai. 36 Atai, a su vez, llegó a ser padre de Natán. Natán, a su vez, llegó a ser padre de Zabad.[c] 37 Zabad, a su vez, llegó a ser padre de Eflal. Eflal, a su vez, llegó a ser padre de Obed. 38 Obed, a su vez, llegó a ser padre de Jehú. Jehú, a su vez, llegó a ser padre de Azarías. 39 Azarías, a su vez, llegó a ser padre de Hélez. Hélez, a su vez, llegó a ser padre de Eleasá. 40 Eleasá, a su vez, llegó a ser padre de Sismai. Sismai, a su vez, llegó a ser padre de Salum. 41 Salum, a su vez, llegó a ser padre de Jeqamías. Jeqamías, a su vez, llegó a ser padre de Elisamá.

42 Y los hijos de Caleb[d] el hermano de Jerahmeel fueron Mesá su primogénito, que fue el padre de Zif, y los hijos de Maresah el padre de Hebrón. 43 Y los hijos de Hebrón fueron Coré y Tapúah y Réquem y Sema. 44 Sema, a su vez, llegó a ser padre de Raham el padre de Jorqueam. Réquem, a su vez, llegó a ser padre de Samai. 45 Y el hijo de Samai fue Maón; y Maón fue el padre de Betzur.[e] 46 En cuanto a Efá la concubina de Caleb, ella dio a luz a Harán y Mozá y Gazez. En cuanto a Harán, él llegó a ser padre de Gazez. 47 Y los hijos de Jahdai fueron Réguem y Jotán

y Guesán y Pélet y Efá y Sáaf. 48 En cuanto a Maacá la concubina de Caleb, ella dio a luz a Séber y Tirhaná. 49 Con el tiempo ella dio a luz a Sáaf el padre de Madmaná,[a] a Sevá el padre de Macbená y el padre de Guibeá.[b] Y la hija de Caleb[c] fue Acsá.[d] 50 Estos llegaron a ser los hijos de Caleb.

Los hijos de Hur[e] el primogénito de Efrata:[f] Sobal[g] el padre de Quiryatjearim,[h] 51 Salmá el padre de Belén,[i] Haref el padre de Bet-gader. 52 Y Sobal[j] el padre de Quiryatjearim llegó a tener hijos: Haroé, la mitad de los menuhot. 53 Y las familias de Quiryat-jearim fueron los itritas[k] y los puties y los sumatitas y los misraítas. Fue de estos de quienes salieron los zoratitas[l] y los estaolitas.[m] 54 Los hijos de Salmá fueron Belén[n] y los netofatitas,[o] Atrot-betjoab y la mitad de los manahatitas, los zoritas. 55 Y las familias de los escribanos que moraban en Jabez[p] fueron los tirateos, los simeateos, los sucateos. Estos fueron los quenitas[q] que vinieron de Hammat el padre de la casa de Recab.[r]

3 Y estos llegaron a ser los hijos de David[s] que le nacieron en Hebrón:[t] el primogénito Amnón,[u] de Ahinoam[v] la jezreelita;[w] el segundo, Daniel, de Abigail[x] la carmelita;[y] 2 el tercero, Absalón[z] hijo de Maacá[a] hija de Talmai[b] el rey de Guesur;[c] el cuarto, Adonías[d] hijo de Haguit;[e] 3 el quinto, Sefatías, de Abital;[f] el sexto, Itream, de Eglá[g] su esposa. 4 Hubo seis que le nacieron en Hebrón; y continuó reinando allí siete años y seis meses, y por treinta y tres años reinó en Jerusalén.[h]

5 Y estos le nacieron en Jeru-

CAP. 2

a 1Cr 2:31
b Gé 16:1
　1Sa 30:13
c 1Cr 11:41
d 1Cr 2:9
e 1Cr 15:58
　2Cr 11:7
　Ne 3:16

2.ª col.

a Jos 15:31
b Jos 15:57
c 1Cr 2:18
d Jos 15:17
e Ex 17:12
　Ex 24:14
f 1Cr 2:19
g 1Cr 4:1
h Jos 15:9
　Jos 15:60
　1Cr 13:5
i Gé 35:19
　Rut 1:19
　Rut 2:4
　Mt 2:1
　Jn 7:42
j 1Cr 4:1
k Gé 25:38:38
　1Cr 11:40
l Jue 13:2
　1Cr 4:2
m Jos 15:33
　Jos 19:41
　Jue 13:25
　Jue 16:31
n Gé 35:19
　Rut 1:19
　Rut 2:4
　Mt 2:1
　Jn 7:42
o 2Sa 23:29
p 1Cr 4:9
q Jue 1:16
　Jue 4:11
　1Sa 15:6
r 2Re 10:15
　Jer 35:6
　Jer 35:19

CAP. 3

s Sl 127:5
t 2Sa 3:2
u 2Sa 13:32
v 1Sa 25:43
w Jos 15:56
x 1Sa 25:39
y 1Sa 25:2
z 2Sa 13:28
　2Sa 14:1
　2Sa 15:10
　2Sa 18:14
a 2Sa 3:3
b 2Sa 13:37
c Jos 12:5
d 1Re 1:11
　1Re 2:24
e 1Re 1:5
f 2Sa 3:4
g 2Sa 3:5
h 2Sa 5:5

salén:[a] Simeá[b] y Sobab[c] y Natán[d] y Salomón[e] —cuatro de Bat-seba[f] hija de Amiel[g]— 6 e Ib-har[h] y Elisamá[i] y Elifélet,[j] 7 y Noga y Néfeg y Jafía,[k] 8 y Eli-samá[i] y Eliadá[i] y Elifélet.[m] nueve, 9 todos los hijos de David ade-más de los hijos de las concu-binas, y Tamar[n] la hermana de ellos.

10 Y el hijo de Salomón fue Rehoboam,[o] Abías[p] su hijo, Asá[q] su hijo, Jehosafat[r] su hijo, 11 Jehoram su hijo,[s] Ocozías[t] su hijo, Jehoás[u] su hijo, 12 Ama-sías[v] su hijo, Azarías[w] su hijo, Jotán[x] su hijo, 13 Acaz[y] su hijo, Ezequías[z] su hijo, Manasés[a] su hijo, 14 Amón[b] su hijo, Jo-sías[c] su hijo. 15 Y los hijos de Josías fueron: el primogénito, Johanán; el segundo, Jehoia-quim;[d] el tercero, Sedequías;[e] el cuarto, Salum. 16 Y los hijos de Jehoiaquim fueron Jeconías[f] su hijo, Sedequías su hijo. 17 Y los hijos de Jeconías como prisionero fueron Sealtiel[g] su hijo 18 y Malkiram y Pedaya y Senazar, Jeqamías, Hosamá y Nedabías. 19 Y los hijos de Pedaya fueron Zorobabel[h] y Si-meí; y los hijos de Zorobabel fue-ron Mesulam y Hananías (y Se-lomit fue hermana de ellos); 20 y Hasubá y Ohel y Berekías y Hasadías, Jusab-hésed, cinco. 21 Y los hijos de Hananías fue-ron Pelatías[i] y Jesayá, los hijos de [Jesayá] Refayá, los hijos de [Refayá] Arnán, los hijos de [Ar-nán] Abdías, los hijos de [Ab-días] Secanías; 22 y los hijos de Secanías, Semaya, y los hijos de Semaya, Hatús e Igal y Barías y Nearías y Safat, seis. 23 Y los hijos de Nearías fueron Elioenai e Hizquías y Azriqam, tres. 24 Y los hijos de Elioenai fueron Hodavías y Eliasib y Pe-layá y Aqub y Johanán y Delayá y Ananí, siete.

4 Los hijos de Judá fueron Pé-rez,[j] Hezrón[k] y Carmí[l] y Hur[m] y Sobal.[n] 2 En cuanto a Reayá[o] hijo de Sobal, él llegó a ser padre de Jáhat; Jáhat, a su vez, llegó a ser padre de Ahumai y de Lahad. Estas fueron las familias de los zoratitas.[a] 3 Y estos fueron [los hijos] del padre de Etam:[b] Jezreel[c] e Ismá e Idbás, (y el nombre de la hermana de ellos fue Hazelelponí,) 4 y Penuel el padre de Guedor[d] y Ézer el padre de Husá. Estos fueron los hijos de Hur[e] el primogénito de Efrata el padre de Belén.[f] 5 Y Asjur[g] el padre de Teqoah[h] llegó a te-ner dos esposas, Helá y Naará. 6 Con el tiempo le dio a luz a Ahuzam y Héfer y Temení y Haahastari. Estos fueron los hijos de Naará. 7 Y los hijos de Helá fueron Zéret, Izhar y Et-nán. 8 En cuanto a Qoz, él lle-gó a ser padre de Anub y Zobebá y las familias de Aharhel hijo de Harum.

9 Y Jabez[i] llegó a ser más ho-norable[j] que sus hermanos; y fue su madre quien lo llamó por nombre Jabez, diciendo: "Lo he dado a luz con dolor".[k] 10 Y Jabez empezó a invocar al Dios[l] de Israel, diciendo: "Si me ben-dices[m] sin falta y verdaderamen-te agrandas mi territorio[n] y tu mano[o] realmente resulta estar conmigo, y realmente [me] con-servas de calamidad,[p] para que no me lastime[q]...". Por consi-guiente, Dios hizo que llegara [a suceder] lo que había pedido.[r]

11 En cuanto a Kelub el her-mano de Suhá, él llegó a ser pa-dre de Mehir, que fue el padre de Estón. 12 Estón, a su vez, lle-gó a ser padre de Bet-rafá y Pa-séah y Tehiná el padre de Ir-nahás. Estos fueron los hombres de Recá. 13 Y los hijos de Que-naz[s] fueron Otniel[t] y Seraya, y los hijos de Otniel: Hatat. 14 En cuanto a Meonotai, él lle-gó a ser padre de Ofrá. En cuanto a Seraya, él llegó a ser padre de

CAP. 3
a 2Sa 5:13
b 1Cr 14:4
c 2Sa 5:14
d Lu 3:31
e Mt 1:7
f 2Sa 11:27
1Re 1:11
g 1Re 11:3
h 1Cr 14:5
i 2Sa 5:15
j 1Cr 14:5
k 1Cr 14:6
l 1Cr 14:7
m 2Sa 5:16
n 2Sa 13:1
o 1Re 11:43
p 2Cr 14:1
q 2Cr 14:1
r 2Cr 20:31
s 2Cr 21:5
t 2Cr 22:2
u 2Cr 24:1
v 2Cr 25:1
w 2Re 14:21
2Cr 26:3
Mt 1:8
x 2Cr 27:1
y 2Cr 28:1
Mt 1:9
z 2Cr 29:1
Mt 1:9
a 2Re 21:1
Mt 1:10
b 2Re 21:19
c 2Re 22:1
Mt 1:10
d 2Cr 23:34
2Cr 36:5
e 2Re 24:17
2Cr 36:11
f 2Re 24:6
2Re 25:27
Mt 1:11
g Mt 1:12
h Esd 1:8
Esd 5:2
Ag 2:2
Ag 2:4
Zac 4:6
Mt 1:13
i Ne 10:22

CAP. 4
j Gé 38:29
Nú 26:20
Rut 4:18
Mt 1:3
k Gé 46:12
1Cr 2:5
l Jos 7:1
1Cr 2:7
m 1Cr 2:5
Ex 24:14
1Cr 2:19
n 1Cr 2:50
o 1Cr 2:52

2.ª col.
a Jos 15:33
Jue 13:25
1Cr 2:53
b 2Cr 11:6
c Jos 15:56
d Jos 15:58
1Cr 4:18
e 1Cr 2:19
f 1Sa 16:1
Miq 5:2
Jn 7:42

g 1Cr 2:24; h 2Cr 11:6; Ne 3:5; Am 1:1; i 1Cr 2:55; j Pr 15:20; k Gé 3:16; l Gé 12:8; Sl 55:16; Sl 99:6; Jer 33:3; m Gé 32:26; Nú 22:6; Pr 10:22; n Dt 12:20; o Sl 119:173; Isa 41:10; p Gé 48:16; Sl 50:15; q Gé 12:2; 1Cr 21:1; r Sl 21:2; Sl 66:19; Mt 7:7; Mt 21:22; 1Pe 3:12; 1Jn 5:14; s Jos 15:17; t Jue 1:13; Jue 3:9; Jue 3:11.

Joab el padre de Gue-harasim; porque artífices[a] llegaron a ser. 15 Y los hijos de Caleb[b] hijo de Jefuné[c] fueron Iru, Elah y Naam; y los hijos de Elah: Quenaz. 16 Y los hijos de Jehalelel fueron Zif y Zifá, Tiría y Asarel. 17 Y los hijos de Ezrá fueron Jéter y Méred y Éfer y Jalón; y ella llegó a concebir a Míriam y a Samai y a Isbah el padre de Estemoa.[d] 18 En cuanto a su esposa judía, ella dio a luz a Jéred el padre de Guedor y a Héber el padre de Socó y a Jequtiel el padre de Zanóah. Y estos fueron los hijos de Bitías la hija de Faraón, a quien Méred tomó.

19 Y los hijos de la esposa de Hodías, la hermana de Náham, fueron el padre de Queilá[e] el garmita y Estemoa el maacatita. 20 Y los hijos de Shimón fueron Amnón y Riná, Ben-hanán y Tilón. Y los hijos de Isí fueron Zóhet y Ben-zóhet.

21 Los hijos de Selah[f] hijo de Judá fueron Er el padre de Lecá y Laadá el padre de Maresah y las familias de la casa de los que trabajan en tela fina[g] de la casa de Asbea; 22 y Joquim y los hombres de Cozebá y Joás y Saraf, que llegaron a ser dueños de esposas moabitas,[h] y Jasubí-léhem. Y los dichos son de tradición antigua.[i] 23 Ellos eran los alfareros[j] y los habitantes de Netaim y de Guederá. Con el rey en su obra ahí con quien moraban allí.[k]

24 Los hijos de Simeón fueron Nemuel[l] y Jamín,[m] Jarib, Zérah, Shaúl,[n] 25 Salum su hijo, Mibsam su hijo, Mismá su hijo. 26 Y los hijos de Mismá fueron Hamuel su hijo, Zacur su hijo, Simeí su hijo. 27 Y Simeí tuvo dieciséis hijos y seis hijas; pero sus hermanos no tuvieron muchos hijos, y ninguna de sus familias tuvo tantos como los hijos de Judá.[o] 28 Y continuaron morando en Beer-seba[p] y Moladá[q] y Hazar-sual[r] 29 y en Bilhá[s] y en Ézem[t] y en Tolad[u] 30 y en Betuel[v] y en Hormá[w] y en Ziqlag[a] 31 y en Bet-marcabot y en Hazar-susim[b] y en Bet-birí y en Saaraim.[c] Estas fueron sus ciudades hasta el reinado de David.

32 Y sus poblados fueron Etam y Ain, Rimón y Token y Asán,[d] cinco ciudades. 33 Y todos sus poblados que estaban todo en derredor de estas ciudades se extendían hasta Baal.[e] Estas fueron sus moradas y sus registros genealógicos para ellos. 34 Y Mesobab y Jamlec y Josá hijo de Amasías, 35 y Joel y Jehú hijo de Josibías hijo de Seraya hijo de Asiel, 36 y Elioenai y Jaaqoba y Jesohaya y Asaya y Adiel y Jesimiel y Benaya, 37 y Zizá hijo de Sifí hijo de Alón hijo de Jedayá hijo de Simrí hijo de Semaya. 38 Estos que entraron por nombres fueron los principales entre sus familias,[f] y la casa misma de sus antepasados aumentó en cuanto a multitud. 39 Y procedieron a ir al paso de entrada de Guedor, hasta el oriente del valle, para buscar pastos para sus rebaños. 40 Con el tiempo hallaron pastos pingües y buenos,[g] y la tierra era muy ancha y no tenía disturbio,[h] sino que estaba en desahogo; porque los que moraban allí en tiempos pasados eran de Cam.[i] 41 Y estos que estaban escritos por [sus] nombres procedieron a entrar en los días de Ezequías[j] el rey de Judá y a derribar[k] las tiendas de los camitas y a los meunim que se hallaban allí, de manera que los dieron por entero a la destrucción[l] hasta el día de hoy; y empezaron a morar en su lugar, porque allí había pastos[m] para sus rebaños.

42 Y de ellos hubo algunos de los hijos de Simeón que se fueron al monte Seír,[n] quinientos hombres, con Pelatías y Nearías y Refayá y Uziel hijos de Isí a la cabeza de ellos. 43 Y procedieron a derribar al resto de Amaleq[o] que había escapado, y continuaron morando allí hasta el día de hoy.

CAP. 4

a 2Re 24:14
Ne 11:35
b Nú 32:12
Jos 15:13
c Nú 13:6
Nú 14:6
Jos 14:6
d Jos 21:14
1Sa 30:28
1Cr 6:57
e Jos 15:44
1Sa 23:1
f Gé 38:5
Nú 26:20
g 1Cr 15:27
2Cr 3:14
h Rut 4:10
i 2Te 2:15
j Pr 26:23
Isa 41:25
Lam 4:2
k Pr 22:29
l Gé 46:10
Éx 6:15
m Nú 26:12
n Nú 26:13
o Gé 49:8
Nú 26:22
p Gé 21:14
Jos 19:2
q Jos 15:26
Ne 11:26
r Jos 15:28
Jos 19:3
Ne 11:27
s Jos 19:3
t Jos 15:29
u Jos 15:30
v Jos 19:4
w Jue 1:17

2.ª col.

a Jos 15:31
Jos 19:5
1Sa 27:6
1Sa 30:1
1Cr 12:1
b Jos 19:5
c Jos 19:6
d Jos 19:7
e Jos 19:8
f 1Cr 5:24
g Sl 65:12
h Jos 11:23
Jos 14:15
Jue 18:7
i Gé 10:6
Gé 10:20
j 2Cr 29:1
k 2Re 18:8
l 2Re 19:11
2Cr 20:23
m Nú 32:1
n Gé 36:8
Dt 1:2
o Éx 17:14
1Sa 15:7
2Sa 8:12

5 Y los hijos de Rubén[a] el primogénito de Israel —porque era el primogénito;[b] pero porque profanó el canapé de su padre[c] el derecho que como primogénito [tenía] fue dado a los hijos de José[d] hijo de Israel, de manera que no había de ser registrado genealógicamente para el derecho del primogénito. 2 Pues Judá[e] mismo resultó ser superior entre sus hermanos, y el que había de ser caudillo procedía de él;[f] pero el derecho como primogénito fue de José— 3 los hijos de Rubén el primogénito de Israel fueron Hanok[h] y Palú,[i] Hezrón y Carmí.[j] 4 Los hijos de Joel fueron Semaya su hijo, Gog su hijo, Simeí su hijo, 5 Miqueas su hijo, Reayá su hijo, Baal su hijo, 6 Beerah su hijo, a quien Tilgat-pilnéser[k] el rey de Asiria se llevó al destierro, puesto que era un principal de los rubenitas. 7 Y sus hermanos por sus familias en el registro genealógico,[l] por sus descendientes, fueron: como cabeza, Jeiel; y Zacarías, 8 y Bela hijo de Azaz hijo de Sema hijo de Joel[m]... él moraba en Aroer[n] y hasta Nebo[o] y Baal-meón.[p] 9 Aun hacia el oriente moró hasta donde se entra en el desierto junto al río Éufrates,[q] porque su ganado mismo se había hecho numeroso en la tierra de Galaad.[r] 10 Y en los días de Saúl hicieron guerra contra los hagritas,[s] que llegaron a caer por su mano; así que moraron en sus tiendas por toda la campiña al oriente de Galaad.

11 En cuanto a los hijos de Gad,[t] enfrente de ellos, moraron en la tierra de Basán[u] hasta Salecá.[v] 12 Joel fue el cabeza, y Safam el segundo, y Janai y Safat en Basán. 13 Y sus hermanos que pertenecían a la casa de sus antepasados fueron Miguel y Mesulam y Seba y Jorai y Jacán y Zía y Éber, siete. 14 Estos fueron los hijos de Abiháil hijo de Hurí, hijo de Jaróah, hijo de Galaad, hijo de Miguel, hijo de Jesisai, hijo de Jahdó, hijo de Buz; 15 Ahí hijo de Abdiel, hijo de Guní, cabeza de la casa de sus antepasados. 16 Y continuaron morando en Galaad,[a] en Basán[b] y en sus pueblos dependientes[c] y en todas las dehesas de Sarón hasta sus terminaciones. 17 Todos ellos fueron registrados genealógicamente en los días de Jotán[d] el rey de Judá y en los días de Jeroboán[e] el rey de Israel.

18 En cuanto a los hijos de Rubén y los gaditas y la media tribu de Manasés; de los que eran individuos valientes,[f] hombres que llevaban escudo y espada y que doblaban el arco y estaban entrenados en la guerra, había cuarenta y cuatro mil setecientos sesenta que salían al ejército.[g] 19 Y empezaron a hacer guerra contra los hagritas,[h] y Jetur y Nafís[i] y Nodab. 20 Y fueron ayudados contra ellos, de manera que los hagritas y todos los que estaban con ellos fueron dados en su mano, porque fue a Dios a quien clamaron por socorro[k] en la guerra, y él se dejó rogar a favor de ellos porque confiaron en él.[l] 21 Y lograron cautivar su ganado:[m] sus camellos, cincuenta mil; y ovejas, doscientas cincuenta mil; y asnos, dos mil; y almas humanas cien mil.[n] 22 Pues hubo muchos que habían caído muertos, porque de parte del Dios [verdadero] fue la pelea.[o] Y continuaron morando en su lugar hasta el tiempo del destierro.[p]

23 En cuanto a los hijos de la media tribu de Manasés,[q] ellos moraron en la tierra desde Basán[r] hasta Baal-hermón[s] y Senir[t] y el monte Hermón.[u] Ellos mismos se hicieron numerosos. 24 Y estos fueron los cabezas de la casa de sus antepasados: Éfer e Isí y Eliel y Azriel y Jeremías y

CAP. 5
a Gé 29:32
b Gé 49:4
c Gé 35:22
d Gé 49:4
Le 20:11
Dt 27:20
1Co 5:1
d Gé 49:26
Dt 21:17
Jos 14:4
e Gé 49:8
Gé 49:10
Nú 2:3
Nú 10:14
Jue 1:2
Sl 60:7
f Mt 2:6
Heb 7:14
g Gé 49:26
h Gé 46:9
i Éx 6:14
j Nú 26:5
k Gé 16:7
l 1Cr 7:40
m 1Cr 5:4
n Nú 32:34
Dt 2:36
o Nú 32:38
Isa 15:2
p Jos 13:17
Eze 25:9
q Gé 15:18
Dt 1:7
Jos 1:4
2Sa 8:3
r Jos 22:9
Can 4:1
s Éx 23:30
t Jos 13:24
u Dt 3:10
v Jos 13:11

2.ª col.

a Gé 31:21
Nú 32:1
Dt 3:10
b Dt 3:13
Dt 32:14
Jer 50:19
c Dt 3:4
Dt 4:43
Jos 12:4
Jos 20:8
d 2Re 15:32
2Cr 27:1
Isa 1:1
Os 1:1
Miq 1:1
e 2Re 14:16
2Re 14:28
f 2Sa 17:10
Jos 4:12
g 1Cr 5:10
Sl 83:6
i Gé 25:15
j 1Cr 1:31
k 2Cr 14:11
Sl 44:3
l Sl 9:10
Sl 20:7
Sl 22:4
Heb 11:33
m Nú 31:32
n Nú 31:35
o Dt 20:4
Dt 10:42
Jos 23:10
1Sa 17:47
2Cr 20:15
Ro 8:31
p 2Re 15:29
2Re 17:6

q Nú 32:33; Jos 13:29; r Jos 13:30; s Jue 3:3;
t Can 4:8; Eze 27:5; u Dt 4:48; Sl 42:6; Sl 133:3.

Hodavías y Jahdiel, hombres que eran individuos valientes, poderosos, hombres de fama, cabezas de la casa de sus antepasados. 25 Y empezaron a actuar infielmente para con el Dios de sus antepasados y se pusieron a tener ayuntamiento inmoral[a] con los dioses[b] de los pueblos de la tierra, a quienes Dios había aniquilado de delante de ellos. 26 En consecuencia, el Dios de Israel excitó el espíritu[c] de Pul[d] el rey de Asiria,[e] aun el espíritu de Tilgat-pilnéser[f] el rey de Asiria, de manera que él se llevó al destierro[g] a los de los rubenitas y de los gaditas y de la media tribu de Manasés, y los llevó a Halah[h] y a Habor y a Hará y al río Gozán [para continuar] hasta el día de hoy.

6 Los hijos de Leví[i] fueron Guersón,[j] Qohat[k] y Merarí.[l] 2 Y los hijos de Qohat fueron Amram,[m] Izhar[n] y Hebrón[o] y Uziel.[p] 3 Y los hijos de Amram[q] fueron Aarón[r] y Moisés;[s] además, estuvo Míriam.[t] Y los hijos de Aarón fueron Nadab[u] y Abihú,[v] Eleazar[w] e Itamar.[x] 4 En cuanto a Eleazar,[y] él llegó a ser padre de Finehás.[z] Finehás mismo llegó a ser padre de Abisúa.[a] 5 Abisúa, a su vez, llegó a ser padre de Buquí; Buquí, a su vez, llegó a ser padre de Uzí.[b] 6 Uzí, a su vez, llegó a ser padre de Zerahías; Zerahías, a su vez, llegó a ser padre de Merayot.[c] 7 Merayot mismo llegó a ser padre de Amarías; Amarías, a su vez, llegó a ser padre de Ahitub.[d] 8 Ahitub, a su vez, llegó a ser padre de Sadoc;[e] Sadoc, a su vez, llegó a ser padre de Ahimáaz.[f] 9 Ahimáaz, a su vez, llegó a ser padre de Azarías. Azarías, a su vez, llegó a ser padre de Johanán. 10 Johanán, a su vez, llegó a ser padre de Azarías.[g] Él fue el que hizo trabajo de sacerdote en la casa que Salomón edificó en Jerusalén.

11 Y Azarías llegó a ser padre de Amarías.[a] Amarías, a su vez, llegó a ser padre de Ahitub.[b] 12 Ahitub, a su vez, llegó a ser padre de Sadoc.[c] Sadoc, a su vez, llegó a ser padre de Salum. 13 Salum, a su vez, llegó a ser padre de Hilquías. Hilquías,[d] a su vez, llegó a ser padre de Azarías. 14 Azarías, a su vez, llegó a ser padre de Seraya.[e] Seraya, a su vez, llegó a ser padre de Jehozadaq.[f] 15 Y fue Jehozadaq quien se fue cuando Jehová se llevó a Judá y Jerusalén al destierro por la mano de Nabucodonosor.

16 Los hijos de Leví[g] fueron Guersom, Qohat y Merarí. 17 Y estos son los nombres de los hijos de Guersom: Libní[h] y Simeí.[i] 18 Y los hijos de Qohat[j] fueron Amram[k] e Izhar y Hebrón y Uziel.[l] 19 Los hijos de Merarí fueron Mahlí y Musí.[m]

Y estas fueron las familias de los levitas por sus antepasados:[n] 20 De Guersom: Libní[o] su hijo, Jáhat su hijo, Zimá su hijo, 21 Joah[p] su hijo, Idó su hijo, Zérah su hijo, Jeatrai su hijo. 22 Los hijos de Qohat fueron Aminadab su hijo, Coré[q] su hijo, Asir su hijo, 23 Elqaná su hijo y Ebiasaf[r] su hijo y Asir su hijo; 24 Táhat su hijo, Uriel su hijo, Uzías su hijo, y Shaúl su hijo. 25 Y los hijos de Elqaná[s] fueron Amasai y Ahimot. 26 En cuanto a Elqaná, los hijos de Elqaná fueron Zofai[t] su hijo y Náhat su hijo, 27 Eliab[u] su hijo, Jeroham su hijo, Elqaná[v] su hijo. 28 Y los hijos de Samuel[w] fueron el primogénito [Joel] y el segundo, Abías.[x] 29 Los hijos de Merarí fueron: Mahlí,[y] Libní su hijo, Simeí su hijo, Uzah su hijo, 30 Simeá su hijo, Haguías su hijo, Asaya su hijo.

31 Y estos fueron aquellos a quienes David[z] dio puestos para

CAP. 5
a Jue 2:17
Jue 8:33
2Re 17:10
b Dt 5:9
Jue 2:2
Sl 106:36
c Esd 1:1
Pr 21:1
d 2Re 15:19
e Isa 10:5
f 2Re 15:29
2Re 16:7
g 2Re 17:23
h 2Re 17:6
2Re 18:11

CAP. 6
i Gé 29:34
Éx 6:16
j Nú 3:17
1Cr 6:16
k Éx 6:18
Nú 3:17
l Nú 26:57
m 1Cr 23:13
Éx 6:21
o 1Cr 15:9
1Cr 26:30
p Éx 6:22
Le 10:4
Le 15:10
q Éx 6:20
r 1Cr 23:13
s Éx 6:26
Heb 7:38
Heb 3:2
t Éx 2:4
Éx 15:20
Nú 12:10
u Éx 6:23
Éx 24:1
Le 10:1
v Éx 28:1
1Cr 24:2
w Nú 3:32
Dt 10:6
x Nú 4:28
1Cr 24:4
y Éx 6:25
z Nú 25:11
1Cr 9:20
Sl 106:30
a Esd 7:5
b Esd 7:4
c Esd 7:3
d 2Sa 8:17
e 2Sa 15:27
2Sa 20:25
1Re 1:8
1Re 2:35
f 2Sa 15:36
2Sa 18:19
g 2Cr 26:20

2.ª col.
a Esd 7:3
b Esd 7:2
c Ne 11:11
d 2Cr 34:14
e 2Re 25:18
f Ag 1:1
g Éx 6:16
h Nú 3:18
i 1Cr 23:7
j 1Cr 6:2
k Éx 6:20
1Cr 23:13
l Éx 6:22
Nú 3:19
m Nú 3:20; 1Cr 23:21; n Nú 26:57; o Nú 3:18; p 2Cr 29:12; q Nú 16:1; Nú 16:10; Jud 11; r Éx 6:24; s 1Cr 6:36; t 1Cr 6:35; u 1Cr 6:34; v 1Sa 1:1; w 1Sa 1:20; x 1Sa 8:2; y Éx 6:19; Nú 3:33; 1Cr 23:21; z 1Cr 15:16.

la dirección del canto en la casa de Jehová después que el Arca tuvo lugar de descanso.[a] 32 Y llegaron a ser ministros[b] en el canto[c] delante del tabernáculo de la tienda de reunión hasta que Salomón edificó la casa de Jehová en Jerusalén;[d] y siguieron atendiendo a su servicio conforme a su comisión.[e] 33 Y estos eran los que rendían dicho servicio, y también sus hijos: De los hijos de los qohatitas, Hemán[f] el cantor, hijo de Joel,[g] hijo de Samuel,[h] 34 hijo de Elqaná,[i] hijo de Jeroham, hijo de Eliel,[j] hijo de Tóah, 35 hijo de Zuf,[k] hijo de Elqaná, hijo de Máhat, hijo de Amasai, 36 hijo de Elqaná, hijo de Joel, hijo de Azarías, hijo de Sofonías, 37 hijo de Táhat, hijo de Asir, hijo de Ebiasaf,[l] hijo de Coré,[m] 38 hijo de Izhar,[n] hijo de Qohat, hijo de Leví, hijo de Israel.

39 En cuanto a su hermano Asaf,[o] que estaba atendiendo a su derecha, Asaf era hijo de Berekías,[p] hijo de Simeá, 40 hijo de Miguel, hijo de Baaseyá, hijo de Malkiya, 41 hijo de Etní, hijo de Zérah, hijo de Adaya, 42 hijo de Etán, hijo de Zimá, hijo de Simeí, 43 hijo de Jáhat,[q] hijo de Guersom,[r] hijo de Leví.

44 En cuanto a los hijos de Merarí[s] los hermanos de ellos a la izquierda, estaba Etán[t] hijo de Quisí,[u] hijo de Abdí, hijo de Maluc, 45 hijo de Hasabías, hijo de Amasías, hijo de Hilquías, 46 hijo de Amzí, hijo de Baní, hijo de Sémer, 47 hijo de Mahlí, hijo de Musí,[v] hijo de Merarí,[w] hijo de Leví.

48 Y fueron sus hermanos los levitas[x] quienes fueron dados para todo el servicio[y] del tabernáculo de la casa del Dios [verdadero]. 49 Y Aarón[z] y sus hijos estaban haciendo humo de sacrificio[a] sobre el altar de la ofrenda quemada[b] y sobre el altar del incienso[c] para toda la obra de las cosas santísimas y para hacer expiación[a] por Israel,[b] conforme a todo lo que Moisés el siervo del Dios [verdadero] había mandado. 50 Y estos fueron los hijos de Aarón:[c] Eleazar[d] su hijo, Finehás[e] su hijo, Abisúa[f] su hijo, 51 Buquí su hijo, Uzí su hijo, Zerahías[g] su hijo, 52 Merayot[h] su hijo, Amarías su hijo, Ahitub[i] su hijo, 53 Sadoc[i] su hijo, Ahimáaz[k] su hijo.

54 Y estas fueron sus moradas según sus campamentos amurallados en su territorio,[l] para los hijos de Aarón que pertenecían a la familia de los qohatitas,[m] porque la suerte había llegado a ser de ellos. 55 En conformidad, les dieron Hebrón[n] en la tierra de Judá, con sus dehesas todo en derredor de ella. 56 Y el campo de la ciudad y sus poblados[o] se los dieron a Caleb[p] hijo de Jefuné.[q] 57 Y a los hijos de Aarón dieron las ciudades de refugio,[r] Hebrón,[s] y Libná[t] con sus dehesas y Jatir[u] y Estemoa[v] con sus dehesas, 58 y Hilén[w] con sus dehesas, Debir[x] con sus dehesas, 59 y Asán[y] con sus dehesas y Bet-semes[z] con sus dehesas; 60 y de la tribu de Benjamín, Gueba[a] con sus dehesas y Alémet[b] con sus dehesas y Anatot[c] con sus dehesas. Todas sus ciudades fueron trece[d] ciudades entre sus familias.

61 Y a los hijos de Qohat que quedaron [dieron] de la familia de la tribu, de la media tribu, la mitad de Manasés, por sorteo, diez[e] ciudades.

62 Y a los hijos de Guersom[f] por sus familias [dieron] de la tribu de Isacar[g] y de la tribu de Aser[h] y de la tribu de Neftalí[i] y de la tribu de Manasés[j] en Basán, trece ciudades.

CAP. 6
a 2Sa 6:17
Sl 132:14
b 1Cr 16:4
1Cr 16:37
c 1Cr 16:42
Sl 68:25
d 1Re 6:14
e 2Cr 35:15
Esd 3:10
1Co 14:40
f 1Cr 15:19
1Cr 16:41
1Cr 25:1
g 1Sa 8:2
h 1Sa 1:20
i 1Sa 1:1
1Sa 1:19
j 1Cr 6:27
k 1Sa 1:1
1Cr 6:26
l Éx 6:24
m Nú 26:11
Sl 42:Enc
n Nú 3:19
o 1Cr 25:1
2Cr 5:12
2Cr 29:30
Sl 50:Enc
p 1Cr 15:17
q 1Cr 6:20
r Éx 6:16
s 1Cr 23:6
t 1Cr 15:19
u 1Cr 15:17
v Nú 3:20
w Éx 6:16
x 1Cr 23:2
1Cr 26:20
y Nú 3:7
Nú 16:9
1Pe 4:10
z Éx 28:1
Nú 3:10
a Ef 5:2
b Éx 29:38
Le 9:2
c Éx 30:7
2Cr 26:18

2.ª col.

a Éx 30:10
2Cr 29:24
b Le 4:20
Le 17:11
Nú 15:25
c Éx 6:23
d Éx 28:1
Nú 3:32
e 1Cr 6:4
1Cr 9:20
f Esd 7:5
g Esd 7:4
h Esd 7:3
i 2Sa 8:17
j 2Sa 15:27
1Re 1:8
1Re 2:35
k 2Sa 17:17
1Jos 21:3
m Jos 21:5
n Nú 13:22
o Le 25:31
p Dt 1:36
Jos 14:13
Jue 1:20
q Jos 21:12
r Nú 35:13

s Jos 20:7; Jos 21:13; t Jos 15:42; Jos 21:13; u Jos 15:48; 1Sa 30:27; v Jos 21:14; w Jos 15:51; Jos 21:15; x Jos 15:15; Jue 1:11; y Jos 21:16; 1Cr 4:32; z Jos 21:16; 1Sa 6:12; a Jos 18:24; Jos 21:17; b Jos 21:18; c 1Re 2:26; Isa 10:30; Jer 1:1; d Jos 21:4; e Jos 21:5; f 1Cr 6:17; g Jos 21:28; h Jos 21:30; i Jos 21:32; j Jos 21:27.

63 A los hijos de Merarí[a] por sus familias [dieron] de la tribu de Rubén[b] y de la tribu de Gad[c] y de la tribu de Zabulón,[d] por sorteo, doce ciudades.

64 Así los hijos de Israel dieron a los levitas[e] las ciudades con sus dehesas.[f] 65 Además, por sorteo dieron de la tribu de los hijos de Judá[g] y de la tribu de los hijos de Simeón[h] y de la tribu de los hijos de Benjamín[i] estas ciudades, las que procedieron a llamar por nombres.

66 Y a algunas de las familias de los hijos de Qohat les tocó recibir las ciudades de su territorio de la tribu de Efraín.[j] 67 Por consiguiente, les dieron las ciudades de refugio, Siquem[k] con sus dehesas en la región montañosa de Efraín, y Guézer[l] con sus dehesas, 68 y Joqmeam[m] con sus dehesas y Bethorón[n] con sus dehesas, 69 y Ayalón[o] con sus dehesas y Gat-rimón[p] con sus dehesas; 70 y de la mitad de la tribu de Manasés, Aner[q] con sus dehesas y Bileam[r] con sus dehesas, a la familia de los hijos de Qohat que quedaron.[s]

71 Y a los hijos de Guersom[t] [dieron], de la familia de la media tribu de Manasés: Golán[u] en Basán con sus dehesas y Astarot[v] con sus dehesas; 72 y de la tribu de Isacar: Quedes[w] con sus dehesas y Daberat[x] con sus dehesas, 73 y Ramot[y] con sus dehesas y Anem[z] con sus dehesas; 74 y de la tribu de Aser: Masal con sus dehesas y Abdón[a] con sus dehesas, 75 y Huqoq[b] con sus dehesas y Rehob[c] con sus dehesas; 76 y de la tribu de Neftalí:[d] Quedes[e] en Galilea[f] con sus dehesas y Hamón con sus dehesas y Quiryataim[g] con sus dehesas.

77 A los hijos de Merarí que quedaron [dieron], de la tribu de Zabulón:[h] Rimono[i] con sus dehesas, Tabor con sus dehesas, 78 y en la región del Jordán frente a Jericó al oriente del Jordán, de la tribu de Rubén:[a] Bézer[b] en el desierto con sus dehesas y Jáhaz[c] con sus dehesas, 79 y Quedemot[d] con sus dehesas y Mefaat[e] con sus dehesas; 80 y de la tribu de Gad:[f] Ramot[g] en Galaad con sus dehesas y Mahanaim[h] con sus dehesas, 81 y Hesbón[i] con sus dehesas y Jazer[j] con sus dehesas.

7 Ahora bien, los hijos de Isacar fueron Tolá[k] y Puá,[l] Jasub y Simrón,[m] cuatro. 2 Y los hijos de Tolá fueron Uzí y Refayá y Jeriel y Jahmai e Ibsam y Samuel, cabezas de la casa de sus antepasados. De Tolá hubo hombres valientes, poderosos, por los descendientes de ellos. Su número en los días de David[n] fue de veintidós mil seiscientos. 3 Y los hijos de Uzí: Izrahías; y los hijos de Izrahías fueron Miguel y Abdías y Joel, Isías,   , cinco, todos ellos cabezas. 4 Y con ellos por sus descendientes, según la casa de sus antepasados, había tropas del ejército para la guerra, treinta y seis mil, porque tuvieron muchas esposas e hijos.[o] 5 Y sus hermanos de todas las familias de Isacar eran hombres valientes,[p] poderosos, ochenta y siete mil por el registro genealógico de todos ellos.[q]

6 [Los hijos de] Benjamín[r] fueron Bela[s] y Béker[t] y Jediael,[u] tres. 7 Y los hijos de Bela[s] fueron Ezbón y Uzí y Uziel y Jerimot e Irí, cinco, cabezas de la casa de sus antepasados, hombres valientes, poderosos; y su registro genealógico[w] fue de veintidós mil treinta y cuatro. 8 Y los hijos de Béker fueron Zemirá y Joás y Eliezer y Elioenai y Omrí y Jeremot y Abías y Anatot y Alémet, todos estos hijos de Béker. 9 Y su registro

---

CAP. 6

a Jos 21:40
b Jos 21:36
c Jos 21:38
d Jos 21:34
e Jos 21:41
f Nú 35:4
g 1Cr 6:57
1Cr 6:58
h Jos 19:1
i 1Cr 6:60
j Jos 21:20
k Jos 20:7
Jue 9:1
Jue 9:45
1Re 12:1
l Jos 16:10
Jos 21:21
m Jos 21:22
n Jos 10:11
Jos 16:5
Jos 21:22
o Jos 10:12
Jos 21:24
Jue 1:35
2Cr 28:18
p Jos 19:45
Jos 21:24
q Jos 21:25
r Jos 17:11
2Re 9:27
s Jos 21:26
t Jos 21:27
u Dt 4:43
Jos 20:8
v Dt 1:4
w Jos 21:32
x Jos 19:12
y Jos 21:29
z Jos 21:29
a Jos 21:30
b Jos 19:25
Jos 21:31
c Jos 19:28
Jue 1:31
d Jos 21:32
e Jos 20:7
Jue 4:6
f Mt 3:13
g Jos 21:32
h Jos 21:34
i Jos 19:13
Jos 21:35

2.ª col.

a Jos 21:36
b Dt 4:43
Jos 20:8
c Nú 21:23
Jos 13:18
d Dt 2:26
Jos 13:18
e Jos 21:37
f Jos 21:38
g Jos 20:8
1Re 4:13
h Gé 32:2
2Sa 2:8
2Sa 19:32
i Nú 21:26
Jos 13:17
j Nú 32:1
Jos 21:39

CAP. 7

k Nú 26:23
l Gé 46:13
m Nú 26:24
n 2Sa 24:1
1Cr 21:5
o 1Cr 12:32

p Ec 9:11; q Nú 26:25; r Gé 49:27; Nú 26:41; s Nú 26:38; 1Cr 8:1; t Gé 46:21; u 1Cr 7:10; v Nú 26:38; 1Cr 8:1; w 1Cr 21:2.

genealógico[a] por sus descendientes en cuanto a los cabezas de la casa de sus antepasados, hombres valientes, poderosos, fue de veinte mil doscientos. 10 Y los hijos de Jediael:[b] Bilhán; y los hijos de Bilhán fueron Jeús y Benjamín y Ehúd y Kenaaná y Zetán y Tarsis y Ahisáhar. 11 Todos estos fueron los hijos de Jediael, según los cabezas de sus antepasados, hombres valientes, poderosos,[c] diecisiete mil doscientos que salían al ejército para la guerra.

12 Y los hupim[d] y los hupim[e] fueron los hijos de Ir;[f] los husim fueron los hijos de Aher.

13 Los hijos de Neftalí[g] fueron Jahziel[h] y Guni[i] y Jézer y Salum,[j] hijos de Bilhá.[k]

14 Los hijos de Manasés:[l] Asriel, a quien su concubina siria dio a luz. (Ella dio a luz a Makir[m] el padre de Galaad. 15 Y Makir mismo tomó una esposa para Hupim y para Supim, y el nombre de la hermana de él fue Maacá.) Y el nombre del segundo fue Zelofehad,[n] pero Zelofehad llegó a tener hijas.[o] 16 Con el tiempo Maacá, la esposa de Makir, dio a luz un hijo y lo llamó por nombre Peres; y el nombre de su hermano fue Seres; y los hijos de este fueron Ulam y Réquem. 17 Y los hijos de Ulam: Bedán. Estos fueron los hijos de Galaad hijo de Makir hijo de Manasés. 18 Y su hermana fue Hamoléket. Ella dio a luz a Isod y Abiézer[p] y Mahlá. 19 Y los hijos de Semidá llegaron a ser Ahián y Siquem y Liqhí y Aniam.

20 Y los hijos de Efraín[q] fueron Sutélah[r] y Bered su hijo y Táhat su hijo y Eleadá su hijo y Táhat su hijo, 21 y Zabad su hijo y Sutélah su hijo y Ézer y Elead. Y los hombres de Gat[s] que nacieron en el país los mataron porque bajaron a tomar su ganado. 22 Y Efraín su padre se dio al duelo por muchos días,[t] y sus hermanos siguieron viniendo para consolarlo. 23 Después tuvo relaciones con su esposa, de manera que esta llegó a estar encinta[a] y dio a luz un hijo. Pero él lo llamó por nombre Berías, porque era con calamidad[b] como ella se hallaba en la casa de él. 24 Y su hija fue Seerá, y ella logró edificar a Bet-horón,[c] la baja[d] y la alta,[e] y a Uzén-seerá. 25 Y estuvo Réfah su hijo, y Résef, y Télah su hijo, y Tahán su hijo, 26 Ladán su hijo, Amihud su hijo, Elisamá su hijo, 27 Nun[f] su hijo, Jehosúa[g] su hijo.

28 Y la posesión de ellos y sus moradas fueron Betel[h] y sus pueblos dependientes y, al este, Naarán[i] y, al oeste, Guézer[j] y sus pueblos dependientes, y Siquem[k] y sus pueblos dependientes hasta Gaza misma y sus pueblos dependientes; 29 y al lado de los hijos de Manasés, Bet-seán[l] y sus pueblos dependientes, Taanac[m] y sus pueblos dependientes, Meguidó[n] y sus pueblos dependientes, Dor[o] y sus pueblos dependientes. En estos moraron los hijos de José[p] hijo de Israel.

30 Los hijos de Aser[q] fueron Imnah[r] e Isvá e Isví[s] y Berías;[t] y Sérah fue la hermana de ellos. 31 Y los hijos de Berías fueron Héber y Malkiel, que fue el padre de Birzayit. 32 En cuanto a Héber, él llegó a ser padre de Jaflet y Somer y Hotam, y de Súa la hermana de ellos. 33 Y los hijos de Jaflet fueron Pasac y Bimhal y Asvat. Estos fueron los hijos de Jaflet. 34 Y los hijos de Sémer fueron Ahí y Rohgá, Jehubá y Aram. 35 Y los hijos de Hélem su hermano fueron Zofah e Imná y Seles y Amal. 36 Los hijos de Zofah fueron Súaj y Harnéfer y Sual y Berí e Imrá, 37 Bézer y Hod y Samá y Silsá e Itrán y Beerá. 38 Y los hijos de Jéter fueron Jefuné y Pispá y Ará. 39 Y los hijos de Ulá fueron Arah y Haniel y Ri-

CAP. 7
a 1Cr 21:2
b 1Cr 7:6
c Sl 33:16
d Gé 46:21
Nú 26:39
1Cr 8:5
e Gé 46:21
Nú 26:39
1Cr 8:5
f 1Cr 7:7
g Gé 30:8
Gé 49:21
h Gé 46:24
i Nú 26:48
j Nú 26:49
k Gé 50:3
Gé 35:22
Gé 46:25
l Gé 41:51
m Gé 50:23
Nú 26:29
Nú 27:1
Dt 3:15
n Nú 26:33
o Nú 27:7
Nú 36:2
p Nú 26:30
Jue 6:11
Jue 8:2
q Nú 1:33
Dt 33:17
Sl 60:7
r Nú 26:35
s 1Sa 5:8
1Sa 7:14
1Sa 17:4
t Gé 37:34

2.ª col.
a Sl 128:3
b 1Cr 4:10
c Jos 10:10
Jos 21:22
d Jos 16:3
e Jos 16:5
2Cr 8:5
f Éx 33:11
Jos 1:1
g Nú 11:28
Nú 14:6
Nú 32:12
Dt 34:9
h Gé 28:19
Jos 16:2
i Jos 16:7
j Jos 16:3
k Jos 17:7
l Jos 17:11
1Sa 31:10
m Jue 5:19
1Re 4:12
n Jue 1:27
1Re 9:15
2Re 23:29
Zac 12:11
o Jos 12:23
1Re 4:11
p Jue 1:22
q Gé 49:20
Dt 33:24
r Nú 26:44
s Gé 46:17
t Nú 26:45

zía. 40 Todos estos fueron los hijos de Aser, cabezas[a] de la casa de los antepasados, hombres selectos, valientes[b] y poderosos, cabezas de los principales; y su registro genealógico[c] estuvo en el ejército, en la guerra. Su número fue de veintiséis mil hombres.[d]

8 En cuanto a Benjamín,[e] él llegó a ser padre de Bela[f] su primogénito, Asbel[g] el segundo y Aharᆭ[h] el tercero, 2 Noháᆭ el cuarto y Rafá el quinto. 3 Y Bela llegó a tener hijos: Addar y Guerá[j] y Abihud, 4 y Abisúa y Naamán y Ahoah, 5 y Guerá y Sefufán[k] y Huram.[l] 6 Y estos fueron los hijos de Ehúd. Estos fueron las cabezas de [las casas de] antepasados que pertenecían a los habitantes de Gueba,[m] y procedieron a llevárselos al destierro, a Manáhat. 7 Y Naamán y Ahíya; y Guerá... él fue el que se los llevó al destierro, y llegó a ser padre de Uzá y Ahihud. 8 En cuanto a Saharaim, él llegó a ser padre de [hijos] en el campo[n] de Moab después que los envió. Husim y Baará eran sus esposas. 9 Y por Hodes su esposa llegó a ser padre de Jobab y Zibía y Mesá y Malcam, 10 y Jeúz y Sakía y Mirmá. Estos fueron sus hijos, cabezas de [las casas de] antepasados. 11 Y por Husim llegó a ser padre de Abitub y Elpaal. 12 Y los hijos de Elpaal fueron Éber y Misam y Sémed, que edificó a Onó[o] y Lod[p] y sus pueblos dependientes, 13 y Berías y Sema. Estos fueron cabezas de [las casas de] antepasados, pertenecientes a los habitantes de Ayalón.[q] Estos fueron los que pusieron en fuga a los habitantes de Gat. 14 Y [estuvieron] Ahió, Sasaq y Jeremot, 15 y Zebadías y Arad y Éder, 16 y Miguel e Ispá y Johá, los hijos de Berías,[r] 17 y Zebadías y Mesulam e Hizquí y Héber, 18 e Is-

merai e Izlías y Jobab, los hijos de Elpaal, 19 y Jaquim y Zicrí y Zabdí, 20 y Elienai y Ziletai y Eliel, 21 y Adaya y Berayá y Simrat, los hijos de Simeí,[a] 22 e Ispán y Éber y Eliel, 23 y Abdón y Zicrí y Hanán, 24 y Hananías y Elam y Antotiya, 25 e Ifdeyá y Penuel, los hijos de Sasaq, 26 y Samserai y Seharías y Atalía, 27 y Jaaresías y Elías y Zicrí, los hijos de Jeroham. 28 Estos fueron cabezas de [las casas de] antepasados por sus descendientes, hombres que eran la cabeza. Estos fueron los que moraron en Jerusalén.[b]

29 Y fue en Gabaón[c] donde moró el padre de Gabaón, [Jeiel,] y el nombre de su esposa fue Maacá.[d] 30 Y su hijo, el primogénito, fue Abdón, y Zur y Quis y Baal y Nadab,[e] 31 y Guedor y Ahió y Zéker.[f] 32 En cuanto a Miqlot, llegó a ser padre de Simeah.[g] Y estos realmente fueron los que moraron enfrente de sus hermanos en Jerusalén junto con hermanos de ellos.

33 En cuanto a Ner,[h] él llegó a ser padre de Quis;[i] Quis, a su vez, llegó a ser padre de Saúl;[j] Saúl, a su vez, llegó a ser padre de Jonatán[k] y Malki-súa[l] y Abinadab[m] y Esbaal.[n] 34 Y el hijo de Jonatán fue Merib-baal.[o] En cuanto a Merib-baal, él llegó a ser padre de Miqueas.[p] 35 Y los hijos de Miqueas fueron Pitón y Mélec y Tarea[q] y Acaz. 36 En cuanto a Acaz, él llegó a ser padre de Jehoadá; Jehoadá, a su vez, llegó a ser padre de Alémet y Azmávet y Zimrí. Zimrí, a su vez, llegó a ser padre de Mozá; 37 Mozá, a su vez, llegó a ser padre de Bineá, Rafah[r] su hijo, Eleasá su hijo, Azel su hijo. 38 Y Azel tuvo seis hijos, y estos fueron sus nombres: Azriqam, Bocrú e Ismael y Searías y Abdías y Hanán. Todos estos fueron los hijos de Azel. 39 Y los hijos de Ésheq su hermano fueron: Ulam su

CAP. 7
a Dt 1:15
1Re 8:1
b 1Sa 16:18
2Sa 23:20
c Éx 30:14
d Nú 1:41
Nú 2:28
Nú 26:47

CAP. 8
e Gé 35:18
Gé 43:14
Gé 49:27
f 1Cr 7:6
g Gé 46:21
h Nú 26:38
i Nú 26:39
j Gé 46:21
k 1Cr 7:12
l Nú 26:39
m Jos 21:17
1Sa 13:16
1Cr 6:60
n Rut 1:1
o Esd 2:33
Ne 6:2
p Ne 11:35
Hch 9:32
q Jos 19:42
Jos 21:24
r 1Cr 8:13

2.ª col.
a 1Cr 8:13
b Jos 18:28
1Re 2:36
Ne 11:4
c Jos 9:17
Jos 21:17
1Cr 21:29
d 1Cr 9:35
e 1Cr 9:36
f 1Cr 9:37
g 1Cr 9:38
h 1Sa 14:50
i 1Sa 9:1
Hch 13:21
j 1Sa 9:2
1Sa 10:11
1Sa 11:15
1Sa 14:47
1Sa 15:23
k 1Sa 14:45
1Sa 18:1
2Sa 1:23
l 1Sa 14:49
m 1Sa 31:2
1Cr 9:39
n 2Sa 2:8
2Sa 4:12
o 2Sa 4:4
2Sa 9:6
2Sa 19:24
p 2Sa 9:12
q 1Cr 9:41
r 1Cr 9:43

primogénito, Jeús el segundo y Elifélet el tercero.   40 Y los hijos de Ulam llegaron a ser hombres valientes,[a] poderosos, que doblaban el arco,[b] y que tuvieron muchos hijos[c] y nietos, ciento cincuenta. Todos estos fueron de los hijos de Benjamín.

9 En cuanto a todos los israelitas, fueron registrados genealógicamente;[d] y allí están escritos en el Libro de los Reyes de Israel. Y Judá mismo fue llevado al destierro[e] en Babilonia por la infidelidad de ellos.   2 Y los primeros habitantes que estuvieron en su posesión en sus ciudades fueron los israelitas,[f] los sacerdotes,[g] los levitas[h] y los netineos.[i]   3 Y en Jerusalén[j] moraron algunos de los hijos de Judá[k] y algunos de los hijos de Benjamín[l] y algunos de los hijos de Efraín y Manasés: 4 Utai hijo de Amihud hijo de Omrí hijo de Imrí hijo de Baní, de los hijos de Pérez[m] hijo de Judá.[n]   5 Y de los silonitas,[o] Asaya el primogénito y sus hijos.   6 Y de los hijos de Zérah,[p] Jeuel, y seiscientos noventa hermanos de ellos.

7 Y de los hijos de Benjamín: Salú hijo de Mesulam hijo de Hodavías hijo de Hasenuá,   8 e Ibneyá hijo de Jeroham, y Elah hijo de Uzí hijo de Micrí, y Mesulam hijo de Sefatías hijo de Reuel hijo de Ibniya.   9 Y los hermanos de ellos por sus descendientes fueron novecientos cincuenta y seis. Todos estos fueron hombres que eran cabezas de los padres por la casa de sus antepasados.

10 Y de los sacerdotes estuvieron Jedayá y Jehoiarib y Jakín,[q]   11 y Azarías[r] hijo de Hilquías hijo de Mesulam hijo de Sadoc hijo de Merayot hijo de Ahitub, un caudillo de la casa del Dios [verdadero],   12 y Adaya hijo de Jeroham hijo de Pasjur hijo de Malkiya, y Maasai hijo de Adiel hijo de Jahzerá hijo

de Mesulam hijo de Mesilemit[a] hijo de Imer,   13 y los hermanos de ellos, cabezas de la casa de sus antepasados, mil setecientos sesenta, hombres poderosos de habilidad[b] para la obra del servicio de la casa del Dios [verdadero].

14 Y de los levitas estuvieron Semaya hijo de Hasub hijo de Azriqam hijo de Hasabías,[c] de los hijos de Merarí;   15 y Baqbaqar, Héresh y Galal, y Matanías[d] hijo de Micá[e] hijo de Zicrí[f] hijo de Asaf.[g]   16 y Abdías hijo de Semaya[h] hijo de Galal hijo de Jedutún,[i] y Berekías hijo de Asá hijo de Elqaná, que moraba en los poblados de los netofatitas.[j]

17 Y los porteros[k] fueron Salum[l] y Aqub y Talmón y Ahimán y el hermano de ellos, Salum, el cabeza,   18 y hasta entonces él estaba en la puerta del rey[m] hacia el oriente. Estos eran los porteros de los campamentos de los hijos de Leví.[n]   19 Y Salum hijo de Qoré hijo de Ebiasaf[o] hijo de Coré[q] y sus hermanos de la casa de su padre, los coreítas,[r] sobre la obra del servicio, los guardas de la puerta[s] de la tienda, y sus padres sobre el campamento de Jehová, los guardas del paso de la entrada.   20 Y era Finehás[t] hijo de Eleazar[u] quien se hallaba de caudillo sobre ellos en el pasado. Jehová estuvo con él.[v]   21 Zacarías[w] hijo de Meselemías era el portero de la entrada de la tienda de reunión.

22 Todos los que fueron seleccionados para porteros en los umbrales eran doscientos doce. Estaban en sus poblados[x] por su registro genealógico.[y] A estos David[z] y Samuel el vidente[a] ordenaron en su cargo de confianza.[b]   23 Y ellos y sus hijos estaban sobre las puertas de la casa de Jehová, aun la casa de la tienda, para servicio de guardia.[c]

CAP. 8
a 1Sa 16:18
 2Sa 23:20
b 1Cr 12:2
c Sl 127:3
 Sl 128:3
 Sl 128:6

CAP. 9
d 1Cr 7:9
 1Cr 7:40
 Esd 2:59
e Le 26:33
 Jer 39:9
f Esd 2:70
g Ne 7:73
h Ne 11:3
i Jos 9:27
 Esd 2:43
 Esd 8:20
 Ne 3:26
j Ne 11:1
 Eze 37:22
 Os 1:11
k Ne 11:4
l Ne 11:7
m 1Cr 2:5
 Ne 11:4
n Gé 46:12
o 1Cr 2:4
 Ne 11:5
p 1Cr 2:4
 1Cr 2:6
q Ne 11:10
r Ne 11:11

2.ª col.
a Ne 11:13
b Éx 18:21
 1Cr 26:6
 1Cr 26:30
c 1Cr 6:45
 Ne 11:15
d Ne 13:13
e Ne 11:22
f 1Cr 25:2
g Ne 11:17
 Ne 12:35
h Ne 11:17
i 1Cr 25:3
j 1Cr 2:54
 Ne 12:28
k Ne 11:19
l Esd 2:42
m Ne 3:29
n 1Cr 26:12
o 1Cr 6:23
p Nú 26:11
 Sl 42:Enc
 Sl 44:Enc
 Sl 49:Enc
q Nú 26:9
r 1Cr 6:37
s Sl 84:10
t Nú 25:11
 Jos 22:30
 Jue 20:28
 Sl 106:30
u Éx 6:25
 Le 10:6
 Nú 3:32
 Jos 14:1
v Nú 25:13
 Heb 7:9
w Ne 26:14
x Ne 12:28
 Ne 12:29
y 1Cr 9:1
z 1Cr 25:1
a 1Sa 9:9
b Éx 18:21

c 1Cr 23:32; 2Cr 23:19; Ne 12:45.

24 Fue hacia las cuatro direcciones hacia donde los porteros llegaron a estar: al este,[a] al oeste,[b] al norte[c] y al sur.[d]　25 Y sus hermanos en sus poblados habían de entrar por siete[e] días, de tiempo en tiempo, junto con estos.　26 Porque en cargo de confianza había cuatro hombres poderosos de los porteros. Eran levitas, y se hallaban encargados de los comedores[f] y de los tesoros[g] de la casa del Dios [verdadero].　27 Y pasaban la noche todo en derredor de la casa del Dios [verdadero]; porque el servicio de guardia[h] estaba impuesto sobre ellos, y ellos estaban encargados de la llave, aun [de abrir] de mañana en mañana.[i]

28 Y algunos de ellos tenían a su cargo los utensilios[j] del servicio, porque era por número como los introducían y era por número como los sacaban.　29 Y algunos de ellos eran hombres nombrados sobre los utensilios y sobre todos los utensilios santos[k] y sobre la flor de harina[l] y el vino[m] y el aceite[n] y el olíbano[o] y el aceite balsámico.[p]　30 Y algunos de los hijos de los sacerdotes eran los que hacían la mixtura ungüentaria[q] de aceite balsámico.　31 Y Matitías de los levitas, que era el primogénito de Salum[r] el coreíta, estaba en el cargo de confianza sobre las cosas que se cocían en sartenes.[s]　32 Y algunos de los hijos de los qohatitas, hermanos de ellos, tenían a su cargo el pan en capas,[t] para prepararlo sábado a sábado.[u]

33 Y estos eran los cantores,[v] los cabezas de los padres de los levitas en los comedores,[w] aquellos a quienes se dejó libres de deberes;[x] porque de día y de noche era su responsabilidad estar en la obra.[y]　34 Estos eran las cabezas de los padres de los levitas por sus descendientes, hombres a la cabeza. Estos eran los que moraban en Jerusalén.[z]

35 Y en Gabaón[a] fue donde moró el padre de Gabaón, Jeiel. Y el nombre de su esposa fue Maacá.　36 Y su hijo, el primogénito, fue Abdón, y Zur y Quis y Baal y Ner y Nadab,　37 Y Guedor y Ahió y Zacarías[b] y Miqlot.　38 En cuanto a Miqlot, él llegó a ser padre de Simeam. Y realmente ellos fueron los que moraron enfrente de sus hermanos en Jerusalén junto con hermanos de ellos.　39 En cuanto a Ner,[c] él llegó a ser padre de Quis;[d] Quis, a su vez, llegó a ser padre de Saúl;[e] Saúl, a su vez, llegó a ser padre de Jonatán[f] y Malki-súa[g] y Abinadab[h] y Esbaal.[i]　40 Y el hijo de Jonatán fue Merib-baal.[j] En cuanto a Merib-baal, él llegó a ser padre de Miqueas.[k]　41 Y los hijos de Miqueas fueron: Pitón y Mélec y Tahrea [y Acaz].[l]　42 En cuanto a Acaz, él llegó a ser padre de Jará; Jará, a su vez, llegó a ser padre de Alémet y Azmávet y Zimrí. Zimrí, a su vez, llegó a ser padre de Mozá.　43 En cuanto a Mozá, él llegó a ser padre de Bineá y Refayá[m] su hijo, Eleasá su hijo, Azel su hijo.　44 Y Azel tuvo seis hijos, y estos fueron sus nombres: Azriqam, Bocrú e Ismael y Searías y Abdías y Hanán. Estos fueron los hijos de Azel.[n]

10 Y los filisteos,[o] por su parte, hicieron guerra contra Israel; y los hombres de Israel echaron a huir de delante de los filisteos y siguieron cayendo muertos en el monte Guilboa.[p]　2 Y los filisteos continuaron siguiendo de cerca a Saúl y sus hijos; y los filisteos lograron derribar a Jonatán[q] y Abinadab[r] y Malki-súa,[s] hijos de Saúl.[t]　3 Y la pelea se hizo reñida contra Saúl; y los que disparaban con el arco por fin lo hallaron, y fue herido por los disparadores.[u]　4 Entonces Saúl dijo a su escu-

CAP. 9

a 1Cr 26:17
b 1Cr 26:16
c 1Cr 26:14
d 1Cr 26:15
e 2Cr 23:8
f 1Cr 23:28
1Cr 28:12
g 1Cr 26:20
2Cr 31:12
h 1Cr 23:32
i 1Sa 3:15
Mal 1:10
j Nú 1:50
Nú 3:36
k 1Re 8:4
1Cr 22:19
l Le 2:1
1Cr 23:29
m Le 23:13
n Éx 27:20
Nú 18:12
o Le 2:2
Ne 13:5
p Éx 25:6
q Éx 30:25
r Jer 35:4
s Le 2:5
Le 2:7
Le 6:21
t Le 24:6
2Cr 2:4
2Cr 13:11
u Éx 25:30
Le 24:8
1Sa 21:6
v 1Cr 6:31
w 1Cr 9:26
x Ne 11:22
y Sl 84:4
z Ne 11:1

2.ª col.

a Jos 21:17
b 1Cr 8:31
c 1Sa 14:50
d Hch 13:21
e 1Sa 9:2
1Sa 10:11
1Sa 11:15
1Sa 14:47
1Sa 15:23
f 1Sa 14:45
1Sa 18:1
1Sa 1:23
g 1Sa 14:49
1Cr 8:33
h 1Sa 31:2
i 2Sa 2:8
2Sa 4:12
j 2Sa 4:4
2Sa 9:6
2Sa 19:24
k 2Sa 9:12
l 1Cr 8:35
m 1Cr 8:37
n 1Cr 8:37

CAP. 10

o 1Sa 31:1
p 1Cr 26:17
Dt 32:30
2Sa 1:21
q 2Sa 1:25
r 1Cr 8:33
s 1Cr 9:39
t 1Sa 31:2
u 1Sa 26:10
1Sa 31:3

dero:[a] "Desenvaina tu espada[b] y atraviésame con ella, para que no vengan estos incircuncisos[c] y ciertamente me traten abusivamente".[d] Y su escudero no quiso,[e] porque tenía mucho miedo. De modo que Saúl tomó la espada y cayó sobre ella.[f] 5 Cuando el escudero de Saúl vio que este había muerto, entonces él también cayó sobre la espada y murió.[g] 6 Así Saúl y tres hijos suyos murieron,[h] y todos los de su casa murieron juntos. 7 Cuando todos los hombres de Israel que estaban en la llanura baja vieron que ellos habían huido y que Saúl y sus hijos habían muerto, entonces empezaron a dejar sus ciudades y a huir;[i] después de lo cual los filisteos procedieron a entrar y a morar en ellas.

8 Y al día siguiente aconteció que, cuando vinieron los filisteos para despojar[j] a los que habían sido muertos, llegaron a hallar a Saúl y sus hijos caídos sobre el monte Guilboa.[k] 9 Y procedieron a despojarlo y quitarle la cabeza[l] y su armadura y a enviar a la tierra de los filisteos todo alrededor para informar[m] a sus ídolos[n] y al pueblo. 10 Al fin pusieron su armadura en la casa del dios de ellos,[o] y su cráneo lo fijaron en la casa de Dagón.[p]

11 Y todos los de Jabés[q] de Galaad llegaron a oír todo lo que los filisteos habían hecho a Saúl.[r] 12 De manera que todos los hombres valientes se levantaron y retiraron el cadáver de Saúl y los cadáveres de sus hijos y los llevaron a Jabés y enterraron sus huesos debajo del árbol grande[s] de Jabés;[t] y se dieron al ayuno[u] por siete días.

13 Así murió Saúl por su infidelidad con que había obrado infielmente[v] contra Jehová respecto a la palabra de Jehová que no había guardado, y también

por preguntar a una médium espiritista[a] para inquirir. 14 Y no inquirió de Jehová.[b] En consecuencia, él le dio muerte y transfirió la gobernación real a David hijo de Jesé.[c]

11 Con el tiempo todos los israelitas[d] se juntaron [en torno] a David, en Hebrón,[e] diciendo: "¡Mira! Nosotros somos hueso tuyo y carne tuya.[f] 2 Tanto ayer como antes de eso, aun mientras sucedía que Saúl era rey, tú eras quien hacía salir a Israel y lo hacía entrar;[g] y Jehová tu Dios procedió a decirte: 'Tú mismo pastorearás[h] a mi pueblo Israel, y tú mismo llegarás a ser caudillo[i] sobre mi pueblo Israel' ". 3 Así que todos los ancianos de Israel llegaron al rey, en Hebrón, y David celebró un pacto con ellos en Hebrón delante de Jehová; después de lo cual ungieron[j] a David por rey sobre Israel, conforme a la palabra de Jehová[k] mediante Samuel.[l]

4 Más tarde David y todo Israel fueron a Jerusalén,[m] es decir, Jebús,[n] donde los jebuseos[o] eran los habitantes de la tierra. 5 Y los habitantes de Jebús empezaron a decir a David: "Tú no entrarás aquí".[p] A pesar de eso, David procedió a tomar la fortaleza de Sión,[q] es decir, la Ciudad de David.[r] 6 De modo que David dijo: "Cualquiera que hiera[s] primero a los jebuseos, llegará a ser cabeza y príncipe". Y Joab[t] hijo de Zeruyá logró subir primero, y llegó a ser cabeza. 7 Y David se puso a morar en el lugar de difícil acceso.[u] Por eso lo llamaron la Ciudad de David.[v] 8 Y él empezó a edificar la ciudad todo en derredor, desde el Montículo aun hasta las partes en derredor, pero Joab mismo vivificó[w] el resto de

CAP. 10
a 1Sa 31:4
b Jue 9:54
  2Sa 1:9
c Jue 15:18
  2Sa 1:20
d Jue 16:21
  Jue 16:23
e 1Sa 31:4
f Éze 20:13
  1Cr 10:13
  Mt 27:5
g 1Sa 31:5
h 1Sa 12:25
  Os 3:11
i Dt 28:25
  1Sa 13:6
  1Sa 31:7
j 1Sa 31:8
k 1Sa 28:4
  1Sa 31:1
m 2Sa 1:20
n Jue 16:24
  Da 5:23
o 1Sa 31:10
p Jue 16:23
  1Sa 5:2
q Jue 21:8
  1Sa 11:1
  1Sa 31:12
r 1Sa 31:9
s Gé 35:8
t 2Sa 2:5
  Gé 21:12
u Gé 50:10
  2Sa 3:35
v 1Sa 13:13
  1Sa 15:23

2.ª col.

a Le 19:31
  Le 20:6
  1Sa 28:7
  Isa 8:19
  Hch 16:16
b 1Sa 14:19
c Rut 4:17
  1Sa 13:14
  1Sa 15:28
  2Sa 3:10
  2Sa 5:3

CAP. 11
d 2Sa 5:1
  1Cr 12:23
e Nú 13:22
  2Sa 2:1
  2Sa 5:5
f Dt 17:15
g Nú 27:17
  1Sa 18:6
  1Sa 18:13
h 2Sa 7:7
  Sl 78:71
  Jn 10:11
i 1Sa 25:30
  2Sa 6:21
  1Cr 17:7
j 1Sa 16:13
  2Sa 2:4
  2Sa 5:3
k 1Sa 55:11
l 1Sa 15:28
n Jos 15:63
  Jue 1:21
  Jue 19:10
o Gé 10:16
  Gé 15:21
  Éx 3:17
p 2Sa 5:6

q 1Re 8:1; 2Cr 5:2; Sl 2:6; Sl 48:2; r 2Sa 5:9; 2Sa 6:10; 1Re 2:10; s Jos 15:16; 1Sa 17:25; t 2Sa 2:18; u Sl 2:6; v 2Sa 5:7; w Ne 4:2.

la ciudad. 9 Y David siguió haciéndose cada vez más grande,[a] porque Jehová de los ejércitos estaba con él.[b]

10 Ahora bien, estos son los cabezas de los hombres poderosos[c] que pertenecían a David, que se mostraron fuertes apoyadores de él en su gobernación real junto con todo Israel, para hacerlo rey conforme a la palabra de Jehová[d] tocante a Israel. 11 Y esta es la lista de los hombres poderosos que pertenecían a David: Jasobeam[e] hijo de un hacmonita, la cabeza de los tres. Él estuvo blandiendo su lanza sobre trescientos que fueron muertos de una sola vez.[f] 12 Y después de él estuvo Eleazar[g] hijo de Dodó el ahohíta.[h] Él era de los tres hombres poderosos.[i] 13 Fue el que se halló con David en Pas-damim,[j] donde los filisteos se habían reunido para la guerra. Ahora bien, había una porción del campo llena de cebada, y el pueblo, por su parte, había huido a causa de los filisteos.[k] 14 Pero él se plantó en medio de la porción [del campo] y la libró, y siguió derribando a los filisteos, de modo que Jehová salvó[l] con una gran salvación.[m]

15 Y tres de los treinta[n] cabezas procedieron a descender a la roca, a David en la cueva de Adulam,[o] mientras un campamento de los filisteos estaba acampado en la llanura baja de Refaím.[p] 16 Y David estaba entonces en el lugar de difícil acceso;[q] y una guarnición de los filisteos[r] estaba entonces en Belén. 17 Después de un rato David mostró su deseo vehemente y dijo: "¡Ay, que pudiera yo beber[s] del agua de la cisterna de Belén,[t] que está a la puerta!". 18 Con esto, los tres se abrieron paso por fuerza en el campamento de los filisteos y sacaron agua de la cisterna de Belén, que está a la puerta, y vinieron llevándola y trayén-

dosela a David.[a] Y David no consintió en beberla, sino que se la derramó a Jehová.[b] 19 Y pasó a decir: "¡Es inconcebible, de parte mía, en lo que respecta a mi Dios, hacer esto! ¿Es la sangre[c] de estos hombres lo que debería beber a riesgo de sus almas? Porque fue a riesgo de sus almas que la trajeron". Y no consintió en beberla.[d] Estas son las cosas que hicieron los tres hombres poderosos.

20 En cuanto a Abisai[e] hermano de Joab,[f] él mismo llegó a ser cabeza de los tres; y estuvo blandiendo su lanza sobre trescientos que fueron muertos, y tenía una reputación como la de los tres. 21 De los tres él era más distinguido que los otros dos, y vino a ser jefe para ellos; y, no obstante, no subía[g] a la categoría de los [primeros] tres.

22 En cuanto a Benaya[h] hijo de Jehoiadá,[i] hijo de un hombre valiente, que hizo muchas hazañas en Qabzeel,[j] él mismo derribó a los dos [hijos] de Ariel de Moab; y él mismo descendió y derribó a un león[k] dentro de una cisterna en el día de la nieve. 23 Y él fue quien derribó al egipcio, un hombre de tamaño extraordinario, de cinco codos.[l] Y en la mano del egipcio había una lanza[m] como el enjulio de los obreros del telar; no obstante, él procedió a bajar a este con una vara y arrebató la lanza de la mano del egipcio y lo mató con su propia lanza.[n] 24 Estas cosas hizo Benaya hijo de Jehoiadá, y tuvo nombre entre los tres hombres poderosos. 25 Aunque era más distinguido que los treinta, no obstante no llegó al nivel de los [primeros] tres.[o] Sin embargo, David lo puso sobre su propia guardia de corps.[p]

26 En cuanto a los hombres poderosos de las fuerzas militares, estuvieron Asahel[q] hermano de Joab, Elhanán[r] hijo de Dodó

CAP. 11
a 2Sa 3:1
  2Sa 5:10
b 1Cr 9:20
  Sl 46:7
  Isa 8:10
c 2Sa 23:9
d 1Sa 16:12
e 2Sa 23:8
  1Cr 27:2
f 2Sa 23:9
g 2Sa 23:9
h 1Cr 8:4
i 2Sa 23:10
  2Sa 23:17
j 1Sa 17:1
k Dt 28:25
l 1Sa 19:5
  2Sa 23:10
  Sl 18:50
m Sl 144:10
  Pr 21:31
  Lu 1:71
n 2Sa 23:13
o 1Sa 22:1
p Jos 15:8
  Isa 17:5
q 1Sa 23:25
r 1Sa 10:5
  1Sa 13:4
  1Sa 13:23
s 2Sa 23:15
t 1Sa 20:6

2.ª col.
a 2Sa 23:16
b 1Sa 7:6
c Gé 9:4
  Le 17:10
  Dt 12:27
  Hch 15:29
d 2Sa 23:17
e 1Sa 26:6
  2Sa 2:18
  2Sa 18:2
  2Sa 23:18
f 2Sa 3:30
g 2Sa 23:19
h 2Sa 23:20
  1Cr 27:5
i 1Re 4:4
  1Cr 27:5
j Jos 15:21
k Jue 14:6
  1Sa 17:36
  2Sa 1:23
l 1Sa 17:4
m 1Sa 17:7
n 1Sa 17:51
o 1Cr 11:19
p 2Sa 20:23
q 2Sa 2:18
  2Sa 2:23
  2Sa 23:24
  1Cr 27:7
r 2Sa 23:24

de Belén,   27 Samot[a] el harorita, Hélez el pelonita,[b]   28 Irá[c] hijo de Iqués el teqoíta, Abiézer el anatolita,[d]   29 Sibecai[e] el husatita, Ilai el ahohíta,[f]   30 Maharai[g] el netofatita,[h] Héled[i] hijo de Baanah el netofatita, 31 Itai hijo de Ribai[j] de Guibeah[k] de los hijos de Benjamín,[l] Benaya el piratonita,[m]   32 Hurai de los valles torrenciales de Gaas,[n] Abiel el arbatita, 33 Azmávet el baharumita,[o] Eliahbá el saalbonita,   34 los hijos de Hasem el guizonita, Jonatán[p] hijo de Sagué el hararita, 35 Ahiam hijo de Sacar[q] el hararita, Elifal[r] hijo de Ur,   36 Héfer el mekeratita, Ahíya el pelonita,   37 Hezró el carmelita,[s] Naarai hijo de Ezbai,   38 Joel hermano de Natán,[t] Mibhar hijo de Hagrí,   39 Zéleq el ammonita, Naharai el berotita, el escudero de Joab hijo de Zeruyá, 40 Irá el itrita, Gareb[u] el itrita, 41 Urías[v] el hitita,[w] Zabad hijo de Ahlai,   42 Adiná hijo de Sizá el rubenita, un cabeza de los rubenitas, al lado de quien había treinta;   43 Hanán hijo de Maacá, y Josafat el mitnita, 44 Uzía el asteratita, Sama y Jeiel, hijos de Hotam el aroerita, 45 Jediael hijo de Simrí, y Johá su hermano el tizita,   46 Eliel el mahavita, y Jeribai y Josavías, hijos de Elnaam, e Itmá el moabita.   47 Eliel y Obed y Jaasiel el mezobaíta.

12 Y estos son los que vinieron a David en Ziqlag[x] mientras todavía estaba bajo restricciones a causa de Saúl[y] hijo de Quis; y figuraban entre los hombres poderosos,[z] los ayudadores en la guerra,   2 armados del arco, que usaban la mano derecha y usaban la mano izquierda[a] con piedras[b] o con flechas[c] en el arco.[d] Eran de los hermanos de Saúl, de Benjamín.   3 Hubo el cabeza Ahiézer y Joás hijos de Semaá el gui-

beatita,[a] y Jeziel y Pélet hijos de Azmávet,[b] y Beracá y Jehú el anatolita,[c]   4 e Ismayá el gabaonita,[d] un hombre poderoso entre los treinta[e] y sobre los treinta; y Jeremías y Jahaziel y Johanán y Jozabad el guederatita,[f]   5 Eluzai y Jerimot y Bealías y Semarías y Sefatías el harifita,   6 Elqaná e Isías y Azarel y Joézer y Jasobeam, los coreítas,[g]   7 y Joelá y Zebadías los hijos de Jeroham de Guedor.

8 Y hubo algunos de los gaditas que se separaron hacia el lado de David en el lugar de difícil acceso en el desierto,[h] hombres valientes, poderosos, hombres del ejército para la guerra, que mantenían listos el escudo grande y la lanza,[i] cuyos rostros eran rostros de leones,[j] y ellos eran como las gacelas sobre las montañas en cuanto a velocidad.[k]   9 Ézer era el cabeza, Abdías el segundo, Eliab el tercero,   10 Mismaná el cuarto, Jeremías el quinto,   11 Atai el sexto, Eliel el séptimo,   12 Johanán el octavo, Elzabad el noveno,   13 Jeremías el décimo, Macbanai el undécimo. 14 Estos eran de los hijos de Gad,[l] cabezas del ejército. El menor era igual a cien, y el mayor a mil.[m]   15 Estos son los que cruzaron el Jordán[n] en el mes primero cuando estaba desbordándose por todas sus riberas,[o] y entonces hicieron huir a todos los de las llanuras bajas, al oriente y al oeste.

16 Y algunos de los hijos de Benjamín y Judá procedieron a llegar hasta el mismo lugar de difícil acceso,[p] a David. 17 Entonces David salió delante de ellos y respondió y les dijo: "Si es para paz[q] que han venido a mí para ayudarme, mi propio corazón llegará a estar en unidad con ustedes.[r] Pero si es para traicionarme a mis adversarios cuando no hay ningún mal en

las palmas de mis manos,[a] que el Dios[b] de nuestros antepasados vea en cuanto a ella y lo arregle".[c] 18 Y espíritu[d] mismo envolvió a Amasai, el cabeza de los treinta:

"Tuyos [somos], oh David, y contigo [estamos],[e] oh hijo de Jesé.

Paz, paz sea tuya, y paz al que te ayuda,

porque tu Dios te ha ayudado".[f]

De manera que David los recibió y los puso entre los cabezas de las tropas.[g]

19 Y hubo algunos de Manasés que se pasaron a David cuando este vino con los filisteos[h] contra Saúl para combate; pero no les ayudó, porque bajo consejo los señores del eje[i] de los filisteos lo despidieron, diciendo: "A riesgo de nuestras propias cabezas se pasará a su señor Saúl".[j] 20 Cuando vino a Ziqlag,[k] se pasaron a él, de Manasés: Adnah y Jozabad y Jediael y Miguel y Jozabad y Elihú y Ziletai, cabezas[l] de los millares que pertenecían a Manasés. 21 Y ellos, por su parte, prestaron ayuda a David contra la partida merodeadora,[m] porque todos ellos eran poderosos[n] hombres de valor, y llegaron a ser jefes en el ejército; 22 porque día a día seguía llegando gente[o] a David para ayudarle, hasta que fue un campamento grande,[p] como el campamento de Dios.[q]

23 Y estos fueron los totales numéricos de los cabezas de aquellos equipados para el ejército que vinieron a David en Hebrón[r] para transferirle a él la gobernación real[s] de Saúl, conforme a la orden de Jehová.[t] 24 Los hijos de Judá que llevaban el escudo grande y la lanza eran seis mil ochocientos, equipados para el ejército. 25 De los hijos de Simeón, los podero-

sos hombres de valor del ejército eran siete mil cien.

26 De los hijos de los levitas, cuatro mil seiscientos. 27 Y Jehoiadá era el caudillo[a] [de los hijos] de Aarón,[b] y con él había tres mil setecientos. 28 También Sadoc,[c] un joven, poderoso en valor, y la casa de sus antepasados, veintidós jefes.

29 Y de los hijos de Benjamín,[d] hermanos de Saúl,[e] había tres mil, y hasta entonces el mayor número de ellos guardaba con rigurosa vigilancia la casa de Saúl. 30 Y de los hijos de Efraín había veinte mil ochocientos, poderosos hombres[f] de valor, hombres de fama, por la casa de sus antepasados.

31 Y de la media tribu de Manasés[g] había dieciocho mil que habían sido designados por nombre para venir y hacer rey a David. 32 Y de los hijos de Isacar[h] que tenían conocimiento de cómo discernir los tiempos[i] para saber lo que Israel debería hacer,[j] había doscientos cabezas suyos, y todos sus hermanos estaban a sus órdenes. 33 De Zabulón,[k] los que salían al ejército, disponiéndose en orden de batalla con todas las armas de guerra, había cincuenta mil, y para atroparse [a David] no fueron de corazón doble. 34 Y de Neftalí[l] había mil jefes, y con ellos, con el escudo grande y la lanza, había treinta y siete mil. 35 Y de los danitas los que se disponían en orden de batalla eran veintiocho mil seiscientos. 36 Y de Aser[m] los que salían al ejército para disponerse en orden de batalla eran cuarenta mil.

37 Y del otro lado del Jordán,[n] de los rubenitas y los gaditas y la media tribu de Manasés con todas las armas del ejército militar, había ciento veinte mil. 38 Todos estos eran hombres de guerra, que se atropaban en línea de batalla; con corazón

---

CAP. 12
a 1Sa 24:12

b Gé 31:42
1Sa 26:23
Sl 7:6

c 1Sa 24:15

d Jue 6:34
Jue 13:25

e 2Sa 15:21

f Sl 54:4

g 1Sa 8:12
1Sa 22:7

h 1Sa 29:2

i Jue 3:3

j 1Sa 29:4

k 1Sa 30:1

l Dt 1:15
Dt 33:17

m 1Sa 30:1

n 1Cr 5:24
1Cr 11:10

o 2Sa 2:3

p 2Sa 3:1
Job 17:9

q Gé 32:2
Jos 5:14

r 2Sa 2:1
2Sa 5:1

s 1Cr 10:14

t 1Sa 16:1
1Sa 16:13
1Cr 11:10

2.ª col.

a 1Cr 27:5

b 1Cr 6:49
1Cr 27:17

c 2Sa 8:17
1Re 1:8
1Re 2:35
1Cr 6:8

d 1Cr 8:1
1Cr 12:2

e 1Cr 8:33

f 2Sa 17:10

g Jos 17:2

h Dt 33:18

i Est 1:13
Lu 12:56

j Pr 14:8
Ec 7:19
Ec 9:18

k Jos 19:10

l Jos 19:32

m Jos 19:24

n Nú 32:33
Jos 13:8

completo[a] vinieron a Hebrón para hacer a David rey sobre todo Israel; y también todo Israel restante era de un mismo corazón para hacer rey a David.[b] 39 Y continuaron allí con David tres días, comiendo y bebiendo,[c] porque sus hermanos habían hecho preparación para ellos. 40 Y también los cercanos a ellos, hasta Isacar[d] y Zabulón[e] y Neftalí,[f] venían trayendo alimento sobre asnos[g] y sobre camellos y sobre mulos y sobre ganado, comestibles de harina,[h] tortas de higos comprimidos[i] y tortas de pasas[j] y vino[k] y aceite[l] y reses vacunas[m] y ovejas[n] en gran cantidad, porque había regocijo[o] en Israel.

13 Y David procedió a consultar con los jefes de los millares y de las centenas y con todo caudillo;[p] 2 y David pasó a decir a toda la congregación de Israel: "Si les parece bien a ustedes y si es acepto a Jehová nuestro Dios, enviemos [un mensaje] a nuestros hermanos que quedan en todas las tierras de Israel,[q] y con ellos [a] los sacerdotes[r] y los levitas[s] en sus ciudades[t] con dehesas, para que se junten a nosotros. 3 Y volvamos el arca[u] de nuestro Dios a nosotros". Porque no habían puesto cuidado en ella en los días de Saúl.[v] 4 De manera que toda la congregación dijo que se hiciera así, porque la cosa parecía recta a los ojos de todo el pueblo.[w] 5 Por consiguiente, David congregó[x] a todo Israel, desde el río de Egipto[y] hasta llegar al punto de entrada de Hamat,[z] para traer el arca[a] del Dios [verdadero] desde Quiryat-jearim.

6 Y David y todo Israel procedieron a subir a Baalá,[c] a Quiryat-jearim, que pertenece a Judá, para subir de allí el arca del Dios [verdadero], Jehová, sentado sobre los querubines,[d] donde [su] nombre es invocado.

7 Sin embargo, hicieron que el arca del Dios [verdadero] viniera montada en un carruaje nuevo[a] desde la casa de Abinadab, y Uzah y Ahió[b] iban conduciendo el carruaje. 8 Y David y todo Israel venían celebrando[c] delante del Dios [verdadero] con pleno poder y con canciones[d] y con arpas[e] y con instrumentos de cuerda[f] y con panderetas[g] y con címbalos y con trompetas.[h] 9 Y gradualmente llegaron hasta la era de Kidón,[i] y Uzah ahora alargó la mano para agarrar el Arca,[j] porque los toros casi causaron un vuelco. 10 Ante eso, la cólera de Jehová se encendió contra Uzah, de manera que lo derribó porque había alargado la mano sobre el Arca,[k] y él murió allí delante de Dios.[l] 11 Y David se encolerizó[m] porque Jehová había irrumpido en una ruptura contra Uzah; y a aquel lugar se le llegó a llamar Pérez-uzah hasta el día de hoy.

12 Y a David le dio miedo del Dios [verdadero] en aquel día,[n] y dijo: "¿Cómo traeré a mí el arca del Dios [verdadero]?".[o] 13 Y David no trasladó el Arca a donde él estaba, la Ciudad de David, sino que la llevó aparte a la casa de Obed-edom[p] el guitita.[q] 14 Y el arca del Dios [verdadero] siguió morando con la casa de Obed-edom, en su casa,[r] tres meses; y Jehová siguió bendiciendo[s] a la casa de Obed-edom y todo lo que era suyo.

14 E Hiram[t] el rey de Tiro[u] procedió a enviar mensajeros a David y maderas de cedro[v] y edificadores de muros y trabajadores en [obras de] madera para edificarle una casa.[w] 2 Y David llegó a saber que Jehová lo había establecido firmemente[x] como rey sobre Israel, porque su gobernación real fue

---

CAP. 12
a 1Cr 11:10
b Gé 49:8
    Gé 49:10
    2Cr 30:12
    Sl 110:3
c 1Re 1:25
d Jos 19:17
    Jos 19:10
f Jos 19:32
g 2Sa 16:2
h 2Sa 17:28
i 2Sa 16:2
j 3Sa 6:19
k Gé 49:12
l Dt 33:24
m 2Sa 17:29
n 2Sa 15:28
o Pr 11:10
    Pr 29:2
    Ec 10:19

CAP. 13
a 1Cr 15:25
    Pr 15:22
b Le 12:7
r Éx 29:9
s Nú 3:6
    Nú 16:10
    1Cr 15:2
t Nú 35:2
u 1Sa 7:2
v 1Sa 14:18
w 2Sa 3:36
x 1Cr 15:3
y Nú 34:5
    Jos 13:3
z Nú 34:8
    Zac 9:2
a 1Sa 6:21
b 1Sa 7:1
c Jos 15:9
    Jos 15:60
d Éx 25:22
    Nú 7:89
    1Sa 4:4
    2Re 19:15

2.ª col.
a Éx 37:5
    1Sa 6:7
b 2Sa 6:3
c 2Sa 6:5
d 2Cr 23:18
e 1Cr 25:1
f 1Sa 10:5
g Éx 15:20
h 2Cr 5:13
i 2Sa 6:6
j Pr 11:2
    Pr 13:10
k Nú 4:15
l Le 10:2
    2Sa 6:7
m 2Sa 6:8
n Sl 119:20
o 2Sa 6:9
p 2Sa 6:10
q 2Sa 6:11
r 2Sa 6:11
s 2Sa 6:11
t Gé 30:27
    Gé 39:3
    1Cr 26:5
    Pr 3:30
    Pr 10:22
    Mal 3:10

CAP. 14 t 1Re 5:1; u Eze 28:2; v 1Re 5:6; 2Cr 2:3; w 1Cr 22:2; x 2Sa 5:12; Sl 89:21.

altamente ensalzada a causa de su pueblo Israel.[a]

3 Y David pasó a tomar más esposas[b] en Jerusalén, y David llegó a ser padre de más hijos e hijas.[c]   4 Y estos son los nombres de los hijos que llegaron a ser suyos en Jerusalén: Samúa[d] y Sobab,[e] Natán[f] y Salomón,[g] 5 e Ibhar[h] y Elisúa y Elpélet,[i] 6 y Noga y Néfeg[j] y Jafía,   7 y Elisamá[k] y Beeliadá y Elifélet.[l]

8 Y los filisteos llegaron a oír que David había sido ungido por rey sobre todo Israel.[m] Ante eso, todos los filisteos subieron para buscar a David.[n] Cuando David lo oyó, entonces salió contra ellos.   9 Y los filisteos, por su parte, entraron y siguieron haciendo incursiones en la llanura baja de Refaím.[o]   10 Y David empezó a inquirir de Dios,[p] diciendo: "¿Subo contra los filisteos, y de seguro los darás en mi mano?" Ante esto, Jehová le dijo: "Sube, y ciertamente los daré en tu mano".   11 De modo que David subió a Baal-perazim[q] y logró derribarlos allí. Por lo cual dijo David: "El Dios [verdadero] ha irrumpido a través de mis enemigos por mi mano como una brecha hecha por aguas". Por eso llamaron a aquel lugar[r] por nombre Baal-perazim.   12 En consecuencia, dejaron allí sus dioses.[s] Entonces David dijo [la palabra], y así estos fueron quemados en el fuego.[t]

13 Más tarde, los filisteos de nuevo hicieron una incursión en la llanura baja.[u]   14 Ante eso, David inquirió otra vez de Dios, y el Dios [verdadero] ahora le dijo: "No debes subir tras ellos. Da la vuelta de directamente contra ellos, y tienes que acometerlos enfrente de los arbustos *bekja*.[w]   15 Y que ocurra que, cuando oigas el sonido del marchar en las copas de los arbustos *bekja*,[x] entonces salgas a la pelea,[y] porque el Dios [verda-

dero] habrá salido delante de ti[a] para derribar el campamento de los filisteos".   16 De manera que David hizo tal como le había mandado el Dios [verdadero],[b] y fueron derribando el campamento de los filisteos desde Gabaón[c] hasta Guézer.[d]   17 Y la fama[e] de David empezó a salir a todas las tierras, y Jehová mismo puso el pavor de él sobre todas las naciones.[f]

15 Y él continuó edificando casas[g] para sí en la Ciudad de David; y pasó a preparar un lugar[h] para el arca del Dios [verdadero] y a asentar una tienda para ella.   2 Fue entonces cuando David dijo: "Nadie ha de llevar el arca del Dios [verdadero] sino los levitas, porque ellos son los que Jehová ha escogido para llevar el arca de Jehová[i] y para ministrarle[j] hasta tiempo indefinido".   3 Entonces David congregó a todo Israel en Jerusalén[k] para subir el arca[l] de Jehová a su lugar que le había preparado.

4 Y David procedió a reunir a los hijos de Aarón[m] y a los levitas;   5 de los hijos de Qohat: Uriel[n] el jefe y sus hermanos, ciento veinte;   6 de los hijos de Merarí:[o] Asaya[p] el jefe y sus hermanos, doscientos veinte;   7 de los hijos de Guersom:[q] Joel[r] el jefe y sus hermanos, ciento treinta;   8 de los hijos de Elizafán:[s] Semaya[t] el jefe y sus hermanos, doscientos;   9 de los hijos de Hebrón: Eliel el jefe y sus hermanos, ochenta;   10 de los hijos de Uziel:[u] Aminadab el jefe y sus hermanos, ciento doce. 11 Además, David llamó a Sadoc[v] y Abiatar[w] los sacerdotes, y a los levitas Uriel,[x] Asaya[y] y Joel,[z] Semaya[a] y Eliel[b] y Aminadab,   12 y pasó a decirles: "Us-

CAP. 14

a Nú 24:7
2Sa 7:8
1Re 10:9
b Dt 17:17
c 2Sa 5:13
Sl 127:5
d 1Cr 3:5
e 2Sa 5:14
f Lu 3:31
g 1Re 1:47
Mt 1:6
h 2Sa 5:15
i 1Cr 3:6
j 1Cr 3:7
k 2Sa 5:16
l 1Cr 3:8
m 2Sa 5:17
n Sl 2:2
o 2Sa 5:18
2Sa 5:22
2Sa 23:13
p 1Sa 23:2
1Sa 30:8
2Sa 5:19
Pr 3:6
q 2Sa 5:20
Isa 28:21
r 2Sa 5:20
s 2Sa 5:21
t Éx 32:20
Dt 7:25
2Re 19:18
1Co 10:14
u 2Sa 5:22
v 2Sa 5:23
Pr 3:6
w Jos 8:2
Sl 18:34
x 2Sa 5:24
y Jue 7:9
1Sa 14:10

2.ᵃ col.

a Dt 23:14
Jue 4:14
Isa 45:2
b Gé 6:22
Éx 39:32
1Jn 5:3
c 2Sa 5:25
d Jos 16:10
e Jos 6:27
f Dt 2:25
Dt 11:25
Jos 2:9

CAP. 15

g 2Sa 7:1
h 1Cr 16:1
Sl 132:5
Hch 7:46
i Nú 4:15
Dt 10:8
Dt 31:9
Jos 3:3
1Cr 15:15
j Éx 40:15
Nú 8:15
Nú 18:22
Dt 21:5
k 1Cr 13:5
l 2Sa 6:12
m Nú 3:3
Nú 3:9
1Cr 6:49
n 1Cr 15:11
o 1Cr 6:1
p 1Cr 6:30
q Nú 3:17
r 1Cr 23:8

s Éx 6:22; t 1Cr 15:11; u Éx 6:18; 1Cr 6:18; v 2Sa 8:17; 1Cr 12:28; w 1Re 2:35; x 1Cr 15:5; y 1Cr 6:30; z 1Cr 15:7; a 1Cr 15:8; b 1Cr 15:9.

tedes son los cabezas[a] de los padres de los levitas. Santifíquense,[b] ustedes y sus hermanos, y tienen que subir el arca de Jehová el Dios de Israel al lugar que le he preparado. 13 Debido a que en la primera ocasión ustedes no lo hicieron,[c] Jehová nuestro Dios irrumpió contra nosotros,[d] porque no lo buscamos conforme a la costumbre".[e] 14 De manera que los sacerdotes y los levitas se santificaron[f] para subir el arca de Jehová el Dios de Israel.

15 Entonces los hijos de los levitas empezaron a llevar[g] el arca del Dios [verdadero], tal como se lo había mandado Moisés por palabra de Jehová, sobre sus hombros con las varas sobre ellos.[h] 16 David ahora pidió a los jefes de los levitas que apostaran a sus hermanos los cantores[i] con los instrumentos de canto,[j] instrumentos de cuerda[k] y arpas[l] y címbalos,[m] para que tocaran fuertemente para hacer que se elevara un son de regocijo.

17 Por consiguiente, los levitas apostaron a Hemán[n] hijo de Joel, y de sus hermanos, a Asaf[o] hijo de Berekías; y, de los hijos de Merarí sus hermanos, a Etán[p] hijo de Qusayá; 18 y con ellos a sus hermanos de la segunda división;[q] Zacarías,[r] Ben y Jaaziel y Semiramot y Jehiel y Uní, Eliab y Benaya y Maaseya y Matitías y Elifelehu y Miqneyá y Obed-edom[s] y Jeiel los porteros, 19 y los cantores Hemán,[t] Asaf[u] y Etán, con los címbalos de cobre para tocar fuertemente;[v] 20 y Zacarías y Aziel[w] y Semiramot y Jehiel y Uní y Eliab y Maaseya y Benaya con instrumentos de cuerda afinados a Alamot,[x] 21 y Matitías[y] y Elifelehu y Miqneyá y Obed-edom y Jeiel y Azazías con arpas[z] afinadas a Seminit,[a] para actuar de directores; 22 y Kenanías[b] el jefe de los levitas en el transporte, dando él

instrucción para el transporte, porque era perito;[a] 23 y Berekías y Elqaná los porteros[b] para el Arca; 24 y Sebanías y Josafat y Netanel y Amasai y Zacarías y Benaya y Eliezer los sacerdotes que hacían sonar fuertemente las trompetas[c] delante del arca del Dios [verdadero], y Obed-edom y Jehías los porteros para el Arca.

25 Y David[d] y los ancianos de Israel[e] y los jefes[f] de los millares llegaron a ser los que fueron andando para subir el arca del pacto de Jehová desde la casa de Obed-edom[g] con regocijo.[h] 26 Y aconteció que, cuando el Dios [verdadero] ayudó[i] a los levitas mientras llevaban el arca del pacto de Jehová, procedieron a sacrificar siete toros jóvenes y siete carneros.[j] 27 Y David iba vestido de una vestidura sin mangas de tela fina, y también todos los levitas que llevaban el Arca, y los cantores, y Kenanías[k] el jefe del transporte por los cantores;[l] pero sobre David había un efod[m] de lino. 28 Y todos los israelitas estaban subiendo el arca del pacto de Jehová con gozosa gritería[n] y con el toque del cuerno[o] y con trompetas[p] y con címbalos,[q] tocando fuertemente los instrumentos de cuerda y arpas.[r]

29 Y aconteció que, cuando el arca del pacto[s] de Jehová llegó hasta la Ciudad de David, Mical,[t] hija de Saúl, miró ella misma por la ventana y llegó a ver al rey David dando brincos y celebrando;[u] y empezó a despreciarlo[v] en su corazón.

16 Así introdujeron[w] el arca del Dios [verdadero] y la colocaron dentro de la tienda que David había asentado para ella;[x] y empezaron a presentar ofrendas quemadas y sacrificios de comunión delante del Dios

CAP. 15

a 1Cr 9:34
  1Cr 24:31
b 1Sa 7:1
c 1Cr 6:3
  1Cr 13:7
d 2Sa 6:8
  1Cr 13:11
e Nú 4:15
  Nú 7:9
  Dt 31:9
f 2Cr 29:15
  2Cr 29:34
g Éx 25:14
h Éx 37:5
  Nú 4:6
  2Cr 5:9
i 1Cr 6:31
  1Cr 15:27
j 1Re 10:12
  1Cr 5:13
k 1Cr 16:5
  Sl 33:2
l Sl 149:3
m 1Cr 5:12
n 1Cr 6:33
  1Cr 25:5
o 1Cr 6:39
  1Cr 25:2
  Sl 83:Enc
p 1Cr 6:44
  1Cr 25:9
r 1Cr 16:5
s 1Cr 15:21
  1Cr 16:5
t 1Cr 6:33
  1Cr 25:1
  2Cr 5:12
u 1Cr 15:17
v 1Cr 13:8
w 1Cr 15:18
x Sl 46:Enc
y 1Cr 25:6
z 1Sa 10:5
  1Cr 25:6
  Sl 92:3
a 1Cr 6:Enc
b 1Cr 15:27

2.ᵃ col.

1Cr 25:7
  Pr 22:29
b 1Cr 9:21
c 1Cr 16:6
  2Cr 15:14
  2Cr 23:13
d 2Sa 6:12
e 1Re 8:1
f Nú 31:14
  1Sa 8:12
g 1Cr 13:14
h 2Sa 6:13
i Hch 26:22
k 1Cr 15:22
l 1Re 10:12
  1Cr 9:33
  2Cr 5:12
m 1Sa 2:18
n 2Sa 6:15
o 2Sa 6:15
  1Cr 13:8
p 2Sa 6:15
q 1Cr 16:6
r 1Cr 15:16
s Nú 10:33
  1Cr 17:1
  Heb 9:4
t 1Sa 18:27
  2Sa 3:3
u Éx 15:20
  Sl 30:11

v 2Sa 6:16; Pr 11:12; CAP. 16 w 2Sa 6:17;
x 1Re 8:1; 1Cr 15:1; 2Cr 1:4.

[verdadero].ª 2 Cuando David acabó de ofrecer la ofrenda quemadaᵇ y los sacrificios de comunión,ᶜ pasó a bendecirᵈ al pueblo en el nombre de Jehová.ᵉ 3 Además, repartióᶠ a todos los israelitas, así a hombre como a mujer, a cada uno un pan redondo y una torta de dátiles y una torta de pasas. 4 Entonces puso delante del arca de Jehová a algunos de los levitasᵍ como ministros,ʰ tanto para hacer recordacióniⁱ como para dar graciasʲ y alabarᵏ a Jehová el Dios de Israel: 5 a Asafᶜ el cabeza, y segundo en orden a él a Zacarías, [y a] Jeiel y Semiramot y Jehiel y Matitías y Eliab y Benaya y Obed-edom y Jeiel,ᵐ con instrumentos del tipo que tiene cuerdas, y con arpas,ⁿ y a Asaf con los címbalos que tocaban fuertemente.ᵖ 6 y a Benaya y Jahaziel los sacerdotes con las trompetasᵠ constantemente delante del arca del pacto del Dios [verdadero].

7 Fue entonces, en aquel día, cuando David hizo una contribuciónʳ por primera vez para dar graciasˢ a Jehová mediante Asafᵗ y sus hermanos:

8 "¡Den gracias a Jehová;ᵘ invoquen su nombre,ᵛ
den a conocer sus hazañas entre los pueblos!ʷ
9 Cántenleˣ a él, prodúzcanle melodía,ʸ
interésense intensamente en todos sus actos maravillosos.ᶻ
10 Jáctense en el santoª nombre de él,ᵇ
regocíjese el corazón de los que buscan a Jehová.ᶜ
11 Procuren hallar a Jehová y su fuerza,ᵈ
busquen su rostro constantemente.ᵉ
12 Acuérdense de sus maravillosos actos que ha ejecutado,ᶠ
de sus milagros y las decisiones judiciales de su boca,ᵍ

13 oh prole de Israel su siervo,ª ustedes, los hijos de Jacob, sus escogidos.ᵇ
14 Él es Jehová nuestro Dios;ᶜ en toda la tierra están sus decisiones judiciales.ᵈ
15 Acuérdense de su pacto aun hasta tiempo indefinido,ᵉ
la palabra que mandó, a mil generaciones,ᶠ
16 el cual [pacto] celebró con Abrahán,ᵍ
y de su juramento a Isaac.ʰ
17 Y el cual [juramento] mantuvo fijo como disposición reglamentaria aun a Jacob,ⁱ
como pacto de duración indefinida aun a Israel,ʲ
18 diciendo: 'A ti te daré la tierra de Canaán,ᵏ
como el lote de la herencia de ustedes'.ˡ
19 [Esto era] cuando resultaban ser pocos en número,ᵐ
sí, muy pocos, y residentes forasteros en ella.ⁿ
20 Y ellos siguieron andando de nación en nación,ᵒ
y de un reino a otro pueblo.ᵖ
21 No permitió que nadie los defraudara;ᵠ
antes bien, a causa de ellos censuró a reyes,ʳ
22 [diciendo:] 'No toquen ustedes a mis ungidos,
y a mis profetas no les hagan nada malo'.ˢ
23 ¡Canten a Jehová, todos ustedes los de la tierra!ᵗ
¡Anuncien de día en día la salvación que él da!ᵘ
24 Cuenten entre las naciones su gloria,
entre todos los pueblos sus maravillosos actos.
25 Porque Jehová es grande y ha de ser alabado en gran manera,ᵛ

CAP. 16
a 1Re 8:5
  2Cr 5:6
b Le 1:3
c Le 3:1
d Nú 6:23
  Jos 22:6
  2Sa 6:18
  1Re 8:14
e 2Sa 6:18
f 2Sa 6:19
g 1Cr 15:16
h Nú 18:2
i Sl 38:Enc
  Sl 103:2
j 1Cr 16:7
k 1Cr 23:5
l 1Cr 6:39
m 1Cr 15:18
  1Cr 15:21
  1Cr 15:17
o 1Cr 15:16
q 2Cr 15:14
  2Cr 23:13
r 2Cr 31:14
s 2Sa 22:1
  2Sa 23:1
  1Cr 16:4
  2Co 9:12
t 1Cr 6:39
u Sl 105:1
  Sl 106:1
  Col 4:2
v Isa 12:4
  Ro 10:13
w Sl 67:2
  Hch 2:14
x Ef 5:19
y 2Sa 22:50
  2Sa 23:1
z Sl 71:17
  Sl 107:43
a Le 22:32
b Sl 105:3
  Isa 45:25
  Jer 9:24
  2Co 10:17
c 1Cr 28:9
  Sl 104:34
d Am 5:6
  Sof 2:3
e Sl 24:8
  Sl 27:8
  Os 5:15
f Sl 106:2
  Sl 111:4
g Sl 105:5
  Sl 119:137

2.ª col.

a Isa 41:8
b Sl 33:12
  Sl 135:4
  1Pe 5:13
c Éx 15:2
  Sl 95:7
d Sl 119:164
e Sl 105:8
f Dt 7:9
g Gé 15:18
  Gé 17:2
h Gé 26:3
i Gé 28:14
j Sl 105:10
k Gé 12:7
  Gé 17:8
  Gé 35:12
l Dt 32:8
m Gé 34:30
  Dt 26:5
n Heb 11:13

o Gé 20:1; Gé 46:6; p Sl 105:13; q Gé 31:42; r Gé 12:17; Gé 20:3; s Gé 20:7; Sl 105:15; t Sl 96:1; u Sl 40:10; v Sl 145:3; 2Co 11:31.

y se le ha de temer más que a todos los [demás] dioses.[a]

26 Porque todos los dioses de los pueblos son dioses que nada valen.[b]

En cuanto a Jehová, él hizo los cielos.[c]

27 Dignidad y esplendor están ante él,[d]

fuerza y gozo están en su lugar.[e]

28 Atribuyan a Jehová, oh familias de los pueblos, atribuyan a Jehová gloria y fuerza.[f]

29 Atribuyan a Jehová la gloria de su nombre,[g]

lleven un regalo y entren delante de él.[h]

Inclínense ante Jehová en adorno santo.[i]

30 ¡Estén con dolores fuertes a causa de él, [ustedes los de] toda la tierra!

También la tierra productiva está firmemente establecida:

Nunca se le hará tambalear.[j]

31 Regocíjense los cielos, y esté gozosa la tierra,[k]

y digan entre las naciones: '¡Jehová mismo ha llegado a ser rey!'.[l]

32 Truene el mar y también lo que lo llena,[m]

alborócese el campo y cuanto hay en él.[n]

33 Al mismo tiempo prorrumpan gozosamente [en gritos] los árboles del bosque a causa de Jehová,[o]

porque ha venido a juzgar la tierra.[p]

34 Den gracias a Jehová, porque él es bueno,[q]

porque hasta tiempo indefinido es su bondad amorosa.[r]

35 Y digan: 'Sálvanos, oh Dios de nuestra salvación,[s]

y júntanos y líbranos de las naciones,[t]

para dar gracias a tu santo nombre,[a] para hablar alborozadamente en alabanza tuya.[b]

36 Bendito sea Jehová el Dios de Israel desde tiempo indefinido hasta tiempo indefinido' ".[c]

Y todo el pueblo procedió a decir: "¡Amén!", y una alabanza a Jehová.[d]

37 Entonces dejó allí delante del arca del pacto de Jehová a Asaf[e] y a sus hermanos para que ministraran[f] constantemente delante del Arca, conforme al requisito de cada día;[g] 38 y a Obed-edom y a sus hermanos, sesenta y ocho, y a Obed-edom hijo de Jedutún y a Hosá como porteros; 39 y a Sadoc[h] el sacerdote y a sus hermanos los sacerdotes delante del tabernáculo de Jehová en el lugar alto que había en Gabaón,[i] 40 para que ofrecieran ofrendas quemadas a Jehová en el altar de ofrendas quemadas constantemente, por la mañana y por la tarde, y para todo lo que está escrito en la ley de Jehová que él impuso como mandato a Israel;[j] 41 y con ellos a Hemán[k] y Jedutún y a los demás hombres selectos que estaban designados[l] por nombres para dar gracias a Jehová,[m] porque "hasta tiempo indefinido es su bondad amorosa";[n] 42 y con ellos a Hemán[o] y Jedutún[p] para hacer sonar las trompetas[q] y los címbalos e instrumentos del canto del Dios [verdadero]; y a los hijos[r] de Jedutún en la puerta. 43 Y todo el pueblo procedió a irse cada uno a su propia casa.[s] Por consiguiente, David dio la vuelta para bendecir a su propia casa.

17 Y aconteció que tan pronto como David hubo empezado a morar en su propia casa,[t] David procedió a decir a Natán[u] el profeta: "Aquí estoy yo

CAP. 16
a Éx 15:11
b Le 19:4
　Isa 45:20
　1Co 8:4
c Gé 1:1
　Sl 102:25
　Isa 44:24
d Dt 33:26
　Sl 8:1
e Sl 28:7
　1Ti 1:11
f Sl 63:2
　Sl 68:34
　Sl 115:1
g Dt 28:58
　Ne 9:5
　Sl 66:2
　Sl 148:13
h 1Cr 29:5
　Isa 18:7
　Mt 5:23
i Dt 26:10
　Sl 95:6
j Sl 104:5
　Ec 1:4
k Sl 97:1
　Sl 98:4
l Sl 96:10
　Rev 19:6
m Sl 93:1
　Sl 98:7
n Sl 96:12
　Isa 55:12
o Sl 96:13
q 2Cr 5:13
　Lu 18:19
r Sl 103:17
　Jer 31:3
　Lam 3:22
s Sl 68:20
t Hch 26:17

2.ª col.
a Sl 122:4
b Sl 149:1
　Isa 43:21
　Col 3:16
c Ne 9:5
　Sl 69:30
　Sl 89:1
　Sl 72:19
d Ne 8:6
e 1Cr 15:17
f 1Cr 16:4
g Éx 38:34
　2Cr 13:11
　Esd 3:4
h 1Cr 12:28
i 1Re 3:4
　2Cr 1:3
j Éx 29:39
　Nú 28:3
　2Cr 2:4
　2Cr 31:3
k 1Cr 25:1
l Esd 8:20
m 1Cr 16:4
　2Cr 5:13
n Esd 3:11
　Sl 86:15
　Sl 103:17
o 1Cr 6:33
p 1Cr 15:17
q 2Cr 29:26
r 1Cr 25:3
s 2Sa 6:19
　1Re 8:66

CAP. 17
t 2Sa 7:1
u 1Re 1:8
　1Cr 29:29

morando en una casa de cedros,[a] pero el arca[b] del pacto de Jehová está bajo telas de tienda".[c] 2 Ante eso, Natán dijo a David: "Todo lo que esté en tu corazón, hazlo,[d] porque el Dios [verdadero] está contigo".[e]

3 Y aquella noche aconteció que la palabra[f] de Dios vino a Natán, diciendo: 4 "Ve, y tienes que decir a David mi siervo: 'Esto es lo que ha dicho Jehová: "No serás tú quien me edifique la casa en que [he de] morar.[g] 5 Porque yo no he morado en casa desde el día en que hice subir a Israel hasta el día de hoy,[h] sino que continué de tienda en tienda y de un tabernáculo[i] [en otro].[j] 6 Durante todo el tiempo en que anduve[k] por todo Israel, ¿hablé yo una sola palabra con alguno de los jueces de Israel a quienes mandé pastorear a mi pueblo, y dije: '¿Por qué no me han edificado ustedes una casa de cedros?' " '.[l]

7 "Y ahora esto es lo que dirás a mi siervo David: 'Esto es lo que ha dicho Jehová de los ejércitos: "Yo mismo te tomé del apacentadero, de seguir al rebaño,[m] para que llegaras a ser caudillo[n] sobre mi pueblo Israel. 8 Y resultaré estar contigo adondequiera que en efecto andes,[o] y cortaré a todos tus enemigos[p] de delante de ti, y ciertamente haré para ti un nombre[q] como el nombre de los grandes que hay sobre la tierra.[r] 9 Y ciertamente señalaré un lugar para mi pueblo Israel y lo plantaré,[s] y realmente residirá donde está y ya no se le perturbará; y los hijos de la injusticia[t] no volverán a consumirlo, tal como lo hicieron al principio,[u] 10 aun desde los días en que puse jueces[v] al mando sobre mi pueblo Israel. Y ciertamente humillaré a todos tus enemigos.[w] Y te declaro: 'También una casa edificará Jehová para ti'.[x]

11 " ' "Y tiene que suceder que cuando se [te] hayan cumplido tus días para ir [a estar] con tus antepasados,[a] ciertamente levantaré después de ti a tu descendencia que llegará a ser uno de tus hijos,[b] y realmente estableceré con firmeza su gobernación real.[c] 12 Él es el que me edificará una casa,[d] y ciertamente estableceré su trono firmemente hasta tiempo indefinido.[e] 13 Yo mismo llegaré a ser su padre,[f] y él mismo llegará a ser mi hijo;[g] y mi bondad amorosa no se la quitaré de él[h] como se la quité al que le antecedió.[i] 14 Y ciertamente haré que permanezca en mi casa[j] y en mi gobernación real[k] hasta tiempo indefinido, y su trono[l] mismo llegará a ser uno que durará hasta tiempo indefinido" ' ".

15 Conforme a todas estas palabras y conforme a toda esta visión fue como Natán habló a David.[m]

16 Después de aquello el rey David entró y se sentó delante de Jehová[n] y dijo: "¿Quién soy yo,[o] oh Jehová Dios, y qué es mi casa[p] para que me hayas traído hasta aquí?[q] 17 Como si esto fuera cosa pequeña a tus ojos,[r] oh Dios,[s] sin embargo hablas respecto de la casa de tu siervo hasta en un tiempo del futuro lejano,[t] y me has mirado conforme a la oportunidad del hombre que va en ascenso,[u] oh Jehová Dios. 18 ¿Qué más podría decirte David respecto a honrar a tu siervo,[v] cuando tú mismo conoces bien a tu siervo?[w] 19 Oh Jehová, por causa de tu siervo y de acuerdo con tu propio corazón[x] has hecho todas estas cosas grandes, dando a conocer todos los grandes logros.[y] 20 Oh Jehová, no hay nadie como tú,[z] y no

CAP. 17
a 1Cr 14:1
b Heb 9:4
c 2Sa 7:2
1Cr 15:1
2Cr 1:4
d 1Cr 22:7
e 2Sa 7:3
f Nú 12:6
g 2Sa 7:5
1Re 8:19
1Cr 22:8
h 2Sa 7:6
i Nú 4:25
Sl 78:60
j Éx 40:2
2Sa 6:17
k Le 26:12
l 2Sa 7:7
m 1Sa 16:12
1Sa 17:15
Sl 78:70
n 1Sa 25:30
2Sa 6:21
o 1Sa 18:14
2Sa 8:6
p 1Sa 25:29
1Sa 26:10
q Gé 12:2
1Sa 18:30
Sl 75:7
Lu 1:52
r 2Sa 7:9
s Sl 44:2
Isa 61:3
t Sl 89:22
u Éx 2:23
2Sa 7:10
v Jue 2:16
w Sl 18:40
x 2Sa 7:11
Sl 127:1

2.ª col.

a 1Re 2:10
Hch 2:29
b 1Re 8:20
Sl 132:11
c 1Re 9:5
1Cr 28:5
Jer 23:5
d 1Re 5:5
1Cr 22:10
e Sl 89:4
Isa 9:7
Da 2:44
f 2Sa 7:14
Sl 89:26
Heb 1:5
g Sl 2:7
Lu 9:35
h 2Sa 7:15
Isa 55:3
i 1Sa 15:28
1Cr 10:14
j 2Sa 7:16
Lu 1:33
k Sl 2:6
Da 2:44
Jn 1:49
2Pe 1:11
l Sl 89:36
Jer 33:21
Lu 1:32
Heb 1:8
Rev 3:21
m 2Sa 7:17
n 2Sa 7:18
o Gé 32:10
p 1Sa 9:21
q 2Sa 7:8
r 2Sa 7:19
s Ef 3:20

t Mt 22:42; Hch 13:34; Rev 22:16; u 1Sa 2:8; Sl 89:19; v 1Sa 2:30; 2Sa 7:20; w Sl 139:1; Pr 15:11; Heb 4:13; x 2Sa 7:21; Sl 135:6; y Am 3:7; z Éx 15:11; Dt 3:24; Sl 86:8.

hay Dios fuera de ti[a] con respecto a todo lo que hemos oído con nuestros oídos. 21 ¿Y qué otra nación en la tierra es como tu pueblo Israel,[b] a quien el Dios [verdadero] fue a redimir para sí como pueblo,[c] para asignarte un nombre de grandes logros[d] y de cosas inspiradoras de temor, expulsando a naciones[e] de delante de tu pueblo que has redimido de Egipto? 22 Y procediste a constituir a tu pueblo Israel como pueblo tuyo[f] hasta tiempo indefinido, y tú mismo, oh Jehová, llegaste a ser su Dios.[g] 23 Y ahora, oh Jehová, que la palabra que has hablado respecto a tu siervo y respecto a su casa resulte fiel hasta tiempo indefinido, y haz tal como has hablado. 24 Y resulte fiel tu nombre[h] y llegue a ser grande[i] hasta tiempo indefinido, y que se diga: 'Jehová de los ejércitos,[j] el Dios de Israel,[k] le es Dios a Israel',[l] y que la casa de David tu siervo sea una que dure delante de ti.[m] 25 Porque tú mismo, Dios mío, has revelado a tu siervo el propósito de edificarle una casa.[n] Por eso tu siervo ha hallado ocasión para orar delante de ti. 26 Y ahora, oh Jehová, tú eres el Dios [verdadero],[o] y tú prometes este bien respecto a tu siervo.[p] 27 Y ahora tienes que tomarlo a tu cargo y bendecir la casa de tu siervo [para que esta] continúe hasta tiempo indefinido delante de ti;[q] tú mismo, oh Jehová, has bendecido, y ella es bendita hasta tiempo indefinido.[r]

18 Y después de aquello aconteció que David procedió a derribar a los filisteos[s] y a sojuzgarlos y a tomar a Gat[t] y sus pueblos dependientes de la mano de los filisteos. 2 Entonces derribó a Moab,[u] y los moabitas llegaron a ser siervos de David que llevaban tributo.[v]

3 Y David pasó a derribar a Hadadézer[w] el rey de Zobá[x] en Hamat[a] mientras este iba a establecer su control junto al río Éufrates.[b] 4 Además, David capturó de él mil carros y siete mil hombres de a caballo y veinte mil hombres de a pie.[c] Entonces David desjarretó todos los caballos de los carros,[e] pero dejó que quedaran de ellos cien caballos de carro. 5 Cuando Siria de Damasco vino para ayudar a Hadadézer el rey de Zobá,[f] David fue derribando entre los sirios a veintidós mil hombres. 6 Después de aquello David puso [guarniciones] en Siria de Damasco,[g] y los sirios llegaron a ser siervos de David que llevaban tributo.[h] Y Jehová siguió dando salvación a David dondequiera que fue.[i] 7 Además, David tomó los escudos circulares[j] de oro que se hallaban sobre los siervos de Hadadézer y los llevó a Jerusalén.[k] 8 Y de Tibhat[l] y Cun, ciudades de Hadadézer, David tomó muchísimo cobre. De éste Salomón hizo el mar de cobre[m] y las columnas[n] y los utensilios de cobre.[o]

9 Cuando Tou el rey de Hamat[p] oyó que David había derribado toda la fuerza militar de Hadadézer[q] el rey de Zobá, 10 inmediatamente envió a Hadoram[r] su hijo al rey David para preguntarle acerca de su bienestar y felicitarlo por el hecho de que había peleado contra Hadadézer de tal manera que lo había derribado, (pues Hadadézer había llegado a estar entrenado en guerrear contra Tou,) y [con él había] toda clase de objetos de oro y de plata[s] y de cobre. 11 También estos los santificó[t] el rey David a Jehová, junto con la plata y el oro que se había llevado de todas las naciones,[u] de Edom y de Moab[v] y de los hijos de Ammón[w] y de los filisteos[x] y de Amaleq.[y]

CAP. 17
a Dt 4:35
1Sa 2:2
Isa 43:10
b Dt 4:7
Dt 33:28
Sl 147:20
c Éx 19:5
Sl 77:15
Tit 2:14
d Dt 4:34
Ne 9:10
Isa 63:12
Eze 20:9
e Dt 7:1
Jos 10:42
Jos 21:44
Jos 24:12
Sl 44:2
f Dt 7:6
Dt 26:18
1Sa 12:22
g Gé 17:7
Dt 7:9
Jer 31:33
k Éx 6:33
Sl 72:19
Mt 6:9
i Sl 99:3
Jn 12:28
j 1Sa 1:11
k Sl 33:12
l Jer 31:1
Heb 11:16
m Sl 89:36
n 2Sa 7:27
o Gé 5:22
p 2Sa 7:28
q 2Sa 7:29
r Pr 10:6

CAP. 18
s 2Sa 8:1
t 1Sa 5:8
1Sa 27:4
2Sa 1:20
u Nú 24:17
Sl 60:8
v 2Sa 8:2
2Re 3:4
w 2Sa 8:3
1Re 11:23
x 1Sa 14:47
2Sa 10:6
Sl 60:Enc

2.ª col.
a 2Cr 8:3
b Gé 15:18
Éx 23:31
c 2Sa 8:4
Sl 20:7
d Dt 17:16
Jos 11:6
e Sl 33:17
f 1Sa 14:47
g Isa 7:8
h 2Sa 8:6
Pr 13:22
i 1Cr 17:8
j 1Re 10:16
k 2Sa 8:7
2Sa 8:8
m 1Re 7:23
n 1Re 7:15
Jer 52:20
o 1Re 7:45
p 2Re 8:9
q 2Sa 8:3
r 2Sa 8:10
s 2Cr 9:24

t Jos 6:19; 1Cr 29:14; 2Cr 5:1; u 2Sa 8:11; v 2Sa 8:12; w 1Cr 20:1; x 2Sa 5:25; y 1Sa 27:8; 1Sa 30:20.

12 En cuanto a Abisai[a] hijo de Zeruyá,[b] él derribó a los edomitas en el valle de la Sal,[c] a dieciocho mil. 13 De manera que puso guarniciones en Edom, y todos los edomitas llegaron a ser siervos de David.[d] Y Jehová siguió salvando a David dondequiera que fue.[e] 14 Y David continuó reinando sobre todo Israel,[f] y de continuo estaba ejecutando decisión judicial y justicia para todo su pueblo.[g] 15 Y Joab hijo de Zeruyá estaba sobre el ejército,[h] y Jehosafat[i] hijo de Ahilud era registrador. 16 Y Sadoc[j] hijo de Ahitub y Ahimélec[k] hijo de Abiatar eran sacerdotes, y Savsá[l] era secretario. 17 Y Benaya[m] hijo de Jehoiadá[n] estaba sobre los keretitas[o] y los peletitas;[p] y los hijos de David eran los primeros en cuanto a posición, al lado del rey.[q]

19 Y después de esto aconteció que murió Nahás[r] el rey de los hijos de Ammón, y su hijo empezó a reinar en lugar de él.[s] 2 Ante esto, David dijo: "Ejerceré bondad amorosa[t] para con Hanún hijo de Nahás, porque su padre ejerció bondad amorosa para conmigo".[u] Por consiguiente, David envió mensajeros a consolarlo en cuanto a su padre, y los siervos de David procedieron a entrar en la tierra de los hijos de Ammón,[v] a donde Hanún, para consolarlo. 3 Sin embargo, los príncipes de los hijos de Ammón dijeron a Hanún: "¿Está David honrando a tu padre a tus ojos al haberte enviado consoladores? ¿No es a fin de hacer una investigación cabal y causar un derribo y para espiar[w] el país para lo que han venido a ti sus siervos?".[x] 4 De modo que Hanún tomó a los siervos de David y los afeitó[y] y les cortó sus prendas de vestir por la mitad hasta las nalgas,[a] y los envió.[b] 5 Más tarde, ciertas personas fueron e informaron a David

acerca de los hombres; y él en seguida envió a encontrarlos, porque habían llegado a ser hombres muy humillados; y el rey pasó a decir: "Moren en Jericó hasta que les crezca abundantemente la barba. Entonces tienen que volver".

6 Con el tiempo los hijos de Ammón vieron que se habían hecho hediondos[b] a David, y Hanún[c] y los hijos de Ammón procedieron a enviar mil talentos de plata[d] para alquilarse carros[e] y hombres a caballo de Mesopotamia y de Aram-maacá[f] y de Zobá.[g] 7 Así se alquilaron treinta y dos mil carros,[h] y al rey de Maacá y su pueblo.[i] Entonces entraron y acamparon delante de Medebá;[j] y en cuanto a los hijos de Ammón, se reunieron de sus ciudades y ahora entraron para la guerra.

8 Cuando David lo oyó, inmediatamente envió a Joab[k] y a todo el ejército [y] los hombres poderosos.[ ] 9 Y los hijos de Ammón empezaron a salir y a disponerse en orden de batalla a la entrada de la ciudad, y los reyes[m] que habían venido estaban aparte en el campo abierto.

10 Cuando Joab vio que las cargas de la batalla habían llegado a estar contra él desde el frente y desde atrás, en seguida escogió algunos de todos los hombres selectos de Israel y los dispuso en orden para encontrarse con los sirios.[n] 11 Y dio a la demás gente en mano de Abisai[o] su hermano, para que se dispusieran en orden para encontrarse con los hijos de Ammón.[p] 12 Y pasó a decir: "Si los sirios[q] se ponen demasiado fuertes para mí, entonces tienes que servirme de salvación;[r] pero si los hijos mismos de Ammón se ponen demasiado fuertes para ti, entonces yo tengo que salvarte.[s] 13 Sé fuerte,[t] para que no nos mostremos animosos a favor de nuestro pueblo y a favor de las

CAP. 18

a 1Sa 26:6
2Sa 3:30
2Sa 3:10
2Sa 20:6
b 2Sa 21:17
1Cr 2:16
c 2Sa 8:13
d Gé 25:23
Gé 27:40
e 2Sa 8:14
Sl 18:48
Sl 144:10
f 1Re 2:11
g 2Sa 8:15
2Sa 23:3
Sl 78:72
h 2Sa 8:16
1Cr 11:6
i 1Re 4:3
j 2Sa 20:25
k 2Sa 8:17
l 2Sa 20:25
m 2Sa 8:18
1Re 1:38
o 1Sa 30:14
Sof 2:5
p 1Re 1:44
q 2Sa 8:18

CAP. 19

r 1Sa 11:1
s 2Sa 10:1
t 2Sa 9:7
Pr 19:22
u 2Sa 10:2
v Gé 19:38
w Jos 2:1
x Isa 32:7
y Sl 35:12
z Le 19:27
a Isa 20:4
b 2Sa 10:4

2.ᵃ col.

a 1Re 16:34
b 1Sa 13:4
c 2Sa 10:1
d 2Cr 25:6
e Sl 20:7
f 2Sa 10:6
g 1Sa 14:47
2Sa 8:3
h Isa 31:1
i 2Sa 10:6
j Jos 13:9
k 2Sa 8:16
l 2Sa 23:8
m 2Sa 10:8
n 2Sa 10:9
Pr 20:18
o 1Cr 11:20
p 2Sa 8:12
q 2Sa 8:5
r Ec 4:9
s 2Sa 10:11
t Dt 31:6
Jos 1:7

ciudades de nuestro Dios;[a] y en cuanto a Jehová, lo que sea bueno a sus propios ojos él hará".[b]

14 Entonces Joab y la gente que estaba con él avanzaron ante los sirios para la batalla,[c] y estos se dieron a la fuga[d] de delante de él. 15 En cuanto a los hijos de Ammón, vieron que los sirios habían huido, y ellos mismos también se dieron a la fuga[e] de delante de Abisai su hermano, y entonces entraron en la ciudad.[f] Más tarde Joab entró en Jerusalén.

16 Cuando los sirios vieron que habían sido derrotados[g] delante de Israel, procedieron a enviar mensajeros y a sacar a los sirios que estaban en la región del Río,[h] con Sofac el jefe del ejército de Hadadézer delante de ellos.

17 Cuando se hizo el informe a David, él inmediatamente reunió a todo Israel y cruzó el Jordán y llegó a ellos y se dispuso en orden contra ellos.[i] Cuando David se dispuso en orden de batalla para encontrarse con los sirios, ellos empezaron a pelear contra él. 18 Pero los sirios se dieron a la fuga[j] debido a Israel; y David fue matando de los sirios a siete mil conductores de carros y a cuarenta mil hombres de a pie, y dio muerte a Sofac mismo, jefe del ejército.[k] 19 Cuando los siervos de Hadadézer vieron que habían sido derrotados delante de Israel,[l] prontamente hicieron paz con David y se pusieron a servirle;[m] y Siria ya no quiso tratar de salvar a los hijos de Ammón.[n]

20 Y al tiempo de la vuelta del año,[o] al tiempo en que los reyes suelen salir a campaña,[p] aconteció que Joab procedió a acaudillar la fuerza de combate del ejército[q] y a arruinar la tierra de los hijos de Ammón y a ir y sitiar a Rabá,[r] mientras David estaba morando en Jerusalén; y

Joab pasó a herir[a] a Rabá y a echarla abajo. 2 Pero David tomó la corona de Malcam de sobre la cabeza de este,[b] y halló que era de un talento de oro en peso, y en ella había piedras preciosas; y llegó a estar sobre la cabeza de David. Y el despojo de la ciudad que él sacó era muchísimo.[c] 3 Y a la gente que había en ella sacó, y la mantuvo empleada[d] en aserrar piedras y en [trabajar con] instrumentos agudos de hierro y en [trabajar con] hachas;[e] y así fue como David procedió a hacer a todas las ciudades de los hijos de Ammón. Por fin David y toda la gente regresaron a Jerusalén.

4 Y después de esto aconteció que empezó a estallar guerra en Guézer[f] con los filisteos.[g] Fue entonces cuando Sibecai[h] el husatita derribó a Sipai de los que nacieron de los refaím,[i] de manera que fueron sojuzgados.

5 Y llegó a haber guerra de nuevo con los filisteos; y Elhanán[j] hijo de Jaír logró derribar a Lahmí el hermano de Goliat[k] el guitita, el asta de cuya lanza era como el enjulio de los obreros del telar.[l]

6 Y llegó a haber guerra de nuevo en Gat,[m] cuando sucedió que hubo un hombre de tamaño extraordinario,[n] cuyos dedos de las manos y de los pies estaban en cantidades de seis: veinticuatro;[o] y él, también, había nacido de los refaím.[p] 7 Y siguió desafiando con escarnio[q] a Israel. Por fin Jonatán hijo de Simeá[r] hermano de David lo derribó.

8 Estos eran los que les habían nacido a los refaím[s] en Gat;[t] y llegaron a caer[u] por mano de David y por mano de sus siervos.

21 Y Satanás procedió a levantarse contra Israel y a incitar[v] a David a numerar a Israel. 2 De modo que David dijo a Joab[w] y a los jefes del pue-

CAP. 19
a 2Sa 10:12
b Isa 46:10
c 2Sa 10:13
d Le 26:7
  Dt 28:7
e Le 26:8
f 2Sa 10:14
g 2Sa 10:15
h 2Sa 8:3
i 2Sa 10:17
j 1Cr 19:14
  Sl 33:16
k 2Sa 10:18
l Dt 28:7
  Sl 18:39
m 1Cr 14:17
  Sl 18:44
n 2Sa 10:19

CAP. 20
o 1Re 20:26
p 2Sa 11:1
  Ec 3:8
q 1Cr 11:6
r Dt 3:11

2.ª col.
a 2Sa 12:26
b 2Sa 12:30
c 2Sa 8:11
  1Cr 18:11
d 1Re 9:21
e 2Sa 12:31
f 2Sa 21:18
g 2Sa 21:15
h 2Sa 21:16
i Dt 3:13
j 2Sa 21:19
k 1Sa 17:4
  1Sa 21:9
  1Sa 22:10
l 1Sa 17:7
  1Cr 11:23
m Jos 11:22
  1Sa 7:14
n Nú 13:33
  Dt 2:10
  Dt 3:11
o 2Sa 21:20
p 2Sa 21:16
q Dt 32:27
  1Sa 17:10
  2Re 19:22
r 1Cr 2:13
s Dt 2:11
t 1Sa 17:4
u 1Sa 20:15

CAP. 21
v 2Sa 24:1
w 2Sa 8:16

blo: "Anden, tomen la cuenta[a] de Israel desde Beer-seba[b] hasta Dan[c] y tráiganmela para que sepa yo el número de ellos".[d]
3 Pero Joab dijo: "Que Jehová añada a su pueblo cien veces lo que son.[e] ¿Acaso no pertenecen, oh mi señor el rey, todos ellos a mi señor como siervos? ¿Por qué busca esto mi señor?[f] ¿Por qué debe hacerse él causa de culpa para Israel?".

4 La palabra del rey,[g] sin embargo, prevaleció sobre Joab, de modo que Joab salió[h] y anduvo por todo Israel, después de lo cual vino a Jerusalén.[i] 5 Joab entonces dio el total numérico de la inscripción del pueblo a David; y todo Israel ascendió a un millón cien mil hombres que sacaban espada,[j] y Judá a cuatrocientos setenta mil hombres que sacaban espada. 6 Y a Leví[k] y Benjamín no los inscribió entre ellos,[l] porque la palabra del rey había sido detestable a Joab.

7 Ahora bien, esta cosa fue mala a los ojos del Dios [verdadero],[m] y por lo tanto derribó a Israel. 8 Por consiguiente, David dijo al Dios [verdadero]: "He pecado[n] muchísimo al haber hecho esta cosa. Y ahora, por favor, haz que pase el error de tu siervo;[o] porque he obrado muy tontamente".[p] 9 Y Jehová procedió a hablar a Gad,[q] el hombre de visiones[r] de David, y dijo: 10 "Ve, y tienes que hablar a David, y decir: 'Esto es lo que ha dicho Jehová: "Hay tres cosas que voy a dirigir contra ti.[s] Escógete una de ellas, para que te la haga"'".[t] 11 Por consiguiente, Gad entró a donde David[u] y le dijo: "Esto es lo que ha dicho Jehová: 'Di cuál ha de ser: 12 si por tres años ha de haber hambre;[v] o por tres meses ha de haber una barrida de delante de tus adversarios[w] y

que la espada de tus enemigos [te] alcance, o por tres días[a] ha de haber la espada de Jehová,[a] aun la peste,[b] en el país, y el ángel de Jehová cause ruina[c] en todo el territorio de Israel'. Y ahora ve lo que debo responder a Aquel que me envió". 13 De modo que David dijo a Gad: "Me es muy angustioso. Por favor, que caiga yo en la mano de Jehová,[d] porque muchísimas son sus misericordias;[e] pero en mano de hombre no se me deje caer".[f]

14 Entonces Jehová dio una peste[g] en Israel, de manera que de Israel cayeron setenta mil personas.[h] 15 Además, el Dios [verdadero] envió un ángel a Jerusalén para arruinarla;[i] y tan pronto empezó a arruinarla, Jehová lo vio, y empezó a sentir pesar respecto a la calamidad;[j] y por eso dijo al ángel que estaba causando la ruina: "¡Basta![k] Ahora deja caer tu mano". Y el ángel de Jehová estaba de pie cerca de la era de Ornán[l] el jebuseo.[m]

16 Cuando David alzó los ojos, llegó a ver al ángel de Jehová[n] de pie entre la tierra y los cielos, con su espada desenvainada[o] en su mano extendida hacia Jerusalén; y David y los ancianos, cubiertos de saco,[p] en seguida cayeron sobre sus rostros.[q] 17 Y David procedió a decir al Dios [verdadero]: "¿No fui yo el que dijo que se hiciera una numeración del pueblo,[r] y no soy yo el que ha pecado e indisputablemente ha hecho mal?[r] En cuanto a estas ovejas,[s] ¿qué han hecho ellas? Oh Jehová mi Dios, que tu mano, por favor, venga a estar sobre mí y la casa de mi padre; pero no sobre tu pueblo,[t] como azote".

18 Y el ángel de Jehová, por su parte, dijo a Gad[u] que dijera a David que David debería subir a erigir un altar a Jehová en

CAP. 21
a 1Cr 27:23
b 2Sa 17:11
c Jue 18:29
  2Sa 3:10
d 2Sa 24:2
e Dt 1:11
f 2Sa 24:3
g Ec 8:4
h 2Sa 24:4
i 2Sa 24:8
j 2Sa 24:9
k Nú 1:47
l 1Cr 27:24
m 2Sa 11:27
n 2Sa 12:13
o Sl 25:11
  Sl 51:1
p 2Sa 24:10
q 2Sa 24:11
  1Cr 29:29
r 1Sa 9:9
s 2Sa 24:12
t Pr 3:12
u 2Sa 24:13
v Le 26:26
w Le 26:17
  Dt 28:25

2.ª col.
a Le 26:25
b Dt 28:22
  Dt 28:27
  2Sa 24:13
c 2Re 19:35
d 2Sa 24:14
e Éx 34:6
  Sl 51:1
  Isa 55:7
  Lam 3:22
f 2Cr 28:9
g Nú 16:46
h 2Sa 24:15
i 2Sa 24:16
j Éx 32:14
  Dt 32:36
k Sl 90:13
l 2Sa 24:18
  2Cr 3:1
m 2Sa 5:6
n Nú 22:31
o Jos 5:13
p 1Re 21:27
  2Re 19:1
  Sl 35:13
q Nú 16:22
r 2Sa 24:17
  Sl 51:4
s Sl 44:11
t Éx 32:12
u 2Sa 24:11

la era de Ornán el jebuseo.[a]
19 Por consiguiente, David subió, por la palabra de Gad que él había hablado en nombre de Jehová.[b] 20 Mientras tanto, Ornán[c] se volvió y vio al ángel; y sus cuatro hijos con él estaban escondiéndose. Ahora bien, Ornán había estado trillando trigo. 21 De modo que David llegó hasta Ornán. Cuando Ornán miró y vio a David,[d] inmediatamente salió de la era y se inclinó ante David rostro a tierra. 22 Entonces David dijo a Ornán: "Dame, sí, el lugar de la era, para que edifique en él un altar a Jehová. Por el dinero[e] en su plena cantidad dámelo,[f] para que se detenga el azote[g] de sobre el pueblo". 23 Pero Ornán dijo a David: "Tómalo como tuyo,[h] y que mi señor el rey haga lo que sea bueno a sus propios ojos. Mira, de veras doy el ganado vacuno[i] para ofrendas quemadas y el trillo[j] para leña[k] y el trigo como ofrenda de grano. Todo lo doy en realidad".[l]

24 Sin embargo, el rey David dijo a Ornán: "No, sino que sin falta haré la compra por el dinero en su plena cantidad,[m] porque no llevaré lo que es tuyo a Jehová para ofrecer sacrificios quemados sin costo". 25 De modo que David dio a Ornán por el lugar siclos de oro hasta el peso de seiscientos.[n] 26 Entonces David edificó allí un altar[o] a Jehová y ofreció sacrificios quemados y sacrificios de comunión, y procedió a invocar a Jehová,[p] que ahora le contestó con fuego[q] desde los cielos sobre el altar de la ofrenda quemada. 27 Además, Jehová dijo la palabra al ángel,[r] quien, en conformidad, devolvió su espada a su vaina. 28 En aquel tiempo, cuando David vio que Jehová le había contestado en la era de Ornán el jebuseo, continuó

sacrificando allí.[a] 29 Pero el tabernáculo de Jehová que Moisés había hecho en el desierto, y el altar de la ofrenda quemada, estaban en aquel tiempo en el lugar alto de Gabaón.[b] 30 Y David no había podido ir ante él para consultar a Dios, porque había quedado aterrorizado[c] a causa de la espada del ángel de Jehová.

22 Entonces dijo David: "Esta es la casa[d] de Jehová el Dios [verdadero], y este es un altar[e] para ofrenda quemada para Israel".

2 David ahora dijo que se reuniera a los residentes forasteros[f] que estaban en la tierra de Israel, y entonces los colocó como canteros[g] para labrar piedras cuadradas[h] para edificar la casa del Dios [verdadero]. 3 Y hierro en gran cantidad para clavos para las hojas de las puertas y para grapas preparó David, y también cobre en cantidad tal que no se podía pesar,[i] 4 y también maderas de cedro[j] sin número; porque los sidonios[k] y los tirios[l] trajeron maderas de cedro en gran cantidad a David. 5 Por consiguiente, David dijo: "Salomón mi hijo es joven y delicado,[m] y la casa que ha de edificarse a Jehová ha de ser sobrepujantemente magnífica[n] en cuanto a hermosa distinción[o] para todos los países. Déjame, pues, hacerle preparativos". De modo que David hizo preparativos en grandes cantidades antes de su muerte.[p]

6 Además, llamó a Salomón su hijo para mandarle que edificara una casa a Jehová el Dios de Israel. 7 Y David pasó a decir a Salomón su hijo: "En cuanto a mí mismo, llegó a estar junto a mi corazón[q] el edificar una casa al nombre[r] de Jehová mi Dios. 8 Pero la palabra de Jehová vino contra mí, diciendo: 'Sangre en

CAP. 21
a 2Sa 24:18
   2Cr 3:1
b 2Sa 24:19
c 1Cr 21:15
d 2Sa 24:20
e Gé 23:9
f 2Sa 24:21
g Nú 25:8
h Gé 23:11
i 1Sa 6:14
   1Re 19:21
j 1Sa 28:27
k 2Sa 24:22
l 2Sa 24:23
m Gé 23:13
n 2Sa 24:24
o Éx 20:25
   2Sa 24:25
p 1Sa 7:9
   Sl 91:15
q Le 9:24
   1Re 18:38
   2Cr 7:1
r 2Sa 24:16
   Sl 103:20

2.ª col.
a 2Sa 24:25
b 1Re 3:4
   1Cr 16:39
   2Cr 1:3
c 2Sa 6:9
   Sl 119:120

CAP. 22
d Dt 12:5
   2Cr 3:1
e 2Sa 24:18
f 1Re 9:21
   2Cr 2:17
g 1Re 5:17
h 1Re 6:7
   1Re 7:9
i 1Re 7:47
j 2Sa 5:11
k 1Re 5:6
l 2Cr 2:3
m 1Re 3:7
   1Cr 29:1
n 2Cr 2:5
   Sl 68:29
o Isa 64:11
   Ag 2:3
p Ec 9:10
q 2Sa 7:2
   1Re 8:17
   Sl 132:5
r Dt 12:5

gran cantidad has vertido,[a] y grandes guerras has hecho.[b] No edificarás una casa a mi nombre,[c] porque mucha sangre has vertido en la tierra delante de mí. 9 ¡Mira! Te va a nacer un hijo.[d] Él mismo resultará ser hombre de descanso, y ciertamente le daré descanso de todos sus enemigos todo en derredor;[e] pues Salomón[f] es lo que llegará a ser su nombre, y paz[g] y tranquilidad otorgaré a Israel en sus días. 10 Es él quien edificará una casa a mi nombre,[h] y él mismo llegará a ser un hijo[i] para mí, y yo un padre[j] para él. Y ciertamente estableceré el trono de su gobernación real[k] firmemente sobre Israel hasta tiempo indefinido'.

11 "Ahora, hijo mío, que Jehová resulte estar contigo, y tienes que lograr éxito y edificar la casa de Jehová tu Dios, tal como él ha hablado respecto a ti.[l] 12 Solo que Jehová te dé discreción y entendimiento,[m] y que te dé mandamiento respecto a Israel, aun para guardar la ley de Jehová tu Dios.[n] 13 En ese caso lograrás éxito[o] si pones cuidado en poner por obra las disposiciones reglamentarias[p] y las decisiones judiciales[q] que Jehová mandó[r] a Moisés respecto a Israel. Sé animoso y fuerte.[s] No tengas miedo[t] ni te aterrorices.[u] 14 Y aquí durante mi aflicción[v] he preparado para la casa de Jehová cien mil talentos de oro[w] y un millón de talentos de plata, y en cuanto al cobre[x] y el hierro,[y] no hay manera de pesarlos por haber llegado a estar en tan [grande] cantidad; y maderas y piedras he preparado, pero a estas harás añadiduras. 15 Y contigo hay en gran número hacedores del trabajo: canteros y trabajadores en [obras de] piedra[z] y de madera, y todos los que son diestros en toda suerte de trabajo.[a] 16 En cuanto al oro, la plata y el cobre

CAP. 22

a 1Cr 28:3
b 1Re 5:3
c 1Cr 17:4
  2Cr 6:9
d 2Sa 7:12
  1Cr 28:5
e 1Re 4:25
  1Re 5:4
f 2Sa 12:24
g Sl 72:7
  Isa 9:7
h 1Re 5:5
  1Cr 17:12
i 1Cr 17:13
j 2Sa 7:14
  Heb 1:5
k 1Cr 17:14
  Sl 89:36
l 1Cr 28:20
m 2Cr 1:10
  Sl 72:1
n Dt 4:6
  Sl 19:11
o Jos 1:8
  1Re 2:3
p Dt 12:1
  Dt 17:19
q Le 19:37
  Nú 36:13
r Jos 1:6
  1Cr 28:20
t Dt 31:6
u Jos 1:9
  2Ti 1:7
v Job 14:1
  Ro 8:22
w 1Cr 29:4
x 1Cr 29:2
y 1Cr 29:7
z 1Re 5:17
  1Re 6:7
  1Re 7:9
a 1Re 7:14
  Pr 22:29

2.ª col.

a 1Cr 22:3
b Flp 2:13
c 2Cr 1:1
  Ro 8:31
d Jue 6:12
  Isa 7:1
  Pr 16:7
f 2Sa 5:20
  Sl 44:2
g Dt 4:29
h 2Cr 20:3
  Dn 9:3
i 2Cr 20:8
j 1Re 6:1
k 1Re 8:6
  1Re 8:21
  2Cr 5:7
l Dt 12:21
  1Re 8:29
  1Re 9:3

CAP. 23

m 1Re 1:1
n 1Re 1:33
  1Re 1:39
  1Cr 28:5
o 1Cr 22:17
  Esd 2:62
p Éx 28:9
q Nú 3:6
  1Cr 13:2
r Nú 4:3
s 1Cr 26:29

y el hierro, no hay manera de numerarlos.[a] Levántate y actúa,[b] y que Jehová resulte estar contigo".[c]

17 Y David pasó a mandar a todos los príncipes de Israel que ayudaran a Salomón su hijo: 18 "¿No está con ustedes Jehová su Dios,[d] y no les ha dado descanso todo en derredor?[e] Porque ha dado en mi mano los habitantes del país, y el país ha sido sojuzgado delante de Jehová[f] y delante de su pueblo. 19 Ahora fijen ustedes su corazón y su alma[g] para inquirir tras Jehová su Dios,[h] y levántense y edifiquen el santuario[i] de Jehová el Dios [verdadero],[j] para traer el arca[k] del pacto de Jehová y los utensilios santos del Dios [verdadero] a la casa edificada al nombre[l] de Jehová".

23 Y David mismo había envejecido[m] y quedado satisfecho de días, así es que hizo rey sobre Israel a Salomón[n] su hijo. 2 Y procedió a reunir a todos los príncipes[o] de Israel y a los sacerdotes[p] y a los levitas.[q] 3 Por consiguiente, se numeró a los levitas desde la edad de treinta años para arriba;[r] y su número, cabeza por cabeza de ellos, hombre físicamente capacitado por hombre físicamente capacitado, llegó a ser treinta y ocho mil. 4 De estos, para obrar como supervisores de la obra de la casa de Jehová, había veinticuatro mil; y como oficiales[s] y jueces,[t] seis mil; 5 y cuatro mil porteros[u] y cuatro mil dadores de alabanza[v] a Jehová con los instrumentos[w] que, [dijo David,] "he hecho para dar alabanza".

6 Entonces David los distribuyó en divisiones[x] a los hijos de Leví,[y] a Guersón, Qohat y Me-

t Dt 16:18; 2Cr 19:8; u 1Cr 26:12; v 1Cr 6:31; 1Cr 9:33; w 1Re 10:12; x 2Cr 8:14; 2Cr 31:2; y Éx 6:16.

rarí. 7 A los guersonitas: Ladán y Simeí. 8 Los hijos de Ladán fueron Jehiel[a] el hombre a la cabeza y Zetam y Joel,[b] tres. 9 Los hijos de Simeí fueron Selomot y Haziel y Harán, tres. Estos fueron los cabezas de los padres para Ladán. 10 Y los hijos de Simeí fueron Jáhat, Ziná y Jeús y Berías. Estos cuatro fueron los hijos de Simeí. 11 Y Jáhat llegó a ser el cabeza, y Zizah el segundo. En cuanto a Jeús y Berías, ellos no tuvieron muchos hijos; de manera que llegaron a ser una clase paterna[c] para una sola clase oficial.

12 Los hijos de Qohat[d] fueron Amram, Izhar,[e] Hebrón[f] y Uziel,[g] cuatro. 13 Los hijos de Amram fueron Aarón[h] y Moisés.[i] Pero Aarón fue separado[j] para que santificara el Santísimo,[k] él y sus hijos hasta tiempo indefinido, para hacer humo de sacrificio[l] delante de Jehová, para ministrarle[m] y para pronunciar bendición[n] en su nombre hasta tiempo indefinido. 14 En cuanto a Moisés el hombre del Dios [verdadero],[o] sus hijos mismos continuaron siendo llamados entre la tribu de los levitas.[p] 15 Los hijos de Moisés fueron Guersom[q] y Eliezer.[r] 16 Los hijos de Guersom: Sebuel[s] el cabeza. 17 Y los hijos de Eliezer llegaron a ser: Rehabías[t] el cabeza; y Eliezer no llegó a tener otros hijos, pero los hijos de Rehabías mismos sí llegaron a ser sobreabundantemente muchos. 18 Los hijos de Izhar:[u] Selomit[v] el hombre a la cabeza. 19 Los hijos de Hebrón fueron Jerías el cabeza, Amarías el segundo, Jahaziel el tercero y Jeqameam[w] el cuarto. 20 Los hijos de Uziel[x] fueron Miqueas el cabeza e Isías el segundo.

21 Los hijos de Merarí[y] fueron Mahlí y Musí.[z] Los hijos de Mahlí fueron Eleazar[a] y Quis.

22 Pero Eleazar murió; y él no había llegado a tener hijos, sino hijas. De modo que los hijos de Quis sus hermanos las tomaron [por esposas].[a] 23 Los hijos de Musí fueron Mahlí y Éder y Jeremot,[b] tres.

24 Estos fueron los hijos de Leví por la casa de sus padres,[c] los cabezas de los padres, por sus comisionados, en el total numérico de los nombres, cabeza por cabeza de ellos, los que hacían el trabajo para el servicio[d] de la casa de Jehová, de la edad de veinte años para arriba.[e] 25 Porque David había dicho: "Jehová el Dios de Israel ha dado descanso a su pueblo,[f] y él residirá en Jerusalén hasta tiempo indefinido.[g] 26 Y, además, los levitas no tendrán que transportar el tabernáculo ni ninguno de sus utensilios para su servicio".[h] 27 Porque por las últimas palabras[i] de David estos eran el total numérico de los hijos de Leví desde la edad de veinte años para arriba. 28 Porque su función estaba a la disposición de los hijos de Aarón[j] para el servicio de la casa de Jehová sobre los patios[k] y sobre los comedores[l] y sobre la purificación de toda cosa santa[m] y el trabajo del servicio de la casa del Dios [verdadero], 29 hasta para el pan en capas[n] y para la flor de harina[o] para la ofrenda de grano y para las galletitas delgadas[p] de pan no fermentado[q] y para [pastelillos de] la tartera[r] y para la masa mezclada[s] y para todas las medidas de cantidad y tamaño;[t] 30 y para estar de pie[u] mañana a mañana para dar gracias[w] y alabar[x] a Jehová, e igualmente al atardecer; 31 para todo ofrecimiento de los sacrificios quemados a Jehová en los sábados,[y] en las lunas nuevas[z] y en los períodos festivos,[a] por número según la regla concerniente a ellos, constan-

temente delante de Jehová.
32 Y ellos cuidaban de la vigilancia[a] de la tienda de reunión y la vigilancia del lugar santo[b] y la vigilancia de los hijos de Aarón sus hermanos para el servicio de la casa de Jehová.[c]

24 Ahora bien, los hijos de Aarón tenían sus divisiones. Los hijos de Aarón fueron Nadab[d] y Abihú,[e] Eleazar[f] e Itamar.[g] 2 Sin embargo, Nadab y Abihú[h] murieron antes de su padre,[i] y no sucedió que tuvieran hijos, pero Eleazar[j] e Itamar continuaron sirviendo de sacerdotes. 3 Y David, y Sadoc[k] de los hijos de Eleazar, y Ahimélec[l] de los hijos de Itamar procedieron a hacer divisiones de ellos para su oficio en su servicio.[m] 4 Pero se halló que los hijos de Eleazar eran más numerosos en cuanto a hombres a la cabeza que los hijos de Itamar. Por lo tanto, los distribuyeron a los hijos de Eleazar, como cabezas para [sus] casas paternas, dieciséis, y a los hijos de Itamar, [como cabezas] para sus casas paternas, ocho.

5 Además, los distribuyeron por suertes,[n] estos junto con aquellos, porque tenía que haber jefes del lugar santo[o] y jefes del Dios [verdadero] procedentes de los hijos de Eleazar y de los hijos de Itamar. 6 Entonces Semaya hijo de Netanel el secretario[p] de los levitas los inscribió delante del rey y los príncipes y Sadoc[q] el sacerdote y Ahimélec[r] hijo de Abiatar[s] y los cabezas de los padres de los sacerdotes y de los levitas,[t] entresacándose una casa paterna para Eleazar[u] y entresacándose una para Itamar.

7 Y la suerte procedió a salir: la primera para Jehoiarib;[w] para Jedayá la segunda, 8 para Harim la tercera, para Seorim la cuarta, 9 para Malkiya la quinta, para Mijamín la sexta, 10 para Haqoz la séptima, para Abías[a] la octava, 11 para Jesúa la novena, para Secanías la décima, 12 para Eliasib la undécima, para Jaquim la duodécima, 13 para Hupá la decimotercera, para Jesebeab la decimocuarta, 14 para Bilgá la decimoquinta, para Imer la decimosexta, 15 para Hezir la decimoséptima, para Hapizez la decimoctava, 16 para Petahías la decimonona, para Jehezquel la vigésima, 17 para Jakín la vigésimo primera, para Gamul la vigésimo segunda, 18 para Delayá la vigésimo tercera, para Maazías la vigésimo cuarta.

19 Estos fueron sus oficios[b] para su servicio,[c] para entrar en la casa de Jehová según su derecho debido[d] por mano de Aarón su antepasado, tal como Jehová el Dios de Israel le había mandado.

20 Y de los hijos de Leví que quedaron, de los hijos de Amram[e] estuvo Subael;[f] de los hijos de Subael, Jehdeyá; 21 de Rehabías: de los hijos de Rehabías,[g] Isías el cabeza; 22 de los izharitas,[h] Selomot;[i] de los hijos de Selomot, Jáhat; 23 y los hijos [de Hebrón],[j] Jerías[k] el cabeza, Amarías el segundo, Jahaziel el tercero, Jeqameam el cuarto. 24 Los hijos de Uziel, Miqueas; de los hijos de Miqueas,[l] Samir. 25 El hermano de Miqueas fue Isías; de los hijos de Isías, Zacarías.

26 Los hijos de Merarí[m] fueron Mahlí[n] y Musí;[o] los hijos de Jaazías, Beno. 27 Los hijos de Merarí: De Jaazías, Beno y Soham y Zacur e Ibrí. 28 De Mahlí, Eleazar, que no llegó a tener hijos.[p] 29 De Quis: los hijos de Quis: Jerahmeel. 30 Y los hijos de Musí fueron Mahlí[q] y Éder y Jerimot.[r]

CAP. 23
a Nú 1:53
b 1Cr 9:27
c Nú 3:9

CAP. 24
d Éx 6:23
e Le 10:1
f Éx 28:1
g Nú 3:2
h Éx 6:23
i Nú 26:61
j Nú 16:39
k 1Cr 6:8
l 2Sa 8:17
m 1Cr 14:33
n Pr 16:33
  Pr 18:18
  Hch 1:26
o Mt 26:3
p 1Re 4:3
  2Cr 34:13
q 1Re 2:35
r 2Sa 8:17
s 2Sa 19:11
  1Re 1:7
t 1Cr 23:24
u Le 10:12
  Nú 16:39
v 1Cr 6:3
w Ne 11:10

2.ª col.
a Lu 1:5
b 1Cr 9:25
  2Cr 23:18
c Lu 1:8
  Lu 1:23
d 2Re 11:9
  1Co 14:40
e Éx 6:18
f 1Cr 23:18
  1Cr 26:24
g 1Cr 23:17
h Nú 3:27
i 1Cr 23:18
j Nú 26:58
  1Cr 15:9
k 1Cr 23:19
  1Cr 26:31
l 1Cr 23:20
m Gé 46:11
  Éx 6:19
n 1Cr 6:19
o 1Cr 23:21
p 1Cr 23:22
q 1Cr 6:47
r 1Cr 23:23

Estos fueron los hijos de los levitas por sus casas paternas.[a] 31 Y ellos mismos también procedieron a echar suertes[b] exactamente como sus hermanos los hijos de Aarón lo hicieron delante de David el rey y Sadoc y Ahimélec y los cabezas de las casas paternas de los sacerdotes y de los levitas. En lo tocante a casas paternas,[c] el cabeza era exactamente como su hermano más joven.

25 Además, David y los jefes[d] de los grupos de servicio[e] separaron para el servicio a algunos de los hijos de Asaf, de Hemán[f] y de Jedutún[g] los que profetizaban con las arpas,[h] con los instrumentos de cuerda[i] y con los címbalos.[j] Y de su número provinieron los hombres oficiales para su servicio. 2 De los hijos de Asaf: Zacur y José[k] y Netanías y Asarelá,[l] los hijos de Asaf bajo el control de Asaf[m] el que profetizaba bajo el control del rey. 3 De Jedutún:[n] los hijos de Jedutún: Guedalías[o] y Zerí[p] y Jesayá [y Simei], Hasabías y Matitías,[r] seis, bajo el control de su padre Jedutún, quien profetizaba con el arpa para dar gracias y alabar a Jehová.[s] 4 De Hemán:[t] los hijos de Hemán: Buquías,[u] Matanías,[v] Uziel,[w] Sebuel y Jerimot, Hananías,[x] Hananí, Eliatá,[y] Guidaltí[z] y Romamti-ézer,[a] Josbeqasa,[b] Malotí,[c] Hotir,[c] Mahaziot. 5 Todos estos fueron hijos de Hemán, un hombre de visiones[e] del rey en las cosas del Dios [verdadero] para elevar su cuerno; así el Dios [verdadero] procedió a dar a Hemán catorce hijos y tres hijas.[f] 6 Todos estos estaban bajo el control de su padre en el canto en la casa de Jehová, con címbalos,[g] instrumentos de cuerda[h] y arpas[i] para el servicio de la casa del Dios [verdadero].

Bajo el control del rey estaban Asaf y Jedutún y Hemán.[j]

7 Y el número de ellos junto con sus hermanos entrenados en el canto a Jehová,[a] todos peritos,[b] llegó a ser doscientos ochenta y ocho. 8 De modo que echaron suertes[c] en cuanto a las cosas que había que atender, y el pequeño era lo mismo que el grande,[d] el perito[e] junto con el aprendiz.

9 Y la suerte procedió a salir: la primera, perteneciente a Asaf, para José;[f] para Guedalías[g] la segunda (él y sus hermanos y sus hijos eran doce); 10 la tercera para Zacur,[h] sus hijos y sus hermanos, doce; 11 la cuarta para Izrí,[i] sus hijos y sus hermanos, doce; 12 la quinta para Netanías,[j] sus hijos y sus hermanos, doce; 13 la sexta para Buquías, sus hijos y sus hermanos, doce; 14 la séptima para Jesarela,[k] sus hijos y sus hermanos, doce; 15 la octava para Jesayá, sus hijos y sus hermanos, doce; 16 la novena para Matanías, sus hijos y sus hermanos, doce; 17 la décima para Simei, sus hijos y sus hermanos, doce; 18 la undécima para Azarel,[l] sus hijos y sus hermanos, doce; 19 la duodécima para Hasabías, sus hijos y sus hermanos, doce; 20 para la decimotercera, Subael,[m] sus hijos y sus hermanos, doce; 21 para la decimocuarta, Matitías, sus hijos y sus hermanos, doce; 22 para la decimoquinta, para Jeremot, sus hijos y sus hermanos, doce; 23 para la decimosexta, para Hananías, sus hijos y sus hermanos, doce; 24 para la decimoséptima, para Josbeqasa, sus hijos y sus hermanos, doce; 25 para la decimoctava, para Hananí, sus hijos y sus hermanos, doce; 26 para la decimonona, para Malotí, sus hijos y sus hermanos, doce; 27 para la vigésima, para Eliatá, sus hijos y sus hermanos, doce; 28 para la vigésimo primera, para Hotir, sus hijos y sus her-

CAP. 24
a 1Cr 23:11
b Jos 18:10
  1Cr 25:8
  Pr 16:33
  Hch 1:26
c 1Cr 26:13

CAP. 25
d 1Cr 24:5
e 1Cr 27:3
f 1Cr 16:41
  2Cr 5:12
g 2Cr 35:15
h 1Re 10:12
i 1Sa 10:5
  1Cr 15:16
j 2Cr 29:25
  Sl 150:5
k 1Cr 25:9
l 1Cr 25:14
m Ne 12:46
n 1Cr 16:42
o 1Cr 25:9
p 1Cr 25:11
q 1Cr 25:15
r 1Cr 15:18
s Sl 92:1
  Jer 33:11
  Ef 5:19
t 1Cr 15:19
u 1Cr 25:13
v 1Cr 25:16
w 1Cr 24:24
x 1Cr 25:23
y 1Cr 25:27
z 1Cr 25:29
a 1Cr 25:31
b 1Cr 25:24
c 1Cr 25:26
e 1Sa 9:9
f Sl 127:3
  Isa 8:18
g 1Cr 13:8
h 1Cr 15:16
i 1Cr 16:5
j 1Cr 25:1

2.ª col.
a Sl 150:1
b 1Cr 15:22
c Pr 16:33
  Pr 18:18
  Hch 1:26
d 1Cr 24:31
e 1Cr 15:22
f 1Cr 25:2
g 1Cr 25:3
h 1Cr 25:2
i 1Cr 25:3
j 1Cr 25:2
k 1Cr 25:2
l 1Cr 25:4
m 1Cr 25:4

manos, doce; 29 para la vigésima segunda, para Guidalti, sus hijos y sus hermanos, doce; 30 para la vigésima tercera, para Mahaziot,ª sus hijos y sus hermanos, doce; 31 para la vigésimo cuarta, para Romamtiézer,ᵇ sus hijos y sus hermanos, doce.

26 Para las divisiones de los porteros:ᶜ De los coreítas,ᵈ Meselemíasᵉ hijo de Qoré de los hijos de Asaf. 2 Y Meselemías tuvo hijos: Zacarías el primogénito, Jediael el segundo, Zebadías el tercero, Jatniel el cuarto, 3 Elam el quinto, Jehohanán el sexto, Elieho-enai el séptimo. 4 Y Obed-edomᶠ tuvo hijos: Semaya el primogénito, Jehozabad el segundo, Joah el tercero, y Sacar el cuarto y Netanel el quinto, 5 Amiel el sexto, Isacar el séptimo, Peuletai el octavo; pues Dios lo había bendecido.ᵍ

6 Y a Semaya su hijo le nacieron hijos que fueron gobernantes de la casa del padre de ellos, porque eran hombres capacitados, poderosos. 7 Los hijos de Semaya: Otní y Refael y Obed, Elzabad, cuyos hermanos eran hombres capacitados, Elihú y Semakías. 8 Todos estos fueron de los hijos de Obed-edom, ellos y sus hijos y sus hermanos, hombres capacitados con el poder para el servicio, sesenta y dos pertenecientes a Obed-edom. 9 Y Meselemíasʰ tuvo hijos y hermanos, hombres capacitados, dieciocho. 10 Y Hosá de los hijos de Merarí tuvo hijos. Simrí fue la cabeza, porque el caso es que no fue el primogénito,ⁱ pero su padre lo nombró como cabeza;ʲ 11 Hilquías el segundo, Tebalías el tercero, Zacarías el cuarto. Todos los hijos y hermanos de Hosá fueron trece.

12 De estas divisiones de los porteros, los hombres a la cabeza tenían deberes exactamente

como sus hermanos,ª de ministrar en la casa de Jehová. 13 Por lo tanto, echaron suertesᵇ para el pequeño lo mismo que para el grande por sus casas paternas,ᶜ para las diferentes puertas. 14 Entonces la suerte al este cayó a Selemías.ᵈ Para Zacaríasᵉ su hijo, un consejero con discreción, echaron suertes, y su suerte llegó a salir al norte.ᵍ 15 Obed-edom tuvo la suya al sur, y sus hijosʰ tuvieron los almacenes.ⁱ 16 Supim y Hosáʲ tuvieron la suya al oeste cerca de la Puerta Saléket junto a la calzada que sube, correspondiendo grupo de guardiaᵏ con grupo de guardia;ˡ 17 al este había seis levitas; al norte por un día, cuatro; al sur por un día,ᵐ cuatro; y para los depósitos,ⁿ de dos en dos; 18 para la galería al oeste, cuatro junto a la calzada,ᵒ dos junto a la galería. 19 Estas eran las divisiones de los porteros de los hijos de los coreítasᵖ y de los hijos de Merarí.ᑫ

20 En cuanto a los levitas, Ahíya estaba sobre los tesorosʳ de la casa del Dios [verdadero] y sobre los tesoros de las cosas santificadas.ˢ 21 Los hijos de Ladán,ᵗ los hijos del guersonita que pertenecían a Ladán; los cabezas de las casas paternas pertenecientes a Ladán el guersonita, Jehielí.ᵘ 22 Los hijos de Jehielí, Zetam y Joelᵛ su hermano, estaban sobre los tesorosʷ de la casa de Jehová. 23 Para los amramitas, para los izharitas, para los hebronitas, para los uzielitas,ˣ 24 aun Sebuelʸ hijo de Guersom hijo de Moisés era caudillo sobre los depósitos. 25 En cuanto a sus hermanos, de Eliezerᶻ estaba Rehabíasª su hijo y Jesayá su hijo y Joram su hijo y Zicrí su hijo y Selomot su hijo. 26 Este Selomot y sus hermanos estaban sobre todos los tesoros de las cosas santifica-

CAP. 25
a 1Cr 25:4
b 1Cr 25:4

CAP. 26
c 1Cr 9:22
  2Cr 23:19
d Nú 26:11
  Sl 44:Enc
  Sl 49:Enc
e 1Cr 26:14
f 1Cr 16:38
g Dt 28:11
  Sl 127:3
h 1Cr 26:14
i Dt 21:17
j 1Cr 5:1

2.ª col.
a 1Cr 25:8
b Pr 16:33
  Pr 18:18
  Hch 1:26
c 1Cr 23:11
d 1Cr 26:1
e 1Cr 26:2
f 1Cr 27:32
  Pr 12:8
  1Ti 3:13
g 1Cr 9:24
h 1Cr 26:4
i 2Cr 25:24
j 1Cr 26:10
k 1Cr 23:32
l 1Ne 12:24
m 2Cr 8:14
n 1Cr 26:15
o 1Cr 26:16
p Nú 26:11
  Sl 44:Enc
  Sl 49:Enc
q 1Cr 23:6
r 1Re 14:26
  1Cr 9:26
s 1Re 7:51
  1Cr 18:11
t 1Cr 23:7
u 1Cr 29:8
v 1Cr 23:8
w 1Re 15:18
x Nú 3:27
y 1Cr 24:20
z Éx 18:4
a 1Cr 23:17

das,[a] que David[b] el rey, y los cabezas de las casas paternas,[c] y los jefes de los millares y de las centenas, y los jefes del ejército habían santificado. 27 De las guerras[d] y del despojo[e] habían santificado [cosas] para el mantenimiento de la casa de Jehová. 28 Y también todo lo que Samuel el vidente[f] y Saúl hijo de Quis y Abner[g] hijo de Ner y Joab hijo de Zeruyá[i] habían santificado. Lo que cualquiera santificaba estaba bajo el control de Selomit y sus hermanos.

29 De los izharitas,[j] Kenanías y sus hijos estaban para el negocio exterior[k] como oficiales y como jueces[l] sobre Israel.

30 De los hebronitas,[m] Hasabías y sus hermanos, hombres capacitados,[n] eran setecientos, estaban sobre la administración de Israel en la región del Jordán al oeste para todo el trabajo de Jehová y para el servicio del rey. 31 De los hebronitas, Jeriya[o] era el cabeza de los hebronitas por sus generaciones por antepasados. En el año cuarenta[p] de la gobernación real de David se los buscó, y se logró hallar entre ellos hombres valientes, poderosos, en Jazer[q] de Galaad.[r] 32 Y los hermanos de aquel, hombres capacitados,[s] fueron dos mil setecientos, cabezas de las casas paternas.[t] De manera que David el rey los asignó sobre los rubenitas y los gaditas y la media tribu de los manasitas,[u] para todo asunto del Dios [verdadero] y asunto[v] del rey.

27 En cuanto a los hijos de Israel por su número, los cabezas de las casas paternas[w] y los jefes[x] de los millares y de las centenas[y] y sus oficiales que ministraban[z] al rey en todo asunto de las divisiones de los que entraban y que salían mes tras mes para todos los meses del año, cada división era de veinticuatro mil.

2 Sobre la primera división,

del primer mes, estaba Jasobeam[a] hijo de Zabdiel, y en su división había veinticuatro mil. 3 Algunos de los hijos de Pérez[b] el cabeza de todos los jefes de los grupos de servicio eran para el primer mes. 4 Y sobre la división del segundo mes estaba Dodai[c] el ahohíta[d] con su división, y Miqlot era el caudillo, y en su división había veinticuatro mil. 5 El jefe del tercer grupo de servicio, para el tercer mes, era Benaya[e] hijo de Jehoiadá[f] el sacerdote principal, y en su división había veinticuatro mil. 6 Este Benaya[g] era un hombre poderoso de los treinta[h] y sobre los treinta; y [sobre] su división estaba Amizabad su hijo. 7 El cuarto, para el cuarto mes, era Asahel[i] hermano de Joab,[j] y Zebadías su hijo después de él, y en su división había veinticuatro mil. 8 El quinto jefe, para el quinto mes, era Samhut[k] el izrahíta, y en su división había veinticuatro mil. 9 El sexto, para el sexto mes, era Irá[l] hijo de Iqués[m] el teqoíta,[n] y en su división había veinticuatro mil. 10 El séptimo, para el séptimo mes, era Hélez[o] el pelonita,[p] de los hijos de Efraín, y en su división había veinticuatro mil. 11 El octavo, para el octavo mes, era Sibecai[q] el husatita, de los zerahítas,[r] y en su división había veinticuatro mil. 12 El noveno, para el noveno mes, era Abí-ézer[s] el anatotita,[t] de los benjaminitas, y en su división había veinticuatro mil. 13 El décimo, para el décimo mes, era Maharai[u] el netofatita, de los zerahítas,[v] y en su división había veinticuatro mil. 14 El undécimo, para el undécimo mes, era Benaya[w] el piratonita, de los hijos de Efraín,[x] y en su división había veinticuatro mil. 15 El duodécimo, para el duodécimo mes, era Heldai[y] el netofatita, de Otniel, y en su división había veinticuatro mil.

CAP. 26
a Nú 31:50
  1Cr 18:11
b 1Cr 29:3
  1Cr 29:7
d Jos 6:19
e Nú 31:28
f 1Sa 9:9
g 1Sa 14:50
h 2Sa 20:23
i 2Sa 2:18
j 1Cr 23:12
k Ne 11:16
l Dt 17:9
  2Cr 19:8
m 1Cr 23:12
  1Cr 23:19
n 1Cr 26:6
o 1Cr 23:19
p 2Sa 5:4
  1Cr 29:27
q 1Cr 13:25
  Jos 21:39
r Gé 31:21
  1Sa 13:7
s 1Cr 26:9
t 1Cr 24:31
u 1Cr 12:37
v 2Cr 9:11:11

CAP. 27
w 1Cr 5:24
x Ex 18:25
  1Sa 8:12
  1Cr 13:1
  2Cr 1:2
y Dt 1:15
z 1Cr 28:1

2.ª col.
a 2Sa 23:8
  1Cr 11:11
b Nú 26:21
c 2Sa 23:9
  1Cr 11:12
d 1Cr 8:4
e 2Sa 23:20
f 1Re 4:4
  1Cr 12:27
g 2Sa 23:20
h 2Sa 23:23
i 2Sa 2:18
  1Cr 2:16
j 2Sa 23:25
  1Cr 11:27
l 1Cr 11:28
m 1Cr 11:28
n 2Cr 11:6
  2Cr 20:20
  Am 1:1
o 1Cr 11:27
p 2Sa 23:26
q 2Sa 21:18
r 1Cr 11:27
s Nú 26:20
s 2Sa 23:27
t 1Cr 6:60
u 2Sa 23:28
w Nú 26:20
v 2Sa 23:30
x Jue 12:15
y 2Sa 23:29

16 Y sobre las tribus de Israel,[a] de los rubenitas, Eliezer hijo de Zicrí era caudillo; de los simeonitas, Sefatías hijo de Maacá; 17 de Leví, Hasabías hijo de Quemuel; de Aarón, Sadoc;[b] 18 de Judá, Elihú,[c] uno de los hermanos de David;[d] de Isacar, Omrí hijo de Miguel; 19 de Zabulón, Ismayá hijo de Abdías; de Neftalí, Jerimot hijo de Azriel; 20 de los hijos de Efraín, Hosea hijo de Azazías; de la media tribu de Manasés, Joel hijo de Pedaya; 21 de la media tribu de Manasés en Galaad, Idó hijo de Zacarías; de Benjamín, Jaasiel hijo de Abner;[e] 22 de Dan, Azarel hijo de Jeroham. Estos eran los príncipes[f] de las tribus de Israel.

23 Y David no tomó el número de los de veinte años de edad para abajo, porque Jehová había prometido hacer que Israel fuera tantos como las estrellas de los cielos.[g] 24 Joab[h] hijo de Zeruyá había comenzado él mismo a tomar la cuenta, pero no acabó;[i] y por esto llegó a haber indignación[j] contra Israel, y el número no llegó a figurar en la relación de los asuntos de los días del rey David.

25 Y sobre los tesoros del rey[k] estaba Azmávet hijo de Adiel. Y sobre los tesoros [que había] en el campo,[l] en las ciudades[m] y en las aldeas y en las torres estaba Jonatán hijo de Uzías. 26 Y sobre los que hacían el trabajo en el campo,[n] para el cultivo del terreno, estaba Ezrí hijo de Kelub. 27 Y sobre las viñas[o] estaba Simeí el ramatita; y sobre lo que estaba en las viñas para las provisiones de vino estaba Zabdí el sifmita. 28 Y sobre los olivares y los sicómoros[p] que había en la Sefelá[q] estaba Baal-hanán el guederita; y sobre las provisiones de aceite[r] estaba Joás. 29 Y sobre las vacadas que estaban pastando en Sarón[s] estaba

CAP. 27
a Hch 26:7
b 1Cr 24:31
c 1Sa 17:28
d 1Sa 16:6
e 1Sa 14:50
  2Sa 3:27
f 1Cr 22:17
  1Cr 28:1
g Gé 15:5
  Heb 11:12
h 2Sa 24:2
i 1Cr 21:6
j 2Sa 24:15
  1Cr 21:7
k 2Re 18:15
l 1Sa 8:14
  2Cr 26:10
m 1Re 9:19
n Ec 5:9
o 1Sa 8:14
  1Sa 22:7
p 2Cr 9:27
q 2Cr 26:10
r 1Re 5:11
  2Cr 32:28
s Isa 35:2

2.ª col.
a 1Sa 27:9
b Gé 37:25
c 2Sa 13:3
  2Sa 21:21
d Pr 1:5
  Pr 10:13
  Pr 16:21
e 1Cr 11:11
f 2Sa 3:2
  1Cr 3:5
g 2Sa 15:12
  2Sa 16:23
  2Sa 17:23
h Sl 119:24
i 2Sa 15:37
j 2Sa 16:16
k 2Sa 16:17
l 2Sa 23:20
  1Re 2:35
m 1Re 1:7
n 1Cr 11:6

CAP. 28
o Dt 31:28
  Jos 23:2
p 1Cr 27:16
q 1Cr 27:1
r Éx 18:25
  1Sa 8:12
s Dt 1:15
t 1Cr 27:25
u 1Cr 27:29
v 2Sa 3:2
  1Cr 3:5
w 1Sa 8:15
x 1Cr 11:10
y 1Re 8:17
  Sl 132:5
z Sl 132:7
a 1Cr 22:3
b 2Sa 7:13
  1Re 5:3
  1Cr 17:4
c 1Cr 22:8
d 1Sa 16:1
e 1Sa 16:13
  2Sa 7:8
  Sl 89:20

Sitrai el saronita; y sobre las vacadas en las llanuras bajas estaba Safat hijo de Adlai. 30 Y sobre los camellos[a] estaba Obil el ismaelita;[b] y sobre las asnas estaba Jehdeyá el meronotita. 31 Y sobre los rebaños estaba Jaziz el hagrita. Todos estos eran los jefes de los bienes que pertenecían al rey David.

32 Y Jonatán,[c] sobrino de David, era consejero, hombre de entendimiento,[d] y también secretario; y Jehiel hijo de Hacmoní[e] estaba con los hijos del rey.[f] 33 Y Ahitofel[g] era consejero[h] del rey; y Husai[i] el arkita[j] era compañero del rey.[k] 34 Y después de Ahitofel estaban Jehoiadá hijo de Benaya[l] y Abiatar;[m] y Joab[n] era jefe del ejército del rey.

28 Y David procedió a congregar en Jerusalén a todos los príncipes[o] de Israel, los príncipes[p] de las tribus y los príncipes[q] de las divisiones de los que ministraban al rey y los jefes de millares[r] y los jefes de centenas[s] y los jefes de todos los bienes[t] y del ganado[u] del rey y de sus hijos,[v] juntamente con los oficiales de la corte[w] y los hombres poderosos,[x] aun todo hombre valiente, poderoso. 2 Entonces David el rey se levantó y, puesto de pie, dijo:

"Óiganme, mis hermanos y mi pueblo. En cuanto a mí, estaba junto a mi corazón[y] el edificar una casa de descanso para el arca del pacto de Jehová y como banquillo de los pies[z] de nuestro Dios, y había hecho preparativos para construir.[a] 3 Y el Dios [verdadero] mismo me dijo: 'Tú no edificarás una casa a mi nombre;[b] porque hombre de guerras eres tú, y sangre has vertido'.[c] 4 Por consiguiente, Jehová el Dios de Israel me escogió de toda la casa de mi padre[d] para que llegara a ser rey[e] sobre Israel hasta tiempo indefinido; porque fue a Judá a quien él escogió por caudillo,[a] y en la casa de Judá a la casa de mi padre,[b] y entre los hijos de mi padre;[c] a mí fue a quien él aprobó,[d] para hacerme rey sobre todo Israel; 5 y de todos mis hijos (pues muchos son los hijos que Jehová me ha dado)[e] él entonces escogió a Salomón[f] mi hijo para que se sentara sobre el trono[g] de la gobernación real de Jehová sobre Israel.

6 "Además, me dijo: 'Salomón tu hijo es el que edificará mi casa[h] y mis patios; le he escogido por hijo mío,[i] y yo mismo llegaré a ser su padre.[j] 7 Y ciertamente estableceré su gobernación real[k] firmemente hasta tiempo indefinido si él se mantiene vigorosamente resuelto a poner por obra mis mandamientos[l] y mis decisiones judiciales,[m] como en este día'. 8 Y ahora, delante de los ojos de todo Israel, la congregación de Jehová,[n] y en los oídos de nuestro Dios,[o] pongan cuidado y busquen todos los mandamientos de Jehová su Dios, a fin de que posean la buena tierra[p] y ciertamente la pasen como herencia a sus hijos después de ustedes hasta tiempo indefinido.

9 "Y tú, Salomón, hijo mío, conoce[q] al Dios de tu padre y sírvele[r] con corazón completo[s] y con alma deleitosa;[t] porque todos los corazones Jehová los está escudriñando,[u] y toda inclinación de los pensamientos la está discerniendo.[v] Si tú lo buscas, él se dejará hallar de ti;[w] pero si lo dejas,[x] él te desechará para siempre.[y] 10 Mira, ahora, porque Jehová mismo te ha escogido para edificar una casa como santuario. Sé animoso y actúa".[z]

11 Y David procedió a dar a Salomón su hijo el plano arquitectónico[a] del pórtico[b] y de sus casas y sus cuartos de almace-

nara[a] y sus cámaras del techo[b] y sus cuartos interiores oscuros y la casa de la cubierta propiciatoria;[c] 12 hasta el plano arquitectónico de todo lo que había llegado a estar con él por inspiración[d] para los patios[e] de la casa de Jehová y para todos los comedores[f] todo en derredor, para los tesoros de la casa del Dios [verdadero] y para los tesoros de las cosas santificadas;[g] 13 y para las divisiones[h] de los sacerdotes y de los levitas y para toda la obra del servicio de la casa de Jehová y para todos los utensilios del servicio de la casa de Jehová; 14 para el oro por peso, el oro para todos los utensilios para los diferentes servicios, para todos los utensilios de plata por peso, para todos los utensilios[i] para los diferentes servicios; 15 y el peso para los candelabros[j] de oro y sus lámparas de oro, por peso de los diferentes candelabros y sus lámparas, y para los candelabros de plata por peso para el candelabro y sus lámparas conforme al servicio de los diferentes candelabros; 16 y el oro por peso para las mesas del pan en capas,[k] para las diferentes mesas, y plata para las mesas de plata; 17 y los tenedores y los tazones[l] y los cántaros de oro puro, y para las tazas de oro[m] por peso para las diferentes tazas, y para las tazas de plata por peso para las diferentes tazas; 18 y para el altar del incienso[n] oro refinado por peso, y para la representación del carro,[o] a saber, los querubines[p] de oro para tener extendidas [sus alas] y cubrir en forma protectora el arca del pacto de Jehová. 19 "Él dio perspicacia para la cosa entera por escrito,[q] de la mano de Jehová sobre mí, aun para todas las obras del plano arquitectónico".[r]

20 Y David pasó a decir a Salomón su hijo: "Sé animoso[s] y

CAP. 28

a Gé 49:10
  1Cr 5:2
  Sl 60:7
b Rut 4:22
c 1Sa 16:11
d 1Sa 13:14
  1Sa 16:12
e 2Sa 3:2
  1Cr 3:5
f 1Cr 22:9
g 1Cr 17:14
  2Cr 1:8
h 2Sa 7:13
i 1Cr 17:13
j 2Sa 7:14
k 1Cr 17:14
  Sl 72:8
l 1Re 6:12
m Dt 12:1
n 1Ti 3:15
o 1Ti 5:21
p Dt 6:3
q Sl 9:10
  Jer 9:24
  Heb 8:11
r Dt 10:12
s 1Re 8:61
  Ro 20:3
t Sl 37:4
  Sl 73:25
u 1Sa 16:7
  1Cr 29:17
  Pr 17:3
  Rev 2:23
v Gé 6:5
  Dt 31:21
  Sl 139:2
w 2Cr 15:2
  Mt 7:7
  Heb 11:6
  Snt 4:8
x 2Cr 15:2
  Esd 8:22
y Dt 31:17
  Sl 73:27
  Isa 1:28
  Heb 10:38
a Heb 8:5
b 2Cr 3:4

2.ª col.

a 1Cr 26:24
b 1Re 6:5
c Le 16:2
d 2Sa 23:2
  Heb 8:5
e 1Re 6:36
  1Re 7:12
f 1Cr 9:26
g 2Cr 26:20
h 1Cr 24:1
i 1Cr 9:29
j 2Cr 4:7,
k 2Cr 4:8
  2Cr 4:19
  2Cr 25:15
l 1Re 7:50
n 1Re 7:48
o Sl 18:10
p Éx 25:20
  1Sa 4:4
  1Re 6:23
  Sl 80:1
q Éx 25:40
r 1Cr 28:11
  Jos 1:6
  2Co 5:6

fuerte, y actúa. No tengas miedo[a] ni te aterrorices,[b] porque Jehová Dios, mi Dios, está contigo.[c] No te desamparará[d] ni te dejará hasta que quede terminada toda la obra del servicio de la casa de Jehová. 21 Y aquí están las divisiones de los sacerdotes[e] y de los levitas[f] para todo el servicio de la casa del Dios [verdadero]; y contigo en todo el trabajo está todo el que está bien dispuesto[g] con habilidad para todo el servicio,[h] y también los príncipes[i] y todo el pueblo, para todas tus palabras".

29 David el rey ahora dijo a toda la congregación:[j] "Salomón mi hijo, el único [a quien] Dios ha escogido,[k] es joven[l] y delicado, pero la obra es grande; porque el castillo no es para hombre,[m] sino para Jehová Dios. 2 Y conforme a todo mi poder[n] he preparado[o] para la casa de mi Dios el oro[p] para la obra de oro, y la plata para la obra de plata, y el cobre para la obra de cobre, el hierro[q] para la obra de hierro, y las maderas[r] para la obra de madera; piedras de ónice,[s] y piedras que han de encajarse con argamasa dura, y piedrecitas de mosaico, y toda piedra preciosa, y piedras de alabastro en gran cantidad. 3 Y puesto que me estoy complaciendo[t] en la casa de mi Dios, todavía hay una propiedad especial mía,[u] oro y plata; la doy en efecto a la casa de mi Dios además de todo lo que he preparado para la casa santa:[v] 4 tres mil talentos de oro del oro de Ofir,[w] y siete mil talentos de plata refinada, para revestir las paredes de las casas; 5 del oro para la obra de oro, y de la plata para la obra de plata y para toda la obra por la mano de los artífices. ¿Y quién hay que ofrezca voluntariamente llenar su mano hoy [con una dádiva] para Jehová?".[x]

6 Y los príncipes[a] de las casas paternas[b] y los príncipes[c] de las tribus de Israel y los jefes de millares[d] y de centenas[e] y los jefes del negocio[f] del rey procedieron a ofrecer voluntariamente. 7 Por consiguiente, dieron para el servicio de la casa del Dios [verdadero] oro que valía cinco mil talentos y diez mil dáricos, y plata que valía diez mil talentos, y cobre que valía dieciocho mil talentos, y hierro que valía cien mil talentos.[g] 8 Y las piedras que hallaron en su poder cualesquiera personas las dieron al tesoro de la casa de Jehová bajo el control de Jehiel[h] el guersonita.[i] 9 Y el pueblo se entregó al regocijo por haber hecho ofrendas voluntarias, porque fue con corazón completo que hicieron ofrendas voluntarias a Jehová;[j] y aun David el rey mismo se regocijó con gran gozo.[k]

10 En consecuencia, David bendijo[l] a Jehová ante los ojos de toda la congregación,[m] y David dijo: "Bendito seas,[n] oh Jehová el Dios de Israel[o] nuestro padre, desde tiempo indefinido aun hasta tiempo indefinido. 11 Tuya, oh Jehová, es la grandeza[p] y el poderío[q] y la hermosura[r] y la excelencia[s] y la dignidad;[t] porque todo lo que hay en los cielos y en la tierra es [tuyo].[u] Tuyo es el reino,[v] oh Jehová, Aquel que también te alzas como cabeza sobre todo.[w] 12 Las riquezas[x] y la gloria[y] las hay debido a ti, y tú lo estás dominando[z] todo; y en tu mano hay poder[a] y potencia,[b] y en tu mano hay [facultad] para hacer grande[c] y para dar fuerzas a todos.[d] 13 Y ahora, oh Jehová nuestro, te damos las gracias[e] y alabamos[f] tu hermoso[g] nombre.

CAP. 28
a Dt 31:6
  1Cr 22:13
b Jos 1:9
c Dt 31:8
  Ro 8:31
d Jos 1:5
e 1Cr 24:1
f 1Cr 24:20
  1Cr 25:1
g Éx 35:26
  Éx 36:2
  Sl 110:3
h Éx 36:1
i 1Cr 22:17
  1Cr 28:1

CAP. 29
j 1Cr 28:8
k 1Re 8:19
  1Cr 28:5
l 1Re 3:7
  Pr 4:3
m 2Cr 2:4
n Ec 9:10
o 1Cr 22:3
p 1Cr 22:16
q 1Cr 22:14
r 1Cr 22:4
s Éx 28:9
t 1Sl 26:8
  Sl 27:4
  Sl 122:1
u 1Cr 22:14
  Pr 3:9
v 1Cr 22:5
  1Cr 22:16
w Job 28:16
x Éx 35:5

2.ª col.
a 1Cr 27:1
b 1Cr 23:11
c 1Cr 28:1
d Éx 18:25
  1Cr 13:1
e Dt 1:15
  1Cr 27:1
f 1Cr 27:25
  1Cr 27:29
  1Cr 27:31
g 2Co 9:11
h 1Cr 26:22
i 1Cr 6:1
j 2Co 9:7
k Hch 20:35
  2Cr 31:8
m 1Re 8:14
  2Cr 6:3
n 1Re 8:15
  Sl 32:28
  Sl 68:35
p Sl 145:3
  1Ti 1:17
q Gé 17:1
  Rev 5:13
r 1Cr 29:13
  Sl 71:8
s 1Sa 15:29
t 1Cr 16:27
  Sl 8:1
u Sl 24:1
  Sl 115:15
  Isa 42:5
  Jer 10:12
v Sl 103:19
  Mt 6:10
w Ne 9:5
  Sl 97:9

x Dt 8:18; Pr 10:22; Flp 4:19; y 1Re 3:13; Jn 17:5; z 2Cr 20:6; a Pr 18:10; Isa 40:26; b Dt 3:24; Ef 1:19; Rev 15:3; c 2Cr 1:12; Sl 75:7; d 2Cr 16:9; Sl 18:32; Sl 28:8; Isa 40:29; 1Pe 4:11; e Sl 105:1; f Sl 106:1; g Isa 63:14.

14 "Y sin embargo, ¿quién soy yo[a] y quién es mi pueblo, para que retengamos el poder para hacer ofrendas voluntarias de esta manera?[b] Porque todo proviene de ti,[c] y de tu propia mano te hemos dado. 15 Porque somos residentes forasteros delante de ti, y pobladores[d] lo mismo que todos nuestros antepasados. Cual sombra son nuestros días sobre la tierra,[e] y no hay esperanza. 16 Oh Jehová Dios nuestro, toda esta abundancia que hemos preparado para edificarte una casa para tu santo nombre, de tu mano es, y a ti todo ello pertenece.[f] 17 Y bien sé yo, oh Dios mío, que tú eres examinador del corazón,[g] y que es en la rectitud en lo que te complaces.[h] Yo, por mi parte, en la probidad de mi corazón he ofrecido voluntariamente todas estas cosas, y ahora he tenido gozo en ver a tu pueblo que se halla aquí ahora hacerte ofrendas voluntariamente. 18 Oh Jehová el Dios de Abrahán, Isaac e Israel nuestros antepasados,[i] mantén esto, sí, hasta tiempo indefinido como la inclinación de los pensamientos del corazón de tu pueblo,[j] y dirige su corazón a ti.[k] 19 Y da a Salomón mi hijo un corazón completo[l] para que guarde tus mandamientos,[m] tus testimonios[n] y tus disposiciones reglamentarias,[o] y para que haga todo, y para que edifique el castillo[p] para el cual yo he hecho los preparativos".[q]

20 Y David pasó a decir a toda la congregación:[r] "Bendigan,[s] ahora, a Jehová su Dios". Y toda la congregación procedió a bendecir a Jehová el Dios de sus antepasados, y a inclinarse[t] y postrarse[u] ante Jehová y ante el rey. 21 Y continuaron sacrificando[v] sacrificios a Jehová y ofreciendo ofrendas quemadas[w] a Jehová el día siguiente a aquel

día: mil toros jóvenes, mil carneros, mil corderos y sus libaciones,[a] sí, sacrificios en gran número para todo Israel.[b] 22 Y continuaron comiendo y bebiendo delante de Jehová aquel día con gran regocijo;[c] y procedieron por segunda vez a hacer rey[d] a Salomón hijo de David, y a ungírselo a Jehová por caudillo,[e] y también a Sadoc[f] por sacerdote. 23 Y Salomón empezó a sentarse sobre el trono de Jehová[g] como rey en lugar de David su padre, y a hacerlo con éxito,[h] y todos los israelitas le fueron obedientes. 24 En cuanto a todos los príncipes[i] y los hombres poderosos[j] y también todos los hijos del rey David,[k] se sometieron a Salomón el rey. 25 Y Jehová continuó haciendo a Salomón sobresalientemente grande[l] ante los ojos de todo Israel, y a poner sobre él tal dignidad real como la cual no había llegado a haber una sobre ningún rey antes de él sobre Israel.[m]

26 En cuanto a David hijo de Jesé, reinó sobre todo Israel;[n] 27 y los días que él reinó sobre Israel fueron cuarenta años.[o] En Hebrón reinó por siete años,[p] y en Jerusalén reinó por treinta y tres [años].[q] 28 Y por fin murió en buena vejez,[r] satisfecho de días, riquezas[s] y gloria;[t] y Salomón su hijo empezó a reinar en lugar de él.[u] 29 En cuanto a los asuntos de David el rey, los primeros y los últimos, allí están escritos entre las palabras de Samuel el vidente,[v] las palabras de Natán[w] el profeta y entre las palabras de Gad[x] el hombre de visiones, 30 junto con toda su gobernación real y su poderío y los tiempos[y] que habían pasado sobre él y sobre Israel y sobre todos los reinos de las tierras.[z]

CAP. 29

a 2Sa 7:18
b Sl 115:1
  Flp 2:13
c Sl 50:12
d Le 25:23
  Heb 11:13
e Job 14:2
  Stl 4:14
f Sl 24:1
g 1Cr 28:9
h Pr 11:20
  Pr 15:8
  Hch 24:16
  Heb 1:9
i Éx 3:6
j 1Cr 28:9
k Sl 10:17
  Sl 86:11
  2Te 2:17
l 1Re 8:61
  2Re 20:3
m 1Re 6:12
  1Cr 28:7
n Dt 4:45
  Dt 6:17
  1Re 2:3
o Dt 7:11
  Dt 12:1
p 1Cr 29:1
q 1Cr 22:14
r 1Cr 28:8
s 1Cr 16:36
  Sl 134:2
  Sl 145:1
  Ef 1:3
t Gé 24:26
  Éx 4:31
u 2Cr 7:3
  Rey 7:11
v 2Cr 7:4
  Esd 6:17
w Le 1:3
  1Re 8:64

2.ª col.

a Le 23:13
  Nú 15:5
b 1Re 8:63
c Dt 12:7
  2Cr 7:10
  Ne 8:12
d 1Cr 23:1
e 1Re 1:35
f 1Re 2:35
g 1Cr 28:5
h 1Cr 22:11
i 1Cr 22:17
  1Cr 28:21
j 1Cr 28:1
k 2Sa 3:2
  1Cr 3:5
l 1Re 3:12
  2Cr 1:1
m 2Cr 1:12
  Ec 2:9
n 1Cr 18:14
  Sl 78:71
o 2Sa 5:4
  1Re 2:11
p 2Sa 5:5
  1Re 1:1
  Pr 16:31
t Pr 29:23
u 1Re 2:1
  1Re 2:10
  1Re 2:12
v 1Sa 9:9
w 2Sa 7:2
  2Sa 12:1

x 1Cr 21:9; y Da 2:21; z 1Re 2:11.

EL SEGUNDO DE LAS

CRÓNICAS

1 Y Salomón hijo de David continuó adquiriendo fuerza en su gobernación real,[a] y Jehová su Dios estaba con él[b] y siguió haciéndolo sobresalientemente grande.[c]

2 Y Salomón procedió a decir la palabra a todo Israel, a los jefes de los millares[d] y de las centenas[e] y a los jueces[f] y a todos los principales de todo Israel,[g] los cabezas de las casas paternas.[h] 3 Entonces Salomón y toda la congregación con él fueron al lugar alto que había en Gabaón;[i] porque allí era donde se hallaba la tienda de reunión[j] del Dios [verdadero], que Moisés el siervo[k] de Jehová había hecho en el desierto. 4 Sin embargo, David había subido el arca[l] del Dios [verdadero] desde Quiryat-jearim[m] al lugar que David le había preparado,[n] porque le había asentado una tienda en Jerusalén.[o] 5 Y el altar de cobre[p] que Bezalel[q] hijo de Urí hijo de Hur[r] había hecho había sido puesto delante del tabernáculo de Jehová; y Salomón y la congregación acudieron como siempre a este. 6 Salomón ahora hizo ofrendas allí delante de Jehová sobre el altar de cobre que pertenecía a la tienda de reunión, y procedió a ofrecer sobre él mil ofrendas quemadas.[s]

7 Durante aquella noche Dios se apareció a Salomón y entonces le dijo: "¡Pide! ¿Qué quieres que te dé?".[t] 8 Ante esto, Salomón dijo a Dios: "Tú eres Aquel que ejerciste gran bondad amorosa con David mi padre,[u] y que me has hecho rey en lugar de él.[v] 9 Ahora, oh Jehová Dios, resulte fiel tu promesa con David mi padre,[w] porque tú

mismo me has hecho rey[a] sobre un pueblo tan numeroso como las partículas de polvo de la tierra.[b] 10 Dame ahora sabiduría y conocimiento[c] para que pueda salir delante de este pueblo y para que pueda entrar,[d] porque ¿quién podría juzgar a este gran pueblo tuyo?".[e]

11 Entonces Dios dijo a Salomón: "Por motivo de que esto ha resultado estar junto a tu corazón,[f] y no has pedido riquezas, posesiones materiales, ni honra, ni el alma de los que te odian, y ni siquiera has pedido muchos días lo que has pedido,[g] sino que pides sabiduría y conocimiento para ti mismo para que puedas juzgar a mi pueblo sobre el cual te he hecho rey,[h] 12 la sabiduría y el conocimiento te son dados;[i] también riquezas y posesiones materiales y honra te daré, tales como no ha sucedido que las hayan tenido los reyes que te han antecedido,[j] y tales como ninguno después de ti llegará a tener".[k]

13 Así que Salomón vino a Jerusalén [desde] el lugar alto que había en Gabaón,[l] delante de la tienda de reunión,[m] y continuó reinando sobre Israel.[n] 14 Y Salomón siguió reuniendo carros y corceles de manera que llegó a tener mil cuatrocientos carros y doce mil corceles,[o] y los mantuvo estacionados en las ciudades para los carros[p] y junto al rey en Jerusalén. 15 Y el rey llegó a hacer que la plata y el oro en Jerusalén fueran como las piedras;[q] e hizo que la madera de cedro fuera como los sicómoros[r] que hay en la Sefelá,[s] por su gran cantidad. 16 Y había

CAP. 1

a 1Re 2:12
b 2Sa 7:12
c 1Cr 29:25
  Ec 2:9
  Mt 6:29
  Mt 12:42
d Éx 18:25
e Dt 1:15
f 1Cr 23:4
  1Cr 26:29
g 1Cr 28:1
h 1Cr 24:31
  1Cr 27:1
i 1Re 3:5
  1Cr 16:39
  1Cr 21:29
j Éx 40:2
  Le 1:1
k Dt 34:5
  Heb 3:5
l 2Sa 6:2
m 1Cr 13:5
n 1Cr 15:1
o 1Cr 16:1
  Sl 132:5
p Éx 38:1
q Éx 31:2
r 1Cr 2:20
s 1Re 3:4
  1Re 3:5
u 2Sa 7:8
  Sl 89:28
v 1Cr 28:5
w 2Sa 7:12
  1Cr 17:25
  1Cr 28:6
  Sl 132:11

2.ª col.

a 1Sa 2:7
  1Re 3:7
b Gé 13:16
c 1Re 3:9
  Pr 2:6
  Pr 3:13
  Snt 1:5
d Nú 27:17
  2Sa 5:2
  1Re 3:8
  Sl 72:2
f 1Sa 16:7
  1Cr 29:17
g 1Re 3:11
h 1Re 3:28
  Pr 14:8
i 1Re 3:12
  3Re 14:10
  Ef 3:20
  1Jn 5:15
j 1Cr 29:25
  2Cr 9:22
  Ec 2:9
k 1Re 3:13
l 1Re 3:4
  1Cr 16:39
  1Cr 21:29
m Éx 40:2
n 1Re 4:25
o Dt 17:16
  1Re 4:26
p 2Cr 8:6
  2Cr 9:25

q 1Re 10:21; r 1Re 10:27; s 2Cr 9:27; 2Cr 26:10.

la exportación de los caballos que Salomón tenía de Egipto,[a] y la compañía de los mercaderes del rey tomaban ellos mismos la manada de caballos a cierto precio.[b] 17 Y comúnmente subían y exportaban de Egipto un carro por seiscientas piezas de plata y un caballo por ciento cincuenta; y así era para todos los reyes de los hititas y los reyes de Siria.[c] Por medio de ellos hacían la exportación.

2 Salomón ahora dijo la palabra de que se edificara una casa[d] al nombre[e] de Jehová, y una casa para su gobernación real.[f] 2 Por consiguiente, Salomón contó setenta mil hombres como cargadores y ochenta mil como cortadores en la montaña,[g] y con superintendentes sobre ellos tres mil seiscientos.[h] 3 Además, Salomón envió a decir a Hiram[i] el rey de Tiro: "Tal como trataste con David[j] mi padre y seguiste enviándole madera de cedro para que él se edificara una casa donde morar..., 4 aquí voy a edificar[k] una casa al nombre[l] de Jehová mi Dios para santificársela,[m] para quemar incienso perfumado[n] delante de él, con el pan constante en capas[o] y ofrendas quemadas por la mañana y por la tarde,[p] en los sábados[q] y en las lunas nuevas[r] y en los períodos festivos[s] de Jehová nuestro Dios. Hasta tiempo indefinido[t] esto estará sobre Israel. 5 Y la casa que voy a edificar será grande,[u] porque nuestro Dios es más grande que todos los [demás] dioses.[v] 6 ¿Y quién podría retener poder para edificarle una casa?[w] Porque los cielos y el cielo de los cielos no pueden contenerlo,[x] y ¿quién soy yo[y] para que le edifique una casa salvo para hacer humo de sacrificio delante de él?[z] 7 Y ahora envíame un hombre hábil para trabajar en oro y en plata y en cobre[a] y en hierro y en lana teñida de pú-

pura rojiza y carmesí e hilo azul, y que sepa cortar grabados, junto con los hábiles que están conmigo en Judá y en Jerusalén, a quienes David mi padre ha preparado.[a] 8 Y envíame maderas de cedro,[b] enebro[c] y *algum*[d] desde el Líbano,[e] porque yo mismo bien sé que tus siervos son experimentados en cortar los árboles del Líbano[f] (y aquí mis siervos están junto con tus siervos), 9 aun para prepararme maderas en gran cantidad, porque la casa que voy a edificar será grande, sí, de una manera maravillosa. 10 Y, ¡mira!, a los recogedores de madera, los cortadores de los árboles, doy en efecto trigo como alimento para tus siervos, veinte mil coros;[g] y cebada, veinte mil coros; y vino,[h] veinte mil batos; y aceite, veinte mil batos".

11 Con esto, Hiram el rey de Tiro[i] dijo [la palabra] por escrito y [se la] envió a Salomón: "Porque Jehová amó[j] a su pueblo ha constituido rey sobre ellos".[k] 12 E Hiram pasó a decir: "Bendito sea Jehová el Dios de Israel,[l] que hizo los cielos y la tierra,[m] porque ha dado a David el rey un hijo sabio, experimentado en discreción y entendimiento,[n] que edificará una casa a Jehová y una casa para su gobernación real.[o] 13 Y ahora de veras envío un hombre hábil, experimentado en entendimiento, que pertenece a Hiram-abí,[p] 14 hijo de una mujer de los hijos de Dan, pero cuyo padre era hombre de Tiro, experimentado, para que trabaje en oro y en plata, en cobre,[q] en hierro, en piedras[r] y en maderas, en lana teñida de púrpura rojiza,[s] en hilo azul[t] y en tela fina[u] y en carmesí[v] y en cortar toda clase de grabado[w] y en diseñar toda clase de medio útil[x] que se le dé, junto con tus pro-

CAP. 1
a 2Cr 9:28
b 1Re 10:28
c 1Re 10:29

CAP. 2
d 1Re 5:5
e Dt 12:11
   1Cr 22:10
f 1Re 7:1
g 1Re 5:15
h 1Re 5:16
   1Re 9:22
   2Cr 2:18
i 1Re 5:1
j 2Sa 5:11
   1Cr 14:1
k 1Re 8:19
l 2Cr 6:33
m 1Re 8:64
n Éx 30:7
o Éx 25:30
   Le 24:8
   Mt 12:4
p Nú 28:4
q Éx 20:10
   Nú 28:9
r Nú 10:10
   Nú 28:11
s Le 23:4
   1Cr 23:31
t Le 23:14
   Le 23:41
u 1Cr 29:1
   Sl 68:29
v Éx 15:11
   Sl 86:8
   Sl 95:3
   Sl 135:5
w Isa 66:1
x 1Re 8:27
   Hch 17:24
y 2Sa 7:18
   1Cr 29:14
z Dt 12:6
a Éx 31:3
   1Re 7:14

2.ª col.
a 1Cr 22:15
b 1Re 5:6
c 1Re 5:8
   2Cr 3:5
d 1Re 10:11
e 1Re 5:14
f 1Re 5:9
g 1Re 5:11
h Esd 7:22
i 1Re 5:1
   1Re 9:11
   1Cr 14:1
j Dt 7:8
   Dt 33:3
k 1Re 10:9
   1Re 5:7
   Sl 72:18
l Gé 1:1
   Sl 33:6
   Hch 17:24
   Rev 4:11
   Rev 10:6
n 2Cr 1:12
o 2Cr 2:1
p 1Re 7:13
   1Re 7:40
   2Cr 4:11
   2Cr 4:16
   Pr 22:29
q 1Re 7:14
r Éx 31:5
s Éx 39:1

t Éx 39:2; u Éx 39:5; v 2Cr 3:14; w Éx 39:6; x Éx 31:4; Éx 35:32.

pios hombres hábiles y los hombres hábiles de mi señor David tu padre. 15 Y ahora el trigo y la cebada, el aceite y el vino que mi señor ha prometido, que los envíe a sus siervos.[a] 16 En cuanto a nosotros mismos, cortaremos árboles[b] del Líbano conforme a todo lo que necesites,[c] y te los llevaremos como armadías por mar[d] a Jope,[e] y tú, por tu parte, los subirás a Jerusalén".

17 Entonces Salomón tomó la cuenta de todos los hombres que eran residentes forasteros, que estaban en la tierra de Israel,[f] después del censo que David su padre había hecho de ellos;[g] y llegó a hallarse ciento cincuenta y tres mil seiscientos. 18 De manera que de ellos hizo setenta mil cargadores[h] y ochenta mil cortadores[i] en la montaña y tres mil seiscientos superintendentes para mantener a la gente sirviendo.[j]

3 Por fin Salomón comenzó a edificar la casa de Jehová[k] en Jerusalén en el monte Moria,[l] donde [Jehová] se había aparecido a David su padre,[m] en el lugar que David había preparado en la era de Ornán[n] el jebuseo. 2 Por consiguiente, comenzó a edificar en el segundo mes, al segundo [día], en el cuarto año de su reinado.[o] 3 Y estas cosas Salomón colocó como fundamento para edificar la casa del Dios [verdadero]: la longitud en codos por la medida anterior era de sesenta codos, y la anchura veinte codos.[p] 4 Y el pórtico[q] que estaba enfrente de la longitud era de veinte codos enfrente de la anchura de la casa, y su altura era de ciento veinte; y procedió a revestirlo por dentro de oro puro. 5 Y cubrió de madera de enebro la gran casa,[r] después de lo cual la cubrió de oro bueno,[s] y entonces hizo subir sobre ella figuras de

palmeras[a] y cadenas.[b] 6 Además, revistió la casa de piedra preciosa para hermosura;[c] y el oro[d] era oro del país del oro. 7 Y pasó a cubrir de oro[e] la casa, las vigas [superiores], los umbrales y sus paredes y sus puertas; y grabó querubines sobre las paredes.[f]

8 Y procedió a hacer la casa del Santísimo;[g] su longitud en relación con la anchura de la casa era de veinte codos, y su propia anchura era de veinte codos;[h] y entonces la cubrió de oro bueno hasta la cantidad de seiscientos talentos. 9 Y el peso para los clavos[i] era de cincuenta siclos de oro; y las cámaras del techo las cubrió de oro.

10 Entonces hizo en la casa del Santísimo dos querubines[j] según la hechura de imágenes, y los revistió de oro.[k] 11 En cuanto a las alas de los querubines,[l] su longitud era de veinte codos; un ala de cinco codos llegaba hasta la pared de la casa, y la otra ala de cinco codos alcanzaba hasta el ala del otro querubín.[m] 12 Y el ala de cinco codos de un querubín alcanzaba hasta la pared de la casa, y la otra ala de cinco codos estaba en contacto con el ala del otro querubín.[n] 13 Las alas de estos querubines estaban extendidas por veinte codos; y ellos estaban de pie con los rostros hacia dentro.

14 Además, hizo la cortina[o] de hilo azul[p] y lana teñida de púrpura rojiza y carmesí y tela fina, y sobre ella incorporó querubines.[q]

15 Entonces hizo delante de la casa dos columnas,[r] de treinta y cinco codos de longitud, y el capitel[s] que estaba sobre la parte superior de cada una era de cinco codos. 16 Además, hizo cadenas[t] al estilo de collares y las puso sobre las partes superiores de las columnas, e hizo cien granadas[u] y las puso en las

cadenas. 17 Y procedió a erigir las columnas enfrente del templo, una a la derecha y una a la izquierda, después de lo cual llamó a la de la derecha por nombre Jakín y a la de la izquierda por nombre Boaz.[a]

4 Entonces hizo el altar de cobre;[b] de veinte codos era su longitud, y de veinte codos su anchura, y de diez codos su altura.[c]

2 Y procedió a hacer el mar fundido[d] de diez codos de un borde hasta su otro borde, circular todo en derredor; y su altura era de cinco codos, y se requería una cuerda de treinta codos para rodearlo todo en derredor.[e] 3 Y había la semejanza de adornos en forma de calabazas[f] debajo de él por todo en derredor, cercándolo, diez en cada codo, circundando al mar todo en derredor.[g] Los adornos en forma de calabazas estaban en dos filas, fundidos en su fundición. 4 Aquello estaba puesto sobre doce toros;[h] tres que miraban al norte y tres que miraban al oeste y tres que miraban al sur y tres que miraban al oriente; y el mar estaba arriba sobre ellos, y las partes traseras de todos ellos se dirigían hacia el centro.[i] 5 Y el grueso [del mar] era de un palmo menor; y su borde era como la hechura del borde de una copa, una flor de lirio.[j] Como receptáculo, tres mil medidas de bato[k] era lo que podía contener.[l]

6 Además, hizo diez fuentes, y puso cinco a la derecha y cinco a la izquierda,[m] para lavar en ellas.[n] En ellas enjuagaban las cosas que tenían que ver con las ofrendas quemadas.[o] Pero el mar era para que los sacerdotes se lavaran en él.[p]

7 Entonces hizo candelabros[q] de oro, diez de ellos del mismo plano,[r] y los puso en el templo, cinco a la derecha y cinco a la izquierda.[s]

8 Además, hizo diez mesas, y las estacionó en el templo, cinco a la derecha y cinco a la izquierda,[a] e hizo cien tazones de oro.

9 Entonces hizo el patio[b] de los sacerdotes[c] y el gran recinto[d] y las puertas pertenecientes al recinto, y revistió de cobre las puertas de estos. 10 Y colocó el mar al lado derecho, al este, hacia el sur.[e]

11 Finalmente Hiram hizo los recipientes[f] y las palas[g] y los tazones.[h]

Así que Hiram acabó de hacer la obra que le hizo al rey Salomón en la casa del Dios [verdadero]. 12 Las dos columnas[i] y los capiteles redondos[j] sobre la parte superior de las dos columnas y las dos obras de malla[k] para cubrir los dos capiteles redondos que estaban sobre la parte superior de las columnas 13 y las cuatrocientas granadas[l] para las dos obras de malla, dos filas de granadas para cada obra de malla para cubrir los dos capiteles redondos que estaban sobre las columnas,[m] 14 y las diez carretillas[n] y las diez fuentes[o] sobre las carretillas; 15 el único mar[p] y los doce toros debajo de él,[q] 16 y los recipientes y las palas[r] y los tenedores[s] y todos sus utensilios[t] se los hizo Hiram-abiv[u] al rey Salomón para la casa de Jehová, de cobre pulido. 17 En el Distrito del Jordán los fundió el rey, en el terreno espeso entre Sucot[v] y Zeredá.[w] 18 Así Salomón hizo todos estos utensilios en muy grande cantidad, pues no se averiguó el peso del cobre.[x]

19 Y Salomón procedió a hacer todos los utensilios[y] que había en la casa del Dios [verdadero], y el altar de oro[z] y las mesas[a] con el pan de la proposición sobre ellas, 20 y los candelabros[b] y sus lámparas[c] de oro puro, para encenderlas delante del cuarto más recóndito,[d] conforme a la regla; 21 y las flo-

res y las lámparas y las despabiladeras,[a] de oro (era el oro más puro), 22 y los apagadores y los tazones y las copas y los braserillos, de oro puro,[b] y la entrada de la casa,[c] sus puertas interiores para el Santísimo y las puertas[d] de la casa del templo, de oro.

5 Por fin toda la obra que Salomón tenía que hacer para la casa de Jehová quedó completa,[e] y Salomón empezó a introducir las cosas santificadas por David su padre;[f] y la plata y el oro y todos los utensilios los puso en los tesoros de la casa del Dios [verdadero].[g] 2 Fue entonces cuando Salomón procedió a congregar en Jerusalén a los ancianos de Israel[h] y a todos los cabezas de las tribus,[i] los principales de las casas paternas[j] de los hijos de Israel, para subir[k] el arca[l] del pacto de Jehová desde la Ciudad de David,[m] es decir, Sión.[n] 3 De modo que todos los hombres de Israel se congregaron al rey en la fiesta, la del séptimo mes.[o]

4 Por lo tanto vinieron todos los ancianos de Israel,[p] y los levitas empezaron a llevar el Arca.[q] 5 Y vinieron subiendo el Arca[r] y la tienda de reunión[s] y todos los utensilios santos[t] que había en la tienda. Los sacerdotes los levitas los subieron.[u] 6 Y el rey Salomón y toda la asamblea de israelitas que estuvieron guardando su cita con él delante del Arca estaban sacrificando[v] ovejas y reses vacunas que no se pudieron contar ni numerar por su multitud. 7 Entonces los sacerdotes introdujeron el arca del pacto de Jehová en su lugar, en el cuarto más recóndito[w] de la casa, en el Santísimo,[x] debajo de las alas de los querubines.[y] 8 Así los querubines continuamente extendían sus alas sobre el lugar del Arca, de modo que los querubines cubrían desde

arriba[a] el Arca y sus varales.[b] 9 Pero los varales eran largos, de modo que las puntas de los varales se podían ver en el Santo enfrente del cuarto más recóndito, pero no se podían ver desde fuera, y continúan allí hasta el día de hoy.[c] 10 No había nada en el Arca excepto las dos tablas[d] que Moisés había dado en Horeb,[e] cuando Jehová pactó[f] con los hijos de Israel mientras iban saliendo de Egipto.[g]

11 Y aconteció cuando los sacerdotes salieron del lugar santo (porque, por su parte, todos los sacerdotes a quienes se pudo hallar se habían santificado[h]... no hubo necesidad de observar las divisiones);[i] 12 y los levitas[j] que eran cantores pertenecientes a todos ellos, a saber, a Asaf,[k] a Hemán,[l] a Jedutún[m] y a sus hijos y a sus hermanos vestidos de tela fina con címbalos[n] y con instrumentos de cuerda[o] y arpas,[p] estuvieron de pie al oriente del altar, y junto con ellos sacerdotes hasta [el número de] ciento veinte tocando las trompetas;[q] 13 y aconteció que tan pronto como los trompeteros y los cantores estuvieron como uno solo[r] en hacer que se oyera un solo sonido en alabar y dar gracias a Jehová, y tan pronto como elevaron el sonido con las trompetas y con los címbalos y con los instrumentos de canto[s] y con alabar[t] a Jehová, "porque él es bueno,[u] porque hasta tiempo indefinido es su bondad amorosa",[v] la casa misma se llenó de una nube,[w] la mismísima casa de Jehová,[x] 14 y los sacerdotes no pudieron permanecer de pie para ministrar a causa de la nube;[y] pues la gloria[z] de Jehová llenó la casa del Dios [verdadero].

CAP. 4
a Éx 37:23
b 1Re 7:50
c 1Re 6:32
d 1Re 6:34

CAP. 5
e 1Re 6:38
  1Re 7:51
f 1Cr 22:14
g 1Cr 26:26
  Mt 23:17
h 1Re 8:1
i Dt 1:13
j 1Cr 24:6
  1Cr 24:31
  2Cr 1:2
k 2Sa 6:12
  2Cr 1:4
l Éx 25:10
  Nú 10:33
m 2Sa 5:7
  2Sa 5:9
n Sl 2:6
  Isa 35:10
  Mt 21:5
o Le 23:34
  Éx 8:2
  2Cr 7:8
p Jos 23:2
q Éx 25:14
  Nú 4:15
  1Cr 15:15
r Éx 37:1
s Éx 40:35
  Nú 4:31
t Nú 4:15
  1Re 7:48
u 1Re 8:4
v 2Sa 6:13
  1Re 8:5
w 1Re 6:23
x 1Re 6:20
y 1Re 8:6

2.ᵃ col.
a 1Re 8:7
b Éx 25:14
c 1Re 8:8
d Éx 34:1
  Éx 40:20
  Dt 10:2
e Dt 4:15
f Éx 19:5
  Éx 24:7
  2Cr 6:11
  Jer 31:32
g Éx 19:1
h Éx 19:10
  Nú 8:21
  2Cr 29:34
  2Cr 30:24
i 1Cr 24:1
  2Cr 35:4
j 1Cr 15:16
  1Cr 16:4
  1Cr 23:3
  1Cr 25:1
  2Cr 29:25
  Esd 3:10
k 1Cr 6:39
  1Cr 15:19
l 1Cr 6:33
  1Cr 15:17
  1Cr 25:6
m 1Cr 16:41
  1Cr 25:3
n 1Cr 15:16
o 2Sa 6:5
p 2Cr 9:11
q 1Cr 15:24

r Isa 52:8; Flp 1:27; s Sl 69:30; t Sl 84:4; u 1Cr 16:34; 2Cr 7:10; v Éx 34:6; w 1Re 8:10; x Éx 40:34; 1Re 8:11; y Éx 40:35; 2Cr 7:2; z Éx 16:10; Eze 10:4; Rev 21:23.

6 Fue entonces cuando Salomón dijo:[a] "Jehová mismo dijo que había de residir en las densas tinieblas;[b] 2 y yo, por mi parte, te he edificado una casa de morada excelsa[c] y un lugar establecido donde mores hasta tiempo indefinido".[d]

3 Entonces el rey volvió el rostro y se puso a bendecir[e] a toda la congregación de Israel, mientras toda la congregación de Israel estaba de pie.[f] 4 Y él pasó a decir: "Bendito sea Jehová el Dios de Israel,[g] que habló con su propia boca con David mi padre[h] y por sus propias manos ha dado cumplimiento,[i] al haber dicho: 5 'Desde el día en que saqué a mi pueblo de la tierra de Egipto no he escogido ciudad de todas las tribus de Israel para edificar una casa para que mi nombre[j] resulte estar allí, y no he escogido un hombre para que llegue a ser caudillo sobre mi pueblo Israel.[k] 6 Pero escogeré a Jerusalén[l] para que mi nombre resulte estar allí, y escogeré a David para que llegue a estar sobre mi pueblo Israel'.[m] 7 Y llegó a estar junto al corazón de David mi padre el edificar una casa al nombre de Jehová el Dios de Israel.[n] 8 Pero Jehová dijo a David mi padre: 'Por motivo de que resultó estar junto a tu corazón el edificar una casa a mi nombre, hiciste bien porque resultó estar junto a tu corazón.[o] 9 Solo que tú mismo no edificarás la casa,[p] sino que tu hijo que ha de salir de tus lomos es el que edificará la casa a mi nombre'.[q] 10 Y Jehová procedió a realizar su palabra[r] que había hablado, para que me levantara yo en el lugar de David mi padre[s] y me sentara sobre el trono[t] de Israel, tal como había hablado Jehová,[u] y para que edificara la casa al nombre de Jehová el Dios de Israel,[v] 11 y para que colocara allí el Arca[w] donde está el pacto

de Jehová que él celebró con los hijos de Israel".[a]

12 Y él procedió a ponerse de pie delante del altar de Jehová, enfrente de toda la congregación de Israel,[b] y ahora extendió las palmas de las manos.[c] 13 (Pues Salomón había hecho una plataforma[d] de cobre y entonces la había puesto en medio del recinto.[e] Su longitud era de cinco codos, y su anchura de cinco codos, y su altura de tres codos; y él siguió puesto de pie sobre ella.) Y procedió a hincarse[f] de rodillas enfrente de toda la congregación de Israel y a extender las palmas de las manos a los cielos.[g] 14 Y pasó a decir: "Oh Jehová el Dios de Israel,[h] no hay Dios como tú[i] en los cielos ni en la tierra, que guardas el pacto[j] y la bondad amorosa para con tus siervos que están andando delante de ti con todo su corazón;[k] 15 tú que has guardado para con tu siervo David mi padre lo que le prometiste,[l] de modo que hiciste la promesa con tu boca, y con tu propia mano has efectuado el cumplimiento como en este día.[m] 16 Y ahora, oh Jehová el Dios de Israel, guarda para con tu siervo David mi padre lo que le prometiste, al decir: 'No será cortado hombre tuyo de delante de mí para que se siente sobre el trono de Israel,[n] con tal que tus hijos[o] cuiden su camino andando en mi ley,[p] así como tú has andado delante de mí'.[q] 17 Y ahora, oh Jehová el Dios de Israel,[r] que tu promesa[s] que has prometido a tu siervo David resulte fidedigna.[t]

18 "Pero ¿verdaderamente morará Dios con la humanidad sobre la tierra?[u] ¡Mira! El cielo, sí, el cielo de los cielos mismos, no puede contenerte;[v] ¡cuánto menos, pues, esta casa que yo he edificado![w] 19 Y tienes que volverte hacia la oración de tu

---

CAP. 6
a 1Re 8:12
b Éx 20:21
  Dt 4:11
  Sl 97:2
  Heb 12:18
c 1Re 8:13
d 2Cr 2:4
  Sl 132:14
e 2Cr 6:5
f Ne 8:5
g 1Re 41:13
  Sl 145:10
  Snt 3:9
h 1Cr 17:12
i 1Re 8:15
  Isa 55:11
j Dt 12:5
k 1Re 6:8
l 2Cr 12:13
  Sl 48:1
m 2Sa 7:8
  1Cr 28:4
n 2Sa 7:2
  1Re 8:3
o 1Re 8:18
  2Cr 3:12
p 1Re 8:19
q 2Sa 7:12
  1Cr 17:4
r Jos 21:45
  Ne 9:8
s 1Cr 29:23
t 1Cr 28:5
  Heb 1:8
u 1Cr 17:11
v 1Re 8:20
  1Re 8:9
  2Cr 5:10

2.ª col.
a 1Re 8:21
b 1Re 8:22
c Éx 9:33
  Sl 28:2
  1Ti 2:8
d Ne 8:4
e 1Re 6:36
f 1Re 8:54
  Sl 95:6
  Hch 20:36
g Esd 9:5
h 1Cr 29:10
i Éx 15:11
  1Sa 2:2
  Sl 86:8
  Miq 7:18
j 1Re 8:23
k Dt 7:9
  2Re 20:3
  Ne 1:5
l 1Re 3:6
  1Re 6:12
m 2Sa 7:12
  1Cr 22:10
n 1Re 8:24
o 1Re 6:12
p Sl 132:12
q Sl 26:3
r Éx 24:10
s 2Sa 7:25
  Sl 119:49
t 1Re 8:26
u 1Re 8:27
  Hch 7:48
v 2Cr 2:6
  Ne 9:6
  Sl 148:13
  Isa 40:12
  Hch 17:24

---

w 1Re 8:27; Isa 66:1.

siervo[a] y a su petición de favor,[b] oh Jehová mi Dios, y escuchar el clamor rogativo[c] y la oración con que tu siervo está orando delante de ti,[d] 20 para que tus ojos resulten estar abiertos[e] hacia esta casa día y noche, hacia el lugar donde dijiste que pondrías tu nombre,[f] por medio de escuchar la oración con que tu siervo ore hacia este lugar.[g] 21 Y tienes que escuchar las súplicas de tu siervo[h] y de tu pueblo Israel cuando oren hacia este lugar,[i] para que tú mismo oigas desde el lugar de tu morada, desde los cielos;[j] y tienes que oír y perdonar.[k]

22 "Si un hombre peca contra su semejante[l] y realmente le impone una maldición para hacer que esté expuesto[m] a la maldición, y realmente viene [a estar en] la maldición delante de tu altar en esta casa,[n] 23 entonces dígnate oír tú mismo desde los cielos,[o] y tienes que actuar,[p] y juzgar a tus siervos de modo que se le pague al inicuo, y se le ponga su proceder sobre su propia cabeza,[q] y se pronuncie justo[r] al justo, y se le dé conforme a su propia justicia.[s]

24 "Y si tu pueblo Israel es derrotado delante de un enemigo[t] por haber seguido pecando contra ti,[u] y verdaderamente se vuelven[v] y elogian tu nombre[w] y oran[x] y hacen petición de favor delante de ti en esta casa,[y] 25 entonces dígnate oír tú mismo desde los cielos,[z] y tienes que perdonar[a] el pecado de tu pueblo Israel y traerlos de vuelta[b] al suelo que diste a ellos y a sus antepasados.[c]

26 "Cuando los cielos estén cerrados de modo que no ocurra lluvia[d] porque ellos han seguido pecando[e] contra ti, y realmente oren hacia este lugar[f] y elogien tu nombre, [y] de su pecado se vuelvan porque seguiste afligiéndolos,[g] 27 entonces dígnate oír tú mismo desde los cie-

los, y tienes que perdonar el pecado de tus siervos, sí, de tu pueblo Israel, porque los instruyes[a] respecto al buen camino[b] en que deben andar; y tienes que dar lluvia[c] sobre tu tierra que has dado a tu pueblo como posesión hereditaria.[d]

28 "En caso de que ocurra un hambre[e] en el país, en caso de que ocurra una peste,[f] en caso de que ocurran abrasamiento[g] y tizón,[h] langostas[i] y cucarachas;[j] en caso de que sus enemigos[k] los sitien en la tierra de sus puertas[l] —cualquier clase de plaga y cualquier clase de dolencia[m]— 29 sea cual fuere la oración,[n] sea cual fuere la petición de favor[o] que se haga de parte de cualquier hombre o de todo tu pueblo Israel[p] —porque ellos conocen cada cual su propia plaga[q] y su propio dolor—; cuando él realmente extienda las palmas de las manos hacia esta casa,[r] 30 entonces dígnate oír tú mismo desde los cielos,[s] el lugar de tu morada, y tienes que perdonar[t] y dar a cada uno conforme a todos sus caminos,[u] porque tú conoces su corazón[v] (porque solo tú mismo conoces bien el corazón de los hijos de la humanidad);[w] 31 a fin de que te teman,[x] andando en tus caminos todos los días en que estén vivos sobre la superficie del suelo que diste a nuestros antepasados.[y]

32 "Y también al extranjero que no es parte de tu pueblo Israel[z] y que realmente venga de una tierra distante a causa de tu gran nombre[a] y tu mano fuerte[b] y tu brazo extendido,[c] y realmente vengan y oren hacia esta casa,[d] 33 entonces dígnate es-

CAP. 6

a 2Cr 6:33
Sl 65:2
Da 9:18
b 2Cr 33:13
Sl 6:9
c Sl 5:2
d 1Re 8:28
e 2Re 19:16
Sl 33:18
Sl 34:15
f Dt 26:2
2Cr 6:9
Ne 1:9
g 1Re 8:29
h Sl 5:1
i 2Cr 7:12
Da 6:10
j 2Re 19:20
2Cr 30:27
k 2Cr 7:14
Miq 7:18
l 1Sa 2:25
m Ne 10:29
n 1Re 8:31
o 2Cr 30:27
Sl 123:1
p 1Re 8:32
q Nú 5:27
2Re 9:26
Job 34:11
Pr 1:31
Isa 3:11
Gál 6:7
r Dt 25:1
Sl 33:5
s Isa 3:10
Eze 18:20
t Le 26:17
Dt 28:25
Jos 7:8
u Jos 7:11
Jue 2:14
v Le 26:40
Ne 9:2
w Da 9:19
x Esd 9:5
y 1Re 8:33
Da 9:3
z Isa 57:15
a 1Re 8:34
Sl 106:47
c Gé 13:15
Éx 6:8
d Snt 5:17
e Eze 14:13
f 1Re 8:35
g Isa 9:13
Eze 18:30

2.ᵃ col.

a Sl 86:11
Sl 119:102
Isa 30:20
Isa 54:13
b Isa 30:21
Jer 6:16
Jer 42:3
c 1Re 18:1
Zac 10:1
d 1Re 8:36
e Rut 1:1
2Re 6:25
2Cr 20:9
f Le 26:16
Dt 28:21
g Am 4:9
Ag 2:17
h Dt 28:22
Am 4:9
i Dt 28:38
Joe 1:4
Joe 2:25

j Sl 78:46; k Le 26:25; 2Cr 12:2; 2Cr 32:1; l 1Re 8:37; m Eze 14:21; n 2Cr 20:6; Sl 91:15; o 2Cr 33:13; p 1Re 8:38; q Pr 14:10; r Da 6:10; s Sl 33:14; Isa 63:15; Mt 23:22; t Sl 130:4; u Job 34:11; Sl 18:20; Rev 2:23; v 1Cr 28:9; Jer 11:20; w 1Sa 16:7; 1Re 8:39; Jer 17:10; x Éx 20:20; y Gé 12:7; Jos 1:2; 1Re 8:40; z Éx 12:48; Rut 1:16; Isa 56:3; a Nú 9:14; Jos 9:27; Isa 56:6; Jn 12:20; Hch 8:27; b Dt 3:24; Jos 2:11; c 1Re 8:42; d Hch 2:10.

cuchar tú mismo desde los cielos, desde el lugar establecido de tu morada,ª y tienes que hacer conforme a todo aquello por lo cual el extranjero clame a ti;ᵇ a fin de que todos los pueblos de la tierra conozcan tu nombreᶜ y te temanᵈ lo mismo que lo hace tu pueblo Israel, y sepan que tu nombre ha sido llamado sobre esta casa que yo he edificado.ᵉ

34 "En caso de que tu pueblo salga a la guerraᶠ contra sus enemigos por el camino en que los envíes,ᵍ y verdaderamente orenʰ en la dirección de esta ciudad que has escogido y de la casa que he edificado a tu nombre,ⁱ 35 entonces tienes que oír desde los cielos su oración y su petición de favor,ʲ y tienes que ejecutarles juicio.ᵏ

36 "En caso de que pequen contra tiˡ (porque no hay hombre que no peque),ᵐ y tengas que estar enojado contra ellos y abandonarlos a un enemigo, y sus apresadores realmente se los lleven cautivos a un país distante o cercano;ⁿ 37 y verdaderamente recobren el juicio en el país adonde hayan sido llevados cautivos, y realmente se vuelvan y te dirijan petición de favor en el país donde estén cautivos,º diciendo: 'Hemos pecado,ᵖ hemos erradoᑫ y hemos obrado inicuamente';ʳ 38 y verdaderamente se vuelvan a ti con todo su corazónˢ y con toda su alma en el país donde estén cautivosᵗ a los que se los hayan llevado cautivos, y verdaderamente oren en la dirección de su tierra que tú diste a sus antepasados y de la ciudad que has escogidoᵘ y de la casa que he edificado a tu nombre;ᵛ 39 entonces tienes que oír desde los cielos —desde el lugar establecido de tu morada— su oración y sus peticiones de favor,ˣ y tienes que ejecutarles juicio y perdonarᶻ a tu pueblo que ha pecado contra ti.

40 "Ahora, oh Dios mío, por

CAP. 6

a 2Cr 30:27
Sl 11:4
Sl 123:1
Heb 9:24
b 1Re 8:43
c Sl 22:27
Mt 4:10
d Jer 10:7
Rev 14:7
e 1Re 8:43
f Dt 20:1
2Cr 14:11
g Nú 31:2
Jos 8:1
Jue 1:2
1Sa 15:3
h 2Cr 14:11
2Cr 6:2
2Cr 3:2
i Sl 3:4
Da 9:17
k Isa 37:36
l 1Re 8:46
m Sl 130:3
Ec 7:20
Ro 3:23
n 1Re 8:47
o Sl 106:6
q Da 9:5
r Esd 9:6
Pr 28:13
s Dt 30:2
Isa 7:3
Jer 29:13
t Da 9:3
u 2Cr 33:7
Da 6:10
v 1Re 8:48
w 2Cr 30:27
Sl 123:1
x 1Re 8:49
y Gé 15:14
Jer 51:36
z Miq 7:18

2.ª col.

a 2Cr 7:15
2Cr 16:9
Sl 11:4
Sl 34:15
Isa 37:17
b Sl 17:1
Sl 31:2
Sl 65:2
c Sl 132:8
d 1Cr 28:2
e Jos 3:13
1Sa 5:9
f Ne 9:25
Sl 65:4
g 1Re 1:34
Sl 18:50
h Hch 13:34

CAP. 7

i 1Re 8:54
j 1Re 18:38
k Le 9:24
1Cr 21:26
l Éx 40:34
1Re 8:11
m Éx 40:35
n Éx 4:31
o Sl 95:6
p Sl 31:19
Mt 19:17

favor, que tus ojosª resulten estar abiertos y tus oídosᵇ atentos a la oración respecto a este lugar. 41 Y ahora levántate,ᶜ oh Jehová Dios, sí, [para entrar] en tu descanso,ᵈ tú y el Arca de tu fuerza.ᵉ Que tus sacerdotes mismos, oh Jehová Dios, sean vestidos de salvación, y que los mismos que se leales se regocijen en el bien.ᶠ 42 Oh Jehová Dios, no vuelvas atrás el rostro de tu ungido.ᵍ Oh, acuérdate, sí, de las bondades amorosas para con David tu siervo".ʰ

7 Ahora bien, tan pronto como Salomón acabó de orar,ⁱ el fuego mismo bajó de los cielosʲ y procedió a consumir la ofrenda quemadaᵏ y los sacrificios, y la gloriaˡ misma de Jehová llenó la casa. 2 Y los sacerdotes no pudieron entrar en la casa de Jehováᵐ porque la gloria de Jehová había llenado la casa de Jehová. 3 Y todos los hijos de Israel estuvieron de espectadores cuando el fuego bajó y la gloria de Jehová estuvo sobre la casa, e inmediatamente se inclinaronⁿ rostros a tierra sobre el pavimento y se postraronº y dieron gracias a Jehová, "porque él es bueno,ᵖ porque su bondad amorosa es hasta tiempo indefinido".ᑫ

4 Y el rey y todo el pueblo estaban ofreciendo sacrificios delante de Jehová.ʳ 5 Y el rey Salomón siguió ofreciendo el sacrificio de veintidós mil reses vacunas y ciento veinte mil ovejas.ˢ Así el rey y todo el pueblo inauguraronᵗ la casa del Dios [verdadero]. 6 Y los sacerdotesᵘ estaban de pie en sus puestos de servicio, y los levitasᵛ con los instrumentos de cantoʷ a Jehová que Davidˣ el rey había hecho para dar gracias a Jehová, "porque su bondad amorosa es hasta

q Rut 2:20; Jer 31:3; Lam 3:22; r 1Re 8:62; s 1Re 8:63; t Nú 7:10; 2Cr 2:4; Esd 6:16; u 2Cr 5:11; v 1Cr 23:5; w 1Cr 25:7; x 1Re 10:12; Sl 138:8.

tiempo indefinido", cuando David daba alabanza por mano de ellos; y los sacerdotes estaban haciendo sonar fuertemente las trompetas[a] enfrente de ellos, mientras todos los israelitas estaban de pie.

7 Entonces Salomón santificó[b] el medio del patio que estaba delante de la casa de Jehová, porque allí ofreció las ofrendas quemadas[c] y los trozos grasos de los sacrificios de comunión, porque el altar de cobre[d] que Salomón había hecho no podía contener en sí mismo la ofrenda quemada y la ofrenda de grano[e] y los trozos grasos.[f] 8 Y Salomón procedió a celebrar la fiesta[g] en aquel tiempo por siete días, y todo Israel con él,[h] una congregación muy grande,[i] desde el punto de entrada de Hamat[j] hasta el valle torrencial de Egipto.[k] 9 Pero el día octavo celebraron una asamblea solemne,[l] porque la inauguración del altar la habían celebrado por siete días, y la fiesta por siete días. 10 Y el día veintitrés del séptimo mes él envió al pueblo a sus hogares, gozosos[m] y sintiéndose bien en el corazón por el bien[n] que Jehová había ejecutado para con David y para con Salomón y para con Israel su pueblo.[o]

11 Así acabó Salomón la casa de Jehová[p] y la casa del rey;[q] y en todo lo que había venido al corazón de Salomón hacer tocante a la casa de Jehová y su propia casa logró éxito. 12 Jehová ahora se apareció[r] a Salomón durante la noche y le dijo: "He oído tu oración,[s] y he escogido[t] este lugar para mí mismo como casa de sacrificio.[u] 13 Cuando cierre los cielos para que no ocurra lluvia,[v] y cuando mande a los saltamontes que se coman el país,[w] y si envío una peste entre mi pueblo,[x] 14 y mi pueblo[y] sobre el cual mi nombre[z] ha sido llamado se humilla y ora[b] y busca mi rostro[c] y se

vuelve de sus malos caminos,[a] entonces yo mismo oiré desde los cielos[b] y perdonaré su pecado[c] y sanaré su tierra.[d] 15 Ahora mis propios ojos[e] resultarán estar abiertos y mis oídos[f] atentos a la oración en este lugar. 16 Y ahora de veras escojo[g] y santifico esta casa para que mi nombre[h] resulte estar allí hasta tiempo indefinido,[i] y mis ojos y mi corazón ciertamente resultarán estar allí siempre.[j]

17 "Y si tú mismo andas delante de mí, tal como anduvo David[k] tu padre, aun haciendo conforme a todo lo que te he mandado,[l] y guardas mis disposiciones reglamentarias[m] y mis decisiones judiciales,[n] 18 entonces yo ciertamente estableceré el trono de tu gobernación real,[o] tal como pacté con David tu padre,[p] al decir: 'No será cortado hombre tuyo de gobernar sobre Israel'.[q] 19 Pero si ustedes mismos se vuelven[r] y realmente dejan mis estatutos[s] y mis mandamientos[t] que he puesto delante de ustedes, y realmente van y sirven a otros dioses[u] y se inclinan ante ellos,[v] 20 entonces yo ciertamente los desarraigaré de sobre mi suelo que les he dado;[w] y esta casa que he santificado[x] para mi nombre, la arrojaré de delante de mi rostro,[y] y la haré un dicho proverbial[z] y escarnio entre todos los pueblos.[a] 21 En cuanto a esta casa que habrá llegado a ser montones de ruinas,[b] todo el que vaya pasando junto a ella clavará la vista en ella con asombro,[c] y de seguro dirá: '¿Por qué razón hizo así Jehová a esta tierra y a esta casa?'.[d] 22 Y tendrán que decir: 'Fue por razón de que dejaron a Jehová[e] el Dios de sus antepasados que los había saca-

CAP. 7
a 2Cr 5:13
b 1Re 8:64
c Le 1:3
d 2Cr 4:1
e Le 2:1
f Le 4:8
g Le 23:34
Dt 16:13
h 1Re 8:65
i 2Cr 30:13
j Nú 34:8
2Re 14:25
k Nú 34:5
2Re 24:7
Isa 27:12
l Le 23:36
Dt 16:8
Ne 8:18
m Dt 12:7
Dt 16:15
Ne 8:10
n 2Cr 6:41
o 1Re 8:66
p 1Re 9:1
q Ec 2:4
r 1Re 9:2
2Cr 1:7
s 2Re 20:5
Sl 66:19
Lu 1:13
Hch 10:31
1Pe 3:12
t Dt 12:5
Sl 78:68
u Dt 12:6
2Cr 2:6
v 2Cr 6:26
w Dt 28:38
x Le 26:16
Nú 16:46
Eze 14:19
y Éx 19:5
Dt 32:9
z Nú 6:27
Isa 43:10
Isa 63:19
a Le 26:41
2Cr 33:12
Snt 4:10
b 2Cr 6:37
c Os 5:15

2.ª col.

a Dt 30:2
Pr 28:13
Isa 55:7
b 2Cr 30:27
c 2Cr 6:39
Sl 103:3
d Sl 60:2
e 2Cr 16:9
f 2Cr 6:40
g Dt 12:21
h 1Re 8:16
i 1Re 9:3
j 2Cr 6:20
k 1Re 9:4
Sl 26:3
l Dt 4:40
m Dt 12:1
n Dt 4:5
o 2Sa 7:13
p Sl 89:28
q 1Re 9:5
r Heb 10:38
s Le 26:15
Sl 73:27
t Dt 28:15
u Jos 23:16
v Éx 20:5
1Re 9:6

w Dt 4:26; 2Re 17:20; x 1Re 9:7; y 2Re 25:9; z Dt
28:37; Jer 24:9; a Sl 44:14; b 1Re 9:8; 2Re 25:9;
Jer 7:4; c 2Cr 29:8; Jer 19:8; Da 9:12; d Dt 29:24;
Jer 22:8; e 2Cr 15:2; Sl 73:27.

do de la tierra de Egipto,[a] y procedieron a asirse de otros dioses[b] y a inclinarse ante ellos y a servirles.[c] Por eso él trajo sobre ellos toda esta calamidad' ".[d]

8 Y aconteció que al cabo de veinte años,[e] en los cuales Salomón había edificado la casa de Jehová[f] y su propia casa,[g] 2 en cuanto a las ciudades que Hiram[h] había dado a Salomón... Salomón las reedificó y entonces hizo que los hijos de Israel moraran allí. 3 Además, Salomón fue a Hamat-zobá y prevaleció sobre ella. 4 Entonces reedificó a Tadmor en el desierto y todas las ciudades de almacenamiento[i] que había edificado en Hamat.[j] 5 Y pasó a edificar a Bet-horón Alta[k] y Bet-horón Baja,[l] ciudades fortificadas con muros,[m] puertas y barra,[n] 6 y Baalat[o] y todas las ciudades de almacenamiento que habían llegado a ser de Salomón, y todas las ciudades para los carros[p] y las ciudades para los hombres de a caballo[q] y toda cosa deseable de Salomón[r] que él había deseado edificar en Jerusalén y en el Líbano[s] y en toda la tierra de su dominio.

7 En cuanto a toda la gente que quedó de los hititas[t] y los amorreos[u] y los perizitas y los heveos[w] y los jebuseos,[x] que no eran parte de Israel,[y] 8 de los hijos de estos que habían sido dejados detrás de ellos en el país, a quienes los hijos de Israel no habían exterminado,[z] Salomón siguió haciendo leva[a] de hombres para trabajo forzado hasta el día de hoy.[b] 9 Pero a ninguno de entre los hijos de Israel los constituyó Salomón esclavos para su trabajo;[c] pues ellos eran guerreros[d] y jefes de sus adjutores,[e] y jefes de los que conducían sus carros[e] y de sus hombres de a caballo.[f] 10 Estos eran los jefes de los comisarios[g] que pertenecían al rey Salomón —dos-

CAP. 7
a Ex 12:51
  Dt 29:25
b Sl 115:8
  Isa 2:8
  Jer 2:11
  Jer 10:14
c Jer 9:9
d Dt 4:26
  2Cr 36:17
  Jer 22:9

CAP. 8
e 1Re 9:10
f 1Re 6:37
g 1Re 7:1
h 2Sa 5:11
  1Re 5:2
i 1Re 9:19
j 2Sa 8:9
  2Re 14:28
k Jos 16:5
  1Cr 7:24
l Jos 16:3
  1Re 9:17
m Nú 32:17
  Dt 28:52
  2Re 10:2
  2Cr 12:4
n Dt 3:5
o Jos 19:44
  1Re 9:18
  1Re 4:26
q 1Re 9:19
r Ec 2:10
s Jue 3:3
  1Re 9:19
t Gé 15:20
  Dt 7:1
  1Re 11:1
  2Re 7:6
u Gé 15:21
v Éx 34:11
w Éx 23:23
x Nú 13:29
y Jos 15:63
  Jos 17:12
  Sl 106:34
a 1Re 9:21
b Jos 16:10
  2Cr 2:17
c Éx 19:6
  Le 25:39
d 1Sa 8:12
e 1Sa 8:11
f 1Re 9:22
g 1Re 5:16

2.ª col.
a 1Re 9:23
b 1Re 3:1
c 1Re 9:24
d 1Re 7:8
e Éx 29:43
f Le 1:3
g 2Cr 4:1
h 1Re 6:3
  Esd 8:16
i Éx 29:38
  Nú 28:3
j Nú 28:9
k Nú 10:10
  Nú 28:11
l Éx 23:14
  Le 23:4
m Dt 16:16
n Le 23:6
o Le 23:16
  Hch 2:1

cientos cincuenta— los capataces sobre la gente.[a]

11 Y Salomón hizo subir a la hija[b] de Faraón de la Ciudad de David[c] a la casa que él le había edificado,[d] porque dijo: "Aunque esposa mía, no debe morar en la casa de David el rey de Israel, porque los lugares a los que ha venido el arca de Jehová son cosa santa".[e]

12 Fue entonces cuando Salomón ofreció ofrendas quemadas[f] a Jehová sobre el altar[g] de Jehová que él había edificado delante del pórtico,[d] 13 aun como cosa de rutina cada día[i] para hacer ofrendas conforme al mandamiento de Moisés para los sábados[j] y para las lunas nuevas[k] y para las fiestas designadas[l] tres veces al año,[m] en la fiesta de las tortas no fermentadas[n] y en la fiesta de las semanas[o] y en la fiesta de las cabañas.[p] 14 Además, estableció las divisiones[q] de los sacerdotes sobre sus servicios conforme a la regla de David su padre,[r] y a los levitas[s] en sus puestos de servicio, para alabar[t] y ministrar[u] enfrente de los sacerdotes como cosa de rutina cada día,[v] y a los porteros en sus divisiones para las diferentes puertas,[w] porque tal fue el mandamiento de David el hombre del Dios [verdadero]. 15 Y no se desviaron del mandamiento del rey a los sacerdotes y los levitas respecto a asunto alguno ni respecto a las provisiones.[x] 16 Así que la obra de Salomón estuvo toda en estado preparado[y] desde el día en que se colocó el fundamento de la casa de Jehová hasta que quedó terminada.[z] [Así que] la casa de Jehová quedó completa.[a]

17 Fue entonces cuando Salo-

p Le 23:34; q 1Cr 24:1; 2Cr 5:11; Lu 1:5; r 1Cr 23:3; s 1Cr 15:16; 1Cr 25:1; t 1Cr 6:31; 1Cr 16:42; u 1Cr 16:4; 1Cr 24:31; v 2Cr 35:10; w 1Cr 9:17; 1Cr 26:1; x 1Cr 9:29; 1Cr 26:20; y 1Re 5:18; 1Cr 28:19; z 1Re 6:1; 1Re 6:7; a 1Re 7:51.

món se fue a Ezión-guéber[a] y a Elot[b] sobre la orilla del mar en la tierra de Edom.[c] 18 E Hiram[d] le enviaba regularmente, por medio de sus siervos, naves y siervos que poseían conocimiento del mar,[e] y ellos iban con los siervos de Salomón a Ofir,[f] y tomaban de allí cuatrocientos cincuenta talentos[g] de oro,[h] y se lo traían al rey Salomón.[i]

9 Y la reina de Seba[j] misma oyó el informe acerca de Salomón, y procedió a venir para probar a Salomón en Jerusalén con preguntas de las que causan perplejidad,[k] acompañada de un séquito muy impresionante y camellos[l] que traían aceite balsámico,[m] y oro[n] en gran cantidad, y piedras preciosas.[o] Por fin entró a donde Salomón y habló con él acerca de todo lo que se hallaba junto a su corazón.[p] 2 Salomón, a su vez, pasó a declararle todos los asuntos de ella,[q] y no hubo asunto escondido a Salomón que él no le declarara.[r]

3 Cuando la reina de Seba llegó a ver la sabiduría de Salomón,[s] y la casa que había edificado,[t] 4 y el alimento de su mesa,[u] y el sentarse de sus siervos, y la manera de servir la mesa sus mozos, y el atavío[v] de ellos, y su servidumbre para las bebidas,[w] y el atavío de esta, y sus sacrificios quemados[x] que él con regularidad ofrecía en la casa de Jehová,[y] entonces resultó que no hubo más espíritu en ella. 5 De modo que dijo al rey: "Verdad fue la palabra que oí en mi propio país acerca de tus asuntos y acerca de tu sabiduría.[z] 6 Y no puse fe[a] en sus palabras hasta que yo hubiera venido para que mis propios ojos vieran;[b] y ¡mira!, no se me ha referido la mitad de la abundancia de tu sabiduría.[c] Has superado el informe que he oído.[d] 7 Felices[e] son tus hombres, y felices son estos siervos tuyos que

CAP. 8
a Nú 33:35
1Re 22:48
2Cr 20:36
b Dt 2:8
2Re 14:22
2Re 16:6
c Gé 36:1
1Re 9:26
d 2Sa 5:11
e 1Re 9:27
f 1Re 22:48
Sl 45:9
g Éx 38:24
h 1Re 10:22
2Cr 9:13
i 2Cr 2:8

CAP. 9
j 1Re 10:1
Isa 60:6
Lu 11:31
k Mt 12:42
Mt 22:46
l Gé 24:10
Isa 60:6
m 2Re 20:13
n Sl 72:15
o 1Re 10:2
Pr 17:8
p Mt 12:34
q 1Re 10:3
Pr 1:5
r 1Re 3:12
s 1Re 3:28
1Re 10:4
Ec 12:9
t 1Re 6:1
2Cr 3:1
2Cr 4:11
u 1Re 4:22
v 1Re 10:5
w Ne 1:11
x Le 1:3
y 2Cr 8:13
z 1Re 10:6
Mt 11:19
a Pr 14:15
Lu 11:31
b 1Re 10:7
Jn 20:29
c Ec 1:16
d 1Re 4:31
1Re 4:34
2Cr 1:12
e Pr 3:13
Pr 8:34

2.ᵃ col.

a 1Re 10:8
b 1Re 5:7
c 2Sa 15:25
Sl 18:19
d 1Cr 29:23
e 1Re 10:9
f Dt 7:8
2Cr 2:11
g Jn 1:49
h 2Sa 8:15
1Re 3:9
Isa 9:7
i 2Sa 23:3
Sl 72:2
Isa 11:4
j 1Re 9:14
Sl 72:10
k Gé 43:11
1Pr 20:15
m 1Re 10:10
n 1Re 9:27

están de pie delante de ti constantemente y escuchan tu sabiduría.[a] 8 Llegue a ser bendito Jehová tu Dios,[b] que se ha deleitado[c] en ti al ponerte sobre su trono[d] como rey para Jehová tu Dios;[e] porque tu Dios amó[f] a Israel, para hacer que permaneciera hasta tiempo indefinido, de manera que te puso sobre ellos como rey[g] para que ejecutes decisión judicial[h] y justicia".[i]

9 Entonces dio al rey ciento veinte talentos de oro,[j] y aceite balsámico[k] en muy grande cantidad, y piedras preciosas;[l] y no había llegado a haber nada semejante a aquel aceite balsámico que la reina de Seba dio al rey Salomón.[m]

10 Y, además, los siervos de Hiram[n] y los siervos de Salomón que traían oro[o] de Ofir trajeron maderas de árboles *algum*[p] y piedras preciosas.[q] 11 Y el rey procedió a hacer de las maderas de los árboles *algum* escaleras[r] para la casa de Jehová y para la casa del rey[s] y también arpas[t] e instrumentos de cuerda[u] para los cantores;[v] y [maderas] como estas nunca antes se habían visto en la tierra de Judá.

12 Y el rey Salomón mismo dio a la reina[w] de Seba todo lo que la deleitaba que ella había pedido, además [del valor] de lo que ella había traído al rey. Así que ella se volvió y se fue a su propio país, ella junto con sus siervos.[x]

13 Y el peso del oro que vino a Salomón en un año ascendió a seiscientos sesenta y seis talentos de oro,[y] 14 aparte de los hombres viajantes y los mercaderes[z] que traían y de todos los reyes de los árabes[a] y los gober-

o 1Re 10:22; 2Cr 8:18; Sl 72:10; p 1Re 9:11; q 2Cr 3:6; r 1Re 6:8; s 1Re 7:1; t 1Re 10:12; 1Cr 25:1; Sl 92:3; Sl 150:3; u 2Sa 6:5; 1Cr 23:5; v Sl 68:3; 2Cr 5:12; w 1Re 10:1; Pr 11:25; Mt 12:42; Lu 6:38; Lu 11:31; x 1Re 10:13; y 1Re 10:14; 2Cr 1:15; Sl 68:29; Sl 72:15; z Gé 37:28; 1Re 10:15; Isa 23:2; Isa 45:14; a Sl 72:10; Jer 25:24.

nadores del país que traían oro y plata a Salomón.

15 Y el rey Salomón pasó a hacer doscientos escudos grandes de oro aleado[a] —seiscientos [siclos] de oro aleado procedió a poner sobre cada escudo grande[b]—, 16 y trescientos broqueles de oro aleado —tres minas de oro procedió a poner sobre cada broquel[c]—. Entonces el rey los puso en la Casa del Bosque del Líbano.[d]

17 Además, el rey hizo un gran trono de marfil, y lo revistió de oro puro.[e] 18 Y había seis escalones hasta el trono, y había un escabel de oro para el trono —estaban pegados—, y había brazos por este lado y por aquel lado junto al lugar de sentarse, y de pie al lado de los brazos[f] estaban dos leones.[g] 19 Y había doce leones[h] de pie allí sobre los seis escalones por este lado y por aquel lado. Ningún otro reino tenía uno que estuviera hecho exactamente como este.[i] 20 Y todos los vasos de beber[j] del rey Salomón eran de oro,[k] y todos los vasos de la Casa del Bosque del Líbano[l] eran de oro puro. No había nada de plata; en los días de Salomón esta se consideraba como absolutamente nada.[m] 21 Porque naves que pertenecían al rey iban a Tarsis[n] con los siervos de Hiram.[o] Una vez cada tres años venían naves de Tarsis y traían oro y plata,[p] marfil,[q] y monos y pavos reales.[r]

22 De modo que el rey Salomón era más grande que todos los demás reyes de la tierra en riquezas[s] y sabiduría.[t] 23 Y todos los reyes de la tierra venían buscando[u] el rostro de Salomón para oír su sabiduría,[v] que el Dios [verdadero] había puesto en su corazón.[w] 24 Y traían cada cual su regalo,[x] objetos de plata y objetos de oro[y] y prendas de vestir,[z] armadura y aceite balsámico, caballos y mulos como cosa de rutina cada año.[a] 25 Y

Salomón llegó a tener cuatro mil pesebres de caballos[a] y carros[b] y doce mil corceles, y los mantuvo estacionados en las ciudades para los carros[c] y junto al rey en Jerusalén. 26 Y llegó a ser gobernante sobre todos los reyes desde el Río hasta la tierra de los filisteos y hasta el límite de Egipto.[d] 27 Además, el rey hizo que la plata en Jerusalén fuera como las piedras; e hizo que la madera de cedro fuera como los sicómoros[e] que hay en la Sefelá[f] por su abundancia.[g] 28 Y había quienes les sacaban caballos[h] a Salomón de Egipto[i] y de todos los demás países.

29 En cuanto al resto de los asuntos de Salomón,[j] los primeros y los últimos, ¿no están escritos entre las palabras de Natán[k] el profeta y en la profecía de Ahíya[l] el silonita[m] y en el registro de las visiones de Idó[n] el hombre de las visiones respecto a Jeroboán[o] hijo de Nebat?[p] 30 Y Salomón continuó reinando en Jerusalén sobre todo Israel por cuarenta años. 31 Por fin yació Salomón con sus antepasados. Lo enterraron, pues, en la Ciudad de David su padre;[q] y Rehoboam[r] su hijo empezó a reinar en lugar de él.[s]

10 Y Rehoboam[t] procedió a ir a Siquem,[u] porque fue a Siquem a donde todos los israelitas fueron para hacerlo rey. 2 Y aconteció que tan pronto como Jeroboán[v] hijo de Nebat oyó de ello, mientras todavía estaba en Egipto[w] (porque había huido a causa de Salomón el rey), Jeroboán inmediatamente volvió de Egipto.[x] 3 Por lo tanto mandaron a llamarlo, y Jeroboán y todo Israel vinieron y hablaron a Rehoboam, y dijeron:[y] 4 "Tu padre, por su parte, hizo duro nuestro yugo;[z] y ahora haz

CAP. 9
a 2Cr 12:9
b 1Re 10:16
c 1Re 10:17
d 1Re 7:2
e 1Re 10:18
f 1Re 10:19
g Gé 49:9
Pr 28:1
Rev 5:5
h Nú 23:24
i 1Re 10:20
j Est 1:7
k 1Re 10:21
l 1Re 7:2
m 1Re 10:27
n 2Cr 20:36
Sl 72:10
Isa 23:1
Jon 1:3
o 1Re 9:27
p 1Re 7:51
q 1Re 10:18
Am 3:15
r 1Re 10:22
s 1Re 3:13
1Re 10:23
Sl 89:27
Ef 3:8
t 1Re 3:12
1Re 4:29
Col 2:3
u 1Re 4:34
v 1Re 10:24
Isa 11:10
Lu 21:15
w 1Re 3:28
2Cr 1:12
Pr 2:6
Da 1:17
x 2Cr 26:8
Job 42:11
y 2Sa 8:10
z Mt 6:29
a 1Re 10:25

2.ª col.
a Dt 17:16
b 1Re 4:26
c 1Re 10:26
d 1Re 4:21
e 2Cr 1:15
f 1Cr 27:28
g 1Re 10:27
h Dt 17:16
2Cr 1:16
i 1Re 10:28
Isa 31:1
j 1Re 11:41
k 2Sa 7:2
2Sa 12:1
1Re 1:8
1Re 1:32
1Cr 29:29
l 1Re 11:36
1Re 14:2
1Re 14:10
m 1Re 11:29
n 2Cr 12:15
2Cr 13:22
2Cr 13:20
o 1Re 11:26
q 2Sa 5:9
2Cr 21:20
2Cr 21:20
r 1Cr 3:10
2Cr 13:7
Ec 2:19
Mt 1:7
s 1Re 14:21

CAP. 10 t 1Re 12:1; u 1Re 12:6; Jos 20:7; Jos 24:1; Jue 9:1; v 1Re 11:28; w 1Re 11:40; x 1Re 12:2; y 1Re 12:3; z Pr 29:2; Ec 4:1.

más ligero el duro servicio de tu padre y el pesado yugo[a] que puso sobre nosotros, y te serviremos".[b]

5 Ante esto, él les dijo: "Dejen que pasen tres días todavía. Entonces vuelvan a mí". De modo que la gente se fue. 6 Y el rey Rehoboam empezó a aconsejarse[c] con los ancianos que habían estado atendiendo continuamente a Salomón su padre mientras este continuó vivo, y dijo: "¿Cómo aconsejan ustedes que se responda a este pueblo?".[d] 7 Por consiguiente, ellos le hablaron, y dijeron: "Si le resultaras bueno a este pueblo y realmente fueras complaciente con ellos y verdaderamente les hablaras buenas palabras,[e] entonces ellos ciertamente llegarán a ser tus siervos siempre".[f]

8 Sin embargo, él dejó el consejo[g] de los ancianos con que le habían aconsejado, y empezó a aconsejarse con los jóvenes que se habían criado con él,[h] quienes eran los que lo atendían.[i] 9 Y pasó a decirles: "¿Qué ofrecen ustedes como consejo para que respondamos a esta gente que me ha hablado, diciendo: 'Haz más ligero el yugo que tu padre puso sobre nosotros'?".[k] 10 A su vez, los jóvenes que se habían criado con él hablaron con él y dijeron: "Esto es lo que debes decir a la gente que te ha hablado, y ha dicho: 'Tu padre, por su parte, hizo pesado nuestro yugo, pero, en cuanto a ti, hazlo más ligero sobre nosotros'; esto es lo que debes decirles:[l] 'Mi propio meñique ciertamente será más grueso que las caderas de mi padre.[m] 11 Y ahora bien, mi padre, por su parte, cargó sobre ustedes un yugo pesado, pero yo, por mi parte, añadiré al yugo de ustedes.[n] Mi padre, por su parte, los castigó con látigos, pero yo, por mi parte, con azotes [de puntas agudas]'".[o]

12 Y Jeroboán y toda la gente

procedieron a venir a Rehoboam al tercer día, tal como el rey había hablado, al decir: "Vuelvan a mí al tercer día".[a] 13 Y el rey empezó a contestarles con dureza.[b] Así el rey Rehoboam dejó el consejo[c] de los ancianos,[d] 14 y pasó a hablarles conforme al consejo de los jóvenes y dijo: "Haré más pesado el yugo de ustedes, y yo, por mi parte, le añadiré a él. Mi padre, por su parte, los castigó con látigos, pero yo, por mi parte, con azotes [de puntas agudas]".[f] 15 Y el rey no escuchó al pueblo; porque el que los asuntos tomaran otro giro resultó provenir del Dios [verdadero][g] a fin de que Jehová realizara su palabra[h] que él había hablado por medio de Ahíya[i] el silonita[j] a Jeroboán hijo de Nebat.[k]

16 En cuanto a todo Israel, debido a que el rey no los escuchó, el pueblo ahora respondió al rey y dijo: "¿Qué parte nos corresponde a nosotros en David?[l] Y no hay herencia en el hijo de Jesé.[m] ¡Cada cual a sus dioses,[n] oh Israel! Ahora mira por tu propia casa, oh David'.[o] Con eso, todo Israel empezó a irse a sus tiendas.

17 En cuanto a los hijos de Israel que moraban en las ciudades de Judá, Rehoboam continuó reinando sobre ellos.[p]

18 Posteriormente, el rey Rehoboam envió a Hadoram,[q] que estaba sobre los reclutados para trabajo forzado, pero los hijos de Israel lo lapidaron,[r] de modo que murió. Y el rey Rehoboam mismo se las arregló para subir a su carro y huir a Jerusalén.[s] 19 Y los israelitas siguieron su sublevación[t] contra la casa de David hasta el día de hoy.

11 Cuando Rehoboam llegó a Jerusalén,[u] inmediatamente congregó a la casa de Judá y Benjamín,[v] ciento ochen-

CAP. 10
a Ec 5:8
b 1Re 12:4
c 2Sa 16:20
  Job 12:12
d 1Re 12:6
e Pr 12:8
  Pr 15:1
  Ec 10:4
  Zac 1:13
f 1Re 12:7
g Pr 1:25
  Pr 19:20
  Ec 10:3
  Isa 30:1
h Pr 13:20
  Isa 3:4
  2Ti 4:3
i 1Re 12:8
j 1Re 22:6
  Pr 21:30
k 1Re 12:9
l 1Re 12:10
m Job 31:13
  Sl 140:11
  Pr 10:14
  Pr 18:6
  Pr 28:25
  Pr 29:23
  Mt 23:4
n 1Sa 8:18
o 1Re 12:11

2.ª col.
a 1Re 12:12
b 1Sa 20:10
  Pr 10:11
  Pr 12:13
  Pr 14:16
  Pr 15:1
  Ef 4:31
  Ef 6:9
c Pr 19:27
d 1Re 12:13
  Job 12:12
e 2Cr 22:4
  Pr 12:5
f Pr 11:17
  Ec 7:7
g Dt 2:30
  Sl 5:10
  Pr 21:1
  Am 3:6
h 1Sa 15:29
  2Sa 17:14
  2Re 10:10
  Isa 55:11
i 1Re 11:30
j 1Re 11:29
k 1Re 12:15
l 1Re 11:13
m 2Sa 20:1
n Éx 20:3
  Dt 13:5
  1Re 12:16
  Pr 11:9
o 1Re 11:32
p 1Re 11:36
q 2Sa 20:24
  Ro 4:6
  1Re 12:18
r Nú 14:10
  2Cr 24:21
s 1Re 12:18
t 1Sa 10:19
  2Re 17:21

CAP. 11
u 1Re 12:21

v Gé 49:27; Jue 20:14; 2Cr 14:8.

ta mil hombres selectos, físicamente capacitados para la guerra,[a] para pelear contra Israel a fin de traer el reino de vuelta a Rehoboam. 2 Entonces la palabra de Jehová vino a Semaya[b] el hombre del Dios [verdadero], y dijo: 3 "Di a Rehoboam hijo de Salomón el rey de Judá,[c] y a todo Israel en Judá y Benjamín, diciendo: 4 'Esto es lo que ha dicho Jehová: "No deben subir y pelear contra sus hermanos.[d] Vuelva cada cual a su casa, porque es por instigación mía que esta cosa se ha efectuado"'."[e] Así que ellos obedecieron la palabra de Jehová y se volvieron de ir contra Jeroboán.[f]

5 Y Rehoboam continuó morando en Jerusalén y procedió a edificar ciudades fortificadas en Judá. 6 Así, reedificó a Belén[g] y Etam[h] y Teqoa,[i] 7 y Bet-zur[j] y Socó[k] y Adulam,[l] 8 y Gat[m] y Maresah[n] y Zif,[o] 9 y Adoraim y Lakís[p] y Azeqá,[q] 10 y Zorá[r] y Ayalón[s] y Hebrón,[t] ciudades fortificadas, que estaban en Judá y Benjamín. 11 Además, reforzó los lugares fortificados[u] y puso caudillos[v] en ellos y provisiones de alimento y aceite y vino; 12 y en todas las diferentes ciudades, escudos grandes[w] y lanzas;[x] y siguió reforzándolos hasta un grado muy grande. Y Judá y Benjamín siguieron siendo de él.

13 Y los sacerdotes y los levitas mismos que estaban en todo Israel se pusieron de parte de él desde todos sus territorios. 14 Pues los levitas dejaron sus dehesas[y] y su posesión[z] y entonces vinieron a Judá y Jerusalén,[a] porque Jeroboán[b] y sus hijos los habían despedido[c] de servir de sacerdotes a Jehová. 15 Y este procedió a poner en oficio para sí sacerdotes para los lugares altos[d] y para los demonios de forma de cabra[e] y para los becerros que había hecho.[f] 16 Y después de ellos los de todas las tribus de Israel que daban su corazón a buscar a Jehová el Dios de Israel vinieron ellos mismos a Jerusalén[a] a hacer sacrificios[b] a Jehová el Dios de sus antepasados. 17 Y siguieron fortaleciendo la gobernación real de Judá[c] y confirmaron a Rehoboam hijo de Salomón por tres años, porque anduvieron en el camino de David y Salomón por tres años.[d]

18 Entonces Rehoboam tomó por esposa a Mahalat hija de Jerimot hijo de David y de Abiháil hija de Eliab[e] hijo de Jesé. 19 Con el tiempo ella le dio a luz hijos: Jeús y Semarías y Zaham. 20 Y después de ella él tomó a Maacá[f] nieta de Absalón.[g] Con el tiempo ella le dio a luz a Abías[h] y Atai y Zizá y Selomit. 21 Y Rehoboam amaba a Maacá nieta de Absalón más que a todas sus otras esposas[i] y sus concubinas; pues hubo dieciocho esposas que había tomado, [y] también sesenta concubinas, de modo que llegó a ser padre de veintiocho hijos y sesenta hijas. 22 Por consiguiente, Rehoboam puso a Abías hijo de Maacá en oficio como cabeza, como caudillo entre sus hermanos, porque [él pensaba] hacerlo rey. 23 Sin embargo, actuó con entendimiento,[j] y de todos sus hijos distribuyó algunos a todas las tierras de Judá y de Benjamín,[k] a todas las ciudades fortificadas,[l] y les dio alimento en abundancia[m] y [les] procuró una multitud de esposas.[n]

12 Y aconteció que, tan pronto como la gobernación real de Rehoboam quedó firmemente establecida,[o] y tan pronto como se hizo fuerte, dejó la ley de Jehová,[p] y también todo Israel[q] con él. 2 Y aconteció que, en el año quinto del rey Reho-

CAP. 11
a Sl 33:16
b 2Cr 12:15
c 1Re 12:23
d 2Sa 2:26
Heb 7:26
e 1Re 11:31
2Cr 10:15
f 1Re 12:24
g Gé 35:19
Mt 2:1
h 1Cr 4:3
i 2Sa 14:2
Am 1:1
j Jos 15:58
k 2Cr 28:18
l Jos 12:15
1Sa 22:1
m 1Cr 18:1
n Jos 15:44
o 1Sa 23:14
p Jos 10:5
2Cr 32:9
q Jos 10:10
1Re 11:30
Jer 34:7
r Jos 15:33
s Jos 19:42
t Gé 23:2
Jos 14:15
2Sa 2:1
u Isa 22:10
v 2Cr 17:19
2Cr 32:5
w 2Cr 26:14
x Nú 35:3
Jos 21:21
z Nú 35:2
a Éx 32:26
Dt 33:8
b 1Re 12:31
c Dt 12:19
d 1Re 13:33
e Le 17:7
f 1Re 12:28

2.ª col.
a 2Cr 15:9
2Cr 30:11
b Dt 12:11
1Cr 22:1
c 2Cr 12:1
d 2Cr 1:1
2Cr 7:17
2Cr 8:13
Os 6:4
e 1Sa 16:6
1Sa 17:13
f 1Re 15:2
2Cr 11:21
g 2Sa 13:1
2Sa 18:33
h 1Re 15:1
2Cr 12:16
Mt 1:7
i Dt 17:17
Jue 8:30
1Re 11:3
j Pr 16:20
k Jos 18:11
l 2Cr 11:11
m Dt 21:3
n Dt 17:17

CAP. 12
o 2Cr 11:17
p Dt 8:14
Dt 32:15
2Cr 26:16
Pr 30:9

q Ec 9:18; Miq 6:16.

boam,[a] Sisaq[b] el rey de Egipto subió contra Jerusalén (porque se habían portado infielmente para con Jehová),[c] 3 con mil doscientos carros[d] y con sesenta mil hombres de a caballo; y era innumerable[e] la gente que había venido con él desde Egipto... libios,[f] sukiyim y etíopes.[g] 4 Y logró tomar las ciudades fortificadas que pertenecían a Judá,[h] y finalmente llegó hasta Jerusalén.[i]

5 Ahora bien, en cuanto a Semaya[j] el profeta, él vino a Rehoboam y a los príncipes de Judá que se habían reunido en Jerusalén debido a Sisaq, y procedió a decirles: "Esto es lo que ha dicho Jehová: 'Ustedes, por su parte, me han dejado,[k] y yo, también, por mi parte, los he dejado[l] a la mano de Sisaq'". 6 Ante eso, los príncipes de Israel y el rey se humillaron[m] y dijeron: "Jehová es justo".[n] 7 Y cuando Jehová vio[o] que se habían humillado, la palabra de Jehová vino a Semaya,[p] diciendo: "Se han humillado.[q] No los arruinaré, y dentro de poco tiempo ciertamente les daré un escape, y mi furia no se derramará sobre Jerusalén por mano de Sisaq.[r] 8 Pero llegarán a ser siervos de él,[s] para que sepan la diferencia entre mi servicio[t] y el servicio de los reinos de los países".[u]

9 De modo que Sisaq[v] el rey de Egipto subió contra Jerusalén y tomó los tesoros de la casa de Jehová[w] y los tesoros de la casa del rey.[x] Todo lo tomó; así que tomó los escudos de oro que Salomón había hecho.[y] 10 Por consiguiente, el rey Rehoboam hizo en lugar de ellos escudos de cobre, y los encomendó al control de los jefes de los corredores,[z] los guardas[a] de la entrada de la casa del rey.[b] 11 Y sucedía que siempre que el rey venía a la casa de Jehová, los corredores entraban y los llevaban y los devolvían a la cámara de

la guardia de los corredores.[a] 12 Y debido a que se humilló, la cólera de Jehová se volvió de contra él,[b] y no [pensó] en arruinarlos completamente.[c] Y, además, resultaba que había cosas buenas en Judá.[d]

13 Y el rey Rehoboam continuó haciendo fuerte su posición en Jerusalén y siguió reinando; pues Rehoboam[e] tenía cuarenta y un años de edad cuando empezó a reinar, y por diecisiete años reinó en Jerusalén, la ciudad[f] que Jehová había escogido de todas las tribus de Israel para poner allí su nombre.[g] Y el nombre de la madre de él fue Naamá[h] la ammonita.[i] 14 Pero él hizo lo que era malo,[j] porque no había establecido firmemente su corazón en buscar a Jehová.[k]

15 En cuanto a los asuntos de Rehoboam, los primeros y los últimos,[l] ¿no están escritos entre las palabras de Semaya[m] el profeta y de Idó[n] el hombre de visiones por registro genealógico? Y continuamente hubo guerras entre Rehoboam[o] y Jeroboán.[p] 16 Por fin Rehoboam yació con sus antepasados,[q] y fue enterrado en la Ciudad de David;[r] y Abías[s] su hijo empezó a reinar en lugar de él.

13 En el año dieciocho del rey Jeroboán fue cuando Abías empezó a reinar sobre Judá.[t] 2 Tres años reinó en Jerusalén, y el nombre de su madre fue Micaya[u] hija de Uriel de Guibeah.[v] Y hubo guerra misma entre Abías y Jeroboán.[w]

3 De modo que Abías participó en la guerra con una fuerza militar de cuatrocientos mil hombres poderosos de guerra,[x] hombres escogidos. Y Jeroboán mismo se dispuso en orden de batalla contra él con ochocientos mil hombres escogidos,

---

CAP. 12

a 1Re 14:21
b 1Re 11:40
  1Re 14:25
c Jue 2:14
  2Cr 7:19
d Éx 14:9
  1Re 10:29
e Jue 6:5
  Na 3:9
f 2Cr 14:9
  2Cr 16:8
h 2Cr 11:5
  Isa 36:1
i 2Re 18:17
j 1Re 12:22
  2Cr 11:2
k Dt 28:15
  2Cr 15:2
l Job 34:11
  Heb 10:38
m 1Re 8:38
  2Cr 33:12
  2Cr 34:27
  Snt 4:10
n Éx 9:27
  Sl 89:14
  Jer 50:7
o 1Re 21:29
  1Pe 5:5
p 1Re 12:22
q Le 26:41
  Am 7:6
r 2Cr 12:2
s Isa 26:13
t Dt 28:47
u Os 2:7
  Os 8:10
v 1Re 14:25
w 1Re 7:51
x 1Re 14:26
  2Re 14:14
y 1Re 10:17
z 1Sa 22:17
  2Sa 23:23
b 1Re 14:27

2.ª col.

a 1Re 14:28
b 2Cr 33:12
  Isa 57:15
c Lam 3:22
d Gé 18:24
  1Re 14:13
  2Cr 19:3
e 1Re 14:21
f Dt 12:5
  2Cr 6:6
  Sl 48:2
  Sl 78:68
g Éx 20:24
  Dt 12:11
h 1Re 14:21
i Dt 23:3
  Ne 11:1
  Ne 13:26
j 1Re 15:34
k Dt 5:29
  1Sa 7:3
  1Re 18:21
  Mr 12:30
  Snt 5:8
l 1Cr 29:29
m 1Re 12:22
  2Cr 11:2
n 2Cr 9:29
  2Cr 13:22
o 1Re 14:30
p 1Re 12:20
q 1Re 14:31
r 2Sa 5:9

s Mt 1:7; CAP. 13 t 1Re 15:1; u 1Re 15:2; 2Cr 11:20; v Jos 18:28; 1Sa 10:26; w 1Re 15:6; x 2Cr 11:1.

hombres valientes, poderosos.[a]
4 Abías ahora se levantó sobre el monte Zemaraim, que está en la región montañosa de Efraín,[b] y dijo: "Óiganme, oh Jeroboán y todo Israel. 5 ¿No es cosa que ustedes deban saber, el que Jehová el Dios de Israel mismo dio un reino a David[c] sobre Israel para tiempo indefinido,[d] a él y a sus hijos,[e] por un pacto de sal?[f] 6 Y Jeroboán[g] hijo de Nebat, el siervo[h] de Salomón hijo de David, procedió a levantarse y rebelarse[i] contra su señor.[j] 7 Y hombres ociosos,[k] individuos que no servían para nada,[l] siguieron juntándose a su lado. Finalmente resultaron superiores a Rehoboam hijo de Salomón, cuando Rehoboam[m] mismo se hallaba joven y de corazón tímido,[n] y no contaba con suficiente fuerza para hacerles frente.

8 "Y ahora ustedes están pensando que tienen suficiente fuerza para hacer frente al reino de Jehová en la mano de los hijos de David,[o] cuando ustedes son una gran muchedumbre[p] y están con ustedes los becerros de oro que Jeroboán les hizo como dioses.[q] 9 ¿No han expulsado ustedes a los sacerdotes de Jehová,[r] los hijos de Aarón, y a los levitas, y no siguen ustedes haciéndose sacerdotes como los pueblos de los países?[s] En cuanto a cualquiera que venía y llenaba su mano con poder por medio de un toro joven y siete carneros, llegaba a ser sacerdote de lo que no son dioses.[t] 10 En cuanto a nosotros, Jehová es nuestro Dios,[u] y no lo hemos dejado; antes bien, hay sacerdotes ministrando a Jehová, hijos de Aarón, y también los levitas en la obra.[v] 11 Y ellos están haciendo que las ofrendas quemadas humeen a Jehová mañana a mañana y tarde a tarde,[w] y también incienso perfumado;[x] y las capas de pan están sobre la mesa de [oro]

puro,[a] y hay el candelabro de oro[b] y sus lámparas que encender tarde a tarde;[c] porque nosotros estamos guardando la obligación[d] para con Jehová nuestro Dios, pero ustedes mismos lo han dejado.[e] 12 Y, ¡miren!, con nosotros está a la cabeza el Dios [verdadero][f] con sus sacerdotes[g] y las trompetas de señal[h] para hacer sonar la alarma de batalla contra ustedes. Oh hijos de Israel, no peleen contra Jehová el Dios de sus antepasados,[i] porque no tendrán éxito".[j]

13 Y Jeroboán, por su parte, despachó una emboscada alrededor para que viniera desde detrás de ellos, y así resultó que ellos estuvieron enfrente de Judá, y la emboscada detrás de este.[k] 14 Cuando los de Judá se volvieron, pues, allí tenían la batalla enfrente y detrás.[l] Y empezaron a clamar a Jehová,[m] mientras los sacerdotes hacían sonar fuertemente las trompetas. 15 Y los hombres de Judá prorrumpieron en un grito de guerra.[n] Y aconteció que, cuando los hombres de Judá dieron un grito de guerra, entonces el Dios [verdadero] mismo derrotó[o] a Jeroboán y a todo Israel delante de Abías[p] y Judá. 16 Y los hijos de Israel se dieron a la fuga de delante de Judá, y entonces Dios los dio en mano de ellos.[q] 17 Y Abías y su gente fueron derribándolos con una matanza extensa; y los muertos de Israel siguieron cayendo, quinientos mil hombres escogidos. 18 Así los hijos de Israel fueron humillados en aquel tiempo, pero los hijos de Judá resultaron superiores porque se apoyaron[r] en Jehová el Dios de sus antepasados. 19 Y Abías siguió corriendo tras Jeroboán y logró tomarle ciudades: Betel[s] y sus pueblos dependientes, y Je-

---

CAP. 13

a Sl 33:16
b Jos 17:15
c Gé 49:10
  2Sa 7:8
  Sl 78:71
d 2Sa 7:13
  1Cr 17:14
e 1Cr 17:11
  Sl 89:29
  Lu 1:32
f Nú 18:19
  Sl 89:28
g 2Cr 10:2
h 1Re 11:26
i 1Re 12:20
  2Cr 10:18
j 1Re 11:27
k Jue 9:4
  Hch 17:5
l Dt 13:13
  1Re 21:10
m 2Cr 10:16
n Dt 20:8
o 2Cr 9:8
p Sl 33:16
q Dt 32:17
  2Cr 11:15
  2Cr 8:18
r 2Cr 11:14
s 1Re 12:31
  1Re 12:33
  1Re 13:33
t Dt 32:17
  2Re 19:18
  Jer 16:20
u Éx 19:5
  2Cr 11:16
v Nú 16:40
w Éx 29:39
x Éx 30:1
  2Cr 2:4

2.ª col.

a Éx 25:30
  Le 24:6
  1Cr 23:29
  Mt 12:4
b Éx 25:31
  Éx 27:20
  2Cr 4:7
c Le 24:2
d Gé 26:5
  Nú 9:19
  Dt 11:1
e Dt 28:15
  Sl 73:27
f Nú 23:21
  Dt 20:4
  Sl 20:7
  Ro 8:31
g Jos 6:4
h Nú 10:9
i Isa 45:9
  Hch 5:39
j Job 40:9
  Isa 40:15
  Heb 10:31
k Jos 8:4
l Jos 8:20
m 2Cr 14:11
  2Cr 18:31
  Sl 46:1
  Sl 50:15
  Sl 118:12
n Jos 6:16
  Jue 7:18
o Nú 32:4
  2Cr 14:12
p 2Cr 13:1
q Jue 1:4

r 2Re 18:5; 1Cr 5:20; 2Cr 16:8; Sl 22:5; Sl 37:5; Sl 146:5; Na 1:7; 1Ti 4:10; s Jos 12:9; Jue 21:19; 1Sa 13:2; 1Re 12:29.

saná y sus pueblos dependientes, y Efrén y sus pueblos dependientes.[a] **20** Y Jeroboán ya no retuvo más poder[b] en los días de Abías; antes bien, Jehová le asestó un golpe,[c] de manera que murió.

21 Y Abías continuó fortaleciéndose.[d] Con el tiempo se consiguió catorce esposas,[e] y llegó a ser padre de veintidós hijos[f] y dieciséis hijas. **22** Y el resto de los asuntos de Abías, aun sus caminos y sus palabras, están escritos en la exposición del profeta Idó.[g]

14 Finalmente Abías yació con sus antepasados,[h] y lo enterraron en la Ciudad de David;[i] y Asá su hijo empezó a reinar en lugar de él. En sus días el país estuvo sin disturbio[k] por diez años.

2 Y Asá procedió a hacer lo que era bueno y recto a los ojos de Jehová su Dios. **3** De modo que quitó los altares extranjeros[l] y los lugares altos[m] y quebró las columnas sagradas[n] y cortó los postes sagrados.[o] **4** Además, dijo a Judá que buscara[p] a Jehová el Dios de sus antepasados y que pusiera por obra la ley[q] y el mandamiento.[r] **5** En conformidad con eso, quitó de todas las ciudades de Judá los lugares altos y los estantes del incienso;[s] y el reino continuó sin disturbio[t] delante de él. **6** Y pasó a edificar ciudades fortificadas en Judá,[u] pues el país no tenía disturbio; y no hubo guerra contra él durante estos años, porque Jehová le dio descanso.[v] **7** De modo que él dijo a Judá: "Edifiquemos estas ciudades y hagamos muros[w] alrededor, y torres,[x] puertas dobles y barras.[y] Para nosotros el país todavía está disponible, porque hemos buscado a Jehová nuestro Dios.[z] Hemos buscado, y él nos da descanso todo en derredor".[a] Y se pusieron a edificar y a lograr éxito.[b]

8 Y Asá llegó a tener una fuerza militar que llevaba el escudo grande[a] y la lanza,[b] trescientos mil de Judá.[c] Y de Benjamín los que llevaban el broquel y doblaban el arco[d] eran doscientos ochenta mil.[e] Todos estos eran hombres valientes, poderosos.

9 Más tarde Zérah el etíope[f] salió contra ellos con una fuerza militar de un millón de hombres[g] y trescientos carros, y vino hasta Maresah.[h] **10** Entonces Asá salió contra él, y se dispusieron en orden de batalla en el valle de Zefata junto a Maresah. **11** Y Asá empezó a clamar a Jehová su Dios[i] y a decir: "Oh Jehová, en cuanto a ayudar, para ti no importa si hay muchos o [los de] ningún poder.[j] Ayúdanos, oh Jehová nuestro Dios, porque de veras nos apoyamos en ti,[k] y en tu nombre[l] hemos venido contra esta muchedumbre. Oh Jehová, tú eres nuestro Dios.[m] No permitas que el hombre mortal retenga fuerza contra ti".[n]

12 Ante aquello, Jehová derrotó[o] a los etíopes delante de Asá y delante de Judá, y los etíopes se dieron a la fuga. **13** Y Asá y la gente que con él estaba siguieron persiguiéndolos hasta Guerar,[p] y los de los etíopes continuaron cayendo hasta que no hubo ninguno de ellos vivo; porque fueron hechos pedazos delante de Jehová[q] y delante de su campamento.[r] Después ellos se llevaron una grandísima cantidad de despojo.[s] **14** Además, hirieron todas las ciudades de en derredor de Guerar, porque el pavor[t] de Jehová había llegado a estar sobre ellas; y se pusieron a saquear todas las ciuda-

CAP. 13

a Jn 11:54
b Sl 18:38
c 1Sa 25:38
  2Sa 12:15
  1Re 14:20
  Hch 12:23
d 2Sa 5:12
e Dt 17:17
  2Sa 5:13
  1Re 11:3
f Sl 127:5
g 2Cr 9:29
  2Cr 12:15

CAP. 14

h Sl 49:9
  Ro 5:14
i 2Sa 5:9
  1Re 2:10
  1Re 14:31
j 1Cr 3:10
k 2Cr 20:30
  Pr 29:2
l Dt 7:5
m Le 26:30
  1Re 11:7
  1Re 14:23
n Éx 23:24
  Nú 33:52
  2Re 23:14
o Jue 6:25
  2Re 18:4
  2Re 23:6
p 2Cr 30:19
  Isa 55:6
  Am 5:4
  Sof 2:3
  Mt 7:7
q Ne 10:29
r Sl 119:10
s 2Cr 34:4
t 2Re 11:20
u 2Cr 8:2
  2Cr 11:5
v Jos 23:1
  2Cr 15:15
  Sl 46:9
  Pr 16:7
w 2Cr 11:5
x 2Cr 32:5
y Dt 3:5
  Jue 16:3
  1Sa 23:7
z 1Cr 16:11
  Sl 105:3
a 1Re 8:4
b Sl 127:1
  Mal 3:10
  Hch 9:31

2.ª col.

a 1Sa 17:41
b 2Cr 11:12
c 2Cr 11:1
  2Cr 13:3
d 2Cr 26:14
  Isa 60:22
f 2Re 19:9
  Hch 8:27
g 2Cr 16:8
h Jos 15:44
  Miq 1:15
i Éx 14:10
  1Cr 5:20
  2Cr 32:20
  Sl 22:5
  Flp 4:6

j Jue 7:7; 1Sa 14:6; Am 5:9; 1Co 1:27; 2Co 12:9;
k 2Cr 32:8; Sl 37:5; Sl 55:22; 118a 14:11; 2Cr
13:12; Sl 20:5; Pr 18:10; m Dt 32:3; Mr 12:29;
Sl 79:9; 1Sa 2:9; Sl 9:19; Mt 6:9; o Dt 28:7;
p Gé 20:1; q Gé 48:21; r 1Cr 12:22; s 1Cr 20:2; Pr
13:22; t Gé 35:5; Éx 15:16; Dt 11:25; Jos 5:1;
2Cr 17:10.

des, porque había mucho que
saquear en ellas.[a] 15 Y hasta
las tiendas[b] con ganado hirieron
de manera que cautivaron[c] rebaños en gran número, y camellos,[d] después de lo cual regresaron a Jerusalén.

15 Ahora para Azarías hijo
de Oded,[e] el espíritu[f] de
Dios llegó a estar sobre él.
2 Por consiguiente, él salió delante de Asá y le dijo: "¡Óiganme, oh Asá y todo Judá y Benjamín! Jehová está con ustedes
mientras ustedes resulten estar
con él;[g] y si lo buscan,[h] se dejará
hallar de ustedes; pero si lo
dejan, él los dejará a ustedes.[i]
3 Y muchos fueron los días en
que Israel[j] había estado sin Dios
verdadero y sin sacerdote que
enseñara[k] y sin Ley. 4 Pero
cuando en su angustia[l] se volvieron a Jehová el Dios de Israel[m] y lo buscaron, entonces él
se dejó hallar de ellos.[n] 5 Y en
aquellos tiempos no había paz
para el que salía ni para el que
entraba,[o] porque había muchos
desórdenes entre todos los habitantes de los países.[p] 6 Y fueron triturados, nación contra
nación[q] y ciudad contra ciudad,
porque Dios mismo los mantuvo en desorden con toda suerte de angustia.[r] 7 Y ustedes,
sean animosos[s] y no dejen caer
las manos,[t] porque existe un galardón para su actividad".[u]
8 Y tan pronto como Asá oyó
estas palabras y la profecía de
Oded[v] el profeta, cobró ánimo y
procedió a hacer que las cosas
repugnantes[w] desaparecieran de
toda la tierra de Judá y Benjamín y de las ciudades que había
tomado de la región montañosa
de Efraín,[x] y a renovar el altar de
Jehová que estaba delante del
pórtico de Jehová.[y] 9 Y empezó a juntar a todo Judá y
Benjamín[z] y a los residentes
forasteros[a] con ellos desde
Efraín y Manasés y Simeón, porque se habían pasado a él de Israel en gran número cuando vieron que Jehová su Dios estaba
con él.[a] 10 De manera que se
juntaron en Jerusalén el tercer
mes del año quince del reinado
de Asá. 11 Entonces en aquel
día hicieron sacrificios a Jehová
del despojo que habían traído,
setecientas reses vacunas y siete
mil ovejas. 12 Además, entraron en un pacto[b] de que busca-
rían a Jehová el Dios de sus
antepasados con todo su corazón y con toda su alma;[c]
13 que a cualquiera que no buscara a Jehová el Dios de Israel se
le diera muerte,[d] fuera pequeño
o grande,[e] fuera hombre o mujer.[f] 14 De modo que juraron[g]
a Jehová con voz alta y con gozosa gritería y con las trompetas y
con cuernos. 15 Y todo Judá
se entregó a regocijo[h] debido a lo
que se había jurado; porque era
con todo su corazón como habían jurado, y con pleno placer
de parte de ellos como lo habían
buscado, de modo que él se dejó
hallar por ellos;[i] y Jehová continuó dándoles descanso todo en
derredor.[j]
16 En cuanto a aun Maa-
cá[k] [su] abuela, Asá el rey mismo[l] la removió de [ser] dama,[m]
porque ella había hecho un ídolo
horrible para el poste sagrado;[n]
y entonces Asá cortó el ídolo
horrible[o] de ella y lo pulverizó y
lo quemó[p] en el valle torrencial
de Cedrón.[q] 17 Y los lugares
altos[r] mismos no desaparecieron
de Israel.[s] Solo que el corazón
mismo de Asá resultó completo
todos sus días.[t] 18 Y procedió
a introducir en la casa del Dios
[verdadero] las cosas santificadas por su padre y las cosas[u] santificadas por él mismo, plata y
oro y utensilios.[v] 19 En cuanto
a guerra, no ocurrió sino hasta el
año treinta y cinco del reinado
de Asá.[w]

CAP. 14

a 2Cr 20:25, Sl 68:12
b 1Cr 4:41
c Nú 31:9, Nú 31:30
d 1Cr 5:21

CAP. 15

e 2Cr 15:8
f Nú 24:2, 2Sa 23:2
g Mal 3:7, Snt 4:8
h Isa 55:6, Jer 29:13
i 1Cr 28:9, 2Cr 24:20, Heb 10:38
j 1Re 12:28
k Dt 33:10, 2Cr 17:9, Ne 8:9, Mal 2:7
l Dt 4:30, Sl 106:44, Ro 2:9
m Jue 10:10, Os 6:1
n Isa 55:7, Mt 7:7
o Jue 5:6
p 1Sa 13:6
q Jue 9:23, 2Cr 12:15
r Dt 28:48, Jue 2:14, Sl 106:41, Os 9:3
s Jos 1:9, 1Cr 28:20
t Ec 10:18, Heb 12:12
u Rut 2:12, Col 3:24, Heb 11:6
v 2Cr 15:1
w Dt 27:15, 2Re 23:24
x Jos 17:15
y 2Cr 8:12
z 2Cr 11:16
a 2Cr 30:25

2.ª col.

a Gé 39:3, 1Sa 18:28, Zac 8:23, Hch 7:9
b 2Re 23:3, 2Cr 34:31, Ne 10:29
c Dt 4:29, Jer 29:13
d Éx 22:20, Dt 17:3
e Dt 1:17
f Pr 24:23
g Ec 5:5, Mt 5:33
h Sl 5:11, Sl 40:16
i 2Cr 15:2
j Pr 16:7
k 1Re 15:10
l Dt 13:6, Dt 33:9, Zac 13:3
m 1Re 15:13, 2Cr 19:7
n Éx 34:17
o Dt 7:5; 1Re 15:13; p Éx 32:20; q 2Sa 15:23; r 1Re 14:23; 2Re 14:4; 2Re 23:20; Eze 6:3; Eze 16:16; s 1Re 15:14; 1Re 22:43; t 1Re 8:61; u 1Re 7:51; 1Cr 26:26; v 1Re 15:15; w 2Cr 14:1.

16 En el año treinta y seis del reinado de Asá, Baasá[a] el rey de Israel subió contra Judá y empezó a edificar a Ramá,[b] para no permitir que nadie saliera ni entrara a Asá el rey de Judá.[c] 2 Y Asá ahora sacó plata y oro de los tesoros de la casa de Jehová[d] y de la casa del rey[e] y envió a decir a Ben-hadad[f] el rey de Siria,[g] que moraba en Damasco:[h] 3 "Hay un pacto entre yo y tú y entre mi padre y tu padre. Aquí te envío en efecto plata y oro. Anda, rompe tu pacto con Baasá[i] el rey de Israel, para que se retire de mí".[j]

4 De modo que Ben-hadad escuchó al rey Asá y envió a los jefes de las fuerzas militares que eran suyas contra las ciudades de Israel, de manera que hirieron a Ijón[k] y Danl y Abel-maim[m] y todos los lugares de almacenamiento[n] de las ciudades de Neftalí.[o] 5 Y aconteció que tan pronto como Baasá tuvo noticia de ello, inmediatamente dejó de edificar a Ramá y suspendió su obra.[p] 6 En cuanto a Asá el rey, él tomó a todo Judá,[q] y procedieron a llevarse las piedras de Ramá,[r] y sus maderas con las cuales Baasá había edificado,[s] y él empezó a edificar con ellas a Gueba[t] y Mizpá.[u]

7 Y en aquel tiempo Hananí[v] el vidente vino a Asá el rey de Judá y entonces le dijo: "Porque te apoyaste en el rey de Siria[w] y no te apoyaste en Jehová tu Dios,[x] por esa razón la fuerza militar del rey de Siria se ha escapado de tu mano. 8 ¿Acaso los etíopes[y] y los libios[z] mismos no constituían una inmensa fuerza militar en multitud, en carros y en hombres de a caballo?;[a] y, porque te apoyaste en Jehová, ¿no los dio él en tu mano?[b] 9 Pues, en cuanto a Jehová, sus ojos[c] están discurriendo por toda la tierra[d] para mostrar su fuerza a favor de aquellos cuyo corazón[e] es

completo para con él. Has actuado tontamente[a] respecto a esto, pues desde ahora en adelante existirán guerras contra ti".[b]

10 No obstante, Asá se ofendió contra el vidente y lo puso en la casa de los cepos,[c] porque estuvo enfurecido con él a causa de esto.[d] Y Asá empezó a aplastar[e] a otros del pueblo en aquel mismo tiempo. 11 Y, ¡mire!, los asuntos de Asá, los primeros y los últimos, allí están escritos en el Libro[f] de los Reyes de Judá y de Israel.

12 Y Asá, en el año treinta y nueve de su reinado, llegó a tener una dolencia en los pies hasta que estuvo muy enfermo;[g] y aun en su enfermedad no buscó a Jehová,[h] sino a los sanadores.[i] 13 Por fin Asá yació con sus antepasados,[j] y murió en el año cuarenta y uno de reinar. 14 De modo que lo enterraron en su grandiosa sepultura[k] que él había excavado para sí en la Ciudad de David;[l] y lo acostaron en la cama que había sido llenada de aceite balsámico[m] y diferentes clases de ungüentos[n] mezclados en un ungüento de confección especial.[o] Además, le hicieron una quema funeral[p] extraordinariamente grande.

17 Y Jehosafat[q] su hijo empezó a reinar en lugar de él y a fortalecer su posición sobre Israel. 2 Y procedió a poner fuerzas militares en todas las ciudades fortificadas de Judá y a poner guarniciones en la tierra de Judá y en las ciudades de Efraín que Asá su padre había tomado.[r] 3 Y Jehová continuó con Jehosafat,[s] porque anduvo en los caminos anteriores de David su antepasado[t] y no buscó a los Baales.[u] 4 Porque fue al Dios de su pa-

CAP. 16
a 1Re 15:27
b 1Re 15:17
1Re 18:25
Esd 2:26
Isa 10:29
c 1Re 15:17
d 1Re 7:51
e 2Re 16:8
f 1Re 15:18
g 1Re 20:1
2Re 8:7
2Re 12:18
h Isa 7:8
i 1Re 15:27
j 1Re 15:19
k 1Re 15:29
l Gé 14:14
Jue 18:29
Jue 20:1
m 2Sa 20:14
n 1Re 9:19
o Jos 19:32
p 1Re 15:21
q 1Re 15:22
r Jos 18:25
Esd 2:26
s 1Re 15:17
t Jos 18:24
Gé 6:60
Isa 10:29
Zac 14:10
u Jos 18:26
Jue 20:1
1Sa 7:5
Jer 40:6
v 1Re 16:1
2Cr 19:2
2Cr 20:34
w Sl 146:3
Isa 31:1
Jer 17:5
x 2Re 18:5
Heb 11:5
y 2Cr 14:9
z 2Cr 12:3
a 2Cr 14:9
b 2Cr 14:11
Sl 9:10
Sl 37:40
c Job 34:21
Pr 5:21
Jer 16:17
Heb 4:13
1Pe 3:12
d Zac 4:10
e 1Re 8:61

2.ª col.

a 1Sa 13:13
b 1Re 15:32
c 2Cr 18:26
Ec 8:4
d Sl 37:8
Sl 141:5
Pr 29:22
Gál 5:20
e Ec 7:7
f 1Re 15:23
g Isa 38:1
h Dt 32:39
2Re 20:8
Sl 103:3
i Jer 17:5
j 1Re 15:24
k 2Cr 32:33
l 2Sa 5:7
m 2Re 20:13
n Lu 23:56
Jn 12:7
o 2Re 16:1
Jn 19:40
p Jer 34:5

CAP. 17 q 1Re 15:24; 1Re 22:41; r 2Cr 15:8;
s Jos 1:5; 1Cr 22:18; Sl 46:7; Ro 8:31; t 2Sa 8:15;
1Re 11:6; 1Re 15:3; u 1Co 10:14.

dre a quien buscó,[a] y en su mandamiento anduvo,[b] y no según las acciones de Israel.[c] 5 Y Jehová mantuvo el reino firmemente establecido en su mano;[d] y todo Judá continuó dando presentes[e] a Jehosafat, y él llegó a tener riquezas y gloria en abundancia.[f] 6 Y su corazón se hizo denodado en los caminos[g] de Jehová, y hasta quitó de Judá los lugares altos[h] y los postes sagrados.[i]

7 Y al año tercero de reinar envió por sus príncipes, a saber, Ben-háil y Abdías y Zacarías y Netanel y Micaya, para que enseñaran en las ciudades de Judá, 8 y con ellos los levitas, Semaya y Netanías y Zebadías y Asahel y Semiramot y Jehonatán y Adonías y Tobiya y Tobadonías los levitas, y con ellos Elisamá y Jehoram los sacerdotes.[j] 9 Y ellos empezaron a enseñar[k] en Judá, y con ellos estaba el libro de la ley de Jehová;[l] y siguieron yendo alrededor de todas las ciudades de Judá y enseñando entre la gente.

10 Y el pavor[m] de Jehová vino a estar sobre todos los reinos de los países que estaban todo en derredor de Judá, y no pelearon contra Jehosafat.[n] 11 Y de los filisteos traían a Jehosafat presentes[o] y dinero como tributo.[p] Los árabes[q] también le traían rebaños, siete mil setecientos carneros y siete mil setecientos machos cabríos.[r]

12 Y Jehosafat continuó adelantando y engrandeciéndose[s] a un grado superior; y siguió edificando lugares fortificados[t] y ciudades de depósitos[u] en Judá. 13 Y hubo muchos intereses que llegaron a ser de él en las ciudades de Judá; y había guerreros,[v] hombres valientes y poderosos,[w] en Jerusalén. 14 Y estos eran sus oficios por la casa de sus antepasados: De Judá los jefes de millares, Adnah el jefe, y con él había trescientos mil hombres valientes, poderosos.[x] 15 Y

CAP. 17
a Dt 4:29
  2Cr 26:5
b Lu 1:6
c 1Re 12:28
  1Re 13:33
d 1Re 9:5
  Sl 132:12
e 1Re 10:27
  1Re 10:25
f 1Re 10:27
  2Cr 18:1
g Sl 18:21
  Sl 119:11
  Os 14:9
  Jn 2:15
  Hch 4:31
h 1Re 22:43
  2Cr 20:33
i Dt 7:5
j Dt 33:10
  Mal 2:7
k Le 10:11
  Ne 8:7
l Dt 31:11
  Jos 1:8
  2Ti 3:16
m Dt 35:5
  Dt 11:25
n Pr 16:7
o 2Cr 17:5
p 2Sa 8:2
q 2Cr 9:14
r 2Re 3:4
s 2Cr 18:1
  2Cr 14:8
u 1Re 9:19
  2Cr 8:6
v 1Re 9:22
w 2Cr 26:12
x 2Cr 13:3
  2Cr 14:8

2.ᵃ col.

a Jue 5:2
  Jue 5:9
  Sl 110:3
b Gé 49:27
c 2Sa 1:21
  2Cr 14:8
d 2Cr 11:12
  2Cr 11:23

CAP. 18

e 1Sa 2:7
  2Cr 17:5
  Pr 10:22
f 2Co 6:14
g 1Re 16:28
  1Re 16:33
  1Re 21:25
  2Re 8:18
h 1Re 22:2
  2Cr 19:2
i Sl 141:4
j 1Re 22:20
  1Re 22:6
k Dt 4:43
  1Cr 6:80
l 1Re 22:4
m Sl 139:21
  Ef 5:11
n 2Sa 2:1
  1Re 22:5
  2Cr 34:26
  Pr 3:5
o 1Re 18:19
p 1Re 22:6
q 2Re 3:11
r 1Re 22:7

bajo su control estaba Jehohanán el jefe, y con él había doscientos ochenta mil. 16 Y bajo su control estaba Amasías hijo de Zicrí el voluntario[a] para Jehová, y con él había doscientos mil hombres valientes, poderosos. 17 Y de Benjamín[b] estaba el hombre valiente y poderoso Eliadá, y con él había doscientos mil hombres armados con el arco y escudo.[c] 18 Y bajo su control estaba Jehozabad, y con él había ciento ochenta mil hombres equipados para el ejército. 19 Estos eran los que ministraban al rey aparte de aquellos a quienes el rey había puesto en las ciudades fortificadas[d] por todo Judá.

18 Y Jehosafat llegó a tener riquezas y gloria en abundancia;[e] pero formó una alianza de matrimonio[f] con Acab.[g] 2 De modo que años más tarde bajó [a ver] a Acab en Samaria;[h] y Acab procedió a sacrificar ovejas[i] y reses vacunas en abundancia para él y para la gente que estaba con él. Y empezó a ilusionarlo[j] para que subiera contra Ramot-galaad.[k] 3 Y Acab el rey de Israel pasó a decir a Jehosafat el rey de Judá: "¿Quieres ir conmigo a Ramot-galaad?".[l] Ante esto, él le dijo: "Yo soy lo mismo que tú, y mi pueblo es como tu pueblo y [está] contigo en la guerra".[m]

4 Sin embargo, Jehosafat dijo al rey de Israel: "Por favor, inquiere[n] en primer lugar por la palabra de Jehová". 5 De modo que el rey de Israel juntó a los profetas,[o] cuatrocientos hombres, y les dijo: "¿Vamos contra Ramot-galaad en guerra, o me guardo de hacerlo?".[p] Y ellos empezaron a decir: "Sube, y el [verdadero] Dios [la] dará en la mano del rey".

6 Pero Jehosafat dijo: "¿No hay aquí un profeta de Jehová todavía?[q] Entonces inquiramos por medio de él".[r] 7 Ante eso,

el rey de Israel dijo a Jehosafat:[a] "Todavía hay un hombre[b] por medio de quien inquirir de Jehová, pero yo mismo ciertamente lo odio,[c] porque no está profetizando respecto a mí para bien, sino, todos sus días, para mal.[d] Es Micaya hijo de Imlá".[e] Sin embargo, Jehosafat dijo: "No diga el rey semejante cosa".[f]

8 Por consiguiente, el rey de Israel llamó a un oficial de la corte[g] y dijo: "Trae pronto a Micaya hijo de Imlá".[h] 9 Ahora bien, el rey de Israel y Jehosafat el rey de Judá estaban sentados cada cual en su trono, en vestidos de vestir,[i] y estaban sentados en la era a la entrada de la puerta de Samaria; y todos los profetas estaban actuando como profetas delante de ellos.[j] 10 Entonces Sedequías hijo de Kenaaná se hizo unos cuernos[k] de hierro y dijo: "Esto es lo que ha dicho Jehová:[l] 'Con estos empujarás a los sirios hasta exterminarlos' ".[m] 11 Y todos los demás profetas estaban profetizando de la misma manera, diciendo: "Sube a Ramot-galaad y logra éxito,[n] y Jehová ciertamente [la] dará en la mano del rey".[o]

12 Y el mensajero que fue a llamar a Micaya le habló, diciendo: "¡Mira! Las palabras de los profetas son a una de bien para el rey; y deja que tu palabra, por favor, llegue a ser como [la de] uno de ellos[p] y tienes que hablar el bien".[q] 13 Pero Micaya dijo: "Tan ciertamente como que Jehová vive,[r] lo que mi Dios diga, eso es lo que hablaré".[s] 14 Entonces entró a donde el rey, y el rey procedió a decirle: "Micaya, ¿vamos a Ramot-galaad en guerra, o me guardo de hacerlo?". Al instante él dijo: "Suban y logren éxito; y serán dados en la mano de ustedes".[t] 15 Ante esto, el rey le dijo: "¿Cuántas veces van que te pongo bajo juramento[u] de que no me hables nada sino la ver-

dad en el nombre de Jehová?".[a] 16 Por lo tanto él dijo: "Ciertamente veo a todos los israelitas esparcidos sobre las montañas, como ovejas que no tienen pastor.[b] Y Jehová pasó a decir: 'Estos no tienen amos.[c] Que se vuelvan cada cual a su casa en paz' ".[d]

17 Entonces el rey de Israel dijo a Jehosafat: "¿No te dije: 'Él no profetizará acerca de mí cosas buenas, sino malas'?".[e] 18 Y él pasó a decir: "Por lo tanto, oigan la palabra de Jehová:[f] Ciertamente veo a Jehová sentado sobre su trono,[g] y a todo el ejército[h] de los cielos de pie a su derecha y a su izquierda.[i] 19 Y Jehová procedió a decir: '¿Quién engañará a Acab el rey de Israel para que suba y caiga en Ramot-galaad?'. Y hubo habla: este decía así, y aquel decía así.[j] 20 Finalmente salió un espíritu[k] y se situó delante de Jehová y dijo: 'Yo mismo lo engañaré'. Ante esto, Jehová le dijo: '¿De qué manera?'.[l] 21 A esto él dijo: 'Saldré y ciertamente llegaré a ser un espíritu engañoso en la boca de todos sus profetas'. De modo que él dijo: 'Lo engañarás, y, lo que es más, saldrás ganador.[n] Sal y hazlo así'.[q] 22 Y ahora sucede que Jehová ha puesto un espíritu engañoso en la boca de estos profetas tuyos;[p] pero Jehová mismo ha hablado calamidad tocante a ti".[q]

23 Sedequías[r] hijo de Kenaaná[s] ahora se acercó y le dio un golpe a Micaya[t] en la mejilla[u] y dijo: "¿Por qué camino, precisamente, pasó el espíritu de Jehová desde mí para hablar contigo?".[v] 24 A lo que dijo Micaya: "¡Mira! Estás viendo [por qué camino] en el día[w] que entres en la cámara más recóndita para esconderte".[x] 25 Entonces el rey de Israel dijo: "Tomen a Micaya y devuélvanlo a Amón el jefe de la ciudad y a Joás el hijo del rey.[y] 26 Y ustedes tienen

CAP. 18

1.ª col.
a 1Re 22:8
b 1Re 18:4
  1Re 19:10
c 1Re 18:17
  1Re 21:20
  Sl 34:21
d Pr 15:10
  Pr 27:5
  Isa 30:10
  Jer 38:4
e 1Re 22:8
f Pr 25:12
  Miq 2:7
g 1Sa 8:15
h 1Re 22:9
i Hch 12:21
j 1Re 22:10
k Jer 28:10
l Eze 13:6
m 1Re 22:11
  Jer 28:2
  Jer 29:21
n Jer 23:25
  Miq 3:5
  2Pe 2:1
o 1Re 22:12
p Sl 10:11
  Isa 30:10
  Os 7:3
q 1Re 22:13
r Dt 32:40
s 1Re 22:14
  Jer 23:28
  Jer 42:4
  Hch 20:27
t 1Re 22:15
u 1Sa 14:24
  Mt 26:63

2.ª col.
a 1Re 22:16
b Le 26:17
  Nú 27:17
  Dt 28:25
  Zac 10:2
c Isa 63:11
d 1Re 22:17
e 2Cr 18:7
f Jer 2:4
g Isa 6:1
  Eze 1:26
  Da 7:9
  Rev 20:11
h Job 1:6
  Da 7:10
i 1Re 22:19
j 1Re 22:20
k Sl 104:4
  Heb 1:7
l 1Re 22:21
m Job 12:16
n Sl 33:10
  2Te 2:11
o 1Re 22:22
p Eze 14:9
  Eze 14:9
q Nú 23:19
  1Re 22:23
  Eze 3:19
r 2Cr 18:10
s 1Re 22:11
t 1Re 22:8
  2Cr 18:7
u Jer 20:2
  Mr 14:65
  Hch 23:2
v 1Re 22:24
w Isa 9:14
x 1Re 22:25
y 1Re 22:26

que decir: 'Esto es lo que ha di-cho el rey: "Pongan a este indi-viduo en la casa de detención[a] y aliméntenlo con una ración re-ducida de pan[b] y una ración re-ducida de agua hasta que yo vuelva en paz"'".[c] **27** Ante eso, Micaya dijo: "Si vuelves de manera alguna en paz, Jehová no ha hablado conmigo".[d] Y añadió: "Oigan, gentes todas".[e]

28 Y el rey de Israel y Jehosa-fat el rey de Judá procedieron a subir a Ramot-galaad.[f] **29** El rey de Israel ahora dijo a Jeho-safat: "Habrá [para mí] un dis-frazar[me][g] y entrar en la bata-lla, pero tú, por tu parte, ponte tus prendas de vestir".[h] Por con-siguiente, el rey de Israel se dis-frazó, después de lo cual en-traron en la batalla.[i] **30** En cuanto al rey de Siria, él había dado orden a los jefes de los carros que eran de él, y había dicho: "No deben pelear ni con pequeño ni con grande, sino con el rey de Israel solamente".[j] **31** Y aconteció que, tan pronto como los jefes de los carros vie-ron a Jehosafat, ellos, por su parte, se dijeron: "Es el rey de Israel".[k] De manera que se vol-vieron contra él para pelear; y Jehosafat se puso a clamar por socorro,[l] y Jehová mismo le ayu-dó,[m] y Dios en seguida los atrajo de donde él.[n] **32** Y aconteció que en cuanto los jefes de los carros vieron que no resultaba que fuera el rey de Israel, inme-diatamente se volvieron de se-guirlo.[o]

33 Y hubo un hombre que do-bló el arco en su inocencia, pero logró darle[p] al rey de Israel en-tre los accesorios y la cota de malla, de modo que él dijo al conductor de su carro:[q] "Da vuelta a tu mano, y tienes que sacarme del campamento, por-que me han herido gravemen-te".[r] **34** Y la batalla siguió su-biendo en intensidad aquel día, y al rey de Israel mismo lo tuvie-

ron que mantener en posición erguida en el carro, de cara a los sirios hasta el atardecer; y gra-dualmente murió al tiempo de ponerse el sol.[a]

19 Entonces Jehosafat el rey de Judá regresó en paz[b] a su propia casa en Jerusalén. **2** Jehú[c] hijo de Hananí[d] el hom-bre de visiones[e] salió ahora de-lante de él y dijo al rey Jehosa-fat: "¿Es a los inicuos a quienes se ha de dar ayuda,[f] y es para los que odian[g] a Jehová para quie-nes debes tener amor?[h] Y por esto hay indignación[i] contra ti procedente de la persona de Je-hová. **3** No obstante, hay co-sas buenas[j] que se han hallado contigo, porque has eliminado del país los postes sagrados[k] y has preparado tu corazón para buscar al Dios [verdadero]".[l]

4 Y Jehosafat continuó mo-rando en Jerusalén; y empezó a salir de nuevo entre la gente desde Beer-seba[m] hasta la re-gión montañosa de Efraín,[n] a fin de traerlos de vuelta a Jehová el Dios de sus antepasados.[o] **5** Y procedió a apostar jueces por todo el país en todas las ciuda-des fortificadas de Judá, ciudad por ciudad.[p] **6** Y pasó a decir a los jueces: "Vean lo que hacen,[q] porque no es para el hombre que ustedes juzgan, sino que es para Jehová;[r] y él está con ustedes en el asunto de juicio.[s] **7** Y aho-ra, que el pavor[t] de Jehová lle-gue a estar sobre ustedes.[u] Ten-gan cuidado y actúen,[v] porque con Jehová nuestro Dios no hay injusticia[w] ni parcialidad[x] ni aceptación de soborno".[y]

8 Y en Jerusalén también Je-hosafat apostó a algunos de los levitas[z] y los sacerdotes[a] y algu-nos de las cabezas de las casas paternas[b] de Israel para el jui-cio[c] de Jehová y para las causas

CAP. 18

a 2Cr 16:10
  Jer 20:2
  Hch 5:18
b Sl 80:5
c 1Re 22:27
d Nú 16:29
  Dt 18:22
e 1Re 22:28
  f Jos 20:8
  2Cr 18:2
  1Re 14:5
  Dt 20:38
h 1Re 22:10
i 2Cr 18:29
j 1Re 22:31
k 1Re 22:32
  1 Éx 14:10
  2Cr 13:14
  Sl 50:15
m Sl 34:7
  Sl 46:1
  Sl 94:17
n Sl 1:6
  1Re 22:33
o 2Cr 18:29
p 2Re 9:24
q 1Re 22:34
r 2Cr 35:23
  Sl 34:21

2.ª col.

a 1Re 22:35
  2Cr 18:33

CAP. 19

b 2Cr 18:31
  2Cr 18:32
c 1Re 16:1
d 2Cr 16:7
e 1Sa 9:9
f 1Re 21:25
g 1Sa 2:30
  Sl 21:8
  Sl 68:1
h Sl 139:21
  Pr 1:10
  Pr 9:8
i 2Cr 32:25
  Sl 90:7
  Mt 11:5
j 1Re 14:13
  2Cr 17:4
k 2Cr 17:6
l 2Cr 30:19
  Esd 7:10
m Gé 21:33
  Jue 20:1
n Jos 17:15
  Jue 19:1
o 1Sa 7:3
  Dt 16:18
p Dt 16:18
q Rih 5:35
r Dt 1:17
  Sl 82:1
s Dt 1:16
  Jn 5:30
  Jn 8:16
t Ne 5:15
  Job 31:23
  Pr 1:7
u Éx 18:21
v 1Ti 3:2
w Gé 18:25
  Dt 32:4
  Ro 9:14
x Dt 10:17
  Hch 10:34
  Ro 2:11
  Ef 6:9
  1Pe 1:17

y Dt 16:19; Isa 1:23; Miq 7:3; Tit 1:7; z 2Cr 17:8;
a Dt 17:9; Dt 21:5; b 1Cr 27:1; c Dt 16:18; Dt 25:1.

judiciales[a] de los habitantes de Jerusalén. 9 Además, les impuso un mandamiento, diciendo: "Así es como deben hacer en el temor[b] de Jehová con fidelidad y con corazón completo. 10 En cuanto a toda causa judicial que venga a ustedes de sus hermanos que moran en sus ciudades, que tenga que ver con derramamiento de sangre,[c] que tenga que ver con ley[d] y mandamiento[e] y disposiciones reglamentarias[f] y decisiones judiciales,[g] ustedes tienen que advertirles para que no obren mal contra Jehová y no tenga que haber indignación[h] contra ustedes y contra sus hermanos. Así es como deben hacer para que no incurran en culpa. 11 Y aquí está Amarías el sacerdote principal sobre ustedes para todo asunto de Jehová;[i] y Zebadías hijo de Ismael el caudillo de la casa de Judá para todo asunto del rey; y como oficiales los levitas les están disponibles. Sean fuertes[j] y actúen, y Jehová[k] resulte estar con lo que es bueno".[l]

20 Y después de eso aconteció que los hijos de Moab[m] y los hijos de Ammón[n] y con ellos algunos de los ammonim[o] vinieron contra Jehosafat en guerra.[p] 2 De manera que vinieron unas personas y dieron informe a Jehosafat, diciendo: "Ha venido contra ti una gran muchedumbre desde la región del mar, desde Edom;[q] y allí están en Hazazón-tamar, es decir, En-guedi".[r] 3 Ante eso, a Jehosafat le dio miedo,[s] y dirigió su rostro a buscar a Jehová.[t] De modo que proclamó un ayuno[u] para todo Judá. 4 Al fin se juntaron los de Judá para inquirir de Jehová.[v] Aun de todas las ciudades de Judá vinieron para consultar a Jehová.[w]

5 Entonces Jehosafat se puso de pie en la congregación de Judá y de Jerusalén en la casa de Jehová,[a] delante del patio nuevo,[b] 6 y procedió a decir:[c]

"Oh Jehová el Dios de nuestros antepasados,[d] ¿no eres tú Dios en los cielos,[e] y no estás dominando sobre todos los reinos de las naciones,[f] y no están en tu mano poder y potencia, sin que haya quien se mantenga firme contra ti?[g] 7 ¿No expulsaste tú mismo, oh Dios nuestro,[h] a los habitantes de esta tierra de delante de tu pueblo Israel[i] y entonces la diste[j] a la descendencia de Abrahán, tu amador,[k] hasta tiempo indefinido? 8 Y ellos se pusieron a morar en ella, y procedieron a edificarte en ella un santuario para tu nombre,[l] diciendo: 9 'Si viniera sobre nosotros calamidad,[m] espada, juicio adverso, o peste[n] o hambre,[o] estemos de pie delante de esta casa[p] y delante de ti (porque tu nombre[q] está en esta casa), para que clamemos a ti por socorro en medio de nuestra angustia, y dígnate oír, y salva'.[r] 10 Y ahora, aquí los hijos de Ammón,[s] y Moab[t] y la región montañosa de Seír,[u] a quienes tú no permitiste que Israel invadiera cuando iba saliendo de la tierra de Egipto, sino que se apartó de ellos y no los aniquiló,[v] 11 sí, aquí están ellos recompensándonos[w] mediante venir para expulsarnos de tu posesión que tú nos hiciste poseer.[x] 12 Oh Dios nuestro, ¿no ejecutarás juicio contra ellos?[y] Porque no hay en nosotros poder delante de esta gran muchedumbre que viene contra nosotros;[z] y nosotros mismos no sabemos qué debemos hacer,[a] pero nuestros ojos están hacia ti".[b]

13 Todo este tiempo todos los

CAP. 19
a Dt 1:16
b 2Sa 23:3
c Dt 17:8
d Dt 4:44
e Dt 30:11
Sl 19:7
f Dt 12:1
g Dt 4:1
Sl 147:19
h Nú 16:46
i 1Cr 26:30
Mal 2:7
j Jos 1:6
k 2Cr 15:2
Sl 18:24
l Sl 37:23
Ec 2:26

CAP. 20
m Gé 19:37
Jue 3:14
2Sa 8:2
Sl 83:6
n Gé 19:38
o 2Cr 20:10
p 2Cr 19:2
q Gé 36:8
Jos 15:1
r Jos 15:62
2Cr 20:16
2Cr 20:20
s Gé 32:7
t 2Cr 19:3
u Jue 20:26
Joe 1:14
Joe 2:12
v Dt 4:29
Sl 34:4
w 2Sa 21:1

2.ª col.
a 2Cr 6:12
2Cr 7:15
b 1Re 6:36
2Cr 4:9
c Flp 4:6
d Éx 3:6
e 2Cr 4:39
Jos 2:11
1Re 8:23
Mt 6:9
f 1Cr 29:11
Da 4:17
g 1Cr 29:12
Sl 62:11
Isa 14:27
Isa 40:15
Da 4:35
h Gé 17:8
Éx 6:7
i Sl 44:2
j Gé 12:7
Ne 9:8
k Isa 41:8
Snt 2:23
l 2Cr 2:4
2Cr 6:10
m 1Re 8:33
n 1Re 8:37
o 2Cr 6:28
p 2Cr 6:29
q 2Cr 6:20
r 1Re 8:34
s 2Sa 8:12
t 2Cr 20:1
u Gé 36:8
Nú 20:18

v Nú 20:17; Nú 20:21; Dt 2:5; Dt 2:9; Dt 2:19; Jue 11:15; w Sl 7:4; Sl 35:12; x Jue 11:23; Sl 83:4; y Jue 11:27; 1Sa 3:13; Sl 7:6; z 2Cr 14:11; a 2Re 6:15; Jer 10:23; b Sl 25:15; Sl 62:1.

de Judá estaban de pie delante de Jehová,[a] hasta sus pequeñuelos,[b] sus esposas y sus hijos.

14 Ahora bien, en cuanto a Jahaziel hijo de Zacarías hijo de Benaya hijo de Jeiel hijo de Matanías el levita de los hijos de Asaf,[c] el espíritu[d] de Jehová vino a estar sobre él en medio de la congregación. 15 Por consiguiente, dijo: "¡Presten atención, todo Judá y ustedes los habitantes de Jerusalén, y rey Jehosafat! Aquí está lo que Jehová les ha dicho a ustedes: 'No tengan miedo[e] ni se aterroricen a causa de esta gran muchedumbre; porque la batalla no es de ustedes, sino de Dios.[f] 16 Mañana bajen contra ellos. Allí vienen subiendo por el paso de Ziz; y de seguro ustedes los hallarán al fin del valle torrencial, enfrente del desierto de Jeruel. 17 No tendrán que pelear[g] en esta ocasión. Tomen su posición, esténse quietos[h] y vean la salvación[i] de Jehová a favor de ustedes. Oh Judá y Jerusalén, no tengan miedo ni se aterroricen.[j] Mañana salgan contra ellos, y Jehová estará con ustedes'".[k]

18 Al instante Jehosafat se inclinó rostro a tierra,[l] y todo Judá y los habitantes mismos de Jerusalén cayeron delante de Jehová para rendir homenaje a Jehová.[m] 19 Entonces los levitas[n] de los hijos de los qohatitas[o] y de los hijos de los coreítas[p] se levantaron para alabar a Jehová el Dios de Israel con una voz extraordinariamente fuerte.[q]

20 Y procedieron a levantarse muy de mañana y a salir al desierto[r] de Teqoa.[s] Y mientras salían, Jehosafat se puso de pie y entonces dijo: "¡Óiganme, oh Judá y ustedes los habitantes de Jerusalén![t] Pongan fe[u] en Jehová su Dios para que resulten de larga duración. Pongan fe en

CAP. 20

a Esd 10:1
b Isa 29:11
c 1Cr 15:19
  1Cr 25:1
  2Cr 35:15
d Nú 11:25
  2Cr 15:1
  2Cr 24:20
  2Pe 1:21
e Dt 1:29
  Jos 11:6
  2Cr 32:7
f 2Cr 32:8
g Éx 14:13
  Éx 14:25
h Isa 30:15
  Lam 3:26
i Éx 14:13
  Éx 15:2
  1Sa 2:1
  1Sa 11:13
  1Cr 16:23
j Dt 31:8
  Jos 10:25
k Nú 14:9
  Éx 15:2
  Sl 46:7
l Gé 24:26
  Éx 4:31
m Job 1:20
  Sl 95:6
n 1Cr 15:16
o 1Cr 23:12
p Sl 44:Enc
  Sl 49:Enc
q 2Cr 5:13
  Sl 60:6
  Sl 81:1
r 2Cr 20:16
s 2Sa 14:2
  1Cr 4:5
  2Cr 11:6
  Jer 6:1
t 2Cr 20:15
u Éx 19:9
  Isa 7:9
  Heb 11:6

2.ª col.

a Éx 14:31
  Éx 36:16
b 1Cr 13:1
  Pr 11:14
c 1Cr 15:16
  2Cr 5:12
  2Cr 9:11
d 2Cr 29:25
  Esd 3:10
  Ne 12:27
e 1Cr 16:29
  Sl 29:2
  Sl 96:9
f Jos 6:9
  Sl 106:1
g Sl 100:4
h Éx 34:6
  Lam 3:22
i Jue 7:22
  Isa 14:20
j Isa 19:2
k Gé 14:6
  Dt 2:5
l Eze 38:21
m 2Cr 20:16
n Éx 14:30
  1Cr 5:22
  Sl 110:6
  Isa 37:36
o Sl 68:12
p Éx 12:35
  2Re 7:15
  Pr 13:22

sus profetas[a] y así logren éxito".

21 Además, tomó consejo[b] con la gente y apostó cantores[c] a Jehová y quienes ofrecieran alabanza[d] en adorno santo[e] mientras salían al frente de los hombres armados,[f] y que dijeran: "Den alabanza a Jehová,[g] porque hasta tiempo indefinido es su bondad amorosa".[h]

22 Y al tiempo que dieron comienzo con el clamor gozoso y alabanza, Jehová colocó hombres en emboscada[i] contra los hijos de Ammón, Moab y la región montañosa de Seír que venían para entrar en Judá, y estos se pusieron a herirse unos a otros.[j] 23 Y los hijos de Ammón y Moab procedieron a levantarse contra los habitantes de la región montañosa de Seír[k] para darlos por entero a la destrucción y aniquilarlos; y tan pronto como acabaron con los habitantes de Seír, ayudaron a arruinar cada cual a su propio compañero.[l]

24 Pero en cuanto a Judá, llegó a la atalaya del desierto.[m] Cuando volvieron los rostros hacia la muchedumbre, pues, allí estaban, sus cadáveres caídos en tierra[n] sin que nadie hubiera escapado. 25 De modo que Jehosafat y su pueblo vinieron a saquear el despojo[o] que había en ellos, y llegaron a hallar entre ellos en abundancia tanto bienes como ropa y objetos deseables; y fueron despojándolos para sí hasta que no pudieron llevar más.[p] Y llegó a ser por tres días que estuvieron saqueando el despojo, porque era abundante. 26 Y al cuarto día se congregaron en la llanura baja de Beracá, porque allí bendijeron a Jehová.[q] Por eso llamaron a aquel lugar por nombre[r] llanura baja de Beracá... hasta hoy.

q Éx 15:2; 2Sa 22:2; Sl 103:1; r Éx 17:15; 1Sa 7:12.

27 Entonces todos los hombres de Judá y de Jerusalén regresaron, con Jehosafat a la cabeza de ellos, para regresar a Jerusalén con regocijo, porque Jehová había hecho que se regocijaran sobre sus enemigos.[a] 28 De manera que vinieron a Jerusalén con instrumentos de cuerda[b] y con arpas[c] y con trompetas[d] a la casa de Jehová.[e] 29 Y el pavor[f] de Dios llegó a estar sobre todos los reinos de los países cuando oyeron que Jehová había peleado contra los enemigos de Israel.[g] 30 Así, la región real de Jehosafat estuvo sin disturbio, y su Dios continuó dándole descanso a él todo en derredor.[h]

31 Y Jehosafat[i] siguió reinando sobre Judá. Treinta y cinco años de edad tenía cuando empezó a reinar, y por veinticinco años reinó en Jerusalén. Y el nombre de su madre fue Azubá[j] hija de Silhí. 32 Y él siguió andando en el camino de su padre Asá,[k] y no se desvió de él, haciendo lo que era recto a los ojos de Jehová.[l] 33 Solo los lugares altos[m] mismos no desaparecieron; y el pueblo mismo todavía no había preparado su corazón para el Dios de sus antepasados.[n]

34 En cuanto al resto de los asuntos de Jehosafat, los primeros y los últimos, allí están escritos entre las palabras de Jehú[o] hijo de Hananí,[p] que fueron insertadas en el Libro[q] de los Reyes de Israel. 35 Y después de esto Jehosafat el rey de Judá tuvo asociación con Ocozías[r] el rey de Israel, quien actuó inicuamente.[s] 36 De modo que lo asoció consigo en hacer naves que fueran a Tarsis,[t] e hicieron naves en Ezión-guéber.[u] 37 Sin embargo, Eliezer hijo de Dodavahu de Maresá habló proféticamente contra Jehosafat, y dijo: "Puesto que has tenido

asociación con Ocozías,[a] Jehová ciertamente derribará tus obras".[b] Por consiguiente, las naves se destrozaron,[c] y no retuvieron fuerza para ir a Tarsis.[d]

21 Por fin Jehosafat yació con sus antepasados,[e] y fue enterrado con sus antepasados[f] en la Ciudad de David; y Jehoram[g] su hijo empezó a reinar en lugar de él. 2 Y él tenía hermanos, hijos de Jehosafat: Azarías y Jehiel y Zacarías y Azarías y Miguel y Sefatías; todos estos eran los hijos de Jehosafat el rey de Israel. 3 En consecuencia, su padre les dio muchos regalos[h] en plata y en oro y en cosas selectas, junto con ciudades fortificadas en Judá;[i] pero el reino lo dio a Jehoram,[j] porque era el primogénito.[k]

4 Cuando Jehoram se levantó sobre el reino de su padre procedió a fortalecer su posición, y por lo tanto mató a todos sus hermanos[l] a espada y también a algunos de los príncipes de Israel. 5 Treinta y dos años de edad tenía Jehoram cuando empezó a reinar, y por ocho años reinó[m] en Jerusalén. 6 Y siguió andando en el camino de los reyes de Israel,[n] así como habían hecho los de la casa de Acab; pues la propia hija de Acab había llegado a ser su esposa,[o] y él continuó haciendo lo que era malo a los ojos de Jehová.[p] 7 Y Jehová no quiso arruinar la casa de David,[q] por causa del pacto[r] que había celebrado con David, y tal como había dicho que les daría a él[s] y a sus hijos una lámpara siempre.[t]

8 En sus días se sublevó Edom[u] de debajo de la mano de Judá,[v] y entonces hicieron un rey que reinara sobre ellos.[w] 9 Por lo tanto, Jehoram junto

CAP. 20
a 1Sa 2:1
  Ne 12:43
  Sl 20:5
  Sl 30:1
b 2Sa 6:5
  1Re 10:12
c 1Cr 13:8
  1Cr 16:5
d Nú 10:8
  1Cr 15:24
  2Cr 29:26
e Sl 116:19
f Gé 35:5
  2Cr 14:14
  2Cr 17:10
g Éx 15:14
  Dt 33:26
  Jos 9:9
h Jos 23:1
  2Sa 7:1
  2Cr 15:15
  Pr 16:7
i 1Re 22:41
j 1Re 22:42
k 1Re 15:11
  1Cr 17:3
  Sl 18:21
m 1Re 15:14
  1Re 22:43
  2Cr 17:6
n 1Re 18:21
  2Cr 12:14
  2Cr 19:3
o 1Re 16:1
  2Cr 19:2
p 2Cr 16:7
q 2Cr 16:11
r 1Re 22:49
  1Co 15:33
s 2Re 1:2
  2Re 1:16
  2Cr 19:2
t 1Re 10:22
  1Re 22:48
u Nú 33:35
  Dt 2:8
  1Re 9:26

2.ª col.
a Pr 13:20
b Sl 127:1
c 1Re 22:48
d 2Cr 9:21

CAP. 21
e 1Re 22:50
f 2Cr 32:33
g 2Re 8:16
h Gé 25:6
i 2Cr 11:23
  Pr 13:22
j 2Re 8:16
k Gé 43:33
  1Gé 4:8
  Jue 9:5
m 2Re 8:17
n 1Re 14:9
  Os 4:1
o 2Re 8:18
  2Cr 22:2
  Ne 13:26
p 1Sa 2:30
  1Re 16:25
  2Cr 29:6
q 2Sa 7:16
r 2Sa 23:5
  Sl 89:28
  Jer 33:21
s 2Sa 7:12

t 1Re 11:36; 2Re 8:19; Sl 132:11; u Gé 27:40;
v 2Re 8:20; w 1Re 22:47.

con sus jefes pasaron allá, y también todos los carros con él. Y aconteció que él se levantó de noche y se puso a derribar a los edomitas que lo tenían cercado a él y también a los jefes de los carros. 10 Pero Edom siguió su sublevación de debajo de la mano de Judá hasta el día de hoy. Fue entonces cuando Libná[a] empezó a sublevarse al mismo tiempo de debajo de su mano, porque él había dejado a Jehová el Dios de sus antepasados.[b] 11 Él mismo también había hecho lugares altos[c] en las montañas de Judá, para hacer que los habitantes de Jerusalén tuvieran ayuntamiento inmoral,[d] y para echar a Judá.[e]

12 Al fin le llegó un escrito[f] de Elías[g] el profeta, que decía: "Esto es lo que ha dicho Jehová el Dios de David tu antepasado: 'Debido al hecho de que no has andado en los caminos de Jehosafat[h] tu padre ni en los caminos de Asá[i] el rey de Judá, 13 sino que andas en el camino de los reyes de Israel[j] y haces que Judá y los habitantes de Jerusalén tengan ayuntamiento inmoral[k] de la misma manera como la casa de Acab hizo que se tuviera ayuntamiento inmoral,[l] y hasta a tus mismos hermanos, la casa de tu padre, quienes eran mejores que tú, has matado;[m] 14 ¡mira!, Jehová va a asestar un gran golpe[n] a tu pueblo[o] y a tus hijos[p] y a tus esposas y a todos tus bienes. 15 Y estarás con muchas enfermedades,[q] con una dolencia de los intestinos, hasta que los intestinos se te hayan salido debido a la enfermedad día a día' ".[r]

16 En conformidad, Jehová despertó contra Jehoram el espíritu[s] de los filisteos[t] y de los árabes[u] que estaban al lado de los etíopes.[v] 17 De modo que ellos subieron a Judá y lo abrieron a la fuerza y tomaron cauti-vos todos los bienes que se hallaban en la casa del rey,[a] y también a sus hijos y sus esposas,[b] y no le quedó hijo alguno sino Jehoacaz,[c] su hijo más joven. 18 Y después de todo esto Jehová lo plagó en los intestinos con una enfermedad para la cual no había curación.[d] 19 Y aconteció que en los días venideros, aun cuando el término de dos años completos había expirado, se le salieron los intestinos[e] durante su enfermedad, y gradualmente murió en sus malas dolencias; y su pueblo no hizo una quema[f] para él como la quema para sus antepasados. 20 Treinta y dos años de edad tenía cuando empezó a reinar, y por ocho años reinó en Jerusalén. Por fin se fue sin ser deseado.[g] De modo que lo enterraron en la Ciudad de David,[h] pero no en las sepulturas de los reyes.[i]

22 Entonces los habitantes de Jerusalén hicieron rey en lugar de él a Ocozías[j] su hijo más joven (pues la partida merodeadora que vino con los árabes[k] al campamento había matado a todos los de más edad),[l] y Ocozías el hijo de Jehoram empezó a reinar como rey de Judá. 2 Veintidós años de edad tenía Ocozías cuando empezó a reinar,[m] y por un año reinó en Jerusalén. Y el nombre de su madre era Atalía[n] la nieta de Omrí.[o]

3 Él mismo también anduvo en los caminos de la casa de Acab,[p] pues su misma madre[q] llegó a ser su consejera en obrar inicuamente. 4 Y él siguió haciendo lo que era malo a los ojos de Jehová, lo mismo que la casa de Acab, porque ellos mismos llegaron a ser consejeros[r] para él después de la muerte de su padre, para arruinamiento de él. 5 También fue en el consejo de ellos en el que anduvo,[s] de modo

CAP. 21
a Jos 21:13
2Re 19:8
b Ex 3:6
Dt 32:21
1Re 11:33
2Cr 15:2
Jer 2:13
c Dt 12:2
d 2Re 21:11
Rev 2:20
e Dt 4:27
f Jn 3:13
g 2Re 2:1
2Re 2:11
h 2Cr 17:3
i 1Re 15:11
2Cr 14:5
j 1Re 16:25
1Re 16:33
k Ex 34:15
Jer 3:8
l 2Re 9:22
2Cr 21:11
m Ex 20:13
2Cr 21:4
n Dt 28:22
o Le 26:21
Dt 5:11
Miq 6:16
p Ex 20:5
q Dt 28:61
Hch 12:23
r Dt 28:21
s 1Re 11:14
2Cr 33:11
Esd 1:1
Isa 10:5
t Jos 13:2
2Sa 8:1
u 2Cr 9:14
2Cr 17:11
v 2Cr 19:9
2Cr 12:3
2Cr 14:12

2.ª col.

a 1Re 14:26
b 1Sa 30:3
c 2Cr 22:6
2Cr 25:23
d Dt 28:59
2Cr 21:15
Ec 3:17
Hch 12:23
e 2Sa 20:10
f 2Cr 16:14
Jer 34:5
g Pr 10:7
Pr 11:10
Pr 29:2
Ec 8:10
Jer 22:18
h 1Re 2:10
i 2Cr 24:25
2Cr 28:27

CAP. 22

j 2Re 8:24
1Cr 3:11
k 2Cr 21:16
2Cr 21:17
m 2Re 8:26
n 2Re 11:1
2Re 11:13
o 1Re 16:28
p 1Re 16:31
2Re 8:27
Miq 6:16
q 2Cr 22:12
2Cr 24:7

r 2Cr 24:18; Pr 1:10; Pr 12:5; Pr 13:20; s Sl 1:1.

que fue con Jehoram[a] hijo de Acab el rey de Israel a la guerra contra Hazael[b] el rey de Siria en Ramot-galaad,[c] en la cual los disparadores lograron darle a Jehoram.[d]   6 Por lo tanto, este se volvió para sanarse en Jezreel[e] de las heridas que le habían infligido en Ramá[f] cuando peleó contra Hazael el rey de Siria.

En cuanto a Azarías hijo de Jehoram[h] el rey de Judá, él bajó a ver a Jehoram[i] hijo de Acab en Jezreel, porque este estaba enfermo.[j]   7 Pero provino de Dios[k] el que la caída[l] de Ocozías ocurriera al ir [este] a Jehoram; y cuando llegó, salió[m] con Jehoram a Jehú[n] el nieto de Nimsí,[o] a quien Jehová había ungido[p] para cortar la casa de Acab.[q]   8 Y aconteció que tan pronto como Jehú hubo entrado en controversia con la casa de Acab,[r] llegó a hallar a los príncipes de Judá y a los hijos de los hermanos de Ocozías,[s] ministros de Ocozías, y procedió a matarlos.[t]   9 Entonces se puso a buscar a Ocozías, y por fin lo capturaron,[u] mientras estaba escondido en Samaria,[v] y lo trajeron a Jehú. Entonces le dieron muerte y lo enterraron,[w] porque dijeron: "Es el nieto de Jehosafat,[x] que buscó a Jehová con todo su corazón".[y] Y no hubo ninguno de la casa de Ocozías que retuviera poder para el reino.

10 En cuanto a Atalía[z] la madre de Ocozías, ella vio que su hijo había muerto. De manera que se levantó y destruyó a toda la prole real de la casa de Judá.[a]   11 Sin embargo, Jehosabeat[b] hija del rey tomó a Jehoás[c] hijo de Ocozías y lo hurtó de entre los hijos del rey a quienes iban a dar muerte, y lo puso a él y a su nodriza en el cuarto interior para los lechos. Y Jehosabeat hija del rey Jehoram,[d] la esposa de Jehoiadá[e] el sacerdote

(porque sucedía que ella misma era la hermana de Ocozías), lo mantuvo oculto debido a Atalía, y ella no le dio muerte.[a]   12 Y él continuó con ellos en la casa del Dios [verdadero], escondido por seis años,[b] mientras Atalía reinaba[c] sobre el país.[d]

23 Y al año séptimo Jehoiadá[e] se mostró animoso y procedió a tomar con él en el pacto a los jefes de centenas,[f] a saber, a Azarías hijo de Jeroham, e Ismael hijo de Jehohanán y Azarías hijo de Obed y Maaseya hijo de Adaya y Elisafat hijo de Zicrí.   2 Después fueron alrededor por todo Judá y juntaron a los levitas[g] de todas las ciudades de Judá y a los cabezas[h] de las casas paternas[i] de Israel. De manera que ellos vinieron a Jerusalén.   3 Entonces toda la congregación celebró un pacto[j] con el rey en la casa[k] del Dios [verdadero], después de lo cual él les dijo:

"¡Miren! El hijo[l] del rey mismo reinará,[m] tal como Jehová prometió concerniente a los hijos de David.[n]   4 Esta es la cosa que ustedes harán: una tercera parte de ustedes los que van a entrar en el sábado,[o] de los sacerdotes[p] y de los levitas,[q] estarán de guardas de las puertas;[r]   5 y una tercera parte estará en la casa del rey;[s] y una tercera parte estará a la Puerta del Fundamento;[t] y todo el pueblo estará en los patios[u] de la casa de Jehová.   6 Y no dejen que nadie entre en la casa de Jehová sino los sacerdotes y aquellos de los levitas que estén ministrando.[v] Estos son los que entrarán, porque son un grupo santo,[x] y todo el pueblo mismo guardará la obligación para con Jehová.   7 Y los levitas tienen que rodear al rey todo en derredor,[y] cada uno con sus armas en las manos; y en cuanto

CAP. 22

a 2Re 8:25
b 2Re 8:15
  2Re 10:32
c 1Re 22:3
d 2Re 8:28
e Jos 19:18
  2Sa 4:4
  2Re 9:15
f 2Re 8:29
g 2Re 9:16
  2Cr 22:1
h 2Re 8:16
  1Re 22:1
i 2Re 8:17
j 1Re 22:34
k Dt 32:35
  Jue 14:4
  2Cr 10:15
  Sl 9:16
  Am 3:6
l 1Sa 2:6
m 2Re 9:21
n 1Re 19:16
  2Re 9:20
o 2Re 9:14
p 2Re 9:6
q 2Re 9:7
r 2Re 10:10
  2Re 10:11
s 2Re 10:13
t 2Re 10:14
u 2Re 9:27
  2Re 10:17
w 2Re 9:28
x 2Cr 17:3
  Pr 10:7
y 2Cr 17:4
z 2Cr 22:2
a 2Re 11:1
b 2Re 11:2
c 2Re 11:21
d 2Re 8:16
e 2Cr 23:1

2.ª col.

a 2Sa 7:13
  1Re 15:4
  2Cr 21:7
  Sl 33:10
b 2Re 11:3
c Dt 17:15
d Sl 12:8
  Pr 29:2
  Jer 12:1

CAP. 23

e 2Re 11:4
f Éx 18:25
g Dt 33:8
  2Cr 8:14
h 1Cr 15:12
i 1Cr 23:11
j 2Sá 5:3
  2Re 11:17
k 1Re 7:51
l 2Re 11:4
m 2Re 11:12
n 2Sa 7:12
  1Re 2:4
  1Re 9:5
o 2Cr 6:16
  2Cr 7:18
  2Cr 21:7
  Sl 89:29
o 1Cr 9:25
  Lu 1:8
p 1Cr 24:3
q 1Cr 23:3
r 1Cr 26:1
s 1Re 7:1

t 2Re 11:6; u 1Re 7:12; v 2Re 11:7; w 1Cr 23:28; x 1Cr 23:32; y 2Re 11:8.

a cualquiera que entre en la casa, se le debe dar muerte. Y continúen con el rey cuando entre y cuando salga".

8 Y los levitas y todo Judá procedieron a hacer conforme a todo lo que había mandado[a] Jehoiadá[b] el sacerdote. De manera que tomaron cada uno a sus hombres que estaban entrando el sábado junto con los que estaban saliendo el sábado,[c] porque Jehoiadá el sacerdote no había librado del deber a las divisiones.[d] 9 Además, Jehoiadá el sacerdote dio a los jefes de centenas[e] las lanzas y los escudos y los escudos circulares[f] que habían pertenecido al rey David,[g] que estaban en la casa del Dios [verdadero].[h] 10 Y pasó a apostar a toda la gente,[i] hasta a cada uno con su proyectil en la mano, desde el lado derecho de la casa hasta el mismo lado izquierdo de la casa, junto al altar y junto a la casa, todo en derredor cerca del rey. 11 Entonces sacaron al hijo del rey[j] y pusieron sobre él la diadema[k] y el Testimonio,[l] y lo hicieron rey, y así Jehoiadá y sus hijos lo ungieron[m] y dijeron: "¡Viva el rey!".[n]

12 Cuando Atalía oyó el sonido de la gente corriendo y alabando al rey,[o] en seguida vino a la gente en la casa de Jehová. 13 Entonces ella vio, y allí estaba el rey de pie junto a su columna[p] a la entrada, y los príncipes[q] y las trompetas[r] junto al rey, y toda la gente de la tierra estaba regocijándose[s] y tocando[t] las trompetas, y los cantores[u] con los instrumentos de canto y los que daban la señal para ofrecer alabanza. Al instante Atalía rasgó sus prendas de vestir y dijo: "¡Conspiración! ¡Conspiración!".[v] 14 Pero Jehoiadá el sacerdote sacó los jefes de centenas, los nombrados de la fuerza militar, y les dijo: "¡Sáquenla de dentro de las filas;[w] y en cuanto a cualquiera que venga

tras ella, se le debe dar muerte a espada!". Porque el sacerdote había dicho: "No deben darle muerte en la casa de Jehová". 15 De manera que le echaron manos. Cuando ella llegó a la entrada de la puerta de los caballos de la casa del rey, en seguida le dieron muerte allí.[a]

16 Entonces Jehoiadá celebró un pacto entre él y todo el pueblo y el rey, de que continuarían como el pueblo[b] de Jehová. 17 Después de aquello todo el pueblo vino a la casa de Baal y la demolió;[c] e hicieron pedazos[d] sus altares[e] y sus imágenes, y a Matán[f] el sacerdote de Baal lo mataron[g] delante de los altares. 18 Además, Jehoiadá puso los oficios de la casa de Jehová en la mano de los sacerdotes [y] los levitas, a quienes David[h] había puesto en divisiones sobre la casa de Jehová para ofrecer los sacrificios quemados de Jehová conforme a lo que está escrito en la ley de Moisés,[i] con regocijo y con canto por las manos de David. 19 De modo que apostó los porteros[j] junto a las puertas[k] de la casa de Jehová para que no entrara nadie que estuviera inmundo en respecto alguno. 20 Ahora tomó a los jefes de centenas[l] y a los de señorío y a los gobernantes del pueblo y a toda la gente de la tierra e hizo bajar de la casa de Jehová al rey.[m] Entonces pasaron directamente por la puerta superior a la casa del rey y sentaron al rey sobre el trono[n] del reino. 21 Y toda la gente de la tierra continuó regocijándose;[o] y la ciudad misma no tuvo disturbio, y a Atalía le habían dado muerte a espada.[p]

24 Siete años de edad tenía Jehoás cuando empezó a reinar,[q] y por cuarenta años reinó en Jerusalén.[r] Y el nombre de su madre fue Zibíah de Beerseba.[s] 2 Y Jehoás[t] siguió ha-

CAP. 23	
a	Ec 9:17
b	2Re 11:4
	2Cr 23:1
c	2Re 11:9
d	1Cr 24:1
	2Cr 25:1
	1Cr 26:1
e	2Re 11:4
	1Cr 26:26
f	2Re 11:10
g	2Sa 8:7
h	1Cr 26:27
	2Cr 5:1
i	2Re 11:11
j	2Re 11:12
k	2Sa 1:10
	2Sa 12:30
l	Dt 17:18
m	1Sa 10:1
n	1Sa 10:24
o	2Re 11:13
p	2Re 7:15
	2Re 23:3
q	2Cr 23:1
r	Nú 10:10
	1Cr 15:24
s	1Re 1:40
	Pr 11:10
t	1Re 1:39
	Am 9:13
u	1Cr 25:7
v	2Re 11:14
w	2Re 11:15

2.ª col.	
a	2Re 11:16
b	2Re 11:17
	2Cr 34:31
c	2Re 10:27
d	Éx 32:20
e	Dt 12:3
	2Cr 34:4
	2Cr 34:7
f	2Re 11:18
g	Dt 13:5
	Dt 13:9
	1Re 18:40
h	1Cr 23:6
	1Cr 23:30
i	Éx 29:38
	Nú 28:2
j	1Cr 26:1
	1Cr 26:13
k	1Cr 9:26
l	2Re 11:9
m	2Re 11:19
n	1Re 1:13
	Tit 7:7
o	Pr 11:10
	Pr 29:2
p	2Re 11:20

CAP. 24	
q	2Re 11:21
	2Cr 3:5
r	2Cr 12:1
s	Esd 27:14
	2Sa 3:10
t	1Cr 3:11

ciendo lo que era recto a los ojos de Jehová[a] todos los días de Jehoiadá el sacerdote.[b] 3 Y Jehoiadá procedió a conseguirle dos esposas, y él llegó a ser padre de hijos e hijas.[c]

4 Ahora bien, después de aquello sucedió que llegó a estar junto al corazón de Jehoás renovar la casa de Jehová.[d] 5 Por consiguiente, juntó a los sacerdotes[e] y los levitas y les dijo: "Salgan a las ciudades de Judá y junten dinero de todo Israel para reparar[f] la casa de su Dios de año en año;[g] y ustedes, por su parte, deben actuar prestamente en el asunto". Y los levitas no actuaron prestamente.[h] 6 Por lo tanto, el rey llamó a Jehoiadá el cabeza y le dijo:[i] "¿Por qué no has exigido que los levitas den razón acerca de traer de Judá y Jerusalén el impuesto sagrado ordenado por Moisés[j] el siervo de Jehová, aun el de la congregación de Israel, para la tienda del Testimonio?[k] 7 Porque en lo que tocaba a Atalía la mujer inicua, sus hijos[l] mismos habían forzado la casa del Dios [verdadero],[m] y hasta todas las cosas santas[n] de la casa de Jehová las habían ofrecido a los Baales".[o] 8 Entonces el rey dijo [la palabra], y por lo tanto hicieron un cofre[p] y lo pusieron afuera, a la puerta de la casa de Jehová. 9 Después de aquello emitieron un pregón por todo Judá y Jerusalén para que se trajera a Jehová el impuesto sagrado[q] que Moisés el siervo del Dios [verdadero] había ordenado[r] sobre Israel en el desierto. 10 Y todos los príncipes[s] y todo el pueblo empezaron a regocijarse,[t] y siguieron trayéndolo y echándolo en el cofre[u] hasta que todos hubieron dado.

11 Y aconteció que, al tiempo apropiado, él llevaba el cofre al cuidado del rey por mano de los levitas,[v] y, en cuanto veían que había mucho dinero,[w] el secreta-

CAP. 24
a 2Cr 26:4
b 2Re 12:2
c Sl 127:3
d 2Re 22:5
  2Cr 34:8
e 2Re 12:4
f 2Cr 29:3
  2Cr 34:9
g 2Re 12:5
h 2Re 12:6
  Pr 10:4
  Ec 10:18
i 2Re 12:7
j Éx 30:12
  Éx 30:13
  Éx 30:14
  Éx 30:16
k Nú 1:50
  Hch 7:44
l 2Cr 22:3
m 2Cr 28:24
n 2Re 12:4
  2Re 14:14
o Dt 32:17
  Eze 16:17
  Os 2:13
p 2Re 12:9
  Mr 12:41
q Ne 10:32
  Mt 17:24
r Éx 30:12
  Éx 30:13
  Éx 30:14
  Éx 30:16
s 1Cr 28:1
t 1Cr 29:9
  Isa 64:5
  Hch 2:46
u 2Re 22:9
v 2Cr 34:9
w 2Re 22:9

2.ª col.
a 2Re 12:10
b 1Ti 5:18
c 2Re 12:11
d 1Re 5:17
e 2Cr 34:11
f 2Re 12:12
g 2Cr 34:8
h 2Cr 34:12
i 1Re 7:50
j Éx 37:16
  Nú 7:84
k 2Cr 4:21
  2Cr 4:22
l Éx 29:28
  Nú 28:3
m Sl 91:16
n 1Re 2:10
  2Cr 24:25
  Hch 2:29
o 2Cr 23:1
  Pr 10:7
  Heb 6:10
p 1Cr 28:1
q Pr 11:9
  Pr 29:12
r 1Re 14:23
s 1Re 14:9

rio[a] del rey y el comisionado del sacerdote principal venían y entonces vaciaban el cofre y lo alzaban y lo devolvían a su lugar. Así era como hacían de día en día, de modo que recogían dinero en abundancia. 12 Entonces el rey y Jehoiadá lo daban a los hacedores[b] del trabajo del servicio de la casa de Jehová,[c] y ellos llegaron a ser alquiladores de los canteros[d] y de los artífices[e] para renovar la casa de Jehová,[f] y también de los trabajadores en hierro y cobre para reparar la casa de Jehová.[g] 13 Y los hacedores del trabajo empezaron las operaciones,[h] y la obra de reparación siguió avanzando por mano de ellos, y por fin hicieron que la casa del Dios [verdadero] estuviera de pie como estructuralmente debía estar, y la hicieron fuerte. 14 Y tan pronto como hubieron acabado trajeron delante del rey y de Jehoiadá el resto del dinero, y procedieron a hacer utensilios para la casa de Jehová, utensilios para el ministerio[i] y para hacer ofrendas, y copas[j] y utensilios de oro[k] y de plata; y llegaron a ser ofrecedores de sacrificios quemados[l] en la casa de Jehová constantemente todos los días de Jehoiadá.

15 Y Jehoiadá envejeció y llegó a estar satisfecho de años,[m] y gradualmente murió: ciento treinta años de edad tenía al morir. 16 De modo que lo enterraron en la Ciudad de David junto con los reyes,[n] porque había hecho el bien en Israel[o] y con el Dios [verdadero] y Su casa.

17 Y después de la muerte de Jehoiadá los príncipes[p] de Judá entraron y procedieron a inclinarse ante el rey. En aquel tiempo el rey les escuchó.[q] 18 Y gradualmente dejaron la casa de Jehová el Dios de sus antepasados y se pusieron a servir a los postes sagrados[r] y los ídolos,[s] de manera que llegó a haber indig-

nación contra Judá y Jerusalén debido a esta culpa de ellos.[a] 19 Y él siguió enviando profetas[b] entre ellos para traerlos de vuelta a Jehová; y estos siguieron dando testimonio contra ellos, pero ellos no prestaron oído.[c]

20 Y el mismísimo espíritu de Dios[d] envolvió[e] a Zacarías[f] hijo de Jehoiadá[g] el sacerdote, de modo que él se puso de pie por encima de la gente y les dijo: "Esto es lo que ha dicho el Dios [verdadero]: '¿Por qué están traspasando los mandamientos de Jehová, de modo que no pueden lograr éxito?[h] Porque ustedes han dejado a Jehová, él, a su vez, los dejará a ustedes' ".[i] 21 Finalmente conspiraron contra él[j] y lo lapidaron[k] por mandamiento del rey, en el patio de la casa de Jehová. 22 Y Jehoás el rey no se acordó de la bondad amorosa que Jehoiadá el padre de aquel había ejercido para con él,[l] de modo que mató a su hijo, quien, cuando estaba a punto de morir, dijo: "Jehová lo vea y lo reclame".[m]

23 Y aconteció que, a la vuelta[n] del año, una fuerza militar de Siria[o] subió contra él,[p] y empezaron a invadir a Judá y Jerusalén. Entonces arruinaron de entre el pueblo a todos los príncipes[q] del pueblo, y enviaron todo su despojo al rey de Damasco.[r] 24 Pues fue con un número pequeño de hombres con el que la fuerza militar de los sirios efectuó una invasión,[s] y Jehová mismo dio en mano de ellos una fuerza militar muy grande en número,[t] porque habían dejado a Jehová el Dios de sus antepasados; y en Jehoás ejecutaron actos de juicio.[u] 25 Y cuando se fueron de él (porque lo dejaron con muchas enfermedades),[v] sus propios siervos conspiraron[w] contra él a causa de la sangre[x] de los hijos de Jehoiadá[y] el sacerdote; y lograron matarlo sobre su

propio lecho, de modo que murió.[a] Entonces lo enterraron en la Ciudad de David,[b] pero no lo enterraron en las sepulturas de los reyes.[c]

26 Y estos fueron los conspiradores contra él: Zabad[d] hijo de Simeat la ammonita y Jehozabad hijo de Simrit la moabita. 27 En cuanto a los hijos de él y la abundancia de la declaración formal contra él[e] y la fundación[f] de la casa del Dios [verdadero], allí están escritos en la exposición del Libro[g] de los Reyes. Y Amasías[h] su hijo empezó a reinar en lugar de él.

25 A la edad de veinticinco años Amasías[i] llegó a ser rey, y por veintinueve años reinó en Jerusalén. Y el nombre de su madre fue Jehoadán[j] de Jerusalén. 2 Y él continuó haciendo lo que era recto a los ojos de Jehová,[k] solo que no con corazón completo.[l] 3 Y aconteció que luego que el reino hubo quedado fuerte sobre él, prontamente mató[m] a sus siervos[n] que habían derribado al rey su padre.[o] 4 Y a los hijos de ellos no dio muerte, sino que [hizo] conforme a lo que está escrito en la ley, en el libro de Moisés,[p] que Jehová mandó, que dice: "Padres no deben morir por hijos,[q] ni deben hijos mismos morir por padres;[r] sino que es cada uno por su propio pecado por el que debe morir".[s]

5 Y Amasías procedió a juntar a Judá y a hacer que estuvieran de pie conforme a la casa de los antepasados,[t] por los jefes de millares[u] y por los jefes de centenas[v] para todo Judá y Benjamín; y pasó a inscribirlos de veinte[w] años de edad para arriba, y finalmente halló [que eran] trescientos mil hombres selectos que salían al ejército, que maneja-

CAP. 24

a Ne 9:26
Sl 102:10
b 2Re 17:13
2Cr 36:15
c 2Cr 36:16
d Nú 11:25
2Cr 15:1
2Cr 20:14
2Pe 1:21
e Jue 6:34
1Cr 12:18
f Lu 11:51
g 2Cr 23:11
h Nú 14:41
1Sa 13:13
Zac 7:11
i Dt 29:25
1Cr 28:9
2Cr 15:2
Jer 2:19
j Jer 11:19
Jer 18:18
k Mt 23:35
Lu 11:51
Hch 7:58
l Job 6:14
Pr 17:13
m Gé 9:5
Sl 94:1
Mt 11:20
Heb 10:30
Jud 9
n 1Re 20:22
o 2Re 12:17
p Dt 32:35
2Cr 24:17
r Gé 14:15
1Cr 18:5
s Le 26:37
Dt 32:30
t Le 26:25
Dt 28:25
u 2Cr 22:8
Isa 10:5
Hab 1:12
v Dt 28:22
2Cr 21:18
w 2Re 14:19
x Gé 9:5
2Cr 24:21
Lu 11:51
Rev 16:6
y 2Cr 24:20

2.ᵃ col.

a 2Sa 4:7
2Re 12:20
b 2Sa 5:9
1Re 2:10
c 2Cr 21:20
2Cr 28:27
Sl 69:28
d 2Cr 12:21
2Cr 24:20
f 2Cr 24:13
g 2Cr 12:19
2Cr 20:34
h 2Re 12:21
1Cr 3:12

CAP. 25

i 2Re 14:1
j 2Re 14:2
k Dt 12:32
l 1Re 8:61
2Re 11:4
2Re 14:3
Sl 78:37
m Gé 9:6
Éx 21:14
Nú 35:31

n 2Cr 24:26; o 2Cr 24:25; p Dt 24:16; q Eze 18:20; r Eze 18:4; s 2Re 14:6; t 1Cr 27:1; u Éx 18:25; 1Sa 8:12; 1Cr 13:1; v Dt 1:15; w Nú 1:3.

ban lanza[a] y escudo grande.[b] 6 Además, alquiló de Israel cien mil hombres valientes, poderosos, por cien talentos de plata. 7 Y cierto hombre del Dios [verdadero][c] vino a él, y dijo: "Oh rey, no dejes que el ejército de Israel vaya contigo, porque Jehová no está con Israel,[d] [es decir,] con todos los hijos de Efraín. 8 Pero ve tú mismo, actúa, sé animoso para la guerra.[e] El Dios [verdadero] pudiera hacerte tropezar delante de un enemigo; porque existe poder con Dios para ayudar[f] y para hacer tropezar".[g] 9 Ante eso, Amasías[h] dijo al hombre del Dios [verdadero]: "Pero ¿qué ha de hacerse en cuanto a los cien talentos que he dado a las tropas de Israel?".[i] A lo cual dijo el hombre del Dios [verdadero]: "Existe con Jehová el medio de darte mucho más que esto".[j] 10 Por lo tanto Amasías los separó, a saber, las tropas que habían venido a él desde Efraín, para que se fueran a su propio lugar. Sin embargo, la cólera de estos se enardeció mucho contra Judá, de modo que se volvieron a su propio lugar en el ardor de la cólera.[k]

11 Y Amasías, por su parte, cobró ánimo y procedió a acaudillar a su propio pueblo e ir al valle de la Sal;[l] y se puso a derribar a los hijos de Seír,[m] a diez mil [de ellos].[n] 12 Y hubo diez mil a quienes los hijos de Judá capturaron vivos. De manera que los llevaron a la cima del peñasco, y procedieron a arrojarlos desde la cima del peñasco; y todos ellos, sin excepción, reventaron.[o] 13 En cuanto a los miembros de la tropa a quienes Amasías había hecho volver de ir con él a la guerra,[p] ellos empezaron a hacer incursiones contra las ciudades de Judá, desde Samaria[q] hasta Bet-horón[r] misma, y lograron derribar a tres mil de ellos y efectuar un gran saqueo.

14 Pero después que Amasías

vino de derribar a los edomitas, sucedió que entonces trajo los dioses[a] de los hijos de Seír, los erigió para sí como dioses,[b] y empezó a inclinarse delante de ellos,[c] y a ellos empezó a hacerles humo de sacrificio.[d] 15 En consecuencia, la cólera de Jehová se enardeció contra Amasías, y por lo tanto le envió un profeta y le dijo: "¿Por qué has buscado[e] a los dioses del pueblo[f] que no libraron a su propio pueblo de tu mano?".[g] 16 Y aconteció que cuando él le habló, [el rey] inmediatamente le dijo: "¿Fue consejero del rey lo que te constituimos?[h] Cesa por tu propio bien.[i] ¿Por qué habrían de derribarte?". Por consiguiente, el profeta cesó, pero dijo: "Ciertamente sé que Dios se ha resuelto a arruinarte,[j] porque has hecho esto[k] y no has escuchado mi consejo".[l]

17 Entonces Amasías el rey de Judá tomó consejo y envió a decir a Jehoás hijo de Jehoacaz hijo de Jehú el rey de Israel:[m] "¡Ven! Mirémonos al rostro uno al otro".[n] 18 Ante aquello, Jehoás el rey de Israel envió a decir a Amasías el rey de Judá:[o] "El yerbajo espinoso mismo que estaba en el Líbano envió a decir al cedro que estaba en el Líbano:[p] 'Da, sí, tu hija a mi hijo por esposa'.[q] Sin embargo, una bestia salvaje[r] del campo que estaba en el Líbano pasó y holló al yerbajo espinoso. 19 Tú te has dicho: Mira que has derribado a Edom.[s] Y tu corazón[t] te ha alzado para ser glorificado.[u] Ahora, sigue morando en tu propia casa, sí.[v] ¿Por qué debes ocuparte en contienda en mala posición[w] y tener que caer, tú y Judá contigo?".[x]

20 Pero Amasías no escuchó; porque esto era el Dios [verdadero][y] con el propósito de darlos en mano de él, porque habían buscado a los dioses de Edom.[z] 21 De manera que subió Jehoás el rey de Israel,[a] y procedieron a

mirarse al rostro el uno al otro,[a] él y Amasías el rey de Judá, en Bet-semes,[b] que pertenece a Judá. 22 Y Judá llegó a ser derrotado delante de Israel,[c] de manera que echaron a huir cada uno a su tienda.[d] 23 Y fue a Amasías el rey de Judá, el hijo de Jehoás hijo de Jehoacaz, a quien Jehoás el rey de Israel prendió[e] en Bet-semes, después de lo cual lo trajo a Jerusalén[f] e hizo una brecha en el muro de Jerusalén, desde la Puerta de Efraín[g] hasta la misma Puerta de la Esquina,[h] cuatrocientos codos. 24 Y [tomó] todo el oro y la plata y todos los objetos que se hallaban en la casa del Dios [verdadero] con Obed-edom,[i] y los tesoros de la casa del rey[j] y los rehenes, y entonces se volvió a Samaria.[k]

25 Y Amasías[l] hijo de Jehoás el rey de Judá continuó viviendo quince años[m] después de la muerte de Jehoás[n] hijo de Jehoacaz el rey de Israel. 26 En cuanto al resto de los asuntos de Amasías, los primeros y los últimos,[o] ¡mire!, ¿no están escritos en el Libro[p] de los Reyes de Judá e Israel?[q] 27 Y desde el tiempo en que Amasías se desvió de seguir a Jehová, procedieron a formar una conspiración[r] contra él en Jerusalén. Al fin él huyó a Lakís;[s] pero enviaron tras él a Lakís y le dieron muerte allí.[t] 28 Así que lo llevaron sobre caballos[u] y lo enterraron con sus antepasados en la ciudad de Judá.[v]

26 Entonces todo el pueblo[w] de Judá tomó a Uzías,[x] que tenía dieciséis años de edad, y lo hicieron[y] rey en lugar de su padre Amasías.[z] 2 Él fue quien reconstruyó a Elot[a] y luego la restituyó a Judá después que el rey había yacido con sus antepasados.[b] 3 Dieciséis años de edad tenía Uzías[c] cuando empezó a reinar, y por cin-

cuenta y dos años reinó en Jerusalén. Y el nombre de su madre fue Jecolías[a] de Jerusalén. 4 Y siguió haciendo lo que era recto a los ojos de Jehová,[b] conforme a todo lo que había hecho Amasías su padre.[c] 5 Y continuamente tendió a buscar[d] a Dios en los días de Zacarías, el que instruía en el temor del Dios [verdadero];[e] y, en los días de buscar él a Jehová, el Dios [verdadero] lo hizo próspero.[f]

6 Y procedió a salir y pelear contra los filisteos[g] y a romper a través del muro de Gat[h] y el muro de Jabné[i] y el muro de Asdod,[j] después de lo cual edificó ciudades en [territorio de] Asdod[k] y entre los filisteos. 7 Y el Dios [verdadero] continuó ayudándole[l] contra los filisteos y contra los árabes[m] que moraban en Gurbaal y los meunim.[n] 8 Y los ammonitas[o] empezaron a dar tributo[p] a Uzías. Con el tiempo su fama[q] llegó hasta Egipto mismo, porque exhibió fuerza hasta un grado extraordinario. 9 Además, Uzías edificó torres[r] en Jerusalén junto a la Puerta de la Esquina[s] y junto a la Puerta del Valle[t] y junto al Contrafuerte, y las hizo fuertes. 10 Además, edificó torres[u] en el desierto, y labró muchas cisternas (porque hubo una gran cantidad de ganado que llegó a ser suyo), y también en la Sefelá[v] y en la meseta. Hubo labradores y viñadores en las montañas y en Carmelo, porque él resultó ser amante de la agricultura.

11 Además, Uzías llegó a tener una fuerza ocupada en la guerra, los que salían al servicio militar en tropas,[w] por el número de su inscripción[x] por mano de Jeiel el secretario[y] y Maaseya el oficial bajo el control[z] de Hananías de los príncipes del rey.[a]

CAP. 25
a 2Sa 2:14
2Cr 25:17
b Jos 21:16
1Sa 6:9
1Sa 6:19
c 2Re 14:12
d 1Re 22:36
e Pr 25:8
f 2Re 14:13
g Ne 8:16
Ne 12:39
h 2Cr 26:9
Jer 31:38
i 2Re 14:10
j 1Re 7:51
1Re 15:18
2Re 25:15
2Cr 12:9
j 1Re 14:26
2Re 24:13
k 2Re 14:14
l 2Re 14:1
m 2Re 14:17
n 2Re 13:10
2Re 14:15
o 2Cr 12:15
p 1Re 14:29
2Re 12:19
q 2Re 14:18
r 2Re 12:20
2Re 15:10
2Re 21:23
s Jos 10:31
Miq 1:13
t 2Re 14:19
u 2Re 14:20
v 1Re 2:10
1Re 11:43

CAP. 26
w 2Cr 33:25
x 2Re 15:13
Mt 1:8
y 2Re 21:24
2Re 14:21
z 1Re 9:26
2Re 16:6
2Cr 8:17
b 2Re 14:22
c Isa 1:1
Isa 6:1

2.ª col.
a 2Re 15:2
b 2Re 12:2
c 2Re 14:3
d Dt 4:29
2Cr 14:7
2Cr 17:4
e Gé 18:19
f 1Re 3:13
Sl 1:3
Pr 10:22
g 2Sa 8:1
2Cr 21:16
Isa 14:29
h 1Cr 18:1
i Jos 15:11
j Jos 13:3
1Sa 5:1
k Jos 15:46
l 1Cr 5:20
2Cr 14:11
Hch 26:22
m 2Cr 17:11
n 1Cr 4:41
o Gé 19:38
Jue 11:15
p 2Sa 8:6
1Cr 18:6

q Gé 12:2; r 2Cr 14:7; s 2Re 14:13; Jer 31:38; Zac 14:10; t Ne 3:13; u 2Re 9:17; v 1Cr 27:28; w 1Cr 12:18; x Nú 1:3; 2Sa 24:9; y 1Cr 27:32; 2Cr 24:11; z 1Cr 26:28; a 1Cr 28:1.

12 El número entero de los cabezas de las casas paternas,[a] de los hombres valientes,[b] poderosos,[c] era de dos mil seiscientos. **13** Y bajo su control las fuerzas del ejército eran trescientos siete mil quinientos hombres ocupados en la guerra con el poder de una fuerza militar para ayudar al rey contra el enemigo.[d] **14** Y Uzías continuó preparando para ellos, para el ejército entero, escudos[e] y lanzas[f] y yelmos[g] y cotas de malla[h] y arcos[i] y piedras de honda.[j] **15** Además, hizo en Jerusalén máquinas de guerra, invención de ingenieros, para que llegaran a estar sobre las torres[k] y sobre las esquinas, para disparar flechas y piedras grandes. En consecuencia, su fama[l] salió hasta gran distancia, porque fue ayudado maravillosamente hasta que se hizo fuerte.

16 Sin embargo, tan pronto como se hizo fuerte, su corazón se hizo altivo[m] aun hasta el punto de causar ruina,[n] de modo que actuó infielmente contra Jehová su Dios y entró en el templo de Jehová para quemar incienso sobre el altar del incienso.[o] **17** Inmediatamente Azarías el sacerdote y con él sacerdotes de Jehová, ochenta hombres valientes, entraron tras él. **18** Entonces se plantaron contra Uzías el rey[p] y le dijeron: "No es negocio tuyo,[q] oh Uzías, quemar incienso a Jehová, sino que es negocio de los sacerdotes los hijos de Aarón,[r] los santificados, el quemar incienso. Sal del santuario; porque has actuado infielmente, y no te es para gloria[s] alguna de parte de Jehová Dios."

19 Pero Uzías se enfureció[t] mientras en su mano había un incensario[u] para quemar incienso, y, durante su furia contra los sacerdotes, la lepra[v] misma relumbró[w] en su frente delante de los sacerdotes en la casa de Je-

hová al lado del altar del incienso. **20** Cuando Azarías el sacerdote principal y todos los sacerdotes se volvieron hacia él, pues, ¡allí estaba azotado de lepra en la frente![a] De modo que excitadamente empezaron a sacarlo de allí, y él mismo también se apresuró a salir, porque Jehová lo había herido.[b]

21 Y Uzías[c] el rey continuó leproso hasta el día de su muerte, y siguió morando en una casa exento de deberes, como leproso;[d] porque había sido excluido de la casa de Jehová, mientras Jotán su hijo estaba sobre la casa del rey, juzgando a la gente de la tierra.

22 Y el resto de los asuntos de Uzías,[e] los primeros y los últimos, Isaías[f] hijo de Amoz[g] el profeta los ha escrito. **23** Por fin Uzías yació con sus antepasados; así que lo enterraron con sus antepasados, [pero] en el campo de entierro que pertenecía a los reyes,[h] porque dijeron: "Es leproso." Y Jotán[i] su hijo empezó a reinar en lugar de él.

27 Veinticinco años de edad tenía Jotán[j] cuando empezó a reinar, y por dieciséis años reinó en Jerusalén. Y el nombre de su madre fue Jerusah[k] hija de Sadoc. **2** Y siguió haciendo lo que era recto a los ojos de Jehová,[l] conforme a todo lo que había hecho Uzías su padre.[m] Solo uno no invadió el templo de Jehová.[n] Sin embargo, el pueblo todavía estaba actuando ruinosamente.[o] **3** El mismo edificó la puerta superior[p] de la casa de Jehová, y sobre el muro de Ofel[q] hizo mucha construcción. **4** Y edificó ciudades[r] en la región montañosa de Judá,[s] y en los bosques edificó lugares fortificados[u] y torres.[v] **5** Y él mismo guerreó contra el rey de los hijos de Am-

CAP. 26
a 1Cr 27:1
b 1Cr 5:24
　1Cr 12:21
c 1Cr 26:6
d 1Cr 11:1
　2Cr 13:3
　2Cr 17:14
e 2Cr 17:17
f 2Cr 11:12
　2Cr 14:8
　2Cr 25:5
g 1Sa 17:5
　Jer 46:4
h 1Sa 17:38
i 1Cr 12:2
j Jue 20:16
　1Sa 17:49
k 2Cr 14:7
l 1Re 4:31
m Dt 32:15
n Pr 29:23
　1Pe 5:5
o Nú 1:51
p Pr 28:1
q Nú 16:40
　Nú 18:7
　Pr 21:24
r Éx 30:7
　1Cr 23:13
　Heb 5:4
s Nú 3:10
　Nú 18:7
　1Sa 2:30
t 2Cr 16:10
　2Cr 25:16
u Éx 30:7
v Nú 12:10
　2Re 5:27
w Le 13:2

2.ª col.
a Le 13:3
　Dt 24:8
　Pr 11:2
b Le 14:34
　Dt 28:22
　Dt 28:35
c 2Re 15:5
d Le 13:46
　Nú 5:2
　Nú 12:14
　Nú 12:15
　2Re 7:3
e 2Re 15:6
f Isa 6:1
g Isa 1:1
h 2Re 15:7
i 2Re 15:32

CAP. 27
j 1Cr 3:12
　Isa 1:1
　Os 1:1
　Miq 1:1
　Mt 1:9
k 2Re 15:33
l 2Re 12:2
m 2Re 15:34
　2Cr 26:4
o 2Cr 26:16
　Sl 119:120
o 2Re 15:35
p Jer 20:2
q 2Cr 33:14
　Ne 3:26
r 2Re 11:5
　2Cr 14:7
s Jos 14:12
t 1Sa 23:15
u 2Cr 17:12

v 2Re 9:17; 2Cr 26:10.

móná y por fin resultó más fuerte que ellos, de manera que los hijos de Ammón le dieron en aquel año cien talentos de plata y diez mil medidas de corob de trigo y diez mil de cebada.d Esto fue lo que los hijos de Ammón le pagaron, también en el año segundo y en el tercero.e 6 Así que Jotán siguió fortaleciéndose, porque preparó sus caminos delante de Jehová su Dios.f

7 En cuanto al resto de los asuntos de Jotán,g y todas sus guerras y sus caminos, allí están escritos en el Libroh de los Reyes de Israel y de Judá. 8 Veinticinco años de edad tenía cuando empezó a reinar, y por dieciséis años reinó en Jerusalén.i 9 Por fin Jotán yació con sus antepasados,j y lo enterraron en la Ciudad de David.k Y Acazl su hijo empezó a reinar en lugar de él.

28 Veinte años de edad tenía Acazm cuando empezó a reinar, y por dieciséis años reinó en Jerusalén,n y no hizo lo que era recto a los ojos de Jehová como David su antepasado.o 2 Antes bien, anduvo en los caminos de los reyes de Israel,p y hasta hizo estatuas fundidasq de los Baales.r 3 Y él mismo hizo humo de sacrificios en el valle del hijo de Hinónt y procedió a quemar a sus hijosu en el fuego, conforme a las cosas detestables v de las naciones que Jehová había expulsado de delante de los hijos de Israel.w 4 Y con regularidad sacrificóx e hizo humo de sacrificio en los lugares altosy y sobre las colinasz y debajo de toda clase de árbol frondoso.a

5 Por consiguiente, Jehová su Dios lo dio en manob del rey de Siria,c de manera que lo hirieron y le tomaron un gran número de cautivos y se los llevaron a Damasco.d Y también fue dado en la mano del rey de Israel,e de

modo que él lo hirió con una gran matanza. 6 En efecto, Péqaha hijo de Remalíasb mató en Judá a ciento veinte mil en un solo día, todos hombres valientes, porque dejaron a Jehová el Dios de sus antepasados. 7 Además, Zicrí, un hombre poderoso de Efraín,d mató a Maaseya hijo del rey y a Azriqam el caudillo de la casa y a Elqaná el que venía después del rey. 8 Además, los hijos de Israel tomaron cautivos a doscientos mil de sus hermanos, mujeres, hijos e hijas; y también les quitaron una gran cantidad de despojo como botín, después de lo cual llevaron el despojo a Samaria.e

9 Y sucedió que había allí un profeta de Jehová cuyo nombre era Oded. Así que él salió delante del ejército que venía a Samaria y les dijo: "¡Miren! Fue por la furiaf de Jehová el Dios de sus antepasados contra Judá por lo que él los dio en mano de ustedes, de modo que ustedes efectuaron una matanza entre ellos con una furiag que ha llegado hasta los mismos cielos.h 10 Y ahora ustedes piensan reducir a los hijos de Judái y de Jerusalén a siervosi y siervas para sí. Sin embargo, ¿no hay con ustedes mismos casos de culpa contra Jehová su Dios? 11 Y ahora, escúchenme, y devuelvan los cautivos que han capturado de sus hermanos,j porque la cólera ardiente de Jehová está contra ustedes".k

12 Ante eso, [ciertos] hombres de los cabezasl de los hijos de Efraín,m Azarías hijo de Jehohanán, Berekías hijo de Mesilemot y Jehizquías hijo de Salum y Amasá hijo de Hadlai, se levantaron contra los que venían entrando de la campaña militar, 13 y les dijeron: "No deben introducir los cautivos acá, porque dará por resultado

CAP. 27
a Jue 11:4
2Sa 10:1
2Cr 20:1
Jer 49:1
b 2Cr 2:10
c 1Re 5:11
d Dt 8:8
2Cr 2:15
e 2Cr 26:8
f 2Cr 19:3
2Cr 26:5
g 2Re 15:36
h 2Re 8:23
2Cr 12:19
i 2Re 15:33
2Re 7:12
k 2Sa 5:9
1Re 14:31
l 2Re 15:38

CAP. 28
m 2Re 16:2
1Cr 3:13
Isa 7:1
Os 7:1
Miq 1:1
Mt 1:9
n 2Re 16:2
o 1Re 3:14
p 1Re 12:28
1Re 16:31
q Éx 34:17
Isa 2:8
r Jue 2:11
s Os 2:13
t 2Re 23:10
Jer 7:31
u 2Cr 33:6
v Dt 12:31
2Re 21:2
2Cr 33:2
w 2Re 16:3
x 2Re 16:4
y Le 26:30
z 1Re 14:23
Sl 78:57
b Jue 2:14
2Cr 33:11
2Cr 36:17
Sl 76:12
c 2Re 16:6
2Cr 24:24
d Gé 14:15
2Sa 8:6
1Cr 18:5
e 2Re 16:5

2.ª col.
a 2Re 15:37
Isa 7:1
b Isa 7:9
c Dt 6:14
Dt 31:16
2Cr 25:20
Sl 73:27
Isa 1:28
Jer 2:19
d Isa 9:21
e 1Re 16:24
2Cr 22:51
f Jue 3:8
Sl 69:26
Isa 10:5
Zac 1:15
g Eze 25:12
h Gé 4:10
Isa 58:4
i Le 25:39
Le 25:46
2Cr 8:9

j Isa 58:6; Jer 34:15; k Mt 7:2; Snt 2:13; l 1Cr 28:1; m Isa 9:21.

culpa contra Jehová de parte nuestra. Ustedes piensan incrementar nuestros pecados y nuestra culpa, pues abundante es la culpa que tenemos,[a] y hay cólera ardiente[b] contra Israel". 14 Por lo tanto, los hombres armados[c] dejaron los cautivos[d] y lo saquearon delante de los príncipes[e] y de toda la congregación. 15 Entonces los hombres que estaban designados por sus nombres[f] se levantaron y asieron a los cautivos, y a todos los de ellos que estaban desnudos los vistieron[g] del despojo. De manera que los vistieron y les suministraron sandalias y los alimentaron[h] y les dieron de beber[i] y les untaron aceite. Además, en el caso de los que estaban tambaleando, les dieron transportación[j] en los asnos y los llevaron a Jericó,[k] la ciudad de las palmeras,[l] al lado de sus hermanos. Después de aquello regresaron a Samaria.[m]

16 En aquel tiempo el rey Acaz[n] envió a pedir ayuda a los reyes de Asiria.[o] 17 Y otra vez entraron los edomitas[p] mismos y se pusieron a derribar a Judá y a llevarse cautivos. 18 En cuanto a los filisteos,[q] ellos hicieron una incursión sobre las ciudades de la Sefelá[r] y del Négueb[s] de Judá y lograron tomar a Bet-semes[t] y Ayalón[u] y Guederot[v] y Socó[w] y sus pueblos dependientes y a Timnah[x] y sus pueblos dependientes y a Guimzó y sus pueblos dependientes; y se pusieron a morar allí. 19 Porque Jehová humilló[y] a Judá a causa de Acaz el rey de Israel, por cuanto él dejó que el desenfreno creciera en Judá,[z] y hubo un actuar con gran infidelidad para con Jehová.

20 Por fin Tilgat-pilnéser[a] el rey de Asiria vino contra él y le causó angustia,[b] y no lo fortaleció. 21 Pues Acaz despojó la casa de Jehová[c] y la casa del rey[d] y de los príncipes[e] y así le hizo

un regalo al rey de Asiria;[a] pero esto no le fue de ningún auxilio. 22 No obstante, al tiempo que él le estaba causando angustia, él actuó infielmente a mayor grado para con Jehová, esto es, el rey Acaz.[b] 23 Y empezó a hacer sacrificios a los dioses[c] de Damasco[d] que lo estaban hiriendo, y pasó a decir: "Porque los dioses de los reyes de Siria están ayudándoles,[e] les haré sacrificios a ellos para que me ayuden[f] a mí". Y ellos mismos llegaron a ser para él causa para hacerlo tropezar,[g] a él y a todo Israel. 24 Además, Acaz recogió los utensilios[h] de la casa del Dios [verdadero] e hizo pedazos los utensilios de la casa del Dios [verdadero], y cerró las puertas[i] de la casa de Jehová, e hizo altares para sí en todo rincón de Jerusalén.[k] 25 Y en todas las ciudades, aun las ciudades de Judá, hizo lugares altos[l] para hacer humo de sacrificio a otros dioses,[m] de modo que ofendió[n] a Jehová el Dios de sus antepasados.

26 En cuanto al resto de sus asuntos,[o] y todos sus caminos, los primeros y los últimos, allí están escritos en el Libro[p] de los Reyes de Judá y de Israel. 27 Por fin Acaz yació con sus antepasados, y lo enterraron en la ciudad, en Jerusalén, porque no lo introdujeron en las sepulturas de los reyes de Israel.[q] Y Ezequías su hijo empezó a reinar en lugar de él.

29 Ezequías[r] mismo llegó a ser rey a la edad de veinticinco años, y por veintinueve años reinó en Jerusalén. Y el nombre de su madre fue Abías hija de Zacarías.[s] 2 Y él siguió haciendo lo que era recto a los ojos de Jehová,[t] conforme a todo lo que había hecho David su

---

CAP. 28

a Nú 32:14
b Éx 22:24
  Jos 22:18
  Ro 2:5
c 1Cr 12:23
d 2Cr 28:8
e 1Cr 28:1
  Ec 12:11
f 2Cr 28:12
g Job 31:19
  Sl 106:46
  Isa 58:7
h 2Re 6:22
  Snt 2:15
i Lu 6:27
  Ro 12:20
k Nú 22:1
  Jos 6:1
l Dt 34:3
  Jue 1:16
m 1Re 16:24
n 2Re 16:7
  Isa 7:10
o Isa 7:17
p Le 26:18
  Ab 10
q Isa 5:1
  1Sa 31:11
  2Cr 26:6
r Dt 1:7
  Jos 9:1
  2Cr 26:10
s Nú 21:1
  2Sa 24:7
t Jos 15:10
  1Sa 6:9
u Jos 19:42
v Jos 15:41
w Jos 15:35
x Jue 14:1
y Le 26:18
  2Cr 28:43
  1Sa 2:7
  Job 40:12
z Éx 32:25
a 2Re 15:29
  2Re 16:7
  1Cr 5:26
b 2Re 17:5
  Isa 7:20
c 2Cr 12:9
d 2Re 18:15
e 1Cr 28:1

2.ª col.

a 2Re 18:16
b Sl 52:7
  Pr 19:3
c 2Cr 25:14
  Jer 44:5
d 2Re 16:12
  2Re 16:13
e Hab 1:11
f Jer 10:5
  Jer 44:18
g Éx 23:33
  Dt 7:16
  Isa 1:28
h 1Re 7:45
  2Cr 4:18
i 2Re 16:17
j 1Re 6:34
  2Cr 29:7
k 2Cr 33:5
  Jer 2:28
l 1Re 14:23
  2Re 16:35
  2Cr 21:11
  2Cr 33:3
m 2Cr 28:4

n 1Co 10:22; o 2Cr 27:7; p 2Re 16:19; q 2Cr 21:20;
2Cr 33:20; Pr 10:7; CAP. 29 r 2Re 18:1; Isa
1:1; Os 1:1; Mt 1:10; s 2Re 18:2; t 2Cr 31:20; Pr
10:9.

antepasado.[a]　3 Él mismo, en el primer año de reinar, en el primer mes, abrió las puertas de la casa de Jehová y empezó a repararlas.[b]　4 Entonces trajo a los sacerdotes y los levitas y los reunió en el lugar abierto[c] al oriente.　5 Y procedió a decirles: "Escúchenme, levitas. Ahora santifíquense[d] y santifiquen la casa de Jehová el Dios de sus antepasados, y saquen del lugar santo la cosa impura.[e]　6 Porque nuestros padres han actuado infielmente[f] y han hecho lo que era malo a los ojos de Jehová nuestro Dios,[g] de manera que lo dejaron[h] y volvieron el rostro en dirección opuesta al tabernáculo de Jehová[i] y presentaron la parte posterior del cuello. 7 También cerraron las puertas[j] del pórtico y mantuvieron apagadas las lámparas,[k] y no quemaron incienso,[l] y no ofrecieron sacrificio quemado en el lugar santo al Dios de Israel.[m]　8 Y la indignación de Jehová[n] vino a estar contra Judá y Jerusalén, de modo que él los constituyó en objeto ante el cual temblar,[o] objeto de pasmo[p] y causa de silbido,[q] tal como ustedes lo están viendo con sus propios ojos.　9 Y miren que nuestros antepasados cayeron a espada,[r] y nuestros hijos y nuestras hijas y nuestras esposas estuvieron en cautiverio por esto.[s] 10 Ahora está junto a mi corazón el celebrar un pacto[t] con Jehová el Dios de Israel, para que su cólera ardiente se vuelva de contra nosotros.　11 Ahora, hijos míos, no se entreguen al descanso,[u] porque ustedes son aquellos a quienes Jehová ha escogido para estar de pie delante de él para ministrarle[v] y para continuar como sus ministros[w] y hacedores de humo de sacrificio".[x]

12 Ante eso, se levantaron los levitas:[y] Máhat hijo de Amasai y Joel hijo de Azarías de los hijos

CAP. 29
a 1Re 3:14
　1Re 15:5
　2Re 18:3
b 1Re 6:34
　2Cr 28:24
c 2Cr 32:6
d Éx 19:15
　1Cr 15:12
e 2Re 18:4
　Eze 8:3
f 2Cr 28:23
　2Cr 34:21
　Esd 5:12
　Ne 9:16
g Jer 44:21
h Jer 2:13
i Jer 2:27
　Eze 8:16
j 1Re 6:34
k Le 24:2
l Éx 30:8
　2Cr 13:11
m Éx 29:38
　Mal 1:10
n Dt 28:15
　2Cr 24:18
o Dt 28:25
p Le 26:32
q 1Re 9:8
　Jer 18:16
r Le 26:17
s 2Cr 28:5
　1Cr 15:12
u Jn 5:17
　1Co 15:58
v Nú 3:6
　Nú 18:2
　Nú 18:6
　Dt 10:8
　Lu 12:48
w 1Cr 15:2
　1Cr 23:13
　1Cr 23:10
x Nú 16:40
　Nú 18:7
y 1Cr 23:3

2.ᵃ col.

a Nú 4:2
　1Cr 15:5
　1Cr 23:12
b 1Cr 15:6
　1Cr 23:21
c 1Cr 15:7
　1Cr 23:7
d 1Cr 15:8
e 1Cr 15:17
　1Cr 25:2
f 1Cr 25:5
g 1Cr 25:1
h 2Cr 29:5
i 2Cr 30:12
j 1Cr 23:28
k 1Re 6:36
l 2Re 23:4
　2Re 23:6
　2Cr 15:16
　Jn 18:1
m 1Re 6:3
　1Cr 28:11
　2Cr 3:4
n Éx 12:2
o 2Cr 4:1
p 1Re 7:40
　2Cr 4:8
q 1Re 7:48
　2Cr 4:8
　2Cr 13:11
r 1Re 7:50
s 2Cr 28:24
t 2Cr 28:1

de los qohatitas;[a] y de los hijos de Merarí:[b] Quis hijo de Abdí y Azarías hijo de Jehalelel; y de los guersonitas:[c] Joah hijo de Zimá y Edén hijo de Joah; 13 y de los hijos de Elizafán:[d] Simrí y Jeuel; y de los hijos de Asaf:[e] Zacarías y Matanías; 14 y de los hijos de Hemán:[f] Jehiel y Simeí; y de los hijos de Jedutún:[g] Semaya y Uziel. 15 Entonces reunieron a sus hermanos y se santificaron[h] y vinieron conforme al mandamiento del rey en las palabras[i] de Jehová, para limpiar[j] la casa de Jehová.　16 Los sacerdotes ahora entraron dentro de la casa de Jehová para hacer la limpieza, y sacaron al patio[k] de la casa de Jehová toda la inmundicia que hallaron en el templo de Jehová. A su vez, los levitas la recibieron para sacarla al valle torrencial de Cedrón,[l] afuera.　17 Así comenzaron la santificación el [día] primero del primer mes, y el día octavo del mes llegaron al pórtico[m] de Jehová; de modo que santificaron la casa de Jehová en ocho días, y el día dieciséis del mes primero[n] acabaron.

18 Después fueron adentro a Ezequías el rey y dijeron: "Hemos limpiado toda la casa de Jehová, el altar[o] de la ofrenda quemada y todos sus utensilios,[p] y la mesa[q] del pan en capas y todos sus utensilios.[r] 19 Y todos los utensilios[s] que el rey Acaz[t] removió del empleo durante su reinado en su infidelidad[u] los hemos preparado, y los hemos santificado;[v] y allí están delante del altar de Jehová".

20 Y Ezequías[w] el rey procedió a levantarse muy de mañana[x] y a reunir a los príncipes[y] de la ciudad y a subir a la casa de Jehová.　21 Y vinieron trayendo siete toros[z] y siete carneros y siete corderos y siete machos

u 2Cr 28:2; 2Cr 28:25; v 2Cr 29:5; w 2Re 18:1; Mt 1:10; x Éx 24:4; Jos 6:12; y 1Cr 28:1; z 1Cr 15:26.

cabríos como ofrenda por el pecado[a] a favor del reino y a favor del santuario y a favor de Judá. Por lo tanto, dijo a los hijos de Aarón los sacerdotes[b] que los ofrecieran sobre el altar de Jehová. 22 Por consiguiente, ellos degollaron[c] las reses vacunas, y los sacerdotes recibieron la sangre[d] y la rociaron[e] sobre el altar; después de lo cual degollaron los carneros[f] y rociaron la sangre[g] sobre el altar, y degollaron los corderos y rociaron la sangre sobre el altar. 23 Entonces acercaron los machos cabríos[h] de la ofrenda por el pecado ante el rey y la congregación, y pusieron las manos sobre ellos.[i] 24 Los sacerdotes ahora los degollaron e hicieron una ofrenda por el pecado con su sangre sobre el altar, para hacer expiación por todo Israel;[j] porque por todo Israel[k] dijo el rey [que había[l] de ser] la ofrenda quemada y la ofrenda por el pecado.

25 Entretanto, hizo que los levitas[m] se apostaran en la casa de Jehová, con címbalos,[n] con instrumentos de cuerda[o] y con arpas,[p] por el mandamiento de David[q] y de Gad[r] el hombre de visiones del rey y de Natán[s] el profeta, porque por mano de Jehová fue el mandamiento por medio de sus profetas.[t] 26 De manera que los levitas se mantuvieron de pie con los instrumentos[u] de David, y también los sacerdotes con las trompetas.[v]

27 Entonces Ezequías dijo que se ofreciera el sacrificio quemado sobre el altar; y al tiempo en que comenzó la ofrenda quemada, comenzó el canto[w] de Jehová y también las trompetas, aun bajo la dirección de los instrumentos de David el rey de Israel. 28 Y toda la congregación estaba inclinándose[x] mientras el canto resonaba[y] y las trompetas daban fuerte sonido... todo esto hasta

que quedó terminada la ofrenda quemada. 29 Y tan pronto como acabaron de ofrecerla, el rey y todos los que se hallaban con él se inclinaron y se postraron.[a] 30 Ezequías el rey y los príncipes[b] ahora dijeron a los levitas que alabaran a Jehová con las palabras de David[c] y de Asaf[d] el hombre de visiones. De manera que ellos se pusieron a ofrecer alabanza hasta con regocijo,[e] y siguieron inclinándose y postrándose.[f]

31 Finalmente Ezequías respondió y dijo: "Ahora ustedes han llenado[g] su mano con poder para Jehová. Acérquense, y traigan sacrificios[h] y sacrificios de acción de gracias[i] a la casa de Jehová". Y la congregación empezó a traer sacrificios y sacrificios de acción de gracias, y también, todo el de corazón dispuesto, ofrendas quemadas.[j] 32 Y el número de ofrendas quemadas que la congregación trajo llegó a ser setenta reses vacunas, cien carneros, doscientos corderos... todos estos como ofrenda quemada a Jehová;[k] 33 y también las ofrendas santas, seiscientas reses vacunas y tres mil del rebaño. 34 Solo que los sacerdotes[l] mismos resultaron ser muy pocos, y no les era posible desollar todas las ofrendas quemadas.[m] De modo que sus hermanos[n] los levitas les ayudaron hasta que el trabajo quedó terminado[o] y hasta que los sacerdotes pudieron santificarse, porque los levitas eran más rectos[p] de corazón para santificarse[q] que los sacerdotes. 35 Y, también, de las ofrendas quemadas[r] hubo una gran cantidad, con los trozos grasos[s] de los sacrificios de comunión[t] y con las libaciones[u] para las ofrendas quemadas. Así se preparó el servicio

CAP. 29

a Le 4:3
Le 4:14
Nú 15:22
Nú 15:24
b Nú 18:1
c Le 3:2
Le 4:4
Le 8:15
d Le 4:7
e Le 1:5
Le 4:18
Heb 9:21
f Le 8:18
g Le 8:19
h Le 9:15
i Le 1:4
Le 4:15
j Le 6:30
Ro 5:10
Heb 2:17
k Le 4:13
l Da 9:24
Col 1:20
1Jn 2:2
m 1Cr 9:33
1Cr 15:16
n 1Cr 16:5
2Cr 5:12
o 1Re 10:12
1Cr 25:1
p 1Cr 25:6
2Cr 9:11
Sl 149:3
q 1Cr 28:13
2Cr 8:14
r 2Sa 24:11
1Cr 29:29
s 2Sa 7:2
2Sa 12:1
t 2Cr 30:12
u 1Cr 23:5
Sl 150:3
Isa 38:20
v Nú 10:8
1Cr 15:24
2Cr 5:12
w 2Cr 20:21
2Cr 23:18
x 2Cr 7:3
y Sl 68:25
Sl 89:15

2.ª col.

a 1Cr 29:20
2Cr 20:18
2Cr 7:11
b 1Cr 28:1
c 2Sa 23:1
d 1Cr 16:7
e Sl 32:11
Sl 33:1
Sl 95:1
Flp 4:4
f Sl 95:6
g Éx 32:29
Le 8:33
Le 16:32
h Le 1:2
i Le 7:12
j Le 1:3
k 1Re 3:4
1Re 8:63
1Cr 29:21
l Nú 18:7
2Cr 30:16
m 2Cr 30:17
n Nú 8:15
Nú 8:19
Nú 18:2
Nú 18:6
o 2Cr 35:11

p 1Cr 29:17; Sl 7:10; Sl 94:15; q 2Cr 30:3; r Le 1:3; 2Cr 29:32; s Éx 29:13; Le 3:15; Le 3:16; t Le 3:1; u Le 23:13; Nú 15:5.

de la casa de Jehová.[a] 36 Por consiguiente, Ezequías y todo el pueblo se regocijaron por el hecho de que el Dios [verdadero] había hecho preparación para el pueblo,[b] porque fue de repente que la cosa había ocurrido.[c]

30 Y Ezequías procedió a enviar [mensajeros] a todo Israel[d] y Judá, y hasta cartas escribió a Efraín[e] y Manasés,[f] para que vinieran a la casa de Jehová[g] en Jerusalén para celebrar la pascua[h] a Jehová el Dios de Israel. 2 Sin embargo, el rey y sus príncipes[i] y toda la congregación[j] de Jerusalén se resolvieron a celebrar la pascua en el mes segundo;[k] 3 porque no habían podido celebrarla en aquel tiempo,[l] puesto que, por una parte, no se habían santificado suficientes sacerdotes[m] y, por otra parte, el pueblo no se había reunido en Jerusalén. 4 Y la cosa fue recta a los ojos del rey y a los ojos de toda la congregación.[n] 5 Por lo tanto, se decidieron a hacer pasar el pregón[o] por todo Israel, desde Beer-seba[p] hasta Dan,[q] para que vinieran a celebrar la pascua a Jehová el Dios de Israel en Jerusalén; porque no lo habían hecho como multitud[r] conforme a lo que está escrito.[s]

6 Por consiguiente, los correos[t] con las cartas de la mano del rey y de sus príncipes[u] fueron por todo Israel y Judá, aun conforme al mandamiento del rey, diciendo: "Hijos de Israel, vuélvanse[v] a Jehová el Dios[w] de Abrahán, Isaac e Israel, para que él se vuelva a los que quedan de ustedes como escapados[x] de la palma de la mano de los reyes de Asiria.[y] 7 Y no se hagan como sus antepasados[z] y como sus hermanos que actuaron infielmente para con Jehová el Dios de los antepasados de ellos, de manera que él los constituyó en objeto de pasmo,[a] tal como ustedes lo están viendo.

8 Ahora bien, no endurezcan su cerviz[a] como lo hicieron sus antepasados. Den lugar a Jehová[b] y vengan a su santuario[c] que él ha santificado[d] hasta tiempo indefinido, y sirvan[e] a Jehová su Dios, para que la cólera ardiente[f] de él se vuelva de contra ustedes. 9 Porque cuando ustedes se vuelvan[g] a Jehová, sus hermanos y sus hijos serán objeto de misericordia[h] delante de quienes los tengan cautivos, y se les permitirá volver a esta tierra;[i] porque Jehová el Dios de ustedes es benévolo[j] y misericordioso,[k] y no apartará su rostro de ustedes si se vuelven a él".[l]

10 Así que los correos[m] siguieron adelante, pasando de ciudad en ciudad por toda la tierra de Efraín[n] y Manasés, aun hasta Zabulón; pero continuamente se estaba hablando de ellos con mofa y se hacía escarnio de ellos.[o] 11 Solamente individuos[p] de Aser y Manasés y Zabulón se humillaron[q] de manera que vinieron a Jerusalén. 12 La mano del Dios [verdadero] resultó estar también en Judá para darles un solo corazón[r] para que ejecutaran el mandamiento[s] del rey y de los príncipes en el asunto de Jehová.[t]

13 Y procedieron a reunirse en Jerusalén,[u] un pueblo numeroso, para celebrar en el mes segundo[v] la fiesta[w] de las tortas no fermentadas, una congregación sumamente grande. 14 Entonces se levantaron y quitaron los altares[x] que había en Jerusalén, y todos los altares de incienso[y] los quitaron y luego [los] arrojaron en el valle torrencial de Cedrón.[z] 15 Después degollaron la víctima pascual[a] el [día] catorce del mes segundo; y los sacerdotes y los levitas mismos

CAP. 29
a 1Co 14:40
b 2Cr 30:12
   Sl 10:17
   Sl 136:4
c Sl 118:23

CAP. 30
d 2Cr 11:16
e Jos 16:4
   2Cr 17:2
   2Cr 34:6
   Os 11:8
f Jos 17:5
   Jos 17:7
   2Cr 30:11
g Dt 16:2
   Dt 16:6
h Éx 12:43
   Le 23:5
   2Cr 35:1
   1Co 5:7
i 1Cr 28:1
j 1Cr 28:8
k Nú 9:10
   Nú 9:11
l Éx 12:18
m 2Cr 29:34
n 1Cr 13:4
o 2Cr 24:9
   Dt 36:22
p Jue 20:1
q Jue 18:29
   1Sa 3:20
r 2Cr 35:18
s Dt 12:32
t Est 8:14
u 1Cr 28:1
v Dt 30:10
   1Sa 7:3
   Jer 4:1
   Joe 2:13
   Mal 3:7
w Éx 3:6
x 2Re 15:29
y 1Cr 5:26
   2Cr 28:20
z Eze 20:18
   Zac 1:4
a 2Cr 29:8

2.ᵃ col.
a Éx 32:9
   Dt 10:16
   2Cr 36:13
   Ro 10:21
b Esd 10:11
c Dt 12:5
d Sl 132:13
e Dt 6:13
   Jos 24:15
   Mt 4:10
f 2Cr 29:10
   Sl 78:49
g Dt 30:2
h 1Re 8:50
i Jer 29:14
j Éx 34:6
k Ne 9:17
   Sl 86:5
   Miq 7:18
   2Co 1:3
l 2Cr 15:2
   Isa 55:7
   Snt 4:8
m Est 3:13
n 2Cr 30:1
o 2Cr 36:16
   Hch 17:32
p 2Cr 11:16
q 2Cr 12:6

r Jer 32:39; 1Co 1:10; s Dt 4:5; Ec 8:2; 1Te 4:2;
t 2Cr 29:25; u Sl 84:7; w Nú 9:10; Nú 9:11; w Le
23:6; x 2Re 18:22; 2Cr 34:7; y 2Cr 28:24; z 2Sa
15:23; a Éx 12:3; 1Co 5:7.

habían sido humillados, de modo que se santificaron[a] y trajeron ofrendas quemadas a la casa de Jehová. 16 Y se mantuvieron de pie[b] en su lugar conforme a su regla, conforme a la ley de Moisés el hombre del Dios [verdadero], [y] los sacerdotes[c] rociaban la sangre recibida de la mano de los levitas. 17 Porque en la congregación hubo muchos que no se habían santificado; y los levitas[d] estaban encargados de degollar las víctimas pascuales[e] para todos los que no estaban limpios, para santificarlos a Jehová. 18 Porque hubo un gran número de la gente, muchos de Efraín[f] y Manasés,[g] Isacar y Zabulón,[h] que no se habían limpiado,[i] pues no comieron la pascua conforme a lo que está escrito;[j] pero Ezequías oró por ellos,[k] diciendo: "Que el buen Jehová mismo le tenga consideración a 19 cada uno que ha preparado su corazón[m] para buscar al Dios [verdadero], Jehová, el Dios de sus antepasados, aunque esté sin la purificación para lo que es santo".[n] 20 Por consiguiente, Jehová escuchó a Ezequías y sanó al pueblo.[o]

21 Así que los hijos de Israel que se hallaban en Jerusalén celebraron por siete días, con gran regocijo,[p] la fiesta[q] de las tortas no fermentadas; y los levitas[r] y los sacerdotes[s] estaban ofreciendo alabanza a Jehová día a día con instrumentos de fuerte sonido, aun a Jehová.[t] 22 Además, Ezequías habló al corazón[u] de todos los levitas que estaban actuando con excelente discreción para con Jehová.[v] Y procedieron a comer por siete días[w] la fiesta designada, sacrificando sacrificios de comunión[x] y haciendo confesión[y] a Jehová el Dios de sus antepasados.

23 Entonces toda la congregación se decidió[z] a celebrarla por siete días más,[a] y por lo tanto la celebraron por siete días con regocijo. 24 Porque Ezequías el rey de Judá mismo contribuyó[a] para la congregación mil toros y siete mil ovejas, y los príncipes[b] mismos contribuyeron para la congregación mil toros y diez mil ovejas; y sacerdotes[c] en gran número continuaron santificándose. 25 Y toda la congregación de Judá,[d] y los sacerdotes y los levitas,[e] y toda la congregación que vino de Israel,[f] y los residentes forasteros[g] que vinieron de la tierra de Israel,[h] y los que moraban en Judá continuaron regocijándose.[i] 26 Y llegó a haber gran regocijo en Jerusalén, porque desde los días de Salomón[j] hijo de David el rey de Israel no hubo ninguna como esta en Jerusalén.[k] 27 Finalmente los sacerdotes, los levitas, se pusieron de pie y bendijeron[l] al pueblo; y a su voz se le concedió ser oída, de manera que su oración llegó a la santa morada de él, los cielos.[m]

31 Y tan pronto como acabaron todo esto, todos los israelitas[n] que se hallaban [allí] salieron a las ciudades de Judá,[o] y procedieron a quebrar las columnas sagradas[p] y a cortar los postes sagrados[q] y a demoler los lugares altos[r] y los altares[s] de todo Judá[t] y Benjamín, y en Efraín[u] y Manasés,[v] hasta que hubieron acabado; después de lo cual todos los hijos de Israel regresaron a sus ciudades, cada cual a su propia posesión.

2 Entonces Ezequías estableció las divisiones[w] de los sacerdotes y de los levitas[x] en sus divisiones, cada una en conformidad con su servicio para los sacerdotes[y] y para los levitas[z] en cuanto a la ofrenda quemada[a] y los sacrificios de comunión[b] para ministrar[c] y para dar gra-

---

CAP. 30
a 2Cr 5:11
  2Cr 29:15
b 2Cr 35:10
c Le 1:5
d 2Cr 29:34
  2Cr 35:3
e Éx 12:6
f 2Cr 30:10
g 2Cr 30:1
  2Cr 34:6
h 2Cr 30:11
i Nú 9:10
j Le 23:5
k Snt 5:14
l Sl 25:8
  Sl 86:5
  Mr 10:18
m 2Cr 19:3
  Esd 7:10
  Sl 10:17
n Nú 9:6
o Sl 103:3
  Sl 57:18
  Snt 5:16
p Dt 12:7
  2Cr 7:10
  Ne 8:10
q Le 23:6
  Lu 22:1
  1Co 5:8
r 2Cr 29:25
s 2Cr 29:24
t Sl 150:3
v 2Cr 32:6
v Sl 47:7
  Pr 12:8
w Le 23:6
x Le 3:1
y Le 26:40
  Esd 10:11
z 2Cr 30:2
a 1Re 8:65

2.ª col.
a 2Cr 35:7
b 2Cr 35:8
c 2Cr 29:34
d 1Re 12:20
  2Cr 11:1
e 2Cr 11:13
f 2Cr 30:11
  2Cr 30:18
g Éx 12:49
h 2Cr 15:9
i 1Cr 16:10
  Sl 92:4
j 1Re 8:66
k 2Cr 7:10
l Nú 6:23
  Dt 10:8
m 1Re 8:43
  Sl 68:5

CAP. 31
n 2Cr 11:16
o 2Cr 24:5
p Éx 23:24
  2Re 10:16
  2Cr 14:3
q Dt 7:5
  2Re 18:4
  2Cr 34:3
  1Co 10:14
r Dt 12:2
s 2Cr 23:17
t 2Cr 14:5
u 2Cr 30:1
v 2Cr 30:18
w 1Cr 24:1
x 1Cr 23:6

y 2Cr 5:11; Lu 1:5; z 2Cr 8:14; 2Cr 23:8; a 1Cr 16:40; b 1Cr 16:1; 1Cr 21:26; c 1Cr 23:13; 1Cr 26:12; 2Cr 13:10.

cias[a] y alabanza[b] en las puertas de los campamentos de Jehová. 3 Y hubo una porción del rey, de sus propios bienes,[c] para las ofrendas quemadas,[d] para las ofrendas quemadas de la mañana[e] y de la tarde, y también las ofrendas quemadas para los sábados[f] y para las lunas nuevas[g] y para los períodos de fiesta,[h] conforme a lo que está escrito en la ley de Jehová.[i]

4 Además, dijo al pueblo, los habitantes de Jerusalén, que dieran la porción de los sacerdotes[j] y de los levitas,[k] a fin de que estos se adhirieran[l] estrictamente a la ley de Jehová.[m] 5 Y tan pronto como la palabra prorrumpió, los hijos de Israel[n] aumentaron las primicias del grano,[o] vino nuevo,[p] y aceite[q] y miel[r] y todo el producto del campo,[s] y el décimo de todo lo trajeron en abundancia.[t] 6 Y los hijos de Israel y de Judá que moraban en las ciudades de Judá,[u] sí, ellos mismos [trajeron] el décimo de las reses vacunas y las ovejas y el décimo de las cosas santas,[v] las cosas santificadas a Jehová su Dios. Lo trajeron y así dieron montones sobre montones. 7 En el tercer[w] mes ellos dieron principio a los montones colocando la capa de más abajo, y en el séptimo[x] mes acabaron. 8 Cuando Ezequías y los príncipes[y] vinieron y vieron los montones, procedieron a bendecir[z] a Jehová y a su pueblo Israel.[a]

9 Con el tiempo Ezequías inquirió de los sacerdotes y los levitas respecto a los montones.[b] 10 Entonces Azarías[c] el sacerdote principal de la casa de Sadoc[d] le dijo, sí, dijo: "Desde el tiempo en que comenzaron a traer la contribución[e] a la casa de Jehová ha habido comer y quedar satisfechos[f] y ha habido un sobrante en abundancia;[g] porque Jehová mismo ha bendecido a su pueblo,[h] y lo que ha sobrado es esta gran copia".

11 Ante aquello, Ezequías dijo que se prepararan comedores[a] en la casa de Jehová. Por lo tanto [los] prepararon. 12 Y siguieron trayendo la contribución[b] y el décimo[c] y las cosas santas en fidelidad;[d] y Conanías el levita estaba encargado de ellos como caudillo, y Simeí su hermano era segundo. 13 Y Jehiel y Azazías y Náhat y Asahel y Jerimot y Jozabad y Eliel e Ismakías y Máhat y Benaya eran comisionados al lado de Conanías y Simeí su hermano, por la orden de Ezequías el rey, y Azarías[e] era el acaudillador de la casa del Dios [verdadero]. 14 Y Qoré hijo de Imnah el levita era el portero[f] al oriente,[g] encargado de las ofrendas voluntarias[h] del Dios [verdadero], para dar la contribución de Jehová[i] y las cosas santísimas.[j] 15 Y bajo su control estaban Edén y Miniamín y Jesúa y Semaya, Amarías y Secanías, en las ciudades de los sacerdotes,[k] en cargo de confianza,[l] para dar a sus hermanos en las divisiones,[m] por igual a grande como a pequeño;[n] 16 aparte de su registro genealógico[o] de los varones de tres años de edad para arriba,[p] de todos los que venían a la casa de Jehová como cosa de rutina todos los días, para su servicio según sus obligaciones conforme a sus divisiones. 17 Este es el registro genealógico de los sacerdotes por la casa de sus padres,[q] y también de los levitas,[r] de la edad de veinte[s] años para arriba, por sus obligaciones en sus divisiones;[t] 18 tanto para el registro genealógico entre todos sus pequeñuelos, sus esposas y sus hijos y sus hijas, para toda la congregación, porque en su cargo de confianza[u] procedieron a santificarse[v] para lo que era santo; 19 como para los hijos de Aarón,[w] los sacerdotes, en los

campos[a] de la dehesa de sus ciudades. En todas las diferentes ciudades había hombres que habían sido designados por [sus] nombres, para dar porciones a todo varón entre los sacerdotes y al entero registro genealógico entre los levitas.

20 Y Ezequías procedió a hacer así en todo Judá, y continuó haciendo lo que era bueno[b] y recto[c] y fiel[d] delante de Jehová su Dios. 21 Y en todo trabajo que él comenzó en el servicio[e] de la casa del Dios [verdadero] y en la ley[f] y en el mandamiento de buscar[g] a su Dios, fue con todo su corazón[h] como obró, y logró éxito.[i]

32 Después de estas cosas y de este fiel proceder,[j] Senaquerib[k] el rey de Asiria[l] vino y procedió a invadir a Judá y a acampar contra las ciudades fortificadas,[m] y siguió pensando hacerlas suyas mediante una irrupción. 2 Cuando Ezequías vio que Senaquerib había venido con el rostro[n] puesto en guerrear contra Jerusalén, 3 entonces se decidió con sus príncipes[o] y sus hombres poderosos a cegar las aguas de los manantiales que estaban fuera de la ciudad;[p] así que ellos le ayudaron. 4 Por lo tanto se juntó mucha gente, y se pusieron a cegar todas las fuentes y el torrente[q] que pasa inundando por en medio de la tierra, y decían: "¿Por qué deben venir los reyes de Asiria y realmente hallar una gran cantidad de agua?".

5 Además, él cobró ánimo y edificó todo el muro que estaba derribado,[r] y alzó torres[s] sobre este, y por fuera otro muro,[t] y reparó el Montículo[u] de la Ciudad de David, e hizo proyectiles[v] en abundancia, y escudos.[w] 6 Y procedió a poner jefes militares[x] sobre el pueblo y a juntarlos a sí en la plaza pública[y] de la

puerta de la ciudad y a hablar al corazón[a] de ellos, y decir: 7 "Sean animosos y fuertes.[b] No tengan miedo[c] ni se aterroricen[d] a causa del rey de Asiria[e] ni debido a toda la muchedumbre que está con él;[f] porque con nosotros hay más que los que hay con él. 8 Con él está un brazo de carne,[g] pero con nosotros está Jehová nuestro Dios para ayudarnos[h] y para pelear nuestras batallas".[i] Y el pueblo empezó a apoyarse en las palabras de Ezequías el rey de Judá.[j]

9 Fue después de esto cuando Senaquerib[k] el rey de Asiria envió sus siervos a Jerusalén, mientras él estaba en Laquís[l] y todo su poder imperial con él,[m] a Ezequías el rey de Judá y a todos los de Judá que estaban en Jerusalén, a decir:

10 "Esto es lo que ha dicho Senaquerib el rey de Asiria:[n] '¿En qué están confiando ustedes mientras están sentados quietos bajo sitio en Jerusalén?[o] 11 ¿No está Ezequías[p] ilusionándolos[q] para entregarlos a morir de hambre y de sed, al decir: "Jehová nuestro Dios mismo nos librará de la palma de la mano del rey de Asiria"? 12 ¿No es Ezequías mismo el que quitó sus lugares altos[s] y sus altares[t] y luego dijo a Judá y a Jerusalén: "Delante de un solo altar[u] deben inclinarse,[v] y sobre él deben hacer humo de sacrificio"?[w] 13 ¿No saben ustedes lo que yo mismo y mis antepasados hicimos a todos los pueblos de los países?[x] ¿Acaso los dioses[y] de las naciones de los países resultaron de manera alguna capaces de librar a su país de mi mano? 14 ¿Quién hubo entre todos los dioses de estas naciones que mis antepasados dieron por entero a la destrucción que resultara ca-

CAP. 31
a Le 25:34
Nú 35:2
Jos 21:13
b 2Re 20:3
Pr 12:2
c Dt 12:28
1Te 2:10
d Pr 28:20
Hch 24:16
e 2Cr 29:35
f Dt 32:46
Sl 1:2
g Dt 4:29
Dt 10:12
Dt 6:5
1Re 8:61
i Dt 29:9
Jos 1:8

CAP. 32
j 2Cr 31:20
k 2Re 18:7
2Re 18:13
Isa 8:4
l Isa 8:4
m 2Cr 19:5
n Lu 9:51
o 1Cr 28:1
Pr 20:18
p 2Re 20:20
Isa 22:9
q 2Cr 30:14
r 2Cr 25:23
s 2Cr 26:9
t Jer 39:4
u 2Sa 5:9
1Re 9:24
1Re 11:27
2Re 12:20
v 2Cr 23:10
w 2Sa 1:21
x 2Cr 17:14
y Ne 8:1

2.ᵃ col.
a 2Cr 30:22
Isa 40:2
b Dt 31:6
Jos 1:6
1Cr 28:10
c 2Re 19:6
2Cr 20:15
Mt 10:28
d Dt 31:8
e 2Re 18:30
f 2Re 6:16
Isa 51:12
g Jer 17:5
1Jn 4:4
h Nú 14:9
Dt 20:1
2Cr 13:12
i Dt 20:4
Jos 10:42
2Cr 20:15
Ro 8:31
j 2Cr 20:20
Lu 22:32
k 2Re 18:17
l Isa 37:8
m Isa 36:2
n 2Re 18:19
o Sl 39:1
Isa 36:4
p 2Re 18:27
Isa 36:12
q 2Re 18:29
2Re 18:30
2Re 19:10
Sl 50:15
s 2Re 18:4

t 2Re 18:22; 2Cr 31:1; Isa 36:7; u Éx 27:1; 1Re 7:48; 2Cr 4:1; v Dt 12:13; w Le 1:13; x 2Re 15:29; 2Re 17:5; 2Re 19:11; Isa 10:14; Isa 37:12; y 2Re 18:33; 2Re 19:18; Sl 115:8; Isa 44:8.

paz de librar a su pueblo de mi mano, para que el Dios de ustedes resulte capaz de librarlos de mi mano?[a] 15 Y ahora, no los engañe[b] ni los ilusione[c] de esta manera Ezequías, y no pongan fe en él, porque ningún dios de nación o reino alguno pudo librar a su pueblo de mi mano ni de la mano de mis antepasados. ¡Cuánto menos, pues, los librará el propio Dios de ustedes de mi mano!' ".[d]

16 Y sus siervos hablaron todavía más contra Jehová el Dios [verdadero][e] y contra Ezequías su siervo. 17 Hasta cartas escribió[f] él para vituperar a Jehová el Dios de Israel[g] y para hablar contra él, diciendo: "Como los dioses[h] de las naciones de los países que no libraron a su pueblo de mi mano,[i] así el Dios de Ezequías no librará a su pueblo de mi mano". 18 Y siguieron[j] clamando con una voz fuerte[k] en el lenguaje de los judíos[l] a la gente de Jerusalén que estaba sobre el muro, para hacer que tuvieran miedo[m] y para perturbarlos, a fin de tomar la ciudad. 19 Y siguieron hablando contra[n] el Dios de Jerusalén[o] de la misma manera como contra los dioses de los pueblos de la tierra, obra de las manos de hombre.[p] 20 Pero Ezequías[q] el rey e Isaías[r] hijo de Amoz,[s] el profeta,[t] siguieron orando acerca de esto y clamando a los cielos por socorro.[v]

21 Y Jehová procedió a enviar un ángel[w] y a raer a todo hombre valiente, poderoso,[x] y a caudillo y jefe en el campamento del rey de Asiria,[y] de manera que este se volvió con rostro avergonzado a su propio país. Más tarde entró en la casa de su dios, y allí ciertos individuos que habían salido de sus propias entrañas lo hicieron caer a espada.[z] 22 Así Jehová salvó a Ezequías y a los habitantes de Jerusalén de la mano de Senaquerib el rey de Asiria[a] y

de la mano de todo otro, y les dio descanso todo en derredor.[a] 23 Y hubo muchos que traían regalos[b] a Jehová en Jerusalén y cosas selectas a Ezequías el rey de Judá,[c] y él llegó a ser ensalzado[d] a los ojos de todas las naciones después de aquello.

24 En aquellos días Ezequías enfermó de muerte,[e] y se puso a orar[f] a Jehová. De manera que Él le habló,[g] y Él le dio un portento presagioso.[h] 25 Sin embargo, Ezequías no correspondió según el beneficio que se le había hecho,[i] porque su corazón se hizo altivo,[j] y vino a haber indignación[k] contra él y contra Judá y Jerusalén. 26 De manera que, Ezequías se humilló[l] por la altivez de su corazón, él y los habitantes de Jerusalén, y la indignación de Jehová no vino sobre ellos en los días de Ezequías.[m]

27 Y Ezequías llegó a tener riquezas y gloria en cantidad muy grande;[n] y se hizo almacenes para plata y para oro[o] y para piedras preciosas[p] y para aceite balsámico[q] y para escudos[r] y para todos los objetos deseables;[s] 28 y también lugares de almacenamiento[t] para el producto de grano y vino nuevo[u] y aceite, y también pesebres[v] para todas las diferentes clases de bestias y pesebres para los hatos. 29 Y adquirió ciudades para sí, y también ganado del rebaño[w] y de la vacada[x] en abundancia; porque Dios le dio muchísimos bienes.[y] 30 Y Ezequías fue el que cegó[z] la fuente superior de las aguas[a] de Guihón[b] y las mantuvo dirigidas directamente abajo a lo largo, hacia el oeste a la Ciudad de David,[c] y Ezequías continuó logrando éxito en toda obra suya.[d] 31 Y así fue como, mediante los voceros de los príncipes de Babi-

CAP. 32
a Éx 14:3
Isa 15:9
Sl 71:11
Isa 42:8
b 2Re 18:29
2Re 19:10
c Isa 36:18
d Éx 5:2
Dt 32:27
Da 3:15
e Sl 73:9
f 2Re 19:14
Ne 6:5
g Isa 37:29
Rev 13:6
h 2Re 19:12
i 2Re 17:6
j 2Re 18:26
k 2Re 18:28
Isa 36:13
l Isa 36:11
Ne 6:9
m 2Re 18:30
n Sl 76:2
o Sl 132:13
p Dt 4:28
2Re 19:18
Sl 135:15
Isa 2:8
Os 8:6
q 2Re 19:14
r Isa 37:2
s Isa 19:20
2Re 19:2
u 2Re 19:15
Flp 4:6
v 2Cr 14:11
Sl 50:15
w 2Sa 24:16
Sl 76:5
x 2Re 19:35
y 2Re 19:37
Isa 37:38
a Sl 37:48

2.ª col.
a 1Re 8:56
b 2Sa 8:11
Esd 7:15
Sl 68:29
c 1Re 4:21
2Cr 17:5
d 1Sa 2:7
1Cr 29:25
e 2Re 20:1
Isa 38:1
f Sl 5:2
Isa 38:2
Flp 4:6
g 2Re 20:5
Isa 38:4
h 2Re 20:9
2Cr 32:31
Isa 38:8
i Sl 116:12
j Pr 8:13
Pr 16:18
Pr 29:23
Gál 6:3
Pr 5:5
k 1Cr 13:12
l 2Cr 33:12
2Cr 34:27
Jer 26:19
n 2Cr 1:12
2Cr 9:27
2Cr 17:5
o 1Re 10:14
p 1Re 10:2
q 1Re 10:10

r 1Re 10:17; s 1Re 9:19; t 2Cr 8:6; u 2Cr 26:10;
v 1Re 4:26; w Job 1:3; x 1Cr 27:29; y Dt 8:18;
1Cr 29:12; 2Cr 25:9; Pr 10:22; z 2Cr 32:4; a Isa
22:9; Isa 22:11; b 1Re 1:33; 1Re 1:45; c 2Sa 5:9;
d Jos 1:8; Sl 1:3.

lonia[a] que fueron enviados a él[b] para inquirir acerca del portento presagioso[c] que había sucedido en el país, el Dios [verdadero] lo dejó[d] para ponerlo a prueba,[e] para llegar a saber todo lo que había en su corazón.[f]

32 En cuanto al resto de los asuntos[g] de Ezequías, y sus actos de bondad amorosa,[h] allí están escritos en la visión de Isaías el profeta, el hijo de Amoz,[i] en el Libro[j] de los Reyes de Judá e Israel. 33 Por fin Ezequías yació con sus antepasados,[k] y lo enterraron en la subida a las sepulturas de los hijos de David;[l] y honra fue lo que todo Judá y los habitantes de Jerusalén le rindieron al tiempo de su muerte.[m] Y Manasés[n] su hijo empezó a reinar en lugar de él.

33 Doce años de edad tenía Manasés[o] cuando empezó a reinar, y por cincuenta y cinco años reinó en Jerusalén.[p]

2 Y procedió a hacer lo que era malo a los ojos de Jehová,[q] conforme a las cosas detestables[r] de las naciones que Jehová había expulsado de delante de los hijos de Israel.[s] 3 Así que volvió a construir los lugares altos[t] que Ezequías su padre había demolido,[u] y erigió altares[v] a los Baales[w] e hizo postes sagrados,[x] y se puso a inclinarse[y] ante todo el ejército de los cielos[z] y a servirles.[a] 4 Y edificó altares[b] en la casa de Jehová, respecto a la cual Jehová había dicho: "En Jerusalén mi nombre resultará estar hasta tiempo indefinido".[c] 5 Y pasó a edificar altares a todo el ejército de los cielos[d] en dos patios[e] de la casa de Jehová. 6 Y él mismo hizo pasar a sus propios hijos por el fuego[g] en el valle del hijo de Hinón,[h] y practicó la magia[i] y usó la adivinación[j] y practicó la hechicería[k] e hizo médium espiritistas[l] y pronosticadores[m] profesionales de sucesos. Hizo en gran escala lo

que era malo a los ojos de Jehová, para ofenderle.[a]

7 Además, la imagen tallada[b] que había hecho la puso en la casa del Dios [verdadero],[c] respecto a la cual Dios había dicho a David y a Salomón su hijo: "En esta casa y en Jerusalén, que he escogido[d] de entre todas las tribus de Israel, pondré mi nombre[e] hasta tiempo indefinido.[f] 8 Y no volveré a quitar el pie de Israel de sobre el suelo que asigné[a] a sus antepasados,[h] con tal que solo pongan cuidado en hacer todo lo que les he mandado[i] respecto a toda la ley[j] y las disposiciones reglamentarias[k] y las decisiones judiciales[l] por la mano de Moisés".[m] 9 Y Manasés[n] siguió seduciendo a Judá[o] y a los habitantes de Jerusalén para que hicieran peor[p] que las naciones que Jehová había aniquilado de delante de los hijos de Israel.[q]

10 Y Jehová siguió hablando a Manasés y su pueblo, pero ellos no prestaron atención.[r] 11 Por fin Jehová trajo contra ellos[s] a los jefes del ejército que pertenecía al rey de Asiria,[t] y así ellos capturaron a Manasés en los huecos,[u] y lo sujetaron[v] con dos grilletes de cobre y se llevaron a Babilonia. 12 Y tan pronto como esto le causó angustia,[w] él ablandó el rostro de Jehová su Dios,[x] y siguió humillándose[y] mucho a causa del Dios de sus antepasados. 13 Y siguió orando a Él, de modo que Él se dejó rogar[z] por él y oyó su petición de favor y lo restauró en Jerusalén en su gobernación real;[a] y Manasés llegó a saber que Jehová es el Dios [verdadero].[b]

CAP. 32
a Gé 10:10
Gé 11:9
b 2Re 20:12
Isa 39:1
c 2Re 20:8
Isa 38:8
d Jue 16:20
1Co 10:13
e Gé 22:1
Dt 8:16
Sl 7:9
f Dt 8:2
Sl 139:23
g 2Re 20:20
h 2Cr 31:20
2Cr 31:21
i Isa 1:1
j 2Cr 16:11
k 1Re 1:21
l 1Re 11:43
m Gé 50:10
Dt 34:8
n 1Cr 3:13

CAP. 33
o Mt 1:10
p 2Re 21:1
q 2Re 16:2
r Dt 18:9
2Cr 28:3
s 2Re 21:2
t 2Re 18:4
u 2Cr 32:12
v 1Re 16:32
1Re 18:26
w Jue 2:11
2Cr 28:2
x Dt 16:21
1Re 14:23
Jer 17:2
y Dt 4:19
2Re 17:16
z 2Re 23:5
Job 31:26
a 2Re 21:3
b 2Re 16:10
2Cr 34:4
c Dt 12:11
2Re 21:4
2Cr 6:6
d Dt 17:3
2Re 23:5
Jer 8:2
e 1Re 6:36
2Re 7:12
f 2Re 21:5
g 2Re 16:3
2Cr 28:3
h Jos 15:8
2Re 23:10
i Le 19:26
j Dt 18:10
k 2Re 9:22
l Le 20:6
m Dt 18:11

2.ª col.
a 2Re 21:6
b 2Re 21:7
c 2Re 23:6
d Sl 132:14
e 2Re 23:27
f 2Cr 7:16
g 2Cr 6:6
h 1Cr 17:9
i Dt 4:40
j Dt 4:44
k Dt 6:1
l Dt 11:1
Dt 12:1

m Le 10:11; n 2Re 21:16; o 1Re 14:16; Ec 9:18; p 2Re 21:11; q Le 18:24; Dt 2:21; 2os 24:8; r 2Cr 36:16; Pr 29:1; Zac 1:4; Hch 7:51; s Dt 28:36; t Ne 9:32; u 1Sa 13:6; v Job 36:8; Sl 107:10; w Le 26:40; Dt 4:30; x Sl 50:15; y 2Cr 32:26; Lu 18:14; 1Pe 5:6; z 1Cr 5:20; Esd 8:23; a Isa 1:18; b Dt 29:6; Sl 9:16; Da 4:25.

14 Y después de esto él edificó un muro exterior[a] para la Ciudad de David,[b] al oeste de Guihón,[c] en el valle torrencial, y hasta la Puerta del Pescado,[d] y [lo] hizo continuar alrededor hasta Ofel[e] y procedió a hacerlo muy alto. Además, puso jefes de la fuerza militar en todas las ciudades fortificadas de Judá.[f] 15 Y procedió a quitar los dioses extranjeros[g] y la imagen-ídolo[h] de la casa de Jehová y todos los altares[i] que él había edificado en la montaña de la casa de Jehová y en Jerusalén, y entonces mandó arrojarlos fuera de la ciudad. 16 Además, preparó el altar de Jehová[j] y empezó a sacrificar sobre él sacrificios de comunión[k] y sacrificios de acción de gracias,[l] y pasó a decir a Judá que sirviera a Jehová el Dios de Israel.[m] 17 No obstante, el pueblo todavía estaba sacrificando sobre los lugares altos;[n] solo que era a Jehová su Dios.

18 En cuanto al resto de los asuntos de Manasés, y su oración[o] a su Dios, y las palabras de los hombres de visiones[p] que siguieron hablándole en el nombre de Jehová el Dios de Israel, allí están entre los asuntos de los reyes de Israel.[q] 19 En cuanto a su oración,[r] y cómo su súplica le fue otorgada, y todo su pecado[t] y su infidelidad,[u] y los sitios en que edificó lugares altos[v] y erigió los postes sagrados[w] y las imágenes esculpidas[x] antes que se humillara,[y] allí están escritos entre las palabras de sus hombres de visiones. 20 Por fin Manasés yació con sus antepasados,[z] y lo enterraron[a] junto a su casa; y Amón[b] su hijo empezó a reinar en lugar de él.

21 Veintidós años de edad tenía Amón[c] cuando empezó a reinar, y por dos años reinó en Jerusalén.[d] 22 Y procedió a hacer lo que era malo a los ojos de Jehová,[a] tal como había hecho Manasés su padre;[b] y a todas las imágenes esculpidas[c] que Manasés[d] su padre había hecho, Amón sacrificó,[e] y continuó sirviéndoles.[f] 23 Y no se humilló[g] a causa de Jehová lo mismo que Manasés su padre se humilló,[h] pues Amón fue uno que hizo aumentar la culpabilidad.[i] 24 Finalmente sus siervos conspiraron[j] contra él y le dieron muerte en su propia casa.[k] 25 Pero la gente de la tierra derribó[l] a todos los que fueron conspiradores[m] contra el rey Amón,[n] y la gente[o] de la tierra entonces hizo rey a Josías[p] su hijo en lugar de él.

34 Ocho[q] años de edad tenía Josías[r] cuando empezó a reinar, y por treinta y un años reinó en Jerusalén.[s] 2 Y procedió a hacer lo que era recto a los ojos de Jehová[t] y a andar en los caminos de David su antepasado;[u] y no se desvió a la derecha ni a la izquierda.[v]

3 Y en el año octavo de reinar, siendo todavía muchacho,[w] comenzó a buscar[x] al Dios de David su antepasado; y en el año doce comenzó a limpiar[y] a Judá y Jerusalén de los lugares altos[z] y los postes sagrados[a] y las imágenes esculpidas[b] y las estatuas fundidas. 4 Además, demolieron delante de él los altares[c] de los Baales;[d] y cortó de sobre ellos los estantes de incienso[e] que estaban más arriba; y los postes sagrados[f] y las imágenes esculpidas[g] y las estatuas fundidas las hizo pedazos y las redujo a polvo,[h] y entonces [lo] regó sobre la superficie de las sepulturas de los que solían hacerles sacrificios.[i] 5 Y quemó los huesos[j] de los sacerdotes sobre

CAP. 33
a 2Cr 32:5
b 2Sa 5:9
c 2Cr 32:30
d Ne 3:3
e 2Cr 27:3
f 2Cr 11:11
2Cr 11:12
g Isa 2:18
Eze 18:10
Os 14:3
Mt 3:8
h 2Re 21:7
2Cr 33:7
Isa 30:22
i 2Re 21:4
2Cr 21:5
j 2Cr 29:18
k Le 3:1
l Le 7:12
m 2Cr 14:4
n 2Cr 32:12
o 2Cr 33:12
p 1Sa 9:9
q 1Re 16:31
r 2Cr 33:12
Pr 15:8
s 2Cr 33:13
1Jn 1:9
t 2Re 21:2
u 2Re 21:20
v 2Re 21:3
w 2Re 21:7
x 2Cr 33:7
y 2Cr 33:12
z 2Re 21:18
a 2Cr 21:20
2Cr 28:27
b 1Cr 3:14
c Mt 1:10
d 2Re 21:19

2.ª col.
a 1Re 16:19
2Cr 22:4
b 2Re 21:20
2Cr 33:2
Eze 20:18
c Ex 20:4
Dt 7:5
d 2Re 21:7
2Cr 33:7
e Isa 44:15
2Re 17:41
Isa 44:17
f 2Cr 36:12
Jer 8:12
g 2Re 33:12
i 2Cr 28:22
Jer 7:26
2Ti 3:13
j 1Re 15:27
2Cr 24:25
2Cr 25:27
k 2Re 21:23
2Re 21:23
l Gé 9:6
Nú 35:31
m 2Cr 25:3
n 2Re 21:24
o 2Cr 36:1
p 2Re 21:26

CAP. 34
q 2Cr 24:1
r 1Re 13:2
Sof 1:1
Mt 1:10
s 2Re 22:1
t 2Re 18:3

u 1Re 11:38; v 2Re 22:2; w 1Cr 22:5; Sl 119:9; x 2Cr 15:2; y 2Re 23:4; z 2Cr 33:17; a 2Re 23:14; b Le 26:30; Dt 7:5; d Jue 2:13; c 2Cr 33:3; e 2Cr 14:5; f 2Re 23:4; g Jue 18:18; h Ex 32:20; Dt 9:21; i 2Re 10:25; 2Re 23:6; j 1Re 13:2.

sus altares.[a] Así limpió a Judá y
Jerusalén.
6 También, en las ciudades
de Manasés[b] y de Efraín[c] y de
Simeón y hasta Neftalí, en sus
lugares devastados todo en
derredor, 7 aun fue demoliendo los altares[d] y los postes sagrados,[e] y las imágenes esculpidas[f] las trituró y redujo a polvo;[g]
y todos los estantes del incienso[h] los cortó en toda la tierra de
Israel, después de lo cual regresó a Jerusalén.
8 Y en el año dieciocho[i] de
reinar, cuando hubo limpiado la
tierra y la casa, envió a Safán[j]
hijo de Azalías y a Maaseya el
jefe de la ciudad y a Joah hijo de
Joacaz el registrador para reparar[k] la casa de Jehová su Dios.
9 Y ellos procedieron a ir a Hilquías[l] el sumo sacerdote y a dar
el dinero que se traía a la casa de
Dios, el cual los levitas los guardas de la puerta[m] habían recogido de la mano de Manasés[n] y de
Efraín[o] y de todos los demás de
Israel[p] y de todo Judá y Benjamín y de los habitantes de Jerusalén. 10 Entonces ellos [lo]
pusieron en la mano de los hacedores del trabajo que estaban
nombrados sobre la casa de Jehová.[q] A su vez, los hacedores
del trabajo que estaban activos
en la casa de Jehová lo emplearon para componer y reparar la
casa. 11 De manera que ellos
lo dieron a los artífices y a los
constructores[r] para que com-
praran piedras labradas[s] y maderas para sujetadores y para
edificar con vigas las casas que
los reyes[t] de Judá habían arruinado.
12 Y los hombres estaban
actuando con fidelidad[u] en el
trabajo; y sobre ellos estaban
nombrados Jáhat y Abdías los
levitas, de los hijos de Merarí,[v] y
Zacarías y Mesulam, de los hijos
de los qohatitas,[w] para servir de
superintendentes. Y los levitas,
cada uno de los cuales era perito
en [tocar] los instrumentos de
canto,[a] 13 estaban sobre los
cargadores de cargas,[b] y [eran]
los superintendentes[c] de todos
los hacedores del trabajo para
los diferentes servicios; y de los
levitas[d] había secretarios[e] y oficiales y porteros.[f]
14 Ahora bien, mientras estaban sacando el dinero[g] que se
traía a la casa de Jehová, Hilquías[h] el sacerdote halló el libro[i]
de la ley de Jehová[j] por la mano
de Moisés.[k] 15 Por lo tanto,
Hilquías respondió y dijo a Safán[l] el secretario: “El mismísimo libro de la ley he hallado en
la casa de Jehová”. Con eso,
Hilquías dio el libro a Safán.
16 Entonces Safán trajo el libro
al rey y respondió más detalla-
damente al rey, diciendo: “Todo
lo que ha sido puesto en la mano
de tus siervos, lo están haciendo. 17 Y vacían el dinero que
se halla en la casa de Jehová y lo
ponen en la mano de los hombres nombrados y en la mano
de los hacedores del trabajo”.[m]
18 Y Safán el secretario pasó
a dar informe al rey, diciendo:
“Hay un libro[n] que Hilquías el
sacerdote me dio”.[o] Y Safán se
puso a leer de él delante del rey.[p]
19 Y aconteció que en cuanto
el rey oyó las palabras de la
ley, inmediatamente rasgó sus
prendas de vestir.[q] 20 Entonces el rey dio orden a Hilquías[r] y
a Ahiqam[s] hijo de Safán y a Abdón hijo de Miqueas y a Safán[t] el
secretario[u] y a Asaya[v] el siervo
del rey, y dijo: 21 “Vayan, inquieran[w] de Jehová a favor de mí
mismo[x] y a favor de lo que queda
en Israel y en Judá respecto a
las palabras del libro[y] que se ha
hallado, porque grande es la furia de Jehová[z] que tiene que
derramarse contra nosotros debido al hecho de que nuestros
antepasados no guardaron la
palabra de Jehová por medio de
hacer todo lo que está escrito en
este libro”.[a]

CAP. 34

a 2Re 23:16
b 2Cr 30:10; 2Cr 31:1
c 2Re 23:19; 2Cr 30:1
d Dt 12:3; 2Re 23:12
e 2Re 23:4
f 2Re 17:41; 2Cr 33:19
g Dt 9:21
h 2Cr 14:5
i 2Re 22:3
j 2Re 22:12
k 2Re 22:5
l 2Re 22:4
m 1Cr 26:12
n 2Cr 30:11
o 2Cr 31:1
p 2Cr 30:18
q 2Re 22:5
r 2Re 12:12
s 2Re 22:6
t 2Re 16:14; 2Cr 28:24; 2Cr 33:4; 2Cr 33:7; 2Cr 33:22
u 2Re 12:15; Ne 7:2; Pr 28:20; 1Co 4:2
v 1Cr 23:6; 1Cr 24:26
w 1Cr 9:32; 2Cr 20:19

2.ª col.

a 1Cr 16:4; 1Cr 25:1
b 2Cr 2:10
c 2Cr 2:18
d 1Cr 23:3
e 1Cr 18:16
f 1Cr 9:17; 2Cr 8:14
g 2Re 22:4
h 2Re 22:8
i Dt 31:24; Dt 31:26
j Dt 17:18; 2Cr 35:26
k Le 10:11; Le 26:46
l 2Re 22:10
m 2Re 22:5
n Dt 31:24; Jos 1:8
o 2Re 22:8
p Dt 17:19; Sl 119:46
q Sl 119:120
r 2Re 22:14
s 2Re 25:22; Jer 40:14
t 2Re 22:9
u 2Re 19:2
v 2Re 22:12
w Éx 18:15; 1Sa 9:9; 1Re 22:7
x Jer 42:2
y Dt 31:24; Jos 1:8
z Le 26:16; Dt 28:15
a Dt 30:18; Dt 31:16; Dt 32:15; Heb 10:31

22 Por lo tanto, Hilquías junto con los que el rey [había di-
cho] fueron a Huldá[a] la profetisa,[b] la esposa de Salum hijo de
Tiqvá hijo de Harhás el cuidador de las prendas de vestir,[c]
puesto que ella moraba en Jerusalén en el segundo barrio; y
procedieron a hablarle conforme a esto. 23 A su vez, ella les
dijo:
"Esto es lo que ha dicho Jehová el Dios de Israel: 'Digan al
hombre que los envió a mí:
24 "Esto es lo que ha dicho Jehová: '¡Mira!, voy a traer calamidad[d] sobre este lugar y sus habitantes,[e] todas las maldiciones[f]
que están escritas en el libro que
ellos leyeron delante del rey de
Judá,[g] 25 debido a que me
han dejado[h] y se han puesto a
hacer humo de sacrificio a otros
dioses,[i] a fin de ofenderme[j] con
todos los hechos de sus manos[k]
y para que mi furia[l] se derrame
sobre este lugar y no se extinga' ".[m] 26 Y al rey de Judá, que
los envía a inquirir de Jehová,
esto es lo que deben decirle:
"Esto es lo que ha dicho Jehová
el Dios de Israel:[n] 'En cuanto
a las palabras[o] que has oído,
27 por razón de que tu corazón[p]
estuvo blando de manera que te
humillaste[q] a causa de Dios al
oír sus palabras acerca de este
lugar y sus habitantes, y te humillaste delante de mí[r] y rasgaste[s] tus prendas de vestir y llo-
raste delante de mí, yo, sí, yo, he
oído,[t] es la expresión de Jehová.
28 ¡Mira!, te voy a recoger a tus
antepasados, y ciertamente serás recogido a tu cementerio en
paz,[u] y tus ojos no mirarán toda
la calamidad[v] que voy a traer
sobre este lugar y sus habitantes' " ' ".[w]
Entonces llevaron la respuesta al rey. 29 Y el rey procedió
a enviar y a reunir a todos los
ancianos de Judá y de Jerusalén.[x] 30 El rey ahora subió a la
casa de Jehová[y] con todos los
hombres de Judá y los habitantes de Jerusalén y los sacerdotes[a] y los levitas y todo el pueblo, el grande lo mismo que el
pequeño; y se puso a leer[b] a oídos de ellos todas las palabras
del libro del pacto, que se había
hallado en la casa de Jehová.[c]
31 Y el rey se quedó de pie en su
lugar[d] y procedió a celebrar
el pacto[e] ante Jehová, de ir
siguiendo a Jehová y de guardar
sus mandamientos[f] y sus testimonios[g] y sus disposiciones reglamentarias[h] con todo su corazón[i] y con toda su alma,[j] para
ejecutar[k] las palabras del pacto
que estaban escritas en este libro.[l] 32 Además, hizo que todos los que se hallaban en Jerusalén y Benjamín se levantaran
[en apoyo del pacto]. Y los habitantes de Jerusalén procedieron
a hacer conforme al pacto de
Dios, el Dios de sus antepasados.[m] 33 Después de aquello
Josías quitó todas las cosas detestables[n] de todas las tierras
que pertenecían a los hijos de
Israel,[o] e hizo que todos los que
se hallaban en Israel empren-
dieran el servicio, para servir a
Jehová el Dios de ellos. Durante
todos los días de él, no se desviaron de seguir a Jehová el Dios de
sus antepasados.[p]

35 Entonces Josías[q] celebró
en Jerusalén una pascua[r]
a Jehová, y degollaron la víctima pascual[s] el día catorce[t] del
mes primero.[u] 2 De manera
que él apostó a los sacerdotes
sobre las cosas [que estaban]
bajo el cuidado[v] de ellos y los
animó[w] en el servicio de la casa
de Jehová.[x] 3 Y pasó a decir a
los levitas, los instructores[y] de
todo Israel, los que eran santos
a Jehová: "Pongan el Arca santa[z] en la casa[a] que edificó Salo-

CAP. 34
a 2Re 22:14
b Éx 15:20
Jue 4:4
Lu 2:36
Hch 21:9
c 2Re 10:22
Ne 7:72
d Jos 23:16
2Re 21:12
e Jer 35:17
f Le 26:16
Dt 28:15
Dt 30:18
Jos 23:13
Da 9:11
g 2Re 22:16
h Dt 28:20
2Cr 24:20
i 2Re 23:5
2Cr 28:3
j 1Re 14:9
2Re 21:3
k 2Re 22:17
l Dt 29:23
2Cr 34:21
m Jer 4:4
Jer 7:20
Eze 20:48
n 2Re 22:18
o Dt 28:15
2Cr 34:19
p Sl 34:18
q 2Cr 32:26
r 2Re 22:19
s 2Cr 34:19
t 2Cr 33:13
Sl 10:17
Sl 86:5
u Sl 37:37
v 1Re 21:29
Isa 39:8
1Pe 5:5
w 2Re 22:20
x 2Re 23:1
y 1Re 6:1
1Re 8:10

2.ª col.
a 2Re 23:2
b 2Cr 17:9
Ne 8:3
c 2Re 22:10
d 2Re 23:3
e Esd 10:3
f Dt 5:1
Dt 6:1
g Dt 4:45
1Re 2:3
h Dt 12:1
i Dt 6:5
Dt 10:12
j Dt 11:13
k Sl 119:106
l Dt 31:24
2Re 22:8
m 2Cr 30:12
2Cr 33:16
n 1Re 11:5
o 2Re 23:5
p Éx 3:6

CAP. 35
q 2Re 23:21
r Éx 12:11
Le 23:5
Nú 9:2
s Éx 12:21
1Co 5:7
t Nú 9:3
Jos 5:10
Esd 6:19

u Dt 16:1; v 1Cr 23:32; 2Cr 23:18; 2Cr 31:2; w Hch 20:2; Heb 10:25; 1Pe 5:12; x Col 4:17; y Dt 33:10; 2Cr 17:9; 2Cr 30:22; Ne 8:8; z 2Cr 8:11; a 1Re 6:38; 2Cr 5:7.

món hijo de David el rey de Israel; no es de ustedes como carga sobre el hombro.[a] Ahora sirvan[b] a Jehová su Dios y al pueblo de él, Israel. 4 Y hagan preparación según la casa de sus antepasados[c] conforme a sus divisiones,[d] según lo escrito[e] por David el rey de Israel y según lo escrito[f] por Salomón su hijo. 5 Y estén de pie[g] en el lugar santo según las clases de la casa de los antepasados por sus hermanos, los hijos del pueblo, y la porción de una casa paterna[h] perteneciente a los levitas.[i] 6 Y degüellen la víctima pascual[j] y santifíquense[k] y hagan preparación para sus hermanos, a fin de hacer conforme a la palabra de Jehová por medio de Moisés".[l]

7 Y Josías ahora contribuyó a los hijos del pueblo rebaños, corderos y cabritos, todo ello para las víctimas pascuales para todos los que se hallaban, hasta el número de treinta mil, y reses vacunas, tres mil.[m] Estos eran de los bienes del rey. 8 Y sus príncipes[o] mismos hicieron una contribución como ofrenda voluntaria para el pueblo,[p] para los sacerdotes y para los levitas. Hilquías[q] y Zacarías y Jehiel mismos, como caudillos de la casa del Dios [verdadero], dieron a los sacerdotes para víctimas pascuales dos mil seiscientos, y trescientas reses vacunas. 9 Y Conanías y Semaya y Netanel sus hermanos y Hasabías y Jeiel y Jozabad, los jefes de los levitas, contribuyeron a los levitas para víctimas pascuales cinco mil, y quinientas reses vacunas.

10 Y el servicio fue preparado,[r] y los sacerdotes se quedaron de pie[s] en sus lugares,[t] y los levitas por sus divisiones,[u] conforme al mandamiento del rey.[v] 11 Y procedieron a degollar la víctima pascual,[w] y los sacerdo-

tes[a] rociaron[b] [la sangre] desde su mano, a la vez que los levitas estaban arrancando las pieles.[c] 12 Además, prepararon las ofrendas quemadas a fin de darlas a las clases[d] según la casa paterna,[e] a los hijos del pueblo, a fin de hacer una presentación[f] a Jehová conforme a lo que está escrito en el libro de Moisés;[g] y así también [hicieron] con las reses vacunas. 13 Y se pusieron a cocer[h] la ofrenda pascual[i] sobre el fuego conforme a la costumbre; y las cosas santificadas las cocieron[j] en ollas y en vasijas de fondo redondo y en tazones de banquete, después de lo cual lo llevaron rápidamente a todos los hijos del pueblo.[k] 14 Y después prepararon para sí y para los sacerdotes,[l] porque los sacerdotes los hijos de Aarón estuvieron ocupados en ofrecer los sacrificios quemados[m] y los trozos grasos[n] hasta la noche, y los levitas, por su parte, prepararon[o] para sí y para los sacerdotes los hijos de Aarón.

15 Y los cantores[p] los hijos de Asaf[q] estaban en su oficio conforme al mandamiento de David[r] y de Asaf[s] y de Hemán[t] y de Jedutún[u] el hombre de visiones[v] del rey; y los porteros[w] estaban en las diferentes puertas.[x] No había necesidad de que se desviaran de su servicio, porque sus hermanos los levitas mismos preparaban[y] para ellos. 16 Y todo el servicio de Jehová fue preparado en aquel día para celebrar la pascua[z] y para ofrecer las ofrendas quemadas sobre el altar de Jehová, conforme al mandamiento del rey Josías.[a]

17 Y los hijos de Israel que [allí] se hallaban procedieron a celebrar la pascua[b] en aquel tiempo, y también la fiesta de las tortas no fermentadas por siete días.[c] 18 Y nunca se ha-

---

CAP. 35
a Nú 4:15
  1Cr 23:26
b Nú 16:9
  Sl 2:11
  Sl 100:2
  Tit 1:1
c 1Cr 9:10
  1Cr 9:34
d 1Cr 24:1
  1Cr 23:6
  2Cr 8:14
g Sl 135:2
h 1Cr 23:11
  1Cr 24:4
i 1Cr 24:30
j Éx 12:21
  2Cr 30:15
k 2Cr 29:5
  Esd 6:20
l Éx 12:42
m 2Cr 30:24
n 1Cr 29:3
o 1Cr 28:1
p Pr 11:25
  Hch 20:35
q 2Re 23:4
  2Cr 34:14
r 2Cr 35:6
s Sl 135:2
t 2Cr 30:16
u 1Cr 23:6
v Esd 6:18
w Éx 12:6

2.ª col.
a Nú 18:7
b Le 1:5
  2Cr 29:22
  2Cr 30:16
  Heb 9:21
c Le 1:6
  2Cr 29:34
d 2Cr 35:5
  1Co 14:40
e 1Cr 23:11
  1Cr 24:30
f Le 3:9
  Le 3:14
g Le 3:5
  Le 3:11
  Le 3:16
h Dt 16:7
i Éx 12:8
j Le 6:28
  Nú 6:19
k Ro 12:11
  1 2Cr 31:19
m Le 3:5
n Le 3:3
o 2Cr 35:11
p 1Cr 15:27
  2Cr 5:12
  Esd 2:41
q 1Cr 16:37
  2Cr 29:13
  Sl 50:Enc
r 1Cr 23:5
  2Cr 29:26
s 1Cr 25:2
t 1Cr 16:41
u 1Cr 16:42
  1Cr 25:3
v 1Sa 9:9
w 1Cr 9:17
  1Cr 26:12
x 1Cr 26:13
y 2Cr 35:11
z Le 23:5
  Nú 28:16
a 2Re 23:21

b Éx 12:43; Dt 16:1; c Éx 12:15; Le 23:6; Nú 28:17; Dt 16:3; 2Cr 30:21; 1Co 5:8.

bía celebrado una pascua como esta en Israel desde los días de Samuel el profeta,ª ni ninguno de los mismos otros reyesᵇ de Israel había celebrado una pascua como aquella que celebraron Josías y los sacerdotes y los levitas y todo Judá e Israel que se hallaban [allí], y los habitantes de Jerusalén. 19 En el año dieciocho del reinado de Josías se celebró esta pascua.ᶜ

20 Después de todo esto, cuando Josías hubo preparado la casa, Nekóᵈ el rey de Egiptoᵉ subió para pelear en Carquemisᶠ junto al Éufrates. Entonces Josíasᵍ salió a un encuentro con él.ʰ 21 Ante aquello, aquel le envió mensajeros, diciendo: "¿Qué tengo yo que ver contigo, oh rey de Judá? No es contra ti contra quien vengo hoy, sino que es contra otra casa contra la que tengo mi pelea, y a la que Dios mismo dijo que causara perturbación. Guárdate de hacerlo por tu propio bien a causa de Dios, que está conmigo, y no dejes que él te arruine".ⁱ 22 Y Josías no apartó su rostro de él;ʲ antes bien, para pelear contra él se disfrazóᵏ y no escuchó las palabras de Nekóˡ procedentes de la boca de Dios. De manera que vino a pelear en la llanura-valle de Meguidó.ᵐ

23 Y los disparadoresⁿ lograron disparar contra el rey Josías, de modo que el rey dijo a sus siervos: "Bájenme, porque me han herido muy gravemente".ᵒ 24 Por lo tanto, sus siervos lo bajaron del carro e hicieron que montara en el segundo carro de guerra que era suyo, y lo trajeron a Jerusalén.ᵖ Así murióᵠ y fue enterrado en el cementerio de sus antepasados;ʳ y todo Judá y Jerusalén estuvieron de duelosˢ por Josías. 25 Y Jeremíasᵗ se puso a salmodiarᵘ por Josías; y todos los cantores y las cantorasᵛ siguen hablando

de Josías en sus endechas hasta hoy; y las tienen establecidas como disposición reglamentaria sobre Israel, y allí están escritas entre las endechas.ª

26 En cuanto al resto de los asuntosᵇ de Josías y sus actos de bondad amorosa,ᶜ conforme a lo que está escrito en la leyᵈ de Jehová, 27 y sus asuntos, los primeros y los últimos,ᵉ allí están escritos en el Libroᶠ de los Reyes de Israel y Judá.

36 Entonces la gente de la tierra tomó a Jehoacazᵍ hijo de Josías y lo hicieron rey en el lugar de su padre en Jerusalén.ʰ 2 Veintitrés años de edad tenía Jehoacaz cuando empezó a reinar, y por tres meses reinó en Jerusalén.ⁱ 3 Sin embargo, el rey de Egipto lo quitó en Jerusalénʲ y multó al país en cien talentos de plataᵏ y un talento de oro. 4 Además, el reyˡ de Egipto hizo rey sobre Judá y Jerusalén a Eliaquimᵐ su hermano, y le cambió el nombre al de Jehoiaquim; pero a Jehoacaz, el hermano de este, Nekóⁿ lo tomó y se lo llevó a Egipto.ᵒ

5 Veinticinco años de edad tenía Jehoiaquimᵖ cuando empezó a reinar, y por once años reinó en Jerusalén;ᵠ y continuó haciendo lo que era malo a los ojos de Jehová su Dios.ʳ 6 Contra él subióˢ Nabucodonosorᵗ el rey de Babilonia para sujetarlo con dos grilletes de cobre para llevárselo a Babilonia.ᵘ 7 Y Nabucodonosorᵛ llevó algunos de los utensiliosʷ de la casa de Jehová a Babilonia y entonces los puso en su palacio en Babilonia.ˣ 8 En cuanto al resto de los asuntosʸ de Jehoiaquim, y sus cosas detestablesᶻ que hizo, y lo que se hallaba contra él, allí están escritos en el Libroª de los Reyes de Israel y Judá; y Joaquínᵇ su

CAP. 35
a 2Re 23:22
b 2Cr 30:5
  2Cr 30:26
c 2Re 23:23
d Jer 46:2
e 2Re 23:29
f Isa 10:9
g 2Re 22:1
h 2Re 23:29
  Pr 3:30
  Pr 26:17
i 2Cr 25:19
  Pr 27:12
j Pr 15:10
k 1Re 14:2
  1Re 22:30
  2Cr 18:29
l 2Re 23:33
  Jer 46:2
m Jue 1:27
  Jue 5:19
  1Re 9:15
  2Re 9:27
  2Re 23:30
  Zac 12:11
  Rev 16:16
n 2Re 9:24
  2Cr 18:33
o 2Re 22:34
p 2Re 23:30
q Sl 146:4
  Ec 8:14
  Ec 9:10
  2Cr 34:28
s Dt 34:8
  Heb 14:18
t Jer 1:1
  Lam 4:20
v Jer 9:17
  Jer 9:20

2.ªcol.
a Jer 22:20
b 2Cr 23:28
c 2Cr 32:32
  Pr 19:22
d Dt 31:24
e 2Cr 26:22
f 2Cr 25:26

CAP. 36
g 1Cr 3:15
  Jer 22:11
h 2Re 23:30
i 2Re 23:31
  2Re 23:33
k 2Re 18:14
  2Cr 27:5
l 2Cr 35:20
m 2Re 23:34
  2Re 23:29
  Jer 46:2
o 2Re 22:12
  Jer 26:32
  Jer 36:32
q 2Re 23:36
r 2Re 23:37
s 2Re 24:1
t 2Re 25:1
  Esd 1:7
  Jer 25:1
  Da 1:1
u 2Re 24:6
v Da 1:2
w 2Re 24:13
  Esd 1:7
  Jer 27:16
x Da 5:2
y 2Cr 25:26

z 1Re 11:5; 2Cr 34:33; a 2Re 24:5; 2Cr 35:27;
b 2Re 24:6.

hijo empezó a reinar en lugar de él.

9 Dieciocho años de edad tenía Joaquín[a] cuando empezó a reinar, y por tres meses[b] y diez días reinó en Jerusalén; y continuó haciendo lo que era malo a los ojos de Jehová.[c] **10** Y a la vuelta[d] del año al rey Nabucodonosor envió[e] y procedió a llevarlo a Babilonia[f] con objetos deseables de la casa de Jehová.[g] Además, hizo rey sobre Judá y Jerusalén a Sedequías[h] el hermano [de su padre].[i]

11 Veintiún años de edad tenía Sedequías[j] cuando empezó a reinar, y por once años reinó en Jerusalén.[k] **12** Y continuó haciendo lo que era malo[a] a los ojos de Jehová su Dios. No se humilló[m] a causa de Jeremías[n] el profeta[o] por orden de Jehová. **13** Y hasta contra el rey Nabucodonosor se rebeló,[p] el cual le había hecho jurar por Dios;[q] y siguió poniendo tiesa[r] su cerviz y endureciendo[s] su corazón para no volverse a Jehová el Dios de Israel. **14** Hasta todos los jefes de los sacerdotes[t] y el pueblo mismo cometieron infidelidad en gran escala, conforme a todas las cosas detestables[u] de las naciones, de modo que contaminaron la casa de Jehová que él había santificado en Jerusalén.[v]

15 Y Jehová el Dios de sus antepasados siguió enviando [avisos] contra ellos por medio de sus mensajeros,[w] enviando vez tras vez, porque sentía compasión por su pueblo[x] y por su morada.[y] **16** Pero ellos continuamente estuvieron burlándose[z] de los mensajeros del Dios [verdadero] y despreciando sus palabras[a] y mofándose[b] de sus profetas, hasta que la furia[c] de Jehová subió contra su pueblo, hasta que no hubo curación.[d]

17 De modo que él hizo subir contra ellos al rey de los caldeos,[e] que procedió a matar a es-

pada[a] a los jóvenes de ellos en la casa del santuario de ellos,[b] y no sintió compasión por joven ni virgen, viejo ni decrépito.[c] Todo lo dio Él en la mano de él. **18** Y todos los utensilios,[d] grandes[e] y pequeños, de la casa del Dios [verdadero], y los tesoros[f] de la casa de Jehová y los tesoros del rey[g] y de sus príncipes, todo lo llevó él a Babilonia. **19** Y procedió a quemar la casa del Dios [verdadero][h] y a demoler el muro[i] de Jerusalén; y quemaron con fuego todas sus torres de habitación y también todos sus objetos deseables,[j] a fin de causar ruina.[k] **20** Además, a los que quedaron de la espada se los llevó cautivos a Babilonia,[l] y llegaron a ser siervos para él[m] y sus hijos hasta que la realeza de Persia[n] empezó a reinar; **21** para cumplir la palabra de Jehová por boca de Jeremías,[o] hasta que la tierra hubo pagado sus sábados.[p] Todos los días de yacer desolada guardó sábado, para cumplir setenta años.[q]

22 Y en el primer año de Ciro[r] el rey de Persia,[s] para que se realizara la palabra de Jehová[t] por boca de Jeremías,[u] Jehová despertó el espíritu[v] de Ciro el rey de Persia, de modo que él hizo pasar por todo su reino un pregón, y también por escrito,[w] que decía: **23** "Esto es lo que ha dicho Ciro el rey de Persia:[x] 'Todos los reinos de la tierra me los ha dado Jehová el Dios de los cielos,[y] y él mismo me ha comisionado para que le edifique una casa en Jerusalén, que está en Judá.[z] Cualquiera que haya entre ustedes de todo su pueblo,[a] esté Jehová su Dios con él.[b] Así, pues, que suba' ".[c]

ESDRAS

1 Y en el primer año de Ciro[a] el rey de Persia, para que se realizara la palabra de Jehová procedente de la boca de Jeremías,[b] Jehová despertó[c] el espíritu de Ciro el rey de Persia, de modo que él hizo pasar por todo su reino un pregón[d] —y también por escrito[e]— que decía:

2 "Esto es lo que ha dicho Ciro el rey de Persia:[f] 'Todos los reinos de la tierra me los ha dado[g] Jehová el Dios de los cielos,[h] y él mismo me ha comisionado para que le edifique una casa en Jerusalén,[i] que está en Judá. **3** Cualquiera que haya entre ustedes de todo su pueblo, resulte su Dios estar con él.[j] Así, pues, que suba a Jerusalén, que está en Judá, y reedifique la casa de Jehová el Dios de Israel —él es el Dios [verdadero][k]— la cual estaba en Jerusalén.[l] **4** En cuanto a cualquiera que quede de todos los lugares donde esté residiendo como forastero,[m] que los hombres de su lugar le ayuden con plata y con oro y con bienes y con animales domésticos, junto con la ofrenda voluntaria[n] para la casa del Dios [verdadero], la cual estaba en Jerusalén'".

5 Entonces los cabezas[o] de los padres de Judá y de Benjamín y los sacerdotes y los levitas se levantaron, aun todo aquel cuyo espíritu[p] el Dios [verdadero] había despertado, para subir y reedificar la casa de Jehová,[q] la cual había estado en Jerusalén. **6** En cuanto a todos los que estaban alrededor de ellos, ellos les fortalecieron[r] las manos con utensilios de plata, con oro, con bienes y con animales domésticos y con cosas selectas, además de todo aquello que se ofreció voluntariamente.[s]

7 También, el rey Ciro mismo sacó los utensilios de la casa de Jehová,[a] que Nabucodonosor había sacado de Jerusalén[b] y entonces había puesto en la casa de su dios.[c] **8** Y Ciro el rey de Persia procedió a sacarlos bajo el control de Mitrídates el tesorero, y a numerarlos y entregarlos a Sesbazar[d] el principal de Judá.[e]

9 Ahora bien, estos son los números de ellos: treinta vasos de oro de forma de cesta, mil vasos de plata de forma de cesta, veintinueve vasos de reemplazo, **10** treinta tazas[f] de oro, cuatrocientas diez tazas secundarias de plata, otros mil utensilios. **11** Todos los utensilios de oro y de plata fueron cinco mil cuatrocientos. Todo lo subió Sesbazar,[g] junto con haber hecho subir al pueblo desterrado[h] de Babilonia a Jerusalén.

2 Y estos fueron los hijos del distrito jurisdiccional[i] que subieron del cautiverio del pueblo desterrado,[j] a quienes Nabucodonosor el rey de Babilonia había llevado al destierro[k] en Babilonia, y que más tarde volvieron[l] a Jerusalén y Judá,[m] cada uno a su propia ciudad; **2** los que vinieron con Zorobabel,[n] Jesúa,[o] Nehemías, Seraya,[p] Reelaya, Mardoqueo, Bilsán, Mispar, Bigvai, Rehúm, Baanah.

El número de los hombres del pueblo de Israel: **3** Los hijos de Parós,[q] dos mil ciento setenta y dos; **4** los hijos de Sefatías,[r] trescientos setenta y dos; **5** los hijos de Arah,[s] setecientos setenta y cinco; **6** los hijos de

CAP. 1

a 2Cr 36:22
   Isa 45:1
   Da 10:1
b Jer 25:12
   Jer 29:14
   Jer 33:11
c Pr 21:1
d 2Cr 24:9
   2Cr 30:5
e Est 3:12
   Est 8:10
   Da 6:8
f 2Cr 36:23
g Sl 75:7
   Jer 27:5
   Da 2:21
   Da 4:35
   Da 5:21
h 1Re 8:27
   1Re 8:43
   Sl 96:5
   Isa 37:16
i Isa 44:28
j 1Cr 28:20
   Sl 145:18
   Isa 45:13
k Dt 3:24
   2Sa 22:32
   Sl 86:10
   Jer 10:10
   1Co 8:4
   1Re 6:1
m Esd 7:16
   Jer 9:16
n Ex 35:21
   1Cr 29:9
o 2Cr 19:8
   2Cr 20:21
p Ne 2:12
   Flp 2:13
q 2Cr 36:19
r Ne 2:18
   Isa 41:10
s Pr 3:9
   2Co 9:7

2.ª col.

a Esd 5:14
b 2Re 24:13
   2Cr 36:7
   2Cr 36:18
c Da 1:2
d Esd 5:14
   Esd 5:16
   Ag 1:1
   Ag 2:21
e Ag 1:14
   Zac 4:7
f 2Cr 4:8
g Ag 2:23
h 2Re 24:15
   2Cr 36:20

CAP. 2

i Ne 7:6
j 2Re 24:15
   2Re 25:11
k 2Re 24:16
   2Cr 36:20
   Lam 1:3

l Dt 30:3; Sl 147:2; Jer 32:37; Eze 34:13; m Esd 1:3; n Esd 1:11; Ne 7:7; Ag 1:1; Ag 1:14; Ag 2:21; Mt 1:12; o Esd 3:8; Esd 5:2; Ag 1:12; Ag 2:4; Zac 3:1; p Ne 7:7; q Esd 8:3; Ne 7:8; Ne 10:14; r Esd 8:8; Ne 7:9; s Ne 6:18; Ne 7:10.

Pahat-moab,[a] de los hijos de Jesúa [y] Joab,[b] dos mil ochocientos doce; 7 los hijos de Elam,[c] mil doscientos cincuenta y cuatro; 8 los hijos de Zatú,[d] novecientos cuarenta y cinco; 9 los hijos de Zacai,[e] setecientos sesenta; 10 los hijos de Baní,[f] seiscientos cuarenta y dos; 11 los hijos de Bebai,[g] seiscientos veintitrés; 12 los hijos de Azgad,[h] mil doscientos veintidós; 13 los hijos de Adoniqam,[i] seiscientos sesenta y seis; 14 los hijos de Bigvai,[j] dos mil cincuenta y seis; 15 los hijos de Adín,[k] cuatrocientos cincuenta y cuatro; 16 los hijos de Ater,[l] de Ezequías, noventa y ocho; 17 los hijos de Bezai,[m] trescientos veintitrés; 18 los hijos de Jorá, ciento doce; 19 los hijos de Hasum,[n] doscientos veintitrés; 20 los hijos de Guibar,[o] noventa y cinco; 21 los hijos de Belén,[p] ciento veintitrés; 22 los hombres de Netofá,[q] cincuenta y seis; 23 los hombres de Anatot,[r] ciento veintiocho; 24 los hijos de Azmávet,[s] cuarenta y dos; 25 los hijos de Quiryat-jearim,[t] Kefirá y Beerot, setecientos cuarenta y tres; 26 los hijos de Ramá[u] y Gueba,[v] seiscientos veintiuno; 27 los hombres de Micmás,[w] ciento veintidós; 28 los hombres de Betel[x] y Hai,[y] doscientos veintitrés; 29 los hijos de Nebo,[z] cincuenta y dos; 30 los hijos de Magbís, ciento cincuenta y seis; 31 los hijos del otro Elam,[a] mil doscientos cincuenta y cuatro; 32 los hijos de Harim,[b] trescientos veinte; 33 los hijos de Lod,[c] Hadid[d] y Onó,[e] setecientos veinticinco; 34 los hijos de Jericó,[f] trescientos cuarenta y cinco; 35 los hijos de Senaá,[g] tres mil seiscientos treinta.

36 Los sacerdotes:[h] Los hijos de Jedayá[i] de la casa de Jesúa,[j] novecientos setenta y tres; 37 los hijos de Imer,[k] mil cin-

cuenta y dos; 38 los hijos de Pasjur,[a] mil doscientos cuarenta y siete; 39 los hijos de Harim,[b] mil diecisiete.

40 Los levitas:[c] Los hijos de Jesúa[d] y Qadmiel,[e] de los hijos de Hodavías,[f] setenta y cuatro. 41 Los cantores, los hijos de Asaf,[g] ciento veintiocho. 42 Los hijos de los porteros, los hijos de Salum,[h] los hijos de Ater,[i] los hijos de Talmón,[j] los hijos de Aqub,[k] los hijos de Hatitá,[l] los hijos de Sobai, todos juntos, ciento treinta y nueve.

43 Los netineos:[m] Los hijos de Zihá, los hijos de Hasufá, los hijos de Tabaot,[n] 44 los hijos de Querós, los hijos de Siahá, los hijos de Padón,[o] 45 los hijos de Lebaná, los hijos de Hagabá, los hijos de Aqub, 46 los hijos de Hagab, los hijos de Salmai,[p] los hijos de Hanán, 47 los hijos de Guidel, los hijos de Gahar,[q] los hijos de Reayá, 48 los hijos de Rezín,[r] los hijos de Neqodá, los hijos de Gazam, 49 los hijos de Uzá, los hijos de Paséah,[s] los hijos de Besai, 50 los hijos de Asná, los hijos de Meunim, los hijos de Nefusim;[t] 51 los hijos de Baqbuq, los hijos de Haqufá, los hijos de Harhur,[u] 52 los hijos de Bazlut, los hijos de Mehidá, los hijos de Harsá,[v] 53 los hijos de Barqos, los hijos de Sísara, los hijos de Témah,[w] 54 los hijos de Nezías, los hijos de Hatifá.[x]

55 Los hijos de los siervos de Salomón:[y] Los hijos de Sotai, los hijos de Soféret, los hijos de Perudá,[z] 56 los hijos de Jaalah, los hijos de Darqón, los hijos de Guidel,[a] 57 los hijos de Sefatías, los hijos de Hatil, los hijos de Pokéret-hazebaim, los hijos de Amí.[b]

CAP. 2

a Esd 8:4
  Esd 10:30
  Ne 3:11
  Ne 7:11
  Ne 10:14
b Esd 8:9
  Ne 7:11
c Esd 8:7
  Esd 10:26
  Ne 7:12
d Esd 10:27
  Ne 7:13
e Ne 7:14
f Esd 10:34
g Esd 8:11
  Ne 7:17
h Esd 8:12
  Ne 7:17
i Ne 7:18
j Esd 8:14
  Ne 7:19
k Esd 8:6
  Ne 7:20
l Ne 7:21
m Ne 7:23
n Esd 10:33
  Ne 7:22
o Ne 7:25
p 1Sa 17:12
  1Cr 4:4
  Ne 7:26
q 1Cr 2:54
  Ne 7:26
r Jos 21:18
  Ne 7:27
  Jer 1:1
  Jer 32:8
s Ne 7:28
  Ne 12:29
t Jos 9:17
  Ne 7:29
u Ne 18:25
  1Re 15:17
  Ne 7:30
  Ne 11:33
v Jos 18:24
  Zac 14:10
w 1Sa 13:5
  Ne 7:31
x Ne 7:32
  Ne 11:31
y Gé 12:8
  Jos 7:2
  Jos 8:17
z Esd 10:43
  Ne 7:33
a Ne 7:34
b Esd 10:31
  Ne 7:35
  Ne 10:27
c 1Cr 8:12
  Ne 11:35
d Ne 7:37
  Ne 11:34
e Ne 6:2
f 1Re 16:34
  Ne 7:36
g Ne 7:38
h Nú 3:3
i 1Cr 9:10
  1Cr 24:7
  Ne 11:10
j 1Cr 24:11
  Ne 7:39
k 1Cr 24:14
  Esd 10:20
  Ne 7:40

2.ª col.

a 1Cr 9:12
  Esd 10:22
  Ne 7:41

b 1Cr 24:8; Esd 10:21; Ne 7:42; c Nú 3:6; d Ne 10:9; Ne 12:8; Ne 12:24; e Esd 3:9; f Ne 7:43; g 1Cr 6:39; 1Cr 15:17; 1Cr 25:1; Ne 7:44; Ne 11:17; h Jer 35:4; Ne 7:45; i 1Cr 9:17; Ne 11:19; j 1Cr 25:6; 1Ne 7:45; m Jos 9:21; Jos 9:27; 1Cr 9:2; Esd 2:58; Ne 3:26; n Ne 7:46; o Ne 7:47; p Ne 7:48; q Ne 7:49; r Ne 7:50; s Ne 7:51; t Ne 7:52; u Ne 7:53; v Ne 7:54; w Ne 7:55; x Ne 7:56; y 1Re 9:21; z Ne 7:57; a Ne 7:58; b Ne 7:59.

58 Todos los netineos[a] y los hijos de los siervos de Salomón fueron trescientos noventa y dos.[b]

59 Y estos fueron los que subieron de Tel-mélah, Tel-harsá, Kerub, Adón [e] Imer, y no pudieron indicar la casa de sus padres ni su origen,[c] si eran de Israel: **60** los hijos de Delayá, los hijos de Tobías, los hijos de Neqodá,[d] seiscientos cincuenta y dos. **61** Y de los hijos de los sacerdotes:[e] los hijos de Habaya, los hijos de Haqoz,[f] los hijos de Barzilai,[g] quien tomó esposa de las hijas de Barzilai[h] el galaadita y llegó a ser llamado por el nombre de ellas. **62** Estos fueron los que buscaron su registro para establecer su genealogía públicamente, y no se hallaron, de manera que fueron excluidos del sacerdocio como contaminados.[i] **63** Por consiguiente, el Tirsatá[j] les dijo que no podían comer[k] de las cosas santísimas hasta que un sacerdote se pusiera de pie con Urim[l] y Tumim.

64 La congregación entera, como un solo grupo,[m] era de cuarenta y dos mil trescientos sesenta,[n] **65** aparte de sus esclavos y sus esclavas, los cuales eran siete mil trescientos treinta y siete; y tenían doscientos cantores[o] y cantoras. **66** Sus caballos eran setecientos treinta y seis, sus mulos doscientos cuarenta y cinco,[p] **67** sus camellos cuatrocientos treinta y cinco, [sus] asnos seis mil setecientos veinte.[q]

68 Y algunos de los cabezas[r] de las casas paternas,[s] al venir a la casa de Jehová,[t] la cual estaba en Jerusalén,[u] hicieron ofrendas voluntarias[v] para la casa del Dios [verdadero], para hacer que estuviera de pie en su propio sitio.[w] **69** Conforme a su poder dieron oro[x] para las provisiones del trabajo, sesenta y un mil dracmas, y plata,[y] cinco mil minas, y cien trajes talares[z] de sacerdotes. **70** Y los sacerdo-

tes y los levitas y algunos del pueblo,[a] y los cantores y los porteros y los netineos se pusieron a morar en sus ciudades, y todo Israel en sus ciudades.[b]

3 Cuando llegó el séptimo[c] mes, los hijos de Israel estaban en [sus] ciudades. Y el pueblo empezó a reunirse como un solo[d] hombre en Jerusalén.[e] **2** Y Jesúa[f] hijo de Jehozadaq y sus hermanos los sacerdotes, y Zorobabel[g] hijo de Sealtiel[h] y sus hermanos, procedieron a levantarse y a edificar el altar del Dios de Israel, para ofrecer sacrificios quemados sobre él, conforme a lo que está escrito[i] en la ley de Moisés el hombre del Dios [verdadero].

3 De modo que establecieron el altar firmemente sobre su propio sitio,[j] porque [llegó a haber] terror sobre ellos debido a los pueblos de los países,[k] y empezaron a ofrecer sobre él sacrificios quemados a Jehová, los sacrificios quemados de la mañana y del atardecer.[l] **4** Entonces celebraron la fiesta de las cabañas,[m] conforme a lo que está escrito,[n] con los sacrificios quemados día a día en número conforme a la regla de lo que correspondía a cada día.[o] **5** Y después hubo la ofrenda quemada constante,[p] y la de las lunas nuevas,[q] y para todos los períodos de fiesta[r] santificados de Jehová, y para todo el que ofrecía de buena gana una ofrenda voluntaria[s] a Jehová. **6** Desde el primer día del mes séptimo[t] en adelante comenzaron a ofrecer sacrificios quemados a Jehová, cuando todavía no se había colocado el fundamento mismo del templo de Jehová.

7 Y procedieron a dar dinero[u] a los cortadores[v] y a los artífices,[w] y comestibles[x] y bebidas y

CAP. 2

a Esd 2:43
b Ne 7:60
c Ne 7:61
d Ne 7:62
e 1Cr 24:1
f 1Cr 24:10
  Ne 3:21
g Ne 7:63
h 2Sa 17:27
  2Sa 19:31
  1Re 2:7
i Nú 3:10
  Nú 16:40
  Nú 18:7
  Ne 7:64
j Ne 7:65
k Le 2:3
  Le 6:26
  Nú 18:11
l Éx 28:30
  Le 8:8
  Nú 27:21
  Dt 33:8
  Esd 3:8
m Esd 9:8
  Ne 1:2
  Isa 10:21
n Ne 7:66
  Jer 23:3
  Ne 7:67
  Sl 68:25
p Ne 7:68
q Ne 7:69
r Esd 1:5
s 1Cr 23:11
t Esd 1:3
u Esd 1:4
  Éx 35:5
  1Cr 29:5
  Ne 7:70
  2Co 9:7
w 1Cr 21:18
  2Cr 3:1
x Ne 7:71
y Esd 8:25
z Ne 7:72

2.ª col.

a Esd 6:16
  Esd 6:17
b Ne 7:73
  Ne 11:3

CAP. 3

c Le 16:29
  1Re 8:2
  Ne 8:14
d Hch 4:32
e Isa 33:20
f Ag 1:1
g Esd 1:8
  Ag 2:21
  Lu 3:27
h 1Cr 3:17
  Mt 1:12
i Éx 20:24
  Éx 40:29
j 1Cr 21:18
k Esd 4:4
  Sl 56:3
  Pr 29:25
l Nú 28:2
  Nú 28:23
m Ne 8:14
  Jn 7:2
n Éx 23:16
  Le 23:24
  Le 23:34
  Le 23:44
  Nú 29:1
  Nú 29:12
o Éx 29:38
  Le 23:37
  Nú 29:13

p Éx 29:42; Nú 28:3; q Nú 10:10; 2Cr 2:4; Sl 81:3; Col 2:16; r Le 23:4; 2Cr 8:13; s Le 1:3; Nú 29:39; Dt 12:6; 2Cr 29:31; t Nú 29:1; u 2Re 12:11; 2Re 22:4; v 1Re 5:17; 2Cr 24:12; w 2Cr 34:11; Esd 5:8; x 1Re 5:11.

aceite[a] a los sidonios[b] y a los ti-rios,[c] para que trajeran maderas de cedro del Líbano[d] al mar en Jope,[e] conforme al permiso que les había otorgado Ciro[f] el rey de Persia.

8 Y en el segundo año de su venida a la casa del Dios [verda-dero] en Jerusalén, en el segun-do mes,[g] Zorobabel[h] hijo de Seal-tiel[i] y Jesúa[j] hijo de Jehozadaq, y los demás de sus hermanos, los sacerdotes y los levitas, y todos los que habían salido del cauti-verio[k] [y venido] a Jerusalén, co-menzaron; y ahora pusieron en posiciones a los levitas[l] de veinte años de edad para arriba para que actuaran como supervisores del trabajo de la casa de Jeho-vá.[m] 9 Por consiguiente, Je-súa,[n] sus hijos y sus hermanos, [y] Qadmiel y sus hijos, los hijos de Judá, se pusieron de pie como un solo grupo para actuar como supervisores de los hacedores del trabajo en la casa del Dios [verdadero]; [también] los hijos de Henadad,[o] sus hijos y sus her-manos, los levitas.

10 Cuando los edificadores colocaron el fundamento[p] del templo de Jehová, entonces los sacerdotes en ropa oficial,[q] con las trompetas,[r] y los levitas los hijos de Asaf,[s] con los címbalos,[t] se pusieron de pie para alabar a Jehová según la dirección[u] de David el rey de Israel. 11 Y empezaron a responder, alaban-do[v] y dando gracias a Jehová, "porque él es bueno,[w] porque su bondad amorosa para con Israel es hasta tiempo indefinido".[x] En cuanto a todo el pueblo, este gri-tó con un grito[y] fuerte al alabar a Jehová por la colocación del fundamento de la casa de Jeho-vá. 12 Y muchos de los sacer-dotes[z] y de los levitas y de los cabezas de las casas paternas,[a] los viejos que habían visto la casa anterior,[b] estaban lloran-do[c] con voz fuerte cuando se colocó el fundamento[d] de esta casa de-lante de sus ojos, mientras que muchos otros levantaban la voz

al gritar de gozo.[a] 13 Por lo tanto, la gente no distinguía el sonido del grito de regocijo[b] del sonido del llanto de la gente, porque la gente estaba gritando con un grito fuerte, y el sonido mismo se oía aun a gran distan-cia.

4 Cuando los adversarios[c] de Judá y Benjamín oyeron que los hijos del Destierro[d] estaban edificando un templo a Jehová el Dios de Israel, 2 en seguida se acercaron a Zorobabel[e] y a los cabezas[f] de las casas paternas y les dijeron: "Déjennos edificar junto con ustedes;[g] porque, lo mismo que ustedes, nosotros buscamos a su Dios[h] y a él le hacemos sacrificios desde los días de Esar-hadón[i] el rey de Asiria, que nos hizo subir acá".[j] 3 No obstante, Zorobabel y Je-súa[k] y los demás cabezas[l] de las casas paternas de Israel les di-jeron: "Ustedes no tienen nada que ver con nosotros en edificar una casa a nuestro Dios,[m] por-que nosotros mismos juntos edi-ficaremos para Jehová el Dios de Israel, tal como el rey Ciro[n] el rey de Persia nos ha mandado".

4 Ante eso, la gente de la tierra estuvo continuamente de-bilitando[o] las manos del pueblo de Judá y desanimándolos de edificar, 5 y alquilando[p] conse-jeros contra ellos para frustrar su consejo todos los días de Ciro el rey de Persia hasta el reinado de Darío[r] el rey de Persia. 6 Y en el reinado de Asuero, al co-mienzo de su reinado, escribie-ron una acusación[s] contra los habitantes de Judá y Jerusalén. 7 También —en los días de Ar-tajerjes— Bislam, Mitrídates, Tabeel y los demás de sus cole-gas escribieron a Artajerjes el rey de Persia, y la escritura de la carta fue escrita en caracteres

CAP. 3	
a	2Cr 2:10
b	Gé 10:15
	Jue 1:31
	1Re 5:6
c	1Cr 22:4
d	1Re 5:9
e	Jos 19:46
	2Cr 2:16
f	Esd 1:3
g	Esd 6:3
	1Re 6:1
h	1Cr 3:19
	Esd 2:2
i	1Cr 3:17
	Mt 1:12
j	Ag 1:1
k	Dt 30:3
	Ne 7:6
	Sof 2:7
l	1Cr 23:27
m	1Cr 23:24
n	Ne 7:43
	Ne 3:18
o	Ne 10:9
p	Zac 4:9
q	Éx 28:40
	1Sa 22:18
r	Nú 10:8
	1Cr 16:6
	2Cr 29:26
s	1Cr 6:39
	1Cr 25:1
	2Cr 35:15
t	1Cr 13:8
	2Cr 5:12
u	1Cr 6:31
	1Cr 23:5
	2Cr 29:25
v	Éx 15:21
	Ne 12:24
w	1Cr 16:34
	2Cr 7:3
	Sl 73:1
	Sl 135:3
x	Sl 103:17
	Lu 1:50
y	Sl 47:1
	Isa 12:6
z	Esd 1:5
	Esd 2:36
a	1Cr 23:11
	1Cr 24:4
b	1Re 6:22
	Ag 2:3
c	Sl 126:6
d	Zac 4:9

2.ª col.	
a	Ne 12:43
	Sl 32:11
	Sl 126:1
	Isa 35:10
b	Sl 5:11
	Zac 4:7

CAP. 4	
c	Esd 4:7
	Esd 4:23
	Ne 4:7
	Ne 4:11
d	Dt 30:3
	2Re 24:15
	Esd 2:64
e	Esd 1:11
	Esd 2:2
f	Esd 2:68
g	Sl 55:21
	Pr 26:23
	Pr 26:25
h	2Re 17:33
	2Re 17:34

i 2Re 19:37; j 2Re 17:24; k Zac 3:1; l Esd 1:5; m Ne 2:20; Jn 4:9; Jn 4:22; n 2Cr 36:23; Esd 1:1; Esd 6:3; Isa 44:28; o Esd 3:3; Ne 6:9; p Ag 1:2; q Ne 6:12; r Esd 4:24; Esd 5:5; Esd 6:1; Da 11:2; s Sl 52:2; Sl 119:69; Rev 12:10.

arameos y traducida al lenguaje arameo.[a]

8 Rehúm el funcionario principal del gobierno y Simsai el escribano escribieron una carta contra Jerusalén a Artajerjes el rey, como sigue: 9 Entonces Rehúm[b] el funcionario principal del gobierno y Simsai el escribano y los demás de sus colegas, los jueces y los gobernadores menores del otro lado del Río,[c] los secretarios,[d] el pueblo de Erec,[e] los babilonios,[f] los habitantes de Susa,[g] es decir, los elamitas,[h] 10 y las demás naciones[i] que el grande y honorable Asnapar[j] llevó al destierro y estableció en las ciudades de Samaria,[k] y los restantes de más allá del Río, ——; y ahora, 11 esta es una copia de la carta que enviaron acerca de ello:

"A Artajerjes[l] el rey, tus siervos, los hombres de más allá del Río: Y ahora, 12 sepa el rey que los judíos que subieron de ti acá a nosotros han venido a Jerusalén. Están edificando la rebelde y mala ciudad, y proceden a terminar los muros[m] y a reparar los fundamentos. 13 Ahora sepa el rey que, si esta ciudad se reedificara y sus muros se terminaran, ni impuesto[n] ni tributo[o] ni peaje darán, y ello causará pérdida a las tesorerías[p] de los reyes. 14 Ahora bien, puesto que nosotros en realidad comemos la sal del palacio, y no es correcto que estemos viendo que se desnude al rey, por esta razón hemos enviado y [lo] hemos hecho saber al rey, 15 para que haya una investigación del libro de los registros[q] de tus antecesores. Entonces hallarás en el libro de los registros, y aprenderás, que esa ciudad es una ciudad rebelde y que causa pérdida a los reyes y a los distritos jurisdiccionales, y dentro de ella hubo fomentadores de revueltas desde los días de la antigüedad. Por esta razón esa ciudad ha sido asolada.[r] 16 Hacemos saber al rey que, si esa ciudad se reedificara y sus muros se terminaran, entonces tú ciertamente no tendrás participación más allá del Río".[a]

17 El rey envió palabra a Rehúm[b] el funcionario principal del gobierno y a Simsai el escribano y a los restantes de sus colegas[c] que moraban en Samaria y a los restantes de más allá del Río:

"¡Saludos![d] Y ahora, 18 el documento oficial que ustedes nos han enviado se ha leído claramente delante de mí. 19 De modo que por mí se ha emitido una orden, y se ha investigado[e] y hallado que esa ciudad desde los días de la antigüedad ha sido una que se levanta contra reyes, y una en que se han promovido rebelión y revuelta.[f] 20 Y resultó reyes fuertes[g] sobre Jerusalén, y que lo gobernaban todo más allá del Río,[h] y se les daba impuesto, tributo y peaje.[i] 21 Ahora, emitan una orden para que cesen estos hombres físicamente capacitados, para que esa ciudad no sea reedificada sino hasta que yo emita la orden. 22 De modo que tengan cuidado de que no haya negligencia en cuanto a actuar en este asunto, para que no aumente el daño en perjuicio de los reyes".[j]

23 Ahora bien, después que la copia del documento oficial de Artajerjes el rey se hubo leído delante de Rehúm[k] y Simsai[l] el escribano, y sus colegas,[m] ellos fueron apresuradamente a Jerusalén, a los judíos, y los hicieron cesar por la fuerza de armas.[n] 24 Fue entonces cuando cesó la obra en la casa de Dios, que estaba situada en Jerusalén; y continuó detenida hasta el segundo año del reinado de Darío[o] el rey de Persia.

5 Y Ageo[p] el profeta y Zacarías[q] el nieto de Idó[r] el profeta profetizaron a los judíos que estaban en Judá y en Jerusalén,

---

CAP. 4

a 2Re 18:26
　Da 2:4
b Esd 4:17
　Esd 4:23
c Gé 15:18
　Dt 11:24
d 2Sa 8:17
　2Cr 24:11
e Gé 10:10
f Eze 23:15
g Ne 1:1
　Est 1:2
　Da 8:2
h Gé 10:22
　Isa 11:11
　Jer 49:36
i 2Re 17:24
j 2Re 17:26
k 2Re 17:26
l Esd 4:8
m Ne 1:3
n 2Re 23:35
o Ne 5:4
　Ro 13:7
p Esd 5:17
　Esd 7:21
q Est 6:1
r Jer 32:3

2.ª col.

a Dt 11:24
　2Sa 8:3
b Esd 4:8
c Esd 4:7
　Esd 5:3
　Esd 6:6
d Esd 5:7
　Hch 23:26
e Esd 4:15
　Esd 5:17
　Esd 6:1
　Pr 25:2
f 2Re 18:7
　2Re 24:20
　Eze 17:15
g 2Sa 8:6
　1Re 4:21
　1Cr 18:3
　2Cr 26:15
h Gé 15:18
i 2Sa 8:2
　1Cr 18:6
　2Cr 9:14
　2Cr 17:11
　2Cr 26:8
j Esd 4:13
k Esd 4:8
　Esd 4:17
l Esd 4:9
m Esd 4:7
n Miq 3:10
o Esd 5:5
　Esd 6:1
　Ag 1:15

CAP. 5

p Ag 1:1
q Zac 1:1
r Ne 12:4
　Ne 12:16

en el nombre[a] del Dios de Israel [que estaba] sobre ellos.[b] **2** Fue entonces cuando Zorobabel[c] hijo de Sealtiel[d] y Jesúa[e] hijo de Jehozadaq se levantaron y comenzaron a reedificar la casa de Dios, la cual estaba en Jerusalén; y con ellos estaban los profetas de Dios,[f] dándoles ayuda. **3** En aquel tiempo Tatenai[g] el gobernador de más allá del Río,[h] y Setar-bozenai y sus colegas, vinieron a ellos, y estuvieron diciéndoles esto: "¿Quién les emitió una orden a ustedes para edificar esta casa y para terminar esta estructura de vigas?".[i] **4** Entonces les dijeron esto: "¿Cuáles son los nombres de los hombres físicamente capacitados que están edificando este edificio?". **5** Y el ojo[j] de su Dios resultó estar sobre[k] los ancianos de los judíos, y no los hicieron cesar hasta que el informe pudiera ir a Darío y entonces se devolviera un documento oficial respecto a esto.

6 [Aquí] está una copia[l] de la carta que Tatenai[m] el gobernador de más allá del Río,[n] y Setar-bozenai[o] y sus colegas,[p] los gobernadores menores que estaban más allá del Río, enviaron a Darío el rey; **7** le enviaron la palabra, y el escrito en ello iba de este modo:

"A Darío el rey:

"¡Toda paz![q] **8** Sepa el rey que fuimos al distrito jurisdiccional[r] de Judá, a la casa del gran Dios,[s] y esta está siendo edificada con piedras rodadas [a su lugar], y se están colocando maderas en las paredes; y ese trabajo se está haciendo con intensidad y está logrando progreso en las manos de ellos. **9** Entonces preguntamos a estos ancianos. Esto es lo que les dijimos: '¿Quién les emitió una orden a ustedes para edificar esta casa y para terminar esta estructura de vigas?'.[t] **10** Y también les preguntamos sus nombres, a fin de

CAP. 5
a Jer 15:16
Miq 5:4
Ag 1:2
Ag 1:13
Zac 1:3
Zac 8:1
b Ag 2:4
Zac 4:6
c Esd 1:11
Esd 3:2
d Mt 1:12
e Esd 3:8
Zac 6:11
Esd 6:14
Ag 2:4
Ag 2:21
Zac 4:7
f Esd 6:6
Esd 6:13
h Dt 11:24
i Esd 1:3
Esd 5:9
j 2Cr 16:9
Sl 32:8
Sl 33:18
Sl 34:15
1Pe 3:12
k Esd 7:6
Esd 7:28
Esd 8:22
l Esd 4:11
m Esd 5:3
Esd 6:6
n Jos 1:4
o Esd 6:13
p Esd 4:7
q Esd 4:17
Da 4:1
r Ne 11:3
Est 1:1
s Gé 14:19
Dt 10:17
Dt 32:31
Esd 1:3
Sl 145:3
Da 2:47
Da 4:34
Da 6:26
t Esd 5:3

2.ᵃ col.

a Esd 5:4
b Sl 124:8
Isa 45:18
Jon 1:9
Rev 4:11
c 1Re 7:51
2Cr 5:1
d 2Re 21:15
2Cr 34:25
Ne 9:26
Isa 59:2
Jer 5:31
Da 9:5
e Dt 28:49
Dt 29:24
Dt 31:17
Dt 32:30
1Re 9:7
f 2Re 24:1
2Re 25:1
2Re 25:8
Jer 39:1
g 2Cr 36:17
h 2Re 25:9
i 2Re 25:11
j Esd 1:1
k Esd 1:3
l 2Re 25:14
2Re 25:15
2Cr 36:18
Jer 52:19
m 2Cr 36:7

hacértelo saber, para que pudiéramos escribir los nombres de los hombres físicamente capacitados que están a la cabeza de ellos.[a]

11 "Y esta es la palabra que nos devolvieron, diciendo: 'Nosotros somos los siervos del Dios de los cielos y de la tierra,[b] y estamos reedificando la casa que había sido edificada muchos años antes de esto, la cual un gran rey de Israel edificó y terminó.[c] **12** Sin embargo, porque nuestros padres irritaron[d] al Dios de los cielos, él los dio[e] en mano de Nabucodonosor[f] el rey de Babilonia, el caldeo,[g] y él arrasó esta casa[h] y llevó a la gente al destierro en Babilonia.[i] **13** No obstante, en el primer año de Ciro[j] el rey de Babilonia, Ciro el rey emitió una orden de que se reedificara esta casa de Dios.[k] **14** Y también los vasos[l] de oro y de plata de la casa de Dios que Nabucodonosor había sacado del templo —que estaba en Jerusalén— y llevado al templo de Babilonia,[m] estos Ciro el rey[n] los sacó del templo de Babilonia, y fueron dados a Sesbazar,[o] y el nombre de aquel a quien él hizo gobernador.[p] **15** Y le dijo: "Toma estos vasos.[q] Ve, deposítalos en el templo que está en Jerusalén, y que la casa de Dios sea reedificada sobre su lugar".[r] **16** Cuando ese Sesbazar vino, él colocó los fundamentos de la casa de Dios,[s] la cual está en Jerusalén; y desde entonces hasta ahora está siendo reedificada, pero no ha quedado completa'.

17 "Y ahora, si al rey le parece bien, que haya una investigación[u] en la casa de los tesoros del rey que está allí en Babilonia, si es así que de Ciro el rey se emitió una orden[v] de reedificar esa casa de Dios en Jerusalén; y la deci-

n Pr 21:1; o Esd 1:11; Ag 1:1; p Ag 1:14; Ag 2:2;
q Esd 1:7; Esd 6:5; r Esd 1:2; Esd 6:3; s Esd 3:10;
Ag 2:18; Zac 4:9; t Esd 4:24; u Esd 4:15; Pr 25:2;
v 2Cr 36:22; Esd 1:3; Esd 6:3.

sión del rey respecto a esto, envíenosla él".

6 Fue entonces cuando Darío el rey emitió una orden, y se hizo una investigación en la casa de los registros[a] de los tesoros depositados allí en Babilonia. 2 Y en Ecbátana, en el lugar fortificado que estaba en el distrito jurisdiccional de Media,[b] se halló un rollo, y en él estaba escrito el memorándum a este tenor:

3 "En el primer año de Ciro el rey,[c] Ciro el rey emitió una orden respecto a la casa de Dios en Jerusalén: Sea reedificada la casa como el lugar donde han de ofrecer sacrificios,[d] y sus fundamentos han de fijarse —la altura de ella será de sesenta codos, su anchura de sesenta codos[e]—, 4 con tres órdenes de piedras rodadas[f] [a su lugar] y un orden de maderas;[g] y que el gasto se dé de la casa del rey.[h] 5 Y también que los vasos[i] de oro y de plata de la casa de Dios que Nabucodonosor[j] sacó del templo que estaba en Jerusalén y trajo a Babilonia sean devueltos, para que lleguen al templo que está en Jerusalén, en su lugar, y sean depositados en la casa de Dios.[k]

6 "Ahora bien, Tatenai[l] el gobernador de más allá del Río,[m] Setar-bozenai[n] y sus colegas, los gobernadores menores[o] que están más allá del Río, manténganse a distancia de allí.[p] 7 Dejen en paz la obra de esa casa de Dios.[q] El gobernador de los judíos y los ancianos de los judíos reedificarán esa casa de Dios sobre su lugar. 8 Y por mí se ha emitido una orden[r] en cuanto a lo que ustedes harán con estos ancianos de los judíos, para la reedificación de esa casa de Dios; y de la tesorería real,[s] del impuesto de más allá del Río, se dará prestamente el gasto[t] a estos hombres físicamente capacitados, sin cesación.[u] 9 Y lo que se necesite, toros jóvenes[v] así como carneros[w] y cor-

deros[a] para las ofrendas quemadas al Dios del cielo, trigo,[b] sal,[c] vino[d] y aceite,[e] tal como digan los sacerdotes que están en Jerusalén, que se les dé continuamente día a día sin falta; 10 para que ellos continuamente[f] estén presentando ofrendas sosegadoras[g] al Dios de los cielos y orando por la vida del rey y sus hijos.[h] 11 Y por mí se ha emitido una orden de que, en cuanto a cualquiera que viole[i] este decreto, se arranque un madero[j] de su casa y sea fijado[k] en él, y su casa sea convertida en un excusado público debido a esto.[l] 12 Y que el Dios que ha hecho residir allí su nombre[m] derribe a cualquier rey y pueblo que alargue la mano para cometer una violación y destruir[n] esa casa de Dios, la cual está en Jerusalén. Yo, Darío, sí emito una orden. Sea hecho prestamente".

13 Entonces Tatenai el gobernador de más allá del Río,[o] Setar-bozenai[p] y sus colegas, tal como Darío el rey había enviado [palabra], así lo ejecutaron prestamente. 14 Y los ancianos[q] de los judíos estaban edificando[r] y logrando progreso bajo el profetizar de Ageo[s] el profeta y Zacarías[t] el nieto de Idó,[u] y [la] edificaron y terminaron debido a la orden del Dios de Israel[v] y debido a la orden de Ciro[w] y Darío[x] y Artajerjes[y] el rey de Persia. 15 Y completaron esta casa para el tercer día del mes lunar Adar,[z] es decir, en el año sexto del reinado de Darío el rey.

16 Y los hijos de Israel, los sacerdotes y los levitas[a] y los demás que habían estado en el destierro[b] celebraron con gozo la inauguración[c] de esta casa de Dios. 17 Y presentaron para la inauguración de esta casa de Dios cien toros, doscientos carneros, cuatrocientos corderos, y

CAP. 6
a Est 10:2
b Est 1:1
   Da 5:28
c 2Cr 36:22
   Esd 1:1
   Esd 5:13
d Dt 12:5
   Dt 12:6
   Dt 12:11
   2Cr 2:6
e 1Re 6:2
f Esd 5:8
g Esd 3:7
h Esd 7:20
   Sl 68:29
i Esd 1:11
   Esd 5:14
   Da 1:2
   Da 5:2
j 2Re 25:15
   2Cr 36:7
   2Cr 36:18
   Jer 52:19
k Esd 5:15
l Esd 5:3
m 2Sa 8:3
n Esd 5:6
   Esd 6:13
o Esd 4:9
p Hch 5:39
   Ro 8:31
q Hch 5:38
r Esd 4:21
s Esd 7:20
t Sl 68:29
u Ag 2:7
   Esd 5:5
v Le 1:5
w Le 1:10
   Le 9:2

2.ª col.

a Nú 28:3
   Nú 29:2
b Éx 29:2
   Le 2:1
   Le 2:13
d Nú 15:5
   Nú 15:7
e Éx 27:20
   Le 2:4
   1Cr 9:29
f Éx 29:38
   Nú 28:3
g Le 1:9
h Esd 7:23
   Jer 29:7
   1Ti 2:2
i Esd 7:26
j Est 7:10
k Esd 40:19
   Dt 21:22
l Éx 20:24
   Dt 7:15
   2Cr 7:16
   Sl 132:14
o 2Re 23:29
p Esd 5:6
q Esd 3:8
   Esd 4:3
r Esd 5:2
s Esd 5:1
   Ag 1:12
t Zac 1:1
   Zac 6:15
u Zac 1:7
v Est 44:28
   Ag 1:8

w 2Cr 36:23; Esd 1:3; Esd 5:13; x Esd 6:12; y Esd 7:13; z Est 9:1; a 1Cr 9:2; Ne 7:73; b 2Re 24:15; Esd 4:1; Ne 1:2; c 1Re 8:63.

como ofrenda por el pecado por todo Israel doce machos cabríos, conforme al número de las tribus de Israel.[a] 18 Y nombraron a los sacerdotes en sus clases y a los levitas en sus divisiones,[b] para el servicio de Dios que está en Jerusalén, conforme a la prescripción del libro de Moisés.[c]

19 Y los que habían estado en el destierro procedieron a celebrar la pascua[d] el [día] catorce del primer mes.[e] 20 Puesto que los sacerdotes y los levitas se habían limpiado[f] como un solo grupo, todos ellos estaban limpios, así que degollaron la víctima pascual para todos los que habían estado en el destierro y para sus hermanos los sacerdotes y para sí mismos. 21 Entonces los hijos de Israel que habían vuelto del Destierro comieron,[h] y todo el que se había separado hacia ellos de la inmundicia[i] de las naciones del país, para buscar a Jehová el Dios de Israel.[j] 22 Y pasaron a celebrar la fiesta de las tortas no fermentadas siete días con regocijo; pues Jehová hizo que se regocijaran, y él había vuelto[l] el corazón del rey de Asiria hacia ellos para fortalecerles las manos en la obra de la casa del Dios [verdadero], el Dios de Israel.

7 Y después de estas cosas en el reinado de Artajerjes[m] el rey de Persia, Esdras[n] hijo de Seraya,[o] hijo de Azarías, hijo de Hilquías,[p] 2 hijo de Salum,[q] hijo de Sadoc, hijo de Ahitub,[r] 3 hijo de Amarías,[s] hijo de Azarías,[t] hijo de Merayot,[u] 4 hijo de Zerahías,[v] hijo de Uzí,[w] hijo de Buquí,[x] 5 hijo de Abisúa,[y] hijo de Finehás,[z] hijo de Eleazar,[a] hijo de Aarón[b] el sacerdote principal[c]... 6 dicho Esdras mismo subió de Babilonia; y era un copista[d] hábil en la ley de Moisés,[e] que Jehová el Dios de Israel había dado, de modo que el rey le otorgó, conforme a la

mano de Jehová su Dios sobre él, toda su solicitud.[a]

7 En consecuencia, algunos de los hijos de Israel y de los sacerdotes[b] y los levitas[c] y los cantores[d] y los porteros[e] y los netineos[f] subieron a Jerusalén en el séptimo año de Artajerjes[g] el rey. 8 Por fin él llegó a Jerusalén en el quinto mes, es decir, en el año séptimo del rey. 9 Pues el primer [día] del primer mes él mismo señaló la subida desde Babilonia, y el primer [día] del quinto mes llegó a Jerusalén, conforme a la buena mano de su Dios sobre él.[h] 10 Porque Esdras mismo había preparado[i] su corazón para consultar la ley de Jehová[j] y para poner[la] por obra[k] y para enseñar[l] en Israel disposiciones reglamentarias[m] y justicia.[n]

11 Y esta es una copia de la carta que el rey Artajerjes dio a Esdras el sacerdote el copista,[o] un copista de las palabras de los mandamientos de Jehová y de sus disposiciones reglamentarias para con Israel:

12 "Artajerjes,[p] el rey de reyes,[q] a Esdras el sacerdote, el copista de la ley del Dios de los cielos:[r] [Paz] sea perfeccionada.[s] Y ahora, 13 por mí se ha emitido una orden[t] de que, en mi reino,[u] todos los del pueblo de Israel y sus sacerdotes y levitas que estén dispuestos a ir a Jerusalén contigo, vayan.[v] 14 Por cuanto de delante del rey y sus siete consejeros[w] se envió [una orden] para investigar[x] respecto a Judá y Jerusalén en la ley[y] de tu Dios[z] que está en tu mano, 15 y para llevar la plata y el oro que el rey y sus consejeros han dado voluntariamente[a] al Dios de Israel, cuya residencia está en Jerusalén,[b] 16 con toda la pla-

CAP. 6
a 2Cr 7:5
b 1Cr 23:6
c Nú 3:6
d Éx 12:14
e Éx 12:2
Le 23:5
Dt 16:1
Est 3:7
f Éx 30:20
Le 21:8
Le 22:3
g Éx 12:5
h Éx 12:48
i Nú 9:14
2Co 6:17
2Co 7:1
j 2Cr 15:12
k Éx 12:17
Le 23:6
l Esd 7:27
Pr 16:7
Pr 21:1

CAP. 7
m Esd 6:14
Ne 2:1
n Esd 7:6
Ne 8:2
Ne 12:26
o 1Cr 6:14
p 2Re 22:8
q 1Cr 6:12
r Ne 11:11
s 1Cr 6:11
t 1Cr 6:10
2Cr 31:10
u 1Cr 6:7
v 1Cr 6:6
w 1Cr 6:51
x 1Cr 6:5
y 1Cr 6:4
z Éx 6:25
Nú 25:11
Jue 20:28
a Éx 6:23
Nú 3:32
Dt 10:6
Jos 14:1
1Cr 24:1
b Éx 7:1
Éx 28:1
c Heb 5:4
d Ne 8:1
Ne 8:4
e Dt 4:5
Dt 5:1
Dt 28:1

2.ª col.
a Ne 1:11
Ne 2:8
b Esd 8:15
c Esd 8:18
d 1Cr 6:32
e 1Cr 9:22
1Cr 9:26
f 1Cr 9:2
Esd 7:24
Esd 8:20
g Esd 6:14
h Esd 8:22
i Dt 30:6
2Cr 19:3
Sl 78:8
j Sl 1:2
Sl 19:7
k Dt 5:1
Dt 17:10
l Dt 33:10
Mal 2:7
m Dt 12:1

n Pr 29:4; Isa 1:17; Zac 7:9; o Esd 7:6; p Esd
6:14; Ne 2:1; q Da 2:37; r Esd 5:11; s Esd 5:7;
t Esd 5:17; u Esd 9:30; v Dt 30:3; Esd 1:3; w Est
1:14; x Esd 6:1; y Dt 17:18; 2Re 22:8; z Esd 5:8;
Da 2:47; a Esd 6:4; Sl 68:29; b Sl 9:11; Sl 76:2;
Sl 135:21.

ta y el oro que halles en todo el distrito jurisdiccional de Babilonia, junto con el regalo del pueblo[a] y los sacerdotes que están dando voluntariamente a la casa de su Dios,[b] la cual está en Jerusalén; 17 en conformidad con esto prestamente comprarás con este dinero toros,[c] carneros,[d] corderos[e] y sus ofrendas de grano[f] y sus libaciones,[g] y los presentarás sobre el altar de la casa del Dios de ustedes,[h] la cual está en Jerusalén.[i]

18 "Y lo que les parezca bien a ti y a tus hermanos hacer con el resto de la plata y el oro,[j] conforme a la voluntad[k] de su Dios, ustedes lo harán.[l] 19 Y los vasos[m] que se te están dando para el servicio de la casa de tu Dios, entrégalos en pleno delante de Dios en Jerusalén.[n] 20 Y lo demás que se necesite para la casa de tu Dios, que recaiga sobre ti dar, lo darás de la casa de los tesoros del rey.[o]

21 "Y por mí mismo, Artajerjes el rey, se ha emitido una orden[p] a todos los tesoreros[q] que están más allá del Río,[r] de que se haga prestamente todo lo que Esdras[s] el sacerdote, el copista de la ley del Dios de los cielos, solicite de ustedes, 22 aun hasta cien talentos[t] de plata y cien medidas de coro[u] de trigo y cien medidas de bato[v] de vino[w] y cien medidas de bato de aceite,[x] y sal[y] sin límite. 23 Que todo lo que es por orden[z] del Dios de los cielos se haga con celo[a] para la casa del Dios de los cielos,[b] para que no vaya a haber ira contra el reino del rey y sus hijos.[c] 24 Y a ustedes se les hace saber que, en cuanto a cualquiera de los sacerdotes[d] y los levitas,[e] los músicos,[f] los guardas de las puertas,[g] los netineos,[h] y los trabajadores de esta casa de Dios, no se permite imponerles impuesto, tributo[i] o peaje.[j]

25 "Y tú, Esdras, conforme a la sabiduría[k] de tu Dios que está

en tu mano, nombra magistrados y jueces para que continuamente juzguen[a] a todo el pueblo que está más allá del Río, aun a todos los que conocen las leyes de tu Dios; y a cualquiera que no [las] haya conocido, ustedes lo instruirán.[b] 26 Y en cuanto a todo el que no se haga hacedor de la ley de tu Dios[c] y la ley del rey, que prestamente se ejecute el juicio en él, ya sea para muerte[d] o para exilio,[e] o para multa de dinero[f] o para prisión".

27 ¡Bendito sea Jehová el Dios de nuestros antepasados,[g] que ha puesto tal cosa en el corazón[h] del rey, de hermosear[i] la casa de Jehová, la cual está en Jerusalén! 28 Y para conmigo él ha extendido bondad amorosa[j] delante del rey y sus consejeros[k] y en lo que concierne a todos los poderosos príncipes del rey. Y yo, por mi parte, me fortalecí conforme a la mano[l] de Jehová mi Dios sobre mí, y procedí a juntar de Israel a los cabezas para que subieran conmigo.

8 Ahora bien, estos fueron los cabezas de sus casas paternas[m] y el registro genealógico[n] de los que subieron conmigo de Babilonia durante el reinado de Artajerjes el rey: 2 De los hijos de Finehás:[o] Guersom; de los hijos de Itamar:[q] Daniel;[r] de los hijos de David:[s] Hatús; 3 de los hijos de Secanías, de los hijos de Parós:[t] Zacarías, y con él había un registro de ciento cincuenta varones; 4 de los hijos de Pahat-moab:[u] Elieho-enai hijo de Zerahías, y con él doscientos varones; 5 de los hijos de [Zatú]:[v] Secanías hijo de Jahaziel, y con él trescientos varones; 6 y de los hijos de Adín:[w] Ébed hijo de Jonatán, y con él cincuenta varones; 7 y de los hijos de Elam:[x] Jesayá hijo de Atalía, y con él setenta varones;

CAP. 7
a Esd 8:25
b Esd 1:6
c Le 1:5
d Le 1:10
e Nú 28:3
f Nú 15:4
g Le 23:13
h Dt 12:6
i 1Re 11:36
j 2Re 22:7
k Ef 5:17
l Esd 7:26
m Esd 1:7
n Esd 8:30
o Jer 3:17
p Esd 6:4
q Esd 6:8
p Esd 6:12
Ec 8:4
q Esd 6:8
r Jos 1:4
1Re 4:24
Esd 4:20
Sl 72:8
Ne 7:2
s 1Re 16:24
u 1Re 4:22
Eze 45:14
Eze 45:11
w Nú 15:5
x Esd 27:20
Le 2:1
y Le 2:13
z Sl 119:4
a Ef 6:6
Col 3:23
b Esd 1:2
Isa 40:22
c Gé 12:3
Esd 6:10
Isa 60:12
d Esd 2:36
e Esd 2:40
f 1Cr 15:16
g Esd 2:42
h 1Cr 9:2
i Ne 5:4
j Esd 4:20
k Pr 2:6
Snt 1:5

2.ª col.
a Éx 18:22
Dt 16:18
2Cr 19:8
b 2Cr 17:9
Ne 8:3
Mal 2:7
Mt 13:52
c Dt 4:8
d Esd 6:11
e Gé 4:11
f Éx 22:6
g Dt 1:11
h Esd 6:22
Pr 21:1
i Isa 60:13
j Esd 9:9
Ne 1:11
k Esd 7:14
Est 1:14
l Esd 8:18
Ne 2:8

CAP. 8
m 1Cr 24:31
n 1Cr 4:33
1Cr 9:1
o Esd 7:7

p 1Cr 6:4; q Éx 6:23; r Ne 10:6; s 1Cr 3:1; t Ne 10:14; u Esd 2:6; Ne 10:14; v Esd 2:8; Esd 10:27; w Esd 2:15; Ne 10:16; x Esd 2:7.

8 y de los hijos de Sefatías:[a] Zebadías hijo de Miguel, y con él ochenta varones; **9** de los hijos de Joab: Abdías hijo de Jehiel, y con él doscientos dieciocho varones; **10** y de los hijos de [Baní]:[b] Selomit hijo de Josifías, y con él ciento sesenta varones; **11** y de los hijos de Bebai: Zacarías hijo de Bebai,[c] y con él veintiocho varones; **12** y de los hijos de Azgad:[d] Johanán hijo de Haqatán, y con él ciento diez varones; **13** y de los hijos de Adoniqam,[e] los que fueron los últimos, y estos fueron sus nombres: Elifélet, Jeiel y Semaya, y con ellos sesenta varones; **14** y de los hijos de Bigvai:[f] Utai y Zabbud, y con ellos setenta varones.

15 Y procedí a juntarlos a orillas del río[g] que viene a Ahavá;[h] y nos quedamos acampados allí tres días, para que yo pudiera inquirir acerca del pueblo[i] y los sacerdotes,[j] pero no hallé allí a ninguno de los hijos de Leví.[k] **16** Por lo tanto envié por Eliezer, Ariel, Semaya y Elnatán y Jarib y Elnatán y Natán y Zacarías y Mesulam, cabezas, y por Joiarib y Elnatán, instructores.[l] **17** Entonces les di un mandato respecto a Idó el cabeza en el lugar [llamado] Casifía, y puse en boca de ellos palabras[m] para hablar a Idó [y a] sus hermanos los netineos[n] en el lugar Casifía, para que nos trajeran ministros[o] para la casa de nuestro Dios. **18** De modo que nos trajeron, conforme a la buena mano[p] de nuestro Dios sobre nosotros, un hombre de discreción[q] de los hijos de Mahlí[r] el nieto de Leví hijo de Israel, a saber, a Serebías[t] y sus hijos y sus hermanos, dieciocho; **19** y a Hasabías y con él a Jesayá de los hijos de Merarí,[u] sus hermanos, y sus hijos, veinte. **20** Y de los netineos, a quienes David y los príncipes dieron al servicio de los levitas, doscientos veinte netineos, todos los cuales habían

sido designados por [sus] nombres.

21 Entonces proclamé un ayuno allí junto al río Ahavá, para humillarnos[a] delante de nuestro Dios, para buscar de él el camino correcto[b] para nosotros y para nuestros pequeñuelos[c] y para todos nuestros bienes. **22** Porque me dio vergüenza pedir al rey una fuerza militar[d] y hombres de a caballo[e] que nos ayudaran contra el enemigo en el camino, porque habíamos dicho al rey: "La mano[f] de nuestro Dios está sobre todos los que lo buscan para bien,[g] pero su fuerza y su cólera[h] están contra todos los que lo dejan".[i] **23** Por lo tanto, ayunamos[j] e hicimos solicitud[k] a nuestro Dios acerca de esto, de modo que él se dejó rogar[l] por nosotros.

24 Ahora separé de los jefes de los sacerdotes a doce, a saber, a Serebías,[m] a Hasabías,[n] y con ellos a diez de sus hermanos. **25** Y procedí a pesarles la plata y el oro y los utensilios,[o] la contribución para la casa de nuestro Dios que el rey[p] y sus consejeros[q] y sus príncipes y todos los israelitas[r] que se hallaban habían contribuido. **26** Así que pesé en su mano seiscientos cincuenta talentos de plata[s] y cien utensilios de plata con valor de [dos] talentos, [y] oro, cien talentos, **27** y veinte tazas de oro con valor de mil dáricos, y dos utensilios de buen cobre, de rojo esplendoroso, tan deseable como el oro. **28** Entonces les dije: "Ustedes son algo que es santo[t] a Jehová, y los utensilios[u] son algo santo, y la plata y el oro son una ofrenda voluntaria a Jehová el Dios de sus antepasados. **29** Manténganse alerta y sean vigilantes hasta que [los] pesen[v] delante de los jefes de los sacerdotes y los levitas y los príncipes de los padres de Israel en Jerusalén, en los comedores[w] de la casa de Jehová". 30 Y los sacerdotes y los levitas recibieron el peso de la plata y el oro y los utensilios, para llevar[los] a Jerusalén, a la casa de nuestro Dios.[a]

31 Por fin partimos del río Ahavá[b] el [día] doce del primer mes[c] para ir a Jerusalén, y la mismísima mano de nuestro Dios resultó estar sobre nosotros, de manera que nos libró[d] de la palma de la mano del enemigo y de la emboscada por el camino. 32 De modo que llegamos a Jerusalén[e] y moramos allí tres días. 33 Y al cuarto día procedimos a pesar la plata y el oro[f] y los utensilios[g] en la casa de nuestro Dios, en la mano de Meremot[h] hijo de Uriya el sacerdote, y con él Eleazar hijo de Finehás, y con ellos Jozabad[i] hijo de Jesúa y Noadías hijo de Binuí,[j] los levitas, 34 por número [y] por peso para todo, después de lo cual todo el peso se puso por escrito en aquel tiempo. 35 Los que salieron del cautiverio, los que habían estado en el destierro,[k] presentaron ellos mismos sacrificios quemados[l] al Dios de Israel, doce toros[m] por todo Israel, noventa y seis carneros,[n] setenta y siete corderos, doce machos cabríos[o] como ofrenda por el pecado, todo como ofrenda quemada a Jehová.

36 Entonces dimos las leyes[p] del rey a los sátrapas[q] del rey y a los gobernadores[r] de más allá del Río,[s] y ellos ayudaron al pueblo[t] y a la casa del Dios [verdadero].

9 Y tan pronto como estas cosas fueron acabadas, los príncipes[u] se me acercaron, diciendo: "El pueblo de Israel y los sacerdotes y los levitas no se han separado[v] de los pueblos de los países en cuanto a sus cosas detestables,[w] es decir, de los cananeos,[x] los hititas,[y] los perizitas,[z] los jebuseos,[a] los ammonitas,[b] los moabitas,[c] los egipcios[d] y los amorreos.[e] 2 Porque han

aceptado a algunas de las hijas de ellos para sí y para sus hijos;[a] y ellos, la descendencia santa,[b] han llegado a estar mezclados[c] con los pueblos de los países, y la mano de los príncipes y de los gobernantes diputados ha resultado ser prominente[d] en esta infidelidad".

3 Ahora bien, en cuanto oí esta cosa rasgué mi prenda de vestir[e] y mi vestidura sin mangas, y empecé a arrancarme pelos de la cabeza[f] y de la barba, y me quedé sentado en aturdimiento.[g] 4 También vinieron reuniéndose a mí todos los que temblaban[h] debido a las palabras del Dios de Israel contra la infidelidad del pueblo desterrado, mientras yo estuve sentado en aturdimiento hasta la ofrenda de grano del atardecer.[i]

5 Y al [tiempo de] la ofrenda de grano[j] del atardecer me levanté de mi humillación, con mi prenda de vestir y mi vestidura sin mangas rasgadas, y procedí a hincarme de rodillas[k] y extender las palmas de las manos a Jehová mi Dios.[l] 6 Y pasé a decir:[m] "Oh Dios mío, de veras me da vergüenza[n] y bochorno[o] levantar mi rostro a ti, oh Dios mío, porque nuestros errores[p] mismos se han multiplicado sobre nuestra cabeza y nuestra culpabilidad se ha hecho grande, aun hasta los cielos.[q] 7 Desde los días de nuestros antepasados[r] hemos estado en gran culpabilidad hasta este día;[s] y debido a nuestros errores hemos sido dados, nosotros mismos, nuestros reyes,[t] nuestros sacerdotes,[u] en la mano de los reyes de los países, a la espada,[v] al cautiverio[w] y al saqueo[x] y a vergüenza de rostro,[y] como en este día. 8 Y ahora por un momentito ha venido la favor[z] de parte de Jehová nuestro

---

CAP. 8
a Sl 122:9
b Esd 8:15
  Esd 8:21
c Éx 12:2
  Est 3:7
d Sl 34:19
e Esd 7:8
  Esd 8:29
f 2Cr 36:18
  Esd 7:19
h Ne 3:4
  Ne 3:21
i Ne 8:7
j Ne 12:8
k Dt 30:3
  2Cr 36:20
l Le 1:3
  2Cr 29:31
m Le 1:5
  Esd 7:17
n Le 1:10
o Le 2:19
  Esd 6:17
  Esd 7:21
q Da 6:1
r Ne 2:7
  Ne 3:7
s Gé 15:18
t Esd 6:13

CAP. 9
u Esd 10:8
  Esd 10:14
v Éx 33:16
  Esd 6:21
  Ne 9:2
w Le 20:23
  Le 18:30
x Gé 10:19
  Nú 13:29
y Gé 10:15
z Jos 11:3
  Jos 17:15
a Jos 18:16
  Dt 9:38
  Dt 23:3
c Gé 19:37
d Le 18:3
e Gé 15:16
  Jue 11:22

2.ª col.
a Éx 34:16
  Esd 10:44
b Éx 19:6
  Éx 22:31
  Dt 7:6
c Ne 13:3
  2Co 6:14
d 1Pe 5:3
e Jos 7:6
  Esd 9:4
f Ne 13:25
g Sl 143:4
h Ne 10:3
i Éx 29:41
  Da 9:21
j Nú 28:5
k Sl 95:6
  Lu 22:41
  Hch 21:5
  Ef 3:14
l Éx 9:29
  Sl 143:6
m Snt 5:16
n Job 40:4
o Da 9:7

p Esd 9:2; Sl 38:4; Sl 106:6; Isa 1:18; Isa 59:12; q Lu 15:21; Rev 18:5; r Nú 32:14; 2Cr 29:6; Hch 7:51; s Lam 5:7; t Da 9:8; u Esd 10:18; 2Re 25:18; 1Cr 5:22; 2Cr 36:17; w 2Re 17:23; 2Re 25:6; x 2Re 17:20; y Da 9:7; z Ne 9:31.

Dios con el que se haya dejado que nos queden quienes escapen[a] con el darnos una clavija en su lugar santo, para hacer brillar nuestros ojos,[b] oh Dios nuestro, y para darnos un poco de reavivamiento en nuestra servidumbre.[c] 9 Porque somos siervos;[d] y en nuestra servidumbre Dios no nos ha dejado,[e] sino que extiende hacia nosotros bondad amorosa delante de los reyes de Persia,[f] para darnos un reavivamiento, a fin de levantar la casa de nuestro Dios[g] y restaurar sus lugares desolados,[h] y para darnos un muro de piedra[i] en Judá y en Jerusalén.

10 "Y ahora, ¿qué diremos, oh Dios nuestro, después de esto? Porque hemos dejado tus mandamientos,[j] 11 que tú mandaste por medio de tus siervos los profetas, diciendo: 'La tierra en que ustedes van a entrar para tomar posesión de ella es una tierra impura debido a la impureza de los pueblos de los países,[k] a causa de sus cosas detestables[l] con las cuales la han llenado de extremo a extremo[m] por su inmundicia.[n] 12 Y ahora, no den las hijas de ustedes a los hijos de ellos,[o] ni acepten las hijas de ellos para los hijos de ustedes; y hasta tiempo indefinido no deben trabajar ustedes para la paz de ellos[p] ni para su prosperidad,[q] a fin de que ustedes se hagan fuertes[q] y ciertamente coman lo bueno de la tierra y realmente tomen posesión [de ella] para sus hijos hasta tiempo indefinido'.[r] 13 Y después de todo lo que nos ha sobrevenido por nuestras malas acciones[s] y nuestra gran culpabilidad —porque tú mismo, oh Dios nuestro, has estimado nuestro error en menos de lo que es,[t] y nos has dado quienes hayan escapado, tales como estos[u]— 14 ¿vamos a ponernos de nuevo a quebrantar tus mandamientos y a formar alianzas de matrimo-

nio[a] con los pueblos de estas cosas detestables?[b] ¿No te enojarás contra nosotros hasta el límite,[c] de modo que no haya quien quede[d] ni quien escape? 15 Oh Jehová el Dios de Israel, tú eres justo,[e] porque nosotros hemos quedado como pueblo escapado, como en este día. Aquí estamos delante de ti en nuestra culpabilidad,[f] pues es imposible estar de pie delante de ti a causa de esto".[g]

10 Ahora bien, tan pronto como Esdras había orado[h] y había hecho confesión,[i] mientras lloraba y permanecía postrado[j] delante de la casa[k] del Dios [verdadero], los de Israel se juntaron a él, una congregación muy grande, hombres y mujeres y niños, porque el pueblo había llorado profusamente. 2 Entonces Secanías hijo de Jehiel,[l] de los hijos de Elam,[m] respondió y dijo a Esdras: "Nosotros... nosotros hemos actuado infielmente contra nuestro Dios, de modo que dimos morada a esposas extranjeras de los pueblos del país.[n] Sin embargo, ahora existe una esperanza[o] para Israel respecto a esto. 3 Y ahora, celebremos con nuestro Dios un pacto[p] para despedir[q] a todas las esposas y a los nacidos de ellas conforme al consejo de Jehová y de los que tiemblan[r] ante el mandamiento[s] de nuestro Dios, para que se haga conforme a la ley.[t] 4 Levántate, porque el asunto recae sobre ti, y nosotros estamos contigo. Sé fuerte y actúa".

5 Ante aquello, Esdras se levantó e hizo que los jefes de los sacerdotes, los levitas y todo Israel prestaran juramento[u] de hacer conforme a esta palabra. Por lo tanto, prestaron juramento. 6 Esdras ahora se levantó de delante de la casa del Dios [verdadero] y fue al comedor[v] de Jehohanán hijo de Eliasib. Aunque fue allí, no comió pan[w] ni

CAP. 9

a Isa 1:9
b Sl 13:3
c Sl 138:7
d Ne 9:36
e Dt 30:1
f Esd 1:1
g Esd 6:14
  Zac 4:9
h 2Cr 36:19
i Isa 5:2
  Isa 5:5
j Le 27:34
  Nú 36:13
k Le 18:24
  Dt 12:31
l Le 18:3
  Dt 18:9
m 2Re 21:16
n Eze 36:25
  2Co 7:1
o Éx 23:32
  Éx 34:16
  Dt 7:3
  Jos 23:12
p Dt 23:6
  2Cr 19:2
q Dt 6:2
r Gé 18:19
  Sl 112:2
  Pr 13:22
  Pr 20:7
s Ne 9:32
t Sl 103:10
  Lam 3:22
  Lam 3:39
u Sl 106:46

2.ª col.

a Ne 13:23
b Esd 9:1
c Dt 9:8
  Ro 2:5
d Dt 32:26
  Isa 1:9
  Eze 6:8
e Ne 9:33
  Sl 96:13
  Da 9:7
f Ro 3:19
g Sl 130:3
  Sl 143:2

CAP. 10

h Esd 9:6
i Le 26:40
  Sl 32:5
  Pr 28:13
j Dt 9:18
k 1Re 8:30
  2Cr 20:9
l Esd 10:26
m Esd 2:7
n Ne 10:14
o Esd 9:2
o Jer 3:12
p 2Re 11:17
  2Cr 29:10
  2Cr 34:31
q Isa 55:7
r Esd 9:4
  Sl 119:59
  Isa 66:2
s Jos 23:12
  Jos 23:13
  2Cr 34:21
t Ne 8:14
  Hch 7:53
u Ne 10:29
v Esd 8:29
w Dt 9:18

bebió agua, porque estaba de duelo[a] por la infidelidad del pueblo desterrado.

7 Entonces hicieron pasar pregón por todo Judá y Jerusalén para que todos los que habían estado en el destierro[b] se juntaran en Jerusalén; 8 y cualquiera que no viniera[c] en el período de tres días, conforme al consejo de los príncipes[d] y de los ancianos... todos sus bienes serían puestos bajo proscripción[e] y él mismo sería separado[f] de la congregación del pueblo desterrado. 9 De modo que todos los hombres de Judá y Benjamín se juntaron en Jerusalén dentro de tres días, es decir, el noveno[g] mes, el [día] veinte del mes, y todo el pueblo se quedó sentado en el lugar abierto de la casa del Dios [verdadero], tiritando debido al asunto y a causa de las lluvias cuantiosas.[h]

10 Por fin Esdras el sacerdote se levantó y les dijo: "Ustedes mismos han actuado infielmente por haber dado morada a esposas extranjeras,[i] para añadir a la culpabilidad de Israel.[j] 11 Y ahora hagan confesión[k] a Jehová el Dios de sus antepasados, y hagan lo que a él le place,[l] y sepárense de los pueblos del país y de las esposas extranjeras".[m] 12 A esto toda la congregación contestó y dijo con voz fuerte: "Exactamente conforme a tu palabra recae sobre nosotros hacer.[n] 13 Sin embargo, el pueblo es mucho, y esta es la estación de las lluvias cuantiosas, y no es posible permanecer afuera; y el negocio no tomará un día ni dos, porque nos hemos rebelado a gran grado en este asunto. 14 Por lo tanto, por favor, deja que nuestros príncipes[o] actúen en representación de toda la congregación; y, en cuanto a todos los de nuestras ciudades que hayan dado morada a esposas extranjeras, que vengan a los tiempos señalados, y junto con ellos los ancianos de

cada ciudad por sí, y sus jueces, hasta que hayamos hecho que la cólera ardiente de nuestro Dios se vuelva de contra nosotros, con motivo de este asunto".

15 (Sin embargo, Jonatán hijo de Asahel y Jahzeya hijo de Tiqvá se plantaron ellos mismos en contra[a] de esto, y Mesulam y Sabetai[b] y los levitas fueron quienes los ayudaron.) 16 Y los que habían estado en el destierro[c] procedieron a hacerlo de aquel modo; y Esdras el sacerdote [y] los hombres que eran los cabezas de los padres por su casa paterna,[d] aun todos ellos por [sus] nombres, ahora se separaron y empezaron a sentarse el primer día del décimo mes[e] para inquirir sobre el asunto;[f] 17 y gradualmente terminaron con todos los hombres que habían dado morada a esposas extranjeras,[g] para el primer día del primer mes. 18 Y de los hijos de los sacerdotes[h] llegó a hallarse a algunos que habían dado morada a esposas extranjeras; de los hijos de Jesúa[i] hijo de Jehozadaq[j] y sus hermanos: Maaseya y Eliezer y Jarib y Guedalías. 19 Pero ellos prometieron, estrechando las manos, despedir a sus esposas, y que, puesto que eran culpables,[k] habría un carnero[l] del rebaño por su culpabilidad.

20 Y de los hijos de Imer[m] estuvieron Hananí y Zebadías; 21 y de los hijos de Harim:[n] Maaseya y Elías y Semaya y Jehiel y Uzías; 22 y de los hijos de Pasjur:[o] Elioenai, Maaseya, Ismael, Netanel, Jozabad y Eleasá. 23 Y de los levitas: Jozabad y Simeí y Quelaya (es decir, Quelitá), Petahías, Judá y Eliezer; 24 y de los cantores: Eliasib; y de los porteros: Salum y Télem y Urí.

25 Y de Israel, de los hijos de Parós[p] estuvieron Ramías e Izías y Malkiya y Mijamín y Eleazar y Malkiya y Benaya; 26 y de los hijos de Elam:[q] Ma-

CAP. 10

a Esd 9:4
Da 9:3

b Dt 30:3
2Cr 36:20

c 1Sa 11:7

d Esd 9:1

e Le 27:28
Jos 6:18

f Esd 7:26

g Jer 36:22

h Ec 1:7

i Ne 13:23

j Nú 32:14

k Le 26:40
Jos 7:19
Sl 32:5
Pr 28:13

l Isa 56:1
Col 1:10
Heb 13:21

m Ec 7:3
Ne 13:3
2Co 6:17

n Ec 5:4

o 2Sa 3:38
Esd 9:1
Esd 10:8

2.ª col.

a Hch 5:39
Hch 7:51

b Ne 8:7
Ne 11:16

c Esd 10:7

d Esd 8:1

e Est 2:16

f Jn 7:51

g Esd 10:11

h Esd 9:2
Ne 13:28
Eze 44:22
Mal 2:8

i Esd 2:2
Esd 3:2
Ne 7:7
Zac 6:11

j 1Cr 6:14

k Le 5:17
Le 6:4

l Le 5:18
Le 6:6

m 1Cr 24:14
Esd 2:37

n 1Cr 24:8
Esd 2:39

o Esd 2:38

p Esd 2:3
Ne 3:25
Ne 10:14

q Esd 2:7
Esd 8:7
Ne 10:14

tanías, Zacarías y Jehiel[a] y Abdí y Jeremot y Elías;   27 y de los hijos de Zatú:[b] Elioenai, Eliasib, Matanías y Jeremot y Zabad y Azizá;   28 y de los hijos de Bebai:[c] Jehohanán, Hananías, Zabai, Atlai;   29 y de los hijos de Baní: Mesulam, Maluc y Adaya, Jasub y Seal [y] Jeremot;   30 y de los hijos de Pahat-moab:[d] Adná y Kelal, Benaya, Maaseya, Matanías, Bezalel y Binuí y Manasés;   31 y [de] los hijos de Harim:[e] Eliezer, Isiya, Malkiya,[f] Semaya, Shimeón,   32 Benjamín, Maluc [y] Semarías;   33 de los hijos de Hasum:[g] Matenai, Matatah, Zabad, Elifélet,

Jeremai, Manasés [y] Simeí; 34 de los hijos de Baní: Maadai, Amram y Uel,   35 Benaya, Bedeya, Kelúhi,   36 Vanías, Meremot, Eliasib,   37 Matanías, Matenai y Jaasú;   38 y de los hijos de Binuí: Simeí   39 y Selemías y Natán y Adaya, 40 Macnadebai, Sasai, Sharai, 41 Azarel y Selemías, Semarías, 42 Salum, Amarías, José; 43 de los hijos de Nebo: Jeiel, Matitías, Zabad, Zebiná, Jadai y Joel [y] Benaya.   44 Todos estos habían aceptado esposas extranjeras,[a] y procedieron a despedir a esposas junto con hijos.

CAP. 10
a Esd 10:2
b Esd 2:8
  Ne 10:14
c Esd 2:11
  Esd 8:11
d Esd 2:6
  Ne 3:11
  Ne 10:14
e Esd 2:32
f Ne 3:11
g Esd 2:19
  Ne 4:8
  Ne 10:18

2.ª col.
a Dt 7:3
  Esd 10:17
  2Co 6:14

NEHEMÍAS

1 Las palabras de Nehemías[a] hijo de Hacalías: Ahora bien, aconteció en el mes de Kislev,[b] en el año veinte,[c] que yo mismo me hallaba en Susa[d] el castillo. 2 Entonces Hanani,[e] uno de mis hermanos, entró, él y otros hombres de Judá, y procedí a preguntarles[f] acerca de los judíos,[g] los que habían escapado,[h] que habían quedado del cautiverio,[i] y también acerca de Jerusalén. 3 En conformidad, me dijeron: "Los que quedan, que han quedado del cautiverio, allí en el distrito jurisdiccional,[j] están en una situación muy mala,[k] y en oprobio;[l] y el muro[m] de Jerusalén está derribado, y sus mismísimas puertas[n] han sido quemadas con fuego".

4 Y aconteció que, tan pronto como oí estas palabras, me senté y me puse a llorar y me di al duelo por días, y de continuo estuve ayunando[o] y orando ante el Dios de los cielos.[p]   5 Y pasé a decir: "¡Ah!, Jehová el Dios de los cielos, el Dios grande e inspirador de temor,[q] que guarda el

pacto[a] y la bondad amorosa para con los que lo aman[b] y guardan sus mandamientos,[c] 6 por favor, deja que tu oído se ponga atento[d] y tus ojos estén abiertos, para escuchar la oración de tu siervo,[e] que yo estoy orando delante de ti hoy, día y noche,[f] acerca de los hijos de Israel tus siervos, a la vez que hago confesión[g] respecto a los pecados[h] de los hijos de Israel con que hemos pecado contra ti. Hemos pecado, tanto yo como la casa de mi padre.[i]   7 Indisputablemente hemos actuado corruptamente contra ti[j] y no hemos guardado los mandamientos[k] ni las disposiciones reglamentarias[l] ni las decisiones judiciales[m] que diste como mandato a Moisés tu siervo.[n]

8 "Recuerda,[o] por favor, la palabra que diste como mandamiento a Moisés tu siervo, diciendo: 'Si ustedes, por su parte,

CAP. 1
a Ne 1:11
  Ne 5:14
  Ne 10:1
b Esd 10:9
  Jer 36:22
c Ne 2:1
d Esd 4:9
  Est 1:2
  Est 3:15
  Da 8:2
e Ne 7:2
f Sl 137:5
g Esd 4:12
  Est 6:7
h Esd 9:8
  Eze 6:9
i Esd 8:35
  Jer 52:30
j Esd 5:8
k Ne 9:37
l 1Re 9:7
  Sl 79:4
m 2Re 25:10
  Ne 2:17
  Isa 5:5
n Jer 14:2
  Lam 1:4
o 2Cr 20:3
  Esd 8:21
  Sl 69:10
p Esd 5:11
  Ne 2:4
  Sl 115:16
q Esd 10:17
  Sl 47:2
  Da 9:4

2.ª col.
a Dt 7:9
b Éx 20:6
c 1Jn 5:3
d 2Cr 6:40
  2Cr 7:15

e Sl 86:6; Sl 130:2; f Sl 88:1; Lu 18:7; g Sl 32:5; Pr 28:13; h Esd 9:6; Lam 3:39; i 2Cr 29:6; Ef 2:3; j Ne 9:34; Sl 106:6; Sof 3:7; k Le 27:34; Nú 36:13; Sl 119:4; l Dt 12:1; m Dt 4:1; n Dt 4:5; o Sl 119:49; Lu 1:72.

actúan infielmente, yo, por mi parte, los esparciré entre los pueblos.[a] 9 Cuando se hayan vuelto a mí[b] y hayan guardado mis mandamientos[c] y los hayan puesto por obra,[d] aunque su gente dispersada se halle al extremo de los cielos, de allí los juntaré y ciertamente los traeré[f] al lugar que he escogido para hacer residir allí mi nombre'.[g] 10 Y ellos son tus siervos[h] y tu pueblo,[i] a quienes redimiste con tu gran poder[j] y con tu mano fuerte.[k] 11 ¡Ah!, Jehová, por favor, deja que tu oído se ponga atento a la oración de tu siervo y a la oración[l] de tus siervos que se deleitan en temer tu nombre;[m] y, por favor, otorga éxito a tu siervo hoy,[n] sí, y hazlo objeto de piedad ante este hombre".[o]

Ahora bien, yo mismo estaba de copero[p] del rey.

2 Y en el mes de Nisán,[q] en el año veinte[r] de Artajerjes el rey, aconteció que hubo vino delante de él, y yo como siempre alcé el vino y se lo di al rey.[t] Pero yo nunca había estado triste delante de él.[u] 2 De modo que el rey me dijo: "¿Por qué está triste tu rostro[v] cuando tú mismo no estás enfermo? Esta no es otra cosa sino tristeza de corazón".[w] Ante eso, me dio muchísimo miedo.

3 Entonces dije al rey: "¡Viva el rey mismo hasta tiempo indefinido![x] ¿Por qué no debe ponerse triste mi rostro cuando la ciudad,[y] la casa de las sepulturas de mis antepasados,[z] está devastada, y sus mismas puertas han sido comidas por el fuego?".[a] 4 A su vez el rey me dijo: "¿Qué es esto que tratas de conseguir?".[b] Al instante oré[c] al Dios de los cielos.[d] 5 Después dije al rey: "Si al rey de veras le parece bien, y si tu siervo parece bueno ante ti,[f] que me envíes a Judá, a la ciudad de las sepulturas de mis antepasados, para que la reedifique".[g] 6 Ante

esto, el rey me dijo, mientras su regia consorte estaba sentada a su lado: "¿Cuánto va a durar tu viaje, y cuándo volverás?". De modo que pareció bueno[a] ante el rey enviarme, cuando le di el tiempo señalado.[b]

7 Y pasé a decir al rey: "Si al rey de veras le parece bien, que se me den cartas[c] [dirigidas] a los gobernadores[d] de más allá del Río,[e] para que me dejen pasar hasta que llegue a Judá; 8 también una carta [dirigida] a Asaf el guarda del parque que pertenece al rey, a fin de que me dé árboles para edificar con maderas las puertas del Castillo[f] que pertenece a la casa,[g] y para el muro[h] de la ciudad y para la casa en que he de entrar". De modo que el rey me [las] dio, conforme a la buena mano de mi Dios sobre mí.[i]

9 Con el tiempo, llegué a los gobernadores[j] de más allá del Río y les di las cartas del rey. Además, el rey envió conmigo jefes de la fuerza militar y hombres de a caballo. 10 Cuando llegaron a oír [de ello] Sanbalat[k] el horonita[l] y Tobías[m] el siervo, el ammonita,[n] entonces les pareció algo muy malo[o] el que un hombre hubiera venido para procurar algo bueno para los hijos de Israel.

11 Por fin llegué a Jerusalén, y continué allí tres días. 12 Entonces me levanté de noche, yo y unos cuantos hombres conmigo, y no informé a hombre alguno[p] lo que mi Dios estaba poniendo en mi corazón que hiciera por Jerusalén,[q] y no había ningún animal doméstico conmigo salvo el animal doméstico en que yo iba montado. 13 Y procedí a salir de noche por la Puerta del Valle[e] e [ir] enfrente de la Fuente de la Culebra Grande y a la Puerta de los Montones de Ceni-

CAP. 1
a Le 26:33
  Dt 4:27
  Dt 28:64
b Dt 4:29
c Dt 30:2
d Jer 29:13
e Dt 30:4
  Sl 106:47
  Isa 11:12
  Jer 12:15
f Jer 3:14
g Dt 12:5
  Sl 132:13
h Le 25:42
i Dt 9:29
j Dt 7:8
  Dt 15:15
k Dt 5:15
  Dt 9:26
l Pr 15:8
  Sl 15:29
  Stl 5:16
m Isa 26:8
n Esd 7:6
  Dt 118:25
o 1Re 8:50
  Sl 106:46
p Ne 2:1

CAP. 2
q Éx 12:2
  Est 3:7
r Ne 1:1
s Esd 7:1
  Ne 13:6
t Ne 1:11
u Est 4:2
v Gé 40:7
w Pr 15:13
x 1Re 1:31
  Da 2:4
y Ne 1:3
  Sl 137:5
z Ne 3:16
a Ne 1:3
b Est 5:3
  Est 7:2
c 1Sa 1:13
  Pr 3:6
  Flp 4:6
d Esd 5:11
e Esd 5:17
  Est 1:19
f Est 7:3
  Pr 3:4
g Da 9:25

2.ᵃ col.
a Ne 1:11
  Isa 65:24
b Ne 5:14
  Ne 6:15
c Esd 7:21
  Ne 2:9
d Esd 5:3
  Ne 3:7
e Ne 2:14
f Ne 7:2
g 1Cr 29:1
  Esd 1:3
h Est 2:21
i Esd 7:6
  Pr 21:1
j Esd 5:3
k Ne 2:19
  Ne 4:1
  Ne 6:1
l Jos 16:3
  Jos 16:5

m Ne 4:3; Ne 6:14; Ne 13:7; n Ne 13:1; o Sl 112:10; p Ec 3:7; Am 5:13; Mt 10:16; q Sl 51:18; Sl 122:6; r 2Cr 26:9; Ne 3:13.

za,[a] y estuve constantemente examinando los muros[b] de Jerusalén, cómo estaban derribados; y las puertas[c] habían sido comidas por el fuego. 14 Y fui pasando hasta la Puerta de la Fuente[d] y al Estanque del Rey, y no había lugar por donde el animal doméstico [que tenía] debajo de mí pudiera pasar. 15 Pero seguí ascendiendo de noche en el valle torrencial,[e] y seguí examinando el muro; después de lo cual vine de vuelta y entré por la Puerta del Valle,[f] y así volví.

16 Y los gobernantes diputados[g] mismos no supieron adónde había ido yo ni qué estaba haciendo; y a los judíos y a los sacerdotes y a los nobles y a los gobernantes diputados y a los demás hacedores del trabajo yo todavía no había informado cosa alguna. 17 Finalmente les dije: "Ustedes están viendo la mala situación en que estamos, cómo Jerusalén está devastada y sus puertas han sido quemadas con fuego. Vengan y reedifiquemos el muro de Jerusalén, para que ya no continuemos siendo un oprobio".[h] 18 Y pasé a informarles acerca de la mano[i] de mi Dios, cómo era buena sobre mí,[j] y también de las palabras del rey,[k] que él me había dicho. Ante esto, dijeron: "Levantémonos, y tenemos que edificar". De manera que fortalecieron sus manos para la buena obra.[l]

19 Ahora bien, cuando Sanbalat[m] el horonita y Tobías[n] el siervo,[o] el ammonita,[p] y Guésem[q] el árabe[r] oyeron de ello, empezaron a escarnecernos[s] y a mirarnos con desprecio y a decir: "¿Qué es esta cosa que ustedes están haciendo? ¿Contra el rey se están rebelando?".[t] 20 No obstante, yo les respondí y les dije: "El Dios de los cielos[u] es Quien nos otorgará éxito,[v] y nosotros mismos, los siervos de él, nos levantaremos, y tenemos

que edificar; pero ustedes mismos no tienen participación,[a] ni justa pretensión, ni memoria[b] en Jerusalén".

3 Y Eliasib[c] el sumo sacerdote y sus hermanos, los sacerdotes, procedieron a levantarse y a edificar la Puerta de las Ovejas.[d] Ellos mismos la santificaron[e] y se pusieron a colocar sus hojas; y hasta la Torre de Meah[f] la santificaron, hasta la Torre de Hananel.[g] 2 Y al lado de ellos los hombres de Jericó[h] edificaron. Y al lado de ellos Zacur hijo de Imrí edificó.

3 Y la Puerta del Pescado[i] fue lo que los hijos de Hasenaá edificaron; ellos mismos la enmaderaron[j] y entonces colocaron sus hojas,[k] sus cerrojos y sus barras.[l] 4 Y al lado de ellos Meremot[m] hijo de Uriya[n] hijo de Haqoz hizo trabajo de reparaciones, y al lado de ellos Mesulam[o] hijo de Berekías hijo de Mesezabel hizo trabajo de reparaciones; y al lado de ellos Sadoc hijo de Baaná hizo trabajo de reparaciones. 5 Y al lado de ellos los teqoítas[p] hicieron trabajo de reparaciones; pero sus majestuosos[q] mismos no pusieron su cerviz al servicio de sus amos.

6 Y la Puerta de la [Ciudad] Vieja[r] fue lo que Joiadá hijo de Paséah y Mesulam hijo de Besodeya repararon; ellos mismos la enmaderaron, y entonces colocaron sus hojas y sus cerrojos y sus barras.[s] 7 Y al lado de ellos Melatías el gabaonita[t] y Jadón el meronotita[u] hicieron trabajo de reparaciones, hombres de Gabaón[v] y de Mizpá,[w] pertenecientes al trono del gobernador[x] de más allá del Río.[y] 8 Al lado de él Uziel hijo de Harhaya, orfebres,[z] hizo trabajo de reparaciones; y al lado de él Hananías, miembro de los mezcladores de ungüentos,[a] hizo trabajo de reparaciones; y procedieron a embaldosar a Jerusalén hasta el

---

CAP. 2
a Ne 3:13
b Ne 1:3
c Lam 1:4
  Lam 2:9
d Ne 3:15
  Ne 12:37
e 2Sa 15:23
  Jn 18:1
f Ne 2:13
g Ne 4:14
  Ne 7:5
h Ne 1:3
  Jer 24:9
  Eze 5:14
i Esd 7:6
  Esd 7:28
j Ne 2:8
k Da 9:25
l Esd 6:22
  Ag 1:14
m Ne 2:10
n Ne 6:14
o Pr 30:22
p Ne 13:1
q Ne 6:1
r Ne 4:7
s Job 30:1
  Sl 79:4
  Sl 80:6
t Ne 6:6
u Esd 1:2
  Esd 5:11
  Esd 7:23
v Sl 122:6
  Sl 127:1

2.ª col.
a Esd 4:3
  2Co 6:14
b Éx 28:29

CAP. 3
c Ne 12:10
  Ne 13:4
  Ne 13:28
d Jn 5:2
e Ne 12:30
f Ne 12:39
g Jer 31:38
  Zac 14:10
h Esd 2:34
i 2Cr 33:14
  Sof 1:10
j Ne 2:8
k Ne 7:1
l 2Cr 14:7
m Ne 3:21
n Esd 8:33
o Ne 3:30
  Ne 6:18
p Ne 3:27
  Am 1:1
q Lu 5:23
  Lu 11:23
  1Ti 6:17
r Ne 12:39
s Ne 3:3
t Jos 9:27
  2Sa 21:2
u 1Cr 27:30
v Jos 10:2
w Jos 18:26
  2Cr 16:6
  Jer 40:6
x Ne 2:9
y Gé 15:18
z Ne 3:31
a Éx 30:25
  1Cr 9:30

Muro Ancho.[a] 9 Y al lado de ellos Refayá hijo de Hur, un príncipe de la mitad del distrito de Jerusalén, hizo trabajo de reparaciones. 10 Y al lado de ellos Jedayá hijo de Harumaf hizo reparaciones enfrente de su propia casa;[b] y al lado de él Hatús hijo de Hasabneya hizo trabajo de reparaciones.

11 Otra sección medida fue lo que Malkiya hijo de Harim[c] y Hasub hijo de Pahat-moab[d] repararon, y también la Torre de los Hornos de Cocer.[e] 12 Y al lado de él Salum hijo de Halohés, un príncipe[f] de la mitad del distrito de Jerusalén, hizo trabajo de reparaciones, él y sus hijas.

13 La Puerta del Valle[g] fue lo que Hanún y los habitantes de Zanóah[h] repararon; ellos mismos la edificaron y entonces colocaron sus hojas,[i] sus cerrojos[j] y sus barras,[k] también mil codos en el muro hasta la Puerta de los Montones de Ceniza.[l] 14 Y la Puerta de los Montones de Ceniza fue lo que Malkiya hijo de Recab, un príncipe del distrito de Bet-hakerem,[m] reparó; él mismo se puso a edificarla y a colocar sus hojas, sus cerrojos y sus barras.

15 Y la Puerta de la Fuente fue lo que Salún hijo de Colhozé, un príncipe del distrito de Mizpá,[o] reparó; él mismo procedió a edificarla y techarla y colocar sus hojas,[p] sus cerrojos y sus barras, y también el muro del Estanque[q] del Canal hasta el Jardín del Rey,[r] y llegando hasta la Escalera[s] que baja de la Ciudad de David.[t]

16 Después de él, Nehemías hijo de Azbuq, un príncipe de la mitad del distrito de Bet-zur,[u] hizo trabajo de reparaciones hasta enfrente de las Sepulturas[v] de David y hasta el estanque[w] que se había hecho y hasta la Casa de los Poderosos.[x]

17 Después de él, los levitas[y] hicieron trabajo de reparacio-

nes, Rehúm hijo de Baní;[a] a su lado Hasabías, un príncipe de la mitad del distrito de Queilá,[b] hizo trabajo de reparaciones para su distrito. 18 Después de él, los hermanos de ellos hicieron trabajo de reparaciones, Bavai hijo de Henadad, un príncipe de la mitad del distrito de Queilá.

19 Y Ézer hijo de Jesúa,[c] un príncipe de Mizpá,[d] procedió a reparar a su lado otra sección medida enfrente de la subida al Arsenal en el Contrafuerte.[e]

20 Después de él, Baruc hijo de Zabai[f] trabajó con fervor[g] [y] reparó otra sección medida, desde el Contrafuerte hasta la entrada de la casa de Eliasib[h] el sumo sacerdote.

21 Después de él, Meremot hijo de Uriya[i] hijo de Haqoz reparó otra sección medida, desde la entrada de la casa de Eliasib hasta el extremo de la casa de Eliasib.

22 Y después de él, los sacerdotes, hombres del Distrito[j] [del Jordán], hicieron trabajo de reparaciones. 23 Después de ellos, Benjamín y Hasub hicieron trabajo de reparaciones enfrente de su propia casa. Después de ellos, Azarías hijo de Maaseya hijo de Ananíah hizo trabajo de reparaciones cerca de su propia casa. 24 Después de él, Binuí hijo de Henadad reparó otra sección medida, desde la casa de Azarías hasta el Contrafuerte[k] y hasta la esquina.

25 [Después de él] Palal hijo de Uzai [hizo trabajo de reparaciones] enfrente del Contrafuerte y de la torre que sale de la Casa del Rey,[l] la de más arriba que pertenece al Patio de la Guardia.[m] Después de él estuvo Pedaya hijo de Parós.[n]

26 Y los netineos[o] mismos se hallaban como moradores de Ofel;[p] [ellos hicieron trabajo de reparaciones] hasta enfrente de la Puerta del Agua[q] al oriente y la torre saliente.

CAP. 3

a 2Re 14:13
  Ne 12:38
b Ne 3:23
  Ne 3:28
c Esd 2:32
d Esd 2:6
  Ne 10:14
e Ne 12:38
f 2Re 24:12
  Ne 2:13
g 2Cr 26:9
  Ne 2:13
h Jos 15:34
  Ne 11:30
i Jue 16:3
  1Cr 22:3
j Ne 3:3
k 2Cr 8:5
  1Ne 2:13
n Ne 2:14
  Ne 12:37
o Jos 18:26
  1Re 15:22
  Jer 40:6
p Ne 3:3
q Isa 22:9
r Jer 39:4
s Ne 12:37
t 2Sa 5:7
u Jos 15:58
  2Cr 11:7
v 1Re 2:10
  2Cr 16:14
w Ne 2:14
x Can 3:7
y 1Cr 23:28

2.ᵃ col.

a Ne 8:7
  Ne 9:5
b Jos 15:44
  1Sa 23:1
  1Re 4:19
c Esd 2:40
  Ne 10:9
d Ne 3:15
e 2Cr 26:9
  Ne 3:24
f Esd 10:28
g Ec 9:10
  Ro 12:11
  Col 3:23
h Ne 3:1
  Ne 13:4
i Esd 8:33
j Gé 13:10
  Dt 34:3
  1Re 7:46
k Ne 3:19
l 2Sa 5:11
  2Sa 7:1
  Ne 12:37
m Jer 37:21
n Ne 2:3
o Jos 9:23
  1Cr 9:2
  Esd 2:43
  Esd 8:17
  Esd 8:20
p 2Cr 27:3
  2Cr 33:14
  Ne 11:21
q Ne 8:1
  Ne 12:37

27 Después de ellos, los teqoítas[a] repararon otra sección medida, desde enfrente de la gran torre saliente hasta el muro de Ofel.

28 Más arriba de la Puerta de los Caballos[b] los sacerdotes hicieron trabajo de reparaciones, cada uno enfrente de su propia casa.

29 Después de ellos, Sadoc[c] hijo de Imer hizo trabajo de reparaciones enfrente de su propia casa.

Y después de él, Semaya hijo de Secanías, el guarda de la Puerta Oriental,[d] hizo trabajo de reparaciones.

30 Después de él, Hananías hijo de Selemías y Hanún el sexto hijo de Zalaf repararon otra sección medida.

Después de él, Mesulam[e] hijo de Berekías hizo trabajo de reparaciones enfrente de su propio salón.[f]

31 Después de él, Malkiya, miembro del gremio de los orfebres,[g] hizo trabajo de reparaciones hasta la casa de los netineos[h] y de los comerciantes,[i] enfrente de la Puerta de la Inspección y hasta la cámara del techo de la esquina.

32 Y entre la cámara del techo de la esquina y la Puerta de las Ovejas[j] los orfebres y los comerciantes hicieron trabajo de reparaciones.

4 Ahora bien, aconteció que, tan pronto como Sanbalat[k] oyó que estábamos reedificando el muro, se encolerizó[l] y se ofendió sumamente, y siguió escarneciendo[m] a los judíos. 2 Y empezó a decir delante de sus hermanos[n] y de la fuerza militar de Samaria, sí, empezó a decir: "¿Qué están haciendo los endebles judíos? ¿Dependerán de sí mismos? ¿Harán sacrificios?[o] ¿Acabarán en un día? ¿Harán vivir las piedras de entre los montones de escombros[p] polvorosos, cuando están quemadas?".

3 Ahora bien, Tobías[a] el ammonita[b] estaba a su lado, y él pasó a decir: "Aun lo que están edificando, si una zorra[c] subiera [contra ello], ciertamente derribaría su muro de piedras".

4 Oye,[d] oh Dios nuestro, porque hemos llegado a ser objeto de desprecio;[e] y haz que el oprobio[f] de ellos vuelva sobre su propia cabeza, y dalos al saqueo en la tierra del cautiverio. 5 Y no encubras su error[g] ni su pecado de delante de ti. Que no sea borrado, porque han cometido ofensa contra los edificadores.

6 De manera que seguimos edificando el muro, y todo el muro vino a estar unido hasta la mitad de su [altura], y el pueblo continuó teniendo corazón para trabajar.[h]

7 Ahora bien, aconteció que, tan pronto como Sanbalat[i] y Tobías[j] y los árabes[k] y los ammonitas[l] y los asdoditas[m] oyeron que la reparación de los muros de Jerusalén había adelantado, porque habían comenzado a taparse las brechas, se encolerizaron mucho. 8 Y todos ellos se pusieron a conspirar[n] juntos para venir a pelear contra Jerusalén y a causarme disturbio. 9 Pero nosotros oramos[o] a nuestro Dios y mantuvimos una guardia apostada contra ellos día y noche, a causa de ellos.

10 Y Judá empezó a decir: "El poder del cargador[p] ha tropezado, y hay muchísimo escombro;[q] y nosotros mismos no podemos edificar en el muro".

11 Además, nuestros adversarios siguieron diciendo: "Ellos no sabrán[r] y no verán hasta que entremos en el mismo medio de ellos, y ciertamente los mataremos y haremos cesar la obra".

12 Y aconteció que, siempre que los judíos que moraban cerca de ellos entraban, procedían a decirnos diez veces: "[Van a subir] de todos los lugares adonde ustedes volverán hacia nosotros".

CAP. 3
a Ne 3:5
b Jer 31:40
c Ne 13:13
d 1Cr 9:18
  1Cr 26:14
  2Cr 31:14
e Ne 6:18
f Ne 12:44
g Ne 3:8
h Ne 3:26
i 1Re 10:15
  1Re 10:28
j Ne 3:1
  Ne 12:39
  Jn 5:2

CAP. 4
k Ne 2:10
  Ne 6:1
  Ne 13:28
l Sl 2:1
m Heb 11:36
n Esd 4:9
o Ne 12:43
p Ne 4:10

2.ᵃcol.
a Ne 2:19
  Ne 6:1
b Ne 13:1
c Lam 5:18
d Sl 86:6
e Sl 123:3
f Sl 79:12
  Pr 3:34
g Sl 59:5
  Sl 69:27
  Jer 18:23
  2Ti 4:14
h Esd 5:8
  Ec 3:3
  Col 3:23
i Ne 2:10
j Ne 4:3
k Ne 2:19
l Am 1:13
m Jos 13:3
  Ne 13:23
n Sl 2:2
o Sl 50:15
  Sl 55:16
p 2Cr 2:18
q Ne 4:2
r Sl 56:5

13 Por lo tanto, mantuve
[hombres] apostados en las partes más bajas del lugar detrás
del muro, en los lugares abiertos, y mantuve apostada a la
gente por familias, con sus espadas,[a] sus lanzas[b] y sus arcos.
14 Cuando vi [su temor], inmediatamente me levanté y dije a
los nobles[c] y a los gobernantes
diputados[d] y a los demás del
pueblo: "No tengan miedo[e] a
causa de ellos. Tengan presente
a Jehová el Grande[f] y el Inspirador de temor;[g] y peleen por sus
hermanos,[h] sus hijos y sus hijas,
sus esposas y sus hogares".
15 Ahora bien, aconteció que,
en cuanto nuestros enemigos
oyeron que aquello había llegado
a sernos conocido, de modo que
el Dios [verdadero] había frustrado el consejo[i] de ellos, y todos nosotros habíamos vuelto al
muro, cada cual a su trabajo,
16 sí, aconteció que, desde
aquel día en adelante, la mitad
de mis jóvenes[j] estuvieron activos en la obra y la mitad de ellos
tenían asidas las lanzas, los escudos y los arcos y las cotas de
malla;[k] y los príncipes[l] estaban
detrás de toda la casa de Judá.
17 En cuanto a los edificadores
en el muro y los que llevaban la
carga de cargadores, [cada] uno
estaba activo en la obra con una
mano, mientras la otra [mano][m]
tenía asido el proyectil.[n] 18 Y
los edificadores estaban ceñidos,
cada cual con su espada sobre la
cadera,[o] mientras edificaban;[p] y
el que había de tocar el cuerno[q]
estaba a mi lado.
19 Y procedí a decir a los nobles y a los gobernantes diputados[r] y a los demás del pueblo:
"La obra es grande y extensa,
y estamos esparcidos sobre el
muro, lejos el uno del otro.
20 En el lugar donde oigan el
sonido del cuerno, allí es donde
se juntarán a nosotros. Nuestro
Dios mismo peleará por nosotros".[s]
21 Mientras estábamos ac-
tivos en la obra, la otra mitad de
ellos también tenían asidas las
lanzas, desde que ascendía el
alba hasta que salían las estrellas. 22 Además, en aquel
tiempo dije al pueblo: "Que los
hombres pasen la noche, cada
uno con su servidor, en medio de
Jerusalén,[a] y tienen que llegar a
ser para nosotros una guardia
de noche y trabajadores de día".
23 En cuanto a mí[b] y mis hermanos[c] y mis servidores[d] y los
hombres de la guardia[e] que estaban detrás de mí, no nos qui-
tábamos nuestras prendas de
vestir, [y] cada uno [tenía] su
proyectil[f] en la mano derecha.

5 Sin embargo, llegó a haber
un gran clamor[g] del pueblo y
sus esposas contra sus hermanos judíos.[h] 2 Y hubo quienes decían: "A nuestros hijos y
nuestras hijas estamos dando
como garantía para poder conseguir grano y comer y mantenernos vivos".[i] 3 Y hubo quienes decían: "Nuestros campos y
nuestras viñas y nuestras casas
estamos dando como garantía[j]
para poder conseguir grano durante la escasez de alimentos".
4 Y hubo quienes decían: "Hemos tomado dinero a préstamo
para el tributo del rey[k] sobre
nuestros campos y nuestras viñas.[l] 5 Y ahora nuestra carne es lo mismo que la carne de
nuestros hermanos;[m] nuestros
hijos son lo mismo que sus
hijos, pero aquí estamos redu-
ciendo a nuestros hijos y nuestras hijas a esclavos,[n] y hay
algunas de nuestras hijas ya
reducidas [así]; y no hay poder
en nuestras manos mientras
nuestros campos y nuestras viñas pertenezcan a otros".
6 Ahora bien, me encolericé
mucho tan pronto como oí su
clamor y estas palabras. 7 De
modo que mi corazón se dio a
consideración dentro de mí, y
empecé a señalar faltas[o] a los
nobles y a los gobernantes dipu-

CAP. 4
a Can 3:8
b 2Cr 26:14
c Ne 2:16
Ne 13:17
d Ne 7:5
e Nú 14:9
Dt 20:3
Jos 1:9
Sl 27:1
Ro 8:31
Heb 13:5
f Dt 10:17
1Sa 4:8
g Dt 7:21
Ne 1:5
Sl 47:2
Sl 65:5
h 2Sa 10:12
i 2Sa 17:14
Sl 33:10
j Ne 5:16
k 2Cr 26:14
l Esd 10:14
Ne 11:1
m Mt 10:16
Flp 1:28
n 2Cr 23:10
2Cr 32:5
o 2Sa 20:8
p Da 9:25
q Nú 10:9
2Cr 13:12
Pr 20:18
r Ne 2:16
Ne 7:5
s Dt 1:30
Jos 23:10

2.ª col.
a Ne 4:6
b Ne 10:1
c Ne 4:14
d Ne 5:10
Ne 13:19
e 1Cr 11:25
f 2Cr 23:9
2Cr 23:10

CAP. 5
g Dt 15:9
Pr 21:13
Lu 18:7
h Miq 2:2
i Gé 47:19
j Gé 47:20
k Dt 28:48
l Ne 9:37
m 2Sa 5:1
n Éx 21:7
Dt 15:12
2Re 4:1
Pr 22:7
Mt 18:25
o Le 19:15
Le 19:17
2Cr 19:6
1Ti 5:20
Tit 2:15

tados, y pasé a decirles: "Usura[a] es lo que ustedes están exigiendo, cada uno de su propio hermano".

Además, hice los arreglos para una gran asamblea a causa de ellos.[b] 8 Y procedí a decirles: "Nosotros mismos hemos recobrado por compra[c] a nuestros propios hermanos judíos que fueron vendidos a las naciones, hasta donde estaba en nuestro poder; y, al mismo tiempo, ¿venderán ustedes mismos a sus propios hermanos,[d] y tendrán ellos que ser vendidos a nosotros?". Ante esto, enmudecieron, y no hallaron palabra.[e] 9 Y yo pasé a decir: "La cosa que ustedes están haciendo no es buena.[f] ¿No es en el temor[g] de nuestro Dios[h] como ustedes deben andar a causa del oprobio[i] de las naciones, nuestras enemigas?[j] 10 Y también yo, mis hermanos y mis servidores estamos dando dinero y grano en préstamo entre ellos. Dejemos, por favor, este de prestar por interés.[k] 11 Por favor, restitúyanles hoy mismo sus campos,[l] sus viñas, sus olivares y sus casas, y la centésima del dinero y del grano, del vino nuevo y del aceite que ustedes les están exigiendo como interés".

12 A lo cual dijeron: "Restituiremos,[m] y de ellos no reclamaremos nada.[n] Haremos precisamente como estás diciendo".[o] De manera que llamé a los sacerdotes e hice que juraran hacer conforme a esta palabra.[p] 13 También, sacudí mi seno y entonces dije: "De esta manera sacuda el Dios [verdadero] de su casa y de su propiedad adquirida a todo hombre que no ponga por obra esta palabra; y de esta manera quede sacudido y vacío". A esto toda la congregación dijo: "¡Amén!".[q] Y se pusieron a alabar a Jehová.[r] Y el pueblo procedió a hacer conforme a esta palabra.[s]

14 Otra cosa: Desde el día en que él me comisionó para que llegara a ser gobernador[a] de ellos en la tierra de Judá, desde el año veinte[b] hasta el año treinta y dos[c] de Artajerjes[d] el rey —doce años—, yo mismo y mis hermanos no comimos el pan que se había de dar al gobernador.[e] 15 En cuanto a los gobernadores anteriores que me habían antecedido, ellos lo habían hecho pesado sobre el pueblo, y siguieron tomando de ellos, para pan y vino, cuarenta siclos de plata diarios. También, sus servidores mismos se enseñoreaban dominantemente del pueblo.[f] En cuanto a mí, yo no hice así[g] a causa del temor a Dios.[h]

16 Y, lo que es más, tomé parte en el trabajo de este muro,[i] y ni un solo campo adquirimos nosotros;[j] y a todos mis servidores se les juntó allí para la obra. 17 Y los judíos y los gobernantes diputados —ciento cincuenta hombres— y los que venían a nosotros de las naciones que estaban en derredor de nosotros, estaban a mi mesa.[k] 18 En cuanto a lo que se aderezaba cada día, un toro, seis ovejas selectas y aves se aderezaban para mí, y una vez cada diez días toda suerte de vino[l] en abundancia. Y junto con esto no exigí el pan que se había de dar al gobernador, porque el servicio sobre este pueblo era pesado. 19 Recuerda a favor de mí,[m] sí, oh Dios mío, para bien,[n] todo lo que he hecho en el interés de este pueblo.[o]

6 Ahora bien, aconteció que, tan pronto como se informó a Sanbalat[p] y Tobías[q] y a Guésem[r] el árabe[s] y a los demás de nuestros enemigos que yo había reedificado el muro[t] y que no había quedado en él brecha alguna (aunque hasta ese tiempo

CAP. 5
a Éx 22:25
Le 25:36
Dt 23:19
Eze 22:12
b Pr 27:5
c Le 25:48
d Le 25:35
Dt 15:7
Jer 34:9
e Job 29:10
Job 32:15
f 1Sa 2:24
Isa 58:7
g Le 25:36
Ne 5:15
Job 28:28
Pr 8:13
Ec 8:12
Mal 1:6
h Dt 8:18
i 1Pe 2:12
j Eze 36:20
Ro 2:24
k Le 5:7
Eze 18:8
Eze 18:13
l Ne 5:3
m Lu 19:8
n Sl 37:26
Sl 112:5
Pr 19:17
Pr 28:8
Lu 6:35
o Esd 10:12
p Dt 17:9
Esd 10:5
q Dt 27:26
r Sl 148:1
s Sl 76:11
Sl 119:106
Ec 5:5

2.ª col.
a Ne 10:1
b Ne 2:1
c Ne 13:6
d Esd 8:1
e 1Co 9:4
1Co 9:15
2Te 3:8
f Pr 29:2
g 2Co 11:9
2Co 12:14
h Ne 5:9
Sl 112:1
Sl 147:11
Pr 16:6
Ec 12:13
i 1Pe 5:3
j Hch 20:33
2Co 12:17
k 2Sa 9:7
Sl 37:21
Isa 32:8
Flp 2:4
1Pe 4:9
l Ec 9:7
Ec 10:19
m Ne 13:14
Ne 13:31
Sl 18:24
Sl 106:4
Mal 3:16
n Isa 38:3
o Heb 6:10

CAP. 6
p Ne 2:10
q Ne 4:3
r Ne 2:19

s Ne 4:7; t Ne 4:6; Da 9:25.

yo no había colocado las hojas[a] mismas en las puertas),[b]
2 Sanbalat y Guésem inmediatamente enviaron a decirme:
“Ven, sí, y reunámonos[c] por cita
en las aldeas de la llanura-valle
de Onó”.[d] Pero tramaban hacerme daño.[e] 3 De manera que
les envié mensajeros,[f] y dije: “Es
una gran obra la que estoy haciendo,[g] y no puedo bajar. ¿Por
qué debe cesar la obra mientras
yo me aparte de ella y tenga que
bajar a ustedes?”.[h] 4 No obstante, me enviaron la misma palabra cuatro veces, y yo seguí
respondiéndoles con la misma
palabra.

5 Finalmente Sanbalat[i] me
envió su servidor con la misma
palabra por quinta vez, con una
carta abierta en la mano. 6 En
ella estaba escrito: “Entre las
naciones se ha oído, y Guésem[j]
[lo] está diciendo, que tú y los
judíos están tramando rebelarse.[k] Por eso estás edificando el
muro; y vas a llegar a ser rey
de ellos,[l] según estas palabras.
7 Y hasta hay profetas que tú
has nombrado para vocear por
toda Jerusalén respecto de ti, y
decir: ‘¡Hay un rey en Judá!’. Y
ahora cosas como estas van a ser
referidas al rey. Así que ahora
ven, sí, y consultemos juntos”.[m]
8 Sin embargo, yo le envié a
decir: “Cosas tales como las que
tú estás diciendo no se han efectuado,[n] sino que de tu propio
corazón las estás inventando”.[o]
9 Porque todos ellos trataban
de infundirnos miedo, pues decían: “Dejarán caer sus manos[p]
de la obra, de manera que no se
hará”. Pero ahora, fortalece mis
manos.[q]

10 Y yo mismo entré en la
casa de Semaya hijo de Delayá
hijo de Mehetabel, mientras él
estaba encerrado.[r] Y él procedió
a decir: “Encontrémonos por
cita[s] en la casa del Dios [ver-
dadero], dentro del templo,[t] y
cerremos las puertas del templo; porque van a venir para matarte, aun de noche[a] van a venir
para matarte”. 11 Pero dije:
“¿Debe un hombre como yo
huir?[b] ¿Y quién hay como yo que
pudiera entrar en el templo y
vivir?[c] ¡No entraré!”. 12 De
modo que investigué, y he aquí
que no era Dios[d] quien lo había
enviado, sino que él había hablado[e] esta profecía contra mí
puesto que Tobías y Sanbalat[f]
mismos lo habían alquilado.[g]
13 Por esta razón había sido alquilado,[h] para que me diera
miedo[i] y yo hiciera de aquella
manera, y ciertamente habría
pecado,[j] y aquello ciertamente
habría llegado a ser en posesión
de ellos una mala reputación,[k]
para que pudieran vitupe-
rarme.[l]

14 Acuérdate,[m] sí, oh Dios
mío, de Tobías[n] y de Sanbalat,
conforme a estas acciones de
[cada] uno, y también de Noadías la profetisa[o] y de los demás
profetas que de continuo estuvieron tratando de infundirme
miedo.

15 Por fin el muro[p] quedó
completo el [día] veinticinco de
Elul, en cincuenta y dos días.

16 Y aconteció que, tan pronto como todos nuestros enemigos[q] [lo] oyeron y todas las naciones que estaban en derredor
de nosotros llegaron a verlo, en
seguida decayeron mucho a sus
propios ojos, y llegaron a conocer que de parte de nuestro
Dios[r] esta obra se había hecho.
17 En aquellos días también los
nobles[s] de Judá hacían numerosas sus cartas que iban a Tobías,[t] y las de Tobías que venían
a ellos. 18 Porque muchos de
Judá estaban ligados a él por
juramento, pues era yerno de
Secanías hijo de Arah;[u] y Jehohanán su hijo había tomado
él mismo a la hija de Me-
sulam[v] hijo de Berekías.
19 También, continuamente
estaban diciendo cosas buenas

CAP. 6
a Ne 3:1
b Ne 3:3
c Gé 4:8; 2Sa 3:27; 2Sa 20:9; Pr 26:24
d 1Cr 8:12; Ne 11:35
e Sl 12:2; Sl 37:12; Sl 37:32
f Pr 14:15; Mt 10:16
g Ec 9:10
h Ro 12:11
i Ne 2:10
j Ne 2:19
k Esd 4:15
l Lu 23:2
m Pr 26:24; Hch 23:15
n Hch 24:13; Hch 25:7
o Job 13:4; Sl 36:3; Sl 38:12; Sl 52:2; Mt 12:34; Jn 8:44
p 2Cr 15:7; Esd 4:4; Isa 35:3; Jer 38:4
q 1Sa 30:6; Sl 56:3; Sl 68:35; Sl 138:3; Isa 41:10
r Eze 3:24
s Am 3:3
t 1Re 6:5; 2Re 11:3

2.ª col.
a Jn 3:20
b Pr 28:1
c Nú 1:51; Nú 18:7; 2Cr 26:19
d Dt 18:20; Jer 14:14
e Sl 12:2; Sl 120:2
f Ne 2:10
g Pr 11:9; Eze 13:19
h Miq 3:11
i Isa 51:12; Eze 2:6
j Snt 4:17
k Pr 22:1; Ec 7:1
l Sl 36:11; Mt 22:15
m Ne 4:4
n Ne 4:3
o Eze 13:17
p Ne 4:1
q Ne 2:10; Ne 4:7
r Sl 129:5
s Ne 5:7
t Ne 2:10
u Esd 2:5; Ne 7:10
v Ne 3:4

acerca de él delante de mí.[a] Y
mis propias palabras de continuo se las llevaban a él. Hubo
cartas que Tobías me envió para
infundirme miedo.[b]

7 Y aconteció que, tan pronto
como el muro hubo sido reedificado,[c] en seguida coloqué las
puertas.[d] Entonces fueron nombrados los porteros[e] y los cantores[f] y los levitas.[g] 2 Y pasé a
poner al mando de Jerusalén a
Hananí[h] mi hermano y a Hananías el príncipe del Castillo,[i]
porque era un hombre muy fidedigno[j] y temía[k] al Dios [verda-
dero] más que muchos otros.
3 De manera que les dije: “Las
puertas[l] de Jerusalén no deben
abrirse hasta que el sol caliente;
y mientras ellos estén allí de
pie deben cerrar las puertas y
atrancar[las].[m] Y aposten guardas de los habitantes de Jerusalén, cada uno en su propio
puesto de guardia y cada uno
enfrente de su propia casa”.[n]
4 Ahora bien, la ciudad era ancha y grande, y había pocas personas dentro de ella,[o] y no había
casas edificadas.

5 Pero mi Dios puso en mi corazón[p] que debería juntar a los
nobles y a los gobernantes diputados y al pueblo para que se
registraran genealógicamente.[q]
Entonces hallé el libro del registro genealógico[r] de los que subieron al principio, y hallé escrito en él:

6 Estos son los hijos del
distrito jurisdiccional[s] que
subieron del cautiverio[t] del pueblo desterrado a quienes Nabucodonosor[u] el rey de Babilonia
había llevado al destierro[v] y que
más tarde volvieron a Jerusalén
y a Judá, cada uno a su propia ciudad;[w] 7 los que vinieron con Zorobabel:[x] Jesúa,[y]
Nehemías, Azarías, Raamías,
Nahamaní, Mardoqueo,[z] Bilsán,
Mispéret, Bigvai, Nehúm, Baanah.

El número de los hombres del
pueblo de Israel: 8 Los hijos
de Parós,[a] dos mil ciento setenta
y dos; 9 los hijos de Sefatías,[b]
trescientos setenta y dos;
10 los hijos de Arah,[c] seiscientos cincuenta y dos; 11 los hijos de Pahat-moab,[d] de los hijos
de Jesúa y Joab,[e] dos mil ochocientos dieciocho; 12 los hijos
de Elam,[f] mil doscientos cincuenta y cuatro; 13 los hijos
de Zatú,[g] ochocientos cuarenta
y cinco; 14 los hijos de Zacai,[h]
setecientos sesenta; 15 los hijos de Binuí,[i] seiscientos cuarenta y ocho; 16 los hijos de
Bebai,[j] seiscientos veintiocho;
17 los hijos de Azgad,[k] dos mil
trescientos veintidós; 18 los
hijos de Adoniqam,[l] seiscientos
sesenta y siete; 19 los hijos de
Bigvai,[m] dos mil sesenta y siete;
20 los hijos de Adín,[n] seiscientos cincuenta y cinco; 21 los
hijos de Ater,[o] de Ezequías, noventa y ocho; 22 los hijos
de Hasum,[p] trescientos veintiocho; 23 los hijos de Be-
zai,[q] trescientos veinticuatro;
24 los hijos de Harif,[r] ciento
doce; 25 los hijos de Gabaón,[s]
noventa y cinco; 26 los hombres de Belén[t] y Netofá,[u] ciento
ochenta y ocho; 27 los hombres de Anatot,[v] ciento veintiocho; 28 los hombres de Bet-
azmávet,[w] cuarenta y dos;
29 los hombres de Quiryat-
jearim,[x] Kefirá[y] y Beerot,[z] setecientos cuarenta y tres; 30 los
hombres de Ramá[a] y Gueba,[b]
seiscientos veintiuno; 31 los
hombres de Micmás,[c] ciento
veintidós; 32 los hombres de
Betel[d] y Hai,[e] ciento veintitrés;
33 los hombres de la otra Nebo,[f]
cincuenta y dos; 34 los hijos
del otro Elam,[g] mil doscientos

CAP. 6

a Pr 28:4; Jn 15:19; 1Jn 4:5
b Ne 6:9; Ne 6:13

CAP. 7

c Ne 2:17; Ne 6:15; Da 9:25
d Ne 3:1; Ne 3:6; Ne 3:13
e 1Cr 26:1; 1Cr 26:12; Esd 2:42
f 1Cr 9:33; Esd 2:41
g 1Cr 23:28; Esd 3:8
h Ne 1:2
i 2Cr 17:12; 2Cr 26:9; Ne 2:8; Hch 23:10
j Sl 101:6; Pr 28:20; Hch 6:3; 1Co 4:2
k Éx 18:21; 2Sa 23:3; Ne 5:15; Pr 8:13; Isa 33:6
l Ne 2:13; Ne 12:39
m Ne 13:19
n Sl 127:1
o Ne 11:1
p Esd 7:27
q 1Cr 9:1; Esd 2:62
r 1Cr 4:33; 1Cr 5:1
s Esd 5:8; Est 9:30
t Ne 1:3
u 2Re 25:1; Da 3:1
v 2Re 24:14; 2Cr 36:20; Jer 39:9; Jer 52:15; Jer 52:28
w Esd 2:1
x Esd 1:11; Esd 2:2; Zac 4:7; Mt 1:12
y Esd 3:8; Esd 5:2; Ag 1:14; Zac 3:1
z Esd 2:2

2.ª col.

a Esd 2:3; Ne 10:14
b Esd 2:4
c Esd 2:5; Ne 6:18
d Esd 2:6; Esd 10:30
e Esd 8:9
f Esd 2:7; Esd 10:26
g Esd 2:8
h Esd 2:9
i Esd 2:10; Esd 10:34
j Esd 2:11

k Esd 2:12; l Esd 2:13; m Esd 2:14; n Esd 2:15; o Esd 2:16; p Esd 2:19; Ne 10:18; q Esd 2:17; r Esd 2:18; s Jos 11:19; 2Sa 21:2; Esd 2:20; Ne 3:7; t Gé 35:19; 1Cr 2:51; Mt 2:6; u 1Cr 2:54; Esd 2:22; Jer 40:8; v Jos 21:18; Esd 2:23; Jer 1:1; w Esd 2:24; x Jos 9:17; 1Sa 7:2; y Jos 18:26; Esd 2:25; z Jos 18:25; a Esd 2:26; b Jos 18:24; Zac 14:10; c 1Sa 13:5; Esd 2:27; d 1Re 12:32; Esd 2:28; e Jos 7:2; f Esd 2:29; g Esd 2:31.

cincuenta y cuatro; 35 los hijos de Harim,[a] trescientos veinte; 36 los hijos de Jericó,[b] trescientos cuarenta y cinco; 37 los hijos de Lod,[c] Hadid[d] y Onó,[e] setecientos veintiuno; 38 los hijos de Senaá,[f] tres mil novecientos treinta.

39 Los sacerdotes: Los hijos de Jedayá[g] de la casa de Jesúa, novecientos setenta y tres; 40 los hijos de Imer,[h] mil cincuenta y dos; 41 los hijos de Pasjur,[i] mil doscientos cuarenta y siete; 42 los hijos de Harim,[j] mil diecisiete.

43 Los levitas: Los hijos de Jesúa, de Qadmiel,[k] de los hijos de Hodevá,[l] setenta y cuatro. 44 Los cantores,[m] los hijos de Asaf,[n] ciento cuarenta y ocho. 45 Los porteros,[o] los hijos de Salum,[p] los hijos de Ater, los hijos de Talmón,[q] los hijos de Aqub,[r] los hijos de Hatitá, los hijos de Sobai,[s] ciento treinta y ocho.

46 Los netineos:[t] Los hijos de Zihá, los hijos de Hasufá, los hijos de Tabaot,[u] 47 los hijos de Querós, los hijos de Siá, los hijos de Padón,[v] 48 los hijos de Lebaná, los hijos de Hagabá,[w] los hijos de Salmai, 49 los hijos de Hanán,[x] los hijos de Guidel, los hijos de Gahar, 50 los hijos de Reayá,[y] los hijos de Rezín,[z] los hijos de Neqodá, 51 los hijos de Gazam, los hijos de Uzá, los hijos de Paséah, 52 los hijos de Besai,[a] los hijos de Meunim, los hijos de Nefusesim,[b] 53 los hijos de Baqbuq, los hijos de Haqufá, los hijos de Harhur,[c] 54 los hijos de Bazlit, los hijos de Mehidá, los hijos de Harsá,[d] 55 los hijos de Barqos, los hijos de Sísara, los hijos de Témah,[e] 56 los hijos de Nezías, los hijos de Hatifá.[f]

57 Los hijos de los siervos de Salomón:[g] Los hijos de Sotai, los hijos de Soféret, los hijos de Peridá,[h] 58 los hijos de Jaalá, los hijos de Darqón, los hijos de Guidel,[i] 59 los hijos de Sefa-

tías, los hijos de Hatil, los hijos de Pokéret-hazebaim, los hijos de Amón.[a] 60 Todos los netineos[b] y los hijos de los siervos de Salomón fueron trescientos noventa y dos.

61 Y estos fueron los que subieron de Tel-mélah, Tel-harsá, Kerub, Adón e Imer,[c] y no pudieron indicar la casa de sus padres ni su origen, si eran de Israel: 62 los hijos de Delayá, los hijos de Tobías, los hijos de Neqodá,[d] seiscientos cuarenta y dos. 63 Y de los sacerdotes:[e] los hijos de Habaya, los hijos de Haqoz,[f] los hijos de Barzilai,[g] quien tomó esposa de las hijas de Barzilai[h] el galaadita y llegó a ser llamado por el nombre de ellas. 64 Estos fueron los que buscaron su registro, para establecer su genealogía públicamente, y no se halló,[i] de manera que fueron excluidos del sacerdocio como contaminados.[j] 65 Por consiguiente, el Tirsatá[l] les dijo que no comieran[l] de las cosas santísimas hasta que el sacerdote con Urim[m] y Tumim[n] se pusiera de pie.

66 La congregación entera, como un solo grupo, era de cuarenta y dos mil trescientos sesenta,[o] 67 aparte de sus esclavos[p] y sus esclavas, los cuales eran siete mil trescientos treinta y siete;[q] y tenían doscientos cuarenta y cinco cantores[r] y cantoras.[s] [68 Sus caballos eran setecientos treinta y seis, sus mulos doscientos cuarenta y cinco.][t] 69 Los camellos eran cuatrocientos treinta y cinco. Los asnos[u] eran seis mil setecientos veinte.[v]

70 Y hubo una parte de los cabezas[w] de las casas paternas[x] que dieron para la obra.[El] Tirsatá[z] mismo dio al tesoro mil dracmas de oro, cincuenta tazones, quinientos treinta trajes

CAP. 7
a Esd 2:32
b Esd 2:34
c Ne 11:35
d Esd 2:33
e Ne 6:2
f Esd 2:35
g Esd 2:36
h Esd 2:37
i Esd 10:22
j 1Cr 24:8
  Esd 2:39
k Esd 3:9
l Esd 2:40
m 1Cr 25:7
n Esd 2:41
  n 1Cr 6:39
o Ne 7:1
p Jer 35:4
q 1Cr 9:17
  Ne 11:19
r Ne 12:25
s Esd 2:42
t Jos 9:27
  1Cr 9:2
  Esd 2:58
u Esd 2:43
v Esd 2:44
w Esd 2:45
x Esd 2:46
y Esd 2:47
z Esd 2:48
a Esd 2:49
b Esd 2:50
c Esd 2:51
d Esd 2:52
e Esd 2:53
f Esd 2:54
g 1Re 9:21
  Ne 11:3
h Esd 2:55
i Esd 2:56

2.ª col.
a Esd 2:57
b Jos 9:23
  Esd 2:58
  Ne 3:26
  Ne 7:46
c Esd 2:59
d Esd 2:60
e 1Cr 24:1
f 1Cr 24:10
  Ne 3:21
g Esd 2:61
h 2Sa 17:27
  2Sa 19:31
  2Sa 19:39
  1Re 2:7
i Esd 2:62
j Nú 18:7
k Esd 2:63
  Ne 8:9
  Ne 10:1
l Le 2:3
m Éx 28:30
  1Sa 28:6
n Le 8:8
  Dt 33:8
o Esd 2:64
p Esd 2:1
  Le 25:44
q Esd 2:65
r Ne 7:1
s Éx 15:21
  1Sa 18:6
  2Sa 19:35
t Esd 2:66
u 1Sa 8:16
  2Sa 16:2

v Esd 2:67; w Nú 7:2; Esd 1:5; x Nú 17:2; 1Cr 23:11; y Esd 2:68; z Esd 2:63; Ne 7:65.

talares de sacerdote.[a] **71** Y hubo algunos de los cabezas de las casas paternas que dieron al tesoro para la obra veinte mil dracmas de oro y dos mil doscientas minas de plata.[b] **72** Y lo que los demás del pueblo dieron fue veinte mil dracmas de oro y dos mil minas de plata y sesenta y siete trajes talares de sacerdote.

73 Y los sacerdotes[c] y los levitas y los porteros y los cantores[d] y algunos del pueblo y los netineos[e] y todo Israel se pusieron a morar en sus ciudades.[f] Cuando el séptimo mes llegó,[g] los hijos de Israel estaban entonces en sus ciudades.[h]

8 Y todo el pueblo procedió a reunirse como un solo hombre[i] en la plaza pública[j] que estaba delante de la Puerta del Agua.[k] Entonces dijeron a Esdras[l] el copista que trajera el libro[m] de la ley de Moisés,[n] que Jehová había ordenado a Israel.[o] **2** En conformidad, Esdras el sacerdote[p] trajo la ley delante de la congregación[q] de hombres así como de mujeres y de todos los de suficiente inteligencia como para escuchar,[r] el primer día del séptimo mes.[s] **3** Y continuó leyendo[t] de ella en voz alta delante de la plaza pública que está delante de la Puerta del Agua, desde el amanecer[u] hasta el mediodía, enfrente de los hombres y de las mujeres y de los demás inteligentes; y los oídos[v] de todo el pueblo estaban [atentos][w] al libro de la ley.

4 Y Esdras el copista siguió de pie sobre una tribuna[x] de madera, que habían hecho para la ocasión; y estaban de pie al lado de él Matitías y Sema y Anaya y Urías e Hilquías y Maaseya, a su mano derecha; y, a su izquierda, Pedaya y Misael y Malkiya[y] y Hasum[z] y Has-badaná, Zacarías [y] Mesulam.

5 Y Esdras procedió a abrir[a] el libro ante los ojos de todo el

pueblo, porque sucedía que él estaba por encima de todo el pueblo; y cuando lo abrió, todo el pueblo se puso de pie.[a] **6** Entonces Esdras bendijo a Jehová[b] el Dios [verdadero], el Grande, a lo que todo el pueblo contestó: "¡Amén! ¡Amén!",[c] con el alzamiento de las manos.[d] Entonces se inclinaron[e] y se postraron ante Jehová, rostros a tierra.[f] **7** Y Jesúa y Baní y Serebías,[g] Jamín, Aqub, Sabetai, Hodías, Maaseya, Quelitá, Azarías, Jozabad,[h] Hanán, Pelayá,[i] aun los levitas, estaban explicando la ley al pueblo,[j] mientras el pueblo estaba en postura enhiesta.[k] **8** Y continuaron leyendo[l] en voz alta del libro, de la ley del Dios [verdadero], la cual se exponía, y había el poner[le] significado; y continuaron dando entendimiento en la lectura.[m]

9 Y Nehemías,[n] es decir, el Tirsatá,[o] y Esdras[p] el sacerdote, el copista, y los levitas que instruían a la gente procedieron a decir a todo el pueblo: "Este mismísimo día es santo a Jehová su Dios.[q] No se den al duelo ni lloren".[r] Porque todo el pueblo estaba llorando mientras oía las palabras de la ley.[s] **10** Y pasó a decirles: "Vayan, coman las cosas grasas y beban las cosas dulces, y envíen porciones[t] a aquel para quien nada ha sido preparado; porque este día es santo a nuestro Señor, y no se sientan heridos, porque el gozo de Jehová es su plaza fuerte". **11** Y los levitas estaban ordenando a todo el pueblo que callara, diciendo: "¡Guarden silencio!, porque este día es santo; y no se sientan heridos". **12** De modo que todo el pueblo se fue a comer y beber y a enviar porciones[u] y a tener un gran regocijo,[v] porque habían entendido

---

CAP. 7
a Le 6:10
  Isa 22:21
b Esd 2:69
c 2Cr 35:14
d Ne 7:1
e Ne 7:46
f Ne 11:20
g Le 23:24
  1Re 8:2
  Esd 3:1
h Esd 2:70

CAP. 8
i Hch 2:46
j Jer 5:1
k Ne 3:26
  Ne 12:37
l Esd 7:6
m 2Cr 34:15
n Dt 31:9
  Jos 1:8
  1Re 2:3
o Le 27:34
  Nú 36:13
  Dt 28:1
p Dt 17:18
  Mal 2:7
q Dt 31:12
  2Cr 17:9
r Ne 10:28
  Isa 28:9
s Le 23:24
  Nú 29:1
  1Re 8:2
t Lu 4:16
  Hch 13:15
  Hch 15:21
u Dt 31:10
  Hch 28:23
v Dt 5:1
w Lu 8:18
  Hch 16:14
  Hch 17:11
  Heb 2:1
x 2Cr 6:13
y Ne 12:42
z Ne 10:18
a Lu 4:17

2.ª col.
a 1Re 8:14
b Sl 72:18
  Ef 1:3
  Rev 4:11
c Dt 27:26
  1Co 14:16
d 1Re 8:22
e 1Cr 29:20
  2Cr 20:18
  Sl 95:6
f Le 9:24
  Mt 26:39
  Rev 7:11
g Ne 9:4
h Esd 8:33
  Ne 11:16
i Ne 10:11
  Jle 10:11
  Dt 33:10
k 1Re 8:14
  1Ti 4:13
m Hab 2:2
  Lu 24:27
  Hch 8:31
n Ne 1:1
o Ne 7:65
p Esd 7:11
q Le 23:24
  Nú 29:1
r Dt 16:14
  Dt 16:15

---

s 2Re 22:11; t Est 9:19; u 1Sa 1:4; Lu 11:41; Hch 2:42; v Sl 126:2; Sl 126:3.

las palabras que se les habían dado a conocer.[a]

13 Y al segundo día los cabezas de los padres de todo el pueblo, los sacerdotes y los levitas, se reunieron [en torno] a Esdras el copista, aun para adquirir perspicacia en las palabras de la ley.[b] 14 Entonces hallaron escrito en la ley que Jehová había mandado por medio de Moisés[c] que los hijos de Israel deberían morar en cabañas[d] durante la fiesta del séptimo mes,[e] 15 y que deberían hacer una proclamación[f] y hacer pasar un pregón por todas sus ciudades y por toda Jerusalén,[g] y decir: "Salgan a la región montañosa[h] y traigan hojas de olivo[i] y las hojas de árboles oleíferos y hojas de mirto y hojas de palma y las hojas de árboles ramosos para hacer cabañas, conforme a lo que está escrito".

16 Y el pueblo procedió a salir y a traer[las] y a hacerse cabañas, cada uno sobre su propio techo[j] y en sus patios y en los patios[k] de la casa del Dios [verdadero] y en la plaza pública[l] de la Puerta del Agua[m] y en la plaza pública de la Puerta de Efraín.[n] 17 Así toda la congregación de los que habían vuelto del cautiverio hizo cabañas y se puso a morar en ellas; pues los hijos de Israel no habían hecho así desde los días de Josué hijo de Nun[o] hasta aquel día, de modo que llegó a haber regocijo muy grande.[p] 18 Y hubo lectura en voz alta del libro de la ley del Dios [verdadero] día a día,[q] desde el primer día hasta el último día; y siguieron celebrando la fiesta siete días, y al octavo día hubo una asamblea solemne, conforme a la regla.[r]

9 Y el día veinticuatro de este mes[s] los hijos de Israel se reunieron con ayuno,[t] y con saco[u] y tierra[v] sobre sí. 2 Y la descendencia de Israel procedió a separarse[w] de todos los extranjeros,[a] y a estar de pie y hacer confesión[b] de sus propios pecados[c] y de los errores de sus padres.[d] 3 Entonces se levantaron en su lugar[e] y leyeron en voz alta del libro de la ley[f] de Jehová su Dios una cuarta parte del día;[g] y otra cuarta parte estuvieron haciendo confesión[h] e inclinándose ante Jehová su Dios.[i]

4 Y Jesúa y Baní, Qadmiel, Sebanías,[j] Buní, Serebías, Baní [y] Kenaní procedieron a levantarse en la plataforma[k] de los levitas y a clamar en voz alta[a] a Jehová su Dios. 5 Y los levitas Jesúa y Qadmiel, Baní, Hasabneya, Serebías, Hodías, Sebanías [y] Petahías pasaron a decir: "Levántense, bendigan[m] a Jehová su Dios desde tiempo indefinido hasta tiempo indefinido.[n] Y que bendigan tu glorioso nombre,[o] que es ensalzado sobre toda bendición y alabanza.

6 "Tú eres Jehová, tú solo;[p] tú mismo has hecho los cielos,[q] [aun] el cielo de los cielos, y todo su ejército,[r] la tierra[s] y todo lo que hay sobre ella,[t] los mares[u] y todo lo que hay en ellos;[v] y tú sigues conservando vivos a todos ellos; y el ejército[w] de los cielos se está inclinando ante ti. 7 Tú eres Jehová el Dios [verdadero], que escogiste a Abrán[x] y lo sacaste de Ur de los caldeos[y] y constituiste su nombre en Abrahán.[z] 8 Y hallaste fiel su corazón ante ti;[a] de modo que hubo un contratar el pacto[b] con él para dar[le] la tierra de los cananeos, los hititas, los amorreos y los perizitas y los jebuseos y los guirgaseos, para dar[la] a su descendencia;[c] y procediste a realizar tus palabras, porque eres justo.[d]

9 "Así que viste[e] la aflicción de nuestros antepasados en Egipto, y oíste[f] su clamor junto al mar Rojo. 10 Entonces diste seña-

CAP. 8

a Ne 8:8
  Sl 119:130
  Pr 2:10
  Lu 24:32
b Sl 119:99
  Col 1:9
  Col 1:10
c Hch 15:21
  Hch 28:23
d Le 23:42
  Dt 16:13
  Zac 14:16
  Jn 7:2
e Le 23:34
  Dt 16:16
f Le 23:4
g Isa 33:20
h 2Cr 27:4
i Dt 8:8
j Dt 22:8
  Hch 10:9
k 1Re 6:36
  1Re 7:12
  2Cr 4:9
  2Cr 20:5
l Ne 8:1
m Ne 3:26
  Ne 3:3
n 2Re 14:13
  Mt 12:39
o Jos 1:1
p Dt 16:14
  Dt 31:12
r Le 23:36
  Nú 29:35
  Jn 7:37

CAP. 9

s 1Re 8:2
t Esd 8:21
u Est 4:3
  Jon 3:5
v Jos 7:6
  2Sa 1:2
  Job 2:12
w Esd 9:2
  Ne 13:3

2.ª col.

a Isa 2:2
b Le 26:40
  Esd 9:6
c Sl 106:6
  Pr 28:13
d Jer 3:13
  Da 9:8
e Ne 8:4
f Ne 8:8
g Ne 8:3
h Da 9:20
i Ne 8:6
j Ne 8:7
k Ne 8:4
  1Cr 20:19
  Sl 77:1
m 1Cr 29:20
  Sl 103:1
n Jer 33:11
  Ef 3:21
o Sl 72:19
  Sl 145:1
p Dt 6:4
  2Re 19:19
  Isa 37:16
q Gé 1:1
  Sl 146:6
  Rev 14:7
r Gé 2:1
  Sl 148:2
  Mt 26:53

s Gé 2:4; t Isa 45:18; u Gé 1:10; v Gé 1:20; w 1Re 22:19; Sl 103:21; x Gé 12:1; y Gé 11:31; z Gé 17:5; a Gé 22:12; b Gé 22:18; c Gé 15:18; d Dt 32:4; e Éx 2:25; Éx 3:7; Hch 7:34; f Sl 65:2.

les y milagros contra Faraón y contra todos sus siervos y toda la gente de su tierra,[a] porque sabías que habían actuado presuntuosamente[b] contra ellos; y procediste a hacer para ti un nombre,[c] como en este día. 11 Y partiste el mar[d] delante de ellos, de modo que cruzaron por en medio del mar en la tierra seca;[e] y a sus perseguidores los arrojaste en las profundidades[f] como una piedra[g] en las aguas fuertes.[h] 12 Y por una columna de nube los condujiste de día,[i] y por una columna de fuego de noche,[j] para alumbrarles[k] el camino en que habían de ir. 13 Y sobre el monte Sinaí bajaste,[l] y hablaste con ellos desde el cielo,[m] y pasaste a darles decisiones judiciales[n] rectas y leyes de verdad,[o] disposiciones reglamentarias[p] y mandamientos[p] buenos. 14 Y tu santo sábado[r] les diste a conocer, y mandamientos y disposiciones reglamentarias y una ley les ordenaste por medio de Moisés tu siervo.[s] 15 Y les diste pan del cielo para su hambre,[t] y les hiciste salir aguas del peñasco para su sed,[u] y pasaste a decirles que entraran[v] a poseer la tierra [acerca de] la cual habías alzado la mano [en juramento] para dársela.[w]

16 ”Y ellos mismos, aun nuestros antepasados, actuaron presuntuosamente[x] y procedieron a endurecer su cerviz,[y] y no escucharon tus mandamientos. 17 De manera que rehusaron escuchar,[z] y no se acordaron[a] de tus maravillosos actos que ejecutaste con ellos, sino que endurecieron su cerviz[b] y nombraron un cabeza[c] para volver a su servidumbre en Egipto. Pero tú eres un Dios de actos de perdón,[d] benévolo[e] y misericordioso,[f] tardo para la cólera[g] y abundante[h] en bondad amorosa, y no los dejaste.[i] 18 Sí, cuando ellos se habían hecho una estatua fundida de un becerro[j] y empezaron a decir: 'Este es tu Dios que te hizo

subir de Egipto',[a] y pasaron a cometer grandes actos de falta de respeto, 19 tú, sí, tú, en tu abundante misericordia no los dejaste[b] en el desierto. La columna de nube misma no se apartó de sobre ellos de día para guiarlos en el camino,[c] ni la columna de fuego de noche para alumbrarles el camino en que habían de ir.[d] 20 Y les diste tu buen espíritu[e] para hacerlos prudentes, y tu maná no detuviste de su boca,[f] y agua les diste, para su sed.[g] 21 Y por cuarenta[h] años les proveíste alimento en el desierto. No les faltó nada.[i] Sus mismísimas prendas de vestir no se gastaron,[j] y sus pies mismos no se hincharon.[k]

22 ”Y tú procediste a darles reinos[l] y pueblos, y a repartir estos pedazo a pedazo;[m] de modo que tomaron posesión de la tierra de Sehón,[n] aun de la tierra del rey de Hesbón,[o] y de la tierra de Og[p] el rey de Basán.[q] 23 E hiciste que sus hijos fueran tantos como las estrellas de los cielos.[r] Entonces los introdujiste en la tierra[s] de la cual habías prometido a sus antepasados[t] que entrarían a tomar posesión. 24 De modo que sus hijos[u] entraron y tomaron en posesión la tierra,[v] y tú procediste a sojuzgar[w] delante de ellos a los habitantes de la tierra, los cananeos,[x] y a darlos en su mano, aun sus reyes[y] y los pueblos de la tierra,[z] para que hicieran con ellos conforme a su gusto.[a] 25 Y se pusieron a tomar ciudades fortificadas[b] y un suelo pingüe,[c] y a tomar en posesión casas llenas de toda cosa buena,[d] cisternas labradas,[e] viñas y olivares[f] y ár-

CAP. 9

a Éx 7:3
Dt 6:22
Sl 105:27
Hch 7:36
b Éx 5:2
Éx 10:3
Éx 18:11
Éx 9:16
Ro 9:17
c Éx 14:21
Éx 14:22
66:6
f Éx 15:1
Sl 106:11
Heb 11:29
g Éx 15:5
h Éx 15:10
Éx 13:21
Nú 14:14
j Sl 78:14
Sl 105:39
k Éx 14:20
l Éx 19:11
Dt 33:2
m Dt 4:36
Dt 4:10
n Dt 4:1
o Éx 34:6
Sl 19:9
p Dt 4:8
Dt 12:1
q Dt 6:1
r Éx 16:29
Dt 20:10
Dt 5:12
s Le 27:34
t Éx 16:4
u Éx 17:6
Sl 78:20
v Jos 4:10
w Éx 22:16
Heb 6:18
x Nú 14:44
y Dt 9:6
Hch 7:39
Hch 7:51
z Nú 14:11
Nú 14:41
a Sl 78:11
b Dt 31:27
c Nú 14:4
d Nú 14:18
Sl 86:5
Da 9:9
e Éx 22:27
Sl 103:8
f Dt 4:31
Sl 78:38
g Sl 145:8
Joe 2:13
h Éx 34:6
i 1Re 6:13
Sl 106:45
j Éx 32:1
Sl 9:12

2.ª col.

a Éx 32:4
Sl 106:19
b Nú 14:20
1Sa 12:22
c Éx 40:38
d Nú 9:15
Nú 14:14
e Nú 11:17
Nú 11:25
f Éx 16:15
Nú 11:7
Jos 5:12
g Nú 20:8
Dt 8:15
Sl 105:41

h Éx 16:35; Nú 14:33; Dt 2:7; i Sl 34:10; j Dt 29:5; k Dt 8:4; l Jos 12:1; Sl 105:44; m Jos 11:23; n Nú 21:24; o Nú 21:26; p Nú 21:33; q Dt 3:13; Sl 136:20; r Gé 15:5; Gé 22:17; 1Cr 27:23; s Jos 3:17; t Gé 12:7; Gé 15:18; Gé 17:8; Gé 26:3; Dt 9:5; u Nú 14:31; v Jos 21:43; w Jos 18:1; 1Cr 22:18; x Gé 10:19; y Jos 12:7; z Sl 44:2; a Jos 11:17; Jos 11:20; 2Sa 8:2; b Dt 3:5; Dt 6:10; Dt 9:1; c Dt 8:7; Eze 20:6; d Dt 19:1; e Dt 6:11; f Jos 24:13.

boles para alimento en abundancia, y empezaron a comer y a satisfacerse[a] y a engordar[b] y a vivir con regalo en tu gran bondad.[c]

26 "No obstante, se hicieron desobedientes[d] y se rebelaron contra ti[e] y siguieron echando tu ley a tus espaldas,[f] y a tus propios profetas mataron,[g] a los que testificaron contra ellos para traerlos de vuelta a ti;[h] y siguieron cometiendo actos de gran falta de respeto.[i] 27 Debido a esto, los diste en la mano de sus adversarios,[j] que siguieron causándoles angustia;[k] pero en el tiempo de su angustia ellos clamaban a ti,[l] y tú mismo oías desde los mismos cielos;[m] y en conformidad con tu abundante misericordia[n] les dabas salvadores[o] que los salvaban de la mano de sus adversarios.[p]

28 "Pero en cuanto tenían descanso, volvían a hacer lo que es malo delante de ti,[q] y tú los dejabas a la mano de sus enemigos, quienes los pisoteaban.[r] Entonces se volvían y clamaban a ti por socorro,[s] y tú mismo oías desde los mismos cielos[t] y los librabas conforme a tu abundante misericordia, vez tras vez.[u] 29 Aunque dabas testimonio[v] contra ellos para traerlos de vuelta a tu ley,[w] ellos mismos hasta actuaban presuntuosamente[x] y no escuchaban tus mandamientos; y pecaron[y] contra tus propias decisiones judiciales,[z] las cuales, si un hombre [las] pone por obra, entonces tendrá que vivir mediante ellas.[a] Y siguieron dando un hombro terco,[b] y endurecieron su cerviz,[c] y no escucharon.[d] 30 Pero tú fuiste indulgente con ellos por muchos años[e] y seguiste testificando[f] contra ellos por tu espíritu, mediante tus profetas, y ellos no prestaron oído.[g] Finalmente los diste en la mano de los pueblos de las tierras.[h] 31 Y en tu abundante misericordia no hiciste un exterminio de ellos[i] ni

los dejaste;[a] porque eres un Dios benévolo[b] y misericordioso.[c]

32 "Y ahora, oh Dios nuestro, el Dios grande,[d] poderoso[e] e inspirador de temor,[f] que guardas el pacto[g] y bondad amorosa,[h] no dejes que toda la penalidad que nos ha hallado a nosotros,[i] a nuestros reyes,[j] a nuestros príncipes[k] y a nuestros sacerdotes[l] y a nuestros profetas[m] y a nuestros antepasados[n] y a todo tu pueblo, desde los días de los reyes de Asiria hasta este día,[o] parezca pequeña delante de ti.[p] 33 Y tú eres justo[q] en cuanto a todo lo que nos ha sobrevenido, porque fielmente[r] es como has actuado, pero nosotros somos los que hemos obrado inicuamente.[s] 34 En cuanto a nuestros reyes, nuestros príncipes, nuestros sacerdotes y nuestros antepasados,[t] ellos no han ejecutado tu ley,[u] ni prestado atención a tus mandamientos[v] ni a tus testimonios con los cuales testificaste[w] contra ellos. 35 Y ellos mismos... durante su reinado[x] y en medio de tus abundantes cosas buenas[y] que les diste, y en la tierra anchurosa y pingüe[z] que pusiste a su disposición, no te sirvieron[a] ni se volvieron de sus malas prácticas.[b] 36 ¡Mira! Nosotros hoy somos esclavos;[c] y en cuanto a la tierra que diste a nuestros antepasados para que comieran su fruto y sus cosas buenas, ¡mira!, somos esclavos sobre ella,[d] 37 y su producto abunda[e] para los reyes[f] que has puesto sobre nosotros debido a nuestros pecados,[g] y sobre nuestros cuerpos gobiernan, y sobre nuestros animales domésticos, conforme a su gusto, y nos hallamos en gran angustia.[h]

CAP. 9
a Le 25:19
Dt 11:15
Os 13:6
b Dt 31:20
Dt 32:15
Sl 36:8
c Isa 63:7
d Jue 2:12
e Sl 78:56
f 1Re 14:9
Sl 50:17
g 1Re 18:4
Mt 23:37
h 2Cr 36:15
i 2Re 21:11
Sl 106:38
j Jue 2:14
2Cr 36:17
Sl 106:41
k Dt 31:17
l Dt 4:29
Sl 78:34
m 2Cr 6:25
n Éx 34:6
o Jue 2:18
Jue 3:9
Jue 3:15
2Re 13:5
p Isa 12:11
1Cr 14:27
q Jue 2:19
r Jue 4:2
Jue 6:1
s Jue 6:7
Sl 106:44
t 1Re 8:34
1Re 8:39
u Sl 106:43
v Dt 4:26
Dt 31:21
Dt 31:26
x Nú 14:44
y Jue 10:15
z Dt 12:1
a Le 18:5
Ro 10:5
b Jer 7:11
c Jer 7:26
d Jer 17:23
e Ro 10:21
f 2Re 17:13
g 2Cr 36:16
Jer 25:4
h Sl 106:41
Isa 42:24
Jer 40:3
i Jer 5:18
Eze 14:22

2.ª col.
a Dt 4:31
1Re 6:13
b Éx 34:6
2Re 13:23
Sl 86:15
c 2Cr 30:9
Sl 103:8
d Dt 7:21
Sl 47:2
e Gé 35:11
Rev 18:8
f Dt 10:17
g Dt 7:9
Ne 8:23
h Da 9:4
Miq 7:18
i Jer 2:26
j Jer 32:32

k 2Re 24:14; 1Cr 36:14; Jer 34:19; Lam 4:13; n 2Re 22:13; Lam 5:7; o 2Re 17:6; p Sl 22:24; q Sl 119:137; Jer 35:17; r Dt 7:9; 2Sa 22:26; s Da 9:5; t Sl 106:6; u 2Cr 34:21; v Jer 29:19; w 2Re 17:13; x 2Sa 7:13; y Dt 28:47; z Dt 8:10; a Dt 32:15; b Jer 8:5; c Dt 28:48; d 2Cr 12:8; Esd 9:9; Jer 5:19; e Dt 28:33; f Esd 4:13; Ne 5:4; g Ne 1:6; h 2Cr 15:4.

38 "Así que, en vista de todo esto, estamos contratando un arreglo fidedigno,[a] tanto por escrito como autenticado por el sello[b] de nuestros príncipes, nuestros levitas [y] nuestros sacerdotes".[c]

10 Ahora bien, autenticándolo por sello[d] estuvieron: Nehemías[e] el Tirsatá,[f] hijo de Hacalías,[g]

y Sedequías, 2 Seraya,[h] Azarías, Jeremías, 3 Pasjur, Amarías, Malkíya, 4 Hatús, Sebanías, Maluc, 5 Harim,[i] Meremot, Abdías, 6 Daniel,[j] Guinetón, Baruc, 7 Mesulam, Abías, Mijamín, 8 Maazías, Bilgai [y] Semaya, los cuales eran los sacerdotes.

9 También los levitas: Jesúa[k] hijo de Azanías, Binuí de los hijos de Henadad,[l] Qadmiel 10 y sus hermanos Sebanías,[m] Hodías, Quelitá, Pelayá, Hanán, 11 Micá, Rehob, Hasabías, 12 Zacur, Serebías,[n] Sebanías, 13 Hodías, Baní [y] Beninú.

14 Los cabezas del pueblo: Parós, Pahat-moab,[o] Elam, Zatú, Baní, 15 Buní, Azgad, Bebai, 16 Adonías, Bigvai, Adín, 17 Ater, Ezequías, Azur, 18 Hodías, Hasum, Bezai, 19 Harif, Anatot, Nebai, 20 Magpías, Mesulam, Hezir, 21 Mesezabel, Sadoc, Jadúa, 22 Pelatías, Hanán, Anaya, 23 Hosea, Hananías, Hasub, 24 Halohés, Pilhá, Sobeq, 25 Rehúm, Hasabná, Maaseya, 26 y Ahíya, Hanán, Anán, 27 Maluc, Harim, Baanah.

28 En cuanto a los demás del pueblo, los sacerdotes,[p] los levitas,[q] los porteros,[r] los cantores,[s] los netineos[t] y todos los que se habían separado de los pueblos de los países[u] hacia la ley[v] del Dios [verdadero], sus esposas, sus hijos y sus hijas, todo el que tenía conocimiento [y] entendimiento,[w] 29 ellos se adherían a sus hermanos,[x] a sus majestuosos,[y] y entraban en [exposición a] una maldición[a] y en un juramento,[b] de andar en la ley del Dios [verdadero], la cual había sido dada por mano de Moisés el siervo del Dios [verdadero],[c] y de guardar[d] y ejecutar todos los mandamientos de Jehová nuestro Señor[e] y sus decisiones judiciales y sus disposiciones reglamentarias;[f] 30 y que no diéramos nuestras hijas a los pueblos del país, y a sus hijas no tomáramos para nuestros hijos.[g]

31 En cuanto a los pueblos de la tierra[h] que estaban introduciendo mercaderías y toda clase de cereal en día de sábado para vender, que no tomáramos nada de ellos en sábado[i] o en día santo,[j] y que hiciéramos dimisión del séptimo año[k] y de la deuda de toda mano.[l]

32 También, nos impusimos mandamientos de dar, cada uno de nosotros, la tercera parte de un siclo cada año para el servicio de la casa de nuestro Dios,[m] 33 para el pan en capas[n] y para la ofrenda de grano[o] constante y para la ofrenda quemada constante de los sábados,[p] de las lunas nuevas,[q] para las fiestas señaladas[r] y para las cosas santas[s] y para las ofrendas por el pecado[t] para hacer expiación por Israel, y para toda la obra de la casa de nuestro Dios.[u]

34 También, echamos suertes[v] respecto al suministro de la leña[w] que los sacerdotes, los levitas y el pueblo deberían traer a la casa de nuestro Dios, según la casa de nuestros antepasados, a los tiempos señalados, año por año, para quemarla sobre el altar de Jehová nuestro Dios,[x] conforme a lo que está escrito en la ley;[y] 35 y para traer los primeros frutos maduros de nuestro suelo[z] y los primeros frutos maduros de todo el fruto de toda suerte de árbol,[a] año por año, a la

---

CAP. 9
a 2Re 23:3
  2Cr 15:12
  2Cr 34:31
  Esd 10:3
b Ne 10:1
c Ne 10:29

CAP. 10
d Ne 9:38
  Jer 32:44
e Ne 8:9
f Esd 2:63
  Ne 7:70
g Ne 1:1
h Ne 11:11
i Esd 2:39
  Esd 10:21
  Esd 12:15
j Esd 8:2
k Ne 12:8
l Esd 3:9
  Ne 3:18
m Ne 9:5
n Ne 12:24
o Ne 7:11
p Esd 2:36
q Esd 2:40
  Ne 7:73
r Esd 2:70
t Esd 2:43
u Esd 10:24
  Esd 9:1
v Ne 8:1
w Dt 31:12
  Ne 8:2
x 1Co 1:10
y Ne 3:5

2.ª col.
a Dt 27:26
b Sl 119:106
  Ec 5:4
c Dt 33:4
d Dt 5:1
e Dt 6:1
f Dt 4:1
g Éx 34:16
  Dt 7:3
h Ne 9:1
i Éx 20:10
  Isa 58:13
j Éx 12:16
  Nú 29:1
  Nú 29:12
k Éx 23:11
  Le 25:4
l Dt 15:1
  Dt 15:2
m Éx 30:13
  Pr 3:9
n Le 24:6
  2Cr 2:4
  Mt 12:4
o Le 2:1
  Le 23:37
p Nú 28:9
  Heb 10:11
q Nú 28:11
  Nú 29:6
  1Cr 23:31
  2Cr 8:13
r Le 23:2
s Le 2:10
  Le 22:14
t Le 16:15
u 2Cr 24:5
v Pr 16:33
w Le 1:7
  Le 4:12
x Le 6:12
y Le 6:13

z Éx 23:19; Dt 26:2; a Le 19:23; Nú 18:13.

casa de Jehová; 36 y el primogénito[a] de nuestros hijos y de nuestros animales domésticos,[b] conforme a lo que está escrito en la ley,[c] y el primogénito de nuestras vacadas y de nuestros rebaños,[d] para traer[los] a la casa de nuestro Dios, a los sacerdotes que estaban ministrando en la casa de nuestro Dios.[e] 37 También, las primicias de nuestra harina a medio moler[f] y nuestras contribuciones[g] y el fruto de toda suerte de árbol,[h] vino nuevo[i] y aceite[j] los debemos traer a los sacerdotes, a los comedores[k] de la casa de nuestro Dios, lo mismo que el décimo de [lo que proviene de] nuestro terreno a los levitas,[l] puesto que ellos, los levitas, son los que reciben un décimo en todas nuestras ciudades agrícolas.

38 Y el sacerdote, el hijo de Aarón, tiene que resultar hallarse con los levitas cuando los levitas reciban un décimo; y los levitas mismos deben llevar en ofrenda un décimo del décimo a la casa de nuestro Dios,[m] a los comedores[n] de la casa de las provisiones. 39 Porque es a los comedores adonde los hijos de Israel y los hijos de los levitas deben traer la contribución[o] del grano, del vino nuevo[p] y del aceite, y allí es donde están los utensilios del santuario, y los sacerdotes que ministran,[q] y los porteros[r] y los cantores;[s] y no debemos descuidar la casa de nuestro Dios.[t]

11 Ahora bien, los príncipes[u] del pueblo tenían su morada en Jerusalén;[v] pero en cuanto a los demás del pueblo, echaron suertes[w] para hacer que uno de cada diez entrara a morar en Jerusalén la ciudad santa,[x] y las otras nueve partes en las otras ciudades. 2 Además, el pueblo bendijo[y] a todos los hombres que se ofrecieron voluntariamente[z] para morar en Jerusalén.

3 Y estos son los cabezas del distrito jurisdiccional[a] que moraron en Jerusalén;[b] pero en las ciudades de Judá moraron, cada uno en su propia posesión, en sus ciudades,[c] Israel,[d] los sacerdotes[e] y los levitas,[f] y los netineos[g] y los hijos de los siervos de Salomón.[h]

4 También, en Jerusalén moraron algunos de los hijos de Judá y algunos de los hijos de Benjamín.[i] De los hijos de Judá estuvieron Ataya hijo de Uzías hijo de Zacarías hijo de Amarías hijo de Sefatías hijo de Mahalalel de los hijos de Pérez;[j] 5 y Maaseya hijo de Baruc hijo de Colhozé hijo de Hazaya hijo de Adaya hijo de Joiarib hijo de Zacarías hijo del selanita. 6 Todos los hijos de Pérez que moraban en Jerusalén eran cuatrocientos sesenta y ocho, hombres capaces.

7 Y estos eran los hijos de Benjamín:[k] Salú hijo de Mesulam[l] hijo de Joed hijo de Pedaya hijo de Qolaya hijo de Maaseya hijo de Itiel hijo de Jesayá; 8 y después de él Gabai [y] Salai, novecientos veintiocho; 9 y Joel hijo de Zicrí, un superintendente sobre ellos, y Judá hijo de Hasenuá sobre la ciudad como segundo.

10 De los sacerdotes: Jedayá hijo de Joiarib,[m] Jakín,[n] 11 Seraya hijo de Hilquías hijo de Mesulam[o] hijo de Sadoc[p] hijo de Merayot hijo de Ahitub,[q] un caudillo de la casa del Dios [verdadero]; 12 y los hermanos de ellos, los hacedores del trabajo de la casa,[r] ochocientos veintidós; y Adaya hijo de Jeroham[s] hijo de Pelalías hijo de Amzí hijo de Zacarías hijo de Pasjur[t] hijo de Malkiya,[u] 13 y sus hermanos, cabezas de casas paternas,[v] doscientos cuarenta y dos, y Amashai hijo de Azarel hijo de Ahzai hijo de Mesilemot hijo de Imer, 14 y sus hermanos, poderosos hombres de valor,[w] ciento veintiocho, y había un super-

intendente[a] sobre ellos, Zabdiel hijo de los grandes.

15 Y de los levitas:[b] Semaya hijo de Hasub hijo de Azriqam hijo de Hasabías[c] hijo de Buní, 16 y Sabetai[d] y Jozabad,[e] de los cabezas de los levitas, sobre el negocio exterior de la casa del Dios [verdadero]; 17 y Matanías[f] mismo, hijo de Miqueas hijo de Zabdí hijo de Asaf,[g] el director [del canto] de las alabanzas,[h] elogiaba en oración,[i] y Baqbuquías era el segundo de sus hermanos, y Abdá hijo de Samúa hijo de Galal[j] hijo de Jedutún.[k] 18 Todos los levitas en la ciudad santa[l] eran doscientos ochenta y cuatro.

19 Y los porteros[m] eran Aqub, Talmón[n] y sus hermanos que estaban de guardia en las puertas,[o] ciento setenta y dos.

20 Y los demás de Israel, de los sacerdotes [y] de los levitas, estaban en todas las otras ciudades de Judá, cada uno en su propia posesión hereditaria.[p] 21 Y los netineos[q] moraban en Ofel;[r] y Zihá y Guispá estaban sobre los netineos.

22 Y el superintendente[s] de los levitas en Jerusalén era Uzí hijo de Baní hijo de Hasabías hijo de Matanías[t] hijo de Micá[u] de los hijos de Asaf,[v] los cantores,[w] con respecto a la obra de la casa del Dios [verdadero]. 23 Porque había un mandamiento del rey a favor de ellos,[x] y había una provisión fija para los cantores según lo que cada día requería.[y] 24 Y Petahías hijo de Mesezabel de los hijos de Zérah hijo de Judá estaba al lado del rey para todo asunto del pueblo.

25 Y en cuanto a los poblados[z] en sus campos, había algunos de los hijos de Judá que moraban en Quiryat-arbá[a] y sus pueblos dependientes y en Dibón y sus pueblos dependientes y en Jeqabzeel[b] y sus poblados, 26 y en Jesúa y en Moladá[c] y en Bet-

pélet[a]   27 y en Hazar-sual[b] y en Beer-seba[c] y sus pueblos dependientes 28 y en Ziqlag[d] y en Meconá y sus pueblos dependientes 29 y en En-rimón[e] y en Zorá[f] y en Jarmut,[g]   30 Zanóah,[h] Adulam[i] y sus poblados, Lakís[j] y sus campos, Azeqá[k] y sus pueblos dependientes. Y se pusieron a acampar desde Beerseba hasta el mismo valle de Hinón.[l]

31 Y los hijos de Benjamín eran de Gueba,[m] Micmash[n] y Ayá[o] y Betel[p] y sus pueblos dependientes, 32 Anatot,[q] Nob,[r] Ananíah, 33 Hazor, Ramá,[s] Guitaim,[t] 34 Hadid, Zeboím, Nebalat, 35 Lod[u] y Onó,[v] el valle de los artífices. 36 Y de los levitas había divisiones de Judá para Benjamín.

12 Y estos fueron los sacerdotes y levitas que subieron con Zorobabel[w] hijo de Sealtiel[x] y con Jesúa:[y] Seraya, Jeremías, Esdras, 2 Amarías,[z] Maluc, Hatús, 3 Secanías, Rehúm, Meremot, 4 Idó, Guinetoi, Abías, 5 Mijamín, Maadías, Bilgá, 6 Semaya,[a] y Joiarib, Jedayá,[b] 7 Salú, Amoq,[c] Hilquías, Jedayá.[d] Estos fueron los cabezas de los sacerdotes y sus hermanos en los días de Jesúa.

8 Y los levitas fueron Jesúa,[f] Binuí,[g] Qadmiel,[h] Serebías, Judá, Matanías,[i] sobre el dar gracias, él y sus hermanos. 9 Y Baqbuquías y Uní sus hermanos estaban frente a ellos para deberes de guardia. 10 Jesúa mismo llegó a ser padre de Joiaquim,[j] y Joiaquim mismo llegó a ser padre de Eliasib,[k] y Eliasib de Joiadá.[l]   11 Y Joiadá mismo llegó a ser padre de Jonatán, y Jonatán mismo llegó a ser padre de Jadúa.[m]

12 Y en los días de Joiaquim

a Ne 12:42; b Esd 2:40; c 1Cr 9:14; d Esd 10:15; e Esd 8:33; f Ne 11:22; Ne 12:25; g Ne 7:44; h 1Cr 16:4; i 2Cr 5:13; j 1Cr 9:16; k 1Cr 16:41; 2Cr 35:15; l 1Re 11:13; Da 9:24; Joe 3:17; m 1Cr 26:1; n 1Cr 9:17; Esd 2:42; Ne 12:25; o 1Cr 26:12; p 1Cr 9:2; q Jos 9:21; Esd 2:58; r 2Cr 27:3; Ne 3:26; Ne 3:31; s Eze 44:11; t 1Cr 9:15; u Ne 12:35; v 1Cr 25:1; w 1Cr 25:6; Ne 12:46; x Esd 6:9; Esd 7:24; y 1Cr 9:33; z Jos 13:23; a Gé 23:2; Jos 14:15; b Jos 15:21; 2Sa 23:20; c Jos 15:26; Jos 19:2

2.ª col.

a Jos 15:27; b Jos 19:3; 1Cr 4:28; c Gé 21:31; d Jos 15:31; Jos 19:5; 18a 27:6; e Jos 15:32; f Jos 15:33; Jos 19:41; 2Cr 11:10; g Jos 12:11; h Jos 15:34; Ne 3:13; i Jos 12:15; Miq 1:15; j Jos 10:3; Jos 15:39; Isa 37:8; k Jos 15:35; l Jos 15:8; 2Re 23:10; m Jos 18:24; n 1Sa 13:11; o Gé 12:8; p Gé 28:19; Jos 18:13; q Jos 21:18; r 1Sa 21:1; s Jos 18:25; 2Sa 4:3; t 1Cr 8:12; u Esd 2:33

CAP. 12   w Esd 1:11; x Mt 1:12; y Zac 3:1; z Ne 12:13; a Ne 12:18; b Ne 12:19; c Ne 12:20; d Ne 12:21; e Ne 7:7; f Esd 2:40; g Esd 8:33; h Esd 2:40; Esd 3:9; i 1Cr 9:15; 2Cr 20:14; Ne 11:17; j Ne 12:26; k Ne 3:1; l Ne 13:28; m Ne 12:22.

había sacerdotes, cabezas de las casas paternas:[a] para Seraya,[b] Meraya; para Jeremías, Hananías; 13 para Esdras,[c] Mesulam; para Amarías, Jehohanán; 14 para Maluki, Jonatán; para Sebanías,[d] José; 15 para Harim,[e] Adná; para Merayot, Helqai; 16 para Idó, Zacarías; para Guinetón, Mesulam; 17 para Abías,[f] Zicri; para Miniamín, ——; para Moadías, Piltai; 18 para Bilgá,[g] Samúa; para Semaya, Jehonatán; 19 y para Joiarib, Matenai; para Jedayá,[h] Uzí; 20 para Salai, Qalai; para Amoq, Éber; 21 para Hilquías, Hasabías; para Jedayá,[i] Netanel.

22 Los levitas en los días de Eliasib,[j] Joiadá[k] y Johanán y Jadúa[l] estaban registrados como cabezas de casas paternas, también los sacerdotes, hasta la gobernación real de Darío el persa.

23 Los hijos de Leví, como cabezas de las casas paternas,[m] estaban registrados en el libro de los asuntos de los tiempos, aun hasta los días de Johanán hijo de Eliasib. 24 Y las cabezas de los levitas fueron Hasabías, Serebías[n] y Jesúa hijo de Qadmiel[o] y sus hermanos frente a ellos para ofrecer alabanza [y] dar gracias conforme al mandamiento[p] de David el hombre del Dios [verdadero], grupo de guardia correspondiendo con grupo de guardia. 25 Matanías[q] y Baqbuquías, Abdías, Mesulam, Talmón, Aqub[r] estaban de guardia como porteros,[s] un grupo de guardia junto a los almacenes de las puertas. 26 Estos fueron en los días de Joiaquim[t] hijo de Jesúa[u] hijo de Jozadaq[v] y en los días de Nehemías[w] el gobernador y de Esdras[x] el sacerdote, el copista.

27 Y en la inauguración[z] del muro de Jerusalén buscaron a los levitas, para traerlos de todos sus lugares a Jerusalén para tener una inauguración y un rego-

cijo hasta con acciones de gracias[a] y con canto,[b] címbalos [e] instrumentos de cuerda,[c] y con arpas.[d] 28 Y los hijos de los cantores procedieron a reunirse hasta del Distrito,[e] de todo alrededor de Jerusalén y de los poblados de los netofatitas,[f] 29 y de Bet-guilgal[g] y de los campos de Gueba[h] y de Azmávet,[i] porque había poblados[j] que los cantores se habían edificado todo en derredor de Jerusalén. 30 Y los sacerdotes y los levitas procedieron a limpiarse[k] a sí mismos y a limpiar al pueblo[l] y las puertas[m] y el muro.[n]

31 Entonces hice subir a los príncipes[o] de Judá sobre el muro. Además, nombré dos grandes coros[p] y procesiones de acción de gracias, [y una de ellas iba andando] a la derecha sobre el muro hacia la Puerta de los Montones de Ceniza.[q] 32 Y Hosaya y la mitad de los príncipes de Judá empezaron a andar detrás de ellos, 33 también Azarías, Esdras y Mesulam, 34 Judá y Benjamín y Semaya y Jeremías; 35 también, de los hijos de los sacerdotes con las trompetas,[r] Zacarías hijo de Jonatán hijo de Semaya hijo de Matanías hijo de Micaya hijo de Zacur[s] hijo de Asaf,[t] 36 y sus hermanos Semaya y Azarel, Milalai, Guilalai, Maai, Netanel y Judá, Hananí, con los instrumentos[u] de canto de David el hombre del Dios [verdadero]; y Esdras[v] el copista delante de ellos. 37 Y a la Puerta de la Fuente,[w] y directamente enfrente de ellos, subieron por la Escalera[x] de la Ciudad de David,[y] por la subida del muro más arriba de la Casa de David, y hasta la misma Puerta del Agua[z] al oriente.

38 Y el otro coro de acción de gracias[a] iba andando enfrente, y yo después de él, así como la mitad de la gente, sobre el muro por encima de la Torre de los

---

CAP. 12

a 1Cr 24:31
Esd 10:16
b Ne 11:11
c Ne 12:1
d Ne 10:4
e Esd 2:39
Ne 10:5
f Ne 12:4
g Ne 12:5
h Ne 12:6
i Ne 12:7
j Ne 3:1
k Ne 13:28
k Ne 12:10
l Ne 12:11
m Ne 15:12
1Cr 23:24
n Ne 8:7
o Esd 2:40
Ne 12:8
p 1Cr 16:4
1Cr 23:30
q 1Cr 9:15
Ne 12:8
h Ne 13:13
r 1Cr 9:17
Esd 2:42
Ne 7:45
Ne 11:19
s 1Cr 9:22
1Cr 9:27
t Ne 12:10
u Esd 3:2
Esd 3:8
w Ne 8:9
x Esd 7:6
y Esd 7:11
z Dt 20:5
1Re 8:63
Sl 30:Enc

2.ª col.

a 2Cr 7:6
b 2Cr 5:13
c 1Cr 23:5
d 1Cr 25:6
e Gé 13:10
Ne 7:46
f 1Cr 2:54
Ne 11:19
Ne 7:26
g Jos 5:9
h Jos 15:7
h Jos 21:17
1Cr 8:6
Ne 11:31
i Esd 2:24
j Le 25:31
k Ex 19:10
2Cr 29:5
l Esd 6:21
m Ne 7:1
n Ne 6:15
o 1Cr 28:1
Ne 9:32
p Ne 12:38
Ne 12:40
q Ne 2:13
Ne 3:13
r Nú 10:2
2Cr 5:12
s 1Cr 25:2
t 1Cr 6:39
1Cr 25:1
u 1Cr 23:5
Am 6:5
v Ne 8:4
w Ne 2:14
x Ne 3:15
y 2Sa 5:7
2Sa 5:9

---

z Ne 3:26; Ne 8:1; a Ne 12:31.

Hornos de Cocer[a] y adelante al Muro Ancho,[b] 39 y por encima de la Puerta de Efraín[c] y adelante a la Puerta de la [Ciudad] Vieja[d] y hasta la misma Puerta del Pescado[e] y la Torre de Hananel[f] y la Torre de Meah[g] y adelante a la Puerta de las Ovejas;[h] y se detuvieron en la Puerta de la Guardia.

40 Finalmente los dos coros de acción de gracias[i] se detuvieron junto a la casa[j] del Dios [verdadero], lo mismo que yo y la mitad de los gobernantes diputados conmigo,[k] 41 y los sacerdotes Eliaquim, Maaseya, Miniamín, Micaya, Elioenai, Zacarías, Hananías con las trompetas,[l] 42 y Maaseya y Semaya, y Eleazar y Uzí y Jehohanán y Malkiya y Elam y Ézer. Y los cantores con Izrahías el superintendente siguieron haciéndose oír.

43 Y procedieron a sacrificar en aquel día grandes sacrificios,[n] y a regocijarse,[o] porque el mismísimo Dios [verdadero] hizo que se regocijaran con gran gozo.[p] Y también las mujeres[q] y los niños[r] mismos se regocijaron, de manera que el regocijo de Jerusalén podía oírse desde lejos.[s]

44 Además, en aquel día se efectuó el nombramiento de hombres [que estarían] sobre los salones[t] para los almacenes,[u] para las contribuciones,[v] para las primicias[w] y para los décimos,[x] para recoger en ellos de los campos de las ciudades las porciones [exigidas por] la ley[y] para los sacerdotes y los levitas;[z] pues el regocijo de Judá fue a causa de los sacerdotes y de los levitas[a] que estaban presentes. 45 Y ellos empezaron a encargarse de la obligación[b] de su Dios y de la obligación de la purificación,[c] y lo mismo los cantores[d] y los porteros,[e] conforme al mandamiento de David [y] Salomón su hijo. 46 Porque en los días de David y

Asaf, en tiempo pasado, había cabezas de los cantores[a] y la canción de alabanza y acciones de gracias a Dios.[b] 47 Y todo Israel, durante los días de Zorobabel[c] y durante los días de Nehemías,[d] daba las porciones de los cantores[e] y de los porteros[f] según la necesidad diaria, y [las] santificaban a los levitas;[g] y los levitas [las] santificaban a los hijos de Aarón.

13 En aquel día hubo lectura[h] en el libro[i] de Moisés a oídos del pueblo; y en él se halló escrito que el ammonita[j] y el moabita[k] no debían entrar en la congregación del Dios [verdadero] hasta tiempo indefinido,[l] 2 porque no habían salido al encuentro de los hijos de Israel con pan[m] y con agua,[n] sino que se pusieron a alquilar contra ellos a Balaam[o] para que invocara el mal contra ellos.[p] Sin embargo, nuestro Dios cambió la invocación de mal en una invocación de bien.[q] 3 Por lo tanto aconteció que, en cuanto oyeron la ley,[r] empezaron a separar[s] a Israel a toda la compañía mixta.

4 Antes de esto, sin embargo, Eliasib[t] el sacerdote encargado de un comedor[u] de la casa de nuestro Dios era pariente de Tobías;[v] 5 y procedió a hacerle un comedor grande,[w] donde anteriormente habían estado poniendo con regularidad la ofrenda de grano,[x] el olíbano, y los utensilios, y el décimo del grano, del vino nuevo[y] y del aceite,[z] a lo cual tienen derecho los levitas[a] y los cantores y los porteros, y la contribución para los sacerdotes.

6 Y durante todo este [tiempo] yo no me hallaba en Jerusalén, porque en el año treinta y

---

CAP. 12

a Ne 3:11
b Ne 8:16
c 2Re 14:13
  Ne 8:16
d Ne 3:6
e 2Cr 33:14
  Ne 3:3
  Sof 1:10
f Jer 31:38
  Zac 14:10
g Ne 3:1
h Jn 5:2
i Ne 12:31
j Esd 1:2
  Esd 6:15
k Ne 12:32
  Sl 47:9
l Nú 10:2
m Sl 81:1
  Sl 100:1
  Isa 12:6
n Esd 6:17
o Dt 12:12
p Sl 9:2
  Sl 92:4
q Jer 31:13
r Sl 148:12
s Esd 3:13
t 1Cr 9:26
  2Cr 31:11
u Ne 13:13
v Ne 10:39
w Ne 10:35
  Ne 10:37
x Ne 10:38
  Ne 13:12
y Esd 34:26
  Nú 15:19
  Dt 26:2
z Nú 18:21
a Nú 3:6
  1Cr 23:28
b Nú 3:7
c Éx 30:21
  Le 21:6
  Le 22:2
d Ne 12:31
e 1Cr 9:22

2.ª col.

a 1Cr 25:1
  1Cr 25:6
b 2Cr 29:31
c Esd 3:2
  Ag 1:12
  Lu 3:27
d Ne 1:1
e Ne 11:23
f Ne 10:39
g Nú 18:21

CAP. 13

h Dt 31:11
  Ne 8:2
  Lu 4:16
i Ne 8:3
  Lu 10:26
  Hch 13:15
  Hch 15:21
j Dt 23:3
  Gé 19:37
l Dt 23:6
m Jue 11:17
n Dt 23:4
o Nú 22:5
  Jos 24:9
p Nú 22:6

---

q Nú 23:8; Nú 24:10; Dt 23:5; Sl 109:28; Miq 6:5; r Ne 19:7; Sl 119:15; Pr 6:23; s Esd 10:11; Ne 9:2; Ne 10:28; t Ne 3:1; u Ne 10:37; Ne 10:38; v Ne 2:10; w Ne 12:44; x Ne 10:33; y Nú 18:27; Nú 18:30; z Dt 18:4; a Nú 18:24.

dos[a] de Artajerjes[b] el rey de Babilonia yo fui al rey, y algún tiempo después pedí licencia del rey.[c] 7 Entonces vine a Jerusalén y llegué a fijarme en la maldad que Eliasib[d] había cometido a favor de Tobías[e] al haberle hecho un salón en el patio de la casa[f] del Dios [verdadero]. 8 Y me pareció muy mal.[g] De manera que arrojé[h] fuera del comedor todos los muebles de la casa de Tobías. 9 Después de eso dije [la palabra] y los comedores[i] fueron limpiados;[j] y procedí a poner allí de nuevo los utensilios[k] de la casa del Dios [verdadero], con la ofrenda de grano y el olíbano.[l]

10 Y llegué a enterarme de que las mismísimas porciones[m] de los levitas no se [les] habían dado, de modo que los levitas y los cantores que hacían la obra se fueron huyendo, cada uno a su propio campo.[n] 11 Y empecé a señalar sus faltas[o] a los gobernantes diputados[p] y a decir: "¿Por qué se ha descuidado la casa del Dios [verdadero]?".[q] En consecuencia, los junté y los aposté en su lugar fijo. 12 Y todo Judá, por su parte, trajo el décimo[r] del grano[s] y del vino nuevo[t] y del aceite[u] a los almacenes.[v] 13 Entonces puse a Selemías el sacerdote y a Sadoc el copista y a Pedaya de los levitas a cargo de los almacenes; y bajo el control de ellos estaba Hanán hijo de Zacur hijo de Matanías,[w] porque se les consideraba fieles;[x] y sobre ellos recayó el hacer la distribución[y] a sus hermanos.

14 Acuérdate de mí,[z] sí, oh Dios mío, tocante a esto, y no borres[a] mis actos de bondad amorosa que he ejecutado en conexión con la casa[b] de mi Dios y la custodia de ella.

15 En aquellos días vi en Judá a personas que pisaban los lagares en sábado[c] y traían montones de grano y [los] cargaban[d] sobre asnos,[e] y también vino, uvas e higos[f] y toda suerte de carga, y [los] introducían en Jerusalén en día de sábado;[a] y procedí a testificar [contra ellos] en el día que vendían provisiones. 16 Y en [la ciudad] moraban los tirios[b] mismos, los cuales introducían pescado y toda suerte de mercancías,[c] y hacían ventas en sábado a los hijos de Judá y en Jerusalén. 17 De manera que empecé a señalar sus faltas a los nobles[d] de Judá y a decirles: "¿Qué es esta cosa mala que ustedes están haciendo, aun profanando el día de sábado? 18 ¿No fue así como hicieron sus antepasados,[e] de manera que nuestro Dios trajo sobre nosotros toda esta calamidad,[f] y también sobre esta ciudad? No obstante, ustedes están añadiendo a la cólera ardiente contra Israel al profanar el sábado".[g]

19 Y aconteció que, tan pronto como las puertas de Jerusalén hubieron quedado envueltas en sombras antes del sábado, inmediatamente dije [la palabra], y las puertas empezaron a cerrarse.[h] Dije además que no las abrieran sino hasta después del sábado; y aposté a algunos de mis propios servidores a las puertas para que no entrara ninguna carga en día de sábado.[i] 20 En consecuencia, los comerciantes y los vendedores de toda suerte de mercancías pasaron la noche fuera de Jerusalén una vez y la segunda vez. 21 Entonces procedí a testificar[j] contra ellos y a decirles: "¿Por qué están pasando la noche enfrente del muro? Si lo hacen otra vez, les echaré mano".[k] Desde ese tiempo en adelante no vinieron en sábado.

22 Y pasé a decir a los levitas[l] que con regularidad estuvieran purificándose[m] y entrando, estando de guardia en las puertas[n] para santificar[o] el día de sábado. Esto, también, recuerda[p] a favor mío, sí, oh Dios mío, y de veras

tenme lástima conforme a la abundancia de tu bondad amorosa.[a]

23 También, en aquellos días vi a los judíos que habían dado morada[b] a esposas asdoditas,[c] ammonitas [y] moabitas.[d] 24 Y en cuanto a sus hijos, la mitad hablaba asdodeo, y no había ninguno de ellos que supiera hablar judío,[e] sino en la lengua de los diferentes pueblos. 25 Y empecé a señalarles sus faltas[f] y a invocar el mal contra ellos[f] y a golpear a algunos hombres de ellos[g] y a arrancarles el cabello y a hacerles jurar por Dios:[h] "No deben dar sus hijas a los hijos de ellos, y no deben aceptar a ninguna de las hijas de ellos para los hijos de ustedes ni para ustedes mismos.[i] 26 ¿No fue a causa de estas cosas que Salomón el rey de Israel pecó?[j] Y entre las muchas naciones resultó que no hubo rey como él;[k] y sucedió que fue amado de su Dios,[i] de modo que Dios lo constituyó rey sobre todo Is-

rael. Aun a él las esposas extranjeras le hicieron pecar.[a] 27 Y ¿no es algo inaudito el que ustedes cometan toda esta gran maldad de actuar infielmente contra nuestro Dios, dando morada a esposas extranjeras?".[b]

28 Y uno de los hijos de Joiadá[c] hijo de Eliasib[d] el sumo sacerdote era yerno de Sanbalat[e] el horonita.[f] De modo que lo ahuyenté de mí.[g]

29 Acuérdate de ellos, sí, oh Dios mío, a causa de la profanación[h] del sacerdocio y del pacto[i] del sacerdocio y de los levitas.[j]

30 Y los purifiqué[k] de todo lo extranjero y procedí a asignar deberes a los sacerdotes y a los levitas, a cada uno en su propio trabajo,[l] 31 aun para el suministro de leña[m] a tiempos señalados, y para los primeros frutos maduros.

Acuérdate de mí,[n] sí, oh Dios mío, para bien.[o]

CAP. 13

a Sl 25:6
Sl 51:1
Sl 130:7
b Esd 9:2
Esd 10:10
2Co 6:14
c Jos 13:3
1Sa 5:7
d Éx 34:16
Dt 23:3
e 2Re 18:26
f Dt 27:26
Esd 7:26
h Dt 6:13
Ne 10:29
i Dt 7:3
j 1Re 11:1
k 1Re 3:13
2Cr 1:12
2Cr 9:22
l 2Sa 12:24

2.ª col.

a 1Re 11:4
1Re 11:5
b Esd 10:2
c Ne 12:10
d Ne 3:1
Ne 13:4
e Ne 2:10
Ne 4:1
Ne 6:14
f Jos 16:3
Jos 16:5
g Pr 20:8
Pr 20:26
h Le 21:15
i Éx 40:15
Nú 25:13

j Mal 2:4; k Ne 10:30; l 1Cr 23:6; 1Cr 25:1; m Ne 10:34; n Ne 5:19; o Sl 25:7.

ESTER

1 Ahora bien, aconteció en los días de Asuero[a] —es decir, el Asuero que reinaba desde la India hasta Etiopía, [sobre] ciento veintisiete distritos jurisdiccionales[b]— 2 [que] en aquellos días, estando el rey Asuero sentado sobre su trono real,[c] que estaba en Susa[d] el castillo, 3 en el tercer año de su reinar, él celebró un banquete[f] para todos sus príncipes y sus siervos, la fuerza militar de Persia[g] y Media,[h] los nobles[i] y los príncipes de los distritos jurisdiccionales delante de él.[j] 4 cuando mostró las riquezas[k] de su glorioso reino y la honra[l] [y] la hermosura de su grandeza por muchos días, ciento ochenta días.

5 Y cuando se habían cumplido estos días, el rey celebró un banquete por siete días para toda la gente que se hallaba en Susa el castillo, para el grande así como para el pequeño, en el patio del jardín del palacio del rey. 6 Había lino, tela de algodón fina y paño azul[a] sujetos en cordones de tela fina, y lana teñida de púrpura rojiza[b] en anillos de plata, y columnas de mármol, lechos[c] de oro y de plata sobre un pavimento de pórfido y mármol y perla y mármol negro.

7 Y hubo un pasar vino para beber en vasos de oro;[d] y los vasos eran diferentes unos de

CAP. 1

a Da 11:2
b Est 8:9
Da 6:1
c Est 5:1
d Esd 4:9
Ne 1:1
Da 8:2
e Ne 2:8
f 1Sa 25:36
Est 2:18
g Esd 1:2
Da 5:28
h Isa 21:2
Jer 51:11
i Da 3:2
Da 6:7
j Pr 11:14
Pr 15:22
Pr 20:18
Pr 24:6
k Isa 39:2
Eze 28:5
l 1Ro 13:7
1Pe 2:17

2.ª col.

a Est 8:15

b Éx 26:31; c Est 7:8; d 1Re 10:21.

otros, y del vino regio[a] había gran cantidad, conforme a los recursos del rey. 8 En cuanto al tiempo de beber conforme a la ley, no había nadie que obligara, porque así lo había arreglado el rey para todo hombre grande de su casa, que se hiciera según el gusto de cada uno sin excepción.

9 También, Vasti[b] la reina misma celebró un banquete para las mujeres, en la casa real que pertenecía al rey Asuero.

10 Al séptimo día, cuando el corazón del rey estaba de humor alegre por el vino,[c] él dijo a Mehumán, Biztá, Harboná,[d] Bigtá y Abagtá, Zetar y Carcás, los siete oficiales de la corte que ministraban[e] a la persona del rey Asuero, 11 que trajeran ante el rey a Vasti la reina, con su adorno de realeza puesto sobre la cabeza, para mostrar a los pueblos y a los príncipes su belleza; porque era de hermosa apariencia.[f] 12 Pero la reina Vasti siguió rehusando[g] venir de acuerdo con la palabra del rey que se le [transmitió] mediante los oficiales de la corte. Ante esto, el rey se indignó en gran manera, y su furia misma se encendió dentro de él.[h]

13 Y el rey procedió a decir a los sabios[i] que tenían conocimiento de los tiempos[j] (porque de esta manera el asunto del rey [venía] ante todos los versados en la ley y en causas judiciales, 14 y los más cercanos a él eran Carsená, Setar, Admatá, Tarsis, Meres, Marsená [y] Memucán, siete[k] príncipes de Persia y Media, que tenían acceso al rey,[l] [y] que estaban sentados como primeros en el reino): 15 "Conforme a la ley, ¿qué ha de hacerse con la reina Vasti porque no ha ejecutado el dicho del rey Asuero mediante los oficiales de la corte?".

16 A esto Memucán[m] dijo delante del rey y los príncipes: "No es solo contra el rey contra quien la reina Vasti ha obrado mal,[a] sino contra todos los príncipes y contra todos los pueblos que están en todos los distritos jurisdiccionales del rey Asuero. 17 Porque el asunto de la reina saldrá a todas las esposas, de manera que despreciarán[b] a sus dueños[c] a sus propios ojos, cuando digan: 'El rey Asuero mismo dijo que hicieran entrar a Vasti la reina delante de él, y ella no entró'. 18 Y este día las princesas de Persia y de Media, que hayan oído el asunto de la reina, hablarán a todos los príncipes del rey, y habrá muchísimo desprecio e indignación.[d] 19 Si al rey de veras le parece bien,[e] que salga de su persona una palabra real, y que se escriba entre las leyes[f] de Persia y Media, para que no se desvanezca,[g] que Vasti no puede entrar ante el rey Asuero; y en cuanto a la dignidad real de ella, que el rey la dé a una compañera de ella, a una mujer que sea mejor que ella. 20 Y el decreto del rey que él haga tiene que oírse en todo su reino (porque este es vasto), y todas las esposas mismas darán honra[h] a sus dueños,[i] así al grande como al pequeño".

21 Y la cosa fue grata a los ojos del rey[j] y los príncipes, y el rey procedió a hacer conforme a la palabra de Memucán. 22 De manera que envió documentos escritos[k] a todos los distritos jurisdiccionales del rey, a cada distrito jurisdiccional[l] en su propio estilo de escribir, y a cada pueblo en su propia lengua, de que todo esposo actuara continuamente como príncipe en su propia casa[m] y hablara en la lengua de su propio pueblo.

2 Después de estas cosas, cuando la furia del rey Asuero[n] se había apaciguado, se acordó de Vasti[o] y de lo que ella había

CAP. 1
a Ne 2:1
b Est 1:12
　Est 2:1
　Est 2:17
c Sl 104:15
　Ec 10:19
　Ef 5:18
d Est 7:9
e 2Re 4:43
　Est 2:2
f Pr 31:30
g 1Co 11:9
　Ef 5:24
h Pr 19:12
　Pr 20:2
i Da 2:27
j 1Cr 12:32
　Mt 16:3
k Esd 7:14
l Pr 22:29
m Est 1:21

2.ª col.
a Est 1:12
b 2Sa 6:16
c Gé 3:16
　Dt 22:22
　Jer 31:32
　Joe 1:8
　Mt 24:38
d Pr 27:15
e Est 3:9
　Est 8:5
f Da 6:8
　Da 6:15
g Est 8:8
　Da 6:12
h Ef 5:33
　1Pe 3:5
i Est 1:17
j Gé 41:37
　Est 2:4
k Est 3:14
l Est 3:12
　Est 8:9
m Ro 7:2
　Ef 5:23

CAP. 2
n Est 1:1
o Est 1:9

hecho[a] y de lo que se había decidido contra ella.[b] 2 Entonces los servidores del rey, sus ministros,[c] dijeron: "Búsquense[d] para el rey mujeres jóvenes, vírgenes,[e] de hermosa apariencia, 3 y nombre el rey comisionados en todos los distritos jurisdiccionales[f] de su reino, y que ellos junten a todas las jóvenes, vírgenes, de hermosa apariencia, en Susa el castillo,[g] en la casa de las mujeres a cargo de Hegai[h] el eunuco[i] del rey, el guardián de las mujeres; y que haya un dárseles sus masajes. 4 Y la joven que parezca grata a los ojos del rey será reina en lugar de Vasti".[j] Y la cosa fue grata a los ojos del rey, y procedió a hacerlo así.

5 Cierto hombre, un judío, se hallaba en Susa[k] el castillo, y su nombre era Mardoqueo[l] hijo de Jaír hijo de Simeí hijo de Quis un benjaminita.[m] 6 Había sido llevado al destierro[n] desde Jerusalén con la gente deportada que fue llevada al destierro con Jeconías[o] el rey de Judá, a quien Nabucodonosor[p] el rey de Babilonia había llevado al destierro. 7 Y él llegó a ser el cuidador[q] de Hadassá, es decir, Ester, la hija del hermano de su padre,[r] porque ella no tenía ni padre ni madre; y la joven era de bonita figura y hermosa apariencia,[s] y al tiempo de morir el padre y la madre de ella, Mardoqueo la tomó por hija suya. 8 Y aconteció que, cuando se oyó la palabra del rey y su ley, y cuando se juntaron muchas jóvenes en Susa[u] el castillo al cargo de Hegai, entonces Ester fue llevada a la casa del rey a cargo de Hegai el guardián de las mujeres. 9 Ahora bien, la joven fue grata a los ojos de él, de modo que se granjeó bondad amorosa[v] ante él, y él se apresuró a darle sus masajes[w] y su alimento apropiado, y a darle siete jóvenes selectas de la casa del rey, y procedió a trasladarlas a ella y a sus mujeres jóvenes al mejor lugar de la casa de las mujeres. 10 Ester no había informado acerca de su pueblo[a] ni de sus parientes, porque Mardoqueo mismo le había impuesto el mandato de que no lo informara.[b] 11 Y día tras día Mardoqueo se paseaba delante del patio de la casa de las mujeres para saber del bienestar de Ester y lo que se hacía con ella.

12 Y cuando a cada joven le llegaba el turno de entrar a donde el rey Asuero, después que por doce meses le había sucedido conforme al reglamento para las mujeres —porque de esa manera se cumplían gradualmente los días de su procedimiento de masajes, seis meses con aceite de mirra[c] y seis meses con aceite balsámico[d] y con los masajes de las mujeres—; 13 entonces, cumplidas estas condiciones, la joven misma entraba a donde el rey. Todo lo que ella mencionaba se le daba, para que fuera con ella de la casa de las mujeres a la casa del rey.[e] 14 Al atardecer ella misma entraba, y por la mañana ella misma regresaba a la segunda casa de las mujeres a cargo de Saasgaz el eunuco del rey,[f] el guardián de las concubinas. No entraba más a donde el rey a no ser que el rey se hubiera deleitado en ella y ella hubiera sido llamada por nombre.[g]

15 Y cuando llegó el turno de Ester la hija de Abiháil el tío de Mardoqueo —a la que este había tomado como hija[h] suya— para que ella entrara a donde el rey, ella no solicitó nada[i] salvo lo que Hegai[j] el eunuco del rey, el guardián de las mujeres, procedió a mencionar (durante todo aquel tiempo Ester continuamente se granjeaba favor a los ojos de todos los que la veían).[k] 16 Entonces Ester fue llevada al rey Asuero, en su casa real, en el mes décimo, es decir, el mes de Te-

CAP. 2
a Est 1:12
b Est 1:19
c Est 1:10
  Est 1:14
  Est 6:14
d 1Re 1:3
e Jue 21:12
f Est 8:9
g Ne 2:8
h Est 2:15
i Est 2:14
  Est 4:4
j Est 1:11
  Est 1:19
  Est 2:17
k Est 1:2
l Est 3:2
  Est 5:14
  Est 10:3
m Gé 49:27
  1Sa 9:21
n 2Re 24:14
o 2Re 24:15
  1Cr 3:16
  2Cr 36:10
  Jer 22:28
  Jer 37:1
  Jer 52:31
  Mt 1:11
p Jer 24:1
q 1Ti 5:8
  Snt 1:27
r Est 2:15
s Pr 31:30
t Est 2:7
u Est 2:3
v Pr 11:17
  Pr 14:22
  Pr 16:7
  Pr 19:22
  Da 1:9
w Est 2:3
  Est 2:12

2.ª col.
a Est 3:8
  Est 4:13
  Est 7:4
  Mt 10:16
b Est 2:7
  Est 2:20
  Ef 6:1
c Pr 7:17
  Can 3:6
  Lu 7:37
d Gé 43:11
  1Re 10:2
  2Re 20:13
e Est 1:9
f Est 2:3
g Est 4:11
h Est 2:7
i 1Pe 3:3
j Est 2:8
k Can 6:9

bet, en el séptimo año[a] de su reinado. 17 Y el rey llegó a amar a Ester más que a todas las demás mujeres, de manera que ella se granjeó más favor y bondad amorosa ante él que todas las demás vírgenes.[b] Y él procedió a poner el adorno de realeza sobre la cabeza de ella y a hacerla reina[c] en lugar de Vasti. 18 Y el rey pasó a celebrar un gran banquete para todos sus príncipes y sus siervos, el banquete de Ester; y otorgó una amnistía[d] para los distritos jurisdiccionales, y siguió dando presentes conforme a los recursos del rey.

19 Ahora bien, cuando por segunda vez se juntaron vírgenes,[e] Mardoqueo estaba sentado en la puerta del rey.[f] 20 Ester no informaba acerca de sus parientes ni de su pueblo,[g] tal como Mardoqueo[h] le había impuesto el mandato;[i] y Ester ejecutaba el dicho de Mardoqueo, como cuando se hallaba bajo el cuidado de él.[j]

21 En aquellos días, mientras Mardoqueo estaba sentado en la puerta del rey, Bigtán y Teres, dos oficiales de la corte del rey, guardas de la puerta, se indignaron y siguieron tratando de echar mano[k] al rey Asuero. 22 Y la cosa llegó a ser conocida de Mardoqueo, e inmediatamente lo refirió[l] a Ester la reina. A su vez, Ester habló al rey en nombre de Mardoqueo.[m] 23 De manera que se indagó el asunto, y con el tiempo fue descubierto, y los dos por fin fueron colgados[n] en un madero;[o] después de lo cual esto se escribió en el libro de los asuntos[p] de los días delante del rey.

3 Después de estas cosas el rey Asuero engrandeció a Hamán[q] hijo de Hamedata el aguita,[r] y procedió a ensalzarlo[s] y a poner su trono por encima de todos los demás príncipes que estaban con él.[t] 2 Y todos los siervos del rey que estaban en la puerta del rey[a] estaban inclinándose y postrándose ante Hamán, porque así había mandado el rey respecto a él. Pero en cuanto a Mardoqueo, él no se inclinaba ni se postraba.[b] 3 Y los siervos del rey que estaban en la puerta del rey empezaron a decir a Mardoqueo: "¿Por qué traspasas el mandamiento del rey?".[c] 4 Y aconteció que, como le hablaban día a día, y él no les escuchaba, entonces lo refirieron a Hamán para ver si los asuntos de Mardoqueo permanecerían en pie;[d] porque les había informado que él era judío.[e]

5 Ahora bien, Hamán siguió viendo que Mardoqueo no se inclinaba ni se postraba ante él,[f] y Hamán se llenó de furia.[g] 6 Pero era cosa despreciable a sus ojos echar mano a Mardoqueo sólo, porque le habían informado acerca del pueblo de Mardoqueo; y Hamán empezó a buscar la manera de aniquilar[h] a todos los judíos que se hallaban en todo el reino de Asuero, al pueblo de Mardoqueo.[i]

7 En el primer mes,[j] es decir, el mes de Nisán, en el año duodécimo[k] del rey Asuero, alguien echó Pur,[l] es decir, la Suerte,[m] delante de Hamán de día en día y de mes en mes, [hasta] el duodécimo, es decir, el mes de Adar.[n] 8 Y Hamán procedió a decir al rey Asuero: "Hay cierto pueblo esparcido[o] y separado entre los pueblos en todos los distritos jurisdiccionales de tu reino;[p] y sus leyes son diferentes de las de todo otro pueblo, y ellos no están ejecutando las propias leyes del rey,[q] y para el rey no es apropiado dejarlos en paz. 9 Si al rey de veras le parece bien, que haya un escribir para que sean destruidos; y yo pagaré diez mil[r] talentos de plata en manos de los que hagan la obra,[s] y haré que [esto] ingrese en la tesorería del rey".

10 Ante aquello, el rey se qui-

CAP. 2

a Est 1:3
b Est 4:14
  Sl 75:7
c Est 1:3
d Mt 27:15
e Est 2:3
f Est 2:21
  Est 3:2
g Est 2:6
  Est 3:8
  Est 7:4
h Est 2:5
  Est 10:3
i Est 2:10
  Mt 10:16
j Est 2:7
k Est 6:2
  1 Ec 10:20
m Le 5:1
  Est 6:2
  Pr 29:24
  Eze 33:7
n Dt 21:21
  Est 9:13
o Dt 21:22
p Esd 4:15
  Est 6:1

CAP. 3

q Est 3:10
  Est 8:7
  Est 9:24
r Nú 24:7
  1Sa 15:8
  1Sa 15:32
s Est 12:8
t Est 1:14

2.ª col.

a Est 2:19
b Éx 17:14
  Éx 17:16
  Dt 25:19
  1Sa 15:3
  Sl 139:21
c Hch 5:29
d Da 6:13
e Ne 1:2
  Est 2:5
f Est 3:2
g Est 5:9
  Pr 12:16
  Pr 27:3
h Sl 73:6
  Sl 83:4
i Est 9:20
j Éx 12:2
  Éx 34:18
k Est 1:3
  Est 2:16
  Est 9:24
m Joe 3:3
  Abd 11
  Mt 27:35
n Est 9:1
o Dt 4:27
  Dt 30:3
  Ne 1:8
  Jer 50:17
  Zac 7:14
  Snt 1:1
p Est 1:1
q Sl 94:21
r Mt 18:24
s Est 9:3

tó su anillo de sellar[a] de su propia mano y lo dio a Hamán[b] hijo de Hamedata el agaguita,[c] el que estaba mostrando hostilidad a los judíos.[d] 11 Y el rey pasó a decir a Hamán: "La plata[e] se te da, también el pueblo, para que hagas con ellos según sea bueno a tus propios ojos".[f] 12 Entonces se llamó a los secretarios[g] del rey en el primer mes, en el día trece de él, y se efectuó la escritura[h] conforme a todo lo que Hamán mandó a los sátrapas del rey y a los gobernadores que estaban sobre los diferentes distritos jurisdiccionales,[i] y a los príncipes de los diferentes pueblos, de cada distrito jurisdiccional, en su propio estilo de escribir,[j] y a cada pueblo en su propia lengua; en el nombre[k] del rey Asuero se escribió, y se selló con el anillo de sellar del rey.[l]

13 Y hubo un enviar las cartas por medio de correos[m] a todos los distritos jurisdiccionales del rey, para aniquilar, para matar y para destruir a todos los judíos, a joven así como a viejo, pequeñuelos y mujeres, en un mismo día,[n] el [día] trece del mes duodécimo, es decir, el mes de Adar,[o] y para saquear el despojo de ellos.[p] 14 Una copia del escrito que había de darse como ley[q] en todos los diferentes distritos jurisdiccionales[r] se estuvo publicando a todos los pueblos, [para que] estuvieran listos para este día. 15 Los correos mismos salieron, impelidos a velocidad[s] debido a la palabra del rey, y la ley misma se dio en Susa[t] el castillo. En cuanto al rey y a Hamán, ellos se sentaron a beber;[u] pero en cuanto a la ciudad de Susa,[v] estaba en confusión.[w]

4 Y Mardoqueo[x] mismo llegó a saber de todo lo que se había hecho;[y] y Mardoqueo procedió a rasgar sus prendas de vestir, y a ponerse saco[z] y ceniza,[a] y a salir en medio de la ciudad y clamar con un fuerte y amargo clamor.[a] 2 Finalmente llegó hasta enfrente de la puerta del rey,[b] porque nadie había de entrar dentro de la puerta del rey en ropa de tela de saco. 3 Y en todos los diferentes distritos jurisdiccionales,[c] adondequiera que llegaba la palabra del rey y su ley, había gran duelo[d] entre los judíos, y ayuno[e] y llanto y plañido. Saco[f] y ceniza[g] mismos se tendieron como lecho para muchos. 4 Y las jóvenes de Ester y sus eunucos[h] empezaron a entrar y a referírselo. Y la reina quedó muy adolorida. Entonces envió prendas de vestir para vestir a Mardoqueo y para quitar su saco de sobre él. Y él no [las] aceptó.[i] 5 Ante esto, Ester llamó a Hatac,[i] uno de los eunucos del rey, a quien este había puesto para atenderla, y procedió a darle un mandato respecto a Mardoqueo, para saber lo que esto significaba y de qué se trataba todo esto.

6 De manera que Hatac salió a donde Mardoqueo, a la plaza pública de la ciudad que estaba delante de la puerta del rey. 7 Entonces Mardoqueo le informó acerca de todas las cosas que le habían acaecido[k] y la declaración exacta del dinero que Hamán había dicho que se pagara a la tesorería del rey[l] en contra de los judíos, para destruirlos.[m] 8 Y le dio una copia[n] del escrito de la ley que se había dado en Susa para que se los aniquilara, a fin de que se la mostrara a Ester y le informara y le diera el mandato[p] de entrar a donde el rey y suplicar favor de él[q] y presentar solicitud directamente delante de él por el propio pueblo de ella.[r]

9 Hatac[s] ahora entró y refirió a Ester las palabras de Mardoqueo. 10 Entonces Ester dijo a Hatac y le mandó respecto de Mardoqueo:[t] 11 "Todos los siervos del rey y el pueblo de los distritos jurisdiccionales del rey

están enterados de que, en cuanto a cualquier hombre o mujer que entre a donde el rey en el patio interior[a] sin ser llamado, su única ley[b] es la de darle muerte; solo en caso de que el rey le extienda el cetro de oro, entonces ciertamente quedará vivo.[c] En cuanto a mí, no se me ha llamado para entrar a donde el rey desde hace ya treinta días".

12 Y procedieron a informar a Mardoqueo las palabras de Ester. 13 Entonces Mardoqueo dijo que respondieran a Ester: "No te imagines dentro de tu propia alma que la casa del rey escapará más que todos los demás judíos.[d] 14 Porque si estás callada por completo en este tiempo, alivio y liberación mismos se levantarán para los judíos de algún otro lugar;[e] pero en cuanto a ti y la casa de tu padre, ustedes perecerán. Y ¿quién hay que sepa si has alcanzado la dignidad real para un tiempo como este?".[f]

15 Por consiguiente, Ester dijo que se respondiera a Mardoqueo: 16 "Ve, reúne a todos los judíos que se hallan en Susa,[g] y ayunen[h] por mí, y ni coman ni beban por tres días,[i] noche y día. Yo también, con mis jóvenes,[j] ayunaré igualmente, y tras eso entraré a donde el rey, lo cual no es conforme a la ley; y en caso de que tenga que perecer,[k] tendré que perecer". 17 Ante esto, Mardoqueo pasó adelante y procedió a hacer todo lo que Ester le había dado el mandato de hacer.

5 Y aconteció que al tercer día[l] Ester se puso a vestirse regiamente,[m] después de lo cual tomó su puesto en el patio interior[n] de la casa del rey, frente a la casa del rey, mientras el rey estaba sentado en su trono real, en la casa real, frente a la entrada de la casa. 2 Y aconteció que, en cuanto el rey vio a Ester la reina de pie en el patio,

CAP. 4
a Est 5:1
b Da 6:15
c Est 5:2
  Est 8:4
d Pr 24:10
  Pr 29:25
  Jn 12:25
e 1Sa 12:22
  Isa 54:17
  Jer 30:11
  Am 9:8
f Sl 75:7
  Isa 14:27
  Isa 49:23
g Est 3:15
h 2Cr 20:3
  Esd 8:21
  Mt 4:2
i Est 5:1
  Est 2:9
k Sl 34:15
  Sl 55:22
  Sl 62:8
  Sl 115:9
  Pr 29:25
  Ro 16:4

CAP. 5
l Est 4:16
m Est 2:17
  Est 8:15
  Mt 11:8
n Est 4:11
  Est 6:4

2.ᵃ col.
a Sl 116:7
b Est 4:11
  Est 8:4
c Est 7:2
  Est 9:12
d Mr 6:23
e Est 3:1
  Est 3:8
f Gé 32:20
  Pr 17:8
g Est 6:14
h Est 7:2
i Est 5:3
j Pr 29:11
k Job 20:5
  Lu 6:25
  Snt 4:9
l Est 2:21
  Est 3:3
  Est 6:10
m Est 3:2
n Sl 27:3
  Sl 139:21
  Sl 139:22
  Mt 10:28
o Est 3:5
  Ec 7:9
p Est 5:14
  Est 6:13
q Job 31:24
  Sl 49:6
  Sl 49:17
  Jer 9:23
  Mt 23:12
  1Ti 6:17
r Est 9:10
  Job 27:14

ella se granjeó favor[a] a los ojos de él, de manera que el rey extendió hacia Ester el cetro de oro[b] que estaba en su mano. Ester ahora se acercó y tocó la parte superior del cetro.

3 Entonces el rey le dijo: "¿Qué tienes, oh Ester la reina, y cuál es tu solicitud?[c] ¡Hasta la mitad de la gobernación real[d]... que aun se te dé!". 4 A su vez, Ester dijo: "Si al rey de veras le parece bien, venga hoy el rey con Hamán[e] al banquete[f] que he hecho para él". 5 En conformidad, el rey dijo: "Hagan que Hamán obre prestamente[g] de acuerdo con la palabra de Ester". Más tarde, el rey y Hamán fueron al banquete que Ester había hecho.

6 Después de un rato el rey dijo a Ester durante el banquete de vino: "¿Cuál es tu petición?[h] ¡Que aun se te otorgue! ¿Y cuál es tu solicitud? ¡Hasta la mitad de la gobernación real... que aun sea hecho!". 7 Ante esto, Ester contestó y dijo: "Mi petición y mi solicitud es: 8 Si he hallado favor a los ojos del rey,[i] y si al rey de veras le parece bueno otorgar mi petición y obrar de acuerdo con mi solicitud, que el rey y Hamán vengan al banquete que yo celebraré para ellos [mañana], y mañana haré conforme a la palabra del rey".[j]

9 En consecuencia, Hamán salió aquel día gozoso[k] y alegre de corazón; pero en cuanto Hamán vio a Mardoqueo en la puerta del rey,[l] y que este no se levantó[m] y no retembló a causa de él,[n] Hamán inmediatamente se llenó de furia[o] contra Mardoqueo. 10 Sin embargo, Hamán se contuvo, y entró en su casa. Entonces envió e hizo entrar a sus amigos y a Zeres[p] su esposa; 11 y Hamán procedió a declararles la gloria de sus riquezas[q] y el gran número de sus hijos,[r] y toda cosa con que el rey lo había

engrandecido, y cómo lo había ensalzado sobre los príncipes y los siervos del rey.[a] 12 Y Hamán pasó a decir: "Lo que es más, a nadie introdujo Ester la reina con el rey al banquete que ella había hecho sino a mí,[b] y también mañana[c] estoy invitado a donde ella con el rey. 13 Pero todo esto... nada de ello me satisface en tanto que esté viendo a Mardoqueo el judío sentado en la puerta del rey". 14 Ante esto, Zeres su esposa y todos sus amigos le dijeron: "Que hagan un madero[d] de cincuenta codos de altura. Entonces, por la mañana,[e] di al rey que cuelguen en él a Mardoqueo.[f] Entonces entra gozoso con el rey al banquete. De modo que la cosa pareció buena[g] ante Hamán, y procedió a mandar hacer el madero.[h]

6 Durante aquella noche el sueño del rey huyó.[i] Por lo tanto dijo que se trajera el libro de los registros[j] de los asuntos de los tiempos. De modo que hubo lectura de estos delante del rey. 2 Por fin se halló escrito lo que Mardoqueo había informado[k] acerca de Bigtana y Teres, dos oficiales de la corte del rey, guardas de la puerta, que habían tratado de echar mano al rey Asuero. 3 Entonces dijo el rey: "¿Qué honra y gran cosa se ha hecho a Mardoqueo por esto?". A esto los servidores del rey, sus ministros, dijeron: "Nada se ha hecho con él".[m] 4 Más tarde el rey dijo: "¿Quién está en el patio?". Ahora bien, Hamán mismo había entrado en el patio exterior[n] de la casa del rey para decir al rey que colgara a Mardoqueo en el madero[o] que él había hecho preparar para este. 5 Por consiguiente, los servidores del rey le dijeron: "Aquí está Hamán[p] parado en el patio". De manera que el rey dijo: "Que entre".

6 Cuando Hamán entró, el rey procedió a decirle: "¿Qué ha de hacerse al hombre en cuya honra el rey mismo se ha deleitado?".[a] Ante esto, Hamán dijo en su corazón: "¿A quién le deleitaría al rey rendir una honra más que a mí?".[b] 7 Por lo tanto, Hamán dijo al rey: "En cuanto al hombre en cuya honra el rey mismo se haya deleitado, 8 tráigase ropaje real,[c] con el cual de veras se viste el rey, y un caballo sobre el cual el rey de veras cabalga[d] y en cuya cabeza se haya puesto el adorno de la realeza. 9 Y que haya un poner del ropaje y del caballo a cargo de uno de los príncipes nobles del rey;[e] y tienen que vestir al hombre en cuya honra el rey mismo se ha deleitado, y tienen que hacer que vaya montado sobre el caballo en la plaza pública[f] de la ciudad,[g] y tienen que proclamar delante de él: 'Así se le hace al hombre en cuya honra el rey mismo se haya deleitado'".[h] 10 En seguida el rey dijo a Hamán: "Apresúrate, toma el ropaje y el caballo, tal como has dicho, y haz así a Mardoqueo el judío, que está sentado en la puerta del rey. No dejes que nada quede sin cumplirse de todo lo que has hablado".[i] 11 Y Hamán procedió a tomar el ropaje[j] y el caballo, y a vestir a Mardoqueo[k] y a hacerlo cabalgar en la plaza pública[l] de la ciudad y a proclamar delante de él:[m] "Así se hace al hombre en cuya honra el rey mismo se ha deleitado".[n] 12 Después Mardoqueo volvió a la puerta del rey.[o] En cuanto a Hamán, él se fue apresuradamente a su casa, desconsolado y con la cabeza cubierta.[p] 13 Y Hamán pasó a contar a Zeres[q] su esposa y a todos sus amigos todo lo que le había acaecido. Ante esto, sus sabios[r] y Zeres su esposa le dijeron: "Si es de la descendencia de los judíos este Mardoqueo, de-

CAP. 5
a Est 3:1
  Sl 37:35
b Est 5:5
c Est 5:8
d Dt 21:22
  Est 2:23
  Est 7:9
e Pr 27:1
f Est 3:2
  Est 6:4
g Pr 29:12
h Sl 37:14
  Pr 1:18
  Pr 21:24
  Pr 27:4

CAP. 6
i Pr 21:1
  Da 2:1
  Da 6:18
j Est 10:2
k Est 2:23
  Est 7:9
l Est 2:21
m Pr 3:27
  Ec 9:15
n Est 4:11
  Est 5:1
o Est 5:14
  Est 7:9
p Est 3:1

2.ª col.
a Pr 14:35
  Pr 16:15
  Pr 19:12
b Est 3:2
  Est 5:11
  Pr 16:18
  Pr 18:12
  Pr 30:13
c Est 8:15
d 1Re 1:38
e Est 1:3
  Est 1:14
  Est 3:1
f Est 4:6
g Est 3:15
h Gé 41:43
  2Sa 15:1
i Da 4:37
  Lu 14:11
j Est 8:15
k Est 2:5
l Est 4:6
m Lu 1:52
n Est 6:6
o Est 2:21
  Sl 131:1
p Sl 44:7
q Est 5:10
r Gé 41:8

lante de quien has comenzado a caer, no prevalecerás contra él, sino que sin falta caerás delante de él".[a]

14 Mientras todavía estaban hablando con él, los oficiales mismos de la corte del rey llegaron y procedieron a llevar a Hamán apresuradamente[b] al banquete[c] que Ester había hecho.

7 Entonces el rey y Hamán entraron a banquetear con Ester la reina. 2 El rey ahora dijo a Ester también en el segundo día durante el banquete de vino:[e] "¿Cuál es tu petición,[f] oh Ester la reina? Que aun se te dé. ¿Y cuál es tu solicitud? ¡Hasta la mitad de la gobernación real[h]... que aun sea hecho!". 3 Ante esto, Ester la reina contestó y dijo: "Si he hallado favor a tus ojos, oh rey, y si al rey de veras le parece bien, que se me dé mi propia alma[i] por petición mía, y mi pueblo[j] por solicitud mía. 4 Porque hemos sido vendidos,[k] yo y mi pueblo, para que se nos aniquile, mate y destruya.[l] Ahora bien, si se nos hubiera vendido para simplemente [ser] esclavos[m] y simplemente [ser] siervas, me habría quedado callada. Pero la angustia no es apropiada cuando [resulta en] perjuicio para el rey".

5 El rey Asuero ahora dijo, sí, pasó a decir a Ester la reina: "¿Quién es este,[n] y precisamente dónde está el que se ha envalentonado[o] para obrar así?". 6 Entonces Ester dijo: "El hombre, el adversario[p] y enemigo,[q] es este miserable Hamán".

En cuanto a Hamán, se aterrorizó[r] a causa del rey y de la reina. 7 En cuanto al rey, él se levantó en su furia[s] del banquete de vino [para ir] al jardín del palacio; y Hamán mismo se puso de pie para presentar solicitud por su alma a Ester la reina,[t] porque vio que lo malo había sido determinado[u] contra él

por el rey.[a] 8 Y el rey mismo volvió del jardín del palacio a la casa del banquete de vino;[b] y Hamán estaba caído sobre el lecho[c] en que estaba Ester. En consecuencia, el rey dijo: "¿Acaso también se ha de forzar a la reina, estando yo en la casa?". La palabra misma salió de la boca del rey,[d] y a Hamán le cubrieron el rostro. 9 Harboná,[e] uno de los oficiales de la corte[f] delante del rey, ahora dijo: "También, el madero[g] que Hamán hizo para Mardoqueo, el que había hablado lo bueno respecto al rey,[h] está plantado en casa de Hamán... cincuenta codos de alto". A lo que dijo el rey: "Cuélguenlo en él".[i] 10 Y procedieron a colgar a Hamán en el madero[j] que él había preparado para Mardoqueo;[k] y la furia misma del rey se apaciguó.

8 Aquel día el rey Asuero dio a Ester la reina la casa de Hamán,[l] el que estuvo mostrando hostilidad a los judíos;[m] y Mardoqueo mismo entró delante del rey, porque Ester había informado lo que él era respecto a ella.[n] 2 Entonces el rey se quitó el anillo de sellar[o] que le había quitado a Hamán y se lo dio a Mardoqueo; y Ester pasó a colocar a Mardoqueo sobre la casa de Hamán.[p]

3 Además, Ester volvió a hablar delante del rey y cayó ante sus pies y lloró y suplicó[q] el favor de él para que apartara la maldad[r] de Hamán el agaguita, y su trama[s] que este había tramado contra los judíos.[t] 4 Entonces el rey extendió el cetro de oro[u] hacia Ester, por lo cual Ester se levantó y estuvo de pie delante del rey. 5 Ella ahora dijo: "Si al rey de veras le parece bien, y si he hallado favor[v] ante él, y la cosa es correcta ante el rey, y yo soy buena a sus ojos, que se escriba para desha-

---

CAP. 6
a Dt 32:35
Pr 28:18
Os 14:9
b Est 5:5
c Est 5:8

CAP. 7
d Est 3:1
Est 5:12
e Est 5:6
f Est 5:3
g Est 9:12
h Mr 6:23
i Gé 2:7
1Co 15:45
j Est 2:7
Est 4:8
k Est 3:9
Est 4:7
Est 4:8
l Est 3:13
Est 8:11
m Gé 37:27
Ne 5:5
n Pr 25:5
Isa 13:11
o Hch 5:3
p Ef 6:12
q 1Sa 24:13
Sl 27:2
Ec 5:8
r Da 5:6
s Pr 14:35
Pr 16:14
Pr 19:12
u 1Sa 20:9
1Sa 25:17
Sl 112:10

2.ª col.
a Pr 19:12
b Est 7:1
c Est 7:6
Mt 26:20
d Pr 16:14
e Est 1:10
f Gé 37:36
Est 2:21
g Est 5:14
h Est 6:2
Sl 7:6
Sl 9:15
Sl 35:8
Sl 73:19
Pr 11:6
i Est 5:14
k Sl 37:34
Pr 21:18
2Pe 2:9

CAP. 8
l Est 5:11
m Est 3:8
Est 9:24
Est 2:5
Est 2:7
o Gé 41:42
Est 3:10
Da 6:17
p Ec 2:18
Est 9:25
q Os 12:4
Lu 11:9
r Est 3:9
s Est 9:25
t Est 7:4
Est 9:24
u Est 4:11
v Est 2:17

cer los documentos escritos,[a] la trama de Hamán hijo de Hamedata el agagita,[b] que él escribió para destruir a los judíos[c] que están en todos los distritos jurisdiccionales del rey.[d]   6 Pues ¿cómo podré [soportarlo] cuando tenga que mirar la calamidad que hallará a mi pueblo, y cómo podré [soportarlo] cuando tenga que mirar la destrucción de mis parientes?".

7 Así que el rey Asuero dijo a Ester la reina y a Mardoqueo el judío: "¡Miren! La casa de Hamán la he dado a Ester,[e] y a él lo han colgado en el madero,[f] por razón de que alargó la mano contra los judíos.   8 Y ustedes mismos escriban a favor de los judíos de acuerdo con lo que sea bueno a sus propios ojos, en nombre del rey,[g] y séllen[lo] con el anillo de sellar del rey; pues un escrito que se escribe en nombre del rey y se sella con el anillo de sellar del rey no es posible deshacerlo".[h]

9 En conformidad, se llamó a los secretarios[i] del rey en aquel tiempo, en el tercer mes, es decir, el mes de Siván, el [día] veintitrés de él; y se efectuó la escritura conforme a todo lo que Mardoqueo ordenó a los judíos y a los sátrapas[j] y a los gobernadores y a los príncipes de los distritos jurisdiccionales que había desde la India hasta Etiopía, ciento veintisiete distritos jurisdiccionales,[k] [a] cada distrito jurisdiccional en su propio estilo de escribir[l] y [a] cada pueblo en su propia lengua,[m] y a los judíos en su propio estilo de escribir y en su propia lengua.[n]

10 Y él procedió a escribir en el nombre del rey[o] Asuero y a sellar[p] con el anillo de sellar del rey,[q] y a enviar documentos escritos por mano de los correos a caballo,[r] montados en caballos de posta usados en el servicio real, hijos de yeguas veloces, 11 que el rey otorgaba [permi-

so] a los judíos que se hallaban en todas las diferentes ciudades para congregarse[a] y ponerse de pie en defensa de sus almas, para aniquilar y matar y destruir a toda la fuerza del pueblo[b] y del distrito jurisdiccional que estuviera mostrándoles hostilidad, pequeñuelos y mujeres, y para saquear su despojo,[c] 12 en un mismo día[d] en todos los distritos jurisdiccionales del rey Asuero, el [día] trece[e] del mes duodécimo, es decir, el mes de Adar.[f]   13 Una copia[g] del escrito había de darse como ley en todas partes de todos los diferentes distritos jurisdiccionales, publicada a todos los pueblos, a fin de que los judíos estuvieran listos para este día, para vengarse[h] en sus enemigos. 14 Los correos[i] mismos, montados en caballos de posta usados en el servicio real, salieron, instados adelante e impelidos a velocidad[j] por la palabra del rey; y la ley misma se dio en Susa[k] el castillo.

15 En cuanto a Mardoqueo, él salió de delante del rey en ropaje regio[l] de paño azul y lino, con una corona grande de oro, y una capa de tela finísima,[m] aun de lana teñida de púrpura rojiza.[n] Y la ciudad de Susa misma lanzó chillidos [de alegría] y estuvo gozosa.[o]   16 Para los judíos hubo luz y regocijo[p] y el alborozo y honra.   17 Y en todos los diferentes distritos jurisdiccionales y en todas las diferentes ciudades, adondequiera que llegaba la palabra del rey y su ley, había regocijo y alborozo para los judíos, un banquete[q] y un día bueno; y muchos [individuos] de los pueblos[r] del país se declaraban judíos,[s] porque el pavor[t] de los judíos había caído sobre ellos.

9 Y en el mes duodécimo, es decir, el mes de Adar,[u] en el día trece de este, cuando la palabra del rey y su ley habían de

---

CAP. 8

a Est 3:12
  Est 3:14
b Nú 24:7
  Dt 25:19
  1Sa 15:8
  Est 9:24
c Est 3:9
d Est 1:1
e Est 8:1
  Pr 13:22
f Est 7:10
  Gál 3:13
g 1Re 21:8
  Est 3:12
h Da 6:8
  Da 6:15
i Est 3:12
j Esd 8:36
  Est 9:3
  Da 6:1
k Est 1:1
l Est 1:22
  Est 3:12
m Da 4:1
n 1Co 14:9
o Ec 8:4
p Est 3:12
q Est 8:2
r Est 3:13

2.ª col.

a Est 9:2
b Sl 37:14
  Sl 68:2
c Est 3:13
  Est 9:10
  Est 9:15
  Est 9:16
d Éx 15:9
e Est 3:13
  Est 9:1
f Est 9:17
  Est 9:21
g Est 3:14
h Sl 92:11
  Sl 149:7
  Lu 18:7
i Est 3:13
j Est 3:15
k Est 1:2
  Da 8:2
l Gé 41:42
  Est 6:8
  Lu 16:19
m Mt 11:8
n Éx 25:4
  Éx 28:5
o Pr 29:2
p Est 9:17
  Sl 18:28
  Sl 30:5
  Sl 97:11
  Pr 11:10
  Isa 30:26
  Miq 7:8
q Ne 8:10
  Est 9:19
  Est 9:22
r Sl 18:43
s Zac 8:23
t Est 9:2

CAP. 9

u Est 3:7
  Est 8:12

ser ejecutadas,[a] en el día que los enemigos de los judíos habían esperado para enseñorearse dominantemente de ellos, aun hubo un volverse a lo contrario, puesto que los judíos mismos se enseñorearon dominantemente de los que los odiaban.[b]   2 Los judíos se congregaron[c] en sus ciudades, en todos los distritos jurisdiccionales del rey Asuero,[d] para echar mano a los que buscaban su perjuicio,[e] y ningún hombre se mantuvo firme ante ellos, porque el pavor[f] de ellos había caído sobre todos los pueblos.   3 Y todos los príncipes[g] de los distritos jurisdiccionales, y los sátrapas,[h] y los gobernadores, y los que manejaban el negocio[i] que pertenecía al rey estaban ayudando a los judíos, porque el pavor[j] de Mardoqueo había caído sobre ellos.   4 Porque Mardoqueo era grande[k] en la casa del rey, y su fama[l] corría por todos los distritos jurisdiccionales, porque el hombre Mardoqueo iba engrandeciéndose más y más.[m]

5 Y los judíos se pusieron a derribar a todos sus enemigos con un degüello a espada,[n] y con una matanza y destrucción, y fueron haciendo conforme a su gusto con los que los odiaban.[o]   6 Y en Susa[p] el castillo los judíos mataron, y hubo una destrucción de quinientos hombres.   7 También a Parsandatá y Dalfón y Aspatá   8 y Poratá y Adalía y Aridatá   9 y Parmastá y Arisai y Aridai y Vaizata   10 —los diez hijos[q] de Hamán[r] hijo de Hamedata, el que mostró hostilidad a los judíos[s]— los mataron; pero en el botín[t] no pusieron la mano.

11 En aquel día el número de los muertos en Susa el castillo llegó [a anunciarse] ante el rey.   12 Y el rey procedió a decir a Ester la reina:[u] "En Susa el castillo[v] los judíos han matado, y ha habido un destruir de quinientos hombres y de los diez hijos de Hamán. En los demás distritos jurisdiccionales[a] del rey, ¿qué han hecho?[b] ¿Y cuál es tu petición? Que aun se te dé.[c] ¿Y cuál es tu solicitud adicional?[d] Que aun sea hecha".   13 Por consiguiente, Ester dijo: "Si al rey de veras le parece bien,[e] que se otorgue también mañana a los judíos que están en Susa hacer conforme a la ley de hoy;[f] y que los diez hijos de Hamán sean colgados en el madero".[g]   14 De manera que el rey dijo que se hiciera así.[h] Entonces se dio una ley en Susa, y los diez hijos de Hamán fueron colgados.

15 Y los judíos que estaban en Susa procedieron a congregarse también el día catorce[i] del mes de Adar, y lograron matar en Susa a trescientos hombres; pero en el botín no pusieron la mano.[j]

16 En cuanto a los demás judíos que estaban en los distritos jurisdiccionales[k] del rey, se congregaron, y hubo un ponerse de pie en defensa de sus almas,[l] y hubo un vengarse[m] en sus enemigos y un matar a setenta y cinco mil entre los que los odiaban; pero en el botín no pusieron la mano,   17 el día trece del mes de Adar; y hubo un descanso el [día] catorce de él, y hubo un hacer de él un día de banquete[n] y de regocijo.[o]

18 En cuanto a los judíos que estaban en Susa, ellos se congregaron el [día] trece[p] de él y el [día] catorce de él, y hubo un descanso el [día] quince de él, y hubo un hacer de él un día de banquete y de regocijo.[q]   19 Por eso los judíos del campo, que habitaban las ciudades de los distritos remotos, estuvieron haciendo del día catorce del mes de Adar[r] un regocijo[s] y

CAP. 9

a Est 3:13
b Est 22:36
2Sa 22:41
Sl 10:16
c Est 8:11
d Est 1:1
e Sl 71:13
Sl 71:24
f Dt 11:25
Est 8:17
g Est 3:12
Est 8:9
h Da 6:1
i Est 3:9
j Est 9:1
Sl 31:11
k Est 8:15
l 1Sa 2:30
Sof 3:19
m 2Cr 1:1
Sl 1:3
n Sl 18:34
Sl 18:47
Miq 5:8
2Te 1:6
o 1Sa 12:22
Sl 34:19
Sl 94:14
Miq 5:9
p Est 1:2
Da 8:2
q Éx 17:14
Éx 17:16
Nú 24:7
Sl 21:10
Sl 109:13
r Est 3:1
Est 3:12
Est 8:5
s Est 3:8
t Est 9:16
Est 8:11
Est 9:16
u Est 2:17
v Est 3:15

2.ª col.

a Est 1:1
Da 6:1
b Est 9:16
c Est 5:6
d Est 8:5
e Est 5:8
Est 7:3
f Est 8:11
g Dt 21:22
Est 2:23
Est 7:10
Gál 3:13
h Est 9:25
i Est 9:21
Est 9:31
j Est 9:10
k Est 1:1
Da 6:1
l Gé 2:7
Le 17:11
Est 7:3
m Dt 32:35
Est 8:13
Sl 149:7
Na 1:2
Lu 18:7
n Est 8:17
o Est 8:16
Sl 58:10
p Est 9:1
Est 9:13
Est 9:15
q Pr 11:10
r Esd 6:15
Est 3:7

s Sl 118:15; Sl 145:7; Isa 65:14.

un banquete y un día bueno[a] y un envío de porciones[b] los unos a los otros.

20 Y Mardoqueo[c] procedió a escribir estas cosas y a enviar documentos escritos a todos los judíos que estaban en todos los distritos jurisdiccionales[d] del rey Asuero, los cercanos y los lejanos, 21 para imponerles la obligación[e] de celebrar con regularidad el día catorce del mes de Adar y el día quince de él, en cada año sin excepción, 22 con arreglo a los días en que los judíos habían descansado de sus enemigos,[f] y el mes que fue cambiado para ellos de desconsuelo en regocijo y de duelo[g] en un día bueno, para celebrarlos como días de banquete y regocijo y envío de porciones los unos a los otros,[h] y de regalos a los pobres.[i]

23 Y los judíos aceptaron lo que habían comenzado a hacer y lo que Mardoqueo les había escrito. 24 Porque Hamán[j] hijo de Hamedata,[k] el agagita,[l] el que mostró hostilidad[m] a todos los judíos, había tramado él mismo contra los judíos para destruirlos,[n] y había hecho echar Pur,[o] es decir, la Suerte,[p] para inquietarlos y destruirlos. 25 Pero cuando Ester entró delante del rey, él dijo con el documento escrito:[q] "Que esta mala trama[r] que él ha tramado contra los judíos recaiga sobre su propia cabeza";[s] y los colgaron a él y a sus hijos en el madero.[t] 26 Por eso llamaron a estos días Purim, por el nombre del Pur.[u] Por eso, de acuerdo con todas las palabras de esta carta,[v] y lo que habían visto en cuanto a esto, y lo que les había sobrevenido, 27 los judíos se impusieron y aceptaron sobre sí y sobre su prole y sobre todos los que se unieran a ellos,[w] para que no pasara, la obligación de estar celebrando con regularidad es-

tos dos días, conforme a lo que estaba escrito respecto a ellos, y con arreglo a su tiempo señalado en cada año sin excepción. 28 Y estos días habían de ser recordados y celebrados en toda y cada generación, en cada familia, cada distrito jurisdiccional y cada ciudad, y estos días de Purim mismos no habían de pasar de entre los judíos, ni la conmemoración[a] misma de ellos fenecer entre su prole.

29 Y Ester la reina, hija de Abiháil,[b] y Mardoqueo el judío, procedieron a escribir con pleno vigor para confirmar esta segunda carta acerca de Purim. 30 Entonces él envió documentos escritos a todos los judíos en los ciento veintisiete distritos jurisdiccionales,[c] el reino de Asuero,[d] [en] palabras de paz y verdad,[e] 31 para confirmar estos días de Purim en sus tiempos señalados, tal como Mardoqueo el judío y Ester la reina les habían impuesto,[f] y tal como ellos habían impuesto sobre su propia alma y sobre su prole,[g] los asuntos de los ayunos[h] y su clamor por socorro.[i] 32 Y el mismísimo dicho de Ester confirmó estos asuntos de Purim,[j] y esto se escribió en un libro.

10 Y el rey Asuero procedió a imponer trabajo forzado[k] sobre la tierra y las islas[l] del mar.

2 En cuanto a toda su obra enérgica, y su poderío, y la declaración exacta de la grandeza de Mardoqueo[m] con la cual el rey lo engrandeció,[n] ¿no están escritos en el Libro de los asuntos[o] de los tiempos de los reyes de Media y Persia?[p] 3 Porque Mardoqueo el judío fue segundo[q] en orden al rey Asuero, y fue grande entre los judíos y aprobado por la multitud de sus hermanos, trabajando para el bien de su pueblo y hablando paz[r] a toda la prole de ellos.

CAP. 9
a Sl 124:2
Sl 124:6
b Ne 8:10
c Est 2:5
Est 8:8
d Est 1:1
Da 6:1
e Sl 145:4
f Sl 103:2
Isa 12:1
g Est 4:3
h Est 9:19
Lu 11:41
i Gál 2:10
j Est 3:1
k Est 8:5
l Éx 17:16
Nú 24:7
1Sa 15:8
m Est 3:10
Est 9:10
n Est 3:9
o Est 3:7
p Jue 3:3
Abd 11
Mt 27:35
q Est 8:5
Est 8:10
Est 9:13
r Est 8:3
s Dt 19:19
Sl 7:16
Sl 37:15
Sl 141:10
Da 6:24
t Est 5:14
Est 7:10
Est 9:14
u Est 3:7
v Est 9:20
w Le 19:34
Le 24:22
Rut 1:16
1Re 8:43
Est 8:17
Gál 5:3

2.ª col.
a Sl 103:2
b Est 2:15
c Est 8:9
Est 9:20
d Est 1:1
e Isa 39:8
f Est 9:21
g Est 9:27
h 2Cr 20:3
Joe 2:12
i Est 4:1
Est 6:2
Sl 142:1
j Est 9:26

CAP. 10
k Jos 16:10
Lam 1:1
l Gé 10:5
m Est 2:5
n Est 8:15
Sl 18:35
Da 2:48
o Esd 4:15
Est 6:1
p Est 1:3
Da 6:15
q Gé 41:40
Da 5:16
r Sl 125:5
Pr 12:20
Isa 26:12

JOB

1 Sucedió que en la tierra de Uz[a] hubo un hombre cuyo nombre era Job;[b] y aquel hombre resultó sin culpa[c] y recto,[d] y temeroso de Dios[e] y apartado del mal.[f] **2** Y llegaron a nacerle siete hijos y tres hijas.[g] **3** Y su ganado[h] llegó a ser siete mil ovejas y tres mil camellos y quinientas yuntas de reses vacunas y quinientas asnas, junto con una servidumbre muy grande; y aquel hombre llegó a ser el más grande de todos los orientales.[i]

4 Y sus hijos iban y celebraban un banquete[j] en la casa de cada uno en su propio día; y mandaban a invitar a sus tres hermanas a comer y beber con ellos. **5** Y ocurría que, cuando los días de banquetear habían hecho el circuito completo, Job enviaba y los santificaba;[k] y se levantaba muy de mañana y ofrecía sacrificios quemados[l] conforme al número de todos ellos; porque, decía Job, "quizás mis hijos hayan pecado y hayan maldecido[m] a Dios en su corazón".[n] Así hacía Job siempre.[o]

6 Ahora bien, llegó a ser el día en que los hijos del Dios [verdadero][p] entraban para tomar su puesto delante de Jehová,[q] y hasta Satanás procedió a entrar allí mismo entre ellos.[s]

7 Entonces Jehová dijo a Satanás: "¿De dónde vienes?". Ante esto, Satanás contestó a Jehová y dijo: "De discurrir por la tierra[t] y de andar por ella".[u] **8** Y Jehová pasó a decir a Satanás: "¿Has fijado tu corazón en mi siervo Job, que no hay ninguno como él en la tierra,[v] un hombre sin culpa[w] y recto,[x] temeroso de Dios[y] y apartado del mal?".[z] **9** Ante esto, Satanás contestó a Jehová y dijo: "¿Ha temido Job a Dios por nada?[a] **10** ¿No has puesto tú mismo un seto [protector] alre-

dedor de él[a] y alrededor de su casa y alrededor de todo lo que tiene en todo el derredor? La obra de sus manos has bendecido,[b] y su ganado mismo se ha extendido en la tierra. **11** Pero, para variar, sírvete alargar la mano, y toca todo lo que tiene, [y ve] si no te maldice en tu misma cara".[c] **12** Por consiguiente, Jehová dijo a Satanás: "¡Mira! Todo lo que tiene está en tu mano. ¡Solo que contra él mismo no alargues la mano!". De manera que Satanás salió de ante la persona de Jehová.[d]

13 Ahora bien, llegó a ser el día en que sus hijos y sus hijas estaban comiendo y bebiendo vino en casa de su hermano el primogénito.[e] **14** Y llegó un mensajero[f] a Job, y procedió a decir: "Las reses vacunas mismas estaban arando[g] y las asnas pastando al lado de ellas **15** cuando vinieron los sabeos[h] haciendo una incursión y tomándolas, y a los servidores los derribaron a filo de espada; y yo logré escapar, yo solo, para informártelo".

16 Mientras este todavía estaba hablando, llegó aquel y procedió a decir: "El mismísimo fuego de Dios cayó de los cielos,[j] y fue ardiendo entre las ovejas y los servidores, y comiéndoselos; y yo logré escapar, yo solo, para informártelo".

17 Mientras ese todavía estaba hablando, llegó otro y procedió a decir: "Los caldeos[k] formaron tres partidas y fueron lanzándose contra los camellos y tomándolos, y a los servidores los derribaron a filo de espada; y yo logré escapar, yo solo, para informártelo".

18 Mientras este otro todavía

estaba hablando, llegó otro más y procedió a decir: "Tus hijos y tus hijas estaban comiendo y bebiendo vino[a] en casa de su hermano el primogénito. **19** Y, ¡mira!, vino un gran viento[b] de la región del desierto, y se puso a golpear las cuatro esquinas de la casa, de manera que esta cayó sobre los jóvenes, y murieron. Y yo logré escapar, yo solo, para informártelo."

20 Y Job procedió a levantarse, y a rasgar[c] su vestidura sin mangas, y a cortarse el cabello[d] de la cabeza, y a caer en tierra[e] e inclinarse[f] **21** y decir:

"Desnudo salí del vientre de
    mi madre,[g]
y desnudo volveré allá.[h]
Jehová mismo ha dado,[i] y Jehová mismo ha quitado.[j]
Continúe siendo bendito el
    nombre de Jehová".[k]

22 En todo esto Job no pecó, ni atribuyó nada impropio a Dios.[l]

2 Después llegó a ser el día en que los hijos del Dios [verdadero] entraban para tomar su puesto delante de Jehová, y Satanás también procedió a venir allí mismo entre ellos para tomar su puesto delante de Jehová.[m] **2** Entonces Jehová dijo a Satanás: "¿Y tú, de dónde vienes?". Ante esto, Satanás respondió a Jehová y dijo: "De discurrir por la tierra y de andar por ella".[n] **3** Y Jehová pasó a decir a Satanás: "¿Has fijado tu corazón en mi siervo Job,[o] que no hay ninguno como él en la tierra, un hombre sin culpa y recto,[p] temeroso de Dios[q] y apartado del mal?[r] Todavía está reteniendo firmemente su integridad,[s] aunque tú me incitas[t] contra él para que me lo trague sin causa".[u] **4** Pero Satanás[v] respondió a Jehová y dijo: "Piel en el interés de piel, y todo lo que el hombre tiene lo dará en el interés de su alma.[w] **5** Para variar, sírvete alargar la mano, y toca hasta su hueso y su carne, [y ve] si no te maldice en tu misma cara".[x]

6 Por consiguiente, Jehová dijo a Satanás: "¡Allí está en tu mano! ¡Solo ten cuidado con su alma misma!".[y] **7** De manera que Satanás salió de ante la persona de Jehová[z] e hirió a Job con un divieso[b] maligno desde la planta del pie hasta la coronilla de la cabeza. **8** Y él procedió a tomar para sí un fragmento de vasija de barro con el cual rasparse; y estaba sentado en medio de ceniza.[c]

9 Finalmente su esposa le dijo: "¿Todavía estás reteniendo firmemente tu integridad?[d] ¡Maldice a Dios, y muere!". **10** Pero él le dijo: "Como habla una de las mujeres insensatas,[e] tú también hablas. ¿Aceptaremos solamente lo que es bueno de parte del Dios [verdadero], y no aceptaremos también lo que es malo?".[f] En todo esto Job no pecó con sus labios.[g]

11 Y tres compañeros de Job llegaron a oír acerca de toda esta calamidad que le había sobrevenido, y procedieron a venir, cada cual de su propio lugar: Elifaz el temanita[h] y Bildad el suhita[i] y Zofar el naamatita.[j] De manera que se encontraron por cita[k] para ir y condolerse de él y consolarlo.[l] **12** Cuando alzaron los ojos desde lejos, no lo reconocieron entonces. Y procedieron a alzar la voz y llorar y rasgar[m] cada cual su vestidura sin mangas y a aventar polvo hacia los cielos sobre sus cabezas.[n] **13** Y se quedaron sentados[o] con él en la tierra siete días y siete noches, y no hubo nadie que le hablara una palabra, porque vieron que el dolor[p] era muy grande.

3 Fue después de esto cuando Job abrió la boca y se puso a invocar el mal contra su día.[q] **2** Job ahora respondió y dijo:

3 "Perezca el día en que llegué
    a nacer;[r]

CAP. 1
a Sl 104:15
b Ec 9:7
  Ec 10:19
b Ef 2:2
c Gé 37:34
  1Sa 4:12
d Esd 9:3
  Miq 1:16
e 2Sa 12:16
  Isa 3:26
  Mt 26:39
f Gé 24:26
  Éx 34:8
  Ne 9:3
g Job 31:15
  Sl 127:3
  Ec 5:15
  1Ti 6:7
h Gé 3:19
  Sl 49:17
  Ec 12:7
i Ec 5:19
  Snt 1:17
j 1Sa 2:6
  Pr 23:5
k Sl 34:1
l Dt 32:4
  Ro 9:20

CAP. 2
m Job 1:6
n Job 1:7
o Job 1:8
p Gé 6:9
q Ne 5:15
  Pr 8:13
  Pr 16:6
r Sl 34:14
  1Te 5:22
s Job 27:5
t Job 1:11
u Job 9:17
v Job 1:6
  Mr 41:8
x Le 24:15
  Job 1:11
  Rev 12:10

2.ª col.
a Job 1:12
b Éx 9:9
  Le 13:18
  Job 30:30
c Jer 6:26
  Eze 27:30
  Jon 3:6
  Jon 3:8
d Mal 3:14
e Job 1:11
f Job 1:21
  Snt 5:10
g Sl 39:1
h Le 19:28
  Pr 12:13
  Snt 5:11
h Gé 36:34
  Jer 49:7
i Gé 25:2
  1Cr 1:32
j Job 42:9
k Am 3:3
l Gé 37:35
m Job 1:20
n Ne 9:1
  Lam 2:10
  Eze 27:30
o Esd 9:3
  Isa 3:26
p Job 16:6

CAP. 3 q Jer 20:14; r Job 10:18; Jer 15:10; Jer 20:15.

también la noche en que alguien dijo: '¡Un hombre físicamente capacitado ha sido concebido!'.

4 En cuanto a aquel día, llegue a ser oscuridad.
No lo busque Dios desde arriba,
ni resplandezca sobre él la luz del día.

5 Reclámenlo la oscuridad y la sombra profunda.
Resida sobre él una nube de lluvia.
Aterroricenlo las cosas que oscurecen un día.ᵃ

6 Aquella noche... tómenla las tinieblas;ᵇ
no se sienta alegre entre los días de un año;
entre el número de los meses lunares no entre.

7 ¡Miren! Aquella noche... llegue a ser estéril;
no entre en ella ningún clamor gozoso.ᶜ

8 Exécrenla maldecidores del día,
los que están listos para despertar a Leviatán.ᵈ

9 Oscurézcanse las estrellas de su crepúsculo;
espere la luz y no haya tal;
y no vea los rayos del alba.

10 Porque no cerró las puertas del vientre de mi [madre],ᵉ
y no ocultó así de mis ojos la desdicha.

11 ¿Por qué desde la matriz no procedí a morir?ᶠ
¿[Por qué no] salí del vientre mismo y entonces expiré?

12 ¿Por qué se presentaron rodillas delante de mí?
¿y por qué pechos,ᵍ para que mamara?

13 Pues para ahora me hubiera acostado para estar libre de disturbio;ʰ
hubiera dormido entonces; estuviera descansandoⁱ

14 con reyes y consejeros de la tierra,ʲ
los que edifican para sí lugares desolados,ᵏ

15 o con príncipes que tienen oro,
los que llenan sus casas de plata;

16 o, como un abortoᵃ escondido, yo no hubiera llegado a ser,
como niños que no han visto la luz.ᵇ

17 Allí los inicuos mismos han cesado de agitación,ᶜ
y allí los fatigados en cuanto a poder descansan.ᵈ

18 Juntos los prisioneros mismos están en desahogo;
realmente no oyen la voz de uno que los obligue a trabajar.ᵉ

19 Pequeño y grande son lo mismo allí,ᶠ
y el esclavo queda libre de su amo.

20 ¿Por qué da él luz al que sufre desgracia,
y vida a los amargados de alma?ᵍ

21 ¿Por qué hay los que esperan la muerte, y no la hay,ʰ
aunque siguen cavando por ella más que por tesoros escondidos?

22 Los que están regocijándose hasta suma alegría,
se alborozan porque hallan una sepultura.

23 ¿[Por qué da luz] al hombre físicamente capacitado, cuyo camino ha sido ocultado,ⁱ
y a quien Dios tiene cercado?ʲ

24 Porque antes de mi alimento viene mi suspirar,ᵏ
y, como aguas mis rugientes lloros salen precipitadamente;ˡ

25 porque de una cosa pavorosa he estado lleno de pavor,
y viene sobre mí;
y aquello de que he estado asustado me viene.ᵐ

26 No he estado sin cuidado, ni he estado sin disturbio,
ni he tenido descanso, y no obstante viene la agitación".

CAP. 3
a Am 8:10
b Job 10:19
c Isa 24:8
d Job 41:1
  Job 41:10
  Sl 74:14
  Sl 104:26
e Gé 29:31
  1Sa 1:5
  Job 10:18
f Jer 15:10
  Jer 20:17
g Sl 22:9
  Lu 23:29
h Ec 9:5
  Ec 9:10
i Job 30:23
  Jn 11:11
j 1Re 2:10
  2Cr 16:14
k Gé 50:26
  Isa 22:16
  Eze 26:20

2.ᵃ col.
a Sl 58:8
  Ec 6:3
  Os 9:14
b Sl 49:19
c Sl 9:17
d Sl 146:4
  Ec 9:10
  Isa 57:2
e Éx 5:6
f Job 30:23
  Sl 49:10
  Ec 3:20
  Ec 8:8
  Ec 9:2
g 1Sa 1:10
  2Re 4:27
  Pr 31:6
h Nú 11:15
  1Re 19:4
  Job 7:15
  Jon 4:3
  Rev 9:6
i Job 19:8
j Job 12:14
  Job 19:8
  Lam 3:9
  Os 2:6
k Sl 80:5
  Sl 102:9
l Sl 22:1
  Sl 38:8
  Isa 59:11
m Job 31:23

4 Y Elifaz[a] el temanita procedió a responder y decir:

2 "Si uno trata de dirigirte una palabra, ¿te fatigarás?
Pero poner restricción a las palabras, ¿quién puede?

3 ¡Mira! Tú has corregido a muchos,[b]
y las manos débiles solías fortalecer.[c]

4 Al que tropezaba, tus palabras lo levantaban;[d]
y las rodillas que se doblaban las hacías firmes.[e]

5 Pero esta vez se viene a ti, y te fatigas;
te toca aun a ti, y te perturbas.

6 ¿No es tu reverencia [la base de] tu confianza?
¿No es tu esperanza aun la integridad[f] de tus caminos?

7 Recuerda, por favor: ¿Quién que sea inocente ha perecido jamás?
¿Y dónde jamás han sido raídos los rectos?[g]

8 Conforme a lo que yo he visto, los que idean lo que es perjudicial
y los que siembran la desgracia, ellos mismos la siegan.[h]

9 Mediante el aliento de Dios perecen,
y mediante el espíritu de su cólera se acaban.

10 Hay el rugido de un león, y la voz de un león joven,
pero los dientes de los leoncillos crinados sí llegan a ser quebrantados.

11 El león va pereciendo por no haber presa,
y los cachorros del león son separados unos de otros.

12 Ahora a mí me fue traída una palabra a hurtadillas,
y mi oído procedió a percibir un susurro de ella,[i]

13 en pensamientos inquietantes de visiones nocturnas,

cuando sueño profundo cae sobre los hombres.

14 Un pavor me sobrevino, y un temblor,
y a la multitud de mis huesos llenó de pavor.

15 Y un espíritu mismo fue pasando sobre mi rostro;
el pelo de mi carne empezó a erizárseme.

16 [El espíritu] empezó a detenerse,
pero no reconocí su apariencia;
una forma estaba enfrente de mis ojos;
hubo una calma, y entonces oí una voz:

17 'El hombre mortal... ¿podrá ser más justo que Dios mismo?
¿O podrá el hombre físicamente capacitado ser más limpio que su propio Hacedor?'.

18 ¡Mira! En sus siervos él no tiene fe,
y a sus mensajeros imputa tener faltas.

19 ¡Cuánto más a los que moran en casas de barro,
cuyo fundamento está en el polvo![a]
Los aplasta uno más rápidamente que a una polilla.

20 De la mañana al atardecer son triturados;
sin que nadie [lo] tome [a pecho], perecen para siempre.

21 ¿Acaso la cuerda de su tienda dentro de ellos no ha sido arrancada?
Mueren por falta de sabiduría.

5 "¡Llama, por favor! ¿Hay quién te conteste?
¿Y a cuál de los santos te dirigirás?

2 Porque al tonto la irritación lo matará,
y al que es fácilmente atraído el envidiar le dará muerte.

CAP. 4
a Job 2:11

Job 42:9

b Lu 17:3

c Lu 22:32

d Pr 12:18

Pr 16:23

1Te 5:14

e Isa 35:3

Heb 12:12

f Job 1:1

g Job 2:3

Job 42:7

h Gál 6:7

i 1Jn 4:1

Rev 16:14

2.ª col.

a Gé 3:19

3 Yo mismo he visto al tonto arraigarse,[a]
   pero de repente empecé a execrar su lugar de habitación.
4 Sus hijos quedan lejos de la salvación,[b]
   y son aplastados en la puerta sin que haya libertador.
5 Lo que él cosecha, el hambriento se lo come;
   y hasta de los ganchos del carnicero uno lo toma,
   y un lazo realmente coge de golpe sus medios de mantenimiento.
6 Porque no del simple polvo sale lo que es perjudicial,
   y del simple suelo no brota la desgracia.
7 Porque el hombre mismo nace para la desgracia,
   como las chispas mismas vuelan hacia arriba.
8 Sin embargo, yo mismo acudiría a Dios,
   y a Dios sometería mi causa,[c]
9 [a] Aquel que hace inescrutables cosas grandes,
   cosas maravillosas sin número;[d]
10 [a] Aquel que da lluvia sobre la superficie de la tierra[e]
   y envía aguas sobre los campos rasos;[f]
11 [a] Aquel que pone en lugar alto a los que están bajos,[g]
   de modo que los que están tristes están bien arriba en salvación;
12 [a] Aquel que frustra las tramas de los sagaces,[h]
   de modo que las manos de estos no obran con efecto;
13 [a] Aquel que prende a los sabios en su propia astucia,[i]
   de modo que el consejo de los arteros se precipita;[j]
14 encuentran oscuridad hasta de día,
   y andan palpando al me-

diodía como si fuera de noche;[a]
15 y [a] Aquel que salva de la espada procedente de la boca de ellos,
   y de la mano del fuerte, a un pobre,[b]
16 de modo que para el de condición humilde llega a haber esperanza,[c]
   pero la injusticia realmente cierra su boca.[d]
17 ¡Mira! ¡Feliz es el hombre a quien Dios censura!;[e]
   ¡y la disciplina del Todopoderoso no rechaces!
18 Porque él mismo causa dolor, pero venda [la herida];
   él hace pedazos, pero sus propias manos ejecutan la curación.
19 En seis angustias te librará;[f]
   y en siete, nada dañino te tocará.[g]
20 Durante el hambre ciertamente te redimirá de la muerte;[h]
   y durante la guerra, del poder de una espada.
21 Del látigo de una lengua estarás escondido,[i]
   y no tendrás miedo del despojo violento cuando venga.
22 Del despojo violento y el hambre te reirás,
   y a las bestias salvajes de la tierra no tendrás que temer.
23 Porque con las piedras del campo será tu pacto,
   y a la mismísima bestia salvaje del campo se hará vivir en paz contigo.[j]
24 Y ciertamente conocerás que la paz misma es tu tienda,
   y de seguro irás a ver tu apacentadero, y nada echarás de menos.
25 Y ciertamente sabrás que tu prole es mucha,[k]
   y tus descendientes como la vegetación de la tierra.[l]

CAP. 5
a Sl 37:35

b Sl 109:13
Sl 119:155

c Lu 18:11

d Sl 40:5
Sl 72:18
Ro 11:33

e Sl 65:9

f Job 26:8
Sl 147:8
Hch 14:17

g Lu 1:52

h Ne 4:15

i 1Co 3:19

j Sl 9:15

2.ª col.
a Job 12:25
Pr 4:19

b Sl 35:10

c 1Sa 2:8

d Sl 107:42

e Sl 94:12

f Sl 34:19

g Pr 24:16

h Gé 45:7

i Pr 12:18
Snt 3:8

j Le 26:6

k Sl 112:2

l Sl 72:16

26 Llegarás en vigor a la sepultura,[a]
   como cuando las gavillas se amontonan a su tiempo.
27 ¡Mira! Esto es lo que hemos investigado. Así es.
   Óyelo, y tú... sábelo para ti mismo".

6 Y Job procedió a responder y decir:

2 "¡Oh, que se pesara del todo mi irritación,[b]
   y que al mismo tiempo pusieran mi adversidad en la balanza misma!
3 Porque ahora es más pesada aun que las arenas de los mares.
   Por eso mis propias palabras han sido habla desatinada.[c]
4 Porque conmigo están las flechas del Todopoderoso,[d]
   cuya ponzoña mi espíritu está bebiendo;[e]
   los terrores de Dios se alinean contra mí.
5 ¿Clamará una cebra[g] por [tener] la hierba,
   o mugirá un toro por [tener] su forraje?
6 ¿Se comerá lo insípido sin sal, o hay sabor en el jugo viscoso del malvavisco?
7 Mi alma ha rehusado tocar [cosa alguna].
   Son como enfermedad en mi alimento.
8 ¡Oh, que viniera lo que solicité
   y que Dios otorgara aun mi esperanza!
9 ¡Y que Dios prosiguiera a aplastarme,
   que soltara su mano y me cortara [de la existencia]![h]
10 Aun ello todavía sería mi consuelo;
   y yo saltaría [de gozo][i] ante [mis] dolores de parto,
   [aunque] él no tuviera compasión, porque yo no he escondido los dichos[j] del Santo.[k]

11 ¿Cuál es mi poder, para que yo siga esperando?[a]
   ¿Y cuál es mi fin, para que yo siga prolongando mi alma?
12 ¿Es mi poder el poder de las piedras?
   ¿O es de cobre mi carne?
13 ¿Será que el ayudarme a mí mismo no está en mí,
   y el mismísimo trabajar con eficacia ha sido ahuyentado de mí?
14 En cuanto al que retiene de su propio prójimo la bondad amorosa,[b]
   también dejará hasta el temor del Todopoderoso.[c]
15 Mis propios hermanos han obrado traidoramente,[d]
   como un torrente invernal,
   como el cauce de torrentes invernales que siguen pasando.
16 Están oscuros debido al hielo,
   sobre ellos se esconde la nieve.
17 A su tiempo quedan sin agua,[e] se les ha impuesto silencio;
   cuando viene el calor, se secan de su lugar.[f]
18 Las sendas de su camino son desviadas;
   suben al lugar vacío y perecen.
19 Las caravanas de Temá[g] han mirado,
   la compañía viajante de sabeos[h] los ha esperado.
20 Ciertamente quedan avergonzadas por haber confiado;
   han venido hasta el lugar mismo y quedan desilusionadas.[i]
21 Porque ahora ustedes no han valido nada;[j]
   ven terror, y les da miedo.[k]
22 ¿Será porque he dicho: 'Denme [algo],
   o del poder de ustedes hagan un presente en favor mío;

CAP. 5
a Dt 34:7

CAP. 6
b Sl 31:9

c Snt 3:2

d Sl 38:2

e Pr 18:14

f Sl 88:16

g Job 24:5
Jer 14:6

h Nú 11:15
1Re 19:4
Job 3:21
Jon 4:3

i Job 3:22

j Sl 40:9
Hch 20:27

k Le 19:2
Os 11:9
1Pe 1:15

2.ª col.
a Job 7:7
Sl 103:15

b Pr 3:3
Pr 19:22
Os 6:6
Zac 7:9
Mt 25:44

c Job 23:16
1Jn 3:17

d Job 19:19
Sl 38:11

e Jud 12

f Job 24:19

g Isa 21:14
Jer 25:23

h Job 1:15

i Jer 14:3

j Job 13:4

k Sl 38:11

23 y líbrenme de la mano de un adversario,[a]
   y de la mano de tiranos ustedes deben redimirme'?[b]
24 Instrúyanme, y yo, por mi parte, callaré;[c]
   y háganme entender la equivocación que he cometido.[d]
25 Los dichos de la rectitud han sido... oh, ¡no dolorosos!,[e]
   pero ¿qué censura el censurar de parte de ustedes?[f]
26 ¿Es para censurar palabras que ustedes traman,
   cuando los dichos de un desesperado[g] son para simple viento?[h]
27 ¡Cuánto más echarán suertes hasta sobre un huérfano de padre,[i]
   y traficarán sobre el compañero de ustedes![j]
28 Y ahora prosigan, préstenme atención,
   y [vean] si les miento[k] en su misma cara.
29 Vuelvan, por favor —no surja injusticia alguna—
   sí, vuelvan... mi justicia todavía está en ello.[l]
30 ¿Hay injusticia en mi lengua,
   o acaso mi propio paladar no discierne la adversidad?

7 "¿No hay un trabajo obligatorio[m] para el hombre mortal sobre la tierra,
   y no son sus días como los días de un trabajador asalariado?[n]
2 Como un esclavo él jadea por la sombra,[o]
   y cual trabajador asalariado espera su salario.[p]
3 Así se me ha hecho poseer meses lunares[q] inútiles,
   y noches de desgracia[r] me han dado por cuenta.
4 Cuando me he acostado, también he dicho: '¿Cuándo me levantaré?'.[s]

Y [cuando] el atardecer realmente completa su medida, también he estado harto de desasosiegos hasta el crepúsculo de la mañana.
5 Mi carne ha quedado vestida de cresas[a] y bultos de polvo;[b]
   mi piel misma ha formado costras, y se disuelve.[c]
6 Mis días mismos se han hecho más veloces[d] que una lanzadera de tejedor,
   y terminan en desesperanza.[e]
7 Acuérdate de que mi vida es viento;[f]
   que mi ojo no volverá a ver el bien.
8 El ojo del que me ve no me contemplará;
   tus ojos estarán sobre mí, pero yo no seré.[g]
9 La nube ciertamente se acaba y se va;
   así el que va bajando al Seol no subirá.[h]
10 No volverá más a su casa,
   y su lugar no lo reconocerá más.[i]
11 Yo, igualmente, no detendré mi boca.
   ¡Ciertamente hablaré en la angustia de mi espíritu;
   ciertamente me preocuparé con la amargura de mi alma![j]
12 ¿Soy yo un mar, o un monstruo marino,
   para que me pongas guarda?[k]
13 Cuando dije: 'Mi diván me consolará,
   mi cama conllevará mi preocupación',
14 tú hasta me has aterrorizado con sueños,
   y mediante visiones me haces saltar del susto,
15 de modo que mi alma escoge la sofocación,
   la muerte[l] más bien que mis huesos.
16 Yo [la] he rechazado;[m] hasta

CAP. 6
a Gé 14:16
b 2Sa 4:9
   Sl 55:18
c Job 32:11
d Sl 19:12
   Sl 19:13
   Pr 19:25
e Pr 12:18
   Pr 25:11
f Job 16:3
   Job 21:34
g Job 10... oh
h Job 8:2
i Job 31:21
   Mal 3:5
j Gé 37:28
k Job 27:4
l Job 17:10

CAP. 7
m Job 14:14
n Job 14:6
   Sl 39:4
o Isa 25:5
p Le 19:13
   Dt 24:15
q Job 29:2
r Sl 6:6
s Job 2:8
   Job 30:17

2.ª col.
a Isa 14:11
b Job 30:19
c Job 30:30
d Sl 102:11
   Sl 103:15
   Sl 144:4
   Snt 4:14
e Job 17:15
   Ro 8:20
f Sl 89:47
   Ec 2:11
g Job 7:21
   Snt 4:14
h Job 10:21
   Job 14:12
   Sl 78:39
   Ec 9:10
i Sl 103:16
   Sl 146:4
   Ec 9:5
j 1Sa 1:10
   Job 10:1
   Pr 14:10
k Job 38:8
l Job 3:21
   Rev 9:6
m Gé 27:46
   1Re 19:4
   Job 10:1
   Jon 4:3

tiempo indefinido no quisiera vivir.

Déjame, porque mis días son una exhalación.[a]

17 ¿Qué es el hombre mortal[b] para que lo críes, y para que fijes tu corazón en él,

18 y para que le prestes atención cada mañana, que a cada momento lo pruebes?[c]

19 ¿Por qué no quieres apartar de mí tu mirada,[d] ni dejarme solo hasta que me trague la saliva?

20 Si he pecado, ¿qué puedo lograr yo contra ti, el Observador de la humanidad?[e]

¿Por qué me has puesto por blanco tuyo, para que llegue a ser una carga para ti?

21 Y ¿por qué no perdonas mi transgresión,[f] y pasas por alto mi error?

Porque ahora en polvo[g] me acostaré;

y ciertamente me buscarás, y yo no seré".

8 Y Bildad el suhita[h] procedió a responder y decir:

2 "¿Hasta cuándo seguirás profiriendo estas cosas,[i] cuando los dichos de tu boca son solo un viento poderoso?[j]

3 ¿Pervertirá Dios mismo el juicio,[k] o pervertirá el Todopoderoso mismo la justicia?[l]

4 Si tus propios hijos han pecado contra él, de modo que él los deja entrar en la mano de su sublevación,

5 si tú mismo buscaras a Dios,[m] y [si] del Todopoderoso suplicaras favor,

6 si fueras puro y recto,[n] para ahora él despertaría para ti y ciertamente restituiría

tu justo lugar de habitación.

7 También, quizás tu principio haya resultado ser una pequeñez, pero tu propio fin después llegaría a ser muy grande.[a]

8 En realidad, pregunta, por favor, a la generación anterior,[b] y dirige [tu atención] a las cosas que los padres de ellos investigaron.[c]

9 Porque solo ayer fuimos,[d] y nada sabemos, porque nuestros días en la tierra son una sombra.[e]

10 ¿Acaso ellos mismos no te instruirán, te informarán, y de su corazón no sacarán palabras?

11 ¿Crecerá y se hará alto el papiro[f] sin un lugar pantanoso? ¿Crecerá y se hará grande la caña sin agua?

12 Mientras todavía está en su botón, sin ser arrancado, aun antes de toda otra hierba se secará.[g]

13 Así son los senderos de todos los que olvidan a Dios,[h] y la mismísima esperanza de un apóstata perecerá;[i]

14 [aquel] cuya seguridad es cortada, y cuya confianza es la casa de una araña.[j]

15 Se recostará sobre su casa, pero esta no quedará de pie; se asirá de ella, pero ella no durará.

16 Está lleno de savia ante el sol, y en su jardín sale su propia ramita.[k]

17 En un montón de piedras sus raíces se entretejen, una casa de piedras contempla.

18 Si uno se lo traga de su lugar,[l] este también ciertamente

CAP. 7

a Sl 62:9
Sl 144:4
Ec 6:11

b Sl 8:4
Sl 103:15
Sl 144:3
Heb 2:6

c Dt 13:3
Job 23:10
Sl 7:9

d Job 14:6

e Job 34:21
Pr 5:21
Jer 16:17
Heb 4:13
1Pe 3:12

f Isa 33:24

g Gé 3:19
Sl 104:29
Ec 12:7
Da 12:2

CAP. 8

h Gé 25:2
1Cr 1:32
Job 42:9

i Job 11:3

j Job 6:26

k Gé 18:25
Job 34:12

l Dt 32:4
2Cr 19:7

m Job 5:8
Job 11:13
Job 22:23

n Job 1:8
Job 6:24

2.ª col.

a Job 42:12

b Job 11:17
Sl 39:5

c Job 15:18

d Gé 47:9

e 1Cr 29:15
Job 14:1
Sl 144:4

f Éx 2:3
Isa 18:2
Isa 35:7

g Sl 129:6

h Job 42:7
Sl 9:17

i Job 27:8

j Isa 59:5

k Job 5:3
Sl 37:35

l Job 7:10

le negará, [diciendo:]
'No te he visto'.[a]

19 ¡Mira! Eso es disolver su camino;[b]
y del polvo otros brotan.

20 ¡Mira! Dios mismo no rechazará a quien sea sin culpa,
tampoco tomará de la mano a malhechores,

21 hasta que llene tu boca de risa,
y tus labios de gozoso gritar.

22 Los mismísimos que te odian serán vestidos de vergüenza,[c]
y la tienda de los inicuos no será".

9 Y Job procedió a responder y decir:

2 "De hecho yo sé de veras que es así.
Pero ¿cómo puede el hombre mortal tener razón en una causa con Dios?[d]

3 Si acaso se deleitara en contender con él,[e]
no podrá responderle una vez de entre mil.

4 Él es sabio de corazón y fuerte en poder.[f]
¿Quién puede mostrarle terquedad y salir ileso?[g]

5 Él traslada montañas,[h] de modo que la gente ni sabe [de ellas],
el que las ha derribado en su cólera.[i]

6 Él hace que la tierra se vaya retemblando de su lugar,
de modo que sus mismísimas columnas[j] se estremecen.

7 Le dice al sol que no brille,
y en derredor de las estrellas pone un sello,[k]

8 extendiendo los cielos por sí solo[l]
y pisando sobre las altas olas del mar;[m]

9 haciendo la constelación Ash, la constelación Kesil,
y la constelación Kimá[a] y los cuartos interiores del Sur;

10 haciendo inescrutables cosas grandes,[b]
y cosas maravillosas sin número.[c]

11 ¡Miren! Pasa junto a mí, y no [lo] veo;
y sigue adelante, y no lo discierno.[d]

12 ¡Miren! Él arrebata. ¿Quién puede oponerle resistencia?
¿Quién le dirá: '¿Qué estás haciendo?'?[e]

13 Dios mismo no volverá atrás su cólera;[f]
debajo de él los ayudantes de un acometedor[g] tienen que inclinarse.

14 ¡Cuánto más en caso de que yo mismo le responda!
Ciertamente escogeré mis palabras para con él,[h]

15 a quien yo no respondería, aunque realmente tuviera razón.[i]
De mi contrincante judicial suplicaría favor.[j]

16 Si lo llamara, ¿me respondería?[k]
No creo que prestaría oído a mi voz;

17 el que con una tempestad me magulla
y ciertamente hace muchas mis heridas sin motivo.[l]

18 No me otorgará el tomar yo aliento fresco,[m]
porque sigue hartándome de amarguras.

19 Si en poder alguien es fuerte, allí [está él];[n]
y si en justicia [alguien es fuerte], ¡oh, que se me emplace!

20 Si tuviera yo razón, mi propia boca me pronunciaría inicuo;
si fuera yo sin culpa, entonces él me declararía torcido.

21 Si fuera yo sin culpa, no conocería yo mi alma;
rehusaría mi vida.

Referencias marginales (columna central):

CAP. 8
a Job 20:9
b Job 20:5
c Sl 35:26

CAP. 9
d Dt 32:4
Sl 143:2
Ro 3:23
e Job 40:2
Ro 9:20
f Job 36:5
Sl 104:24
Isa 40:26
Da 2:20
g Pr 14:16
Pr 28:14
Isa 30:1
Da 5:20
Zac 7:12
Ro 2:5
1Co 10:22
h Job 28:9
i Jer 10:10
Hab 3:6
j Sl 75:3
k Gé 1:16
Eze 32:7
l Gé 1:1
Sl 33:6
Isa 44:24
m Job 38:11

2.ª col.
a Job 38:31
Am 5:8
b Job 5:9
Isa 40:28
Ro 11:33
c Sl 40:5
d Job 23:8
Jn 1:18
e Da 4:35
Ro 9:20
f Dt 32:22
Jer 17:4
g Job 26:12
Isa 51:9
h Sl 19:14
i Job 10:15
j Mt 5:25
Lu 12:58
k Sl 102:17
Pr 15:29
l Job 2:3
Job 34:6
m Job 27:3
n Isa 40:28

22 Una cosa hay. Por eso de veras digo:
'A uno sin culpa, también
a un inicuo, él los aca-
ba'.[a]

23 Si una avenida repentina y
violenta misma causara
muerte súbitamente,
de la misma desesperación
de los inocentes se mofa-
ría.

24 La tierra misma ha sido dada
en la mano del inicuo;[b]
el rostro de sus jueces él
cubre.
Si no, ¿quién es, pues?

25 También mis propios días se
han hecho más veloces
que un corredor;[c]
han huido; ciertamente no
verán el bien.

26 Han seguido adelante como
barcos de caña,
como un águila que se lanza de acá para allá por
algo de comer.[d]

27 Si he dicho: 'Voy a olvidar mi
preocupación,[e]
voy a alterar mi semblan-
te[f] y a alegrarme',

28 he estado asustado de todos
mis dolores;[g]
sé, de veras, que no me
tendrás por inocente.

29 Yo mismo he de llegar a ser
inicuo.
¿Por qué me afano simple-
mente en vano?[h]

30 Si realmente me lavara yo en
agua de nieve,
y realmente limpiara mis
manos en potasa,[i]

31 entonces en un hoyo me
zambulliría,
y mis prendas de vestir
ciertamente me detesta-
rían.

32 Porque él no es un hombre
como yo, [para que] le
responda,
para que entremos juntos
en juicio.

33 No existe ninguna persona
que decida entre nos-
otros,[k]

para que ponga su mano
sobre nosotros dos.

34 Que quite su vara de sobre
mí;[a]
y su terror, que no me espante.

35 Déjeseme hablar y no tenerle
miedo,
porque no estoy así dis-
puesto en mí mismo.

10 "Mi alma ciertamente
siente asco para con
mi vida.[b]
Ciertamente daré sali-
da a mi preocupación
acerca de mí mismo.
¡Hablaré, sí, en la amar-
gura de mi alma!

2 Diré a Dios: 'No me pronuncies inicuo.
Hazme saber por qué estás
contendiendo conmigo.

3 ¿Es bueno para ti el que hagas mal,[c]
que rechaces [el producto
del] duro trabajo de tus
manos,[d]
y que sobre el consejo de
los inicuos realmente
resplandezcas [con fa-
vor]?

4 ¿Tienes ojos[e] de carne,
o es como ve un hombre
mortal que ves tú?[f]

5 ¿Son tus días como los días
del hombre mortal,[g]
o tus años tal como los
días de un hombre físi-
camente capacitado,

6 para que trates de hallar mi
error
y sigas buscando mi peca-
do?[h]

7 ¿Esto a pesar de saber tú
mismo que no soy culpa-
ble,[i]
y no hay quien libre de tu
propia mano?[j]

8 Tus propias manos me han
dado forma de manera
que me hicieron[k]
por completo en derredor,
y, no obstante, quieres
tragarme.

CAP. 9
a Ec 9:2

b 1Jn 5:19

c Job 7:6
Sl 90:10
Snt 4:14

d Hab 1:8

e Job 7:13

f Pr 15:13

g Job 21:6

h Sl 73:13
Jer 2:35

i Jer 2:22
Mal 3:2

j Nú 23:19
Isa 45:9
Jer 49:19
Ro 9:20

k 1Sa 2:25
1Ti 2:5

2.ª col.
a Job 13:21
Sl 39:10

CAP. 10
b Nú 11:15
1Re 19:4
Job 7:16
Jon 4:3
Ro 8:20

c Gé 18:25
Dt 32:4
Ro 3:8

d Job 14:15
Sl 138:8
Isa 64:8

e Sl 11:4

f 1Sa 16:7

g Sl 90:2
Jer 10:10
Heb 1:12

h Job 10:14
Ro 3:12

i Job 1:8
Sl 139:1

j Dt 32:39

k Sl 119:73
Sl 139:13
Sl 139:15

9 Recuerda, por favor, que del
  barro[a] me has hecho
  y a polvo me harás volver.[b]
10 ¿No procediste a vaciarme
  como leche misma,
  y, como queso, a cuajar-
  me?[c]
11 Con piel y carne procediste a
  vestirme,
  y con huesos y tendones a
  tejerme en uno.[d]
12 Vida y bondad amorosa has
  obrado conmigo;[e]
  y tu propio cuidado[f] ha
  guardado mi espíritu.
13 Y estas cosas las has ocultado en tu corazón.
  Bien sé yo que estas cosas
  están contigo.
14 Si he pecado y tú has seguido
  vigilándome,[g]
  y de mi error no me tienes
  por inocente;[h]
15 si realmente no tengo razón,
  ¡ay de mí!,[i]
  y [si] realmente tengo razón, no puedo alzar la
  cabeza,[j]
  harto de deshonra y saturado de aflicción.[k]
16 Y [si] esta se porta altivamente,[l] cual león joven
  me cazarás,[m]
  y volverás a mostrarte maravilloso en mi caso.
17 Producirás nuevos testigos
  tuyos enfrente de mí,
  y harás mayor tu irritación
  para conmigo;
  penalidad tras penalidad
  está conmigo.
18 ¿Por qué, pues, me sacaste de
  la matriz?[n]
  Que hubiera expirado,
  para que ni siquiera un
  ojo me viera,
19 allí habría llegado a ser como
  si no hubiera existido;
  del vientre a la sepultura
  habría sido llevado'.
20 ¿No son pocos mis días?[o] Que
  él cese,
  que aparte de mí su mirada, para que me alegre[p]
  un poco
21 antes que me vaya —y no
  volveré[q]—

a la tierra de oscuridad y
  sombra profunda,[a]
22 a la tierra de lobreguez parecida a tinieblas, de sombra profunda
  y desorden, donde no resplandece a mayor grado
  que las tinieblas".

11 Y Zofar el naamatita[b] procedió a responder y decir:

2 "¿Acaso una multitud de palabras quedará sin res-
  puesta,
  o tendrá razón uno que
  simplemente se jacta?
3 ¿Hará callar a los hombres tu
  misma habla vacía,
  y seguirás escarneciendo
  sin que nadie [te] re-
  prenda?[c]
4 También, dices: 'Mi instrucción[d] es pura,
  y he resultado realmente
  limpio[e] a tus ojos'.
5 Sin embargo, ¡oh, que Dios
  mismo hablara
  y abriera sus labios contigo![f]
6 Entonces él te informaría de
  los secretos de la sabiduría,
  porque las cosas de la sabiduría práctica son múl-
  tiples.
  También, sabrías que Dios
  permite que parte de tu
  error te sea olvidado.[g]
7 ¿Puedes sondear las cosas
  profundas de Dios,[h]
  o puedes sondear hasta
  el mismísimo límite del
  Todopoderoso?
8 Ella es más alta que el cielo.
  ¿Qué puedes lograr?
  Es más profunda que el
  Seol.[i] ¿Qué puedes saber?
9 Es más larga que la tierra en
  medida,
  y más ancha que el mar.
10 Si él sigue adelante y entrega
  a [alguien]
  y convoca un tribunal, entonces ¿quién puede
  oponerle resistencia?

CAP. 10
a Gé 2:7
  Isa 45:9
  Ro 9:21

b Gé 3:19
  Sl 104:29
  Ec 12:7

c Isa 64:8

d Sl 139:15

e Sl 139:16

f Sl 8:4

g Sl 139:1

h Nú 14:18

i Isa 3:11

j Job 9:15
  Lu 17:10

k Sl 25:18
  Sl 119:153

l 2Sa 22:28
  Job 40:11
  Isa 2:11
  Lu 1:51
  Snt 4:6

m Isa 38:13

n Job 3:11
  Jer 20:18

o Job 7:6
  Job 14:1
  Sl 39:5
  Sl 103:15

p Job 9:27
  Sl 39:13

q Job 7:9
  Sl 115:17
  Isa 38:11

2.ª col.
a Job 3:5
  Job 38:17
  Sl 23:4
  Sl 88:12
  Ec 9:10

CAP. 11
b Job 42:9

c Job 12:4

d Job 6:10

e Job 6:29
  Job 10:7

f Job 38:1

g Esd 9:13

h Ec 3:11
  Ro 11:33

i Sl 139:8

11 Porque él mismo bien conoce
   a los hombres que son
   falsos.[a]
   Cuando él ve lo que es perjudicial, ¿no se mostrará
   también atento?
12 Hasta el mismísimo hombre
   de mente hueca obten-
   drá buen motivo
   tan pronto como una cebra
   asnina nazca hombre.
13 Si tú mismo realmente preparas tu corazón
   y realmente extiendes las
   palmas de tus manos a
   él,[b]
14 si lo que es perjudicial está
   en tu mano, aléjalo,
   y no permitas que la injusticia more en tus tiendas.
15 Porque entonces alzarás tu
   rostro sin defecto[c]
   y ciertamente llegarás a
   estar establecido, y no
   temerás.
16 Porque tú... tú olvidarás la
   desgracia misma;
   como aguas que han pasado [la] recordarás.
17 Y más brillante que el mediodía surgirá la du-
   ración de [tu] vida;[d]
   la oscuridad llegará a ser
   como la mañana mis-
   ma.[e]
18 Y de seguro confiarás porque
   existe esperanza;
   y ciertamente mirarás
   en derredor cuidadosa-
   mente... en seguridad te
   acostarás.[f]
19 Y realmente te tenderás, sin
   que haya quien [te] haga
   temblar.
   Y muchas personas ciertamente te pondrán de humor amable;[g]
20 y los ojos mismos de los inicuos fallarán;[h]
   y un lugar adonde huir
   ciertamente perecerá de
   ellos,[i]
   y su esperanza será un expirar del alma".[j]

CAP. 11
a Sl 94:11
   Sof 3:5
b Sl 143:6
c Gé 4:5
d Sl 39:5
   Sl 89:47
e Sl 112:4
   Isa 58:8
f Le 26:6
   Sl 3:5
   Pr 3:24
g Sl 45:12
h Le 26:16
i Job 8:14
   Job 18:14
j Rev 9:6

2.ª col.

CAP. 12
a Isa 5:21
b Job 13:2
   Pr 2:10
c 2Co 11:5
d Job 16:10
   Job 17:2
   Job 30:1
   Sl 22:7
   Heb 11:36
e Sl 91:15
   Miq 7:7
f Pr 13:9
g Dt 32:35
h Job 21:7
   Sl 37:35
   Sl 73:12
   Jer 12:1
i Jue 17:5
j Pr 6:6
   Isa 1:3
   Ro 1:20
k Jer 8:7
l Sl 19:4
   Sl 148:9
m Gé 1:20
n Jer 27:5
   Ro 11:36
o Eze 18:4
p Nú 16:22
   Sl 104:30
   Ec 12:7
   Da 5:23
q 1Co 10:15
r Job 34:3

12 Y Job procedió a responder y decir:

2 "¡De hecho ustedes son el
   pueblo,
   y con ustedes morirá la sabiduría[la]
3 Yo también tengo corazón[b]
   lo mismo que ustedes.
   No soy inferior a ustedes,[c]
   ¿y con quién no hay cosas
   como estas?
4 [Uno que es] hazmerreír para
   su semejante llego a
   ser,[d]
   uno que clama a Dios para
   que le responda.[e]
   Un hazmerreír es el justo e
   inculpable.
5 En pensamiento, el que está
   libre de cuidado le tiene
   desprecio a la extinción
   misma;[f]
   se la tiene lista para los de
   pies vacilantes.[g]
6 Las tiendas de los que despojan violentamente están
   sin preocupación,[h]
   y los que enfurecen a Dios
   tienen la seguridad
   que pertenece al que ha
   traído un dios en la
   mano.[i]
7 Sin embargo, pregunta, por
   favor, a los animales domésticos, y ellos te instruirán;[j]
   también a las criaturas
   aladas de los cielos, y
   ellas te informarán.[k]
8 O muestra tu preocupación a
   la tierra, y ella te instruirá;[l]
   y los peces del mar[m] te lo
   declararán.
9 ¿Quién entre todos estos no
   sabe bien
   que la misma mano de Jehová ha efectuado esto,[n]
10 en cuya mano está el alma[o]
   de todo el que está vivo
   y el espíritu de toda carne
   del hombre?[p]
11 ¿Acaso el oído mismo no
   prueba las palabras[q]
   como el paladar[r] gusta el
   alimento?

12 ¿No hay sabiduría entre los
    de edad[a]
    y entendimiento [en] la
    longitud de días?
13 Con él hay sabiduría y pode-
    río;[b]
    él tiene consejo y entendi-
    miento.[c]
14 ¡Miren! Él demuele, para que
    no haya edificación;[d]
    hace que esté cerrado al
    hombre, para que no se
    pueda abrir.[e]
15 ¡Miren! Él pone restricción a
    las aguas, y se secan;[f]
    y las envía, y cambian la
    tierra.[g]
16 Con él hay fuerza y sabiduría
    práctica;[h]
    a él pertenecen el que se
    equivoca y el que des-
    carría;[i]
17 Hace andar descalzos a con-
    sejeros,[j]
    y a jueces mismos hace
    enloquecer.
18 Las cadenas de reyes real-
    mente suelta,[k]
    y les ata un cinto sobre las
    caderas.
19 Hace andar descalzos a
    sacerdotes,[l]
    y a los que están senta-
    dos permanentemente
    él subvierte;[m]
20 quita al habla a los fieles,
    y la sensatez de los viejos
    remueve;
21 derrama desprecio sobre no-
    bles,[n]
    y el cinturón de poderosos
    realmente debilita;
22 saca al descubierto cosas
    profundas de la oscuri-
    dad,[o]
    y saca a la luz sombra pro-
    funda;
23 haciendo que las naciones
    se hagan grandes, para
    destruirlas;[p]
    extendiendo las naciones
    para llevárselas;
24 quitando el corazón a los ca-
    bezas de la gente de la
    tierra,
    para hacer que anden

errantes en un lugar va-
    cío,[a] donde no hay ca-
    mino.
25 Andan a tientas en la oscuri-
    dad,[b] donde no hay luz,
    para que él los haga andar
    errantes como un borra-
    cho.[c]

13 "¡Miren! Todo esto mi ojo
    lo ha visto,
    mi oído ha oído, y lo
    considera.
2 Lo que ustedes saben, yo
    mismo también lo sé
    bien;
    no soy inferior a ustedes.[d]
3 Sin embargo, yo, por mi par-
    te, quisiera hablar al To-
    dopoderoso mismo,[e]
    y en argüir con Dios me
    deleitaría.
4 Por otra parte, ustedes son
    embarradores de fal-
    sedad;[f]
    todos ustedes son médicos
    de ningún valor.[g]
5 ¡Si tan solo se quedaran ab-
    solutamente callados,
    para que resultara ser sa-
    biduría de parte de uste-
    des![h]
6 Oigan, por favor, mis contra-
    argumentos,[i]
    y a los alegatos de mis
    labios presten atención.
7 ¿Hablarán ustedes injusticia
    por Dios mismo,
    y por él hablarán engaño?[j]
8 ¿Estarán tratándolo con par-
    cialidad,[k]
    o por el Dios [verdadero]
    contenderán en juicio?
9 ¿Sería bueno que él los son-
    deara?,[l]
    o como se burla uno del
    hombre mortal, ¿se bur-
    larán ustedes de él?
10 Con seguridad los censu-
    rará[m]
    si en secreto ustedes tra-
    tan de mostrar parciali-
    dad;[n]
11 ¿acaso su misma dignidad no
    los hará saltar de susto,

CAP. 12

a Le 19:32
  Job 32:7
  Pr 16:31
  Pr 20:29

b Job 9:4
  Job 36:5
  Isa 44:25
  Da 2:20

c Sl 147:5
  Isa 40:14
  Jer 10:12
  Ro 11:34

d Isa 31:2
  Jer 51:64
  Mal 1:4
  Jud 7

e Isa 22:22

f Gé 8:1
  Éx 14:21
  Na 1:4

g Gé 6:17
  1Re 8:36
  Sl 104:8

h Job 12:13
  Ro 1:20

i 1Re 22:22

j Isa 29:14
  Isa 44:25

k Da 2:21

l Jer 14:18
  Jer 52:24

m Lu 1:52

n Sl 107:40

o Da 2:22
  Mt 10:26
  1Co 4:5

p Rev 16:14

2.ª col.

a Sl 107:4
  Sl 107:40

b Dt 28:29
  1Jn 2:11

c Sl 107:27

CAP. 13

d Job 12:3
  2Co 11:5

e Job 23:3
  Job 29:4
  Job 31:35

f Sl 119:69

g Job 6:21
  Job 16:2
  Jer 6:14
  Eze 34:4

h Pr 17:28
  Snt 1:19

i Pr 18:13

j Jer 14:14

k Pr 24:23

l Sl 139:23
  Jer 17:10

m Sl 50:21

n Sl 82:2
  Snt 2:9

y el mismo pavor de él no caerá sobre ustedes?[a]

12 Los dichos memorables de ustedes son proverbios de ceniza;

las convexidades de sus escudos son como convexidades de escudos de barro.[b]

13 Guarden silencio delante de mí, para que yo mismo hable.

¡Entonces venga sobre mí lo que haya de venir!

14 ¿Por qué llevo mi carne en mis dientes

y coloco mi propia alma en la palma de la mano?[c]

15 Aunque él me matara, ¿no esperaría yo?[d]

Solo argüiría en la cara de él por mis propios caminos.

16 Él también sería mi salvación,[e]

porque ante él no entrará ningún apóstata.[f]

17 Oigan mi palabra hasta el fin,[g]

y dejen que mi declaración esté en sus oídos.

18 ¡Miren! Por favor, he presentado una causa de justicia;[h]

bien sé que yo mismo tengo razón.

19 ¿Quién es el que contenderá conmigo?[i]

¡Porque ahora, si yo callara, simplemente expiraría!

20 Solo dos cosas no me hagas; en tal caso no me ocultaré simplemente a causa de ti;[j]

21 aleja tu propia mano de sobre mí,

y el terror de ti... que no me espante.[k]

22 O llama tú para que yo mismo responda;

o hable yo, y tú devuélveme respuesta.

23 ¿De qué manera tengo errores y pecados?

Hazme conocer mi propia

sublevación y mi propio pecado.

24 ¿Por qué ocultas tu mismo rostro[a]

y me consideras como enemigo tuyo?[b]

25 ¿Harás temblar una mera hoja impelida [por el viento],

o seguirás persiguiendo al simple rastrojo seco?

26 Porque sigues escribiendo contra mí cosas amargas[c]

y me haces poseer [las consecuencias de] los errores de mi juventud.[d]

27 También mantienes mis pies puestos en el cepo,[e]

y vigilas todas mis sendas; para las plantas de mis pies trazas tu propia línea.

28 Y él es como algo podrido que se gasta;[f]

como una prenda de vestir que una polilla realmente se come.[g]

14 "El hombre, nacido de mujer,[h]

es de vida corta[i] y está harto de agitación.[j]

2 A semejanza de una flor ha salido y es cortado,[k]

y huye como la sombra[l] y no sigue existiendo.

3 Sí, sobre este has abierto tu ojo,

y a mí me traes a juicio[m] contigo.

4 ¿Quién puede producir a alguien limpio de alguien inmundo?[n]

No hay ninguno.

5 Si sus días están decididos,[o]

el número de sus meses está contigo;

para él has hecho un decreto de que no puede ir más allá.

6 Aparta tu mirada de sobre él para que tenga descanso,[p]

hasta que se complazca como lo hace un trabajador asalariado en su día.

CAP. 13

a Ne 5:9
b Job 4:19
c Jue 12:3
  1Sa 19:5
  Sl 119:109
d Job 19:25
  Sl 23:4
e Éx 15:2
  Sl 27:1
  Isa 12:2
f Job 8:13
  Job 27:8
  Job 36:13
  Sl 24:3
  Isa 33:14
g Pr 18:13
h 1Co 10:12
i Job 33:6
  Isa 50:8
j Job 33:7
k Job 9:34
  Sl 119:120
  Heb 10:31

2.ᵃ col.

a Sl 10:1
  Sl 13:1
  Sl 44:24
b Lam 2:5
c Dt 32:32
  Rut 1:20
  Job 16:9
  Job 19:11
  Job 33:10
d Sl 25:7
  Jer 31:19
e Job 33:11
f Os 5:12
g Sl 39:11
  Isa 50:9
  Snt 5:2

CAP. 14

h Sl 51:5
  1Co 11:12
i Sl 39:5
  Sl 90:10
  Snt 4:14
j Gé 3:19
  Gé 47:9
  Ec 2:23
k Sl 103:15
  Isa 40:6
  Snt 1:10
  1Pe 1:24
l 1Cr 29:15
  Sl 102:11
  Sl 144:4
  Ec 8:13
m Sl 143:2
n Gé 5:3
  Sl 51:5
  Jn 3:6
  Ro 5:12
o Sl 39:4
  Lu 12:20
p Sl 39:13

7 Porque existe esperanza hasta para un árbol.
Si es cortado, todavía brota de nuevo,[a]
y su propia ramita no cesa de ser.

8 Si su raíz envejece en la tierra,
y en el polvo muere su tocón,

9 al olor del agua brota,[b]
y ciertamente produce rama mayor como planta nueva.[c]

10 Pero el hombre físicamente capacitado muere y yace vencido;
y el hombre terrestre expira, ¿y dónde está?[d]

11 Las aguas sí se desaparecen de un mar,
y un río mismo se desagua y queda seco.[e]

12 El hombre también tiene que acostarse, y no se levanta.[f]
Hasta que el cielo ya no sea no despertarán,[g]
ni se les hará despertar de su sueño.[h]

13 ¡Oh que en el Seol me ocultaras,[i]
que me mantuvieras secreto hasta que tu cólera se volviera atrás,
que me fijaras un límite de tiempo[j] y te acordaras de mí![k]

14 Si un hombre físicamente capacitado muere, ¿puede volver a vivir?[l]
Todos los días de mi trabajo obligatorio esperaré,[m]
hasta que llegue mi relevo.[n]

15 Tú llamarás, y yo mismo te responderé.[o]
Por la obra de tus manos sentirás anhelo.

16 Porque ahora sigues contando mis pasos mismos;[p]
no vigilas otra cosa sino mi pecado.[q]

17 Sellada en una bolsa está mi sublevación,[r]
y tú aplicas cola sobre mi error.

18 Sin embargo, una montaña misma, cayendo, se desvanece,
y hasta una roca es trasladada de su lugar.

19 El agua ciertamente desgasta hasta las piedras;
su derramamiento se lleva el polvo de la tierra.
Así has destruido la misísima esperanza del hombre mortal.

20 Lo subyugas para siempre de manera que él se va;[a]
estás desfigurándole el rostro de modo que lo despachas.

21 Sus hijos reciben honra, pero él no [lo] sabe;[b]
y vienen a ser insignificantes, pero él no los considera.

22 Solo su propia carne mientras [esté] sobre él seguirá doliendo,
y su propia alma mientras [esté] en él seguirá de duelo".

15 Y Elifaz el temanita procedió a responder y decir:

2 "¿Acaso una persona sabia misma responderá con conocimiento lleno de viento,[c]
o llenará su vientre del viento del este?[d]

3 El meramente censurar con una palabra de nada servirá,
y simples expresiones no serán de ningún provecho de por sí.

4 Sin embargo, tú mismo haces que el temor [ante Dios] carezca de fuerza,
y disminuyes el tener preocupación alguna delante de Dios.

5 Porque tu error entrena a tu boca,
y escoges la lengua de gente sagaz.

6 Tu boca te pronuncia inicuo, y no yo;

CAP. 14
a Isa 11:1
Da 4:26
Da 11:7

b Sl 1:3

c 1Co 15:36

d Gé 49:33
Ec 3:19
Ec 9:10

e Job 6:17
Isa 15:18

f Ec 9:5
Ec 12:5

g Isa 51:6
Heb 1:11

h Sl 13:3
Jer 51:39
Jn 11:11
Hch 7:60

i Gé 44:29
1Sa 2:6
Isa 57:2

j Jn 5:28

k Lu 23:42
Heb 11:35

l Jn 11:25
Hch 26:8
1Co 15:12
Rev 20:13

m Ro 8:20
Heb 11:13
Snt 5:8

n Job 19:25

o Da 12:13
Jn 5:28
Jn 11:43

p Sl 139:3
Jer 32:19

q Sl 130:3

r Dt 32:35
Os 13:12

2.ª col.
a Job 4:20
Ec 8:8
Isa 57:16

b 1Sa 4:20
Sl 39:6
Ec 9:6
Isa 63:16

CAP. 15
c Job 42:7

d Os 12:1

y tus propios labios responden contra ti.[a]

7 ¿Fuiste tú el mismísimo primer hombre que nació,[b]
o antes que [a] las colinas[c] se te dio a luz con dolores de parto?

8 ¿Al habla confidencial de Dios escuchas tú,[d]
y limitas la sabiduría a ti mismo?

9 Realmente, ¿qué sabes tú que nosotros no sepamos?[e]
¿Qué entiendes, que no esté también con nosotros?

10 Tanto el encanecido como el de edad están con nosotros,[f]
el que es mayor que tu padre en días.

11 ¿Acaso las consolaciones de Dios no te bastan,
o una palabra [que se habla] amablemente contigo?

12 ¿Por qué se arrebata tu corazón,
y por qué centellean tus ojos?

13 Pues vuelves tu espíritu contra Dios mismo,
y has hecho salir palabras de tu propia boca.

14 ¿Qué es el hombre mortal, para que sea limpio,[g]
o para que cualquiera que ha nacido de una mujer tenga razón?

15 ¡Mira! En sus santos él no tiene fe,[h]
y los cielos mismos realmente no son limpios a sus ojos.

16 ¡Cuánto menos cuando uno es detestable y corrompido,[i]
un hombre que está bebiendo la injusticia lo mismo que agua!

17 Yo te lo declararé. ¡Escúchame![k]
Aun esto he contemplado, de modo que déjame contar[lo],

18 lo que los sabios[l] mismos informan,

y que no escondieron,
[puesto que es] de sus padres.

19 A ellos solamente fue dada la tierra,
y ningún extraño pasó por en medio de ellos.

20 Todos sus días el inicuo está sufriendo tormento,
aun durante el número mismo de años que se le han reservado al tirano.

21 El sonido de cosas pavorosas está en sus oídos;
durante la paz, un violento despojador mismo lo acomete.[a]

22 No cree que haya de volver a salir de la oscuridad,[b]
y está reservado para una espada.

23 Anda vagando en busca de pan... ¿dónde está este?[c]
Bien sabe él que el día de la oscuridad[d] está listo, a su mano.

24 Angustia y zozobra siguen aterrorizándolo;[e]
lo subyugan como un rey listo para el asalto.

25 Porque él extiende la mano contra Dios mismo,
y sobre el Todopoderoso trata de mostrarse superior;[f]

26 [porque] corre contra él con cuello rígido,
con las convexidades gruesas de sus escudos;

27 porque realmente cubre su rostro con su gordura
y acumula grasa sobre sus lomos,[g]

28 simplemente reside en ciudades que han de ser raídas;
en casas en las que no seguirá morando gente,
las cuales ciertamente resultan destinadas para montones de piedras.

29 Él no se hará rico, y sus riquezas no aumentarán,
ni extenderá la adquisición de ellas sobre la tierra.[h]

30 No se apartará de la oscuridad;

CAP. 15
a Job 42:8

b Gé 4:1

c Sl 90:2
Pr 8:25

d Ro 11:34
1Co 2:11

e Job 13:2
Job 16:2

f Job 32:6

g 2Cr 6:36
Sl 51:5

h 1Re 22:20
Pr 8:30
Am 3:7

i Job 25:5
Job 42:7

j Job 4:19

k Job 5:27

l Job 8:8

2.ª col.
a 1Te 5:3

b Job 18:12
Isa 8:22
Jud 13

c Sl 59:15
Sl 109:10

d Job 18:12

e Ro 2:9

f Job 16:2
Job 42:7

g Sl 17:10

h Job 20:28

su ramita, una llama la secará,

y él se desviará por un soplo de Su boca.[a]

31 Que no ponga fe en la inutilidad, dejándose descarriar,

porque simple inutilidad resultará ser lo que reciba en cambio;

32 antes de su día se cumplirá.

Y su tallo mismo ciertamente no logrará frondosidad.[b]

33 Arrojará su agraz tal como una vid,

y desechará sus flores tal como un olivo.

34 Porque la asamblea de los apóstatas es estéril,[c]

y el fuego mismo tiene que comerse las tiendas del soborno.[d]

35 Hay un concebir lo gravoso y un dar a luz lo que es perjudicial,[e]

y el vientre mismo de ellos prepara engaño".

16 Y Job procedió a responder y decir:

2 "He oído muchas cosas como estas.

¡Todos ustedes son consoladores molestos![f]

3 ¿Hay término para palabras llenas de viento?[g]

¿O qué te irrita, que respondes?

4 También yo mismo bien podría hablar como lo hacen ustedes.

Si solo existieran las almas de ustedes donde mi alma está,

¿me mostraría yo brillante en palabras contra ustedes,[h]

y menearía la cabeza contra ustedes?[i]

5 Los fortalecería con las palabras de mi boca,[j]

y la consolación de mis propios labios serviría para retener...

6 Si de veras hablo, mi propio dolor no se retiene,[a]

y si de veras ceso de hacerlo, ¿qué se va de mí?

7 Solo que ahora él me ha fatigado;[b]

ha desolado a todos los que se congregan conmigo.

8 Tú también me prendes. Esto ha llegado a ser testigo,[c]

de modo que mi flacura se levanta contra mí. En mi rostro testifica.

9 Su misma cólera [me] ha despedazado, y él abriga animosidad[d] contra mí.

Realmente cruje sus dientes contra mí.[e]

Mi adversario mismo aguza los ojos contra mí.[f]

10 Han abierto ancha su boca contra mí,[g]

con oprobio me han herido las mejillas,

en un número grande se unen en masa contra mí.[h]

11 Dios me entrega a muchachos de poca edad,

y en las manos de inicuos me arroja de cabeza.[i]

12 Yo había llegado a estar desahogado, pero él procedió a sacudirme;[j]

y me asió por la cerviz y procedió a hacerme pedazos,

y me erige como blanco para sí.

13 Sus arqueros[k] me rodean;

él me abre los riñones[l] y no siente compasión;

vacía mi vesícula biliar hasta la misma tierra.

14 Sigue rompiendo a través de mí con brecha tras brecha;

corre contra mí como un poderoso.[m]

15 Tela de saco[n] he cosido sobre mi piel,

y he arrojado mi cuerno en el polvo mismo.[o]

16 Mi rostro mismo se ha enrojecido de llorar,[p]

y sobre mis párpados hay sombra profunda,[q]

CAP. 15
a Job 4:9

b Job 22:16

c Job 8:13
Job 16:2
Job 42:7

d Job 16:3
Job 42:8

e Sl 7:14
Isa 59:4
Snt 1:15

CAP. 16
f Job 13:4
Job 19:2
Flp 1:17

g Ec 10:14

h Mt 7:12
Ro 12:15
1Pe 3:8

i Sl 109:25
Mt 27:39

j Job 4:3
Pr 27:9
Gál 6:1

2.ª col.
a Job 2:13

b Job 7:3

c Job 16:19

d Job 10:16

e Hch 7:54

f Job 33:10

g Sl 22:13

h Sl 35:15

i Sl 27:12

j Job 1:12
Job 1:17

k Job 7:20

l Sl 73:21
Lam 3:13

m Lam 3:3

n 1Re 21:27
2Re 6:30

o Job 30:19
Sl 7:5

p Sl 6:6
Sl 31:9
Lam 1:16

q Lam 5:17

17 aunque no hay violencia sobre las palmas de mis manos,
y mi oración es pura.[a]

18 ¡Ay, tierra, no cubras mi sangre![b]
¡Y no resulte haber lugar para mi clamor!

19 También ahora, ¡miren!, en los cielos está uno que testifica acerca de mí,
y mi testigo está en las alturas.[c]

20 Mis compañeros son voceros contra mí;[d]
a Dios ha mirado mi ojo en desvelo.[e]

21 Y la decisión ha de tomarse entre un hombre físicamente capacitado y Dios,
lo mismo que entre un hijo del hombre y su prójimo.[f]

22 Porque solo unos cuantos años han de venir,
y por la senda por la cual no regresaré me iré.[g]

17 "Mi mismo espíritu ha sido quebrantado,[h] mis propios días han sido extinguidos;
el cementerio es para mí.[i]

2 Ciertamente hay mofa dirigida a mí,[j]
y en medio del comportamiento rebelde de ellos mi ojo se aloja.

3 Por favor, pon mi garantía contigo mismo,[i] sí.
¿Quién más hay que me estreche la mano[i] en signo de fianza?

4 Porque tú has cerrado el corazón de ellos a la discreción.[m]
Por eso no los ensalzas.

5 Tal vez él informe a compañeros que tomen sus partes correspondientes,
pero los ojos mismos de los hijos de él fallarán.[n]

6 Y él me ha puesto como un dicho proverbial[o] de pueblos,
de manera que llego a ser

CAP. 16
a Pr 15:8
b Gé 4:10
Sl 72:14
c 1Sa 12:5
Ro 1:9
2Co 11:31
1Te 2:10
d Job 12:4
e Sl 40:1
Sl 142:2
Lu 18:1
f Job 31:35
Ec 6:10
Isa 45:9
Ro 9:20
g Job 7:9
Job 14:10
Ec 12:5

CAP. 17
h Isa 57:15
i Sl 88:4
Isa 38:10
j Sl 35:16
Heb 11:36
k 1Sa 25:29
Sl 119:122
l 2Re 10:15
Pr 11:21
Pr 17:18
m 2Sa 17:14
Isa 6:10
Mt 11:25
Ro 11:8
n Job 11:20
o Job 30:9
Sl 69:11

2.ª col.
a Job 30:10
b Job 16:16
Sl 6:7
Sl 31:9
c Sl 119:165
Pr 4:11
d Gé 20:5
Sl 24:4
Sl 26:6
e Sl 84:7
f Job 6:29
Ro 1:22
g Job 7:6
Job 9:25
Isa 38:10
h Snt 4:13
i Isa 5:20
Jn 3:19
j Ec 12:5
Ec 12:7
k Job 10:21
Isa 47:5
l Sl 30:3
Sl 49:9
Sl 143:7
Pr 1:12
Isa 14:15
Jon 2:6
m Job 24:20
Isa 14:11
Mr 9:48
n Job 7:6
Job 14:10
Job 19:10
o Gé 3:19
Job 3:19
Ec 3:20

alguien en cuya cara escupir.[a]

7 Y debido a la irritación [de que soy objeto] mi ojo se oscurece más,[b]
y mis miembros son todos como la sombra.

8 Las personas rectas se quedan mirando esto asombradas,
y hasta el inocente se excita a causa del apóstata.

9 El justo sigue teniendo firmemente asido su camino,[c]
y el que tiene manos limpias[d] sigue aumentando en fuerza.[e]

10 Sin embargo, ustedes, todos ustedes, pueden empezar de nuevo. Por lo tanto, sírvanse proseguir,
puesto que no hallo a ningún sabio entre ustedes.[f]

11 Mis propios días han pasado,[g] mis propios planes han sido rotos,[h]
los deseos de mi corazón.

12 Noche siguen poniendo ellos por día:[i]
'La luz está cerca a causa de la oscuridad'.

13 Si sigo esperando, el Seol es mi casa;[j]
en la oscuridad[k] tendré que tender mi canapé.

14 Al hoyo[l] tendré que gritar:
'¡Tú eres mi padre!'.
A la cresa:[m] '¡Mi madre y mi hermana!'.

15 Así es que, ¿dónde, pues, está mi esperanza?[n]
Y mi esperanza... ¿quién es el que la contempla?

16 A las rejas del Seol ellas descenderán,
cuando nosotros, todos juntos, tengamos que descender al polvo mismo".[o]

18 Y Bildad el suhita procedió a responder y decir:

2 "¿Hasta cuándo se ocuparán ustedes en poner fin a las palabras?

Deben entender, para que después hablemos.

3 ¿Por qué se nos debería contar por bestias[a]
[y] se nos debería considerar como inmundos a los ojos de ustedes?

4 Él está despedazando su alma en su cólera.
¿Acaso por tu causa será abandonada la tierra,
o se trasladará una roca de su lugar?

5 También la luz de los inicuos será extinguida,[b]
y la chispa de su fuego no brillará.

6 Una luz misma ciertamente se oscurecerá en su tienda,[c]
y en ella su propia lámpara se extinguirá.

7 Sus pasos de vigor se harán estrechos.
Hasta su consejo lo desechará a él.[d]

8 Porque verdaderamente se le dejará meterse en una red por sus pies,
y a una malla andará.[e]

9 Una trampa [lo] prenderá por el talón;[f]
un lazo[g] lo tiene firmemente asido.

10 Una cuerda le está escondida en la tierra,
y un artificio para cazarlo en [su] sendero.

11 En derredor, terrores repentinos ciertamente lo hacen saltar de susto,[h]
y verdaderamente lo persiguen a sus pies.

12 Su vigor llega a estar hambriento,
y el desastre[i] está listo para hacerlo cojear.

13 Le comerá los pedazos de la piel;
el primogénito de la muerte comerá sus miembros.

14 Su confianza será arrancada de su propia tienda,[j]
y lo hará marchar al rey de los terrores.

15 En su tienda residirá algo que no es suyo;
azufre[a] será esparcido sobre su propio lugar de habitación.

16 Por debajo sus mismísimas raíces se secarán,[b]
y, por arriba, su rama mayor se marchitará.

17 La mismísima mención de él ciertamente perecerá de la tierra,[c]
y no tendrá nombre allá en la calle.

18 Lo empujarán de la luz a la oscuridad,
y de la tierra productiva lo ahuyentarán.

19 No tendrá posteridad ni descendencia entre su pueblo,[d]
y no habrá sobreviviente en el lugar de su residencia como forastero.

20 Ante el día de él la gente de Occidente ciertamente se quedará mirando asombrada,
y un escalofrío ciertamente se apoderará hasta de la gente de Oriente.

21 Solo estos son los tabernáculos de un malvado,
y este es el lugar de uno que no ha conocido a Dios".

19 Y Job procedió a responder y decir:

2 "¿Hasta cuándo seguirán ustedes irritando mi alma[e]
y seguirán aplastándome con palabras?[f]

3 Estas diez veces ustedes procedieron a reprenderme;
no se avergüenzan [de] tratarme con tanta dureza.[g]

4 Y, dando por sentado que me haya equivocado,[h]
es conmigo con quien mi equivocación se alojará.

5 Si de hecho ustedes se dan grandes ínfulas contra mí,
y muestran que mi oprobio es apropiado contra mí,[i]

6 sepan, entonces, que Dios mismo me ha extraviado,

CAP. 18
a Sl 73:22
2Pe 2:12

b Pr 13:9
Pr 24:20

c Job 21:17

d Job 5:13

e Job 22:10

f Jer 18:22

g Job 5:5
Sl 140:5

h Job 15:21
Job 20:25

i Job 15:23

j Job 8:14
Job 11:20

2.ªcol.
a Dt 29:23

b Job 29:19

c Pr 10:7

d Job 42:8

CAP. 19
e Sl 42:10

f Sl 55:21
Pr 12:18
Snt 3:8

g Job 6:14
Pr 18:24
Mt 7:12

h Ro 3:23

i Sl 38:16

j Sl 69:26

y en su red de cazar me ha encerrado.[a]

7 ¡Miren!, sigo gritando: '¡Violencia!', pero no se me responde;[b]
sigo clamando por ayuda, pero no hay justicia.[c]

8 Él ha obstruido mi misma senda con un muro de piedra,[d] y no puedo pasar;
y sobre mis veredas pone la oscuridad misma.[e]

9 De mi propia gloria me ha despojado,[f]
y quita de mi cabeza la corona.

10 Me demuele por todos lados, y me voy;
y arranca mi esperanza lo mismo que un árbol.

11 Su cólera también se enardece contra mí,[g]
y él sigue teniéndome por adversario suyo.

12 Unidamente vienen sus tropas y alzan contra mí su camino,[h]
y acampan alrededor de mi tienda.

13 A mis propios hermanos ha alejado de mí,[i]
y los mismísimos que me conocen hasta se han apartado de mí.

14 Mis conocidos íntimos han cesado de ser;[j]
y los que yo conocía, ellos mismos se han olvidado de mí,

15 los que residen como forasteros en mi casa;[k] y mis esclavas mismas me tienen por extraño;
un verdadero extranjero he llegado a ser a sus ojos.

16 A mi siervo he llamado, pero no contesta.
Con mi propia boca sigo suplicando compasión de él.

17 Mi aliento mismo le da asco a mi esposa,[l]
y me he hecho hediondo a los hijos del vientre de mi [madre].

18 También, muchachos de poca edad mismos me han rechazado;[a]
no hago más que levantarme, y se ponen a hablar contra mí.

19 Todos los hombres de mi grupo íntimo me detestan,[b]
y los que yo amaba se han vuelto contra mí.[c]

20 A mi piel y a mi carne mis huesos realmente se pegan,[d]
y escapo con la piel de mis dientes.

21 Muéstrenme algún favor, muéstrenme algún favor, oh ustedes mis compañeros,[e]
porque la propia mano de Dios me ha tocado.[f]

22 ¿Por qué siguen ustedes persiguiéndome como lo hace Dios,[g]
y no quedan satisfechos con mi carne misma?

23 ¡Ah, que ahora mis palabras fueran escritas!
¡Ah, que en un libro fueran hasta inscritas!

24 ¡Con estilo de hierro[h] y [con] plomo,
para siempre en la roca, ah, que fueran labradas!

25 Y yo mismo bien sé que mi redentor[i] vive,
y que, al venir después [de mí], se levantará[j] sobre [el] polvo.

26 Y después de mi piel, [que] han desollado..., ¡esto!
Aun reducido en mi carne contemplaré a Dios,

27 a quien aun yo contemplaré por mí mismo,[k]
y [a quien] mis ojos mismos ciertamente verán, pero no algún extraño.
Mis riñones han fallado muy dentro de mí.

28 Pues ustedes dicen: '¿Por qué seguimos persiguiéndolo?'.[l]
Cuando la raíz misma del asunto se halla en mí.

29 Atemorícense respecto a us-

CAP. 19
a Sl 66:11
Lam 1:13

b Sl 22:2
Hab 1:2

c Lu 18:7

d Job 3:23
Sl 88:8
Lam 3:7

e Isa 50:10
Jer 13:16

f Sl 89:44

g Job 13:24

h Job 30:12

i Sl 31:11
Sl 38:11
Sl 69:8

j Sl 38:11

k Job 31:32

l Job 2:9

2.ª col.
a 2Re 2:23

b Job 17:6
Sl 88:8

c Sl 109:5

d Job 30:30
Job 33:21
Sl 102:5
Lam 4:8

e Mt 5:7
1Pe 3:8

f Job 1:11
Sl 38:2

g Job 2:10
Sl 69:26

h Jer 17:1

i Job 14:14
Sl 19:14
Sl 69:18
Sl 103:4
Pr 23:11
Mt 20:28

j Mr 10:45
Ro 3:24
1Co 1:30

k Sl 17:15

l Sl 69:26

tedes mismos a causa de una espada,[a]

porque la espada significa un enfurecimiento contra errores,

a fin de que sepan ustedes que hay un juez".[b]

20 Y Zofar el naamatita procedió a responder y decir:

2 "Por eso mismo mis propios pensamientos inquietantes me contestan, aun a causa de mi excitación interna.

3 Una insultante exhortación a mí oigo;

y un espíritu sin el entendimiento que yo tengo me responde.

4 ¿Has conocido tú en todo tiempo esta mismísima cosa,

desde que el hombre fue puesto sobre la tierra,[c]

5 que el clamor gozoso de los inicuos es breve,[d]

y el regocijo de un apóstata es por un momento?

6 Aunque su excelencia ascienda al cielo mismo[e]

y su cabeza misma alcance hasta las nubes,

7 como sus tortas de estiércol él perece para siempre;[f]

los mismísimos que lo veían dirán: '¿Dónde está?'.[g]

8 Como un sueño volará, y no lo hallarán;

y será ahuyentado como una visión nocturna.[h]

9 El ojo que ha alcanzado a verlo no volverá a hacerlo,[i]

y su lugar no lo contemplará más.[j]

10 Sus propios hijos buscarán el favor de personas de condición humilde,

y las propias manos de él devolverán las cosas valiosas suyas.[k]

11 Sus propios huesos han estado llenos de su vigor juvenil,

pero con él este yacerá en mero polvo.[a]

12 Si lo que es malo sabe dulce en su boca,

si él hace que esto se derrita debajo de su lengua,

13 si le tiene compasión y no lo deja,

y si sigue reteniéndolo en medio de su paladar,

14 su alimento mismo ciertamente se mudará en sus propios intestinos;

será hiel de cobras dentro de él.

15 Se ha tragado la riqueza, pero la vomitará;

Dios se la expulsará del mismísimo vientre.

16 La ponzoña de cobras chupará;

la lengua de una víbora lo matará.[b]

17 Nunca verá las corrientes de agua,[c]

arroyos torrenciales de miel y mantequilla.

18 Devolverá [su] propiedad adquirida y no se [la] tragará;

como riqueza de su comercio, pero de la cual no gozará.[d]

19 Porque ha aplastado hasta hacer pedazos, ha dejado a los de condición humilde;

ha arrebatado una casa misma que él no había procedido a edificar.[e]

20 Pues él ciertamente no conocerá desahogo en su vientre;

mediante sus cosas deseables no escapará.[f]

21 No hay nada que sobre, para que él lo devore;

por eso su bienestar no durará.

22 Estando su abundancia en su punto máximo, él experimentará ansiedad;[g]

todo el poder de la desventura misma vendrá contra él.

CAP. 19
a Dt 32:41

b Sl 58:11
Mt 7:1
Ro 14:4
Snt 4:12

CAP. 20
c Gé 1:27
Job 8:8

d Sl 37:36

e Isa 14:13
Am 9:2
Abd 4

f Sl 83:10
Jer 8:2

g Job 14:10

h Sl 73:20
Sl 90:5

i Sl 37:36

j Job 8:18
Sl 103:16

k Job 20:18

2.ª col.
a Job 21:26

b Dt 32:33

c Sl 36:9
Jer 17:6

d Job 20:10

e Job 35:9

f Pr 11:4
Ec 5:13

g Ec 5:12

23 Que ocurra que, para llenarle
el vientre,
él envíe su ardiente cólera
sobre él[a]
y [la] haga llover sobre él,
dentro de sus entrañas.
24 Huirá[b] de la armadura de
hierro;
un arco de cobre lo cortará.
25 Un proyectil mismo hasta
saldrá por su espalda,
y un arma reluciente a través de su hiel;[c]
objetos aterradores irán
contra él.[d]
26 Toda oscuridad estará reservada para sus cosas ate-
soradas;
un fuego que nadie haya
avivado se lo comerá;[e]
le irá mal a un sobreviviente en su tienda.
27 El cielo pondrá al descubierto
su error,[f]
y la tierra estará sublevada
contra él.
28 Un chaparrón fuerte hará que
su casa se vaya rodando;
habrá cosas derramadas en
el día de su cólera.[g]
29 Esta es la parte que corresponde al hombre inicuo
por parte de Dios,[h]
aun su herencia declarada
por parte de Dios".

21 Y Job procedió a responder
y decir:

2 "Escuchen atentamente mi
palabra,
y llegue a ser esta su consolación.
3 Sopórtenme, y yo mismo hablaré;
y después que yo haya
hablado, [cada uno de
ustedes] puede escarne-
cer.[i]
4 En cuanto a mí, ¿es mi preocupación [algo expresa-
do] al hombre?
¿O por qué será que mi espíritu no se impacienta?
5 Vuelvan sus rostros hacia
mí y fijen su vista con
asombro,

y pongan [la] mano sobre
[la] boca.[a]
6 Y si yo me he acordado, yo
también me he per-
turbado,
y un estremecimiento se ha
apoderado de mi carne.
7 ¿Por qué siguen viviendo los
inicuos mismos,[b]
han envejecido, también se
han hecho superiores en
riqueza?[c]
8 Su prole está firmemente establecida con ellos a su
vista;
y sus descendientes, delante de sus ojos.
9 Sus casas son la paz misma,
libres del pavor,[d]
y la vara de Dios no está
sobre ellos.
10 Su propio toro realmente fe-
cunda, y no desperdicia
semen;
su vaca pare[e] y no aborta.
11 Siguen enviando a sus muchachos de poca edad lo
mismo que un rebaño,
y sus propios hijos varones
andan brincando.
12 Continúan alzando [la voz]
con la pandereta y el
arpa,[f]
y siguen regocijándose al
sonido del caramillo.
13 Pasan sus días divirtiéndose,[g]
y en un momento al Seol
descienden.
14 Y dicen al Dios [verdadero]:
'¡Apártate de nosotros!'[h]
Y en el conocimiento de
tus caminos no nos he-
mos deleitado.[i]
15 ¿Qué viene a ser el Todopoderoso, para que le sirva-
mos,[j]
y cómo sacamos provecho
por haber estado en co-
municación con él?'.[k]
16 ¡Miren! El bienestar de ellos
no está en su propio po-
der.[l]
El mismísimo consejo de
los inicuos se ha mante-
nido lejos de mí.[m]
17 ¿Cuántas veces se extingue la
lámpara de los inicuos,[n]

CAP. 20
a Nú 11:33
Sl 78:31
b Isa 24:18
Am 9:2
c Job 16:13
d Job 18:11
e Sl 21:9
f Sl 44:21
Mal 3:5
g Sl 11:6
h Job 27:13
Job 31:3
Pr 10:7

CAP. 21
i Job 16:10
Job 16:20
Job 17:2
Heb 11:36

2.ª col.
a Jue 18:19
Job 40:4
Pr 30:32
b Isa 55:7
Eze 33:11
Hab 1:3
Hab 1:13
Ro 9:17
Ro 9:22
c Job 12:6
Sl 37:7
Sl 73:3
Sl 73:12
Jer 12:1
d Sl 73:5
e Sl 144:14
f Isa 5:12
Isa 22:13
Am 6:5
g Mt 24:38
Lu 12:20
Lu 17:28
1Co 15:32
h Job 22:17
Sl 10:11
Sl 73:11
i Jn 3:19
Ro 1:28
j Éx 5:2
Sl 10:4
Os 13:6
k Job 34:9
Job 35:3
Mal 3:14
l Sl 49:7
Ec 8:8
m Job 22:18
Sl 1:1
n Pr 20:20
Pr 24:20

y [cuántas veces] viene sobre ellos su desastre?

¿[Cuántas veces] en su cólera reparte él la destrucción?[a]

18 ¿Llegan a ser ellos como paja delante de un viento,[b]

y como tamo que un viento de tempestad ha hurtado?

19 Dios mismo almacenará la nocividad de uno para sus propios hijos;[c]

le recompensará para que [lo] sepa.[d]

20 Sus ojos verán su decadencia, y de la furia del Todopoderoso beberá.[e]

21 ¿Pues cuál será su deleite en su casa después de sí,

cuando el número de sus meses realmente sea cortado en dos?[f]

22 ¿Enseñará él conocimiento aun a Dios,[g]

cuando Aquel mismo juzga a los elevados?[h]

23 Este mismísimo morirá durante su plena autosuficiencia,[i]

cuando esté enteramente libre de cuidado y con desahogo;

24 [cuando] sus propios muslos se hayan llenado de grasa

y el mismo tuétano de sus huesos se mantenga húmedo.

25 Y este otro morirá con un alma amarga

cuando no ha comido de cosas buenas.[j]

26 Juntos en el polvo yacerán,[k]

y las cresas mismas formarán una cobertura sobre ellos.[l]

27 ¡Miren! Yo conozco bien los pensamientos de ustedes

y las tramas con que quisieran obrar violentamente contra mí.[m]

28 Porque ustedes dicen: '¿Dónde está la casa del noble, y dónde está la tienda, los

tabernáculos de los inicuos?'.[a]

29 ¿No han preguntado ustedes a los que viajan por los caminos?

¿Y no inspeccionan cuidadosamente las señales mismas de ellos,

30 que en el día del desastre se perdona al malo,[b]

en el día del furor es librado?

31 ¿Quién le informará de su camino en su mismísima cara?[c]

Y por lo que él mismo ha hecho, ¿quién le recompensará?[d]

32 En cuanto a él, al cementerio será llevado,[e]

y sobre una tumba se mantendrá una vigilia.

33 A él los terrones de un valle torrencial ciertamente se le harán dulces,[f]

y tras de sí arrastrará a toda la humanidad,[g]

y los de antes de él fueron sin número.

34 Así es que, ¡cuán vanamente tratan ustedes de consolarme,[h]

y sus respuestas mismas de veras quedan como infidelidad!".

22 Y Elifaz el temanita procedió a responder y decir:

2 "¿Puede un hombre físicamente capacitado ser útil a Dios mismo,[i]

para que cualquiera que tenga perspicacia sea útil para con él?

3 ¿Tiene deleite alguno el Todopoderoso en que seas justo,[j]

o ganancia alguna en que hagas sin culpa tu camino?[k]

4 ¿Acaso por tu reverencia te censurará,

entrará contigo en el juicio?[l]

5 ¿No es ya demasiada tu propia maldad,[m]

CAP. 21
a Sl 73:19
Lu 12:46
b Éx 15:7
Sl 1:4
Sl 35:5
Isa 17:13
Os 13:3
Mt 3:12
c Éx 20:5
d Sl 11:6
Isa 26:11
e Sl 75:8
Isa 51:17
Jer 25:15
Rev 14:10
f Sl 55:23
g Isa 40:14
Ro 11:34
1Co 2:16
h Isa 40:23
2Pe 2:4
Jud 9
i Sl 49:17
Lu 12:20
j 1Re 17:12
Pr 13:21
k Job 3:19
Ec 3:20
Ec 9:2
l Job 24:20
Isa 14:11
m Sl 59:3

2.ª col.
a Job 20:7
b Pr 16:4
2Pe 2:9
c Gál 2:11
d Isa 59:18
Ro 12:19
e Job 17:16
f Job 3:17
g Ro 5:12
h Job 16:2

CAP. 22
i Éx 3:10
Job 42:8
2Co 5:20
j Pr 15:8
Jer 9:24
k Job 2:3
Pr 11:20
Pr 27:11
l Sl 7:9
m Job 1:8
Job 4:7

cada uno pan para los muchachos.

6 En el campo siegan su forraje,
y prestamente despojan con violencia la viña del inicuo.

7 Desnudos, pasan la noche sin una prenda de vestir,[a]
y sin cobertura alguna en el frío.[b]

8 Por la tempestad de lluvia de las montañas quedan empapados,
y por no haber abrigo[c] tienen que abrazar una roca.

9 Arrebatan hasta del pecho al huérfano de padre,[d]
y lo que está sobre el afligido lo toman en prenda.[e]

10 Desnudos, ellos tienen que andar sin prenda de vestir,
y, hambrientos, tienen que cargar las espigas segadas.[f]

11 Entre los muros de la terraza pasan el mediodía;
tienen que pisar lagares, y no obstante padecen sed.[g]

12 Desde la ciudad los moribundos siguen gimiendo,
y el alma de los heridos de muerte clama por ayuda;[h]
y Dios mismo no [lo] considera como algo impropio.[i]

13 En cuanto a ellos, resultaron estar entre los rebeldes contra la luz;[j]
no reconocieron los caminos de esta,
y no moraron en sus veredas.

14 A primera luz el asesino se levanta,
procede a matar al afligido y al pobre;[k]
y durante la noche se hace verdadero ladrón.[l]

15 En cuanto al ojo del adúltero,[m] ha aguardado la oscuridad vespertina,[n]
y dice: '¡Ningún ojo me contemplará!',[a]
y sobre su rostro pone una cobertura.

16 En la oscuridad se ha metido cavando en las casas;
de día tienen que mantenerse encerrados.
No han conocido la luz del día.[b]

17 Pues la mañana es lo mismo que la sombra profunda[c] para ellos,
porque reconocen lo que son los terrores repentinos de la sombra profunda.

18 Él es veloz sobre la superficie de las aguas.
La porción de terreno de ellos será maldita en la tierra.[d]
Él no se volverá hacia el camino de las viñas.

19 La sequía, también el calor, arrebatan las aguas de la nieve;
¡así también el Seol a los que han pecado![e]

20 La matriz lo olvidará, la cresa lo chupará dulcemente,[f] no será recordado más.[g]
Y la injusticia será quebrada lo mismo que un árbol.[h]

21 Él tiene tratos con una mujer estéril que no da a luz,
y con una viuda,[i] a quien no hace ningún bien.

22 Y ciertamente arrastrará a personas fuertes por el poder suyo;
se levantará y no estará seguro de su vida.

23 Él le otorgará poseer confianza[j] para que pueda apoyarse;
y sus ojos estarán sobre los caminos de ellos.[k]

24 Por un rato se han hallado bien arriba, entonces no son más,[l]
y han sido rebajados;[m] como todos los demás son arrancados,
y como la cabeza de una espiga son cortados.

CAP. 24
a Éx 22:27
Dt 24:13
b 2Co 11:27
c Lam 4:5
d 2Re 4:1
e Éx 22:26
Dt 24:13
Eze 18:12
f 1Ti 5:18
g Jer 22:13
Snt 5:4
h Ec 4:1
i Ec 8:13
2Pe 3:15
j Jn 3:19
k Sl 10:8
l Mt 24:43
1Te 5:2
m 2Pe 2:14
n Pr 7:9

2.ª col.
a 2Sa 12:12
Sl 94:7
Pr 30:20
b Jn 3:20
c Job 10:21
Job 38:17
d Dt 28:16
Job 21:17
Pr 3:33
e Sl 49:14
Sl 55:15
Lu 12:20
f Job 17:14
Isa 14:11
g Pr 10:7
Ec 8:10
Ec 9:5
h Mt 3:10
i Éx 22:22
Zac 7:10
j Ec 8:11
Isa 56:12
Lu 12:19
k Sl 11:4
Pr 5:21
Pr 15:3
l Sl 37:10
Sl 92:7
Ec 8:12
Snt 1:11
m Ec 8:13

25 Así pues, realmente, ¿quién
me desmentirá,
o reducirá a nada mi palabra?".

25

Y Bildad[a] el suhita procedió a responder y decir:

2 "Gobernación y terribilidad
están con él;[b]
está haciendo paz en sus
alturas.

3 ¿Tienen número sus tropas?
¿Y sobre quién no se levanta su luz?

4 De modo que, ¿cómo puede el
hombre mortal tener ra-
zón ante Dios,[c]
o cómo puede uno nacido
de mujer ser limpio?[d]

5 ¡Mira! Hay hasta la luna, y no
es brillante;
y las estrellas mismas no
han resultado limpias a
los ojos de él.

6 ¡Cuánto menos el hombre
mortal, que es una cresa,
y un hijo del hombre, que
es un gusano!".[e]

26

Y Job procedió a responder
y decir:

2 "¡Oh, de cuánta ayuda has
sido a uno falto de poder!
¡Oh, [cómo] has salvado a
un brazo que carece de
fuerzas![f]

3 ¡Cuánto has aconsejado a uno
que carece de sabiduría,[g]
y has dado a conocer la sabiduría práctica misma a
la multitud!

4 ¿A quién has informado palabras,
y de quién es el aliento que
ha salido de ti?

5 Los impotentes en la muerte
siguen temblando
debajo de las aguas y los
que residen en ellas.[h]

6 El Seol está desnudo enfrente
de él,[i]
y [el lugar de] la destrucción no tiene cobertura.

7 Él está extendiendo el norte
sobre el lugar vacío,[j]

colgando la tierra sobre
nada;

8 envolviendo las aguas en sus
nubes,[a]
de modo que la masa de
nubes no se revienta bajo
ellas;

9 encerrando la faz del trono,
extendiendo sobre este su
nube.[b]

10 Ha descrito un círculo sobre
la haz de las aguas,[c]
hasta donde la luz termina
en oscuridad.

11 Las mismísimas columnas
del cielo tiemblan,
y se asombran a causa de
su represión.

12 Por su poder ha agitado el
mar,[d]
y por su entendimiento ha
hecho pedazos[e] al aco-
meter.[f]

13 Por su viento ha pulido el cielo mismo,[g]
su mano ha traspasado la
serpiente deslizante.[h]

14 ¡Miren! Estos son los bordes
de sus caminos,[i]
¡y qué susurro de un asunto
se ha oído acerca de él!
Pero de su poderoso true-
no, ¿quién puede mos-
trar entendimiento?".[j]

27

Y Job procedió de nuevo a
alzar su expresión proverbial,[k] y pasó a decir:

2 "¡Tan ciertamente como que
vive Dios,[l] que ha quitado mi juicio,[m]
y tan ciertamente como
que [vive] el Todopode-
roso, que ha amargado
mi alma,[n]

3 mientras mi aliento todavía
esté entero dentro de mí,
y el espíritu de Dios esté en
mis narices,[o]

4 mis labios no hablarán injusticia
y mi propia lengua no ha-
blará entre dientes en-
gaño!

5 ¡Ni se piense de parte mía
que yo los declare justos
a ustedes![p]

CAP. 25
a Job 8:1
Job 18:1
b Da 4:3
c Job 4:17
d Job 15:14
e Sl 22:6

CAP. 26
f Job 16:2
g Job 12:2
Job 15:8
Job 17:10
h Sl 104:25
i Sl 139:8
Heb 4:13
j Job 9:8
Sl 104:2
Isa 42:5

2.ª col.
a Pr 30:4
Ec 11:3
b Éx 34:5
Sl 97:2
c Pr 8:27
Isa 40:22
Jer 5:22
d Sl 74:13
Isa 51:15
e Sl 72:4
Isa 2:12
Da 2:35
f Job 9:13
g Sl 33:6
Sl 104:30
h Sl 74:13
Isa 27:1
Isa 51:9
i Sl 65:4
Sl 92:5
Ec 3:11
Isa 55:9
j Job 37:5

CAP. 27
k Sl 49:4
Sl 78:2
l Dt 6:13
Dt 10:20
Jer 12:16
Heb 6:16
m Job 34:5
n Rut 1:20
2Re 4:27
o Gé 2:7
Isa 42:5
Hch 17:25
p Dt 25:1
Job 40:8
Pr 17:15

¡Hasta que expire no quitaré de mí mi integridad!ª

6 A mi justicia he echado mano, y no la soltaré;ᵇ
mi corazón no [me] molestará con escarnio por ninguno de mis días.ᶜ

7 Llegue a ser mi enemigo del todo un inicuo,ᵈ
y el que se subleva contra mí realmente un malvado.

8 Pues, ¿cuál es la esperanza de un apóstata en caso de que [lo] corte,ᵉ
en caso de que Dios lleve de él su alma?ᶠ

9 ¿Oirá Dios su clamor
en caso de que le sobrevenga la angustia?ᵍ

10 ¿O en el Todopoderoso hallará él exquisito deleite?
¿Invocará a Dios en todo tiempo?

11 Yo los instruiré a ustedes por la mano de Dios;
lo que está con el Todopoderoso no lo esconderé.ʰ

12 ¡Miren! Ustedes mismos, todos, han visto visiones;
entonces ¿por qué se muestran enteramente vanos?ⁱ

13 Esta es la parte que corresponde al hombre inicuo por parte de Dios,ʲ
y la herencia de los tiranos la recibirán del Todopoderoso mismo.

14 Si llegan a ser muchos los hijos de él, es para una espada;ᵏ
y sus descendientes mismos no tendrán suficiente alimento.

15 Sus propios sobrevivientes serán enterrados durante una plaga mortífera,
y las propias viudas de estos no llorarán.ˡ

16 Si amontonara plata como el polvo mismo,
y preparara atavío tal como si fuera barro,

17 él prepararía, pero el justo sería quien se vestiría,ᵐ

y de la plata el inocente sería quien participaría.

18 Ha edificado su casa como una mera polilla,
y como una cabañaª que un guarda ha hecho.

19 Rico se acostará, pero nada será recogido;
ha abierto los ojos, pero no habrá nada.ᵇ

20 Cual aguas lo alcanzarán terrores repentinos;ᶜ
de noche un viento de tempestad ciertamente lo hurtará.

21 Un viento del este se lo llevará,ᵈ y él se irá,
y se lo llevará remolineando de su lugar.ᵉ

22 Y se lanzará sobre él y no tendrá compasión;ᶠ
de su poder él sin falta tratará de huir.ᵍ

23 Uno batirá las manos a causa de élʰ
y le silbaráⁱ desde su lugar.

28 "En realidad, existe para la plata un lugar donde hallarla,
y un lugar para el oro que refinan;ʲ

2 el hierro mismo se toma del mismo polvo,ᵏ
y [de la] piedra se está derramando cobre.

3 Él ha fijado un fin a la oscuridad;
y hasta todo límite está escudriñandoˡ
la piedra en las tinieblas y la sombra profunda.

4 Ha abierto un pozo de mina lejos de donde [la gente] reside como forasteros,ᵐ
lugares olvidados lejos del pie;
algunos de entre los hombres mortales se han descolgado, han oscilado en suspensión.

5 En cuanto a la tierra, de ella sale alimento;ⁿ
pero debajo de ella, ha sido trastornada como por fuego.

CAP. 27
a Job 22:1
Job 22:5
Pr 27:11
Mt 24:9
Rev 2:10
Rev 6:11

b Job 2:3

c Hch 24:16

d 1Sa 25:26

e Job 13:16
Job 36:13
Heb 6:6

f Lu 12:20

g Job 35:12
Sl 18:41
Pr 28:9
Jer 11:11
Snt 4:3

h Hch 20:20

i Jer 23:16

j Sl 11:6
Ec 8:13
Mal 3:5

k Est 9:10
Os 9:13

l Sl 78:64

m Pr 13:22
Pr 28:8
Ec 2:26

2.ª col.
a Isa 1:8
Lam 2:6

b Job 14:10

c Sl 73:19

d Jer 18:17

e Mt 7:27

f Sl 83:15
Jer 13:14

g Isa 10:3
Am 2:14

h Nú 24:10
Lam 2:15
Na 3:19

i 1Re 9:8
Sof 2:15

CAP. 28
j Pr 17:3
Mal 3:3

k Dt 8:9

l Gé 11:6
Lu 1:51

m Am 9:2

n Gé 1:11
Sl 104:14

6 Sus piedras son el lugar del zafiro,[a]
  y tiene polvo de oro.
7 Un sendero... ninguna ave de rapiña[b] lo ha conocido,
  ni ha alcanzado a verlo el ojo del milano negro.[c]
8 Las majestuosas bestias salvajes no lo han pisado hasta dejarlo sólido;
  el león joven no ha andado sobre él con su paso mesurado.
9 Sobre el pedernal él ha alargado la mano;
  ha derribado montañas desde [su] raíz;
10 en las rocas ha encauzado galerías llenas de agua,[d]
  y todo lo precioso lo ha visto su ojo.
11 Ha represado los lugares de donde fluían suavemente los ríos,[e]
  y saca a la luz la cosa oculta.
12 Pero la sabiduría... ¿dónde puede hallarse,[f]
  y dónde, pues, está el lugar del entendimiento?
13 El hombre mortal no ha llegado a conocer su valoración,[g]
  y no se halla en la tierra de los vivientes.
14 La profundidad acuosa misma ha dicho:
  '¡No está en mí!'.
  El mar también ha dicho:
  '¡No está conmigo!'.[h]
15 Oro puro no se puede dar en cambio por ella,[i]
  y plata no se puede pesar como precio suyo.
16 No se puede pagar con oro de Ofir,[j]
  con la rara piedra de ónice y el zafiro.
17 Oro y vidrio no se pueden comparar con ella,
  ni es cambio por ella vaso alguno de oro refinado.
18 Coral[k] y cristal de roca mismos no se mencionarán,
  pero una bolsa llena de sabiduría vale más que [una llena de] perlas.[a]
19 El topacio[b] de Cus no se puede comparar con ella;
  no se puede pagar ni aun con oro en su pureza.
20 Pero la sabiduría misma... ¿de dónde viene,[c]
  y dónde, pues, está el lugar del entendimiento?
21 Ha estado escondida aun a los ojos de todo viviente,[d]
  y a las criaturas voladoras de los cielos ha estado oculta.
22 La destrucción y la muerte mismas han dicho:
  'Con nuestros oídos hemos oído un informe acerca de ella'.
23 Dios es Aquel que ha entendido el camino de ella,[e]
  y él mismo ha conocido su lugar,
24 porque él mismo mira hasta los mismos cabos de la tierra;[f]
  bajo los cielos enteros él ve,
25 para hacer un peso al viento,[g]
  mientras ha repartido las aguas mismas por medida;[h]
26 cuando hizo para la lluvia una disposición reglamentaria,
  y un camino para el tronador nubarrón de tempestad,
27 entonces fue cuando vio [la sabiduría] y procedió a informar acerca de ella;
  la preparó y también la escudriñó completamente.
28 Y pasó a decir al hombre:
  '¡Mira! El temor de Jehová... eso es sabiduría,[j]
  y apartarse del mal es entendimiento'".[k]

29 Y Job procedió de nuevo a alzar su expresión proverbial, y pasó a decir:

2 "¡Ah, que estuviera yo como en los meses lunares de mucho tiempo atrás,[l]

CAP. 28
a Job 28:16
b Eze 39:4
c Le 11:14
  Dt 14:13
d 2Re 20:20
  2Cr 32:30
e Isa 44:27
  Isa 45:1
  Jer 50:38
  Jer 51:32
f Job 28:28
  Pr 2:6
  Snt 1:5
g Sl 49:7
  Pr 3:15
h Ro 11:34
i Pr 3:14
j Isa 13:12
k Pr 8:11
  Pr 20:15

2.ª col.
a Pr 16:16
b Éx 28:17
c Job 28:12
  Snt 1:5
d Ec 8:17
  1Co 2:8
e Pr 30:4
  Ro 1:20
f Pr 15:3
  Zac 4:10
  1Pe 3:12
g Sl 135:7
  Sl 148:8
  Ec 1:6
h Job 5:10
  Job 26:8
  Job 37:10
  Pr 30:4
  Isa 40:12
i Job 38:25
  Zac 10:1
j Dt 4:6
  Sl 111:10
  Pr 9:10
  Ec 12:13
  Ro 1:20
k Pr 3:7
  1Pe 3:11

CAP. 29
l Job 3:6

como en los días en que
Dios me guardaba;[a]

3 cuando hacía brillar su lámpara sobre mi cabeza,
[cuando] yo andaba [por la]
oscuridad a su luz;[b]

4 tal como me hallaba en los
días de mi madurez,[c]
cuando la intimidad con
Dios estaba en mi tien-
da;[d]

5 cuando el Todopoderoso estaba todavía conmigo,
[cuando] mis servidores
estaban todo en derredor
de mí!

6 Cuando yo lavaba mis pasos
en mantequilla,
y la roca seguía derramando corrientes de aceite
para mí;[e]

7 cuando salía a la puerta junto
al pueblo,[f]
¡en la plaza pública prepa-
raba mi asiento![g]

8 Los muchachos me veían y se
escondían,
y hasta los de edad se levantaban, se ponían de
pie.[h]

9 Príncipes mismos restrin-
gían palabras,
y la palma de la mano se
ponían sobre la boca.[i]

10 La voz de los caudillos mismos estaba escondida,
y la lengua misma se les
pegaba al paladar.[j]

11 Porque el oído mismo escuchaba y procedía a pro-
nunciarme feliz,
y el ojo mismo veía y procedía a dar testimonio a
favor de mí.

12 Porque yo libraba al afligido
que clamaba por ayuda,[k]
y al huérfano de padre y a
cualquiera que no tuvie-
ra ayudador.[l]

13 La bendición[m] del que estaba
a punto de perecer... so-
bre mí venía,
y el corazón de la viuda yo
alegraba.[n]

14 Con justicia me vestí, y esta
me vestía.[o]
Mi equidad era como vesti-

dura sin mangas... y tur-
bante.

15 Ojos llegué a ser yo para el
ciego;[a]
y pies para el cojo era yo.

16 Era un verdadero padre para
los pobres;[b]
y la causa judicial de alguien a quien no cono-
cía... yo la examinaba.[c]

17 Y quebraba las mandíbulas
del malvado,[d]
y de sus dientes arrancaba
la presa.

18 Y solía decir: 'Dentro de mi
nido expiraré,[e]
y como los granos de arena
multiplicaré [mis] días.[f]

19 Mi raíz está abierta para las
aguas,[g]
y el rocío mismo pasará
la noche sobre mi rama
mayor.

20 Mi gloria está fresca conmigo,
y mi arco en mi mano dis-
parará repetidas veces'.

21 A mí me escuchaban; y esperaban,
y quedaban callados para
[recibir] mi consejo.[h]

22 Después de mi palabra no
volvían a hablar,
y sobre ellos goteaba mi
palabra.[i]

23 Y me esperaban como a la lluvia,[j]
y abrían bien la boca para
la lluvia primaveral.[k]

24 Yo les sonreía —no [lo]
creían—
y la luz de mi rostro[l] no
echaban abajo.

25 Yo les escogía el camino, y
estaba sentado como ca-
beza;
y residía como un rey entre
[sus] tropas,[m]
como quien consuela a los
que están de duelo.[n]

30 "Y ahora se han reído de
mí,[o]
aquellos más jóvenes
que yo en días,[p]
cuyos padres yo hubiera
rehusado

CAP. 29
a Job 1:10

b SI 18:28
SI 119:105

c Ec 11:10

d SI 25:14
Pr 3:32

e Dt 32:4
Dt 32:13
Dt 33:24

f Dt 16:18
Rut 4:1

g Ne 8:1

h Le 19:32

i Job 21:5

j SI 137:6

k SI 72:12
Pr 21:13
Pr 24:11

l Dt 10:18
Snt 1:27

m Dt 24:13

n Dt 10:18

o Dt 24:13
SI 132:9
Isa 61:10
Ef 6:14

2.ª col.

a Nú 10:31

b Lu 14:13
Snt 1:27

c Pr 29:7

d SI 58:6
Pr 30:14

e Gé 25:8
2Re 22:20
Job 42:17

f SI 30:6

g SI 1:3
Jer 17:8

h Job 29:9

i Eze 21:2

j SI 72:6

k Pr 16:15

l Job 30:26

m Job 1:3

n Ec 7:2
1Te 5:11

CAP. 30
o Job 12:4

p 1Pe 5:5

colocar con los perros de mi rebaño.

2 Aun el poder de sus manos...
¿de qué me servía?
En ellos el vigor ha perecido.[a]

3 A causa de carencia y hambre son estériles,
y roen una región árida,[b]
[donde] ayer hubo tempestad y desolación.

4 Andaban arrancando la hierba salina junto a los matorrales,
y la raíz de retamas era su alimento.

5 De la comunidad se los expulsaba;[c]
la gente les gritaba como a un ladrón.

6 [Tienen] que residir en la ladera misma de valles torrenciales,
en agujeros del polvo y en rocas.

7 Entre los matorrales clamaban;
bajo las ortigas se aglomeraban.

8 Hijos del insensato,[d] también hijos del innominado,
a azotes han sido echados del país.

9 Y ahora he venido a ser hasta el tema de su canción,[e]
y les sirvo de refrán.[f]

10 Me han detestado, se han mantenido lejos de mí;[g]
y de mi rostro no detuvieron [su] esputo.[h]

11 Pues él aflojó la propia cuerda de [mi] arco y procedió a humillarme,
y el freno lo dejaron suelto a causa de mí.

12 A [mi] diestra se levantan como camada;
han dejado mis pies libres,
pero procedieron a levantar contra mí sus desastrosas barreras.[i]

13 Han demolido mis veredas;
fueron de provecho solo para adversidad mía,[j]
sin que tuvieran ayudador alguno.

14 Como por brecha ancha proceden a venir;

bajo una tempestad han venido rodando.

15 Terrores repentinos han sido vueltos sobre mí;
se hace que mi noble porte huya como el viento,
y cual nube ha pasado mi salvación.

16 Y ahora mi alma se derrama dentro de mí;[a]
días de aflicción[b] se apoderan de mí.

17 De noche mis huesos[c] mismos han sido taladrados [y han caído] de mí,
y [dolores] que me roen no descansan.[d]

18 Por la abundancia de poder le sobreviene un cambio a mi prenda de vestir;
como el cuello de mi vestido talar me ciñe.

19 Él me ha bajado al barro,
de modo que me muestro como polvo y ceniza.

20 Clamo a ti por ayuda, pero no me respondes;[e]
me he puesto de pie, para que te muestres atento a mí.

21 Te cambias para hacerte cruel para conmigo;[f]
con el pleno poder de tu mano me abrigas animosidad.

22 Me alzas al viento, me haces cabalgar [en él];
entonces me disuelves con un estallido.

23 Porque bien sé yo que me harás volver a la muerte,[g]
y a la casa de reunión para todo viviente.

24 Solo que nadie alarga la mano contra un simple montón de ruinas,[h]
ni durante la decadencia de uno hay un clamor por ayuda respecto a esas cosas.

25 Ciertamente he llorado por el que tuvo un día duro;[i]
mi alma se ha desconsolado por el pobre.[j]

26 Aunque esperé el bien, no obstante vino el mal;[k]

CAP. 30
a Isa 1:31

b Jer 17:6

c Gé 4:12
Sl 109:10
Da 4:25

d 1Sa 25:25
Isa 32:6

e Sl 69:12
Lam 3:14

f Job 17:6

g Job 19:13

h Nú 12:14
Dt 25:9
Isa 50:6
Mt 27:30

i Job 19:12

j Job 16:2
Sl 69:26

2.ª col.
a Sl 22:14

b Job 10:15

c Sl 6:2

d Job 2:8
Job 2:13
Job 7:4

e Job 19:7
Sl 22:2
Lam 3:8

f Job 7:20
Job 19:6

g Gé 3:19

h Job 13:25

i Sl 35:13
Ro 12:15

j Pr 14:21
Pr 14:31
Pr 19:17

k Jer 8:15
Jer 14:19

y seguí aguardando la luz,
pero vinieron las tinieblas.

27 Se hizo que mis propios intestinos hirvieran, y estos no guardaron silencio;
se presentaron días de aflicción delante de mí.

28 Entristecido[a] anduve por todos lados cuando no había luz del sol;
me levanté en la congregación, seguí clamando por ayuda.

29 Hermano para los chacales vine a ser,
y compañero para las hijas del avestruz.[b]

30 Mi misma piel se ennegreció[c] [y cayó] de sobre mí,
y mis huesos mismos se pusieron calientes de sequedad.

31 Y mi arpa llegó a ser meramente para duelo,
y mi caramillo para la voz de los que lloran.

31 "Un pacto he celebrado con mis ojos.[d]
Por eso, ¿cómo pudiera mostrarme atento a una virgen?[e]

2 ¿Y qué porción hay de parte de Dios arriba,[f]
o herencia de parte del Todopoderoso desde lo alto?

3 ¿No hay desastre para un malvado,[g]
y desventura para los que practican lo que es perjudicial?

4 ¿No ve él mismo mis caminos[h]
y cuenta aun todos mis pasos?

5 Si he andado con [hombres de] mentira,[i]
y mi pie se apresura al engaño,[j]

6 él me pesará en balanza exacta,[k]
y Dios llegará a conocer mi integridad.[l]

7 Si mi paso se desvía del camino,[a]
o mi corazón ha andado simplemente tras mis ojos,[b]
o cualquier defecto se ha pegado en las palmas de mis propias manos,[c]

8 siembre yo y otro coma,[d]
y sean desarraigados mis propios descendientes.

9 Si mi corazón se ha dejado seducir hacia una mujer,[e]
y me quedé acechando[f] al mismo paso de entrada de mi compañero,

10 muela mi esposa para otro hombre,
y sobre ella arrodíllense otros hombres.[g]

11 Porque eso sería conducta relajada,
y eso sería un error para [la atención de] los jueces.[h]

12 Porque ese es un fuego que comería hasta la destrucción misma,[i]
y entre todo mi producto se arraigaría.

13 Si solía rehusar el juicio de mi esclavo
o de mi esclava en su litigio conmigo,

14 entonces, ¿qué podré hacer cuando Dios se levante?
Y cuando pida cuentas, ¿qué podré responderle?[j]

15 ¿Acaso Aquel que me hizo en el vientre no lo hizo a él,[k]
y no procedió Uno solo a prepararnos en la matriz?

16 Si yo solía retener de [su] deleite a los de condición humilde,[l]
y los ojos de la viuda hacía fallar,[m]

17 y solía comer mi bocado a solas,
mientras el huérfano de padre no comía de él[n]

18 (porque desde mi juventud él se crió conmigo como con un padre,
y desde el vientre de mi madre la seguí guiando);

CAP. 30
a Sl 38:6
Sl 42:9
Sl 43:2
b Miq 1:8
c Job 7:5
Sl 119:83
Lam 4:8

CAP. 31
d Pr 6:25
Mt 5:28
e Job 31:9
1Co 7:1
f Job 20:29
g Sl 73:18
Pr 10:29
h Gé 16:13
2Cr 16:9
Sl 139:3
Pr 5:21
Jer 32:19
i Sl 26:5
j Pr 6:18
k 1Sa 2:3
Da 5:27
l Job 2:3
Job 27:5
Sl 7:8

2.ª col.
a Dt 11:16
Jer 10:23
b Nú 15:39
Ec 11:9
Eze 6:9
Mt 5:29
1Jn 2:16
c Isa 33:15
d Le 26:16
e Job 31:1
Mt 5:28
f Job 24:15
g 2Sa 12:11
Jer 8:10
h Gé 38:24
Le 20:10
Dt 22:22
i Pr 6:27
Pr 7:27
j Sl 82:3
Pr 22:23
Isa 10:3
k Job 34:19
Sl 139:16
Pr 14:31
Pr 22:2
Mal 2:10
l Dt 15:7
m Dt 10:18
Pr 28:27
n Eze 18:7
Snt 1:27
1Jn 3:17

19 si solía ver a cualquiera pereciendo por no tener
prenda de vestir,ᵃ
o que el pobre no tenía cobertura;

20 si sus lomos no me bendijeron,ᵇ
ni de la lana esquiladaᶜ de
mis carneros jóvenes se
calentaba;

21 si yo agitaba mi mano de acá
para allá contra el huér-
fano de padre,ᵈ
cuando veía [que se nece-
sitaba] mi auxilio en la
puerta,ᵉ

22 que se caiga de su hombro mi
propia espaldilla,
y que mi propio brazo se
quiebre desde su hueso
superior.

23 Porque el desastre de parte
de Dios era un pavor
para mí,
y contra su dignidadᶠ yo no
podía aguantar.

24 Si he puesto el oro como mi
seguridad,
o al oro he dicho: '¡Tú eres
mi confianza!',ᵍ

25 si solía regocijarme porque
fuera mucha mi propie-
dad,ʰ
y porque mi mano hubiera
hallado muchas cosas;ⁱ

26 si solía ver la luz cuando ful-
guraba,
o la preciosa luna que iba
caminando,ʲ

27 y mi corazón empezó a ser
seducido en secreto,ᵏ
y mi mano procedió a besar
mi boca,

28 eso también sería un error
para [la atención de] los
jueces,
porque habría negado al
Dios [verdadero] que
está arriba.

29 Si solía regocijarme por la extinción de uno que me
odiara intensamente,ˡ
o me sentía excitado por-
que el mal lo hubiera
hallado...

30 y no permití pecar a mi paladar

CAP. 31
a Isa 58:7
Mt 25:36
Lu 3:11
Snt 2:15

b Dt 24:13

c Dt 18:4

d Pr 14:21

e Dt 16:18

f Job 13:11

g Sl 49:6
Pr 11:28
1Ti 6:17

h Est 5:11
Sl 62:10
Pr 11:28

i Dt 8:17

j Dt 4:19

k Dt 11:16

l Pr 17:5
Pr 24:17

2.ᵃ col.
a Mt 5:44
Ro 12:14

b Gé 18:5
Ro 12:13

c Gé 19:3
Jue 19:21
Mt 25:35
Heb 13:2
1Pe 4:9

d Gé 3:8
Pr 28:13
Hch 5:8

e Job 19:7

f Job 13:22

g Job 29:6

h Snt 5:4

i 1Re 21:15

j Gé 3:18

pidiendo un juramento en
contra de su alma.ᵃ

31 Si los hombres de mi tienda
no dijeron:
'¿Quién puede presentar a
alguien que no haya que-
dado satisfecho de su alimento?'ᵇ...

32 allá afuera ningún residente
forastero pasaba la no-
che;ᶜ
yo mantenía abiertas mis
puertas a la senda.

33 Si como un hombre terrestre
encubrí mis transgresio-
nesᵈ
y escondí mi error en el
bolsillo de mi camisa...

34 porque sufriera un sobresalto ante una gran muche-
dumbre,
o el desprecio mismo de familias me aterrorizara
y me quedara callado, no
saliera de la entrada.

35 ¡Ah, que tuviera a alguien que
me escuchara,ᵉ
que conforme a mi firma
el Todopoderoso mismo
me respondiera!,ᶠ
¡o que el individuo en el
litigio conmigo hubiera
escrito un documento
mismo!

36 De seguro yo lo llevaría sobre
el hombro;
lo enlazaría en derredor
mío como una magnífica
corona.

37 El número de mis pasos le informaría;ᵍ
como un caudillo me acer-
caría a él.

38 Si contra mí clamara mi propio suelo por socorro,
y a una lloraran sus surcos
mismos;

39 si su fruto he comido sin dinero,ʰ
y al alma de sus dueños he
hecho jadear;ⁱ

40 que en vez de trigo salga el
yerbajo espinoso;ʲ
y en vez de cebada, yerba-
jos hediondos".

Las palabras de Job han terminado.

32 De modo que estos tres hombres cesaron de responder a Job, porque él era justo a sus propios ojos.[a] 2 Pero se enardeció la cólera de Elihú hijo de Barakel el buzita[b] de la familia de Ram. Contra Job se encendió su cólera por declarar este justa su propia alma más bien que a Dios.[c] 3 También, contra sus tres compañeros se encendió su cólera debido al hecho de que no habían hallado una respuesta, pero habían procedido a pronunciar inicuo a Dios.[d] 4 Y Elihú mismo había esperado a Job con palabras, porque ellos eran más viejos que él en días.[e] 5 Y Elihú gradualmente vio que no había respuesta en la boca[f] de los tres hombres, y su cólera siguió enardeciéndose. 6 Y Elihú hijo de Barakel el buzita procedió a responder y decir:

"Joven soy yo en días,
    y ustedes son de edad.[g]
Por eso me retraje y tuve miedo
    de declararles mi conocimiento.
7 Dije: 'Los días mismos deben hablar,
    y una multitud de años es lo que debe dar a conocer la sabiduría'.[h]
8 De seguro es el espíritu [que hay] en los hombres mortales
    y el aliento del Todopoderoso [lo que] les da entendimiento.[i]
9 No son los que simplemente abundan en días los que resultan sabios,[j]
    ni los [que] simplemente [son] viejos los que entienden el juicio.[k]
10 Por lo tanto, dije: 'De veras escúchame.
    Declararé mi conocimiento, aun yo'.
11 ¡Miren! He esperado las palabras de ustedes,
    seguí prestando oído a sus razonamientos,[l]
    hasta que buscaran palabras [que decir].

12 Y a ustedes mantuve dirigida mi atención,
    y sucede que no hay nadie que censure a Job,
    ninguno de ustedes que conteste sus dichos.
13 para que no digan: 'Hemos hallado sabiduría;[a]
    es Dios quien lo ahuyenta, no un hombre'.
14 Puesto que él no ha desplegado palabras contra mí,
    por tanto no le responderé con los dichos de ustedes.
15 Ellos se han aterrorizado, no han contestado más;
    las palabras se han alejado de ellos.
16 Y he esperado, porque no continúan hablando;
    porque se detuvieron, no contestaron más.
17 Yo daré en respuesta mi parte, aun yo;
    declararé mi conocimiento, aun yo;
18 porque he llegado a estar lleno de palabras;
    espíritu me ha causado presión[b] en el vientre.
19 ¡Miren! Mi vientre es como vino que no tiene respiradero;
    como odres nuevos, quiere reventar.[c]
20 Déjeseme hablar para que me sirva de alivio.
    Abriré mis labios para poder responder.[d]
21 No vaya yo, por favor, a mostrar parcialidad a un hombre;[e]
    y a un hombre terrestre no otorgaré título;[f]
22 pues ciertamente no sé cómo puedo yo otorgar título;
    fácilmente mi Hacedor[g] me llevaría.

33 "Ahora, sin embargo, oh Job, por favor, oye mis palabras,
    y a todo mi hablar de veras presta oído.
2 ¡Mira, por favor! Tengo que abrir la boca;

CAP. 32
a Job 6:29
  Job 27:6
  Pr 3:7

b Gé 22:21

c Job 10:3

d Éx 20:7
  Job 4:18
  Job 22:3
  Job 25:5
  Job 42:8

e Le 19:32

f Sl 78:36
  2Co 13:1
  Tit 1:11

g Job 15:10
  1Ti 5:1
  1Pe 5:5

h 1Re 12:6
  Job 12:12

i 1Re 3:12
  1Re 4:29
  Job 35:11
  Pr 2:6
  Ec 2:26
  Da 1:17
  Mt 11:25
  Snt 1:5

j Sl 119:100
  1Co 1:26

k Ec 4:13

l Snt 1:19

2.ª col.
a Jer 9:23
  1Co 1:29

b Sl 39:3
  Jer 20:9
  Hch 18:25

c Mt 9:17

d Pr 15:28
  1Pe 3:15

e Le 19:15
  Pr 24:23
  Snt 3:17

f Mt 23:8
  Lu 18:19

g Job 27:8
  Job 35:10
  Sl 95:6

mi lengua con mi paladar[a]
tiene que hablar.

3 Mis dichos son la rectitud de
mi corazón,[b]
y conocimiento es lo que
mis labios sí profieren
sinceramente.[c]

4 El propio espíritu de Dios me
hizo,[d]
y el propio aliento del Todopoderoso procedió a
hacerme vivir.[e]

5 Si puedes, respóndeme,
despliega [palabras] delante de mí; toma tu pues-
to, sí.

6 ¡Mira! Yo soy para el Dios
[verdadero] justamente
lo que tú eres;[f]
del barro fui formado,[g] yo
también.

7 ¡Mira! Ningún terror en mí te
espantará a ti,
y ninguna presión[h] de parte mía será pesada so-
bre ti.

8 Solo que has dicho a mis
oídos,
y el sonido de [tus] palabras lo seguí oyendo:

9 'Soy puro, sin transgresión;[i]
limpio soy, y no tengo
error.[j]

10 ¡Mira! Él halla ocasiones para
oponerse a mí,
me tiene por enemigo
suyo.[k]

11 Pone mis pies en el cepo,[l]
vigila todas mis sendas'.[m]

12 ¡Mira! En esto no has tenido
razón,[n] yo te contesto;
pues Dios es mucho más
que el hombre mortal.[o]

13 ¿Por qué contendiste contra
él,[p]
porque a todas tus pala-
bras no contesta?[q]

14 Pues Dios habla una vez,
y dos veces[r] —aunque uno
no se fije en ello—

15 en un sueño,[s] una visión[t] nocturna,
cuando sueño profundo
cae sobre los hombres,
durante sueños ligeros sobre la cama.[u]

16 Es entonces cuando él desta-

CAP. 33

a Job 6:30
Sl 137:6
b Mt 12:34
Lu 6:45
c Pr 15:2
Pr 20:15
d Sl 119:73
e Gé 2:7
Job 32:8
Ec 12:7
Hch 17:25
f Hch 14:15
g Gé 2:7
Job 10:9
1Co 15:47
2Co 4:7
h Jue 16:16
Lu 24:29
i Job 10:7
Job 16:17
Job 23:11
j Job 29:14
Pr 21:2
k Job 13:24
Job 16:9
Job 19:11
Job 13:27
Jer 20:2
Hch 16:24
m Job 14:16
Job 31:4
n Pr 9:8
Gál 2:11
o Job 12:13
Sl 8:4
Isa 40:25
Isa 55:9
p Isa 45:9
Ro 9:20
1Co 10:22
q Job 13:24
r Job 40:5
Sl 62:11
s Da 4:5
t Nú 12:6
u Da 4:5

2.ᵃ col.

a Job 36:10
b Gé 20:6
Mt 2:12
Mt 27:19
c Da 4:25
d Gé 31:24
e 2Cr 32:5
Ef 6:16
f Sl 107:18
g Sl 89:48
h Job 14:13
i Job 19:25
Sl 49:7
Mt 20:28
j 2Re 5:14
k Dt 34:7
Job 42:16
Sl 103:5
l Sl 30:8
m 2Sa 12:13
Sl 32:5
Pr 28:13
Lu 15:21
1Jn 1:9
n Sl 19:14
Isa 38:17

pa el oído de los hom-
bres,[a]
y sobre la exhortación a
ellos pone su sello,

17 para desviar a un hombre de
su hecho,[b]
y para encubrir del hombre
físicamente capacitado
el orgullo[c] mismo.

18 Retiene del hoyo el alma de
este,[d]
y su vida de pasar [de la
existencia] por proyec-
til.[e]

19 Y él realmente es censurado
con dolor sobre su cama,
y el reñir de sus huesos es
continuo.

20 Y su vida ciertamente hace
que le dé asco[f] el pan;
y su propia alma, el ali-
mento deseable.

21 Su carne se consume ante la
vista,
y sus huesos, que no se
veían, ciertamente que-
dan desnudos.

22 Y su alma se acerca al hoyo,[g]
y su vida a los que inflingen
muerte.

23 Si existe para él un mensajero,
un vocero, uno de entre
mil,
para informar al hombre
su rectitud,

24 entonces lo favorece y dice:
'¡Líbralo de bajar al hoyo!
¡He hallado un rescate![i]

25 Que su carne se haga más
fresca que en la juven-
tud;[j]
que vuelva a los días de su
vigor juvenil'.[k]

26 Rogará a Dios para que se
complazca en él,[l]
y verá su rostro con gozoso gritar,
y Él restaurará Su justicia
al hombre mortal.

27 Cantará a los hombres y dirá:
'He pecado;[m] y lo recto he
pervertido,
y ciertamente no era la
cosa debida para mí.

28 Él ha redimido mi alma de
pasar al hoyo,[n]

y mi vida misma verá la luz'.

29 ¡Mira! Todas estas cosas Dios ejecuta,
dos veces, tres veces, en el caso de un hombre físicamente capacitado,

30 para volver su alma del hoyo,[a]
para que sea iluminado con la luz de los vivientes.[b]

31 ¡Presta atención, oh Job! ¡Escúchame!
Calla, y yo mismo continuaré hablando.

32 Si hay palabras [que decir], respóndeme;
habla, porque me he deleitado en tu justicia.

33 Si no las hay, tú mismo escúchame;[c]
calla, y yo te enseñaré sabiduría".

34 Y Elihú continuó respondiendo y diciendo:

2 "Escuchen, sabios, mis palabras;
y ustedes que saben, préstenme oído.

3 Porque el oído mismo pone a prueba las palabras,[d]
así como el paladar gusta cuando se come.[e]

4 Escojamos para nosotros mismos el juicio;
sepamos entre nosotros lo que es bueno.

5 Porque Job ha dicho: 'Yo ciertamente tengo razón,[f]
pero Dios mismo ha apartado de mí el juicio.[g]

6 Contra mi propio juicio, ¿acaso miento yo?
Mi herida grave es incurable aunque no hay transgresión'.[h]

7 ¿Qué hombre físicamente capacitado es como Job,[i]
[que] bebe el escarnio como agua?[j]

8 Y ciertamente está en camino a [tener] compañerismo con practicantes de lo que es perjudicial,

y a andar con hombres de iniquidad.[a]

9 Pues ha dicho: 'Un hombre físicamente capacitado no saca provecho[b]
por complacerse en Dios'.

10 Por eso, hombres de corazón,[c] escúchenme.
¡Lejos sea del Dios [verdadero] el obrar inicuamente,[d]
y del Todopoderoso el obrar injustamente![e]

11 Porque [según] la manera [como] el hombre terrestre obre él le recompensará,[f]
y según la senda del hombre le hará que venga sobre él.

12 Sí, de hecho, Dios mismo no obra inicuamente,[g]
y el Todopoderoso mismo no pervierte el juicio.[h]

13 ¿Quién le ha asignado la tierra,
y quién [le] ha designado la tierra productiva, aun toda ella?

14 Si fija su corazón en cualquiera,
[si] el espíritu y aliento de aquel él lo recoge a sí,[i]

15 toda carne expira junta,
y el hombre terrestre mismo vuelve al mismísimo polvo.[j]

16 Por eso, si [tienes] entendimiento, de veras escucha esto;
sí, presta oído al sonido de mis palabras.

17 ¿Realmente tendrá el control cualquiera que odia la justicia?,[k]
y si un poderoso es justo, ¿[lo] pronunciarás tú inicuo?[l]

18 ¿Se dirá a un rey: 'Tú para nada sirves'?
¿A nobles: 'Eres inicuo'?[m]

19 [Hay Uno] que no ha mostrado parcialidad a príncipes
y no ha dado más conside-

ración al noble que al de condición humilde,[a]

porque todos ellos son la obra de sus manos.[b]

20 En un momento mueren,[c] aun en medio de la noche;[d]

la gente se sacude de acá para allá y pasa,

y poderosos se van, no por mano alguna.[e]

21 Porque los ojos de él están sobre los caminos del hombre,[f]

y todos sus pasos él ve.

22 No hay oscuridad ni una sombra profunda

para que se oculten allí los que practican lo que es perjudicial.[g]

23 Porque él no fija tiempo señalado a ningún hombre

para que vaya a Dios en juicio.

24 Quiebra a poderosos[h] sin ninguna investigación,

y hace que otros estén de pie en lugar de ellos.[i]

25 Por lo tanto, reconoce lo que son las obras de ellos,[j]

y de veras [los] derriba de noche, y quedan aplastados.[k]

26 Como a inicuos, de veras les da con la mano abierta

en el lugar de observadores;[l]

27 por la razón de que se han desviado de seguirlo,[m]

y ninguno de sus caminos han considerado,[n]

28 de modo que hacen llegar a él el clamor del de condición humilde;

y así él oye el clamor de los afligidos.[o]

29 Cuando él mismo causa quietud, ¿quién, pues, puede condenar?

Y cuando él oculta [su] rostro,[p] ¿quién puede contemplarlo,

sea para con una nación[q] o para con un hombre, puesto que es la misma cosa?,

30 para que no reine un hombre apóstata,[a]

ni haya lazos[b] del pueblo.

31 Porque, ¿realmente dirá alguien a Dios mismo:

'He soportado, aunque no obro corruptamente;[c]

32 aunque no contemplo nada, instrúyeme tú mismo;

si injusticia alguna he cometido,

no volveré a hacer[lo]'?[d]

33 ¿Lo resarcirá él desde tu punto de vista porque tú en efecto rehúsas [el juicio],

porque tú mismo escoges, y no yo?

Aun lo que sabes bien, habla.

34 Los mismos hombres de corazón[e] me dirán...

hasta un hombre sabio, físicamente capacitado, que me esté escuchando:

35 'Job mismo habla sin conocimiento,[f]

y sus palabras son sin que tenga perspicacia'.

36 Padre mío, deja que Job sea probado hasta el límite

en cuanto a sus respuestas entre hombres de nocividad.[g]

37 ¡Porque encima de su pecado añade sublevación;[h]

entre nosotros bate [las manos] y multiplica sus dichos contra el Dios [verdadero]!".[i]

35

Y Elihú continuó respondiendo y diciendo:

2 "¿Acaso esto es lo que has considerado como lo justo?

Has dicho: 'Mi justicia es más que la de Dios'.[j]

3 Porque dices: '¿De qué te sirve a ti?[k]

¿Qué provecho saco, más que por pecar?'.[l]

4 Yo mismo te responderé, y a tus compañeros[m] contigo.

5 Mira al cielo[n] y ve, y contempla las nubes,[o]

CAP. 34

a Dt 10:17
2Cr 19:7
Hch 10:34
Ro 2:11
Gál 2:6
Ef 6:9
b Job 31:15
Pr 22:2
c Sl 73:19
Hch 12:23
d Éx 12:29
Da 5:30
Lu 12:20
e 1Sa 25:38
Da 2:34
f Gé 6:5
2Cr 16:9
Job 31:4
Pr 5:21
Pr 15:3
Jer 16:17
Jer 32:19
1Pe 3:12
g Sl 139:12
Isa 29:15
Jer 23:24
Am 9:3
Heb 4:13
h Da 2:21
i Eze 21:27
Da 4:25
j Os 7:2
2Co 11:15
Tit 1:16
k 1Sa 4:17
Da 5:30
l Nú 12:10
m Éx 32:8
1Sa 15:11
n Sl 28:5
Sal 5:12
o Éx 22:23
Job 35:9
Job 42:3
p Sl 27:9
Sl 30:7
q Os 4:6

2.ª col.

a Job 13:16
Job 27:8
b 1Re 12:28
2Re 21:9
c Da 9:7
Ro 3:23
d Pr 28:13
e Job 34:10
f Job 35:16
Job 38:2
Job 42:3
g Snt 5:11
1Pe 1:7
h Job 10:1
i Job 35:2

CAP. 35

j Job 10:7
Job 16:17
Job 34:5
k Job 21:15
Job 34:9
l Job 9:22
Sl 73:13
Mal 3:14
m Job 2:11
n Job 22:12
o Sl 68:34

[que] de veras están más altas que tú.

6 Si realmente pecas, ¿qué logras contra él?[a]

Y [si] tus sublevaciones realmente aumentan, ¿qué le haces?

7 Si de veras tienes razón, ¿qué le das,

o qué recibe él de tu propia mano?[b]

8 Tu iniquidad puede ser en contra de un hombre como tú,[c]

y tu justicia a un hijo del hombre terrestre.[d]

9 A causa de la multitud de opresiones ellos siguen clamando por socorro;[e]

siguen gritando por ayuda a causa del brazo de los grandes.[f]

10 Y, no obstante, nadie ha dicho: '¿Dónde está Dios mi Magnífico Hacedor,[g]

El que da melodías en la noche?'.[h]

11 Él es Aquel que nos enseña[i] más que a las bestias de la tierra,[j]

y nos hace más sabios que hasta las criaturas voladoras de los cielos.

12 Allí siguen clamando, pero él no responde,[k]

a causa del orgullo[l] de los malos.

13 Solo la falsedad Dios no oye,[m] y el Todopoderoso mismo no la contempla.[n]

14 ¡Cuánto menos, pues, cuando dices que no lo contemplas![o]

La causa judicial está ante él, y por eso debes esperarlo ansiosamente.[p]

15 Y ahora, porque tu cólera no ha exigido que se rindan cuentas,[q]

él igualmente no ha tomado nota de la extremada irreflexión.[r]

16 Y Job mismo abre ancha su boca simplemente para nada;

sin conocimiento multiplica meras palabras".[s]

36 Y Elihú procedió a decir además:

2 "Ten paciencia conmigo un ratito, y te declararé

que hay todavía palabras [que decir] a favor de Dios.

3 Traeré mi conocimiento desde lejos,

y a mi Modelador atribuiré justicia.[a]

4 Porque mis palabras de hecho no son falsedad;

Aquel que es perfecto en conocimiento[b] está contigo.

5 ¡Mira! Dios es potente,[c] y no rechazará;

[es] potente en poder de corazón;

6 no conservará vivo a ningún inicuo,[d]

pero dará el juicio de los afligidos.[e]

7 No apartará sus ojos de ningún justo;[f]

aun a reyes sobre el trono[g]...

también a ellos los sentará para siempre, y serán ensalzados.

8 Y si se los sujeta en grilletes,[h]

se los captura con sogas de aflicción,

9 Entonces les informa respecto a cómo actúan,

y de sus transgresiones, porque se dan tono superior.

10 Y les destapa el oído a la exhortación,[i]

y dice que deben volverse de lo que es perjudicial.[j]

11 Si obedecen y sirven,

acabarán sus días en lo que es bueno

y sus años en lo agradable.[k]

12 Pero si no obedecen, pasarán[l] [de la existencia] aun por proyectil,[m]

y expirarán sin conocimiento.

13 Y los apóstatas de corazón acumularán ellos mismos cólera.

No deben clamar por ayuda

CAP. 35
a Pr 8:36
 Pr 9:12
 Jer 7:19
b Sl 16:2
 Ro 11:35
c Pr 19:3
 Gál 6:7
d Eze 33:16
e Éx 2:23
 Job 34:28
 Pr 29:2
f Sl 10:15
g Isa 51:13
 1Pe 4:19
 Rev 4:11
h Sl 42:8
 Sl 77:6
 Sl 149:5
 Hch 16:25
i Sl 94:12
 Isa 48:17
j Gé 1:26
 Pr 30:24
k Sl 18:41
 Pr 1:28
l 1Pe 5:5
m Pr 15:29
 Isa 1:15
 Jer 11:11
n Hab 1:13
o Job 9:11
p Sl 37:5
q Sl 89:32
r Sl 103:12
s Job 34:35
 Job 38:2

2.ª col.

CAP. 36
a Dt 32:4
 Sl 11:7
 Sl 139:14
 Sl 139:16
 Da 9:14
 Rev 15:3
b Isa 2:3
 Job 37:16
c Sl 24:8
 Sl 99:4
 Jer 32:18
d Sl 9:17
 Sl 68:2
 2Pe 2:9
e Sl 10:14
 Sl 140:12
 Pr 22:23
f Sl 33:18
 Sl 34:15
g Sl 78:70
 Sl 113:8
 Isa 9:7
h Sl 107:10
i Sl 33:16
j Eze 18:30
k Isa 1:19
 Jer 26:13
l Isa 1:20
 Ro 2:8
m Job 33:18
n Job 13:16
 Ro 2:5

porque él los ha encadenado.

14 Su alma morirá en la juventud misma,[a]
y su vida entre prostitutos de templo.[b]

15 Él librará al afligido en su aflicción,
y les destapará el oído en la opresión.

16 ¡Y también ciertamente te atraerá de la boca de la angustia![c]
Espacio más ancho,[d] no apretura, habrá en su lugar,
y la consolación de tu mesa estará llena de grosura.[e]

17 Ciertamente te llenarás con la sentencia judicial impuesta al inicuo;[f]
la sentencia judicial y la justicia, ellas mismas se apoderarán.

18 Pues [cuida] que la furia[g] no te atraiga a batir las manos [con rencor],
y no dejes que un rescate[h] grande mismo te descarríe.

19 ¿Acaso tu clamor por ayuda surtirá efecto?[i] No; y en la angustia
ni siquiera todos [tus] poderosos esfuerzos.[j]

20 No jadees en pro de la noche,
en pro de que los pueblos se retiren [de] donde están.

21 Mantente alerta para que no te dirijas a lo que es perjudicial,[k]
porque esto has escogido más bien que la aflicción.[l]

22 ¡Mira! Dios mismo obra sublimemente con su poder;
¿quién es instructor como él?

23 ¿Quién, pidiendo cuentas, ha señalado contra él su camino,[m]
y quién ha dicho: 'Has cometido injusticia'?[n]

24 Acuérdate de que debes engrandecer su actividad[o]

de que han cantado los hombres.[a]

25 Toda la humanidad misma ha fijado su mirada en ella;
el hombre mortal mismo sigue mirando desde lejos.[b]

26 ¡He aquí! Dios es más sublime de lo que podemos saber;[c]
en número, sus años son inescrutables.[d]

27 Pues él atrae hacia arriba las gotas de agua;[e]
se filtran como lluvia para su neblina;

28 de modo que las nubes destilan,[f]
gotean sobre la humanidad abundantemente.

29 Realmente, ¿quién puede entender las capas de las nubes,
los estallidos procedentes de su cabaña?[g]

30 ¡Mira! Él ha extendido sobre ella su luz,[h]
y las raíces del mar ha cubierto.

31 Porque por esos [medios] defiende la causa de pueblos;[i]
da alimento en abundancia.[j]

32 En sus manos ha encubierto el relámpago,
y le impone un mandato contra un asaltador.[k]

33 Su estampido[l] informa acerca de él;
el ganado también, respecto de aquel que está subiendo.

37 "Realmente ante esto mi corazón se pone a temblar,[m]
y salta de su lugar.

2 Escuchen atentamente el retumbo de su voz,[n]
y el gruñido que sale de su boca.

3 Debajo de todos los cielos lo suelta,
y su relámpago[o] alcanza a

CAP. 36
a Sl 55:23
b 1Re 14:24
c Isa 30:21
d Sl 18:19
  Sl 31:8
  Sl 118:5
e Isa 25:6
  Isa 55:2
f Pr 2:22
  Jer 25:31
g Pr 19:19
  Pr 29:22
h Sl 49:7
i Eze 8:18
j Job 34:20
  Sl 33:16
  Pr 11:4
k Sl 66:18
l Heb 11:25
m Isa 40:14
n Job 34:10
  Ro 9:14
o Sl 92:5
  Sl 104:24

2.ª col.
a Éx 15:1
  Rev 15:3
b Éx 20:18
c Sl 145:3
  Sl 148:13
  Rev 10:6
  Rev 15:3
d Sl 90:2
  Sl 102:27
  1Ti 1:17
  Heb 1:12
e Gé 2:6
  Am 5:8
f Dt 32:2
  Pr 3:20
  Isa 55:10
  Jer 14:22
g 2Sa 22:12
h Job 37:3
  Mt 24:27
i Éx 9:23
  Jos 10:11
  Job 37:13
  Job 38:23
j Hch 14:17
k 2Sa 22:15
  Sl 18:14
  Sl 144:6
l 1Re 18:41

CAP. 37
m 1Sa 28:5
n Job 38:1
o Job 37:11
  Sl 97:4
  Lu 17:24

las extremidades de la tierra.

4 Tras este ruge un sonido; él truena[a] con el sonido de su superioridad,[b] y no los retiene cuando se oye su voz.[c]

5 Dios truena con su voz[d] de una manera maravillosa, y hace cosas grandes que no podemos saber.[e]

6 Pues a la nieve dice: 'Cae hacia la tierra',[f] y [a] la fuerte precipitación de lluvia, aun [a] la fuerte precipitación de sus intensas lluvias.[g]

7 En la mano de todo hombre terrestre pone un sello para que todo hombre mortal conozca su obra.

8 Y la bestia salvaje entra en la emboscada, y en sus escondites mora.[h]

9 Del cuarto interior[i] sale el viento de tempestad; y de los vientos del norte, el frío.[j]

10 Por el aliento de Dios se da el hielo,[k] y la anchura de las aguas está bajo apretura.[l]

11 Sí, con humedad él carga la nube, su luz[m] esparce la masa de nubes,

12 y a esta se le hace dar la vuelta por Su manejo [de ellas] para que ejecuten su parte en cualquier lugar que él les ordene[n] sobre la haz del terreno productivo de la tierra.

13 Sea para vara[o] o para su tierra[p] o para bondad amorosa,[q] él hace que produzca efectos.

14 Presta oído a esto, sí, oh Job; detente y muéstrate atento a las maravillosas obras de Dios.[r]

15 ¿Sabes cuándo les impuso cita Dios,[s]

y cuándo hizo que la luz de su nube resplandeciera?

16 ¿Sabes acerca de los equilibrios de la nube,[a] las maravillosas obras de Aquel que es perfecto en conocimiento?[b]

17 ¿Cómo están calientes tus prendas de vestir cuando la tierra muestra quietud desde el sur?[c]

18 ¿Puedes tú con él batir los cielos nublados,[d] duros como un espejo fundido?

19 Haznos saber qué debemos decirle; nosotros no podemos producir [palabras] a causa de la oscuridad.

20 ¿Debe contársele que yo quisiera hablar?, ¿o ha dicho hombre alguno que ello será comunicado?[e]

21 Y ahora ellos realmente no ven la luz; está brillante en los cielos nublados, cuando un viento mismo ha pasado y procedido a limpiarlos.

22 Desde el norte viene el dorado resplandor. Sobre Dios la dignidad[f] es inspiradora de temor.

23 En cuanto al Todopoderoso, no lo hemos sondeado;[g] es sublime en poder,[h] y el derecho[i] y la abundancia de justicia[j] él no menosprecia.[k]

24 Por lo tanto, que le teman los hombres.[l] Él no considera a ninguno de los que son sabios en [su propio] corazón".[m]

38 Y Jehová procedió a responder a Job desde la tempestad de viento[n] y decir:

2 "¿Quién es este que está oscureciendo el consejo con palabras sin conocimiento?[o]

3 Cíñete los lomos, por favor,

CAP. 37
a Job 40:9
b Sl 29:3
c Sl 148:13
c Sl 68:33
d 2Sa 22:14
e Ec 3:11
   Rev 15:3
f Sl 147:16
   Isa 55:10
g Am 9:6
h Sl 104:22
i Sl 104:3
j Pr 25:23
k Job 38:29
   Sl 147:16
l Job 26:8
   Job 28:25
   Job 38:30
m Job 37:3
n Sl 148:8
o Éx 9:23
   1Sa 12:18
   Job 36:31
p Job 38:27
q 1Re 18:45
   Snt 5:18
r Sl 111:2
   Sl 145:5
s Job 38:4

2.ª col.
a Job 36:29
b Job 36:4
   Sl 18:30
   Sl 104:24
c Lu 12:55
d Isa 44:24
e Ro 11:34
f 1Cr 16:27
   1Cr 29:11
   Sl 8:1
g Sl 145:3
   Ec 3:11
   Ro 11:33
h 1Cr 29:11
   Job 36:22
   Isa 40:26
i Dt 32:4
   Sl 33:5
   Sl 37:28
j Sl 11:7
   Sl 71:19
k Hch 10:35
l Sl 33:8
   Pr 1:7
   Mt 10:28
m Pr 3:7
   Mt 11:25
   Ro 11:20
   Ro 12:16
   1Co 1:26

CAP. 38
n Éx 19:16
   1Re 19:11
o Job 42:3
   1Ti 1:7

como hombre físicamen-
te capacitado,
y déjame interrogarte, y tú
dame informe.[a]

4 ¿Dónde te hallabas tú cuando
yo fundé la tierra?[b]
Infórma[me], si de veras
conoces el entendi-
miento.

5 ¿Quién fijó sus medidas, si
acaso lo sabes,
o quién extendió sobre ella
el cordel de medir?

6 ¿En qué han sido hundidos
sus pedestales con enca-
jaduras,[c]
o quién colocó su piedra
angular,

7 cuando las estrellas de la mañana[d] gozosamente cla-
maron a una,
y todos los hijos de Dios[e]
empezaron a gritar en
aplauso?

8 ¿Y [quién] con puertas puso
barricada al mar,[f]
el cual empezó a salir como
cuando irrumpió de la
matriz;

9 cuando puse la nube por su
vestido
y densas tinieblas por su
pañal,

10 y procedí a dividir mi disposición reglamentaria so-
bre él
y a colocar una barra y
puertas,[g]

11 y pasé a decir: 'Hasta aquí
puedes venir, y no más
allá;[h]
y aquí quedan limitadas
tus orgullosas olas'?[i]

12 ¿Fue desde tus días en adelante cuando diste órde-
nes a la mañana?[j]
¿Hiciste tú que el alba
conociera su lugar,

13 que se asiera de las extremidades de la tierra,
para que los inicuos fueran
sacudidos de ella?[k]

14 Se transforma como barro[l]
bajo un sello,
y las cosas toman su puesto
como en la ropa.

CAP. 38
a Job 40:7

b Gé 1:1
Ne 9:6
Sl 104:5
Sl 136:6
Pr 8:29
Heb 1:10

c Sl 104:5

d Rev 22:16

e Gé 6:2
1Re 22:19
Job 1:6
Job 2:1
Sl 89:6
Sl 104:4

f Sl 33:7
Pr 8:29
Hch 4:24

g Gé 1:9
Jer 5:22

h Pr 8:29

i Sl 89:9

j Gé 1:5
Sl 74:16
Sl 148:5

k Job 24:15
1Te 5:7

l Jer 18:6

2.ª col.
a Éx 10:21
Job 33:30

b Sl 10:15
Jer 48:25
Eze 30:22

c Gé 1:2

d Sl 77:19

e Job 9:13
Sl 107:18
Mt 16:18
Rev 1:18

f Job 10:21

g Sl 74:17
Sl 89:11

h Isa 45:7

i Job 38:12

j Job 6:16
Job 37:6

k Jos 10:11
Isa 30:30

m Sl 78:26
Sl 135:7

n Job 28:26

15 Y de los inicuos se retiene su
luz,[a]
y el mismísimo brazo ele-
vado llega a ser quebra-
do.[b]

16 ¿Has llegado tú hasta las
fuentes del mar,
o en exploración de la profundidad acuosa[c] has andado de una parte a
otra?[d]

17 ¿Te han sido descubiertas las
puertas de la muerte,[e]
o puedes ver las puertas de
la sombra profunda?[f]

18 ¿Has considerado inteligentemente los anchos es-
pacios de la tierra?[g]
Infórmalo, si has llegado a
saberlo todo.

19 ¿Dónde, pues, está el camino hacia donde reside la
luz?[h]
En cuanto a la oscuridad,
¿dónde, pues, está su lu-
gar,

20 para que la lleves hasta su límite,
y para que entiendas las
veredas que van a su
casa?

21 ¿Has llegado a saber, porque
en aquel tiempo nacías,[i]
y [porque] en cuanto a
número tus días son mu-
chos?

22 ¿Has entrado en los almacenes de la nieve,[j]
o ves siquiera los almacenes del granizo,[k]

23 que yo he retenido para el
tiempo de angustia,
para el día de pelea y
guerra?[l]

24 ¿Dónde, pues, está el camino
por el cual se distribuye
la luz,
[y] el viento del este[m] se esparce sobre la tierra?

25 ¿Quién ha dividido un canal
para la inundación
y un camino para el tronador nubarrón de tempes-
tad,[n]

26 para hacer llover sobre la

tierra donde no hay hombre,[a]

[sobre] el desierto en el cual no hay hombre terrestre,

27 para satisfacer lugares azotados por tempestades y desolados,

y hacer brotar el crecimiento de hierba?[b]

28 ¿Existe padre para la lluvia?,[c] ¿o quién dio a luz las gotas del rocío?[d]

29 ¿Del vientre de quién realmente sale el hielo?

Y en cuanto a la escarcha[e] del cielo, ¿quién en realidad la hace nacer?

30 Las aguas mismas se mantienen escondidas como por piedra,

y la superficie de la profundidad acuosa se hace compacta.[f]

31 ¿Puedes tú atar firmemente las ligaduras de la constelación Kimá,

o puedes desatar las cuerdas mismas de la constelación Kesil?[g]

32 ¿Puedes hacer salir la constelación Mazarot a su tiempo señalado?

Y en cuanto a la constelación Ash al lado de sus hijos, ¿puedes conducirlos?

33 ¿Has llegado a conocer los estatutos de los cielos,[h]

o podrías tú poner su autoridad en la tierra?

34 ¿Puedes alzar tu voz siquiera a la nube,

para que una masa agitada de agua misma te cubra?[i]

35 ¿Puedes enviar relámpagos para que vayan

y te digan: ¡Aquí estamos!'?

36 ¿Quién puso sabiduría[j] en las capas de las nubes,

o quién dio entendimiento[k] al fenómeno celeste?

37 ¿Quién puede, con exactitud, numerar las nubes con sabiduría?,

---

CAP. 38
a Sl 104:13
Sl 107:35

b 2Sa 23:4
Sl 147:8
Heb 6:7

c 1Sa 12:18
Isa 30:23
Jer 5:24

d Gé 27:28

e Sl 147:16

f Job 37:10

g Am 5:8

h Pr 3:19
Jer 31:35
Jer 33:25

i Zac 10:1

j Jer 10:12

k Sl 136:5
Pr 3:20

2.ª col.
a Jer 10:13

b Sl 104:21
Sl 145:15
Na 2:12

c Lam 3:10

d Sl 104:27
Sl 147:9
Mt 6:26
Lu 12:24

CAP. 39
e Sl 104:18

f Sl 29:9

g Job 24:5
Sl 104:11

---

o los jarros de agua del cielo... ¿quién [los] puede volcar,[a]

38 cuando el polvo se derrama como en una masa fundida,

y los mismísimos terrones se pegan unos a otros?

39 ¿Puedes tú cazar presa para un león mismo,

y puedes satisfacer el vivo apetito de leones jóvenes,[b]

40 cuando se agazapan en los escondites,[c]

[o] se quedan echados en la guarida para estar al acecho?

41 ¿Quién le prepara al cuervo su alimento[d]

cuando sus propios polluelos claman a Dios por ayuda,

[cuando] siguen errantes porque no hay nada de comer?

39 "¿Has llegado a saber el tiempo señalado para que paran las cabras monteses del peñasco?[e]

¿Observas precisamente cuándo paren las ciervas[f] con dolores de parto?

2 ¿Cuentas los meses lunares que cumplen,

o has llegado a saber el tiempo señalado en que paren?

3 Se encorvan cuando echan sus crías,

[cuando] se deshacen de sus dolores.

4 Sus hijos se hacen robustos, llegan a ser grandes al campo raso;

realmente salen y no vuelven a ellas.

5 ¿Quién envió libre a la cebra,[g] y quién desató las ataduras mismas del asno silvestre,

6 como casa del cual he desig-

nado la llanura desértica,

y por lugares de morada suya la región salada?[a]

7 Él se ríe de la bulla de un pueblo;

no oye los ruidos del que caza al acecho.[b]

8 Explora montañas por su pasto[c]

y tras toda clase de planta verde[d] anda en busca.

9 ¿Quiere un toro salvaje servirte,[e]

o pasará la noche junto a tu pesebre?

10 ¿Atarás a un toro salvaje firmemente con sus sogas en el surco,

o rastrillará él las llanuras bajas detrás de ti?

11 ¿Confiarás en él porque su poder es abundante,

y dejarás a él tu trabajo afanoso?

12 ¿Te fiarás de él de que haya de traer de vuelta tu semilla

y que haya de recoger para tu era?

13 ¿Acaso el ala de la hembra del avestruz ha batido gozosamente,

o [tiene ella] las plumas remeras de la cigüeña,[g] y el plumaje?

14 Porque deja sus huevos a la tierra misma,

y en el polvo los mantiene calientes,

15 y olvida que algún pie puede aplastarlos,

o hasta alguna bestia salvaje del campo puede pisarlos.

16 Ella sí trata a sus hijos bruscamente, como si no fueran suyos[h]...

en vano es su afán, [porque no tiene] ningún pavor.

17 Porque Dios ha hecho que ella olvide la sabiduría,

y no le ha dado parte en el entendimiento.[i]

18 Al tiempo que bate [las alas] en alto,

se ríe del caballo y de su jinete.

19 ¿Puedes tú dar al caballo poderío?[a]

¿Puedes vestirle el cuello de crin crujiente?

20 ¿Puedes hacer que salte como una langosta?

La dignidad de su resoplido es aterradora.[b]

21 Piafa[c] en la llanura baja y se alboroza en poder;

sale al encuentro de armadura.[d]

22 Se ríe del pavor, y no se aterroriza;[e]

ni se vuelve atrás a causa de una espada.

23 Contra él resuena una aljaba, la hoja de una lanza y una jabalina.

24 Con golpe y excitación se traga la tierra,

y no cree que es el sonido de un cuerno.

25 En cuanto suena el cuerno, dice: ¡Ajá!,

y desde lejos huele la batalla,

el alboroto de jefes y el grito de guerra.[f]

26 ¿Se debe al entendimiento tuyo que el halcón se remonte,

que extienda las alas al viento del sur?

27 ¿O es por orden tuya que un águila[g] vuela hacia arriba,

y que construye su nido en lo alto,[h]

28 que en un peñasco reside, y se queda durante la noche

sobre el diente de un peñasco y en un lugar inaccesible?

29 Desde allí tiene que buscar alimento;[i]

lejos en la distancia sus ojos siguen mirando.

30 Y sus polluelos mismos siguen sorbiendo sangre;

y donde están los que han sido muertos, allí está ella".[j]

CAP. 39
a Dt 29:23
Jer 17:6

b Job 3:18

c Job 40:20

d Gé 1:30
Job 40:15

e Nú 23:22
Dt 33:17
Sl 29:6

f Isa 28:24

g Sl 104:17
Zac 5:9

h Lam 4:3

i Job 35:11

2.ª col.
a Sl 147:10
Isa 31:1

b Jer 8:16

c Jue 5:22
Sl 32:9
Jer 47:3
Hab 1:8

d Pr 21:31
Jer 46:9

e Isa 5:28
Jer 8:6

f Jer 46:4
Am 1:14

g Pr 23:5
Isa 40:31

h Jer 49:16
Abd 4

i Job 9:26
Jer 49:22

j Mt 24:28

40 Y Jehová procedió a responder a Job y decir:

2 "¿Debiera contender de manera alguna un señalador de faltas con el Todopoderoso?[a]
Contéstele el que censura a Dios mismo".[b]

3 Y Job pasó a responder a Jehová y decir:

4 "¡Mira! He llegado a ser de poca importancia.[c]
¿Qué te responderé?
Mi mano he puesto sobre mi boca.[d]

5 Una vez he hablado, y ciertamente no contestaré;
y dos veces, y ciertamente no añadiré nada".

6 Y Jehová pasó a responder a Job desde la tempestad de viento[e] y decir:

7 "Cíñete los lomos, por favor, como hombre físicamente capacitado;[f]
yo te interrogaré, y tú dame informe.[g]

8 Realmente, ¿invalidarás tú mi justicia?
¿Me pronunciarás inicuo para que tú tengas razón?[h]

9 ¿O tienes tú un brazo como el del Dios [verdadero],[i]
y con una voz como la de él puedes hacer que truene?[j]

10 Engalánate, por favor, con superioridad[k] y alteza;[l]
y vístete, sí, de dignidad[m] y esplendor.

11 Deja fluir los furiosos estallidos de tu cólera,[o]
y mira a todo altivo y rebájalo.

12 Mira a todo altivo, humíllalo,[p]
y pisotea a los inicuos allí mismo donde están.

13 Escóndelos juntos en el polvo,[q]
véndales los rostros mismos en el lugar escondido,

14 y yo, aun yo, te encomiaré,
porque tu mano derecha puede salvarte.

15 Aquí, pues, está Behemot, al que he hecho lo mismo que a ti.
Hierba verde come[a] tal como un toro.

16 Mira, pues: su poder está en sus caderas,
y su energía dinámica[b] en las cuerdas musculares de su vientre.

17 Dobla su cola como un cedro;
los tendones de sus muslos están entretejidos.

18 Sus huesos son tubos de cobre;
sus huesos fuertes son como varas de hierro forjado.

19 Él es el principio de los caminos de Dios;
su Hacedor[c] puede acercar su espada.

20 Pues las montañas mismas rinden su producto para él,[d]
y todas las bestias salvajes del campo mismas juegan allí.

21 Debajo de los lotos espinosos se echa,
en el lugar de cañas[e] oculto y el lugar pantanoso.[f]

22 Los lotos espinosos le levantan cerco con su sombra;
los álamos del valle torrencial lo rodean.

23 Si el río actúa violentamente, él no corre en pánico.
Está confiado, aunque el Jordán[g] irrumpa contra su boca.

24 Delante de sus ojos, ¿puede alguien tomarlo?
Con lazos, ¿puede alguien taladrar [su] nariz?

41 "¿Puedes tú sacar a Leviatán[h] con un anzuelo,
o puedes con una soga sujetar su lengua?

2 ¿Puedes ponerle un junco en las narices,[i]

CAP. 40
a Job 21:15
  Job 33:13
  Isa 45:9
  Rev 4:8
b Job 13:3
  Job 23:4
  Job 31:35
  Ro 9:19
c Esd 9:6
  Job 42:6
  Sl 51:4
d Jue 18:19
  Job 29:9
  Sl 39:9
  Pr 30:32
e Job 38:1
f Job 38:3
g Job 42:4
g Sl 51:4
  Ro 3:4
i Éx 15:6
  Sl 89:13
  1Co 10:22
j Job 37:4
  Sl 29:3
k Isa 2:10
  Isa 24:14
l Sl 83:18
m 1Cr 16:27
  Sl 8:1
n Sl 104:1
o Sl 78:49
  Sl 90:11
  Jer 30:23
p 2Sa 22:28
  Sl 18:27
  Pr 15:25
  Isa 2:11
  Da 4:37
q Sl 49:14
  Sl 55:15

2.ª col.
a Gé 1:30
  Sl 104:14
b Isa 40:26
c Sl 104:24
d Sl 104:14
e Sl 68:30
  Isa 19:6
f Job 8:11
g Jos 3:15

CAP. 41
h Job 3:8
  Sl 104:26
i Isa 37:29

o puedes con una espina taladrar sus quijadas?

3 ¿Te hará él muchas súplicas, o te dirá palabras blandas?

4 ¿Celebrará un pacto contigo, para que lo tomes por esclavo hasta tiempo indefinido?

5 ¿Jugarás con él como con un pájaro, o lo atarás para tus muchachas de poca edad?

6 ¿Trocarán por él los socios? ¿Lo dividirán entre comerciantes?

7 ¿Llenarás tú de arpones su piel,[a] o de dardos de pesca su cabeza?

8 Pon la mano sobre él. Acuérdate de la batalla. No vuelvas a hacerlo.

9 ¡Mira! La expectativa de uno respecto a él ciertamente quedará defraudada. Uno también será arrojado abajo a la mera vista de él.

10 Ninguno es tan audaz como para excitarlo. ¿Y quién es el que puede mantenerse firme delante de mí?[b]

11 ¿Quién me ha dado algo primero, para que yo deba recompensarle?[c] [Todo] bajo los cielos enteros es mío.[d]

12 No guardaré silencio acerca de sus partes, ni del asunto de [su] poderío y la gracia de sus proporciones.

13 ¿Quién ha descubierto la haz de su vestido? Dentro de su quijada doble, ¿quién entrará?

14 Las puertas de su cara, ¿quién las ha abierto? Sus dientes en derredor son aterradores.

15 Repliegues de escamas son su altivez, cerradas como con un sello apretado.

16 Una a otra están ajustadas estrechamente,

CAP. 41
a Job 41:26

b 2Cr 20:6

Da 4:35

Hch 11:17

Ro 9:19

c Ro 11:35

d Éx 19:5

Dt 10:14

Sl 24:1

Sl 50:12

1Co 10:26

2.ª col.
a Job 41:9

b Job 41:7

c Jos 17:16

d Jue 20:16

2Cr 26:14

e Pr 25:18

Eze 9:2

y ni siquiera el aire puede entrar entre ellas.

17 Están pegadas cada una a la otra; se agarran una a otra y no pueden ser separadas.

18 Sus mismos estornudos destellan luz, y sus ojos son como los rayos del alba.

19 De la boca le salen relámpagos, hasta chispas de fuego logran escapar.

20 De las narices le sale humo, como un horno encendido hasta con juncos.

21 Su alma misma hace arder los carbones, y hasta una llama le sale de la boca.

22 En su cuello se aloja la fuerza, y delante de él salta la desesperación.

23 Los pliegues de su carne de veras se adhieren; son como una fundición sobre él, inmovibles.

24 Su corazón está fundido como piedra, sí, fundido como una piedra inferior de molino.

25 Debido a que se levanta, los fuertes se atemorizan;[a] debido a consternación, se aturden.

26 Al alcanzarlo, la espada misma no resulta capaz, ni lanza, dardo ni punta de flecha.[b]

27 Considera el hierro[c] como mera paja, el cobre como simple madera podrida.

28 Una flecha no lo hace huir; las piedras de honda[d] han sido cambiadas para él en mero rastrojo.

29 Un garrote ha sido considerado [por él] como mero rastrojo,[e] y se ríe del ruidoso sacudimiento de la jabalina.

30 Como fragmentos puntiagudos de vasijas de barro

son sus partes infe-
riores;
extiende un instrumento
de trillar[a] sobre el fango.
31 Hace hervir tal como olla las
profundidades;
pone al mar mismo como
olla de ungüento.
32 Tras de sí hace brillar un
sendero;
se tomaría por canicie la
profundidad acuosa.
33 Sobre el polvo no hay semejanza de él,
el que fue hecho para estar
sin terror.
34 Todo lo alto lo ve.
Es rey sobre todas las bestias salvajes majestuo-
sas".

42 Y Job procedió a responder a Jehová y decir:

2 "He llegado a saber que tú
todo lo puedes,[b]
y no hay idea que te sea
irrealizable.
3 '¿Quién es este que está
oscureciendo el consejo
sin conocimiento?'[d]
Por eso hablé, pero no en-
tendía
cosas demasiado mara-
villosas para mí, las cuales no conozco.[e]
4 'Oye, por favor, y yo mismo
hablaré.
Yo te interrogaré, y tú
dame informe.'[f]
5 De oídas he sabido de ti,
pero ahora mi propio ojo
de veras te ve.
6 Por eso me retracto,
y de veras me arrepiento[g]
en polvo y ceniza".

7 Y aconteció que, después
que Jehová hubo hablado estas
palabras a Job, Jehová procedió
a decir a Elifaz el temanita:
"Mi cólera se ha enardecido
contra ti y tus dos compañeros,[h]
porque ustedes no han hablado
acerca de mí lo que es verídico,[i]
como mi siervo Job. 8 Y ahora
tomen para ustedes siete toros y
siete carneros,[j] y vayan a mi sier-

vo Job,[a] y tienen que ofrecer un
sacrificio quemado a favor de ustedes; y Job mismo, mi siervo,
orará por ustedes.[b] Solo el rostro
de él aceptaré para no cometer
locura deshonrosa contra ustedes, porque ustedes no han hablado acerca de mí lo que es verídico, como mi siervo Job".[c]

9 Por consiguiente, Elifaz el
temanita y Bildad el suhita [y]
Zofar el naamatita fueron, e hicieron tal como Jehová les había
hablado; así que Jehová aceptó
el rostro de Job.

10 Y Jehová mismo volvió
atrás la condición de cautiverio
de Job[d] cuando este oró a favor
de sus compañeros,[e] y Jehová
empezó a dar, además, todo lo
que había sido de Job, en cantidad doble.[f] 11 Y siguieron viniendo a él todos sus hermanos
y todas sus hermanas y todos los
que antes lo habían conocido,[g] y
empezaron a comer pan con él
en su casa y a consolarlo de él[h] y
a consolarlo por toda la calamidad que Jehová había dejado venir sobre él; y procedieron a
darle, cada cual, una pieza de
moneda y, cada cual, un anillo
de oro.

12 En cuanto a Jehová, él bendijo[i] el fin de Job después más
que su principio,[j] de modo que
este llegó a tener catorce mil
ovejas y seis mil camellos y mil
yuntas de reses vacunas y mil
asnas. 13 También llegó a tener siete hijos y tres hijas.[k]
14 Y se puso a llamar a la primera por nombre Jemimá y a la
segunda por nombre Quesías y a
la tercera por nombre Querén-
hapuc. 15 Y no se hallaron
mujeres tan bellas como las hijas de Job en todo el país, y su
padre procedió a darles herencia
entre sus hermanos.[l]

16 Y después de esto Job continuó viviendo ciento cuarenta
años,[m] y llegó a ver a sus hijos y
sus nietos[n]... cuatro generaciones. 17 Y gradualmente murió
Job, viejo y satisfecho de días.[o]

CAP. 41
a Isa 41:15
___

CAP. 42
b Gé 18:14
Isa 43:13
Jer 32:17
Mr 10:27
Lu 18:27

c Sl 135:6
Isa 55:11

d Job 38:2

e Sl 40:5
Sl 131:1
Sl 139:6

f Job 38:3
Job 40:7

g Esd 9:6
Job 40:4
Sl 51:17

h Job 2:11

i Job 11:6
Job 15:15
Job 22:2

j Nú 23:1

___
2.ª col.
___

a Mt 5:24

b Gé 20:17
Snt 5:15

c Job 42:7
Pr 6:17

d Job 2:6
Snt 5:11

e Mt 6:14

f Gé 32:10
1Sa 2:7
2Cr 25:9
Pr 22:4
Isa 61:7

g Job 19:13

h Pr 24:29
Ro 12:15

i Pr 3:33
Pr 10:22
Heb 11:6
Snt 5:11

j Job 1:3
Ec 7:8

k Job 1:2

l Job 15:19

m Pr 3:16

n Sl 128:6

o Gé 25:8

SALMOS

1 Feliz[a] es el hombre que no ha andado en el consejo de los inicuos,[b]
y en el camino de los pecadores no se ha parado,[c]
y en el asiento de los burladores no se ha sentado.[d]

2 Antes bien, su deleite está en la ley de Jehová,[e]
y día y noche lee en su ley en voz baja.[f]

3 Y ciertamente llegará a ser como un árbol plantado al lado de corrientes de agua,[g]
que da su propio fruto en su estación[h]
y cuyo follaje no se marchita,[i]
y todo lo que haga tendrá éxito.[j]

4 Los inicuos no son así, sino que son como el tamo impelido por el viento.[k]

5 Por eso los inicuos no se pondrán de pie en el juicio,[l]
ni los pecadores en la asamblea de los justos.[m]

6 Porque Jehová va conociendo el camino de los justos,[n]
pero el mismísimo camino de los inicuos perecerá.[o]

2 ¿Por qué han estado en tumulto las naciones,[p]
y los grupos nacionales mismos han seguido hablando entre dientes una cosa vacía?[q]

2 Los reyes de la tierra toman su posición,[r]
y los altos funcionarios mismos se han reunido en masa como uno solo[s]
contra Jehová[t] y contra su ungido,[u]

3 [y dicen:] "¡Rompamos sus ataduras[v]
y echemos de nosotros sus cuerdas!".[w]

4 El Mismísimo que se sienta en los cielos[a] se reirá;
Jehová mismo hará escarnio de ellos.[b]

5 En aquel tiempo les hablará en su cólera,[c]
y en su ardiente desagrado los perturbará,[d]

6 [diciendo:] "Yo, sí, yo, he instalado a mi rey[e]
sobre Sión,[f] mi santa montaña".[g]

7 Déjeseme hacer referencia al decreto de Jehová;
Él me ha dicho: "Tú eres mi hijo;[h]
yo, hoy, yo he llegado a ser tu padre.[i]

8 Pídeme,[j] para que dé naciones por herencia tuya,[k]
y los cabos de la tierra por posesión tuya propia.[l]

9 Las quebrarás con cetro de hierro,[m]
como si fueran vaso de alfarero las harás añicos".[n]

10 Y ahora, oh reyes, ejerzan perspicacia;
déjense corregir, oh jueces de la tierra.[o]

11 Sirvan a Jehová con temor[p]
y estén gozosos con temblor.[q]

12 Besen al hijo,[r] para que Él no se enoje
y ustedes no perezcan [del] camino,[s]
porque su cólera se enciende fácilmente.[t]

CAP. 1

a Sl 112:1; Mt 5:3 b 2Cr 22:3; Job 21:16; Sl 64:2; Mt 26:4; Hch 9:23 c Pr 4:14 d Sl 26:4; Sl 69:12; Pr 22:10; 2Pe 3:3 e Sl 19:7; Sl 40:8; Ro 7:22; Snt 1:25 f Jos 1:8; Sl 35:28; Sl 119:97; 1Ti 4:15 g Isa 44:4; Isa 61:3; Jer 17:8 h Mt 21:43; Flp 4:17; Rev 22:2 i Isa 27:11 j Gé 39:3; 1Cr 22:13 k Job 21:18; Sl 35:5; Isa 17:13; Mt 3:12 l Sl 5:5; Jud 15 m Mal 3:18; Mt 13:49; Mt 25:41 n Job 23:10; Sl 37:18; Mt 12:3; 2Ti 2:19; 1Pe 3:12 o Pr 14:12

CAP. 2

p Sl 46:6; Mt 24:7; Hch 4:25 q Sl 33:10; Isa 40:15; Isa 60:2 r Sl 48:4; Lu 13:31; Lu 23:11; Rev 19:19 s Mt 27:1; Mt 3:6 t Sl 83:5; Jn 5:23; Jn 15:24 u Sl 45:7; Sl 89:20; Isa 61:1; Hch 4:27 v Lu 19:14 w Jer 5:5

2.ª col.

a Sl 11:4; Sl 68:33

b Sl 37:13; Sl 59:8; c Sl 90:11; Jer 25:31; Na 1:6; d Heb 3:16; e Sl 45:6; Eze 17:22; Eze 21:27; Da 7:14; Jn 1:49; Rev 19:16; f 2Sa 5:7; Heb 12:22; Rev 14:1; g Isa 27:13; h 2Sa 7:14; Mt 3:17; Ro 1:4; Heb 1:5; Heb 5:5; i Sl 89:27; Mr 1:11; Jn 5:17; Heb 1:5; j Sl 89:27; Mt 28:18; k Sl 22:27; Sl 110:2; Mt 25:32; l Sl 72:8; Heb 1:2; Rev 11:15; m Rev 2:27; Rev 12:5; Rev 19:15; n Da 2:34; o Sl 72:1; Sl 82:2; p Sl 19:9; Pr 28:14; Flp 2:12; Heb 12:28; q Sl 95:1; Sl 99:1; Sl 119:120; r Gé 49:10; Lu 7:45; Flp 2:10; s Sl 1:6; Jn 3:36; Jn 14:6; t 2Te 1:9; Rev 6:16.

Felices son todos los que se refugian en él.[a]

Melodía de David. cuando huía a causa de Absalón su nijo.[b]

3 Oh Jehová, ¿por qué se han hecho muchos mis adversarios?[c]

¿Por qué están levantándose muchos contra mí?[d]

2 Muchos están diciendo de mi alma:

"No hay para él salvación por Dios".[e] *Sélah.*

3 Y sin embargo, tú, oh Jehová, eres un escudo alrededor de mí,[f]

mi gloria[g] y Aquel que levanta mi cabeza.[h]

4 Con mi voz clamaré a Jehová mismo,

y él me responderá desde su santa montaña.[i] *Sélah.*

5 En cuanto a mí, yo ciertamente me acostaré para dormir;

de seguro despertaré, porque Jehová mismo sigue sosteniéndome.[j]

6 No tendré miedo de diez millares de personas

que se hayan puesto en formación contra mí en derredor.[k]

7 ¡Levántate,[l] sí, oh Jehová! ¡Sálvame,[m] oh Dios mío![n]

Porque tendrás que golpear a todos mis enemigos en la mandíbula.[o]

Los dientes de los inicuos tendrás que quebrar.[p]

8 La salvación pertenece a Jehová.[q]

Tu bendición está sobre tu pueblo.[r] *Sélah.*

Al director sobre instrumentos de cuerda.[s] Melodía de David.

4 Cuando llamo, respóndeme, oh mi justo Dios.[t]

En la angustia tienes que hacerme espacio ancho.

Muéstrame favor[u] y oye mi oración.

2 Hijos de los hombres, ¿hasta

cuándo tiene que ser mi gloria[a] objeto de insulto, [mientras] ustedes siguen amando cosas vacías, [mientras] siguen buscando para hallar una mentira? *Sélah.*

3 Por tanto, sepan que Jehová ciertamente distinguirá al que le es leal;[b]

Jehová mismo oirá cuando yo clame a él.[c]

4 Agítense, pero no pequen.[d]

Digan lo que quieran en su corazón, sobre su cama,[e] y callen. *Sélah.*

5 Sacrifiquen los sacrificios de la justicia,[f]

y confíen en Jehová.[g]

6 Hay muchos que dicen: "¿Quién nos mostrará lo bueno?".

Alza la luz de tu rostro sobre nosotros,[h] oh Jehová.

7 Ciertamente me darás en el corazón un regocijo[i]

mayor que en el tiempo en que han abundado el grano y el vino nuevo de ellos.[j]

8 En paz ciertamente me acostaré y también dormiré,[k]

porque tú, sí, tú solo, oh Jehová, me haces morar en seguridad.[l]

Al director para Nehilot. Melodía de David.

5 A mis dichos de veras presta oído,[m] oh Jehová;

entiende, sí, mi suspirar.

2 Presta atención, sí, al sonido de mi clamor por ayuda,[n]

oh Rey mío[o] y Dios mío, porque a ti te oro.[p]

3 Oh Jehová, de mañana oirás mi voz;[q]

de mañana te dirigiré mi palabra y estaré alerta.[r]

4 Porque tú no eres un Dios que se deleite en la iniquidad;[s]

CAP. 2

a Isa 11:10
Isa 32:2
Ro 9:33

CAP. 3

b 2Sa 15:14
c 2Sa 15:12
2Sa 16:15
d 2Sa 12:11
e 2Sa 16:8
Sl 22:7
Mt 27:43
f Gé 15:1
Dt 33:29
g Isa 45:25
Jn 1:14
h Gé 40:13
Sl 27:6
i 2Sa 15:25
1Re 8:30
1Re 8:45
Sl 2:6
Isa 2:3
j Sl 4:8
Sl 127:2
Pr 3:24
k 2Re 6:15
Sl 27:3
Sl 121:7
Ro 8:31
l Sl 10:12
Isa 51:9
m Sl 109:26
Mt 27:43
1Ti 4:10
n Sl 35:23
Jn 20:17
o Job 16:10
Job 29:17
p Sl 58:6
2Ti 1:6
q Sl 37:39
Pr 21:31
Isa 43:11
Os 13:4
Jon 2:9
Rev 19:1
r Sl 29:11
Ef 1:3
Heb 6:14

CAP. 4

s 1Cr 25:1
t Sl 11:7
Isa 45:24
Jer 23:6
u Sl 9:13

2.ª col.

a Sl 3:3
b 1Sa 2:9
Pr 2:8
c Sl 34:15
Sl 55:16
d Ef 4:26
e Sl 63:6
f Dt 33:19
Sl 51:19
g Sl 37:3
Sl 62:8
Pr 3:5
1Pe 4:19
h Nú 6:26
Sl 80:7
Sl 89:15
Sl 119:135
Pr 16:15
1Pe 3:12
i Ne 12:43
Isa 9:3
j Jer 48:33

k Sl 3:5; Pr 3:24; l Le 25:18; Dt 12:10; Eze 34:25; **CAP. 5** m Sl 55:1; Sl 65:2; 1Pe 3:12; n Sl 3:4; o Sl 44:4; Sl 74:12; Sl 145:1; Isa 33:22; p Sl 65:2; Mt 6:9; q Sl 55:17; Sl 88:13; r Mr 1:35; s Sl 89:14; Pr 6:16; Hab 1:13; Snt 1:13.

nadie malo puede residir contigo por tiempo alguno.[a]

5 No pueden los jactanciosos tomar su puesto enfrente de tus ojos.[b]

Odias, sí, a todos los que practican lo que es perjudicial;[c]

6 destruirás a los que hablan una mentira.[d]

Al hombre de derramamiento de sangre[e] y de engaño[f] Jehová lo detesta.

7 En cuanto a mí, en la abundancia de tu bondad amorosa[g] entraré en tu casa,[h] me inclinaré hacia tu santo templo en temor de ti.[i]

8 Oh Jehová, guíame en tu justicia[j] a causa de mis opositores;[k] allana tu camino delante de mí.[l]

9 Porque en la boca de ellos no hay nada fidedigno;[m] su interior es adversidad por cierto.[n] Su garganta es una sepultura abierta;[o] usan una lengua melosa.[p]

10 Dios ciertamente los tendrá por culpables;[q] caerán debido a sus propios consejos.[r] En la multitud de sus transgresiones que haya un dispersarlos,[s] porque se han rebelado contra ti.[t]

11 Pero todos los que se refugian en ti se regocijarán;[u] hasta tiempo indefinido clamarán gozosamente.[v] Y tú obstruirás el acceso a ellos, y los que aman tu nombre se alborozarán en ti.[w]

12 Porque tú mismo bendecirás al justo,[x] oh Jehová; como con un escudo[y] grande, con aprobación lo cercarás.[z]

CAP. 5

a Sl 15:1
Sl 140:13
Pr 12:19
Rev 21:3
b Sl 1:5
1Co 1:29
c Pr 16:6
Os 9:15
Mal 2:16
Ro 12:9
Heb 1:9
d Pr 6:19
Pr 20:19
Jn 8:44
Col 3:9
1Ti 3:11
Rev 21:8
Rev 22:15
e Gé 4:10
Gé 9:6
Sl 55:23
Isa 26:21
f Sl 119:163
Pr 6:17
Pr 12:19
Os 4:2
1Pe 3:10
g Sl 51:1
Sl 69:13
Jon 4:2
h Sl 23:3
1Cr 16:1
Ba 48:10
i 1Re 8:29
Sl 28:2
Sl 138:2
j Sl 23:3
Sl 25:5
k 1Sa 18:14
Sl 27:11
Sl 59:10
l Sl 25:4
m Sl 12:2
Sl 52:2
Sl 58:2
Miq 6:12
n Sl 140:3
Ro 3:13
o Pr 29:5
1Te 2:5
Snt 3:5
q Ro 3:19
r 2Sa 17:23
Sl 7:15
s 2Sa 15:31
2Te 1:6
t 1Sa 12:15
1Sa 15:23
Isa 1:20
Isa 63:10
Eze 20:21
u Sl 40:16
v Sl 35:27
w Sl 34:3
Sl 69:36
x Sl 115:13
Pr 10:6
y Gé 15:1
Sl 3:3
Sl 84:11
z Sl 32:10

2.ª col.

CAP. 6

a 1Cr 15:21
Sl 12:Enc
b Sl 38:1
c Jer 10:24
Jer 46:28
d Sl 38:7
Sl 41:4
1Pe 1:24

Al director sobre instrumentos de cuerda en la octava baja.[a] Melodía de David.

6 Oh Jehová, no me censures en tu cólera,[b] y no me corrijas en tu furia.[c]

2 Muéstrame favor, oh Jehová, porque voy decayendo.[d] Sáname,[e] oh Jehová, porque mis huesos se han perturbado.[e]

3 Sí, mi propia alma ha estado muy perturbada;[f] y tú, oh Jehová... ¿hasta cuándo?[g]

4 Sí vuelve,[h] oh Jehová, sí libra mi alma;[i] sálvame por causa de tu bondad amorosa.[j]

5 Porque en la muerte no hay mención de ti;[k] en el Seol, ¿quién te elogiará?[l]

6 Me he fatigado con mi suspirar;[m] toda la noche hago nadar mi lecho;[n] con mis lágrimas hago desbordar mi propio diván.[o]

7 Por la irritación [de que soy objeto] mi ojo se ha debilitado,[p] ha envejecido a causa de todos los que me muestran hostilidad.[q]

8 Apártense de mí, todos ustedes los que practican lo que es perjudicial,[r] porque Jehová ciertamente oirá el sonido de mi llanto.[s]

9 Jehová verdaderamente oirá mi petición de favor;[t] Jehová mismo aceptará mi propia oración.[u]

10 Todos mis enemigos quedarán muy avergonzados[v] y perturbados;

e Sl 103:3; Jer 17:14; Os 6:1; f Sl 31:9; Mt 26:38; g Sl 13:1; h Sl 90:13; i Sl 17:13; Sl 50:15; j Sl 119:88; Lam 3:22; k Gé 3:19; Sl 30:9; Sl 88:10; Sl 115:17; Ec 9:5; 1Re 6:10; Isa 38:18; Jn 11:13; m Sl 69:3; n 2Sa 13:36; Lam 1:16; Hch 21:13; 2Co 2:7; o Sl 39:12; p Job 17:7; Sl 31:9; q Sl 88:9; r Sl 119:115; Mt 7:23; s Sl 3:4; Sl 145:18; Isa 30:19; Heb 5:7; t Sl 31:22; Sl 40:1; Jon 2:2; u Sl 116:1; v Sl 40:14; Sl 109:29; Jer 20:11.

se volverán atrás, se avergonzarán instantáneamente.[a]

Endecha de David que él cantó a Jehová acerca de las palabras de Cus el benjaminita.

7 Oh Jehová Dios mío,[b] en ti me he refugiado.[c]
    Sálvame de todos los que me persiguen, y líbrame,[d]

2 para que nadie despedace mi alma como lo hace un león,[e]
    arrebatándo[me] cuando no hay libertador.[f]

3 Oh Jehová Dios mío, si yo he hecho esto,[g]
    si existe injusticia alguna en mis manos,[h]

4 si he pagado con lo que es malo al que me recompensaba,[i]
    o [si] he despojado violentamente a cualquiera que, sin éxito, me haya mostrado hostilidad,[j]

5 que un enemigo siga tras mi alma,[k]
    y que alcance y huelle mi vida hasta la mismísima tierra,
    y haga residir mi propia gloria en el polvo mismo.
    Sélah.

6 Levántate, sí, oh Jehová, en tu cólera;[l]
    álzate ante los estallidos de furor de los que me muestran hostilidad,[m]
    y de veras despierta para mí,[n] [puesto que] has dado orden para el juicio mismo.[o]

7 Y que la mismísima asamblea de grupos nacionales te cerque,
    y contra ella de veras vuélvete en lo alto.

8 Jehová mismo pronunciará sentencia sobre los pueblos.[p]
    Júzgame, oh Jehová, conforme a mi justicia,[q]
    y conforme a mi integridad[r] en mí.

9 Por favor, que se acabe la maldad de los inicuos,[a]
    y que tú establezcas al justo;[b]
    y Dios como justo[c] está poniendo a prueba corazón[d] y riñones.[e]

10 El escudo para mí está sobre Dios,[f] un Salvador de los rectos de corazón.[g]

11 Dios es un Juez justo,[h]
    y Dios está arrojando denunciaciones todos los días.

12 Si alguien no regresa,[i] Él afilará su espada,[j]
    ciertamente doblará su arco, y lo alistará [para disparar].[k]

13 Y para sí mismo tiene que preparar los instrumentos de muerte;[l]
    hará que sus flechas sean llameantes.[m]

14 ¡Mira! Hay quien está preñado de lo que es perjudicial,[n]
    y ha concebido conturbación, y de seguro dará a luz falsedad.[o]

15 Un hoyo ha excavado, y procedió a cavarlo;[p]
    pero caerá en el agujero [que] él se puso a hacer.[q]

16 Su conturbación volverá sobre su propia cabeza,[r]
    y sobre la coronilla de su cabeza descenderá su propia violencia.[s]

17 Elogiaré a Jehová conforme a su justicia,[t]
    y ciertamente celebraré con melodía el nombre[u] de Jehová el Altísimo.[v]

Al director sobre el Guitit.[w]
Melodía de David.

8 Oh Jehová Señor nuestro, ¡cuán majestuoso es tu nombre en toda la tierra,[x]

CAP. 6
a Pr 29:1

CAP. 7
b Sl 3:7
Sl 35:23
c Sl 18:2
Pr 18:10
d Sl 31:15
Jer 15:15
Ro 8:37
2Co 4:9
2Pe 2:9
e Sl 10:9
Sl 17:12
1Pe 5:8
f Jue 18:28
Sl 50:22
g Jos 22:22
2Sa 16:8
h 1Sa 24:11
i 1Sa 24:17
Pr 17:13
j 1Sa 19:4
1Sa 24:7
1Sa 26:9
k Hch 25:11
l Sl 3:7
Sl 68:1
Sl 90:11
m Sl 35:1
Sl 94:2
Isa 33:10
n Sl 44:23
Isa 73:20
Isa 51:9
o Sl 76:9
Sl 103:6
p Gé 18:25
Sl 9:8
q Sl 18:20
Sl 35:24
r Job 27:5
Sl 26:11
Sl 41:12
Sl 78:72
Pr 19:1

2.ª col.
a Sl 9:5
Pr 11:19
Jer 11:20
b Sl 37:25
Pr 2:21
c Dt 32:4
1Cr 28:9
Jn 17:25
Rev 15:3
d Sl 16:7
e Jer 11:20
Jer 17:10
Jer 20:12
Rev 2:23
f Gé 15:1
Pr 30:5
g Sl 125:4
Pr 2:21
h Gé 18:25
Sl 9:4
Sl 33:5
Sl 98:9
i Sl 85:4
Isa 55:7
Mal 4:6
Lu 1:16
j Dt 32:41
Eze 21:9
k Dt 32:23
l Hab 3:5
m Dt 32:42
Sl 45:5
Sl 64:7
n Isa 33:11

o Isa 59:4; Snt 1:15; p Sl 35:7; Sl 40:2; Sl 57:6; Jer 18:20; q Est 7:10; Sl 10:2; Pr 26:27; r 1Re 2:32; Est 9:25; Gál 6:7; s Mt 26:52; t Sl 35:28; Sl 51:14; Sl 71:15; Sl 98:2; Sl 145:7; u Sl 9:2; Isa 25:1; Heb 13:15; v Gé 14:22; Sl 83:18; Sl 92:8; Da 4:17; Rev 15:4; CAP. 8 w Sl 84:Enc; x Dt 28:58; Sl 148:13; Mt 6:9; Jn 17:26.

tú, cuya dignidad se relata por encima de los cielos![a]
2 De la boca de los niños y de los lactantes has fundado fuerza,[b]
a causa de los que te muestran hostilidad,[c]
para hacer desistir al enemigo y al que toma su venganza.[d]
3 Cuando veo tus cielos, las obras de tus dedos,[e]
la luna y las estrellas que tú has preparado,[f]
4 ¿qué es el hombre mortal[g] para que lo tengas presente,[h]
y el hijo del hombre terrestre para que cuides de él?[i]
5 También procediste a hacerlo un poco menor que los que tienen parecido a Dios,[j]
y con gloria[k] y esplendor entonces lo coronaste.[l]
6 Lo haces dominar sobre las obras de tus manos;[m]
todo lo has puesto debajo de sus pies:[n]
7 ganado menor y bueyes, todos ellos,[o]
y también las bestias del campo abierto,[p]
8 los pájaros del cielo y los peces del mar,[q]
todo cuanto pasa por las sendas de los mares.[r]
9 Oh Jehová Señor nuestro, ¡cuán majestuoso es tu nombre en toda la tierra![s]

Al director sobre Mut-laben. Melodía de David.

א [*’Á·lef*]

9 Ciertamente [te] elogiaré, oh Jehová, con todo mi corazón;[t]
de veras declararé todas tus maravillosas obras.[u]
2 Me regocijaré, sí, y me alborozaré en ti;[v]
ciertamente celebraré con melodía tu nombre, oh Altísimo.[w]

ב [*Behth*]

3 Cuando mis enemigos se vuelvan atrás,[x]
tropezarán y perecerán de delante de ti.[a]
4 Porque has ejecutado mi juicio y mi causa;[b]
te has sentado en el trono juzgando con justicia.[c]

ג [*Guí·mel*]

5 Has reprendido a naciones,[d] has destruido al inicuo.[e]
El nombre de ellos has borrado hasta tiempo indefinido, aun para siempre.[f]
6 Oh enemigo, [tus] desolaciones han llegado a su fin perpetuo,[g]
y las ciudades que has desarraigado.[h]
La mismísima mención de ellas ciertamente perecerá.[i]

ה [*He’*]

7 En cuanto a Jehová, él se sentará hasta tiempo indefinido,[j]
y establecerá firmemente su trono para juicio mismo.[k]
8 Y él mismo juzgará la tierra productiva en justicia;[l]
someterá a juicio a grupos nacionales en rectitud.[m]

ו [*Waw*]

9 Y Jehová llegará a ser altura segura para el aplastado,[n]
altura segura en tiempos de angustia.[o]
10 Y los que conocen tu nombre confiarán en ti,[p]
porque ciertamente no dejarás a los que te buscan, oh Jehová.[q]

ז [*Zá·yin*]

11 Celebren con melodía a Jehová, que mora en Sión;[r]
anuncien entre los pueblos sus hechos.[s]

CAP. 8
a 1Re 8:27; 1Cr 16:27; Job 37:22; Sl 104:1; Sl 148:13; Isa 33:21; Heb 1:3
b Mt 21:16; Lu 10:21; Hch 4:13; 1Co 1:27
c Hch 4:14; Hch 6:10
d Sl 44:16
e Gé 1:1; Sl 19:1; Sl 102:25; Ro 1:20
f Sl 104:19; Isa 40:26; Mt 5:45
g Isa 51:12; 1Co 15:47
h Job 7:17; Sl 144:3; Heb 2:6
i Gé 1:29; Gé 9:3; Mt 6:25; Mt 6:30; Lu 12:28; Jn 3:16; Hch 14:17
j Heb 2:7
k Isa 40:5; 1Co 11:7
l Sl 21:5; Pr 5:9
m Gé 1:26; Gé 9:2
n Heb 2:8
o Gé 1:28; Gé 9:3
p Gé 2:20
q Gé 1:20; Jn 21:6
r Gé 1:21; Job 41:1
s Sl 8:1; Heb 8:1

CAP. 9
t Sl 86:12; Sl 111:1
u 1Cr 16:12; 1Cr 29:11; Rev 4:11
v Sl 5:11; Sl 28:7
w Sl 83:18; Sl 97:9; Rev 15:3
x Sl 56:9

2.ª col.
a Sl 80:16
b Sl 140:12
c Sl 89:14; Sl 98:9; 1Pe 2:23
d Dt 9:4
e Sl 106:11
f Dt 9:14; Mt 25:46
g Éx 14:13; Sl 34:16
h 1Sa 31:7
i Dt 25:19; Isa 14:22
j Sl 90:2; Sl 102:12; 1Ti 1:17

k Sl 89:14; Ro 14:10; Rev 20:11; l Gé 18:25; Sl 85:11; Sl 96:13; Isa 26:9; m Sl 98:9; Hch 17:31; n Sl 32:7; Sl 46:1; Sl 91:2; Rev 7:10; o Sl 54:7; p Sl 91:14; Pr 18:10; Jer 16:21; q 2Cr 20:12; Sl 25:15; 2Co 1:10; r Sl 74:2; Sl 132:13; Sl 135:21; s Sl 66:5; Sl 96:10; Sl 105:1; Sl 107:22; Isa 12:4.

12 Porque, cuando él esté buscando el derramamiento de sangre,[a] ciertamente se acordará de aquellos mismísimos;[b]
de seguro no se olvidará del clamor de los afligidos.[c]

ה [Jehth]

13 Muéstrame favor, oh Jehová; ve mi aflicción [causada] por los que me odian,[d]
oh tú que me estás alzando de las puertas de la muerte,[e]

14 a fin de que declare todos tus hechos laudables[f]
en las puertas[g] de la hija de Sión,[h]
para que yo esté gozoso en tu salvación.[i]

ט [Tehth]

15 Se han hundido las naciones en el hoyo que han hecho;[j]
en la red[k] que escondieron, su propio pie ha quedado prendido.

16 Jehová es conocido por el juicio que ha ejecutado.[m]
Por la actividad de sus propias manos el inicuo ha sido cogido en un lazo.[n] *Higayón. Sélah.*

י [Yohdh]

17 La gente inicua[o] se volverá al Seol,[p]
aun todas las naciones que se olvidan de Dios.[q]

18 Porque no siempre será olvidado el pobre,[r]
ni perecerá jamás la esperanza de los mansos.[s]

כ [Kaf]

19 ¡Levántate, sí, oh Jehová! No resulte superior en fuerzas el hombre mortal.[t]
Sean juzgadas las naciones delante de tu rostro.

20 De veras infunde temor en ellas, oh Jehová,[v]
para que sepan las naciones que solo son hombres mortales.[w] *Sélah.*

CAP. 9

a Gé 4:10
   2Re 9:26
b Gé 9:5
   Dt 32:43
   2Re 24:4
   Isa 26:21
   Lu 11:50
c Éx 3:7
   Sl 72:14
   Lu 18:7
d Sl 25:19
e 2Sa 22:5
   Job 38:17
   Sl 30:3
   Sl 107:18
   Sl 116:3
   Isa 38:10
   Rev 1:18
f Sl 66:16
g Jer 17:19
h Isa 37:22
i Sl 13:5
   Sl 20:5
   Hab 3:18
j Sl 7:15
k Sl 35:7
   Sl 57:6
   Sl 141:10
l Dt 32:35
   Sl 35:8
   Pr 5:22
m Éx 14:4
   Jos 2:10
   1Sa 6:20
   2Re 19:19
n Pr 6:2
   Pr 26:27
   Isa 3:11
o Sl 49:14
p Nú 16:30
   Sa 5:14
q Sl 50:22
   Isa 34:2
   Jer 10:25
r Sl 12:5
   Sl 72:4
s Sl 10:17
   Sl 37:34
   Pr 24:14
   Mt 5:5
t 1Sa 2:9
   Da 5:21
u Gé 18:25
   Sl 82:8
   Hch 17:31
v Éx 15:16
   Éx 23:27
   Dt 2:25
w Job 40:12
   Isa 31:3
   Eze 28:2
   Hch 12:23

2.ª col.

CAP. 10

a Sl 22:1
   Jer 14:8
b Sl 13:1
   Sl 44:24
c Éx 14:17
   Sl 37:14
d Gé 11:4
   Sl 7:16
   Sl 21:11
   Sl 37:7
   Pr 5:22
   Pr 26:27
   Rev 17:13
e Éx 15:9
   Sl 94:4
   Sl 106:14
   Os 7:10

ל [Lá·medh]

10 ¿Por qué, oh Jehová, te quedas parado a lo lejos?[a]
¿[Por qué] te quedas escondido en tiempos de angustia?[b]

2 En su altivez, el inicuo sigue acaloradamente tras el afligido;[c]
quedan prendidos por las ideas que han urdido.[d]

3 Pues el inicuo se ha alabado a sí mismo por el anhelo egoísta de su alma,[e]
y el que saca ganancia indebida[f] se ha bendecido a sí mismo;

נ [Nun]

le ha faltado al respeto a Jehová.[g]

4 El inicuo, conforme a su altanería, no hace investigación;[h]
todas sus ideas son: "No hay Dios".[i]

5 Sus caminos siguen prosperando en todo tiempo.[j]
Tus decisiones judiciales están demasiado altas para el alcance de él;[k]
en cuanto a todos los que le muestran hostilidad, él les lanza bufidos.[l]

6 Ha dicho en su corazón: "No se me hará tambalear;[m]
por generación tras generación [seré] uno que no se halle en calamidad".[n]

פ [Pe']

7 Su boca está llena de juramentos y de engaños y de opresión.[o]
Debajo de su lengua hay lo gravoso y lo que es perjudicial.[p]

8 Se sienta en una emboscada de poblados;

---

f Pr 11:18; Snt 5:4; g Isa 57:17; Mr 12:9; Lu 20:15; h Job 35:10; Sl 14:2; Jer 2:6; i Sl 14:1; Sl 53:1; Sof 1:12; j Sl 37:35; k Pr 24:1; Isa 26:11; Os 14:9; l Sl 12:5; m Pr 14:16; Isa 8:11; Isa 56:12; Rev 18:7; o Sl 5:6; Sl 59:12; Ro 3:14; 1Pe 3:10; p Sl 7:14; Sl 12:2; Sl 55:21; Pr 10:31; Pr 17:4.

desde lugares ocultos mata a algún inocente.[a]

ע [ʿÁ·yin]

Sus ojos están a la mira de algún desdichado.[b]

9 Se queda acechando en el lugar oculto como un león en su guarida.[c]
Se queda acechando[d] para llevarse por fuerza a algún afligido.
Se lleva por fuerza al afligido cuando tira de su red.[e]

10 Este es aplastado, se inclina, y el ejército de abatidos tiene que caer en sus fuertes [garras].[f]

11 Ha dicho en su corazón:[g] "Dios ha olvidado.[h]
Ha ocultado su rostro.[i]
Ciertamente nunca [lo] verá".[j]

ק [Qohf]

12 Levántate,[k] sí, oh Jehová. Oh Dios, alza tu mano.[l]
No olvides a los afligidos.[m]

13 ¿Por qué será que el inicuo le ha faltado al respeto a Dios?[n]
Ha dicho en su corazón: "No requerirás rendición de cuentas".[o]

ר [Rehsch]

14 Porque tú mismo has visto afán gravoso e irritación.
Sigues mirando, para obtener[los] en tu mano.[p]
A ti el desdichado,[q] el huérfano de padre, [se] encomienda.
Tú mismo has llegado a ser [su] ayudador.[r]

ש [Schin]

15 Quiebra el brazo del inicuo y malo.[s]
Quieras seguir en busca de su iniquidad [hasta] que no halles más.[t]

16 Jehová es Rey hasta tiempo indefinido, aun para siempre.[u]
Las naciones han perecido de Su tierra.[v]

ת [Taw]

17 El deseo de los mansos ciertamente oirás,[a] oh Jehová.
Prepararás el corazón[b] de ellos.
Prestarás atención con tu oído,[c]

18 para juzgar al huérfano de padre y al aplastado,[d]
para que el hombre mortal, que es de la tierra, ya no haga temblar.[e]

Al director. De David.

11 En Jehová me he refugiado.[f]
Cómo se atreven ustedes a decir a mi alma: "¡Huyan como un pájaro a la montaña de ustedes![g]

2 Porque, ¡miren!, los inicuos mismos doblan el arco,[h] alistan, en efecto, su flecha sobre la cuerda de su arco,
para disparar en las tinieblas contra los rectos de corazón.[i]

3 Cuando los fundamentos mismos están demolidos,[j] ¿qué tendrá que hacer cualquiera que sea justo?"

4 Jehová está en su santo templo.[k]
Jehová... en los cielos está su trono.[l]
Sus propios ojos contemplan, sus propios ojos radiantes examinan[m] a los hijos de los hombres.

5 Jehová mismo examina al justo así como al inicuo,[n]
y Su alma ciertamente odia a cualquiera que ama la violencia.[o]

6 Él hará llover sobre los inicuos trampas, fuego y azufre[p]
y un viento abrasador, como la porción de la copa de ellos.[q]

CAP. 10
a Pr 1:11
  Hab 3:14
b Sl 17:11
  Jer 22:17
c Sl 17:12
  Sl 59:3
  Miq 7:2
  Hch 23:21
d Job 38:40
  Lam 3:10
e Sl 10:8
  Sl 140:5
  Jer 5:26
  Hab 1:15
  Jn 10:12
f 2Sa 15:5
g Sl 10:6
  Mr 2:6
h Sl 64:5
  Ec 8:11
i Sl 51:9
  Sl 73:11
j Sl 94:7
  Eze 8:12
  Eze 9:9
k Sl 3:7
  Sl 94:2
  Miq 5:9
m Sl 9:12
  Sl 35:10
n Dt 31:20
  Sl 74:10
o Heb 4:13
p 2Re 9:26
  2Cr 6:23
q 2Ti 1:12
  1Pe 4:19
r Dt 10:18
  Sl 146:9
  Jer 49:11
  Os 14:3
  Heb 13:6
s Job 34:30
  Job 38:15
  Sl 37:17
  Eze 30:21
  Zac 11:17
t 2Re 21:13
  Sl 4:5
  1Te 5:22
u Sl 29:10
  Sl 145:13
  Jer 10:10
  Da 4:34
  1Ti 1:17
v Sl 9:5
  Sl 44:2

2.ᵃ col.
a Sl 9:18
  Sl 147:6
b 1Cr 29:18
  2Cr 30:12
c 1Sa 8:21
  Sl 6:9
  Sl 9:18
  Sl 102:17
  Pr 15:8
  1Pe 3:12
  1Jn 3:22
d Sl 72:4
  Sl 82:3
e Isa 51:12

CAP. 11
f 2Cr 14:11
  Sl 7:1
  Sl 56:11
g Pr 27:8
h Sl 37:14
i Hch 23:15
j Sl 82:5

k Isa 6:1; Miq 1:2; Hab 2:20; Rev 7:15; l 2Cr 20:6; Sl 103:19; Mt 23:22; Hch 7:49; Rev 4:2; m 2Cr 16:9; Sl 33:13; Sl 66:7; Pr 15:3; Zac 4:10; Heb 4:13; n Gé 6:5; Gé 7:1; Gé 22:1; o Pr 3:31; Pr 6:17; p Gé 19:24; Eze 38:22; q Sl 75:8; Isa 51:17; Jer 25:15; Hab 2:16; Rev 16:19; Rev 18:6.

7 Porque Jehová es justo;[a] él sí
    ama los actos justos.[b]
    Los rectos son los que con-
      templarán su rostro.[c]

Al director sobre la octava baja.[d]
  Melodía de David.

12 Sálva[me],[e] sí, oh Jehová,
    porque se ha acabado
    el que es leal;[f]
    porque los fieles han
      desaparecido de los
      hijos de los hombres.

2 Siguen hablándose falsedad el
    uno al otro;[g]
    con labio meloso[h] siguen
      hablando aun con cora-
      zón doble.[i]

3 Jehová cortará todos los la-
    bios melosos,
    la lengua que habla gran-
      des cosas,[j]

4 los que han dicho: "Con
    nuestra lengua prevale-
      ceremos.[k]
    Nuestros labios están con
      nosotros. ¿Quién será
      amo de nosotros?".

5 "A causa del despojo violento
    de los afligidos, a causa
    del suspirar de los po-
      bres,[l]
    me levantaré en la actuali-
      dad", dice Jehová.[m]
    "[Lo] pondré en salvo con-
      tra cualquiera que le
      lance bufidos."[n]

6 Los dichos de Jehová son di-
    chos puros,[o]
    como plata refinada en un
      horno de fundición de
      tierra, clarificada siete
      veces.

7 Tú mismo, oh Jehová, los
    guardarás;[p]
    tú conservarás a cada uno
      desde esta generación
      hasta tiempo indefinido.

8 Todo en derredor andan los
    inicuos,
    porque la vileza es ensalza-
      da entre los hijos de los
      hombres.[q]

Al director. Melodía de David.

13 ¿Hasta cuándo, oh Jehová,
    me olvidarás?[r] ¿Para
    siempre?[s]

¿Hasta cuándo ocul-
    tarás tu rostro de mí?[a]

2 ¿Hasta cuándo pondré resis-
    tencia en mi alma,
    desconsuelo en mi corazón
    de día?
    ¿Hasta cuándo será ensal-
      zado mi enemigo sobre
      mí?[b]

3 Míra[me], sí; respóndeme, oh
    Jehová Dios mío.
    Haz brillar mis ojos,[c] sí,
      para que no me duerma
      en la muerte;[d]

4 para que no diga mi enemigo:
    "¡Le he ganado!",
    [para que] mis adversarios
      mismos [no] estén gozo-
      sos porque se me hace
      trastabillar.[e]

5 En cuanto a mí, en tu bondad
    amorosa he confiado;[f]
    esté gozoso mi corazón en
      tu salvación.[g]

6 Ciertamente cantaré a Jeho-
    vá, porque me ha tratado
    recompensadoramente.[h]

Al director. De David.

14 El insensato ha dicho en su
    corazón:
    "No hay Jehová".[i]
    Han obrado ruinosamen-
      te,[j] han obrado de-
      testablemente en [su]
      trato.
    No hay quien haga el
      bien.[k]

2 En cuanto a Jehová, él ha mi-
    rado desde el cielo mismo
    a los hijos de los hom-
      bres,[l]
    para ver si existe alguien
      que tenga perspicacia,
      alguien que busque a Je-
      hová.[m]

3 Todos se han desviado,[n] [to-
    dos] son igualmente
    corruptos;[o]
    no hay quien haga el bien,[p]
    ni siquiera uno.[q]

4 ¿Acaso ninguno de los prac-
    ticantes de lo que es
    perjudicial tiene conoci-
      miento,[r]
    que se comen a mi pueblo

CAP. 11
a Dt 32:4
b Sl 45:7
  Sl 146:8
c Job 36:7
  Sl 34:15
  1Pe 3:12

CAP. 12
d Sl 6:Enc
e Sl 3:7
f Miq 7:2
g Sl 10:7
  Sl 41:6
h Sl 5:9
  Sl 28:3
  Sl 62:4
  Jer 9:8
  Ro 16:18
i 1Cr 12:33
j Éx 15:9
  1Sa 2:3
  Sl 17:10
  Eze 28:2
  2Pe 2:18
k Jer 18:18
l Éx 3:7
  Sl 10:12
m Isa 33:10
n Sl 10:5
o 2Sa 22:31
  Sl 18:30
  Sl 19:8
  Sl 119:140
  Pr 30:5
p 1Sa 2:9
  Sl 145:20
q Ec 8:11

CAP. 13
r Sl 6:3
  Sl 88:14
  Isa 59:2
s Lam 5:20

2.ᵃ col.
a Dt 31:17
  Job 13:24
  Sl 22:2
  Isa 59:2
b Sl 22:7
c Esd 9:8
d Jer 51:39
  Jn 11:11
e Sl 25:2
  Sl 35:19
  Sl 38:16
  Lam 1:16
f Sl 52:8
  Sl 147:11
  1Pe 5:7
g 1Sa 2:1
  Lu 1:47
h Sl 116:7
  Sl 119:17

CAP. 14
i Sl 10:4
  Sl 53:1
  Isa 29:16
j Gé 6:12
k Ro 3:10
  Sl 33:13
  Sl 102:19
m 2Cr 19:3
  Heb 11:6
n Ec 7:29
o Isa 64:6
p Ro 3:11

q Ro 3:10; r Sl 94:8.

como se han comido el pan?[a]

Ni siquiera a Jehová han invocado.[b]

5 Allí se llenaron de un gran pavor,[c]

porque Jehová está entre la generación del justo.[d]

6 Ustedes quisieran avergonzar el consejo del afligido,

porque Jehová es su refugio.[e]

7 ¡Oh, que de Sión procediera la salvación de Israel![f]

Cuando Jehová recoja de vuelta a los cautivos de su pueblo,[g]

esté gozoso Jacob, regocíjese Israel.[h]

Melodía de David.

15 Oh Jehová, ¿quién será huésped en tu tienda?[i]

¿Quién residirá en tu santa montaña?[j]

2 El que está andando exento de falta[k] y practicando la justicia[l]

y hablando la verdad en su corazón.[m]

3 No ha calumniado con su lengua.[n]

A su compañero no le ha hecho nada malo,[o]

y ningún oprobio ha repetido contra su conocido íntimo.[p]

4 A sus ojos el despreciable ciertamente es rechazado,[q]

pero honra a los que temen a Jehová.[r]

Ha jurado a lo que es malo [para sí], y no obstante no [lo] altera.[s]

5 No ha dado su dinero a interés,[t]

ni ha tomado un soborno contra el inocente.[u]

Al que está haciendo estas cosas, nunca se le hará tambalear.[v]

Miktam de David.

16 Guárdame, oh Dios, porque en ti me he refugiado.[w]

2 He dicho a Jehová: "Tú eres Jehová; mi bondad no es para el bien tuyo,[a]

3 [sino] para los santos que están en la tierra.

Ellos, aun los majestuosos, son aquellos en quienes tengo todo mi deleite".[b]

4 Los dolores llegan a ser muchos para aquellos [que], cuando hay algún otro, de veras se apresuran [tras él].[c]

No derramaré sus libaciones de sangre,[d]

ni llevaré sus nombres sobre mis labios.[e]

5 Jehová es la porción de mi lote asignado[f] y de mi copa.[g]

Tienes firmemente asida mi suerte.

6 Los mismísimos cordeles de medir han caído para mí en lugares agradables.[h]

Realmente, [mi propia] posesión me ha resultado grata.

7 Bendeciré a Jehová, que me ha dado consejos.[i]

Realmente, durante las noches mis riñones me han corregido.[j]

8 He puesto a Jehová enfrente de mí constantemente.[k]

Porque [él] está a mi diestra, no se me hará tambalear.[l]

9 Por eso mi corazón de veras se regocija, y mi gloria se inclina a estar gozosa.[m]

También, mi propia carne residirá en seguridad.[n]

10 Porque no dejarás mi alma en el Seol.[o]

No permitirás que el que es leal vea el hoyo.[p]

11 Me harás conocer la senda de la vida.[q]

El regocijo hasta la satisfacción está con tu rostro;[r]

CAP. 14
a Jer 10:25
Am 8:4
Miq 3:3
b Isa 64:7
c Ec 15:16
Sl 53:5
d Sl 24:6
e Sl 9:9
Sl 142:5
Heb 6:18
f Ro 11:26
g Sl 53:6
Sl 85:1
Sl 126:4
h Ne 12:43
Sl 126:1

CAP. 15
i Rev 21:3
j Sl 2:6
Sl 3:4
Sl 24:3
Isa 2:3
k Sl 1:1
l Sl 60:23
Isa 33:15
Heb 10:35
m Pr 3:32
Pr 12:19
Zac 8:16
Ef 4:25
Col 3:9
n Le 19:16
Sl 34:13
Sl 101:5
Pr 11:13
Pr 20:19
Pr 30:10
o 1Sa 24:11
1 Sl 14:21
Ro 12:17
p Éx 23:1
q Est 3:2
r Sl 101:6
s Jos 9:18
Jue 11:35
Sl 50:14
Mt 5:33
t Éx 22:25
Le 25:36
Dt 23:19
Eze 18:17
u Éx 23:8
Dt 16:19
v Sl 16:8
Sl 55:22
Pr 12:3
2Pe 1:10

CAP. 16
w Sl 25:20
Sl 91:2

2.ª col.
a Job 35:7
Ro 11:35
b Sl 119:63
c Dt 8:19
Sl 97:7
Jon 2:8
d Jer 7:18
e Éx 23:13
Jos 23:7
Os 2:17
f Nú 18:20
Sl 73:26
Lam 3:24
g Sl 23:5
h Sl 78:55

i Isa 48:17; j Sl 17:3; Sl 26:2; k Sl 139:18; Hch 2:25; l Sl 73:23; Sl 121:5; m Sl 30:12; Sl 57:8; n Job 14:14; Jue 26:19; o Sl 49:15; Pr 15:11; Hch 2:31; Hch 3:15; Rev 1:18; p Job 17:14; Isa 38:17; Hch 13:35; q Sl 21:4; Pr 12:28; r Sl 21:6; Mt 5:8; Hch 2:28; 1Ti 1:11.

hay agradabilidad a tu diestra para siempre.[a]

Oración de David.

17 Oye lo que es justo, sí, oh Jehová; de veras presta atención a mi clamor rogativo;[b]
de veras presta oído a mi oración sin labios de engaño.[c]

2 De ante ti proceda mi juicio;[d] contemplen tus propios ojos la rectitud.[e]

3 Tú has examinado mi corazón, has hecho inspección de noche,[f] me has refinado; descubrirás [que] no he tramado.[g] Mi boca no transgredirá.[h]

4 En cuanto a las actividades de los hombres, por la palabra de tus labios yo mismo he estado alerta contra las sendas del salteador.[i]

5 Deja que mis pasos se asgan de tus senderos trillados,[j] [en los cuales] ciertamente no se hará que tambaleen los pasos de mis pies.[k]

6 Yo mismo sí te invoco, porque me responderás, oh Dios.[l] Inclina a mí tu oído. Oye mi dicho.[m]

7 Haz maravillosos tus actos de bondades amorosas,[n] oh Salvador de los que buscan refugiarse de los que se sublevan contra tu diestra.[o]

8 Guárdame como a la niña del globo del ojo,[p] en la sombra de tus alas quieras ocultarme,[q]

9 a causa de los inicuos que me han despojado violentamente. Los mismísimos enemigos contra mi alma vienen rodeándome estrechamente.[r]

10 [Se] han encerrado con su propia grosura;[s]

con su boca han hablado en altivez;[a]

11 en cuanto a nuestros pasos, ahora nos han cercado;[b] fijan sus ojos para inclinar hacia la tierra.[c]

12 La semejanza de él es la de un león que anhela despedazar[d] y la de un león joven sentado en lugares ocultos.

13 Levántate, sí, oh Jehová; de veras preséntate frente a su rostro;[e] hazlo inclinarse; sí, con tu espada[f] provee a mi alma escape del inicuo,

14 de los hombres, [por] tu mano, oh Jehová,[g] de los hombres de [este] sistema[h] de cosas, cuya parte correspondiente está en [esta] vida,[i] y cuyo vientre llenas de tu tesoro oculto,[j] quienes están satisfechos con hijos[k] y quienes sí reservan para sus niños lo que dejan de sobrante.[l]

15 En cuanto a mí, en justicia contemplaré tu rostro;[m] ciertamente estaré satisfecho cuando despierte [a ver] tu forma.[n]

Al director. Del siervo de Jehová, de David, que habló a Jehová las palabras de esta canción el día en que Jehová lo hubo librado de la palma de la mano de todos sus enemigos y de la mano de Saúl.[o] Y procedió a decir:

18 Te tendré cariño, oh Jehová fuerza mía.[p]

2 Jehová es mi peñasco y mi plaza fuerte y el Proveedor de escape para mí.[q] Mi Dios es mi roca. En él me refugiaré,[r] mi escudo y mi cuerno de salvación, mi altura segura.[s]

3 A Aquel que ha de ser alabado, a Jehová, invocaré,[t] y de mis enemigos seré salvado.[u]

CAP. 16
a Sl 36:10

CAP. 17
b Sl 5:2
c Sl 145:18
d Sl 37:6
e Job 1:8
f Sl 11:5
Sl 16:7
1Co 4:4
g Job 23:10
Sl 26:2
Sl 66:10
Jer 9:7
Zac 13:9
Mal 3:3
1Pe 1:7
h Sl 39:1
i Sl 119:9
j 1Sa 2:9
Sl 119:133
k Sl 18:36
Sl 94:18
Sl 121:3
Sl 55:16
Sl 66:19
m Sl 116:2
Isa 37:17
n Sl 31:21
Lam 3:22
o Éx 15:6
p Sl 32:10
Zac 2:8
q Rut 2:12
Sl 36:7
Sl 57:1
Sl 63:7
r 1Sa 24:11
Sl 35:4
s Dt 32:15
Sl 119:70
Eze 16:49

2.ª col.
a 1Sa 2:3
Sl 31:18
Sl 73:9
b 1Sa 23:26
c Sl 10:8
d Sl 7:2
e Sl 7:6
f Sl 7:12
g Sl 108:6
h Sl 49:11
1Ti 6:17
i Sl 73:12
Snt 5:5
j Job 22:18
Sl 144:13
Mt 5:45
k Sl 144:12
1Sl 39:6
m Job 19:26
n Sl 65:4

CAP. 18
o 2Sa 22:1
p Sl 18:32
Sl 118:14
Isa 12:2
q Sl 3:3
Sl 37:40
Sl 40:17
Sl 70:5
Sl 144:2
r 2Sa 23:3
Sl 46:1
s Gé 15:1
Dt 32:4
2Sa 22:3
Pr 2:7
Lu 1:69

t 2Sa 22:4; Sl 69:34; 2Co 11:31; u Sl 50:15; Lu 1:71.

4 Las sogas de la muerte me rodearon;[a]

avenidas impetuosas de [hombres] que no servían para nada también siguieron aterrorizándome.[b]

5 Las sogas mismas del Seol me cercaron;[c]

los lazos de la muerte se presentaron delante de mí.[d]

6 En mi angustia seguí invocando a Jehová,

y a mi Dios seguí clamando por ayuda.[e]

Desde su templo él procedió a oír mi voz,[f]

y mi propio clamor ante él por ayuda ahora entró en sus oídos.[g]

7 Y la tierra empezó a sacudirse y a mecerse,[h]

y los fundamentos mismos de las montañas se agitaron,[i]

y siguieron sacudiéndose de aquí para allá porque él se había encolerizado.[j]

8 Humo subió de sus narices, y de su boca fuego mismo siguió devorando;[k]

carbones mismos flamearon desde él.

9 Y procedió a doblar los cielos hacia abajo, y a descender.[l]

Y había densas tinieblas debajo de sus pies.

10 Y vino cabalgando sobre un querubín, y vino volando,[m]

y vino a vuelo rápido sobre las alas de un espíritu.[n]

11 Entonces hizo de la oscuridad su escondrijo,[o]

todo en derredor de sí como su cabaña,

aguas oscuras, espesas nubes.[p]

12 Del resplandor enfrente de él hubo sus nubes que pasaron,[q]

granizo y brasas ardientes de fuego.[r]

13 Y en los cielos Jehová empezó a tronar,[s]

y el Altísimo mismo empezó a dar su voz,[a]

granizo y brasas ardientes de fuego.

14 Y siguió enviando sus flechas, para esparcirlos;[b]

y disparó relámpagos, para ponerlos en confusión.[c]

15 Y los cauces de las aguas se hicieron visibles,[d]

y los fundamentos de la tierra productiva quedaron al descubierto[e]

a causa de tu reprensión, oh Jehová, de la ráfaga del aliento de tus narices.[f]

16 Estaba enviando desde lo alto, estaba tomándome,[g]

estaba sacándome de grandes aguas.[h]

17 Estaba librándome de mi fuerte enemigo,[i]

y de los que me odiaban; porque eran más fuertes que yo.[j]

18 Siguieron presentándose delante de mí en el día de mi desastre,[k]

pero Jehová llegó a ser como un apoyo para mí.[l]

19 Y procedió a sacarme a un lugar espacioso;[m]

estaba librándome, porque se había deleitado en mí.[n]

20 Jehová me recompensa conforme a mi justicia;[o]

conforme a la limpieza de mis manos me lo paga.[p]

21 Porque he guardado los caminos de Jehová,[q]

y no me he apartado inicuamente de mi Dios.[r]

22 Pues todas sus decisiones judiciales están enfrente de mí,[s]

y sus estatutos no los quitaré de mí mismo.[t]

23 Y ciertamente resultaré exento de falta para con él,[u]

y me guardaré de error de parte mía.[v]

24 Y que me lo pague Jehová conforme a mi justicia,[w]

CAP. 18

a 1Sa 20:3
Sl 116:3
Mt 26:66
b 2Sa 20:1
2Sa 22:5
Sl 22:16
c 2Sa 22:6
Sl 88:3
d Ec 9:12
e Sl 50:15
Sl 130:1
f 1Sa 3:3
2Sa 22:7
1Cr 16:1
Sl 11:4
Jon 2:7
g Ex 3:7
Sl 10:17
Sl 34:15
1Pe 3:12
h Jue 5:4
Eze 38:19
Ag 2:6
i 2Sa 22:8
j Sl 77:18
Sl 97:4
Rev 16:18
k 2Sa 22:9
Isa 30:27
l 2Sa 22:10
Sl 144:5
Isa 64:1
m Sl 99:1
n Sl 104:3
Heb 1:7
o Sl 97:2
p Job 36:29
q 2Sa 22:13
r Sl 97:3
s 1Sa 2:10
1Sa 7:10

2.ª col.

a 2Sa 22:14
Sl 29:3
b Jos 10:10
Isa 30:30
c 2Sa 22:15
Job 36:32
d Sl 144:6
Sl 106:9
Sl 114:3
e 2Sa 22:16
Sl 9:8
f Ex 15:8
g 2Sa 22:17
Sl 57:3
h Sl 32:6
Sl 124:4
i 2Sa 22:18
Sl 3:7
j Sl 35:10
k 1Sa 19:11
1Sa 23:26
l Isa 50:10
m Sl 31:8
Sl 118:5
n Sl 149:4
o 18a 26:23
1Re 8:32
Pr 11:18
p 2Sa 24:11
Sl 24:4
q 2Sa 22:22
Sl 119:102
s 2Sa 22:23
t Dt 8:11
u Gé 6:9
2Sa 22:24
Sl 84:11
v Pr 14:16
w Isa 3:10
Heb 11:6

conforme a la limpieza de mis manos enfrente de sus ojos.[a]

25 Con alguien leal tú actuarás en lealtad;[b]
   con el hombre físicamente capacitado, exento de falta, tratarás de un modo exento de falta;[c]

26 con el que se mantiene limpio te mostrarás limpio;[d]
   y con el torcido te mostrarás tortuoso;[e]

27 porque a la gente afligida tú mismo la salvarás;[f]
   pero los ojos altivos los abatirás.[g]

28 Pues tú mismo encenderás mi lámpara, oh Jehová;[h]
   mi Dios mismo hará brillar mi oscuridad.[i]

29 Pues por ti puedo correr contra una partida merodeadora;[j]
   y por mi Dios puedo trepar un muro.[k]

30 En cuanto al Dios [verdadero], perfecto es su camino;[l]
   el dicho de Jehová es refinado.[m]
   Escudo es a todos los que se refugian en él.[n]

31 Porque, ¿quién es un Dios fuera de Jehová?[o]
   ¿Y quién es una roca excepto nuestro Dios?[p]

32 El Dios [verdadero] es Aquel que me ciñe apretadamente con energía vital,[q]
   y él otorgará que mi camino sea perfecto,[r]

33 haciendo mis pies como los de las ciervas,[s]
   y sobre lugares que me son altos me mantiene en pie.[t]

34 Está adiestrando mis manos para la guerra,[u]
   y mis brazos han doblado un arco de cobre.[t]

35 Y tú me darás tu escudo de salvación,[w]
   y tu propia mano derecha me sustentará,[x]

y tu propia humildad me hará grande.[a]

36 Harás que haya lugar bastante grande para mis pasos debajo de mí,[b]
   y mis tobillos ciertamente no vacilarán.[c]

37 Seguiré tras de mis enemigos y los alcanzaré;
   y no volveré hasta que queden exterminados.[d]

38 Los haré pedazos de modo que no podrán levantarse;[e]
   caerán debajo de mis pies.[f]

39 Y tú me ceñirás con energía vital para la guerra;
   harás que los que se levanten contra mí se desplomen debajo de mí.[g]

40 Y en cuanto a mis enemigos, ciertamente me darás [su] cerviz;[h]
   y en cuanto a los que me odian intensamente, los reduciré a silencio.[i]

41 Claman por ayuda, pero no hay salvador;
   a Jehová, pero realmente no les contesta.[k]

42 Y los machacaré hasta que queden finos como el polvo delante del viento;[l]
   como el fango de las calles los derramaré.[m]

43 Tú me proveerás escape de la actitud criticona del pueblo.[n]
   Me nombrarás cabeza de las naciones.[o]
   Un pueblo que no he conocido... me servirá.[p]

44 Al solo saber de oídas me serán obedientes;[q]
   extranjeros mismos vendrán a mí encogidos de temor.[r]

45 Extranjeros mismos se desvanecerán,
   y saldrán temblando de sus baluartes.[s]

CAP. 18
a 2Sa 22:25
  Pr 5:21
b Sl 97:10
  Jer 3:12
c Job 34:11
  Jer 32:19
d Da 12:10
  Mt 5:8
e 2Sa 22:27
  Sl 125:5
f Job 34:28
g Job 10:16
  Job 40:11
  Pr 6:17
  Isa 2:11
  Lu 18:14
h 2Sa 22:29
  Sl 132:17
i Sl 97:11
  Isa 42:16
j 2Sa 5:19
  Flp 4:13
  Heb 11:34
k 2Sa 22:30
l Dt 32:4
  2Sa 22:31
  Da 4:37
  Rev 15:3
m Sl 12:6
  Sl 19:8
  Sl 119:140
n Sl 18:2
  Sl 84:11
  Pr 30:5
o 1Sa 2:2
  2Sa 22:32
  Sl 86:8
  Isa 45:5
p Dt 32:31
q Sl 28:7
  Sl 84:7
r 2Sa 22:33
  Isa 26:7
s Hab 3:19
t Dt 32:13
  2Sa 22:34
  Sl 144:1
v 2Sa 22:35
w Ge 15:1
  Dt 3:29
  Sl 28:7
x Sl 17:7

2.ª col.

a 2Sa 22:36
  Sl 113:6
b Sl 4:1
c 2Sa 22:37
  Sl 17:5
d 2Sa 22:38
e Sl 2:9
  Sl 110:5
f 2Sa 22:39
  Sl 110:6
g 2Sa 22:40
  Sl 44:5
  Sl 144:2
h Gé 49:8
  Ex 23:27
  Jos 10:24
i 2Sa 22:41
  Sl 21:8
  Sl 34:21
j 2Sa 22:42
k Job 35:12
  Pr 1:28
  Isa 1:15
  Jer 11:11
  Jer 14:12
  Miq 3:4
  Zac 7:13
l 2Sa 22:43

m Isa 10:6; Zac 10:5; Mal 4:3; n 1Sa 30:6; 2Sa 22:44; o 2Sa 8:3; Sl 2:8; 1Ti 6:15; Rev 19:16; p Isa 55:5; Isa 65:1; Hch 15:14; q 2Sa 22:45; r Dt 33:29; s 2Sa 22:46; Miq 7:17.

46 Jehová vive,[a] y bendita sea mi Roca,[b]
    y ensalzado sea el Dios de mi salvación.[c]
47 El Dios [verdadero] es el Dador de actos de venganza[d] a favor de mí;[e]
    y sojuzga a los pueblos debajo de mí.
48 Él está proveyéndome escape de mis enemigos[f] encolerizados;
    por encima de los que se levantan contra mí me alzarás,[g]
    del hombre de violencia me librarás.[h]
49 Por eso te elogiaré entre las naciones, oh Jehová,[i]
    y ciertamente tocaré melodía a tu nombre.[j]
50 Él está haciendo grandes actos de salvación para su rey[k]
    y ejerciendo bondad amorosa a su ungido,[l]
    a David y a su descendencia hasta tiempo indefinido.[m]

Al director. Melodía de David.

19 Los cielos están declarando la gloria de Dios;[n]
    y de la obra de sus manos la expansión está informando.[o]
2 Un día tras otro día hace salir burbujeando el habla,[p]
    y una noche tras otra noche manifiesta conocimiento.[q]
3 No hay habla, y no hay palabras;
    no está oyéndose ninguna voz de parte de ellos.[r]
4 Por toda la tierra ha salido el cordel de medir de ellos,[s]
    y hasta la extremidad de la tierra productiva sus expresiones.[t]
    En ellos él ha establecido una tienda para el sol,[u]
5 y este es como un novio cuando sale de su cámara nupcial;[v]
    se alboroza, como lo hace un hombre poderoso, de correr en una senda.[a]
6 De una extremidad de los cielos es la salida de este,
    y su circuito [terminado] alcanza hasta las [otras] extremidades de ellos;[b]
    y nada hay que se oculte de su calor.[c]
7 La ley[d] de Jehová es perfecta,[e] hace volver el alma.[f]
    El recordatorio[g] de Jehová es fidedigno,[h] hace sabio al inexperto.[i]
8 Las órdenes[j] de Jehová son rectas,[k] hacen regocijar el corazón;[l]
    el mandamiento[m] de Jehová es limpio,[n] hace brillar los ojos.[o]
9 El temor[p] de Jehová es puro, subsiste para siempre.
    Las decisiones judiciales[q] de Jehová son verdaderas;[r] han resultado del todo justas.[s]
10 Más han de desearse que el oro, sí, que mucho oro refinado;[t]
    y más dulces son que la miel,[u] y la miel que fluye de los panales.[v]
11 También, a tu propio siervo han dado advertencia ellas;[w]
    en guardarlas hay un galardón grande.[x]
12 Las equivocaciones... ¿quién puede discernirlas?[y]
    De pecados ocultos pronúnciame inocente.[z]
13 También retén a tu siervo de actos presuntuosos;[a]
    no dejes que me dominen.[b]
    En ese caso seré completo,[c]
    y habré permanecido inocente de mucha transgresión.

CAP. 18

a 2Sa 22:47; Jer 10:10; 1Ti 4:10
b Dt 32:4
c Éx 15:2; Dt 32:35; 2Sa 22:48; Sl 94:1; Na 1:2; Ro 12:19
e Sl 47:3; 1Co 15:25
f Sl 59:1
g 2Sa 7:9
h 2Sa 22:49; Sl 140:1
i Dt 32:43; Sl 117:1; Isa 11:10; Ro 15:9
j 1Cr 16:9; Sl 108:3
k Sal 2:10; Sl 2:6; Sl 144:10
l 2Sa 7:15; 1Re 3:6; Sl 89:20; Sl 89:36; Isa 9:7; Lu 1:33; Rev 5:5

CAP. 19

n Sl 8:3; Sl 69:34; Sl 115:15; Sl 148:3; Ro 1:20; 1Co 15:40
o Gé 1:6; Sl 150:1; Rev 4:11
p Sl 65:8; Sl 74:16
q Gé 1:5; Gé 1:14; Gé 8:22; Sl 136:9
r Job 31:26; Job 38:5
t Isa 49:6; Ro 10:18
u Job 22:14; Ec 1:5
v Isa 61:10

2.ª col.

a Jer 33:20
b Sl 104:19
c Gé 31:40; Isa 49:10; Mt 20:12
d Dt 33:4; Sl 1:2; Sl 78:1; Sl 119:72; Mt 5:17; Lu 2:22; Ro 2:13; Ro 7:14; Ro 7:22; Ro 9:31
f 2Sa 16:12; 1Re 8:47; Sl 33:3; Eze 18:27; Eze 33:15; Ro 10:5
g Sl 119:111; Sl 119:129; Sl 132:12; 2Pe 3:1; h 2Re 17:15; Sl 93:5; i Pr 1:5; 2Ti 3:15; j Dt 1:26; 1Sa 12:14; Sl 111:7; k Sl 33:4; 1Cr 24:10; Sl 40:8; Sl 119:7; m Dt 6:1; Pr 4:4; Mt 15:3; n Ne 9:13; o Sl 13:3; Pr 6:23; Mt 6:22; p Dt 10:12; Pr 1:7; Mal 3:16; q Éx 21:1; Nú 15:35; Ne 9:13; Sl 119:137; r Sl 119:160; Rev 16:7; s Dt 4:8; t Sl 119:127; Pr 8:10; u Sl 119:103; Pr 16:24; v 1Sa 14:27; w 2Cr 19:10; Sl 119:11; x Sl 119:165; Pr 11:18; y Sl 40:12; 1Co 4:4; z Le 4:2; Sl 90:8; a Gé 20:6; Dt 17:12; 1Sa 15:23; 2Sa 6:7; 2Cr 26:16; b Sl 119:133; c Isa 38:3.

14 Que los dichos de mi boca y la
    meditación de mi cora-
    zón[a]
  lleguen a ser placenteros
    delante de ti, oh Jehová,
    mi Roca[b] y mi Redentor.[c]

Al director. Melodía de David.

20 Que Jehová te responda en
   el día de angustia.[d]
   Que te proteja el nom-
     bre del Dios de Jacob.[e]
2 Que él envíe tu ayuda desde el
    lugar santo,[f]
  y te sustente desde Sión
    misma.[g]
3 Que recuerde todas tus ofren-
    das de regalo,[h]
  y acepte tu ofrenda quema-
    da como si fuera grasa.[i]
    Sélah.
4 Que te dé conforme a tu co-
    razón,[j]
  y todo tu consejo te lo cum-
    pla.[k]
5 Ciertamente clamaremos go-
    zosamente a causa de tu
    salvación,[l]
  y en el nombre de nuestro
    Dios alzaremos nuestros
    pendones.[m]
  Que Jehová cumpla todas
    tus peticiones.[n]
6 Ahora de veras sé que Jehová
    ciertamente salva a su
    ungido.[o]
  Le responde desde sus san-
    tos cielos[p]
  con los poderosos actos
    salvadores de su diestra.[q]
7 Algunos tocante a carros y
    otros tocante a caballos,[r]
  pero en cuanto a nosotros,
    tocante al nombre de Je-
    hová nuestro Dios hare-
    mos mención.[s]
8 Aquellos mismísimos se han
    desplomado y han caí-
    do;[t]
  pero en cuanto a noso-
    tros, nos hemos levan-
    tado, para que se nos
    restaure.[u]
9 ¡Oh Jehová, salva, sí, al rey![v]
  Él nos responderá en el día
    que llamemos.[w]

CAP. 19
a Sl 49:3
  Sl 51:15
  Sl 77:12
  Sl 143:5
  Flp 4:8
b Sl 18:2
c Job 19:25
  Pr 23:11
  Isa 43:14
  Isa 44:6

CAP. 20
d Gé 35:3
  2Sa 4:9
  Sl 9:10
  Sl 18:10
f 2Cr 20:8
g 2Sa 5:7
  Sl 50:2
  Sl 134:3
  Isa 12:6
h Hch 10:4
i Le 9:24
  1Cr 21:26
  2Cr 7:1
j Sl 21:2
k Pr 20:5
l Sl 35:9
  Sl 51:14
  Sl 59:16
  Lu 1:47
m 1Sa 17:45
  Mt 7:7
o Sl 2:2
  Sl 105:15
  Lu 18:7
p 1Re 8:30
  Sl 18:9
q Sl 17:7
r Sl 33:17
  Pr 21:31
  Isa 31:1
  Os 1:7
s 2Cr 14:11
  2Cr 20:12
  2Cr 32:8
t Jue 5:31
u Sl 125:1
v Sl 18:50
w Sl 44:4

2.ª col.

CAP. 21
a Sl 63:11
b Sl 28:7
c Sl 2:8
d Sl 20:4
e 2Cr 6:41
  Sl 31:19
f 2Sa 12:30
g Sl 13:3
  Sl 61:6
h Sl 89:29
  Sl 91:16
i 2Sa 7:9
  Heb 8:1
j Da 7:14
k Sl 72:17
l Sl 16:11
  Sl 45:7
  Hch 2:28
m 1Sa 30:6
  Mt 27:43
  Heb 2:13
n Sl 16:8
o Sl 2:9
p Sl 2:12
  Mal 4:1
  2Te 1:8

Al director. Melodía de David.

21 Oh Jehová, en tu fuerza se
   regocija el rey;[a]
   y en tu salvación ¡cuán
     gozoso quiere estar![b]
2 El deseo de su corazón se lo
    has dado,[c]
  y el anhelo de sus labios no
    has retenido.[d] Sélah.
3 Porque procediste a encon-
    trarte con él con bendi-
    ciones de bien,[e]
  [y] a poner en su cabeza
    una corona de oro refi-
    nado.[f]
4 Vida le pidió. Se [la] diste,[g]
    largura de días hasta tiem-
    po indefinido, aun para
    siempre.[h]
5 Grande es su gloria en tu sal-
    vación.[i]
  Dignidad y esplendor po-
    nes sobre él.[j]
6 Porque lo constituyes al-
    tamente bendecido para
    siempre;[k]
  haces que se sienta alegre
    con el regocijo ante tu
    rostro.[l]
7 Porque el rey confía en Je-
    hová,[m]
  aun en la bondad amorosa
    del Altísimo. No se le
    hará tambalear.[n]
8 Tu mano hallará a todos tus
    enemigos;[o]
  tu propia diestra hallará a
    los que te odian.
9 Los constituirás como horno
    de fuego al tiempo seña-
    lado para tu atención.[p]
  Jehová en su cólera se los
    tragará, y el fuego los de-
    vorará.[q]
10 De la tierra misma destruirás
    el fruto de ellos,[r]
  y de los hijos de los hom-
    bres su prole.[s]
11 Porque ellos han dirigido
    contra lo que es malo;[t]
  han urdido ideas que no
    pueden realizar.[u]

q Dt 32:22; Sl 110:5; r 1Re 13:34; Sl 9:5; Sl
37:28; Mt 25:46; s Sl 109:13; Isa 14:20; t Sl 5:10;
Sl 34:16; u Sl 2:1; Sl 83:4.

12 Porque harás que vuelvan la
    espalda en fuga[a]
    por las cuerdas de tus arcos
    que alistas contra su ros-
    tro.[b]
13 Oh, sé ensalzado en tu fuerza,
    oh Jehová.[c]
    Ciertamente cantaremos y
    celebraremos con melo-
    día tu poderío.[d]

Al director sobre la Cierva
del Alba. Melodía de David.

22 Dios mío, Dios mío, ¿por
    qué me has dejado?[e]
    ¿[Por qué estás] lejos de
    salvarme,[f]
    [de] las palabras de mi
    rugir?[g]
2 Oh Dios mío, sigo llamando
    de día, y no respondes;[h]
    y de noche, y no hay silen-
    cio de parte mía.[i]
3 Pero tú eres santo,
    el que habitas en las ala-
    banzas de Israel.[k]
4 En ti confiaron nuestros pa-
    dres;[l]
    confiaron, y tú seguiste
    proveyéndoles escape.[m]
5 A ti clamaron,[n] y lograron sa-
    lir a salvo;[o]
    en ti confiaron, y no queda-
    ron avergonzados.[p]
6 Pero yo soy gusano,[q] y no
    hombre,
    oprobio para los hombres
    y despreciable para el
    pueblo.[r]
7 En cuanto a todos los que me
    ven, me hacen escarnio;[s]
    siguen abriendo ancha la
    boca, siguen meneando
    [la] cabeza:[t]
8 "Se encomendó a Jeho-
    vá.[u] ¡Que Él le provea es-
    cape![v]
    ¡Líbrelo, ya que se ha delei-
    tado en él!".[w]
9 Porque tú fuiste Aquel que
    me sacó del vientre,[x]
    Aquel que me hizo con-
    fiar mientras estuve so-
    bre los pechos de mi
    madre.[y]
10 Sobre ti he sido arrojado des-
    de la matriz;[z]

desde el vientre de mi ma-
    dre tú has sido mi Dios.[a]
11 No te mantengas lejos de mí,
    porque la angustia está
    cerca,[b]
    porque no hay otro ayuda-
    dor.[c]
12 Muchos toros jóvenes me han
    cercado;[d]
    los poderosos de Basán se
    han puesto ellos mismos
    en derredor de mí.[e]
13 Han abierto contra mí su
    boca,[f]
    como un león despedaza-
    dor y rugiente.[g]
14 Como agua he sido derrama-
    do,[h]
    y todos mis huesos han
    sido separados unos de
    otros.[i]
    Mi corazón se ha hecho como
    cera;[j]
    se ha derretido muy dentro
    de mis entrañas.[k]
15 Mi poder se ha secado como
    un fragmento de vasija
    de barro,[l]
    y mi lengua se queda pega-
    da a mis encías;[m]
    y en el polvo de la muerte
    me estás poniendo.[n]
16 Porque perros me han cerca-
    do;[o]
    la asamblea de malhecho-
    res mismos me ha cir-
    cundado.[p]
    Como un león [acometen]
    mis manos y mis pies.[q]
17 Puedo contar todos mis hue-
    sos.[r]
    Ellos mismos miran, fijan
    su mirada en mí.[s]
18 Reparten entre sí mis pren-
    das de vestir,[t]
    y sobre mi ropa echan
    suertes.[u]
19 Pero tú, oh Jehová, oh no te
    mantengas lejos.[v]
    Oh tú, fuerza mía,[w] ven de
    prisa, sí, en mi auxilio.[x]

CAP. 21
a Sl 9:3
  Sl 56:9
b Sl 7:13
  Sl 64:7
c Sl 46:10
d Rev 11:17
  Rev 15:3
  Rev 18:20

CAP. 22
e Sl 22:16
  Sl 31:14
  Mt 27:46
  Mr 15:34
f Sl 26:9
  Heb 5:7
g Job 3:24
  Sl 38:8
h Sl 42:3
  Sl 88:1
i Lu 18:7
j Isa 6:3
  Jn 17:11
  1Pe 1:15
k Dt 10:21
  Sl 65:1
l Ge 15:6
  Heb 11:33
m Éx 14:13
n Sl 99:6
  Sl 106:44
o 1Co 10:13
p Sl 25:2
  Isa 49:23
  Ro 10:11
q Job 25:6
  Isa 41:14
r Sl 31:11
  Isa 53:3
  Jn 7:15
s Sl 35:16
  Mt 5:11
  Mt 9:24
  Lu 16:14
t Job 16:4
  Sl 44:14
  Sl 109:25
  Mt 27:39
u Sl 37:5
v Mt 27:43
  Lu 23:35
w Sl 18:19
  Sl 91:14
x Sl 71:6
  Sl 139:16
y Lu 11:27
z Isa 46:3

2.ª col.
a Isa 49:1
  Lu 1:42
  Gál 1:15
b Sl 10:1
  Heb 5:7
c Sl 71:2
  Lu 23:46
d Sl 68:30
e Isa 53:7
  Eze 39:18
  Am 4:1
f Job 16:10
  Sl 35:21
  Lam 2:16
  Mt 26:4
g Sl 57:4
  1Pe 5:8
h Jos 7:5
i Da 5:6
  Lu 22:44
j Job 23:16
  Jn 12:27

---

k Dt 20:8; Mt 26:38; Mr 14:33; 1 Pr 17:22; m Lam
4:4; Jn 19:28; n Gé 3:19; Sl 30:9; Isa 53:12; 1Co
15:4; o Sl 59:6; Lu 22:63; Flp 3:2; Rev 22:15;
p Sl 86:14; Lu 11:53; q Isa 53:7; Mt 27:35; Jn
20:25; r Sl 34:20; Jn 19:36; s Mt 27:36; Lu 23:35;
t Jn 19:24; u Mr 15:24; v Sl 10:1; w Sl 18:1; x Sl
40:13.

20 Libra de la espada mi
      alma,[a] sí,
      mi única, de la mismísima
      garra del perro;[b]
21 sálvame de la boca del león,[c]
      y desde los cuernos de to-
      ros salvajes tienes que
      responder [y salvarme].[d]
22 Ciertamente declararé tu
      nombre[e] a mis herma-
      nos;[f]
      en medio de la congrega-
      ción te alabaré.[g]
23 ¡Ustedes, los que temen a
      Jehová, alábenlo![h]
      ¡Descendencia toda de Ja-
      cob, glorifíquenlo![i]
      Y atemorícense a causa de
      él, descendencia toda de
      Israel.[j]
24 Porque él ni ha despreciado[k]
      ni mirado con asco la aflic-
      ción del afligido;[l]
      y no ha ocultado de él su ros-
      tro,[m]
      y cuando este clamó a él
      por ayuda, oyó.[n]
25 De parte tuya será mi alaban-
      za en la congregación
      grande;[o]
      mis votos pagaré enfrente
      de los que le temen.[p]
26 Los mansos comerán y que-
      darán satisfechos;[q]
      los que lo buscan alabarán
      a Jehová.[r]
      Vivan para siempre los co-
      razones de ustedes.[s]
27 Todos los cabos de la tierra se
      acordarán y se volverán a
      Jehová.[t]
      Y todas las familias de las
      naciones se inclinarán
      delante de ti.[u]
28 Porque a Jehová pertenece la
      gobernación real,[v]
      y él está dominando las na-
      ciones.[w]
29 Todos los gruesos de la tierra
      ciertamente comerán y
      se inclinarán;[x]
      ante él se encorvarán to-
      dos los que van bajando
      al polvo,[y]
      y nadie jamás conservará
      viva su propia alma.[z]

30 Una descendencia misma le
      servirá;[a]
      esto se declarará respecto
      de Jehová a la genera-
      ción.[b]
31 Ellos vendrán e informarán
      de la justicia de él[c]
      al pueblo que ha de nacer,
      que él ha hecho [esto].[d]

Melodía de David.

23 Jehová es mi Pastor.[e]
      Nada me faltará.[f]
2 En prados herbosos me hace
      recostar;[g]
      me conduce por descansa-
      deros donde abunda el
      agua.[h]
3 Refresca mi alma.[i]
      Me guía por los senderos
      trillados de la justicia por
      causa de su nombre.[j]
4 Aunque ande en el valle de
      sombra profunda,[k]
      no temo nada malo,[l]
      porque tú estás conmigo;[m]
      tu vara y tu cayado son las
      cosas que me consuelan.[n]
5 Dispones ante mí una mesa
      enfrente de los que me
      muestran hostilidad.[o]
      Con aceite me has untado
      la cabeza;[p]
      mi copa está bien llena.[q]
6 De seguro el bien y la bon-
      dad amorosa mismos se-
      guirán tras de mí todos
      los días de mi vida;[r]
      y ciertamente moraré en la
      casa de Jehová hasta la
      largura de días.[s]

De David. Melodía.

24 A Jehová pertenecen la
      tierra y lo que la lle-
      na,[t]
      la tierra productiva y los
      que moran en ella.[u]
2 Porque sobre los mares él
      mismo la ha fijado sóli-
      damente,[v]

CAP. 22
a Sl 17:13
   Sl 37:17
b Sl 22:16
c Sl 35:17
   2Ti 4:17
d Dt 33:17
   Jn 8:59
   Hch 4:27
e Jn 17:6
   Heb 2:12
f Mt 12:49
   Jn 20:17
   Ro 8:29
   Heb 2:11
   Heb 2:17
g Sl 40:9
   Heb 2:12
h Sl 135:20
   Lu 1:50
   Mr 4:24
i Sl 50:15
   Sl 50:23
   Lu 2:20
   1Co 6:20
   Rev 15:4
j Dt 6:13
   Isa 69:33
k Sl 34:6
m Nú 6:25
n Heb 5:7
o Sl 35:18
   Sl 40:10
   Sl 107:32
   Sl 111:1
p Ec 5:4
q Sl 37:11
   Isa 65:13
r Sof 2:3
s Jn 4:14
t Isa 66:20
u Gé 22:18
   Rev 7:9
   Rev 15:4
v 1Cr 29:11
   Abd 21
   Rev 11:17
w Sl 47:7
   Zac 14:9
x Sl 45:12
y Isa 26:19
   Flp 2:10
z Sl 49:7

2.ª col.

a Isa 53:10
b 1Pe 2:9
c Ro 1:17
   Ro 3:22
d Sl 78:6
   Sl 102:18

CAP. 23

e Sl 80:1
   Jer 23:3
   Eze 34:12
   1Pe 2:25
f Sl 34:9
   Sl 84:11
   Mt 6:33
   Flp 4:19
   Heb 13:5
g Eze 34:14
   Mt 4:4
h Job 34:29
   Eze 34:13
i Sl 19:7
   Sl 51:12
j Sl 5:8
   Sl 31:3
   Pr 8:20

k Job 10:21; Job 38:17; Sl 44:19; Mt 4:16; Lu
1:79; i Sl 3:6; Sl 27:1; Isa 41:10; m Isa 43:2; Ro
8:31; n Miq 7:14; o Sl 22:26; Sl 31:19; p Sl 92:10;
Lu 7:46; Snt 5:14; q Sl 16:5; r Sl 103:17; Ef 5:9;
s Sl 15:1; Sl 27:4; Sl 65:4; Sl 84:4; Sl 122:1; Lu
2:37; Rev 21:3; CAP. 24 t Sl 50:12; Éx 19:5; Dt
10:14; 1Cr 29:11; Job 41:11; 1Co 10:26; u Sl
89:11; Sl 98:7; v Gé 1:9; Sl 136:6.

y sobre los ríos la mantiene firmemente establecida.[a]

3 ¿Quién puede ascender a la montaña de Jehová,[b]
y quién puede levantarse en su lugar santo?[c]

4 El inocente de manos y limpio de corazón,[d]
que no haya llevado Mi alma a pura indignidad,[e]
ni prestado juramento engañosamente.[f]

5 Él se llevará bendición de parte de Jehová,[g]
y justicia de su Dios de salvación.[h]

6 Esta es la generación de los que lo buscan,
de los que procura hallar tu rostro, oh [Dios de] Jacob.[i] *Sélah.*

7 "¡Alcen sus cabezas, oh puertas,[j]
y álcense ustedes mismas, oh entradas de larga duración,[k]
para que entre el glorioso Rey!"[l]

8 "¿Quién, pues, es este glorioso Rey?"[m]
"Jehová fuerte y poderoso,[n]
Jehová poderoso en batalla."[o]

9 "Alcen sus cabezas, oh puertas;[p]
sí, ¡álcen[las], oh entradas de larga duración,
para que entre el glorioso Rey!"[q]

10 "¿Quién, pues, es él, este glorioso Rey?"
"Jehová de los ejércitos... él es el glorioso Rey."[r] *Sélah.*

De David.

א ['Á·lef]

25 A ti, oh Jehová, levanto mi alma misma.[s]

ב [Behth]

2 Oh Dios mío, en ti he cifrado mi confianza;[t]
oh, no sea yo avergonzado.
No se alborocen mis enemigos sobre mí.[u]

ג [Guí·mel]

3 También, ninguno de los que esperan en ti quedará avergonzado.[a]
Quedarán avergonzados los que obran traidoramente sin éxito.[b]

ד [Dá·leth]

4 Hazme conocer tus propios caminos, oh Jehová;[c]
enséñame tus propias sendas.[d]

ה [He']

5 Hazme andar en tu verdad y enséñame,[e]
porque tú eres mi Dios de salvación.[f]

ו [Waw]

En ti he esperado todo el día.[g]

ז [Zá·yin]

6 Acuérdate de tus misericordias,[h] oh Jehová, y de tus bondades amorosas,[i]
porque son desde tiempo indefinido.[j]

ח [Jehth]

7 De los pecados de mi juventud y de mis sublevaciones, oh, no te acuerdes.[k]
Conforme a tu bondad amorosa acuérdate, sí, tú mismo, de mí,[l]
por causa de tu bondad, oh Jehová.[m]

ט [Tehth]

8 Bueno y recto es Jehová.[n]
Por eso él instruye a los pecadores en el camino.[o]

י [Yohdh]

9 Él hará que los mansos anden en [Su] decisión judicial,[p]
y enseñará a los mansos Su camino.[q]

כ [Kaf]

10 Todas las sendas de Jehová

CAP. 24
a Job 38:11
Sl 96:10
Sl 104:5
Jer 5:22
b Sl 15:1
Isa 2:2
c Ro 11:35
d 2Sa 22:21
Sl 37:3
Isa 33:15
Mt 5:8
e Gé 50:20
Ro 8:29
f Sl 34:13
Mal 3:5
g Sl 128:5
Mal 3:10
h Sl 68:19
Isa 12:2
Tit 2:10
i Sl 27:8
Sl 105:4
j Sl 118:19
k Isa 26:2
l 2Sa 6:15
Sl 48:2
Sl 97:6
m Sl 99:1
Sl 93:1
Isa 42:13
1Ti 1:17
o Éx 15:3
1Sa 17:47
2Cr 20:15
Isa 59:17
p Sl 118:19
Sl 122:2
q Sl 68:16
r 1Cr 29:11
Sl 145:1
Isa 6:5
Rev 1:8

CAP. 25
s Sl 86:4
Sl 143:8
t Isa 26:3
Ro 10:11
u Sl 13:4
Sl 35:19
Sl 41:11

2.ª col.
a Sl 69:6
b Sl 31:17
Sl 71:13
c Éx 33:13
Sl 5:8
Sl 86:11
Sl 143:8
d Sl 27:11
e Sl 43:3
f Sl 24:5
Sl 88:1
g Sl 22:2
h 2Cr 6:42
Sl 98:3
Sl 103:17
Isa 63:15
i Éx 34:6
Sl 69:16
Isa 55:3
Jer 33:11
l Sl 136:1
Lu 1:50
k Job 13:26
Jer 3:25
l Sl 6:4
Sl 51:1
m Éx 33:19
Sl 27:13

n Sl 92:15; Sl 119:68; Sl 145:9; Na 1:7; Zac 9:17; Hch 14:17; o Sl 119:33; Isa 30:20; Miq 4:2; p Sof 2:3; q Sl 32:8.

son bondad amorosa y apego a la verdad
para los que observan su pacto[a] y sus recordatorios.[b]

ל [*Lámedh*]

11 Por causa de tu nombre, oh Jehová,[c]
hasta tienes que perdonar mi error, porque es considerable.[d]

מ [*Mem*]

12 Pues bien, ¿quién es el hombre que teme a Jehová?[e]
Él lo instruirá en el camino [que] él escoja.[f]

נ [*Nun*]

13 Su propia alma se alojará en el bien mismo,[g]
y su propia prole tomará posesión de la tierra.[h]

ס [*Sámekj*]

14 La intimidad con Jehová pertenece a los que le temen,[i]
también su pacto, para hacer que lo conozcan.[j]

ע [*'Áyin*]

15 Mis ojos están constantemente hacia Jehová,[k]
porque él es quien saca mis pies de la red.[l]

פ [*Pe'*]

16 Dirige tu rostro a mí, y muéstrame favor;[m]
porque estoy solitario y afligido.[n]

צ [*Tsa·dhéh*]

17 Las angustias de mi corazón se han multiplicado;[o]
de los apuros en que me hallo, oh, sácame.[p]

ר [*Rehsch*]

18 Ve mi aflicción y mi penoso afán,[q]
y perdona todos mis pecados.[r]

19 Ve cuántos han llegado a ser mis enemigos,[s]
y con odio violento me han odiado.[t]

ש [*Schin*]

20 Guarda mi alma, sí, y líbrame.[a]
No sea yo avergonzado, pues en ti me he refugiado.[b]

ת [*Taw*]

21 Integridad y rectitud mismas me salvaguarden,[c]
pues en ti he esperado.[d]

22 Oh Dios, redime a Israel de todas sus angustias.[e]

De David.

26 Júzgame,[f] oh Jehová, porque yo mismo he andado en mi propia integridad,[g]
y en Jehová he confiado, para no estar vacilante.[h]

2 Exámíname, oh Jehová, y ponme a prueba;[i]
refina mis riñones y mi corazón.[j]

3 Porque tu bondad amorosa está enfrente de mis ojos,
y he andado en tu verdad.[k]

4 No me he sentado con hombres de falsedad;[l]
ni entro con los que esconden lo que son.[m]

5 He odiado la congregación de los malhechores,[n]
y con los inicuos no me siento.[o]

6 Lavaré mis manos en la inocencia misma,[p]
y ciertamente marcharé alrededor de tu altar, oh Jehová,[q]

7 para hacer que la acción de gracias se oiga en voz alta,[r]
y para declarar todas tus maravillosas obras.[s]

8 Jehová, he amado la morada de tu casa[t]
y el lugar de la residencia de tu gloria.[u]

9 No te lleves mi alma junto con los pecadores,[v]
ni mi vida junto con hombres culpables de sangre,[w]

CAP. 25
a Dt 29:1
b Sl 19:7
c Sl 31:3
d Sl 79:9
Sl 109:21
Sl 143:11
Eze 36:22
Da 9:19
Mt 6:9
d Sl 103:3
e Sl 111:10
Hch 10:2
f Sl 37:23
g Sl 31:19
Zac 9:17
h Sl 37:11
i Gé 18:17
Pr 3:32
Am 3:7
Jn 15:15
g Gé 22:17
k Sl 121:1
Sl 123:1
Sl 141:8
l Sl 31:4
Sl 91:3
Sl 124:7
2Ti 2:26
m Sl 69:16
Sl 86:16
n Sl 143:4
o Sl 73:21
Sl 107:28
q 2Sa 16:12
Sl 119:153
r Sl 32:5
Sl 51:9
s Sl 38:19
t Sl 37:12

2.ª col.

a Sl 17:8
Sl 121:7
b Sl 71:1
c Sl 41:12
d Sl 37:34
Ro 15:13
e Sl 130:8

CAP. 26

f Sl 7:8
g 2Re 20:3
Pr 20:7
h Sl 21:7
Sl 37:31
Pr 3:6
Pr 29:25
i Gé 22:1
Sl 7:9
j Sl 17:3
Sl 66:10
Zac 13:9
k 2Re 20:3
Sl 43:3
Sl 86:11
1Pr 13:20
Jer 15:17
m Pr 12:11
1Co 15:33
n Sl 31:6
Sl 139:21
o Sl 1:1
p Sl 51:2
Sl 73:13
Isa 1:16
Mt 27:24
q Sl 43:4
r Sl 50:23
Sl 95:2
Sl 107:22
t Isa 3:3
1Cr 16:1
Sl 27:4
Sl 84:10

u 2Cr 5:14; Sl 63:2; v 1Sa 25:29; w Sl 51:14.

10 en cuyas manos hay conducta
relajada,[a]
y cuya diestra está llena de
soborno.[b]
11 En cuanto a mí, andaré en mi
integridad.[c]
Oh, redímeme[d] y muéstrame favor.[e]
12 Mi propio pie ciertamente estará plantado en un lugar
llano;[f]
entre las multitudes con-
gregadas bendeciré a Jehová.[g]

De David.

27 Jehová es mi luz[h] y mi salvación.[i]
¿De quién he de temer?[j]
Jehová es la plaza fuerte de
mi vida.[k]
¿De quién he de sentir
pavor?[l]
2 Cuando los malhechores se
acercaron contra mí para
comer mi carne,[m]
ellos, que eran mis adversarios y mis enemigos per-
sonales,[n]
ellos mismos tropezaron y
cayeron.[o]
3 Aunque arme tienda contra
mí un campamento,[p]
mi corazón no temerá.[q]
Aunque contra mí se levante
guerra,[q]
aun entonces estaré con-
fiando.[s]
4 Una cosa he pedido a Jehová[t]...
es lo que buscaré,[u]
que pueda morar en la casa
de Jehová todos los días
de mi vida,[v]
para contemplar la agradabilidad de Jehová[w]
y para mirar con aprecio a
su templo.[x]
5 Porque él me esconderá en su
amparo en el día de cala-
midad;[y]
me ocultará en el lugar secreto de su tienda;[z]
muy arriba en una roca me
pondrá.[a]
6 Y ahora mi cabeza estará muy
por encima de mis ene-
migos todo en derredor
mío;[b]

y ciertamente sacrificaré
en su tienda sacrificios
de gozoso gritar;[a]
cantaré, sí, y celebraré con
melodía a Jehová.[b]
7 Oye, oh Jehová, cuando llamo
con mi voz,[c]
y muéstrame favor y res-
póndeme.[d]
8 Tocante a ti mi corazón ha
dicho: "Procuren ustedes
hallar mi rostro."[e]
Tu rostro, oh Jehová, procuraré hallar.[f]
9 No ocultes de mí tu rostro.[g]
No apartes con cólera a tu
siervo.[h]
Tienes que llegar a ser mi
auxilio.[i]
No me desampares y no me
dejes, oh mi Dios de sal-
vación.[j]
10 En caso de que mi propio padre y mi propia madre de
veras me dejaran,[k]
aun Jehová mismo me aco-
gería.[l]
11 Instrúyeme, oh Jehová, en tu
camino,[m]
y guíame en la senda de la
rectitud a causa de mis
opositores.
12 No me entregues al alma de
mis adversarios,[n]
porque contra mí se han levantado testigos falsos,[o]
y el que lanza violencia.[p]
13 ¡Si no hubiera tenido fe en ver
la bondad de Jehová en la
tierra de los vivos[q]...!
14 Espera en Jehová,[r] sé animoso, y sea fuerte tu cora-
zón.[s]
Sí, espera en Jehová.[t]

De David.

28 A ti, oh Jehová, sigo clamando.[u]
Oh Roca mía, no seas
sordo para conmigo,[v]
para que no te quedes ca-
llado para conmigo[w]

CAP. 26
a Gál 5:19
  2Pe 2:7
b Dt 16:19
  1Sa 8:3
  Isa 1:23
  Eze 22:12
  Am 5:12
c Lu 1:6
d Sl 69:18
e Ne 13:14
f 1Sa 2:9
  Pr 10:9
g Sl 68:26
  Sl 107:32
  Sl 111:1

CAP. 27
h Job 29:3
  Sl 36:9
  Sl 43:3
  Sl 119:105
i Éx 15:2
  Sl 68:19
j Sl 23:4
k Sl 62:6
  Isa 12:2
  Flp 4:13
l Sl 36:11
  Ro 8:31
  Heb 13:6
m Sl 14:4
  Sl 22:16
  Sl 18:40
o Sl 18:38
p Sl 3:6
q 2Cr 20:15
r 2Cr 32:7
s Sl 84:12
t Lu 10:42
u Jer 29:13
  Da 9:3
  Mt 7:7
v Sl 15:1
  Sl 23:6
  Sl 65:4
  Lu 2:37
w Sl 16:11
  Sl 50:2
  Sl 63:2
  Sl 90:17
x 1Sa 3:3
  1Cr 16:1
  Sl 26:8
  Heb 12:16
y Sl 31:20
  Sl 32:7
  Sl 57:1
  Sof 2:3
z Sl 61:4
  Sl 119:114
a Sl 40:2
b 2Sa 7:9
  Sl 3:3

2.ª col.
a Sl 107:22
  Heb 13:15
b Ef 5:19
c Sl 4:1
  Sl 130:2
d Sl 5:2
  Sl 119:58
e Sl 24:6
  Sl 105:4
  Sof 2:3
f Sl 63:1
g Sl 69:17
  Isa 54:8
  Isa 59:2
h Isa 50:1
i 1Sa 7:12
  Sl 46:1

j Sl 38:21; Sl 88:1; Sl 69:8; Mt 10:21; l Isa
40:11; Isa 49:15; m 1Re 8:36; Sl 25:4; Sl 86:11;
Isa 30:20; Isa 54:13; n Sl 31:8; Sl 35:25; Sl 41:2;
Sl 41:11; o Sl 35:11; Mt 26:59; Hch 6:11; p Hch
9:1; q Job 33:30; Jer 11:19; Eze 26:20; r Sl 25:3;
Sl 31:24; Isa 40:31; t Sl 62:5; Sl 130:5; Ro
15:13; CAP. 28 u Sl 18:3; v Dt 32:4; Sl 42:9;
Isa 26:4; w Sl 35:22; Sl 83:1.

y no tenga yo que llegar
a ser como los que ba-
jan al hoyo.[a]

2 Oye la voz de mis ruegos
cuando clamo a ti por
ayuda,
cuando alzo las manos[b]
hacia el cuarto más re-
cóndito de tu lugar
santo.[c]

3 No me arrastres con los inicuos y con los practi-
cantes de lo que es per-
judicial,[d]
los que están hablando paz
con sus compañeros,[e]
pero en cuyo corazón está
lo que es malo.[f]

4 Dales conforme a su actuar[g]
y conforme a la maldad de
sus prácticas.[h]
Conforme a la obra de sus manos de veras dales.[i]
Págales su propio obrar.[j]

5 Porque no tienen aprecio a las
actividades de Jehová,[k]
ni a la obra de sus manos.[l]
Él los demolerá y no los edificará.

6 Bendito sea Jehová, porque
ha oído la voz de mis ruegos.[m]

7 Jehová es mi fuerza[n] y mi escudo.[o]
En él ha confiado[p] mi corazón,
y se me ha ayudado, de modo
que mi corazón se albo-
roza,[q]
y con mi canción lo elo-
giaré.[r]

8 Jehová es una fuerza para su
pueblo,[s]
y es una plaza fuerte de la
magnífica salvación de
su ungido.[t]

9 Salva, sí, a tu pueblo, y bendice a tu herencia;[u]
y pastoréalos y llévalos
hasta tiempo indefinido.[v]

Melodía de David.

29 Atribuyan a Jehová, oh hijos de fuertes,
atribuyan a Jehová glo-
ria y fuerza.[w]

2 Atribuyan a Jehová la gloria
de su nombre.[x]

CAP. 28
a Job 33:28
Sl 30:9
Sl 69:15
Isa 38:18
b 2Cr 6:13
c Sl 5:7
d Nú 16:26
Sl 26:9
Sl 62:4
Jer 9:8
f Sl 7:14
Sl 36:4
Pr 26:25
g Sl 59:12
Jer 18:22
2Ti 4:14
h Sl 21:10
i Sl 62:12
Mt 25:45
Rev 22:12
j 2Pe 1:16
k Job 34:27
Isa 5:12
l Sl 8:3
Sl 19:1
Isa 40:26
m Sl 66:20
n Isa 12:2
Éf 6:10
o Gé 15:1
2Sa 22:3
Sl 3:3
Sl 84:11
p Sl 13:5
Sl 56:4
q Isa 61:10
r Éx 15:1
s 1Sa 16:13
2Sa 22:3
t Sl 20:6
Heb 5:7
u Nú 23:20
Dt 9:29
v Dt 32:11
Sl 78:71
Isa 40:11

CAP. 29
w 1Cr 16:28
Sl 96:7
Hab 3:3
x Sl 96:8

2.ª col.

a 2Cr 20:21
b Sl 18:13
c Hch 7:2
d 1Sa 7:10
Job 37:5
e Sl 93:4
Sl 104:3
f Job 26:11
Eze 10:5
g Job 40:9
h Isa 2:13
i Sl 114:4
Jer 4:24
j Dt 3:9
k Éx 19:18
Sl 77:18
Sl 114:5
Heb 12:18
l Isa 13:13
Heb 12:26
m Nú 13:26
n Job 39:1
o Isa 10:18
Eze 20:47
p Sl 48:9
Sl 63:2
Sl 134:1
Sl 135:2
q Gé 6:17
Job 38:25

Inclínense ante Jehová en
adorno santo.[a]

3 La voz de Jehová está sobre
las aguas;[b]
el glorioso Dios[c] mismo ha
tronado.[d]
Jehová está sobre muchas
aguas.[e]

4 La voz de Jehová es poderosa;[f]
la voz de Jehová es espléndida.[g]

5 La voz de Jehová está quebrando los cedros;
sí, Jehová hace pedazos los
cedros del Líbano.[h]

6 y los hace brincar como un
becerro,[i]
al Líbano y al Sirión[j] como
los hijos de toros sal-
vajes.

7 La voz de Jehová está tajando
con las llamas de fuego;[k]

8 la voz misma de Jehová hace
que el desierto se retuerza,[l]
Jehová hace que el desierto
de Qadés[m] se retuerza.

9 La voz misma de Jehová hace
que las ciervas se retuer-
zan con dolores de parto,[n]
y desnuda sus bosques.[o]
Y en su templo cada uno
está diciendo: "¡Gloria!".[p]

10 Sobre el diluvio Jehová se ha
sentado;[q]
y se sienta como rey
hasta tiempo indefinido.

11 Jehová mismo realmente dará
fuerza a su pueblo.[s]
Jehová mismo bendecirá a
su pueblo con paz.[t]

Melodía. Canción de inauguración
de la casa.[u] De David.

30 Te ensalzaré, oh Jehová,
porque tirando de mí
me has subido,[v]
y no has dejado que mis
enemigos se regocijen
sobre mí.[w]

2 Oh Jehová Dios mío, clamé a
ti por ayuda, y procediste
a sanarme.[x]

---

r Sl 10:16; 1Ti 1:17; s Sl 28:9; Isa 40:29; t Nú
6:26; Sl 72:7; Sl 147:14; Ro 15:33; 1Co 1:3;
CAP. 30 u 2Sa 5:11; v Sl 28:9; w Sl 25:2; Sl
41:11; x Gé 20:17; Éx 15:26; 2Re 20:5; Sl 6:2; Sl
103:3.

3 Oh Jehová, has hecho subir
mi alma del Seol mismo;[a]
me has mantenido vivo,
para que no baje al hoyo.[b]
4 Celebren con melodía a Jehová, oh los que le son
leales,[c]
den gracias a su santa mención conmemorativa;[d]
5 porque estar bajo su cólera es
por un momento,[e]
estar bajo su buena voluntad es por toda la vida.[f]
Al atardecer puede alojarse
el llanto,[g] pero a la mañana hay un clamor go-
zoso.[h]
6 En cuanto a mí, he dicho en
mi desahogo:[i]
"Nunca se me hará tamba-
lear".[j]
7 Oh Jehová, en tu buena voluntad has hecho que
mi montaña subsista en
fuerza.[k]
Ocultaste tu rostro; quedé
perturbado.[l]
8 A ti, oh Jehová, seguí clamando;[m]
y a Jehová seguí rogando
por favor.[n]
9 ¿Qué provecho hay en mi sangre cuando yo baje al
hoyo?[o]
¿Te elogiará el polvo?[p] ¿Informará de tu apego a la
verdad?[q]
10 Oye, oh Jehová, y muéstrame
favor.[r]
Oh Jehová, resulta ser mi
ayudador.[s]
11 Has cambiado mi duelo en
danza para mí;[t]
has soltado mi saco, y me
mantienes ceñido de re-
gocijo,[u]
12 a fin de que [mi] gloria te celebre con melodía y no
guarde silencio.[v]
Oh Jehová Dios mío, hasta
tiempo indefinido cierta-
mente te elogiaré.[w]

Al director. Melodía de David.

31 En ti, oh Jehová, me he refugiado.[x]
Oh, que nunca sea yo
avergonzado.[y]

En tu justicia provéeme
escape.[a]
2 Inclina a mí tu oído.[b]
Líbrame rápidamente.[c]
Hazte para mí una fortaleza
rocosa,[d]
una casa de fortalezas para
salvarme.[e]
3 Porque tú eres mi peñasco y
mi fortaleza;[f]
y por causa de tu nombre[g]
me guiarás y me conduci-
rás.[h]
4 Me sacarás de la red que me
han escondido,[i]
porque tú eres mi plaza
fuerte.[j]
5 En tu mano encomiendo mi
espíritu.[k]
Me has redimido,[l] oh Jehová el Dios de la verdad.[m]
6 De veras odio a los que rinden respeto a ídolos va-
nos, inútiles;[n]
pero en cuanto a mí, en
Jehová de veras confío.[o]
7 Ciertamente estaré gozoso y
me regocijaré en tu bon-
dad amorosa,[p]
puesto que has visto mi
aflicción;[q]
has sabido acerca de las angustias de mi alma,[r]
8 y no me has entregado en la
mano del enemigo.[s]
Has hecho que mis pies estén plantados en un lugar
espacioso.[t]
9 Muéstrame favor, oh Jehová,
porque estoy en grave
aprieto.[u]
De la irritación [de que soy
objeto] mi ojo se ha de-
bilitado,[v] mi alma y mi
vientre.[w]
10 Porque con desconsuelo se ha
acabado mi vida,[x]
y mis años en suspirar.[y]
A causa de mi error mi poder
ha tropezado,[z]
y mis huesos mismos se
han debilitado.[a]
11 Desde el punto de vista de todos los que me muestran

CAP. 30
a Sl 16:10
Sl 86:13
Heb 2:31
b Sl 28:1
Isa 38:17
Jon 2:6
c 1Cr 16:4
Sl 32:11
Sl 145:10
d Éx 3:15
Sl 97:12
e Isa 12:1
Isa 54:8
2Co 4:17
f Sl 63:3
Sl 6:6
h Sl 126:5
i Job 29:18
j Sl 15:5
Sl 16:8
k 2Sa 5:12
Sl 89:17
l Job 34:29
Sl 10:1
Sl 143:7
m Sl 34:6
Sl 77:1
n Flp 4:6
o Sl 28:1
p Sl 6:5
Sl 88:11
Sl 115:17
Ec 9:10
q Isa 38:18
r Sl 143:1
s Sl 28:7
Sl 54:4
t 2Sa 6:14
Ec 3:4
Jer 31:4
u Isa 61:3
v Sl 16:9
Sl 57:8
w Sl 9:1

CAP. 31
x Sl 18:2
y Sl 22:5
Sl 49:23
Ro 5:5
Ro 10:11

2.ᵃ col.
a Sl 143:1
b Sl 71:2
Sl 130:2
c Sl 40:17
Sl 70:1
Lu 18:3
d 2Sa 22:3
Sl 18:2
Sl 44:22
e Sl 71:3
f 2Sa 22:2
g Sl 25:11
Jer 14:7
h Sl 23:3
i Sl 25:15
Sl 91:3
Mt 6:13
j Pr 18:10
k Lu 23:46
Hch 7:59
l Sl 71:23
m Dt 32:4
Heb 6:18
n Jer 10:8
Jon 2:8
1Co 8:4
o Sl 25:2
p Sl 13:5
q Sl 9:13

---

r Sl 142:3; 1Co 8:3; Gál 4:9; s Dt 32:30; 1Sa
17:46; t Sl 4:1; Sl 18:19; u Pr 14:10; v Job 17:7;
Sl 6:7; Sl 88:9; w Sl 6:2; Sl 22:14; x Sl 88:15; Pr
15:13; y Sl 71:9; z Sl 106:43; a Sl 32:3; Sl 102:3.

hostilidad[a] he llegado a ser un oprobio,[b]

y a mis vecinos en gran manera,[c]

y un pavor a mis conocidos.[d]

Al verme fuera, han huido de mí.[e]

12 Como alguien muerto [y] no en el corazón, he sido olvidado;[f]

he llegado a ser como un vaso dañado;[g]

13 porque he oído el mal informe [dado] por muchos,[h]

y hay espanto por todos lados.[i]

Cuando se juntan en masa como uno contra mí,[j]

es para quitarme mi alma para lo que de veras traman.[k]

14 Pero yo... en ti he cifrado mi confianza, oh Jehová.

He dicho: "Tú eres mi Dios".[m]

15 Mis tiempos están en tu mano.[n]

Líbrame de la mano de mis enemigos y de los que siguen tras de mí.[o]

16 De veras haz brillar tu rostro sobre tu siervo.[p]

Sálvame en tu bondad amorosa.[q]

17 Oh Jehová, no sea yo avergonzado, pues te he invocado.[r]

Sean avergonzados los inicuos;[s]

guarden silencio en el Seol.[t]

18 Enmudezcan los labios falsos,[u]

que están hablando contra el justo,[v] desenfrenadamente en altivez y desprecio.[w]

19 ¡Cuán abundante es tu bondad,[x] que has guardado cual tesoro para los que te temen!,[y]

[que] has proporcionado a los que se refugian en ti, enfrente de los hijos de los hombres.[z]

20 Los ocultarás en el lugar secreto de tu persona[a] de la coligación de los hombres.[b]

Los esconderás en tu cabaña del reñir de las lenguas.[a]

21 Bendito sea Jehová,[b] porque me ha proporcionado maravillosa bondad amorosa[c] en una ciudad bajo tensión.[d]

22 En cuanto a mí, dije cuando me llené de pánico:[e] "Ciertamente seré exterminado de enfrente de tus ojos".[f]

De seguro has oído la voz de mis ruegos cuando clamé a ti por ayuda.[g]

23 Oh, amen a Jehová, todos ustedes que le son leales.[h]

A los fieles Jehová los está salvaguardando,[i]

pero está pagando en sumo grado a cualquiera que muestra altivez.[j]

24 Sean animosos, y sea fuerte su corazón,[k]

todos ustedes los que esperan a Jehová.[l]

De David. Maskil.

32 Feliz es aquel cuya sublevación le es perdonada, cuyo pecado le es cubierto.[m]

2 Feliz es el hombre en cuya cuenta Jehová no imputa error,[n]

y en cuyo espíritu no hay engaño.[o]

3 Cuando me quedé callado, se me gastaron los huesos por mi gemir todo el día.[p]

4 Porque día y noche tu mano estaba pesada sobre mí.[q]

La humedad de mi vida se ha cambiado como en el calor seco del verano.[r]

Sélah.

5 Por fin te confesé mi pecado, y no encubrí mi error.[s]

Dije: "Haré confesión acerca de mis transgresiones a Jehová".[t]

CAP. 31
a Sl 6:7; Mt 10:22; Mt 24:9; Lu 21:17
b Sl 22:6; Sl 42:10; Sl 102:8; Isa 53:4; Ro 15:3; 1Pe 4:14
c Job 19:13; Sl 38:11
d Sl 88:8
e Mt 26:56; 2Ti 4:16
f Ro 9:22
g Jer 20:10; Lu 23:2
h Sl 57:4; Jer 6:25
i Lu 22:2; Lu 23:1
k Mt 27:1; 1Sl 56:4
m Sl 16:2; Sl 43:5; Jn 20:17
n 2Sa 7:12; Lu2 22:6
o Núm 6:25; Sl 67:1; Sl 80:3; Ro 9:15
q Sl 6:4
r Sl 25:2; Sl 69:6; Isa 50:7; Mt 27:46
s Ne 4:4; Ne 6:16; Sl 6:10; Isa 41:11; Jer 20:11
t Isa 2:9; Sl 115:17; Ec 9:5
u Sl 12:3; 2Cr 32:16; Mt 10:25; Hch 25:7
w Sl 94:4
x Sl 73:1; Isa 63:7; Isa 64:4; 1Co 2:9
z Sl 126:2; San 26:12
a Sl 27:5; Sl 32:7; Hch 3:19
b Sl 86:14

2.ª col.
a Sl 64:3
b Rut 4:14; 1Sa 25:39; Sl 68:19; Lu 1:68
c Sl 27:14; Pr 15:29; Heb 5:7
h Dt 10:12; Dt 30:20; Dt 34:9
i 1Sa 2:9; Sl 145:20
j 2Sa 22:28; Job 40:11; Sl 94:2; Isa 2:11; Snt 4:6; 1Pe 5:5; k Sl 27:14; Isa 35:4; 1Cé 49:18; Sl 62:1; Sl 71:14; Lam 3:21; Miq 7:7; Tit 2:13; CAP. 32 m Sl 85:2; Isa 1:18; Hch 3:19; Ro 4:7; n Le 17:4; Ro 5:13; 2Co 5:19; o Jn 1:47; p Pr 28:13; q Sl 38:2; r Job 30:30; Sl 63:1; Sl 102:3; s Sl 38:18; Sl 51:4; 1Jn 1:9; t Le 5:5; 2Sa 12:13; 2Cr 30:22; Sl 38:18; Sl 41:4; Mt 3:6.

Y tú mismo perdonaste el error de mis pecados.[a]
Sélah.

6 Debido a esto, todo el que es leal te orará[b]
tan sólo en el tiempo que se te pueda hallar.[c]
En cuanto a la inundación de muchas aguas, no lo tocarán a él mismo.[d]

7 Tú eres un escondrijo para mí; me salvaguardarás de la angustia misma.[e]
Me cercarás con gritos de gozo al proveer escape.[f]
Sélah.

8 "Te haré tener perspicacia, y te instruiré en el camino en que debes ir.[g]
Ciertamente daré consejo con mi ojo sobre ti.[h]

9 No se hagan como un caballo o mulo sin entendimiento,[i]
cuya fogosidad ha de reprimirse hasta por un freno o cabestro[j]
antes que se acerquen a ti."[k]

10 Son muchos los dolores que tiene el inicuo;[l]
pero en cuanto al que confía en Jehová, la bondad amorosa misma lo cerca.[m]

11 Regocíjense en Jehová y estén gozosos, ustedes los justos;[n]
y clamen gozosamente, todos ustedes los que son rectos de corazón.[o]

33 Clamen gozosamente, oh justos, a causa de Jehová.[p]
De parte de los rectos la alabanza es propia.[q]

2 Den gracias a Jehová con el arpa;[r]
con un instrumento de diez cuerdas[s] prodúzcanle melodía.

3 Cántenle una canción nueva;[t]
esmérense en tocar las cuerdas junto con gozoso gritar.[u]

4 Porque la palabra de Jehová es recta,[v]
y toda su obra es en fidelidad.[w]

5 Él es amador de justicia y derecho.[a]
De la bondad amorosa de Jehová está llena la tierra.[b]

6 Por la palabra de Jehová los cielos mismos fueron hechos,[c]
y por el espíritu de su boca todo el ejército de ellos.[d]

7 Él está reuniendo como por una presa las aguas del mar,[e]
poniendo en almacenes las aguas agitadas.

8 Teman a Jehová [los de] toda la tierra.[f]
Ante él atemorícense[g] todos los habitantes de la tierra productiva.

9 Porque él mismo dijo, y llegó a ser;[h]
él mismo mandó, y así procedió a presentarse.[i]

10 Jehová mismo ha desbaratado el consejo de las naciones;[j]
ha frustrado los pensamientos de los pueblos.[k]

11 Hasta tiempo indefinido el mismísimo consejo de Jehová subsistirá;[l]
los pensamientos de su corazón duran hasta una generación tras otra generación.[m]

12 Feliz es la nación cuyo Dios es Jehová,[n]
el pueblo a quien él ha escogido por herencia suya.[o]

13 Desde los cielos Jehová ha mirado,[p]
ha visto a todos los hijos de los hombres.[q]

14 Desde el lugar establecido donde él mora[r]
ha mirado con fijeza a todos los que moran en la tierra.

15 Está formando sus corazones todos juntamente;[s]
está considerando todas las obras de ellos.[t]

CAP. 32
a Sl 86:5
Sl 103:3
Isa 44:22
Os 14:2
Lu 7:47
b Sl 65:2
2Co 1:3
c Sl 69:13
Isa 55:6
d Sl 124:4
Rev 12:16
e Sl 9:9
Sl 27:5
Sl 119:114
f Éx 15:1
Jue 5:1
2Sa 22:1
g Sl 27:11
Sl 86:11
Jer 7:23
h Pr 3:6
i Job 35:11
Pr 26:3
Jer 8:6
j Jer 31:18
Snt 3:3
k Job 35:11
1Pr 131:21
Ro 2:9
m Sl 34:8
Pr 16:20
Pr 17:7
n Sl 68:3
o Sl 64:10

CAP. 33
p Sl 32:11
Sl 97:12
Flp 4:4
q Sl 147:1
r Sl 81:2
s Sl 92:3
Sl 144:9
t Sl 40:3
Sl 98:1
Sl 149:1
Isa 42:10
Rev 5:9
u 1Cr 13:8
Ef 5:19
v Sl 12:6
Pr 30:5
w Sl 111:7

2.ª col.
a Job 37:23
Sl 11:7
Sl 45:7
b Sl 145:16
Hch 14:17
c Heb 11:3
2Pe 3:5
d Gé 2:1
Sl 104:30
e Gé 1:9
Job 26:10
Job 38:8
Pr 8:29
Jer 5:22
f Rev 14:7
g Sl 76:7
h Gé 1:3
Sl 148:5
i Sl 119:90
j Isa 8:10
Isa 19:3
k Sl 21:11
Sl 140:8
l Job 23:13
Pr 19:21
Isa 46:10

m Sl 92:5; Isa 55:8; Jer 29:11; n Dt 33:29; Sl 144:15; o Sl 65:4; Sl 135:4; 1Pe 2:9; p Sl 11:4; Sl 14:2; Pr 15:3; q Heb 4:13; r 1Re 8:30; Sl 115:3; s 1Cr 28:9; Sl 105:25; t Job 34:21; Pr 24:12.

16 No hay rey que sea salvo por la
   abundancia de las fuerzas militares;[a]
   un hombre poderoso mismo no se libra por la
   abundancia de pujanza.[b]
17 El caballo es un engaño para
   la salvación,[c]
   y por la abundancia de su
   energía vital no depara
   escape.[d]
18 ¡Miren! El ojo de Jehová está
   hacia los que le temen,[e]
   hacia los que esperan su
   bondad amorosa,[f]
19 para librar el alma de ellos de
   la muerte misma,[g]
   y para conservarlos vivos
   en [tiempos de] hambre.[h]
20 Nuestra mismísima alma ha
   estado en expectación de
   Jehová.[i]
   Nuestro ayudador y nuestro escudo es él.[j]
21 Porque en él se regocija nuestro corazón;[k]
   pues en su santo nombre
   hemos cifrado nuestra
   confianza.[l]
22 Que tu bondad amorosa, oh
   Jehová, resulte estar sobre nosotros,[m]
   aun como nosotros hemos
   seguido esperándote.[n]

De David, en la ocasión en que
disfrazó su cordura[o] ante Abimélec,
de modo que este lo expulsó, y él se
fue.

34 א [*Á·lef*]
   Ciertamente bendeciré a
   Jehová en todo tiem-
   po;[p]
   constantemente estará
   su alabanza en mi
   boca.[q]

ב [*Behth*]

2 En Jehová se jactará[r] mi alma;
   los mansos oirán y se regocijarán.[s]

ג [*Guí·mel*]

3 Oh, engrandezcan ustedes a
   Jehová conmigo,[t]
   y juntos ensalcemos su
   nombre.[u]

CAP. 33
a Jos 11:6
   2Cr 32:21
b Sl 44:5
   Jer 9:23
c Dt 17:16
   2Re 7:7
   Sl 20:7
   Pr 21:31
   Isa 31:1
   Os 14:3
d Sl 147:10
e Job 36:7
   Sl 34:15
   1Pe 3:12
f Sl 147:11
   Sl 56:13
g Sl 37:19
   Isa 33:16
   Sl 62:1
   Sl 130:6
j Gé 15:1
   Dt 33:29
   Sl 18:2
   Sl 115:9
k Sl 13:5
   Zac 10:7
l 1Cr 16:10
   Sl 28:7
   Pr 18:10
m Sl 32:10
   Sl 119:76
n Sl 31:24
   Miq 7:7

CAP. 34
o 1Sa 21:13
p Hch 16:25
   Ef 5:20
q Sl 44:8
   Sl 71:8
r Isa 45:25
   Jer 9:24
   1Co 1:31
s Sl 119:74
   Sl 35:27
   Sl 69:30
   Lu 1:46
u Sl 148:13

2.ª col.
a Lu 11:9
   Heb 5:7
b Sl 18:48
   Sl 144:10
c 2Co 3:18
d Sl 37:19
e Sl 3:4
   Sl 10:17
f 2Sa 22:1
g 2Re 6:17
   Sl 91:11
   Mt 18:10
   Hch 5:19
   Hch 12:11
   Heb 1:14
h 2Re 19:35
   Da 6:22
i Jer 31:14
   1Pe 2:3
j Sl 84:12
   Sl 94:22
k Gé 22:12
   Sl 19:9
   Os 3:5
l Sl 23:1
   Flp 4:19
m Job 4:11
n Sl 23:6
   Sl 84:11
   Lu 1:53
o Pr 4:1

ד [*Dá·leth*]

4 Inquirí de Jehová, y él me
   contestó,[a]
   y de todos mis sustos él me
   libró.[b]

ה [*He'*]

5 Ellos miraron hacia él y quedaron radiantes,[c]
   y sus rostros mismos de
   ninguna manera podían
   avergonzarse.[d]

ז [*Zá·yin*]

6 Este afligido llamó, y Jehová
   mismo oyó,[e]
   y de todas sus angustias Él
   lo salvó.[f]

ח [*Jehth*]

7 El ángel de Jehová está acampando todo en derredor
   de los que le temen,[g]
   y los libra.[h]

ט [*Tehth*]

8 Gusten y vean que Jehová es
   bueno;[i]
   feliz es el hombre físicamente capacitado que se
   refugia en él.[j]

י [*Yohdh*]

9 Teman a Jehová, ustedes sus
   santos,[k]
   porque nada les falta a los
   que le temen.[l]

כ [*Kaf*]

10 Los mismos leoncillos crinados han tenido poco a
   la mano y han padecido
   hambre;[m]
   pero en cuanto a los que
   buscan a Jehová, no les
   faltará ninguna cosa buena.[n]

ל [*Lá·medh*]

11 Vengan, hijos, escúchenme;[o]
   el temor de Jehová es lo que
   les enseñaré.[p]

---

p Job 28:28; Sl 111:10; Pr 1:7; Pr 8:13.

ם [Mem]

12 ¿Quién es el hombre que está
deleitándose en la vida,[a]
que está amando suficien-
tes días para ver lo que es
bueno?[b]

נ [Nun]

13 Salvaguarda tu lengua contra
lo que es malo,[c]
y tus labios contra el hablar
engaño.[d]

ס [Sá·mekj]

14 Apártate de lo que es malo, y
haz lo que es bueno;[e]
procura hallar la paz, y sigue tras ella.[f]

ע ['Á·yin]

15 Los ojos de Jehová están hacia
los justos,[g]
y sus oídos están hacia su
clamor por ayuda.[h]

פ [Pe']

16 El rostro de Jehová está contra los que hacen lo que
es malo,[i]
para cortar la mención de
ellos de la tierra misma.[j]

צ [Tsa·dhéh]

17 Clamaron, y Jehová mismo
oyó,[k]
y de todas sus angustias los
libró.[l]

ק [Qohf]

18 Jehová está cerca de los que
están quebrantados de
corazón;[m]
y salva a los que están
aplastados en espíritu.[n]

ר [Rehsch]

19 Son muchas las calamidades
del justo,[o]
pero de todas ellas lo libra
Jehová.[p]

ש [Schin]

20 Él está guardando todos los
huesos de aquel;
ni siquiera uno de ellos ha
sido quebrado.[q]

ת [Taw]

21 La calamidad dará muerte al
inicuo mismo;[a]
y a los mismísimos que
odian al justo se los tendrá por culpables.[b]

22 Jehová está redimiendo el
alma de sus siervos;[c]
y ninguno de los que se refugian en él será tenido
por culpable.[d]

De David.

35 De veras conduce mi causa,
oh Jehová, contra mis
contrarios;[e]
guerrea contra los que
guerrean contra mí.[f]

2 Echa mano al broquel y al escudo grande,[g]
y levántate, sí, en mi auxilio,[h]

3 y saca la lanza y el hacha doble para encontrarte con
los que tras mí siguen.[i]
Di a mi alma: "Yo soy tu
salvación".[j]

4 Sean avergonzados y humillados los que andan en
busca de mi alma.[k]
Sean vueltos atrás y que-
den corridos los que es-
tán tramando calamidad
para mí.[l]

5 Lleguen a ser como el tamo
delante del viento,[m]
y que el ángel de Jehová
[los] vaya empujando.[n]

6 Llegue a ser su camino oscuridad y lugares resbalo-
sos,[o]
y que el ángel de Jehová
vaya siguiendo tras de
ellos.

7 Porque sin causa tienen escondido para mí su hoyo
arreglado con red;[p]
sin causa lo han cavado
para mi alma.[q]

8 Venga sobre él la ruina sin que
lo sepa,[r]

CAP. 34

a Dt 6:2
  Dt 30:20
  Sl 21:4
  Sl 91:16
b Mt 7:14
  1Pe 3:10
  Sl 4:6
  Ec 2:3
c Sl 39:1
  Pr 15:4
  Snt 1:26
  Snt 3:8
d Pr 12:19
  Pr 13:22
  Col 3:9
  1Pe 2:1
e Sl 37:27
  Sl 97:10
  Pr 3:7
  Isa 1:16
  Am 5:15
f Mt 5:9
  Ro 12:18
  1Pe 3:11
g Job 36:7
  Sl 33:18
  1Pe 3:12
h Sl 10:17
  Sl 18:6
  Sl 94:9
  Isa 59:1
i Le 17:10
  Jer 44:11
  Eze 14:8
  Am 9:4
j Sl 10:16
  Sl 37:10
  Pr 10:7
  Isa 26:14
k Sl 30:2
  Sl 91:15
  Sl 145:18
l 2Cr 32:22
  Sl 91:15
  Hch 12:11
m Sl 147:3
  Isa 61:1
n Sl 51:17
  Isa 57:15
  Isa 66:2
  Lu 4:18
o Pr 24:16
  Hch 14:22
  2Ti 3:12
p Da 6:22
  1Co 10:13
q Jn 19:36

2.ª col.

a Sl 94:23
  Isa 3:11
b Sl 89:23
  Jn 7:7
c 1Re 1:29
  Sl 71:23
  Sl 103:4
  Lam 3:58
d Sl 9:10
  Sl 84:11

CAP. 35

e 1Sa 24:15
  Sl 43:1
  Sl 119:154
f Éx 14:25
  Jos 10:42
  Sl 3:7
g Éx 15:3
h Sl 33:20
  Isa 42:13
i 1Sa 23:26
j Sl 62:7
  Isa 12:2

---

k Sl 40:14; Sl 70:2; Jer 17:18; l Sl 35:26; m Sl
1:4; Isa 17:13; Os 13:3; Mt 3:12; n Éx 14:19; Isa
37:36; Hch 12:23; o Sl 73:18; Pr 4:19; Jer 23:12;
p Sl 140:5; q Sl 119:85; r Pr 29:1.

y préndalo su propia red
que escondió;[a]
con ruina caiga él en ella.[b]

9 Pero que mi propia alma esté
gozosa en Jehová;[c]
que se alboroce en su salvación.[d]

10 Que todos mis huesos mismos digan:[e]
"Oh Jehová, ¿quién hay
como tú,[f]
que libras al afligido de uno
que es más fuerte que él,[g]
y al afligido y pobre del que
lo roba?".[h]

11 Testigos violentos se levantan;[i]
lo que no he sabido me pre-
guntan.[j]

12 Me pagan con mal por bien,[k]
privación para mi alma.[l]

13 En cuanto a mí, cuando ellos
enfermaron, mi ropa era
saco,[m]
con ayuno afligí mi alma,[n]
y sobre mi seno mi propia
oración se volvía.[o]

14 En cuanto a un compañero,
en cuanto a un hermano
mío,[p]
anduve de acá para allá
como uno que está de
duelo por una madre.[q]
Entristecido, me incliné.

15 Pero ante mi cojear ellos se
regocijaron y se reunie-
ron;[r]
se reunieron contra mí,[s]
derribándo[me] cuando yo no
lo sabía;[t]
[me] desgarraron y no se
quedaron callados.[u]

16 Entre los apóstatas que se
mofan por una torta[v]
hubo un crujir de sus dientes aun contra mí.[w]

17 Oh Jehová, ¿hasta cuándo seguirás viendo [esto]?[x]
Trae de vuelta mi alma, sí,
de sus estragos,[y]
aun a mi única[z] de los leoncillos crinados.

18 Ciertamente te elogiaré en la
congregación grande;[a]
entre un pueblo numeroso
te alabaré.[b]

19 Oh, que no se regocijen sobre
mí los que sin motivo al-
guno son mis enemigos;[a]
en cuanto a los que me
odian sin causa, que no
guiñen el ojo.[b]

20 Porque no es paz lo que ellos
hablan;[c]
antes bien, contra los quietos de la tierra
cosas de engaño siguen tramando.[d]

21 Y abren ancha la boca aun
contra mí.
Han dicho: "¡Ajá! ¡Ajá!,
nuestro ojo [lo] ha visto".[f]

22 Tú has visto, oh Jehová.[g] No
te quedes callado.[h]
Oh Jehová, no te manten-
gas lejos de mí.[i]

23 Levántate, sí, y despierta
[para atender] a mi jui-
cio,[j]
oh Dios mío, aun Jehová, a
mi litigio.[k]

24 Júzgame conforme a tu justicia, oh Jehová Dios mío,[l]
y que no se regocijen ellos
sobre mí.[m]

25 Oh, que no digan ellos en su
corazón: "¡Ajá, nuestra
alma!".[n]
Que no digan: "Lo hemos
tragado".[o]

26 Sean avergonzados y queden
corridos todos juntos[p]
los que están gozosos a causa de mi calamidad.
Sean vestidos de vergüen-
za[r] y humillación los que
se dan grandes ínfulas
contra mí.[s]

27 Clamen gozosamente y rego-
cijense los que se delei-
tan en mi justicia,[t]
y digan constantemente:[u]
"Sea engrandecido Jehová,
que se deleita en la paz de
su siervo".[v]

28 Y que mi propia lengua profie-
ra en voz baja tu justi-
cia,[w]
todo el día tu alabanza.[x]

CAP. 35

a Sl 7:15
Sl 9:15
Sl 57:6
Sl 141:10
b Est 7:10
Sl 69:22
Ro 11:9
c 1Sa 2:1
Hab 3:18
d Sl 13:5
Sl 21:1
e Sl 22:14
f Éx 15:11
Sl 71:19
g Sl 18:17
Sl 37:40
h Sl 40:17
Pr 22:23
i Sl 27:12
Mt 26:59
j Hch 6:13
k 1Sa 19:5
Sl 38:20
Sl 109:5
Jer 18:20
Jn 10:32
Jn 18:23
l 1Sa 20:33
m Job 30:25
Sl 69:11
n Le 16:31
1Re 21:27
Isa 58:3
o Lu 10:6
p 2Sa 1:17
q Gé 24:67
r Pr 17:5
s Sl 71:10
t Mt 27:30
u Mt 27:29
v Jn 18:28
w Job 16:9
Sl 37:12
Hch 7:54
x Hab 1:13
y Sl 69:14
Sl 142:6
z Sl 22:20
Sl 57:4
a Sl 22:22
Sl 40:9
Sl 111:1
Heb 2:12
b Ro 15:9

___

2.ᵃ col.

a Sl 25:2
b Sl 69:4
Pr 6:13
Jn 15:25
c Mt 26:4
d Sl 31:13
Jer 11:19
Mt 12:24
1Pe 2:22
e Sl 22:13
f Sl 70:3
g Éx 3:7
Hch 7:34
h Sl 28:1
Sl 50:21
Sl 83:1
i Sl 10:1
Sl 71:12
j Sl 44:23
k Sl 119:154
l Sl 7:8
Sl 26:1
Sl 96:13
Isa 11:4
m Sl 13:4
n Sl 70:3

o Sl 27:12; Sl 41:2; Sl 56:1; p Sl 40:14; q Jn 16:20; r Sl 132:18; Sl 38:16; t Ro 12:15; 1Co 12:26; u Sl 70:4; v Sl 84:11; Sl 149:4; w Sl 51:14; x Sl 71:24; Sl 145:2.

Al director.
Del siervo de Jehová, David.

36 La expresión de transgresión, al inicuo, está en medio de su corazón;[a] no hay pavor de Dios enfrente de sus ojos.[b]

2 Porque ha sido demasiado meloso para consigo mismo a sus propios ojos[c] para descubrir su error de modo que [lo] odie.[d]

3 Las palabras de su boca son nocividad y engaño;[e] ha cesado de tener perspicacia para hacer el bien.[f]

4 Nocividad es lo que sigue tramando sobre su cama.[g] Se aposta en un camino que no es bueno.[h] Lo que es malo no rechaza.[i]

5 Oh Jehová, tu bondad amorosa está en los cielos;[j] tu fidelidad llega hasta las nubes.[k]

6 Tu justicia es como montañas de Dios;[l] tu decisión judicial es una vasta profundidad acuosa.[m] A hombre y bestia salvas, oh Jehová.[n]

7 ¡Cuán preciosa es tu bondad amorosa, oh Dios![o] Y en la sombra de tus alas los hijos de los hombres mismos se refugian.[p]

8 Beben hasta saciarse de la grosura de tu casa;[q] y del torrente de tus placeres les haces beber.[r]

9 Porque contigo está la fuente de la vida;[s] por luz de ti podemos ver luz.[t]

10 Continúa tu bondad amorosa a los que te conocen,[u] y tu justicia a los rectos de corazón.[v]

11 Oh, no venga [contra] mí el pie de la altivez;[w] en cuanto a la mano de gente inicua, no haga de mí un errante.[x]

12 Allí han caído los practicantes de la nocividad;[y] los han echado abajo a empujones y no han podido levantarse.[z]

De David.

א [_'Á·lef_]

37 No te muestres acalorado a causa de los malhechores.[a] No envidies a los que hacen injusticia.[b]

2 Porque, como hierba, rápidamente se marchitarán,[c] y como hierba verde nueva se desvanecerán.[d]

ב [_Behth_]

3 Confía en Jehová y haz el bien;[e] reside en la tierra, y [en todo] trata con fidelidad.[f]

4 También deléitate exquisitamente en Jehová,[g] y él te dará las peticiones de tu corazón.[h]

ג [_Guí·mel_]

5 Haz rodar sobre Jehová tu camino,[i] y fíate de él,[j] y él mismo obrará.[k]

6 Y ciertamente hará salir tu justicia como la luz misma,[l] y tu derecho como el mediodía.[m]

ד [_Dá·leth_]

7 Guarda silencio delante de Jehová[n] y espéralo con anhelo.[o] No te muestres acalorado a causa de ninguno que esté logrando éxito en su camino,[p] a causa del hombre que esté llevando a cabo [sus] ideas.[p]

ה [_He'_]

8 Depón la cólera y deja la furia;[r] no te muestres acalorado solo para hacer mal.[s]

9 Porque los malhechores mismos serán cortados,[t] pero los que esperan en Je-

---

CAP. 36

a Pr 6:18
b Gé 20:11
　Ro 3:18
c Dt 29:19
　Sl 10:3
d Sl 97:10
　Am 5:15
e Sl 5:9
　Sl 12:2
f Jer 4:22
g Pr 4:16
　Miq 2:1
h Isa 65:2
i Ro 1:32
j Sl 57:10
　Sl 103:11
k Sl 89:2
　Sl 108:4
l Sl 71:19
m Ro 11:33
　Sl 145:9
　Sl 147:9
n Pr 4:10
o Sl 31:19
　Miq 7:18
p Rut 2:12
　Sl 17:8
　Sl 91:4
q Sl 65:4
　Jer 31:14
　Zac 9:17
r Sl 16:11
s Job 33:4
　Jer 2:13
　Hch 17:28
　Rev 4:11
t Job 29:3
　Sl 27:1
　Sl 43:3
　Isa 2:5
　3Co 4:6
　Snt 1:17
　1Pe 2:9
u Sl 103:17
　Jer 22:16
v Sl 7:10
　Sl 94:15
　Sl 97:11
w Sl 10:2
x Sl 16:8
y Sl 58:10
　1Te 1:8
z Sl 1:5
　Jer 51:64

2.ª col.

CAP. 37

a Sl 37:7
　Pr 24:19
b Sl 73:3
　Pr 3:31
　Pr 23:17
c Sl 73:19
　Sl 90:6
　Sl 129:6
d Sl 1:10
　1Pe 1:24
e Sl 4:5
　Isa 1:17
　Isa 50:10
　Heb 13:16
f Pr 28:20
g Isa 58:14
h Sl 21:2
i Sl 55:22
　Pr 16:3
j Mt 6:33
　Flp 4:6
　1Pe 5:7

k Ec 9:1; Lam 3:37; Snt 4:15; l Miq 7:9; m Mal 3:18; Mt 7:2; n Sl 62:1; Lam 3:26; o Sl 27:14; p Job 21:7; Sl 73:3; Jer 12:1; q Pr 19:21; Isa 10:13; r Pr 14:29; Pr 16:32; Ef 4:26; s Lu 9:54; t Job 27:14; Sl 55:23; 2Pe 2:9.

hová son los que poseerán la tierra.[a]

[*Waw*]

10 Y solo un poco más de tiempo,
   y el inicuo ya no será;[b]
   y ciertamente darás atención a su lugar, y él no será.[c]

11 Pero los mansos mismos poseerán la tierra,[d]
   y verdaderamente hallarán su deleite exquisito en la abundancia de paz.[e]

[*Záyin*]

12 El inicuo está maquinando contra el justo,[f]
   y contra él está crujiendo los dientes.[g]

13 Jehová mismo se reirá de él,[h]
   porque ciertamente ve que su día vendrá.[i]

ח [*Jehth*]

14 Los inicuos han desenvainado una espada misma, y han doblado su arco,[j]
   para hacer caer al afligido y pobre,[k]
   para degollar a los que son rectos en [su] camino.[l]

15 Su propia espada entrará en su corazón,[m]
   y sus propios arcos serán quebrados.[n]

ט [*Tehth*]

16 Mejor es lo poco del justo[o]
   que la abundancia de los muchos inicuos.[p]

17 Porque los mismísimos brazos de los inicuos serán quebrados,[q]
   pero Jehová estará sosteniendo a los justos.[r]

י [*Yohdh*]

18 Jehová está al tanto de los días de los exentos de falta,[s]
   y la mismísima herencia de ellos continuará aun hasta tiempo indefinido.[t]

19 No serán avergonzados en el tiempo de calamidad,[u]
   y en los días de hambre quedarán satisfechos.[v]

כ [*Kaf*]

20 Porque los inicuos mismos perecerán,[a]
   y los enemigos de Jehová serán como la preciosidad de prados;
   tienen que acabarse.[b] En humo tienen que acabarse.[c]

ל [*Lá·medh*]

21 El inicuo está pidiendo prestado y no paga,[d]
   pero el justo está mostrando favor y está haciendo regalos.[e]

22 Pues los que están siendo bendecidos por él poseerán ellos mismos la tierra,[f]
   pero aquellos contra quienes él invoca el mal serán cortados.[g]

מ [*Mem*]

23 Por Jehová los mismísimos pasos de un hombre físicamente capacitado han sido preparados,[h]
   y en su camino Él se deleita.[i]

24 Aunque caiga, no será arrojado abajo,[j]
   porque Jehová está sosteniendo su mano.[k]

נ [*Nun*]

25 Un joven era yo, también he envejecido,[l]
   y sin embargo no he visto a nadie justo dejado enteramente,[m]
   ni a su prole buscando pan.[n]

26 Todo el día él está mostrando favor y prestando,[o]
   y así es que su prole está en vías de recibir una bendición.[p]

ס [*Sá·mekj*]

27 Apártate de lo que es malo y haz lo que es bueno,[q]

CAP. 37

a Sl 25:13
  Sl 37:29
  Isa 57:13
  Isa 58:14
  Mt 5:5
b Job 24:24
  Heb 10:37
  1Pe 4:7
c 1Sa 25:39
  Job 7:10
  Sl 52:5
d Isa 45:18
  Mt 5:5
  Rev 21:3
e Sl 72:7
  Sl 119:165
  Isa 26:3
  Isa 48:18
  Flp 4:7
f 1Sa 18:21
  Mt 26:4
g Sl 35:16
h Sl 2:4
i 1Sa 26:10
  Jer 50:27
  Eze 21:25
j Sl 64:3
k Hab 1:13
l Hch 7:52
  Hch 12:2
  1Jn 3:12
m 2Sa 17:23
  Est 7:10
n Sl 7:15
  Sl 35:8
n Sl 46:9
  Miq 76:3
o Pr 16:8
  Pr 30:9
  1Ti 6:6
p Pr 15:16
  Ec 2:26
q Job 38:15
  Sl 10:15
r Sl 41:12
  Jud 24
s Sl 1:6
  2Ti 2:19
t Sl 16:11
  1Jn 2:25
u Ec 9:12
  Am 5:13
v Sl 33:19

2.ª col.

a Sl 92:9
  Pr 10:7
  2Pe 2:12
b Gé 19:29
c Sl 102:3
d Dt 28:12
  Pr 22:7
e Dt 15:11
  Job 31:16
  Sl 112:9
  Pr 14:21
  Pr 19:17
  2Ti 1:16
f Sl 37:9
g Sl 119:21
  Zac 5:4
h 1Sa 2:9
  Pr 16:9
i Pr 11:20
  Jer 9:24
j Sl 34:19
  Pr 24:16
k Sl 91:12
l Job 32:6
  Sl 71:18

m Jos 1:5; Sl 94:14; Mt 6:33; Heb 13:5; n Dt
24:19; Sl 25:13; Sl 112:2; Sl 145:15; Pr 10:3; Pr
13:22; o Dt 15:8; Sl 112:5; p Pr 20:7; q Sl 34:14;
Isa 1:17; 1Pe 3:11.

y por lo tanto reside hasta tiempo indefinido.[a]

28 Porque Jehová es amador de la justicia,[b]
y no dejará a los que le son leales.[c]

ע [Á-yin]

Hasta tiempo indefinido ciertamente serán guardados;[d]
pero en cuanto a la prole de los inicuos, esta en verdad será cortada.[e]
29 Los justos mismos poseerán la tierra,[f]
y residirán para siempre sobre ella.[g]

פ [Pe']

30 La boca del justo es la que profiere sabiduría en voz baja,[h]
y suya es la lengua que habla justamente.[i]
31 La ley de su Dios está en su corazón;[j]
sus pasos no vacilarán.[k]

צ [Tsa-dhéh]

32 El inicuo se mantiene alerta aguardando al justo,[l]
y procura darle muerte.[m]
33 En cuanto a Jehová, él no lo dejará a la mano de aquel,[n]
y no lo pronunciará inicuo cuando se le esté juzgando.[o]

ק [Qohf]

34 Espera en Jehová y guarda su camino,[p]
y él te ensalzará para tomar posesión de la tierra.[q]
Cuando los inicuos sean cortados, tú [lo] verás.[r]

ר [Rehsch]

35 He visto al inicuo hecho tirano[s]
y extendiéndose cual [árbol] frondoso en terreno nativo.[t]
36 Y sin embargo procedió a pasar, y allí no estaba;[u]
y seguí buscándolo, y no fue hallado.[v]

CAP. 37

a Pr 16:17
b Job 37:23
Sl 11:7
Sl 33:5
Jer 9:24
c 1Sa 2:9
2Sa 22:26
Pr 2:8
d Sl 97:10
e Job 27:14
Sl 21:10
Pr 2:22
f Dt 30:20
Sl 37:9
Pr 2:21
Mt 5:5
g Isa 66:22
Mt 25:46
Rev 21:3
h Jos 1:8
Sl 1:2
i Mt 12:35
Ef 4:29
Col 4:6
j Dt 6:6
Sl 40:8
Heb 8:10
k Sl 121:3
l Jer 20:10
Luc 6:7
m Sl 10:8
Lu 19:47
Hch 9:24
Sl 31:8
2Ti 4:17
2Pe 2:9
o Sl 109:31
p Sl 27:14
Pr 4:26
Pr 20:22
q Sl 37:22
Sl 52:6
Sl 91:8
s Est 5:11
t Job 21:7
u Éx 15:10
Hch 12:23
v Sl 37:10

2.ª col.

a Job 1:1
b Job 42:12
Job 42:16
Pr 28:10
Isa 32:18
c Sl 1:4
Sl 9:17
Sl 52:5
Pr 10:7
d 2Pe 2:9
e Sl 3:8
Isa 12:2
Jon 2:9
f Sl 9:9
Sl 46:1
Sl 91:15
Isa 33:2
g Isa 31:5
Isa 46:4
1Co 10:13
h Sl 17:13
Sl 40:17
i 1Cr 5:20
Sl 22:4
Da 3:17
Da 6:23

CAP. 38

j Sl 6:1
Heb 12:6
k Dt 9:19
Jer 10:24
l Job 6:4
Lam 3:12

ש [Schin]

37 Vigila al exento de culpa y mantén a la vista al recto,[a]
porque el futuro de [ese] hombre será pacífico.[b]
38 Pero los transgresores mismos ciertamente serán aniquilados juntos;[c]
el futuro de los inicuos verdaderamente será cortado.[d]

ת [Taw]

39 Y la salvación de los justos proviene de Jehová;[e]
él es su plaza fuerte en el tiempo de angustia.[f]
40 Y Jehová los ayudará y les proveerá escape.[g]
Les proveerá escape de los inicuos y los salvará,[h]
porque se han refugiado en él.[i]

Melodía de David, para hacer recordar.

38 Oh Jehová, en tu indignación no me censures,[j]
ni en tu furia me corrijas.[k]
2 Porque tus propias flechas se han hundido muy adentro en mí,[l]
y sobre mí tu mano ha bajado.[m]
3 No hay parte sana en mi carne a causa de tu denunciación.[n]
No hay paz en mis huesos debido a mi pecado.[o]
4 Porque mis propios errores han pasado sobre mi cabeza;[p]
como una carga pesada son demasiado pesados para mí.[q]
5 Mis heridas se han hecho hediondas, han supurado, a causa de mi tontedad.[r]
6 Me he desconcertado, me he inclinado hasta grado extremo;[s]

m Rut 1:13; Sl 32:4; n Sl 102:10; Isa 1:6; o Sl 6:2; Sl 31:10; Sl 41:4; Sl 51:8; p Esd 9:6; Sl 40:12; q Mt 11:28; r Pr 20:30; s Sl 35:14.

todo el día he andado triste.[a]

7 Porque mis lomos mismos se
han llenado de ardor,
y no hay parte sana en mi
carne.[b]

8 Me he entumecido y he quedado aplastado hasta
grado extremo;
he rugido por causa del gemido de mi corazón.

9 Oh Jehová, enfrente de ti está
todo mi deseo,
y de ti mi suspirar mismo
no ha sido ocultado.[d]

10 Mi propio corazón ha palpitado pesadamente, me ha
dejado mi poder,
y la luz de mis propios ojos
tampoco está conmigo.[e]

11 En cuanto a mis amadores y
mis compañeros, se que-
dan parados lejos de mi
plaga,[f]
y mis conocidos íntimos
mismos se han quedado
parados a distancia.[g]

12 Pero los que andan buscando
mi alma tienden tram-
pas,[h]
y los que están procurando
una calamidad para mí
han hablado de adversi-
dades,[i]
y siguen hablando engaños
entre dientes todo el día.[j]

13 En cuanto a mí, como alguien
sordo, no escuchaba;[k]
y como alguien mudo, no
abría la boca.[l]

14 Y llegué a ser como un hombre que no oía,
y en mi boca no hubo con-
traargumentos.

15 Porque en ti, oh Jehová, esperé;[m]
tú mismo procediste a responder, oh Jehová Dios
mío.[n]

16 Pues yo dije: "De otro modo se
regocijarían a causa de
mí;[o]
cuando mi pie se moviera
con inseguridad,[p] ciertamente se darían grandes
ínfulas contra mí".[q]

17 Porque estaba a punto de cojear,[r]

CAP. 38
a Job 30:28
b Sl 42:9
c Sl 38:3
c Job 3:24
Sl 22:1
Isa 59:11
d Ro 8:23
e Sl 6:7
Sl 88:9
f Job 19:13
Sl 31:11
g Lu 23:49
Sl 64:5
Sl 119:110
Lu 20:20
i 2Sa 16:7
Sl 62:4
j Sl 35:20
Pr 24:2
k 2Sa 16:11
l Sl 39:2
Sl 39:9
Am 5:13
1Pe 2:23
m 2Sa 16:12
Sl 39:7
Sl 123:2
n Sl 138:3
Sl 13:4
o Sl 35:24
Sl 35:26
p Sl 94:18
q Sl 35:26
r Sl 35:15
Jer 20:10

2.ᵃ col.

a Sl 77:2
b Sl 32:5
c Sl 51:3
d Sl 25:19
e Sl 35:19
Sl 69:4
f 1Sa 25:21
Sl 35:12
Jer 18:20
g 1Pe 3:13
1Jn 3:12
h Sl 22:11
Sl 35:22
Sl 40:13
j Sl 27:1
Sl 62:2
Isa 12:2

CAP. 39

k 1Cr 16:41
1Cr 25:1
l 1Re 2:4
Sl 34:13
Sl 119:9
Heb 2:1
1Pe 2:23
m Job 2:10
Sl 12:4
Pr 18:21
Snt 3:5
n Sl 141:3
Snt 1:26
Snt 3:2
o Col 4:5
p Sl 38:13
Mt 27:12
q Mt 7:6
r Jer 20:9
s Job 14:13
t Sl 89:47
Sl 90:12
Sl 119:84
u Job 14:1
v Sl 90:9
Snt 4:14

y mi dolor estaba enfrente
de mí constantemente.[a]

18 Porque procedí a informar
acerca de mi propio
error;[b]
empecé a inquietarme a
causa de mi pecado.[c]

19 Y mis enemigos que están
vivos se hicieron pode-
rosos,[d]
y los que me odian sin motivo alguno se hicieron
muchos.[e]

20 Y estuvieron pagándome con
mal por bien;[f]
siguieron resistiéndome en
cambio por haber ido yo
en pos de lo que es bue-
no.[g]

21 No me dejes, oh Jehová.
Oh Dios mío, no te mantengas lejos de mí.[h]

22 Ven de prisa, sí, en mi auxilio,[i]
oh Jehová, mi salvación.[j]

Al director de Jedutún.[k]
Melodía de David.

39 Yo dije: "Ciertamente
guardaré mis cami-
nos[l]
para no pecar con la len-
gua.[m]
Pondré un bozal, sí, como
guardia para mi pro-
pia boca,[n]
mientras esté alguien
inicuo enfrente de
mí".[o]

2 Me volví mudo con silencio;[p]
me quedé callado de lo que
es bueno,[q]
y el estar yo con dolor
fue puesto en extra-
ñamiento.

3 Mi corazón se acaloró dentro
de mí;[r]
durante mi suspirar el fuego siguió ardiendo.
Con mi lengua hablé:

4 "Hazme conocer, oh Jehová,
mi fin,[s]
y la medida de mis días... lo
que es,[t]
para yo sepa cuán tran-
sitorio soy.[u]

5 ¡Mira! Has hecho que mis días
sean solo unos cuantos;[v]
y la duración de mi vida es

como nada enfrente de ti.[a]

De seguro todo hombre terrestre, aunque firmemente plantado, no es nada salvo una exhalación.[b] *Sélah.*

6 De seguro en apariencia el hombre anda en derredor.[c]

De seguro se alborotan en vano.[d]

Uno amontona cosas y no sabe quién estará recogiéndolas.[e]

7 Y ahora, ¿qué he esperado, oh Jehová?

Mi expectación está vuelta hacia ti.[f]

8 De todas mis transgresiones líbrame.[g]

No me pongas por oprobio del insensato.[h]

9 Me quedé mudo;[i] no pude abrir la boca,[j]

porque tú mismo actuaste.[k]

10 Quita de sobre mí tu plaga.[l]

Debido a la hostilidad de tu mano, yo mismo me he acabado.[m]

11 Con censuras contra el error has corregido al hombre,[n]

y consumes sus cosas deseables tal como lo hace una polilla.[o]

De seguro todo hombre terrestre es una exhalación.[p] *Sélah.*

12 Oye mi oración, sí, oh Jehová, y a mi clamor por ayuda de veras presta oído.[q]

Ante mis lágrimas no guardes silencio.[r]

Porque solo soy residente forastero contigo,[s]

poblador lo mismo que todos mis antepasados.[t]

13 Retira de mí tu mirada, para que pueda alegrarme[u]

antes que me vaya y no sea".[v]

Al director. De David, melodía.

40 Solícitamente esperé en Jehová,[w]

y por lo tanto inclinó a mí [su oído] y oyó mi clamor por ayuda.[x]

---

2 También procedió a hacerme subir de un hoyo de rugidos,[a]

desde el cieno del sedimento.[b]

Entonces levantó mis pies sobre un peñasco;[c]

firmemente estableció mis pasos.[d]

3 Adicionalmente, puso en mi boca una canción nueva, alabanza a nuestro Dios.[e]

Muchos verán [esto] y temerán,[f]

y confiarán en Jehová.[g]

4 Feliz es el hombre físicamente capacitado que ha puesto a Jehová por confianza suya,[h]

y que no ha vuelto el rostro hacia gente desafiadora, ni hacia los que se apartan a mentiras.[i]

5 Muchas cosas has hecho tú mismo,[j]

oh Jehová Dios mío, aun tus maravillosas obras y tus pensamientos para con nosotros;[k]

no hay nadie que pueda ser comparado a ti.[l]

Si me inclinara a informar y hablar [de ellos],

han llegado a ser más numerosos de lo que yo pueda relatar.[m]

6 En sacrificio y ofrenda no te deleitaste;[n]

estos oídos míos los abriste.[o]

Ofrenda quemada y ofrenda por el pecado no pediste.[p]

7 En vista de eso, dije: "Aquí he venido,[q]

en el rollo del libro está escrito de mí.[r]

8 En hacer tu voluntad, oh Dios mío, me he deleitado,[s]

y tu ley está dentro de mis entrañas.[t]

9 He anunciado las buenas nuevas de la justicia en la congregación grande.[u]

CAP. 39

a Sl 90:4
b Sl 62:9
   Sl 144:4
c Ro 8:20
d Lu 12:19
e Job 27:17
   Sl 49:10
   Pr 13:22
   Ec 2:19
   Ec 4:8
   Lu 12:20
f Sl 38:15
g Sl 25:11
   Miq 7:19
h Sl 44:13
   Joe 2:17
i Le 10:3
   Job 40:4
j Sl 38:13
k 2Sa 16:10
   Da 4:35
l Job 9:34
   Job 13:21
m Sl 90:7
n Sl 90:8
o Job 13:28
   Isa 50:9
   Isa 51:8
   Os 5:12
p Sl 39:5
   Sl 102:11
q Sl 28:1
r Job 16:20
s Le 25:23
   1Cr 29:15
   Sl 119:19
   1Pe 1:17
   1Pe 2:11
t Gé 47:9
   Heb 11:13
u Job 10:20
   Job 14:6
v Job 14:10

CAP. 40

w Sl 27:14
   Sl 37:7
x Sl 34:15
   Sl 116:2

2.ª col.

a Sl 18:16
b Sl 69:2
c Sl 27:5
d Sl 37:23
e Sl 33:3
   Sl 98:1
   Sl 113:1
f Sl 52:6
   Sal 64:9
g Hch 4:4
h Sl 34:8
   Jer 17:7
i Sl 101:3
   Isa 28:15
j Éx 15:11
   Sl 136:4
k Sl 92:5
   Rev 15:3
l Sl 89:6
   Isa 55:8
m Sl 71:15
   Sl 139:18
n Isa 15:22
   Sl 51:16
   Isa 1:11
   Os 6:6
   Mt 12:7
   Heb 10:5
o Isa 50:5

p Heb 10:6; q Heb 10:7; r Gé 3:15; Dt 18:15; Lu 24:44; Hch 10:43; 1Co 15:3; s Sl 112:1; Jn 4:34; Ro 7:22; Heb 10:9; t Sl 37:31; Pr 3:1; Jer 31:33; 2Co 3:3; u Sl 22:22; Sl 35:18.

¡Mira! No restrinjo mis labios.ª

Oh Jehová, eso tú mismo lo sabes bien.b

10 No he encubierto tu justicia dentro de mi corazón.c

He declarado tu fidelidad y tu salvación.d

No he escondido tu bondad amorosa ni tu apego a la verdad en la congregación grande".e

11 Tú mismo, oh Jehová, no restrinjas de mí tu piedad.f

Que tu bondad amorosa y tu apego a la verdad mismos me salvaguarden constantemente.g

12 Porque calamidades me rodearon hasta no poder contarlas.h

Me alcanzaron más errores míos de los que podía ver;i

llegaron a ser más numerosos que los cabellos de mi cabeza,j

y mi propio corazón me dejó.k

13 Sea de tu agrado, oh Jehová, librarme.l

Oh Jehová, de veras ven de prisa en mi auxilio.m

14 Queden avergonzados y corridos todos juntosn

los que andan buscando mi alma para barrerla totalmente.o

Vuélvanse atrás y sean humillados los que están deleitándose en mi calamidad.p

15 Quédense mirando asombrados como resultado de su vergüenzaq

los que me están diciendo: "¡Ajá! ¡Ajá!".r

16 Alborócense y regocíjense en ti,s

todos los que te están buscando.

Digan aquellos constantemente: "Sea engrandecido Jehová",u

los que están amando la salvación por ti.v

17 Pero yo estoy afligido y soy pobre.w

CAP. 40

a Sl 119:13
Heb 13:15
b Sl 139:2
c Heb 20:27
d Heb 2:13
e Heb 2:12
f Sl 69:16
g Sl 43:3
Sl 57:3
Sl 61:7
h Sl 71:20
i Sl 38:4
Sl 69:4
k Sl 73:26
Sl 25:17
m Sl 38:22
Sl 50:15
Sl 70:1
n Sl 31:17
Sl 35:4
Sl 70:2
Sl 71:13
o Mt 21:38
p Sl 9:3
q Sl 70:3
Sl 73:19
r Sl 35:25
s Sl 13:5
Sl 68:3
t Dt 4:29
Sl 34:4
u Sl 35:27
Lu 1:46
v Sl 3:8
Sl 85:9
w Sl 70:5

2.ªcol.

a 1Pe 5:7
b Sl 54:4
Isa 50:7
Heb 13:6
c Sl 143:7

CAP. 41

d Dt 15:7
Sl 112:9
Pr 14:21
Pr 22:9
e Sl 37:39
f Sl 145:20
Jer 45:5
g Sl 128:1
Mt 5:7
Lu 1:48
h Sl 27:12
2Pe 2:9
i 2Re 20:5
Sl 103:3
j Flp 2:27
k Sl 32:5
Sl 51:1
l Sl 6:2
Sl 38:3
Sl 147:3
Pr 28:13
m Sl 102:8
n Sl 12:2
Pr 26:24
o Mt 26:61
p Pr 16:28
Ro 12:20
2Co 12:20
q Sl 31:13
Sl 56:5
r Sl 101:3
s Sl 3:2
Sl 71:11
t 2Sa 15:12
Job 19:19
Sl 55:13

Jehová mismo me toma en cuenta.ª

Tú eres mi auxilio y el Proveedor de escape para mí.b

Oh Dios mío, no tardes demasiado.c

Al director. Melodía de David.

41 Feliz es cualquiera que obra con consideración para con el de condición humilde;d

en el día de calamidad Jehová le proveerá escape.e

2 Jehová mismo lo guardará y lo conservará vivo.f

Será pronunciado feliz en la tierra;g

e imposible es que lo entregues al alma de sus enemigos.h

3 Jehová mismo lo sustentará sobre un diván de enfermedad;i

ciertamente cambiarás toda su cama durante su enfermedad.j

4 En cuanto a mí, dije: "Oh Jehová, muéstrame favor.k

De veras sana mi alma, porque he pecado contra ti".l

5 En cuanto a mis enemigos, ellos dicen lo que es malo respecto a mí:m

"¿Cuándo morirá, y realmente perecerá su nombre?".

6 Y si uno sí viene a ver[me], falsedad es lo que su corazón habla;n

recoge para sí algo perjudicial;

sale; allá afuera habla [de ello].o

7 En unidad contra mí cuchichean unos con otros todos los que me odian;p

contra mí siguen tramando algo malo para mí:q

8 "Una cosa que para nada sirve está derramada sobre él;r

ahora que se ha acostado, no volverá a levantarse".s

9 También el hombre que estaba en paz conmigo, en quien yo confiaba,t

que estaba comiendo mi

pan,[a] ha engrandecido contra mí [su] talón.[b]

10 En cuanto a ti, oh Jehová, muéstrame favor y haz que me levante,[c] para que les dé el pago.[d]

11 Por esto sí sé que te has deleitado en mí, porque mi enemigo no grita en triunfo sobre mí.[e]

12 En cuanto a mí, a causa de mi integridad me has sostenido,[f]

y me colocarás delante de tu rostro hasta tiempo indefinido.[a]

13 Bendito sea Jehová el Dios de Israel[b] desde tiempo indefinido aun hasta tiempo indefinido.[c] Amén y Amén.[d]

CAP. 41
a Abd 7
b Mr 14:18
Jn 13:18
Jn 13:26
c Sl 57:1
d Sl 18:37
e Sl 31:8
Lu 124:6
Jer 20:13
f Job 1:1
Sl 25:21
Pr 2:7
Pr 10:29

2.ª col. a Sl 34:15; Sl 140:13; b 1Cr 29:10; Lu 1:68; c 1Cr 16:36; Rev 7:12; d Sl 72:19; 1Co 14:16.

LIBRO SEGUNDO
(Salmos 42 - 72)

Al director.
Maskil para los hijos de Coré.[a]

42 Como la cierva que ansía las corrientes de agua, así mi alma misma te ansía, oh Dios.[b]

2 Mi alma realmente tiene sed de Dios,[c] del Dios vivo.[d] ¿Cuándo vendré y me presentaré delante de Dios?[e]

3 Para mí mis lágrimas han llegado a ser alimento día y noche,[f] mientras [ellos] me dicen todo el día: "¿Dónde está tu Dios?".[g]

4 De estas cosas ciertamente me acordaré, y ciertamente derramaré mi alma dentro de mí.[h] Porque yo solía pasar con el gentío, solía andar lentamente delante de ellos a la casa de Dios,[i] con la voz de un clamor gozoso y acción de gracias,[j] de una muchedumbre que está celebrando una fiesta.[k]

5 ¿Por qué estás desesperada, oh alma mía,[l] y por qué estás alborotada dentro de mí?[m] Espera a Dios,[n] porque todavía lo elogiaré como la magnífica salvación de mi persona.[o]

6 Oh Dios mío, dentro de mí está desesperada mi alma misma.[a] Por eso me acuerdo de ti,[b] desde la tierra del Jordán y los picos del Hermón,[c] desde la montaña pequeña.[d]

7 Profundidad acuosa está llamando a profundidad acuosa ante el sonido de tus mangas (de agua). Todas tus ondas rompientes y tus olas... sobre mí han pasado.[f]

8 De día Jehová ordenará su bondad amorosa,[g] y de noche su canción estará conmigo;[h] habrá oración al Dios de mi vida.[i]

9 Ciertamente diré a Dios mi peñasco:[j] "¿Por qué te has olvidado de mí?[k] ¿Por qué ando triste a causa de la opresión del enemigo?".[l]

10 Con asesinato contra mis huesos me han vituperado los que me muestran hostilidad,[m] mientras me dicen todo el día: "¿Dónde está tu Dios?".[n]

11 ¿Por qué estás desesperada, oh alma mía,[o]

CAP. 42
a 1Cr 6:37
b Isa 26:8
c Sl 63:1
d Dt 32:40
Jos 3:10
Jer 10:10
Mt 5:6
1Te 1:9
e Sl 27:4
Sl 84:2
f Sl 80:5
Sl 102:9
g Sl 3:2
Sl 79:10
h Job 30:16
Sl 62:8
i 1Cr 16:1
j Ne 16:14
Ef 5:19
k Dt 16:16
Sl 30:23
1Sl 55:4
Mr 14:34
m Sl 43:5
n Sl 37:7
Sl 71:14
Lam 3:24
Miq 7:7
o Sl 43:5

2.ª col.
a Sl 22:1
Sl 43:5
Pr 12:25
Jn 12:27
b Jon 2:7
c Dt 3:8
d Sl 48:2
Sl 68:16
Sl 132:13
e Sl 88:7
f Jon 2:3
g Dt 28:8
h Job 35:10
Sl 32:7
Sl 63:6
i Sl 27:1
j 2Sa 22:2
k Sl 13:1
l Sl 38:6
Sl 43:2
Ec 4:1
m Sl 31:11
Sl 102:8

n Sl 3:2; Sl 79:10; Joe 2:17; Miq 7:10; o Sl 42:5.

y por qué estás alborotada dentro de mí?[a]

Espera a Dios,[b]

porque todavía lo elogiaré como la magnífica salvación de mi persona y como Dios mío.[c]

43 Júzgame,[d] oh Dios, y de veras conduce mi causa judicial[e] contra una nación no leal.

Del hombre de engaño e injusticia quieras proveerme escape.[f]

2 Porque tú eres el Dios de mi plaza fuerte.[g]

¿Por qué me has desechado?

¿Por qué ando triste a causa de la opresión por el enemigo?[h]

3 Envía tu luz y tu verdad.[i]

Que estas mismas me guíen.[j]

Que me traigan a tu santa montaña y a tu magnífico tabernáculo.[k]

4 Y yo ciertamente vendré al altar de Dios,[l]

a Dios, mi regocijo alborozado.[m]

Y te elogiaré, sí, con el arpa, oh Dios, Dios mío.[n]

5 ¿Por qué estás desesperada, oh alma mía,[o]

y por qué estás alborotada dentro de mí?

Espera a Dios,[p]

porque todavía lo elogiaré como la magnífica salvación de mi persona y como Dios mío.[q]

Al director.
De los hijos de Coré.[r] Masquil.

44 Oh Dios, con nuestros oídos hemos oído, nuestros antepasados mismos nos han relatado[s]

la actividad que tú ejecutaste en sus días,[t]

en los días de mucho tiempo atrás.[u]

2 Tú mismo por tu mano expulsaste aun a naciones,[a]

y [en cambio] procediste a plantarlos a ellos.[b]

Te pusiste a quebrar grupos nacionales y a enviarlos [de allí].[c]

3 Porque no por su propia espada tomaron en posesión la tierra,[d]

y no fue su propio brazo lo que les trajo salvación.[e]

Pues fue tu diestra y tu brazo[f]

y la luz de tu rostro, porque te complaciste en ellos.[g]

4 Tú mismo eres mi Rey, oh Dios.[h]

Ordena magnífica salvación para Jacob.[i]

5 Por ti empujaremos a nuestros adversarios mismos;[j]

en tu nombre pisotearemos a los que se levantan contra nosotros.[k]

6 Pues no fue en mi arco en lo que seguí confiando,[l]

y no fue mi espada la que me estuvo salvando.[m]

7 Porque tú nos salvaste de nuestros adversarios,[n]

y a los que nos odiaban intensamente los avergonzaste.[o]

8 En Dios ciertamente ofreceremos alabanza todo el día,[p]

y hasta tiempo indefinido elogiaremos tu nombre.[q] *Sélah.*

9 Pero ahora [nos] has desechado y sigues humillándonos,[r]

y no sales con nuestros ejércitos.[s]

10 Sigues haciendo que nos volvamos atrás ante el adversario,[t]

y los mismísimos que nos odian intensamente han saqueado para sí.[u]

11 Nos entregas como ovejas, como algo de comer,[v]

CAP. 42

a Sl 43:5
b Sl 37:7
  Sl 71:14
c Sl 42:5

CAP. 43

d Sl 7:8
  Sl 26:1
  Sl 35:24
e 1Sa 24:15
  Sl 35:1
  Pr 22:23
f Sl 71:4
g Sl 28:7
  Sl 140:7
h Sl 42:9
i Job 29:3
  Sl 40:11
  Pr 6:23
j Sl 5:8
  Sl 27:11
  Sl 143:10
k 1Cr 16:1
  Sl 3:4
  Sl 78:68
  Sl 84:3
  Heb 13:10
l Isa 61:10
n 2Sa 6:5
  Sl 81:2
o Sl 42:5
p Sl 37:7
  Sl 71:14
q Sl 42:11

CAP. 44

r 1Cr 6:37
s Éx 13:14
  Jue 6:13
  Sl 78:3
t Isa 38:19
u Nú 21:14

2.ª col.

a Dt 7:1
  Sl 78:55
  Sl 105:44
b Éx 15:17
  Sl 80:8
c Jos 10:11
  Sl 24:12
  Sl 135:10
  Sl 136:17
d Dt 4:38
  Dt 8:17
e 1Sa 12:22
f Isa 63:12
g Dt 7:8
h Sl 24:10
  Sl 74:12
  Isa 33:22
i Sl 53:6
j Sl 18:39
  Flp 4:13
k Sl 60:12
l Sl 20:7
  Sl 33:16
m 1Sa 17:45
n Jos 24:8
o Sl 40:14
  Sl 132:18
p Sl 34:2
q Sl 115:1
r Sl 43:2
  Sl 74:1
s Sl 60:10
t Dt 28:25
  Jos 7:8
  1Sa 31:1

u Sl 89:41;   Jer 15:13;   v Sl 119:176;   Ro 8:36.

y entre las naciones nos
has esparcido.[a]

12 Vendes a tu pueblo por lo que
no tiene ningún valor,[b]
y no has ganado riqueza alguna por el precio de
ellos.

13 Nos pones como oprobio a
nuestros vecinos,[c]
escarnio y mofa a los que
están todo en derredor
nuestro.[d]

14 Nos pones como dicho proverbial entre las nacio-
nes,[e]
un sacudimiento de la ca-
beza entre los grupos
nacionales.[f]

15 Durante todo el día mi humillación está enfrente
de mí,
y la vergüenza de mi propio
rostro me ha cubierto,[g]

16 debido a la voz del que vitupera y habla injuriosa-
mente,
a causa del enemigo y del
que toma su venganza.[h]

17 Todo esto nos ha sobrevenido, y nosotros no te he-
mos olvidado,[i]
y no hemos obrado falsa-
mente en tu pacto.[j]

18 Nuestro corazón no se ha
vuelto atrás con falta de
fe,[k]
ni se desvían nuestras pisadas de tu senda.[l]

19 Porque nos has aplastado en
el lugar de chacales,[m]
y nos cubres con sombra
profunda.[n]

20 Si hemos olvidado el nombre
de nuestro Dios,
o extendemos las palmas
de las manos a un dios
extraño,[o]

21 ¿no averiguará esto Dios mismo?[p]
Porque él está enterado de
los secretos del corazón.[q]

22 Pero por tu causa se nos ha
matado todo el día;
se nos ha tenido por ovejas
para degollación.[r]

23 Despierta, sí. ¿Por qué sigues
durmiendo, oh Jehová?[s]

De veras despierta. No sigas desechando para
siempre.[a]

24 ¿Por qué mantienes oculto tu
rostro mismo?
¿Por qué te olvidas de
nuestra aflicción y de
nuestra opresión?[b]

25 Porque nuestra alma se ha
inclinado hasta el polvo
mismo;[c]
nuestro vientre se ha adherido a la tierra misma.

26 Levántate, sí, en nuestro auxilio[d]
y redímenos por causa de
tu bondad amorosa.[e]

Al director sobre Los Lirios.
De los hijos de Coré. Maskil.
Canción de las mujeres amadas.

45 Mi corazón se halla agitado debido a un asunto
agradable.[f]
Estoy diciendo: "Mis
obras son acerca de
un rey".[g]
Sea mi lengua el estilo[h]
de copista hábil.[i]

2 Eres realmente más hermoso
que los hijos de los hom-
bres.[j]
Gracia encantadora se ha
derramado sobre tus la-
bios.[k]
Por eso Dios te ha bendecido hasta tiempo indefi-
nido.[l]

3 Cíñete la espada[m] sobre [tu]
muslo, oh poderoso,[n]
[con] tu dignidad y tu esplendor.[o]

4 Y en tu esplendor sigue adelante al éxito;[p]
cabalga en la causa de la
verdad y la humildad [y]
la justicia,[q]
y tu diestra te instruirá en
cosas inspiradoras de te-
mor.[r]

5 Tus flechas son agudas —debajo de ti siguen cayendo
pueblos[s]—
en el corazón de los enemigos del rey.[t]

6 Dios es tu trono hasta tiempo

CAP. 44
a Dt 28:64
b Dt 32:30
Isa 52:3
c Sl 79:4
Sl 80:6
d Sl 123:4
e Dt 28:37
2Cr 7:20
Jer 24:9
f Lam 2:15
g Jer 51:51
h Sl 8:2
i Dt 6:12
j Éx 34:10
k Heb 3:12
l Job 23:11
Sl 119:157
m Isa 34:13
Isa 35:7
n Sl 23:4
o Éx 20:3
p Sl 139:1
Jer 17:10
q Ec 12:14
r Sl 79:2
Ro 8:36
s Sl 79:2
Sl 78:65

2.ª col.
a Job 13:24
Sl 13:1
Sl 88:14
b Isa 40:27
c Sl 119:25
Sl 51:23
d Sl 33:20
e Sl 26:11
Sl 130:7

CAP. 45
f Sl 49:3
g Sl 2:6
1Pe 1:11
h 2Sa 23:2
Isa 8:1
Jer 8:8
i Esd 7:6
j Can 5:10
k Jn 7:46
l Sl 72:17
m Rev 1:16
Rev 19:15
n Isa 9:6
o Heb 1:3
p Rev 6:2
q Rev 19:11
r Rev 6:15
s Sl 2:9
2Te 1:8
t Rev 17:14
Rev 19:19

indefinido, aun para siempre;[a]

el cetro de tu gobernación real es un cetro de rectitud.[b]

7 Has amado la justicia[c] y odias la iniquidad.[d]

Por eso Dios, tu Dios,[e] te ha ungido[f] con el aceite de alborozo[g] más que a tus socios.[h]

8 Todas tus prendas de vestir son mirra y palo de áloe [y] casia;[i]

desde el magnífico palacio de marfil[j] instrumentos de cuerda mismos te han regocijado.

9 Las hijas[k] de reyes están entre tus mujeres preciosas.

La regia consorte[l] ha tomado su puesto a tu diestra en oro de Ofir.[m]

10 Escucha, oh hija, y mira, e inclina tu oído;

y olvida tu pueblo y la casa de tu padre.[n]

11 Y el rey anhelará tu belleza,[o] porque es tu señor,[p] de modo que inclínate ante él.[q]

12 La hija de Tiro también con un regalo[r]...

los ricos del pueblo ablandarán tu propio rostro.[s]

13 La hija del rey está toda gloriosa dentro [de la casa];[t]

su ropa tiene engastes de oro.

14 En ropaje tejido será llevada al rey.[u]

Las vírgenes de su séquito como compañeras suyas están siendo introducidas a ti.[v]

15 Serán traídas con regocijo y gozo;

entrarán en el palacio del rey.

16 En lugar de tus antepasados[w] llegará a haber tus hijos,[x] a quienes nombrarás príncipes en toda la tierra.[y]

17 Ciertamente haré mención de tu nombre durante todas

las generaciones por venir.[a]

Por eso pueblos mismos te elogiarán hasta tiempo indefinido, aun para siempre.

Al director.
De los hijos de Coré[b]
sobre Las Doncellas. Canción.

46

Dios es para nosotros refugio y fuerza,[c]

una ayuda que puede hallarse prontamente durante angustias.[d]

2 Por eso no temeremos, aunque la tierra sufra cambio[e]

y aunque las montañas caigan tambaleantes en el corazón del vasto mar;[f]

3 aunque sus aguas estén bulliciosas, espumen en exceso,[g]

aunque se mezan las montañas a causa de su alboroto.[h] *Sélah.*

4 Hay un río cuyas corrientes regocijan la ciudad de Dios,[i]

el santísimo [y] magnífico tabernáculo del Altísimo.[j]

5 Dios está en medio de [la ciudad];[k] no se le hará tambalear.[l]

Dios la ayudará al despuntar la mañana.[m]

6 Las naciones se hicieron bulliciosas,[n] los reinos tambalearon;

él hizo sonar su voz, la tierra procedió a derretirse.[o]

7 Jehová de los ejércitos está con nosotros;[p]

el Dios de Jacob es altura segura para nosotros.[q] *Sélah.*

8 Vengan, contemplen las actividades de Jehová,[r]

como ha establecido acontecimientos pasmosos en la tierra.[s]

CAP. 45

a Sl 89:29
Sl 89:36
b Isa 11:4
Jer 33:15
Heb 1:8
c Mt 3:15
Heb 7:26
d Mt 7:23
Heb 1:9
e Jn 20:17
f Isa 61:1
Hch 4:27
Hch 10:38
g Sl 21:6
h 1Cr 29:23
2Cr 13:5
2Cr 13:8
Mt 1:6
i Can 1:3
Can 4:14
j 1Re 22:39
k Isa 60:4
l Rev 19:7
m Isa 13:12
n Can 2:10
Rev 14:4
o Can 1:8
Can 2:2
p Ef 5:23
Jud 4
q 1Re 1:16
Flp 2:10
r 2Sa 5:11
s Sl 72:10
Isa 49:23
t Rev 19:7
u Rev 19:8
Rev 21:2
v Can 2:7
Can 5:9
Can 6:1
w Mt 1:1
x Isa 9:6
y Isa 32:1

2.ª col.

a Sl 72:17

CAP. 46

b Sl 6:37
c Sl 62:7
Pr 14:26
Isa 25:4
d Dt 4:7
Sl 145:18
Na 1:7
e 2Pe 3:10
f Isa 54:10
g Sl 93:4
Jer 5:22
h Jue 5:5
Miq 1:4
Na 1:5
i 1Cr 6:6
Sl 48:1
Isa 60:14
j Sl 43:3
k Dt 23:14
Sl 132:13
Isa 12:6
Os 11:9
l Heb 12:28
m Éx 14:24
Sl 30:5
Sl 143:8
n Sl 2:1
o Jos 2:24
Am 9:5
p Jos 1:9
Jer 1:19
Ro 8:31

q Sl 9:9; r Sl 66:5; s Isa 34:2.

9 Hace cesar las guerras hasta la extremidad de la tierra.[a]
Quiebra el arco y verdaderamente corta en pedazos la lanza;[b]
quema los carruajes en el fuego.[c]
10 "Cedan, y sepan que yo soy Dios.[d]
Ciertamente seré ensalzado entre las naciones,[e]
ciertamente seré ensalzado en la tierra."[f]
11 Jehová de los ejércitos está con nosotros;[g]
el Dios de Jacob es altura segura para nosotros.[h] *Sélah.*

Al director.
De los hijos de Coré. Melodía.

47 Pueblos todos, batan las manos.[i]
Griten en triunfo a Dios con el son de un clamor gozoso.[j]
2 Porque Jehová, el Altísimo, es inspirador de temor,[k]
un gran Rey sobre toda la tierra.[l]
3 Él sojuzgará a pueblos debajo de nosotros[m]
y a grupos nacionales debajo de nuestros pies.[n]
4 Él escogerá para nosotros nuestra herencia,[o]
el orgullo de Jacob, a quien él ha amado.[p] *Sélah.*
5 Dios ha ascendido con gozoso gritar,[q]
Jehová con el sonido del cuerno.[r]
6 Celebren a Dios con melodía, produzcan melodía.[s]
Celebren a nuestro Rey con melodía, produzcan melodía.
7 Porque Dios es Rey de toda la tierra;[t]
produzcan melodía, y actúen con discreción.[u]
8 Dios ha llegado a ser rey sobre las naciones.[v]
Dios mismo ha tomado su asiento sobre su santo trono.[w]
9 Los nobles de los pueblos mismos se han reunido,[a]
[con] el pueblo del Dios de Abrahán.[b]
Porque a Dios pertenecen los escudos de la tierra.[c]
Él está muy alto en su ascenso.[d]

Canción.
Melodía de los hijos de Coré.[e]

48 Jehová es grande y ha de ser alabado en gran manera[f]
en la ciudad de nuestro Dios,[g] [en] su santa montaña.[h]
2 Bello por encumbramiento, el alborozo de toda la tierra,[i]
es el monte Sión en los lados remotos del norte,[j]
el pueblo del gran Rey.[k]
3 En sus torres de habitación Dios mismo ha llegado a ser conocido como altura segura.[l]
4 Porque, ¡miren!, los reyes mismos se han reunido por cita,[m]
han pasado juntos.[n]
5 Ellos mismos vieron; [y] por lo tanto se asombraron.
Se perturbaron, se les hizo huir en pánico.[o]
6 El temblor mismo se apoderó de ellos allí,[p]
dolores de parto como los de una mujer que está dando a luz.[q]
7 Con un viento del este destrozas las naves de Tarsis.[r]
8 Tal como hemos oído, así hemos visto[s]
en la ciudad de Jehová de los ejércitos, en la ciudad de nuestro Dios.[t]
Dios mismo la establecerá firmemente hasta tiempo indefinido.[u] *Sélah.*
9 Hemos reflexionado, oh Dios, acerca de tu bondad amorosa[v]

CAP. 46
a Isa 11:9; Miq 4:3
b Eze 39:9
c Miq 5:10
d Hab 2:20
e Isa 2:11
f 1Cr 29:11; Sl 57:5; Jer 16:19
g 2Cr 20:17
h Sl 48:3; Sl 125:2

CAP. 47
i 2Re 11:12; Sl 98:4; Isa 55:12
j Esd 3:11; Sl 33:3
k Dt 7:21; Ne 1:5; Sl 76:12
l Sl 22:28; Mal 1:14
m Sl 18:47
n Dt 33:29
o Dt 9:5
p Dt 7:6; Mal 1:2
q Sl 68:24
r 1Cr 15:24
s 1Cr 16:9; Sl 68:32
t Jer 10:7; Zac 14:9
u 1Co 14:15
v 1Cr 16:31; Sl 96:10; Sl 97:1; Rev 19:6
w Rev 4:2

2.ª col.
a Sl 110:3
b Ro 4:12; Gál 3:29
c Sl 89:18
d Sl 97:9

CAP. 48
e Sl 42:Enc
f Ne 9:5; Sl 89:1; Sl 145:3; Sl 147:5
g Sl 46:4; Sl 87:3
h Zac 8:3
i Sl 50:2; Lam 2:15
j Isa 14:13
k Sl 47:8; Sl 135:21; Mt 5:35
l Sl 125:1; Zac 2:5
m 2Sa 10:6; 2Sa 10:19
n Rev 19:19
o Éx 14:25
p Éx 15:15; Isa 13:8; Da 5:6
q Jer 30:6; Os 13:13
r 1Re 22:48; Isa 2:16; Jer 18:17; Eze 27:26
s Sl 44:1

t Sl 48:1; Heb 12:22; u Sl 87:5; Isa 2:2; Miq 4:1; v Sl 26:3; Sl 40:10; Sl 63:3.

en medio de tu templo.[a]

10 Como tu nombre,[b] oh Dios,
así es tu alabanza
hasta los confines de la
tierra.
Tu diestra está llena de
justicia misma.[c]

11 Regocíjese el monte Sión,[d]
estén gozosos los pueblos
dependientes de Judá,[e] a
causa de tus decisiones
judiciales.[f]

12 Marchen ustedes alrededor
de Sión, y vayan a la re-
donda de ella,[g]
cuenten sus torres.[h]

13 Fijen su corazón en su antemural.[i]
Inspeccionen sus torres de
habitación,
para que puedan relatarlo
a la generación futura.[j]

14 Porque este Dios es nuestro
Dios hasta tiempo inde-
finido, aun para siem-
pre.[k]
Él mismo nos guiará hasta
que muramos.[l]

Al director.
De los hijos de Coré.[m] Melodía.

49 Oigan esto, pueblos todos.
Presten oído, habitan-
tes todos del sistema
de cosas,[n]

2 ustedes los hijos de la humanidad así como los hijos
del hombre,
el rico y el pobre junta-
mente.[o]

3 Mi propia boca hablará cosas
de sabiduría,[p]
y la meditación de mi corazón será de cosas de en-
tendimiento.[q]

4 A una expresión proverbial
inclinaré mi oído;[r]
con un arpa abriré mi enigma.[s]

5 ¿Por qué he de tener miedo en
los días del mal,[t]
[cuando] el error mismo de
mis suplantadores me
cerque?[u]

6 Los que están confiando en
sus medios de manteni-
miento,[v]

CAP. 48
a 1Sa 3:3
   2Sa 7:2
   1Cr 16:1
   Sl 63:2
b Dt 28:58
   Sl 113:3
c Jue 5:11
   Sl 17:7
   Sl 60:5
   Sl 98:2
d Sl 78:68
   Joe 2:32
e Sl 97:8
f 2Cr 20:27
   Sl 137:8
   Rev 15:4
g Ne 12:31
h Ne 12:39
   Isa 33:18
i Isa 26:1
j Dt 11:19
k Sl 31:14
l Isa 58:11

CAP. 49
m 1Cr 6:37
n Sl 17:14
   Heb 1:2
o Sl 62:9
p Pr 16:23
   Ec 10:12
q Sl 143:5
   Pr 14:33
   Mt 12:35
   Flp 4:8
r Sl 78:2
   Mt 13:35
s Pr 1:6
t Sl 27:1
   Ef 5:16
u 2Sa 15:12
v Dt 8:17
   Sl 52:7
   Pr 10:15
   Pr 18:11
   1Ti 6:17
   1Jn 2:16

2.ᵃ col.

a Est 5:11
   Jer 9:23
   Lu 12:19
b Pr 11:4
   Mt 16:26
c Job 36:18
d Sl 89:48
e Ec 2:16
   Ro 5:12
f Ec 3:19
g Sl 39:6
   Pr 11:4
   Pr 23:4
   Ec 2:18
   Jer 17:11
   Lu 12:20
h Job 21:9
   Sl 17:14
i Ec 1:4
j Gé 4:17
   1Sa 15:12
   2Sa 18:18
k Sl 39:5
   Snt 1:11
l Ec 3:20
m Lu 12:20
n Job 21:13
o Job 24:19
   Ro 5:14
   Rev 6:8
p Sl 30:5
   Mal 4:3

y que siguen jactándose
acerca de la abundancia
de sus riquezas,[a]

7 ni uno de ellos puede de manera alguna redimir si-
quiera a un hermano,[b]
ni dar a Dios un rescate
por él

8 (y el precio de redención del
alma de ellos es tan pre-
cioso[c]
que ha cesado hasta tiem-
po indefinido);

9 para que todavía viva para
siempre [y] no vea el
hoyo.[d]

10 Porque él ve que aun los sabios mueren,[e]
juntos el estúpido y el irrazonable perecen,[f]
y tienen que dejar a otros
sus medios de manteni-
miento.[g]

11 Su deseo interno es que sus
casas sean hasta tiempo
indefinido,[h]
sus tabernáculos hasta generación tras genera-
ción.[i]
Han llamado sus terrenos
por los nombres de ellos.[j]

12 Y, sin embargo, el hombre
terrestre, aunque en
honra, no puede seguir
alojándose;[k]
realmente es comparable a
las bestias que han sido
destruidas.[l]

13 Este es el camino de los que
tienen estupidez,[m]
y de los que vienen tras
ellos que se complacen
en los mismos dichos de
estos. Sélah.

14 Como ovejas han sido designados al Seol mismo;[n]
la muerte misma los pastoreará;[o]
y los rectos los tendrán en
sujeción a la mañana;[p]
y sus formas habrán de gastarse;[q]
el Seol, más bien que una
morada excelsa, es para
cada uno.[r]

q Sl 39:11; r 1Sa 2:6; Job 7:9.

15 No obstante, Dios mismo redimirá mi alma de la
   mano del Seol,[a]
   porque él me recibirá. *Sélah.*
16 No tengas miedo porque algún hombre consigue riquezas,[b]
   porque la gloria de su casa
   aumenta,[c]
17 pues al morir no puede
   llevarse absolutamente
   nada;[d]
   su gloria no descenderá
   junto con él mismo.[e]
18 Pues durante su vida siguió
   bendiciendo su propia
   alma[f]
   (y la gente te elogiará porque te haces el bien a ti
   mismo);[g]
19 [su alma] finalmente llega
   solo hasta la generación
   de sus antepasados.[h]
   Nunca más verán la luz.[i]
20 El hombre terrestre, aunque
   en honra, que no entiende,[j]
   en verdad es comparable a
   las bestias que han sido
   destruidas.[k]

Melodía de Asaf.[l]

50 El Divino,[m] Dios, Jehová,[n]
   él mismo ha hablado,[o]
   y procede a llamar la
   tierra,[p]
   desde el nacimiento del
   sol hasta su puesta.[q]
2 Desde Sión, la perfección de
   la belleza,[r] Dios mismo
   ha resplandecido.
3 Vendrá nuestro Dios y no le
   será posible guardar silencio.[t]
   Delante de él devora un
   fuego,[u]
   y todo en derredor de él el
   tiempo se ha puesto sumamente tempestuoso.[v]
4 Él llama a los cielos de arriba
   y a la tierra[w]
   para ejecutar juicio sobre
   su pueblo:[x]
5 "Reúnanme a los que me son
   leales,[y]

los que celebraron mi pacto sobre sacrificio".[a]
6 Y los cielos anuncian su justicia,[b]
   porque Dios mismo es
   Juez.[c] *Sélah.*
7 "Escucha, sí, oh pueblo mío, y
   ciertamente hablaré,[d]
   oh Israel, y ciertamente
   daré testimonio contra
   ti.[e]
   Yo soy Dios, tu Dios.[f]
8 No respecto a tus sacrificios
   te censuro,[g]
   ni [respecto a] tus holocaustos [que están] enfrente de mí constantemente.[h]
9 Ciertamente no tomaré de tu
   casa un toro;[i]
   de tus apriscos, machos cabríos.
10 Porque me pertenece todo
   animal silvestre del bosque,[j]
   las bestias sobre mil montañas.[k]
11 Conozco bien toda criatura
   alada de las montañas,[l]
   y los tropeles de animales
   del campo abierto están
   conmigo.[m]
12 Si yo tuviera hambre, no te lo
   diría;
   porque me pertenecen[n] la
   tierra productiva[o] y su
   plenitud.
13 ¿Comeré la carne de poderosos [toros]?[p]
   y ¿acaso la sangre de machos cabríos beberé?[q]
14 Ofrece acción de gracias
   como tu sacrificio a
   Dios,[r]
   y paga al Altísimo tus votos;[s]
15 y llámame en el día de angustia.[t]

CAP. 49	
a Job 33:28	
Sl 16:10	
Sl 30:3	
Sl 56:13	
Sl 86:13	
b Est 3:1	
c Est 5:11	
d Job 1:21	
Ec 5:15	
Lu 12:20	
1Ti 6:17	
e Isa 10:3	
f Dt 29:19	
Lu 12:19	
g Pr 14:20	
h Gé 15:15	
i Job 33:30	
Sl 56:13	
j Job 4:21	
Sl 49:12	
Pr 16:16	
k Ec 3:19	
2Pe 2:12	
CAP. 50	
l 1Cr 15:17	
m Jos 22:22	
Isa 46:9	
Jer 32:18	
n Sl 95:3	
o Am 3:8	
p Isa 1:2	
q Isa 45:6	
r Sl 48:2	
Lam 2:15	
s Dt 33:2	
Sl 80:1	
t Sl 83:1	
Isa 42:13	
Isa 65:6	
u Éx 19:18	
Sl 97:3	
Da 7:10	
Heb 12:29	
v Sl 97:4	
w Dt 4:36	
Dt 30:19	
Dt 32:1	
Isa 1:2	
x Miq 6:2	
Heb 10:30	
y Dt 33:3	
2Cr 29:20	
Sl 14:7	
Pr 2:8	
Isa 13:3	
2.ᵃ col.	
a Éx 24:8	
Lu 22:30	
Jn 11:52	
b Sl 97:6	
c Sl 7:11	
Sl 75:7	
Heb 12:23	
Rev 20:12	
d Sl 81:8	
e Ne 9:30	
f Éx 20:2	
g Sl 40:6	
Isa 1:11	
Jer 7:22	
h Isa 13:22	
Os 6:6	
i Miq 6:7	
j Gé 1:24	
1Cr 29:14	
Job 40:15	
k Hch 17:24	

l Gé 1:20; Job 38:41; Sl 104:12; Mt 10:29; m Éx
80:13; n Éx 19:5; Dt 10:14; Job 41:11; Sl 104:24;
1Co 10:26; o 1Sa 2:8; Sl 24:1; Sl 89:11; p Os 14:2;
q Miq 6:6; Sl 69:30; Sl 107:22; Pr 21:3; Os 6:6;
Heb 13:15; s Dt 23:21; Sl 15:4; Sl 76:11; Ec 5:4;
Jon 2:9; Mt 5:33; t 2Cr 33:12; Sl 77:2; Sl 91:15;
Lu 22:44.

Yo te libraré, y tú me glorificarás."[a]

16 Pero al inicuo Dios tendrá que decir:[b]

"¿Qué derecho tienes tú de enumerar mis disposiciones reglamentarias,[c]

y para que lleves mi pacto en tu boca?[d]

17 ¡Si tú... tú has odiado la disciplina,[e]

y sigues arrojando mis palabras detrás de ti![f]

18 Siempre que veías a un ladrón, hasta te complacías en él;[g]

y tu participación era con adúlteros.[h]

19 Tu boca has dejado suelta a lo que es malo,[i]

y tu lengua mantienes apegada al engaño.[j]

20 Te sientas [y] hablas contra tu propio hermano,[k]

contra el hijo de tu madre divulgas una falta.[l]

21 Estas cosas has hecho, y yo he guardado silencio.[m]

Te imaginaste que yo con seguridad llegaría a ser como tú.[n]

Voy a censurarte,[o] y ciertamente pondré en orden las cosas delante de tus ojos.[p]

22 Entiendan esto, por favor, olvidadores de Dios,[q]

para que yo no [los] despedace sin que haya libertador.[r]

23 El que ofrece acción de gracias como su sacrificio es el que me glorifica;[s]

y en cuanto al que guarda un camino fijo,

ciertamente le haré ver la salvación por Dios".[t]

Al director. Melodía de David. Cuando Natán el profeta entró a donde él después que él hubo tenido relaciones con Bat-seba.[u]

51

Muéstrame favor, oh Dios, conforme a tu bondad amorosa.[v]

Conforme a la abundancia de tus misericor-

dias, borra mis transgresiones.[a]

2 Lávame cabalmente de mi error,[b]

y límpiame aun de mi pecado.[c]

3 Pues mis transgresiones yo mismo conozco,[d]

y mi pecado está enfrente de mí constantemente.[e]

4 Contra ti, contra ti solo, he pecado,[f]

y lo que es malo a tus ojos he hecho,[g]

a fin de que resultes justo cuando hables,[h]

para que estés libre de culpa cuando juzgues.[i]

5 ¡Mira! Con error fui dado a luz con dolores de parto,[j]

y en pecado me concibió mi madre.[k]

6 ¡Mira! Te has deleitado en la veracidad misma en lo interior;[l]

y en el yo secreto quieras hacerme conocer sabiduría pura.[m]

7 Quieras purificarme del pecado con hisopo, para que yo sea limpio;[n]

quieras lavarme, para que quede hasta más blanco que la nieve.[o]

8 Quieras hacerme oír alborozo y regocijo,

para que estén gozosos los huesos que has aplastado.[q]

9 Oculta tu rostro de mis pecados,[r]

y borra aun todos mis errores.[s]

10 Crea en mí hasta un corazón puro, oh Dios,[t]

y pon en mí un espíritu nuevo, uno [que sea] constante.[u]

11 No me arrojes de delante de tu rostro;[v]

CAP. 50
a Sl 22:23
Sl 50:23
b Isa 48:1
Eze 18:27
c Jer 7:4
Mt 7:23
Ro 2:21
d Dt 29:21
Dt 31:20
Heb 8:9
e Pr 1:7
Pr 5:12
Heb 12:6
f Ne 9:26
Isa 5:24
Jer 8:9
g Isa 5:23
Ro 1:32
Ro 2:21
h Snt 4:4
2Jn 11
i Sl 52:3
Jer 9:5
j Sl 52:2
Snt 3:5
k Le 19:16
Sl 31:18
Lu 22:65
l Mt 10:21
m Ec 8:11
Ro 2:4
2Pe 3:9
n Nú 23:19
Sl 73:11
Sl 94:7
Ec 8:12
o Pr 29:1
p Sl 50:4
Ec 12:14
q Sl 9:17
Isa 51:13
Jer 2:32
Os 4:6
r Sl 7:2
s Sl 22:23
Sl 27:6
Ro 12:1
Ef 5:20
1Te 5:18
Heb 13:15
t Sl 91:16
Miq 6:8
Lu 2:30

CAP. 51
u 2Sa 11:3
v Nú 14:18
Sl 25:7
Sl 32:10
Sl 41:4
Sl 90:14
Sl 103:11

2.ª col.
a Sl 39:8
Sl 103:13
Pr 28:13
Isa 43:25
Isa 44:22
b Isa 1:18
1Co 6:11
c Heb 9:14
1Jn 1:7
d Sl 32:5
e Sl 40:12
f Gé 20:6
Gé 39:9
Le 5:19
2Sa 12:13
Lu 15:21
g 2Sa 12:9
Sl 38:18
h Sl 50:6
Ro 3:4

i Lu 7:29; Rev 19:2; j Gé 3:16; Job 14:4; Ro 5:12; k Ro 3:23; Ef 2:3; l 2Re 20:3; 1Cr 29:17; m 1Sa 16:7; 1Pe 3:4; n Le 14:4; Nú 19:18; Heb 9:14; o Isa 1:18; p Sl 30:11; q Sl 6:2; Sl 38:3; Isa 57:15; r Sl 103:12; Isa 38:17; Jer 16:17; s Miq 7:19; t Jer 32:39; Hch 15:9; Ef 2:10; u Eze 11:19; Ef 4:23; v Gé 4:14; 2Re 13:23; Sl 102:10.

y tu espíritu santo, oh, no me lo quites.[a]

12 Restáurame, sí, el alborozo de la salvación por ti,[b]

y quieras sostenerme aun con un espíritu bien dispuesto.[c]

13 Ciertamente enseñaré a los transgresores tus caminos,[d]

para que los pecadores mismos se vuelvan directamente a ti.[e]

14 Líbrame de la culpa de sangre,[f] oh Dios, el Dios de mi salvación,[g]

para que mi lengua informe gozosamente acerca de tu justicia.[h]

15 Oh Jehová, quieras abrir estos labios míos,[i]

para que mi propia boca anuncie tu alabanza.[j]

16 Porque no te deleitas en sacrificio... de otro modo [lo] daría;[k]

en holocausto no te complaces.[l]

17 Los sacrificios para Dios son un espíritu quebrantado;[m]

un corazón quebrantado y aplastado, oh Dios, no lo despreciarás.[n]

18 En tu buena voluntad trata bien, sí, a Sión;[o]

quieras edificar los muros de Jerusalén.[p]

19 En tal caso te deleitarás con los sacrificios de justicia,[q]

con el sacrificio quemado y la ofrenda entera;[r]

en tal caso se ofrecerán toros en tu mismísimo altar.[s]

Al director. Maskil. De David, cuando Doeg el edomita vino y procedió a informar a Saúl y a decirle que David había ido a la casa de Ahimélec.[t]

52 ¿Por qué te jactas de lo que es malo, oh poderoso?[u]

La bondad amorosa de Dios continúa todo el día.[v]

2 Adversidades trama tu lengua, afilada como una navaja,[a]

y obra engañosamente.[b]

3 Has amado lo malo más que lo bueno;[c]

la falsedad, más que el hablar justicia.[d] Sélah.

4 Has amado todas las palabras devoradoras,[e]

oh lengua engañosa.[f]

5 Dios mismo también te demolerá para siempre;[g]

te tumbará de un golpe y te arrancará de [tu] tienda,[h]

y ciertamente te desarraigará de la tierra de los vivientes.[i] Sélah.

6 Y los justos [lo] verán y tendrán miedo,[j]

y de él se reirán.[k]

7 Aquí está el hombre físicamente capacitado que no pone a Dios por su plaza fuerte,[l]

sino que confía en la abundancia de sus riquezas,[m]

que se abriga en las adversidades [causadas] por él.[n]

8 Pero yo seré como olivo[o] frondoso en la casa de Dios;

yo sí confío en la bondad amorosa de Dios hasta tiempo indefinido, aun para siempre.[p]

9 Ciertamente te elogiaré hasta tiempo indefinido, porque has actuado;[q]

y esperaré en tu nombre, porque es bueno, enfrente de los que te son leales.[r]

Al director sobre Mahalat.[s] Maskil. De David.

53 El insensato ha dicho en su corazón:

"No hay Jehová".[t]

Han obrado ruinosamente

CAP. 51
a Lu 11:13
Ro 8:9
Ef 4:30
b Sl 21:1
Lu 1:47
c Sl 110:3
Mt 26:41
d Hch 2:38
e Hch 3:19
f Gé 9:6
1Sa 15:34
Sl 26:9
Eze 33:8
Hch 18:6
Hch 20:26
g Sl 38:22
Sl 88:1
Isa 12:2
Rev 7:10
h Ne 9:33
Sl 20:5
Sl 35:28
Sl 59:16
Da 9:7
Ro 10:3
i Eze 3:27
j Sl 34:1
Sl 51:9
Sl 109:30
Sl 145:21
Heb 13:15
k 1Sa 15:22
Pr 21:3
Os 6:6
l Sl 40:6
Sl 50:8
Isa 1:11
Jer 7:22
Am 5:22
m 2Re 22:19
Sl 34:18
Sl 57:15
Lu 18:13
n 2Cr 33:13
Sl 22:24
Sl 119:58
Pr 28:13
Lu 15:22
p Sl 102:16
Isa 62:1
p Da 9:25
Miq 7:11
q Mal 3:3
r Sl 4:5
Ro 12:1
s Os 14:2

CAP. 52
t 1Sa 22:9
u Gé 10:8
1Sa 21:7
Sl 94:4
v Sl 103:17

2.ª col.
a Sl 50:19
Sl 57:4
Sl 59:7
Sl 64:3
b Sl 109:2
2Co 11:13
c Jer 4:22
Miq 3:2
d Sl 62:4
Jer 9:3
Jn 8:44
e 1Sa 22:18
f Pr 14:25
Snt 3:6
1Pe 3:10
g Sl 55:23
Pr 12:19
Pr 15:25
Pr 19:9

h Sl 28:5; Sl 37:9; i Pr 2:22; j Sl 37:34; Sl 40:3; Sl 119:120; Mal 1:5; Rev 19:2; k Sl 58:10; Isa 37:22; Rev 18:20; l Sl 146:3; Jer 17:5; m Sl 49:6; Pr 11:28; Pr 23:5; 1Ti 6:17; n Ec 8:8; o Jer 11:16; Os 14:6; p Sl 13:5; Sl 141:2; q Sl 102:15; Sl 27:14; Sl 54:6; Sl 123:2; Pr 18:10; CAP. 53 s Sl 88:Enc; t Sl 10:4; Sl 14:1; Sl 92:6; Ro 1:21.

y han obrado detestablemente en injusticia;[a]

no hay quien haga el bien.[b]

2 En cuanto a Dios, él ha mirado desde el cielo mismo a los hijos de los hombres,[c] para ver si existe alguien que tenga perspicacia, alguien que busque a Jehová.[d]

3 Todos ellos se han vuelto atrás, [todos] son igualmente corruptos;[e]

no hay quien haga el bien,[f] ni siquiera uno.

4 ¿Acaso ninguno de los practicantes de lo que es perjudicial tiene conocimiento,[g]

que se comen a mi pueblo como se han comido el pan?[h]

Ni siquiera a Jehová han invocado.[i]

5 Allí se llenaron de gran pavor,[j]

donde no había resultado que hubiera pavor;[k]

porque Dios mismo ciertamente esparcirá los huesos de cualquiera que acampe contra ti.[l]

Ciertamente [los] avergonzarás, porque Jehová mismo los ha rechazado.[m]

6 ¡Oh que desde Sión procediera la magnífica salvación de Israel![n]

Cuando Jehová recoja de vuelta a los cautivos de su pueblo,[o]

esté gozoso Jacob, regocíjese Israel.[p]

Al director sobre instrumentos de cuerda. Maskil. De David. Cuando entraron los zifeos y procedieron a decir a Saúl: "¿No está ocultándose David con nosotros?".[q]

54 Oh Dios, sálvame por tu nombre,[r] y con tu poderío quieras defender mi causa.[s]

2 Oh Dios, oye mi oración;[t]

presta oído, sí, a los dichos de mi boca.[a]

3 Porque extraños que se han levantado contra mí, y tiranos que de veras buscan mi alma.[b]

No han colocado a Dios enfrente de sí.[c] Sélah.

4 ¡Mira! Dios es mi ayudador;[d]

Jehová está entre los que sostienen mi alma.

5 Él pagará el mal a mis opositores;[e]

en tu apego a la verdad redúcelos a silencio.[f]

6 De buena gana ciertamente te haré sacrificios.[g]

Elogiaré tu nombre, oh Jehová, porque es bueno.[h]

7 Porque de toda angustia él me libró,[i]

y mi ojo ha puesto la vista sobre mis enemigos.[j]

Al director sobre instrumentos de cuerda. Maskil. De David.

55 Presta oído, sí, oh Dios, a mi oración;[k] y no te escondas de mi petición de favor.[l]

2 De veras préstame atención y respóndeme.[m]

Mi preocupación me impele a vagar con desasosiego,[n]

y no puedo menos que mostrar inquietud,

3 debido a la voz del enemigo, a causa de la premura del inicuo.[o]

Porque siguen haciendo caer sobre mí lo que es perjudicial,[p]

y en cólera me abrigan animosidad.[q]

4 Mi corazón mismo está con dolor fuerte dentro de mí,[r]

y los terrores de la muerte

CAP. 53
a Gé 6:11; Le 18:30; Dt 32:5
b Sl 14:3; Ro 3:10
c Sl 8:4; Sl 11:4; Sl 33:14; Sl 102:19; Jer 16:17; Jer 23:24
d 1Cr 28:9; 2Cr 15:2; 2Cr 19:3; Job 28:28; Isa 55:6; 1Pe 3:12
e Gé 6:5; Isa 53:6; Jer 8:6; Sof 1:6
f Gé 6:12; Sl 12:1; Sl 14:3; Ec 7:20; Ro 3:12
g Pr 1:29; Jer 4:22; Os 4:1
h Sl 27:2; Jer 10:25
i Job 21:14; Sl 14:4
j 1Sa 14:15; 2Re 7:6; Sl 14:5
k Le 26:17; Le 26:36; Pr 28:1
l Eze 6:5
m 2Re 17:20; Sl 35:4; Jer 6:30
n Sl 20:2; Isa 12:6
o Sl 85:1; Sl 126:1; Jer 30:18; Joe 3:1; Am 9:14
p Esd 3:11; Ne 12:43

CAP. 54
q 1Sa 23:19; 1Sa 26:1
r Sl 20:1; Sl 79:9; Pr 18:10
s Sl 43:1; Sl 99:4; Pr 23:11; Jer 50:34
t Sl 13:3; Sl 65:2; Sl 84:8; Pr 15:29

2.ª col.
a Sl 130:2
b Sl 22:16; Sl 59:3; Sl 86:14
c Sl 36:1; Sl 53:4; Jn 16:3
d 1Cr 12:18; Sl 118:6; Ro 8:31; Heb 13:6
e Ro 12:19; 2Ti 4:14
f Sl 143:12

g Sl 50:14; Sl 107:22; Sl 116:17; Heb 13:15; h Sl 7:17; Sl 52:9; i 2Sa 4:9; Sl 34:19; Sl 37:39; 2Ti 4:18; j Sl 37:34; Sl 59:10; Sl 91:8; Sl 92:11; CAP. 55 k Sl 5:1; Sl 80:1; Sl 84:8; 1Pe 3:12; l Sl 28:2; Sl 143:7; m Sl 17:1; n Isa 38:14; o Sl 54:3; p 2Sa 15:3; q 2Sa 16:7; Os 9:7; r Sl 69:29.

misma han caído sobre mí.[a]

5 Temor, sí, el temblor mismo entra en mí,[b]
    y me cubre estremecimiento.

6 Y sigo diciendo: "¡Ay, que tuviera alas como las tiene la paloma![c]
    Me iría volando y residiría.[d]

7 ¡Mira! Lejos me iría en vuelo;[e]
    me alojaría en el desierto.[f]
    —Sélah—

8 Me apresuraría a un lugar de escape para mí
    del viento impetuoso, de la tormenta".[g]

9 Confunde, oh Jehová, divide la lengua de ellos,[h]
    porque he visto violencia y reyerta en la ciudad.[i]

10 Día y noche le dan la vuelta sobre sus muros;[j]
    y nocividad y penoso afán están dentro de ella.[k]

11 Adversidades están dentro de ella;
    y de su plaza pública no se han alejado la opresión y el engaño.[l]

12 Porque no fue un enemigo quien procedió a vituperarme;[m]
    de otro modo yo podría soportarlo.
    No fue uno que me odiara intensamente quien se dio grandes ínfulas contra mí;[n]
    de otro modo yo podría ocultarme de él.[o]

13 Sino que fuiste tú, un hombre mortal que era como mi igual,[p]
    uno que me era familiar y conocido mío,[q]

14 porque disfrutábamos de dulce intimidad juntos;[r]
    en la casa de Dios entrábamos andando con el gentío.[s]

15 ¡Desolaciones [estén] sobre ellos![t]
    Desciendan vivos al Seol;[u]
    porque durante su residencia como forasteros ha

habido cosas malas dentro de ellos.[a]

16 En cuanto a mí, a Dios clamaré;[b]
    y Jehová mismo me salvará.[c]

17 Por la tarde y la mañana y el mediodía no puedo menos que mostrar preocupación, y lanzo quejidos,[d]
    y él oye mi voz.[e]

18 Él ciertamente redimirá [y pondrá] en paz mi alma de la pelea que se hace contra mí,[f]
    porque en multitudes han venido a estar contra mí.[g]

19 Dios oirá y les responderá,[h]
    aun Aquel que está sentado [entronizado] como en el pasado[i] —Sélah—
    a aquellos con quienes no hay cambios[j]
    y quienes no han temido a Dios.[k]

20 Él ha alargado las manos contra los que estaban en paz con él;[l]
    ha profanado su pacto.[m]

21 Más suaves que mantequilla son [las palabras de] su boca,[n]
    pero su corazón está dispuesto a pelear.[o]
    Sus palabras son más blandas que aceite,[p]
    pero son espadas desenvainadas.[q]

22 Arroja tu carga sobre Jehová mismo,[r]
    y él mismo te sustentará.[s]
    Nunca permitirá que tambalee el justo.[t]

23 Pero tú mismo, oh Dios, los harás descender al hoyo más bajo.[u]
    En cuanto a hombres culpables de sangre y engañosos, no alcanzarán a

---

CAP. 55

a Sl 18:4
Sl 116:3
Isa 38:10
b Sl 119:120
c Sl 11:1
Sl 139:9
Rev 12:14
e 2Sa 15:14
f Isa 23:14
Jer 9:2
g Isa 17:13
Gé 11:9
2Sa 15:31
2Sa 17:7
i Isa 1:21
Jer 5:1
Jer 6:7
j Isa 19:11
Isa 17:1
Jn 18:3
Jn 18:28
Hch 9:24
k Eze 9:4
Sof 3:3
l Sl 109:2
Jer 9:5
Am 5:10
m Sl 41:9
n Sl 35:26
Sl 38:16
Mt 26:21
o Jn 13:18
p 2Sa 15:12
2Sa 16:23
Jer 9:4
q Lu 22:21
Lu 22:48
r Pr 3:32
s Sl 42:4
t Sl 9:6
Sl 59:13
Sl 109:15
Sl 109:15
u Nú 16:30
2Sa 17:23
2Sa 18:14
Mt 27:5
Hch 1:18

2.ª col.

a Sl 9:17
Jn 12:6
b Sl 73:28
c Sl 50:15
Sl 91:15
d Sl 88:1
Sl 119:147
Da 6:10
Mr 1:35
1Te 5:17
e Sl 5:3
f 2Sa 4:9
g 2Cr 32:7
Sl 3:6
Mt 26:47
h Sl 69:33
Sl 143:12
i Dt 33:27
Sl 90:2
Jer 10:10
j Ec 8:11
Jer 48:11
k Sl 36:1
Sof 1:12
l 2Sa 15:14
Sl 7:4
Mt 12:1
m 2Sa 5:3
Ec 8:2

---

n 2Sa 16:23; Sl 28:3; Sl 57:4; Sl 159:7; Sl 62:4; Mt 26:25; o Jn 13:2; p Pr 5:3; q Sl 59:7; Pr 12:18; r Sl 37:5; Sl 43:5; Isa 50:10; Flp 4:6; 1Pe 5:7; s 1Sa 2:9; Sl 68:19; 1Pe 1:5; t Sl 16:8; Sl 37:24; Sl 62:2; Sl 121:3; u Sl 55:15.

vivir la mitad de sus días.[a]

Pero en cuanto a mí, yo confiaré en ti.[b]

Al director sobre la Paloma Silenciosa entre los lejanos. De David. Miktam. Cuando los filisteos lo prendieron en Gat.[c]

56 Muéstrame favor, oh Dios, porque el hombre mortal ha tirado a morderme.[d]

Guerreando todo el día, sigue oprimiéndome.[e]

2 Mis opositores han seguido tirando a morder durante todo el día,[f]

porque hay muchos que están guerreando contra mí altivamente.[g]

3 Cualquier día que me dé miedo, yo, por mi parte, confiaré aun en ti.[h]

4 En unión con Dios alabaré su palabra.[i]

En Dios he cifrado mi confianza; no tendré miedo.[j]

¿Qué puede hacerme la carne?[k]

5 Todo el día siguen perjudicando mis asuntos personales;

todos sus pensamientos son contra mí para mal.[l]

6 Atacan, se ocultan;[m]

ellos, por su parte, siguen observando los mismísimos pasos míos,[n]

mientras han estado esperando mi alma.

7 A causa de [su] nocividad, échalos.[p]

En cólera rebaja aun a los pueblos, oh Dios.[q]

8 Tú mismo has dado informe de que soy fugitivo.[r]

Pon mis lágrimas, sí, en tu odre.[s]

¿No están en tu libro?[t]

9 En aquel tiempo mis enemigos se volverán atrás, el día en que yo clame;[u]

esto yo bien sé, que Dios está por mí.[v]

10 En unión con Dios[w] alabaré [su] palabra;

en unión con Jehová alabaré [su] palabra.[a]

11 En Dios he cifrado mi confianza. No tendré miedo.[b]

¿Qué puede hacerme el hombre terrestre?[c]

12 Sobre mí, oh Dios, hay votos a ti.[d]

Te haré expresiones de acción de gracias.[e]

13 Porque has librado mi alma de la muerte[f]

—¿no [has librado] mis pies del tropiezo?[g]—

para que [yo] ande delante de Dios en la luz de los que viven.[h]

Al director. "No arruines." De David. Miktam. Cuando, huyendo a causa de Saúl, entró en la cueva.[i]

57 Muéstrame favor, oh Dios, muéstrame favor,[j]

porque en ti mi alma se ha refugiado;[k]

y en la sombra de tus alas me refugio hasta que pasen las adversidades.[l]

2 Clamo a Dios el Altísimo, al Dios [verdadero] que [los] está acabando a causa de mí.[m]

3 Él enviará desde el cielo y me salvará.[n]

Ciertamente confundirá al que está tirando a morderme.[o] *Sélah.*

Dios enviará su bondad amorosa y su apego a la verdad.[p]

4 Mi alma está en medio de leones;[q]

no puedo menos que acostarme entre devoradores, [aun] los hijos de los hombres,

cuyos dientes son lanzas y flechas,[r]

y cuya lengua es una espada aguda.[s]

5 Oh, sé ensalzado sobre los cielos, oh Dios;[t]

CAP. 55

a Sl 5:6
  Pr 10:27
  Ec 7:17
  Mt 27:5
b Sl 56:11
  Sl 115:11

CAP. 56

c 1Sa 21:10
  Sl 57:3
  Sl 34:2
d Sl 27:2
  Sl 124:3
e Eze 36:3
g Sl 3:1
  Sl 54:5
  Hch 4:27
h 1Sa 21:12
  Sl 18:2
i Sl 56:10
  Sl 119:160
j Sl 27:1
  Sl 56:11
  Ro 8:31
  Heb 13:6
k 2Cr 32:8
  Sl 118:6
l Jer 18:18
m Sl 10:8
  Sl 140:2
n Sl 37:32
  Lu 20:20
o Sl 59:3
  Sl 71:10
p Sl 92:7
q Sl 55:15
  Jer 18:23
r 1Sa 27:1
s Sl 59:12
  Sl 126:5
t Sl 139:16
  Mal 3:16
u Sl 18:40
  Sl 27:2
v Isa 8:10
  Ro 8:31
w Isa 45:14
  Jer 12:3
  Jn 10:38
  Jn 17:21

2.ᵃ col.

a Sl 56:4
b Sl 27:1
  Isa 51:7
c Isa 51:12
d Nú 30:2
  Ec 5:4
e Sl 50:23
f Sl 116:8
  2Co 1:10
g Sl 17:5
  Sl 94:18
h Job 3:20
  Job 33:30
  Sl 116:9

CAP. 57

i 1Sa 22:1
  1Sa 24:3
  Sl 142:Enc
j Sl 119:77
k Sl 18:2
l Rut 2:12
  Sl 17:8
  Sl 63:7
m Jos 23:5
  Sl 138:8
n Sl 144:7
  Hch 12:11

o Sl 56:2; Eze 36:3; p Sl 40:11; Sl 61:7; Jn 1:17; q Sl 22:13; Sl 35:17; r Sl 58:6; Pr 30:14; s Sl 52:2; Sl 55:21; Sl 64:3; Pr 25:18; t Sl 108:5; Sl 113:4.

sea tu gloria sobre toda la tierra.[a]

6 Una red han preparado para mis pasos;[b]
mi alma ha quedado encorvada.[c]
Excavaron delante de mí un hoyo;
han caído en medio de él.[d]
Sélah.

7 Mi corazón es constante, oh Dios,[e]
mi corazón es constante.
Ciertamente cantaré y produciré melodía.[f]

8 Despierta, sí, oh gloria mía;[g]
despierta, sí, oh instrumento de cuerdas; tú también, oh arpa.[h]
Ciertamente haré despertar el alba.

9 Te elogiaré entre los pueblos, oh Jehová;[i]
te celebraré con melodía entre los grupos nacionales.[j]

10 Porque tu bondad amorosa es grande hasta los cielos,[k]
y tu apego a la verdad hasta los cielos nublados.[l]

11 Sé ensalzado, sí, sobre los cielos, oh Dios;[m]
sea tu gloria sobre toda la tierra.

Al director.
"No arruines." De David. Miktam.

58 ¿[En su] silencio pueden ustedes realmente hablar acerca de justicia misma?[n]
¿Pueden juzgar en rectitud misma, oh hijos de los hombres?[o]

2 ¡Cuánto más, al contrario, practican ustedes con el corazón injusticia absoluta en la tierra,[p]
[y] preparan el camino para la mismísima violencia de sus manos![q]

3 Los inicuos han sido perversos desde la matriz;[r]
han andado errantes desde el vientre en adelante;
están hablando mentiras.[s]

4 La ponzoña de ellos es como la ponzoña de la serpiente,[a]
sordos como la cobra que tapa su oído.[b]

5 que no quiere escuchar la voz de encantadores,[c]
aunque alguien sabio esté atando con hechizos.[d]

6 Oh Dios, quiébrales los dientes en la boca.[e]
Rompe las quijadas mismas de leoncillos crinados, oh Jehová.

7 Disuélvanse como en aguas que van corriendo;[f]
doble él [el arco para] sus flechas mientras ellos se desploman.[g]

8 Como un caracol que se va derritiendo anda él;
como aborto de mujer, ciertamente no contemplarán el sol.[h]

9 Antes que las ollas de ustedes sientan el cambrón [encendido],[i]
tanto el verde vivo como el que arde, él se los llevará como un viento tempestuoso.[j]

10 El justo se regocijará porque ha contemplado la venganza.[k]
Sus pasos bañará en la sangre del inicuo.[l]

11 Y la humanidad dirá:[m] "De seguro hay fruto para el justo.[n]
De seguro existe un Dios que está juzgando en la tierra".[o]

Al director. "No arruines." De David. Miktam. Cuando Saúl envió, y se quedaron vigilando la casa, para darle muerte.[p]

59 Líbrame de mis enemigos, oh Dios mío;[q]
contra los que se levantan contra mí quieras protegerme.[r]

2 Líbrame de los practicantes de lo que es perjudicial,[s]

CAP. 57
a Nú 14:21
Sl 72:19
b Sl 7:15
Sl 35:7
Sl 140:5
Pr 29:5
c Sl 42:6
d 1Sa 24:4
Sl 9:15
Sl 141:10
Pr 26:27
Pr 28:10
e Sl 112:7
f 1Cr 16:23
Sl 33:3
g Sl 16:9
Sl 30:12
h Sl 108:2
i Sl 9:11
Sl 145:12
j Sl 96:3
Ro 15:9
k Sl 36:5
Sl 89:1
Sl 103:11
l Sl 108:4
m Sl 8:1
Sl 57:5

CAP. 58
n 2Sa 23:3
2Cr 19:6
o Sl 82:2
Ec 5:8
p Ec 3:16
Jer 22:17
Miq 3:9
q Sl 94:20
Isa 10:1
r Sl 51:5
Isa 48:8
s Sl 5:6
Jn 8:44

2.ª col.
a Sl 140:3
Ro 3:13
Snt 3:8
b Isa 43:8
c Isa 19:3
d Dt 18:11
e Sl 3:7
f 2Sa 14:14
Sl 112:10
g Sl 64:7
h Job 3:16
i Sl 118:12
j Pr 10:25
Jer 23:19
k Sl 52:6
Sl 64:10
Sl 107:42
Eze 25:17
Rev 18:20
l Sl 68:23
Pr 21:18
Rev 14:20
m Sl 92:15
n Isa 3:10
o Sl 9:16
Sl 98:9
Heb 10:30

CAP. 59
p 1Sa 19:11
q 1Sa 19:12
Sl 7:1
Sl 18:48
Sl 71:4

r Sl 12:5; Sl 91:14; s Sl 28:3; 2Te 3:2.

y de hombres culpables de sangre sálvame.

3 Pues, ¡mira!, han acechado mi alma;[a]

los fuertes lanzan un ataque contra mí,[b]

no por sublevación de parte mía, ni pecado alguno de parte mía, oh Jehová.[c]

4 Aunque no hay error, corren y se alistan.[d]

Despierta, sí, a mi llamar, y ve.[e]

5 Y tú, oh Jehová Dios de los ejércitos, eres el Dios de Israel.[f]

De veras despierta para dirigir tu atención a todas las naciones.[g]

No muestres favor a traidores perjudiciales.[h] *Sélah.*

6 Siguen volviendo al atardecer;[i]

siguen ladrando como un perro,[j] y dan la vuelta a la ciudad.[k]

7 ¡Mira! Borbotean con su boca;[l]

espadas hay en sus labios,[m]

Pues, ¿quién está escuchando?[n]

8 Pero tú mismo, oh Jehová, te reirás de ellos;[o]

harás escarnio de todas las naciones.[p]

9 Oh Fuerza mía, hacia ti ciertamente me mantendré alerta;[q]

porque Dios es mi altura segura.

10 El Dios de bondad amorosa para conmigo, él mismo se presentará delante de mí;[s]

Dios mismo me hará poner la vista sobre mis opositores.[t]

11 No los mates, para que mi pueblo no se olvide.[u]

Por tu energía vital haz que anden errantes,[v]

y rebájalos, oh escudo nuestro, Jehová.[w]

12 [a causa] del pecado de su boca, la palabra de sus labios,[x]

y sean ellos atrapados en su orgullo,[a]

aun por el maldecir y el engaño que ensayan.

13 Acába[los] en furia;[b]

acába[los], para que no sean;

y sepan ellos que Dios está gobernando en Jacob hasta los cabos de la tierra.[c] *Sélah.*

14 Y vuelvan ellos al atardecer; ladren como un perro y den la vuelta a la ciudad.[d]

15 Anden errantes esos mismos en busca de algo de comer;[e]

no queden satisfechos ni pernocten.[f]

16 Pero en cuanto a mí, yo cantaré acerca de tu fuerza,[g]

y a la mañana informaré gozosamente acerca de tu bondad amorosa.[h]

Porque has resultado ser altura segura para mí[i]

y lugar adonde huir en el día de mi angustia.[j]

17 Oh Fuerza mía, a ti te celebraré con melodía,[k]

porque Dios es mi altura segura, el Dios de bondad amorosa para conmigo.[l]

Al director sobre El Lirio de Recordatorio. Miktam. De David. Para enseñar.[m] Cuando entró en lucha con Aram-naharaim y Aram-Zobá, y Joab procedió a volver y derribar a Edom en el valle de la Sal, aun a doce mil.[n]

60 Oh Dios, tú nos has desechado, has irrumpido entre nosotros,[o]

te has enojado. Debes restaurarnos.[p]

2 Has hecho que la tierra se meza, la has hendido.[q]

Sana sus brechas, porque ha tambaleado.[r]

3 Has hecho que tu pueblo vea penalidad.[s]

CAP. 59

a 1Sa 19:1
Sl 10:9
Sl 37:32
Sl 38:12
Sl 56:6
Sl 71:10
Jn 7:1
Hch 23:21
b Sl 2:2
Hch 4:26
c 1Sa 24:11
1Sa 26:18
Sl 35:19
Sl 69:4
d Pr 1:16
Hch 23:15
e Sl 35:23
f Dt 33:29
Sl 9:15
h Pr 2:22
Pr 13:2
i 1Sa 19:11
j Sl 22:16
k Sl 59:14
l Mt 12:34
m Sl 57:4
Sl 64:3
Pr 12:18
n Sl 10:11
Sl 73:11
Eze 9:9
o Sl 2:4
Sl 37:13
Pr 1:26
q Sl 33:10
Sl 18:1
Sl 27:1
Sl 46:1
r Sl 9:9
Sl 62:2
s Sl 6:4
Sl 119:88
t Sl 54:7
Sl 92:11
u Jue 1:6
Ec 9:5
v Gé 4:12
Eze 12:15
w Gé 15:1
Dt 33:29
Job 40:12
Sl 3:3
x Sl 64:8
Pr 12:13
Pr 18:7

2.ª col.

a Pr 8:13
Pr 16:18
b Sl 7:9
Isa 63:3
c 1Sa 17:46
Sl 9:16
Sl 83:18
d Sl 59:6
e Sl 109:10
f Isa 56:11
g Job 37:23
Sl 31:13
Sl 106:8
Sl 145:11
h Sl 89:1
Sl 101:1
Ef 1:6
i 1Sa 17:37
Sl 61:3
j Pr 18:10
k Sl 18:1
Isa 12:2
l Sl 59:10

CAP. 60   m Dt 31:19; 2Sa 1:18; n 2Sa 8:13; 1Cr 18:3; o Sl 44:9; Sl 89:38; p Sl 85:4; Sl 90:13; q Ag 2:7; r Jer 30:17; Os 6:1; s Ne 9:32; Sl 71:20; Da 9:12.

Nos has hecho beber vino
que nos ha dado vértigo.[a]
4 Has dado a los que te temen
una seña[b]
para que huyan en zigzag a
causa del arco. *Sélah*.
5 A fin de que tus amados sean
librados,[c]
oh, salva, sí, con tu diestra,
y respóndenos.[d]
6 Dios mismo ha hablado en su
santidad:[e]
"Ciertamente me alboroza-
ré, de veras repartiré a
Siquem como porción;[f]
y mediré la llanura baja de
Sucot.[g]
7 Galaad me pertenece y Manasés me pertenece,[h]
y Efraín es la plaza fuerte
del que me es cabeza;
Judá es mi bastón de co-
mandante.[i]
8 Moab es la vasija en que me
lavo.[j]
Sobre Edom arrojaré mi
sandalia.[k]
Sobre Filistea gritaré en
triunfo".[l]
9 ¿Quién me llevará a la ciudad
sitiada?[m]
¿Quién de seguro me guia-
rá hasta Edom?[n]
10 ¿No eres tú, oh Dios, quien
nos has desechado[o]
y quien no sales con
nuestros ejércitos como
Dios?[p]
11 Danos auxilio, sí, de la angustia,[q]
puesto que la salvación por
el hombre terrestre es
inútil.[r]
12 Por Dios conseguiremos
energía vital,[s]
y él mismo pisoteará a
nuestros adversarios.[t]

Al director sobre instrumentos
de cuerda. De David.

61 Oye, sí, oh Dios, mi clamor
rogativo.[u]
De veras presta aten-
ción a mi oración.[v]
2 Desde la extremidad de la
tierra clamaré, aun a ti,

CAP. 60
a Isa 51:17
Jer 25:15
Hab 2:16
b Sl 20:5
c Sl 108:6
Sl 18:35
Sl 21:8
Sl 118:15
Isa 41:10
e Sl 89:35
Sl 108:7
f Gé 12:6
Jos 1:6
g Jos 13:27
h Dt 33:17
i Gé 49:10
j Nú 24:17
2Sa 8:2
Sl 108:9
k Nú 24:18
2Sa 8:14
Sl 108:8
m 2Sa 11:1
2Sa 12:29
1Cr 11:16
2Sa 8:14
o Sl 44:9
Sl 108:11
Isa 8:17
Isa 12:1
p Dt 1:42
Dt 20:4
Jos 7:12
q Sl 25:22
Sl 108:12
r Sl 62:9
Sl 118:8
Sl 146:3
s 2Sa 10:12
Sl 18:32
Sl 108:13
t Sl 44:5
Isa 63:3

CAP. 61
u Sl 5:2
Sl 28:2
Sl 102:1
Sl 130:2
v Sl 17:1
Sl 55:1
Flp 4:6

2.ª col.
a 1Re 8:48
Jon 2:2
b Sl 27:5
Sl 40:2
c Sl 25:20
d Isa 17:45
Sl 18:2
Pr 18:10
e Sl 23:6
Sl 27:4
f Sl 17:8
Sl 57:1
Sl 63:7
Sl 91:4
g Sl 65:1
h Sl 115:13
Mal 3:16
i Sl 18:50
Sl 21:4
Sl 72:17
Sl 89:4
k 2Sa 7:16
Sl 41:12
l Sl 40:11
Sl 57:3
Sl 143:12
Pr 20:28
Miq 7:20

cuando mi corazón se
haga endeble.[a]
A una roca más alta que yo
quieras guiarme.[b]
3 Porque has resultado ser un
refugio para mí,[c]
una torre fuerte frente al
enemigo.[d]
4 Ciertamente seré huésped en
tu tienda para tiempos
indefinidos;[e]
me refugiaré, sí, en el escondrijo de tus alas.[f]
Sélah.
5 Porque tú mismo, oh Dios,
has escuchado mis vo-
tos.[g]
[Me] has dado la posesión
de los que temen tu nom-
bre.[h]
6 Días añadirás a los días del
rey;[i]
sus años serán como gene-
ración tras generación.[j]
7 Él morará hasta tiempo indefinido delante de Dios;[k]
oh, asigna bondad amoro-
sa y apego a la verdad,
para que estos lo salva-
guarden.[l]
8 Así que ciertamente celebraré tu nombre con melo-
día para siempre,[m]
para que pague mis votos
día tras día.[n]

Al director de Jedutún.
Melodía de David.

62 Realmente hacia Dios mi
alma está [esperando
en] silencio.[o]
De él procede mi salva-
ción.[p]
2 Realmente él es mi roca y mi
salvación, mi altura se-
gura;[q]
no se me hará tambalear
mucho.[r]
3 ¿Hasta cuándo rabiarán frenéticamente contra el
hombre a quien quieren
asesinar?[s]
Todos ustedes son como
una pared inclinada, un

m Sl 30:12; Sl 145:1; Sl 146:2; n Sl 65:1; Sl 66:13;
Ec 5:4; **CAP. 62** o Sl 33:20; p Sl 3:8; Sl 37:39;
Sl 68:19; Isa 12:2; q Sl 18:2; Sl 46:7; Sl 62:6; r Sl
37:24; Miq 7:8; 2Co 4:9; s 1Sa 24:11; Sl 38:12.

muro de piedra que está siendo empujado hacia dentro.[a]

4 Realmente dan consejos para ilusionar a uno y apartarlo de su propia dignidad;[b]

se complacen en una mentira.[c]

Con la boca bendicen, pero en su interior invocan el mal.[d] *Sélah.*

5 Realmente hacia Dios espera silenciosamente, oh alma mía,[e]

porque de él viene mi esperanza.[f]

6 Realmente él es mi roca y mi salvación, mi altura segura;[g]

no se me hará tambalear.[h]

7 En Dios está mi salvación y mi gloria.[i]

Mi roca fuerte, mi refugio está en Dios.[j]

8 Confía en él a todo tiempo, oh pueblo.[k]

Delante de él derramen ustedes su corazón.[l]

Dios es refugio para nosotros.[m] *Sélah.*

9 Realmente los hijos del hombre terrestre son una exhalación,[o]

los hijos de la humanidad son una mentira.[o]

Puestos en la balanza son, todos juntos, más leves que una exhalación.[p]

10 No cifren ustedes su confianza en el defraudar,[q]

ni se hagan vanos en el puro robo.[r]

En caso de que los medios de mantenimiento medren, no fijen [en ellos] su corazón.[s]

11 Una vez ha hablado Dios, dos veces he oído aun esto:[t]

Que la fuerza pertenece a Dios.[u]

12 También la bondad amorosa te pertenece, oh Jehová,[v]

porque tú mismo das el pago a cada uno conforme a su obra.[w]

CAP. 62
a Isa 30:13
b Mt 2:8
c Sl 52:3
  Pr 6:17
  Jn 8:44
d Sl 5:9
  Sl 28:3
  Sl 55:21
e Sl 43:5
  Sl 62:1
  Miq 7:7
f Sl 71:5
  Ro 15:13
  Tit 1:2
g Sl 18:31
h Sl 16:8
  Sl 112:6
  Pr 10:30
i Sl 3:3
  Jer 3:23
j Sl 95:1
  Isa 26:4
k Isa 50:10
l 1Sa 1:15
m Sl 46:11
  Pr 14:26
n Sl 39:5
  Sl 144:4
o 2Sa 15:31
  Sl 60:11
  Ro 3:4
p Isa 40:15
q Pr 14:31
  Isa 30:12
r Isa 61:8
s Dt 6:12
  Job 31:24
  Sl 52:7
  Pr 11:4
  Pr 11:28
  Pr 23:5
  Mt 6:19
  Mt 6:24
  Mr 8:36
  Lu 12:15
  1Ti 6:17
  1Jn 2:16
t Job 33:14
u Job 9:4
  Sl 63:2
  Sl 77:14
  Na 1:3
  Rev 19:1
v Sl 36:7
  Sl 86:15
  Miq 7:18
w 1Sa 16:7
  Job 34:11
  Pr 24:12
  Jer 32:19
  Eze 7:27
  Ro 2:6
  2Co 5:10
  Gál 6:7
  Col 3:25
  2Ti 4:14
  1Pe 1:17
  Rev 20:12
  Rev 22:12

2.ª col.

CAP. 63
a 1Sa 22:5
  1Sa 23:14
b Éx 15:2
  Isa 26:9
c Sl 42:2
  Sl 143:6
d Sl 63:Enc
e Sl 77:13

Melodía de David, cuando se hallaba en el desierto de Judá.[a]

63 Oh Dios, tú eres mi Dios; sigo buscándote.[b]

Mi alma de veras tiene sed de ti.[c]

Por ti mi carne ha desmayado [de anhelo] en una tierra seca y agotada, donde no hay agua.[d]

2 Así te he contemplado en el lugar santo,[d] al ver tu fuerza y tu gloria.[f]

3 Porque tu bondad amorosa es mejor que la vida,[g]

mis propios labios te encomiarán.[h]

4 Así te bendeciré durante el transcurso de mi vida;[i]

en tu nombre levantaré las palmas de mis manos.[j]

5 Como con la mejor parte, aun la grosura, mi alma está satisfecha,[k]

y con labios de clamores gozosos mi boca ofrece alabanza.[l]

6 Cuando me he acordado de ti sobre mi canapé,[m]

durante las vigilias de la noche medito en ti.[n]

7 Porque tú has resultado ser de auxilio para mí,[o]

y en la sombra de tus alas clamo gozosamente.[p]

8 Mi alma te ha seguido con apego;[q]

tu diestra me tiene firmemente asido.[r]

9 En cuanto a los que siguen buscando mi alma para ruina [de ella],[s]

entrarán en las partes más bajas de la tierra.[s]

10 Serán entregados al poder de la espada;[u]

---

f 1Cr 16:28; Sl 29:1; Sl 96:6; g Sl 30:5; Sl 100:5; h Sl 66:17; Os 14:2; Heb 13:15; i Sl 145:2; j 1Re 8:22; Sl 134:2; k Le 7:25; Sl 36:8; Jer 31:14; l Sl 43:4; Sl 71:23; Sl 135:3; m Sl 149:5; n Sl 119:55; Sl 119:148; o Sl 46:1; Sl 54:4; p Sl 5:11; Sl 32:11; Sl 57:1; Sl 61:4; q Sl 73:25; Sl 143:6; r Isa 41:10; s Sl 35:4; Sl 40:14; t Nú 16:30; 1Sa 25:29; u 1Sa 26:10; Jer 18:21; Jer 25:31.

llegarán a ser mera porción para las zorras.[a]

11 Y el rey mismo se regocijará en Dios.[b]
Todo el que jura por él se jactará,[c]
porque la boca de los que hablan falsedad será cerrada.[d]

Al director. Melodía de David.

64 Oye, oh Dios, mi voz en mi preocupación.[e]
De lo pavoroso del enemigo quieras salvaguardar mi vida.[f]

2 Quieras ocultarme del habla confidencial de los malhechores,[g]
del tumulto de los practicantes de nocividad,[h]

3 que han aguzado su lengua precisamente como una espada,[i]
que han apuntado su flecha, discurso amargo,[j]

4 para disparar desde lugares ocultos contra alguien exento de culpa.[k]
De repente disparan contra él y no temen.[l]

5 Se afianzan en discurso malo;[m]
hacen declaraciones acerca de esconder trampas.[n]
Han dicho: "¿Quién las ve?".[o]

6 Siguen escudriñando cosas injustas;[p]
han escondido un ardid de sagacidad bien escudriñado,[q]
y lo interior de cada uno, aun [su] corazón, es profundo.[r]

7 Pero repentinamente Dios disparará contra ellos con una flecha.[s]
Heridas les han resultado,[t]

8 y hacen que se tropiece.[u]
[Pero] su lengua está en contra de ellos mismos.[v]
Todos los que los miren menearán la cabeza,[w]

9 y todos los hombres terrestres se atemorizarán;[x]

e informarán acerca de la actividad de Dios,[a]
y ciertamente tendrán perspicacia en cuanto a la obra de él.[b]

10 Y el justo se regocijará en Jehová y verdaderamente se refugiará en él;[c]
y todos los rectos de corazón se jactarán.[d]

Al director.
Melodía de David. Canción.

65 Para ti hay alabanza —silencio—, oh Dios, en Sión;[e]
y a ti se te pagará el voto.[f]

2 Oh Oidor de la oración, aun a ti vendrá gente de toda carne.[g]

3 Cosas del error han resultado más poderosas que yo.[h]
En cuanto a nuestras transgresiones, tú mismo las cubrirás.[i]

4 Feliz es aquel a quien tú escoges y haces que se acerque,[j]
para que resida en tus patios.[k]
Ciertamente quedaremos satisfechos con la bondad de tu casa,[l]
el lugar santo de tu templo.[m]

5 Con cosas inspiradoras de temor, en justicia nos responderás,[n]
oh Dios de nuestra salvación,[o]
la Confianza de todos los confines de la tierra y de los alejados en el mar.[p]

6 Él está estableciendo las montañas firmemente con su poder;[q]
realmente está ceñido de poderío.[r]

7 Está aquietando el ruido de los mares,[s]
el ruido de sus olas y la bulla de los grupos nacionales.[t]

CAP. 63
a Eze 39:4
b Sl 21:1
c Dt 6:13
Isa 45:23
d Sl 31:18

CAP. 64
e Sl 55:1
f Sl 31:15
g Sl 56:6
Sl 109:2
h Lu 23:18
i Pr 12:18
Pr 30:14
j Sl 11:2
Sl 58:7
Jer 9:8
k Sl 10:8
l 1Sa 18:11
2Sa 15:14
m Nú 22:6
n Pr 1:11
Mt 26:4
o Sl 10:11
Sl 59:7
Sl 94:7
Eze 8:12
p Sl 35:11
Da 6:4
q Sl 140:5
Mt 26:59
r Sl 5:9
Jer 17:9
s Dt 32:23
Sl 7:12
t 1Re 22:34
1Cr 10:3
u Pr 12:13
Mal 2:8
Ro 14:21
v Pr 18:7
Lu 19:22
w Jer 18:16
Rev 18:10
x Nú 16:34

2.ª col.
a Sl 145:6
Sl 50:28
Jer 51:10
b 1Sa 51:12
Sl 107:43
Os 14:9
c Sl 32:11
Sl 58:10
Sl 68:3
Flp 4:4
d 1Co 1:31

CAP. 65
e Sl 76:2
f Sl 56:12
Sl 76:11
Sl 116:18
Ec 5:4
g Sl 145:18
Isa 66:23
Hch 10:31
Hch 15:17
1Jn 5:14
h Sl 40:12
Ro 7:23
Gál 5:17
i Sl 51:12
Sl 78:38
Sl 79:9
Isa 1:18
Jn 1:29
Heb 9:14
1Jn 1:7

j Sl 15:1; Sl 135:4; k Sl 27:4; Sl 84:4; Sl 84:10;
l Sl 36:8; Sl 63:5; m 1Sa 3:3; 1Cr 16:1; n Dt
10:21; Sl 47:2; Rev 15:3; o Sl 3:8; Sl 20:5; p Sl
22:27; Isa 45:22; q Sl 119:90; r Sl 93:1; s Sl 89:9;
Sl 107:29; t Sl 2:1; Isa 17:12; Isa 57:20.

8 Y los habitantes de las partes
  más distantes tendrán
  miedo de tus señales;[a]
  tú haces que las salidas de
  la mañana y de la tarde
  clamen gozosamente.[b]
9 Has dirigido tu atención a la
  tierra, para darle abundancia;[c]
  la enriqueces muchísimo.
  La corriente desde Dios
  está llena de agua.[d]
  Tú preparas el grano de
  ellos,[e]
  porque así es como preparas la tierra.[f]
10 Hay un empapamiento de sus
  surcos, un allanamiento
  de sus terrones;[g]
  con chaparrones copiosos
  la ablandas; bendices
  sus mismísimos brotes.[h]
11 Has coronado el año con tu
  bondad,[i]
  y tus mismísimas huellas
  gotean grosura.[j]
12 Los pastos del desierto siguen goteando,[k]
  y de gozo se ciñen las colinas mismas.[l]
13 Los prados han quedado vestidos de rebaños,[m]
  y las mismísimas llanuras
  bajas están envueltas en
  grano.[n]
  Gritan en triunfo, sí, cantan.[o]

Al director. Canción, melodía.

66 Griten en triunfo a Dios,
  [gentes de] toda la
  tierra.[p]
2 Celebren con melodía la gloria de su nombre.[q]
  Hagan gloriosa la alabanza
  de él.[r]
3 Digan a Dios: "¡Cuán inspiradoras de temor son tus
  obras![s]
  Debido a la abundancia de
  tu fuerza tus enemigos
  vendrán a ti encogidos
  de temor.[t]
4 [Las gentes de] toda la tierra
  se inclinarán ante ti,[u]
  y te celebrarán con melo-

día, celebrarán tu nom-
  bre con melodía".[a] Sélah.
5 Vengan y vean las actividades
  de Dios.[b]
  Su trato con los hijos de
  los hombres es inspira-
  dor de temor.[c]
6 Ha cambiado el mar en tierra
  seca;[d]
  por el río fueron pasando a
  pie.[e]
  Allí empezamos a regoci-
  jarnos en él.[f]
7 Él está gobernando por su
  poderío hasta tiempo indefinido.[g]
  Sobre las naciones sus propios ojos atalayan.[h]
  En cuanto a los que son
  tercos, no se ensalcen en
  sí mismos.[i] Sélah.
8 Bendigan a nuestro Dios, oh
  pueblos,[j]
  y hagan oír la voz de alabanza a él.[k]
9 Él está poniendo nuestra
  alma en la vida,[l]
  y no ha permitido que
  nuestro pie tambalee.[m]
10 Porque tú nos has examinado, oh Dios;[n]
  nos has refinado como
  cuando se refina la plata.[o]
11 Nos has metido en una red de
  caza;[p]
  has puesto presión sobre
  nuestras caderas.
12 Has hecho que el hombre
  mortal cabalgue sobre
  nuestra cabeza;[q]
  hemos pasado por fuego y
  por agua,[r]
  y procediste a sacarnos a
  solaz.[s]
13 Entraré en tu casa con holocaustos;[t]
  te pagaré mis votos[u]
14 que mis labios se han abierto
  para decir,[v]
  y que mi boca ha hablado
  cuando yo estuve en grave aprieto.[w]

CAP. 65
a Sl 48:5
  Sl 66:3
b Sl 19:5
  Sl 148:3
c Dt 11:12
  Sl 104:14
  Sl 147:8
  Hch 14:17
d Sl 46:4
e Sl 104:15
  Sl 107:37
f Gé 26:12
g Job 21:33
  Job 38:38
h Sl 147:8
i Gé 27:28
  Dt 33:16
j Mal 3:10
k Isa 30:23
l Isa 55:12
m Jer 6:3
n Zac 9:17
o Sl 96:11
  Isa 35:1
  Hch 14:17

CAP. 66
p Sl 33:1
  Sl 98:4
q Isa 12:5
  Rev 4:11
r Ne 9:5
  Sl 72:19
  Sl 86:9
s Ex 15:16
  Sl 76:12
  Isa 2:19
  Jer 10:10
t Sl 81:15
u Sl 22:27
  Mal 1:11

2.ª col.
a Isa 42:10
  Rev 15:4
b Sl 46:8
c Sl 66:3
  Sof 2:11
d Ex 14:22
  Sl 78:13
  Sl 106:9
e Jos 3:16
f Ex 15:1
g Da 4:34
  1Ti 1:17
h 2Cr 16:9
  Sl 11:4
  Sl 33:13
  Pr 15:3
  Heb 4:13
i Dt 17:20
  Sl 75:4
  Isa 37:29
j Dt 32:43
  Ro 15:10
k Jer 33:11
l 1Sa 25:29
  Hch 17:28
m 1Sa 2:9
  Sl 62:6
  Sl 94:18
  Sl 121:3
n Dt 8:2
  Sl 17:3
o Isa 48:10
  Zac 13:9
  Mal 3:3
  1Pe 1:7
p Job 19:6
  Os 7:12
q Sl 129:3
  Isa 51:23
r 1Te 3:3

s Isa 43:2; Hch 14:22; t Nú 15:3; Sl 100:4; u Sl
22:25; Sl 56:12; Sl 116:14; Ec 5:4; v Nú 30:2; Jue
11:35; w 2Sa 22:7.

15 Holocaustos de [animales]
    cebados te ofreceré,[a]
    con el humo de sacrificio
    de carneros.
    Ofreceré un toro con ma-
    chos cabríos.[b] *Sélah.*
16 Vengan, escuchen, todos us-
    tedes los que temen a
    Dios, y yo ciertamente
    contaré[c]
    lo que él ha hecho por mi
    alma.[d]
17 A él clamé con mi boca,[e]
    y hubo enaltecimiento con
    mi lengua.[f]
18 Si he dado consideración a
    algo perjudicial en mi
    corazón,
    Jehová no [me] oirá.[g]
19 Verdaderamente Dios ha
    oído;[h]
    ha prestado atención a la
    voz de mi oración.[i]
20 Bendito sea Dios, que no ha
    apartado mi oración,
    ni su bondad amorosa de
    mí.[j]

Al director sobre instrumentos
de cuerda. Melodía, canción.

67 Dios mismo nos mostrará
    favor y nos bendeci-
    rá;[k]
    hará brillar su ros-
    tro sobre nosotros[l]
    —*Sélah*—
2 para que tu camino sea cono-
    cido en la tierra,[m]
    tu salvación aun entre to-
    das las naciones.[n]
3 Elógiente los pueblos, oh
    Dios;[o]
    elógiente los pueblos, to-
    dos ellos.[p]
4 Regocíjense los grupos na-
    cionales y clamen gozo-
    samente,[q]
    porque juzgarás a los
    pueblos con rectitud;[r]
    y en cuanto a los grupos
    nacionales, en la tierra
    los guiarás. *Sélah.*
5 Elógiente los pueblos, oh
    Dios;[s]
    elógiente los pueblos, to-
    dos ellos.[t]

6 La tierra misma ciertamente
    dará su producto;[a]
    Dios, nuestro Dios, nos
    bendecirá.[b]
7 Dios nos bendecirá,[c]
    y todos los cabos de la
    tierra le temerán.[d]

Al director. De David.
Melodía, canción.

68 Levántese Dios,[e] sean es-
    parcidos sus enemi-
    gos,[f]
    y los que lo odian inten-
    samente huyan a cau-
    sa de él.[g]
2 Como el humo es impelido,
    quieras impeler[los] tú;[h]
    como se derrite la cera a
    causa del fuego,[i]
    perezcan los inicuos de
    delante de Dios.[j]
3 Pero en cuanto a los justos,
    regocíjense,[k]
    exulten delante de Dios,[l]
    y alborócense con regoci-
    jo.[m]
4 Canten ustedes a Dios, ce-
    lebren con melodía su
    nombre;[n]
    levanten [una canción] a
    Aquel que cabalga por
    las llanuras del desierto[o]
    como Jah, que es su nom-
    bre;[p] y estén jubilosos
    delante de él.
5 padre de huérfanos de padre
    y juez de viudas[q]
    es Dios en su santa mora-
    da.[r]
6 Dios está haciendo morar en
    casa a los solitarios;[s]
    está sacando a los prisio-
    neros a la plena prospe-
    ridad.[t]
    Sin embargo, en cuanto a
    los tercos, ellos tienen
    que residir en una tierra
    abrasada.[u]
7 Oh Dios, cuando tú saliste
    delante de tu pueblo,[v]

CAP. 66
a 1Cr 16:1
b 2Sa 6:13
c Sl 34:11
  Mal 3:16
d Sl 22:24
e Sl 30:8
  Sl 34:3
f Sl 51:14
  Sl 126:2
g Job 27:9
  Pr 15:29
  Pr 28:9
  Isa 1:15
  Jn 9:31
  Snt 4:3
h Sl 6:9
  Sl 34:6
  Sl 65:2
  Sl 116:1
  Lam 3:56
  1Jn 3:22
i Heb 5:7
j 2Sa 7:15
  Sl 86:13

CAP. 67
k Sl 28:9
  2Co 13:14
  Ef 1:3
l Nú 6:25
  Sl 4:6
  Sl 31:16
  1Jn 1:135
  Pr 16:15
m Est 8:17
  Sl 98:2
  Ro 10:18
  Col 1:23
n Sl 66:1
  Sl 98:2
  Isa 49:6
  Lu 2:30
  Hch 28:28
  Tit 2:11
o Sl 138:4
  Sl 142:7
p Sl 44:8
q Dt 32:43
  Ro 42:10
  Ro 15:10
r Sl 9:8
  Sl 96:10
  Sl 98:9
  Ro 2:5
s Sl 45:17
t Sl 108:3
  Isa 38:19

2.ª col.
a Le 26:4
  Sl 85:12
  Sl 30:23
  Eze 34:27
b Gé 17:7
  Sl 48:14
  Jer 31:1
c Pr 10:22
d Sl 22:27
  Rev 15:4

CAP. 68
e Nú 10:35
  Sl 44:26
f Sl 59:11
  Isa 33:3
g Dt 7:10
  Sl 21:8
h Isa 9:18
  Sl 33:8
i Sl 97:5
  Miq 1:4

j Na 1:6; 2Te 1:9; k Dt 12:12; Sl 32:11; Sl 33:1;
Flp 4:4; 1 Pr 11:10; m Sl 43:4; n Sl 67:4; Isa 12:4;
o Dt 33:26; Sl 18:10; Sl 104:3; Isa 19:1; p Éx 6:3;
q Éx 22:22; Dt 10:18; Sl 10:14; Sl 146:9; r Isa
57:15; Hch 7:48; s 1Sa 2:5; Sl 113:9; t Isa 61:1;
u Dt 28:23; Sl 107:34; v Éx 13:21.

cuando marchaste por el desierto[a] —Sélah—

8 la tierra misma se meció,[b]
el cielo mismo también goteó a causa de Dios;[c]
este Sinaí [se meció] a causa de Dios,[d] el Dios de Israel.[e]

9 Un copioso aguacero empezaste a hacer caer, oh Dios;[f]
tu herencia, aun cuando estaba fatigada... tú mismo la reanimaste.[g]

10 Tu comunidad bajo tienda[h]...
ellos han morado en ella;[i]
con tu bondad procediste a prepararla para el afligido, oh Dios.[j]

11 Jehová mismo da el dicho;[k]
las mujeres que anuncian las buenas nuevas son un ejército grande.[l]

12 Hasta los reyes de los ejércitos huyen, ellos huyen.[m]
En cuanto a la que permanece en casa, ella participa del despojo.[n]

13 Aunque ustedes se quedaron acostados entre los montones de ceniza [del campamento],
habrá las alas de una paloma cubiertas de plata,
y sus plumas remeras de oro[o] verde amarillento.

14 Cuando el Todopoderoso esparció a los reyes en ella,[p]
empezó a nevar en Zalmón.[q]

15 La región montañosa de Basán[r] es una montaña de Dios;[s]
la región montañosa de Basán es una montaña de picos.[t]

16 ¿Por qué, oh montañas de picos, se quedan mirando con envidia
a la montaña que Dios ha deseado para sí para morar en ella?[u]
Aun Jehová mismo residirá [allí] para siempre.[v]

17 Los carros de guerra de Dios

se cuentan por decenas de millares, millares repetidas veces.[a]
Jehová mismo ha venido de Sinaí al lugar santo.[b]

18 Has ascendido a lo alto;[c]
te has llevado cautivos;[d]
has tomado dones en la forma de hombres,[e]
sí, aun a los tercos,[f] para residir [entre ellos],[g] oh Jah Dios.

19 Bendito sea Jehová, que diariamente nos lleva la carga,[h]
el Dios [verdadero] de nuestra salvación.[i] Sélah.

20 El Dios [verdadero] es para nosotros un Dios de hechos salvadores;[j]
y a Jehová el Señor Soberano[k] pertenecen los caminos de salir de la muerte.[l]

21 Realmente Dios mismo hará pedazos la cabeza de sus enemigos,[m]
la coronilla cabelluda de la cabeza de cualquiera que vaya andando en su culpabilidad.[n]

22 Jehová ha dicho: "Desde Basán traeré de vuelta,[o]
[los] traeré de vuelta desde de las profundidades del mar,[p]

23 a fin de que te laves el pie en sangre,[q]
que de los enemigos tenga su porción la lengua de tus perros".[r]

24 Ellos han visto tus procesiones, oh Dios,[s]
las procesiones de mi Dios, mi Rey, [entrando] en el lugar santo.

25 Los cantores procedieron enfrente, los tocadores de instrumentos de cuerda detrás de ellos;[u]
en medio estuvieron las doncellas tocando panderetas.[v]

CAP. 68

a Jue 5:5
b Sl 114:4
  Sl 114:7
  Heb 12:26
c Jue 5:4
d Éx 19:18
  Dt 5:24
e Isa 45:3
f Sl 65:9
  Eze 34:26
g Dt 11:12
h Nú 10:34
i Sl 15:1
j Dt 26:5
  Lu 1:53
k Sl 40:3
l Éx 15:20
  Jue 5:1
  Jue 11:34
  1Sa 18:6
  Isa 40:9
  Hch 8:12
m Nú 31:8
  Jos 10:16
  Jos 12:7
  Jue 5:19
n Nú 31:27
  1Sa 30:24
o Sl 105:37
p Nú 21:3
  Jos 10:10
  Jer 2:3
  Joel 1:15
q Jue 9:48
r Nú 21:33
  Miq 7:14
s Mt 17:1
  Mr 9:2
  2Pe 1:18
t Dt 3:8
  Dt 3:10
  Sl 42:6
u 1Cr 11:5
  Sl 48:2
  Sl 132:13
v Dt 12:5
  1Re 9:3
  Heb 12:22

2.ª col.

a Dt 33:2
  2Re 6:17
  Da 7:10
  Mt 26:53
  Rev 5:11
b Éx 19:23
  Sl 47:5
c 2Sa 5:7
  Ef 4:8
e 2Sa 24:16
  1Cr 21:15
  Ef 4:11
f Dt 2:36
  Dt 7:22
  Mt 9:13
  1Ti 1:13
g Sl 15:1
  2Co 6:16
h Sl 55:22
  1Pe 5:7
i Sl 95:1
j Isa 12:2
  Isa 45:17
  Os 1:7
k Da 4:35
  Hch 4:24
l Dt 32:39
m Hab 3:13
n Sl 55:23
  Eze 18:26
  Lu 13:5
o Nú 21:33
p Éx 14:22
  Isa 51:10

q Sl 58:10; Isa 63:3; r 1Re 21:19; 1Re 22:38; 2Re 9:33; s Sl 24:7; t 1Cr 13:8; u 1Cr 15:16; Sl 87:7; Sl 150:3; v Éx 15:20; Jue 11:34; 1Sa 18:6; Sl 148:12.

26 En multitudes congregadas
   bendigan a Dios,[a]
   a Jehová, [oh ustedes que
   son] de la Fuente de Israel.[b]
27 Allí está el pequeño Benjamín sojuzgándolos,[c]
   los príncipes de Judá con
   su muchedumbre que da
   gritos,
   los príncipes de Zabulón,
   los príncipes de Neftalí.[d]
28 Tu Dios ha dado mandato a
   tu fuerza.[e]
   De veras muestra fuerza,
   oh Dios, tú que has obrado por nosotros.[f]
29 A causa de tu templo en Jerusalén,[g]
   a ti mismo los reyes traerán regalos.[h]
30 Reprende a la bestia salvaje
   de las cañas,[i] a la asamblea de toros,[j]
   con los becerros de los pueblos, cada uno pisando
   duro piezas de plata.[k]
   Él ha esparcido a los pueblos que se deleitan en
   peleas.[l]
31 Efectos de bronce saldrán de
   Egipto;[m]
   Cus mismo rápidamen-
   te extenderá sus ma-
   nos [con regalos] a Dios.[n]
32 Oh reinos de la tierra, canten
   a Dios,[o]
   celebren con melodía a Jehová —Sélah—
33 a Aquel que cabalga en el
   antiguo cielo de los cielos.[p]
   ¡He aquí! Hace sonar su
   voz, una voz fuerte.[q]
34 Atribuyan fuerza a Dios.[r]
   Sobre Israel está su eminencia, y su fuerza está
   en las nubes.[s]
35 Dios es inspirador de temor
   desde tu magnífico santuario.[t]
   El Dios de Israel es él, que
   da fuerza, aun poder, al
   pueblo.[u]
   Bendito sea Dios.[v]

CAP. 68
a Sl 26:12
  Sl 107:32
b Sl 95:6
  Isa 44:2
  Jer 2:13
c Gé 49:27
d 1Cr 12:34
e Sl 42:8
  Sl 71:3
  Sl 40:31
f Sl 138:8
  Ef 3:20
g 1Sa 3:3
  1Re 6:1
  1Cr 16:1
  Esd 5:14
h 1Re 10:10
  2Cr 32:23
  Sl 72:10
i Job 40:21
j 2Sa 8:5
  Sl 22:12
  Eze 39:18
k 2Sa 8:2
  Sl 120:7
l Sl 72:9
  Isa 45:14
  Isa 60:5
n Sof 3:10
  Hch 8:27
o Dt 32:43
p Sl 18:10
  Sl 104:3
q Eze 10:5
  Sl 29:1
  Sl 96:7
s Sl 93:1
  Sl 43:3
  Sl 47:2
  Sl 66:5
  Sl 73:17
u Sl 29:11
  Isa 40:31
  Zac 10:12
v Sl 72:18

2.ª col.

CAP. 69
a Sl 45:Enc
b Sl 144:7
  Lam 3:54
  Jon 2:5
  Rev 12:15
c Sl 40:2
  Sl 88:6
  Jer 38:6
d Sl 32:6
  Jon 2:3
e Sl 6:6
  Sl 22:2
f Sl 25:21
  Sl 119:82
  Sl 119:123
  Isa 38:14
g Sl 35:19
  Lu 23:22
  Jn 15:25
h Sl 35:12
  Sl 109:3
i Jer 16:17
j Sl 25:3
  Sl 35:26
k Sl 24:10
l Isa 49:23
m Sl 72:18
  Hch 13:17
n Sl 22:6
  Sl 44:22
  Jer 15:15
  Mt 5:11

Al director sobre Los Lirios.[a]
De David.

69 Sálvame, oh Dios, porque
     las aguas han llegado
     hasta el alma misma.[b]
2 Me he hundido en cieno profundo, donde no hay suelo para estar de pie.[c]
   He entrado en aguas muy
   hondas,
   y una corriente caudalosa
   misma me ha arrollado.[d]
3 He quedado cansado debido a
   mi clamar;[e]
   mi garganta ha quedado
   ronca.
   Mis ojos han fallado en espera de mi Dios.[f]
4 Los que me odian sin causa
   han llegado a ser aun
   más que los cabellos de
   mi cabeza.[g]
   Los que me reducen a silencio, que son mis enemigos sin razón, se han
   hecho numerosos.[h]
   Lo que yo no había tomado
   por robo, entonces procedí a devolver.
5 Oh Dios, tú mismo has llegado a conocer mi tonte-
   dad,
   y no ha estado escondida
   de ti mi propia culpabilidad.[i]
6 Oh, no sean avergonzados a
   causa de mí los que en ti
   esperan,[j]
   oh Señor Soberano, Jehová
   de los ejércitos.[k]
   Oh, no sean humillados a
   causa de mí los que te
   buscan,[l]
   oh Dios de Israel.[m]
7 Pues por tu causa he soportado oprobio,[n]
   humillación ha cubierto mi
   rostro.[o]
8 He llegado a ser uno en desapego para mis herma-
   nos,[p]
   y un extranjero para los hijos de mi madre.[q]

o Isa 50:6; Isa 53:3; Mt 26:67; Mt 27:29; p Job
19:13; Sl 31:11; Mt 26:56; Jn 1:11; Jn 7:5; q 1Sa
17:28; Miq 7:6.

9 Porque el puro celo por tu casa me ha consumido,[a] y los mismísimos vituperios de los que te vituperan han caído sobre mí.[b]

10 Y procedí a llorar con el ayuno de mi alma,[c] pero aquello vino a parar en oprobios para mí.[d]

11 Cuando hice de saco mi ropa, entonces llegué a ser para ellos un dicho proverbial.[e]

12 Los que se sientan en la puerta empezaron a interesarse intensamente en mí,[f] y [yo era] el tema de las canciones de los bebedores de licor embriagante.[g]

13 Pero en cuanto a mí, mi orar fue a ti, oh Jehová,[h] en tiempo acepto, oh Dios.[i] En la abundancia de tu bondad amorosa respóndeme con la verdad de la salvación por ti.[j]

14 Líbrame del fango, para que no me hunda.[k] Oh, sea yo librado de los que me odian,[l] y de las aguas profundas.[m]

15 Oh, no me arrolle la corriente caudalosa de aguas,[n] ni me trague la profundidad, ni cierre el pozo su boca sobre mí.[o]

16 Respóndeme, oh Jehová, porque tu bondad amorosa es buena.[p] Conforme a la multitud de tus misericordias dirígete hacia mí,[q]

17 y no ocultes de tu siervo tu rostro.[r] Porque estoy en grave aprieto, respóndeme rápidamente.[s]

18 De veras acércate a mi alma, reclámala;[t] a causa de mis enemigos, redímeme.[u]

19 Tú mismo has llegado a conocer mi oprobio y mi ignominia y mi humillación.[v]

Todos los que me muestran hostilidad están enfrente de ti.[a]

20 El oprobio mismo ha quebrantado mi corazón, y [la herida] es incurable.[b] Y seguí esperando que alguien se condoliera, pero no hubo nadie;[c] y consoladores, pero no hallé ninguno.[d]

21 Antes bien, por alimento [me] dieron una planta venenosa,[e] y para mi sed trataron de hacerme beber vinagre.[f]

22 Que su mesa delante de ellos llegue a ser una trampa,[g] y un lazo lo que es para su bienestar.[h]

23 Que se les oscurezcan los ojos para que no vean;[i] y haz que sus caderas mismas vacilen constantemente.[j]

24 Derrama sobre ellos tu denunciación,[k] y que tu propia cólera ardiente los alcance.[l]

25 Quede desolado su campamento amurallado;[m] en sus tiendas no llegue a haber morador.[n]

26 Porque han seguido tras de aquel a quien tú mismo has golpeado,[o] y siguen relatando los dolores de aquellos a quienes tú traspasaste.[n]

27 De veras da error sobre su error,[p] y no entren ellos en tu justicia.[q]

28 Sean borrados del libro de los vivientes,[r] y con los justos no sean inscritos.[s]

29 Pero yo estoy afligido y dolorido.[t] Que tu propia salvación, oh Dios, me proteja.

30 Ciertamente alabaré el nombre de Dios con canción,[v]

CAP. 69
a 1Re 19:10
Sl 119:139
b Mt 21:12
Mr 11:15
Jn 2:17
b Pr 27:11
Ro 15:3
c Sl 35:13
Sl 109:24
d Sl 102:8
e 1Re 9:7
Sl 44:14
Jer 24:9
f Lu 23:2
g Job 30:9
Mr 15:19
h Heb 5:7
i Isa 49:8
Isa 55:6
2Co 6:2
j Sl 68:20
k Sl 69:2
Lam 3:55
l Sl 25:19
Sl 35:19
m Sl 144:7
n Isa 43:2
o Nú 16:33
Sl 16:10
p Sl 36:7
Sl 63:3
Sl 109:21
q Sl 25:16
Sl 27:9
r Sl 102:2
s Sl 31:9
Sl 40:13
Sl 70:1
t Job 6:23
u Jos 7:9
v Sl 22:6
Heb 12:2

_____

2.ª col.
a Jn 8:49
b Sl 42:10
c Sl 142:4
2Ti 4:16
d Job 19:14
e Mt 27:34
Mr 15:23
f Mt 27:48
Mr 15:36
Lu 23:36
Jn 19:29
g Ro 11:9
h 1Pe 2:8
Isa 6:9
Jn 12:40
Hch 28:26
2Co 3:14
j Dt 28:65
Eze 29:7
Ro 11:10
k Mt 23:35
1Te 2:16
Rev 16:1
l Sl 21:9
m 1Re 9:8
Jer 7:12
Mt 23:38
Mt 24:2
n Hch 1:20
o 2Cr 28:9
Sl 109:16
Isa 53:4
Zac 1:15
p Sl 109:17
Isa 13:11
2Ti 4:14

q Isa 26:10; r Éx 32:33; Rev 22:19; s Eze 13:9; Flp 4:3; Rev 3:5; Rev 13:8; t Sl 109:22; u Sl 18:3; v Sl 28:7.

y lo engrandeceré, sí, con acción de gracias.[a]

31 Esto también le será grato a Jehová que un toro,[b] que un toro joven que exhibe cuernos, que tiene pezuña partida.[c]

32 Los mansos ciertamente [lo] verán; se regocijarán.[d] Ustedes que están buscando a Dios, que su corazón también se mantenga vivo.[e]

33 Porque Jehová está escuchando a los pobres,[f] y realmente no desprecia a sus propios prisioneros.[g]

34 Que lo alaben el cielo y la tierra,[h] los mares y todo lo que se mueve en ellos.[i]

35 Porque Dios mismo salvará a Sión[j] y edificará las ciudades de Judá;[k] y ellos ciertamente morarán allí y tomarán posesión de ella.[l]

36 Y la misma prole de sus siervos la heredará,[m] y los que aman su nombre serán los que residirán en ella.[n]

Al director. De David, para hacer recordar.[o]

70 Oh Dios, para librarme,[p] oh Jehová, de veras ven de prisa en mi auxilio.[q]

2 Queden avergonzados y corridos los que andan buscando mi alma.[r] Vuélvanse atrás y queden humillados los que están deleitándose en mi calamidad.[s]

3 Retrocedan con motivo de su vergüenza los que están diciendo: "¡Ajá, ajá!".[t]

4 Alborócense y regocíjense en ti, todos los que te están buscando,[u] y digan ellos constantemente: "¡Sea engran-

decido Dios!"... los que aman tu salvación.[a]

5 Pero yo estoy afligido y soy pobre.[b] Oh Dios, de veras obra rápidamente a favor de mí.[c] Tú eres mi ayuda y el Proveedor de escape para mí.[d] Oh Jehová, no tardes demasiado.[e]

71 En ti, oh Jehová, me he refugiado.[f] Oh, nunca sea yo avergonzado.[g]

2 En tu justicia quieras librarme y proveerme escape.[h] Inclina hacia mí tu oído, y sálvame.[i]

3 Llega a ser para mí un fuerte de rocas en el cual entrar constantemente.[j] Tienes que dar mandato para salvarme,[k] porque tú eres mi peñasco y mi plaza fuerte.[l]

4 Oh Dios mío, provéeme escape de la mano del inicuo,[m] de la palma de la mano del que obra injusta y opresivamente.[n]

5 Porque tú eres mi esperanza,[o] oh Señor Soberano Jehová, mi confianza desde mi juventud.[p]

6 En ti me he sostenido desde el vientre;[q] tú eres Aquel que me desprendió hasta de las entrañas de mi madre.[r] En ti está mi alabanza constantemente.[s]

7 He llegado a ser justamente como milagro para muchas personas;[t] pero tú eres mi fuerte refugio.[u]

8 Llena está mi boca de tu alabanza;[v]

CAP. 69
a Sl 34:3
a Sl 50:23
b Sl 50:13
c Os 14:2
d Sl 34:2
g Sl 22:26
f Sl 10:17
Sl 102:17
Isa 66:2
Lu 4:18
g Sl 107:10
Sl 146:7
Isa 61:1
Zac 9:11
Hch 5:19
Hch 12:7
h Sl 19:1
Sl 96:11
Sl 148:1
Isa 44:23
Isa 49:13
i Sl 148:7
j Sl 51:18
Isa 14:32
Isa 44:26
k Jer 33:10
Eze 36:35
l Jer 33:11
m Sl 102:28
Isa 61:9
Isa 66:22
n Sl 91:14
Snt 1:12

CAP. 70
o Sl 38:Enc
p Sl 40:13
q Sl 71:12
r 2Sa 17:2
Sl 6:10
Sl 35:26
Sl 71:13
s Sl 35:4
t Sl 35:21
Sl 40:15
u Sl 5:11
Lam 3:25

2.ª col.
a Sl 35:27
Lu 1:46
b Sl 40:17
Sl 69:29
Sl 109:22
c Sl 141:1
d Sl 18:2
Sl 40:17
e Sl 13:3

CAP. 71
f Sl 25:2
Sl 31:1
g Isa 45:17
Jer 17:18
h Sl 144:2
1Co 10:13
i Sl 17:6
Sl 34:15
j Pr 18:10
k Sl 44:4
l 2Sa 22:2
Sl 18:2
Sl 144:2
m 2Sa 17:12
Sl 3:7
Sl 17:9
Sl 59:1
Sl 140:4
Mt 6:13
n 2Sa 19:9

o Sl 39:7; p 1Sa 17:45; Jer 17:7; Lu 2:40; 2Ti 3:15; q Sl 22:9; Isa 46:3; r Sl 139:16; s Sl 34:1; t Isa 8:18; Zac 3:8; Lu 2:34; Hch 4:13; 1Co 4:9; u Sl 62:7; Sl 142:5; Jer 16:19; v Sl 51:15; Sl 145:21; Heb 13:15.

todo el día, de tu hermo-
sura.[a]
9 No me deseches en el tiempo
de la vejez;[b]
justamente cuando mi po-
der está fallando, no me
dejes.[c]
10 Porque mis enemigos han dicho respecto de mí,[d]
y los mismísimos que vigi-
lan en espera de mi alma
conjuntamente se han
dado consejos,[e]
11 diciendo: "Dios mismo lo ha
dejado.[f]
Persigue y préndelo, por-
que no hay libertador".[g]
12 Oh Dios, no te mantengas lejos de mí.[h]
Oh Dios mío, de veras acude apresurado en mi au-
xilio.[i]
13 Que sean avergonzados, que
se acaben, los que están
resistiendo a mi alma.[j]
Que se cubran de oprobio y
humillación los que an-
dan buscando calamidad
para mí.[k]
14 Pero en cuanto a mí, yo esperaré constantemente,[l]
y ciertamente añadiré a
toda tu alabanza.
15 Mi propia boca relatará tu
justicia;[m]
todo el día, tu salvación,[n]
pues no he llegado a saber
las cantidades [de ellas].[o]
16 Vendré en magnífico poderío,[p] oh Señor Soberano[q] Jehová;
mencionaré tu justicia, la
tuya sola.[r]
17 Oh Dios, tú me has enseñado desde mi juventud en
adelante,[s]
y hasta ahora sigo in-
formando acerca de tus
maravillosas obras.[t]
18 Y aun hasta la vejez y canicie,
oh Dios, no me dejes,[u]
hasta que informe acerca
de tu brazo a la genera-
ción;[v]
a todos los que han de venir, acerca de tu pode-
río.[w]

CAP. 71

a Sl 35:28 Sl 145:2
b Sl 92:14
c Sl 73:26 Ec 12:3
d 2Sa 17:1
e Sl 83:3 Mt 26:4 Mt 27:1
f Sl 3:2 Sl 42:10 Mt 27:43
g 2Cr 32:13 Sl 7:2 Mt 27:42
h Sl 35:22 Sl 38:21
i Sl 22:11 Sl 70:1
j 2Sa 17:23 Mt 27:5
k 2Sa 18:9 Sl 109:29
l Sl 43:5
m Sl 35:28 Sl 40:9
n Sl 95:1 Rev 7:10
o Sl 40:5 Sl 139:17 Ro 11:33
p Isa 40:31
q Sl 68:20
r Rev 15:3
s Sl 71:5
t 2Sa 22:1 1Cr 16:4 Sl 9:1 Sl 66:16
u 1Sa 4:15 Sl 37:25 Sl 71:9
v Sl 78:4
w Éx 13:8 1Cr 29:11

2.ª col.

a Sl 36:6 Sl 57:10 Sl 89:14
b Sl 86:8 Sl 89:7
c Éx 15:11 Sl 72:18 Sl 86:8 Sl 89:6 Isa 40:18 Jer 10:7
d 2Sa 12:11 Sl 60:3 Sl 66:12 Sl 88:6
e Sl 80:18
f Sl 40:2 Sl 86:13
g 2Sa 3:1 Sl 72:11 Isa 9:7
h 2Co 1:4
i Sl 92:3 Sl 150:3
j Sl 25:10 Sl 108:4 Sl 138:2 Sl 146:6 Rev 15:3
k 2Re 19:22 Isa 60:9
l Sl 63:5 Sl 104:33
m Gé 48:16 2Sa 4:9 Sl 103:4

19 Tu justicia, oh Dios, alcanza
hasta la altura;[a]
en lo que toca a las grandes
cosas que tú has hecho,[b]
oh Dios, ¿quién es como
tú?[c]
20 Porque me has hecho ver muchas angustias y calami-
dades,[d]
quieras volver a hacerme
revivir;[e]
y de las profundidades
acuosas de la tierra quieras volver a hacerme
subir.[f]
21 Quieras aumentar mi grandeza,[g]
y quieras cercarme [y] consolarme.[h]
22 Yo también, yo te elogiaré
con un instrumento de
los de cuerdas,[i]
en cuanto a tu apego a la
verdad, oh Dios mío.[j]
Te celebraré con melodía,
sí, con el arpa, oh Santo
de Israel.[k]
23 Mis labios clamarán gozosamente cuando me sien-
ta inclinado a celebrarte
con melodía,[l]
aun mi alma que tú has redimido.[m]
24 También, mi propia lengua,
todo el día, proferirá en
voz baja tu justicia,[n]
porque han quedado aver-
gonzados, porque han
quedado corridos, los
que andan buscando ca-
lamidad para mí.[o]

Respecto de Salomón.

72 Oh Dios, da tus propias
decisiones judiciales
al rey,[p]
y tu justicia al hijo del
rey.[q]
2 Defienda él la causa de tu
pueblo con justicia,[r]
y de tus afligidos con decisión judicial.[s]

---

n Dt 11:19; Sl 71:8; Pr 10:20; o Sl 35:26; Sl 40:14; Sl 71:13; CAP. 72 p 1Cr 22:12; 1Cr 29:19; q Jer 23:5; r 1Re 3:9; Isa 11:4; Isa 32:1; s 1Re 3:28.

3 Lleven las montañas paz al
pueblo,[a]
también las colinas, por
medio de la justicia.
4 Juzgue él a los afligidos del
pueblo,[b]
salve a los hijos del pobre,
y aplaste al defraudador.
5 Ellos te temerán mientras
haya sol,[c]
y delante de la luna por
generación tras genera-
ción.[d]
6 Él descenderá como la lluvia
sobre la hierba cortada,[e]
como chaparrones co-
piosos que mojan la
tierra.[f]
7 En sus días el justo brotará,[g]
y la abundancia de paz
hasta que la luna ya no
sea.[h]
8 Y tendrá súbditos de mar a
mar[i]
y desde el Río[j] hasta los
cabos de la tierra.[k]
9 Delante de él los habitantes
de las regiones áridas se
inclinarán,[l]
y sus mismísimos enemi-
gos lamerán el polvo
mismo.[m]
10 Los reyes de Tarsis y de las
islas[n]...
tributo pagarán.[o]
Los reyes de Seba y de Sebá...
un regalo presentarán.[p]
11 Y ante él todos los reyes se
postrarán;[q]
todas las naciones, por su
parte, le servirán.[r]
12 Porque él librará al pobre que
clama por ayuda,[s]
también al afligido y a

cualquiera que no tiene
ayudador.[a]
13 Le tendrá lástima al de condición humilde y al pobre,[b]
y las almas de los pobres
salvará.[c]
14 De la opresión y de la violencia les redimirá el alma,
y la sangre de ellos será
preciosa a sus ojos.[d]
15 Y viva él,[e] y désele parte del
oro de Seba.[f]
Y a favor de él hágase oración constantemente;
todo el día se le bendiga.[g]
16 Llegará a haber abundancia
de grano en la tierra;[h]
en la cima de las montañas
habrá sobreabundancia.[i]
El fruto de él será como en el
Líbano,[j]
y los que son de la ciudad
florecerán como la vege-
tación de la tierra.[k]
17 Resulte ser su nombre hasta
tiempo indefinido;[l]
delante del sol disfrute su
nombre de aumento,
y mediante él bendíganse
ellos;[m]
pronúncienlo feliz[n] todas
las naciones.
18 Bendito sea Jehová Dios, el
Dios de Israel,[o]
el único que hace obras
maravillosas.[p]
19 Y bendito sea su glorioso
nombre hasta tiempo in-
definido,[q]
y llene su gloria toda la
tierra.[r]
Amén y Amén.
20 Las oraciones de David, hijo
de Jesé,[s] han terminado.

CAP. 72
a Sl 85:10
Isa 32:17
Isa 52:7
b Isa 11:4
c Sl 89:36
d Sl 89:37
Rev 11:15
e Pr 19:12
f 2Sa 23:4
Os 6:3
g Isa 61:11
h 1Re 4:25
1Cr 22:9
Isa 2:4
Isa 9:6
i Ex 23:31
1Re 4:21
Sl 2:8
Zac 9:10
j Dt 11:24
k Sl 22:27
Da 2:35
l 1Re 9:18
Sl 74:14
m Sl 2:9
Sl 110:1
Isa 49:23
Miq 7:17
n Isa 60:9
o 1Re 4:21
p 1Re 10:10
q Isa 49:23
r Isa 11:9
s Sl 10:17

2.ª col.
a Job 29:12
b Sl 109:31
c Snt 2:5
d Sl 116:15
e Sl 21:4
Jn 14:19
1Jn 1:2
f 1Re 10:10
Isa 60:6
g 2Pe 3:18
h Isa 30:23
i Isa 35:2
j Isa 29:17
k 1Re 4:20
Rev 7:16
l Sl 45:17
m Gé 22:18
Gál 3:14
n 1Ti 1:11
o 1Cr 29:10
p Éx 15:11
Sl 77:14
Sl 136:4
q Rev 5:13
r Nú 14:21
Hab 2:14
s 1Sa 17:58
Hch 13:22

LIBRO TERCERO
(Salmos 73 – 89)

Melodía de Asaf.[a]

73 Realmente Dios es bueno
para con Israel, para
con los limpios de co-
razón.[b]
2 En cuanto a mí, mis pies casi
se habían desviado,[c]

CAP. 73
a 2Cr 35:15
b Snt 4:8
c Jud 22

2.ª col.
a Sl 94:18
b Pr 23:17

casi se había hecho que mis
pasos resbalaran.[a]
3 Porque llegué a tener envidia
de los jactanciosos,[b]
[cuando] veía la mismísi-
ma paz de los inicuos.[c]

---

c Job 21:7; Jer 12:1.

4 Porque no tienen dolores de muerte;[a]
   y su panza está gorda.[b]
5 No se hallan siquiera en el penoso afán del hombre mortal,[c]
   y no son plagados lo mismo que otros hombres.[d]
6 Por lo tanto, la altivez les ha servido de collar;[e]
   la violencia los envuelve cual prenda de vestir.[f]
7 Su ojo se les ha saltado de gordura;[g]
   se han excedido de las imaginaciones del corazón.[h]
8 Escarnecen y hablan de lo que es malo;[i]
   acerca de defraudar hablan en estilo elevado.[j]
9 Han puesto su boca en los mismísimos cielos,[k]
   y su lengua misma anda por la tierra.[l]
10 Por lo tanto, él trae a su pueblo de vuelta acá,
   y se escurren para ellos las aguas de lo que está lleno.
11 Y han dicho: "¿Cómo ha llegado a saber Dios?[m]
   Y ¿existe conocimiento en el Altísimo?".[n]
12 ¡Mira! Estos son los inicuos, que están en desahogo indefinidamente.[o]
   Han aumentado [sus] medios de mantenimiento.[p]
13 De seguro, en vano he limpiado mi corazón[q]
   y lavo mis manos en la inocencia misma.[r]
14 Y llegué a ser plagado todo el día,[s]
   y la corrección mía es cada mañana.[t]
15 Si hubiera dicho: "Ciertamente contaré un cuento como ese",
   ¡mira!, contra la generación de tus hijos yo habría obrado traidoramente.[u]
16 Y me quedé considerando para saber esto;[v]

fue cosa trabajosa a mis ojos,
17 hasta que procedí a entrar en el magnífico santuario de Dios.[a]
   Quería discernir el futuro de ellos.[b]
18 De seguro en suelo resbaloso es donde los colocas.[c]
   Los has hecho caer en ruinas.[d]
19 ¡Oh, cómo se han hecho objeto de pasmo como en un momento![e]
   ¡[Cómo] se han acabado, han quedado terminados mediante repentinos terrores!
20 Como un sueño después de despertar, oh Jehová,[f]
   [así] cuando despiertes despreciarás su mismísima imagen.[g]
21 Porque mi corazón se había agriado,[h]
   y en mis riñones yo sentía dolores agudos,[i]
22 y yo era irrazonable y no podía saber;[j]
   llegué a ser como meras bestias desde tu punto de vista.[k]
23 Pero constantemente estoy contigo;[l]
   tú me has asido de la mano derecha.[m]
24 Con tu consejo me guiarás,[n]
   y después me llevarás aun a la gloria.[o]
25 ¿A quién tengo yo en los cielos?[p]
   Y además de ti, de veras no tengo otro deleite en la tierra.[q]
26 Mi organismo y mi corazón han fallado.[r]
   Dios es la roca de mi corazón y la parte que me corresponde hasta tiempo indefinido.[s]
27 Porque, ¡mira!, los mismísimos que se mantienen alejados de ti perecerán.[t]

CAP. 73

a Ec 7:15
b Sl 17:10
c Job 12:6
  Job 21:9
d Jer 12:1
  Heb 12:8
e Job 21:14
f Sl 109:18
  Pr 3:31
  Snt 5:6
g Jer 5:28
h Lu 16:8
i Sl 53:1
  2Pe 2:18
j 1Re 21:7
  Jud 16
k Éx 5:2
  Rev 13:6
l Sl 52:4
  Snt 3:6
m Job 22:13
  Sl 10:11
  Sl 94:7
  Eze 8:12
  Sof 1:12
n Sl 44:21
o Sl 37:35
p Sl 17:14
  Lam 4:13
q Job 34:9
  Job 35:3
  Mal 3:14
r Sl 26:6
s Sl 34:19
t Job 7:18
  Sl 94:12
  Heb 12:5
u Mt 18:6
v Ec 8:17

2.ª col.

a Sl 77:13
b Sl 37:38
  Ec 8:13
c Sl 35:6
  Sl 37:20
  Jer 23:12
d Sl 37:10
  Sl 55:23
  Pr 3:33
e Job 21:23
  Sl 37:2
  Isa 30:13
f Job 20:8
  Sl 90:5
  Isa 29:8
g 1Sa 2:30
h Sl 37:1
  Sl 73:3
i Lam 3:13
j Sl 92:6
  Pr 30:2
k Sl 32:9
l Sl 16:8
  Heb 13:5
m Sl 37:17
  Sl 63:8
  Isa 41:10
n Sl 25:9
  Sl 32:8
  Sl 37:23
  Sl 143:10
  Pr 3:6
  Isa 58:8
o Sl 37:34
p Sl 16:5
  Flp 3:8
q Sl 42:2
  Sl 84:2
  Isa 26:9
r Sl 63:1
  Sl 119:81

s Sl 16:5; Sl 119:57; Sl 142:5; Lam 3:24; t Sl 119:155; Heb 10:39.

Ciertamente reducirás a silencio a todo el que, inmoralmente, te deja.[a]

28 Pero en cuanto a mí, el acercarme a Dios es bueno para mí.[b]

En el Señor Soberano Jehová he puesto mi refugio,[c]

para declarar todas tus obras.[d]

Maskil. De Asaf.[e]

74 ¿Por qué, oh Dios, has desechado para siempre?[f]

¿Por qué sigue humeando tu cólera contra el rebaño de tu apacentamiento?[g]

2 Acuérdate de tu asamblea que adquiriste mucho tiempo atrás,[h]

la tribu que redimiste por herencia tuya,[i]

este monte Sión en que has residido.[j]

3 De veras alza tus pasos a las desolaciones de larga duración.[k]

Todo lo ha tratado mal el enemigo en el lugar santo.[l]

4 Los que te muestran hostilidad han rugido en medio de tu lugar de reunión.[m]

Han colocado sus propias señales como [las] señales.[n]

5 Uno es notorio por asemejarse al que sube hachas en alto contra una espesura de árboles.

6 Y ahora a los mismísimos grabados de él, a todos sin excepción, ellos los atacan hasta con hacha y vigas con punta de hierro.[o]

7 Han arrojado tu santuario en el fuego mismo.[p]

Han profanado el tabernáculo de tu nombre hasta la misma tierra.[q]

8 Ellos, aun su prole, han dicho juntos en su propio corazón:

"Todos los lugares de reunión de Dios tienen que ser quemados en la tierra".[a]

9 No hemos visto nuestras señales; ya no hay profeta,[b]

y no hay nadie con nosotros que sepa hasta cuándo.

10 ¿Hasta cuándo, oh Dios, seguirá vituperando el adversario?[c]

¿Seguirá el enemigo tratando tu nombre con falta de respeto para siempre?[d]

11 ¿Por qué mantienes tu mano, aun tu diestra, retirada[e]

de en medio de tu seno para acabar [con nosotros]?

12 Y, no obstante, Dios es mi Rey desde mucho tiempo atrás,[f]

Aquel que ejecuta magnífica salvación en medio de la tierra.[g]

13 Tú mismo agitaste el mar con tu propia fuerza;[h]

quebraste las cabezas de los monstruos marinos en las aguas.[i]

14 Tú mismo aplastaste hasta hacer pedazos las cabezas de Leviatán.[j]

Procediste a darlo por alimento al pueblo, a los que habitan las regiones áridas.[k]

15 Tú fuiste Aquel que partió el manantial y el torrente;[l]

tú mismo secaste ríos siempre caudalosos.[m]

16 A ti te pertenece el día; también, a ti te pertenece la noche.[n]

Tú mismo preparaste la lumbrera, aun el sol.[o]

17 Tú fuiste el que estableció todos los límites de la tierra;[p]

verano e invierno... tú mismo los formaste.[q]

CAP. 73
a Ex 34:15
  Nú 15:39
  Snt 4:4
b Sl 65:4
  Heb 10:22
  Snt 4:8
c Sl 46:1
  Sl 71:5
d Sl 107:22
  Sl 118:17

CAP. 74
e 1Cr 25:1
  2Cr 35:15
f Sl 10:1
  Sl 44:23
  Lam 5:20
g Dt 29:20
  Sl 95:7
  Sl 100:3
h Dt 9:29
i Dt 4:20
  Dt 32:9
  Sl 33:12
  Jer 10:16
j Sl 48:2
  Sl 78:68
  Sl 132:13
k Da 9:17
  Miq 1:3
l Sl 79:1
m Lam 2:7
n Mt 24:24
  Mr 13:22
o 1Re 6:18
  1Re 6:35
p 2Re 25:9
  Isa 64:11
q Sl 89:39

2.ª col.
a Sl 83:4
b 1Sa 3:1
  Am 8:11
c Sl 13:2
  Sl 79:4
d Eze 36:23
e Sl 44:23
  Isa 64:12
  Lam 2:3
f Isa 33:22
g Éx 15:2
  Hab 3:13
h Éx 14:21
  Ne 9:11
  Sl 78:13
  Sl 106:9
i Éx 14:28
  Sl 136:15
  Isa 51:9
  Eze 29:3
  Eze 32:2
j Job 3:8
  Job 41:1
  Sl 104:26
k Éx 14:30
  Nú 14:9
  1Jos 5:13
  Isa 48:21
m Rev 16:12
l Gé 1:3
  Gé 1:5
  Sl 136:7
o Gé 1:14
  Sl 136:8
  Mt 5:45
p Hch 17:26
q Gé 8:22

18 Acuérdate de esto: El enemigo mismo ha vituperado, oh Jehová,[a]
y un pueblo insensato ha tratado tu nombre con falta de respeto.[b]

19 No des el alma de tu tórtola[c] a la bestia salvaje.
No olvides para siempre la vida misma de tus afligidos.[d]

20 Da un vistazo al pacto,[e]
porque los lugares oscuros de la tierra se han llenado de las habitaciones de violencia.[f]

21 Oh, que el aplastado no regrese humillado.[g]
Que el afligido y el pobre alaben tu nombre.[h]

22 Levántate, sí, oh Dios, de veras conduce tu propio litigio.[i]
Acuérdate del oprobio que recibes del insensato todo el día.[j]

23 No olvides la voz de los que te muestran hostilidad.[k]
El ruido de los que se levantan contra ti va ascendiendo constantemente.[l]

Al director. "No arruines." Melodía. De Asaf.[m] Canción.

75 Te damos gracias, oh Dios; te damos gracias,[n]
y cercano está tu nombre.[o]
Los hombres tienen que declarar tus maravillosas obras.[p]

2 "Porque procedí a tomar un tiempo fijo;[q]
yo mismo empecé a juzgar con rectitud.[r]

3 Estando disueltos la tierra y todos sus habitantes,[s]
yo fui quien ajustó sus columnas."[t] *Sélah.*

4 Dije a los tontos: "No sean tontos",[u]
y a los inicuos: "No ensalcen el cuerno.[v]

5 No ensalcen en alto su cuerno.

No hablen con cuello arrogante.[a]

6 Porque ni del oriente ni del occidente,
ni del sur hay un ensalzamiento.[b]

7 Porque Dios es el juez.[b]
A este abate, y a aquel ensalza.[c]

8 Porque hay una copa en la mano de Jehová,[d]
y el vino está espumando, está lleno de mezcla.
Y de seguro él derramará de ella sus heces;
todos los inicuos de la tierra [las] escurrirán, [las] beberán".[e]

9 Pero en cuanto a mí, yo informaré [acerca de ello] hasta tiempo indefinido;
ciertamente celebraré con melodía al Dios de Jacob.[f]

10 Y cortaré todos los cuernos de los inicuos.[g]
Los cuernos del justo serán ensalzados.[h]

Al director
sobre instrumentos de cuerda. Melodía. De Asaf.[i] Canción.

76 Dios es conocido en Judá;[j]
en Israel su nombre es grande.[k]

2 Y su lugar de amparo resulta estar en Salem misma,[l]
y su morada en Sión.[m]

3 Allí quebró las saetas llameantes del arco,[n]
el escudo y la espada y la batalla.[o] *Sélah.*

4 Tú estás envuelto en luz, más majestuoso que las montañas de presa.[p]

5 Los poderosos de corazón han sido despojados con violencia,[q]
se han adormecido hasta su sueño,[r]
y ninguno de todos los hombres valientes ha hallado sus manos.[s]

CAP. 74
a Sl 74:10
Isa 52:5
b Ex 5:2
2Cr 32:14
Isa 37:23
c Can 2:14
d Sl 68:10
e Gé 17:7
Le 26:45
Sl 105:9
Sl 106:45
Jer 33:21
f Ro 1:27
g Sl 12:5
h Esd 3:11
i Sl 79:12
j Sl 89:51
Isa 52:5
k Sl 2:2
Sl 8:2
Sl 10:5
l Isa 37:29

CAP. 75
m 2Cr 35:15
n Sl 50:14
Sl 116:17
o Sl 138:2
Sl 30:27
p Sl 145:12
Rev 15:3
q Ec 3:17
Hch 17:31
r Isa 11:4
s Sl 60:2
2Pe 3:10
t Job 9:6
u Sl 94:8
Pr 29:9
v Am 6:13
Zac 1:21

2.ª col.
a Ex 32:9
2Cr 30:8
Pr 29:1
Hch 7:51
Jud 16
b Sl 50:6
Sl 58:11
c 1Sa 2:7
2Sa 6:21
Da 2:21
Da 4:17
Lu 1:52
d Sl 60:3
Isa 51:17
Jer 49:12
Rev 14:10
Rev 16:19
Rev 18:6
e Job 21:20
Sl 11:6
Jer 25:15
Jer 25:28
f Sl 104:33
g Sl 101:8
Pr 2:22
Jer 48:25
Zac 1:21
h Sl 89:17
Sl 92:10
Sl 148:14

CAP. 76
i 2Cr 35:15
j Sl 48:3
k Dt 4:7
2Cr 2:5
l Gé 14:18
Heb 7:1

m Sl 74:2; Sl 78:68; Sl 132:13; Sl 135:21; Isa 12:6; n 2Cr 32:21; o Sl 46:9; p Sl 104:2; q Isa 46:12; Lu 1:51; r Sl 13:3; Isa 37:36; Jer 51:39; s Isa 31:8.

6 A tu represión, oh Dios de Jacob, tanto el conductor de carro como el caballo han quedado profundamente dormidos.[a]

7 Tú... inspirador de temor eres tú,[b]

y ¿quién podrá estar de pie delante de ti a causa de la fuerza de tu cólera?[c]

8 Desde el cielo hiciste oír el litigio;[d]

la tierra misma temió y se quedó quieta[e]

9 cuando Dios se levantó a juicio,[f]

para salvar a todos los mansos de la tierra.[g] *Sélah.*

10 Porque la misma furia del hombre te elogiará;[h]

lo restante de la furia lo ceñirás sobre ti.

11 Hagan votos y paguen a Jehová su Dios, todos ustedes los que están alrededor de él.[i]

Que ellos traigan un regalo en temor.[j]

12 Él humillará el espíritu de caudillos;[k]

inspirador de temor es él a los reyes de la tierra.[l]

Al director sobre Jedutún. De Asaf.[m] Melodía.

77 Con mi voz ciertamente clamaré aun a Dios mismo,[n]

con mi voz a Dios, y él ciertamente me prestará oído.[o]

2 En el día de mi angustia he buscado a Jehová mismo.[p]

De noche mi mano misma ha estado extendida y no se entumece;

mi alma ha rehusado ser consolada.[q]

3 Ciertamente me acordaré de Dios y me alborotaré;[r]

ciertamente mostraré preocupación, para que mi espíritu desmaye.[s] *Sélah.*

4 Has asido mis párpados;[a]

me he agitado, y no puedo hablar.[b]

5 He pensado en los días de mucho tiempo atrás,[c]

en los años del pasado indefinido.

6 Ciertamente me acordaré de mi música de cuerda por la noche;[d]

con mi corazón de veras mostraré preocupación,[e]

y mi espíritu escudriñará cuidadosamente.

7 ¿Seguirá desechando Jehová hasta tiempos indefinidos,[f]

y ya no volverá a quedar complacido?[g]

8 ¿Ha terminado para siempre su bondad amorosa?[h]

¿Ha venido a quedar en nada [su] dicho[i] por generación tras generación?

9 ¿Ha olvidado Dios ser favorable,[j]

o ha encerrado con cólera sus misericordias?[k] *Sélah.*

10 Y ¿seguiré yo diciendo: "Esto es lo que me traspasa de parte a parte[l]

el que cambie la diestra del Altísimo"?[m]

11 Me acordaré de las prácticas de Jah;[n]

pues ciertamente me acordaré de tu maravilloso obrar de mucho tiempo atrás.[o]

12 Y ciertamente meditaré en toda tu actividad,[p]

y en tus tratos sí me interesaré intensamente.[q]

13 Oh Dios, tu camino está en el lugar santo.[r]

¿Quién es un Dios grande como Dios?

14 Tú eres el Dios [verdadero], que obra maravillosamente.[t]

Entre los pueblos has dado a conocer tu fuerza.[u]

CAP. 76
a Éx 14:28
Éx 15:21
Isa 43:17
Na 2:13
Zac 12:4
b Éx 14:31
Sl 89:7
c Sl 90:11
Jer 10:10
Na 1:6
1Co 10:22
d 1Re 8:49
Sl 2:4
2Cr 20:29
Zac 2:13
e Sl 82:8
f Sl 147:6
Pr 3:34
Sof 2:3
h Pr 16:4
Da 3:19
Da 3:28
Ro 3:5
i Nú 30:2
Sl 50:14
Ec 5:4
j 2Cr 32:23
Sl 68:29
Sl 89:7
k Isa 5:15
Isa 13:18
l Isa 24:21
Rev 6:15

CAP. 77
m 2Cr 35:15
n Sl 3:4
o Sl 34:6
Sl 116:2
Pr 15:29
p Sl 18:6
Sl 50:15
Isa 26:16
q Jer 31:15
r Sl 42:5
s Sl 142:3
Sl 143:4

2.ª col.
a Est 6:1
b Sl 4:4
c Dt 32:7
Sl 143:5
Isa 51:9
Isa 63:9
d Sl 42:8
e Sl 77:12
f Sl 74:1
g Sl 79:5
Sl 85:1
Ro 11:1
h Sl 136:1
Lam 3:22
i Nú 23:19
Ro 9:6
j Isa 49:14
Sl 63:15
Jer 50:5
k Ro 11:32
l Sl 31:22
m Ro 3:5
n 1Cr 16:12
Sl 19:14
Sl 143:5
Flp 4:8
q 1Cr 16:9
Sl 105:2
r Sl 73:17
s Éx 15:11
Sl 89:8
t Sl 72:18
Rev 15:3

u Éx 9:16; Isa 52:10; Da 3:29; Da 6:27.

15 Con [tu] brazo has recobrado
a tu pueblo,[a]
los hijos de Jacob y de José.
Sélah.

16 Las aguas te han visto, oh
Dios,
las aguas te han visto; empezaron a estar con fuer-
tes dolores.[b]
También, las profundida-
des acuosas empezaron a
agitarse.[c]

17 Las nubes han derramado
agua tronadoramente;[d]
han dado un sonido los cielos nublados.
También, tus propias fle-
chas procedieron a ir acá
y allá.[e]

18 El sonido de tu trueno era
como ruedas de carros;[f]
relámpagos han alumbra-
do la tierra productiva;[g]
la tierra se agitó y empezó
a mecerse.[h]

19 A través del mar fue tu camino,[i]
y tu senda a través de muchas aguas;
y tus mismísimas huellas
no han llegado a ser co-
nocidas.

20 Has guiado a tu pueblo justamente como a un reba-
ño,[j]
por la mano de Moisés y
Aarón.[k]

Maskil. De Asaf.[l]

78 Presta oído, sí, oh pueblo
mío, a mi ley;[m]
inclinen ustedes su oído
a los dichos de mi
boca.[n]

2 En un dicho proverbial ciertamente abriré mi boca;[o]
sí, haré que enigmas de
mucho tiempo atrás sal-
gan burbujeando,[p]

3 los cuales hemos oído y sabemos,[q]
y los cuales nuestros propios padres nos han
contado;[r]

4 los cuales no escondemos a
sus hijos,[s]

CAP. 77

a Éx 6:6
  Dt 9:29
b Éx 14:21
  Jos 3:16
  Sl 114:3
  Hab 3:8
c Sl 104:7
d Sl 68:8
e 2Sa 22:15
  Job 36:32
  Sl 18:14
  Sl 144:6
  Hab 3:11
  Zac 9:14
f Éx 9:16
  Sl 29:3
g Sl 97:4
  Hab 3:4
h Éx 19:18
  2Sa 22:8
i Ne 9:11
  Hab 3:15
j Éx 13:21
  Sl 78:52
  Os 12:13
k Isa 63:11
  Hch 7:36

CAP. 78

l Sl 74:Enc
m Isa 51:4
n Sl 49:3
  Sl 49:4
  Mt 13:35
p Sl 119:171
  Pr 1:6
  Pr 18:4
  Eze 17:2
q Sl 44:1
r Éx 13:8
s Dt 4:9
  Dt 6:7
  Dt 6:21
  Sl 145:4
  Joe 1:3

2.ª col.

a Dt 11:19
  Jos 4:6
  Sl 71:18
b Isa 63:7
c Sl 98:1
d Dt 4:45
e Dt 4:8
  Dt 27:3
  Sl 147:19
f Ro 3:2
g Gé 18:19
  Dt 6:7
  Ef 6:4
h Sl 71:18
  Sl 102:18
i Dt 4:10
j Sl 40:4
  Jer 17:7
k Dt 4:9
  Sl 103:2
l Dt 5:29
m 2Re 17:14
  Eze 20:18
  Hch 7:51
n Éx 32:9
  Dt 1:43
  Dt 9:6
  Dt 31:27
  Isa 65:2
o 2Cr 12:14
  Sl 81:12
  Jer 5:23
  Jer 7:24
p Gé 6:5
q Gé 49:24

---

pues los contamos aun a la
generación venidera,[a]
las alabanzas de Jehová y su
fuerza[b]
y sus cosas maravillosas
que él ha obrado.[c]

5 Y procedió a levantar un recordatorio en Jacob,[d]
y una ley estableció en
Israel,[e]
cosas que él mandó a nuestros antepasados,[f]
para que las dieran a conocer a sus hijos;[g]

6 a fin de que la generación
venidera, los hijos que
habían de nacer, [las] conocieran,[h]
para que ellos se levantaran y [se las] contaran a
sus hijos,[i]

7 y para que cifraran su confianza en Dios mismo[j]
y no olvidaran las prác-
ticas de Dios,[k] sino observaran sus propios
mandamientos.[l]

8 Y no llegaran a ser como sus
antepasados,[m]
una generación terca y rebelde,[n]
una generación que no había
preparado su corazón[o]
y cuyo espíritu no fue fidedigno para con Dios.[p]

9 Los hijos de Efraín, aunque
disparadores armados
del arco,[q]
se retiraron en el día de la
pelea.[r]

10 No guardaron el pacto de
Dios,[s]
y en su ley rehusaron an-
dar.[t]

11 También empezaron a olvidar sus tratos[u]
y sus maravillosas obras
que él les hizo ver.[v]

12 Enfrente de sus antepasados
él había obrado maravi-
llosamente[w]

---

r Jue 12:4; s Dt 31:16; 2Cr 13:4; 2Cr 13:11; Jer
31:32; t 2Re 17:14; 2Cr 13:9; Ne 9:26; u Dt 32:18;
2Cr 13:8; 2Cr 13:12; Jer 2:32; v Sl 106:13; Sl
106:22; w Dt 4:34; Ne 9:10; Sl 105:29.

en la tierra de Egipto,[a] el campo de Zoan.[b]

13 Partió el mar, para dejarlos pasar,[c]

e hizo que las aguas quedaran paradas como una represa.[d]

14 Y continuó guiándolos con una nube de día,[e]

y toda la noche con una luz de fuego.[f]

15 Procedió a partir rocas en el desierto,[g]

para hacer[les] beber una abundancia [que era] justamente como profundidades acuosas.[h]

16 Y se puso a hacer que salieran arroyos de un peñasco[i]

y a hacer que descendieran aguas justamente como ríos.[j]

17 Y siguieron pecando aún más contra él,[k]

rebelándose contra el Altísimo en la región árida;[l]

18 y procedieron a probar a Dios en su corazón,[m]

pidiendo algo de comer para su alma.[n]

19 De modo que empezaron a hablar contra Dios.[o]

Dijeron: "¿Puede Dios arreglar una mesa en el desierto?".[p]

20 ¡Miren! Golpeó una roca[q] para que aguas manaran, y torrentes mismos salieran inundando.[r]

"¿Puede también dar pan mismo,[s]

o puede preparar subsistencia para su pueblo?"[t]

21 Por eso, Jehová oyó y empezó a enfurecerse;[u]

y fuego mismo se encendió contra Jacob,[v]

y cólera también ascendió contra Israel.[w]

22 Porque no pusieron fe en Dios,[x]

y no confiaron en salvación por él.[y]

23 Y él procedió a dar orden a los cielos nublados arriba,

y abrió las mismísimas puertas del cielo.[a]

24 Y siguió haciendo llover sobre ellos maná para comer,[b]

y el grano del cielo les dio.[c]

25 Los hombres comieron el pan mismo de poderosos;[d]

provisiones les envió hasta satisfacción.[e]

26 Empezó a hacer prorrumpir un viento del este en los cielos[f]

y a hacer soplar un viento del sur por la propia fuerza de él.[g]

27 Y procedió a hacer llover sobre ellos subsistencia lo mismo que polvo,[h]

aun criaturas voladoras aladas, lo mismo que los granos de arena de los mares.[i]

28 Y siguió haciénd[las] caer en medio de su campamento,[j]

todo en derredor de sus tabernáculos.[k]

29 Y ellos se pusieron a comer y a satisfacerse en gran manera,[l]

y él procedió a llevarles lo que desearon.[m]

30 No se habían apartado de su deseo,

mientras su alimento estaba aún en su boca,[n]

31 cuando la ira misma de Dios ascendió contra ellos.[o]

Y él se puso a matar entre los robustos de ellos;[p]

y a los jóvenes de Israel los hizo desplomarse.

32 A pesar de todo esto, pecaron más,[q]

y no pusieron fe en sus maravillosas obras.[r]

33 De modo que él puso fin a los días de ellos como si fueran una simple exhalación;[s]

y a sus años, por el disturbio.

34 Siempre que los mataba, también preguntaban por él,[t]

CAP. 78

a Sl 105:27
Sl 135:9
b Nú 13:22
Isa 19:11
c Ex 14:21
Sl 66:6
Sl 136:13
Isa 63:13
1Co 10:1
d Ex 15:8
e Ex 13:21
Ne 9:12
f Ex 14:20
Ex 14:24
g Sl 105:39
Ex 17:6
Nú 20:11
h Sl 105:41
Isa 48:21
1Co 10:4
i Dt 8:15
Ne 9:15
j Isa 41:18
k Dt 9:21
l Dt 9:22
Sl 95:8
Heb 3:16
m Sl 106:14
n Ex 16:8
o Nú 21:5
p Nú 11:4
q Ex 17:6
r Nú 20:11
s Ex 16:3
t Nú 11:21
u Nú 11:10
1Co 10:5
v Dt 32:22
Heb 12:29
w Nú 11:1
x Sl 106:24
Heb 3:10
Jud 5
y Dt 32:15

2.ª col.

a Gé 7:11
Mal 3:10
b Ex 16:14
Ex 16:35
Nú 11:7
Dt 8:3
Ne 9:15
Jn 6:31
1Co 10:3
c Ex 16:31
d Sl 103:20
e Ex 16:12
f Nú 11:31
g Sl 135:7
h Nú 11:19
Ex 16:13
Nú 11:32
j Nú 11:31
k Ex 40:29
Ex 40:34
l Sl 106:15
m Nú 11:20
n Nú 11:33
o Nú 11:10
Nú 11:34
q Nú 25:3
1Co 10:8
1Co 10:9
1Co 10:10
r Ex 16:15
Dt 8:15
s Nú 14:29
Nú 14:35
Dt 2:14
t Nú 21:7
Jue 4:3

y se volvían y buscaban a Dios.[a]

35 Y empezaban a acordarse de que Dios era su Roca,[b] y de que Dios el Altísimo era su Vengador.[c]

36 Y trataban de embaucarlo con su boca;[d] y con su lengua trataban de mentirle.[e]

37 Y su corazón no era constante con él;[f] y no resultaban fieles en el pacto de él.[g]

38 Pero él era misericordioso;[h] cubría el error[i] y no arruinaba.[j] Y muchas veces hizo que su cólera se volviera atrás,[k] y no despertaba toda su furia.

39 Y seguía acordándose de que ellos eran carne,[l] de que el espíritu sale y no vuelve.[m]

40 ¡Cuán a menudo se rebelaban contra él en el desierto,[n] lo hacían sentirse herido en el desierto árido![o]

41 Y vez tras vez ponían a Dios a prueba,[p] y causaban dolor aun al Santo de Israel.[q]

42 No se acordaron de su mano,[r] del día en que los redimió del adversario,[s]

43 de cómo puso sus señales en Egipto mismo[t] y sus milagros en el campo de Zoán;[u]

44 y de cómo se puso a cambiar en sangre sus canales del Nilo,[v] de modo que no pudieron beber de sus propios arroyos.[w]

45 Procedió a enviar sobre ellos tábanos, para que estos se los comieran;[x] y ranas, para que estas los arruinaran.[y]

46 Y empezó a dar a las cucarachas el fruto de ellos, y su afán a las langostas.[z]

47 Se puso a matar la vid de ellos aun mediante el granizo,[a] y sus sicómoros mediante piedras de granizo.[b]

48 Y procedió a entregar sus bestias de carga aun al granizo,[c] y su ganado a la fiebre llameante.

49 Se puso a enviar sobre ellos su cólera ardiente,[d] furor y denunciación y angustia,[e] diputaciones de ángeles que traían calamidad.[f]

50 Procedió a preparar un sendero para su cólera.[g] No detuvo el alma de ellos de la muerte misma; y la vida de ellos la entregó aun a la peste.[h]

51 Por fin derribó a todos los primogénitos de Egipto,[i] al principio de la facultad generativa de ellos en las tiendas de Cam.[j]

52 Después hizo que su pueblo partiera lo mismo que un rebaño,[k] y los condujo como un hato en el desierto.[l]

53 Y siguió guiándolos en seguridad, y no sintieron pavor;[m] y el mar cubrió a sus enemigos mismos.[n]

54 Y procedió a traerlos a su territorio santo,[o] a esta región montañosa que su diestra adquirió.[p]

55 Y a causa de ellos gradualmente expulsó a las naciones,[q] y por el cordel de medir se puso a asignarles una herencia,[r] de modo que hizo residir en sus propios hogares a las tribus de Israel.[s]

56 Y ellos empezaron a probar a Dios el Altísimo y a rebelarse contra él,[t]

CAP. 78
a Dt 30:2
b Dt 32:4
c Éx 6:6
  Éx 13:15
d Eze 33:31
e Os 7:13
f Ne 9:26
  Sl 95:10
  Heb 3:12
g Dt 31:20
  Jer 31:32
h Éx 34:6
  Nú 14:18
  Ne 9:31
i Sl 65:3
  Sl 79:9
j Nú 14:20
  Jer 30:11
  Lam 3:22
k Ne 9:27
  Isa 48:9
  Eze 20:9
l Sl 103:14
m Ec 12:7
n Nú 14:11
  Sl 78:17
o Isa 63:10
  Ef 4:30
  Heb 3:16
p Nú 14:22
  Dt 6:16
  Sl 95:9
q 2Re 19:22
r Dt 9:26
  Sl 78:11
s Éx 14:30
t Dt 4:34
  Ne 9:10
  Sl 105:27
u Sl 78:12
v Éx 7:19
w Sl 105:29
x Éx 8:24
  Sl 105:31
y Éx 8:6
  Sl 105:30
z Éx 10:15
  Sl 105:34
  Am 7:1

2.ª col.
a Éx 9:23
  Sl 105:32
b Sl 105:33
c Éx 9:25
d Lam 4:11
e Sl 11:6
  Isa 42:25
f 2Re 6:17
  Mt 26:53
g Nú 25:4
h Éx 9:6
i Éx 12:29
  Éx 13:15
  Sl 105:36
  Sl 135:8
  Sl 136:10
j Sl 106:22
k Sl 77:20
  Sl 105:37
  Sl 136:11
l Sl 136:16
m Éx 14:20
  Heb 11:29
n Éx 14:27
  Éx 15:10
  Sl 136:15
o Éx 15:17
  Da 9:16
p Sl 44:3

q Jos 24:12; Ne 9:24; Sl 44:2; Sl 105:44; Sl 136:18; r Dt 32:8; Jos 13:7; Sl 136:21; s Ne 9:25; t Dt 31:16; Dt 32:15; Jue 2:11; 2Sa 20:1; Ne 9:26.

y no guardaron sus recor-
datorios.[a]
57 También siguieron volviéndose atrás y obrando
traidoramente como sus
antepasados;[b]
dieron la vuelta como un
arco flojo.[c]
58 Y siguieron ofendiéndolo con
sus lugares altos,[d]
y con sus imágenes escul-
pidas siguieron incitán-
dolo a celos.[e]
59 Dios oyó,[f] y se puso furioso,[g]
y por eso menospreció en
gran manera a Israel.[h]
60 Y por fin abandonó el tabernáculo de Siló,[i]
la tienda en que residió entre los hombres terres-
tres.[j]
61 Y procedió a dar su fuerza
aun al cautiverio,[k]
y su hermosura en mano
del adversario.[l]
62 Y siguió entregando su pueblo a la espada misma,[m]
y contra su herencia se
puso furioso.[n]
63 Un fuego comió a sus jóvenes,
y sus vírgenes no fueron
alabadas.[o]
64 En cuanto a sus sacerdotes,
cayeron por la espada
misma,[p]
y las propias viudas de
ellos no se entregaron al
lloro.[q]
65 Entonces Jehová empezó a
despertar como de dor-
mir,[r]
cual poderoso que se des-
embriaga del vino.[s]
66 Y se puso a derribar a sus
adversarios desde atrás;[t]
les dio un oprobio de duración indefinida.[u]
67 Y procedió a rechazar la tienda de José;[v]
y no escogió a la tribu de
Efraín.[w]
68 Antes bien, escogió a la tribu
de Judá,[x]
el monte Sión, que él amó.[y]
69 Y empezó a edificar su santuario justamente como
las alturas,[z]

como la tierra que ha fundado hasta tiempo inde-
finido.[a]
70 Y así escogió a David su siervo,[b]
y lo tomó de los apriscos
del rebaño.[c]
71 De seguir las hembras que
amamantaban[d]
lo trajo para ser pastor sobre Jacob, su pueblo,[e]
y sobre Israel, su herencia.[f]
72 Y él se puso a pastorearlos
conforme a la integridad
de su corazón,[g]
y con la destreza de sus
manos se puso a guiar-
los.[h]

Melodía de Asaf.

79 Oh Dios, las naciones han
entrado en tu heren-
cia;[i]
han contaminado tu
santo templo;[j]
han convertido a Jeru-
salén en un montón
de ruinas.[k]
2 Han dado el cuerpo muerto
de tus siervos por ali-
mento a las aves de los
cielos,[l]
la carne de los que te son
leales a las bestias salvajes de la tierra.[m]
3 Han derramado la sangre de
ellos como agua
todo en derredor de Jeru-
salén, y no hay nadie que
entierre.[n]
4 Hemos llegado a ser un oprobio a nuestros vecinos,[o]
un escarnio y una mofa a
los que están alrededor
de nosotros.[p]
5 ¿Hasta cuándo, oh Jehová,
estarás enojado? ¿Para
siempre?[q]
¿Hasta cuándo arderá tu
ardor justamente como
fuego?[r]

CAP. 78

a 2Re 17:15
Jer 44:23
b Dt 9:7
Jue 3:6
Eze 20:27
c Os 7:16
d Dt 12:2
Jue 2:2
1Re 14:23
Eze 20:28
e Dt 32:16
Jue 2:12
1Sa 7:3
1Re 11:7
1Re 12:28
2Re 21:7
f Sl 94:9
g Jue 2:20
h Sl 106:40
i Jos 18:1
1Sa 4:11
Jer 26:6
j 1Sa 14:3
Jer 7:12
k 1Sa 5:1
l 1Sa 4:21
m 1Sa 4:2
1Sa 4:10
Jer 7:34
n Sl 89:38
o 2Cr 36:17
p 1Sa 2:33
1Sa 4:11
1Sa 22:18
q 1Sa 4:19
Job 27:15
r Sl 44:23
s Isa 42:13
t 1Sa 5:6
u Jer 33:40
v Am 5:6
w Sl 78:9
x Gé 49:10
y Sl 87:2
Sl 132:13
Sl 135:21
z 2Cr 2:9
Sl 76:2
Heb 12:22

2.ª col.

a Sl 104:5
Sl 119:90
Ec 1:4
b 1Sa 16:12
c 1Sa 17:15
d Gé 33:13
e Nú 27:17
2Sa 7:8
f 2Sa 6:21
g 2Sa 8:15
1Re 3:6
1Re 9:4
1Re 15:5
h 1Sa 18:14

CAP. 79

i Éx 15:17
Sl 74:3
j 2Re 24:13
2Cr 36:18
Sl 74:7
Lam 1:1
k 2Re 25:9
2Cr 36:19
Miq 3:12
l Jer 7:33
Jer 15:3
m Jer 34:20
n Sl 141:7
Jer 14:16
Jer 16:4

o Dt 28:37; Eze 36:4; p Sl 44:13; Sl 80:6; q Sl
74:1; Sl 85:5; Isa 64:9; r Sl 89:46; Isa 30:27; Sof
1:18; 2Te 1:8.

6 Derrama tu furia sobre las
   naciones que no te han
   conocido,[a]
   y sobre los reinos que no
   han invocado tu propio
   nombre.[b]
7 Porque se han comido a Jacob,[c]
   y han hecho que el propio
   lugar de habitación de él
   sea desolado.[d]
8 No recuerdes contra nosotros los errores de antecesores.[e]
   ¡Apresúrate! Que se presenten tus misericordias
   ante nosotros,[f]
   porque hemos quedado
   grandemente empobre-
   cidos.[g]
9 Ayúdanos, oh Dios de nuestra salvación,[h]
   por la gloria de tu nombre;[i]
   y líbranos y encubre nuestros pecados por causa
   de tu nombre.[j]
10 ¿Por qué deben decir las naciones: "¿Dónde está su
   Dios?"?[k]
   Dése a conocer entre las
   naciones, ante nuestros
   ojos,[l]
   la venganza de la sangre de
   tus siervos que ha sido
   derramada.[m]
11 Que el suspirar del prisionero entre aun delante
   de ti.[n]
   Conforme a la grandeza de
   tu brazo, conserva a los
   designados a muerte.[o]
12 Y paga a nuestros vecinos
   siete veces en su seno[p]
   su vituperio con que te han
   vituperado, oh Jehová.[q]
13 En cuanto a nosotros tu pueblo y el rebaño de tu apacentamiento,[r]
   te daremos gracias hasta
   tiempo indefinido;
   de generación en gene-
   ración declararemos tu
   alabanza.[s]

CAP. 79
a Jer 10:25
b Sl 14:4
c Sl 53:4
d 2Cr 36:21
  e Éx 32:34
  Ne 9:34
f Éx 34:6
  Sl 69:17
  Lam 3:22
g Dt 28:43
  Sl 142:6
h 1Cr 16:35
  1Cr 14:11
  Sl 115:1
j Jos 7:9
  1Sa 12:22
  Sl 65:3
  Sl 78:38
  Isa 48:9
  Jer 14:7
k Sl 42:3
  Sl 115:2
  Joe 2:17
l Eze 36:23
m Jer 51:35
  Ro 12:19
  Rev 18:20
n Éx 2:23
  Sl 69:33
  Isa 42:7
o Sl 102:20
  Isa 33:2
p Gé 4:15
  Sl 65:6
  Jer 12:14
  Jer 32:18
  Lu 6:38
q Sl 74:18
  Ro 15:3
r Sl 74:1
  Sl 95:7
  Sl 100:3
  Eze 34:31
s Sl 45:17
  Sl 145:4
  Isa 43:21

2.ª col.

CAP. 80
a Sl 45:Enc
b Sl 60:Enc
b Sl 74:Enc
c Sl 55:1
d Sl 77:20
  Isa 40:11
  Jer 31:10
  Eze 34:12
  1Pe 2:25
e Éx 25:20
  1Sa 4:4
  2Sa 6:2
  2Re 19:15
  Sl 99:1
f Dt 33:2
  Sl 50:2
  Sl 94:1
g Nú 2:18
  Sl 35:23
  Isa 42:13
h Isa 25:9
  Isa 33:22
i Sl 85:4
  Lam 5:21
j Nú 6:25
  Sl 4:6
  Sl 67:1
k Sl 74:1
  Sl 85:5
  Lam 3:44
l Sl 42:3
  Isa 30:20

Al director sobre Los Lirios.[a]
Recordatorio. De Asaf.[b] Melodía.

80 Oh Pastor de Israel, de veras presta oído,[c]
   tú que estás conduciendo a José justamente
   como a un rebaño.[d]
   Oh, tú que estás sentado sobre los querubi-
   nes,[e] resplandece,[f] sí.
2 Delante de Efraín y Benjamín y Manasés de veras
   despierta tu poderío,[g]
   y ven, sí, a nuestra salvación.[h]
3 Oh Dios, tráenos de vuelta;[i]
   y haz brillar tu rostro, para
   que seamos salvos.[j]
4 Oh Jehová Dios de los ejércitos, ¿hasta cuándo tendrás que humear irritado contra la oración de
   tu pueblo?[k]
5 Les has hecho comer el pan
   de lágrimas,[l]
   y sigues haciéndoles beber
   lágrimas sobre lágrimas
   en [gran] medida.[m]
6 Nos pones por contienda a
   nuestros vecinos,[n]
   y nuestros mismísimos
   enemigos siguen ha-
   ciendo escarnio a su an-
   tojo.[o]
7 Oh Dios de los ejércitos,
   tráenos de vuelta;[p]
   y haz brillar tu rostro, para
   que seamos salvos.[q]
8 Procediste a hacer partir de
   Egipto una vid.[r]
   Seguíste expulsando las
   naciones, para que la
   pudieras plantar.[s]
9 Hiciste un sitio libre delante de ella,[t] para que se
   arraigara y llenara la
   tierra.[u]
10 Las montañas fueron cubiertas con la sombra de ella,
   y los cedros de Dios con
   sus ramas mayores.[v]

n Sl 44:13; o Jue 16:25; Sl 79:4; p Sl 80:3; q Sl
4:6; r Isa 5:7; Jer 2:21; Eze 19:10; s Sl 44:2; Sl
78:55; t Éx 23:28; Jos 24:12; Ne 9:22; Sl 105:44;
u 1Re 4:25; v Sl 104:16.

11 Gradualmente ella envió sus
   ramas mayores hasta el
   mar,[a]
   y hasta el Río sus ramitas.[b]
12 ¿Por qué has derribado sus
   muros de piedra,[c]
   y [por qué] han arrancado
   de ella todos los que van
   pasando por el camino?[d]
13 Un jabalí de la selva sigue
   comiéndosela,[e]
   y los tropeles de animales
   del campo abierto si-
   guen paciendo en ella.[f]
14 Oh Dios de los ejércitos,
   vuelve, por favor;[g]
   mira desde el cielo y ve y
   cuida de esta vid,[h]
15 y de la cepa que tu diestra ha
   plantado,[i]
   y [mira] al hijo a quien tú
   has hecho fuerte para ti
   mismo.[j]
16 Está quemada con fuego,
   cortada.[k]
   Por la reprensión de tu
   rostro perecen.[l]
17 Resulte estar tu mano sobre
   el hombre de tu diestra,[m]
   sobre el hijo de la humanidad a quien has hecho
   fuerte para ti mismo,[n]
18 y de ti no nos volveremos.[o]
   Quieras conservarnos vivos, para que invoque-
   mos tu propio nombre.[p]
19 Oh Jehová Dios de los ejércitos, tráenos de vuelta;[q]
   haz brillar tu rostro, para
   que seamos salvos.[r]

Al director sobre el Guitit.[s]
De Asaf.

81 Oh, clamen ustedes gozosamente a Dios nues-
   tra fuerza;[t]
   griten en triunfo al Dios
   de Jacob.[u]
2 Toquen una melodía[v] y tomen una pandereta,[w]
   el arpa agradable junto
   con el instrumento de
   cuerdas.[x]
3 En la luna nueva, toquen el
   cuerno;[y]

en la luna llena, para el día
   de nuestra fiesta.[z]
4 Porque es una disposición
   reglamentaria para Is-
   rael,[b]
   una decisión judicial del
   Dios de Jacob.
5 Como recordatorio él lo impuso a José mismo,[c]
   cuando iba saliendo sobre
   la tierra de Egipto.[d]
   Un lenguaje que yo no conocía seguí oyendo.[e]
6 "Yo aparté su hombro aun de
   [la] carga;[f]
   sus propias manos que-
   daron libres hasta del
   cesto.[g]
7 En angustia llamaste, y procedí a librarte;[h]
   empecé a responderte en
   el lugar oculto del trueno.[i]
   Me puse a examinarte junto a las aguas de Meribá.[j]
   Sélah.
8 Oye, oh pueblo mío, y ciertamente daré testimonio
   contra ti,[k]
   oh Israel, si me escuchas.[l]
9 En medio de ti no resultará
   haber dios extraño;[m]
   y no te inclinarás ante un
   dios extranjero.[n]
10 Yo, Jehová, soy Dios tuyo,[o]
   Aquel que te hizo subir de
   la tierra de Egipto.[p]
   Abre bien la boca, y yo la
   llenaré.[q]
11 Pero mi pueblo no ha escuchado mi voz;[r]
   e Israel mismo no ha mostrado disposición fa-
   vorable para conmigo.[s]
12 Y por eso dejé que fueran en
   la terquedad de su corazón;[t]
   fueron andando en sus
   propios consejos.[u]
13 ¡Oh, que mi pueblo estuviera
   escuchándome,[v]
   oh, que Israel mismo anduviera en mis caminos
   mismos!"[w]

CAP. 80
a Éx 23:31
   Sl 72:8
b Gé 15:18
   1Re 4:21
c Sl 89:40
   Isa 5:5
d Sl 89:41
   Na 2:2
e 2Re 18:9
   2Cr 32:1
f 2Re 24:1
   2Re 25:1
   Jer 39:1
g Isa 63:17
   Mal 3:7
h Isa 63:15
i Isa 5:2
   Jer 2:21
   Mr 12:1
j Éx 4:22
   Isa 49:5
k Sl 79:5
   Sl 52:13
l Sl 39:11
m Sl 89:21
   Sl 110:1
n Da 7:13
o Heb 10:39
p Heb 15:17
q Sl 80:7
r Sl 89:15

CAP. 81
s Sl 8:Enc
t Sl 28:8
   Flp 4:13
u Sl 33:3
   Mt 22:32
v Sl 33:2
w Sl 149:3
x Sl 92:3
   Ef 5:19
y Nú 10:10
   Nú 29:1

2.ª col.
a Éx 23:16
b Le 23:24
c Éx 12:14
d Éx 12:12
e Sl 114:1
f Éx 6:6
   Sg 9:4
   Isa 10:27
g Éx 1:14
   Éx 5:4
h Éx 2:23
   Éx 14:10
   Sl 50:15
   Sl 91:15
i Éx 19:16
   Éx 19:19
   Heb 12:19
j Éx 17:6
   Dt 33:8
k Dt 32:36
   Sl 50:7
l Éx 15:26
m Éx 20:3
   Dt 6:14
n Éx 20:5
o Dt 5:6
p Éx 20:2
   Nú 11:4
q Dt 32:13
   Sl 37:25
   Rev 21:6
r Zac 7:11
s Éx 32:1
   Dt 32:15

t Jer 11:8; Jer 18:12; Hch 7:51; Ro 1:24; u Jer
7:24; Miq 6:16; v Dt 32:29; Isa 48:18; w Dt 5:29.

14 A sus enemigos yo fácilmente sojuzgaría,[a]
y contra sus adversarios volvería mi mano.[b]
15 En cuanto a los que odian intensamente a Jehová, vendrán a él encogidos de temor,[c]
y su tiempo resultará ser hasta tiempo indefinido.
16 Y él seguirá alimentándolo de la grosura del trigo,[d]
y de la roca yo te satisfaré con miel[e] misma."

Melodía de Asaf.

82 Dios está apostándose en la asamblea[f] del Divino;[g]
en medio de los dioses él juzga:[h]
2 "¿Hasta cuándo seguirán ustedes juzgando con injusticia,[i]
y mostrando parcialidad a los inicuos mismos?[j] *Sélah.*
3 Sean jueces para el de condición humilde y para el huérfano de padre.[k]
Hagan justicia al afligido y al de escasos recursos.[l]
4 Provean escape para el de condición humilde y para el pobre;[m]
de la mano de los inicuos líbren[los]".[n]
5 No han sabido ellos, y no entienden;[o]
en oscuridad siguen andando;[p]
se hace que todos los fundamentos de la tierra tambaleen.[q]
6 "Yo mismo he dicho: 'Ustedes son dioses,[r]
y todos ustedes son hijos del Altísimo.[s]
7 ¡De seguro morirán lo mismo que los hombres;[t]
y como cualquiera de los príncipes caerán!'. "[u]
8 Levántate, sí, oh Dios, de veras juzga la tierra;[v]
porque tú mismo debes tomar posesión de todas las naciones.[a]

Canción. Melodía de Asaf.[b]

83 Oh Dios, no haya silencio de parte tuya;[c]
no te quedes mudo, y no permanezcas quieto, oh Divino.[d]
2 Pues, ¡mira!, tus mismos enemigos están en alboroto;[e]
y los mismos que te odian intensamente han levantado [la] cabeza.[f]
3 Contra tu pueblo astutamente continúan su habla confidencial;[g]
y conspiran contra aquellos a quienes ocultas.[h]
4 Han dicho: "Vengan y raigámoslos para que no sean nación,[i]
para que el nombre de Israel no sea recordado más".[j]
5 Porque con el corazón han intercambiado consejos unidamente;[k]
contra ti procedieron a celebrar aun un pacto,[l]
6 las tiendas de Edom[m] y los ismaelitas, Moab[n] y los hagritas,[o]
7 Guebal y Ammón[p] y Amaleq, Filistea[q] junto con los habitantes de Tiro.[r]
8 También, Asiria misma se ha unido a ellos;[s]
han llegado a servir de brazo a los hijos de Lot.[t] *Sélah.*
9 Hazles como a Madián,[u] como a Sísara,[v]
como a Jabín[w] en el valle torrencial de Cisón.[x]
10 Fueron aniquilados en En-dor;[y]
llegaron a ser estiércol para el suelo.[z]
11 En cuanto a sus nobles, haz

CAP. 81
a Nú 14:9
b Am 1:8
c Sl 18:45, Sl 66:3
d Dt 32:14, Sl 147:14, Joe 2:24
e Dt 32:13

CAP. 82
f Éx 18:21, 2Cr 19:6
g Sl 118:27
h Éx 18:22, Sl 82:6, Jn 10:35
i Le 19:15, Ec 5:8, Miq 3:2
j Dt 1:17, 2Cr 19:7, Pr 18:5
k Dt 24:17, Zac 7:10
l Jer 5:28, Jer 7:6, Jer 22:3
m Job 29:12, Pr 24:11
n Ne 5:8
o Sl 53:4, Miq 3:1
p Pr 4:19, 1Jn 2:11
q Sl 11:3, Sl 75:3, Pr 29:4
r Jn 10:34, 1Co 8:5
s Jn 10:35
t Job 21:32, Sl 49:12, Eze 31:14
u Sl 146:3
v Sl 76:9, Sl 96:13

2.ª col.
a Sl 2:8, Rev 11:15

CAP. 83
b 2Cr 20:14, Sl 74:Enc
c Sl 28:1, Sl 35:22, Sl 109:1
d Sl 50:1
e 2Re 19:28, Sl 2:1, Sl 74:4, Hch 4:25
f Jue 8:28, Isa 37:23
g Sl 64:2
h Sl 27:5
i Éx 1:10, 2Cr 20:1, Est 3:6
j Jer 11:19, Jer 31:36
k Sl 2:2, Isa 7:5
l 2Sa 10:6, Isa 7:2
m 2Cr 20:10
n 2Cr 20:1
o 1Cr 5:10
p Gé 19:38, Jer 49:2

q Éx 15:14; Sl 60:8; r Am 1:9; s 2Re 17:5; t Gé 19:37; Dt 2:9; u Nú 31:7; Jue 8:10; Isa 9:4; Isa 10:26; v Jue 4:15; w Jue 4:2; x Jue 4:7; y Jos 17:11; z 2Re 9:37; Sof 1:17.

que estos sean como Oreb y como Zeeb,[a]
y como Zébah y como Zalmuná a todos sus adalides,[b]

12 que han dicho: "Tomemos posesión de los lugares de habitación de Dios para nosotros".[c]

13 Oh Dios mío, hazlos como un remolino de cardos,[d]
como rastrojo delante de un viento.[e]

14 Como un fuego que quema el bosque[f]
y como una llama que abrasa las montañas,[g]

15 justamente así quieras seguir tras ellos con tu tormenta[h]
y quieras perturbarlos con tu propio viento de tempestad.[i]

16 Llena sus rostros de deshonra,[j]
para que la gente busque tu nombre, oh Jehová.[k]

17 Oh, sean avergonzados y perturbados para todo tiempo,[l]
y queden corridos y perezcan;[m]

18 para que la gente sepa[n] que tú, cuyo nombre es Jehová,[o]
tú solo eres el Altísimo[p] sobre toda la tierra.[q]

Para el director sobre el Guitit.[r] De los hijos de Coré. Melodía.

84 ¡Cuán amable es tu magnífico tabernáculo,[s]
oh Jehová de los ejércitos![t]

2 Mi alma ha anhelado, y también se ha consumido, en su vivo deseo por los patios de Jehová.[u]
Mi propio corazón y mi mismísima carne claman gozosamente al Dios vivo.[v]

3 Hasta el pájaro mismo ha hallado una casa,
y la golondrina un nido para sí,

donde ella ha puesto sus polluelos...
¡tu magnífico altar, oh Jehová de los ejércitos, Rey mío y Dios mío!

4 ¡Felices son los que moran en tu casa![a]
Todavía siguen alabándote.[b] *Sélah.*

5 Felices son los hombres cuya fuerza está en ti,[c]
en cuyo corazón están las calzadas.[d]

6 Pasando por la llanura baja de los arbustos *bekja,*[e]
la convierten en un manantial mismo;
aun con bendiciones el instructor[f] se envuelve.

7 Seguirán andando de energía vital en energía vital;[g]
cada uno se presenta a Dios en Sión.[h]

8 Oh Jehová Dios de los ejércitos, de veras oye mi oración;[i]
presta oído, sí, oh Dios de Jacob.[j] *Sélah.*

9 Oh, escudo nuestro, mira, oh Dios,[k]
y tiende la vista sobre el rostro de tu ungido.[l]

10 Porque un día en tus patios es mejor que mil [en otro lugar].[m]
He escogido estar de pie al umbral en la casa de mi Dios[n]
más bien que ir de acá para allá en las tiendas de la iniquidad.[o]

11 Porque Jehová Dios es sol[p] y escudo;[q]
favor y gloria son lo que él da.[r]
Jehová mismo no retendrá nada que sea bueno de los que andan exentos de falta.[s]

12 Oh Jehová de los ejércitos, feliz es el hombre que está confiando en ti.[t]

CAP. 83

a Jue 7:25
b Jue 8:21
c 2Cr 20:11
d Isa 17:13
e Sl 35:5
  Isa 40:24
Mt 3:12
f Jer 46:23
  Mal 4:1
g Dt 32:22
  Sl 104:32
  Sl 144:5
  Na 1:6
h Sl 50:3
  Isa 30:30
i Sl 11:6
j Sl 6:10
k Sof 2:3
l Sl 109:29
m Sl 35:26
n Sl 59:13
  Eze 5:13
o Éx 6:3
  Sl 68:4
  Isa 42:8
  Isa 54:5
p Sl 92:8
  Da 4:17
q Da 4:25
  Zac 4:14

CAP. 84

r Sl 81:Enc
s Sl 43:3
  Sl 46:4
t Sl 27:4
u Sl 42:1
  Sl 63:1
v Sl 9:1
  1Ti 4:10

2.ª col.

a Sl 23:6
  Sl 65:4
b 1Cr 25:7
  Sl 150:1
c Sl 28:7
d Sl 40:8
  Jer 31:33
e 2Sa 5:24
f Isa 30:20
g 1Sa 2:4
  2Sa 22:40
  Sl 18:32
  Isa 40:29
  Hab 3:19
h Dt 16:16
  Jer 3:16
  Zac 14:16
i Sl 4:1
j Sl 17:1
k Gé 15:1
l 1Sa 2:10
m Sl 27:4
  Sl 43:4
  Lu 2:46
n Sl 26:8
o Sl 141:4
p Sl 27:1
  Isa 60:19
q Gé 15:1
  Dt 33:29
  2Sa 22:3
  Sl 3:3
  Sl 84:9
  Sl 115:9
  Sl 119:114
  Sl 144:2
  Pr 2:7
r 2Co 3:18

s Job 1:1; Sl 34:9; Sl 37:18; Snt 1:5; t Sl 146:5; Jer 17:7.

Para el director.
De los hijos de Coré. Melodía.

85

Te has complacido, oh Jehová, en tu tierra;[a]
has traído de vuelta a los de Jacob que fueron llevados cautivos.[b]

2 Has perdonado el error de tu pueblo;[c]
has cubierto todo su pecado.[d] *Sélah.*

3 Has controlado todo tu furor;[e]
te has vuelto atrás del calor de tu cólera.[f]

4 Recógenos de vuelta, oh Dios de nuestra salvación,[g]
y descontinúa tu irritación con nosotros.[h]

5 ¿Estarás enojado con nosotros hasta tiempo indefinido?[i]
¿Prolongarás tu cólera a generación tras generación?[j]

6 ¿No volverás tú mismo a avivarnos,[k]
para que tu pueblo mismo se regocije en ti?[l]

7 Muéstranos, oh Jehová, tu bondad amorosa,[m]
y quieras darnos tu salvación.[n]

8 Ciertamente oiré lo que el Dios [verdadero] Jehová haya de hablar,[o]
porque él hablará paz a su pueblo[p] y a los que le son leales,
pero no vuelvan ellos a la confianza en sí mismos.[q]

9 De seguro su salvación está cerca de los que le temen,[r]
para que la gloria resida en nuestra tierra.[s]

10 En cuanto a la bondad amorosa y el apego a la verdad, se han encontrado;[t]
la justicia y la paz... se han besado.[u]

11 El apego a la verdad mismo brotará de la mismísima tierra,[v]
y la justicia misma mirará

desde los mismísimos cielos.[a]

12 También, Jehová, por su parte, dará lo que es bueno,[b]
y nuestra propia tierra dará su fruto.[c]

13 Delante de él la justicia misma andará,[d]
y ella hará de sus pasos un camino.[e]

Oración de David.

86

Inclina, oh Jehová, tu oído. Respóndeme;[f]
porque estoy afligido y soy pobre.[g]

2 Oh, guarda mi alma, sí, porque soy leal.[h]
Salva a tu siervo —tú eres mi Dios— que está confiando en ti.[i]

3 Muéstrame favor, oh Jehová,[j]
porque a ti sigo clamando todo el día.[k]

4 Regocija el alma de tu siervo,[l]
porque a ti, oh Jehová, levanto mi mismísima alma.[m]

5 Porque tú, oh Jehová, eres bueno[n] y estás listo para perdonar;[o]
y la bondad amorosa para con todos los que te invocan es abundante.[p]

6 Presta oído, sí, oh Jehová, a mi oración;[q]
y de veras presta atención a la voz de mis súplicas.[r]

7 En el día de mi angustia ciertamente te invocaré,[s]
porque tú me responderás.[t]

8 No hay ninguno como tú entre los dioses, oh Jehová,[u]
ni hay obras como las tuyas.[v]

9 Todas las naciones que has hecho vendrán ellas mismas,[w]
y se inclinarán delante de ti, oh Jehová,[x]

CAP. 85
a Le 26:42
Sl 77:7
Joe 2:18
b Esd 2:1
Sl 14:7
Sl 53:6
Jer 30:18
Jer 31:23
Eze 39:25
Joe 3:1
c Sl 32:1
Jer 50:20
Miq 7:18
d Hch 13:39
Ro 4:7
Col 2:13
e Éx 32:14
f Dt 13:17
Isa 12:1
g Sl 27:1
Sl 80:3
h Sl 78:38
i Sl 74:1
Sl 79:5
Sl 80:4
j Sl 103:9
k Isa 57:15
Hab 3:2
l Esd 3:11
Jer 33:11
m Sl 109:26
Lam 3:22
n Sl 50:23
Sl 119:41
o Hab 2:1
Zac 9:10
Heb 12:25
p Sl 29:11
Isa 57:19
Hch 10:36
q Dt 8:17
Sl 78:7
Pr 30:9
r Sl 119:155
Mt 6:33
Hch 10:2
s Zac 2:5
t Sl 100:5
Miq 7:20
u Sl 72:3
Isa 32:17
v Sl 57:10

2.ª col.
a Isa 26:9
Isa 45:8
b Sl 84:11
Snt 1:17
c Le 26:4
Dt 28:8
Sl 67:6
Isa 25:6
Isa 30:23
d Sl 89:14
Isa 58:8
e Sl 119:35

CAP. 86
f Pr 15:29
g Sl 34:6
Isa 66:2
h 1Sa 2:9
Sl 4:3
Sl 37:28
i 2Cr 16:9
Isa 26:3
j Sl 56:1
Sl 57:1
k Sl 25:5
Sl 88:9
l Sl 51:12
m Sl 62:8
Sl 143:8

n Sl 25:8; Sl 145:9; Lu 18:19; o Ne 9:17; Isa 55:7;
Da 9:9; Joe 2:13; Miq 7:18; p Sl 130:7; Ro 10:13;
q Sl 17:1; r Sl 130:2; s Sl 18:6; Sl 50:15; t Sl
66:19; Sl 116:1; u Éx 15:11; Sl 89:6; Sl 96:5; Isa
40:25; Jer 10:6; Da 3:29; 1Co 8:5; v Dt 3:24; Sl
33:4; Sl 104:24; Sl 111:7; w Sl 22:31; Isa 2:2; Isa
43:7; Rev 15:4; x Zac 14:9; Rev 7:10.

y darán gloria a tu nombre.[a]

10 Porque tú eres grande y estás haciendo cosas maravillosas;[b]
    tú eres Dios, tú solo.[c]

11 Instrúyeme, oh Jehová, acerca de tu camino.[d]
    Andaré en tu verdad.[e]
    Unifica mi corazón para que tema tu nombre.[f]

12 Te elogio, oh Jehová Dios mío, con todo mi corazón,[g]
    y ciertamente glorificaré tu nombre hasta tiempo indefinido,

13 porque tu bondad amorosa es grande para conmigo,[h]
    y has librado mi alma del Seol, de su lugar más bajo.[i]

14 Oh Dios, los presuntuosos mismos se han levantado contra mí;[j]
    y la mismísima asamblea de los tiránicos ha buscado mi alma,[k]
    y no te han puesto enfrente de sí.[l]

15 Pero tú, oh Jehová, eres Dios misericordioso y benévolo,[m]
    tardo para la cólera[n] y abundante en bondad amorosa y apego a la verdad.[o]

16 Dirígete a mí y muéstrame favor.[p]
    Da, sí, tu fuerza a tu siervo,[q]
    y de veras salva al hijo de tu esclava.[r]

17 Efectúa conmigo una señal que signifique bondad,
    para que [la] vean los que me odian y se avergüencen.
    Porque tú mismo, oh Jehová, me has ayudado y me has consolado.[t]

De los hijos de Coré.
Melodía, canción.

87 Su fundamento está en las santas montañas.[u]

2 Jehová está más enamorado de las puertas de Sión[v]

que de todos los tabernáculos de Jacob.[a]

3 Cosas gloriosas se están hablando acerca de ti, oh ciudad del Dios [verdadero].[b] *Sélah.*

4 Haré mención de Rahab[c] y Babilonia[d] como entre los que me conocen;
    aquí están Filistea[e] y Tiro, junto con Cus;
    "Este es uno que nació allí".[f]

5 Y respecto de Sión se dirá: "Todos y cada uno nacieron en ella".[g]
    Y el Altísimo[h] mismo la establecerá firmemente.[i]

6 Jehová mismo declarará, al inscribir los pueblos:[j]
    "Este es uno que nació allí".[k] *Sélah.*

7 También habrá cantores así como bailadores de danzas de corro:[l]
    "Todos mis manantiales están en ti".[m]

Canción,
melodía de los hijos de Coré.
Al director sobre Mahalat
para dar respuestas.
Maskil de Hemán[n] el ezrahíta.

88 Oh Jehová, el Dios de mi salvación,[o]
    de día he clamado,[p]
    por la noche [también] enfrente de ti.[q]

2 Delante de ti llegará mi oración.[r]
    Inclina tu oído a mi clamor rogativo.[s]

3 Porque suficiente ha tenido mi alma de calamidades,[t]
    y mi misma vida ha llegado a estar en contacto hasta con el Seol.[u]

4 Se me ha contado entre los que van bajando al hoyo;[v]
    he llegado a ser como un

CAP. 86
a Ro 15:9
b Éx 15:11
Sl 72:18
Sl 77:14
Da 6:27
c Dt 6:4
Dt 32:39
Sl 83:18
Isa 37:16
Isa 44:6
Mr 12:29
1Co 8:4
Ef 4:6
d 1Re 8:36
Sl 27:11
Sl 119:33
Sl 143:8
Isa 54:13
e Jos 24:14
1Sa 12:24
Sl 43:3
Isa 38:3
Mal 2:6
Jn 8:32
2Jn 4
f Ec 12:13
Jer 32:39
g Mt 22:37
h Lu 1:58
i Job 33:28
Sl 56:13
Sl 116:8
j 2Sa 15:12
Sl 54:3
k 2Sa 16:20
Mt 26:4
l Sl 10:4
Eze 8:12
m Éx 34:6
Nú 14:18
Joe 2:13
Jon 4:2
n Ne 9:17
Sl 103:8
Na 1:3
o Sl 31:5
Sl 130:7
Sl 145:8
Joe 2:13
p Sl 25:16
Sl 69:16
q Sl 28:7
r Sl 116:16
s Sl 71:13
Isa 41:11
t Sl 40:1
Sl 71:21

CAP. 87
u Sl 48:1
v Sl 78:68
Sl 132:13

2.ª col.
a Nú 24:5
b Sl 48:2
Isa 60:14
c Sl 89:10
Isa 30:7
Isa 51:9
d Isa 13:1
e Sl 83:7
f 2Sa 12:24
Gál 4:31
g Isa 54:1
Isa 54:13
h Sl 83:18
i Ro 8:31
j Sl 22:30
Lu 10:20
k Sl 87:4
Gál 4:29

l 1Cr 15:16; Sl 68:25; Sl 150:4; m Sl 46:4; **CAP. 88** n 1Re 4:31; 1Cr 2:6; o Gé 49:18; Sl 27:9; Sl 51:14; Sl 68:19; Isa 12:2; Lu 1:47; p Sl 86:3; q Sl 22:2; r 1Re 8:30; Sl 79:11; s Sl 141:1; t Sl 71:20; u Sl 107:18; Isa 38:10; v Job 33:22; Sl 143:7.

hombre físicamente capacitado sin fuerza,[a]

5 puesto en libertad entre los muertos mismos,[b]

como los que han recibido muerte que yacen en la sepultura,[c]

de quienes ya no te has acordado,

y que han sido cortados de tu propia mano [ayudadora].[d]

6 Me has puesto en un hoyo de las profundidades más bajas,

en lugares oscuros, en un abismo grande.[e]

7 Sobre mí tu furia se ha arrojado,[f]

y con todas tus olas rompientes [me] has afligido.[g] *Sélah*.

8 Has alejado de mí a mis conocidos;[h]

me has puesto como algo muy detestable a ellos.[i]

Me hallo restringido y no puedo salir.[j]

9 Mi propio ojo ha languidecido a causa de mi aflicción.[k]

Te he invocado, oh Jehová, todo el día;[l]

a ti he extendido las palmas de mis manos.[m]

10 Para los que están muertos, ¿harás una maravilla?[n]

¿O se levantarán los mismísimos que están impotentes en la muerte,[o]

te elogiarán?[p] *Sélah*.

11 ¿Se declarará tu bondad amorosa en la sepultura misma,

tu fidelidad en [el lugar de] la destrucción?[q]

12 ¿Se conocerá una maravilla tuya en la oscuridad misma,[r]

o tu justicia en la tierra del olvido?[s]

13 Y sin embargo a ti, oh Jehová, yo mismo he clamado por ayuda,[t]

y de mañana mi propia oración sigue presentándose delante de ti.[u]

14 ¿Por qué, oh Jehová, desechas mi alma?[a]

¿Por qué mantienes tu rostro oculto de mí?[b]

15 Estoy afligido y a punto de expirar desde la muchachez en adelante;[c]

a gran grado he soportado cosas aterradoras procedentes de ti.[d]

16 Sobre mí han pasado los destellos de tu cólera ardiente;[e]

terrores procedentes de ti mismo me han reducido a silencio.[f]

17 Me han cercado como aguas todo el día;[g]

me han rodeado todos a la misma vez.

18 Has alejado de mí a amigo y compañero;[h]

mis conocidos son un lugar oscuro.[i]

Maskil. De Etán el ezrahíta.[j]

89

Acerca de las expresiones de bondad amorosa de Jehová ciertamente cantaré aun hasta tiempo indefinido.[k]

Por generación tras generación daré a conocer tu fidelidad con mi boca.[l]

2 Porque he dicho: "La bondad amorosa quedará edificada aun hasta tiempo indefinido;[m]

en cuanto a los cielos, mantienes tu fidelidad firmemente establecida en ellos".[n]

3 "He celebrado un pacto para con mi escogido;[o]

he jurado a David mi siervo:[p]

4 'Aun hasta tiempo indefinido estableceré firmemente tu descendencia,[q]

y ciertamente edificaré tu trono[r] hasta generación tras generación'." *Sélah*.

5 Y los cielos elogiarán tu ma-

CAP. 88
a Sl 31:12
b Isa 14:9
c Eze 32:18
d Sl 10:11
e Sl 143:3
f Sl 90:7
  Sl 102:10
g Sl 42:7
h Job 19:13
  Job 19:19
  Sl 31:11
  Sl 142:4
  Lu 23:49
i Mt 27:22
  Jn 15:23
j Lam 3:7
k Job 17:7
  Sl 38:10
  Sl 42:3
  Lam 3:49
l Sl 55:17
  Sl 86:3
m 1Re 8:54
  2Cr 6:13
  Sl 143:6
n Sl 6:5
o Job 14:14
p Sl 30:9
  Sl 115:17
  Isa 38:18
q Job 26:6
  Ec 3:20
r Job 10:21
  Sl 143:3
s Sl 31:12
  Ec 8:16
  Ec 8:10
  Ec 9:5
t Sl 5:3
  Sl 46:1
u Sl 55:17
  Sl 119:147

2.ª col.
a Sl 43:2
b Job 13:24
  Sl 13:1
c Job 17:1
d Job 6:4
e Sl 102:10
f Isa 53:8
g Sl 22:16
  Sl 69:2
h Job 19:13
  Sl 31:11
  Sl 38:11
  Sl 88:8
i Sl 142:4

CAP. 89
j 1Re 4:31
  1Cr 2:6
k Sl 86:12
  Sl 106:1
l Sl 119:90
m 1Cr 16:41
  Ne 1:5
  Isa 54:10
n Sl 119:89
  Heb 6:18
o 2Sa 7:8
  1Re 8:16
  Isa 42:1
  Lu 1:32
p Sl 132:11
  Jer 30:9
  Eze 34:23
  Os 3:5
  Jn 7:42
  Hch 2:30

q 2Sa 7:12; 1Cr 17:11; Rev 22:16; r 2Sa 7:13; Lu 1:33; Heb 1:8.

ravilloso acto, oh Jehová,[a]

sí, tu fidelidad en la congregación de los santos.

6 Porque, ¿quién en los cielos nublados puede ser comparado a Jehová?[b]

¿Quién puede parecerse a Jehová entre los hijos de Dios?[c]

7 A Dios ha de tenérsele respetuoso temor en medio del grupo íntimo de santos;[d]

él es grande e inspirador de temor sobre todos los que están a su alrededor.[e]

8 Oh Jehová Dios de los ejércitos,[f]

¿quién es vigoroso como tú, oh Jah?[g]

Y tu fidelidad está todo en derredor tuyo.[h]

9 Tú estás gobernando sobre la hinchazón del mar;[i]

cuando levanta sus olas, tú mismo las calmas.[j]

10 Tú mismo has aplastado a Rahab,[k] aun como a alguien que ha sido muerto.[l]

Por el brazo de tu fuerza has esparcido a tus enemigos.[m]

11 El cielo es tuyo,[n] la tierra también es tuya;[o]

la tierra productiva y lo que la llena[p]... tú mismo los has fundado.[q]

12 El norte y el sur... tú mismo los creaste;[r]

Tabor[s] y Hermón[t]... en tu nombre claman gozosamente.[u]

13 Un brazo con poderío es el tuyo,[v]

tu mano es fuerte,[w]

tu diestra es ensalzada.[x]

14 Justicia y juicio son el lugar establecido de tu trono;[y]

bondad amorosa y apego a la verdad mismos se presentan delante de tu rostro.[z]

15 Feliz es el pueblo que conoce el gozoso gritar.[a]

Oh Jehová, en la luz de tu

rostro ellos siguen andando.[a]

16 En tu nombre están gozosos todo el día,[b]

y en tu justicia son ensalzados.[c]

17 Porque tú eres la hermosura de su fuerza;[d]

y por tu buena voluntad nuestro cuerno es ensalzado.[e]

18 Porque nuestro escudo pertenece a Jehová,[f]

y nuestro rey pertenece al Santo de Israel.[g]

19 En aquel tiempo hablaste en una visión a los que te son leales,[h]

y procediste a decir:

"He colocado ayuda sobre un poderoso;[i]

he ensalzado a un escogido de entre el pueblo.[j]

20 He hallado a David mi siervo[k]

—con mi aceite santo lo he ungido—,

21 con quien mi propia mano será firme,[m]

a quien mi propio brazo también fortalecerá.[n]

22 Ningún enemigo le impondrá exacciones,[o]

ni lo afligirá ningún hijo de la injusticia.[p]

23 Y de delante de él trituré a sus adversarios,[q]

y a los que lo odiaban intensamente seguí asestando golpes.[r]

24 Y mi fidelidad y mi bondad amorosa están con él,[s]

y en mi nombre su cuerno es ensalzado.[t]

25 Y sobre el mar he puesto su mano[u]

y sobre los ríos su diestra.[v]

26 Él mismo clama a mí: 'Tú eres mi Padre,[w]

mi Dios[x] y la Roca de mi salvación'.[y]

CAP. 89

a Sl 19:1
Sl 50:6
Sl 99:6
b Éx 15:11
Sl 40:5
Sl 71:19
Sl 86:8
Sl 113:5
c Job 38:7
Sl 29:1
d Sl 76:7
Isa 6:2
e Eze 1:23
Da 7:10
f 1Sa 2:2
Sl 84:12
g Sl 24:8
Isa 40:26
Jer 32:17
h Dt 32:4
i Job 38:8
Sl 107:29
Jer 31:35
Na 1:4
j Sl 65:7
Sl 107:29
k Isa 14:26
Sl 87:4
Isa 30:7
Isa 51:9
l Éx 15:4
m Éx 3:20
Dt 4:34
Lu 1:51
n 1Cr 29:11
o 1Co 10:26
p Sl 24:1
Sl 50:12
q Gé 1:1
r Job 26:7
s Jos 19:22
Jue 4:6
t Dt 3:8
Jos 12:1
u Sl 65:12
v Éx 6:6
Dt 4:34
w Éx 13:3
Dt 5:21
1Pe 5:6
x Sl 44:3
y Dt 32:4
Sl 5:4
Sl 71:19
Sl 97:2
Sl 145:17
Pr 16:12
Rev 15:3
z Éx 34:6
Ne 9:17
Jer 9:24
a Nú 10:10
Nú 23:21
Sl 98:6

2.ᵃ col.

a Isa 2:5
b Sl 33:21
c Sl 71:15
d Sl 28:7
e Isa 2:10
Sl 75:10
Sl 92:10
Sl 132:17
f Sl 47:9
g Pr 19:22
Sl 2:6
h Nú 12:6
2Sa 7:4
i 1Sa 18:14
Isa 9:6
j 2Sa 7:8
1Re 11:34
Heb 2:17

k 1Cr 17:7; Hch 13:22; l 1Sa 16:13; Isa 51:1; Hch 10:38; m 2Sa 7:9; Sl 80:17; Isa 42:1; n Sl 18:32; o 2Sa 7:13; 1Cr 17:9; Mt 4:11; p 2Sa 17:10; q 2Sa 3:1; 2Sa 7:9; 2Sa 22:41; r Sl 21:8; Sl 110:1; Lu 19:27; Jn 15:24; s 2Sa 7:15; 1Cr 17:13; Sl 61:7; Hch 13:34; t 1Sa 2:10; Jn 17:6; u Sl 72:8; v 1Re 4:21; Sl 80:11; w 1Cr 22:10; Mt 26:39; x Jn 20:17; y 2Sa 22:47; Sl 18:2; Lu 23:46.

27 También, yo mismo lo pondré como primogénito,[a] el altísimo de los reyes de la tierra.[b]

28 Hasta tiempo indefinido conservaré mi bondad amorosa para con él,[c] y mi pacto le será fiel.[d]

29 Y ciertamente estableceré su descendencia para siempre[e] y su trono como los días del cielo.[f]

30 Si sus hijos dejan mi ley[g] y no andan en mis decisiones judiciales,[h]

31 si profanan mis propios estatutos y no guardan mis propios mandamientos,

32 entonces tendré que dirigir mi atención a su transgresión aun con una vara,[i] y a su error aun con golpes.[j]

33 Pero mi bondad amorosa no la descontinuaré de él,[k] ni resultaré falso en cuanto a mi fidelidad.[l]

34 No profanaré mi pacto,[m] y la expresión procedente de mis labios no cambiaré.[n]

35 Una vez he jurado en mi santidad,[o] a David ciertamente no diré mentiras.[p]

36 Su descendencia misma resultará ser aun hasta tiempo indefinido,[q] y su trono como el sol enfrente de mí.[r]

37 Como la luna será firmemente establecido por tiempo indefinido, y [como] testigo fiel en los cielos nublados". *Sélah.*

38 Pero tú... tú has desechado, y sigues menospreciando;[s] te has enfurecido para con tu ungido.[t]

39 Has rechazado con desdén el pacto de tu siervo; has profanado su dia-

40 Has derribado todos sus apriscos de piedra;[b] has convertido en ruina sus fortificaciones.[c]

41 Todos los que han ido pasando por el camino lo han saqueado;[d] ha llegado a ser oprobio a sus vecinos.[e]

42 Has ensalzado la diestra de sus adversarios;[f] has hecho que todos sus enemigos se regocijen.[g]

43 Lo que es más, vuelves a tratar tu espada como a opositor,[h] y has hecho que no gane terreno en la batalla.[i]

44 [Lo] has hecho cesar de su lustre,[j] y su trono has arrojado a la mismísima tierra.[k]

45 Has acortado los días de su juventud; lo has envuelto en ignominia.[l] *Sélah.*

46 ¿Hasta cuándo, oh Jehová, te mantendrás oculto? ¿Por todo tiempo?[m] ¿Seguirá ardiendo tu furia justamente como un fuego?[n]

47 Acuérdate de cuál es la duración de mi vida.[o] ¿Acaso es totalmente en vano el que hayas creado a todos los hijos de los hombres?[p]

48 ¿Qué hombre físicamente capacitado hay vivo que no haya de ver la muerte?[q] ¿Puede proveer a su alma escape de la mano del Seol?[r] *Sélah.*

49 ¿Dónde están tus anteriores actos de bondad amorosa, oh Jehová, acerca de los cuales juraste a David en tu fidelidad?[s]

50 Acuérdate, oh Jehová, del

CAP. 89

a 1Sa 10:1
Sl 2:7
Col 1:18
Heb 1:5
b Nú 24:7
1Ti 6:15
Rev 1:5
Rev 19:16
c Hch 13:34
d 2Sa 23:5
Sl 89:34
Lu 22:29
e Isa 9:7
Jer 33:17
f Heb 1:8
g 2Sa 7:14
Sl 119:53
Jer 9:13
h Isa 33:22
i 2Sa 7:14
1Re 11:31
Pr 13:24
j Éx 32:34
1Re 11:14
Heb 12:6
k 2Sa 7:15
1Re 11:32
1Re 11:36
l 1Sa 15:29
Heb 6:18
m Le 26:44
Jer 14:21
Jer 33:21
n Mal 3:6
Snt 1:17
o Sl 110:4
Am 4:2
Heb 6:17
p Nú 23:19
1Sa 15:29
Sl 132:11
Tit 1:2
q 2Sa 7:16
Sl 72:17
Isa 11:1
Jer 23:5
Zac 6:13
Jn 12:34
Rev 22:16
r Jer 33:21
Da 7:14
Lu 1:33
s 1Cr 28:9
Sl 44:9
Sl 60:1
t 2Sa 24:12
Zac 13:7

2.ª col.

a Sl 74:7
Lam 5:16
Eze 21:26
b Sl 80:12
c 2Cr 12:4
Jer 52:14
Lam 2:2
d Sl 44:10
Jer 50:17
e Dt 28:37
Ne 5:9
f Dt 28:25
g Lam 1:7
Lam 2:17
Jn 16:20
h 2Cr 25:8
i Jos 7
j Jer 12:16
Lam 4:2
k Eze 21:26
l Sl 44:15
Isa 53:3
Eze 21:25
m Sl 13:1

n Sl 78:63; Sl 79:5; Isa 30:27; Jer 23:29; o Job 7:7; Sl 39:5; Sl 119:84; p Job 14:1; Sl 144:4; Ec 11:8; q Job 30:23; Sl 49:9; Ec 3:19; Ec 9:5; Heb 11:5; r Sl 49:15; Hch 2:27; s 2Sa 7:15; Sl 132:11; Isa 55:3; Hch 2:30.

oprobio sobre tus sier-
vos,[a]

de que llevo en mi seno
[el oprobio de] todos los
muchos pueblos,[b]

51 de cómo tus enemigos han vituperado, oh Jehová,[c]

de cómo han vituperado
las huellas de tu ungido.[a]

52 Bendito sea Jehová hasta
tiempo indefinido. Amén
y Amén.[b]

CAP. 89
a Sl 44:13
Sl 74:22
Heb 11:26

b Ro 15:3

c Sl 79:10

2.ª col. a 2Sa 16:7; Mt 12:24; Mt 26:65; Jn 8:48;
b Ne 9:5; Sl 41:13; Sl 72:18.

LIBRO CUARTO
(Salmos 90 – 106)

Oración de Moisés,
hombre del Dios [verdadero].[a]

90 Oh Jehová, tú mismo has
resultado ser una ver-
dadera morada para
nosotros[b]
durante generación tras
generación.[c]

2 Antes que nacieran las montañas mismas,[d]
o tú procedieras a producir
como con dolores de par-
to la tierra[e] y el terreno
productivo,[f]
aun de tiempo indefinido
a tiempo indefinido tú
eres Dios.[g]

3 Tú haces que el hombre mortal vuelva a la materia
triturada,[h]
y dices: "Vuélvanse, hijos
de los hombres".[i]

4 Porque mil años son a tus
ojos solo como el día de
ayer cuando ha pasado,[j]
y como una vigilia durante
la noche.[k]

5 Los has llevado arrollando;[l]
ellos llegan a ser un simple sueño;[m]
a la mañana [son] justa-
mente como la hierba
verde que cambia.[n]

6 Por la mañana produce flores
y tiene que cambiar;[o]
al atardecer se marchita y
ciertamente se seca.[p]

7 Porque nos hemos acabado
en tu cólera,[q]
y por tu furia hemos sido
perturbados.[r]

8 Has colocado nuestros errores precisamente enfren-
te de ti;[s]
nuestras cosas escondidas,

CAP. 90
a Dt 33:1
b Dt 33:27
Sl 91:1
Rev 21:3
c Sl 89:1
d Pr 8:26
e Gé 1:1
Sl 146:6
f Isa 2:8
1Cr 16:30
Sl 89:11
Jer 10:12
g Sl 93:2
Sl 40:28
Isa 45:22
Jer 10:10
Hab 1:12
1Ti 1:17
Rev 1:8
Rev 15:3
h Ec 3:20
i Gé 3:19
Sl 104:29
Sl 146:4
Ec 12:7
j 2Pe 3:8
k Lu 12:38
l Job 9:25
Job 27:21
m Jn 11:11
Hch 7:60
1Co 15:20
2Pe 3:4
n Sl 103:15
Isa 40:6
Isa 51:12
1Pe 1:24
o Job 14:2
p Sl 92:7
Snt 1:11
q Nú 17:12
Dt 32:22
r Ro 2:8
s Le 26:39
Sl 50:21
Jer 16:17

2.ª col.
a Sl 19:12
Pr 24:12
Heb 4:13
b Sl 78:33
c Sl 39:5
d 2Sa 5:4
e 2Sa 19:35
Lu 2:37
f Ec 12:3
g Job 14:10
Sl 78:39
Lu 12:20
Snt 4:14
h Dt 29:23
Hab 3:12
i Isa 33:14
Lu 12:5
j Dt 32:29
Sl 39:4

delante de tu rostro bri-
llante.[a]

9 Porque todos nuestros días
han llegado a su declina-
ción en tu furor;[b]
hemos terminado nuestros
años lo mismo que un su-
surro.[c]

10 En sí mismos los días de
nuestros años son seten-
ta años;[d]
y si debido a poderío especial son ochenta años,[e]
sin embargo su insistencia
está en penoso afán y co-
sas perjudiciales;[f]
porque tiene que pasar rápidamente, y volamos.[g]

11 ¿Quién hay que conozca la
fuerza de tu cólera,[h]
y tu furor conforme al temor de ti?[i]

12 Muéstra[nos] precisamente
cómo contar nuestros
días de tal manera[j]
que hagamos entrar un co-
razón de sabiduría.[k]

13 ¡De veras vuélvete, oh Jehová![l] ¿Hasta cuándo
será?,[m]
y siente pesar respecto a
tus siervos.[n]

14 Satisfácenos a la mañana con
tu bondad amorosa,[o]
para que clamemos gozo-
samente y nos rego-
cijemos durante todos
nuestros días.[n]

15 Haznos regocijar con correspondencia a los días en
que nos has afligido,[q]

k Sl 51:6; 1Sl 6:4; m Sl 89:46; n Éx 32:14; Dt
13:17; Dt 32:36; Sl 135:14; Am 7:3; o Sl 36:7; Sl
51:1; Sl 63:3; Sl 85:7; p Sl 86:4; Sl 149:2; Flp
4:4; q Sl 30:5; Sl 126:5; Mt 5:4; Jn 16:20.

los años en que hemos visto calamidad.ª

16 Aparezca tu actividad a tus propios siervos,ᵇ
y tu esplendor sobre sus hijos.ᶜ

17 Y resulte estar sobre nosotros la agradabilidad de Jehová nuestro Dios,ᵈ
y de veras establece firmemente sobre nosotros la obra de nuestras manos.ᵉ
Sí, la obra de nuestras manos, de veras establécela firmemente.ᶠ

91 Cualquiera que more en el lugar secretoᵍ del Altísimoʰ
se conseguirá alojamiento bajo la mismísima sombra del Todopoderoso.ⁱ

2 Ciertamente diré a Jehová: "[Tú eres] mi refugio y mi plaza fuerte,ʲ
mi Dios, en quien de veras confiaré".ᵏ

3 Porque él mismo te librará de la trampa del pajarero,ˡ
de la peste que causa adversidades.ᵐ

4 Con sus plumas remeras obstruirá el acceso a ti,ⁿ
y debajo de sus alas te refugiarás.ᵒ
Su apego a la verdadᵖ será un escudo grandeᑫ y baluarte.

5 No tendrás miedo de nada pavoroso de noche,ʳ
ni de la flechaˢ que vuela de día,

6 ni de la peste que anda en las tinieblas,ᵗ
ni de la destrucción que despoja violentamente al mediodía.ᵘ

7 Mil caerán a tu lado mismo, y diez mil a tu diestra;
a ti no se te acercará.ᵛ

8 Solo con tus ojos seguirás mirando,ʷ
y verás la retribución misma de los inicuos.ˣ

9 Porque tú [dijiste]: "Jehová es mi refugio",ʸ

has hecho al Altísimo mismo tu morada;ª

10 no te acaecerá ninguna calamidad,ᵇ
y ni siquiera una plaga se acercará a tu tienda.ᶜ

11 Porque él dará a sus propios ángeles un mandato acerca de ti,ᵈ
para que te guarden en todos tus caminos.ᵉ

12 Sobre sus manos te llevarán,ᶠ
para que no des con tu pie contra piedra alguna.ᵍ

13 Sobre el león joven y la cobra pisarás;ʰ
hollarás al leoncillo crinado y a la culebra grande.ⁱ

14 Porque en mí él ha puesto su cariño,ʲ
yo también le proveeré escape.ᵏ
Lo protegeré porque ha llegado a conocer mi nombre.ˡ

15 Él me invocará, y yo le responderé.ᵐ
Estaré con él en la angustia.ⁿ
Lo libraré y lo glorificaré.ᵒ

16 Con largura de días lo satisfaré,ᵖ
y le haré ver la salvación por mí.ᑫ

Melodía, canción, para el día del sábado.

92 Es bueno dar gracias a Jehová,ʳ
y celebrar con melodía tu nombre, oh Altísimo;ˢ

2 informar por la mañana acerca de tu bondad amorosa,ᵗ
y acerca de tu fidelidad durante las noches,ᵘ

3 sobre un instrumento de diez cuerdas y sobre el laúd,ᵛ
por música resonante en el arpa.ʷ

CAP. 90
a Dt 2:14
b Sl 44:1
c Nú 14:31
  Jos 23:14
d Sl 27:4
e Sl 68:28
  Sl 118:25
  Isa 26:12
f Sl 127:1
  Pr 16:3
  1Co 3:7

CAP. 91
g Sl 18:11
  Sl 27:5
  Sl 31:20
h Sl 32:7
  Sl 83:18
i Sl 36:7
  Sl 57:1
j Dt 32:30
  Sl 18:2
  Pr 18:10
k Sl 62:8
  Pr 3:5
l Job 22:10
  Sl 124:7
m 2Sa 24:15
n Sl 5:11
o Éx 19:4
  Dt 32:11
  Rut 2:12
  Sl 17:8
  Sl 57:1
  Sl 61:4
p Sl 40:11
  Sl 57:3
  Sl 61:7
  Sl 86:15
  Pr 20:28
q Gé 15:1
  Sl 84:11
r Sl 121:4
  Sl 121:6
  Pr 3:23
  Isa 43:2
  Isa 60:2
s Sl 64:3
  Isa 54:17
t Mal 4:2
u Job 11:17
  Jer 6:4
  Jer 15:8
  Jer 20:16
v Éx 12:13
  Sl 103:3
w Sl 37:34
  Mal 1:5
x Isa 3:11
  Mal 3:18
y Sl 142:5

2.ª col.
a Sl 71:3
  Sl 90:1
b Sl 121:7
  Pr 12:21
c Dt 7:15
  Heb 11:9
d 2Re 6:17
  Sl 34:7
  Mt 18:10
  Lu 4:10
e Éx 23:20
  Éx 32:34
  Heb 1:14
f Isa 63:9
g Sl 37:24
  Mt 4:6
  1Pe 2:8
h Gé 49:17
  Lu 10:19
i Jer 51:34; Rev 12:9; j Dt 6:5; Mr 12:30; 1Jn 4:19; k Sl 18:2; l Sl 9:10; Pr 18:10; Jer 16:21; Jn 17:3; m Sl 10:17; Sl 50:15; Ro 10:13; Heb 5:7; n Sl 138:7; Isa 43:2; o Isa 2:30; 1Pe 1:21; p Sl 21:4; Sl 36:9; Pr 3:2; q Pr 21:31; Isa 45:17; Lu 2:30; CAP. 92. r Sl 33:2; Sl 50:23; Ef 5:20; s Sl 9:2; t Sl 89:1; Isa 63:7; u Hch 16:25; v 1Cr 25:6; Sl 33:2; w 1Cr 15:16; 2Cr 29:25; Sl 81:2.

4 Porque me has regocijado, oh
   Jehová, a causa de tu actividad;
   a causa de las obras de
   tus manos clamo gozo-
   samente.[a]
5 ¡Cuán grandes son tus obras,
   oh Jehová![b]
   Muy profundos son tus
   pensamientos.[c]
6 Ningún hombre irrazonable
   mismo [los] puede conocer,[d]
   y nadie que es estúpido
   puede entender esto.[e]
7 Cuando los inicuos brotan
   como la vegetación,[f]
   y todos los practicantes de
   lo que es perjudicial flo-
   recen,
   es para que sean aniquilados para siempre.[g]
8 Pero tú estás en lo alto hasta tiempo indefinido, oh
   Jehová.[h]
9 Pues, ¡mira!, tus enemigos, oh
   Jehová,[i]
   pues, ¡mira!, tus propios
   enemigos perecerán;[j]
   todos los practicantes de lo
   que es perjudicial se-
   rán separados unos de
   otros.[k]
10 Pero tú ensalzarás mi cuerno
   como el de un toro salvaje;[l]
   [me] mojaré ligeramente
   con aceite fresco.[m]
11 Y mi ojo pondrá la vista sobre
   mis opositores;[n]
   mis oídos oirán acerca de
   los mismísimos que se
   levantan contra mí, los
   malhechores.
12 El justo mismo florecerá
   como lo hace una palmera;[o]
   como lo hace el cedro en
   el Líbano, él crecerá y se
   hará grande.[p]
13 Los que están plantados en la
   casa de Jehová,[q]
   en los patios de nuestro
   Dios,[r] florecerán.
14 Todavía seguirán medrando
   durante la canicie[s]
   —gordos y frescos con-
   tinuarán siendo[t]—

CAP. 92
a Sl 126:3
b Sl 40:5
  Sl 66:3
  Sl 104:24
  Sl 145:4
  Sl 150:2
  Ec 3:11
  Rev 15:3
c Job 26:14
  Sl 139:17
  Isa 28:29
  Ro 11:33
d Sl 73:22
  Da 12:10
e Sl 14:1
  1Co 2:14
f Job 12:6
  Sl 37:35
  Jer 12:1
  Mal 3:15
g 1Sa 25:37
  Sl 37:38
h Sl 83:18
i Jue 5:31
j Sl 68:1
  Sl 89:10
k Dt 28:7
l Dt 33:17
  1Sa 2:1
  Sl 89:24
  Sl 112:9
m Sl 23:5
n Sl 37:34
  Sl 112:8
o Sl 52:8
  Isa 65:22
  Os 14:6
p Isa 61:3
  Isa 60:21
r Sl 100:4
  Sl 135:2
s Sl 71:18
  Pr 16:31
  Isa 40:31
  Isa 46:4
t Jer 17:8

2.ª col.
a Sl 138:5
  Rev 15:3
b Dt 32:4
  Sl 18:2
c Ro 9:14

CAP. 93
d Sl 96:10
  Sl 97:1
  Isa 52:7
  Rev 11:17
  Rev 19:6
e Sl 68:34
  Sl 104:1
  Isa 26:10
f Sl 65:6
g Sl 18:15
  Sl 96:10
h Sl 97:2
  Sl 145:13
i Sl 90:2
j Sl 98:8
k Sl 148:7
l Sl 65:7
  Sl 89:9
m Sl 8:1
  Sl 76:4
  Isa 33:21
  Heb 1:3
  Heb 8:1
n Sl 19:7
  Sl 119:111

15 para anunciar que Jehová es
   recto.[a]
   [Él es] mi Roca,[b] en quien
   no hay injusticia.[c]

93 ¡Jehová mismo ha llegado a
     ser rey![d]
   De eminencia está ves-
   tido;[e]
   Jehová está vestido... de
   fuerza se ha ceñido.[f]
   La tierra productiva
   también queda firme-
   mente establecida de
   modo que no se le
   puede hacer tamba-
   lear.[g]
2 Tu trono está firmemente establecido desde mucho
   tiempo atrás;[h]
   eres desde tiempo indefinido.[i]
3 Los ríos han alzado, oh Jehová,
   los ríos han alzado su sonido;[j]
   los ríos siguen alzando su
   golpeteo.[k]
4 Por encima de los sonidos de
   vastas aguas, las majestuosas olas rompientes
   del mar,[l]
   Jehová es majestuoso[m] en
   la altura.
5 Tus propios recordatorios
   han resultado muy fide-
   dignos.[n]
   La santidad es propia de tu
   misma casa,[o] oh Jehová,
   por largura de días.[p]

94 ¡Oh Dios de actos de ven-
     ganza, Jehová,[q]
   oh Dios de actos de venganza, resplandece![r]
2 Álzate, oh Juez de la tierra.[s]
   Haz volver una retribución
   sobre los altivos.[t]
3 ¿Hasta cuándo los inicuos, oh
   Jehová,[u]
   hasta cuándo los inicuos
   mismos van a alboro-
   zarse?[v]

o Sl 11:4; Eze 43:12; Mr 11:15; 1Pe 1:16; p Sl
52:8; CAP. 94 q Dt 32:35; Isa 35:4; Jer 50:28;
Na 1:2; Ro 12:19; 1Te 4:6; 2Te 1:8; Heb 10:30;
r Sl 80:1; s Gé 18:25; Sl 7:6; Sl 50:6; Hch 17:31;
Ro 14:4; t Job 40:11; Sl 31:23; 1Pe 5:5; u Sl
74:10; v Sl 73:3.

4 Siguen borboteando, siguen hablando desenfrenados;[a]

todos los practicantes de lo que es perjudicial siguen vanagloriándose.[b]

5 A tu pueblo, oh Jehová, siguen aplastando,[c]

y a tu herencia siguen afligiendo.[d]

6 A la viuda y al residente forastero matan,[e]

y a los huérfanos de padre asesinan.[f]

7 Y siguen diciendo: "Jah no ve;[g]

y el Dios de Jacob no [lo] entiende".[h]

8 Entiendan, ustedes los que son irrazonables entre el pueblo;[i]

y en cuanto a ustedes los estúpidos, ¿cuándo tendrán perspicacia?[j]

9 Aquel que plantó el oído, ¿no puede oír?[k]

O Aquel que formó el ojo, ¿no puede mirar?[i]

10 Aquel que corrige a las naciones, ¿no puede censurar,[m]

aun Aquel que enseña conocimiento a los hombres?[n]

11 Jehová está conociendo los pensamientos de los hombres, que ellos son como una exhalación.[o]

12 Feliz es el hombre físicamente capacitado a quien tú corriges,[p] oh Jah,

y a quien tú enseñas con tu propia ley,[q]

13 para darle tranquilidad de los días de calamidad,[r]

hasta que al inicuo se le excave un hoyo.[s]

14 Porque Jehová no desamparará a su pueblo,[t]

ni dejará a su propia herencia.[u]

15 Porque la decisión judicial volverá aun a la justicia,[v]

y la seguirán todos los rectos de corazón.

16 ¿Quién se levantará por mí contra los malhechores?[w]

CAP. 94

a Sl 59:7
b Sl 31:18
  Sl 73:9
  Sl 144:15
c Sl 14:4
d Jer 10:21
  Jer 50:11
e Isa 1:23
  Isa 10:2
f Jer 7:6
g Sl 10:11
  Sl 59:7
  Eze 8:12
h Sl 73:11
  Isa 29:15
i Sl 49:10
  Sl 73:22
  Sl 92:6
  Pr 12:1
j Pr 1:22
k Gé 21:17
  Éx 4:11
  Sl 55:19
  Sl 69:33
  Isa 34:15
  Pr 20:12
m Sl 9:5
  Isa 10:12
n Job 35:11
  Sl 25:8
  Isa 28:26
  Pr 6:45
o 1Co 1:19
  1Co 3:20
p Sl 119:71
  Pr 3:11
  1Co 11:32
  Heb 12:6
q Sl 19:9
  Pr 2:6
  Isa 54:13
r Isa 26:20
  Hab 3:16
s Sl 55:23
  2Pe 2:9
t Isa 12:22
  Sl 37:28
  Ro 11:1
  Heb 13:5
u Dt 32:9
v Sl 19:9
w 2Re 10:15

2.ª col.

a Ne 5:7
  Jn 7:51
b Sl 118:13
  Sl 124:2
  2Co 1:10
c Sl 13:3
  Ec 9:5
d Sl 38:16
  Sl 121:3
e 1Sa 2:9
  Sl 37:24
  Sl 117:2
  Lam 3:22
f Jer 20:12
  Flp 4:6
g Sl 71:21
  Sl 86:17
h Ec 5:8
i 1Re 21:10
  Sl 58:2
  Isa 10:1
  Da 6:7
  Hch 5:28
j Sl 59:3
k Éx 23:7
  1Re 21:19
  Pr 17:15
  Hch 7:58

¿Quién se pondrá de parte de mí contra los practicantes de nocividad?[a]

17 Si no hubiera sido porque Jehová me dio auxilio,[b]

en poco tiempo mi alma habría residido en el silencio.[c]

18 Cuando dije: "Mi pie ciertamente se moverá con inseguridad",

tu propia bondad amorosa, oh Jehová, siguió sustentándome.[d]

19 Cuando mis pensamientos inquietantes llegaron a ser muchos dentro de mí,[f]

tus propias consolaciones empezaron a acariciar mi alma.[g]

20 ¿Acaso el trono que causa adversidades estará aliado contigo[h]

mientras está forjando penoso afán mediante decreto?[i]

21 Hacen ataques agudos contra el alma del justo[j]

y pronuncian inicua aun la sangre del inocente.[k]

22 Pero Jehová llegará a ser para mí una altura segura;[l]

y mi Dios, la roca de mi refugio.[m]

23 Y él volverá sobre ellos su nocividad[n]

y los reducirá a silencio con su propia calamidad.[o]

Jehová nuestro Dios los reducirá a silencio.[p]

95 ¡Oh, vengan, clamemos gozosamente a Jehová![q]

Gritemos en triunfo a nuestra Roca de salvación.[r]

2 Lleguemos delante de su persona con acción de gracias;[s]

con melodías gritemos en triunfo ante él.

---

l Sl 59:9;   m Sl 18:2; Sl 62:7;   n Est 7:10; Sl 7:16; Pr 2:22; Pr 5:22; 2Te 1:6; o Isa 26:10; Sl 7:15; Pr 26:27; Sl 12:3;   CAP. 95   q Éx 15:1; Sl 66:2; r Dt 32:15; 2Sa 22:47; Sl 98:4; s Sl 50:23; Sl 100:4; t Sl 105:2.

3 Porque Jehová es un gran
   Dios[a]
   y un gran Rey sobre todos
   los [demás] dioses,[b]
4 Aquel en cuya mano están las
   más recónditas profun-
   didades de la tierra,[c]
   y a quien pertenecen los picos de las montañas;[d]
5 a quien pertenece el mar, que
   él mismo hizo,[e]
   y cuyas propias manos
   formaron la tierra seca
   misma.[f]
6 Oh, entren, adoremos e inclinémonos;[g]
   arrodillémonos[h] delante de
   Jehová nuestro Hace-
   dor.[i]
7 Porque él es nuestro Dios, y
   nosotros somos el pueblo
   de su apacentamiento y
   las ovejas de su mano.[j]
   Hoy, si ustedes escuchan la
   propia voz de él,[k]
8 no endurezcan su corazón
   como en Meribá,[l]
   como en el día de Masah en
   el desierto,[m]
9 cuando sus antepasados me
   pusieron a prueba;[n]
   me examinaron, también
   vieron mi actividad.[o]
10 Por cuarenta años seguí te-
   niéndole asco a [aquella]
   generación,[p]
   y procedí a decir:
   "Son un pueblo de corazón
   propenso a descaminar-
   se,[q]
   y ellos mismos no han llegado a conocer mis caminos";[r]
11 respecto de quienes juré en
   mi cólera:[s]
   "Ciertamente no entrarán
   en mi lugar de descan-
   so".[t]

96 Canten a Jehová una canción nueva.
   Canten a Jehová, [oh
   gentes de] toda la
   tierra.[v]
2 Canten a Jehová, bendigan su
   nombre.[w]
   De día en día anuncien las

buenas nuevas de salva-
   ción por él.[a]
3 Declaren entre las naciones
   su gloria,[b]
   entre todos los pueblos sus
   maravillosas obras.[c]
4 Porque Jehová es grande[d] y
   ha de ser alabado en gran
   manera.
   Es inspirador de temor
   más que todos los [de-
   más] dioses.[e]
5 Porque todos los dioses de los
   pueblos son dioses que
   nada valen;[f]
   pero en cuanto a Jehová, él
   ha hecho los mismísimos
   cielos.[g]
6 Dignidad y esplendor están
   ante él;[h]
   fuerza y hermosura están
   en su santuario.[i]
7 Atribuyan a Jehová, oh familias de los pueblos,[j]
   atribuyan a Jehová gloria y
   fuerza.[k]
8 Atribuyan a Jehová la gloria
   que pertenece a su nombre;[l]
   lleven un regalo y entren
   en sus patios.[m]
9 Inclínense ante Jehová en
   adorno santo;[n]
   estén con dolores fuertes a
   causa de él, [oh gentes
   de] toda la tierra.[o]
10 Digan entre las naciones: "Jehová mismo ha llegado a
   ser rey.[p]
   La tierra productiva también queda firmemente
   establecida de modo que
   no se le puede hacer
   tambalear.[q]
   Él defenderá en rectitud la
   causa de los pueblos".[r]
11 Regocíjense los cielos, y esté
   gozosa la tierra.[s]

CAP. 95
a Sl 47:2
a Sl 96:4
Jer 10:10
Tit 2:13
b Eze 18:11
Sl 97:9
Sl 135:5
Isa 44:8
Mal 1:14
1Co 8:6
c Am 9:3
d Sl 65:6
Am 4:13
e Gé 1:10
Job 38:11
Pr 8:29
Jer 5:22
f Gé 1:9
Pr 8:26
g Isa 45:23
Mt 4:10
Ro 14:11
Rev 14:7
Rev 22:9
h 1Re 8:54
Esd 9:5
Sl 3:14
i Gé 2:7
Job 35:10
Sl 100:3
Mt 10:9
j Sl 23:1
Sl 48:14
Sl 79:13
Sl 80:1
Job 40:11
Eze 34:31
k Heb 3:7
Heb 4:7
l Dt 32:51
Sl 106:41
1Co 10:4
Heb 3:15
m Éx 17:7
Dt 6:16
Dt 6:22
Dt 33:8
Heb 3:8
n Sl 78:18
1Co 10:9
Heb 3:9
o Nú 14:22
p Heb 3:9
q Heb 3:10
r Pr 1:7
Ro 1:28
s Nú 14:23
Heb 4:3
t Gé 2:3
Heb 3:11

CAP. 96
u 1Cr 16:23
Sl 33:3
Sl 40:3
Sl 98:1
Sl 149:1
Isa 42:10
v Sl 66:4
w 1Cr 29:20
Ne 9:5
Sl 72:19
Ef 1:3

2.ª col.
a Sl 40:10
Sl 71:15
Isa 52:7
Hch 13:26

b Isa 60:1; Isa 66:19; Mt 28:19; 1Pe 2:9; Rev
14:6; c Sl 72:18; d Sl 145:3; Jer 32:18; Tit 2:13;
e Dt 10:17; Ne 1:5; Sl 76:7; Sl 95:3; f 1Cr 16:26;
Sl 97:7; Isa 37:19; Isa 44:10; Jer 10:11; 1Co 8:4;
g Gé 1:1; Sl 115:15; Isa 42:5; h Éx 24:10; Sl
104:1; Isa 6:1; Eze 1:27; i 1Cr 16:27; Rev 4:3;
j Sl 29:1; k 1Cr 29:11; 1Cr 28:9; Ne 9:5; Sl
72:19; m Isa 60:6; n Sl 29:2; o 1Cr 16:30; Sl
114:7; p Sl 93:1; Sl 97:1; Rev 11:15; Rev 19:6;
q Sl 93:1; r Sl 67:4; Sl 98:9; 1Pe 2:23; s Sl 69:34.

Truene el mar y lo que lo llena.[a]
12 Alborócese el campo abierto y cuanto hay en él.[b]
Al mismo tiempo, prorrumpan gozosamente [en gritos] todos los árboles del bosque[c]
13 delante de Jehová. Porque ha venido;[d]
porque ha venido a juzgar la tierra.[e]
Juzgará la tierra productiva con justicia,[f]
y a los pueblos con su fidelidad.[g]

97 ¡Jehová mismo ha llegado a ser rey![h] Esté gozosa la tierra.[i]
Regocíjense las muchas islas.[j]
2 Nubes y densas tinieblas están todo en derredor de él;[k]
justicia y juicio son el lugar establecido de su trono.[l]
3 Delante de él un fuego mismo va,[m]
y consume a sus adversarios todo en derredor.[n]
4 Sus relámpagos alumbraron la tierra productiva;[o]
la tierra vio, y llegó a estar con fuertes dolores.[p]
5 Las montañas mismas procedieron a derretirse lo mismo que cera a causa de Jehová,[q]
a causa del Señor de toda la tierra.[r]
6 Los cielos han anunciado su justicia,[s]
y todos los pueblos han visto su gloria.[t]
7 Avergüéncense todos los que sirven a imagen tallada alguna,[u]
los que están jactándose en dioses que nada valen.[v]
Inclínense ante él, dioses todos.[w]
8 Sión oyó, y empezó a regocijarse,[x]
y los pueblos dependientes de Judá se pusieron gozosos[y]
a causa de tus decisiones judiciales, oh Jehová.[a]
9 Porque tú, oh Jehová, eres el Altísimo sobre toda la tierra;[b]
estás muy alto en tu ascenso sobre todos los [demás] dioses.[c]
10 Oh amadores de Jehová,[d] odien lo que es malo.[e]
Él está guardando las almas de los que le son leales;[f]
de la mano de los inicuos los libra.[g]
11 Luz misma ha relumbrado para el justo,[h]
y regocijo aun para los rectos de corazón.[i]
12 Regocíjense en Jehová, oh justos,[j]
y den gracias a su santa mención conmemorativa.[k]

Melodía.

98 Canten a Jehová una canción nueva,[l]
porque maravillosas son las cosas que él ha obrado.[m]
Su diestra, aun su santo brazo, le ha ganado salvación.[n]
2 Jehová ha dado a conocer su salvación;[o]
a los ojos de las naciones ha revelado su justicia.[p]
3 Se ha acordado de su bondad amorosa y de su fidelidad para con la casa de Israel.[q]
Todos los cabos de la tierra han visto la salvación por nuestro Dios.[r]

CAP. 96
a Sl 98:7
b Sl 65:13
c 1Cr 16:33; Sl 148:9; Isa 55:12; Eze 34:27; Eze 36:30
d Mal 3:1; Jud 14
e Gé 18:25; Sl 98:9; Hch 17:31; 2Pe 3:7
f Sl 9:8
g Dt 32:4; Ro 3:3

CAP. 97
h Sl 96:10; Rev 11:17; Rev 19:6
i Sl 69:34; Isa 49:13
j Gé 10:5; Isa 60:9
k Éx 20:21; 1Re 8:12; Sl 18:11
l Sl 89:14; Sl 99:4; Pr 16:12
m Sl 18:8; Sl 50:3; Da 7:10; Na 1:6; Hab 3:5; Heb 12:29
n Na 1:2; Mal 4:1
o Éx 19:18; Job 36:32; Sl 77:18; Sl 144:6
p Sl 77:16; Sl 104:32; Sl 114:7; Jer 51:29; Hab 3:10
q Jue 5:5; Miq 1:4; Na 1:5; Hab 3:6
r Sl 47:2; Sl 83:18
s Sl 19:1
t Hab 2:14
u Éx 20:4; Le 26:1; Jer 10:14
v 1Sa 12:21; 1Cr 16:26; Sl 96:5; Isa 37:19; Isa 41:29
w Éx 12:12; Éx 18:11; Sl 86:8; Heb 1:6
x Isa 51:3
y Sl 48:11

2.ª col.
a Sl 19:9
b Sl 83:18
c Éx 18:11; Sl 95:3; Sl 135:5; Isa 44:8
d Mr 12:30; 1Co 8:3

e Sl 34:14; Sl 37:27; Sl 101:3; Sl 119:104; Am 5:15; Ro 7:15; Ro 12:9; Heb 1:9; Jud 23; f Sl 31:23; Sl 37:28; Sl 145:20; Pr 2:8; g Sl 37:39; Sl 125:3; Jer 15:21; Da 3:28; Mt 6:13; h Est 8:16; Job 22:28; Sl 112:4; Pr 4:18; Isa 30:26; Miq 7:9; i Sl 32:11; Pr 15:15; j Sl 33:1; Hab 3:18; Flp 4:4; k Éx 3:15; Sl 30:4; Sl 50:23; Sl 135:13; CAP. 98 l Sl 33:3; Sl 96:1; Sl 149:1; Isa 42:10; m Éx 15:11; Sl 77:14; Sl 86:10; Sl 105:5; Sl 111:2; Sl 136:4; Lu 1:49; n Éx 15:6; Sl 2:6; Sl 110:2; Isa 52:10; Isa 59:16; Isa 63:5; o Lu 2:30; p Isa 5:16; Isa 60:3; Isa 62:2; Ro 3:25; q Le 26:42; Dt 4:31; Lu 1:54; r Isa 49:6; Hch 13:47; Hch 28:28; Ro 10:18; Col 1:23.

4 Griten en triunfo a Jehová,
[oh gentes de] toda la tierra.[a]
Estén alegres, y clamen gozosamente, y produzcan melodía.[b]
5 Produzcan melodía a Jehová con el arpa,[c]
con el arpa y la voz de melodía.[d]
6 Con las trompetas y el sonido del cuerno[e]
griten en triunfo delante del Rey, Jehová.
7 Truene el mar y lo que lo llena,[f]
la tierra productiva y los que moran en ella.[g]
8 Batan las manos los ríos mismos;
las montañas mismas clamen gozosamente todas juntas[h]
9 delante de Jehová, porque ha venido a juzgar a la tierra.[i]
Juzgará a la tierra productiva con justicia,[j]
y a los pueblos con rectitud.[k]

99 Jehová mismo ha llegado a ser rey.[l] Agítense los pueblos.[m]
Está sentado sobre los querubines.[n] Retiemble la tierra.[o]
2 Jehová es grande en Sión,[p]
y es alto sobre todos los pueblos.[q]
3 Elogien ellos tu nombre.[r]
Grande e inspirador de temor, santo es este.[s]
4 Y con la fuerza de un rey él ha amado el juicio.[t]
Tú mismo has establecido firmemente la rectitud.[u]
Juicio y justicia en Jacob son lo que tú mismo has efectuado.[v]
5 Ensalcen ustedes a Jehová nuestro Dios,[w] e inclínense ante el escabel de sus pies;[x]
él es santo.[y]
6 Moisés y Aarón estuvieron entre sus sacerdotes,[z]
y Samuel estuvo entre los que invocaban su nombre.[a]
Estuvieron clamando a Jehová, y él mismo siguió respondiéndoles.[b]
7 En la columna de nube continuó hablándoles.[c]
Ellos guardaron sus recordatorios y la disposición reglamentaria que él les dio.[d]
8 Oh Jehová Dios nuestro, tú mismo les respondiste.[e]
Un Dios que otorga perdón resultaste ser para ellos,[f]
y que ejecuta venganza contra sus escandalosos hechos.[g]
9 Ensalcen ustedes a Jehová nuestro Dios,[h]
e inclínense ante su montaña santa.[i]
Porque Jehová nuestro Dios es santo.[j]

Melodía de acción de gracias.[k]

100 Griten en triunfo a Jehová, [oh gentes de] toda la tierra.[l]
2 Sirvan a Jehová con regocijo.[m]
Entren delante de él con un clamor gozoso.[n]
3 Sepan que Jehová es Dios.[o]
Es él quien nos ha hecho, y no nosotros mismos.[p]
[Somos] su pueblo, y las ovejas de su apacentamiento.[q]
4 Entren en sus puertas con acción de gracias,[r]
en sus patios con alabanza.[s]
Denle gracias, bendigan su nombre.[t]
5 Porque Jehová es bueno;[u]

CAP. 98
a Sl 95:1
b Sl 67:4
c Sl 33:2
d Sl 47:1 Sl 92:3 Ef 5:19 Col 3:16
e Nú 10:10 1Cr 15:28 2Cr 29:27
f Sl 96:11
g Sl 24:1 Sl 33:8 Sl 96:13
h Isa 44:23 Isa 49:13 Isa 55:12
i Sl 9:8 Sl 96:10 Hch 17:31
j Rev 19:2
k Sl 67:4 Ro 2:6

CAP. 99
l Sl 93:1 Rev 11:17
m Isa 64:2
n Éx 25:22 Sl 18:10 Sl 80:1
o 1Sa 14:15 Job 9:6 Sl 82:5 Eze 38:19
p Sl 50:2
q Sl 66:7 Sl 83:18 Sl 97:9
r Sl 111:1
s Dt 7:21 Dt 28:58 Ne 9:32 Sl 8:1 Sl 66:3 Sl 148:13 Isa 29:23 Rev 15:4
t Job 36:6
u Sl 98:9 Jer 9:24
v Dt 10:18 Jud 15
w Éx 15:2 Sl 21:13
x 1Cr 28:2 Sl 132:7 Isa 66:1 Hch 7:49
y Le 19:2 1Pe 1:16
z Éx 24:6 Nú 14:19

2.ª col.
a 1Sa 7:9 1Sa 12:18 Jer 15:1 Heb 11:32
b Éx 15:25 1Sa 15:10
c Éx 19:9 Éx 33:9 Nú 12:5 Nú 14:14
d Éx 40:16 Dt 4:5 1Sa 12:3
e Dt 9:19

f Nú 14:20; Sl 78:38; Jer 46:28; Miq 7:18; g Éx 34:7; Ro 3:5; h Éx 15:2; Sl 34:3; Sl 108:5; Sl 118:28; i Sl 2:6; j 1Sa 2:2; Isa 6:3; Jn 17:11; CAP. 100 k Sl 95:2; l Sl 47:1; Sl 95:1; Sl 98:4; m Dt 12:12; Ne 8:10; Flp 4:4; n Sl 95:2; o Dt 6:4; 1Re 18:39; 2Re 19:19; Jer 10:10; p Job 10:8; Sl 95:6; Sl 119:73; Sl 139:13; Sl 149:2; Mal 2:10; Hch 17:24; q Sl 95:7; Eze 34:31; Jn 10:16; 1Pe 2:25; r Sl 50:23; Sl 66:13; Sl 116:17; Sl 122:2; s Sl 65:4; Sl 96:8; t Sl 96:2; Sl 145:1; Heb 13:15; u Sl 86:5; Jer 33:11; Lu 18:19.

su bondad amorosa es hasta tiempo indefinido,[a]
y su fidelidad hasta generación tras generación.[b]

De David. Melodía.

101

Acerca de bondad amorosa y juicio ciertamente cantaré.[c]
A ti, oh Jehová, ciertamente produciré melodía.[d]

2 De veras actuaré con discreción en un camino exento de falta.[e]
¿Cuándo vendrás a mí?[f]
Andaré en la integridad de mi corazón dentro de mi casa.[g]

3 No pondré enfrente de mis ojos ninguna cosa que no sirva para nada.[h]
El obrar de los que apostatan he odiado;[i]
no se me pega.[j]

4 Un corazón torcido se aparta de mí;[k]
nada malo sé.[l]

5 A cualquiera que calumnia a su compañero en secreto,[m]
a ese reduzco a silencio.[n]
A cualquiera de ojos altivos y de corazón arrogante,[o]
a ese no puedo aguantar.[p]

6 Mis ojos están sobre los fieles de la tierra,[q]
para que moren conmigo.[r]
El que anda en un camino exento de falta,[s]
ese es el que me servirá de ministro.[t]

7 No morará dentro de mi casa ningún obrador de artimañas.[u]
En cuanto a cualquiera que habla falsedades, no estará firmemente establecido[v]
enfrente de mis ojos.[w]

8 Cada mañana reduzco a silencio a todos los inicuos de la tierra,[x]
para cortar de la ciudad[y] de Jehová a todos los practicantes de lo que es perjudicial.[z]

CAP. 100
a Sl 136:1
Lu 1:50
b Éx 34:6
Dt 7:9
Sl 89:1
Sl 98:3

CAP. 101
c Sl 89:1
Rev 19:2
d Sl 71:22
e 1Sa 18:14
2Cr 31:20
f Sl 143:7
g Re 9:4
1Re 11:4
Sl 78:72
Isa 38:3
h Dt 15:9
Jos 23:6
Sl 40:4
i Éx 32:8
1Sa 12:20
Sl 97:10
Sl 119:128
Pr 8:13
Pr 13:5
Sof 1:6
Ro 12:9
Heb 1:9
Heb 10:38
2Pe 2:21
Jud 23
j Dt 13:17
k Pr 11:20
Pr 17:20
l Mt 7:23
Flp 4:8
2Ti 2:19
m Le 19:16
Sl 50:20
Pr 20:19
Tit 2:3
n 1Co 5:11
2Co 6:14
2Jn 10
o Job 40:11
Sl 18:27
Pr 6:17
Isa 2:11
Lu 18:14
1Pe 5:5
p 2Te 3:14
q Sl 34:15
Lu 12:42
r 2Co 13:11
s Sl 119:1
t Jn 12:26
u Sl 32:2
Sl 52:2
v 2Re 5:26
Hch 1:16
Hch 5:3
w 1Co 5:11
x Sl 75:10
Pr 20:8
Jer 21:12
y Sl 48:2
z 1Co 6:9
2Co 6:17
Rev 21:27
Rev 22:14

2.ᵃ col.

CAP. 102
a Sl 61:2
Sl 142:2
b Sl 5:2
Sl 55:1
Da 9:17

Una oración del afligido en caso de que se ponga endeble y derrame su preocupación delante de Jehová mismo.[a]

102

Oh Jehová, de veras oye mi oración;[b]
y llegue a ti mi propio clamor por ayuda.[c]

2 No ocultes de mí tu rostro el día en que me halle en grave aprieto.[d]
Inclina a mí tu oído;[e]
en el día que llame, apresúrate, respóndeme.[f]

3 Porque mis días se han acabado tal como humo,[g]
y mis huesos han quedado al rojo como un fogón.[h]

4 Mi corazón ha sido herido tal como vegetación, y está seco,[i]
pues me he olvidado de comer mi alimento.[j]

5 A causa del sonido de mi suspirar,[k]
mis huesos se han pegado a mi carne.[l]

6 De veras me parezco al pelícano del desierto.[m]
He venido a ser como un mochuelo de lugares desolados.

7 Me he demacrado,
y he venido a ser como un pájaro aislado sobre un techo.[n]

8 Todo el día mis enemigos me han vituperado.[o]
Los que me ponen en ridículo han jurado hasta por mí.[p]

9 Pues he comido ceniza misma igual que pan;[q]
y las cosas que bebo las he mezclado aun con lloro,[r]

10 a causa de tu denunciación y tu indignación;[s]
porque me has alzado, para

---

c Éx 2:23; 1Sa 9:16; Sl 18:6; Sl 145:19; d Job 34:29; Sl 13:1; Sl 27:9; Sl 69:17; Sl 88:14; Lam 1:20; e Sl 71:2; Sl 88:2; f Sl 143:7; Isa 65:24; g Sl 119:83; Snt 4:14; h Job 30:30; Sl 31:10; Lam 1:13; i Sl 102:11; Sl 143:4; Isa 40:7; j Esd 10:6; k Sl 6:6; Sl 38:8; 1Job 19:20; Pr 17:22; Lam 4:8; m Isa 34:11; Sof 2:14; n Sl 38:11; o Sl 31:11; Sl 42:10; Sl 74:10; Sl 79:4; Sl 89:51; Ro 15:3; p Hch 23:12; q Lam 3:15; r Sl 42:3; Sl 80:5; s Sl 30:7; Sl 38:3; Sl 90:7.

que puedas desechar-me.[a]

11 Mis días son como una sombra que ha declinado,[b]
y yo mismo estoy seco como simple vegetación.[c]

12 En cuanto a ti, oh Jehová, hasta tiempo indefinido morarás,[d]
y la mención conmemorativa de ti será por generación tras generación.[e]

13 Tú mismo te levantarás, le tendrás misericordia a Sión,[f]
porque es la sazón de serle favorable,
porque el tiempo señalado ha llegado.[g]

14 Porque tus siervos se han complacido en sus piedras,[h]
y hacia su polvo dirigen su favor.[i]

15 Y las naciones temerán el nombre de Jehová,[j]
y todos los reyes de la tierra tu gloria.[k]

16 Porque Jehová ciertamente edificará a Sión;[l]
él tiene que aparecer en su gloria.[m]

17 Ciertamente se volverá hacia la oración de los que están despojados [de todo],[n]
y no despreciará su oración.[o]

18 Esto se escribe para la generación futura;[p]
y el pueblo que ha de ser creado alabará a Jah.[q]

19 Porque él ha mirado desde su santa altura,[r]
desde los mismísimos cielos Jehová mismo ha mirado aun a la tierra,[s]

20 para oír el suspirar del prisionero,[t]
para desatar a los que están señalados para la muerte;[u]

21 para que el nombre de Jehová se declare en Sión,[v]
y su alabanza en Jerusalén,[w]

22 cuando los pueblos se junten a una,[a]
y los reinos, para servir a Jehová.[b]

23 Él afligió mi poder en el camino,[c]
acortó mis días.[d]

24 Procedí a decir: "Oh Dios mío,
no me quites en la mitad de mis días;[e]
tus años son durante todas las generaciones.[f]

25 Hace mucho tú colocaste los fundamentos de la tierra misma,[g]
y los cielos son la obra de tus manos.[h]

26 Ellos mismos perecerán, pero tú mismo quedarás en pie;[i]
e igual que una prenda de vestir todos ellos se gastarán.[j]
Igual que ropa los reemplazarás, y ellos terminarán su turno.[k]

27 Pero tú eres el mismo, y tus propios años no se completarán.[l]

28 Los hijos de tus siervos continuarán residiendo;[m]
y delante de ti su propia prole será firmemente establecida".[n]

De David.

103

Bendice a Jehová, oh alma mía;[o]
aun cuanto hay en mí, su santo nombre.[p]

2 Bendice a Jehová, oh alma mía,
y no olvides todos sus hechos,[q]

3 aquel que está perdonando todo tu error,[r]
que está sanando todas tus dolencias,[s]

CAP. 102
a 2Cr 25:8
b Job 14:2
Sl 39:5
Sl 109:23
Sl 144:4
Snt 4:14
c Sl 102:4
Isa 40:7
Snt 1:10
1Pe 1:24
d Sl 9:7
Sl 90:2
Lam 5:19
e Éx 3:15
Sl 97:12
Sl 135:13
f Sl 51:18
Sl 69:35
Isa 49:15
Isa 60:10
Jer 31:12
Zac 2:10
g Ezd 1:1
Isa 40:2
Da 9:2
h Ne 2:3
Ne 4:6
Sl 137:5
Da 9:16
i Sl 79:1
j 1Re 8:43
Sl 86:9
Rev 15:4
k Sl 138:4
Sl 60:3
Zac 8:22
l Sl 51:18
Sl 147:2
Jer 33:7
m Isa 6:1
Isa 60:1
n Sl 72:12
Da 9:21
o Sl 22:24
p Sl 71:18
Sl 78:4
Ro 15:4
1Co 10:11
q Sl 22:31
Sl 45:17
r Dt 26:15
2Cr 16:9
Sl 14:2
s Sl 33:13
Sl 113:6
t Éx 3:7
Sl 79:11
Isa 61:1
u 2Cr 33:13
v Sl 9:14
Sl 22:22
w Isa 51:11

2.ª col.
a Gé 49:10
Isa 11:10
Isa 49:22
b Sl 72:11
Isa 60:3
c Sl 89:40
d Job 21:21
e Isa 38:10
f Sl 90:2
Sl 102:12
Hab 1:12
Rev 1:8
g Gé 1:1
Gé 2:1
Job 38:4
Isa 48:13
Zac 12:1

h Sl 8:3; Sl 8:6; Heb 1:10; i Isa 34:4; j Isa 51:6;
Heb 1:11; k Heb 1:12; l Job 36:26; Sl 90:4; Mal
3:6; Snt 1:17; m Sl 69:36; n 2Sa 7:12; Sl 90:16;
Isa 66:22; CAP. 103 o Sl 104:1; p Sl 86:12; Sl
145:2; Mr 12:30; q Dt 8:2; Sl 105:5; Isa 63:7;
r 2Sa 12:13; Sl 130:8; Isa 43:25; s Éx 15:26; Dt
7:15; Sl 41:3; Sl 147:3; Isa 33:24; Jer 17:14; Snt
5:15; Rev 21:4.

4 que está reclamando tu vida
del hoyo mismo,[a]
que te está coronando con
bondad amorosa y mise-
ricordias,[b]

5 que está satisfaciendo tu vida
entera con lo que es bue-
no;[c]
tu juventud sigue renovándose tal como la de un
águila.[d]

6 Jehová está ejecutando actos
de justicia[e]
y decisiones judiciales
para todos los que están
siendo defraudados.[f]

7 Dio a conocer sus caminos a
Moisés,[g]
sus tratos hasta a los hijos
de Israel.[h]

8 Jehová es misericordioso y
benévolo,[i]
tardo para la cólera y
abundante en bondad
amorosa.[j]

9 No por todo tiempo seguirá
señalando faltas,[k]
ni hasta tiempo indefinido
se quedará resentido.[l]

10 No ha hecho con nosotros
aun conforme a nuestros
pecados;[m]
ni conforme a nuestros
errores ha traído sobre
nosotros lo que merece-
mos.[n]

11 Porque así como los cielos
son más altos que la
tierra,[o]
su bondad amorosa es su-
perior para con los que le
temen.[p]

12 Tan lejos como está el naciente del poniente,[q]
así de lejos ha puesto de
nosotros nuestras trans-
gresiones.[r]

13 Como un padre muestra misericordia a sus hijos,[s]
Jehová ha mostrado mi-
sericordia a los que le
temen.[t]

14 Pues él mismo conoce bien la
formación de nosotros,[u]
y se acuerda de que somos
polvo.[v]

15 En cuanto al hombre mortal,

sus días son como los de
la hierba verde;[a]
como la flor del campo es
como florece.[b]

16 Porque un simple viento tiene que pasar sobre ella, y
ya no es más;[c]
y su lugar no la reconoce
más.[d]

17 Pero la bondad amorosa de
Jehová es de tiempo in-
definido aun hasta tiem-
po indefinido[e]
para con los que le temen,[f]
y su justicia para los hijos
de los hijos,[g]

18 para con los que guardan su
pacto[h]
y para con los que se acuerdan de sus órdenes para
llevarlas a cabo.[i]

19 Jehová mismo ha establecido
firmemente su trono en
los cielos mismos;[j]
y sobre toda cosa su propia
gobernación real ha teni-
do la dominación.[k]

20 Bendigan a Jehová, oh ángeles[l] suyos, poderosos en
potencia, que llevan a
cabo su palabra,[m]
mediante escuchar la voz
de su palabra.[n]

21 Bendigan a Jehová, todos los
ejércitos suyos,[o]
ministros suyos, que hacen
su voluntad.[p]

22 Bendigan a Jehová, todas las
obras suyas,[q]
en todos los lugares de su
dominación.[r]
Bendice a Jehová, oh alma
mía.[s]

104 Bendice a Jehová, oh
alma mía.[t]
Oh Jehová Dios mío,
te has mostrado
muy grande.[u]
Con dignidad y es-

CAP. 103
a Sl 34:22
  Sl 56:13
  Sl 69:18
b Pr 3:3
  Miq 7:18
c Sl 23:5
  Sl 65:4
  1Ti 6:17
d Sl 51:12
  Isa 40:31
e Sl 5:8
  Sl 9:8
  Sl 71:2
  Sl 146:7
f Dt 24:14
  Sl 12:5
  Pr 22:23
  Snt 5:4
g Éx 34:4
  Nú 12:8
  Dt 34:10
  Ne 9:14
  Hch 7:35
h Sl 147:19
i Éx 34:6
  Ne 9:17
  Isa 55:7
  Snt 5:11
j Nú 14:18
  Dt 5:10
  Ne 9:17
  Sl 86:15
  Jer 32:18
  Joe 2:13
  Jon 4:2
  Na 1:3
k Sl 30:5
  Jer 33:8
  Jer 50:20
l Isa 57:16
m Ne 9:31
  Sl 130:3
n Esd 9:13
  Sl 130:3
  Isa 55:7
o Sl 36:5
  Sl 57:10
  Sl 108:4
  Isa 55:9
p Sl 103:17
q Sl 113:3
r Le 16:22
  Isa 43:25
  Jer 31:34
s Isa 49:15
  Mal 3:17
t Sl 78:38
  Snt 5:15
u Sl 78:39
  Sl 89:47
v Gé 2:7
  Gé 3:19
  Gé 8:21
  Job 10:9
  Ec 12:7
  Isa 64:8

2.ª col.
a Sl 90:5
  Isa 51:12
  1Pe 1:24
b Job 14:2
  Isa 40:6
  Snt 1:11
  1Pe 1:24
c Job 27:21
  Job 40:7
d Job 7:10
  Job 20:9
e Sl 100:5
  Sl 118:1
  Sl 136:1
f Sl 112:1
  Sl 128:1
  Lu 1:50

g Éx 20:6; Sl 22:31; h Éx 19:5; Dt 7:9; Sl 25:10;
i Sl 119:11; Pr 3:1; j 2Cr 20:6; Sl 11:4; Sl 115:3;
Isa 66:1; Mt 23:22; Hch 7:49; k Sl 47:2; Sl
145:13; Isa 14:26; Da 4:25; l 2Cr 18:18; Da 7:10;
m Jos 5:14; 2Re 19:35; Sl 148:2; Lu 1:19; Heb
1:14; Rev 7:12; n Mt 4:4; o Rev 22:19; Sl 148:2;
Isa 1:24; Lu 2:13; p Mt 13:41; Heb 1:7; q Sl
150:6; r Sl 89:11; Sl 145:13; s Sl 145:10; CAP.
104 t Sl 103:1; u Sl 48:1; Sl 77:13; Sl 86:10; Da
9:4.

plendor te has vestido,[a]

2 al envolverte en luz como en una prenda de vestir,[b] y extender los cielos como una tela de tienda,[c]

3 Aquel que edifica sus cámaras de arriba con vigas en las aguas mismas,[d] que hace de las nubes su carro,[e] que anda sobre las alas del viento,[f]

4 que hace a sus ángeles espíritus,[g] a sus ministros un fuego devorador.[h]

5 Él ha fundado la tierra sobre sus lugares establecidos;[i] no se le hará tambalear hasta tiempo indefinido, ni para siempre.[j]

6 Con una profundidad acuosa precisamente como una prenda de vestir la cubriste.[k] Las aguas estaban situadas por encima de las montañas mismas.[l]

7 A tu represión empezaron a huir;[m] al sonido de tu trueno se les hizo ir corriendo en pánico.

8 —montañas procedieron a ascender,[n] llanuras-valles procedieron a descender— al lugar que tú has fundado para ellas.

9 Un límite fijaste, más allá del cual no deberían pasar,[o] para que no volvieran a cubrir la tierra.[p]

10 Él está enviando manantiales en los valles torrenciales;[q] entre las montañas siguen yendo.

11 De continuo dan de beber a todas las bestias salvajes del campo abierto;[r] las cebras[s] con regularidad apagan su sed.

12 Por encima de ellos posan las criaturas voladoras de los cielos;[a] de entre el espeso follaje siguen emitiendo sonido.[b]

13 Él está regando las montañas desde sus cámaras de arriba.[c] Con el fruto de tus obras la tierra queda satisfecha.[d]

14 Él está haciendo brotar hierba verde para las bestias,[e] y vegetación para el servicio de la humanidad,[f] para hacer salir alimento de la tierra,[g]

15 y vino que regocija el corazón del hombre mortal,[h] para hacer brillar el rostro con aceite,[i] y pan que sustenta el mismísimo corazón del hombre mortal.[j]

16 Los árboles de Jehová están satisfechos, los cedros del Líbano que él plantó,[k]

17 donde los pájaros mismos hacen nidos.[l] En cuanto a la cigüeña, los enebros son su casa.[m]

18 Las montañas[n] altas son para las cabras monteses;[o] los peñascos son un refugio para los damanes.[p]

19 Él ha hecho la luna para tiempos señalados;[q] el sol mismo conoce bien dónde se pone.[r]

20 Tú causas oscuridad, para que se haga de noche;[s] en ella todos los animales salvajes del bosque se ponen en movimiento.

21 Los leoncillos crinados están rugiendo por la presa[t] y por buscar su alimento de Dios mismo.[u]

22 El sol empieza a brillar[v]... se retiran, y se echan en sus propios escondites.

CAP. 104

a 1Cr 16:27; Job 37:22; Sl 8:1; Sl 96:6; Eze 1:28; Da 7:9
b Snt 1:17; 1Jn 1:5
c Isa 40:22; Isa 45:12
d Sl 18:11; Am 9:6
e Dt 33:26; Isa 19:1
f 2Sa 22:11; Job 38:1; Job 40:6; Sl 18:10
g 1Re 22:21; Heb 1:7
h Eze 1:13; Heb 1:14
i Job 26:7; Job 38:6
j Sl 14:2; Pr 3:19
k Job 1:2; Pr 3:20; 1Job 38:9; Pr 8:28; 2Pe 3:5
m Gé 1:9; Gé 8:1
n Gé 8:5; Pr 8:25
o Job 26:10; Job 38:10; Sl 33:7; Pr 8:29; Jer 5:22
p Gé 9:11
q Dt 8:7; Isa 41:18
r Sl 145:16
s Job 39:5

2.ª col.

a Sl 84:3; Lu 9:58
b Sl 147:9
c Dt 11:11; Job 38:37; Sl 147:8; Jer 10:13; Am 5:9; Zac 10:1; Mt 5:45; Hch 14:17
d Sl 65:9
e Gé 1:30; 1Re 18:5; Jer 14:6; Joe 2:22
f Gé 1:29; Gé 3:18; Gé 9:3; Job 38:27; Heb 6:7
g Job 28:5; 1Co 3:7
h Jue 9:13; 2Sa 13:28; Est 1:10; Pr 31:6; Ec 2:3; Ec 9:7; Ec 10:19
i Sl 92:10
j Jer 37:21

k Sl 92:12; Eze 17:23; 1Da 4:21; m Jer 8:7; n Isa 18:6; o Job 39:1; Sl 50:10; p Pr 30:26; q Gé 1:16; Sl 136:9; Jer 31:35; 1Co 15:41; r Sl 19:6; s Gé 1:5; Sl 74:16; Isa 45:7; t Job 38:39; Isa 31:4; Am 3:4; u Sl 147:9; Joe 1:20; v 2Sa 23:4; Na 3:17.

23 Sale el hombre a su activi-
     dad[a]
     y a su servicio hasta el
       atardecer.[b]
24 ¡Cuántas son tus obras, oh Je-
     hová![c]
     Con sabiduría las has he-
       cho todas.[d]
     La tierra está llena de tus
       producciones.[e]
25 En cuanto a este mar, tan
     grande y ancho,[f]
     allí hay cosas movientes
       sin número,[g]
     criaturas vivientes, peque-
       ñas así como grandes.[h]
26 Allí van las naves;[i]
     en cuanto a Leviatán,[j] lo
       has formado para que
       juegue en él.[k]
27 Todos ellos... te siguen espe-
     rando[l]
     para que [les] des su ali-
       mento a su tiempo.[m]
28 Lo que les das, ellos lo reco-
     gen.[n]
     Abres tu mano... se satis-
       facen con cosas buenas.[o]
29 Si ocultas tu rostro, se per-
     turban.[p]
     Si les quitas su espíritu,
       expiran,[q]
     y a su polvo vuelven.[r]
30 Si envías tu espíritu, son
     creados;[s]
     y haces nueva la faz del
       suelo.
31 La gloria de Jehová resultará
     ser hasta tiempo indefi-
       nido.[t]
     Jehová se regocijará en sus
       obras.[u]
32 Él está mirando a la tierra, y
     ella tiembla;[v]
     toca las montañas, y
       humean.[w]
33 Ciertamente cantaré a Jeho-
     vá durante toda mi vida;[x]
     ciertamente produciré me-
       lodía a mi Dios mientras
       yo sea.[y]
34 Sea placentera mi medi-
     tación acerca de él.[z]
     Yo, por mi parte, me rego-
       cijaré en Jehová.[a]
35 Los pecadores serán acaba-
     dos de sobre la tierra;[b]

y en cuanto a los inicuos,
  ya no serán.[a]
Bendice a Jehová, oh alma
  mía. ¡Alaben a Jah![b]

105 Den gracias a Jehová,
         invoquen su nom-
         bre,[c]
     den a conocer entre
       los pueblos sus tra-
       tos.[d]
2 Cántenle, prodúzcanle melo-
     día,[e]
     interésense intensamente
       en todas sus maravillo-
       sas obras.[f]
3 Jáctense en el santo nombre
     de él.[g]
     Regocíjese el corazón de
       los que buscan a Jehová.[h]
4 Procuren hallar a Jehová y su
     fuerza.[i]
     Busquen su rostro cons-
       tantemente.[j]
5 Acuérdense de sus maravillo-
     sas obras que él ha ejecu-
       tado,[k]
     de sus milagros y de las
       decisiones judiciales de
       su boca,[l]
6 oh descendencia de Abrahán
     su siervo,[m]
     ustedes, los hijos de Jacob,
       sus escogidos.[n]
7 Él es Jehová nuestro Dios.[o]
     Sus decisiones judiciales
       están en toda la tierra.[p]
8 Él se ha acordado de su pacto
     aun hasta tiempo indefi-
       nido,[q]
     de la palabra que él mandó,
       a mil generaciones,[r]
9 el cual [pacto] celebró con
     Abrahán,[s]
     y de su declaración jurada
       a Isaac,[t]
10 y la cual [declaración] él
     mantuvo fija como dis-
       posición reglamentaria
       aun a Jacob,

CAP. 104

a Gé 3:19
  Ef 4:28
b Jue 19:16
  2Te 3:8
c Ne 9:6
d Sl 136:5
  Pr 3:19
  Jer 10:12
e Sl 24:1
  Sl 50:12
f Sl 95:5
g Gé 1:21
h Job 12:8
i Sl 107:23
j Job 41:1
k Job 40:20
  Job 41:5
l Sl 36:6
m Sl 136:25
  Sl 145:15
  Sl 147:9
  Mt 6:26
  Mt 24:45
n Lu 12:24
o Sl 107:9
  Sl 145:16
p Sl 30:7
q Job 12:10
  Job 34:14
  Sl 146:4
  Ec 8:8
  Ec 12:7
  Isa 42:5
  Hch 17:25
r Gé 3:19
  Ec 3:20
s Nú 27:16
  Job 33:4
  Isa 32:15
  Eze 37:9
  Hch 17:28
t Sl 102:16
  Ro 11:36
  Gál 1:5
u Gé 1:31
  Éx 31:17
  Isa 65:19
  Jer 32:41
v Hab 3:10
w Éx 19:18
x Sl 144:5
  Sl 13:6
  Sl 21:13
  Sl 68:4
y Sl 63:4
  Sl 146:2
z Sl 63:6
a Sl 32:11
  Sl 64:10
b Sl 37:38
  Sl 101:8
  Pr 2:22

2.ᵃ col.

a Sl 37:10
  Sl 103:2
  Sl 104:1
  Sl 150:6

CAP. 105

c 1Cr 16:8
  Sl 136:1
  Isa 12:4
  Joe 2:32
  Ro 10:13
d Sl 89:1
  Sl 96:3
  Sl 145:12
e Jue 5:3
  1Cr 16:9
  Sl 16:9
  Sl 47:6
  Ef 5:19

---

f Sl 77:12; Sl 78:4; Sl 104:17; g 1Cr 16:10; Jer
9:24; 1Co 1:31; h Sl 119:2; Flp 4:4; i Am 5:4; Sof
2:3; j 1Cr 16:11; Sl 27:8; k Dt 7:18; Sl 77:11; 1Dt
7:19; Sl 119:13; m Éx 3:6; Isa 41:8; Mt 3:9; 2Co
11:22; n Éx 19:5; o Éx 20:2; Dt 29:13; Jos 24:24;
Sl 100:3; p Isa 26:9; Rev 15:4; q 1Cr 16:15; Ne
1:5; Da 9:4; Lu 1:72; r Dt 7:9; s Gé 17:2; Gé
22:17; Gé 26:3; Ne 9:8; Lu 1:73; t Heb 6:17.

como pacto de duración indefinida aun a Israel,[a]

11 diciendo: "Te daré la tierra de Canaán[b]
como el lote de la herencia de ustedes".[c]

12 [Esto era] cuando ellos resultaban ser pocos en número,[d]
sí, muy pocos, y residentes forasteros en ella.[e]

13 Y ellos siguieron andando de nación en nación,[f]
de un reino a otro pueblo.[g]

14 No permitió que ningún humano los defraudara,[h]
antes bien, a causa de ellos censuró a reyes,[i]

15 [diciendo:] "No toquen ustedes a mis ungidos,[j]
y a mis profetas no hagan nada malo".[k]

16 Y procedió a llamar un hambre sobre la tierra;[l]
quebró toda vara alrededor de la cual se suspendían panes anulares.[m]

17 Envió delante de ellos a un hombre
que fue vendido para ser esclavo, José.[n]

18 Con grilletes afligieron sus pies,[o]
en hierros entró su alma;[p]

19 hasta el tiempo en que vino su palabra,[q]
el dicho mismo de Jehová lo refinó.[r]

20 El rey envió para soltarlo,[s]
el gobernante de los pueblos, para dejarlo ir libre.

21 Lo puso como amo de su casa[t]
y como gobernante sobre toda su propiedad,[u]

22 para atar a sus príncipes según agradara a su alma,[v]
y para que enseñara sabiduría hasta a sus hombres de edad madura.[w]

23 E Israel procedió a entrar en Egipto,[x]
y Jacob mismo residió como forastero en la tierra de Cam.[y]

24 Y él siguió haciendo a su pueblo muy fructífero,[z]
y gradualmente lo hizo

más poderoso que sus adversarios.[a]

25 Dejó que el corazón de ellos cambiara para que odiaran a su pueblo,[b]
para que se portaran astutamente contra sus siervos.[c]

26 Envió a Moisés su siervo,[d]
a Aarón, a quien había escogido.[e]

27 Ellos pusieron entre aquellos los asuntos de sus señales,[f]
y los milagros en la tierra de Cam.[g]

28 Él envió oscuridad, y así lo hizo oscuro;[h]
y no se rebelaron contra sus palabras.[i]

29 Cambió sus aguas en sangre,[j]
y procedió a hacer morir sus peces.[k]

30 Su tierra pululó de ranas,[l]
en los cuartos interiores de sus reyes.

31 Dijo que entraran los tábanos,[m]
jejenes en todos sus territorios.[n]

32 Hizo que sus precipitaciones fueran granizo,[o]
un fuego llameante en su tierra.[p]

33 Y procedió a herir sus vides y sus higueras,
y a quebrar los árboles de su territorio.[q]

34 Dijo que entraran las langostas,[r]
y una especie de langosta, aun sin número.[s]

35 Y estas se pusieron a comer toda la vegetación de la tierra de ellos;[t]
también se pusieron a comer el fruto de su suelo.

36 Y él procedió a derribar a todo primogénito en su tierra,[u]

CAP. 105
a Gé 17:7
1Cr 16:17
b Gé 12:7
Gé 13:15
Gé 15:18
Gé 26:3
Gé 28:13
c Sl 78:55
d Gé 34:30
Isa 51:2
e Gé 17:8
Gé 23:4
Hch 7:5
Heb 11:9
f Gé 20:1
g 1Cr 16:20
h Gé 31:42
Job 1:10
i Gé 12:17
Gé 20:3
j Zac 2:8
k Gé 26:11
1Cr 16:22
l Gé 41:30
Gé 41:54
Gé 42:5
m Le 26:26
Isa 3:1
Eze 4:16
Hch 7:11
n Gé 37:28
Gé 37:36
Gé 45:5
Gé 50:20
Hch 7:9
o Gé 39:20
p Sl 107:10
q Hch 7:10
r Sl 17:3
Sl 26:2
Sl 66:10
s Gé 41:14
t Gé 41:40
1Sa 2:8
Job 36:7
Da 2:48
u Gé 41:48
Gé 45:8
v Sl 113:8
w Gé 41:33
Gé 41:38
Isa 19:11
x Gé 46:4
Gé 46:6
Jos 24:4
Hch 7:15
y Sl 78:51
Sl 106:22
z Gé 46:3
Ex 1:7
Dt 26:5
Hch 7:17

2.ª col.

a Ex 1:9
b Ex 10:1
Ro 9:18
c Ex 1:10
Hch 7:19
Ex 3:10
Ex 4:12
Ex 6:11
Sl 77:20
Hch 7:34
e Ex 4:14
Ex 7:1
Ex 28:1
Nú 17:5
1Sa 12:6

f Dt 4:34; Ne 9:10; Sl 78:43; Jer 32:21; g Sl 106:22; h Ex 10:22; i Sl 99:7; j Ex 7:20; Sl 78:44; k Ex 7:21; l Ex 8:6; Sl 78:45; m Ex 8:24; n Ex 8:17; o Ex 9:23; Job 38:23; Sl 78:47; p Sl 78:48; q Ex 9:25; r Ex 10:13; Dt 28:38; Sl 78:46; s Ex 10:14; t Ex 10:15; u Ex 12:29; Sl 78:51; Sl 135:8.

el principio de toda su facultad generativa.[a]

37 Y empezó a sacarlos con plata y oro;[b]

y entre sus tribus no hubo nadie que viniera tropezando.

38 Egipto se regocijó cuando salieron,

porque el pavor de ellos había caído sobre ellos.[c]

39 Él extendió una nube por pantalla,[d]

y fuego para alumbrar de noche.[e]

40 Pidieron, y procedió a traer codornices,[f]

y con pan del cielo siguió satisfaciéndolos.[g]

41 Abrió una roca, y aguas empezaron a manar;[h]

estas pasaron por las regiones áridas como un río.[i]

42 Porque se acordó de su santa palabra [que habló] con Abrahán su siervo.[j]

43 Por lo tanto sacó a su pueblo con alborozo,[k]

a sus escogidos aun con un clamor gozoso.[l]

44 Y gradualmente les dio las tierras de las naciones[m] —y ellos siguieron tomando posesión del producto del duro trabajo de grupos nacionales[n]—

45 a fin de que guardaran sus disposiciones reglamentarias[o]

y observaran sus propias leyes.[p]

¡Alaben a Jah![q]

106

¡Alaben a Jah![r]
Den gracias a Jehová, porque él es bueno;[s]
porque su bondad amorosa es hasta tiempo indefinido.[t]

2 ¿Quién puede proferir las poderosas ejecuciones de Jehová,[u]

[o] puede hacer que toda la alabanza de él sea oída?[v]

3 Felices son los que observan lo justo,[w]

que hacen justicia todo el tiempo.[a]

4 Acuérdate de mí, oh Jehová, con la buena voluntad hacia tu pueblo.[b]

Cuídame con tu salvación,[c]

5 para que yo vea la bondad para con tus escogidos,[d]

para que me regocije con el regocijo de tu nación,[e]

para que me jacte con tu herencia.[f]

6 Hemos pecado, lo mismo que nuestros antepasados;[g]

hemos obrado mal; hemos actuado inicuamente.[h]

7 Respecto a nuestros antepasados en Egipto,

no mostraron perspicacia en cuanto a tus obras maravillosas.[i]

No se acordaron de la abundancia de tu magnífica bondad amorosa,[j]

sino que se portaron con rebeldía junto al mar, al lado del mar Rojo.[k]

8 Y él procedió a salvarlos por causa de su nombre,[l]

para dar a conocer su poderío.[m]

9 Por consiguiente, reprendió al mar Rojo, y este gradualmente se secó;[n]

y los llevó caminando a través de la profundidad acuosa como por el desierto;[o]

10 y así los salvó de la mano del odiador[p]

y los reclamó de la mano del enemigo.[q]

11 Y las aguas procedieron a cubrir a sus adversarios;[r]

ni uno de ellos quedó.[s]

12 Entonces tuvieron fe en su palabra;[t]

empezaron a cantar su alabanza.[u]

CAP. 105

a Gé 49:3
b Gé 15:14
Éx 3:22
Éx 12:35
c Éx 11:7
Éx 12:33
d Éx 14:20
e Éx 13:21
Nú 9:15
Ne 9:12
Sl 78:14
f Éx 16:13
Nú 11:32
Sl 78:27
g Éx 16:15
Sl 78:24
h Éx 17:6
1Co 10:4
i Sl 78:16
Isa 48:21
j Gé 12:7
Gé 15:14
Éx 2:24
Dt 9:5
k Nú 33:3
Hch 13:17
l Sl 106:12
Isa 51:10
m Dt 6:10
Jos 11:23
Jos 21:43
Ne 9:22
Sl 78:55
Sl 135:12
Hch 7:45
Hch 13:19
n Dt 6:10
Jos 5:11
Sl 44:2
o Dt 4:40
Dt 6:1
p Sl 19:7
q Sl 150:1
Rev 19:6

CAP. 106

r Sl 117:1
s 1Cr 16:34
Esd 3:11
Sl 107:1
Lu 18:19
1Te 5:18
t Sl 103:17
u Sl 40:5
v Ne 9:5
w Sl 119:2
Isa 56:1

2.ª col.

a Sl 15:2
Isa 64:5
Hch 24:16
Gál 6:9
b Ne 5:19
Sl 51:18
Sl 119:132
Lu 2:14
c Sl 3:8
d Éx 19:5
1Pe 2:9
e Sl 14:7
f Jer 9:24
1Co 1:31
g Le 26:40
Ne 9:16
Sl 78:8
h 1Re 8:47
Esd 9:6
Da 9:5
i Isa 44:18

j Sl 78:42; Isa 63:7; k Éx 14:11; l Jos 7:9; Sl 143:11; Eze 20:14; m Éx 9:16; Ro 9:17; n Éx 14:21; Jos 2:10; Ne 9:11; Sl 66:6; Sl 78:13; Sl 136:13; o Ne 9:11; Sl 77:19; Sl 136:14; Isa 63:13; p Éx 14:30; Lu 1:71; q Sl 41:11; Isa 49:26; Miq 6:4; r Éx 14:28; Éx 15:5; Dt 11:4; Jos 24:7; Sl 78:53; s Éx 14:13; t Éx 14:31; u Éx 15:1.

13 Rápidamente olvidaron sus obras;[a]
   no esperaron su consejo.[b]
14 Antes bien, mostraron su deseo egoísta en el desierto[c]
   y se pusieron a someter a Dios a prueba en el desierto árido.[d]
15 Y él procedió a concederles su solicitud,[e]
   y a enviar una enfermedad de extenuación en su alma.[f]
16 Y empezaron a envidiar a Moisés en el campamento,[g]
   aun a Aarón, el santo de Jehová.[h]
17 La tierra entonces se abrió, y se tragó a Datán,[i]
   y cubrió a la asamblea de Abirám.[j]
18 Y un fuego empezó a arder entre su asamblea;[k]
   una llama misma empezó a devorar a los inicuos.[l]
19 Además, ellos hicieron un becerro en Horeb[m]
   y se inclinaron ante una imagen fundida,[n]
20 de modo que trocaron mi gloria[o]
   por una representación de un toro, uno que come vegetación.[p]
21 Olvidaron a Dios su Salvador,[q]
   el Hacedor de cosas grandes en Egipto,[r]
22 de obras maravillosas en la tierra de Cam,[s]
   de cosas inspiradoras de temor en el mar Rojo.[t]
23 Y él estaba a punto de decir que fueran aniquilados,[u]
   si no hubiera sido por Moisés, su escogido,
   que estuvo de pie en la brecha delante de él,[v]
   para volver atrás su furia para que no [los] arruinara.[w]
24 Y se pusieron a menospreciar la tierra deseable;[x]
   no tuvieron fe en la palabra de él.[y]

25 Y siguieron refunfuñando en sus tiendas;[a]
   no escucharon la voz de Jehová.[b]
26 De modo que él procedió a alzar la mano [en juramento] respecto a ellos,[c]
   que los haría caer en el desierto,[d]
27 y que haría caer a la prole de ellos entre las naciones,[e]
   y que los esparciría entre las tierras.[f]
28 Y ellos empezaron a apegarse a Baal de Peor[g]
   y a comer los sacrificios de los muertos.[h]
29 Puesto que estaban causando ofensa por sus tratos,[i]
   un azote ahora prorrumpió entre ellos.
30 Cuando Finehás se puso de pie e intervino,[k]
   entonces el azote se detuvo.
31 Y esto llegó a serle contado por justicia,
   por generación tras generación hasta tiempo indefinido.[l]
32 Además, causaron provocación en las aguas de Meribá,[m]
   de modo que a Moisés le fue mal por causa de ellos.[n]
33 Porque le amargaron el espíritu
   y él empezó a hablar imprudentemente con sus labios.[o]
34 No aniquilaron a los pueblos,[p]
   como Jehová les había dicho.[q]
35 Y empezaron a mezclarse con las naciones,[r]
   y se pusieron a aprender sus obras.[s]
36 Y siguieron sirviendo a sus ídolos,[t]

CAP. 106

a Éx 15:24
Éx 16:2
Éx 17:7
Sl 78:11
b Isa 48:18
c Nú 11:4
Dt 9:22
1Co 10:6
d Éx 17:2
Nú 14:22
Dt 6:16
1Co 10:9
Heb 3:9
e Nú 11:31
Sl 78:29
f Nú 11:33
g Nú 16:3
h Le 21:8
Nú 16:7
Nú 16:32
j Nú 16:27
Nú 26:10
Dt 11:6
k Nú 16:35
l Heb 12:29
m Éx 32:4
Ne 9:18
n Dt 9:12
o Isa 42:8
Jer 2:11
p Éx 20:4
Ro 1:23
q Dt 32:18
Sl 78:42
r Dt 4:34
Sl 135:9
s Sl 78:51
Sl 105:27
t Éx 14:25
u Éx 32:10
Dt 9:14
Eze 20:13
v Éx 32:11
Dt 9:19
Snt 5:16
w Eze 22:30
x Nú 13:32
Dt 8:7
Jer 3:19
Eze 20:6
y Nú 14:11
Heb 3:19

2.ª col.

a Nú 14:2
Nú 14:27
Dt 1:27
b Nú 14:22
c Éx 6:8
Heb 3:11
d Nú 14:29
e Dt 4:27
f Le 26:33
Sl 44:11
Eze 20:23
g Nú 25:3
Nú 31:16
Dt 4:3
Dt 32:17
Os 9:10
h Sl 115:7
Rev 2:14
i Nú 25:6
Dt 32:16
j Nú 25:9
1Co 10:8
k Nú 25:8
Jos 7:12
l Nú 25:13
m Nú 20:2
Nú 27:14
Dt 32:51

n Nú 20:12; Dt 1:37; o Nú 20:10; Job 2:10; Sl 141:3; Pr 16:32; Snt 3:2; p Jos 16:10; Jos 17:12; Jue 1:21; q Nú 33:52; Dt 7:2; Jue 2:2; r Jos 15:63; Jue 1:33; Os 7:8; s Isa 2:6; 1Co 5:6; 1Co 15:33; t Jue 2:12; 2Re 17:12; Os 4:17.

y estos llegaron a ser un lazo para ellos.[a]

37 Y sacrificaban sus hijos[b] y sus hijas a demonios.[c]

38 De modo que siguieron vertiendo sangre inocente,[d] la sangre de sus hijos y sus hijas, que sacrificaron a los ídolos de Canaán;[e]

y la tierra quedó contaminada con el derramamiento de sangre.[f]

39 Y se hicieron inmundos por sus obras,[g]

y siguieron teniendo ayuntamiento inmoral por sus tratos.[h]

40 Y la cólera de Jehová empezó a arder contra su pueblo,[i] y él llegó a detestar su herencia.[j]

41 Y repetidas veces los dio en mano de las naciones,[k] para que los gobernaran los que los odiaban,[l]

42 y para que sus enemigos los oprimieran, y para que fueran sojuzgados bajo la mano de ellos.[m]

43 Muchas veces los libraba,[n] pero ellos mismos se portaban con rebeldía en su proceder desobediente.[o]

y eran rebajados por su error.[a]

44 Y él veía la angustia de ellos[b] cuando oía su clamor rogativo.[c]

45 Y se acordaba, tocante a ellos, de su pacto,[d]

y sentía pesar conforme a la abundancia de su magnífica bondad amorosa.[e]

46 Y les otorgaba ser objeto de piedad delante de todos los que los tenían cautivos.[f]

47 Sálvanos, oh Jehová Dios nuestro,[g]

y júntanos de las naciones[h] para dar gracias a tu santo nombre,[i]

para hablar alborozadamente en alabanza tuya.[j]

48 Bendito sea Jehová el Dios de Israel[k]

desde tiempo indefinido aun hasta tiempo indefinido;

y todo el pueblo tiene que decir Amén.[l]

¡Alaben a Jah![m]

CAP. 106

a Éx 23:33
Jue 2:3
b Dt 12:31
2Re 16:3
2Re 17:17
Isa 57:5
Jer 7:31
Eze 16:20
c Dt 32:17
1Co 10:20
d Dt 21:9
2Re 21:16
Jer 2:34
Os 12:14
e Eze 16:20
f Nú 35:33
Isa 26:21
g Isa 24:5
Eze 20:18
h Éx 34:16
Le 17:7
Nú 15:39
Jer 3:9
Eze 20:30
i Jue 2:14
Sl 78:59
j Dt 9:29
Dt 32:19
k Dt 32:30
Jue 3:8
1Jue 10:8
m Dt 28:25
n Jue 2:16
Jue 10:12
1Sa 12:11
Ne 9:27
o Jue 4:1
Jue 5:8
Eze 2:3

2.ª col.

a Jue 6:5
b Jue 2:18
c Jue 3:9
Jue 4:3
Jue 10:15
1Sa 7:8
Ne 9:28
d Le 26:42
2Re 13:23
Sl 105:8
Lu 1:72

e Éx 34:6; Nú 14:18; Dt 32:36; Jue 2:18; 2Sa 24:16; Sl 51:1; Sl 69:16; Sl 86:15; Sl 90:13; Isa 63:7; Lam 3:32; Joe 2:13; f 1Re 8:50; Esd 9:9; Jer 42:12; g 1Cr 16:35; Sl 79:9; h Jer 32:37; Eze 36:24; i Sl 103:1; Sl 105:3; j Isa 43:21; k 1Cr 29:10; Sl 41:13; Lu 1:68; l 1Co 14:16; m Sl 106:1.

LIBRO QUINTO
(Salmos 107 – 150)

107 Oh, den gracias a Jehová, porque él es bueno;[a]

porque su bondad amorosa es hasta tiempo indefinido.[b]

2 Díganlo los reclamados de Jehová,[c]

a quienes él ha reclamado de la mano del adversario,[d]

3 y a quienes ha juntado aun de las tierras,[e]

del naciente y del poniente,[f]

del norte y del sur.[g]

4 Anduvieron errantes en el

desierto,[a] en el desierto árido;[b]

no hallaron camino alguno a una ciudad de habitación.[c]

5 Se hallaban hambrientos, también sedientos;[d]

su alma misma dentro de ellos empezó a desmayar.[e]

6 Y siguieron clamando a Jehová en su angustia;[f]

de los apuros en que se

CAP. 107

a 1Cr 16:34
Sl 118:1
Lu 18:19
b Sl 103:17
c Dt 15:15
Sl 31:5
Lu 1:68
1Pe 1:19
d Dt 7:8
Sl 106:10
Isa 35:10
Jer 15:21
Miq 4:10
Lu 1:74
e Sl 106:47
f Isa 43:5
Isa 49:12
Jer 29:14
Mt 24:31

g Isa 43:6; Jer 31:8; Eze 39:27; Lu 13:29; 2.ª col.
a Nú 14:33; Dt 8:15; b Dt 32:10; Heb 11:38; c Heb 11:10; d Éx 15:24; e Éx 16:3; Lam 2:19; f Sl 50:15; Sl 91:15; Os 5:15.

hallaban él procedió a librarlos,[a]

7 y a hacerlos andar en el camino recto,[b]

para que llegaran a una ciudad de habitación.[c]

8 Oh, dense gracias a Jehová por su bondad amorosa,[d]

y por sus maravillosas obras para con los hijos de los hombres.[e]

9 Porque él ha satisfecho al alma[f] reseca;

y ha llenado de cosas buenas al alma hambrienta.[g]

10 Hubo aquellos que estuvieron morando en oscuridad y sombra profunda,[h]

prisioneros en aflicción y en hierros.[i]

11 Porque se habían portado con rebeldía[j] contra los dichos de Dios;[k]

y al consejo del Altísimo habían mostrado falta de respeto.[l]

12 Por lo tanto, él procedió a sojuzgar con penoso afán el corazón de ellos;[m]

tropezaron, y no hubo quien ayudara.[n]

13 Y empezaron a clamar a Jehová por ayuda en su angustia;[o]

de los apuros en que se hallaban él, como siempre, los salvó.[p]

14 Se puso a sacarlos de la oscuridad y de la sombra profunda,[q]

y a romper hasta sus ataduras.[r]

15 Oh, dense gracias a Jehová por su bondad amorosa,[s]

y por sus maravillosas obras para con los hijos de los hombres.[t]

16 Porque ha quebrado las puertas de cobre,[u]

y ha cortado hasta las barras de hierro.[v]

17 Los que fueron tontos, debido al camino de su transgresión[w]

y debido a sus errores, por fin se causaron a sí mismos aflicción.[x]

18 Su alma llegó a detestar aun toda suerte de alimento,[a]

y estaban llegando a las puertas de la muerte.[b]

19 Y empezaron a clamar a Jehová por ayuda en su angustia;[c]

de los apuros en que se hallaban él, como siempre, los salvó.[d]

20 Procedió a enviar su palabra y a sanarlos[e]

y a proveer[les] escape de sus hoyos.[f]

21 Oh, dense gracias a Jehová por su bondad amorosa,[g]

y por sus maravillosas obras para con los hijos de los hombres.[h]

22 Y que ofrezcan los sacrificios de acción de gracias[i]

y declaren sus obras con un clamor gozoso.[j]

23 Los que van bajando al mar en las naves,[k]

que negocian sobre las vastas aguas;[l]

24 ellos son los que han visto las obras de Jehová,[m]

y sus maravillosas obras en las profundidades;[n]

25 cómo él dice [la palabra] y hace que se levante un viento borrascoso,[o]

de modo que alza sus olas.[p]

26 Suben a los cielos, bajan a los fondos.

A causa de la calamidad, su misma alma va derritiéndose.[q]

27 Dan vueltas y se mueven con inseguridad como un borracho,[r]

y aun toda su sabiduría resulta confusa.[s]

28 Y se ponen a clamar a Jehová en su angustia,[t]

y de los apuros en que se hallan él los saca.[u]

29 Él hace que la tempestad de

CAP. 107

a Isa 41:17.
2Ti 3:1
b Esd 8:21
Sl 78:52
Isa 30:21
2Pe 2:21
c Ne 11:3
d 1Cr 16:8
Sl 136:1
e Sl 40:5
Rev 15:3
f Isa 55:2
g Sl 34:10
Sl 146:7
Jer 31:14
Lu 1:53
h Lu 1:79
i 2Cr 33:11
Job 36:8
Sl 105:18
Sl 149:8
j Lam 3:42
k Sl 106:43
l 2Cr 33:10
Sl 73:24
m Le 26:21
Jue 10:15
Lu 15:17
n Ro 6:27
Sl 22:11
o Jue 4:3
Jue 6:6
Jue 10:10
2Cr 33:12
p Jue 10:12
q Sl 68:6
Isa 49:9
Ef 5:8
1Pe 2:9
r Sl 146:7
Isa 61:1
Hch 12:7
Hch 16:26
s Lam 3:22
t Sl 92:5
u Isa 45:1
v Isa 45:2
w Pr 1:7
Lam 3:39
x Nú 11:33
Sl 38:5
Jer 2:19
Gál 6:7
2Pe 2:13

2.ª col.

a Job 33:20
b Job 33:22
Job 38:17
Sl 9:13
Sl 88:3
Sl 116:3
Rev 1:18
c Jer 33:3
d Sl 34:6
e Nú 21:8
2Re 20:5
Sl 30:2
Sl 103:3
Sl 147:3
f Job 33:28
Sl 30:3
Sl 49:15
Sl 56:13
Sl 103:4
g Sl 138:2
h Sl 66:5

i Le 7:12; Sl 50:14; Sl 116:17; Heb 13:15; 1Pe 2:5;
j Sl 9:11; Sl 73:28; Sl 118:17; k 1Re 9:27; Eze
27:26; 1Cr 9:21; Eze 27:9; Rev 18:17; m Sl 95:5;
n Gé 1:21; Sl 104:25; o Sl 135:7; Sl 148:8; Jer
10:13; Jon 1:4; p Sl 93:4; q 2Sa 17:10; Sl 22:14;
Isa 13:7; Na 2:10; r Job 12:25; Isa 19:14; s Isa
19:3; Jon 1:5; t Jon 1:14; u Jon 2:10.

viento se detenga en calma,[a]
de modo que las olas del mar se quedan quietas.[b]

30 Y ellos se regocijan porque estas se aquietan,
y él los guía al puerto de su deleite.[c]

31 Oh, dense gracias a Jehová por su bondad amorosa,[d]
y por sus maravillosas obras para con los hijos de los hombres.[e]

32 Y enaltézcanlo en la congregación del pueblo;[f]
y en el asiento de los hombres de edad madura alábenlo.[g]

33 Él convierte ríos en un desierto,[h]
y los manaderos de agua en suelo sediento,[i]

34 la tierra fructífera en región salada,[j]
debido a la maldad de los que moran en ella.

35 Él convierte un desierto en un estanque de agua lleno de cañas,[k]
y la tierra de una región árida en manaderos de agua.[l]

36 Y allí hace morar a los hambrientos,[m]
de modo que establecen firmemente una ciudad de habitación.[n]

37 Y siembran campos y plantan viñas,[o]
para que rindan cosechas fructíferas.[p]

38 Y los bendice de modo que se hacen muchísimos;[q]
y no deja que su ganado llegue a ser poco.[r]

39 De nuevo llegan a ser pocos y se agazapan[s]
debido a restricción, calamidad y desconsuelo.[t]

40 Él está derramando desprecio sobre nobles,[u]
de modo que los hace andar errantes en un lugar falto de rasgos distintivos, donde no hay camino.[v]

41 Pero protege de la aflicción al pobre,[w]

y lo convierte en familias justamente como un rebaño.[a]

42 Los rectos ven, y se regocijan;[b]
pero en cuanto a toda injusticia, esta tiene que cerrar su boca.[c]

43 ¿Quién es sabio? Tanto observará estas cosas[d]
como se mostrará atento para con los actos de bondad amorosa de Jehová.[e]

Canción. Melodía de David.

108

Mi corazón es constante, oh Dios.[f]
Ciertamente cantaré y produciré melodía,[g]
aun mi gloria.[h]

2 Despierta, sí, oh instrumento de cuerdas; tú también, oh arpa.[i]
Ciertamente haré despertar el alba.[j]

3 Te elogiaré entre los pueblos, oh Jehová;[k]
y te celebraré con melodía entre los grupos nacionales.[l]

4 Porque tu bondad amorosa es grande hasta los cielos,[m]
y tu apego a la verdad hasta los cielos nublados.[n]

5 Oh, sé ensalzado sobre los cielos, oh Dios;[o]
y sea tu gloria sobre toda la tierra.[p]

6 A fin de que tus amados sean librados,[q]
oh, salva, sí, con tu diestra, y respóndeme.[r]

7 Dios mismo ha hablado en su santidad:[s]
"Ciertamente me alborozaré, de veras repartiré a Siquem[t] como porción;[u]
y mediré la llanura baja de Sucot.[v]

CAP. 107

a Sl 89:9
  Jon 1:15
b Gé 8:1
  Sl 65:7
c Jn 6:21
d Sl 50:23
  Sl 86:13
e Sl 72:18
  Sl 105:5
  Rev 15:3
f Sl 22:22
  Sl 40:9
  Sl 111:1
g Job 29:7
  Hch 4:8
h 1Re 17:7
  Isa 19:5
  Isa 42:15
i 1Re 18:5
  Jer 14:3
  Am 4:7
j Gé 13:10
  Gé 19:25
  Dt 29:23
k Isa 35:7
  Isa 41:18
l 2Re 3:17
m Sl 146:7
  Lu 1:53
n Sl 107:7
o Isa 65:21
  Jer 29:5
p Gé 26:12
  Hch 14:17
q Éx 1:7
  Dt 7:13
r Gé 30:43
  Dt 7:14
s 1Sa 2:7
t Jue 6:3
  2Re 10:32
  2Re 13:7
  2Cr 15:5
  Jer 51:34
u 1Re 21:19
  2Re 24:15
  Dt 25:7
v Job 12:24
w 1Sa 2:8

2.ª col.

a Sl 78:52
b Job 22:19
  Sl 52:6
  Sl 58:10
c Éx 11:7
  Sl 63:11
  Ro 3:19
d Dt 4:6
  Sl 64:9
  Pr 1:5
  Jer 9:12
  Os 14:9
e Sl 77:12
  Sl 143:5
  Jer 9:24

CAP. 108

f Sl 57:7
g Sl 104:33
  Hch 16:25
  Ef 5:19
h Sl 16:9
i Sl 33:2
  Sl 81:2
  Sl 149:3
j Sl 57:8
k Sl 138:1
  Sl 145:12
l Sl 57:9

m Sl 36:5; Sl 57:10; Sl 103:11; n Sl 71:22; o Sl 8:1; Sl 57:5; p Sl 57:11; q Sl 60:5; 2Co 1:10; r Éx 6:6; Sl 20:6; s Sl 89:35; t Jos 17:7; u Sl 60:6; v Gé 33:17; Jue 8:5.

8 Galaad[a] me pertenece; Manasés[b] me pertenece;
y Efraín es la plaza fuerte
del que me es cabeza;[c]
Judá es mi bastón de co-
mandante.[d]
9 Moab[e] es la vasija en que me
lavo.[f]
Sobre Edom[g] arrojaré mi
sandalia.[h]
Sobre Filistea[i] gritaré en
triunfo".[j]
10 ¿Quién me llevará a la ciudad
fortificada?[k]
¿Quién, realmente, me
guiará hasta Edom?[l]
11 ¿No eres [tú], oh Dios, quien
nos has desechado[m]
y quien no sales con
nuestros ejércitos como
Dios?[n]
12 Danos auxilio, sí, de la angustia,[o]
puesto que la salvación por
el hombre terrestre es
inútil.[p]
13 Por Dios conseguiremos
energía vital,[q]
y él mismo pisoteará a
nuestros adversarios.[r]

Al director. De David. Melodía.

109 Oh Dios de mi alabanza,[s] no guardes si-
lencio.[t]
2 Porque la boca del inicuo y la
boca del engaño se han
abierto contra mí.[u]
Han hablado de mí con la
lengua de la falsedad;[v]
3 y con palabras de odio me han
cercado,[w]
y siguen peleando contra
mí sin causa.[x]
4 Por mi amor siguen resistiéndome;[y]
pero de mi parte hay ora-
ción.[z]
5 Y me devuelven mal por
bien,[a]
y odio por mi amor.[b]
6 Nombra sobre él a alguien
inicuo,
y que un resistidor[c] mismo se quede de pie a su
diestra.

7 Cuando se le juzgue, que salga como alguien inicuo;
y que su oración misma llegue a ser un pecado.[a]
8 Resulten pocos sus días;[b]
su puesto de superinten-
dencia tómelo otro.[c]
9 Lleguen a ser huérfanos de
padre sus hijos,[d]
y quede viuda su esposa.[e]
10 Y sin falta anden errantes sus
hijos;[f]
y tienen que estar mendi-
gando,
y tienen que buscar [ali-
mento] desde sus lugares
desolados.[g]
11 Tienda el usurero trampas
para todo lo que tiene,[h]
y logren los extraños[i] saquear el producto de su
afán.[j]
12 No llegue a tener quien le extienda bondad amorosa,[k]
y no resulte haber quien
muestre favor a sus
huérfanos de padre.
13 Sea su posteridad para ser
cortada.[l]
En la generación que sigue
sea borrado su nombre.[m]
14 Sea recordado a Jehová el
error de sus antepasa-
dos,[n]
y el pecado de su madre[o]...
no sea borrado.[p]
15 Resulten estar enfrente de
Jehová constantemen-
te;[q]
y corte él el recuerdo de
ellos de la mismísima
tierra.[r]
16 por razón de que no se acordó
de ejercer bondad amo-
rosa,[s]
sino que persistió en seguir
tras el hombre afligido y
pobre,[t]
y tras el desalentado de co-

CAP. 108

a Jos 13:11
b Sl 80:2
c Dt 33:17
Sl 60:7
d Gé 49:10
e Sl 60:8
f Sl 60:8
g Nú 24:18
h 2Sa 8:14
i Éx 15:14
2Sa 21:15
j 2Sa 21:18
k Sl 60:9
1 2Re 14:7
Abd 3
m Sl 44:9
n Dt 23:14
Sl 60:10
o Sl 18:6
Sl 20:1
p Sl 60:11
Sl 118:8
Sl 146:3
q Éx 2:4
2Sa 22:40
Sl 18:32
Sl 84:7
Isa 40:29
2Co 4:7
Flp 4:13
r Isa 25:10
Ro 16:20

CAP. 109

s Éx 15:2
Sl 33:1
Sl 118:28
t Dt 10:21
Sl 83:1
u 2Sa 15:3
Sl 31:18
Pr 15:28
Mt 26:59
v Pr 6:17
Pr 26:28
Jer 9:3
w 2Sa 16:7
Os 11:12
x 2Sa 15:12
Sl 35:7
Sl 69:4
Jn 15:25
y 2Sa 13:39
Sl 35:12
z Sl 55:16
a Sl 35:7
Sl 38:20
Pr 17:13
b Sl 55:12
c 1Sa 29:4
2Sa 19:22
1Re 11:14
Zac 3:1

2.ª col.

a Pr 15:29
Pr 28:9
Isa 1:15
Miq 3:4
b Sl 55:23
Sl 69:25
Mt 27:5
Hch 1:18
c Hch 1:20
d Éx 22:24
e Jer 18:21
f 2Re 5:27
g 2Sa 3:29
h Ne 5:7
i Isa 1:7

j Dt 28:33; Dt 28:51; Jue 6:5; k Snt 2:13; 1 1Sa
2:31; 2Re 10:11; Sl 37:28; Jer 22:30; m Éx 32:33;
Nú 5:23; Dt 25:19; Dt 29:20; Pr 10:7; n Éx 20:5;
Le 26:39; 2Sa 3:29; 2Sa 21:1; Mt 23:32; o 2Cr
22:3; p Ne 4:5; Jer 18:23; q Dt 32:34; Jer 2:22;
r Sl 34:16; Isa 65:15; s 2Sa 17:2; Mt 18:33; Snt
2:13; t Gé 42:21; Sl 10:2.

razón, para dar[le] muerte.[a]

17 Y siguió amando la invocación de mal,[b] de manera que esta vino sobre él;[c]

y no se deleitó en la bendición,[d]

de manera que esta se alejó de él;[e]

18 y vino a tener puesta la invocación de mal como su prenda de vestir.[f]

De manera que esta entró como aguas en medio de él,[g]

y como aceite en sus huesos.

19 Resulte ser para él como prenda de vestir en la cual se envuelva,[h]

y como ceñidor que mantenga ceñido en derredor suyo constantemente.[i]

20 De parte de Jehová este es el salario del que me resiste[j]

y de los que hablan mal contra mi alma.[k]

21 Pero tú eres Jehová el Señor Soberano.[l]

Trata conmigo por causa de tu nombre.[m]

Porque tu bondad amorosa es buena, líbrame.[n]

22 Porque estoy afligido y soy pobre,[o]

y mi corazón mismo ha sido traspasado dentro de mí.[p]

23 Cual sombra cuando declina, me hallo obligado a irme;[q]

he sido arrojado con una sacudida como una langosta.

24 Mis rodillas mismas han vacilado a causa del ayuno,[r]

y mi carne misma ha enflaquecido, desprovista de todo aceite.[s]

25 Y para ellos yo mismo he llegado a ser algo [que es] digno de oprobio.[t]

Me ven... empiezan a menear la cabeza.[u]

26 Ayúdame, oh Jehová Dios mío;[v]

sálvame conforme a tu bondad amorosa.[a]

27 Y sepan ellos que esta es tu mano;[b]

que tú mismo, oh Jehová, lo has hecho.[c]

28 Que ellos, por su parte, pronuncien una invocación de mal,[d]

pero que tú, por tu parte, pronuncies una bendición.[e]

Se han levantado, pero que sean avergonzados,[f]

y que tu propio siervo se regocije.[g]

29 Sean vestidos de humillación los que me resisten,[h]

y envuélvanse en su vergüenza tal como en una vestidura sin mangas.[i]

30 Yo elogiaré a Jehová en gran manera con mi boca,[j]

y en medio de mucha gente lo alabaré.[k]

31 Porque él estará de pie a la diestra del pobre,[l]

para salvar[lo] de los que juzgan su alma.

De David. Melodía.

110 La expresión de Jehová a mi Señor es:[m]

"Siéntate a mi diestra[n]

hasta que coloque a tus enemigos como banquillo para tus pies".[o]

2 La vara[p] de tu fuerza Jehová enviará desde Sión,[q] [diciendo:]

"Ve sojuzgando en medio de tus enemigos".[r]

3 Tu pueblo[s] se ofrecerá de buena gana[t] en el día de tu fuerza militar.[u]

En los esplendores de la santidad,[v] desde la matriz del alba,

---

CAP. 109
a 2Sa 16:11
Sl 34:18
Sl 37:32
b Pr 26:2
c Dt 28:45
Pr 14:14
Eze 35:6
d Dt 28:2
2Te 2:10
e Sl 119:150
f Sl 73:6
g Nú 5:22
Hch 1:18
h 2Re 3:3
Sl 109:29
i Job 12:21
Jer 13:11
j 2Sa 17:23
Ro 6:23
1Pe 1:17
k Mt 26:66
k Rev 6:10
m Sl 25:11
Sl 31:3
Jn 17:11
l Sl 36:7
Sl 69:16
Sl 86:5
o Sl 40:17
Sl 86:1
2Co 8:9
p 2Re 4:27
Sl 102:4
q 1Cr 29:15
Job 14:2
Sl 102:11
Sl 144:4
Snt 4:14
r Sl 69:10
s Job 19:20
t Sl 31:11
Ro 15:3
Heb 13:13
u Sl 22:7
Mt 27:39
v Sl 40:13
Sl 119:86

2.ª col.
a Sl 69:16
Sl 85:7
Sl 119:41
b Éx 13:3
Ne 2:8
c Nú 16:30
1Re 18:36
d Nú 22:6
2Sa 16:10
e Nú 23:20
f Isa 65:15
Isa 65:13
Heb 12:2
h Sl 109:20
i Sl 6:10
Sl 35:26
Sl 132:18
j Sl 7:17
Sl 9:1
Sl 51:15
Heb 13:15
k Sl 22:22
l Sl 16:8
Sl 72:4
Sl 110:5
Sl 121:5

CAP. 110
m Mt 22:43
Lu 20:42

---

n Mr 12:36; Hch 2:34; Hch 7:56; Ro 8:34; Ef 1:20; Col 3:1; Heb 1:3; Heb 8:1; Heb 10:12; Heb 12:2; 1Pe 3:22; o Mt 22:44; Sl 109:25; Heb 1:13; Heb 10:13; p Mt 28:18; Rev 2:27; Rev 12:5; Rev 19:15; q Rev 11:15; Rev 14:1; r Sl 2:9; Sl 45:4; Sl 45:5; Mt 24:30; Lu 19:27; Rev 1:7; Rev 6:2; Rev 11:18; s Rev 14:4; t Jue 5:2; Sl 119:108; Isa 6:8; Mt 4:20; Lu 5:28; 1Co 9:17; u Mt 24:37; Mt 25:31; Rev 6:2; Rev 19:11; v Da 12:10; 2Co 7:1; 1Pe 1:16.

tienes tu compañía de hombres jóvenes justamente como gotas de rocío.ª

4 Jehová ha jurado^b (y no sentirá pesar):^c

"¡Tú eres sacerdote hasta tiempo indefinido^d a la manera de Melquisedec!".^e

5 Jehová mismo a tu diestra^f ciertamente hará pedazos a reyes en el día de su cólera.^g

6 Ejecutará juicio entre las naciones;^h causará una plenitud de cuerpos muertos.ⁱ Ciertamente hará pedazos al que es cabeza sobre una tierra populosa.^j

7 Del valle torrencial en el camino beberá.^k Por eso levantará en alto [su] cabeza.^l

111

¡Alaben a Jah!^m

א [ʼÁ·lef]
Elogiaré a Jehová con todo [mi] corazónⁿ

ב [Behth]
en el grupo íntimo^o de los rectos y en la asamblea.^p

ג [Guí·mel]
2 Las obras de Jehová son grandes,^q

ד [Dá·leth]
buscadas por parte de todos los que se deleitan en ellas.^r

ה [He']
3 Su actividad^s es dignidad y esplendor mismos,^t

ו [Waw]
y su justicia subsiste para siempre.^u

ז [Zá·yin]
4 Él ha hecho una memoria para sus maravillosas obras.^v

ח [Jehth]
Jehová es benévolo y misericordioso.^a

ט [Tehth]
5 Ha dado alimento a los que le temen.^b

י [Yohdh]
Hasta tiempo indefinido se acordará de su pacto.^c

כ [Kaf]
6 Ha informado a su pueblo del poder de sus obras,^d

ל [Lá·medh]
al darles la herencia de las naciones.^e

מ [Mem]
7 Las obras de sus manos son verdad y juicio;^f

נ [Nun]
fidedignas son todas las órdenes que él da,^g

ס [Sá·mekj]
8 bien sostenidas para siempre, hasta tiempo indefinido,^h

ע [ʼÁ·yin]
ejecutadas con verdad y rectitud.ⁱ

פ [Pe']
9 Él ha enviado redención misma a su pueblo.^j

צ [Tsa·dhéh]
Hasta tiempo indefinido ha ordenado su pacto.^k

ק [Qohf]
Santo es su nombre, e inspirador de temor.^l

ר [Rehsch]
10 El temor de Jehová es el principio de la sabiduría.^m

CAP. 110
a Gé 27:28
  Hch 4:4
  Rev 7:9
b Heb 6:13
c Nú 23:19
  Ro 11:29
  Heb 7:20
d Heb 7:21
  Heb 7:28
e Gé 14:18
  Zac 6:13
  Heb 5:6
  Heb 6:20
  Heb 7:3
  Heb 7:11
  Heb 7:17
f Sl 16:8
  Sl 121:5
g Sl 2:2
  Eze 38:18
  Ro 2:5
  Rev 11:18
  Rev 19:19
h Sl 79:6
  Sl 149:7
i Jer 25:33
  2Pe 3:10
j Gé 3:15
  Sl 68:21
  Hab 3:13
k Jue 7:5
  1Re 17:4
l Sl 3:3
  Isa 53:12

CAP. 111
m Éx 15:2
  Sl 35:18
  Sl 68:4
  Sl 113:1
  Rev 19:1
n Sl 9:1
  Sl 107:8
  Sl 138:1
o Job 19:19
  Sl 89:7
p 1Re 8:5
  Sl 1:5
q Job 9:10
  Job 42:2
  Sl 92:5
  Sl 98:1
  Isa 104:24
  Sl 139:14
  Isa 40:12
  Rev 15:3
r Sl 77:12
  Sl 92:4
  Sl 143:5
s Sl 32:4
  Sl 64:9
t Éx 15:6
  1Cr 16:27
  Job 40:10
  Sl 145:12
u Sl 98:2
  Sl 103:17
  Isa 5:16
v Dt 31:19
  Jos 4:7
  Sl 102:12

2.ª col.
a Éx 34:6
  Sl 78:38
  Sl 86:5
  Sl 103:8
  Snt 5:11
b Sl 34:9
  Sl 37:25
  Mt 6:33

c Ne 1:5; Sl 89:34; Sl 105:8; d Dt 4:32; Jos 6:20; Jos 10:13; Sl 78:12; e Sl 44:2; Sl 78:55; Sl 80:8; Sl 105:44; f Dt 32:4; Sl 85:10; Sl 86:8; Sl 98:3; Rev 15:4; g Sl 19:8; Sl 33:4; Sl 119:4; Isa 55:11; h Sl 119:100; Isa 40:8; i Sl 19:9; Rev 15:3; j Éx 15:13; Dt 15:15; Sl 130:7; Mt 1:21; Lu 1:68; Rev 7:10; k 2Sa 23:5; 1Cr 16:15; Jer 33:20; l Dt 28:58; 1Cr 16:10; Sl 89:7; Sl 99:3; Isa 6:3; Mal 1:14; Lu 1:49; Rev 4:8; m Dt 4:6; Job 28:28; Pr 1:7; Pr 9:10; Ec 12:13; Heb 11:7.

ש [Sin]

Todos los que las ponen
por obra tienen buena
perspicacia.ᵃ

ת [Taw]

Su alabanza subsiste para
siempre.ᵇ

112 ¡Alaben a Jah!ᶜ

א ['Á·lef]

Feliz es el hombre que
teme a Jehová,ᵈ

ב [Behth]

en cuyos mandamien-
tosᵉ se ha deleitado
muchísimo.ᶠ

ג [Guí·mel]

2 Poderosa en la tierra llegará a
ser su prole.ᵍ

ד [Dá·leth]

En cuanto a la generación
de los rectos, será bende-
cida.ʰ

ה [He']

3 Cosas valiosas y riquezas hay
en su casa;ⁱ

ו [Waw]

y su justicia subsiste para
siempre.ʲ

ז [Zá·yin]

4 Ha fulgurado en la oscuridad
como una luz para los
rectos.ᵏ

ח [Jehth]

Es benévolo y miseri-
cordioso y justo.ˡ

ט [Tehth]

5 Es bueno el hombre que es
benévoloᵐ y está pres-
tando.ⁿ

י [Yohdh]

Sustenta sus asuntos con
justicia.ᵒ

כ [Kaf]

6 Porque en ningún tiempo se
le hará tambalear.ᵖ

ל [Lá·medh]

El justo resultará ser para
recuerdo hasta tiempo
indefinido.ᵃ

מ [Mem]

7 No tendrá miedo siquiera de
malas noticias.ᵇ

נ [Nun]

Su corazón es constante,ᶜ
confiado en Jehová.ᵈ

ס [Sá·mekj]

8 Su corazón no puede ser sacudido;ᵉ no tendrá mie-
do,ᶠ

ע ['Á·yin]

hasta que ponga la vista
sobre sus adversarios.ᵍ

פ [Pe']

9 Ha distribuido ampliamente;
ha dado a los pobres.ʰ

צ [Tsa·dhéh]

Su justicia subsiste para
siempre.ⁱ

ק [Qohf]

Su propio cuerno será
ensalzado con gloria.ʲ

ר [Rehsch]

10 El inicuo mismo verá, y ciertamente se sentirá irri-
tado.ᵏ

ש [Schin]

Crujirá sus dientes mis-
mos, y realmente se
derretirá.ˡ

ת [Taw]

El deseo de los inicuos pe-
recerá.ᵐ

113 ¡Alaben a Jah!ⁿ
Ofrezcan alabanza, oh
siervos de Jehová,ᵒ
alaben el nombre de
Jehová.ᵖ

CAP. 111
a Dt 4:6
Jos 1:8
1Re 2:3
Pr 3:4
2Ti 3:15
b Sl 145:2
1Pe 1:7

CAP. 112
c Éx 15:2
Sl 117:2
Sl 150:6
Rev 19:1
d Sl 111:10
Sl 115:11
Sl 128:1
e Sl 119:6
f Sl 1:2
Sl 40:8
Sl 119:16
Pr 2:4
Ro 7:22
g Sl 25:13
Sl 37:26
Sl 102:28
Hch 2:39
h Gé 17:7
Gé 22:17
Sl 14:5
Sl 24:6
i Sl 24:1
Isa 33:6
Mt 6:33
j Sl 111:3
Isa 32:17
Isa 51:8
k Isa 58:10
1Pe 2:9
1Jn 1:5
Rev 22:5
l Ne 9:17
Miq 7:19
Lu 6:36
Ef 4:32
Col 3:13
m Hch 6:8
n Dt 15:8
Job 31:16
Sl 37:26
Sl 41:1
Pr 14:21
Pr 17:5
Pr 19:17
Pr 21:13
Lu 6:35
Lu 23:50
Hch 20:35
Heb 13:16
o 1Sa 12:3
Job 1:1
Miq 6:8
Mt 1:19
Ef 5:15
Col 4:5
1Te 2:10
p Sl 15:5
Sl 125:1
Pr 2:21
2Pe 1:10

2.ª col.
a Ne 5:19
Pr 10:7
b Sl 27:1
Pr 1:33
Pr 3:25
Lu 21:9
c Sl 57:7
Sl 118:6
Hch 21:13

d Sl 62:8; Sl 64:10; Sl 118:8; Isa 26:3; Jn 14:1;
Hch 27:25; e Sl 27:14; Sl 31:24; f Sl 56:11; Pr
28:1; g Sl 59:10; Sl 91:8; Sl 92:11; Sl 118:7; h Dt
15:11; Pr 11:24; Pr 19:17; Ro 12:8; 2Co 9:9; i Dt
24:13; Mt 25:46; Heb 6:10; j 1Sa 2:1; Sl 75:10; Sl
92:10; k Est 6:11; Lu 13:28; l Sl 37:12; Sl 58:7;
m Pr 10:28; Pr 11:7; CAP. 113 n Éx 15:2; Sl
68:4; Sl 150:6; Isa 38:19; Rev 19:1; o Sl 33:1; Sl
103:21; Ef 5:19; Rev 19:5; p Sl 135:1.

2 Llegue a ser bendito el nombre de Jehová[a]
desde ahora y hasta tiempo indefinido.[b]
3 Desde el nacimiento del sol hasta su puesta[c]
ha de ser alabado el nombre de Jehová.[d]
4 Jehová ha llegado a ser alto sobre todas las naciones;[e]
su gloria está sobre los cielos.[f]
5 ¿Quién es como Jehová nuestro Dios,[g]
aquel que está haciendo su morada en lo alto?[h]
6 Está condescendiendo en tender la vista sobre cielo y tierra,[i]
7 y levanta al de condición humilde desde el polvo mismo;[j]
ensalza al pobre del mismísimo pozo de cenizas,[k]
8 para hacer que se siente con nobles,[l]
con los nobles de su pueblo.[m]
9 Él está haciendo que la estéril more en una casa[n]
como gozosa madre de hijos.[o]
¡Alaben a Jah![p]

114 Cuando Israel salió de Egipto,[q]
la casa de Jacob de un pueblo que hablaba ininteligiblemente,[r]
2 Judá llegó a ser su lugar santo,[s]
Israel su gran dominio.[t]
3 El mar mismo vio, y se puso en fuga;[u]
en cuanto al Jordán, empezó a volverse atrás.[v]
4 Las montañas mismas brincaron como carneros;[w]
las colinas, como corderos.
5 ¿Qué te pasó, oh mar, que te pusiste en fuga,[x]
oh Jordán, que empezaste a volverte atrás?[y]
6 ¡Oh montañas, que anduvie-

ron brincando como carneros;[a]
oh colinas, como corderos?[b]
7 A causa del Señor está con fuertes dolores, oh tierra,[c]
a causa del Dios de Jacob,
8 que está cambiando la roca en estanque de agua lleno de cañas,[d]
una roca de pedernal en manantial de aguas.[e]

115 A nosotros no nos pertenece nada, oh Jehová, a nosotros no nos pertenece nada,[f]
sino a tu nombre da gloria[g]
conforme a tu bondad amorosa, conforme a tu apego a la verdad.[h]
2 ¿Por qué deben decir las naciones:[i]
"¿Dónde, pues, está su Dios?"?[j]
3 Pero nuestro Dios está en los cielos;[k]
todo lo que se deleitó [en hacer] lo ha hecho.[l]
4 Los ídolos de ellos son plata y oro,[m]
la obra de las manos del hombre terrestre.[n]
5 Boca tienen, pero no pueden hablar;[o]
ojos tienen, pero no pueden ver;[p]
6 oídos tienen, pero no pueden oír.[q]
Nariz tienen, pero no pueden oler.[r]
7 Manos son suyas, pero no pueden palpar.[s]

CAP. 113
a 1Cr 29:10
Da 2:20
b 1Cr 16:36
Sl 106:48
c Isa 45:6
Isa 59:19
d Éx 9:16
Sl 72:19
Sl 86:9
Mal 1:11
e Sl 97:9
Sl 99:2
Isa 40:17
f 1Re 8:27
Sl 8:1
g Sl 15:11
Sl 89:6
Isa 36:7
h 1Re 8:43
Sl 11:4
Isa 57:15
Isa 66:2
Heb 9:24
i Sl 14:2
Sl 18:35
Sl 102:19
Sl 138:6
Isa 66:2
j Sl 22:15
k 1Sa 2:7
2Sa 7:8
Job 2:8
Flp 2:9
l Gé 41:41
Job 36:7
m Rev 5:10
n 1Sa 2:5
Sl 68:6
o Isa 54:1
Gál 4:27
p Sl 112:1
Sl 117:1

CAP. 114
q Éx 12:41
Éx 13:3
r Gé 42:23
Sl 81:5
s Gé 49:10
Sl 76:1
Sl 78:68
t Éx 6:7
Éx 19:6
Éx 25:8
Éx 29:45
Dt 27:9
Dt 32:9
u Éx 14:21
Sl 77:16
Sl 106:9
1Co 10:1
v Jos 3:16
Sl 74:15
w Éx 19:18
Éx 20:18
Jue 5:4
Sl 29:6
Sl 68:8
Jer 4:24
Hab 3:6
x Éx 15:8
Jos 2:10
Hab 3:8
y Jos 4:23

2.ª col.
a Isa 64:3
b Miq 6:1
Na 1:5
c 1Cr 16:30
Job 9:6
Sl 77:18
Sl 97:4

d Éx 17:6; Nú 20:11; Sl 107:35; e Dt 8:15; Ne 9:15; 1Co 10:4; **CAP. 115** f Job 1:21; 1Ti 6:7; g Dt 28:58; Isa 48:11; Eze 39:13; Jn 12:28; h Sl 61:7; Sl 66:20; Sl 89:1; Sl 138:2; Miq 7:20; Ro 3:4; i Éx 32:12; Nú 14:15; Dt 32:27; j Sl 42:3; Sl 79:10; Joe 2:17; k Sl 2:4; Sl 33:14; Sl 123:1; Isa 63:15; Mt 6:9; l Sl 135:6; Isa 46:10; Da 4:35; Ro 9:19; m Sl 97:7; Sl 135:15; Isa 46:6; Jer 10:9; n Dt 4:28; Isa 40:19; Isa 44:17; Jer 10:3; Hch 19:26; o Hab 2:19; p Sl 135:16; q Sl 135:17; r 1Co 10:19; s 1Sa 5:4.

Pies son suyos, pero no pueden andar;[a]

no profieren sonido con su garganta.[b]

8 Quienes los hacen llegarán a ser lo mismo que ellos,[c] todos los que confían en ellos.[d]

9 Oh Israel, confía en Jehová;[e] él es la ayuda de ellos y el escudo de ellos.[f]

10 Oh casa de Aarón, cifren ustedes su confianza en Jehová;[g] él es la ayuda de ellos y el escudo de ellos.[h]

11 Ustedes los que temen a Jehová, confíen en Jehová;[i] él es la ayuda de ellos y el escudo de ellos.[j]

12 Jehová mismo se ha acordado de nosotros; él bendecirá,[k] bendecirá a la casa de Israel,[l] bendecirá a la casa de Aarón.[m]

13 Bendecirá a los que temen a Jehová,[n] tanto a los pequeños como a los grandes.[o]

14 Jehová les dará aumento a ustedes,[p] a ustedes y a sus hijos.[q]

15 Ustedes son los bendecidos por Jehová,[r] el Hacedor del cielo y de la tierra.[s]

16 En cuanto a los cielos, a Jehová pertenecen los cielos,[t] pero la tierra la ha dado a los hijos de los hombres.[u]

17 Los muertos mismos no alaban a Jah,[v] ni lo hace ninguno que baja al silencio.[w]

18 Pero nosotros mismos ciertamente bendeciremos a Jah[x] desde ahora en adelante y hasta tiempo indefinido.[y]

¡Alaben a Jah![z]

CAP. 115
a 1Sa 5:3
Isa 46:7
Hch 17:29
b Hab 2:18
c Sl 135:18
Isa 44:9
Rev 9:20
d 2Re 21:21
Sl 97:7
Jon 2:8
e 1Cr 5:20
Sl 32:10
Sl 62:8
Pr 3:5
f Dt 33:29
Sl 33:20
Sl 119:114
Sl 144:2
Pr 30:5
g Éx 28:1
Dt 33:8
h Sl 118:3
i Pr 16:20
Jer 17:7
j Sl 84:11
k Sl 136:23
Pr 10:22
Hch 10:4
l Gé 12:2
Sl 67:7
Hch 3:26
m Sl 115:10
n Sl 29:11
Lu 1:50
Hch 13:26
o Hch 26:22
Rev 11:18
Rev 19:5
p Gé 13:16
Gé 49:25
q Gé 22:17
r Sl 3:8
Ef 1:3
s Gé 1:1
Gé 14:19
Sl 96:5
Sl 146:6
t Sl 89:11
Isa 66:1
u Gé 1:28
Dt 32:8
Sl 37:29
Isa 45:18
Jer 27:5
Hch 17:26
v Sl 6:5
Sl 30:9
Sl 118:17
Ec 9:5
Isa 38:18
w Sl 31:17
x 1Cr 29:20
Sl 68:4
y Sl 113:2
Da 2:20
z Sl 112:1
Rev 19:3

2.ª col.

CAP. 116
a Sl 18:6
Sl 66:19
b Da 9:3
c Sl 34:15
d Ne 2:4
Job 27:10
e Sl 18:4
f Isa 38:10
g Sl 38:6
Isa 53:3

116 De veras amo, porque Jehová oye[a] mi voz, mis súplicas.[b]

2 Porque ha inclinado a mí su oído,[c] y durante todos mis días llamaré.[d]

3 Las sogas de la muerte me rodearon,[e] y las circunstancias angustiosas del Seol mismas me hallaron.[f] Angustia y desconsuelo seguí hallando.[g]

4 Pero el nombre de Jehová procedí a invocar:[h] "¡Ah, Jehová, de veras provee escape a mi alma!".[i]

5 Jehová es benévolo y justo;[j] y nuestro Dios es Uno que muestra misericordia.[k]

6 Jehová está guardando a los inexpertos.[l] Me hallé empobrecido, y él procedió a salvarme aun a mí.[m]

7 Vuelve a tu lugar de descanso, oh alma mía,[n] porque Jehová mismo ha obrado apropiadamente para contigo.[o]

8 Pues tú has librado mi alma de la muerte,[p] mi ojo de las lágrimas, mi pie de tropezar.[q]

9 Ciertamente andaré delante de Jehová en las tierras de los que viven.[s]

10 Tuve fe,[t] porque procedí a hablar.[t] Yo mismo fui muy afligido.

11 Yo, por mi parte, dije, cuando me llené de pánico:[v] "Todo hombre es mentiroso".[w]

12 ¿Qué pagaré a Jehová[x]

h 2Cr 33:13; Sl 34:6; Ro 10:13; i Sl 41:1; Sl 89:48; Sl 118:25; j Éx 34:6; Dt 4:24; Ne 9:8; Sl 103:8; Sl 119:137; Sl 145:17; Ro 3:25; k Éx 20:6; Ne 9:17; Da 9:9; l Sl 19:7; m Sl 79:8; Sl 106:43; Sl 142:6; n Jer 6:16; o Sl 13:6; Sl 119:17; Sl 145:20; Heb 11:6; p Sl 56:13; Sl 86:13; q 1Sa 25:34; Sl 94:18; r Gé 17:1; Lu 1:6; s Sl 27:13; Sl 142:5; Ec 9:5; Isa 38:11; Isa 53:8; t Gé 15:6; 2Co 4:13; Heb 11:1; u Ro 10:10; 2Pe 1:21; v Sl 31:22; w Sl 146:3; Ro 3:4; x Sl 50:10; 1Co 6:20.

por todos sus beneficios para conmigo?[a]

13 La copa de magnífica salvación[b] alzaré,
y el nombre de Jehová invocaré.[c]

14 Mis votos pagaré a Jehová,[d]
sí, enfrente de todo su pueblo.

15 Preciosa a los ojos de Jehová es la muerte de los que le son leales.[e]

16 ¡Ah!, ahora, oh Jehová,[f] porque yo soy tu siervo.[g]
Siervo tuyo soy, hijo de tu esclava.[h]
Has soltado mis ataduras.[i]

17 A ti te ofreceré el sacrificio de acción de gracias,[j]
y el nombre de Jehová invocaré.[k]

18 Mis votos pagaré a Jehová,[l]
sí, enfrente de todo su pueblo,[m]

19 en los patios de la casa de Jehová,[n]
en medio de ti, oh Jerusalén.[o]
¡Alaben a Jah![p]

117 Alaben a Jehová, naciones todas;[q]
encómienlo, clanes[r] todos.

2 Porque para con nosotros su bondad amorosa ha resultado poderosa;[s]
y el apego de Jehová a la verdad[t] es para tiempo indefinido.
¡Alaben a Jah![u]

118 Den gracias a Jehová, porque él es bueno;[v]
porque su bondad amorosa es hasta tiempo indefinido.[w]

2 Diga ahora Israel:
"Porque su bondad amorosa es hasta tiempo indefinido".[x]

3 Digan ahora los de la casa de Aarón:[y]
"Porque su bondad amoro-

sa es hasta tiempo indefinido".[a]

4 Digan ahora los que temen a Jehová:[b]
"Porque su bondad amorosa es hasta tiempo indefinido".[c]

5 Desde las circunstancias angustiosas invoqué a Jah;[d]
me respondió Jah [y me puso] en un lugar espacioso.[e]

6 Jehová está de mi parte; no temeré.[f]
¿Qué puede hacerme el hombre terrestre?[g]

7 Jehová está de mi parte entre los que me ayudan,[h]
de manera que yo mismo pondré la vista sobre los que me odian.[i]

8 Mejor es refugiarse en Jehová[j]
que confiar en el hombre terrestre.[k]

9 Mejor es refugiarse en Jehová[l]
que confiar en nobles.[m]

10 Todas las naciones mismas me cercaron.[n]
En el nombre de Jehová seguí manteniéndolas a distancia.[o]

11 Me cercaron, sí, me tuvieron cercado.[p]
En el nombre de Jehová seguí manteniéndolas a distancia.

12 Me cercaron como abejas;[q]
fueron extinguidas como un fuego de zarzas.[r]
En el nombre de Jehová seguí manteniéndolas a distancia.[s]

13 Me empujaste reciamente para que cayera,[t]
pero Jehová mismo me ayudó.[u]

14 Jah es mi abrigo y [mi] poder,[v]

CAP. 116
a Sl 103:2
b Sl 119:155
c Sl 150:1
Joe 2:32
Mt 26:42
d Job 22:27
Sl 22:25
Jon 2:9
Na 1:15
Mt 5:33
Jn 17:4
e 1Sa 25:29
Job 1:12
Sl 50:5
Sl 72:14
Sl 91:14
Zac 2:8
2Pe 2:9
f Sl 116:4
g Sl 119:125
Sl 143:12
h Sl 86:16
Lu 1:38
i 2Cr 33:13
Sl 107:14
j Le 7:12
Sl 50:23
Sl 107:22
Heb 13:15
k Ro 10:13
l Sl 22:25
Sl 76:11
Ec 5:5
m Sl 116:14
n Sl 96:8
Sl 100:4
Sl 135:2
o Sl 122:3
p Sl 112:1
Rev 19:1

CAP. 117
q Sl 18:49
Sl 113:1
Ro 15:11
Rev 7:10
Rev 19:6
r Gé 25:16
Nú 25:15
s Sl 94:18
Sl 100:5
Lam 3:22
t Sl 25:10
Sl 71:22
Sl 91:4
Isa 10:20
Lu 1:55
Lu 111:1

CAP. 118
v 1Cr 16:8
Sl 107:1
Mt 19:17
w Sl 136:1
x Sl 136:2
y Sl 135:19
1Pe 2:5

2.ª col.
a Sl 136:3
b Sl 22:23
Rev 19:5
c Sl 136:4
d Sl 50:15
Sl 107:19
Sl 120:1
e Éx 15:2
Sl 18:19

f Sl 27:1; Sl 146:5; Isa 51:12; Ro 8:31; g Sl 56:4;
Heb 13:6; h 1Cr 12:18; Sl 54:4; Mt 26:53; i Sl
54:7; j Sl 40:4; Sl 62:8; Jer 17:5; k Sl 146:3; 1Pr
18:10; m Isa 30:2; Eze 29:7; n Sl 2:2; Zac 12:3;
o 2Cr 20:17; p Sl 22:12; q Dt 1:44; r Sl 83:14; Ec
7:6; Isa 27:4; Na 1:10; s 2Cr 14:11; t 1Sa 20:3; Sl
18:18; Miq 7:8; Lu 4:29; u Hch 2:32; v Éx 15:2;
Sl 18:2; Isa 12:2.

y para mí llega a ser salvación.ᵃ

15 Voz de un clamor gozoso y salvaciónᵇ
hay en las tiendasᶜ de los justos.ᵈ
La diestra de Jehová está demostrando energía vital.ᵉ

16 La diestra de Jehová [se] está ensalzando;ᶠ
la diestra de Jehová está demostrando energía vital.ᵍ

17 No moriré, sino que seguiré viviendo,ʰ
para poder declarar las obras de Jah.ⁱ

18 Jah me corrigió severamente,ʲ
pero no me entregó a la muerte misma.ᵏ

19 Ábranme las puertas de la justicia.ˡ
Entraré en ellas; elogiaré a Jah.ᵐ

20 Esta es la puerta de Jehová.ⁿ
Los justos mismos entrarán en ella.ᵒ

21 Te elogiaré, porque me respondisteᵖ
y llegaste a ser mi salvación.ᵠ

22 La piedra que los edificadores rechazaronʳ
ha llegado a ser cabeza del ángulo.ˢ

23 Esto ha venido a ser de parte de Jehová mismo;ᵗ
es maravilloso a nuestros ojos.ᵘ

24 Este es el día que Jehová ha hecho;ᵛ
ciertamente estaremos gozosos y nos regocijaremos en él.ʷ

25 ¡Ay, pues, Jehová, salva, sí, por favor!ˣ
¡Ay, pues, Jehová, otorga éxito, sí, por favor!ʸ

26 Bendito sea Aquel que viene en el nombre de Jehová;ᶻ
los hemos bendecido a ustedes desde la casa de Jehová.ᵃ

27 Jehová es el Divino,ᵇ
y él nos da luz.ᶜ

Aten la procesión festivaᵃ con ramas mayores,ᵇ
hasta los cuernos del altar.ᶜ

28 Tú eres mi Divino, y te elogiaré;ᵈ
mi Dios... te ensalzaré.ᵉ

29 Den gracias a Jehová, porque él es bueno;ᶠ
porque su bondad amorosa es hasta tiempo indefinido.ᵍ

א [ʼÁ·lef]

119

Felices son los que en [su] camino están exentos de falta,ʰ
los que andan en la ley de Jehová.ⁱ

2 Felices son los que observan sus recordatorios;ʲ
con todo el corazón siguen buscándolo.ᵏ

3 Realmente no han practicado ninguna injusticia.ˡ
En los caminos de él han andado.ᵐ

4 Tú mismo has dado imperativamente tus órdenesⁿ
para que se guarden cuidadosamente.ᵒ

5 ¡Oh, que mis caminos fueran firmemente establecidosᵖ
para guardar tus disposiciones reglamentarias!ᵠ

6 En tal caso no quedaría avergonzado,ʳ
cuando mirara a todos tus mandamientos.ˢ

7 Te elogiaré en rectitud de corazón,
cuando aprenda tus decisiones judiciales justas.ᵘ

8 Tus disposiciones reglamentarias continúo guardando.ᵛ

CAP. 118
a Sl 3:8
Hch 3:15
b Sl 30:11
Lu 24:52
c Isa 16:5
d Isa 65:13
Hch 2:46
Hch 16:34
e Sl 89:13
Isa 63:12
f Éx 15:6
g Isa 40:26
h Sl 6:5
i Sl 71:17
Sl 73:28
j Sl 66:10
Sl 94:12
Isa 53:10
2Co 6:9
Heb 12:6
k Sl 16:10
Hch 2:31
l Isa 26:2
Mt 7:14
Rev 22:14
m Éx 15:2
n Sl 24:7
o Sl 24:4
Isa 35:8
p Jn 11:41
q Sl 116:1
Isa 12:2
r Isa 53:3
Mt 12:10
Lu 20:17
1Pe 2:4
s Isa 28:16
Zac 4:7
Lu 20:17
Hch 4:11
1Co 3:11
Ef 2:20
1Pe 2:6
t Hch 3:15
Hch 5:31
u Mr 12:11
v Sl 69:13
Zac 3:9
2Co 6:2
w 1Re 8:66
Est 8:16
Jn 16:22
Hch 5:41
x Sl 20:9
1Ti 2:3
y Sl 90:17
z Sl 21:9
Mt 23:39
Mr 11:9
Lu 19:38
a Sl 134:3
b Jos 22:22
Sl 50:1
Isa 46:9
c Sl 18:28
1Pe 2:9

2.ª col.
a Sl 42:4
b Le 23:34
Mt 21:8
Jn 12:13
Rev 7:9
c Éx 27:2
d Éx 15:2
Isa 25:1
e Sl 145:1
Isa 12:2
f Sl 50:23
g Esd 3:11
Sl 118:1

CAP. 119 h 2Re 20:3; Job 1:1; Sl 32:2; Snt 5:11;
i Sl 119:97; Sl 128:1; Ro 7:22; Snt 1:25; j Sl 19:7;
Sl 119:157; k Dt 4:29; 1Re 8:48; 1Cr 22:19; 2Cr
31:21; Jer 29:13; 1Sa 22:21; Jn 7:18; Ro 10:5;
1Jn 3:9; m Gé 5:22; 2Cr 31:21; Isa 38:3;
n Dt 5:33; Jer 7:23; Jn 14:21; o Snt 2:10; 1Jn 5:3;
p Sl 51:10; q Dt 4:1; Sl 119:135; Jer 32:11; r Sl
119:80; s Le 27:34; Ec 12:13; 1Cr 29:17; u Dt
1:35; Dt 4:3; Dt 5:1; Dt 6:1; Sl 19:9; Sl 119:160;
v Dt 4:1; Jos 24:15; Sl 119:145.

Oh, no me dejes entera-
mente.[a]

ב [*Behth*]

9 ¿Cómo limpiará un joven[b] su
senda?
Manteniéndose alerta
conforme a tu palabra.[c]

10 Con todo mi corazón te he
buscado.[d]
No me descarríes de tus
mandamientos.[e]

11 En mi corazón he guardado
cual tesoro tu dicho,[f]
a fin de no pecar contra
ti.[g]

12 Bendito eres, oh Jehová.
Enséñame tus disposicio-
nes reglamentarias.[h]

13 Con mis labios he declarado
todas las decisiones judiciales de tu boca.[j]

14 En el camino de tus recordatorios me he alboro-
zado,[k]
así como por toda otra
cosa valiosa.[l]

15 En tus órdenes ciertamente
me interesaré intensa-
mente,[m]
y ciertamente miraré
atento a tus sendas.[n]

16 En cuanto a tus estatutos,
mostraré tenerles cari-
ño.[o]
No olvidaré tu palabra.[p]

ג [*Guímel*]

17 Obra apropiadamente para
con tu siervo, para que
yo viva[q]
y para que guarde tu pa-
labra.[r]

18 Destapa mis ojos, para que
mire[s]
las cosas maravillosas
procedentes de tu ley.[t]

19 Solamente soy residente forastero en la tierra.[u]
No ocultes mí tus man-
damientos.[v]

20 Aplastada está mi alma de
ansiar[w]
tus decisiones judiciales
todo el tiempo.[x]

21 Has reprendido a los malditos presuntuosos,[y]

que se descarrían de tus
mandamientos.[a]

22 Haz rodar de sobre mí el
oprobio y el desprecio,[b]
porque he observado tus
propios recordatorios.[c]

23 Aun príncipes se han sentado; contra mí han ha-
blado los unos con los
otros.[d]
En cuanto a tu siervo,
él se interesa intensa-
mente en tus dispo-
siciones reglamenta-
rias.[e]

24 También, tus recordatorios
son aquello con lo que
estoy encariñado,[f]
como hombres de mi con-
sejo.[g]

ד [*Dáleth*]

25 Mi alma ha estado pegada al
mismísimo polvo.[h]
Consérvame vivo confor-
me a tu palabra.[i]

26 He declarado mis propios
caminos, para que me
respondas.[j]
Enséñame tus disposicio-
nes reglamentarias.[k]

27 Hazme entender el camino
de tus propias órdenes,[l]
para que me preocupe
con tus obras maravi-
llosas.[m]

28 Mi alma se ha desvelado de
desconsuelo.[n]
Levántame conforme a tu
palabra.[o]

29 Aparta de mí aun el camino
falso,[p]
y favoréceme con tu pro-
pia ley.[q]

30 El camino de la fidelidad he
escogido.[r]
Tus decisiones judiciales
he considerado apro-
piadas.[s]

CAP. 119

a Sl 37:25
Isa 43:2
Heb 13:5
b Sl 25:7
c Sl 15:2
Pr 6:22
d 1Sa 7:3
2Cr 15:15
e Sl 25:5
Sl 119:118
f Sl 112:1
Sl 119:67
Lu 2:19
Lu 2:51
Ro 6:17
g Sl 19:13
Sl 37:31
h Ne 10:29
Sl 119:26
Sl 119:64
i Sl 40:9
j Nú 16:5
Dt 5:31
1Cr 16:12
Sl 19:9
k Sl 119:111
Jer 15:16
l Job 23:12
Sl 19:10
Sl 119:72
m Sl 19:8
Sl 111:7
Sl 119:93
Sl 119:100
Sl 119:173
n Sl 25:10
Dt 30:10
o Gé 26:5
Dt 30:10
p Dt 4:13
Jn 17:6
Snt 1:23
q Le 18:5
Sl 116:7
Isa 38:20
Ro 10:5
r Sl 119:110
1Te 2:13
s 2Co 3:18
t Ro 15:4
Heb 8:5
Heb 10:1
u Gé 47:9
1Cr 29:15
1Pe 2:11
v Le 27:34
Nú 36:13
Sl 19:8
Sl 119:151
Ec 12:13
w Sl 42:1
Sl 63:1
x Dt 1:35
Dt 6:20
Sl 105:5
y Mal 4:1
1Pe 5:5

2.ª col.

a Dt 28:15
Jer 11:3
b Jos 5:9
1Sa 25:39
Sl 123:3
c Sl 19:7
Sl 93:5
Sl 119:167
d 1Sa 20:31
Sl 2:2
Lu 22:66
e Dt 4:5
Sl 119:171
f Sl 19:7
Sl 119:14
Sl 119:168

g Dt 17:18; Sl 119:105; Pr 1:25; 2Ti 3:16; h Sl 22:15; Sl 44:25; i 28a 7:28; Sl 71:20; Sl 119:154; Sl 143:11; j 2Cr 32:20; Sl 38:18; Pr 28:13; 1sa 38:3; k Dt 4:5; 1Re 8:36; Sl 86:11; Isa 30:20; l Sl 103:18; Sl 119:94; m 1Cr 16:9; 2Cr 32:22; Sl 105:2; Sl 145:5; n Sl 107:6; Isa 38:10; o Isa 38:20; Os 6:2; p Sl 119:104; Sl 141:4; Pr 30:8; Ef 4:25; q Heb 8:10; r Jos 24:15; Pr 12:22; Pr 28:20; 1Co 4:2; s Le 18:5; Dt 4:3.

31 Me he apegado a tus recordatorios.[a]
Oh Jehová, no me avergüences.[b]
32 Correré por el mismísimo camino de tus mandamientos,[c]
porque haces que mi corazón tenga el espacio.[d]

ה [*He'*]

33 Instrúyeme, oh Jehová, en el camino de tus disposiciones reglamentarias,[e]
para que lo observe hasta lo último.[f]
34 Hazme entender, para que observe tu ley,[g]
y para que la guarde con todo el corazón.[h]
35 Hazme pisar en el sendero de tus mandamientos,[i]
porque en él me he deleitado.[j]
36 Inclina mi corazón a tus recordatorios,[k]
y no a las ganancias.[l]
37 Haz que mis ojos pasen adelante para que no vean lo que es inútil;[m]
consérvame vivo en tu propio camino.[n]
38 Realiza para con tu siervo tu dicho[o]
que [propende] al temor de ti.[p]
39 Haz pasar mi oprobio, del cual he estado asustado,[q]
porque tus decisiones judiciales son buenas.[r]
40 ¡Mira! He ansiado tus órdenes.[s]
En tu justicia consérvame vivo.[t]

ו [*Waw*]

41 Y vengan a mí tus bondades amorosas, oh Jehová,[u]
tu salvación conforme a tu dicho,[v]
42 para que pueda responder con una palabra al que me vitupera,[w]
porque he confiado en tu palabra.[x]
43 Y no quites de mi boca la palabra de verdad enteramente,[a]
porque he esperado tu propia decisión judicial.[b]
44 Y ciertamente guardaré tu ley constantemente,[c]
hasta tiempo indefinido, aun para siempre.[d]
45 Y ciertamente andaré de acá para allá en un lugar espacioso,[e]
porque he buscado aun tus órdenes.[f]
46 También hablaré de seguro de tus recordatorios enfrente de reyes,[g]
y no me avergonzaré.[h]
47 Y mostraré tener cariño a tus mandamientos[i]
que he amado.[j]
48 Y alzaré las palmas de las manos a tus mandamientos que he amado,[k]
y ciertamente me interesaré intensamente en tus disposiciones reglamentarias.[l]

ז [*Zá·yin*]

49 Acuérdate de la palabra a tu siervo,[m]
la cual me has hecho esperar.[n]
50 Esta es mi consuelo en mi aflicción,[o]
porque tu propio dicho me ha conservado vivo.[p]
51 Los presuntuosos mismos me han escarnecido hasta el extremo.[q]
De tu ley no me he desviado.[r]
52 Me he acordado de tus decisiones judiciales desde tiempo indefinido, oh Jehová,[s]
y hallo consuelo para mí mismo.[t]

CAP. 119

a Sl 19:7
2Pe 3:1
b Sl 25:20
Sl 119:80
c Dt 30:16
d 1Re 4:29
2Cr 30:19
2Co 6:11
e Sl 119:64
Isa 48:17
Jn 6:45
Snt 1:5
f Sl 119:112
Rev 2:26
g Sl 19:7
Sl 105:45
Sl 119:1
h Sl 119:69
Col 3:23
i Sl 19:8
Sl 23:3
Flp 2:13
j Sl 40:8
k Sl 119:119
Jer 44:23
l Éx 18:21
Lu 12:15
1Ti 6:10
Heb 13:5
Snt 4:13
m Nú 15:39
Pr 4:25
Pr 23:5
Mt 7:17
n Sl 119:25
Isa 38:21
o 2Sa 7:25
p Sl 145:19
q Sl 39:8
r Dt 4:8
Sl 19:9
Sl 119:75
s Sl 19:8
Sl 119:15
t Sl 143:11
u Sl 51:1
Sl 85:7
Sl 90:14
Sl 106:4
Sl 119:76
v Gé 49:18
Sl 14:7
Lu 2:30
w Mt 4:4
Mt 10:19
x Sl 119:49
Sl 119:81
Sl 119:105

2.ª col.

a Sl 50:16
Sl 71:18
Isa 59:21
b Nú 16:5
Sl 19:9
c Sl 19:7
Sl 119:1
Sl 119:142
d Sl 119:33
e Sl 31:8
Sl 118:5
f Sl 119:94
Sl 119:141
g 2Sa 12:7
Sl 93:5
Sl 119:168
Da 5:22
Mt 10:18
Hch 26:2
h Mr 8:38
Ro 1:16
i Sl 112:1
j Job 23:12; Sl 119:174; Ro 7:22; k Sl 119:127; Ec 12:13; l Sl 119:23; Sl 119:71; m 2Sa 7:25; Sl 105:42; Sl 106:45; n Sl 71:14; o Sl 94:19; Ro 15:4; p Sl 119:25; q Sl 123:4; Pr 9:12; r Job 23:11; Sl 44:18; Sl 119:157; s Nú 16:5; Dt 1:35; Dt 4:3; Sl 36:6; Sl 105:5; t Ro 15:4.

53 Un calor furioso mismo se
ha apoderado de mí a
causa de los inicuos,[a]
que están dejando tu ley.[b]
54 Melodías han llegado a ser
para mí tus disposicio-
nes reglamentarias[c]
en la casa de mis residencias como forastero.[d]
55 En la noche me he acordado
de tu nombre, oh Jeho-
vá,[e]
para guardar tu ley.[f]
56 Aun esto ha llegado a ser
mío,
porque tus órdenes he ob-
servado.[g]

ן [Jehth]

57 Jehová es la parte que me
corresponde;[h]
he prometido guardar tus
palabras.[i]
58 He ablandado tu rostro con
todo [mi] corazón.[j]
Muéstrame favor confor-
me a tu dicho.[k]
59 He considerado mis ca-
minos,[l]
para volver mis pies a tus
recordatorios.[m]
60 Me apresuré, y no me dilaté[n]
en guardar tus manda-
mientos.[o]
61 Las mismas sogas de los inicuos me cercaron.[p]
Tu ley no olvidé.[q]
62 A medianoche me levanto
para darte gracias[r]
por tus justas decisiones
judiciales.[s]
63 Soy socio de todos los que de
veras te temen,[t]
y de los que guardan tus
órdenes.[u]
64 Tu bondad amorosa, oh Jehová, ha llenado la
tierra.[v]
Enséñame tus propias
disposiciones regla-
mentarias.[w]

ט [Tehth]

65 Realmente has tratado bien
con tu siervo,[x]
oh Jehová, conforme a tu
palabra.[y]

66 Enséñame bondad,[a] la sensatez[b] y el conocimien-
to mismos,[c]
porque en tus manda-
mientos he ejercido fe.[d]
67 Antes de estar bajo aflicción
estuve pecando por
equivocación,[e]
pero ahora he guardado
tu mismísimo dicho.[f]
68 Tú eres bueno y estás haciendo el bien.[g]
Enséñame tus disposicio-
nes reglamentarias.[h]
69 Los presuntuosos me han
embadurnado de false-
dad.[i]
En cuanto a mí, con todo
[mi] corazón observaré
tus órdenes.[j]
70 El corazón de ellos se ha
hecho insensible tal
como grasa.[k]
Yo, por mi parte, he es-
tado encariñado con tu
propia ley.[l]
71 Bueno es para mí el que se
me haya afligido,[m]
a fin de que aprenda
tus disposiciones re-
glamentarias.[n]
72 La ley[o] de tu boca es buena
para mí,[p]
en mayor grado que mi-
les de piezas de oro y
plata.[q]

י [Yohdh]

73 Tus propias manos me han
hecho, y procedieron a
fijarme sólidamente.[r]
Hazme entender, para
que aprenda tus man-
damientos.[s]
74 Los que te temen son los que
me ven y se regocijan,[t]
porque he esperado tu
propia palabra.[u]
75 Bien sé, oh Jehová, que
tus decisiones judicia-
les son justicia,[v]

CAP. 119
a Esd 9:13
Sl 119:158
Sl 139:21
b Pr 28:4
c Sl 119:112
d Gé 47:9
Heb 11:13
e Sl 42:8
Sl 63:6
Isa 26:9
f Sl 119:34
g Sl 119:100
h Sl 16:5
Sl 73:26
Jer 10:16
i Éx 19:8
2Re 23:3
Sl 106:12
j Éx 32:11
2Cr 34:27
Sl 51:17
k Sl 26:11
Sl 57:1
l Sl 119:101
Lu 15:18
2Co 13:5
Ef 5:15
m Dt 4:30
Sl 119:146
Jer 31:18
n 2Cr 29:3
Hch 16:33
o Pr 7:2
p Sl 140:5
Jer 38:6
q 1Sa 26:9
2Cr 29:2
r Sl 42:8
Hch 16:25
s Ne 9:13
t Sl 16:3
Sl 142:7
Dan 3:20
Mal 3:16
u Sl 119:56
v Sl 33:5
Sl 104:13
w 1Re 8:58
Sl 119:33
Sl 119:124
x Gé 39:3
1Sa 18:14
Sl 30:11
y Sl 119:25

2.ª col.
a Tit 1:8
b 1Sa 25:33
Da 2:14
c 1Re 3:9
2Cr 1:10
Sl 94:10
Da 2:21
Flp 1:9
d Sl 106:12
e Le 5:17
Gál 6:1
1Ti 1:13
f Sl 119:11
Heb 12:11
g Sl 86:5
Sl 106:1
Sl 107:1
Mr 10:18
h Sl 119:12
Isa 48:17
i Job 13:4
Sl 86:14
Sl 109:2
Sl 119:51
j Sl 119:8
Sl 119:40

k Sl 17:10; Isa 6:10; Hch 28:27; l Sl 40:8; Ro
7:22; m 1Co 11:32; Heb 5:8; Heb 12:10; n Dt
4:14; Sl 119:171; o Dt 17:19; p Sl 19:7; q Sl
19:10; Sl 119:127; Pr 3:15; Pr 8:10; r Job 10:8;
Sl 100:3; Sl 138:8; Sl 139:14; s 1Cr 22:12; Job
32:8; Sl 119:35; Ec 12:13; t Sl 34:2; u Sl 119:42;
Sl 119:147; v Ne 9:13; Sl 119:52; Sl 119:160.

y que con fidelidad me has afligido.[a]

76 Sirva tu bondad amorosa, por favor, para consolarme,[b]

según el dicho tuyo a tu siervo.[c]

77 Vengan a mí tus misericordias, para que siga viviendo;[d]

porque con tu ley estoy encariñado.[e]

78 Queden avergonzados los presuntuosos, porque sin causa me han extraviado.[f]

En cuanto a mí, yo me intereso intensamente en tus órdenes.[g]

79 Vuélvanse a mí los que te temen,[h]

los que también conocen tus recordatorios.[i]

80 Resulte mi corazón exento de falta en tus disposiciones reglamentarias,[j]

a fin de que no quede avergonzado.[k]

 כ [Kaf]

81 Se ha consumido mi alma en su vivo deseo por tu salvación;[l]

he esperado tu palabra.[m]

82 Se han consumido mis ojos en su vivo deseo por tu dicho,[n]

mientras digo: "¿Cuándo me consolarás?".[o]

83 Porque me he hecho como un odre[p] en el humo.

No he olvidado tus disposiciones reglamentarias.[q]

84 ¿Cuántos son los días de tu siervo?[r]

¿Cuándo ejecutarás juicio contra los que me persiguen?[s]

85 Los presuntuosos han excavado hoyos para atraparme,[t]

aquellos que no están en armonía con tu ley.[u]

86 Todos tus mandamientos son fidelidad misma.[v]

CAP. 119
a Dt 32:4
  Sl 89:33
  Heb 12:11
b Éx 34:6
  Sl 86:5
  2Co 1:3
c Sl 119:41
d Sl 51:1
  Sl 103:13
  Sl 119:116
  Da 9:18
  Lu 1:50
e Sl 1:2
  Ro 7:22
f Sl 25:3
  Sl 35:19
g Sl 19:8
  Sl 119:45
h Sl 142:7
i Sl 99:7
  Sl 119:2
j Dt 26:16
  1Re 8:58
  Sl 119:112
k Gé 3:7
  Sl 25:2
  Sl 119:6
  1Jn 2:28
l Sl 73:26
  Sl 84:2
  Miq 7:7
m Sl 119:74
  Sl 119:114
n Sl 69:3
  Sl 119:123
o Sl 86:17
  Sl 102:2
  Isa 51:3
  Isa 66:13
  2Co 1:3
p Gé 21:15
  Sl 56:8
q Sl 4:40
  Esd 7:10
  Sl 119:61
  Sl 119:176
r Job 7:7
  Sl 39:4
  Sl 89:47
s Sl 7:6
  Lu 18:7
  Rev 6:10
t Sl 7:15
  Sl 35:7
  Sl 119:78
  Pr 16:27
  Jer 18:20
u Sl 119:53
v Dt 11:27

2.a col.

a Sl 35:19
  Sl 142:6
b 1Re 3:14
c 1Sa 24:6
  Sl 119:56
  Sl 119:110
d Sl 6:4
  Sl 119:159
e Sl 19:7
f Sl 119:152
g Sl 89:2
  Isa 55:9
  1Pe 1:25
h Dt 7:9
  Sl 100:5
  1Co 1:9
  1Pe 4:19
i Sl 93:1
  Sl 104:5
  Ec 1:4
j Sl 148:6

Sin causa me han perseguido. Oh, ayúdame.[a]

87 En poco tiempo me hubieran exterminado en la tierra;[b]

pero yo mismo no dejé tus órdenes.[c]

88 Conforme a tu bondad amorosa consérvame vivo,[d]

para que guarde el recordatorio de tu boca.[e]

ל [Lá·medh]

89 Hasta tiempo indefinido, oh Jehová,[f]

tu palabra está estacionada en los cielos.[g]

90 Tu fidelidad es para generación tras generación.[h]

Has fijado sólidamente la tierra, para que siga subsistiendo.[i]

91 Conforme a tus decisiones judiciales han subsistido [hasta] hoy,[j]

porque todos son siervos tuyos.[k]

92 Si tu ley no hubiera sido aquello con lo que estoy encariñado,[l]

entonces habría perecido en mi aflicción.[m]

93 Hasta tiempo indefinido no olvidaré tus órdenes,[n]

porque por ellas me has conservado vivo.[o]

94 Tuyo soy. Oh sálvame,[p]

porque he buscado tus propias órdenes.[q]

95 Me han esperado los inicuos, para destruirme.[r]

Sigo mostrándome atento a tus recordatorios.[s]

96 A toda perfección he visto fin.[t]

Tu mandamiento es muy amplio.

מ [Mem]

97 ¡Cómo amo tu ley,[u] sí!

Todo el día ella es mi interés intenso.[v]

k Jos 10:13; Jue 5:20; Sl 148:3; l Sl 119:70; Sl 119:77; Sl 119:143; m Pr 6:23; Mt 4:4; n Sl 19:8; Sl 119:56; o Le 18:5; Dt 30:16; Jn 6:63; Ro 10:5; p Jos 10:6; Sl 86:2; Isa 41:10; q Sl 119:15; Sl 119:168; r 1Sa 24:2; Sl 10:8; Sl 37:32; Mt 26:4; Hch 23:21; s Sl 19:7; Sl 107:43; t 2Sa 14:25; 2Sa 18:14; u Sl 40:8; v Sl 1:2.

98 Tu mandamiento me hace más sabio que mis enemigos,[a]
porque hasta tiempo indefinido es mío.[b]

99 He llegado a tener más perspicacia que todos mis maestros,[c]
porque tus recordatorios me son de interés intenso.[d]

100 Me porto con más entendimiento que hombres de más edad,[e]
porque he observado tus propias órdenes.[f]

101 De toda senda mala he restringido mis pies,[g]
con el propósito de guardar tu palabra.[h]

102 De tus decisiones judiciales no me he desviado,[i]
porque tú mismo me has instruido.[j]

103 ¡Cuán suaves a mi paladar han sido tus dichos,
más que la miel a mi boca![k]

104 Debido a tus órdenes me porto con entendimiento.[l]
Por eso he odiado toda senda falsa.[m]

כ [Nun]

105 Tu palabra es una lámpara para mi pie,[n]
y una luz para mi vereda.[o]

106 He hecho una declaración jurada —y ciertamente la llevaré a cabo[p]—
de guardar tus justas decisiones judiciales.[q]

107 He sido afligido en gran grado.[r]
Oh Jehová, consérvame vivo conforme a tu palabra.[s]

108 Por favor, complácete en las ofrendas voluntarias de mi boca, oh Jehová,[t]
y enséñame tus propias decisiones judiciales.[u]

109 Mi alma está constantemente en la palma de mi mano;[v]
pero tu ley no he olvidado.[w]

110 Los inicuos me han tendido una trampa,[a]
pero no me he desviado de tus órdenes.[b]

111 He tomado tus recordatorios como posesión hasta tiempo indefinido,[c]
porque son el alborozo de mi corazón.[d]

112 He inclinado mi corazón a poner por obra tus disposiciones reglamentarias[e]
hasta tiempo indefinido, hasta lo último.[f]

ס [Sá·mekj]

113 A los de corazón irresoluto he odiado,[g]
pero tu ley he amado.[h]

114 Tú eres mi escondrijo y mi escudo.[i]
Tu palabra he esperado.[j]

115 Apártense de mí, malhechores,[k]
para que yo observe los mandamientos de mi Dios.[l]

116 Sosténme conforme a tu dicho, para que siga viviendo,[m]
y no me hagas quedar avergonzado por mi esperanza.[n]

117 Susténtame, para que sea salvo,[o]
y fijaré la vista constantemente en tus disposiciones reglamentarias.[p]

118 Has echado a un lado a todos los que se descarrían de tus disposiciones reglamentarias,[q]
porque su proceder mañoso es falsedad.[r]

119 Como escoria espumajosa has hecho cesar a todos los inicuos de la tierra.[s]

CAP. 119
a Dt 4:6; Sl 19:7; Pr 6:26; Pr 10:8
b Dt 5:29
c Pr 21:16; Mt 11:25; Mt 13:11; Lu 2:46; 2Ti 3:15
d Sl 19:7; Sl 119:79
e 1Sa 3:19; Job 32:4; Ec 4:13; Lu 2:47
f Sl 103:18; Sl 119:4; Sl 119:56
g Sl 18:23; Sl 119:59; Pr 1:15; Pr 10:23; Pr 16:17; 1Co 9:25; Gál 5:23; 2Pe 1:6
h Pr 7:2; i 2Cr 7:17; Sl 18:22
j 1Re 8:36; Sl 27:11; Sl 86:11; Isa 30:20; Isa 54:13; 1Jn 2:27
k Sl 19:10; Pr 8:11; Pr 24:13
l Sl 119:100; Sl 97:10; Sl 101:3; Pr 8:13; Tit 3:5; Ro 12:9
n 1Sa 2:9; Sl 43:3; Pr 6:23; Isa 51:4; Ro 15:4; 2Ti 3:16
o Pr 2:19; Job 29:3; Sl 18:28; Ef 5:13
p 2Cr 15:14; Ne 10:29; Sl 66:13; Mt 5:33
q Le 18:5; Nú 16:5; Dt 1:35; Dt 7:12
r Sl 34:19; Sl 119:88; Sl 143:11
t Nú 29:39; Sl 50:23; Os 14:2; Heb 13:15
u Pr 4:5; Dt 33:10; Isa 48:17
v Jue 12:3; 1Sa 19:5; Job 13:14
w Sl 119:61; Sl 119:153

2.ª col.
a Sl 140:5; Sl 141:9; Sl 119:87; Sl 119:129; 2Pe 3:1

d Sl 19:8; Jer 15:16; e 1Re 8:58; 2Cr 19:3; Sl 105:45; f Sl 119:33; g 1Re 18:21; 2Re 17:41; Rev 2:6; h Sl 40:8; Sl 119:97; i Sl 32:7; Sl 91:2; j Sl 119:81; Sl 130:5; k Sl 6:8; Sl 26:5; Sl 139:19; Mt 7:23; 1Co 15:33; l Éx 20:6; Jos 24:15; m Sl 37:17; Sl 41:12; Isa 41:10; n Sl 25:2; Isa 45:17; Ro 5:5; Ro 10:11; 1Pe 2:6; o Sl 17:5; Isa 41:13; p Dt 6:24; Jos 1:8; Sl 119:48; q 2Re 17:15; 1Cr 28:9; Sl 95:10; Lam 1:15; r Sl 78:36; Jer 8:5; Jer 14:14; Jer 23:26; Ef 4:14; s 1Sa 15:23; Pr 2:22; Pr 25:4; Jer 6:30; Eze 22:18.

Por eso he amado tus re- cordatorios.[a]

120 Por el pavor de ti mi carne ha tenido sensación de hormigueo;[b]

y a causa de tus decisio- nes judiciales he tenido miedo.[c]

ע [ʼÁ·yin]

121 He ejecutado juicio y justi- cia.[d]

¡Oh, no me abandones a los que me defraudan![e]

122 Sirve de fianza a tu siervo para lo que es bueno.[f]

No me defrauden los pre- suntuosos.[g]

123 Mis ojos mismos se han con- sumido del vivo deseo por tu salvación[h]

y por tu justo dicho.[i]

124 Haz con tu siervo conforme a tu bondad amorosa,[j]

y enséñame tus pro- pias disposiciones re- glamentarias.[k]

125 Soy tu siervo.[l] Hazme en- tender,[m]

para que conozca tus recordatorios.[n]

126 Es el tiempo para que Jeho- vá obre.[o]

Han quebrantado tu ley.[p]

127 Por eso he amado tus man- damientos[q]

más que el oro, aun oro refinado.[r]

128 Por eso he considerado rec- tas todas las órdenes respecto de todas las cosas;[s]

toda senda falsa he odia- do.[t]

פ [Pe']

129 Tus recordatorios son mara- villosos.[u]

Por eso mi alma los ha ob- servado.[v]

130 La manifestación misma de tus palabras da luz,[w]

y hace entender a los in- expertos.[x]

131 Mi boca he abierto bien, para poder jadear,[y]

porque tus mandamien- tos he anhelado.[z]

132 Dirígete a mí y muéstrame favor,[a]

conforme a [tu] decisión judicial para con los que aman tu nombre.[b]

133 Fija mis propios pasos só- lidamente en tu dicho,[c]

y no se enseñoree do- minantemente de mí ninguna clase de cosa perjudicial.[d]

134 Redímeme de cualquier de- fraudador de la huma- nidad,[e]

y ciertamente guardaré tus órdenes.[f]

135 Haz brillar tu propio rostro sobre tu siervo,[g]

y enséñame tus disposi- ciones reglamentarias.[h]

136 Corrientes de agua han ba- jado corriendo de mis ojos[i]

debido al hecho de que no se ha guardado tu ley.[j]

צ [Tsa·dhéh]

137 Tú eres justo, oh Jehová,[k]

y tus decisiones judiciales son rectas.[l]

138 Has ordenado tus recorda- torios[m] en justicia

y en suma fidelidad.[n]

139 Mi ardor me ha acabado,[o]

porque mis adversarios han olvidado tus pala- bras.[p]

140 Tu dicho es muy refinado,[q]

y tu propio siervo lo ama.[r]

141 Yo soy insignificante y des- preciable.[s]

Tus órdenes no he olvi- dado.[t]

142 Tu justicia es una justicia hasta tiempo indefini- do,[u]

y tu ley es la verdad.[v]

CAP. 119

a Sl 93:5
Sl 119:2
b 2Sa 6:9
Sl 2:11
Hab 3:16
c Le 20:22
Ne 10:29
d 1Sa 24:11
2Sa 8:15
Miq 6:8
2Co 1:12
e Sl 37:33
2Pe 2:9
f Gé 44:32
Job 17:3
Isa 38:14
Flm 19
g Sl 36:11
Sl 119:78
Os 12:7
h Sl 69:3
Sl 143:7
i Sl 119:81
j Sl 69:16
Sl 103:11
Lu 18:13
k Sl 119:135
Sl 143:10
l Sl 116:16
Ro 6:22
m 2Cr 1:10
Sl 119:34
2Ti 2:7
Snt 1:5
n Sl 19:7
o Sl 9:19
Sl 102:13
Isa 28:21
Jer 18:23
p Mú 15:31
Isa 24:5
Isa 33:8
Mt 24:12
1Ti 1:9
q Sl 119:47
r Sl 19:10
Sl 119:72
Pr 3:14
Pr 8:11
Pr 16:16
s Sl 19:8
Sl 119:40
Pr 30:5
t Sl 119:104
u Sl 93:5
v Sl 25:10
Sl 119:2
w Sl 119:105
Pr 6:23
2Co 4:6
2Pe 1:19
x Sl 19:7
Pr 1:4
2Ti 3:15
y 1Pe 2:2
z Sl 42:1
Sl 119:48

2.ª col.

a Éx 4:31
1Sa 1:1
2Sa 16:12
Isa 38:20
Isa 63:9
b Sl 72:19
Sl 106:4
Hch 15:14
Heb 6:10
c Sl 18:30
Sl 119:67
d Sl 19:13
Ro 6:12
e Eze 22:7
f Sl 119:4
g Nú 6:25
Sl 4:6

---

h Dt 4:1; i 1Sa 15:11; Jer 9:18; Lam 3:48; 2Pe 2:8; j Sl 119:53; Eze 9:4; Eze 22:26; Os 4:6; Am 2:4; k Dt 32:4; Esd 9:15; Ne 9:33; Jer 12:1; Ro 10:16; Sl 69:9; Jn 2:17; p Isa 17:10; Jer 3:21; q 2Sa 22:31; Sl 12:6; Sl 18:30; Sl 119:160; Pr 30:5; Jn 17:17; r Sl 119:97; Sl 119:163; s Sl 22:6; Lu 17:10; Lu 18:13; 1Pe 5:6; t Sl 119:93; u Sl 36:6; Isa 51:6; Da 9:24; v Éx 34:6; Ne 9:13; Sl 19:9; Sl 119:151; Sl 119:160; Jn 17:17.

143 Angustia y dificultad mismas me hallaron.[a]
Con tus mandamientos estaba encariñado.[b]

144 La justicia de tus recordatorios es hasta tiempo indefinido.[c]
Hazme entender, para que siga viviendo.[d]

ק [Qohf]

145 He llamado con todo [mi] corazón.[e] Respóndeme, oh Jehová.[f]
Tus disposiciones reglamentarias ciertamente observaré.[g]

146 Te he invocado. ¡Oh sálvame![h]
Y ciertamente guardaré tus recordatorios.[i]

147 Me he levantado temprano en el crepúsculo matutino,[j] para poder clamar por ayuda.[k]
Tus palabras he esperado.[l]

148 Mis ojos se han anticipado a las vigilias de la noche,[m]
[para que] me interese intensamente en tu dicho.[n]

149 Oh, de veras oye mi propia voz conforme a tu bondad amorosa.[o]
Oh Jehová, conforme a tu decisión judicial consérvame vivo.[p]

150 Los que siguen tras conducta relajada se han acercado;[q]
se han alejado mucho de tu propia ley.[r]

151 Tú estás cerca, oh Jehová,[s]
y todos tus mandamientos son la verdad.[t]

152 Hace mucho que he conocido algunos de tus recordatorios,[u]
porque hasta tiempo indefinido los has fundado.[v]

ר [Rehsch]

153 Oh, ve mi aflicción, y líbrame;[w]
porque no he olvidado tu propia ley.[x]

154 Oh, de veras conduce mi causa judicial y recóbrame;[a]
consérvame vivo de acuerdo con tu dicho.[b]

155 La salvación está lejos de los inicuos,[c]
porque no han buscado tus propias disposiciones reglamentarias.[d]

156 Muchas son tus misericordias, oh Jehová.[e]
Conforme a tus decisiones judiciales, oh consérvame vivo.[f]

157 Mis perseguidores y mis adversarios son muchos.[g]
De tus recordatorios no me he desviado.[h]

158 He visto a los que son traicioneros en los tratos,[i]
y de veras siento asco,
porque no han guardado tu propio dicho.[j]

159 Oh, ve que yo he amado tus propias órdenes.[k]
Oh Jehová, conforme a tu bondad amorosa consérvame vivo.[l]

160 La sustancia de tu palabra es verdad,[m]
y toda justa decisión judicial tuya es hasta tiempo indefinido.[n]

ש [Sin] o [Schin]

161 Los príncipes mismos me han perseguido sin causa alguna,[o]
pero mi corazón ha sentido pavor ante tus propias palabras.[p]

162 Ando alborozado a causa de tu dicho,[q]
tal como uno hace al hallar mucho despojo.[r]

163 La falsedad he odiado,[s] y de veras sigo detestándola.[t]
Tu ley he amado.[u]

CAP. 119

a Sl 18:4
Sl 88:3
Mr 14:34
b Sl 112:1
Sl 119:47
c Sl 93:5
Jer 44:23
d Sl 119:34
Sl 119:116
Pr 10:21
Da 12:10
e Lam 3:41
Mt 22:37
f Sl 61:1
g Éx 15:26
Le 26:46
Sl 119:8
h Sl 3:7
Mr 11:9
Rev 7:10
i Sl 119:22
j Job 3:9
k Sl 33:3
Sl 88:13
Mr 1:35
l Sl 130:5
m Sl 63:6
Lu 6:12
n Sl 119:11
o Sl 51:1
Sl 65:2
Isa 63:7
p Sl 25:9
Sl 119:156
q Le 18:17
Jue 20:6
Sl 26:10
Pr 10:23
Pr 21:27
Gál 5:19
2Pe 2:2
Jud 4
r Le 20:14
Pr 24:9
Jer 9:13
Ro 1:32
s Dt 4:7
Sl 46:1
Sl 145:18
t Ne 9:13
Sl 19:9
Sl 119:142
Jn 17:17
1Pe 1:22
u Sl 93:5
v Sl 119:144
Ec 3:14
w Sl 6:4
Sl 9:13
Sl 140:1
x Sl 119:109
Os 4:6

2.ª col.

a Jue 6:31
1Sa 24:15
Sl 35:1
Sl 43:1
Pr 22:23
Pr 23:11
Jer 50:34
Lam 3:59
Miq 7:9
b Heb 10:39
c Sl 73:27
Pr 15:29
d 1Re 8:58
Sl 119:69
e 1Cr 21:13
Sl 86:15
Isa 55:7
2Co 1:3
Snt 5:11
f Sl 119:149

g Sl 3:1; Sl 25:19; Sl 56:2; Mt 24:9; h Sl 19:7; Sl 44:18; Sl 119:51; 1Co 15:58; i Ex 21:8; Pr 2:22; Pr 11:6; Sof 3:4; j Sl 139:21; Eze 9:4; k Sl 119:40; Sl 119:69; l Sl 6:4; Sl 119:88; Lam 3:22; m 2Sa 7:28; 1Re 17:24; Sl 12:6; Sl 119:140; Pr 30:5; Jn 17:17; n Sl 119:75; o 1Sa 24:11; 1Sa 26:18; Sl 119:23; Jn 15:25; p Éx 9:20; 2Re 22:19; Isa 66:2; q Sl 40:16; Isa 61:10; Jer 15:16; r 1Sa 30:16; Isa 9:3; s Sl 119:104; Pr 6:19; Am 5:15; Ro 12:9; t Sl 101:7; Sl 119:29; Ef 4:25; u Sl 1:2.

164 Siete veces al día te he alabado[a]
a causa de tus justas decisiones judiciales.[b]

165 Paz abundante pertenece a los que aman tu ley,[c]
y no hay para ellos tropiezo.[d]

166 He esperado de ti la salvación, oh Jehová,[e]
y he puesto por obra tus propios mandamientos.[f]

167 Mi alma ha guardado tus recordatorios,[g]
y los amo en sumo grado.[h]

168 He guardado tus órdenes y tus recordatorios,[i]
porque todos mis caminos están enfrente de ti.[j]

ת   [Taw]

169 Que mi clamor rogativo se acerque delante de ti, oh Jehová.[k]
Conforme a tu palabra, oh hazme entender.[l]

170 Entre mi petición de favor delante de ti.[m]
Conforme a tu dicho, oh líbrame.[n]

171 Que mis labios hagan salir burbujeando alabanza,[o]
pues tú me enseñas tus disposiciones reglamentarias.[p]

172 Cante mi lengua tu dicho,[q]
porque todos tus mandamientos son justicia.[r]

173 Sirva tu mano para ayudarme,[s]
porque tus órdenes he escogido.[t]

174 He ansiado tu salvación, oh Jehová,[u]
y con tu ley estoy encariñado.[v]

175 Siga mi alma viviendo y alabándote,[w]
y ayúdenme tus propias decisiones judiciales.[x]

176 He andado errante como una oveja perdida.[y] Oh busca a tu siervo,[z]
porque no he olvidado tus propios mandamientos.[a]

Canción de las Subidas.

120 A Jehová clamé en la angustia mía,[b]
y él procedió a responderme.[c]

2 Oh Jehová, de veras libra mi alma de los labios falsos,[d]
de la lengua mañosa.[e]

3 ¿Qué se te dará, y qué se te añadirá,
oh lengua mañosa?[f]

4 Flechas aguzadas de un poderoso,[g]
juntamente con brasas ardientes de las retamas.[h]

5 ¡Ay de mí, porque he habitado como forastero en Mésec![i]
He residido junto con las tiendas de Quedar.[j]

6 Por demasiado tiempo ha residido[k] mi alma
con los odiadores de la paz.[l]

7 Yo abogo por paz;[m] pero cuando hablo,
ellos favorecen guerra.[n]

Canción para las Subidas.

121 Alzaré mis ojos a las montañas.[o]
¿De dónde vendrá mi ayuda?[p]

2 Mi ayuda viene de Jehová,[q]
el Hacedor del cielo y de la tierra.[r]

3 No es posible que él permita que tu pie tambalee.[s]
A Aquel que te guarda no le es posible adormecerse.[t]

4 ¡Mira! No estará adormecido ni se dormirá,[u]
aquel que está guardando a Israel.[v]

CAP. 119
a Sl 55:17
Sl 119:62
b Sl 97:8
Rev 19:2
c Sl 1:3
Pr 3:1
Isa 32:17
Isa 48:18
1Co 14:33
d Isa 57:14
Mt 13:21
Ro 14:13
1Pe 2:6
e Gé 49:18
Sl 130:7
f Dt 4:2
Sl 19:8
g Sl 19:7
Sl 25:10
Sl 99:7
h Sl 1:2
Sl 62:8
Ro 7:22
i Sl 119:8
Sl 119:93
j Sl 11:5
Sl 139:3
Pr 5:21
Pr 15:11
Heb 4:13
k Sl 18:6
1Cr 22:12
2Cr 1:10
Pr 2:3
Snt 1:5
m Sl 55:1
n 2Sa 7:28
Sl 119:41
o Sl 63:5
Sl 71:17
Sl 145:7
Jn 4:14
p Dt 6:1
q Sl 40:9
Sl 119:11
r Sl 119:86
s Sl 60:5
t Dt 30:19
Jos 24:15
Jos 24:22
Sl 119:15
Pr 1:29
Lu 10:42
u Gé 49:18
2Sa 23:5
Sl 119:81
Rev 7:10
v Sl 1:2
Sl 119:16
w Sl 9:14
Isa 38:19
x Dt 4:1
Sl 119:75
y Sl 95:7
Isa 53:6
Eze 34:6
Mt 10:6
Lu 15:4
1Pe 2:25
z 2Cr 32:16

2.ª col.

a Le 27:34
Sl 119:60
Ec 12:13
Os 4:6

CAP. 120

a Sl 18:6
Sl 116:4
c Sl 50:15
Sl 107:13
Jon 2:2

d Sl 35:11; Sl 109:2; Mt 26:59; Ef 4:29; e Sl 52:2; Sl 119:118; Ef 4:14; f Sl 52:4; Pr 12:22; Snt 3:6; g Sl 7:13; Sl 59:7; Sl 64:3; Pr 12:18; h Sl 140:10; Pr 16:27; i Gé 10:2; Eze 27:13; j Can 1:5; Jer 49:28; k Heb 11:9; l Sl 57:4; Eze 2:6; Mt 10:16; m Sl 34:14; Mt 5:9; Heb 12:14; 1Pe 3:11; n 1Sa 24:11; 1Sa 26:2; Sl 35:20; CAP. 121 o Sl 125:2; p Sl 124:8; Sl 146:5; Os 13:9; q 1Re 8:45; Sl 3:4; Sl 46:1; Isa 41:13; Jer 20:11; Da 6:10; Heb 13:6; r Gé 1:1; Sl 8:3; Sl 115:15; Sl 124:8; Isa 40:28; Hch 17:24; Rev 4:11; s Isa 2:9; Sl 91:12; Pr 3:26; Lu 1:79; t Dt 2:8; 1Pe 1:5; u Isa 27:3; Isa 40:28; v Sl 127:1.

5 Jehová te está guardando.[a]
   Jehová es tu sombra[b] a tu
      mano derecha.[c]
6 De día el sol mismo no te he-
      rirá,[d]
   ni la luna de noche.[e]
7 Jehová mismo te guardará
      contra toda calamidad.[f]
   Él guardará tu alma.[g]
8 Jehová mismo guardará tu
      salida y tu entrada[h]
   desde ahora y hasta tiempo
      indefinido.[i]

Canción de las Subidas. De David.

122 Me regocijé cuando es-
      tuvieron dicién-
      dome:[j]
   "Vamos[k] a la casa de
      Jehová".[l]
2 Nuestros pies resultaron es-
      tar plantados[m]
   dentro de tus puertas, oh
      Jerusalén.[n]
3 Jerusalén es una que está edi-
      ficada como ciudad[o]
   que ha sido bien trabada en
      unidad,[p]
4 a la cual han subido las tri-
      bus,[q]
   las tribus de Jah,[r]
   como recordatorio a Israel[s]
   para dar gracias al nombre
      de Jehová.[t]
5 Porque allí han estado asen-
      tados los tronos para
      juicio,[u]
   tronos para la casa de Da-
      vid.[v]
6 Pidan la paz de Jerusalén.[w]
   Los que te aman, [oh ciu-
      dad,] estarán libres de
      cuidado.[x]
7 Continúe la paz dentro de tu
      antemural,[y]
   la libertad de cuidado den-
      tro de tus torres de habi-
      tación.[z]
8 Por amor a mis hermanos y
      mis compañeros cierta-
      mente hablaré ahora:[a]
   "Haya paz dentro de ti".[b]
9 Por amor de la casa de Jehová
      nuestro Dios[c]
   ciertamente seguiré bus-
      cando el bien para ti.[d]

CAP. 121
a Éx 15:2
   Nú 23:21
b Sl 91:1
   Isa 4:5
   Isa 25:4
c Sl 16:8
   Sl 73:23
   Sl 109:31
d Sl 91:6
   Isa 49:10
   Rev 7:16
e Job 31:26
   Sl 91:5
f Sl 91:10
   Pr 12:21
g Sl 34:22
   Sl 41:2
   Sl 97:10
   Sl 145:20
h Dt 28:6
   2Sa 5:2
i Sl 113:2
   Sl 115:18

CAP. 122
j Sl 42:4
   Sl 55:14
   Sl 106:5
k 2Sa 6:15
   Sl 84:10
   Sl 84:2
l Sl 27:4
m Sl 84:7
n 2Cr 6:6
   Sl 87:2
   Sl 100:4
o 2Sa 5:9
   Sl 132:13
p Sl 48:2
q Éx 23:17
   Sl 78:68
   Isa 2:3
r Dt 12:5
s Éx 16:34
   Sl 19:7
t Sl 107:1
u Dt 17:8
   2Cr 19:8
v 2Sa 7:16
   2Sa 8:18
   1Re 10:18
   1Cr 29:23
   Mt 19:28
w 2Sa 19:30
   Sl 51:18
x Gé 12:3
   Nú 24:9
y Sl 48:13
z Sl 48:12
a 1Cr 12:18
b 1Cr 12:18
c 1Re 8:6
   1Cr 29:3
   Sl 26:8
   Sl 69:9
d Sl 102:14
   Sl 137:5

2.ª col.

CAP. 123
a Sl 25:15
   Sl 121:1
   Sl 141:8
   Lu 18:13
b Sl 2:4
   Sl 11:4
   Sl 115:3
   Mt 6:9
c Ne 2:3

Canción de las Subidas.

123 A ti he alzado mis ojos,[a]
      oh Tú que moras en
      los cielos.[b]
2 ¡Mira! Como los ojos de los
      siervos están dirigidos a
      la mano de su amo,[c]
   como los ojos de la sierva
      están dirigidos a la mano
      de su ama,[d]
   así nuestros ojos están diri-
      gidos a Jehová nuestro
      Dios[e]
   hasta que nos muestre fa-
      vor.[f]
3 Muéstranos favor, oh Jehová,
      muéstranos favor;[g]
   porque hasta grado abun-
      dante se nos ha hartado
      de desprecio.[h]
4 En abundancia nuestra alma
      ha sido hartada del es-
      carnio de los que están
      con desahogo,[i]
   del desprecio de parte de
      los arrogantes.[j]

Canción de las Subidas. De David.

124 "De no haber sido por-
      que Jehová resultó
      estar por nosotros[k]
   —diga ahora Is-
      rael[l]—,
2 de no haber sido porque Je-
      hová resultó estar por
      nosotros[m]
   cuando hombres se levan-
      taron contra nosotros,[n]
3 entonces nos habrían tragado
      aun vivos,[o]
   cuando la cólera de ellos
      ardía contra nosotros.[p]
4 Entonces las mismísimas
      aguas nos habrían arro-
      llado,[q]
   el torrente mismo habría
      pasado sobre nuestra
      alma.[r]
5 Entonces habrían pasado so-
      bre nuestra alma
   las aguas de la presunción.[s]

d Gé 16:3; e Gé 49:18; Sl 119:82; Sl 119:123; Sl 130:6; f Lam 3:25; Miq 7:7; g Sl 56:1; Sl 57:1; Sl 69:16; h Ne 4:4; Sl 44:13; Sl 89:51; i Sl 73:12; Sl 119:51; Jer 48:11; j Sl 73:6; Jer 48:29; 1Co 4:13; CAP. 124 k Sl 46:7; Ro 8:31; Heb 13:6; Sl 129:1; m Sl 54:4; Sl 118:6; n Sl 3:1; Sl 22:16; Sl 37:32; o 2Cr 20:2; Est 3:6; Sl 27:2; Jer 51:34; p Sl 56:1; Sl 76:10; Pr 1:12; q Sl 18:4; Rev 17:15; r Sl 42:7; s Pr 21:24.

6 Bendito sea Jehová, que no
    nos ha dado[a]
    como presa a los dientes de
        ellos.[b]
7 Nuestra alma es como un pá-
    jaro que ha escapado[c]
    de la trampa de los que
        usan señuelo.[d]
    La trampa está quebrada,[e]
    y nosotros mismos hemos
        escapado.[f]
8 Nuestra ayuda está en el
    nombre de Jehová,[g]
    el Hacedor del cielo y de la
        tierra."[h]

Canción de las Subidas.

125 Los que confían en Je-
        hová[i]
        son como el monte
            Sión,[j] al que no se le
            puede hacer tam-
            balear, sino que
            mora aun hasta
            tiempo indefinido.[k]
2 Jerusalén... como hay monta-
    ñas todo en derredor de
        ella,[l]
    así Jehová está todo en
        derredor de su pueblo[m]
    desde ahora y hasta tiempo
        indefinido.[n]
3 Porque el cetro de iniquidad
    no seguirá descansando[o]
    sobre la suerte de los jus-
        tos,
    a fin de que los justos no
        alarguen la mano a nin-
        guna mala acción.[p]
4 Oh, haz bien, oh Jehová, a los
        buenos,[q]
    aun a los que son rectos en
        su corazón.[r]
5 En cuanto a los que se des-
    vían a sus caminos torci-
        dos,[s]
    Jehová hará que se vayan
        con los practicantes de lo
        que es perjudicial.[t]
    Habrá paz sobre Israel.[u]

Canción de las Subidas.

126 Cuando Jehová recogió
        de vuelta a los cau-
        tivos de Sión,[v]
        nos pusimos como los

que estaban soñan-
    do.[a]
2 En aquel tiempo nuestra boca
    se llenó de risa,[b]
    y nuestra lengua de clamor
        gozoso.[c]
    En aquel tiempo procedieron
        a decir entre las nacio-
        nes:[d]
        "Jehová ha hecho una cosa
        grande en lo que ha
        hecho con ellos".[e]
3 Jehová ha hecho una cosa
    grande en lo que ha he-
        cho con nosotros.[f]
    Nos hemos puesto gozo-
        sos.[g]
4 De veras recoge de vuelta, oh
    Jehová, a nuestra com-
        pañía de cautivos,[h]
    como los cauces de los
        arroyos en el Négueb.[i]
5 Los que siembran con lágri-
        mas[j]
    segarán aun con clamor
        gozoso.[k]
6 El que sin falta sale, aun llo-
        rando,[l]
    llevando consigo una bolsa
        llena de semilla,[m]
    sin falta entrará con un cla-
        mor gozoso,[n]
    trayendo consigo sus ga-
        villas.[o]

Canción de las Subidas.
De Salomón.

127 A menos que Jehová
        mismo edifique la
        casa,[p]
    de nada vale que sus
        edificadores hayan
        trabajado duro en
        ella.[q]
    A menos que Jehová
        mismo guarde la
        ciudad,[r]
    de nada vale que el
        guarda se haya
        quedado despier-
        to.[s]
2 De nada vale que ustedes es-

CAP. 124
a 1Sa 26:20
   Sl 118:13
b Éx 15:9
   Jue 5:30
c 1Sa 23:26
   2Sa 17:22
d Pr 6:5
   Jer 5:26
e Sl 25:15
f Sl 91:3
g Pr 18:10
h Gé 1:1
   Sl 121:2
   Sl 134:3
   Hch 4:24

CAP. 125
i 1Cr 5:20
   Sl 33:21
   Sl 118:8
   Pr 3:5
   Jer 17:7
j Sl 48:2
   Sl 132:14
   Miq 4:2
   Rev 14:1
k 1Re 8:13
l 1Re 11:7
   Hch 1:12
m Dt 33:27
   Sl 34:7
   Sl 46:11
   Isa 4:5
   Isa 31:5
   Zac 2:5
n Esd 3:11
o Pr 22:8
   Isa 10:5
   Isa 14:5
p Ec 7:7
q Job 34:11
   Sl 51:18
   Sl 73:1
   Heb 6:10
r Sl 32:11
   Sl 36:10
   Sl 97:11
   Jn 1:47
s 1Cr 10:13
   Sl 40:4
   Sl 101:3
   Pr 2:15
   Isa 59:8
t Sl 53:5
u Sl 128:6
   Eze 37:26
   Gál 6:16

CAP. 126
v Esd 1:3
   Sl 53:6
   Sl 85:1
   Os 6:11

2.ª col.
a Job 9:16
   Hch 12:9
b Sl 14:7
   Isa 49:13
   Jer 31:12
c Esd 3:11
   Sl 106:47
   Jer 33:11
d Ro 15:10
   Rev 15:4
e Nú 23:23
   Jos 2:9
   Ne 6:16

f Esd 7:28; Sl 18:50; Sl 68:7; Isa 11:11; Isa 61:6;
Zac 8:23; Mt 24:31; Rev 11:11; g Sl 14:7; h Sl
85:4; i Isa 41:18; j Sl 137:1; Jer 31:9; k Mt 5:4;
Jn 16:20; l Jer 50:4; m Gál 6:7; n Sl 30:5; Isa
61:3; o Isa 9:3; CAP. 127 p 2Sa 7:11; Pr 3:6;
Mt 6:10; Heb 3:2; Snt 4:15; q Pr 10:22; 1Co 3:9;
r Jue 5:8; Sl 121:5; Isa 27:3; Zac 2:5; s Pr 16:3;
Isa 62:6; Jer 51:12; Eze 33:2.

tén levantándose muy de
mañana,[a]
que estén sentados tarde,[b]
que estén comiendo alimento
con dolores.[c]
Justamente así él da sueño
aun a su amado.[d]
3 ¡Miren! Los hijos son una
herencia de parte de Je-
hová;[e]
el fruto del vientre es un
galardón.[f]
4 Como flechas en la mano de
un hombre poderoso,[g]
así son los hijos de la juventud.[h]
5 Feliz es el hombre físicamente capacitado que ha lle-
nado[i] su aljaba de ellos.
No serán avergonzados,[j]
porque hablarán con ene-
migos en la puerta.

Canción de las Subidas.

128 Feliz es todo el que teme a Jehová,[k]
que anda en sus cami-
nos.[l]
2 Porque comerás el afán de tus
propias manos.[m]
Feliz serás, y te irá bien.[n]
3 Tu esposa será como vid que
produce fruto[o]
en las partes más recónditas de tu casa.
Tus hijos serán como plan-
tones de olivos[p] todo en
derredor de tu mesa.
4 ¡Mira! Así será bendecido el
hombre físicamente ca-
pacitado[q]
que teme a Jehová.[r]
5 Jehová te bendecirá desde
Sión.[s]
Ve también el bien de Jerusalén todos los días de tu
vida,[t]
6 y ve a los hijos de tus hijos.[u]
Haya paz sobre Israel.[v]

Canción de las Subidas.

129 "Por bastante tiempo
me han mostrado
hostilidad desde
mi juventud[w]
—diga ahora Is-
rael[x]—,
2 por bastante tiempo me han

mostrado hostilidad des-
de mi juventud;[a]
sin embargo, no han prevalecido contra mí.[b]
3 Aradores han arado sobre mi
espalda misma;[c]
han alargado sus surcos."
4 Jehová es justo.[d]
Ha cortado en pedazos las
sogas de los inicuos.[e]
5 Quedarán avergonzados, y
ellos mismos se volverán
atrás,[f]
todos los que odian a Sión.[g]
6 Se harán como la hierba verde de los techos,[h]
que antes que la hayan
arrancado se ha secado,[i]
7 de la cual el segador no ha
llenado su propia mano,[j]
ni el que recoge gavillas su
propio seno.
8 Ni han dicho los que van pasando:
"La bendición de Jehová
esté sobre ustedes.[k]
Los hemos bendecido en el
nombre de Jehová".[l]

Canción de las Subidas.

130 Desde las profundidades te he invocado,
oh Jehová.[m]
2 Oh Jehová, de veras oye mi
voz.[n]
Resulten atentos tus oídos
a la voz de mis súplicas.[o]
3 Si errores fuera lo que tú vigilas,[p] oh Jah,
oh Jehová, ¿quién podría
estar de pie?[q]
4 Porque hay el [verdadero]
perdón contigo,[r]
a fin de que se te tema.[s]
5 He tenido esperanza, oh Je-

CAP. 127
a Sl 39:6
b Rut 2:7
c Gé 3:17
d Sl 4:8
Sl 4:8
Ec 5:12
Jer 31:26
e Gé 33:5
Gé 48:4
1Sa 2:21
1Cr 28:5
f Gé 30:2
Gé 41:52
Le 26:9
Dt 28:4
Jos 24:3
Jos 24:4
Sl 128:3
Isa 8:18
g Jer 50:9
h Pr 17:6
Pr 31:28
i Gé 50:23
Job 1:2
Job 42:13
j Pr 27:11

CAP. 128
k Sl 103:17
Sl 112:1
Sl 115:13
Sl 147:11
Lu 1:48
Heb 5:7
l Gé 6:9
Sl 81:13
Sl 119:1
Miq 6:8
Lu 1:6
Hch 9:31
1Te 4:1
m Gé 3:19
Dt 28:4
Isa 3:10
n Ec 5:18
Isa 65:22
o Éx 23:26
Sl 127:3
p Sl 52:8
Sl 144:12
Os 14:6
Ro 11:24
q Sl 40:4
Sl 127:5
r Sl 15:4
Sl 115:13
Ec 8:12
s Sl 20:2
Sl 134:3
Miq 4:2
t Sl 122:6
Isa 33:20
u Gé 50:23
Job 42:16
v Sl 125:5
Isa 66:12
Gál 6:16

CAP. 129
w Éx 5:9
1Sa 13:19
x Sl 124:1

2.ᵃ col.
a Lam 1:3
Eze 23:3
Os 11:1
b Sl 118:13
Sl 125:3
Jn 16:33

c Sl 66:12; Sl 141:7; Isa 51:23; d Esd 9:15; Ne
9:33; Lam 1:18; Da 9:7; e Sl 124:7; Sl 140:5;
f Ne 6:16; Est 6:13; Est 9:5; Isa 37:29; Zac 12:3;
g Sl 83:4; Sl 137:7; h 2Re 19:26; Ne 4:4; Sl 37:2;
Sl 92:7; Isa 37:27; Jer 17:6; i Mt 13:6; j Isa 17:11;
Os 8:7; Gál 6:8; k Rut 2:4; l Sl 118:26; CAP. 130
m Sl 18:5; Sl 25:17; Sl 40:2; Sl 71:20; Lam 3:55;
Jon 2:2; Heb 5:7; n Sl 4:1; Sl 65:2; o 2Cr 6:40; Sl
17:1; Sl 18:6; Sl 34:15; p Esd 9:6; Ne 9:2; Sl
38:4; Sl 41:4; Sl 51:4; Ro 3:23; q Job 9:2; Job
10:14; Sl 103:14; Sl 143:2; Isa 55:7; Da 9:18; Ro
3:20; Tit 3:5; Snt 3:2; r Éx 34:7; Sl 25:11; Ro
4:7; s 1Re 8:40; Sl 2:11; Jer 33:9; Hch 9:31.

hová, mi alma ha tenido
esperanza,[a]
y su palabra he esperado.[b]

6 Mi alma [ha esperado] a Jehová[c]
más que los vigías la ma-
ñana,[d]
al vigilar en espera de la
mañana.[e]

7 Siga Israel esperando a Jehová.[f]
Porque con Jehová está la
bondad amorosa,[g]
y de modo abundante está
la redención con él.[h]

8 Y él mismo redimirá a Israel
de todos sus errores.[i]

Canción de las Subidas. De David.

131 Oh Jehová, mi corazón
no ha sido altivo,[j]
ni mis ojos han sido
altaneros;[k]
ni he andado en cosas
demasiado gran-
des,[l]
ni en cosas dema-
siado maravillosas
para mí.[m]

2 De seguro he sosegado y
aquietado mi alma[n]
como un niño destetado
sobre su madre.[o]
Mi alma está como un niño
destetado sobre mí.[p]

3 Espere Israel a Jehová[q]
desde ahora y hasta tiempo
indefinido.[r]

Canción de las Subidas.

132 Respecto a David,[s]
acuérdate, oh Je-
hová,
de todas sus humilla-
ciones;[t]

2 de cómo juró a Jehová,[u]
de cómo hizo un voto al Poderoso[v] de Jacob:[w]

3 "Ciertamente no entraré en la
tienda de mi casa.[x]
Ciertamente no subiré so-
bre el diván de mi mag-
nífico canapé.[y]

4 ciertamente no daré sueño a
mis ojos,[z]
no, ni ligero sueño a mis
propios ojos radiantes,[a]

5 hasta que halle un lugar para
Jehová,[a]
un magnífico tabernáculo
para el Poderoso de Ja-
cob".[b]

6 ¡Miren! Lo hemos oído en
Efrata,[c]
lo hemos hallado en los
campos del bosque.[d]

7 Entremos en su magnífico
tabernáculo;[e]
inclinémonos ante el escabel de sus pies.[f]

8 De veras levántate, oh Jehová, a tu lugar de descan-
so,[g]
tú y el Arca[h] de tu fuerza.[i]

9 Vistan tus sacerdotes mismos de justicia,[j]
y clamen gozosamente los
tuyos que te son leales.[k]

10 A causa de David tu siervo,[l]
no vuelvas atrás el rostro
de tu ungido.[m]

11 Jehová ha jurado a David,[n]
verdaderamente no se re-
traerá de ello:
"Del fruto de tu vientre[p]
pondré en tu trono.[q]

12 Si tus hijos guardan mi pacto[r]
y mis recordatorios que yo
les enseñaré,[s]
los hijos de ellos también
para siempre
se sentarán sobre tu tro-
no".[u]

13 Porque Jehová ha escogido a
Sión;[v]
la ha ansiado como morada
para sí;[w]

14 "Este es mi lugar de descanso
para siempre;[x]
aquí moraré, porque la he
ansiado.[y]

15 Sus provisiones bendeciré sin
falta.[z]

CAP. 130
a Ro 8:24
  Heb 6:18
b Gé 49:18
  Sl 27:14
  Sl 33:20
  Sl 40:1
  Isa 8:17
  Isa 26:8
  Lu 2:25
c Sl 63:6
  Miq 7:7
d Sl 119:147
  Isa 21:8
e Sl 134:1
f Sl 115:9
  Sl 131:3
g Sl 86:5
  Ro 5:20
h Ef 1:7
  1Ti 4:10
i Sl 103:4
  Tit 2:14

CAP. 131
j Dt 17:20
  Isa 9:9
  Da 5:20
  1Pe 5:5
k 1Sa 18:23
  Sl 138:6
  Pr 6:17
l Sl 78:70
  Jer 45:5
  Am 7:14
  Ro 12:16
m Job 42:3
  Sl 139:6
n 1Sa 30:6
  Sl 42:5
  Sl 62:1
  Isa 30:15
  Lam 3:26
o Mt 23:37
p Mt 18:3
  1Co 14:20
q Sl 115:9
  Sl 130:7
  Jer 17:7
  Miq 7:7
r Sl 115:18
  Isa 26:4

CAP. 132
s Sl 78:70
  Sl 89:3
t 1Sa 20:1
  Sl 66:12
  Isa 57:15
u Sl 56:12
  Sl 65:1
v Gé 49:24
w 2Sa 7:3
  Sl 22:25
  Sl 46:11
  Sl 61:8
  Sl 146:5
x 2Sa 5:11
  2Sa 20:3
y Sl 6:6
z Rut 3:18
a Pr 6:4

2.ᵃ col.
a 2Sa 7:2
  1Cr 15:3
  1Cr 15:12
  Rut 7:46
b 1Re 8:17
c 1Re 17:12
d 1Sa 7:1
  1Cr 13:6

e Sl 43:3; Sl 84:1; f 1Cr 28:2; Sl 5:7; Sl 95:6; Sl
99:5; Lam 2:1; g Nú 10:35; 2Sa 6:17; h Jer 3:16;
i 2Cr 6:41; j Job 29:14; Isa 61:10; Zac 3:5; k Sl
32:11; Sl 149:5; l 1Re 11:12; 1Re 15:4; 2Re 19:34;
m 2Cr 6:42; Sl 89:38; Heb 1:9; n 2Sa 3:9; Sl 89:3;
Heb 7:21; o Isa 15:29; Sl 110:4; Isa 45:23; Isa
55:11; Jer 33:21; p 2Sa 7:12; 1Cr 17:11; Lu 1:69;
Hch 13:23; q 1Re 8:25; 1Cr 17:14; 2Cr 6:16; Sl
89:36; Isa 9:7; Mt 9:27; Hch 2:30; Ro 1:3; Ro
15:12; r Sl 89:30; s 1Cr 29:19; Sl 25:10; Sl
102:28; u 2Sa 7:16; 1Cr 17:12; Sl 89:29; v Sl 9:11;
Sl 48:3; Sl 74:2; Sl 76:2; Sl 78:68; Sl 135:21; Heb
12:22; w Sl 87:2; x Sl 46:5; Sl 68:16; Isa 24:23;
Joe 3:21; Zac 2:10; y 1Re 8:27; Sl 135:21; z Dt
28:2; Sl 147:14.

A sus pobres satisfaré con pan.[a]

16 Y a sus sacerdotes vestiré de salvación;[b]
y los que le son leales sin falta clamarán gozosamente.

17 Allí haré crecer el cuerno de David.[c]
He puesto en orden una lámpara para mi ungido.[d]

18 A sus enemigos vestiré de vergüenza;[e]
pero sobre él florecerá[f] su diadema".[g]

Canción de las Subidas. De David.

133 ¡Miren! ¡Qué bueno y qué agradable es
que los hermanos moren juntos en unidad![h]

2 Es como el buen aceite sobre la cabeza,[i]
que viene bajando sobre la barba
—la barba de Aarón[j]—,
que viene bajando hasta el cuello de sus prendas de vestir.[k]

3 Es como el rocío[l] de Hermón[m]
que viene descendiendo sobre las montañas de Sión.[n]
Porque allí ordenó Jehová [que estuviera] la bendición,[o]
[aun] vida hasta tiempo indefinido.[p]

Canción de las Subidas.

134 Oh, bendigan a Jehová,[q]
ustedes todos los siervos de Jehová,[r]
ustedes los que están de pie en la casa de Jehová durante las noches.[s]

2 Alcen las manos en santidad[t]
y bendigan a Jehová.[u]

3 Que Jehová te bendiga desde Sión,[v]
él, el Hacedor del cielo y de la tierra.[w]

135 ¡Alaben a Jah![a]
Alaben el nombre de Jehová,[b]
ofrezcan alabanza, oh siervos de Jehová.[c]

2 ustedes los que están de pie en la casa de Jehová,[d]
en los patios de la casa de nuestro Dios.[e]

3 Alaben a Jah, porque Jehová es bueno.[f]
Celebren con melodía su nombre, porque es agradable.[g]

4 Porque Jah ha escogido aun a Jacob para sí,[h]
a Israel por propiedad especial suya.[i]

5 Porque yo mismo bien sé que Jehová es grande,[j]
y nuestro Señor es más que todos los [demás] dioses.[k]

6 Todo cuanto a Jehová le deleitó [hacer] lo ha hecho[l]
en los cielos y en la tierra,
en los mares y en todas las profundidades acuosas.[m]

7 Está haciendo ascender vapores desde la extremidad de la tierra;[n]
ha hecho hasta conductos para la lluvia;[o]
está sacando el viento de sus almacenes,[p]

8 aquel que derribó a los primogénitos de Egipto,[q]
tanto a hombre como a bestia.[r]

9 Envió señales y milagros en medio de ti, oh Egipto,[s]
sobre Faraón y sobre todos sus siervos;[t]

CAP. 132
a Sl 22:26
Sl 37:19
b 2Cr 6:41
Sl 132:9
Sl 149:4
Isa 61:10
c Sl 148:14
Eze 29:21
Lu 1:69
d 1Sa 16:1
1Re 11:36
1Re 15:4
2Cr 21:7
e Sl 35:26
Sl 109:29
f Sl 2:6
Sl 72:8
Isa 9:6
Rev 11:15
g 2Sa 1:10
2Re 11:12
2Cr 23:11

CAP. 133
h Gé 13:8
Gé 45:24
Jn 13:35
Jn 17:21
Col 3:14
Heb 13:1
i Éx 29:7
Éx 30:25
Le 21:10
Sl 141:5
Pr 27:9
j Éx 30:30
k Le 8:12
l Dt 32:2
Pr 19:12
m Dt 3:9
Dt 4:48
1Cr 5:23
n Sl 125:2
o Le 25:21
Dt 28:8
p Sl 21:4

CAP. 134
q 1Cr 23:30
Sl 103:21
Sl 135:19
Lu 1:68
Snt 3:9
r Rev 19:5
s Le 8:35
1Cr 9:33
Sl 130:6
Lu 2:37
Rev 7:15
t Sl 28:2
Sl 141:2
Lam 3:41
2Co 1:12
1Ti 2:8
u Sl 103:2
2Co 1:3
1Pe 1:3
v Sl 14:7
Sl 20:2
Sl 50:2
Sl 128:5
Ro 11:26
w Gé 1:1
Gé 14:8
Isa 45:18
Rev 10:6

2.ª col. CAP. 135 a Sl 113:1; Rev 19:5; b Sl 29:2; Sl 148:13; c Sl 134:1; d 1Cr 23:30; Lu 2:37; e 1Re 6:36; Sl 84:10; Sl 92:13; Sl 96:8; Sl 116:19; f Sl 106:1; Sl 119:68; Mt 19:17; g Sl 92:1; Sl 147:1; h Dt 32:9; Sl 33:12; i Éx 19:5; Dt 7:6; 1Re 10:17; 1 Sl 115:3; Isa 46:10; Heb 3:4; m Sl 33:6; n Gé 2:6; Jer 10:13; Jer 51:16; o Job 38:25; Sl 147:8; Zac 10:1; p Éx 14:21; Nú 11:31; Sl 78:26; Sl 107:25; Sl 147:18; Jon 1:4; q Éx 12:12; Sl 78:51; Sl 136:10; r Éx 12:29; Éx 13:15; s Éx 7:20; Éx 8:6; Éx 8:17; Éx 9:6; Éx 9:10; Éx 9:23; Éx 10:12; Éx 10:21; Dt 4:34; Ne 9:10; Sl 105:27; Hch 7:36; t Sl 136:15.

10 aquel que derribó a muchas
naciones[a]
y mató a reyes potentes,[b]

11 aun a Sehón, el rey de los
amorreos,[c]
y a Og, el rey de Basán,[d]
y a todos los reinos de Canaán,[e]

12 y que dio la tierra de ellos
como una herencia,[f]
una herencia a Israel su
pueblo.[g]

13 Oh Jehová, tu nombre es hasta tiempo indefinido.[h]
Oh Jehová, la mención
conmemorativa de ti es
hasta generación tras
generación.[i]

14 Porque Jehová defenderá la
causa de su pueblo,[j]
y sentirá pesar aun respecto a sus siervos.[k]

15 Los ídolos de las naciones son
plata y oro,[l]
la obra de las manos del
hombre terrestre.[m]

16 Boca tienen, pero no pueden
hablar nada;[n]
ojos tienen, pero no pue-
den ver nada;[o]

17 oídos tienen, pero no pueden
prestar oído a nada.[p]
Además, no existe espíritu
en su boca.[q]

18 Quienes los hacen llegarán a
ser lo mismo que ellos,[r]
todos los que en ellos confían.[s]

19 Oh casa de Israel, de veras
bendigan a Jehová.[t]
Oh casa de Aarón, de veras
bendigan a Jehová.[u]

20 Oh casa de Leví, de veras bendigan a Jehová.[v]
Ustedes los que temen a
Jehová, bendigan a Je-
hová.[w]

21 Bendecido desde Sión sea Jehová,[x]
que está residiendo en Jerusalén.[y]
¡Alaben a Jah![z]

136 Den gracias a Jehová,
porque él es bue-
no:[a]
porque su bondad

amorosa es hasta
tiempo indefinido;[a]

2 den gracias al Dios de los dioses:[b]
porque su bondad amorosa
es hasta tiempo indefi-
nido;[c]

3 den gracias al Señor de los
señores:[d]
porque su bondad amorosa
es hasta tiempo indefi-
nido;[e]

4 al Hacedor de cosas maravillosas, grandes, a solas:[f]
porque su bondad amorosa
es hasta tiempo indefi-
nido;[g]

5 a Aquel que hizo los cielos
con entendimiento:[h]
porque su bondad amorosa
es hasta tiempo indefi-
nido;[i]

6 a Aquel que tendió la tierra
por encima de las aguas:[j]
porque su bondad amorosa
es hasta tiempo indefi-
nido;[k]

7 a Aquel que hizo las grandes
luces:[l]
porque su bondad amorosa
es hasta tiempo indefi-
nido;[m]

8 aun el sol para dominio de
día:[n]
porque su bondad amorosa
es hasta tiempo indefi-
nido;[o]

9 la luna y las estrellas para dominio aunado de noche:[p]
porque su bondad amorosa
es hasta tiempo indefi-
nido;[q]

10 a Aquel que derribó a Egipto
en sus primogénitos:[r]
porque su bondad amorosa
es hasta tiempo indefi-
nido;[s]

11 y a Aquel que sacó a Israel de
en medio de ellos:[t]
porque su bondad amorosa
es hasta tiempo indefi-
nido;[u]

CAP. 135
a Sl 44:2
b Sl 136:17
c Nú 21:24
Dt 2:30
Dt 31:4
Jue 11:21
Sl 136:19
d Ne 9:22
e Jos 12:7
f Nú 33:53
Sl 44:3
Sl 78:55
Sl 136:21
g Jos 11:23
h Sl 8:9
Sl 72:17
i Éx 3:15
Sl 102:12
Os 12:5
j Éx 14:31
Sl 7:8
k Dt 32:36
1Cr 21:15
l Dt 4:28
Sl 115:4
m Isa 46:6
Hch 17:29
n Hab 2:19
Sl 115:5
p 1Co 10:19
q Sl 115:7
Jer 10:14
Jer 51:17
r Sl 115:8
Isa 44:9
s 2Re 21:21
Sl 97:7
t 2Re 18:22
1Cr 5:20
Ro 9:5
1Pe 1:3
u Sl 115:10
v Dt 10:8
w Sl 115:11
x Sl 76:2
Sl 78:68
Sl 132:13
Sl 134:3
y Sl 48:1
Jer 3:17
z Sl 112:1
Rev 19:6

CAP. 136
a Sl 106:1
Sl 107:1
Lu 18:19

2.ª col.
a 2Cr 7:3
b Éx 18:11
2Cr 2:5
Sl 97:9
Da 2:47
c 1Cr 16:34
d Dt 10:17
Isa 3:1
e 1Cr 16:41
f Éx 15:11
1Sa 2:3
Sl 72:18
Sl 86:10
Da 4:35
Rev 15:3
g Sl 103:17
h Gé 1:1
Job 38:36
Pr 3:19
Jer 10:12
Jer 51:15
i 2Cr 20:21

j Gé 1:9; Sl 24:2; k Lu 1:50; l Gé 1:14; Sl 74:16;
m 2Cr 5:13; n Gé 1:16; Sl 148:3; Jer 31:35; o 2Cr
7:6; p Gé 1:18; Job 31:26; Sl 8:3; q Esd 3:11;
r Éx 11:5; Éx 12:29; Sl 78:51; Sl 105:36; Sl 135:8;
Heb 11:28; s Sl 25:6; t Éx 12:51; 1Sa 12:6; Sl
78:52; u Sl 89:2.

12 por una mano fuerte y por un
   brazo extendido:[a]
   porque su bondad amorosa
      es hasta tiempo indefi-
      nido;
13 a Aquel que cortó el mar Rojo
   en partes:[b]
   porque su bondad amorosa
      es hasta tiempo indefi-
      nido;[c]
14 y que hizo a Israel pasar por
   en medio de él:[d]
   porque su bondad amorosa
      es hasta tiempo indefi-
      nido;[e]
15 y que sacudió a Faraón y su
   fuerza militar al mar
   Rojo:[f]
   porque su bondad amorosa
      es hasta tiempo indefi-
      nido;[g]
16 a Aquel que hizo a su pueblo
   andar por el desierto:[h]
   porque su bondad amorosa
      es hasta tiempo indefi-
      nido;[i]
17 a Aquel que derribó a grandes
   reyes:[j]
   porque su bondad amorosa
      es hasta tiempo indefi-
      nido;[k]
18 y que procedió a matar a reyes majestuosos:[l]
   porque su bondad amorosa
      es hasta tiempo indefi-
      nido;[m]
19 aun a Sehón, el rey de los
   amorreos:[n]
   porque su bondad amorosa
      es hasta tiempo indefi-
      nido;[o]
20 y a Og, el rey de Basán:[p]
   porque su bondad amorosa
      es hasta tiempo indefi-
      nido;[q]
21 y que dio la tierra de ellos
   como herencia:[r]
   porque su bondad amorosa
      es hasta tiempo indefi-
      nido;[s]
22 una herencia a Israel su siervo:[t]
   porque su bondad amorosa
      es hasta tiempo indefi-
      nido;[u]
23 quien durante nuestra condi-

CAP. 136

a Ex 13:14
  Jer 32:21
b Ex 14:21
  Jos 2:10
  Ne 9:11
  Sl 78:13
c Sl 106:9
d Ex 20:6
e Ex 14:29
e Sl 107:1
f Ex 14:27
  Dt 11:4
  Ne 9:11
  Sl 78:53
g Sl 118:1
h Ex 13:18
  Ex 15:22
  Dt 8:2
  Dt 8:15
  Ne 9:12
i Sl 118:2
j Jos 12:7
  Sl 135:10
k Sl 118:3
1 Jos 12:24
  Jue 1:7
m Sl 118:4
n Nú 21:21
  Dt 1:4
  Dt 29:7
  Jos 2:10
  Jue 11:21
o Sl 135:11
p Nú 21:33
  Dt 3:4
  Sl 135:11
q Sl 40:11
r Nú 32:33
  Dt 3:12
  Jos 12:1
  Ne 9:22
  Sl 44:2
  Sl 78:55
  Sl 105:44
s Jer 33:11
t Sl 47:4
  Sl 135:12
u Ne 1:5

2.ª col.

a Gé 8:1
  Dt 32:36
  Sl 113:7
  Lu 1:48
b Ne 9:32
c Jue 3:9
  Jue 6:9
  Lu 1:71
d Sl 21:7
e Sl 104:27
  Sl 145:15
  Sl 147:9
  Mt 5:45
f Sl 118:29
g Sl 115:3
  Sl 123:1
h Sl 57:10

CAP. 137

i Isa 44:27
  Jer 50:38
  Jer 51:13
  Jer 51:32
  Eze 1:1
  Da 10:4
j Eze 3:15
k Jer 13:17
  Lam 1:16
  Da 9:3
l Le 23:40

ción abatida se acordó de
   nosotros:[a]
   porque su bondad amorosa
      es hasta tiempo indefi-
      nido;[b]
24 y que repetidas veces nos
   arrancó de nuestros adversarios:[c]
   porque su bondad amorosa
      es hasta tiempo indefi-
      nido;[d]
25 Aquel que da alimento a toda
   carne:[e]
   porque su bondad amorosa
      es hasta tiempo indefi-
      nido;[f]
26 den gracias al Dios de los cielos:[g]
   porque su bondad amorosa
      es hasta tiempo indefi-
      nido.[h]

137 Junto a los ríos de Babilonia[i]... allí nos
   sentamos.[j]
      También lloramos
      al acordarnos de
      Sión.[k]
2 Sobre los álamos[l] en medio
   de ella
   colgamos nuestras arpas.[m]
3 Porque los que nos te-
   nían cautivos nos pidieron las palabras de una
   canción,[n]
   y los que se mofaban de
   nosotros... regocijo:[o]
   "Cántennos una de las canciones de Sión".[p]
4 ¿Cómo podemos cantar la
   canción de Jehová[q]
   sobre suelo extranjero?[r]
5 Si te olvidara, oh Jerusalén,[s]
   sea olvidadiza mi diestra.
6 Que mi lengua se pegue a mi
   paladar,[t]
   si no me acordara de ti,[u]
   si no hiciera a Jerusalén ascender
   por encima de mi causa
   principal de regocijo.[v]
7 Acuérdate,[w] oh Jehová, res-

m Sl 33:2; Isa 24:8; n Sl 123:4; Lam 2:16; o Ne
4:2; Lam 2:15; p 1Cr 16:7; Sl 28:7; Sl 69:30; Isa
35:10; q Éx 15:1; Jue 5:3; r Isa 49:21; s Ne 2:3;
Sl 84:2; Sl 102:14; Isa 62:1; Jer 51:50; t Sl 22:15;
Eze 3:26; u Sl 103:2; v Sl 122:1; w Sl 74:18.

pecto a los hijos de
Edom[a] del día de Jerusalén,[b]
que estuvieron diciendo:
"¡Arrásen[la]! ¡Arrásen-
[la] hasta el fundamen-
to dentro de ella!".[c]
8 Oh hija de Babilonia, que has
de ser despojada violentamente,[d]
feliz será el que te recompense[e]
con tu propio tratamiento
con que tú nos trataste.[f]
9 Feliz será el que agarre y de
veras estrelle[g]
a tus hijos contra el pe-
ñasco.

De David.

138 Te elogiaré con todo mi
corazón.[h]
Enfrente de otros dio-
ses te celebraré con
melodía.[i]
2 Me inclinaré hacia tu santo
templo,[j]
y elogiaré tu nombre,[k]
a causa de tu bondad amorosa[l] y a causa de tu apego
a la verdad.[m]
Porque has engrandecido
tu dicho[n] aun sobre todo
tu nombre.[o]
3 El día en que llamé, entonces
procediste a responder-
me;[p]
empezaste a hacerme de-
nodado en mi alma con
fuerza.[q]
4 Todos los reyes de la tierra te
elogiarán, oh Jehová,[r]
porque habrán oído los dichos de tu boca.
5 Y cantarán acerca de los caminos de Jehová,[s]
porque la gloria de Jehová
es grande.[t]
6 Porque Jehová es alto, y, no
obstante, al humilde lo
ve;[u]
pero al altanero lo conoce
solo de distancia.[v]
7 En caso de que yo ande en
medio de angustia, tú me
conservarás vivo.[w]
A causa de la cólera de

mis enemigos alargarás
tu mano,[a]
y tu diestra me salvará.[b]
8 Jehová mismo completará lo
que es a mi favor.[c]
Oh Jehová, hasta tiempo
indefinido es tu bondad
amorosa.[d]
No desampares las obras
de tus propias manos.[e]

Para el director.
De David. Melodía.

139 Oh Jehová, tú me has
escudriñado com-
pletamente, y [me]
conoces.[f]
2 Tú mismo has llegado a conocer mi sentarme y mi le-
vantarme.[g]
Has considerado mi pensa-
miento desde lejos.[h]
3 Mi viajar y mi yacer tendido
has medido,[i]
y te has familiarizado hasta con todos mis cami-
nos.[j]
4 Pues no hay una sola palabra
en mi lengua,[k]
cuando, ¡mira!, oh Jehová,
tú ya lo sabes todo.[l]
5 Detrás y delante, me has sitiado;
y pones tu mano sobre mí.
6 [Tal] conocimiento es demasiado maravilloso para
mí.[m]
Tan alto es, que yo no puedo alcanzarlo.[n]
7 ¿Adónde puedo irme de tu espíritu,[o]
y adónde puedo huir de tu
rostro?[p]
8 Si ascendiera al cielo, allí estarías;[q]
y si tendiera mi lecho en el
Seol, ¡mira!, tú [estarías
allí].[r]
9 Si tomara las alas[s] del alba,
para poder residir en el
mar más remoto,[t]

CAP. 137
a Jer 49:7
Lam 4:22
Eze 25:12
b Abd 13
c Abd 10
Abd 12
Miq 4:11
d Isa 13:1
Isa 47:1
Jer 25:12
Jer 50:2
Rev 18:2
e Isa 13:5
f Jer 50:29
Rev 18:6
g Isa 13:16

CAP. 138
h Sl 9:1
Sl 86:12
i Sl 82:1
Sl 119:46
Jn 10:34
1Co 8:5
j 1Sa 3:3
1Cr 16:1
Sl 5:7
Sl 28:2
Da 6:10
k Sl 44:8
Sl 54:6
Sl 115:1
Jn 17:6
l Sl 66:20
Sl 115:1
Sl 136:1
m Sl 71:22
n Isa 40:8
1Pe 1:25
o Sl 56:10
Isa 42:21
Heb 6:17
p Sl 18:6
Sl 77:1
q Sl 29:11
Isa 12:2
Isa 41:10
Zac 10:12
1Pe 5:10
r Sl 102:15
Isa 49:23
s Isa 60:3
t 1Re 8:11
Sl 57:5
Sl 104:31
u 1Sa 2:8
Sl 113:6
Pr 3:34
Lu 1:52
1Pe 5:5
v Job 40:11
Isa 2:11
Isa 57:15
Snt 4:6
w Sl 71:20

2.ª col.
a Sl 64:7
b Sl 60:5
c Sl 57:2
Flp 1:6
d Sl 100:5
Sl 103:17
e Job 10:8
Job 14:15
Sl 71:18
1Pe 4:19

CAP. 139 f 1Sa 16:7; 1Re 8:39; 1Cr 28:9; Sl
17:3; Sl 44:21; Sl 139:23; Jer 12:3; Jer 20:12;
Heb 4:13; g Ge 16:13; 2Re 19:27; Isa 37:28; h Sl
33:13; Sl 94:11; Eze 38:10; Mt 9:4; i Ge 28:15;
2Sa 8:14; Job 31:4; Sl 121:8; j Sl 33:15; Pr 5:21;
Isa 29:15; Hch 5:3; k Sl 19:14; l Sl 50:21; Heb
4:12; m Job 42:3; Sl 40:5; Sl 131:1; Ro 11:33;
n Job 26:14; Pr 30:3; o Hch 5:9; p Jer 23:24; Jon
1:3; q Am 9:2; Abd 4; r Job 26:6; Pr 15:11; s Sl
18:10; t Sl 65:5; Isa 11:11; Isa 24:14.

10 allí, también, tu propia mano
    me guiaría[a]
    y tu diestra me asiría.[b]
11 Y si yo dijera: "¡De seguro la
    oscuridad misma presta-
    mente se apoderará de
    mí!",[c]
    entonces la noche sería luz
    en torno a mí.[d]
12 Aun la oscuridad misma no
    resultaría demasiado os-
    cura para ti,[e]
    sino que la noche misma
    brillaría tal como lo hace
    el día;[f]
    lo mismo daría que la oscu-
    ridad fuera luz.[g]
13 Porque tú mismo produjiste
    mis riñones;[h]
    me tuviste cubierto en res-
    guardo en el vientre de
    mi madre.[i]
14 Te elogiaré porque de ma-
    nera que inspira temor
    estoy maravillosamente
    hecho.[j]
    Tus obras son maravillo-
    sas,[k]
    como muy bien percibe mi
    alma.[l]
15 Mis huesos no estuvieron es-
    condidos de ti[m]
    cuando fui hecho en secre-
    to,[n]
    cuando fui tejido en las
    partes más bajas[o] de la
    tierra.
16 Tus ojos vieron hasta mi em-
    brión,[p]
    y en tu libro todas sus par-
    tes estaban escritas,
    respecto a los días en que
    fueron formadas[q]
    y todavía no había una en-
    tre ellas.
17 Así es que, para mí, ¡cuán
    preciosos son tus pensa-
    mientos![r]
    Oh Dios, ¡hasta cuánto lle-
    ga la gran suma de ellos![s]
18 Si yo tratara de contarlos,
    son más que hasta los
    granos de arena.[t]
    He despertado, y sin em-
    bargo todavía estoy con-
    tigo.[u]
19 ¡Oh, que tú, oh Dios, mataras
    al inicuo![v]

CAP. 139
a Sl 63:8
b Sl 73:23
  Isa 41:13
c Sl 94:7
  Isa 29:15
  Jer 23:24
d Job 12:22
e Éx 20:21
  Da 2:22
f Heb 4:13
h Job 10:9
i Job 10:8
  Job 31:15
  Sl 22:10
  Isa 46:3
  Jn 3:4
j Gé 1:26
  Sl 22:9
  Sl 71:6
  Sl 100:3
  Isa 44:2
  Jer 1:5
k Sl 19:1
  Sl 92:5
  Sl 104:24
  Sl 111:2
l Rev 15:3
m Job 10:11
  Ec 11:5
n Job 10:9
o Ef 4:9
p Job 1:21
  Job 10:18
  Sl 127:3
q Job 31:15
r Isa 55:9
s Ro 11:33
t Sl 40:5
u Sl 3:5
  Sl 17:15
  Sl 63:6
v Sl 5:6
  Sl 9:17
  Sl 94:23

2.ª col.
a 1Re 2:5
b Job 21:14
  Sl 21:11
  Sl 73:8
  Pr 24:8
c Éx 20:7
  Jud 15
d Isa 64:2
e 2Cr 19:2
  Sl 21:8
  Sl 81:15
  2Co 6:14
f Sl 119:158
g Sl 101:3
h Sl 37:12
  Sl 37:32
i Jer 20:12
j Sl 94:19
k Sl 7:3
  Sl 17:3
l Sl 5:8
  Sl 143:8
  Sl 143:10

CAP. 140
m Sl 59:1
n Sl 18:48
  Sl 71:4
o Sl 36:4
  Sl 64:6
  Pr 6:18
  Zac 7:10
  Mt 5:28

    Entonces hasta los hom-
    bres culpables de sangre[a]
    ciertamente se apar-
    tarán de mí,
20 los que dicen cosas acerca de
    ti conforme a [su] idea;[b]
    han tomado [tu nombre]
    de manera indigna[c]... tus
    adversarios.[d]
21 ¿No odio yo a los que te odian
    intensamente, oh Jeho-
    vá,[e]
    y no me dan asco los que se
    sublevan contra ti?[f]
22 De veras los odio con un odio
    completo.[g]
    Han llegado a ser para mí
    verdaderos enemigos.[h]
23 Escudríñame completamen-
    te, oh Dios, y conoce mi
    corazón.[i]
    Examíname, y conoce mis
    pensamientos inquie-
    tantes,[j]
24 y ve si hay en mí algún cami-
    no doloroso,[k]
    Y guíame en el camino[l] de
    tiempo indefinido.

    Para el director.
    Melodía de David.

140 Líbrame, oh Jehová, de
    los hombres ma-
    los;[m]
    quieras salvaguar-
    darme hasta del
    hombre de hechos
    de violencia,[n]
2 de los que han tramado cosas
    malas en [su] corazón,[o]
    que todo el día siguen ata-
    cando como en guerras.[p]
3 Han aguzado su lengua como
    la de una serpiente;[q]
    la ponzoña de la víbora
    cornuda está debajo de
    sus labios.[r] Sélah.
4 Guárdame, oh Jehová, de las
    manos del inicuo;[s]
    quieras salvaguardarme
    hasta del hombre de he-
    chos de violencia,[t]
    de los que han tramado
    empujar mis pasos.[u]

p Sl 56:6; Sl 120:7; q Sl 52:2; Sl 58:4; r Mt 12:34;
Ro 3:13; Snt 3:8; s Sl 17:8; Sl 36:11; Sl 37:33;
t Sl 31:4; Sl 71:4; u Sl 25:15.

5 Los que a sí mismos se ensalzan me han escondi-
  do una trampa;[a]
  y sogas han tendido como
  red al lado del sendero
  trillado.[b]
  Lazos han colocado para
  mí.[c] Sélah.
6 He dicho a Jehová: "Tú eres
  mi Dios.[d]
  De veras presta oído, oh
  Jehová, a la voz de mis
  súplicas".[e]
7 Oh Jehová el Señor Soberano,[f] la fuerza de mi salvación,[g]
  tú has cubierto mi cabeza
  en resguardo en el día de
  la fuerza armada.[h]
8 No otorgues, oh Jehová, los
  deseos vehementes del
  inicuo.[i]
  No promuevas su maqui-
  nar, para que no sean ensalzados.[j] Sélah.
9 En cuanto a las cabezas de los
  que me cercan,[k]
  que el gravoso afán de sus
  propios labios las cubra.[l]
10 Que sobre ellos se dejen caer
  brasas ardientes.[m]
  Que se les haga caer en el
  fuego,[n] en hoyos acuosos,
  para que no se levanten.[o]
11 El gran hablador... que no sea
  establecido firmemente
  en la tierra.[p]
  El hombre de violencia...
  que la maldad misma lo
  cace con repetidos gol-
  pes de punta.[q]
12 Bien sé yo que Jehová ejecutará[r]
  la reclamación legal del
  afligido, el juicio de los
  pobres.[s]
13 De seguro los justos mismos
  darán gracias a tu nom-
  bre;[t]
  los rectos morarán delante
  de tu rostro.[u]

Melodía de David.

141

Oh Jehová, te he invoca-
  do.[v]
  De veras apresúrate a
  mí.[w]

De veras presta oído a
  mi voz cuando cla-
  mo a ti.[a]
2 Que mi oración esté preparada como incienso[b] delante de ti;[c]
  el levantar las palmas de
  mis manos, como la
  ofrenda de grano al atardecer.[d]
3 Pon guardia, sí, oh Jehová,
  para mi boca;[e]
  pon vigilancia, sí, sobre la
  puerta de mis labios.[f]
4 No inclines mi corazón a
  nada malo,[g]
  para efectuar hechos escandalosos en iniquidad[h]
  con hombres que están practicando lo que es perjudicial,[i]
  para que no me alimente yo
  de sus bocados exquisi-
  tos.[j]
5 Si me golpeara el justo, sería
  una bondad amorosa;[k]
  y si me censurara, sería
  aceite sobre la cabeza,[l]
  que mi cabeza no querría rehusar.[m]
  Porque todavía habría aun
  mi oración durante las
  calamidades de ellos.[n]
6 Sus jueces han sido arrojados
  abajo a los lados del peñasco,[o]
  pero ellos han oído mis
  dichos, que son agrada-
  bles.[p]
7 Como cuando uno está hen-
  diendo y partiendo [algo]
  en la tierra,
  nuestros huesos han sido
  esparcidos a la boca del
  Seol.[q]
8 Sin embargo, mis ojos están
  dirigidos a ti,[r] oh Jehová
  el Señor Soberano.[s]
  En ti me he refugiado.[t]
  No derrames mi alma.[u]
9 Guárdame de las garras de la

CAP. 140
a Sl 119:110
  Sl 141:9
b Sl 10:9
  Sl 35:7
  Sl 57:6
c Jer 18:22
  Lu 11:54
  Lu 20:20
d Sl 31:14
  Sl 91:2
  Jn 20:17
e Sl 27:7
  Sl 28:2
  Sl 55:1
f Hch 4:24
g Dt 33:27
  Sl 27:1
  Sl 28:8
h 1Sa 17:37
  Sl 144:10
i 2Sa 15:31
  Sl 27:12
j Dt 32:27
k Sl 7:16
l Est 7:10
  Sl 94:23
  Pr 12:13
  Pr 18:7
m Gé 19:24
  Sl 11:6
  Sl 21:9
  Mt 13:42
o Sl 55:23
  Pr 28:10
p Sl 12:3
q Sl 34:21
  Isa 3:11
  Gál 6:7
r 1Re 8:45
s Sl 9:4
  Sl 10:18
  Sl 22:24
  Sl 72:4
t Sl 32:11
  Sl 33:1
u Sl 23:6
  Rev 7:15

CAP. 141
v Sl 31:17
  Sl 88:9
w Sl 40:13
  Sl 70:5
  Sl 71:12

2.ª col.
a Sl 39:12
  1Pe 3:12
b Éx 30:35
c Lu 1:9
  Rev 5:8
  Rev 8:3
d Éx 29:39
  Sl 28:2
  Sl 63:4
  Sl 134:2
  1Ti 2:8
e Pr 13:3
  Pr 21:23
f Snt 1:26
g 1Re 8:58
  Sl 119:36
  Pr 21:1
h Da 11:27
i 1Co 15:33
j Pr 23:6
k Sl 141:5
  2Cr 16:7
  Pr 17:10
  Gál 2:11
  Gál 6:1

l Sl 23:5; Pr 6:23; Pr 19:25; Snt 5:14; m Pr 9:8;
Pr 19:25; Pr 25:12; n 1Sa 12:23; Mt 5:44; o 1Sa
31:1; 2Sa 1:19; 1Cr 10:1; p 2Sa 25; 2Sa 23:1; Lu
4:22; q Ro 8:36; 2Co 1:9; Heb 11:37; r 2Cr 20:12;
Sl 25:15; Sl 123:1; s Hch 4:24; t Sl 5:11; Sl 11:1;
Sl 71:1; u Isa 53:12.

trampa que me han ten-
dido,[a]
y de los lazos de los que
practican lo que es per-
judicial.[b]
10 Los inicuos caerán en sus
propias redes todos jun-
tos,[c]
mientras yo, por mi parte,
paso adelante.

Maskil. De David, cuando se hallaba
en la cueva.[d] Oración.

142 Con mi voz, a Jehová
procedí a clamar
por socorro;[e]
con mi voz, a Jehová
empecé a implorar
favor.[f]
2 Delante de él seguí derramando mi preocupa-
ción;[g]
delante de él continué informando acerca de mi
propia angustia,[h]
3 cuando mi espíritu[i] desmayó
dentro de mí.
Entonces tú mismo cono-
ciste mi vereda.[j]
En la senda en que ando[k]
me han escondido una
trampa.
4 Mira a la derecha y ve
que no hay quien muestre
reconocerme de manera
alguna.[m]
Mi lugar adonde huir ha perecido de mí;[n]
no hay quien pregunte por
mi alma.[o]
5 Clamé a ti, oh Jehová, por socorro.[p]
Dije: "Tú eres mi refugio,[q]
la parte que me corresponde[r] en la tierra de los vivientes".[s]
6 De veras presta atención a mi
clamor rogativo,[t]
porque he quedado muy
empobrecido.[u]
Líbrame de mis perseguidores,[v]
porque son más fuertes
que yo.[w]
7 Saca mi alma, sí, del calabozo[x] mismo,
para elogiar tu nombre.[y]

En derredor de mí reúnanse
los justos,[a]
porque tú tratas apropia-
damente conmigo.[b]

Melodía de David.

143 Oh Jehová, oye mi oración;[c]
de veras presta oído a
mi súplica.[d]
En tu fidelidad, res-
póndeme en tu jus-
ticia.[e]
2 Y no entres en juicio con tu
siervo;[f]
porque delante de ti nin-
gún viviente puede ser
justo.[g]
3 Porque el enemigo ha seguido
tras de mi alma;[h]
ha aplastado mi vida hasta
la tierra misma.[i]
Me ha hecho morar en lu-
gares oscuros como los
que han estado muertos
por tiempo indefinido.[j]
4 Y mi espíritu[k] desmaya dentro de mí;
en medio de mí se muestra
aturdido mi corazón.[l]
5 He recordado días de mucho
tiempo atrás;[m]
he meditado en toda tu actividad;[n]
de buena gana me mantu-
ve intensamente interе-
sado en la obra de tus
propias manos.[o]
6 He extendido mis manos a
ti;[p]
mi alma es para ti como
una tierra agotada.[q] Sélah.
7 Oh apresúrate, respóndeme,
oh Jehová.[r]
Mi espíritu se ha acabado.[s]
No ocultes de mí tu rostro,
o de otro modo tendré que
llegar a ser comparable a
los que bajan al hoyo.[u]

CAP. 141
a Sl 119:110
Sl 124:7
b Sl 140:5
Sl 142:3
Jer 18:22
Lu 11:54
Lu 20:20
c Est 7:10
Sl 7:15
Sl 9:15
Sl 35:8
Sl 37:15
Sl 57:6

CAP. 142
d 1Sa 22:1
1Sa 24:3
Heb 11:38
e Sl 28:2
Sl 50:15
Sl 107:13
f Sl 30:8
Sl 77:1
Sl 141:1
g 1Sa 1:16
Isa 26:16
Mt 26:39
h Sl 18:6
Jon 2:7
Mr 15:34
Heb 5:7
i Jos 5:1
Sl 143:4
j Job 23:10
Sl 1:6
Sl 119:105
k Sl 139:3
l Sl 140:5
Jer 18:22
Mt 22:15
m Sl 31:11
Sl 69:20
Sl 88:8
n 1Sa 23:11
o Jn 16:32
p Sl 107:19
q Sl 34:8
Sl 46:1
Sl 91:2
Pr 18:10
r Sl 16:5
Sl 73:26
Sl 119:57
Lam 3:24
s Sl 27:13
Jer 11:19
t Sl 143:11
u Sl 116:6
v 1Sa 20:33
1Sa 23:26
1Sa 25:29
Sl 3:1
w Sl 38:19
x Isa 24:22
Isa 42:7
Jer 38:13
y Sl 54:6

2.ᵃ col.

a Sl 34:2
b Sl 13:6
Sl 116:7
Sl 119:17
Snt 5:11

CAP. 143
c Sl 65:2
d Sl 28:2
e 2Sa 7:25
Sl 31:1
Sl 71:2

f Job 14:3; Ro 3:20; Gál 2:16; g 2Cr 6:36; Job 9:2;
Sl 51:5; Sl 130:3; Ec 7:20; Ro 3:10; 1Jn 1:10;
h Sl 7:1; Sl 35:4; i Sl 7:5; j Sl 88:5; k Sl 77:3; Sl
142:3; l Sl 102:4; m Sl 77:5; n Dt 32:4; Sl 19:14;
Sl 64:9; Sl 77:12; Sl 90:16; Sl 111:3; Flp 4:8; o 68
92:4; Sl 88:9; q Sl 63:1; r Sl 13:3; Sl 40:13; Sl
70:5; s Sl 142:3; t Sl 27:9; Sl 104:29; u Sl 28:1;
Sl 88:4; Isa 38:18.

8 Por la mañana hazme oír tu
bondad amorosa,[a]
porque en ti he cifrado mi
confianza.[b]
Dame a conocer el camino en
que debo andar,[c]
porque a ti he alzado mi
alma.[d]
9 Líbrame de mis enemigos, oh
Jehová.[e]
Me he puesto a cubierto
aun contigo.[f]
10 Enséñame a hacer tu voluntad,[g]
porque tú eres mi Dios.[h]
Tu espíritu es bueno;[i]
que me guíe en la tierra de
la rectitud.[j]
11 Por el amor de tu nombre,[k]
oh Jehová, quieras con-
servarme vivo.[l]
En tu justicia[m] quieras sacar a mi alma de la an-
gustia.[n]
12 Y en tu bondad amorosa
quieras reducir a silencio
a mis enemigos;[o]
y tienes que destruir a todos los que muestran
hostilidad a mi alma,[p]
porque soy siervo tuyo.[q]

De David.

144

Bendito sea Jehová mi
Roca,[r]
que está adiestrando
mis manos para la
pelea,[s]
mis dedos para la
guerra;
2 mi bondad amorosa y mi plaza fuerte,[t]
mi altura segura y mi Proveedor de escape para
mí,[u]
mi escudo[v] y Aquel en quien
me he refugiado,[w]
Aquel que sojuzga a pue-
blos debajo de mí.[x]
3 Oh Jehová, ¿qué es el hombre
para que tomes nota de
él,[y]
el hijo del hombre mortal,[z]
para que te fijes en él?
4 El hombre mismo tiene parecido a una mera exhala-
ción;[a]

sus días son como una
sombra[a] que pasa.
5 Oh Jehová, inclina tus cielos
para que desciendas;[b]
toca las montañas para que
humeen.[c]
6 Haz relampaguear el relámpago para que los espar-
zas;[d]
envía tus flechas para que
los pongas en confusión.[e]
7 Alarga tú las manos desde la
altura;[f]
libértame y sálvame de las
muchas aguas,[g]
de la mano de los extran-
jeros,[h]
8 cuya boca ha hablado lo que
no es cierto[i]
y cuya diestra es diestra de
falsedad.[j]
9 Oh Dios, ciertamente te cantaré una canción nueva.[k]
Con un instrumento de
diez cuerdas ciertamen-
te te produciré melodía,[l]
10 Aquel que da salvación a reyes,[m]
Aquel que liberta a David
su siervo de la espada
dañina.[n]
11 Libértame y sálvame de la
mano de los extranjeros,[o]
cuya boca ha hablado lo
que no es cierto[p]
y cuya diestra es diestra de
falsedad,[q]
12 que [dicen]: "Nuestros hijos
son como plantas peque-
ñas crecidas en su juven-
tud,[r]
nuestras hijas como esquinas entalladas al estilo
de palacio,
13 nuestros graneros [están] llenos, y suministran pro-
ductos de una suerte tras
otra,[s]
nuestros rebaños se multi-
plican por millares, diez

CAP. 143

a Sl 42:8
Sl 46:5
Sl 59:16
b Pr 3:5
Pr 16:20
Isa 26:3
Jer 17:7
c Sl 5:8
Pr 3:6
d Sl 25:1
Sl 86:4
e Sl 59:1
f Sl 61:4
Sl 91:1
g Sl 25:4
Miq 4:2
h Sl 31:14
Jn 20:17
i Ne 9:20
Jn 14:26
j Sl 27:11
Isa 26:10
k Sl 25:11
l Sl 119:25
m Sl 9:8
Sl 31:1
n Sl 34:19
o 1Sa 25:29
1Sa 26:10
Sl 54:5
p 1Sa 24:12
q Sl 89:20
Sl 116:16
Hch 3:13
Hch 4:25

CAP. 144

r Dt 32:4
2Sa 23:3
Sl 18:2
Sl 95:1
s 2Sa 22:35
Sl 18:34
t 2Sa 22:2
Jer 16:19
u 2Sa 22:3
Sl 18:2
Sl 40:17
v Gé 15:1
Pr 30:5
w Sl 141:8
x Sl 18:47
y Job 7:17
Sl 8:4
Heb 2:6
z Sl 10:18
Sl 104:15
a Sl 39:5
Sl 62:9

2.ª col.

a 1Cr 29:15
Job 8:9
Job 14:2
Sl 102:11
Ec 8:13
b Sl 18:9
Isa 64:1
c Éx 19:18
Sl 104:32
2Sa 22:15
Job 36:32
Sl 18:14
Sl 77:18
Sl 97:4
Zac 9:14
e Dt 32:42
Sl 21:12
Sl 45:5
f 2Sa 22:17
Sl 18:16

g Sl 69:1; Rev 12:15; h Ne 9:2; Sl 54:3; i Sl 10:7;
Sl 12:2; Sl 109:2; j Isa 44:20; k Sl 33:3; Sl 40:3;
Sl 96:1; Isa 42:10; Rev 5:9; Rev 14:3; l 1Cr 25:1;
Sl 33:2; Sl 92:3; m 2Sa 5:19; Sl 18:50; n 1Sa
17:46; 2Sa 21:17; o 2Sa 10:6; p 2Sa 10:3; Sl 73:9;
q Sl 7:14; Sl 73:8; Sl 119:118; r Sl 37:35; s Sl
73:12.

mil a uno, en nuestras calles,

14 nuestro ganado [está] cargado, sin ruptura y sin aborto,[a]

y sin alarido alguno en nuestras plazas públicas.[b]

15 ¡Feliz es el pueblo para quien es justamente así!".

¡Feliz es el pueblo cuyo Dios es Jehová![c]

Alabanza, de David.

א ['Á·lef]

145 Ciertamente te ensalzaré, oh mi Dios el Rey,[d]

y ciertamente bendeciré tu nombre hasta tiempo indefinido, aun para siempre.[e]

ב [Behth]

2 Todo el día te bendeciré,[f] sí, y ciertamente alabaré tu nombre hasta tiempo indefinido, aun para siempre.[g]

ג [Guí·mel]

3 Jehová es grande y ha de ser alabado en gran manera,[h]

y su grandeza es inescrutable.[i]

ד [Dá·leth]

4 Generación tras generación encomiará tus obras,[j]

e informará acerca de tus poderosos actos.[k]

ה [He']

5 En el glorioso esplendor de tu dignidad[l]

y en los asuntos de tus maravillosas obras ciertamente me interesaré intensamente.[m]

ו [Waw]

6 Y ellos hablarán acerca de la fuerza de tus propias cosas inspiradoras de temor;[n]

y en cuanto a tu grandeza, yo ciertamente la declararé.[o]

CAP. 144
a Sl 73:5
b Sl 73:3
c Sl 33:12
  Sl 37:9
  Sl 37:37
  Sl 89:15
  Sl 146:5
  Lu 11:28
  Snt 1:25

CAP. 145
d Sl 44:4
  Isa 33:22
  Da 2:47
  Rev 11:17
e 1Cr 29:10
f Sl 119:164
g Sl 113:2
  Sl 146:2
h Sl 48:1
  Sl 96:4
  Sl 147:5
  Sl 150:2
  Ro 1:20
  Rev 15:3
i Job 9:10
  Job 26:14
  Job 36:26
  Sl 92:5
  Sl 139:6
  Ro 11:33
j Jos 4:21
  Sl 71:18
  Isa 38:19
k Ex 12:27
l Sl 8:1
  Sl 104:1
  Sl 111:3
  Sl 148:13
m Sl 72:18
n Jos 2:9
  Ne 1:5
o Sl 107:21
  Hch 4:24

2.ᵃ col.

a 1Re 8:66
  Sl 13:6
  Sl 31:19
  Isa 63:7
  Jer 31:12
b Sl 51:14
  Isa 45:24
  Rev 15:3
c 2Cr 30:9
  Sl 86:15
  Sl 111:4
  Ef 2:4
d Ex 34:6
  Nú 14:18
  Ne 9:17
  Sl 103:8
e Sl 25:8
  Sl 100:5
  Sl 104:28
  Na 1:7
  Mt 5:45
  Hch 14:17
  Snt 1:17
f Ef 2:4
g Sl 19:1
  Sl 103:22
  Sl 104:24
h Isa 2:9
  Sl 30:4
  Sl 132:9
  Sl 149:5
  Heb 13:15
  1Pe 2:5
i 1Cr 29:11
  Mt 4:23
  Lu 10:9

ז [Zá·yin]

7 Rebosarán con la mención de la abundancia de tu bondad,[a]

y [a causa de] tu justicia clamarán gozosamente.[b]

ח [Jehth]

8 Jehová es benévolo y misericordioso,[c]

tardo para la cólera y grande en bondad amorosa.[d]

ט [Tehth]

9 Jehová es bueno para con todos,[e]

y sus misericordias están sobre todas sus obras.[f]

י [Yohdh]

10 Todas tus obras te elogiarán, oh Jehová,[g]

y los que te son leales te bendecirán.[h]

כ [Kaf]

11 Dirán de la gloria de tu gobernación real,[i]

y hablarán de tu poderío,[j]

ל [Lá·medh]

12 para dar a conocer a los hijos de los hombres los actos poderosos de él[k]

y la gloria del esplendor de su gobernación real.[l]

מ [Mem]

13 Tu gobernación real es gobernación real para todos los tiempos indefinidos,[m]

y tu dominio dura por todas las generaciones sucesivas.[n]

ס [Sá·mekj]

14 Jehová está sosteniendo a todos los que van cayendo,[o]

y está levantando a todos los que están encorvados.[p]

ע ['Á·yin]

15 A ti miran con esperanza los ojos de todos,[q]

j Dt 3:24; Rev 15:3; k Sl 136:4; l Sl 103:19; Sl 111:3; m Sl 146:10; Jer 10:7; 1Ti 1:17; n Da 6:26; o Sl 37:24; Sl 94:18; p Sl 38:6; Sl 146:8; q Sl 104:21.

y estás dándoles su alimento a su tiempo.[a]

פ [*Pe’*]

16 Estás abriendo tu mano[b]
y satisfaciendo el deseo de toda cosa viviente.[c]

צ [*Tsa·dhéh*]

17 Jehová es justo en todos sus caminos,[d]
y leal en todas sus obras.[e]

ק [*Qohf*]

18 Jehová está cerca de todos los que lo invocan,[f]
de todos los que lo invocan en apego a la verdad.[g]

ר [*Rehsch*]

19 Ejecutará el deseo de los que le temen,[h]
y oirá su clamor por ayuda, y los salvará.[i]

ש [*Schin*]

20 Jehová está guardando a todos los que lo aman,[j]
pero a todos los inicuos los aniquilará.[k]

ת [*Taw*]

21 La alabanza de Jehová hablará mi boca;[l]
y bendiga toda carne el santo nombre de él hasta tiempo indefinido, aun para siempre.[m]

146 ¡Alaben a Jah![n]
Alaba a Jehová, oh alma mía.[o]
2 Ciertamente alabaré a Jehová mientras dure mi vida.[p]
Ciertamente produciré melodía a mi Dios mientras yo sea.[q]
3 No cifren su confianza en nobles,[r]
ni en el hijo del hombre terrestre, a quien no pertenece salvación alguna.[s]
4 Sale su espíritu,[t] él vuelve a su suelo;[u]
en ese día de veras perecen sus pensamientos.[v]
5 Feliz es el que tiene al Dios de Jacob por ayuda suya,[w]
cuya esperanza está en Jehová su Dios,[a]
6 el Hacedor del cielo y de la tierra,[b]
del mar, y de todo lo que en ellos hay,[c]
Aquel que observa apego a la verdad hasta tiempo indefinido,[d]
7 Aquel que ejecuta juicio para los defraudados,[e]
Aquel que da pan a los hambrientos.[f]
Jehová está soltando a los que están atados.[g]
8 Jehová está abriendo [los ojos a] los ciegos;[h]
Jehová está levantando a los encorvados;[i]
Jehová está amando a los justos.[j]
9 Jehová está guardando a los residentes forasteros;[k]
da alivio al huérfano de padre y a la viuda,[l]
pero tuerce el camino[m] de los inicuos.[n]
10 Jehová será rey hasta tiempo indefinido,[o]
tu Dios, oh Sión, por generación tras generación.[p]
¡Alaben a Jah![q]

147 Alaben a Jah,[r]
porque es bueno celebrar con melodía a nuestro Dios;[s]
porque es agradable... la alabanza es propia.[t]
2 Jehová está edificando a Jerusalén;[u]
a los dispersos de Israel reúne.[v]
3 Está sanando[w] a los quebrantados de corazón,[x]
y está vendando sus partes doloridas.[y]
4 Está contando el número de las estrellas;[z]

CAP. 145
a Gé 1:30; Sl 104:27; Sl 136:25; Mt 24:45
b Sl 104:28
c Sl 107:9; Sl 132:15
d Gé 18:25; Dt 32:4; Ro 3:5; Rev 15:3; Rev 16:5
e Sl 18:25; Rev 15:4
f Dt 4:7; 1Re 18:36; Sl 34:18; Snt 4:8; Jud 24
g Sl 17:1
h Sl 34:9; Lu 1:53
i Sl 37:40; Sl 50:15; Sl 91:15
j Sl 31:23; Sl 37:28; Sl 97:10
k Sl 1:6; Pr 2:22
l Sl 34:1; Sl 51:15; Sl 71:8; Sl 89:1
m Sl 117:1; Sl 150:6

CAP. 146
n Éx 15:2; Sl 149:9; Rev 19:6
o Sl 103:1; Sl 104:35
p Sl 63:4
q Sl 145:2
r Sl 62:9; Sl 118:9
s Sl 118:8; Isa 2:22; Jer 17:5
t Job 12:10; Sl 104:29; Ec 8:8; Mt 27:50; Hch 7:59
u Gé 3:19; Sl 90:3; Ec 3:20; Ec 12:7
v Job 14:10; Job 17:11; Ec 9:5; Ec 9:10; Isa 38:18
w Sl 33:12; Sl 46:7; Sl 144:15; Jer 17:7

2.ª col.
a Sl 71:5
b Gé 1:1; Ne 9:6; Jer 10:12; Hch 4:24; Rev 4:11; Rev 14:7
c Éx 20:11
d Dt 7:9; Sl 71:22
e Sl 103:6

f Sl 107:9; Sl 145:16; g Sl 107:14; Sl 142:7; h Isa 29:18; Isa 35:5; i Sl 145:14; Sl 147:6; Lu 13:13; 2Co 7:6; j Sl 11:7; k Dt 10:18; l Sl 68:5; m Pr 1:15; n Sl 145:20; o Éx 15:18; Sl 10:16; Sl 145:13; Da 6:26; Rev 11:15; p Sl 147:12; Joe 3:17; q Sl 117:2; Rev 19:3; CAP. 147 r Sl 135:1; Rev 19:1; s Sl 92:1; Sl 135:3; t Sl 33:1; Rev 19:5; u Sl 102:16; v Dt 30:3; Eze 36:24; Eze 37:21; w Isa 6:10; x Sl 51:17; y Lu 4:18; z Gé 15:5.

a todas las llama por [sus]
nombres.[a]
5 Nuestro Señor es grande y es
abundante en poder;[b]
su entendimiento es superior a lo que se puede relatar.[c]
6 Jehová está dando alivio a los
mansos;[d]
está abatiendo a los inicuos hasta la tierra.[e]
7 Respondan ustedes a Jehová
con acción de gracias;[f]
celebren con melodía a
nuestro Dios con el
arpa,[g]
8 Aquel que está cubriendo de
nubes los cielos,[h]
Aquel que prepara lluvia
para la tierra,[i]
Aquel que hace que de las
montañas brote hierba
verde.[j]
9 Él está dando a las bestias su
alimento,[k]
a los cuervos jóvenes que
siguen clamando.[l]
10 No se deleita en el poder del
caballo,[m]
ni en las piernas del hombre se complace.[n]
11 Jehová está complaciéndose
en los que le temen,[o]
en los que esperan su bondad amorosa.[p]
12 Encomia a Jehová,[q] oh Jerusalén.
Alaba a tu Dios, oh Sión.[r]
13 Porque él ha hecho fuertes las
barras de tus puertas;
ha bendecido a tus hijos en
medio de ti.[s]
14 Está poniendo la paz en tu
territorio;[t]
de la grosura del trigo sigue satisfaciéndote.[u]
15 Está enviando su dicho a la
tierra;[v]
con velocidad corre su palabra.
16 Está dando la nieve como
lana;[w]
esparce la escarcha lo mismo que ceniza.[x]
17 Está arrojando su hielo como
bocados.[a]
Delante de su frío, ¿quién
puede subsistir?[b]
18 Envía su palabra[c] y los derrite.
Hace soplar su viento;[d]
las aguas destilan.
19 Está anunciando su palabra a
Jacob,[e]
sus disposiciones reglamentarias[f] y sus decisiones judiciales a Israel.[g]
20 No ha hecho así a ninguna
otra nación;[h]
y en cuanto a [sus] decisiones judiciales, no las han
conocido.[i]
¡Alaben a Jah![j]

148

¡Alaben a Jah![k]
Alaben a Jehová desde los cielos,[l]
alábenlo en las alturas.[m]
2 Alábenlo, todos ustedes sus
ángeles.[n]
Alábenlo, todos ustedes su
ejército.[o]
3 Alábenlo, sol y luna.[p]
Alábenlo, estrellas de luz
todas.[q]
4 Alábenlo, cielos de los cielos,[r]
y aguas que están sobre los
cielos.[s]
5 Alaben ellos el nombre de Jehová;[t]
porque él mismo mandó y
fueron creados.[u]
6 Y los tiene subsistiendo para
siempre, hasta tiempo
indefinido.[v]
Ha dado una disposición
reglamentaria, y esta no
pasará.[w]
7 Alaben a Jehová desde la
tierra,[x]
monstruos marinos y profundidades acuosas todas,[y]

CAP. 147
a Isa 40:26
b 1Cr 16:25; Sl 48:1; Sl 96:4; Sl 145:3; Na 1:3
c Isa 40:28; Ro 11:33
d Nú 12:3; Sl 37:11; Sl 146:8
e Sl 55:23
f Sl 95:2
g Sl 33:2; Sl 92:1
h 1Re 18:45
i Job 38:26; Jer 14:22; Mt 5:45
j Job 38:27; Sl 104:14; Isa 30:23; Zac 10:1
k Sl 104:27; Sl 136:25; Sl 145:15
l Job 38:41; Lu 12:24
m Job 39:19; Sl 33:16; Isa 31:1; Os 1:7
n 1Sa 16:7
o Mal 3:16
p Sl 33:18
q Sl 63:3; Sl 117:1
r Sl 135:21; Isa 12:6
s Sl 128:3
t Le 26:6; Sl 29:11; Sl 122:6; Isa 45:7; Isa 60:17; Ro 15:33
u Dt 8:8; Dt 32:14; Sl 81:16; Sl 132:15
v Sl 33:9; Sl 68:11; Sl 107:20
w Job 37:6; Sl 148:8
x Job 38:29

2.ª col.
a Jos 10:11
b Job 37:10
c Hch 10:36
d Sl 148:8
e Éx 20:1; Dt 33:3; Sl 78:5; Sl 103:7; Ro 9:4
f Dt 4:8; Dt 5:31; Mal 4:4
g Dt 4:5; Dt 6:1
h Éx 19:5; Éx 31:17; Dt 4:32; Dt 7:6; Ro 3:2
i 1Cr 17:21
j Sl 116:19; Rev 19:6

CAP. 148 **k** Sl 113:1; **l** Sl 89:5; Isa 49:13; **m** Lu 2:14; **n** Sl 103:20; Lu 2:13; Rev 5:13; **o** Gé 2:1; Jer 32:18; Jud 14; **p** Gé 1:16; Sl 19:1; Sl 136:8; **q** Sl 136:9; **r** Dt 10:14; Ne 9:6; 2Co 12:2; **s** Gé 1:7; 2Pe 3:5; **t** Rev 19:6; **u** Gé 1:1; Gé 1:6; Sl 33:6; **v** Sl 89:37; Pr 8:27; **w** Sl 119:91; Jer 31:36; Jer 33:25; **x** Sl 69:34; **y** Gé 1:21; Sl 74:13; Sl 104:25; Jon 1:17.

8 fuego y granizo, nieve y humo
espeso,[a]
viento borrascoso que rea-
lizas su palabra,[b]
9 montañas y colinas todas,[c]
árboles frutales y cedros
todos,[d]
10 animales salvajes y animales
domésticos todos,[e]
cosas que se arrastran y
pájaros alados,[f]
11 reyes de la tierra[g] y grupos
nacionales todos,
príncipes[h] y jueces todos
de la tierra,[i]
12 ustedes los jóvenes[j] y también ustedes las vír-
genes,[k]
viejos[l] junto con muchachos.[m]
13 Alaben ellos el nombre de
Jehová,[n]
porque solo su nombre es
inalcanzablemente alto.[o]
Su dignidad está por encima de tierra y cielo.[p]
14 Y él ensalzará el cuerno de su
pueblo,[q]
la alabanza de todos los
que le son leales,[r]
de los hijos de Israel, el pueblo a él cercano.[s]
¡Alaben a Jah![t]

149 ¡Alaben a Jah![u]
    Canten a Jehová una
canción nueva,[v]
su alabanza en la con-
gregación de los
que son leales.[w]
2 Regocíjese Israel en su magnífico Hacedor,[x]
los hijos de Sión... estén
gozosos en su Rey.[y]
3 Que alaben su nombre con
danza.[z]
Con la pandereta y el arpa
celébrenlo con melodía.[a]
4 Porque Jehová está complaciéndose en su pueblo.[b]
Hermosea a los mansos
con salvación.[c]
5 Alborócense en gloria los que
son leales;

clamen gozosamente sobre
sus camas.[a]
6 Que las canciones que enaltecen a Dios estén en la
garganta de ellos,[b]
y una espada de dos filos
esté en su mano,[c]
7 para ejecutar venganza en las
naciones,[d]
represiones en los grupos
nacionales,[e]
8 para sujetar a sus reyes con
prisiones[f]
y a sus glorificados con grilletes de hierro,
9 para ejecutar en ellos la decisión judicial escrita.[g]
Tal esplendor pertenece a
todos los que le son lea-
les.[h]
¡Alaben a Jah![i]

150 ¡Alaben a Jah![j]
    Alaben a Dios en su
lugar santo.[k]
Alábenlo en la expan-
sión de su fuerza.[l]
2 Alábenlo por sus obras de
poder.[m]
Alábenlo conforme a la
abundancia de su gran-
deza.[n]
3 Alábenlo con el toque del
cuerno.[o]
Alábenlo con el instru-
mento de cuerdas y el
arpa.[p]
4 Alábenlo con la pandereta[q] y
la danza de corro.[r]
Alábenlo con cuerdas[s] y el
caramillo.[t]
5 Alábenlo con los címbalos de
sonido melodioso.[u]
Alábenlo con los címbalos[v]
estruendosos.
6 Toda cosa que respira... alabe
a Jah.[w]
¡Alaben a Jah![x]

CAP. 148
a Éx 9:23
Nú 16:35
Sl 147:17
Isa 30:30
b Sl 107:25
c Sl 65:12
Sl 98:8
Isa 44:23
Isa 49:13
d 1Cr 16:33
Sl 96:12
Isa 44:23
Isa 55:12
e Sl 50:10
Isa 43:20
f Gé 7:14
g Sl 2:10
Isa 49:23
h Sl 45:16
i Sl 2:10
Sl 82:1
j Sl 110:3
k Sl 45:14
Hch 21:9
l Jer 31:13
m Mt 21:15
n Sl 99:3
o Sl 8:1
Isa 12:4
p 1Re 8:27
1Cr 29:11
Sl 113:4
q Éx 15:16
Sl 75:10
Sl 89:17
Sl 135:4
r Sl 145:10
Sl 149:9
s Éx 19:5
Ef 2:17
t Sl 113:9
Sl 117:2

CAP. 149
u Sl 113:1
v Sl 33:3
Sl 96:1
Isa 42:10
Rev 5:9
w Sl 22:22
Heb 2:12
x Dt 12:7
1Sa 12:22
Sl 100:3
Isa 54:5
y Sl 47:7
z Éx 15:20
Jue 11:34
Sl 150:4
Jer 31:13
a Sl 81:2
Sl 144:9
Sl 150:4
b Sl 35:27
Sl 84:11
c Sl 132:16
Isa 61:10

2.ª col.
a Sl 63:6
b Ne 9:5
c Heb 4:12
Rev 1:16
d Nú 31:2
Sl 79:6
Sl 110:6
e Sl 44:2
f Jos 10:24
Jos 12:7
g Dt 7:1

h Sl 148:14; 1Co 6:2; Rev 20:4; i Sl 111:1; CAP.
150 j Rev 19:6; k 2Cr 20:8; Sl 29:9; Sl 116:19;
Sl 134:2; l Gé 1:6; Sl 19:1; Da 12:3; m Sl 92:5; Sl
107:15; Sl 145:6; Rev 15:3; n Dt 3:24; Sl 96:4; Sl
145:3; Jer 32:18; o 1Cr 15:28; Sl 81:3; Sl 98:6;
p Sl 33:2; Sl 108:2; q Éx 15:20; 1Sa 10:5; Isa
5:12; r Sl 149:3; s Sl 92:3; Sl 144:9; Isa 38:20;
t Job 21:12; Job 30:31; u 1Cr 15:19; 1Cr 16:5;
v 2Sa 6:5; 1Cr 25:1; w Rev 5:13; x Sl 112:1; Sl
148:14; Rev 19:3.

PROVERBIOS

1 Los proverbios[a] de Salomón[b] hijo de David, el rey de Israel.[c] 2 para conocer uno sabiduría[d] y disciplina,[e] para discernir los dichos del entendimiento,[f] 3 para recibir la disciplina[g] que da perspicacia, justicia[h] y juicio y rectitud,[i] 4 para dar sagacidad[j] a los inexpertos, conocimiento[k] y capacidad de pensar[l] al joven.

5 El sabio escucha y absorbe más instrucción,[m] y el entendido es el que adquiere dirección diestra,[n] 6 para entender el proverbio y el dicho difícil de entender, las palabras de los sabios[o] y sus enigmas.

7 El temor de Jehová es el principio del conocimiento.[q] La sabiduría y la disciplina son lo que han despreciado los que simplemente son tontos.[r]

8 Escucha, hijo mío, la disciplina de tu padre,[s] y no abandones la ley de tu madre.[t] 9 Porque son una guirnalda de atracción a tu cabeza[u] y un collar fino a tu garganta.[v]

10 Hijo mío, si los pecadores tratan de seducirte, no consientas.[w] 11 Si siguen diciendo: "De veras ven con nosotros. Sí, pongámonos en emboscada por sangre.[x] Sí, acechemos sin causa alguna a los inocentes.[y] 12 Traguémoslos vivos[z] justamente como el Seol,[a] aun enteros, como los que bajan a un hoyo.[b] 13 Hallemos toda suerte de objetos preciosos de valor. Llenemos nuestras casas de despojos.[d] 14 Debes echar tu suerte en medio de nosotros. Llegue a haber una sola bolsa que nos pertenezca a todos"[e]... 15 hijo mío, no vayas por el camino con ellos.[f] Retén tu pie de su vereda.[g] 16 Porque sus pies son los que corren a la maldad[h] consumada, y siguen apresurándose a derramar sangre.[i] 17 Porque es para nada que se tiende la red ante los ojos de cualquier cosa que posee alas.[a] 18 Por consiguiente, ellos mismos se ponen en emboscada por la mismísima sangre de estos;[b] se esconden en acecho por sus almas.[c] 19 Tales son las sendas de todo el que saca ganancia injusta.[d] Ello quita la misma alma de sus dueños.[e]

20 La sabiduría verdadera[f] misma sigue clamando a gritos en la calle misma.[g] En las plazas públicas sigue dando su voz.[h] 21 Clama en el extremo superior de las calles ruidosas.[i] A las entradas de las puertas a la ciudad dice sus propios dichos:[j]

22 "¿Hasta cuándo seguirán ustedes los inexpertos amando la inexperiencia,[k] y [hasta cuándo] tendrán ustedes los burladores que desear para sí la burla[l] consumada, y [hasta cuándo] seguirán ustedes los estúpidos odiando el conocimiento?[m] 23 Vuélvanse ante mi censura.[n] Entonces ciertamente haré que para ustedes salga burbujeando mi espíritu;[o] ciertamente les daré a conocer mis palabras.[p] 24 Porque he llamado, pero ustedes siguen rehusando;[q] he extendido la mano, pero no hay nadie que preste atención,[r] 25 y ustedes siguen descuidando todo mi consejo,[s] y mi censura no han aceptado;[t] 26 yo también, por mi parte, me reiré de propio desastre de ustedes,[u] me mofaré cuando venga lo que los llena de pavor,[v] 27 cuando lo que los llena de pavor venga justamente

CAP. 1

a 1Re 4:32
Ec 12:9
b Pr 10:1
Pr 25:1
Mt 12:42
c 2Sa 12:24
1Re 2:12
d Pr 8:11
Lu 2:52
e Pr 2:20
2Ti 3:16
Heb 12:7
f Dt 4:6
g Pr 3:11
Heb 12:5
1Pe 5:10
h Pr 10:5
Heb 12:11
i Pr 3:28
Sl 37:37
Pr 2:9
j Jos 9:4
1Sa 23:22
Pr 15:5
Mt 10:16
k Jn 17:3
l Pr 2:11
Pr 3:21
Pr 8:12
Pr 14:17
m Pr 9:9
Pr 15:31
1Co 10:15
n 1Sa 25:33
Pr 24:6
o Sl 49:4
Ec 12:11
p Jue 14:14
Da 5:12
q Job 28:28
Sl 111:10
Pr 9:10
r Pr 5:12
Pr 12:15
Pr 18:2
Ro 1:28
s Dt 6:7
Pr 4:1
Pr 6:20
Ef 6:4
Heb 12:9
t Le 19:3
Pr 31:26
2Ti 1:5
2Ti 3:15
u Pr 4:9
v Pr 3:22
Jn 7:46
Col 4:6
w Ge 39:7
Ex 23:2
Dt 13:6
Ro 16:18
x Jer 5:26
y Sl 10:8
Sl 17:12
Sl 56:6
Mt 26:4
z Sl 35:25
a Nú 16:30
Nú 26:10
b Job 33:22
Sl 30:3
Eze 31:16
c Jue 18:18
d Jue 5:30
e 1Sa 30:16

f Pr 4:14; Pr 13:20; 2Co 6:17; g Sl 119:101; Pr 4:27; 1Co 15:33; h Pr 4:16; Pr 6:18; Pr 19:2; i Pr 6:17; Isa 59:7; Ro 3:15; 2 col. a Sl 91:3; b Sl 55:23; c Pr 28:17; d 2Re 5:20; Pr 15:27; Miq 3:11; e Dt 24:6; Job 31:39; f Ro 11:33; Ro 16:27; 1Co 1:20; 1Co 2:5; Ef 3:10; Snt 3:17; g Mt 10:27; Mt 11:19; Hch 5:42; Job 31:39; Pr 9:3; i Mt 10:27; Hch 20:20; j Pr 8:3; Jn 18:20; k Sl 94:8; Lu 19:42; 1Pr 14:6; m 2Cr 24:19; Pr 5:12; Jn 3:20; n Sl 141:5; Rev 3:19; o Pr 18:4; Hch 2:18; p Isa 54:13; Mt 10:20; Jn 6:45; q Isa 65:12; Mt 22:5; r Isa 65:2; Jer 7:13; s 2Cr 36:16; Sl 107:11; t Sl 81:11; u Sl 37:13; Ro 2:5; v Jue 10:14; 2Cr 7:20.

como una tempestad, y el propio desastre de ustedes llegue aquí justamente como un viento de tempestad,[a] cuando la angustia y los tiempos difíciles les sobrevengan.[b] 28 En aquel tiempo ellos seguirán llamándome, pero yo no responderé;[c] seguirán buscándome, pero no me hallarán,[d] 29 por razón de que odiaron el conocimiento,[e] y no escogieron el temor de Jehová.[f] 30 No consintieron en mi consejo;[g] mostraron falta de respeto a toda mi censura.[h] 31 De manera que comerán del fruto de su camino,[i] y se hartarán de sus propios consejos.[j] 32 Porque el renegar[k] de los inexpertos es lo que los matará,[l] y lo despacioso de los estúpidos es lo que los destruirá.[m] 33 En cuanto al que me escucha, él residirá en seguridad[n] y estará libre del disturbio que se debe al pavor de la calamidad".[o]

2 Hijo mío, si recibes mis dichos[p] y atesoras contigo mis propios mandamientos,[q] 2 de modo que con tu oído prestes atención a la sabiduría,[r] para que inclines tu corazón al discernimiento;[s] 3 sí, además, clamas por el entendimiento[t] mismo y das tu voz por el discernimiento mismo,[u] 4 si sigues buscando esto como a la plata,[v] y como a tesoros escondidos sigues en busca de ello,[w] 5 en tal caso entenderás el temor[x] de Jehová, y hallarás el mismísimo conocimiento de Dios.[y] 6 Porque Jehová mismo da la sabiduría;[z] procedentes de su boca hay conocimiento y discernimiento.[a] 7 Y para los rectos atesorará sabiduría práctica;[b] para los que andan en integridad él es un escudo,[c] 8 mediante la observación de las sendas del juicio,[d] y él guardará el mismísimo camino de los que le son leales.[e] 9 En tal caso entenderás justicia y juicio y rectitud, el derrotero entero de lo que es bueno.[f]

10 Cuando la sabiduría entre en tu corazón[a] y el conocimiento mismo se haga agradable a tu mismísima alma,[b] 11 la capacidad de pensar misma te vigilará,[c] el discernimiento mismo te salvaguardará,[d] 12 para librarte del mal camino,[e] del hombre que habla cosas perversas,[f] 13 de los que dejan las sendas de la rectitud para andar en los caminos de la oscuridad,[g] 14 de los que están regocijándose en hacer el mal,[h] que están gozosos en las cosas perversas de la maldad;[i] 15 aquellos cuyas sendas son torcidas, y que son sinuosos en su derrotero general;[j] 16 para librarte de la mujer extraña, de la extranjera[k] que ha hecho melosos sus propios dichos,[l] 17 que está dejando al amigo íntimo de su juventud[m] y que ha olvidado el mismo pacto de su Dios.[n] 18 Porque abajo a la muerte de veras se hunde su casa, y abajo a los que están impotentes en la muerte [bajan] sus senderos trillados.[o] 19 Ninguno de los que tienen relaciones con ella volverá, ni alcanzarán de nuevo las sendas de los que viven.[p]

20 El propósito es que andes en el camino de los buenos[q] y que guardes las sendas de los justos.[r] 21 Porque los rectos son los que residirán en la tierra,[s] y los exentos de culpa son los que quedarán en ella.[t] 22 En cuanto a los inicuos, serán cortados de la mismísima tierra;[u] y en cuanto a los traicioneros, serán arrancados de ella.[v]

CAP. 1
a Na 1:3
b Mt 24:21
Lu 21:23
Ro 2:9
c Sl 18:41
Lu 13:25
Snt 4:3
d Lam 3:44
e Sl 50:17
Os 4:6
Hch 7:51
f Jue 5:8
Miq 3:2
2Pe 2:15
g Sl 81:11
Jer 8:9
h Éx 33:5
2Cr 29:6
Jer 5:12
i Isa 3:11
Jer 6:19
Eze 24:14
Gál 6:7
j Isa 8:10
k Jer 3:14
l Ro 6:23
m Jer 48:11
Rev 2:5
n Sl 25:13
Isa 48:18
Rev 3:10
o Pr 6:16
Isa 26:3
Lu 21:28
2Pe 2:9

CAP. 2
p Pr 4:1
1Pe 1:25
q Dt 6:6
Job 23:12
r Pr 1:5
s Pr 17:27
Ef 5:17
Heb 5:14
t 1Re 3:11
Pr 9:10
Pr 18:15
u Flp 1:9
2Ti 2:7
v Sl 19:10
w Job 28:18
x Job 28:28
Pr 8:13
Jer 32:40
Rev 14:7
y Jer 9:24
2Ti 3:15
1Jn 5:20
z Ex 31:3
1Re 4:29
Snt 3:17
a 2Ti 3:16
b Pr 3:21
Pr 8:14
Lu 1:17
Lu 16:8
c Job 1:10
Sl 41:12
Pr 28:18
d Pr 8:20
e Sl 37:28
Sl 97:10
f Ec 12:13
Miq 6:8
Lu 10:27

2.ª col.
a Sl 119:111
b Hch 17:11
Col 3:16

c Ec 7:12; Ec 9:15; Ef 5:15; d Ec 10:16; Mt 10:16; e Sl 141:4; f Pr 8:13; Hch 20:30; g Jn 3:19; Jn 12:35; 1Jn 2:11; h 1Co 13:6; Isa 51 50:18; Os 7:3; Lu 22:5; Ro 1:32; j Dt 32:5; Flp 2:15; k Gé 39:12; Pr 7:5; Pr 22:14; Pr 23:27; l Co 6:9; 1Co 6:18; l Pr 6:24; Pr 7:21; m Gé 2:24; Pr 5:18; Jer 3:4; n Mal 2:14; o Pr 5:5; Pr 5:23; Pr 9:18; Ef 5:5; t Ec 7:26; Rev 22:15; q Sl 119:63; 1Co 11:1; Snt 1:27; r Pr 13:20; s Sl 7:9; Sl 37:11; Sl 37:29; u Sl 37:20; Sl 104:35; Pr 10:7; Mt 25:46; v Dt 28:63; Sl 7:8.

3 Hijo mío, no olvides mi ley,[a] y observe tu corazón mis mandamientos,[b] 2 porque largura de días y años de vida[c] y paz te serán añadidos.[d] 3 Que la bondad amorosa y el apego a la verdad mismos no te dejen.[e] Átalos alrededor de tu garganta.[f] Escríbelos sobre la tabla de tu corazón,[g] 4 y así halla favor y buena perspicacia a los ojos de Dios y del hombre terrestre.[h] 5 Confía en Jehová con todo tu corazón,[i] y no te apoyes en tu propio entendimiento.[j] 6 En todos tus caminos tómalo en cuenta,[k] y él mismo hará derechas tus sendas.[l]

7 No te hagas sabio a tus propios ojos.[m] Teme a Jehová y apártate de lo malo.[n] 8 Llegue a ser ello curación[o] a tu ombligo y refrigerio a tus huesos.[p]

9 Honra a Jehová con tus cosas valiosas[q] y con las primicias de todos tus productos.[r] 10 Entonces tus almacenes de abastecimientos estarán llenos de abundancia;[s] y tus propias tinas de lagar rebosarán de vino nuevo.[t]

11 La disciplina de Jehová, oh hijo mío, no rechaces;[u] y no aborrezcas su censura,[v] 12 porque Jehová censura al que ama,[w] aun como lo hace un padre a un hijo en quien se complace.[x]

13 Feliz es el hombre que ha hallado sabiduría,[y] y el hombre que consigue discernimiento,[z] 14 porque el tenerla como ganancia es mejor que tener la plata como ganancia,[s] y el tenerla como producto, que el oro[a] mismo. 15 Es más preciosa que los corales,[b] y todos tus otros deleites no pueden ser igualados a ella. 16 Largura de días está en su diestra;[c] en su siniestra hay riquezas y gloria.[d] 17 Sus caminos son caminos de agradabilidad, y todas sus veredas son paz.[e] 18 Es árbol de vida[f] a los que se asen de ella, y los que la

mantienen firmemente asida[a] han de ser llamados felices.[b]

19 Jehová mismo con sabiduría fundó la tierra.[c] Afirmó sólidamente los cielos con discernimiento.[d] 20 Por su conocimiento las profundidades acuosas mismas fueron partidas,[e] y los cielos nublados siguen goteando lluvia ligera. 21 Hijo mío, no se escapen de tus ojos.[g] Salvaguarda la sabiduría práctica y la capacidad de pensar,[h] 22 y resultarán ser vida a tu alma[i] y encanto a tu garganta.[j] 23 En tal caso andarás con seguridad[k] por tu camino, y ni siquiera tu pie dará contra cosa alguna.[l] 24 Cuando quiera que te acuestes, no sentirás pavor;[m] y ciertamente te acostarás, y tu sueño tendrá que ser placentero.[n] 25 No tendrás que temer ninguna cosa pavorosa repentina,[o] ni la tempestad sobre los inicuos, porque viene.[p] 26 Pues Jehová mismo resultará ser, de hecho, tu confianza,[q] y él ciertamente guardará tu pie de captura.[r]

27 No retengas el bien de aquellos a quienes se les debe,[s] cuando sucede que está en el poder de tu mano hacer[lo].[t] 28 No digas a tu semejante: "Anda, y vuelve, y mañana daré", cuando hay algo contigo.[u] 29 No fabriques ninguna cosa mala contra tu semejante,[v] cuando está morando con un sentido de seguridad contigo.[w] 30 No riñas sin causa con un hombre,[x] si no te ha hecho ningún mal.[y]

31 No tengas envidia del hom-

CAP. 3
a Dt 4:23
Os 4:6
b Dt 4:6
Sl 119:34
c Sl 21:4
Pr 10:27
d Isa 54:13
e 2Sa 15:20
Os 12:6
f Dt 6:8
g 2Co 3:3
Heb 10:16
h Lu 2:52
2Co 8:21
i Sl 62:8
Isa 26:4
Jer 17:7
j Pr 28:26
Jer 9:23
Jer 10:23
1Co 3:18
k 1Sa 23:2
1Sa 23:4
1Cr 28:9
Ne 1:11
Flp 4:6
Col 3:17
l Jos 1:7
Sl 25:9
Snt 1:5
m Pr 26:12
Isa 5:21
Ro 12:16
n Ne 5:15
Pr 14:27
Pr 16:6
o Sl 103:3
p Mt 11:29
q Nú 31:50
Pr 16:16
Lu 16:9
1Ti 6:18
r Éx 23:19
Dt 26:2
s Dt 28:8
2Cr 31:10
Mal 3:10
t Joe 2:24
u Jn 15:32
Heb 12:5
v Sl 94:12
w 1Co 11:32
Heb 12:6
Rev 3:19
x Dt 8:5
Pr 23:15
Heb 12:7
Heb 12:9
y Ec 7:12
z Pr 2:3
Pr 10:23
a Job 28:15
Pr 8:10
Pr 16:16
b Job 28:18
Pr 8:11
c 1Ti 4:8
d 2Co 6:10
e Lu 1:79
Flp 4:9
f Pr 11:30

2.ª col.
a Flp 2:16
b Sl 1:1
Pr 2:10
c Sl 104:24
Jer 10:12
1Co 8:6
d Pr 8:27
Jer 51:15

e Gé 1:9; Sl 104:9; Sl 136:6; 2Pe 3:5; f Le 26:4; Job 36:27; Job 38:37; Jer 10:13; g Dt 6:8; Ef 1:18; h Pr 1:4; Pr 5:2; i Pr 4:22; j Pr 1:9; k Pr 10:9; l Sl 91:12; Sl 121:3; Pr 4:12; Isa 26:7; m Sl 3:5; Sl 4:8; Pr 6:22; n Sl 127:2; Ec 5:12; Jer 31:26; o Sl 27:1; Da 3:17; Lu 1:74; Jn 14:1; Flp 1:14; p Sl 73:19; Mt 24:21; 1Te 5:2; q Sl 91:9; Pr 10:29; Pr 14:26; Pr 28:1; r 1Sa 2:9; Sl 91:14; s Ro 13:7; Gál 6:6; Tit 3:1; Snt 2:16; Snt 5:4; t Ne 5:8; Pr 28:27; u Le 19:13; Dt 24:13; v Pr 6:18; w Sl 35:20; Sl 55:20; x Pr 18:6; Pr 20:3; Pr 25:8; y Ro 12:18; 1Pe 3:11.

bre de violencia,[a] ni escojas ninguno de sus caminos.[b] 32 Porque el sinuoso[c] es cosa detestable a Jehová,[d] pero Él tiene intimidad con los rectos.[e] 33 La maldición de Jehová está sobre la casa del inicuo,[f] pero él bendice el lugar de habitación de los justos.[g] 34 Si se trata de burladores,[h] él mismo escarnecerá;[i] pero a los mansos mostrará favor.[j] 35 Honra es lo que los sabios llegarán a poseer,[k] pero los estúpidos están ensalzando la deshonra.[l]

4 Escuchen, oh hijos, la disciplina de un padre,[m] y presten atención, para conocer entendimiento.[n] 2 Porque buena instrucción es lo que ciertamente les daré.[o] No dejen mi ley.[p] 3 Pues yo resulté ser un hijo verdadero para mi padre,[q] tierno y el único delante de mi madre.[r] 4 Y él me instruía[s] y me decía: "Que tu corazón[t] tenga firmemente asidas mis palabras.[u] Guarda mis mandamientos y continúa viviendo.[v] 5 Adquiere sabiduría,[w] adquiere entendimiento.[x] No te olvides, y no te desvíes de los dichos de mi boca.[y] 6 No la dejes, y ella te guardará. Ámala, y ella te salvaguardará.[z] 7 La sabiduría es la cosa principal.[z] Adquiere sabiduría; y con todo lo que adquieres, adquiere entendimiento.[a] 8 Estímala altamente, y ella te ensalzará.[b] Ella te glorificará porque la abrazas.[c] 9 Dará a tu cabeza una guirnalda de encanto;[d] te otorgará una corona de hermosura".[e]

10 Oye, hijo mío, y acepta mis dichos.[f] Entonces para ti los años de vida llegarán a ser muchos.[g] 11 Yo ciertamente te instruiré aun en el camino de la sabiduría;[h] ciertamente haré que pises en los senderos trillados de la rectitud.[i] 12 Cuando andes, no será estrecho tu paso;[j] y si corres, no tropezarás.[k]

13 Ásete de la disciplina;[a] no [la] sueltes.[b] Salvaguárdala, pues ella misma es tu vida.[c]

14 No entres en la senda de los inicuos,[d] y no andes directamente adelante al camino de los malos.[e] 15 Esquívalo,[f] no pases adelante por él;[g] desvíate de él, y pasa adelante.[h] 16 Porque ellos no duermen a menos que hagan maldad,[i] y su sueño [les] ha sido arrebatado a no ser que hagan tropezar a alguien.[j] 17 Porque se han alimentado del pan de la iniquidad,[k] y el vino de actos de violencia es lo que beben.[l] 18 Pero la senda de los justos es como la luz brillante que va haciéndose más y más clara hasta que el día queda firmemente establecido.[m] 19 El camino de los inicuos es como las tinieblas;[n] no han sabido en qué siguen tropezando.[o]

20 Hijo mío, de veras presta atención[p] a mis palabras. A mis dichos inclina tu oído.[q] 21 No se escapen de tus ojos.[r] Guárdalos en medio de tu corazón.[s] 22 Porque son vida a los que los hallan[t] y salud a toda su carne.[u] 23 Más que todo lo demás que ha de guardarse, salvaguarda tu corazón,[v] porque procedentes de él son las fuentes de la vida.[w] 24 Quita de ti mismo la tortuosidad del habla,[x] y la sinuosidad de labios aleja de ti.[y] 25 En cuanto a tus ojos, directamente adelante deben mirar,[z] sí, tus propios ojos radiantes deben mi-

CAP. 3

a Sl 37:1
Pr 23:17
Pr 24:1
Pr 24:19
b Pr 1:15
c Pr 6:12
Pr 14:2
Miq 3:11
d Pr 6:16
Pr 6:17
Pr 11:20
Lu 16:15
e Sl 15:2
Sl 24:4
Sl 25:14
f Dt 28:15
Jos 7:24
Est 9:25
Zac 5:4
Ro 2:5
Col 3:6
g Dt 28:2
Job 42:12
Sl 37:25
h 2Re 2:23
Pr 1:22
i Sl 138:6
Pr 19:29
j Sl 37:11
Sl 149:4
Isa 57:15
Snt 4:6
k Pr 12:8
l Est 6:12
Sl 132:18
Pr 26:3

CAP. 4

m Dt 6:7
Sl 34:11
Pr 1:8
Pr 19:20
Ef 6:1
n Pr 23:23
o Dt 31:13
Dt 32:2
1Ti 4:6
Tit 1:9
p Dt 13:4
1Cr 28:9
q Pr 2:2
Pr 2:12
r 2Sa 12:24
1Re 1:21
s Pr 22:6
t Pr 4:23
u Dt 4:9
v Le 18:5
Jn 12:50
w Snt 3:17
x Ne 8:8
Sl 49:3
Pr 9:10
y 2Cr 34:2
Sl 44:17
Pr 3:1
z Pr 9:10
Ec 7:12
Ec 8:1
Col 2:3
a Pr 8:14
Pr 15:14
Mt 13:23
Heb 5:14
b Pr 9:9
Pr 22:29
Da 1:20
c Éx 35:31
1Re 4:29
1Re 7:14
d Pr 1:9
e Pr 16:31
Lu 10:42

f 1Te 2:13; g Dt 5:16; Pr 3:2; h Isa 12:24; 1Re 4:29; i Job 1:1; Sl 23:3; Isa 26:7; Mal 2:6; j Isa 22:37; k Pr 3:23; Isa 40:31; Jn 11:9; 2.ᵃ col. a Pr 8:10; Pr 8:33; Pr 2:33; Heb 12:6; b Hch 14:22; Heb 2:1; Heb 12:5; Heb 12:11; c Dt 32:47; Pr 3:22; d Sl 1:1; 1Co 15:33; e Pr 1:15; Pr 3:32; f Isa 33:15; g Am 5:15; Ef 5:11; h Pr 5:8; 2Co 6:14; 1Te 5:22; i Sl 36:4; Isa 57:20; j 2Pe 2:14; Jud 12; Rev 2:14; k Miq 2:1; Mt 23:28; l Miq 6:12; Rev 17:6; m 2Sa 23:4; Sl 97:11; Sl 119:105; Da 12:4; Mt 5:14; 1Co 13:12; 2Co 4:6; 2Pe 1:19; n Isa 59:9; Jn 12:35; o Job 12:25; Isa 8:14; Mt 15:14; p Pr 5:1; Heb 2:1; q Sl 78:1; Isa 55:3; r Pr 3:23; s Sl 40:8; Pr 2:1; t Pr 4:4; 1Ti 4:8; u Dt 7:15; Sl 103:3; Pr 14:30; Hch 15:29; v Dt 4:9; Jer 17:9; Mr 7:21; Ec 8:2; Flp 4:8; Col 3:8; w Mt 12:35; x Pr 8:8; 1Pe 2:1; y Eze 18:31; Ef 4:22; Snt 1:21; z Job 31:1; Pr 23:5.

rar con fijeza directamente enfrente de ti.[a] **26** Allana el
derrotero de tu pie,[b] y establézcanse firmemente todos tus
propios caminos.[c] **27** No te inclines a la derecha ni a la izquierda.[d] Quita tu pie de lo que
es malo.[e]

5 Hijo mío, oh de veras presta
atención a mi sabiduría.[f] A
mi discernimiento inclina tus
oídos,[g] **2** para guardar las capacidades de pensar;[h] y que tus
propios labios salvaguarden el
conocimiento mismo.[i]
3 Porque como panal de miel
los labios de una mujer extraña
siguen goteando,[j] y su paladar
es más suave que el aceite.[k]
4 Pero el efecto que después viene de ella es tan amargo como el
ajenjo;[l] es tan agudo como una
espada de dos filos.[m] **5** Sus
pies van descendiendo a la
muerte.[n] Sus mismísimos pasos
se asen del Seol mismo.[o] **6** Ella
no contempla la senda de la
vida.[p] Sus senderos trillados han
ido errantes, y ella no sabe
[adónde].[q] **7** Ahora pues, oh
hijos, escúchenme,[r] y no se aparten de los dichos de mi boca.[s]
8 Mantén tu camino alejado del
lado de ella, y no te acerques a
la entrada de su casa,[t] **9** para
que no des a otros tu dignidad,[u]
ni tus años a lo que es cruel;[v]
10 para que los extraños no se
satisfagan de tu poder,[w] ni las
cosas que conseguiste con dolor
estén en la casa de un extranjero,[x] **11** ni tengas que gemir en
tu futuro[y] cuando se acaben tu
carne y tu organismo.[z] **12** Y
tengas que decir: "¡Cómo he
odiado la disciplina,[a] y mi corazón ha tratado con falta de respeto aun la censura![b] **13** Y no
he escuchado la voz de mis instructores,[c] y a mis maestros no
he inclinado el oído.[d] **14** Fácilmente he llegado a estar en toda
suerte de maldad[e] en medio de la
congregación y de la asamblea".[f]
15 Bebe agua de tu propia cisterna, y chorrillos que salgan de
en medio de tu propio pozo.[a]
16 ¿Deben esparcirse afuera tus
manantiales,[b] [tus] corrientes de
agua en las plazas públicas mismas? **17** Resulten ser para ti
solo, y no para los extraños contigo.[c] **18** Resulte bendita tu
fuente de aguas,[d] y regocíjate
con la esposa de tu juventud,[e]
19 una amable cierva y una encantadora cabra montesa.[f] Que
sus propios pechos te embriaguen a todo tiempo.[g] Con su
amor estés en un éxtasis constantemente.[h] **20** ¿Por qué,
pues, debes tú, hijo mío, estar en
un éxtasis con una extraña, o
abrazar el seno de una extranjera?[i] **21** Porque los caminos del
hombre están enfrente de los
ojos de Jehová,[j] y él está contemplando todos sus senderos trillados.[k] **22** Sus propios errores
atraparán al inicuo,[l] y en las sogas de su propio pecado será asido.[m] **23** Él será el que morirá
porque no hay disciplina,[n] y
[porque] en la abundancia de su
tontedad se descarría.[o]

6 Hijo mío, si has salido fiador
por tu semejante,[p] [si] has
dado tu apretón de manos aun al
extraño,[q] **2** [si] has sido cogido
en un lazo por los dichos de tu
boca,[r] [si] has sido atrapado por
los dichos de tu boca, **3** toma
estas medidas, entonces, hijo
mío, y líbrate, porque has caído
en la palma de la mano de tu
semejante:[s] Ve y humíllate, e
inunda con importunaciones a
tu semejante.[t] **4** No des sueño
a tus ojos, ni adormecimiento a
tus radiantes ojos.[u] **5** Líbrate
como una gacela de la mano, y

CAP. 4
a Mt 6:22
b Ef 5:15
Heb 12:1
c Sl 40:2
2Te 3:3
1Pe 5:10
d Dt 12:32
Jos 1:7
e Isa 1:16
Ro 12:9

CAP. 5
f Pr 2:2
Snt 1:19
g 1Re 4:29
Rev 2:11
h Pr 1:4
Pr 8:12
i Pr 15:7
Mal 2:7
j Pr 2:16
Pr 7:21
k Pr 9:17
l Ec 7:26
m Nú 25:8
Pr 6:32
n Pr 2:19
Pr 9:18
o Pr 7:27
p Pr 11:19
Pr 11:27
q Pr 7:11
r Pr 22:17
Heb 12:25
s Pr 2:1
t Pr 4:15
Pr 6:27
Pr 9:14
u 1Cr 5:1
Pr 6:33
Pr 29:3
v Pr 6:34
Pr 7:23
w Pr 31:3
Lu 15:30
x Gé 34:27
y Dt 32:29
2Sa 12:10
Ro 6:21
Heb 13:4
z 1Co 5:5
Rev 21:8
a Sl 50:17
Zac 7:11
Jn 3:20
b Gé 19:9
Eze 33:8
c Lu 15:18
d 1Te 4:8
e Nú 25:2
1Co 10:6
Jud 8
f 1Co 10:11
Jud 4

2.ª col.
a Can 4:15
1Co 7:3
Heb 13:4
b Pr 5:20
c Gé 2:24
Gé 20:3
Mt 14:4
d 1Co 7:2
1Co 7:5
e Dt 24:5
Ec 9:9
Mal 2:15
f Can 2:9
g Can 4:5

h Gé 26:8; Gé 29:20; Can 8:6; Ef 5:25; i Pr 2:16; Pr 7:22; Pr 22:14; Pr 23:27; j 2Cr 16:9; Job 34:21; Sl 11:4; Jer 17:10; Jer 23:24; Jer 32:19; k Sl 17:3; Jer 16:17; Heb 4:13; l Sl 7:16; Gál 6:7; m Pr 11:21; Ef 5:6; Heb 13:4; n Pr 10:17; o Sl 81:12; Pr 19:3; 2Pe 2:15; CAP. 6 p Gé 43:9; Pr 17:18; Pr 22:26; q Pr 11:15; Pr 20:16; r Pr 18:7; s 2Sa 24:14; t Mt 5:25; u Sl 132:4.

como un pájaro de la mano del pajarero.[a]
6 Vete donde la hormiga,[b] oh perezoso;[c] mira sus caminos y hazte sabio. 7 Aunque no tiene comandante, oficial ni gobernante, 8 prepara su alimento aun en el verano;[d] ha recogido su abastecimiento de alimento aun en la siega. 9 ¿Hasta cuándo, oh perezoso, te quedarás acostado?[e] ¿Cuándo te levantarás de tu sueño?[f] 10 Un poco más de sueño, un poco más de dormitar, un poco más de cruzar las manos para estar acostado,[g] 11 y tu pobreza ciertamente vendrá justamente como algún vagabundo,[h] y tu carencia como un hombre armado.[i]
12 Un hombre que para nada sirve,[j] un hombre de nocividad, está andando con tortuosidad de habla,[k] 13 guiñando el ojo,[l] haciendo señales con el pie, dando indicaciones con los dedos.[m] 14 La perversidad se halla en su corazón.[n] Está fabricando algo malo a todo tiempo.[o] Sigue enviando meramente contiendas.[p] 15 Por eso de repente vendrá su desastre;[q] en un instante él será quebrado, y no habrá curación.[r]
16 Hay seis cosas que Jehová de veras odia;[s] sí, siete son cosas detestables a su alma:[t] 17 ojos altaneros,[u] una lengua falsa,[v] y manos que derraman sangre inocente,[w] 18 un corazón que fabrica proyectos perjudiciales,[x] pies que se apresuran a correr a la maldad,[y] 19 un testigo falso que lanza mentiras,[z] y cualquiera que envía contiendas entre hermanos.[a]
20 Observa, oh hijo mío, el mandamiento de tu padre,[b] y no abandones la ley de tu madre.[c] 21 Átalos sobre tu corazón constantemente;[d] enlázalos a tu garganta.[e] 22 Cuando andes, ello te guiará;[f] cuando te acuestes, vigilará sobre ti;[g] y cuando hayas despertado, hará de ti el objeto de su intenso interés. 23 Porque el mandamien-

to es una lámpara,[a] y una luz es la ley,[b] y las censuras de la disciplina son el camino de la vida,[c] 24 para guardarte de la mujer mala,[d] de la melosidad de la lengua de la extranjera.[e] 25 No desees en tu corazón su belleza,[f] y no vaya ella a atraparte con sus ojos lustrosos,[g] 26 porque a favor de una prostituta [uno se rebaja] a un pan redondo;[h] pero en cuanto a la esposa de [otro] hombre, ella caza hasta un alma[i] preciosa. 27 ¿Puede un hombre recoger fuego en el seno sin que se le quemen las mismas prendas de vestir?[j] 28 ¿O puede un hombre andar sobre las brasas sin que se le chamusquen los mismos pies? 29 Así mismo [ocurre] con cualquiera que tenga relaciones con la esposa de su semejante;[k] nadie que la toque quedará exento de castigo.[l] 30 La gente no desprecia al ladrón simplemente porque comete robo para llenarse el alma cuando tiene hambre. 31 Pero, cuando sea hallado, lo resarcirá con siete veces la cantidad; todas las cosas valiosas de su casa dará.[m] 32 Cualquiera que comete adulterio con una mujer es falto de corazón;[n] el que lo hace está arruinando su propia alma.[o] 33 Una plaga y deshonra hallará,[p] y su oprobio mismo no será borrado.[q] 34 Porque la furia de un hombre físicamente capacitado son los celos,[r] y no mostrará compasión en el día de la venganza.[s] 35 No dará consideración a ninguna clase de rescate, ni mostrará disposición favorable, no importa cuán grande hagas el presente.

CAP. 6
a Sl 124:7
b Job 12:7
c Pr 10:26
  Pr 26:13
d Pr 30:25
e Pr 10:5
  Pr 24:33
f Pr 19:15
g Pr 20:13
  Pr 24:33
  Pr 26:15
  Ec 4:5
h Pr 24:34
i Pr 10:4
  Pr 13:4
  Pr 18:9
  Pr 20:4
j Isa 25:25
  Pr 16:27
k Sl 10:7
  Mt 12:34
  Hch 20:30
  Snt 3:6
l Sl 35:19
  Pr 10:10
  Pr 16:30
m Isa 58:9
n Gé 8:21
  Pr 10:32
o Sl 35:20
  Sl 36:4
  Pr 6:18
  Isa 32:7
  Miq 2:1
p Pr 16:28
  Ro 16:17
  Gál 5:20
q Sl 73:18
  Pr 1:27
  Isa 30:13
  1Te 5:3
r 2Cr 36:16
  Sl 50:22
s Sl 11:5
  Pr 8:13
  Isa 61:8
t Dt 12:31
  Sl 11:5
  Pr 11:20
u 2Sa 15:1
  1Re 1:5
  Sl 101:5
  Pr 16:5
  Gál 6:3
v Pr 12:22
  1Ti 1:10
  Rev 21:8
w Gé 4:10
  Gé 9:6
  Nú 35:31
  Dt 27:25
x Gé 6:5
  Zac 8:17
  Mal 2:16
y Isa 59:7
  Ro 3:15
z Éx 23:1
  1Re 21:13
  Mt 26:59
a Le 19:16
  Gál 5:20
  Snt 3:14
b Jn 10
  Pr 1:8
c Dt 21:18
  Ef 6:1
d Dt 6:6
e Pr 3:3
f Sl 43:3
g Sl 119:9

2.ª col. a Sl 119:105; 2Pe 1:19; b Isa 30:21; Isa 51:4; c Pr 4:13; Heb 12:11; d Pr 5:3; Ec 7:26; e Pr 2:16; Pr 7:5; f Pr 11:22; Mt 5:28; Snt 1:15; g Isa 3:16; h Pr 29:3; Lu 15:16; Lu 15:30; i Eze 13:18; j Gál 6:7; k Gé 20:3; 2Sa 11:4; Pr 5:8; Eze 22:11; l 2Sa 12:10; Pr 6:35; Heb 13:4; m Éx 22:1; Éx 22:4; Lu 19:8; n Pr 7:7; o Pr 2:19; Pr 5:23; Mal 3:5; 1Co 6:9; Heb 13:4; p Pr 5:9; q 1Re 15:5; 1Cr 5:1; Mt 1:6; r Nú 5:14; Pr 27:4; s Gé 39:19; Jue 20:5; Jue 20:13; Can 8:6.

7 Hijo mío, guarda mis dichos,[a] y quieras atesorar contigo tus propios mandamientos.[b] 2 Guarda mis mandamientos y continúa viviendo,[c] y mi ley como la niña[d] de tus ojos. 3 Átalos sobre tus dedos,[e] y escríbelos sobre la tabla de tu corazón.[f] 4 Di a la sabiduría:[g] "Tú eres mi hermana"; y al entendimiento mismo quieras llamar "Pariente", 5 para que te guarden de la mujer extraña,[h] de la extranjera que ha hecho melosos[i] sus propios dichos. 6 Porque estando yo a la ventana de mi casa, miré hacia abajo por mi celosía,[j] 7 para poder atisbar a los inexpertos.[k] Estaba interesado en discernir entre los hijos a un joven falto de corazón,[l] 8 que iba pasando por la calle cerca de la esquina de ella; y en el camino a la casa de ella marcha él,[m] 9 en el crepúsculo, al atardecer del día,[n] al acercarse la noche y las tinieblas. 10 Y, ¡mira!, allí estaba una mujer que salía a su encuentro, con la prenda de vestir de una prostituta,[o] y astuta de corazón. 11 Alborotadora es, y terca.[p] En su casa no siguen residiendo sus pies.[q] 12 Ahora está fuera, ahora está en las plazas públicas,[r] y cerca de todas las esquinas se pone al acecho.[s] 13 Y se ha asido de él y le ha dado un beso.[t] Ha adoptado un rostro descarado, y empieza a decirle:

14 "Tenía que ofrecer sacrificios de comunión.[u] Hoy he pagado mis votos.[v] 15 Por eso he salido a tu encuentro, para buscar tu rostro, a fin de hallarte. 16 He adornado mi diván con colchas, con cosas de muchos colores, lino de Egipto.[w] 17 He rociado mi cama con mirra, áloes y canela.[x] 18 De veras ven, saciémonos bebiendo del amor hasta la mañana; sí, gocemos el uno del otro con expresiones de amor.[y] 19 Porque el esposo no está en casa; se ha ido

viajando por un camino de bastante distancia.[a] 20 Una bolsa de dinero ha llevado en la mano. El día de la luna llena vendrá a su casa".

21 Lo ha extraviado con la abundancia de su persuasiva.[b] Por la suavidad de sus labios lo seduce.[c] 22 De repente él va tras ella,[d] como toro que viene aun al degüello, y justamente como si estuviera en grilletes para la disciplina de un tonto, 23 hasta que una flecha le abre el hígado,[e] tal como un pájaro se mete apresurado en la trampa;[f] y él no ha sabido que en ello está envuelta su misma alma.[g]

24 Y ahora, oh hijos, escúchenme y presten atención a los dichos de mi boca.[h] 25 No se desvíe tu corazón a los caminos de ella. Ni, andando errante, entres en sus veredas.[i] 26 Porque muchos son los que ella ha hecho caer muertos,[j] y son numerosos todos los que ella va matando.[k] 27 Caminos al Seol es su casa;[l] van descendiendo a los cuartos interiores de la muerte.[m]

8 ¿No sigue clamando la sabiduría,[n] y no sigue dando su voz el discernimiento?[o] 2 En la cima de las alturas,[p] junto al camino, en el cruce de las veredas se ha apostado. 3 Al lado de las puertas, a la boca del pueblo,[q] en el lugar de acceso de las entradas sigue clamando a gritos:[r]

4 "A ustedes, oh hombres, estoy llamando, y mi voz se dirige a los hijos de los hombres.[s] 5 Oh inexpertos, entiendan sagacidad;[t] y ustedes los estúpidos, entiendan corazón.[u] 6 Escuchen, porque acerca de las cosas de primera importancia hablo,[v] y el abrir mis labios tiene que ver con la rectitud.[w] 7 Porque en voz baja mi paladar profiere la verdad misma;[x] y la iniquidad es cosa detestable a

CAP. 7
a Pr 2:1
  Pr 4:1
  Pr 5:1
  Lu 8:15
b Dt 11:18
  Pr 10:14
c Le 18:5
  Isa 55:3
  Jn 12:50
d Sl 17:8
e Dt 6:8
f Pr 2:10
  2Co 3:3
g Pr 2:2
  Pr 2:16
  Pr 23:27
i Pr 5:3
  Pr 6:24
  1 Can 2:9
k Pr 9:6
  1 Pr 6:32
  Pr 9:16
m Pr 5:8
n Job 24:15
  Sl 10:12
  Ef 5:11
o Gé 38:14
  Jer 4:30
p Pr 9:13
q 1Ti 5:13
  Tit 2:5
r Pr 9:14
  Pr 23:28
  Jer 3:2
t Gé 39:12
  Rev 2:20
u Le 19:5
  Pr 15:8
  Pr 21:27
  Isa 1:11
v 2Sa 15:8
w Eze 27:7
x Can 3:4
y Can 1:4

2.ᵃ col.
a Mr 13:34
b Pr 5:3
  Pr 7:5
c Rev 2:20
d 1Co 6:18
e Pr 5:9
  Pr 5:11
f Ec 9:12
g Pr 9:18
h Pr 1:1
  Pr 5:8
  1Pe 2:11
j Ec 7:26
k 1Co 10:8
l Pr 5:5
  Pr 9:18
m Pr 2:18
  Ec 7:17

CAP. 8
n Pr 1:20
o Pr 2:3
  Pr 7:11
p Mt 10:27
q Pr 1:21
r Hch 20:20
s Mt 11:15
t Sl 19:7
  Pr 1:4
u Jer 17:9
v 1Co 2:6
w Pr 2:9
x Jn 4:24
  Jn 17:17

mis labios.[a] 8 Todos los dichos de mi boca son en justicia.[b] Entre ellos no hay nada avieso ni torcido.[c] 9 Todos ellos son derechos al que discierne, y rectos a los que hallan conocimiento.[d] 10 Acepten mi disciplina y no plata, y conocimiento más bien que oro[e] escogido. 11 Porque la sabiduría es mejor que los corales,[f] y todos los otros deleites mismos no pueden ser igualados a ella.[g]

12 "Yo, la sabiduría, he residido con la sagacidad[h] y hallo hasta el conocimiento de las capacidades de pensar.[i] 13 El temor de Jehová significa odiar lo malo.[j] El propio ensalzamiento y el orgullo[k] y el mal camino y la boca perversa[l] he odiado. 14 Yo tengo consejo[m] y sabiduría práctica.[n] Yo... entendimiento;[o] yo tengo poderío.[p] 15 Por mí reyes mismos siguen reinando, y altos funcionarios mismos siguen decretando justicia.[q] 16 Por mí príncipes mismos siguen gobernando como príncipes,[r] y todos los nobles están juzgando en justicia.[s] 17 A los que me aman, yo misma los amo,[t] y los que me buscan son los que me hallan.[u] 18 Riquezas y gloria están conmigo,[v] valores hereditarios y justicia.[w] 19 Mi fruto es mejor que el oro, aun que el oro refinado; y mi producto, que la plata[x] escogida. 20 En el camino de la justicia ando yo,[y] en medio de las veredas del juicio,[z] 21 para hacer que los que me aman tomen posesión de sustancia;[a] y sus almacenes mantengo llenos.[b]

22 "Jehová mismo me produjo como el principio de su camino,[c] el más temprano de sus logros de mucho tiempo atrás.[d] 23 Desde tiempo indefinido fui instalada,[e] desde el comienzo, desde tiempos anteriores a la tierra.[f] 24 Cuando no había profundidades acuosas fui producida como con dolores de parto,[g]

cuando no había manantiales cargados pesadamente de agua. 25 Antes que las montañas mismas se hubieran asentado,[a] primero que las colinas, fui producida como con dolores de parto, 26 cuando aún no había hecho él la tierra[b] ni los espacios abiertos ni la primera parte de las masas de polvo de la tierra productiva.[c] 27 Cuando él preparó los cielos, yo estaba allí;[d] cuando decretó un círculo sobre la haz de la profundidad acuosa,[e] 28 cuando afirmó las masas de nubes arriba,[f] cuando hizo fuertes las fuentes de la profundidad acuosa,[g] 29 cuando fijó para el mar su decreto de que las aguas mismas no pasaran más allá de su orden,[h] cuando decretó los fundamentos de la tierra,[i] 30 entonces llegué a estar a su lado como un obrero maestro,[j] y llegué a ser aquella con quien él estuvo especialmente encariñado[k] día a día, y estuve alegre delante de él todo el tiempo,[l] 31 pues estuve alegre por el terreno productivo de su tierra,[m] y las cosas que fueron el objeto de mi cariño estuvieron con los hijos de los hombres.[n]

32 "Y ahora, oh hijos, escúchenme; sí, felices son los que guardan mis caminos mismos.[o] 33 Escuchen la disciplina y háganse sabios,[p] y no muestren ningún descuido.[q] 34 Feliz es el hombre que me está escuchando al mantenerse despierto a mis puertas día a día, vigilando a los postes de mis entradas.[r] 35 Porque el que me halla ciertamente halla la vida,[s] y consigue buena voluntad de Jehová.[t] 36 Pero el que no me alcanza hace violencia a su alma;[u] todos los que me odian

CAP. 8
a Pr 12:22
  Pr 29:27
b Sl 12:6
  Isa 45:23
c 2Ti 3:16
d Sl 25:12
  Pr 21:11
e Sl 19:10
  Sl 119:72
  Sl 119:127
  Pr 3:14
  Pr 16:16
  Pr 20:15
f Pr 3:15
g Sl 19:10
  Sl 119:127
h Pr 1:4
i Pr 2:11
  Pr 5:2
j Sl 97:10
  Sl 101:3
  Pr 13:5
  Pr 16:6
  Ro 12:9
k 1Sa 2:3
  Sl 101:5
  Pr 11:2
  1Pe 5:5
l Pr 4:24
m Isa 9:6
  Jn 7:16
n Pr 2:7
  Lu 1:17
o Pr 4:7
p Pr 24:5
q Sl 72:1
r Isa 32:1
s Pr 29:2
t Sl 91:14
  Jn 14:21
u Pr 2:5
v Mr 10:30
w 1Re 3:6
x Pr 3:14
y Sl 85:13
  Pr 11:5
z Sl 72:2
  Isa 11:4
  Isa 42:1
a Sl 37:11
  Mt 25:34
b Mal 3:10
c Jn 1:1
  Jn 1:14
d Col 1:15
e Miq 5:2
f Jn 1:3
  Jn 8:58
  Jn 17:5
  Col 1:16
g Gé 1:2

2.ᵃ col.

a Gé 1:10
  Sl 90:2
b Gé 1:1
c Sl 89:11
  Sl 90:2
d Sl 33:6
  Jer 10:12
  Col 1:17
e Gé 1:6
  Job 26:10
f Gé 1:7
  Job 38:9
g Gé 2:6
  Gé 7:11
  Gé 8:2
  Sl 104:6

h Gé 1:9; Job 38:11; Sl 33:7; Sl 104:9; Jer 5:22; i Gé 1:9; j Gé 1:26; Jn 1:3; Jn 17:5; Col 1:16; k Isa 42:1; Mt 3:17; 1 Job 38:7; m Sl 9:8; Sl 98:7; n Jn 3:16; Jn 13:1; o 1Jn 2:17; p Pr 3:11; Pr 4:13; Heb 12:7; q Pr 28:14; Heb 12:25; r Mt 5:3; 1Pe 5:6; s Pr 13:14; Jn 3:36; Jn 14:6; Jn 17:3; t Pr 12:2; Ef 1:6; u Jn 3:19; Hch 13:46.

con intensidad son los que de veras aman la muerte".[a]

9 La sabiduría verdadera[b] ha edificado su casa;[c] ha labrado sus siete columnas. 2 Ha organizado su degollación de carne; ha mezclado su vino; más que eso, ha dispuesto su mesa.[d] 3 Ha enviado a sus criadas de compañía, para que ella pueda clamar en la cima de las alturas del pueblo: 4 "Cualquiera que sea inexperto, diríjase acá".[e] A cualquiera falto de corazón[f]... ella ha dicho: 5 "Vengan, aliméntense de mi pan y participen en beber el vino que he mezclado.[g] 6 Dejen a los inexpertos y sigan viviendo,[h] y anden directamente en el camino del entendimiento".[i]

7 El que está corrigiendo al burlador está tomando para sí deshonra;[j] y el que está dando una censura a alguien inicuo... ¡defecto en él![k] 8 No censures a un burlador, para que no te odie.[l] Da una censura a un sabio, y te amará.[m] 9 Da a un sabio, y se hará aún más sabio.[n] Imparte conocimiento a alguien justo, y aumentará en saber.

10 El temor de Jehová es el comienzo de la sabiduría,[o] y el conocimiento del Santísimo es lo que el entendimiento es.[p] 11 Porque por mí tus días llegarán a ser muchos,[q] y se te añadirán años de vida.[r] 12 Si te has hecho sabio, te has hecho sabio a favor de ti mismo;[s] y si te has burlado, [lo] soportarás, tú solo.[t] 13 Una mujer de estupidez es alborotadora.[u] Es la simplicidad misma, y no ha llegado a saber nada en absoluto.[v] 14 Y se ha sentado a la entrada de su casa, sobre un asiento, [en] los lugares altos del pueblo,[w] 15 para llamar a los que van pasando por el camino, a los que están yendo directamente adelante por sus sendas:[x] 16 "Cualquiera que sea inexperto, diríjase acá". Y a

cualquiera falto de corazón[a]... también le ha dicho: 17 "Las aguas hurtadas mismas son dulces,[b] y el pan [que se come] en secreto... es agradable".[c] 18 Pero él no ha llegado a saber que allí se hallan los que están impotentes en la muerte, que los llamados adentro por ella están en los lugares bajos del Seol.[d]

Proverbios de Salomón.[e]

10 El hijo sabio es el que regocija a un padre,[f] y el hijo estúpido es el desconsuelo de su madre.[g] 2 Los tesoros del inicuo no serán de provecho alguno,[h] pero la justicia es lo que librará de la muerte.[i] 3 Jehová no hará que el alma del justo padezca hambre,[j] pero rechazará el deseo vehemente de los inicuos.[k]

4 El que trabaja con mano floja será persona de escasos recursos,[l] pero la mano del diligente es lo que enriquece a uno.[m]

5 El hijo que actúa con perspicacia recoge durante el verano; el hijo que actúa vergonzosamente está profundamente dormido durante la siega.[n]

6 Las bendiciones son para la cabeza del justo,[o] pero en cuanto a la boca de los inicuos, esta encubre violencia.[p] 7 Al recuerdo del justo le espera una bendición,[q] pero el mismísimo nombre de los inicuos se pudrirá.[r]

8 El sabio de corazón acepta mandamientos,[s] pero el que con los labios es tonto será pisoteado.[t]

9 El que está andando en integridad andará en seguridad,[u] pero el que está torciendo sus caminos se dará a conocer.[v]

CAP. 8
a Pr 5:23
Mt 25:46

CAP. 9
b Pr 1:20
1Co 2:7
c Sl 127:1
d Lu 14:17
e Sl 119:130
f Pr 1:22
f Pr 7:7
g Sl 22:26
Jer 31:12
Jn 6:27
h Sl 26:4
Hch 2:40
2Co 6:17
Rev 18:4
i Pr 4:5
Pr 13:20
Pr 22:17
Ec 7:5
Mt 7:13
Lu 13:24
j 1Re 18:17
Pr 15:12
k 1Re 21:20
2Cr 25:16
l 1Re 22:8
Pr 15:12
Pr 23:9
m Sl 141:5
Pr 27:6
Pr 28:23
n Pr 1:5
Pr 15:31
Pr 17:10
Pr 25:12
Mt 13:12
o Sl 34:11
Sl 111:10
Pr 1:7
p 1Cr 28:9
Mt 11:27
Jn 17:3
q Dt 6:2
Pr 3:16
Pr 10:27
r Pr 3:2
s Pr 16:26
t Isa 28:22
u Pr 7:11
Pr 21:9
v Job 2:10
w Pr 7:12
Pr 23:28
x Pr 7:8
Pr 7:26
Pr 23:27
y Pr 9:4

2.ª col.
a Pr 6:32
b Pr 20:17
c Pr 7:18
Ef 5:12
d Pr 2:18
Pr 5:5

CAP. 10
e Pr 1:1
f Pr 13:1
Pr 23:24
Pr 27:11
Pr 29:3
g Pr 15:20
Pr 17:21
Pr 17:25

h Pr 11:4; Sof 1:18; i Pr 11:4; Pr 12:28; Da 4:27;
j Sl 33:19; Sl 37:25; Mt 6:33; Heb 13:5; k Pr
14:32; 1Pr 20:4; Ec 10:18; m Pr 12:24; Pr 13:4;
Pr 21:5; n Pr 6:6; Pr 6:9; Pr 17:2; o Éx 23:25; Dt
28:2; Pr 11:26; Pr 28:20; Mal 3:10; p Dt 28:15;
q 2Re 19:34; Sl 112:6; Pr 22:1; Ec 7:1; r Sl 9:5;
Sl 109:15; s Dt 4:6; Job 23:12; Sl 19:7; Sl 107:43;
Sl 119:34; Sl 119:100; 2Ti 3:15; t Pr 17:20; Pr
18:6; Ec 10:12; u Sl 25:21; Pr 28:18; v Mt 10:26;
Lu 12:2; 1Co 4:5; 1Ti 5:24.

10 El que guiña el ojo dará dolor,[a] y el que con los labios es tonto será pisoteado.[b] **11** La boca del justo es fuente de vida;[c] pero en cuanto a la boca de los inicuos, encubre violencia.[d]

12 El odio es lo que suscita contiendas,[e] pero el amor cubre hasta todas las transgresiones.[f]

13 En los labios del entendido se halla la sabiduría,[g] pero la vara es para la espalda de uno falto de corazón.[h]

14 Los sabios son los que atesoran el conocimiento,[i] pero la boca del tonto está cerca de la ruina misma.[j]

15 Las cosas valiosas del rico son su pueblo fuerte.[k] La ruina de los de condición humilde es su pobreza.[l]

16 La actividad del justo resulta en vida;[m] el producto del inicuo resulta en pecado.[n]

17 El que se adhiere a la disciplina es una senda a la vida,[o] pero el que deja la censura hace que se ande errante.[p]

18 Donde hay uno que está encubriendo el odio hay labios de falsedad,[q] y el que presenta un informe malo es estúpido.[r]

19 En la abundancia de palabras no deja de haber transgresión,[s] pero el que tiene refrenados sus labios está actuando discretamente.[t]

20 La lengua del justo es plata escogida;[u] el corazón del inicuo vale poco.[v]

21 Los mismísimos labios del justo siguen paciendo a muchos,[w] pero por falta de corazón los tontos mismos siguen muriendo.[x]

22 La bendición de Jehová... eso es lo que enriquece,[y] y él no añade dolor con ella.[z]

23 Para el estúpido el ocuparse en conducta relajada es como un juego,[a] pero la sabiduría es para el hombre de discernimiento.[b]

24 Lo que al inicuo es espantoso... eso es lo que le vendrá;[c]

pero el deseo de los justos será otorgado.[a] **25** Como cuando pasa el viento de tempestad, así el inicuo ya no es;[b] pero el justo es un fundamento hasta tiempo indefinido.[c]

26 Como vinagre a los dientes y como humo a los ojos, así es el perezoso a los que lo envían.[d]

27 El mismísimo temor de Jehová añadirá días,[e] pero los años mismos de los inicuos serán acortados.[f]

28 La expectación de los justos es un regocijo,[g] pero la esperanza misma de los inicuos perecerá.[h]

29 El camino de Jehová es una plaza fuerte para el exento de culpa,[i] pero la ruina es para los practicantes de lo que es perjudicial.[j]

30 En cuanto al justo, hasta tiempo indefinido no se le hará trastabillar;[k] pero en cuanto a los inicuos, no seguirán residiendo en la tierra.[l]

31 La boca del justo... esta da por fruto la sabiduría,[m] pero la lengua de la perversidad será cortada.[n]

32 Los labios del justo... estos llegan a conocer buena voluntad,[o] pero la boca de los inicuos es perversidad.[p]

11 Una balanza defraudadora es cosa detestable a Jehová,[q] pero una pesa de piedra completa le es un placer.

2 ¿Ha venido la presunción? Entonces vendrá la deshonra;[r] pero la sabiduría está con los modestos.[s]

3 La integridad de los rectos

CAP. 10
a Sl 35:19
  Pr 6:13
b Pr 18:21
  3Jn 10
c Sl 37:30
  Pr 11:30
  Mt 12:35
d Sl 5:20
  Ec 10:13
  Mt 12:34
  Snt 3:5
e Pr 15:18
  Snt 4:1
f Pr 17:9
  1Co 13:4
  1Pe 4:8
g Pr 15:7
  Isa 50:4
  Lu 4:22
h Sl 32:9
  Pr 19:29
  Pr 26:3
  1Co 4:21
i Pr 9:9
  Pr 18:15
  Mt 12:35
j Pr 13:3
  Pr 18:7
  Pr 21:23
k Job 31:24
  Ec 7:12
  Lu 12:19
l Pr 19:7
m Pr 11:30
  Hab 2:4
  Gál 6:8
n Mt 7:17
o Pr 12:1
  Heb 2:1
  Heb 13:7
p Pr 5:12
  Pr 15:10
  2Ti 4:4
  Heb 12:25
q 1Sa 18:21
  2Sa 3:27
  Lu 20:20
  1Jn 3:15
r Sl 50:20
  Sl 101:5
s Ec 5:2
  Ec 10:14
  Snt 3:2
t Sl 39:1
  Pr 17:27
  Pr 21:23
  Snt 1:19
u Pr 12:18
  Pr 16:13
  Mt 12:35
v Gé 6:5
  Jer 17:9
  Mt 12:34
w Pr 3:15
  1Pe 5:2
x Pr 5:12
  Os 4:6
  Ro 1:28
y Dt 8:18
  1Sa 2:7
  Sl 37:22
  Sl 107:38
z 1Ti 6:6
a Pr 14:9
  Pr 26:19
b Pr 1:2
  Pr 2:10
  Pr 15:21

c Heb 10:27; 2.ᵃ col. a Sl 21:2; Sl 37:4; Jn 16:24; 1Jn 5:14; b Sl 37:10; Sl 58:9; 1sa 40:24; c Sl 15:5; Mt 7:24; 1Ti 6:19; d Mt 25:26; e Sl 21:4; Sl 91:16; f Sl 55:23; Ec 7:17; g Sl 16:9; Ro 5:2; Ro 12:12; h Sl 112:10; Pr 11:7; Mt 25:46; 2Te 1:9; i Sl 41:11; Sl 84:7; Pr 18:10; 1sa 40:31; Flp 4:13; j Job 31:3; Sl 1:6; Lu 13:27; Ro 2:8; k Sl 16:8; Sl 125:1; 1Sl 37:9; Mt 24:13; 1Sl 37:30; Pr 10:11; Sl 63:11; o Sl 30:5; Pr 11:27; p Pr 15:2; CAP. 11 q Le 19:36; Dt 25:15; Pr 20:10; Eze 45:10; Am 8:5; Miq 6:10; r Pr 16:18; Pr 18:12; Lu 14:8; s Pr 15:33; Miq 6:8; 1Pe 5:5.

es lo que los guía,[a] pero el torcimiento por los que obran traidoramente los despojará con violencia.[b]

4 Las cosas valiosas no serán de ningún provecho en el día del furor,[c] pero la justicia misma librará de la muerte.[d]

5 La justicia del exento de culpa es lo que hará derecho su camino,[e] pero en su propia iniquidad el inicuo caerá.[f] 6 La justicia de los rectos es lo que los librará,[g] pero por su deseo vehemente los de tratos traicioneros serán atrapados ellos mismos.[h]

7 Cuando muere un hombre inicuo, perece [su] esperanza;[i] y hasta la expectación [basada] en poderío ha perecido.[j]

8 El justo es el que es librado aun de la angustia,[k] y el inicuo entra en lugar de él.[l]

9 Por [su] boca el que es apóstata arruina a su semejante,[m] pero por conocimiento son librados los justos.[n]

10 A causa de la bondad de los justos el pueblo está jubiloso,[o] pero cuando perecen los inicuos hay un clamor gozoso.[p]

11 A causa de la bendición de los rectos el pueblo recibe ensalzamiento,[q] pero a causa de la boca de los inicuos llega a ser demolido.[r]

12 El que es falto de corazón ha despreciado a su propio semejante,[s] pero el hombre de discernimiento amplio es uno que guarda silencio.[t]

13 El que anda como calumniador[u] está descubriendo habla confidencial,[v] pero el que es fiel en espíritu está encubriendo un asunto.[w]

14 Cuando no hay dirección diestra, el pueblo cae;[x] pero hay salvación en la multitud de consejeros.[y]

15 Positivamente le irá mal a uno por haber salido fiador por un extraño,[z] pero el que odia andar estrechando las manos se mantiene libre de cuidado.

16 Una mujer de encanto es la que se ase de la gloria;[a] pero los tiranos, por su parte, se asen de las riquezas.

17 Un hombre de bondad amorosa está tratando recompensadoramente con su propia alma,[b] pero la persona cruel está acarreando extrañamiento a su propio organismo.[c]

18 El inicuo obtiene salario falso;[d] pero el que siembra justicia, sueldo verdadero.[e]

19 El que se mantiene firmemente a favor de la justicia está en vías de recibir la vida,[f] pero el que corre tras lo que es malo está en vías de recibir su propia muerte.[g]

20 Los torcidos de corazón son cosa detestable a Jehová,[h] pero los exentos de culpa en [su] camino le son un placer.[g]

21 Aunque mano esté a mano, la persona mala no quedará sin castigo;[j] pero la prole de los justos ciertamente escapará.[k]

22 Como nariguera de oro en el hocico de un cerdo, así es la mujer que es bella, pero que está apartándose de la sensatez.[l]

23 El deseo de los justos es de seguro es bueno;[m] la esperanza de los inicuos es furor.[n]

24 Existe el que esparce y, no obstante, se le aumenta;[o] también el que se retiene de lo que es recto, pero eso resulta solo en carencia.[p]

25 El alma generosa será engordada ella misma;[q] y el que liberalmente riega [a otros], él mismo también será liberalmente regado.[r]

26 Al que retiene el grano... el populacho lo execrará, pero hay

---

CAP. 11
a SI 25:21
  SI 26:1
  Pr 13:6
b Pr 21:7
  Pr 28:18
  Isa 1:28
c Pr 10:2
  Pr 18:11
  Eze 7:19
  Sof 1:18
  Mt 16:26
d Gé 7:1
  Pr 12:28
  Pr 14:32
e SI 26:3
  Pr 10:2
  Pr 13:6
f 2Sa 17:23
  Est 7:10
  SI 9:15
  Pr 5:22
g Gé 31:7
  Jer 39:18
  Jer 40:4
h SI 7:16
  Pr 1:32
  Ec 9:3
  Ec 10:8
i Pr 10:28
  Pr 14:32
  2Ti 1:9
j Éx 15:9
  SI 146:4
  Ec 9:5
  Lu 12:20
k Est 8:11
  Pr 10:28
  Da 3:27
  Da 6:23
l Est 7:9
  Pr 21:18
  Da 6:24
m Hch 20:30
  2Co 11:13
  2Ti 2:18
  2Pe 2:1
n Pr 2:10
  Pr 9:10
o Est 8:16
  Pr 28:12
p Éx 15:21
  Jue 5:31
  Est 9:22
q Pr 14:34
  Pr 29:8
r Est 9:1
  Snt 3:6
s 2Sa 19:27
  SI 123:4
  Pr 18:8
t Pr 17:27
  1Pe 2:23
u Le 19:16
  SI 101:5
v Pr 20:19
  Pr 25:9
  Pr 26:22
w Jos 2:14
  Jos 2:20
  Jer 38:27
  Mt 1:19
x 1Re 12:14
  Isa 19:13
y Pr 15:22
  Pr 20:18
  Pr 24:6
z Pr 6:1
  Pr 17:18
  Pr 20:16
  Pr 22:26

2.ª col. a 1Sa 25:39; Pr 31:30; 1Ti 2:9; 1Pe 3:4;
b Pr 19:22; Da 4:27; Lu 6:38; 2Co 9:6; c Snt 5:3;
d Job 27:13; Gál 6:7; e SI 126:5; Gál 6:8; Snt
3:18; f Pr 10:16; Pr 12:28; Hab 2:4; Hch 10:35;
Rev 2:10; g Pr 7:23; Pr 8:36; Ro 6:23; h SI 18:26;
Pr 3:32; Pr 6:15; i SI 11:7; SI 51:6; Pr 15:8; j Ec
8:13; Eze 18:4; k Gé 22:12; 1Sa 30:19; l Pr 9:13;
m SI 10:17; SI 37:4; Isa 26:9; Mt 5:6; n Pr 10:28;
2Te 1:9; Heb 10:27; o Dt 15:10; SI 112:9; Pr
19:17; Ec 11:1; p Ag 1:6; q Job 29:13; Isa 32:8;
Hch 20:35; 2Co 9:6; r Pr 28:27; Lu 6:38.

una bendición para la cabeza del que deja que se compre.[a]

27 El que anda procurando el bien seguirá buscando la buena voluntad;[b] pero en cuanto al que anda en busca de lo malo, le sobrevendrá.[c]

28 El que confía en sus riquezas... él mismo caerá;[d] pero justamente como follaje reverdecerán los justos.[e]

29 En cuanto a cualquiera que acarree extrañamiento a su propia casa,[f] tomará posesión del viento;[g] y el tonto será siervo del sabio de corazón.

30 El fruto del justo es un árbol de vida,[h] y el que está ganando almas es sabio.[i]

31 ¡Mira! El justo... en la tierra será recompensado.[j] ¡Cuánto más deberán serlo el inicuo y el pecador![k]

12 El que ama la disciplina ama el conocimiento,[l] pero el que odia la censura es irrazonable.[m]

2 El que es bueno consigue aprobación de parte de Jehová,[n] pero al hombre de ideas [inicuas] él lo pronuncia inicuo.[o]

3 Ningún hombre será firmemente establecido por la iniquidad;[p] pero en cuanto al fundamento-raíz de los justos, no se le hará bambolear.[q]

4 Una esposa capaz es una corona para su dueño,[r] pero como podredumbre en sus huesos es la que actúa vergonzosamente.[s]

5 Los pensamientos de los justos son juicio;[t] el manejo de los inicuos es engaño.[u]

6 Las palabras de los inicuos son un estar al acecho por sangre,[v] pero la boca de los rectos es lo que los librará.[w]

7 Hay un derribar a los inicuos, y ya no son,[x] pero la mismísima casa de los justos continuará en pie.[y]

8 Por su boca de discreción será alabado el hombre,[z] pero el que es avieso de corazón llegará a ser objeto de desprecio.[a]

9 Mejor es el que es estimado en poco, pero tiene siervo, que el que a sí mismo se glorifica, pero carece de pan.[a]

10 El justo está cuidando del alma de su animal doméstico,[b] pero las misericordias de los inicuos son crueles.[c]

11 El que cultiva su terreno quedará satisfecho él mismo con pan,[d] pero el que sigue tras cosas que nada valen es falto de corazón.[e]

12 El inicuo ha deseado la presa prendida en la red de los hombres malos;[f] pero en cuanto a la raíz de los justos, esta rinde.[g]

13 Por la transgresión de los labios el malo es cogido en lazo,[h] pero el justo logra salir de la angustia.[i]

14 Del fruto de la boca de un hombre este se satisface de lo bueno,[j] y lo mismísimo que hayan obrado las manos de un hombre volverá a él.[k]

15 El camino del tonto es recto a sus propios ojos,[l] pero el que escucha el consejo es sabio.[m]

16 Es persona tonta la que da a conocer su irritación en el [mismo] día,[n] pero el sagaz encubre una deshonra.[o]

17 El que lanza fidelidad informa lo que es justo;[p] pero un testigo falso, engaño.[q]

18 Existe el que habla irreflexivamente como con las estocadas de una espada,[r] pero la lengua de los sabios es una curación.[s]

19 El labio de la verdad[t] es el que será establecido firmemente para siempre,[u] pero la lengua de falsedad no durará más de un momento.[v]

CAP. 11
a Gé 41:56
Job 29:13
b Pr 8:35
Pr 12:2
Lu 2:14
c Est 7:10
Sl 7:15
Sl 10:2
Pr 17:11
d Job 31:24
Sl 52:7
Sl 62:10
e Sl 1:3
Sl 52:8
Isa 60:21
Jer 17:8
f Gé 34:30
1Sa 25:3
g Os 8:7
h Pr 15:4
2Co 3:3
i Pr 14:25
Da 12:3
Mt 4:19
Ro 10:14
1Co 9:20
Snt 5:20
j Pr 4:13
Jer 39:18
k Eze 18:24
Eze 33:9
2Te 1:6
1Pe 4:18

CAP. 12
l Pr 3:11
Pr 4:13
Pr 23:12
m Sl 32:9
Isa 1:3
n Sl 112:6
Pr 15:9
o Dt 25:1
1Re 8:32
Isa 32:5
p Sl 37:10
Sl 37:38
q Ef 3:17
Col 2:7
r Pr 18:22
Pr 19:14
1Co 11:7
s Pr 30:9
1Re 21:25
t Flp 4:8
u Sl 140:2
Pr 6:18
Pr 11:23
Mt 26:4
v 2Sa 17:1
Sl 10:9
Miq 7:2
Hch 23:12
w Est 4:16
Est 7:4
Pr 14:3
Pr 15:2
x Est 9:10
Sl 37:10
Pr 14:11
y Nú 25:13
2Sa 7:16
Pr 24:3
Pr 14:11
z Gé 41:39
1Sa 16:18
Lu 16:8
Jn 7:46
a 1Sa 25:17
Mt 27:4
Hch 12:23

2.ᵃ col. a Pr 13:7; Lu 14:11; b Gé 33:13; Éx 23:12; Dt 22:4; Dt 22:10; Dt 25:4; Jon 4:11; c Gé 49:6; Jue 1:7; Isa 11:2; d Sl 128:2; Pr 28:19; Ef 4:28; e Pr 6:32; Mt 16:26; f Jer 5:26; Miq 7:2; g Mt 5:39; Mt 5:41; h Pr 2:23; Sl 5:6; Sl 26:5; Da 6:24; i 2Sa 4:9; Mt 12:37; 2Pe 2:9; j Pr 18:20; 2Sa 12:4; q Pr 6:19; Pr 14:5; Mt 26:59; r Ef 6:4; s Pr 10:21; Pr 16:24; Ef 4:25; u 1Pe 3:10; v Pr 19:9; Hch 5:3.

20 El engaño está en el corazón de los que fabrican la maldad,[a] pero los que aconsejan la paz tienen regocijo.[b]

21 Nada perjudicial le acaecerá al justo,[c] pero los inicuos son los que ciertamente estarán llenos de calamidad.[d]

22 Los labios falsos son cosa detestable a Jehová,[e] pero los que actúan en fidelidad le son un placer.[f]

23 El hombre sagaz encubre conocimiento,[g] pero el corazón de los estúpidos es uno que proclama tontedad.[h]

24 La mano de los diligentes es la que gobernará,[i] pero la mano floja llegará a usarse para trabajo forzado.

25 La solicitud ansiosa en el corazón de un hombre es lo que lo agobia,[k] pero la buena palabra es lo que lo regocija.[l]

26 El justo espía su propio pasto, pero el mismísimo camino de los inicuos hace que anden errantes.[m]

27 La flojedad no activa los animales de caza para uno,[n] pero el diligente es la riqueza preciosa de un hombre.

28 En la senda de la justicia hay vida,[o] y el viaje en su sendero no significa muerte.[p]

13 Un hijo es sabio donde hay la disciplina de un padre,[q] pero el burlador es uno que no ha oído la reprensión.[r]

2 Del fruto de la boca del hombre come lo bueno,[s] pero la mismísima alma de los que tratan traidoramente es violencia.[t]

3 El que vigila su boca está guardando su alma.[u] El que abre con anchura sus labios... tendrá ruina.[v]

4 El perezoso se muestra deseoso, pero su alma nada [tiene].[w] No obstante, la mismísima alma de los diligentes será engordada.[x]

5 Una palabra falsa es lo que el justo odia,[y] pero los inicuos actúan vergonzosamente y se acarrean afrenta.[a]

6 La justicia misma salvaguarda al que es innocuo en su camino,[b] pero la iniquidad es lo que subvierte al pecador.[c]

7 Existe el que se da por rico y, no obstante, no tiene nada en absoluto;[d] hay el que se da por persona de escasos recursos y, no obstante, [tiene] muchas cosas valiosas.

8 El rescate del alma de un hombre es su riqueza,[e] pero el de escasos recursos no ha oído la reprensión.

9 La mismísima luz de los justos se regocijará;[g] pero la lámpara de los inicuos... se extinguirá.[h]

10 Por la presunción solo se ocasiona una lucha,[i] pero con los que consultan juntos hay sabiduría.[j]

11 Las cosas valiosas que resultan de la vanidad decrecen,[k] pero el que junta con la mano es el que logra aumento.[l]

12 La expectación pospuesta enferma el corazón,[m] pero la cosa deseada es árbol de vida cuando sí viene.

13 Del que ha despreciado la palabra,[o] de él se quitará una prenda [de deudor]; pero el que teme el mandamiento es el que será recompensado.[p]

14 La ley del sabio es fuente de vida,[q] para apartar a uno de los lazos de la muerte.[r]

15 La buena perspicacia misma da favor,[s] pero el camino de los de tratos traicioneros es escarpado.[t]

16 Todo el que es sagaz actúa con conocimiento,[u] pero el que es estúpido disemina tontedad.[v]

17 Un mensajero que es ini-

CAP. 12
a Pr 26:24
Da 6:5
Mr 7:23
b Mt 5:9
Mt 18:15
c Sl 91:10
Pr 1:33
Pr 13:6
d Pr 1:31
Isa 48:22
Hab 2:16
e Sl 5:6
Pr 6:16
Pr 6:17
Rev 21:8
f Pr 15:8
g Pr 10:19
h Pr 13:16
Pr 15:2
i Gé 39:4
1Re 11:28
Pr 17:2
k Pr 12:25
j Pr 19:15
k Ne 2:2
Sl 38:6
Pr 15:13
Mt 6:25
l Pr 13:12
Pr 16:24
Isa 50:4
Mt 11:18
n Pr 13:4
Pr 26:15
o Sl 37:27
Pr 10:2
Pr 10:7
Hab 2:4
Ro 5:21
1Pe 3:10
p Pr 10:16
Pr 11:19

CAP. 13
q Pr 15:5
Heb 12:7
r 1Sa 2:25
Pr 9:7
s Pr 12:14
Pr 18:20
t Sl 140:11
Pr 4:17
Hab 2:8
Rev 16:6
u Sl 39:1
Sl 141:3
Pr 21:23
v Pr 10:19
Pr 12:13
Pr 18:7
Mt 12:36
Snt 1:26
Snt 3:9
Jud 16
w Pr 13:24
Pr 26:13
x Pr 10:4
Pr 11:25
y Sl 119:163
Pr 8:13
Pr 30:8
Ef 4:25

2.ª col.
a 2Pe 3:3
b Sl 25:21
Pr 12:21
Pr 12:28
c 2Cr 28:23
Sl 140:11

d Pr 12:9; Rev 3:17; e Éx 21:30; Jer 41:8; f 2Re 24:14; Jer 39:10; g Sl 97:11; h Job 21:17; Pr 20:20; Pr 44:20; i Jue 8:1; Jue 12:1; Pr 11:2; Pr 22:24; j Pr 24:6; Hch 15:6; k Pr 28:8; Ec 5:4; Jer 17:11; l Sl 128:2; m Sl 69:3; Sl 143:7; n Gé 21:7; Lu 2:30; Flp 1:23; o 2Cr 36:16; Pr 13:18; p Sl 19:11; 2Jn 8; q Pr 8:35; Pr 16:22; Pr 24:14; r Pr 14:27; s 1Sa 18:14; Lu 2:52; t Pr 4:19; Ro 6:21; u Pr 14:8; Pr 14:15; Pr 14:18; Mt 10:16; v 1Sa 25:25.

cuo cae en lo malo,[a] pero un enviado fiel es una curación.[b]

18 El que descuida la disciplina [para en] pobreza y deshonra,[c] pero el que guarda una censura es el que es glorificado.[d]

19 El deseo, cuando se realiza, es placentero al alma;[e] pero es cosa detestable a los estúpidos apartarse del mal.[f]

20 El que está andando con personas sabias se hará sabio,[g] pero al que está teniendo tratos con los estúpidos le irá mal.[h]

21 Es a los pecadores a quienes la calamidad persigue,[i] pero es a los justos a quienes el bien recompensa.[j]

22 El que es bueno deja una herencia a los hijos de los hijos, y la riqueza del pecador es algo que está atesorado para el justo.[k]

23 El terreno arado de personas de escasos recursos [rinde] mucho alimento,[l] pero existe quien es barrido por falta de juicio.[m]

24 El que retiene su vara odia a su hijo,[n] pero el que lo ama es el que de veras lo busca con disciplina.[o]

25 El justo come hasta que su alma queda satisfecha,[p] pero el vientre de los inicuos estará vacío.[q]

14 La mujer verdaderamente sabia ha edificado su casa,[r] pero la tonta la demuele con sus propias manos.[s]

2 El que anda en su rectitud teme a Jehová,[t] pero el que es torcido en sus caminos Lo desprecia.[u]

3 La vara de la altivez está en la boca del tonto,[v] pero los mismísimos labios de los sabios los guardarán.[w]

4 Donde no hay ganado vacuno el pesebre está limpio, pero la cosecha es abundante debido al poder del toro.

5 Un testigo fiel es uno que no miente,[x] pero un testigo falso lanza simples mentiras.[y]

6 El burlador ha procurado hallar sabiduría, y no la hay; pero para el entendido el conocimiento es cosa fácil.[a]

7 Vete de enfrente del hombre estúpido,[b] porque ciertamente no notarás los labios del conocimiento.[c]

8 La sabiduría del sagaz es entender su camino,[d] pero la tontedad de los estúpidos es engaño.[e]

9 Tontos son los que hacen escarnio de la culpa,[f] pero entre los rectos hay acuerdo.[g]

10 El corazón se da cuenta de la amargura del alma de uno,[h] y en su regocijo no se entremete ningún extraño.

11 La casa de los inicuos será aniquilada,[i] pero la tienda de los rectos florecerá.[j]

12 Existe un camino que es recto ante el hombre,[k] pero los caminos de la muerte son su fin después.[l]

13 Aun en la risa el corazón puede estar con dolor;[m] y es en desconsuelo en lo que termina el regocijo.

14 El que es de corazón sin fe se satisfará con los resultados de sus propios caminos;[o] pero el hombre bueno, con los resultados de sus tratos.[p]

15 Cualquiera que es inexperto pone fe en toda palabra,[q] pero el sagaz considera sus pasos.[r]

16 El sabio teme y se aparta de lo malo,[s] pero el estúpido se pone furioso y confiado en sí mismo.[t]

17 El que es presto para la cólera comete tontedad,[u] pero el hombre de capacidades de pensar es odiado.

18 Los inexpertos ciertamente tomarán posesión de la tontedad,[w] pero los sagaces llevarán el conocimiento como prenda sobre la cabeza.[x]

CAP. 13
a 2Sa 4:10
b Pr 25:25
2Co 5:20
2Ti 2:2
c Pr 15:32
Heb 12:25
d Sl 141:5
Heb 12:11
e 1Re 1:48
f Pr 29:27
Am 5:10
g Pr 22:17
Hch 4:13
Heb 10:24
h Gé 34:2
i Gé 4:7
Dt 28:20
j Isa 3:10
Ro 2:10
k Dt 6:11
Job 27:17
Isa 61:6
l Pr 12:11
Pr 27:18
2Co 9:6
m Pr 28:19
n 1Sa 3:13
1Re 1:6
Pr 29:15
o Dt 6:7
Pr 3:12
Pr 19:18
Pr 22:15
Pr 23:14
Ef 6:4
Heb 12:6
p Sl 34:10
Sl 37:25
Heb 13:5
q Dt 28:48
Isa 65:13

CAP. 14
r Rut 4:11
Pr 24:3
Pr 31:10
Pr 31:26
s Pr 9:13
t Job 1:1
Hch 10:35
u Dt 32:15
Lu 10:16
v 1Sa 2:3
2Pe 2:18
w Pr 12:6
Ro 10:10
x Pr 12:17
2Co 6:7
y Éx 20:16
Pr 6:19
Pr 19:5

2.ª col.
a Pr 18:15
b Pr 13:20
c Pr 1:29
d Sl 111:10
Ef 5:17
e Pr 11:18
Pr 14:12
Lu 12:19
1Co 1:20
f Pr 10:23
Pr 30:20
Jer 6:15
g Pr 1:10
h 1Sa 1:10
2Re 4:27
Pr 15:13
i Pr 3:33
Pr 12:7
Pr 21:12
j Sl 112:3; Pr 13:22; k Pr 30:12; 1Pr 16:25; Ro 6:21; m Ec 2:2; n Ec 7:2; Ec 7:4; o Pr 1:31; Pr 1:32; Mt 6:16; 2Pe 2:13; p 2Co 1:12; Gál 6:4; Gál 6:8; q Pr 27:12; Ro 16:18; r Ne 6:2; Am 5:13; s Gé 39:12; 1Te 5:22; 1Jn 3:11; 1Re 19:2; u Pr 12:16; Pr 16:32; v Jn 15:19; w Pr 3:35; Jer 16:19; Jer 44:17; x Sl 141:5; Pr 3:22; Pr 4:9.

19 Los malos tendrán que inclinarse ante los buenos;[a] y los inicuos, a las puertas del justo.

20 El que es de escasos recursos es objeto de odio hasta a su semejante,[b] pero son muchos los amigos del rico.[c]

21 El que desprecia a su propio semejante está pecando,[d] pero feliz es el que está mostrando favor a los afligidos.[e]

22 ¿Acaso los que idean la maldad no andarán errantes?[f] Pero hay bondad amorosa y apego a la verdad en cuanto a los que idean lo bueno.[g]

23 Por toda clase de trabajo afanoso llega a haber una ventaja,[h] pero meramente de los labios [tiende] a la carencia.

24 La corona de los sabios es su riqueza; la tontedad de los estúpidos es tontedad.[i]

25 Un testigo verdadero está librando almas,[j] pero uno que es engañoso lanza simples mentiras.[k]

26 En el temor de Jehová hay fuerte confianza,[l] y para sus hijos llegará a haber un refugio.[m]

27 El temor de Jehová es un pozo de vida,[n] para apartar de los lazos de la muerte.[o]

28 En la multitud de pueblo está el adorno del rey,[p] pero en la falta de población está la ruina del alto funcionario.

29 El que es tardo para la cólera abunda en discernimiento,[r] pero el que es impaciente está ensalzando la tontedad.[s]

30 Un corazón calmado es la vida del organismo de carne,[t] pero los celos son podredumbre a los huesos.[u]

31 El que defrauda al de condición humilde ha vituperado a su Hacedor,[v] pero el que muestra favor al pobre Lo glorifica.[w]

32 A causa de su maldad, el inicuo será empujado abajo,[x] pero el justo hallará refugio en su integridad.[y]

33 En el corazón del entendido descansa la sabiduría,[a] y en medio de los estúpidos llega a ser conocida.

34 La justicia es lo que ensalza a una nación,[b] pero el pecado es cosa afrentosa a los grupos nacionales.[c]

35 El placer del rey está con el siervo que actúa con perspicacia,[d] pero su furor llega a estar para con el que actúa vergonzosamente.[e]

15 La respuesta, cuando es apacible, aparta la furia,[f] pero la palabra que causa dolor hace subir la cólera.[g]

2 La lengua de los sabios hace el bien con el conocimiento,[h] pero la boca de los estúpidos hace salir burbujeando la tontedad.[i]

3 Los ojos de Jehová están en todo lugar,[j] vigilando a los malos y a los buenos.[k]

4 La calma de la lengua es árbol de vida,[l] pero el torcimiento en ella significa un quebrantamiento del espíritu.[m]

5 Cualquiera que es tonto trata con falta de respeto la disciplina de su padre,[n] pero cualquiera que hace caso de la censura es sagaz.[o]

6 En la casa del justo hay un repuesto abundante,[p] pero en el producto del inicuo hay el acarrearse extrañamiento.[q]

7 Los labios de los sabios siguen esparciendo conocimiento,[r] pero el corazón de los estúpidos no es así.[s]

8 El sacrificio de los inicuos es cosa detestable a Jehová,[t] pero la oración de los rectos le es un placer.[u]

9 El camino del inicuo es cosa

CAP. 14
a Gé 42:6
Isa 60:14
b Job 30:10
Pr 19:7
c Est 5:10
Pr 19:4
d Pr 11:12
e Sl 41:1
Pr 19:17
Pr 28:27
Sl 58:7
Eze 18:7
f Gé 4:12
Jer 43:7
g Gé 24:27
Job 42:10
Sl 25:10
h Pr 12:24
Pr 28:19
i 1Sa 25:25
Pr 27:22
j Pr 11:30
Hch 20:21
Hch 26:20
Snt 5:20
k Pr 14:5
1Ti 4:2
l Sl 34:9
Mal 3:16
Hch 9:31
m Pr 18:10
Isa 26:20
Jer 15:11
Ro 8:31
n Pr 19:23
Isa 33:6
o Pr 22:5
Ec 7:26
p 1Re 4:21
Flp 2:10
q 2Re 13:7
r Pr 17:27
Pr 29:11
Snt 1:19
Pr 25:28
Ec 7:9
t Pr 4:23
u Gé 37:4
1Sa 18:8
v Dt 24:15
Sl 12:5
Pr 17:5
Ec 5:8
Ro 15:3
w Mt 19:21
Lu 18:43
x Job 27:13
Job 27:20
1Te 5:3
y Pr 2:7
Pr 10:9

2.ª col.
a Sl 49:3
Pr 15:28
b Dt 4:6
c Dt 9:5
Isa 1:21
d 2Sa 15:34
Pr 22:29
Pr 25:5
e 1Re 2:44
Est 7:7

CAP. 15
f Jue 8:2
1Sa 25:33
Pr 25:15
g 1Re 12:14
1Re 12:16
Pr 29:22

h Sl 45:1; Pr 16:23; Ec 10:12; Isa 50:4; Jn 7:46; i Sl 59:7; Snt 3:10; j Job 34:21; Sl 11:4; Sl 66:7; Pr 5:21; Jer 16:17; Jer 23:24; Heb 4:13; k 2Cr 16:9; 1Pr 12:18; Pr 16:24; Pr 17:27; m Sl 52:2; Pr 18:7; n 1Sa 2:25; Pr 13:1; o Sl 141:5; Pr 6:23; Heb 12:11; p Sl 112:3; q Pr 16:8; Snt 5:3; r Sl 37:30; Mt 10:27; Ro 10:10; 2Ti 2:15; s Pr 12:34; Pr 21:27; Isa 1:11; Isa 66:3; Jer 6:20; Mt 23:23; u Sl 10:17; Heb 5:7; Snt 5:16; 1Pe 3:12; 1Jn 3:22.

detestable a Jehová,[a] pero él ama al que sigue tras la justicia.[b]

10 La disciplina le es mala al que deja la senda;[c] cualquiera que odia la censura morirá.[d]

11 El Seol y [el lugar de] la destrucción[e] están enfrente de Jehová.[f] ¡Cuánto más los corazones de los hijos de la humanidad![g]

12 El burlador no ama al que le censura.[h] A los sabios no quiere ir.[i]

13 Un corazón gozoso tiene buen efecto en el semblante,[j] pero a causa del dolor del corazón hay un espíritu herido.[k]

14 El corazón entendido es el que busca el conocimiento,[l] pero la boca de los estúpidos es la que aspira a la tontedad.[m]

15 Todos los días del afligido son malos;[n] pero el que es bueno de corazón [tiene] un banquete constantemente.[o]

16 Mejor es un poco en el temor de Jehová[p] que una abundante provisión y, junto con ella, confusión.[q]

17 Mejor es un plato de legumbres donde hay amor[r] que un toro cebado en pesebre y, junto con él, odio.[s]

18 Un hombre enfurecido suscita contienda,[t] pero el que es tardo para la cólera apacigua la riña.[u]

19 El camino del perezoso es como seto de abrojos,[v] pero la senda de los rectos es un camino levantado.[w]

20 Hijo sabio es el que regocija a un padre,[x] pero un hombre estúpido está despreciando a su madre.[y]

21 La tontedad es un regocijo al que es falto de corazón,[z] pero el hombre de discernimiento es el que va directamente adelante.[a]

22 Resultan frustrados los planes donde no hay habla confidencial,[b] pero en la multitud de consejeros hay logro.[c]

23 El hombre tiene regocijo en la respuesta de su boca,[d] y

una palabra a su tiempo apropiado, ¡oh, cuán buena es![a]

24 La senda de la vida es hacia arriba para uno que obra con perspicacia,[b] para apartarse del Seol allá abajo.[c]

25 La casa de los que a sí mismos se ensalzan será demolida por Jehová,[d] pero él fijará el lindero de la viuda.[e]

26 Los proyectos del malo son cosa detestable a Jehová,[f] pero los dichos agradables son limpios.[g]

27 El que saca ganancia injusta está acarreando extrañamiento a su propia casa,[h] pero el que odia las dádivas es el que seguirá viviendo.[i]

28 El corazón del justo medita para responder,[j] pero la boca de los inicuos hace salir burbujeando cosas malas.[k]

29 Jehová está muy lejos de los inicuos,[l] pero oye la oración de los justos.[m]

30 El brillo de los ojos[n] regocija el corazón;[o] un informe[p] que es bueno engorda los huesos.[q]

31 El oído que escucha la censura[r] de la vida se aloja precisamente en medio de los sabios.[s]

32 Cualquiera que esquiva la disciplina[t] rechaza su propia alma, pero el que escucha la censura adquiere corazón.[u]

33 El temor de Jehová es disciplina hacia la sabiduría,[v] y antes de la gloria hay humildad.[w]

16 Al hombre terrestre pertenecen los arreglos del corazón,[x] pero de Jehová procede la respuesta de la lengua.[y]

CAP. 15
a Sl 1:6
Sl 146:9
Mt 7:13
b Pr 21:21
Isa 26:7
Jn 3:35
c 1Re 18:17
d Le 26:21
Pr 1:32
Pr 5:12
Pr 10:17
e Sl 88:11
Pr 27:20
f Job 26:6
Sl 139:8
g 2Cr 6:30
Sl 7:9
Sl 44:21
Jer 17:10
Hch 1:24
Heb 4:13
h Pr 9:7
Am 5:10
Jn 3:20
Job 21:14
i 2Cr 18:7
Job 21:14
j Pr 4:23
Pr 17:22
k Ne 2:2
Sl 143:4
Pr 12:25
l 1Re 3:12
Sl 119:97
Hch 17:11
m Pr 12:23
Isa 30:10
Os 12:1
n Dt 28:67
Job 3:11
o Hch 16:25
1Pe 4:13
p Sl 37:16
q Pr 15:17
r Sl 133:1
Pr 17:1
1Co 13:4
s Pr 26:26
Lu 7:36
t Pr 10:12
Pr 29:22
u Gé 13:8
1Sa 25:24
Pr 25:15
Col 3:8
Snt 1:19
v Pr 10:26
Pr 26:13
w Isa 30:21
Isa 57:14
Mal 3:18
x 1Re 1:48
Pr 23:15
Pr 27:11
y Pr 10:1
Pr 23:22
Pr 30:17
z Pr 10:23
Pr 26:19
Ec 7:4
a Pr 4:26
Pr 11:5
Ef 5:15
Snt 3:13
b Ec 4:13
c Pr 11:14
Pr 20:18
d Pr 12:14
Pr 16:13
Ef 4:29

2.ª col. a 1Sa 25:33; Pr 25:11; b Mt 7:14; c Pr 8:36; Pr 23:14; d Sl 52:5; Lu 18:14; e Dt 10:18; Sl 146:9; f Pr 6:18; Mt 15:19; g Sl 19:14; h Dt 16:19; 1Sa 8:3; Pr 1:19; Ec 7:7; Isa 1:23; i Éx 23:8; 1Sa 33:15; j Pr 16:23; k Pr 24:2; Tit 1:10; 2Pe 2:18; l Sl 34:16; Sl 138:6; 1Pe 3:12; m Sl 34:15; Sl 145:19; Isa 58:9; Jn 9:31; n Sl 25:15; o Sl 16:9; Sl 19:8; p Pr 25:25; q Pr 16:24; Isa 58:11; r Sl 39:11; Pr 6:23; Pr 13:18; s Pr 9:8; Pr 19:20; t Sl 50:17; Pr 5:12; Pr 13:18; Heb 12:25; u Pr 19:8; Mt 7:24; Heb 12:10; v Job 28:28; Sl 111:10; Pr 1:7; w Pr 18:12; Pr 29:23; Lu 14:11; Snt 4:10; CAP. 16. x Pr 16:9; Pr 16:9; Pr 19:21; Pr 20:24; 1Co 7:37; y Éx 4:11; Jer 1:9; Mt 10:20; Lu 12:12; Lu 21:15.

2 Todos los caminos del hombre son puros a sus propios ojos,[a] pero Jehová está avaluando los espíritus.[b]

3 Haz rodar sobre Jehová mismo tus obras,[c] y tus planes serán firmemente establecidos.[d]

4 Todo lo ha hecho Jehová para su propósito,[e] sí, hasta al inicuo para el día malo.[f]

5 Todo el que es orgulloso de corazón es cosa detestable a Jehová.[g] Mano [puede unirse] a mano; [no obstante,] uno no quedará libre de castigo.[h]

6 Por bondad amorosa y apego a la verdad se expía el error,[i] y en el temor de Jehová uno se aparta de lo malo.[j]

7 Cuando Jehová se complace en los caminos de un hombre,[k] hace que hasta los enemigos mismos de este estén en paz con él.[l]

8 Mejor es un poco con justicia[m] que una abundancia de productos sin rectitud.[n]

9 El corazón del hombre terrestre puede idear su camino,[o] pero la dirección de sus pasos la efectúa Jehová mismo.[p]

10 Decisión inspirada debe estar sobre los labios de un rey;[q] en el juicio no debe resultar infiel su boca.[r]

11 Indicador y balanza justos pertenecen a Jehová;[s] todas las pesas de piedra de la bolsa son su obra.[t]

12 El hacer iniquidad es cosa detestable a los reyes,[u] pues por la justicia se establece firmemente el trono.[v]

13 Los labios de la justicia son un placer para un rey magnífico;[w] y él ama al que habla cosas rectas.[x]

14 La furia de un rey significa mensajeros de muerte;[y] pero el hombre sabio es el que la evita.[z]

15 En la luz del rostro del rey hay vida,[a] y su buena voluntad es como la nube de lluvia primaveral.[b]

16 El conseguir sabiduría es ¡oh, cuánto mejor que el oro![c] Y el conseguir entendimiento ha de escogerse más que la plata.[a]

17 La calzada de los rectos es apartarse de lo malo.[b] El que está salvaguardando su camino está guardando su alma.[c]

18 El orgullo está antes de un ruidoso estrellarse;[d] y un espíritu altivo, antes del tropiezo.[e]

19 Mejor es ser humilde de espíritu con los mansos[f] que dividir el despojo con los que a sí mismos se ensalzan.[g]

20 El que está mostrando perspicacia en un asunto hallará el bien,[h] y feliz es el que está confiando en Jehová.[i]

21 El que es sabio de corazón será llamado entendido,[j] y el que es dulce de labios añade persuasiva.[k]

22 A sus dueños la perspicacia es un pozo de vida;[l] y la disciplina de los tontos es la tontedad.[m]

23 El corazón del sabio hace que su boca muestre perspicacia,[n] y a sus labios añade persuasiva.[o]

24 Los dichos agradables son un panal de miel,[p] dulces al alma y una curación a los huesos.[q]

25 Existe un camino que es recto delante del hombre,[r] pero los caminos de la muerte son el fin de él después.[s]

26 El alma del que trabaja duro ha trabajado duro para él,[t] porque su boca lo ha apremiado fuertemente.[u]

27 Un hombre que para nada sirve desentierra lo que es malo,[v] y sobre sus labios hay, por decirlo así, un fuego abrasador.[w]

CAP. 16

a 1Sa 15:13
Sl 36:2
Pr 21:2
Pr 30:12
Jer 17:9
Lu 18:11
b 1Sa 2:3
1Sa 16:7
Pr 24:12
Lu 16:15
c Sl 37:5
Sl 55:22
Mt 6:33
Flp 4:6
1Pe 5:7
d 2Sa 7:5
2Sa 7:13
e Isa 43:21
Rev 4:11
f Éx 14:4
Ro 9:21
2Pe 2:9
g Job 40:12
Pr 6:17
Pr 8:13
Pr 21:4
h Pr 15:25
Isa 3:11
Ro 2:8
i 2Cr 19:3
Hch 3:19
j Gé 20:11
Ne 5:9
Pr 8:13
Pr 14:26
2Co 7:1
k Col 1:10
1Pe 3:9
1Jn 3:22
l Gé 31:24
Éx 34:24
Jer 15:11
Ro 8:31
m Sl 37:16
Sl 15:16
1Ti 6:6
n Pr 21:6
Jer 17:11
Miq 6:10
o Pr 16:1
Pr 19:21
Sl 51:10
Pr 16:3
Pr 20:24
Jer 10:23
q Dt 17:18
2Sa 23:2
1Re 3:28
Sl 72:1
r Sl 72:14
Pr 29:4
s Le 19:36
Pr 11:1
Eze 45:10
t Dt 25:13
Pr 20:10
Miq 6:11
u Pr 14:35
Pr 20:26
Lu 12:48
v Pr 25:5
Pr 29:14
Rev 19:11
w Sl 101:6
x Pr 22:11
y 1Sa 22:18
1Re 2:29
Pr 19:12
Pr 20:2
Ec 10:4
z Ec 9:15
Ec 10:4
a Job 29:24
Hch 2:28

b Job 29:23; Sl 72:6; Pr 19:12; Os 6:3; c Sl 119:127; Pr 8:10; Ec 7:12; 2.ᵃ col. a Pr 3:14; Pr 4:7; b Pr 4:27; c Pr 10:9; Hch 10:35; Heb 10:39; d Pr 11:2; Pr 17:19; Pr 18:12; Da 4:30; Da 5:22; e Est 3:5; Est 5:11; Da 4:31; f Ec 7:8; Isa 57:15; Jer 9:24; g 1Sa 30:16; h Gé 41:39; Pr 13:15; i 1Cr 5:20; Sl 34:8; Sl 146:5; 1Ti 4:10; j Ro 3:12; Pr 4:7; Ro 16:19; k Ec 12:10; Lu 4:22; 2Co 5:11; Col 4:6; l Pr 14:27; Pr 15:24; Jn 4:14; m Pr 1:7; Pr 15:28; n Sl 37:30; Pr 22:17; Pr 22:18; Mt 12:35; o Jn 6:68; Hch 19:26; Col 3:16; p Sl 19:10; Sl 119:103; q Pr 3:8; Pr 4:22; Pr 12:18; Pr 17:22; r Mt 7:22; Jn 9:41; Jn 16:2; Hch 26:9; s Pr 14:12; t Ec 6:7; Ef 4:28; 1Te 4:11; u Pr 18:20; Ec 6:7; v Pr 6:14; Da 6:4; w Sl 52:4; Snt 3:6.

28 El hombre de intrigas sigue enviando contienda,[a] y el calumniador está separando a los que se han familiarizado entre sí.[b]

29 El hombre de violencia seduce a su prójimo,[c] y ciertamente lo hace ir por un camino que no es bueno.[d] **30** Con los ojos parpadea para tramar intrigas.[e] Apretando los labios, ciertamente lleva a cabo a grado cabal la maldad.

31 La canicie es corona de hermosura[f] cuando se halla en el camino de la justicia.[g]

32 El que es tardo para la cólera es mejor que un hombre poderoso;[h] y el que controla su espíritu, que el que toma una ciudad.[i]

33 En el regazo se echa la suerte,[j] pero de Jehová procede toda decisión por ella.[k]

17 Mejor es un pedazo de pan seco con el cual hay tranquilidad[l] que una casa llena de los sacrificios de la riña.[m]

2 El siervo que muestra perspicacia gobernará sobre el hijo que actúa vergonzosamente,[n] y en medio de los hermanos participará de la herencia.[o]

3 El vaso de refinación es para la plata y el horno para el oro,[p] pero Jehová es el examinador de los corazones.[q]

4 El malhechor presta atención al labio de la nocividad.[r] Un falsificador presta oído a la lengua que causa adversidades.[s]

5 El que hace escarnio de la persona de escasos recursos ha vituperado a su Hacedor.[t] El que está gozoso por el desastre [ajeno] no quedará libre de castigo.[u]

6 La corona de los viejos son los nietos,[v] y la hermosura de los hijos son sus padres.[w]

7 Para cualquiera que es insensato el labio de la rectitud no es propio.[x] ¡Cuánto menos para el noble el labio de la falsedad![y]

8 El regalo es una piedra que

se granjea favor a los ojos de su magnífico dueño.[a] Adondequiera que él se vuelve logra éxito.[b]

9 El que encubre la transgresión busca amor,[c] y el que sigue hablando de un asunto separa a los que se han familiarizado entre sí.[d]

10 Una represión obra más profundamente en un entendido[e] que el golpear cien veces a un estúpido.[f]

11 Solo la rebelión es lo que el malo sigue buscando,[g] y cruel es el mensajero que es enviado contra él.[h]

12 Que haya un encontrarse un hombre con una osa privada de sus cachorros,[i] más bien que con cualquiera que es estúpido en su tontedad.[j]

13 En cuanto a cualquiera que paga mal por bien,[k] el mal no se alejará de su casa.[l]

14 El principio de la contienda es como alguien que da curso libre a las aguas;[m] por eso, antes que haya estallado la riña, retírate.[n]

15 Cualquiera que pronuncia justo al inicuo[o] y cualquiera que pronuncia inicuo al justo[p]... aun los ambos son cosa detestable a Jehová.[q]

16 ¿Por qué hay en la mano del estúpido el precio para adquirir sabiduría,[r] cuando él no tiene corazón?[s]

17 Un compañero verdadero ama en todo tiempo,[t] y es un hermano nacido para cuando hay angustia.[u]

18 Un hombre falto de corazón estrecha las manos,[v] y sale pleno fiador delante de su compañero.[w]

CAP. 16
a Pr 6:14
  Gál 5:20
  Snt 3:16
b Gé 3:1
  1Sa 24:9
  Pr 18:8
  Ro 16:17
  2Co 12:20
c Pr 1:10
  2Pe 3:17
d 1Sa 19:17
  Ne 6:13
e Sl 35:19
  Pr 6:13
f Le 19:32
  Job 32:7
  Pr 20:29
g 1Sa 12:2
  Sl 71:18
  Sl 92:14
  Isa 46:4
h Pr 14:29
  Gál 5:22
  Snt 1:19
i Pr 25:28
  Ro 12:21
j Nú 26:55
  Jos 18:10
  Pr 18:18
k 1Sa 14:41
  Hch 1:24

CAP. 17
l Sl 37:16
  Pr 15:16
  Pr 15:17
m Pr 21:9
  Pr 21:19
n Pr 10:5
  Pr 14:35
o Gé 15:2
p Pr 27:21
  Mal 3:3
q Sl 26:2
  Sl 66:10
  Pr 21:2
  Pr 24:12
  Isa 48:10
r Pr 1:11
  2Ti 4:4
s Isa 30:10
  Jer 5:31
  2Ti 4:3
  1Jn 4:5
t Pr 14:31
u Job 31:29
  Pr 24:17
  Abd 12
  Ro 12:15
v Gé 50:23
  Job 42:16
w 1Re 15:4
  Pr 13:22
  Jn 8:39
x Pr 26:7
y Pr 16:10
  Pr 29:12

2.ª col.
a Gé 32:20
  2Sa 16:1
  Pr 18:16
  Pr 19:6
b 1Sa 25:35
c Pr 10:12
  1Pe 4:8
d Pr 16:28
e Sl 141:5
  Pr 9:8
f Pr 27:22

g Nú 16:3; 2Sa 20:1; h 2Sa 18:15; 2Sa 20:22; 1Re 2:24; Est 7:9; Mt 21:41; i 2Sa 17:8; 2Re 2:24; Os 13:8; j Pr 14:24; k 1Sa 24:17; Sl 38:20; Jer 18:20; l 2Sa 12:10; 2Sa 21:1; Mt 27:5; m Pr 26:21; n Gé 13:9; Pr 25:8; Mt 5:39; Ro 12:18; o Éx 23:7; Dt 25:1; 1Re 8:32; Isa 5:23; p Ro 21:13; Lu 23:18; Snt 5:6; q Pr 12:22; r Pr 1:22; Ro 2:20; Ro 1:21; s Pr 9:4; Ec 10:3; t 1Sa 18:3; 2Sa 1:26; Pr 18:24; Jn 15:13; u Rut 1:17; 1Sa 19:2; 2Sa 17:28; v Job 17:3; Pr 6:1; Pr 11:15; Pr 22:26; w Pr 20:16; Pr 22:27.

19 Cualquiera que ama la transgresión está amando una lucha.[a] Cualquiera que hace alto su paso de entrada está buscando un ruidoso estrellarse.[b]

20 El que es torcido de corazón no hallará el bien,[c] y el que está volteado en su lengua caerá en calamidad.[d]

21 Cualquiera que llega a ser padre de un hijo estúpido... le es un desconsuelo;[e] y el padre de un hijo insensato no se regocija.[f]

22 Un corazón que está gozoso hace bien como sanador,[g] pero un espíritu que está herido seca los huesos.[h]

23 El que es inicuo toma hasta un soborno del seno[i] para desviar las sendas del juicio.[j]

24 La sabiduría está delante del rostro del entendido,[k] pero los ojos del estúpido están en la extremidad de la tierra.[l]

25 Un hijo estúpido es una irritación a su padre[m] y una amargura a la que lo dio a luz.[n]

26 Además, el imponer una multa al justo no es bueno.[o] Golpear a nobles está contra lo que es recto.[p]

27 Cualquiera que retiene sus dichos posee conocimiento,[q] y un hombre de discernimiento es sereno de espíritu.[r]

28 Aun el tonto, cuando guarda silencio, será tenido por sabio;[s] cualquiera que cierra sus propios labios, por entendido.

18 El que se aísla buscará [su propio] anhelo egoísta;[t] contra toda sabiduría práctica estallará.[u]

2 El que es estúpido no halla deleite en el discernimiento,[v] fuera de que su corazón se descubra.

3 Cuando entra el inicuo, también tiene que entrar el desprecio;[y] y junto con la deshonra[y] hay oprobio.

4 Las palabras de la boca de un hombre son aguas profundas.[z] El pozo de la sabiduría es un torrente que sale burbujeando.[a]

5 Mostrar parcialidad al inicuo no es bueno,[b] ni apartar al justo en el juicio.[c]

6 Los labios de uno que es estúpido se meten en riñas,[d] y su misma boca pide hasta golpes.[e]

7 La boca del estúpido es su ruina,[f] y sus labios son un lazo para su alma.[g]

8 Las palabras del calumniador son como cosas que han de tragarse vorazmente,[h] y de veras bajan a las partes más recónditas del vientre.[i]

9 También, el que se muestra flojo en su trabajo[j]... hermano es del que causa ruina.[k]

10 El nombre de Jehová es una torre fuerte.[l] A ella corre el justo, y se le da protección.[m]

11 Las cosas valiosas del rico son su pueblo fuerte,[n] y son como un muro protector en su imaginación.[o]

12 Antes de un ruidoso estrellarse el corazón del hombre es altanero,[p] y antes de la gloria hay humildad.[q]

13 Cuando alguien responde a un asunto antes de oír[lo],[r] eso es tontedad de su parte y una humillación.[s]

14 El espíritu de un hombre puede soportar su dolencia;[t] pero en cuanto al espíritu herido, ¿quién puede aguantarlo?[u]

15 El corazón del entendido adquiere conocimiento,[v] y el oído de los sabios procura hallar conocimiento.[w]

16 La dádiva de un hombre le efectúa una gran abertura,[x] y lo conduce aun delante de los grandes.[y]

17 El que es primero en su causa judicial es justo;[z] su próji-

CAP. 17
a Snt 3:16
  Snt 3:17
b 2Sa 15:1
c Sl 18:26
  Pr 3:32
  Pr 6:15
d Pr 10:31
  Pr 18:6
  Ec 10:12
  Snt 3:8
e Isa 2:25
  1Sa 8:3
  2Sa 15:14
  Pr 10:1
f Pr 19:13
g Pr 12:25
  Pr 15:13
h Sl 22:15
  Pr 18:14
  2Co 7:10
i 1Sa 8:3
j Éx 23:8
  Dt 16:19
n Pr 29:4
  Isa 1:23
k Ec 2:14
  Ec 8:1
  Ec 2:14
m Pr 19:13
  Pr 10:1
  Pr 15:20
o Pr 18:5
p 2Sa 16:7
  Job 34:18
q Pr 10:19
  Ec 10:14
  Snt 1:19
r Pr 15:4
  Ec 6:17
  Snt 3:13
s Job 13:5

CAP. 18
t Éx 33:16
  Ro 14:7
  Heb 10:25
u Pr 15:22
v Pr 1:7
  Pr 1:29
  Pr 28:16
w Pr 10:19
x 1Sa 20:30
  Sl 123:4
y Pr 11:2
z Pr 10:11
  Pr 20:5

2.ª col.
a Sl 78:2
b Le 19:15
  Dt 1:17
  Pr 24:23
c 1Re 21:9
  Isa 5:23
d Pr 13:10
e Pr 19:19
f Pr 10:8
  Pr 10:14
  Pr 13:3
  Ec 10:12
g Pr 6:2
h Pr 19:16
i Pr 26:22
j Pr 10:4
k Pr 28:24
l 1Sa 17:46
  Sl 20:1
  Sl 33:21

m Sl 18:2; Sl 71:3; Sl 91:14; n Sl 49:6; Pr 10:15; Pr 11:4; Jer 9:23; o Lu 12:21; p Pr 11:2; Da 5:23; Hch 12:23; q Pr 15:33; Pr 22:4; Pr 29:23; Lu 14:11; 1Pe 5:5; r Dt 17:4; s Pr 25:8; t Job 1:21; 2Co 4:16; 2Co 12:9; Flp 4:13; u 1Re 3:9; Pr 9:9; Pr 15:14; w Pr 2:10; Pr 8:10; x Gé 32:20; Gé 43:11; Pr 17:8; y Pr 19:6; z 2Sa 16:3.

mo entra, y ciertamente lo escudriña completamente.[a]

18 La suerte [echada] hace cesar hasta las contiendas,[b] y separa, uno de otro, hasta a los poderosos.[c]

19 El hermano contra quien se ha transgredido es más que un pueblo fuerte;[d] y hay contiendas que son como la barra de una torre de habitación.[e]

20 Del fruto de la boca del hombre queda satisfecho su vientre;[f] él queda satisfecho hasta con el producto de sus labios.[g]

21 Muerte y vida están en el poder de la lengua,[h] y el que la ama comerá su fruto.[i]

22 ¿Ha hallado uno una esposa [buena]?[j] Ha hallado una cosa buena,[k] y consigue buena voluntad de Jehová.[l]

23 El de escasos recursos profiere súplicas,[m] pero el que es rico responde de manera fuerte.[n]

24 Existen compañeros dispuestos a hacerse pedazos,[o] pero existe un amigo más apegado que un hermano.[p]

19 Cualquiera de escasos recursos que anda en su integridad es mejor[q] que el que es torcido en sus labios, y [que] el que es estúpido.[r]

2 Además, el que el alma esté sin conocimiento no es bueno,[s] y el que se apresura con los pies está pecando.[t]

3 La tontedad del hombre terrestre tuerce su camino,[u] y por eso su corazón se enfurece contra Jehová mismo.[v]

4 La riqueza es lo que agrega muchos compañeros,[w] pero uno que es de condición humilde se ve separado hasta de su compañero.[x]

5 Un testigo falso no quedará libre de castigo,[y] y el que lanza mentiras no escapará.[z]

6 Son muchos los que ablandan el rostro del noble,[a] y todo el mundo es compañero del hombre que hace dádivas.[b]

7 Todos los hermanos del de escasos recursos lo han odiado.[a] ¡Cuánto más lejos se han mantenido de él sus amigos personales![b] Él va en seguimiento con cosas que decir; ellos no.[c]

8 El que adquiere corazón[d] ama su propia alma. El que guarda el discernimiento va a hallar el bien.[e]

9 El testigo falso no quedará libre de castigo,[f] y el que lanza mentiras perecerá.[g]

10 El lujo no es propio para alguien que es estúpido.[h] ¡Cuánto menos para un siervo gobernar sobre príncipes![i]

11 La perspicacia del hombre ciertamente retarda su cólera,[j] y es hermosura de su parte pasar por alto la transgresión.[k]

12 La furia de un rey es un gruñido como el de un leoncillo crinado,[l] pero su buena voluntad es como el rocío sobre la vegetación.[m]

13 Un hijo estúpido significa adversidades para su padre,[n] y las contiendas de una esposa son como un techo con goteras que ahuyenta a uno.[o]

14 La herencia de parte de los padres es una casa y riqueza,[p] pero la esposa discreta es de parte de Jehová.[q]

15 La pereza hace caer un sueño profundo,[r] y el alma floja padece hambre.[s]

16 El que guarda el mandamiento guarda su alma;[t] al que desprecia sus caminos se le dará muerte.[u]

17 El que muestra favor al de

CAP. 18

a Dt 13:14
  2Sa 19:26
  Pr 25:8
b Jos 14:2
  1Sa 10:21
  Ne 11:1
  Pr 16:33
c 1Sa 14:42
d Gé 27:41
  2Sa 13:22
  1Re 2:23
e 2Sa 14:28
  Hch 15:39
f Pr 12:14
  Pr 16:20
  Pr 16:26
g Pr 22:18
h Pr 10:31
  Pr 11:30
  Mt 15:18
  Ef 4:29
  Snt 3:6
i Pr 16:1
  Ec 10:12
  Isa 57:19
j Gé 24:67
  Pr 12:4
  Pr 31:10
  Ec 9:9
  1Co 7:2
k Gé 29:20
  Pr 19:14
l Rut 4:11
m Mat 2:7
  2Re 4:1
  Snt 5:4
n Gé 42:7
  1Sa 25:10
  Am 8:4
o 2Sa 15:31
  Mt 26:49
p 1Sa 19:4
  2Sa 1:26
  Snt 9:1
  Pr 17:17
  Pr 27:9

CAP. 19

q Pr 15:16
  Pr 16:8
  Snt 2:5
r 1Sa 25:17
  Pr 28:6
  Mt 12:37
s Os 4:6
  Jn 16:3
  Ro 10:2
t Pr 1:16
  Pr 6:18
u 1Sa 13:13
  1Re 20:42
  Pr 5:23
  Hch 13:45
v Nú 16:30
  Rev 16:9
w Pr 14:20
x Job 19:13
y Éx 23:1
  Dt 19:19
  Pr 25:18
z 1Re 2:9
  Pr 21:28
a Gé 43:11
  Pr 16:15
b Pr 17:8
  Pr 18:16

2.ª col.

a Job 30:10
  Pr 14:20
  Snt 2:6

b Sl 38:11; Sl 88:8; Ec 9:15; Snt 2:3; c Pr 18:23; Snt 2:16; 1Jn 3:17; d Pr 15:32; e Pr 2:2; Pr 3:21; Pr 11:12; Da 1:4; Mt 24:15; f Pr 19:5; g Eze 13:22; 2Pe 2:3; Rev 21:8; h 1Sa 25:36; Pr 30:22; i 2Sa 3:24; 2Sa 3:39; Ec 4:17; Isa 3:5; j Pr 14:29; Pr 15:18; Pr 16:32; Snt 1:19; k Gé 50:21; Mt 18:22; Ef 4:32; 1 Est 7:8; Pr 16:14; Pr 20:2; Da 2:12; Mt 25:41; m Sl 72:6; Os 14:5; n 2Sa 16:22; Pr 10:1; Pr 17:21; o Pr 21:9; Pr 25:24; Pr 27:15; p Dt 21:16; 2Co 12:14; q Gé 24:14; Gé 28:2; Pr 18:22; Pr 31:10; r Pr 6:9; Pr 20:13; Pr 24:33; s Pr 10:4; Pr 23:21; Pr 27:7; 2Te 3:10; t Pr 16:17; Lu 10:28; u Pr 13:13; Pr 15:32.

condición humilde le presta a Jehová,[a] y Él le pagará su trato.[b]

18 Castiga a tu hijo mientras existe esperanza;[c] y no levantes [el deseo de] tu alma para darle muerte.[d]

19 El que es de gran furia cargará con la multa;[e] pues si [lo] libraras, también habrías de seguir haciéndolo vez tras vez.[f]

20 Escucha el consejo y acepta la disciplina,[g] a fin de que te hagas sabio en tu futuro.[h]

21 Son muchos los planes que hay en el corazón del hombre,[i] pero el consejo de Jehová es lo que subsistirá.[j]

22 La cosa deseable en el hombre terrestre es su bondad amorosa;[k] y uno de escasos recursos es mejor que un hombre mentiroso.[l]

23 El temor de Jehová tiende a la vida,[m] y uno pasa la noche satisfecho;[n] no será visitado por lo que es malo.[o]

24 El perezoso ha escondido la mano en el tazón del banquete;[p] no la puede volver a llevar ni a su propia boca.[q]

25 Debes golpear al burlador,[r] para que el inexperto se haga sagaz;[s] y debe dirigirse censura al entendido, para que discierna conocimiento.[t]

26 El que maltrata a un padre, [y] que ahuyenta a una madre,[u] es un hijo que actúa vergonzosa y afrentosamente.[v]

27 Cesa, hijo mío, de escuchar la disciplina [y significará] el descarriarte de los dichos del conocimiento.[w]

28 Un testigo que para nada sirve escarnece la justicia,[x] y la mismísima boca de la gente inicua se traga lo que es perjudicial.[y]

29 Los juicios han sido firmemente establecidos para los burladores,[z] y golpes para la espalda de los estúpidos.[a]

20 El vino es burlador,[a] el licor embriagante es alborotador,[b] y todo el que se descarría por él no es sabio.[c]

2 Lo aterrador de un rey es un gruñido como el de un leoncillo crinado.[d] Cualquiera que atrae su furor contra sí está pecando contra su propia alma.[e]

3 Es una gloria para el hombre desistir de disputar,[f] pero todo el que es tonto estalla [en ello].[g]

4 A causa del invierno, el perezoso no quiere arar;[h] mendigará en el tiempo de la siega, pero no habrá nada.[i]

5 El consejo en el corazón del hombre es como aguas profundas,[j] pero el hombre de discernimiento es el que lo sacará.[k]

6 Una multitud de hombres proclama cada cual su propia bondad amorosa,[l] pero al hombre fiel, ¿quién lo puede hallar?[m]

7 El justo anda en su integridad.[n] Felices son sus hijos después de él.[o]

8 El rey está sentado sobre el trono de juicio,[p] y dispersa toda maldad con sus propios ojos.[q]

9 ¿Quién puede decir: "He limpiado mi corazón, he quedado puro de mi pecado"?[s]

10 Dos tipos de pesas y dos tipos de medidas de efá[t]... ambas juntas son cosa detestable a Jehová.[u]

11 Hasta por sus prácticas el muchacho se da a conocer en cuanto a si su actividad es pura y recta.[v]

CAP. 19
a Le 25:35
Dt 15:7
Sl 37:26
Sl 112:5
2Ti 1:16
Heb 13:16
b Pr 11:24
Pr 21:13
Pr 28:27
Mt 5:7
Mt 10:41
Heb 6:10
Snt 2:13
c 1Sa 3:13
Pr 13:24
Pr 22:6
Pr 22:15
Pr 23:13
Pr 29:15
Heb 12:7
d Dt 21:20
e 2Sa 16:5
Est 5:9
f 1Sa 24:17
1Sa 26:21
g Pr 1:8
Pr 4:13
Pr 8:10
Sof 3:7
h Pr 8:16
Dt 32:29
Sl 90:12
Heb 12:11
i Gé 11:6
Sl 9:25
Sl 21:11
Pr 16:9
Ec 7:29
Rev 17:13
j Gé 11:7
Gé 50:20
Jos 23:14
Pr 21:30
Da 4:35
Hch 5:39
Heb 6:17
k 1Cr 29:17
Pr 11:17
Miq 6:8
1Mr 12:41
2Co 8:2
m Sl 85:9
Pr 1:7
Pr 14:27
Mal 3:16
Heb 9:31
n Pr 3:24
Ec 5:12
Mt 5:6
o Pr 12:21
2Ti 4:18
p Pr 6:9
Pr 15:19
q Pr 24:30
Pr 26:14
r Dt 25:2
Pr 21:11
Pr 22:10
s Pr 10:13
Pr 15:5
t Job 6:24
Pr 9:9
Rev 3:19
u Le 20:9
Dt 27:16
Pr 17:25
Pr 20:20
Pr 23:22
Pr 30:11
Pr 30:17
Miq 7:6
2Ti 3:2

v Éx 20:12; Pr 10:5; Pr 17:2; w Pr 4:5; Pr 18:1;
Lu 8:18; x 1Re 21:10; Pr 14:5; Miq 7:3; Hch 6:11;
y Pr 4:16; Pr 4:17; Os 4:8; z Pr 3:34; Pr 9:12;
Hch 13:41; 2Pe 3:3; a Pr 10:13; Pr 26:3; 2.ª col.
CAP. 20 a Gé 9:21; Sl 107:27; Pr 23:31; Isa
19:14; b Isa 28:7; c 1Sa 25:36; Pr 23:32; 1Co
6:10; Gál 5:21; Ef 5:18; d Pr 19:12; Ec 10:4;
e 1Re 2:23; Est 7:7; f Pr 14:29; Ef 4:32; 2Ti 2:23;
g Pr 14:17; Pr 18:6; Ec 7:9; Snt 4:1; h Pr 19:15;
i Pr 6:11; Pr 24:34; 2Te 3:10; j Pr 18:4; k Pr 2:3;
l Pr 27:2; Mt 6:2; Lu 18:11; m Sl 12:1; Ec 7:28;
Jer 5:1; Miq 7:2; Lu 18:8; n Job 1:1; Sl 26:1; Pr
14:2; Mt 11:11; Lu 1:6; o Gé 12:3; Sl 37:26; Hch
2:39; p 2Sa 23:3; Pr 16:12; 1Re 2:12; 1Re 7:7; Mt 19:28;
q 1Re 3:28; Sl 72:4; Pr 16:12; r Job 14:4; Ro 3:10;
s 1Re 8:46; Sl 51:5; Ec 7:20; Snt 3:2; t Pr 16:11;
Am 8:5; Miq 6:11; u Pr 11:1; v Sl 58:3; Pr 22:15;
Mt 7:17; Lu 1:15.

12 El oído que oye y el ojo que ve... Jehová mismo ha hecho aun a ambos.[a]

13 No ames el sueño, para que no vayas a parar en la pobreza.[b] Abre los ojos; satisfácete de pan.[c]

14 "¡Es malo, malo!", dice el comprador, y sigue su camino.[d] Entonces es cuando se jacta de sí mismo.[e]

15 Existe oro, también una abundancia de corales; pero los labios del conocimiento son vasos preciosos.[f]

16 Toma el vestido de uno, en caso de que haya salido fiador por un extraño;[g] y en el caso de una extranjera, quita de él una prenda.[h]

17 El pan [que se consigue por] falsedad es placentero al hombre,[i] pero después la boca se le llena de grava.[j]

18 Por el consejo los planes mismos se establecen firmemente;[k] y con dirección diestra ocúpate en tu guerra.[l]

19 El que anda de calumniador está descubriendo habla confidencial;[m] y no debes tener compañerismo con uno que se deja seducir con sus labios.[n]

20 En cuanto a cualquiera que invoca el mal contra su padre y contra su madre,[o] su lámpara se extinguirá al acercarse la oscuridad.[p]

21 Se está consiguiendo una herencia por avidez desmesurada al principio,[q] pero su propio futuro no será bendecido.[r]

22 No digas: "¡Ciertamente pagaré el mal!".[s] Espera en Jehová,[t] y él te salvará.[u]

23 Dos suertes de pesas son cosa detestable a Jehová,[v] y una balanza defraudadora no es buena.[w]

24 De Jehová son los pasos del hombre físicamente capacitado.[x] En cuanto al hombre terrestre, ¿cómo puede él discernir su camino?[y]

25 Es un lazo cuando el hom-bre terrestre ha clamado temerariamente: "¡Santo!",[a] y después de los votos[b] [está dispuesto] a hacer examen.[c]

26 El rey sabio dispersa a los inicuos,[d] y hace tornar sobre ellos una rueda.[e]

27 El aliento[f] del hombre terrestre es la lámpara de Jehová, y escudriña cuidadosamente todas las partes más recónditas del vientre.[g]

28 La bondad amorosa y el apego a la verdad... estos salvaguardan al rey;[h] y por la bondad amorosa él ha sustentado su trono.[i]

29 La hermosura de los jóvenes es su poder,[j] y el esplendor de los viejos es su canicie.[k]

30 Heridas de magullamiento son lo que por estregadura purifica del mal;[l] y los golpes, las partes más recónditas del vientre.[m]

21 El corazón de un rey es como corrientes de agua en la mano de Jehová.[n] Adondequiera que él se deleita en hacerlo, lo vuelve.[o]

2 Todo camino del hombre es recto a sus propios ojos,[p] pero Jehová está avaluando los corazones.[q]

3 Efectuar la justicia y el juicio es más preferible a Jehová que el sacrificio.[r]

4 Ojos altivos y un corazón arrogante[s] —lámpara de los inicuos— son pecado.[t]

5 Los planes del diligente propenden de seguro a ventaja,[u] pero todo el que es apresurado se encamina de seguro a la carencia.[v]

CAP. 20
a Éx 4:11
Sl 94:9
Hch 26:18
Ef 1:18
b Pr 10:4
c Pr 12:11
d Pr 14:31
Pr 21:6
Os 12:7
e Le 19:13
f Pr 3:15
Pr 8:10
Ec 12:9
Ef 4:29
g Éx 22:26
Pr 11:15
h Gé 38:18
Pr 2:16
Pr 5:3
i Pr 4:17
Pr 9:17
j Pr 6:31
Ec 11:9
Lam 3:16
k Pr 15:22
l Jue 1:1
1Sa 18:14
Pr 24:6
Lu 14:31
m Le 19:16
Pr 11:13
Pr 25:9
Pr 25:23
n Pr 16:29
Ro 16:18
o Éx 20:12
Éx 21:17
Le 20:9
Dt 27:16
Pr 19:26
2Ti 3:2
p Job 18:5
Pr 13:9
q 1Re 21:15
Pr 23:10
Pr 28:20
r Pr 28:8
Hab 2:6
1Ti 6:9
s Dt 32:35
Pr 24:29
Mt 5:38
Ro 12:17
1Te 5:15
1Pe 3:9
t Sl 27:14
Sl 37:34
Ro 15:13
u 2Sa 16:12
Sl 34:7
1Pe 4:19
v Eze 45:10
w Pr 20:10
x Sl 37:23
Jer 10:23
y Sl 25:12
Pr 14:8
Pr 16:9

2.ª col.

a Le 27:9
b Ec 5:4
Mr 7:11
Mt 3:8
c Nú 30:2
Ec 5:6
Mt 5:33
d 2Sa 4:10
Sl 101:8
Pr 20:8
e Sl 94:23
Isa 28:27

f Gé 2:7; Gé 7:22; Isa 42:5; Hch 17:25; g Sl 7:9;
Pr 16:2; Heb 4:12; h Sl 61:7; Pr 16:6; i Sl 21:7;
Isa 16:5; j 1Ti 4:8; k Le 19:32; Pr 16:31; l Sl
119:71; Pr 22:15; m Heb 12:10; CAP. 21 n Éx
14:4; Esd 7:27; Sl 106:46; o Ne 2:8; Isa 44:28;
Rev 17:17; p Sl 36:2; Pr 16:2; Pr 30:12; q 1Sa
16:7; Pr 24:12; Jer 17:10; r Isa 15:22; Sl 50:14;
Os 6:6; Miq 6:7; Mt 12:7; Mr 12:33; s 2Sa 22:28;
Sl 18:27; Sl 101:5; Pr 6:17; Pr 14:3; 1Sa
2:11; Lu 18:14; 1Pe 5:5; t Gé 6:5; Ro 6:12; u Pr
13:4; 1Te 4:11; v Pr 14:29.

6 El conseguir tesoros con una lengua falsa es una exhalación impelida [por el viento],[a] en el caso de los que buscan la muerte.[b]

7 El mismísimo despojo violento efectuado por los inicuos los arrastrará,[c] porque han rehusado hacer justicia.[d]

8 Un hombre, aun un extraño, es torcido en [su] camino;[e] pero el puro es recto en su actividad.[f]

9 Mejor es morar en un rincón de un techo[g] que con una esposa contenciosa, aunque en una casa en común.[h]

10 La mismísima alma del inicuo ha deseado con vehemencia lo que es malo;[i] su prójimo no será objeto de favor a sus ojos.[j]

11 Por la imposición de una multa al burlador, el inexperto se hace sabio;[k] y por dar uno perspicacia al sabio, este consigue conocimiento.[l]

12 El Justo está considerando la casa del inicuo,[m] y subvierte a los inicuos para calamidad [de ellos].[n]

13 En cuanto a cualquiera que tapa su oído al clamor quejumbroso de condición humilde,[o] él mismo también clamará y no se le responderá.[p]

14 Una dádiva hecha en secreto aplaca la cólera;[q] y un soborno en el seno,[r] la furia fuerte.

15 Es un regocijo para el justo hacer justicia,[s] pero hay algo terrible para los que practican lo que es perjudicial.[t]

16 En cuanto al hombre que, vagando, se aleja del camino de la perspicacia,[u] descansará en la mismísima congregación de los que están impotentes en la muerte.[v]

17 El que ama la diversión será un individuo indigente;[w] el que ama el vino y el aceite no ganará riquezas.[x]

18 El inicuo es un rescate para el justo;[y] y el que obra traidora-

mente toma el lugar de los rectos.[a]

19 Mejor es morar en tierra desértica que con una esposa contenciosa junto con irritación.[b]

20 Hay tesoro deseable y aceite en la habitación del sabio,[c] pero el hombre que es estúpido se lo tragará.[d]

21 El que sigue tras la justicia[e] y la bondad amorosa hallará vida, justicia y gloria.[f]

22 El sabio ha escalado hasta la ciudad de hombres poderosos, para rebajar la fuerza de la confianza de ella.[g]

23 El que guarda su boca y su lengua, guarda su alma de las angustias.[h]

24 Presuntuoso y soberbio fanfarrón es el nombre del que actúa en un furor de presunción.[i]

25 El mismísimo deseo vehemente del perezoso le dará muerte, pues sus manos han rehusado trabajar.[j] 26 Todo el día ha mostrado que está deseando con gran vehemencia, pero el justo da y no retiene nada.[k]

27 El sacrificio de los inicuos es cosa detestable.[l] ¡Cuánto más cuando uno lo trae junto con conducta relajada![m]

28 El testigo mentiroso perecerá,[n] pero el hombre que escucha hablará aun para siempre.[o]

29 El hombre inicuo ha adoptado un rostro descarado,[p] pero el recto es el que establece firmemente sus caminos.[q]

30 No hay sabiduría, ni ningún discernimiento, ni ningún consejo en oposición a Jehová.[r]

CAP. 21
a Pr 10:2
Pr 20:21
b Pr 1:19
Ro 6:23
c Sl 7:16
Eze 18:24
d Isa 1:23
Eze 18:18
Miq 3:11
e Ec 8:13
Ec 9:3
Ef 2:2
Sl 37:37
Pr 16:17
Da 12:10
1Pe 1:22
g Pr 25:24
h Pr 7:1
Pr 19:13
Pr 27:15
i Gé 6:5
Sl 36:4
1Co 10:6
Gál 6:7
Snt 4:5
1Jn 2:16
j 1Sa 25:8
Snt 2:13
k Pr 19:25
1Pr 9:9
Ec 7:25
m De 16:20
Job 21:28
Sl 37:10
Sl 91:8
Sl 101:8
n Gé 19:29
Sl 37:20
Pr 13:6
Pr 14:32
2Pe 2:4
2Pe 3:6
o Dt 15:9
Pr 19:17
Pr 28:27
Snt 5:4
p Sl 18:41
Pr 1:28
Lam 3:44
r Pr 17:23
s Job 29:13
Sl 106:3
t Pr 10:29
Lu 13:27
Rev 22:15
u Sl 125:5
Heb 6:4
2Pe 2:21
v Pr 2:19
Pr 9:18
Snt 1:15
w Ec 7:4
Lu 15:13
2Ti 3:4
x Pr 23:21
y Pr 11:8
Isa 43:4

2.ª col.
a Est 7:10
Pr 13:22
b Pr 17:1
Pr 27:15
c Sl 112:3
Pr 15:6
Ec 5:19
d Lu 15:14
e Pr 15:9
Mt 5:6
Heb 12:14
f Pr 22:4
Ro 2:7

g Ec 7:19; Ec 9:16; 2Co 10:4; h Sl 141:3; Pr 10:19; Pr 12:13; Pr 13:3; Ec 10:20; i Nú 14:44; Est 6:4; Pr 16:18; Snt 4:16; j Pr 6:6; Pr 13:4; Pr 24:33; k Sl 37:26; Sl 112:9; Lu 6:30; 2Co 8:9; 1Sa 15:22; Pr 15:8; Isa 1:11; Jer 6:20; m Le 18:17; Dt 23:18; Jue 20:6; 1Sa 13:12; n Éx 23:1; Dt 19:18; Pr 6:19; Pr 19:5; o Pr 12:19; Hch 7:22; p Pr 28:14; Pr 29:1; Jer 3:3; q Pr 11:5; 1Te 3:11; r Nú 23:8; Pr 19:21; Hch 5:39; Ro 8:31.

31 El caballo es algo preparado para el día de la batalla,[a] pero la salvación pertenece a Jehová.[b]

22 Ha de escogerse un nombre más bien que riquezas abundantes;[c] el favor es mejor que aun la plata y el oro.[d]

2 El rico y el de escasos recursos se han encontrado.[e] El Hacedor de todos ellos es Jehová.[f]

3 Sagaz es el que ha visto la calamidad y procede a ocultarse,[g] pero los inexpertos han pasado adelante y tienen que sufrir la pena.[h]

4 El resultado de la humildad [y] del temor de Jehová es riquezas y gloria y vida.[i]

5 Espinas [y] trampas hay en el camino del torcido;[j] el que está guardando su alma se mantiene alejado de ellas.[k]

6 Entrena al muchacho conforme al camino para él;[l] aun cuando se haga viejo no se desviará de él.[m]

7 El rico es el que gobierna sobre los de escasos recursos,[n] y el que toma prestado es siervo del hombre que hace el préstamo.[o]

8 El que está sembrando injusticia segará lo que es perjudicial,[p] pero la mismísima vara de su furor se acabará.[q]

9 El que es bondadoso de ojo será bendecido, porque ha dado de su alimento al de condición humilde.[r]

10 Echa al burlador, para que se vaya la contienda y para que cesen el litigio y la deshonra.[s]

11 El que ama la pureza de corazón[t]... por el encanto de sus labios el rey será su compañero.[u]

12 Los ojos de Jehová mismo han salvaguardado el conocimiento,[v] pero él subvierte las palabras del traicionero.[w]

13 El perezoso ha dicho:[x] "¡Hay un león afuera![y] ¡En medio de las plazas públicas seré asesinado!".

14 La boca de las extrañas es un hoyo profundo.[a] El que es denunciado por Jehová caerá en él.[b]

15 La tontedad está atada al corazón del muchacho;[c] la vara de la disciplina es lo que la alejará de él.[d]

16 El que defrauda al de condición humilde para proveerse de muchas cosas,[e] también aquel que da al rico, de seguro está destinado a la carencia.[f]

17 Inclina tu oído y oye las palabras de los sabios,[g] para que apliques tu mismísimo corazón a mi conocimiento.[h] **18** Porque es agradable que las guardes en tu vientre,[i] para que juntas se establezcan firmemente sobre tus labios.[j]

19 Para que tu confianza llegue a estar en Jehová mismo[k] te he dado conocimiento hoy, aun a ti.

20 ¿No te he escrito en tiempos pasados con consejos y conocimiento,[l] **21** para mostrarte la veracidad de los dichos verdaderos, a fin de devolver dichos que son la verdad... al que te envía?[m]

22 No robes al de condición humilde porque sea de condición humilde,[n] y no aplastes al afligido en la puerta.[o] **23** Porque Jehová mismo defenderá la causa de ellos,[p] y ciertamente les robará el alma a los que les roban a ellos.[q]

24 No tengas compañerismo con nadie dado a la cólera;[r] y con el hombre que tiene arrebatos de furia no debes entrar, **25** para que no te familiarices con sus sendas y ciertamente tomes un lazo para tu alma.[s]

26 No llegues a estar entre los que chocan las manos,[t] entre los que salen garantes de prés-

CAP. 21
a Sl 20:7
   Isa 31:1
   Jer 46:4
   Rev 19:11
b 2Cr 20:17
   Sl 3:8
   Sl 33:17
   Sl 68:20
   Rev 7:10

CAP. 22
c Ec 7:1
d Heb 11:26
e Sl 49:2
   Pr 29:13
f Job 31:15
   Job 34:19
   Hch 17:26
g Éx 9:20
   Pr 27:12
h Pr 29:1
i Sl 34:9
   Pr 18:12
   Snt 4:10
j Jos 23:12
   Sl 11:6
k Pr 1:15
   Pr 4:15
   1Jn 5:18
l Gé 18:19
   Dt 6:7
   Ef 6:4
m 2Ti 3:15
n Snt 2:6
o 2Re 4:1
   Ne 5:4
   Mt 18:25
p Os 8:7
   Gál 6:7
q Sl 125:3
   Isa 9:4
r Dt 15:7
   Sl 41:1
   Pr 11:25
   Lu 6:35
   Heb 6:10
s Gé 21:10
t Mt 5:8
u Sl 45:2
   Pr 16:13
v Isa 11:9
w Hch 13:10
   2Ti 2:8
x Pr 15:19
y Pr 26:13

2.ᵃ col.
a Pr 5:3
   Pr 23:27
   Ec 7:26
b Rev 2:20
c Gé 8:21
d Pr 13:24
   Pr 19:18
   Pr 23:14
   Pr 29:15
e Sl 12:5
   Pr 14:31
   Miq 2:2
f Lu 14:12
g Pr 5:1
   Pr 13:20
   Pr 18:15
   Mt 17:5
h Pr 15:14
   Pr 22:12
i Sl 119:103
   Pr 2:10
   Pr 24:14
j Pr 15:7

k Sl 62:8; Pr 3:5; Isa 12:2; 1Pe 1:21; l Pr 8:6; 2Ti 3:15; m 2Ti 2:2; n Pr 23:10; Eze 22:29; o Éx 23:6; Job 29:12; Am 5:12; Zac 7:10; p 1Sa 24:12; Sl 12:5; Pr 23:11; Jer 50:34; Miq 7:9; q Isa 33:1; r 2Co 6:14; s Pr 13:20; 1Co 5:6; t Pr 6:1; Pr 17:18; 1Co 15:33.

tamos.ᵃ 27 Si no tienes con qué pagar, ¿por qué debe tomar él tu cama de debajo de ti?

28 No muevas hacia atrás un lindero de antaño, que tus antepasados han hecho.ᵇ

29 ¿Has contemplado a un hombre hábil en su trabajo? Delante de reyes es donde él se apostará;ᶜ no se apostará delante de hombres comunes.

23 En caso de que te sientes a alimentarte con un rey, debes considerar con diligencia lo que está delante de ti,ᵈ 2 y tienes que poner un cuchillo a tu garganta si eres dueño [de un deseo] del alma.ᵉ 3 No muestres que apeteces sus platos sabrosos, puesto que es el alimento de mentiras.ᶠ

4 No te afanes por obtener riquezas.ᵍ Cesa de tu propio entendimiento.ʰ 5 ¿Has hecho que tus ojos se lancen en un vistazo, cuando no son nada?ⁱ Porque sin falta se hacen para sí alas como las de un águila y vuelan hacia los cielos.

6 No te alimentes con el alimento de ninguno de ojo no generoso,ᵏ ni muestres apetecer sus platos sabrosos.ˡ 7 Porque como quien ha calculado dentro de su alma, así es él.ᵐ "Come y bebe", te dice, pero su corazón mismo no está contigo.ⁿ 8 Tu bocado que has comido, lo vomitarás, y habrás malgastado tus palabras agradables.ᵒ

9 A oídos de un estúpido no hables,ᵖ porque despreciará tus palabras discretas.ᵍ

10 No muevas hacia atrás el lindero de antaño,ʳ ni entres en el campo de los huérfanos de padre.ˢ 11 Porque su Redentor es fuerte; él mismo defenderá la causa que ellos tienen contigo.ᵗ

12 De veras trae tu corazón a la disciplina, y tu oído a los dichos del conocimiento.ᵘ

13 No retengas del simple muchacho la disciplina.ᵃ En caso de que le pegues con la vara, no morirá. 14 Con la vara tú mismo debes pegarle, para que libres su mismísima alma del Seol mismo.ᵇ

15 Hijo mío, si tu corazón se ha hecho sabio,ᶜ se regocijará mi corazón, sí, el mío.ᵈ 16 Y mis riñones se alborozarán cuando tus labios hablen rectitud.ᵉ

17 No envidie tu corazón a los pecadores;ᶠ antes bien, esté en el temor de Jehová todo el día.ᵍ 18 Porque en tal caso existirá un futuro,ʰ y tu propia esperanza no será cortada.ⁱ

19 Tú, oh hijo mío, oye y hazte sabio, y guía tu corazón por el camino.ʲ

20 No llegues a estar entre los que beben vino en exceso,ᵏ entre los que son comedores glotones de carne.ˡ 21 Porque el borracho y el glotón vendrán a parar en la pobreza,ᵐ y el adormecimiento vestirá a uno de meros andrajos.ⁿ

22 Escucha a tu padre, que causó tu nacimiento,ᵒ y no desprecies a tu madre simplemente porque ha envejecido.ᵖ 23 Compra la verdad misma y no la vendas... sabiduría y disciplina y entendimiento.ʳ 24 Sin falta el padre de un justo estará gozoso;ˢ el que llega a ser padre de un sabio también se regocijará en él. 25 Tu padre y tu madre se regocijarán, y la que te dio a luz estará gozosa.ᵘ

26 Hijo mío, de veras dame tu corazón, y que esos ojos tuyos se complazcan en mis propios caminos.ᵛ 27 Pues la prostituta es un hoyo profundo,ʷ y la extranjera es un pozo angosto. 28 De seguro ella, justamente

como un salteador, está al acecho;[a] y entre los hombres ella aumenta los traicioneros.[b]

29 ¿Quién tiene el ¡ay!? ¿Quién tiene desasosiego? ¿Quién tiene contiendas?[c] ¿Quién tiene preocupación? ¿Quién tiene heridas sin causa? ¿Quién tiene deslustre de ojos? 30 Los que se quedan largo tiempo con el vino,[d] los que entran en busca de vino mezclado.[e] 31 No mires el vino cuando rojea, cuando luce centelleante en la copa, [cuando] baja con suavidad. 32 A su fin muerde justamente como una serpiente,[f] y segrega veneno justamente como una víbora.[g] 33 Tus propios ojos verán cosas extrañas, y tu propio corazón hablará cosas perversas.[h] 34 Y ciertamente llegarás a ser como uno que está acostado en el corazón del mar, hasta como uno que está acostado en el tope de un mástil.[i] 35 "Me han golpeado, pero no enfermé; me han herido, pero no lo supe. ¿Cuándo despertaré?[j] Lo buscaré todavía más."[k]

24 No envidies a hombres malos,[l] y no te muestres vehementemente deseoso de meterte entre ellos.[m] 2 Porque el despojo violento es lo que su corazón sigue meditando, y gravoso afán es lo que sus propios labios siguen hablando.[n]

3 Con sabiduría se edifica la casa,[o] y con discernimiento resulta firmemente establecida.[p] 4 Y con conocimiento los cuartos interiores se llenan de todas las cosas preciosas y agradables de valor.[q]

5 El que es sabio en fuerza es un hombre físicamente capacitado,[r] y el hombre de conocimiento está reforzando el poder.[s] 6 Pues con dirección diestra te ocuparás en tu guerrear,[t] y en la multitud de consejeros hay salvación.[u]

7 Para un tonto la sabiduría verdadera es demasiado alta;[a] en la puerta él no abre la boca.

8 En cuanto a cualquiera que trama hacer lo malo, será llamado simple maestro de ideas de mal.[b]

9 La conducta relajada de la tontedad es pecado,[c] y el burlador es cosa detestable a la humanidad.[d]

10 ¿Te has mostrado desanimado en el día de la angustia?[e] Tu poder será escaso.

11 Libra a los que están siendo llevados a la muerte; y a los que van trastabillando a la matanza, ¡oh, que [los] retengas![f] 12 En caso de que digas: "¡Mira! No sabíamos de esto",[g] aquel mismo que está avaluando los corazones, ¿no lo discernirá?,[h] y aquel mismo que está observando tu alma, ¿no lo sabrá,[i] y ciertamente pagará al hombre terrestre conforme a su actividad?[j]

13 Hijo mío, come miel, porque es buena; y que la dulce miel del panal esté en tu paladar.[k] 14 De la misma manera, de veras conoce la sabiduría para tu alma.[l] Si [la] has hallado, entonces existe un futuro, y tu propia esperanza no será cortada.[m]

15 No te pongas, cual inicuo, al acecho por el lugar de habitación del justo;[n] no despojes con violencia su lugar de descanso.[o] 16 Pues puede que el justo caiga hasta siete veces, y ciertamente se levantará;[p] pero a los inicuos la calamidad los hará tropezar.[q]

17 Cuando caiga tu enemigo, no te regocijes; y cuando se le haga tropezar, no esté gozoso tu corazón,[r] 18 para que Jehová no vea, y sea malo a sus ojos, y ciertamente vuelva su cólera de contra él.[s]

CAP. 23
a Pr 7:12
   Ec 7:26
b Nú 25:1
   1Co 10:8
c Pr 20:1
   Ef 5:18
d Isa 5:11
e Isa 65:11
f Nú 21:9
   Jer 8:17
g Sl 140:3
   Hch 28:6
h Os 4:11
   Os 7:5
i 1Re 16:9
j Gé 19:33
k Pr 26:11
   1Co 15:32

CAP. 24
l Pr 23:17
m Sl 26:5
   Sl 28:3
n Pr 1:10
n 1Sa 23:9
   Sl 38:12
   Pr 1:11
   Pr 15:28
   Mt 26:4
o Sl 104:24
   Pr 9:1
   Pr 14:1
p Pr 3:19
q 1Re 10:23
   Job 42:12
   Pr 15:6
r Pr 8:14
   Pr 21:22
   Ec 7:19
s Isa 40:31
   Ef 6:10
   Col 1:11
t Pr 20:18
   Lu 14:31
u Pr 11:14
   Pr 13:10
   Pr 15:22
   Hch 15:6

2.ª col.
a Pr 14:6
   1Co 2:14
b Sl 21:11
   Pr 6:14
   Pr 12:2
   Ro 1:30
c Pr 10:23
   Gál 5:19
d Pr 22:10
   2Pe 3:3
   e Heb 12:3
f Sl 82:4
g Mt 25:44
h 1Sa 16:7
   Pr 5:21
   Pr 17:3
   Pr 21:2
i Da 5:23
j Sl 62:12
   Mt 16:27
   Ro 2:6
   2Co 5:10
k Pr 25:16
   Cán 5:1
   Mt 3:4
l Sl 19:10
   Sl 119:103
   Pr 22:18
m Pr 13:14
   Pr 23:18
   Jn 17:3

n 1Sa 19:11; Sl 10:8; Sl 37:32; Sl 56:6; Pr 1:11; Mt 26:4; o Isa 32:18; p Sl 34:19; 2Co 1:10; q 1Sa 26:10; 1Sa 31:4; Est 7:10; r Jue 16:25; 2Sa 16:5; Job 31:29; Pr 17:5; Pr 25:21; s Eze 26:2; Zac 1:15.

19 No te muestres acalorado contra los malhechores. No les tengas envidia a los inicuos.[a] 20 Pues no resultará haber futuro para ninguno [que es] malo;[b] la mismísima lámpara de los inicuos se extinguirá.[c]

21 Hijo mío, teme a Jehová y al rey.[d] Con los que están a favor de un cambio, no te entremetas.[e] 22 Porque su desastre se levantará tan repentinamente,[f] que ¿quién se da cuenta de la extinción de los que están a favor de un cambio?[g]

23 Estos [dichos] también son para los sabios:[h] Mostrar parcialidad en el juicio no es bueno.[i]

24 A aquel que está diciendo al inicuo: "Eres justo",[j] los pueblos lo execrarán, los grupos nacionales lo denunciarán. 25 Pero a los que [lo] censuran les será agradable,[k] y sobre ellos vendrá la bendición de bien.[l] 26 Labios besará quien responde derechamente.[m]

27 Prepara tu trabajo fuera, y alístatelo en el campo.[n] Después también tienes que edificar tu casa.

28 No llegues a ser testigo contra tu semejante sin base.[o] Entonces tendrías que ser tonto con tus labios.[p] 29 No digas: "Tal como me hizo, así voy a hacerle a él.[q] Le pagaré a cada uno según actúe".[r]

30 Pasé junto al campo del individuo perezoso[s] y junto a la viña del hombre falto de corazón.[t] 31 Y, ¡mira!, todo ello producía mala hierba.[u] Ortigas cubrían su mismísima superficie, y su mismo muro de piedra había sido demolido.[v]

32 De modo que procedí a contemplar, yo mismo; empecé a poner[lo] en el corazón;[w] vi, acepté la disciplina:[x] 33 Un poco de dormir, un poco de dormitar, un poco de cruzar las manos para estar acostado,[y] 34 y cual salteador de caminos tu

pobreza ciertamente vendrá, y tu carencia cual hombre armado.[a]

25 También estos son los proverbios de Salomón[b] que transcribieron los hombres de Ezequías, rey de Judá:[c]

2 La gloria de Dios es guardar secreto un asunto,[d] y la gloria de los reyes es escudriñar completamente un asunto.[e]

3 Los cielos por altura[f] y la tierra por profundidad,[g] y el corazón de los reyes, eso es inescrutable.[h]

4 Que haya un remover de la escoria espumajosa de la plata, y toda ella saldrá refinada.[i]

5 Que haya el remover al inicuo delante del rey,[j] y su trono será firmemente establecido por la justicia misma.[k]

6 No te rindas honra delante del rey,[l] y en el lugar de los grandes no te plantes.[m] 7 Porque mejor es [que él] te diga: "Sube acá",[n] que el que te abata delante de un noble a quien tus ojos han visto.[o]

8 No salgas a conducir una causa judicial apresuradamente, para que no sea cuestión de lo que harás en la culminación de ella, cuando tu semejante ahora te humille.[p] 9 Defiende tu propia causa con tu semejante,[q] y no reveles el habla confidencial de otro;[r] 10 para que no te avergüence el que escuche, y el mal informe por ti no pueda revocarse.

11 Como manzanas de oro en entalladuras de plata es una palabra hablada al tiempo apropiado para ella.[s]

12 Un arete de oro, y un adorno de oro especial, es el censurador sabio al oído que oye.[t]

13 Justamente como el fres-

CAP. 24
a Pr 23:17
b Sl 9:17
　Sl 73:18
　Pr 10:7
　Isa 3:11
c Job 21:17
　Sl 73:27
　Pr 13:9
　Pr 20:20
　Mt 8:12
　Jud 13
d 1Sa 24:6
　Pr 8:13
　1Pe 2:17
e Nú 16:2
　2Sa 15:12
f Nú 16:31
　Hch 5:36
g Sl 90:11
　Pr 20:2
　1Pe 5:2
h 1Re 3:28
　Esd 7:25
　Sl 107:43
i Le 19:15
　Dt 1:17
　Dt 16:19
　2Cr 19:7
　1Ti 5:21
　Snt 2:4
　1Pe 1:17
j Éx 23:6
　Pr 17:15
　Le 19:17
　1Ti 5:20
　Pr 28:23
m Pr 27:5
　Pr 27:6
n 1Re 6:7
　Lu 14:28
o Éx 20:16
　Mt 26:59
p Ef 4:25
　Col 3:9
q Pr 20:22
　Ro 12:17
　1Te 5:15
r Pr 6:6
　Pr 22:13
t Pr 12:11
u Heb 6:3
v Pr 20:4
　Ec 10:18
w Pr 19:8
x Pr 1:3
　Pr 4:13
　Pr 12:1
y Pr 6:10

2.ᵃ col.
a Pr 10:4
　Pr 13:4
　Pr 23:21

CAP. 25
b 1Re 4:32
　Pr 1:1
　Pr 10:1
　Ec 12:9
c 2Cr 29:1
　Mt 1:10
d Dt 29:29
　Ro 11:33
e Esd 5:17
　Pr 16:12
　Job 29:16
f Sl 103:11
　Isa 55:9
g Sl 107:24
h Ro 11:33

i Pr 17:3; Mal 3:3; j 1Re 2:46; Est 7:10; Pr 20:8; k Pr 16:12; Pr 20:28; Pr 29:14; Isa 16:5; l Pr 27:2; m Sl 131:1; n Lu 14:10; o Lu 14:9; Lu 18:14; 1Pe 5:5; p Pr 18:17; Mt 5:25; q Mt 18:15; r Pr 11:13; Pr 20:19; s Pr 15:23; Pr 24:26; Ec 12:10; Isa 50:4; t Sl 141:5; Pr 1:9; Pr 9:8.

cor de la nieve[a] en el día de la siega es el enviado fiel a los que lo envían, pues restaura el alma misma de sus amos.[b]

14 Como nubes vaporosas y un viento sin aguacero es un hombre que con falsedad se jacta acerca de una dádiva.[c]

15 Por paciencia se induce a un comandante, y una lengua apacible misma puede quebrar un hueso.[d]

16 ¿Es miel lo que has hallado?[e] Come lo que te sea suficiente, para que no tomes demasiado de ella y tengas que vomitarla.[f]

17 Haz cosa rara tu pie en la casa de tu semejante, para que no tenga su suficiencia de ti y ciertamente te odie.

18 Como garrote de guerra y espada y flecha aguzada es un hombre que testifica contra su semejante como testigo falso.[g]

19 Como diente quebrado y pie vacilante es la confianza en uno que resulta traicionero en el día de la angustia.[h]

20 El que quita una prenda de vestir en día de frío es como vinagre sobre álcali y como cantor con canciones a un corazón triste.[i]

21 Si el que te odia tiene hambre, dale pan de comer; y si tiene sed, dale agua de beber.[j]
22 Porque son brasas las que estás amontonando sobre su cabeza,[k] y Jehová mismo te recompensará.[l]

23 El viento del norte produce como con dolores de parto un aguacero;[m] y la lengua [que divulga] un secreto, un rostro denunciado.[n]

24 Mejor es morar en un rincón de un techo que con una esposa contenciosa, aunque en una casa en común.[o]

25 Como agua fría a un alma cansada,[p] así es un buen informe procedente de un país distante.[q]

26 Un manantial ensuciado y

un pozo arruinado es el justo cuando trastabilla delante del inicuo.[a]

27 El comer demasiada miel no es bueno;[b] y el que la gente ande buscando su propia gloria, ¿es eso gloria?[c]

28 Como una ciudad en que se ha hecho irrupción, que no tiene muro, es el hombre que no tiene freno para su espíritu.[d]

26 Como nieve en el verano y como lluvia en el tiempo de la siega,[e] así la gloria no es propia para el estúpido.[f]

2 Tal como el pájaro tiene motivo para huir, [y] tal como la golondrina para volar, así una invocación de mal misma no viene sin verdadero motivo.[g]

3 El látigo es para el caballo,[h] el freno[i] es para el asno, y la vara es para la espalda de los estúpidos.[j]

4 No respondas a nadie estúpido conforme a su tontedad, para que no llegues a ser tú mismo también igual a él.[k]

5 Responde a alguien estúpido conforme a su tontedad, para que a sus propios ojos no se haga alguien sabio.[l]

6 Como uno que está mutilando [sus] pies, como uno que está bebiendo mera violencia, es el que mete los asuntos en la mano de alguien estúpido.[m]

7 ¿Han sacado agua las piernas del cojo? Entonces hay un proverbio en la boca de los estúpidos.[n]

8 Como quien encierra una piedra entre un montón de piedras, así es el que da gloria a un simple estúpido.[o]

9 Como un yerbajo espinoso ha venido a ser levantado en la mano de un borracho, así un proverbio en la boca de estúpidos.[p]

10 Como arquero que todo lo traspasa es el que alquila a alguien estúpido,[q] o el que alquila a los transeúntes.

CAP. 25

a Pr 26:1
b Pr 13:17
  Flp 2:5
c Mt 5:37
  Snt 5:12
d Gé 32:4
  Pr 15:1
e Jue 14:8
  Pr 24:13
f Pr 25:27
g Éx 20:16
  Sl 52:2
  Sl 57:4
  Sl 120:3
  Sl 140:3
  Jer 9:3
  Snt 3:6
h 2Sa 15:31
i Sl 137:3
  Ec 3:4
j Éx 23:5
  2Re 6:22
  Pr 24:17
  Mt 5:44
k 1Sa 24:11
  1Sa 25:34
  Ro 12:20
l Sal 24:12
m Job 37:9
n Sl 101:5
o Pr 19:13
  Pr 21:19
  Pr 27:15
p Rut 2:9
  2Sa 23:15
  Mt 10:42
q Pr 15:30
  Isa 57:2
  Lu 2:10

2.ª col.

a 1Sa 22:17
  2Cr 24:22
  Hch 7:52
b Pr 25:16
c Pr 27:2
  Jn 5:44
  Flp 2:3
d 1Sa 20:33
  Pr 16:32
  Pr 22:24
  Pr 29:11

CAP. 26

e 1Sa 12:17
f Est 3:1
  Pr 30:22
  Ec 10:7
g Gál 6:7
h Sl 32:9
  Na 3:2
i Snt 3:3
j Pr 10:13
  Pr 17:10
  Pr 27:22
  1Co 4:21
  2Co 10:6
k 1Pe 3:9
l Mt 21:24
  Jn 9:27
m Nú 13:31
n Pr 17:7
o Pr 19:10
  Pr 26:1
p Pr 23:35
q Pr 1:32

11 Justamente como un perro que vuelve a su vómito, el estúpido repite su tontedad.[a]

12 ¿Has visto a un hombre sabio a sus propios ojos?[b] Hay más esperanza para el estúpido[c] que para él.

13 El perezoso ha dicho: "Hay un león joven en el camino, un león en medio de las plazas públicas".[d]

14 La puerta sigue girando sobre su quicio, y el perezoso sobre su lecho.[e]

15 El perezoso ha escondido la mano en el tazón del banquete; se ha fatigado demasiado para volver a llevarla a la boca.[f]

16 El perezoso es más sabio a sus propios ojos[g] que siete que den una respuesta sensata.

17 Como quien agarra las orejas a un perro es cualquiera que, al pasar, se enfurece por la riña que no es suya.[h]

18 Tal como alguien demente que anda disparando proyectiles ardientes,[i] flechas y muerte, **19** así es el hombre que ha embaucado a su semejante y ha dicho: "¿No lo hice por broma?"[j]

20 Donde no hay leña, se apaga el fuego, y donde no hay calumniador, la contienda se aquieta.[k]

21 Como carbón para las ascuas y leña para el fuego, así es un hombre contencioso para enardecer una riña.

22 Las palabras de un calumniador son como cosas que han de tragarse vorazmente, que de veras bajan hasta las partes más recónditas del vientre.[m]

23 Como vidriado de plata que recubre un fragmento de vasija de barro son los labios fervientes junto con un corazón malo.[n]

24 Con sus labios el que odia se hace imposible de reconocer, pero dentro de sí pone engaño.[o] **25** Aunque haga benévola su voz,[p] no creas en él,[q] porque hay siete cosas detestables[r]

26 El odio está cubierto por el engaño. Su maldad será descubierta en la congregación.[a]

27 El que excava un hoyo caerá en el mismo,[b] y el que hace rodar una piedra... a él vendrá de vuelta.[c]

28 La lengua que es falsa odia al que es aplastado por ella,[d] y la boca lisonjera causa un derribo.[e]

27 No te jactes del día siguiente,[f] porque no sabes lo que un día dará a luz.[g]

2 Alábete un extraño, y no tu propia boca; hágalo un extranjero, y no tus propios labios.[h]

3 Lo pesada que es una piedra y una carga de arena[i]... pero la irritación por alguien tonto es más pesada que ambas.[j]

4 Hay la crueldad de la furia, también la inundación de la cólera,[k] pero ¿quién puede estar de pie ante los celos?[l]

5 Mejor es la censura revelada[m] que el amor oculto.

6 Las heridas infligidas por uno que ama son fieles,[n] pero los besos de uno que odia son cosas que han de ser suplicadas.[o]

7 El alma que está satisfecha pisotea la miel del panal, pero a un alma hambrienta toda cosa amarga es dulce.[p]

8 Tal como un pájaro que huye de su nido,[q] así es el hombre que huye de su lugar.[r]

9 Aceite e incienso[s] es lo que regocija el corazón, también la dulzura del compañero de uno debido al consejo del alma.[t]

10 No dejes a tu propio compañero ni al compañero de tu padre, y no entres en la casa de tu propio hermano en el día de tu desastre. Mejor es un vecino que está cerca que un hermano que está lejos.

11 Sé sabio, hijo mío, y rego-

CAP. 26

a Ex 8:15
Mt 12:45
2Pe 2:22
b Pr 12:15
Ro 12:16
1Co 3:18
1Co 8:2
c Pr 9:20
d Pr 22:13
e Pr 6:9
Pr 19:15
Pr 24:33
f Pr 19:24
g Pr 12:15
b Lu 12:14
1Te 4:11
1Te 4:15
i Ef 6:16
j Pr 10:23
Pr 15:21
k Pr 16:28
Pr 22:10
Snt 3:6
l Pr 3:30
Pr 17:14
m Pr 18:8
Pr 20:9
Mt 12:34
Lu 22:47
o 2Sa 13:22
Pr 10:18
p 2Sa 13:26
Sl 12:2
Sl 28:3
q Jer 12:6
r Pr 6:16

2.ᵃ col.

a 1Co 4:5
1Ti 5:24
b Sl 7:15
Sl 57:6
Pr 28:10
c Est 7:10
Sl 9:15
Ec 10:8
d Gé 37:32
e Pr 7:21
Pr 29:5

CAP. 27

f Isa 56:12
Lu 12:19
Snt 4:13
g Snt 4:14
h Pr 25:27
Jer 9:23
2Co 10:12
2Co 10:18
2Co 12:11
i Job 6:3
j Stg 25:25
k Snt 1:20
l Gé 37:11
Pr 14:30
Hch 17:5
Snt 3:14
m Le 19:17
Mt 18:15
n 2Sa 12:7
Sl 141:5
Rev 3:19
p Lu 15:16
q Isa 16:2
r Gé 4:16
Ex 2:15
1Sa 27:1
1Re 19:8

s Sl 45:8; Can 3:6; Can 4:10; Jn 12:3; t 1Sa 23:16; Pr 15:23; Pr 16:24; Hch 28:15; u Pr 17:17; Pr 18:24; Mt 12:49.

cija mi corazón,[a] para que pueda responder al que me está desafiando con escarnio.[b]

12 El sagaz que ha visto la calamidad se ha ocultado;[c] los inexpertos que han pasado adelante han sufrido la pena.[d]

13 Toma el vestido de uno, en caso de que haya salido fiador por un extraño;[e] y en el caso de una extranjera, quita de él una prenda.[f]

14 El que bendice a su semejante con voz fuerte muy de mañana, como invocación de mal será reputado de parte de él.[g]

15 El techo con goteras que ahuyenta a uno en un día de lluvia constante y la esposa contenciosa son comparables.[h] 16 Cualquiera que la abriga ha abrigado el viento, y aceite es lo que encuentra su mano derecha.

17 Con hierro, el hierro mismo se aguza. Así un hombre aguza el rostro de otro.[i]

18 El que salvaguarda la higuera, él mismo comerá su fruto,[j] y el que guarda a su amo será honrado.[k]

19 Como en el agua rostro corresponde a rostro, así el corazón del hombre al [del] hombre.

20 El Seol y [el lugar de] la destrucción[l] mismos no se satisfacen;[m] tampoco se satisfacen los ojos del hombre.[n]

21 El crisol es para la plata,[o] y el horno es para el oro;[p] y un individuo es conforme a su alabanza.[q]

22 Aunque machaques al tonto con un majador en un mortero, entre el grano resquebrajado, hasta que quede fino, su tontedad no se apartará de él.[r]

23 Debes conocer positivamente la apariencia de tu rebaño. Fija tu corazón en tus hatos;[s] 24 porque el tesoro no será hasta tiempo indefinido,[t] ni una diadema para todas las generaciones.

25 Se ha ido la hierba verde, y la nueva hierba ha aparecido, y la vegetación de las montañas ha sido recogida.[a] 26 Los carneros jóvenes son para tu ropa,[b] y los machos cabríos son el precio del campo. 27 Y hay suficiencia de leche de cabras para tu alimento, para el alimento de tu casa, y el medio[c] de vida para tus muchachas.

28 Los inicuos verdaderamente huyen cuando no hay perseguidor,[d] pero los justos son como un león joven que tiene confianza.[e]

2 A causa de la transgresión de un país son muchos sus príncipes [sucesivos],[f] pero por un hombre de discernimiento que tiene conocimiento de lo recto [el príncipe] permanece largo tiempo.[g]

3 El hombre físicamente capacitado que tiene escasos recursos y que está defraudando[h] a los de condición humilde es como una lluvia que arrolla de modo que no hay alimento.

4 Los que dejan la ley alaban al inicuo,[i] pero los que guardan la ley se excitan contra ellos.[j]

5 Los hombres dados a la maldad no pueden entender el juicio, pero los que están buscando a Jehová pueden entenderlo todo.[k]

6 Mejor es el de escasos recursos que está andando en su integridad que cualquiera [que es] torcido en [sus] caminos, aunque sea rico.[l]

7 El hijo entendido está observando la ley,[m] pero el que tiene compañerismo con glotones humilla a su padre.[n]

8 El que multiplica sus objetos de valor por interés[o] y usura, los junta meramente para el que

CAP. 27
a Pr 10:1; Pr 15:20; Pr 23:15; Sof 3:17; 2Jn 4
b Job 1:8; Job 1:9; Sl 127:5
c Éx 9:20; Sl 57:1; Pr 18:10; Isa 26:20; Heb 6:18; Heb 11:7
d Pr 22:3; 2Pe 3:7
e Pr 20:16
f Gé 38:18; Ec 7:26
g 1Te 2:5
h Pr 19:13; Pr 21:9
i 1Sa 23:16; Pr 5:1; Heb 10:24; Heb 12:12
j Pr 13:4; 1Co 9:7
k Gé 39:2; 2Sa 23:23; Pr 17:2
l Sl 88:11
m Pr 30:16; Hab 2:5
n Ec 1:8
o Sl 12:6; Sl 66:10
p Pr 17:3
q 1Sa 16:18; 1Sa 18:7
r Pr 23:35
s Gé 39:3; Pr 10:4; Pr 12:27; Col 3:23
t Pr 23:5; 1Ti 6:17; Snt 1:10

2.ª col.
a Sl 72:16; Sl 104:14
b Job 31:20
c Sl 62:10

CAP. 28
d Le 26:17; 2Re 7:6; Sl 53:5
e Éx 11:8; 1Cr 12:8; Da 3:16; Hch 4:13; Hch 14:3; 1Te 2:2
f 1Re 15:25; 1Re 16:8; 1Re 16:15; 1Re 16:22; 2Cr 36:2; Os 13:11
g Da 4:27
h Pr 14:31
i Mal 3:15
j Le 5:1; Nú 25:8; 1Sa 15:23; Ef 5:11
k Sl 25:14; Mr 4:11; Snt 1:5

l Pr 16:8; Pr 19:1; m Pr 2:1; Pr 3:1; n Pr 23:20; 1Co 15:33; o Le 25:36; Dt 23:19; Eze 18:13.

muestra favor a los de condición humilde.[a]

9 El que aparta su oído de oír la ley[b]... hasta su oración es cosa detestable.[c]

10 El que hace que los rectos se descarríen[d] y vayan por el camino malo, caerá él mismo en su propio hoyo,[e] pero los exentos de falta mismos llegarán a poseer lo bueno.[f]

11 El hombre rico es sabio a sus propios ojos,[g] pero el de condición humilde que es de discernimiento lo escudriña completamente.[h]

12 Cuando los justos se alborozan,[i] hay abundante hermosura; pero cuando los inicuos se levantan, el hombre se disfraza.[j]

13 El que encubre sus transgresiones no tendrá éxito,[k] pero al que [las] confiesa y [las] deja se le mostrará misericordia.[l]

14 Feliz es el hombre que siente pavor constantemente,[m] pero el que endurece su corazón caerá en la calamidad.[n]

15 Como león que gruñe y oso que acomete es el gobernante inicuo sobre un pueblo de condición humilde.[o]

16 El caudillo que es falto de verdadero discernimiento también abunda en prácticas fraudulentas,[p] pero el que odia la ganancia injusta[q] prolongará [sus] días.

17 El hombre agobiado por la culpa de sangre respecto a un alma, él mismo huirá hasta el hoyo.[r] No lo prendan.

18 El que anda exento de falta será salvo,[s] pero aquel a quien se haga torcido en [sus] caminos caerá en seguida.[t]

19 El que cultiva su propio terreno tendrá su suficiencia de pan,[u] y el que sigue tras cosas que nada valen tendrá su suficiencia de pobreza.[v]

20 El hombre de actos fieles recibirá muchas bendiciones,[w] pero el que se apresura a ganar riquezas no permanecerá inocente.[a]

21 Mostrar parcialidad no es bueno,[b] ni que el hombre físicamente capacitado cometa transgresión por un simple pedazo de pan.

22 El hombre de ojo envidioso se agita tras cosas valiosas,[c] pero no sabe que la carencia misma le sobrevendrá.

23 El que censura a un hombre[d] hallará después más favor que aquel que lisonjea con la lengua.

24 El que roba a su padre y a su madre[e] y dice: "No es transgresión",[f] es socio del hombre que causa arruinamiento.

25 El que es arrogante de alma suscita contiendas,[g] pero al que se fía de Jehová se le hará engordar.[h]

26 El que confía en su propio corazón es estúpido,[i] pero el que anda con sabiduría es el que escapará.[j]

27 El que da al de escasos recursos no tendrá carencia,[k] pero el que esconde los ojos tendrá muchas maldiciones.

28 Cuando se levantan los inicuos, el hombre se oculta;[m] pero cuando ellos perecen, los justos llegan a ser muchos.[n]

29 Un hombre censurado repetidas veces,[o] pero que hace dura su cerviz,[p] de repente será quebrado, y eso sin curación.[q]

2 Cuando los justos llegan a ser muchos, el pueblo se regocija;[r] pero cuando alguien inicuo gobierna, el pueblo suspira.[s]

3 El hombre que ama la sabiduría regocija a su padre,[t] pero

---

CAP. 28

a Job 27:17
  Pr 13:22
  Pr 19:17
b Zac 7:11
  2Ti 4:4
c Sl 66:18
  Sl 109:7
  Pr 15:29
  Isa 1:15
d Nú 31:16
  1Sa 26:19
  Ro 16:17
e Sl 7:15
  Pr 26:27
  Ec 10:8
  Gál 6:7
f Dt 7:12
  Sl 37:11
  Sl 37:18
  Sl 37:37
  Sl 84:11
  Pr 15:6
g Pr 18:11
  Isa 5:21
  Ro 12:16
h Mr 10:21
i 1Cr 15:25
  Pr 11:10
j Pr 17:3
  Pr 29:2
k Gé 3:8
  1Sa 15:15
  Sl 32:3
l Lu 12:13
  2Cr 33:12
  Sl 32:5
  Sl 51:1
m Sl 2:11
  Pr 8:13
  Pr 23:17
  Jer 32:40
  Flp 2:12
n Éx 7:22
  Ne 9:29
  Job 9:4
  Pr 29:1
  Isa 30:1
  Jer 16:12
o 1Sa 22:17
  Pr 29:2
  Sof 3:3
  Mt 2:16
p Ne 5:15
  Ec 4:1
  Am 4:1
q Éx 18:21
  Isa 33:15
r Gé 9:6
  1Re 21:19
  Mt 27:5
s Sl 25:21
  Sl 26:1
  Mt 24:13
t Sl 73:18
  1Te 5:3
  Rev 3:3
u Pr 12:11
v Pr 23:21
  Lu 15:14
w 1Sa 18:5
  Ne 7:2
  Sl 101:6

2.ª col.

a 2Re 5:22
  Pr 20:21
  Jer 17:11
  1Ti 6:9
b Le 19:15
  Dt 16:19
  Pr 18:5
  Snt 2:1

c Dt 15:9; Mt 6:23; Mt 20:12; Mr 7:22; 2Pe 2:14;
d 2Sa 12:7; Sl 141:5; Pr 27:6; Gál 2:11; e Pr
19:26; Mr 7:11; f Mal 1:8; Jer 2:12; 1Ti 6:4;
h 1Re 3:13; Sl 84:12; i Pr 3:5; Jer 17:9; j Job
28:28; Snt 3:13; k Dt 15:7; Sl 41:1; Pr 14:21; Pr
19:17; Pr 22:9; Isa 58:7; 2Co 9:6; Heb 13:16; 1Pr
11:26; m Job 24:4; Pr 28:12; n Est 8:17;   CAP. 29
o 1Sa 2:25; 2Cr 36:16; Jer 25:3; p Éx 11:10; 2Cr
36:13; Sl 75:5; Jer 17:23; q Pr 6:15; r 1Re 4:20;
s Est 3:15; Pr 28:15; t Pr 10:1; Pr 15:20; Pr 27:11;
Lu 1:14.

el que tiene compañerismo con las prostitutas destruye cosas valiosas.[a]

4 Mediante la justicia el rey hace que el país siga subsistiendo,[b] pero el hombre que busca sobornos lo demuele.[c]

5 El hombre físicamente capacitado que lisonjea a su compañero,[d] simplemente está tendiendo una red para sus pasos.[e]

6 En la transgresión del hombre malo hay un lazo,[f] pero el que es justo clama gozosamente y está alegre.[g]

7 El justo conoce la reclamación legal de los de condición humilde.[h] El que es inicuo no considera tal conocimiento.[i]

8 Los hombres de habla jactanciosa enardecen un pueblo, pero los que son sabios vuelven atrás la cólera.[k]

9 Habiendo entrado en juicio un hombre sabio con un hombre tonto... él se ha excitado y también se ha reído, y no hay descanso.[l]

10 Los hombres sanguinarios odian a cualquiera exento de culpa;[m] y en cuanto a los rectos, siguen buscando el alma de cada uno.[n]

11 Todo su espíritu es lo que el estúpido deja salir, pero el que es sabio lo mantiene calmado hasta lo último.[o]

12 Donde un gobernante presta atención al habla falsa, todos los que lo atienden serán inicuos.[p]

13 El hombre de escasos recursos y el hombre de opresiones se han encontrado;[q] [pero] Jehová alumbra los ojos de ambos.[r]

14 Donde un rey juzga con apego a la verdad a los de condición humilde,[s] su trono será firmemente establecido para todo tiempo.[t]

15 La vara y la censura son lo que da sabiduría;[u] pero el muchacho que se deja a rienda

suelta causará vergüenza a su madre.[a]

16 Cuando los inicuos llegan a ser muchos, abunda la transgresión; pero los que son justos verán la mismísima caída de ellos.[b]

17 Castiga a tu hijo y te traerá descanso, y dará mucho placer a tu alma.[c]

18 Donde no hay visión el pueblo anda desenfrenado,[d] pero felices son los que guardan la ley.[e]

19 Un siervo no se dejará corregir por meras palabras;[f] porque entiende, pero no está haciendo caso.[g]

20 ¿Has contemplado a un hombre que es apresurado con sus palabras?[h] Hay más esperanza para alguien estúpido que para él.[i]

21 Si uno viene mimando a su siervo desde la juventud, este hasta llegará a ser un ingrato en el período posterior de su vida.

22 El hombre dado a la cólera suscita contiendas,[j] y cualquiera dispuesto a la furia tiene muchas transgresiones.[k]

23 La mismísima altivez del hombre terrestre lo humillará,[l] pero el que es humilde de espíritu se asirá de la gloria.[m]

24 El que es socio de un ladrón odia su propia alma.[n] Quizás oiga un juramento que envuelve una maldición, pero no informa nada.[o]

25 El temblar ante los hombres es lo que tiende un lazo,[p] pero el que confía en Jehová será protegido.[q]

26 Muchos son los que buscan el rostro de un gobernante,[r] pero el juicio del hombre procede de Jehová.[s]

27 El hombre de injusticia es cosa detestable a los justos,[t] y el

CAP. 29
a Pr 5:9
Pr 6:26
Lu 15:13
b 2Sa 8:15
Sl 89:14
Isa 9:7
c Pr 17:23
d Ef 4:25
1Te 2:5
e Pr 26:28
Ro 16:18
f Pr 5:22
2Ti 2:26
Sl 97:11
1Pe 1:8
h Sl 41:1
i Jer 5:28
j Pr 11:11
Hch 19:29
Snt 3:6
k Ex 32:11
Hch 19:35
l Pr 26:4
m Gé 27:41
1Sa 20:31
1Jn 3:12
n Jer 38:12
Mr 10:45
o Pr 14:29
Pr 25:28
Am 5:13
p 1Re 21:11
Jer 38:5
q Pr 22:2
r Mt 5:45
s Sl 72:2
Pr 20:28
Da 4:27
t Pr 16:12
Pr 25:5
Isa 9:7
Heb 1:8
u Pr 22:6
Pr 22:15
Pr 23:13
Ef 6:4

2.ª col.

a Gé 27:46
Pr 10:1
Pr 17:25
b Sl 37:34
Sl 58:10
Sl 91:8
Rev 18:20
c Pr 13:24
Pr 19:18
Heb 12:11
d Os 4:6
e Pr 19:16
Pr 13:17
Snt 1:25
f Pr 26:3
g Job 19:16
h Ec 5:2
Snt 1:19
i Pr 14:29
Pr 21:5
j Pr 10:12
Pr 15:18
k 1Sa 22:18
Pr 22:24
Snt 3:16
l Est 6:6
Pr 18:12
Lu 18:14
Snt 4:6
m Pr 15:33
Pr 18:12
Isa 57:15
Mt 18:4
Flp 2:9
n Pr 1:11

o Le 5:1; Pr 28:4; p Jer 38:19; Mt 10:28; Mt 26:75; q 1Cr 5:20; 2Cr 14:11; Sl 69:29; Pr 18:10; r 1Sa 8:5; 1Re 4:34; s 2Re 6:27; Ne 1:11; Sl 62:12; t Sl 119:115; Sl 139:21.

que es recto en su camino es cosa detestable al inicuo.[a]

30 Las palabras de Agur, hijo de Jaqué, el mensaje de peso.[b] La expresión del hombre físicamente capacitado a Itiel, a Itiel y Ucal.

2 Porque yo soy más irrazonable que cualquier otro,[c] y no tengo el entendimiento de la humanidad;[d] 3 y no he aprendido sabiduría;[e] y el conocimiento del Santísimo no conozco.[f]

4 ¿Quién ha ascendido al cielo para que pueda descender?[g] ¿Quién ha recogido el viento[h] en el hueco de ambas manos? ¿Quién ha envuelto las aguas en un manto?[i] ¿Quién ha hecho que todos los cabos de la tierra se levanten?[j] ¿Cuál es su nombre[k] y cuál el nombre de su hijo, si acaso lo sabes?[l]

5 Todo dicho de Dios es refinado.[m] Es un escudo a los que se refugian en él.[n] 6 No añadas nada a sus palabras,[o] para que no te censure, y para que no se te tenga que demostrar mentiroso.[p]

7 Dos cosas te he pedido.[q] No las retengas de mí antes que muera.[r] 8 Aleja de mí la falsedad y la palabra mentirosa.[s] No me des ni pobreza ni riqueza.[t] Déjame devorar el alimento prescrito para mí,[u] 9 para que no vaya a quedar satisfecho y realmente [te] niegue[v] y diga: "¿Quién es Jehová?",[w] y para que no venga a parar en pobreza y realmente hurte y acometa el nombre de mi Dios.[x]

10 No calumnies a un siervo ante su amo,[y] para que él no invoque el mal contra ti, y para que no se te tenga que tener por culpable.[z]

11 Hay una generación que hasta contra su padre invoca el mal, y que ni siquiera a su madre bendice.[a]

12 Hay una generación que es pura a sus propios ojos,[b] pero que no ha sido lavada de su propio excremento.[a]

13 Hay una generación cuyos ojos se han hecho ¡oh, cuán altaneros!, y cuyos ojos radiantes están elevados.[b]

14 Hay una generación cuyos dientes son espadas y cuyas mandíbulas son cuchillos de degüello,[c] para comerse a los afligidos de sobre la tierra y a los pobres de entre la humanidad.[d]

15 Las sanguijuelas tienen dos hijas [que claman]: "¡Da! ¡Da!". Hay tres cosas que no se satisfacen, cuatro que no han dicho: "¡Basta!": 16 el Seol[e] y una matriz restringida,[f] una tierra que no ha sido satisfecha con agua,[g] y el fuego[h] que no ha dicho: "¡Basta!".[i]

17 El ojo que hace escarnio al padre y que desprecia la obediencia a la madre[j]... los cuervos del valle torrencial lo sacarán y los hijos del águila se lo comerán.

18 Hay tres cosas que han resultado demasiado maravillosas para mí, y cuatro que no he llegado a conocer: 19 el camino del águila en los cielos, el camino de la serpiente sobre una roca, el camino de una nave en el corazón del mar[k] y el camino de un hombre físicamente capacitado con una doncella.[l]

20 Aquí está el camino de la mujer adúltera: ha comido y se ha limpiado la boca y ha dicho: "No he cometido mal alguno".[m]

21 Bajo tres cosas ha estado agitada la tierra, y bajo cuatro no puede aguantar: 22 bajo un esclavo cuando reina,[n] y alguien insensato cuando tiene su suficiencia de alimento;[o] 23 bajo una mujer odiada cuando se toma posesión de ella por

CAP. 29
a Jn 7:7
1Jn 3:13

CAP. 30
b 2Ti 3:16
2Pe 1:21
c Job 42:3
SI 73:22
1Co 3:18
d SI 92:6
e Snt 1:5
f Pr 2:6
Pr 8:1
g SI 115:16
Jn 3:13
Ef 4:9
h Ec 1:6
i Isa 40:12
j Job 38:4
k Éx 3:15
Éx 6:3
SI 83:18
l SI 2:7
Mt 1:21
Jn 5:20
Hch 4:12
Flp 2:6
1Ti 2:5
Heb 6:20
Rev 19:16
m 2Sa 22:31
SI 12:6
SI 18:30
SI 119:140
n Gé 15:1
SI 84:11
o Dt 4:2
Rev 22:18
p Ro 3:4
q SI 27:4
Lu 10:42
1Jn 3:22
1Jn 5:14
r SI 21:2
s Pr 12:22
Pr 21:6
Pr 23:5
t Mt 6:11
1Ti 6:8
u Dt 8:3
Dt 8:11
w Éx 5:2
x Éx 20:7
Dt 5:11
Pr 6:30
y Dt 23:15
z Da 6:24
Mr 7:5
a Le 20:9
Dt 27:16
Pr 19:26
Pr 20:20
Mr 7:11
2Ti 3:2
b SI 36:2
Isa 65:5
Lu 16:15
2Ti 3:4
1Jn 1:8

2.ª col.

a Mt 23:27
Lu 11:39
b SI 101:5
Pr 6:17
Pr 21:4
Isa 2:11
2Te 2:4
c SI 3:7
SI 57:4

d SI 14:4; Pr 22:16; Isa 32:7; Miq 3:3; Hab 3:14; Mr 12:40; Snt 5:4; e Pr 27:20; Hab 2:5; f Gé 20:18; Gé 30:22; 1Sa 1:5; g Dt 8:15; SI 107:33; h Snt 3:5; i Pr 27:20; j Le 20:9; Dt 21:21; 2Sa 17:1; Pr 20:20; Pr 23:22; Ro 1:30; 2Ti 3:2; k SI 77:19; l Nú 5:13; m Pr 7:11; Jer 6:15; n Pr 19:10; Ec 10:7; Isa 3:4; o Dt 8:12; 1Sa 25:36.

esposa,[a] y una sierva cuando desposee a su ama.[b]

24 Hay cuatro cosas que son las más pequeñas de la tierra, pero son instintivamente sabias:[c] 25 las hormigas son un pueblo no fuerte,[d] y, no obstante, en el verano preparan su alimento;[e] 26 los damanes[f] son un pueblo no poderoso, y, no obstante, sobre un peñasco es donde ponen su casa;[g] 27 las langostas[h] no tienen rey, y, no obstante, salen todas divididas en grupos;[i] 28 el geco[j] [trepador] se afianza con sus propias manos y está en el magnífico palacio de un rey.

29 Hay tres que proceden bien en [su] paso medido, y cuatro que proceden bien en [su] ir adelante: 30 el león, que es el más poderoso entre las bestias, y que no se vuelve atrás de delante de nadie;[k] 31 el galgo o el macho cabrío, y un rey de una partida de soldados de su propio pueblo.[l]

32 Si has actuado insensatamente al elevarte,[m] y si has fijado tu pensamiento [en ello], [pon] la mano a la boca.[n] 33 Porque el batir la leche es lo que produce mantequilla, y el apretar la nariz es lo que produce sangre, y el apretar la cólera es lo que produce riña.[o]

31 Las palabras de Lemuel el rey, el mensaje de peso[p] que su madre le dio al corregirlo:[q]

2 ¿Qué [estoy diciendo], oh hijo mío, y qué, oh hijo de mi vientre,[r] y qué, oh hijo de mis votos?[s]

3 No des tu energía vital a las mujeres,[t] ni tus caminos a [lo que conduce a] borrar a reyes.[u]

4 No es para los reyes, oh Lemuel, no es para los reyes beber vino, ni para los altos funcionarios [decir:] "¿Dónde hay licor embriagante?",[v] 5 para que uno no beba y se olvide de lo que

está decretado y pervierta la causa de cualquiera de los hijos de la aflicción.[a] 6 Den ustedes licor embriagante al que está a punto de perecer,[b] y vino a los que están amargados de alma.[c] 7 Beba uno y olvídese de su pobreza, y no se acuerde más de su propio penoso afán.

8 Abre tu boca por el mudo,[d] en la causa de todos los que están falleciendo.[e] 9 Abre tu boca, juzga con justicia y defiende la causa del afligido y del pobre.[f]

א ['Álef]

10 Una esposa capaz, ¿quién la puede hallar?[g] Su valor es mucho más que el de los corales.

ב [Behth]

11 En ella el corazón de su dueño ha cifrado confianza, y no falta ninguna ganancia.[h]

ג [Guímel]

12 Ella le ha recompensado con bien, y no mal, todos los días de su vida.[i]

ד [Dáleth]

13 Ha buscado lana y lino, y trabaja en todo cuanto es el deleite de sus manos.[j]

ה [He']

14 Ha resultado ser como naves de mercader.[k] Desde lejos trae su alimento.

ו [Waw]

15 Se levanta también mientras todavía es de noche,[l] y da alimento a su casa y la porción prescrita a sus mujeres jóvenes.[m]

ז [Záyin]

16 Ha considerado un campo y ha procedido a obtenerlo;[n] del fruto de sus manos ha plantado una viña.[o]

ח [Jehth]

17 Ha ceñido de fuerza sus caderas, y vigoriza sus brazos.[p]

CAP. 30
a Pr 21:19
Pr 27:15
b Gé 16:5
c Pr 6:6
Job 35:11
d Pr 6:6
e Pr 6:8
f Le 11:5
g Sl 104:18
h Éx 10:14
Sl 105:34
Joe 1:4
i Joe 2:7
j Le 11:30
k Nú 23:24
Jue 14:5
Jue 14:18
Isa 31:4
l 2Sa 10:18
m 2Sa 15:4
Est 5:11
Pr 26:12
Ro 12:16
n Job 21:5
Pr 27:2
o Pr 26:21
Pr 28:25

CAP. 31
p Pr 30:1
2Ti 3:16
q Pr 1:8
Pr 6:20
2Ti 1:5
2Ti 3:15
r Sl 71:6
Isa 49:15
s 1Sa 1:11
1Sa 1:28
t Os 4:11
u Dt 17:17
1Re 11:3
Ne 13:26
v Le 10:9
Est 3:15
Ec 10:17
Isa 28:7
Da 5:4
Os 4:11

2.ᵃ col.
a Hab 2:5
b Sl 104:15
Mt 27:34
c Jer 16:7
d 1Sa 19:4
1Sa 22:14
Est 4:14
Tit 7:3
Sl 82:4
e Sl 79:11
f Dt 1:17
2Sa 8:15
Sl 58:11
Sl 72:2
Isa 11:4
Jer 22:3
Jn 7:24
Heb 1:9
Rev 19:11
g Rut 3:11
Pr 12:4
Pr 19:14
h 1Pe 3:7
i 1Pe 3:6
j 1Sa 2:19
Hch 9:39
Tit 2:5
k 2Cr 9:21
Sl 107:23
l Jn 20:1
m 1Ti 5:10

n Jos 15:19; o Pr 10:4; Pr 13:4; Pr 21:5; p Gé 18:6; Gé 24:20.

ב [Tehth]

18 Ha percibido intuitivamente que su comercio es bueno; su lámpara no se apaga de noche.[a]

י [Yohdh]

19 Ha alargado sus manos a la rueca, y sus propias manos asen el huso.[b]

כ [Kaf]

20 Ha extendido la palma de su mano al afligido, y ha alargado sus manos al pobre.[c]

ל [Lámedh]

21 No teme por su casa a causa de la nieve, porque toda su casa está vestida de prendas de vestir dobles.[d]

מ [Mem]

22 Se ha hecho colchas.[e] Su ropa es de lino y lana teñida de púrpura rojiza.[f]

נ [Nun]

23 Su dueño[g] es alguien conocido en las puertas,[h] cuando se sienta con los ancianos del país.

ס [Sámekj]

24 Ella ha hecho hasta prendas de vestir interiores[i] y ha procedido a vender[las], y ha dado cintos a los comerciantes.

CAP. 31
a Mt 25:4
b Ex 35:25
c 1Sa 25:18
Pr 19:17
Pr 22:9
Hch 9:36
Ef 4:28
1Ti 2:10
Heb 13:16
d 1Ti 5:8
Pr 7:16
f Ex 39:29
Est 8:15
Hch 16:14
g Gé 20:3
Dt 22:22
2Sa 11:26
1Co 11:9
h Dt 16:18
Rut 4:1
Job 29:7
i Hch 9:39

2.ᵃcol.
a Gé 24:20
Jue 5:24
Job 40:10
b Mt 6:34
c Jue 13:23
1Sa 25:31
2Sa 20:16
Est 5:8
Sl 68:11
Pr 31:1
Hch 18:26
Tit 2:3
d Gé 24:18
Jos 2:6
2Re 4:10
Hch 16:15
e Pr 14:1
1Ti 5:10
Tit 2:5
f Rut 4:11
1Re 2:19
2Ti 1:5
g Isa 62:4
h Gé 30:13
i Can 6:9
Lu 1:42
j Pr 11:16

ע ['Áyin]

25 Fuerza y esplendor son su ropa,[a] y se ríe de un día futuro.[b]

פ [Pe’]

26 Ha abierto la boca con sabiduría,[c] y la ley de bondad amorosa está en su lengua.[d]

צ [Tsa·dhéh]

27 Vigila cómo marchan los asuntos de su casa, y el pan de la pereza no come.[e]

ק [Qohf]

28 Sus hijos se han levantado y han procedido a pronunciarla feliz;[f] su dueño [se levanta] y la alaba.[g]

ר [Rehsch]

29 Hay muchas hijas[h] que han demostrado capacidad, pero tú... tú has ascendido por encima de todas ellas.[i]

ש [Schin]

30 El encanto puede ser falso,[j] y la belleza puede ser vana;[k] [pero] la mujer que teme a Jehová es la que se procura alabanza.[l]

ת [Taw]

31 Denle del fruto de sus manos,[m] y alábenla sus obras aun en las puertas.[n]

k 2Re 9:30; Est 1:11; Pr 6:25; 1Pe 1:24; l Gé 24:60; Jue 5:7; Ro 2:29; 1Pe 3:4; m Rut 3:11; Sl 128:2; n Mr 14:9; Hch 9:39; Ro 16:2.

ECLESIASTÉS

1 Las palabras del congregador,[a] el hijo de David el rey en Jerusalén.[b] **2** "¡La mayor de las vanidades![c] —ha dicho el congregador—, ¡la mayor de las vanidades! ¡Todo es vanidad!"[d] **3** ¿Qué provecho tiene el hombre en todo su duro trabajo en que trabaja[e] duro bajo el sol?[f] **4** Una generación se va,[g] y una generación viene;[h] pero la tierra subsiste aun hasta tiempo indefinido.[i] **5** Y el sol también ha salido fulguroso, y el sol se ha

CAP. 1
a 1Re 8:1
1Re 8:22
2Cr 5:2
Ec 12:10
b 1Re 2:12
2Cr 9:30
c Ec 12:8
d Sl 39:5
Sl 144:4
Ro 8:20
e Ec 2:11
Isa 55:2
Mt 16:26
Jn 6:27
f Ec 6:12

puesto,[a] y viene jadeante a su lugar de donde va a salir fulguroso.[b] **6** El viento va hacia el sur, y da la vuelta en movimiento circular hacia el norte.[c] Él va girando y girando de continuo en forma de círculo,[d] y sin demora vuelve el viento a sus movimientos circulares.[e]

g Ex 1:6; Sl 89:47; Sl 90:10; Ec 12:7; Zac 1:5; h Ef 3:21; i Sl 78:69; Sl 104:5; Sl 119:90; 2.ᵃcol. a Sl 104:19; b Gé 8:22; Sl 19:6; c Sl 78:26; Sl 107:25; Lu 12:55; d Jn 3:8; e Isa 40:22.

7 Todos los torrentes invernales[a] salen al mar;[b] no obstante, el mar mismo no está lleno.[c] Al lugar para donde salen los torrentes invernales, allí regresan para poder salir.[d] 8 Todas las cosas son fatigosas;[e] nadie puede hablar de ello. El ojo no se satisface de ver,[f] ni se llena el oído de oír.[g] 9 Lo que ha llegado a ser, eso es lo que llegará a ser;[h] y lo que se ha hecho, eso es lo que se hará; y por eso no hay nada nuevo bajo el sol.[i] 10 ¿Existe cosa alguna de la cual se pueda decir: "Mira esto; es nuevo"? Ya ha tenido existencia por tiempo indefinido;[j] lo que ha venido a la existencia es desde tiempo anterior a nosotros.[k] 11 No hay recuerdo de la gente de tiempos pasados; tampoco lo habrá de los que también llegarán a ser más tarde.[l] Resultará que no habrá recuerdo ni siquiera de ellos entre los que han de llegar a ser más tarde aún.[m]

12 Yo, el congregador, estaba de rey sobre Israel en Jerusalén. 13 Y puse mi corazón a buscar y explorar la sabiduría[o] con relación a todo cuanto se ha hecho bajo los cielos... la ocupación calamitosa que Dios ha dado a los hijos de la humanidad en qué ocuparse.[p] 14 Vi todas las obras que se habían hecho bajo el sol,[q] y, ¡mira!, todo era vanidad y un esforzarse tras viento.[r]

15 Lo que se hace torcido no se puede enderezar;[s] y no hay manera de contar lo que falta. 16 Yo, yo mismo, hablé con mi corazón,[t] y dije: "¡Mira! Yo mismo he aumentado mucho en sabiduría, más que cualquiera que, según sucedió, me antecedió en Jerusalén,[u] y mi propio corazón vio muchísima sabiduría y conocimiento".[v] 17 Y procedí a dar mi corazón a conocer la sabiduría y a conocer la locura,[w] y he llegado a conocer la tontería,[x] que esto también es un esforzarse tras viento.[y] 18 Porque

en la abundancia de sabiduría hay abundancia de irritación,[a] de modo que el que aumenta el conocimiento aumenta el dolor.[b]

2 Dije yo, yo mismo en mi corazón:[c] "De veras ven ahora, déjame probarte con regocijo.[d] También, ve lo bueno".[e] Y, ¡mira!, eso también era vanidad. 2 Dije a la risa: "¡Demencia!",[f] y al regocijo:[g] "Esto, ¿qué logra?".

3 Exploré con mi corazón mediante alegrar mi carne aun con vino,[h] mientras conducía mi corazón con sabiduría,[i] aun para echar mano de la tontería hasta que viera yo qué bien había para los hijos de la humanidad en lo que ellos hacían bajo los cielos por el número de los días de su vida.[j] 4 Me ocupé en mayores obras.[k] Me edifiqué casas;[l] me planté viñas.[m] 5 Me hice jardines y parques,[n] y en ellos planté árboles frutales de toda suerte. 6 Me hice estanques de agua,[o] para regar con ellos el bosque, donde brotaban árboles.[p] 7 Adquirí siervos y siervas,[q] y llegué a tener hijos de la casa.[r] También llegué a tener ganado, vacadas y rebaños en gran cantidad, más que todos los que, según sucedió, me antecedieron en Jerusalén.[s] 8 Acumulé también para mí plata y oro,[t] y propiedad propia de reyes y de los distritos jurisdiccionales.[u] Me hice cantores y cantoras,[v] y los deleites exquisitos[w] de los hijos de la humanidad, una dama, sí, damas.[x] 9 Y llegué a ser mayor y aumenté más que cualquiera que, según sucedió, me antecedió en Jerusalén.[y] Además, mi propia sabiduría permaneció mía.[z]

CAP. 1

a Job 6:15
b Sl 104:25
  Hch 27:4
c Job 38:10
d Job 36:27
  Isa 55:10
  Am 5:8
e Ec 12:12
f Pr 27:20
  Ec 4:8
g Heh 17:21
h Ec 3:15
i Gé 8:22
  Ec 1:4
j Sl 77:5
k Gé 2:7
l Ec 2:16
  Isa 40:6
m Ec 9:5
n 1Re 11:31
  1Re 11:42
  Ec 1:1
o 1Re 4:30
  Pr 2:2
  Ec 7:25
  Ec 8:16
p Ec 3:10
  Ec 4:4
q Sl 39:6
  Ec 2:18
  Ec 8:9
  Ec 9:3
r Sl 39:5
  Ec 2:11
  Ec 2:26
  Ec 6:9
  Lu 12:15
s Gé 8:21
  1Re 22:43
  Ec 4:1
  Da 2:44
  Ro 8:20
t Sl 15:2
  Sl 77:6
  Pr 2:10
  Pr 15:28
  Mt 12:35
u Gé 14:18
  2Cr 1:12
  Ec 2:9
v 1Re 3:28
  1Re 4:29
  1Re 10:7
  Pr 2:6
  Pr 8:10
w Ec 2:12
  Ec 9:3
x Ec 2:3
  Ec 7:25
  Ec 10:1
y Ec 2:11
  Ec 2:26

2.ª col.

a Ec 2:15
  Ec 7:16
  1Co 3:20
b Ec 12:12

CAP. 2

c Ec 3:17
  Lu 12:19
d Ec 7:4
e Ex 32:6
  1Co 10:7
f Pr 14:13
  Ec 7:6
g Isa 22:13
h Sl 104:15
  Ec 10:19

i Pr 31:4; Ec 1:17; Ef 5:18; j Gé 47:9; Job 14:1; Sl 90:10; k 1Re 7:8; 1Re 9:17; 2Cr 9:15; l 1Dt 8:12; Ec 7:1; Sl 49:11; m 1Re 4:25; Can 8:11; n Can 4:6; Jer 39:4; o Ne 2:14; Can 7:4; p Sl 1:3; Jer 17:8; q 1Sa 8:13; 1Re 9:22; r Gé 14:14; Gé 17:12; Esd 2:58; s 1Re 4:23; t 1Re 9:14; 1Re 9:28; 1Re 10:10; 2Cr 1:15; 2Cr 9:13; u 1Re 9:19; 1Re 10:15; v 2Sa 19:35; w Can 7:6; x 1Re 11:3; Can 6:8; y 1Re 3:13; 1Re 10:23; z Ec 2:3.

10 Y nada de lo que mis ojos pidieron mantuve alejado de ellos.[a] No retuve mi corazón de ninguna clase de regocijo, pues mi corazón estaba gozoso a causa de todo mi duro trabajo,[b] y esta vino a ser mi porción de todo mi duro trabajo.[c] 11 Y yo, yo mismo, me volví hacia todas las obras mías que mis manos habían hecho, y hacia el duro trabajo por que había trabajado duro para lograr,[d] y, ¡mira!, todo era vanidad y un esforzarse tras viento,[e] y no había nada que sirviera de ventaja bajo el sol.[f]

12 Y yo, yo mismo, me volví para ver la sabiduría[g] y la locura y la tontería;[h] pues, ¿qué puede hacer el hombre terrestre que entre tras el rey? La cosa que la gente ya ha hecho. 13 Y vi, yo mismo, que existe más ventaja para la sabiduría que para la tontería,[i] tal como hay más ventaja para la luz que para la oscuridad.[j]

14 Respecto al sabio, tiene los ojos en la cabeza;[k] pero el estúpido va andando en pura oscuridad.[l] Y he llegado a saber, yo también, que hay un mismo suceso resultante que les sucede a todos ellos.[m] 15 Y yo mismo dije en mi corazón:[n] "Un suceso resultante como el del estúpido[o] me sucederá a mí, sí, a mí".[p] ¿Por qué, entonces, me había hecho yo sabio, yo en demasía[q] en aquel tiempo? Y hablé en mi corazón: "Esto también es vanidad". 16 Pues no hay más recuerdo del sabio que del estúpido hasta tiempo indefinido.[r] En los días que ya están entrando, todos ciertamente quedan olvidados; y ¿cómo morirá el sabio? Junto con el estúpido.

17 Y odié la vida,[t] porque el trabajo que se ha hecho bajo el sol era calamitoso desde mi punto de vista,[u] porque todo era vanidad y un esforzarse tras viento.[v] 18 Y yo, yo mismo, odié todo mi duro trabajo en que estaba trabajando duro bajo el

sol,[a] que dejaría atrás para el hombre que llegaría a ser después de mí.[b] 19 ¿Y quién hay que sepa si él resultará ser sabio o tonto?[c] Sin embargo, él asumirá el control de todo mi duro trabajo en que trabajé duro y en el que mostré sabiduría bajo el sol.[d] Esto también es vanidad. 20 Y yo mismo me volví para hacer desesperar[e] mi corazón por todo el duro trabajo en que yo había trabajado duro bajo el sol. 21 Porque existe el hombre cuyo duro trabajo ha sido con sabiduría y con conocimiento y con pericia sobresaliente,[f] pero a un hombre que no ha trabajado duro en tal cosa se dará la porción de aquel.[g] Esto también es vanidad y una calamidad grande.[h]

22 Pues, ¿qué llega a tener un hombre por todo su duro trabajo y por el esfuerzo de su corazón con que trabaja duro bajo el sol?[i] 23 Porque todos sus días su ocupación significa dolores e irritación;[j] también, durante la noche su corazón simplemente no se acuesta.[k] Esto también es simple vanidad.

24 En cuanto al hombre, no hay nada mejor [que] el que coma y en realidad beba y haga que su alma vea el bien a causa de su duro trabajo.[l] Esto también lo he visto, yo mismo, que esto proviene de la mano del Dios [verdadero].[m] 25 Pues, ¿quién come[n] y quién bebe mejor que yo?[o]

26 Porque al hombre que es bueno delante de él,[p] él ha dado sabiduría y conocimiento y regocijo,[q] pero al pecador ha dado la ocupación de recoger y reunir simplemente para dar al que es bueno delante del Dios [verdadero].[r] Esto también es vanidad y un esforzarse tras viento.[s]

CAP. 2

a Pr 23:5
b Sl 128:2
  Ec 5:18
c Ec 3:22
  Ec 9:9
d 1Re 7:1
  Ec 1:14
e Sl 49:10
  Ec 2:16
f Ec 1:3
  Ec 2:17
  Mt 16:26
  1Ti 6:7
g 1Co 3:19
h Ec 1:17
  Ec 7:25
  Ec 7:12
i Isa 5:20
k Pr 4:25
  Pr 14:8
  Pr 23:26
l Pr 17:24
  Jn 3:19
  1Jn 2:11
m Ec 3:19
  Ec 9:2
  Ec 9:11
n Sl 15:2
  Ec 1:16
  Ec 3:17
o Pr 10:23
  Pr 23:9
p 1Re 11:43
  Sl 49:10
q 1Re 3:12
  Ec 1:18
  Lu 11:31
r Éx 1:8
  Sl 103:16
  Ec 1:11
s Ec 6:8
  Ro 5:12
  Heb 9:27
t Nú 11:15
  1Re 19:4
  Job 7:6
  Jer 20:18
  Jon 4:3
  Ro 8:20
u Ec 1:14
  Ec 2:21
v Ec 5:16

2.ª col.

a Ec 2:4
  Ec 5:18
  Ec 9:9
b 1Re 11:43
  Sl 17:14
  Sl 39:6
  Lu 12:20
c 1Re 12:8
  2Cr 10:13
  2Cr 12:9
d 1Re 7:2
e 1Sa 27:1
f 1Re 4:30
  2Cr 1:12
  Ec 2:18
  Ec 5:15
h Ec 5:16
i Sl 127:2
  Ec 1:13
  Ec 3:9
  Ec 4:8
j Gé 47:9
  Job 14:1

k Gé 31:40; Da 6:18; Lu 12:29; l Dt 12:18; Dt 20:6; Ec 3:13; Ec 5:18; Ec 8:15; Hch 14:17; m Sl 145:16; Ec 3:13; Ec 5:19; n 1Re 4:7; 1Re 4:22; o 1Re 10:5; 1Re 10:21; p Ec 7:1; 1Sa 18:14; 2Cr 31:20; Pr 3:32; Isa 3:10; Lu 1:6; q Pr 2:6; r Ec 6:11; Job 27:17; Pr 13:22; Pr 28:8; s Ec 2:11.

3 Para todo hay un tiempo señalado,[a] aun un tiempo para todo asunto bajo los cielos: 2 tiempo de nacer[b] y tiempo de morir;[c] tiempo de plantar y tiempo de desarraigar lo que se haya plantado;[d] 3 tiempo de matar[e] y tiempo de sanar;[f] tiempo de derribar y tiempo de edificar;[g] 4 tiempo de llorar[h] y tiempo de reír;[i] tiempo de plañir[j] y tiempo de dar saltos;[k] 5 tiempo de desechar piedras[l] y tiempo de reunir piedras;[m] tiempo de abrazar[n] y tiempo de mantenerse alejado de los abrazos;[o] 6 tiempo de buscar[p] y tiempo de dar por perdido; tiempo de guardar y tiempo de desechar;[q] 7 tiempo de rasgar[r] y tiempo de unir cosiendo;[s] tiempo de callar y tiempo de hablar;[u] 8 tiempo de amar y tiempo de odiar;[v] tiempo para guerra[w] y tiempo para paz.[x] 9 ¿Qué ventaja hay para el hacedor en aquello en que está trabajando duro?[y]

10 He visto la ocupación que Dios ha dado a los hijos de la humanidad en qué ocuparse.[z] 11 Todo lo ha hecho bello a su tiempo.[a] Aun el tiempo indefinido ha puesto en el corazón de ellos,[b] para que la humanidad nunca descubra la obra que el Dios [verdadero] ha hecho desde el comienzo hasta el fin.[c] 12 He llegado a saber que no hay nada mejor para ellos que regocijarse y hacer el bien durante la vida de uno;[d] 13 y también que todo hombre coma y realmente beba y vea el bien por todo su duro trabajo.[e] Es el don de Dios.[f]

14 He llegado a saber que todo lo que el Dios [verdadero] hace, resultará ser hasta tiempo indefinido.[g] A ello no hay nada que añadir y de ello no hay nada que sustraer;[h] sino que el Dios [verdadero] mismo lo ha hecho, para que la gente tema a causa de él.[i]

15 Lo que sucede que ha sido, ya había sido; y lo que ha de llegar a ser, ya ha resultado ser;[a] y el Dios [verdadero][b] mismo continúa buscando aquello tras lo cual se sigue.[c]

16 Y además he visto bajo el sol el lugar de la justicia donde había iniquidad, y el lugar de la rectitud donde estaba la iniquidad.[d] 17 Yo mismo he dicho en mi corazón:[e] "El Dios [verdadero] juzgará tanto al justo como al inicuo,[f] porque hay un tiempo para todo asunto y respecto a toda obra allá".[g]

18 Yo, yo mismo, he dicho en mi corazón, tocante a los hijos de la humanidad, que el Dios [verdadero] va a seleccionarlos, para que vean que ellos mismos son bestias.[h] 19 Porque hay un suceso resultante respecto a los hijos de la humanidad y un suceso resultante respecto a la bestia, y ellos tienen el mismo suceso resultante.[i] Como muere el uno, así muere la otra;[j] y todos tienen un solo espíritu,[k] de modo que no hay superioridad del hombre sobre la bestia, porque todo es vanidad. 20 Todos van a un solo lugar.[l] Del polvo han llegado a ser todos,[m] y todos vuelven al polvo.[n] 21 ¿Quién hay que conozca el espíritu de los hijos de la humanidad, si asciende hacia arriba; y el espíritu de la bestia, si desciende hacia abajo a la tierra?[o] 22 Y he visto que no hay nada mejor que el que el hombre se regocije en sus obras,[p] pues esa es su porción; porque, ¿quién lo hará venir para que mire lo que va a ser después de él?[q]

CAP. 3
a 2Re 5:26
  Pr 15:23
  Ec 3:17
b Ge 1:28
c Dt 34:5
  Job 14:5
  Jn 7:8
d Jer 1:10
e Nú 31:2
  Jer 48:10
  Eze 9:6
f Jer 33:6
  Os 6:1
  Rev 22:2
g Isa 44:28
  Isa 65:21
  Jer 31:28
  Hag 9:25
h Jn 16:20
  Ro 12:15
  2Co 7:11
  Snt 4:9
i Sl 126:2
j Gé 23:2
  Jer 25:34
k Éx 15:20
  2Sa 6:16
  2Sa 6:14
l Mt 24:2
m Jos 10:27
  1Re 6:7
n Gé 29:13
  Gé 33:4
  Gé 48:10
  2Re 4:16
o Éx 19:15
  Pr 5:20
  Lu 10:4
p Éx 12:35
  Lu 15:8
q Isa 2:20
  Jon 1:5
r 2Sa 3:31
  2Sa 13:19
s Éx 26:1
  Éx 35:35
t Sl 39:1
  Pr 8
  Isa 53:7
u 1Sa 19:4
  1Sa 25:24
  Sl 145:11
v Sl 139:21
  Ro 12:9
w Joe 3:9
x 1Re 4:24
  Sl 37:11
  Isa 2:4
y Ec 1:3
  Ec 5:16
z Ec 2:26
a Gé 1:31
  Ec 7:29
  Mr 7:37
  Ro 1:20
b 2Pe 3:18
  Jud 25
c Gé 1:3
  Job 11:7
d Sl 37:3
  Isa 64:5
  1Te 5:15
  1Ti 6:18
e Dt 20:6
  Sl 128:2
  Ec 5:18
  Isa 65:22
f Ec 5:19
g Sl 119:90
  Ef 3:11
h Pr 30:6
  Rev 22:18
i Dt 32:4

j Sl 64:9; Isa 59:19; Jer 10:7; Rev 15:4; 2.ᵃ col.
a Ec 1:9; b Sl 83:18; c Sl 141:9; Sl 142:6; Ro 8:28;
d 1Re 21:10; Sl 82:2; Sl 94:21; Isa 59:14; Miq 7:3;
Mt 26:59; e Ec 1:16; f Ec 12:14; Mt 25:32; Jn
5:29; Hch 17:31; Ro 2:6; 2Co 5:10; g Rev 11:18;
Rev 20:3; h Gé 3:19; Job 14:1; Sl 49:20; Sl 73:22;
2Pe 2:12; i Job 14:10; Sl 39:5; Sl 49:12; j Sl
89:48; k Gé 7:22; Nú 27:16; Sl 104:29; Ec 12:7;
l Ec 9:10; m Gé 2:7; n Gé 3:19; Job 10:9; Job
34:15; Sl 104:29; Ec 12:7; Da 12:2; o Sl 146:4; Ec
3:19; Ec 9:10; p Dt 12:7; Ec 5:18; q Job 14:21;
Ec 6:12; Ec 10:14.

4 Y yo mismo regresé para poder ver todos los actos de opresión[a] que se están haciendo bajo el sol, y, ¡mira!, las lágrimas de aquellos a quienes se oprimía,[b] pero no tenían consolador;[c] y de parte de sus opresores había poder, de modo que no tenían consolador. **2** Y felicité a los muertos que ya habían muerto, más bien que a los vivos que todavía vivían.[d] **3** De modo que mejor que ambos [es] el que todavía no ha llegado a ser,[e] que no ha visto la obra calamitosa que se está haciendo bajo el sol.[f]

4 Y yo mismo he visto todo el duro trabajo y toda la pericia sobresaliente en el trabajo,[g] que significa la rivalidad de uno para con otro;[h] esto también es vanidad y un esforzarse tras el viento.

5 El estúpido está cruzando las manos[i] y está comiendo su propia carne.[j]

6 Mejor es un puñado de descanso que un puñado doble de duro trabajo y esforzarse tras el viento.[k]

7 Yo mismo regresé para ver la vanidad bajo el sol: **8** Existe uno solo, pero no el segundo;[l] además, no tiene hijo ni hermano,[m] pero no hay fin a todo su duro trabajo. También, sus ojos mismos no están satisfechos con riquezas:[n] "¿Y para quién estoy trabajando duro y haciendo que mi alma carezca de cosas buenas?".[o] Esto también es vanidad, y es una ocupación calamitosa.[p]

9 Mejores son dos que uno,[q] porque tienen buen galardón por su duro trabajo.[r] **10** Pues si uno de ellos cae, el otro puede levantar a su socio.[s] Pero ¿cómo le irá al que está solo y cae cuando no hay otro que lo levante?[t] **11** Además, si dos se acuestan juntos, entonces ciertamente se calientan; pero ¿cómo puede mantenerse caliente uno solo?[u] **12** Y si alguien pudiera subyugar a uno solo, dos juntos podrían mantenerse firmes contra él.[a] Y una cuerda triple no puede ser rota en dos pronto.

13 Mejor es un niño necesitado, pero sabio,[b] que un rey viejo, pero estúpido,[c] que no ha llegado a saber lo suficiente como para que se le advierta ya más.[d] **14** Pues él ha salido de la mismísima casa de encierro para llegar a ser rey,[e] aunque en la gobernación real de este había nacido como uno de los escasos recursos.[f] **15** He visto a todos los vivientes que andan de acá para allá bajo el sol, [como sucede] con el niño, que es segundo, que se pone de pie en el lugar del otro.[g] **16** No hay fin de todo el pueblo, de todos aquellos delante de quienes sucedió que él estuvo;[h] tampoco se regocijará por él la gente después,[i] pues esto también es vanidad y un esforzarse tras el viento.

5 Guarda tus pies[k] siempre que vayas a la casa del Dios [verdadero]; y que haya un acercarse para oír,[l] más bien que para dar un sacrificio como hacen los estúpidos,[m] porque ellos no se dan cuenta de que hacen lo que es malo.[n]

2 No te des prisa respecto a tu boca;[n] y en cuanto a tu corazón,[o] no se apresure a producir una palabra ante el Dios [verdadero].[p] Porque el Dios [verdadero] está en los cielos,[q] pero tú estás en la tierra. Por eso deben resultar pocas tus palabras.[r] **3** Porque ciertamente viene un sueño a causa de la abundancia de ocupación,[s] y la voz del estúpido a causa de la abundancia de palabras.[t] **4** Siempre que hagas un voto a Dios, no titubees en pagarlo,[u] porque no hay deleite en los estúpidos.[v] Lo que prometes en voto, págalo.[w] **5** Mejor es

CAP. 4
a Job 35:9
Am 4:1
Miq 2:2
b Sl 42:9
Sl 102:9
Snt 5:4
c Sl 69:20
Sl 142:4
2Ti 4:16
d Job 3:17
Ec 2:17
e Jer 20:18
Lu 23:29
f Sl 55:9
Ec 1:14
Jer 9:3
Os 4:2
g Ec 2:21
h Gé 4:5
Mt 27:18
Gál 5:26
Snt 4:5
1Jn 3:12
i Pr 6:10
Pr 20:13
Pr 24:33
Ef 4:28
j Pr 6:11
k Sl 37:16
Pr 15:16
Pr 16:8
Pr 17:1
Gé 2:18
m Gé 15:2
Nú 27:10
n Pr 27:20
Ec 5:10
o Sl 39:6
Lu 12:19
p Ec 2:23
q Gé 2:18
1Sa 23:16
Pr 27:17
Hch 13:2
r Jn 4:36
s Job 4:4
Gál 6:1
t 1Sa 23:16
u 1Re 1:2

2.ª col.
a 1Sa 14:7
b Pr 19:1
Pr 28:6
Ec 9:15
c Pr 28:16
d 1Re 22:8
2Cr 25:16
e Gé 41:14
Gé 41:40
f 2Sa 7:8
Job 5:11
Sl 113:8
g 1Re 3:7
1Re 12:4
2Re 21:24
h Pr 1:40
i 2Sa 20:1
1Re 12:4
j Ec 2:11

CAP. 5
k Sl 15:2
l Dt 31:12
Hch 17:11
Snt 1:19
m 1Sa 15:22
1Sa 15:22
Pr 21:27
Isa 1:13
Os 6:6
n Pr 30:20
Jer 6:15

o Pr 10:13; p Nú 30:2; Nú 30:5; 1Sa 14:24; q 2Cr 16:9; Sl 11:4; Mt 6:9; r Pr 10:19; Ec 3:7; Mt 6:7; s Mt 6:25; Mt 6:34; Lu 12:18; t Pr 10:19; Pr 15:2; Ec 10:14; u Dt 23:21; Sl 50:14; Sl 76:11; Isa 19:21; Mt 5:33; v Ec 10:12; w Nú 30:2; Sl 66:13; Sl 116:18; Jon 2:9.

que no hagas voto[a] que el que hagas voto y no pagues.[b] **6** No permitas que tu boca haga pecar a tu carne;[c] tampoco digas delante del ángel[d] que fue una equivocación.[e] ¿Por qué debe indignarse el Dios [verdadero] a causa de tu voz y tener que destrozar la obra de tus manos?[f] **7** Porque debido a la abundancia [de ocupación] hay sueños,[g] y hay vanidades y palabras en abundancia. Pero tú teme al Dios [verdadero] mismo.[h]

8 Si ves que se oprime a la persona de escasos recursos y que con violencia se quita el juicio[i] y la justicia en un distrito jurisdiccional, no te asombres del asunto,[j] pues uno que es más alto que el alto[k] está vigilando,[l] y hay quienes están muy por encima de ellos.

9 También, el provecho de la tierra está entre todos ellos;[m] al rey mismo se ha servido por un campo.[n]

10 Un simple amador de la plata no estará satisfecho con plata, ni ningún amador de la riqueza con los ingresos.[o] Esto también es vanidad.[p]

11 Cuando las cosas buenas llegan a ser muchas, los que las comen ciertamente llegan a ser muchos.[q] ¿Y qué ventaja hay para el magnífico dueño de ellas, fuera de mirar[las] con los ojos?[r]

12 Dulce es el sueño[s] del que rinde servicio, sin importar que sea poco o mucho lo que coma; pero la abundancia que pertenece al rico no le permite dormir.

13 Existe una grave calamidad que he visto bajo el sol: riquezas que se tienen guardadas para su magnífico dueño para calamidad de este.[t] **14** Y esas riquezas han perecido[u] a causa de una ocupación calamitosa, y él ha llegado a ser padre de un hijo cuando no hay absolutamente nada en su mano.[v]

15 Tal como uno ha salido del vientre de su madre, desnudo volverá a irse,[w] tal como vino; y

absolutamente nada puede uno llevarse[a] por su duro trabajo, que pueda llevarse con la mano.

16 Y esto también es grave calamidad: exactamente como uno ha venido, así se irá; y ¿qué provecho hay para el que sigue trabajando duro para el viento?[b] **17** También, todos sus días él come en la oscuridad misma, con muchísima irritación,[c] con enfermedad de su parte y [causa para] indignación.

18 ¡Mira! La mejor cosa que yo mismo he visto, la cual es bella, es que uno coma y beba y vea el bien por todo su duro trabajo[d] con el cual trabaja duro bajo el sol por el número de los días de su vida que el Dios [verdadero] le ha dado, porque esa es su porción. **19** También, a todo hombre a quien el Dios [verdadero] ha dado riquezas y posesiones materiales,[e] también lo ha facultado para comer de ello[f] y para llevarse su porción y para regocijarse con su duro trabajo.[g] Este es el don de Dios.[h] **20** Pues no se acordará frecuentemente de los días de su vida, porque el Dios [verdadero lo] tiene absorto en el regocijo de su corazón.[i]

6 Existe una calamidad que he visto bajo el sol, y es frecuente entre la humanidad: **2** un hombre a quien el Dios [verdadero] da riquezas y posesiones materiales y gloria,[j] para su alma, no necesita ninguna de las cosas por las que muestra anhelo,[k] y sin embargo el Dios [verdadero] no lo habilita para comer de ello,[l] aunque un simple extranjero[m] puede comerlo. Esto es vanidad y una enfermedad mala. **3** Si un hombre llegara a ser padre cien veces,[n] y viviera

---

CAP. 5

a Dt 23:22
b Pr 20:25
c Jue 11:35
  Snt 1:26
d Mt 18:10
  Lu 1:18
e Le 5:4
f Sl 127:1
  Ag 1:11
  2Jn 8
g Ec 5:3
h Sl 33:8
  Pr 23:17
  Ec 7:18
  Ec 12:13
  Isa 50:10
i Pr 17:23
  Pr 31:5
  Ec 3:16
  Snt 5:4
j 1Re 21:19
  Mal 3:5
k Éx 18:25
  1Sa 22:7
  Da 3:2
l Gé 41:40
  Snt 5:11
  Da 5:16
m Gé 1:29
  Sl 104:14
  Pr 28:19
n 1Sa 8:12
  1Re 21:2
  2Cr 26:10
  Can 8:12
o Ec 4:8
  Mt 6:24
  Lu 12:15
  1Ti 6:10
p Ec 2:11
q Ne 4:22
  Ne 5:17
  Ne 5:18
  Est 1:5
r Jos 7:21
  Est 5:11
  Pr 23:5
  1Jn 2:16
s Sl 4:8
  Pr 3:24
  Jer 31:26
  Mt 6:25
t Pr 1:19
  Pr 11:24
  Pr 11:28
  Lu 12:21
  Snt 5:3
u 1Re 14:26
  Job 27:17
  Sl 39:6
  Pr 23:5
  Mt 6:19
v Sl 109:10
w Job 1:21

2.ª col.

a Sl 49:17
  Lu 12:20
  1Ti 6:7
b Os 8:7
  Mt 16:26
  Mr 8:36
  Jn 6:27
c Ef 5:5
  1Ti 6:10
d 1Re 4:20
  Ec 2:24
  Ec 3:13
  Ec 3:22
  Isa 65:22
e Gé 31:9; Dt 6:11; 1Re 3:13; Job 42:12; 1Ti 6:17;
f Dt 8:10; Ec 2:24; g Jn 4:36; h Ec 3:13; Snt 1:17;
i Dt 28:8; Sl 4:7; Isa 65:22; **CAP. 6** j 2Cr 2:11;
k Sl 17:14; Lu 12:19; l 2Sa 19:35; m Os 7:9;
n 2Re 10:1; 2Cr 11:21.

muchos años, de modo que los días de sus años llegaran a ser numerosos,[a] pero su propia alma no está satisfecha con cosas buenas[b] y ni siquiera el sepulcro ha llegado a ser suyo,[c] tengo que decir que mejor le va a uno que nace prematuramente que a él.[d] 4 Pues en vano ha venido este, y en oscuridad se va, y con oscuridad quedará cubierto su propio nombre.[e] 5 Ni siquiera ha visto el sol mismo, ni lo ha conocido.[f] Este tiene descanso más bien que aquel.[g] 6 Aun suponiendo que haya vivido mil años dos veces y sin embargo no haya visto lo que es bueno,[h] ¿no es a un solo lugar adonde todos van?[i]

7 Todo el duro trabajo de la humanidad es para su boca,[j] pero aun su propia alma no se llena. 8 Pues, ¿qué ventaja le lleva el sabio al estúpido?[k] ¿Qué tiene el afligido al saber andar enfrente de los vivientes? 9 Mejor es el ver de los ojos que el andar de un lugar a otro del alma.[l] Esto también es vanidad y un esforzarse tras el viento.[m]

10 Cualquier cosa que haya llegado a ser, su nombre ya ha sido pronunciado, y se ha llegado a saber lo que es el hombre;[n] y él no puede defender su causa con uno que es más poderoso que él.[o]

11 Dado que existen muchas cosas que causan mucha vanidad,[p] ¿qué ventaja tiene el hombre? 12 Pues, ¿quién hay que sepa cuál es el bien que el hombre tiene en la vida[p] por el número de los días de su vida vana, cuando él los pasa como una sombra?[r] Pues, ¿quién puede decir al hombre lo que sucederá después de él bajo el sol?[s]

7 Mejor es un nombre que el buen aceite,[t] y el día de la muerte que el día en que uno nace.[u] 2 Mejor es ir a la casa del duelo que ir a la casa del banquete,[v] porque ese es el fin de toda la humanidad; y el que está

vivo debe poner [esto] en su corazón. 3 Mejor es la irritación que la risa,[a] porque por el mal humor del rostro se mejora el corazón.[b] 4 El corazón de los sabios está en la casa del duelo,[c] pero el corazón de los estúpidos está en la casa del regocijo.[d]

5 Mejor es oír la reprensión de alguien sabio[e] que ser el hombre que oye la canción de los estúpidos.[f] 6 Pues como el sonido de los espinos debajo de la olla, así es la risa del estúpido;[g] y esto también es vanidad. 7 Porque la mera opresión puede hacer que un sabio se porte como loco;[h] y una dádiva[i] puede destruir el corazón.[j]

8 Mejor es el fin de un asunto, posteriormente, que su principio.[k] Mejor es el que es paciente que el que es altivo de espíritu.[l] 9 No te des prisa en tu espíritu a sentirte ofendido,[m] porque el ofenderse es lo que descansa en el seno de los estúpidos.[n]

10 No digas: "¿Por qué ha sucedido que los días anteriores resultaron ser mejores que estos?",[o] porque no se debe a sabiduría[p] el que hayas preguntado acerca de esto.

11 Buena es la sabiduría junto con una herencia, y es ventajosa para los que ven el sol.[q] 12 Porque la sabiduría es para una protección[r] [lo mismo que] el dinero es para una protección;[s] pero la ventaja del conocimiento es que la sabiduría misma conserva vivos a sus dueños.[t]

13 Ve la obra[u] del Dios [verdadero], pues ¿quién puede enderezar lo que él ha torcido?[v] 14 En un día bueno demuestra que estás en el bien,[w] y en un día

CAP. 6
a Sl 73:4
b Lu 12:21
c 2Re 9:35
d Job 3:16
Ec 4:3
e Sl 109:13
f Job 3:11
Sl 58:8
g Job 3:13
Job 14:1
h Jer 17:6
i Job 30:23
Ec 3:20
Eze 18:4
j Ge 3:19
Pr 16:26
k Sl 49:10
Ec 2:15
l 1Ki 11:4
Snt 4:2
m Ec 4:4
n Ge 2:7
Job 14:5
o Job 9:2
Job 9:32
Isa 45:9
Ro 9:20
p Ec 2:11
Ec 4:4
q Ec 4:6
r 1Cr 29:15
Job 8:9
Job 14:2
Sl 102:11
Sl 144:4
s Job 14:21
Pr 27:1
Ec 8:7
Snt 4:14

CAP. 7
t Pr 10:7
Isa 56:5
Eze 36:23
Mt 6:9
Lu 10:20
u Ec 7:8
2Co 5:1
Rev 2:10
v Pr 14:13
Isa 5:12
Mt 5:4
Snt 4:9
1Pe 4:3

2.ª col.
a Sl 119:71
Lu 6:21
b Ro 5:3
2Co 4:17
2Co 7:10
Heb 12:11
c Ne 9:1
Da 9:3
d 1Sa 25:36
Pr 21:17
Da 5:1
Os 7:5
Mr 6:21
e Sl 141:5
Pr 15:31
Rev 3:19
f Sl 69:12
g Ec 2:2
h Dt 28:34
i Dt 16:19
Pr 17:23
j Ex 23:8
1Sa 8:3
Pr 17:23
k Ge 50:20; Sl 126:6; Jn 12:24; Jn 19:30;
l Sl 138:6; Pr 13:10; Gál 6:3; Snt 5:10; 1Pe 5:5;
m Pr 14:17; Pr 16:32; Pr 29:11; Snt 1:19; n Ge
4:5; Est 5:9; Pr 14:29; o Jue 6:13; p Lu 9:62; Flp
3:13; q Lu 8:9; Ec 7:7; r Pr 2:11; Pr 4:6; s Pr 10:15; Lu
16:9; t Pr 3:18; Pr 8:35; Pr 9:11; u Sl 107:43;
v Job 9:12; Isa 14:27; Isa 46:10; w Sl 30:11; Gál
5:22; Snt 5:13.

calamitoso ve que el Dios [verdadero] ha hecho aun esto exactamente como aquello,[a] a fin de que la humanidad no descubra nada en absoluto después de ella.[b]

15 Todo lo he visto yo durante mis días vanos.[c] Existe el justo que perece en su justicia,[d] y existe el inicuo que continúa largo tiempo en su maldad.[e]

16 No te hagas justo en demasía,[f] ni te muestres excesivamente sabio.[g] ¿Por qué debes causarte desolación?[h] 17 No seas inicuo en demasía,[i] ni llegues a ser tonto.[j] ¿Por qué debes morir cuando no es tu tiempo?[k] 18 Mejor es que te asgas de lo uno, pero de lo otro tampoco retires la mano;[l] porque el que teme a Dios saldrá con todos ellos.[m]

19 La sabiduría misma es más fuerte, para el sabio, que diez hombres en poder que haya en una ciudad.[n] 20 Pues no hay en la tierra hombre justo que siga haciendo el bien y no peque.[o]

21 Además, no des tu corazón a todas las palabras que hable la gente,[p] para que no oigas a tu siervo invocar el mal contra ti.[q] 22 Porque tu propio corazón sabe bien, aun muchas veces, que tú, hasta tú, has invocado el mal contra otros.[r]

23 Todo esto lo he sometido a examen con sabiduría. Dije: "Ciertamente me haré sabio." Pero estuvo lejos de mí.[s] 24 Lo que ha llegado a ser está muy lejos y es sumamente profundo. ¿Quién puede descubrirlo?[t] 25 Yo mismo me volví, aun mi corazón lo hizo,[u] para saber y para explorar y para buscar la sabiduría[v] y la razón de las cosas,[w] y para saber acerca de la iniquidad de la estupidez y la tontedad de la locura;[x] 26 y descubría: Más amarga que la muerte[y] [hallé] a la mujer que es ella misma redes para cazar, y

cuyo corazón es redes barrederas, [y] cuyas manos son grilletes.[a] Uno es bueno ante el Dios [verdadero] si escapa de ella, pero uno peca si es capturado por ella.[b]

27 "¡Ve! Esto he hallado —dijo el congregador—, una cosa [tomada] tras otra, para averiguar el resumen,[c] 28 el cual mi alma ha buscado de continuo, pero yo no he hallado. Un hombre entre mil he hallado,[e] pero una mujer entre todas estas no he hallado.[f] 29 ¡Ve! Esto solo he hallado, que el Dios [verdadero] hizo a la humanidad recta,[g] pero ellos mismos han buscado muchos planes."[h]

8 ¿Quién hay como el sabio?[i] ¿Y quién hay que conozca la interpretación de una cosa?[j] La sabiduría misma del hombre hace brillar su rostro, y hasta la severidad de su rostro es cambiada [a algo mejor].[k]

2 Yo [digo:] "Guarda la misma orden del rey,[l] y eso por consideración al juramento de Dios.[m] 3 No te des prisa, que salgas de delante de él.[n] No te quedes plantado en una cosa mala.[o] Pues todo aquello que él se deleita [en hacer] lo hace,[p] 4 porque la palabra del rey es el poder de control;[q] y ¿quién puede decirle: '¿Qué haces?'?".

5 El que guarda el mandamiento no conocerá ninguna cosa calamitosa,[r] y el corazón sabio conocerá tanto el tiempo como el juicio.[s] 6 Pues existe un tiempo y juicio aun para todo asunto,[t] porque la calamidad de

CAP. 7
a Dt 8:3
Job 2:10
Isa 45:7
Ro 11:22
b Pr 27:1
Ec 9:11
Snt 4:14
c Sl 39:5
Ec 4:4
d Gé 4:8
1Sa 22:18
Mt 23:34
Jn 16:2
1Pe 4:12
1Pe 5:10
e Job 21:7
Sl 73:12
Jer 12:1
f Isa 65:5
Mt 6:1
Mt 12:2
Mt 23:23
Lu 18:9
Ro 10:3
Ro 14:10
Col 2:23
g Pr 3:7
Jn 12:5
Ro 12:3
1Co 3:18
h 2Sa 6:7
Pr 16:18
i Jos 7:21
Eze 8:17
Eze 16:20
2Ti 4:14
Snt 1:21
2Pe 2:14
j Sl 14:1
Sl 75:4
Pr 14:9
k 1Sa 25:38
Sl 55:23
Pr 10:27
l Mt 11:19
Mt 12:1
Flp 4:5
Lu 16:9
n 2Sa 20:16
Pr 21:22
Pr 24:5
Ec 9:16
o 2Cr 6:36
Sl 51:5
Sl 130:3
Sl 143:2
Pr 20:9
Ro 3:23
Snt 3:2
1Jn 1:8
p Lu 24:9
q 2Sa 16:10
r Lu 9:54
Snt 3:2
Snt 3:9
s Dt 29:29
Job 28:12
Sl 119:114
t Job 11:7
Sl 36:6
Sl 139:6
Isa 55:9
Ro 11:33
u Ec 1:13
Ec 2:3
v Sl 51:6
Pr 2:4
Pr 1:17
w Job 38:3
Ec 1:13
x Dt 32:6
Pr 11:29
Ec 2:12
Ec 9:3

y 1Sa 15:32; Sl 55:4; 2.ª col. a Jue 16:21; Pr
7:22; b Pr 5:14; Pr 7:23; Pr 7:26; Pr 22:14; c Ec
1:1; Ec 1:12; d Ec 7:25; e Ne 7:2; Job 33:23; Sl
12:1; Flp 2:20; 2Pe 2:8; f Pr 18:22; Pr 31:10;
g Gé 1:26; Gé 1:31; Dt 8:4; Gé 3:6; Gé 6:12;
Gé 11:4; Dt 32:5; Jer 2:13; Mr 7:9; Snt 1:14;
CAP. 8 a Pr 1:5; Pr 3:35; Pr 15:7; Pr 15:31; j Gé
40:8; 2Pe 1:20; k Pr 4:8; 1Pe 24:21; Ro 13:1; Tit
3:1; 1Pe 2:13; m Ec 10:4; o 1Re 1:49;
Pr 20:2; p Da 5:19; q Gé 41:44; 1Re 2:25; Esd
7:26; Da 3:15; Ro 13:1; r Sl 119:6; Ro 13:3; Ro
13:5; 1Pe 3:13; s 1Sa 24:13; 1Cr 12:32;
Sl 37:7; Pr 17:24; t Ec 3:17;

la humanidad es abundante sobre ella.[a]   7 Pues no hay quien sepa lo que llegará a ser,[b] porque ¿quién puede informarle justamente cómo llegará a ser?

8 No hay hombre que tenga poder sobre el espíritu para restringir el espíritu;[c] tampoco hay poder de control en el día de la muerte;[d] ni hay licencia alguna en la guerra.[e] Y la iniquidad no proveerá escape a los que se entregan a ella.

9 Todo esto he visto, y hubo un aplicar mi corazón a toda obra que se ha hecho bajo el sol, [durante] el tiempo que el hombre ha dominado al hombre para perjuicio suyo.[g]   10 Pero, aunque esto es así, he visto a los inicuos ser enterrados,[h] que entraban y que se iban del lugar santo[i] mismo y eran olvidados en la ciudad donde habían actuado de aquella manera.[j] Esto también es vanidad.

11 Por cuanto la sentencia contra una obra mala no se ha ejecutado velozmente,[k] por eso el corazón de los hijos de los hombres ha quedado plenamente resuelto en ellos a hacer lo malo.[l]   12 Aunque un pecador esté haciendo lo malo[m] cien veces y continuando largo tiempo según le plazca, sin embargo también me doy cuenta de que les resultará bien a los que temen al Dios [verdadero],[n] porque le han tenido temor.[o]   13 Pero de ninguna manera le resultará bien al inicuo,[p] ni prolongará sus días, que son como una sombra,[q] porque no le tiene temor a Dios.[r]

14 Existe una vanidad que se lleva a cabo en la tierra: que existen justos a quienes les está sucediendo como si fuera por la obra de los inicuos,[s] y existen inicuos a quienes les está sucediendo como si fuera por la obra de los justos.[t] Dije que esto también es vanidad.

15 Y yo mismo encomié el re-

gocijo,[a] porque la humanidad no tiene nada mejor bajo el sol que comer y beber y regocijarse, y que esto los acompañe en su duro trabajo durante los días de su vida,[b] que el Dios [verdadero] les ha dado bajo el sol.[c]   16 De acuerdo con esto apliqué mi corazón[d] a conocer la sabiduría y a ver la ocupación que se efectúa en la tierra,[e] porque hay uno que no ve sueño con sus ojos, ni de día ni de noche;

17 Y vi toda la obra del Dios [verdadero],[g] que la humanidad no puede averiguar la obra que se ha hecho bajo el sol;[h] por mucho y duro que siga trabajando la humanidad en buscar, sin embargo no averiguan.[i] Y aunque dijeran que son suficientemente sabios para saberlo,[j] no podrían averiguarlo.[k]

9 Pues puse todo esto en mi corazón, aun para escudriñar todo esto:[l] que los justos y los sabios y sus obras están en la mano del Dios [verdadero].[m] Los hombres no se dan cuenta de todo el amor o el odio que hubo antes de ellos.[n]   2 Todos son lo mismo en lo que tienen todos.[o] Un mismo suceso resultante[p] hay para el justo[q] y el inicuo,[r] el bueno y el limpio y el inmundo, y el que sacrifica y el que no sacrifica. El bueno es lo mismo que el pecador;[s] el que jura es lo mismo que cualquiera que ha temido un firme juramento.[t]   3 Esto es lo calamitoso en todo cuanto se ha hecho bajo el sol, que, porque hay un mismo suceso resultante para todos,[u] el corazón de los hijos de los hombres también está lleno de lo malo;[v] y hay locura[w] en su corazón du-

CAP. 8

a Lu 17:27
  Lu 17:29
b Mt 24:44
c Job 34:14
  Ec 12:7
d Sl 89:48
  Sl 104:29
  Ec 3:19
e Ro 5:12
  Ro 5:14
f Sl 9:17
  Sl 52:5
  Pr 14:32
  Isa 28:18
g Gé 3:16
  Éx 1:14
  2Re 25:7
  Miq 7:3
h 2Re 9:34
  2Cr 28:27
i Mt 24:15
j Pr 10:7
  Ec 9:5
  Heb 10:38
k Éx 8:15
  1Sa 2:23
  Sl 10:6
  Mt 24:48
  2Pe 3:9
l 1Re 21:25
  Pr 13:21
  Ro 9:22
m Sl 37:11
  Sl 37:18
  Sl 112:1
  Sl 115:13
  Isa 3:10
  Isa 65:13
  Mt 25:34
  2Pe 2:9
n Sl 25:14
  Sl 34:9
  Sl 103:13
  Pr 23:17
o Nú 32:23
  Job 18:5
  Sl 11:5
  Sl 37:10
  Isa 57:21
  Mt 25:46
  2Pe 2:12
q Job 24:21
  Ec 6:12
  Lu 12:20
  Snt 1:11
  2Pe 2:3
r Sl 14:1
  Sl 36:1
s Ec 7:15
  Mt 27:22
t Sl 37:7
  Sl 73:12
  Mal 3:15

2.ª col.

a Sl 100:2
  Ec 3:12
  Mt 5:12
  Flp 4:4
b Ec 2:24
  1Ti 6:17
c Ec 1:3
d Pr 14:33
  Pr 22:17
  Ec 7:25
e Ec 1:13
f Ec 2:23

g Gé 1:1; Sl 40:5; Sl 104:24; Sl 146:6; Isa 40:28;
h Job 11:7; Ec 3:11; Ec 11:5; Ro 11:33; i Job
28:12; j Pr 3:7; Pr 26:5; k Ec 7:24; Ec 11:5; Da
12:9;   CAP. 9   l Ec 1:17; Ec 7:25; Ec 8:16; m Dt
33:3; 1Sa 2:9; Sl 37:5; n Ec 9:6; o Mt 5:45; Hch
14:17; p Ec 5:15; q Gé 25:8; Job
21:23; Ec 8:10; s Ro 5:12; t 1Sa 14:26; u Job 3:19;
Job 14:10; Ec 2:15; v Gé 8:21; w Ec 7:25.

rante su vida, y después de eso...
¡a los muertos![a]
4 Pues, respecto a cualquiera
que está unido a todos los vivientes, existe confianza, porque
un perro vivo[b] está en mejor situación que un león muerto.[c]
5 Porque los vivos tienen conciencia de que morirán;[d] pero en
cuanto a los muertos, ellos no
tienen conciencia de nada en absoluto,[e] ni tienen ya más salario,
porque el recuerdo de ellos se ha
olvidado.[f] 6 También, su amor
y su odio y sus celos ya han perecido,[g] y no tienen ya más porción hasta tiempo indefinido en
cosa alguna que tenga que hacerse bajo el sol.[h]
7 Ve, come tu alimento con regocijo y bebe tu vino con buen
corazón,[i] porque ya el Dios [ver-
dadero] se ha complacido en tus
obras.[j] 8 En toda ocasión resulten blancas tus prendas de
vestir,[k] y no falte el aceite sobre
tu cabeza.[l] 9 Ve la vida con la
esposa que amas,[m] todos los días
de tu vida vana que Él te ha dado
bajo el sol, todos los días de tu
vanidad, porque esa es tu porción en la vida[n] y en tu duro trabajo con que trabajas duro bajo
el sol. 10 Todo lo que tu mano
halle que hacer, hazlo con tu
mismo poder,[o] porque no hay
trabajo ni formación de proyectos ni conocimiento[p] ni sabiduría[q] en el Seol,[r] el lugar adonde
vas.[s]
11 Regresé para ver, bajo el
sol, que los veloces no tienen la
carrera,[t] ni los poderosos la batalla,[u] ni tienen los sabios tampoco el alimento,[v] ni tienen los
entendidos tampoco las riquezas,[w] ni aun los que tienen conocimiento tienen el favor;[x] porque
el tiempo y el suceso imprevisto
les acaecen a todos.[y] 12 Porque tampoco conoce el hombre[z]
su tiempo.[a] Justamente como
peces que se cogen en una red
dañina,[b] y como pájaros que se
cogen en una trampa,[c] así son
cogidos en lazo los hijos de los
hombres en un tiempo calamitoso,[a] cuando este cae sobre ellos
de repente.[b]
13 También esto vi respecto a
la sabiduría bajo el sol... y ella
me pareció grande: 14 Había
una ciudad pequeña, y los hombres en ella eran pocos; y vino a
ella un gran rey, y la cercó y edificó contra ella grandes fortalezas.[c] 15 Y fue hallado en ella
un hombre —necesitado, [pero]
sabio—, y ese proveyó escape
para la ciudad por su sabiduría.[d]
Pero ningún hombre se acordó
de aquel hombre necesitado.[e]
16 Y yo mismo dije: "Mejor es
la sabiduría que el poderío;[f] sin
embargo, la sabiduría del necesitado es despreciada, y sus
palabras no son escuchadas".[g]
17 Más son de oírse las palabras de los sabios[h] en tranquilidad que el clamor de uno que
gobierna entre gente estúpida.[i]
18 La sabiduría es mejor que
los útiles de pelear, y simplemente un solo pecador puede
destruir mucho bien.[j]

10 Las moscas muertas son lo
que hace que el aceite
del ungüentario[k] hieda, borbo-
tee. [Eso mismo] hace un poco de
tontedad al que es precioso por
sabiduría y gloria.[l]
2 El corazón del sabio está a
su diestra,[m] pero el corazón del
estúpido a su siniestra.[n] 3 Y,
también, por cualquier camino
en que esté andando el tonto,[o] su
propio corazón le falta, y él ciertamente le dice a todo el mundo
que es tonto.[p]
4 Si el espíritu de un gobernante se levantara contra ti, no
dejes tu propio lugar,[q] porque
la calma misma templa grandes
pecados.[r]
5 Existe algo calamitoso que

CAP. 9
a 1Co 15:32
b Isa 38:19
Mt 15:27
c 2Cr 35:24
Pr 30:30
d Gé 3:19
Gé 47:30
Ro 5:12
e Sl 88:10
Sl 115:17
Sl 146:4
Isa 38:18
Jn 11:11
f Job 7:10
Sl 109:15
Ec 2:16
Isa 26:14
g Sl 1:6
Ec 9:1
h Ec 9:10
i Dt 12:7
1Re 8:66
Sl 104:15
Ec 2:24
j Dt 16:15
Hch 10:31
Hch 10:35
Hch 14:17
k Rev 3:5
Rev 7:14
Rev 19:8
l Da 10:3
Mt 6:17
Lu 7:46
m Pr 5:18
n Ec 5:18
o 2Cr 31:21
p Isa 38:18
q Sl 146:4
r Gé 37:35
1Re 2:6
Isa 5:14
s Sl 115:17
t Jer 46:6
Am 2:14
u 1Sa 17:50
Sl 33:16
v Ec 9:15
w Ec 2:15
x 2Sa 17:23
y Gé 42:4
1Sa 6:9
1Re 22:34
z Job 14:1
Sl 8:4
a Ec 8:8
Snt 4:14
b Hab 1:15
c Pr 7:23

2.ª col.
a Lu 21:34
b Lu 21:35
c 2Sa 20:15
d 2Sa 20:22
Ec 7:12
e Gé 40:23
Sl 31:12
Ec 9:11
f Pr 21:22
Pr 24:5
Ec 7:19
Ec 9:18
g Pr 10:15
Mr 6:3
Jn 7:48
1Co 1:27
1Co 2:8
h Gé 41:39
Pr 22:17
Da 12:3
i 1Sa 7:3

j Jos 22:20; 1Co 5:6; Gál 5:9; Tit 1:11; Heb 12:15; 3Jn 10; CAP. 10 k Éx 30:35; l Nú 20:12; 2Sa 12:12; m Pr 14:8; Mt 25:33; Lu 14:28; n Pr 17:16; Ec 10:14; Mt 25:41; o Pr 10:23; Pr 18:6; 1Pe 4:4; p Pr 13:16; Pr 18:7; Pr 29:11; Ec 5:3; q 1Re 2:36; Ec 8:3; Tit 3:2; r 1Sa 25:24; Pr 25:15.

he visto bajo el sol, como cuando sale una equivocación[a] a causa del que está en el poder:[b] 6 La tontedad ha sido colocada en muchos puestos encumbrados,[c] pero los ricos mismos siguen morando meramente en condición baja.

7 He visto a siervos a caballo, pero a príncipes andando en la tierra justamente como siervos.[d]

8 El que cava un hoyo, él mismo caerá directamente en él;[e] y al que rompe a través de un muro de piedra, una serpiente lo morderá.[f]

9 El que saque piedras de la cantera se lastimará con ellas. El que parta troncos tendrá que tener cuidado con ellos.[g]

10 Si un instrumento de hierro se ha embotado y alguien no ha amolado su filo,[h] entonces empleará con esfuerzo sus propias energías vitales. De manera que el usar la sabiduría para lograr éxito significa ventaja.[i]

11 Si la serpiente muerde cuando no se produce encantamiento,[j] entonces no hay ventaja para el que se entrega a usar la lengua.

12 Las palabras de la boca del sabio significan favor,[k] pero los labios del estúpido se tragan a este.[l] 13 El comienzo de las palabras de su boca es tontedad,[m] y el fin de su boca, posteriormente, es locura calamitosa. 14 Y el tonto habla muchas palabras.[n]

El hombre no sabe lo que llegará a suceder; y lo que llegará a suceder después de él, ¿quién le lo puede informar?[o]

15 El duro trabajo de los estúpidos los fatiga,[p] porque ni uno solo ha llegado a saber por dónde ir a la ciudad.[q]

16 ¿Cómo te irá a ti, oh país, cuando tu rey es un muchacho[r] y tus propios príncipes siguen comiendo aun por la mañana?

17 Feliz eres tú, oh país, cuando tu rey es el hijo de personas nobles, y tus propios príncipes comen al tiempo apropiado para poderío, no simplemente para beber.[a]

18 Por gran pereza se hunde el envigado, y porque se dejan bajar las manos hay goteras en la casa.[b]

19 El pan es para la risa de los trabajadores, y el vino mismo regocija la vida;[c] pero el dinero es lo que tiene buena acogida en todo.[d]

20 Ni aun en tu alcoba invoques el mal contra el rey mismo,[e] y en los cuartos interiores donde te acuestas no invoques el mal contra ningún rico;[f] porque una criatura voladora de los cielos transmitirá el sonido, y algo que es dueño de alas informará el asunto.[g]

11 Envía tu pan[h] sobre la superficie de las aguas,[i] pues con el transcurso de muchos días lo hallarás otra vez.[j] 2 Da una porción a siete, o aun a ocho,[k] pues no sabes qué calamidad ocurrirá en la tierra.[l]

3 Si las nubes están llenas [de agua], derraman un verdadero aguacero sobre la tierra;[m] y si un árbol cae hacia el sur o si hacia el norte, en el lugar donde caiga el árbol,[n] allí resultará estar.

4 El que está vigilando el viento no sembrará; y el que está mirando las nubes no segará.[o]

5 Tal como no te das cuenta de cuál es el camino del espíritu en los huesos dentro del vientre de la que está encinta,[p] de igual manera no conoces la obra del Dios [verdadero], que hace todas las cosas.[q]

6 Por la mañana siembra tu semilla, y hasta el atardecer no dejes descansar la mano;[r] pues no sabes dónde tendrá éxito

CAP. 10
a 1Re 12:10
b 1Sa 26:21
　Isa 3:12
c 1Re 12:14
　Est 3:1
　Pr 28:12
　Ec 4:13
d 2Sa 3:39
　Pr 19:10
　Pr 30:22
　Isa 3:5
e 2Sa 17:23
　Est 7:10
　Sl 7:15
　Sl 9:15
　Pr 26:27
f Am 5:19
　Am 9:3
g Dt 19:5
h Isa 13:20
i Ex 31:3
　2Cr 2:14
　Ec 9:10
j Sl 58:5
　Jer 8:17
k 1Re 10:8
　Job 4:4
　Sl 37:30
　Sl 10:21
　Lu 4:22
　Ef 4:29
l Sl 64:8
　Pr 10:14
　Pr 14:3
m 1Sa 20:31
　1Sa 25:10
　2Re 6:31
　Lu 6:11
n Pr 10:19
　Pr 15:2
　Ec 6:12
　Ec 8:7
　Snt 4:14
o Hab 2:13
q Sl 107:4
r 2Cr 13:7
　2Cr 36:9
　Isa 3:4

2.ª col.

a Pr 31:4
　Isa 28:7
　Os 7:5
b Pr 21:25
　Pr 24:33
　Heb 6:12
c Sl 104:15
　Ec 9:7
d Ec 7:12
　Lu 16:9
e Ex 22:28
　Isa 8:21
　1Pe 2:13
f Ec 7:12
g Lu 12:2

CAP. 11

h Ne 8:10
　Est 9:19
i Dt 15:11
　Pr 22:9
　Isa 32:20
j Dt 15:10
　Sl 41:1
　Pr 19:17
　Lu 14:14
　Heb 6:10

k Sl 37:21; Lu 6:38; Hch 4:32; 2Co 9:7; 1Ti 6:18;
l Da 4:27; m 1Re 18:45; Isa 55:10; n Job 14:7;
o Pr 20:4; Pr 24:34; p Job 10:11; Sl 139:13; Sl
139:15; Jer 1:5; q Job 11:7; Job 26:14; Sl 40:5;
Ec 8:17; Ro 11:33; r Ec 9:10; Os 10:12; Jn 9:4;
2Co 9:6; Col 3:23.

esto,[a] aquí o allí, o si ambos a la par serán buenos.

7 La luz también es dulce, y bueno es para los ojos ver el sol;[b] 8 pues si un hombre viviera aun muchos años, que en todos ellos se regocije.[c] Y que se acuerde de los días de la oscuridad,[d] aunque pudieran ser muchos; todo [día] que ha venido es vanidad.[e]

9 Regocíjate,[f] joven, en tu juventud, y hágate bien tu corazón en los días de tu mocedad, y anda en los caminos de tu corazón y en las cosas vistas por tus ojos.[g] Pero sabe que debido a todas estas el Dios [verdadero] te traerá a juicio.[h] 10 Por eso, quita de tu corazón la irritación, y evita a tu carne la calamidad;[i] pues la juventud y la flor de la vida son vanidad.[j]

12 Acuérdate, ahora, de tu Magnífico Creador[k] en los días de tu mocedad,[l] antes que procedan a venir los días calamitosos,[m] o hayan llegado los años en que dirás: "No tengo en ellos deleite";[n] 2 antes que se oscurezcan el sol y la luz y la luna y las estrellas,[o] y hayan regresado las nubes, después del aguacero; 3 el día en que tiemblen los guardianes de la casa,[p] y se hayan encorvado los hombres de energía vital,[q] y las mujeres que muelen[r] hayan dejado de trabajar por haber llegado a ser pocas, y las señoras que ven por las ventanas[s] lo hayan hallado oscuro; 4 y las puertas que dan a la calle hayan sido cerradas,[t] cuando el sonido del molino se haga quedo,[u] y uno se levante al sonido de un pájaro, y todas las hijas del canto suenen bajo.[v] 5 También se han llenado de temor meramente de lo que es alto, y hay terrores en el camino. Y el almendro lleva flores,[w] y el saltamontes se arrastra, y la baya de la alcaparra se revienta, porque el hombre va andando a su casa de larga duración[x] y los plañido-

res han marchado alrededor por la calle;[a] 6 antes que se remueva la cuerda de plata, y se quebrante el tazón de oro,[b] y se quiebre el jarro junto al manantial, y haya sido quebrantada la rueda del agua para la cisterna. 7 Entonces el polvo vuelve a la tierra[c] justamente como sucedía que era, y el espíritu[d] mismo vuelve al Dios [verdadero][e] que lo dio.[f]

8 "¡La mayor de las vanidades! —dijo el congregador[g]—, todo es vanidad."[h]

9 Y además de haberse hecho sabio el congregador,[i] también enseñó de continuo conocimiento a la gente,[j] y meditó e hizo un escudriñamiento cabal,[k] a fin de arreglar muchos proverbios ordenadamente.[l] 10 El congregador procuró hallar las palabras deleitables[m] y la escritura de palabras correctas de verdad.[n]

11 Las palabras de los sabios son como aguijones,[o] y justamente como clavos hincados[p] son los que se entregan a las colecciones [de sentencias]; han sido dadas por parte de un solo pastor.[q] 12 En cuanto a cualquier cosa además de estas, hijo mío, acepta una advertencia: El hacer muchos libros no tiene fin, y el aplicarse mucho [a ellos] es fatigoso a la carne.[r]

13 La conclusión del asunto, habiéndose oído todo, es: Teme al Dios [verdadero][s] y guarda sus mandamientos.[t] Porque este es todo el [deber] del hombre. 14 Porque el Dios [verdadero] mismo traerá toda clase de obra a juicio con relación a toda cosa escondida, en cuanto a si es buena o es mala.[u]

CAP. 11
a Pr 27:1
Snt 4:14
b Job 33:28
Pr 29:13
Ec 7:11
c Ec 5:18
Ec 8:15
d Gé 48:10
Ec 12:2
Jn 21:18
e Ec 2:11
Ec 4:8
f Dt 16:11
Sl 5:11
g Job 31:7
h Ec 3:17
Ec 12:14
Ro 2:6
Ro 14:12
2Co 5:10
i Job 13:26
Sl 25:7
j Ec 12:8
2Ti 2:22

CAP. 12
k Gé 1:1
Gé 1:27
l Sl 71:17
Sl 110:3
Sl 148:12
Lu 2:49
2Ti 3:15
m Sl 90:10
n 2Sa 19:35
o Ec 27:1
1Sa 4:15
p Job 4:19
Mt 12:44
2Co 5:1
2Pe 1:13
q 2Sa 21:15
Sl 22:15
Sl 90:9
Sl 102:23
r Job 31:10
Isa 47:2
Mt 24:41
s Gé 48:10
Isa 59:10
Mt 9:29
t Job 41:14
u Sl 58:6
v 2Sa 19:35
w Job 15:10
Pr 16:31
x Job 17:13
Job 30:23
Sl 49:14
Ec 9:10

2.ª col.
a Gé 50:10
Mr 5:38
b Jue 9:53
c Gé 3:19
Job 34:15
Sl 146:4
Ec 3:20
d Job 34:14
Sl 104:29
Ec 3:21
e 1Co 8:4
f Gé 2:7
Job 27:3
Isa 42:5
Zac 12:1
g Ec 1:14
h Ec 1:2
i 1Re 3:12
1Re 10:23

j 1Re 10:3; 1Re 10:8; k Pr 25:2; Lu 1:3; l 1Re 4:32; Pr 1:1; m Pr 15:23; Pr 16:21; Pr 16:24; Pr 25:11; n Lu 1:4; Jn 17:17; o Heb 2:37; 2Co 10:4; Tit 2:4; Heb 4:12; p Sl 112:8; 1Co 15:58; Ef 6:14; q Sl 23:1; Sl 80:1; 1Pe 5:4; r Ec 1:18; Hch 19:19; Col 2:8; s Dt 10:12; Job 28:28; Sl 111:10; Pr 1:7; Pr 8:13; Pr 9:10; t Dt 6:2; Sl 119:35; 1Pe 4:2; 1Jn 5:3; u Sl 62:12; Ec 11:9; Mt 12:36; Lu 12:2; Hch 17:31; 1Co 4:5; 2Co 5:10; 1Ti 5:24.

EL CANTAR DE LOS CANTARES

1 La canción[a] superlativa, que es de Salomón:[b] 2 "Béseme él con los besos de su boca,[c] porque tus expresiones de cariño son mejores que el vino.[d] 3 Buenos son tus aceites[e] para fragancia. Como aceite que se derrama es tu nombre.[f] Por eso las doncellas mismas te han amado. 4 Atráeme contigo;[g] corramos. ¡El rey me ha introducido en sus cuartos interiores![h] De veras estemos gozosos y regocijémonos en ti. De veras mencionemos tus expresiones de cariño más que el vino.[i] Merecidamente te han amado.[j]

5 "Una negra soy, pero grata a la vista, oh hijas de Jerusalén,[k] como las tiendas de Quedar[l] [y, no obstante], como las telas de tienda[m] de Salomón. 6 No me miren porque soy morena, porque el sol ha alcanzado a verme. Los hijos de mi propia madre se encolerizaron conmigo; me nombraron guardiana de las viñas, [aunque] mi viña,[n] una que era mía, no guardé.

7 "Infórmame, sí, oh tú a quien ha amado mi alma,[o] dónde pastoreas,[p] dónde haces que se eche el rebaño al mediodía. Pues, ¿por qué debo llegar a ser yo como mujer envuelta en luto entre los hatos de los socios?".

8 "Si no lo sabes por ti misma, oh hermosísima entre las mujeres,[q] sal a andar tú misma en las huellas del rebaño y pace tus cabritos junto a los tabernáculos de los pastores."

9 "A una yegua mía en los carros de Faraón te he comparado,[r] oh compañera mía.[s] 10 Gratas a la vista son tus mejillas entre las trenzas, tu cuello en una sarta de cuentas.[t] 11 Adornos circulares de oro haremos para ti,[u] junto con tachones de plata.

12 "Mientras el rey está a su mesa redonda, mi propio nardo[a] ha difundido su fragancia.[b] 13 Como bolsita de mirra[c] es para mí mi amado; entre mis pechos[d] pasará él la noche. 14 Como ramillete de alheña[e] es para mí mi amado, entre las viñas de En-guedí."[f]

15 "¡Mira! Eres hermosa, oh compañera mía.[g] ¡Mira! Eres hermosa. Tus ojos son [de] palomas."

16 "¡Mira! Eres hermoso,[i] mi amado, también agradable. Nuestro diván[s] es también uno de follaje. 17 Las vigas de nuestra magnífica casa son cedros;[k] nuestros cabrios, enebros.

2 "Un simple azafrán[l] de la llanura costanera[m] soy, un lirio de las llanuras bajas."[n]

2 "Como un lirio entre yerbajo espinoso, así es mi compañera entre las hijas."[o]

3 "Como un manzano[p] entre los árboles del bosque, así es mi amado entre los hijos.[q] He deseado apasionadamente su sombra, y allí me he sentado, y su fruto ha sido dulce a mi paladar. 4 Me introdujo en la casa del vino,[r] y su pendón[s] sobre mí fue amor. 5 Refrésquenme ustedes, sí, con tortas de pasas,[u] susténtenme con manzanas; porque estoy enferma de amor.[v] 6 Su mano izquierda está debajo de mi cabeza; y su mano derecha... esta me abraza.[w] 7 Las he puesto bajo juramento,[x] oh hijas de Jerusalén, por las gacelas[y] o por las ciervas[z] del campo, de que no traten de despertar ni excitar amor [en mí] sino hasta que este se sienta inclinado.[a]

8 "¡El sonido de mi amado![b] ¡Mira! Este viene,[c] trepando por

CAP. 1
a Éx 15:1
Dt 31:19
Jue 5:1
2Sa 22:1
Sl 18:Enc
Isa 5:1
Rev 15:3
b 1Re 4:32
Can 8:1
d Can 4:10
e Pr 27:9
Ec 9:8
Can 5:5
Lu 23:56
f Ec 7:1
g Jn 6:44
h 1Re 7:1
Jn 15:13
j Mt 10:37
k Sl 45:9
1Sl 120:5
Eze 27:21
m Éx 36:14
n Can 8:12
o Isa 18:20
Isa 5:1
p Can 6:3
Jn 10:11
Rev 7:17
q Sl 45:9
Sl 5:27
r 1Re 10:28
s Can 6:4
t Eze 16:11
u 2Sa 1:24
Jer 4:30

3.ª col.
a Can 4:13
b Jn 12:3
c Éx 30:23
Est 2:12
Sl 45:8
Can 4:6
Can 5:13
Jn 19:39
d Can 4:5
Can 4:5
f Jos 15:62
g Sl 45:11
Can 4:7
h Gé 29:17
Can 4:1
Can 5:2
i Sl 45:2
Can 5:10
Jn 1:14
Heb 11:23
j Job 7:13
Sl 132:3
k Sl 92:12
Isa 9:10

CAP. 2
l Isa 35:1
m 1Cr 27:29
n Can 2:16
o Can 1:15
Flp 2:15
1Pe 2:12
p Can 8:5
q Sl 45:2
Can 5:9
r Isa 25:6

s Can 6:4; t Gé 29:18; Gé 29:20; u 1Sa 30:12; 2Sa 6:19; v Isa 18:20; Can 5:8; w Can 8:3; x Dt 6:13; y 2Sa 2:18; 1Cr 12:8; Can 3:5; z Pr 5:19; a Can 8:4; b Can 5:2; Jn 10:27; Rev 3:20; c Rev 22:20.

las montañas, saltando por las colinas. 9 Mi amado se parece a una gacela[a] o a la cría de los ciervos. ¡Mira! Este está plantado detrás de nuestro muro, mirando con fijeza por las ventanas, dando una ojeada por las celosías.[b] 10 Mi amado ha respondido y me ha dicho: 'Levántate, compañera mía, mi hermosa,[c] y vente.[d] 11 Pues, ¡mira!, la estación lluviosa[e] misma ha pasado, el aguacero mismo ha terminado, se ha ido. 12 Las flores mismas han aparecido en la tierra,[f] el mismísimo tiempo de la poda de las vides[g] ha llegado, y la voz de la tórtola[h] misma se ha oído en nuestra tierra. 13 En cuanto a la higuera,[i] ha obtenido un color maduro para sus brevas;[j] y las vides están en cierne, han difundido [su] fragancia. Levántate, ven, oh compañera mía,[k] hermosa mía, y vente. 14 Oh paloma mía[l] en los retiros del peñasco, en el lugar oculto del camino escarpado, muéstrame tu forma,[m] déjame oír tu voz, pues tu voz es placentera y tu forma es grata a la vista'.[n]

15 "Agárrennos las zorras,[o] sí, las zorras pequeñas que están echando a perder las viñas, puesto que nuestras viñas están en cierne."[p]

16 "Mi amado es mío y yo soy suya.[q] Él pastorea[r] entre los lirios.[s] 17 Hasta que respire el día y hayan huido las sombras, da la vuelta, oh amado mío; sé como la gacela[t] o como la cría de los ciervos sobre las montañas de la separación.

3 "En mi cama durante las noches he buscado al que mi alma ha amado.[u] Lo busqué, pero no lo hallé. 2 Déjeseme levantarme, por favor, y dar la vuelta por la ciudad;[v] en las calles y en las plazas públicas[w] déjeseme buscar al que mi alma ha amado. Lo busqué, pero no lo hallé. 3 Los guardias[x] que rondaban por la ciudad me hallaron: '¿Han visto ustedes al que mi alma ha

CAP. 2
a Can 2:17
  Can 8:14
b Jue 5:28
c Can 4:7
d Sl 45:10
  Is 14:3
e Zac 10:1
f Can 6:11
  Isa 55:10
g Isa 18:5
  Jn 15:2
h Jer 8:7
i Miq 4:4
j Isa 28:4
  Na 3:12
k Can 1:15
l Can 5:2
  Jer 48:28
  Mt 10:16
m Sl 45:11
n Can 1:5
  Can 6:10
o Jue 15:4
  Lam 5:18
p Can 7:12
q Can 6:3
  Can 7:10
r Can 1:7
s Can 2:1
t 2Sa 2:18
  Can 2:9
  Can 8:14

CAP. 3
u 1Sa 18:20
  Can 1:7
v 2Cr 9:30
w Ne 8:16
  Lam 4:18
x Sl 130:6
  Can 5:7

2.ª col.
a 1Re 22:16
b Can 2:7
c Can 8:4
d Jer 2:2
e Éx 30:23
  Éx 30:34
f 1Re 9:22
g Ne 4:22
  Ec 5:12
h 1Re 5:9
i Pr 4:9
j 2Sa 12:24
  Pr 4:3
k Isa 62:5

CAP. 4
l Sl 45:11
m Can 1:15
n Gé 24:65
o Can 6:5
p Nú 32:1
  Dt 3:12
q Can 6:6

amado?'. 4 Apenas había pasado más allá de ellos cuando hallé al que mi alma ha amado. Me agarré de él, y no quise soltarlo, hasta que lo hube introducido en la casa de mi madre y en el cuarto interior de la que había estado encinta para darme a luz. 5 Las he puesto bajo juramento,[a] oh hijas de Jerusalén, por las gacelas o por las ciervas del campo,[b] de que no traten de despertar ni excitar amor [en mí] sino hasta que este se sienta inclinado."[c]

6 "¿Qué es esta cosa que viene subiendo del desierto como columnas de humo, perfumada con mirra y olíbano,[d] aun con toda suerte de polvo aromático del comerciante?"

7 "¡Mira! Es su lecho, el que pertenece a Salomón. Sesenta hombres poderosos están todo en derredor de él, de los hombres poderosos de Israel,[f] 8 todos ellos en posesión de espada, adiestrados en el guerrear, cada uno con su espada sobre el muslo a causa del pavor durante las noches."[g]

9 "Es la litera que el rey Salomón se ha hecho de los árboles del Líbano.[h] 10 Ha hecho sus columnas de plata, sus soportes de oro. Su asiento es de lana teñida de púrpura rojiza, su interior amorosamente alhajado por las hijas de Jerusalén.[i]

11 "Salgan y miren, oh hijas de Sión, al rey Salomón con la guirnalda[j] que su madre[i] le tejió el día de su casamiento[k] y el día del regocijo de su corazón."[k]

4 "¡Mira! Eres hermosa,[l] oh compañera mía. ¡Mira! Eres hermosa. Tus ojos son [de] palomas,[m] detrás de tu velo.[n] Tu cabellera es como hato de cabras[o] que han bajado saltando de la región montañosa de Galaad.[p] 2 Tus dientes son como hato de [ovejas][q] recién esquiladas que han subido del lavado, todas las cuales paren gemelos, sin que ninguna entre ellas haya perdido

sus crías. 3 Tus labios son justamente como un hilo escarlata,
y tu hablar es ameno.[a] Como gajo
de granada son tus sienes detrás
de tu velo.[b] 4 Tu cuello[c] es
como la torre[d] de David, edificada en series de piedras, en la cual
están colgados mil escudos, todos los escudos circulares[e] de los
hombres poderosos. 5 Tus dos
pechos[f] son como dos crías, gemelos de gacela, que están apacentándose entre los lirios."[g]
6 "Hasta que respire el día[h] y
hayan huido las sombras, prose-
guiré a la montaña de mirra y a la
colina de olíbano."[i]
7 "Eres del todo hermosa,[j] oh
compañera mía, y no hay defecto
en ti.[k] 8 Conmigo desde el Líbano, oh novia,[l] conmigo desde el
Líbano[m] dígnate venir. Dígnate
descender desde la cima del
Antilíbano, desde la cima de Senir,[n] aun de Hermón,[o] desde los
albergues de los leones, desde
las montañas de los leopardos.
9 Has hecho latir mi corazón, oh
hermana mía,[p] novia [mía],[q] has
hecho latir mi corazón con uno
de tus ojos,[r] con un colgante de
tu collar. 10 ¡Qué hermosas
son tus expresiones de cariño,[s]
oh hermana mía, novia [mía]!
¡Cuánto mejores son tus expresiones de cariño que el vino, y la
fragancia de tus aceites que toda
suerte de perfume![t] 11 Tus labios siguen goteando miel del panal,[u] oh novia [mía]. Leche y
miel[v] hay debajo de tu lengua, y
la fragancia de tus prendas de
vestir es como la fragancia[w] del
Líbano. 12 Un jardín cerrado
con barras es mi hermana,[x] [mi]
novia, un jardín cerrado con
barras, un manantial sellado.
13 Tu piel es un paraíso de granadas, con los frutos más selectos,[y] alheñas junto con nardos;[z]
14 nardo[a] y azafrán,[b] caña aromática[c] y canela,[d] junto con toda
suerte de árboles de olíbano,
mirra y áloes,[e] junto con todos
los perfumes más finos;[f] 15 [y]
un manantial de jardines, un
pozo de agua dulce,[g] y arroyos
que fluyen suavemente del Líbano.[a] 16 Despierta, oh viento
del norte, y entra, oh viento del
sur.[b] Respira sobre mi jardín.[c]
Fluyan suavemente sus perfumes."
"Entre mi amado en su jardín,
y coma sus frutos más selectos."

5 "He entrado en mi jardín,[d] oh
hermana mía,[e] novia [mía].[f]
He arrancado mi mirra[g] junto
con mi especia. He comido mi
panal junto con mi miel;[h] he bebido mi vino junto con mi leche."
"¡Coman, oh compañeros! ¡Beban y embriáguense con expresiones de cariño!"[i]
2 "Estoy dormida, pero mi corazón está despierto.[j] ¡Ahí está
el sonido de mi amado que
golpea!"[k]
"¡Ábreme,[l] oh hermana mía,
compañera mía, paloma mía, inculpable mía![m] Porque mi cabeza
está llena de rocío, y mis guedejas de las gotas de la noche."[n]
3 "'Me he quitado la bata.
¿Cómo puedo volvérmela a poner? Me he lavado los pies.
¿Cómo puedo ensuciarlos?'
4 Mi amado mismo retiró la
mano del agujero [de la puerta],
y mis entrañas[o] mismas se alborotaron dentro de mí. 5 Me levanté, yo misma, para abrirle a
mi amado, y mis propias manos
gotearon mirra, y mis dedos
mirra líquida, sobre las cavida-
des de la cerradura. 6 Le abrí,
yo misma, a mi amado, pero mi
amado mismo se había apartado,
había pasado adelante. Mi alma
misma había salido [de mí] cuando él habló. Lo busqué, pero no lo
hallé.[p] Lo llamé, pero no me respondió. 7 Los guardias[q] que
rondaban por la ciudad me hallaron. Me golpearon, me hirieron.
Los guardias de los muros[r] alzaron de sobre mí mi ancho manto.
8 "Las he puesto bajo ju-
ramento,[s] oh hijas de Jerusalén,[t]
de que, si hallan a mi amado,[u] le

CAP. 4
a Sl 37:30
Sl 45:2
b Can 6:7
c Can 1:10
d Ne 3:25
Can 7:4
e 2Sa 8:7
2Re 11:10
Eze 27:11
f Can 7:3
g Can 2:16
h Can 2:17
i Ec 2:5
j Can 4:1
k 2Co 11:2
Ef 1:4
2Pe 3:14
l Jn 3:29
Rev 21:9
m Dt 3:25
n Dt 3:9
o Sl 133:3
p Can 5:1
q Sl 45:14
Rev 19:7
r Pr 5:19
s Can 1:2
Can 7:12
t Est 2:12
Can 1:3
Can 1:12
u Pr 16:24
v Pr 24:13
Can 5:1
w Sl 45:8
x Can 6:2
y Can 7:13
z Can 1:12
a Jn 12:3
b Can 2:1
c Éx 30:23
Isa 43:24
d Pr 7:17
Rev 18:13
e Nú 24:6
Sl 45:8
f Éx 30:34
Eze 27:22
2Co 2:14
g Gé 26:19

2.ª col.
a Jer 18:14
b Ec 1:6
c Can 5:1

CAP. 5
d Can 4:16
Can 6:2
e Can 4:9
1Ti 5:2
f Can 4:8
Jn 3:29
Rev 21:9
g Can 4:14
h Dt 26:9
Can 4:11
Isa 7:15
i Can 1:2
Can 1:4
j Can 3:1
k Rev 3:20
l Lu 12:36
m 2Co 7:1
2Co 11:2
Ef 5:27
2Pe 3:14
Rev 14:4
n Lu 2:8

o Gé 43:30; 1Re 3:26; p Can 3:1; q Can 3:3; r Isa 62:6; s Dt 6:13; Dt 10:20; t Can 3:10; u Sl 45:2.

digan que estoy enferma de amor."[a]

9 "¿De qué manera es tu amado más que cualquier otro amado,[b] oh tú, hermosísima entre las mujeres?[c] ¿De qué manera es tu amado más que cualquier otro amado, para que nos hayas puesto bajo un juramento como este?"[d]

10 "Mi amado es deslumbrante y colorado, el más conspicuo de diez mil.[e] 11 Su cabeza es oro, oro refinado. Sus guedejas son racimos de dátiles. Sus [cabellos] negros son como el cuervo. 12 Sus ojos son como palomas junto a los canales de agua, que están bañándose en leche, asentadas dentro de los cercos. 13 Sus mejillas son como un cuadro de jardín de especias,[f] torres de hierbas aromáticas. Sus labios son lirios que gotean mirra[g] líquida. 14 Sus manos son cilindros de oro, llenos de crisólito. Su abdomen es una lámina de marfil cubierta de zafiros. 15 Sus piernas son columnas de mármol fundadas en pedestales con encajaduras de oro refinado. Su apariencia es como el Líbano, selecta como los cedros.[h] 16 Su paladar es pura dulzura, y todo lo referente a él es enteramente deseable.[i] Este es mi amado, y este es mi compañero, oh hijas de Jerusalén."

6 "¿Adónde se ha ido tu amado, oh hermosísima entre las mujeres?[j] ¿Hacia dónde se ha vuelto tu amado, para que lo busquemos contigo?"

2 "Mi propio amado ha bajado a su jardín,[k] a los cuadros de las plantas de especias,[l] para pastorear[m] entre los jardines, y para recoger lirios. 3 Yo soy de mi amado, y mi amado es mío.[n] Está pastoreando[o] entre los lirios."

4 "Eres hermosa, oh compañera mía,[p] como Ciudad Placentera,[q] grata a la vista como Jerusalén,[r] imponente como compañías[s] reunidas en torno de pendones.[t] 5 Aparta tus ojos[u] de enfrente de mí, porque ellos

mismos me han alarmado. Tu cabellera es como hato de cabras que han bajado saltando de Galaad.[a] 6 Tus dientes son como hato de ovejas que han subido del lavado, todas las cuales paren gemelos, sin que ninguna entre ellas haya perdido sus crías.[b] 7 Como gajo de granada son tus sienes detrás de tu velo.[c] 8 Puede haber sesenta reinas, y ochenta concubinas, y doncellas sin número.[d] 9 Una sola hay que es mi paloma,[e] mi inculpable.[f] Una sola hay que pertenece a su madre. Es la pura de aquella que la dio a luz. Las hijas la han visto, y procedieron a pronunciarla feliz; reinas y concubinas, y procedieron a alabarla:[g] 10 '¿Quién es esta mujer[h] que está mirando hacia abajo como el alba,[i] hermosa como la luna llena,[j] pura como el sol relumbrante,[k] imponente como compañías reunidas en torno de pendones?'."[l]

11 "Al jardín[m] de los nogales yo había bajado, para ver los botones en el valle torrencial,[n] para ver si había brotado la vid, si habían florecido los granados.[o] 12 Antes que lo supiera, mi propia alma me había colocado junto a los carros de mi pueblo dispuesto."

13 "¡Vuelve, vuelve, oh sulamita! ¡Vuelve, vuelve, para que te contemplemos!"[p]

"¿Qué contemplan ustedes en la sulamita?"[q]

"¡Algo parecido a la danza de dos campamentos!"

7 "¡Qué hermosos han llegado a ser tus pasos en [tus] sandalias,[r] oh hija dispuesta![s] Las curvaturas de tus caderas son como adornos,[t] la obra de manos de artífice. 2 El derredor de tu ombligo es un tazón redondo. No falte [en él] el vino mezclado.[u] Tu vientre es un montón de trigo, cercado de lirios.[v] 3 Tus dos pechos son como dos crías, gemelas de gacela.[w] 4 Tu cuello[x] es como torre de marfil. Tus ojos[y] son como los estanques de Hes-

CAP. 5

a Can 2:5
b Sl 45:7
c Can 6:1
d Can 5:8
e Luc 2:52
f Can 6:2
g Can 1:13
h Sl 92:12
i Sl 45:2
  Can 2:3

CAP. 6

j Sl 45:11
  Can 1:8
  Can 5:9
  Rev 19:8
k Can 5:13
l Can 5:13
m Can 1:7
  Can 2:16
n Can 7:10
  2Co 11:2
o Isa 40:11
  Jn 10:14
  Heb 13:20
p Can 1:9
q Jer 14:17
r Sl 48:2
  Rev 21:10
s Can 6:10
t Sl 20:5
u Can 1:15
  Can 4:9
  Can 7:4

2.ª col.

a Can 4:1
b Can 4:2
c Can 4:3
d 1Re 11:1
e Can 2:14
f Can 5:2
g Sl 45:9
  Isa 49:23
h Can 8:5
  Rev 21:10
i 2Sa 23:4
  Isa 58:8
j Isa 24:23
k Mt 13:43
  1Can 6:4
m Ec 2:5
  Can 6:2
n Dt 8:7
o Can 7:12
p Can 1:10
q Can 1:6
  Rev 19:7

CAP. 7

r Isa 52:7
  Ro 10:15
s Sl 110:3
t Sl 45:13
u Pr 9:2
  Can 8:2
v Can 2:2
w Can 4:5
x Can 1:10
  Can 4:4
y Can 4:1

bón,[a] junto a la puerta de Bat-rabim. Tu nariz es como la torre del Líbano, que mira hacia Damasco. 5 Tu cabeza sobre ti es como el Carmelo,[b] y la melena[c] de tu cabeza es como lana teñida de púrpura rojiza.[d] El rey se halla atado por las ondulaciones.[e] 6 ¡Qué hermosa eres, y qué agradable eres, oh amada, entre deleites exquisitos![f] 7 Esta estatura tuya de veras se parece a una palmera,[g] y tus pechos[h] a racimos de dátiles. 8 He dicho yo: 'Subiré a la palmera, para poder asirme de sus tallos frutales de dátiles.'[i] Y, por favor, háganse tus pechos como racimos de la vid, y la fragancia de tu nariz como manzanas, 9 y tu paladar como el mejor vino[j] que va bajando con suavidad[k] para mi amada, que fluye dulcemente sobre los labios de los durmientes."

10 "Yo soy de mi amado,[l] y hacia mí tiende su deseo vehemente.[m] 11 De veras ven, oh amado mío, salgamos al campo;[n] alojémonos, sí, entre las alheñas.[o] 12 Madruguemos, sí, y vayamos a las viñas, para ver si ha brotado la vid,[p] si ha reventado el capullo,[q] si han florecido los granados.[r] Allí te daré mis expresiones de cariño.[s] 13 Las mandrágoras[t] mismas han difundido [su] fragancia, y junto a nuestros pasos de entrada hay toda suerte de frutas de las más selectas.[u] Tanto las nuevas como las añejas, oh amado mío, tengo atesoradas para ti.

8 "¡Oh que fueras tú como hermano mío,[v] que mamara los pechos de mi madre![w] Si yo te hallara fuera, te besaría.[x] La gente ni siquiera me despreciaría. 2 Yo te conduciría, te introduciría en la casa de mi madre,[y] que solía enseñarme. Te daría a beber vino especiado,[z] el zumo fresco de granadas. 3 Su mano izquierda estaría debajo de mi cabeza, y su mano derecha... esta me abrazaría.[a]

4 "Las he puesto bajo juramento, oh hijas de Jerusalén,

CAP. 7
a Nú 21:25
Jos 21:39
b Isa 35:2
c Can 6:5
d Est 8:15
Can 3:10
e Can 1:4
f Can 4:7
g Sl 92:12
h Can 7:3
Can 8:10
i Mt 5:28
1Ti 5:2
j Sl 104:15
k Pr 23:31
1Can 2:16
Can 6:3
m Can 2:14
n Can 8:1
o Can 1:14
Can 4:13
p Can 6:11
Can 2:15
r Dt 8:8
Can 6:11
s Can 1:4
Can 4:10
u Can 4:16

CAP. 8
v Can 1:6
w Gál 4:26
x Sl 2:12
Can 1:2
y Can 3:4
z Pr 9:2
Can 5:1
a Can 2:6

2.ª col.
a Can 2:7
Can 3:5
b Can 6:13
Can 7:10
c Sl 45:10
d Can 7:11
e Gé 3:16
f Ag 2:23
g Jn 15:13
Ro 16:4
Ef 5:25
Rev 12:11
h Éx 20:5
Jos 24:19
i Sl 89:8
Sl 118:17
Isa 12:2
1Jn 4:8
j 1Co 13:8
Can 13:13
k Ro 8:39
1Can 1:6
m 2Co 7:1
Mtl 5:23
1Pe 3:2
n Pr 7:11
Os 2:3
1Co 7:9
o 1Co 7:34
Col 3:5
1Pe 2:12
p Ro 2:4
Can 7:12
q Lu 20:9
r Can 1:6
Can 6:11
s Can 2:14
t Can 2:17

de que no traten de despertar ni excitar amor [en mí] hasta que este se sienta inclinado."[a]

5 "¿Quién es esta mujer[b] que viene subiendo del desierto,[c] apoyada en su amado?"[d]

"Bajo el manzano te desperté. Allí estuvo tu madre con dolores de parto para darte a luz. Allí la que te estaba dando a luz sufrió dolores de parto.[e]

6 "Ponme como sello sobre tu corazón,[f] como sello sobre tu brazo; porque el amor es tan fuerte como la muerte,[g] la insistencia en la devoción exclusiva[h] es tan inexorable como el Seol. Sus llamaradas son las llamaradas de un fuego, la llama de Jah.[i] 7 Las muchas aguas mismas no pueden extinguir el amor,[j] ni pueden los ríos mismos arrollarlo.[k] Si un hombre diera todas las cosas valiosas de su casa por el amor, las personas positivamente las despreciarían."

8 "Tenemos una hermana[l] pequeña que no tiene pechos. ¿Qué haremos por nuestra hermana en el día que la pidan?"

9 "Si ella es un muro,[m] edificaremos sobre ella un almenaje de plata; pero si es una puerta,[n] la atrancaremos con un tablón de cedro."

10 "Soy un muro, y mis pechos son como torres.[o] En este caso he llegado a ser a los ojos de él como la que está hallando paz.

11 "Había una viña[p] que Salomón tenía en Baal-hamón. Entregó la viña a los guardianes.[q] Cada uno traía por el fruto de ella mil piezas de plata.

12 "Mi viña, que me pertenece, está a mi disposición. Las mil te pertenecen a ti, oh Salomón, y doscientas a los que guardan su fruto."

13 "Oh, tú que moras en los jardines,[r] los socios prestan atención a tu voz. Déjame oírla."[s]

14 "Vete corriendo, amado mío, y hazte como gacela o como cría de los ciervos sobre las montañas de especias."[t]

ISAÍAS

1 La visión[a] de Isaías[b] el hijo de Amoz que él contempló concerniente a Judá y Jerusalén en los días de Uzías,[c] Jotán,[d] Acaz[e] [y] Ezequías,[f] reyes de Judá:[g]

2 Oigan,[h] oh cielos, y presta oído, oh tierra, porque Jehová mismo ha hablado: "Hijos he criado y educado,[i] pero ellos mismos se han sublevado contra mí.[j] 3 Un toro conoce bien a su comprador, y el asno el pesebre de su dueño; Israel mismo no ha conocido,[k] mi propio pueblo no se ha portado con entendimiento".[l]

4 ¡Ay de la nación pecadora,[m] el pueblo cargado de error, descendencia malhechora,[n] hijos ruinosos![o] Han dejado a Jehová,[p] han tratado con falta de respeto al Santo de Israel,[q] se han vuelto hacia atrás.[r] 5 ¿En qué otra parte se los golpeará aún más,[s] puesto que añaden más sublevación?[t] Toda la cabeza está en condición enferma, y todo el corazón está endeble.[u] 6 Desde la planta del pie hasta la cabeza misma no hay en él lugar sano. Heridas y magulladuras y contusiones frescas... no han sido exprimidas ni vendadas, ni ha habido ablandamiento con aceite.[w] 7 La tierra de ustedes es una desolación,[x] sus ciudades están quemadas con fuego;[y] su suelo... directamente enfrente de ustedes, extraños[z] se lo están comiendo,[a] y la desolación es como un derribo por extraños.[b] 8 Y la hija de Sión[c] ha quedado como una cabaña en una viña, como choza de vigilancia en un campo de pepinos, como una ciudad bloqueada.[d] 9 A menos que Jehová de los ejércitos mismo hubiera dejado que nos quedaran solo unos cuantos sobrevivientes,[e] habríamos llegado a ser justamente

como Sodoma, nos habríamos parecido a Gomorra misma.[a]

10 Oigan la palabra de Jehová,[b] dictadores[c] de Sodoma.[d] Presten oído a la ley de nuestro Dios, pueblo de Gomorra. 11 "¿De qué provecho me es la multitud de sus sacrificios? —dice Jehová—. Suficiente he tenido ya de holocaustos[e] de carneros[f] y de la grasa de animales bien alimentados;[g] y en la sangre[h] de toros jóvenes y corderos y machos cabríos[i] no me he deleitado.[j] 12 Cuando ustedes siguen entrando para ver mi rostro,[k] ¿quién es el que ha requerido esto de la mano de ustedes, para hollar mis patios?[l] 13 Cesen de traer más ofrendas de grano que valen.[m] El incienso... me es algo detestable.[n] Luna nueva[o] y sábado,[p] el convocar una convocación[q]... no puedo soportar el [uso de] poder mágico[r] junto con la asamblea solemne. 14 Sus lunas nuevas y sus períodos de fiesta mi alma ha odiado.[s] Para mí han llegado a ser una carga;[t] me he cansado de llevar[los].[u] 15 Y cuando ustedes extienden las palmas de las manos,[v] escondo de ustedes los ojos.[w] Aunque hagan muchas oraciones,[y] no escucho;[y] sus mismas manos se han llenado de derramamiento de sangre.[z] 16 Lávense;[a] límpiense;[b] quiten la maldad de sus tratos de enfrente de mis ojos;[c] cesen de hacer lo malo.[d] 17 Aprendan a hacer lo bueno;[e] busquen la jus-

CAP. 1
a Nú 12:6
Job 33:15
Am 3:7
b 2Cr 32:32
c 2Cr 26:22
Isa 6:1
d 2Cr 27:1
e 2Cr 28:1
f 2Re 19:2
2Cr 29:1
2Cr 32:20
g Mt 1:9
h Sl 50:4
i Dt 1:31
Eze 16:13
j Dt 4:25
Isa 30:9
Eze 20:8
k Os 4:6
2Cr 32:28
Sl 32:9
Ro 1:28
m Da 9:11
Hch 7:51
n Nú 32:14
Jue 2:19
o Miq 7:2
p Dt 31:16
Heb 3:10
q Dt 32:19
Jer 7:19
Jer 50:29
1Co 10:22
r Sl 58:3
Jer 2:5
Jer 15:6
Ro 8:7
s Jer 2:30
Jer 5:3
t Jer 9:3
u Ne 9:34
Da 9:8
v Sl 38:3
w Lu 10:34
x Dt 28:63
Jer 44:2
y Isa 34:9
Jer 2:15
z Re 10:32
a Dt 28:33
b 2Re 18:11
Lam 5:2
c Isa 8:18
Zac 9:9
d 2Re 18:14
Isa 5:2
Isa 8:8
Jer 4:17
Lu 19:43
e 2Re 25:11
Lam 3:22
Ro 9:27

2.ª col.

a Gé 19:24
Dt 29:23
Am 4:11
Ro 9:29
b Am 3:1
c Isa 3:6
d Gé 13:13
Dt 32:32
Isa 39:1
Lam 4:6
Jud 7

e Os 6:6; f Éx 29:38; Nú 29:39; Miq 6:7; g Le 3:16; h Le 4:18; Le 17:11; i Le 16:5; j 1Sa 15:22; Sl 40:6; Sl 51:16; Pr 15:8; Mt 9:13; k Éx 23:17; Dt 16:16; l Ec 5:1; Mal 1:8; m Mal 2:12; Lu 11:42; n Pr 21:27; Eze 8:11; o Nú 28:11; p Éx 31:13; q Le 23:2; Sl 81:3; r Le 19:26; 1Sa 15:23; s Am 5:21; Lam 3:44; Miq 3:4; u Isa 43:24; 2:17; v 1Re 8:22; Esd 9:5; w Pr 15:29; x Mt 6:7; Pr 28:9; Isa 59:2; Lam 3:44; Miq 3:4; z Isa 59:3; Jer 7:9; Miq 3:2; a Sl 26:6; Jer 4:14; Hch 22:16; Rev 7:14; b 1Co 5:7; 2Co 7:1; c Isa 55:7; Eze 18:30; 1Pe 2:1; d Sl 34:14; 1Pe 3:11; e Am 5:15; Miq 6:8.

ticia;[a] corrijan al opresor;[b] dicten fallo para el huérfano de padre;[c] defiendan la causa de la viuda."[d]

18 "Vengan, pues, y enderecemos los asuntos entre nosotros —dice Jehová[e]—. Aunque los pecados de ustedes resulten ser como escarlata, se les hará blancos justamente como la nieve;[f] aunque sean rojos como tela de carmesí, llegarán a ser aun como la lana. 19 Si ustedes muestran buena disposición y de veras escuchan, comerán lo bueno de la tierra.[g] 20 Pero si rehúsan[h] y realmente son rebeldes, por una espada serán comidos; porque la mismísima boca de Jehová [lo] ha hablado."[i]

21 ¡Oh, cómo ha llegado a ser una prostituta[j] la población fiel![k] Llena estaba de derecho;[l] la justicia misma se alojaba en ella;[m] pero ahora, asesinos.[n] 22 Tu plata misma ha llegado a ser escoria espumajosa.[o] Tu cerveza de trigo está diluida con agua.[p] 23 Tus príncipes son tercos y socios de ladrones.[q] Cada uno de ellos es amador de un soborno[r] y corredor tras regalos.[s] No dictan fallo para el huérfano de padre; y ni siquiera consigue entrada a ellos la causa judicial de la viuda.[t]

24 Por lo tanto, la expresión del Señor [verdadero], Jehová de los ejércitos, el Poderoso de Israel,[u] es: "¡Ajá! Me desembarazaré de mis adversarios, y ciertamente me vengaré[v] de mis enemigos.[w] 25 Y de veras volveré mi mano sobre ti, y eliminaré por fundición tu escoria espumajosa como con lejía, y ciertamente quitaré todos tus desperdicios.[x] 26 Y ciertamente traeré de vuelta otra vez jueces para ti como al principio, y consejeros para ti como al comienzo.[y] Después de esto se te llamará Ciudad de Justicia, Población Fiel.[z] 27 Con equidad Sión misma será redimida,[a] y los de ella que vuelven, con justi-

cia.[a] 28 Y el ruidoso estrellarse de los sublevadores y el de los pecadores será al mismo tiempo,[b] y los que dejan a Jehová se desharán.[c] 29 Porque ellos se avergonzarán de los poderosos árboles que ustedes desearon,[d] y ustedes quedarán corridos a causa de los jardines que han escogido.[e] 30 Porque llegarán a ser como un árbol grande cuyo follaje se marchita,[f] y como un jardín que no tiene agua. 31 Y el hombre vigoroso ciertamente llegará a ser estopa,[g] y el producto de su actividad una chispa; y ambos ciertamente se harán llamas al mismo tiempo, sin que haya quien extinga".[h]

2 La cosa que Isaías el hijo de Amoz contempló en visión acerca de Judá y Jerusalén:[i] 2 Y en la parte final de los días tiene que suceder [que] la montaña de la casa[k] de Jehová llegará a estar firmemente establecida por encima de la cumbre de las montañas,[l] y ciertamente será alzada por encima de las colinas;[m] y a ella tendrán que afluir todas las naciones.[n] 3 Y muchos pueblos ciertamente irán y dirán: "Vengan,[o] y subamos a la montaña de Jehová, a la casa del Dios de Jacob; y él nos instruirá acerca de sus caminos, y ciertamente andaremos en sus sendas".[p] Porque de Sión saldrá ley, y de Jerusalén la palabra de Jehová.[q] 4 Y él ciertamente dictará el fallo entre las naciones[r] y enderezará los asuntos respecto a muchos pueblos.[t] Y tendrán que batir sus espadas en

CAP. 1
a Sl 82:3
Sl 112:5
b Pr 31:9
c Jer 22:3
d Dt 10:18
e Jer 2:5
Os 14:1
Miq 6:2
Snt 4:8
f Sl 51:7
Isa 44:22
Lam 4:7
Miq 7:19
g Dt 28:2
Joe 2:26
h 1Sa 12:25
Pr 29:1
Da 9:5
Os 13:16
i Le 26:33
Dt 28:15
Dt 30:19
1Sa 15:29
2Pe 3:9
j Jer 2:20
Eze 16:22
k Sl 48:2
Zac 8:3
l 2Sa 8:15
1Re 3:28
2Cr 19:9
2Cr 19:10
n Miq 3:3
Lu 13:34
Hch 7:52
o Lam 4:1
Eze 22:18
p Os 4:18
q Isa 3:14
Miq 3:9
r Éx 23:8
Pr 17:23
s Pr 21:14
Ec 7:7
t Éx 22:22
Jer 5:28
Mal 3:5
Lu 18:3
u Isa 60:16
v Eze 25:14
Os 8:3
Ro 12:19
w Dt 32:43
Isa 59:18
Eze 5:13
x Jer 6:29
Jer 9:7
Mal 3:3
y Nú 12:3
1Sa 12:3
Isa 32:1
Isa 34:23
z Isa 62:1
Zac 8:8
d Dt 24:18
Jer 31:11

2.ª col.
a 1Co 1:30
2Co 5:21
b Sl 1:6
Sl 37:38
Sl 104:35
Pr 29:1
Eze 20:38
2Pe 3:7
c 1Sa 12:25
1Re 9:6
2Te 1:9

d Jer 2:20; Jer 3:6; Eze 6:13; Os 4:13; Ro 6:21; e Isa 65:3; Isa 66:17; f Jer 17:6; Eze 17:9; Mt 21:19; g Eze 32:21; h Sl 73:27; Isa 34:10; Eze 20:47; Mal 4:1. CAP. 2 i Isa 1:1; Miq 1:1; Hab 1:1; j Jer 23:20; Jer 30:24; Eze 38:16; Da 12:9; Hch 2:17; 2Ti 3:1; Rev 12:12. k Hch 10:35; 1Pe 2:5; 1Da 2:35; Zac 8:3; Heb 12:22; Rev 21:10; m Miq 4:1; n Sl 2:8; Sl 72:8; Sl 86:9; Ag 2:7; Mal 3:12; Rev 11:15; o Jer 31:6; Zac 8:23; Rev 22:17; p Sl 25:8; Isa 54:13; Miq 4:2; Jn 7:16; Hch 10:33; 1Te 4:9; q Sl 110:2; Isa 51:4; Ro 10:18; Rev 21:24; r Isa 2:10; Sl 82:8; Sl 96:13; Mt 16:27; Hch 17:31; s Pr 11:5; Mt 3:3; Lu 3:5; Jn 1:23; 2Ti 3:16; Heb 9:10; t Isa 1:18; Ef 2:1; Col 2:13.

rejas de arado y sus lanzas en podaderas.[a] No alzará espada nación contra nación, ni aprenderán más la guerra.[b]

5 Oh hombres de la casa de Jacob, vengan y andemos a la luz de Jehová.[c]

6 Porque tú has desamparado a tu pueblo, la casa de Jacob.[d] Porque han quedado llenos de lo que proviene de Oriente,[e] y son practicantes de magia[f] como los filisteos, y abundan con hijos de extranjeros.[g] 7 Y su país está lleno de plata y de oro, y no hay límite para sus tesoros.[h] Y su país está lleno de caballos, y no hay límite para sus carros.[i] 8 Y su país está lleno de dioses que nada valen.[j] Ante la obra de las manos de uno se inclinan, ante lo que han hecho los dedos de uno.[k] 9 Y el hombre terrestre se inclina, y el hombre queda rebajado, y no te es posible perdonarlos.[l]

10 Entra en la roca y escóndete en el polvo a causa de lo pavoroso de Jehová, y ante su espléndida superioridad.[m] 11 Los ojos altivos del hombre terrestre tienen que ser rebajados, y la altanería de los hombres tiene que inclinarse;[n] y solo Jehová tiene que ser puesto en alto en aquel día.[o] 12 Porque es el día que pertenece a Jehová de los ejércitos.[p] Viene sobre todo el que a sí mismo se ensalza y es altanero, y sobre todo el que está elevado o bajo;[q] 13 y sobre todos los cedros del Líbano[r] que están encumbrados y elevados, y sobre todos los árboles macizos de Basán;[s] 14 y sobre todas las montañas encumbradas y sobre todas las colinas que están elevadas;[t] 15 y sobre toda torre alta y sobre todo muro fortificado;[u] 16 y sobre todas las naves de Tarsis[v] y sobre todos los barcos deseables. 17 Y la altivez del hombre terrestre tiene que inclinarse, y la altanería de los hombres tiene que ser rebajada;[w] y solo Jehová tiene que ser puesto en alto en aquel día.[x]

18 Y los mismísimos dioses que nada valen pasarán por completo.[a] 19 Y la gente entrará en las cuevas de las rocas y en los agujeros del polvo, a causa de lo pavoroso de Jehová y ante su espléndida superioridad,[b] cuando él se levante para que la tierra sufra sobresaltos.[c] 20 En aquel día el hombre terrestre arrojará a las musarañas y a los murciélagos sus dioses de plata inútiles y sus dioses de oro que nada valen, que le habían hecho para que se inclinara ante ellos,[d] 21 a fin de entrar en los agujeros de las rocas y en las hendiduras de los peñascos, a causa de lo pavoroso de Jehová y ante su espléndida superioridad,[e] cuando él se levante para que la tierra sufra sobresaltos. 22 Por el propio bien de ustedes, manténganse a distancia del hombre terrestre, cuyo aliento está en sus narices,[f] pues ¿sobre qué base hay de ser tomado en cuenta él mismo?[g]

3 Porque, ¡miren!, el Señor [verdadero],[h] Jehová de los ejércitos, quita de Jerusalén[i] y de Judá apoyo y sostén, todo el apoyo de pan y todo el apoyo de agua,[j] 2 hombre poderoso y guerrero, juez y profeta,[k] y practicante de adivinación y hombre de edad madura;[l] 3 jefe de cincuenta[m] y hombre altamente respetado y consejero y perito en artes mágicas,[n] y el encantador[n] diestro. 4 Y ciertamente haré de muchachos sus príncipes, y simple poder arbitrario gobernará sobre ellos.[o] 5 Y la gente realmente se tiranizará uno a otro, aun cada cual a su semejante.[p] Se precipitarán, el muchacho contra el viejo,[q] y el estimado en poco contra el que ha de

---

CAP. 2

a Sl 46:9
Os 2:18
Zac 9:10
b Sl 72:7
Isa 60:18
Miq 4:3
Mt 5:44
Mt 26:52
c Sl 89:15
Isa 60:19
1Jn 1:7
Rev 21:23
d Dt 31:17
2Cr 24:20
e Rev 17:5
f Le 19:31
Dt 18:10
Sl 106:35
g Esd 9:2
Ne 13:24
h 1Re 10:21
i Dt 17:16
1Re 4:26
j 2Cr 28:2
2Cr 33:7
Jer 2:28
k Dt 4:28
Sl 115:4
Os 13:2
Rev 9:20
l Éx 20:7
Jos 24:19
Jer 18:23
Mr 3:29
m Éx 20:18
1Cr 29:11
Sl 119:120
n Jer 50:32
Mal 4:1
Lu 18:14
Snt 4:6
1Pe 5:5
o Isa 24:23
Miq 4:7
Sof 2:11
p Isa 13:6
Jer 46:10
Eze 13:5
Am 5:18
1Te 5:2
q Isa 66:16
Jer 25:31
r Isa 10:33
Eze 31:3
Zac 11:2
s Am 4:1
t Sl 110:5
u Sof 1:16
v 1Re 10:22
Eze 27:25
w Isa 13:11
Jer 48:29
Eze 28:5
x Isa 2:11

2.ª col.

a Isa 27:9
Eze 36:25
Eze 37:23
Os 14:8
Zac 13:2
b Sl 76:7
Isa 2:10
Lu 23:30
2Te 1:9
Rev 6:15
c Sl 76:6
Miq 1:3
Heb 12:26
2Pe 3:10
Rev 16:18
d Isa 2:8
Isa 30:22
Isa 31:7

---

e 1Cr 29:11; Sl 96:6; Sl 119:120; f Gé 2:7; Job 27:3; g Job 7:17; Sl 8:4; CAP. 3 h Isa 37:20; Isa 44:6; Jer 10:10; i 2Re 23:27; 2Cr 36:19; j Le 26:26; Dt 28:51; Jer 37:21; Eze 4:16; k Eze 13:9; l 2Re 24:14; Sl 74:9; Lam 5:12; m Éx 18:21; Dt 1:15; 1Sa 8:12; n Dt 18:11; Sl 58:5; Isa 3:18; o Jue 21:25; Ec 10:16; p Isa 9:19; Jer 9:5; Miq 3:3; Mal 3:5; q Job 30:1.

recibir honra.[a] **6** Porque cada
uno echará mano a su hermano
en la casa de su padre [y dirá]:
“Tienes un manto. Debes llegar
a ser dictador[b] para nosotros, y
esta masa derribada debe estar
bajo tu mano”. **7** Él levantará
[la voz] en aquel día, y dirá: “No
llegaré a ser uno que vende heridas; y en mi casa no hay ni pan
ni manto. Ustedes no deben ponerme como dictador sobre el
pueblo”.

8 Pues Jerusalén ha tropezado, y Judá mismo ha caído,[c] porque su lengua y sus tratos están contra Jehová,[d] puesto que
se portan rebeldemente a los
ojos de su gloria.[e] **9** La mismísima expresión de sus rostros
realmente testifica contra ellos,[f]
y de su pecado semejante al de
Sodoma de veras informan.[g] No
[lo] han escondido. ¡Ay de su
alma! Porque se han repartido
calamidad a sí mismos.[h]

10 Digan que le [irá] bien al
justo,[i] pues ellos comerán el
mismísimo fruto de sus tratos.[j]
11 ¡Ay del inicuo!... Calamidad;
¡pues el tratamiento [que] con
sus propias manos [dispensó] le
será dispensado a él![k] **12** En
cuanto a mi pueblo, los que le
asignan sus tareas están tratándolo severamente, y simples mujeres realmente gobiernan sobre
él.[l] Oh pueblo mío, los que te van
guiando [te] están haciendo andar errante,[m] y han confundido
el camino de tus sendas.[n]

13 Jehová se aposta para contender y se pone de pie para
pronunciar sentencia a los pueblos.[o] **14** Jehová mismo entrará en juicio con los de edad
madura de su pueblo y con sus
príncipes.[p]

“Y ustedes mismos han quemado por completo la viña. Lo
que fue tomado por robo de los
afligidos está en las casas de ustedes.[q] **15** ¿Qué quieren decir
con esto de aplastar a mi pueblo,
y moler los rostros mismos de
los afligidos?”,[r] es la expresión
del Señor Soberano, Jehová de
los ejércitos.

16 Y Jehová dice: “Por la razón de que las hijas de Sión se
han hecho altivas y andan con la
garganta estirada y dando miradas provocativas con los ojos,
van andando con pasos menudos
y ágiles, y con los pies hacen un
sonido de retintín,[a] **17** Jehová
también realmente hará costrosa la coronilla de la cabeza de las
hijas de Sión,[b] y Jehová mismo
les dejará descubierta la mismísima frente.[c] **18** En aquel día
Jehová quitará la hermosura de
las ajorcas y las cintas para la
cabeza y los adornos de forma de
luna,[d] **19** los pendientes y los
brazaletes y los velos,[e] **20** las
prendas de adorno para la cabeza y las cadenillas de los pasos y
las fajas para los pechos[f] y las
‘casas del alma’ y las conchas
zumbadoras ornamentales,[g]
21 los anillos para los dedos
y los anillos para la nariz,[h]
22 los vestidos de ceremonia y
las sobretúnicas y las capas y
las bolsas, **23** y los espejos[i] de
mano y las prendas de vestir interiores y los turbantes[j] y los velos[k] grandes.

24 ”Y tiene que suceder que
en vez de aceite balsámico[l] llegará a haber meramente un olor
mohoso; y en vez de un cinto,
una soga; y en vez de un arreglo
artístico del cabello, calvicie;[m] y
en vez de una prenda de vestir
lujosa, un ceñirse de saco;[n] una
marca con hierro candente[o] en
vez de belleza. **25** A espada
caerán tus propios hombres, y
por guerra tu poderío.[p] **26** Y
las entradas de ella tendrán que
estar de duelo[q] y expresar tristeza, y ella ciertamente quedará
sin ocupante. Se sentará en la
mismísima tierra”.[r]

CAP. 3

a Le 19:32; 2Sa 16:5; Pr 16:31; Ec 10:7; Mr 14:65
b Isa 1:10; Isa 22:3; Jn 6:15
c 2Cr 28:5; 2Cr 28:18; 2Cr 33:11; Jer 26:18; Miq 3:12
d Sl 73:8; Eze 9:9; Mal 3:13; Mt 12:36; Jud 15
e 2Cr 33:6; Hab 1:13; Mal 2:2; 1Co 10:22
f Sl 73:6; Pr 30:13; 1Ti 5:24
g Gé 18:20; Isa 1:10; Jud 7
h Lam 3:64; Os 13:9
i Sl 18:24; Sl 128:1; Ec 8:12; Sof 2:3; Ro 2:10
j Sl 128:2; Gál 6:7; Heb 6:10
k Sl 28:4; Sl 62:12; 2Co 5:10; 2Ti 4:14; Snt 2:13
l 2Re 11:1; Na 3:13; 1Ti 2:12
m Isa 9:16
n Jer 5:31; Hab 1:4; Mt 15:14; Mt 23:15
o Sl 12:5; Pr 22:23; Os 4:1; Miq 6:2
p Jer 12:10; Lu 12:48; Snt 3:1
q Isa 1:23; Jer 5:27; Am 4:1; Miq 2:2; Miq 6:10
r Isa 58:4; Am 2:6; Am 8:4; Miq 3:2

2.ª col.

a Dt 8:14; Isa 32:9; Eze 16:49
b Dt 28:27
c Isa 3:24; 1Co 11:6
d Jue 8:26
e Gé 24:22; Éx 32:2; Eze 16:11; Os 2:13
f Jer 2:32
g Éx 35:22; Nú 31:50
h Gé 24:22
i Éx 38:8; j Le 16:4; k Gé 38:14; Isa 47:2; l Est 2:12; m Isa 22:12; Eze 7:18; Miq 1:16; n Jer 4:8; Lam 2:10; Joe 1:8; Am 8:10; o Gál 6:17; p 2Cr 29:9; Jer 11:22; Lam 2:21; Am 9:10; q Jer 14:2; Lam 1:4; r Job 2:13; Isa 47:1; Lam 2:10.

4 Y siete mujeres realmente se agarrarán de un solo hombre en aquel día,[a] y dirán: "Comeremos nuestro propio pan y nos vestiremos de nuestras propias mantas; solo que se nos llame por tu nombre para quitar nuestro oprobio".[b]

2 En aquel día lo que Jehová haga brotar[c] llegará a ser para decoración y para gloria,[d] y el fruto de la tierra será algo de lo cual tener orgullo,[e] y algo hermoso para los de Israel que hayan escapado.[f] 3 Y tiene que suceder que de los restantes en Sión y de los que queden en Jerusalén se dirá que son santos a él,[g] todos los que estén inscritos para vida en Jerusalén.[h]

4 Cuando Jehová haya lavado de las hijas de Sión el excremento,[i] y enjuague[j] de Jerusalén aun el derramamiento de sangre[k] de en medio de ella por el espíritu de juicio y por el espíritu de quemazón,[l] 5 Jehová también ciertamente creará sobre todo lugar establecido del monte Sión[m] y sobre su lugar de convocación una nube de día y un humo, y el resplandor de un fuego[n] llameante de noche;[o] porque sobre toda la gloria habrá abrigo.[p] 6 Y llegará a haber una cabaña para sombra, de día, contra el calor seco,[q] y para refugio y para escondite contra la tempestad de lluvia y contra la precipitación.[r]

5 Déjeseme cantar a mi amado, por favor, una canción de mi amado acerca de su viña.[s] Había una viña que mi amado llegó a tener en una ladera fértil. 2 Y procedió a cavarla y a limpiarla de piedras y a plantarla de una vid roja selecta, y a edificar una torre en medio de ella.[t] Y también hubo un lagar que él labró en ella.[u] Y siguió esperando que produjera uvas,[v] pero gradualmente produjo uvas silvestres.[w]

3 "Y ahora, oh habitantes de Jerusalén y hombres de Judá,

sírvanse juzgar entre mí y mi viña.[a] 4 ¿Qué hay que hacerle todavía a mi viña que yo no haya hecho ya en ella?[b] ¿Por qué esperé yo que produjera uvas, pero gradualmente produjo uvas silvestres? 5 Y ahora, por favor, permítaseme darles a conocer lo que voy a hacerle a mi viña: Habrá una remoción de su seto,[c] y tiene que ser destinada para quemazón.[d] Tiene que haber un derribo de su muro de piedra, y tiene que ser destinada para lugar de holladura.[e] 6 Y yo la pondré como cosa destruida.[f] No será podada, ni será azadonada.[g] Y tendrán que subir en ella la zarza y malas hierbas;[h] y a las nubes impondré mandato de no hacer que se precipite lluvia sobre ella.[i] 7 Porque la viña[j] de Jehová de los ejércitos es la casa de Israel, y los hombres de Judá son la plantación de la cual él estaba encariñado.[k] Y siguió esperando juicio,[l] pero, ¡miren!, quebrantamiento de ley; justicia, pero, ¡miren!, alarido."[m]

8 ¡Ay de los que juntan casa a casa,[n] [y] de los que anexan campo a campo hasta que no hay más lugar[o] y a ustedes se les ha hecho morar solos en medio del país! 9 En mis oídos Jehová de los ejércitos [ha jurado que] muchas casas, aunque grandes y buenas, llegarán a ser un verdadero objeto de pasmo, sin habitante alguno.[p] 10 Pues hasta diez yugadas[q] de viña producirán solo una medida de bato,[r] y hasta una medida de homer de semilla producirá solo una medida de efá.[s]

11 ¡Ay de los que se levantan muy de mañana para buscar solo licor embriagante,[t] que se quedan hasta tarde en la oscuridad nocturna, de modo que el vino

CAP. 4
a Isa 3:25
b Gé 30:23
Isa 54:4
Lu 1:25
c Isa 27:6
Isa 60:21
Jue 2:18
d Zac 9:17
e Isa 30:23
Joe 3:18
f Isa 10:20
Isa 66:19
Jer 44:14
Eze 7:16
g Isa 60:21
Zac 14:5
Mt 23:35
h Éx 32:32
Rev 3:5
Rev 20:15
i Eze 22:15
Eze 36:25
j Eze 16:9
Eze 24:7
l Eze 22:20
Mal 3:2
Mt 3:12
m Sl 87:2
Isa 33:18
Isa 33:20
Isa 37:35
n Éx 13:21
Nú 9:15
Zac 2:5
o Éx 40:38
p Sl 85:9
q Sl 91:1
Sl 121:5
r Isa 25:4
Isa 32:2

CAP. 5
s Sl 80:8
Isa 5:7
Jer 2:21
Lu 20:9
t Mr 12:1
u Mt 21:33
v Os 9:10
1Co 9:7
w Isa 5:7
Jer 2:21
Os 10:1

2.ª col.
a Jer 2:5
Miq 6:2
b 2Cr 36:15
Eze 24:13
Hch 7:51
c Job 1:10
d Le 26:31
Dt 28:63
Ne 2:3
Sl 79:1
Lam 2:7
e Isa 26:6
Lam 1:15
f Le 26:33
Jer 25:11
g Dt 29:23
Jer 45:4
h Isa 7:23
Isa 32:13
Heb 6:8
i Dt 11:17
Dt 28:23
Am 4:7
j Sl 80:8
Jer 12:10
Lu 20:9

k Éx 15:17; Sl 147:11; Sl 149:4; l Jer 1:22:15; Miq 6:8; Zac 7:9; m Gé 19:13; Dt 15:9; Job 34:28; Lu 18:7; n Jer 22:17; Miq 2:2; Hab 2:9; o Re 21:16; p 2Cr 36:21; Isa 27:10; Am 5:11; q 1Sa 14:14; r Eze 45:11; s Dt 28:17; Joe 1:17; Ag 1:11; t Lu 21:34; Ro 13:13; Gál 5:21.

mismo los inflama!ª 12 Y tiene que resultar que haya arpa e instrumento de cuerdas, pandereta y flauta, y vino en sus banquetes;ᵇ pero la actividad de Jehová no miran, y la obra de sus manos no han visto.ᶜ

13 Por lo tanto, mi pueblo tendrá que irse al destierro por falta de conocimiento;ᵈ y su gloria será hombres muertos de hambre,ᵉ y su muchedumbre estará abrasada de sed.ᶠ 14 Por lo tanto, el Seol ha hecho espaciosa su alma y ha abierto ancha su boca, más allá del límite;ᵍ y lo que en ella es espléndido, también su muchedumbre y su alboroto y el alborozado, ciertamente bajarán a él.ʰ 15 Y el hombre terrestre se inclinará, y el hombre quedará rebajado, y hasta los ojos de los elevados serán rebajados.ⁱ 16 Y Jehová de los ejércitos llegará a ser alto mediante el juicio,ʲ y el Dios [verdadero], el Santo,ᵏ ciertamente se santificará mediante la justicia.ˡ 17 Y los corderos realmente pacerán como en su pasto; y residentes forasteros se comerán los lugares desolados de los animales bien alimentados.ᵐ

18 ¡Ay de los que tiran hacia sí el error con sogas de falsedad, y el pecado como con cuerdas de carreta;ⁿ 19 de los que están diciendo: "¡Apresúrese la obra de él; sí, venga rápidamente, a fin de que [la] veamos; y acérquese y venga el consejo del Santo de Israel, para que [lo] conozcamos!"ᵒ

20 ¡Ay de los que dicen que lo bueno es malo y lo malo es bueno,ᵖ los que ponen oscuridad por luz y luz por oscuridad, los que ponen amargo por dulce y dulce por amargo!ᵠ

21 ¡Ay de los que son sabios a sus propios ojos, y discretos aun enfrente de sus propios rostros!ʳ

22 ¡Ay de los que son poderosos en beber vino, y de los hombres con energía vital para mezclar licor embriagante,ª 23 los que pronuncian justo al inicuo a cambio de un soborno,ᵇ y que hasta la justicia del justo quitan de él!ᶜ

24 Por tanto, tal como una lengua de fuego se come el rastrojoᵈ y la mera hierba seca se hunde en las llamas, la mismísima raíz propagante de ellos llegará a ser justamente como un olor de moho,ᵉ y su flor misma subirá como polvo, porque han rechazado la ley de Jehová de los ejércitos,ᶠ y han tratado con falta de respeto al dicho del Santo de Israel.ᵍ 25 Por eso la cólera de Jehová se ha enardecido contra su pueblo, y él extenderá su mano contra ellos y les asestará un golpe.ʰ Y las montañas se agitarán,ⁱ y los cuerpos muertos de ellos llegarán a ser como la basura en medio de las calles.ʲ

En vista de todo esto, su cólera no se ha vuelto atrás, sino que su mano todavía está extendida. 26 Y ha levantado una señal enhiesta a una gran nación lejana,ᵏ y le ha silbado en la extremidad de la tierra;ˡ y, ¡miren!, apresuradamente vendrá con celeridad.ᵐ 27 No hay nadie cansado ni quien tropiece entre ellos. Nadie se adormece ni nadie duerme. Y el cinto que ciñe los lomos de ellos ciertamente no se abrirá, ni se romperán en dos las correas de sus sandalias; 28 porque las flechas de ellos están afiladas, y todos sus arcos están tensados.ⁿ Los mismos cascos de sus caballos tendrán que ser considerados como pedernal mismo,ᵒ y sus ruedas como una tempestad de viento.ᵖ 29 El rugido de ellos es como el de un león, y rugen como los leoncillos crinados.ᵠ Y gruñirán, y agarra-

CAP. 5
a Pr 20:1
  Pr 23:30
  Os 4:11
b 1Sa 25:36
c Job 34:27
  Sl 19:1
  Sl 28:5
  Sl 92:6
d Isa 27:11
  Jer 8:7
  Os 4:6
  Lu 19:44
e Jer 14:18
  Lam 4:9
f Jer 14:3
g Dt 28:63
  Pr 27:20
  Hab 2:5
h Eze 32:18
i Isa 2:11
  Isa 13:11
  Da 4:37
  1Pe 5:5
j Sl 9:16
  Ro 2:5
  Rev 19:2
k Isa 6:3
  Isa 8:13
  Isa 57:15
  Rev 4:8
l Dt 32:4
  2Cr 19:7
  Sl 98:2
m Dt 28:33
  Ne 9:37
  Isa 1:7
  Lam 5:2
  Os 8:7
n Sl 10:3
  Sl 14:1
  Sl 36:3
  Pr 6:18
o Pr 24:9
  Jer 5:12
  Jer 17:15
  Eze 12:22
  Am 5:18
p Pr 17:15
  Mal 2:17
q Mt 15:6
  2Pe 2:3
r Pr 3:7
  Pr 15:12
  Jn 9:41
  Ro 1:22
  Ro 12:16

2.ᵃ col.
a Pr 23:20
  Pr 31:5
  Isa 5:11
b Dt 16:19
  Pr 17:23
  Isa 1:23
  Miq 3:11
  Snf 2:9
c 1Re 21:13
  Sl 94:21
  Pr 17:15
  Mt 23:35
  Snf 5:6
d Ex 15:7
  Joe 2:5
  Na 1:10
  Mal 4:1
e Job 18:16
  Os 9:16
  Am 2:9
f 1Sa 15:23
  2Re 17:14
  Ne 9:26
  Sl 50:17
  Heb 10:28

g Dt 31:20; Isa 1:4; h Dt 31:17; 2Cr 36:16; Lam 2:2; i Na 1:5; j 2Re 9:37; Sl 83:10; Jer 8:2; k Jer 52:4; l Dt 28:49; Jer 5:15; m Jer 4:13; Lam 4:19; n Sl 120:4; o Pr 21:31; Eze 3:9; p Hab 1:8; q Jer 50:17.

rán la presa, y [se la] llevarán con seguridad, y no habrá libertador.[a] 30 Y gruñirán sobre ella en aquel día como con el gruñido del mar.[b] Y uno realmente mirará con fijeza la tierra, y, ¡miren!, hay oscuridad angustiosa;[c] y hasta la luz se ha oscurecido a causa de las gotas que caen en ella.

6 En el año que murió el rey Uzías,[d] yo, sin embargo, conseguí ver a Jehová,[e] sentado en un trono[f] excelso y elevado, y sus faldas llenaban el templo.[g] 2 Había serafines de pie por encima de él.[h] Cada uno tenía seis alas. Con dos se cubría el rostro,[i] y con dos se cubría los pies, y con dos volaba de acá para allá. 3 Y este clamó a aquel y dijo: "Santo, santo, santo es Jehová de los ejércitos.[j] La plenitud de toda la tierra es su gloria".[a] 4 Y los quicios[k] de los umbrales empezaron a retemblar a la voz del que clamó, y la casa misma gradualmente se llenó de humo.[l] 5 Y procedí a decir: "¡Ay de mí! ¡Pues puedo darme como reducido a silencio, porque hombre inmundo de labios soy,[m] y en medio de un pueblo inmundo de labios moro;[n] pues mis ojos han visto al mismo Rey, Jehová de los ejércitos!".[o]
6 Ante eso, uno de los serafines voló a donde mí, y en su mano había una brasa[p] relumbrante que él había tomado con tenazas del altar.[q] 7 Y él procedió a tocarme la boca[r] y a decir: "¡Mira! Esto ha tocado tus labios, y tu error se ha ido y tu pecado mismo queda expiado".[s]
8 Y empecé a oír la voz de Jehová que decía: "¿A quién enviaré, y quién irá por nosotros?".[t] Y yo procedí a decir: "¡Aquí estoy yo! Envíame a mí".[u] 9 Y él pasó a decir: "Ve, y tienes que decir a este pueblo: 'Oigan vez tras vez, pero no entiendan; y vean vez tras vez, pero no consi-

gan conocimiento'.[a] 10 Haz el corazón de este pueblo indispuesto a recibir,[b] y haz sus mismísimos oídos indispuestos a responder,[c] y pégales los mismísimos ojos, para que no vean con los ojos y no oigan con los oídos, y para que su propio corazón no entienda, y para que realmente no se vuelvan y consigan curación para sí".[d]
11 Ante esto, dije: "¿Hasta cuándo, oh Jehová?".[e] Entonces él dijo: "Hasta que las ciudades realmente caigan estrepitosamente en ruinas, para estar sin habitante, y las casas estén sin hombre terrestre, y el suelo mismo sea arruinado hasta ser una desolación;[f] 12 y Jehová realmente aleje a los hombres terrestres, y la condición desértica de veras llegue a ser muy extensa en medio de la tierra.[g] 13 Y todavía habrá en ella un décimo,[h] y de nuevo tiene que llegar a ser algo para quemazón, como un árbol grande y como un árbol macizo en los cuales, cuando hay tala [de ellos],[i] hay tocón;[j] una descendencia santa será el tocón de él".[k]

7 Ahora bien, aconteció en los días de Acaz[l] el hijo de Jotán el hijo de Uzías, el rey de Judá, que Rezín[m] el rey de Siria —y Péqah[n] el hijo de Remalías, el rey de Israel— subió a Jerusalén para hacer guerra contra ella, y él no pudo hacer guerra contra ella.[o] 2 Y a la casa de David se dio un informe que dijo: "Siria se ha apoyado en Efraín".[p]
Y se puso tembloroso el corazón de él y el corazón de su pueblo, como el temblor de los árboles del bosque a causa de un viento.[q]
3 Y Jehová procedió a decir a Isaías: "Sal, por favor, al encuentro de Acaz, tú y Sear-

CAP. 5
a Sl 50:22
Isa 42:22
b Jer 6:23
c Isa 8:22
Jer 4:23
Joe 2:10
Am 8:9

CAP. 6
d 2Cr 26:23
e Éx 33:20
Dt 4:12
Dt 4:15
Jn 1:18
f 1Re 22:19
g Da 7:9
h Isa 6:6
i Éx 3:6
j Éx 15:11
Hab 1:13
Rev 4:8
k Pr 26:14
l Rev 15:8
m Job 14:4
n Isa 29:13
Snt 3:2
o Gé 32:30
Éx 33:20
Jue 6:22
Jue 13:22
Jn 1:18
Jn 4:24
p Eze 10:2
q Rev 8:5
r Jer 1:9
Da 10:16
s Sl 51:2
Miq 7:18
Zac 3:4
t Gé 1:26
Gé 3:22
Jn 1:2
u Isa 3:8
Sl 110:3
Mt 4:20

2.ª col.
a Isa 44:18
Jer 5:21
Mt 13:14
Lu 8:10
Hch 28:26
b Éx 7:3
1Sa 6:6
Eze 3:7
2Co 2:16
c Jer 6:10
Zac 7:11
Jn 3:20
Hch 28:27
d 1Sa 2:25
Mt 13:15
Sl 74:10
Sl 94:3
f 2Cr 36:21
Isa 1:7
Isa 3:26
Isa 24:1
g 2Re 25:11
Jer 52:28
h Isa 10:20
Ro 9:27
i Mt 3:10
j Ro 11:7
k Gé 22:18
Ro 11:5
Gál 3:16
Gál 3:29

CAP. 7 l 2Re 16:1; 2Cr 28:1; m 2Re 16:5; n 2Re 15:37; 2Cr 28:6; o 2Re 16:5; p 2Cr 25:7; Isa 11:13; Eze 37:16; q Le 26:36; Pr 28:1.

jasub[a] tu hijo, al extremo del conducto[b] del estanque superior junto a la calzada del campo del lavandero.[c] 4 Y tienes que decirle: 'Cuídate y manténte sosegado.[d] No tengas miedo, y no dejes que tu corazón mismo sea tímido[e] a causa de las dos colas de estos leños humeantes, a causa de la ardiente cólera de Rezín y Siria y el hijo de Remalías,[f] 5 por la razón de que Siria, [con] Efraín y el hijo de Remalías, ha aconsejado lo que es malo contra ti, diciendo: 6 "Subamos contra Judá y desgarrémoslo y por irrupciones tomémoslo para nosotros; y hagamos reinar dentro de él a otro rey, al hijo de Tabeel".[g]

7 "'Esto es lo que ha dicho el Señor Soberano Jehová: "No subsistirá, ni tendrá lugar.[h] 8 Porque la cabeza de Siria es Damasco, y la cabeza de Damasco es Rezín; y en el transcurso de solo sesenta y cinco años Efraín será hecho añicos, de modo que no sea pueblo.[i] 9 Y la cabeza de Efraín es Samaria,[j] y la cabeza de Samaria es el hijo de Remalías.[k] A no ser que ustedes tengan fe, no serán en tal caso de larga duración"'".[l]

10 Y Jehová siguió hablándole más a Acaz, y dijo: 11 "Pide para ti una señal de Jehová tu Dios,[m] haciéndola tan profunda como el Seol o haciéndola alta como las regiones de arriba". 12 Pero Acaz dijo: "No pediré, ni someteré a Jehová a prueba".

13 Y él procedió a decir: "Escuchen, por favor, oh casa de David. ¿Les es cosa tan pequeña cansar a los hombres, que también hayan de cansar a mi Dios?[n] 14 Por lo tanto, Jehová mismo les dará una señal: ¡Miren! La doncella[o] misma realmente quedará encinta,[p] y va a dar a luz un hijo,[q] y ciertamente le pondrá por nombre Emmanuel. 15 Mantequilla y miel comerá él para cuando sepa rechazar lo malo y escoger lo bueno.[a] 16 Porque antes que el muchacho sepa rechazar lo malo y escoger lo bueno,[b] el suelo de aquellos dos reyes que te hacen sentir pavor morboso será dejado enteramente.[c] 17 Jehová traerá contra ti[d] y contra tu pueblo y contra la casa de tu padre días como los cuales no han venido unos desde el día en que Efraín se apartó de estar al lado de Judá,[e] a saber, al rey de Asiria.[f]

18 "Y en aquel día tiene que ocurrir que Jehová silbará a las moscas que están a la extremidad de los canales del Nilo de Egipto y a las abejas[g] que están en la tierra de Asiria.[h] 19 y ciertamente vendrán y se asentarán, todas ellas, sobre los valles torrenciales escarpados y sobre las hendiduras de los peñascos y sobre todos los matorrales de espinas y sobre todos los abrevaderos.[i]

20 "En aquel día, por medio de una navaja alquilada en la región del Río,[j] aun por medio del rey de Asiria,[k] Jehová afeitará la cabeza y el pelo de los pies, y ella barrerá hasta la barba misma.[l]

21 "Y en aquel día tiene que ocurrir que un individuo conservará vivas una ternera de vacada y dos ovejas.[m] 22 Y tiene que ocurrir que, debido a la abundancia de la producción de leche, él comerá mantequilla; porque mantequilla y miel[n] será lo que comerán todos los que queden en medio del país.

23 "Y en aquel día tiene que ocurrir que todo lugar donde antes hubiera habido mil vides, que valieran mil piezas de plata,[o] llegará a ser... para las zarzas y para las malas hierbas llegará a ser.[p] 24 Con flechas y el arco él irá allá,[q] porque todo el país llegará a ser meras zarzas y malas hierbas. 25 Y todas las montañas que se limpiaban con azadón de todas las plantas molestas... no irás allá por temor de las zar-

CAP. 7
a Isa 8:18
b 2Re 18:17
  2Re 20:20
c Isa 36:2
d Lam 3:26
  Mt 10:28
e Dt 20:3
f 2Re 15:30
  Isa 8:6
g 2Re 16:5
h Sl 2:4
  Sl 33:11
  Pr 21:30
i 2Re 17:6
  Os 1:6
j 1Re 16:24
k 2Re 15:27
l 2Cr 20:20
  Ne 9:35
  Heb 11:6
m Jue 6:36
  Isa 37:30
  Isa 38:7
  Mt 12:38
n 2Cr 36:16
  Mal 2:17
  Hch 7:51
o Lu 1:34
p Mt 1:23
  Lu 1:35
q Isa 9:6
  Jn 1:14
  1Ti 3:16

2.ª col.
a Pr 8:13
  Lu 2:40
  Ro 12:9
b 2Re 15:29
  2Re 16:9
  Isa 8:4
  Isa 9:1
c 2Re 15:29
  2Re 16:9
  Isa 8:4
  Isa 9:1
d 2Cr 28:19
  Ne 9:32
e 1Re 12:20
f 2Re 18:14
g Dt 1:44
  Sl 118:12
h 2Re 18:13
  2Re 19:4
i 2Re 18:17
  2Cr 33:11
j Gé 15:18
  2Re 23:29
k 2Re 16:7
  2Cr 28:20
l Isa 9:14
  Isa 15:2
  Isa 24:3
m Jer 39:10
n 2Sa 17:29
o Can 8:11
p Isa 5:6
  Isa 32:13
  Jer 4:26
  Heb 6:8
q Eze 39:9

zas y las malas hierbas; y ciertamente llegará a ser un lugar donde soltar los toros, y terreno de holladura para las ovejas".[a]

8 Y Jehová procedió a decirme: "Toma para ti una tabla[b] grande y escribe sobre ella con estilo de hombre mortal: 'Maher-salal-has-baz'. 2 Y déjeseme tener atestación[c] para mí mismo por testigos fieles,[d] Urías el sacerdote[e] y Zacarías el hijo de Jeberekías".

3 Entonces me acerqué a la profetisa, y ella quedó encinta, y con el tiempo dio a luz un hijo.[f] Jehová ahora me dijo: "Ponle por nombre Maher-salal-has-baz, 4 porque antes que el muchacho sepa clamar:[g] '¡Padre mío!', y: '¡Madre mía!', uno se llevará los recursos de Damasco y el despojo de Samaria delante del rey de Asiria".[h]

5 Y Jehová procedió a hablarme de nuevo, y dijo: 6 "Por la razón de que este pueblo ha rechazado[i] las aguas del Siloé,[j] que están yendo apaciblemente, y hay alborozo[k] a causa de Rezín y el hijo de Remalías;[l] 7 aun por eso, ¡mira!, Jehová está haciendo subir contra ellos[m] las aguas poderosas y caudalosas del Río,[n] al rey de Asiria[o] y toda su gloria.[p] Y él ciertamente subirá por encima de todos sus cauces e irá por encima de todas sus riberas 8 y avanzará a través de Judá. Realmente inundará y pasará por encima.[q] Hasta el cuello llegará.[r] Y la extensión de sus alas[s] tendrá que efectuarse para llenar la anchura de tu tierra, oh Emmanuel!".[t]

9 ¡Sean dañinos, oh pueblos, y sean hechos añicos;[u] y presten oído, todos ustedes los que están en partes distantes de la tierra!u ¡Cíñanse,[v] y sean hechos añicos!u ¡Cíñanse, y sean hechos añicos!

10 ¡Planeen un proyecto, y será desbaratado![k] ¡Hablen cualquier palabra, y no subsistirá, por-

que Dios está con nosotros![a] 11 Porque esto es lo que Jehová me ha dicho con fuerza de la mano, para desviarme de andar en el camino de este pueblo, al decir: 12 "Ustedes no deben decir: '¡Conspiración!' respecto a todo aquello de lo cual este pueblo sigue diciendo: '¡Conspiración!',[b] y no deben temer el objeto de su temor, ni deben temblar ante él.[c] 13 Jehová de los ejércitos... es a él a Quien ustedes deben tratar como santo,[d] y él debe ser el objeto de su temor,[e] y él debe ser Quien los haga temblar".[f]

14 Y él tiene que llegar a ser como lugar sagrado;[g] pero no deben piedra contra la cual dar y como roca sobre la cual tropezar[h] para ambas casas de Israel, como trampa y como lazo para los habitantes de Jerusalén.[i] 15 Y muchos entre ellos de seguro tropezarán y caerán y serán quebrados, y serán cogidos en lazo y atrapados.[j]

16 ¡Envuelve la atestación,[k] pon un sello alrededor de la ley entre mis discípulos![l] 17 Y ciertamente me mantendré en expectación de Jehová,[m] que oculta su rostro de la casa de Jacob,[n] y en él ciertamente esperaré.[o]

18 ¡Miren! Yo y los hijos que Jehová me ha dado[p] somos como señales[q] y como milagros en Israel de parte de Jehová de los ejércitos, que está residiendo en el monte Sión.[r]

19 Y en caso de que les digan: "Recurran a los médium espiritistas[s] o a los que tienen espíritu de predicción, que están chirriando[t] y profiriendo expresiones en voz baja", ¿no es a su Dios a quien debe recurrir cual-

CAP. 7
a Isa 34:13

CAP. 8
b Isa 30:8
Hab 2:2
c Rut 4:7
Isa 8:16
d 2Co 13:1
e 2Re 16:10
f Isa 8:18
g Isa 7:16
h 2Re 15:29
2Re 17:6
2Re 17:6
Isa 17:1
i 2Re 17:16
j Sl 36:9
Jer 17:13
Jn 9:7
k Pr 17:5
Pr 24:17
l Isa 7:1
m Dt 28:49
n 1Cr 18:3
Isa 7:20
o 2Re 17:5
2Re 18:9
Isa 7:17
p Eze 31:3
q 2Cr 28:20
Isa 10:28
r Isa 30:28
s Eze 17:3
Isa 7:14
Mt 1:23
u Miq 4:11
Zac 14:2
v 1Re 20:11
w 2Cr 32:21
Isa 37:36
x Sl 2:9
Sl 33:10
Pr 21:30

2.ᵃ col.
a Dt 20:1
Sl 44:3
Ro 8:31
1Jn 4:4
b 2Re 16:5
Isa 7:2
c Dt 32:21
Sl 96:5
Isa 44:8
Jer 16:20
1Co 8:4
1Pe 3:14
d Le 10:3
Le 22:32
Isa 29:23
e Pr 8:13
Ec 12:13
Mt 10:28
Lu 12:5
Rev 15:4
f Sl 2:11
Sl 76:7
Isa 66:2
Mal 2:5
Flp 2:12
g Jn 14:6
Flp 2:9
Col 3:17
h Pr 4:19
Isa 28:16
Mt 13:57
Lu 20:18
Ro 9:32
Ro 9:33
1Pe 2:8
i Mt 13:57

j Mt 11:6; Mt 21:44; 1Co 1:23; k Rut 4:7; Isa 8:2; Da 12:4; Rev 5:1; l Isa 29:11; Da 12:9; m Sl 33:20; Sl 39:7; Heb 6:12; 2Pe 3:9; n Dt 31:17; Dt 32:20; Eze 39:23; Miq 3:4; o Sl 37:34; Sl 40:1; Sl 146:5; p Isa 7:16; Isa 4:3; Heb 2:13; q Isa 7:14; 1Co 4:9; r Sl 9:11; Isa 12:6; Isa 24:23; s Le 20:6; Dt 18:11; t Isa 29:4.

quier pueblo?[a] ¿[Debe recurrir-se] a personas muertas en pro de personas vivas?[b]　20 ¡A la ley y a la atestación![c]

De seguro ellos seguirán diciendo lo que es conforme a esta declaración[d] que no tendrá luz del alba.[e]　21 Y cada uno ciertamente pasará por la tierra duramente oprimido y hambriento;[f] y tiene que suceder que, por estar hambriento y por haberse indignado, realmente invocará el mal contra su rey y contra su Dios,[g] y ciertamente mirará con avidez hacia arriba. 22 Y mirará hacia la tierra, y, ¡he aquí!, angustia y oscuridad,[h] lobreguez, tiempos difíciles y te-nebrosidad, sin ningún resplan-dor.[i]

9 Sin embargo, la lobreguez no será como cuando la tierra tuvo premura, como en el tiem-po anterior cuando uno trató con desprecio a la tierra de Za-bulón y a la tierra de Neftalí[j] y cuando en el tiempo posterior uno hizo que se [le] honrara[k]... el camino junto al mar, en la región del Jordán, Galilea de las nacio-nes.[l]　2 El pueblo que andaba en la oscuridad ha visto una gran luz.[m] En cuanto a los que moran en la tierra de sombra profunda,[n] la luz misma ha bri-llado sobre ellos.[o]　3 Has hecho populosa la nación;[p] para ella has hecho grande el regocijo.[q] Se han regocijado delante de ti como con el regocijo del tiempo de la siega;[r] como los que se re-gocijan al dividir el despojo.[s]

4 Porque el yugo de su carga[t] y la vara sobre sus hombros, el bastón del que los obligaba a trabajar,[u] los has hecho añicos como en el día de Madián.[v] 5 Porque toda bota del que piso-teaba[w] con estremecimientos y el manto revolcado en sangre hasta han llegado a ser para que-mazón, como alimento para el fuego.[x]　6 Porque un niño nos ha nacido,[y] un hijo se nos ha

dado;[a] y el regir principesco ven-drá a estar sobre su hombro.[b] Y por nombre se le llamará Mara-villoso Consejero,[c] Dios Podero-so,[d] Padre Eterno,[e] Príncipe de Paz.[f]　7 De la abundancia del regir principesco[g] y de la paz no habrá fin,[h] sobre el trono de Da-vid[i] y sobre su reino a fin de es-tablecerlo firmemente[j] y susten-tarlo por medio del derecho[k] y por medio de la justicia,[l] desde ahora en adelante y hasta tiem-po indefinido. El mismísimo celo de Jehová de los ejércitos hará esto.[m]

8 Hubo una palabra que Je-hová envió contra Jacob, y esta cayó sobre Israel.[n]　9 Y el pue-blo ciertamente [lo] sabrá,[o] aun todos ellos, Efraín y el habitante de Samaria,[p] a causa de [la] alti-vez [de ellos] y a causa de [la] insolencia de corazón [de ellos], al decir:[q]　10 "Ladrillos son lo que ha caído, pero con piedras labradas[r] edificaremos. Sicó-moros[s] son lo que ha sido corta-do, pero con cedros haremos el reemplazo".　11 Y Jehová colo-cará a los adversarios de Rezín en alto contra él, y a los enemi-gos de aquel los aguijoneará:[t] 12 a Siria del este[u] y a los filis-teos de la zaga,[v] y se comerán a Israel con boca abierta.[w] En vis-ta de todo esto, la cólera de él no se ha vuelto atrás, sino que su mano todavía está extendida.[x]

13 Y el pueblo mismo no se ha vuelto a Aquel que lo golpea,[y] y a Jehová de los ejércitos no han buscado.[z]　14 Y Jehová cortará de Israel cabeza[a] y cola,[b] tallo y junco, en un solo día.[c]　15 El de edad y altamente respetado es la cabeza,[d] y el profeta que da ins-

CAP. 8
a Ex 19:5
2Re 1:3
b Sl 135:4
b Sl 146:4
Bc 9:5
c Isa 8:2
d Isa 8:19
e Pr 4:19
f Dt 28:48
2Re 25:3
Jer 52:6
Lam 4:4
g Ex 22:28
Pr 19:3
h Pr 4:19
Sof 1:15
Mt 8:12
i 2Cr 15:5
Jer 23:12
Joe 2:31

CAP. 9
j 2Re 15:29
k Gé 49:21
Mt 4:13
l Mt 4:15
m Mt 4:16
Lu 1:79
Lu 2:32
Jn 1:9
Jn 8:12
n Am 5:8
o Mt 4:16
p Zac 2:11
Zac 8:23
q Hch 8:8
Flp 4:4
1Pe 1:8
r Sl 4:7
Sl 126:6
s 1Sa 30:16
2Cr 20:27
t Dt 28:48
Isa 10:27
Jer 30:8
Eze 34:27
Na 1:13
u Isa 14:5
v Jue 8:12
Jue 8:28
Isa 10:26
w Isa 14:4
x Isa 9:19
y Isa 7:14
Lu 1:35
Lu 2:11

2.ª col.
a Jn 1:14
Jn 3:16
Heb 1:2
b Gé 49:10
Sl 2:6
Lu 22:29
Rev 19:16
c Isa 11:2
Zac 6:13
Mt 7:28
Mt 12:42
d Sl 45:3
Jn 1:18
e 1Co 15:22
Heb 9:12
Rev 1:18
f Isa 32:18
Jn 14:27
g Da 2:35
h Sl 72:7
Da 2:44
i Lu 1:32
Rev 3:7

j 2Sa 7:16; Rev 11:15; k Isa 42:1; Jer 23:5; Mt 12:18; l Sl 45:6; Isa 1:26; Jer 3:1; Jn 5:30; Heb 1:8; m 2Re 19:31; Isa 37:32; Eze 36:22; n Isa 7:8; o Job 21:19; Eze 33:33; p 2Re 17:6; Isa 7:9; q Pr 16:18; Mal 3:15; r 1Re 7:9; Am 5:11; s 1Re 10:27; t 2Re 16:9; u 2Re 16:6; v 2Cr 28:18; w Dt 31:17; Sl 79:7; Jer 10:25; x Isa 5:25; Isa 10:4; y Os 7:2; Os 7:10; z 2Re 17:14; Am 4:6; Am 5:6; a Isa 5:13; b Dt 13:5; 2Re 17:6; c Isa 10:17; Os 10:15; d Snt 3:1.

trucción falsa es la cola.ª　16 Y los que van guiando a este pueblo resultan ser los que hacen que anden errantes;ᵇ y los de ellos que están siendo guiados, los que se están confundiendo.ᶜ 17 Por eso Jehová no se regocijará siquiera a causa de sus jóvenes,ᵈ y de sus huérfanos de padre y de sus viudas no tendrá misericordia; porque todos ellos son apóstatasᵉ y malhechores, y toda boca está hablando insensatez. En vista de todo esto, la cólera de él no se ha vuelto atrás, sino que su mano todavía está extendida.ᶠ

18 Porque la iniquidad ha llegado a arder justamente como un fuego;ᵍ zarzas y malas hierbas comerá.ʰ Y se encenderá en los matorrales del bosque,ⁱ y serán llevados en alto como remolinos de humo.ʲ 19 En el furor de Jehová de los ejércitos se ha encendido la tierra, y el pueblo llegará a ser como alimento para el fuego.ᵏ Nadie mostrará compasión siquiera a su hermano.ⁱ 20 Y uno cortará a la derecha y ciertamente tendrá hambre; y uno comerá a la izquierda, y ciertamente no estarán satisfechos. Comerán cada cual la carne de su propio brazo,ⁿ 21 Manasés a Efraín, y Efraín a Manasés. Juntos estarán contra Judá.º En vista de todo esto, la cólera de él no se ha vuelto atrás, sino que su mano todavía está extendida.ᵖ

10 ¡Ay de los que están decretando disposiciones reglamentarias dañinasᑫ y de los que, escribiendo constantemente, han puesto por escrito puro penoso afán, 2 para rechazar de una causa judicial a los de condición humilde, y para arrebatar de los afligidos de mi pueblo la justicia,ʳ para que las viudas lleguen a ser su despojo, y para que puedan saquear aun a los huérfanos de padre!ˢ 3 ¿Y qué harán ustedes ante el día de dárseles atenciónᵗ y ante la ruina, cuando venga de lejos?ᵘ Ha-

cia quién huirán por auxilio,ª y dónde dejarán su gloria,ᵇ 4 a no ser que uno no tenga que inclinarse bajo los prisioneros y que la gente siga cayendo debajo de los que han sido muertos?ᶜ En vista de todo esto, la cólera de él no se ha vuelto atrás, sino que su mano todavía está extendida.ᵈ

5 "¡Ajá, el asirio,ᵉ la vara para mi cólera,ᶠ y el palo que está en la mano de ellos para mi denunciación! 6 Contra una nación apóstataᵍ lo enviaré, y contra el pueblo de mi furor le daré una orden,ʰ para que tome mucho despojo y para que tome mucho en saqueo y para que haga de él un lugar de holladura como el barro de las calles.ⁱ 7 Aunque él no sea así, se sentirá inclinado; aunque su corazón no sea así, él tramará, porque el aniquilar está en su corazón,ʲ y el cortar no pocas naciones.ᵏ 8 Porque él dirá: '¿No son mis príncipes al mismo tiempo reyes?ⁱ 9 ¿No es Calnóᵐ justamente como Carquemis?ⁿ ¿No es Hamatᵒ justamente como Arpad?ᵖ ¿No es Samariaᑫ justamente como Damasco?ʳ 10 Cuando quiera que mi mano haya alcanzado los reinos del dios que nada vale, cuyas imágenes esculpidas son más que las [que están] en Jerusalén y en Samaria,ˢ 11 ¿no será que tal como habré hecho a Samaria y a sus dioses que nada valen,ᵗ aun así haré a Jerusalén y a sus ídolos?'.ᵘ

12 "Y tiene que suceder que cuando Jehová termine toda su obra en el monte Sión y en Jerusalén, me encargaré de la rendición de cuentas por el fruto de la insolencia del corazón del rey de Asiria y por el engreimiento de su altanería de ojos.ᵛ 13 Porque él ha dicho: 'Con el poder de mi mano ciertamente actuaré,ʷ y con mi sabiduría, porque sí tengo entendimiento; y quitaré

CAP. 9
a Dt 13:1
　Jer 5:31
　Mt 7:15
b Isa 3:12
c Mt 15:14
d Sl 5:4
　Sl 147:10
e Dt 4:25
f Isa 5:25
　Eze 20:33
g Job 31:12
　Na 1:6
h Mal 4:1
　Heb 6:8
i Eze 20:47
　Sl 37:20
　Os 13:3
k Isa 10:17
　Jer 9:12
　Sof 1:18
l Miq 7:6
m Eze 26:26
　Dt 28:51
n Le 26:29
o 2Cr 28:6
p Isa 5:25

CAP. 10
q Isa 9:15
　Dt 1:17
r Isa 29:21
　Isa 3:36
　Am 2:7
s Dt 27:19
　Isa 1:23
　Snt 1:27
t Os 9:7
u Dt 28:49
　Isa 5:26

2.ª col.
a Os 5:13
b Sl 49:17
c Dt 32:30
d Isa 5:25
e Gé 10:11
f Jer 17:3
　Isa 8:4
　Isa 10:24
g Sl 73:27
　Isa 24:15
　Isa 33:14
　Jer 3:8
h 2Re 17:6
i Dt 28:63
　2Re 17:23
j 1am 2:16
　Miq 4:11
k 2Re 18:34
　Isa 37:12
　Isa 18:24
m Am 6:2
n 2Cr 35:20
　Jer 46:2
o 2Sa 8:9
　2Re 17:24
p 2Re 19:13
　Jer 49:23
q 2Re 17:5
　2Re 18:10
r 2Re 16:9
　2Re 18:34
　2Re 19:18
　2Cr 32:19
t Isa 36:19
　Isa 37:12
　Jer 16:20
　1Co 8:4
u 2Re 21:11

v 2Re 18:19;　2Re 18:35;　Sl 18:27;　w Dt 8:17;　Eze 25:3;　Eze 29:3.

los límites de los pueblos,[a] y ciertamente saquearé sus cosas almacenadas,[b] y rebajaré a sus habitantes justamente como un poderoso.[c] 14 Y como si [fuera en] un nido, mi mano[d] alcanzará los recursos de los pueblos; y justamente como cuando uno recoge huevos que han sido dejados, yo mismo ciertamente recogeré aun toda la tierra, y ciertamente no habrá quien menee [las] alas ni abra [la] boca ni chirríe'.''

15 ¿Se dará realce a sí misma el hacha sobre el que corta con ella, o se engrandecerá la sierra sobre el que la mueve de acá para allá, como si el bastón moviera de acá para allá a los que lo levantan en alto, como si la vara levantara en alto al que no es madera?[f] 16 Por lo tanto, el Señor [verdadero], Jehová de los ejércitos, seguirá enviando sobre los gordos de él una enfermedad de extenuación,[g] y debajo de la gloria de él seguirá ardiendo un ardor como el ardor de un fuego.[h] 17 Y la Luz de Israel[i] tiene que llegar a ser un fuego,[j] y su Santo una llama;[k] y tiene que saltar en llamaradas y comer las malas hierbas y las zarzas[l] de él en un solo día. 18 Y Él hará que se acabe la gloria de su bosque y de su huerto,[m] aun desde el alma hasta la carne misma, y tiene que llegar a ser como el consumirse de uno que está enfermo.[n] 19 Y los restantes árboles de su bosque... llegarán a ser de tal número que un simple muchacho podrá apuntarlos.[o]

20 Y en aquel día ciertamente sucederá que los que queden de Israel,[p] y los de la casa de Jacob que hayan escapado, nunca volverán a apoyarse en el que los golpeó,[q] y ciertamente se apoyarán en Jehová, el Santo de Israel,[r] con apego a la verdad.[s] 21 Un simple resto volverá, el resto de Jacob, al Dios Poderoso.[t] 22 Pues aunque tu pueblo, oh Israel, resultara ser como los granos de arena del mar,[u] un

simple resto entre él volverá.[a] Un exterminio[b] ya decidido vendrá inundando en justicia,[c] 23 porque un exterminio[d] y una decisión estricta estará ejecutando el Señor Soberano, Jehová de los ejércitos, en medio de todo el país.[e]

24 Por lo tanto, esto es lo que ha dicho el Señor Soberano,[f] Jehová de los ejércitos: ''No tengas miedo, oh pueblo mío que moras en Sión,[g] a causa del asirio, que con la vara [te] golpeaba,[h] y que alzaba contra ti su propio bastón de la manera como lo hizo Egipto.[i] 25 Porque todavía un rato muy corto... y la denunciación[j] se habrá acabado, y mi cólera, al desgastarse ellos.[k] 26 Y Jehová de los ejércitos ciertamente blandirá contra él un látigo[l] como en la derrota de Madián junto a la roca Oreb;[m] y su bastón estará sobre el mar,[n] y ciertamente lo alzará de la manera como lo hizo con Egipto.[o]

27 ''Y en aquel día tiene que suceder que su carga se apartará de sobre tu hombro,[p] y su yugo de sobre tu cuello,[q] y el yugo ciertamente será destrozado[r] a causa del aceite.

28 Ha venido sobre Ayat;[s] ha pasado adelante por Migrón; en Micmash[t] deposita sus objetos. 29 Han pasado el vado, Gueba[u] es lugar donde pasar la noche, Ramá[v] ha temblado, Guibeah[w] de Saúl misma ha huido. 30 Dé tu voz gritos agudos, oh hija de Galim.[x] Presta atención, oh Laisa. ¡Oh afligida, Anatot![y] 31 Madmená se ha dado a la fuga. Los habitantes mismos de Guebim se han puesto a cubierto.[z] 32 En Nob[z] todavía es de día para que se haga alto. Él agita la mano [amenazante] hacia la montaña de la hija de Sión, la colina de Jerusalén.[a]

CAP. 10
a 2Re 15:29
2Re 17:6
2Re 18:11
1Cr 5:26
b 2Re 16:8
2Re 18:16
c 2Re 18:25
d Job 31:25
Hab 2:5
e Gé 34:29
f Isa 8:4
g Isa 10:5
2Cr 32:21
h Isa 30:30
Isa 30:31
i SI 37:1
SI 84:11
Isa 31:9
Isa 60:19
Rev 22:5
j Dt 4:24
Isa 30:27
Heb 12:29
k SI 18:8
Can 8:6
l 2Re 14:9
SI 97:3
Isa 9:5
Na 1:6
m 2Cr 32:21
n Jer 21:14
o Isa 37:36
p Esd 6:16
Hag 1:4
Eze 37:21
Ro 9:27
q 2Cr 28:20
Os 5:13
Os 14:1
r Le 19:2
Isa 2:2
s Esd 1:3
Ne 1:9
Isa 17:7
Isa 54:13
t Isa 65:9
Os 1:10
Os 6:11
Ro 9:29
u 1Re 4:20

2.ᵃcol.
a Ro 9:27
Ro 11:5
b Isa 28:22
Dt 32:4
SI 145:17
d Isa 1:9
e Dt 28:63
Am 4:13
Ro 9:28
f Heb 4:24
Heb 12:23
g Isa 4:3
Isa 12:6
h 2Re 18:13
Isa 10:5
Isa 37:37
i Éx 14:3
Éx 14:9
j 2Re 19:35
k Miq 7:9
l 2Cr 32:21
Isa 30:32
Isa 14:25
Miq 7:10
Na 3:7
m Jue 7:25
Jue 8:21
SI 83:11
n Éx 14:21
Hab 3:15

o Éx 14:27; Ne 9:11; SI 106:11; p Isa 9:4; Na 1:13; q Isa 14:25; r 2Re 19:35; Isa 37:35; Isa 37:36; s Jos 7:2; t 1Sa 13:2; 1Sa 14:31; u Jos 18:24; Jos 21:17; 2Cr 16:6; v Os 5:8; w Jue 20:13; Os 9:9; Os 10:9; x 1Sa 25:44; Jos 21:18; 1Re 2:26; Jer 1:1; z Isa 22:19; Ne 11:32; a 2Re 19:21; SI 132:13; Isa 10:24.

33 ¡Miren! El Señor [verdadero], Jehová de los ejércitos, desgaja ramas mayores con un terrible estallido;[a] y las de alta estatura son cortadas, y las elevadas mismas quedan rebajadas.[b] 34 Y él ha derribado los matorrales del bosque con un instrumento de hierro, y por un poderoso el Líbano mismo caerá.[c]

11 Y tiene que salir una ramita[d] del tocón de Jesé;[e] y procedente de sus raíces un brote[f] será fructífero.[g] 2 Y sobre él tiene que asentarse el espíritu de Jehová,[h] el espíritu de sabiduría[i] y de entendimiento,[j] el espíritu de consejo y de poderío,[k] el espíritu de conocimiento[l] y del temor de Jehová;[m] 3 y habrá disfrute por él en el temor de Jehová.[n]

Y él no juzgará por la mera apariencia de las cosas a sus ojos, ni censurará simplemente según lo que oigan sus oídos.[o] 4 Y con justicia tiene que juzgar a los de condición humilde,[p] y con rectitud tiene que administrar censura a favor de los mansos de la tierra. Y tiene que golpear la tierra con la vara de su boca;[q] y con el espíritu de sus labios dará muerte al inicuo.[r] 5 Y la justicia tiene que resultar ser el cinto de sus caderas,[s] y la fidelidad el cinto de sus lomos.[t]

6 Y lobo realmente morará por un tiempo con el cordero,[u] y el leopardo mismo se echará con el cabrito, y el becerro y el leoncillo crinado[v] y el animal bien alimentado todos juntos;[w] y un simple muchachito será guía sobre ellos. 7 Y la vaca y la osa mismas pacerán; sus crías se echarán juntas. Y hasta el león comerá paja justamente como el toro.[x] 8 Y el niño de pecho ciertamente jugará sobre el agujero de la cobra;[y] y sobre la abertura para la luz de una culebra venenosa realmente pondrá su propia mano un niño destetado.

9 No harán ningún daño[a] ni causarán ninguna ruina en toda mi santa montaña;[b] porque la tierra ciertamente estará llena del conocimiento de Jehová como las aguas cubren el mismísimo mar.[c]

10 Y en aquel día[d] tiene que suceder que habrá la raíz de Jesé[e] que estará de pie como señal enhiesta para los pueblos.[f] A él hasta las naciones se dirigirán inquiriendo,[g] y su lugar de descanso tiene que llegar a ser glorioso.[h]

11 Y en aquel día tiene que suceder que Jehová volverá a ofrecer su mano, por segunda vez,[i] para adquirir el resto de su pueblo que quede de Asiria[j] y de Egipto[k] y de Patrós[l] y de Cus[m] y de Elam[n] y de Sinar[o] y de Hamat y de las islas del mar.[p] 12 Y ciertamente levantará una señal enhiesta para las naciones y reunirá a los dispersos de Israel;[q] y juntará a los esparcidos de Judá desde los cuatro extremidades de la tierra.[r]

13 Y el celo de Efraín tendrá que irse,[s] y aun los que muestren hostilidad a Judá serán cortados. Efraín mismo no estará celoso de Judá, ni Judá mostrará hostilidad hacia Efraín.[t] 14 Y tendrán que volar contra el hombro de los filisteos al occidente;[u] juntos saquearán a los hijos de Oriente.[v] Edom y Moab serán aquellos sobre quienes alargarán la mano,[w] y los hijos de Ammón serán sus súbditos.[x] 15 Y Jehová ciertamente cortará la lengua del mar[y] de Egipto, y agitará su mano hacia el Río[z] en el ardor de su espíritu. Y tendrá que golpearlo en [sus] siete

CAP. 10
a 2Cr 32:21
  Isa 37:36
b Job 40:11
  Isa 2:11
  Da 4:37
  Lu 14:11
c Na 1:4

CAP. 11
d Isa 53:2
  Zac 6:12
  Rev 5:5
  Rev 22:16
e Rut 4:17
  Isa 17:58
  Mt 1:6
  Lu 3:32
  Hch 13:22
  Ro 15:12
f Jer 23:5
  Jer 33:15
  Zac 3:8
  Zac 6:12
  Hch 13:23
g 2Sa 7:16
  Isa 42:1
  Jn 1:32
  Hch 10:38
i Lu 2:52
  1Co 1:30
j Jn 14:17
  Jn 16:13
k Isa 9:6
  1Co 12:8
  Ef 1:17
m Jud 9
n Pr 2:5
  Pr 8:13
  Heb 5:7
o 1Re 3:28
  Jn 7:24
  Jn 8:16
p Sl 45:7
  Pr 31:9
q Sl 2:9
  Sl 110:2
  Rev 19:15
r 2Te 2:8
  Rev 2:16
s Ef 6:14
  Rev 1:13
t Heb 2:17
  Heb 3:6
  Rev 3:14
u Isa 65:25
v Sl 148:10
w Eze 34:25
x Os 2:18
y Dt 32:33
  Sl 58:4

2.ᵃ col.
a Isa 2:4
  Isa 35:9
  Isa 60:18
  Miq 4:4
  Ef 4:23
b Isa 51:3
  Isa 56:7
  Isa 57:13
  Isa 65:25
  Eze 20:40
c Sl 22:27
  Hab 2:14
d Isa 2:2
e Sl 132:11
  Ro 15:12
  Rev 22:16
f Gé 49:10
  Mt 25:31
  Rev 14:1

g Lu 2:32; Hch 11:18; Hch 28:28; Ro 15:9; h Isa 56:7; Ag 2:7; Flp 2:10; Rev 7:15; i Le 26:42; Dt 4:31; Isa 11:16; Jer 23:8; Eze 11:17; j Isa 27:13; Miq 7:12; k Isa 19:23; Jer 44:28; 1Jer 44:15; m Sof 3:10; n Da 8:2; o Zac 5:11; p Isa 66:19; q Esd 1:3; Isa 49:22; Isa 62:10; r Sl 147:2; Isa 66:20; Abd 20; Zac 2:7; Mt 24:31; s 2Cr 30:10; Jer 31:6; t Jer 3:18; Eze 37:16; Eze 37:19; Os 1:11; u Zac 9:5; v Isa 9:12; w Isa 25:10; Am 9:12; Abd 18; x Isa 60:14; Jer 49:2; y Éx 10:19; Éx 14:22; Isa 50:2; z Gé 15:18.

torrentes, y realmente hará que la gente ande en [sus] sandalias.ª 16 Y tiene que llegar a haber una calzadaᵇ que salga de Asiria para el restoᶜ de su pueblo que quede,ᵈ tal como llegó a haber [una] para Israel el día en que subió de la tierra de Egipto.

12 Y en aquel díaᵉ de seguro dirás: "Te daré gracias, oh Jehová, porque [aunque] te enojaste conmigo, tu cólera gradualmente se volvió atrás,ᶠ y procediste a consolarme.ᵍ 2 ¡Mira! Dios es mi salvación.ʰ Confiaré y no estaré en pavor;ⁱ porque Jah Jehová es mi fuerzaʲ y [mi] poderío,ᵏ y él llegó a ser la salvación para mí".ˡ

3 Con alborozo ustedes de seguro sacarán agua de los manantiales de la salvación.ᵐ 4 Y en aquel día ustedes ciertamente dirán: "¡Den gracias a Jehová!ⁿ Invoquen su nombre.ᵒ Den a conocer entre los pueblos sus tratos.ᵖ Hagan mención de que su nombre está puesto en alto. q 5 Celebren a Jehová con melodía,ʳ porque ha obrado de manera sobresaliente.ˢ Esto se da a conocer en toda la tierra.

6 "Da chillidos [de alegría] y grita de gozo, oh moradora de Sión, porque grande en medio de ti es el Santo de Israel".ᵗ

13 La declaración formal contra Babiloniaᵘ que Isaías el hijo de Amozᵛ vio en visión: 2 "Sobre una montaña de rocas peladas levanten una señal enhiesta.ʷ Alcen la voz a ellos, agiten la mano,ˣ para que ellos entren en las entradas de los nobles.ʸ 3 Yo mismo he dado la orden a mis santificados.ᶻ También he llamado a mis poderosos para [expresar] mi cólera,ª a mis eminentemente alborozados. 4 ¡Escuchen! ¡Una muchedumbre en las montañas, algo semejante a un pueblo numeroso!ᵇ ¡Escuchen! ¡El alboroto de reinos, de naciones reunidas!ᶜ Jehová de los ejércitos está reu-

niendo en formación militar al ejército de guerra.ª 5 Vienen desde la tierra lejana,ᵇ desde la extremidad de los cielos, Jehová y las armas de su denunciación, para destrozar toda la tierra.ᶜ

6 "¡Aúllen,ᵈ porque el día de Jehová está cercano!ᵉ Como despojo violento de parte del Todopoderoso vendrá.ᶠ 7 Por eso todas las manos mismas caerán, y el entero corazón mismo del hombre mortal se derretirá.ᵍ 8 Y la gente se ha perturbado.ʰ Convulsiones y dolores de parto mismos se apoderan; están con dolores como una mujer que está dando a luz.ⁱ Se miran unos a otros con asombro. Sus rostros son rostros inflamados.ʲ

9 "¡Miren! Viene el mismísimo día de Jehová, cruel tanto con furor como con cólera ardiente, a fin de hacer de la tierra un objeto de pasmo,ᵏ y para aniquilar a los pecadores [de la tierra] de en medio de ella.ˡ 10 Porque las mismísimas estrellas de los cielos y sus constelaciones de Kesilᵐ no despedirán su luz; el sol realmente se oscurecerá al salir, y la luna misma no hará brillar su luz. 11 Y ciertamente demostraré indisputablemente sobre la tierra productiva [su propia] maldad,ⁿ y sobre los inicuos mismos el propio error de ellos. Y realmente haré cesar el orgullo de los presuntuosos, y la altivez de los tiranos abatiré.ᵒ 12 Haré al hombre mortal más raro que el oro refinado,ᵖ y al hombre terrestre [más raro] que el oro de Ofir.q 13 Por eso haré que el cielo mismo se agite,ʳ y la tierra se mecerá y moverá de su lugar ante el furor de Jehová de los ejércitosˢ y ante el día de su cólera ardiente.ᵗ 14 Y tie-

CAP. 11
a Rev 16:12
b Isa 19:23
  Isa 40:3
  Isa 57:14
  Isa 62:10
c Esd 1:3
  Isa 48:20
d Isa 27:13
  Isa 35:8
  Isa 49:12
  Jer 31:21

CAP. 12
e Isa 10:20
  Isa 44:28
  Isa 52:6
f Isa 12:1
  Isa 40:2
g Dt 30:3
  Sl 30:5
  Sl 85:1
  Isa 66:13
  Os 6:1
h Isa 12:4
  Isa 45:17
  Jon 2:9
  Rev 7:10
i Isa 36:4
j Flp 4:13
  1Pe 4:11
k Sl 91:1
  Sl 118:14
l Os 1:7
m Sl 36:8
  Isa 49:10
  Jer 2:13
  Zac 13:1
  Rev 7:17
  Rev 22:17
n Sl 30:4
  Sl 118:1
  Sl 138:2
o 1Cr 16:8
  Sl 105:1
  Ro 10:13
p Sl 9:11
  Sl 40:5
  Sl 105:2
  Sl 145:4
q Éx 15:2
r Sl 47:6
  Sl 149:3
s Sl 72:18
  Sl 98:1
t Isa 10:20

CAP. 13
u Isa 14:4
  Jer 25:12
  Jer 50:1
  Rev 18:2
v Isa 1:1
w Jer 50:2
  Jer 51:12
  Jer 51:27
x Isa 10:32
y Isa 45:1
z Jer 51:28
a Sl 149:7
  Joe 3:11
b Jer 51:11
  Jer 51:27
c Jer 50:3
  Jer 51:11
  Da 5:28

2.ª col.

a Jer 50:15
  Jer 51:3
b Jer 50:9
  Jer 51:28

c Jer 51:11; Jer 51:20; d Joe 3:14; e Sof 1:14;
f Isa 13:18; Jer 50:13; g Jer 30:6; Da 5:6; i Jer
50:43; j Joe 2:6; Na 2:10; k Jer 50:42; l Pr 13:21;
m Job 9:9; Job 38:31; Am 5:8; n Sl 137:8; Isa
24:6; Jer 51:37; Rev 18:2; o Isa 50:29; Da 5:23;
p Jer 50:30; Jer 51:3; q 1Re 10:11; 1Cr 29:4; Sl
45:9; r Ag 2:6; Ag 2:21; s Jer 51:29; 2Pe 3:10;
t Sl 110:5; Isa 13:6.

ne que suceder que, como una gacela ahuyentada y como un rebaño sin nadie que lo junte,[a] se dirigirán, cada cual a su propio pueblo; y huirán, cada cual a su propia tierra.[b] 15 Todo el que sea hallado será traspasado, y todo el que sea atrapado en la barrida caerá a espada;[c] 16 y sus mismos hijos serán estrellados ante sus ojos.[d] Sus casas serán saqueadas, y sus propias esposas serán forzadas.[e]

17 "Aquí voy a despertar contra ellos a los medos,[f] que consideran la plata misma como nada, y que, respecto al oro, no se deleitan en él. 18 Y [sus] arcos harán añicos hasta a los jóvenes.[g] Y al fruto del vientre no le tendrán piedad;[h] su ojo no sentirá lástima por los hijos. 19 Y Babilonia, la decoración de reinos,[i] la hermosura del orgullo de los caldeos,[j] tiene que llegar a ser como cuando Dios derribó a Sodoma y Gomorra.[k] 20 Nunca será habitada,[l] ni residirá por generación tras generación. Y allí el árabe no asentará su tienda, y no habrá pastores que dejen que [sus rebaños] se echen allí. 21 Y allí los frecuentadores de regiones áridas ciertamente se echarán, y sus casas tendrán que estar llenas de búhos reales.[n] Y allí tienen que residir los avestruces, y demonios mismos de forma de cabra irán brincando por allí.[o] 22 Y chacales tienen que aullar en sus torres de habitación,[p] y la culebra grande estará en los palacios de deleite exquisito. Y la sazón para ella está próxima a llegar, y sus días mismos no serán postergados".[q]

14 Porque Jehová mostrará misericordia a Jacob,[r] y con certeza todavía escogerá a Israel;[s] y realmente les dará descanso sobre su suelo,[t] y el residente forastero tiene que unirse a ellos, y tienen que adherirse a

la casa de Jacob.[a] 2 Y los pueblos realmente los tomarán y los llevarán a su propio lugar, y la casa de Israel tiene que tomarlos para sí como posesión sobre el suelo de Jehová, como siervos y como siervas;[b] y tienen que llegar a ser los apresadores[c] de aquellos que los tenían cautivos, y tienen que tener en sujeción a aquellos que los obligaban a trabajar.[d]

3 Y tiene que suceder, el día en que Jehová te dé descanso de tu dolor y de tu agitación y de la dura esclavitud en la que fuiste hecho esclavo,[e] 4 que tienes que levantar este dicho proverbial contra el rey de Babilonia y decir:

"¡Cómo ha cesado el que obligaba [a otros] a trabajar, [cómo] ha cesado la opresión![f] 5 Jehová ha quebrado la vara de los inicuos, el bastón de los que gobernaban,[g] 6 el que golpeaba a los pueblos en furor con un golpe incesantemente,[h] el que sojuzgaba a las naciones en consumada cólera con una persecución sin restricción.[i] 7 Toda la tierra ha entrado en descanso, ha quedado libre de disturbio. La gente se ha puesto alegre con clamores gozosos.[k] 8 Hasta los enebros[l] se han regocijado también a causa de ti, los cedros del Líbano, [diciendo:] 'Desde que has yacido, no sube contra nosotros ningún cortador [de leña]'.[m]

9 "Aun el Seol[n] debajo se ha agitado a causa de ti a fin de venir a tu encuentro a tu llegada. A causa de ti ha despertado a los que están impotentes en la muerte,[o] a todos los caudillos de la tierra semejantes a cabras.[p] Ha hecho que todos los reyes de las naciones se levanten de sus

---

CAP. 13
a Isa 47:15
b Jer 50:16
c Isa 14:19
  Jer 50:27
  Jer 51:3
d Sl 137:9
e Sl 137:8
f Isa 21:2
  Jer 50:9
  Jer 51:11
  Da 5:31
g Isa 21:15
  Jer 50:14
  Jer 50:42
h 2Re 8:12
  Isa 13:16
i Isa 47:5
  Jer 51:13
  Da 4:30
j Jer 47:1
k Gé 19:24
  Dt 29:23
  Jer 49:18
  Jer 50:40
  Sof 2:9
l Jer 51:37
m Isa 14:22
  Jer 50:3
  Jer 50:13
  Jer 51:29
  Rev 18:21
n Isa 34:11
o Le 17:7
  2Cr 11:15
  Isa 34:14
  Rev 18:2
p Isa 34:13
  Miq 1:8
q Dt 32:35
  Ec 3:1
  Jer 51:33
  2Pe 2:3

CAP. 14
r Le 26:42
  Dt 4:31
  Sl 98:3
s Zac 1:17
  Ro 11:7
t Dt 30:3
  Isa 66:20
  Jer 24:6
  Eze 36:24

2.ª col.
a Esd 2:58
  Ne 11:21
  Est 8:17
  Isa 56:6
  Isa 60:3
  Zac 8:22
  Zac 8:23
b Esd 2:65
  Isa 60:7
  Isa 61:5
  Zac 2:9
c Est 10:3
  Da 5:29
  Da 6:3
d Est 8:1
  Est 9:3
  Est 60:14
e Est 3:1
  Esd 9:8
  Isa 12:1
  Isa 32:18
  Jer 30:10
  Eze 28:24
f Jer 50:23
  Jer 51:36
g Sl 125:3

h 2Cr 36:17; Isa 33:1; Jer 25:12; Jer 50:17; Snt 2:13; i Hab 1:6; Zac 1:15; j Isa 49:13; Jer 27:11; k Sl 98:4; Sl 126:2; Pr 11:10; Isa 49:13; Jer 51:48; Rev 18:20; l Isa 55:13; Isa 60:13; m Jer 46:23; n Ec 9:10; o Pr 2:18; Ec 3:20; Isa 26:14; Eze 32:21; p Mt 25:33; Rev 20:12.

tronos.[a] 10 Todos ellos se expresan y te dicen: '¿A ti mismo también se te ha hecho débil como nosotros?[b] ¿A nosotros se te ha hecho comparable?[c] 11 Al Seol ha sido bajado tu orgullo, el estruendo de tus instrumentos de cuerda.[d] Debajo de ti, las cresas están extendidas como lecho; y gusanos son tu cubierta.[e]

12 "¡Oh, cómo has caído del cielo,[f] tú, el resplandeciente, hijo del alba! ¡Cómo has sido cortado a tierra,[g] tú que estabas incapacitando a las naciones![h] 13 En cuanto a ti, has dicho en tu corazón: 'A los cielos subiré.[i] Por encima de las estrellas[j] de Dios alzaré mi trono,[k] y me sentaré sobre la montaña de reunión,[l] en las partes más remotas del norte.[m] 14 Subiré por encima de los lugares altos de las nubes;[n] me haré parecer al Altísimo'.[o]

15 "Sin embargo, al Seol se te hará bajar,[p] a las partes más remotas del hoyo.[q] 16 Los que te ven fijarán su mirada aun en ti; harán un examen minucioso hasta de ti, [y dirán:] '¿Es este el hombre que estuvo agitando la tierra, que estuvo haciendo mecerse los reinos,[r] 17 que hizo que la tierra productiva fuera como el desierto y que derribó sus mismísimas ciudades,[s] que no abrió el camino hacia casa siquiera a sus prisioneros?'.[t] 18 Todos los otros reyes de las naciones, sí, todos ellos, han yacido en gloria, cada uno en su propia casa.[u] 19 Pero en cuanto a ti, tú has sido arrojado sin sepultura para ti,[v] como un brote detestado, vestido de muertos atravesados por la espada que bajan a las piedras de un hoyo,[w] como un cadáver pisoteado.[x] 20 No llegarás a unirte con ellos en un sepulcro, porque arruinaste tu propia tierra, mataste a tu propio pueblo. Hasta tiempo in-

definido la prole de los malhechores no será nombrada.[a]

21 "Preparen ustedes un tajo para los propios hijos de él a causa del error de los antepasados de ellos,[b] para que no se levanten y realmente tomen posesión de la tierra y llenen de ciudades la haz de la tierra productiva".[c]

22 "Y ciertamente me levantaré contra ellos,[d] es la expresión de Jehová de los ejércitos.

"Y ciertamente cortaré de Babilonia nombre[e] y resto y descendencia y posteridad",[f] es la expresión de Jehová.

23 "Y ciertamente la haré posesión de puercos espines y estanques de agua llenos de cañas, y ciertamente la barreré con la escoba de la aniquilación",[g] es la expresión de Jehová de los ejércitos.

24 Jehová de los ejércitos ha jurado,[h] y dicho: "De seguro tal como he calculado, así tiene que suceder; y tal como he aconsejado, eso es lo que se realizará,[i] 25 a fin de quebrar al asirio en mi tierra,[j] y para que yo pisotee en mis propias montañas;[k] y para que su yugo realmente se aparte de sobre ellos, y para que su mismísima carga se aparte de sobre el hombro de ellos".[l]

26 Este es el consejo que está aconsejado contra toda la tierra, y esta es la mano que está extendida contra todas las naciones. 27 Porque Jehová de los ejércitos mismo ha aconsejado,[m] y ¿quién puede desbaratar[lo]?[n] Y su mano es la que está extendida, y ¿quién puede volverla atrás?[o]

28 El año en que murió el rey Acaz[p] ocurrió esta declaración formal: 29 "No te regocijes,[q] oh Filistea,[r] ninguno de ti, simplemente porque ha sido quebrado el bastón del que te golpeaba.[s] Porque de la raíz de la

CAP. 14

1.ª col.
a Eze 28:17
b Sl 137:8
c Sl 82:7
d Rev 18:22
e Job 17:14
  Job 24:20
f Isa 34:4
g Eze 28:17
h 2Cr 36:17
  Jer 51:7
  Eze 29:19
  Da 5:19
i Isa 47:7
j Nú 24:17
k Da 2:38
  Da 5:23
l Isa 2:2
  Isa 24:23
  Joe 3:17
m Sl 48:2
n 2Te 2:4
o Eze 28:2
p Lu 10:15
  Lu 14:11
q Eze 28:8
  Eze 32:23
r Jer 50:23
  Jer 51:56
s 2Re 25:21
  Isa 64:10
t 2Re 24:14
  2Re 25:11
  Isa 42:22
u Eze 32:18
v 2Re 9:35
  Jer 22:19
w Eze 32:23
x 2Re 9:33

2.ª col.
a Job 18:16
  Sl 21:10
  Sl 37:28
  Sl 109:13
  Sl 137:8
b Eze 20:5
  Ge 26:59
c Na 1:9
d Isa 43:14
  Jer 50:25
  Jer 51:56
e Isa 9:5
  Sl 109:13
  Pr 10:7
f Jer 51:62
g Isa 13:21
  Jer 50:39
  Jer 51:25
  Jer 51:62
  Rev 18:2
h Isa 55:11
  Heb 6:13
i Sl 33:9
  Pr 19:21
  Isa 46:10
j Isa 30:31
  Isa 31:8
  Isa 37:37
  Eze 32:22
k 2Re 19:35
  2Cr 32:21
  Isa 37:36
l Isa 10:24
  Na 1:13
m Pr 21:30
  Isa 23:9
  Isa 25:1
n Job 40:8
  Sl 33:11
  Pr 19:21
  Isa 46:11

o 2Cr 20:6; Job 9:12; Isa 43:13; p Eze 16:20; 2Cr 28:27; q Abd 12; r Jos 13:3; s 2Cr 28:18.

serpiente[a] saldrá una culebra venenosa,[b] y su fruto será una culebra abrasadora voladora.[c] **30** Y los primogénitos de los de condición humilde ciertamente se alimentarán, y en seguridad los pobres mismos se acostarán.[d] Y ciertamente haré morir de hambre tu raíz, y lo que de ti quede será matado.[e] **31** ¡Aúlla, oh puerta! ¡Clama, oh ciudad! ¡Tú, toda, tienes que desalentarte, oh Filistea! Porque desde el norte viene un humo, y no hay nadie que se aísle de sus filas".[f]

32 ¿Y qué dirá cualquiera en respuesta a los mensajeros[g] de la nación? Que Jehová mismo ha colocado el fundamento de Sión,[h] y en ella se refugiarán los afligidos de su pueblo.

15 La declaración formal contra Moab:[i] Porque de noche ha sido despojado violentamente, Ar[j] de Moab misma ha sido reducida a silencio. Porque de noche ha sido despojado violentamente, Quir[k] de Moab misma ha sido reducida a silencio. **2** Él ha subido a La Casa y a Dibón,[l] a los lugares altos, a un llanto. Por Nebo[m] y por Medebá[n] aúlla Moab mismo. En todas las cabezas en él hay calvicie;[o] toda barba está cortada. **3** En sus calles se han ceñido de saco.[p] Sobre sus techos[q] y en sus plazas públicas aúllan todos los suyos, y descienden con llanto.[r] **4** Y Hesbón y Elealé[s] claman. Hasta Jáhaz[t] se ha oído su voz. Por eso los mismos hombres armados de Moab siguen gritando. Su misma alma se ha estremecido en su interior.

5 Mi propio corazón clama a causa de Moab mismo.[u] Sus fugitivos ya han llegado hasta Zóar[v] [y] Eglat-selisiyá.[w] Porque por la cuesta de Luhit[x]... con llanto [cada] uno sube por ella; porque por el camino de Horonaim[y] levantan el alarido acerca

de la catástrofe. **6** Porque las mismísimas aguas de Nimrim[a] llegan a ser verdaderas desolaciones. Porque se ha secado la hierba verde, se ha acabado la hierba; nada ha verdeado.[b] **7** Por eso las sobras y sus bienes almacenados que ellos han ahorrado, ellos siguen llevándolos directamente a través del valle torrencial de los álamos. **8** Porque el alarido ha dado la vuelta al territorio de Moab.[c] Su aullido alcanza hasta Eglaim; su aullido alcanza hasta Beer-elim, **9** porque las mismísimas aguas de Dimón se han llenado de sangre. Pues sobre Dimón pondré cosas adicionales, tales como un león para los escapados de Moab que escapen y para los restantes del suelo.[d]

16 Envíen un carnero al gobernante del país,[e] desde Sela hacia el desierto, a la montaña de la hija de Sión.[f]

2 Y tiene que ocurrir [que] como criatura alada huidora, espantada de [su] nido,[g] llegarán a ser las hijas de Moab en los vados del Arnón.[h]

3 "Introduzcan consejo, ejecuten la decisión.[i]

"Haz tu sombra justamente como la noche en pleno mediodía.[j] Oculta a los dispersos;[k] no traiciones a nadie que huya.[l] **4** Residan mis dispersos como forasteros aun en ti, oh Moab.[m] Llega a ser escondrijo para ellos a causa del que despoja con violencia.[n] Porque el opresor ha llegado a su fin; el despojar violentamente ha terminado; los que hollaban [a otros] han sido acabados de sobre la tierra.[o]

5 "Y en bondad amorosa ciertamente se establecerá firmemente un trono;[p] y uno tendrá que sentarse sobre él con apego a la verdad en la tienda de David,[q] juzgando y buscando el

CAP. 14

a 2Cr 26:6
b Isa 30:6
c Isa 30:23
d Isa 65:13
e Jer 47:1
Eze 25:16
Joe 3:4
Am 1:6
Sof 2:4
Zac 9:5
f Jer 1:14
Jer 25:9
g 2Re 20:12
h Sl 48:1
Sl 87:1
Sl 102:16
Sl 132:13
Isa 28:16

CAP. 15

i Jer 9:25
Eze 25:11
j Nú 21:28
Dt 2:9
k 2Re 3:25
Jer 48:31
l Jos 13:17
Jer 48:18
m Jer 48:1
n Nú 21:30
Jos 13:16
o Dt 14:1
Isa 3:24
Jer 48:37
p 2Sa 3:31
2Re 6:30
Isa 24:11
Mt 11:21
q Jer 19:13
r Jer 48:38
s Nú 32:37
Isa 16:9
t Jue 11:20
u Jer 48:31
v Gé 13:10
Gé 19:22
w Jer 48:34
x Jer 48:5
y Jer 48:3

2.ª col.

a Jer 48:34
b Isa 16:9
Hab 3:17
c Jer 48:20
d Le 26:22
2Re 17:25
Jer 15:3
Am 5:19

CAP. 16

e Esd 7:17
f Isa 10:32
Miq 4:8
g Pr 27:8
Isa 13:14
Jer 48:19
h Nú 21:13
i Sl 82:3
Isa 1:17
Jer 21:12
Da 4:27
Zac 7:9
j Dt 28:29
k Isa 32:2
l Abd 14
m Isa 22:3
n Jer 48:8
Jer 48:42

o Isa 33:1; p Sl 45:6; Sl 89:14; Pr 20:28; q 2Sa 7:16; Isa 9:7; Jer 23:5; Da 7:14.

derecho y siendo pronto en la justicia."[a]

6 Hemos oído del orgullo de Moab, que él es muy orgulloso;[b] su altivez y su orgullo y su furor[c]... su habla vacía no será así.[d] 7 Por lo tanto, Moab aullará por Moab; aun todo él aullará.[e] Por las tortas de pasas de Quir-háreset[f] los abatidos verdaderamente lanzarán quejidos, 8 porque los terraplenes mismos de Hesbón[g] se han marchitado. La vid de Sibmá[h]... los dueños mismos de las naciones han abatido sus [ramas] de color rojo brillante. Hasta Jazer[i] habían llegado; habían andado errantes en el desierto. Se había dejado que sus propios sarmientos crecieran con exuberancia de por sí; habían pasado hasta el mar.

9 Por eso lloraré con el llanto de Jazer por la vid de Sibmá.[j] Te empaparé con mis lágrimas, oh Hesbón[k] y Elealé,[l] porque la gritería aun sobre tu verano y sobre tu cosecha ha caído.[m] 10 Y regocijo y gozo han sido quitados del huerto; y en las viñas no se clama gozosamente, no se dan gritos.[n] No extrae vino en los lagares el pisador.[o] He hecho cesar la gritería.[p]

11 Por eso mis mismísimas entrañas están alborotadas como un arpa hasta a causa de Moab,[q] y lo en medio de mí a causa de Quir-háreset.[r]

12 Y sucedió que se vio que Moab quedó fatigado sobre el lugar alto;[s] y vino a su santuario para orar,[t] y no pudo lograr nada.[u]

13 Esta es la palabra que habló Jehová respecto a Moab anteriormente. 14 Y ahora Jehová ha hablado, y dicho: "Dentro de tres años, conforme a los años de un trabajador asalariado,[v] a la gloria[w] de Moab también se tiene que deshonrar con mucha conmoción de toda suerte, y los que queden serán muy pocos, no poderosos".[x]

17 La declaración formal contra Damasco:[a] "¡Miren! Damasco quitada de ser ciudad, y ha llegado a ser un montón, una ruina pútrida.[b] 2 Las ciudades de Aroer[c] que han sido dejadas atrás llegan a ser simples lugares para hatos, donde realmente se echan, sin nadie que [los] haga temblar.[d] 3 Y se ha hecho cesar de Efraín[e] la ciudad fortificada; y de Damasco,[f] el reino; y los que queden de Siria llegarán a ser justamente como la gloria de los hijos de Israel", es la expresión de Jehová de los ejércitos.[g]

4 Y en aquel día tiene que ocurrir que la gloria de Jacob quedará rebajada,[h] y hasta la gordura de su carne será enflaquecida.[i] 5 Y tiene que suceder que cuando el segador esté recogiendo el grano en pie y su propio brazo siegue las espigas,[j] hasta tiene que llegar a ser como uno que rebusca espigas en la llanura baja de Refaím.[k] 6 Y tiene que quedar en él una rebusca como cuando hay vareo del olivo: dos [o] tres aceitunas maduras en la parte superior de la rama; cuatro [o] cinco en sus ramas mayores fructíferas", es la expresión de Jehová el Dios de Israel.[l]

7 En aquel día el hombre terrestre dirigirá la vista a su Hacedor, y sus propios ojos mirarán con fijeza al mismísimo Santo de Israel.[m] 8 Y no dirigirá la vista a los altares,[n] la obra de sus manos;[o] y a lo que sus dedos han hecho no mirará con fijeza, ni a los postes sagrados ni a los estantes de incienso.[p] 9 En aquel día sus ciudades que son fortalezas llegarán a ser como un lugar dejado por completo en el bosque, hasta la rama que han dejado por completo a

CAP. 16
a Sl 72:2
b Jer 48:29
 Jer 48:29
 Sof 2:10
c Am 2:1
d Jer 48:7
e Isa 15:2
 Jer 48:20
f 2Re 3:25
g Jos 13:17
h Nú 32:38
 Jos 13:19
i Nú 32:3
 Jos 13:25
 Jer 48:32
j Jer 48:32
k Isa 15:4
 1 Jer 48:34
m Jue 9:27
n Isa 24:8
 Jer 25:30
 Jer 48:33
o Hab 3:17
p Sof 2:9
q Isa 15:5
 Jer 48:36
r Isa 15:1
s Nú 22:41
 Nú 23:1
 Jer 48:35
t 1Re 11:7
 2Re 3:27
u 2Re 19:18
 Sl 115:4
 Jer 10:5
 Jer 16:20
 1Co 8:4
v Isa 21:16
w Jer 23:9
 Jer 9:23
 Jer 48:46
x Jer 25:10
 Jer 48:47
 Sof 2:9

2.ª col.

CAP. 17
a 1Cr 18:5
 Jer 49:23
 Am 1:5
b 2Re 16:9
 Isa 8:4
 Zac 9:1
c Nú 32:34
 Jos 13:16
 2Re 10:33
 Jer 48:19
d Sof 2:7
e 2Re 17:6
 Isa 7:8
 Os 5:14
 Os 9:13
f 2Re 16:9
 Isa 28:2
 Os 9:11
h Isa 9:8
 Isa 10:4
i Dt 32:15
 Isa 10:16
j Dt 23:25
 Jer 9:22
 Os 6:11
 Joe 3:13
k Jos 15:8
 Jos 18:16
 2Sa 5:18

l Dt 4:27; Dt 24:20; Jue 8:2; Isa 24:13; Ro 9:27; m Isa 10:20; Isa 29:19; Miq 7:7; n 2Cr 31:1; 2Cr 34:7; Jer 17:2; Eze 36:25; Os 8:11; Os 14:8; Zac 13:2; o Isa 2:8; Os 8:6; Miq 5:13; p 2Cr 34:4.

causa de los hijos de Israel; y tiene que llegar a ser un yermo desolado.[b] 10 Porque tú has olvidado[b] al Dios de tu salvación;[c] y de la Roca[d] de tu plaza fuerte no te has acordado. Por eso siembras plantaciones agradables, y con el vástago de un extraño las plantas. 11 De día podrás cercar cuidadosamente la plantación tuya, y por la mañana podrás hacer que la semilla tuya brote, [pero] la cosecha ciertamente huirá en el día de la enfermedad y del dolor incurable.[e]

12 ¡Un ¡ah!, para la conmoción de muchos pueblos, que están bulliciosos como con el bullicio de los mares! ¡Y para el ruido de grupos nacionales, que hacen un estruendo justamente como el ruido de poderosas aguas![f] 13 Los grupos nacionales[g] mismos harán un estruendo justamente como el ruido de muchas aguas. Y Él ciertamente lo reprenderá,[h] y este tendrá que huir lejos y ser perseguido como el tamo de las montañas delante de un viento y como un remolino de cardos delante de un viento[i] de tempestad. 14 Al tiempo del atardecer, pues, ¡miren!, hay terror repentino. Antes de la mañana... ya no es.[j] Esta es la parte que corresponde a los que nos despojan, y la suerte que pertenece a los que nos saquean.[k]

18 ¡Un ¡ha!, para el país de los insectos zumbadores con alas, que está en la región de los ríos de Etiopía![l] 2 Es el que despacha enviados[m] mediante el mar, y mediante embarcaciones de papiro sobre la superficie de las aguas, [diciendo:] "Vayan, mensajeros veloces, a una nación de alta talla y bruñida, a un pueblo que en todas partes es inspirador de temor, a una nación de resistencia a la tensión y de pisoteo, cuya tierra han arrollado los ríos".[n]

CAP. 17
a Isa 6:11
Os 10:14
Am 3:11
Miq 5:11
Miq 7:13
b Dt 6:12
Sl 50:22
Isa 1:3
Jer 2:32
Os 8:14
c 1Cr 16:35
Sl 65:5
Sl 79:9
Hab 3:18
Rev 7:10
d Dt 32:4
2Sa 22:32
Sl 18:2
Isa 26:4
e Dt 28:30
Jer 12:13
Os 8:7
Sof 1:13
f Sl 29:3
Sl 65:7
Rev 16:3
Rev 17:1
g Sl 2:1
Sl 67:4
Isa 13:4
h Sl 9:5
Isa 33:3
i Sl 35:5
Sl 83:13
Isa 29:5
Da 2:35
Os 13:3
j 2Re 19:35
Sl 37:36
k Pr 22:23
Isa 33:1
Eze 39:10
Sof 2:9

CAP. 18
l Isa 20:3
Eze 30:4
Sof 3:10
m Isa 30:4
Eze 30:9
n 2Cr 12:3
2Cr 14:9
2Cr 16:8

2.ª col.
a Sl 33:8
Sl 96:13
Pr 8:31
Isa 26:18
Lam 4:12
b Isa 5:26
Isa 13:2
c Joe 2:1
Am 3:6
Joe 9:14
d Sl 132:13
Os 5:15
e 2Sa 23:4
f Pr 25:13
g Isa 5:7
Isa 17:11
Lu 8:14
h Isa 14:19
Eze 29:5
i Isa 34:3
Jer 15:3
Eze 32:4
Rev 19:17
j 2Cr 32:23
Isa 2:2
Mal 1:11
k Isa 60:4
Zac 14:16

3 Todos ustedes los habitantes de la tierra productiva[a] y ustedes los residentes de la tierra, verán una escena tal como cuando hay levantamiento de una señal enhiesta sobre las montañas,[b] y oirán un sonido tal como cuando hay toque de la cuerno.[c] 4 Porque esto es lo que me ha dicho Jehová: "Ciertamente me mantendré sosegado y miraré mi lugar establecido,[d] como el calor deslumbrador junto con la luz,[e] como la nube de rocío en el calor de la siega.[f] 5 Porque antes de la siega, cuando la flor llega a la perfección y lo florecido llega a ser una uva que va madurándose, uno también tiene que cortar los tallitos con podaderas y tiene que quitar los zarcillos, [los] tiene que escamondar.[g] 6 Serán dejados todos juntos para el ave de rapiña de las montañas y para la bestia de la tierra.[h] Y sobre ello ciertamente pasará el verano el ave de rapiña, y sobre ello pasará el tiempo de la siega aun toda bestia de la tierra.[i]

7 "En aquel tiempo se traerá un regalo a Jehová de los ejércitos,[j] [de parte de] un pueblo de alta talla y bruñido,[k] aun de un pueblo que por todas partes es inspirador de temor, una nación de resistencia a la tensión y de pisoteo, cuya tierra los ríos han arrollado, al lugar del nombre de Jehová de los ejércitos, al monte Sión".[l]

19 La declaración formal contra Egipto:[m] ¡Miren! Jehová va montado en una nube veloz[n] y entra en Egipto. Y los dioses de Egipto, que nada valen, ciertamente se estremecerán a causa de él,[o] y el mismísimo corazón de Egipto se derretirá en medio de él.[p]

2 "Y ciertamente aguijonearé a egipcios contra egipcios, y ciertamente guerrearán cada

l Isa 8:18; Isa 24:23; Joe 3:17; Miq 4:13; CAP.
19 m Jer 25:19; Eze 29:2; Joe 3:19; n Dt 33:26;
Sl 68:33; o Éx 12:12; Jer 43:12; Jer 46:25; Eze
30:13; p Sl 76:12.

cual contra su hermano, y cada cual contra su compañero, ciudad contra ciudad, reino contra reino.[a] 3 Y el espíritu de Egipto tendrá que quedar perplejo en medio de él,[b] y yo confundiré su propio consejo.[c] Y de seguro acudirán a los dioses que nada valen,[d] y a los encantadores, y a los médium espiritistas, y a los pronosticadores profesionales de sucesos.[e] 4 Y ciertamente entregaré a Egipto en mano de un amo duro, y fuerte será el rey que gobernará sobre ellos",[f] es la expresión del Señor [verdadero], Jehová de los ejércitos.

5 Y el agua ciertamente se secará desde el mar, y el río mismo se pondrá seco y realmente se agotará.[g] 6 Y los ríos tienen que heder; los canales del Nilo de Egipto tienen que rebajarse y quedar secos.[h] La caña[i] y el junco mismos tienen que mustiarse. 7 Los lugares desnudos al lado del río Nilo, junto a la boca del río Nilo, todo terreno sembrado del río Nilo, se secarán.[j] Ciertamente será ahuyentado y no será más. 8 Y los pescadores tendrán que estar de duelo, y todos los que echan anzuelos en el río Nilo tendrán que expresar tristeza, y hasta los que extienden redes de pescar sobre la superficie del agua realmente se desvanecerán.[k] 9 Y los que trabajan en lino cardado[l] tendrán que avergonzarse; también los que en telares trabajan en telas blancas. 10 Y sus tejedores[m] tendrán que quedar aplastados, todos los trabajadores asalariados, desconsolados de alma.

11 Los príncipes de Zoán[n] son verdaderamente tontos. En cuanto a los sabios de los consejeros de Faraón, [su] consejo es una cosa irrazonable.[o] ¿Cómo dirán ustedes a Faraón: "Yo soy hijo de sabios, hijo de reyes de la antigüedad"? 12 ¿Dónde,

pues, están ellos —los sabios tuyos[a]— para que te informen ahora y para que sepan lo que Jehová de los ejércitos ha aconsejado respecto a Egipto?[b] 13 Los príncipes de Zoán han actuado tontamente,[c] los príncipes de Nof[d] han sido engañados, los hombres clave[e] de sus tribus han hecho que Egipto ande errante. 14 Jehová mismo ha mezclado en medio de ella el espíritu de desconcierto;[f] y ellos han hecho que Egipto ande errante en todo su trabajo, así como se hace que un borracho ande errante en su vómito.[g] 15 Y Egipto no llegará a tener trabajo que la cabeza o la cola, el tallo o el junco, puedan hacer.[h]

16 En aquel día Egipto llegará a ser como mujeres, y ciertamente temblará[i] y estará en pavor a causa de la agitación de la mano de Jehová de los ejércitos que él va a agitar contra él.[j] 17 Y el suelo de Judá tiene que llegar a ser para Egipto causa de vértigo.[k] Todo aquel a quien uno lo menciona está en pavor a causa del consejo de Jehová de los ejércitos que él aconseja contra él.[l]

18 En aquel día resultará que en la tierra de Egipto habrá cinco ciudades[m] que hablen el lenguaje de Canaán,[n] y que juren[o] a Jehová de los ejércitos. La Ciudad de Demolición será llamada una [ciudad].

19 En aquel día resultará haber un altar a Jehová en medio de la tierra de Egipto,[p] y una columna a Jehová al lado de su límite. 20 Y tiene que resultar ser para señal y para testimonio a Jehová de los ejércitos en la tierra de Egipto;[q] porque clamarán a Jehová a causa de los opresores,[r] y él les enviará un salvador, sí, uno grande, que realmente los librará.[s] 21 Y Jehová ciertamente llegará a ser conocido a los egipcios;[t] y los

egipcios tendrán que conocer a Jehová en aquel día, y tendrán que presentar sacrificio y regalo,[a] y tendrán que hacer un voto a Jehová y pagarlo.[b] 22 Y Jehová ciertamente asestará un golpe a Egipto.[c] Habrá un asestar un golpe y un curar;[d] y ellos tendrán que volverse a Jehová,[e] y él tendrá que dejarse rogar por ellos y tendrá que sanarlos.[f]

23 En aquel día llegará a haber una calzada[g] de Egipto a Asiria, y Asiria realmente entrará en Egipto, y Egipto en Asiria; y ciertamente prestarán servicio, Egipto con Asiria. 24 En aquel día Israel llegará a ser el tercero con Egipto y con Asiria,[h] a saber, una bendición en medio de la tierra,[i] 25 porque Jehová de los ejércitos lo habrá bendecido,[j] diciendo: "Bendito sea mi pueblo, Egipto, y la obra de mis manos, Asiria,[k] y mi herencia, Israel".[l]

20 El año en que Tartán[m] vino a Asdod,[n] cuando lo envió Sargón el rey de Asiria,[o] y él procedió a guerrear contra Asdod y a tomarla;[p] 2 en aquel tiempo Jehová habló por mano de Isaías el hijo de Amoz,[q] y dijo: "Ve,[r] y tienes que soltar el saco de sobre tus caderas;[s] y debes quitarte las sandalias de los pies".[t] Y él procedió a hacerlo, y anduvo desnudo y descalzo.[u]

3 Y Jehová pasó a decir: "Tal como mi siervo Isaías ha andado desnudo y descalzo por tres años como señal[v] y portento presagioso contra Egipto[w] y contra Etiopía,[x] 4 así el rey de Asiria conducirá al cuerpo de cautivos de Egipto[y] y a los desterrados de Etiopía —muchachos y viejos— desnudos y descalzos, y con las nalgas descubiertas, la desnudez de Egipto.[z] 5 Y ciertamente se aterrorizarán y se avergonzarán de Etiopía, su esperanza aguardada,[a] y de Egipto, su hermosura.[b] 6 Y el habitante de esta tierra costeña ciertamente dirá en aquel día: '¡Así es nuestra esperanza aguardada, a la cual

huimos por auxilio, a fin de ser librados a causa del rey de Asiria![a] ¿Y cómo escaparemos nosotros mismos?' ".

21 La declaración formal contra el desierto del mar:[b] Como vientos de tempestad[c] en el sur al moverse adelante, desde el interior viene, de una tierra inspiradora de temor.[d] 2 Hay una visión dura[e] de la que se me ha informado: El que en sus tratos es traicionero trata traidoramente, y el que despoja con violencia despoja con violencia.[f] ¡Sube, oh Elam! ¡Pon sitio, oh Media![g] A todo suspiro que se debe a ella he hecho cesar.[h] 3 Por eso mis caderas se han llenado de dolores severos.[i] Convulsiones mismas se han apoderado de mí, como las convulsiones de una mujer que está dando a luz.[j] Me he desconcertado de modo que no oigo; me he perturbado de modo que no veo. 4 Mi corazón ha vagado; un estremecimiento mismo me ha aterrorizado. El crepúsculo nocturno al que tenía apego se me ha hecho un temblor.[k]

5 ¡Que haya un poner en orden la mesa, un arreglar la ubicación de los asientos, un comer, un beber! Levántense, príncipes,[m] unjan el escudo.[n] 6 Porque esto es lo que me ha dicho Jehová: "Ve, aposta un vigía para que informe precisamente lo que vea".[o]

7 Y él vio un carro de guerra [con] una pareja de corceles, un carro de guerra de asnos, un carro de guerra de camellos. Y prestó atención estricta, con disposición muy atenta. 8 Y [él] procedió a clamar como un león:[p] "Sobre la atalaya, oh Jehová, estoy de pie constantemente de día, y en mi puesto

CAP. 19
a Sof 3:10
　Mal 1:11
b Ec 5:4
c Isa 19:1
　Jer 46:13
d Dt 32:39
　Isa 57:18
　Jer 33:6
e Os 6:1
　Isa 19:18
　Jer 44:1
f 1Re 8:43
　Jer 50:19
　Zac 8:22
g Isa 11:16
　Isa 35:8
　Isa 40:3
h Dt 32:43
　Sl 117:1
　Zac 2:11
i Gé 12:3
　Eze 34:26
　Zac 8:13
　Gál 3:14
j Sl 67:6
　Sl 115:12
　Isa 61:9
　Isa 65:8
k Os 2:23
　Ro 3:29
l Dt 32:9
　Isa 43:21
　Mal 3:17
　1Pe 2:9

CAP. 20
m 2Re 18:17
n Jos 11:22
　Jos 13:3
o 2Cr 32:9
p Am 1:8
q Isa 1:1
r Jer 13:1
　Jer 19:1
s Jon 3:8
　Rev 11:3
t 2Sa 15:30
u Isa 19:24
　Miq 1:8
　Heb 11:37
v Isa 8:18
w Isa 19:1
x Isa 18:1
y Isa 19:4
　Jer 46:26
　Eze 30:19
z Jer 13:22
　Miq 1:11
a Sl 146:3
b Isa 18:21
　Isa 30:3
　Isa 36:6
　Jer 17:5
　Eze 29:6

2.ª col.
a Isa 30:2
　Isa 31:1

CAP. 21
b Isa 13:1
　Isa 13:20
　Jer 51:42
c Zac 9:14
d Isa 13:4
　Isa 13:18
e Isa 13:9
　Rev 18:2
f Isa 33:1
　Jer 51:48
　Jer 51:53

g Jer 51:11; Jer 51:28; Da 5:28; Da 8:20; h Sl
137:1; Isa 14:7; Isa 35:10; Jer 31:12; i Hab 3:16;
j Jer 50:43; 1Te 5:3; k Dt 28:67; Isa 13:8; Da
5:1; m Jer 50:35; Jer 51:57; n 2Sa 1:21; o 2Re
9:17; Isa 62:6; Jer 51:12; Eze 3:17; Eze 33:3;
Hab 2:1; Mt 24:45; p Isa 5:29.

de guardia estoy apostado todas las noches.[a] 9 ¡Y ahora, fíjate, aquí viene un carro de guerra de hombres, [con] una pareja de corceles!".[b]

Y él empezó a expresarse y decir: "¡Ha caído! ¡Babilonia ha caído,[c] y todas las imágenes esculpidas de sus dioses él ha quebrado hasta la tierra!".[d]

10 Oh, mis trillados y el hijo de mi era,[e] lo que he oído de parte de Jehová de los ejércitos, el Dios de Israel, se lo he informado a ustedes.

11 La declaración formal contra Dumá: Hay uno que a mí clama desde Seír:[f] "Atalaya, ¿qué hay de la noche? Atalaya, ¿qué hay de la noche?".[g] 12 Dijo el atalaya: "La mañana tiene que venir, y también la noche. Si ustedes quieren inquirir, inquieran. ¡Vuelvan a venir!".

13 La declaración formal contra la llanura desértica: En el bosque de la llanura desértica pasarán ustedes la noche, oh caravanas de los hombres de Dedán.[h] 14 Para salir al encuentro del sediento, traigan agua. Oh habitantes de la tierra de Temá,[i] preséntense ante el que huye con pan para él. 15 Porque a causa de las espadas han huido, a causa de la espada desenvainada, y a causa del arco tensado y a causa de lo reñido de la guerra.

16 Porque esto es lo que me ha dicho Jehová: "Dentro de aún un año, conforme a los años de un trabajador asalariado,[j] toda la gloria de Quedar[k] hasta tiene que acabarse. 17 Y los que queden del número de [los que manejan el] arco, los hombres poderosos de los hijos de Quedar, llegarán a ser pocos,[l] porque Jehová mismo, el Dios de Israel, [lo] ha hablado".[m]

22 La declaración formal del valle de la visión:[n] ¿Qué te pasa, entonces, que has subido toda a los techos?[o] 2 Llena es-tabas de ruidosa agitación, una ciudad bulliciosa, un pueblo alborozado.[a] Los tuyos han sido muertos no son los que fueron muertos a espada, ni los que murieron en batalla.[b] 3 Todos tus dictadores[c] mismos han huido a la vez.[d] Sin [necesitarse] un arco los han tomado prisioneros. A todos los que de ti han hallado, los han tomado prisioneros juntos.[e] Habían huido lejos.

4 Por eso he dicho: "Aparten de mí su mirada fija. Ciertamente mostraré amargura al llorar.[f] No insistan en consolarme por el despojo violento de la hija de mi pueblo.[g] 5 Porque es el día de confusión[h] y de pisotear[i] y de confundir[i] que tiene el Señor Soberano, Jehová de los ejércitos, en el valle de la visión. Hay el demoledor del muro,[k] y el clamor a la montaña.[l] 6 Y Elam mismo ha tomado la aljaba, en el carro de guerra del hombre terrestre, [con] corceles; y Quir[n] mismo ha descubierto el escudo. 7 Y sucederá que las más selectas de tus llanuras bajas tendrán que llenarse de carros de guerra, y sin falta los mismísimos corceles tendrán que colocarse en posición junto a la puerta, 8 y uno quitará la pantalla de Judá. Y mirarás en aquel día hacia el arsenal[o] de la casa del bosque,[p] 9 y ustedes ciertamente verán las mismísimas brechas de la Ciudad de David, porque realmente serán muchas.[q] Y ustedes juntarán las aguas del estanque inferior.[r] 10 Y realmente contarán las casas de Jerusalén. También demolerán las casas para hacer inasequible el muro.[s] 11 Y habrá un depósito colector que tendrán que hacer entre los dos muros para las aguas del estanque viejo.[t] Y ciertamente no mirarán al gran hacedor de él, y ciertamente no verán al que hace mucho lo formó.

CAP. 21
a Hab 2:1
b Jer 50:3
Jer 50:9
Jer 51:27
c Isa 13:19
Isa 14:4
Isa 45:1
Jer 50:3
Jer 51:8
Da 5:28
Rev 14:8
Rev 18:2
d Jer 50:2
Jer 51:51
Jer 51:52
e 1Re 8:46
2Re 13:7
Mt 3:12
Heb 12:6
f Gé 32:3
Dt 2:8
Sl 137:7
g Rev 16:15
Eze 27:15
i Job 6:19
Jer 25:23
j Job 7:1
Isa 16:14
k Gé 25:13
Sl 120:5
Can 1:5
Isa 42:11
Eze 27:21
l Jer 49:28
m Nú 23:19
Isa 46:10
Isa 55:11

CAP. 22
n Isa 1:1
Isa 13:1
Isa 22:5
Jer 6:6
o Isa 15:3
Jer 48:38

2.ᵃ col.
a Isa 32:13
Am 6:6
b Isa 3:1
Jer 14:18
Jer 38:2
Lam 4:9
c Isa 1:10
d 2Re 25:4
Jer 39:4
Jer 52:7
e Jer 52:24
f Isa 33:7
Jer 4:19
Jer 6:26
Jer 9:1
Miq 1:8
g Jer 8:18
Jer 31:15
h Jer 30:5
Am 5:18
i Isa 5:5
Isa 10:6
Isa 7:4
k 2Re 25:10
Ne 1:3
Lam 2:2
Isa 10:8
Lu 23:30
Rev 6:16
m Gé 10:22
Isa 21:2
n 2Re 16:9
Am 1:5
o Ne 3:19

p 1Re 7:2; q 2Re 25:10; Jer 52:7; r 2Re 20:20; 2Cr 32:30; Ne 3:15; Jn 9:7; s Ne 1:3; t 2Re 18:17; Isa 7:3; Isa 36:2.

12 ”Y el Señor Soberano,[a] Jehová de los ejércitos, dará llamada en aquel día a llanto[b] y a duelo y a calvicie y a ceñimiento de saco.[c] 13 Pero, ¡miren!, alborozo y regocijo, la matanza de reses vacunas y la degollación de ovejas, el comer carne y el beber vino:[d] ‘Que se coma y se beba, porque mañana moriremos’ ”.[e]

14 Y en mis oídos Jehová de los ejércitos se ha revelado:[f] “ ‘Este error no será expiado[g] a favor de ustedes sino hasta que mueran’,[h] ha dicho el Señor Soberano, Jehová de los ejércitos”.

15 Esto es lo que ha dicho el Señor Soberano, Jehová de los ejércitos: “Anda, entra a este mayordomo, a Sebná,[i] que está sobre la casa:[j] 16 ¿Qué hay que te sea de interés aquí, y quién hay que te sea de interés aquí, para que te hayas labrado aquí una sepultura?’.[k] En una altura él labra su sepultura; en un peñasco corta una residencia para sí. 17 ¡Mira! Jehová está arrojándote abajo con arrojamiento violento, oh hombre físicamente capacitado, y está asiéndote a la fuerza. 18 Sin falta te envolverá apretadamente, como una pelota para una tierra ancha. Allí morirás, y allí los carros de tu gloria serán la deshonra de la casa de tu amo. 19 Y yo ciertamente te empujaré de tu posición; y de tu puesto oficial uno te derrocará.[l]

20 ”Y en aquel día tiene que ocurrir que yo ciertamente llamaré a mi siervo,[m] a saber, a Eliaquim[n] el hijo de Hilquías.[o] 21 Y ciertamente lo vestiré con tu traje talar, y tu banda de la ceñiré firmemente en derredor,[p] y daré tu dominio en su mano; y él tiene que llegar a ser un padre para el habitante de Jerusalén y para la casa de Judá.[q] 22 Y yo ciertamente pondré la llave[r] de la casa de David sobre su hombro, y él tendrá que abrir sin que

nadie cierre, y tendrá que cerrar sin que nadie abra.[a] 23 Y ciertamente lo clavaré como una clavija[b] en un lugar duradero, y tendrá que llegar a ser como trono de gloria a la casa de su padre.[c] 24 Y tendrán que colgar de él toda la gloria de la casa de su padre, los descendientes y los retoños, todas las vasijas de las pequeñas, las vasijas de forma de tazón así como todas las vasijas de los jarros grandes.

25 ”En aquel día —es la expresión de Jehová de los ejércitos— la clavija[d] que está clavada en un lugar duradero será quitada,[e] y tendrá que ser hacheada y tendrá que caer, y la carga que está sobre ella tendrá que ser cortada, porque Jehová mismo [lo] ha hablado’ ”.[f]

23 La declaración formal de Tiro:[g] ¡Aúllen, naves de Tarsis!,[h] porque ha sido despojada violentamente para que no [sea] puerto, para que no [sea] lugar] donde entrar.[i] Desde la tierra de Kitim[j] les ha sido revelado. 2 Callen, habitantes de la tierra costeña. Los mercaderes de Sidón,[k] los que atravesaban el mar... ellos te han llenado. 3 Y sobre muchas aguas ha estado la semilla de Sihor,[l] la cosecha del Nilo, su renta; y llegó a ser la ganancia de las naciones.[m]

4 Avergüénzate, oh Sidón;[n] porque el mar, oh tú, fortaleza del mar, ha dicho: “No he tenido dolores de parto, y no he dado a luz, ni he criado a jóvenes, ni educado a vírgenes”.[o] 5 Justamente como ante el informe relativo a Egipto,[p] así mismo estará la gente con dolores fuertes ante el informe sobre Tiro.[q] 6 Pasen a Tarsis; aúllen, habitantes de la tierra costeña. 7 ¿Es esta su [ciudad] que estuvo alborozada desde días de mucho tiempo atrás, [desde] sus

CAP. 22
a Hch 4:24
b Ne 8:9
  Isa 15:3
  Joe 2:17
c Job 1:20
  Am 8:10
  Miq 1:16
d Isa 5:12
  Isa 56:12
  Am 6:4
  Lu 17:27
e Isa 21:5
  1Co 15:32
  Snt 5:5
f Isa 5:9
  Am 3:7
g Isa 1:11
  Jer 15:1
  Eze 24:13
  Heb 10:26
h Le 26:31
i 2Re 18:37
  2Re 19:2
  Isa 36:3
  Isa 37:2
j 2Re 10:5
k Isa 14:18
  Mt 27:60
l Job 40:11
  Sl 75:7
  Lu 1:52
m Mt 24:45
  1Co 4:2
n 2Re 18:18
  2Re 18:37
  Isa 36:3
o 2Re 18:26
p Gé 41:42
  1Sa 18:4
  Est 8:15
q Gé 45:8
r 1Cr 9:27
  Rev 3:7

2.ª col.
a Mt 18:18
b Esd 9:8
c Gé 45:9
  Isa 2:8
  Lu 22:30
  Rev 3:21
d Isa 22:15
e Isa 22:17
f Isa 46:11
  Jer 4:28

CAP. 23
g Jer 25:22
  Jer 47:4
  Eze 26:3
  Eze 27:2
  Joe 3:4
  Am 9:4
h 2Cr 9:21
  Sl 48:7
  Isa 2:16
  Eze 27:25
i Eze 27:3
j Gé 10:4
  Jer 2:10
  Eze 27:6
  Da 11:30
k Eze 27:8
l Jer 2:18
m Eze 27:33
  Eze 28:4
  Joe 3:5
n Gé 10:15
  Eze 27:8
o Jer 47:4

p Isa 19:1; Isa 19:16; q Eze 26:15; Eze 27:35; Eze 28:19.

tiempos primitivos? Sus pies la llevaban lejos para residir como forastera.

8 ¿Quién es el que ha dado este consejo[a] contra Tiro, la que otorga coronas, cuyos mercaderes eran príncipes, cuyos comerciantes eran los honorables de la tierra?[b]

9 Jehová de los ejércitos mismo ha dado este consejo,[c] para profanar el orgullo de toda hermosura,[d] para tratar con desprecio a todos los honorables de la tierra.[e]

10 Atraviesa tu país como el río Nilo, oh hija de Tarsis.[f] Ya no hay astillero.[g] 11 Él ha extendido su mano sobre el mar; ha hecho que se agiten reinos.[h] Jehová mismo ha dado un mandato contra Fenicia, para aniquilar sus fortalezas.[i] 12 Y él dice: "No debes volver a alborozarte nunca,[j] oh oprimida, oh virgen hija de Sidón.[k] Levántate, pasa a Kitim[l] misma. Aun allí no resultará en descanso para ti."

13 ¡Miren! La tierra de los caldeos.[m] Este es el pueblo —Asiria[n] no resultó ser [dicho pueblo]— la fundaron para los frecuentadores del desierto árido.[o] Han erigido sus torres de asedio;[p] han desnudado las torres de habitación de ella;[q] uno la ha puesto como ruina desmoronadiza.[r]

14 Aúllen, naves de Tarsis, porque su fortaleza ha sido despojada violentamente.[s]

15 Y en aquel día tiene que ocurrir que Tiro tiene que ser olvidada setenta años,[t] lo mismo que los días de un rey. Al fin de setenta años le sucederá a Tiro como en la canción de una prostituta: 16 "Toma un arpa, da la vuelta por la ciudad, oh prostituta olvidada.[u] Esmérate en tocar las cuerdas; haz muchas tus canciones, para que seas recordada".

17 Y al fin de setenta años tiene que ocurrir que Jehová dirigirá su atención a Tiro, y ella tendrá que volver a su alquiler[a] y cometer prostitución con todos los reinos de la tierra sobre la haz del suelo.[b] 18 Y su ganancia y su alquiler[c] tiene que llegar a ser cosa santa a Jehová. No será acumulado, ni puesto en reserva, porque su alquiler llegará a ser para los que moran delante de Jehová,[d] para que coman hasta quedar satisfechos y para que se cubran con elegancia.[e]

24 ¡Mira! Jehová vacía la tierra y la deja asolada,[f] y ha torcido la faz de ella[g] y ha esparcido a sus habitantes.[h] 2 Y tiene que llegar a ser lo mismo para el pueblo como para el sacerdote; lo mismo para el siervo como para su amo; lo mismo para la sierva como para su ama; lo mismo para el comprador como para el vendedor; lo mismo para el prestador como para el que toma prestado; lo mismo para el que toma el interés como para el que paga el interés.[i] 3 Sin falta la tierra será vaciada, y sin falta será saqueada,[j] porque Jehová mismo ha hablado esta palabra.[k] 4 La tierra se ha dado al duelo,[l] se ha desvanecido. La tierra productiva se ha marchitado, se ha desvanecido. Los encumbrados del pueblo de la tierra se han marchitado.[m] 5 Y la mismísima tierra ha sido contaminada bajo sus habitantes,[n] porque han pasado por alto las leyes,[o] han cambiado la disposición reglamentaria,[p] han quebrantado el pacto de duración indefinida.[q] 6 Por eso la maldición misma se ha comido la tierra,[r] y a los que la habitan se les considera culpables. Por eso los habitantes de la tierra han decrecido en número, y muy pocos hombres mortales han quedado.[s]

7 El vino nuevo se ha dado al duelo, la vid se ha marchitado,[t]

CAP. 23
a Dt 29:24
Sl 94:2
b Eze 28:2
c Isa 14:24
Isa 46:10
d Da 4:37
Snt 4:6
e Job 12:21
Sl 107:40
f Isa 23:1
g Eze 26:14
Eze 26:17
h Sl 46:6
Eze 27:34
i Eze 26:5
Eze 26:15
Eze 26:13
k Gé 10:15
l Eze 27:6
Da 11:30
m Gé 11:31
Isa 13:19
Isa 47:1
Hab 1:6
n Eze 17:24
Isa 10:12
Isa 30:31
Na 3:18
Sof 2:13
o Isa 13:21
p Eze 26:8
q Eze 26:9
r Eze 26:12
s Isa 23:1
t Jer 25:11
Jer 27:3
Jer 27:6
u Pr 7:10
Jer 30:14

2.ª col.
a Miq 1:7
b Na 3:4
c Dt 23:18
d Job 27:17
Ec 2:26
e Isa 60:5
Isa 61:6

CAP. 24
f Dt 28:63
Isa 1:7
Isa 5:5
Jer 4:8
Eze 6:6
g 2Re 21:13
h Dt 28:64
Ne 1:8
Jer 9:16
i Isa 3:2
Isa 9:14
Eze 7:12
Os 4:9
j Le 26:31
Dt 29:28
k Isa 46:10
l Isa 3:26
Isa 33:9
Jer 4:28
Lam 1:4
Os 4:3
m Isa 2:11
n Le 18:24
Nú 35:33
2Cr 33:9
Jer 3:1
Jer 3:2
Lám 4:13
o 2Re 17:7
2Re 22:13
Eze 20:13
Da 9:5

p Miq 3:11; q Éx 19:5; Éx 24:7; Jer 31:32; Jer 34:18; r Le 26:16; Dt 28:15; Jos 23:15; s Le 26:22; Dt 4:27; Dt 28:62; Isa 10:22; t Jer 8:13; Joe 1:10.

todos los alegres de corazón se
han puesto a suspirar.[a] 8 Ha
cesado el alborozo de las panderetas, ha quedado suspendido el
ruido de los altamente jubilosos,
ha cesado el alborozo del arpa.[b]
9 No beben vino con canción;
el licor embriagante se les pone
amargo a los que lo beben.
10 El pueblo desierto ha sido
derribado;[c] toda casa ha sido
cerrada para que no se entre.
11 Por [falta de] vino hay un
clamor en las calles. Todo regocijo ha desaparecido; el alborozo
de la tierra se ha ido.[d] 12 En la
ciudad ha quedado una condición pasmosa; la puerta ha sido
triturada hasta quedar hecha un
simple montón de ripios.[e]

13 Porque así llegará a ser en
medio de la tierra, entre los pueblos, como el vareo del olivo,[f]
como la rebusca cuando ha terminado la vendimia.[g] 14 Ellos
mismos alzarán la voz, clamarán gozosamente. En la superioridad de Jehová ciertamente
clamarán agudamente desde el
mar.[h] 15 Por eso en la región
de la luz[i] tienen que glorificar a
Jehová,[j] en las islas del mar el
nombre de Jehová,[k] el Dios de
Israel. 16 Desde la extremidad de la tierra hay melodías
que hemos oído:[l] "¡Decoración al
Justo!".[m]

Pero yo digo: "¡Para mí hay flacura,[n] para mí hay flacura! ¡Ay de
mí! Los que en sus tratos son
traicioneros han tratado traidoramente.[o] Aun con traición los
que en sus tratos son traicioneros han tratado traidoramente".[p]

17 Pavor y el hueco y la trampa están sobre ti, habitante de la
tierra.[q] 18 Y tiene que suceder
que cualquiera que huya del sonido de lo que se ha temido con
pavor caerá en el hueco, y cualquiera que suba de dentro del
hueco será apresado en la trampa.[r] Porque las mismísimas
compuertas de lo alto realmente
serán abiertas,[s] y los fundamentos de la tierra se mecerán.[a]
19 Absolutamente ha reventado
la tierra, absolutamente ha sido
sacudida la tierra, absolutamente ha sido puesta en bamboleo la
tierra.[b] 20 Absolutamente se
mueve con inseguridad como un
borracho la tierra, y ha oscilado
de acá para allá como una choza
de vigilancia.[c] Y su transgresión
se ha hecho pesada sobre ella,[d] y
tiene que caer, de modo que no
volverá a levantarse.[e]

21 Y en aquel día tiene que
suceder que Jehová dirigirá su
atención al ejército de la altura
en la altura, y a los reyes del
suelo sobre el suelo.[f] 22 Y ciertamente serán reunidos como
con la acción de reunir a prisioneros en el hoyo,[g] y serán encerrados en el calabozo;[h] y después de una abundancia de días
se les dará atención.[i] 23 Y la
luna llena ha quedado corrida, y
el [sol] relumbrante se ha avergonzado,[j] porque Jehová de los
ejércitos ha llegado a ser rey[k] en
el monte Sión[l] y en Jerusalén y
enfrente de sus hombres de edad
madura, con gloria.[m]

25 Oh Jehová, tú eres mi
Dios.[n] Te ensalzo,[o] elogio
tu nombre,[p] porque has hecho
cosas maravillosas,[q] consejos[r]
desde tiempos primitivos, en
fidelidad,[s] en confiabilidad.[t]
2 Porque has hecho de una ciudad un montón de piedras, de
un pueblo fortificado una ruina
desmoronadiza, de la torre de
habitación de extraños que no
sea ciudad, la cual no será reedificada aun hasta tiempo indefinido.[u] 3 Por eso los que son un
pueblo fuerte te glorificarán; el
pueblo de las naciones tiránicas

CAP. 24
a Isa 16:10, Isa 32:12, Am 5:17
b Sl 81:2, Jer 7:34, Jer 16:9, Os 2:11
c 2Re 25:10
d Isa 8:22, Lam 5:15
e Isa 32:14, Jer 9:11, Lam 1:4, Lam 2:9, Miq 1:9
f Dt 24:20, Isa 17:6
g Isa 1:9, Isa 17:5, Jer 6:9, Eze 6:8, Miq 7:1
h Isa 12:1, Isa 40:9, Jer 31:12, Jer 33:11, Zac 2:10
i Éx 27:13, Sl 97:11, Isa 30:26, Isa 43:5, Isa 49:6, Miq 7:9
j Zac 13:9, Mal 1:11
k Isa 11:11, Isa 60:9, Sof 2:11
l Sl 22:27, Sl 98:3, Mr 13:27
m Éx 15:11, Esd 9:15, Sl 145:7, Rev 15:3, Rev 19:2
n Isa 10:16, Isa 17:4
o Isa 21:2, Isa 33:1, Lam 1:2
p Jer 9:2, Os 10:13
q Le 26:22, Jer 8:3, Eze 14:21, Am 5:19
r Dt 32:23, 1Re 20:30
s Gé 7:11, Pr 27:4

2.ª col.
a Dt 32:22, Sl 18:7, Sl 18:15
b Jer 4:24, Na 1:5, Hab 3:6
c Sl 107:27, Isa 19:14, Isa 29:9
d 2Re 21:16, 2Cr 36:16, Jer 14:20, Os 4:2
e Am 8:14
f Sl 76:12, Ag 2:22
g Gé 41:14
h Isa 42:7
i Zac 9:11
j Rev 21:23

k Sl 97:1; Rev 11:17; l Sl 132:13; Isa 8:18; Isa 18:7; Joe 3:17; Heb 12:22; m 1Re 8:11; Sl 46:5; Isa 12:6; Miq 4:7; Zac 2:10; CAP. 25 n Dt 32:3; 1Cr 29:10; Sl 25:12; Isa 61:10; o Sl 7:17; Sl 99:5; Sl 145:1; Heb 13:15; p Sl 30:4; Sl 150:6; Rev 15:4; q Sl 40:5; Sl 98:1; Sl 107:8; Sl 145:4; r Sl 33:11; Isa 28:29; Heb 6:17; s Dt 32:4; Ne 9:33; Sl 89:5; t Gé 24:27; Nú 23:19; u Dt 13:16; Isa 6:11.

te temerá.[a] 4 Porque has llegado a ser una plaza fuerte para el de condición humilde, una plaza fuerte para el pobre en la angustia que tiene,[b] un refugio contra la tempestad de lluvia, una sombra[c] contra el calor, cuando el soplo de los tiránicos es como una tempestad de lluvia contra una pared. 5 Como el calor en un país árido, tú reduces el ruido de extraños; el calor, con la sombra de una nube.[d] La melodía misma de los tiránicos queda suprimida.[e]

6 Y Jehová de los ejércitos ciertamente hará para todos los pueblos,[f] en esta montaña,[g] un banquete de platos con mucho aceite,[h] un banquete de [vino mantenido] las heces, de platos con mucho aceite, llenos de médula,[i] de [vino[j] mantenido sobre] las heces, filtrado.[k] 7 Y en esta montaña él ciertamente se tragará la cara de la envoltura que está envuelta sobre todos los pueblos,[l] y la obra tejida que está entretejida sobre todas las naciones. 8 Y realmente se tragará a la muerte para siempre,[m] y el Señor Soberano Jehová ciertamente limpiará las lágrimas de todo rostro.[n] Y el oprobio de su pueblo quitará de toda la tierra,[o] porque Jehová mismo [lo] ha hablado.

9 Y en aquel día uno ciertamente dirá: "¡Miren! Este es nuestro Dios.[p] Hemos esperado en él,[q] y él nos salvará.[r] Este es Jehová.[s] Hemos esperado en él. Estemos gozosos y regocijémonos en la salvación por él".[t]

10 Porque la mano de Jehová se asentará en esta montaña,[u] y Moab tiene que ser pisoteado[v] en su lugar como cuando se pisotea un montón de paja en un estercolero.[w] 11 Y él tiene que dar palmadas hacia fuera con las manos en medio de él como cuando el nadador da palmadas hacia fuera para nadar, y tiene que abatir su altivez[x] con los movimientos mañosos de sus ma-

nos. 12 Y la ciudad fortificada, con tus altos muros de seguridad, la tiene que echar abajo; tiene que abatir[la] —poner[la] en contacto con la tierra— al polvo.[a]

26 En aquel día[b] se cantará esta canción[c] en la tierra de Judá:[d] "Tenemos una ciudad fuerte.[e] Él pone la salvación misma por muros y antemural.[f] 2 Abran las puertas[g] para que entre la nación justa que mantiene conducta fiel.[h] 3 La inclinación que está bien sostenida la salvaguardarás en paz[i] continua, porque en sí se hace que uno confíe.[j] 4 Confíen en Jehová[k] para siempre, porque en Jah Jehová está la Roca[l] de tiempos indefinidos.

5 "Porque él ha echado abajo a los que habitaban la altura,[m] el pueblo elevado.[n] Lo abate, lo abate hasta la tierra; lo pone en contacto con el polvo.[o] 6 El pie lo hollará, los pies del afligido, los pasos de los de condición humilde".[p]

7 La senda del justo es rectitud.[q] Tú que eres recto, tú allanarás el mismísimo derrotero de un justo.[r] 8 Sí, por la senda de tus juicios, oh Jehová, hemos esperado en ti.[s] Por tu nombre y por tu memoria[t] ha sido el deseo del alma.[u] 9 Con mi alma te he deseado en la noche;[v] sí, con mi espíritu dentro de mí sigo buscándote;[w] porque, cuando hay juicios procedentes de ti para la tierra,[x] justicia[y] es lo que los

CAP. 25
a Sl 46:10
Sl 66:3
Sl 83:16
Eze 38:23
b Sl 46:1
Sl 121:7
Na 1:7
Sof 3:12
c Sl 91:1
Sl 121:5
Sl 121:6
Rev 7:16
d Job 7:2
Isa 49:10
e Sl 58:10
Isa 24:8
Rev 18:22
f Isa 49:10
Da 7:14
Mt 8:11
g Sl 72:3
Isa 11:9
Isa 65:25
Da 2:35
h Sl 72:16
Sl 85:11
Sl 85:12
Sl 104:15
Jer 31:12
i Job 21:24
Isa 10:19
Isa 55:1
k Jer 48:11
Lu 5:39
l Isa 60:2
Lu 2:32
Hch 17:30
2Co 3:13
2Co 4:4
Ef 5:8
m Os 13:14
1Co 15:54
2Ti 1:10
Heb 2:15
Rev 20:14
n Isa 35:10
Rev 7:17
Rev 21:4
o Sl 69:9
Sl 89:51
p Dt 32:3
Isa 25:1
Rev 19:1
q Sl 27:14
Sl 37:34
Sl 146:5
r Gé 49:18
Pr 20:22
Lu 2:30
s Ex 6:2
Sl 97:5
Sof 3:12
t Sl 20:5
Sl 21:1
Sl 62:1
Sl 95:1
Miq 7:7
Sof 3:14
u Sl 132:13
Isa 12:6
v Sl 110:6
Isa 25:11
Sof 2:9
w Sl 83:10
Lu 13:8
x Jer 48:29
Da 4:37
Snt 4:6

2.ª col.

a Isa 26:5

CAP. 26   b Isa 4:2; Isa 26:19; Jn 11:24; c Ex 15:1; 2Sa 22:1; Sl 146:2; Sl 150:5; Isa 12:5; d Jer 33:10; Jer 33:11; e Sl 48:2; Sl 48:12; Sl 127:1; f Isa 60:18; Zac 2:5; g Sl 118:19; Sl 118:20; Isa 60:21; Isa 62:10; Mt 7:14; Rev 22:14; h Ex 19:6; Dt 4:8; Mal 3:17; Hch 2:47; 1Pe 2:9; i Sl 119:165; Isa 14:27; Ro 15:33; Flp 4:7; 2Pe 1:2; j Sl 9:10; Jer 17:7; k 2Cr 20:20; Sl 62:8; Pr 3:5; l Dt 32:4; Dt 32:31; Isa 2:2; m Job 40:11; Isa 2:11; n Isa 15:1; Isa 25:10; o Isa 25:12; Jer 48:9; p Sof 3:12; Mal 4:3; q 1Cr 29:11; Job 1:1; Sl 18:24; Pr 20:7; r Sl 5:8; s Sl 119:7; Ef 5:17; t Ex 3:15; Sl 135:13; Isa 55:6; u Miq 7:7; v Sl 63:6; Sl 119:62; Lu 6:12; w Sl 63:1; Sl 77:6; x Sl 9:8; Sl 58:11; y Sl 96:13; Sl 97:2.

habitantes de la tierra productiva ciertamente aprenden.[a] 10 Aunque se muestre favor al inicuo, simplemente no aprenderá justicia.[b] En la tierra de derechura actuará injustamente,[c] y no verá la eminencia de Jehová.[d]

11 Oh Jehová, tu mano ha llegado a estar elevada,[e] [pero] ellos no [la] contemplan.[f] Contemplarán y se avergonzarán[g] ante el celo por [tu] pueblo. Sí, el mismísimo fuego[h] para tus propios adversarios se los comerá. 12 Oh Jehová, tú nos adjudicarás paz,[i] porque aun todas nuestras obras nos las has ejecutado.[j] 13 Oh Jehová Dios nuestro, otros amos fuera de ti han actuado como dueños de nosotros.[k] Solo por ti haremos mención de tu nombre.[l] 14 Están muertos; no vivirán.[m] Impotentes en la muerte,[n] no se levantarán.[o] Por lo tanto, has dirigido tu atención para aniquilarlos y destruir toda mención de ellos.[p]

15 Has añadido a la nación; oh Jehová, has añadido a la nación;[q] te has glorificado.[r] Has extendido a gran distancia todos los confines del país.[s] 16 Oh Jehová, durante angustia ellos han dirigido su atención a ti;[t] han derramado un susurro [de oración] cuando tuvieron de ti disciplina.[u] 17 Tal como una mujer en preñez se acerca a dar a luz, está con dolores, clama en sus dolores de parto, así nos hemos puesto nosotros a causa de ti, oh Jehová.[v] 18 Hemos llegado a estar en preñez, hemos tenido dolores de parto;[w] por decirlo así, hemos dado a luz viento. Ninguna salvación verdadera lograremos en cuanto a la tierra,[x] y ningún habitante procede a caer [en nacimiento][y] para la tierra productiva.

19 "Tus muertos vivirán.[z] Cadáver mío... se levantarán.[a] ¡Despierten y clamen gozosamente,

residentes del polvo![a] Porque tu rocío[b] es como el rocío de malvas,[c] y la tierra misma adjudicará que hasta los que están impotentes en la muerte caigan [en nacimiento].[d]

20 "Anda, pueblo mío, entra en tus cuartos interiores, y cierra tus puertas tras de ti.[e] Escóndete por solo un momento hasta que pase la denunciación.[f] 21 Porque, ¡mira!, Jehová está saliendo de su lugar para pedir cuenta por el error del habitante de la tierra contra él,[g] y la tierra ciertamente expondrá su derramamiento de sangre[h] y ya no encubrirá a los de ella a quienes han matado."[i]

27 En aquel día Jehová,[j] con su espada[k] dura y grande y fuerte, dirigirá su atención a Leviatán,[l] la serpiente deslizante,[m] aun a Leviatán, la serpiente torcida, y ciertamente matará al monstruo marino[n] que está en el mar.

2 En aquel día canten a ella:[o] "¡Una viña[p] de vino espumante! 3 Yo, Jehová, la salvaguardo.[q] Cada momento la regaré.[r] Para que nadie dirija su atención contra ella, la salvaguardaré aun de noche y de día.[s] 4 No hay furia que tenga yo.[t] ¿Quién me dará zarzas[u] [y] malas hierbas en la batalla? Ciertamente pisaré las tales. Ciertamente prenderé fuego a las tales a la vez.[v] 5 De otro modo, que eche mano a mi plaza fuerte, que haga paz conmigo; paz haga conmigo."[w]

6 En los [días] venideros Jacob se arraigará, Israel[x] echará

CAP. 26
a Sl 85:11
  Isa 61:11
b Éx 8:15
  Sl 106:43
  Pr 1:32
c Sl 78:57
  Jer 2:7
d Sl 28:5
  Isa 5:12
  Os 11:7
e Sl 10:12
  Miq 5:9
f Isa 6:9
  Sl 86:17
  1Pe 3:16
  Rev 3:9
h Heb 10:27
i Sl 29:11
  Isa 57:19
  Jer 33:6
  Jn 14:27
j Hch 5:38
  Hch 5:39
k 2Cr 12:8
l Jos 23:7
  2Ti 2:19
m Sl 22:15
n Pr 2:18
  Ec 9:5
  Ec 9:10
  Sal 38:18
o Job 14:14
  Ec 9:6
  Jer 51:39
  Mt 25:46
p Sl 9:5
  Sl 109:13
  Pr 10:7
q Gé 12:2
  Dt 10:22
  Isa 9:3
  Isa 51:2
r Sl 72:18
  Isa 60:21
s 1Re 4:21
t Jue 10:10
  Sl 77:2
  Sl 78:34
  Os 5:15
u Jue 3:8
  Heb 12:5
  Heb 12:6
v Isa 13:8
  Jer 4:31
  Jer 6:24
w 2Re 19:3
x Jos 7:9
y Isa 37:3
z Os 13:14
  Jn 5:29
  Hch 24:15
  1Co 15:22
  Rev 20:12
a Isa 25:8
  Mt 12:26
  Jn 11:24
  Jn 11:25
  1Co 15:21
  1Te 4:14

2.ª col.
a Gé 3:19
  Da 12:2
b Eze 37:2
c 2Re 4:39
d Rev 20:13
e Gé 7:16
  Éx 12:22
  Sl 32:7
  Sl 91:4
  Pr 18:10
f Sl 27:5; Sl 57:1; Sl 91:4; g Sl 37:20; Os 5:14;
Miq 1:3; Mt 24:21; 2Te 1:8; 2Pe 3:7; h Gé 4:10;
Sl 9:12; Eze 24:7; Lu 11:50; Rev 16:6; Rev 18:24;
i Mal 4:1; CAP. 27 j Éx 15:3; k Dt 32:41; Jer
47:6; l Job 41:1; m Job 26:13; n Gé 1:21; Sl
74:13; Isa 51:9; Eze 29:3; Eze 32:2; o Sl 80:8;
Sl 80:8; Jer 2:21; Mt 21:33; q Dt 33:29; 1Sa 2:9;
Para 35:6; Isa 41:18; Isa 58:11; s Sl 121:4; Isa
46:4; t Sl 85:3; Sl 103:9; Isa 12:1; u Lu 6:44;
v 2Sa 23:6; Isa 10:17; Heb 6:8; w Isa 57:19; Eze
34:25; Os 2:18; Ro 5:1; 2Co 5:19; x Eze 39:25.

flores y realmente brotará; y simplemente llenarán la superficie de la tierra productiva de producto.[a]

7 ¿Como con el golpe de uno que lo golpea tiene uno que golpearlo? ¿O como con el degüello de los suyos a quienes mataron se le tiene que matar?[b] 8 Con un grito espantador contenderás con ella cuando la envíes. Él [la] tiene que expulsar con su soplo, uno fuerte en el día del viento del este.[c] 9 Por lo tanto, mediante esto quedará expiado el error de Jacob,[d] y este es todo el fruto [cuando] él quite su pecado,[e] cuando haga todas las piedras del altar como terrones de creta que han sido pulverizados, de manera que no se levanten los postes sagrados[f] ni los estantes de incienso.[g] 10 Pues la ciudad fortificada estará solitaria, la dehesa será dejada sola y abandonada como un desierto.[h] Allí pacerá el becerro, y allí se echará; y él realmente consumirá las ramas mayores de ella.[i] 11 Cuando se hayan secado sus tallitos, las mujeres que vienen [los] quebrarán, los encenderán.[j] Pues no es un pueblo de agudo entendimiento.[k] Por eso su Hacedor no le mostrará misericordia, y su propio Formador no le mostrará favor.[l]

12 Y en aquel día tiene que ocurrir que Jehová vareará [el fruto],[m] desde la corriente caudalosa del Río[n] hasta el valle torrencial de Egipto,[o] y así ustedes mismos serán recogidos uno tras otro,[p] oh hijos de Israel. 13 Y en aquel día tiene que ocurrir que se tocará un cuerno grande,[q] y los que estén pereciendo en la tierra de Asiria[r] y los que estén dispersados en la tierra de Egipto[s] ciertamente vendrán y se inclinarán[t] ante Jehová en la montaña santa de Jerusalén.[u]

28 ¡Ay de la corona eminente de los borrachos de Efraín,[a] y de la flor marchita de su decoración de hermosura que está sobre la cabeza del valle fértil de los que han sido vencidos por el vino! 2 ¡Mira! Jehová tiene a alguien fuerte y vigoroso.[b] Cual tempestad atronadora de granizo,[c] tempestad destructiva, cual tempestad atronadora de aguas poderosas, inundantes,[d] él ciertamente efectuará un echar abajo a tierra con fuerza. 3 Con los pies serán holladas[e] las coronas eminentes de los borrachos de Efraín. 4 Y la flor marchita[f] de su decoración de hermosura que está sobre la cabeza del valle fértil tiene que llegar a ser como el higo[g] temprano antes del verano, que, cuando lo ve el que está viendo, mientras todavía está en la palma de su mano, se lo traga.

5 En aquel día Jehová de los ejércitos llegará a ser como corona de decoración[h] y como guirnalda de hermosura[i] para los restantes[j] de su pueblo, 6 y como espíritu de justicia al que se sienta en el juicio,[k] y como poderío [a] los que apartan la batalla de la puerta.[l]

7 Y estos también... a causa del vino se han descarriado y a causa del licor embriagante han andado errantes. Sacerdote y profeta[m]... se han descarriado a causa del licor embriagante, se han confundido como resultado del vino, han andado errantes[n] como resultado del licor embriagante; se han descarriado en su ver, han tambaleado en cuanto a decisión. 8 Porque todas las mesas mismas se han llenado de sucio vómito[o]... no hay lugar [sin él].

9 ¿A quién instruirá uno en

CAP. 27
a Sl 92:13
Isa 37:31
Isa 60:22
Dt 30:19
Os 14:5
b Isa 10:20
Jer 50:33
c Jer 4:11
Eze 13:13
d Isa 4:4
Isa 48:10
Eze 24:13
e Ro 11:26
f Isa 17:8
Miq 5:13
g 2Cr 34:4
h Isa 6:11
Isa 7:23
Jer 26:18
Lam 2:5
Eze 36:4
i Isa 7:25
Isa 17:2
Isa 32:14
j Sl 80:16
Eze 6:13
Eze 15:6
Mt 3:10
Jn 15:6
k Dt 32:28
Isa 1:3
Isa 27:11
Os 4:6
l 2Cr 36:16
Eze 9:10
2Te 1:8
m Isa 11:11
Isa 24:13
n Jos 24:2
o Nú 34:5
1Re 8:65
p Dt 30:3
Ne 1:9
Jer 3:14
Am 9:14
Lu 15:4
q Isa 11:12
Isa 49:22
Ro 12:10
r 2Re 17:6
Isa 11:16
Os 9:3
s Jer 43:7
Os 8:13
Zac 10:10
t Sl 95:6
Zac 14:16
u Isa 122:4
Isa 2:3
Isa 25:6
Isa 52:1
Jer 3:17

2.ª col.

CAP. 28
a Isa 7:2
Os 7:11
b Isa 7:17
Isa 7:20
c Job 38:22
Isa 28:17
Eze 13:11
d Isa 29:6
Na 1:8
e Isa 25:10
Lam 1:15
f Snt 1:10
g Jer 24:2
Na 3:12
Rev 6:13

h Isa 24:15; Isa 24:23; Isa 62:3; i Isa 11:16; Ro 11:5; k Nú 11:17; 1Re 3:28; Isa 11:2; 1Sl 18:34; Sl 68:35; Flp 4:13; m Jer 5:31; Jer 23:13; n 2Re 16:10; o Jer 48:26.

conocimiento,[a] y a quién hará uno entender lo que se ha oído?[b] ¿A los que han sido destetados de la leche, a los quitados de los pechos?[c] 10 Porque es "mandato sobre mandato, mandato sobre mandato, cordel de medir sobre cordel de medir, cordel de medir sobre cordel de medir, aquí un poco, allí un poco".[d] 11 Porque mediante los que tartamudean con los labios[e] y mediante una lengua diferente[f] él hablará a este pueblo,[g] 12 a aquellos a quienes ha dicho: "Este es el lugar de descanso. Den descanso al fatigado. Y este es el lugar de desahogo", pero quienes no estuvieron dispuestos a oír.[h] 13 Y para ellos la palabra de Jehová ciertamente llegará a ser "mandato sobre mandato, mandato sobre mandato, cordel de medir sobre cordel de medir, cordel de medir sobre cordel de medir", aquí un poco, allí un poco", a fin de que vayan y ciertamente tropiecen [y caigan] hacia atrás y realmente sean quebrados y cogidos en lazo y atrapados.[j]

14 Por lo tanto, oigan la palabra de Jehová, fanfarrones, gobernantes[k] de este pueblo que está en Jerusalén: 15 Porque ustedes han dicho: "Hemos celebrado un pacto con la Muerte;[l] y con el Seol hemos efectuado una visión;[m] la avenida repentina, inundante, en caso de que pase, no vendrá a nosotros, porque hemos hecho de una mentira nuestro refugio,[n] y en la falsedad nos hemos ocultado";[o] 16 por lo tanto, esto es lo que ha dicho el Señor Soberano Jehová: "Aquí voy a colocar como fundamento en Sión[p] una piedra,[q] una piedra probada,[r] el precioso ángulo de un fundamento seguro.[t] Nadie que ejerza fe será sobrecogido de pánico.[u] 17 Y ciertamente haré del derecho el cordel de medir,[v] y de la justicia[w] el instrumento de nivelar; y el granizo[x]

CAP. 28
a Heb 5:14
b Isa 6:10
c Os 4:6
  Mt 15:8
  Mt 15:9
d 2Re 21:13
  Isa 28:17
  Lam 2:8
e Dt 28:49
  Jer 5:15
f Da 1:4
g 1Co 14:21
h Sl 81:11
  Jer 44:16
i 2Re 21:13
  Isa 28:17
  Lam 2:8
j 2Cr 36:16
  Isa 8:15
k Hab 1:10
l Isa 28:18
m Eze 13:16
n Isa 31:1
  Isa 31:3
o Isa 30:10
p Heb 12:22
  Rev 14:1
q Sl 118:22
  Ro 9:33
  1Pe 2:6
r Heb 2:10
  Heb 5:9
s Mt 21:42
  Mr 12:10
  Lu 20:17
  Hch 4:11
t Isa 51:16
  Mt 16:18
  1Co 3:11
  Ef 2:20
u Ro 9:33
  Ro 10:11
  1Pe 2:6
v 2Re 21:13
w Sl 9:8
  Sl 35:24
  Jer 11:20
x Isa 28:2

2.ª col.

a 2Re 18:21
  Isa 31:1
  Isa 31:3
  Jer 43:11
  Jer 43:7
b Jer 42:14
  Eze 17:15
c Ro 5:14
d Isa 28:15
e Isa 8:8
  Jer 47:2
f 2Re 18:13
g Isa 24:1
h 2Re 21:12
  Jer 19:3
  Hab 3:16
i 2Sa 5:20
  1Cr 14:11
j Jos 10:10
  1Cr 14:16
k Lam 2:15
  Hab 1:5
l 2Cr 30:10
  2Cr 36:16
  Jer 20:7
m Isa 10:23
n Isa 24:1
o Sl 30:5
  Sl 103:9
  Miq 7:18
p Jer 4:3
q Mt 23:23

tiene que barrer el refugio de una mentira,[a] y las aguas mismas inundarán el mismísimo escondrijo.[b] 18 Y el pacto de ustedes con la Muerte ciertamente será disuelto,[c] y aquella visión de ustedes con el Seol no subsistirá.[d] La avenida repentina, inundante, cuando pase[e]... ustedes también tienen que llegar a ser para ella un lugar de holladura.[f] 19 Cuantas veces pase, se los llevará,[g] porque mañana a mañana pasará, durante el día y durante la noche; y tiene que llegar a ser solo razón para trepidación,[h] para hacer [que otros] entiendan lo que se ha oído".

20 Porque el lecho ha resultado demasiado corto para estirarse uno en él, y la sábana tejida misma es [demasiado] angosta cuando se envuelve uno. 21 Porque Jehová se levantará tal como en el monte Perazim,[i] se agitará tal como en la llanura baja cerca de Gabaón,[j] para hacer su hecho —su hecho es extraño— y para obrar su obra —su obra es extraordinaria[k]—. 22 Y, ahora, no se muestren escarnecedores,[l] para que no se pongan fuertes sus ataduras, porque hay una exterminio, aun algo ya decidido, que he oído de parte del Señor Soberano,[m] Jehová de los ejércitos, para toda la tierra.[n]

23 Presten oído y escuchen mi voz; presten atención y escuchen mi dicho. 24 ¿Es acaso todo el día[o] que ara el arador para sembrar, que afloja y rastrilla su suelo?[p] 25 ¿Acaso, cuando ha allanado su superficie, no esparce entonces ajenuz y riega el comino,[q] y no tiene que meter trigo, mijo[r] y cebada en el lugar designado,[s] y espelta[t] como su lindero?[u] 26 Y uno lo corrige[v] conforme a lo que es recto. Su propio Dios lo instru-

r Eze 4:9; s Le 19:19; t Éx 9:32; Eze 4:9; u Le 19:9; Le 19:10; Le 23:22; v Jer 10:24; Heb 12:6; Heb 12:11.

ye.ᵃ 27 Pues no es con instrumento de trillarᵇ que se hace la pisa del ajenuz; y sobre el comino no se hace que dé vueltas la rueda de carreta. Porque es con una varaᶜ que generalmente se bate el ajenuz, y el comino con un palo. 28 ¿Acaso el mismísimo material para hacer pan generalmente se tritura? Pues nunca sigue pisándoloᵈ uno incesantemente.ᵉ Y tiene que poner en moción el rodillo de su carreta, y sus propios corceles, [pero] no lo tritura.ᶠ 29 Esto también es lo que ha procedido de Jehová de los ejércitos mismo,ᵍ quien ha sido maravilloso en consejo, quien ha obrado grandiosamente en trabajo eficaz.ʰ

29 "¡Ay de Ariel,ⁱ de Ariel, el pueblo donde acampó David!ʲ Añadan ustedes año sobre año; las fiestasᵏ completen el giro. 2 Y tengo que hacer apretadasˡ las cosas para Ariel, y tiene que llegar a haber duelo y lamentación,ᵐ y ella tiene que llegar a ser para mí como el altar-hogar de Dios.ⁿ 3 Y tengo que acampar por todos lados contra ti, y tengo que ponerte sitio con una empalizada y levantar contra ti obras de asedio.ᵒ 4 Y tienes que ser rebajada de modo que hables desde la tierra misma, y como desde el polvo tu decir sonará bajo.ᵖ Y cual médium espiritista tu voz tiene que llegar a ser aun desde la tierra, y desde el polvo chirriaráᵠ tu propio decir. 5 Y la muchedumbre de los que te son extraños tiene que llegar a ser justamente como polvo fino,ʳ y la muchedumbre de los tiranosˢ justamente como el tamo que está pasando.ᵗ Y tiene que ocurrir en un instante, de repente.ᵘ 6 De parte de Jehová de los ejércitos tendrás atención con trueno y con temblor y con un gran sonido, viento de tempestad y tor-

menta, y la llama de un fuego devorador."ᵃ

7 Y tiene que suceder justamente como en un sueño, en una visión de la noche, respecto a la muchedumbre de todas las naciones que están haciendo guerra contra Ariel,ᵇ aun de todos los que están haciendo guerra contra ella, y las torres de asedio contra ella y los que están haciendo apretadas las cosas para ella.ᶜ 8 Sí, tiene que suceder justamente como cuando alguien que tiene hambre sueña, y, fíjate, está comiendo, y realmente despierta y su alma está vacía;ᵈ y justamente como cuando alguien que tiene sed sueña, y, fíjate, está bebiendo, y realmente despierta y, fíjate, está cansado y su alma está reseca; así sucederá con la muchedumbre de todas las naciones que están haciendo guerra contra el monte Sión.ᵉ

9 Demórense y asómbrense;ᶠ ciéguense, y sean cegados.ᵍ Ellos se han embriagado,ʰ pero no con vino; se han movido con inseguridad, pero no a causa de licor embriagante.ⁱ

10 Porque Jehová ha derramado sobre ustedes un espíritu de sueño profundo;ʲ y cierra los ojos de ustedes, los profetas,ᵏ y ha cubierto hasta las cabezas de ustedes,ˡ los hombres de visiones.ᵐ 11 Y para ustedes la visión de todo llega a ser como las palabras del libro que ha sido sellado,ⁿ el cual dan a alguien que conoce la escritura, y le dicen: "Lee esto en [voz] alta, por favor", y él tiene que decir: "No puedo, porque está sellado";ᵒ 12 y hay que dar el libro a alguien que no sabe escritura, y [alguien] dice: "Lee esto en [voz] alta, por favor", y él tiene que decir: "No sé nada de escritura".

13 Y Jehová dice: "Por razón de que este pueblo se ha acercado con su boca, y me ha glorificado meramente con sus labios,ᵖ y ha alejado de mí su corazón

mismo,[a] y su temor para conmigo llega a ser mandamiento de hombres que se está enseñando,[b] 14 por lo tanto, aquí estoy yo, Aquel que volverá a obrar maravillosamente con este pueblo,[c] de manera maravillosa y con algo maravilloso; y la sabiduría de sus sabios tiene que perecer, y el mismísimo entendimiento de sus discretos se ocultará".[d]

15 ¡Ay de los que van a gran profundidad en ocultar consejo de Jehová mismo,[e] y cuyos hechos han tenido lugar en un sitio oscuro,[f] mientras dicen: "¿Quién nos está viendo, y quién sabe de nosotros?"[g] 16 ¡Qué perversidad la de ustedes! ¿Acaso al alfarero mismo se le debe considerar igual al barro?[h] Pues, ¿debe decir la cosa hecha respecto a su hacedor: "Él no me hizo"?[i] Y, ¿realmente dice la mismísima cosa formada respecto a su formador: "Él no mostró entendimiento"?[j]

17 ¿No es cosa ya de muy poco tiempo y el Líbano tiene que ser tornado en huerto y al huerto[k] mismo se le considerará lo mismo que un bosque?[l] 18 Y en aquel día ciertamente los sordos ciertamente oirán las palabras del libro,[m] y desde las tinieblas y desde la oscuridad hasta los ojos de los ciegos verán.[n] 19 Y los mansos[o] ciertamente aumentarán su regocijo en Jehová mismo, y aun los pobres de la humanidad estarán gozosos en el mismísimo Santo de Israel,[p] 20 porque el tirano tiene que acabarse,[q] y el vanaglorioso tiene que terminarse,[r] y todos los que se mantienen alerta para hacer daño[s] tienen que ser cortados, 21 los que meten al hombre en pecado por [su] palabra,[t] y los que tienden lazos hasta para el que censura en la puerta,[u] y los que empujan a un lado al justo con argumentos vacíos.[v]

22 Por lo tanto, esto es lo que Jehová, el que redimió a Abrahán,[w] ha dicho a la casa de Jacob: "Jacob no estará avergonzado ahora, ni palidecerá ahora su propio rostro;[a] 23 porque cuando vea a sus hijos, la obra de mis manos, en medio de él,[b] santificarán mi nombre,[c] y ciertamente santificarán al Santo de Jacob,[d] y considerarán con respetuoso temor al Dios de Israel.[e] 24 Y los que están errando en [su] espíritu realmente llegarán a conocer entendimiento, y hasta los que están refunfuñando aprenderán la instrucción".[f]

30 "¡Ay de los hijos tercos[g] —es la expresión de Jehová—, [aquellos dispuestos] a llevar a cabo consejo, pero no el que proviene de mí;[h] y a derramar una ofrenda de bebida, pero no con mi espíritu, para añadir pecado a pecado;[i] 2 los que están poniéndose en camino para bajar a Egipto,[j] y que no han inquirido de mi propia boca;[k] para abrigarse en la plaza fuerte de Faraón y para refugiarse en la sombra de Egipto![l] 3 Y la plaza fuerte de Faraón tiene que llegar a ser aun para ustedes razón para vergüenza;[m] y el refugio en la sombra de Egipto, causa para humillación.[a] 4 Porque los príncipes de él han llegado a estar en Zoán[o] misma, y los propios enviados de él llegan aun a Hanés. 5 Todos ciertamente se avergonzarán de un pueblo que no le trae provecho a uno, que no sirve de ayuda y no trae provecho alguno, sino que es razón para vergüenza y también causa de oprobio".[p]

6 La declaración formal contra las bestias del sur:[q] Por la tierra de angustia[r] y duras condiciones, del león y del leopardo que están gruñendo, de la víbora y de la culebra[s] abrasadora voladora, ellos llevan sus recursos

---

CAP. 29

a Mt 15:8
b Mt 15:9
  Mr 7:8
  Col 2:22
c Isa 28:21
  Hab 1:5
d Ek 8:9
  Jn 9:39
  Hch 28:26
  Ro 1:28
  1Co 1:19
e Isa 30:1
f Job 24:15
  Eze 8:12
  Jn 3:20
  1Co 4:5
g Sl 73:11
  Sl 94:7
h Isa 45:9
  Isa 64:8
  Ro 9:21
i Jer 18:6
j Sl 94:9
  Isa 45:9
  Ro 9:20
k Isa 35:1
  Isa 41:19
  Isa 32:15
l Isa 35:5
m Isa 42:16
  Lu 4:18
  Hch 26:18
  Rev 3:18
o Sl 37:11
  Sof 2:3
p Isa 41:16
  Isa 29:5
r Isa 28:14
  Jer 9:23
s Jer 18:18
  Miq 2:1
  Lu 6:7
  Lu 20:20
t Mt 22:15
  Lu 11:54
u Am 5:10
v Isa 13:19
  Mal 3:5
w Ne 9:7
  Miq 7:20

2.ª col.

a Joe 2:27
b Isa 43:21
  Isa 45:11
c Le 10:3
  Le 22:32
  Mt 6:9
d Isa 5:16
e Isa 8:13
  Os 3:5
  Rev 15:4
  Rev 19:5
f Sl 94:10
  Pr 4:2

CAP. 30

g Isa 1:2
  Isa 63:10
  Isa 65:2
  Hch 7:51
h Isa 29:15
  Os 4:10
  1Te 4:8
i Nú 32:14
  Os 13:2
j 2Re 17:4
  Isa 31:1
  Eze 29:6
  Os 7:11

k Nú 27:21; 1Re 22:7; l Isa 36:6; m Isa 20:5; Jer 37:7; n Jer 17:5; o Nú 13:22; Isa 19:11; Eze 30:14; p Isa 31:3; Jer 2:36; Os 5:13; q 2Cr 12:3; Isa 20:3; r Éx 1:14; Dt 4:20; Jer 11:4; s Nú 21:6; Dt 8:15; Jer 2:6.

sobre los hombros de asnos adultos, y sus provisiones sobre las gibas de camellos.[a] En el interés del pueblo no resultarán de ningún provecho. 7 Y los egipcios son mera vanidad, y simplemente de nada servirá su ayuda.[b] Por lo tanto, he llamado a esta: "Rahab[c]... favorecen el sentarse quietos".

8 "Ahora ven, escríbelo sobre una tablilla con ellos, e inscríbelo hasta en un libro,[d] para que sirva para un día futuro, para testimonio hasta tiempo indefinido.[e] 9 Porque es un pueblo rebelde,[f] hijos mentirosos,[g] hijos que no han querido oír la ley de Jehová;[h] 10 que han dicho a los que ven: 'No deben ver', y a los que tienen visiones: 'No deben ver en visiones para nosotros cosas de derechura.[i] Háblennos cosas melosas; vean en visiones cosas engañosas.[j] 11 Apártense del camino; desvíense de la senda.[k] Hagan cesar al Santo de Israel simplemente a causa de nosotros'".[l]

12 Por lo tanto, esto es lo que ha dicho el Santo de Israel: "En vista de que ustedes han rechazado esta palabra,[m] y [puesto que] confían en defraudar y en lo sinuoso y se apoyan en ello,[n] 13 por eso este error llegará a ser para ustedes como una sección rota que está a punto de caer, una comba en un muro[o] muy elevado, el quebranto del cual puede venir de repente, en un instante.[p] 14 Y uno ciertamente lo quebrará como se quiebra un jarro grande de los alfareros,[q] triturado sin tener[le] uno consideración, de manera que no se pueda hallar entre sus pedazos triturados un fragmento de vasija de barro con el cual sacar el fuego del hogar o espumar agua de un lugar pantanoso".[r]

15 Porque esto es lo que ha dicho el Señor Soberano Jehová,[s] el Santo de Israel: "Por volver y descansar se salvarán ustedes.

Su poderío resultará estar simplemente en mantenerse sosegados y en confianza plena".[a] Pero ustedes no quisieron.[b] 16 Y procedieron a decir: "¡No, sino que en caballos huiremos!".[c] Por eso huirán. "¡Y en [caballos] veloces cabalgaremos!"[d] Por eso los que los persiguen se mostrarán veloces.[e] 17 Mil temblarán a causa de la reprensión de uno solo;[f] a causa de la reprensión de cinco ustedes huirán hasta que hayan quedado como un mástil en la cima de una montaña, y como una señal enhiesta en una colina.[g]

18 Y por lo tanto Jehová se mantendrá en expectación de mostrarles favor a ustedes,[h] y por lo tanto se levantará para mostrarles misericordia.[i] Porque Jehová es un Dios de juicio.[j] Felices[k] son todos los que se mantienen en expectativa de él.[l] 19 Cuando el mismo pueblo de Sión[m] more en Jerusalén,[n] no llorarás de manera alguna.[o] Sin falta él te mostrará favor al sonido de tu clamor; luego que él lo oiga, realmente te responderá.[p] 20 Y Jehová ciertamente les dará a ustedes pan en la forma de angustia y agua en la forma de opresión;[q] no obstante, tu Magnífico Instructor ya no se esconderá, y tus ojos tienen que llegar a ser [ojos] que vean a tu Magnífico Instructor.[r] 21 Y tus propios oídos oirán una palabra detrás de ti que diga: "Este es el camino.[s] Anden en él", en caso de que ustedes se fueran a la derecha o en caso de que se fueran a la izquierda.[t]

22 Y ustedes tienen que contaminar el revestimiento de tus imágenes esculpidas de plata[u] y la cubierta ajustada de tu estatua fundida[v] de oro.[w] Las esparcirás.[x] Como una mujer que está

CAP. 30

a 2Cr 9:1
b Sl 118:8
  Isa 31:1
  Jer 37:7
c Sl 87:4
  Sl 89:10
d Job 19:23
  Isa 8:1
  Jer 36:2
e Ro 15:4
f Dt 31:27
  Isa 1:4
  Jer 44:3
  Hch 7:51
g Isa 59:3
  Jer 9:3
  Os 4:2
h 2Cr 33:10
  2Cr 36:15
  Ne 9:29
  Pr 28:9
  Jer 7:13
  Am 5:10
i 2Cr 16:10
  2Cr 18:7
  2Cr 24:19
  Jer 11:21
  Jer 26:11
  Hch 4:17
j Jer 23:17
  Eze 13:7
  Miq 2:11
  2Ti 4:3
k Am 7:16
l Am 7:13
m Isa 5:24
  Am 2:4
n Jer 13:25
  Miq 3:11
o Sl 62:3
  Lu 6:49
p Sl 73:19
q Jer 19:11
r Jer 13:14
s Isa 30:11

2.ᵃ col.

a 1Cr 5:20
  2Cr 16:8
  Isa 26:3
b Jer 44:16
  Mt 23:37
  Hch 7:51
c Isa 31:1
  Isa 31:3
d Sl 33:17
  Am 2:14
e Dt 28:49
  Jer 4:13
  Lam 4:19
  Hab 1:8
f Le 26:36
  Dt 32:30
g Isa 66:19
  Eze 12:16
h Ex 34:6
  Eze 36:9
i Sl 102:13
  Ro 9:15
j Sl 99:4
  Jer 10:24
  Ro 2:2
k Sl 112:1
  Pr 16:20
l Jer 17:7
m Sl 87:5
  Isa 62:1
  Jer 31:6
  Zac 1:17
n Ne 11:1
  Isa 44:28
o Ne 12:27
  Isa 61:3

p Sl 50:15; Jer 29:12; q Le 26:26; Sl 80:5; r Job 36:22; Sl 32:8; Sl 71:17; Sl 119:102; s Isa 25:8; t Dt 5:32; Jos 1:7; Pr 4:27; u 2Re 23:4; 2Cr 7:25; v Éx 32:4; Jue 17:3; w Dt 7:25; x Dt 7:5.

menstruando, le dirás: "¡Nada más que mugre!".ª 23 Y él ciertamente dará la lluvia para tu semilla con la cual siembras el terreno,b y, como el producto del terreno, pan, el cual tiene que llegar a ser graso y aceitoso.c Tu ganado pacerá en aquel día en un prado espacioso.d 24 Y las reses vacunas y los asnos adultos que cultivan el terreno comerán forraje sazonado con acedera, que habrá sido aventado con la palaº y con el bieldo. 25 Y sobre toda montaña alta y sobre toda colina elevada tiene que llegar a haber arroyos,f acequias de agua, en el día de la gran matanza cuando caigan las torres.g 26 Y la luz de la luna llena tiene que llegar a ser como la luz del [sol] relumbrante; y la mismísima luz del [sol] relumbrante se hará siete veces mayor,h como la luz de siete días, el día en que Jehová vende el quebrantoⁱ de su pueblo y saneⁱ hasta la grave herida que resulte del golpe por él.

27 ¡Mira! El nombre de Jehová viene de lejos, ardiendo con su cólerak y con nubes pesadas. En cuanto a sus labios, se han llenado de denunciación, y su lengua es como un fuego devorador.l 28 Y su espíritu es como un torrente inundante que llega hasta el mismo cuello,m para columpiar las naciones de acá para allá con una zarandan de inutilidad; y un frenoº que haga andar errante estará en las mandíbulas de los pueblos.p 29 Ustedes llegarán a tener una canciónq como la de la noche en que uno se santifica para una fiesta,r y regocijo de corazón como el de uno que anda con flautas para entrar en la montaña de Jehová,ʸ a la Roca de Israel.u

30 Y Jehová ciertamente hará oír la dignidad de su voz,ʷ y hará ver el descender de su brazo,ʷ en el enfurecimiento de cóleraˣ y la llama de un fuego devoradorʸ [y] turbión y tempestad de lluviaᶻ y

piedras de granizo.ª 31 Pues, a causa de la voz de Jehová, Asiria se sobrecogerá de terror;b él [la] golpeará hasta con un bastón.c 32 Y cada movimiento de su vara de castigo que Jehová haga asentar sobre [Asiria] ciertamente resultará ser con panderetas y con arpas;d y con batallas de [armas] blandidas realmente peleará contra ellos.e 33 Porque su Tófetf está puesto en orden desde tiempos recientes; también está preparado para el rey mismo.g Ha hecho profundo su apilamiento. Fuego y leña hay en abundancia. El aliento de Jehová, como torrente de azufre, arde contra él.h

31 ¡Ay de los que bajan a Egipto por auxilio,ⁱ los que se apoyan en simples caballos,ʲ y que cifran su confianza en carros de guerra,k porque son numerosos, y en corceles, porque son muy poderosos, pero que no han mirado al Santo de Israel y no han buscado a Jehová mismo!l 2 Y él también es sabioᵐ y traerá lo que es calamitoso,ⁿ y no ha revocado sus propias palabras;º y ciertamente se levantará contra la casa de los malhechoresᵖ y contra el auxilio de los que practican lo que es perjudicial.q

3 Los egipcios, sin embargo, son hombres terrestres, y no Dios; y sus caballos son carne,ˢ y no espíritu. Y Jehová mismo extenderá su mano, y el que ofrece ayuda tendrá que tropezar, y el que es ayudado tendrá que caer,t y al mismo tiempo todos ellos se acabarán.

4 Porque esto es lo que me ha dicho Jehová: "Tal como gruñe el león, aun el leoncillo crinado,u sobre su presa, cuando se llama a salir contra él a un número cabal de pastores, [y] a pesar de

CAP. 30
a Os 14:8
b Dt 11:11
  Sl 65:9
  Sl 104:13
  Zac 10:1
c Os 2:22
d Isa 65:10
e Mt 3:12
f Isa 41:18
  Isa 44:3
g Isa 2:15
  Isa 32:14
h Isa 60:20
  Hab 3:4
  Hab 3:11
  Rev 21:23
  Rev 22:5
i Lam 2:13
j Dt 32:39
  Jer 33:6
  Os 6:1
  Am 9:11
k Dt 32:22
  Sl 79:5
  Isa 10:17
  Na 1:6
  Sof 3:8
l Sl 18:8
  Jer 23:29
  Heb 12:29
m Isa 8:8
n Am 9:9
o 2Re 19:28
  Sl 32:9
p Isa 19:3
q Éx 15:1
  2Cr 20:28
  Jer 33:11
r Dt 16:14
  Sl 42:4
  Sl 81:2
  Mt 26:30
s 1Cr 13:8
  Sl 150:4
t Isa 2:3
u Dt 32:4
  Sl 18:31
  Sl 95:1
  Isa 26:4
v Sl 29:3
  Eze 10:5
  Rev 1:15
w Eze 15:16
  Sl 98:1
  Isa 53:1
  Lu 1:51
x Nú 11:1
  Isa 5:25
  Na 1:2
y Sl 18:13
  Sl 50:3
z Jue 5:4

2.ª col.
a Jos 10:11
b Isa 9:4
  Isa 37:36
c Isa 10:12
d Éx 15:20
  Jue 11:34
e Isa 10:26
f 2Re 23:10
  Jer 7:32
  Jer 19:6
g Isa 37:38
  Eze 32:22
  Eze 19:24
  Isa 34:9

CAP. 31
i Isa 30:2
  Eze 17:15

j Dt 17:16; Sl 33:17; Pr 21:31; Is Isa 36:9; l Isa 9:13; Isa 64:7; Da 9:13; Os 7:7; Am 5:4; m Ro 16:27; n Jos 23:15; Isa 45:7; o Nú 23:19; Isa 55:11; Jer 44:29; p Sl 68:1; Sof 3:8; q Isa 30:3; Jer 44:30; Eze 29:6; r Sl 9:20; Sl 146:3; s Sl 33:17; t Isa 9:17; Jer 15:6; u Os 11:10; Am 3:8.

la voz de ellos él no se aterroriza, y a pesar de la conmoción de ellos no se agacha, de la misma manera Jehová de los ejércitos descenderá para hacer guerra sobre el monte Sión y sobre su colina.[a] 5 Como pájaros que vuelan, Jehová de los ejércitos defenderá de la misma manera a Jerusalén.[b] Al defender[la], también ciertamente [la] librará.[c] Al perdonar[la], también tiene que hacer que [ella] escape".

6 "Vuelvan[d] a Aquel contra quien los hijos de Israel han ido a lo profundo en su sublevación.[e] 7 Porque en aquel día ellos rechazarán cada cual sus dioses de plata inútiles y sus dioses de oro que nada valen,[f] que las manos de ustedes han hecho para ustedes como pecado.[g] 8 Y el asirio tiene que caer a espada, no [la de] un hombre; y una espada, no [la del] hombre terrestre, lo devorará.[h] Y él tiene que huir a causa de la espada, y a sus propios jóvenes se les llegará a usar para trabajos forzados mismos. 9 Y su propio peñasco pasará de puro espanto, y a causa de la señal enhiesta[i] sus príncipes tienen que aterrorizarse", es la expresión de Jehová, cuya luz está en Sión y cuyo horno[j] está en Jerusalén.

32 ¡Mira! Un rey[k] reinará para justicia[l] misma, y en cuanto a príncipes,[m] gobernarán como príncipes para derecho mismo. 2 Y cada uno tiene que resultar ser como escondite contra el viento y escondrijo contra la tempestad de lluvia,[n] como corrientes de agua en país árido,[o] como la sombra de un peñasco pesado en una tierra agotada.[p] 3 Y los ojos de los que ven no estarán pegados, y los mismísimos oídos de los que oyen prestarán atención.[q] 4 Y el corazón mismo de los que son demasiado apresurados considerará conocimiento,[r] y hasta

la lengua de los tartamudos será rápida en hablar cosas claras.[a] 5 Al insensato ya no se le llamará generoso; y en cuanto al hombre sin principios, de él no se dirá que sea noble;[b] 6 porque el insensato mismo hablará pura insensatez,[c] y su corazón mismo se ocupará en lo que es perjudicial,[d] para ocuparse en apostasía[e] y para hablar contra Jehová lo que es descarriado, para hacer que el alma del hambriento lo pase vacía;[f] y hace que hasta el sediento lo pase bebida misma. 7 En cuanto al hombre sin principios, sus instrumentos son malos;[g] él mismo ha dado consejo para actos de conducta relajada,[h] para destrozar a los afligidos con dichos falsos,[i] aun cuando alguien pobre habla lo que es recto.

8 En cuanto al generoso, es para cosas generosas para lo que ha dado consejo; y en pro de cosas generosas él mismo se levantará.[j]

9 "¡Mujeres que están en desahogo, levántense, escuchen mi voz![k] ¡Hijas descuidadas, presten oído a mi dicho! 10 Dentro de un año y algunos días, ustedes, las descuidadas, se hallarán agitadas,[l] porque se habrá acabado la vendimia, [pero] ninguna recolección [de fruta] vendrá.[m] 11 ¡Tiemblen, mujeres que están en desahogo! ¡Agítense, descuidadas! Desvístanse y desnúdense, y cíñanse [saco] sobre los lomos.[n] 12 Dense golpes sobre los pechos en lamentación[o] por los campos deseables,[p] por la vid fructífera. 13 Sobre el suelo de mi pueblo suben meramente espinos, arbustos espinosos,[q] pues están sobre todas las casas de alborozo, sí, el pueblo altamente jubiloso.[r] 14 Porque la torre de habitación misma ha sido abandonada,[s] la mismísima bulla de la ciudad ha sido dejada;

CAP. 31
a Sl 125:1
Isa 42:13
Zac 1:8
b Éx 19:4
Dt 32:11
Sl 91:4
c Sl 37:40
d Isa 55:7
Os 14:1
Joe 2:12
Hch 3:19
e 2Cr 33:9
2Cr 36:14
Jer 5:23
Os 9:9
f Eze 36:25
Os 14:8
g 1Re 12:28
Os 8:11
h 2Re 19:35
2Cr 32:21
Isa 37:36
Isa 18:3
i Eze 22:20
Zac 2:5
Mal 4:1

CAP. 32
k Gé 49:10
Sl 2:6
Sl 45:6
Lu 1:32
Jn 1:49
l Sl 72:1
Isa 9:7
Isa 11:5
Jer 23:5
Zac 9:9
Heb 1:9
Rev 19:11
m Sl 45:16
n Isa 4:6
o Isa 35:6
Rev 22:1
p Sl 31:2
Sl 63:1
r Isa 29:24

2.ª col.
a Isa 35:6
Lu 21:15
Hch 4:13
b Isa 5:20
Mal 3:18
c 1Sa 25:25
Mt 12:34
d Isa 24:13
Sl 58:2
Miq 2:1
e Sl 35:16
Isa 10:6
f Snt 2:16
g Jer 5:26
Miq 7:3
h Sl 10:7
2Pe 2:2
i 1Re 21:10
Hch 6:11
j Sl 112:9
Pr 11:24
Hch 9:39
k Dt 28:56
Isa 3:16
l Isa 3:17
Jer 25:10
m Isa 7:23
Isa 8:13
Lam 2:12
Os 2:12
Sof 1:13

n Isa 3:24; o Jer 4:8; p Dt 8:7; Eze 20:6; q Sl 107:34; Isa 5:6; r Isa 22:2; Lam 2:15; s 2Re 25:9; Isa 27:10.

Ofel[a] y la atalaya mismas se han convertido en campos pelados, para tiempo indefinido el alborozo de cebras, el pasto de hatos; 15 hasta que sobre nosotros sea derramado el espíritu desde lo alto,[b] y el desierto se haya convertido en huerto, y el huerto mismo sea considerado como verdadero bosque.[c]

16 "Y en el desierto ciertamente residirá el derecho, y en el huerto morará la justicia misma.[d] 17 Y la obra de la justicia [verdadera] tiene que llegar a ser paz;[e] y el servicio de la justicia [verdadera], quietud y seguridad hasta tiempo indefinido.[f] 18 Y mi pueblo tiene que morar en un lugar de habitación pacífico y en residencias de plena confianza y en lugares de descanso sosegados.[g] 19 Y ciertamente caerá granizo cuando el bosque se venga abajo[h] y la ciudad quede rebajada a una condición de abatimiento.[i]

20 "Felices son ustedes los que siembran junto a todas las aguas,[j] y envían los pies del toro y del asno."[k]

33 ¡Ay de ti el que andas despojando violentamente sin que tú mismo seas despojado violentamente, y de ti el que estás tratando traidoramente, sin que [otros] te hayan tratado traidoramente![l] Luego que hayas terminado como violento despojador, tú serás violentamente despojado.[m] Luego que hayas acabado de tratar traidoramente, te tratarán traidoramente a ti.[n]

2 Oh Jehová, muéstranos favor.[o] En ti hemos esperado.[p] Llega a ser nuestro brazo[q] cada mañana,[r] sí, nuestra salvación en el tiempo de angustia.[s] 3 Al sonido de la ruidosa agitación, pueblos han huido.[t] Al levantarte tú, naciones han sido dispersadas.[u] 4 Y el despojo[v] de ustedes realmente será recogido [como] las cucarachas cuando

recogen, como la arremetida de enjambres de langostas que arremete contra uno.[a] 5 Jehová ciertamente será puesto en alto,[b] pues él reside en la altura.[c] Él tiene que llenar a Sión de derecho y justicia.[d] 6 Y la confiabilidad de tus tiempos tiene que resultar ser un caudal de salvaciones"... sabiduría y conocimiento,[f] el temor de Jehová,[g] el cual es su tesoro.

7 ¡Mira! Sus mismísimos héroes han clamado en la calle; los mismísimos mensajeros de paz[h] llorarán amargamente. 8 Las calzadas han quedado desoladas;[i] el que pasaba por la senda ha cesado. Él ha roto el pacto;[l] ha menospreciado las ciudades;[l] no ha hecho cuenta del hombre mortal.[m] 9 La tierra se ha dado al duelo, se ha marchitado.[n] El Líbano ha quedado corrido;[o] se ha mustiado. Sarón[p] se ha puesto como la llanura desértica; y Basán y el Carmelo están sacudiendo [sus hojas].[q]

10 "Ahora ciertamente me levantaré" —dice Jehová—, "ahora ciertamente me ensalzaré;[s] ahora ciertamente me alzaré.[t] 11 Ustedes conciben hierba seca;[u] darán a luz rastrojo. Su propio espíritu, como fuego,[v] se los comerá.[w] 12 Y los pueblos tienen que llegar a ser como las quemas de cal. Como espinos cortados, serán encendidos con fuego[x] mismo. 13 ¡Oigan, ustedes los que están lejos, lo que tengo que hacer![y] Y conozcan, ustedes los que están cerca, mi poderío.[z] 14 En Sión los pecadores se hallan llenos de pavor;[a] el escalofrío se ha apoderado de los apóstatas:[b] '¿Quién de nosotros puede residir por tiempo alguno con un fuego devorador?[c] ¿Quién de nosotros puede re-

CAP. 32
a 2Cr 27:3
Ne 3:26
b Sl 104:30
Pr 1:23
Isa 44:3
c Isa 29:17
Isa 35:2
d Sl 94:15
Isa 42:4
Isa 60:21
Tit 2:12
2Pe 3:13
e Sl 72:3
Sl 119:165
Isa 55:12
Ro 14:17
f Eze 37:26
Miq 4:3
g Isa 60:18
Isa 65:22
Jer 23:6
Jer 34:25
Os 2:18
h Eze 13:11
i Isa 26:5
j Ec 11:1
Isa 30:23
k Isa 30:24

CAP. 33
l 2Re 18:13
2Cr 28:21
Isa 10:5
m Na 3:7
n Isa 10:12
Mt 7:2
o Sl 123:2
p Sl 25:3
Sl 27:14
Isa 25:9
q Sl 44:3
Sl 89:10
Isa 52:10
r Sl 143:8
Lam 3:23
s Sl 37:39
Sl 46:1
Na 1:7
t Sl 46:6
Sl 68:1
Isa 17:13
u Sl 110:6
v 2Re 7:16
2Cr 14:13
2Cr 20:25

2.ª col.
a Joe 2:9
Joe 2:25
b Sl 97:9
Da 4:37
c Sl 113:5
Sl 123:1
Isa 66:1
d Isa 62:1
e Sl 27:1
Sl 28:8
Sl 140:7
f Ec 7:12
g Job 28:28
Pr 19:23
h Jos 9:6
Lu 14:32
i Jue 5:6
j Lam 1:4
k 2Re 18:14
l 2Re 18:13
Isa 36:1
m 2Re 18:20
Sl 10:5
n Isa 24:1
Isa 24:4

o Isa 37:24; p Isa 35:2; q Na 1:4; r Sl 12:5; s Sl 46:10; t Sl 7:6; u Sl 7:14; Isa 17:13; Mal 4:1; v Isa 5:24; w Na 1:10; x 2Sa 23:7; Isa 9:18; y Sl 46:6; Sl 98:2; Sl 99:2; a Dt 28:66; Dt 28:67; Sl 53:5; b Isa 9:17; Isa 10:6; Isa 32:6; c Dt 32:22; Sl 21:9; Na 1:6; Heb 12:29.

sidir por tiempo alguno con
conflagraciones de larga duración?’.[a]
15 ”Hay uno que anda en continua justicia[b] y habla lo que es
recto,[c] que rechaza la ganancia
injusta de los fraudes,[d] que sacude sus manos para tenerlas libres de asir soborno,[e] que se
tapa el oído para no escuchar el
derramamiento de sangre, y que
cierra los ojos para no ver lo que
es malo.[f] 16 Este es el que residirá en las alturas mismas;[g]
su altura segura será lugares pe-
ñascosos de difícil acceso.[h] Su
propio pan ciertamente se [le]
dará;[i] su abastecimiento de agua
será inagotable.”[j]
17 Un rey en su hermosura es
lo que tus ojos contemplarán;[k]
verán una tierra lejana.[l] 18 Tu
propio corazón hará comen-
tarios en voz baja[m] sobre una
cosa espantosa: “¿Dónde está el
secretario? ¿Dónde está el que
entrega la paga?[n] ¿Dónde está
el que cuenta las torres?”.[o]
19 No verás a un pueblo insolente, un pueblo de lenguaje
demasiado profundo para escucharlo, de lengua tartamuda sin
comprensión [de parte tuya].[p]
20 ¡He aquí a Sión,[q] el pueblo de
nuestras ocasiones festivas![r] Tus
propios ojos verán a Jerusalén
un lugar de habitación sosegado,
una tienda que nadie empacará.[s]
Nunca serán arrancadas sus estacas de tienda, y ninguna de
sus sogas se romperá en dos.[t]
21 Antes bien, allí el Majestuoso,[u] Jehová, será para nosotros
un lugar de ríos,[v] de canales anchos. Por él no irá flota de gale-
ras, y ninguna nave majestuosa
pasará sobre él. 22 Porque Jehová es nuestro Juez,[w] Jehová es
nuestro Dador de Estatutos,[x] Jehová es nuestro Rey;[y] él mismo
nos salvará.[z]
23 Tus sogas tienen que colgar flojamente; no mantendrán
firmemente derecho su mástil;
no han extendido una vela.
En aquel tiempo, hasta despojo en abundancia tendrá que dividirse; los cojos mismos realmente harán gran saqueo.[a]
24 Y ningún residente dirá: “Estoy enfermo”.[b] La gente que
more en [la tierra] constará de
los que habrán sido perdonados
por su error.[c]

34 Acérquense, naciones,
para oír;[d] y ustedes los
grupos nacionales,[e] presten
atención. Escuche la tierra y lo
que la llena,[f] la tierra productiva[g] y todo su producto.[h] 2 Porque Jehová tiene indignación
contra todas las naciones,[i] y furia contra todo el ejército de
ellas.[j] Tiene que darlos por entero a la destrucción; tiene que
darlos al degüello.[k] 3 Y sus
muertos serán echados afuera;
y en cuanto a sus cadáveres, su
hedor ascenderá;[l] y las montañas tienen que derretirse a causa
de su sangre.[m] 4 Y todos los
del ejército de los cielos tienen
que podrirse.[n] Y los cielos tienen que enrollarse,[o] justamente
como el rollo de un libro; y todo
su ejército se marchitará y se
deshará, tal como el follaje se
marchita [y cae] de la vid, y
como un [higo] marchito de la
higuera.[p]
5 “Porque en los cielos mi espada[q] ciertamente se empapará.
¡Miren! Sobre Edom descenderá,[r] y sobre el pueblo que tengo
dado por entero a la destrucción[s]
en justicia. 6 Jehová tiene una
espada; esta tiene que llenarse
de sangre;[t] tiene que hacerse
mantecosa con la grasa,[u] con
la sangre de carneros jóvenes y
machos cabríos, con la grasa de
los riñones de carneros. Porque
Jehová tiene un sacrificio en
Bozrá, y una gran degollación en
la tierra de Edom.[v] 7 Y los to-

CAP. 33

a Isa 66:24
b Sl 106:3, Eze 18:17, Mal 2:6
c 1Cr 29:17
d Éx 23:8
e Dt 16:19, 1Sa 12:3
f Sl 119:37
g Sl 15:1, Pr 1:33
h Sl 18:33
i Sl 34:10, Sl 37:25, Sl 111:5, Lu 12:31
j Isa 65:13
k Sl 45:2
l Heb 11:13
m Sl 71:24
n 2Re 15:19
o 2Cr 26:9
p Dt 28:49, 2Re 18:26, Isa 28:11, Jer 5:15
q Sl 132:13
r Dt 12:5, Sl 78:68
s Sl 46:5, Sl 125:1
t Isa 54:2, Jer 10:20
u Sl 8:9, Sl 93:4, Lu 9:43, Heb 8:1
v Sl 46:4
w Gé 18:25, Sl 50:6, Sl 75:7, Sl 98:9
x Le 26:3, Dt 28:15, Sl 119:16, Snt 4:12
y Sl 44:4, Sl 74:12, Sl 97:1, Rev 11:17, Rev 19:6
z Isa 12:2, Sof 3:17

2.ª col.

a 2Re 7:8, Isa 33:4
b Dt 7:15, Rev 21:4, Rev 22:2
c Jer 50:20, Miq 7:18, Ro 4:8

CAP. 34

d Sl 49:1, Sl 50:1
e Isa 49:1
f Dt 32:1, Jer 22:29
g Sl 24:1
h 1Co 10:26
i Jer 25:15, Joe 3:12, Sof 3:8, Zac 14:3, Ro 1:18
j Isa 30:27, Na 1:2
k Rev 14:15, Rev 19:15

l Jer 16:4; Jer 25:33; Eze 32:5; Joe 2:20; m Eze 39:4; Rev 14:20; n Isa 13:10; Abd 4; Abd 8; o Isa 51:6; p Jer 8:13; q Dt 32:41; Sl 17:13; Jer 46:10; Eze 21:3; Sof 2:12; r Sl 137:7; Jer 49:7; Jer 49:22; s Dt 7:10; t Isa 63:3; u Le 3:16; v Isa 63:1; Abd 8.

ros salvajes[a] tienen que bajar con ellos, y toros jóvenes con los poderosos;[b] y su tierra tiene que estar empapada de sangre, y su mismísimo polvo se hará mantecoso con la grasa."[c]

8 Porque Jehová tiene un día de venganza,[d] un año de retribuciones para la causa judicial respecto a Sión.[e]

9 Y los torrentes de ella tienen que cambiarse en pez, y su polvo en azufre; y su tierra tiene que llegar a ser como pez ardiente.[f] 10 Ni de noche ni de día se extinguirá; hasta tiempo indefinido su humo seguirá ascendiendo.[g] De generación en generación quedará abrasada;[h] para siempre jamás, nadie irá pasando por ella.[i] 11 Y el pelícano y el puerco espín tienen que tomar posesión de ella, y los búhos chicos y los cuervos mismos residirán en ella;[j] y él tiene que extender sobre ella el cordel de medir[k] de lo vacío y las piedras de lo desierto. 12 Sus nobles... no hay ninguno allí a quien llamen a la gobernación real misma, y todos sus mismísimos príncipes llegarán a ser nada.[l] 13 Sobre sus torres de habitación tienen que subir espinos, ortigas y yerbajo espinoso en sus lugares fortificados;[m] y ella tiene que llegar a ser un lugar de habitación de chacales,[n] el patio para los avestruces.[o] 14 Y los frecuentadores de regiones áridas tienen que encontrarse con animales aulladores, y hasta el demonio de forma de cabra[p] llamará a su compañero. Sí, allí la chotacabras ciertamente tendrá su reposo y hallará para sí un lugar de descanso.[q] 15 Allí la culebra veloz ha hecho su nido y pone [huevos], y [los] tiene que empollar y recoger debajo de su sombra. Sí, allí tienen que juntarse los milanos,[r] cada cual con su compañera.

16 Escudriñen ustedes mismos en el libro[s] de Jehová y lean en [voz] alta: no ha faltado ninguno de ellos;[t] realmente no de

CAP. 34

a Nú 23:22
Dt 33:17
Job 39:9
Sl 92:10
b Sl 68:30
c Jer 46:21
d Dt 32:35
Dt 32:41
Sl 94:1
Ro 12:19
e Isa 35:4
2Te 1:6
f Sl 11:6
Lu 17:29
g Jer 7:20
Eze 20:47
Rev 19:3
h Isa 13:20
i Eze 29:11
Mal 1:4
j Isa 13:21
Isa 14:23
Sof 2:14
k 2Sa 8:2
Dt 28:13
Isa 28:13
Lam 2:8
l Isa 40:23
m Isa 32:13
Os 9:6
Sof 2:9
n Mal 1:3
o Isa 13:21
Le 17:7
2Cr 11:15
q Rev 18:2
r Dt 14:13
s Isa 55:11
Am 3:7
t Isa 34:11

2.ª col.

a Sl 33:9
b Gé 6:19
c Sl 78:55
Hch 17:26

CAP. 35

d Isa 29:17
Isa 32:15
Isa 35:6
Isa 51:3
Eze 36:35
e Isa 4:2
Isa 27:6
Isa 55:12
f Os 14:5
g Zac 10:7
h Sl 72:16
Isa 60:13
Isa 61:3
Os 14:6
i Jer 50:19
j Isa 65:10
k Éx 33:18
Sl 97:6
Isa 12:4
l 1Cr 16:27
Sl 29:4
Sl 104:1
Sl 145:5
m Job 4:4
Lu 22:32
Heb 12:12
n Pr 12:25
o Isa 10:19
Ap 2:4
p Sl 56:3
Sof 3:16
Mt 10:28
Heb 10:38

jan de tener cada cual su compañera, porque es la boca de Jehová la que ha dado el mandato,[a] y es su espíritu lo que los ha juntado.[b] 17 Y Él es quien les ha echado la suerte, y su propia mano les ha repartido proporcionalmente el lugar por el cordel de medir.[c] Hasta tiempo indefinido tomarán posesión de él; por generación tras generación residirán en él.

35 El desierto y la región árida se alborozarán,[d] y la llanura desértica estará gozosa, y florecerá como el azafrán.[e] 2 Sin falta florecerá,[f] y realmente estará gozosa con gozo y con alegre gritería.[g] La gloria del Líbano mismo tendrá que serle dada,[h] el esplendor del Carmelo[i] y de Sarón.[j] Habrá los que verán la gloria de Jehová,[k] el esplendor de nuestro Dios.[l]

3 Fortalezcan las manos débiles, y hagan firmes las rodillas vacilantes.[m] 4 Digan a los que están ansiosos de corazón:[n] "Sean fuertes.[o] No tengan miedo.[p] ¡Miren! Su propio Dios vendrá con venganza[q] misma, Dios aun con un pago.[r] Él mismo vendrá y los salvará".[s]

5 En aquel tiempo los ojos de los ciegos serán abiertos,[t] y los oídos mismos de los sordos serán destapados.[u] 6 En aquel tiempo el cojo trepará justamente como lo hace el ciervo,[v] y la lengua del mudo clamará con alegría.[w] Pues en el desierto habrán brotado aguas, y torrentes en la llanura desértica. 7 Y el suelo abrasado por el calor se habrá puesto como un estanque lleno de cañas; y el suelo sediento, como manantiales de agua.[x] En el lugar de habitación de los chacales,[y] un lugar de descanso para [ellos], habrá hierba verde con cañas y papiros.[z]

q Dt 32:35; Ro 12:19; r Jer 51:56; 2Te 1:6; Rev 6:10; s Isa 25:9; Os 1:7; Mt 1:21; t Sl 146:8; Isa 42:16; Mt 9:30; u Isa 29:18; Jer 6:10; Mr 7:35; v Isa 32:4; Mt 11:5; Mt 21:14; Hch 8:7; Hch 14:10; w Mt 15:30; x Isa 44:3; Jn 4:14; y Isa 34:13; Jer 9:11; z Isa 18:2.

8 Y ciertamente llegará a haber una calzada[a] allí, aun un camino; y será llamada el Camino de la Santidad.[b] El inmundo no pasará por ella.[c] Y será para el que anda por el camino, y ningún tonto andará errante [por ella]. **9** Ningún león resultará estar allí, y las bestias salvajes de las rapaces no subirán a él.[d] Ninguna será hallada allí;[e] y los que hayan sido recomprados tendrán que andar [allí].[f] **10** Y los mismísimos redimidos por Jehová volverán[g] y ciertamente vendrán a Sión con clamor gozoso;[h] y habrá regocijo hasta tiempo indefinido sobre la cabeza de ellos.[i] Alborozo y regocijo alcanzarán, y el desconsuelo y el suspirar tendrán que huir.[j]

36 Ahora bien, en el año catorce del rey Ezequías aconteció que Senaquerib[k] el rey de Asiria[l] subió contra todas las ciudades fortificadas de Judá y procedió a apoderarse de ellas.[m] **2** Y el rey de Asiria por fin envió a Rabsaqué[n] desde Lakís[o] a Jerusalén,[p] al rey Ezequías, con una pesada fuerza militar, y él procedió a detenerse junto al conducto[q] del estanque superior,[r] en la calzada del campo del lavandero.[s] **3** Entonces salieron a él Eliaquim[t] hijo de Hilquías, que estaba sobre la casa, y Sebná[u] el secretario, y Joah[v] hijo de Asaf[w] el registrador.[x]

4 Por consiguiente, Rabsaqué les dijo: "Por favor, digan a Ezequías: 'Esto es lo que ha dicho el gran rey,[y] el rey de Asiria: "¿Qué es esta confianza en que has confiado?[a] **5** Has dicho (pero es la palabra de labios): 'Hay consejo y poderío para la guerra'.[b] Ahora bien, ¿en quién has cifrado confianza, para que te hayas rebelado contra mí?[c] **6** ¡Mira! Has confiado en el sostén de esta caña[d] quebrantada, en Egipto,[e] la cual, si un hombre se apoya en ella, ciertamente entraría en la palma de su mano y la traspasaría. Así es Faraón[f] el rey de Egipto para todos los que cifran su confianza en él.[a] **7** Y en caso de que me digas: 'Es en Jehová nuestro Dios en quien hemos confiado', ¿no es este aquel cuyos lugares altos[b] y cuyos altares Ezequías ha quitado,[c] mientras dice a Judá y Jerusalén: 'Ante este altar deben inclinarse'?"'.[d] **8** Ahora, pues, sírvete hacer una apuesta[e] con mi señor el rey de Asiria,[f] y déjame darte dos mil caballos, [para ver] si puedes, por tu parte, poner jinetes sobre ellos.[g] **9** ¿Cómo, pues, podrías volver atrás el rostro de un solo gobernador de los siervos más pequeños de mi señor,[h] mientras tú, por tu parte, cifras tu confianza en Egipto por carros y por hombres de a caballo?[i] **10** Y ahora, ¿será sin autorización de parte de Jehová como he subido contra este país para arruinarlo? Jehová mismo me dijo:[j] 'Sube contra este país, y tienes que arruinarlo'."[k]

11 Ante esto, Eliaquim[l] y Sebná[m] y Joah[n] dijeron a Rabsaqué:[o] "Habla, por favor, a tus siervos en el lenguaje siríaco,[p] porque estamos escuchando; y no nos hables en el lenguaje de los judíos[q] a oídos de la gente que está sobre el muro".[r] **12** Pero Rabsaqué dijo: "¿Acaso es a tu señor y a ti a quienes me ha enviado mi señor a hablar estas palabras? ¿No es a los hombres que se hallan sentados sobre el muro, para que ellos coman su propio excremento y beban sus propios orines con ustedes?".[s]

13 Y Rabsaqué continuó de pie[t] y clamando en alta voz en el lenguaje de los judíos,[u] y pasó a decir: "Oigan las palabras del gran rey, el rey de Asiria.[v] **14** Esto es lo que ha dicho el rey: 'No los engañe Ezequías,[w] porque él no puede librarlos.[x] **15** Y no los haga confiar Eze-

CAP. 35
a Isa 11:16
  Isa 49:11
  Isa 62:10
  Jer 31:21
b Esd 1:3
c Isa 52:1
d Le 26:6
e Isa 11:6
  Isa 65:25
  Eze 34:25
  Os 2:18
f Sl 107:2
  Isa 62:12
  Gál 3:13
  Tit 2:14
g Dt 30:4
  Isa 51:11
  Mt 20:28
  1Ti 2:6
h Jer 31:12
i Jer 33:11
j Isa 30:19
  Isa 65:19

CAP. 36
k 2Cr 32:1
l Isa 8:7
  Isa 10:5
m 2Re 18:13
  Isa 10:28
  Isa 33:8
n 2Re 18:17
o 2Re 19:8
p 2Cr 32:9
r Isa 22:9
s Isa 7:3
t Isa 22:20
u 2Re 19:2
v 2Re 18:26
w 2Re 18:18
x 2Re 18:37
y Isa 10:8
z 2Re 18:19
  2Re 19:10
  Sl 4:2
  Isa 37:10
b 2Re 18:20
c 2Re 18:7
d Eze 29:6
e 2Re 17:4
  Isa 30:2
  Isa 31:1
f Eze 29:7

2.ª col.
a 2Re 18:21
  Isa 30:7
  Jer 37:7
b 2Re 18:4
  2Cr 31:1
c 2Re 18:22
  2Cr 32:12
d Dt 12:11
  2Cr 7:12
  2Cr 32:12
e 2Re 18:23
f 2Re 18:13
g Sl 123:4
  Isa 10:13
h 2Re 18:18
i Dt 17:16
  Pr 21:31
  Isa 31:1
j 2Re 19:6
k 2Re 19:22
l 2Re 18:25
l 2Re 18:18
m Isa 22:15

n 2Re 18:26; o 2Re 18:17; p Esd 4:7; Da 2:4; q Ne 13:24; r 2Re 18:26; s 2Re 18:27; t 1Sa 17:8; u 2Cr 32:18; v 2Re 18:28; w 2Cr 32:11; Isa 37:10; x 2Re 18:29; 2Cr 32:15; Da 3:15; Da 6:20.

quías en Jehová,[a] diciendo: "Sin falta Jehová nos librará.[b] Esta ciudad no será dada en la mano del rey de Asiria."[c] 16 No escuchen a Ezequías, porque esto es lo que ha dicho el rey de Asiria: "Háganme una capitulación[d] y salgan a mí, y coma cada cual de su propia vid y cada cual de su propia higuera,[e] y beba cada cual el agua de su propia cisterna,[f] 17 hasta que yo venga y realmente los lleve a una tierra semejante a su propia tierra,[g] una tierra de grano y vino nuevo, una tierra de pan y viñas; 18 para que Ezequías no los ilusione,[h] diciendo: 'Jehová mismo nos librará'. ¿Acaso los dioses de las naciones han librado cada cual a su propio país de la mano del rey de Asiria?[i] 19 ¿Dónde están los dioses de Hamat[j] y Arpad?[k] ¿Dónde están los dioses de Sefarvaim?[l] ¿Y han librado ellos a Samaria de mi mano?[m] 20 ¿Quiénes hay entre todos los dioses de estos países que hayan librado su país de mi mano,[n] para que Jehová libre a Jerusalén de mi mano?'"[o]

21 Y ellos continuaron callados y no le respondieron palabra,[p] pues fue el mandamiento del rey, que dijo: "No deben contestarle".[q] 22 Pero Eliaquim[r] hijo de Hilquías, que estaba sobre la casa,[s] y Sebná[t] el secretario, y Joah[u] hijo de Asaf el registrador llegaron a donde Ezequías con sus prendas de vestir rasgadas,[v] y le refirieron las palabras de Rabsaqué.[w]

37 Y aconteció que, tan pronto como el rey Ezequías lo oyó, inmediatamente rasgó sus prendas de vestir y se cubrió de saco[x] y entró en la casa de Jehová.[y] 2 Además, envió a Eliaquim,[z] que estaba sobre la casa, y a Sebná el secretario,[a] y a los ancianos de los sacerdotes,[b] cubiertos de saco, a Isaías[c] hijo de Amoz el profeta.[d] 3 Y ellos procedieron a decirle: "Esto es lo

que ha dicho Ezequías: 'Este día es día de angustia[a] y de reprensión y de insolencia desdeñosa,[b] porque los hijos han llegado hasta la boca de la matriz, y no hay poder para dar a luz.[c] 4 Tal vez Jehová tu Dios oiga las palabras de Rabsaqué,[d] a quien el rey de Asiria su señor envió para desafiar con escarnio[e] al Dios vivo, y realmente le pida cuenta por las palabras que Jehová tu Dios ha oído.[f] Y tienes que elevar oración[g] a favor del resto que se puede hallar'".[h]

5 De manera que los siervos del rey Ezequías entraron a donde Isaías.[i] 6 Entonces Isaías les dijo: "Esto es lo que deben decir a su señor: 'Esto es lo que ha dicho Jehová:[j] "No tengas miedo[k] a causa de las palabras que has oído, con las cuales hablaron injuriosamente de mí los servidores[l] del rey de Asiria. 7 Mira, voy a poner en él un espíritu,[m] y tendrá que oír un informe[n] y regresar a su propia tierra; y ciertamente haré que caiga a espada en su propia tierra"'".[o]

8 Después de aquello Rabsaqué[p] regresó y halló al rey de Asiria peleando contra Libná,[q] pues había oído que este había partido de Lakís.[r] 9 Ahora oyó decir respecto a Tirhaqá[s] el rey de Etiopía: "Ha salido a pelear contra ti". Cuando lo oyó, al instante envió mensajeros[t] a Ezequías, diciendo: 10 "Esto es lo que ustedes deben decir a Ezequías el rey de Judá: 'No te engañe tu Dios en quien estás confiando,[u] diciendo: "Jerusalén no será dada en la mano del rey de Asiria".[v] 11 ¡Mira! Tú mismo has oído lo que hicieron los reyes de Asiria a todos los países al darlos por entero a la destrucción,[w] ¿y acaso tú mismo serás

CAP. 36
a 2Re 19:10; 2Re 19:22; Sl 11:1; Sl 22:8
b Sl 71:12; Sl 125:1
c 2Re 18:30
d 2Re 18:31
e 1Re 4:20; Miq 4:4; Zac 3:10
f 2Re 18:31
g 2Re 17:6; 2Re 17:23
h 2Re 18:32
i 2Re 19:12; 2Cr 32:14; Isa 10:11; Isa 37:12
j 2Sa 8:9; 2Re 19:13
k Jer 49:23
l 2Re 17:24; 2Re 17:6; 2Re 17:23; 2Re 18:34; Isa 10:11
n 2Re 18:35; 2Re 19:17
o 2Cr 32:15; Sl 2:2; Isa 37:23; Da 3:15
p Sl 38:13; Sl 38:14; Sl 39:1; Pr 9:7; Pr 26:4; Mt 7:6
q 2Re 18:36
r 2Re 18:18
s 2Re 18:37
t Isa 22:15
u Isa 36:3
v Gé 37:29; 2Re 22:11
w 2Re 18:17

CAP. 37
x 2Re 19:1; Mt 11:21
y 2Cr 7:16
z Isa 36:3
a 2Re 18:18
b 2Re 19:2
c Isa 1:1
d 2Cr 26:22; Lu 3:4

2.ª col.
a Sl 50:15; Sl 91:15
b 2Re 18:32; 2Cr 32:17; Isa 10:12; Isa 36:18
c 2Re 19:3; Isa 26:17
d 2Re 18:28; Isa 17:45; 2Re 18:35; Isa 36:20
f 2Re 19:4
g 2Cr 32:20; Sl 50:15; Joe 2:17
h 2Re 17:18; Ro 9:27
i 2Re 19:5
j 2Re 19:6
k Dt 20:1; Ro 8:31; 1 2Re 18:17; m 2Re 19:7; n Pr 21:1; Abd 1; o 2Cr 32:21; Isa 37:38; p 2Re 18:17; 2Re 19:8; q Jos 10:29; 2Re 8:22; r 2Re 18:14; Miq 1:13; s 2Re 19:9; t 2Re 18:17; u 2Re 18:5; 2Cr 32:15; Sl 22:8; Isa 36:4; v 2Re 19:10; w 2Re 17:5; 2Cr 32:13; Isa 10:11; Isa 36:18.

librado?[a]   12 ¿Acaso los dioses[b] de las naciones que mis antepasados arruinaron las han librado,[c] aun a Gozán[d] y a Harán[e] y a Rézef y a los hijos de Edén[f] que estaban en Tel-asar? 13 ¿Dónde está el rey de Hamat[g] y el rey de Arpad[h] y el rey de la ciudad de Sefarvaim[i]... de Hená y de Ivá?' ".[j]

14 Entonces Ezequías tomó las cartas de la mano de los mensajeros y las leyó,[k] después de lo cual Ezequías subió a la casa de Jehová y extendió aquello delante de Jehová.[l]   15 Y Ezequías se puso a orar a Jehová,[m] diciendo: 16 "Oh Jehová de los ejércitos, el Dios de Israel,[n] sentado sobre los querubines, tú solo eres el Dios [verdadero] de todos los reinos de la tierra.[o] Tú mismo has hecho los cielos y la tierra.[p] 17 Inclina tu oído, oh Jehová, y oye.[q] Abre tus ojos,[r] oh Jehová, y ve, y oye todas las palabras de Senaquerib[s] que él ha enviado para desafiar con escarnio al Dios vivo.[t]   18 Es un hecho, oh Jehová, que los reyes de Asiria han devastado todas las tierras, y su propia tierra.[u]   19 Y hubo una entrega de sus dioses al fuego,[v] porque no eran dioses,[w] sino la hechura de manos de hombre,[x] madera y piedra, de modo que los destruyeron.[y]   20 Y ahora, oh Jehová nuestro Dios,[z] sálvanos de su mano,[a] para que sepan todos los reinos de la tierra que tú, oh Jehová, eres [Dios], tú solo".[b]

21 E Isaías hijo de Amoz procedió a enviar a decir a Ezequías: "Esto es lo que ha dicho Jehová el Dios de Israel: 'Porque me has orado respecto a Senaquerib el rey de Asiria,[c]   22 esta es la palabra que Jehová ha hablado contra él:

"La virgen hija de Sión te ha despreciado, te ha hecho escarnio.[d]
Detrás de ti la hija de Jerusalén ha meneado [la] cabeza.[e]

23 ¿A quién has desafiado con escarnio,[a] y de quién has hablado injuriosamente?[b]
¿Y contra quién has alzado [la] voz[c]
y levantas en alto los ojos?[d]
¡Es contra el Santo de Israel![e]
24 Por medio de tus siervos has desafiado con escarnio a Jehová, y dices:[f]
'Con la multitud de mis carros de guerra yo mismo[g]...
yo ciertamente ascenderé a la altura de regiones montañosas,[h]
las partes más remotas del Líbano;[i]
y cortaré sus cedros encumbrados, sus enebros selectos.[j]
Y entraré en su altura final, el bosque de su huerto.[k]
25 Yo mismo ciertamente cavaré y beberé aguas,
y secaré con las plantas de mis pies todos los canales del Nilo[l] de Egipto'.[m]
26 ¿No has oído?[n] Desde tiempos remotos es lo que ciertamente haré.[o]
Desde días pasados aun lo he formado.[p] Ahora ciertamente lo haré entrar.[q]
Y tú servirás para hacer que ciudades fortificadas queden desoladas como montones de ruinas.[r]
27 Y sus habitantes se hallarán débiles de mano;[s] simplemente estarán aterrorizados y avergonzados.[t]
Tienen que llegar a ser como la vegetación del campo

CAP. 37
a 2Re 19:11
b 2Sa 5:21
  1Co 8:4
c Isa 36:19
d 2Re 19:12
e Gé 11:31
  Gé 29:4
f Eze 27:23
g 2Sa 8:9
  Isa 36:19
h 2Re 18:34
i 2Re 17:24
j 2Re 19:13
k 2Re 19:14
l 1Re 8:30
  2Cr 6:20
  2Cr 20:9
m Esd 9:5
  Sl 123:1
  Da 9:3
n 2Sa 7:26
  1Re 8:23
  Sl 46:7
o Sl 86:10
  Isa 6:3
p Gé 1:1
  2Re 19:15
  Sl 146:6
  Jer 10:12
q 2Cr 6:40
  Sl 17:6
  Sl 65:2
  Sl 71:2
  Sl 130:2
r 2Cr 16:9
  Job 36:7
  1Pe 3:12
s 2Re 19:16
t Sl 74:10
  Sl 79:12
  Isa 37:4
u 2Re 15:29
  2Re 16:9
  1Cr 5:26
v Isa 10:11
w Sl 115:4
  Jer 10:2
  1Co 8:4
x Isa 40:19
  Isa 41:7
  Os 8:6
  Hch 17:29
y 2Re 19:18
  Sl 92:2
z Dt 32:31
  Sl 91:2
a 1Sa 14:6
  2Re 19:19
b Dt 32:39
  Sl 83:18
  Sl 96:5
c 2Re 19:20
d 2Re 19:21
e Job 16:4
  Sl 22:7
  Sl 109:25

2.ª col.
a 2Re 19:4
  2Re 19:16
b 2Re 18:30
c 2Re 18:35
  Isa 10:13
d Pr 6:17
  Pr 30:13
e Ex 15:11
  Sl 71:22
  Isa 5:24
  Isa 10:20
  Jer 51:5
  Eze 39:7

f 2Re 19:4; 2Re 19:22; 2Cr 32:17; g Sl 20:7; h Isa 10:12; Isa 14:13; i Isa 10:34; Eze 31:3; j Isa 37:18; k 2Re 19:23; 1Ex 7:19; m 2Re 19:24; Isa 19:6; n Ex 9:14; Jos 9:9; o Gé 12:3; p 2Re 19:25; Sl 33:11; Isa 46:11; q Sl 17:13; Isa 55:11; r Le 26:33; 2Re 19:25; Isa 17:9; s Sl 48:6; Sl 127:1; t Dt 28:66; 2Re 19:26; Sl 48:5.

y tierna hierba verde,[a]
hierba de los techos[b] y de
la terraza ante el viento
del este.[c]

28 Y tu sentarte quieto y tu salir[d] y tu entrar conozco
bien,[e]
y tu excitarte contra mí,[f]

29 porque tu excitarte contra
mí[g] y tu rugido han subido y entrado en mis oí-
dos.[h]
Y ciertamente pondré mi
garfio en tu nariz y mi
freno entre tus labios,[i]
y realmente te conduciré
de vuelta por el camino
por el cual has venido".[j]

30 "'Y esta será la señal para
ti: Este año habrá un comer de lo
que crece de los granos caídos,[k]
y en el segundo año, grano que
brota de sí mismo; pero en el
tercer año siembren, y sieguen, y
planten viñas y coman su fruto.[l]
31 Y los que escapen de la casa
de Judá, los que queden,[m] ciertamente echarán raíces hacia abajo y producirán fruto hacia arriba.[n] 32 Porque de Jerusalén
saldrá un resto,[o] y los que escapen del monte Sión.[p] El mismísimo celo de Jehová de los ejércitos hará esto.[q]

33 "'Por lo tanto, esto es lo que
ha dicho Jehová respecto al
rey de Asiria: "No entrará en
esta ciudad,[s] ni disparará allí
una flecha, ni se presentará contra ella con escudo, ni alzará
contra ella cerco de sitiar"'.[t]

34 "'Por el camino por el cual
vino, regresará, y en esta ciudad
no entrará —es la expresión de
Jehová[u]—. 35 Y ciertamente
defenderé[v] esta ciudad para salvarla por causa de mí mismo[w] y
por causa de David mi siervo'".[x]

36 Y el ángel[y] de Jehová procedió a salir y a derribar a ciento
ochenta y cinco mil [hombres]
en el campamento de los asirios.[z]
Cuando la gente se levantó muy
de mañana, pues, allí estaban
todos, cadáveres muertos.[a]
37 Por eso Senaquerib[b] el rey de

CAP. 37
a Sl 37:2
Sl 92:7
Sl 103:15
Isa 40:7
Snt 1:10
b Sl 129:6
e 2Re 19:26
d Dt 28:6
e Pr 5:23
Jer 23:24
Heb 4:13
f 2Re 19:27
g Sl 2:2
Sl 10:13
Sl 46:6
Isa 10:15
Isa 37:23
h 2Re 18:35
Isa 36:4
Isa 36:20
Na 1:9
i Sl 32:9
Isa 30:28
Eze 38:4
Am 4:2
j 2Re 19:28
2Re 19:33
k Le 25:5
l 2Re 19:29
m Isa 1:9
Isa 10:21
Ro 9:27
Ro 11:5
n 2Re 19:30
o 2Re 19:4
p 2Re 19:31
q Isa 9:7
Isa 59:17
Eze 5:13
Joe 2:18
Zac 1:14
r Isa 10:24
s 2Cr 32:22
Isa 10:32
Isa 33:20
t 2Re 19:32
u 2Re 19:33
Pr 21:30
v 2Re 20:6
Isa 31:5
Isa 38:6
w Dt 32:27
1Sa 12:22
Eze 36:22
x 1Re 15:4
2Re 19:34
Jer 30:9
Eze 37:24
y 2Sa 24:16
Sl 35:5
z 2Re 19:35
2Cr 32:21
a Sl 76:6
b 2Re 19:7
2Re 19:28

2.ª col.

a 2Re 19:36
b Gé 10:11
Jon 1:2
Na 1:1
Sof 2:13
c 2Re 19:37
d 1Co 8:4
e 2Cr 32:21
f Gé 8:4
Jer 51:27
g Esd 4:2

CAP. 38

h 2Cr 32:24

Asiria partió y se fue y regresó,[a]
y se puso a morar en Nínive.[b]
38 Y aconteció que, mientras se
inclinaba en la casa de Nisroc[c] su
dios,[d] Adramélec y Sarézer, sus
propios hijos, lo derribaron a espada,[e] y ellos mismos escaparon
a la tierra de Ararat.[f] Y Esar-
hadón[g] su hijo empezó a reinar
en lugar de él.

38 En aquellos días Ezequías
enfermó de muerte.[h] Por
consiguiente, Isaías[i] hijo de
Amoz el profeta entró a donde él
y le dijo: "Esto es lo que ha dicho
Jehová: 'Da mandatos a tu casa,[j]
porque tú mismo realmente morirás y no vivirás'".[k] 2 Ante
aquello, Ezequías volvió el rostro a la pared[l] y empezó a orar a
Jehová,[m] 3 diciendo: "Te ruego, oh Jehová, recuerda,[n] por favor, cómo he andado[o] delante de
ti en veracidad[p] y con corazón
completo,[q] y lo que era bueno a
tus ojos he hecho". Y Ezequías se
puso a llorar profusamente.[r]

4 Y la palabra[s] de Jehová ahora ocurrió para Isaías, diciendo:
5 "Ve, y tienes que decir a Ezequías: 'Esto es lo que ha dicho
Jehová el Dios de David tu
antepasado:[t] "He oído tu oración.[u] He visto tus lágrimas.[v]
Mira, voy a añadir a tus días
quince años;[w] 6 y de la palma
de la mano del rey de Asiria los
libraré a ti y a esta ciudad, y
ciertamente defenderé esta ciudad.[x] 7 Y esto te es señal de
parte de Jehová de que Jehová
efectuará esta palabra que ha
hablado;[y] 8 Mira, voy a hacer
que la sombra de las gradas, que,
por el sol,[z] había bajado en las
gradas [de la escalera] de Acaz,
retroceda diez gradas"'".[a] Y el

i 2Re 19:20; Isa 1:1; j 2Sa 17:23; k 2Re 20:1;
l 1Re 8:30; 2Re 20:2; Mt 6:6; m Sl 50:15; Sl
91:15; n Ne 13:22; Sl 20:3; 1Co 15:58; Heb 6:10;
o Gé 5:22; 1Re 2:4; 2Cr 31:20; p Sl 101:6; Sl
145:18; q 2Cr 31:21; r 2Re 20:3; s 2Re 20:4; t 2Cr
34:2; u 2Re 19:20; Pr 15:29; 1Jn 5:14; v 2Re 20:5;
w Isa 38:5; Sl 56:8; x 2Re 20:6; Sl 91:16; x 2Re
19:34; 2Cr 32:22; y 2Re 20:8; z Jos 10:12; a 2Re
20:9; 2Cr 32:24.

sol gradualmente volvió atrás diez gradas en las gradas [de la escalera] que había descendido.[a]

9 Escrito de Ezequías el rey de Judá, cuando enfermó[b] y revivió de su enfermedad.[c]

10 Yo mismo dije: "En medio de mis días ciertamente entraré por las puertas[d] del Seol.

Tendré que ser privado del resto[e] de mis años".

11 He dicho: "No veré a Jah, aun a Jah, en la tierra de los vivientes.[f]

Ya no miraré a la humanidad... con los habitantes de [la tierra de] cesación.

12 Mi propia habitación ha sido arrancada[g] y quitada de mí como la tienda de pastores.

He enrollado mi vida justamente como un obrero de telar;

se procede a cortarme[h] de los mismísimos hilos de la urdimbre.

Desde la primera luz del día hasta la noche sigues entregándome.[i]

13 Me he sosegado hasta la mañana.[j]

Como un león, así sigue quebrando todos mis huesos;[k]

desde la primera luz del día hasta la noche sigues entregándome.[l]

14 Como el vencejo, el bulbul, así sigo chirriando;[m]

sigo zureando como la paloma.[n]

Mis ojos han mirado con languidez a la altura:[o]

'Oh Jehová, estoy bajo opresión. Sé respaldo para mí'.[p]

15 ¿Qué hablaré, y [qué], realmente, me dirá él?[q]

Él mismo también ha actuado.[r]

Sigo andando solemnemente todos mis años en la amargura de mi alma.[s]

16 'Oh Jehová, a causa de eso

ellos siguen viviendo; y como sucede con todos, en eso está la vida de mi espíritu.[a]

Y tú me restaurarás a salud y ciertamente me conservarás vivo.[b]

17 ¡Mira! Por paz tuve lo que era amargo, sí, amargo;[c]

y tú mismo te has apegado a mi alma [y la has guardado] del hoyo de la desintegración.[d]

Porque has arrojado tras tus espaldas todos mis pecados.[e]

18 Porque no es el Seol lo que puede elogiarte;[f] la muerte misma no puede alabarte.[g]

Los que bajan al hoyo no pueden contemplar con esperanza tu apego a la verdad.[h]

19 El vivo, el vivo, él es el que puede elogiarte,[i]

tal como yo puedo estar este día.[j]

El padre mismo puede dar conocimiento[k] a sus propios hijos respecto a tu apego a la verdad.

20 Oh Jehová, [encárgate de] salvarme,[l] y tocaremos mis piezas selectas para las cuerdas[m]

todos los días de nuestra vida en la casa de Jehová'."[n]

21 E Isaías procedió a decir: "Que tomen una torta de higos secos comprimidos y [la] froten sobre el divieso,[o] para que él reviva".[p] 22 Mientras tanto, Ezequías dijo: "¿Cuál es la señal de que subiré a la casa de Jehová?".[q]

39 En aquel tiempo Merodac-baladán[r] hijo de Baladán el rey de Babilonia[s] envió cartas y un regalo[t] a Ezequías, después que oyó que había estado enfermo pero estaba fuerte otra vez.[u] 2 De modo que Ezequías empezó a regocijarse a causa de ellos[v] y procedió a mostrarles su casa

del tesoro,[a] la plata y el oro y el aceite balsámico[b] y el buen aceite y todo su arsenal[c] y todo cuanto se hallaba en sus tesoros. Resultó que no hubo cosa alguna que Ezequías no les mostrara en su propia casa[d] y en todo su dominio.[e]

3 Después de aquello Isaías el profeta entró a donde el rey Ezequías y le dijo:[f] "¿Qué dijeron estos hombres, y de dónde procedieron a venir a ti?". De modo que Ezequías dijo: "De una tierra distante vinieron a mí, de Babilonia".[g] 4 Y él pasó a decir: "¿Qué vieron en tu casa?".[h] A esto dijo Ezequías: "Todo lo que hay en mi casa vieron. Resultó que no hubo cosa alguna que no les mostrara en mis tesoros". 5 Isaías ahora dijo a Ezequías:[i] "Oye la palabra de Jehová de los ejércitos: 6 ¡Mira! Vienen días, y todo lo que hay en tu propia casa y que tus antepasados han acumulado hasta este día realmente será llevado a Babilonia'.[j] 'No quedará nada[k] —ha dicho Jehová—. 7 Y algunos de tus propios hijos que saldrán de ti, de quienes llegarás a ser padre, serán tomados ellos mismos[l] y realmente llegarán a ser oficiales de la corte[m] en el palacio del rey de Babilonia'".[n]

8 Ante eso, Ezequías dijo a Isaías: "La palabra de Jehová que has hablado es buena".[o] Y pasó a decir: "Porque la paz y la verdad[p] han de continuar en mis propios días".[q]

40 "Consuelen, consuelen a mi pueblo —dice el Dios de ustedes[r]—. 2 Hablen al corazón de Jerusalén[s] y proclámenle que su servicio militar ha sido cumplido,[t] que su error ha sido pagado por completo.[u] Pues de la mano de Jehová ha recibido una cantidad plena por todos sus pecados.[v]

3 ¡Escuchen! Alguien está clamando en el desierto:[w] "¡Despejen el camino de Jehová![x] Hagan recta la calzada para

nuestro Dios a través de la llanura desértica.[a] 4 Que todo valle sea levantado[b] y toda montaña y colina sea bajada.[c] Y el terreno lleno de montículos tiene que llegar a ser tierra llana, y el terreno escabroso una llanura-valle.[d] 5 Y la gloria de Jehová ciertamente será revelada,[e] y toda carne tendrá que ver[la] juntamente,[f] porque la mismísima boca de Jehová [lo] ha hablado".[g]

6 ¡Escucha! Alguien está diciendo: "¡Clama!".[h] Y uno dijo: "¿Qué he de clamar?".

"Toda carne es hierba verde, y toda su bondad amorosa es como la flor del campo.[i] 7 La hierba verde se ha secado, la flor se ha marchitado,[j] porque el mismísimo espíritu de Jehová ha soplado sobre ella.[k] De seguro la gente es hierba verde.[l] 8 La hierba verde se ha secado, la flor se ha marchitado;[m] pero en cuanto a la palabra de nuestro Dios, durará hasta tiempo indefinido".[n]

9 Súbete aun a una montaña[o] alta, mujer que traes buenas nuevas para Sión.[p] Levanta la voz hasta con poder, mujer que traes buenas nuevas para Jerusalén.[r] Levánta[la]. No tengas miedo.[r] Di a las ciudades de Judá: "Aquí está su Dios".[s] 10 ¡Mira! El Señor Soberano Jehová mismo vendrá aun como un fuerte, y su brazo estará gobernando para él.[t] ¡Mira! Su galardón está con él,[u] y el salario que él paga está delante de él.[t] 11 Como pastor pastoreará su propio hato.[w] Con su brazo juntará los corderos;[x] y en su seno [los] llevará.[y] Conducirá [con cuidado] a las que están dando de mamar.[z]

12 ¿Quién ha medido las aguas en el simple hueco de su

CAP. 39
a 2Re 20:13
  2Cr 32:27
b 1Re 10:25
c Ne 3:19
  Isa 22:8
d Jer 9:23
e 2Re 20:13
f Isa 38:1
g Dt 28:49
  2Re 20:14
h 2Re 20:15
i 2Re 20:16
j 2Re 24:13
  2Cr 25:13
  2Cr 36:18
  Jer 52:17
k 2Re 20:17
  Da 1:2
l 2Re 24:12
  2Re 25:6
  2Cr 33:11
  Eze 17:12
m Da 2:49
  Da 5:29
n 2Re 20:18
o Le 10:3
  Sl 39:9
  1Pe 5:6
p Jer 33:6
q 2Re 20:19

CAP. 40
r Isa 35:3
  Isa 49:13
  Isa 51:3
  Zac 1:13
  2Co 1:3
s 2Cr 30:22
  Os 2:14
t Sl 79:8
  Sl 103:13
u Sl 32:1
  Jer 31:34
  Jer 33:8
v Jer 16:18
  Da 9:12
w Mt 3:3
  Mr 1:3
  Lu 3:4
  Jn 1:23
x Isa 35:8
  Isa 57:14
  Mal 3:1

2.ª col.
a Isa 11:16
b Isa 42:16
  Lu 3:5
c Isa 2:12
d Sl 26:12
e Sl 50:15
  Sl 72:19
  Isa 24:15
f Isa 49:6
  Isa 52:10
g Isa 55:11
  Tit 1:2
h Jer 2:2
i Job 14:2
  Sl 90:6
j Snt 1:11
  1Pe 1:24
k Sl 90:5
  Sl 103:16
  Sl 104:29
l Sl 103:15
m Sl 37:2
n Sl 119:89
  Isa 46:10
  Mt 5:18
  1Pe 1:25

o Isa 26:13; Mt 5:14; p Isa 52:7; Ro 10:18; q Lu 24:47; Ro 10:15; r Isa 51:7; Jn 12:15; Flp 1:28; 1Pe 3:14; s Isa 12:6; Ro 8:31; t Sl 2:6; Sl 110:2; Isa 9:6; Jn 12:38; u Isa 62:11; Rev 22:12; v Isa 49:4; w Isa 49:10; Heb 13:20; 1Pe 2:25; x Eze 34:16; y Jn 21:15; z Gé 33:13; Jn 10:14; Jn 10:16; 1Pe 5:2.

mano,[a] y ha tomado las proporciones de los cielos mismos con un simple palmo,[b] y ha incluido en una medida el polvo de la tierra,[c] o ha pesado con indicador las montañas, y en la balanza las colinas? 13 ¿Quién ha tomado las proporciones del espíritu de Jehová, y quién como su hombre de consejo puede hacerle saber algo?[d] 14 ¿Con quién consultó para que se le hiciera entender, o quién le instruye en la senda de la justicia, o le enseña conocimiento,[e] o le hace conocer el mismísimo camino del verdadero entendimiento?[f]

15 ¡Mira! Las naciones son como una gota de un cubo; y como la capa tenue de polvo en la balanza han sido estimadas.[g] ¡Mira! Él alza las islas[h] mismas como simple [polvo] fino. 16 Ni siquiera el Líbano basta para que se mantenga ardiendo un fuego, y los animales salvajes[i] de este no bastan para una ofrenda quemada.[j] 17 Todas las naciones son como algo inexistente delante de él;[k] como nada y como una irrealidad le han sido estimadas.[l]

18 ¿Y a quién pueden ustedes asemejar a Dios,[m] y qué semejanza pueden poner al lado de él?[n] 19 El artífice ha fundido una simple imagen fundida,[o] y el metalario la reviste con oro,[p] y forja cadenas de plata.[q] 20 Escoge cierto árbol como contribución, un árbol que no esté podrido.[r] Busca para sí un hábil artífice, para que prepare una imagen tallada[s] a la cual no se pueda hacer tambalear.[t]

21 ¿No saben ustedes? ¿No oyen? ¿No se les ha informado desde el principio? ¿No han aplicado entendimiento desde los fundamentos de la tierra?[u] 22 Hay Uno que mora por encima del círculo de la tierra,[v] los moradores de la cual son como saltamontes, Aquel que extiende los cielos justamente como una gasa fina, que los despliega como

una tienda en la cual morar,[a] 23 Aquel que reduce a nada a los altos funcionarios, que ha hecho a los mismísimos jueces de la tierra como una simple irrealidad.[b]

24 Nunca han sido plantados todavía; nunca han sido sembrados todavía; nunca ha echado raíces en la tierra su tocón todavía.[c] Y solo tiene uno que soplar sobre ellos, y se secan;[d] y como rastrojo se los llevará el mismísimo viento de tempestad.[e]

25 "Pero ¿a quién pueden ustedes asemejarme para que yo sea hecho su igual? —dice el Santo[f]—. 26 Levanten los ojos a lo alto y vean. ¿Quién ha creado estas cosas?[g] Es Aquel que saca el ejército de ellas aun por número, todas las cuales él llama aun por nombre.[h] Debido a la abundancia de energía dinámica,[i] porque él también es vigoroso en poder, ninguna [de ellas] falta.

27 ¿Por qué razón dices tú, oh Jacob, y expresas tú, oh Israel: 'Mi camino ha sido ocultado de Jehová,[j] y el que se me haga justicia elude a mi Dios mismo'?[k] 28 ¿No has llegado a saber, o no has oído?[l] Jehová, el Creador de las extremidades de la tierra, es un Dios hasta tiempo indefinido.[m] Él no se cansa ni se fatiga.[n] No se puede escudriñar su entendimiento.[o] 29 Está dando poder[p] al cansado; y hace que abunde en plena potencia el que se halla sin energía dinámica.[q] 30 Los muchachos se cansan y también se fatigan, y los jóvenes mismos sin falta tropiezan, 31 pero los que estén esperando en Jehová recobrarán el poder.[s] Se remontarán con alas como águilas.[t]

CAP. 40
a Pr 30:4
b Sl 104:2
  Heb 1:10
c Job 38:5
  Pr 8:26
d Job 21:22
  Job 36:23
  Ro 11:34
e 1Co 2:16
f Job 32:8
  Sl 147:5
g Sl 62:9
h Isa 41:5
i Sl 50:10
j Miq 6:7
k Sl 39:5
  Sl 62:9
  Da 4:35
l Sl 39:11
  Sl 144:4
  Isa 41:11
m Éx 8:10
  Isa 2:2
  Sl 86:8
  Sl 89:6
  Sl 113:5
  Jer 10:6
  Miq 7:18
n Éx 20:4
  Dt 4:15
  Dt 4:16
  Heb 17:29
o Isa 44:10
  Jer 16:20
  Hab 2:18
p Sl 115:4
  Sl 135:15
  Isa 37:19
  Isa 41:7
  Os 8:6
q Jue 17:4
  Jer 10:4
r Isa 44:14
  Sl 115:8
  Isa 2:8
  Isa 46:7
  Isa 41:7
t Isa 41:7
u Sl 19:1
  Hch 14:17
  Ro 1:20
v Sl 2:4
  Sl 29:10
  Sl 68:33
  Isa 66:1

2.ª col.

a Job 9:8
  Job 38:9
  Isa 42:5
  Isa 44:24
  Jer 10:12
  Zac 12:1
b Sl 76:12
  Lu 1:52
c 1Re 21:22
  2Re 10:11
  Jer 22:30
d Isa 11:4
e Sl 58:9
  Pr 1:27
  Isa 17:13
f Isa 40:18
g Sl 8:3
  Sl 102:25
h Sl 147:4
i Sl 89:13
  Jer 32:17

j Sl 77:7; Isa 49:14; Isa 60:15; Eze 37:11; Ro 11:1; k Job 27:2; Job 34:5; Lu 18:7; l Isa 40:21; m Gé 21:33; Dt 33:27; Sl 90:2; Isa 57:15; Jer 10:10; Ro 16:26; 1Ti 1:17; n Sl 121:4; Isa 27:3; o Sl 139:6; Sl 147:5; Isa 55:9; Ro 11:33; 1Co 2:16; p Sl 29:11; Flp 4:13; Heb 11:34; q Isa 40:26; Os 12:3; r Sl 25:3; s Sl 103:5; Sl 138:3; t Éx 19:4.

Correrán, y no se fatigarán; andarán, y no se cansarán."[a]

41 "Atiendan a mí en silencio, oh islas;[b] y recobren el poder los grupos nacionales[c] mismos. Que se aproximen.[d] Que hablen en aquel tiempo. Acerquémonos juntos para el juicio[e] mismo.

2 "¿Quién ha suscitado [a alguien] desde el naciente?[f] ¿[Quién] procedió en justicia a llamarlo a Sus pies, para dar delante de él las naciones, y para hacer que [él] vaya sojuzgando hasta a reyes?[g] ¿[Quién] siguió dándo[los] como polvo a su espada, de manera que han sido impelidos de acá para allá como simple rastrojo con su arco?[h] 3 ¿[Quién] siguió yendo tras ellos, siguió pasando adelante pacíficamente a pie por la senda [por la cual] no procedió a venir? 4 ¿Quién ha estado activo[i] y ha hecho [esto], y ha llamado a las generaciones desde el comienzo?[j]

"Yo, Jehová, el Primero;[k] y con los últimos soy lo mismo."[l]

5 Las islas[m] vieron y empezaron a temer. Las mismísimas extremidades de la tierra empezaron a temblar.[n] Se acercaron y siguieron viniendo. 6 Se pusieron a ayudar cada cual a su compañero, y uno decía a su hermano: "Sé fuerte".[o] 7 De manera que el artífice se puso a fortalecer al metalario;[p] el que alisa con el martillo de fragua al que martilla en el yunque, diciendo respecto a la soldadura: "Está bien". Por fin, uno lo aseguró con clavos para que no se le pudiera hacer tambalear.[q]

8 "Pero tú, oh Israel, eres mi siervo,[r] tú, oh Jacob, a quien he escogido,[s] la descendencia de Abrahán,[t] mi amigo;[u] 9 tú, a quien he asido desde las extremidades de la tierra,[v] y tú, a quien he llamado hasta las partes remotas de ella.[w] Y por eso te dije: 'Tú eres mi siervo;[x] te he escogido,[y] y no te he rechaza-

do.[a] 10 No tengas miedo, porque estoy contigo.[b] No mires por todos lados, porque soy tu Dios.[c] Yo ciertamente te fortificaré.[d] Yo cierta y verdaderamente te ayudaré.[e] Sí, yo verdaderamente te mantendré firmemente asido con mi diestra[f] de justicia'.[g]

11 "¡Mira! Todos los que se acaloran contra ti se avergonzarán y serán humillados.[h] Los hombres que tienen una riña contigo llegarán a ser como nada, y perecerán.[i] 12 Los buscarás, pero no los hallarás, a aquellos hombres que están en una lucha contigo.[j] Llegarán a ser como algo inexistente y como nada,[k] aquellos hombres que están en guerra contra ti. 13 Porque yo, Jehová tu Dios, tengo agarrada tu diestra,[l] Aquel que te dice: 'No tengas miedo.[m] Yo mismo ciertamente te ayudaré'.[n]

14 "No tengas miedo, gusano[o] Jacob, ustedes los hombres de Israel.[p] Yo mismo ciertamente te ayudaré —es la expresión de Jehová, aun tu Recomprador,[q] el Santo de Israel—. 15 ¡Mira! He hecho de ti un trillo,[r] un nuevo instrumento trillador que tiene [dientes] de dos filos. Pisotearás las montañas y [las] triturarás; y reducirás las colinas como a tamo.[s] 16 Las aventarás,[t] y un viento mismo se las llevará,[u] y un viento de tempestad mismo las impelerá en diferentes direcciones.[v] Y tú mismo estarás gozoso en Jehová.[w] En el Santo de Israel te jactarás acerca de ti mismo."[x]

17 "Los afligidos y los pobres andan buscando agua,[y] pero no la hay. A causa de la sed[z] su lengua misma se ha secado.[a] Yo

CAP. 40
a 1Re 18:46
Sl 84:7

CAP. 41
b Isa 49:1
c Sl 108:3
d Isa 41:21
e Miq 6:1
f Isa 44:28
Isa 46:11
Rev 16:12
g Sl 110:6
Isa 45:1
h Isa 40:24
i Sl 90:16
Sl 111:3
Jn 5:17
j Joe 32:8
Hch 17:26
k Isa 43:10
Isa 44:6
Isa 48:12
Rev 1:8
l Isa 46:4
Mal 3:6
Snt 1:17
m Gé 10:5
n Sl 65:8
Sl 66:3
Sl 67:7
o Isa 4:9
Joe 3:10
p Isa 44:12
Isa 46:6
q Isa 40:20
r Éx 19:5
Le 25:42
s Dt 7:6
Sl 33:12
t Mt 3:9
Heb 2:16
u 2Cr 20:7
Snt 2:23
v Sl 107:3
w Mt 24:31
x Isa 43:10
y 1Sa 12:22

2.ª col.
a Sl 94:14
Jer 33:26
Ro 11:2
Ro 11:26
b Dt 20:1
Jos 1:9
Sl 46:1
Ro 8:31
c Sl 147:12
Isa 60:19
Heb 8:10
d Dt 33:27
Sl 29:11
Zac 10:12
e Sl 37:40
Sl 115:9
Sl 121:2
f Sl 63:8
g Sl 65:5
Sl 89:14
h Éx 11:8
Sl 86:17
Isa 45:24
Rev 3:9
i Isa 40:17
Isa 60:12
j Isa 54:17
k Sl 37:10
Sl 37:36

l Sl 73:23; Sl 109:31; Isa 42:6; Isa 45:1; m Isa 41:10; n Dt 33:29; o Job 25:6; Sl 22:6; p Dt 7:7; q Sl 19:14; Isa 43:14; Isa 47:4; r Miq 4:13; Hab 3:12; s Isa 18:42; t Mt 3:12; u Sl 1:4; v Isa 17:13; w Est 9:22; Isa 12:6; Jer 9:24; y Sl 63:1; Isa 55:1; Am 8:11; Rev 22:17; z Dt 28:48; Sl 22:15; Lam 4:4; a Lu 16:24.

mismo, Jehová, les responderé.[a] Yo, el Dios de Israel, no los dejaré.[b] 18 Sobre colinas peladas abriré ríos; y en medio de las llanuras-valles, manantiales.[c] Convertiré el desierto en estanque de agua lleno de cañas; y la tierra árida, en fuentes de agua.[d] 19 En el desierto pondré el cedro, la acacia y el mirto y el árbol oleífero.[e] En la llanura desértica colocaré el enebro, el fresno y el ciprés al mismo tiempo;[f] 20 a fin de que la gente vea y sepa y preste atención y tenga perspicacia al mismo tiempo, que la mismísima mano de Jehová ha hecho esto, y el Santo de Israel lo ha creado él mismo.[g]

21 "Presenten ustedes su causa polémica[h] —dice Jehová—. Produzcan sus argumentos[i] —dice el Rey de Jacob[j]—. 22 Produzcan e infórmennos las cosas que van a suceder. Las primeras cosas —lo que fueron— de veras informen, para que apliquemos nuestro corazón y sepamos el futuro de ellas. O hágannos oír hasta las cosas que vienen.[k] 23 Informen acerca de las cosas que han de venir después, para que sepamos que ustedes son dioses.[l] Sí, ustedes deben hacer lo bueno o hacer lo malo, para que miremos por todos lados y [lo] veamos al mismo tiempo.[m] 24 ¡Miren! Ustedes son algo inexistente, y su logro nada es.[n] Cosa detestable es cualquiera que los escoge a ustedes.[o]

25 "He suscitado [a alguien] desde el norte, y vendrá.[p] Desde el nacimiento del sol[q] invocará mi nombre. Y vendrá sobre los gobernantes diputados como [si fueran] barro[r] y tal como un alfarero que huella el material húmedo.

26 "¿Quién ha informado cosa alguna desde el comienzo, para que sepamos, o desde tiempos pasados, para que digamos: 'Tiene razón'?[s] Realmente no hay nadie que informe. Realmente no hay nadie que haga [a uno] oír. Realmente no hay nadie que oiga dicho alguno de ustedes."[a]

27 Hay un primero, [que dice] a Sión: "¡Mira! ¡Aquí están!",[b] y a Jerusalén daré un portador de buenas nuevas."

28 Y seguí viendo, y no hubo ningún hombre; y de entre estos no hubo nadie tampoco que diera consejo.[d] Y seguí preguntándoles, para que dieran una respuesta. 29 ¡Mira! Todos ellos son algo inexistente. Sus obras nada son. Sus imágenes fundidas son viento e irrealidad.[e]

42 ¡Mira! ¡Mi siervo,[f] a quien tengo firmemente asido![g] ¡Mi escogido,[h] [a quien] mi alma ha aprobado![i] He puesto mi espíritu en él.[j] Justicia para las naciones es lo que él sacará.[k] 2 No clamará ni levantará [la voz], y en la calle no dejará oír su voz.[l] 3 No romperá ninguna caña quebrantada;[m] y en cuanto a una mecha de lino de disminuido resplandor, no la extinguirá. En apego a la verdad sacará la justicia.[n] 4 Él no disminuirá en resplandor ni será quebrantado hasta que establezca la justicia en la tierra misma;[o] y las islas mismas seguirán esperando su ley.[p]

5 Esto es lo que ha dicho el Dios [verdadero], Jehová, el Creador de los cielos[q] y el Magnífico que los extiende;[r] Aquel que tiende la tierra[s] y su producto,[t] Aquel que da aliento[u] a la gente sobre ella,[v] y espíritu a los que andan en ella;[w] 6 "Yo mismo, Jehová, te he llamado en justicia,[x] y procedí a asirte de la mano.[y] Y te salvaguardaré y te daré como pacto del pue-

CAP. 41

a Sl 34:6
  Isa 30:19
b Gé 28:15
  Sl 94:14
  Isa 42:16
  Heb 13:5
c Sl 46:4
  Isa 30:25
  Joe 3:18
d Sl 107:35
e Isa 32:15
  Isa 55:13
  Isa 60:21
f Isa 51:3
g Sl 109:27
  Eze 39:28
h Job 23:4
i Job 33:3
j Job 38:3
  Isa 50:8
  Miq 6:2
j Dt 33:5
  Isa 49:26
  Isa 60:16
k Isa 42:9
  Isa 46:10
  Isa 48:5
l Isa 44:6
  Isa 46:9
  Jer 16:20
m Isa 46:7
  Jer 10:5
n Sl 115:8
  Isa 44:10
  Isa 10:14
  Jer 51:18
  1Co 8:4
o Dt 7:26
  Dt 27:15
p Isa 44:28
  Isa 45:1
  Jer 51:28
q Isa 46:11
  Rev 16:12
r 2Sa 22:43
  Isa 10:6
  Miq 7:10
  Zac 10:5
s Isa 43:9
  Isa 44:7
  Isa 45:21

2.ª col.

a Sl 115:6
  Hab 2:18
b Isa 43:10
  Isa 44:7
c Esd 1:1
  Isa 40:9
  Na 1:15
  Ro 10:15
d Isa 63:5
  Jer 5:13
  Da 2:10
e Sl 115:4
  Isa 44:9
  Jer 10:5
  Hab 2:18
  1Co 8:4

CAP. 42

f Isa 52:13
  Mt 12:18
  Jn 4:34
  Jn 6:38
g Isa 49:7
  Jn 16:32
h Sl 89:19
  Lu 9:35
  1Pe 2:4

i Mt 3:17; Jn 6:27; 2Pe 1:17; j Isa 61:1; Mt 3:16;
Hch 10:38; k Mt 12:18; Ro 15:9; l Zac 9:9; Mt
12:16; Mt 12:19; m Isa 40:11; Mt 11:28; Heb
2:17; n Sl 72:2; Isa 11:3; Mt 12:20; Jn 5:30; Rev
19:11; o Isa 9:7; Isa 49:8; p Gé 12:3; Gé 49:10;
Sl 22:27; Mt 12:21; q Sl 102:25; Isa 40:26; r Sl
104:2; Isa 40:22; Isa 45:12; Sl 136:6; t Jer 10:12;
u Gé 7:22; v Gé 2:7; Hch 17:25; w Job 12:10; Ec
12:7; x Sl 45:6; Isa 32:1; y Isa 41:13.

blo,[a] como luz de las naciones,[b] 7 [y has de] abrir los ojos ciegos,[c] sacar del calabozo al prisionero,[d] de la casa de detención a los que están sentados en oscuridad.[e]

8 "Yo soy Jehová. Ese es mi nombre;[f] y a ningún otro daré yo mi propia gloria,[g] ni mi alabanza[h] a imágenes esculpidas.[i]

9 "Las primeras cosas... miren, han llegado,[j] pero nuevas cosas anuncio. Antes que empiecen a brotar, hago que ustedes [las] oigan".[k]

10 Canten a Jehová una canción nueva,[l] su alabanza desde la extremidad de la tierra,[m] ustedes los que están bajando al mar[n] y a lo que lo llena, islas y ustedes los que las habitan.[o] 11 Levanten [la voz] el desierto y sus ciudades, los poblados que Quedar habita.[q] Clamen de gozo los habitantes del peñasco.[r] Desde la cima de las montañas vocee la gente. 12 Atribuyan ellos gloria a Jehová,[s] y en las islas anuncien hasta su alabanza.[t]

13 Como hombre poderoso Jehová mismo saldrá.[u] Como guerrero despertará celo.[v] Gritará, sí, soltará un grito de guerra;[w] sobre sus enemigos se mostrará más poderoso.[x]

14 "He estado callado por largo tiempo.[y] Continué silencioso.[z] Seguí ejerciendo autodominio.[a] Como una mujer que está dando a luz voy a gemir, jadear y boquear a la misma vez.[b] 15 Devastaré montañas y colinas, y secaré toda su vegetación. Y ciertamente tornaré ríos en islas, y secaré los estanques llenos de cañas.[d] 16 Y ciertamente haré que los ciegos anden por un camino que no han conocido;[e] en una vereda que no han conocido haré que pisen.[f] Tornaré un lugar oscuro delante de ellos en luz,[g] y terreno escabroso en tierra llana.[h] Estas son las cosas que ciertamente les haré, y de seguro no los dejaré."[i]

17 Tienen que ser vueltos atrás —quedarán muy avergonzados— los que están cifrando confianza en la imagen tallada,[a] los que están diciendo a una imagen fundida: "Ustedes son nuestros dioses".[b]

18 Oigan, sordos; y miren para ver, ciegos.[c] 19 ¿Quién es ciego, si no mi siervo, y quién es sordo como mi mensajero a quien envío? ¿Quién es ciego como el recompensado, o el ciego como el siervo de Jehová?[d] 20 Era caso de ver muchas cosas, pero tú no seguiste vigilando.[e] Era caso de abrir los oídos, pero no seguiste escuchando.[f] 21 Jehová mismo por causa de su justicia[g] se ha deleitado en que él engrandezca la ley[h] y la haga majestuosa. 22 Pero es un pueblo saqueado y despojado,[i] todos ellos atrapados en los agujeros, y en las casas de detención los han mantenido escondidos.[j] Han llegado a ser para saqueo sin libertador,[k] para pillaje sin nadie que diga: "¡Devuelve!".

23 ¿Quién entre ustedes prestará oído a esto? ¿Quién prestará atención y escuchará para tiempos posteriores?[l] 24 ¿Quién ha dado a Jacob para simple pillaje, y a Israel a los saqueadores? ¿No es Jehová, Aquel contra quien hemos pecado, y en cuyos caminos ellos no quisieron andar, y cuya ley no escucharon?[m] 25 Por lo tanto, Él siguió derramando sobre él furia, su cólera y la fuerza de guerra.[n] Y esto siguió consumiéndolo todo en derredor,[o] pero él no hizo caso;[p] y siguió ardiendo contra él, pero no quiso poner nada en el corazón.[q]

CAP. 42

a Isa 49:8
Mt 26:28
Heb 8:6
b Isa 49:6
Jn 8:12
c Isa 35:5
d Isa 61:1
e Heb 2:15
1Pe 2:9
f Sl 83:18
g Isa 48:11
h Lu 12:4
i Éx 32:8
Éx 34:14
j Ge 12:2
Ge 15:14
Jos 21:45
1Re 8:15
k Isa 41:23
Isa 43:19
Am 3:7
2Pe 1:21
l Sl 96:1
Sl 98:1
Rev 14:3
m Isa 44:23
Hab 3:3
Sl 107:23
o Sl 97:1
Isa 51:5
p Isa 32:16
Isa 35:1
q Ge 25:13
Sl 120:5
Isa 60:7
r Jer 48:28
Jer 49:16
s Sl 22:27
Isa 24:15
Ro 15:9
t Isa 66:19
u Sl 78:66
Isa 59:17
Jer 25:30
v Éx 15:3
Na 1:2
w Os 11:10
Joe 3:16
x Dt 32:39
1Sa 2:10
y Jer 44:22
z Sl 50:3
Sl 83:1
a 2Pe 3:9
b Gé 3:16
c Isa 18:7
Jer 4:24
Sof 1:15
d Sl 107:33
Isa 37:25
Isa 44:27
Isa 50:2
e Isa 29:18
Isa 35:5
Jer 31:8
f Isa 30:21
g Isa 60:1
Isa 60:20
Mal 4:0:4
Lu 3:5
i Sl 94:14
Heb 13:5

2.ª col.

a Sl 97:7
Isa 1:29
Isa 44:11
Isa 45:16
Isa 42:8
b Éx 32:4
Isa 44:17

c Isa 6:10; Isa 29:18; Isa 43:8; d Isa 6:9; Isa 56:10; Isa 61:1; Jer 4:22; Eze 12:2; Lu 4:18; 2Co 4:4; e Dt 4:9; Dt 29:4; Sl 106:7; f Eze 33:31; g Isa 71:16; Ro 3:25; h Isa 51:19:7; Heb 8:10; i Dt 28:33; Isa 1:7; Jer 50:17; j Sl 102:20; k Dt 28:29; Dt 28:52; Isa 51:23; l 1Le 26:16; Dt 4:30; Dt 32:29; m Jue 2:14; Isa 50:1; Sl 106:41; n Dt 32:22; Na 1:6; o 2Re 10:32; 2Re 25:9; p Isa 9:13; Jer 5:3; Os 7:9; q Isa 57:11; Mal 2:2.

43 Y ahora, esto es lo que ha dicho Jehová, tu Creador,[a] oh Jacob, y tu Formador,[b] oh Israel: "No tengas miedo, porque yo te he recomprado.[c] [Te] he llamado por tu nombre.[d] Eres mío.[e] 2 En caso de que pases por las aguas,[f] yo ciertamente estaré contigo;[g] y por los ríos, no te inundarán.[h] En caso de que andes por el fuego, no te quemarás, ni la llama misma te chamuscará.[i] 3 Porque yo soy Jehová tu Dios, el Santo de Israel tu Salvador.[j] He dado a Egipto como rescate por ti,[k] a Etiopía[l] y Sebá en lugar de ti. 4 Debido al hecho de que has sido precioso a mis ojos,[m] se te ha considerado honorable, y yo mismo te he amado.[n] Y daré hombres en lugar de ti, y grupos nacionales en lugar de tu alma.[o]

5 "No tengas miedo, porque yo estoy contigo.[p] Desde el naciente traeré tu descendencia, y desde el poniente te juntaré.[q] 6 Diré al norte:[r] '¡Entrega acá!', y al sur: 'No retengas. Trae a mis hijos desde lejos, y a mis hijas desde la extremidad de la tierra,[s] 7 a todo el que es llamado por mi nombre[t] y a quien he creado para mi propia gloria,[u] a quien he formado, sí, a quien he hecho'.[v]

8 "Saca a un pueblo [que es] ciego aunque ojos mismos existen, y a los [que son] sordos aunque tienen oídos.[w] 9 Que todas las naciones se junten en un solo lugar, y que los grupos nacionales se reúnan.[x] ¿Quién hay entre ellos que pueda anunciar esto?[y] ¿O pueden ellos hacernos oír siquiera las cosas primeras?[z] Que suministren sus testigos,[a] para que sean declarados justos, o que oigan y digan: '¡Es la verdad!'."[b]

10 "Ustedes son mis testigos[c] —es la expresión de Jehová—, aun mi siervo a quien he escogido,[d] para que sepan[e] y tengan fe en mí,[f] y para que entiendan que yo soy el Mismo.[g] Antes de mí no

fue formado Dios alguno,[a] y después de mí continuó sin que lo hubiera.[b] 11 Yo... yo soy Jehová,[c] y fuera de mí no hay salvador."[d]

12 "Yo mismo he anunciado y he salvado y he hecho que sea oído,[e] cuando no había entre ustedes [dios] extraño.[f] De modo que ustedes son mis testigos[g] —es la expresión de Jehová—, y yo soy Dios.[h] 13 Además, todo el tiempo yo soy el Mismo;[i] y no hay nadie que efectúe liberación de mi propia mano.[j] Me pondré activo,[k] y ¿quién puede volverla atrás?"[l]

14 Esto es lo que ha dicho Jehová, el Recomprador de ustedes,[m] el Santo de Israel:[n] "Por causa de ustedes ciertamente enviaré a Babilonia y haré que desciendan las barras de las prisiones,[o] y los caldeos en las naves con gritos quejumbrosos por su parte.[p] 15 Yo soy Jehová el Santo de ustedes,[q] el Creador de Israel,[r] su Rey."

16 Esto es lo que ha dicho Jehová, Aquel que hizo un camino a través del mar mismo y una vereda aun a través de aguas fuertes,[t] 17 Aquel que sacó el carro de guerra y el caballo, la fuerza militar y a los fuertes a la misma vez:[u] "Yacerán.[v] No se levantarán.[w] Ciertamente serán extinguidos.[x] Como una mecha de lino tienen que ser apagados".[y]

18 "No se acuerden de las cosas primeras, y a las cosas anteriores no dirijan su consideración. 19 ¡Miren! Yo voy a hacer algo nuevo.[z] Ahora brotará. Ustedes lo sabrán, ¿no es verdad?[a] Realmente, a través del desierto

CAP. 43
a Sl 100:3
Isa 43:15
Ef 2:10
b Isa 44:2
Isa 44:21
c Isa 35:9
Isa 44:23
Jer 50:34
d Isa 45:4
e Dt 32:9
Isa 135:4
f Éx 14:29
Jos 3:15
Sl 66:12
Heb 11:29
g Sl 23:4
h 2Re 2:8
i Da 3:25
Zac 13:9
j Isa 60:16
Tit 2:10
Tit 3:4
k 2Re 24:7
Eze 29:19
l Isa 45:14
m Éx 19:5
n Dt 7:8
Dt 31:3
o Pr 21:18
p Isa 41:10
Isa 44:2
Jer 30:10
q Dt 30:3
Sl 106:47
Isa 66:20
Eze 36:24
Miq 2:12
Zac 8:7
Ro 11:26
r Jer 3:18
s Jer 31:8
t Jer 33:16
u Éx 19:6
Sl 50:23
1Pe 2:9
v Sl 95:6
Sl 100:3
Isa 29:23
w Isa 6:9
Isa 42:18
x Isa 41:1
y Isa 44:7
Isa 46:10
z Isa 48:5
a Isa 41:21
b 1Re 18:24
c Isa 43:12
Isa 44:8
Jn 15:27
Hch 1:8
1Co 15:15
Rev 1:5
d Isa 42:1
Dt 4:37
Dt 10:15
Sl 78:68
Mt 24:45
Ef 1:4
2Te 2:13
e Isa 41:20
Jer 31:34
f Jer 20:31
Ro 11:20
g Isa 41:4

2.ª col.
a Isa 44:6
Isa 45:6
1Co 8:4
b Isa 44:8
e Dt 6:4

d Isa 12:2; Os 13:4; 1Ti 2:3; Jud 25; e Isa 46:10; f Dt 32:12; Sl 81:9; g Isa 43:10; h Isa 37:20; Isa 46:9; i Isa 41:4; Isa 44:8; j Dt 32:39; Sl 50:22; Os 2:10; k Dt 32:4; Sl 64:9; Isa 41:4; Da 4:35; l Job 9:12; Isa 14:27; m Sl 19:14; Isa 44:6; Isa 63:16; n Isa 54:5; o Isa 14:17; Isa 45:2; p Jer 50:10; Rev 18:11; q Sl 89:18; Jer 51:5; r Isa 43:1; s Dt 33:5; Sl 74:12; Isa 33:22; Rev 11:17; t Éx 14:16; Jos 3:13; u Éx 15:4; v Sl 76:6; w Isa 14:20; Jer 51:39; x Rev 19:20; y Isa 1:31; Isa 42:3; z Isa 42:9; a Isa 40:5; Lu 3:6.

pondré un camino;[a] a través del desierto árido, ríos.[b] 20 La bestia salvaje del campo me glorificará;[c] los chacales y los avestruces;[d] porque habré dado agua hasta en el desierto, ríos en el desierto árido,[e] para hacer beber a mi pueblo, mi escogido,[f] 21 el pueblo a quien he formado para mí mismo, para que relate la alabanza mía.[g]

22 "Pero ni siquiera a mí me has llamado, oh Jacob, porque te has fatigado de mí, oh Israel.[i] 23 No me has traído la oveja de tus holocaustos, y con tus sacrificios no me has glorificado.[j] Yo no te he obligado a servirme con un regalo, ni te he fatigado con olíbano.[k] 24 No has comprado para mí caña [aromática][l] con dinero; y con la grasa de tus sacrificios no me has saturado.[m] En realidad, me has obligado a servir a causa de tus pecados; me has fatigado con tus errores.[n]

25 "Yo... yo soy Aquel que borra[o] tus transgresiones[p] por causa de mí mismo,[q] y de tus pecados no me acordaré.[r] 26 Hazme recordar; presentémonos para juicio juntamente;[s] cuenta tu propio relato de ello a fin de que tengas razón.[t] 27 Tu propio padre, el primero, ha pecado,[u] y tus propios voceros han transgredido contra mí.[v] 28 Por eso profanaré a los príncipes del lugar santo, y ciertamente entregaré a Jacob como hombre dado por entero a la destrucción, y a Israel a palabras de injuria.[w]

44 "Y ahora escucha, oh Jacob siervo mío,[x] y tú, oh Israel, a quien he escogido.[y] 2 Esto es lo que ha dicho Jehová, tu Hacedor[z] y tu Formador,[a] que siguió ayudándote aun desde el vientre:[b] 'No tengas miedo,[c] oh siervo mío Jacob, y tú, Jesurún,[d] a quien he escogido. 3 Porque derramaré agua sobre el sediento,[e] y arroyos que fluyan suavemente sobre el lugar seco.[f]

Derramaré mi espíritu sobre tu descendencia,[a] y mi bendición sobre tus descendientes.[—] 4 Y ciertamente brotarán como entre la hierba verde,[b] como álamos[c] al lado de las acequias de agua. 5 Este dirá: "Yo pertenezco a Jehová".[d] Y aquel [se] llamará por el nombre de Jacob,[e] y otro escribirá sobre su mano: "Perteneciente a Jehová". Y por el nombre de Israel uno [se] intitulará'.[f]

6 "Esto es lo que ha dicho Jehová, el Rey de Israel[g] y el Recomprador de él;[h] Jehová de los ejércitos: 'Yo soy el primero y yo soy el último,[i] y fuera de mí no hay Dios.[j] 7 ¿Y quién hay como yo?[k] Que clame, para que lo anuncie y me lo presente.[l] Desde que asigné al pueblo de hace mucho tiempo,[m] anuncien ellos por su parte tanto las cosas que vienen como las cosas que han de entrar. 8 No estén ustedes en pavor, y no se atolondren.[n] ¿No he hecho que desde aquel tiempo en adelante tú individualmente oigas, y no [lo] he anunciado?[o] Y ustedes son mis testigos.[p] ¿Existe Dios fuera de mí?[q] No, no hay Roca.[r] No he reconocido a ninguno'.

9 Los formadores de la imagen tallada son todos ellos una irrealidad,[s] y sus predilectas mismas no serán de ningún provecho;[t] y como sus testigos ellas no ven nada ni saben nada,[u] a fin de que ellos se avergüencen.[v] 10 ¿Quién ha formado un dios o fundido una mera imagen fundida?[w] De ningún provecho en absoluto ha sido.[x] 11 ¡Miren! Todos los socios mismos de él se

---

a Isa 11:16
Isa 40:3
b Dt 8:15
Sl 78:16
Isa 41:18
c Sl 148:10
d Isa 34:13
e Isa 41:17
Jer 31:9
Rev 22:17
f Sl 33:12
Isa 41:8
Isa 44:1
1Pe 2:9
g Sl 102:18
Isa 42:12
Isa 60:21
Heb 13:15
h Isa 64:7
i Jer 2:5
Os 7:10
Miq 6:3
j Isa 1:13
Am 5:25
Mal 1:13
Mal 3:8
k Isa 66:3
Am 5:22
l Jer 6:20
m Le 3:16
n Sl 95:10
Isa 1:14
Mal 2:13
o Sl 51:9
p Isa 1:18
Jer 50:20
q Isa 25:7
Sl 79:9
Eze 20:9
r Sl 79:8
Jer 31:34
Heb 10:17
s Job 23:4
Jer 2:29
t Job 40:7
Lu 10:29
u Gé 3:17
Sl 78:8
Ro 5:12
v Isa 28:7
Sl 5:31
w Dt 28:15
Sl 79:4
Sl 137:3
Lu 21:24

x Isa 41:8
Jer 30:10
y Gé 17:7
Gé 35:11
Sl 105:6
Ro 11:7
z Isa 43:7
a Isa 43:1
Isa 43:21
Isa 44:21
Isa 64:8
b Sl 71:6
Isa 49:1
Jer 1:5
c Isa 41:10
d Dt 32:15
Dt 33:5
Dt 33:26
e Isa 41:17
f Isa 32:2

2.ª col.

a Isa 32:15
Hch 2:17

b Sl 92:13; Isa 61:11; Hch 2:41; c Sl 137:2; d Zac 13:9; e Est 8:17; f Gál 6:16; g Dt 33:5; Isa 33:22; h Éx 6:6; Isa 48:17; Jer 50:34; i Isa 41:4; Isa 48:12; Rev 22:13; j Dt 4:35; Isa 43:10; Isa 44:24; Jer 16:20; k Isa 40:18; Isa 46:9; l Isa 43:9; Isa 45:21; m Gé 17:8; Dt 32:8; Isa 41:4; Heb 17:26; n Pr 3:25; Isa 41:10; o Gé 15:13; Dt 28:15; Isa 48:5; p Isa 44:10; q Dt 4:39; Isa 2:2; r Dt 32:4; 2Sa 22:32; s Isa 12:21; Sl 97:7; Isa 41:29; t Jue 10:14; 1Re 18:26; 1Co 8:4; u Sl 115:5; Sl 135:17; v Sl 97:7; Jer 51:17; w Sl 32:4; 1Re 12:28; x Jer 10:5; Hch 19:26.

avergonzarán,[a] y los artífices son de entre los hombres terrestres. Todos ellos se juntarán.[b] Se quedarán quietos. Estarán en pavor. Se avergonzarán al mismo tiempo.[c]

12 En cuanto al que talla hierro con el podón, él ha estado ocupado [en ello] con las brasas; y con los martillos procede a formarlo, y sigue ocupado en ello con su brazo poderoso.[d] También, le ha dado hambre, y por eso se halla sin poder. No ha bebido agua; de modo que se cansa.

13 En cuanto al que talla en madera, él ha extendido el cordel de medir; lo traza con tiza roja; le va dando forma con una escofina; y con un compás sigue trazándolo, y gradualmente lo hace como la representación de un hombre,[e] como la hermosura de la humanidad, para que esté sentado en una casa.[f]

14 Hay uno cuyo negocio es cortar cedros; y toma cierta especie de árbol, aun un árbol macizo, y deja que se haga fuerte para sí entre los árboles del bosque.[g] Plantó el laurel, y la lluvia misma, que cae a cántaros, sigue haciéndolo crecer. 15 Y ha llegado a ser [algo] para que el hombre mantenga ardiendo el fuego. De manera que él toma parte de él para calentarse. De hecho, hace un fuego y realmente cuece pan. También se pone a trabajar en un dios ante el cual pueda inclinarse.[h] Lo ha hecho una imagen tallada,[i] y se prosterna ante ella. 16 La mitad de él realmente la quema en un fuego. Sobre la mitad de él asa bien la carne que come, y queda satisfecho. También se calienta, y dice: "¡Ajá! Me he calentado. He visto la lumbre." 17 Pero de lo restante de él realmente hace un dios mismo, su imagen tallada. Se prosterna ante ella y se inclina y le ora y dice: "Líbrame, porque tú eres mi dios".[j]

18 No han llegado a saber,[k] ni entienden,[l] porque sus ojos han sido embadurnados para que no vean;[a] su corazón, para que no tenga perspicacia.[b] 19 Y nadie hace recordar a su corazón[c] ni tiene conocimiento ni entendimiento[d] para decir: "La mitad de él la he quemado en un fuego, y sobre sus brasas también he cocido pan; aso carne y como. Pero de lo demás de él ¿haré una simple cosa detestable?[e] ¿Ante la madera reseca de un árbol he de prosternarme?". 20 Está alimentándose de cenizas.[f] Su propio corazón, con el cual se ha jugado, lo ha descarriado.[g] Y él no libra su alma, ni dice: "¿No hay una falsedad en mi diestra?".[h]

21 "Acuérdate de estas cosas, oh Jacob,[i] y tú, oh Israel, porque eres mi siervo.[j] Yo te he formado.[k] Eres un siervo que me pertenece. Oh Israel, no serás olvidado por parte de mí.[l] 22 Ciertamente borraré tus transgresiones tal como con una nube,[m] y tus pecados tal como con una masa de nube. Vuelve a mí,[n] sí, porque yo ciertamente te recompraré.[o]

23 "¡Clamen gozosamente, cielos,[p] porque Jehová ha actuado![q] ¡Griten en triunfo,[r] ustedes las partes más bajas de la tierra![s] ¡Alégrense, montañas,[t] con clamor gozoso, bosque y todos los árboles en él! Porque Jehová ha recomprado a Jacob, y sobre Israel muestra su hermosura."[u]

24 Esto es lo que ha dicho Jehová, tu Recomprador[v] y el Formador de ti desde el vientre: "Yo, Jehová, estoy haciendo todo, extendiendo los cielos,[w] yo solo, tendiendo la tierra.[x] ¿Quién estuvo conmigo? 25 [Estoy] frustrando las señales de los de habla vacía, y [soy] Aquel que hace que las bajas de la tierra] actúen locamente;[y] Aquel que vuelve a los sabios al revés, y Quien torna hasta el cono-

CAP. 44

a 1Sa 5:3
  1Sa 5:7
  Isa 1:29
b Isa 41:6
c Da 3:29
d Isa 40:19
  Isa 41:7
  Isa 46:6
e Ex 20:4
  Dt 4:16
  Dt 4:28
  Hch 17:29
  Ro 1:23
f Gé 31:19
  Gé 35:2
  Dt 27:15
  Jue 17:4
g Isa 40:20
  Jer 10:3
h Ex 20:5
  Dt 5:9
  Jue 2:19
  2Cr 25:14
  Hab 2:19
  Rev 9:20
i Le 26:1
  Jue 17:3
  Jue 18:30
  2Re 21:7
  Na 1:14
  Hab 2:18
j Isa 36:19
  Isa 37:38
  Isa 45:20
  Isa 46:7
k Jer 10:14
l Jer 10:8
  Ro 1:21

2.ᵃcol.

a Jer 5:21
b Sl 81:12
  Isa 6:10
  Mt 13:15
  Ro 1:28
c Dt 32:46
  Eze 40:4
  Os 7:11
d Pr 1:4
  Pr 2:9
e Dt 7:26
  Dt 27:15
  1Re 11:5
f Sl 102:9
g Jer 17:9
  Ro 1:28
  Snt 1:14
h Jer 16:19
  Hab 2:18
  Dt 4:9
i Isa 44:1
j Isa 43:1
l Isa 49:15
m Sl 51:1
  Sl 103:12
  Isa 1:18
  Isa 43:25
  Jer 33:8
  Hch 3:19
n Jer 3:12
  Os 14:1
  Hch 2:38
  Snt 4:8
o Isa 1:27
  Isa 48:20
  Isa 59:20
  1Co 6:20
p Sl 69:34
  Sl 96:11
q Isa 43:13
r Sl 100:1
  Isa 49:13

s Sl 98:4; Isa 41:9; Isa 42:10; t Isa 55:12; u Isa 60:21; v Isa 44:6; w Job 26:7; Sl 104:2; Isa 40:22; Isa 45:12; Isa 51:13; x Gé 1:1; Isa 42:5; Isa 48:13; Rev 10:6; y Job 12:17; Os 9:7.

cimiento de ellos en tontedad;[a] 26 Quien hace que se realice la palabra de su siervo, y Quien lleva a cabo por completo el consejo de sus propios mensajeros;[b] Aquel que dice de Jerusalén: 'Será habitada',[c] y de las ciudades de Judá: 'Serán reedificadas,[d] y levantaré sus lugares desolados';[e] 27 Aquel que dice a la profundidad acuosa: 'Evapórate; y secaré todos tus ríos';[f] 28 Aquel que dice de Ciro:[g] 'Es mi pastor, y todo aquello en que me deleito él lo llevará a cabo por completo';[h] aun en [mi] decir de Jerusalén: 'Será reedificada', y del templo: 'Te será colocado tu fundamento' ".[i]

45 Esto es lo que ha dicho Jehová a su ungido,[j] a Ciro, a quien he asido de la diestra,[k] para sojuzgar delante de él naciones,[l] para que yo desciña hasta las caderas de reyes; para abrir delante de él las puertas de dos hojas, de modo que las puertas mismas no estén cerradas: 2 "Delante de ti yo mismo iré,[m] y enderezaré las protuberancias del terreno.[n] Las puertas de cobre haré pedazos, y cortaré las barras de hierro.[o] 3 Y ciertamente te daré los tesoros[p] que están en la oscuridad y los tesoros escondidos que están en los escondrijos, para que sepas que yo soy Jehová, Aquel que [te] llama por tu nombre,[q] el Dios de Israel. 4 Por causa de mi siervo Jacob y de Israel mi escogido,[r] hasta procedí a llamarte por tu nombre; procedí a darte un nombre de honra, aunque tú no me conocías.[s] 5 Yo soy Jehová, y no hay ningún otro.[t] Con la excepción de mí no hay Dios.[u] Yo te ceñiré apretadamente, aunque no me has conocido, 6 a fin de que desde el nacimiento del sol y desde su puesta la gente sepa que no hay ninguno fuera de mí.[v] Yo soy Jehová, y no hay ningún otro.[w] 7 Yo, Jehová, quien formo luz[x] y creo oscuridad,[y]

hago paz[a] y creo calamidad,[b] estoy haciendo todas estas cosas.[c] 8 "Oh cielos, hagan que gotee desde arriba;[d] y destilen los cielos nublados mismos la justicia.[e] Ábrase la tierra, y sea fructífera con salvación, y haga que la justicia misma brote[f] al mismo tiempo. Yo mismo, Jehová, lo he creado".[g]

9 ¡Ay del que ha contendido con su Formador,[h] como un fragmento de vasija de barro con los otros fragmentos de vasija de barro del suelo! ¿Debe el barro[i] decir a su formador: "¿Qué haces?"? ¿Y tu logro [decir]: "No tiene manos"? 10 ¡Ay del que diga a un padre: "¿De qué llegas a ser padre?", y a la esposa: "¿Con qué estás con dolores de parto?"![j]

11 Esto es lo que ha dicho Jehová, el Santo de Israel[k] y el Formador[l] de él: "Pregúntenme hasta acerca de las cosas que vienen[m] respecto a mis hijos;[n] y respecto a la actividad[o] de mis manos ustedes deben darme órdenes. 12 Yo mismo he hecho la tierra[p] y he creado aun al hombre sobre ella.[q] Yo... mis propias manos han extendido los cielos,[r] y a todo el ejército de ellos he dado órdenes".[s]

13 "Yo mismo he suscitado a alguien en justicia,[t] y todos sus caminos enderezaré.[u] Él es el que edificará mi ciudad,[v] y a los míos que están en destierro soltará,[w] no por precio[x] ni por soborno", ha dicho Jehová de los ejércitos.

14 Esto es lo que ha dicho Jehová: "Los trabajadores no retribuidos de Egipto[y] y los mercaderes de Etiopía y los sabeos,[z] hombres de alta talla,[a] se pasarán ellos mismos aun a ti, y tuyos

CAP. 44

a 2Sa 15:31
Isa 29:14
1Co 1:19
b Jos 21:45
Jos 23:14
Isa 55:11
Zac 1:6
c Sl 147:2
d Isa 60:10
e Isa 61:4
f Sl 74:15
Isa 42:15
Jer 50:38
Rev 16:12
g Esd 1:1
Isa 41:25
Isa 45:1
Isa 46:11
Da 10:1
h 2Cr 36:22
Isa 48:14
i 2Cr 36:23
Esd 1:2
Esd 6:3
Isa 45:13

CAP. 45

j 1Re 19:16
Isa 44:28
k Esd 1:1
Sl 73:23
Isa 45:4
l Isa 13:17
Isa 41:25
Jer 51:20
Isa 13:4
n Isa 40:4
o Sl 107:16
p Jer 50:37
q Isa 44:28
r Éx 19:5
Isa 41:8
s Gál 4:8
t Dt 4:35
1Re 8:60
Isa 44:8
Isa 45:21
u Dt 4:39
Dt 32:39
1Co 8:4
v Isa 17:46
Sl 102:15
Isa 37:20
Mal 1:11
w Sl 83:18
x Gé 1:3
Sl 8:3
Jer 31:35
Snt 1:17
y Éx 10:21
Sl 104:20
Am 4:13

2.ª col.

a Sl 29:11
Isa 26:12
2Co 1:2
b Ec 7:14
Isa 10:6
Am 3:6
c 1Sa 2:7
d Sl 72:6
Eze 34:26
e Os 10:12
2Pe 3:13
f Isa 61:11
1Co 3:6
g Isa 65:17
Rev 21:1
h Sl 2:9; 1Co 10:22; i Isa 29:16; Jer 18:6; Ro 9:20; j Mal 1:6; k Isa 43:3; l Isa 43:7; Isa 43:21; m Isa 46:10; Jer 33:3; n Isa 29:23; Isa 60:21; Jer 3:19; Os 1:10; Gál 3:29; o Sl 111:3; p Gé 1:1; Gé 14:19; Sl 102:25; Isa 40:28; Rev 10:6; q Gé 1:27; Gé 2:7; Gé 5:2; Dt 4:32; Sl 139:14; Jer 27:5; r Isa 44:24; Jer 32:17; Zac 12:1; s Gé 2:1; Ne 9:6; t Isa 42:6; u Heb 1:8; v 2Cr 36:23; Esd 1:2; Isa 44:28; w Esd 1:3; Isa 14:17; Isa 43:14; Isa 49:25; x Isa 13:17; y Isa 19:23; z Sl 72:10; a Isa 18:7.

llegarán a ser.[a] Detrás de ti andarán; en grilletes[b] pasarán, y ante
ti se inclinarán.[c] A ti orarán [y
dirán:] 'Realmente Dios está en
unión contigo,[d] y no hay ningún
otro; no hay [otro] Dios' ".[e]
15 Verdaderamente, tú eres
un Dios que te mantienes oculto,[f]
el Dios de Israel, un Salvador.[g]
16 Ellos ciertamente quedarán
avergonzados y hasta serán humillados, todos ellos. Juntos en
humillación[h] tendrán que andar
los fabricantes de formas [de
ídolos]. 17 En cuanto a Israel,
ciertamente será salvado en
unión con Jehová[i] con una salvación para tiempos indefinidos.[j]
Ustedes no quedarán avergonzados,[k] ni serán humillados[l] para
los tiempos indefinidos de la
eternidad.
18 Porque esto es lo que ha dicho Jehová, el Creador de los cielos,[m] Él, el Dios [verdadero],[n] el
Formador de la tierra y el Hacedor de ella,[o] Él, Aquel que la estableció firmemente,[p] que no la
creó sencillamente para nada,
que la formó aun para ser habitada:[q] "Yo soy Jehová, y no hay
ningún otro.[r] 19 En un escondrijo no hablé,[s] en un lugar oscuro de la tierra; ni dije yo a la
descendencia de Jacob: 'Búsquenme sencillamente para
nada'.[t] Yo soy Jehová, que hablo
lo que es justo, que informo lo
que es recto.[u]
20 "Júntense y vengan.[v] Acérquense juntamente, ustedes los
escapados de las naciones.[w] Los
que llevan la madera de su imagen tallada no han llegado a tener conocimiento; tampoco los
que oran a un dios que no puede
salvar.[x] 21 Hagan ustedes su
informe y su presentación.[y] Sí,
consulten ellos juntos en unidad.
¿Quién ha hecho oír esto desde
hace mucho tiempo?[z] ¿[Quién] lo
ha informado desde aquel mismo
tiempo?[a] ¿No soy yo, Jehová, fuera de quien no hay otro Dios;[b] un
Dios justo y un Salvador,[c] pues
no hay ninguno a excepción de
mí?[d]

22 "Diríjanse a mí y sean salvos,[a] todos ustedes [los que están
en los] cabos de la tierra; porque yo soy Dios, y no hay ningún otro.[b] 23 Por mí mismo he
jurado[c] —de mi propia boca en
justicia ha salido la palabra,[d] de
modo que no volverá[e]— que ante
mí toda rodilla se doblará,[f] [a mí]
toda lengua jurará,[g] 24 y dirá:
'De seguro en Jehová hay plena
justicia y fuerza.[h] Todos los que
se acaloran contra él vendrán directamente a él y quedarán avergonzados.[i] 25 En Jehová toda
la descendencia[j] de Israel resultará tener razón[k] y se jactará en
cuanto a sí misma' ".[l]

46 Bel[m] se ha doblado,[n] Nebo
está agachado; sus ídolos[o]
han llegado a ser para las bestias
salvajes y para los animales domésticos, las cargas de estos, piezas de equipaje, una carga pesada para los animales cansados.
2 Tienen que agacharse; cada
uno tiene que doblarse por igual;
simplemente no pueden suministrar escape[p] para la carga,
sino que su propia alma tiene que
ir al cautiverio.[q]
3 "Escúchenme, oh casa de Jacob, y todos ustedes los restantes
de la casa de Israel,[r] ustedes los
transportados [por mí] desde el
vientre, los llevados desde la matriz.[s] 4 Aun hasta la vejez [de
uno] yo soy el Mismo;[t] y hasta la
canicie [de uno] yo mismo seguiré soportando.[u] Yo mismo ciertamente actuaré,[v] para que yo mismo pueda llevar y para que yo
mismo pueda soportar y suministrar escape.[w]
5 "¿A quién me asemejarán ustedes[x] o [me] harán igual o me
compararán, para que nos parezcamos uno al otro?[y] 6 Hay los

CAP. 45
a Isa 49:23, Isa 61:5
b Sl 149:8
c Est 8:17, Isa 14:2, Isa 60:14
d Zac 8:23
e Isa 44:8
f Sl 44:24
g Isa 43:11, Isa 60:16, Tit 1:3
h Sl 97:7, Isa 44:9
i Os 1:7
j Isa 26:4, Isa 51:6
k Sl 25:3, Isa 29:22, Joe 2:26
l Isa 54:4, Sof 3:11
m Isa 42:5, Jer 10:12
n 2Sa 22:31, 1Co 8:5
o Gé 14:19, Sl 102:25, Rev 10:6
p Job 38:4, Sl 78:69, Sl 104:5, Sl 119:90, Pr 3:19
q Gé 1:28, Gé 9:1, Sl 37:29, Sl 115:16
r 1Re 8:60, Isa 46:9
s Dt 30:11, Pr 8:1, Isa 48:16
t Nú 23:20, 1Cr 28:8, 1Ti 4:8
u Sl 111:8, Sl 119:137, Pr 8:6
v Isa 41:5, Rev 22:17
w Isa 4:3, Isa 66:20, Jer 50:28
x 1Re 18:26, Isa 42:17, Jer 50:2
y Isa 41:21
z Isa 41:22
a Isa 43:9
b Isa 44:8, Mr 12:32
c Isa 43:3
d Dt 4:39, Joe 2:27

2.ª col.
a Sl 65:5, Miq 7:7, Jn 3:16
b Dt 4:35, 1Re 8:60, Isa 45:5
c Gé 22:16, Am 6:8, Heb 6:13
d Nú 23:19, Tit 1:2
e Isa 55:11
f Ro 14:11
g Dt 6:13, Jer 4:2, Jer 12:16

h Sl 29:1; i Rev 11:18; j Gál 3:29; k Isa 61:9; l Sl 64:10; 2Co 10:17; CAP. 46 m Jer 50:2; Jer 51:44; n 1Sa 5:3; o Isa 2:20; Isa 45:20; Jer 10:5; p Isa 37:12; q Jer 43:12; r Isa 1:9; s Éx 19:4; Dt 1:31; Isa 44:2; t Isa 41:4; Isa 43:10; u Sl 71:18; Sl 92:14; v Isa 43:13; w Sl 41:1; Sl 116:4; x Éx 8:10; Éx 15:11; Sl 113:5; Isa 40:25; Jer 10:6; y Sl 89:6; Miq 7:18; Hch 17:29.

que con profusión sacan el oro de la bolsa, y con el brazo de la balanza pesan la plata. Alquilan a un metalario, y él hace de ello un dios.[a] Se prosternan, sí, se inclinan.[b] 7 Lo llevan sobre el hombro,[c] lo cargan y lo depositan en su lugar para que quede quieto. De su lugar donde está parado no se mueve.[d] Hasta lo clama uno, pero él no responde; de la angustia en que uno se halla, este no lo salva.[e]

8 "Acuérdense de esto, para que cobren ánimo. Pónganlo en el corazón,[f] transgresores.[g] 9 Acuérdense de las primeras cosas de mucho tiempo atrás,[h] que yo soy el Divino[i] y no hay otro Dios,[j] ni nadie semejante a mí;[k] 10 Aquel que declara desde el principio el final,[l] y desde hace mucho las cosas que no se han hecho;[m] Aquel que dice: 'Mi propio consejo subsistirá,[n] y todo lo que es mi deleite haré';[o] 11 Aquel que llama desde el naciente a un ave de rapiña;[p] desde un país distante, al hombre que ha de ejecutar mi consejo.[q] Hasta [lo] he hablado; también lo haré venir.[r] [Lo] he formado, también lo haré.[s]

12 "Escúchenme, ustedes los poderosos de corazón,[t] ustedes los que están lejos de la justicia.[u] 13 He acercado mi justicia.[v] No está lejos,[w] y mi propia salvación no tardará.[x] Y ciertamente daré en Sión salvación; a Israel, mi hermosura."[y]

47 Baja y siéntate en el polvo,[z] oh virgen hija de Babilonia.[a] Siéntate en la tierra donde no hay trono,[b] oh hija de los caldeos.[c] Porque no volverás a experimentar que la gente te llame delicada y melindrosa.[d] 2 Toma un molinillo[e] y muele harina. Descúbrete el velo.[f] Quítate la falda[g] amplia. Descubre la pierna.[h] Atraviesa los ríos. 3 Debes descubrir tu desnudez.[i] También, debe verse tu oprobio.[j] Venganza es lo que tomaré,[k] y no

me encontraré [bondadosamente] con ningún hombre.

4 "Hay Uno que nos está recomprando.[a] Jehová de los ejércitos es su nombre,[b] el Santo de Israel."[c]

5 Siéntate silenciosamente[d] y entra en la oscuridad,[e] oh hija de los caldeos;[f] porque no volverás a experimentar que la gente te llame Señora[g] de Reinos.[h] 6 Me indigné con mi pueblo.[i] Profané mi herencia,[j] y procedí a darlos en tu mano.[k] No les mostraste misericordias.[l] Sobre el viejo hiciste muy pesado tu yugo.[m] 7 Y seguiste diciendo: "Hasta tiempo indefinido resultaré ser Señora,[n] para siempre". No pusiste estas cosas en tu corazón; no te acordaste del final del asunto.[o]

8 Y ahora oye esto, tú, [mujer] dada a los placeres, la que se sienta en seguridad,[p] la que dice en su corazón: "Yo soy, y no hay nadie más.[q] No me sentaré como viuda, y no conoceré la pérdida de hijos".[r] 9 Pero se vendrán estas dos cosas de repente, en un solo día:[s] pérdida de hijos y viudez. En su medida completa tienen que venir sobre ti,[t] por la abundancia de tus hechicerías, por el pleno poderío de tus maleficios... en sumo grado.[u] 10 Y seguiste confiando en tu maldad.[v] Has dicho: "No hay quien me vea".[w] Tu sabiduría y tu conocimiento[x]... esto es lo que te ha descarriado; y sigues diciendo en tu corazón: "Yo soy, y no hay nadie más". 11 Y sobre ti tiene que venir calamidad; no conocerás ningún encantamiento contra ella. Y sobre ti caerá adversidad;[y] no podrás evitarla. Y sobre ti de repente[z] vendrá una ruina

CAP. 46
a Éx 32:4; Isa 40:19; Jer 10:9; Hab 2:18
b Isa 2:8; Isa 44:17; Da 3:5
c Jer 10:5
d 1Sa 5:3; Da 3:1
e 1Re 18:26; Isa 37:38; Jer 2:28; Jon 1:5
f Dt 32:29; Pr 2:1; Isa 44:18
g Isa 48:8; Eze 18:28
h Dt 32:7; Isa 41:4
i Sl 50:1; Sl 118:27; Ro 1:20
j Isa 45:14
k Dt 33:26; Isa 40:18
l Isa 42:9; Isa 41:22; Isa 45:21
m Sl 33:11
n Sl 135:6; Isa 55:11; Heb 6:17
o Isa 41:2
p Esd 1:2; Isa 44:28; Isa 48:14
q Nú 23:19; Job 23:13
r Sl 76:5; Isa 48:14; Hch 7:51
s Sl 119:150; Jer 2:5
t Sl 97:2; Isa 145:17; Isa 51:5
u Sl 46:1; Isa 12:2
v Isa 62:11; Isa 44:23; Isa 60:21

CAP. 47
z Isa 2:7; Isa 26:5
a Sl 137:8; Jer 50:42; Zac 2:7
b Sl 89:44; Isa 51:33; Da 5:30
c Isa 47:5
d Rev 18:7
e Éx 11:5; Mt 24:41
f Isa 3:19
g Jer 13:22; Na 3:5
h Isa 20:4
i Eze 16:37; Jer 13:26
k Dt 32:35; Sl 94:1
l Ro 12:19

2.ᵃ col.
a Isa 41:14
b Isa 44:6

c Isa 43:3; d Sl 94:23; e Isa 2:9; f Isa 47:1; g Rev 18:7; h Isa 13:19; Isa 14:4; Rev 17:5; i 2Cr 28:9; 2Cr 36:16; Isa 42:25; Zac 1:15; j Dt 28:63; Isa 10:6; Eze 24:21; k 2Re 25:21; Jer 52:14; Sl 137:8; Mt 7:12; Rev 18:5; m Dt 28:50; n Da 4:30; Rev 18:7; o Dt 32:29; p Da 5:23; Rev 18:3; q Jer 51:53; r Sl 10:6; Rev 18:7; s Sl 73:19; Rev 18:10; t Jer 51:29; u Jer 22:23; Da 2:2; Da 5:7; Rev 18:23; v Sl 52:7; w Jer 23:24; Heb 4:13; x Isa 5:21; Ro 1:22; y Jer 51:39; z Rev 18:10.

que no estás acostumbrada a conocer.

12 Quédate quieta, ahora, con
tus maleficios y con la abundancia de tus hechicerías,[a] en los
cuales te has afanado desde tu
juventud; para que tal vez saques
provecho, para que tal vez infun-
das miedo a la gente.   13 Te has
fatigado con la multitud de tus
consejeros. Que se pongan de pie,
ahora, y te salven, los adoradores
de los cielos, los contempladores
de las estrellas,[b] los que divulgan
conocimiento en las lunas nuevas respecto a las cosas que vendrán sobre ti.   14 ¡Mira! Se han
hecho como rastrojo.[c] Un fuego
mismo ciertamente los quemará
por completo.[d] No librarán su
alma[e] del poder de la llama.[f] No
habrá brillo de brasas para que la
gente se caliente, ninguna lumbre enfrente de la cual sentarse.
15 Así ciertamente llegarán a
ser para ti, [aquellos] con quienes te has afanado como encantadores[g] tuyos desde tu juventud. Realmente irán vagando,
cada uno a su propia región. No
habrá quien te salve.[h]

48 Oigan esto, oh casa de Jacob, ustedes que se llaman
por el nombre de Israel[i] y que
han salido de las mismísimas
aguas de Judá,[j] ustedes que juran
por el nombre de Jehová[k] y que
hacen mención hasta del Dios de
Israel,[l] en verdad y no en justicia.[m] 2 Porque ellos se han
llamado a sí mismos como que
son de la ciudad santa,[n] y se han
apoyado sobre el Dios de Israel,[o]
Jehová de los ejércitos por nombre.[p]

3 "Las primeras cosas las he
anunciado aun desde aquel tiempo, y de mi propia boca salieron,
y seguí haciendo que se oyeran.[q]
De repente actué, y las cosas procedieron a venir.   4 Debido a
saber yo que tú eres duro[s] y que
tu cerviz es un tendón de hierro[t]
y tu frente es cobre,[u]   5 yo también seguí informándote desde

aquel tiempo. Antes que viniera,
te [lo] hice oír,[a] para que no dijeras: 'Mi propio ídolo las ha hecho, y mi propia imagen tallada
y mi propia imagen fundida las
han ordenado'.[b]   6 Has oído.[c]
Contémplalo todo.[c] En cuanto a
ustedes, ¿no [lo] anunciarán?[e] Te
he hecho oír cosas nuevas desde
la actualidad, hasta cosas mantenidas en reserva, que no has
sabido.[f]   7 En la actualidad tienen que ser creadas, y no desde
aquel tiempo, aun cosas que antes de hoy no has oído, para que
no digas: '¡Mira! Ya las he sabido'.[g]

8 "Además, tú no has oído,[h] ni
has sabido, ni desde aquel tiempo en adelante ha sido abierto tu
oído. Porque bien sé yo que sin
falta seguiste tratando traidoramente,[i] y 'transgresor desde
el vientre' se te ha llamado.[j]
9 Por causa de mi nombre repri-
miré mi cólera,[k] y por mi alabanza me refrenaré para contigo para que no se te corte.[l]
10 ¡Mira! Te he refinado, pero no
en [la forma de] plata.[m] He hecho
la selección de ti en el horno
de fundición de la aflicción.[n]
11 Por mi propia causa, por mi
propia causa actuaré,[o] porque,
¿cómo podría uno dejarse profanar?[p] Y a ningún otro daré mi
propia gloria.[q]

12 "Escúchame, oh Jacob, y tú,
Israel mi llamado. Yo soy el Mismo.[r] Yo soy el primero.[s] Además,
soy el último.[t]   13 Además, mi
propia mano colocó el fundamento de la tierra,[u] y mi propia diestra extendió los cielos.[v]
Llamo a ellos, para que sigan
subsistiendo juntos.[w]

14 "Júntense, todos ustedes, y
oigan.[x] ¿Quién entre ellos ha
anunciado estas cosas? Jehová
mismo lo ha amado.[y] Él hará lo
que es su deleite sobre Babilo-

CAP. 47
a Da 2:2
b Da 5:7
  Mt 2:1
c Éx 15:7
  Isa 40:24
d Dt 4:24
  Mal 4:1
e Gé 2:7
f Mt 16:26
g Da 2:2
  Rev 21:8
h Jer 51:6

CAP. 48
i Gé 32:28
  Gé 35:10
  2Re 17:34
  Ro 9:6
j Gé 49:8
  1Cr 5:2
  1Cr 28:4
k Dt 6:13
  Jer 4:2
  Sof 1:5
l Éx 23:13
  Isa 36:13
m Le 19:12
  Jer 4:2
  Mal 3:7
n Ne 11:1
  Sl 48:1
  Isa 52:1
o Jue 17:13
  Jer 21:2
  Ro 2:17
p Jer 10:16
q Dt 28:15
  Isa 41:22
  Isa 42:9
r Jos 21:45
  Jos 23:14
  Isa 55:11
s 2Cr 36:16
  Sl 78:8
  Isa 46:12
  Zac 7:11
t Éx 32:9
  Dt 10:16
  2Re 17:14
u Jer 44:16
  Eze 3:7

2.ª col.
a Lu 1:70
  Heb 1:1
b Jer 44:17
c Isa 21:10
  Isa 43:12
  Miq 6:9
d Sl 107:43
  Isa 41:20
e Sl 40:9
  Isa 43:10
  Isa 42:9
  2Re 1:21
f Isa 46:10
  Isa 65:17
h Isa 29:10
i Jer 5:11
  Jer 9:2
  Jer 3:8
j Dt 9:7
  Isa 2:8
k Isa 12:22
  Sl 25:11
  Sl 79:9
  Jer 14:7
l Ne 9:31
  Sl 78:38

m Job 23:10; Pr 17:3; Mal 3:3; Heb 12:11; n Isa
1:25; Jer 9:7; o Isa 48:9; p Eze 20:9; Ro 2:24;
q Isa 42:8; r Isa 43:13; Isa 46:4; s Isa 44:6; Rev
1:8; t Rev 22:13; u Job 38:4; Sl 102:25; Isa 42:5;
v Isa 40:22; w Sl 147:4; x Isa 48:20; y Isa 45:1.

nia,[a] y su propio brazo estará sobre los caldeos.[b] **15** Yo... yo mismo he hablado. Además, yo lo he llamado.[c] Lo he hecho entrar, y se hará que su camino tenga éxito.[d]

16 "Acérquense a mí. Oigan esto. Desde el comienzo no he hablado en ningún escondrijo.[e] Desde el tiempo en que ocurrió esto, yo he estado allí."

Y ahora el Señor Soberano Jehová mismo me ha enviado, hasta su espíritu.[f] **17** Esto es lo que ha dicho Jehová, tu Recomprador,[g] el Santo de Israel:[h] "Yo, Jehová, soy tu Dios, Aquel que te enseña para que te beneficies a ti mismo,[i] Aquel que te hace pisar en el camino en que debes andar.[j] **18** ¡Oh, si realmente prestaras atención a mis mandamientos![k] Entonces tu paz llegaría a ser justamente como un río,[l] y tu justicia como las olas del mar.[m] **19** Y tu prole llegaría a ser justamente como la arena, y los descendientes de tus entrañas como los granos de ella.[n] El nombre de uno no sería cortado, ni sería aniquilado de delante de mí."[o]

20 ¡Salgan de Babilonia![p] Huyan de los caldeos,[q] aun con el sonido de un clamor gozoso, hagan oír esto.[r] Háganlo salir hasta la extremidad de la tierra.[s] Digan: "Jehová ha recomprado a su siervo Jacob.[t] **21** Y ellos no tuvieron sed[u] cuando él estuvo haciéndolos andar por lugares devastados.[v] Agua de la roca hizo fluyera para ellos, y procedió a partir una roca para que el agua saliera corriendo".[w]

22 "No hay paz —ha dicho Jehová— para los inicuos."[x]

49 Escúchenme, oh islas,[y] y presten atención, lejanos grupos nacionales.[z] Jehová mismo me ha llamado[a] hasta desde el vientre.[b] Desde las entrañas de mi madre ha hecho mención de mi nombre.[c] **2** Y procedió a ha-

cer mi boca como una espada aguda.[a] En la sombra[b] de su mano me ha escondido.[c] Y gradualmente hizo de mí una flecha pulida. Me ocultó en su propia aljaba. **3** Y pasó a decirme: "Tú eres mi siervo, oh Israel,[d] tú aquel en quien mostraré mi hermosura".[e]

4 Pero en cuanto a mí, dije: "Para nada he trabajado con afán.[f] Para irrealidad y vanidad he agotado mi propio poder.[g] Verdaderamente mi juicio está con Jehová,[h] y mi salario con mi Dios".[i] **5** Y ahora Jehová, Aquel que me formó desde el vientre como siervo que le pertenece,[j] ha dicho que [yo] le traiga de vuelta a Jacob,[k] a fin de que Israel mismo sea reunido a él.[l] Y yo seré glorificado a los ojos de Jehová, y mi propio Dios se habrá hecho mi fuerza. **6** Y él procedió a decir: "Ha sido más que asunto trivial el que hayas llegado a ser mi siervo para levantar las tribus de Jacob y para traer de vuelta aun a los salvaguardados de Israel;[m] yo también te he dado por luz a las naciones,[n] para que mi salvación llegue hasta la extremidad de la tierra".[o]

7 Esto es lo que Jehová, el Recomprador de Israel,[p] su Santo, ha dicho al que es despreciado de alma,[q] al que es detestado por la nación,[r] al siervo de gobernantes:[s] "Reyes mismos verán y ciertamente se levantarán,[t] [y] príncipes, y se inclinarán, a causa de Jehová, quien es fiel,[u] el Santo de Israel, quien te escoge".[x]

8 Esto es lo que ha dicho Jehová: "En un tiempo de buena voluntad te he respondido,[w] y en día de salvación te he ayudado;[x] y seguí salvaguardándote para darte como pacto para el pueblo,[y]

CAP. 48
a Isa 44:28
b Isa 13:19
  Jer 50:13
c Isa 41:2
  Jer 51:20
d Isa 45:5
e Isa 45:19
f Isa 61:1
g Isa 43:14
  Isa 44:6
h Isa 54:5
i 1Re 8:36
  Sl 25:8
  Isa 30:20
  Isa 54:13
  Miq 4:2
j Sl 32:8
  Isa 30:21
  Isa 49:10
k Dt 5:29
  Sl 81:13
l Sl 119:165
  Isa 33:18
  Isa 66:12
m Am 5:24
n Gé 22:17
  Jer 33:22
  Os 1:10
o Rut 4:10
  Pr 10:7
p Jer 50:8
  Rev 18:4
q Jer 51:54
r Pr 10:28
  Isa 49:13
  Rev 18:20
s Jer 50:2
t Jer 31:10
u Éx 15:25
  Éx 17:6
  Dt 8:15
v Isa 43:19
w Nú 20:11
  Ne 9:15
  Sl 78:15
x Isa 57:20
  Isa 57:21
  Ro 3:17

CAP. 49
y Isa 41:1
  Isa 42:4
  Isa 51:5
  Isa 60:9
z Isa 43:9
  Isa 55:4
a Isa 1:1
b Sl 71:6
  Isa 44:2
  Isa 46:3
c Sl 139:16

2.ª col.
a 2Cr 36:15
  Ro 9:27
  Ro 10:20
b Sl 17:8
  Sl 36:7
  Sl 57:1
  Sl 63:8
  Sl 91:1
  Isa 51:16
d Isa 43:10
  Mt 24:45
e Isa 44:23
f 2Cr 36:16
  Isa 65:12
g Pr 9:7
h Sl 35:23
  Sl 140:12
i Isa 40:10

j Isa 49:1; k Mt 15:24; Hch 10:36; l Isa 56:8; Mt 23:37; m Ro 11:26; Ro 15:8; n Isa 42:6; Mt 12:18; Lu 2:32; Hch 13:47; o Sl 98:2; Isa 2:2; Isa 11:10; Isa 52:10; p Isa 43:14; q Sl 69:7; Isa 53:3; Lu 23:18; r Mt 26:67; s Mr 10:45; Lu 22:27; t Sl 2:12; Isa 60:14; u Dt 7:9; 1Co 1:9; 1Te 5:24; 1Pe 4:19; v Isa 42:1; 1Pe 2:4; w Sl 69:13; 2Co 6:2; x Lu 1:69; Lu 22:43; Heb 5:7; y Isa 42:6.

para rehabilitar la tierra,[a] para efectuar el recobro de las posesiones hereditarias desoladas,[b] 9 para decir a los prisioneros:[c] '¡Salgan!',[d] a los que están en la oscuridad:[e] '¡Revélense!'.[f] Al lado de los caminos pacerán, y en todas las sendas trilladas se realizará el apacentamiento de ellos.[g] 10 No padecerán hambre,[h] ni padecerán sed,[i] ni los herirá calor abrasador ni sol.[j] Porque Aquel que tiene piedad de ellos los guiará,[k] y junto a los manantiales de agua los conducirá.[l] 11 Y ciertamente convertiré todas mis montañas en camino, y mis calzadas del norte estarán en una elevación.[m] 12 ¡Mira! Estos vendrán aun de lejos,[n] y, ¡mira!, estos del norte[o] y del oeste,[p] y estos del país de Sinim.

13 Den un grito gozoso, cielos,[q] y regocíjate, tierra.[r] Alégrense las montañas con un clamor gozoso.[s] Porque Jehová ha consolado a su pueblo,[t] y muestra piedad a sus propios afligidos.[u]

14 Pero Sión siguió diciendo: "Jehová me ha dejado,[v] y Jehová mismo se ha olvidado de mí".[w] 15 ¿Puede una esposa olvidarse de su niño de pecho, de modo que no tenga piedad al hijo de su vientre?[x] Hasta estas mujeres pueden olvidar;[y] no obstante, yo mismo no me olvidaré de ti.[z] 16 ¡Mira! Sobre las palmas [de mis manos] te he grabado.[a] Tus muros están enfrente de mí constantemente.[b] 17 Tus hijos se han apresurado. Los mismísimos que te demolieron y te devastaron saldrán hasta de ti. 18 Levanta los ojos todo en derredor y ve. Todos ellos han sido juntados.[c] Han venido a ti. "Tan ciertamente como que vivo —es la expresión de Jehová[d]— de todos ellos te vestirás justamente como con adornos, y te ceñirás con ellos como una novia.[e] 19 Aunque haya tus lugares devastados y tus lugares desolados y la tierra de tus ruinas,[f] aunque

ahora te halles en demasiada estrechez para estar morando —y los que te tragaron han estado lejos[a]—, 20 no obstante, en tus propios oídos los hijos de tu condición de estar privada de hijos[b] dirán: 'El lugar se ha hecho demasiado estrecho para mí.[c] De veras hazme lugar para que pueda morar'.[d] 21 Y de seguro dirás en tu corazón: '¿Quién ha llegado a ser padre de estos para mí, puesto que soy una mujer privada de hijos y estéril, llevada al destierro y tomada prisionera?[e] En cuanto a estos, ¿quién [los] ha criado?[f] ¡Mira! Yo misma había quedado sola.[g] Estos... ¿dónde han estado?'.'".[h]

22 Esto es lo que ha dicho el Señor Soberano Jehová: "¡Mira! Levantaré mi mano hasta las naciones,[i] y a los pueblos alzaré mi señal enhiesta.[j] Y traerán a tus hijos en el seno, y sobre el hombro llevarán a tus propias hijas.[k] 23 Y reyes tienen que llegar a ser cuidadores para ti;[l] y sus princesas, nodrizas para ti. Con rostros a tierra se inclinarán ante ti,[m] y el polvo de tus pies lamerán;[n] y tendrás que saber que yo soy Jehová, de quien no quedarán avergonzados los que esperan en mí".[o]

24 ¿Pueden los que ya han sido tomados ser tomados de un hombre poderoso mismo,[p] o puede el cuerpo de cautivos del tirano efectuar su escape?[q] 25 Pero esto es lo que ha dicho Jehová: "Hasta el cuerpo de cautivos del poderoso será quitado,[r] y los que ya han sido tomados por el tirano mismo efectuarán su escape.[s] Y contra cualquiera que contienda contra ti yo mismo contenderé,[t] y a tus propios hijos yo mismo salvaré.[u] 26 Y ciertamente haré que los que te maltratan coman su propia carne; y como con el

CAP. 49
a Isa 51:16
b Sl 2:8
  Isa 54:3
c Sl 102:20
  Isa 42:7
d 2Co 6:17
  Rev 18:4
e Sl 112:4
  Sal 9:2
  Lu 1:79
f Sl 110:3
g Rev 7:17
h Isa 65:13
  Rev 7:16
i Isa 55:1
j Isa 32:2
k Eze 34:23
l Sl 23:2
  Jer 31:9
m Sl 107:7
  Isa 11:16
  Isa 40:3
n Dt 30:4
  Sl 22:27
o Isa 43:6
p Mt 8:11
q Sl 96:11
  Isa 44:23
r Sl 98:4
  Isa 42:10
s Isa 55:12
t Isa 12:1
  Isa 40:1
  Isa 66:13
u Isa 61:3
  Jer 31:13
  2Te 2:16
v Isa 54:7
w Sl 13:1
  Lam 5:20
x 1Re 3:26
  Sl 103:13
y Le 26:29
  Dt 28:56
  2Re 6:28
z Isa 44:21
  Jer 31:20
  Ro 11:1
a Can 8:6
b Isa 26:1
  Isa 60:18
c Isa 43:5
  Isa 60:4
  Mt 24:31
d Gé 22:16
  Heb 6:13
e Jer 2:32
f Isa 51:3
  Jer 30:18

2.ª col.

a Jer 30:16
  Isa 51:34
b Eze 6:9
c Jos 17:15
  2Re 6:1
  Isa 54:1
d Isa 54:2
e Lam 1:13
f Isa 43:5
  Jer 31:17
  Mt 24:31
g Lam 1:1
h Isa 62:4
i Isa 11:12
j Esd 1:3
  Isa 11:10
  Isa 62:10
k Isa 60:4
  Isa 66:20

l Nú 11:12; Isa 52:15; Isa 60:10; Isa 60:16; m Sl 72:9; Isa 60:14; n Miq 7:17; o Sl 25:3; Isa 25:9; Isa 64:4; p Mt 12:29; Lu 11:21; q Esd 9:9; Ne 9:37; r Jer 29:14; Jer 46:27; Os 6:11; Joe 3:1; s Isa 10:27; Isa 52:2; Jer 29:10; Jer 50:34; Zac 9:11; t Isa 54:17; Ro 8:31; u Isa 33:22.

vino dulce se emborracharán con su propia sangre. Y toda carne tendrá que saber que yo, Jehová,[a] soy tu Salvador[b] y tu Recomprador,[c] el Poderoso de Jacob".[d]

50 Esto es lo que ha dicho Jehová: "¿Dónde, pues, está el certificado de divorcio[e] de la madre de ustedes, a la cual yo despedí?[f] ¿O cuál de mis acreedores es aquel a quien los he vendido?[g] ¡Miren! A causa de sus propios errores[h] han sido vendidos, y a causa de las propias transgresiones de ustedes su madre ha sido despedida.[i] 2 ¿Por qué, cuando vine, no hubo nadie?[j] ¿Cuando llamé, no hubo quien respondiera?[k] ¿Se ha acortado verdaderamente tanto mi mano que no pueda redimir,[l] o no hay en mí poder para librar? ¡Miren! Con mi reprensión[m] seco el mar;[n] hago de los ríos un desierto. Hieden sus peces por no haber agua, y mueren a causa de sed.[p] 3 Yo visto los cielos de lobreguez,[q] y hago que el saco mismo sea su cobertura".[r]

4 El Señor Soberano Jehová mismo me ha dado la lengua de los enseñados,[s] para que sepa responder al cansado con una palabra.[t] Él despierta mañana a mañana; me despierta el oído para que oiga como los enseñados.[u] 5 El Señor Soberano Jehová mismo me ha abierto el oído, y yo, por mi parte, no fui rebelde.[v] No me viré en la dirección opuesta.[w] 6 Mi espalda di a los golpeadores, y mis mejillas[x] a los que mesaban [el pelo]. Mi rostro no oculté de cosas humilladoras ni del esputo.[y]

7 Pero el Señor Soberano Jehová mismo me ayudará.[z] Por eso no tendré que sentirme humillado. Por eso he puesto mi rostro como pedernal, y sé que no seré avergonzado.[a] 8 Aquel que me declara justo está cerca.[b] ¿Quién puede contender conmigo? Pongámonos de pie juntos.[c] ¿Quién es mi antagonista judicial?[d] Que se me acerque.[e]

9 ¡Miren! El Señor Soberano Jehová mismo me ayudará. ¿Quién hay que pueda pronunciarme inicuo?[a] ¡Miren! Todos ellos, cual prenda de vestir, se gastarán.[b] Una mera polilla se los comerá.[c]

10 ¿Quién entre ustedes teme a Jehová, escuchando la voz de su siervo,[e] que ha andado en oscuridad[f] continua y para quien no ha habido resplandor? Confíe él en el nombre de Jehová[g] y apóyese en su Dios.[h]

11 "¡Miren! Todos ustedes los que están encendiendo un fuego, haciendo que las chispas brillen, anden a la luz de su fuego, y entre las chispas que han encendido. De mi mano ciertamente llegarán a tener esto: En verdadero dolor yacerán.[i]

51 "Escúchenme, ustedes los que están siguiendo tras la justicia,[j] ustedes los que están procurando hallar a Jehová.[k] Miren a la roca[l] de la cual fueron labrados, y al hueco del hoyo del cual fueron excavados. 2 Miren a Abrahán[m] su padre[n] y a Sara[o] que gradualmente los dio a luz con dolores de parto. Porque él era uno solo cuando lo llamé,[p] y procedí a bendecirlo y a hacer que fuera muchos.[q] 3 Porque Jehová ciertamente consolará a Sión.[r] De seguro consolará todos sus lugares devastados,[s] y hará que su desierto sea como Edén,[t] y su llanura desértica como el jardín de Jehová.[u] Alborozo y regocijo mismos se hallarán en ella, acción de gracias y la voz de melodía.

4 "Préstenme atención, oh pueblo mío; y grupo nacional mío,[w] a mí presten oído. Porque

CAP. 49
a SI 9:16
SI 58:11
Eze 39:28
b SI 17:7
1Ti 1:1
c Isa 41:14
Isa 48:20
d SI 132:5
Isa 1:24
Isa 60:16

CAP. 50
e Dt 24:1
f Jer 3:1
Os 2:2
g 2Re 4:1
h 1Re 21:25
2Re 17:17
Isa 59:2
i Jer 3:8
j Jer 8:6
Pr 35:15
k Pr 1:24
Jer 7:13
l Nú 11:23
Isa 40:28
Isa 59:1
m SI 106:9
Na 1:4
n Éx 14:29
SI 114:3
Isa 51:10
o SI 107:33
Isa 42:15
p Éx 7:18
q Éx 10:21
SI 18:11
Mt 27:45
r Rev 6:12
s Éx 4:11
Jer 1:9
Jn 7:46
t Pr 15:23
Mt 13:54
u Jn 7:15
v SI 40:8
Isa 8:18
w Jon 1:3
Mt 26:39
Flp 2:8
x Lam 3:30
Miq 5:1
Lu 22:63
y Mt 26:67
Mr 14:65
z Isa 49:8
Heb 13:6
a Jer 1:18
Eze 3:9
b Ro 8:33
c Isa 41:1
d Rev 12:10
e Isa 40:9

2.ª col.
a SI 51:4
Ro 3:4
b SI 102:26
c Job 13:28
SI 39:11
d SI 25:12
SI 112:1
Ec 12:13
Mal 3:16
e Isa 42:1
f Job 29:3
SI 23:4
Isa 9:2
Isa 59:9

g 2Cr 20:20; Isa 26:4; h 1Sa 30:6; SI 31:6; SI 32:10; j Pr 21:21; Sof 2:3; k Mt 6:33; 1Ti 6:11; l SI 105:3; Ro 10:13; l Dt 32:4; Dt 32:18; 1Sa 2:2; m Jos 24:3; Mt 8:11; Ro 4:19; n Lu 16:24; o Gé 21:2; p Gé 12:1; Gé 15:2; Ne 9:7; Eze 33:24; q Jos 11:4; 1Re 4:20; r SI 102:13; Isa 60:13; Jer 31:12; s Isa 44:26; Isa 61:4; t Gé 2:8; Eze 28:13; Joe 2:3; u Gé 13:10; Isa 35:1; Isa 41:18; Eze 31:8; v Jer 33:11; w Éx 19:6; Dt 7:6; SI 33:12; Am 3:2; 1Pe 2:9.

de mí saldrá una ley misma,[a] y haré que mi decisión judicial repose hasta como una luz para los pueblos.[b] 5 Mi justicia está cerca.[c] Mi salvación[d] ciertamente saldrá, y mis propios brazos juzgarán hasta a los pueblos.[e] En mí esperarán las islas mismas,[f] y aguardarán mi brazo.[g]

6 "Levanten los ojos a los cielos mismos,[h] y miren a la tierra abajo. Porque los mismísimos cielos tienen que dispersarse en fragmentos justamente como humo,[i] y cual prenda de vestir la tierra misma se gastará,[j] y sus habitantes mismos morirán como un sencillo jején. Pero en cuanto a mi salvación, resultará ser aun hasta tiempo indefinido,[k] y mi propia justicia no será destrozada.[l]

7 "Escúchenme, ustedes, los que conocen la justicia, el pueblo en cuyo corazón está mi ley.[m] No tengan miedo al oprobio de los hombres mortales, y no se sobrecojan de terror simplemente a causa de sus palabras injuriosas.[n] 8 Porque la polilla se los comerá precisamente como si fueran una prenda de vestir, y la polilla de la ropa se los comerá tal como si fueran lana.[o] Pero en cuanto a mi justicia, resultará ser aun hasta tiempo indefinido, y mi salvación hasta generaciones incontables."[p]

9 ¡Despierta, despierta, vístete de fuerza,[q] oh brazo de Jehová![r] Despierta como en los días de mucho tiempo atrás, como durante las generaciones de tiempos del pasado remoto.[s] ¿No eres tú el que hizo pedazos a Rahab,[t] el que traspasó al monstruo marino?[u] 10 ¿No eres tú el que secó el mar, las aguas de la vasta profundidad?[v] ¿El que hizo de las profundidades del mar un camino para que pasaran los recomprados?[w] 11 Entonces los mismos redimidos de Jehová regresarán y tendrán que venir a Sión con un clamor gozoso,[x] y regocijo hasta tiempo indefinido estará sobre la cabeza de ellos.[y]

Alborozo y regocijo alcanzarán.[a] El desconsuelo y el suspiro ciertamente huirán.[b]

12 "Yo... yo mismo soy Aquel que está consolándolos.[c]

"¿Quién eres tú para que tengas miedo a un hombre mortal que ha de morir,[d] y a un hijo de la humanidad que quedará como simple hierba verde?[e] 13 ¿Y para que te olvidaras de Jehová tu Hacedor,[f] Aquel que extendió los cielos[g] y colocó el fundamento de la tierra,[h] de modo que estuviste en pavor constantemente durante todo el día a causa de la furia del que [te] cercaba,[i] como si él estuviera listo para arruinar[te]?[j] ¿Y dónde está la furia del que [te] cercaba?[k]

14 "El que anda agachado en cadenas ciertamente será soltado velozmente,[l] para que no vaya en muerte al hoyo[m] y para que no [le] falte su pan.[n]

15 "Pero yo, Jehová, soy tu Dios, Aquel que agita el mar para que sus olas estén bulliciosas.[o] Jehová de los ejércitos es su nombre.[p] 16 Y pondré mis palabras en tu boca,[q] y con la sombra de mi mano ciertamente te cubriré,[r] a fin de plantar los cielos[s] y colocar el fundamento de la tierra[t] y decir a Sión: 'Tú eres mi pueblo'.[u]

17 "Despiértate, despiértate, levántate, oh Jerusalén,[v] tú que has bebido de la mano de Jehová su copa de furia.[w] El cáliz, la copa que causa vértigo, has bebido, la has escurrido.[x] 18 No hubo ninguno de todos los hijos[y] que ella dio a luz que la condujera, y no hubo ninguno de todos los hijos que ella crió que la tomara de la mano.[z] 19 Aquellas dos cosas te sobrevenían.[a] ¿Quién se

---

CAP. 51
a Isa 2:3
  Miq 4:2
b Sl 119:105
  Pr 6:23
  Mt 12:18
c Dt 30:14
  Isa 46:13
d Isa 12:2
  Isa 56:1
e 1Sa 2:10
  Sl 67:4
  Sl 96:13
f Isa 2:4
  Hch 17:31
f Isa 60:9
g Isa 42:4
h Sl 8:3
  Sl 40:26
i Sl 102:26
  Isa 34:4
  Heb 1:11
j Mt 24:35
k Isa 45:17
  Heb 5:9
  Heb 9:12
l Sl 103:17
  Da 9:24
m Sl 37:31
  Sl 119:11
  Jer 31:33
  2Co 3:3
n Jer 1:17
  Eze 2:6
o Job 13:28
  Isa 50:9
  Isa 54:17
  Lu 1:50
q Sl 7:6
  Sl 44:23
r Sl 89:10
  Isa 53:1
  Lu 1:51
s Jue 6:13
  Ne 9:10
  Isa 44:1
  Sl 106:22
t Éx 15:4
  Job 26:12
  Sl 87:4
  Sl 89:10
u Sl 74:13
  Isa 27:1
  Eze 29:3
v Éx 14:21
  Ne 9:11
  Sl 78:13
w Sl 106:9
  Isa 43:16
x Isa 35:10
  Jer 31:11
  Zac 10:10
  Mt 24:31
y Isa 61:7

2.ᵃ col.
a Isa 65:18
b Isa 25:8
  Isa 65:19
  Isa 49:13
  Isa 66:13
d Sl 118:6
  Pr 29:25
  Da 3:16
  Mt 10:28
e Sl 90:5
  Sl 103:15
  Isa 40:6
  1Pe 1:24
f Pr 22:2
  Isa 44:2
g Isa 40:22
h Sl 102:25
  Isa 44:24

i Dt 28:65; Isa 29:7; j Dt 28:66; Jer 38:17; k Dt 28:55; 2Cr 36:17; Est 7:10; Ne 9:16; Isa 10:24; l Esd 1:3; Isa 48:20; Isa 52:2; m Sl 30:3; Sl 49:15; n Jer 37:21; Jer 31:35; Jon 1:4; p Isa 47:4; Jer 10:16; q Isa 50:4; r Dt 33:27; Sl 91:1; Isa 49:2; s Isa 65:17; 2Pe 3:13; t Isa 66:8; Isa 66:22; Rev 21:1; u Isa 60:14; Jer 31:33; Jer 32:38; Zac 8:8; Heb 8:10; v Isa 52:1; Isa 60:1; w Dt 28:28; Sl 60:3; x Sl 75:8; Jer 25:15; Rev 14:10; y Isa 43:6; z Heb 8:9; a Isa 47:9.

condolerá de ti?[a] ¡Despojo violento y quebranto, y hambre y espada![b] ¿Quién te consolará?[c] 20 Tus propios hijos se han desmayado.[d] Han yacido en la cabecera de todas las calles como las ovejas silvestres en la red,[e] como los que están llenos de la furia de Jehová,[f] la reprensión de tu Dios."[g]

21 Por lo tanto, escucha esto, por favor, oh mujer[h] afligida y borracha, pero no con vino.[i] 22 Esto es lo que ha dicho tu Señor, Jehová, hasta tu Dios, que contiende[j] por su pueblo: "¡Mira! Ciertamente quitaré de tu mano la copa que causa vértigo.[k] El cáliz, mi copa de furia ... ya no volverás a beber de ella.[l] 23 Y ciertamente la pondré en la mano de los que te irritan,[m] que han dicho a tu alma: 'Inclínate para que pasemos', de manera que hacías que tu espalda fuera justamente como la tierra, y como la calle para los que pasaban".[n]

52 ¡Despierta, despierta, ponte tu fuerza,[o] oh Sión! ¡Ponte tus hermosas prendas de vestir,[p] oh Jerusalén, la ciudad santa![q] Porque ya no volverá a entrar en ti el incircunciso e inmundo.[r] 2 Sacúdete y líbrate del polvo,[s] levántate, toma asiento, oh Jerusalén. Suéltate las ataduras de tu cuello, oh cautiva hija de Sión.[t]

3 Porque esto es lo que ha dicho Jehová: "Por nada ustedes fueron vendidos,[u] y será sin dinero como serán recomprados".[v]

4 Porque esto es lo que ha dicho el Señor Soberano Jehová: "Fue a Egipto adonde bajó mi pueblo en el primer caso para residir allí como forasteros;[w] y sin causa Asiria, por su parte, los oprimió".

5 "Y ahora, ¿qué interés tengo aquí? —es la expresión de Jehová—. Porque mi pueblo fue tomado por nada.[x] Los mismísimos que los gobernaban siguieron au-

llando[a] —es la expresión de Jehová—, y continuamente, todo el día, se trataba con falta de respeto mi nombre.[b] 6 Por esa razón mi pueblo conocerá mi nombre,[c] aun por esa razón en aquel día, porque yo soy Aquel que está hablando.[d] ¡Mira! Soy yo."

7 ¡Cuán hermosos sobre las montañas son los pies[e] del que trae buenas nuevas,[f] del que publica paz,[g] del que trae buenas nuevas de algo mejor,[h] del que publica salvación,[i] del que dice a Sión: "¡Tu Dios ha llegado a ser rey!"[j]

8 ¡Escucha! Tus propios atalayas[k] han levantado [la] voz.[l] Al unísono siguen clamando gozosamente; porque será ojo a ojo[m] como verán cuando Jehová recoja de vuelta a Sión.[n]

9 Alégrense, clamen gozosamente a una, lugares devastados de Jerusalén,[o] porque Jehová ha consolado a su pueblo;[p] ha recomprado a Jerusalén.[q] 10 Jehová ha desnudado su santo brazo ante los ojos de todas las naciones;[r] y todos los cabos de la tierra tienen que ver la salvación de nuestro Dios.[s]

11 Apártense, apártense, sálganse de allí,[t] no toquen nada inmundo;[u] sálganse de en medio de ella,[v] manténganse limpios, ustedes los que llevan los utensilios de Jehová.[w] 12 Porque no saldrán en pánico, y no irán en fuga.[x] Porque Jehová estará yendo aun delante de ustedes,[y] y el Dios de Israel será su retaguardia.[z]

13 ¡Miren! Mi siervo[a] actuará con perspicacia.[b] Estará en puesto alto, y ciertamente será elevado y ensalzado en gran manera.[c] 14 Al grado que muchos han cla-

CAP. 51
a Sl 69:20
b Eze 14:21
c Ec 4:1
  Lam 1:17
d Isa 40:30
  Lam 2:11
e Eze 12:13
  Eze 17:20
f Sl 88:16
  Isa 9:19
  Rev 14:10
g Isa 29:9
  Isa 49:26
h Isa 54:1
  Isa 60:1
i Rev 17:6
j Isa 3:13
k Isa 51:17
l Isa 54:9
  Isa 62:8
m Ne 6:14
  Isa 49:25
n Jos 10:24

CAP. 52
o Isa 51:17
  Ag 2:4
p Sl 30:11
  Isa 61:3
q Ne 11:1
  Sl 48:1
  Mt 4:5
r Isa 35:8
  Isa 60:21
  Na 1:15
  Rev 21:27
s Eze 26:5
  Jer 51:6
  Zac 2:6
  Rev 18:4
t Isa 51:14
  Lu 4:18
u Sl 44:12
  Isa 50:1
  1Pe 1:18
w Gé 46:6
  Hch 7:15
x Sl 44:12

2.ª col.
a Éx 5:14
  Sl 137:3
  Jer 50:17
b Isa 74:10
  Isa 37:6
  Ro 2:24
  Snt 2:7
c Sl 48:10
  Eze 20:44
d Nú 23:19
e Ef 6:15
f Sl 68:11
  Isa 40:9
  Na 1:15
  Ro 10:15
g Lu 2:14
  Hch 8:4
  Hch 10:36
  Gál 3:8
  Ef 2:17
h Mt 24:14
  Rev 14:6
i 2Co 6:2
  Rev 7:10
j 1Pe 3:3
  Sl 93:1
  Isa 33:22
  Miq 4:7
  Rev 11:17
k Isa 21:6
  Isa 21:8

l Isa 24:14; Isa 62:6; m 1Co 13:12; n Zac 12:8;
o Isa 61:4; p Isa 66:13; q Isa 44:23; r Sl 89:10;
Isa 9:1; s Sl 22:27; Isa 49:6; Lu 3:6; t Isa 48:20;
Jer 50:8; Zac 2:6; Rev 18:4; u Le 5:2; Eze 44:23;
Ag 2:13; Ef 5:11; v 2Co 6:17; Rev 18:4; w Le 10:3;
Nú 3:8; Esd 1:7; Esd 8:30; x Isa 28:16; y Éx
13:21; 2Cr 20:4; 1Cr 14:15; z Isa 58:8; a Isa 42:1;
Isa 61:1; Flp 2:7; b Sl 53:2; c Sl 110:1;
Isa 9:6; Mt 28:18.

vado en él la mirada con asombro[a] —tanto más fue la desfiguración en cuanto a su apariencia[b] que la de cualquier otro hombre, y en cuanto a su regia forma[c] que la de los hijos de la humanidad—, 15 él igualmente espantará a muchas naciones.[d] Ante él los reyes cerrarán la boca,[e] porque realmente verán lo que no se les había relatado, y tendrán que dirigir su consideración a lo que no habían oído.[f]

53 ¿Quién ha puesto fe en la cosa oída por nosotros?[g] Y en cuanto al brazo de Jehová,[h] ¿a quién le ha sido revelado?[i] 2 Y él subirá como una ramita[j] delante de uno, y como una raíz de tierra árida. No tiene forma regia, ni ningún esplendor;[k] y cuando lo veamos, no hay la apariencia que haría que lo deseáramos.[l]

3 Fue despreciado y fue evitado por los hombres,[m] un hombre que era para dolores y para estar familiarizado con la enfermedad.[n] Y hubo como si fuera el ocultar uno su rostro de nosotros.[o] Fue despreciado, y lo consideramos de ninguna importancia.[p] 4 Verdaderamente nuestras enfermedades fueron las que él mismo llevó;[q] y en cuanto a nuestros dolores, él los cargó.[r] Pero nosotros mismos lo consideramos como plagado,[s] golpeado por Dios[t] y afligido.[u] 5 Pero a él se le estuvo traspasando[v] por nuestra transgresión;[w] se le estuvo aplastando por nuestros errores.[x] El castigo que era para nuestra paz estuvo sobre él,[y] y a causa de sus heridas[z] ha habido una curación para nosotros.[a] 6 Como ovejas todos nosotros hemos andado errantes;[b] cada cual a su propio camino nos hemos dirigido; y Jehová mismo ha hecho que el error de todos nosotros se encuentre con aquel.[c] 7 Estuvo en severa estrechez,[d] y él fue dejando que se le afligiera;[e] no obstante, no abría la boca. Se le fue llevando justamente como una oveja a la degollación;[a] y, como una oveja que delante de sus esquiladores ha enmudecido, él igualmente no abría la boca.[b]

8 A causa de restricción y de juicio fue quitado;[c] y ¿quién se preocupará siquiera con [los detalles de] su generación?[d] Pues fue cortado[e] de la tierra de los vivientes.[f] A causa de la transgresión[g] de mi pueblo sufrió la herida.[h] 9 Y él hará su sepultura hasta con los inicuos,[i] y con la clase rica en su muerte;[j] a pesar de que no había hecho violencia[k] y no hubo engaño en su boca.[b]

10 Pero Jehová mismo se deleitó en aplastarlo;[m] lo enfermó.[n] Si pones su alma como ofrenda por la culpa,[o] él verá su prole,[p] prolongará [sus] días,[q] y en su mano lo que es el deleite[r] de Jehová tendrá éxito.[s] 11 A causa del penoso afán de su alma él verá,[t] quedará satisfecho.[u] Por medio de su conocimiento el justo, mi siervo,[v] traerá una posición de justos a muchas personas;[w] y él mismo cargará los errores de ellas.[x] 12 Por esa razón le daré una porción entre los muchos,[y] y será con los poderosos con quienes él repartirá proporcionalmente el despojo,[z] debido a que derramó su alma hasta la mismísima muerte,[a] y con los transgresores fue contado;[b] y él mismo llevó el mismísimo pecado de muchas personas,[c] y por los transgresores procedió a interponerse.[d]

CAP. 52
a Sl 71:7
Mt 15:31
b Jn 15:20
Jn 15:25
1Pe 2:21
1Pe 2:23
c Heb 2:9
Heb 7:26
Heb 10:5
d Sl 2:2
Rev 1:7
e Sl 2:10
Sl 72:11
f Hch 9:15
Hch 10:22
Ro 10:20
Ro 15:21

CAP. 53
g Jn 12:38
Ro 10:16
h Isa 51:9
i Isa 40:5
Mt 11:25
Lu 14:10
j Job 14:7
Isa 11:1
Zac 6:12
Flp 2:7
k Isa 52:14
l Mr 9:12
Jn 1:10
Jn 18:40
Jn 19:5
1Pe 2:4
m Sl 22:7
Miq 5:1
Mt 26:67
Jn 6:66
n Le 16:21
Mt 26:37
Lu 19:41
o Heb 13:13
p Sl 22:13
Zac 11:13
Hch 3:13
q Mt 8:17
Mt 9:2
Mt 9:20
Mt 9:32
Lu 5:31
r Le 16:22
1Pe 2:24
1Jn 2:2
s Sl 22:16
t Sl 22:1
Sl 69:20
u Mt 26:38
v Zac 12:10
Mt 27:49
Jn 19:34
w Da 9:24
Ro 4:25
x Mt 20:28
Ro 5:6
Ro 5:19
y 2Co 5:19
Col 1:20
z Gé 3:15
1Pe 2:24
b Sl 119:176
Eze 34:6
1Pe 2:25
c Le 16:21
1Pe 3:18
d Sl 22:12
Sl 69:4
Lu 22:44

e Mt 27:39; Mt 27:41; Jn 19:1; 1Pe 2:23; 2.ª col.
a Jn 1:29; 1Co 5:7; b Mt 27:14; Hch 8:32; c Sl 22:16; Mt 26:65; Jn 19:7; d Mt 1:1; Lu 3:23; Hch 8:33; e Da 9:26; Mt 27:50; Jn 11:50; f Job 28:13; Sl 116:9; Ec 9:5; Isa 38:11; g Hch 3:15; Hch 7:52; h Zac 13:7; Lu 23:35; Ro 5:6; Heb 9:26; i Mt 27:38; Mt 27:57; Mr 15:46; Jn 19:41; k 2Co 5:21; Heb 4:15; 1Pe 2:24; 1Pe 2:22; m Gé 3:15; Lu 2:34; n Lu 22:44; o Le 16:11; 2Co 5:21; Heb 7:27; p Sl 22:30; Sl 110:3; Isa 9:6; 1Co 15:45; Heb 2:13; q Sl 21:4; Isa 9:7; 1Ti 6:16; r Sl 72:7; Ef 1:9; Col 1:20; s Jn 4:34; Ro 8:31; 1Jn 2:27; u Jn 5:23; Hch 2:33; Hch 5:31; Flp 2:9; v Isa 42:1; w Ro 5:18; x 1Pe 2:24; y Sl 2:8; Isa 52:15; z Isa 49:25; Da 2:44; Hch 26:18; a Sl 22:14; Mt 26:28; Heb 2:14; 1Pe 1:19; b Mt 11:19; Mr 15:28; Lu 22:37; Lu 23:32; c Mt 20:28; 1Ti 2:6; Tit 2:14; Heb 9:28; d Ro 8:34; Heb 7:25; Heb 9:26; 1Jn 2:1.

54 "¡Clama gozosamente, mujer estéril que no diste a luz[a] Alégrate con clamor gozoso y grita agudamente,[b] tú que no tuviste dolores de parto,[c] porque los hijos de la desolada son más numerosos que los hijos de la mujer que tiene dueño marital[d] —ha dicho Jehová—. **2** Haz más espacioso el lugar de tu tienda.[e] Y que extiendan las telas de tienda de tu magnífico tabernáculo. No te retengas. Alarga tus cuerdas de tienda, y haz fuertes aquellas estacas de tienda tuyas.[f] **3** Porque hacia la derecha y hacia la izquierda prorrumpirás,[g] y tu propia prole tomará posesión hasta de naciones,[h] y habitará aun las ciudades desoladas.[i] **4** No tengas miedo,[j] porque no serás avergonzada;[k] y no te sientas humillada, porque no serás desilusionada.[l] Porque te olvidarás hasta de la vergüenza del tiempo de tu juventud,[m] y del oprobio de tu viudez continua no te acordarás más."

5 "Porque tu Magnífico Hacedor[n] es tu dueño marital,[o] Jehová de los ejércitos por nombre;[p] y el Santo de Israel es tu Recomprador.[q] El Dios de toda la tierra será llamado él.[r] **6** Porque Jehová te llamó como si fueras una esposa dejada por completo y herida en espíritu,[s] y como una esposa del tiempo de la juventud[t] que fue entonces rechazada",[u] ha dicho tu Dios.

7 "Por un momentito te dejé por completo,[v] pero con grandes misericordias te juntaré.[w] **8** Con inundante indignación oculté de ti mi rostro por solo un momento,[x] pero con bondad amorosa hasta tiempo indefinido ciertamente tendré misericordia de ti,[y] ha dicho tu Recomprador,[z] Jehová.

9 "Esto es para mí justamente como los días de Noé.[a] Tal como he jurado que las aguas de Noé no pasarán más sobre la tierra,[b] así he jurado que ciertamente no

me indignaré contigo ni te reprenderé.[a] **10** Porque las montañas mismas podrán ser removidas, y las colinas mismas podrán bambolear,[b] pero mi bondad amorosa misma no será removida de ti,[c] ni bamboleará mi pacto mismo de paz",[d] ha dicho Jehová, Aquel que tiene misericordia de ti.

11 "Oh mujer afligida,[f] arrojada por la tormenta,[g] no consolada,[h] aquí voy a colocar tus piedras[i] con argamasa dura, y ciertamente colocaré tu fundamento[j] con zafiros.[k] **12** Y ciertamente haré tus almenajes de rubíes, y tus puertas de piedras relumbrantes como el fuego,[l] y todos tus límites de piedras deleitables. **13** Y todos tus hijos[m] serán personas enseñadas por Jehová,[n] y la paz de tus hijos será abundante.[o] **14** Resultarás estar firmemente establecida en la justicia misma.[p] Estarás lejos de la opresión[q] —pues no temerás— y de cualquier cosa aterradora, porque no se acercará a ti.[r] **15** Si alguien de manera alguna ataca, no será por orden mía.[s] Cualquiera que te ataque caerá aun por causa de ti."[t]

16 "¡Mira! Yo mismo he creado al artífice, el que sopla[u] sobre el fuego de brasas[v] y produce un arma como su hechura. Yo mismo, también, he creado al hombre ruinoso[w] para obra de destrozar. **17** Sea cual sea el arma que se forme contra ti, no tendrá éxito,[x] y sea cual sea la lengua que se levante contra ti en el juicio, la condenarás.[y] Esta es la posesión hereditaria de los siervos de Jehová,[z] y su justicia proviene de mí", es la expresión de Jehová.[a]

CAP. 54
a Gé 3:15
Isa 62:4
Gál 4:27
Rev 12:1
b Sl 98:4
Isa 44:23
Isa 49:13
c Isa 66:7
Sl 113:9
Ro 11:26
Gál 3:29
Gál 4:26
Rev 7:4
e Isa 49:20
f Isa 33:20
g Isa 49:12
Isa 60:4
h Mt 5:5
i Isa 49:8
Eze 36:35
j Isa 41:10
k Isa 61:7
l 1Pe 2:6
m Jer 31:19
Eze 16:22
Eze 16:60
n Isa 44:2
Isa 51:13
o Jer 3:14
Eze 16:8
Os 2:16
p Isa 48:2
Jer 10:16
q Isa 44:6
r Zac 14:9
Ro 3:29
s Isa 49:14
Isa 62:4
t Pr 5:18
Ec 9:9
u Mal 2:14
v Sl 30:5
Jer 29:10
Rev 11:2
w Dt 30:3
Sl 106:47
Isa 27:12
Mt 24:31
x Sl 13:1
Isa 47:6
Eze 39:23
y Sl 103:17
Isa 55:3
2Te 2:16
z Isa 48:17
Isa 49:26
a Gé 7:23
b Gé 8:21
Sl 104:9

2.ª col.

a Jer 31:36
Eze 39:29
b Sl 46:2
c Isa 51:6
d 2Sa 23:5
Isa 55:3
Mal 2:5
Heb 13:20
e Isa 14:1
Ef 2:4
f Isa 52:2
Rev 11:3
g Isa 51:17
h Lam 1:2
Lam 1:17
i 1Re 5:17
1Cr 29:2
Ef 2:20
1Pe 2:5
j Isa 58:12
k Rev 21:19

l Rev 21:12; m Gál 4:26; n Sl 25:9; Jer 31:34; Jn 6:45; Heb 8:10; o Sl 119:165; Isa 66:12; Jer 33:6; Ro 5:1; p Isa 1:26; Isa 60:21; 2Pe 3:13; q Isa 51:13; Isa 52:1; r Sl 91:4; Jer 23:4; Sof 3:13; s Eze 38:16; t Dt 32:10; Eze 38:22; Zac 2:8; Zac 12:3; u Eze 22:21; v Isa 44:12; w Pr 16:4; Isa 10:5; x Sl 2:4; Isa 41:12; y Rev 12:10; z Sl 61:5; Isa 58:14; a Isa 45:24; Jer 23:6; Ro 3:26; 2Co 5:21; Ef 4:24; Flp 3:9.

55 ¡Oigan, todos ustedes los sedientos!ª Vengan al agua.ᵇ ¡Y los que no tienen dinero! Vengan, compren y coman.ᶜ Sí, vengan, compren vinoᵈ y lecheᵉ hasta sin dinero y sin precio.ᶠ 2 ¿Por qué siguen pagando dinero por lo que no es pan, y por qué es su afán por lo que no resulta en satisfacción?ᵍ Escúchenme atentamente, y coman lo que es bueno,ʰ y halle su alma su deleite exquisito en la grosura misma.ⁱ 3 Inclinen su oídoʲ y vengan a mí.ᵏ Escuchen, y su alma se mantendrá viva,ˡ y prestamente celebraré con ustedes un pacto de duración indefinidaᵐ respecto a las bondades amorosas para con David, que son fieles.ⁿ 4 ¡Miren! Lo he dadoᵒ como testigoᵖ a los grupos nacionales,ᵠ como caudilloʳ y comandanteˢ a los grupos nacionales.

5 ¡Mira! A una nación a quien tú no conoces llamarás,ᵗ y los de una nación que no te han conocido correrán aun a ti,ᵘ por causa de Jehová tu Dios,ᵛ y por el Santo de Israel,ʷ por cuanto él te habrá hermoseado.ˣ

6 Busquen a Jehová mientras pueda ser hallado.ʸ Clamen a él mientras resulte estar cerca.ᶻ 7 Deje el inicuo su camino,ª y el hombre dañino sus pensamientos;ᵇ y regrese a Jehová, quien tendrá misericordia de él,ᶜ y a nuestro Dios, porque él perdonará en gran manera.ᵈ

8 "Porque los pensamientos de ustedes no son mis pensamientos,ᵉ ni son mis caminos los caminos de ustedes"ᶠ —es la expresión de Jehová—. 9 Porque como los cielos son más altos que la tierra,ᵍ así mis caminos son más altos que los caminos de ustedes,ʰ y mis pensamientos que los pensamientos de ustedes.ⁱ 10 Porque tal como la lluvia fuerte desciende, y la nieve, desde los cielos, y no vuelve a ese lugar, a menos que realmen-

te sature la tierra y la haga producir y brotar,ª y realmente se dé semilla al sembrador y pan al que come,ᵇ 11 así resultará ser mi palabra que sale de mi boca.ᶜ No volverá a mí sin resultados,ᵈ sino que ciertamente hará aquello en que me he deleitado,ᵉ y tendrá éxito seguro en aquello para lo cual la he enviado.ᶠ

12 "Porque con regocijo saldrán ustedes,ᵍ y con paz se les hará entrar.ʰ Las montañas y las colinas mismas se alegrarán delante de ustedes con clamor gozoso,ⁱ y todos los mismísimos árboles del campo batirán las manos.ʲ 13 En vez del matorral de espinas subirá el enebro.ᵏ En vez de la ortiga que causa comezón subirá el mirto.ˡ Y tendrá que llegar a ser para Jehová algo famoso,ᵐ una señal hasta tiempo indefinidoⁿ que no será cortada."

56 Esto es lo que ha dicho Jehová: "Guarden el derechoᵒ y hagan lo que es justo.ᵖ Porque a la mano está mi salvación para entrar,ᵠ y mi justicia para ser revelada.ʳ 2 Feliz es el hombre mortal que hace esto,ˢ y el hijo de la humanidad que se ase de ello,ᵗ que guarda el sábado para no profanarlo,ᵘ y que guarda su mano para no hacer ninguna clase de maldad.ᵛ 3 Y no diga el extranjero que se ha unido a Jehová:ʷ 'Sin duda Jehová me separará por completo de su pueblo'.ˣ Ni diga el eunuco:ʸ ¡Mira! Soy un árbol seco'"

CAP. 55
a Sl 42:2
Sl 63:1
Am 8:11
Mt 5:6
b Isa 41:17
Rev 22:17
c Sl 22:26
d Pr 9:5
e Joe 3:18
1Co 3:2
1Pe 2:2
f Ro 3:24
1Co 9:18
Rev 22:17
g Isa 46:7
2Ti 4:4
Heb 13:9
h Isa 25:6
Snt 1:17
i Sl 36:8
Sl 63:5
Mt 22:4
j Sl 78:1
k Jn 6:37
Snt 4:8
Rev 3:18
l Pr 1:5
Pr 4:20
m 2Sa 23:5
Isa 61:8
Heb 13:20
n 2Sa 7:16
Sl 89:28
Jer 33:25
Heb 13:34
o Jn 3:16
p Isa 18:37
Rev 1:5
Rev 3:14
q Isa 49:1
Isa 51:4
Da 7:14
Miq 4:2
r Sl 2:6
Jer 30:9
Da 9:25
Mt 23:10
s Gé 49:10
Sl 110:2
Da 12:1
Mt 28:18
t Sl 18:43
Isa 55:8
Hch 15:14
Ro 11:17
Ef 2:11
Rev 7:10
u Isa 60:5
v Zac 8:23
w Isa 54:5
Isa 60:9
x Isa 49:3
Hch 15:17

1Cr 28:9
Sl 14:2
Mt 7:8
Lu 13:24
Heb 4:7
z Dt 4:7
Sl 145:18
Snt 4:8
a 2Cr 7:14
Eze 18:21
Hch 3:19
b Pr 6:14
Jer 4:14
Snt 1:15
c Éx 34:6
2Cr 33:13
Sl 103:13
d Nú 14:18
Sl 103:12
Isa 43:25

e Sl 40:5; Ec 7:24; Ro 11:34; f Pr 16:25; Pr 21:2; Da 4:37; Os 14:9; g Sl 103:11; h Sl 77:19; Ro 11:33; i Mt 11:25; 1Pe 1:12; j 2. col. a Sl 65:9; Isa 30:23; b 2Co 9:10; c Nú 23:19; Isa 46:11; Heb 6:13; d Jos 23:14; Isa 45:23; e Sl 135:6; Jer 39:16; Heb 6:17; Snt 1:18; f Isa 46:10; g Isa 35:10; h Isa 54:13; Isa 66:12; Ro 15:13; i Sl 98:8; Isa 42:11; j 1Cr 16:33; Sl 47:1; Isa 44:23; k Isa 41:19; Isa 60:13; l Isa 61:3; m Isa 43:21; Jer 33:9; 1Pe 2:9; n Isa 54:10; Isa 66:19; Jer 50:5; CAP. 56 o Sl 112:5; Pr 29:4; Isa 32:1; Miq 6:8; p 2Sa 8:15; 2Cr 9:8; q Sl 85:9; Isa 51:5; 2Co 6:2; r Isa 46:13; Ro 1:17; s Sl 106:3; Lu 11:28; t Le 26:3; Pr 4:13; u Ne 13:15; Isa 58:13; Heb 4:9; v Pr 4:27; Pr 4:27; w Zac 12:9; w Isa 60:10; Zac 8:23; Rev 7:9; x Gé 12:3; Gé 22:18; y Mt 19:12; 1Co 7:38; 2Co 5:16.

4 Porque esto es lo que ha dicho Jehová a los eunucos que guardan mis sábados y han escogido aquello en que me he deleitado[a] y que están asiéndose de mi pacto:[b] 5 "Ciertamente hasta les daré en mi casa[c] y dentro de mis muros un monumento[d] y un nombre,[e] algo mejor que hijos e hijas.[f] Un nombre hasta tiempo indefinido les daré,[g] uno que no será cortado.[h]

6 "Y a los extranjeros que se han unido a Jehová para ministrarle[i] y para amar el nombre de Jehová,[j] a fin de llegar a ser siervos de él, a todos los que guardan el sábado para no profanarlo, y que se asen de mi pacto,[k] 7 yo también ciertamente los traeré a mi santa montaña[l] y haré que se regocijen dentro de mi casa de oración.[m] Sus holocaustos[n] y sus sacrificios[o] serán para aceptación sobre mi altar.[p] Porque mi propia casa será llamada hasta casa de oración para todos los pueblos".[q]

8 La expresión del Señor Soberano Jehová, que está juntando a los dispersos de Israel,[r] es: "Juntaré otros a él además de los suyos ya juntados".[s]

9 Todos ustedes, animales salvajes del campo abierto, vengan a comer, todos ustedes, animales salvajes del bosque.[t] 10 Los atalayas de él son ciegos.[u] Ninguno de ellos ha notado.[v] Todos ellos son perros mudos; no pueden ladrar,[w] jadeantes, echados, que aman dormitar.[x] 11 Hasta son perros fuertes en [el deseo del] alma;[y] no han conocido satisfacción.[z] También son pastores que no han sabido entender.[a] Todos ellos se han dirigido a su propio camino, cada uno por su ganancia injusta de su propio confín:[b] 12 "¡Vengan! Tomaré vino; y bebamos licor embriagante hasta el límite.[c] Y mañana ciertamente resultará tal como hoy, magnífico de una manera mucho más grande".[d]

57 El justo mismo ha perecido,[a] pero no hay nadie que ponga [esto] en [su] corazón.[b] Y hombres de bondad amorosa están siendo recogidos [a los muertos],[c] mientras que nadie discierne que a causa de la calamidad ha sido recogido el justo.[d] 2 Él entra en la paz;[e] descansan[f] sobre sus camas,[g] [cada] uno que está andando en derechura.[h]

3 "En cuanto a ustedes, suban acá cerca,[i] hijos de una adivinadora,[j] descendencia de una persona adúltera y de una mujer que comete prostitución:[k] 4 ¿Por quién se divierten con tanta alegría?[l] ¿Contra quién siguen abriendo ancha la boca, siguen sacando la lengua?[m] ¿No son ustedes hijos de la transgresión, descendencia de la falsedad,[n] 5 aquellos que están excitando la pasión entre los árboles grandes,[o] debajo de todo árbol frondoso,[p] degollando a los hijos en los valles torrenciales, debajo de las hendiduras de los peñascos?[q]

6 "Con las piedras lisas del valle torrencial era tu porción.[r] Ellas... ellas eran tu suerte.[s] Además, a ellas derramaste una libación,[t] ofreciste un regalo. ¿Por estas cosas me consolaré yo?[u] 7 Sobre una montaña alta y elevada colocaste tu cama.[v] Allí también subiste para ofrecer sacrificio.[w] 8 Y detrás de la puerta y de la jamba colocaste tu [señal para] memoria.[x] Pues, apartada de mí [te] descubriste y procediste a subir; hiciste espaciosa tu cama.[y] Y para ti misma te pusiste a celebrar [un pacto] con ellos. Amaste una cama con ellos.[z] Contemplaste el miembro viril. 9 Y procediste

CAP. 56
a SI 119:111
Ec 12:13
Hch 10:35
b Isa 55:3
Da 9:27
c Ef 2:22
d Isa 44:5
Jn 1:12
e Isa 65:15
f Isa 1:8
g Rev 3:12
h Rev 3:5
i Jer 50:5
Hch 10:45
j Pr 18:10
Mal 1:11
Mr 12:30
Snt 1:12
k Isa 56:2
l SI 2:6
Isa 2:3
Miq 4:2
Zac 8:3
m 1Re 8:29
n Ro 12:1
o Heb 13:15
1Pe 2:5
p Heb 13:10
q Isa 8:43
Mt 21:13
r Dt 30:3
Jer 27:12
Os 1:11
Mt 24:31
s Isa 49:22
Isa 60:4
Mt 15:24
t Jer 12:9
Eze 39:17
Rev 19:17
u Isa 6:10
Isa 29:10
Mt 15:14
v Jer 6:14
Eze 13:16
w Eze 33:6
x Pr 6:10
Mt 13:36
y Pr 23:2
Hab 2:5
z Zch 20:29
2Pe 2:3
2Pe 2:10
a Miq 3:6
Zac 11:16
b Jer 22:27
2Pe 2:15
c Pr 31:4
Isa 5:22
Isa 28:7
Os 4:11
Mt 24:49
d SI 10:6

2.ᵃ col.

CAP. 57
a 1Re 19:10
SI 12:1
b 2Cr 36:16
Isa 42:25
Mal 2:2
c Miq 7:2
d 1Re 14:13
2Re 22:20
e Lu 2:29
f Job 3:13
g 2Cr 16:14
Isa 14:18
Eze 32:25
h 2Re 22:19
2Re 23:25

i Isa 45:20; j 1Sa 28:7; k Os 1:2; Rev 2:20; l Jer 13:27; Os 4:14; m SI 22:7; n Isa 1:4; Isa 30:9; o Isa 1:29; p Dt 12:2; 1Re 14:23; 2Re 16:4; q 2Re 16:3; Jer 7:31; r Jer 3:9; s Hab 2:19; t Jer 7:18; Jer 19:13; Jer 44:17; u Isa 66:4; Eze 20:39; v Jer 2:20; Eze 16:16; Eze 23:17; w Eze 20:28; x Eze 8:10; Eze 23:14; y Eze 16:25; Eze 23:18; z Eze 16:33.

a descender hacia Mélec con aceite, y seguiste haciendo abundantes tus ungüentos.[a] Y continuaste despachando lejos a tus enviados, de manera que bajaste tu asuntos al Seol.[b] 10 En la multitud de tus caminos te has afanado.[c] No has dicho: '¡No hay esperanza!'. Has hallado un reavivamiento de tu propio poder.[d] Por eso no has enfermado.[e]

11 "¿De quién te aterraste y a quién empezaste a temer,[f] de manera que se pusiste a mentir?[g] Pero yo no fui aquel de quien te acordaste.[h] No pusiste nada en tu corazón.[i] ¿No estaba yo guardando silencio y escondiendo los asuntos?[j] De modo que ni siquiera a mí me temías.[k] 12 Yo mismo anunciaré tu justicia[l] y tus obras,[m] que no te aprovecharán.[n] 13 Cuando clames por socorro, tu colección de cosas no te librará,[o] sino que un viento se las llevará aun a todas ellas.[p] Una exhalación se las llevará, pero el que se refugia en mí[q] heredará la tierra y tomará posesión de mi santa montaña.[r] 14 Y uno ciertamente dirá: ¡Terraplenen, terraplenen! Despejen el camino.[s] Quiten del camino de mi pueblo todo obstáculo'.[t]

15 Porque esto es lo que ha dicho el Alto y Excelso,[u] que está residiendo para siempre[v] y cuyo nombre es santo:[w] "En la altura y en el lugar santo es donde resido,[x] también con el aplastado y de espíritu humilde,[y] para revivificar el espíritu de los de condición humilde y para revivificar el corazón de los que están siendo aplastados.[r] 16 Porque no contenderé hasta tiempo indefinido, ni estaré indignado perpetuamente;[a] porque a causa de mí el espíritu mismo se pondría endeble,[b] hasta las criaturas que respiran, que yo mismo he hecho.[c]

17 "Por lo erróneo de la ganancia injusta[d] de él me indigné, y procedí a golpearlo, ocultando

[mi rostro],[a] mientras estuve indignado. Pero él siguió andando como renegado[b] en el camino de su corazón. 18 He visto sus caminos mismos; y empecé a sanarlo[c] y a conducirlo[d] y a hacer compensación[e] y consuelo[e] para él y para los suyos que estaban de duelo".[f]

19 "Estoy creando el fruto de los labios.[g] Paz continua habrá para el que está lejos y para el que está cerca[h] —ha dicho Jehová—, y ciertamente lo sanaré".[i]

20 "Pero los inicuos son como el mar que está siendo agitado, cuando no puede calmarse, cuyas aguas siguen arrojando alga marina y fango. 21 No hay paz —ha dicho mi Dios— para los inicuos".[j]

58 "Clama a voz en cuello; no te retengas.[k] Levanta tu voz justamente como un cuerno, y anuncia a mi pueblo su sublevación,[l] y a la casa de Jacob sus pecados. 2 No obstante, día tras día era a mí a quien seguían buscando, y era en el conocimiento de mis caminos en que expresaban deleite,[m] como una nación que ejecutara la justicia misma y que no hubiera dejado el mismísimo derecho de su Dios,[n] puesto que seguían pidiendo juicios justos, acercándose a Dios en quien se deleitaban:[o]

3 "¿Por qué razón ayunamos y tú no viste,[p] y nos afligimos el alma[q] y tú no notabas?'.[r]

"En realidad, ustedes hallaban deleite en el mismísimo día de su ayuno, cuando allí estaban todos sus trabajadores a quienes ustedes obligaban a trabajar.[s] 4 En realidad, para riña y para lucha ustedes ayunaban,[t] y para golpear con el puño de la iniqui-

---

CAP. 57
a Pr 7:17
b Sl 55:15
  Pr 7:27
c Jer 9:5
  Hab 2:13
d Jer 4:3
e Jer 44:17
f Jue 6:10
g Isa 30:9
  Sl 59:3
  Os 11:12
h Jer 9:3
i Isa 42:25
  Isa 57:1
j Sl 50:21
k Isa 1:3
  Jer 2:32
l Isa 58:2
m Isa 66:3
n Pr 15:29
  Jer 7:4
  Miq 3:4
o Jue 10:14
  Isa 42:17
p Job 21:18
  Sl 1:4
q Sl 37:9
  Isa 58:9
r Isa 56:7
  Isa 66:20
  Eze 20:40
  Joe 3:17
s Isa 35:8
  Isa 40:3
  Isa 62:10
t Isa 26:7
  1Co 10:32
u Sl 83:18
  Sl 97:9
  Sl 138:6
  Sl 1:4
v Gé 21:33
  Sl 90:2
  Isa 40:28
  1Ti 1:17
w Éx 15:11
  Sl 99:3
  Lu 1:49
x 1Re 8:27
  Sl 115:3
y Sl 34:18
  Isa 66:2
z Sl 147:3
  Isa 61:1
a Sl 103:9
  Miq 7:18
b Nú 16:22
  Job 34:14
  Ec 12:7
c Isa 42:5
d Jer 6:13
  Jer 8:10

2.ª col.
a Isa 8:17
b Jer 3:14
c Jer 3:22
  Jer 33:6
  Os 14:4
d Sl 23:2
  Isa 49:10
e Isa 12:1
  Isa 61:2
f Jer 31:17
  Lam 1:4
g Éx 4:11
  Os 14:2
  Lu 21:15
  Ro 10:10
  Heb 13:15

h Isa 48:18; Lu 2:14; Hch 10:36; 2Co 5:20; Ef 2:17; i Mal 4:2; j Pr 13:9; Isa 3:11; CAP. 58 k Sl 40:9; l Isa 1:2; Isa 31:6; Isa 59:13; m Sl 78:34; n Pr 15:8; Isa 29:13; Eze 33:32; Mt 15:8; o Isa 1:15; Jer 42:2; Jer 42:20; p Isa 7:5; Mal 3:14; q Le 16:29; Sl 35:13; r Pr 15:29; Miq 3:4; s Ne 5:7; Jer 34:9; t Jer 18:12.

dad.[a] ¿No siguieron ayunando como en el día de hacer oír su voz en la altura? 5 ¿Debe el ayuno que yo escoja llegar a ser como este, como día en que el hombre terrestre se aflija el alma?[b] ¿Para inclinar su cabeza justamente como un junco, y para que extienda mera tela de saco y cenizas como su lecho?[c] ¿Es esto lo que tú llamas un ayuno y un día acepto a Jehová?[d]

6 "¿No es este el ayuno que yo escojo? ¿El desatar los grilletes de la iniquidad,[e] soltar las ataduras de la vara que sirve de yugo,[f] y despachar libres a los aplastados,[g] y que ustedes rompan en dos toda vara que sirve de yugo?[h] 7 ¿No es el repartir tu pan al hambriento,[i] e introducir en [tu] casa a los afligidos, que no tienen hogar?[j] ¿Que, en caso de que veas a alguien desnudo, de veras lo cubras,[k] y que no te escondas de tu propia carne?[l]

8 "En tal caso rompería tu luz justamente como el alba;[m] y velozmente brotaría el recobro para ti.[n] Y delante de ti tu justicia ciertamente andaría;[o] la mismísima gloria de Jehová sería tu retaguardia.[p] 9 En tal caso llamarías, y Jehová mismo respondería; clamarías por ayuda,[q] y él diría: '¡Aquí estoy!'.

"Si quitas de en medio de ti la vara que sirve de yugo,[r] el extender el dedo[s] y el hablar lo que es perjudicial;[t] 10 y otorgas al hambriento el deseo de] tu propia alma,[u] y satisfaces el alma que está siendo afligida, también tu luz ciertamente fulgurará hasta en la oscuridad, y tus tinieblas serán como el mediodía.[v] 11 Y Jehová no podrá menos que guiarte[w] constantemente[x] y satisfacer tu alma aun en una tierra abrasada,[y] y vigorizará tus mismísimos huesos;[z] y tendrás que llegar a ser como un jardín bien regado,[a] y como la fuente de agua, cuyas aguas no mienten. 12 Y a tu instancia

los hombres ciertamente edificarán los lugares por largo tiempo devastados;[a] levantarás aun los fundamentos de generaciones continuas.[b] Y realmente serás llamado el reparador de [la] brecha,[c] el restaurador de veredas junto a las cuales morar.

13 "Si en vista del sábado vuelves atrás tu pie respecto a hacer tus propios deleites en mi día santo,[d] y realmente llamas el sábado un deleite exquisito, un [día] santo de Jehová, uno que está siendo glorificado,[e] y realmente lo glorificas en vez de hacer según tus propios caminos, en vez de hallar lo que a ti te deleita y hablar una palabra; 14 en tal caso hallarás tu exquisito deleite en Jehová,[f] y yo ciertamente te haré cabalgar sobre los lugares altos de la tierra;[g] y ciertamente te haré comer de la posesión hereditaria de Jacob tu antepasado,[h] porque la misma boca de Jehová [lo] ha hablado."[i]

59 ¡Miren! La mano de Jehová no se ha acortado demasiado, de modo que no pueda salvar,[j] ni se ha hecho su oído demasiado pesado, de modo que no pueda oír.[k] 2 No, sino que los mismos errores de ustedes han llegado a ser las cosas que causan división entre ustedes y su Dios,[l] y los propios pecados de ustedes han hecho que sea ocultado de ustedes el rostro [de él] para no oír.[m] 3 Porque las propias palmas de las manos de ustedes se han contaminado con sangre,[n] y sus dedos con error. Sus propios labios han hablado falsedad.[o] Su propia lengua siguió hablando entre dientes pura injusticia.[p] 4 No hay nadie que clame en justicia,[q] y absolutamente nadie ha ido al tribunal en fidelidad. Ha habido un

CAP. 58
a 1Re 21:9
b 2Cr 20:3
  Ne 9:1
  Est 4:3
c 2Sa 21:10
  Joe 1:13
d Pr 15:8
e Ne 5:10
f Jer 34:8
  Eze 18:8
g Ne 5:8
  Pr 28:27
h Pr 14:21
i Sl 41:1
  Sl 112:9
  Pr 22:9
  Ec 11:1
  Eze 18:7
  Mt 25:35
j Pr 19:17
  Ro 12:13
  Heb 13:2
k 2Cr 28:15
  Eze 18:7
  Mt 25:36
  Snt 2:15
  1Jn 3:17
l 2Sa 5:1
  Ne 5:5
m Sl 37:6
  Sl 112:4
  Pr 4:18
n Isa 57:18
o Sl 85:13
  Hch 10:35
p Ex 14:19
  Sl 52:12
q Sl 34:15
  Sl 116:1
  Jer 29:12
r Isa 58:6
s Pr 6:13
  Isa 57:14
t Sl 12:2
  Isa 32:6
  Isa 59:3
u Dt 15:7
  Sl 41:1
  Pr 28:27
v Sl 37:6
  Isa 58:8
w Sl 25:9
  Sl 48:14
x Sl 48:14
  Isa 49:10
y Sl 33:19
  Sl 37:19
  Isa 33:16
  Os 13:5
z Pr 3:8
a Isa 61:11
  Jer 31:12

2.ᵃ col.
a Ne 2:9
  Jer 31:38
  Am 9:14
b Isa 61:4
c Ne 6:1
  Am 9:11
d Ne 13:15
  Isa 56:2
  Jer 17:21
e Dt 5:12
f Sl 36:7
  Sl 37:4
  Hab 3:18
g Dt 32:13
  Isa 33:16
  Hab 3:19
h Sl 105:11
  Sl 135:12
  Jer 3:18

i Isa 40:5; CAP. 59 j Gé 18:14; Nú 11:23; Isa 50:2; k Sl 55:1; Sl 71:2; Sl 116:1; l Pr 15:29; Isa 50:1; Jer 5:25; m Dt 31:17; Dt 32:20; Isa 57:17; Eze 39:23; Miq 3:4; n Isa 1:15; Jer 2:34; Eze 7:23; Hch 7:52; o Jer 7:9; Eze 13:8; p Os 7:2; Miq 6:12; q Jer 5:1; Eze 22:30; Miq 7:2.

confiar en irrealidad,[a] y un hablar de inutilidad.[b] Ha habido un concebir lo gravoso, y un dar a luz lo que es perjudicial.[c]

5 Los huevos de una culebra venenosa son lo que ellos han empollado, y siguieron tejiendo la mera tela de una araña.[d] Cualquiera que comía algunos de sus huevos moría, y el [huevo] que era aplastado producía una víbora.[e] 6 Su mera telaraña no servirá de prenda de vestir, ni se cubrirán con sus obras.[f] Sus obras son obras perjudiciales, y la actividad de la violencia está en las palmas de sus manos.[g] 7 Sus propios pies siguen corriendo a simple maldad,[h] y tienen prisa para derramar sangre inocente.[i] Sus pensamientos son pensamientos perjudiciales;[j] despojo violento y quebranto se hallan en sus calzadas.[k] 8 El camino de la paz[l] ha pasado por alto, y no hay derecho en sus senderos trillados.[m] Sus veredas ellos han torcido para sí.[n] Nadie en absoluto que pise en ellas realmente conocerá la paz.[o]

9 Por eso el derecho ha llegado a estar lejos de nosotros, y la justicia no nos alcanza. Seguimos esperando que haya luz, pero, ¡miren!, oscuridad; resplandor, [pero] en tinieblas continuas seguimos andando.[p] 10 Seguimos palpando el muro justamente como ciegos, y como los que no tienen ojos seguimos palpando.[q] Hemos tropezado en pleno mediodía tal como en la oscuridad del atardecer; entre los fornidos [somos] justamente como muertos.[r] 11 Seguimos gimiendo, todos nosotros, justamente como osos; y como palomas seguimos zureando[s] tristemente. Seguimos esperando que hubiera derecho,[t] pero no lo hubo; salvación, [pero] se ha mantenido lejos de nosotros.[u] 12 Pues nuestras sublevaciones han llegado a ser muchas enfrente de ti;[v] y en cuanto a nues-

tros pecados, cada uno ha testificado contra nosotros.[a] Porque nuestras sublevaciones están con nosotros; y en cuanto a nuestros errores, los conocemos bien.[b] 13 Ha habido transgresión y negación de Jehová;[c] y hubo un movernos hacia atrás de [estar] con nuestro Dios, un hablar de opresión y sublevación,[d] un concebir y un hablar entre dientes palabras de falsedad desde el corazón mismo.[e] 14 Y el derecho se vio obligado a moverse hacia atrás,[f] y la justicia misma se quedó parada simplemente a lo lejos.[g] Porque la verdad ha tropezado aun en la plaza pública, y lo que tiene derechura no puede entrar.[h] 15 Y la verdad resulta estar ausente,[i] y cualquiera que se aparta de la maldad está siendo despojado violentamente.[j]

Y Jehová vio por fin, y fue malo a sus ojos el que no hubiera derecho.[k] 16 Y cuando vio que no había hombre alguno, empezó a mostrarse pasmado de que no hubiera quien se interpusiera.[l] Y su brazo procedió a salvar para sí, y su propia justicia fue la cosa que lo sostuvo.[m] 17 Entonces él se puso la justicia como cota de malla,[n] y el yelmo de la salvación sobre la cabeza.[o] Además, se puso las prendas de vestir de la venganza como vestido[p] y se envolvió de celo como si fuera una vestidura sin mangas.[q] 18 En conformidad con los tratos, él recompensará correspondientemente:[r] furia a sus adversarios, el debido tratamiento a sus enemigos.[s] A las islas pagará el debido tratamiento.[t] 19 Y desde la puesta del sol empezarán a temer el nombre de Jehová;[u] y desde el nacimiento del sol, la gloria de él,[v] porque vendrá cual río angustioso, que el

---

CAP. 59
a Isa 62:10
  Isa 30:12
b Sl 62:4
c Pr 4:16
  Miq 2:1
  Snt 1:15
d Job 8:14
e Mt 3:7
  Mt 12:34
  Mt 23:33
f Isa 57:12
  Isa 64:6
  Rev 3:17
g Jer 6:7
  Am 3:10
  Miq 6:12
h Pr 1:16
  Ro 3:15
i Jer 22:17
  Eze 9:9
  Am 2:35
j Pr 15:26
k Sl 58:2
  Ro 3:16
l Pr 3:17
  Lu 1:79
m Isa 5:7
  Jer 5:1
n Isa 59:15
  Am 6:12
  Hab 1:4
o Isa 48:22
  Jer 8:15
p Isa 5:30
  Isa 8:22
q Dt 28:29
  Pr 4:19
  1Jn 2:11
r Lam 3:6
s Isa 38:14
t Isa 59:8
u Sl 85:9
  Sl 119:155
v Isa 1:5
  Eze 5:6
  1Te 2:15

2.ª col.
a Jer 14:7
  Os 5:5
b Esd 9:13
  Ne 9:33
  Da 9:5
c Sl 78:36
  Isa 32:6
d Isa 31:6
  Jer 17:13
  Heb 3:12
e Jer 5:23
  Mt 12:34
f Sl 82:2
  Hab 1:4
g Ec 3:16
  Isa 5:23
h Sl 12:2
i Isa 48:1
  Os 4:1
j Sl 17:9
  Am 4:1
k Miq 3:2
  Eze 22:30
m Sl 98:1
  Jer 32:17
n Job 29:14
  Isa 11:5
o Ef 6:17
  1Te 5:8
p Dt 32:35
  Sl 94:1
  Heb 10:30
q Job 29:14

---

r Job 34:11; Sl 18:24; Sl 62:12; Jer 17:10; Mt 16:27; Ro 2:6; s Sl 21:9; Isa 1:24; Lam 4:11; Eze 5:13; Lu 19:27; t Isa 41:1; Isa 41:5; u Sl 22:27; Sl 102:15; v Isa 49:12; Mal 1:11.

mismísimo espíritu de Jehová ha impelido.[a]

20 "Y a Sión[b] ciertamente vendrá el Recomprador,[c] y a los que se vuelven de la transgresión en Jacob,[d] es la expresión de Jehová.

21 "Y en cuanto a mí, este es mi pacto con ellos",[e] ha dicho Jehová.

"Mi espíritu que está sobre ti[f] y mis palabras que he puesto en tu boca[g]... no serán quitadas de tu boca ni de la boca de tu prole ni de la boca de la prole de tu prole —ha dicho Jehová—, desde ahora en adelante aun hasta tiempo indefinido."[h]

60

"Levántate,[i] oh mujer, despide luz,[j] porque ha venido tu luz[k] y sobre ti ha brillado la mismísima gloria de Jehová.[l] 2 Pues ¡mira!, la oscuridad misma cubrirá la tierra, y densas tinieblas a los grupos nacionales; pero sobre ti brillará Jehová, y sobre ti se verá la propia gloria de él.[n] 3 Y naciones ciertamente irán a tu luz,[o] y reyes[p] al resplandor de tu brillar.[q]

4 "¡Alza tus ojos todo en derredor y ve! Todos ellos han sido juntados;[r] han venido a ti.[s] Desde lejos siguen viniendo tus propios hijos, y tus hijas que serán cuidadas al costado.[t] 5 En aquel tiempo verás, y ciertamente te pondrás radiante,[u] y realmente se estremecerá tu corazón y se ensanchará, porque a ti se dirigirá la riqueza del mar; los recursos mismos de las naciones vendrán a ti.[v] 6 La mismísima oleada en masa de camellos te cubrirá, los camellos jóvenes de Madián y de Efá.[w] Todos los de Sebá[x]... vendrán. Oro y olíbano traerán. Y las alabanzas de Jehová anunciarán.[y] 7 Todos los rebaños de Quedar[z]... te serán juntados. Los carneros de Nebayot... te ministrarán.[b] Con aprobación subirán sobre mi altar,[c] y yo hermosearé mi propia casa de hermosura.[d]

8 "¿Quiénes son estos que vienen volando justamente como una nube,[a] y como palomas a los agujeros de su palomar? 9 Pues en mí las islas mismas seguirán esperando,[b] las naves de Tarsis[c] también como al principio, para traer a tus hijos desde lejos,[d] con ellos su plata y su oro,[e] al nombre[f] de Jehová tu Dios y al Santo de Israel,[g] porque él te habrá hermoseado.[h] 10 Y extranjeros realmente edificarán tus muros,[i] y sus propios reyes te ministrarán;[j] porque en mi indignación te habré golpeado,[k] pero en mi buena voluntad ciertamente tendré misericordia de ti.[l]

11 "Y tus puertas realmente habrán de ser mantenidas abiertas constantemente;[m] no serán cerradas ni de día ni de noche, para que se traigan a ti los recursos de las naciones,[n] y sus reyes estarán a la delantera.[o] 12 Porque cualquier nación y cualquier reino que no te sirva perecerá; y las naciones mismas sin falta serán devastadas.[p]

13 "A ti vendrá la gloria misma del Líbano: el enebro, el fresno y el ciprés al mismo tiempo,[q] para hermosear el lugar de mi santuario;[r] y yo glorificaré el mismo lugar de mis pies.[s]

14 "Y a ti tendrán que venir, inclinándose, los hijos de aquellos que te afligieron;[t] y todos los que te trataron con falta de respeto tendrán que doblarse ante las mismísimas plantas de tus pies,[u] y tendrán que llamarte la ciudad de Jehová, Sión[v] del Santo de Israel.

15 "En vez de que resultes ser una [que ha sido] dejada por completo y odiada, sin que haya

CAP. 59
a Isa 30:28
  Zac 4:6
b Isa 62:11
c Isa 48:17
d Dt 30:3
  Ro 11:26
e Isa 49:8
  Jer 31:33
  Ro 11:27
  Heb 8:6
f Isa 11:2
  Jn 1:33
g Isa 51:16
  Jer 31:34
  Jn 7:16
h Isa 66:22

CAP. 60
i Isa 51:17
  Isa 33:10
  Isa 58:1
j Isa 42:6
  Mt 5:16
  Ef 5:8
  Flp 2:15
k Isa 9:2
  Lu 1:79
  Jn 1:9
l Isa 60:19
  Mal 4:2
  Lu 2:32
  1Pe 4:14
  Rev 22:5
m Hch 26:18
  Ro 1:21
  1Pe 2:9
n 2Co 3:18
o Gé 49:10
  Isa 11:10
p Sl 2:10
  Isa 49:23
q Rev 21:24
r Isa 49:18
s Isa 49:21
  Ag 2:7
  Jn 10:16
  Rev 7:13
t Isa 49:22
u Jer 33:9
  Isa 54:2
  Isa 61:6
  Ag 2:7
  Ag 2:8
w 1Cr 1:33
x 2Cr 9:1
y Mal 1:11
  Ro 15:9
  Rev 19:6
z Isa 42:11
a Gé 25:13
b Éx 29:39
  Le 5:15
  Le 9:2
  Nú 6:14
  Isa 56:7
  Heb 13:10
d Ag 2:9

2.ª col.
a Rev 7:9
b Isa 51:5
  Ro 15:12
c 1Re 10:22
d Isa 60:4
  Isa 66:20
e Zac 14:14
f 1Re 8:41
  Sl 72:19
g Isa 48:17

h Sl 149:4; Isa 52:1; Isa 55:5; Lu 2:32; i Ne 3:26; j Esd 7:27; Ne 2:7; Isa 49:23; Rev 21:24; k Isa 57:17; l Dt 30:3; 1Re 11:39; Sl 30:5; Isa 12:1; Isa 54:7; m Rev 21:25; n Isa 60:5; o Isa 60:3; p Sl 2:12; Isa 41:11; Da 2:44; Lu 1:79; q Rev 2:27; q Isa 35:2; Isa 41:19; Isa 55:13; r Sl 96:6; s Sl 99:5; Sl 132:7; t Isa 14:2; Isa 45:14; Jer 16:19; u Rev 3:9; v Sl 48:2; Sl 87:3; Isa 62:12; Heb 12:22.

nadie que pase,[a] yo ciertamente te colocaré aun como cosa de orgullo hasta tiempo indefinido, un alborozo para generación tras generación.[b] 16 Y realmente mamarás la leche de naciones,[c] y el pecho de reyes mamarás;[d] y de seguro sabrás que yo, Jehová,[e] soy tu Salvador,[f] y que el Poderoso[g] de Jacob es tu Recomprador.[h] 17 En vez del cobre traeré oro,[i] y en vez del hierro traeré plata, y en vez de la madera, cobre, y en vez de las piedras, hierro; y ciertamente nombraré la paz como tus superintendentes,[j] y la justicia como los que se asignan tus tareas.[k]

18 "Ya no se oirá la violencia en tu tierra, despojo violento ni quebranto dentro de tus límites.[l] Y ciertamente llamarás a tus propios muros: Salvación,[m] y a tus puertas: Alabanza. 19 Para ti el sol ya no resultará ser luz de día, y para resplandor la luna misma ya no te dará luz. Y Jehová tiene que llegar a ser para ti una luz de duración indefinida,[n] y tu Dios, tu hermosura.[o] 20 Ya no se pondrá tu sol, ni irá menguando tu luna; porque Jehová mismo llegará a ser para ti una luz de duración indefinida,[p] y los días de tu duelo habrán quedado completos.[q] 21 Y en cuanto a tu pueblo, todos ellos serán justos;[r] hasta tiempo indefinido tendrán posesión de la tierra,[s] el brote de mi plantío,[t] la obra de mis manos,[u] para que [yo] sea hermoseado.[v] 22 El pequeño mismo llegará a ser mil, y el chico una nación poderosa.[w] Yo mismo, Jehová, lo aceleraré a su propio tiempo."[x]

61

El espíritu del Señor Soberano Jehová está sobre mí,[y] por razón de que Jehová me ha ungido[z] para anunciar buenas nuevas a los mansos.[a] Me ha enviado para vendar a los quebrantados de corazón,[b] para proclamar libertad a los [que han sido] llevados cautivos[c] y la apertura ancha [de los ojos] aun a los prisioneros;[a] 2 para proclamar el año de la buena voluntad de parte de Jehová,[b] y el día de la venganza de parte de nuestro Dios;[c] para consolar a todos los que están de duelo;[d] 3 para hacer la asignación a los que están de duelo por Sión, para darles una prenda de adorno para la cabeza en vez de cenizas,[e] el aceite de alborozo[f] en vez de duelo, el manto de alabanza en vez del espíritu desalentado;[g] y se les tiene que llamar árboles grandes de justicia,[h] el plantío de Jehová,[i] para que [él] sea hermoseado.[j] 4 Y ellos tienen que reedificar los lugares que han estado devastados por largo tiempo;[k] levantarán hasta los lugares desolados de tiempos pasados,[l] y ciertamente renovarán las ciudades devastadas,[m] los lugares [que] por generación tras generación [han estado] desolados.

5 "Y extraños realmente estarán allí y pastorearán los rebaños de ustedes,[n] y los extranjeros[o] serán sus labradores y sus viñadores.[p] 6 Y en cuanto a ustedes, los sacerdotes de Jehová se les llamará;[q] los ministros[r] de nuestro Dios se dirá que son.[s] Los recursos de las naciones ustedes comerán,[t] y en la gloria de ellas ustedes hablarán con exultación acerca de sí mismos.[u] 7 En vez de la vergüenza de ustedes habrá una porción doble,[v] y en vez de humillación ellos clamarán gozosamente por la parte que les corresponde.[w] Por lo tanto, en su tierra ellos tomarán posesión de hasta una porción doble.[x] Regocijo hasta tiempo indefinido es lo que vendrá a ser suyo.[y] 8 Porque yo, Jehová, amo el derecho,[z]

CAP. 60

a 2Cr 36:17
Isa 49:14
Jer 30:17
Jer 33:10
Lam 1:4
Gál 4:27
b Isa 35:10
Isa 61:7
Jer 33:11
c Isa 61:6
Isa 66:11
d Isa 49:23
e Eze 34:30
f Isa 43:3
g Sl 46:11
Sl 132:2
Isa 30:29
Isa 49:26
h Isa 41:14
i 1Pe 10:21
Rev 21:18
j Isa 32:1
1Pe 5:2
k Isa 1:26
l Isa 2:4
Isa 11:9
Isa 54:14
Zac 9:8
m Isa 26:1
1Co 3:17
Rev 19:11
n Sl 36:9
Isa 60:1
Rev 21:23
Rev 22:5
o Sl 62:7
Sl 71:8
Zac 2:5
Lu 2:32
p Sl 27:1
Isa 84:11
Snt 1:17
q Isa 25:8
Isa 30:19
Isa 35:10
Rev 21:4
r Isa 32:16
2Pe 3:13
s Sl 37:11
Sl 37:29
Mt 5:5
Rev 21:7
t Sl 92:13
Mt 15:13
u Isa 29:23
Isa 43:7
Ef 2:10
v Isa 43:21
Isa 44:23
w Da 2:35
Rev 7:9
x Isa 5:19
Hab 2:3

CAP. 61

y Isa 42:1
Mt 3:16
Lu 4:18
z Sl 2:2
Hch 10:38
a Sl 22:26
Sl 34:2
Mt 11:5
Sl 147:3
2Co 7:6
c Sl 102:20
Isa 34:8
Ro 8:21
Gál 4:25
Heb 2:15

2.ª col. a Lu 4:18; Lu 7:22; Hch 26:18; b Le 25:10; Lu 4:19; 2Co 6:2; c Isa 34:8; Hch 17:31; d Isa 25:8; Mt 5:4; Lu 6:21; e Est 9:22; Sl 30:11; f Sl 45:7; g Zac 3:4; h Sl 92:12; Mt 7:17; i Isa 60:21; j Jn 15:8; 1Co 6:20; k Isa 49:8; Isa 51:3; Rev 11:2; l Isa 44:26; Isa 58:12; m Eze 36:35; n Isa 14:1; o Isa 60:10; p Mt 25:34; Rev 7:15; q Éx 19:6; 1Pe 2:9; Rev 20:6; r Mt 24:45; Hch 13:2; Heb 10:11; s 2Co 6:4; t Isa 23:18; Isa 60:5; Isa 60:7; u Ag 2:7; v Isa 27:13; Zac 2:9; w Job 42:10; x Zac 9:12; y Sl 16:11; Isa 35:10; z Dt 32:4; Sl 33:5; Sl 37:28.

odio el robo junto con la injusticia.[a] Y ciertamente daré su salario en apego a la verdad,[b] y un pacto de duración indefinida celebraré para con ellos.[c] 9 Y su prole realmente será conocida aun entre las naciones,[d] y sus descendientes en medio de los pueblos. Todos los que los vean los reconocerán,[e] que son la prole que Jehová ha bendecido."[f]

10 Sin falta me alborozaré en Jehová.[g] Mi alma estará gozosa en mi Dios.[h] Porque me ha vestido con las prendas de vestir de la salvación;[i] con la vestidura sin mangas de la justicia me ha envuelto,[j] como el novio que, al modo del sacerdote, se pone una prenda sobre la cabeza,[k] y como la novia que se engalana con sus cosas ornamentales.[l] 11 Porque como la tierra misma produce su brote, y como el jardín mismo hace brotar las cosas que se siembran en él,[m] de igual manera el Señor Soberano Jehová hará brotar justicia[n] y alabanza enfrente de todas las naciones.[o]

62 Por causa de Sión no me quedaré callado,[p] y por causa de Jerusalén[q] no me estaré quieto hasta que salga la justicia de ella justamente como el resplandor,[r] y su salvación como una antorcha que arde.[s]

2 "Y las naciones ciertamente verán tu justicia,[t] [oh mujer,][u] y todos los reyes tu gloria.[v] Y realmente se te llamará por un nombre nuevo,[w] que la mismísima boca de Jehová designará. 3 Y tú tienes que llegar a ser una corona de hermosura en la mano de Jehová,[x] y un turbante regio en la palma de tu Dios. 4 Ya no se dirá de ti que eres una mujer dejada por completo;[y] y de tu propia tierra ya no se dirá que está desolada;[z] sino que tú misma serás llamada: Mi Deleite Está en Ella,[a] y tu tierra: Poseída como Esposa. Porque Jehová se habrá deleitado en ti, y tu propia tierra será poseída como esposa.[b] 5 Porque tal como un joven toma en posesión a una virgen como su esposa, tus hijos te tomarán en

posesión como esposa.[a] Y con el alborozo de un novio por una novia,[b] tu Dios se alborozará aun por ti.[c] 6 Sobre tus muros, oh Jerusalén, he comisionado atalayas.[d] Todo el día y toda la noche, constantemente, que no se queden callados.[e]

"Ustedes, los que están haciendo mención de Jehová,[f] no haya silencio por parte de ustedes,[g] 7 y no le den silencio sino hasta que él fije sólidamente, sí, hasta que establezca a Jerusalén como alabanza en la tierra."[h]

8 Jehová ha jurado con su diestra[i] y con su brazo fuerte:[i] "Ciertamente no daré más tu grano como alimento a tus enemigos,[k] ni beberán los extranjeros tu vino nuevo,[l] por el cual te has afanado. 9 Antes bien, los mismísimos que lo recogen lo comerán, y de seguro alabarán a Jehová; y los mismísimos que lo juntan lo beberán en mis santos patios".[m]

10 Pasen, pasen afuera por las puertas. Despejen el camino del pueblo.[n] Terraplenen, terraplenen la calzada. Límpien[la] de piedras.[o] Levanten una señal enhiesta para los pueblos.[p]

11 ¡Miren! Jehová mismo ha hecho oír [esto] hasta la parte más lejana de la tierra:[q] "Digan a la hija de Sión:[r] '¡Mira! Tu salvación viene.[s] ¡Mira! El galardón que él da está con él,[t] y el salario que él paga está delante de él'".[u]

12 Y los hombres ciertamente los llamarán el pueblo santo,[v] los recomprados por Jehová;[w] y a ti misma se te llamará: Buscada, una Ciudad No Dejada por Completo.[x]

63 ¿Quién es este que viene de Edom,[y] el que [viene] con prendas de vestir de colores relumbrantes desde Bozrá,[z] este

CAP. 61
a Pr 6:16
Jer 7:9
Zac 8:17
Mal 3:8
b Rut 2:12
Sl 117:2
Zac 8:8
c 2Sa 23:5
Isa 55:3
Jer 32:40
Heb 13:20
d Gé 22:18
Zac 8:13
e Isa 60:4
f Sl 115:15
Isa 65:23
g Isa 2:1
Ro 5:11
h Isa 25:9
Isa 65:13
Lu 1:46
i Sl 132:16
Isa 52:1
Rev 21:2
j Job 29:14
Sl 132:9
k Éx 28:39
Isa 61:3
l Sl 45:13
Isa 49:18
Rev 19:7
m Isa 55:10
Isa 58:11
n Sl 85:11
Isa 45:8
Isa 62:1
o Isa 60:18
Isa 62:7
1Pe 2:9

CAP. 62
p Sl 102:13
Isa 43:13
q Sl 137:6
Zac 2:12
r Pr 4:18
Isa 1:26
s Sl 98:2
Isa 51:5
t Isa 48:14
Isa 54:14
Jn 16:8
u Isa 54:1
Isa 60:1
v Sl 72:10
Isa 49:23
Isa 60:11
w Isa 65:15
Jer 33:16
x Sl 48:2
Sl 50:2
Zac 9:16
1Pe 2:19
y Isa 54:6
z Isa 32:14
Isa 49:14
a Sl 149:4
Jer 32:41
Sof 3:17
b Jer 3:14
Os 2:19

2.ª col.
a Jer 3:14
b Can 3:11
c Isa 65:19
Jer 32:41
d 2Cr 8:14
Isa 52:8
1Co 12:28
Ef 4:11
e Sl 134:1
f Sl 134:2
Hch 10:4

g 1Te 5:17; h Isa 61:11; Jer 33:9; Sof 3:19; i Dt
32:40; Eze 20:5; j Isa 40:10; k Dt 28:33; 1Dt
28:51; Jer 5:17; m Dt 14:23; Isa 65:21; n Isa 40:3;
Isa 48:20; o Isa 57:14; p Esd 1:3; Isa 11:12; Isa
18:3; Isa 49:22; q Sl 98:2; r Isa 40:9; s Zac 9:9;
Mt 21:5; Jn 12:15; t Isa 40:10; Isa 49:4; u 1Co
15:58; Rev 22:12; v Dt 26:19; 1Pe 1:15; w Sl
107:2; Isa 35:9; x Re 11:39; Isa 54:7; CAP. 63
y Sl 137:7; Isa 34:5; z Am 1:12.

que es honorable en su ropa, que marcha en la abundancia de su poder?

"Yo, Aquel que habla en justicia,[a] Aquel que abunda [en poder] para salvar."[b]

2 ¿Por qué está roja tu ropa, y tus prendas de vestir están como las de uno que está pisando en el lagar?[c]

3 "La artesa para vino he pisado yo solo,[d] mientras no estuvo conmigo ningún hombre de los pueblos. Y seguí pisándolos en mi cólera,[e] y seguí hollándolos en mi furia.[f] Y su sangre que salía a chorros siguió salpicando mis prendas de vestir,[g] y toda mi ropa la he contaminado. 4 Porque el día de venganza está en mi corazón,[h] y el mismísimo año de mis recomprados ha venido. 5 Y seguí mirando, pero no había ayudador; y empecé a mostrarme pasmado, pero no había nadie que ofreciera sostén.[i] De modo que mi brazo me suministró salvación,[j] y mi furia[i] me sostuvo. 6 Y seguí pisando duro a los pueblos en mi cólera, y procedí a emborracharlos con mi furia[l] y a hacer bajar hasta la tierra su sangre que salía a chorros."[m]

7 Las bondades amorosas de Jehová mencionaré,[n] las alabanzas de Jehová, conforme a todo lo que nos ha hecho Jehová,[o] hasta el abundante bien a la casa de Israel[p] que les ha hecho conforme a sus misericordias[q] y conforme a la abundancia de sus bondades amorosas. 8 Y él pasó a decir: "De seguro ellos son mi pueblo, hijos que no resultarán falsos."[s] De modo que para ellos se hizo Salvador.[t] 9 Durante [el tiempo de] toda la angustia de ellos le fue angustioso a él.[u] Y su propio mensajero personal los salvó.[v] En su amor y en su compasión él mismo los recompró,[w] y procedió a alzarlos y llevarlos todos los días de mucho tiempo atrás.[x]

10 Pero ellos mismos se rebelaron[y] e hicieron que su espíritu santo se sintiera herido.[z] Ahora él

fue cambiado en enemigo[a] de ellos; él mismo guerreó contra ellos.[b] 11 Y uno empezó a acordarse de los días de mucho tiempo atrás, de Moisés su siervo: "¿Dónde está Aquel que los hizo subir del mar[c] con los pastores de su rebaño?[d] ¿Dónde está Aquel que puso dentro de él Su propio espíritu santo?[e] 12 ¿Aquel que hizo que Su hermoso brazo[f] fuera a la diestra de Moisés; Aquel que partió las aguas de delante de ellos[g] para hacer para sí mismo un nombre de duración indefinida;[h] 13 Aquel que los hizo andar a través de las aguas agitadas de modo que, cual caballo en el desierto, no tropezaron?[i] 14 Tal como cuando baja una bestia hacia la llanura-valle, el mismísimo espíritu de Jehová procedió a hacerlos descansar".[j] Así condujiste a tu pueblo para hacer para ti mismo un nombre hermoso.[k]

15 Mira desde el cielo[l] y ve desde la excelsa morada de santidad y hermosura.[m] ¿Dónde están tu celo[n] y tu pleno poderío, la conmoción de tus entrañas,[o] y tus misericordias?[p] Para conmigo se han restringido.[q] 16 Porque tú eres nuestro Padre,[r] aunque Abrahán mismo no nos haya conocido e Israel mismo no nos reconozca, tú, oh Jehová, eres nuestro Padre. Nuestro Recomprador de mucho tiempo atrás es tu nombre.[s] 17 ¿Por qué, oh Jehová, sigues haciendo que vaguemos de tus caminos? ¿Por qué endureces nuestro corazón contra el temor de ti?[t] Vuélvete por causa de tus siervos, las tribus de tu posesión hereditaria.[u] 18 Por un ratito tu pueblo santo[v] tuvo posesión. Nuestros propios adversarios han pisado duro tu santuario.[w] 19 Mucho tiempo hace que llegamos a ser como aquellos

CAP. 63
a Isa 45:19
   Isa 45:24
b Isa 25:9
   Isa 49:26
c Joe 3:13
   Rev 14:20
   Rev 19:15
d Lam 1:15
e Rev 14:19
f 1Sa 2:10
   Isa 34:2
   Miq 7:10
g Eze 9:33
h Isa 34:8
   Isa 35:4
i Isa 61:2
j Isa 59:16
   Sl 44:3
   Sl 98:1
   Isa 51:9
   Isa 52:10
k Sl 59:13
   Isa 59:18
l Sl 75:8
   Jer 25:16
   Rev 14:10
m Isa 26:5
n Éx 20:6
   Sl 63:3
   Sl 107:8
   Sl 136:1
o Sl 78:12
   Sl 105:5
p 1Re 8:66
   Sl 31:19
q Sl 51:1
   Isa 55:7
r Gé 17:7
s Éx 24:7
t Éx 14:30
   Sl 106:21
u Éx 3:7
   Jue 10:16
v Éx 14:19
   Éx 23:20
w Dt 7:8
   Sl 106:10
x Éx 19:4
   Dt 1:31
y Sl 78:40
   Sl 78:40
   Hch 7:51
   Ef 4:30

2.ª col.

a Le 26:17
   Dt 28:63
   Jer 30:14
b Jer 21:5
c Éx 14:30
   Isa 51:10
d Sl 77:20
e Nú 11:17
   Ag 2:5
   Zac 4:6
f Éx 6:6
   Éx 15:16
g Éx 14:21
   Sl 78:13
h Éx 9:16
   Isa 41:14
   Ro 9:17
i Sl 106:9
j Jos 22:4
k 2Sa 7:23
   Ne 9:10
l Dt 26:15
   Sl 80:14
m 2Cr 30:27
   Isa 57:15
n 2Re 19:31
   Zac 8:2

o Jer 31:20; p Dt 4:31;
Ne 9:17; q Dt 31:17; r Éx
4:22; Dt 32:6; Jer 3:19;
s Isa 41:14; Isa 44:6; Isa
54:5; t Dt 2:30; Isa 11:20;
Ro 9:18; u Sl 74:2; Sl
80:14; Sl 135:4; v Éx 19:6;
Dt 7:6; w 2Cr 36:19; Isa
64:11; Lam 1:10.

sobre quienes no gobernaste, como aquellos sobre quienes no se había llamado tu nombre.[a]

64 ¡Oh, que hubieras rasgado los cielos, que hubieras bajado,[b] que a causa de ti las montañas mismas se hubieran estremecido.[c] 2 como cuando un fuego enciende la maleza, [y] el fuego hace hervir el agua misma, a fin de dar a conocer tu nombre a tus adversarios,[d] para que a causa de ti se agitaran las naciones![e] 3 Cuando hiciste cosas inspiradoras de temor[f] que no podíamos esperar, descendiste. A causa de las montañas mismas se estremecieron.[g] 4 Y desde tiempo muy remoto ninguno ha oído,[h] ni ningún oído ha prestado oído, ni ningún ojo mismo ha visto a un Dios, fuera de ti,[i] que obre a favor del que se mantiene en expectación de él.[j] 5 Has salido al encuentro del que se alboroza y hace justicia,[k] los que siguen acordándose de ti en tus propios caminos.[l]

¡Mira! Tú mismo te indignaste,[m] mientras nosotros seguimos pecando[n]... en ellos mucho tiempo, y ¿se nos debería salvar?[o] 6 Y llegamos a ser como alguien inmundo, todos nosotros, y todos nuestros actos de justicia son como una prenda de vestir para períodos de menstruación;[p] y nos marchitaremos como follaje,[q] todos nosotros, y nuestros errores mismos nos llevarán justamente como un viento.[r] 7 Y no hay nadie que invoque tu nombre,[s] nadie que se despierte para asirse de ti; pues has ocultado tu rostro de nosotros,[t] y haces que nos derritamos[u] por el poder de nuestro error.

8 Y ahora, oh Jehová, tú eres nuestro Padre.[v] Nosotros somos el barro,[w] y tú eres nuestro Alfarero;[x] y todos somos la obra de tu mano.[y] 9 No estés indignado, oh Jehová, hasta el extremo,[z] y no te acuerdes para siempre de [nuestro] error.[a] Mira, ahora, por favor: todos somos pueblo tuyo.[b]

10 Tus propias ciudades santas[a] han llegado a ser un desierto. Sión[b] misma ha llegado a ser un verdadero desierto; Jerusalén, un yermo desolado.[c] 11 Nuestra casa de santidad y hermosura,[d] en la cual nuestros antepasados te alabaron,[e] ha llegado a ser ella misma algo para ser quemado en el fuego;[f] y cada una de nuestras cosas deseables[g] ha llegado a ser una devastación. 12 Ante estas cosas, ¿continuarás conteniéndote,[h] oh Jehová? ¿Te quedarás callado y dejarás que se nos aflija hasta el extremo?[i]

65 "Me he dejado buscar[j] por los que no habían preguntado [por mí].[k] Me he dejado hallar por los que no me habían buscado.[l] He dicho: ¡Aquí estoy, aquí estoy!',[m] a una nación que no invocaba mi nombre.[n]

2 "He extendido mis manos todo el día a un pueblo terco,[o] a los que están andando en el camino que no es bueno,[p] en pos de sus pensamientos;[q] 3 el pueblo [compuesto de] los que constantemente me ofenden[r] a mi misma cara, sacrificando en los jardines[s] y haciendo humo de sacrificio[t] sobre los ladrillos, 4 sentándose entre las sepulturas,[u] que también pasan la noche hasta en las chozas de guarda, que comen la carne del cerdo,[v] y en cuyas vasijas se halla hasta el caldo de cosas viciadas;[w] 5 los que están diciendo: 'Apégate a ti mismo. No te acerques a mí, porque ciertamente te comunicaré santidad'.[x] Estos son un humo en mis narices,[y] un fuego que arde todo el día.[z]

6 "¡Miren! Está escrito delante

CAP. 63
a Dt 28:10
2Cr 7:14

CAP. 64
b Éx 19:11
Miq 1:3
c Sl 18:7
Sl 68:8
d Sl 46:10
Eze 36:23
Mt 6:9
Sl 99:1
f Éx 34:10
Sl 66:3
g Hab 3:6
h 1Co 2:9
i Jer 16:20
1Co 8:4
j Sl 130:7
Isa 25:9
Miq 7:7
k Eze 33:16
Sl 2:3
Hch 10:35
l Sl 25:4
Sl 25:9
Os 14:9
m Sl 90:7
Isa 63:10
n Isa 1:21
o Isa 1:15
Mal 3:7
p Le 12:2
Le 15:20
q Sl 90:6
Snt 1:10
r Sl 1:4
Isa 57:13
s Sl 14:4
Os 7:7
t Dt 31:17
Isa 57:17
u Eze 22:20
v Isa 63:16
w Job 10:9
Isa 29:16
Jer 18:6
x Isa 45:9
Ro 9:20
y Job 10:8
Sl 100:3
z Sl 74:1
Sl 79:5
a Jer 3:12
b Dt 7:6
Sl 79:13

2.ᵃ col.
a Isa 1:7
b Lam 5:18
Miq 3:12
c Sl 79:1
Lam 1:4
d 2Re 25:9
e 2Cr 29:25
f 2Cr 36:19
Jer 52:13
g Lam 1:10
h Sl 74:10
Sl 83:1
Isa 14:1
i Sl 10:1
Sl 74:11
Zac 1:12

CAP. 65
j Sl 105:4
Isa 55:6
k Os 2:23

l Ro 9:30; Ro 10:20; Ef 2:12; m Isa 45:22; n Os 1:10; Zac 2:11; 1Pe 2:10; o Dt 31:27; Ne 9:29; Isa 1:2; Jer 5:23; Jer 6:28; Zac 7:11; Hch 7:51; p Sl 36:4; Jer 5:31; Jer 35:15; q Isa 55:7; Isa 59:7; Jer 18:12; Mt 15:19; Snt 1:14; r Dt 32:16; 2Re 17:17; 2Re 22:17; Jer 32:29; Jer 32:30; s Le 17:5; Isa 1:29; Isa 66:17; t 2Cr 34:25; Jer 44:3; u Nú 19:16; Dt 18:11; v Le 11:7; Dt 14:8; Isa 66:17; w Le 11:4; Dt 14:3; x Lu 18:9; Lu 18:11; y Sl 101:5; Pr 16:5; Lu 18:14; z Dt 29:20.

de mí.[a] No me quedaré callado,[b] sino que ciertamente haré el pago;[c] sí, hasta haré el pago en su propio seno,[d]   7 por sus propios errores y por los errores de sus antepasados a la misma vez"—ha dicho Jehová—. Porque han hecho humo de sacrificio sobre las montañas, y sobre las colinas[f] me han vituperado,[g] yo también ciertamente les mediré su salario en primer lugar en su propio seno."[h]

8 Esto es lo que ha dicho Jehová: "Del mismo modo como se halla el vino nuevo[i] en el racimo y alguien tiene que decir: 'No lo arruines,[j] porque hay una bendición en él',[k] así haré yo por causa de mis siervos para no arruinarlos a todos.[l]   9 Y ciertamente haré salir de Jacob una prole;[m] y de Judá, el poseedor hereditario de mis montañas;[n] y mis escogidos tienen que tomar posesión de ella,[o] y mis propios siervos residirán allí.[p]   10 Y Sarón[q] tiene que llegar a ser una dehesa para ovejas,[r] y la llanura baja de Acor[s] un descansadero para ganado vacuno, para mi pueblo que me habrá buscado.[t]

11 "Pero ustedes son los que dejan a Jehová,[u] los que olvidan mi santa montaña,[v] los que arreglan una mesa para el dios de la Buena Suerte[w] y los que llenan vino mezclado para el dios[x] del Destino.[x]   12 Y yo ciertamente los destinaré a la espada,[y] y todos ustedes se encorvarán para ser degollados;[z] por razón de que llamé,[a] pero no respondieron; hablé, pero no escucharon;[b] y siguieron haciendo lo que era malo a mis ojos,[c] y escogieron la cosa en que no tuve deleite".[d]

13 Por lo tanto, esto es lo que ha dicho el Señor Soberano Jehová: "¡Miren! Mis propios siervos comerán,[e] pero ustedes mismos padecerán hambre.[f] ¡Miren! Mis propios siervos beberán,[g] pero ustedes mismos padecerán sed.[h] ¡Miren! Mis propios siervos se regocijarán,[i] pero ustedes mismos sufrirán vergüenza.[j]   14 ¡Miren!

Mis propios siervos clamarán gozosamente a causa de la buena condición de corazón,[a] pero ustedes mismos darán alaridos a causa del dolor de corazón y aullarán a causa de puro quebranto de espíritu.[b]   15 Y ustedes ciertamente reservarán su nombre para un juramento por mis escogidos, y el Señor Soberano Jehová realmente [les] dará muerte [a ustedes] individualmente,[c] pero a sus propios siervos los llamará por otro nombre;[d]   16 de manera que cualquiera que se bendiga en la tierra se bendecirá por el Dios de la fe,[e] y cualquiera que haga una declaración jurada en la tierra jurará por el Dios de la fe;[f] porque las angustias anteriores realmente serán olvidadas, y porque realmente serán ocultadas de mis ojos.[g]

17 "Porque, ¡miren!, voy a crear nuevos cielos[h] y una nueva tierra;[i] y las cosas anteriores no serán recordadas,[j] ni subirán al corazón.[k]   18 Pero alborócense[l] y estén gozosos para siempre en lo que voy a crear.[m] Porque, ¡miren!, voy a crear a Jerusalén una causa para gozo y a su pueblo una causa para alborozo.[n]   19 Y ciertamente estaré gozoso en Jerusalén y me alborozaré en mi pueblo;[o] y ya no se oirá más en ella el sonido de llanto ni el sonido de un lastimero clamor".[p]

20 "Ya no llegará a haber de aquel lugar un niño de pecho de unos cuantos días de edad,[q] ni un viejo que no cumpla sus días;[r] porque una morirá como simple muchacho, aunque tenga cien años de edad; y en cuanto al pecador, aunque tenga cien años de edad se invocará el mal contra él.[s]

CAP. 65

a Sl 56:8
Mal 3:16
b Sl 50:3
Isa 43:13
Jer 5:9
c Sl 50:21
Jer 18:18
Eze 11:21
Joe 3:4
d Sl 79:12
e Eze 20:5
Le 26:39
dt 33:35
f 1Re 22:43
2Re 12:3
g Eze 20:28
h Sl 79:12
1Te 2:16
i Jue 9:13
j Jer 30:11
Mt 24:22
k Gé 18:18
Joe 2:14
Ro 9:27
m Eze 37:21
Ro 11:5
n Gé 35:12
Isa 60:21
Eze 36:8
Abd 17
o Isa 61:7
p Sof 3:20
q Isa 33:9
r Dt 28:2
Isa 35:2
s Jos 7:24
Os 2:15
t Sl 24:6
Isa 40:3
u Dt 29:25
1Cr 28:9
Isa 1:4
v 2Cr 28:24
2Cr 34:25
w Dt 32:17
1Co 10:20
x Eze 20:3
y Le 26:25
Dt 28:22
Eze 6:13
z Dt 28:63
Eze 9:6
a 2Cr 36:15
Pr 1:24
Isa 50:2
Isa 66:4
b 2Cr 36:16
Jer 7:13
Zac 7:11
Mt 22:3
c 2Cr 36:12
Isa 1:16
Jer 16:17
d Pr 1:29
Isa 66:3
e Sl 34:10
Sl 37:25
Mal 3:18
Lu 16:25
f Sl 37:19
Am 8:11
g Isa 49:10
h Lu 16:24
i Isa 61:7
Isa 66:14
j Isa 66:5

2.ª col.

a Isa 24:14
Jer 31:12

b Sl 8:12; Mt 24:51; Lu 13:28; c Isa 66:16; Mt 25:41; d Isa 62:2; Jer 33:16; Ro 9:26; e Gé 22:18; Sl 72:17; Jer 4:2; f Dt 6:13; Jer 4:2; Jer 12:16; g Isa 12:1; Jer 31:12; Sof 3:15; h Esd 4:3; Esd 5:2; Isa 32:1; Isa 51:16; Lu 12:32; Ro 8:20; Rev 14:1; i Gé 12:3; Sl 37:29; Isa 49:8; Mt 25:34; Jn 10:16; 2Pe 3:13; Rev 7:9; j Sl 37:10; k Rev 21:4; Isa 67:3; m Sl 96:10; Sl 98:1; n Isa 51:11; o Isa 62:4; Jer 32:42; p Isa 25:8; Jer 31:12; q 2Re 8:12; Lam 2:21; Os 13:16; r Jer 6:11; Lam 5:14; s Ec 8:12; Isa 3:11.

21 Y ciertamente edificarán casas, y las ocuparán;[a] y ciertamente plantarán viñas y comerán [su] fruto.[b] 22 No edificarán y otro [lo] ocupará; no plantarán y otro [lo] comerá. Porque como los días de un árbol serán los días de mi pueblo;[c] y la obra de sus propias manos mis escogidos usarán a grado cabal.[d] 23 No se afanarán para nada,[e] ni darán a luz para disturbio;[f] porque son la prole [que está] compuesta de los benditos de Jehová,[g] y sus descendientes con ellos.[h] 24 Y realmente sucederá que, antes que ellos clamen, yo mismo responderé;[i] mientras todavía estén hablando, yo mismo oiré.[j]

25 "El lobo[k] y el cordero mismos pacerán como uno solo,[l] y el león comerá paja justamente como el toro;[m] y en cuanto a la serpiente, su alimento será polvo.[n] No harán daño[o] ni causarán ruina en toda mi santa montaña",[p] ha dicho Jehová.

66 Esto es lo que ha dicho Jehová: "Los cielos son mi trono,[q] y la tierra es el escabel de mis pies.[r] ¿Dónde, pues, está la casa que ustedes pueden edificar para mí,[s] y dónde, pues, está el lugar que me es lugar de descanso?".[t]

2 "Ahora bien, todas estas cosas mi propia mano las ha hecho, de manera que todas estas llegaron a ser[u] —es la expresión de Jehová—. A este, entonces, miraré: al afligido y contrito de espíritu,[v] y que tiembla ante mi palabra.[w]

3 "El que degüella el toro es como uno que derriba a un hombre.[x] El que sacrifica la oveja es como uno que quiebra la cerviz de un perro.[y] El que ofrece un regalo... ¡la sangre de cerdo![z] El que presenta una memoria de olíbano[a] es como uno que dice una bendición con palabras mágicas.[b] También son ellos los que han escogido sus propios caminos, y en sus cosas repugnantes

su misma alma se ha deleitado.[a] 4 Yo mismo, en cambio, escogeré maneras de maltratarlos;[b] y traeré sobre ellos las cosas que les son aterradoras;[c] por razón de que llamé, pero no hubo quien respondiera; hablé, pero no hubo quienes escucharan;[d] y siguieron haciendo lo que era malo a mis ojos, y escogieron la cosa en que no tuve deleite".[e]

5 Oigan la palabra de Jehová, ustedes los que están temblando ante su palabra:[f] "Sus hermanos que los odian,[g] que los excluyen por causa de mi nombre,[h] dijeron: ¡Sea glorificado Jehová!'.[i] Él también tiene que aparecer con regocijo de parte de ustedes,[j] y ellos son los que quedarán avergonzados".[k]

6 ¡Hay un sonido de alboroto desde la ciudad, un sonido desde el templo! Es el sonido de Jehová que paga lo merecido a sus enemigos.[m]

7 Antes que ella empezara a estar con dolores dio a luz.[n] Antes que pudieran llegarle los dolores de parto, hasta dio a luz un hijo varón.[o] 8 ¿Quién ha oído cosa como esta?[p] ¿Quién ha visto cosas como estas?[q] ¿Acaso una tierra[r] será producida con dolores de parto en un solo día?[s] ¿O nacerá una nación[t] de una vez?[u] Porque Sión ha entrado en dolores de parto y también ha dado a luz sus hijos.

9 "En cuanto a mí, ¿haré que se rompa a través, y no haré que se dé a luz?[v] —dice Jehová—. ¿O estoy haciendo que se dé a luz, y realmente causo un cerramiento?", ha dicho tu Dios.

10 Regocíjense con Jerusalén y estén gozosos con ella,[w] todos

CAP. 65
a Jer 31:4
  Am 9:14
b Isa 62:8
c Sl 92:12
  Sl 92:14
  Rev 21:4
d 1Co 15:58
e Le 26:4
  Dt 28:4
  Isa 55:1
  Isa 55:2
f Éx 23:26
  Isa 33:24
  Isa 54:13
g Isa 61:9
  Zac 10:9
h Isa 59:21
  Isa 66:22
  Jer 32:39
i Sl 91:15
j Isa 58:9
  Lu 12:30
  Ro 8:26
k Os 2:18
l Isa 11:6
m Isa 35:9
n Gé 3:14
  Ro 16:20
o Isa 2:4
  Isa 11:9
p Miq 4:2
  Zac 8:3

CAP. 66
q Sl 11:4
  Sl 113:6
  Sl 148:13
r Mt 5:35
  Hch 7:49
s 2Cr 6:18
  Hch 17:24
t 1Cr 28:2
  Hch 7:48
u Gé 1:1
  Isa 40:26
  Hch 7:50
v 2Re 22:19
  Sl 34:18
  Mt 5:11
  Lu 18:14
w Esd 9:4
  Sl 119:161
  Isa 66:29
x Pr 15:8
  Isa 1:11
y Le 11:27
z Dt 14:8
  Isa 65:4
  Isa 66:17
a Le 2:2
b Isa 15:23
  Isa 1:13

2.ª col.
a Jue 5:8
  Sl 81:12
  Jer 14:10
b Dt 28:15
  Pr 1:31
  2Te 2:11
c Pr 10:24
d Pr 1:24
  Isa 50:2
  Jer 7:13
e 2Re 21:9
  Isa 65:3
  Ro 1:28
  Heb 4:11
f Esd 10:3
  Isa 66:2
  Jer 36:16
  Hab 3:16

g Jn 16:2; Gál 2:4; 2Te 2:3; h Jn 17:11; Snt 2:7;
i Isa 5:19; Isa 29:13; Isa 60:14; Isa 65:14; k Isa
65:13; Jer 17:13; Jer 17:18; l Mal 3:1; 1Pe 4:17;
m Dt 32:35; Isa 59:18; n Isa 54:1; Gál 4:26; o Sl
33:12; p Isa 64:4; q 1Co 2:9; r Isa 27:6; Isa 65:9;
s Isa 54:7; Jer 30:20; t Isa 60:22; Jer 23:8; Zac
8:12; Ro 11:26; 1Pe 2:9; u Mt 24:31; v Gé 18:14;
Isa 37:3; w Dt 32:43; Isa 44:23; Ro 15:10.

ustedes los amadores de ella.[a]
Alborócense en gran manera con
ella, todos los que se mantienen
de duelo por ella;[b]
11 por razón de que mamarán y ciertamente se satisfarán del pecho
de la plena consolación por ella;
por razón de que sorberán y experimentarán exquisito deleite
de la mama de la gloria de ella.[c]
12 Porque esto es lo que ha dicho Jehová: “Aquí voy a extenderle paz justamente como un
río,[d] y la gloria de naciones justamente como un torrente inundante,[e] y ustedes ciertamente
mamarán.[f] Sobre el costado serán llevados, y sobre las rodillas
serán acariciados.[g]
13 Como un hombre a quien su propia
madre sigue consolando, así yo
mismo seguiré consolándolos a
ustedes;[h] y en el caso de Jerusalén serán consolados.[i]
14 Y ciertamente verán, y su corazón
no podrá menos que alborozarse,[j] y sus huesos[k] mismos brotarán justamente como la hierba
tierna.[l] Y la mano de Jehová
ciertamente se dará a conocer a
sus siervos,[m] pero él realmente
denunciará a sus enemigos”.[n]
15 “Porque aquí Jehová mismo viene como un mismo fuego,[o]
y sus carros son como un viento de tempestad,[p] para hacer el
pago de su cólera con pura furia
y de su reprensión con llamas de
fuego.[q]
16 Porque como fuego
Jehová mismo en realidad tomará a su cargo la controversia, sí,
con su espada,[r] contra toda carne; y los muertos por Jehová
ciertamente llegarán a ser muchos.[s]
17 Los que se santifican
y se purifican para los jardines[t]
detrás de uno en el centro, que
comen la carne del cerdo[u] y la
cosa asquerosa, hasta el roedor
saltador,[v] todos ellos a una se
acabarán —es la expresión de
Jehová—.
18 Y en cuanto a
sus obras[w] y sus pensamientos,[x]
vengo a fin de juntar todas las
naciones y lenguas;[y] y ellas tendrán que venir y ver mi gloria.”[a]
19 “Y ciertamente pondré en
medio de ellas una señal,[b] y ciertamente enviaré algunos de los
escapados a las naciones,[c] [a]
Tarsis,[d] Pul y Lud,[e] los que estiran el arco, Tubal y Javán,[f] las
islas lejanas,[g] que no han oído
un informe acerca de mí ni han
visto mi gloria;[h] y de seguro
anunciarán mi gloria entre las
naciones.[i]
20 Y ellos realmente traerán a todos los hermanos
de ustedes de todas las naciones[j]
como regalo a Jehová,[k] en caballos y en carros y en carruajes
cubiertos y en mulos y en camellas veloces,[l] a mi santa montaña,[m] Jerusalén —ha dicho Jehová—, justamente como cuando
los hijos de Israel traen el regalo
en una vasija limpia a la casa de
Jehová.”[n]
21 “Y también de ellos tomaré algunos para los sacerdotes,
para los levitas”, ha dicho Jehová.
22 “Porque tal como los nuevos cielos[o] y la nueva tierra[p] que
voy a hacer subsisten delante de
mí[q] —es la expresión de Jehová—, así seguirán subsistiendo[r]
la prole de ustedes[s] y el nombre
de ustedes.”
23 “Y ciertamente sucederá
que de luna nueva en luna nueva
y de sábado en sábado vendrá
toda carne para inclinarse delante de mí[t] —ha dicho Jehová—.
24 Y realmente saldrán
y pondrán la vista sobre los cadáveres de los hombres que estuvieron transgrediendo contra
mí;[u] porque los gusanos mismos
[que están] sobre ellos no morirán, y su fuego mismo no se extinguirá,[v] y tienen que llegar a
ser algo repulsivo para toda carne.”[w]

CAP. 66

a Sl 26:8; Sl 84:2; Sl 122:6; Sl 137:6
b Eze 9:4
c Sl 36:8; Jer 3:15; Joe 3:18
d Sl 72:3; Isa 9:7; Isa 48:18
e Isa 54:3; Isa 60:3; Ag 2:7
f Isa 60:16
g Isa 60:4
h Isa 51:3
i Isa 44:28; Isa 65:18
j Zac 10:7
k Pr 3:8; Pr 17:22
l Isa 26:19; Os 14:5
m Isa 65:13; Mal 3:18
n Isa 59:18; Isa 65:12
o Dt 4:24; Sl 11:6; Sl 21:9; Sl 97:3
p Sl 50:3; Jer 25:32
q Nú 16:35; 2Te 1:8
r Jer 15:2
s Isa 34:5; Jer 25:33; Eze 38:21; Joe 3:14; Rev 19:18
t Isa 1:29; Isa 65:3
u Le 11:7; Dt 14:8; Isa 65:4
v Le 11:29
w Isa 37:28; Isa 59:6; Am 5:12
x Dt 31:21; Isa 55:7; Miq 2:1
y Sl 86:9; Isa 2:2; Mt 25:32; Rev 7:9

2.ª col.

a Eze 39:21
b Esd 1:3
c Isa 4:2; Mt 24:31
d Gé 10:4; Sl 72:10
e Gé 10:13
f Gé 10:2; Eze 27:13
g Isa 49:1
h Mal 1:11
i Isa 60:3; Ro 15:12; Rev 7:9
j Dt 30:3; Isa 11:16; Isa 43:6; Isa 54:3; Isa 60:4; Mt 24:31
k Isa 60:9; Ro 12:1; 1Pe 2:5
l Isa 60:6; m Isa 11:9; Zac 1:17; Rev 14:1; n Nú 7:13; o Esd 3:2; Esd 5:2; Isa 65:17; 2Pe 3:13; p Esd 1:3; Esd 2:64; Rev 21:1; q Isa 65:18; r Sl 94:14; Jer 31:36; s Isa 65:23; t Sl 86:9; Zac 14:16; Mal 1:11; u Sl 58:10; Eze 39:12; v Isa 14:11; Isa 34:10; Mt 3:12; Mt 25:41; Mr 9:48; 2Te 1:9; w Sl 139:21.

JEREMÍAS

1 Las palabras de Jeremías[a] hijo de Hilquías, uno de los sacerdotes que estaban en Anatot,[b] en la tierra de Benjamín;[c] **2** a quien le ocurrió la palabra de Jehová en los días de Josías[d] hijo de Amón,[e] el rey de Judá, en el año decimotercero de reinar él.[f] **3** Y esta siguió ocurriendo en los días de Jehoiaquim[g] hijo de Josías, el rey de Judá, hasta la terminación del año undécimo de Sedequías[h] hijo de Josías, el rey de Judá, hasta que Jerusalén se fue al destierro en el mes quinto.[i]

4 Y empezó a ocurrirme la palabra de Jehová, diciendo: **5** "Antes de estar formándote en el vientre,[j] te conocí;[k] y antes que procedieras a salir de la matriz, te santifiqué.[l] Profeta a las naciones te hice".

6 Pero yo dije: "¡Ay, oh Señor Soberano Jehová! Mira que realmente no sé hablar,[m] pues solo soy un muchacho".[n]

7 Y Jehová pasó a decirme: "No digas: 'Solo soy un muchacho'. Antes bien, a todos aquellos a quienes te envíe, debes ir; y todo lo que yo te mande, debes hablar.[o] **8** No tengas miedo a causa de sus rostros,[p] porque: 'Yo estoy contigo para librarte',[q] es la expresión de Jehová'.

9 En esto, Jehová alargó la mano e hizo que esta me tocara la boca. Entonces me dijo Jehová: "Mira que he puesto mis palabras en tu boca.[s] **10** Ve, te he comisionado este día para estar sobre las naciones y sobre los reinos,[t] para desarraigar y para demoler y para destruir y para derruir,[u] para edificar y para plantar".[v]

11 Y siguió ocurriéndome la palabra de Jehová, y dijo: "¿Qué estás viendo, Jeremías?".

De modo que dije: "Un retoño de almendro es lo que estoy viendo".

12 Y Jehová pasó a decirme: "Has visto bien, porque me mantengo despierto respecto a mi palabra para ponerla por obra".[a]

13 Y procedió a ocurrirme la palabra de Jehová por segunda vez, diciendo: "¿Qué estás viendo?".

De modo que dije: "Una olla con boca ancha a la que se sopla es lo que estoy viendo, y su boca está alejada del norte".

14 Ante esto, Jehová me dijo: "Desde el norte se soltará la calamidad contra todos los habitantes de la tierra.[b] **15** Porque ¡mira!, voy a mandar a llamar a todas las familias de los reinos del norte —es la expresión de Jehová— ; y ciertamente vendrán y colocarán cada cual su trono a la entrada de las puertas de Jerusalén,[d] y contra todos sus muros en derredor y contra todas las ciudades de Judá.[e] **16** Y ciertamente hablaré con ellos mis juicios por toda su maldad,[f] puesto que me han dejado[g] y siguen haciendo humo de sacrificio a otros dioses[h] e inclinándose ante las obras de sus propias manos'.[i]

17 "Y en cuanto a ti, debes ceñirte las caderas,[j] y tienes que levantarte y hablarles todo lo que yo mismo te mande. No te sobrecojas de terror alguno a causa de ellos,[k] para que yo no te infunda terror delante de ellos. **18** Pero en cuanto a mí, aquí he hecho de ti hoy una ciudad fortificada y una columna de hierro y muros de cobre[l] contra todo el país,[m] para con los reyes de Judá, para con sus príncipes, para con sus sacerdotes y para con la gente de

CAP. 1

a Esd 1:1
  Da 9:2
  Mt 2:17
b Jos 21:18
  1Re 2:26
  1Cr 6:60
  Jer 29:27
c Jos 18:11
d 2Re 22:1
e 2Re 21:19
f 2Cr 34:1
  Jer 25:3
g 2Re 24:1
  2Cr 36:4
  Jer 25:1
h 2Re 24:18
  2Cr 36:11
  Jer 21:1
  Jer 39:2
i 2Re 25:8
  Jer 52:12
j Sl 139:16
k Lu 13:5
  Isa 45:1
  Ro 9:11
l Lu 1:15
m Éx 4:10
n 1Re 3:7
  1Ti 4:12
o Éx 7:2
  Nú 22:20
  2Cr 18:13
  Jer 11:2
  Eze 3:4
p Eze 2:6
  Eze 3:8
q Éx 3:12
  Dt 31:6
  Jos 1:5
  Jer 15:20
  Hch 18:10
  Hch 26:17
  2Co 1:10
  Heb 13:6
r Isa 6:7
s Éx 4:15
  Isa 51:16
  Eze 33:7
t Rev 10:11
u Jer 18:7
  Eze 32:18
v Isa 44:26
  Jer 18:9
  Jer 24:6

2.ª col.

a Dt 32:35
  Jer 6:1
  Jer 10:22
  Jer 47:2
  Jer 50:9
b Jer 5:15
  Jer 6:22
  Jer 25:9
c Jer 39:3
d Dt 28:52
  Jer 4:16
  Jer 9:11
  Jer 33:10
  Jer 34:22
e Jer 44:6
f Dt 28:20
  Jer 4:12

g Jos 24:20; 2Re 22:17; 2Cr 7:19; Jer 17:13; h Eze 8:11; Os 11:2; i Isa 2:8; Hch 7:41; j 1Re 18:46; k Jer 4:29; 2Re 9:1; Job 38:3; Lu 12:37; 1Pe 1:13; k Jos 1:9; Jer 6:27; l Jer 15:20; m Jer 20:11; Eze 3:8; Miq 3:8.

la tierra.ª 19 Y de seguro pelearán contra ti, pero no prevalecerán contra ti,ᵇ porque: 'Yo estoy contigoᶜ —es la expresión de Jehová— para librarte'".ᵈ

2 Y procedió a ocurrirme la palabra de Jehová,ᵉ y dijo: 2 "Ve, y tienes que clamar a oídos de Jerusalén, y decir: 'Esto es lo que ha dicho Jehová:ᶠ "Bien recuerdo, por parte tuya, la bondad amorosa de tu juventud,ᵍ el amor mientras estuviste comprometida para casarte,ʰ tu andar en pos de mí en el desierto, en una tierra no sembrada.ⁱ 3 Israel era cosa santa para Jehová,ʲ lo primero en producto para Él"'.ᵏ 'Cualesquiera personas que lo devoraban se hacían culpables.ˡ Calamidad misma venía sobre ellas', fue la expresión de Jehová.ᵐ

4 Oigan la palabra de Jehová, oh casa de Jacob,ⁿ y todos ustedes las familias de la casa de Israel.º 5 Esto es lo que ha dicho Jehová: "¿Qué han hallado sus padres en mí que fuera injusto,ᵖ para que se hayan alejado de mí,ᵠ y siguieran andando tras el ídolo vanoʳ y se hicieran vanos ellos mismos?ˢ 6 Y no han dicho: '¿Dónde está Jehová, Aquel que nos hizo subir de la tierra de Egipto,ᵗ Aquel que nos llevó andando por el desierto, por una tierra de llanura desérticaᵘ y de hoyo, por una tierra falta de agua,ᵛ y de sombra profunda,ʷ por una tierra a través de la cual ningún hombre pasó y en la cual no moró hombre terrestre alguno?'.

7 "Y gradualmente los traje a una tierra del huerto, para que comieran su fruto y sus cosas buenas.ˣ Pero ustedes entraron y contaminaron mi tierra; y de mi propia herencia hicieron algo detestable.ʸ 8 Los sacerdotes mismos no dijeron: '¿Dónde está Jehová?'.ᶻ Y los mismísimos que manejaban la ley no me conocieron;ª y los pastores mismos

transgredieron contra mí,ª y hasta los profetas profetizaron por Baal,ᵇ y anduvieron en pos de los que no podían traer provecho.ᶜ

9 "Por lo tanto, contenderé más con ustedesᵈ —es la expresión de Jehová—, y con los hijos de sus hijos contenderé.'ᵉ

10 "Pero pasen a las tierras costaneras de los kitimᶠ y vean. Sí, envíen hasta a Quedarᵍ y den su consideración especial, y vean si ha sucedido cosa parecida a esta.ʰ 11 ¿Ha hecho una nación intercambio de dioses,ⁱ aun por los que no son dioses?ʲ Pero mi propio pueblo ha cambiado mi gloria por lo que no puede traer provecho.ᵏ 12 Fijen su mirada asombrada, oh cielos, en esto; y erícense en muy grande horror —es la expresión de Jehová—, 13 porque hay dos cosas malas que mi pueblo ha hecho: Me han dejado a mí,ᵐ la fuente de agua viva,ⁿ para labrarse cisternas, cisternas rotas, que no pueden contener el agua.'

14 "¿Es Israel un siervo,º o un esclavo nacido en la casa? ¿Por qué ha venido a ser para saqueo? 15 Contra él rugen los leoncillos crinados;ᵖ han dado su voz.ᵠ Y se pusieron a hacer de su tierra un objeto de pasmo. Sus propias ciudades han sido incendiadas, de modo que no hay habitante.ʳ 16 Hasta los hijos de Nofˢ y Tahpanésᵗ mismos siguieron alimentándose de ti en la coronilla de la cabeza.ᵘ 17 ¿No es esto lo que procediste a hacer a ti misma al dejar a Jehová tu Diosᵛ durante el tiempo en que [él] te llevaba andando por el camino?ʷ 18 Y ahora, ¿qué debe importarte el camino de Egiptoˣ para que be-

CAP. 1
a Jer 26:12
Da 9:6
b Sl 129:2
c Gé 28:15
Ex 3:12
Jos 1:5
d Jer 39:17
Ro 8:31

CAP. 2
e Heb 1:1
f Isa 37:33
g Eze 16:8
Os 2:15
h Ex 24:3
i Dt 2:7
Ne 9:12
j Ex 19:6
Dt 7:6
k Snt 1:18
Rev 14:4
l Isa 41:11
Zac 1:15
m Ex 17:13
n Jer 5:20
o Os 4:1
p Isa 5:4
Miq 6:3
q Jer 12:2
r Dt 32:21
1Re 16:26
2Re 17:15
Hch 14:15
s Sl 115:8
t Ex 14:30
Jue 6:13
Isa 63:11
Os 13:4
u Dt 1:1
Dt 32:10
Ne 9:20
w Sl 23:4
x Nú 13:27
Dt 6:11
Dt 8:7
Ne 9:25
y Le 18:24
Nú 35:33
Dt 21:23
Sl 78:58
Sl 106:38
Jer 16:18
Eze 36:17
z 1Sa 2:12
Lam 4:13
a Lu 11:52
Jn 8:55

2.ª col.
a Eze 34:8
b 1Re 18:19
Jer 23:13
c 1Sa 12:21
Hab 2:18
d Eze 20:35
Miq 6:2
e Ex 20:5
f Gé 10:4
Nú 24:24
g Gé 25:13
Sl 120:5
Jer 49:28
h Jer 18:13
Miq 4:5
j Sl 115:4
Jer 37:19
Jer 16:20
1Co 8:4

k Sl 106:20; Os 4:7; Ro 1:23; l Isa 1:2; Jer 6:19; m Jue 10:13; 1Sa 12:10; n Sl 36:9; Jer 17:13; Jn 4:13; Rev 22:1; o Ex 4:22; Isa 41:8; p Isa 5:29; q Eze 5:14; r Jer 4:7; Jer 9:11; Sof 3:6; s Isa 19:13; Jer 44:1; Jer 46:19; Eze 30:13; t Jer 43:7; Jer 46:14; Eze 30:18; u Isa 1:7; v 1Cr 28:9; 2Cr 7:19; w Dt 32:10; Sl 77:20; Sl 78:54; Sl 136:16; Isa 63:13; x Isa 30:2; Isa 31:1; Lam 5:6; Eze 16:26; Eze 17:15; Eze 23:3; 2Co 6:14.

bas las aguas de Sihor?[a] Y ¿qué debe importarte el camino de Asiria[b] para que bebas las aguas del Río? 19 Tu maldad debe corregirte,[c] y tus propios actos de infidelidad deben censurarte.[d] Sabe, pues, y ve que el que dejes a Jehová tu Dios es cosa mala y amarga,[e] y ningún pavor de mí te [ha resultado]',[f] es la expresión del Señor Soberano,[g] Jehová de los ejércitos.

20 "'Porque hace mucho que hice pedazos tu yugo;[h] rompí tus ataduras. Pero dijiste: "No voy a servir", porque sobre toda colina alta y debajo de todo árbol frondoso[i] estabas echada despatarrada,[j] prostituyéndote.[k] 21 Y en cuanto a mí, yo te había plantado como una vid roja selecta,[l] toda ella semilla verdadera. ¿Cómo, pues, has sido cambiada para conmigo en los [sarmientos] degenerados de una vid extranjera?'[m]

22 "'Pero aunque hicieras el lavado con álcali y tomaras para ti grandes cantidades de lejía,[n] tu error ciertamente sería una mancha delante de mí',[o] es la expresión del Señor Soberano Jehová. 23 ¿Cómo puedes decir: 'No me he contaminado.[p] Tras los Baales no he andado'?[q] Ve tu camino en el valle. Fíjate en lo que has hecho. Una camella joven veloz que va corriendo a la ventura de acá para allá en sus caminos; 24 una cebra[s] acostumbrada al desierto, según el vehemente deseo de su alma, aspirando con avidez el viento;[t] en el tiempo de su cópula, ¿quién puede volverla atrás? Ninguno que la busca tendrá que rendirse de cansancio. En su mes la hallarán. 25 Retén tu pie de [llegar a estar] descalzo, y tu garganta de la sed.[u] Pero tú procediste a decir: ¡No hay remedio![v] No, sino que me he enamorado de extraños,[w] y tras ellos voy a andar'.[x]

26 "Como con la vergüenza de un ladrón cuando se le descubre, así los de la casa de Israel han sentido vergüenza,[y] ellos, sus re-

CAP. 2

a Jos 13:3
Isa 23:3
b 2Re 16:7
Os 5:13
c Isa 3:9
Os 5:5
d Os 11:7
e Jer 4:18
Am 8:10
f Jer 5:22
g Hch 4:24
h Le 26:13
Dt 4:20
Na 9:4
Na 1:13
i 1Re 14:23
Eze 6:13
Os 4:13
j Isa 57:5
Jer 3:6
Jer 17:2
k Eze 34:15
Eze 16:15
Os 6:10
l Éx 15:17
Sl 44:2
Sl 80:8
Isa 5:4
m Isa 1:21
Isa 9:3
n Job 9:30
o Dt 32:34
Job 14:17
Sl 90:8
Jer 16:17
Os 13:12
Am 8:7
p Pr 28:13
Pr 30:12
q Pr 30:20
r Jer 7:31
s Os 8:9
t Jer 14:6
u Os 2:3
v Jer 18:12
w Isa 2:6
Jer 3:13
x Jer 44:17
y Éx 22:7

2.ª col.

a Esd 9:7
Da 9:6
b Isa 44:13
Hab 2:18
c 2Cr 29:6
Jer 32:33
d Jue 10:15
2Cr 20:9
Mt 78:34
Sl 106:47
Isa 26:16
Os 5:15
e Dt 32:37
Jue 10:13
Isa 45:20
f Jue 10:14
Isa 46:7
g Jer 11:13
h 1Sa 2:10
i Jer 5:1
Jer 9:2
Da 9:11
Os 7:13
j 2Cr 28:22
Isa 9:13
k Isa 1:5
Jer 5:3
Sof 3:2

yes, sus príncipes y sus sacerdotes, y sus profetas.[a] 27 Están diciendo a un árbol: 'Tú eres mi padre',[b] y a una piedra: 'Tú misma me diste a luz'. Pero hacia mí han vuelto la cerviz, y no el rostro.[c] Y en el tiempo de su calamidad dirán: '¡Levántate, sí, y sálvanos!'.[d]

28 ¿Pero dónde están tus dioses que has hecho para ti?[e] Que se levanten, si pueden salvarte en el tiempo de tu calamidad.[f] Porque tantos como el número de tus ciudades han llegado a ser tus dioses, oh Judá.[g]

29 "'¿Por qué siguen ustedes contendiendo contra mí?[h] ¿Por qué han transgredido, todos ustedes, contra mí?',[i] es la expresión de Jehová. 30 Sin que surta efecto he golpeado a sus hijos.[j] Ninguna disciplina aceptaron ellos.[k] La espada de ustedes ha devorado a sus profetas, como león que está causando ruina.[l] 31 Oh generación, vean ustedes mismos la palabra de Jehová.[m]

"¿He llegado a ser yo un mero desierto para Israel,[n] o una tierra de intensa oscuridad? ¿Por qué han dicho estos, mi pueblo: 'Hemos vagado. No volveremos más a ti'?[o] 32 ¿Puede una virgen olvidar sus adornos, una novia sus fajas para los pechos? Y no obstante, mi propio pueblo... ellos me han olvidado innumerables días.[p]

33 "¿Por qué, oh mujer, mejoras tu camino a fin de buscar amor? Por eso, también la has enseñado en cosas malas que has enseñado tus caminos.[q] 34 También, en tus faldas se han hallado las marcas de sangre de las almas[r] de los inocentes pobres.[s] No las he hallado en el acto de forzar la entrada, sino [que están] sobre todas estas.[t]

35 "Pero dices: 'He permane-

l 2Cr 36:16; Ne 9:26; Mt 21:35; Mt 23:34; Hch 7:52; 1Te 2:15; m Miq 6:9; n 2Cr 31:10; Ne 9:25; o Dt 32:15; p Sl 106:21; Isa 17:10; Jer 13:25; Jer 18:15; Os 8:14; q 2Cr 33:9; r Gé 9:5; s 2Re 21:16; 2Re 24:4; Sl 106:38; Isa 10:2; Isa 59:7; Jer 19:4; Mt 23:35; t Éx 22:2.

cido inocente. De seguro su cólera se ha vuelto de contra mí'.[a]

"¡Mira!, voy a entrar en controversia contigo por decir tú: 'No he pecado'.[b] 36 ¿Por qué tratas como muy insignificante el cambiar tu camino?[c] De Egipto, también, te avergonzarás,[d] tal como te avergonzaste de Asiria.[e] 37 Por esta causa también saldrás con las manos sobre tu cabeza,[f] porque Jehová ha rechazado los objetos de tu confianza, y no tendrás éxito con ellos".

3 Hay un dicho: "Si un hombre despidiera a su esposa y ella realmente se fuera de él y llegara a ser de otro hombre, ¿debiera él volver más a ella?".[g]

¿Acaso esa tierra no se ha contaminado positivamente?[h]

"Y tú misma has cometido prostitución con muchos compañeros;[i] y ¿debe haber un volver a mí?[j] —es la expresión de Jehová—. 2 Alza los ojos a las sendas trilladas y ve.[k] ¿Dónde no se te ha forzado?[l] A la orilla de los caminos te has sentado por ellos, como un árabe en el desierto;[m] y sigues contaminando la tierra con tus actos de prostitución y tu maldad.[n] 3 De modo que se retienen los chaparrones copiosos,[o] y ni siquiera ha ocurrido una lluvia primaveral.[p] Y la frente de una esposa que comete prostitución ha llegado a ser tuya. Has rehusado sentirte humillada.[q] 4 ¿Acaso desde ahora has clamado a mí: '¡Padre mío,[r] tú eres el amigo íntimo de mi juventud![s] 5 ¿Debe uno quedarse resentido hasta tiempo indefinido, o seguir vigilando [algo] para siempre?'?[t] ¡Mira! Has hablado, y pasaste a hacer cosas malas y a prevalecer."[u]

6 Y Jehová procedió a decirme en los días de Josías el rey:[v] "'¿Has visto lo que ha hecho la infiel Israel?[w] Está yendo sobre toda montaña alta[x] y debajo de todo árbol frondoso,[y] para cometer prostitución allí.[z] 7 Y después de haber hecho ella todas estas cosas yo seguí diciendo que se volviera aun a mí, pero no se volvió;[a] y Judá siguió mirando a su propia hermana traicionera.[b] 8 Cuando llegué a ver eso, por la mismísima razón de que la infiel Israel había cometido adulterio, la despedí[c] y procedí a darle el certificado de su pleno divorcio;[d] no obstante, su hermana Judá, la traicionera en sus tratos, no se atemorizó, sino que ella misma también empezó a ir y cometer prostitución.[e] 9 Y la prostitución de ella ocurrió debido a [su] concepto frívolo, y siguió contaminando la tierra[f] y cometiendo adulterio con piedras y con árboles;[g] 10 y a pesar de todo esto, su hermana traicionera, Judá, no se volvió a mí con todo su corazón,[h] sino solo falsamente',[i] es la expresión de Jehová".

11 Y Jehová pasó a decirme: "La infiel Israel ha demostrado que su propia alma es más justa que Judá, la traicionera en sus tratos.[j] 12 Ve, y tienes que proclamar estas palabras al norte[k] y decir:

"'"De veras vuélvete, oh renegada Israel", es la expresión de Jehová'.[l] '"No haré caer mi rostro [airadamente] sobre ustedes,[m] porque soy leal",[n] es la expresión de Jehová.' '"No me quedaré resentido hasta tiempo indefinido.[o] 13 Solo fíjate en tu error, porque es contra Jehová tu Dios contra quien has transgredido.[p] Y continuaste esparciendo tus caminos a los extraños[q] debajo de todo árbol frondoso,[r] pero ustedes no escucharon mi voz", es la expresión de Jehová'".

14 "Vuélvanse, oh hijos renegados[s] —es la expresión de Jehová—. Porque yo mismo he llegado a ser su dueño marital;[t] y ciertamente los tomaré, uno de una ciudad y dos de una familia, y ciertamente los traeré a Sión.[u]

CAP. 2

a Pr 28:13
b 1Jn 1:8
c Os 12:2
d Isa 30:3; Jer 37:7
e 2Cr 28:20
f 2Sa 13:19

CAP. 3

g Dt 24:4
h Isa 24:5; Jer 2:7
i Jer 2:20; Eze 16:28
j Jer 4:1; Zac 1:3
k Jer 2:23
l Eze 16:16; Eze 20:28
m Gé 38:16; Pr 23:28
n Jer 2:7
o Le 26:19; Dt 28:23; Isa 5:6; Jer 9:12; Jer 14:4; Am 4:7; Ag 1:11
p Jer 5:24
q Jer 6:15; Sof 3:5
r Jer 3:19; Jer 31:9
s Sl 71:5; Pr 2:17; Jer 2:2; Os 2:15
t Sl 77:7; Sl 103:9; Isa 57:16; Isa 64:9
u Miq 2:1; Miq 7:3; Sof 3:3
v 2Re 22:1
w Jer 7:24
x Isa 57:7; Jer 2:20; Eze 6:3
y 1Re 14:23; Jer 17:2
z Eze 20:28; Os 4:13

2.ª col.

a 2Re 17:13; 2Cr 30:6; Os 14:1
b Eze 16:46; Eze 23:2
c Isa 1:21; Eze 23:9; Os 2:2; Os 9:15
d Dt 24:1; Isa 50:1
e 2Re 17:19; Eze 23:11
f Jer 2:7
g Isa 57:6; Jer 2:27
h Sl 78:37; Os 7:14
i Pr 11:20
j Eze 16:51; Eze 23:11
k 2Re 17:6; Jer 23:8; Jer 31:8
l Jer 4:1; Eze 33:11; Os 6:1; Os 14:1

m Os 11:8; n 2Sa 22:26; Sl 18:25; Sl 86:5; Rev 15:4; o Sl 79:5; p Le 26:40; Pr 28:13; Os 7:13; q Jer 2:25; Eze 16:15; r Dt 12:2; s Isa 57:17; Jer 4:22; t Isa 54:5; Jer 2:2; Jer 31:32; Os 2:19; u Jer 23:3; Ro 11:5.

15 Y de veras les daré pastores de acuerdo con mi corazón,[a] y ellos ciertamente los apacentarán con conocimiento y perspicacia.[b] 16 Y tiene que suceder que ustedes llegarán a ser muchos y ciertamente darán fruto en la tierra en aquellos días —es la expresión de Jehová[c]—. Ya no dirán ellos: '¡El arca del pacto de Jehová!',[d] ni subirá ella al corazón, ni se acordarán de ella[e] ni la echarán de menos, y no se hará más. 17 En aquel tiempo llamarán a Jerusalén el trono de Jehová;[f] y a ella todas las naciones tienen que ser reunidas[g] al nombre de Jehová en Jerusalén,[h] y ya no andarán tras la terquedad de su mal corazón."[i]

18 "En aquellos días andarán, la casa de Judá al lado de la casa de Israel,[j] y juntas[k] saldrán de la tierra del norte a la tierra que di como posesión hereditaria a los antepasados de ustedes.[l] 19 Y yo mismo he dicho: '¡Oh, cómo procedí a colocarte entre los hijos y a darte la tierra deseable,[m] la posesión hereditaria del adorno de los ejércitos de las naciones!'. Y dije además: ' "¡Padre mío!",[n] ustedes clamarán a mí, y no se volverán de seguirme'. 20 'Verdaderamente, [como] una esposa se ha ido traidoramente de su compañero,[o] así ustedes, oh casa de Israel, me han tratado traidoramente a mí',[p] es la expresión de Jehová."

21 En las sendas trilladas se ha oído un sonido, el llanto, las súplicas de los hijos de Israel. Porque han torcido su camino;[q] han olvidado a Jehová su Dios.[r]

22 "Vuélvanse, hijos renegados.[s] Yo sanaré su condición de renegados."[t]

"¡Aquí estamos! Hemos venido a ti, porque tú, oh Jehová, eres nuestro Dios.[u] 23 Verdaderamente, tanto las colinas como la bulla sobre las montañas[v] pertenecen a la falsedad.[w] Verdaderamente en Jehová nuestro Dios está la salvación de Israel.[x]

24 Pero la mismísima cosa vergonzosa[a] se ha comido el afán de nuestros antepasados desde nuestra juventud, sus rebaños y sus vacadas, sus hijos y sus hijas. 25 Nos acostamos en nuestra vergüenza,[b] y nuestra humillación sigue cubriéndonos;[c] porque para con Jehová nuestro Dios hemos pecado,[d] nosotros y nuestros padres desde nuestra juventud y hasta el día de hoy,[e] y no hemos obedecido la voz de Jehová nuestro Dios."[f]

4 "Si quieres volverte, oh Israel —es la expresión de Jehová—, puedes volverte aun a mí.[g] Y si a causa de mí quitas tus cosas repugnantes,[h] entonces no andarás como fugitivo. 2 Y [si] ciertamente juras:[i] '¡Tan ciertamente como que Jehová vive en verdad,[j] en justicia y en rectitud!',[k] entonces en él las naciones realmente se bendecirán, y en él se jactarán acerca de sí mismas."[l]

3 Porque esto es lo que Jehová ha dicho a los hombres de Judá y a Jerusalén: "Árense tierra cultivable, y no sigan sembrando entre espinas.[m] 4 Circuncídense a Jehová, y quiten los prepucios de sus corazones,[n] hombres de Judá y habitantes de Jerusalén; para que no salga mi furia justamente como un fuego, y ciertamente arda sin que haya quien la extinga, a causa de la maldad de sus tratos".[o]

5 Anúncien[lo] en Judá, y publíquen[lo] hasta en Jerusalén,[p] y dígan[lo], y toquen un cuerno por todo el país.[q] Clamen fuertemente y digan: "Reúnanse, y entremos en las ciudades fortificadas.[r] 6 Levanten una señal enhiesta hacia Sión. Provéanse amparo. No se detengan". Por-

CAP. 3
a Jer 23:4
Eze 34:23
Ef 4:11
b Jn 21:15
Hch 20:28
c Isa 61:4
Os 1:10
d 1Sa 4:5
e Isa 65:17
f Sl 87:3
Jer 14:21
Eze 43:7
g Isa 2:2
Isa 60:3
Miq 4:2
Zac 2:11
Zac 8:23
Rev 7:9
h Isa 26:8
Isa 56:6
Zac 8:22
i Sl 78:8
j Jer 50:4
Os 1:11
k 2Cr 36:23
Esd 1:3
Eze 37:19
l Jer 23:8
Am 9:15
m Sl 106:24
Eze 20:6
n Isa 63:16
Isa 64:8
Mt 6:8
1Pe 1:17
o Os 3:1
p Isa 48:8
Jer 5:11
Os 5:7
Os 6:7
Mal 2:11
q Pr 10:9
Miq 3:9
r Isa 17:10
Jer 23:35
Os 8:14
Os 13:6
s Os 6:1
Os 14:1
t Jer 33:6
Os 14:4
u Jer 31:18
Os 3:5
Zac 13:9
v Isa 65:7
w Jer 10:14
Jon 2:8
x Sl 3:8
Sl 37:39
Isa 12:2
Jn 4:22

2.ª col.
a Jer 11:13
Os 9:10
b Esd 9:6
Jer 2:26
Da 9:7
c Eze 7:18
d Sl 51:4
Jer 2:19
Eze 36:31
e Esd 9:7
Sl 106:7
f Jue 2:2
Isa 48:8
Jer 22:21
Da 9:10
1Co 10:8

CAP. 4 g Dt 30:2; Isa 31:6; Jer 3:22; Os 14:1; Joe 2:12; h 2Cr 15:8; i Dt 10:20; Isa 65:16; j Isa 48:1; k Sl 99:4; 1 Isa 45:25; Jer 9:24; 1Co 1:31; m Os 10:12; n Dt 10:16; Dt 30:6; Jer 9:26; Hch 7:51; Ro 2:29; Col 2:11; o Le 26:28; Lam 4:11; p Jer 5:20; Jer 11:2; q Jer 6:1; Eze 33:3; Os 8:1; Am 3:6; r Jer 8:14; Jer 35:11.

que hay una calamidad que voy a traer desde el norte,[a] sí, un gran estallido. 7 Él ha subido como un león de su matorral,[b] y el que está arruinando a las naciones ha partido;[c] ha salido de su lugar a fin de poner tu tierra como un objeto de pasmo. Tus propias ciudades caerán en ruinas de manera que no habrá habitante.[d] 8 Por este motivo, cíñanse de saco.[e] Golpéense los pechos y aúllen,[f] porque la cólera ardiente de Jehová no se ha vuelto de contra nosotros.[g]

9 "Y tiene que suceder en aquel día —es la expresión de Jehová— que perecerá el corazón del rey,[h] también el corazón de los príncipes; y los sacerdotes ciertamente tendrán que pasmarse, y los profetas mismos quedarán asombrados."[i]

10 Y procedí a decir: "¡Ay, oh Señor Soberano Jehová! Verdaderamente has engañado por completo a este pueblo[j] y a Jerusalén, al decir: 'La paz llegará a ser ustedes',[k] y la espada ha alcanzado hasta la misma alma".

11 En aquel tiempo se dirá a este pueblo y a Jerusalén: "Hay un viento abrasador de las sendas trilladas a través del desierto[l] [en] el camino a la hija de mi pueblo;[m] no es para aventar, ni para limpiar. 12 El viento mismo en su plenitud viene hasta de estas a mí. Ahora yo mismo también proferiré los juicios para con ellos." 13 ¡Miren! Como nubes de lluvia subirá él, y sus carros son como un viento de tempestad.[o] Sus caballos son más veloces que águilas.[p] ¡Ay de nosotros, porque se nos ha despojado con violencia! 14 Lava tu corazón para que quede limpio de pura maldad, oh Jerusalén, para que seas salvada.[q] ¿Hasta cuándo estarán alojados dentro de ti tus pensamientos erróneos?[r] 15 Porque una voz está anunciando desde Dan[s] y

está publicando algo perjudicial desde la región montañosa de Efraín.[a] 16 Hagan mención [de ello], sí, a las naciones. Publíquen[lo] contra Jerusalén".

"Vigilantes vienen de un país lejano,[b] y lanzarán su voz contra las mismísimas ciudades de Judá. 17 Como guardas del campo abierto han llegado a estar contra ella por todos lados,[c] porque se ha rebelado hasta contra mí[d] —es la expresión de Jehová—. 18 Tu camino y tus tratos... habrá un pagártelos a ti.[e] Esta es la calamidad sobre ti, pues es amarga; porque ha alcanzado hasta tu mismo corazón.

19 ¡Oh mis intestinos, mis intestinos! Estoy con fuertes dolores en las paredes de mi corazón.[f] Mi corazón está alborotado dentro de mí.[g] No puedo quedarme callado, porque el sonido del cuerno es lo que mi alma ha oído, la señal de alarma de la guerra.[h] 20 Estallido sobre estallido es lo que se ha clamado, porque todo el país ha sido despojado con violencia.[i] De repente mis tiendas han sido despojadas con violencia,[j] en un momento mis telas de tienda. 21 ¿Hasta cuándo seguiré viendo la señal enhiesta, seguiré oyendo el sonido del cuerno?[k] 22 Porque es tonto mi pueblo.[l] No se han fijado en mí.[m] Son hijos imprudentes; y no son quienes tengan entendimiento.[n] Sabios son para hacer lo malo, pero para hacer lo bueno realmente no tienen conocimiento.

23 Vi la tierra, y, ¡mira!, [estaba] vacía y desierta;[p] y dentro de los cielos, y su luz ya no existía.[q] 24 Vi las montañas, y, ¡mira!, se mecían, y todas las colinas mismas recibieron un sacudimiento.[r] 25 Vi, y, ¡mira!, no había un hombre terrestre, y todas las criaturas voladoras de los cielos

---

CAP. 4

a Jer 1:14
  Jer 6:1
  Jer 21:7
  Jer 25:9
b Jer 2:15
  Jer 25:1
  Jer 5:6
  Jer 50:17
c Isa 26:7
d Isa 1:7
  Isa 5:9
  Isa 6:11
  Isa 2:15
  Jer 9:11
e Jer 6:26
  Joe 2:12
  Am 8:10
f Eze 21:12
g Isa 9:17
  Isa 10:4
h 2Re 25:5
  Isa 39:9
  Mic 1:8
i Eze 14:9
  2Te 2:11
k Jer 5:12
  Jer 14:13
  Jer 23:17
  1Te 5:3
j Eze 17:10
  Os 13:15
m Isa 22:4
n Jer 1:16
o Isa 5:28
p Dt 28:49
  Lam 4:19
  Os 8:1
  Hab 1:8
q Isa 1:16
  Eze 18:31
r Pr 1:22
s Jue 18:29
  Jue 20:1
  Jer 8:16

2.ª col.

a Jos 17:15
  Jos 20:7
b Dt 28:49
  Isa 39:3
c 2Re 25:2
  Isa 1:8
d Ne 9:26
  Isa 1:20
  Isa 30:9
  Isa 63:10
  Eze 2:3
  Eze 20:21
e Sl 107:17
  Pr 1:31
  Pr 5:22
  Isa 50:1
  Jer 2:17
f Isa 16:5
  Isa 21:3
g Sl 42:5
  Isa 16:11
h Sof 1:16
i Sl 42:7
j Jer 6:26
  Jer 10:20
k Jer 6:1
l Dt 32:6
  Isa 6:9
  Isa 5:21
m Os 5:4
n Os 4:14
o Miq 2:1
p Jue 24:19
  Jer 9:10

---

q Isa 5:30; Isa 13:10; Eze 32:8; Joe 2:31; Mt 24:29; r Isa 5:25; Eze 38:20; Na 1:5; Hab 3:6.

habían huido.[a] 26 Vi, y, ¡mira!, el huerto mismo era un desierto, y todas sus mismísimas ciudades habían sido demolidas.[b] Era a causa de Jehová, a causa de su ardiente cólera.

27 Porque esto es lo que ha dicho Jehová: "Un yermo desolado es lo que toda la tierra llegará a ser,[c] y ¿no llevaré a cabo un verdadero exterminio?[d] 28 A causa de esto la tierra estará de duelo,[e] y los cielos arriba ciertamente se oscurecerán.[f] Es porque he hablado, he considerado, y no he sentido pesar, ni de ello me volveré.[g] 29 Debido al sonido de los hombres de a caballo y los tiradores con arco, toda la ciudad está huyendo.[h] Han entrado en los matorrales, y han subido a meterse entre las rocas.[i] Toda ciudad es dejada, y no hay hombre que more en ellas".

30 Ahora que tú estás violentamente despojada, ¿qué harás, puesto que solías vestirte de escarlata, puesto que solías engalanarte con adornos de oro, puesto que solías agrandar tus ojos con pintura negra?[j] En vano solías embellecerte.[k] Los que [te] deseaban lujuriosamente te han rechazado; siguen buscando tu misma alma.[l] 31 Pues he oído una voz como la de una mujer enferma, angustia como la de una mujer que está dando a luz su primer hijo,[m] la voz de la hija de Sión que sigue luchando angustiosamente para respirar. Sigue extendiendo las palmas de las manos:[n] "¡Ay de mí, ahora, porque mi alma está cansada de los que matan!".[o]

5 Anden discurriendo por las calles de Jerusalén y vean, ahora, y sepan, y busquen ustedes mismos en sus plazas públicas si acaso pueden hallar un hombre,[p] si acaso existe alguien que haga justicia,[q] alguien que busque fidelidad,[r] y yo la perdonaré. 2 Aunque dijeran ellos:

"¡Tan ciertamente como que Jehová vive!", con eso estarían jurando a lo que es pura falsedad.[a]

3 Oh Jehová, ¿no están esos ojos tuyos hacia la fidelidad?[b] Los has golpeado,[c] pero ellos no han enfermado.[d] Los exterminaste.[e] Rehusaron aceptar disciplina.[f] Hicieron sus rostros más duros que un peñasco.[g] Rehusaron volverse.[h] 4 Hasta yo mismo había dicho: "De seguro son de clase baja. Obraron tontamente, porque han pasado por alto el camino de Jehová, el juicio de su Dios.[i] 5 Yo ciertamente procederé a ir a los grandes y hablaré con ellos;[j] porque ellos mismos tienen que haberse fijado en el camino de Jehová, el juicio de su Dios.[k] De seguro ellos mismos tienen que haber quebrado el yugo todos juntos; tienen que haber roto las ataduras".[l]

6 Por eso un león del bosque los ha herido, un lobo mismo de las llanuras desérticas sigue despojándolos con violencia,[m] un leopardo se mantiene despierto junto a sus ciudades.[n] Todo el que sale de ellas queda despedazado. Porque sus transgresiones han llegado a ser muchas; sus actos de infidelidad han llegado a ser numerosos.[o]

7 ¿Cómo puedo perdonarte por esta mismísima cosa? Tus propios hijos me han dejado, y siguen jurando[p] por lo que no es Dios.[q] Y seguí satisfaciéndolos,[r] pero ellos continuaron cometiendo adulterio,[s] y a la casa de una prostituta van en tropas. 8 Caballos sobrecogidos de calor sexual, que tienen testículos [fuertes], han llegado a ser ellos. Cada uno le relincha a la esposa de su compañero.[t]

9 "¿No debo yo pedir cuentas a causa de estas mismísimas cosas? —es la expresión de Jeho-

CAP. 4
a Jer 9:10
  Os 4:3
  Sof 1:3
b Dt 29:23
c 2Cr 36:21
  Isa 6:11
  Jer 12:11
  Eze 33:28
d Le 26:32
  Jer 10:22
  Jer 12:11
  Jer 11:13
e Isa 24:4
  Os 4:3
  Joe 1:10
f Isa 5:30
  Isa 50:3
  Joe 2:2
  Joe 2:30
g Nú 23:19
  2Re 23:26
  Isa 43:13
  Isa 46:10
  Eze 24:14
h 2Re 25:4
i Isa 2:19
  Rev 6:15
j 2Re 9:30
  Eze 23:40
  Rev 17:4
k Eze 23:26
l Jer 22:20
  Lam 1:2
  Rev 17:16
m Jer 6:24
  1Ts 5:3
n Isa 1:15
  Lam 1:17
o Jer 45:3
  Eze 23:47

CAP. 5
p Jer 22:30
q Gé 18:32
  Sl 12:1
  Sl 14:3
  Eze 22:29
  Am 5:7
  Miq 7:2
r Isa 59:4

2.ª col.

a Isa 48:1
  Jer 7:9
b 2Cr 16:9
  Sl 101:6
c 2Cr 28:22
d Isa 1:5
  Isa 9:13
  Jer 2:30
e Dt 28:21
f Sl 50:17
  Isa 1:5
  Isa 42:25
  Jer 7:28
  Sof 3:2
g Pr 21:29
  Zac 7:11
h Eze 3:7
i Isa 27:11
  Jer 7:8
  Os 4:6
j Mal 2:7
k Miq 3:1
l Sl 2:3
m Sl 104:20
  Sof 3:3
n Os 13:7
o Esd 9:6
  Isa 59:12
  Eze 23:19

p Jos 23:7; Jer 12:16; Am 8:14; Sof 1:5; q Dt 32:21; Jer 2:11; 1Co 8:4; Gál 4:8; r Eze 16:49; Os 13:6; s Eze 22:11; t Jer 13:27.

vá[a]—. O en una nación que
es así, ¿no debe vengarse mi
alma?"[b]
10 "Suban ustedes contra sus
filas [de vides] y arruinen,[c] pero
no hagan un verdadero exterminio.[d] Quiten sus sarmientos que
están creciendo con exuberancia, porque no pertenecen a Jehová.[e] 11 Porque la casa de
Israel y la casa de Judá positivamente han tratado traidoramente conmigo —es la expresión de Jehová[f]—. 12 Han
negado a Jehová, y siguen diciendo: 'Él no es.[g] Y no vendrá
sobre nosotros ninguna calamidad, y no veremos espada ni
hambre'.[h] 13 Y los profetas
mismos llegan a ser un viento, y
la palabra no está en ellos.[i] Así es
como se les hará a ellos."
14 Por lo tanto, esto es lo que
ha dicho Jehová, el Dios de los
ejércitos: "Por la razón de que
ustedes están diciendo esta
cosa, mira que voy a hacer que
mis palabras en tu boca sean un
fuego,[j] y este pueblo será pedazos de leña, y ciertamente los
devorará".[k]
15 "¡Mira!, voy a traer sobre
ustedes una nación de lejos,[l] oh
casa de Israel —es la expresión
de Jehová—. Es una nación duradera.[m] Es una nación de mucho tiempo atrás, una nación
cuyo lenguaje no conoces, y no
puedes oír [con entendimiento]
lo que hablan. 16 Su aljaba es
como una sepultura abierta; todos ellos son hombres poderosos.[n] 17 Ellos también ciertamente se comerán tu cosecha y
tu pan.[o] Los hombres se comerán a tus hijos y a tus hijas. Se
comerán tus rebaños y tus vacadas. Se comerán tu vid y tu higuera.[p] Destrozarán con la espada tus ciudades fortificadas en
las que estás confiando."
18 "Y aun en aquellos días
—es la expresión de Jehová— no
llevaré a cabo un exterminio de
ustedes.[q] 19 Y tiene que suceder que ustedes dirán: '¿Debido
a qué razón nos ha hecho todas estas cosas Jehová nuestro
Dios?'.[a] Y tendrás que decirles:
'Tal como ustedes me han dejado a mí y se han puesto a servir
a un dios extranjero en la tierra
de ustedes, así servirán ustedes
a extraños en una tierra que no
es de ustedes'."[b]
20 Anuncien esto en la casa de
Jacob, y publíquenlo en Judá, y
digan: 21 "Oye esto, ahora, oh
pueblo imprudente que carece
de corazón:[c] Tienen ojos, pero no
pueden ver;[d] tienen oídos, pero
no pueden oír.[e] 22 '¿Ni siquiera a mí me temen ustedes[f] —es
la expresión de Jehová—, o no
están con fuertes dolores siquiera a causa de mí,[g] que he puesto
la arena como límite para el
mar, una disposición reglamentaria de duración indefinida que
no puede traspasar? Aunque se
agiten sus olas, no obstante no
pueden prevalecer; y [aunque],
en efecto, se pongan bulliciosas,
no obstante no pueden traspasarlo.[h] 23 Pero este pueblo
mismo ha llegado a tener un corazón terco y rebelde; se han
desviado y siguen andando en
su proceder.[i] 24 Pero no han
dicho en su corazón: "Temamos,
ahora, a Jehová nuestro Dios,[j]
Aquel que está dando el aguacero y la lluvia del otoño y la lluvia
de la primavera en su estación,[k]
Aquel que guarda para nosotros
hasta las semanas prescritas
de la cosecha".[l] 25 Los propios
errores de ustedes han apartado
estas cosas, y sus propios pecados han retenido de ustedes lo
que es bueno.[m]
26 "'Porque entre mi pueblo
se ha hallado a hombres inicuos.[n] Siguen atisbando, como
cuando se agachan los pajare-
ros.[o] Han colocado una [trampa]
ruinosa. Es a hombres a quienes
atrapan. 27 Como una jaula

CAP. 5
a Jer 9:9
b Le 26:25; Jer 44:22; Na 1:2
c 2Cr 36:17; Jer 39:8
d Le 26:44; Jer 46:28; Am 9:8
e Sl 78:61
f Isa 48:8; Jer 3:20; Os 5:7; Os 6:7
g 2Cr 36:16; Isa 28:15
h Sl 10:6; Jer 4:10; Jer 23:17
i Isa 41:29; Os 9:7
j Jer 1:9
k Jer 23:29; Os 6:5; Rev 11:5
l Dt 28:49; Jer 1:15; Jer 4:16; Jer 25:9; Eze 7:24
m Hab 1:6
n Dt 28:50
o Le 26:16; Dt 28:51
p Jer 8:13
q Jer 4:27

2.ª col.
a Dt 29:25; 1Re 9:9; Jer 2:35; Jer 13:22; Jer 16:10
b Dt 4:27; Dt 28:48; 2Cr 7:22
c Dt 29:4; Jer 4:22
d Isa 59:10
e Isa 6:9; Eze 12:2; Os 7:11; Mt 13:13; Mr 8:18; Hch 28:26
f Dt 28:58; Sl 119:120; Rev 15:4
g Sl 99:1
h Job 26:10; Job 38:11; Sl 33:7; Sl 104:9; Pr 8:29
i Sl 78:8; Sl 81:12; Sl 95:10; Isa 1:23; Isa 65:2; Jer 3:17; Jer 11:8; Jer 18:12; Os 11:7; Hch 7:51
j Sl 33:18
k Dt 11:14; Sl 147:8; Joe 2:23; Snt 5:7
l Gé 8:22
m Dt 28:23; Sl 107:17; Jer 3:3

n Eze 22:6; o Sl 10:9; Pr 1:17; Hab 1:15.

está llena de criaturas voladoras, así sus casas están llenas de engaño.ᵃ Por eso se han hecho grandes y ganan riquezas.ᵇ 28 Se han puesto gordos;ᶜ se han hecho brillantes. También han rebosado de cosas malas. No han defendido ninguna causa judicial,ᵈ ni la causa judicial del huérfano de padre,ᵉ para lograr éxito;ᶠ y no han tomado a su cargo el juicio de los pobres' ".

29 "¿No debo yo pedir cuentas a causa de estas mismas cosas? —es la expresión de Jehová—, o, en una nación que es así, ¿no debe vengarse mi alma?ᵍ 30 Una situación pasmosa, hasta una cosa horrible, ha llegado a existir en el país:ʰ 31 Los profetas mismos realmente profetizan en falsedad;ⁱ y en cuanto a los sacerdotes, van sojuzgando conforme a sus poderes.ʲ Y mi propio pueblo así [lo] ha amado;ᵏ ¿y qué harán ustedes al final de ello?"ˡ

6 Pónganse a cubierto, oh hijos de Benjamín, de en medio de Jerusalén; y toquen el cuernoᵐ en Teqoa.ⁿ Y sobre Bet-hakeremᵒ alcen una señal de fuego; porque la calamidad misma se ha asomado por el norte, aun un gran estallido.ᵖ 2 La hija de Sión realmente se ha parecido a una mujer grata a la vista y de crianza melindrosa.q 3 A ella procedieron a venir los pastores y sus hatos. Contra ella plantaron [sus] tiendas todo en derredor.r Pacieron cada uno en su propia parte.ˢ 4 Contra ella han santificado la guerra:ᵗ "¡Levántense, y subamos al mediodía!".ᵘ

"¡Ay de nosotros, porque ha declinado el día, porque las sombras del atardecer siguen extendiéndose!"

5 "Levántense, y subamos durante la noche y arruinemos sus torres de habitación."ᵛ

6 Porque esto es lo que ha

dicho Jehová de los ejércitos: "Corten leñaᵃ y amontonen contra Jerusalén un cerco de sitiar.ᵇ Es la ciudad a la cual se tiene que pedir cuentas.ᶜ Ella no es otra cosa sino opresión en medio de ella.ᵈ 7 Como una cisterna mantiene frescas sus aguas, así ella ha mantenido fresca su maldad. En ella se oye violencia y expoliación;ᵉ enfermedad y plaga se hallan delante de mi rostro constantemente. 8 Déjate corregir,ᶠ oh Jerusalén, para que mi alma no se aparte de ti disgustada;ᵍ para que no te ponga como un yermo desolado, una tierra no habitada".ʰ

9 Esto es lo que ha dicho Jehová de los ejércitos: "Sin falta rebuscarán al resto de Israel tal como a una vid.ⁱ Vuelve a poner tu mano como uno que está vendimiando sobre los zarcillos de las vides"

10 "¿A quién hablaré y advertiré, para que oigan? ¡Mira! Su oído es incircunciso, de manera que no pueden prestar atención.ʲ ¡Mira! La mismísima palabra de Jehová ha venido a ser para ellos un oprobio,ᵏ en la cual [palabra] no pueden deleitarse.ˡ 11 Y con la furia de Jehová me he llenado. Me he fatigado de contener[me]."ᵐ

"Derrámala sobre el niño en la calleⁿ y sobre el grupo íntimo de jóvenes al mismo tiempo; porque ellos también serán atrapados, un hombre junto con su esposa, un viejo junto con uno que está lleno de días.ᵒ 12 Y sus casas ciertamente serán transferidas a otros para posesión, los campos y las esposas al mismo tiempo.ᵖ Porque extenderé mi mano contra los habitantes del país", es la expresión de Jehová.q

13 "Porque desde el menor de ellos aun hasta el mayor de ellos, cada uno está sacando para sí ganancia injusta;ʳ y desde el

CAP. 5
a Os 12:7
Am 8:5
Miq 6:11
b Jer 17:11
c Dt 32:15
Snt 5:5
d Sl 82:2
e Isa 1:23
Zac 7:10
f Job 12:6
Sl 73:12
Jer 12:1
g Jer 9:9
h Jer 2:12
Jer 23:14
Os 6:10
i Jer 14:14
Lam 2:14
Eze 13:6
j Jer 32:32
Mt 27:20
k Isa 30:10
Jer 5:21
2Te 2:12
2Ti 4:3
l Dt 28:29
Isa 10:3

CAP. 6
m Jer 4:5
n 2Sa 14:2
2Cr 11:6
Am 1:1
o Ne 3:14
p Jer 1:14
Jer 4:6
Jer 10:22
q Isa 3:16
r 2Re 25:1
s Jer 4:17
t Joe 3:9
u Jer 15:8
v 2Cr 36:19
Am 2:5

2.ᵃ col.
a Dt 20:20
b Eze 21:22
Lu 19:43
c Jer 5:9
d 2Re 21:16
Eze 7:23
e Sl 55:9
Jer 20:8
Eze 7:11
Miq 2:2
f Pr 4:13
Sof 3:7
g Eze 23:18
Os 9:12
h Le 26:34
Jer 9:11
i Isa 24:13
Jer 49:9
j Isa 6:10
Jer 7:26
Hch 7:51
k 2Cr 36:16
Jer 20:8
l 2Ti 4:3
m Jer 20:9
n Jer 9:21
Jer 18:21
o Eze 9:6
p Dt 28:30
Jer 8:10
Lam 5:11
Sof 1:13
q Isa 5:25

r Jer 8:10; Eze 22:12; Eze 33:31; Lu 16:14.

profeta aun hasta el sacerdote, cada uno está obrando falsamente.[a] 14 Y tratan de sanar el quebranto de mi pueblo livianamente,[b] diciendo: '¡Hay paz! ¡Hay paz!', cuando no hay paz.[c] 15 ¿Sintieron ellos vergüenza porque era cosa detestable lo que habían hecho?[d] En primer lugar, positivamente no sienten ninguna vergüenza; en segundo lugar, ni siquiera han llegado a saber sentirse humillados.[e] Por eso caerán entre los que están cayendo;[f] cuando yo tenga que pedirles cuentas, tropezarán", ha dicho Jehová.

16 Esto es lo que ha dicho Jehová: "Deténganse en los caminos, y vean, y pregunten acerca de las veredas de mucho tiempo atrás, dónde, sí, está el buen camino;[g] y anden en él,[h] y hallen desahogo para sus almas".[i] Pero ellos siguieron diciendo: "No vamos a andar".[j] 17 "Y levanté sobre ustedes atalayas:[k] '¡Presten atención al sonido del cuerno!'".[l] Pero ellos siguieron diciendo: "No vamos a prestar atención".[m] 18 "Por lo tanto, ¡oigan, oh naciones! Y sabe, oh asamblea, lo que habrá entre ellos. 19 ¡Escucha, oh tierra! Aquí voy a traer calamidad sobre este pueblo[n] como el fruto de sus pensamientos,[o] porque no prestaron atención a mis propias palabras; y mi ley... también siguieron rechazándola".[p]

20 "¿Qué me importa que traigas hasta olíbano desde Seba[q] y la caña aromática desde el país lejano? Los holocaustos de ustedes no sirven para ningún placer,[r] y sus mismísimos sacrificios no me han sido gratos".[s] 21 Por lo tanto, esto es lo que ha dicho Jehová: "Mira, voy a poner tropiezos para este pueblo,[t] y ciertamente tropezarán por ellos, padres e hijos juntos; el vecino y su compañero... perecerán".[u]

22 Esto es lo que ha dicho Jehová: "¡Mira! Viene un pueblo de la tierra del norte, y hay una nación grande a la que se despertará desde las partes más remotas de la tierra.[a] 23 Empuñarán el arco y la jabalina.[b] Es un [pueblo] cruel, y no tendrán piedad. Su misma voz resonará justamente como el mar,[c] y sobre caballos montarán.[d] Está dispuesto en orden de batalla como un hombre de guerra contra ti, oh hija de Sión".[e]

24 Hemos oído el informe acerca de él. Nuestras manos han caído.[f] Angustia misma se ha apoderado de nosotros, dolores de parto como los de una mujer que está dando a luz.[g] 25 No salgas al campo, y no andes siquiera por el camino; porque allí está la espada que pertenece al enemigo, hay terror todo en derredor.[h] 26 Oh hija de mi pueblo, cíñete de saco[i] y revuélcate en las cenizas.[j] Haz que tu duelo sea el que se hace por un [hijo] único, el plañido de amargura;[k] porque de repente vendrá sobre nosotros el violento despojador.[l]

27 "Yo te he hecho ensayador de metales entre mi pueblo, uno que hace un escudriñamiento cabal; y notarás y tendrás que examinar su camino.[m] 28 Todos ellos son los hombres más tercos,[n] que andan por todos lados como calumniadores[o]... cobre y hierro. Todos ellos son ruinosos.[p] 29 El fuelle[q] ha sido chamuscado. Procedente de su fuego hay plomo.[r] Uno ha seguido refinando con intensidad simplemente para nada, y los que son malos no han sido separados.[s] 30 Plata rechazada es lo que la gente ciertamente los llamará,[t] porque Jehová los ha rechazado".[u]

q Eze 22:20; r Jer 9:7; s Eze 24:13; t Isa 1:22; u Jer 14:19; Lam 5:22; Os 9:17.

7 La palabra que le ocurrió a Jeremías de parte de Jehová, diciendo: 2 "Ponte de pie en la puerta de la casa de Jehová, y tienes que proclamar allí esta palabra,[a] y tienes que decir: 'Oigan la palabra de Jehová, todos ustedes los de Judá, que están entrando en estas puertas para inclinarse ante Jehová. 3 Esto es lo que ha dicho Jehová de los ejércitos, el Dios de Israel: "Hagan buenos sus caminos y sus tratos, y ciertamente haré que sigan residiendo en este lugar.[b] 4 No cifren su confianza en palabras falaces,[c] diciendo: ¡El templo de Jehová, el templo de Jehová, el templo de Jehová son ellos!'. 5 Porque si positivamente hacen buenos sus caminos y sus tratos, si positivamente llevan a cabo la justicia entre un hombre y su compañero,[d] 6 si a ningún residente forastero, a ningún huérfano de padre y a ninguna viuda oprimen,[e] y sangre inocente no derraman en este lugar,[f] y tras otros dioses no andan para su propia calamidad,[g] 7 yo, en cambio, ciertamente haré que sigan residiendo en este lugar, en la tierra que di a sus antepasados, desde tiempo indefinido aun hasta tiempo indefinido' " ".[h]

8 "Miren, ustedes están cifrando su confianza en palabras falaces... ciertamente no será de ningún provecho en absoluto.[i] 9 ¿Acaso se puede hurtar,[j] asesinar[k] y cometer adulterio[l] y jurar en falso[m] y hacer humo de sacrificio a Baal[n] y andar tras otros dioses que ustedes no habían conocido,[o] 10 y acaso tienen que venir ustedes y estar de pie delante de mí en esta casa sobre la cual se ha llamado mi nombre,[p] y tienen que decir: 'Ciertamente seremos librados', a pesar de hacer todas estas cosas detestables? 11 ¿Acaso esta casa sobre la cual se ha llamado mi nombre[q] ha llegado a ser sencillamente una cueva de salteadores a los ojos de ustedes?[r] Miren, yo mis-

mo también [lo] he visto", es la expresión de Jehová.[a]

12 " 'Sin embargo, vayan, sí, a mi lugar que estaba en Siló,[b] donde al principio hice residir mi nombre,[c] y vean lo que le hice a causa de la maldad de mi pueblo Israel.[d] 13 Y ahora, por la razón de que ustedes siguieron haciendo todas estas obras —es la expresión de Jehová—, y yo seguí hablándoles, madrugando y hablando,[e] pero no escucharon,[f] y seguí llamándolos, pero no respondieron,[g] 14 yo ciertamente haré también a la casa sobre la cual se ha llamado mi nombre,[h] en la que ustedes confían,[i] y al lugar que di a ustedes y a sus antepasados, tal como hice a Siló.[j] 15 Y ciertamente los arrojaré de delante de mi rostro,[k] tal como arrojé a todos sus hermanos, a toda la prole de Efraín.'[l]

16 "Y en cuanto a ti, no ores a favor de este pueblo, ni levantes a favor de ellos un clamor rogativo ni una oración, ni me implores,[m] porque no te estaré escuchando.[n] 17 ¿No ves lo que andan haciendo en las ciudades de Judá y en las calles de Jerusalén?[o] 18 Los hijos están recogiendo trozos de leña, y los padres están prendiendo el fuego, y las esposas están amasando pasta de harina a fin de hacer tortas de sacrificio a la 'reina de los cielos';[p] y hay un derramar de libaciones[q] a otros dioses con el propósito de ofenderme.[r] 19 ¿Es a mí a quien están ofendiendo? —es la expresión de Jehová—. ¿No es a sí mismos, con el propósito de [acarrear] vergüenza a sus rostros?[t] 20 Por lo tanto, esto es lo que ha dicho el Señor Soberano Jehová: '¡Mira! Mi cólera y mi furia se derraman sobre este lugar,[u] sobre humanidad y sobre animal del campo,[v] y sobre el árbol del campo[v] y sobre el fruto del

CAP. 7
a Jer 26:2
b Jer 18:11
  Jer 26:13
c Miq 3:11
d Jer 21:12
  Jer 22:3
e Dt 24:17
  Sl 82:3
  Zac 7:10
  Mal 3:5
  Snt 1:27
f Sl 106:38
g Dt 6:14
  Dt 8:19
  Dt 11:28
  Jer 13:10
h Dt 4:40
  Jer 3:18
i Isa 30:10
  Jer 5:31
  Jer 14:14
j Isa 3:14
  Os 4:2
  Miq 2:2
k Eze 33:25
l Jer 9:2
  Mal 3:5
m Jer 5:2
n 1Re 18:21
  2Re 23:5
  Jer 11:13
o Ex 20:3
  Dt 32:17
  Jue 5:8
p Jer 21:4
  2Cr 33:7
  Jer 34:15
  Eze 20:39
q Isa 56:7
r Mt 21:13
  Mr 11:17
  Lu 19:46

2.ᵃ col.
a Jer 23:24
  Heb 4:13
b Jos 18:1
  Jue 18:31
  1Sa 1:3
c Dt 12:5
  Dt 12:11
d 1Sa 4:11
  Sl 78:60
  Jer 26:6
  Jer 26:9
e Jer 25:4
f 2Cr 36:14
  Ne 9:29
  Jer 11:8
  Jer 25:3
  Zac 1:4
g Isa 65:12
  Isa 66:4
  Zac 7:13
h 2Re 25:9
i Jer 7:4
j Isa 4:10
  Sl 78:60
  Jer 26:6
  Lam 2:7
k 2Re 17:23
  1Cr 25:7
  Sl 78:67
m Ex 32:10
  Jer 11:14
  Jer 14:11
n Isa 1:15
  Jer 15:1
  Miq 3:4
o Eze 8:6

p Dt 4:19; Dt 17:3; Jer 44:17; Hch 7:42; q Isa 57:6; Jer 19:13; Eze 20:28; r Isa 3:8; Isa 65:3; Jer 25:7; s Dt 32:16; Eze 8:17; 1Co 10:22; t Isa 45:16; Jer 20:11; Da 9:7; u Lam 2:3; v Eze 20:47.

suelo; y tiene que arder, y no se extinguirá'.ᵃ

21 "Esto es lo que ha dicho Jehová de los ejércitos, el Dios de Israel: 'Añadan aquellos holocaustos de ustedes a sus sacrificios, y coman carne.ᵇ 22 Porque no hablé con sus antepasados, ni les mandé en el día que los saqué de la tierra de Egipto respecto a los asuntos de holocausto y sacrificio.ᶜ 23 Pero esta palabra sí la expresé en mandato a ellos, y dije: "Obedezcan mi voz,ᵈ y ciertamente llegaré a ser su Dios,ᵉ y ustedes mismos llegarán a ser mi pueblo; y tienen que andar en todo el caminoᶠ que yo les mande, a fin de que les vaya bien"'.ᵍ 24 Pero ellos no escucharon, ni inclinaron su oído,ʰ sino que se pusieron a andar en los consejos en la terquedad de su corazón malo,ⁱ de modo que se hicieron retrógrados en dirección, y no adelantadores.ʲ 25 desde el día en que sus antepasados de ustedes salieron de la tierra de Egipto hasta el día de hoy;ᵏ y yo seguí enviando a ustedes todos mis siervos los profetas, madrugando diariamente y enviándo[los].ˡ 26 Pero ellos no me escuchaban, y no inclinaron su oído,ᵐ sino que siguieron endureciendo su cerviz.ⁿ ¡Obraron peor que sus antepasados!ᵒ

27 "Y tienes que hablarles todas estas palabras,ᵖ pero no te escucharán; y tienes que llamarlos, pero no te responderán.ᵠ 28 Y tienes que decirles: 'Esta es la nación cuyo pueblo no ha obedecido la voz de Jehová su Dios,ʳ y no ha aceptado disciplina.ˢ La fidelidad ha perecido, y ha sido cortada de su boca'.ᵗ

29 "Córtate tu cabello no cortado y arrója[lo],ᵘ y sobre las colinas peladas levanta una endecha,ᵛ porque Jehová ha rechazadoʷ y abandonará a la generación con la cual está furioso.ˣ 30 'Porque los hijos de Judá han hecho lo que es malo a mis ojos —es la expresión de Jehová—. Han puesto sus cosas repugnantes en la casa sobre la cual se ha

llamado mi nombre, a fin de contaminarla.ᵃ 31 Y han edificado los lugares altos de Tófet,ᵇ que está en el valle del hijo de Hinón,ᶜ a fin de quemar a sus hijos y sus hijas en el fuego,ᵈ cosa que yo no había mandado y que no había subido a mi corazón.'ᵉ

32 "'Por lo tanto, ¡mira!, vienen días —es la expresión de Jehová— cuando ya no se dirá [que es] Tófet y el valle del hijo de Hinón, sino el valle de la matanza;ᶠ y tendrán que enterrar en Tófet sin que haya suficiente lugar.ᵍ 33 Y los cuerpos muertos de este pueblo tendrán que llegar a ser alimento para las criaturas voladoras de los cielos y para las bestias de la tierra, sin que nadie [las] haga temblar.ʰ 34 Y ciertamente haré cesar de las ciudades de Judá y de las calles de Jerusalén la voz de alborozo y la voz de regocijo, la voz del novio y la voz de la novia;ⁱ porque el país llegará a ser solo un lugar devastado.'"ʲ

8 "En aquel tiempo —es la expresión de Jehová— la gente también sacará de sus sepulcros los huesos de los reyes de Judá y los huesos de sus príncipes y los huesos de los sacerdotes y los huesos de los profetas y los huesos de los habitantes de Jerusalén.ᵏ 2 Y realmente los tenderán al sol y a la luna y a todo el ejército de los cielos, a los que ellos han amado y a los que han servido y tras los cuales han andadoˡ y que han buscado y ante los cuales se han inclinado.ᵐ No serán recogidos, ni serán enterrados. Como estiércol sobre la haz del suelo llegarán a ser."ⁿ

3 "Y la muerte ciertamente será escogida más bien que la

CAP. 7
a 2Re 22:17
Jer 17:27
b Isa 1:11
Jer 6:20
Os 8:13
Am 5:21
c 1Sa 15:22
Sl 51:16
Os 6:6
d Éx 15:26
Le 26:3
Dt 6:3
Jer 11:4
e Éx 19:5
Le 26:12
f Jue 2:22
Dt 5:29
h Éx 32:8
Ne 9:16
Sl 81:11
Jer 11:8
i Dt 29:19
Jer 5:23
Jer 23:17
Eze 3:7
Os 4:16
Zac 7:12
j Ne 9:26
Isa 1:4
Jer 32:33
k Dt 9:7
Isa 8:8
Esd 9:7
l 2Re 17:13
2Cr 36:15
Ne 9:30
Jer 25:4
m 2Cr 33:10
Jer 11:8
Jer 17:23
Jer 25:3
n 2Re 17:14
Ne 9:17
Pr 29:1
Jer 19:15
Ro 2:5
Ro 10:21
o Jer 16:12
p Jer 26:2
Eze 2:7
Hch 20:27
q Zac 7:13
r Isa 1:4
Jer 5:4
Sof 3:2
s Sl 50:17
Pr 1:7
Sof 3:7
t Isa 59:15
Os 4:1
Miq 7:2
u Job 1:20
Jer 16:6
Miq 1:16
v Eze 19:1
w Jer 17:20
x Dt 28:15
Dt 32:20

2.ᵃ col.

a 2Re 21:4
2Cr 33:4
Jer 23:11
Jer 32:34
b 2Re 23:10
2Cr 33:6
Jer 19:6
c Jos 15:8
2Cr 28:3
Jer 19:2

d Dt 12:31; 2Re 17:17; Sl 106:37; Sl 106:38; Isa 57:5; Eze 16:20; Eze 20:31; e Le 18:21; Le 20:3; Dt 17:3; Jer 19:5; Jer 32:35; f Jer 19:6; g 2Re 23:10; Jer 9:11; Eze 6:5; h Dt 28:26; Sl 79:2; Jer 12:9; Jer 16:4; Jer 34:20; i Isa 24:8; Jer 16:9; Jer 25:10; Eze 26:13; Os 2:11; j Le 26:33; Isa 1:7; Isa 3:26; Isa 6:11; CAP. 8 k 2Re 23:16; 2Cr 34:5; Eze 6:5; l Dt 4:19; Dt 17:3; 2Re 17:16; 2Re 21:3; Jer 7:9; Jer 19:13; Sof 1:5; m 2Re 23:5; 2Cr 33:3; Eze 8:16; Hch 7:42; n Eze 9:37; Sl 83:10; Jer 9:22; Jer 16:4; Jer 25:33.

vida[a] por parte de todo el resto de
los que queden de esta mala familia en todos los lugares de los
restantes, adonde yo ciertamente los habré dispersado",[b] es la
expresión de Jehová de los ejércitos.
4 "Y tienes que decirles: 'Esto
es lo que ha dicho Jehová: "¿Acaso caerán ellos y no volverán a
levantarse?[c] Si uno se volviera,
¿no se volverá también el otro?[d]
5 ¿Por qué es infiel este pueblo, Jerusalén, con una infidelidad duradera? Se han asido de la
artimaña;[e] han rehusado volverse.[f] **6** He prestado atención,[g] y
me quedé escuchando.[h] No era
recta la manera como seguían
hablando. No había hombre alguno que se arrepintiera de
su maldad,[i] y dijera: '¿Qué he
hecho?'. Cada uno está volviéndose al proceder popular,[j] como
caballo que va lanzándose con
ímpetu a la batalla. **7** Hasta la
cigüeña en los cielos... bien conoce sus tiempos señalados;[k] y la
tórtola[l] y el vencejo y el bulbul...
observan bien el tiempo de la venida de cada uno. Pero en cuanto
a mi pueblo, no ha llegado a conocer el juicio de Jehová" '.[m]
8 " '¿Cómo pueden decir ustedes: "Somos sabios, y la ley de
Jehová está con nosotros"?[n] De
seguro, pues, el estilo falso[o] de
los secretarios ha ido introduciendo pura falsedad. **9** Los
sabios han quedado avergonzados.[p] Se han aterrorizado y serán
atrapados. ¡Miren! Ellos han rechazado la mismísima palabra de
Jehová, y ¿qué sabiduría tienen?[q]
10 Por lo tanto, daré sus esposas
a otros hombres, sus campos a
los que tomen posesión;[r] porque,
desde el menor aun hasta el mayor, cada uno está sacando ganancia injusta;[s] desde el profeta
hasta el sacerdote mismo, cada
uno está obrando falsamente.[t]
11 Y tratan de sanar el quebranto de la hija de mi pueblo livianamente,[u] diciendo: "¡Hay paz!
¡Hay paz!", cuando no hay paz.[v]
12 ¿Sintieron ellos vergüenza
porque hubieran hecho hasta lo
que era detestable?[a] En primer
lugar, de seguro no podían sentirse avergonzados; en segundo
lugar, no sabían siquiera sentirse
humillados.[b]
" 'Por eso caerán entre los que
están cayendo. Al tiempo que se
les dé atención,[c] tropezarán', ha
dicho Jehová.[d]
13 " 'Al hacer la recolección,
los acabaré —es la expresión de
Jehová[e]—. No habrá uvas en la
vid,[f] y no habrá higos en la higuera, y el follaje mismo ciertamente
se marchitará. Y cosas que yo les
dé pasarán cerca de ellos.' "
14 "¿Por qué estamos sentados quietos? Reúnanse, y entremos en las ciudades fortificadas[g] y estemos en silencio allí.
Porque Jehová nuestro Dios nos
ha reducido él mismo a silencio,[h]
y nos da a beber agua envenenada,[i] porque hemos pecado contra Jehová. **15** Hubo un esperar paz, pero no [vino] ningún
bien;[j] tiempo de curación, pero,
¡miren!, ¡terror![k] **16** Desde Danl
se ha oído el resoplido de sus caballos. Debido al sonido del re-
lincho de sus caballos sementales, toda la tierra ha empezado a
mecerse.[m] Y entran y se comen el
país y lo que lo llena, la ciudad y
sus habitantes."
17 "Pues, ¡miren!, voy a enviar entre ustedes serpientes, culebras venenosas,[n] para las cuales no hay encantamiento,[o] y
ciertamente los picarán", es la
expresión de Jehová.
18 Un desconsuelo que no tiene remedio ha subido en mí.[p] Mi
corazón está enfermo. **19** Aquí
hay el sonido del clamor por ayuda de la hija de mi pueblo, desde
una tierra lejana:[q] "¿No está Jehová en Sión?[r] ¿O no está en ella
su rey?".[s]
"¿Por qué me han ofendido con
sus imágenes esculpidas, con sus
vanos dioses extranjeros?"[t]
20 "¡Ha pasado la siega, se ha
acabado el verano; pero en cuanto a nosotros, no hemos sido salvados!"[u]

CAP. 8

a Job 3:21; Rev 9:6
b Dt 30:1; Jer 29:14; Da 9:7
c Pr 24:16; Miq 7:8
d Os 6:1
e Sl 119:118; Jer 9:6
f Isa 1:20; Jer 5:3
g Ne 9:28
h Sl 14:2; Mal 3:16
i Jer 5:1; 2Pe 3:9
j 2Re 17:15
k Isa 1:3
l Can 2:12
m Jer 5:4
n Os 8:12; Ro 2:17
o Isa 8:1
p Isa 29:14
q Dt 4:6; Sl 19:7; 2Ti 3:15
r Dt 28:30; Jer 6:12; Am 5:11; Sof 1:13
s Isa 56:11; Jer 6:13; Eze 33:31; Miq 3:11; Tit 1:11
t Jer 5:31; Jer 27:9; Lam 2:14; Lam 4:13; Eze 22:28
u Job 13:4; Jer 6:14
v Jer 23:17; Eze 13:10

2.ª col.

a Jer 6:15
b Jer 3:3; Flp 3:19
c Isa 10:3; Jer 23:12
d Dt 32:35
e Eze 22:20
f Isa 24:7; Joe 1:7
g Jer 4:5
h Lam 3:28
i Jer 9:15; Jer 23:15; Lam 3:19
j Jer 4:10; Jer 14:19; Miq 1:12
k Jer 4:15
l Jue 18:29; 1Re 15:20
m Jue 5:22; Jer 47:3
n Dt 32:24
o Sl 58:5; Ec 10:11
p Jer 10:19
q Isa 39:3
r Sl 135:21; Isa 12:6
s Sl 146:10; Sl 149:2; Isa 33:22
t Dt 32:21

u Isa 30:15; Jer 4:14.

21 Por el quebranto[a] de la hija de mi pueblo he quedado desbaratado.[b] Me he entristecido. Pasmo absoluto se ha apoderado de mí.[c] 22 ¿No hay bálsamo en Galaad?[d] ¿O no hay sanador allí?[e] ¿Por qué, pues, no ha subido el recobro[f] de la hija de mi pueblo?[g]

9 ¡Oh, que mi cabeza fuera aguas, y que mis ojos fueran fuente de lágrimas![h] Entonces podría llorar día y noche por aquellos de la hija de mi pueblo que fueron muertos.[i]

2 ¡Oh, que tuviera yo en el desierto un lugar de alojamiento de viajeros![j] Entonces dejaría a mi pueblo y me iría de ellos, porque todos ellos son adúlteros,[k] una asamblea solemne de hombres traicioneros en sus tratos;[l] 3 y doblan su lengua como su arco en falsedad;[m] pero no por fidelidad han resultado poderosos en el país.

"Pues de maldad en maldad procedieron, y aun a mí me pasaron por alto,"[n] es la expresión de Jehová.

4 "Guárdense ustedes cada uno de su propio compañero,[o] y no cifren su confianza en ningún hermano.[p] Porque hasta todo hermano positivamente suplantaría,[q] y todo compañero mismo andaría por todos lados como simple calumniador,[r] 5 y cada uno sigue jugando con su compañero;[s] y no hablan ninguna verdad en absoluto. Han enseñado a su lengua a hablar falsedad.[t] Se han rendido de cansancio sencillamente haciendo el mal.[u]

6 "Tu sentarte está en medio de engaño.[v] Por engaño ellos han rehusado conocerme,"[w] es la expresión de Jehová.

7 Por lo tanto, esto es lo que ha dicho Jehová de los ejércitos: "Miren, voy a fundirlos, y tengo que examinarlos,[x] porque ¿cómo he de obrar de otro modo a causa de la hija de mi pueblo?[y] 8 La lengua de ellos es una flecha degolladora.[z] Engaño es lo que esta ha hablado. Con su boca, paz es lo que sigue hablando [alguien] con su propio compañero; pero dentro de sí tiende su emboscada."[a]

9 "A causa de estas cosas, ¿no debo yo pedirles cuentas? —es la expresión de Jehová—. ¿O en una nación que es así no debe vengarse mi alma?[b] 10 Sobre las montañas levantaré llanto y lamentación,[c] y sobre los pastos del desierto una endecha; porque habrán sido abrasados[d] de modo que no haya hombre que pase a través, y la gente realmente no oirá el sonido de ganado.[e] Tanto la criatura voladora de los cielos como la bestia habrán huido; se habrán ido.[f] 11 Y ciertamente haré de Jerusalén montones de piedras,[g] el albergue de chacales;[h] y de las ciudades de Judá haré un yermo desolado, sin habitante.[i]

12 "¿Quién es el hombre que sea sabio, para que entienda esto, hasta aquel a quien la boca de Jehová ha hablado, para que lo anuncie?¿Por qué motivo debe la tierra realmente perecer, realmente estar abrasada como el desierto sin que nadie pase a través?"[k]

13 Y Jehová procedió a decir: "Por motivo de que dejaron mi ley que di [para que estuviera] delante de ellos, y [porque] no han obedecido mi voz y no han andado en ella,[l] 14 sino que siguieron andando tras la terquedad de su corazón[m] y tras las imágenes de Baal,[n] acerca de las cuales sus padres les habían enseñado;[o] 15 por lo tanto, esto es lo que ha dicho Jehová de los ejércitos, el Dios de Israel: 'Mira, voy a hacer que ellos, es decir, este pueblo, coman ajenjo,[p] y ciertamente les haré beber agua envenenada;[q] 16 y ciertamente los esparciré entre las naciones que ni ellos ni sus padres han conocido,[r] y ciertamente enviaré

CAP. 8
a Isa 1:5
Jer 6:14
Jer 30:15
b Jer 3:47
Jer 4:31
Jer 14:17
c Joe 2:6
Na 2:10
d Gé 37:25
Gé 43:11
Jer 46:11
Jer 30:13
f Isa 58:8
Jer 30:17
Jer 33:6
g Jer 30:12

CAP. 9
h Isa 22:4
Jer 13:17
Lam 2:11
i Jer 6:26
j Sl 55:7
k Jer 5:7
Jer 23:10
Os 7:4
l Jer 12:1
Os 6:7
Os 6:7
Mal 2:11
m Sl 64:3
Isa 59:3
Ro 3:13
n Jer 4:22
Jer 6:28
o Jer 12:6
Miq 7:2
p Miq 7:5
q Gé 27:36
r Le 19:16
2Sa 19:27
Sl 15:3
Pr 20:19
Jer 6:28
Eze 22:9
s Gé 31:7
Job 11:3
t Sl 50:19
Miq 6:12
u Eze 24:12
v Jer 18:18
w Pr 1:24
Os 4:6
Ro 1:28
1Co 15:34
x Sl 66:10
Isa 1:25
Isa 48:10
Mal 3:3
y 2Cr 36:15
z Sl 12:2
Sl 120:3

2.ª col.
a 2Sa 3:27
2Sa 20:10
Sl 28:3
b Jer 5:9
c Jer 7:29
d Jer 12:4
Jer 23:10
e Eze 14:15
f Jer 4:25
Os 4:3
Sof 1:3
g Sl 79:1
Isa 25:2
Jer 26:18
h Isa 13:22
Jer 10:22

i Jer 4:27; Jer 25:11; Jer 32:43; j Isa 42:23; Os 14:9; k Dt 29:24; l Sl 89:30; m Jer 3:17; Jer 7:24; n Jue 3:7; 1Sa 12:10; Os 11:2; o Jer 44:17; Jer 23:15; Lam 3:15; q Jer 8:14; Lam 3:19; r Le 26:33; Dt 28:64; Ne 1:8; Sl 106:27; Zac 7:14.

tras ellos la espada hasta que yo los haya exterminado'.ᵃ

17 "Esto es lo que ha dicho Jehová de los ejércitos: 'Pórtense con entendimiento, y llamen a las mujeres que salmodian endechas,ᵇ para que vengan; y envíen [aviso] aun a las mujeres diestras, para que vengan,ᶜ 18 y para que se apresuren y levanten sobre nosotros una lamentación. Y que nuestros ojos dejen rodar lágrimas y nuestros propios ojos radiantes destilen aguas.ᵈ 19 Porque la voz de lamentación es lo que se ha oído desde Sión:ᵉ "¡Cómo se nos ha despojado con violencia!ᶠ ¡Cuánto nos hemos avergonzado! Porque hemos dejado el país; porque han desechado nuestras residencias".ᵍ 20 Pero oigan, oh mujeres, la palabra de Jehová, y reciba su oído la palabra de la boca de él. Entonces enseñen a sus hijas una lamentación,ʰ y cada mujer a su compañera una endecha.ⁱ 21 Porque la muerte ha subido por nuestras ventanas; ha entrado en nuestras torres de habitación, a fin de cortar de la calle al niño, de las plazas públicas a los jóvenes'.ʲ

22 "Habla: 'Esto es lo que la expresión de Jehová es: "Los cuerpos muertos de la humanidad también tienen que caer como estiércol sobre la haz del campo, y como una fila de grano recién cortado tras el segador, sin nadie que recoja" '".ᵏ

23 Esto es lo que ha dicho Jehová: "No se gloríe el sabio a causa de su sabiduría,ˡ y no se gloríe el poderoso a causa de su poderío.ᵐ No se gloríe el rico a causa de sus riquezas".ⁿ

24 "Pero el que se gloríe, gloríese a causa de esta misma cosa: de tener perspicaciaᵒ y de tener conocimiento de mí, que yo soy Jehová,ᵖ Aquel que ejerce bondad amorosa, derecho y justicia en la tierra;ᵍ porque en estas cosas de veras me deleito",ʳ es la expresión de Jehová.

25 "¡Mira! Vienen días —es la expresión de Jehová—, y cierta-

mente pediré cuentas a todos los circuncisos [que, sin embargo, todavía están] en incircuncisión,ᵃ 26 a Egiptoᵇ y a Judáᶜ y a Edomᵈ y a los hijos de Ammónᵉ y a Moabᶠ y a todos los de cabello cortado en las sienes que están morando en el desierto;ᵍ porque todas las naciones son incircuncisas, y todos [los de] la casa de Israel son incircuncisos de corazón."ʰ

10 Oigan la palabra que Jehová ha hablado contra ustedes, oh casa de Israel. 2 Esto es lo que ha dicho Jehová: "No aprendan de ninguna manera el camino de las naciones,ⁱ y no se sobrecojan de terror aun ante las señales de los cielos, porque las naciones se sobrecogen de terror ante ellas.ʲ 3 Porque las costumbres de los pueblosᵏ son solamente una exhalación, porque un simple árbolˡ del bosque es lo que uno ha cortado, la obra de las manos del artífice con el podón.ᵐ 4 Con plata y con oro uno lo hace bello.ⁿ Con clavos y martillos los sujetan, para que ninguno bambolee.ᵒ 5 Son como un espantapájaros de un pepinar, y no pueden hablar.ᵖ Sin falta son llevados, porque no pueden dar paso alguno.ᵍ No tengan miedo a causa de ellos, porque ellos no pueden hacer nada calamitoso y, lo que es más, el hacer bien no está con ellos."ʳ

6 De ninguna manera hay alguien semejante a ti, oh Jehová.ˢ Tú eres grande, y tu nombre es grande en poderío.ᵗ 7 ¿Quién no debería temerte,ᵘ oh Rey de las naciones?,ᵛ porque eso es propio [respecto] a ti; porque entre todos los sabios de las naciones y entre todas sus gobernaciones reales no hay absolutamente na-

CAP. 9
a Jer 29:17
    Eze 5:2
b 2Cr 35:25
c Ec 12:5
    Am 5:16
d Jer 6:26
    Jer 14:17
e Jer 4:31
    Eze 7:16
    Miq 1:8
f Dt 28:29
    Jer 4:13
g Le 18:28
    Le 20:22
    Lam 4:15
    Miq 2:10
h Isa 7:2
    Isa 29:2
    Miq 2:4
i 2Sa 1:17
j 2Cr 36:17
    Jer 6:11
k Sl 83:10
    Isa 5:8
    Jer 16:4
l Isa 49:10
    Pr 3:5
    Ec 9:11
    Isa 5:21
m Dt 8:17
    Sl 33:16
    Da 4:30
    1Co 3:21
n Dt 8:14
    Sl 49:6
    Pr 11:4
    Pr 18:11
    Lu 12:15
    1Ti 6:17
o 2Co 10:17
p Sl 91:14
    Jn 17:3
    1Co 1:31
q Éx 34:6
    Ne 1:5
    Ne 9:17
    Sl 51:1
    Sl 89:14
    Sl 99:4
r Os 6:6
    Miq 6:8
    Miq 7:18

2.ᵃ col.
a Am 3:2
    Hch 7:51
    Ro 2:25
b Isa 19:1
    Eze 29:2
c Isa 1:1
d Jer 27:3
    Eze 32:29
    Abd 1
e Jer 49:1
    Eze 25:2
f Isa 15:1
    Jer 48:1
g Jer 25:23
    Jer 49:32
h Le 26:41
    Dt 30:6
    Jer 4:4
    Ro 2:29

CAP. 10
i Le 18:3
    Le 20:23
    Dt 12:30
j Isa 47:13
k Le 18:30

l Isa 40:20; m Isa 44:14; Isa 45:20; Hab 2:18; n Sl 115:4; Sl 135:15; Isa 40:19; Os 13:2; o Isa 41:7; Isa 46:7; p Sl 115:5; Isa 44:18; Jer 10:14; Hab 2:19; 1Co 12:2; q Sl 115:7; Isa 46:1; Isa 46:7; r Isa 41:23; Isa 44:9; Isa 45:20; 1Co 8:4; s Éx 15:11; 2Sa 7:22; Sl 86:8; t Ne 4:14; Ne 9:32; Sl 48:1; Sl 145:3; Jer 32:18; u Job 37:24; Lu 12:5; Rev 15:4; v Sl 22:28; Sl 93:1; Rev 11:17.

die semejante a ti.[a] **8** Y a un
mismo tiempo ellos resultan ser
irrazonables y estúpidos.[b] Un árbol es una mera exhortación de
vanidades.[c] **9** Plata batida en
láminas es lo que se trae aun de
Tarsis,[d] y oro de Ufaz,[e] la hechura
de un artífice y de las manos de
un metalario; su vestido es hilo
azul y lana teñida de púrpura rojiza. Todos son la hechura de
personas diestras.[f]
10 Pero Jehová es en verdad
Dios.[g] Él es el Dios vivo[h] y el Rey
hasta tiempo indefinido.[i] A causa
de su indignación la tierra se mecerá,[j] y ninguna de las naciones
podrá sostenerse bajo su denunciación.[k] **11** Esto es lo que ustedes les dirán: "Los dioses[l] que
no hicieron los mismos cielos y la
tierra son los que perecerán de la
tierra[m] y de debajo de estos cielos". **12** Él es el Hacedor de la
tierra por su poder,[n] Aquel que
firmemente estableció la tierra
productiva por su sabiduría,[o] y
Aquel que por su entendimiento
extendió los cielos.[p] **13** A [su]
voz hay de él el dar una ruidosa
agitación de aguas en los cielos,[q]
y él hace que asciendan vapores
desde la extremidad de la tierra.[r]
Ha hecho hasta conductos para
la lluvia,[s] y saca el viento de sus
almacenes.[t]
14 Todo hombre se ha portado
tan irrazonablemente como para
no saber.[u] Todo metalario ciertamente sentirá vergüenza a causa de la imagen tallada;[v] porque
su imagen fundida es una falsedad,[w] y no hay espíritu en ellas.[x]
15 Son una vanidad, obra de
mofa.[y] Al tiempo que se les dé
atención, perecerán.[z]
16 La Parte que corresponde a
Jacob[a] no es como estas cosas,
porque él es el Formador de
todo,[b] e Israel es el bastón de su
herencia.[c] Jehová de los ejércitos
es su nombre.[d]
17 Recoge de la tierra tu bulto
de carga,[e] oh mujer que moras
bajo tensión.[f] **18** Porque esto
es lo que ha dicho Jehová: "Aquí
estoy tirando como con honda a
los habitantes de la tierra en esta
ocasión,[a] y ciertamente les causaré angustia a fin de que se en-
teren".[b]
19 ¡Ay de mí a causa de mi
quebranto![c] Mi golpe se ha hecho
crónico. Y yo mismo he dicho:
"De seguro esta es mi enfermedad, y yo la llevaré.[d] **20** Mi propia tienda ha sido despojada con
violencia, y todas mis propias
cuerdas de tienda han sido rotas
en dos.[e] Mis propios hijos se han
ido de mí, y ya no son.[f] Ya no hay
nadie que despliegue mi tienda
ni que levante mis telas de tienda. **21** Porque los pastores se
han portado irrazonablemente,[g]
y no han buscado siquiera a Jehová.[h] Por eso no han obrado con
perspicacia, y todos sus animales apacentados han sido esparcidos".[i]
22 ¡Escucha! ¡Un informe!
Aquí ha venido, también un gran
golpeteo de la tierra del norte,[j] a
fin de hacer de las ciudades de
Judá un yermo desolado, albergue de chacales.[k]
23 Bien sé yo, oh Jehová, que
al hombre terrestre no le pertenece su camino. No pertenece al
hombre que está andando siquiera dirigir su paso.[l] **24** Corríge-
me, oh Jehová; sin embargo, con
juicio;[m] no en tu cólera,[n] para
que no me reduzcas a nada.[o]
25 Derrama tu furia sobre las
naciones[p] que te han pasado por
alto,[q] y sobre las familias que ni
aun tu nombre han invocado.[r]
Porque se han comido a Jacob.[s]
Sí, se lo han comido, y siguen
empeñados en exterminarlo;[t] y
han desolado su lugar de habitación.[u]

CAP. 10
a Sl 89:6, Da 4:35
b Sl 115:8, Isa 41:29, Jer 51:17, Hab 2:18, Zac 10:2, Ro 1:22
c Isa 44:19
d 1Re 10:22, 2Cr 9:21
e Da 10:5
f Sl 115:4
g Sl 31:5
h Jos 3:10, Da 6:26, Jn 6:57, 2Co 6:16, 1Te 1:9
i Sl 10:16, Da 4:3, Hab 1:12, Rev 15:3
j Na 1:5
k Sl 76:7, Sl 90:11, Joe 2:11
l Sl 96:5
m Isa 2:18, Jer 51:18, Sof 2:11, Zac 13:2
n Gé 1:1, Job 38:4, Sl 89:11, Isa 40:28, Jer 51:15, Hch 14:15, Rev 4:11
o Sl 24:2, Sl 93:1, Pr 3:19, Isa 45:18
p Job 9:8, Sl 104:2, Sl 136:5, Isa 40:22, Isa 42:5, Isa 45:12, Zac 12:1
q Job 37:2, Job 38:34, Job 38:36, Sl 18:13, Sl 68:33
r Job 36:27, Sl 135:7
s Job 38:25, Isa 45:8, Jer 51:16, Zac 10:1
t Gé 8:1, Éx 14:21, Nú 11:31, Sl 107:25, Sl 147:18, Jon 1:4
u Sl 92:6
v Sl 97:7, Isa 42:17, Isa 44:11
w Hab 2:18, 1Co 8:4
x Sl 135:17, Jer 51:17
y Isa 41:29
z Jer 51:18
a Sl 16:5, Sl 73:26, Sl 119:57, Sl 142:5
b Isa 45:7
c Dt 32:9, Sl 74:2, Sl 135:4

d Isa 47:4; Jer 51:19; e Eze 12:3; f Miq 2:10; 2.ª col. a Dt 28:63; 1Sa 25:29; Jer 16:13; b Jer 23:20; Eze 6:10; c Jer 4:19; Jer 8:21; Lam 2:11; d Miq 7:9; e Jer 4:20; Lam 2:4; f Jer 31:15; g Sl 94:8; Jer 5:31; Jer 12:10; h Jer 2:8; Jer 8:9; i Jer 23:1; Eze 34:5; j Jer 1:15; Jer 4:6; Jer 6:22; Hab 1:6; k Jer 9:11; l Sl 17:5; Sl 37:23; Pr 16:3; Pr 20:24; Jer 17:9; m Sl 6:1; Jer 30:11; n Sl 38:1; o Isa 40:23; p Sl 9:17; Sl 79:6; Isa 34:2; q Job 18:21; 1Te 4:5; 2Te 1:8; Rev 16:1; r Sof 1:6; s Sl 79:7; Jer 51:34; t Isa 10:22; u Jer 8:16; Lam 2:22.

11 La palabra que le ocurrió a Jeremías de parte de Jehová, diciendo: 2 "¡Oigan ustedes las palabras de este pacto!

"Y tienes que hablarlas[a] a los hombres de Judá y a los habitantes de Jerusalén, 3 y tienes que decirles: 'Esto es lo que ha dicho Jehová el Dios de Israel: "Maldito es el hombre que no escuche las palabras de este pacto,[b] 4 que yo les ordené a sus antepasados en el día que los saqué de la tierra de Egipto,[c] del horno de hierro, diciendo: 'Obedezcan mi voz, y tienen que hacer las cosas conforme a todo lo que les mando;[e] y ustedes ciertamente llegarán a ser mi pueblo y yo mismo llegaré a ser su Dios,[f] 5 con el propósito de poner por obra el juramento que juré a sus antepasados,[g] de darles la tierra que mana leche y miel,[h] como sucede este día' " ' ".

Y procedí a responder y decir: "Amén, oh Jehová".

6 Y Jehová pasó a decirme: "Proclama todas estas palabras en las ciudades de Judá y en las calles de Jerusalén,[i] y di: 'Oigan las palabras de este pacto, y tienen que ponerlas por obra.[j] 7 Porque yo solemnemente amonesté a sus antepasados en el día que los hice subir de la tierra de Egipto[k] y hasta el día de hoy, madrugando y amonestando, diciendo: "Obedezcan mi voz".[l] 8 Pero ellos no escucharon ni inclinaron su oído,[m] sino que siguieron andando cada uno en la terquedad de su corazón malo;[n] de modo que traje sobre ellos todas las palabras de este pacto que [les] mandé poner por obra, pero que no pusieron por obra' ".

9 Además, me dijo Jehová: "Se ha hallado conspiración entre los hombres de Judá y entre los habitantes de Jerusalén.[o] 10 Han regresado a los errores de sus antepasados,[p] los primeros, que rehusaron obedecer mis palabras, pero que han andado ellos mismos tras otros dioses a fin de servirles.[q] La casa de Israel y la

casa de Judá han quebrantado mi pacto que yo celebré con sus antepasados.[a] 11 Por lo tanto, esto es lo que ha dicho Jehová: 'Mira, voy a traer sobre ellos una calamidad[b] de la cual no podrán salirse;[c] y ciertamente clamarán a mí por socorro, pero no les escucharé.[d] 12 Y las ciudades de Judá y los habitantes de Jerusalén tendrán que ir y clamar por socorro a los dioses a los cuales están haciendo humo de sacrificio,[e] pero los cuales de seguro no les traerán salvación en el tiempo de su calamidad.[f] 13 Porque tus dioses han llegado a ser tantos como el número de tus ciudades, oh Judá;[g] y son tantos como el número de las calles de Jerusalén los altares que ustedes han puesto para la cosa vergonzosa,[h] altares para hacer humo de sacrificio a Baal'.

14 "Y en cuanto a ti, no ores a favor de este pueblo, y no alces a favor de ellos un clamor rogativo ni una oración,[i] porque no estaré escuchando cuando clamen a mí respecto a su calamidad.[k]

15 "¿Qué negocio tiene mi amada en mi casa,[l] para que muchos de ellos hagan esta cosa,[m] el proyecto [perverso]?[n] ¿Y con carne santa harán que pase de sobre ti,[o] cuando [venga] tu calamidad? ¿En ese tiempo te alborozarás?[p] 16 'Olivo frondoso, bello de fruto [y] de forma', es lo que te ha llamado Jehová por nombre.[q] Con sonido del gran rugido, él ha encendido un fuego contra ella, y le han quebrado sus ramas.[r]

17 "Y Jehová de los ejércitos mismo, tu Plantador,[s] ha hablado contra ti una calamidad a causa de la maldad de la casa de Israel[t] y de la casa de Judá que ellas han cometido por su propia cuenta para ofenderme al hacer humo de sacrificio a Baal".[u]

CAP. 11
a Jer 1:7
b Dt 27:26
Dt 28:15
Gál 3:10
Heb 8:9
c Éx 24:3
Éx 20:6
d Éx 13:3
Dt 4:20
1Re 8:51
e Lee 26:3
1Sa 15:22
Jer 7:23
f Gé 17:8
Le 26:12
Eze 11:20
2Co 6:16
g Gé 15:18
Dt 7:12
Sl 105:9
h Éx 3:8
Le 20:24
Dt 6:3
Jos 5:6
Eze 20:6
i Isa 58:1
j Dt 6:3
Jn 13:17
Ro 2:13
Snt 1:22
k Éx 15:26
l Jer 7:13
Jer 25:4
Jer 35:15
m Ne 9:16
Jer 6:16
Jer 7:26
Eze 20:8
Zac 7:11
n Sl 78:8
Sl 81:12
Isa 65:2
Jer 3:17
Jer 7:24
Ro 9:14
Zac 7:12
Ro 10:21
o Jer 5:31
Eze 22:25
p Jue 2:11
Sl 78:8
Eze 20:18
Hch 7:51
q Jue 2:17
1Sa 8:8
2Re 22:17
2Cr 28:23

2.ª col.

a Dt 31:16
2Re 17:7
Eze 16:59
Os 6:7
Heb 8:9
b 2Re 22:16
2Cr 34:24
Jer 6:19
Eze 7:5
c Pr 29:1
Am 2:14
d Sl 18:41
Pr 1:28
Isa 1:15
Jer 14:12
Eze 8:18
Miq 3:4
Zac 7:13
e Dt 32:37
Isa 45:20
f Jer 2:28
g Dt 32:17
h Os 9:10
i Jer 7:9

j Jer 7:16; Jer 14:11; 1Jn 5:16; k Sl 66:18; Os 5:6;
l Jer 2:3; m Jer 3:8; n Eze 16:25; o Ag 2:12; p Snt 4:16; q Sl 52:8; Ro 11:17; r Mt 3:10; s Sl 44:2; Isa 5:2; Jer 2:21; t Eze 23:5; Jer 7:9; Jer 19:5.

18 Y Jehová mismo me ha informado para que yo sepa. En aquel tiempo me hiciste ver sus tratos.ᵃ 19 Y yo era como un cordero, uno íntimo, que se lleva a degollar,ᵇ y no sabía que era contra mí contra quien ideaban proyectos:ᶜ "Arruinemos el árbol con su alimento, cortémoslo de la tierra de los vivientes,ᵈ para que su mismísimo nombre ya no sea recordado". 20 Pero Jehová de los ejércitos está juzgando con justicia;ᵉ está examinando los riñones y el corazón.ᶠ Oh, vea yo tu venganza en ellos, porque es a ti a quien he revelado mi litigio.ᵍ

21 Por lo tanto, esto es lo que ha dicho Jehová contra los hombres de Anatotʰ que andan buscando tu alma, y dicen: "No debes profetizar en el nombre de Jehová,ⁱ para que no mueras a mano de nosotros"; 22 por lo tanto, esto es lo que ha dicho Jehová de los ejércitos: "Mira, voy a dirigir mi atención a ellos. Los jóvenes mismos morirán a espada.ʲ Sus mismos hijos e hijas morirán del hambre.ᵏ 23 Y no llegará a haber para ellos siquiera un resto, porque traeré calamidad sobre los hombres de Anatot,ˡ el año en que se les dé atención".ᵐ

12 Tú eres justo,ⁿ oh Jehová, cuando me dirijo a ti con mi queja, realmente cuando hablo contigo hasta de asuntos de juicio. ¿Por qué será que el camino de los inicuos ha tenido éxito,º que todos los que están cometiendo traición son los despreocupados? 2 Los has plantado; también han echado raíz. Siguen avanzando; también han producido fruto. Tú estás cerca en su boca, pero lejos de sus riñones.ᵖ 3 Y tú mismo, oh Jehová, me conoces bien;ᑫ me ves, y has examinado mi corazón en unión contigo mismo.ʳ Apártalos como ovejas para la degollación,ˢ y ponlos a un lado para el día de matanza. 4 ¿Hasta cuándo debe seguir marchitándose la

tierra,ᵃ y secarse la vegetación misma de todo el campo?ᵇ A causa de la maldad de los que en ella moran, las bestias y las criaturas voladoras han sido barridas de allí.ᶜ Pues ellos han dicho: "Él no ve nuestro futuro".

5 Porque con hombres de a pie has corrido, y te rendían de cansancio, ¿cómo, pues, puedes correr en una carrera con caballos?ᵈ ¿Y en la tierra de paz estás con confianza?ᵉ De modo que, ¿cómo actuarás entre los orgullosos [matorrales] a lo largo del Jordán?ᶠ 6 Porque hasta tus propios hermanos y la casa de tu propio padre, aun ellos mismos te han tratado con traición.ᵍ Hasta ellos mismos han gritado vigorosamente detrás de ti. No pongas fe en ellos, simplemente porque te hablan cosas buenas.

7 "He dejado mi casa;ʰ he abandonado mi herencia;ⁱ he dado a la amada de mi alma en la palma de la mano de sus enemigos.ᵏ 8 Mi herencia ha llegado a ser para mí como un león en el bosque. Ha dado salida a su voz hasta contra mí. Por eso la he odiado.ˡ 9 Mi herenciaᵐ es para mí como ave de rapiña de muchos colores; las aves de rapiña están sobre ella en derredor.ⁿ Vengan, reúnanse, todas las bestias salvajes del campo; tráigan[las] a comer.º 10 Muchos pastoresᵖ mismos han arruinado mi viña;ᑫ han pisado duro la parte que me corresponde.ʳ Han convertido la parte deseableˢ que me corresponde en un desierto de un yermo desolado. 11 Uno la ha hecho un yermo desolado;ᵗ se ha marchitado; para mí está desolada.ᵘ Todo el país ha quedado desolado, porque no hay hombre que [lo] haya puesto en [su] corazón.ᵛ 12 Por todas las sendas trilladas a través del desierto han venido los violentos despojadores. Porque la espada que perte-

CAP. 11
a Eze 8:6
b Isa 53:7
c Sl 37:32
Jer 18:18
d Sl 116:9
Sl 142:5
e Gé 18:25
Heb 17:31
f Isa 16:7
1Cr 28:9
Sl 7:9
Pr 11:20
Jer 17:10
Jer 20:12
Rev 2:23
g Isa 24:15
h Jer 1:1
i Isa 30:10
Am 2:12
Am 7:16
j 2Cr 36:17
Lam 2:21
k Jer 18:21
l Jos 21:18
1Cr 6:60
m Jer 23:12
Jer 46:21
Miq 7:4
Lu 19:44

CAP. 12
n Gé 18:25
Sl 51:4
Sl 145:17
Sof 3:5
o Job 12:6
Job 21:7
Sl 37:1
Sl 73:3
Jer 5:28
Mal 3:15
p Isa 29:13
Mt 15:8
Mr 7:6
q Sl 139:2
r 2Re 20:3
1Cr 29:17
Sl 17:3
Sl 44:21
Jer 11:20
s Sl 44:22

2.ª col.
a Jer 23:10
b Sl 107:34
Jer 14:6
c Jer 4:25
Os 4:3
Sof 1:3
d Jer 4:13
Jer 14:13
e Jer 49:19
Jer 50:44
Zac 11:3
f Jer 9:4
h Pr 26:25
Jer 23:17
i Sl 78:60
Os 9:15
Lu 13:35
j Éx 19:5
Isa 47:6
k Lam 2:1
l Os 9:15
Am 6:8
m Sl 78:71
n 2Re 24:2
Eze 16:37

o Isa 56:9; Jer 7:33; Eze 39:17; Rev 19:18; p Jer 6:3; q Sl 80:8; Isa 5:1; r Isa 63:18; s Jer 3:19; t Jer 9:11; u Jer 10:22; Jer 14:2; v Isa 42:25; Mal 2:2.

nece a Jehová está devorando desde un extremo del país aun hasta el otro extremo del país.[a] No hay paz para carne alguna. 13 Han sembrado trigo, pero han segado espinas.[b] Han trabajado hasta enfermar; no serán de ningún provecho.[c] Y ellos ciertamente quedarán avergonzados de los productos de ustedes a causa de la ardiente cólera de Jehová."

14 Esto es lo que ha dicho Jehová contra todos mis malos vecinos,[d] que están tocando la posesión hereditaria que yo hice que mi pueblo, aun Israel, poseyera: "Aquí voy a desarraigarlos de sobre su suelo;[f] y a la casa de Judá desarraigaré de en medio de ellos.[g] 15 Y tiene que ocurrir que, después de desarraigarlos, yo ciertamente volveré a tenerles misericordia[h] y de veras los traeré de vuelta, cada uno a su posesión hereditaria y cada uno a su tierra;[i] 16 "Y tiene que ocurrir que si ellos sin falta aprenden los caminos de mi pueblo en cuanto a jurar por mi nombre:[j] '¡Tan ciertamente como que Jehová vive!', tal como ellos enseñaron a mi pueblo a jurar por Baal,[k] ellos también serán edificados en medio de mi pueblo.[l] 17 Pero si no obedecen, ciertamente desarraigaré también a esa nación, desarraigando y destruyendo[la]",[m] es la expresión de Jehová.

13 Esto es lo que me ha dicho Jehová: "Ve, y tienes que conseguirte un cinto de lino y ponértelo sobre las caderas, pero no debes meterlo en agua". 2 De manera que conseguí el cinto de acuerdo con la palabra de Jehová, y me lo puse sobre las caderas. 3 Y la palabra de Jehová procedió a ocurrirme por segunda vez, y dijo: 4 "Toma el cinto que conseguiste, que está sobre tus caderas, y levántate, ve al Éufrates,[n] y escóndelo allí en una hendidura del peñasco". 5 De modo que fui y lo escondí junto al

Éufrates, tal como me había mandado Jehová.

6 Pero al cabo de muchos días aconteció que Jehová procedió a decirme: "Levántate, ve al Éufrates y toma de allí el cinto que te mandé esconder allí". 7 En conformidad, fui al Éufrates y cavé y tomé el cinto del lugar en el cual lo había escondido, y, ¡mire!, el cinto se había arruinado; no servía para nada.

8 Entonces me ocurrió la palabra de Jehová, diciendo: 9 "Esto es lo que ha dicho Jehová: 'De la misma manera arruinaré el orgullo de Judá[a] y el abundante orgullo de Jerusalén. 10 Esta gente mala, que está rehusando obedecer mis palabras,[b] que está andando en la terquedad de su corazón[c] y que sigue andando tras otros dioses a fin de servirles e inclinarse ante ellos,[d] también llegará a ser justamente como este cinto que no sirve para nada.' 11 'Porque tal como un cinto se adhiere a las caderas de un hombre, así hice que toda la casa de Israel y toda la casa de Judá se adhirieran aun a mí'—es la expresión de Jehová—, a fin de que llegaran a ser para mí un pueblo[f] y un nombre[g] y una alabanza y una cosa hermosa; pero no obedecieron.'[h]

12 "Y tienes que decirles esta palabra: 'Esto es lo que ha dicho Jehová el Dios de Israel: "Todo jarro grande es algo que se llena de vino".'[i] Y ellos ciertamente te dirán: '¿Acaso no sabemos nosotros positivamente que todo jarro grande es algo que se llena de vino?'. 13 Y tienes que decirles: 'Esto es lo que ha dicho Jehová: "Miren, voy a llenar de borrachera[j] a todos los habitantes de este país, y a los reyes que se sientan por David[k] sobre su trono, y a los sacerdotes, y a los profetas, y a todos los habitantes de Jerusalén. 14 Y ciertamente los estrellaré uno contra otro, tanto a los padres como a los hijos, al mismo tiempo[l]—es la expresión de Jehová—. No mostra-

ré compasión, ni sentiré pena, y no tendré la misericordia de guardarme de arruinarlos".ᵃ

15 "Oigan, y presten oído. No sean altivos,ᵇ porque Jehová mismo ha hablado.ᶜ 16 Den gloria a Jehová su Dios,ᵈ antes que él cause oscuridadᵉ y antes que los pies de ustedes se den uno contra otro en las montañas al entrar el crepúsculo vespertino.ᶠ Y ciertamente esperarán que haya luz,ᵍ y él realmente la hará sombra profunda;ʰ [la] convertirá en densas tinieblas.ⁱ 17 Y si ustedes no quieren oír esto,ʲ en escondrijos llorará mi alma a causa del orgullo, y positivamente derramará lágrimas; y mi ojo dejará rodar lágrimas,ᵏ porque el hatoˡ de Jehová habrá sido llevado cautivo.

18 "Dil al rey y a la dama:ᵐ 'Siéntense en un lugar más bajo,ⁿ porque ciertamente caerá de sus cabezas su corona de hermosura'.ᵒ 19 Las mismísimas ciudades del sur han sido cerradas, de manera que no hay nadie que [las] abra. Judá entero ha sido llevado al destierro. Ha sido llevado al destierro por completo.

20 "Levanta tus ojos y ve a los que están viniendo del norte.ᵠ ¿Dónde está el hato que se te dio, tu hermoso rebaño?ʳ 21 ¿Qué dirás cuando uno te dirija su atención,ˢ cuando tú misma las has enseñado como amigos íntimos a tu mismo lado al comienzo?ᵗ ¿No se apoderarán de ti los mismísimos dolores de alumbramiento, como los de una esposa que está dando a luz?ᵘ 22 Y cuando digas en tu corazón:ᵛ '¿Por qué me han acaecido estas cosas?',ʷ a causa de la abundancia de tu error se te han quitado las faldas como cubierta;ˣ han sido tratados violentamente tus talones.

23 "¿Puede un cusitaʸ cambiar su piel?, ¿o un leopardo sus manchas?ᶻ También pudieran hacer lo bueno ustedes mismos, que son personas a quienes se ha enseñado a hacer lo malo.ᵃ 24 De

modo que los esparciréᵃ como rastrojo que va pasando en el viento desde el desierto.ᵇ 25 Esta es tu suerte, tu porción medida de parte míaᶜ —es la expresión de Jehová—, porque te has olvidado de míᵈ y sigues cifrando tu confianza en la falsedad.ᵉ 26 Y yo mismo también alzaré tus faldas sobre tu rostro, y ciertamente se verá tu deshonra,ᶠ 27 tus actos de adulterioᵍ y tus relinchos,ʰ tu conducta relajada en prostitución. Sobre las colinas, en el campo, he visto tus cosas repugnantes.ⁱ ¡Ay de ti, oh Jerusalén! No puedes ser limpia¹... ¿después de cuánto tiempo más?" ᵏ

14 [Esto es] lo que le ocurrió como palabra de Jehová a Jeremías respecto a los asuntos de las sequías:¹ 2 Judá se ha dado al duelo,ᵐ y sus mismísimas puertas se han desvanecido.ⁿ Han quedado contristadas hasta la tierra,ᵒ y aun el alarido de Jerusalén ha subido.ᵖ 3 Y sus majestuosos mismos han enviado a sus insignificantes por agua.ᵠ Han llegado a las zanjas. No han hallado agua.ʳ Han regresado con sus vasijas vacías. Han quedado avergonzadosˢ y han sido desilusionados, y se han cubierto la cabeza.ᵗ 4 A causa del terreno que se ha resquebrajado por no haber ocurrido aguacero sobre la tierra,ᵘ los labradores se han avergonzado; una han cubierto la cabeza.ᵛ 5 Porque hasta la cierva en el campo ha parido, pero [lo] deja, pues resulta que no hubo hierba tierna. 6 Y las cebrasʷ mismas se han quedado paradas sobre las colinas peladas; con avidez han aspirado el viento como los chacales; sus ojos han fallado porque no hay vegetación.ˣ 7 Aunque nues-

CAP. 13
a Isa 13:9
  Isa 27:11
  Eze 7:4
  Eze 24:14
  Ro 2:5
b Pr 18:12
  Snt 4:10
c Jer 26:15
d Jos 7:19
  Sl 96:7
e Isa 5:30
  Isa 8:22
  Am 8:9
f Pr 4:19
g Isa 59:9
h Sl 44:19
i Isa 60:2
  Jer 22:5
  Mal 2:2
k Jer 9:1
  Lam 1:2
  Lam 2:18
l Sl 80:1
  Sl 100:3
m 2Re 10:13
  2Re 24:12
  Jer 22:26
n Pr 25:7
  Lu 14:8
o Eze 21:26
p Dt 28:64
  2Re 25:21
  Jer 39:9
q Jer 6:22
r Eze 34:8
  Hch 20:29
s Isa 10:3
t Isa 39:2
u Isa 13:8
  Jer 6:24
  Miq 4:9
  1Te 5:3
v Sof 1:12
w Jer 5:19
  Jer 16:10
x Isa 20:4
  Eze 16:37
  Os 2:3
y 1Cr 1:10
z Pr 27:22
  Mt 19:24
a Jer 9:5

2.ᵃ col.

a Le 26:33
  Dt 28:64
  Lu 21:24
b Sl 1:4
  Jer 4:11
  Os 13:3
c Sl 11:6
  Mt 24:51
d Dt 32:18
  Jer 2:13
  Jer 2:32
e Dt 32:38
  Isa 28:15
  Jer 10:14
  Hab 2:18
f Lam 1:8
  Eze 16:37
  Eze 23:29
  Os 2:10
g Jer 2:20
  Jer 3:2
  Eze 16:15
h Jer 5:8
i Isa 65:7
  Eze 6:13
  Eze 24:13
k Os 8:5

CAP. 14

l Dt 28:24

m Jer 4:28; Lam 1:4; Os 4:3; Joe 1:10; n Isa 3:26; Isa 24:4; o Lam 2:9; p 1Sa 5:12; q 1Re 18:5; r 1Re 17:7; s Sl 40:14; Sl 109:29; Isa 45:16; t 2Sa 15:30; Est 6:12; u Le 26:20; Dt 28:23; v 2Sa 19:4; w Job 6:5; x Dt 29:23; Isa 42:15; Jer 12:4; Joe 1:18.

tros propios errores de veras testifican contra nosotros, oh Jehová, actúa por causa de tu nombre;[a] porque nuestros actos de infidelidad han llegado a ser muchos;[b] contra ti hemos pecado.[c]

8 Oh tú, la esperanza de Israel,[d] el Salvador suyo[e] en el tiempo de angustia,[f] ¿por qué te haces como residente forastero en el país, y como viajero que se ha desviado para pasar la noche?[g] 9 ¿Por qué te pones como hombre atónito, como hombre poderoso que no puede hacer nada en cuanto a salvar?[h] Sin embargo, tú mismo estás en medio de nosotros,[i] oh Jehová, y sobre nosotros tu propio nombre ha sido llamado.[j] No nos falles.

10 Esto es lo que ha dicho Jehová respecto a este pueblo: "De esta manera han amado el vagar;[k] no han tenido refrenados los pies.[l] De modo que Jehová mismo no se ha complacido en ellos.[m] Ahora se acordará del error de ellos y dará atención a sus pecados".[n]

11 Y Jehová procedió a decirme: "No ores a favor de este pueblo para bien alguno.[o] 12 Cuando ayunan, no estoy escuchando su clamor rogativo;[p] y cuando ofrecen el holocausto y la ofrenda de grano, no estoy complaciéndome en ellos;[q] pues a espada y por hambre y por peste voy a acabar con ellos".[r]

13 Ante esto, yo dije: "¡Ay, oh Señor Soberano Jehová! Mira que los profetas están diciéndoles: 'No verán espada, y no habrá hambre que les suceda a ustedes, sino que paz verdadera es lo que les daré en este lugar'".[s]

14 Y Jehová pasó a decirme: "Falsedad es lo que los profetas están profetizando en mi nombre.[t] Yo no los he enviado, ni les he ordenado ni les he hablado.[u] Una visión falsa y adivinación y una cosa que nada vale[v] y la artimaña de su corazón es lo que ellos les están hablando proféticamente.[w] 15 Por lo tanto, esto

es lo que ha dicho Jehová respecto a los profetas que están profetizando en mi nombre y a quienes yo mismo no envié, y que están diciendo que no ocurrirá espada ni hambre en este país: 'A espada y por hambre serán acabados aquellos profetas.[a] 16 Y la mismísima gente a la que están profetizando llegará a ser gente echada fuera a las calles de Jerusalén a causa del hambre y de la espada, sin que haya quien los entierre... a ellos, sus esposas y sus hijos y sus hijas.[b] Y ciertamente derramaré sobre ellos su calamidad'.[c]

17 "Y tienes que decirles esta palabra: 'Que mis ojos dejen correr lágrimas noche y día, y que no se queden quietos,[d] porque con un gran estallido la virgen hija de mi pueblo ha sido quebrantada,[e] con un golpe de extrema enfermedad.[f] 18 Si realmente salgo al campo, ¡ea!, ¡mira, los muertos a espada![g] Y si realmente entro en la ciudad, ¡mira, también, las dolencias resultantes del hambre![h] Porque tanto el profeta mismo como el sacerdote mismo han dado la vuelta hacia una tierra que no han conocido'".[i]

19 ¿Has rechazado absolutamente a Judá,[j] o ha aborrecido tu alma aun a Sión?[k] ¿Por qué nos has golpeado, de modo que no hay curación para nosotros?[l] Hubo un esperar paz, pero no [vino] ningún bien; y tiempo de curación, y, ¡mira!, ¡terror![m] 20 De veras reconocemos, oh Jehová, nuestra iniquidad, el error de nuestros antepasados,[n] porque hemos pecado contra ti.[o] 21 No [nos] muestres falta de respeto, por causa de tu nombre;[p] no desprecies tu glorioso trono.[q] Recuerda; no rompas tu

CAP. 14
a Jos 7:9
  Sl 25:11
  Sl 115:1
b Esd 9:6
  Ne 9:33
  Jer 5:6
  Da 9:5
c Da 9:8
d Jer 17:13
  Jer 50:7
e Sl 106:8
  Sl 106:21
  Isa 45:15
  Tit 1:3
f Sl 46:1
g Jue 19:7
h Sl 44:23
  Isa 59:1
i Éx 29:45
  Le 26:11
  Dt 23:14
  Sl 46:5
  Isa 12:6
  2Co 6:16
j Jer 15:16
  Da 9:19
k Jer 2:23
l Sl 119:101
  Jer 2:25
  Jer 6:20
  Am 5:22
n Sl 109:14
  Os 8:13
  Os 9:9
o Jer 7:16
  Jer 11:14
p Pr 1:28
  Isa 1:15
  Isa 58:3
  Jer 11:11
  Eze 8:18
  Zac 7:13
q Pr 15:8
  Isa 1:11
  Jer 7:22
r Jer 9:16
  Eze 5:12
  Eze 14:21
s Jer 4:10
  Jer 5:31
  Jer 6:14
  Jer 23:17
  Jer 27:9
  Eze 13:10
  Miq 3:11
t Isa 9:15
  Jer 23:25
  Jer 27:10
  Jer 29:8
  Jer 29:21
u Jer 23:21
  Jer 27:15
v Lam 2:14
  Eze 12:24
  Zac 10:2
w Jer 23:26

2.ª col.
a Jer 5:13
  Jer 23:15
  Eze 13:9
b Sl 79:3
  Jer 9:22
c Pr 1:31
d Jer 4:18
  Jer 9:1
  Lam 1:16
  Lam 2:18
e Jer 8:21
  Lam 2:13
f Jer 30:12
g Eze 7:15

h Lam 5:10; i Dt 28:36; j Sl 89:38; Lam 5:22;
k Jer 12:8; 1 2Cr 36:16; Jer 8:22; Jer 15:18; Lam
2:13; m Jer 8:15; n Le 26:40; Esd 9:7; Ne 9:2; Sl
106:6; o 2Sa 12:13; Sl 51:4; Da 9:5; Da 9:8; 1Jn
1:9; p Eze 36:22; Da 9:15; q Jer 17:12.

pacto con nosotros.[a] 22 ¿Existe entre los vanos ídolos[b] de las naciones quien haga caer lluvia, o acaso pueden hasta los cielos mismos dar chaparrones copiosos?[c] ¿No eres tú Ese, oh Jehová nuestro Dios?[d] Y en ti esperamos, porque tú mismo has hecho todas estas cosas.[e]

15 Y Jehová procedió a decirme: "Si Moisés[f] y Samuel[g] estuvieran de pie delante de mí, mi alma no estaría hacia este pueblo.[h] Habría un despedirlos de delante de mi rostro, para que salieran.[i] 2 Y tiene que ocurrir que si te dijeran: '¿Adónde saldremos?', también tienes que decirles: 'Esto es lo que ha dicho Jehová: "¡El que esté para la plaga mortífera, a la plaga mortífera! ¡Y el que esté para la espada, a la espada! ¡Y el que esté para el hambre, al hambre!¡Y el que esté para el cautiverio, al cautiverio!" '.[k]

3 " 'Y ciertamente comisionaré sobre ellos cuatro familias[l] —es la expresión de Jehová—: la espada para matar, y los perros para arrastrar, y las criaturas voladoras de los cielos[m] y las bestias de la tierra para comer y arruinar. 4 Y ciertamente los daré para trepidación a todos los reinos de la tierra,[n] a causa de Manasés hijo de Ezequías, rey de Judá, por lo que hizo en Jerusalén.[o] 5 Porque, ¿quién te mostrará compasión, oh Jerusalén, y quién se condolerá de ti,[p] y quién se desviará para preguntar acerca de tu bienestar?'

6 " 'Tú misma me has abandonado[q] —es la expresión de Jehová—. Hacia atrás es como sigues andando.[r] Y extenderé mi mano contra ti y te arruinaré.[s] Me he cansado de sentir pesar.[t] 7 Y los aventaré con un bieldo[u] en las puertas del país. Ciertamente [los] privaré de hijos.[v] De veras destruiré a mi pueblo, [puesto que] no se han vuelto de sus pro-

pios caminos.[a] 8 Para mí sus viudas han llegado a ser más numerosas que los granos de arena de los mares. Ciertamente traeré para ellos, sobre madre, sobre joven, al violento despojador al mediodía.[b] Ciertamente haré caer sobre ellos de repente excitación y disturbios.[c] 9 La mujer que dio a luz siete se ha desvanecido; su alma ha luchado por aliento.[d] Se ha puesto su sol mientras todavía es de día;[e] este se ha avergonzado y ha quedado corrido.' Y a la espada daré el simple resto de ellos delante de sus enemigos',[f] es la expresión de Jehová".

10 ¡Ay de mí,[g] oh madre mía, porque me has dado a luz, hombre sujeto a riña y hombre sujeto a contienda con toda la tierra![h] No he dado un préstamo, y no me han dado un préstamo. Todos ellos están invocando el mal contra mí.[i]

11 Jehová ha dicho: "De seguro te ministraré, sí, para bien.[j] De seguro intercederé por ti, sí, en el tiempo de la calamidad[k] y en el tiempo de la angustia, contra el enemigo.[l] 12 ¿Puede uno quebrar en pedazos el hierro, hierro del norte, y cobre? 13 Tus recursos y tus tesoros daré para simple saqueo,[m] no por precio, sino por todos tus pecados, aun en todos tus territorios.[n] 14 Y ciertamente [los] haré pasar con tus enemigos a la tierra que no has conocido.[o] Porque un fuego mismo se ha encendido en mi cólera.[p] Contra ustedes está ardiendo".

15 Tú mismo has sabido.[q] Oh Jehová, acuérdate de mí[r] y dirígeme tu atención y véngame de mis perseguidores.[s] En tu tardanza para la cólera, no me quites.[t] Nota que he soportado oprobio por causa de ti mismo.[u]

CAP. 14
a Ex 32:13
Le 26:42
Sl 106:45
Lu 1:72
b Dt 32:21
c Zac 10:1
d Dt 28:12
Sl 135:7
Sl 147:8
Isa 30:23
Joe 2:23
e Sl 25:3
Sl 130:5

CAP. 15
f Ex 32:11
g 1Sa 7:9
Sl 99:6
h Sl 106:23
i 2Re 17:20
Jer 7:15
j Jer 14:12
Eze 5:2
Zac 11:9
k Jer 43:11
Eze 12:11
l Le 26:16
Eze 14:21
m Dt 28:26
Jer 7:33
Dt 28:25
Jer 24:9
Eze 23:46
o 2Re 21:11
2Re 23:26
2Re 24:3
p Sl 69:20
Sl 51:19
Lam 1:12
q Jer 1:16
Jer 2:13
r Isa 1:4
Jer 7:24
s Eze 25:7
Sof 1:4
t Jer 23:20
Eze 24:14
Os 13:14
u Sl 1:4
Isa 30:24
Isa 30:24
Jer 9:21
Eze 24:21
Os 9:12

2.ª col.
a Isa 9:13
Jer 5:3
Am 4:10
Zac 1:4
b Jer 6:4
c Lu 21:35
d 1Sa 2:5
e Am 8:9
Miq 3:6
f Jer 44:27
Eze 5:12
g Job 3:1
Jer 20:14
h Lu 21:17
i Sl 109:28
Pr 4:20
j Ro 8:28
k Jer 39:12
l 2Cr 20:17
Jer 20:5
n Sl 44:12
Isa 52:3

o Le 26:38; Jer 16:13; Jer 17:4; Am 5:27; p Dt
32:22; Isa 42:25; Heb 12:29; q Job 10:7; Sl 17:3;
Jer 12:3; r Ne 5:19; s Jer 11:20; Jer 17:18; Jer
20:11; Jer 37:15; t Sl 102:24; u Sl 69:7; Mt 10:22;
Ro 15:3.

16 Fueron halladas tus palabras, y procedí a comerlas;[a] y tu palabra llega a ser para mí el alborozo[b] y el regocijo de mi corazón;[c] porque tu nombre ha sido llamado sobre mí,[d] oh Jehová Dios de los ejércitos.[e] 17 No me he sentado en el grupo íntimo de los que gastan bromas,[f] para empezar entonces a alborozarme.[g] A causa de tu mano me he sentado absolutamente solo,[h] porque es con denunciación con lo que me has llenado.[i] 18 ¿Por qué se ha hecho crónico[j] mi dolor, e incurable[k] mi golpe? Ha rehusado sanarse. Tú positivamente llegas a ser para mí como una cosa engañosa,[l] como aguas que han resultado indignas de confianza.[m]

19 Por lo tanto, esto es lo que ha dicho Jehová: "Si te vuelves, entonces te traeré de vuelta.[n] Delante de mí estarás de pie.[o] Y si sacas lo que es precioso de las cosas que nada valen, llegarás a ser como mi propia boca. Ellos mismos se volverán a ti, pero tú mismo no te volverás a ellos.

20 "Y yo he hecho que seas para este pueblo un muro fortificado de cobre;[p] y ciertamente pelearán contra ti, pero no prevalecerán contra ti.[q] Porque yo estoy contigo, para salvarte y para librarte[r] —es la expresión de Jehová—. 21 Y ciertamente te libraré de la mano de los malos,[s] y ciertamente te redimiré de la palma de los tiránicos."

16 Y continuó ocurriéndome la palabra de Jehová, y dijo: 2 "No debes tomar para ti esposa, y no debes llegar a tener hijos e hijas en este lugar.[t] 3 Porque esto es lo que ha dicho Jehová respecto a los hijos y respecto a las hijas que nacen en este lugar, y respecto a sus madres que los están dando a luz y respecto a sus padres que están causando su nacimiento en este país:[u] 4 'De muertes por dolencias morirán.[v] No serán plañi-

dos,[a] ni serán enterrados.[b] Como estiércol sobre la superficie del suelo llegarán a ser;[c] y a espada y por hambre serán acabados,[d] y sus cuerpos muertos realmente servirán de alimento para las criaturas voladoras de los cielos y para las bestias de la tierra'.[e]

5 "Porque esto es lo que ha dicho Jehová: 'No entres en la casa de un banquete de dolientes, y no vayas para plañir, y no te conduelas de ellos'.[f]

" 'Porque yo he quitado mi paz de este pueblo —es la expresión de Jehová—, aun bondad amorosa y misericordias.[g] 6 Y ciertamente morirán, los grandes y los pequeños, en esta tierra. No serán enterrados,[h] ni se golpeará la gente por ellos, ni se hará nadie cortaduras[i] ni se hará calvo por ellos.[j] 7 Y no les repartirán pan a causa del duelo para consolar a alguien por el muerto;[k] ni les darán a beber la copa de consolación a causa del padre de uno ni a causa de la madre de uno.[l] 8 Y no debes entrar en ninguna casa de banquete para sentarte con ellos a comer y a beber.'[m]

9 "Porque esto es lo que ha dicho Jehová de los ejércitos, el Dios de Israel: 'Miren, voy a hacer cesar de este lugar, ante los ojos de ustedes y en sus días, la voz de alborozo y la voz de regocijo, la voz del novio y la voz de la novia'.[n]

10 "Y tiene que ocurrir que, cuando anuncies a este pueblo todas estas palabras, y ellos realmente te digan: '¿Por qué razón ha hablado Jehová contra nosotros toda esta gran calamidad, y cuál es nuestro error y cuál es nuestro pecado con el cual hemos pecado contra Jehová nuestro Dios?',[o] 11 también tienes que decirles: ' "Por la razón de que sus padres me dejaron[p] —es la expresión de Jehová— y siguieron yendo tras otros dioses y sirviéndoles e inclinándose

CAP. 15
a Eze 3:1
Rev 10:10
b Job 23:12
c S1 119:111
d Jer 14:9
e 1Sa 17:45
f Pr 26:19
g S1 1:1
h Jer 13:17
Lam 3:28
i Jer 20:8
j Jer 14:19
k Jer 30:15
l Jer 20:7
m Job 6:15
n Snt 4:8
o 1Re 17:1
Zac 3:7
p Jer 1:18
Eze 3:9
q Jer 20:11
Ro 8:31
r Isa 41:10
Hch 18:10
s Isa 25:4
2Co 1:10

CAP. 16
t Mt 24:19
u Lu 21:23
Lu 23:29
v Jer 15:2

2.ᵃ col.
a Jer 22:18
Jer 25:33
b S1 79:3
Jer 7:33
Jer 36:30
c S1 83:10
Isa 5:25
Jer 8:2
Jer 9:22
d Jer 14:15
Jer 34:17
Eze 5:12
e Jer 34:20
Eze 39:17
Rev 19:17
f Eze 24:16
g Dt 31:17
2Cr 15:6
Isa 27:11
Isa 63:10
Zac 8:10
h Jer 16:4
i Le 19:28
Dt 14:1
Jer 41:5
j Isa 22:12
k Eze 24:17
Os 9:4
l Pr 31:6
m Ec 7:2
n Isa 24:7
Jer 7:34
Jer 25:10
Eze 26:13
Os 2:11
Rev 18:23
o Dt 29:24
Jer 5:19
Jer 13:22
Jer 22:8
p Dt 29:25
Jue 2:12
Ne 9:26
Jer 2:8
Jer 5:7
Jer 22:9

ante ellos.[a] Pero a mí me dejaron, y no guardaron mi ley.[b] 12 Y ustedes mismos han actuado peor en su obrar que sus padres,[c] y aquí están ustedes andando cada uno tras la terquedad[d] de su corazón malo al no obedecerme.[e] 13 Y ciertamente los arrojaré de sobre esta tierra[f] a la tierra que ustedes mismos no han conocido,[g] ni sus padres, y allí tendrán que servir a otros dioses[h] día y noche, porque no les daré favor alguno'.'

14 "'Por lo tanto, ¡miren!, vienen días[i] —es la expresión de Jehová— cuando ya no se dirá: "¡Tan ciertamente como que vive Jehová que hizo subir a los hijos de Israel de la tierra de Egipto!",[j] 15 sino: "¡Tan ciertamente como que vive Jehová que hizo subir a los hijos de Israel de la tierra del norte y de todas las tierras a las cuales los había dispersado!", y ciertamente los traeré de vuelta a su terreno, el cual di a sus antepasados.'[k]

16 "'Aquí voy a enviar a llamar muchos pescadores —es la expresión de Jehová—, y ciertamente los pescarán; y después enviaré a llamar muchos cazadores,[l] y ciertamente los cazarán de toda montaña y de toda colina y de las hendiduras de los peñascos.[m] 17 Porque mis ojos están sobre todos sus caminos. No han estado ocultos de delante de mí, ni ha estado escondido su error de enfrente de mis ojos.[n] 18 Y, en primer lugar, ciertamente pagaré la plena cantidad de su error[o] y de su pecado, por razón de que profanaron mi tierra.[p] Con los cadáveres de sus cosas repugnantes y sus cosas detestables habían llenado mi herencia'".[q]

19 Oh Jehová mi fuerza y mi plaza fuerte, y mi lugar adonde huir en el día de angustia,[r] a ti vendrán las naciones mismas desde los cabos de la tierra,[s] y dirán: "Realmente nuestros antepasados llegaron a poseer

pura falsedad,[a] vanidad y cosas en las que no había nada provechoso".[b] 20 ¿Puede el hombre terrestre hacerse dioses cuando ellos no son dioses?[c] 21 "Por lo tanto, ¡miren!, voy a hacerles saber; en esta sola vez les haré conocer mi mano y mi poderío,[d] y tendrán que saber que mi nombre es Jehová."[e]

17 "El pecado de Judá está escrito con un estilo de hierro.[f] Con punta de diamante está grabado en la tabla de su corazón,[g] y en los cuernos de sus altares,[h] 2 cuando sus hijos se acuerdan de sus altares y de sus postes sagrados al lado de un árbol frondoso, sobre las colinas altas,[i] 3 [sobre] las montañas en el campo. Tus recursos, todos tus tesoros, los daré para simple saqueo[j]... tus lugares altos a causa de pecado por todas partes de tus territorios.[k] 4 Y soltaste, sí, de tu propia cuenta, la posesión hereditaria que yo te había dado.[l] Yo también ciertamente te haré servir a tus enemigos en la tierra que no has conocido;[m] porque como fuego ustedes han sido encendidos en mi cólera.[n] Hasta tiempo indefinido se mantendrá ardiendo."

5 Esto es lo que ha dicho Jehová: "Maldito es el hombre físicamente capacitado que cifra su fiada expectativa en el hombre terrestre[o] y realmente hace de la carne su brazo,[p] y cuyo corazón se aparta de Jehová mismo.[q] 6 Y ciertamente llegará a ser como un árbol solitario en la llanura desértica y no verá cuando venga el bien;[r] sino que tendrá que residir en lugares abrasados del desierto, en una región salada que no está habitada.[s] 7 Bendito es el hombre físicamente capacitado que confía en Jehová, y

CAP. 16
a Jer 8:2
Jer 13:10
b Da 9:11
Am 2:4
c Ne 9:16
Jer 7:26
d Dt 29:19
Jue 2:19
Ne 9:29
Jer 6:28
Jer 7:24
Jer 9:14
e 1Sa 15:23
f Dt 28:36
2Cr 7:20
g Jer 15:14
Jer 17:4
h Dt 4:28
i Jer 23:7
j Éx 20:2
Dt 15:15
Miq 6:4
k Dt 30:3
Jer 3:18
Jer 24:6
Jer 30:3
Jer 32:37
Am 9:14
l Lam 4:18
m Am 9:3
n Job 34:21
Sl 90:8
Pr 5:21
Pr 15:3
Jer 32:19
Heb 4:13
o Isa 40:2
Jer 17:18
p Nú 35:33
Sl 106:38
q Le 26:30
r Sl 18:2
Jer 18:10
Isa 25:4
Jer 17:17
Na 1:7
s Isa 2:2
Zac 2:11

2.ª col.
a Jer 10:14
b Isa 44:10
Jer 10:5
c Sl 115:4
Isa 37:19
Jer 2:11
Hch 19:26
1Co 8:4
Gál 4:8
d Éx 9:16
Ro 9:17
e Éx 15:3
Sl 83:18
Jer 33:2

CAP. 17
f Job 19:24
g Pr 3:3
2Co 3:3
h Am 3:14
i Jue 3:7
1Re 14:23
2Re 16:4
2Cr 24:18
2Cr 33:3
Sl 78:58
Isa 1:29
Jer 2:20
Eze 6:13
Eze 20:28
j 2Re 24:13
Jer 15:13

k Le 26:30; Eze 6:3; l Isa 49:8; Lam 5:2; m Dt 28:48; Ne 9:28; Jer 16:13; n Dt 29:27; Isa 5:25; Jer 15:14; Na 1:6; o Isa 30:2; Isa 31:1; p 2Cr 32:8; Isa 31:3; q 2Re 16:7; Eze 6:9; r 2Re 7:2; s Dt 29:23; Job 39:6; Sof 2:9

cuya confianza Jehová ha llegado a ser.[a] 8 Y ciertamente llegará a ser como un árbol plantado junto a las aguas, que envía sus raíces al mismísimo lado de la corriente de agua; y no verá cuando venga el calor, sino que su follaje realmente resultará frondoso.[b] Y en el año de sequía[c] no se inquietará, ni dejará de producir fruto.

9 "El corazón es más traicionero que cualquier otra cosa, y es desesperado.[d] ¿Quién puede conocerlo? 10 Yo, Jehová, estoy escudriñando el corazón,[e] examinando los riñones,[f] aun para dar a cada uno conforme a sus caminos,[g] conforme al fruto de sus tratos.[h] 11 [Como] la perdiz que ha reunido lo que no ha puesto es el que acumula riquezas, pero no con justicia.[i] A la mitad de sus días las dejará,[j] y a su final resultará insensato".[k]

12 Allí está el trono glorioso en alto desde el comienzo;[l] es el lugar de nuestro santuario.[m] 13 Oh Jehová, la esperanza de Israel,[n] todos los que quedan dejándote quedarán avergonzados.[o] Los que apostatan de mí[p] serán escritos en la tierra, porque han dejado a la fuente de agua viva, Jehová.[q] 14 Sáname, oh Jehová, y quedaré sanado.[r] Sálvame, y ciertamente seré salvado;[s] porque tú eres mi alabanza.[t]

15 ¡Mira! Hay aquellos que me dicen: "¿Dónde está la palabra de Jehová?[u] Que entre, por favor". 16 Pero en cuanto a mí, yo no me apresuré para dejar de ser pastor en pos de ti, y no mostré desear con vehemencia el día de la desesperación. Tú mismo has conocido la expresión de mis labios; enfrente de tu rostro ha ocurrido.[v] 17 No llegues a ser para mí una cosa aterradora.[v] Tú eres mi refugio en el día de la calamidad.[v] 18 Que mis perseguidores queden avergonzados,[x] pero que yo personalmente no quede avergonzado.[y] Que ellos sean los que hayan de ser sobrecogidos de terror, pero que yo personalmente no sea sobrecogido de terror. Trae sobre ellos el día de la calamidad,[a] y quebrántalos hasta con doble quebranto.[b]

19 Esto es lo que me ha dicho Jehová: "Ve, y tienes que estar de pie en la puerta de los hijos del pueblo por la cual entran los reyes de Judá y por la cual salen, y en todas las puertas de Jerusalén.[c] 20 Y tienes que decirles: 'Oigan la palabra de Jehová, reyes de Judá, y todo Judá, y todos ustedes los habitantes de Jerusalén, que están entrando por estas puertas. 21 Esto es lo que ha dicho Jehová: "Cuiden de sus almas,[e] y no lleven en día de sábado carga alguna que tengan que introducir por las puertas de Jerusalén.[f] 22 Y no deben sacar carga alguna de sus hogares en día de sábado; y no deben hacer ningún trabajo.[g] Y tienen que santificar el día de sábado, tal como mandé a sus antepasados;[h] 23 pero ellos no escucharon ni inclinaron su oído,[i] y procedieron a endurecer su cerviz[j] para no oír y para no recibir disciplina".[k]

24 "'"Y tiene que ocurrir que, si ustedes me obedecen estrictamente[l] —es la expresión de Jehová— al no introducir carga alguna por las puertas de esta ciudad en día de sábado,[m] y al santificar el día de sábado no haciendo en él trabajo alguno,[n] 25 también ciertamente entrarán por las puertas de esta ciudad reyes con príncipes,[o] que se sentarán sobre el trono de David,[p] que montarán en el carro y sobre caballos, ellos y sus príncipes, los hombres de Judá y los habitantes de Jerusalén; y esta ciudad ciertamente será habitada hasta tiempo indefinido. 26 Y gente realmente vendrá de las ciudades de Judá y

CAP. 17
a Sl 34:8; Sl 125:1; Sl 146:5; Pr 16:20; Isa 26:3; Isa 30:18
b Sl 1:3; Sl 92:12
c Jer 14:1
d Gé 6:5; Gé 8:21; Pr 28:26; Isa 44:20; Isa 59:13; Snt 1:14; Snt 1:26
e 1Sa 16:7; 1Cr 28:9; Sl 139:23; Pr 17:3; Pr 21:2; Ro 8:27
f Sl 7:9; Sl 62:12; Jer 32:19; Ro 2:6
h Isa 3:10; Miq 7:13; Ro 6:21; Gál 6:7; Rev 2:23; Rev 22:12
i Pr 28:20; Isa 1:23; Jer 5:27; Snt 5:4
j Sl 55:23
k Lu 12:20
l Jer 14:21
m 2Cr 2:5; Isa 6:1
n Sl 22:4; Jer 14:8; Jer 50:7
o Sl 97:7; Sl 73:27; Isa 1:28
q Sl 36:9; Jer 2:13; Rev 22:1
r Sl 32:39; Sl 6:2
s Sl 60:5; Jer 15:20
t Dt 10:21; Sl 109:1
u Isa 5:19; 2Pe 3:4
v Sl 88:15
w Sl 59:16
x Sl 35:4; Jer 15:15; Jer 20:11
y Sl 25:2

2.a col.
a Jer 18:23
b Jer 16:18
c Ne 8:3; Jer 7:2
d Sl 49:1; Pr 1:21; Jer 19:3; Jer 22:2
e Dt 4:9
f Nú 15:32; Ne 13:19
g Éx 20:10; Éx 23:12; Le 23:3; h Éx 31:13; Eze 20:12

i Jer 7:24; Jer 11:10; Eze 20:13; j Jer 29:1; Isa 48:4; k Pr 1:3; Pr 5:12; Sof 3:7; l Dt 11:13; m Jer 17:21; n Éx 34:21; Dt 5:12; o Jer 22:4; p Sl 132:11.

de los alrededores de Jerusalén y de la tierra de Benjamín[a] y de la tierra baja[b] y de la región montañosa[c] y del Négueb,[d] trayendo holocausto[e] y sacrificio[f] y ofrenda de grano[g] y olíbano,[h] y trayendo sacrificio de acción de gracias a la casa de Jehová.[i]

27 "'"Pero si ustedes no me obedecen mediante santificar el día de sábado y no llevar carga,[j] sino que hay un entrar [con ella] por las puertas de Jerusalén en el día de sábado, yo también ciertamente encenderé un fuego en las puertas de ella,[k] y este ciertamente devorará las torres de habitación de Jerusalén,[l] y no se extinguirá"'"[m]

18 La palabra que le ocurrió a Jeremías de parte de Jehová, diciendo: 2 "Levántate, y tienes que bajar a la casa del alfarero,[n] y allí te haré oír mis palabras:

3 Y procedí a bajar a la casa del alfarero, y allí estaba él haciendo un trabajo sobre las ruedas del alfarero. 4 Y la vasija que él estaba haciendo con el barro la echó a perder la mano del alfarero, y él volvió atrás y se puso a hacer de ella otra vasija, tal como pareció recto a los ojos del alfarero.[o]

5 Y la palabra de Jehová continuó ocurriéndome, y dijo: 6 "'¿No puedo yo hacer con ustedes justamente como este alfarero, oh casa de Israel? —es la expresión de Jehová—. ¡Miren! Como el barro en la mano del alfarero, así son ustedes en mi mano, oh casa de Israel.[p] 7 En cualquier momento que yo hable contra una nación y contra un reino para desarraigar[la] y para demoler[la] y para destruir[la],[q] 8 y esa nación realmente se vuelva de su maldad contra la cual haya hablado,[r] yo también ciertamente sentiré pesar por la calamidad que haya pensado ejecutar en ella.[s] 9 Pero en cualquier momento que yo hable

respecto de una nación y respecto de un reino para edificar[la] y para plantar[la],[a] 10 y esta realmente haga lo que es malo a mis ojos al no obedecer mi voz,[b] yo también ciertamente sentiré pesar por el bien que yo [me] hubiera dicho que haría para su bien.'

11 "Y ahora di, por favor, a los hombres de Judá y a los habitantes de Jerusalén: 'Esto es lo que ha dicho Jehová: "Aquí voy a formar contra ustedes una calamidad y pensar contra ustedes un pensamiento.[c] Vuélvanse, por favor, cada uno de su camino malo, y hagan buenos sus caminos y sus tratos"'."[d]

12 Y ellos dijeron: "¡Es inútil![e] Porque tras nuestros propios pensamientos andaremos, y vamos a llevar a cabo cada cual la terquedad de su corazón malo".[f]

13 Por lo tanto, esto es lo que ha dicho Jehová: "Pregunten ustedes mismos, por favor, entre las naciones. ¿Quién ha oído cosas como estas? Hay una cosa horrible que la virgen de Israel ha hecho en exceso.[g] 14 ¿Acaso la nieve del Líbano se irá de la roca del campo abierto? ¿O se secarán las aguas extrañas, frescas, que fluyen suavemente? 15 Porque mi pueblo me ha olvidado,[h] puesto que hacen humo de sacrificio a algo inútil,[i] y puesto que hacen tropezar a los hombres en sus caminos,[j] las sendas de mucho tiempo atrás,[k] para andar en veredas, un camino no terraplenado, 16 a fin de hacer de su tierra un objeto de pasmo,[l] de qué silbar hasta tiempo indefinido.[m] Todo el que vaya pasando junto a ella, sin excepción, se quedará mirando pasmado y sacudirá la cabeza.[n] 17 Como con un viento del este los esparciré delante del enemigo.[o] La espalda, y no el rostro,[p]

CAP. 17
a Jer 32:44
b Jer 33:13
c Dt 1:7
d Zac 7:7
e Le 1:3
f Esd 3:3
g Le 2:1
h Le 2:2
i Sl 50:23
Sl 107:22
Sl 116:17
Jer 33:11
Heb 13:15
j Ne 13:16
k Jer 21:14
Lam 4:11
Am 1:4
l 2Re 25:9
2Cr 36:19
Jer 39:8
Jer 52:13
m 2Re 22:17
Eze 20:47

CAP. 18
n Jer 19:1
o Isa 45:9
Ro 9:20
p Ro 9:21
q Jer 1:10
Jer 12:14
Jer 25:9
Jer 45:4
Am 9:8
Jon 3:4
r 1Re 8:33
Jer 7:3
Eze 18:21
Eze 33:11
Jon 3:5
s Sl 106:45
Jer 26:3
Jon 2:13
Jon 3:10
Jon 4:2

2.ª col.
a Jer 30:18
Jer 32:41
Am 9:11
b Sl 125:5
c Jer 26:3
Miq 2:3
d 2Re 17:13
Isa 1:16
Jer 7:3
Jer 26:13
Eze 18:23
Hch 26:20
e Jer 2:25
Ro 2:5
Heb 3:13
f Dt 29:19
Jer 7:24
g Jer 2:13
Jer 5:30
h Jer 2:19
Jer 3:21
Jer 13:25
Jer 16:19
Jer 17:13
i Dt 32:21
Isa 41:29
Jer 10:15
j Mal 2:8
k Jer 6:16
l Le 26:33
Jer 19:8
Jer 49:13
Eze 6:14

m Dt 29:24; 1Re 9:8; Lam 2:15; Miq 6:16; n Dt 28:37; Sl 44:14; o Sl 48:7; Jer 13:24; p Dt 31:17; Jer 2:27.

les mostraré en el día de su desastre”.
18 Y ellos procedieron a decir:
“Vengan, e ideemos contra Jeremías algunos pensamientos,[a]
porque la ley no perecerá del
sacerdote,[b] ni el consejo del sabio, ni la palabra del profeta.[c]
Vengan e hirámoslo con la lengua,[d] y no prestemos atención a
ninguna de sus palabras”.
19 De veras préstame atención, oh Jehová, y escucha la voz
de mis contrarios.[e] 20 ¿Debe
pagarse con mal el bien?[f] Porque
han excavado un hoyo para mi
alma.[g] Acuérdate de cómo estuve de pie delante de ti para hablar lo bueno hasta acerca de
ellos, para volver de contra ellos
tu furia.[h] 21 Por lo tanto, da
sus hijos al hambre,[i] y entrégalos al poder de la espada;[j] y lleguen a ser sus esposas mujeres
privadas de hijos, y viudas.[k] Y
lleguen a ser sus propios hombres aquellos a quienes la plaga mortífera mate, sus jóvenes
aquellos derribados a espada en
la batalla.[l] 22 Óigase un alarido desde sus casas, cuando de
repente traigas sobre ellos una
partida merodeadora.[m] Porque
han excavado un hoyo para cap-
turarme, y han escondido trampas para mis pies.[n]
23 Pero tú mismo, oh Jehová,
bien sabes todo su consejo contra mí para [mi] muerte.[o] No encubras su error, y no borres ese
pecado suyo de delante de ti; antes bien, que lleguen a ser aquellos a quienes se haga tropezar
delante de ti.[p] En el tiempo de tu
cólera, ponte en acción contra
ellos.[q]

19 Esto es lo que dijo Jehová:
“Ve, y tienes que conseguir
un frasco de barro de alfarero,[r]
y a algunos de los ancianos del
pueblo y a algunos de los ancianos de los sacerdotes. 2 Y tienes que salir al valle del hijo de
Hinón,[s] que está a la entrada de
la Puerta de los Tiestos. Y allí
tienes que proclamar las palabras que yo te hablaré.[a] 3 Y
tienes que decir: ‘Oigan la palabra de Jehová, oh reyes de Judá
y ustedes los habitantes de Jerusalén.[b] Esto es lo que ha dicho
Jehová de los ejércitos,[c] el Dios
de Israel:
”’“Miren, voy a traer sobre
este lugar una calamidad que,
cuando alguien oiga de ella, le
retiñirán los oídos;[d] 4 por la
razón de que ellos me han dejado[e] y han procedido a hacer que
este lugar no pueda recono-
cerse,[f] y a hacer en él humo de
sacrificio a otros dioses que no
habían conocido,[g] ellos ni sus
antepasados ni los reyes de
Judá; y han llenado este lugar
de la sangre de los inocentes.[h]
5 Y edificaron los lugares altos
del Baal para quemar a sus hijos
en el fuego como holocaustos al
Baal,[i] cosa que yo no había mandado ni de la cual había hablado,[j]
y que no había subido a mi corazón”’.[k]
6 ”’“Por lo tanto, ¡miren!, vienen días —es la expresión de Jehová— en que este lugar ya no
se llamará Tófet[l] ni el valle del
hijo de Hinón,[m] sino el valle de
la matanza. 7 Y ciertamente
haré nulo el consejo de Judá y de
Jerusalén en este lugar,[n] y de veras haré que caigan a espada delante de sus enemigos y por
la mano de los que buscan su
alma.[o] Y ciertamente daré sus
cuerpos muertos como alimento
a las criaturas voladoras de los
cielos y a las bestias de la tierra.[p]
8 Y de veras haré de esta ciudad
un objeto de pasmo y algo de qué
silbar.[q] Todo el que vaya pasando junto a ella, sin excepción, se
quedará mirando pasmado y silbará a causa de todas sus plagas.[r] 9 Y ciertamente haré que
coman la carne de sus hijos y la

CAP. 18
a Sl 21:11; Jer 11:19
b Le 10:11; Mal 2:7
c 1Re 22:24
d Sl 52:2; Pr 18:21
e 2Re 19:16; Ne 4:4
f Sl 109:5
g Sl 35:7; Sl 57:6; Ec 10:8
h Sl 106:23; Eze 22:30
i Sl 109:10; Jer 11:22
j Jer 12:3
k Dt 32:25; Lam 5:3
l 2Cr 36:17; Jer 9:21
m Jer 6:26
n Sl 38:12; Sl 64:5; Sl 140:5
o Sl 37:32; Jer 11:19
p Sl 35:4; Sl 59:5; Sl 109:14
q Jer 11:20; Jer 15:15; Ro 2:5

CAP. 19
r Jer 18:2; Ro 9:21
s Jos 15:8; 2Re 23:10; 2Cr 28:3; Jer 7:31

2.ª col.
a Pr 1:20; Jer 7:2
b Jer 17:20
c Sl 24:10
d 1Sa 3:11; 2Re 21:12
e Dt 28:20; 2Re 22:17; Isa 65:11; Jer 2:13; Jer 15:6; Jer 17:13; Da 9:5
f 2Cr 33:4
g Dt 13:6; Dt 32:17; Jer 7:9
h 2Re 21:16; 2Re 24:4; Isa 59:7; Jer 2:34; Lam 4:13; Mt 23:35; Rev 16:6
i 2Re 17:17; 2Cr 28:3; 2Cr 33:6; Sl 106:38; Isa 57:5
j Le 18:21; Jer 32:35
k Jer 7:31
l 2Re 23:10; Isa 30:33; Jer 7:32
m Jos 15:8
n Pr 21:30

o Le 26:17; Dt 28:25; p Dt 28:26; Sl 79:2; Jer 7:33; Jer 16:4; Jer 34:20; Rev 19:18; q 1Re 9:8; Jer 18:16; Lam 2:15; r 2Cr 7:21; Jer 25:18.

carne de sus hijas; y comerán cada cual la carne de su semejante, a causa de la estrechez y a causa de la tensión con la que los cercarán sus enemigos y los que buscan su alma." 'ᵃ

10 "Y tienes que quebrar el frasco ante los ojos de los hombres que van contigo. 11 Y tienes que decirles: 'Esto es lo que ha dicho Jehová de los ejércitos: "De la misma manera quebraré yo a este pueblo y a esta ciudad como quiebra alguien la vasija del alfarero de modo que ya no puede componerse;ᵇ y en Tófetᶜ enterrarán hasta que no haya más lugar para enterrar" '.ᵈ

12 " 'Así es como haré a este lugar —es la expresión de Jehová— y a sus habitantes, hasta para hacer que esta ciudad sea como Tófet.ᵉ 13 Y las casas de Jerusalén y las casas de los reyes de Judá tienen que llegar a ser como el lugar de Tófet,ᶠ inmundas, es decir, todas las casas sobre cuyos techos hicieron humo de sacrificio a todo el ejército de los cielosᵍ y hubo derramamiento de libaciones a otros dioses' ".ʰ

14 Y Jeremías procedió a venir de Tófet,ⁱ adonde Jehová lo había enviado para profetizar, y a estar de pie en el patio de la casa de Jehová y a decir a todo el pueblo:ʲ 15 "Esto es lo que ha dicho Jehová de los ejércitos, el Dios de Israel: 'Mira, voy a traer sobre esta ciudad y sobre todas sus ciudades toda la calamidad que he hablado contra ella, porque ellos han endurecido su cerviz para no obedecer mis palabras' ".ᵏ

20 Ahora bien, Pasjur hijo de Imer,ˡ el sacerdote, que también era el principal comisionado en la casa de Jehová,ᵐ siguió escuchando a Jeremías mientras este profetizaba estas palabras. 2 Entonces Pasjur golpeó a Jeremías el profetaⁿ y lo puso en el cepoᵒ que había en la

Puerta Superior de Benjamín, que estaba en la casa de Jehová. 3 Pero al día siguiente aconteció que Pasjur procedió a dejar salir a Jeremías del cepo,ᵃ y Jeremías ahora le dijo:

"Jehová te ha llamado por nombre,ᵇ no Pasjur, sino Terror todo en derredor.ᶜ 4 Porque esto es lo que ha dicho Jehová: 'Mira, voy a hacer que seas un terror a ti mismo y a todos tus amadores, y ellos ciertamente caerán por la espada de sus enemigosᵈ mientras tus ojos estén mirando;ᵉ y tú mismo a Judá daré en mano del rey de Babilonia, y él realmente los llevará al destierro en Babilonia y los derribará a espada.ᶠ 5 Y ciertamente daré todas las cosas almacenadas de esta ciudad y todo su producto y todas sus cosas preciosas; y todos los tesoros de los reyes de Judá voy a dar en la mano de sus enemigos.ᵍ Y ellos ciertamente los saquearán y los tomarán y los llevarán a Babilonia.ʰ 6 Y en cuanto a ti, oh Pasjur, y todos los habitantes de tu casa, se irán al cautiverio;ⁱ y a Babilonia llegarás, y allí morirás, y allí serás enterrado tú mismo con todos tus amadores,ʲ porque a todos los has profetizado en falsedad' ".ᵏ

7 Me has embaucado, oh Jehová, de modo que fui embaucado. Usaste tu fuerza contra mí, de modo que prevaleciste.ˡ Vine a ser objeto de risa todo el día; todos me hacen escarnio.ᵐ 8 Porque cuantas veces grito, clamo. Violencia y expoliación son lo que clamo.ⁿ Porque la palabra de Jehová vino a ser para mí causa de oprobio y de mofa todo el día.ᵒ 9 Y dije: "No voy a hacer mención de él, y no hablaré más en su nombre".ᵖ Y en mi corazón resultó ser como un fuego ardiente, encerrado en mis huesos; y me cansé de conte-

CAP. 19
a Le 26:29
Dt 28:53
Isa 9:20
Lam 2:20
Lam 4:10
Eze 5:10
b 2Cr 36:16
Sl 2:9
Isa 30:14
Lam 4:2
Rev 2:27
c Isa 30:33
Jer 19:6
d Jer 7:32
e 2Re 23:10
f 2Re 23:12
2Re 23:14
Sl 79:1
Eze 7:21
g Jer 8:2
Jer 32:29
Jer 44:17
Sof 1:5
h Jer 7:18
Jer 19:6
j 2Cr 20:5
2Cr 24:20
Jer 26:2
k Ne 9:17
Ne 9:29
Jer 7:26
Jer 17:23
Zac 7:12
Hch 7:51

CAP. 20
l 1Cr 24:14
m Hch 5:24
n Hch 23:2
o 2Cr 16:10
Jer 29:26
Hch 16:24

2.ᵃcol.
a Hch 4:3
b Os 1:4
c Jer 31:13
Jer 6:25
Jer 46:5
Jer 49:29
Lam 2:22
d Dt 28:65
Sl 73:19
e Dt 28:32
2Re 25:7
Jer 32:21
Jer 39:6
f Jer 25:9
Jer 39:9
g 2Re 20:17
2Re 24:13
2Re 25:13
Lam 1:10
Eze 22:25
h 2Cr 36:10
Jer 15:13
i Jer 15:2
Jer 29:21
Eze 12:11
j Jer 5:31
k Jer 14:14
Jer 28:15
Jer 29:21
l Jer 1:6
Miq 3:8
m Job 12:4
Sl 22:7
Jer 15:10
Lam 3:14
Hch 17:32
n Jer 6:7

o 2Cr 36:16; Jer 6:10; Jer 15:15; p 1Re 19:4; Jon 1:3.

ner, y no pude [aguantarlo].ᵃ
10 Porque oí el mal informe de muchos.ᵇ Había terror todo en derredor. "Anuncien, para que anunciemos nosotros acerca de él."ᶜ Todo hombre mortal me dice: "¡Paz!"... se mantienen alerta a mi cojear:ᵈ "Quizás sea embaucado,ᵉ para que prevalezcamos contra él y tomemos en él nuestra venganza". 11 Pero Jehová estuvo conmigoᶠ como un terrible poderoso.ᵍ Por eso los mismísimos que me persiguen tropezarán y no prevalecerán.ʰ Ciertamente quedarán muy avergonzados, porque no habrán prosperado. [Su] humillación, de duración indefinida, será una que no se olvidará.ⁱ

12 Pero tú, oh Jehová de los ejércitos, estás examinando al justo;ʲ estás viendo los riñones y el corazón.ᵏ Vea yo tu venganza en ellos,ˡ porque a ti te he revelado mi litigio.ᵐ

13 ¡Canten a Jehová! ¡Alaben a Jehová! Porque él ha librado el alma del pobre de la mano de los malhechores.ⁿ

14 ¡Maldito sea el día en que nací!ᵒ Había de ser bendecido el día en que mi madre me dio a luz!ᵒ 15 ¡Maldito sea el hombre que le llevó buenas nuevas a mi padre, y dijo: "¡Te ha nacido un hijo, un varón!". Positivamente lo regocijó.ᵖ 16 Y ese mismo hombre tiene que llegar a ser como ciudades que Jehová ha derribado mientras Él no ha sentido pesar.ᑫ Y él tendrá que oír un alarido por la mañana y una señal de alarma a la hora del mediodía.ʳ

17 ¿Por qué no me dio muerte definitivamente desde la matriz, para que mi madre llegara a ser para mí mi sepultura, y su matriz estuviera preñada hasta tiempo indefinido?ˢ 18 ¿Por qué he salido de la mismísima matrizᵗ para ver duro trabajo y desconsueloᵘ y para que mis días se acaben en pura vergüenza?ᵛ

21 La palabraᵃ que le ocurrió a Jeremías de parte de Jehová, cuando el rey Sedequíasᵇ envió a donde él a Pasjurᶜ hijo de Malkías y a Sofoníasᵈ hijo de Maaseya, el sacerdote, diciendo: 2 "Por favor inquiere de Jehová por nosotros,ᵉ porque Nabucodorosor el rey de Babilonia está haciendo guerra contra nosotros.ᶠ Tal vez Jehová haga con nosotros conforme a todas sus obras maravillosas, de manera que aquel se retire de nosotros".ᵍ

3 Y Jeremías procedió a decirles: "Esto es lo que dirán a Sedequías: 4 'Esto es lo que ha dicho Jehová el Dios de Israel: "Mira, voy a volver en dirección contraria las armas de guerra que están en las manos de ustedes, con las cuales están peleando contra el rey de Babiloniaʰ y los caldeosⁱ que los tienen sitiados fuera del muro, y ciertamente reuniré a estos en medio de esta ciudad.ʲ 5 Y yo mismo ciertamente pelearé contra ustedesᵏ con mano extendida y con brazo fuerte y con cólera y con furia y con gran indignación.ˡ 6 Y de veras golpearé a los habitantes de esta ciudad, tanto a hombre como a bestia. De una gran peste morirán".ᵐ

7 " 'Y después de eso —es la expresión de Jehová—, daré a Sedequías el rey de Judá y a sus siervos y al pueblo y a los que en esta ciudad queden de la peste, de la espada y del hambre, en la mano de Nabucodorosor el rey de Babilonia, aun en la mano de los enemigos de ellos y en la mano de los que están buscando su alma, y él ciertamente los herirá a filo de espada.ⁿ No les tendrá lástima, ni mostrará compasión ni tendrá misericordia alguna." 'ᵒ

8 "Y a este pueblo dirás: 'Esto

CAP. 20
a Job 32:18; Sl 39:3; Jer 6:11; Am 3:8; Hch 4:20; Hch 18:5
b Sl 31:13
c Ne 6:6; Pr 10:18; Lu 20:20
d Job 19:19; Sl 38:16; Sl 41:9
e Lu 11:54
f Isa 41:10; Jer 1:8; Ro 8:31
g Sl 47:2; Sl 66:3
h Dt 32:35; Sl 27:2; Jer 15:15; Jer 15:20; Jer 17:18
i Sl 6:10; Sl 25:36; Sl 40:14; Jer 23:40
j Sl 11:5; Sl 17:3; Jer 17:10
k Sl 7:9; Jer 11:20; Sl 54:7; Sl 59:10; Jer 17:18
m Sl 62:8; 1Pe 2:23
n Sl 35:9; Sl 109:31
o Job 3:3; Jer 15:10
p Sl 127:3; Lu 1:58
q Gé 19:25; Dt 29:23; Am 4:11; 2Pe 2:6
r Jer 4:19; Jer 18:22; Sof 1:16
s Job 3:10; Job 10:18; t Job 3:20; Job 14:1; Sl 90:10; Lam 3:1
v Snt 5:10

2.ᵃ col.

CAP. 21
a Eze 33:30
b 2Re 24:18; 1Cr 3:15; 2Cr 36:10
c 1Cr 9:12; Jer 38:1
d 2Re 25:18; Jer 29:25; Jer 37:3; Jer 52:24
e Jue 20:27; 2Re 22:13
f 2Re 25:1; Jer 32:28; Jer 39:1
g Isa 7:10; 2Cr 14:11; Sl 44:1; Sl 105:5; Isa 37:37

h Jer 32:5; Jer 33:5; i Esd 5:12; j Isa 13:4; Eze 16:37; k Isa 63:10; Lam 2:5; 1 Isa 5:25; Jer 32:17; m Dt 28:22; Jer 32:24; Eze 7:15; n 2Re 25:6; 2Cr 36:17; Jer 37:17; Jer 39:5; Jer 52:9; Eze 17:20; o Dt 28:50; 2Cr 36:17; Isa 47:6.

es lo que ha dicho Jehová: "Aquí pongo delante de ustedes el camino de la vida y el camino de la muerte.[a] 9 El que se quede sentado en esta ciudad morirá a espada y del hambre y de la peste;[b] pero el que esté saliendo y realmente se pase a los caldeos que los tienen sitiados seguirá viviendo, y su alma ciertamente llegará a ser suya como despojo".[c]

10 " '"Porque he fijado mi rostro contra esta ciudad para calamidad y no para bien[d] —es la expresión de Jehová—. En la mano del rey de Babilonia será dada,[e] y él ciertamente la quemará con fuego".[f]

11 " 'Y en cuanto a la casa del rey de Judá, oigan ustedes la palabra de Jehová.[g] 12 Oh casa de David,[h] esto es lo que ha dicho Jehová: "Cada mañana[i] rindan fallo en justicia,[j] y libren a la víctima del robo de la mano del defraudador,[k] para que no salga mi furia justamente como fuego[l] y realmente arda y no haya quien la extinga a causa de la maldad de sus tratos".[m]

13 " 'Aquí estoy contra ti, oh moradora de la llanura baja,[n] oh roca de la tierra llana —es la expresión de Jehová—. En cuanto a ustedes los que están diciendo: "¿Quién descenderá contra nosotros? ¿Y quién entrará en nuestras moradas?",[o] 14 yo también ciertamente pediré cuentas a ustedes[p] conforme al fruto de sus tratos[q] —es la expresión de Jehová—. Y de veras encenderé un fuego en el bosque de ella,[r] y ciertamente devorará todas las cosas en derredor de ella' ".[s]

22 Esto es lo que ha dicho Jehová: "Baja a la casa del rey de Judá, y tienes que hablar allí esta palabra. 2 Y tienes que decir: 'Oye la palabra de Jehová, oh rey de Judá que estás sentado en el trono de David,[t] tú con tus siervos y tu pueblo, los que están entrando por estas puertas.[a] 3 Esto es lo que ha dicho Jehová: "Hagan derecho y justicia, y libren de la mano del defraudador a la víctima del robo; y no maltraten a ningún residente forastero, huérfano de padre ni viuda.[b] No [les] hagan violencia.[c] Y no derramen sangre inocente en este lugar.[d] 4 Porque si ustedes sin falta ejecutan esta palabra, también ciertamente entrarán por las puertas de esta casa los reyes que se sienten por David sobre su trono,[e] montados en carros y en caballos, él con sus siervos y su pueblo".[f]

5 " 'Pero si ustedes no obedecen estas palabras, por mí mismo de veras juro[g] —es la expresión de Jehová— que esta casa llegará a ser simplemente un lugar devastado".[h]

6 "Porque esto es lo que ha dicho Jehová respecto a la casa del rey de Judá: "Tú eres para mí como Galaad, la cabeza del Líbano.[i] Con toda seguridad haré de ti un desierto;[j] en cuanto a las ciudades, ni una sola será habitada.[k] 7 Y ciertamente santificaré contra ti a los que traigan ruina,[l] a cada uno y sus armas;[m] y tendrán que cortar los más selectos de tus cedros[n] y hacer que caigan en el fuego.[o] 8 Y muchas naciones realmente pasarán junto a esta ciudad, y una dirá a la otra: "¿Por qué razón hizo Jehová así a esta gran ciudad?"[p] 9 Y tendrán que decir: "Por razón de que dejaron el pacto de Jehová su Dios[q] y procedieron a inclinarse a otros dioses, y a servirles" '.[r]

10 "No lloren ustedes al muerto,[s] y no se conduelan por él. Lloren profusamente por el que está yéndose, porque no volverá más, y realmente no

CAP. 21
a Dt 30:19; Isa 1:19
b Jer 27:13; Jer 38:2; Eze 7:15
c Jer 38:17; Jer 39:18; Jer 45:5
d Le 26:17; Sl 34:16; Jer 44:11; Eze 15:7; Am 9:4; 1Pe 3:12
e Jer 38:3
f 2Cr 36:19; Jer 17:27; Jer 34:22; Jer 37:10; Jer 39:8; Jer 52:13
g Jer 17:20
h Isa 7:2; Lu 1:69
i Sl 101:8
j 2Sa 8:15; Isa 1:17; Jer 7:5; Jer 22:3; Zac 7:9
k Sl 72:4; Pr 14:31; Eze 22:29; Miq 3:2
l Sl 33:22; Am 5:4; Na 1:6; Sof 1:18
m Isa 1:31; Jer 7:20
n Jer 51:25; Eze 13:8
o 2Sa 5:6; Jer 49:4; Lam 4:12; Abd 3
p Jer 5:9; Jer 9:9
q Pr 1:31; Isa 3:11; Gál 6:7
r Isa 10:18
s 2Cr 36:19; Jer 52:13

CAP. 22
t Jer 13:13; Jer 17:25; Lu 1:32

2.ª col.
a Jer 7:2; Jer 17:20
b Le 19:15; Dt 16:18; Isa 1:17; Jer 21:12; Eze 22:7; Eze 22:29; Miq 2:2; Zac 7:9
c Sl 94:6
d Dt 19:10; 2Re 24:4; Jer 7:6
e 1Re 2:12; Jer 17:25
f Nú 23:19; Dt 32:40; Am 6:8; Heb 6:17
h Jer 39:8; Miq 3:12; Mal 3:5; i Dt 3:25; j Sl 107:34; Isa 27:10; Isa 6:11; Isa 24:1; Jer 7:34; l Isa 13:3; m Eze 9:1; n Isa 37:24; o Jer 21:14; Zac 11:1; p 1Re 9:8; Lam 2:15; q Dt 29:25; Jer 31:32; r Dt 29:26; Dt 31:20; 2Re 17:17; 2Cr 34:25; s Jer 22:20.

verá la tierra de sus parientes.
11 Porque esto es lo que ha dicho Jehová acerca de Salum[a] hijo de Josías, el rey de Judá que está reinando en lugar de Josías su padre,[b] que ha salido de este lugar: 'No volverá más allí. **12** Porque en el lugar adonde lo han llevado en destierro morirá, y ya no verá esta tierra'.[c]

13 "¡Ay de aquel que edifica su casa,[d] pero no con justicia, y sus cámaras superiores, pero no con derecho, por el uso de su semejante que le sirve de balde, y cuyo salario él no le da!;[e] **14** el que dice: 'Voy a edificarme una casa espaciosa y cámaras superiores holgadas',[f] y mis ventanas tendrán que ser ensanchadas para ella, y el enmaderar será con cedro,[g] y embadurnado con bermellón'.[h] **15** ¿Continuarás reinando porque estás compitiendo por el uso del cedro? En cuanto a tu padre, ¿no comió y bebió y ejecutó derecho y justicia?[i] En aquel caso le fue bien. **16** Él defendió la reclamación legal del afligido y del pobre.[k] En aquel caso aquello marchó bien. '¿No era ese un caso de conocerme? —es la expresión de Jehová—. **17** Con toda seguridad tus ojos y tu corazón están puestos solamente sobre tu ganancia injusta,[l] y sobre la sangre del inocente para derramar[la],[m] y sobre el defraudar y sobre la extorsión a fin de ocuparte en [estos].'

18 "Por lo tanto, esto es lo que ha dicho Jehová respecto a Jehoiaquim[n] hijo de Josías, el rey de Judá: 'No lo plañirán: "¡Ay, hermano mío! Y ¡ay, hermana [mía]!". No lo plañirán: "¡Ay, oh amo! Y ¡ay, su dignidad!".[o] **19** Con el entierro de un asno será enterrado,[p] con un llevar arrastrando y un echar afuera, más allá de las puertas de Jerusalén'.[q]

20 "Sube al Líbano[r] y clama, y en Basán[s] da salida a tu voz. Y clama desde Abarim,[t] porque todos los que te amaban intensamente han sido quebrados.[a] **21** Yo te hablé cuando te hallabas libre de cuidado.[b] Dijiste: 'No obedeceré'.[c] Este ha sido tu proceder desde tu juventud, pues no obedeciste mi voz.[d] **22** Un viento pastoreará a todos tus propios pastores;[e] y en cuanto a los que te aman intensamente, se irán al cautiverio mismo.[f] Porque en aquel tiempo te avergonzarás y ciertamente te sentirás humillada a causa de toda tu calamidad.[g] **23** Oh tú, que estás morando en el Líbano,[h] anidada en los cedros,[i] ¡cómo suspirarás, de veras, cuando llegues a estar con dolores,[j] los dolores de parto como los de una mujer que está dando a luz!".[k]

24 "'¡Tan ciertamente como que vivo yo —es la expresión de Jehová—, aun si Conías[l] hijo de Jehoiaquim,[m] el rey de Judá, fuera el anillo de sellar[n] sobre mi diestra, de allí te arrancaría[o] **25** Y ciertamente te daré en la mano de los que están buscando tu alma,[p] y en la mano de los que te tienen asustado, y en la mano de Nabucodorosor el rey de Babilonia, y en la mano de los caldeos.[q] **26** Y ciertamente los arrojaré a ti y a tu madre[r] que te dio a luz a otra tierra en la cual ustedes no nacieron, y allí es donde morirán.[s] **27** Y a la tierra a la cual ellos estarán alzando su alma para volver, a ella no volverán.[t] **28** ¿Es este hombre Conías[u] una mera forma despreciada, hecha añicos,[v] o una vasija que no ocasiona deleite?[w] ¿Por qué tienen que ser arrojados hacia abajo él mismo y su prole, y echados a la tierra que no han conocido?'[x]

29 "Oh tierra, tierra, tierra, oye la palabra de Jehová.[y] **30** Esto es lo que ha dicho Jeho-

CAP. 22

a 1Cr 3:15
b 2Re 23:30
  2Cr 36:1
c 2Re 23:34
  2Cr 36:4
d 2Re 23:35
e Le 19:13
  Dt 24:14
  Miq 3:10
  Hab 2:9
  Hab 2:12
  Mal 3:5
  Snt 5:4
f Isa 5:8
g Ag 1:4
h Eze 23:14
i 2Re 22:2
  2Re 23:25
  2Cr 34:2
  Pr 31:3
  Pr 31:9
j Dt 4:40
  Sl 128:2
  Isa 3:10
  Isa 42:6
k Job 29:12
  Sl 72:2
  Isa 1:17
l Jos 7:21
  Sl 10:3
  Sl 119:37
m 2Re 24:4
n 2Re 23:34
  2Cr 36:4
o 2Sa 1:23
  1Re 13:30
p 1Re 21:23
  Jer 36:30
q 2Cr 36:6
r Isa 35:2
s Sl 68:15
t Dt 32:49

2.ªcol.

a 2Re 24:7
b 2Cr 36:15
c Jer 2:31
  Jer 6:16
d Dt 9:7
  Jue 2:11
  Ne 9:16
  Jer 3:25
  Jer 7:24
e Jer 23:1
  Eze 34:2
  Zac 11:8
f 2Re 24:7
g Jer 2:26
h Jer 22:6
i Isa 2:13
  Eze 17:3
j Jer 6:24
  Os 7:14
k Jer 4:31
l 2Re 24:6
  1Cr 3:16
  Jer 22:28
  Jer 37:1
  Mt 1:11
m 2Re 23:34
n Ag 2:23
o Jer 22:6
p 2Re 24:15
  Jer 21:7
  Jer 34:20
q 2Re 24:11
  2Re 24:16
  Esd 5:12
  Ho 10:24
  Jer 24:1
  Jer 27:20
  Jer 29:2
r 2Re 24:12

s 2Re 24:15; 2Cr 36:10; Jer 15:2; t Jer 44:14; Jer 52:34; u Jer 22:24; Jer 37:1; v 1Sa 5:4; w Sl 31:12; Jer 48:38; Os 8:8; x 2Re 24:15; 1Cr 3:17; y Dt 4:26; Dt 32:1; Isa 1:2; Isa 34:1; Jer 6:19; Miq 1:2.

vá: 'Inscriban a este hombre como sin hijos,[a] como un hombre físicamente capacitado que no tendrá ningún éxito en sus días; porque de su prole ni uno solo tendrá éxito,[b] de modo que se siente sobre el trono de David[c] y gobierne ya en Judá'."

23 "¡Ay de los pastores que están destruyendo y esparciendo las ovejas de mi apacentamiento!",[d] es la expresión de Jehová.

2 Por lo tanto, esto es lo que ha dicho Jehová el Dios de Israel contra los pastores que están pastoreando a mi pueblo: "Ustedes mismos han esparcido mis ovejas; y siguieron dispersándolas, y no han dirigido su atención a ellas".[e]

"Aquí voy a dirigir mi atención a ustedes por la maldad de sus tratos",[f] es la expresión de Jehová.

3 "Y yo mismo juntaré al resto de mis ovejas de todas las tierras a las cuales las había dispersado,[g] y ciertamente las traeré de vuelta a su apacentadero,[h] y de veras serán fructíferas y llegarán a ser muchas.[i] 4 Y ciertamente levantaré sobre ellas pastores que realmente las pastorearán;[j] y ellas ya no tendrán miedo, ni se sobrecogerán de terror alguno,[k] y no faltará ninguna", es la expresión de Jehová.

5 "¡Miren! Vienen días —es la expresión de Jehová—, y yo ciertamente levantaré a David un brote justo.[l] Y un rey ciertamente reinará[m] y actuará con discreción y ejecutará derecho y justicia en la tierra.[n] 6 En sus días Judá será salvado,[o] e Israel mismo residirá en seguridad.[p] Y este es su nombre con el cual se le llamará: Jehová Es Nuestra Justicia."[q]

7 "Por lo tanto, ¡miren!, vienen días —es la expresión de Jehová—, y ya no dirán: 'Vive Jehová que hizo subir a los hijos de Israel de la tierra de Egipto',[r]

8 sino: 'Vive Jehová que hizo subir y que hizo entrar a la prole de la casa de Israel de la tierra del norte y de todas las tierras a las cuales yo los he dispersado', y ciertamente morarán en su propio suelo."[a]

9 En cuanto a los profetas, se ha quebrantado mi corazón dentro de mí. Todos mis huesos han empezado a estremecerse. Me he puesto como un hombre que está borracho,[b] y como un hombre físicamente capacitado a quien el vino ha vencido, a causa de Jehová y a causa de sus santas palabras. 10 Porque de adúlteros[c] se ha llenado la tierra.[d] Porque a causa de la maldición la tierra se ha dado al duelo,[e] los pastos del desierto se han secado;[f] y la manera de proceder de ellos resulta mala, y su poderío no es recto.

11 "Porque tanto el profeta mismo como el sacerdote mismo se han contaminado.[g] También en mi propia casa he hallado su maldad[h] —es la expresión de Jehová—. 12 Por lo tanto, su camino llegará a ser para ellos como resbaladeros[i] en las tinieblas, en el cual serán empujados y ciertamente caerán."[j]

"Porque yo traeré sobre ellos una calamidad, el año en que se les dé atención[k] —es la expresión de Jehová—. 13 Y en los profetas de Samaria[l] he visto impropiedad. Han actuado como profetas [incitados] por Baal,[m] y siguen haciendo que mi pueblo, aun Israel, ande errante.[n] 14 Y en los profetas de Jerusalén he visto cosas horribles,[o] el cometer adulterio[p] y andar en falsedad;[q] y han fortalecido las manos de los malhechores para que no se vuelvan,[r] cada cual de su propia maldad. Para mí todos

CAP. 22
a Mt 1:12
b 2Cr 36:10 Jer 36:30
c Lu 1:32

CAP. 23
d Jer 10:21 Jer 50:6 Eze 34:2 Zac 11:5 Mt 9:36
e Eze 34:5
f Os 2:13 Miq 7:4
g Sl 106:47 Isa 11:11 Isa 35:10 Jer 29:14 Jer 31:8 Zac 10:8
h Dt 30:3 Isa 65:10 Jer 50:19 Eze 34:13 Eze 34:14 Miq 2:12
i Dt 30:5 Am 9:14
j Jer 3:15 Jn 21:15 Hch 20:28 1Pe 5:2
k Miq 5:8
l Isa 4:2 Isa 11:1 Isa 53:2 Jer 33:15 Zac 3:8 Mt 2:23 Jn 1:45
m Lu 1:32
n Sl 72:2 Isa 9:7 Isa 11:4 Isa 32:1
o 1Re 4:25 Os 1:7 Zac 10:6
p Dt 33:28 Sl 130:7 Isa 62:4 Jer 32:37 Zac 14:11
q Isa 54:17 Jer 33:16
r Jer 16:14

2.ª col.
a Isa 27:12 Isa 43:5 Eze 34:13 Eze 36:24 Sof 3:20
b Sl 60:3
c Jer 3:9 Jer 9:2 Jer 13:27 Eze 16:32 Os 4:2
d Jer 5:7 Eze 22:11 Os 4:2
e Isa 24:4 Jer 12:4 Os 4:3 Joe 1:10
f Sl 107:34 Jer 9:10 Jer 12:4

g Isa 28:7; Jer 5:31; Jer 6:13; Jer 8:10; Eze 22:25; Sof 3:4; h Jer 23:14; 2Cr 36:14; Jer 7:11; Eze 8:11; Eze 23:39; i Sl 35:6; Sl 73:18; Pr 4:19; Jer 13:16; j Dt 28:15; k Jer 8:12; Jer 11:23; l Eze 16:46; m Jer 2:8; n 2Cr 33:9; Isa 9:16; o Jer 18:13; p Jer 29:23; q Jer 14:14; Jer 23:26; r Dt 30:10; Mal 3:7.

ellos han llegado a ser como Sodoma,[a] y los habitantes de ella como Gomorra".[b]

15 Por lo tanto, esto es lo que ha dicho Jehová de los ejércitos contra los profetas: "Aquí voy a hacerles comer ajenjo, y ciertamente les daré a beber agua envenenada.[c] Porque de los profetas de Jerusalén ha salido la apostasía[d] a toda la tierra".

16 Esto es lo que ha dicho Jehová de los ejércitos: "No escuchen las palabras de los profetas que les están profetizando.[e] Están haciendo que ustedes se hagan vanos.[f] La visión de su propio corazón es lo que hablan[g]... no de la boca de Jehová.[h] 17 Vez tras vez están diciendo a los que me son irrespetuosos: 'Jehová ha hablado: "Paz es lo que llegarán a tener" '.[i] Y [a] todos los que van andando en la terquedad de su corazón[j] les han dicho: 'Ninguna calamidad vendrá sobre ustedes'.[k] 18 Pues, ¿quién se ha parado en el grupo íntimo[l] de Jehová para que viera y oyera su palabra?[m] ¿Quién ha prestado atención a su palabra para que la oyera?[n] 19 ¡Miren! La tempestad de viento de Jehová, furia misma, ciertamente saldrá, sí, una tormenta en remolino.[o] Sobre la cabeza de los inicuos se remolinará.[p] 20 La cólera de Jehová no se volverá atrás hasta que él haya llevado a cabo[q] y hasta que haya realizado las ideas de su corazón.[r] En la parte final de los días ustedes darán su consideración a ello con entendimiento.[s]

21 "Yo no envié a los profetas; no obstante, ellos mismos corrieron. No les hablé; no obstante, ellos mismos profetizaron.[t] 22 Pero si se hubieran parado en mi grupo íntimo,[u] entonces habrían hecho que mi pueblo oyera mis propias palabras, y habrían hecho que se volvieran de su camino malo y de la maldad de sus tratos".[v]

23 "¿Soy yo un Dios de cerca

—es la expresión de Jehová—, y no un Dios de lejos?"[a]

24 "¿O puede cualquier hombre estar ocultado en escondrijos y yo mismo no verlo?",[b] es la expresión de Jehová.

"¿No lleno realmente yo mismo los cielos y la tierra?[c] —es la expresión de Jehová—. 25 Yo he oído lo que han dicho los profetas que están profetizando falsedad en mi propio nombre,[d] diciendo: '¡He tenido un sueño! ¡He tenido un sueño!'.[e] 26 ¿Hasta cuándo existirá esto en el corazón de los profetas que están profetizando la falsedad y que son profetas de la artimaña de su propio corazón?[f] 27 Están pensando en hacer que mi pueblo olvide mi nombre por medio de sus sueños que siguen contándose cada uno al otro,[g] tal como sus padres olvidaron mi nombre por medio de Baal.[h] 28 El profeta con quien haya un sueño, cuente el sueño; pero aquel con quien esté mi propia palabra, hable mi palabra con verdad".

"¿Qué tiene que ver la paja con el grano?",[i] es la expresión de Jehová. 29 "¿No es mi palabra correspondientemente como un fuego[k] —es la expresión de Jehová—, y como un martillo de fragua que desmenuza el peñasco?"[l]

30 "Por lo tanto, aquí estoy yo contra los profetas[m] —es la expresión de Jehová—, los que están hurtando mis palabras, cada uno de su compañero."[n]

31 "Aquí estoy yo contra los profetas —es la expresión de Jehová—, los que están empleando su lengua para expresar: '¡Una expresión!'."[o]

32 "Aquí estoy yo contra los profetas de sueños falsos —es la expresión de Jehová— que los cuentan y hacen que mi pueblo ande errante debido a sus false-

---

CAP. 23
a Isa 3:9
b Ge 18:20
Dt 30:32
Isa 1:10
Jud 7
c Jer 8:14
Jer 9:15
d Pr 11:9
Isa 9:17
Isa 24:5
e Jer 27:9
Jer 29:8
f 2Re 17:15
Jer 2:5
g Lam 2:14
h Jer 14:14
Jer 28:15
Eze 13:3
Eze 22:28
i Jer 4:10
Jer 6:14
Jer 8:11
Eze 13:10
j Dt 29:19
Jer 3:17
k Am 9:10
Miq 3:11
Jer 25:14
Sl 89:7
Jer 23:22
m Am 3:7
n 2Cr 33:10
o Isa 5:25
Jer 25:32
p Jue 9:57
1Sa 25:39
Ne 4:4
Jer 30:23
Joe 3:7
Abd 15
q Le 26:28
Zac 8:14
r Jer 30:24
s 1Re 8:47
t Jer 14:14
Jer 27:15
Jer 29:9
u Job 29:4
Sl 15:1
Sl 25:14
Jer 23:18
v Jer 25:5
Jer 29:23

2.ª col.

a Sl 113:6
Hch 17:27
b Gé 16:13
Sl 90:8
Sl 139:7
Pr 15:3
Am 9:2
Heb 4:13
c Sl 139:7
Isa 66:1
d Jer 29:23
e Dt 13:1
Dt 18:20
Jer 27:9
Zac 10:2
f Jer 14:14
Jer 17:9
g Dt 13:2
Hch 13:8
h Jue 3:7
2Re 21:3
i Pr 14:5
Lu 12:42
2Co 2:17
j Isa 41:16
Lu 3:17
1Co 3:13

k Isa 30:27; Jer 5:14; Jer 20:9; l Heb 4:12; m Dt 18:20; Jer 14:15; Eze 13:2; Mt 24:24; n 2Sa 15:6; Sl 50:17; o Eze 13:7.

dades[a] y debido a su jactancia."[b]

"Pero yo mismo no los envié ni les di orden. Así que de ninguna manera aprovecharán a este pueblo",[c] es la expresión de Jehová.

33 "Y cuando te pregunte este pueblo, o el profeta, o sacerdote, diciendo: '¿Cuál es la carga de Jehová?',[d] también tienes que decirles: '"Ustedes son... ¡oh, qué carga!e Y ciertamente los abandonaré",[f] es la expresión de Jehová'. 34 En cuanto al profeta o al sacerdote o al pueblo que diga: ¡La carga de Jehová!', yo también ciertamente dirigiré mi atención a ese hombre y a su casa.[g] 35 Esto es lo que ustedes siguen diciendo cada uno a su prójimo y cada uno a su hermano: '¿Qué ha respondido Jehová? ¿Y qué ha hablado Jehová?'.[h] 36 Pero de la carga[i] de Jehová ya no hagan mención[j] ustedes, porque la carga misma llega a ser para cada cual su propia palabra,[k] y ustedes han cambiado las palabras del Dios vivo,[l] Jehová de los ejércitos, nuestro Dios.

37 "Esto es lo que dirás al profeta: '¿Qué respuesta te ha dado Jehová? ¿Y qué ha hablado Jehová?'[m] 38 Y si "¡La carga de Jehová!" es lo que ustedes siguen diciendo, por lo tanto esto es lo que ha dicho Jehová: "Por la razón de que ustedes dicen: 'Esta palabra es la mismísima carga de Jehová', cuando yo seguí enviando a decirles: 'No deben decir: ¡La carga de Jehová!'', 39 ¡por lo tanto, aquí estoy yo! Y ciertamente los entregaré a ustedes al descuido, decididamente,[n] y de veras los abandonaré a ustedes y a la ciudad que les di a ustedes y a sus antepasados... de delante de mí.[o] 40 Y ciertamente pondré sobre ustedes oprobio hasta tiempo indefinido y humillación hasta tiempo indefinido, que no será olvidado"'."[p]

CAP. 23
a Dt 13:1
  Dt 18:20
  Zac 10:2
b Sof 3:4
c Jer 7:8
  Lam 2:14
  Mt 15:14
d Jer 17:15
  Hab 1:1
  Mal 1:1
e Nú 4:15
f Dt 31:17
  Jer 12:7
  Os 9:12
g Miq 7:4
h Jer 31:34
  Heb 8:11
i Éx 19:8
  1Cr 9:33
j Ne 13:18
k Jue 17:6
l Jer 2:21
  Jer 2:36
m Eze 18:25
n Dt 31:17
  Os 4:6
o Jer 23:33
  Lam 5:20
p Jer 20:11
  Jer 24:9
  Jer 42:18
  Da 9:16

2.ª col.

CAP. 24
a 2Re 24:12
  Est 2:6
  Eze 19:9
b 2Re 24:6
  1Cr 3:16
  Jer 22:24
c 2Re 24:16
  Jer 39:2
e Isa 28:4
  Os 9:10
f Jer 24:8
g Jer 25:11
h Jer 29:10
i 2Cr 16:9
  1Pe 3:12
j Esd 1:7
  Jer 12:15
  Jer 23:3
  Jer 29:10
  Jer 30:24
k Jer 1:10
  Jer 30:18
  Jer 32:41
  Jer 33:7
l Dt 30:6
  Jer 31:33
  Eze 11:19
m Jer 30:22
  Jer 32:38
  Zac 14:11
  Zac 8:8
  Heb 8:10
n 1Re 8:48
  Jer 29:13
o Jer 29:17
p 2Re 25:7
  Eze 12:13
q Le 26:39

24 Y Jehová me mostró, y, ¡mire!, dos cestas de higos colocadas delante del templo de Jehová, después que Nabucodorosor el rey de Babilonia se hubo llevado al destierro a Jeconías[a] hijo de Jehoiaquim,[b] el rey de Judá, y a los príncipes de Judá y a los artífices[c] y a los constructores de baluartes, de Jerusalén para transportarlos a Babilonia.[d] 2 En cuanto a la primera cesta, los higos eran muy buenos, como brevas;[e] y en cuanto a la otra cesta, los higos eran muy malos, de modo que no se podían comer de malos que eran.

3 Y Jehová procedió a decirme: "¿Qué estás viendo, Jeremías?". De modo que dije: "Higos, los higos buenos muy buenos, y los malos muy malos, de modo que no pueden comerse de malos que son".[f]

4 Entonces me ocurrió la palabra de Jehová, diciendo: 5 "Esto es lo que ha dicho Jehová, el Dios de Israel: 'Como a estos higos buenos, así consideraré a los desterrados de Judá, a quienes ciertamente enviaré de este lugar a la tierra de los caldeos,[g] de buena manera.[h] 6 Y ciertamente fijaré mi ojo sobre ellos de buena manera,[i] y de seguro haré que regresen a esta tierra.[j] Y ciertamente los edificaré, y no demoleré; y ciertamente los plantaré, y no desarraigaré.[k] 7 Y de veras les daré un corazón para que me conozcan,[l] que yo soy Jehová; y tendrán que llegar a ser mi pueblo,[m] y yo mismo llegaré a ser su Dios, porque se volverán a mí con todo el corazón.[n]

8 "'Y como los higos malos que no pueden comerse de malos que son,[o] esto de hecho es lo que ha dicho Jehová: "Así daré a Sedequías[p] el rey de Judá y a sus príncipes y al resto de Jerusalén que se están quedando en este país[q] y a los que están morando

en la tierra de Egipto[a]... 9 yo también ciertamente los daré para trepidación, para calamidad, en todos los reinos de la tierra,[b] para oprobio y para un dicho proverbial, para un escarnio[c] y para una invocación de mal,[d] en todos los lugares a los cuales los dispersaré.[e] 10 Y ciertamente enviaré contra ellos la espada,[f] el hambre[g] y la peste,[h] hasta que se acaben de sobre el suelo que les di a ellos y a sus antepasados"'".[i]

25 La palabra que le ocurrió a Jeremías acerca de todo el pueblo de Judá en el año cuarto de Jehoiaquim[j] hijo de Josías, el rey de Judá, es decir, el primer año de Nabucodorosor el rey de Babilonia; 2 la cual Jeremías el profeta habló acerca de todo el pueblo de Judá y acerca de todos los habitantes de Jerusalén, diciendo:

3 "Desde el año decimotercero de Josías[k] hijo de Amón, el rey de Judá, y hasta el día de hoy, estos veintitrés años se me ha ocurrido la palabra de Jehová, y seguí hablándoles, madrugando y hablando, pero ustedes no escucharon.[l] 4 Y Jehová les envió todos sus siervos los profetas, madrugando y enviándo[los], pero ustedes no escucharon,[m] ni inclinaron su oído para escuchar,[n] 5 cuando ellos decían: 'Vuélvanse, por favor, cada uno de su camino malo y de la maldad de sus tratos,[o] y continúen morando sobre el suelo que Jehová les dio a ustedes y a sus antepasados desde mucho tiempo atrás y hasta mucho tiempo por venir.[p] 6 Y no anden tras otros dioses para servirles y para inclinarse ante ellos, para que no me ofendan con la obra de sus manos, y para que yo no les cause calamidad a ustedes'.[q]

7 "'Pero ustedes no me escucharon —es la expresión de Jehová—, con el intento de ofenderme con la obra de sus manos, para calamidad a ustedes mismos.'[a]

8 "Por lo tanto, esto es lo que ha dicho Jehová de los ejércitos: '"Por la razón de que ustedes no obedecieron mis palabras, 9 miren, voy a enviar y ciertamente tomaré a todas las familias del norte[b] —es la expresión de Jehová—, hasta [enviar aviso] a Nabucodorosor el rey de Babilonia, mi siervo,[c] y ciertamente las traeré contra esta tierra[d] y contra sus habitantes y contra todas estas naciones en derredor;[e] y ciertamente los daré por entero a la destrucción y haré de ellos objeto de pasmo y algo de qué silbar[f] y lugares devastados hasta tiempo indefinido.[g] 10 Y ciertamente destruiré de entre ellos el sonido de alborozo y el sonido de regocijo,[h] la voz del novio y la voz de la novia,[i] el sonido del molino de mano[j] y la luz de la lámpara.[k] 11 Y toda esta tierra tiene que llegar a ser un lugar devastado, un objeto de pasmo, y estas naciones tendrán que servir al rey de Babilonia setenta años"'.[l]

12 "'Y tiene que ocurrir que, cuando se hayan cumplido setenta años,[m] pediré cuentas al rey de Babilonia y a aquella nación[n] —es la expresión de Jehová— por su error, aun a la tierra de los caldeos,[o] y ciertamente haré de ella yermos desolados hasta tiempo indefinido.[p] 13 Y de veras traeré sobre aquella tierra todas mis palabras que he hablado contra ella, aun todo lo que está escrito en este libro que Jeremías ha profetizado contra todas las naciones.[q] 14 Porque hasta ellas mismas, muchas naciones y reyes grandes,[r] los han explotado como siervos;[s] y ciertamente se lo pa-

CAP. 24
a Jer 43:7
  Jer 44:1
  Jer 46:13
b Jer 15:4
  Jer 34:17
c Dt 28:37
  1Re 9:7
  2Cr 7:20
  Sl 44:13
d Dt 28:15
  Dt 29:27
  Jer 26:6
  Jer 29:22
e Dt 28:64
  Jer 29:18
f Le 26:33
  Jer 9:16
g Jer 14:15
  Jer 15:2
h Dt 28:59
  Eze 7:15
i Dt 28:63

CAP. 25
j 2Re 24:1
  Jer 36:1
  Jer 46:2
  Da 1:1
k Jer 1:2
l 2Cr 36:15
  Sl 81:13
  Jer 7:13
  Jer 11:7
  Jer 13:10
  Jer 16:12
m Jer 7:13
  Jer 29:19
  Jer 44:4
n Zac 7:11
  Heb 7:51
o 2Re 17:13
  Isa 55:7
  Jer 18:11
  Jer 35:15
  Eze 18:30
  Eze 33:11
  Jon 3:8
  Zac 1:4
  Mal 3:7
  2Pe 3:9
p Sl 105:11
q Ex 20:5
  Dt 6:15
  Jos 24:20

2.ª col.
a Dt 32:21
  2Re 17:17
  Ne 9:26
  Jer 7:19
  Jer 32:30
  Jer 44:5
b Le 26:25
  Isa 5:26
  Jer 1:15
  Jer 5:15
c Jer 27:6
  Jer 43:10
  Eze 29:18
d Dt 28:49
  Jer 5:15
  Eze 7:24
  Am 6:14
e Eze 26:7
  Eze 29:19
  Hab 1:6
f Jer 19:8
g 1Re 9:7
  Jer 18:16
h Isa 24:7
  Eze 26:13
i Jer 7:34
  Jer 16:9

j Rev 18:22; k Rev 18:23; l 2Cr 36:21; Da 9:2; Zac 1:12; Zac 7:5; m Dt 30:3; Esd 1:1; Jer 29:10; n Isa 13:1; Isa 14:4; Isa 47:1; Jer 51:1; Da 5:26; Da 5:30; o 2Re 24:1; p Jer 13:19; Jer 14:23; q Jer 1:5; Jer 1:10; r Jer 50:9; Jer 51:27; s Isa 14:2; Jer 50:41; Jer 51:7; Hab 2:8.

garé conforme a su actividad y conforme a la obra de sus manos'".[a]

15 Porque esto es lo que me dijo Jehová el Dios de Israel: "Toma de mi mano esta copa del vino de la furia, y tienes que hacer que lo beban todas las naciones a quienes voy a enviarte.[b] 16 Y tienen que beber y sacudirse de aquí para allá y actuar como hombres enloquecidos a causa de la espada que voy a enviar entre ellas".[c]

17 Y procedí a tomar la copa de la mano de Jehová y a hacer que bebieran todas las naciones a quienes Jehová me había enviado:[d] 18 a saber, a Jerusalén y a las ciudades de Judá y sus reyes, sus príncipes, para hacerlos un lugar devastado, un objeto de pasmo,[e] algo de qué silbar y una invocación de mal, tal como sucede este día;[f] 19 a Faraón el rey de Egipto y sus siervos y sus príncipes y todo su pueblo;[g] 20 y a toda la compañía mixta, y a todos los reyes de la tierra de Uz,[h] y a todos los reyes de la tierra de los filisteos,[i] y a Asquelón[j] y Gaza[k] y Eqrón[l] y el resto de Asdod;[m] 21 a Edom[n] y Moab[o] y los hijos de Ammón;[p] 22 y a todos los reyes de Tiro[q] y a todos los reyes de Sidón[r] y a los reyes de la isla que está en la región del mar; 23 y a Dedán[s] y Temá[t] y Buz y todos los de cabello cortado en las sienes;[u] 24 y a todos los reyes de los árabes[v] y todos los reyes de la compañía mixta que está residiendo en el desierto; 25 y todos los reyes de Zimrí y todos los reyes de Elam[w] y todos los reyes de los medos;[x] 26 y todos los reyes del norte que están cerca y lejos, uno tras otro, y todos los [demás] reinos de la tierra que están sobre la superficie del suelo; y el mismo rey de Sesac[y] beberá después de ellos.

27 "Y tienes que decirles: 'Esto es lo que ha dicho Jehová de los ejércitos, el Dios de Israel: "Beban y emborráchense y vomiten y caigan de manera que no puedan levantarse[a] a causa de la espada que voy a enviar entre ustedes"'.[b] 28 Y tiene que suceder que, en caso de que ellos rehúsen tomar la copa de tu mano para beber, también tienes que decirles: 'Esto es lo que ha dicho Jehová de los ejércitos: "Beberán sin falta.[c] 29 Porque, ¡miren!, es con la ciudad sobre la cual se llama mi nombre con que estoy comenzando en cuanto a traer calamidad,[d] ¿y deben ustedes mismos de manera alguna quedar libres de castigo?"'.[e]

"'No quedarán libres de castigo, porque hay una espada que estoy llamando contra todos los habitantes de la tierra', es la expresión de Jehová de los ejércitos.

30 "Y en cuanto a ti, tú les profetizarás todas estas palabras, y tienes que decirles: 'Desde lo alto Jehová mismo rugirá,[f] y desde su santa morada dará su voz.[g] Sin falta rugirá sobre su lugar de habitación. Un grito como el de los que pisan [el lagar] voceará en canto contra todos los habitantes de la tierra'.[h]

31 "'Un ruido ciertamente llegará hasta la mismísima parte más lejana de la tierra, porque hay una controversia que Jehová tiene con las naciones.[i] Él personalmente tiene que ponerse en juicio con toda carne.[j] En cuanto a los inicuos, tiene que darlos a la espada',[k] es la expresión de Jehová.

32 "Esto es lo que ha dicho Jehová de los ejércitos: '¡Miren! Una calamidad va a salir de nación en nación,[l] y una gran tormenta será levantada desde las partes más remotas de

CAP. 25
a Sl 137:8
Jer 50:29
Jer 51:6
Rev 18:6
b Job 21:20
Sl 75:8
Isa 51:17
Jer 25:26
Rev 14:10
Rev 16:19
c Jer 51:7
Lam 4:21
Eze 23:34
Na 3:11
d Jer 1:10
Jer 27:3
Jer 25:17
e 2Re 22:19
Jer 24:9
f Eze 9:7
Jer 44:22
g Jer 46:2
Eze 29:2
Eze 32:31
h Job 1:1
i Isa 14:31
Jer 47:1
Eze 25:15
Am 1:8
Sof 2:5
Zac 9:6
Sof 2:4
k Jos 13:3
l Zac 9:5
m Jos 20:1
n Isa 34:5
Jer 49:7
Eze 35:15
o Jer 48:1
Eze 25:8
p Jer 49:1
Eze 25:2
Am 1:13
q Isa 23:15
Eze 28:2
r Jer 27:3
Jer 47:4
Eze 32:30
s Isa 21:13
Jer 49:8
Eze 25:13
t Isa 21:14
u Jer 9:26
Jer 49:32
v 2Cr 9:14
Jer 49:31
w Jer 49:34
Eze 32:24
x Jer 51:11
y Jer 51:41

2.ª col.
a Isa 63:6
Lam 4:21
Hab 2:16
b Eze 21:4
c Sl 75:8
d 1Re 9:7
Jer 7:14
Da 9:18
1Pe 4:17
e Pr 11:31
Jer 49:12
Abd 16
f Isa 42:13
Joe 3:16
Am 1:2
g Sl 11:4
Sl 132:14
h Isa 16:9
Jer 48:33

i Isa 34:8; Os 4:1; Os 12:2; Miq 6:2; j Eze 18:30;
Eze 20:35; Joe 3:2; k Pr 2:22; Isa 66:16; Am 9:10;
l Isa 34:2; Jer 25:17.

la tierra.ᵃ 33 Y los muertos por Jehová ciertamente llegarán a estar en aquel día desde un extremo de la tierra hasta el mismísimo otro extremo de la tierra.ᵇ No serán plañidos, ni serán recogidos ni enterrados.ᶜ Quedarán como estiércol sobre la superficie del suelo'.ᵈ

34 "¡Aúllen, pastores, y clamen!ᵉ ¡Y revuélquense,ᶠ majestuosos del rebaño,ᵍ porque se han cumplido sus días para degollación y para sus esparcimientos,ʰ y ustedes tendrán que caer como un vasoⁱ deseable! 35 Y un lugar adonde huir ha perecido de los pastores; y un medio de escape, de los majestuosos del rebaño.ʲ 36 ¡Escuchen! El alarido de los pastores, y el aullido de los majestuosos del rebaño, porque Jehová va a despojar con violencia su pasturaje. 37 Y los lugares de habitación pacíficos han quedado sin vida a causa de la ardiente cólera de Jehová.ᵏ 38 Él ha dejado su guarida justamente como un leoncillo crinado,ˡ pues la tierra de ellos ha llegado a ser objeto de pasmo a causa de la espada que da maltrato y a causa de la ardiente cólera de él."ᵐ

26 En el principio del regir real de Jehoiaquimⁿ hijo de Josías, el rey de Judá, ocurrió esta palabra de parte de Jehová, y dijo: 2 "Esto es lo que ha dicho Jehová: 'Mantente de pie en el patio de la casa de Jehová,ᵒ y tienes que hablar, acerca de todas las ciudades de Judá que están entrando a inclinarse en la casa de Jehová, todas las palabras que ciertamente te mandaré hablarles.ᵖ No quites palabra alguna.ᵍ 3 Quizás escuchen y se vuelvan, cada uno de su camino malo,ʳ y tú tenga que sentir pesar por la calamidad que estoy pensando ejecutar sobre ellos a causa de la maldad de sus tra-

tos.ᵃ 4 Y tienes que decirles: "Esto es lo que ha dicho Jehová: 'Si ustedes no me escuchan mediante andar en mi leyᵇ que he puesto delante de ustedes,ᶜ 5 mediante escuchar las palabras de mis siervos los profetas —a quienes estoy enviando a ustedes, aun madrugando y enviándo[los]—, a quienes no han escuchado,ᵈ 6 yo, en cambio, ciertamente haré que esta casa sea como la de Siló,ᵉ y haré que esta ciudad sea una invocación de mal para todas las naciones de la tierra' " '.ᶠ

7 Y los sacerdotes y los profetas y todo el pueblo empezaron a oír a Jeremías hablar estas palabras en la casa de Jehová.ᵍ 8 Aconteció que cuando Jeremías hubo terminado de hablar todo lo que Jehová [le] había mandado hablar a todo el pueblo, entonces los sacerdotes y los profetas y todo el pueblo le echaron mano y dijeron: "Positivamente morirás.ʰ 9 ¿Por qué has profetizado en el nombre de Jehová, diciendo: 'Como la de Silóⁱ es como esta casa llegará a ser, y esta mismísima ciudad será devastada de modo que quede sin habitante'?". Y todo el pueblo siguió congregándose alrededor de Jeremías en la casa de Jehová.

10 Andando el tiempo, los príncipes de Judá llegaron a oír estas palabras, y procedieron a subir de la casa del rey a la casa de Jehováʲ y a sentarse en la entrada de la puerta nueva de Jehová.ᵏ 11 Y los sacerdotes y los profetas empezaron a decir a los príncipes y a todo el pueblo: "A este hombre le corresponde el juicio de muerte,ˡ porque ha profetizado acerca de esta ciudad tal como han oído ustedes con sus propios oídos".ᵐ

12 Ante aquello, Jeremías dijo a todos los príncipes y a todo el pueblo: "Fue Jehová quien me envió a profetizar acerca de esta casa y acerca de esta ciudad to-

CAP. 25
a Isa 30:30
Isa 66:15
Jer 23:19
Jer 30:23
Sof 3:8
b Isa 34:3
Isa 66:16
Jer 12:12
c Sl 79:3
Isa 14:19
d Sl 83:10
Isa 5:25
Jer 8:2
Jer 9:22
e Jer 4:8
f Jer 6:26
g Eze 34:17
h Isa 33:1
i Jer 22:28
j Jer 32:4
Jer 52:8
Am 2:14
k Isa 27:10
l Os 5:14
m Jer 25:12

CAP. 26
n 2Re 23:34
2Cr 36:4
Jer 1:3
Jer 25:1
Jer 35:1
Jer 36:1
o Jer 19:14
Jn 18:20
Hch 5:20
p Isa 58:1
Jer 1:7
q Dt 4:2
Hch 20:27
Rev 22:19
r Isa 1:16
Isa 55:7
Jer 36:3
Eze 18:27

2.ª col.
a 1Re 21:29
Jer 18:8
b Le 26:14
Dt 28:15
c Jer 44:10
d 2Re 17:13
Jer 7:13
Jer 11:7
Jer 25:3
e Sl 78:60
Jer 7:12
f Jer 24:9
g Jer 26:2
h Sl 37:32
Am 5:10
i Sl 78:60
j Jer 38:4
k Jer 15:35
2Cr 27:3
Jer 36:10
l Jer 18:20
Mt 26:66
m Jer 26:2
Jer 38:4

das las palabras que ustedes han oído.[a] 13 Y ahora hagan buenos sus caminos y sus tratos,[b] y obedezcan la voz de Jehová su Dios, y Jehová sentirá pesar por la calamidad que ha hablado contra ustedes.[c] 14 Y en cuanto a mí, aquí estoy en la mano de ustedes.[d] Hagan conmigo según lo que sea bueno y según lo que sea recto a los ojos de ustedes.[e] 15 Solo que deben saber sin falta que, si me dan muerte, es sangre inocente la que están poniendo sobre ustedes mismos y sobre esta ciudad y sobre sus habitantes,[f] porque en verdad Jehová sí me envió a ustedes para hablar a oídos de ustedes todas estas palabras".[g]

16 Entonces los príncipes[h] y todo el pueblo dijeron a los sacerdotes y a los profetas: "No hay juicio de muerte que le corresponda a este hombre,[i] porque fue en el nombre de Jehová nuestro Dios como nos habló".[j]

17 Además, algunos de los ancianos del país se levantaron y empezaron a decir a toda la congregación del pueblo:[k] 18 "Miqueas[l] de Moréset[m] mismo se hallaba profetizando en los días de Ezequías el rey de Judá[n] y pasó a decir a todo el pueblo de Judá: 'Esto es lo que ha dicho Jehová de los ejércitos: "Sión misma será arada como un simple campo,[o] y Jerusalén misma llegará a ser simples montones de ruinas,[p] y la montaña de la Casa servirá para lugares altos de un bosque".'[q] 19 ¿Acaso Ezequías el rey de Judá y todos los de Judá le dieron muerte de manera alguna? ¿No temió él a Jehová y procedió a ablandar el rostro de Jehová,[r] de modo que Jehová llegó a sentir pesar por la calamidad que había hablado contra ellos?[s] Así estamos desarrollando una gran calamidad contra nuestras almas.[t]

20 "Y también sucedió que hubo un hombre que estaba profetizando en el nombre de Jehová, Uriya hijo de Semaya de Quiryat-jearim.[a] Y siguió profetizando contra esta ciudad y contra este país conforme a todas las palabras de Jeremías. 21 Y el rey Jehoiaquim[b] y todos sus hombres poderosos y todos los príncipes llegaron a oír sus palabras, y el rey empezó a buscar que se le diera muerte.[c] Cuando Uriya llegó a oír [esto], al instante le dio miedo,[d] y huyó, y entró en Egipto. 22 Pero el rey Jehoiaquim envió hombres a Egipto, a Elnatán hijo de Acbor[e] y otros hombres con él a Egipto. 23 Y procedieron a sacar a Uriya de Egipto y llevarlo al rey Jehoiaquim, quien entonces lo derribó a espada[f] y echó su cuerpo muerto en el cementerio de los hijos del pueblo".

24 Además, resultó que la mano de Ahiqam[g] hijo de Safán[h] estuvo con Jeremías, para que no fuera dado en la mano del pueblo para que se le diera muerte.[i]

27 Al principio del reino de Jehoiaquim hijo de Josías,[j] el rey de Judá, a Jeremías le ocurrió esta palabra de parte de Jehová, diciendo: 2 "Esto es lo que me ha dicho Jehová: 'Hazte ataduras y varas que sirvan de yugo,[k] y tienes que ponértelas sobre el cuello.[l] 3 Y tienes que enviárselas al rey de Edom[m] y al rey de Moab[n] y al rey de los hijos de Ammón[o] y al rey de Tiro[p] y al rey de Sidón,[q] por la mano de los mensajeros que están viniendo a Jerusalén a Sedequías el rey de Judá. 4 Y tienes que darles un mandato para sus amos, y decir: " ' "Esto es lo que ha dicho Jehová de los ejércitos, el Dios de Israel;[r] esto es lo que ustedes deben decir a sus amos: 5 'Yo mismo he hecho la tierra,[s] a la humanidad[t] y las bestias[u] que

CAP. 26
a Jer 1:17
b Jer 7:3
Jer 35:15
c Sl 103:10
Jer 18:8
Jer 36:3
Eze 18:32
Jon 3:9
d Jos 9:25
Jer 38:5
e 2Sa 15:26
f Nú 35:33
Dt 19:10
Pr 6:17
g Jer 1:17
Jer 26:2
h Jer 36:19
i Pr 16:7
Jer 38:9
j Snt 5:10
k Hch 5:34
l Miq 1:1
m Miq 1:14
n 2Cr 29:1
o Sl 79:1
p Jer 9:11
q Miq 3:12
r 2Cr 32:26
s Éx 32:14
2Sa 24:16
t Nú 35:33
Hch 5:39

2.ª col.
a Jos 15:60
Jos 18:14
1Sa 7:2
b 2Re 23:34
2Cr 36:5
c 2Cr 16:10
d 1Re 19:3
Pr 29:25
Mt 10:28
e 2Re 22:12
Jer 36:12
f Jer 2:30
Mt 23:31
1Te 2:15
g 2Re 22:12
2Cr 34:20
Jer 39:14
Jer 40:5
h Jer 22:10
i 1Re 18:4
Hch 24:5

CAP. 27
j 2Re 23:34
k Jer 28:10
l Eze 4:1
Eze 24:3
m Eze 25:12
Am 1:9
Abd 1
n 2Re 3:4
Jer 48:1
Eze 25:8
Am 2:1
o Jer 25:21
Jer 49:1
Eze 25:2
Am 1:13
p Isa 23:1
Jer 47:4
Eze 26:3
Am 1:10
Zac 9:3
q Isa 23:4
Jer 25:22
Eze 28:21
Joe 3:4

r Éx 5:1; Jer 10:10; s Sl 102:25; Sl 115:15; Sl 146:6; Isa 44:24; Isa 45:12; Jer 51:19; t Gé 1:26; Gé 2:7; Isa 42:5; Hch 17:26; u Gé 1:24.

están sobre la superficie de la tierra por mi gran poder[a] y por mi brazo extendido;[b] y la he dado a quien ha resultado recto a mis ojos darla.[c]　6　Y ahora yo mismo he dado todos estos países en la mano de Nabucodonosor el rey de Babilonia,[d] mi siervo;[e] y hasta las bestias salvajes del campo se las he dado para que le sirvan.[f]　7　Y todas las naciones tienen que servirle, sí, a él[g] y a su hijo y a su nieto hasta que llegue el tiempo de aun su propio país,[h] y muchas naciones y reyes grandes tendrán que explotarlo como siervo'.[i]

8　" ' "Y tiene que suceder que la nación y el reino que no quiera servirle, aun a Nabucodonosor el rey de Babilonia; y el que no quiera poner su cuello bajo el yugo del rey de Babilonia, con la espada[j] y con el hambre[k] y con la peste[l] dirigiré yo mi atención a esa nación —es la expresión de Jehová— hasta que los haya acabado por mano de él.'[m]

9　" ' "Y en cuanto a ustedes, no escuchen a sus profetas[n] ni a sus practicantes de adivinación ni a sus soñadores[o] ni a sus practicantes de magia ni a sus hechiceros,[p] que están diciéndoles: "Ustedes no servirán al rey de Babilonia".[q]　10　Porque falsedad es lo que les están profetizando, con el propósito de que sean llevados lejos de sobre su suelo; y yo tenga que dispersarlos, y ustedes tengan que perecer.[r]

11　" ' "Y en cuanto a la nación que ponga su cuello bajo el yugo del rey de Babilonia y realmente le sirva, yo también ciertamente la dejaré descansar sobre su suelo —es la expresión de Jehová— y ciertamente lo cultivará y morará en él" ' ".[s]

12　Aun a Sedequías[t] el rey de Judá hablé conforme a todas estas palabras,[u] y dije: "Pongan sus cuellos bajo el yugo del rey de Babilonia y sírvanles a él y a su pueblo y sigan viviendo.[a]　13　¿Por qué deben morir tú mismo y tu pueblo a espada,[b] del hambre[c] y de la peste[d] conforme a lo que Jehová ha hablado a la nación que no sirva al rey de Babilonia?　14　Y no escuchen las palabras de los profetas que les están diciendo: 'Ustedes no servirán al rey de Babilonia',[e] porque falsedad es lo que les están profetizando.

15　" 'Porque yo no los he enviado —es la expresión de Jehová—; antes bien, están profetizando en mi nombre falsamente, con el objeto de que yo los disperse a ustedes,[g] y tengan que perecer,[h] ustedes y los profetas que les están profetizando' ".[i]

16　Y hablé a los sacerdotes, y a todo este pueblo hablé, y dije: "Esto es lo que ha dicho Jehová: 'No escuchen las palabras de sus profetas que les están profetizando, y dicen: ¡Miren! ¡Los utensilios de la casa de Jehová están siendo traídos de vuelta de Babilonia muy pronto ya!".[j] Porque falsedad es lo que les están profetizando.[k]　17　No les escuchen. Sirvan al rey de Babilonia y sigan viviendo.[l] ¿Por qué debe llegar a ser esta ciudad un lugar devastado?[m]　18　Pero si ellos son profetas y si la palabra de Jehová de veras existe con ellos, que ellos, por favor, rueguen a Jehová de los ejércitos,[n] para que los utensilios que quedan en la casa de Jehová y en la casa del rey de Judá y en Jerusalén no vayan a entrar en Babilonia'.

19　"Porque esto es lo que ha dicho Jehová de los ejércitos acerca de las columnas[o] y acerca del mar[p] y acerca de las carretillas[q] y acerca de lo restante de los utensilios que quedan en esta ciudad,[r]　20　los cuales no había tomado Nabucodonosor el rey de Babilonia cuando se llevó al des-

CAP. 27

a Gé 1:2
b Sl 136:12
  Jer 32:17
c Gé 1:29
  Sl 115:16
  Da 4:17
d Jer 28:14
  Da 2:37
e Jer 25:9
  Jer 43:10
  Eze 29:18
f Sl 50:10
  Jer 28:14
  Da 2:38
g 2Cr 36:20
  Jer 25:11
h Sl 137:8
  Jer 25:12
  Jer 50:14
  Jer 50:27
  Da 5:26
i Jer 25:14
  Jer 51:11
j 2Re 25:7
  Jer 21:9
  Jer 42:16
  Eze 26:8
k 2Re 25:3
  Lam 4:9
l Jer 32:24
m Jer 24:10
n Dt 18:20
  Jer 8:9
o Jer 29:8
p Isa 47:12
q Jer 28:2
r Jer 28:11
  Jer 28:16
s Jer 38:2
  Jer 40:9
  Jer 42:10
t 2Re 24:17
  1Cr 3:15
  2Cr 36:10
  Jer 37:1
u 2Cr 36:12

2.ᵃ col.

a Pr 1:33
  Jer 38:20
b Dt 28:63
  Eze 18:31
  Eze 33:11
c Dt 28:53
  Eze 14:21
d Dt 28:61
  Jer 38:2
e Jer 37:19
f Jer 14:14
  Jer 23:21
  Jer 28:15
  Jer 29:8
  Eze 13:6
g Dt 28:64
h Le 26:38
  Dt 30:18
i 1Re 22:23
  Jer 20:6
  Jer 29:21
  Eze 13:3
j 2Re 24:13
  2Cr 36:7
  Jer 28:3
  Da 1:2
k Jer 14:13
l Jer 27:11
m Le 26:33
  Jer 38:17
  Jer 38:23
n 1Re 18:24
  Jer 7:16

o 1Re 7:15; 2Re 25:17; 2Cr 4:12; Jer 52:21; p 1Re 7:23; 2Re 25:13; q 1Re 7:27; 2Re 25:16; 2Cr 4:14; Jer 52:17; r 2Re 25:14; 2Cr 36:18.

tierro a Jeconías[a] hijo de Jehoiaquim, el rey de Judá, de Jerusalén a Babilonia, junto con todos
los nobles de Judá y Jerusalén;[b]
21 porque esto es lo que ha dicho Jehová de los ejércitos, el
Dios de Israel, acerca de los
utensilios que quedan en la casa
de Jehová y en la casa del rey de
Judá y en Jerusalén:[c] 22 '"A
Babilonia es adonde serán llevados,[d] y allí permanecerán hasta
el día en que yo me dirija mi
atención a ellos",[e] es la expresión de Jehová. "Y ciertamente
los haré subir y los restauraré en
este lugar"'".[f]

28 Entonces aconteció en
aquel año, al principio del
reinado de Sedequías[g] el rey de
Judá, en el año cuarto, en el mes
quinto, que Hananías[h] hijo de
Azur, el profeta que era de Gabaón,[i] me dijo en la casa de Jehová, ante los ojos de los sacerdotes y de todo el pueblo: 2 "Esto
es lo que ha dicho Jehová de los
ejércitos, el Dios de Israel: 'Ciertamente quebraré el yugo del rey
de Babilonia.[j] 3 Dentro de dos
años completos voy a traer de
vuelta a este lugar todos los
utensilios de la casa de Jehová
que Nabucodonosor el rey de
Babilonia[k] tomó de este lugar
para llevarlos a Babilonia'".
4 '"Y a Jeconías[l] hijo de Jehoiaquim,[m] el rey de Judá, y a todos
los desterrados de Judá que han
ido a Babilonia[n] los voy a traer
de vuelta a este lugar —es la
expresión de Jehová—, porque
quebraré el yugo[o] del rey de Babilonia'".

5 Y Jeremías el profeta procedió a decir a Hananías el profeta
ante los ojos de los sacerdotes y
ante los ojos de todo el pueblo
que estaba de pie en la casa de
Jehová;[p] 6 sí, Jeremías el profeta procedió a decir: "¡Amén![q]
¡Hágalo así Jehová! ¡Establezca
Jehová tus palabras que has profetizado y traiga de vuelta de Babilonia a este lugar los utensilios

de la casa de Jehová y a todos
los desterrados![a] 7 Sin embargo, oye, por favor, esta palabra
que estoy hablando a tus oídos y
a los oídos de todo el pueblo.[b]
8 En cuanto a los profetas que
fueron antes de mí y antes de ti
de mucho tiempo atrás,[c] ellos
también profetizaban acerca de
muchos países y acerca de reinos
grandes, de guerra y de calamidad y de peste.[d] 9 En cuanto
al profeta que profetiza de paz,[e]
cuando se realice la palabra del
profeta se llegará a conocer el
profeta a quien Jehová ha enviado en verdad".[f]

10 En eso Hananías el profeta
tomó la vara que servía de yugo
de sobre el cuello de Jeremías el
profeta y la quebró.[g] 11 Y Hananías[h] pasó a decir ante los ojos
de todo el pueblo: "Esto es lo
que ha dicho Jehová:[i] 'Así mismo dentro de dos años completos quebraré yo el yugo de Nabucodonosor el rey de Babilonia de
sobre el cuello de todas las naciones'".[j] Y Jeremías el profeta
procedió a irse por su camino.[k]

12 Entonces la palabra de Jehová le ocurrió a Jeremías,[l] después que Hananías el profeta
hubo quebrado la vara que servía de yugo de sobre el cuello
de Jeremías el profeta, y dijo:
13 "Ve, y tienes que decir a Hananías: 'Esto es lo que ha dicho
Jehová: "Has quebrado varas de
madera que sirven de yugo,[m] y
en lugar de ellas tendrás que hacer varas de hierro que sirvan de
yugo".[n] 14 Porque esto es lo
que ha dicho Jehová de los ejércitos, el Dios de Israel: "Ciertamente pondré un yugo de hierro
sobre el cuello de todas estas naciones, para que sirvan a Nabucodonosor el rey de Babilonia;[o] y
tendrán que servirle.[p] Y hasta
las bestias salvajes del campo
ciertamente le daré"'".[q]

15 Y Jeremías el profeta pasó
a decir a Hananías[r] el profeta:
"¡Escucha, por favor, oh Hana-

CAP. 27
a 2Re 24:15
2Cr 36:10
Jer 22:28
b 2Re 24:14
Jer 24:1
Jer 29:1
Da 1:3
c 2Cr 36:10
d 2Re 25:13
2Cr 36:18
Jer 52:18
Da 5:3
e 2Cr 36:21
Esd 1:7
Jer 29:10
f Dt 30:3
Esd 5:14
Esd 7:19

CAP. 28
g 2Re 24:17
2Cr 36:10
h Jer 28:11
i Jos 11:19
2Sa 21:2
j Jer 27:8
Miq 3:11
k 2Re 24:13
Jer 27:16
Da 1:2
l 2Re 24:8
2Re 25:27
Est 2:6
Jer 22:24
Jer 37:1
m 2Re 23:36
2Re 24:6
n 2Re 24:14
Jer 24:1
o Jer 30:8
p Jer 7:2
Jer 19:14
Jer 26:2
q Jer 1:36
Sl 41:13
Jer 11:5
2Co 1:20

2.ª col.
a Jer 28:3
b 1Re 22:28
c Dt 4:26
Dt 28:15
d 1Re 22:8
Jon 3:6
e Jer 6:14
Jer 14:13
Eze 13:10
f Dt 18:22
Jer 27:2
g Jer 28:1
i 1Re 13:18
2Cr 18:10
Jer 23:17
Jer 29:9
j Jer 28:4
k Pr 14:7
Pr 26:4
l Jer 29:30
m Jer 27:2
Jer 28:10
n Dt 28:48
o Dt 28:49
p Dt 28:48
Jer 5:19
Jer 27:7
q Jer 27:6
Da 2:38
r Jer 28:1

nías! Jehová no te ha enviado, sino que tú mismo has hecho que este pueblo confíe en una falsedad.[a]   16 Por lo tanto, esto es lo que ha dicho Jehová: '¡Mira!, voy a enviarte de sobre la superficie del suelo. Este año tú mismo tienes que morir,[b] porque has hablado verdadera sublevación contra Jehová'.".[c]

17 De manera que el profeta Hananías murió aquel año, en el mes séptimo.[d]

29 Y estas son las palabras de la carta que Jeremías el profeta envió desde Jerusalén al remanente de los ancianos de los desterrados y a los sacerdotes y a los profetas y a todo el pueblo, a quienes Nabucodonosor había llevado al destierro desde Jerusalén a Babilonia,[e]   2 después que Jeconías[f] el rey, y la dama,[g] y los oficiales de la corte —los príncipes de Judá y Jerusalén[h]— y los artífices y los constructores de baluartes[i] hubieron salido de Jerusalén.   3 Fue por la mano de Elasá hijo de Safán[j] y de Guemarías hijo de Hilquías, a quienes Sedequías[k] el rey de Judá envió a Babilonia a Nabucodonosor el rey de Babilonia, diciendo:

4 "Esto es lo que ha dicho Jehová de los ejércitos, el Dios de Israel, a todos los desterrados, a quienes he hecho ir al destierro[l] de Jerusalén a Babilonia: 5 'Edifiquen casas y habiten [en ellas], y planten jardines y coman su fruto.[m]   6 Tomen esposas y lleguen a ser padres de hijos y de hijas;[n] y tomen esposas para sus propios hijos y den sus propias hijas a esposos, para que den a luz hijos e hijas; y háganse muchos allí, y no se hagan pocos.   7 También, busquen la paz de la ciudad a la cual los he hecho ir en destierro, y oren a Jehová a favor de ella, porque en la paz de ella resultará haber paz para ustedes mismos.[o]   8 Porque esto es lo que ha dicho Jehová de los

ejércitos, el Dios de Israel: "No los engañen sus profetas que están en medio de ustedes, ni sus practicantes de adivinación,[a] y no escuchen los sueños de ellos que ustedes están soñando.[b]   9 Porque 'en falsedad les están profetizando en mi nombre. Yo no los he enviado',[c] es la expresión de Jehová'".'

10 "Porque esto es lo que ha dicho Jehová: 'Conforme se cumplan setenta años en Babilonia yo dirigiré mi atención a ustedes,[d] y ciertamente estableceré para con ustedes mi buena palabra trayéndolos de vuelta a este lugar'.[e]   11 "'Porque yo mismo bien conozco los pensamientos que estoy pensando para con ustedes[f] —es la expresión de Jehová—, pensamientos de paz, y no de calamidad,[g] para darles un futuro y una esperanza.[h]   12 Y ustedes ciertamente me llamarán y vendrán y me orarán, y yo ciertamente los escucharé.'[i]

13 "'Y ustedes realmente me buscarán y [me] hallarán,[j] porque me buscarán con todo su corazón.[k]   14 Y yo mismo ciertamente me dejaré hallar por ustedes[l] —es la expresión de Jehová—. Y ciertamente recogeré a su cuerpo de cautivos y los juntaré a ustedes de todas las naciones y de todos los lugares a los cuales los he dispersado[m] —es la expresión de Jehová—. Y de veras los traeré de vuelta al lugar del cual los hice ir al destierro.'[n]

15 "Pero ustedes han dicho: 'Jehová nos ha levantado profetas en Babilonia'.

16 "Porque esto es lo que ha dicho Jehová al rey que se sienta en el trono de David[o] y a todo el pueblo que mora en esta ciudad, sus hermanos que no han salido con ustedes al destierro:[p]   17 'Esto es lo que ha dicho Jehová de los ejércitos: "Aquí voy a

---

CAP. 28
a Dt 13:1
  Jer 14:14
  Jer 23:21
  Jer 27:15
  Jer 29:31
  Eze 13:3
  Zac 13:3
  Lu 6:26
b Dt 18:20
  ISa 2:34
c Dt 13:5
  Jer 29:32
d 2Re 7:17

CAP. 29
e 2Re 24:15
  Jer 14:14
f Eze 24:8
  2Cr 36:9
  Jer 22:24
  Jer 27:20
  Jer 28:4
g 2Re 24:12
  Jer 22:26
h 2Re 24:14
i 2Re 24:16
j Jer 22:8
  Jer 26:24
  Jer 39:14
  Eze 8:11
k 2Re 24:18
  2Cr 36:11
l Dt 28:41
  Jer 24:5
m Jer 29:28
n Gé 1:28
  Gé 9:7
o Esd 6:10
  Esd 7:23
  1Ti 2:2

2.ª col.
a Jer 14:14
  Jer 23:21
  Jer 27:14
  Ef 5:6
b Dt 13:3
c Jer 23:21
  Jer 28:15
d 2Cr 36:21
  Esd 1:1
  Jer 7:22
  Da 9:2
  Zac 1:12
  Zac 7:5
e Dt 30:3
  Isa 2:1
  Jer 24:6
f Job 23:13
  Sl 33:11
  Sl 40:5
g Sof 3:15
h Jer 31:17
i Sl 10:17
  Isa 30:19
  Da 9:3
  Jn 9:31
j Lu 26:40
  Dt 8:47
  Mt 7:7
k Dt 4:29
  Dt 30:2
  1Re 8:48
  Jer 24:7
  Isa 55:6
m Dt 30:4
  Isa 49:25
  Jer 23:3
  Jer 30:3
  Eze 39:28
  Joe 3:1

n Sl 126:1; Os 6:11; Am 9:14; Sof 3:20; o Jer 22:2; Jer 28:1; p 2Re 24:14.

enviar contra ellos la espada,[a] el hambre[b] y la peste,[c] y ciertamente haré que sean como los higos reventados, que no se pueden comer por lo malos que son".[d]

18 "'Y ciertamente seguiré tras ellos con la espada, con el hambre y con la peste, y de veras los daré para trepidación a todos los reinos de la tierra,[e] para maldición y para objeto de pasmo y para algo de qué silbar y para oprobio entre todas las naciones a las cuales ciertamente los dispersaré,[f] debido al hecho de que no han escuchado mis palabras —es la expresión de Jehová— que les he enviado con mis siervos los profetas, madrugando y enviándo[los].'[g]

"'Pero ustedes no han escuchado',[h] es la expresión de Jehová.

20 "Y en cuanto a ustedes, oigan la palabra de Jehová, todos ustedes los desterrados,[i] a quienes he enviado de Jerusalén a Babilonia.[j] 21 Esto es lo que ha dicho Jehová de los ejércitos, el Dios de Israel, respecto a Acab hijo de Qolaya y a Sedequías hijo de Maaseya, que les están profetizando falsedad en mi propio nombre:[k] 'Miren, voy a darlos en la mano de Nabucodorosor el rey de Babilonia, y él tiene que derribarlos ante los ojos de ustedes.[l] 22 Y de ellos ciertamente se tomará una invocación de mal por parte de todo el cuerpo de desterrados de Judá que está en Babilonia, y se dirá: "¡Haga Jehová que seas como Sedequías y como Acab,[m] a quienes el rey de Babilonia asó al fuego!",[n] 23 por razón de que se han ocupado en insensatez en Israel,[o] y siguen cometiendo adulterio con las esposas de sus compañeros[p] y siguen hablando falsamente en mi propio nombre la palabra que yo no les ordené.[q]

"'"Y yo soy Aquel que sabe, y soy testigo",[r] es la expresión de Jehová'."

24 "Y a Semaya[a] de Nehelam dirás: 25 'Esto es lo que ha dicho Jehová de los ejércitos, el Dios de Israel: "Por razón de que tú mismo has enviado en tu nombre cartas[b] a todo el pueblo que está en Jerusalén, y a Sofonías[c] hijo de Maaseya, el sacerdote, y a todos los sacerdotes, diciendo: 26 'Jehová mismo te ha hecho sacerdote en lugar de Jehoiadá el sacerdote, a fin de que llegues a ser el gran superintendente de la casa de Jehová[d] para con cualquier hombre enloquecido[e] y que se porte como profeta, y tienes que ponerlo en el cepo y en la picota;[f] 27 ahora, pues, ¿por qué no has reprendido a Jeremías de Anatot,[g] que está portándose como profeta para con ustedes?[h] 28 Pues por eso él ha enviado [un mensaje] a nosotros en Babilonia, diciendo: ¡Es [cosa] muy larga! Edifiquen casas y habiten [en ellas], y planten jardines y coman su fruto..."' "'."[i]

29 Y Sofonías[j] el profeta procedió a leer esta carta a oídos de Jeremías el profeta.

30 Entonces la palabra de Jehová le ocurrió a Jeremías, y dijo: 31 'Envía a decir a todos los desterrados:[k] 'Esto es lo que ha dicho Jehová acerca de Semaya de Nehelam: "Por la razón de que Semaya les ha profetizado, pero yo mismo no lo envié, y trató de hacerles confiar en una falsedad,[l] 32 por lo tanto, esto es lo que ha dicho Jehová: 'Aquí voy a dirigir mi atención a Semaya[m] de Nehelam y a su prole'.[n]

"'"'Él no llegará a tener hombre que more en medio de este pueblo;[o] y no tenderá la vista sobre el bien que estoy haciendo a mi pueblo[p] —es la expresión de Jehová— porque ha hablado verdadera sublevación contra Jehová'"'."[q]

CAP. 29

a Le 26:33
a Jer 24:10
b Dt 28:53
c Jer 15:2
c Dt 28:61
d Jer 34:17
d Jer 24:2
e Jer 24:8
e Le 26:33
f Dt 28:25
f 2Cr 29:8
g Jer 15:4
g Jer 34:10
g Jer 34:17
f Dt 29:24
h 1Re 9:8
h 2Cr 7:21
h Sl 44:11
i Jer 24:9
i Jer 25:9
i Lam 2:15
j Jer 7:13
j Jer 25:4
j Jer 32:33
h Jer 6:19
k Jer 26:5
l Heb 28:27
l 2Re 24:14
l jer 24:5
m Miq 4:10
m Le 14:14
m Jer 29:8
m Lam 2:14
n 2Pe 2:1
o Jer 5:27
o Jer 29:20
o Isa 65:15
n Da 3:6
o Jer 23:14
p Jer 7:9
p Os 4:2
q Jer 5:21
r Pr 5:21
r Jer 16:17
r Jer 23:24
r Mal 3:5
r Heb 4:13

2.ª col.

a Jer 29:31
b 1Re 21:8
b 2Cr 32:17
b Ne 6:5
c 2Re 25:18
c Jer 21:1
c Jer 29:29
c Jer 37:3
d Jer 52:24
d Nú 3:32
d Nú 4:16
d Jer 20:1
e 2Re 9:11
e Os 9:7
f 2Cr 16:10
f Jer 20:2
f Hch 16:24
g Jer 1:1
h 1Sa 10:6
h 1Sa 19:20
h Jer 43:2
i Jer 29:5
j 2Re 25:18
j Jer 21:1
j Jer 52:24
k 2Re 24:14
k Jer 29:20
l Jer 14:14
l Jer 23:21
l Jer 28:15
m Eze 13:8
m 2Pe 2:1
m Jer 29:24

n Éx 20:5; Éx 34:7; Jer 20:6; o 1Sa 2:30; p Pr 12:19; q Jer 28:16.

30 La palabra que le ocurrió a Jeremías de parte de Jehová, diciendo: 2 "Esto es lo que ha dicho Jehová el Dios de Israel: 'Escribe para ti en un libro todas las palabras que yo ciertamente te hablaré.[a] 3 Pues, ¡mira!, vienen días —es la expresión de Jehová—, y ciertamente recogeré a los cautivos de mi pueblo, Israel y Judá[b] —ha dicho Jehová—, y ciertamente los traeré de vuelta a la tierra que di a sus antepasados, y ellos de seguro la poseerán de nuevo'".'[c]

4 Y estas son las palabras que Jehová ha hablado a Israel y a Judá. 5 Pues esto es lo que ha dicho Jehová: "Hemos oído el sonido de temblor, pavor,[d] y no hay paz. 6 Pregunten, por favor, y vean si un varón está dando a luz. ¿Por qué he visto a todo hombre físicamente capacitado con las manos sobre los lomos como una mujer que está dando a luz,[e] y todos los rostros han palidecido?[f] 7 ¡Ay! Porque es grande aquel día,[g] de modo que no hay otro semejante a él,[h] y es el tiempo de angustia para Jacob.[i] Pero hasta de él será salvado."

8 "Y tiene que suceder en aquel día —es la expresión de Jehová de los ejércitos— que quebraré el yugo de uno de sobre tu cuello, y romperé en dos tus ataduras,[j] y los extraños ya no lo explotarán como siervo. 9 Y ellos ciertamente servirán a Jehová su Dios y a David su rey,[k] a quien levantaré para ellos."[l]

10 "Y en cuanto a ti, no tengas miedo, oh siervo mío, Jacob —es la expresión de Jehová—, y no te sobrecojas de terror, oh Israel.[m] Porque, mira, voy a salvarte de lejos, y a tu prole de la tierra de su cautiverio.[n] Y Jacob ciertamente volverá y estará libre de disturbio y estará en desahogo, y no habrá quien haga temblar."[o]

11 "Porque yo estoy contigo —es la expresión de Jehová— para salvarte;[a] pero haré un exterminio entre todas las naciones a las cuales te he esparcido.[b] Sin embargo, en tu caso no haré exterminio.[c] Y tendré que corregirte hasta el grado debido, puesto que de ninguna manera te dejaré sin castigo."[d]

12 Pues esto es lo que ha dicho Jehová: "No hay curación para tu quebranto.[e] Tu golpe es crónico.[f] 13 No hay quien defienda tu causa, por [tu] úlcera.[g] No hay ningún medio de sanar, ningún restablecimiento, para ti.[h] 14 Todos los que te aman intensamente son los que te han olvidado.[i] No eres aquella a quien siguen buscando. Pues con el golpe de un enemigo te he golpeado,[j] con el castigo de alguien cruel,[k] a causa de la abundancia de tu error;[l] se han hecho numerosos tus pecados.[m] 15 ¿Por qué clamas debido a tu quebranto?[n] Tu dolor es incurable a causa de la abundancia de tu error; se han hecho numerosos tus pecados.[o] Yo te he hecho estas cosas. 16 Por lo tanto, todos los que te devoran serán devorados ellos mismos;[p] y en cuanto a todos tus adversarios, al cautiverio irán todos ellos.[q] Y los que te despojan ciertamente llegarán a ser para pillaje, y a todos los que te saquean yo los daré al saqueo".[r]

17 "Porque haré subir un recobro para ti, y de tus golpes te sanaré —es la expresión de Jehová—. Porque una mujer ahuyentada es lo que te llamaron:[t] 'Esa es Sión, a quien nadie está buscando'".[u]

18 Esto es lo que ha dicho Jehová: "Aquí voy a recoger a los cautivos de las tiendas de Jacob,[v] y de sus tabernáculos tendré piedad. Y la ciudad realmente será reedificada sobre su

---

CAP. 30

a Jer 36:2
Jer 51:60
Da 7:1
Hab 2:2
Ro 15:4
b Dt 30:3
Sl 53:6
Jer 27:22
Jer 29:14
Jer 39:25
Joe 3:1
Am 9:14
c Jos 14:1
Esd 2:1
Jer 16:15
Jer 32:44
Eze 20:42
d Jer 6:23
e Isa 13:8
Jer 4:31
Jer 6:24
Miq 4:9
f Isa 29:22
g Joe 2:11
Am 5:18
Sof 1:14
h Lam 1:12
Da 12:1
Mt 24:21
i Os 12:2
j Isa 9:4
Isa 10:27
k Isa 55:3
Eze 34:23
Os 3:5
l Eze 37:24
Lu 1:69
Hch 2:30
Hch 13:23
m Isa 41:13
Isa 43:5
Isa 44:2
n Isa 49:25
Jer 3:18
o Jer 33:16
Jer 46:27
Eze 34:25
Os 2:18
Miq 4:4

2.ª col.

a Jer 46:27
Eze 11:17
b Isa 47:11
Jer 50:29
Jer 51:24
c Le 26:44
Ne 9:31
Sl 78:38
Lam 3:22
Eze 20:17
Am 9:8
d Éx 34:7
Sl 6:1
Jer 10:24
Jer 46:28
e 2Cr 36:16
Isa 6:10
Jer 8:21
f Jer 15:18
g Sl 106:23
h Jer 8:22
i Lam 1:2
Lam 1:19
j Lam 2:5
k Dt 28:50
l Sl 90:8
m Jer 5:6
n Jer 15:18
o 2Cr 36:14
Ne 9:26

p Éx 23:22; Isa 33:1; Isa 41:11; Jer 10:25; Jer 25:12; Jer 50:29; q Jer 51:56; Miq 5:9; r Zac 2:9; s Sl 102:13; Sl 103:3; Jer 33:6; Os 6:1; t Sl 44:13; u Ne 4:3; Lam 2:15; v Sl 85:1; Jer 24:6; Jer 29:10.

montículo;[a] y sobre su debido sitio la torre de habitación misma se asentará.[b] 19 Y de ellos ciertamente saldrá acción de gracias, y el sonido de los que están riéndose.[c] Y yo ciertamente los multiplicaré, y no se harán pocos;[d] y de veras los haré pesados en cuanto a número, y no se harán insignificantes.[e] 20 Y los hijos de él tienen que llegar a ser como en tiempos pasados, y delante de mí su propia asamblea quedará firmemente establecida.[f] Y de veras dirigiré mi atención a todos sus opresores.[g] 21 Y su majestuoso ciertamente procederá de él,[h] y de en medio de él saldrá su propio gobernante;[i] y ciertamente lo haré aproximarse, y él tendrá que acercarse a mí".[j]

"Porque ¿quién, pues, es este que ha dado en prenda su corazón a fin de acercarse a mí?[k] —es la expresión de Jehová—. 22 Y ustedes ciertamente llegarán a ser mi pueblo,[l] y yo mismo llegaré a ser su Dios."[m]

23 ¡Miren! Una tempestad de viento de Jehová, furia misma, ha salido, una tormenta[n] barredera en su avance. Sobre la cabeza de los inicuos remolineará.[o] 24 La ardiente cólera de Jehová no se volverá atrás hasta que él haya ejecutado y hasta que haya realizado las ideas de su corazón.[p] En la parte final de los días ustedes darán su consideración a ello.[o]

31 "En aquel tiempo —es la expresión de Jehová— yo llegaré a ser Dios para todas las familias de Israel; y en cuanto a ellas, llegarán a ser mi pueblo."[r]

2 Esto es lo que ha dicho Jehová: "El pueblo compuesto de sobrevivientes de la espada halló favor en el desierto,[s] cuando Israel andaba para conseguir su reposo."[t] 3 Desde lejos se me apareció Jehová mismo [y dijo]: "Y con un amor hasta tiempo indefinido te he amado.[u] Por eso

te he atraído con bondad amorosa.[a] 4 Todavía te reedificaré y realmente serás reedificada,[b] oh virgen de Israel. Todavía te engalanarás con tus panderetas y realmente saldrás en la danza de los que están riéndose.[c] 5 Todavía plantarás viñas en las montañas de Samaria.[d] Ciertamente plantarán los plantadores y comenzarán a usar[las].[e] 6 Pues existe un día en que los vigías de la región montañosa de Efraín realmente clamarán: 'Levántense, y subamos a Sión, a Jehová nuestro Dios' ".[f]

7 Porque esto es lo que ha dicho Jehová: "Griten fuertemente a Jacob con regocijo, y griten agudamente a la cabeza de las naciones.[g] Publiquen[lo].[h] Den alabanza y digan: 'Salva, oh Jehová, a tu pueblo, al resto de Israel'.[i] 8 Aquí voy a traerlos de la tierra del norte,[j] y ciertamente los juntaré de las partes más remotas de la tierra.[k] Entre ellos estarán el ciego y el cojo, la mujer que está encinta y la que da a luz, todos juntos.[l] Como gran congregación volverán acá.[m] 9 Con llanto vendrán,[n] y con [sus] súplicas de favor los traeré. Los haré andar a valles torrenciales de agua,[o] por un camino recto en el cual no se les hará tropezar. Porque he llegado a ser para Israel un Padre;[p] y en cuanto a Efraín, él es mi primogénito".[q]

10 Oigan la palabra de Jehová, oh naciones, y anúncien[la] entre las islas lejanas,[r] y digan: "Aquel que esparció a Israel lo juntará él mismo,[s] y ciertamente lo guardará como un pastor a su hato.[t] 11 Porque Jehová real-

CAP. 30
a Miq 4:8
b Sl 48:3
c Esd 3:12
Ne 8:17
Isa 35:10
Isa 51:11
Jer 31:4
d Dt 30:5
Isa 27:6
Jer 33:22
Zac 10:8
e Isa 60:22
Miq 4:7
Sof 3:19
f Sl 102:28
Isa 1:26
g Isa 49:26
Jer 50:18
h Gé 49:10
i Isa 9:6
j Nú 16:5
Sl 110:1
Dt 7:13
Mt 3:17
Heb 9:24
k Dt 30:6
Jer 24:7
Mr 12:30
Ro 2:29
2Ti 2:22
l Eze 11:20
Eze 36:28
Rev 21:3
m Jer 31:1
Eze 36:28
Heb 8:10
n Pr 1:27
Jer 25:32
o Jue 9:57
Pr 16:4
p Job 23:13
Isa 14:24
Jer 4:28
q Gé 49:1
Jer 23:20
Eze 38:8

CAP. 31
r Le 26:12
Jer 30:22
Jer 31:33
Heb 8:10
s Dt 1:31
t Nú 10:33
Sl 95:11
Isa 63:14
Heb 4:8
u Dt 7:8
Mal 1:2

2.ª col.
a Os 11:4
b Jer 1:10
Jer 30:18
Jer 33:7
Am 9:11
c Éx 15:20
Jue 11:34
Sl 149:3
Jer 30:19
d Am 9:14
Miq 4:4
e Dt 30:9
Isa 65:21
f Esd 1:5
Sl 126:1
Isa 2:3
Jer 50:5
Miq 4:2

g Dt 32:43; Sl 96:3; Isa 44:23; Ro 15:10; h Isa 12:5; Am 3:9; Hch 26:23; i Isa 1:9; Jer 23:3; Joe 2:32; Ro 9:27; Ro 11:5; j Isa 43:6; Jer 3:12; Jer 23:8; k Dt 30:4; Eze 20:34; Eze 34:12; Snt 1:1; l Isa 35:6; Isa 42:16; m Esd 2:64; Jer 50:4; o Isa 35:7; Isa 49:10; p Dt 32:6; q Gé 48:14; Éx 4:22; i Isa 11:11; Isa 42:10; s Dt 30:4; Eze 20:34; Miq 2:12; t Isa 40:11; Eze 34:12; 1Pe 2:25.

mente redimirá a Jacob[a] y lo reclamará de la mano de aquel más fuerte que él.[b] 12 Y ciertamente vendrán y clamarán gozosamente en la altura de Sión[c] y se pondrán radiantes por la bondad de Jehová,[d] por el grano y por el vino[e] nuevo y por el aceite y por las crías del rebaño y la vacada.[f] Y su alma simplemente llegará a ser como un jardín bien regado,[g] y ya no volverán a languidecer".[h]

13 "En aquel tiempo se regocijará la virgen en la danza, también los jóvenes y los viejos, todos juntos.[i] Y ciertamente cambiaré su duelo en alborozo, y de veras los consolaré y los regocijaré, librados de su desconsuelo.[j] 14 Y ciertamente saturaré de grosura[k] el alma de los sacerdotes, y mi propio pueblo quedará satisfecho con mi bondad",[l] es la expresión de Jehová.

15 "Esto es lo que ha dicho Jehová: 'En Ramá[m] se está oyendo una voz, lamentación y llanto amargo;[n] Raquel[o] que llora a sus hijos.[p] Ha rehusado ser consolada acerca de sus hijos,[q] porque ya no son'.[r]

16 Esto es lo que ha dicho Jehová: "'Detén tu voz del llanto, y tus ojos de lágrimas,[s] porque existe un galardón para tu actividad —es la expresión de Jehová—, y ellos ciertamente volverán de la tierra del enemigo'.[t]

17 "'Y existe una esperanza[u] para tu futuro —es la expresión de Jehová—, y los hijos ciertamente volverán a su propio territorio'".[v]

18 "Positivamente he oído a Efraín lamentarse de sí mismo:[w] 'Me has corregido, para que sea corregido,[x] como un becerro que no ha sido entrenado.[y] Haz que me vuelva, y prontamente me volveré,[z] porque tú eres Jehová mi Dios.[a] 19 Porque después de volverme sentí pesar;[b] y después que se me hizo saber di una

palmada sobre el muslo.[a] Me avergoncé, y también me sentí humillado,[b] porque había llevado el oprobio de mi juventud'."[c]

20 "¿Es Efraín para mí un hijo precioso, o un niño acariciado?[d] Porque al grado que hablé contra él, sin falta me acordaré de él más aún.[e] Por eso mis intestinos se han alborotado por él.[f] Con toda seguridad le tendré piedad",[g] es la expresión de Jehová.

21 "Erígete marcas de camino. Colócate postes de señal.[h] Fija tu corazón sobre la calzada, el camino por el cual tendrás que ir.[i] Vuelve, oh virgen de Israel. Vuelve a estas ciudades tuyas.[j] 22 ¿Hasta cuándo te dirigirás para acá y para allá,[k] oh hija infiel?[l] Pues Jehová ha creado una cosa nueva en la tierra: Una simple hembra estrechará en derredor a un hombre físicamente capacitado."

23 Esto es lo que ha dicho Jehová de los ejércitos, el Dios de Israel: "Aun dirán ellos esta palabra en la tierra de Judá y en sus ciudades, cuando yo recoja a sus cautivos: 'Que Jehová te bendiga,[m] oh morada justa,[n] oh montaña santa'.[o] 24 Y en ella Judá y todas sus ciudades ciertamente morarán juntamente, labradores y los que han partido con el hato.[p] 25 Porque ciertamente saturaré al alma cansada, y ciertamente llenaré a toda alma que languidece".[q]

26 En esto desperté y empecé a ver; y en cuanto a mi sueño, me había sido placentero.

27 "¡Mira! Vienen días —es la expresión de Jehová—, y ciertamente sembraré la casa de Israel y la casa de Judá con la simiente de hombre y con la simiente de animal doméstico."[r]

28 "Y tiene que suceder que, tal como me había mantenido alerta para con ellos[s] para desarraigar y para demoler y para derruir y para destruir y para

---

CAP. 31

a Isa 44:23
Isa 48:20
b Isa 49:25
c Esd 3:13
Isa 12:6
Isa 51:11
Eze 20:40
d Sl 34:5
Isa 60:5
e Joe 3:18
Zac 9:15
f Isa 65:10
g Isa 58:11
h Isa 35:10
Rev 21:4
i Esd 3:12
Zac 8:4
j Isa 51:3
Isa 65:19
k Sl 36:8
l Dt 30:9
Isa 63:7
m Jos 18:25
Jer 40:1
Mt 2:18
n Lam 1:16
Mt 2:16
o Gé 35:19
p Gé 35:24
q Gé 37:35
r Mt 2:18
s Rev 7:17
t Esd 1:5
Esd 2:1
Eze 11:17
Os 1:11
u Jer 29:11
v Jer 46:27
w Jer 31:9
x Sl 94:12
y Pr 26:3
z Jer 17:14
Lam 5:21
a Isa 43:3
b Dt 30:2

2.ª col.

a Eze 21:12
b Le 26:41
Esd 9:6
c Jer 3:25
d Jer 31:9
Os 14:4
e Dt 32:36
f Isa 63:15
Os 11:8
g Isa 55:7
Miq 7:18
2Co 1:3
h Isa 62:10
i Isa 35:8
j Jer 3:14
k 1Re 18:21
Jer 2:18
l Jer 2:13
Jer 3:6
m Sl 122:8
n Isa 1:26
o Zac 8:3
Eze 36:10
q Sl 107:9
Isa 40:29
r Dt 30:9
Eze 36:9
Os 2:23
Zac 10:9
s Jer 44:27
Da 9:14

dañar,[a] así me mantendré alerta para con ellos para edificar y para plantar[b] —es la expresión de Jehová—. 29 En aquellos días ya no dirán: 'Los padres fueron los que comieron el agraz, pero fueron los dientes de los hijos los que tuvieron dentera'.[c] 30 Antes bien, será cada cual por su propio error por lo que morirá.[d] Cualquier hombre que coma el agraz, sus dientes serán los que tendrán dentera."

31 "¡Mira! Vienen días —es la expresión de Jehová—, y ciertamente celebraré con la casa de Israel[e] y con la casa de Judá[f] un nuevo pacto;[g] 32 no uno como el pacto que celebré con sus antepasados en el día que los tomé de la mano para sacarlos de la tierra de Egipto,[h] 'el cual pacto mío ellos mismos quebrantaron,[i] aunque yo mismo los poseía como dueño marital',[j] es la expresión de Jehová.

33 "Porque este es el pacto[k] que celebraré con la casa de Israel después de aquellos días[l] —es la expresión de Jehová—. Ciertamente pondré mi ley dentro de ellos,[m] y en su corazón la escribiré.[n] Y ciertamente llegaré a ser su Dios, y ellos mismos llegarán a ser mi pueblo."[o]

34 "Y ya no enseñarán cada uno a su compañero y cada uno a su hermano,[p] diciendo: '¡Conozcan a Jehová!',[q] porque todos ellos me conocerán, desde el menor de ellos aun hasta el mayor de ellos'[r] —es la expresión de Jehová—. Porque perdonaré su error, y no me acordaré más de su pecado."[s]

35 Esto es lo que ha dicho Jehová, el Dador del sol para luz de día,[t] los estatutos[u] de la luna[v] y las estrellas para luz de noche,[w] Aquel que agita el mar para que se pongan bulliciosas sus olas,[x] Aquel cuyo nombre es Jehová de los ejércitos;[y] 36 "'Si estas disposiciones reglamentarias pudieran ser quitadas de delante de mí[a] —es la expresión de Jehová—, los que son la descendencia de Israel igualmente pudieran cesar de resultar ser nación delante de mí para siempre'".[b]

37 Esto es lo que ha dicho Jehová: "'Si los cielos arriba pudieran medirse, y los fundamentos de la tierra abajo pudieran escudriñarse,[c] también yo mismo podría rechazar a la entera descendencia de Israel por motivo de todo lo que han hecho',[d] es la expresión de Jehová."

38 "¡Mira! Vienen días —es la expresión de Jehová—, y la ciudad ciertamente será edificada a Jehová desde la Torre de Hananel[f] hasta la Puerta de la Esquina.[g] 39 Y el cordel para medir[h] realmente saldrá aún directamente adelante a la colina de Gareb, y ciertamente dará la vuelta hasta Goá. 40 Y toda la llanura baja de los cadáveres[i] y de las cenizas grasosas,[j] y todos los terraplenes hasta el valle torrencial de Cedrón,[k] hasta la mismísima esquina de la Puerta de los Caballos[l] hacia el naciente, será cosa santa a Jehová.[m] No será desarraigada, tampoco será demolida ya hasta tiempo indefinido."[n]

32 La palabra que le ocurrió a Jeremías de parte de Jehová en el año décimo de Sedequías el rey de Judá,[o] es decir, el año decimoctavo de Nabucodorosor.[p] 2 Y en aquel tiempo las fuerzas militares del rey de Babilonia tenían sitiada a Jerusalén;[q] y en cuanto a Jeremías el profeta, él se hallaba restringido en el Patio de la Guardia[r] que está en la casa del rey de Judá; 3 porque Sedequías el rey de Judá lo había restringido,[s] diciendo:

CAP. 31
a Jer 18:7
Jer 45:4
b Sl 102:16
Sl 147:2
Jer 24:6
Jer 32:41
c Eze 18:2
d Dt 24:16
Isa 3:11
Eze 18:4
Gál 6:7
e Gál 6:16
Mt 26:28
g Mt 14:24
Lu 22:20
1Co 11:25
Heb 8:8
Heb 10:16
h Éx 19:5
Dt 1:31
i Eze 16:59
Heb 8:9
j Jer 3:14
k Heb 8:6
l Heb 8:10
m Eze 11:19
Eze 36:26
Mt 37:31
Heb 10:16
o Jer 30:22
Heb 8:10
p Isa 54:13
Jn 6:45
1Te 4:9
1Jn 2:27
q 1Cr 28:9
Jn 17:3
r Isa 11:9
Jer 24:7
Hab 2:14
Heb 8:11
s Jer 33:8
Jer 50:20
Miq 7:18
Mt 26:28
Ro 11:27
Heb 8:12
Heb 9:15
Heb 10:17
t Gé 1:16
Sl 136:8
Mt 5:45

2.ª col.

u 1Co 14:33
v Job 38:33
Sl 89:37
Sl 104:19
w Sl 136:9
x Isa 51:15
y Jer 10:16

2.ª col.

a Sl 148:6
Isa 54:10
Jer 33:20
b Sl 72:5
c Job 38:5
Pr 30:4
Isa 40:12
d Jer 30:11
e Ne 12:27
Isa 44:28
Jer 30:18
f Ne 3:1
Ne 12:39
Zac 14:10
g 2Cr 26:9
h Zac 1:16
i Jer 19:11
j Jer 7:32
k 2Sa 15:23
Zar 23:6
Jn 18:1

l 2Re 11:16; 2Cr 23:15; Ne 3:28; m Eze 45:1; Joe 3:17; n Isa 51:22; CAP. 32 o Jer 25:1; Jer 39:1; p Jer 25:1; q Jer 52:4; r Ne 3:25; Jer 33:1; Jer 37:21; Jer 38:28; s Jer 37:18; Heb 11:36.

"¿Por qué estás profetizando,[a] y dices: 'Esto es lo que ha dicho Jehová: "Aquí voy a dar esta ciudad en la mano del rey de Babilonia, y él ciertamente la tomará;[b] 4 y Sedequías mismo, el rey de Judá, no escapará de la mano de los caldeos, porque sin falta será dado en la mano del rey de Babilonia, y su boca realmente hablará con la boca de aquel, y sus propios ojos verán hasta los ojos de aquel" ';[c] 5 'y a Babilonia llevará él a Sedequías, y allí continuará hasta que yo dirija mi atención a él[d] —es la expresión de Jehová—; aunque ustedes sigan guerreando contra los caldeos, no tendrán éxito'?".[e]

6 Y Jeremías procedió a decir: "Me ha ocurrido la palabra de Jehová, diciendo: 7 'Aquí viene a ti Hanamel el hijo de Salum tu tío paterno, y dice: "Cómprate el campo mío que está en Anatot,[f] porque el derecho de recompra te pertenece para comprar[lo]" '".[g]

8 Con el tiempo, Hanamel el hijo de mi tío paterno vino a mí, conforme a la palabra de Jehová, dentro del Patio de la Guardia,[h] y procedió a decirme: "Compra, por favor, el campo mío que está en Anatot,[i] que está en la tierra de Benjamín,[j] porque el derecho de la posesión hereditaria es tuyo, y el poder de recompra es tuyo. Cómpra[lo] para ti". Ante aquello, supe que había sido la palabra de Jehová.[k]

9 De manera que procedí a comprar a Hanamel[l] el hijo de mi tío paterno el campo que estaba en Anatot.[m] Y empecé a pesarle el dinero,[n] siete siclos y diez piezas de plata. 10 Entonces escribí en una escritura[o] y le puse el sello[p] y tomé testigos[q] al ponerme a pesar[r] el dinero en la balanza. 11 Después de aquello tomé la escritura de compra, la que se selló conforme al mandamiento y las disposiciones reglamentarias,[a] y la que se dejó abierta; 12 y entonces di la escritura de compra a Baruc[b] hijo de Nerías[c] hijo de Mahseya, ante los ojos de Hanamel [el hijo de] mi tío paterno y ante los ojos de los testigos, los que escribieron en la escritura de compra,[d] ante los ojos de todos los judíos que estaban sentados en el Patio de la Guardia.[e]

13 Ahora di orden a Baruc ante los ojos de ellos, y dije: 14 "Esto es lo que ha dicho Jehová de los ejércitos, el Dios de Israel: 'Toma estas escrituras, esta escritura de compra, aun la sellada, y la otra escritura que se dejó abierta,[f] y tienes que ponerlas en una vasija de barro, a fin de que duren muchos días'. 15 Pues esto es lo que ha dicho Jehová de los ejércitos, el Dios de Israel: 'Todavía se comprarán casas y campos y viñas en este país' ".[g]

16 Y empecé a orar[h] a Jehová después de haber dado la escritura de compra a Baruc[i] hijo de Nerías,[j] y dije: 17 "¡Ay, oh Señor Soberano Jehová![k] Mira que tú mismo has hecho los cielos y la tierra por tu gran poder[l] y por tu brazo extendido.[m] El asunto entero no es demasiado maravilloso para ti mismo,[n] 18 Aquel que ejerce bondad amorosa para con miles,[o] y que paga el error de los padres en el seno de sus hijos después de ellos,[p] el Dios [verdadero], el Grande,[q] el Poderoso,[r] Jehová de los ejércitos[s] por nombre,[t] 19 grande en consejo[u] y abundante en actos,[v] tú cuyos ojos están abiertos sobre todos los caminos de los hijos de los hombres,[w] a fin de dar a cada uno conforme a sus caminos y conforme al fruto de sus tratos;[x] 20 tú que pusiste señales y milagros en la tierra de Egipto has-

---

CAP. 32

a Lu 20:2
b Jer 34:2
　Jer 37:8
c 2Re 25:6
　Jer 34:3
　Jer 37:17
　Jer 38:18
　Jer 39:5
　Jer 52:9
　Eze 12:13
d Jer 27:22
e Pr 21:30
　Jer 21:4
　Jer 33:5
　Eze 17:15
f Jos 21:18
　Jer 1:1
g Le 25:24
　Rut 4:4
h Ne 3:25
　Jer 37:21
i 1Re 2:26
　1Cr 6:60
j Jos 18:28
k Jer 32:7
l Jer 1:1
n Gé 23:16
o Jer 32:44
p Ne 10:1
q Rut 4:9
　Isa 8:2
r Gé 23:16

2.ᵃ col.

a Le 25:15
b Jer 36:4
　Jer 36:26
c Jer 51:59
d Jer 32:44
e Ne 3:25
　Jer 33:1
f Jer 32:11
　Jer 32:44
g Am 9:14
　Zac 3:10
h Flp 4:6
i Jer 32:12
j Jer 51:59
k Jer 1:6
l Gé 1:1
　2Re 19:15
　Sl 102:25
　Isa 40:26
　Jer 10:12
　Rev 4:11
m 1Re 8:42
　Jer 27:5
n Gé 18:14
　Job 42:2
　Lu 1:37
　Ro 4:21
o Éx 20:6
　Éx 34:7
p Nú 14:18
　Dt 5:9
　1Re 14:10
　Isa 65:6
q Ne 1:5
r Dt 10:17
　Isa 10:21
s Sl 148:2
t Jer 10:16
u Isa 28:29
v Éx 15:11
w 2Cr 16:9
　Job 34:21
　Sl 33:13
　Sl 66:7
　Pr 5:21
　Pr 15:3
　Heb 4:13

---

x Éx 34:7; Sl 62:12; Ec 12:14; Jer 17:10; Mt 12:36; Ro 2:6.

ta el día de hoy, y en Israel y entre los hombres,[a] para hacer para ti un nombre, como sucede este día.[b] **21** Y procediste a sacar a tu pueblo Israel de la tierra de Egipto,[c] con señales y con milagros[d] y con mano fuerte y con brazo extendido y con gran aterramiento.[e]

22 ”Con el tiempo les diste esta tierra, de la cual juraste a sus antepasados que se la darías,[f] tierra que mana leche y miel.[g] **23** Y ellos procedieron a entrar y a tomar posesión de ella,[h] pero no obedecieron tu voz, y en tu ley no anduvieron.[i] Todas las cosas que tú les mandaste hacer no las hicieron,[j] de manera que hiciste que les acaeciera toda esta calamidad.[k] **24** ¡Mira! Con cercos de sitiar[l] han llegado hombres a la ciudad para tomarla,[m] y la mismísima ciudad ciertamente será dada en la mano de los caldeos que están peleando contra ella,[n] a causa de la espada[o] y el hambre[p] y la peste;[q] y lo que has dicho ha sucedido, y mira que [lo] estás viendo.[r] **25** No obstante, tú mismo me has dicho, oh Señor Soberano Jehová: ‘Cómprate el campo con dinero[s] y toma testigos’,[t] aunque la ciudad misma tiene que ser dada en la mano de los caldeos”.[u]

26 En esto la palabra de Jehová le ocurrió a Jeremías, y dijo: **27** ”Aquí estoy yo, Jehová, el Dios de toda carne.[v] Para mí, ¿hay de manera alguna asunto demasiado maravilloso?[w] **28** Por lo tanto, esto es lo que ha dicho Jehová: ‘Mira, voy a dar esta ciudad en la mano de los caldeos y en la mano de Nabucodorosor el rey de Babilonia, y él tiene que tomarla.[x] **29** Y los caldeos que están peleando contra esta ciudad tienen que entrar y encender esta ciudad con fuego y la tienen que quemar por completo,[y] así como las casas sobre cuyos techos se ha hecho

humo de sacrificio a Baal y se han derramado libaciones a otros dioses con el propósito de ofenderme’.[a]

30 ”‘Porque los hijos de Israel y los hijos de Judá han resultado ser meros hacedores de lo que es malo a mis ojos, desde su juventud en adelante;[b] pues los hijos de Israel hasta están ofendiéndome por la obra de sus manos[c] —es la expresión de Jehová—. **31** Porque esta ciudad, desde el día que la edificaron, hasta el mismo día de hoy, ha resultado ser solamente causa de cólera en mí[d] y causa de furia en mí, para que yo la quite de delante de mi rostro,[e] **32** por motivo de toda la maldad de los hijos de Israel[f] y de los hijos de Judá[g] que ellos han hecho para ofenderme,[h] ellos, sus reyes,[i] sus príncipes,[j] sus sacerdotes[k] y sus profetas,[l] y los hombres de Judá y los habitantes de Jerusalén. **33** Y siguieron volviéndome la espalda y no el rostro;[m] aunque se les enseñaba, madrugando y enseñando, pero no hubo ninguno de ellos que escuchara para recibir disciplina.[n] **34** Y se pusieron a colocar sus cosas repugnantes en la casa sobre la cual se ha llamado mi propio nombre, para contaminarla.[o] **35** Además, edificaron los lugares altos de Baal[p] que están en el valle del hijo de Hinón,[q] para hacer que sus hijos y sus hijas pasaran por [el fuego][r] a Mólek,[s] cosa que yo no les mandé,[t] ni subió a mi corazón el hacer esta cosa detestable,[u] con el propósito de hacer pecar a Judá.’[v]

CAP. 32

a Ex 7:3
Dt 4:34
Ne 9:10
Sl 78:43
b Ex 9:16
2Sa 7:23
Isa 63:12
Da 9:15
Ro 9:17
c Ex 6:6
Ex 13:14
d Sl 105:27
Sl 106:9
e Ex 6:1
Ex 15:16
Dt 26:8
1Cr 17:21
Sl 136:12
f Ge 13:15
Ge 17:8
Ge 26:3
Dt 1:8
g Ex 3:8
Jer 11:5
h Ne 9:23
Sl 105:44
i Ne 9:26
Jer 7:23
j Nú 33:52
Jos 23:16
k Ex 37:10
l Dt 28:52
Jer 33:4
Eze 4:2
m Le 26:31
2Re 25:1
Jer 52:4
n Jer 21:4
o Le 26:33
Jer 14:12
p Dt 28:57
Jer 15:2
q Dt 28:59
Jer 24:10
r Isa 55:11
s Le 27:18
t Dt 19:15
Mt 18:16
u Jer 37:10
v Nú 16:22
Nú 27:16
Lu 3:6
Ro 3:29
w Gé 18:14
Job 42:2
Lu 1:37
Ro 4:21
x 2Re 25:4
Jer 20:5
Jer 21:4
y 2Re 25:9
2Cr 36:19
Jer 37:8
Jer 52:13
Lam 4:11

2.ª col.

a 2Re 17:16
2Cr 28:2
Jer 7:18
Jer 19:13
Jer 44:25
b Dt 9:7
2Re 17:9
Ne 9:16
Sl 106:6
Jer 3:25
Eze 16:8
Eze 20:28
Hch 7:51
c Jer 22:21
Eze 23:3
d 1Re 11:7; 2Re 21:4; Sof 3:1; e 2Re 23:27; 2Re 24:3; Lam 1:8; f 2Re 15:18; 2Re 17:11; 2Re 17:18; Jer 7:12; Jer 11:17; g Jer 5:11; Jer 11:10; Eze 8:17; h Isa 1:4; i 1Re 11:9; 2Re 23:26; 1Cr 10:13; Esd 9:7; Jer 15:4; j Eze 22:6; Da 9:8; k Ne 9:34; l Miq 3:5; Miq 3:11; m 2Cr 29:6; Jer 2:27; Jer 7:24; Zac 7:11; n 2Cr 36:16; Jer 7:13; Jer 25:3; Jer 26:5; Jer 35:15; Jer 44:5; o 2Re 21:4; 2Cr 33:4; Jer 7:30; Jer 23:11; Eze 5:11; Eze 8:5; Eze 23:38; Os 9:10; p 1Re 11:5; 2Re 23:10; q Jos 15:8; 2Cr 28:3; Jer 19:5; r 2Cr 33:6; Isa 57:5; Jer 7:31; s Le 18:21; Le 20:4; t Dt 18:10; 1Re 11:10; u 1Re 11:33; v 2Re 16:3; 2Cr 33:9.

36 "Y ahora, por lo tanto, esto es lo que Jehová, el Dios de Israel, ha dicho acerca de esta ciudad de la que ustedes están diciendo que ciertamente será dada en la mano del rey de Babilonia por la espada y por el hambre y por la peste:[a] 37 'Aquí voy a juntarlos de todas las tierras a las cuales los habré dispersado en mi cólera y en mi furia y en gran indignación;[b] y ciertamente los traeré de vuelta a este lugar y los haré morar en seguridad.[c] 38 Y ellos de veras llegarán a ser mi pueblo,[d] y yo mismo llegaré a ser su Dios.[e] 39 Y ciertamente les daré un solo corazón[f] y un solo camino para que me teman siempre, para bien de ellos y de sus hijos después de ellos.[g] 40 Y de veras celebraré con ellos un pacto de duración indefinida,[h] de que no me volveré de detrás de ellos, para hacerles bien;[i] y pondré en su corazón el temor de mí para que no se desvíen de mí.[j] 41 Y de veras me alborozaré a causa de ellos para hacerles bien,[k] y ciertamente los plantaré en esta tierra[l] en apego a la verdad con todo mi corazón y con toda mi alma'".

42 "Porque esto es lo que ha dicho Jehová: 'Tal como he traído sobre este pueblo toda esta gran calamidad, así voy a traer sobre ellos todo el bien de que estoy hablando respecto a ellos.[m] 43 Y ciertamente se comprarán campos en esta tierra[n] de la cual ustedes estarán diciendo: "Es un yermo desolado[o] sin hombre ni animal doméstico. Ha sido dada en la mano de los caldeos"'.[p]

44 "'Con dinero la gente comprará campos mismos, y habrá un registrar en la escritura[q] y un sellar y un tomar testigos[r] en la tierra de Benjamín[s] y en los alrededores de Jerusalén[t] y en las ciudades de Judá[u] y en las ciudades de la región montañosa y en las ciudades de la tierra baja[a] y en las ciudades del sur,[b] porque traeré de vuelta a sus cautivos',[c] es la expresión de Jehová."

33 Y la palabra de Jehová procedió a ocurrirle a Jeremías por segunda vez, mientras todavía estaba encerrado en el Patio de la Guardia,[d] diciendo: 2 "Esto es lo que ha dicho Jehová el Hacedor[e] de [la tierra], Jehová el Formador[f] de ella para establecerla firmemente,[g] Jehová por nombre:[h] 3 'Llámame, y yo te responderé[i] y prontamente te informaré de cosas grandes e incomprensibles que no has conocido'".[j]

4 "Porque esto es lo que ha dicho Jehová el Dios de Israel acerca de las casas de esta ciudad y acerca de las casas de los reyes de Judá que se habían demolidas a causa de los cercos de sitiar y a causa de la espada;[k] 5 [acerca de] los que están viniendo para pelear contra los caldeos y para llenar lugares con los cadáveres de los hombres a quienes yo he derribado en mi cólera y en mi furia,[l] y por cuya maldad toda he ocultado mi rostro de esta ciudad:[m] 6 'Aquí voy a hacer subir para ella un recobro y salud;[n] y ciertamente te los sanaré y les revelaré una abundancia de paz y verdad.[o] 7 Y de veras traeré de vuelta a los cautivos de Judá y a los cautivos de Israel,[p] y ciertamente los edificaré tal como en el comienzo.[q] 8 Y los purificaré, sí, de todo su error con que han pecado contra mí,[r] y perdonaré, sí, todos sus errores con los que han pecado contra mí y con los que han transgredido contra mí.[s] 9 Y ella ciertamente llegará a ser para mí un nombre de

---

CAP. 32
a Jer 24:10
b Dt 29:24
  Dt 30:3
  Jer 23:3
  Jer 29:14
  Eze 37:21
c Jer 23:6
  Jer 33:16
  Eze 34:25
d Jer 24:7
  Jer 31:33
  Miq 4:5
e Gé 17:7
  Jer 30:22
f 2Cr 30:12
  Eze 11:19
g Dt 5:29
  Sl 115:13
h Isa 55:3
  Isa 61:8
i Sl 73:1
  Sl 125:4
  Eze 38:29
j Eze 36:26
  Rev 15:4
k Dt 30:9
  Isa 62:5
  Isa 65:19
  Sof 3:17
l Isa 58:11
  Isa 61:3
  Jer 31:12
  Am 9:15
m Jer 31:28
  Jer 33:11
  Zac 8:15
n Eze 37:14
o Jer 9:11
  Eze 23:33
p Jer 21:4
q Jer 32:10
r Jer 32:25
s Jos 18:28
t Jer 33:16
u Jer 31:23

2.ª col.
a Jos 15:33
  Jer 17:26
  Jer 33:13
b Jos 15:21
c Sl 126:1
  Jer 33:7

CAP. 33
d Ne 3:25
  Jer 32:2
  Jer 37:21
  Jer 38:28
e Gé 1:1
  Sl 146:6
  Rev 4:11
f Gé 14:19
  Sl 102:25
  Isa 45:18
  Rev 10:6
g Sl 96:10
  Sl 104:5
  Sl 119:90
  Ec 1:4
h Éx 6:3
  Éx 15:3
  Jer 32:18
  Am 5:8
  Am 9:6
i Dt 4:7
  Sl 50:15
  Sl 91:15
  Isa 55:6
  Jer 29:12

j Sl 25:14; Isa 48:6; Am 3:7; k Dt 28:52; Jer 32:24; l Jer 32:5; m Dt 31:17; Jer 21:10; Miq 3:4; n Dt 32:39; Isa 30:26; Jer 30:17; o Isa 54:13; p Dt 30:3; Sl 14:7; Jer 30:3; Jer 32:44; q Isa 1:26; Jer 24:6; Zac 10:6; r Sl 85:2; Isa 40:2; Jer 31:34; Zac 13:1; s Sl 65:3; Isa 43:25; Isa 44:22; Miq 7:18.

alborozo,[a] una alabanza y una hermosura para con todas las naciones de la tierra que oirán de todo el bien que voy a hacerles.[b] Y ciertamente estarán en pavor[c] y se agitarán[d] a causa de todo el bien y a causa de toda la paz que voy a hacerle a ella'."[e]

10 "Esto es lo que ha dicho Jehová: 'En este lugar del que ustedes estarán diciendo que está desierto sin hombre y sin animal doméstico, en las ciudades de Judá y en las calles de Jerusalén que están desoladas[f] sin hombre y sin habitante y sin animal doméstico, todavía se oirá[g] 11 el sonido del alborozo y el sonido del regocijo,[h] la voz del novio y la voz de la novia, la voz de los que dicen: '¡Elogien a Jehová de los ejércitos, porque Jehová es bueno;[i] porque hasta tiempo indefinido es su bondad amorosa!''.[j]

"Ellos estarán trayendo una ofrenda de acción de gracias a la casa de Jehová,[k] porque yo traeré de vuelta a los cautivos de la tierra tal como al comienzo',[l] ha dicho Jehová."

12 "Esto es lo que ha dicho Jehová de los ejércitos: 'En este lugar desierto sin hombre y ni siquiera animal doméstico,[m] y en todas sus ciudades, todavía llegará a haber el apacentadero de los pastores que están haciendo que el rebaño se eche'.[n]

13 "'En las ciudades de la región montañosa, en las ciudades de la tierra baja[o] y en las ciudades del sur[p] y en la tierra de Benjamín[q] y en los alrededores de Jerusalén[r] y en las ciudades de Judá[s] todavía pasarán adelante rebaños bajo las manos del que está tomando la cuenta',[t] ha dicho Jehová."

14 "'¡Mira! Vienen días[u] —es la expresión de Jehová—, y ciertamente llevaré a cabo la buena palabra que he hablado,[v] acerca de la casa de Israel[w] y acerca de la casa de Judá. 15 En aque-

llos días y en aquel tiempo haré que brote para David un brote justo,[a] y ciertamente ejecutará derecho y justicia en la tierra.[b] 16 En aquellos días Judá será salvado[c] y Jerusalén misma residirá en seguridad.[d] Y esto es lo que se le llamará: Jehová Es Nuestra Justicia.'"[e]

17 "Porque esto es lo que ha dicho Jehová: 'No será cortado, en el caso de David, un hombre que haya de sentarse sobre el trono de la casa de Israel.[f] 18 Y en el caso de los sacerdotes, los levitas, no será cortado de delante de mí un hombre que haya de ofrecer holocausto y de hacer humo con ofrenda de grano y de hacer sacrificio siempre'."[g]

19 Y la palabra de Jehová vino nuevamente a Jeremías, diciendo: 20 "Esto es lo que ha dicho Jehová: 'Si ustedes pudieran romper mi pacto del día y mi pacto de la noche, aun para que el día y la noche no ocurran a su tiempo,[h] 21 igualmente podría romperse mi propio pacto con David mi siervo,[i] de modo que él no llegara a tener un hijo que reinara sobre su trono;[j] también con los levitas, los sacerdotes, mis ministros.[k] 22 Tal como no puede contarse el ejército de los cielos, ni medirse la arena del mar,[l] así multiplicaré la descendencia de David mi siervo y los levitas que me están ministrando'."

23 Y la palabra de Jehová continuó ocurriéndole a Jeremías, y dijo: 24 "¿No has visto lo que han hablado los de este pueblo, al decir: 'A las dos familias que Jehová ha escogido,[m] también las rechazará'? Y a mi propio pueblo lo siguen tratando con falta de respeto,[o] para que ya no continúe siendo una nación delante de ellos.

CAP. 33

a Dt 30:9
Sl 126:3
Isa 62:3
b Isa 62:7
c 2Cr 20:29
d Miq 7:17
e Ne 6:16
f Isa 24:11
g Jer 32:43
h Jer 31:12
i Sl 25:8
Mr 10:18
j 1Cr 16:8
2Cr 5:13
Esd 3:11
Sl 89:2
Isa 12:4
Miq 7:18
k Le 7:12
2Cr 29:31
Sl 107:22
l Dt 30:5
Jer 32:44
m Jer 32:43
Jer 51:62
Isa 65:10
Jer 31:24
Jer 50:19
Miq 2:12
o Jos 15:33
Jer 32:44
p Jos 15:21
q Jos 18:21
r Jer 17:26
s Jer 32:44
t Le 27:32
u Jer 23:5
v Gé 22:17
Dt 30:3
Jer 29:10
w Jer 31:27

2.ª col.

a 1Cr 17:11
Isa 4:2
Isa 11:1
Isa 53:2
Jer 23:5
Zac 3:8
Zac 6:12
Rev 22:16
b Isa 9:7
Isa 11:4
Heb 1:9
c Isa 45:17
d Dt 33:28
Eze 28:26
e Jer 23:6
f 2Sa 7:16
1Re 2:4
Isa 9:7
Lu 1:33
g 1Pe 2:5
Rev 1:6
h Gé 1:16
Sl 89:37
Isa 54:10
Jer 31:35
i 2Sa 7:16
2Sa 23:5
Sl 89:34
Sl 132:11
Isa 55:3
Jer 31:22
j Isa 9:6
Da 7:14
Lu 1:32
k Dt 21:5

l Gé 13:16; Gé 15:5; Gé 22:17; Jer 31:37; Heb 11:12; m 1Cr 25:1; 2Cr 35:2; n Eze 37:19; o Sl 83:4; Eze 25:3.

25 "Esto es lo que ha dicho Jehová: 'Si no fuera un hecho que yo he designado mi propio pacto del día y la noche,[a] los estatutos de cielo y tierra,[b] 26 así también rechazaría hasta la descendencia de Jacob y de David mi siervo,[c] de manera que no tomara yo de la descendencia de él gobernantes sobre la descendencia de Abrahán, Isaac y Jacob. Pues recogeré a sus cautivos[d] y ciertamente les tendré piedad' "[e]

34 La palabra que le ocurrió a Jeremías de parte de Jehová, cuando Nabucodorosor el rey de Babilonia[f] y toda su fuerza militar[g] y todos los reinos de la tierra, el dominio bajo su mano,[h] y todos los pueblos, estaban peleando contra Jerusalén y contra todas sus ciudades,[i] diciendo:

2 "Esto es lo que ha dicho Jehová el Dios de Israel: 'Ve, y tienes que decir a Sedequías el rey de Judá,[j] sí, tienes que decirle: "Esto es lo que ha dicho Jehová: 'Mira, voy a dar esta ciudad en la mano del rey de Babilonia,[k] y él tendrá que quemarla con fuego.[l] 3 Y tú mismo no escaparás de su mano, porque sin falta serás prendido y en su mano serás dado.[m] Y tus propios ojos verán hasta los ojos del rey de Babilonia,[n] y su propia boca hablará aun con tu boca, y a Babilonia irás'. 4 Sin embargo, oye la palabra de Jehová, oh Sedequías rey de Judá:[o] 'Esto es lo que Jehová ha dicho respecto a ti: "No morirás[p] a espada. 5 En paz morirás; y como con las quemas para tus padres, los reyes anteriores que te antecedieron a ti,[q] así harán una quema[r] para ti, y: '¡Ay, oh amo!'[s] es lo que dirán en lamento[t] por ti, porque 'yo mismo he hablado la mismísima palabra', es la expresión de Jehová' " ' ".

6 Y Jeremías el profeta procedió a hablar a Sedequías el rey de Judá todas estas palabras[a] en Jerusalén, 7 cuando las fuerzas militares del rey de Babilonia estaban peleando contra Jerusalén y contra todas las ciudades de Judá que quedaban,[b] contra Lakís[c] y contra Azeqá;[d] porque estas, las ciudades fortificadas,[e] eran las que quedaban entre las ciudades de Judá.[f]

8 La palabra que le ocurrió a Jeremías de parte de Jehová después de que el rey Sedequías celebró un pacto con todo el pueblo que se hallaba en Jerusalén para proclamarles libertad,[g] 9 para que dejara ir libre cada uno a su siervo y cada uno a su sierva, a hebreo[h] y a hebrea, a fin de no usarlos como siervos, es decir, a un judío, que es su hermano.[i] 10 De manera que todos los príncipes[j] obedecieron, y toda la gente que había entrado en el pacto para dejar ir libre cada uno a su siervo y cada una a su sierva, a fin de no usarlos más como siervos, y procedieron a obedecer y a dejar[los] ir.[k] 11 Pero dieron la vuelta[l] después de aquello y empezaron a hacer volver a los siervos y a las siervas a quienes habían dejado ir libres, y se pusieron a sujetarlos como siervos y como siervas.[m] 12 En consecuencia, la palabra de Jehová le ocurrió a Jeremías de parte de Jehová, y dijo:

13 "Esto es lo que ha dicho Jehová el Dios de Israel: 'Yo mismo celebré un pacto con los antepasados de ustedes[n] en el día que los saqué de la tierra de Egipto,[o] de la casa de los siervos,[p] diciendo: 14 "Al cabo de siete años cada uno de ustedes debe dejar que se vaya su hermano,[q] un hebreo,[r] que haya llegado a ser vendido a ti[s] y que te haya servido seis años; y tienes que dejarlo ir libre de estar contigo". Pero los antepasados de ustedes no me escucharon, ni inclinaron

CAP. 33

a Gé 1:16
  Jer 33:20
b Job 38:33
  Sl 74:16
  Sl 104:19
  Jer 31:35
c Sl 94:14
  Jer 31:37
d Esd 2:1
  Esd 2:70
  Jer 33:7
e Isa 14:1
  Jer 31:20
  Os 1:7
  Miq 7:19
  Zac 10:6

CAP. 34

f 2Re 25:1
  Jer 32:2
g Jer 39:1
  Jer 52:4
h Jer 27:6
i Dt 28:52
  Jer 1:15
j 2Cr 36:11
  Jer 37:1
k Jer 21:10
  Jer 32:28
l Jer 32:29
  Jer 37:8
  Jer 38:23
  Jer 39:8
m Jer 37:17
  Jer 39:5
  Jer 52:8
n 2Re 25:6
  Jer 32:4
  Eze 12:13
o 2Cr 36:10
p Eze 17:16
q 2Cr 21:19
r 2Cr 16:14
  Jer 22:18
t Lam 4:20
  Miq 2:4

2.ª col.

a 1Sa 3:18
  1Re 21:19
  Heb 20:27
b Dt 28:52
  Jer 4:5
c 2Re 19:8
  Miq 1:13
d Jos 15:35
e 2Re 18:13
  2Cr 11:5
f 2Cr 27:4
g Éx 21:2
  Le 25:10
  Dt 15:12
h Gé 14:13
  2Co 11:22
i Le 25:39
  Ne 5:8
j Jer 26:10
k Le 25:39
l Os 6:4
m Le 25:42
  Sl 36:3
n Éx 24:7
  Dt 5:2
o Dt 7:8
  Dt 24:18
p Éx 13:3
q Éx 21:2
  Le 25:41
r Dt 15:12
s Le 25:39

su oído.ᵃ 15 Y ustedes mismos dan vuelta hoy y hacen lo que es recto a mis ojos al proclamar libertad cada uno a su compañero, y celebran un pacto delante de míᵇ en la casa sobre la cual se ha llamado mi nombre.ᶜ 16 Entonces ustedes se vuelven atrásᵈ y profanan mi nombreᵉ y hacen volver cada uno a su siervo y cada uno a su sierva, a quienes dejaron ir libres según el agrado del alma de ellos, y los sujetan para que lleguen a ser sus siervos y siervas'.ᶠ

17 "Por lo tanto, esto es lo que ha dicho Jehová: 'Ustedes mismos no me han obedecido, en cuanto a seguir proclamando libertadᵍ cada uno a su hermano y cada uno a su compañero. ¡Miren!, voy a proclamarles una libertadʰ —es la expresión de Jehová— a la espada,ⁱ a la pesteʲ y al hambre,ᵏ y ciertamente los daré para trepidación a todos los reinos de la tierra.ˡ 18 Y de veras daré a los hombres que traspasaron mi pacto,ᵐ puesto que no llevaron a cabo las palabras del pacto que celebraron delante de mí [con] el becerro que cortaron en dosⁿ para pasar entre sus pedazos;ᵒ 19 [a saber,] los príncipes de Judáᵖ y los príncipes de Jerusalén,ᵖ los oficiales de la corte y los sacerdotes y toda la gente de la tierra que fueron pasando entre los pedazos del becerro... 20 sí, de veras los daré en la mano de sus enemigos y en la mano de los que buscan su alma;ᵠ y sus cuerpos muertos tienen que llegar a ser alimento para las criaturas voladoras de los cielos y para las bestias de la tierra.ʳ 21 Y a Sedequías el rey de Judáˢ y sus príncipes los daré en la mano de sus enemigos y en la mano de los que buscan su alma y en la mano de las fuerzas militares del rey de Babiloniaᵗ que están retirándose de contra ustedes'.ᵘ

22 "'Aquí voy a dar la orden

CAP. 34

a 1Sa 8:8
  2Re 17:14
  Ne 9:29
  Jer 7:26
  Zac 7:12
b Sl 119:106
c 2Re 21:4
d Ec 5:5
  Eze 17:16
  Mt 5:37
e Le 19:12
  Eze 20:39
f Jer 34:11
g Éx 21:2
  Le 25:10
  Dt 15:12
h Le 26:34
  Gál 6:7
  Stg 2:13
i Jer 15:2
j Le 26:25
  Jer 21:7
  Eze 14:19
k Dt 28:53
  2Re 25:3
  Jer 24:10
  Jer 32:24
l Dt 28:65
  Jer 15:4
  Jer 29:18
m Dt 17:2
  Jos 7:11
  Eze 17:16
  Os 6:7
n Gé 15:10
o Gé 15:17
p Jer 25:18
  Da 9:6
q Dt 7:10
  Jer 4:30
r Dt 28:26
  1Re 14:11
  Sl 79:2
  Jer 7:33
  Jer 16:4
  Jer 19:7
s 2Re 24:18
t 2Re 25:6
  Jer 39:6
  Jer 52:10
  Lam 4:20
u Jer 37:5

2.ᵃ col.

a 2Cr 36:17
  Jer 39:1
b 2Re 25:9
  Jer 32:29
  Jer 38:23
  Jer 39:8
  Jer 52:13
c Le 26:33
  Dt 29:28
  Jer 9:11
  Jer 44:2
  Miq 7:13

CAP. 35

d 2Re 23:34
  2Cr 36:5
  Da 1:1
e 2Re 10:15
  1Cr 2:55
f 1Cr 9:17
  Esd 2:42
  Ne 7:45
h 2Re 10:15
  1Cr 2:55
i Ec 5:4

—es la expresión de Jehová—, y ciertamente los traeré de vuelta a esta ciudad,ᵃ y tendrán que pelear contra ella y tomarla y quemarla con fuego;ᵇ y de las ciudades de Judá haré un yermo desolado sin habitante'".ᶜ

35 La palabra que le ocurrió a Jeremías de parte de Jehová en los días de Jehoiaquimᵈ hijo de Josías, el rey de Judá, diciendo: 2 "Ve a la casa de los recabitas,ᵉ y tienes que hablar con ellos y llevarlos a la casa de Jehová, a uno de los comedores; y tienes que darles a beber vino".

3 De manera que tomé a Jaazanías hijo de Jeremías hijo de Habazinías y a sus hermanos, y a todos sus hijos, y a toda la casa de los recabitas, 4 y procedí a llevarlos a la casa de Jehová, al comedorᶠ de los hijos de Hanán hijo de Igdalías, un hombre del Dios [verdadero], el cual estaba al lado del comedor de los príncipes, que estaba sobre el comedor de Maaseya hijo de Salumᵍ el guarda de la puerta. 5 Entonces puse delante de los hijos de la casa de los recabitas tazas llenas de vino, y copas, y les dije: "Beban vino".

6 Pero ellos dijeron: "No beberemos vino, porque Jonadab hijo de Recab,ʰ nuestro antepasado, nos impuso el mandato, y dijo: 'No deben beber vino, ni ustedes ni sus hijos, hasta tiempo indefinido.ⁱ 7 Y no deben edificar casa, y no deben sembrar semilla; y no deben plantar viña, ni debe llegar a ser de ustedes. Antes bien, en tiendas deben morar todos sus días, a fin de que sigan viviendo muchos días sobre la superficie del suelo donde están residiendo como forasteros'.ʲ 8 De modo que seguimos obedeciendo la voz de Jehonadab hijo de Recab nuestro antepasado en todo lo que él nos mandó,ᵏ y no bebemos vino en todos nuestros

j Éx 20:12; Ef 6:3; k Gé 18:19.

días, nosotros, nuestras esposas, nuestros hijos ni nuestras hijas,[a] 9 y no edificamos casas para morar nosotros en ellas, para que ninguna viña o campo o semilla llegue a ser nuestro. 10 Y seguimos morando en tiendas y obedeciendo y haciendo conforme a todo lo que Jonadab[b] nuestro antepasado nos mandó.[c] 11 Pero cuando Nabucodorosor el rey de Babilonia subió contra el país[d] aconteció que empezamos a decir: 'Vengan y entremos en Jerusalén a causa de la fuerza militar de los caldeos y a causa de la fuerza militar de los sirios, y moremos en Jerusalén'".[e]

12 Y la palabra de Jehová procedió a ocurrirle a Jeremías, y dijo: 13 "Esto es lo que ha dicho Jehová de los ejércitos, el Dios de Israel: 'Ve, y tienes que decir a los hombres de Judá y a los habitantes de Jerusalén: "¿No recibieron ustedes continuamente exhortación para que obedecieran mis palabras?[f] —es la expresión de Jehová—. 14 Ha habido un llevar a cabo las palabras de Jehonadab hijo de Recab,[g] que él mandó a sus hijos, de no beber vino, y ellos no lo han bebido hasta el día de hoy, porque han obedecido el mandamiento de su antepasado.[h] Y en cuanto a mí, yo les he hablado a ustedes, madrugando y hablando,[i] pero no me han obedecido.[j] 15 Y seguí enviándoles todos mis siervos los profetas,[k] madrugando y enviándo[los], diciendo: 'Vuélvanse, por favor, cada uno de su camino malo,[l] y hagan buenos sus tratos,[m] y no anden tras otros dioses para servirles.[n] Y sigan morando en el suelo que les he dado a ustedes y a sus antepasados'.[o] Pero ustedes no se inclinaron su oído, ni me escucharon.[p] 16 Pero los hijos de Jehonadab hijo de Recab[q] han llevado a cabo el mandamiento de su antepasado, que él les

mandó;[a] pero en cuanto a este pueblo, no me han escuchado'"'.[b]

17 "Por lo tanto, esto es lo que ha dicho Jehová, el Dios de los ejércitos, el Dios de Israel: 'Aquí voy a traer sobre Judá y sobre todos los habitantes de Jerusalén toda la calamidad que he hablado contra ellos,[c] por la razón de que les he hablado pero no escucharon, y seguí llamándolos, pero no respondieron'".[d]

18 Y a la casa de los recabitas dijo Jeremías: "Esto es lo que ha dicho Jehová de los ejércitos, el Dios de Israel: 'Por la razón de que ustedes han obedecido el mandamiento de Jehonadab[e] su antepasado y siguen guardando todos sus mandamientos y haciendo conforme a todo lo que él les mandó,[f] 19 por lo tanto esto es lo que ha dicho Jehová de los ejércitos, el Dios de Israel: "No será cortado de Jonadab hijo de Recab un hombre que siempre esté de pie[g] delante de mí"'".[h]

36 Ahora bien, en el año cuarto de Jehoiaquim[i] hijo de Josías, el rey de Judá, aconteció que a Jeremías le ocurrió esta palabra de parte de Jehová, que dijo: 2 "Toma para ti un rollo de un libro,[j] y tienes que escribir en él todas las palabras[k] que te he hablado contra Israel y contra Judá[l] y contra todas las naciones,[m] desde el día en que te hablé, desde los días de Josías, hasta el mismo día de hoy.[n] 3 Quizás los de la casa de Judá escuchen toda la calamidad que estoy pensando hacerles,[o] a fin de que se vuelvan, cada uno de su camino malo,[p] y de que yo realmente les perdone su error y su pecado".[q]

4 Y Jeremías procedió a llamar a Baruc[r] hijo de Nerías para

---

CAP. 35
a Pr 6:20
b 2Re 10:15
 1Cr 2:55
c Jer 35:8
d 2Cr 36:6
 Da 1:1
e Jer 4:5
f Dt 5:29
 Jer 6:8
 Jer 7:3
 Jer 9:12
 Jer 32:33
g 2Re 10:15
 1Cr 2:55
h Jer 35:8
i 2Cr 36:15
 Jer 7:13
 Jer 25:3
j Ne 9:26
 Ne 9:30
 Isa 30:9
 Jer 7:24
k Jer 7:25
 Jer 25:4
l Isa 1:16
 Jer 4:14
 Jer 25:5
 Eze 18:30
 Os 14:1
 Zac 1:3
m Jer 7:3
 Jer 18:11
n Dt 31:18
 Jer 44:5
o Dt 30:20
 Jos 14:1
 Jer 7:7
p 2Cr 36:16
q Jer 2:55

2.ª col.
a Jer 35:8
b Isa 1:3
 Jer 11:8
c Dt 28:15
 Dt 29:27
 Jos 23:15
 2Re 23:27
 Jer 18:3
 Miq 3:12
d Pr 1:24
 Isa 65:12
 Isa 66:4
 Jer 7:13
 Jer 26:5
 Jer 32:33
e 2Re 10:15
f Éx 20:12
 Dt 5:16
g Sl 5:5
 Jer 15:19
 Lu 21:36
h Ef 6:3
 Col 3:20

CAP. 36
i 2Re 23:36
 Jer 25:1
j Dt 31:24
 Jer 45:1
 Eze 2:9
k Jer 30:2
l Jer 4:16
 Jer 32:30
m Jer 1:5
 Jer 25:9
n Jer 1:2
 Jer 25:3
o Jer 26:3

p Isa 55:7; Jer 18:8; Eze 33:11; Jon 3:8; q Jer 130:4; Miq 7:18; r Jer 32:12.

que Baruc escribiera de boca de Jeremías todas las palabras de Jehová que Él le había hablado, en el rollo del libro.[a] 5 Entonces Jeremías dio orden a Baruc, y dijo: "Estoy encerrado. No puedo entrar en la casa de Jehová.[b] 6 Y tú mismo tienes que entrar y leer en voz alta, del rollo que has escrito de mi boca, las palabras de Jehová[c] a oídos del pueblo, en la casa de Jehová, en el día de ayuno;[d] y también a oídos de [los de] todo Judá que estén viniendo de sus ciudades debes leerlas en voz alta.[e] 7 Quizás su petición de favor caiga delante de Jehová[f] y se vuelvan ellos, cada uno, de su camino malo,[g] porque grande es la cólera y la furia que Jehová ha hablado contra este pueblo".[h]

8 Y Baruc[i] hijo de Nerías procedió a hacer conforme a todo lo que le había mandado Jeremías el profeta, leer en voz alta del libro[j] las palabras de Jehová en la casa de Jehová.[k]

9 Ahora bien, en el año quinto de Jehoiaquim[l] hijo de Josías, el rey de Judá, en el mes noveno,[m] aconteció que toda la gente de Jerusalén y toda la gente que estaba entrando en Jerusalén de las ciudades de Judá proclamaron un ayuno delante de Jehová.[n] 10 Y Baruc empezó a leer del libro en voz alta las palabras de Jeremías, en la casa de Jehová, en el comedor[o] de Guemarías[p] hijo de Safán[q] el copista,[r] en el patio superior, a la entrada de la puerta nueva de la casa de Jehová,[s] a oídos de todo el pueblo.

11 Y Micaya hijo de Guemarías hijo de Safán[t] llegó a oír todas las palabras de Jehová, del libro. 12 Por lo cual bajó a la casa del rey, al comedor del secretario, y, ¡mire!, allí estaban sentados todos los príncipes: Elisamá[u] el secretario, y Delayá[v] hijo de Semaya, y Elnatán[w] hijo

de Acbor,[a] y Guemarías[b] hijo de Safán,[c] y Sedequías hijo de Hananías, y todos los demás príncipes. 13 Y Micaya[d] procedió a informarles todas las palabras que había oído cuando Baruc leyó en voz alta del libro a oídos del pueblo.[e]

14 Entonces todos los príncipes enviaron a Jehudí[f] hijo de Netanías hijo de Selemías hijo de Cusí a Baruc,[g] para decir: "El rollo del cual leíste en voz alta a oídos del pueblo... tómalo en tu mano y ven". Por consiguiente, Baruc hijo de Nerías tomó el rollo en su mano y entró a donde ellos.[h] 15 Entonces le dijeron: "Siéntate, por favor, y léelo en voz alta a oídos de nosotros". De manera que Baruc[i] leyó en voz alta a oídos de ellos.

16 Ahora bien, aconteció que, tan pronto como oyeron todas las palabras, se miraron unos a otros con pavor; y procedieron a decir a Baruc: "Nosotros sin falta informaremos todas estas palabras al rey".[j] 17 Y a Baruc le preguntaron, diciendo: "Infórmanos, por favor: ¿Cómo escribiste todas estas palabras de su boca?".[k] 18 Entonces Baruc les dijo: "De su boca él siguió declarándome todas estas palabras, y yo estuve escribiendo en el libro con tinta".[l] 19 Por fin los príncipes dijeron a Baruc: "Ve, ocúltate —tú y Jeremías—, de modo que nadie en absoluto sepa dónde están".[m]

20 Entonces fueron al rey, al patio,[n] y encargaron el rollo al comedor[o] de Elisamá[p] el secretario; y empezaron a anunciar todas las palabras a oídos del rey.

21 De manera que el rey envió a Jehudí[q] a conseguir el rollo. En conformidad, él lo sacó del comedor de Elisamá[r] el secretario.[s] Y Jehudí empezó a leerlo en voz alta a oídos del rey y a oídos de todos los príncipes que esta-

CAP. 36
a Jer 45:1
b Jer 32:2
c Jer 7:2
  Jer 22:2
d Hch 27:9
e Jer 36:13
f 2Cr 33:12
g Jer 25:5
  Jon 3:8
  Zac 1:4
h 2Cr 34:21
i Jer 32:12
  Jer 36:4
  Jer 45:2
j Ne 8:3
k Jer 7:2
l 2Re 23:36
  Jer 35:1
m Ne 1:1
n 2Cr 20:3
  Ne 9:1
  Est 4:16
o 1Cr 28:12
p Jer 36:25
q 2Re 22:3
  Jer 39:14
  Eze 8:11
r Esd 7:6
  Sl 45:1
s 1Cr 28:12
t 2Cr 34:20
u Jer 36:20
v Jer 36:25
w Jer 36:22
  Jer 36:25

2.ª col.
a 2Re 22:14
  Jer 26:22
b Jer 36:10
c 2Re 22:8
  Jer 26:24
  Jer 39:14
d Jer 36:11
e Jer 36:21
f Jer 36:21
g Jer 36:26
h Jer 36:2
i Jer 45:1
j Am 7:10
k Jer 36:4
l 3Jn 13
m Jer 36:26
n Jer 36:10
o 1Cr 28:12
p Jer 36:12
q Jer 36:14
r Jer 36:12
s 2Cr 34:18

ban de pie junto al rey.   22 Y el rey estaba sentado en la casa de invierno,[a] en el mes noveno,[b] con un brasero[c] ardiendo delante de él.   23 Entonces aconteció que tan pronto como Jehudí hubo leído tres o cuatro columnas-páginas, él procedió a rasgarlo con el cuchillo de secretario, y [lo] fue arrojando también en el fuego que estaba en el brasero, hasta que todo el rollo vino a parar al fuego que estaba en el brasero.[d]   24 Y no sintieron pavor;[e] tampoco rasgaron sus prendas de vestir[f] ni el rey ni ninguno de sus siervos, que estuvieron escuchando todas estas palabras.   25 Y hasta Elnatán[g] y Delayá[h] y Guemarías[i] mismos rogaron al rey que no quemara el rollo, pero él no les escuchó.[j]   26 Además, el rey dio órdenes a Jerahmeel hijo del rey y a Seraya hijo de Azriel y a Selemías hijo de Abdeel para que estos consiguieran a Baruc el secretario y a Jeremías el profeta.[k] Pero Jehová los mantuvo ocultos.[l]

27 Y nuevamente le ocurrió la palabra de Jehová a Jeremías después que el rey hubo quemado el rollo con las palabras que Baruc[m] había escrito de boca de Jeremías,[n] diciendo: 28 "Vuelve a tomar para ti un rollo, otro, y escribe en él todas las primeras palabras que resultaron estar en el primer rollo, que Jehoiaquim el rey de Judá quemó.[o]   29 Y contra Jehoiaquim el rey de Judá debes decir: 'Esto es lo que ha dicho Jehová: "Tú mismo has quemado este rollo,[p] diciendo: '¿Por qué has escrito en él,[q] y dicho: "Sin falta vendrá el rey de Babilonia y ciertamente arruinará este país y hará cesar de él hombre y bestia"?'.[r]   30 Por lo tanto, esto es lo que ha dicho Jehová contra Jehoiaquim el rey de Judá: 'No llegará a tener a nadie que se

CAP. 36

a Am 3:15
b Esd 10:9
c Isa 47:14
d Sl 50:17
   Isa 28:14
e Sl 36:1
f 2Re 19:1
   Isa 36:22
   Mt 26:65
g 2Re 24:8
   Jer 26:22
h Jer 36:12
i Jer 36:10
j Pr 21:29
k Jer 1:5
   Mt 26:3
l 1Re 17:3
   Jer 1:19
   2Pe 2:9
m Jer 32:12
   Jer 45:1
n Jer 36:2
o Jer 36:23
p Jer 36:23
q Isa 30:10
   Am 5:10
r Jer 21:4
   Jer 32:28
   Jer 34:21

2.ª col.

a 2Re 24:8
   2Re 24:15
   2Cr 36:10
   Jer 22:30
b Jer 22:19
c Jer 21:14
d Isa 3:11
e Dt 28:15
   Pr 29:1
   Jer 19:15
   Jer 35:17
f 2Cr 36:16
g Jer 36:2
h Jer 36:4
   Ro 16:22
i Jer 36:23

CAP. 37

j 2Re 24:18
   1Cr 3:15
k 2Re 23:28
l 2Re 24:12
   Da 1:16
   2Cr 36:9
   Jer 22:24
m 2Re 24:6
   Da 1:1
n 2Re 24:17
   2Cr 36:10
o 2Re 24:19
p Os 12:10
q Jer 38:1
r 2Re 25:18
   Jer 21:1
   Jer 52:24
s Jer 29:25
t Jer 21:2
   Jer 42:2
u Jer 32:2
   Jer 37:15
v Eze 17:15
w Jer 34:21

siente sobre el trono de David,[a] y su propio cuerpo muerto llegará a ser algo arrojado[b] de día al calor y de noche a la escarcha.   31 Y ciertamente les pediré cuentas de su error a él[c] y a su prole y a sus siervos,[d] y ciertamente traeré sobre ellos y sobre los habitantes de Jerusalén y sobre los hombres de Judá toda la calamidad que he hablado contra ellos,[e] y ellos no escucharon'"'".[f]

32 Y Jeremías mismo tomó otro rollo y entonces lo dio a Baruc hijo de Nerías, el secretario,[g] quien procedió a escribir en él, de boca[h] de Jeremías, todas las palabras del libro que Jehoiaquim el rey de Judá había quemado en el fuego;[i] y se añadieron a ellas muchas otras palabras como aquellas.

37 Y el rey Sedequías[j] hijo de Josías[k] empezó a reinar en lugar de Conías[l] hijo de Jehoiaquim,[m] a quien Nabucodorosor el rey de Babilonia hizo rey en la tierra de Judá.[n]   2 Y él mismo y sus siervos y la gente de la tierra no escucharon las palabras de Jehová[o] que él habló por medio de Jeremías el profeta.[p]

3 Y el rey Sedequías procedió a enviar a Jehucal[q] hijo de Selemías y a Sofonías[r] hijo de Maaseya[s] el sacerdote a Jeremías el profeta, diciendo: "Ora, por favor, en pro de nosotros a Jehová nuestro Dios".[t]   4 Y Jeremías entraba y salía en medio del pueblo,[u] pues no lo habían puesto en la casa de detención.   5 Y hubo una fuerza militar de Faraón que salió de Egipto;[v] y los caldeos que tenían sitiada a Jerusalén llegaron a oír el informe acerca de ella. De modo que se retiraron de contra Jerusalén.[w]   6 Entonces la palabra de Jehová le ocurrió a Jeremías el profeta, y decía: 7 "Esto es lo que ha dicho Jehová el Dios de Israel: 'Esto es lo que ustedes de-

ben decir al rey de Judá, el que los envió a mí para inquirir de mí:[a] "¡Miren! La fuerza militar de Faraón que está saliendo a donde ustedes con el propósito de dar auxilio tendrá que regresar a su país, Egipto.[b]   8 Y los caldeos ciertamente volverán y pelearán contra esta ciudad y la tomarán y la quemarán con fuego".[c]   9 Esto es lo que ha dicho Jehová: "No engañen a sus almas,[d] diciendo: 'Los caldeos sin falta se irán de contra nosotros', porque no se irán.   10 Porque si ustedes hubieran derribado a toda la fuerza militar de los caldeos que está peleando contra ustedes[e] y quedaran entre ellos hombres traspasados,[f] se levantarían cada uno en su tienda y realmente quemarían esta ciudad con fuego" ' ".

11 Y cuando la fuerza militar de los caldeos se hubo retirado de contra Jerusalén[g] a causa de la fuerza militar de Faraón,[h] sucedió   12 que Jeremías empezó a salir de Jerusalén para ir a la tierra de Benjamín[i] y conseguir de allá [su] porción en medio del pueblo.   13 De modo que cuando él estaba en la Puerta de Benjamín[j] aconteció que allí estaba el oficial que tenía la superintendencia, cuyo nombre era Iriya hijo de Selemías hijo de Hananías. Al instante él echó mano a causa de Jeremías el profeta, y dijo: "¡Es a los caldeos a quienes te estás pasando!".   14 Pero Jeremías dijo: "¡Eso es falso![k] No me estoy pasando a los caldeos". Pero él no le escuchó. De modo que Iriya mantuvo asido a Jeremías y lo llevó a los príncipes.   15 Y los príncipes[l] empezaron a indignarse con Jeremías,[m] y lo golpearon[n] y lo metieron en la casa de los grilletes, en la casa de Jehonatán[p] el secretario, porque esto era lo que habían hecho casa de detención.[q]   16 Cuando Jeremías entró en la

CAP. 37
a Jer 21:2
b Isa 30:3
  Isa 31:3
  Jer 17:5
  Lam 4:17
  Jer 17:17
c Jer 32:29
  Jer 34:22
  Jer 38:23
  Jer 39:8
d Abd 3
e Jer 21:4
f Jer 51:4
g Jer 34:21
  Jer 37:5
h Jer 17:15
i Jos 18:28
  Jer 1:1
j Jer 38:7
k Jer 27:12
  Sl 35:11
  Jer 38:4
m Jer 26:11
n Lu 20:10
  2Co 11:23
  Heb 11:36
o 2Cr 16:10
  Jer 20:2
  Hch 5:18
  Hch 12:6
p Jer 38:26
q Jer 37:4

2.ª col.
a Jer 38:6
b Jer 38:14
c Jer 21:7
  Jer 24:8
  Jer 34:21
  Eze 12:13
d 1Sa 26:18
e Jer 14:13
  Jer 23:17
  Jer 27:14
  Jer 28:2
  Lam 2:14
f Jer 36:7
g Jer 37:15
h Jer 26:15
  Jer 38:9
i Ne 3:25
  Jer 32:2
  Jer 33:1
  Jer 38:13
  Jer 38:28
j 1Re 17:6
k Dt 28:53
  2Re 25:3
  Jer 38:9
l Jer 38:13

CAP. 38
m Jer 37:3
n Jer 21:1
o Jer 21:8
p Jer 21:9
q Jer 27:13
r Jer 29:18
  Eze 6:11
  Eze 7:15

casa de la cisterna[a] y en los cuartos abovedados, entonces Jeremías continuó morando allí muchos días.

17 Y el rey Sedequías procedió a enviar y tomarlo [de allí], y el rey empezó a hacerle preguntas en su casa en un escondrijo.[b] Y pasó a decir: "¿Existe una palabra de Jehová?". A lo que dijo Jeremías: "¡Sí existe!". Y dijo además: "¡En la mano del rey de Babilonia serás dado!".[c]

18 Entonces Jeremías dijo al rey Sedequías: "¿De qué manera he pecado contra ti y contra tus siervos y contra este pueblo,[d] para que ustedes me hayan puesto en la casa de detención?   19 ¿Dónde están ahora sus profetas que les profetizaron a ustedes, diciendo: 'El rey de Babilonia no vendrá contra ustedes ni contra este país'?[e]   20 Y ahora escucha, por favor, oh mi señor el rey. Caiga mi petición de favor[f] delante de ti, por favor, y no me envíes de vuelta a la casa de Jehonatán[g] el secretario, para que no muera yo allí".[h]   21 En conformidad, el rey Sedequías dio orden, y entonces custodiaron a Jeremías en el Patio de la Guardia;[i] y diariamente se le daba un pan redondo de la calle de los panaderos,[j] hasta que todo el pan de la ciudad se agotó.[k] Y Jeremías continuó morando en el Patio de la Guardia.[l]

38 Y Sefatías hijo de Matán y Guedalías hijo de Pasjur y Jucal[m] hijo de Selemías y Pasjur hijo de Malkiya[n] llegaron a oír las palabras que Jeremías hablaba a todo el pueblo,[o] diciendo: 2 "Esto es lo que ha dicho Jehová: 'El que continúe morando en esta ciudad es el que morirá a espada,[p] del hambre[q] y de la peste.[r] Pero el que salga a los caldeos es el que seguirá viviendo y el que ciertamente llegará a tener su alma como despojo, y viva'.ᵃ 3 Esto es lo que ha dicho Jehová: 'Sin falta esta ciudad será dada en la mano de la fuerza militar del rey de Babilonia, y él ciertamente la tomará' ".ᵇ

4 Y los príncipes empezaron a decir al rey: "Désele muerte, por favor, a este hombre,ᶜ porque así es como está debilitando las manos de los hombres de guerra que quedan en esta ciudad y las manos de toda la gente, hablándoles conforme a estas palabras.ᵈ Porque este hombre no es uno que busque la paz de este pueblo, sino calamidad". 5 De modo que el rey Sedequías dijo: "¡Miren! Está en la mano de ustedes. Porque no hay absolutamente nada en que el rey mismo pueda prevalecer contra ustedes".ᵉ

6 Y procedieron a tomar a Jeremías y a arrojarlo en la cisterna de Malkiyaᶠ hijo del rey, la cual estaba en el Patio de la Guardia.ᵍ Así que bajaron a Jeremías por medio de sogas. Ahora bien, en la cisterna no había agua, sino fango; y Jeremías empezó a hundirse en el fango.ʰ

7 Y Ébed-mélec el etíope,ⁱ un hombre que era eunuco y que estaba en la casa del rey, llegó a oír que habían metido a Jeremías en la cisterna; y el rey estaba sentado en la Puerta de Benjamín.ʲ 8 De manera que Ébed-mélec salió de la casa del rey y habló al rey, y dijo: 9 "Oh mi señor el rey, estos hombres han hecho mal en todo lo que han hecho a Jeremías el profeta, a quien han arrojado en la cisterna, de modo que moriráⁱ donde está a causa del hambre. Porque ya no hay pan en la ciudad".

10 Entonces el rey dio orden a Ébed-mélec el etíope, y dijo: "Toma a tu cargo de este lugar a treinta hombres, y tienes que sacar de la cisterna a Jeremías

el profeta antes que muera".ᵃ 11 En conformidad, Ébed-mélec tomó los hombres a su cargo y entró en la casa del rey al lugar debajo de la tesoreríaᵇ y tomó de allí trapos gastados y pedazos de tela gastada, y se los bajó a Jeremías en la cisternaᶜ por medio de las sogas. 12 Entonces Ébed-mélec el etíope dijo a Jeremías: "Por favor, ponte los trapos gastados y los pedazos de tela debajo de las axilas, bajo las sogas". Jeremías ahora lo hizo.ᵈ 13 Por fin tiraron de Jeremías mediante las sogas y lo subieron de la cisterna. Y Jeremías continuó morando en el Patio de la Guardia.ᵉ

14 Y el rey Sedequías procedió a enviar y hacer traer al profeta Jeremías a síᶠ a la tercera entrada,ᵍ que está en la casa de Jehová,ʰ y entonces el rey dijo a Jeremías: "Voy a preguntarte algo. No me escondas nada".ⁱ 15 Ante esto, Jeremías dijo a Sedequías: "En caso de que te informe, ¿no me darás sin falta muerte? Y en caso de que te aconseje, no me escucharás".ʲ 16 Ante eso, el rey Sedequías juró a Jeremías en el escondrijo, y dijo: "Tan ciertamente como que vive Jehová, que nos ha hecho esta alma,ᵏ de veras no te daré muerte, y ciertamente no te daré en la mano de estos hombres que buscan tu alma".ˡ

17 Jeremías ahora dijo a Sedequías: "Esto es lo que ha dicho Jehová, el Dios de los ejércitos,ᵐ el Dios de Israel:ⁿ 'Si sales sin falta a los príncipes del rey de Babilonia,ᵒ tu alma también ciertamente seguirá viviendo, y esta ciudad misma no será quemada con fuego, y tú mismo y tu casa ciertamente seguirán viviendo.ᵖ 18 Pero si no sales a los príncipes del rey de Babilonia, esta ciudad también tiene que ser dada en mano de los cal-

CAP. 38

a Jer 21:9
　Jer 45:5

b 2Re 25:1
　2Cr 36:17
　Jer 21:10
　Jer 32:3
　Jer 52:4

c Jer 26:11

d Am 7:10

e Jn 19:16

f Jer 38:13

g Jer 33:1
　Jer 37:21
　Jer 38:28

h Gé 37:24
　Sl 109:5
　Lam 3:53

i Jer 39:16
　Hch 8:27

j Jer 37:13

k Pr 24:11

l Jer 52:6

2.ᵃ col.

a Sl 75:10
　Sl 82:4
　Pr 21:1

b 2Re 20:13

c Pr 3:27
　Jer 38:6

d Mt 10:41

e Jer 37:21

f Jer 21:1

g 2Re 16:18

h Jer 20:2

i 1Sa 3:17
　1Re 22:16

j Lu 22:67

k Gé 2:7
　Dt 4:32
　Isa 57:16
　Jer 27:5

l Jer 15:21
　Jer 26:24

m Sl 80:7

n 1Cr 17:24
　Jer 31:23

o 2Re 25:27

p Jer 21:9
　Jer 27:12

deos, y ellos realmente la quemarán con fuego,[a] y tú mismo no escaparás de su mano' ".[b]

19 Entonces el rey Sedequías dijo a Jeremías: "Me tienen aterrado los judíos que se han pasado a los caldeos,[c] no sea que me den en mano de ellos y estos realmente me traten abusivamente".[d] 20 Pero Jeremías dijo: "No harán tal dar. Obedece, por favor, la voz de Jehová en lo que te estoy hablando, y te irá bien,[e] y tu alma continuará viviendo. 21 Pero si rehúsas salir,[f] esta es la cosa que Jehová me ha hecho ver: 22 Y, ¡mira!, a todas las mujeres que han quedado en la casa del rey de Judá[g] las sacan a los príncipes del rey de Babilonia,[h] y dicen:

'Los hombres que están en paz contigo te han ilusionado[i] y han prevalecido sobre ti.[j]

Han hecho que tu pie se hunda en el mismísimo cieno; se han retirado en la dirección opuesta'.[k]

23 Y a todas tus esposas y tus hijos los sacan a los caldeos, y tú mismo no escaparás de su mano,[l] sino que por la mano del rey de Babilonia serás prendido, y por causa tuya esta ciudad será quemada con fuego".[m]

24 Y Sedequías procedió a decir a Jeremías: "No llegue a saber ningún hombre en absoluto acerca de estas cosas, para que no mueras. 25 Y en caso de que oigan los príncipes[n] que he hablado contigo y realmente vengan a ti y te digan: 'Infórmanos, sí, por favor: ¿De qué le hablaste al rey? No nos escondas nada, y no te daremos muerte. ¿Y de qué te habló el rey?', 26 tú también tienes que decirles: 'Estaba dejando caer delante del rey mi petición de favor, para que no me enviara de vuelta a la casa de Jehonatán[o] para morir allí' ".

27 Con el tiempo, todos los príncipes vinieron a Jeremías y se pusieron a preguntarle. A su vez, él les informó conforme a todas estas palabras que el rey había mandado.[a] De manera que callaron delante de él, pues el asunto no fue oído. 28 Y Jeremías continuó morando en el Patio de la Guardia[b] hasta el día en que Jerusalén fue tomada.[c] Y esto ocurrió justamente cuando Jerusalén fue tomada.[d]

39 En el año noveno del rey Sedequías el rey de Judá, en el mes décimo,[e] Nabucodorosor el rey de Babilonia y toda su fuerza militar vinieron a Jerusalén y empezaron a ponerle sitio.[f]

2 En el año undécimo de Sedequías, en el mes cuarto, el día nueve del mes, se abrió brecha en la ciudad.[g] 3 Y todos los príncipes del rey de Babilonia procedieron a entrar y sentarse en la Puerta del Medio,[h] [a saber,] Nergal-sarézer, Samgarnebo, Sarsekim, Rabsarís, Nergal-sarézer el Rabmag y todos los demás príncipes del rey de Babilonia.

4 Ahora bien, aconteció que tan pronto como Sedequías el rey de Judá y todos los hombres de guerra los vieron, empezaron a huir[i] y a salir de la ciudad de noche por el camino del jardín del rey,[j] por la puerta entre el muro doble; y siguieron saliendo por el camino del Arabá.[k] 5 Y una fuerza militar de los caldeos fue corriendo tras ellos,[l] y lograron alcanzar a Sedequías en las llanuras desérticas de Jericó. Entonces lo tomaron y lo hicieron subir a Nabucodorosor el rey de Babilonia en Riblá[m] en la tierra de Hamat[o] para que este pronunciara contra él decisiones judiciales.[p] 6 Y el rey de Babilonia procedió a degollar[q] a los hijos de Sedequías en Riblá delante de sus

ojos,[a] y a todos los nobles de Judá el rey de Babilonia los degolló.[b] 7 Y cegó los ojos de Sedequías,[c] después de lo cual lo sujetó con grilletes de cobre, para llevarlo a Babilonia.

8 Y en cuanto a la casa del rey y las casas del pueblo, los caldeos las quemaron con fuego,[d] y demolieron los muros de Jerusalén.[e] 9 Y a los demás del pueblo que habían quedado en la ciudad, y a los desertores que se habían pasado a él, y a los demás del pueblo que quedaban se los llevó Nebuzaradán[f] el jefe de la guardia de corps[g] al destierro a Babilonia.[h]

10 Y a algunos del pueblo, los de condición humilde que no tenían nada en absoluto, Nebuzaradán el jefe de la guardia de corps los dejó que se quedaran en la tierra de Judá;[i] y pasó a darles viñas y servicios obligatorios en aquel día.[j]

11 Además, Nabucodorosor el rey de Babilonia dio orden respecto a Jeremías por medio de Nebuzaradán el jefe de la guardia de corps, y dijo: 12 "Tómalo y mantén tus propios ojos puestos en él, y no le hagas nada malo.[k] Antes bien, tal como él te hable, así haz con él".[l]

13 En conformidad, Nebuzaradán[m] el jefe de la guardia de corps y Nebusazbán el Rabsarís, y Nergal-saréser el Rabmag y todos los hombres principales del rey de Babilonia, enviaron; 14 aun procedieron a enviar y tomar a Jeremías del Patio de la Guardia[n] y entregarlo a Guedalías[o] hijo de Ahiqam[p] hijo de Safán,[q] a fin de que lo sacara a [su] casa, para que morara en medio del pueblo.

15 Y a Jeremías le ocurrió la palabra de Jehová mientras se hallaba encerrado en el Patio de la Guardia,[r] diciendo: 16 "Ve, y tienes que decir a Ébed-mélec[s]

el etíope: 'Esto es lo que ha dicho Jehová de los ejércitos, el Dios de Israel: "Mira, voy a realizar mis palabras sobre esta ciudad para calamidad y no para bien,[a] y ciertamente sucederán delante de ti en aquel día" '.[b]

17 " 'Y de veras te libraré en aquel día[c] —es la expresión de Jehová—, y no serás dado en la mano de los hombres de quienes tú mismo estás asustado.'[d]

18 " 'Porque sin falta te suministraré un escape, y no caerás a espada; y ciertamente llegarás a tener tu alma como despojo,[e] porque has confiado en mí',[f] es la expresión de Jehová".

40 La palabra que le ocurrió a Jeremías de parte de Jehová después que Nebuzaradán[g] el jefe de la guardia de corps lo envió de Ramá,[h] cuando lo tomó mientras estaba sujeto con esposas en medio de todos los desterrados de Jerusalén y de Judá, que estaban siendo llevados al destierro en Babilonia.[i] 2 Entonces el jefe de la guardia de corps tomó a Jeremías y le dijo: "Jehová tu Dios mismo habló esta calamidad contra este lugar,[j] 3 para que Jehová [la] realizara e hiciera tal como ha hablado, porque ustedes han pecado contra Jehová y no han obedecido su voz. Y esta cosa les ha sucedido.[k] 4 Y ahora, ¡mira!, te he soltado hoy de las esposas que estaban sobre tus manos. Si es bueno a tus ojos venir conmigo a Babilonia, ven, y yo tendré mi ojo puesto en ti.[l] Pero si es malo a tus ojos venir conmigo a Babilonia, abstente. ¡Mira! Toda la tierra está delante de ti. Adondequiera que sea bueno y recto a tus ojos ir, ve allí".[m]

5 Y él todavía no era uno que se volviera, cuando [Nebuzaradán dijo]: "Vuelve, sí, a Guedalías[n] hijo de Ahiqam[o] hijo de Safán,[p] a quien el rey de Babilonia ha comisionado sobre las ciuda-

CAP. 39
a Dt 28:34
  Isa 13:16
b Jer 21:7
  Jer 34:19
c 2Re 25:7
  Jer 52:11
  Eze 12:13
d 2Re 25:9
  Jer 36:19
  Isa 5:9
  Jer 38:18
e 2Re 25:10
  Ne 1:3
  Jer 52:14
f Jer 52:12
g 2Re 25:20
  Jer 40:1
h 2Re 25:11
i Jer 52:16
j 2Re 25:12
k Jer 40:4
l Pr 16:7
  Pr 21:1
m 2Re 25:20
  Jer 40:1
  Jer 52:12
n Jer 38:28
o 2Re 25:22
  Jer 40:5
  Jer 41:2
p 2Cr 34:20
  Jer 26:24
q Jer 22:8
r Jer 32:2
  Jer 36:5
  Jer 37:21
s Jer 38:7

2.ª col.
a 2Cr 36:21
  Da 9:12
b Sl 91:8
c Sl 41:1
  Sl 50:15
  Sl 91:14
d 2Sa 24:14
e Jer 21:9
  Jer 45:5
f 1Cr 5:20
  Sl 37:3
  Sl 37:40
  Sl 84:12
  Jer 17:7

CAP. 40
g 2Re 25:20
  Jer 39:9
  Jer 52:12
h Jos 18:25
  Jue 4:5
i Jer 39:14
j Dt 29:25
  1Re 9:9
k Jer 50:7
  Da 9:11
  Ro 2:5
l Jer 39:12
m Gé 20:15
n 2Re 25:22
  Jer 39:14
  Jer 41:2
o 2Re 22:12
  2Cr 34:20
  Jer 26:24
p 2Re 22:8

des de Judá, y mora con él en medio del pueblo; o adondequiera que sea recto a tus ojos ir, ve".ᵃ

Y el jefe de la guardia de corps entonces le dio una porción designada de alimento y un presente y dejó que se fuera.ᵇ 6 Por consiguiente, Jeremías se fue a Guedalíasᶜ hijo de Ahiqam en Mizpá,ᵈ y se puso a morar con él en medio del pueblo que quedaba en el país.

7 Con el tiempo, todos los jefes de las fuerzas militares que estaban en el campo,ᵉ ellos y sus hombres, llegaron a oír que el rey de Babilonia había comisionado a Guedalías hijo de Ahiqam sobre el país y que lo había comisionado [sobre] los hombres y mujeres y niñitos y algunos de los de condición humilde del país, que no habían sido llevados al destierro en Babilonia.ᶠ 8 De manera que vinieron a Guedalías en Mizpá, aun Ismaelᵍ hijo de Netanías y Johanánʰ hijo de Qaréah, los hijos de Qaréah, y Seraya hijo de Tanhúmet y los hijos de Efai el netofatitaⁱ y Jezaníasʲ hijo del maacatista,ᵏ ellos y sus hombres.ˡ 9 Y Guedalíasᵐ hijo de Ahiqamⁿ hijo de Safánᵒ procedió a jurarlesᵖ a ellos y a sus hombres, y decir: "No tengan miedo de servir a los caldeos. Continúen morando en el país y sirvan al rey de Babilonia, y les irá bien.ᑫ 10 Y en cuanto a mí, miren, voy a morar en Mizpá,ʳ para estar de pie delante de los caldeos que vengan a nosotros. Y en cuanto a ustedes mismos, recojan vinoˢ y frutos del verano y aceite y póngan[los] en sus recipientes y moren en sus ciudades de que se han apoderado".

11 Y todos los judíos que estaban en Moab y entre los hijos de Ammón y en Edom y los que estaban en todos los [otros] países,ᵗ ellos también oyeron que el rey de Babilonia había dado un resto a Judá y que había comisionado sobre este a Guedalíasᵘ

hijo de Ahiqam hijo de Safán. 12 Y todos los judíos empezaron a volver a todos los lugares a los cuales habían sido dispersados, y siguieron viniendo a la tierra de Judá a Guedalías en Mizpá.ᵃ Y se pusieron a recoger vino y frutos del verano en muy grande cantidad.

13 En cuanto a Johanánᵇ hijo de Qaréahᶜ y todos los jefes de las fuerzas militares que estaban en el campo,ᵈ vinieron a Guedalías en Mizpá. 14 Y procedieron a decirle: "¿Acaso no sabes que Baalís, el rey de los hijos de Ammón,ᵉ ha enviado él mismo a Ismaelᶠ hijo de Netaníasᵍ para herirte hasta el alma?". Pero Guedalías hijo de Ahiqam no les creyó.ʰ

15 Y Johananⁱ hijo de Qaréah mismo dijo a Guedalías, en un escondrijo en Mizpá: "Quiero ir, ahora, y derribar a Ismael hijo de Netanías, puesto que no lo sabrá nadie en absoluto.ʲ ¿Por qué debe herirte hasta el alma, y por qué tienen que esparcirse todos los de Judá que están siendo juntados a ti, y tenga que perecer el resto de Judá?".ᵏ 16 Pero Guedalíasˡ hijo de Ahiqamᵐ dijo a Johanán hijo de Qaréah: "No hagas esta cosa, porque es una falsedad lo que estás hablando respecto a Ismael".ⁿ

41 Aconteció, pues, que en el mes séptimo vino Ismaelᵒ hijo de Netanías hijo de Elismá,ᵖ de la prole realᑫ y [de los] hombres principales del rey,ʳ y otros diez hombres con él,ʳ a Guedalías hijo de Ahiqam en Mizpá.ˢ Y allí empezaron a comer pan juntos en Mizpá.ᵗ 2 Entonces Ismael hijo de Netanías y los diez hombres que estaban con él se levantaron y derribaron a espada a Guedalías hijo de Ahiqam hijo de Safán.ᵘ Así fue como él dio muerte a quien el rey de Babilonia había comisionado sobre el país.ᵛ 3 Y a todos los judíos que estaban con él,

CAP. 40

a Esd 7:6
 Pr 16:7
 Pr 21:1
 Jer 15:11
b Hch 27:3
c Jer 39:14
d Jue 20:1
 1Re 15:22
e 2Re 25:23
f 2Re 25:22
 Jer 39:10
 Jer 52:16
g 2Re 25:23
 Jer 41:1
h Jer 41:11
 Jer 41:16
 Jer 42:1
i 2Sa 23:28
 1Cr 2:54
 1Cr 11:30
j 2Re 25:23
 Jer 42:1
k Dt 3:14
 Jos 12:5
l Jer 41:3
m 2Re 25:22
 Jer 39:14
 Jer 41:2
n 2Re 22:12
 2Cr 34:20
 Jer 26:24
o 2Re 22:8
p 1Sa 20:17
 2Re 25:24
q SI 37:3
 Jer 27:11
r Jer 40:6
s Dt 16:13
 Jer 39:10
t Jer 24:9
u Jer 39:14

2.ᵃ col.

a Jue 20:1
 1Sa 7:5
 1Re 15:22
b Jer 41:11
 Jer 42:1
 Jer 43:2
c Jer 40:8
d Jer 40:7
e Jer 41:10
f Jer 40:8
 Jer 41:2
g 2Re 25:23
h Pr 22:3
i Jer 41:11
 Jer 43:2⁰
j 1Sa 26:8
k 2Sa 21:17
l 2Re 25:22
 Jer 39:14
m 2Re 22:12
 2Cr 34:20
 Jer 26:24
n Jer 41:2

CAP. 41

o 2Re 25:23
 Jer 40:14
p 2Re 25:25
q Eze 17:13
r 2Re 25:25
s Jer 40:6
t SI 41:9
u 2Re 25:25
v Jer 40:7

es decir, con Guedalías, en Mizpá, y a los caldeos que se hallaban allí, es decir, los hombres de guerra, Ismael los derribó.

4 Y al segundo día de habérsele dado muerte a Guedalías, cuando no había nadie en absoluto que [lo] supiera,[a] aconteció que 5 entonces vinieron hombres de Siquem,[b] de Siló[c] y de Samaria,[d] ochenta hombres con sus barbas afeitadas[e] y sus prendas de vestir rasgadas[e] y con cortaduras que se habían hecho,[f] y había ofrenda de grano y olíbano[g] en su mano para llevarlos a la casa de Jehová. 6 De manera que Ismael hijo de Netanías salió de Mizpá a su encuentro, llorando mientras iba andando.[h] Y aconteció que tan pronto como los encontró, procedió a decirles: "Vengan a Guedalías hijo de Ahiqam". 7 Pero sucedió que, en cuanto entraron en medio de la ciudad, Ismael hijo de Netanías se puso a degollarlos [y arrojarlos] en medio de la cisterna, él y los hombres que con él estaban.[i]

8 Pero hubo diez hombres que se hallaban entre ellos que dijeron inmediatamente a Ismael: "No nos des muerte, porque existen en nuestra posesión tesoros escondidos en el campo, trigo y cebada y aceite y miel".[j] De modo que se abstuvo, y no les dio muerte en medio de sus hermanos. 9 Ahora bien, la cisterna en la que Ismael[k] arrojó todos los cadáveres de los hombres que había derribado era una gran cisterna, la que había hecho el rey Asá a causa de Baasá el rey de Israel.[l] Esta fue la que Ismael hijo de Netanías llenó de aquellos que fueron muertos.

10 Entonces Ismael llevó cautivo a todo el resto de la gente que estaba en Mizpá,[m] las hijas del rey[n] y toda la gente que quedaba en Mizpá,[o] a quienes Nebuzaradán el jefe de la guardia de corps había puesto bajo la

CAP. 41
a Jer 40:15

b Jos 24:32
1Re 12:1

c Jos 18:1
Jer 7:12

d 1Re 16:24

e Le 19:27

f Dt 14:1

g Le 2:1

h 2Sa 3:16

i Pr 1:16
Isa 59:7

j Job 2:4
Pr 13:8
Ec 7:12

k 2Re 25:23
Jer 40:8

l 1Re 15:22
2Cr 16:6

m Jer 40:12

n Jer 43:6

o Jer 43:5

2.ª col.
a Jer 40:7

b Jer 40:14

c Jer 42:1
Jer 43:2

d Jer 40:13

e 2Sa 2:13

f Jer 40:6

g 1Re 20:30
Job 21:30

h 2Re 25:23
Jer 42:1

i Jer 41:2

j Gé 35:19
Jue 17:7
1Cr 2:51

k 2Re 25:26
Isa 30:2
Jer 42:14
Jer 43:7

l Jer 21:4
Jer 37:5

m Jer 42:11

custodia de Guedalías hijo de Ahiqam.[a] De modo que Ismael hijo de Netanías los llevó cautivos, y se puso en marcha para cruzar hacia los hijos de Ammón.[b]

11 Con el tiempo, Johanán[c] hijo de Qaréah y todos los jefes de las fuerzas militares[d] que estaban con él llegaron a oír todo lo malo que había hecho Ismael hijo de Netanías. 12 En consecuencia, tomaron a todos los hombres y se fueron a pelear contra Ismael hijo de Netanías, y lo hallaron junto a las aguas abundantes que se hallaban en Gabaón.[e]

13 Entonces aconteció que, tan pronto como toda la gente que estaba con Ismael vio a Johanán hijo de Qaréah y a todos los jefes de las fuerzas militares que estaban con él, empezaron a regocijarse. 14 Y toda la gente que Ismael había conducido cautiva de Mizpá[f] procedió a dar la vuelta y regresar e irse a Johanán hijo de Qaréah. 15 Y en cuanto a Ismael hijo de Netanías, él escapó[g] con ocho hombres de delante de Johanán, para irse a los hijos de Ammón.

16 Johanán[h] hijo de Qaréah y todos los jefes de las fuerzas militares que con él estaban ahora tomaron a todo el resto de la gente que trajeron de vuelta de Ismael hijo de Netanías, de Mizpá, después que este hubo derribado a Guedalías[i] hijo de Ahiqam, hombres físicamente capacitados, hombres de guerra, y las esposas y los niñitos y los oficiales de la corte, a quienes él trajo de vuelta de Gabaón. 17 De manera que se fueron y se pusieron a morar en el lugar de alojamiento de Kimham, que estaba al lado de Belén,[j] a fin de seguir adelante y entrar en Egipto,[k] 18 a causa de los caldeos;[l] porque les había dado miedo a causa de ellos,[m] puesto que Ismael hijo de Netanías había derribado a Guedalías hijo

de Ahiqam,[a] a quien el rey de Babilonia había comisionado sobre el país.[b]

42 Entonces todos los jefes de las fuerzas militares y Johanán[c] hijo de Qaréah y Jezanías[d] hijo de Hosaya[e] y toda la gente, desde el más pequeño aun hasta el más grande, se acercaron 2 y dijeron a Jeremías el profeta: "Caiga nuestra petición de favor delante de ti, por favor, y dígnate orar en pro de nosotros a Jehová tu Dios,[f] a favor de todo este resto, porque hemos quedado nosotros, unos pocos de entre muchos,[g] tal como están viéndonos tus ojos. 3 Y que Jehová tu Dios nos informe el camino en que debemos andar y la cosa que debemos hacer".[h]

4 Ante esto, les dijo Jeremías el profeta: "He oído. Miren, voy a orarle a Jehová su Dios conforme a sus palabras;[i] y ciertamente sucederá que toda palabra que dé Jehová en respuesta a ustedes, yo se la informaré.[j] No retendré de ustedes una palabra".[k]

5 Y ellos, por su parte, dijeron a Jeremías: "Resulte Jehová testigo fiel y verdadero contra nosotros[l] si no es conforme a toda palabra con que Jehová tu Dios te envíe a nosotros que obremos con exactitud.[m] 6 Sea bueno o malo, es la voz de Jehová nuestro Dios, a quien estamos enviando, la que nosotros obedeceremos, con el intento de que nos vaya bien porque obedeceremos la voz de Jehová nuestro Dios".[n]

7 Ahora bien, aconteció que al cabo de diez días la palabra de Jehová procedió a ocurrirle a Jeremías.[o] 8 De manera que él mandó llamar a Johanán hijo de Qaréah y a todos los jefes de las fuerzas militares que con él estaban y a toda la gente, desde el más pequeño aun hasta el más grande;[p] 9 y pasó a decirles: "Esto es lo que ha dicho Jehová el Dios de Israel, a quien me enviaron para hacer caer delante

de él su petición de favor:[a] 10 'Si ustedes sin falta siguen morando en este país,[b] yo también ciertamente los edificaré y no [los] demoleré, y ciertamente los plantaré y no [los] desarraigaré;[c] porque de seguro sentiré pesar por la calamidad que les he causado.[d] 11 No tengan miedo a causa del rey de Babilonia, de quien ustedes están en temor'.[e]

" 'No tengan miedo a causa de él[f] —es la expresión de Jehová—, porque yo estoy con ustedes, para salvarlos y para librarlos de su mano.[g] 12 Y les daré a ustedes misericordias, y él ciertamente les tendrá misericordia y los hará volver a su propio terreno.[h]

13 " 'Pero si ustedes dicen: "¡No; no vamos a morar en este país!", para desobedecer la voz de Jehová su Dios,[i] 14 y dicen: "No, sino que entraremos en la tierra de Egipto,[j] donde no veremos guerra y no oiremos el sonido del cuerno y no padeceremos hambre de pan; y allí es donde moraremos";[k] 15 ahora mismo, por lo tanto, oigan la palabra de Jehová, oh resto de Judá. Esto es lo que ha dicho Jehová de los ejércitos, el Dios de Israel: "Si ustedes mismos positivamente fijan sus rostros para entrar en Egipto y realmente entran para residir allí como forasteros,[l] 16 también tiene que suceder que la mismísima espada a la cual tienen miedo los alcanzará allí en la tierra de Egipto,[m] y la mismísima hambre ante la cual están aterrados los seguirá estrechamente allá a Egipto;[n] y allá es donde morirán.[o] 17 Y acontecerá que todos los hombres que han fijado sus rostros para entrar en Egipto para residir allí como forasteros serán los que morirán a espada, del hambre y de la peste;[p] y no llegarán a tener sobreviviente ni escapado, a causa de la calamidad que yo voy a traer sobre ellos".'[q]

CAP. 41
a Jer 41:2
b Jer 40:5

CAP. 42
c Jer 40:8
　Jer 40:13
　Jer 41:11
d 2Re 25:23
e Jer 43:2
f 1Sa 7:8
　1Sa 12:19
　Isa 37:4
　Snt 5:16
g Le 26:22
　Dt 28:62
　Isa 1:9
h Esd 8:21
　Pr 3:6
i 1Sa 12:23
j 1Re 22:14
k 1Sa 3:18
　Hch 20:20
l Jue 11:10
　1Sa 12:5
　Miq 1:2
　Mal 3:5
m Jue 19:8
　Dt 5:27
n Dt 5:33
　Dt 6:3
　Jer 7:23
o 2Pe 1:21
p Jer 41:16
　Jer 42:1

2.ª col.
a Jer 42:2
b Sl 37:3
c Jer 24:6
　Jer 31:28
　Jer 33:7
d Dt 32:36
　Jer 18:8
　Jer 26:19
　Miq 7:18
e Jer 41:18
f 2Cr 32:7
g Sl 46:7
　Sl 68:20
　Isa 43:5
　Ro 8:31
h Éx 34:6
　Ne 9:31
　Sl 106:45
　Pr 16:7
　Da 9:9
i Jer 44:16
j Jer 44:12
k Nú 11:5
l Dt 17:16
　Jer 44:12
m Dt 28:45
　Pr 13:21
　Eze 11:8
n Jer 44:13
　Jer 44:27
o Jer 44:12
p Jer 24:10
　Jer 42:22
q Jer 44:14
　Jer 44:28

18 "Porque esto es lo que ha dicho Jehová de los ejércitos, el Dios de Israel: 'Tal como se ha derramado mi cólera y mi furia sobre los habitantes de Jerusalén,[a] así se derramará mi furia sobre ustedes por entrar en Egipto, y ustedes ciertamente llegarán a ser maldición y objeto de pasmo e invocación de mal y oprobio,[b] y no verán más este lugar'.[c]

19 "Jehová ha hablado contra ustedes, oh resto de Judá. No entren en Egipto.[d] Ustedes deben saber positivamente que he dado testimonio contra ustedes hoy,[e] 20 que han cometido error contra sus almas;[f] porque ustedes mismos me han enviado a Jehová su Dios, diciendo: 'Ora a favor de nosotros a Jehová nuestro Dios; y conforme a todo lo que diga Jehová nuestro Dios infórmanoslo así, y ciertamente [lo] haremos'.[g] 21 Y les informo hoy, pero ustedes ciertamente no obedecerán la voz de Jehová su Dios ni cosa alguna con la cual me ha enviado a ustedes.[h] 22 Y ahora deben saber positivamente que a espada,[i] del hambre y de la peste morirán en el lugar en el cual de veras les deleita entrar para residir como forasteros".[j]

43 Ahora bien, aconteció que luego que Jeremías acabó de hablar a toda la gente todas las palabras de Jehová el Dios de ellos con las que Jehová el Dios de ellos lo había enviado a ellos, sí, todas estas palabras,[k] 2 Azarías hijo de Hosaya[l] y Johanán[m] hijo de Qaréah y todos los hombres presuntuosos[n] procedieron a decir a Jeremías: "Es una falsedad lo que estás hablando.[o] Jehová nuestro Dios no te ha enviado, diciendo: 'No entren en Egipto para residir allí como forasteros'.[p] 3 Antes bien, Baruc[q] hijo de Nerías te está instigando contra nosotros con el propósito de darnos en la

CAP. 42
a 2Re 25:9
  2Cr 34:25
  2Cr 36:16
  Jer 7:20
  Jer 39:8
  Jer 52:4
  Lam 2:4
  Na 1:6
b Jer 18:16
  Jer 24:9
  Jer 29:18
c Jer 22:10
  Jer 22:27
d Dt 17:16
  Isa 30:3
  Isa 31:1
e 2Cr 24:19
  Ne 9:26
  Mal 3:5
f Pr 8:36
g Jer 42:2
h Jer 7:24
  Zac 7:11
i Jer 43:11
j Eze 6:11
j Os 9:6

CAP. 43
k Jer 1:17
  Jer 26:8
  Jer 42:5
l Jer 42:1
m Jer 40:13
  Jer 41:16
n Sl 123:4
  Pr 11:2
o Pr 21:24
  Pr 29:20
p Jer 5:12
q Jer 36:4
  Jer 45:1

2.ª col.
a Jer 38:4
b Ne 9:16
c Sl 37:3
d Jer 40:10
e Jer 41:10
f Jer 39:10
  Jer 40:7
g 2Re 25:22
h 2Cr 34:20
  Jer 26:24
i 2Re 22:8
j Jer 36:26
  Jer 45:1
k Isa 19:18
l Isa 30:4
  Jer 2:16
  Jer 44:1
  Eze 30:18
m Jer 13:1
  Jer 19:1
n Da 2:21
  Da 5:18
o Jer 25:9
  Jer 27:6
  Eze 29:20
p Jer 25:19
  Jer 46:2
  Jer 46:13
  Eze 29:19
  Eze 30:4
  Eze 30:18

mano de los caldeos, para darnos muerte o llevarnos al destierro en Babilonia".[a]

4 Y ni Johanán hijo de Qaréah ni ninguno de los jefes de las fuerzas militares ni nadie de la gente obedeció la voz de Jehová,[b] de seguir morando en la tierra de Judá.[c] 5 De manera que Johanán hijo de Qaréah y todos los jefes de las fuerzas militares tomaron a todo el resto de Judá que había regresado de todas las naciones a las cuales habían sido dispersados, para residir por algún tiempo en la tierra de Judá,[d] 6 aun a los hombres físicamente capacitados y las esposas y los niñitos y las hijas del rey[e] y toda alma que Nebuzaradán[f] el jefe de la guardia de corps había dejado que se quedaran con Guedalías[g] hijo de Ahiqam[h] hijo de Safán,[i] y a Jeremías el profeta y a Baruc[j] hijo de Nerías. 7 Y por fin entraron en la tierra de Egipto,[k] pues no obedecieron la voz de Jehová; y gradualmente llegaron hasta Tahpanhés.[l]

8 Entonces le ocurrió la palabra de Jehová a Jeremías en Tahpanhés, y dijo: 9 "Toma en tu mano piedras grandes, y tienes que esconderlas en el mortero [que está] en la terraza de ladrillos que se halla a la entrada de la casa de Faraón en Tahpanhés, delante de los ojos de los hombres judíos.[m] 10 Y tienes que decirles: 'Esto es lo que ha dicho Jehová de los ejércitos, el Dios de Israel: "Aquí voy a enviar, y ciertamente tomaré a Nabucodorosor el rey de Babilonia,[n] mi siervo,[o] y verdaderamente colocaré su trono directamente encima de estas piedras que he escondido, y él ciertamente extenderá sobre ellas su tienda estatal. 11 Y tendrá que entrar y herir la tierra de Egipto.[p] Quien esté para plaga mortífera será para plaga mortífera, y quien esté para cautiverio será para cautiverio, y quien esté

para la espada será para la espada.[a] 12 Y ciertamente encenderé un fuego en las casas de los dioses de Egipto;[b] y él ciertamente los quemará y los conducirá cautivos y se envolverá en la tierra de Egipto, tal como se envuelve un pastor en su prenda de vestir,[c] y realmente saldrá de allá en paz. 13 Y ciertamente hará pedazos las columnas de Bet-semes, que está en la tierra de Egipto; y las casas de los dioses de Egipto las quemará con fuego'".

44 La palabra que le ocurrió a Jeremías para todos los judíos que moraban en la tierra de Egipto,[d] los que moraban en Migdol[e] y en Tahpanhés[f] y en Nof[g] y en la tierra de Patrós,[h] diciendo: 2 "Esto es lo que ha dicho Jehová de los ejércitos, el Dios de Israel: 'Ustedes mismos han visto toda la calamidad que he traído sobre Jerusalén[i] y sobre todas las ciudades de Judá, y miren que son un lugar devastado el día de hoy, y no hay en ellas habitante.[j] 3 Es a causa de su maldad que ellos hicieron para ofenderme, al ir y hacer humo de sacrificio[k] y rendir servicio a otros dioses que ellos mismos no habían conocido, ni ustedes ni sus antepasados.[l] 4 Y les seguí enviando todos mis siervos los profetas, madrugando y enviando,[m] diciendo: "No hagan, por favor, esta clase de cosa detestable que he odiado".[n] 5 Pero ellos no escucharon,[o] ni inclinaron su oído para volverse de su maldad y dejar de hacer humo de sacrificio a otros dioses.[p] 6 Por eso se derramó mi furia, y mi cólera, y ardió en las ciudades de Judá y en las calles de Jerusalén;[q] y llegaron a ser un lugar devastado, un yermo desolado, como sucede este día'.[r]

7 "Y ahora, esto es lo que ha dicho Jehová, el Dios de los ejércitos, el Dios de Israel: '¿Por qué están causando ustedes gran ca-

lamidad a sus almas,[a] para cortar de ustedes mismos a hombre y mujer, niño y lactante,[b] de en medio de Judá, de modo que no se dejan un resto; 8 ofendiéndome con las obras de sus manos, haciendo humo de sacrificio a otros dioses[c] en la tierra de Egipto, en la cual van a entrar para residir como forasteros; con el propósito de hacer que se los corte y con el propósito de que lleguen a ser una invocación de mal y oprobio entre todas las naciones de la tierra?[d] 9 ¿Han olvidado los malos hechos de sus antepasados[e] y los malos hechos de los reyes de Judá[f] y los malos hechos de las esposas[g] de ellos y los propios malos hechos de ustedes y los malos hechos de sus esposas,[h] que ellos han hecho en la tierra de Judá y en las calles de Jerusalén? 10 Y hasta el día de hoy ellos no se sintieron aplastados,[i] y no les dio miedo,[j] ni anduvieron en mi ley[k] ni en mis estatutos que puse delante de ustedes y delante de sus antepasados'.

11 "Por lo tanto, esto es lo que ha dicho Jehová de los ejércitos, el Dios de Israel: '¡Miren!, fijo mi rostro contra ustedes para calamidad y para cortar a todo Judá.[m] 12 Y ciertamente tomaré al resto de Judá, los que fijaron sus rostros para entrar en la tierra de Egipto para residir allí como forasteros,[n] y ciertamente se acabarán todos en la tierra de Egipto.[o] Caerán a espada; [y] por el hambre[p] serán acabados, desde el más pequeño aun hasta el más grande; a espada y del hambre morirán. Y tienen que llegar a ser una maldición, objeto de pasmo e invocación de mal y oprobio.[q] 13 Y ciertamente exigiré rendición de cuentas a los que moran en la tierra de Egipto, tal como exigí rendición de cuentas a Jerusalén, con la espada, con el hambre y con la

CAP. 43
a Jer 15:2
  Jer 44:13
  Eze 5:12
  Jer 11:9
b Eze 12:12
  Isa 19:1
  Jer 46:25
c Isa 49:18

CAP. 44
d Jer 43:7
e Eze 29:10
  Eze 30:6
f Jer 2:16
  Eze 30:18
g Isa 19:13
  Jer 46:14
  Eze 30:16
  Os 9:6
h Jer 44:15
  Eze 29:14
  Eze 30:14
i 2Re 25:10
  2Cr 36:17
  Jer 39:8
  Jer 52:14
j Jer 9:11
  Lam 1:1
k Jer 11:17
l Dt 13:6
  Dt 29:26
  Dt 32:17
  Jer 19:4
  Jer 22:9
m 2Cr 36:15
  Isa 65:2
  Jer 7:25
  Jer 25:4
  Jer 26:5
  Jer 29:19
  Jer 35:15
n Jer 16:18
o 2Cr 36:16
  Sl 81:11
  Jer 19:13
q Le 26:28
  Jer 42:18
r Isa 6:11
  Jer 35:17
  Jer 39:8
  Jer 52:14

2.ª col.
a Nú 16:38
  Jer 7:19
b Éx 34:7
c Éx 20:5
  Dt 12:16
  Jer 25:6
  1Co 10:20
d 1Re 9:7
  Jer 24:9
  Jer 42:18
e Esd 9:13
  Ne 9:18
  Da 9:6
f 2Re 21:20
  2Re 24:9
g 1Re 11:3
  1Re 21:25
  Jer 44:15
i Sl 51:17
j Pr 28:14
  Jer 36:24
k Ne 9:26
l Dt 6:22
  Eze 20:13
m Le 17:10
  Le 20:5
  Jer 21:10
  Am 9:4
n Jer 42:15

o Eze 30:13; p Jer 42:22; q Jer 42:18.

peste.[a] 14 Y no llegará a haber ningún escapado ni sobreviviente para el resto de Judá, los que están entrando para residir allí como forasteros, en la tierra de Egipto,[b] siquiera para volver a la tierra de Judá hacia la cual están alzando [el deseo de] su alma para volver a fin de morar;[c] porque no volverán, salvo algunos escapados'".

15 Y todos los hombres que sabían que sus esposas habían estado haciendo humo de sacrificio a otros dioses,[d] y todas las esposas que estaban de pie como una gran congregación, y toda la gente que moraba en la tierra de Egipto,[e] en Patrós,[f] procedieron a responder a Jeremías, y decir: 16 "En cuanto a la palabra que nos has hablado en el nombre de Jehová, no te estamos escuchando;[g] 17 sino que positivamente pondremos por obra toda palabra que ha salido de nuestra boca,[h] para hacer humo de sacrificio a la 'reina de los cielos'[i] y para derramarle libaciones,[j] tal como hicimos nosotros mismos[k] y nuestros antepasados,[l] nuestros reyes[m] y nuestros príncipes en las ciudades de Judá y en las calles de Jerusalén, cuando estábamos hartos de pan y colmados de bien, y no veíamos ninguna calamidad.[n] 18 Y desde el tiempo en que cesamos de hacer humo de sacrificio a la 'reina de los cielos',[o] y de derramarle libaciones, nos ha faltado todo, y por la espada y por el hambre hemos sido acabados.[p]

19 "También, cuando nosotras hacíamos humo de sacrificio a la 'reina de los cielos'[q] y [estábamos dispuestas a] derramarle libaciones,[r] ¿acaso fue sin preguntar a nuestros esposos como le hicimos tortas de sacrificio, para hacer una imagen de ella, y para derramarle libaciones?".[s]

20 A su vez Jeremías dijo a toda la gente, a los hombres físicamente capacitados y a las esposas y a toda la gente, que le respondían con una palabra, y

dijo: 21 "En cuanto al humo de sacrificio que ustedes hicieron en las ciudades de Judá y en las calles de Jerusalén,[a] ustedes[b] y sus antepasados,[c] sus reyes[d] y sus príncipes[e] y la gente de la tierra, ¿acaso no fue esto lo que Jehová recordó,[e] y lo que procedió a subir a su corazón?[f] 22 Por fin Jehová ya no pudo aguantarlo a causa de la maldad de los tratos de ustedes, a causa de las cosas detestables que habían hecho,[g] y por eso su tierra llegó a ser un lugar devastado y objeto de pasmo e invocación de mal, sin habitante alguno, como sucede este día.[h] 23 Por el hecho de que ustedes hicieron humo de sacrificio[i] y que pecaron contra Jehová[j] y no obedecieron a la voz de Jehová[k] y no anduvieron en su ley[l] y en sus estatutos y en sus recordatorios, por eso les ha acaecido esta calamidad como sucede este día".[m]

24 Y, continuando, Jeremías dijo a todo el pueblo y a todas las mujeres: "Oigan la palabra de Jehová, todos [los de] Judá que están en la tierra de Egipto.[n] 25 Esto es lo que ha dicho Jehová de los ejércitos, el Dios de Israel: 'En cuanto a ustedes y sus esposas,[o] ustedes las mujeres también hablan con su boca (y con sus manos [todos] ustedes han efectuado un cumplimiento), y dicen: "Sin falta ejecutaremos nuestros votos que hemos hecho,[p] de hacer humo de sacrificio a la 'reina de los cielos'[q] y de derramarle libaciones".[r] Ustedes las mujeres sin falta llevarán a cabo sus votos, y sin falta ejecutarán sus votos'.

26 "Por lo tanto, oigan la palabra de Jehová, todos [los de] Judá que están morando en la tierra de Egipto:[s] '"Aquí yo mismo he jurado por mi gran nombre"[t] —ha dicho Jehová— "que mi nombre ya no resultará ser algo que clame la boca de hombre alguno de Judá,[u] diciendo: 'Tan ciertamente como que vive el Señor

CAP. 44

a Jer 21:9
Jer 24:10
Jer 43:11
b Isa 30:2
c Jer 22:27
d Dt 13:6
Dt 13:8
Jer 44:9
e Jer 43:7
f Jer 44:1
g Pr 21:29
Isa 3:9
Jer 6:16
Jer 44:5
h Nú 30:12
SI 17:10
Pr 1:31
i Dt 4:19
Jer 7:13
Jer 44:19
j Dt 32:38
Jer 7:18
k Jer 32:29
l 2Re 17:16
Ne 9:34
SI 106:6
m 2Re 23:26
2Cr 36:12
Da 9:8
n Éx 16:3
o Dt 4:19
Jer 7:18
p Job 21:14
SI 73:12
q Dt 4:19
Jer 44:17
r Isa 57:6
Jer 7:18
s Nú 30:11
Nú 30:14
2Cr 21:6

2.ª col.

a Jer 11:13
Eze 16:24
b 1Re 14:22
c 1Re 11:33
SI 79:8
d 1Re 15:3
2Cr 21:11
2Cr 33:3
Jer 44:17
e Jer 32:32
Eze 8:12
f Os 7:2
Am 8:7
g Eze 7:3
h 1Re 9:8
SI 107:34
Jer 25:11
Lam 2:15
Eze 11:21
Eze 33:29
i Jer 44:8
j Lam 1:8
k 2Cr 36:16
Jer 44:5
l SI 119:150
m 1Re 9:9
Ne 13:18
Da 9:11
n Jer 43:7
Jer 46:14
o Jer 44:15
p Isa 30:1
Isa 65:2
q Dt 4:19
Dt 17:3
Jer 7:18
r Jer 44:17
s Jer 43:7

t Gé 22:16; Heb 6:13; u Eze 20:39.

Soberano Jehová!',[a] en toda la tierra de Egipto. 27 ¡Miren!, me mantengo alerta respecto a ellos para calamidad y no para bien;[b] y todos los hombres de Judá que están en la tierra de Egipto ciertamente serán acabados por la espada y por el hambre, hasta que dejen de ser.[c] 28 Y en cuanto a los que escapen de la espada, ellos regresarán de la tierra de Egipto a la tierra de Judá, pocos en número;[d] y todos los del resto de Judá, que entran en la tierra de Egipto para residir allí como forasteros, ciertamente sabrán la palabra de quién es la que se realiza: la mía, o la de ellos" '".[e]

29 " 'Y esta es la señal para ustedes[f] —es la expresión de Jehová— de que estoy dirigiendo mi atención a ustedes en este lugar, para que sepan que sin falta se realizarán mis palabras contra ustedes para calamidad:[g] 30 Esto es lo que ha dicho Jehová: "Aquí voy a dar a Faraón Hofrá, el rey de Egipto,[h] en la mano de sus enemigos y en la mano de los que buscan su alma,[i] tal como he dado a Sedequías el rey de Judá en la mano de Nabucodorosor el rey de Babilonia, su enemigo y el que buscaba su alma" '".[j]

45 La palabra que Jeremías el profeta habló a Baruc[k] hijo de Nerías cuando este escribió en un libro estas palabras procedentes de la boca de Jeremías[l] en el año cuarto de Jehoiaquim[m] hijo de Josías, el rey de Judá, diciendo:

2 "Esto es lo que Jehová el Dios de Israel ha dicho respecto a ti, oh Baruc: 3 'Has dicho: "¡Ay de mí,[n] ahora, porque Jehová ha añadido desconsuelo a mi dolor! Me he fatigado a causa de mi suspirar, y no he hallado lugar de descanso" '.[o]

4 "Esto es lo que debes decirle: 'Esto es lo que ha dicho Jehová: "¡Mira! Lo que he edificado lo es-

toy demoliendo, y lo que he plantado lo estoy desarraigando, aun todo el país mismo.[a] 5 Pero en cuanto a ti, tú sigues buscando cosas grandes para ti.[b] No sigas buscando" '.[c]

" 'Porque, mira, voy a traer una calamidad sobre toda carne[d] —es la expresión de Jehová—, y ciertamente te daré tu alma como despojo en todos los lugares adonde vayas' ".[e]

46 Esto es lo que le ocurrió como palabra de Jehová a Jeremías el profeta respecto a las naciones:[f] 2 Para Egipto,[g] respecto a la fuerza militar de Faraón Nekó el rey de Egipto,[h] que se hallaba junto al río Éufrates en Carquemis,[i] a quien Nabucodorosor el rey de Babilonia derrotó en el año cuarto de Jehoiaquim[j] hijo de Josías, el rey de Judá: 3 "Dispongan broquel y escudo grande, y acérquense para la batalla.[k] 4 Aparejen los caballos, y monten, oh hombres de a caballo, y apóstense con el yelmo. Pulan las lanzas. Vístanse de cotas de malla.[l]

5 " '¿Por qué los he visto sobrecogidos de terror? Están volviéndose atrás, y sus mismísimos hombres poderosos están triturados; y positivamente han huido, y no se han vuelto.[m] Hay terror todo en derredor[n] —es la expresión de Jehová—. 6 No trate de huir el veloz, y no trate de escapar el poderoso.[o] Allá al norte,[p] junto a la margen del río Éufrates, han tropezado y caído.[q]

7 " '¿Quién es este que sube justamente como el río Nilo, como los ríos cuyas aguas se agitan?[r] 8 Egipto mismo sube justamente como el río Nilo,[s] y como ríos las aguas se agitan.[t] Y dice: 'Subiré. Cubriré la tierra. Fácilmente destruiré la ciudad y a los que en ella habitan'.[u] 9 ¡Suban, oh

CAP. 44
a Isa 48:2
  Jer 5:2
b Jer 1:10
  Jer 4:18
  Jer 5:19
  Jer 11:17
  Jer 21:10
  Jer 31:28
  Eze 7:6
c Jer 44:12
d Le 26:44
  Isa 27:13
  Jer 44:14
e Sl 33:11
  Isa 55:11
f 1Sa 2:34
  1Sa 10:7
  2Re 20:9
g Isa 40:8
h Jer 48:25
  Eze 29:3
  Eze 30:10
i Jer 43:12
  Jer 46:24
j 2Re 25:7
  Jer 34:21
  Jer 39:5
  Jer 52:9

CAP. 45
k Jer 32:12
  Jer 43:3
l Jer 36:4
  Jer 36:32
m Jer 25:1
  Jer 36:1
n Jer 15:10
o Jer 8:18

2.ª col.
a Isa 5:5
  Jer 31:28
b Ro 12:16
  1Co 7:31
  1Ti 6:6
  Heb 13:5
c Flp 1:10
d Isa 66:16
  Jer 25:26
  Sof 3:8
e Jer 21:9
  Jer 39:18
  Jer 43:6

CAP. 46
f Jer 1:10
  Jer 25:15
  Jer 25:19
  Eze 25:2
  Eze 32:2
h 2Re 23:29
  2Cr 35:20
i Isa 10:9
j 2Re 23:36
  2Cr 36:5
  Jer 25:1
  Jer 36:1
k Jer 51:11
l Isa 17:5
m Jer 7:7
n Isa 19:16
  Jer 6:25
  Jer 49:29
  Eze 32:10
o Sl 33:16
p Jer 1:14
  Jer 6:1
  Jer 25:9
q 2Re 24:7
  Isa 8:15

r Isa 8:7; Jer 47:2; s Eze 29:3; t Eze 32:2; u 2Cr 35:20.

caballos; y avancen locamente, oh carros! Y salgan los poderosos, Cus[a] y Put,[b] que están manejando el escudo, y los ludim,[c] que están manejando [y] pisando el arco.

10 "Y aquel día pertenece al Señor Soberano, Jehová de los ejércitos, el día de venganza para vengarse de sus adversarios.[d] Y la espada ciertamente devorará y se satisfará y se llenará de la sangre de ellos, porque el Señor Soberano,[e] Jehová de los ejércitos, tiene un sacrificio[f] en la tierra del norte junto al río Éufrates.[g]

11 "Sube a Galaad y consigue bálsamo,[h] oh virgen hija de Egipto.[i] En vano has multiplicado los medios de curación. No hay restablecimiento para ti.[j] **12** Las naciones han oído tu deshonra,[k] y tu propio alarido ha llenado la tierra.[l] Pues han tropezado, hombre poderoso contra hombre poderoso.[m] Juntos han caído, los dos".

13 La palabra que Jehová habló a Jeremías el profeta en cuanto a la venida de Nabucodorosor el rey de Babilonia para derribar la tierra de Egipto:[n] **14** "Anúncien[lo] en Egipto, y publíquen[lo] en Migdol,[o] y publíquen[lo] en Nof[p] y en Tahpanhés.[q] Digan: 'Apóstate, haciendo también preparación para ti,[r] porque una espada ciertamente devorará en todo tu derredor.[s] **15** ¿Por qué han sido arrollados de aquí tus poderosos?[t] No se han mantenido en pie, pues Jehová mismo los ha empujado de aquí.[u] **16** En grandes números están tropezando. También realmente caen. Y siguen diciéndose uno a otro: "Levántate, sí, y de veras volvámonos a nuestro pueblo y a la tierra de nuestros parientes a causa de la espada del maltratado"'. **17** Allí han proclamado: 'Faraón el rey de Egipto es simplemente un ruido.[v] Ha dejado pasar el tiempo de fiesta'.[w]

18 "'Tan ciertamente como que estoy vivo —es la expresión del Rey, cuyo nombre es Jehová de los ejércitos—, como Tabor[b] entre las montañas y como Carmelo[c] junto al mar él entrará. **19** Haz para ti mero equipaje para el destierro,[d] oh moradora, la hija[e] de Egipto. Porque Nof[f] misma llegará a ser un simple objeto de pasmo y realmente será incendiada, de modo que quede sin habitante.[g] **20** Egipto es como una novilla muy bella. Desde el norte un mosquito mismo ciertamente vendrá contra ella.[h] **21** Además, sus [soldados] alquilados en medio de ella son como becerros engordados.[i] Pero ellos mismos también han cedido;[j] juntos han huido. No se han mantenido en pie.[k] Porque el mismo día de su desastre les ha sobrevenido, el tiempo de darles atención.'[l]

22 "'Su voz es como la de una serpiente que va adelante;[m] porque con energía vital los hombres irán, y con hachas realmente entrarán en ella, como los que andan recogiendo pedazos de madera. **23** Ciertamente talarán su bosque[n] —es la expresión de Jehová—, porque no podía penetrarse. Pues se han hecho más numerosos que la langosta,[o] y no tienen número. **24** La hija[p] de Egipto ciertamente sentirá vergüenza. Realmente será dada en la mano del pueblo del norte.'[q]

25 "Jehová de los ejércitos, el Dios de Israel, ha dicho: 'Aquí voy a dirigir mi atención a Amón[r] de No[s] y a Faraón y a Egipto y a sus dioses[t] y a sus reyes,[u] aun a Faraón y a todos los que confían en él'.[v]

26 "'Y ciertamente los daré en la mano de los que buscan su alma y en la mano de Nabucodorosor el rey de Babilonia[w] y en la mano de sus siervos; y después se residirá en ella como en los días

---

CAP. 46
a Gé 10:6
1Cr 1:8
b Eze 27:10
Eze 38:5
Na 3:9
c Gé 10:13
1Cr 1:11
Isa 66:19
Eze 30:5
d Isa 13:6
Joe 1:15
Joe 2:1
Sof 1:14
Isl 141:8
e 1Jo 141:8
f Dt 32:42
Isa 34:6
Eze 39:17
Sof 1:7
g 2Re 24:7
h Gé 37:25
Jer 8:22
Jer 51:8
i Isa 47:1
Jer 14:17
j Jer 30:12
Eze 30:21
k Jer 32:9
l Jer 49:21
m Isa 19:2
n Jer 43:10
Eze 29:19
Eze 30:10
o Jer 44:1
Eze 29:10
Eze 30:6
p Isa 19:13
Jer 2:16
Os 9:6
q Jer 43:7
Eze 30:18
r Jer 6:4
Joe 3:9
s Isa 34:6
Jer 2:30
Jer 12:12
Jer 46:10
t Éx 15:20
Jue 5:21
Isl 18:4
u Isl 18:14
Isl 44:2
Isl 68:2
v 1Re 20:11
Pr 12:24
Ec 3:8
w Eze 29:3

2.ª col.
a Isa 48:2
Jer 44:26
Jer 48:15
Mal 1:14
b Jos 19:22
Jue 4:6
Isl 89:12
c 1Re 18:42
d Eze 12:3
e Jer 48:18
f Jer 44:1
g Eze 32:15
Sof 2:5
h Jer 1:14
Jer 47:2
i Jer 50:27
j Jer 46:5
k Jer 46:15
l Isl 37:13
m Isa 29:4
n Eze 20:46
o Jue 6:5
Jue 7:12
Na 3:17

p Jer 46:11; q Jer 1:15; Jer 47:2; Eze 30:10; r Na 3:8; s Jer 43:13; t Éx 12:12; Isa 19:1; Jer 46:9; u 2Re 7:6; v Isa 20:5; Isa 30:2; Isa 31:1; Jer 17:5; Jer 42:14; w Jer 43:11; Jer 44:30; Eze 32:11.

de la antigüedad',[a] es la expresión de Jehová.

27 "'Y en cuanto a ti, no tengas miedo, oh siervo mío Jacob, y no estés sobrecogido de terror, oh Israel.[b] Porque, mira, voy a salvarte de lejos, y a tu prole de la tierra de su cautiverio.[c] Y ciertamente Jacob volverá y no tendrá disturbio, y estará en desahogo y sin nadie que haga temblar.[d] 28 En cuanto a ti, no tengas miedo, oh siervo mío Jacob —es la expresión de Jehová—, porque yo estoy contigo.[e] Porque haré un exterminio entre todas las naciones a las cuales te he dispersado,[f] pero no haré exterminio de ti.[g] No obstante, tendré que castigarte hasta el grado debido,[h] y de ninguna manera te dejaré sin castigo'".[i]

47 Esto es lo que resultó ser la palabra de Jehová a Jeremías el profeta respecto a los filisteos,[j] antes que Faraón procediera a derribar a Gaza.[k] 2 Esto es lo que ha dicho Jehová: "¡Mira! Aguas vienen[l] subiendo desde el norte[m] y se han hecho un torrente inundante. E inundarán el país y lo que lo llena, la ciudad y los que la habitan.[n] Y ciertamente clamarán los hombres, y todos los que moran en el país tendrán que aullar.[o] 3 Al sonido del patear de los cascos de sus caballos sementales,[p] al traqueteo de sus carros de guerra,[q] al estruendo de sus ruedas,[r] los padres realmente no se volverán hacia los hijos, por habérseles caído [las] manos, 4 por motivo del día que viene para despojar con violencia a todos los filisteos,[s] para cortar de Tiro[t] y de Sidón[u] todo sobreviviente que prestaba ayuda.[v] Pues Jehová está despojando con violencia a los filisteos,[w] que son los restantes de la isla de Caftor.[x] 5 La calvicie[y] tiene que llegar a Gaza.[z] Asquelón[a] ha sido reducida a silencio. Oh resto de su llanura

baja, ¿hasta cuándo seguirás haciéndote cortaduras?[a]

6 "¡Ajá, la espada de Jehová![b] ¿Hasta cuándo no te quedarás quieta? Métete en tu vaina.[c] Entra en tu reposo y guarda silencio.

7 "¿Cómo puede quedarse quieta, cuando Jehová mismo le ha dado orden? Es para Asquelón y para la costa del mar.[d] Allí es donde ha designado que esté".

48 Para Moab[e] esto es lo que ha dicho Jehová de los ejércitos, el Dios de Israel:[f] "¡Ay de Nebo,[g] porque con violencia ha sido despojada! Quiryataim[h] ha quedado avergonzada, ha sido tomada. La altura segura ha quedado avergonzada, y se le ha puesto en terror.[i] 2 Ya no hay alabanza de Moab.[j] En Hesbón[k] han ideado contra ella una calamidad: 'Vengan, y cortémosla para que no sea nación'.[l]

"Tú, también, oh Madmén, debes guardar silencio. Tras de ti anda una espada. 3 Hay el sonido de un clamor desde Horonaim,[m] un despojar con violencia y gran derribo. 4 Moab ha sido derribada.[n] Sus pequeñuelos han hecho que se oiga un alarido. 5 Porque al subir a Luhit[o] es con llanto que uno sube... hay un llanto. Porque al bajar de Horonaim hay un clamor angustioso por el quebranto[p] que ha oído la gente.

6 "Dense a la fuga; provean escape para sus almas,[q] y deben llegar a ser como un enebro en el desierto.[r] 7 Porque tu confianza está cifrada en tus obras y en tus tesoros, tú misma también serás tomada.[s] Y Kemós[t] ciertamente saldrá al destierro,[u] sus sacerdotes y sus príncipes al

CAP. 46
a Eze 29:14
b Isa 41:13
  Isa 43:1
  Isa 44:2
  Jer 30:10
c Isa 11:11
  Jer 33:3
  Jer 32:37
  Eze 39:27
  Am 9:14
d Jer 23:6
  Jer 33:16
  Jer 50:19
  Sof 2:7
  Sof 3:20
e Sl 46:7
  Isa 43:2
  Jer 1:19
  Jer 15:20
  Jer 30:10
  Ro 8:31
f Jer 25:9
g Jer 5:10
  Jer 30:11
  Am 9:8
h Jer 10:24
  1Co 11:32
i Heb 12:5
  Rev 3:19

CAP. 47
j Jer 25:20
  Eze 25:15
  Sof 2:4
k Gé 10:19
  1Re 4:24
  Am 1:6
  Zac 9:5
l Isa 8:7
m Jer 1:14
  Jer 46:6
n 2Re 24:7
  Jer 8:16
  Jer 46:7
o Jer 48:12
p Jue 5:22
  Pr 21:31
  Jer 8:16
q Na 2:4
r Eze 26:10
  Na 3:2
s Isa 14:31
  Jer 25:20
  Am 1:8
  Sof 2:5
t Isa 23:1
  Jer 25:22
  Eze 26:2
  Joe 3:4
  Am 1:9
u Isa 23:4
  Jer 27:3
  Jer 28:21
v Eze 30:8
w Eze 25:16
  Am 1:8
x Gé 10:14
  Dt 2:23
y Isa 15:2
z Sof 2:4
a Jer 25:20
  Zac 9:5

2.ª col.
a Le 21:5
  Dt 14:1
  Jer 16:6
  Jer 48:37
b Dt 32:41
  Eze 21:3
c Eze 21:30

d Eze 25:16; CAP. 48 e Gé 19:37; f Isa 15:1; g Nú 32:38; h Jos 13:19; Eze 25:9; i Isa 15:2; Isa 16:12; j Isa 16:14; k Nú 32:37; Isa 16:8; l Sl 83:4; m Isa 15:5; Jer 48:34; n Nú 21:28; o Isa 15:5; p Nú 21:29; Isa 15:3; q Eze 18:23; r Job 30:3; Jer 17:6; s Jer 7:24; Eze 7:19; Os 10:13; t Nú 21:29; Jue 11:24; 1Re 11:7; 2Re 23:13; u Isa 46:2; Jer 43:12.

mismo tiempo.ᵃ 8 Y el violento despojador entrará en cada ciudad,ᵇ y no habrá ninguna ciudad que pueda lograr su escape.ᶜ Y la llanura baja ciertamente perecerá, y la tierra llana será aniquilada, cosa que ha dicho Jehová.

9 "Denle una marca de camino a Moab, porque al caer en ruinas ella saldrá;ᵈ y sus mismísimas ciudades llegarán a ser un simple objeto de pasmo, sin nadie que more en ellas.ᵉ

10 "¡Maldito sea el que lleve a cabo descuidadamente la misión de Jehová;ᶠ y maldito sea el que retenga de sangre su espada!

11 "Los moabitas han estado en desahogo desde su juventud,ᵍ y se mantienen sosegados sobre sus heces.ʰ Y no han sido vaciados de una vasija a otra vasija, y no han ido al destierro. Por eso se ha detenido su sabor en ellos, y su mismísimo olor no ha sido cambiado.

12 "Por lo tanto, ¡mira!, vienen días —es la expresión de Jehová—, y yo de seguro les enviaré inclinadores [de vasijas], y ellos ciertamente los inclinarán;ⁱ y vaciarán sus vasijas, y estrellarán sus jarros grandes.

13 Y los moabitas tendrán que avergonzarse de Kemós,ʲ tal como los de la casa de Israel se han avergonzado de Betel su confianza.ᵏ 14 ¿Cómo se atreven ustedes a decir: "Somos hombres poderososˡ y hombres de energía vital para la guerra"?'

15 "Moab ha sido despojada con violencia, y uno ha subido contra las propias ciudades de ella.ᵐ Y los mismísimos jóvenes más selectos de estas han bajado a la degollación',ⁿ es la expresión del Rey, cuyo nombre es Jehová de los ejércitos.ᵒ

16 "Próximo está a venir el desastre sobre los moabitas, y su mismísima calamidad realmente está apresurándose muchísimo.ᵖ 17 Tendrán que condo-

CAP. 48
a Jer 49:3
b Jer 6:26
c Eze 25:9
Isa 16:14
d Sof 2:9
f Nú 31:15
Jue 5:23
1Sa 15:19
1Re 20:42
g Sl 123:4
Pr 1:32
h Sof 1:12
i Eze 25:9
j Jue 11:24
Isa 45:16
k Re 12:29
Os 10:15
Am 5:5
l Sl 33:16
Pr 8:13
Pr 15:25
Ec 9:11
Isa 2:12
Isa 16:6
m Isa 16:14
Jer 48:8
n Isa 34:2
o Sl 24:8
Jer 46:18
Da 4:37
Mal 1:14
p Dt 32:35
Isa 16:14
Eze 12:28
Eze 25:11

2.ª col.
a Ro 1:32
b Isa 9:4
Isa 14:4
c Isa 47:1
Jer 46:19
d Nú 21:30
Jos 13:17
Isa 15:2
e Jer 48:8
f Nú 32:34
Dt 2:36
2Sa 24:5
g 1Sa 4:14
h Isa 15:5
i Nú 21:13
Jos 13:9
Jue 11:18
Isa 16:7
j Sof 2:9
k Nú 21:23
Nú 32:34
Isa 15:4
l Jos 13:18
Jer 21:37
1Cr 6:79
m Nú 32:34
Jer 48:18
n Nú 32:3
1Cr 5:8
o Nú 32:37
Jer 48:1
p Nú 32:38
Jos 13:17
Eze 25:9
q Am 2:2
r Dt 4:43
s Sl 75:10
t Job 38:15
Sl 10:15
Sl 37:17
Sl 75:8
u Sl 75:8
Jer 25:15

lerse de ellos todos los que se hallan a su alrededor, aun todos los que conocen su nombre.ᵃ Digan: '¡Oh cómo se ha quebrado la vara de la fuerza, el bastón de la hermosura!'.ᵇ

18 "Bájate de la gloria, y siéntate con sed, oh moradora de la hijaᶜ de Dibón;ᵈ porque el violento despojador de Moab ha subido contra ti. Realmente reducirá a ruinas tus lugares fortificados.ᵉ

19 "Detente y mira por el camino mismo, oh moradora de Aroer.ᶠ Pregunta al que está huyendo y a la que está escapando. Di: '¿Qué se ha efectuado?'.ᵍ 20 Moab ha quedado avergonzada, pues se ha sobrecogido de terror. Aúllen y clamen. Anuncien en Arnónⁱ que Moab ha sido despojada con violencia. 21 Y ha llegado el juicio mismo a la tierra de campo llano,ʲ a Holón y a Jáhaz,ᵏ y contra Mefaat,ˡ 22 y contra Dibónᵐ y contra Nebo y contra Bet-diblataim, 23 y contra Quiryataimᵒ y contra Bet-gamul y contra Bet-meónᵖ 24 y contra Queriyotᑫ y contra Bozráʳ y contra todas las ciudades de la tierra de Moab, las lejanas y las cercanas.

25 "Ha sido cortado el cuerno de Moab,ˢ y ha sido quebrado su propio brazoᵗ —es la expresión de Jehová—. 26 Emborráchenlo,ᵘ porque se ha dado grandes ínfulas contra Jehová mismo;ᵛ y Moab ha chapoteado en su vómito,ʷ y ha llegado a ser objeto de burla, aun él mismo.

27 "'¿Y no se tornó Israel simplemente en objeto de burla para ti?ˣ ¿O acaso fue hallado entre verdaderos ladrones?ʸ Porque te sacudías siempre que hablabas contra él.

28 "'Dejen las ciudades y residan en el peñasco,ᶻ habitantes de Moab, y lleguen a ser como la paloma que hace su nido en las

v Jer 48:42; Eze 35:13; w Isa 19:14; x Sl 44:13;
Pr 24:17; Lam 2:15; Sof 2:8; y Jer 2:26; z Jue 6:2.

regiones de la boca del hueco' ".[a]

29 "Hemos oído del orgullo de Moab[b] —es muy altivo—, de su alteza y de su orgullo y de su altivez y de la altanería de su corazón."[c]

30 "'Yo mismo he conocido su furor —es la expresión de Jehová—, y esa no es la manera como será; su habla vacía[d]... realmente no harán justamente de esa manera.[e] 31 Por eso sobre Moab aullaré, y sobre Moab en su totalidad clamaré.[f] Por los hombres de Quir-heres[g] uno lanzará quejidos.

32 "'Con más [llanto] que el llanto por Jazer[h] lloraré por ti, oh vid de Sibmá.[i] Tus propios sarmientos lozanos han cruzado el mar. Hasta el mar —[hasta] Jazer[j]— han alcanzado. Sobre tu producto del verano[k] y sobre tu vendimia ha caído el violento despojador mismo.' 33 Y el regocijo y el gozo han sido quitados del huerto y de la tierra de Moab.[m] Y de los lagares he hecho cesar el vino mismo.[n] Nadie estará haciendo la pisa con gritería. La gritería no será gritería.' "[o]

34 "'Desde el clamor en Hesbón[p] hasta Elealé[q] misma, hasta Jáhaz[r] misma han dado su voz,[s] desde Zóar[t] hasta Horonaim[u] misma, hasta Eglat-selisiyá;[v] porque hasta las mismísimas aguas de Nimrim[w] llegarán a ser simples desolaciones. 35 Y ciertamente haré que cesen de Moab —es la expresión de Jehová— el que suba una ofrenda sobre el lugar alto y el que haga humo de sacrificio a su dios.[x] 36 Por eso mi propio corazón se alborotará por Moab mismo, justamente como flautas;[y] y por los hombres de Quir-heres[z] se alborotará mi corazón mismo, justamente como flautas. Por eso ciertamente perecerá la misma abundancia que él ha producido.[a] 37 Porque sobre toda cabeza hay calvicie,[b] y toda barba

está cortada.[a] ¡Sobre todas las manos hay cortaduras,[b] y sobre las caderas hay saco!' "[c]

38 "'Sobre todos los techos de Moab y en sus plazas públicas —toda parte de ella— hay plañido;[d] porque he quebrado a Moab justamente como una vasija que no ocasiona deleite[e] —es la expresión de Jehová—. 39 ¡Oh, cómo ha quedado aterrorizada! ¡Aúllen! ¡Oh, cómo ha vuelto Moab la espalda! Se ha avergonzado.[f] Y Moab ha llegado a ser objeto de burla y cosa aterradora a todos los que están a su alrededor.' "

40 "Porque esto es lo que ha dicho Jehová: '¡Mira! Tal como un águila se abalanza,[g] alguien también tiene que extender sus alas sobre Moab.[h] 41 Los pueblos realmente serán tomados, y de los propios lugares fuertes de ella ciertamente se apoderarán. Y el corazón de los hombres poderosos de Moab tiene que ponerse en aquel día como el corazón de una esposa que está padeciendo angustia de alumbramiento'."[i]

42 "'Y Moab ciertamente será aniquilado de modo que no sea pueblo,[j] porque es contra Jehová contra quien se ha dado grandes ínfulas.[k] 43 Pavor y el hueco y la trampa están sobre ti, oh habitante de Moab[l] —es la expresión de Jehová—. 44 Cualquiera que huya a causa del pavor caerá en el hueco; y cualquiera que suba del hueco quedará preso en la trampa.[m]

" 'Porque traeré sobre ella, sobre Moab, el año de darles atención[n] —es la expresión de Jehová—. 45 En la sombra de Hesbón los que huyen se han detenido sin poder. Pues un fuego mismo ciertamente saldrá de

CAP. 48

a Nú 24:21
  Sl 55:6
  Can 2:14
  Jer 49:16
b Sl 94:2
  Pr 8:13
  Isa 16:6
  Sof 2:10
c Job 40:12
  Pr 18:12
  Isa 25:11
  Snt 4:6
d Isa 16:6
  Isa 44:25
  Jer 50:36
e Sl 33:10
  Pr 21:30
f Isa 15:5
g 2Re 3:25
  Isa 16:7
h Nú 21:32
  Nú 32:35
  Jos 21:39
i Nú 32:38
  Jos 13:19
  Isa 16:8
j Jos 13:25
k Jer 40:10
l Isa 16:9
  Jer 48:8
m Jer 25:10
  Joel 1:12
n Isa 5:10
  Jer 7:23
o Isa 16:10
  Jer 25:30
p Nú 21:26
  Jos 13:17
  Jer 48:2
q Nú 32:37
  Isa 16:9
r Nú 21:23
  Dt 2:32
  Jue 11:20
s Isa 15:4
  Dt 34:3
u Jer 48:3
v Isa 15:5
w Isa 15:6
x Nú 22:40
  Isa 16:12
y Isa 15:5
  Isa 16:11
  Mt 9:23
z Jer 48:31
a Pr 11:4
  Pr 18:11
  Isa 15:7
  Jer 17:11
b Jer 16:6
  Jer 47:5
  Miq 1:16

2.ª col.

a Isa 7:20
  Isa 15:2
b Le 19:28
  1Re 18:28
  Jer 47:5
c Gé 37:34
  Eze 27:31
  Dn 9:3
d Isa 15:3
  Isa 22:11
e Jer 22:28
  Os 8:8
f Isa 20:4
g Dt 28:49
  Lam 4:19
  Os 8:1
  Hab 1:8
h Isa 8:8
  Jer 49:22

i Isa 13:8; Isa 21:3; Jer 49:22; Miq 4:9; 1Te 5:3; j Sl 83:4; Isa 7:8; Jer 30:11; k Job 9:4; Pr 16:18; Jer 48:29; 1Sl 11:6; Isa 24:17; m 1Re 19:17; 1Re 20:30; Am 2:14; Am 5:19; n Isa 10:3.

Hesbón,[a] y una llama de en medio de Sehón;[b] y devorará las sienes de Moab y la coronilla de la
cabeza de los hijos de alboroto.’[c]
46 ”‘¡Ay de ti, oh Moab![d] Ha
perecido el pueblo de Kemós.[e]
Pues tus hijos han sido tomados
como cautivos y tus hijas como
cautivas. 47 Y ciertamente recogeré a los cautivos de Moab en
la parte final de los días[f] —es
la expresión de Jehová—. Hasta este punto es el juicio de
Moab.’ ”[g]

49 Para los hijos de Ammón[h]
esto es lo que ha dicho Jehová: “¿Acaso no hay hijos que
tenga Israel, o no hay heredero
que tenga él? ¿Por qué ha tomado posesión Malcam[i] de Gad,[j] y
su propio pueblo se ha puesto a
morar en las mismísimas ciudades [de Israel]?”.[k]
2 “‘Por lo tanto, ¡miren!, vienen días —es la expresión de Jehová—, y ciertamente haré que
se oiga la señal de alarma de la
guerra[l] hasta contra Rabá[m] de
los hijos de Ammón; y ella ciertamente llegará a ser un montículo de un yermo desolado,[n] y
sus propios pueblos dependientes[o] serán incendiados en el fuego mismo.’[p]
”‘E Israel realmente tomará
posesión de los que lo tienen en
posesión a él’,[q] ha dicho Jehová.
3 ”‘¡Aúlla,[r] oh Hesbón,[s] porque Hai ha sido despojada con
violencia! Clamen, oh pueblos
dependientes de Rabá. Cíñanse
de saco.[t] Plañan, y discurran entre los apriscos de piedra, porque Malcam mismo irá aun al
destierro,[u] sus sacerdotes y
sus príncipes, todos juntos.[v]
4 ¿Por qué te glorías de las llanuras bajas,[w] tu ondulante llanura baja, oh hija infiel, tú la
que confía en sus tesoros,[x] [que
dice:] “¿Quién vendrá a mí?”.’ ”[y]
5 “‘¡Mira!, voy a traer sobre ti
una cosa pavorosa[z] —es la expresión del Señor Soberano,[a] Jehová de los ejércitos—, de todos
los que están alrededor de ti. Y
ustedes ciertamente serán dispersados, cada cual en su propia
dirección,[a] y no habrá quien junte a los que están huyendo.’ ”
6 “‘Pero después de esto recogeré a los cautivos de los hijos de
Ammón’,[b] es la expresión de Jehová.”
7 Para Edom, esto es lo que
ha dicho Jehová de los ejércitos:
“¿No hay ya sabiduría[c] en Temán?[d] ¿Ha perecido el consejo de los entendidos? ¿Está su
sabiduría en estado de putrefacción?[e] 8 ¡Huyan![f] ¡Permí-
tanse ceder! ¡Bajen a lo profundo para morar,[g] oh habitantes
de Dedán![h] Porque el desastre de
Esaú ciertamente traeré sobre
él, el tiempo en que tenga que
dirigirle mi atención.[i] 9 Si
realmente vinieran a ti vendimiadores mismos, ¿no dejarían
que quedaran algunos rebuscos?
Si [entraran] ladrones de noche,
ciertamente causarían solo la
ruina que quisieran.[j] 10 Pero
en cuanto a mí, ciertamente desnudaré a Esaú.[k] Verdaderamente descubriré sus escondrijos,[l] y
uno no podrá esconderse.[m] Su
prole y sus hermanos y sus vecinos ciertamente serán despojados con violencia,[n] y él no existirá.[o] 11 De veras deja a tus
huérfanos de padre.[p] Yo mismo
[los] conservaré vivos, y tus propias viudas confiarán en mí mismo”.[q]
12 Porque esto es lo que ha
dicho Jehová: “¡Mira! Aunque no
es costumbre de ellos beber la
copa, sin falta beberán.[r] Y tú
mismo, ¿acaso tú serás dejado
absolutamente sin castigo? No
serás dejado sin castigo, porque
sin falta beberás”.[s]
13 “Porque por mí mismo he
jurado[t] —es la expresión de Jehová— que solo objeto de pas-

CAP. 48
a Nú 21:28; Am 2:2
b Nú 21:26; Dt 2:26; Jos 13:21
c Nú 24:17
d Nú 21:29
e Jue 11:24; 1Re 11:7; 2Re 23:13; Jer 48:7
f Jer 49:6; Jer 49:39
g Eze 25:11

CAP. 49
h Gé 19:38; Dt 2:19; 2Cr 20:1; Ne 2:19
i 1Re 11:5; 1Re 11:33; 2Re 23:13; Sof 1:5
j Am 1:13
k Sl 9:6
l Jer 4:19
m Dt 3:11; Jos 13:25; Eze 25:5; Am 1:14
n Eze 21:20
o Nú 21:25; Jos 17:11
p Sof 2:9
q Isa 14:2; Jer 50:19; Miq 7:14
r Isa 13:6
s Isa 15:4; Isa 16:8
t Isa 32:11; Jer 4:8; Jer 6:26
u 1Re 11:5; 1Re 11:33; 2Re 23:13
v Jer 48:7; Am 1:15
w Jer 9:23
x Jer 48:7
y Jer 21:13
z Jer 48:41
a Jer 46:10

2.ª col.
a Jer 46:5
b Jer 46:26
c Abd 8
d Gé 36:11; 1Cr 1:35; 1Cr 1:36; Eze 25:13; Am 1:12
e Isa 29:14
f Jer 48:6; Jer 49:30
g Jue 6:2; 1Sa 13:6
h Isa 21:13; Jer 25:23
i Mal 1:3
j Abd 5
k Abd 6; Mal 1:3
l Jer 23:24
m Am 9:3
n Abd 9
o Isa 17:14
p Sl 82:3
q Sl 68:5; Os 14:3; Snt 1:27; r Jer 25:15; Jer 25:17; Jer 25:28; Lam 4:21; Abd 16; s Jer 25:29; Jer 46:28; t Gé 22:16; Isa 45:23; Am 6:8.

mo,[a] oprobio, devastación e invocación de mal llegará a ser Bozrá;[b] y todas sus propias ciudades llegarán a ser lugares devastados hasta tiempo indefinido."[c]

14 Hay un informe que he oído de parte de Jehová, y hay un enviado que se despacha entre las naciones, [y dice:] "Júntense, y vengan contra ella, y levántense para la batalla".[d]

15 "Porque, ¡mira!, te he hecho realmente pequeño entre las naciones, despreciado entre la humanidad.[e] 16 El estremecimiento que causaste te ha engañado, la presunción de tu corazón,[f] oh tú que resides en los retiros del peñasco, que tienes la altura de la colina. Aunque edifiques en alto tu nido a manera de águila,[g] de allí te haré bajar[h] —es la expresión de Jehová—. 17 Y Edom tiene que llegar a ser objeto de pasmo.[i] Todo el que vaya pasando junto a ella se quedará mirando pasmado, y silbará por causa de todas sus plagas.[j] 18 Justamente como en el derribo de Sodoma y Gomorra y sus [pueblos] vecinos[k] —ha dicho Jehová—, no morará allí hombre alguno, y no residirá como forastero en ella ningún hijo de la humanidad.[l]

19 "¡Miren! Alguien subirá a manera de león[m] de los [matorrales] orgullosos a lo largo del Jordán al lugar de habitación durable,[n] pero en un momento ciertamente lo haré huir de ella.[o] Y al que es escogido nombraré sobre ella. Porque ¿quién hay como yo,[p] y quién me desafiará,[q] y quién, pues, es el pastor que pueda mantenerse de pie delante de mí?[r] 20 Por lo tanto, oigan el consejo de Jehová que él ha formulado contra Edom,[s] y sus pensamientos que él ha ideado contra los habitantes de Temán:[t] De seguro serán arrastrados los pequeñuelos del rebaño. De seguro a causa de ellos él

hará que la morada de ellos sea desolada.[a] 21 Al sonido de su caída, la tierra ha empezado a mecerse.[b] ¡Hay un clamor![c] El sonido de este se ha oído hasta en el mar Rojo.[d] 22 ¡Miren! A manera de águila alguien ascenderá y se abalanzará,[e] y extenderá sus alas sobre Bozrá;[f] y el corazón de los hombres poderosos de Edom realmente se pondrá en aquel día como el corazón de una esposa que está padeciendo angustia en el alumbramiento."[g]

23 Para Damasco:[h] "Se han avergonzado Hamat[i] y Arpad,[j] porque es un informe malo el que han oído. Se han desintegrado.[k] En el mar hay solicitud ansiosa; no puede mantenerse sosegado.[l] 24 Damasco ha perdido ánimo. Ha dado la vuelta para huir, y queda sobrecogida de verdadero pánico.[m] Angustia y dolores de parto mismos se han apoderado de ella, como de una mujer que está dando a luz.[n] 25 ¿Cómo sucede que no ha sido abandonada la ciudad de alabanza, el pueblo de alborozo?[o]

26 "Por eso, sus jóvenes caerán en sus plazas públicas, y todos sus mismísimos hombres de guerra serán reducidos a silencio en aquel día[p] —es la expresión de Jehová de los ejércitos—. 27 Y de veras encenderé un fuego en el muro de Damasco, y ciertamente devorará las torres de habitación de Ben-hadad".[q]

28 Para Quedar[r] y los reinos de Hazor,[s] que derribó Nabucodorosor el rey de Babilonia,[t] esto es lo que ha dicho Jehová: "Levántense, suban a Quedar, y despojen con violencia a los hijos de Oriente.[u] 29 Sus propias tiendas[v] y sus propios rebaños[w] serán tomados, sus telas de tienda[x] y todos sus objetos. Y sus propios camellos[y] serán llevados de ellos. Y ciertamente clamarán

CAP. 49
a Jer 49:17
b Gé 36:33
  Isa 34:6
  Isa 63:1
  Jer 49:22
  Am 1:12
c Abd 18
  Mal 1:3
d Abd 1
e Abd 2
f Abd 3
g Job 39:27
h Pr 15:25
  Am 9:2
  Abd 4
i Jer 49:13
j 1Re 9:8
  Jer 51:37
  Sof 2:15
k Gé 19:25
  Dt 29:23
  Jer 50:40
  Am 4:11
  Sof 2:9
l Isa 34:10
  Jer 49:33
m Jer 4:7
  Zac 11:3
n Jer 12:5
o Jer 50:44
p Éx 15:11
  Sl 89:6
  Sl 113:5
q Job 40:2
r Job 41:10
  Sl 76:7
  Na 1:6
s Sl 33:11
  Pr 19:21
  Isa 46:10
  Hch 4:28
t Abd 9

2.ª col.
a Mal 1:4
b Eze 31:16
c Jer 50:46
d 1Re 9:26
e Dt 28:49
  Jer 4:13
  Os 8:1
f Jer 48:40
  Jer 49:13
g Isa 26:17
h Isa 17:1
  Am 1:3
i Nú 13:21
  2Re 17:24
  Isa 10:9
  Zac 9:2
j 2Re 18:34
k Jos 2:11
l Isa 57:20
m Sl 48:5
n Jer 6:24
  Jer 48:41
o Jer 51:41
p Jer 50:30
  Jer 51:4
  Lam 2:21
q 2Re 16:9
  Am 1:4
r Gé 25:13
  1Cr 1:29
  Isa 42:11
  Jer 2:10
  Eze 27:21
s Jer 49:33
t Jer 27:6
u Jue 6:3
v Sl 120:5
w Isa 60:7

x Hab 3:7; y Jue 6:5.

a ellos: ¡El terror está todo en derredor!' ".ᵃ

30 "Huyan, fúguense lejos; bajen a lo profundo para morar, oh habitantes de Hazorᵇ —es la expresión de Jehová—. Porque Nabucodorosor el rey de Babiloniaᶜ ha formulado un consejo hasta contra ustedes, y ha ideado contra ustedes un pensamiento."

31 "¡Levántense, suban contra la nación que está en desahogo,ᵈ que mora en seguridad!',ᵉ es la expresión de Jehová.

"Ni puertas ni barra tiene. Solitarios residen.ᶠ 32 Y sus camellosᵍ tienen que llegar a ser botín; y la multitud de su ganado, despojo. Y ciertamente los esparciré a todo viento,ʰ a estos que tienen el cabello cortado en las sienes;ⁱ y de todas las regiones cercanas traeré su desastre —es la expresión de Jehová—. 33 Y Hazorʲ tiene que llegar a ser albergue de chacales,ᵏ un yermo desolado hasta tiempo indefinido. No morará allí hombre alguno, y no residirá como forastero en ella ningún hijo de la humanidad."ˡ

34 Esto es lo que le ocurrió como palabra de Jehová a Jeremías el profeta respecto a Elamᵐ al principio de la gobernación real de Sedequíasⁿ el rey de Judá, diciendo: 35 "Esto es lo que ha dicho Jehová de los ejércitos: 'Aquí voy a quebrar el arco de Elam,º el principio de su poderío. 36 Y ciertamente traeré sobre Elam los cuatro vientos desde las cuatro extremidades de los cielos.ᵖ Y ciertamente los esparciré a todos estos vientos,ۊ y resultará que no habrá nación a la cual no lleguen los dispersosʳ de Elam'".

37 "Y ciertamente desbarataré a los elamitas delante de sus enemigos y delante de los que buscan su alma; y ciertamente traeré sobre ellos una calamidad, mi cólera ardienteˢ —es

la expresión de Jehová—. Y ciertamente enviaré tras ellos la espada hasta que yo los haya exterminado."ᵃ

38 "Y verdaderamente colocaré mi trono en Elam,ᵇ y ciertamente destruiré de allí al rey y a los príncipes", es la expresión de Jehová.

39 "Y ciertamente ocurrirá que en la parte final de los díasᶜ recogeré a los cautivos de Elam",ᵈ es la expresión de Jehová.

50 La palabra que habló Jehová respecto a Babilonia,ᵉ respecto a la tierra de los caldeos,ᶠ por medio de Jeremías el profeta: 2 "Anúncien[lo] entre las naciones y publíquen[lo].ᵍ Y alcen una señal enhiesta;ʰ publíquen[lo]. No escondan nada. Digan: 'Babilonia ha sido tomada.ⁱ Bel ha quedado avergonzado.ʲ Merodac se ha aterrorizado. Sus imágenes han quedado avergonzadas.ᵏ Sus ídolos estercolizos se han aterrorizado'. 3 Porque contra ella ha subido una nación desde el norte.ˡ Es la que hace de la tierra de ella un objeto de pasmo, de manera que resulta que nadie mora en ella.ᵐ Tanto el hombre como el animal doméstico han huido.ⁿ Se han ido".º

4 "En aquellos días y en aquel tiempoᵖ —es la expresión de Jehová—, los hijos de Israel, ellos y los hijos de Judá juntos, vendrán.ۊ Andarán, llorando al andar,ʳ y a Jehová su Dios buscarán.ˢ 5 Seguirán preguntando el camino a Sión, con sus rostros en aquella dirección,ᵗ [y añadirán:] 'Vengan y unámonos a Jehová en un pacto de duración indefinida que no será olvidado'.ᵘ 6 Rebaño de criaturas que perecen es lo que mi pueblo ha llegado a ser.ᵛ Sus propios pastores las han hecho andar errantes.ʷ En las montañas las han des-

CAP. 49
a SI 31:13
　Jer 6:25
　Jer 46:5
b Jer 49:28
c Jer 27:6
d SI 123:4
　Jer 48:11
e Isa 47:8
f Nú 23:9
　Dt 33:28
　Miq 7:14
g Jue 6:5
h Eze 5:10
i Le 19:27
　Jer 9:26
　Jer 25:23
　Jer 49:28
k Jer 9:11
　Jer 10:22
　Mal 1:3
l Jer 50:39
m Gé 10:22
　Isa 21:2
　Jer 25:25
　Eze 32:24
　Da 8:2
　Hch 2:9
n 2Re 24:18
o Isa 22:6
　Isa 51:56
p Da 8:8
　Da 11:4
　Rev 7:1
q Eze 5:10
r SI 147:2
s SI 69:24
　SI 90:11

2.ª col.
a Jer 9:16
b Jer 25:25
c Da 2:28
d Da 8:2

CAP. 50
e Isa 13:1
f Hch 7:4
g Jer 4:16
　Jer 46:14
h Isa 13:2
i Jer 50:24
　Jer 50:46
　Jer 51:8
　Rev 14:8
j Isa 46:1
　Jer 51:44
k Isa 37:19
　Sof 2:11
l Isa 13:17
　Jer 51:11
　Jer 51:48
m Jer 51:29
n Sof 1:3
o Jer 51:29
p Jer 33:15
q Isa 11:12
　Jer 3:18
　Os 1:11
r SI 126:5
　Jer 31:9
　Joe 2:12
s Os 3:5
　Zac 8:21
t Isa 35:10
u Jer 31:31
　Os 3:5
v Isa 53:6
　1Pe 2:25

w Jer 10:21; Jer 23:2; Eze 34:2; Zac 11:5.

carriado.[a] De montaña a colina
han ido. Han olvidado su lugar
de descanso.[b] 7 Todos los que
las han hallado se las han comido,[c] y sus propios adversarios
han dicho:[d] ‘No llegaremos a ser
culpables,[e] debido al hecho de
que ellos han pecado contra Jehová, el lugar de habitación de la
justicia[f] y la esperanza de sus
antepasados,[g] Jehová’.”
8 “Emprendan su huida de en
medio de Babilonia, y salgan
hasta de la tierra de los caldeos,[h]
y háganse como los animales
que sirven de guías delante del
rebaño.[i] 9 Porque aquí estoy
suscitando y haciendo subir
contra Babilonia una congregación de grandes naciones desde
la tierra del norte,[j] y ciertamente
se dispondrán en orden con-
tra ella.[k] Desde allí será tomada.[l] Las flechas de uno son
como las de un hombre poderoso
que causa privación de hijos,
que no vuelve sin resultados.[m]
10 Y Caldea tiene que llegar a
ser un despojo.[n] Todos los que
la despojen se satisfarán”,[o] es la
expresión de Jehová.
11 “Porque ustedes siguieron
regocijándose,[p] porque ustedes
siguieron alborozándose cuando
estuvieron saqueando mi propia
herencia.[q] Porque siguieron es-
carbando como una novilla en la
hierba tierna,[r] y siguieron relin-
chando como caballos sementales.[s] 12 La madre de ustedes
ha quedado muy avergonzada.[t]
La que los dio a luz ha sido desilusionada.[u] ¡Miren! Ella es la
menos importante de las naciones, un desierto falto de agua y
una llanura desértica.[v] 13 A
causa de la indignación de Jehová no será habitada,[w] y tiene que
llegar a ser un yermo desolado
en su totalidad.[x] En cuanto a
cualquiera que vaya pasando
junto a Babilonia, se quedará
mirando pasmado y silbará por
motivo de todas sus plagas.[y]
14 ”Dispónganse en orden
contra Babilonia desde todos lados,[a] todos ustedes los que pisan
el arco.[b] Disparen contra ella.[c]
No ahorren flechas, porque es
contra Jehová contra quien ella
ha pecado.[d] 15 Den un grito de
guerra contra ella desde todos
lados.[e] Ella ha dado su mano.[f]
Sus columnas han caído. Sus
muros han sido demolidos.[g] Porque es la venganza de Jehová.[h]
Vénguense de ella. Tal como
ella ha hecho, háganle a ella.[i]
16 Corten de Babilonia al sembrador,[j] y al que maneja la hoz
en el tiempo de la siega. A causa
de la espada del maltrato, cada
cual se dirigirá a su propio pueblo, y cada cual huirá a su propia
tierra.[k]
17 ”Israel es una oveja esparcida.[l] Leones mismos han hecho
la dispersión.[m] En el primer caso
el rey de Asiria lo ha devorado,[n]
y en este último caso Nabucodorosor el rey de Babilonia ha roí-
do sus huesos.[o] 18 Por lo tanto, esto es lo que ha dicho Jehová
de los ejércitos, el Dios de Israel:
‘Aquí voy a dirigir mi atención al
rey de Babilonia y a su tierra de
la misma manera como dirigí
mi atención al rey de Asiria.[p]
19 Y de veras traeré a Israel de
vuelta a su apacentadero,[q] y él
ciertamente pacerá en el Carmelo[r] y en Basán;[s] y en la región
montañosa de Efraín[t] y de Galaad[u] se satisfará su alma’.”
20 “Y en aquellos días y en
aquel tiempo[v] —es la expresión
de Jehová— se buscará el error
de Israel,[w] pero no será; y los
pecados de Judá,[x] y no se hallarán, pues perdonaré a los que
deje quedar.”[y]
21 “Contra la tierra de Mera-
taim... sube contra ella[z] y contra
los habitantes de Peqod.[a] Que
una masacre y un dar por entero
a la destrucción vayan al alcance

CAP. 50
a Eze 34:6
b Sl 23:2
Eze 34:25
c Sl 79:7
d Lam 1:7
e Jer 2:3
f Sl 90:1
Sl 91:1
Da 9:16
g Sl 22:4
Jer 14:8
Jer 17:13
h Isa 48:20
Jer 51:6
Jer 51:45
Zac 2:7
2Co 6:17
Rev 18:4
i Pr 30:31
j Isa 21:2
Jer 51:48
Da 5:28
k Jer 50:14
Jer 51:27
Jer 51:28
l Jer 50:2
m Isa 13:18
Jer 51:11
n Jer 25:12
Jer 27:7
o Rev 17:16
p Pr 17:5
Lam 1:21
Abd 12
q Isa 14:6
Isa 47:6
Jer 30:16
r Os 10:11
s Jer 5:8
t Isa 47:8
u Rev 17:5
v Isa 13:21
Isa 25:12
w Zac 1:15
x Isa 13:20
Jer 25:12
y Jer 25:9
Jer 51:37

2.ª col.
a Jer 51:2
Jer 51:12
b Jer 46:9
c Isa 13:18
Jer 51:11
d Jer 51:35
e Jer 51:14
Jer 51:25
f Eze 17:18
g Jer 51:58
h Jer 51:6
Jer 51:11
i Sl 137:8
2Te 1:6
Rev 18:6
j Jer 51:23
k Isa 13:14
Jer 46:16
Jer 51:9
l Jer 23:1
Jer 50:6
Eze 34:5
Mt 9:36
m Jer 2:15
n 2Re 17:6
Isa 8:7
o 2Re 25:1
2Cr 36:17
Jer 4:7
p 2Re 19:35
Isa 14:25
Sof 2:13

q Isa 11:16; Isa 65:10; Jer 23:3; Jer 33:7; Miq 2:12; r Isa 35:2; Eze 34:14; s Miq 7:14; t Jer 31:6; u Abd 19; v Jer 33:15; w Isa 44:22; x Jer 31:34; y Isa 1:9; Miq 7:19; z Jer 50:1; a Eze 23:23.

de ellos —es la expresión de Jehová—, y haz conforme a todo lo que te he mandado.[a] 22 Hay el sonido de guerra en el país, y un gran quebranto.[b] 23 ¡Oh, cómo ha sido cortado y se quiebra el martillo de fragua[c] de toda la tierra![d] ¡Oh, cómo ha llegado a ser Babilonia un simple objeto de pasmo entre las naciones![e] 24 Te he tendido un lazo y también has sido atrapada, oh Babilonia, y tú misma no [lo] supiste.[f] Se te halló y también se te prendió, porque fue contra Jehová contra quien te excitaste.[g]

25 "Jehová ha abierto su almacén, y saca las armas de su denunciación.[h] Porque hay una obra que el Señor Soberano,[i] Jehová de los ejércitos, tiene en la tierra de los caldeos.[j] 26 Entren en ella desde la parte más lejana.[k] Abran los graneros de ella.[l] Amontónenla, justamente como los que hacen montones,[m] y denla por entero a la destrucción.[n] No vaya a tener ella restantes.[o] 27 Masacren todos sus toros jóvenes.[p] Que desciendan al degüello.[q] ¡Ay de ellos, porque ha llegado su día, el tiempo de darles atención!

28 "Hay el sonido de los que huyen y de los que escapan de la tierra de Babilonia[s] para anunciar en Sión la venganza de Jehová nuestro Dios,[t] la venganza por su templo.[u]

29 "Manden a llamar contra Babilonia a los arqueros, a todos los que pisan el arco.[v] Acampen contra ella todo en derredor. No resulte haber ningún escapado.[w] Páguenle conforme a su actividad.[x] Conforme a todo lo que ha hecho, háganle a ella.[y] Porque es contra Jehová contra quien ha obrado presuntuosamente, contra el Santo de Israel.[z] 30 Por eso, sus jóvenes caerán en sus plazas públicas,[a] y hasta todos sus hombres de guerra serán reducidos a silencio en aquel día",[b] es la expresión de Jehová.

31 "¡Mira! Yo estoy contra ti,[a] oh Presunción[b] —es la expresión del Señor Soberano,[c] Jehová de los ejércitos—, porque tiene que venir tu día, el tiempo en que tenga que darte atención. 32 Y la Presunción ciertamente tropezará y caerá,[d] y no tendrá quien la haga levantarse.[e] Y ciertamente encenderé un fuego en sus ciudades, y este tendrá que devorar todos sus alrededores."[f]

33 Esto es lo que ha dicho Jehová de los ejércitos: "Los hijos de Israel y los hijos de Judá están siendo oprimidos juntos, y todos los que los llevaron cautivos los han asido.[g] Han rehusado dejarlos ir.[h] 34 Su Recomprador es fuerte,[i] Jehová de los ejércitos por nombre.[j] Sin falta él conducirá la causa judicial de ellos,[k] a fin de que realmente dé reposo a la tierra[l] y cause agitación a los habitantes de Babilonia".[m]

35 "Hay una espada contra los caldeos[n] —es la expresión de Jehová— y contra los habitantes de Babilonia[o] y contra sus príncipes[p] y contra sus sabios.[q] 36 Hay una espada contra los de habla vacía,[r] y ciertamente obrarán tontamente.[s] Hay una espada contra los hombres poderosos de ella,[t] y realmente se aterrorizarán.[u] 37 Hay una espada contra sus caballos[v] y contra sus carros de guerra y contra toda la compañía mixta que se halla en medio de ella,[w] y ciertamente se volverán mujeres.[x] Hay una espada contra los tesoros de ella,[y] y realmente serán saqueados.[y] 38 Hay una devastación sobre sus aguas, y estas tienen que secarse.[z] Porque es una tierra de imágenes esculpidas,[a] y a causa de [sus] visiones aterradoras siguen obrando locamente. 39 Por eso los frecuentadores de

---

CAP. 50

a Isa 10:6
  Isa 44:28
b Jer 51:54
c Isa 10:15
  Isa 14:6
d Jer 51:20
e Jer 50:13
  Jer 51:41
  Rev 18:16
f Jer 51:8
  Jer 51:31
  Da 5:30
  Rev 18:8
g Job 9:4
  1Co 10:22
h Isa 13:5
  Jer 51:11
i Jer 46:10
j Jer 51:12
k Jer 51:27
l Jer 50:10
m Isa 25:10
n Isa 14:23
o Rev 18:21
p Sl 22:12
  Isa 34:7
q Jer 25:33
r Jer 23:12
  Jer 48:44
  Jer 51:52
s Jer 51:55
t Jer 50:15
u Sl 94:1
  Jer 51:11
v Jer 50:14
w Isa 13:19
x Sl 137:8
  Jer 51:56
y Lam 3:64
  2Te 1:6
  Rev 18:6
z Isa 14:13
  Isa 47:4
a Isa 13:18
  Jer 9:21
  Jer 49:26
  Jer 51:4
b Jer 51:56

2.ᵃ col.

a Jer 51:25
b Pr 11:2
  Isa 14:13
  Da 4:30
c Jer 46:10
  Rev 6:10
d Pr 18:12
  Da 5:20
  Rev 18:2
e Jer 51:26
  Rev 18:8
f Jer 21:14
h Isa 14:17
i Isa 41:14
  Rev 18:8
j Isa 47:4
k Sl 35:1
  Sl 43:1
  Lam 3:59
l Isa 14:3
m Isa 13:1
  Jer 51:24
n Isa 66:16
  Jer 50:1
o Jer 51:12
p Jer 51:57
q Isa 47:13
  Da 5:7
r Isa 44:25
s 2Sa 15:31

t Jer 51:23; u Jer 51:30; v Jer 51:21; w Jer 25:20; Eze 30:5; x Isa 13:8; y Isa 45:3; z Isa 44:27; Jer 51:36; Rev 16:12; a Isa 46:1; Jer 51:52; Da 5:4.

las regiones áridas morarán con los animales aulladores, y en ella tienen que morar los avestruces;ª y nunca más se morará en ella, ni residirá ella por generación tras generación."ᵇ

40 "Justamente como en el caso del derribo de Sodoma y de Gomorraᶜ y de sus [pueblos] vecinosᵈ por Dios —es la expresión de Jehová—, no morará allí hombre alguno, ni residirá como forastero en ella el hijo de la humanidad.ᵉ

41 "¡Miren! Un pueblo viene desde el norte; y una nación grandeᶠ y reyes grandiososᵍ mismos serán suscitados desde las partes más remotas de la tierra.ʰ 42 Arco y jabalina manejan.ⁱ Son crueles, y no mostrarán misericordia.ʲ El sonido de ellos es como el mar que está bullicioso,ᵏ y montarán sobre caballos;ˡ dispuestos en orden como un solo hombre para guerra contra ti, oh hija de Babilonia.ᵐ

43 "El rey de Babilonia ha oído el informe acerca de ellos,ⁿ y sus manos han caído.º ¡Hay angustia! Dolores fuertes se han apoderado de él, justamente como de una mujer que está dando a luz.ᵖ

44 "¡Miren! Alguien subirá precisamente como un león desde de los [matorrales] orgullosos a lo largo del Jordán al lugar de habitación durable,ᵖ pero en un momento haré que huyan de ella.ʳ Y al que es escogido nombraré sobre ella.ˢ Porque ¿quién es como yo,ᵗ y quién me desafiará,ᵘ y quién, pues, es el pastor que pueda mantenerse de pie delante de mí?ᵛ 45 Por lo tanto, oigan el consejoʷ de Jehová que él ha formulado contra Babilonia,ˣ y sus pensamientos que él ha ideado contra la tierra de los caldeos.ʸ De seguro serán arrastrados los pequeñuelos del rebaño.ᶻ De seguro a causa de ellos él hará que sea desolado el lugar de habitación de ellos.ª 46 Al so-

nido [de cuando] Babilonia haya sido tomada, ciertamente se hará que la tierra se meza,ª y entre las naciones se oirá un alarido mismo."ᵇ

51 Esto es lo que ha dicho Jehová: "Aquí voy a suscitar contra Babiloniaᶜ y contra los habitantes de Leb-qamai un viento arruinador;ᵈ 2 y de veras enviaré a Babilonia aventadores que ciertamente la aventarán y que harán vacía su tierra;ᵉ porque realmente resultarán estar en contra de ella por todos lados en el día de la calamidad.ᶠ

3 "Que el que pise su arco no lo pise.ᵍ Y que no se levante nadie en su cota de malla.

"Y no les muestren compasión ustedes a los jóvenes de ella.ʰ Den por entero a la destrucción a todo su ejército de ella.ⁱ 4 Y ellos tienen que caer muertos en la tierra de los caldeos,ʲ y traspasados en sus calles.ᵏ

5 "Pues Israel y Judáˡ no se hallan enviudadas de su Dios, de Jehová de los ejércitos.ᵐ Porque la tierra de aquellos ha estado llena de culpa desde el punto de vista del Santo de Israel.

6 "Huyan de en medio de Babilonia,º y provea escape cada uno para su propia alma.ᵖ No vaya a dejarlos inanimados el error de ella.ᑫ Porque es el tiempo de la venganza que pertenece a Jehová.ʳ Hay tratamiento por el cual él le está dando el pago.ˢ 7 Babilonia ha sido una copa de oro en la mano de Jehová,ᵗ pues ella ha estado emborrachando a toda la tierra.ᵘ De su vino han bebido las naciones.ᵛ Por eso las naciones siguen obrando enloquecidas.ʷ 8 De repente ha caído Babilonia, de modo que está quebrada.ˣ Aúllen sobre ella.ʸ Tomen bálsamo para su dolor.ᶻ Tal vez sea sanada".

CAP. 50
a Isa 13:21
  Jer 51:37
  Rev 18:2
b Isa 13:20
  Jer 25:12
  Jer 51:43
  Jer 51:64
c Gé 19:24
  Dt 29:23
  Isa 13:19
d Gé 19:25
  Jud 7
e Isa 1:9
  Jer 49:18
  Jer 51:26
f Isa 13:17
  Jer 25:14
  Jer 51:27
g Isa 45:1
  Jer 51:11
  Jer 51:28
h Isa 13:5
  Jer 50:9
j Sl 137:8
  Isa 13:18
  Rev 17:16
k Isa 5:30
  Jer 51:42
l Jer 47:3
m Jer 51:27
  Jer 51:31
o Da 5:6
p Jer 49:24
q Zac 11:3
r Jer 49:19
  Jer 51:25
t Sl 89:6
  Job 40:18
u Job 40:2
v Job 41:10
  Jer 49:19
w Isa 42:9
x Isa 14:24
  Isa 46:10
  Jer 51:11
y Jer 1:10
z Jer 49:20
a Isa 13:20
  Jer 51:43

2.ᵃ col.
a Isa 14:9
b Rev 18:9

CAP. 51
c Jer 50:9
d Jer 4:11
  Jer 49:36
e Isa 41:16
  Jer 15:7
  Mt 3:12
f Jer 50:14
  Jer 50:29
g Jer 50:14
h Isa 13:18
  Jer 50:30
i Jer 50:21
j Jer 25:12
k Isa 13:15
l Zac 2:12
m Sl 94:14
  Isa 14:21
  Jer 46:28
n Jer 16:18
  Eze 8:17
o Jer 50:8
  Rev 18:4
p Zac 2:7
q Gé 19:26
  Nú 16:26

r Sl 94:1; Jer 46:10; Jer 50:15; s Jer 25:14; t Rev 17:4; u Rev 17:2; v Rev 18:3; Rev 19:2; w Jer 25:16; Jer 50:38; x Isa 47:9; Isa 47:9; 1Te 5:2; Rev 14:8; Rev 18:2; y Jer 48:20; Rev 18:9; z Jer 8:22; Jer 46:11.

9 "Hubiéramos querido sanar a Babilonia, pero no ha sido sanada. Déjenla,ª y vámonos cada uno a su propia tierra.ᵇ Pues hasta los cielos mismos ha llegado el juicio de ella, y se ha alzado hasta los cielos nublados.ᶜ 10 Jehová ha sacado para nosotros hechos de justicia.ᵈ Vengan y de veras relatemos en Sión la obra de Jehová nuestro Dios."ᵉ

11 "Pulan las flechas.ᶠ Llenen los escudos circulares. Jehová ha suscitado el espíritu de los reyes de los medos,ᵍ porque es contra Babilonia contra quien está la idea de él,ʰ para arruinarla. Pues es la venganza de Jehová, la venganza por su templo.ⁱ 12 Contra los muros de Babilonia alcen una señal enhiesta.ʲ Fortalezcan la guardia.ᵏ Aposten los guardias. Preparen a los que forman la emboscada.ˡ Porque Jehová tanto ha formado la idea como de seguro hará lo que ha hablado contra los habitantes de Babilonia."ᵐ

13 "Oh mujer que resides sobre aguas caudalosas,ⁿ abundante en tesoros,º ha llegado tu fin, la medidaᵖ de tu lucrosa actividad.ᑫ 14 Jehová de los ejércitos ha jurado por su propia alma:ʳ 'Ciertamente te llenaré de hombres, como las langostas,ˢ y ellos ciertamente emitirán en canto sobre ti un grito'.ᵗ 15 Él es el Hacedor de la tierra por su poder,ᵘ Aquel que firmemente estableció la tierra productivaᵛ por su sabiduría,ʷ Aquel que por su entendimientoˣ extendió los cielos.ʸ 16 A [su] voz, por él hay un dar de una ruidosa agitación de aguas en los cielos, y él hace que asciendan vapores desde la extremidad de la tierra.ᶻ Él ha hecho hasta conductos para la lluvia,ª y de los almacenes suyos saca el viento. 17 Todo hombre se ha portado tan irrazonablemente como para no saber.ᵇ Todo metalario se sentirá avergonzado a causa de la imagen tallada;ᶜ pues su imagen fundida es una falsedad,ᵈ y no hay espíri-

tu en ellas.ª 18 Son vanidad,ᵇ obra de mofa.ᶜ En el tiempo de darles atención perecerán.ᵈ

19 "La Parte que corresponde a Jacob no es como estas cosas,ᵉ porque él es el Formador de todo,ᶠ hasta el bastón de su herencia.ᵍ Jehová de los ejércitos es su nombre.

20 "Tú eres para mí un garrote, como armas de guerra,ⁱ y por medio de ti ciertamente haré añicos a naciones, y por medio de ti verdaderamente arruinaré a reinos. 21 Y por medio de ti ciertamente haré añicos el caballo y a su jinete, y por medio de ti de veras haré añicos el carro de guerra y al que va montado en él.ʲ 22 Y por medio de ti ciertamente haré añicos a hombre y mujer, y por medio de ti verdaderamente haré añicos a viejo y muchacho, y por medio de ti ciertamente haré añicos a joven y virgen. 23 Y por medio de ti de veras haré añicos al pastor y su hato, y por medio de ti ciertamente haré añicos al labrador y su pareja [de animales], y por medio de ti de veras haré añicos a gobernadores y gobernantes diputados. 24 Y ciertamente pagaré a Babilonia y a todos los habitantes de Caldea toda su maldad que han cometido en Sión ante los ojos de ustedes",ᵏ es la expresión de Jehová.

25 "Aquí estoy contra ti,ˡ oh montaña ruinosaᵐ —es la expresión de Jehová—, arruinadora de toda la tierra;ⁿ y ciertamente extenderé mi mano contra ti y te haré rodar de los peñascos y haré de ti una montaña acabada por quema."º

26 "Y la gente no tomará de ti una piedra para una esquina ni una piedra para fundamentos,ᵖ porque yermos desolados hasta tiempo indefinido es lo que llegarás a ser",ᑫ es la expresión de Jehová.

27 "Alcen una señal enhiesta en el país.ʳ Toquen un cuerno entre las naciones. Santifiquenˢ contra ella a las naciones. Man-

CAP. 51
a Rev 18:4
b Isa 13:14
   Jer 50:16
c Rev 18:5
d Sl 37:6
   Miq 7:9
e Jer 50:28
f Jer 50:14
g 2Cr 36:22
   Isa 13:17
   Isa 45:1
h Jer 50:45
i Jer 50:28
j Isa 13:2
k Na 2:1
l Jos 8:14
m Rev 17:17
n Rev 17:1
   Rev 17:15
o Isa 45:3
   Jer 50:37
   Rev 18:12
p Jer 50:27
q Hab 2:9
   Rev 18:19
r Jer 49:13
   Am 6:8
   Heb 6:13
s Jue 6:5
   Na 3:15
t Jer 50:15
u Gé 1:1
   Sl 146:6
   Isa 48:18
   Jer 10:12
   Hch 14:15
v Sl 93:1
   Sl 96:10
w Sl 104:24
   Pr 3:19
x Sl 136:5
y Job 9:8
   Sl 104:2
   Isa 40:22
z Sl 135:7
a Jer 10:13
b Sl 14:2
c Isa 44:11
d 1Co 8:4

2.ª col.
a Sl 135:17
   Jer 10:14
   Hab 2:19
b Jer 8:19
   Jer 14:22
c Isa 41:29
d Jer 10:15
e Sl 16:5
f Jer 33:2
   Ro 9:20
g Dt 32:9
h Isa 47:4
i Isa 13:3
j Jer 50:37
k Job 34:11
   Sl 137:8
   Gál 6:7
l Jer 50:31
m Zac 4:7
n Jer 25:9
   Rev 11:18
o Rev 18:9
p Jer 50:13
q Jer 50:40
   Rev 18:21
r Isa 13:2
   Jer 51:12
s Jer 22:7

den a llamar contra ella a los reinos de Ararat,[a] Miní y Askenaz.[b]
Comisionen contra ella a un oficial de reclutamiento. Hagan subir los caballos[c] como langostas
erizadas. 28 Santifiquen contra ella a las naciones, los reyes
de Media,[d] sus gobernadores y
todos sus gobernantes diputados
y toda la tierra del dominio de
cada uno. 29 Y mézase la tierra
y esté con fuerte dolor,[e] porque
contra Babilonia se han levantado los pensamientos de Jehová
para hacer de la tierra de Babilonia un objeto de pasmo, sin habitante alguno.[f]

30 ”Los hombres poderosos de
Babilonia han cesado de pelear.
Se han quedado sentados en los
lugares fuertes. Su poderío se ha
agotado.[g] Se han convertido en
mujeres.[h] Las residencias de ella
han sido incendiadas. Sus barras
han sido quebradas.[i]

31 ”Corre un correo al encuentro de otro correo, y un informante[j] al encuentro de otro informante, para informar al rey de
Babilonia que su ciudad ha sido
tomada en todo extremo,[k] 32 y
que se han apoderado de los vados mismos,[l] y han quemado con
fuego los barcos de papiro, y los
mismísimos hombres de guerra
se han perturbado.”[m]

33 Porque esto es lo que ha dicho Jehová de los ejércitos, el
Dios de Israel: ”La hija de Babilonia es como una era.[n] Es
el tiempo de pisarla hasta que
quede sólida. Un ratito más y tiene que llegar para ella el tiempo
de la siega.[o]

34 ”Me ha comido Nabucodorosor el rey de Babilonia;[p] me ha
puesto en confusión. Me ha puesto como una vasija vacía. Me ha
tragado como [lo haría] una culebra grande;[q] ha llenado su abdomen de mis cosas placenteras.
Me ha lavado de [mí lugar].
35 ¡La violencia hecha a mí y [a]
mi organismo [venga] sobre Babilonia!', dirá la moradora de
Sión.[r] ¡Y [venga] mi sangre sobre

los habitantes de Caldea!', dirá
Jerusalén.”[a]

36 Por lo tanto, esto es lo que
ha dicho Jehová: ”Aquí estoy
conduciendo tu causa judicial,[b] y
ciertamente ejecutaré venganza
para ti.[c] Y realmente secaré el
mar de ella, y de seguro haré que
queden secos sus pozos.[d] 37 Y
Babilonia tiene que llegar a ser
montones de piedras,[e] albergue
de chacales,[f] objeto de pasmo y
algo de qué silbar, sin habitante
alguno.[g] 38 Todos juntos rugi-
rán justamente como leoncillos
crinados. Ciertamente gruñirán
como cachorros de leones”.

39 ”Cuando estén acalorados
tendré sus banquetes y ciertamente los emborracharé, para
que se alborocen;[h] y tendrán que
dormir un sueño de duración indefinida, del cual no despertarán[i] —es la expresión de Jehová—. 40 Haré que bajen como
machos de la oveja a la degollación, como carneros juntamente
con los machos cabríos.”[j]

41 ¡Oh, cómo ha sido tomada
Sesac,[k] y cómo llega a ser cap-
turada la Alabanza de toda la
tierra![l] ¡Cómo ha llegado a ser
Babilonia simplemente un objeto de pasmo entre las naciones![m]
42 El mar ha subido aun sobre
Babilonia. Por la multitud de sus
olas ha sido cubierta.[n] 43 Sus
ciudades han llegado a ser objeto
de pasmo, una tierra árida y una
llanura desértica.[o] Como tierra,
no habitará en ellas hombre alguno, y no pasará por ellas ningún hijo de la humanidad.[p]
44 Y ciertamente dirigiré mi
atención a Bel[q] en Babilonia, y
ciertamente sacaré su boca lo
que se ha tragado.[r] Y a él no aflui-
rán más las naciones.[s] También,
el mismísimo muro de Babilonia
tiene que caer.[t]

45 ”Sálganse de en medio de
ella, oh pueblo mío,[u] y provea
cada uno escape a su alma[v] de

CAP. 51
a Gé 8:4; Jer 50:41
b Gé 10:3; 1Cr 1:6
c Jer 50:42
d Isa 13:17; Jer 25:25; Da 5:31
e Isa 13:13
f Isa 13:19; Jer 50:13; Jer 50:39; Jer 50:40
g Isa 13:7
h Isa 19:16; Jer 50:37
i Sl 107:16; Isa 45:2; Am 1:5
j 2Sa 18:19; Est 8:14
k Isa 47:11; Jer 50:24; Jer 50:43
l Isa 44:27; Jer 50:38; Rev 16:12
m Jer 50:36
n Isa 21:10; Isa 41:15; Miq 4:13; Hab 3:12
o Mt 13:30; Rev 14:15
p 2Cr 36:18; Jer 50:17
q Jer 51:44; Jer 50:29
r Sl 137:8; Jer 50:29

2.ᵃ col.
a Sl 9:12; Rev 6:10
b Sl 140:12; Jer 50:34
c Dt 32:35; Isa 14:5
d Isa 44:27; Jer 50:38
e Isa 13:19; Jer 25:12; Jer 50:15
f Isa 13:22; Jer 50:39; Rev 18:2
g Jer 50:13; Jer 25:27; Da 5:4
h Job 14:12; Jer 51:57
i Isa 34:6; Jer 50:27; Eze 39:18
j Jer 50:27; Eze 39:18
k Jer 25:26; Isa 13:19; Isa 14:4; Jer 49:25; Da 4:30; Jer 50:46
n Sl 18:4; Isa 8:8; Eze 27:22; Da 9:26
o Isa 13:9; Jer 50:39
p Isa 13:20; Jer 50:3
q Isa 46:1; Jer 50:2

r 2Cr 36:7; Esd 1:7; Jer 51:34; Da 1:2; s Da 4:1;
t Jer 51:58; u Isa 48:20; Jer 50:8; 2Co 6:17; Rev
18:4; v Gé 19:17; Jer 51:6; Zac 2:7.

la ardiente cólera de Jehová.[a] 46 O de otro modo el corazón de ustedes desplegará timidez,[b] y les dará miedo a causa del informe que habrá de oírse en el país. Y en un año realmente vendrá el informe, y después de él, en otro año, habrá el informe y violencia en la tierra, y gobernante contra gobernante. 47 Por lo tanto, ¡miren!, vienen días, y ciertamente dirigiré mi atención a las imágenes esculpidas de Babilonia;[c] y toda su propia tierra se avergonzará, y todos sus propios muertos caerán en medio de ella.[d]

48 "Y ciertamente clamarán gozosamente sobre Babilonia los cielos y la tierra y todo lo que en ellos hay,[e] porque del norte vendrán a ella los violentos despojadores",[f] es la expresión de Jehová. 49 "No solo fue Babilonia la causa de que cayeran los de Israel que fueron muertos,[g] sino que también en Babilonia han caído los muertos de toda la tierra.[h]

50 "Ustedes, los escapados de la espada, sigan adelante. No se detengan.[i] Desde lejos acuérdense de Jehová,[j] y suba Jerusalén misma al corazón de ustedes."[k]

51 "Hemos quedado avergonzados,[l] porque hemos oído oprobio.[m] Humillación ha cubierto nuestro rostro,[n] pues han llegado extraños contra los lugares santos de la casa de Jehová."[o]

52 "Por lo tanto, ¡miren!, vienen días —es la expresión de Jehová—, y ciertamente dirigiré mi atención a las imágenes esculpidas de ella,[p] y por toda su tierra gemirá el traspasado."[q]

53 "Aunque Babilonia ascienda a los cielos,[r] y aunque haga inaccesible la altura de su fuerza,[s] de mí llegarán a ella los violentos despojadores",[t] es la expresión de Jehová.

54 "¡Escuchen! Hay un alarido desde Babilonia,[u] y un gran estallido desde la tierra de los caldeos,[v] 55 porque Jehová está despojando con violencia a Babi-

CAP. 51

a Sl 90:11
　Isa 13:13
b Lu 21:26
c Isa 46:1
　Jer 50:2
　Jer 51:52
d Isa 13:15
　Da 5:30
e Pr 11:10
　Isa 44:23
　Isa 48:20
　Isa 49:13
　Rev 18:20
　Rev 19:2
f Jer 50:3
　Jer 50:41
g Jer 50:17
　Jer 51:24
h Sl 137:8
i Isa 48:20
　Jer 44:28
　Jer 50:8
　Rev 18:4
j Le 26:40
k Esd 1:3
　Sl 137:5
l Jer 3:25
m Sl 44:13
　Sl 79:4
n Sl 44:15
o Sl 79:1
　Lam 1:10
p Isa 46:1
　Jer 50:2
　Jer 51:47
q Isa 13:15
r Gé 11:4
　Isa 14:13
　Am 9:2
s Jer 49:16
　Da 4:30
t Jer 50:10
u Isa 13:6
v Jer 50:22

2.ᵃ col.

a Rev 18:22
b Eze 26:3
　Rev 17:15
c Isa 21:2
　Rev 17:16
d Jer 50:36
e Sl 37:15
f Dt 32:35
　Sl 94:1
　Isa 34:8
　Jer 50:29
　2Te 1:6
　Rev 18:5
g Sl 137:8
　Rev 19:2
h Jer 25:27
i Job 14:12
　Jer 51:39
j Jer 46:18
　Mal 1:14
k Jer 48:15
l Jer 50:15
　Jer 51:44
m Jer 51:30
n Sl 127:1
o Hab 2:13
p Jer 36:4
　Jer 45:1
q Jer 32:12
r Jer 30:2
s Jer 29:1
　Rev 1:3

lonia, y ciertamente destruirá de en medio de ella la gran voz,[a] y las olas de ellos realmente serán bulliciosas como muchas aguas.[b] El ruido de la voz de ellos ciertamente se emitirá. 56 Porque tiene que venir sobre ella, sobre Babilonia, el violento despojador,[c] y los hombres poderosos de ella ciertamente serán capturados.[d] Sus arcos tendrán que ser desbaratados,[e] porque Jehová es un Dios de recompensas.[f] Sin falta hará la paga.[g] 57 Y ciertamente emborracharé[h] a los príncipes de ella y a los sabios de ella, a sus gobernadores y a sus gobernantes diputados y a sus hombres poderosos, y ellos tendrán que dormir un sueño de duración indefinida, el cual no despertarán",[i] es la expresión del Rey,[j] cuyo nombre es Jehová de los ejércitos.[k]

58 Esto es lo que ha dicho Jehová de los ejércitos: "El muro de Babilonia, aunque ancho, sin falta será arrasado;[l] y sus puertas, aunque altas, serán incendiadas con fuego.[m] Y los pueblos tendrán que afanarse sencillamente para nada,[n] y grupos nacionales sencillamente para el fuego;[o] y simplemente se rendirán de cansancio".

59 La palabra que Jeremías el profeta ordenó a Seraya hijo de Nerías[p] hijo de Mahseya[q] cuando este fue con Sedequías el rey de Judá a Babilonia en el año cuarto de ser rey; y Seraya era el comisario ordenador. 60 Y Jeremías procedió a escribir en un solo libro[r] toda la calamidad que vendría sobre Babilonia, hasta todas estas palabras escritas contra Babilonia. 61 Además, Jeremías dijo a Seraya: "Tan pronto como llegues a Babilonia y realmente [la] veas, también tienes que leer en voz alta todas estas palabras,[s] 62 Y tienes que decir: 'Oh Jehová, tú mismo has hablado contra este lugar, para cortarlo de modo que no llegue a haber en él habitante

alguno,[a] sea hombre o aun animal doméstico, sino que llegue a ser meros yermos desolados hasta tiempo indefinido'. 63 Y tiene que suceder que cuando hayas completado la lectura de este libro, le atarás una piedra, y tienes que arrojarlo en medio del Éufrates.[b] 64 Y tienes que decir: 'Así es como se hundirá Babilonia, y nunca se levantará a causa de la calamidad que voy a traer sobre ella;[c] y ciertamente se rendirán de cansancio'".[d]

Hasta este punto son las palabras de Jeremías.

52 Sedequías[e] tenía veintiún años de edad cuando empezó a reinar,[f] y por once años reinó en Jerusalén.[g] Y el nombre de su madre era Hamutal[h] hija de Jeremías de Libná.[i] 2 Y él continuó haciendo lo que era malo a los ojos de Jehová,[j] conforme a todo lo que había hecho Jehoiaquim.[k] 3 Porque a causa de la cólera de Jehová esto sucedió en Jerusalén y Judá, hasta que él los hubo echado de delante de su rostro.[l] Y Sedequías procedió a rebelarse contra el rey de Babilonia.[m] 4 Por fin, en el año noveno de ser él rey,[n] en el mes décimo, al día diez del mes, aconteció que Nabucodorosor el rey de Babilonia vino, él y toda su fuerza militar, contra Jerusalén,[o] y se pusieron a acampar contra ella y a edificar contra ella un muro de asedio todo en derredor.[p] 5 De manera que la ciudad llegó a estar sitiada hasta el año undécimo del rey Sedequías.[q]

6 En el mes cuarto, el día nueve del mes,[r] también se agravó el hambre en la ciudad y resultó que no hubo pan para la gente de la tierra.[s] 7 Por fin se abrió brecha en la ciudad;[t] y en cuanto a todos los hombres de guerra, se pusieron a huir y a salir de noche de la ciudad por el camino de la puerta entre el muro doble que está junto al jardín del rey,[v] mientras los caldeos estaban todo alrededor contra la ciudad; y siguieron yendo por el camino del Arabá.[a] 8 Y una fuerza militar de los caldeos fue corriendo tras el rey,[b] y lograron alcanzar a Sedequías[c] en las llanuras desérticas de Jericó; y toda su propia fuerza militar fue esparcida de su lado.[d] 9 Entonces prendieron al rey y lo hicieron subir al rey de Babilonia[e] en Riblá,[f] en la tierra de Hamat,[g] para que este pronunciara contra él decisiones judiciales.[h] 10 Y el rey de Babilonia procedió a degollar a los hijos de Sedequías delante de sus ojos,[i] y también a todos los príncipes de Judá los degolló en Riblá.[j] 11 Y cegó los ojos de Sedequías,[k] después de lo cual el rey de Babilonia lo sujetó con grilletes de cobre y lo llevó a Babilonia[l] y lo puso en la casa de custodia hasta el día de su muerte.

12 Y en el mes quinto, el día diez del mes, es decir, [en] el año diecinueve del rey Nabucodorosor,[m] el rey de Babilonia, entró en Jerusalén Nebuzaradán[n] el jefe de la guardia de corps, que tenía su puesto delante del rey de Babilonia. 13 Y procedió a quemar la casa de Jehová[o] y la casa del rey y todas las casas de Jerusalén;[p] y quemó con fuego toda casa grande.[q] 14 Y todas las fuerzas militares de los caldeos que estaban con el jefe de la guardia de corps demolieron todos los muros de Jerusalén,[r] en derredor.

15 Y a algunos de los de condición humilde del pueblo y a los demás del pueblo que quedaban en la ciudad[s] y a los desertores que se habían pasado al rey de Babilonia y a los demás de los obreros maestros se los llevó al destierro Nebuzaradán el jefe de la guardia de corps.[t] 16 Y a al-

a Isa 13:20; Isa 14:23; Jer 50:3; Jer 50:39; Jer 51:29; Jer 51:37; Rev 18:23; b Jer 46:10; Rev 18:21; c Jer 25:27; d Jer 51:58; e 2Re 24:17; f 2Re 24:18; g 2Cr 36:11; h 2Re 23:31; i Jos 10:29; j 2Re 24:19; 2Cr 36:12; 2Cr 36:13; k 2Re 24:1; 2Cr 36:5; l Le 26:33; Dt 31:17; m 2Re 24:20; 2Cr 36:13; Eze 17:15; n Jer 39:1; o Jer 39:1; p Dt 28:52; Isa 29:3; Eze 4:2; Eze 21:22; Lu 19:43; q 2Cr 36:11; r 2Re 25:3; Jer 39:2; s Le 26:26; Dt 28:53; Isa 3:1; Eze 4:16; t 2Re 25:4; Jer 34:2; u Dt 28:25; v Jer 39:4; a Dt 3:17; Jos 3:16; b Jer 32:4; c 2Re 25:5; Jer 24:8; Jer 34:21; Jer 37:17; Jer 38:18; Jer 39:5; Eze 12:13; d Am 2:14; e Jer 32:4; f 2Re 25:21; g Nú 13:21; 1Re 8:65; h 2Re 25:6; Jer 39:5; i 2Re 25:7; Jer 39:6; k Eze 12:13; l 2Re 25:7; Jer 39:7; m 2Re 25:8; n 2Re 25:11; Jer 39:9

o 1Re 9:8; 2Re 25:9; 2Cr 7:21; 2Cr 36:19; Sl 74:3; Sl 79:1; Jer 34:8; Lam 2:7; Eze 24:21; p Jer 38:23; Am 2:5; q Le 26:31; Jer 34:22; Jer 37:8; r 2Re 25:10; Jer 39:8; s 2Re 25:11; t Jer 39:9.

gunos de condición humilde del país Nebuzaradán el jefe de la guardia de corps dejó que se quedaran como viñadores y trabajadores bajo obligación.[a]

17 Y las columnas de cobre[b] que pertenecían a la casa de Jehová, y las carretillas,[c] y el mar de cobre[d] que había en la casa de Jehová, los caldeos los hicieron pedazos, y fueron llevándose todo el cobre de ellos a Babilonia.[e] 18 Y los recipientes y las palas[f] y los apagadores[g] y los tazones[h] y las copas y todos los utensilios de cobre con que se solía ministrar, los tomaron.[i] 19 Y las fuentes[j] y los braserillos y los tazones[k] y los recipientes y los candelabros[l] y las copas y los tazones que eran de oro[m] genuino, y los que eran de plata genuina,[n] los tomó el jefe de la guardia de corps.[o] 20 Y las dos columnas,[p] el único mar[q] y los doce toros de cobre[r] que estaban debajo [del mar], las carretillas, que había hecho el rey Salomón para la casa de Jehová.[s] Sucede que no [se tomó el] peso del cobre de ellos... de todos estos objetos.[t]

21 Y en cuanto a las columnas, de dieciocho codos de altura era cada columna,[u] y un hilo de doce codos mismo la circundaba;[v] y su grueso era de cuatro dedos, y era hueca. 22 Y el capitel sobre ella era de cobre,[w] y la altura de un capitel era de cinco codos;[x] y en cuanto a la obra de malla y las granadas sobre el capitel, todo en derredor,[y] todo ello era de cobre; y la segunda columna tenía justamente lo mismo que estos, también las granadas.[z] 23 Y de las granadas sucedía que había noventa y seis, en los lados, y eran cien todas las granadas sobre la obra de malla en derredor.[a]

24 Además, el jefe de la guardia de corps tomó a Seraya[b] el sacerdote principal y a Sofonías[c] el segundo sacerdote y a los tres guardas de la puerta,[d] 25 y de la ciudad tomó a un oficial de la corte que, según sucedía, era el comisionado de los hombres de guerra, y a siete hombres de los que tenían acceso al rey,[a] que fueron hallados en la ciudad, y al secretario del jefe del ejército, el que reunía con fines militares a la gente de la tierra, y a sesenta hombres de la gente de la tierra, a quienes se halló en medio de la ciudad.[b] 26 De modo que Nebuzaradán[c] el jefe de la guardia de corps tomó a estos y los condujo al rey de Babilonia en Riblá.[d] 27 Y a estos el rey de Babilonia procedió a derribarlos[e] y a darles muerte en Riblá,[f] en la tierra de Hamat.[g] Así Judá se fue al destierro de sobre su suelo.[h]

28 Estas son las personas a quienes Nabucodorosor llevó al destierro: en el año séptimo, tres mil veintitrés judíos.[i]

29 En el año dieciocho de Nabucodorosor,[j] de Jerusalén hubo ochocientas treinta y dos almas.

30 En el año veintitrés de Nabucodorosor, Nebuzaradán el jefe de la guardia de corps llevó al destierro a judíos, a setecientas cuarenta y cinco almas.[k]

Todas las almas fueron cuatro mil seiscientas.

31 Por fin, en el año treinta y siete del destierro de Joaquín[l] el rey de Judá, en el mes duodécimo, el día veinticinco del mes, aconteció que Evil-merodac el rey de Babilonia, en el año que llegó a ser rey, elevó la cabeza[m] de Joaquín el rey de Judá y procedió a sacarlo de la casa de encierro. 32 Y empezó a hablar con él cosas buenas y a poner el trono de él más alto que los tronos de los [otros] reyes que estaban con él en Babilonia.[n] 33 Y le quitó sus prendas de vestir de prisionero,[o] y él comió pan[p] delante de él constantemente todos los días de su vida.[q] 34 Y en cuanto a su porción designada, se le dio con constancia una porción designada de parte del rey de Babilonia, diariamente como debido, hasta el día de su muerte,[r] todos los días de su vida.

CAP. 52
a 2Re 25:12
2Re 25:22
Jer 39:10
b 1Re 7:15
2Re 25:16
2Cr 4:12
Jer 27:19
c 1Re 7:27
2Cr 4:14
d 1Re 7:23
2Cr 4:15
e 2Re 25:13
f 1Re 7:45
g 2Cr 4:22
h 1Re 7:50
2Re 25:15
i 2Re 25:14
j 1Re 7:38
k 2Cr 4:22
l 1Re 7:49
m 2Cr 24:14
n 2Re 25:15
o 2Re 25:11
2Cr 36:18
p 1Re 7:21
q 1Re 7:23
2Cr 4:15
r 1Re 7:25
s 1Re 7:14
t 2Re 25:16
u 2Re 25:17
v 1Re 7:15
w 1Re 7:16
x 2Cr 3:15
y 2Cr 4:13
z 1Re 7:18
2Cr 3:16
a 1Re 7:20
b 1Cr 6:14
Esd 7:1
c Jer 21:1
Jer 29:25
Jer 29:29
d 2Re 25:18

2.ª col.
a Est 1:14
b 2Re 25:19
c 2Re 25:8
Jer 39:9
Jer 40:1
d 2Re 25:20
e 2Re 25:21
f 2Re 25:6
Jer 52:10
g 2Sa 8:9
h Le 18:25
Le 26:33
Dt 28:36
Isa 24:3
Jer 25:9
i 2Re 24:14
j Jer 32:1
k Jer 6:9
l 2Re 24:8
2Re 25:27
Jer 24:1
Jer 37:1
Mt 1:11
m Gé 40:20
n 2Re 25:28
o Gé 41:14
p 2Sa 9:13
1Re 2:7
q 2Re 25:29
r 2Re 25:30

LAMENTACIONES

א [*'Á·lef*]

1 ¡Oh, cómo ha llegado a sentarse solitaria,ª la ciudad que abundaba en gente!ᵇ
¡Cómo ha quedado como viuda,ᶜ la que era populosa entre las naciones!ᵈ
Aquella que era princesa entre los distritos jurisdiccionales, ¡cómo ha llegado a ser para trabajo forzado!ᵉ

ב [*Behth*]

2 Profusamente llora durante la noche,ᶠ y sus lágrimas están sobre sus mejillas.ᵍ
No tiene nadie que la consuele de entre todos sus amadores.ʰ
Todos sus mismísimos compañeros la han tratado traidoramente.ⁱ Se han vuelto enemigos suyos.ʲ

ג [*Guí·mel*]

3 Judá se ha ido al destierro a causa de la aflicciónᵏ y a causa de la abundancia de servidumbre.ˡ
Ella misma ha tenido que morar entre las naciones.ᵐ No ha hallado lugar de descanso.
Todos los que la perseguían la han alcanzado en medio de circunstancias angustiosas.ⁿ

ד [*Dá·leth*]

4 Los caminos de Sión están de duelo, porque no hay quienes vengan a la fiesta.ᵒ
Todas sus puertas están desoladas;ᵖ sus sacerdotes están suspirando.ᑫ
Sus vírgenes están desconsoladas, y ella misma tiene amargura.ʳ

CAP. 1

a Isa 3:26
  Lam 2:10
b Sl 122:4
c Isa 54:4
d 1Re 4:20
e Dt 28:48
  2Re 25:12
f Jer 9:1
  Lam 1:16
g Jer 13:17
h Jer 4:30
  Eze 16:37
i Jer 30:14
j Isa 30:3
k Le 26:33
  2Re 24:14
  2Re 25:21
  Jer 39:9
  Jer 52:27
l Dt 30:7
  Jer 17:4
m Dt 28:64
  Jer 24:9
  Lam 2:9
n Lam 4:19
o Lam 2:11
  Os 2:11
  Am 8:10
p Isa 3:26
  Jer 14:2
q Jer 4:9
r Jer 9:20

2.ª col.

a Dt 28:44
b Sl 80:6
  Isa 47:6
  Zac 1:15
c 2Cr 36:16
  Ne 9:33
  Jer 30:14
  Lam 1:18
  Eze 8:17
  Da 9:7
  Da 9:16
d Jer 39:9
  Jer 52:30
e Eze 24:21
f Isa 5:13
g Jer 46:15
h 1Re 9:19
  1Re 10:27
  Lam 1:10
  1Jer 52:4
j Sl 137:3
  Pr 24:17
  Lam 2:16
k 1Re 8:46
  Isa 1:4
  Isa 59:2
  Jer 6:28
  Eze 14:13
  Eze 22:4
l 1Re 9:7
  Lam 4:6
m Jer 24:9
n Jer 13:22
  Jer 13:26
  Eze 16:37
  Os 2:10
o Jer 4:31
p Jer 2:34
q Dt 32:29
  Jer 8:7

ה [*He'*]

5 Sus adversarios han llegado a ser la cabeza.ª Los que son sus enemigos están despreocupados.ᵇ
Porque Jehová mismo le ha traído desconsuelo a causa de la abundancia de sus transgresiones,ᶜ
sus propios hijos han caminado cautivos delante del adversario.ᵈ

ו [*Waw*]

6 Y de la hija de Sión sale todo su esplendor.ᵉ
Sus príncipes han resultado ser como ciervos que no han hallado pastos;ᶠ
y siguen caminando, privados de poder, delante del perseguidor.ᵍ

ז [*Zá·yin*]

7 Jerusalén se ha acordado, [en] los días de su aflicción y de su pueblo sin hogar,
de todas sus cosas deseables que habían sido desde los días de mucho tiempo atrás.ʰ
Cuando su pueblo cayó en la mano del adversario y ella no tuvo ayudador,ⁱ
la vieron los adversarios. Se rieron de su desplome.ʲ

ח [*Jehth*]

8 Jerusalén ha cometido verdadero pecado.ᵏ Por eso ha llegado a ser una simple cosa aborrecible.ˡ
Todos los que la honraban la han tratado como algo barato,ᵐ pues han visto su desnudez.ⁿ
Ella misma también está suspirando,ᵒ y vuelve la espalda.

ט [*Tehth*]

9 Su inmundicia está en sus faldas.ᵖ No se acordó del futuro que había para ella,ᑫ

y abajo va de manera asombrosa. No tiene consolador.ª

Oh Jehová, ve mi aflicción,b porque el enemigo se ha dado grandes ínfulas.c

ᵎ [Yohdh]

10 El adversario ha extendido su propia mano contra todas las cosas deseables de ella.d

Pues ella ha visto a naciones que han entrado en su santuario,e de quienes mandaste que no entraran en la congregación que te pertenece.

ᵓ [Kaf]

11 Todo su pueblo está suspirando; andan buscando pan.f

Han dado sus cosas deseables por algo de comer, para refrescar el alma.g

Mira, oh Jehová, y de veras observa, porque he llegado a ser como una mujer que nada vale.h

ᵎ [Lámedh]

12 ¿No les importa, a todos ustedes que van pasando por el camino? Miren y vean.i

¿Existe algún dolor como mi dolor que con severidad me ha sido asestado,j con el cual Jehová ha causado desconsuelo en el día de su ardiente cólera?k

ᵚ [Mem]

13 Desde la altura él ha enviado fuego a mis huesos,l y sojuzga a cada uno.

Ha tendido una red para mis pies.m Me ha vuelto hacia atrás.

Ha hecho de mí una que está desolada. Todo el día estoy enferma.n

ᵓ [Nun]

14 Se ha mantenido alerta contra mis transgresiones.o

En su mano se entretejen.

Han subido sobre mi cuello.ª Mi poder ha tropezado.

Jehová me ha dado en la mano de aquellos contra quienes no puedo levantarme.b

ᵓ [Sámekj]

15 A todos mis poderosos Jehová los ha echado a un lado de en medio de mí.c

Ha convocado contra mí una reunión, para hacer pedazos a mis jóvenes.d

Jehová ha pisado el mismísimo lagare que pertenece a la virgen hija de Judá.f

ᵛ ['Áyin]

16 Por estas cosas estoy llorando como una mujer.g Mi ojo, mi ojo deja rodar aguas.h

Porque ha quedado lejos de mí el consolador, alguien que refresque mi alma.

Mis hijos han llegado a ser quienes están desolados,i porque el enemigo se ha dado grandes ínfulas.j

ᵱ [Pe']

17 Sión ha extendido sus manos.k No tiene consolador.l

Jehová ha dado una orden respecto a Jacob a todos los que están en torno de él como sus adversarios.m

Jerusalén ha llegado a ser una cosa aborrecible en medio de ellos.n

ᵗ [Tsadhéh]

18 Jehová es justo,o porque es contra su boca contra lo que me he rebelado.p

Escuchen, ahora, pueblos todos, y vean mi dolor.

Mis propias vírgenes y mis propios jóvenes se han ido al cautiverio.q

ᵱ [Qohf]

19 He llamado a los que me aman

intensamente.ᵃ Ellos mismos me han embaucado.

En la ciudad mis propios sacerdotes y mis propios viejos han expirado,ᵇ

mientras tuvieron que buscar algo de comer para sí para refrescar su alma.ᶜ

ר [*Rehsch*]

20 Mira, oh Jehová, porque estoy en grave aprieto. Mis intestinos mismos se hallan en agitación.ᵈ

Mi corazón se ha volcado en medio de mí,ᵉ porque he sido absolutamente rebelde.ᶠ

Afuera la espada ha privado de hijos.ᵍ Dentro de la casa es lo mismo que la muerte.ʰ

ש [*Schin*]

21 La gente ha oído cómo yo misma estoy suspirando como una mujer.ⁱ No hay consolador para mí.ʲ

Todos mis enemigos mismos han oído de mi calamidad.ᵏ Se han alborozado, porque tú mismo [lo] has hecho.ˡ

Ciertamente traerás el día que has proclamado,ᵐ para que ellos lleguen a ser como yo.ⁿ

ת [*Taw*]

22 Venga delante de ti toda su maldad, y trátalos severamente,ᵒ

así como me has tratado severamente a mí por causa de todas mis transgresiones.ᵖ

Porque son muchos mis suspiros,q y mi corazón está enfermo.ʳ

א [*Á·lef*]

2 ¡Oh, cómo oscurece Jehová en su cólera a la hija de Sión!ˢ

Ha arrojado del cielo a la tierraᵃ la hermosura de Israel.ᵇ

Y no se ha acordado del escabel de sus piesᶜ en el día de su cólera.

ב [*Behth*]

2 Jehová ha tragado, no ha mostrado compasión a ningún lugar de habitaciónᵈ de Jacob.

En su furor ha demolido los lugares fortificadosᵉ de la hija de Judá.

Ha puesto en contacto con la tierra,ᶠ ha profanado al reinoᵍ y a sus príncipes.ʰ

ג [*Guí·mel*]

3 En el ardor de la cólera ha cortado todo cuerno de Israel.ⁱ

Ha vuelto atrás su diestra de delante del enemigo;ʲ

y en Jacob sigue ardiendo como un fuego llameante que ha devorado todo en derredor.ᵏ

ד [*Dá·leth*]

4 Ha pisado su arco como enemigo.ˡ Su diestraᵐ ha tomado su posición como adversario,ⁿ y siguió matando a todos aquellos deseables a los ojos.ᵒ

En la tiendaᵖ de la hija de Sión ha derramado su furia, justamente como fuego.q

ה [*He'*]

5 Jehová ha llegado a ser como enemigo.ʳ Se ha tragado a Israel.ˢ

Se ha tragado todas las torres de habitación de ella;ᵗ ha arruinado todos los lugares fortificados de él.ᵘ

Y hace abundar en la hija de Judá duelo y lamentación.ᵛ

CAP. 1
a Jer 30:14
b Jer 14:15
  Jer 23:11
c Lam 1:11
d Job 30:27
  Jer 4:19
  Lam 2:11
e Sl 13:2
  Sl 25:17
f Dt 9:23
  Sl 5:10
  Sl 107:11
  Isa 1:2
  Isa 63:10
  Eze 20:8
g Sl 32:25
  Jer 9:21
  Jer 15:2
h Jer 14:18
  Jer 18:21
  Eze 7:15
i Lam 1:16
j Sl 69:20
  Jer 30:14
k Mt 40:2
l Eze 25:6
  Abd 12
m Sl 37:13
  Isa 13:19
  Sl 25:14
  Joe 3:19
n Sl 137:8
  Isa 51:23
o Sl 109:15
  Jer 51:35
  Ro 2:6
  Snt 2:13
p Job 34:11
  Jer 16:18
q Lam 1:11
r Isa 1:5
  Jer 8:18
  Lam 5:17

CAP. 2
s Lam 3:44

2.ᵃ col.

a Mt 11:23
b Lam 2:15
  Eze 16:14
c 1Cr 28:2
  Sl 99:5
  Sl 132:7
  Isa 60:13
d Dt 28:30
  Lam 2:17
  Lam 3:43
e Dt 28:52
  Miq 5:11
f Isa 25:12
  Isa 26:5
g Sl 89:39
  Isa 47:6
  Eze 21:27
h Isa 39:7
  Isa 43:28
i Job 16:15
  Sl 75:10
j Sl 74:11
k Dt 32:22
  2Re 25:9
  Sl 89:46
  Isa 42:25
  Jer 4:4
  Jer 7:20
  Lam 4:11
  Heb 12:29
l Job 6:4
  Isa 63:10
  Jer 21:5
  Jer 30:14

m Éx 15:6; n Dt 28:63; o 2Re 25:21; Lam 5:12;
p Jer 10:20; q Isa 42:25; Jer 4:4; r Jer 30:14;
s 2Cr 36:16; t 2Re 25:9; Jer 52:13; Os 8:14; u Jer
5:17; v Eze 2:10.

ו [*Waw*]

6 Y trata con violencia su cabaña[a] como la de un jardín.[b]
Ha arruinado su fiesta.
Jehová ha hecho olvidar en
Sión fiesta[c] y sábado,
y en su airada denuncia-
ción no muestra respe-
to a rey ni a sacerdote.[d]

ז [*Zá·yin*]

7 Jehová ha desechado su altar.[e]
Ha rechazado con desdén
su santuario.[f]
En la mano del enemigo ha
entregado los muros de
las torres de habitación
de ella.[g]
En la casa de Jehová ellos
han dado salida a [su]
propia voz, como en día
de fiesta.[h]

ח [*Jehth*]

8 Jehová ha pensado en arruinar el muro[i] de la hija de
Sión.
Ha extendido el cordel de
medir.[j] No ha retraído su
mano de tragar.[k]
Y hace que antemural y
muro estén de duelo.[l]
Juntos han desaparecido.

ט [*Tehth*]

9 Sus puertas[m] se han hundido
en la mismísima tierra.
Él ha destruido y hecho
pedazos sus barras.
El rey y los príncipes de ella
están entre las naciones.[n]
No hay ley.[o]
Sus propios profetas, igualmente, no han hallado vi-
sión de parte de Jehová.[p]

י [*Yodh*]

10 Los ancianos de la hija de
Sión se sientan en la
tierra, [donde] guardan
silencio.[q]
Han hecho subir polvo so-
bre su cabeza.[r] Se han ceñido de saco.[s]
Las vírgenes de Jerusalén
han bajado la cabeza has-
ta la mismísima tierra.[t]

כ [*Kaf*]

11 Se me han acabado los ojos en
puras lágrimas.[a] Mis intestinos se hallan en agitación.[b]
Mi hígado ha sido derramado a la misma tierra,[c] a
causa del estallido de la
hija de mi pueblo,[d]
a causa del desmayo de
niño y lactante en las plazas públicas del pueblo.[e]

ל [*Lá·medh*]

12 A sus madres siguieron diciendo: "¿Dónde hay gra-
no y vino?",[f]
a causa de desmayarse
como alguien que hubie-
ra sido muerto en las plazas públicas de la ciudad,
a causa de ser derramada el
alma de ellos en el seno
de sus madres.

מ [*Mem*]

13 ¿De qué te usaré como testigo? ¿Qué asemejaré a ti,
oh hija de Jerusalén?[g]
¿Qué pondré como igual a
ti, para poder consolarte,
oh virgen hija de Sión?[h]
Porque tu quebranto[i] es
tan grande como el mar.
¿Quién puede traerte cu-
ración?[j]

נ [*Nun*]

14 Tus propios profetas han visto en visiones para ti
cosas inútiles y que no
satisfacen,[k]
y no han puesto al descu-
bierto tu error para vol-
ver atrás tu cautiverio;[l]
antes bien, siguieron viendo en visiones para ti
declaraciones formales
inútiles y que extravían.[m]

ס [*Sá·mekj*]

15 Contra ti todos los que van
pasando por el camino
han batido las manos.[n]

CAP. 2

a 2Cr 36:19
Sl 78:60
Isa 63:18
Isa 64:11
b Sl 80:12
Sl 89:40
Isa 1:8
c Lam 1:4
Os 2:11
Sof 3:18
d Job 34:19
Jer 52:24
Ro 2:11
e Jer 52:18
f Le 26:31
Jer 26:6
Jer 52:13
Eze 24:21
Miq 3:12
g 2Cr 36:19
Jer 32:29
Os 8:14
h Sl 74:4
i Jer 25:10
Jer 39:8
j 2Re 21:13
Isa 28:17
Am 7:7
k Job 13:21
Lam 2:2
l Am 3:26
m Ne 1:3
Jer 14:2
n Dt 28:36
2Re 24:15
2Re 25:7
Isa 39:7
Lam 1:6
Lam 4:20
Eze 12:13
Da 1:3
o 2Cr 15:3
Jer 7:26
p Sl 74:9
Jer 23:16
Lam 2:14
Eze 13:3
q Isa 3:26
Jer 8:14
Lam 3:28
Am 5:13
r Jos 7:6
Job 2:12
s Jer 6:26
Eze 7:18
Eze 27:31
t Lam 1:4

2.ª col.

a Sl 6:7
Lam 1:16
Lam 3:48
b Lam 1:20
c Job 30:16
d Isa 22:4
Jer 14:17
e Jer 11:22
Lam 2:19
Lam 4:4
f Dt 28:51
2Re 25:3
Isa 3:1
Jer 18:21
g Lam 1:12
h Isa 51:19
i Jer 8:21
Jer 14:17
Da 9:12
j Jer 30:12

k Jer 2:8; Jer 5:12; Jer 5:31; Jer 23:16; Jer 27:14;
Jer 29:9; Eze 13:2; l Isa 58:1; Jer 23:14; m Jer
23:32; Jer 27:9; Miq 3:5; Sof 3:4; n Eze 25:6; Na
3:19.

Han silbado[a] y han seguido meneando la cabeza[b] hacia la hija de Jerusalén [mientras decían]:

"¿Es esta la ciudad de la cual solían decir: 'Es la perfección de belleza, un alborozo para toda la tierra'?".[c]

** D [Pe']**

16 Contra ti todos tus enemigos han abierto la boca.[d]

Han silbado y han seguido crujiendo los dientes.[e] Han dicho: "Ciertamente nos [la] tragaremos.[f]

Este realmente es el día que hemos aguardado con esperanza.[g] ¡Hemos hallado! ¡Hemos visto!".[h]

V [Á·yin]

17 Jehová ha hecho lo que tenía pensado.[i] Ha realizado su dicho,[j]

lo que había ordenado desde los días de mucho tiempo atrás.[k] Ha demolido y no ha mostrado compasión.[l]

Y hace que el enemigo se regocije sobre ti.[m] Ha elevado el cuerno de tus adversarios.[n]

Z [Tsa·dhéh]

18 El corazón de ellos ha clamado a Jehová,[o] oh muro de la hija de Sión.[p]

Haz que las lágrimas desciendan justamente como un torrente día y noche.[q]

No te des entumecimiento. No se quede quieta la niña de tu ojo.

P [Qohf]

19 ¡Levántate! Lloriquea durante la noche al comienzo de las vigilias matutinas.[r]

Derrama tu corazón[s] justamente como agua delante del rostro[t] de Jehová.

Levanta hacia él las palmas de tus manos[u] a causa del alma de tus niños,

que están desmayándose a causa del hambre a la cabecera de todas las calles.[a]

ㄱ [Rehsch]

20 Mira, oh Jehová, y de veras observa[b] a aquella a quien has tratado severamente de esta manera.

¿Acaso las mujeres deben seguir comiendo su propio fruto, los hijos que han nacido completamente formados?,[c]

¿o se debe matar en el santuario de Jehová a sacerdote y profeta?[d]

W [Schin]

21 Muchacho y viejo[e] se han acostado en la tierra de las calles.[f]

Mis vírgenes y mis jóvenes mismos han caído a espada.[g]

Has matado en el día de tu cólera.[h] Has degollado;[i] no has tenido compasión.[j]

ת [Taw]

22 Como en día de fiesta[k] procediste a proclamar los lugares de mi residencia como forastera todo en derredor.

Y en el día de la ira de Jehová no resultó haber escapado ni sobreviviente;[l]

a los que di a luz completamente formados y crié, mi enemigo mismo los exterminó.[m]

א [Á·lef]

3 Soy el hombre físicamente capacitado que ha visto la aflicción[n] a causa del bastón de su furor.

2 Es a mí a quien él ha conducido y hace andar en oscuridad y no en luz.[o]

CAP. 2
a 1Re 9:8
  Jer 18:16
  Jer 19:8
  Jer 25:9
  Miq 6:16
b Sl 22:7
  Sl 44:14
  Mt 27:39
  Mr 15:29
c Sl 48:2
  Sl 50:2
  Eze 16:14
d Job 16:10
  Sl 22:13
  Sl 35:21
  Sl 109:2
e Job 16:9
  Sl 37:12
  Hch 7:54
f Isa 49:19
  Jer 51:34
g Miq 4:11
h Sl 35:21
  Abd 13
i Jer 18:11
  Miq 2:3
j 2Re 23:27
  Isa 46:10
  Isa 55:11
k Le 26:17
  Dt 28:15
l Eze 5:11
  Eze 7:9
  Eze 9:10
m Sl 38:16
  Sl 89:42
n Lam 1:5
o Sl 119:145
p Lam 2:8
q Jer 9:1
  Jer 13:17
  Jer 14:17
  Lam 1:16
r Sl 119:148
s 1Sa 1:15
  Sl 62:8
  Sl 142:2
t Sl 88:1
  Da 9:3
u 1Re 8:54

2.ᵃ col.
a Isa 51:20
  Lam 4:9
  Eze 5:16
b Jer 14:21
c Le 26:29
  Dt 28:53
  Jer 19:9
  Lam 4:10
  Eze 5:10
d Sl 78:64
  Mt 23:35
e Dt 28:50
  2Cr 36:17
f Sl 18:42
g Jer 9:21
  Jer 18:21
  Lam 1:15
h Jer 21:7
i Eze 9:6
j Éx 34:7
  Jer 13:14
  Lam 2:2
  Lam 3:43
  Eze 5:11
  Eze 7:4
k Dt 16:16
l Jer 46:5
  Am 9:1

m Dt 28:18; Jer 16:4; Os 9:12; CAP. 3 n Sl 71:20; o Dt 28:29; Isa 59:9; Jer 13:16.

3 Realmente, contra mí él vuelve repetidas veces la mano todo el día.[a]

ב [*Behth*]

4 Ha hecho que mi carne y mi piel se desgasten.[b] Ha quebrado mis huesos.[c]

5 Ha edificado contra mí, para poder rodear[me][d] de planta venenosa[e] y penalidad.

6 En lugares oscuros[f] me ha hecho estar sentado como hombres que han estado muertos por largo tiempo.[g]

ג [*Guí·mel*]

7 Me ha obstruido [el paso] como con un muro de piedra, para que no salga.[h] Ha hecho pesados mis grilletes de cobre.[i]

8 También, cuando clamo por socorro y grito por ayuda, él realmente estorba mi oración.[j]

9 Ha obstruido mis caminos con piedra labrada.[k] Ha torcido mis veredas.[l]

ד [*Dá·leth*]

10 Como oso en acecho él es para mí,[m] como león en escondrijos.[n]

11 Ha desarreglado mis caminos, y me hace quedar en barbecho. Ha hecho de mí uno que está desolado.[o]

12 Ha pisado su arco,[p] y me coloca como el blanco para la flecha.[q]

ה [*He'*]

13 Ha introducido en mis riñones los hijos de su aljaba.[r]

14 He llegado a ser objeto de risa[s] a toda la gente [que está] contra mí, el tema de su canto todo el día.[t]

15 Me ha dado suficiencia de amarguras.[u] Me ha saturado de ajenjo.[v]

ו [*Waw*]

16 Y con grava hace que se me quiebren los dientes.[a] Ha hecho que me agache acobardado en las cenizas.[b]

17 Tú también efectúas un desechar de manera que no hay paz para mi alma. He perdido memoria de lo que es bueno.[c]

18 Y sigo diciendo: "Ha perecido mi excelencia, y mi expectación de parte de Jehová".[d]

ז [*Zá·yin*]

19 Acuérdate de mi aflicción y de mi estado sin hogar,[e] del ajenjo y de la planta venenosa.[f]

20 Sin falta se acordará tu alma y se inclinará sobre mí.[g]

21 Esto es lo que traeré de vuelta a mi corazón.[h] Por eso mostraré una actitud de espera.[i]

ח [*Jehth*]

22 Son los hechos de bondad amorosa[j] de Jehová el que no nos hayamos acabado,[k] porque sus misericordias ciertamente no terminan.[l]

23 Son nuevas cada mañana.[m] Es abundante tu fidelidad.[n]

24 "Jehová es la parte que me corresponde[o] —ha dicho mi alma—, por eso mostraré una actitud de espera por él."[p]

ט [*Tehth*]

25 Bueno es Jehová al que espera en él,[q] al alma que sigue buscándolo.[r]

26 Bueno es que uno espere,[s] aun callado,[t] la salvación de Jehová.[u]

27 Bueno le es al hombre físicamente capacitado llevar el yugo durante su juventud.[v]

CAP. 3

a Isa 63:10
b Sl 38:3
c Sl 51:8; Isa 38:13; Jer 50:17
d Job 3:23
e Jer 8:14; Jer 9:15; Jer 23:15; Lam 3:19
f Sl 88:6
g Sl 88:5; Sl 143:3
h Job 19:8; Sl 88:8; Os 2:6
i Jer 39:7; Jer 52:11
j Job 30:20; Sl 22:2; Sl 80:4; Sl 102:2; Pr 15:29; Isa 1:15; Miq 3:4
k Job 19:8
l Job 34:11; Isa 63:17
m Os 13:8; Am 5:19
n Job 10:16; Job 38:40; Os 5:14
o Jer 6:8; Jer 32:43
p Sl 7:12
q Job 6:4; Job 7:20; Job 16:12; Sl 38:2
r Job 6:4; Job 16:13
s Job 30:1; Sl 44:13; Jer 20:7
t Job 30:9; Sl 69:12; Sl 137:3
u Rut 1:20; Job 9:18
v Jer 9:15; Jer 23:15

2.ª col.

a Pr 20:17
b Sl 102:9; Jer 6:26
c Gé 41:30
d Job 17:15; Sl 31:22
e Ne 9:32; Sl 137:1
f Jer 9:15; Lam 3:5
g Sl 113:7
h Sl 77:11
i Sl 130:7; Miq 7:7
j Sl 25:6; Sl 69:16
k Esd 9:8; Sl 77:8; Sl 106:45; Mal 3:6
l Ne 9:31; Sl 78:38; Sl 86:15; Jer 30:11; Miq 7:18; Lu 1:50
m Sl 30:5; Isa 33:2

n Dt 32:4; Sl 36:5; Sl 89:2; o Sl 16:5; Sl 73:26; Sl 119:57; Sl 142:5; p Sl 31:24; Sl 130:7; q Sl 25:3; Sl 39:7; Sl 130:5; Isa 25:9; Isa 30:18; Miq 7:7; r 1Cr 28:9; Sl 38:9; Isa 26:9; Sof 2:3; s Sl 31:24; t Sl 37:7; u Sl 36:6; Sl 116:6; Pr 20:22; v Sl 119:71.

י [*Yohdh*]

28 Que se siente solitario y se
quede callado,[a] porque él
le ha impuesto [algo].[b]
29 Que ponga su boca en el
mismísimo polvo.[c] Qui-
zás exista una esperan-
za.[d]
30 Que dé [su] mejilla al mismísimo que lo golpea.[e] Que
tenga su suficiencia de
oprobio.[f]

כ [*Kaf*]

31 Porque Jehová no seguirá desechando hasta tiempo
indefinido.[g]
32 Porque aunque haya causado
desconsuelo,[h] también
ciertamente mostrará
misericordia conforme a
la abundancia de su bon-
dad amorosa.[i]
33 Porque no de su propio corazón ha afligido ni descon-
suela a los hijos de los
hombres.[j]

ל [*Lá·medh*]

34 El aplastar debajo de los pies
de uno[k] a todos los prisioneros de la tierra,[l]
35 el desviar el juicio de un hombre físicamente capacita-
do delante del rostro del
Altísimo,[m]
36 el torcer a un hombre en su
causa judicial, no lo ha
aprobado Jehová mis-
mo.[n]

מ [*Mem*]

37 ¿Quién, pues, ha dicho que
ocurra algo [cuando] Je-
hová mismo no ha dado
la orden?[o]
38 De la boca del Altísimo no salen cosas malas y lo que
es bueno.[p]
39 ¿Cómo puede un hombre viviente entregarse a que-
jas,[q] un hombre físi-
camente capacitado, a
causa de su pecado?[r]

נ [*Nun*]

40 De veras escudriñemos nuestros caminos y exploré-
moslos,[a] y volvámonos,
sí, hasta Jehová.[b]
41 Levantemos nuestro corazón
junto con las palmas de
[nuestras] manos a Dios
en los cielos:[c]
42 "Nosotros mismos hemos
transgredido, y nos he-
mos portado rebelde-
mente.[d] Tú mismo no has
perdonado.[e]

ס [*Sá·mekj*]

43 Has obstruido el acceso con
cólera,[f] y continúas siguiendo tras nosotros.[g]
Has matado; no has mos-
trado compasión.[h]
44 Has obstruido el acceso a ti
mismo con una masa de
nubes,[i] para que no pase
la oración.[j]
45 Haces que seamos simple basura y desecho en medio
de los pueblos".[k]

פ [*Pe'*]

46 Contra nosotros han abierto
la boca todos nuestros
enemigos.[l]
47 Pavor y el hueco mismos han
llegado a ser nuestros,[m]
desolación y quebranto.[n]
48 Arroyos de agua deja rodar mi
ojo a causa del quebranto
de la hija de mi pueblo.[o]

ע [*Á·yin*]

49 Mi ojo mismo ha sido derramado y no quiere quedar-
se quieto, de modo que no
hay pausas,[p]
50 hasta que Jehová mire y vea
desde el cielo.[q]
51 Mi propio ojo ha tratado severamente a mi alma,[r] a
causa de todas las hijas
de mi ciudad.[s]

צ [*Tsa·dhéh*]

52 Mis enemigos realmente me
han cazado justamente

CAP. 3

a Sl 4:4; Lam 2:10
b Sl 39:9; Jer 15:17; Lam 3:39
c Job 42:6; Eze 16:63
d 2Sa 12:22; Joe 2:14; Jon 3:9
e Miq 5:1; Mt 5:39; 1Pe 2:23
f Sl 123:3; Isa 50:6
g Sl 77:7; Sl 94:14; Jer 3:12; Jer 31:37; Jer 32:40; Miq 7:18
h Job 5:18; Sl 30:5; Isa 54:7
i 2Re 13:23; Sl 13:5; Sl 78:38; Sl 103:9; Sl 103:11; Sl 106:45; Jer 31:20
j Isa 55:7; Jer 7:31; Jer 18:8; Eze 33:11; Heb 12:10; Snt 1:13; 2Pe 3:9
k Isa 51:23
l Sl 69:33; Sl 79:11; Sl 102:20
m Sl 12:5; Sl 140:12; Pr 17:15; Pr 22:22; Isa 5:23
n Isa 59:15; Hab 1:13
o Sl 33:9; Pr 16:9; Pr 19:21; Isa 46:10
p Snt 3:11
q Pr 19:3
r Sl 103:10; Miq 7:9

2.ª col.

a Sl 119:59; Eze 18:28; Ag 1:5
b Dt 4:30; Isa 55:7; Os 6:1; Joe 2:13; Snt 4:8
c Dt 4:29; 2Cr 7:14; 2Cr 34:27; Sl 28:2; Sl 119:58
d Ne 9:26; Isa 1:2; Da 9:5
e 2Re 24:4; Eze 24:13; Da 9:12
f Pr 15:8; 1Pe 3:12
g Dt 28:64
h Dt 4:26; Lam 2:2; Eze 9:10
i Lam 2:1; **j** Sl 80:4; Pr 15:29; Pr 28:9; Isa 1:15; Jer 14:11; Miq 3:4; Zac 7:13; **k** Dt 28:37; Jer 6:30; **l** Job 16:10; Sl 22:13; Lam 2:16; **m** Dt 28:66; Isa 24:18; Jer 48:44; **n** Isa 51:19; Jer 4:6; Lam 2:13; **o** Sl 119:136; Jer 9:1; **p** Jer 14:17; Lam 1:16; **q** Sl 80:14; Sl 102:19; Isa 63:15; **r** Dt 28:34; Jer 14:18; **s** Jer 11:22; Lam 2:21.

como a un pájaro,[a] sin causa alguna.[b]

53 Han silenciado mi vida en el hoyo mismo,[c] y siguieron arrojándome piedras.

54 Aguas han fluido por encima de mi cabeza.[d] He dicho: "¡Ciertamente seré cortado!".[e]

ק [Qohf]

55 He clamado tu nombre, oh Jehová, desde un hoyo de la clase más baja.[f]

56 Tienes que oír mi voz.[g] No escondas tu oído de mi alivio, de mi clamor por ayuda.[h]

57 Te has acercado en el día que seguí llamándote.[i] Dijiste: "No tengas miedo".[j]

ר [Rehsch]

58 Has tomado a tu cargo, oh Jehová, las contiendas de mi alma.[k] Has recomprado mi vida.[l]

59 Has visto, oh Jehová, el mal que se me hizo.[m] Oh, de veras conduce el juicio para mí.[n]

60 Has visto toda la venganza de ellos, todos sus pensamientos contra mí.[o]

ש [Sin] o [Schin]

61 Has oído su vituperio, oh Jehová, todos sus pensamientos contra mí,[p]

62 los labios de los que se levantan contra mí,[q] y su susurrar contra mí todo el día.[r]

63 Mira su mismísimo sentarse, sí, y su levantarse.[s] Yo soy el tema de su canto.[t]

ת [Taw]

64 Tú les devolverás un tratamiento, oh Jehová, conforme a la obra de sus manos.[u]

65 Tú les darás la insolencia de corazón,[v] tu maldición a ellos.[w]

66 Seguirás tras ellos con cólera y los aniquilarás[x] de debajo de los cielos de Jehová.[y]

CAP. 3

a 1Sa 26:20
Sl 11:1
b 1Sa 26:18
Sl 35:7
Sl 69:4
Sl 109:3
Sl 119:161
Jer 37:18
c Jer 37:20
Jer 38:6
d Sl 18:4
Sl 69:2
Sl 88:17
Sl 124:4
e Sl 31:22
f Sl 88:6
Sl 116:4
Sl 130:1
Jon 2:2
g Sl 3:4
Sl 6:8
Sl 116:1
h Sl 55:1
i Sl 69:18
Sl 145:18
Isa 58:9
Snt 4:8
j Jer 1:8
k Sl 7:8
Sl 35:1
Sl 69:18
Jer 11:20
l Sl 71:23
Jer 50:34
m Jer 15:10
n 1Sa 25:39
Sl 9:4
Sl 35:23
Sl 43:1
Jer 51:36
o Sl 10:14
Jer 11:19
p Sl 74:18
Sl 89:50
Jer 11:19
Jer 18:18
q Sl 59:12
Sl 140:3
r Jer 38:4
s Sl 1:1
Sl 139:2
t Job 30:9
Lam 3:14
u Job 34:11
Sl 28:4
Jer 11:20
2Ti 4:14
v Dt 2:30
Jer 18:12
Ro 2:5
Heb 3:12
w Dt 28:15
Jer 17:5
x Dt 4:26
Dt 28:20
Sl 35:6
Jer 11:23
y Sl 8:3
Jer 10:12

2.ª col.

CAP. 4

a 1Re 6:22
b 1Re 5:17
1Re 7:9
c Jer 52:13
d Isa 51:18
e Isa 30:14
Jer 19:11
Jer 22:28
Lam 5:12

א ['Á·lef]

4 ¡Oh, cómo disminuye en resplandor el oro que brilla, el buen oro![a]

¡Oh, cómo están derramadas las piedras santas[b] en la cabecera de todas las calles![c]

ב [Behth]

2 En cuanto a los preciosos hijos de Sión,[d] quienes eran el contrapeso de oro refinado,

¡oh, cómo los han considerado como jarros grandes de barro, la obra de las manos de un alfarero![e]

ג [Guí·mel]

3 Aun los chacales mismos han presentado la ubre. Han amamantado a sus cachorros.

La hija de mi pueblo se hace cruel,[f] como los avestruces en el desierto.[g]

ד [Dá·leth]

4 La lengua del lactante se le ha pegado al paladar a causa de la sed.[h]

Niños mismos han pedido pan.[i] No hay quien se [lo] reparta.[j]

ה [He']

5 Los mismísimos que comían cosas agradables han quedado pasmados en las calles.[k]

Los mismísimos que se criaban en escarlata[l] han tenido que abrazar montones de ceniza.[m]

ו [Waw]

6 El [castigo por el] error de la hija de mi pueblo también llega a ser mayor que el [castigo por el] pecado de Sodoma,[n]

la cual fue derribada como en un momento, y a la

f Le 26:29; Dt 28:53; Jer 19:9; Lam 4:10; g Job 39:16; h Sl 22:15; Lam 2:11; i Lam 1:11; Lam 2:12; j Jer 52:6; k Am 6:4; Am 6:7; l Jer 6:2; m Job 2:8; n Gé 19:24; Eze 16:48.

cual ninguna mano se di-
rigió [con ayuda].[a]

ז [*Zá·yin*]

7 Sus nazareos[b] eran más puros
que la nieve;[c] eran más
blancos que la leche.
Eran, de hecho, más rubi-
cundos[d] que los corales;
su pulimento era como el
zafiro.[e]

ח [*Jehth*]

8 Su aspecto se ha hecho más
oscuro que la negrura
misma. No se los ha reco-
nocido en las calles.[f]
Su piel se les ha arrugado
sobre los huesos.[g] Se ha
puesto justamente tan
seca como un árbol.

ט [*Tehth*]

9 Mejores han resultado ser los
muertos a espada[h] que
los muertos por el ham-
bre,[i]
porque estos languidecen,
traspasados por falta
del producto del campo
abierto.

י [*Yohdh*]

10 Las mismísimas manos de
mujeres compasivas han
cocido a sus propios hi-
jos.[j]
Estos han llegado a ser
como pan de consolación
a alguien durante el que-
branto de la hija de mi
pueblo.[k]

כ [*Kaf*]

11 Jehová ha realizado su furia.[l]
Ha derramado su ardien-
te cólera.[m]
Y enciende un fuego en
Sión, que se come los
fundamentos de ella.[n]

ל [*Lá·medh*]

12 Ni los reyes de la tierra ni ninguno de los habitantes de
la tierra productiva ha-
bían creído[o]
que el adversario y el enemigo entrarían por las
puertas de Jerusalén.[p]

מ [*Mem*]

13 A causa de los pecados de sus
profetas, los errores de
sus sacerdotes,[a]
había en medio de ella los
que derramaban la san-
gre de justos.[b]

נ [*Nun*]

14 Han andado errantes como
ciegos[c] en las calles.[d] Se
han contaminado con
sangre,[e]
de manera que ninguno
puede tocar sus prendas
de vestir.[f]

ס [*Sá·mekj*]

15 "¡Háganse a un lado! ¡Inmundos!",[g] les han clamado.
"¡Háganse a un lado! ¡Há-
ganse a un lado! ¡No
toquen!"[h]
Porque han andado sin ho-
gar.[i] También han anda-
do errantes.[j] La gente ha
dicho entre las naciones:
"No volverán a residir
como forasteros.[k]

פ [*Pe'*]

16 El rostro de Jehová los ha dividido.[l] Él no volverá a
mirarlos.[m]
Los hombres ciertamente
no mostrarán considera-
ción siquiera a los sacerdotes.[n] Ciertamente no
mostrarán favor siquiera
a los viejos".[o]

ע [*Á·yin*]

17 Mientras todavía existimos,
nuestros ojos siguen lan-
guideciendo en vano [al
esperar] que se nos dé auxilio.[p]
Durante nuestro mirar al-
rededor hemos mirado
hacia una nación que no
puede traer salvación.[q]

צ [*Tsa·dhéh*]

18 Han cazado nuestros pasos[r] de modo que no se
anda en nuestras plazas
públicas.

CAP. 4

a Gé 19:25; Da 9:12
b Nú 6:2; Jue 13:5
c Sl 51:7
d 1Sa 16:12; Can 5:10
e Job 28:16
f Job 2:12
g Job 19:20; Job 33:21; Sl 102:5
h Jer 38:2
i Jer 29:17
j Le 26:29; Dt 28:55; Lam 2:20; Lam 4:3
k Dt 28:57; Isa 49:15; Lam 3:48
l Dt 28:20; 2Cr 36:16; Jer 6:11; Jer 9:11; Eze 22:31; Da 9:12; Zac 1:6
m Le 26:28; Jer 7:20
n Dt 32:22; 2Re 25:9
o Dt 29:24; 1Re 9:8
p 2Re 25:10; Jer 52:13

2.ª col.

a Jer 5:31; Jer 6:13; Jer 14:14; Jer 23:11; Lam 2:14; Miq 3:11; Sof 3:4
b Jer 26:8; Mt 23:31; Lu 11:47; Hch 7:52
c Isa 59:10; Sof 1:17
d Dt 28:28; Isa 56:10; Mt 15:14
e Nú 35:33; Isa 1:15; Jer 2:34; Eze 33:25; Os 4:2
f Nú 19:16
g Le 13:45
h 2Co 6:17
i Le 26:33; Lam 1:7
j Dt 28:65
k Dt 28:25; Dt 28:68
l Le 26:33; Dt 28:64; Jer 24:9
m Job 34:29; Sl 34:16; Isa 59:2; Jer 18:17; Heb 8:9
n 2Re 25:18
o Lam 5:12; Eze 9:6
p 2Re 24:7; Isa 20:5; Lam 1:19
q Isa 30:3; Isa 31:3; Jer 37:7; Eze 29:6

r 2Re 25:5; Jer 39:4; Lam 3:52.

Se ha acercado nuestro fin.
Se han cumplido nuestros días, porque ha llegado nuestro fin.[a]

ק [Qohf]

19 Más veloces que las águilas de los cielos han resultado ser nuestros perseguidores.[b]
Sobre las montañas han seguido acaloradamente en pos de nosotros.[c] En el desierto nos han acechado.[d]

ר [Rehsch]

20 El mismísimo aliento de nuestras narices,[e] el ungido de Jehová,[f] ha sido capturado en el hoyo grande de ellos,[g]
aquel de quien hemos dicho: "En su sombra[h] viviremos entre las naciones".[i]

ש [Sin]

21 Alborózate y regocíjate,[j] oh hija de Edom,[k] tú que moras en la tierra de Uz.[l]
La copa vendrá pasando a ti también.[m] Te emborracharás y te mostrarás en desnudez.[n]

ת [Taw]

22 Tu error, oh hija de Sión, ha quedado terminado.[o] Él no volverá a llevarte al destierro.[p]
Ha dirigido su atención a tu error, oh hija de Edom. Ha puesto al descubierto tus pecados.[q]

5 Acuérdate, oh Jehová, de lo que nos ha sucedido.[r] De veras mira y ve nuestro oprobio.[s]

2 Nuestra propia posesión hereditaria ha sido transferida a extraños, nuestras casas a extranjeros.[t]

3 Hemos llegado a ser meros huérfanos sin padre.[u] Nuestras madres son como viudas.[v]

4 Por dinero hemos tenido que beber nuestra propia agua.[a] Por un precio entra nuestra propia leña.

5 Cerca del cuello se nos ha perseguido.[b] Nos hemos fatigado. No ha quedado descanso para nosotros.[c]

6 A Egipto[d] hemos dado la mano;[e] a Asiria,[f] a fin de conseguir satisfacción con pan.

7 Nuestros antepasados son los que han pecado.[g] Ya no son. En cuanto a nosotros, los errores de ellos nosotros hemos tenido que cargar.[h]

8 Simples siervos han gobernado sobre nosotros.[i] No hay quien nos arrebate de su mano.[j]

9 Con riesgo de nuestra alma introducimos nuestro pan,[k] a causa de la espada del desierto.

10 Nuestra mismísima piel se ha puesto caliente como un horno de fundición, a causa de los dolores de hambre.[l]

11 A las esposas, en Sión las han humillado;[m] a las vírgenes, en las ciudades de Judá.

12 Príncipes mismos han sido colgados de solamente la mano.[n] Ni siquiera los rostros de los viejos han sido honrados.[o]

13 Hasta los jóvenes han levantado un mismo molino de mano,[p] y bajo la leña simples muchachos han tropezado.[q]

14 Los viejos mismos han cesado hasta de la puerta;[r] los jóvenes, de su música instrumental.[s]

15 Ha cesado el alborozo de nuestro corazón. Nuestra danza ha sido cambiada en simple duelo.[t]

CAP. 4
a Eze 7:2
  Eze 12:23
  Am 8:2
b Dt 28:49
  Isa 5:26
  Jer 4:13
  Os 8:1
  Hab 1:8
c 2Re 25:5
  Am 2:14
d Lam 3:10
e Gé 2:7
f Sl 89:20
  Jer 37:1
g 2Re 25:6
  Jer 39:5
  Jer 52:8
  Eze 12:13
h Jue 9:15
  Da 4:12
i 1Sa 9:16
j Pr 2:14
  1Co 13:6
k Sl 137:7
  Abd 12
l Jer 25:20
m Jer 25:15
  Jer 49:12
  Abd 16
n Jer 49:10
  Isa 40:2
  Jer 50:20
p Le 26:44
  Isa 52:1
  Isa 60:18
q Sl 137:7
  Isa 34:5
  Eze 25:13
  Eze 35:15
  Am 1:11
  Abd 13

CAP. 5
r Le 26:44
  Jer 15:15
  Lam 1:20
s Sl 44:13
  Sl 79:4
  Lam 2:15
t Dt 28:30
  Sl 79:1
  Sl 136:21
  Isa 1:7
  Jer 6:12
  Sof 1:13
u Éx 22:24
v Jer 18:21

2.ª col.
a Dt 28:48
  Isa 3:1
  Eze 4:11
  Eze 4:16
b Dt 28:48
  Jer 27:8
  Jer 28:14
c Dt 28:65
d Isa 30:2
  Isa 31:1
  Jer 2:18
  Jer 2:36
  Jer 44:12
e Eze 17:18
f 2Cr 28:16
  Os 5:13
  Os 7:11
  Os 9:3
  Os 12:1
g Jer 16:12
  Jer 31:29
  Eze 18:2

h Éx 20:5; Jer 14:20; Zac 1:5; i Dt 28:43; Pr 30:22; Isa 3:4; j Zac 11:6; k Jer 52:6; Eze 4:10; l 2Re 25:3; Job 30:30; Lam 4:8; m Dt 28:30; Zac 14:2; n Jer 39:6; o Isa 47:6; Jer 6:11; Lam 4:16; p Jue 16:21; q Éx 1:11; r Dt 16:18; Jos 20:4; Rut 4:11; s Jer 25:10; t Am 8:10.

16 La corona de nuestra cabeza ha caído.[a] ¡Ay de nosotros, ahora, porque hemos pecado![b]

17 A causa de esto nuestro corazón ha enfermado.[c] A causa de estas cosas se nos han oscurecido los ojos,[d]

18 a causa de la montaña de Sión que está desolada;[e] zorros mismos se han paseado en ella.[f]

19 En cuanto a ti, oh Jehová, hasta tiempo indefinido te sentarás.[g] Tu trono es para generación tras generación.[h]

20 ¿Por qué te olvidas para siempre de nosotros,[a] nos dejas por la longitud de días?[b]

21 Tráenos de vuelta,[c] oh Jehová, a ti mismo, y prontamente volveremos. Trae días nuevos para nosotros como en la antigüedad.[d]

22 Sin embargo, tú verdaderamente nos has rechazado.[e] Te has indignado con nosotros en sumo grado.[f]

CAP. 5
a Job 19:9
Sl 7:5
Sl 89:39
b Pr 14:34
Isa 3:9
Isa 59:12
c Isa 1:5
Jer 8:18
Lam 1:22
d Dt 28:65
Job 17:7
Sl 6:7
Isa 59:10
Lam 2:11
e Le 26:43
Eze 26:18
f Isa 32:14
Jer 9:11
Eze 13:4
g Sl 9:7
Sl 90:2
Sl 102:12

h Sl 102:27; Sl 145:13; Sl 146:10; Hab 1:12; 2.ª col. a Sl 13:1; Jer 14:19; b Sl 79:5; c Dt 4:30; Sl 80:3; Sl 85:4; Jer 31:18; Jer 32:37; d Jer 33:13; e Sl 44:9; f Dt 28:15; Sl 60:1; Jer 31:37.

EZEQUIEL

1 Ahora bien, en el año treinta, en el [mes] cuarto, en el [día] cinco del mes, mientras yo estaba en medio del pueblo desterrado[a] junto al río Kebar,[b] aconteció que se abrieron los cielos,[c] y empecé a ver visiones de Dios.[d] 2 En el [día] cinco del mes, es decir, [en] el año quinto del destierro del rey Joaquín,[e] 3 la palabra de Jehová le ocurrió[f] específicamente a Ezequiel[g] hijo de Buzí el sacerdote en la tierra de los caldeos,[h] junto al río Kebar, y sobre él en aquel lugar llegó a estar la mano de Jehová.

4 Y empecé a ver y, ¡mire!, había un viento tempestuoso[i] que venía del norte, una gran masa de nubes[k] y fuego[l] trémulo, y tenía un resplandor todo alrededor, y de en medio de él había algo como la apariencia del electro, de en medio del fuego.[m] 5 Y de en medio de él había la semejanza de cuatro criaturas vivientes,[n] y esto era lo que parecían: tenían la semejanza del hombre terrestre. 6 Y [cada] una tenía cuatro caras,[o] y [cada] una de ellas cuatro alas.[p] 7 Y sus pies eran pies rectos, y la

CAP. 1
a 2Re 24:14
Est 2:6
b Sl 137:1
Eze 3:15
Eze 10:15
Eze 43:3
c Mt 3:16
Hch 7:55
Hch 10:11
Rev 19:11
d Gé 12:1
Nú 12:6
e 2Re 24:12
2Cr 36:10
Jer 24:1
f 2Pe 1:21
g Eze 24:24
h 2Re 24:16
Jer 22:25
i 1Re 18:46
2Re 3:15
Eze 3:14
j Jer 19:11
k Sl 97:2
l Éx 19:18
Éx 24:17
m Eze 8:2
n Eze 10:9
Rev 4:6
o Eze 10:14
p Isa 6:2
Eze 10:21
Rev 4:8

2.ª col.
a Le 11:3
b Da 10:6
Rev 1:15
c Isa 6:6
Eze 10:8
d Eze 10:21
Eze 10:11
f Rev 4:7

planta de sus pies era como la planta del pie de un becerro;[a] y resplandecían como con el fulgor de cobre bruñido.[b] 8 Y había las manos de un hombre debajo de sus alas en sus cuatro lados,[c] y las cuatro tenían sus caras y sus alas.[d] 9 Sus alas se unían una a la otra. Ellas no se volvían cuando iban; iban cada una directamente adelante.[e]

10 Y en cuanto a la semejanza de sus caras, las cuatro tenían una cara de hombre[f] con una cara de león[g] a la derecha,[h] y las cuatro tenían una cara de toro[i] a la izquierda;[j] las cuatro también tenían una cara de águila.[k] 11 Así eran sus caras. Y sus alas[l] se extendían hacia arriba. Cada una tenía dos que se unían, y dos cubrían sus cuerpos.[m]

12 Y cada una iba directamente adelante.[n] Adondequiera que el espíritu se inclinaba a ir, iban ellas.[o] No se volvían mientras iban.[p] 13 Y en cuanto a la semejanza de las criaturas

g 2Sa 17:10; Pr 28:1; h Eze 10:14; i Pr 14:4; j Rev 4:7; k Job 39:29; Pr 30:19; Eze 10:14; l Sl 18:10; m Isa 6:2; n Eze 10:22; o Sl 103:20; Eze 1:20; Heb 1:14; p Eze 1:17.

vivientes, su apariencia era como brasas ardientes de fuego.[a] Algo como la apariencia de antorchas[b] se movía hacia atrás y hacia adelante entre las criaturas vivientes, y el fuego era brillante, y del fuego salían relámpagos.[c] 14 Y de parte de las criaturas vivientes había un salir y un volver como con la apariencia del relámpago.[d]

15 Mientras yo seguía viendo a las criaturas vivientes, pues, ¡mire!, había una rueda en la tierra al lado de las criaturas vivientes,[e] junto a las cuatro caras de cada una.[f] 16 En cuanto a la apariencia de las ruedas[g] y su estructura, era como el refulgir del crisólito;[h] y las cuatro tenían una sola semejanza. Y su apariencia y su estructura eran tal como estar en medio de una rueda.[i] 17 Al ir, iban en sus cuatro lados respectivos.[j] No se volvían en otra dirección cuando iban.[k] 18 Y en cuanto a sus llantas, tenían tal altura que asustaban; y sus llantas estaban llenas de ojos todo en derredor de las cuatro.[l] 19 Y cuando las criaturas vivientes iban, las ruedas iban al lado de ellas, y cuando a las criaturas vivientes se las alzaba de la tierra, a las ruedas se las alzaba.[m] 20 Adondequiera que el espíritu se inclinaba a ir, ellas iban, [inclinándose] el espíritu a ir allí; y a las ruedas mismas se las alzaba cerca de ellas, al lado, porque el espíritu de la criatura viviente estaba en las ruedas. 21 Cuando iban, estas iban; y cuando se detenían, estas se detenían; y cuando se las alzaba de la tierra, a las ruedas se las alzaba cerca de ellas, al lado, porque el espíritu de la criatura viviente estaba en las ruedas.[n]

22 Y sobre las cabezas de las criaturas vivientes había la semejanza de una expansión[o] como el chispear de hielo sobrecogedor, extendida sobre sus cabezas por encima.[p] 23 Y bajo la expansión sus alas estaban

rectas, una a la otra. Cada una tenía dos alas que cubrían de este lado y cada una tenía dos que les cubrían del otro lado los cuerpos. 24 Y llegué a oír el sonido de sus alas —un sonido como el de vastas aguas,[a] como el sonido del Todopoderoso— cuando iban, el sonido de un tumulto,[b] como el sonido de un campamento.[c] Cuando se detenían, bajaban las alas.

25 Y llegó a haber una voz sobre la expansión que había sobre la cabeza de ellos. (Cuando se detenían, bajaban las alas.) 26 Y sobre la expansión que había sobre sus cabezas había algo que en apariencia era como piedra de zafiro,[d] la semejanza de un trono.[e] Y sobre la semejanza del trono había una semejanza de alguien que en apariencia era como un hombre terrestre sobre él,[f] arriba. 27 Y llegué a ver algo como el fulgor del electro,[g] como la apariencia del fuego todo alrededor en el interior,[h] desde la apariencia de sus caderas y hacia arriba; y desde la apariencia de sus caderas y hacia abajo vi algo como la apariencia del fuego, y él tenía un resplandor todo alrededor. 28 Había algo como la apariencia del arco[i] que ocurre en una masa de nubes en el día de una lluvia fuerte. Así era la apariencia del resplandor que había alrededor. Era la apariencia de la semejanza de la gloria de Jehová.[j] Cuando llegué a ver[la], entonces caí sobre mi rostro,[k] y empecé a oír la voz de uno que hablaba.

2 Y él procedió a decirme: "Hijo del hombre,[l] plántate sobre tus pies para hablar contigo".[m] 2 Y tan pronto como me habló, espíritu empezó a entrar en mí,[n] y finalmente me hizo plantarme sobre mis pies para que yo oyera a Aquel que me hablaba.[o]

3 Y él pasó a decirme: "Hijo del hombre, te envío a los hijos

CAP. 1

a Sl 104:4
b Da 7:10
c Sl 97:3
d Sl 18:10
  Mt 24:27
e Eze 10:9
  Eze 10:13
  Eze 11:22
f Rev 4:7
g Eze 10:9
h Éx 39:13
  Da 10:6
i Eze 10:10
  Da 7:9
j Eze 10:11
k Eze 1:12
l Pr 15:3
  Eze 10:12
  Zac 4:10
m Eze 10:16
n Eze 10:17
o Gé 1:6
p Eze 10:1

2.ª col.

a Eze 43:2
  Rev 1:15
  Rev 14:2
b Job 37:2
  Sl 29:3
  Sl 68:33
c 2Re 7:6
d Éx 24:10
  Sl 96:6
  Eze 10:1
e 1Re 22:19
  Sl 99:1
  Isa 6:1
  Rev 4:2
f Da 7:9
g Eze 8:2
h Dt 4:24
  Sl 104:2
i Gé 9:13
  Rev 4:3
j Éx 24:16
  Eze 8:4
k Eze 3:23
  Eze 43:3
  Da 8:17
  Rev 1:17

CAP. 2

l Eze 8:5
  Eze 37:3
m Da 10:11
n Eze 3:24
o Rev 11:11

de Israel,[a] a naciones rebeldes que se han rebelado contra mí.[b] Ellos mismos y sus antepasados han transgredido contra mí hasta este mismo día.[c] **4** Y los hijos de rostro insolente[d] y duro corazón... a ellos te envío, y tienes que decirles: 'Esto es lo que ha dicho el Señor Soberano Jehová'. **5** Y en cuanto a ellos, sea que escuchen[f] o se abstengan[g] —porque son una casa rebelde[h]— ciertamente sabrán también que resultó haber un profeta mismo en medio de ellos.[i]

6 "Y tú, oh hijo del hombre, no tengas miedo de ellos;[j] y no tengas miedo de sus palabras, porque hay gente obstinada[k] y cosas que te punzan,[l] y entre escorpiones[m] moras. De sus palabras no tengas miedo,[n] y ante sus rostros no te sobrecojas de terror,[o] porque son casa rebelde.[p] **7** Y tienes que hablarles mis palabras, sea que oigan o se abstengan, porque son un caso de rebelión.[q]

8 "Y tú, oh hijo del hombre, oye lo que te hablo. No te hagas rebelde como la casa rebelde.[r] Abre tu boca y come lo que te doy".[s]

9 Y empecé a ver, y, ¡mire!, había una mano alargada hacia mí,[t] y, ¡mire!, en ella había el rollo de un libro.[u] **10** Y gradualmente lo extendió delante de mí, y estaba escrito en el frente y por detrás;[v] y había escritos en él endechas y gemir y plañir.[w]

3 Y procedió a decirme: "Hijo del hombre, lo que halles, come. Cómete este rollo,[x] y ve, habla a la casa de Israel".

2 Por lo tanto, abrí la boca, y él gradualmente me hizo comer este rollo.[y] **3** Y, siguiendo, me dijo: "Hijo del hombre, debes hacer que tu propio vientre coma, para que llenes tus intestinos mismos con este rollo que te estoy dando". Y empecé a comérmelo, y llegó a ser en mi boca como miel por lo dulce.[z]

4 Y continuó, diciéndome:

"Hijo del hombre, ve, entra entre los de la casa[a] de Israel, y tienes que hablarles con mis palabras. **5** Porque no es a un pueblo que sea ininteligible de lenguaje[b] o pesado de lengua[c] al que se te envía, [sino] a la casa de Israel, **6** no a pueblos numerosos ininteligibles de lenguaje o pesados de lengua, cuyas palabras no puedas oír [con entendimiento].[d] Si fuera a ellos que te hubiera enviado, aquellos mismos te escucharían.[e] **7** Pero en cuanto a la casa de Israel, no querrán escucharte, porque no quieren escucharme;[f] porque todos los de la casa de Israel son de cabeza dura y de duro corazón.[g] **8** ¡Mira! He hecho tu rostro exactamente tan duro como los rostros de ellos,[h] y tu frente exactamente tan dura como sus frentes.[i] **9** Como un diamante, más dura que el pedernal,[j] he hecho tu frente. No debes tenerles miedo,[k] y no debes sobrecogerte de terror ante sus rostros,[l] porque son casa rebelde".[m]

10 Y pasó a decirme: "Hijo del hombre, todas mis palabras que te hable, tómalas en tu corazón[n] y óyelas con tus propios oídos. **11** Y ve, entra entre el pueblo desterrado,[o] entre los hijos de tu pueblo, y tienes que hablarles y decirles: 'Esto es lo que ha dicho el Señor Soberano Jehová', sea que oigan o se abstengan".[p]

12 Y un espíritu procedió a llevarme,[q] y empecé a oír detrás de mí el sonido de un gran apresuramiento:[r] "Bendita sea la gloria de Jehová desde su lugar".[s] **13** Y hubo el sonido de las alas de las criaturas vivientes que se tocaban estrechamente unas a otras,[t] y el sonido de las ruedas junto a ellas, al lado,[u] y el sonido de un gran apresura-

---

CAP. 2
a 2Cr 36:15
  Eze 33:7
  Mt 10:16
b Sl 107:11
  Isa 1:4
  Isa 30:9
  Jer 16:12
  Lam 1:20
  Da 9:9
c Dt 9:24
  Ne 9:26
  Sl 78:8
  Jer 3:25
  Eze 20:18
  Hch 7:51
d Mt 22:6
e Jos 11:20
  Sl 95:8
  Eze 3:7
  Heb 3:15
f Eze 33:15
g Eze 3:11
  Eze 33:4
h Eze 12:2
i Eze 33:33
j 2Re 1:15
  Pr 29:25
  Jer 1:17
  Lu 12:4
k Dt 2:30
  Hch 7:51
l Isa 9:18
  Miq 7:4
m Lu 10:19
n Eze 3:9
o Jer 1:8
p Isa 51:7
q Jer 1:17
  Eze 3:27
r Nú 20:24
  Isa 50:5
s Jer 15:16
  Rev 10:9
t Jer 1:9
  Eze 8:3
u Eze 3:1
  Rev 10:8
v Zac 5:3
  Rev 5:1
w Isa 3:11
  Jer 7:29
  Eze 19:1

CAP. 3
x Eze 2:8
  Rev 10:9
y Rev 10:10
z Sl 19:10
  Sl 119:103
  Jer 15:16
  Rev 10:9

2.ª col.
a Mt 10:6
  Mt 15:24
b Sl 81:5
  Isa 33:19
c Dt 28:49
  Isa 28:11
e Jon 3:5
  Mt 11:21
  Mt 12:41
  Hch 13:46
f Isa 8:7
  Jer 25:7
  Lu 10:16

miento. 14 Y [el] espíritu me llevó[a] y procedió a tomarme, de modo que fui con amargura en la furia de mi espíritu, y la mano de Jehová sobre mí era fuerte.[b] 15 De modo que entré entre los desterrados [que se hallaban] en Tel-abib, quienes moraban[c] junto al río Kebar,[d] y empecé a morar donde ellos moraban; y seguí morando allí por siete días, aturdido en medio de ellos.[e]

16 Y aconteció que al fin de siete días la palabra de Jehová procedió a ocurrirme, y dijo: 17 "Hijo del hombre, atalaya es lo que te he hecho a la casa de Israel,[f] y tienes que oír habla de mi boca, y tienes que advertirles de mi parte.[g] 18 Cuando yo diga a alguien inicuo: 'Positivamente morirás',[h] y tú realmente no le adviertas y hables para advertir al inicuo de su camino inicuo para conservarlo vivo,[i] por ser él inicuo, en su error morirá,[j] pero su sangre la reclamaré de tu propia mano.[k] 19 Pero en cuanto a ti, en caso de que hayas advertido a alguien inicuo[l] y él realmente no se vuelva de su iniquidad y de su camino inicuo, él mismo por su error morirá;[m] pero en cuanto a ti, habrás librado tu propia alma.[n] 20 Y cuando alguien justo se vuelva de su justicia[o] y realmente haga injusticia y yo tenga que poner un tropiezo delante de él,[p] él mismo morirá porque tú no le advertiste. Por su pecado morirá,[q] y sus hechos justos que él hizo no serán recordados,[r] pero su sangre la reclamaré de tu propia mano.[s] 21 Y en cuanto a ti, en caso de que hayas advertido a alguien justo para que el justo no peque,[t] y él mismo realmente no peca, sin falta él seguirá viviendo porque se le había advertido,[u] y tú mismo habrás librado tu propia alma".[v]

22 Y la mano de Jehová llegó a estar sobre mí allí,[v] y él procedió a decirme: "Levántate, sal a la llanura-valle,[w] y allí hablaré contigo". 23 Por lo tanto, me

levanté y salí a la llanura-valle, y, ¡mire!, la gloria de Jehová estaba plantada allí,[a] como la gloria que yo había visto junto al río Kebar,[b] y procedí a caer sobre mi rostro.[c] 24 Entonces entró espíritu en mí[d] y me hizo plantarme sobre mis pies,[e] y él empezó a hablar conmigo y a decirme: "Ven, estate encerrado dentro de tu casa. 25 Y tú, oh hijo del hombre, ¡mira!, ciertamente pondrán cuerdas sobre ti y te atarán con ellas de modo que no puedas salir entre ellos.[f] 26 Y haré que tu misma lengua se te pegue al cielo de la boca,[g] y ciertamente llegarás a estar mudo,[h] y no llegarás a ser para ellos un hombre que administre censura,[i] porque son casa rebelde.[j] 27 Y cuando yo hable contigo, abriré tu boca, y tendrás que decirles:[k] 'Esto es lo que ha dicho el Señor Soberano Jehová'. El que oiga, oiga,[l] y el que se abstenga, que se abstenga, porque son casa rebelde.[m]

4 "Y tú, oh hijo del hombre, toma para ti un ladrillo, y tienes que ponerlo delante de ti y grabar sobre él una ciudad, aun a Jerusalén.[n] 2 Y tienes que poner sitio contra ella[o] y construir un cerco de asedio contra ella[p] y amontonar un cerco de sitiar contra ella[q] y colocar campamentos contra ella y poner arietes todo alrededor contra ella.[r] 3 Y en cuanto a ti, toma para ti una tartera de hierro, y tienes que ponerla como un muro de hierro entre ti y la ciudad, y tienes que fijar tu rostro contra ella, y ella tiene que llegar a estar bajo sitio, y tienes que sitiarla. Es una señal a la casa de Israel.[s]

4 "Y en cuanto a ti, acuéstate sobre tu lado izquierdo, y tienes que poner sobre él el error de la casa de Israel.[t] Por el número de los días que estarás acostado so-

---

CAP. 3
a Eze 8:3
b 1Re 18:46
  2Re 3:15
c Jer 29:5
d Sl 137:1
  Eze 1:3
  Eze 43:3
e Jer 23:9
f Isa 21:8
  Isa 62:6
  Jer 6:17
  Eze 33:7
g Isa 58:1
h 2Re 1:4
i Hch 2:40
  1Ti 4:16
j Jer 14:32
  Eze 33:4
  Ro 6:23
k Gé 9:5
  Eze 33:8
l 2Re 17:13
m Ro 2:6
n Isa 49:4
  Jer 45:5
  Eze 33:9
  Hch 18:6
  Hch 20:26
o 2Cr 24:18
  Eze 18:24
  Eze 33:12
p Dt 13:3
  1Pe 2:8
q Eze 18:26
  Eze 33:18
r Eze 33:12
s Le 19:17
  Eze 33:6
  Heb 13:17
t 1Sa 25:33
  Hch 20:31
u Pr 17:10
  Eze 33:15
  Snt 5:20
v Hch 18:6
w Eze 8:4

2.ª col.
a Eze 1:28
b Eze 1:1
c Da 8:17
  Rev 4:10
d Eze 2:2
  Eze 37:10
e Da 10:19
f Eze 4:8
  Jn 21:18
  Hch 20:23
g Sl 137:6
h Eze 24:27
  Lu 1:22
i Am 5:10
j Isa 1:2
  Eze 2:6
k Eze 24:27
  Eze 33:22
l Mt 11:15
  Rev 2:29
m Isa 30:9
  Jer 5:23
  Eze 12:2

CAP. 4
n Jer 32:31
o 2Re 24:11
p 2Re 25:1
  Lu 19:43
q 2Sa 20:15; Jer 6:6; Jer 32:24; Jer 26:8; r Eze 21:22; s Eze 12:6; Eze 24:24; t 2Re 17:21.

bre él llevarás el error de ellos. 5 Y yo mismo tengo que darte los años de su error[a] hasta el número de trescientos noventa días,[b] y tienes que llevar el error de la casa de Israel. 6 Y tienes que completarlos.

"Y tienes que acostarte sobre tu lado derecho en el segundo caso, y tienes que llevar el error de la casa de Judá cuarenta días.[c] Un día por un año, un día por un año, es lo que te he dado.[d] 7 Y al asedio de Jerusalén fijarás tu rostro,[e] con tu brazo desnudo, y tienes que profetizar contra ella.

8 "Y, ¡mira!, ciertamente pondré cuerdas[f] sobre ti para que no te vuelvas de un lado tuyo al otro lado tuyo, hasta que hayas completado los días de tu sitio.

9 "Y en cuanto a ti, toma para ti trigo[g] y cebada y habas[h] y lentejas[i] y mijo y espelta,[j] y tienes que ponerlos en un solo utensilio y hacerte pan de ellos, para el número de los días que estés acostado sobre tu lado; trescientos noventa días lo comerás.[k] 10 Y tu alimento que comerás será por peso... veinte siclos al día.[l] De vez en cuando lo comerás.

11 "Y agua beberás meramente por medida, la sexta parte de un hin.[ ] De vez en cuando beberás.

12 "Y como torta redonda de cebada[m] lo comerás; y en cuanto a él, sobre tortas de estiércol del excremento[n] de la humanidad lo cocerás delante de los ojos de ellos." 13 Y Jehová pasó a decir: "Justamente así los hijos de Israel comerán su pan inmundo[o] entre las naciones a las cuales los dispersaré".[p]

14 Y procedí a decir: "¡Ay!, ¡oh Señor Soberano Jehová! ¡Mira! Mi alma no es [alma] contaminada;[q] ni cuerpo [ya] muerto ni animal desgarrado he comido desde mi juventud,[r] aun hasta ahora, y en mi boca no ha entrado ninguna carne asquerosa".[s]

15 Por consiguiente, me dijo:

"Ve esto, te he dado estiércol de ganado vacuno en vez de las tortas de excremento de la humanidad, y tienes que hacer tu pan sobre él". 16 Y continuó diciéndome: "Hijo del hombre, mira, voy a quebrar las varas alrededor de las cuales se suspenden panes anulares,[a] en Jerusalén, y tendrán que comer pan por peso y con solicitud ansiosa,[b] y será por medida y con horror que beberán el agua misma,[c] 17 para que les falte pan y agua, y se miren pasmados unos a otros y se pudran en su error.[d]

5 "Y en cuanto a ti, oh hijo del hombre, toma para ti una espada aguda. Como navaja de barberos la tomarás para ti, y tienes que hacerla pasar sobre tu cabeza y sobre tu barba,[e] y tienes que tomar para ti platillos de pesar, y dividir [los cabellos] en porciones. 2 Una tercera parte la quemarás en el fuego mismo en medio de la ciudad tan pronto como se hayan cumplido los días del sitio.[f] Y tienes que tomar otra tercera parte. Y [la] herirás con la espada todo en derredor de ella,[g] y la [última] tercera parte la esparcirás al viento, y yo sacaré una espada misma detrás de ellos.[h]

3 "Y tienes que tomar de allí unos pocos en número y envolverlos en tus faldas.[i] 4 Y otros de ellos los tomarás y tienes que lanzarlos en medio del fuego e incinerarlos en el fuego. De uno saldrá un fuego a toda la casa de Israel.[j]

5 "Esto es lo que ha dicho el Señor Soberano Jehová: 'Esta es Jerusalén. En medio de las naciones la he puesto, con países todo en derredor de ella. 6 Y ella procedió a portarse rebeldemente contra mis decisiones judiciales en iniquidad más que las naciones,[k] y contra mis estatutos más que los países que la rodean toda, pues mis decisiones judiciales rechazaron y, en

cuanto a mis estatutos, no anduvieron en ellos'.ª

7 "Por lo tanto, esto es lo que ha dicho el Señor Soberano Jehová: 'Debido a que ustedes fueron más turbulentosᵇ que las naciones que están todo en derredor de ustedes, en mis estatutos no anduvieron y mis decisiones judiciales no ejecutaron;ᶜ sino que según las decisiones judiciales de las naciones que están todo en derredor de ustedes, ustedes obraron, ¿verdad?,ᵈ 8 por lo tanto, esto es lo que ha dicho el Señor Soberano Jehová: "Aquí estoy contra ti, [oh ciudad,] aun yo,ᵉ y ciertamente ejecutaré en medio de ti decisiones judiciales en los ojos de las naciones.ᶠ 9 Y ciertamente haré en ti lo que no he hecho y como lo cual no haré más, por causa de todas tus cosas detestables.ᵍ

10 " '"Por lo tanto, los padres mismos se comerán a [sus] hijos en medio de ti,ʰ y los hijos mismos se comerán a sus padres, y ciertamente ejecutaré en ti actos de juicio y esparciré a todo el residuo de ti a todo viento".ᵢ

11 " '"Por lo tanto, tan ciertamente como que estoy vivo —es la expresión del Señor Soberano Jehová—, de seguro por causa de que fue mi santuario lo que contaminaste con todas tus cosas repugnantesʲ y con todas tus cosas detestables,ᵏ yo mismo también soy Aquel que ciertamente [te] disminuirá,ˡ y mi ojo no se sentirá apenado,ᵐ y ciertamente yo mismo tampoco mostraré compasión.ⁿ 12 Una tercera parte de ti... de la peste morirán,ᵒ y de hambre se acabarán en medio de ti.ᵖ Y otra tercera parte... a espada caerán todo alrededor de ti. Y la [última] tercera parte la esparciré aun a todo viento,ᑫ y una espada es lo que sacaré detrás de ellos.ʳ 13 Y mi cólera ciertamente vendrá a su final,ˢ y ciertamente apaciguaré mi furia en ellosᵗ y me consolaré;ᵘ y tendrán que saber que yo mismo, Jehová, he hablado en mi insistencia en de-

voción exclusiva,ª cuando lleve mi furia a su final sobre ellos.

14 " 'Y haré de ti un lugar devastado y un oprobio entre las naciones que están todo en derredor tuyo, delante de los ojos de todo el que pase.ᵇ 15 Y tienes que llegar a ser un oprobioᶜ y objeto de palabras ultrajantes,ᵈ un ejemplo amonestadorᵉ y un horror a las naciones que están todo en derredor de ti, cuando haga en ti actos de juicio con cólera y con furia y con enfurecidas censuras.ᶠ Yo mismo, Jehová, he hablado.

16 " 'Cuando envíe las flechas dañinas del hambre sobre ellos,ᵍ que tienen que resultar ser para arruinamiento, las cuales enviaré para arruinarlos a ustedes,ʰ hasta el hambre aumentaré sobre ustedes, y ciertamente quebraré sus varas alrededor de las cuales se suspenden panes anulares.ᵢ 17 Y ciertamente enviaré sobre ustedes hambre y bestias salvajesʲ dañinas, y ellas tienen que privarte de hijos, y la pesteᵏ y la sangreˡ mismas irán pasando por ti, y una espada traeré sobre ti.ᵐ Yo mismo, Jehová, he hablado' ".

6 Y la palabra de Jehová continuó ocurriéndome, y dijo: 2 "Hijo del hombre, pon tu rostro hacia las montañas de Israel y profetízales.ⁿ 3 Y tienes que decir: 'Oh montañas de Israel, oigan la palabra del Señor Soberano Jehová:ᵒ Esto es lo que ha dicho el Señor Soberano Jehová a las montañas y a las colinas,ᵖ a los cauces de los arroyos y a los valles: "¡Aquí estoy! Voy a traer sobre ustedes una espada, y ciertamente destruiré sus lugares altos.ᑫ 4 Y sus altares tienen que quedar desolados,ʳ y sus estantes de incienso tienen que ser quebrados, y ciertamente haré

CAP. 5
a Ne 9:16
Sl 78:10
Jer 8:5
Jer 11:10
b 2Re 21:9
2Cr 33:9
c Jer 44:23
d 2Re 21:11
Jer 2:11
Eze 16:47
e Jer 21:5
Eze 15:7
f Dt 29:24
1Re 9:8
Lam 2:15
g Lam 4:6
Da 9:12
Am 3:2
h Le 26:29
Dt 28:53
2Re 6:29
Jer 19:9
Lam 2:20
Lam 4:10
i Le 26:33
Dt 4:27
Dt 28:64
Ne 1:8
Eze 12:14
Eze 17:21
j Le 19:30
Le 20:3
2Re 21:7
2Cr 36:14
Jer 32:34
k Dt 7:25
Jer 16:18
Eze 23:38
l Sl 107:39
m Dt 29:20
Eze 7:4
Eze 8:18
n Lam 2:21
Zac 11:6
o Jer 14:12
Eze 6:12
p Jer 15:2
Jer 21:9
q Jer 9:16
r Le 26:33
Jer 42:16
Eze 12:14
s Lam 4:11
t Eze 16:42
u Dt 32:36
Isa 1:24

2.ª col.
a Ex 20:5
Ex 34:14
Dt 4:24
Dt 6:15
Jos 24:19
Isa 59:17
Eze 39:25
b Le 26:31
Dt 28:37
1Re 9:7
Ne 2:17
c Sl 79:4
Jer 24:9
Lam 2:15
d Lam 3:62
e 1Co 10:11
f Eze 25:17
g Eze 14:21
h Dt 32:23
Sl 7:13
i Le 26:26
Eze 4:16
Eze 14:13

j Le 26:22; Dt 32:24; 2Re 17:25; Eze 14:21; Eze 33:27; k Eze 38:22; 1Eze 14:19; m Eze 21:3; CAP. 6 n Eze 20:46; Eze 21:2; Eze 33:28; Eze 36:1; o Miq 6:2; p Jer 3:23; Jer 17:3; q Le 26:30; r Isa 27:9.

que los muertos suyos caigan delante de sus ídolos estercolizos.[a] **5** Y ciertamente pondré los cadáveres de los hijos de Israel delante de sus ídolos estercolizos, y ciertamente esparciré los huesos de ustedes todo en derredor de sus altares.[b] **6** En todos sus lugares de morada[c] las ciudades mismas llegarán a estar devastadas[d] y los lugares altos mismos llegarán a estar desoladas, para que yazcan devastados[e] y los altares de ustedes yazcan desolados y verdaderamente sean quebrados[f] y verdaderamente se haga cesar a los ídolos estercolizos de ustedes,[g] y sus estantes de incienso sean cortados[h] y las obras de ustedes sean borradas. **7** Y el muerto caerá de seguro en medio de ustedes,[i] y tendrán que saber que yo soy Jehová.[j]

8 " ' "Y cuando ocurra, ciertamente les dejaré tener como resto a los que escapen de la espada entre las naciones, cuando ustedes sean esparcidos entre los países.[k] **9** Y los escapados de ustedes ciertamente se acordarán de mí entre las naciones a las cuales habrán sido llevados cautivos,[l] porque he sufrido quebranto ante el corazón fornicador de ellos que se ha desviado de mí[m] y ante sus ojos que se van en fornicación tras de sus ídolos estercolizos;[n] y ciertamente sentirán un asco en sus rostros ante las malas cosas que han hecho en todas sus cosas detestables.[o] **10** Y tendrán que saber que yo soy Jehová; no en vano hablé[p] acerca de hacerles esta cosa calamitosa" '.[q]

11 "Esto es lo que ha dicho el Señor Soberano Jehová: 'Palmotea con las manos[r] y patea con el pie, y di: "¡Ay!", por todas las malas cosas detestables de la casa de Israel,[s] porque a espada,[t] del hambre[u] y de la peste caerán.[v] **12** En cuanto al que está lejos,[w] de la peste morirá; y en cuanto al que está cerca, a espada caerá; y en cuanto al que ha

quedado y que ha sido salvaguardado, del hambre morirá, y ciertamente llevaré a su final mi furia contra ellos.[a] **13** Y ustedes tendrán que saber que yo soy Jehová,[b] cuando los de ellos que hayan sido muertos lleguen a estar en medio de los ídolos estercolizos de ellos,[c] todo en derredor de sus altares,[d] sobre toda alta colina,[e] en todas las cimas de las montañas[f] y bajo todo árbol frondoso[g] y bajo todo gran árbol ramoso,[h] el lugar donde han ofrecido un olor conducente a descanso a todos sus ídolos estercolizos.[i] **14** Y ciertamente extenderé mi mano contra ellos[j] y haré de la tierra un yermo desolado, hasta una desolación peor que el desierto hacia Diblá, en todos sus lugares de morada. Y tendrán que saber que yo soy Jehová' ".

7 Y la palabra de Jehová continuó ocurriéndome, y dijo: **2** "Y en cuanto a ti, oh hijo del hombre, esto es lo que el Señor Soberano Jehová ha dicho al suelo de Israel: 'Un fin, el fin, ha venido sobre las cuatro extremidades de la tierra.[k] **3** Ahora el fin está sobre ti,[l] y tengo que enviar mi cólera contra ti, y ciertamente te juzgaré según tus caminos[m] y traeré sobre ti todas tus cosas detestables. **4** Y mi ojo no se sentirá apenado por ti,[n] y ciertamente tampoco sentiré compasión, porque sobre ti traeré tus propios caminos, y en medio de ti tus propias cosas detestables llegarán a estar;[o] y ustedes tendrán que saber que yo soy Jehová'.

5 "Esto es lo que ha dicho el Señor Soberano Jehová: 'Una calamidad, una calamidad singular, ¡mira!, viene.[q] **6** Un fin mismo tiene que venir. El fin tiene que venir; tiene que despertarse para ti. ¡Mira! Viene.[s] **7** La guirnalda tiene que venir a

CAP. 6
a Le 26:30
  1Re 13:2
  Jer 16:18
b Jer 8:2
c Jer 9:19
  Jer 32:29
d Isa 32:14
  Jer 2:15
  Miq 3:12
e Jer 17:3
  Eze 16:39
f Os 10:2
g Miq 1:7
h Isa 17:8
i Jer 14:18
  Eze 7:4
k Jer 30:10
  Jer 44:28
  Eze 12:15
l Dt 30:1
  Sl 137:1
  Eze 12:16
  Zac 10:9
m Sl 78:40
  Isa 7:13
  Isa 63:10
n Nú 15:39
o Isa 64:6
  Eze 20:43
  Eze 36:31
p Isa 46:10
  Isa 55:11
q Eze 14:23
  Eze 33:29
  Da 9:12
  Zac 1:6
r Eze 21:14
s Joe 1:15
t Jer 15:2
u Jer 16:4
v Jer 24:10
  Eze 5:12
w Da 9:7

2.ᵃ col.
a Lam 4:22
  Eze 5:13
b Eze 12:15
  Eze 38:23
c Eze 6:4
d Jer 8:2
e Dt 12:2
  Isa 65:7
  Jer 2:20
  Eze 20:28
f Jer 3:6
  Os 4:13
g 1Re 14:23
  Isa 57:5
  Isa 65:3
i Isa 5:25

CAP. 7
k Am 8:2
  Eze 5:13
m Nú 32:23
  Jer 40:3
  Eze 18:30
  Eze 33:20
  Ro 2:6
n Jer 13:14
  Eze 5:11
  Eze 8:18
  Eze 9:10
  Zac 11:6
o Jer 16:18
  Eze 11:21
  Eze 16:43
p Eze 6:13

q 2Re 21:12; Da 9:12; r Jer 44:27; s Eze 21:25; Eze 39:8.

ti, oh habitador de la tierra, el tiempo tiene que venir, el día está cerca.[a] Hay confusión, y no el gritar de las montañas.

8 "'Ya pronto derramaré mi furia sobre ti,[b] y ciertamente traeré mi cólera contra ti hasta su final,[c] y ciertamente te juzgaré según tus caminos[d] y traeré sobre ti todas tus cosas detestables. 9 Tampoco se sentirá apenado° mi ojo ni sentiré compasión.[f] Según tus caminos haré el traer sobre ti mismo, y tus propias cosas detestables llegarán a estar en el mismo medio de ti;[g] y ustedes tendrán que saber que yo soy Jehová, que hago el herir.[h]

10 "'¡Mira! ¡El día! ¡Mira! Viene.[i] La guirnalda ha salido.[j] La vara ha florecido.[k] La presunción ha brotado.[l] 11 La violencia misma se ha levantado en vara de iniquidad.[m] No procede de ellos, ni procede de sus riquezas; y no procede de su persona, ni hay eminencia alguna en ellos. 12 El tiempo tiene que venir, el día tiene que llegar. En cuanto al comprador, que no se regocije;[n] y en cuanto al vendedor, que no se ponga de duelo, porque hay sentimiento ardiente contra toda su muchedumbre. 13 Porque el vendedor mismo no volverá a lo que fue vendido, mientras la vida de ellos está todavía entre los vivientes; pues la visión es para toda su muchedumbre. Ninguno volverá, y no se posesionará cada uno de su propia vida por su propio error.

14 "'Han tocado la trompeta° y ha habido un prepararse de todos, pero no hay nadie que vaya a la batalla, porque mi sentimiento ardiente está contra toda su muchedumbre.[p] 15 La espada[q] está afuera, y la peste y el hambre están adentro.[r] Quienquiera que esté en el campo, a espada morirá, y quienesquiera que estén en la ciudad, el hambre y la peste mismas los devorarán.[s] 16 Y sus escapados ciertamente escaparán,[t] y en las

montañas llegarán a ser como las palomas de los valles,[a] todas las cuales están gimiendo, cada uno en su propio error. 17 En cuanto a todas las manos, siguen cayendo;[b] y en cuanto a todas las rodillas, siguen goteando agua.[c] 18 Y se han ceñido saco,[d] y estremecimiento los ha cubierto;[e] y en todos los rostros hay vergüenza[f] y en todas sus cabezas hay calvicie.[g]

19 "'En las calles arrojarán su plata misma, y su propio oro llegará a ser una cosa aborrecible. Ni la plata ni el oro de ellos podrá librarlos en el día del furor de Jehová.[h] A sus almas no satisfarán, y sus intestinos no llenarán, porque ha llegado a ser un tropiezo que es causa de su error.[i] 20 Y la decoración del adorno de uno... uno ha puesto esto como razón para orgullo; y sus imágenes detestables,[j] sus cosas repugnantes,[k] las han hecho de él. Por eso ciertamente lo haré para ellos cosa aborrecible.[l] 21 Y ciertamente lo daré en mano de los extraños para saqueo, y a los inicuos de la tierra para despojo,[m] y ciertamente lo profanarán.

22 "'Y tendré que apartar de ellos mi rostro,[n] y verdaderamente profanarán mi lugar oculto, y en ella verdaderamente entrarán salteadores y la profanarán.[o]

23 "'Haz la cadena,[p] porque la tierra misma ha llegado a estar llena de juicio manchado de sangre[q] y la ciudad misma ha llegado a estar llena de violencia.[r] 24 Y ciertamente introduciré a los peores de las naciones,[s] y ciertamente tomarán posesión de sus casas,[t] y ciertamente haré que cese el orgullo de los fuertes,[u] y sus santuarios tienen que ser profanados.[v] 25 Vendrá zozobra; y ciertamente buscarán la paz, pero no la habrá.[w]

CAP. 7
a Eze 12:23
  Sof 1:14
b 2Cr 34:21
  Eze 36:18
c Jer 7:20
d Job 34:11
  Eze 18:30
  Gál 6:7
e Jer 13:14
f Jer 15:5
g Eze 11:21
  Eze 16:42
h Isa 66:6
  Eze 33:29
i Sof 1:14
j Eze 7:7
k Isa 10:5
l Jer 50:31
m Isa 59:6
  Jer 6:7
  Miq 6:12
n Sof 1:18
o Jer 4:5
  Jer 6:1
p Jer 7:20
  Jer 12:12
q Le 26:25
r Dt 32:25
  Jer 21:9
  Jer 27:13
  Lam 1:20
s Jer 14:18
  Jer 15:2
  Eze 5:12
t Esd 9:15
  Isa 1:9
  Isa 37:31
  Eze 6:8

2.ª col.
a Isa 38:14
  Isa 59:11
  Na 2:7
b Isa 13:7
  Jer 6:24
c Eze 21:7
d Isa 3:24
  Isa 15:3
  Jer 48:37
  Am 8:10
e Sl 55:5
f Jer 3:25
g Isa 22:12
h Pr 11:4
  Sof 1:18
i Eze 14:3
  Jer 44:12
j 2Re 17:12
  2Re 21:7
  Eze 6:4
k Jer 7:30
  Jer 32:34
l Dt 27:15
  Jer 7:14
  Lam 1:17
  Os 9:10
m 2Cr 36:19
  Jer 18:17
  Dt 28:29
  2Cr 36:19
  Lam 1:10
n Jer 27:2
  Jer 39:7
  Jer 40:1
  Lam 3:7
  Na 3:10
o 2Re 21:16
  2Re 24:4
  Jer 2:34
  Jer 22:17
  Eze 9:9
  Jer 11:6
  Os 4:2

r Isa 59:6; Miq 2:2; s Dt 28:50; Eze 21:31; Hab 1:6; t Jer 6:12; Lam 5:2; u Isa 5:14; v Eze 21:2; w Isa 57:21; Jer 8:15.

26 Vendrá adversidad sobre adversidad,[a] y ocurrirá informe sobre informe, y la gente realmente buscará una visión de un profeta,[b] y la ley misma perecerá del sacerdote y el consejo [perecerá] de los hombres de edad madura.[c] 27 El rey mismo se pondrá de duelo;[d] hasta un principal se vestirá de desolación,[e] y las manos mismas de la gente de la tierra se perturbarán. Según su camino actuaré para con ellos,[f] y con sus juicios los juzgaré;[g] y tendrán que saber que yo soy Jehová' ".[h]

8 Y en el año sexto, en el sexto [mes], en el día cinco del mes, aconteció que yo estaba sentado en mi casa y los ancianos de Judá estaban sentados delante de mí,[i] cuando la mano del Señor Soberano Jehová cayó sobre mí allí.[j] 2 Y empecé a ver, y, ¡mire!, una semejanza similar a la apariencia del fuego;[k] desde la apariencia de sus caderas aun hacia abajo había fuego,[l] y desde sus caderas aun hacia arriba había algo como la apariencia de un resplandecer, como el fulgor del electro.[m] 3 Entonces él alargó la representación de una mano[n] y me tomó por un mechón de la cabeza, y un espíritu me llevó entre la tierra y los cielos y me trajo a Jerusalén en las visiones de Dios,[p] a la entrada de la puerta interna[q] que mira hacia el norte, donde está la morada del símbolo de celos que incita a celos.[r] 4 Y, ¡mire!, la gloria del Dios de Israel estaba allí,[s] como el aparecimiento que yo había visto en la llanura-valle.

5 Y él procedió a decirme: "Hijo del hombre, sírvete levantar los ojos en dirección al norte". Por lo tanto, levanté los ojos en dirección al norte, y, ¡mire!, al norte de la puerta del altar estaba aquel símbolo de celos[s] en el paso de entrada. 6 Y él pasó a decirme: "Hijo del hombre, ¿estás viendo qué grandes cosas detestables están haciendo,[u] las

cosas que la casa de Israel está haciendo aquí [para que yo] llegue a estar alejado de mi santuario?[a] Y todavía verás de nuevo grandes cosas detestables".

7 Por consiguiente, me llevó a la entrada del patio, y empecé a ver, y, ¡mire!, cierto agujero en la pared. 8 Ahora me dijo: "Hijo del hombre, horada, por favor, a través de la pared".[b] Y gradualmente horadé a través de la pared, y, ¡mire!, allí había cierta entrada. 9 Y él me dijo además: "Entra y ve las malas cosas detestables que están haciendo aquí".[c] 10 Por lo tanto, entré y empecé a ver, y, ¡mire!, había toda representación[d] de cosas que se arrastran y bestias asquerosas,[e] y todos los ídolos estercolizos de la casa de Israel,[f] y la entalladura estaba sobre la pared todo en derredor. 11 Y setenta hombres[g] de los de edad madura de la casa de Israel, con Jaazanías el hijo de Safán[h] de pie entre ellos, estaban de pie ante ellos, cada uno con su incensario en su mano, y el perfume de la nube del incienso ascendía.[i] 12 Y él procedió a decirme: "¿Has visto, oh hijo del hombre, lo que los de edad madura de la casa de Israel están haciendo en la oscuridad,[j] cada uno en los cuartos interiores de su exhibición? Porque están diciendo: 'Jehová no nos está viendo'.[k] Jehová ha dejado la tierra'".

13 Y prosiguió diciéndome: "Todavía verás de nuevo grandes cosas detestables que están haciendo".[l] 14 Por lo tanto, me llevó a la entrada de la puerta de la casa de Jehová, que está hacia el norte, y, ¡mire!, allí estaban sentadas las mujeres, llorando por el [dios] Tamuz.

15 Y él me dijo además: "¿Has visto [esto], oh hijo del hombre? Todavía verás de nuevo grandes cosas detestables[m] peores que estas". 16 Así que me llevó al patio interior de la casa de Jehová,[n] y, ¡mire!, a la entrada del templo de Jehová, entre el pórti-

CAP. 7

a Le 26:28
Dt 32:23
Jer 4:20
b Jer 21:2
Jer 37:17
c 1Re 21:11
Sl 74:9
Jer 18:18
Lam 2:9
Eze 20:3
d Jer 52:10
e Eze 19:1
f Job 34:11
Ro 2:6
g Isa 3:11
Mt 7:2
Snt 2:13
h Eze 6:13

CAP. 8

i Eze 14:1
Eze 20:1
j Eze 1:3
Eze 3:22
k Eze 1:27
l Da 7:9
m Eze 1:4
Eze 1:27
n Eze 2:9
Da 5:5
o Eze 3:14
Heb 1:7
p Eze 40:2
q Jer 20:2
Eze 9:2
r Éx 20:5
Dt 32:16
Jos 24:19
Sl 78:58
s Éx 40:34
Eze 1:28
t Eze 7:20
u 2Cr 36:14

2.ª col.

a Sl 78:60
Jer 26:6
b Jer 23:24
Heb 4:13
c Jer 7:10
d Éx 20:4
Dt 4:18
e Le 11:10
Hch 10:12
Ro 1:23
f 2Re 23:24
g Éx 24:1
Nú 11:16
h 2Re 22:3
2Re 25:22
2Cr 34:8
Jer 26:24
i 2Cr 26:16
Jer 7:9
Eze 16:18
j Job 24:16
Jn 3:19
k Sl 73:11
Sl 94:7
Isa 29:15
Eze 9:9
l Jer 9:3
m 2Cr 36:14
n 2Cr 4:9

co y el altar,[a] había unos veinticinco hombres[b] con sus espaldas
al templo de Jehová[c] y sus rostros hacia el este, y estaban inclinándose hacia el este, al sol.[d]
17 Y pasó a decirme: "¿Has
visto [esto], oh hijo del hombre?
¿Es cosa tan liviana a la casa de
Judá el hacer las cosas detestables que han hecho aquí, que
tengan que llenar la tierra con
violencia[e] y que deban ofenderme de nuevo, y aquí estén empujando el vástago a mi nariz?
18 Y yo mismo también actuaré
con furia.[f] Mi ojo no se sentirá
apenado, ni sentiré compasión.[g]
Y ciertamente clamarán en mis
oídos con fuerte voz, pero no los
oiré".[h]

9 Y procedió a clamar en mis
oídos con una voz fuerte, y
dijo: "¡Que se acerquen los que
dan su atención a la ciudad, cada
uno con su arma en la mano,
para arruinar!".
2 Y, ¡mire!, había seis hombres
que venían de la dirección de la
puerta superior[i] que mira al norte, cada uno con su arma desmenuzadora en la mano; y había
entre ellos un hombre vestido de
lino,[j] con un tintero de secretario a las caderas, y ellos procedieron a entrar y a plantarse al
lado del altar de cobre.[k]
3 Y respecto a la gloria del
Dios de Israel,[l] fue elevada de
sobre los querubines[m] sobre los
cuales estaba [y llevada] al umbral de la casa,[n] y él empezó a
clamar al hombre que estaba
vestido del lino,[o] a cuyas caderas
estaba el tintero de secretario.
4 Y Jehová pasó a decirle: "Pasa
por en medio de la ciudad, por en
medio de Jerusalén, y tienes que
poner una marca en las frentes
de los hombres que están suspirando y gimiendo[p] por todas las
cosas detestables que se están
haciendo en medio de ella".[q]
5 Y a estos [otros] dijo, a mis
oídos: "Pasen por la ciudad detrás de él y hieran. No se sienta
apenado su ojo, y no sientan ninguna compasión.[a] 6 A viejo,
joven y virgen y niñito y mujeres[b] deben matar... hasta arruinamiento. Pero no se acerquen
a ningún hombre sobre el cual
esté la marca,[c] y desde mi santuario deben comenzar".[d] Así
que comenzaron con los viejos
que estaban delante de la casa.[e]
7 Y además les dijo: "Contaminen la casa y llenen los patios
con los muertos.[f] ¡Salgan!". Y
ellos salieron e hirieron en la
ciudad.
8 Y aconteció que, mientras
herían y se me dejó permanecer,
procedí a caer sobre mi rostro[g] y
gritar y decir: "¡Ay,[h] oh Señor
Soberano Jehová! ¿Vas a arruinar a todos los restantes de Israel mientras derramas tu furia
sobre Jerusalén?".[i]
9 De modo que él me dijo: "El
error de la casa de Israel y Judá[j]
es muy, muy grande,[k] y el país
está lleno de derramamiento de
sangre,[l] y la ciudad está llena de
tortuosidad;[m] porque han dicho:
'Jehová ha dejado la tierra,[n] y
Jehová no está viendo'.[o] 10 Y
en cuanto a mí también, mi ojo
no se sentirá apenado,[p] ni mostraré compasión.[q] Ciertamente
traeré sobre su propia cabeza su
camino".[r]
11 Y, ¡mire!, el hombre vestido
del lino, a cuyas caderas estaba
el tintero, traía palabra de vuelta, y decía: "He hecho tal como
me has mandado".[s]

10 Y continué viendo, y,
¡mire!, sobre la expansión[t]
que estaba sobre la cabeza de los
querubines había algo como la
piedra de zafiro[u] —como la apariencia de la semejanza de un
trono[v]— que aparecía sobre
ellos. 2 Y él procedió a decir al
hombre que estaba vestido del
lino,[w] hasta a decirle: "Entra entre el rodaje,[x] debajo de los querubines, y llena los huecos de tus

CAP. 8
a Joe 2:17
b Eze 11:1
c 1Re 8:29; Jer 2:27; Jer 32:33
d Dt 4:19; Dt 17:3; 2Re 17:16; 2Re 23:5; Job 31:26; Jer 8:2; Jer 44:17
e Gé 6:13; 2Re 21:16; Jer 19:4; Eze 9:9; Sof 1:9
f Eze 5:13
g Eze 5:11; Eze 7:9; Eze 9:10
h Pr 1:28; Isa 1:15; Jer 11:11; Jer 14:12; Miq 3:4; Zac 7:13

CAP. 9
i Jer 20:2; Eze 8:3
j Le 16:4
k 2Cr 4:1; 2Cr 7:7
l Eze 3:23; Eze 8:4; Eze 11:22
m Gé 3:24
n Eze 10:4
o Rev 19:8
p Sl 119:53; Sl 119:136; 2Co 12:21; 2Pe 2:8
q Eze 5:11; Eze 8:6

2.ª col.
a Éx 32:27; Eze 7:4
b 2Cr 36:17
c Éx 12:23; Jos 2:18; Rev 9:4
d 2Re 25:18; Jer 25:29; 1Pe 4:17
e Eze 8:11
f 2Cr 36:17; Lam 2:21
g Nú 14:5; Nú 16:45
h Jer 4:10; Eze 11:13
i Gé 18:23
j Jer 11:10
k Dt 31:29; 2Re 17:7; 2Cr 36:14; Isa 1:4
l 2Re 21:16; Jer 2:34; Eze 24:9; Mt 23:30
m Eze 22:29
n Eze 8:12
o Sl 10:11; Isa 29:15
p Eze 7:4; Eze 8:18
q Eze 5:11

r Dt 32:41; 2Cr 6:23; Eze 11:21; Heb 10:30; s Gé 6:22; Éx 39:32; CAP. 10 t Eze 1:22; u Eze 1:26; Rev 4:3; v Isa 6:1; Rev 4:2; w Eze 9:2; x Eze 1:16.

dos manos con brasas[a] de fuego de entre los querubines, y arrója[las] sobre la ciudad".[b] De manera que él entró delante de mis ojos.

3 Y los querubines estaban de pie a la derecha de la casa cuando el hombre entró, y la nube llenaba el patio interior.[c] 4 Y la gloria de Jehová[d] procedió a levantarse desde los querubines hasta el umbral de la casa, y gradualmente la casa se llenó de la nube,[e] y el patio mismo estaba lleno del resplandor de la gloria de Jehová. 5 Y el sonido mismo de las alas de los querubines[f] se hizo oír hasta el patio exterior, como el sonido de Dios Todopoderoso cuando habla.[g]

6 Y aconteció que, cuando él mandó al hombre vestido del lino, y dijo: "Toma fuego de entre el rodaje, de entre los querubines", este procedió a entrar y a plantarse al lado de la rueda. 7 Entonces el querubín alargó la mano de entre los querubines al fuego[h] que estaba entre los querubines y [lo] llevó y [lo] puso en los huecos de las manos del que estaba vestido del lino,[j] quien ahora [lo] tomó y salió. 8 Y se vio en pertenencia de los querubines la representación de una mano de hombre terrestre debajo de sus alas.[k]

9 Y continué viendo, y, ¡mire!, había cuatro ruedas al lado de los querubines, una rueda al lado de un querubín y una rueda al lado del otro querubín,[l] y la apariencia de las ruedas era como el refulgir de una piedra de crisólito. 10 Y en cuanto a su apariencia, las cuatro tenían una misma semejanza, tal como cuando una rueda resulta estar en medio de una rueda.[m] 11 Cuando iban, a sus cuatro lados iban. No cambiaban de dirección cuando iban, porque el lugar adonde miraba la cabeza, tras este iban. No cambiaban de dirección cuando iban.[n] 12 Y toda la carne de ellos y sus espaldas y sus manos y sus alas y las ruedas estaban llenas de ojos todo en derredor.[a] Los cuatro tenían sus ruedas. 13 En cuanto a las ruedas, a ellas se clamaba a oídos míos: "¡Oh, rodaje!".

14 Y [cada] uno tenía cuatro caras.[b] La primera cara era la cara del querubín, y la segunda cara era la cara del hombre terrestre,[c] y la tercera era la cara de un león, y la cuarta era la cara de un águila.[d]

15 Y los querubines se levantaban[e] —era la [misma] criatura viviente que yo había visto junto al río Kebar[f]— 16 y cuando los querubines iban, las ruedas iban al lado de ellos;[g] y cuando los querubines alzaban las alas para estar bien por encima de la tierra, las ruedas no cambiaban de dirección, aun ellas mismas, de al lado de ellos.[h] 17 Cuando estos se detenían, ellas se detenían; y cuando estos se levantaban,[i] ellas se levantaban con ellos, porque el espíritu de la criatura viviente estaba en ellas.[j]

18 Y la gloria[k] de Jehová procedió a salir de sobre el umbral de la casa y a detenerse sobre los querubines.[l] 19 Y los querubines ahora alzaron las alas y se levantaron de la tierra[m] delante de mis ojos. Cuando salieron, las ruedas también estaban cerca, al lado de ellos; y ellos empezaron a pararse en la entrada oriental de la puerta de la casa de Jehová, y la gloria del Dios de Israel estaba sobre ellos, desde arriba.

20 Esta es la criatura viviente[n] que yo había visto bajo el Dios de Israel junto al río Kebar,[o] de modo que llegué a saber que eran querubines. 21 En cuanto a los cuatro, [cada] uno tenía cuatro caras[p] y [cada] uno tenía cuatro alas, y la semejanza de las manos del hombre terrestre estaba debajo de sus alas. 22 Y en cuanto a la semejanza de sus caras, eran las caras cuya apariencia yo había visto junto al río Kebar, las mismas.[q] Cada uno iba directamente adelante.[r]

11 Y un espíritu[a] procedió a alzarme[b] y llevarme a la puerta oriental de la casa de Jehová que mira hacia al este,[c] y, ¡mire!, en la entrada de la puerta había veinticinco hombres,[d] y llegué a ver en medio de ellos a Jaazanías el hijo de Azur y a Pelatías el hijo de Benaya, príncipes del pueblo.[e] 2 Entonces él me dijo: "Hijo del hombre, estos son los hombres que están tramando nocividad y asesorando mal consejo contra esta ciudad;[f] 3 que están diciendo: '¿No se ha acercado mucho el edificar casas?[g] Ella es la olla de boca ancha, y nosotros somos la carne'.

4 "Por lo tanto, profetiza contra ellos. Profetiza, oh hijo del hombre".[i]

5 Entonces el espíritu de Jehová cayó sobre mí,[j] y él pasó a decirme: "Di: 'Esto es lo que ha dicho Jehová:[k] "Ustedes dijeron lo recto, oh casa de Israel; y respecto a las cosas que suben en su espíritu de ustedes, yo mismo lo he conocido.[l] 6 Ustedes han hecho que los muertos suyos en esta ciudad sean muchos, y han llenado de muertos las calles de ella'".[m] 7 "Por lo tanto, esto es lo que ha dicho el Señor Soberano Jehová: 'En cuanto a sus muertos a quienes ustedes han puesto en medio de ella, ellos son la carne,[n] y ella es la olla de boca ancha;[o] y habrá un sacar a ustedes mismos de en medio de ella'.[p]

8 "'Espada han temido,[q] y espada traeré sobre ustedes —es la expresión del Señor Soberano Jehová'—. 9 Y ciertamente los sacaré de en medio de ella y los daré en mano de extraños[s] y ejecutaré sobre ustedes actos de juicio.[t] 10 A espada caerán.[u] En el confín de Israel[v] los juzgaré, y tendrán que saber que yo soy Jehová.[w] 11 Ella misma no resultará ser para ustedes una olla de boca ancha,[x] y ustedes mismos no resultarán ser carne en medio de ella. En el confín de Israel los juzgaré,

12 y tendrán que saber que yo soy Jehová, porque en mis disposiciones reglamentarias no anduvieron y mis juicios no pusieron por obra,[a] sino que según los juicios de las naciones que están alrededor de ustedes, ustedes han obrado.'"[b]

13 Y aconteció que, tan pronto como profeticé, Pelatías el hijo de Benaya mismo murió,[c] y procedí a caer sobre mi rostro y a gritar con voz fuerte[d] y a decir: "¡Ay, oh Señor Soberano Jehová![e] ¿Es un exterminio lo que vas a ejecutar con los restantes de Israel?".[f]

14 Y la palabra de Jehová continuó ocurriéndome, y dijo: 15 "Hijo del hombre, respecto a tus hermanos,[g] tus hermanos, los hombres que tienen que ver con tu derecho de recompra, y toda la casa de Israel, toda ella, son aquellos a quienes los habitantes de Jerusalén han dicho: 'Aléjense de Jehová. A nosotros nos pertenece; la tierra [nos] ha sido dada como cosa de posesión';[h] 16 por lo tanto di: 'Esto es lo que ha dicho el Señor Soberano Jehová: "Aunque los he alejado entre las naciones, y aunque los he esparcido entre las tierras,[i] sin embargo llegaré a ser para ellos un santuario por un poco de tiempo entre las tierras a las cuales han ido"'.[j]

17 "Por lo tanto di: 'Esto es lo que ha dicho el Señor Soberano Jehová: "También ciertamente los juntaré a ustedes de los pueblos y los reuniré de las tierras entre las cuales han sido esparcidos, y ciertamente les daré el suelo de Israel.[k] 18 Y ellos ciertamente irán allí y removerán todas sus cosas repugnantes y todas sus cosas detestables de allí.[l] 19 Y ciertamente les daré un solo corazón,[m] y un nuevo es-

CAP. 11
a Heb 1:7
b Eze 3:12
  Eze 8:3
  2Co 12:2
c Eze 10:19
d Eze 8:16
e Isa 1:23
  Eze 22:27
  Os 5:10
f Isa 30:1
  Miq 2:1
g Eze 12:22
  2Pe 3:4
h Jer 1:13
  Eze 3:16
i Isa 58:1
  Eze 3:17
  Eze 20:46
  Eze 21:2
j Nú 11:25
  1Sa 10:6
  Eze 2:2
  Eze 3:24
  Miq 3:8
  2Pe 1:21
k 1Re 22:14
  Jer 1:7
l 1Re 20:32
  Heb 4:13
m 2Re 21:16
  Jer 2:34
  Eze 7:23
  Jer 22:4
  Mt 23:35
n Miq 3:3
o Jer 1:13
  Eze 24:6
p Jer 52:27
q Jer 38:19
  Jer 42:14
r Jer 44:12
  1Te 2:16
s Dt 28:36
  Sl 106:41
  Jer 39:6
t Eze 5:8
  Eze 16:41
  Jud 15
u Eze 25:21
  2Cr 36:17
  Jer 52:10
v 1Re 8:65
  2Re 14:25
  Jer 52:27
w Sl 9:16
  Eze 6:13
x Jer 1:13

2.ª col.
a Éx 19:8
  Le 26:40
  1Re 11:33
  Esd 9:7
  Ne 9:34
  Eze 20:16
b Dt 12:30
  Eze 21:2
  2Cr 28:3
  Sl 106:35
  Eze 8:10
c Eze 6:15
  Hch 5:5
d Sl 119:120
e Eze 9:8
f Dt 9:19
g Isa 66:5
h Eze 33:24

i Le 26:44; Dt 30:3; 2Re 24:15; Sl 44:11; Jer 24:5; Jer 30:11; Jer 31:10; j Sl 31:20; Sl 90:1; Sl 91:9; Pr 18:10; k Isa 11:11; Jer 30:10; Jer 32:37; Eze 20:42; Eze 34:13; Eze 36:24; Eze 37:12; Am 9:14; l Eze 37:23; m 2Cr 30:12; Jer 24:7; Jer 32:39

píritu pondré dentro de ellos;ª y ciertamente removeré de su carne el corazón de piedrab y les daré un corazón de carne,c 20 para que anden en mis propios estatutos y guarden mis propias decisiones judiciales y realmente las ejecuten;d y realmente lleguen a ser mi puebloe y yo mismo llegue a ser su Dios' ".f

21 " ' "Pero en cuanto a aquellos cuyo corazón va andando en sus cosas repugnantes y en sus cosas detestables,g sobre su cabeza ciertamente traeré su propio camino", es la expresión del Señor Soberano Jehová' ".h

22 Y los querubinesi ahora alzaron las alas, y las ruedas estaban cerca de ellos,j y la gloriak del Dios de Israel estaba sobre ellos, desde arriba.l 23 Y la gloria de Jehovám fue subiendo de sobre en medio de la ciudad y empezó a posarse sobre la montañan que está al este de la ciudad.o 24 Y un espírituᵖ mismo me alzóq y finalmente me llevó a Caldea al pueblo desterrado,r en la visión por el espíritu de Dios; y la visión que yo había visto fue ascendiendo de sobre mí. 25 Y empecé a hablar al pueblo desterrado todas las cosas de Jehová que él me había hecho ver.s

12 Y la palabra de Jehová continuó ocurriéndome y dijo: 2 "Hijo del hombre, en medio de una casa rebeldet es donde moras, que tienen ojos para ver pero realmente no ven,u que tienen oídos para oír pero realmente no oyen,ᵛ porque son casa rebelde.w 3 En cuanto a ti, oh hijo del hombre, haz para ti equipaje para destierro y ve al destierro durante el día delante de tus ojos, y tienes que ir al destierro desde tu lugar a otro lugar delante de tus ojos. Quizás vean, aunque son casa rebelde.x 4 Y tienes que sacar tu equipaje como equipaje para destierro durante el día delante de sus ojos, y tú mismo saldrás al atardecer delante de sus ojos como

aquellos a quienes sacan para el destierro.ª

5 "Delante de sus ojos, horada tu paso a través del muro, y a través de él tienes que efectuar el sacar.b 6 Delante de sus ojos efectuarás el llevar sobre el hombro mismo. Durante la oscuridad efectuarás el sacar. Cubrirás tu mismísimo rostro para que no veas la tierra, porque un portento presagiosoc es lo que te he hecho a la casa de Israel".d

7 Y procedí a hacer tal como se me había mandado.e Mi equipaje saqué, justamente como equipaje para destierro, durante el día; y al atardecer horadé a mano mi paso a través del muro. Durante la oscuridad efectué el sacar. Sobre mi hombro efectué el llevar, delante de sus ojos.

8 Y la palabra de Jehová continuó ocurriéndome por la mañana, y dijo: 9 "Hijo del hombre, ¿no te dijeron los de la casa de Israel, la casa rebelde:f '¿Qué haces'? 10 Diles: 'Esto es lo que ha dicho el Señor Soberano Jehová: "Con respecto al principal,g hay esta declaración formal contra Jerusalén y toda la casa de Israel que está en medio de ellos' ".

11 "Di: 'Soy un portento presagiosoh para ustedes. Tal como he hecho, así se hará a ellos. Al destierro, al cautiverio irán.i 12 Y en lo que respecta al principal que está en medio de ellos, sobre el hombro efectuará [trabajo de] llevar en la oscuridad y saldrá; a través del muro horadarán para efectuar el sacar a través de él.j Él cubrirá su rostro para no ver con su propio ojo la tierra'. 13 Y ciertamente extenderé mi red sobre él, y tiene que ser cogido en mi red de caza;k y ciertamente lo llevaré a Babilonia, a la tierra de los caldeos,l pero no la verá; y allí mo-

CAP. 11
a Sl 51:10
Jer 31:33
Jer 32:39
Eze 36:31
Ef 4:23
b Isa 48:4
Zac 7:12
Mt 10:5
Ro 2:5
c Eze 36:26
d Sl 105:45
e Jer 11:4
f Eze 14:11
g Jer 17:9
h Eze 9:10
Eze 22:31
i Eze 9:3
j Eze 10:2
j Eze 1:19
Eze 10:19
k 1Re 8:11
2Cr 7:3
l Eze 10:18
m Eze 8:4
Eze 9:3
Eze 10:4
Eze 43:4
n Zac 14:4
Mt 24:3
Hch 1:12
o Eze 43:2
Eze 8:3
Heb 1:7
q 2Co 12:2
r Sl 137:1
s Eze 2:7

CAP. 12
t Eze 2:3
Eze 3:26
u Isa 6:9
Mt 13:13
v Jer 5:21
Ro 11:8
w Eze 2:5
x Isa 1:2

2.ª col.
a 2Cr 36:20
Jer 52:11
b 2Re 25:4
Jer 39:4
c Eze 24:24
d Isa 8:18
Eze 4:3
Eze 12:3
e Gé 6:22
Éx 39:32
f Dt 31:27
Ne 9:26
Sl 78:8
Eze 3:9
g Jer 21:7
Eze 21:25
h Eze 24:24
i Jer 15:2
Jer 20:6
Jer 44:30
Jer 52:15
j 2Re 25:4
Jer 39:4
Jer 52:7
k Job 19:6; Sl 66:11; Jer 52:9; Lam 1:13; Eze 17:20; Eze 19:8; Eze 32:3; Os 5:1; Os 7:12; Lu 21:35; 1Jer 24:5.

rirá.[a] 14 Y a todos los que están alrededor de él como ayuda, y a todas sus partidas militares, los esparciré a todo viento;[b] y una espada sacaré detrás de ellos.[c] 15 Y tendrán que saber que yo soy Jehová cuando los disperse entre las naciones y realmente los esparza entre los países.[d] 16 Y ciertamente dejaré que queden de ellos unos pocos hombres, de la espada,[e] del hambre y de la peste, para que relaten todas sus cosas detestables[f] entre las naciones a las cuales tendrán que ir;[g] y tendrán que saber que yo soy Jehová".

17 Y la palabra de Jehová continuó ocurriéndome, y dijo: 18 "Hijo del hombre, con temblor tu pan debes comer, y con agitación y con solicitud ansiosa tu agua debes beber.[h] 19 Y tienes que decir a la gente de la tierra: 'Esto es lo que ha dicho el Señor Soberano Jehová a los habitantes de Jerusalén sobre el suelo de Israel:[i] "Con solicitud ansiosa su pan comerán, y con horror su agua beberán, para que su tierra sea desolada de su plenitud[j] debido a la violencia de todos los que moran en ella.[k] 20 Y las ciudades habitadas mismas serán devastadas,[l] y la tierra misma llegará a ser simplemente un yermo desolado;[m] y ustedes tendrán que saber que yo soy Jehová"'".[n]

21 Y me siguió ocurriendo la palabra de Jehová, y dijo: 22 "Hijo del hombre, ¿qué es este dicho proverbial que ustedes tienen en el suelo de Israel,[o] que dice: 'Se prolongan los días,[p] y toda visión ha perecido'?[q] 23 Por lo tanto diles: 'Esto es lo que ha dicho el Señor Soberano Jehová: "Ciertamente haré que cese este dicho proverbial, y ya no lo dirán como proverbio en Israel"'.[r] Pero háblales: 'Los días se han acercado,[s] y el asunto de toda visión. 24 Porque ya no resultará haber ninguna visión que nada valga[t] ni adivinación

de doble cara en medio de la casa de Israel.[a] 25 '"Pues yo mismo, Jehová, hablaré la palabra que hablaré, y se ejecutará.[b] Ya no habrá más postergación,[c] porque en los días de ustedes,[d] oh casa rebelde, hablaré una palabra y ciertamente la realizaré", es la expresión del Señor Soberano Jehová'".

26 Y la palabra de Jehová continuó ocurriéndome, y dijo: 27 "Hijo del hombre, ¡mira!, los de la casa de Israel están diciendo: 'La visión que él ve en visión es para aquí a muchos días, y él está profetizando respecto a tiempos muy lejanos'.[e] 28 Por lo tanto diles: 'Esto es lo que ha dicho el Señor Soberano Jehová: "Ya no habrá más postergación en cuanto a cualesquiera palabras mías.[f] La palabra que hable, hasta se realizará',[g] es la expresión del Señor Soberano Jehová'".[h]

13 Y la palabra de Jehová continuó ocurriéndome, y dijo: 2 "Hijo del hombre, profetiza acerca de los profetas de Israel que están profetizando,[i] y tienes que decir a los que profetizan de su propio corazón:[j] 'Oigan la palabra de Jehová.[k] 3 Esto es lo que ha dicho el Señor Soberano Jehová: "¡Ay de los profetas estúpidos,[l] que andan tras su propio espíritu,[m] cuando no hay nada que hayan visto![n] 4 Como zorras en los lugares devastados es lo que han llegado a ser tus propios profetas, oh Israel.[o] 5 Ustedes ciertamente no subirán a las brechas,[p] ni edificarán un muro de piedra[q] a favor de la casa de Israel, para estar de pie en la batalla en el día de Jehová".[r] 6 "Han visto en visión lo que no es cierto y [lo que es] una adivinación mentirosa,[s] los que están diciendo: 'La expresión de Jehová es', cuando Jehová mismo no los ha enviado, y ellos han esperado para que se

CAP. 12
a 2Re 25:7
  Jer 34:3
  Jer 39:7
  Jer 52:11
  Eze 17:16
b 2Re 25:5
  Eze 5:10
  Eze 17:21
c Le 26:33
  Jer 42:16
d Sl 9:16
  Eze 6:14
e Isa 1:9
  Isa 10:22
  Eze 6:8
  Ro 9:27
f Jer 44:22
  Eze 6:11
  Eze 7:3
  Eze 33:29
g Le 26:41
h Le 26:26
  Sl 80:5
i Eze 18:2
  Eze 21:3
j Isa 6:11
  Zac 7:14
k Sl 107:34
  Jer 6:7
l Isa 64:10
  Jer 25:9
m Isa 7:24
  Jer 4:23
n Eze 6:13
o Eze 18:2
p Isa 5:19
  Am 6:3
q 2Pe 3:4
r Isa 28:22
  Eze 18:3
s Joe 2:1
  Sof 1:14
t Eze 13:23

2.ᵃ col.
a 1Re 22:11
  Jer 14:14
  Lam 2:14
b Isa 14:24
  Isa 55:11
  Lam 2:17
  Da 9:12
  Zac 1:6
c Rev 10:6
d Jer 16:9
  Hab 1:5
e Isa 5:19
  Isa 28:15
  2Pe 3:4
f Jer 44:28
  Gál 4:4
  Rev 10:6
g Jos 23:14
  Isa 46:10
  Isa 55:11
h Eze 2:4

CAP. 13
i Miq 3:5
  Sof 3:4
  2Pe 2:1
j Jer 14:14
  Jer 23:16
k Am 7:16
l 1Pr 28:26
m Sl 81:12
n Jer 23:32
o Can 2:15
  Gál 2:4
  Ef 4:14
p Sl 106:23

q Eze 22:30; r Isa 2:12; Joe 1:15; s Eze 12:24.

realice una palabra.ª 7 ¿No es una visión falsa la que ustedes han visto en visión, y una adivinación mentirosa lo que han dicho, al decir: 'La expresión de Jehová es', cuando yo mismo no he hablado nada?' ".ᵇ

8 " 'Por lo tanto, esto es lo que ha dicho el Señor Soberano Jehová: " 'Por causa de que ustedes han hablado falsedad y han visto en visión una mentira, por lo tanto aquí estoy contra ustedes',ᶜ es la expresión del Señor Soberano Jehová'. 9 Y mi mano ha llegado a estar contra los profetas que están viendo en visión falsedad y que están adivinando una mentira.ᵈ En el grupo íntimoᵉ de mi pueblo no continuarán, y en el registro de la casa de Israel no serán escritos,ᶠ y al suelo de Israel no vendrán;ᵍ y ustedes tendrán que saber que yo soy el Señor Soberano Jehová.ʰ 10 por causa, sí, por causa de que ellos han descarriado a mi pueblo, diciendo: "¡Hay paz!", cuando no hay paz,ⁱ y hay uno que construye un tabique, pero en vanoʲ hay quienes lo enlucen con lechada.'ᵏ

11 "Di, a quienes lo enlucen con lechada, que caerá. Un aguacero inundante ciertamente ocurrirá, y ustedes, oh piedras de granizo, caerán, y una ráfaga de tempestades de viento misma causará un partir.ˡ 12 Y, ¡mira!, el muro tendrá que caer. ¿No se les dirá a ustedes: '¿Dónde está el revestimiento con el cual hicieron el enlucido?' ?ᵐ

13 "Por lo tanto, esto es lo que ha dicho el Señor Soberano Jehová: 'También ciertamente haré que estalle una ráfaga de tempestades de viento en mi furia, y en mi cólera ocurrirá un aguacero inundante, y en furia habrá piedras de granizo para un exterminio.ⁿ 14 Y ciertamente demoleré el muro que ustedes han enlucido con lechada y lo pondré en contacto con la tierra, y su fundamento tiene que quedar expuesto.ᵒ Y ella

ciertamente caerá, y ustedes tienen que acabarse en medio de ella; y tendrán que saber que yo soy Jehová'.ª

15 " 'Y ciertamente llevaré mi furia a su final sobre el muro y sobre los que lo enlucen con lechada, y les diré a ustedes: "El muro ya no es, y los que lo enlucieron ya no son,ᵇ 16 los profetas de Israel que están profetizando a Jerusalén y que están viendo en visión para ella una visión de paz,ᶜ cuando no hay paz"', es la expresión del Señor Soberano Jehová.ᵈ

17 "Y en cuanto a ti, oh hijo del hombre, pon tu rostroᵉ contra las hijas de tu pueblo que están actuando como profetisasᶠ desde su propio corazón,ᵍ y profetiza contra ellas. 18 Y tienes que decir: 'Esto es lo que ha dicho el Señor Soberano Jehová: "¡Ay de las mujeres que cosen bandas juntas sobre todos los codos y hacen velos sobre la cabeza de todo tamaño para cazar almas!ʰ ¿Son las almas que ustedes cazan las que pertenecen a mi pueblo, y las almas que pertenecen a ustedes las que ustedes conservan vivas? 19 ¿Y me profanarán para con mi pueblo por los puñados de cebada y por los bocados de pan,ⁱ para dar muerte a las almas que no deberían morirʲ y para conservar vivas a las almas que no deberían vivir, por la mentira de ustedes a mi pueblo, los oidores de una mentira?' ".ᵏ

20 "Por lo tanto, esto es lo que ha dicho el Señor Soberano Jehová: 'Aquí estoy contra las bandas de ustedes, mujeres, con las cuales están cazando las almas como si fueran cosas voladoras, y ciertamente las arrancaré de sobre los brazos de ustedes y dejaré ir las almas que ustedes están cazando, almas como si fueran cosas voladoras.ˡ 21 Y ciertamente arrancaré sus velos y libraré a mi pueblo de mano de ustedes, y ellos ya no resultarán ser en su mano algo cogido en la

CAP. 13
a Jer 29:31
b 2Pe 2:1
c Eze 21:3
  Eze 22:28
d Jer 14:14
  Jer 28:16
  Jer 29:9
e Sl 111:1
f Éx 32:32
  Ne 7:5
  Sl 69:28
g Eze 20:38
h Eze 6:13
  Eze 11:10
i Isa 57:21
  Jer 6:14
  Jer 8:11
j Sl 127:1
k 2Cr 18:12
  Isa 30:10
  Eze 22:28
l Isa 25:4
  Isa 27:8
  Eze 38:22
m Jer 37:19
n Ag 2:17
o Miq 1:6
  Mt 7:27

2.ª col.
a Eze 14:8
b Isa 30:13
c Jer 6:14
  Jer 28:9
d Isa 48:22
e Eze 20:46
  Eze 21:2
f Éx 15:20
  2Re 22:14
  Lu 2:36
g Rev 2:20
h Eze 22:25
  2Pe 2:14
i Pr 28:21
  Miq 3:11
j 1Re 21:15
k Jer 23:14
  Lu 6:26
l Os 9:8

caza; y ustedes tendrán que saber que yo soy Jehová.[a] 22 Por causa de desalentar el corazón de un justo con falsedad,[b] cuando yo mismo no le había causado dolor, y por fortalecer las manos de un inicuo[c] para que no se volviera de su mal camino para conservarle vivo,[d] 23 por lo tanto, ustedes no seguirán contemplando en visión lo falso,[e] y no adivinarán más[g] su adivinación;[h] y ciertamente libraré a mi pueblo de mano de ustedes,[i] y ustedes tendrán que saber que yo soy Jehová'".[j]

14 Y hombres de los de edad madura de Israel procedieron a venir a mí y sentarse delante de mí.[k] 2 Entonces la palabra de Jehová me ocurrió, y dijo: 3 "Hijo del hombre, en cuanto a estos hombres, han hecho subir sus ídolos estercolizos sobre su corazón, y el tropiezo que causa su error lo han puesto enfrente de sus rostros.[l] ¿Acaso de modo alguno me dejaré inquirir de ellos?[m] 4 Por lo tanto, habla con ellos y tienes que decirles: 'Esto es lo que ha dicho el Señor Soberano Jehová: "A absolutamente cualquier hombre de la casa de Israel que haga subir sus ídolos estercolizos[n] sobre su corazón, y que coloque enfrente de su rostro el mismísimo tropiezo que causa su error, y que realmente venga al profeta, yo, Jehová, ciertamente me dejaré llevar a responderle en este asunto según la multitud de sus ídolos estercolizos,[o] 5 con el fin de atrapar a la casa de Israel por su corazón,[p] porque se han retirado de mí por medio de sus ídolos estercolizos... todos ellos'".[q]

6 "Por lo tanto, di a la casa de Israel: 'Esto es lo que ha dicho el Señor Soberano Jehová: "Regresen y vuélvanse de sus ídolos estercolizos[r] y vuelvan sus rostros hasta de todas sus cosas detestables;[s] 7 porque a absolutamente cualquier hombre de la

casa de Israel o de los residentes forasteros que residen como forasteros en Israel que se retire de seguirme,[a] y que haga subir sus ídolos estercolizos sobre su corazón, y que coloque enfrente de su rostro el tropiezo mismo que causa su error, y que realmente venga al profeta para inquirir para sí por medio de mí,[b] yo, Jehová, voy a dejarme llevar a responderle yo mismo. 8 Y tendré que poner mi rostro contra ese hombre[c] y colocarlo por señal[d] y por dichos proverbiales,[e] y tendré que cortarlo de en medio de mi pueblo;[f] y ustedes tendrán que saber que yo soy Jehová".[g]

9 "'Y en cuanto al profeta, en caso de que él sea engañado y realmente hable una palabra, yo mismo, Jehová, he engañado a ese profeta;[h] y ciertamente extenderé mi mano contra él y lo aniquilaré de en medio de mi pueblo Israel.[i] 10 Y tendrán que llevar su error.[j] El error del inquiridor resultará ser lo mismo que el error del profeta,[k] 11 para que los de la casa de Israel ya no se vayan, vagando, de seguirme,[l] y ya no vayan contaminándose con todas sus transgresiones. Y tienen que llegar a ser mi pueblo, y yo mismo llegaré a ser su Dios', es la expresión del Señor Soberano Jehová".[m]

12 Y la palabra de Jehová continuó viniéndome, y dijo: 13 "Hijo del hombre, en cuanto a una tierra, en caso de que esta cometa pecado contra mí al actuar infielmente,[n] yo ciertamente también extenderé mi mano contra ella y quebraré para ella las varas alrededor de las cuales se suspenden panes anulares,[o] y ciertamente enviaré sobre ella hambre[p] y cortaré de ella a hombre terrestre y animal doméstico".[q] 14 "'Y si estos tres hombres resultaran estar en medio de ella: Noé,[r] Daniel[s] y Job,[t] ellos mismos por su justicia[u] librarían

---

CAP. 13
a Sl 9:16
Eze 6:13
b Jer 27:14
c Jer 23:14
d Jer 23:17
2Pe 2:18
e Pr 12:19
f Dt 18:14
Isa 44:25
g Eze 12:24
Miq 3:6
h Dt 18:10
Jer 27:9
i Eze 34:10
2Pe 2:9
j Eze 14:8

CAP. 14
k Eze 8:1
Eze 20:1
Eze 33:31
l Eze 7:19
Rev 2:14
m 2Re 3:13
Isa 1:15
Jer 11:11
Zac 7:13
n Eze 6:4
o 2Re 1:16
Isa 66:4
p Os 10:2
Zac 7:12
Heb 3:12
q Dt 32:16
Jer 2:5
r 1Sa 7:3
1Re 8:47
Isa 55:7
Jer 8:5
Hch 3:19
s Isa 30:22
Jer 13:27

2.ª col.
a Isa 59:13
Jer 17:5
b Jer 21:2
Eze 33:31
c Lee 17:10
Jer 44:11
Eze 15:7
d Nú 26:10
e Dt 28:37
Jer 24:9
f Le 20:3
g Eze 6:7
h 1Re 22:22
Jer 4:10
2Te 2:11
i Isa 5:25
Isa 9:17
j Eze 3:18
Ro 1:27
k Jer 14:16
1Dt 13:11
2Pe 2:15
m Gé 17:7
Jer 24:7
Eze 11:20
Eze 37:27
Heb 8:10
n Gé 9:6
o Le 26:26
p Isa 3:1
Jer 15:2
q Jer 7:20
r Gé 6:8
Isa 54:9
Heb 11:7
s Da 10:11

t Job 1:8; Job 42:8; u Pr 11:4; Jer 15:1.

su alma', es la expresión del Señor Soberano Jehová."[a]

15 "'O si yo hiciera que bestias salvajes dañinas pasaran por la tierra[b] y realmente la privaran de hijos[c] y esta realmente llegara a ser un yermo desolado sin nadie que pasara por ella debido a las bestias salvajes,[d] 16 si estuvieran estos tres hombres en medio de ella, tan ciertamente como que estoy vivo —es la expresión del Señor Soberano Jehová—, ni hijos ni hijas librarían ellos; ellos, solo ellos mismos, serían librados, y la tierra misma llegaría a ser un yermo desolado.'[e]

17 "'O si fuera una espada lo que yo trajera sobre aquella tierra,[f] y si yo realmente dijera: "Que una espada misma pase por la tierra", y si yo realmente cortara de ella hombre terrestre y animal doméstico,[g] 18 aun si estuvieran estos tres hombres en medio de ella,[h] tan ciertamente como que yo estoy vivo —es la expresión del Señor Soberano Jehová—, ellos no librarían ni hijos ni hijas, sino que ellos, solo ellos mismos, serían librados.'[i]

19 "'O si fuera peste lo que yo enviara sobre aquella tierra,[j] y si yo realmente derramara mi furia sobre ella con sangre,[k] para cortar de ella hombre terrestre y animal doméstico, 20 aun si estuvieran Noé,[l] Daniel[m] y Job[n] en medio de ella,[o] tan ciertamente como que yo estoy vivo —es la expresión del Señor Soberano Jehová—, ni hijo ni hija librarían ellos; ellos mismos debido a su justicia librarían su alma.'[p]

21 "Porque esto es lo que ha dicho el Señor Soberano Jehová: 'Tal como, también, [será] cuando haya mis cuatro actos dañinos de juicio[q] —espada y hambre y bestia salvaje dañina y peste[r]— que realmente enviaré sobre Jerusalén para cortar de ella hombre terrestre y animal doméstico.[s] 22 Pero, ¡mira!, ciertamente se dejará quedar en ella una compañía escapada, los que

CAP. 14

a 2Pe 2:9
b 2Re 17:25
c Le 26:22
  2Re 2:24
d Jer 15:3
e Gé 19:29
  Heb 11:7
f Le 26:25
  Jer 25:9
  Eze 5:12
  Eze 31:3
  Eze 38:21
g Jer 33:12
  Eze 25:13
  Os 4:3
  Sof 1:3
h Eze 14:14
i 1Pe 1:17
  2Pe 2:9
  Rev 20:13
j Eze 14:19
k Eze 7:8
  Eze 38:22
l Gé 7:1
m Eze 28:3
n Job 1:8
  Job 42:8
o Eze 14:14
p Eze 18:20
  Os 10:12
  Sof 2:3
q Jer 15:2
r Eze 5:17
  Eze 33:27
s Jer 32:43

2.ª col.

a Dt 4:31
  2Cr 36:20
  Isa 6:13
  Isa 10:20
  Eze 6:8
  Miq 5:7
b Jer 3:25
  Eze 6:9
  Eze 20:43
c Gé 18:20
  Ne 9:33
  Jer 22:9
  Eze 8:6
  Eze 9:9
  Da 9:7
  Ro 2:5

CAP. 15

d Dt 32:32
  Sl 80:8
  Isa 5:1
  Mr 12:1
e Sl 80:16
  Jn 15:6
f Isa 1:31
  Am 4:11
g Mal 4:1
h Isa 5:24
  Jer 4:7
  Jer 7:20
  Jer 20:47
i Le 17:10
  Sl 34:16
  Eze 14:8
j Am 5:19
k Éx 14:4
  Sl 9:16
  Eze 6:7
  Eze 7:4

estén siendo sacados.[a] ¡Hijos e hijas, aquí están! Salen hacia ustedes, y ustedes tendrán que ver su camino y sus tratos.[b] Y ustedes ciertamente serán consolados de la calamidad que habré traído sobre Jerusalén, hasta de todo lo que habré traído sobre ella'."

23 "'Y ciertamente los consolarán a ustedes cuando ustedes vean el camino y los tratos de ellos; y ustedes tendrán que saber que no habrá sido sin causa que habré hecho todo lo que tengo que hacer contra ella', es la expresión del Señor Soberano Jehová."[c]

15 Y la palabra de Jehová continuó ocurriéndome, y dijo: 2 "Hijo del hombre, ¿de qué manera sucede que el árbol de la vid[d] sea diferente de todo otro árbol, el sarmiento, que ha llegado a estar entre los árboles del bosque? 3 ¿Se toma de él algún palo con el cual hacer algún trabajo? ¿O toma la gente de él una estaca en la cual colgar cualquier clase de utensilio? 4 ¡Mira! En el fuego es donde tiene que ser puesto para combustible.[e] Ambos extremos de él el fuego ciertamente devora, y el mismo medio de él ciertamente llega a chamuscarse.[f] ¿Sirve para algún trabajo? 5 ¡Mira! Cuando sucede que está intacto, no se usa para ningún trabajo. ¡Cuánto menos, cuando el fuego mismo lo ha devorado y llega a estar chamuscado, se le puede realmente usar para cualquier otro trabajo!".[g]

6 "Por lo tanto, esto es lo que ha dicho el Señor Soberano Jehová: 'Tal como el árbol de la vid entre los árboles del bosque, que he dado al fuego como combustible, así he dado a los habitantes de Jerusalén.[h] 7 Y he puesto mi rostro contra ellos.[i] Del fuego han salido, pero el fuego mismo los devorará.[j] Y ustedes tendrán que saber que yo soy Jehová, cuando dirija mi rostro contra ellos'."[k]

8 "'Y ciertamente haré de la tierra un yermo desolado,[a] debido a que han actuado infielmente',[b] es la expresión del Señor Soberano Jehová."

16 Y la palabra de Jehová siguió viniéndome, y dijo: 2 "Hijo del hombre, haz saber[c] a Jerusalén sus cosas detestables.[d] 3 Y tienes que decir: 'Esto es lo que ha dicho el Señor Soberano Jehová a Jerusalén: "Tu origen y tu nacimiento fueron de la tierra del cananeo.[e] Tu padre era el amorreo,[f] y tu madre era una hitita.[g] 4 Y en lo que respecta a tu nacimiento, en el día que naciste[h] el cordón de tu ombligo no había sido cortado, y en agua no se te había lavado para limpieza, y de ningún modo se te había frotado con sal, y de ninguna manera se te había envuelto en pañales. 5 Ningún ojo se sintió apenado en cuanto a ti para hacer para ti una de estas cosas con compasión para ti,[i] sino que fuiste arrojada sobre la superficie del campo porque hubo un aborrecer de tu alma en el día que naciste.

6 "'"Y yo fui pasando a tu lado y llegué a verte pateando en tu sangre, y procedí a decirte en tu sangre: ¡Sigue viviendo!',[j] sí, a decirte en tu sangre: ¡Sigue viviendo!'. 7 Una muy grande multitud como el brotar del campo es lo que te hice de modo que te hicieras grande[k] y llegaras a ser grandiosa y entraras con el más excelente adorno.[l] Los dos pechos mismos se desarrollaron firmemente, y tu propio pelo creció abundantemente, cuando tú habías estado escueta y desnuda"'.

8 "'Y fui pasando junto a ti y llegué a verte, y, ¡mira!, tu tiempo era el tiempo para las expresiones del amor.[m] Por lo tanto, procedí a extender mi falda sobre ti[n] y a cubrir tu desnudez y a hacerte una declaración jurada y a entrar en un pacto contigo[o]

—es la expresión del Señor Soberano Jehová—, y así llegaste a ser luya.[a] 9 Además, te lavé con agua[b] y enjuagué de ti tu sangre y te unté con aceite.[c] 10 Y pasé a vestirte con una prenda de vestir bordada[d] y a calzarte con piel de foca[e] y a envolverte en lino fino[f] y a cubrirte con género costoso. 11 Y pasé a engalanarte con adornos y a ponerte brazaletes[g] sobre las manos y un collar[h] alrededor de la garganta. 12 Además, te puse una narigura[i] en la ventana de la nariz y zarcillos en las orejas[j] y una hermosa corona en la cabeza.[k] 13 Y seguiste engalanándote con oro y plata, y tu atavío era lino fino y género costoso y una prenda de vestir bordada.[l] Flor de harina y miel y aceite[m] eran lo que comías, y te hiciste muy, muy bella, y gradualmente llegaste a estar lista para posición real"'.[n]

14 "'Y para ti empezó a salir entre las naciones un nombre debido a tu belleza, porque esta era perfecta a causa de mi esplendor que coloqué sobre ti',[o] es la expresión del Señor Soberano Jehová."

15 "'Pero tú empezaste a confiar en tu belleza[p] y a hacerte prostituta debido a tu nombre,[q] y a derramar tus actos de prostitución sobre todo el que pasaba;[r] de él llegó a ser. 16 Y procediste a tomar algunas de tus prendas de vestir y a hacer para ti lugares altos[s] de variados colores, y te prostituías en ellos[t]... tales cosas no entran, y no debe suceder. 17 Y tomabas tus hermosos objetos de mi oro y de mi plata que yo te había dado[u] y te hacías imágenes de un varón[v] y te prostituías con ellas.[w] 18 Y tomabas tus prendas de vestir bordadas y las cubrías; y mi aceite y mi incienso[x] realmente ponías delante de ellas.

CAP. 15
a Isa 6:11
  Jer 25:11
  Eze 6:14
b 2Cr 36:14

CAP. 16
c Isa 58:1
  Eze 20:4
  Eze 22:2
  Eze 23:36
d Eze 8:10
e Jos 10:5
  1Cr 1:13
  1Cr 1:14
f 1Re 21:26
  2Re 21:11
  Eze 16:45
g Gé 10:15
  Os 2:3
h Isa 49:15
i Sl 147:20
  Ro 9:15
k Gé 22:17
  Ex 1:7
  Éx 12:37
  Dt 1:10
  Neh 7:17
l Dt 4:8
  Ne 9:22
m Dt 7:8
n Rut 3:9
  1Sa 12:22
  Isa 41:9
o Éx 19:5
  Dt 4:31
  Jer 2:2

2.ª col.
a Dt 26:18
  Dt 32:9
b Sl 26:6
  Isa 1:16
  Sl 23:5
d Éx 26:6
  Isa 62:3
e Éx 25:5
  Éx 26:14
f Éx 39:27
g Gé 24:22
  Isa 3:19
h Can 4:9
i Gé 24:47
  Isa 3:21
j Éx 35:22
k Éx 28:36
l Sl 48:2
m Dt 7:13
  Jer 41:8
n Dt 32:13
  2Sa 5:3
  Jer 4:21
o Dt 4:6
  2Sa 7:23
  1Re 10:1
  Sl 50:2
  Lam 2:15
p Dt 32:15
  Jer 7:4
  Miq 3:11
  Sof 3:11
q 1Re 11:5
  Sl 106:35
  Isa 1:21
  Isa 57:8
  Jer 2:20
  Os 1:2
  Sté 4:4
r Jer 3:13
s 1Re 14:23
  2Cr 21:11
t 2Re 23:7
  Eze 7:20

u Éx 32:2; Jer 10:4; v Isa 57:8; Eze 16:26; Eze 23:20; w Jer 3:9; x Eze 8:11; Eze 23:41.

19 Y mi pan que yo te había dado —flor de harina y aceite y miel que te había hecho comer[a]— tú también realmente lo pusiste delante de ellas como olor conducente a descanso,[b] y continuó ocurriendo', es la expresión del Señor Soberano Jehová."

20 "'Y tomabas tus hijos y tus hijas que habías dado a luz para mí,[c] y los sacrificabas a ellas para ser devorados[d]... ¿no basta con eso para tus actos de prostitución? 21 Y degollabas a mis hijos,[e] y al hacerlos pasar por [el fuego] los dabas a ellas.[f] 22 Y en todas tus cosas detestables y tus actos de prostitución no te acordaste de los días de tu juventud cuando sucedía que estabas escueta y desnuda; pateando en tu sangre sucedía que estabas.[g] 23 Así que después de toda tu maldad ("¡ay, ay de ti!",[h] es la expresión del Señor Soberano Jehová) aconteció 24 que te pusiste a edificar para ti un montículo y a hacer para ti una altura en toda plaza pública.[i] 25 En toda cabecera de camino edificaste tu altura,[j] y empezaste a hacer de tu belleza algo detestable,[k] y a despatarrar tus pies a todo el que pasaba,[l] y multiplicar tus actos de prostitución.[m] 26 Y te pusiste a prostituirte con los hijos de Egipto,[n] tus vecinos [que eran] grandes de carnes,[o] y continuaste haciendo abundar tu prostitución para ofenderme. 27 Y, ¡mira!, ciertamente extenderé mi mano contra ti,[p] y disminuiré tu porción asignada,[q] y te daré al [deseo del] alma[r] de las mujeres que te odian,[s] las hijas de los filisteos,[t] las mujeres humilladas debido a tu camino respecto a la conducta relajada.[u]

28 "'Y pasaste a prostituirte con los hijos de Asiria porque no había manera de satisfacerte,[v] y seguiste prostituyéndote con ellos y tampoco conseguiste satisfacción. 29 De modo que seguiste haciendo abundar tu prostitución para con la tierra de Canaán,[a] para con los caldeos;[b] y aun en esto no conseguiste satisfacción. 30 ¡Oh, cómo estoy lleno de furia[c] contra ti —es la expresión del Señor Soberano Jehová— por hacer todas estas cosas, la obra de una mujer,[d] una prostituta dominante![e] 31 Cuando edificaste tu montículo en la cabecera de todo camino e hiciste tu propia altura en toda plaza pública, sin embargo te hiciste diferente a una prostituta al desdeñar el alquiler. 32 En el caso de la esposa que comete adulterio, ella toma extraños en lugar de su propio esposo.[f] 33 A todas las prostitutas se acostumbra dar un regalo,[g] pero tú... tú has dado tus regalos a todos los que te han amado apasionadamente,[h] y les ofreces un soborno para que vengan a ti de todo en derredor en tus actos[i] de prostitución. 34 Y en tu caso tiene lugar la cosa opuesta a lo de otras mujeres en tus actos de prostitución, y según tu estilo no se ha cometido prostitución, aun al dar tú alquiler cuando a ti no se te ha dado alquiler, y así ocurre de la manera opuesta.'

35 "Por lo tanto, oh prostituta,[j] oye la palabra de Jehová.[k] 36 Esto es lo que ha dicho el Señor Soberano Jehová: 'Debido a que tu lujuria ha sido derramada[l] y tus partes naturales[m] son descubiertas en tus actos de prostitución para con aquellos que te aman apasionadamente[n] y para con todos tus detestables ídolos estercolizos,[o] hasta con la sangre de tus hijos que les diste,[p] 37 por lo tanto, mira, voy a juntar a todos los que te aman apasionadamente para con quienes fuiste placentera, y a todos aquellos a quienes amaste junto con todos aquellos a quienes odiaste, y ciertamente los juntaré contra ti de todo en derredor

---

CAP. 16
a Dt 32:13
b 2Re 22:17
  Jer 7:9
c Ex 13:2
  Jue 10:38
d 2Re 16:3
  2Cr 33:6
  Isa 57:5
  Jer 7:31
  Jer 32:35
  Eze 20:26
e Sl 106:37
  Jer 2:34
f Le 18:21
  Le 20:2
  2Re 17:17
  2Re 23:10
g Jer 2:2
  Os 2:3
  Os 11:1
h Jer 13:27
  Sof 3:1
i Le 26:30
  Sl 78:58
  Isa 57:5
  Jer 3:20
  Jer 3:2
j Pr 9:14
k Jer 6:15
l Jer 2:24
  Eze 23:9
m Eze 23:30
n 2Re 23:34
  Isa 30:2
  Isa 30:3
  Jer 2:36
  Lam 5:6
o Eze 20:7
  Isa 57:8
  Eze 23:20
p Isa 5:25
q Dt 28:48
r Isa 56:11
s Sl 106:41
t 2Cr 28:18
u Jer 2:11
  Eze 5:6
v Jer 2:36
  2Cr 28:23
  Jer 2:18
  Eze 23:5

2.ª col.
a Jue 2:12
  2Re 21:9
b Eze 23:14
c Dt 29:28
d Jer 3:3
e Pr 7:11
f Jer 2:25
  Jer 3:1
  Jer 3:20
  Os 3:1
g Gé 38:16
  Dt 23:18
  Os 2:12
  Lu 15:30
h Isa 57:9
  Os 8:9
i 2Cr 16:2
j Isa 1:21
  Jer 3:6
  Os 2:5
k Eze 13:2
l Lam 1:9
m Eze 16:37
n Eze 23:9
  Os 2:5
o 1Re 15:12
  2Re 17:12
  2Re 21:11

p Sl 106:38; Jer 2:34.

y descubriré tus partes naturales ante ellos, y ellos tendrán que ver todas tus partes naturales.[a]

38 " 'Y ciertamente te juzgaré con los juicios de adúlteras[b] y mujeres que derraman sangre,[c] y ciertamente te daré la sangre de furia y celos.[d] **39** Y ciertamente te daré en mano de ellos, y ciertamente derruirán tu montículo,[e] y tus alturas ciertamente serán demolidas,[f] y ellos tienen que despojarte de tus prendas de vestir[g] y tomar tus objetos hermosos[h] y dejarte atrás escueta y desnuda. **40** Y tienen que hacer subir contra ti una congregación[i] y lapidarte[j] y degollarte con sus espadas.[k] **41** Y tienen que quemar tus casas con fuego[l] y ejecutar en ti actos de juicio delante de los ojos de muchas mujeres;[m] y ciertamente haré que ceses de [ser] prostituta;[n] y además, no darás más alquiler. **42** Y ciertamente llevaré mi furia a su descanso en ti,[o] y mis celos agitación que apartarse de ti;[p] y ciertamente me quedaré quieto y ya no me sentiré ofendido.'

43 " 'Debido a que no te acordaste de los días de tu juventud[q] y me causabas agitación por todas estas cosas,[r] aun aquí yo también, por mi parte, ciertamente pondré tu propio camino sobre [tu] misma cabeza[s] —es la expresión del Señor Soberano Jehová—, y ciertamente no te ocuparás en ninguna conducta relajada al lado de todas tus cosas detestables.

44 " '¡Mira! Todo el que use un proverbio[t] contra ti usará el proverbio, y dirá: "¡Como la madre, es su hija!".[u] **45** Tú eres la hija de tu madre,[v] una que aborrecía a su esposo[w] y a sus hijos. Y tú eres la hermana de tus hermanas, quienes aborrecían a sus esposos y a sus hijos. La madre de ustedes era una hitita,[x] y el padre de ustedes era un amorreo.' "[y]

46 " 'Y tu hermana mayor es

CAP. 16
a Jer 13:22
  Lam 1:8
  Os 2:10
  Na 3:5
b Gé 38:24
  Le 20:10
  Dt 22:22
c Gé 9:6
  Éx 21:12
  Sl 79:3
d Eze 23:25
  Na 1:2
  Sof 1:17
e Eze 16:24
f Isa 27:9
g Isa 3:18
  Jer 4:30
  Eze 23:26
  Os 2:3
h Isa 3:20
i Eze 23:46
  Hab 1:6
j Dt 22:21
k 2Cr 36:17
  Jer 25:9
l Le 26:33
  2Re 25:9
  Jer 39:8
m Eze 5:8
n Eze 23:27
o Eze 5:13
p Isa 40:2
q Sl 78:42
  Jer 2:32
r Sl 95:10
s Eze 9:10
  Eze 11:21
  Eze 22:31
t 1Sa 24:13
  Eze 18:2
u Eze 21:26
  2Re 21:9
  Esd 9:1
  Sl 106:35
v Eze 16:3
w Isa 1:4
  Isa 54:5
  Os 2:2
x Eze 16:3
y Dt 9:5
  Dt 20:17
  Jos 10:5
  2Re 21:11

2.ª col.

a Eze 23:33
b Jer 3:8
c Gé 18:20
  Gé 19:24
  Dt 29:23
  Dt 32:32
  Isa 1:10
  Isa 3:9
  Jer 23:14
  Jud 7
d Gé 19:25
e 1Re 16:31
f 2Re 21:9
  Eze 5:6
g Mt 10:15
  Mt 11:24
h Gé 19:9
  Pr 16:5
  Pr 16:18
  Pr 21:4
i Gé 13:10
  Dt 8:10
  Dt 32:15
  Pr 30:9
  Lu 12:21
j Pr 1:32
k Jud 7

Samaria[a] misma con sus poblaciones dependientes,[b] quien mora a tu izquierda, y tu hermana menor que tú, quien mora a tu derecha, es Sodoma[c] con sus poblaciones dependientes.[d] **47** Y no fue en los caminos de ellas en los que tú anduviste, ni según sus cosas detestables como tú hiciste.[e] En muy corto tiempo tú hasta empezaste a actuar más ruinosamente que ellas en todos tus caminos.[f] **48** Tan ciertamente como que estoy vivo —es la expresión del Señor Soberano Jehová—, Sodoma tu hermana, ella con sus poblaciones dependientes, no ha hecho según lo que tú hiciste, tú y tus poblaciones dependientes.[g] **49** ¡Mira! Esto es lo que resultó ser el error de Sodoma tu hermana: Orgullo,[h] suficiencia de pan[i] y el desahogo[j] de mantenerse libre de disturbio eran lo que pertenecía a ella y a sus poblaciones dependientes,[k] y la mano del afligido[l] y del pobre ella no fortalecía.[m] **50** Y ellas continuaron siendo altivas[n] y llevando a cabo una cosa detestable delante de mí,[o] y finalmente las removí, según me pareció [apropiado].[p]

51 " 'Y en cuanto a Samaria,[q] ella no ha pecado siquiera hasta la mitad de tus pecados, sino que tú seguiste haciendo que tus cosas detestables abundaran más de lo que hicieron ellas, de modo que hiciste que tus hermanas parecieran justas debido a todas tus cosas detestables en que te ocupaste.[r] **52** Tú también, lleva tu humillación cuando tengas que argüir a favor de tus hermanas. Debido a tus pecados en los cuales actuaste más detestablemente que ellas, ellas son más justas que tú.[s] Y tú también, avergüénzate y lleva tu humillación, porque haces que tus hermanas parezcan justas.'

l Pr 21:13; m Eze 18:12; n Pr 16:18; Isa 3:16; Jer 13:15; 1Pe 5:5; o Gé 13:13; Gé 18:20; Gé 19:5; p Gé 19:24; Isa 13:19; Jer 49:18; Lam 4:6; 2Pe 2:6; q 2Re 21:13; Jer 23:13; Eze 23:33; r Jer 3:11; Mt 12:41; s 1Re 2:32.

53 "'Y yo ciertamente recogeré a sus cautivos,[a] los cautivos de Sodoma y de sus poblaciones dependientes, y los cautivos de Samaria y de sus poblaciones dependientes; también ciertamente recogeré a tus cautivos en medio de ellas,[b] 54 para que lleves tu humillación;[c] y tienes que sentirte humillada debido a todo lo que has hecho, pues las consolaste.[d] 55 Y tus propias hermanas, Sodoma y sus poblaciones dependientes, volverán a su estado anterior, y Samaria y sus poblaciones dependientes volverán a su estado anterior, y tú misma y tus propias poblaciones dependientes volverán al estado anterior de ustedes.[e] 56 Y tu hermana Sodoma no resultó ser nada de lo cual valiera la pena oír de tu boca en el día de tu orgullo,[f] 57 antes de que tu propia maldad llegara a ser expuesta,[g] tal como al tiempo del oprobio de las hijas de Siria[h] y de todas las que estaban alrededor de ella, las hijas de los filisteos,[i] las que te trataban con escarnio por todos lados.[j] 58 Tu conducta relajada[k] y tus cosas detestables, tú misma tienes que llevarlas',[l] es la expresión de Jehová."

59 "Porque esto es lo que ha dicho el Señor Soberano Jehová: 'Yo también tengo que hacer contigo tal como tú has hecho,[m] porque despreciaste el juramento al quebrantar [mi] pacto.[n] 60 Y yo, yo mismo, tengo que acordarme de mi pacto contigo en los días de tu juventud,[o] y tengo que establecer para ti un pacto de duración indefinida.[p] 61 Y ciertamente te acordarás de tus caminos[q] y te sentirás humillada cuando recibas a tus hermanas, las mayores que tú así como las más jóvenes que tú, y ciertamente te las daré por hijas,[r] pero no debido a tu pacto'.[s] 62 "'Y yo, yo mismo, ciertamente estableceré mi pacto contigo;[t] y tendrás que saber que yo soy Jehová, 63 para que re-

cuerdes y realmente te avergüences[a] y ya no llegues a tener ninguna razón para abrir [tu] boca[b] debido a tu humillación, cuando yo haga expiación[c] por ti por todo lo que has hecho', es la expresión del Señor Soberano Jehová."

17 Y la palabra de Jehová continuó ocurriéndome, y dijo: 2 "Hijo del hombre, propón un enigma[d] y compón un dicho proverbial [dirigido] a la casa de Israel.[e] 3 Y tienes que decir: 'Esto es lo que ha dicho el Señor Soberano Jehová: "La gran águila,[f] poseedora de grandes alas,[g] con largas plumas remeras, llena de plumaje, que tenía variedad de colores, vino al Líbano[h] y procedió a tomar la punta[i] del cedro.[j] 4 Arrancó la misma cima de sus vástagos jóvenes y vino trayéndola a la tierra de Canaán;[k] la puso en una ciudad de comerciantes la colocó. 5 Además, tomó alguna de la semilla de la tierra[l] y la puso en un campo para semilla. Como un sauce al lado de vastas aguas,[m] como un sauce la colocó. 6 Y esta empezó a brotar y gradualmente llegó a ser una vid que crecía con frondosidad, baja en altura,[n] inclinada a volver su follaje hacia dentro; y en cuanto a sus raíces, gradualmente llegaron a estar debajo de ella. Y finalmente llegó a ser una vid y produjo sarmientos y envió ramas.[o]

7 "'"Y llegó a haber otra gran águila,[p] con grandes alas, y con grandes plumas remeras,[q] y, ¡mire!, esta misma vid extendió sus raíces hambrientamente hacia ella.[r] Y su follaje le alargó para [que ella] la regara, lejos de los cuadros de jardín donde estaba plantada.[s] 8 A un buen campo, junto a vastas aguas, había sido ya trasplantada,[t] para producir ramas mayores y llevar fruto, para llegar a ser una vid majestuosa"'.

9 "Di: 'Esto es lo que ha dicho

CAP. 16
a Sl 14:7
Sl 126:1
Isa 1:9
b Jer 19:24
c Jer 2:26
Eze 36:31
d Eze 14:22
e Eze 36:11
Mal 3:4
f Isa 65:5
Sof 3:11
g Lam 4:21
Eze 21:24
Os 2:10
h 2Re 16:5
2Cr 28:5
Isa 7:1
i 2Cr 28:18
j Jer 33:24
k Gál 5:19
1Pe 4:3
l Lam 5:7
Eze 23:49
m Sl 62:12
Isa 3:11
Ro 2:6
Gál 6:7
n Dt 29:12
Jer 22:9
o Le 26:42
Sl 106:45
p Jer 32:40
Jer 50:5
q Eze 20:43
r Isa 54:1
Gál 4:26
s Jer 31:31
Heb 8:13
t Os 2:19

2.ª col.
a Esd 9:6
Eze 36:31
b Sl 39:9
Ro 3:19
c Sl 103:12
Miq 7:19

CAP. 17
d Jue 14:12
Pr 1:6
e Eze 20:49
Os 12:10
Mt 13:13
f Dt 28:49
Jer 4:13
Lam 4:19
Os 8:1
g Da 7:4
h Jer 22:23
i Jer 22:7
j 2Re 24:12
2Cr 36:10
Jer 24:1
k 2Re 24:15
l Jer 37:1
Eze 17:13
m 2Re 24:17
n Eze 17:14
o 2Cr 36:11
p Jer 37:5
Eze 17:15
q Jer 37:7
r Isa 36:6
s 2Re 24:20
2Cr 36:13
t Jer 37:1

el Señor Soberano Jehová: "¿Tendrá éxito?[a] ¿No arrancará alguien sus mismísimas raíces[b] y hará escamoso su mismísimo fruto? ¿Y [no] tendrán que secarse todos sus brotes recientemente arrancados?[c] Se secará. Ni por un gran brazo ni por un pueblo numeroso tendrá que ser alzada de sus raíces. 10 Y, ¡mira!, aunque trasplantada, ¿tendrá éxito? ¿No se secará completamente, aun como cuando el viento del este la toca?[d] En los cuadros de jardín de su brote se secará"'".[e]

11 Y la palabra de Jehová continuó ocurriéndome, y dijo: 12 "Di, por favor, a la casa rebelde:[f] '¿No saben ustedes realmente lo que estas cosas significan?'. Di: '¡Miren! El rey de Babilonia vino a Jerusalén y procedió a tomar a su rey[g] y sus príncipes y a llevárselos a sí a Babilonia.[h] 13 Además, tomó uno de la descendencia real[i] y celebró un pacto con él y lo introdujo en un juramento;[j] y a los hombres de nota del país se los llevó,[k] 14 para que el reino llegara a ser bajo,[l] sin poder alzarse, para que, guardando el pacto de él, subsistiera.[m] 15 Pero este finalmente se rebeló[n] contra él al enviar sus mensajeros a Egipto, [para que este] le diera caballos[o] y un pueblo numeroso. ¿Tendrá éxito? ¿Escapará él, el que está haciendo estas cosas, y que ha quebrantado un pacto? ¿Y realmente escapará?'.[p]

16 "'"Tan ciertamente como que yo estoy vivo[q] —es la expresión del Señor Soberano Jehová—, en el lugar del rey que puso como rey al que despreció su juramento[r] y que quebrantó su pacto, en medio de Babilonia morirá.[s] 17 Y por una gran fuerza militar y por una congregación numerosa Faraón no lo hará eficiente en la guerra,[t] por amontonar un cerco de sitiar y por construir un muro de asedio, para cortar muchas almas.[u]

18 Y él ha despreciado un juramento[a] al quebrantar un pacto, y, ¡mira!, él había dado su mano[b] y ha hecho aun todas estas cosas. No logrará escapar."'[c]

19 "'Por lo tanto, esto es lo que ha dicho el Señor Soberano Jehová: "Tan ciertamente como que estoy vivo, de seguro mi juramento que él ha despreciado[d] y mi pacto que él ha quebrantado... ciertamente hasta lo traeré sobre su cabeza. 20 Y ciertamente extenderé sobre él mi red, y ciertamente será cogido en mi red de cazar;[e] y ciertamente lo llevaré a Babilonia y me pondré en juicio con él allí respecto a su infidelidad con la cual actuó contra mí.[f] 21 Y en lo que respecta a todos los fugitivos de él en todas sus partidas, a espada caerán, y los que queden serán esparcidos aun a todo viento.[g] Y ustedes tendrán que saber que yo mismo, Jehová, [lo] he hablado".[h]

22 "'Esto es lo que ha dicho el Señor Soberano Jehová: "Yo mismo también ciertamente tomaré y pondré algo de la punta encumbrada del cedro;[i] de la cima de sus ramitas arrancaré una [que sea] tierna,[j] y yo mismo ciertamente [la] trasplantaré sobre una montaña alta y encumbrada.[k] 23 A la montaña de la altura de Israel la trasplantaré,[l] y ciertamente echará ramas mayores y producirá fruto[m] y llegará a ser un cedro majestuoso.[n] Y debajo de él realmente residirán todos los pájaros de toda ala; en la sombra de su follaje residirán.[o] 24 Y todos los árboles del campo tendrán que saber que yo mismo, Jehová,[p] he abatido al árbol alto,[q] he puesto en alto el árbol bajo,[r] he secado el árbol todavía húmedo[s] y he hecho que el árbol seco florezca. Yo mismo, Jehová, he hablado y [lo] he hecho"'".[t]

CAP. 17

a Nú 14:41
  2Cr 13:12
  Jer 32:5
b Jer 21:7
c 2Re 52:10
d Os 13:15
  Jon 4:8
e Eze 19:12
f Isa 1:2
  Eze 2:5
  Eze 3:9
  Eze 12:9
g 2Re 24:12
  Jer 22:25
h Isa 39:7
  Jer 59:32
i 2Re 24:17
  Jer 37:1
j 2Cr 36:13
  Jer 5:2
k 2Re 24:15
  Jer 24:1
l Dt 28:43
  1Sa 2:7
m Jer 27:12
  Jer 38:17
n 2Re 24:20
  2Cr 36:13
  Jer 52:3
  Eze 17:7
o Dt 17:16
  Isa 30:2
  Isa 31:1
  Jer 37:5
p Pr 19:5
  Jer 32:4
q Heb 6:13
r Mal 3:5
s Jer 34:3
  Jer 52:11
t Isa 31:1
  Jer 37:7
  Lam 4:17
  Eze 29:6
u Jer 33:5

2.ª col.

a Mt 5:37
  Ro 1:31
b Lam 5:6
c Eze 17:15
d Dt 5:11
  Jer 5:2
e 2Cr 33:11
  Eze 12:13
  Eze 32:3
  Os 7:12
f Eze 30:36
  Miq 6:2
g Eze 5:10
  Eze 12:14
h Eze 6:13
i Sl 80:15
  Isa 11:1
  Jer 23:5
  Zac 3:8
j Isa 53:2
k Sl 2:6
l Sl 92:13
  Da 4:17
m Isa 27:6
n Sl 92:12
o Sl 72:8
  Os 14:7
p Isa 55:12
q Isa 2:17
  Sl 75:7
  Lu 1:52

r Isa 9:6; Eze 21:27; Da 4:17; Am 9:11; s Lu 23:31; t Eze 22:14; Eze 24:14.

18 Y la palabra de Jehová continuó ocurriéndome, y dijo: 2 "¿Qué significa para ustedes el que estén expresando en el suelo de Israel este dicho proverbial, que dice: 'Los padres son los que comen el agraz, pero son los dientes de los hijos los que tienen dentera'?[a]

3 "'Tan ciertamente como que estoy vivo —es la expresión del Señor Soberano Jehová—, ya no continuará de ustedes expresar este dicho proverbial en Israel. 4 ¡Miren! Todas las almas... a mí me pertenecen.[b] Como el alma[c] del padre, así igualmente el alma del hijo... a mí me pertenecen.[d] El alma que peca[e]... ella misma morirá.[f]

5 "'Y en lo que respecta a un hombre, en caso de suceder que sea justo y haya ejecutado derecho y justicia;[g] 6 en las montañas[h] no comió[i] y sus ojos no levantó a los ídolos estercolizos de la casa de Israel,[j] y no contaminó a la esposa de su compañero[k] y no se acercaba a una mujer en su impureza;[l] 7 y a ningún hombre maltrataba;[m] la prenda que tomaba por deuda, la devolvía;[n] nada arrancaba en robo;[o] al hambriento daba su propio pan,[p] y al desnudo cubría con una prenda de vestir;[q] 8 nada daba en interés,[r] y no tomaba usura;[s] de la injusticia retraía la mano;[t] verdadera justicia ejecutaba entre hombre y hombre;[u] 9 en mis estatutos seguía andando[v] y mis decisiones judiciales observaba para ejecutar la verdad:[w] él es justo.[x] Positivamente seguirá viviendo',[y] es la expresión del Señor Soberano Jehová.

10 "'Y [si] uno ha llegado a ser padre de un hijo que es salteador,[z] un derramador de sangre,[a] que ha hecho lo semejante a una de estas cosas 11 (pero él mismo no ha hecho ninguna de estas mismas cosas); en caso de que haya comido también sobre las montañas,[b] y haya contaminado a la esposa de su compañero;[a] 12 al afligido y pobre haya maltratado;[b] cosas haya arrancado en robo,[c] la cosa dada en prenda no devolviera;[d] y a los ídolos estercolizos levantara los ojos:[e] cosa detestable es lo que ha hecho.[f] 13 En usura ha dado,[g] e interés ha tomado,[h] y de seguro no seguirá viviendo. Todas estas cosas detestables ha hecho.[i] Positivamente se le dará muerte. Sobre él su propia sangre llegará a estar.[i]

14 "'Y, ¡mira!, uno ha llegado a ser padre de un hijo, que sigue viendo todos los pecados de su padre que él ha hecho, y él ve y no hace cosas como ellas.[k] 15 En las montañas no ha comido, y los ojos no ha alzado a los ídolos estercolizos de la casa de Israel;[l] a la esposa de su compañero no ha contaminado;[m] 16 y a ningún hombre ha maltratado;[n] no se ha apoderado de ninguna prenda,[o] y nada ha tomado en robo;[p] al hambriento ha dado su propio pan,[q] y al desnudo ha cubierto con una prenda de vestir;[r] 17 del afligido ha retraído la mano; ninguna usura[s] e interés[t] ha tomado; mis decisiones judiciales ha ejecutado;[u] en mis estatutos ha andado;[v] él mismo no morirá debido al error de su padre.[w] Positivamente seguirá viviendo.[x] 18 En cuanto a su padre, debido a que cometió franca defraudación,[y] arrancó algo en robo de un hermano,[z] y cuanto no es bueno ha hecho en medio de sus pueblos,[a] ¡mira!, entonces tiene que morir por su error.[b]

19 "'Y ustedes ciertamente dirán: "¿Por qué no tiene que llevar nada el hijo debido al error del padre?".[c] Ahora bien, en lo que respecta al hijo, derecho y

---

CAP. 18
a Jer 15:4
   Jer 31:29
   Lam 5:7
b Sl 100:3
   Hch 17:26
c Gé 2:7
d Dt 26:18
e Ro 3:23
   Ro 5:12
f Gé 2:17
   Gé 17:14
   Jue 16:30
   Job 33:22
   Sl 78:50
   Isa 53:12
   Hch 3:23
   Ro 6:23
   Rev 16:3
g Sl 15:2
h Dt 12:2
   Jer 3:6
   Os 4:13
i Nú 25:2
   Eze 22:9
j Eze 36:25
k Le 20:10
l Le 18:19
   Le 20:18
m Le 25:14
   Pr 14:21
n Dt 24:12
   Eze 33:15
o Le 6:2
p Dt 15:11
   Pr 28:27
q Isa 58:7
   Mt 25:36
   Snt 2:15
r Éx 22:25
   Dt 23:19
   Sl 15:5
   Lu 6:35
s Le 25:36
   Ne 5:7
t Le 19:35
   Dt 25:16
u Le 19:15
   Le 25:14
   Dt 1:16
   Zac 8:16
v Dt 8:11
w Dt 4:1
   Dt 5:1
   Eze 20:11
x Sl 24:5
y Le 18:5
   Ne 9:29
   Am 5:4
   Ro 10:5
   Gál 3:12
z Le 19:13
a Gé 9:6
   Éx 21:12
   Nú 35:31
b Éx 34:15

2.ª col.

a Le 20:10
b Dt 15:7
   Job 31:17
   Os 12:7
c Le 6:2
d Dt 24:12
e Le 26:30
f 2Re 21:11
g Le 25:36
   Eze 22:12
h Dt 23:19
   Isa 24:2
i Le 18:30

j Le 20:9; Le 20:27; Eze 3:18; Eze 33:4; Hch 18:6; k Jer 8:6; Le 26:30; Le 20:10; n Éx 22:21; Pr 19:26; o Dt 24:12; p Le 6:2; q Dt 15:11; Job 31:17; Mt 25:35; r Job 31:19; Isa 58:7; Snt 2:15; s Le 25:36; t Éx 22:25; Dt 23:19; u Dt 4:1; Dt 5:1; v Dt 8:11; x Eze 3:21; x Eze 18:9; y Le 19:13; z Le 6:2; a Isa 3:11; b Eze 3:18; c Eze 20:5; Dt 5:9; 2Re 23:26.

justicia ha ejecutado,[a] todos los estatutos míos ha guardado y sigue poniéndolos por obra.[b] Positivamente seguirá viviendo.[c] **20** El alma que peca... ella misma morirá.[d] Un hijo mismo no llevará nada debido al error del padre, y un padre mismo no llevará nada debido al error del hijo.[e] Sobre sí mismo la misma justicia del justo llegará a estar,[f] y sobre sí mismo la misma iniquidad del inicuo llegará a estar.[g]

21 "'Ahora bien, en lo que respecta a alguien inicuo, en caso de que él se vuelva de todos sus pecados que haya cometido[h] y realmente guarde todos mis estatutos y ejecute derecho y justicia,[i] positivamente seguirá viviendo. No morirá.[j] **22** Todas sus transgresiones que haya cometido... no serán recordadas contra él.[k] Por su justicia que ha hecho seguirá viviendo.'[l]

23 "'¿Acaso me deleito de manera alguna en la muerte de alguien inicuo[m] —es la expresión del Señor Soberano Jehová—, [y] no en que se vuelva de sus caminos y realmente siga viviendo?'[n]

24 "'Ahora bien, cuando alguien justo se vuelve de su justicia y realmente hace injusticia[o] según todas las cosas detestables que el inicuo ha hecho sigue haciendo[p] y vive, ninguno de todos sus actos justos que él ha hecho será recordado.[q] Por su infidelidad que ha cometido y por su pecado con el cual ha pecado, por ellos morirá.[r]

25 "'Y ustedes ciertamente dirán: "El camino de Jehová no está bien ajustado".[s] Oye, por favor, oh casa de Israel. ¿No está bien ajustado mi propio camino?[t] ¿No son los caminos de ustedes los que no están bien ajustados?[u]

26 "'Cuando alguien justo se vuelve de su justicia y realmente hace injusticia[v] y muere debido a estos [actos], por su injusticia que ha hecho morirá.[w]

27 "'Y cuando alguien inicuo se vuelve de su iniquidad que ha cometido y procede a ejecutar derecho y justicia,[a] él es el que conservará viva su propia alma.[b] **28** Cuando vea[c] y se vuelva de todas sus transgresiones que ha hecho,[d] positivamente seguirá viviendo. No morirá.[e]

29 "'Y la casa de Israel ciertamente dirá: "El camino de Jehová no está bien ajustado".[f] En cuanto a mis caminos, ¿no están bien ajustados, oh casa de Israel?[g] ¿No son los caminos de ustedes los que no están bien ajustados?'[h]

30 "'Por lo tanto, a cada uno según sus caminos es como los juzgaré,[i] oh casa de Israel —es la expresión del Señor Soberano Jehová[j]—. Vuélvanse, sí, hagan un volverse de todas sus transgresiones,[k] y que nada les resulte ser un tropiezo que cause error.[l] **31** Arrojen de ustedes todas sus transgresiones en que han transgredido,[m] y háganse un corazón nuevo[n] y un espíritu nuevo,[o] pues ¿por qué deben morir,[p] oh casa de Israel?'

32 "'Porque no tengo deleite alguno en la muerte de alguien que muere[q] —es la expresión del Señor Soberano Jehová—. Por lo tanto, hagan un volverse y sigan viviendo'".[r]

19 "Y en cuanto a ti, levanta una endecha[s] acerca de los principales de Israel,[t] **2** y tienes que decir: ¿Qué era tu madre? Una leona entre leones.[u] Se acostó entre leoncillos crinados. Crió sus cachorros.

3 "'Y gradualmente amaestró a uno de sus cachorros.[v] Un leoncillo crinado fue lo que este llegó a ser, y empezó a aprender a desgarrar la presa.[w] Devoró hasta al hombre terrestre.

CAP. 18
a Lu 1:6
b Eze 20:18
c Dt 16:20
  Eze 18:9
  Ro 10:5
d Dt 24:16
  2Re 14:6
  Jer 31:30
  Eze 18:4
e 2Cr 25:4
f 1Re 8:32
  Isa 3:10
g 2Cr 6:23
  Eze 33:10
  Ro 2:9
  Gál 6:7
h 2Cr 33:12
  Isa 55:7
  Eze 33:12
  Hch 3:19
i Lu 1:6
j Eze 3:21
k 2Cr 33:13
  SI 25:7
  Isa 43:25
  Eze 33:16
l 2Cr 6:23
m Lam 3:33
  Eze 33:11
  1Ti 2:4
  2Pe 3:9
n Miq 7:18
o 1Sa 15:11
  1Re 11:4
  Eze 33:12
p Ro 1:28
q Heb 10:38
  2Jn 8
r Pr 14:32
  Pr 21:16
s Job 34:5
  Job 35:2
  Pr 19:3
  Eze 33:17
  Mal 2:17
  Ro 9:20
t Dt 32:4
  SI 145:17
u SI 50:21
  Isa 55:9
  Jer 2:17
v Dt 25:16
w Gál 6:7

2.ª col.

a Isa 1:18
  Isa 55:7
  Hch 26:20
b 1Ti 4:16
c Dt 32:29
d 1Sa 7:3
  Eze 33:12
e Eze 18:9
f SI 92:15
  Pr 19:3
g Eze 18:25
  Dt 32:4
  SI 145:17
  Isa 40:14
h Job 9:2
i Job 34:11
  Ro 2:6
  1Pe 1:17
j Ecl 12:14
k Os 12:6
  Mt 3:2
l Ro 2:5
m SI 34:14
  Isa 1:16
n SI 51:10
  Jer 32:39

---

o Isa 1:19; Eze 11:19; Ef 4:24; p Dt 30:15; Pr 8:36; Hch 13:46; q Jer 29:11; Lam 3:33; Eze 33:11; Lu 15:10; 2Pe 3:9; r Dt 30:16; Eze 18:9; CAP. 19. s Jer 7:29; Eze 26:17; t 2Cr 35:25; u SI 7:2; Na 2:11; Sof 3:3; v 2Re 23:31; 2Cr 36:1; w 2Re 23:32.

4 Y las naciones siguieron oyendo acerca de él. En el hoyo de ellas fue atrapado, y ellas procedieron a llevarlo por medio de garfios a la tierra de Egipto.ª

5 "'Cuando ella llegó a ver que había esperado [y] su esperanza había perecido, entonces tomó otro de sus cachorros.ᵇ Como leoncillo crinado lo puso adelante. 6 Y él empezó a andar en medio de los leones. Un leoncillo crinado fue lo que él llegó a ser. Y gradualmente aprendió a desgarrar la presa.ᶜ Devoró aun al hombre terrestre.ᵈ 7 Y llegó a conocer las torres de habitación de este, y devastó hasta las ciudades de ellos,ᵉ de modo que el país quedó desolado y él lo llenó con el sonido de su rugido.ᶠ 8 Y naciones de todo alrededor de los distritos jurisdiccionales empezaron a ponerse contra élᵍ y llegaron a extender sobre él su red.ʰ En el hoyo de ellas fue atrapado.ᶦ 9 Finalmente lo pusieron en la jaula mediante garfios y lo llevaron al rey de Babilonia.ʲ Lograron llevarlo por medio de redes de cazar, para que su voz no se oyera más en las montañas de Israel.ᵏ

10 "'Tu madreᶦ era como una vid en tu sangre,ᵐ plantada junto a aguas. Fructífera y llena de ramas se hizo debido a agua abundante.ⁿ 11 Y estas llegaron a ser para ella fuertes varas, a propósito para los cetros de gobernantes.ᵒ Y la altura de ella gradualmente se hizo alta arriba entre ramas, y llegó a ser visible a causa de su altura, a causa de la abundancia de su follaje.ᵖ 12 Pero finalmente fue desarraigada en furor.ᑫ A la tierra fue arrojada, y hubo un viento del este que secó su fruto.ʳ Su fuerte vara fue arrancada y llegó a estar seca.ˢ El fuego mismo la devoró.ᵗ 13 Y ahora está plantada en el desierto,ᵘ en tierra árida y sedienta.ᵛ 14 Y fuego procedió a salir de la vara [de ella].ʷ Devoró sus sarmientos mismos, su fruto mismo, y no resultó ha-

ber en ella vara fuerte, ningún cetro para gobernar.ª

"'Esa es una endecha, y llegará a ser endecha'."ᵇ

20 Ahora bien, aconteció [que], en el año séptimo, en el quinto [mes], en el [día] diez del mes, hombres de los de edad madura de Israel vinieron a inquirir de Jehová,ᶜ y procedieron a sentarse delante de mí.ᵈ 2 Entonces la palabra de Jehová me ocurrió, y dijo: 3 "Hijo del hombre, habla con los hombres de edad madura de Israel, y tienes que decirles: 'Esto es lo que ha dicho el Señor Soberano Jehová: "¿Es para inquirir de mí para lo que vienen ustedes?ᵉ 'Tan ciertamente como que estoy vivo, de veras que no me dejaré inquirir de ustedes',ᶠ es la expresión del Señor Soberano Jehová"'.

4 "¿Los juzgarás? ¿[Los] juzgarás, oh hijo del hombre?ᵍ Hazles saber las cosas detestables de sus antepasados. 5 Y tienes que decirles: 'Esto es lo que ha dicho el Señor Soberano Jehová: "El día en que escogí a Israel,ᶦ también procedí a alzar la manoʲ [en juramento] a la descendencia de la casa de Jacobᵏ y a darme a conocer a ellos en la tierra de Egipto.ᶦ Sí, procedí a alzar la mano [en juramento] a ellos, y dije: 'Yo soy Jehová el Dios de ustedes'.ᵐ 6 En aquel día alcé la manoⁿ [en juramento] a ellos para sacarlos de la tierra de Egipto a una tierra que yo había espiado para ellos, una que manaba leche y miel.ᵒ Era la decoración de todas las tierras.ᵖ 7 Y pasé a decirles: 'Tiren, cada uno de ustedes, las cosas repugnantes de sus ojos,ᑫ y no se contaminen con los ídolos estercolizos de Egipto.ʳ Yo soy Jehová el Dios de ustedes'.ˢ

8 "'Y ellos empezaron a re-

CAP. 19
a 2Re 23:33
  2Cr 36:4
  Jer 22:11
b 2Re 23:34
  2Cr 36:5
  Jer 22:17
d 2Re 24:4
  Eze 12:19
f Pr 19:12
  Pr 28:15
  Eze 22:25
g 2Re 24:2
h Eze 12:13
  Eze 17:20
i 1Lam 4:20
j 2Re 24:12
k Eze 6:2
l Os 2:2
m Sl 80:8
  Isa 5:1
  Eze 15:2
  Eze 17:6
n Nú 24:6
  Dt 8:7
o Nú 24:17
  Esd 4:20
p Eze 31:3
  Da 4:11
q Isa 5:5
  Jer 17:10
  Jer 31:28
  Eze 15:6
r Os 13:15
s 2Re 23:34
  Eze 24:6
  Eze 26:6
t Dt 32:22
  Eze 15:6
u Dt 28:48
  Jer 17:6
  Jer 52:27
w Jue 9:15
  2Re 24:20

2.ª col.

a Ne 9:37
  Eze 17:18
  Eze 21:26
b Lam 4:20

CAP. 20

c Eze 8:1
d Eze 14:1
e Isa 1:12
f 1Sa 28:6
  Pr 15:8
  Pr 28:9
  Isa 1:15
  Isa 14:3
  Miq 3:7
g Eze 14:4
h Eze 16:2
  Eze 16:51
  Eze 22:2
  Eze 23:36
  Lu 11:47
i Éx 6:7
  Dt 7:6
  Isa 41:8
  j Isa 62:8
k Éx 6:8
  Dt 32:40
  Eze 47:14
l Éx 3:8
  Éx 3:17
  Dt 4:34
  Sl 103:7
m Éx 20:2
n Heb 6:13

o Éx 3:8; Dt 6:3; Dt 8:7; Jos 5:6; Jer 11:5; Jer 32:22; pSl 48:2; Da 8:9; Da 11:41; Zac 7:14; q 2Cr 15:8; Eze 18:31; r Le 17:7; Le 18:3; Dt 29:17; Jos 24:14; s Éx 16:12; Le 11:44; Le 20:7.

belarse contra mí,[a] y no consintieron en escucharme. Las cosas repugnantes de sus ojos no tiraron individualmente, y los ídolos estercolizos de Egipto no abandonaron,[b] de modo que prometí derramar mi furor sobre ellos, para llevar mi cólera a su final sobre ellos en medio de la tierra de Egipto.[c] 9 Y me puse a actuar por causa de mi propio nombre para que no fuera profanado delante de los ojos de las naciones entre las cuales estaban,[d] porque me había dado a conocer a ellas delante de sus ojos al sacarlos de la tierra de Egipto.[e] 10 De modo que los saqué de la tierra de Egipto y los introduje en el desierto.[f]

11 "'"Y procedí a darles mis estatutos,[g] y mis decisiones judiciales[h] les di a conocer, para que el hombre que siga poniéndolas por obra también siga viviendo por ellas.[i] 12 Y mis sábados también les di,[j] para que llegaran a ser una señal entre yo y ellos,[k] a fin de que supieran que yo soy Jehová que los santifica.

13 "'"Pero ellos, la casa de Israel, se rebelaron contra mí en el desierto.[l] En mis estatutos no anduvieron,[m] y mis decisiones judiciales rechazaron,[n] las cuales, si las sigue haciendo el hombre, también seguirá viviendo por ellas.[o] Y mis sábados profanaron muchísimo,[p] de modo que prometí derramar mi furor sobre ellos en el desierto, para exterminarlos.[q] 14 Pero actué por causa de mi propio nombre para que [este] no fuera profanado delante de los ojos de las naciones, delante de cuyos ojos los había sacado.[r] 15 Y yo mismo también alcé la mano [en juramento] a ellos en el desierto,[s] para no introducirlos en la tierra que había dado, una que manaba leche y miel[t] (es la decoración de todas las tierras),[u] 16 debido a que rechazaron mis propias decisiones judiciales; y en lo que respecta a mis estatutos, no anduvieron en ellos, y mis sábados

profanaron, porque tras de sus ídolos estercolizos iba su corazón.[a]

17 "'"Y mi ojo empezó a sentirse apenado por ellos [para detenerme] de arruinarlos,[b] y no hice un exterminio de ellos en el desierto. 18 Y procedí a decir a sus hijos en el desierto:[c] 'En las disposiciones reglamentarias de sus antepasados no anden,[d] y sus juicios no observen,[e] ni con sus ídolos estercolizos no se contaminen.[f] 19 Yo soy Jehová su Dios.[g] Anden en mis propios estatutos,[h] y guarden mis propias decisiones judiciales[i] y pónganlas por obra.[j] 20 Y santifiquen mis propios sábados,[k] y ellos tienen que servir como señal entre yo y ustedes, [para que ustedes] sepan que yo soy Jehová su Dios'.[l]

21 "'"Y los hijos empezaron a rebelarse contra mí.[m] En mis estatutos no anduvieron, y mis decisiones judiciales no guardaron mediante ponerlas por obra, las cuales, de seguir poniéndolas por obra el hombre, también seguirá viviendo por ellas.[n] Mis sábados profanaron.[o] Así que prometí derramar mi furia sobre ellos, para llevar mi cólera a su final sobre ellos en el desierto.[p] 22 Y retraje mi mano[q] y me puse a actuar por causa de mi propio nombre, para que [este] no fuera profanado delante de los ojos de las naciones, delante de cuyos ojos los había sacado.[r] 23 También, yo mismo alcé la mano [en juramento hecho] a ellos en el desierto,[s] para esparcirlos entre las naciones y dispersarlos entre las tierras,[t] 24 debido a que no ejecutaron mis propias decisiones judiciales,[u] y rechazaron mis propios estatutos[v] y profanaron mis propios sábados,[w] y fue tras de los

CAP. 20
a Dt 9:7
1Sa 15:23
Ne 9:26
Isa 63:10
b Éx 32:4
c Jos 24:14
Eze 7:8
d Éx 32:12
Nú 14:13
Dt 9:28
Jos 7:9
1Sa 12:22
e Jos 2:10
Jos 9:9
1Sa 4:8
f Éx 13:17
Éx 15:22
g Le 3:17
h Dt 4:8
Ne 9:13
Sl 147:19
i Dt 8:3
Dt 30:16
Lu 10:28
Ro 10:5
Gál 3:12
j Éx 20:8
Le 23:3
Le 23:24
Le 23:32
Le 25:4
Le 25:11
Dt 5:12
k Éx 13:9
Éx 31:13
Éx 35:2
l Éx 32:8
Nú 14:22
Sl 78:40
Sl 95:8
m Le 26:15
n Le 26:43
Pr 1:25
Eze 16:24
o Eze 18:9
Ro 10:5
p Isa 56:6
q Nú 14:12
r Jos 7:9
Eze 36:22
s Nú 14:30
Sl 95:11
Sl 106:26
t Le 20:24
Nú 13:27
u Zac 7:14

2.ª col.

a Éx 32:4
Nú 15:39
Nú 25:2
1Re 21:26
Eze 14:4
Hch 7:42
b Ne 9:19
Sl 78:38
Jer 30:11
Lam 3:22
c Nú 14:33
d Sl 78:8
Eze 5:7
e Hch 7:51
1Pe 1:18
f Jer 2:7
g Dt 5:6
Sl 81:10
h Le 25:18
Dt 4:40
i Dt 4:1
j Dt 5:1
k Jer 17:22
l Éx 31:13

m Nú 25:1; Dt 9:23; 1Re 13:21; n Eze 20:11;
o Eze 20:13; p 1Sa 12:15; 1Sa 15:23; Sl 5:10; Isa
1:20; Isa 63:10; Eze 7:8; q Sl 78:38; r Sl 25:11; Sl
79:9; Jer 14:7; Da 9:19; s Dt 32:40; t Le 26:33;
Dt 28:64; Sl 106:27; Jer 15:4; u Le 26:43; v Le
26:15; w Eze 20:13.

ídolos estercolizos de sus antepasados tras de los cuales resultaron estar sus ojos.ª   25 Y yo mismo también dejé que tuvieran disposiciones reglamentarias que no eran buenas y decisiones judiciales por las cuales no podían seguir viviendo.ᵇ   26 Y dejaba que se contaminaran por sus dádivas cuando hacían que cada hijo que abría la matriz pasara por [el fuego],ᶜ para desolarlos yo mismo, para que supieran que yo soy Jehová".ᵈ

27 "Por lo tanto, habla a la casa de Israel, oh hijo del hombre, y tienes que decirles:ᵉ 'Esto es lo que ha dicho el Señor Soberano Jehová: "Sin embargo, respecto a esto sus antepasados hablaron injuriosamente de mí, al actuar contra mí con infidelidad.ᶠ   28 Y procedí a introducirlos en la tierraᵍ que, para darles, había alzado la mano [en juramento].ʰ Cuando llegaron a ver toda colina exaltadaⁱ y todo árbol ramoso, entonces empezaron a sacrificar allí sus sacrificiosʲ y dar allí su ofrenda ofensiva, y presentar allí sus olores conducentes a descansoᵏ y derramar allí sus libaciones.ˡ   29 Así que les dije: '¿Qué significa el lugar alto al cual vienen, para que se llame por nombre Lugar Alto hasta este día?' ".ᵐ

30 "Por lo tanto, di a la casa de Israel: 'Esto es lo que ha dicho el Señor Soberano Jehová: "¿En el camino de sus antepasados están ustedes contaminándose,ⁿ y tras de sus cosas repugnantes están ustedes yendo en ayuntamiento inmoral?º   31 Y al alzar sus dádivas y hacer que sus hijos pasen por el fuego,ᵖ ¿están ustedes contaminándose para todos sus ídolos estercolizos hasta hoy?ᵠ Al mismo tiempo, ¿he yo mismo de dejarme inquirir de ustedes, oh casa de Israel?' ".ʳ

" 'Tan ciertamente como que estoy vivo —es la expresión del Señor Soberano Jehová—, ciertamente no me dejaré inquirir

de ustedes.ª   32 Y de seguro no sucederáᵇ lo que está subiendo a su espíritu,ᶜ pues están diciendo: "Lleguemos a ser como las naciones, como las familias de las tierras,ᵈ ministrando a madera y piedra" '".ᵉ

33 " 'Tan ciertamente como que estoy vivo —es la expresión del Señor Soberano Jehová—, será con mano fuerte y con brazo extendidoᶠ y con furia derramada que ciertamente reinaré sobre ustedes.ᵍ   34 Y ciertamente los sacaré de los pueblos, y de veras los juntaré de las tierras a las cuales han sido esparcidos con mano fuerte y con brazo extendido y con furia derramada.ʰ   35 Y ciertamente los introduciré en el desierto de los pueblosⁱ y me pondré allí en juicio con ustedes cara a cara.ʲ

36 " 'Tal como me puse en juicio con los antepasados de ustedes en el desierto de la tierra de Egipto,ᵏ así me pondré en juicio con ustedes —es la expresión del Señor Soberano Jehová—.   37 Y ciertamente los haré pasar bajo la varaˡ y los introduciré en la atadura del pacto.ᵐ   38 Y ciertamente limpiaré de ustedes a los sublevadores y a los transgresoresⁿ contra mí, porque de la tierra donde ellos residen como forasteros los sacaré, pero al suelo de Israel no vendrán;º y ustedes tendrán que saber que yo soy Jehová.'ᵖ

39 "Y ustedes, oh casa de Israel, esto es lo que ha dicho el Señor Soberano Jehová: 'Vayan y sirvan cada uno de ustedes a sus propios ídolos estercolizos.ᵠ Y después, si no me escuchan, entonces ya no profanarán más mi santo nombre por sus dádivas y por sus ídolos estercolizos'.ʳ

40 " 'Porque en mi santa montaña, en la montaña de la altura

CAP. 20
a Jer 2:7
  Jer 3:9
  Eze 6:9
b Sl 81:12
  Isa 66:4
  Ro 1:24
  2Te 2:11
c Le 18:21
  2Re 16:3
  2Re 17:17
  2Re 21:6
  2Cr 28:3
  2Cr 33:6
  Jer 7:31
  Jer 19:5
  Jer 32:35
  Eze 16:20
d Eze 6:7
e Eze 2:7
f Ro 2:24
g Jos 23:5
  Ne 9:22
h Sl 105:9
  Eze 20:6
i Dt 12:2
  1Re 14:23
  Isa 65:7
  Jer 2:20
j Sl 78:58
  Sl 57:5
  Eze 6:13
k Eze 16:19
l Jer 19:13
m Eze 16:24
n Nú 32:14
o Jue 2:19
  2Cr 21:13
  Jer 7:28
  Jer 13:27
  Hch 7:51
p Dt 18:10
  Sl 106:37
  Jer 7:31
q Dt 29:17
  1Re 21:26
  Eze 20:7
r 1Sa 28:6
  Pr 1:28
  Isa 1:15

2.ª col.
a Zac 7:13
b Pr 19:21
  Lam 3:37
c Eze 11:5
d Ro 12:2
e Dt 4:28
  Dt 28:36
  Jer 44:17
f Isa 40:10
g Jer 21:5
  Jer 8:18
h Isa 27:13
  Eze 34:16
  Am 9:9
i Os 2:14
  Miq 4:10
j Jer 2:9
  Jer 25:31
  Eze 17:20
  Os 4:1
k 1Co 10:9
l Le 27:32
  Jer 33:13
  Eze 34:17
m Sl 89:34
n Nú 14:30
  Eze 34:20
  Mal 3:3
  Mt 3:12
o Eze 13:9
p Sl 9:16
  Eze 6:13
q Jue 10:14; Sl 81:12; Am 4:4; r Pr 21:27; Isa 1:13; Jer 7:10; Eze 23:39.

de Israel[a] —es la expresión del Señor Soberano Jehová—, allí es donde ellos, toda la casa de Israel por entero, me servirá, en el país.[b] Allí me complaceré en ellos, y allí requeriré las contribuciones de ustedes y las primicias de sus presentaciones en todas sus cosas santas.[c] 41 Debido al olor conducente a descanso me complaceré en ustedes,[d] cuando los saque de los pueblos y realmente los junte de las tierras a las cuales han sido esparcidos,[e] y ciertamente seré santificado en ustedes delante de los ojos de las naciones.'[f]

42 "'Y ustedes tendrán que saber que yo soy Jehová,[g] cuando los traiga al suelo de Israel,[h] a la tierra de la cual, para darla a sus antepasados, levanté mi mano [en juramento]. 43 Y ciertamente recordarán allí sus caminos[i] y todos sus tratos con los cuales se contaminaron,[j] y realmente sentirán asco de sus propios rostros debido a todas sus malas cosas que hicieron.[k] 44 Y tendrán que saber que yo soy Jehová[l] cuando yo tome acción con ustedes por causa de mi nombre,[m] no según sus malos caminos ni según sus tratos corruptos,[n] oh casa de Israel', es la expresión del Señor Soberano Jehová."

45 Y la palabra de Jehová continuó ocurriéndome, y dijo: 46 "Hijo del hombre, pon tu rostro[o] en dirección a la región meridional y deja gotear[p] [palabras] hacia el sur, y profetiza contra el bosque del campo de[l] sur. 47 Y tienes que decir al bosque del sur: 'Oye la palabra de Jehová. Esto es lo que ha dicho el Señor Soberano Jehová: "Mira, voy a encender un fuego contra ti,[q] y tendrá que devorar en ti todo árbol todavía húmedo y todo árbol seco.[r] La llama encendedora no será extinguida,[s] y por ella todos los rostros tienen que ser chamuscados desde [el] sur hasta el norte.[t] 48 Y todos los de carne tienen que ver que yo mismo, Jehová, lo he incendiado, de modo que no será extinguido"'".[a]

49 Y procedí a decir: "¡Ay, oh Señor Soberano Jehová! Dicen acerca de mí: '¿No está componiendo dichos proverbiales?'".[b]

21 Y la palabra de Jehová continuó ocurriéndome, y dijo: 2 "Hijo del hombre, pon tu rostro hacia Jerusalén y deja gotear[c] [palabras] hacia los lugares santos,[d] y profetiza contra el suelo de Israel.[e] 3 Y tienes que decir al suelo de Israel: 'Esto es lo que ha dicho Jehová: "¡Mira!, estoy contra ti,[f] y ciertamente sacaré mi espada de su vaina[g] y cortaré de ti a justo e inicuo.[h] 4 A fin de que realmente corte de ti justo e inicuo, por eso mi espada saldrá de su vaina contra toda carne de sur a norte.[i] 5 Y todos los de carne tendrán que saber que yo mismo, Jehová, he sacado mi espada de su vaina.[j] Ya no volverá atrás"'.[k]

6 "Y en cuanto a ti, oh hijo del hombre, suspira con caderas temblorosas.[l] Aun con amargura debes suspirar delante de los ojos de ellos.[m] 7 Y tiene que ocurrir que, en caso de que te digan: '¿A causa de qué estás suspirando?',[n] tendrás que decir: 'Debido a un informe.'[o] Porque ciertamente vendrá,[p] y todo corazón tendrá que derretirse[q] y todas las manos tendrán que caer y todo espíritu tendrá que desalentarse y todas las rodillas mismas gotearán agua.'[r] ¡Mira! Ciertamente vendrá[s] y se hará que ocurra', es la expresión del Señor Soberano Jehová".

8 Y la palabra de Jehová continuó ocurriéndome, y dijo: 9 "Hijo del hombre, profetiza, y tienes que decir: 'Esto es lo que ha dicho Jehová: "Di: ¡Una espada, una espada![t] Ha sido aguzada,[u] y también está pulida. 10 Con el fin de organizar un

---

CAP. 20
a Isa 2:2
Isa 66:20
Eze 17:23
Miq 4:1
b Isa 56:7
Miq 4:2
Zac 8:22
c Mal 3:4
Ro 12:1
Heb 13:15
d Gé 8:21
Ef 5:2
Flp 4:18
e Isa 11:11
Jer 23:3
2Co 6:17
f Isa 5:16
Eze 38:23
g Jer 24:7
Eze 36:23
h Eze 11:17
Eze 37:12
i Le 26:40
Ne 1:9
Eze 16:61
Os 5:15
j Eze 6:9
k Jer 31:18
Eze 24:24
m Sl 79:9
Eze 36:22
n 1Ti 1:16
o Eze 6:2
p Eze 21:2
Am 7:16
q Dt 32:22
Jer 21:14
r Eze 17:24
Lu 23:31
s Isa 66:24
Mt 3:12
t Eze 21:4

2.ª col.
a Dt 29:24
2Cr 7:20
Lam 2:17
b Eze 17:2

CAP. 21
c Am 7:16
d Eze 6:3
e Eze 12:19
Eze 20:42
f Eze 5:8
g Le 26:33
Eze 14:17
h Job 9:22
Eze 7:2
Eze 20:47
j Dt 29:24
1Re 9:7
Sl 9:16
k Isa 45:23
Jer 23:20
Na 1:9
l Sl 69:23
Eze 29:7
m Isa 22:4
Jer 4:19
Eze 9:8
n Eze 24:19
o 2Re 21:12
Jer 6:22
q Jos 2:11
Jos 5:1
r Eze 7:17
s Eze 7:12
1Pe 4:7

---

t Isa 66:16; Jer 12:12; Am 9:4; u Sl 7:12.

degüello ha sido aguzada; con el fin de que obtenga lustre ha sido pulida' "*".[a]

"¿O nos alborozaremos?"[b]

"'¿Rechaza el cetro[c] de mi propio hijo,[d] como [hace con] todo árbol?[e]

11 "'Y uno la da para que sea pulida, para blandir[la] con la mano. Esta... una espada ha sido aguzada, y esta... esta ha sido pulida, para darla en mano de uno que mata.[f]

12 "'Grita y aúlla,[g] oh hijo del hombre, porque ella misma ha llegado a estar contra mi pueblo;[h] está contra todos los principales de Israel.[i] Los mismos arrojados a la espada[j] han llegado a estar con mi pueblo.[j] Por lo tanto, da una palmada en [el] muslo.[k] 13 Porque un exterminio se ha hecho,[l] ¿y qué si rechaza también el cetro?[m] ¿Y qué ella? No continuará existiendo',[n] es la expresión del Señor Soberano Jehová.

14 "Y tú, oh hijo del hombre... profetiza, y golpea palma contra palma,[o] y '¡Espada!', debe repetirse tres veces.[p] La espada de los que han sido muertos es esta. Es la espada de alguien muerto que es grande, la que está rodeándolos en círculo.[q] 15 Para que el corazón se derrita[r] y [para] multiplicar los que son derribados en todas las puertas de ellos,[s] ciertamente haré un degüello por la espada. ¡Ay, está hecha para un relumbrón, pulida para un degüello!' 16 ¡Muéstrate aguda;[u] ve a la derecha! ¡Fija tu posición; ve a la izquierda! ¡Adondequiera que se dirija tu rostro! 17 Y yo mismo también golpearé una palma mía contra mi otra palma,[v] y ciertamente llevaré mi furia[w] a su descanso.[x] Yo mismo, Jehová, he hablado."

18 Y la palabra de Jehová continuó ocurriéndome, y dijo: 19 "Y en cuanto a ti, oh hijo del hombre, pon para ti dos caminos por donde entre la espada del rey de Babilonia.[a] De un mismo país ambos deben salir, y debe cortarse una mano [indicadora];[b] en la cabecera del camino a la ciudad se debe cortar. 20 Un camino debes poner por donde [la] espada entre contra Rabá[c] de los hijos de Ammón, y [uno] contra Judá, contra Jerusalén fortificada.[d] 21 Porque el rey de Babilonia se detuvo en la encrucijada, en la cabecera de los dos caminos, para recurrir a la adivinación.[e] Ha sacudido las flechas. Ha inquirido por medio de los terafim;[f] ha mirado en el hígado. 22 En su mano derecha resultó estar la adivinación para Jerusalén, para poner arietes,[g] para abrir la boca para una matanza, para levantar el sonido en señal de alarma,[h] para poner arietes contra las puertas, para amontonar un cerco de sitiar, para construir un muro de asedio.[i] 23 Y ha llegado a ser para ellos como una adivinación falsa a sus ojos[j]... a los que están jurados con juramentos a ellos;[k] y él recuerda el error,[l] para [que ellos] sean atrapados.[m]

24 "Por lo tanto, esto es lo que ha dicho el Señor Soberano Jehová: 'Por hacer ustedes que su error sea recordado al ser descubiertas sus transgresiones, a fin de que se vean sus pecados según todos sus tratos, por habérseles recordado,[n] ustedes serán agarrados hasta por la mano'.[o]

25 "Y en cuanto a ti, oh mortíferamente herido e inicuo principal[p] de Israel,[q] cuyo día ha llegado en el tiempo del error de[l] fin,[r] 26 esto es lo que ha dicho el Señor Soberano Jehová: 'Remueve el turbante, y quita la corona.[s] Esta no será la misma.[t] Póngase en alto aun lo que está bajo,[u] y póngase bajo aun al alto.[v] 27 Ruina, ruina, ruina la haré.[w] En cuanto a esta también, ciertamente no llegará a ser [de

---

CAP. 21

a Jer 46:4
b Isa 5:14
c Gé 49:10
d 2Sa 7:14
  Eze 19:11
f Jer 25:9
  Jer 25:33
  Jer 51:20
g Eze 9:8
  Miq 1:8
h Jer 25:2
i Eze 19:1
j Eze 25:16
k Jer 31:19
l Dt 28:21
  Dt 28:22
  Jer 5:3
  Lam 2:22
m 2Re 25:7
  Eze 19:14
n Jer 39:6
  Jer 21:26
o Nú 24:10
  Eze 6:11
p Le 26:21
q 2Re 25:1
  Eze 25:2
  Lu 19:43
r Eze 21:7
s Jer 17:27
t Eze 21:10
u Eze 14:17
v Eze 5:13
x Dt 28:63
  Isa 1:24
  Eze 16:42

2.ª col.

a Jer 1:10
b Eze 4:1
  Eze 5:1
c Dt 3:11
  Eze 49:2
  Eze 25:5
  Am 1:14
d 2Sa 5:9
  2Cr 26:9
  2Cr 32:5
  2Cr 33:14
  Sl 48:12
  Lam 4:12
e Nú 22:7
  Dt 18:10
f Jue 18:14
  2Re 23:24
  Os 10:2
g 2Re 25:1
  Eze 4:2
h Jos 6:20
  1Sa 17:20
i Jer 32:24
  Jer 52:4
  Eze 4:3
j Isa 28:15
k 2Cr 36:13
  Jer 17:13
l 2Re 24:20
  Job 34:11
m 2Re 25:6
n Jer 2:34
o Jer 15:2
p 1Re 11:34
q 2Cr 36:13
r Jer 24:8
  Jer 52:2
  Eze 17:19
r Eze 7:6
s 2Re 25:6
  Jer 13:18
  Jer 44:30
  Jer 52:11

---

t Eze 21:13; u 1Sa 2:7; Sl 75:7; Sl 113:7; Da 4:17; Flp 2:9; v Jer 24:8; Eze 12:13; Da 4:37; Lu 21:24; w 2Cr 20:23; Eze 5:16.

nadie] hasta que venga aquel que tiene el derecho legal,[a] y tengo que dar [esto] a él'.[b]

28 "Y tú, oh hijo del hombre, profetiza, y tienes que decir: 'Esto es lo que ha dicho el Señor Soberano Jehová acerca de los hijos de Ammón y acerca del oprobio procedente de ellos'. Y tienes que decir: 'Una espada, una espada desenvainada para un degüello, pulida para que devore, para que reluzca,[c] 29 por ver [ellos] para ti una irrealidad, por adivinar [ellos] para ti una mentira,[d] para ponerte en los cuellos de los que fueron muertos, los hombres inicuos cuyo día ha llegado en el tiempo del error de[l] fin.[e] 30 Vuélve[la] a su vaina. En el lugar en que fuiste creado, en la tierra de tu origen,[f] te juzgaré. 31 Y ciertamente derramaré sobre ti mi denunciación. Con el fuego de mi furor soplaré sobre ti,[g] y ciertamente te daré en la mano de hombres que son irrazonables, artífices de la ruina.[h] 32 Para el fuego llegarás a ser combustible.[i] Tu propia sangre resultará estar en medio del país. No se te recordará, porque yo mismo, Jehová, he hablado' ".[j]

22 Y la palabra de Jehová continuó ocurriéndome, y dijo: 2 "Y en cuanto a ti, oh hijo del hombre, ¿juzgarás tú,[k] juzgarás tú a la ciudad culpable de sangre,[l] y ciertamente harás que ella sepa todas sus cosas detestables?[m] 3 Y tienes que decir: 'Esto es lo que ha dicho el Señor Soberano Jehová: "Oh ciudad que derrama sangre en medio de sí hasta que su tiempo viene,[o] y que ha hecho ídolos estercolizos dentro de sí para hacerse inmunda.[p] 4 por tu sangre que has derramado te has hecho culpable,[q] y por tus ídolos estercolizos que has fabricado te has hecho inmunda.[r] Y haces que se acerquen tus días, y vendrás a tus años. Por eso tengo

que hacer de ti un objeto de oprobio a las naciones y de mofa a todas las tierras.[a] 5 Las [tierras] cercanas y las que están lejos de ti se mofarán de ti, oh tú, inmunda de nombre, abundante en confusión.[b] 6 ¡Mira! Los principales[c] de Israel han resultado estar en ti, cada uno [dado] a su brazo con el fin de derramar sangre.[d] 7 A padre y madre los han tratado con desprecio en ti.[e] Para con el residente forastero han actuado con defraudación en medio de ti.[f] Al huérfano de padre y a la viuda los han maltratado en ti' " ".[g]

8 " 'Mis lugares santos has despreciado, y mis sábados has profanado.[h] 9 Francos calumniadores han resultado estar en ti, con el fin de derramar sangre;[i] y sobre las montañas han comido en ti.[j] En conducta relajada se han ocupado en medio de ti.[k] 10 La desnudez de un padre han descubierto en ti;[l] a una mujer inmunda en [su] menstruación han humillado en ti.[m] 11 Y con la esposa de su compañero un hombre ha hecho una cosa detestable,[n] y a su propia nuera un hombre ha contaminado con conducta relajada;[o] y a su hermana, la hija de su propio padre, un hombre ha humillado en ti.[p] 12 Un soborno han tomado en ti con el propósito de derramar sangre.[q] Interés[r] y usura has tomado,[s] y violentamente has sacado ganancia[t] de tus compañeros con defraudación,[u] y a mí me has olvidado',[v] es la expresión del Señor Soberano Jehová.

13 " 'Y, ¡mira!, he golpeado mi mano[w] ante tu injusta ganancia que has hecho,[x] y por tus actos

---

CAP. 21

a Gé 49:10
Sl 89:3
Sl 110:1
Isa 9:6
Isa 11:10
Eze 37:25
Lu 1:32
Ro 15:12
Rev 5:5
b Sl 2:8
Da 7:14
Lu 22:29
c Jer 49:2
d Eze 12:24
Eze 22:28
e Sl 37:13
f Dt 3:11
g Jer 22:22
Jer 49:3
h Jer 4:7
Eze 25:5
i Jer 49:2
j Isa 55:11

CAP. 22

k Eze 20:4
Eze 23:36
l 2Re 21:16
Jer 2:34
Os 4:2
Mt 23:37
m Isa 58:1
Eze 16:2
Eze 16:51
n Eze 24:6
o Eze 12:25
2Pe 2:3
p 2Re 21:11
2Re 23:24
q Gé 9:6
2Re 21:16
Sl 106:38
Eze 23:37
r Le 26:30

2.ª col.

a Dt 28:37
1Re 9:7
2Cr 7:20
Sl 79:4
Sl 80:6
Jer 18:16
Eze 5:14
Eze 23:32
Da 9:16
b Sl 79:4
c Isa 1:23
Eze 19:1
Miq 3:1
Sof 3:3
d Miq 2:1
e Dt 27:16
Pr 20:20
f Eze 22:21
Pr 22:22
g Sl 82:3
Isa 1:17
Jer 7:6
Zac 7:10
Mal 3:5
h Le 19:30
Eze 20:13
Eze 23:38
i Éx 23:1
Le 19:16
j Eze 18:6

k Jue 20:6; Sl 26:10; Pr 10:23; Jer 13:27; Eze 16:27; 2Pe 2:7; l Le 18:7; Le 20:11; Dt 27:20; 1Co 5:1; m Le 18:19; Le 20:18; Le 18:20; Le 20:10; Dt 22:22; Jer 5:8; o Le 18:15; Le 20:12; Eze 18:11; p Le 20:17; Dt 27:22; 2Sa 13:1; q Éx 23:8; Dt 16:19; Dt 27:25; Sl 26:9; Isa 1:23; Am 5:12; r Eze 22:25; Dt 23:19; s Le 25:36; Eze 18:13; t Pr 1:19; u Le 6:2; v Dt 32:18; Sl 106:21; w Eze 21:17; x Pr 28:8.

de derramamiento de sangre que han resultado estar en medio de ti.[a] **14** ¿Seguirá aguantando tu corazón,[b] o suministrarán fuerza tus manos en los días en que tome acción para contigo?[c] Yo mismo, Jehová, he hablado, y ciertamente actuaré.[d] **15** Y ciertamente te esparciré entre las naciones y te dispersaré entre las tierras,[e] y ciertamente destruiré de ti tu inmundicia.[f] **16** Y ciertamente serás profanada dentro de ti misma delante de los ojos de [las] naciones, y tendrás que saber que yo soy Jehová.' "[g]

17 Y la palabra de Jehová siguió viniéndome, y dijo: **18** "Hijo del hombre, para mí los de la casa de Israel han llegado a ser como escoria espumajosa.[h] Todos ellos son cobre y estaño y hierro y plomo en medio de un horno. Mucha escoria espumajosa —[la de] plata— han llegado a ser.[i]

19 "Por lo tanto, esto es lo que ha dicho el Señor Soberano Jehová: 'Porque todos ustedes han llegado a ser como mucha escoria espumajosa,[j] por lo tanto aquí voy a juntarlos en medio de Jerusalén.[k] **20** Como al juntar plata y cobre y hierro[l] y plomo y estaño en medio de un horno, para soplar[m] sobre ellos con fuego para que haya una licuación,[n] así [los] juntaré en mi cólera y en mi furia, y ciertamente soplaré y haré que ustedes se licuen. **21** Y ciertamente los reuniré y soplaré sobre ustedes con el fuego de mi furor,[o] y tendrán que licuarse en medio de ella.[p] **22** Como en la licuación de plata en medio de un horno, así ustedes serán licuados en medio de ella; y tendrán que saber que yo mismo, Jehová, he derramado mi furia sobre ustedes' ".[q]

23 Y la palabra de Jehová continuó viniéndome, y dijo: **24** "Hijo del hombre, di a ella: 'Eres una tierra a la que no se limpia, una sobre la cual no ha llovido en el día de la denunciación.[a] **25** Hay una conspiración de sus profetas en medio de ella,[b] como león rugiente que desgarra la presa.[c] Un alma realmente devoran.[d] Tesoro y cosas preciosas siguen quitando.[e] Sus viudas han multiplicado en medio de ella.[f] **26** Sus sacerdotes mismos han violentado mi ley,[g] y siguen profanando mis lugares santos.[h] Entre la cosa santa y la común[i] no han hecho ninguna distinción,[j] y entre la cosa inmunda y la limpia no han hecho que se sepa nada,[k] y de mis sábados han escondido sus ojos,[l] y yo soy profanado en medio de ellos.[m] **27** Los príncipes de ella en medio de ella son como lobos que desgarran la presa al derramar sangre,[n] al destruir almas con el fin de lograr ganancia injusta.[o] **28** Y sus profetas han enlucido para ellos con lechada,[p] contemplando en visión una irrealidad[q] y adivinando para ellos una mentira,[r] y dicen: "Esto es lo que ha dicho el Señor Soberano Jehová", cuando Jehová mismo no ha hablado. **29** La misma gente de la tierra se ha ocupado en un proyecto de defraudación[s] y ha efectuado un arrancar en robo,[t] y al afligido y al pobre han maltratado,[u] y al residente forastero han defraudado sin justicia'.[v]

30 " 'Y seguí buscando un hombre de entre ellos que estuviera reparando el muro de piedra[w] y estuviera de pie en la brecha[x] delante de mí a favor de la tierra, para [que yo] no la arruinara;[y] y no encontré a ninguno. **31** Así que derramaré mi denunciación[z] sobre ellos. Con el fuego de mi furor ciertamente los exterminaré.[a] Su camino ciertamente traeré sobre su propia cabeza',[b] es la expresión del Señor Soberano Jehová".

CAP. 22
a Eze 22:2
b Eze 21:7
c Job 40:9; 1Co 10:22
d Eze 17:24
e Dt 4:27; Dt 28:25; Eze 12:15
f Isa 1:25; Eze 23:27; Mal 3:3
g Sl 9:16; Eze 6:7; Eze 6:13
h Isa 1:22; Jer 6:28
i Pr 17:3; Isa 48:10; Jer 6:29
j Sl 119:119; Pr 25:4
k Miq 4:12; Mt 13:30
l Job 28:2
m Isa 54:16; Jer 6:29
n Eze 21:31
o Dt 4:24; Sl 21:9; Isa 30:33; Jer 21:12; Eze 22:20
p Sl 68:2; Sl 112:10
q Eze 20:8; Os 5:10

2.ª col.
a Isa 10:5
b Jer 5:31; Jer 6:13; Os 6:9
c Miq 3:5
d Mr 12:40; Lu 20:47
e Snt 5:4
f Jer 15:8
g Jer 2:8; Lam 4:13; Miq 3:11; Sof 3:4; Mal 2:8
h Le 20:3; Le 22:2
i Eze 44:23
j Le 10:10
k Le 11:47; Hch 10:14
l Eze 20:13
m Eze 36:20; Ro 2:24
n Miq 3:2; Sof 3:3
o Mt 21:13
p Isa 30:10; Eze 13:10
q Eze 21:29
r Dt 13:3; Jer 23:25; Lam 2:14
s Le 6:2; Isa 1:23; Jer 5:26; Jer 7:9; Jer 21:12; Miq 2:2
t Sl 62:10; Isa 3:14
u Éx 22:21; Le 19:33
v Éx 23:9
w Jer 5:1

x Sl 106:23; y Gé 18:23; Éx 32:11; z Isa 26:20; a Isa 10:22; Na 1:6; b Eze 11:21; Ro 2:6; Gál 6:7.

23 Y la palabra de Jehová procedió a venirme,[a] y dijo: 2 "Hijo del hombre, dos mujeres, hijas de una misma madre, hubo.[b] 3 Y empezaron a prostituirse en Egipto.[c] En su juventud cometieron prostitución.[d] Allí fueron apretados sus pechos,[e] y allí oprimieron los senos de su virginidad. 4 Y sus nombres eran Oholá la mayor y Oholibá su hermana, y llegaron a ser mías[f] y empezaron a dar a luz hijos e hijas.[g] Y en cuanto a sus nombres, Oholá es Samaria,[h] y Oholibá es Jerusalén.[i]

5 "Y Oholá empezó a prostituirse,[j] mientras estaba sujeta a mí, y siguió deseando lujuriosamente a los que la amaban apasionadamente,[k] a los asirios,[l] que estaban cerca, 6 gobernadores vestidos con género azul, y gobernantes diputados... todos ellos jóvenes deseables, soldados de caballería que montaban caballos. 7 Y continuó dando sus prostituciones sobre ellos, los hijos más selectos de Asiria todos ellos; y con todos aquellos a los cuales deseó lujuriosamente —con sus ídolos estercolizos— se contaminó.[m] 8 Y sus prostituciones [traídas] desde Egipto no dejó, pues con ella se habían acostado en su juventud, y ellos fueron los que oprimieron los senos de su virginidad y ellos siguieron derramando su ayuntamiento inmoral sobre ella.[n] 9 Por lo tanto, la di en la mano de los que la amaban apasionadamente,[o] en la mano de los hijos de Asiria, a los cuales ella había deseado lujuriosamente.[p] 10 Ellos fueron los que descubrieron la desnudez de ella.[q] Sus hijos y sus hijas tomaron,[r] y a ella la mataron aun a espada. Y ella llegó a ser infamia para las mujeres, y actos de juicio fue lo que ejecutaron sobre ella.

11 "Cuando su hermana Oholibá [lo] llegó a ver,[s] entonces ejerció su deseo sensual más ruidosamente que ella, y su prostitución más que la fornicación de su hermana.[a] 12 A los hijos de Asiria deseó lujuriosamente,[b] gobernadores y gobernantes diputados que estaban cerca, vestidos con perfecto gusto, soldados de caballería que montaban caballos... todos ellos jóvenes deseables.[c] 13 Y llegué a ver que, puesto que ella se había contaminado, ambas tenían un solo camino.[d] 14 Y ella siguió añadiendo a sus actos de prostitución cuando llegó a ver a los hombres en entalladuras sobre la pared,[e] imágenes[f] de caldeos tallados en bermellón,[g] 15 ceñidos con cintos[h] en las caderas, con turbantes de pendiente en las cabezas, teniendo la apariencia de guerreros, todos ellos, la semejanza de los hijos de Babilonia, caldeos en lo que respecta a la tierra de su nacimiento. 16 Y ella empezó a desearlos lujuriosamente ante la vista de sus ojos,[i] y procedió a enviarles mensajeros a Caldea.[j] 17 Y los hijos de Babilonia siguieron viniendo a ella, a la cama de expresiones de amor, y contaminándola con su ayuntamiento inmoral;[k] y ella continuó siendo contaminada por ellos, y su alma empezó a apartarse disgustada de ellos.

18 "Y ella siguió descubriendo sus actos de prostitución y descubriendo su desnudez,[l] de modo que mi alma se apartó disgustada de la compañía de ella, tal como mi alma se había apartado disgustada de la compañía de su hermana.[m] 19 Y ella siguió multiplicando sus actos de prostitución[n] hasta el punto de hacer recordar los días de su juventud,[o] cuando se prostituyó en la tierra de Egipto.[p] 20 Y siguió deseando lujuriosamente al estilo de las concubinas que pertenecen a aquellos cuyo miembro carnal es como el miembro carnal de asnos y cuyo órgano

CAP. 23
a 2Pe 1:21
b Jer 3:7
c Le 17:7
  Dt 29:17
  Jos 24:14
  Eze 20:8
d Eze 16:22
  Os 2:13
e Eze 23:21
f Éx 19:5
  Jer 2:3
  Eze 16:8
g Eze 16:20
  Gál 4:25
h 1Re 16:24
i 1Re 8:29
j 1Re 14:16
  1Re 21:26
  2Re 17:7
k Os 2:5
l 2Re 15:19
  2Re 16:7
  2Re 17:3
  Jer 2:18
  Jer 2:36
  Miq 5:6
  Eze 16:28
  Os 5:13
  Os 7:11
  Os 8:9
m Sl 106:39
  Os 5:3
  Os 6:10
n Éx 32:4
  Jer 12:28
  2Re 10:29
  2Re 17:16
o 2Re 15:29
p 2Re 17:23
  1Cr 5:26
q Eze 16:37
  Os 2:10
r 2Re 17:6
  2Re 18:11
s Jer 3:7

2.ª col.
a Jer 3:8
  Eze 16:47
b 2Re 16:7
  2Cr 28:16
c Eze 23:6
d 2Re 17:19
e Eze 8:10
f Jer 50:2
g Jer 22:14
h 1Sa 18:4
i Sl 119:37
  Mt 5:28
  1Jn 2:16
j Eze 16:29
k Eze 16:37
l Jer 3:2
  Eze 16:36
m Dt 32:19
  Sl 78:59
  Sl 106:40
  Jer 6:8
  Jer 12:2
n Eze 16:25
  Am 4:4
o Eze 16:22
p Eze 20:7

genital es como el órgano genital de caballos.[a] 21 Y continuaste llamando atención a la conducta relajada de tu juventud por el oprimir de tus senos desde Egipto[b] en adelante, por causa de los pechos de tu juventud.[c]

22 "Por lo tanto, oh Oholibá, esto es lo que ha dicho el Señor Soberano Jehová: '¡Mira!, voy a despertar a tus amantes apasionados contra ti,[d] a aquellos de los cuales tu alma se ha apartado en disgusto, y ciertamente haré que entren contra ti por todos lados,[e] 23 los hijos de Babilonia[f] y todos los caldeos,[g] Peqod[h] y Soa y Qoa, todos los hijos de Asiria con ellos, jóvenes deseables, gobernadores y gobernantes diputados todos ellos, guerreros y convocados, montados a caballo, todos ellos. 24 Y tienen que entrar contra ti con el traqueteo de carros de guerra y ruedas,[i] y con una congregación de pueblos, con escudo grande y broquel y yelmo. Se pondrán contra ti todo en derredor, y ciertamente les encargaré el juicio, y tienen que juzgarte con sus juicios.[j] 25 Y yo ciertamente expresaré mi ardor contra ti,[k] y ellos tendrán que tomar acción contra ti en furia.[l] Te removerán la nariz y las orejas, y el remanente tuyo caerá hasta a espada. Ellos mismos tomarán[m] a tus hijos y a tus hijas,[n] y el remanente de ti será devorado por el fuego.[o] 26 Y ciertamente te despojarán de tus prendas de vestir[p] y se llevarán tus objetos hermosos.[q] 27 Y yo realmente haré que tu conducta relajada cese de ti,[r] y tu prostitución [traída] desde la tierra de Egipto;[s] y no levantarás los ojos a ellos, y de Egipto no te acordarás más'.

28 "Porque esto es lo que ha dicho el Señor Soberano Jehová: 'Mira, voy a darte en mano de aquellos a quienes has odiado, en mano de aquellos de quienes tu alma se ha apartado disgusta-

da.[a] 29 Y ellos tienen que tomar acción contra ti en odio, y quitar todo tu producto de afán, y dejarte escueta y desnuda;[b] y la desnudez de tus actos de fornicación y tu conducta relajada y tus actos de prostitución tienen que ser descubiertos.[c] 30 Habrá un hacerte estas cosas por haber ido tú como una prostituta en pos de [las] naciones,[d] por el hecho de que te contaminaste con sus ídolos estercolizos.[e] 31 En el camino de tu hermana has andado;[f] y tendré que dar la copa de ella en tu mano'.[g]

32 "Esto es lo que ha dicho el Señor Soberano Jehová: 'La copa de tu hermana beberás, la profunda y ancha.[h] Llegarás a ser objeto de risa y escarnio, pues contiene mucho [la copa].[i] 33 Con borrachera y desconsuelo se te llenará, con la copa del pasmo y de la desolación, la copa de tu hermana Samaria. 34 Y la tendrás que beber y escurrir,[j] y roerás sus fragmentos de vasija de barro, y te arrancarás los pechos.[k] "Porque yo mismo he hablado", es la expresión del Señor Soberano Jehová'.

35 "Por lo tanto, esto es lo que ha dicho el Señor Soberano Jehová: 'Debido a que me has olvidado[l] y procediste a echarme detrás de tus espaldas,[m] entonces tú misma también carga tu conducta relajada y tus actos de prostitución' ".

36 Y Jehová pasó a decirme: "Hijo del hombre, ¿quieres juzgar[n] a Oholá y Oholibá[o] y decirles [lo que son] sus cosas detestables?[p] 37 Porque han cometido adulterio[q] y hay sangre en sus manos,[r] y con sus ídolos estercolizos han cometido adulterio.[s] Y, además de eso, sus hijos que habían dado a luz para mí los hicieron pasar por [el

CAP. 23
a Eze 16:26
b Jos 24:14
c Eze 23:3
d Isa 10:5
  Eze 16:37
  Hab 1:6
  Rev 17:16
e Jer 6:22
  Jer 12:9
f 2Re 20:14
  Isa 39:3
  Eze 21:19
g 2Re 24:2
  Isa 23:13
h Jer 50:21
i Jer 47:3
  Eze 26:10
  Na 3:2
j 2Sa 24:14
k Dt 29:20
  Eze 38:19
  Sof 1:18
l Eze 16:38
m Os 2:4
n Eze 23:4
  Gál 4:25
o Isa 15:7
  Eze 20:47
  Rev 18:8
p Jer 13:22
  Eze 16:39
  Os 2:3
  Rev 17:16
q Isa 3:18
  Jer 4:30
  Eze 16:11
r Isa 27:9
  Eze 16:41
  Eze 22:15
  Zac 13:2
s Eze 23:3
  Eze 23:19

2.ª col.
a Jer 21:7
  Jer 34:20
b Dt 28:51
  Eze 16:39
c Eze 16:36
  Eze 16:37
d Sl 106:35
e Jer 2:18
  Jer 16:11
  Jer 22:9
  Eze 6:9
e Eze 23:7
f Jer 3:8
  Eze 16:47
g Eze 21:13
  Sl 11:6
  Jer 7:15
  Jer 25:15
  Da 9:12
h Isa 51:17
i Dt 28:37
  1Re 9:7
  Lam 2:15
j Sl 75:8
  Isa 51:17
k Isa 32:12
l Isa 17:10
  Jer 2:32
  Jer 3:21
  Jer 13:25
m 1Re 14:9
  Ne 9:26
n Jer 1:10
o Eze 23:4

p Isa 58:1; Eze 16:2; Eze 20:4; Eze 22:2; q Os 1:2; Snt 4:4; r Eze 16:38; Eze 22:2; s Eze 16:36.

fuego] a ellos como alimento.[a] 38 Lo que es más, esto es lo que me han hecho: Han contaminado[b] mi santuario[c] en aquel día, y mis sábados han profanado.[d] 39 Y cuando habían degollado a sus hijos para sus ídolos estercolizos,[e] hasta procedieron a entrar en mi santuario en aquel día para profanarlo,[f] y, ¡mira!, eso es lo que han hecho en medio de mi casa.[g] 40 Y además de eso, cuando empezaron a enviar [aviso] a los hombres que venían desde lejos, a quienes se envió un mensajero,[h] entonces, ¡mira!, vinieron,[i] aquellos para los cuales te habías lavado,[j] pintado los ojos[k] y engalanado con adornos.[l] 41 Y te sentaste en un lecho glorioso,[m] con una mesa puesta en orden delante de él,[n] y mi incienso[o] y mi aceite le pusiste encima.[p] 42 Y el sonido de una muchedumbre desahogada había en ella,[q] y a los hombres de la masa de la humanidad les traían borrachos[r] desde el desierto, y ellos procedían a poner brazaletes en las manos de las mujeres y hermosas coronas sobre sus cabezas.[s]

43 "Entonces dije respecto a aquella que estaba gastada de adulterio:[t] 'Ahora seguirá cometiendo su prostitución, aun ella misma'.[u] 44 Y siguieron viniendo a ella, hasta como se viene a una mujer que es prostituta; de esa manera vinieron a Oholá y a Oholibá como mujeres de conducta relajada.[v] 45 Pero en cuanto a hombres justos,[w] ellos son los que la juzgarán con el juicio para adúlteras[x] y con el juicio para derramadoras de sangre;[y] porque adúlteras son, y hay sangre en sus manos.[s]

46 "Porque esto es lo que ha dicho el Señor Soberano Jehová: 'Habrá el hacer subir una congregación contra ellas[a] y un hacer de ellas objeto asustador y algo que saquear.[b] 47 Y la congregación tendrá que lapidarlas,[a] y habrá un cortarlas con sus espadas. A sus hijos y a sus hijas matarán,[b] y con fuego sus casas quemarán.[c] 48 Y ciertamente haré que la conducta relajada[d] cese de la tierra,[e] y todas las mujeres tendrán que dejarse corregir, para que no hagan según la conducta relajada de ustedes.[f] 49 Y ellos tienen que traer sobre ustedes su conducta relajada,[g] y ustedes llevarán los pecados de sus ídolos estercolizos; y tendrán que saber que yo soy el Señor Soberano Jehová' ".[h]

24 Y la palabra de Jehová continuó ocurriéndome en el año noveno, en el décimo mes, el [día] diez del mes, y dijo: 2 "Hijo del hombre, escribe para ti el nombre del día, este mismo día. El rey de Babilonia se ha arrojado contra Jerusalén en este mismísimo día.[i] 3 Y compón un dicho proverbial acerca de la casa rebelde,[j] y tienes que decir acerca de ellos:

" 'Esto es lo que ha dicho el Señor Soberano Jehová: "Pon la olla de boca ancha; pon[la], y también echa agua en ella.[k] 4 Recoge trozos en ella,[l] todo buen trozo, muslo y hombro; llena[la] hasta los huesos más selectos. 5 Que haya un tomar de las ovejas más selectas,[m] y también apila los leños en un círculo bajo ella. Haz hervir sus trozos; también cuece sus huesos en medio de ella" ' ".

6 "Por lo tanto, esto es lo que ha dicho el Señor Soberano Jehová: ¡Ay de la ciudad de hechos de derramamiento de sangre,[o] la olla de boca ancha, cuya herrumbre está en ella, y cuya mismísima herrumbre no ha salido de ella! Trozo por trozo de ella, sácala;[p] no deben echarse suertes sobre ella.[q] 7 Pues su

CAP. 23
a Le 18:21
2Re 17:17
Eze 16:20
b Jer 32:34
Eze 5:11
Eze 8:5
c 2Re 21:4
d Ne 13:17
Eze 22:8
e Jer 7:31
f Le 20:3
Jer 7:11
g 2Cr 33:4
h Isa 57:9
i 2Re 20:13
j Rut 3:3
Est 2:12
k 2Re 9:30
Jer 4:30
l Pr 7:10
Isa 3:18
Eze 16:13
m Est 1:6
Isa 57:7
Am 2:8
Am 6:4
n Isa 65:11
o Eze 8:11
p Pr 7:17
Jer 44:17
Eze 16:18
Os 2:8
q Éx 32:6
Os 13:6
r Isa 28:1
s Eze 16:11
t Snt 4:4
u Esd 9:7
Jer 13:23
v Eze 23:3
Eze 23:9
w Eze 14:14
Eze 14:20
x Le 20:10
Dt 22:21
Eze 16:38
y Gé 9:6
Eze 23:37
z Eze 24:4
Sl 106:38
Isa 1:15
Os 4:2
a Jer 25:9
Eze 16:40
b Jer 15:4
Jer 24:9
Jer 34:17

2.ª col.
a Le 20:2
Eze 16:40
b 2Cr 36:17
c Dt 13:16
2Re 25:9
Jer 39:8
Jer 52:13
d Jue 20:6
Eze 22:9
e Isa 26:9
f Dt 13:11
2Pe 2:6
g Isa 59:18
Eze 16:43
Ro 2:6
Gál 6:7
h Sl 9:16
Eze 6:13

CAP. 24 i 2Re 25:1; Jer 39:1; Jer 52:4; j Eze 17:12; Lu 8:10; k Jer 1:13; Eze 11:3; l Eze 11:7; m Jer 39:6; Eze 34:16; n Eze 24:10; o 2Re 21:16; Eze 22:3; Miq 7:2; Mt 23:35; p Eze 11:7; Eze 11:9; q Joe 3:3; Abd 11; Na 3:10.

sangre misma ha llegado a estar en el mismo medio de ella.[a] Sobre la superficie brillante y pelada de un peñasco ella la puso. No la derramó sobre la tierra, para cubrirla con polvo.[b] 8 Para hacer subir la furia para la ejecución de venganza,[c] yo he puesto su sangre sobre la superficie brillante y pelada de un peñasco, para que no sea encubierta'.[d]

9 "Por lo tanto, esto es lo que ha dicho el Señor Soberano Jehová: ¡Ay de la ciudad de hechos de derramamiento de sangre![e] Yo mismo también haré grande el apilamiento.[f] 10 Haz muchos los leños. Enciende el fuego. Cuece la carne cabalmente. Y vacía el caldo, y deja que los huesos mismos se pongan muy calientes. 11 Ponla vacía sobre sus brasas para que se caliente; y su cobre tiene que calentarse, y su inmundicia tiene que licuarse en medio de ella.[g] Que se consuma su herrumbre.[h] 12 ¡Dificultades! Ha cansado a [uno], pero la gran cantidad de su herrumbre no sale de ella.[i] ¡A[l] fuego con su herrumbre!'.

13 "'Hubo conducta relajada en tu inmundicia.[j] Por esa razón tuve que limpiarte, pero no te hiciste limpia de tu inmundicia.[k] No te harás limpia más hasta que yo haga que mi furia llegue a su descanso en tu caso.[l] 14 Yo mismo, Jehová, he hablado.[m] Tendrá que venir,[n] y yo ciertamente actuaré. No descuidaré,[o] tampoco sentiré lástima[p] ni sentiré pesar.[q] Según tus caminos y según tus tratos ciertamente te juzgarán',[r] es la expresión del Señor Soberano Jehová."

15 Y la palabra de Jehová continuó ocurriéndome, y dijo: 16 "Hijo del hombre, mira, voy a quitarte la cosa deseable[s] a tus ojos por un golpe,[t] y no debes golpearte el pecho, ni debes llorar ni deben salir tus lágrimas.[u]

CAP. 24

a 1Re 21:19
  Jer 2:34
b Le 17:13
  Dt 12:16
  Isa 26:21
c Dt 32:35
  Sl 94:1
d 2Re 24:4
  Jer 16:17
e Na 3:1
  Hab 2:12
  Mt 23:37
f Isa 30:33
g Jer 21:10
  Jer 32:29
  Eze 22:15
h Eze 24:6
i Jer 5:3
  Jer 6:29
j Jue 20:6
  2Cr 36:14
  Eze 22:9
  2Pe 2:7
k Job 9:4
l Eze 5:13
  Eze 8:18
m Nú 23:19
  Sl 33:9
n Jer 13:14
o Eze 5:11
  Eze 5:10
q 1Sa 15:29
r Isa 3:11
  Eze 16:43
  Mt 16:27
  Ro 2:6
s Dt 13:6
t Eze 24:18
  Eze 24:21
  Os 4:9
u Dt 13:8

2.ª col.

a Jer 16:5
b Le 10:6
c Miq 3:7
d Jer 37:18
e Jer 12:9
f Eze 37:18
g Sl 74:7
  Sl 79:1
  Jer 7:14
  Lam 1:10
  Lam 2:7
  Eze 9:7
h Sl 96:6
i Sl 27:4
  Sl 84:1
j 2Cr 36:17
  Jer 6:11
  Jer 9:21
  Eze 23:25
k Miq 3:7
l Jer 16:7
  Eze 24:17
m Job 27:15
  Sl 78:64
n Le 26:39
  Eze 4:17
  Eze 33:10
o Isa 59:11
p Isa 8:18
  Isa 20:3
q Eze 12:6
r Isa 46:10
  Sl 9:16
  Jer 17:15
  Jer 25:5
s Eze 24:16
t Dt 28:32
  Jer 11:22

17 Suspira sin palabras. Por los muertos no debes hacer duelo.[a] Cíñete tu prenda para la cabeza,[b] y tus sandalias debes ponerte en los pies.[c] Y no debes cubrir [el] bigote,[d] y el pan de hombres no debes comer".[e]

18 Y procedí a hablar al pueblo por la mañana, y mi esposa gradualmente murió al atardecer. Por lo tanto, hice por la mañana tal como se me había mandado. 19 Y el pueblo siguió diciéndome: "¿No nos dirás qué tienen que ver con nosotros estas cosas, las que haces?".[f] 20 Entonces les dije: "La mismísima palabra de Jehová me ha ocurrido, y ha dicho: 21 'Di a la casa de Israel: "Esto es lo que ha dicho el Señor Soberano Jehová: 'Aquí voy a profanar mi santuario,[g] el orgullo de la fuerza[h] de ustedes, la cosa deseable a sus ojos[i] y el objeto de la compasión de su alma, y sus hijos y sus hijas a quienes ustedes han dejado atrás... a espada caerán.[j] 22 Y ustedes tendrán que hacer tal como yo he hecho. Los bigotes no los cubrirán,[k] y el pan de hombres no comerán.[l] 23 Y su prenda para la cabeza estará en sus cabezas, y sus sandalias estarán en sus pies. No se golpearán ni llorarán,[m] y tendrán que pudrirse en sus errores,[n] y realmente gemirán uno sobre el otro.[o] 24 Y Ezequiel ha llegado a ser para ustedes un portento presagioso.[p] Según todo lo que él ha hecho, ustedes harán. Cuando esto venga,[q] ustedes también tendrán que saber que yo soy el Señor Soberano Jehová' " '".[r]

25 "Y en cuanto a ti, oh hijo del hombre, ¿no será en el día que yo les quite su plaza fuerte, el hermoso objeto de su alborozo, la cosa deseable a sus ojos[s] y el anhelo de su alma —sus hijos y sus hijas[t]— que 26 en aquel día vendrá a ti el escapado para

hacer oír los oídos?[a] 27 En aquel día se abrirá tu boca para con el escapado,[b] y hablarás y no serás ya mudo;[c] y ciertamente llegarás a ser para ellos un portento presagioso,[d] y tendrán que saber que yo soy Jehová."[e]

25 Y la palabra de Jehová continuó ocurriéndome, y dijo: 2 "Hijo del hombre, pon tu rostro hacia los hijos de Ammón y profetiza contra ellos.[f] 3 Y tienes que decir acerca de los hijos de Ammón: 'Oye la palabra del Señor Soberano Jehová. Esto es lo que ha dicho el Señor Soberano Jehová: "A causa de que has dicho ¡Ajá!, contra mi santuario, porque ha sido profanado, y contra el suelo de Israel, porque ha quedado desolado, y contra la casa de Judá, porque han ido al destierro,[g] 4 por lo tanto aquí voy a darte a los orientales como algo para poseer,[h] y levantarán en ti sus campamentos amurallados y ciertamente pondrán en ti sus tabernáculos. Ellos mismos comerán tu fruto, y ellos mismos beberán tu leche.[i] 5 Y ciertamente haré a Rabá un apacentadero de camellos y a los hijos de Ammón un descansadero de rebaño;[k] y ustedes tendrán que saber que yo soy Jehová" '".[l]

6 "Porque esto es lo que ha dicho el Señor Soberano Jehová: 'A causa de que palmoteaste con las manos[m] y pateaste con los pies y seguiste regocijándote con todo escarnio de tu parte en [tu] alma contra el suelo de Israel,[n] 7 por lo tanto aquí estoy; he extendido mi mano contra ti,[o] y ciertamente te daré como algo para saqueo a las naciones; y ciertamente te cortaré de los pueblos y te destruiré de los países.[p] Te aniquilaré,[q] y tendrás que saber que yo soy Jehová'.

8 "Esto es lo que ha dicho el Señor Soberano Jehová: 'A cau-

sa de que Moab[a] y Seír[b] han dicho: "¡Mira! La casa de Judá es como todas las otras naciones",[c] 9 por lo tanto aquí voy a abrir el declive de Moab en las ciudades, en sus ciudades hasta su frontera, la decoración de [la] tierra, Bet-jesimot,[d] Baal-meón,[e] aun hasta Quiryataim,[f] 10 hasta los orientales,[g] junto a los hijos de Ammón;[h] y ciertamente la haré algo que poseer, para que no sea recordada,[i] [es decir,] a los hijos de Ammón, entre las naciones. 11 Y en Moab ejecutaré actos de juicio;[j] y tendrán que saber que yo soy Jehová'.[k]

12 "Esto es lo que ha dicho el Señor Soberano Jehová: 'A causa de que Edom ha actuado al tomar venganza sobre la casa de Judá y siguieron haciendo lo malo extensamente y se vengaron en ellos,[l] 13 por lo tanto esto es lo que ha dicho el Señor Soberano Jehová: "Yo también ciertamente extenderé mi mano contra Edom[m] y cortaré de él el hombre y animal doméstico,[n] y ciertamente lo haré un lugar devastado desde Temán,[o] aun hasta Dedán.[p] A espada caerán. 14 'Y ciertamente traeré mi venganza sobre Edom por la mano de mi pueblo Israel;[q] y tendrán que hacer en Edom según mi cólera y según mi furia; y ellos tendrán que saber lo que es mi venganza',[r] es la expresión del Señor Soberano Jehová".

15 "Esto es lo que ha dicho el Señor Soberano Jehová: 'A causa de que los filisteos han actuado con venganza[s] y siguieron vengándose con venganza con escarnio en [el] alma, para causar ruina,[t] con enemistad de duración indefinida,[u] 16 por lo tanto esto es lo que ha dicho el Señor Soberano Jehová: "Aquí voy a extender mi mano contra los filisteos,[v] y ciertamente cortaré [de la existencia] a los kere-

---

CAP. 24
a Eze 33:21
b Sl 51:15
c Eze 3:26
  Eze 33:22
  Lu 1:20
d Eze 12:3
e Eze 6:13

CAP. 25
f Gé 19:38
  Jer 49:1
  Am 1:13
  Sof 2:9
g Pr 17:5
  Pr 24:17
  Eze 26:2
  Eze 35:2
  Eze 35:12
h Job 1:3
  Jer 25:10
i Le 26:16
  Dt 28:33
j 2Sa 12:26
  Eze 21:20
k Isa 17:2
  Isa 32:14
  Sof 2:14
l Isa 37:20
  Eze 26:6
m Job 27:23
  Lam 2:15
n Gé 4:4
  Job 31:29
  Pr 24:17
  Abd 12
  Sof 2:8
o Eze 35:3
  Sof 1:4
p Jer 49:2
  Am 1:14
q Sl 145:20

2.ª col.
a Isa 15:1
  Jer 48:1
  Am 2:1
b Dt 2:4
c Isa 10:9
  Isa 36:18
d Jos 13:20
e Nú 32:38
f Jos 13:19
g Eze 25:4
h Sl 83:7
i Eze 21:32
j Sl 149:7
  Jer 9:26
  Jer 48:1
k Eze 6:13
l 2Cr 28:17
  Sl 137:7
  Lam 4:22
  Am 1:11
  Abd 10
m Mal 1:4
n Jer 7:20
o Jer 49:7
p Jer 49:8
q Isa 11:14
  Isa 63:1
  Jer 49:2
r Dt 32:35
  Sl 58:10
  Na 1:2
  Rev 6:16
s Isa 14:29
  Jer 25:20
  Joe 3:4

t 2Cr 28:18; Isa 9:12; Jer 47:1; Am 1:6; u 1Sa 31:7; 2Sa 5:17; v Sof 2:4.

titas[a] y destruiré lo demás de la costa marítima.[b] 17 Y ciertamente ejecutaré en ellos grandes actos de venganza, con censuras furiosas;[c] y tendrán que saber que yo soy Jehová cuando traiga mi venganza sobre ellos' ".[d]

26 Y en el año undécimo, en el [día] primero del mes, aconteció que la palabra de Jehová me ocurrió, y dijo: 2 "Hijo del hombre, a causa de que Tiro[e] ha dicho contra Jerusalén:[f] '¡Ajá! ¡Ha sido quebrantada,[g] las puertas de los pueblos![h] La tendencia ciertamente será hacia mí. Seré llena... ella ha sido devastada',[i] 3 por lo tanto esto es lo que ha dicho el Señor Soberano Jehová: 'Aquí estoy contra ti, oh Tiro, y ciertamente haré subir contra ti muchas naciones,[j] tal como el mar hace subir sus olas.[k] 4 Y ciertamente reducirán a ruinas los muros de Tiro[l] y demolerán sus torres,[m] y sí raspará de ella su polvo y haré de ella una superficie brillante y pelada de peñasco. 5 Un secadero para redes barrederas[n] es lo que ella llegará a ser en medio del mar.[o]

" 'Porque yo mismo he hablado —es la expresión del Señor Soberano Jehová—, y ella tiene que llegar a ser objeto de saqueo para las naciones. 6 Y sus poblaciones dependientes que están en el campo... a espada serán muertas, y la gente tendrá que saber que yo soy Jehová'.[p]

7 "Porque esto es lo que ha dicho el Señor Soberano Jehová: 'Mira, voy a traer contra Tiro a Nabucodorosor, el rey de Babilonia, desde el norte,[q] un rey de reyes,[r] con caballos[s] y carros de guerra[t] y soldados de caballería y una congregación,[u] hasta un pueblo numeroso. 8 A tus poblaciones dependientes en el campo las matará hasta a espada, y tendrá que hacer contra ti un muro de asedio y amontonar

contra ti un cerco de sitiar[a] y levantar contra ti un escudo grande; 9 y el golpe de su máquina de ataque dirigirá contra tus muros, y tus torres demolerá, con sus espadas. 10 Debido a la oleada en masa de sus caballos, el polvo de ellos te cubrirá.[b] Debido al sonido de soldados de caballería y rueda y carro de guerra tus muros se mecerán, cuando él entre por tus puertas, como en los casos de entrar en una ciudad abierta por brechas. 11 Con los cascos de sus caballos hollará todas tus calles.[c] Matará a tu pueblo aun a espada, y a la tierra bajarán tus propias columnas de fuerza. 12 Y ciertamente despojarán tus recursos[d] y saquearán tus artículos de venta,[e] y derruirán tus muros, y tus casas deseables demolerán. Y tus piedras y tu maderaje y tu polvo colocarán en el medio mismo del agua'.

13 " 'Y ciertamente haré cesar la bulla de tu cantar,[f] y el sonido mismo de tus arpas no se oirá más.[g] 14 Y ciertamente haré de ti una superficie brillante y pelada de peñasco.[h] Un secadero para redes barrederas es lo que llegarás a ser.[i] Nunca serás reedificada; porque yo mismo, Jehová, he hablado', es la expresión del Señor Soberano Jehová.[j]

15 "Esto es lo que ha dicho el Señor Soberano Jehová a Tiro: 'Al sonido de tu caída, cuando el que haya sido fatalmente herido gima, cuando haya un matar con degüello en medio de ti, ¿no se mecerán las islas?[k] 16 Y abajo ciertamente vendrán desde sus tronos[l] todos los principales del mar,[m] y se quitarán sus vestiduras sin mangas, y se despojarán de sus propias prendas de vestir bordadas. Se vestirán de ataques de temblor. Sobre la tierra se sentarán,[n] y ciertamente temblarán cada momento,[o] y con asombro fijarán la mirada en ti. 17 Y tendrán que levantar una endecha sobre ti[p] y decirte:

CAP. 25
a 1Sa 30:14
Sof 2:5
b Jer 47:4
c Eze 5:15
Na 1:2
d Sl 9:16

CAP. 26
e Jos 19:29
f Joe 3:6
Am 1:9
g Eze 25:3
h Lam 1:1
i Eze 19:7
j Sl 82:8
k Jer 51:42
l Isa 23:11
Am 1:10
m Zac 9:4
n Eze 26:14
o Eze 27:32
p Sl 9:16
q Eze 25:9
Eze 29:18
r Esd 7:12
Da 2:37
s Jer 6:23
Hab 1:8
t Jer 4:13
u Eze 23:24

2.ª col.
a 2Sa 20:15
Eze 21:22
b Jer 47:3
Eze 26:4
c Isa 5:28
Hab 1:8
d Eze 27:33
1Ti 6:10
e Ne 13:16
Eze 27:33
Eze 28:5
Eze 28:18
Zac 9:3
f Isa 14:11
g Isa 23:16
Isa 24:8
Rev 18:22
h Eze 26:4
i Eze 26:5
j Isa 14:27
k Eze 49:21
Eze 27:28
Eze 31:16
l 1Sa 2:7
Jon 3:6
m Isa 23:8
n Isa 3:26
o Ex 15:15
Eze 27:35
Eze 32:10
p Eze 27:32

" ' "¡Cómo has perecido, la que solías estar habitada desde los mares,[a] oh ciudad alabada, que llegó a ser una [que era] fuerte en el mar,[b] ella y los que la habitaban, los que dieron su terror a todos los habitantes [de la tierra]! 18 Ahora las islas temblarán en el día de tu caída. Y las islas que están en el mar tienen que ser perturbadas debido a tu salida" '.[c]

19 "Porque esto es lo que ha dicho el Señor Soberano Jehová: 'Cuando haga de ti una ciudad devastada, como las ciudades que realmente no están habitadas, cuando [yo] haga subir sobre ti la profundidad acuosa, y las vastas aguas te hayan cubierto,[d] 20 yo también ciertamente te haré bajar con los que van bajando al hoyo a la gente de mucho tiempo atrás,[e] y ciertamente haré que mores en la tierra más baja,[f] como lugares devastados por largo tiempo, con los que van bajando al hoyo,[g] para que no seas habitada; y ciertamente pondré decoración en la tierra de los que están vivos.[h]

21 " 'Terrores súbitos es lo que haré de ti,[i] y no serás; y serás buscada,[j] pero ya no serás hallada hasta tiempo indefinido',[k] es la expresión del Señor Soberano Jehová".

27 Y la palabra de Jehová continuó ocurriéndome, y dijo: 2 "Y en cuanto a ti, oh hijo del hombre, levanta respecto a Tiro una endecha,[l] 3 y tienes que decir a Tiro:

" 'Oh tú que estás morando a las entradas de[1] mar,[m] la comerciante de los pueblos para muchas islas,[n] esto es lo que ha dicho el Señor Soberano Jehová: "Oh Tiro, tú misma has dicho: 'Yo soy perfecta en belleza'.[o] 4 En el corazón de [los] mares están tus territorios.[p] Tus propios edificadores han perfeccio-

---

nado tu belleza.[a] 5 De maderas de enebro de Senir[b] construyeron para ti todo el tablaje. Un cedro del Líbano[c] tomaron para hacer un mástil sobre ti. 6 De los árboles macizos de Basán hicieron tus remos. Tu proa hicieron con marfil en madera de ciprés, de las islas de Kitim.[d] 7 Lino de Egipto en varios colores[e] era tu expansión de tela, para que te sirviera de vela. Hilo azul[f] y lana teñida de púrpura rojiza[g] de las islas de Elisá[h] son lo que tu cobertura para la cubierta resultó ser.

8 " ' "Los habitantes de Sidón[i] y de Arvad[j] mismos llegaron a ser remeros para ti. Tus diestros,[k] oh Tiro, estuvieron en ti; eran tus navegantes.[l] 9 Hasta viejos de Guebal[m] y los diestros de ella estuvieron en ti como calafateadores de tus junturas.[n] Todas las naves del mar y sus marineros mismos resultaron estar en ti, para hacer intercambio de artículos de mercancía. 10 Persas[o] y [los] ludim[p] y hombres de Put[q]... estaban en tu fuerza militar, tus hombres de guerra. Escudo y yelmo colgaron en ti.[r] Ellos fueron los que causaron tu esplendor. 11 Los hijos de Arvad,[s] aun tu fuerza militar, estuvieron sobre tus muros todo en derredor, y hombres valerosos eran los que se hallaban en tus propias torres. Sus escudos circulares colgaron en tus muros todo en derredor.[t] Ellos mismos perfeccionaron tu belleza.

12 " ' "Tarsis[u] era tu mercader debido a la abundancia de toda suerte de cosas valiosas.[v] Por [su] plata, hierro, estaño y plomo se dieron tus géneros de comercio.[w] 13 Javán,[x] Tubal[y] y Mesec[z] mismos fueron tus comerciantes. Por las almas de la humanidad[a] y objetos de cobre se dieron tus artículos de intercambio. 14 De la casa de Togarmá[b] hubo caballos y corceles y mulos, [por los cuales] se die-

---

CAP. 26
a Am 1:9
  Rev 18:10
b Isa 23:4
  Eze 28:2
c Isa 23:5
  Eze 27:32
d Isa 8:7
  Eze 27:34
  Da 9:26
e Isa 38:18
f Dt 32:22
  Sl 88:6
  Eze 32:18
g Sl 143:7
  Eze 28:8
  Lu 10:15
h Sl 27:13
  Eze 32:23
i Eze 27:36
j Sl 37:10
  Sl 37:36
k Eze 28:19

CAP. 27
l Eze 26:17
m Eze 28:2
n Isa 23:8
o Pr 27:2
  Isa 23:9
  Jer 2:10
p Eze 26:5

2.ª col.
a Eze 26:12
b Dt 3:9
  1Cr 5:23
  Can 4:8
c 1Re 5:6
d Gé 10:4
  Isa 23:1
  Jer 2:10
e Pr 7:16
f Éx 25:4
g Jer 10:9
h 1Cr 1:7
i Jos 11:8
j Gé 10:18
k 2Cr 2:14
l 1Re 9:27
m Jos 13:5
  Sl 83:7
n 1Re 5:18
  Eze 27:27
o Eze 38:5
p Gé 10:13
q 1Cr 1:8
  Jer 46:9
  Eze 30:5
  Na 3:9
r Eze 38:5
s Gé 10:18
t Can 4:4
u Gé 10:4
  1Re 10:22
  Isa 2:16
  Jon 1:3
v 2Cr 9:21
  2Cr 20:36
  Sl 72:10
w Jer 10:9
x Gé 10:2
  Isa 66:19
y 1Cr 1:5
z Eze 32:26
  Joe 3:6
  Rev 18:13
b Gé 10:3
  1Cr 1:6
  Eze 38:6

ron tus géneros de comercio.
15 Los hijos de Dedán[a] fueron tus comerciantes; muchas islas fueron mercaderes empleados por ti; cuernos de marfil[b] y ébano te han pagado como dádiva. 16 Edom fue tu mercader debido a la abundancia de tus obras. Por turquesa,[c] lana teñida de púrpura rojiza y género de varios colores y tela fina y corales y rubíes, tus géneros de comercio se dieron en cambio.

17 "'"Judá y la tierra de Israel mismos fueron tus comerciantes. Por el trigo[d] de Minit[e] y alimento especial y miel[f] y aceite y bálsamo[g] se dieron tus artículos de intercambio.[h]

18 "'"Damasco[i] fue tu mercader en la abundancia de tus obras, debido a la abundancia de todas tus cosas valiosas, con el vino[j] de Helbón y la lana de gris rojizo. 19 Vedán y Javán de Uzal... dieron por tus géneros de comercio. Hierro en obras forjadas, casia y caña aromática[k]... por tus artículos de intercambio resultaron ser. 20 Dedán[l] fue tu comerciante en prendas de vestir para montar hechas de género tejido. 21 Los árabes[m] y todos los principales de Quedar[n] mismos eran mercaderes empleados por ti. En corderos y carneros y machos cabríos[o]... en estos eran ellos tus mercaderes. 22 Los comerciantes de Seba[p] y Raamá[q] mismos eran tus comerciantes; para lo de mayor excelencia de toda suerte de perfumes y para toda suerte de piedras preciosas y oro se dieron tus géneros de comercio.[r] 23 Harán[s] y Cané y Edén,[t] los comerciantes de Seba,[u] Asur[v] [y] Kilmad eran tus comerciantes. 24 Ellos eran tus comerciantes en suntuosas prendas de vestir, en mantas de género azul y género de diversos colores y en alfombras de material en dos colores, en soga retorcida y sólidamente confeccionada, en tu centro comercial.

25 "'"Las naves de Tarsis[a] eran tus caravanas para tus artículos de intercambio, de modo que quedas llena y te haces muy gloriosa en el corazón del alta mar.[b]

26 "'"A vastas aguas te han llevado los que te reman.[c] El mismo viento del este te ha quebrado en el corazón del alta mar.[d] 27 Tus cosas valiosas y tus géneros de comercio,[e] tus artículos de intercambio, tus marineros y tus navegantes,[g] los calafateadores de tus junturas[h] y los que hacen intercambio de tus artículos de mercancía, y todos tus hombres de guerra,[i] quienes están en ti y en toda tu congregación, quienes están en medio de ti..., caerán en el corazón del alta mar en el día de tu caída.[j]

28 "'"Al sonido del alarido de tus navegantes se mecerá la campiña abierta.[k] 29 Y todos los que manejan un remo, marineros, todos los navegantes del mar, ciertamente bajarán de sus naves; sobre la tierra se pondrán de pie.[l] 30 Y sobre ti ciertamente se dejarán oír con su voz y clamarán amargamente.[m] Y harán subir polvo sobre sus cabezas.[n] En las cenizas se revolcarán.[o] 31 Y tendrán que hacer[se] calvos con una calvicie por ti,[p] y ceñirse saco[q] y llorar por ti en amargura de alma,[r] con amargo plañido. 32 Y para ti en su lamentación ciertamente levantarán una endecha, y salmodiarán por ti:[s]

"'"¿Quién es como Tiro,[t] como aquella que ha sido reducida a silencio en medio del mar?[u] 33 Cuando tus géneros de comercio[v] salían del alta mar,[w] satisfacías a muchos pueblos.[x] Con la abundancia de tus cosas valiosas y tus artículos de intercambio hiciste ricos a los reyes de la tierra.[y] 34 Ahora has sido quebrada por el alta mar, en las pro-

CAP. 27

a Gé 10:7
  1Cr 1:9
  Jer 25:23
b Eze 10:22
  Rev 18:12
c Eze 28:13
d Dt 8:8
e Jue 11:33
f Gé 43:11
g Jer 8:22
h Isa 5:9
  2Cr 2:10
  Esd 3:7
  Hch 12:20
i Isa 7:8
j Ec 10:19
k Can 4:14
l Gé 25:3
m Jer 25:24
n Gé 25:13
  1Cr 1:29
  Can 1:5
  Isa 60:7
o 2Cr 17:11
p 1Re 10:1
q 1Re 10:2
  Sl 72:10
r Gé 10:7
  1Cr 1:9
  1Re 10:2
  Isa 60:6
s Gé 11:31
t 2Re 19:12
  Isa 37:12
  Am 1:5
u Gé 25:3
  Job 6:19
v Gé 10:22
  1Cr 1:17

2.ª col.

a 1Re 10:22
  Isa 2:16
  Isa 23:14
  Isa 60:9
b Eze 27:4
  Jon 2:3
c Eze 27:8
d Sl 48:7
e Eze 27:14
f Eze 27:13
g Eze 27:8
h Eze 27:9
i Eze 27:11
j Pr 11:4
k Eze 26:14
l Eze 26:15
  Rev 18:17
m Eze 26:16
n Isa 23:1
  Eze 26:17
  Rev 18:9
  Rev 18:11
o Ne 9:1
  Job 2:12
  Rev 18:19
p Isa 15:2
  Jer 16:6
  Miq 1:16
q Est 4:3
  Isa 22:12
  Da 9:3
r Isa 22:4
s Eze 26:17
  Eze 27:2
t Lam 2:13
  Rev 18:18
u Eze 26:5

v Eze 27:14; Eze 27:16; Rev 18:19; w Eze 27:26;
x Isa 23:3; y Zac 9:3; Rev 18:3

fundidades de las aguas.ª En cuanto a tus artículos de intercambio y toda tu congregación,ᵇ en medio de ti han caído. 35 Todos los habitantes de las islasᶜ... con asombro ciertamente fijarán su vista en ti, y sus reyes mismos tendrán que estremecerse de horror.ᵈ Los rostros tendrán que perturbarse.ᵉ 36 En cuanto a los mercaderes entre los pueblos, ciertamente silbarán a causa de ti.ᶠ Terrores súbitos es lo que tendrás que llegar a ser, y no serás más hasta tiempo indefinido" ' ".ᵍ

28 Y la palabra de Jehová continuó ocurriéndome, y dijo: 2 "Hijo del hombre, di al caudillo de Tiro: 'Esto es lo que ha dicho el Señor Soberano Jehová:

" ' "A causa de que tu corazón se ha hecho altivo,ʰ y sigues diciendo: 'Yo soy un dios.ⁱ En el asiento de dios me he sentado,ʲ en el corazón del alta mar',ᵏ cuando un hombre terrestre es lo que eres,ˡ y no un dios,ᵐ y sigues haciendo tu corazón como el corazón de dios... 3 ¡mira!, tú eres más sabio que Daniel.ⁿ No hay secretos que hayan resultado demasiado para ti.º 4 Por tu sabiduría y por tu discernimiento te has hecho riquezas, y sigues consiguiendo oro y plata en tus almacenes.ᵖ 5 Por la abundancia de tu sabiduría,ۊ por tus artículos de venta,ʳ has hecho abundar tu riqueza,ˢ y tu corazón empezó a ser altivo debido a tu riqueza" '.ᵗ

6 " 'Por lo tanto, esto es lo que ha dicho el Señor Soberano Jehová: "A causa de que haces tu corazón como el corazón de dios,ᵘ 7 por lo tanto aquí voy a traer sobre ti extraños,ᵛ los tiranos de [las] naciones,ʷ y ciertamente sacarán sus espadas contra la hermosura de tu sabiduría y profanarán tu radiante esplendor.ˣ 8 Abajo al hoyo te harán bajar,ª y tendrás que morir la muerte de alguien a quien se dio muerte en el corazón del alta mar.ᵇ 9 ¿Dirás, sin falta: 'Soy dios', delante del que te mate,ᶜ cuando eres un simple hombre terrestre, y no un dios,ᵈ en la mano de los que te profanan?".'

10 " 'Las muertes de incircuncisos morirás por mano de extraños,ᵉ porque yo mismo he hablado', es la expresión del Señor Soberano Jehová".

11 Y continuó ocurriéndome la palabra de Jehová, y dijo: 12 "Hijo del hombre, levanta una endecha acerca del rey de Tiro,ᶠ y tienes que decirle: 'Esto es lo que ha dicho el Señor Soberano Jehová:

" ' "Sellas un modelo, lleno de sabiduríaᵍ y perfecto en hermosura.ʰ 13 En Edén, el jardín de Dios, resultaste estar.ⁱ Toda piedra preciosa fue tu cobertura: rubí, topacio y jaspe; crisólito, óniceʲ y jade; zafiro, turquesaᵏ y esmeralda; y de oro era la hechura de tus engastes y tus encajaduras en ti. El día en que fuiste creado fueron alistadas. 14 Tú eres el querubín ungido que cubre, y yo te he colocado a ti. En la montaña santa de Dios resultaste estar.ˡ En medio de piedras de fuego te paseabas. 15 Estuviste exento de falta en tus caminos desde el día en que fuiste creadoᵐ hasta que se halló injusticia en ti.ⁿ

16 " ' "Por la abundancia de tus artículos de ventaº llenaron el centro tuyo de violencia, y empezaste a pecar.ᵖ Y yo te pondré como profano fuera de la montaña de Dios, y te destruiré,ۊ oh querubín que cubre, de en medio de las piedras de fuego.

17 " ' "Tu corazón se hizo altivo debido a tu hermosura.ʳ Arruinaste tu sabiduría por causa de tu radiante esplendor.ˢ A la tierra ciertamente te lanzaré.ᵗ Delante de reyes ciertamente te colocaré, [para que] te miren.ᵘ

CAP. 27
a Eze 26:19
b Eze 27:27
c Isa 23:6
  Eze 26:15
d Eze 28:17
  Rev 18:9
  Rev 18:10
f Jer 18:11
  Jer 19:8
  Rev 18:15
g Sl 37:10
  Eze 26:14

CAP. 28
h Pr 16:18
  Isa 2:17
  Eze 28:5
i Da 11:36
  1Co 8:5
j Isa 14:13
  2Te 2:4
k Eze 27:4
l Sl 144:3
m Isa 31:3
n Da 2:48
o Zac 9:2
p Sl 8:17
  Zac 9:3
q Zac 9:2
r Eze 26:12
  Eze 28:18
s Isa 23:3
  Eze 27:12
t Pr 11:28
  Pr 18:11
u Lu 14:11
v Eze 30:11
w Dt 28:50
x Isa 23:9

2.ª col.
a Job 17:16
  Eze 27:26
c Sl 82:7
d Isa 31:3
e Jer 9:26
f Eze 26:17
g Pr 21:30
  Isa 10:13
  Jer 9:23
  Eze 28:3
  Zac 9:2
h Eze 27:3
i Eze 31:8
  Gé 2:12
k Eze 27:16
l Isa 14:13
m 1Re 5:1
n Joe 3:4
  Am 1:9
o 1Re 10:11
  2Cr 9:21
  Eze 27:12
  Joe 3:5
p Joe 3:6
q Isa 23:9
  Jer 25:17
  Jer 25:22
  Jer 47:4
  Joe 3:8
r Pr 11:2
  Pr 16:18
  Eze 27:3
s Isa 14:14
  Jer 8:9
t Job 40:11
  Sl 73:18
  Sl 147:6
  Isa 14:15
u Eze 26:3

18 ""Por la abundancia de tus errores,[a] debido a la injusticia de tus artículos de venta,[b] has profanado tus santuarios. Y sacaré un fuego de en medio de ti. Es lo que tendrá que devorarte.[c] Y te reduciré a cenizas sobre la tierra delante de los ojos de todos los que te ven.[d] 19 En cuanto a todos los que te conocen entre los pueblos, ciertamente fijarán su vista asombrados en ti.[e] Terrores súbitos es lo que tendrás que llegar a ser, y ya no serás más hasta tiempo indefinido"'".[f]

20 Y la palabra de Jehová continuó ocurriéndome, y dijo: 21 "Hijo del hombre, pon tu rostro hacia Sidón,[g] y profetiza contra ella. 22 Y tienes que decir: 'Esto es lo que ha dicho el Señor Soberano Jehová: "Aquí estoy contra ti,[h] oh Sidón, y ciertamente seré glorificado en medio de ti;[i] y la gente tendrá que saber que yo soy Jehová cuando ejecute actos de juicio[j] en ella y sea realmente santificado en ella.[k] 23 Y ciertamente enviaré peste a ella y sangre a sus calles.[l] Y el que habrá sido muerto tendrá que caer en medio de ella por la espada [que hay] contra ella por todos lados;[m] y la gente tendrá que saber que yo soy Jehová.[n] 24 Y ya no resultará haber para la casa de Israel una púa maligna[o] o un espino doloroso entre todos los que están en derredor de ellos, los que los tratan con escarnio; y la gente tendrá que saber que yo soy el Señor Soberano Jehová"'.

25 "'Esto es lo que ha dicho el Señor Soberano Jehová: "Cuando junte a la casa de Israel de los pueblos entre los cuales han sido esparcidos,[p] también ciertamente seré santificado entre ellos a los ojos de las naciones.[q] Y ellos ciertamente morarán sobre su suelo[r] que di a mi siervo, a Jacob.[s] 26 Y realmente morarán sobre él en seguridad[t] y edificarán casas[u] y plantarán vi-

ñas,[a] y tendrán que morar en seguridad[b] cuando yo ejecute actos de juicio sobre todos los que los tratan con escarnio todo en derredor de ellos;[c] y tendrán que saber que yo soy Jehová su Dios"'".

29 En el año décimo, en el [mes] décimo, en el [día] doce del mes, me ocurrió la palabra de Jehová, y dijo: 2 "Hijo del hombre, pon tu rostro contra Faraón el rey de Egipto[d] y profetiza contra él y contra Egipto entero.[e] 3 Habla, y tienes que decir: 'Esto es lo que ha dicho el Señor Soberano Jehová: "Aquí estoy contra ti, oh Faraón, rey de Egipto,[f] el gran monstruo marino[g] que yace estirado en medio de sus canales del Nilo,[h] que ha dicho: 'Mi río Nilo me pertenece, y yo... yo [lo] he hecho para mí'.[i] 4 Y ciertamente pondré garfios en tus mandíbulas[j] y haré que los peces de tus canales del Nilo se peguen a tus escamas. Y ciertamente te haré subir de en medio de tus canales del Nilo, y todos los peces de tus canales del Nilo que se pegan a tus escamas mismas. 5 Y ciertamente te abandonaré al desierto, a ti y a todos los peces de tus canales del Nilo.[k] Sobre la superficie del campo caerás.[l] No serás recogido ni juntado. A las bestias salvajes de la tierra y a las criaturas voladoras de los cielos ciertamente te daré como alimento.[m] 6 Y todos los habitantes de Egipto tendrán que saber que yo soy Jehová,[n] porque, como sostén, resultaron ser una caña a la casa de Israel.[o] 7 Cuando te asieron de la mano, fuiste quebrantada,[p] y causaste una hendidura en todo su hombro. Y cuando se apoyaron en ti, llegaste a romperte,[q] e hiciste vacilar todas sus caderas.[r]

8 "'Por lo tanto, esto es lo que ha dicho el Señor Soberano Jehová: "Mira, voy a traer sobre ti

CAP. 28
a Eze 28:2
b Eze 28:16
c Am 1:10
d Mal 4:3
e Eze 27:35
f Eze 26:21
  Eze 27:36
g Isa 23:4
  Jer 25:36
  Eze 32:30
h Eze 26:3
i Ex 9:16
  Jsl 9:16
j Eze 20:41
  Eze 36:23
  Eze 38:23
  1 Eze 38:22
m Jer 25:33
  Eze 26:6
o Nú 33:55
  Jos 23:13
p Dt 30:3
  Sl 106:47
  Isa 11:12
  Eze 28:25
  Os 1:11
q Isa 5:16
r Jer 23:8
  Eze 36:28
s Gé 28:13
t Jer 23:6
  Os 2:18
u Isa 65:21
  Jer 31:4

2.ª col.
a Jer 31:5
  Eze 36:36
  Am 9:14
b Isa 32:18
  Eze 38:11
c Jer 30:16

CAP. 29
d Jer 44:30
e Isa 19:1
  Jer 25:19
  Jer 43:11
  Eze 31:2
f Jer 46:25
  Eze 31:18
g Sl 74:13
  Isa 27:1
  Isa 30:7
  Isa 51:9
h Eze 32:2
i Isa 10:13
  Eze 29:9
j 2 Re 19:28
  Isa 37:29
  Eze 38:4
k Ex 7:21
l Jer 16:4
  Jer 25:33
m 1Sa 17:44
  Jer 7:33
  Jer 34:20
  Eze 39:4
  Eze 39:4
  Rev 19:18
n Ex 9:14
  Ro 9:17
o Eze 18:21
  Isa 30:3
  Isa 31:3
  Isa 36:6
  Jer 17:17
p Jer 37:7
q Isa 118:8
  Sl 146:3
  Jer 17:5
r Sl 69:23
  Eze 21:6

una espada,[a] y ciertamente cortaré de ti hombre terrestre y animal doméstico.[b] 9 Y la tierra de Egipto tiene que llegar a ser un yermo desolado y un lugar devastado;[c] y tendrán que saber que yo soy Jehová, a causa de que él ha dicho: 'A mí me pertenece el río Nilo, y yo mismo [lo] he hecho'.[d] 10 Por lo tanto, aquí estoy contra ti y contra tus canales del Nilo,[e] y ciertamente haré que la tierra de Egipto sea lugares devastados, aridez, un yermo desolado,[f] desde Migdol[g] a Siene[h] al límite de Etiopía. 11 No pasará por él el pie de hombre terrestre,[i] ni el pie de animal doméstico pasará por él,[j] y por cuarenta años no será habitado.[k] 12 Y ciertamente haré de la tierra de Egipto un yermo desolado en medio de tierras desoladas;[l] y sus propias ciudades llegarán a ser un yermo desolado en medio mismo de ciudades devastadas por cuarenta años;[m] y ciertamente esparciré a los egipcios entre las naciones y los dispersaré entre las tierras".[n]

13 "'Porque esto es lo que ha dicho el Señor Soberano Jehová: "Al fin de cuarenta años[o] juntaré a los egipcios de entre los pueblos entre los cuales habrán sido esparcidos,[p] 14 y ciertamente traeré de vuelta al grupo cautivo de los egipcios; y ciertamente los traeré de vuelta a la tierra de Patrós,[q] a la tierra de su origen, y allí tienen que llegar a ser un reino de condición humilde. 15 Más bajo que los [otros] reinos llegará a ser, y ya no se levantará sobre las [otras] naciones,[r] y ciertamente los haré tan pocos que no tengan en sujeción a las [otras] naciones.[s] 16 Y ya no resultará ser la confianza de la casa de Israel,[t] que haga que se recuerde el error por volverse ellos tras estos.[u] Y tendrán que saber que yo soy el Señor Soberano Jehová"'".

17 Ahora bien, aconteció que en el año veintisiete, en el [mes] primero, en el [día] primero del mes, me ocurrió la palabra de Jehová, y dijo: 18 "Hijo del hombre, Nabucodorosor mismo,[a] el rey de Babilonia, hizo que su fuerza militar ejecutara un gran servicio contra Tiro.[b] Toda cabeza fue una que quedó calva, y todo hombro fue uno que quedó pelado por frotación.[c] Pero en cuanto a salario,[d] no resultó haber ninguno de Tiro para él y su fuerza militar por el servicio que él había ejecutado contra ella.

19 "Por lo tanto, esto es lo que ha dicho el Señor Soberano Jehová: 'Mira, voy a dar a Nabucodorosor el rey de Babilonia la tierra de Egipto,[e] y él tendrá que llevarse su riqueza y hacer un gran despojo de ella[f] y hacer muchísimo saqueo de ella; y esto tendrá que llegar a ser salario para su fuerza militar'.

20 "'Como su compensación por el servicio que hizo contra ella le he dado la tierra de Egipto, porque actuaron para mí',[g] es la expresión del Señor Soberano Jehová.

21 "En aquel día haré que brote un cuerno para la casa de Israel,[h] y a ti te daré ocasión de abrir la boca en medio de ellos;[i] y tendrán que saber que yo soy Jehová".

30 Y continuó ocurriéndome la palabra de Jehová, y dijo: 2 "Hijo del hombre, profetiza, y tienes que decir:[j] 'Esto es lo que ha dicho el Señor Soberano Jehová: "Aúllen: '¡Ay del día!',[k] 3 porque un día está cercano, sí, un día que pertenece a Jehová está cerca.[l] Un día de nubes,[m] un tiempo señalado de naciones resultará ser.[n] 4 Y una espada ciertamente entrará en Egipto,[o] y dolores severos tienen que ocurrir en Etiopía cuando uno caiga muerto en Egipto y realmente tomen su riqueza, y

---

CAP. 29
a Jer 46:14
  Eze 30:4
b Éx 12:12
  Jer 7:20
c Jer 43:12
  Eze 30:7
d Eze 29:3
e Éx 7:19
f Isa 19:7
  Eze 30:12
g Éx 14:2
  Jer 44:1
  Jer 46:14
h Eze 30:6
i Jer 31:12
j Jer 32:13
k 2Cr 36:21
  Eze 30:7
m Jer 46:19
n Eze 30:23
o Eze 29:11
p Isa 19:22
  Jer 46:26
q Gé 10:14
  1Cr 1:12
  Eze 30:14
r Eze 30:13
s Eze 32:2
  Da 11:42
t Isa 30:2
  Isa 36:4
  Jer 2:18
  Jer 37:5
  Lam 4:17
  Os 7:11
u Sl 79:8
  Isa 64:9

2.ª col.
a Jer 25:9
  Jer 27:6
b Eze 26:7
c Eze 26:17
d Isa 62:11
e Jer 43:10
  Jer 43:12
f Eze 32:12
g Eze 30:9
  Eze 30:10
h 1Sa 2:10
  Sl 132:17
  Jer 23:5
  Lu 1:69
i Sl 51:15
  Eze 3:27
  Eze 24:27
  Lu 21:15

CAP. 30
j 2Pe 1:21
k Jer 25:34
l Joe 2:1
  Abd 15
  Sof 1:7
m Eze 32:7
  Joe 2:2
n Sl 110:6
  Isa 24:21
  Zac 14:3
o Isa 19:2

sus fundamentos sean realmente demolidos.[a] 5 Etiopía[b] y Put[c] y Lud y toda la compañía mixta,[d] y Cub y los hijos de la tierra del pacto... con ellos caerán por la espada[e] misma"'.

6 "Esto es lo que ha dicho Jehová: 'Los apoyadores de Egipto tienen que caer también, y el orgullo de su fuerza tiene que venirse abajo'.[f]

"'Desde Migdol[g] hasta Siene[h] caerán en ella hasta a espada —es la expresión del Señor Soberano Jehová—. 7 También se les tiene que desolar en medio de tierras desoladas, y sus propias ciudades llegarán a estar en medio mismo de ciudades devastadas.[i] 8 Y tendrán que saber que yo soy Jehová cuando prenda un fuego en Egipto y todos sus ayudantes sean realmente quebrantados.[j] 9 En aquel día saldrán mensajeros de delante de mí en las naves, para hacer que Etiopía, que confía en sí misma, se ponga a temblar.[k] Y dolores severos tienen que ocurrir entre ellos en el día de Egipto, porque, ¡mira!, tiene que venir.'[l]

10 "Esto es lo que ha dicho el Señor Soberano Jehová: 'Yo también ciertamente haré que la muchedumbre de Egipto cese por la mano de Nabucodorosor el rey de Babilonia.[m] 11 A él y su pueblo con él, los tiranos de [las] naciones,[n] se les trae para reducir a ruinas la tierra. Y ellos tendrán que sacar sus espadas contra Egipto y llenar la tierra de muertos.[o] 12 Y ciertamente haré de los canales del Nilo[p] suelo seco, y venderé la tierra en mano de hombres malos,[q] y ciertamente haré que la tierra y su plenitud sean desoladas por mano de extraños.[r] Yo mismo, Jehová, he hablado'.

13 "Esto es lo que ha dicho el Señor Soberano Jehová: 'Yo también ciertamente destruiré los ídolos estercolizos[t] y haré

que los dioses que nada valen cesen de Nof,[a] y ya no resultará que haya un principal procedente de la tierra de Egipto; y de veras pondré temor en la tierra de Egipto.[b] 14 Y ciertamente haré desolada a Patrós[c] y prenderé un fuego en Zoan[d] y ejecutaré actos de juicio en No.[e] 15 Y ciertamente derramaré mi cólera[f] sobre Sin, la plaza fuerte de Egipto, y cortaré la muchedumbre de No.[g] 16 Y ciertamente prenderé un fuego en Egipto. Sin estará, sin falta, con dolores fuertes, y No misma llegará a ser para captura por brechas; y en lo que respecta a Nof... ¡habrá adversarios durante el día! 17 En cuanto a los jóvenes de On[h] y Pibéset, a espada caerán, y a cautiverio las [ciudades] mismas irán. 18 Y en Tehafnehés[i] el día realmente se oscurecerá, cuando yo quiebre allí las varas del yugo de Egipto.[j] Y en ella realmente se hará cesar el orgullo de su fuerza.[k] En cuanto a ella, nubes mismas la cubrirán,[l] y a cautiverio irán sus propias poblaciones dependientes.[m] 19 Y ciertamente ejecutaré actos de juicio en Egipto;[n] y tendrán que saber que yo soy Jehová'".

20 Y ocurrió, además, que en el año undécimo, en el [mes] primero, en el [día] siete del mes, la palabra de Jehová me ocurrió, y dijo: 21 "Hijo del hombre, el brazo de Faraón el rey de Egipto ciertamente quebraré,[o] y, ¡mira!, no será vendado de ningún modo para dar[le] curación por medio de ponerle una venda para vendarlo,[p] para que llegue a ser fuerte para asir la espada".

22 "Por lo tanto, esto es lo que ha dicho el Señor Soberano Jehová: 'Aquí estoy contra Faraón el rey de Egipto,[q] y ciertamente quebraré sus brazos,[r] el fuerte y el quebrado,[s] y ciertamente haré que la espada caiga de su mano.[t] 23 Y ciertamente esparciré a los

---

CAP. 30
a Isa 19:16
  Eze 32:12
b Sof 2:12
c Na 3:9
d Jer 25:24
  Eze 27:10
e Jer 44:27
f Isa 20:5
  Isa 31:3
  Eze 30:18
g Éx 14:2
  Jer 44:1
  Jer 46:14
h Eze 29:10
i Jer 46:19
  Eze 29:12
  Eze 32:18
j Eze 30:6
k Isa 20:4
l Isa 55:11
  Eze 33:33
m Eze 29:19
  Eze 32:11
n Eze 28:7
  Hab 1:6
o Isa 34:3
  Eze 29:5
p Isa 19:6
  Eze 29:3
q Isa 19:4
r Eze 31:12
s Isa 46:10
t Isa 19:1
  Jer 43:12
  Zac 13:2

2.ª col.
a Jer 44:1
  Jer 46:14
b Isa 19:16
  Jer 46:5
c Gé 10:14
  1Cr 1:12
  Jer 44:1
d Nú 13:22
  Sl 78:12
e Jer 46:25
f Na 1:6
g Jer 46:25
h Jer 43:13
i Jer 2:16
j Eze 30:8
k Jer 46:25
  Eze 31:18
l Isa 19:1
m Jer 46:19
n Sl 9:16
o Isa 10:15
p Jer 46:11
q Jer 46:25
  Eze 29:3
r Sl 37:17
s 2Re 24:7
  Jer 46:2
t Jer 46:21

egipcios entre las naciones, y los dispersaré entre las tierras.[a] 24 Y ciertamente fortaleceré los brazos del rey de Babilonia[b] y daré mi espada en su mano,[c] y ciertamente quebraré los brazos de Faraón, y como uno [que está] mortalmente herido este ciertamente se entregará a muchísimo gemido delante de él.[d] 25 Y de veras fortaleceré los brazos del rey de Babilonia, y los mismísimos brazos de Faraón caerán; y tendrán que saber que yo soy Jehová cuando dé mi espada en la mano del rey de Babilonia y él realmente la extienda contra la tierra de Egipto.[e] 26 Y ciertamente esparciré a los egipcios entre las naciones[f] y los dispersaré entre las tierras; y tendrán que saber que yo soy Jehová.'"

31 Y ocurrió, además, que en el año undécimo, en el [mes] tercero, en el [día] primero del mes, la palabra de Jehová me ocurrió, y dijo: 2 "Hijo del hombre, di a Faraón el rey de Egipto y a su muchedumbre:[g]

"'¿A quién te has llegado a parecer en tu grandeza? 3 ¡Mira! A un asirio, un cedro del Líbano,[h] bello en rama mayor,[i] con espesura arbolada que ofrecía sombra, y alto en estatura,[i] de modo que entre las ramas resultaba estar su punta.[k] 4 Fueron aguas lo que lo hicieron crecer;[l] la profundidad acuosa hizo que se hiciera alto. Con sus arroyos iba todo alrededor de su lugar en que estaba plantado; y sus canales enviaba a todos los árboles del campo. 5 Por eso creció a más alta estatura que todos los [demás] árboles del campo.[m]

"'Y sus ramas mayores siguieron multiplicándose, y sus ramas continuaron alargándose debido a la mucha agua en sus conductos de agua.[n] 6 En sus ramas mayores todas las criaturas voladoras de los cielos hicieron sus nidos,[o] y bajo sus ramas todas las bestias del campo pa-

rieron,[a] y en su sombra todas las naciones populosas moraban. 7 Y llegó a ser bello en su grandeza,[b] en la largura de su follaje, porque su sistema de raíces resultó estar sobre muchas aguas. 8 [Otros] cedros no lo igualaban en el jardín de Dios.[c] En cuanto a los enebros, no se le parecían respecto a sus ramas mayores. Y los plátanos mismos no resultaban como él en ramas. Ningún [otro] árbol del jardín de Dios se le parecía en su belleza.[d] 9 Bello fue como lo hice en la abundancia de su follaje,[e] y todos los [demás] árboles de Edén que estaban en el jardín del Dios [verdadero] seguían envidiándolo'.[f]

10 "Por lo tanto, esto es lo que ha dicho el Señor Soberano Jehová: 'Debido a que te elevaste en estatura, de modo que él colocó su punta aun entre las nubes[g] y su corazón llegó a estar ensalzado debido a su altura,[h] 11 yo también lo daré en mano del déspota de [las] naciones.[i] Sin falta actuará contra él. Según su iniquidad ciertamente lo expulsaré.[j] 12 Y extraños, los tiranos de [las] naciones, lo cortarán, y la gente lo abandonará sobre las montañas; y en todos los valles su follaje ciertamente caerá, y sus ramas serán quebradas entre todos los cauces de los arroyos de la tierra.[k] Y de su sombra todos los pueblos de la tierra bajarán, y lo abandonarán.[l] 13 Sobre su tronco caído todas las criaturas voladoras de los cielos residirán, y sobre sus ramas ciertamente llegarán a estar todas las bestias salvajes del campo;[m] 14 para que ninguno de los árboles regados se haga alto en su estatura, o ponga su punta hasta entre las nubes, y para que ninguno que bebe agua se ponga de pie contra ellos en su altura, porque ciertamente todos ellos serán dados a la muerte,[n] a la tierra allá abajo,[o] en medio de los hijos de la hu-

CAP. 30
a Eze 29:12
b Jer 27:6
c Dt 32:41
Sl 17:13
Eze 32:11
d Jer 51:52
e Éx 7:5
Sl 9:16
Eze 29:12
Eze 29:19
Eze 29:20
f Eze 29:12

CAP. 31
g Jer 46:2
Eze 29:2
h Sl 80:10
Isa 37:24
Eze 17:3
i Isa 10:33
j Da 4:10
k Eze 17:22
l Eze 17:5
m Sl 37:35
n Da 4:12
o Sl 84:3

2.ª col.
a Eze 17:23
Da 4:21
b Da 4:22
Am 2:9
c Gé 2:8
Gé 13:10
Sl 80:10
Eze 28:13
d Sl 37:35
e Da 4:21
f Pr 28:22
g Mt 23:12
h Jer 50:31
Eze 28:17
Da 4:30
i Eze 30:11
Hab 1:6
j Dt 18:12
k Eze 32:5
l Da 4:14
m Isa 18:6
Eze 29:5
Eze 32:4
n Sl 82:7
o Sl 63:9
Eze 32:18

manidad, a los que van bajando al hoyo'.

15 "Esto es lo que ha dicho el Señor Soberano Jehová: 'En el día de bajar él al Seol ciertamente haré que haya duelo.ª Por causa de él ciertamente cubriré la profundidad acuosa, para detener sus arroyos y [para] que las muchas aguas sean restringidas; y por causa de él oscureceré al Líbano, y por causa de él todos los árboles del campo desfallecerán. 16 Al sonido de su caída ciertamente haré que se mezan naciones, cuando lo haga bajar al Seol con los que van bajando al hoyo,ᵇ y en la tierra allá abajo serán consoladosᶜ todos los árboles de Edén,ᵈ los más selectos y mejores del Líbano, todos los que beben agua. 17 Con él ellos mismos también han bajado al Seol,ᵉ a los que fueron muertos a espada, y los que como descendencia de él han morado en su sombra en medio de naciones'.ᶠ

18 "'¿A quién has llegado a parecerte así en gloriaᵍ y grandeza entre los árboles de Edén?ʰ Pero a ti ciertamente se te hará bajar con los árboles de Edén a la tierra allá abajo.ⁱ En medio de los incircuncisos yacerás con los que fueron muertos a espada. Este es Faraón y toda su muchedumbre', es la expresión del Señor Soberano Jehová".

32 Y ocurrió, además, que en el año duodécimo, en el duodécimo mes, en el [día] primero del mes, la palabra de Jehová me ocurrió, y dijo: 2 "Hijo del hombre, levanta una endecha acerca de Faraón el rey de Egipto, y tienes que decirle: 'Como a un leoncillo crinado de naciones se te ha silenciado.ʲ

"'Y tú has sido como el monstruo marino en los mares,ᵏ y seguiste chorreando en tus ríos y seguiste enturbiando las aguas con los pies y ensuciando sus ríos'.

3 "Esto es lo que ha dicho el Señor Soberano Jehová: 'Yo también ciertamente extenderé sobre ti mi redª por medio de una congregación de muchos pueblos, y ciertamente te traerán en mi red barredera.ᵇ 4 Y tendré que abandonarte en la tierra. Sobre la superficie del campo te arrojaré.ᶜ Y en ti ciertamente haré que residan todas las criaturas voladoras de los cielos, y de ti ciertamente satisfaré a las bestias salvajes de toda la tierra.ᵈ 5 Y ciertamente pondré tu carne sobre las montañas y llenaré los valles con el desecho tuyo.ᵉ 6 Y ciertamente haré que [la] tierra se beba tu materia descargada, de tu sangre,ᶠ sobre las montañas; y cauces de arroyos mismos se llenarán de [lo procedente de] ti'.

7 "'Y cuando quedes extinguido, ciertamente cubriré [los] cielos y oscureceré sus estrellas. En cuanto [al] sol, con nubes lo cubriré, y [la] luna misma no dejará brillar su luz.ᵍ 8 Todas las lumbreras de luz de los cielos... las oscureceré por causa tuya, y ciertamente pondré oscuridad sobre tu tierra', es la expresión del Señor Soberano Jehová.

9 "'Y ciertamente ofenderé el corazón de muchos pueblos cuando traiga los cautivos procedentes de ti entre las naciones a tierras que no has conocido.ʰ 10 Y ante ti ciertamente haré que muchos pueblos queden despavoridos,ⁱ y sus reyes mismos se estremecerán de horror ante ti cuando blanda mi espada en sus caras,ʲ y tendrán que temblar cada momento, cada uno por su propia alma, en el día de tu caída.'ᵏ

11 "Porque esto es lo que ha dicho el Señor Soberano Jehová: 'La espada misma del rey de Babilonia vendrá sobre ti.ˡ 12 Haré que tu muchedumbre

CAP. 31
a Rev 18:9

b Isa 14:15

c Eze 32:31

d Isa 14:8
Eze 31:9

e Eze 32:21

f Lam 4:20
Eze 30:6
Eze 32:31

g Eze 32:19

h Eze 31:9

i 1Sa 2:7

CAP. 32
j Pr 28:15

k Isa 27:1
Isa 51:9
Eze 29:3

2.ª col.
a Sl 66:11

b Ec 9:12
Os 7:12
Hab 1:17

c Eze 29:5

d Sl 63:10
Sl 79:2
Eze 29:5
Eze 39:17

e Eze 31:12

f Rev 14:20

g Isa 13:10
Joe 2:31
Am 8:9
Mt 24:29
Rev 6:12

h Eze 29:12
Eze 30:26

i Eze 27:35

j Dt 32:41

k Éx 15:14

l Jer 43:10
Jer 46:26
Eze 30:24

caiga por las espadas mismas de poderosos, los tiranos de [las] naciones, todos ellos;[a] y realmente despojarán con violencia el orgullo de Egipto, y toda su muchedumbre tiene que ser aniquilada.[b] 13 Y ciertamente destruiré todos sus animales domésticos de junto a muchas aguas,[c] y el pie del hombre terrestre ya no las enturbiará,[d] como tampoco siquiera los cascos de animal doméstico las enturbiarán'.

14 " 'En aquel tiempo haré que se aclaren sus aguas, y haré que sus ríos corran tal como aceite', es la expresión del Señor Soberano Jehová.

15 " 'Cuando haga de la tierra de Egipto un yermo desolado y la tierra sea desolada de su plenitud,[e] cuando derribe a todos los habitantes que hay en ella, entonces tendrán que saber que yo soy Jehová.[f]

16 " 'Esta es una endecha, y la gente ciertamente la salmodiará. Hasta las hijas de las naciones la salmodiarán; sobre Egipto y sobre toda su muchedumbre la salmodiarán',[g] es la expresión del Señor Soberano Jehová".

17 Y sucedió, además, que en el año duodécimo, en el [día] quince del mes, la palabra de Jehová me ocurrió, y dijo: 18 "Hijo del hombre, laméntate sobre la muchedumbre de Egipto y hazla bajar,[h] a ella y a las hijas de naciones majestuosas, a la tierra allá abajo,[i] con los que van bajando a[1] hoyo.[j]

19 " '¿Comparado con quién eres más agradable?[k] ¡Anda, baja, se te tiene que hacer yacer con los incircuncisos!'[l]

20 " 'En medio de los que han sido muertos a espada caerán.[m] [A] una espada ha sido dada. Llévensela arrastrando, a ella y a todas sus muchedumbres.

21 " 'Los hombres de nota de los poderosos hablarán aun a él, con sus ayudantes, de en medio

del Seol.[a] Ciertamente bajarán;[b] tienen que yacer como los incircuncisos, muertos a espada. 22 Allí es donde están Asiria y toda su congregación.[c] Las sepulturas de él están a su alrededor. Todos ellos son muertos, los que caen a espada.[d] 23 Pues sus sepulturas han sido puestas en las partes más profundas de un hoyo,[e] y su congregación resulta estar alrededor de su sepulcro, todos ellos muertos, caídos a espada, porque habían causado terror en la tierra de los vivientes.

24 " 'Allí están Elam[f] y toda su muchedumbre alrededor de su sepulcro, todos ellos muertos, los que cayeron a espada, que han bajado incircuncisos a la tierra allá abajo, los que han causado su terror en la tierra de los vivientes; y llevarán su humillación con los que van bajando a[1] hoyo.[g] 25 En medio de los que fueron muertos han puesto una cama[h] para ella entre toda su muchedumbre. Sus sepulturas están alrededor de ella. Todos ellos son incircuncisos, muertos a espada,[i] porque su terror fue causado en la tierra de los vivientes; y llevarán su humillación con los que van bajando a[1] hoyo. En medio de los que fueron muertos ha sido puesto.

26 " 'Allí es donde están Mesec[j] [y] Tubal[k] y toda la muchedumbre de ella. Las sepulturas de ella están alrededor de él. Todos ellos son incircuncisos, traspasados por la espada, porque han causado su terror en la tierra de los vivientes. 27 ¿Y no yacerán con poderosos,[l] caídos de entre los incircuncisos, quienes han bajado al Seol con sus armas de guerra? Y pondrán sus espadas debajo de sus cabezas, y sus errores llegarán a estar sobre sus huesos,[m] porque [los] poderosos fueron un terror en la tierra de los vivientes.[n] 28 Y en cuanto a ti, en medio de incir-

CAP. 32

a Eze 30:11
Hab 1:6

b Eze 29:19

c Eze 29:8
Eze 30:12

d Eze 29:11

e Sl 107:34
Eze 29:12

f Ex 7:5
Ex 14:4
Sl 9:16
Eze 30:26

g 2Sa 1:17
2Cr 35:25

h Jer 1:10

i Sl 63:9
Eze 31:14

j Sl 30:9

k Eze 31:2

l Eze 28:10

m Eze 29:8

2.ª col.

a Isa 14:9

b Sl 9:17
Sl 55:15

c Nú 24:24

d Isa 37:36
Zac 10:11

e Isa 14:15

f Gé 10:22
Jer 49:34

g Eze 32:29

h Job 17:13

i 2Sa 1:19

j Gé 10:2
Eze 27:13
Eze 38:2

k 1Cr 1:5
Eze 39:1

l Job 3:14
Isa 14:18

m Sl 92:9
Jn 8:24

n Eze 32:23

cuncisos serás quebrantado, y yacerás con los que han sido muertos a espada.

29 "'Allí es donde están Edom,[a] sus reyes y todos sus principales, quienes, en su poderío, fueron puestos con los que habían sido muertos a espada;[b] ellos mismos yacerán aun con los incircuncisos[c] y con los que van bajando a[l] hoyo.

30 "'Allí es donde están los adalides del norte, todos ellos, y todos los sidonios,[d] quienes han bajado con los que fueron muertos, en su terribilidad debido a su poderío, avergonzados. Y yacerán incircuncisos con los que han sido muertos a espada, y llevarán su humillación con los que van bajando a[l] hoyo.[e]

31 "'Estos son los que Faraón verá, y ciertamente se consolará por toda la muchedumbre de él.[f] Faraón y toda su fuerza militar serán gente muerta a espada', es la expresión del Señor Soberano Jehová.

32 "'Porque él ha causado su terror en la tierra de los vivientes,[g] y tendrá que hacérsele yacer en medio de los incircuncisos, con los que han sido muertos a espada, a Faraón y toda su muchedumbre', es la expresión del Señor Soberano Jehová".

33 Y la palabra de Jehová procedió a ocurrirme, y dijo: 2 "Hijo del hombre, habla a los hijos de tu pueblo,[h] y tienes que decirles:

"'En cuanto a una tierra, en caso de que yo traiga sobre ella una espada,[i] y la gente de la tierra, todos sin excepción, realmente tomen a un hombre y lo pongan como su atalaya,[j] 3 y él verdaderamente vea venir la espada sobre la tierra y toque el cuerno y advierta a la gente,[k] 4 y el que oye realmente oiga el sonido del cuerno, pero no acepte de ningún modo la advertencia,[l] y una espada venga y lo qui-

te, la propia sangre de este llegará a estar sobre su propia cabeza.[a] 5 El sonido del cuerno oyó, pero no aceptó la advertencia. Su propia sangre llegará a estar sobre sí mismo. Y si él mismo hubiera aceptado la advertencia, su propia alma habría escapado.[b]

6 "'Ahora bien, en lo que respecta al atalaya, en caso de que él vea venir la espada y realmente no toque el cuerno[c] y la gente misma no reciba ninguna advertencia y una espada venga y quite de ellos alma, por su propio error esta [gente] misma tiene que ser quitada,[d] pero su sangre la reclamaré de mano del atalaya mismo'.[e]

7 "Ahora bien, en cuanto a ti, oh hijo del hombre, atalaya es lo que te he hecho a la casa de Israel,[f] y de mi boca tienes que oír [la] palabra y darles advertencia [de parte] de mí.[g] 8 Cuando yo diga a alguien inicuo: '¡Oh inicuo, tú positivamente morirás!',[h] pero tú realmente no te expreses para advertir al inicuo en cuanto a su camino,[i] él mismo, como inicuo, morirá en su propio error,[j] pero de tu propia mano reclamaré su sangre. 9 Pero en lo que respecta a ti, en caso de que tú realmente adviertas a alguien inicuo en cuanto a su camino [para que él] se vuelva de este, pero él realmente no se vuelva de su camino, él mismo morirá en su propio error,[k] mientras que tú mismo ciertamente librarás tu propia alma.[l]

10 "Ahora bien, en lo que respecta a ti, oh hijo del hombre, di a la casa de Israel: 'Así han dicho ustedes: "Porque nuestras sublevaciones y nuestros pecados están sobre nosotros y en ellos nos estamos pudriendo,[m] ¿cómo, entonces, seguiremos viviendo?"'.[n] 11 Diles: '"Tan ciertamente como que yo estoy vivo —es la expresión del Señor Soberano Jehová—, no me delei-

CAP. 32
a Gé 25:30
Gé 36:1
Isa 34:5
Eze 25:12
Am 1:11
Abd 1
Mal 1:4
b Jer 25:31
c Jer 9:26
d Gé 10:15
Eze 28:21
e Eze 32:24
f Eze 31:16
g Eze 32:27

CAP. 33
h Eze 3:11
i Le 26:25
Jer 25:31
Eze 6:3
Eze 14:17
Eze 21:9
j 2Sa 18:24
2Re 9:17
Isa 21:8
Jer 51:12
Os 9:8
k Ne 4:18
Isa 58:1
Jer 4:5
Os 8:1
l 2Cr 25:16
Pr 29:1
Jer 6:17
Zac 1:4

2.ª col.
a Le 20:9
1Re 2:37
Eze 3:19
Hch 18:6
Hch 20:26
b 2Re 6:10
Heb 11:7
c Isa 56:10
d Eze 18:24
e Gé 42:22
Eze 3:18
f Isa 62:6
Eze 3:17
g 2Cr 19:10
Jer 1:17
h Isa 3:11
Eze 18:4
i Pr 24:12
Eze 13:9
j Nú 27:3
Pr 11:21
Ec 8:13
k Pr 15:10
1Eze 3:19
Hch 18:6
m Le 26:39
Isa 64:6
Eze 24:23
n Eze 37:11

to en la muerte del inicuo,[a] sino en que alguien inicuo se vuelva[b] de su camino y realmente siga viviendo.[c] Vuélvanse, vuélvanse de sus malos caminos,[d] pues, ¿por qué deberían morir, oh casa de Israel?".[e]

12 "Y en cuanto a ti, oh hijo del hombre, di a los hijos de tu pueblo: 'La justicia misma del justo no lo librará en el día de su sublevación.[f] Pero en lo que respecta a la iniquidad del inicuo, no se le hará tropezar a causa de ella en el día que se vuelva de su iniquidad.[g] Tampoco podrá cualquiera que tenga justicia seguir viviendo debido a ella en el día que peque.[h] 13 Cuando yo diga al justo: "Positivamente seguirás viviendo", y él mismo realmente confíe en su propia justicia y haga injusticia,[i] ninguno de sus propios actos justos será recordado, sino que por su injusticia que ha hecho... por esta morirá.[j]

14 "'Y cuando yo diga al inicuo: "Positivamente morirás",[k] y él realmente se vuelva de su pecado[l] y efectúe derecho y justicia,[m] 15 [y] el inicuo devuelva la cosa misma tomada en prenda,[n] pague las mismas cosas tomadas por robo,[o] [y] realmente ande en los estatutos mismos de vida al no hacer injusticia,[p] positivamente seguirá viviendo.[q] No morirá. 16 Ninguno de sus pecados con los cuales ha pecado será recordado contra él.[r] Derecho y justicia son lo que ha efectuado. Positivamente seguirá viviendo'.[s]

17 "Y los hijos de tu pueblo han dicho: 'El camino de Jehová no está bien ajustado',[t] pero, en cuanto a ellos, es el camino de ellos el que no está bien ajustado.

18 "Cuando alguien justo se vuelve de su justicia y realmente hace injusticia, también tiene que morir por estos [actos].[u] 19 Y cuando alguien inicuo se

CAP. 33
a 2Sa 14:14
  Eze 18:23
  Lu 15:10
  1Ti 2:4
b Isa 31:6
c Sl 130:7
d Pr 1:23
  Isa 55:7
  Jer 3:22
  Jer 25:5
  Eze 14:6
  Os 14:1
e Eze 18:31
  2Pe 3:9
f Eze 3:20
  Eze 18:24
g 1Re 8:48
  2Cr 7:14
  Eze 18:21
h Eze 18:26
i Eze 3:20
  Eze 18:24
  2Pe 2:20
j Jer 18:10
  Eze 18:4
k Isa 3:11
  Eze 18:18
  Lu 13:3
l Pr 28:13
  Isa 55:7
  Hch 3:19
m Eze 18:21
  Miq 6:8
n Éx 22:26
  Eze 18:7
o Le 6:2
  Eze 22:29
p Le 18:5
  Le 19:15
q Eze 18:27
r Isa 1:18
s Eze 20:11
  Job 34:10
  Job 40:8
  Sl 92:15
  Ro 3:4
u Heb 10:38
  2Pe 2:20

2.ª col.

a Eze 18:27
b Pr 19:3
  Isa 55:8
  Isa 55:9
  Eze 18:25
  Eze 18:29
c Gé 18:25
  Sl 62:12
  Pr 24:12
  Ro 2:6
d Eze 24:26
e 2Re 25:4
  2Cr 36:17
  Jer 39:2
f Eze 3:22
g Eze 3:26
h Jer 39:10
  Eze 36:4
i Gé 12:7
  Isa 51:2
  Hch 7:5
j Miq 3:11
  Mt 3:9
  Jn 8:39
k Gé 9:4
  Le 17:12
  Dt 12:16
  1Sa 14:32
  Hch 15:29
l Eze 18:6
m Eze 22:6

vuelve de su iniquidad y verdaderamente efectúa derecho y justicia, será por causa de ellos por lo que él mismo seguirá viviendo.[a]

20 "Y ustedes han dicho: 'El camino de Jehová no está bien ajustado'.[b] Será a cada uno según sus caminos como yo los juzgaré,[c] oh casa de Israel".

21 Al fin, en el duodécimo año, en el [mes] décimo, el [día] cinco del mes de nuestro destierro, ocurrió que vino a mí el escapado de Jerusalén,[d] y dijo: "¡La ciudad ha sido derribada!".[e]

22 Ahora bien, la mano misma de Jehová había llegado a estar sobre mí en la tarde antes de la venida del escapado,[f] y Él procedió a abrirme la boca antes de la venida de [aquel] a mí por la mañana, y mi boca fue abierta y ya no resulté estar mudo.[g]

23 Y me empezó a ocurrir la palabra de Jehová, y dijo: 24 "Hijo del hombre, los habitantes de estos lugares devastados[h] están diciendo hasta acerca del suelo de Israel: 'Uno solamente era Abrahán y sin embargo tomó posesión de la tierra.[i] Y nosotros somos muchos; a nosotros nos ha sido dada la tierra como algo que poseer'.[j]

25 "Por lo tanto, diles: 'Esto es lo que ha dicho el Señor Soberano Jehová: "Con la sangre ustedes siguen comiendo,[k] y los ojos siguen levantando a sus ídolos estercolizos,[l] y sangre siguen derramando.[m] Así que, ¿deberían ustedes poseer la tierra?[n] 26 Ustedes han dependido de su espada.[o] Han hecho una cosa detestable,[p] y han contaminado cada uno a la esposa de su compañero.[q] Así que, ¿deberían poseer la tierra?"'.[r]

27 "Esto es lo que debes decirles: 'Esto es lo que ha dicho el Señor Soberano Jehová: "Tan ciertamente como que estoy

n Jer 7:10; Jer 44:22; o Miq 2:1; p Jer 17:5; Sof 3:3; q Jer 5:8; Heb 13:4; r Dt 4:26; Jos 23:15.

vivo, de seguro los que están en los lugares devastados caerán por la espada misma;[a] y el que está sobre la superficie del campo, a la bestia salvaje ciertamente le daré como alimento;[b] y los que están en los lugares fuertes y en las cuevas[c] morirán de la peste misma. 28 Y realmente haré de la tierra un yermo desolado,[d] aun una desolación, y al orgullo de su fuerza se le tendrá que hacer cesar,[e] y las montañas de Israel tendrán que ser desoladas,[f] sin que haya quien pase por ellas. 29 Y tendrán que saber que yo soy Jehová cuando haga de la tierra un yermo desolado,[g] hasta una desolación, por causa de todas sus cosas detestables que han ejecutado".[h]

30 "Y en cuanto a ti, oh hijo del hombre, los hijos de tu pueblo están hablando unos con otros acerca de ti al lado de los muros y en las entradas de las casas,[i] y el uno lo ha hablado con el otro, cada uno con su hermano, y dicho: 'Vengan, por favor, y oigan lo que es la palabra que sale de Jehová'.[j] 31 Y vendrán a ti, como el entrar de gente, y se sentarán delante de ti como mi pueblo;[k] y ciertamente oirán tus palabras, pero no las pondrán por obra,[l] porque con la boca están expresando deseos lujuriosos [y] tras de su ganancia injusta es a donde va su corazón.[m] 32 Y, ¡mira!, tú eres para ellos como una canción de amores sensuales, como uno con bella voz y que toca bien un instrumento de cuerdas.[n] Y ciertamente oirán tus palabras, pero no hay ninguno que las ponga por obra.[o] 33 Y cuando se realice —¡mira!, tiene que realizarse[p]—, ellos también tendrán que saber que un profeta mismo había resultado estar en medio de ellos".[q]

34 Y la palabra de Jehová continuó ocurriéndome, y dijo: 2 "Hijo del hombre, profetiza contra los pastores de Is-

rael. Profetiza, y tienes que decirles a ellos, a los pastores: 'Esto es lo que ha dicho el Señor Soberano Jehová: "¡Ay de los pastores de Israel,[a] que se han hecho apacentadores de sí mismos![b] ¿No es el rebaño lo que deben apacentar los pastores?[c] 3 La grasa es lo que ustedes comen,[d] y con la lana se visten a sí mismos. El animal gordo[e] es lo que degüellan.[f] El rebaño mismo no apacientan. 4 A las enfermas no han fortalecido,[g] y a la doliente no han sanado, y a la quebrada no han vendado, y a la dispersada no han traído de vuelta, y a la perdida no han procurado hallar,[h] sino que con dureza las han tenido en sujeción, hasta con tiranía.[i] 5 Y gradualmente fueron esparcidas por no haber pastor,[j] de modo que llegaron a ser alimento para toda bestia salvaje del campo, y continuaron siendo esparcidas.[k] 6 Mis ovejas siguieron descarriándose en todas las montañas y en toda colina alta;[l] y por toda la superficie de la tierra mis ovejas[m] fueron esparcidas, sin que hubiera quien hiciera una búsqueda y sin que hubiera quien procurara hallarlas.

7 "'"Por lo tanto, pastores, oigan la palabra de Jehová: 8 '"Tan ciertamente como que estoy vivo —es la expresión del Señor Soberano Jehová—, de seguro debido a que mis ovejas llegaron a ser algo para saqueo y mis ovejas continuaron siendo alimento para toda bestia salvaje del campo, porque no había pastor, y mis pastores no buscaron mis ovejas, sino que los pastores siguieron apacentándose a sí mismos,[n] y a mis propias ovejas no apacentaron"', 9 por lo tanto, pastores, oigan la palabra de Jehová. 10 Esto es lo que ha dicho el Señor Soberano Jehová: 'Aquí estoy yo contra los pastores,[o] y ciertamente reclamaré mis ovejas de su mano y haré que cesen de apacentar [mis] ovejas,[p]

y los pastores ya no se apacentarán a sí mismos;[a] y ciertamente libraré mis ovejas de su boca, y no llegarán a ser alimento para ellos' ".[b]

11 "'Porque esto es lo que ha dicho el Señor Soberano Jehová: "Aquí estoy, yo mismo, y ciertamente buscaré a mis ovejas y las cuidaré.[c] 12 Según el cuidado de uno que apacienta su hato[d] en el día de llegar a estar en medio de sus ovejas que han sido dispersadas,[e] así es la manera como cuidaré de mis ovejas; y ciertamente las libraré de todos los lugares a los cuales han sido esparcidas en el día de nubes y densas tinieblas.[f] 13 Y ciertamente las sacaré[g] de los pueblos y las juntaré de las tierras y las traeré a su suelo[h] y las apacentaré en las montañas de Israel, junto a los cauces de los arroyos y junto a todos los lugares de morada de la tierra.[i] 14 En buenos pastos las apacentaré, y en las montañas altas de Israel su lugar de habitación llegará a ser.[j] Allí se echarán en buen lugar de habitación,[k] y en pingües pastos se apacentarán sobre las montañas de Israel".

15 "'"Yo mismo apacentaré a mis ovejas,[l] y yo mismo haré que se recuesten[m] —es la expresión del Señor Soberano Jehová—. 16 A la perdida buscaré,[n] y a la dispersada traeré de vuelta, y a la quebrada vendaré y a la doliente fortaleceré, pero a la gorda[o] y a la fuerte aniquilaré. Apacentaré a esa con juicio."[p]

17 "'Y en cuanto a ustedes mis ovejas, esto es lo que ha dicho el Señor Soberano Jehová: "Miren, voy a juzgar entre oveja y oveja, entre los carneros y los machos cabríos.[q] 18 ¿Es tan poca cosa para ustedes que en los mismísimos mejores pastos se alimenten,[r] pero los demás de sus pastos los huellen con los pies, y que las aguas claras las beban, pero las sobrantes las ensucien al pisar

con los pies mismos? 19 Y en cuanto a mis ovejas, ¿en el apacentadero hollado por los pies de ustedes deben ellas alimentarse, y el agua ensuciada por el pisar de sus pies deben ellas beber?".

20 "'Por lo tanto, esto es lo que el Señor Soberano Jehová les ha dicho a ellas: "Aquí estoy, yo mismo, y ciertamente juzgaré entre la oveja gorda y la oveja flaca, 21 debido a que con flanco y con hombro ustedes siguieron empujando, y con sus cuernos siguieron dando empujones a todas las que estaban enfermas hasta que las esparcieron allá afuera.[a] 22 Y ciertamente salvaré a mis ovejas, y ya no llegarán a ser algo para saqueo;[b] y ciertamente juzgaré entre oveja y oveja. 23 Y ciertamente levantaré sobre ellas un solo pastor,[c] y él tiene que apacentarlas, aun mi siervo David.[d] Él mismo las apacentará, y él mismo llegará a ser su pastor.[e] 24 Y yo mismo, Jehová, ciertamente llegaré a ser el Dios de ellas;[f] y mi siervo David, un principal en medio de ellas.[g] Yo mismo, Jehová, he hablado.

25 "'"Y ciertamente celebraré con ellas un pacto de paz,[h] y de veras haré que la bestia salvaje dañina cese de la tierra,[i] y realmente morarán en el desierto en seguridad, y dormirán en los bosques.[j] 26 Y ciertamente haré de ellas y los alrededores de mi colina una bendición,[k] y de veras haré que la lluvia fuerte descienda a su tiempo. Lluvias fuertes de bendición resultarán haber.[l] 27 Y el árbol del campo tendrá que dar su fruto,[m] y la tierra misma dará su producto,[n] y realmente resultarán estar en su suelo en seguridad.[o] Y tendrán que saber que yo soy Jehová cuando quiebre las varas de su yugo[p] y las

CAP. 34
a 1Sa 2:29
b Sl 72:12
c Sl 80:1
  Isa 56:8
d 1Sa 17:35
e Isa 40:11
f Eze 30:3
  Joe 2:2
  Sof 1:15
g 1Pe 2:25
h Sl 106:47
  Isa 65:9
  Jer 23:3
  Jer 30:3
  Eze 11:17
  Eze 28:25
  Am 9:14
i Miq 7:14
j Sl 23:2
  Isa 25:6
  Isa 30:23
  Jer 31:12
k Jer 33:12
l Sl 23:1
  Jer 3:15
m Sof 3:13
n Miq 4:6
  Mt 15:24
  Lu 15:4
o Dt 32:15
  Isa 10:16
  Am 4:1
p Isa 49:26
  Jer 9:15
q Isa 34:6
  Jer 51:40
  Zac 10:3
  Mt 25:33
r Miq 2:2

2.ª col.
a Zac 11:5
  Zac 11:16
  Lu 13:14
b Sl 72:12
  Isa 40:11
  Jer 23:3
  Zac 11:7
c Eze 12:11
  Eze 23:4
  Jn 10:11
  Heb 13:20
  1Pe 5:4
  Rev 7:17
d Isa 11:1
  Isa 55:3
  Jer 30:9
e Eze 37:24
  Os 3:5
f Gé 17:7
  Éx 29:45
  Jer 31:1
  Zac 13:9
g Sl 2:6
  Isa 9:6
  Jer 23:5
  Miq 5:2
  Lu 1:32
  Hch 5:31
h Isa 55:3
  Eze 37:26
i Le 26:6
  Isa 11:6
  Isa 35:9
  Isa 65:25
  Os 2:18
j Sl 4:8
  Jer 23:6
  Jer 33:16
k Isa 56:7
  Eze 20:40
  Miq 4:1

l Gé 12:2; Le 26:4; Dt 28:12; Sl 68:9; Pr 10:22; Zac 8:13; Mal 3:10; m Le 26:4; Isa 35:2; Isa 55:12; n Sl 85:12; Eze 36:30; o Le 25:18; p Eze 26:13; Jer 2:20; Eze 30:18.

haya librado de la mano de los
que las habían estado usando
como esclavos.[a] 28 Y ya no llegarán a ser algo para saqueo para
las naciones;[b] y en lo que respecta a la bestia salvaje de la tierra,
no las devorará, y realmente morarán en seguridad, sin nadie que
[las] haga temblar.[c]
29 ”’”Y ciertamente levantaré para ellos un plantío para un
nombre,[d] y ya no llegarán a ser
los que son quitados por el hambre en el país,[e] y ya no llevarán
la humillación impuesta por las
naciones.[f] 30 ‘Y tendrán que
saber que yo, Jehová su Dios, estoy con ellos[g] y que ellos son mi
pueblo, la casa de Israel’, es la
expresión del Señor Soberano
Jehová”’.[h]
31 ”‘Y en lo que respecta a ustedes mis ovejas,[i] las ovejas de
mi apacentamiento, ustedes son
hombres terrestres. Yo soy su
Dios’, es la expresión del Señor
Soberano Jehová”.

35 Y la palabra de Jehová
continuó ocurriéndome, y
dijo: 2 “Hijo del hombre, pon
tu rostro[j] contra la región montañosa de Seír[k] y profetiza contra ella.[l] 3 Y tienes que decirle:
‘Esto es lo que ha dicho el Señor Soberano Jehová: “Aquí estoy contra ti, oh región montañosa de Seír,[m] y ciertamente
extenderé mi mano contra ti[n] y
haré de ti un yermo desolado,
aun una desolación.[o] 4 Tus
ciudades pondré como lugar devastado, y tú misma llegarás a
ser puramente un yermo desolado;[p] y tendrás que saber que yo
soy Jehová,[q] 5 debido a que resultaste tener una enemistad de
duración indefinida[r] y seguiste
entregando a los hijos de Israel al
poder de la espada,[s] en el tiempo
de su desastre,[t] en el tiempo de
[su] error final”’.[u]
6 ”‘Por lo tanto, tan ciertamente como que estoy vivo
—es la expresión del Señor Soberano Jehová—, porque era para
sangre para lo que yo te estaba
preparando, sangre misma también te perseguirá.[a] De seguro
era sangre lo que odiabas, y sangre misma te perseguirá.[b] 7 Y
ciertamente haré que la región
montañosa de Seír sea un yermo
desolado, hasta una desolación,[c]
y ciertamente cortaré de ella al
que va pasando y al que regresa.[d]
8 Y ciertamente llenaré sus
montañas con los suyos que sean
muertos; en cuanto a tus colinas
y tus valles y todos tus cauces de
los arroyos, los mismos que hayan sido muertos a espada caerán en ellos.[e] 9 Yermos desolados de duración indefinida es lo
que haré de ti, y tus propias ciudades no serán habitadas;[f] y ustedes tendrán que saber que yo
soy Jehová.’[g]
10 ”Debido a que dices: ‘Estas
dos naciones y estas dos tierras...
llegarán a ser mías, y ciertamente tomaremos posesión de cada
[tierra]’,[h] cuando Jehová mismo estaba precisamente allí,[i]
11 ‘por lo tanto, tan ciertamente
como que estoy vivo —es la expresión del Señor Soberano Jehová—, ciertamente actuaré
también según tu cólera y según
tus celos que has expresado debido a tus sentimientos de odio
para con ellos;[j] y ciertamente me
daré a conocer entre ellos cuando
te juzgue.[k] 12 Y tendrás que
saber que yo mismo, Jehová, he
oído todas tus cosas que has dicho con falta de respeto acerca
de las montañas de Israel,[l] al decir: “Han sido desoladas. A nosotros nos han sido dadas por
alimento”.[m] 13 Y ustedes siguieron actuando en gran estilo
contra mí con sus bocas,[n] y han
multiplicado contra mí sus palabras.[o] Yo mismo [las] he oído’.[p]
14 ”Esto es lo que ha dicho el
Señor Soberano Jehová: ‘Al mismo tiempo que toda la tierra se
regocija, un yermo desolado es
lo que haré de ti. 15 Tal como
hubo regocijo de tu parte en

CAP. 34
a Jer 25:14
b Jer 30:10
Eze 36:4
c Jer 46:27
d Sl 72:7
Isa 11:1
e Eze 36:29
f Eze 36:15
g Sl 46:7
Eze 37:27
h Ro 9:25
i Sl 78:52
Sl 100:3
Isa 40:11
1Pe 5:2

CAP. 35
j Eze 6:2
k Gé 32:3
Dt 2:5
Eze 25:8
l Jer 49:8
Lam 4:22
Eze 36:5
Am 1:11
Abd 1
Abd 10
m Eze 25:12
n Jer 6:12
o Eze 25:13
p Joe 3:19
Mal 1:3
q Sl 9:16
r Gé 27:41
s Am 1:11
t Abd 10
u Sl 137:7

2.ª col.
a Sl 109:16
Abd 15
Ro 2:6
Gál 6:7
b Sl 109:17
Eze 25:14
c Eze 25:13
d Jue 5:6
Eze 29:11
e Isa 34:2
Jer 25:33
f Jer 49:17
Jer 49:18
Eze 25:13
Mal 1:4
g Sl 9:16
h Sl 83:4
Eze 36:5
Abd 13
i Sl 48:1
Eze 48:35
Sof 3:15
j Le 19:17
Sl 37:7
Am 1:11
Mt 7:2
1Jn 3:15
k Pr 11:21
Isa 26:9
l Sl 94:9
m Sl 83:12
Eze 36:2
n 1Sa 2:3
2Cr 32:15
Da 11:36
Rev 13:6
o Abd 3
p 2Re 19:28
Jer 29:23

cuanto a la herencia de la casa de Israel porque fue desolada, la misma causa haré yo de ti.[a] Un yermo desolado es lo que llegarás a ser, oh región montañosa de Seír, aun todo Edom, todo él;[b] y tendrán que saber que yo soy Jehová'".[c]

36 "Y en cuanto a ti, oh hijo del hombre, profetiza acerca de las montañas de Israel, y tienes que decir: 'Oh montañas de Israel,[d] oigan la palabra de Jehová. 2 Esto es lo que ha dicho el Señor Soberano Jehová: "A causa de que el enemigo ha dicho contra ustedes:[e] ¡Ajá! ¡Hasta los lugares altos de la antigüedad[f]... como posesión esto ha llegado a ser nuestro!"'".[g]

3 "Por lo tanto profetiza, y tienes que decir: 'Esto es lo que ha dicho el Señor Soberano Jehová: "A causa, aun a causa de que ha habido un estar desolados[h] y un tirar a morderlos a ustedes de todos lados,[i] para que lleguen a ser una posesión de los restantes de las naciones,[j] y continúan siendo objeto de habla con la lengua[k] y hay un mal informe entre la gente,[l] 4 por lo tanto, oh montañas de Israel,[m] ¡oigan la palabra del Señor Soberano Jehová! Esto es lo que ha dicho el Señor Soberano Jehová a las montañas y a las colinas, a los cauces de los arroyos y a los valles y a los lugares devastados que fueron desolados,[n] y a las ciudades abandonadas que han llegado a ser [cosa] para saqueo y para burla para los restantes de las naciones que están en los alrededores;[o] 5 por lo tanto, esto es lo que ha dicho el Señor Soberano Jehová: 'Ciertamente en el fuego de mi celo de veras hablaré[p] contra los restantes de las naciones y contra Edom, todo él,[q] los que han dado mi tierra a sí mismos como posesión con el regocijo de todo el corazón,[r] con escarnio en [el] alma,[s] por motivo de su dehesa [y] por el saqueo'"'".[t]

CAP. 35
a Pr 17:5
  Lam 4:21
  Abd 12
  Abd 15
b Isa 34:5
  Eze 25:13
  Eze 36:5
c Sl 9:16

CAP. 36
d Eze 6:2
e Eze 25:3
f Dt 32:13
  Sl 78:69
  Isa 58:14
g Jer 49:1
  Eze 35:10
h Le 26:43
i Am 8:4
j Eze 25:4
k Dt 28:37
  Sl 44:13
  Jer 18:16
  Lam 2:15
  Da 9:16
l 1Re 9:7
m Isa 44:23
  Isa 49:13
  Eze 6:2
n Jer 25:9
o Sl 79:4
  Eze 34:28
p Dt 4:24
  Isa 66:15
  Eze 38:19
  Sof 3:8
q Zac 1:15
r Sl 83:4
  Eze 35:10
s Pr 17:5
  Abd 12
t Eze 25:12
  Am 1:11

2.ª col.
a Sl 74:10
  Sl 123:4
  Eze 34:29
b Dt 32:40
  Eze 20:5
  Eze 20:15
c Jer 25:9
  Jer 49:17
  Am 1:11
d Sl 98:8
  Isa 44:23
  Isa 51:3
  Isa 60:5
  Eze 36:30
e Isa 2:3
f Sof 3:9
g Ag 2:19
h Jer 30:19
i Zac 8:4
j Isa 51:3
  Isa 58:12
  Isa 61:4
  Am 9:14
k Jer 31:27
  Jer 33:12
l Jer 30:18
  Isa 54:7
  Eze 37:6
  Ag 2:9
m Os 2:20
  Joe 3:17
o Jer 32:44
  Abd 17
p Isa 60:21
q Isa 65:23
  Jer 15:7

6 "Por lo tanto, profetiza acerca del suelo de Israel, y tienes que decir a las montañas y a las colinas, a los cauces de los arroyos y a los valles: 'Esto es lo que ha dicho el Señor Soberano Jehová: "¡Miren! Yo mismo en mi celo y en mi furia tengo que hablar, debido a que la humillación impuesta por las naciones es lo que ustedes han llevado"'".[a]

7 "Por lo tanto esto es lo que ha dicho el Señor Soberano Jehová: 'Yo mismo he alzado la mano [en juramento][b] de que las naciones que ustedes tienen en derredor... ellas mismas llevarán su propia humillación.[c] 8 Y ustedes mismas, oh montañas de Israel, darán sus mismas ramas mayores y llevarán su propio fruto para mi pueblo Israel,[d] porque se han acercado al punto de entrar. 9 Porque aquí estoy a favor de ustedes, y ciertamente me volveré hacia ustedes,[f] y realmente serán cultivadas y sembradas con semilla.[g] 10 Y ciertamente multiplicaré sobre ustedes el género humano, toda la casa de Israel, toda ella,[h] y las ciudades tienen que llegar a estar habitadas,[i] y los lugares devastados mismos serán reedificados.[j] 11 Sí, ciertamente multiplicaré sobre ustedes el género humano y el género animal,[k] y ciertamente se multiplicarán y se harán fructíferos, y realmente haré que sean habitadas como en su condición anterior[l] y ciertamente haré más bien que en su estado inicial;[m] y tendrán que saber que yo soy Jehová.[n] 12 Y sobre ustedes ciertamente haré que ande el género humano, aun mi pueblo Israel, y ellos tienen que tomar posesión de ustedes,[o] y ustedes tienen que llegar a ser una posesión hereditaria para ellos,[p] y ustedes no volverán a privarlos[q] de más hijos'".

13 "Esto es lo que ha dicho el Señor Soberano Jehová: 'Debido a que hay quienes les dicen: "Devoradora del género humano es

lo que tú misma eres, y [una tierra] que privas a tus naciones de hijos es lo que has llegado a ser"',[a] 14 'por lo tanto, al género humano no devorarás más,[b] y a tus naciones no privarás más de hijos[c] —es la expresión del Señor Soberano Jehová—. 15 Y haré que no se oiga más habla humillante de las naciones acerca de ti,[d] y oprobio por los pueblos no llevarás más,[e] y a tus naciones no harás ya que tropiecen', es la expresión del Señor Soberano Jehová."

16 Y la palabra de Jehová continuó ocurriéndome, y dijo: 17 "Hijo del hombre, los de la casa de Israel [estaban] morando sobre su suelo, y seguían haciéndolo inmundo con su camino y con sus tratos.[f] Como la inmundicia de la menstruación ha llegado a ser delante de mí su camino.[g] 18 Y procedí a derramar mi furia sobre ellos por causa de la sangre que habían derramado sobre la tierra,[h] [tierra] que habían hecho inmunda con sus ídolos estercolizos.[i] 19 Y procedí a esparcirlos entre las naciones, de modo que fueron dispersados entre las tierras.[j] Según su camino y según sus tratos los juzgué.[k] 20 De modo que entraron en las naciones en donde entraron, y la gente procedió a profanar mi santo nombre[l] al decir con referencia a ellos: 'Estos son el pueblo de Jehová, y de la tierra de él han salido'.[m] 21 Y tendré compasión de mi santo nombre, el cual los de la casa de Israel han profanado entre las naciones en donde han entrado".[n]

22 "Por lo tanto, di a la casa de Israel: 'Esto es lo que ha dicho el Señor Soberano Jehová: "No por causa de ustedes [lo] hago, oh casa de Israel, sino por mi santo nombre, el cual ustedes han profanado entre las naciones adonde han ido"'.[o] 23 'Y ciertamente santificaré mi gran nombre,[p] que estaba siendo profanado entre las naciones, que ustedes pro-

fanaron en medio de ellas; y las naciones tendrán que saber que yo soy Jehová[a] —es la expresión del Señor Soberano Jehová— cuando yo sea santificado entre ustedes delante de los ojos de ellas.[b] 24 Y ciertamente los sacaré a ustedes de las naciones y los juntaré de todas las tierras y los traeré sobre su suelo.[c] 25 Y ciertamente rociaré sobre ustedes agua limpia, y llegarán a estar limpios;[d] de todas sus impurezas[e] y de todos sus ídolos estercolizos los limpiaré.[f] 26 Y ciertamente les daré un corazón nuevo,[g] y un espíritu nuevo pondré dentro de ustedes,[h] y ciertamente quitaré el corazón de piedra de su carne y les daré un corazón de carne.[i] 27 Y mi espíritu pondré dentro de ustedes,[j] y ciertamente actuaré de modo que en mis disposiciones reglamentarias anden,[k] y mis decisiones judiciales guarden y realmente ejecuten.[l] Y ciertamente morarán en la tierra que di a sus antepasados,[m] y tienen que llegar a ser mi pueblo, y yo mismo llegaré a ser su Dios.'[n]

29 "'Y ciertamente los salvaré de todas sus impurezas[o] y llamaré al grano y haré que abunde, y no pondré sobre ustedes hambre.[p] 30 Y ciertamente haré que el fruto del árbol abunde, y el producto del campo, para que ustedes ya no reciban entre las naciones el oprobio del hambre.[q] 31 Y de seguro recordarán sus malos caminos y sus tratos que no fueron buenos,[r] y de seguro sentirán asco de su misma persona a causa de sus errores y a causa de sus cosas detestables.[s] 32 No por causa de ustedes estoy haciendo [esto][t] —es la expresión del Señor Soberano Jehová—, sépanlo. Avergüéncense y sientan humillación debido a sus caminos, oh casa de Israel.'[u]

33 "Esto es lo que ha dicho el

CAP. 36

a Jer 15:7
b Pr 30:14
c Jer 32:35
d Isa 54:4
  Isa 60:14
  Eze 34:29
  Miq 7:8
  Sof 3:19
e Sl 89:50
  Eze 36:20
  Eze 36:21
  Sof 2:8
f Le 18:25
  Sl 106:38
  Isa 24:5
  Jer 2:7
  Jer 3:1
  Jer 16:18
g Le 12:2
h 2Cr 34:21
  Isa 42:25
i Eze 23:37
j Le 26:38
  Dt 28:64
  Eze 22:15
k Eze 7:3
  Eze 18:30
  Eze 39:24
l Isa 52:5
  Ro 2:24
m Nú 14:16
  Jos 7:9
n Éx 20:7
  Sl 74:18
  Isa 48:9
  Isa 52:5
  Eze 20:9
o Sl 106:8
p Sl 46:10
  Isa 5:16
  Eze 20:41

2.ª col.

a Sl 102:15
b Eze 28:22
c Dt 30:3
  Isa 43:5
  Jer 23:3
  Eze 34:13
  Eze 37:21
  Os 1:11
d Nú 19:13
  Sl 51:7
  Heb 10:22
e Isa 4:4
  Jer 33:8
  1Co 6:11
f Eze 6:4
g Dt 30:6
  Jer 32:39
  Eze 11:19
h Sl 51:10
i Zac 7:12
j Isa 44:3
  Joe 2:28
k Jer 31:33
l Eze 11:20
m Eze 28:25
  Eze 37:25
n Jer 30:22
  Eze 11:20
  Eze 37:27
o Mt 1:21
  Ro 11:26
p Sl 33:19
  Eze 34:29
q Eze 34:27
  Eze 36:8
  Eze 36:35

r Le 26:39; Esd 9:6; Ne 9:26; Jer 31:18; s Eze 6:9; Eze 20:43; Zac 12:10; t Dt 9:5; Da 9:19; u Ro 6:21.

Señor Soberano Jehová: 'En el día que los limpie de todos sus errores también ciertamente haré que las ciudades sean habitadas,ᵃ y los lugares devastados tienen que ser reedificados.ᵇ 34 Y la tierra desolada misma será cultivada, cuando había llegado a ser un yermo desolado ante los ojos de todo el que pasaba.ᶜ 35 Y la gente ciertamente dirá: "Esa tierra de allí que había estado desolada ha llegado a ser como el jardín de Edén,ᵈ y las ciudades que eran un lugar desierto y que habían sido desoladas y que estaban demolidas están fortificadas; han llegado a estar habitadas".ᵉ 36 Y las naciones que quedarán alrededor de ustedes tendrán que saber que yo mismo, Jehová, he edificado las cosas demolidas,ᶠ he plantado lo que ha estado desolado. Yo mismo, Jehová, he hablado y [lo] he hecho'.ᵍ

37 "Esto es lo que ha dicho el Señor Soberano Jehová: 'Esto es para lo que todavía dejaré que me busque la casa de Israel, para hacerlo para ellos:ʰ Los multiplicaré con hombresⁱ como un rebaño. 38 Como un rebaño de personas santas, como el rebaño de Jerusalén en sus períodos de fiesta,ʲ así las ciudades que habían sido un lugar desierto llegarán a estar llenas de un rebaño de hombres;ᵏ y la gente tendrá que saber que yo soy Jehová'."

37 La mano de Jehová resultó estar sobre mí,ˡ de modo que él me sacó en el espíritu de Jehováᵐ y me colocó en medio de la llanura-valle, y esta estaba llena de huesos.ⁿ 2 Y él me hizo pasar junto a ellos todo en derredor, y, ¡mire!, había muchísimos sobre la superficie de la llanura-valle y, ¡mire!, estaban muy secos.º 3 Y él empezó a decirme: "Hijo del hombre, ¿podrán estos huesos llegar a vivir?". A eso dije: "Señor Soberano Jehová, tú mismo bien

sabes".ᵃ 4 Y pasó a decirme: "Profetiza sobre estos huesos, y tienes que decirles: 'Oh huesos secos, oigan la palabra de Jehová:

5 "'Esto es lo que ha dicho el Señor Soberano Jehová a estos huesos: "Aquí estoy haciendo entrar en ustedes aliento, y tendrán que llegar a vivir.ᵇ 6 Y ciertamente pondré sobre ustedes tendones y haré que venga sobre ustedes carne, y ciertamente los cubriré con piel y pondré en ustedes aliento, y tendrán que llegar a vivir;ᶜ y tendrán que saber ustedes que yo soy Jehová"'".ᵈ

7 Y profeticé tal como se me había mandado.ᵉ Y un sonido empezó a ocurrir tan pronto como profeticé, y he aquí un matraqueo, y huesos empezaron a acercarse, hueso a su hueso. 8 Y vi, y, ¡mire!, sobre ellos tendones mismos y carne misma subieron, y se les empezó a cubrir con piel por encima. Pero en cuanto a aliento, no había ninguno en ellos.

9 Y él siguió diciéndome: "Profetiza al viento. Profetiza, oh hijo del hombre, y tienes que decir al viento: 'Esto es lo que ha dicho el Señor Soberano Jehová: "De los cuatro vientos ven, oh viento, y sopla sobre estos que han sido muertos,ᶠ para que lleguen a vivir"'".ᵍ

10 Y profeticé tal como él me había mandado, y el aliento procedió a entrar en ellos, y empezaron a vivir y a plantarse sobre sus pies,ʰ una fuerza militar grandísima.

11 Y pasó a decirme: "Hijo del hombre, en lo que respecta a estos huesos, son la entera casa de Israel.ⁱ Mira que están diciendo: 'Nuestros huesos se han secado, y nuestra esperanza ha perecido.ʲ Se nos ha cortado y dejado solos'. 12 Por lo tanto profetiza, y tienes que decirles: 'Esto es

CAP. 36
a Zac 8:8

b Isa 58:12
Jer 33:10
Am 9:14

c 2Cr 36:21
Jer 25:9

d Gé 2:8
Gé 13:10

e Isa 51:3

f Eze 17:24
Eze 37:28

g Nú 23:19
Eze 22:14
Eze 28:26
Eze 37:14

h Sl 102:17
Isa 55:6
Jer 29:12
Jer 50:5
Zac 13:9
Mt 7:7

i Eze 36:10

j Éx 23:17
2Cr 7:8

k Jer 30:19
Jer 31:27

CAP. 37
l Eze 1:3

m Eze 3:14
Rev 21:10

n Rev 11:9

o Eze 37:11

2.ª col.
a Dt 32:39
1Sa 2:6
Ro 4:17
2Co 1:9

b Gé 2:7
Sl 104:30
Eze 37:14

c Rev 11:11

d Joe 2:27

e Eze 37:10

f Rev 11:7

g Sl 104:30

h Rev 11:11

i Eze 36:10

j Sl 141:7
Isa 49:14

lo que ha dicho el Señor Sobera-no Jehová: "Aquí voy a abrir sus sepulturas,[a] y ciertamente los haré subir de sus sepulturas, oh pueblo mío, y los traeré sobre el suelo de Israel.[b] 13 Y tendrán que saber que yo soy Jehová cuando abra sus sepulturas y cuando los haga subir de sus sepulturas, oh pueblo mío".[c] 14 'Y ciertamente pondré mi espíritu en ustedes, y tendrán que llegar a vivir,[d] y ciertamente los estableceré sobre su suelo; y tendrán que saber que yo mismo, Jehová, he hablado y [lo] he hecho', es la expresión de Jehová".[e]

15 Y la palabra de Jehová continuó ocurriéndome, y dijo: 16 "Y en cuanto a ti, oh hijo del hombre, toma para ti un palo[f] y escribe sobre él: 'Para Judá y para los hijos de Israel sus socios'.[g] Y toma otro palo y escribe sobre él: 'Para José, el palo de Efraín,[h] y toda la casa de Israel sus socios'.[i] 17 Y haz que se acerque el uno al otro hasta formar un solo palo para ti, y realmente llegarán a ser uno solo en tu mano.[j] 18 Y cuando los hijos de tu pueblo empiecen a decirte: '¿No nos dirás qué quieren decir para ti estas cosas?',[k] 19 háblales: 'Esto es lo que ha dicho el Señor Soberano Jehová: "Miren, voy a tomar el palo de José, que está en la mano de Efraín, y las tribus de Israel sus socios, y ciertamente los pondré sobre él, es decir, el palo de Judá, y realmente los haré un solo palo,[l] y tienen que llegar a ser uno solo en mi mano".' 20 Y los palos sobre los cuales escribas tienen que resultar estar en tu mano delante de sus ojos.[m]

21 "Y háblales: 'Esto es lo que ha dicho el Señor Soberano Jehová: "Miren, voy a tomar a los hijos de Israel de entre las naciones a las cuales han ido, y ciertamente los juntaré de alrededor y los traeré a su suelo.[n] 22 Y realmente los haré una sola na-

ción en la tierra,[a] en las montañas de Israel, y un solo rey es lo que todos ellos llegarán a tener como rey,[b] y ya no continuarán siendo dos naciones, ni estarán ya divididos en dos reinos.[c] 23 Y ya no se contaminarán más con sus ídolos estercolizos ni con sus cosas repugnantes ni con todas sus transgresiones;[d] y ciertamente los salvaré de todas sus moradas en las cuales han pecado, y los limpiaré,[e] y tienen que llegar a ser mi pueblo, y yo mismo llegaré a ser su Dios.[f]

24 "'"Y mi siervo David será rey sobre ellos,[g] y un solo pastor es lo que todos ellos llegarán a tener;[h] y en mis decisiones judiciales andarán,[i] y mis estatutos guardarán,[j] y ciertamente los ejecutarán.[k] 25 Y realmente morarán sobre la tierra que di a mi siervo, a Jacob, en la cual moraron los antepasados de ustedes,[l] y ellos realmente morarán sobre ella,[m] y sus hijos y los hijos de sus hijos hasta tiempo indefinido,[n] y David mi siervo será su principal hasta tiempo indefinido.[o]

26 "'"Y ciertamente celebraré con ellos un pacto de paz;[p] un pacto de duración indefinida es lo que llegará a haber con ellos.[q] Y ciertamente los colocaré y multiplicaré,[r] y colocaré mi santuario en medio de ellos hasta tiempo indefinido.[s] 27 Y mi tabernáculo realmente resultará estar sobre ellos,[t] y yo ciertamente llegaré a ser su Dios, y ellos mismos llegarán a ser mi pueblo.[u] 28 Y las naciones tendrán que saber que yo, Jehová,[v] estoy santificando a Israel cuando mi santuario llegue a estar en medio de ellos hasta tiempo indefinido"'".[w]

38 Y la palabra de Jehová continuó ocurriéndome, y dijo: 2 "Hijo del hombre,[x] pon tu rostro contra Gog [de] la

CAP. 37

a Isa 66:14
  Rev 11:11
b Eze 11:17
  Eze 20:42
  Eze 36:24
  Am 9:14
c Sl 126:2
  Eze 37:6
d Isa 32:15
  Eze 36:27
  Eze 37:5
e Nú 23:19
  Eze 36:36
f Nú 17:2
  Eze 37:19
g 2Cr 15:9
  2Cr 30:11
h 1Re 12:20
i 1Re 11:31
j Isa 11:13
k Eze 12:9
l 1Jer 50:4
  Zac 10:6
m Eze 12:3
n Dt 30:3
  Isa 11:12
  Jer 16:15
  Jer 23:3
  Am 9:14

2.ª col.

a Jer 3:18
  Os 1:11
b Gé 49:10
  Sl 2:6
  Isa 9:6
  Jer 23:5
  Lu 1:32
c Eze 37:16
  Zac 10:6
d Isa 2:18
  Eze 11:18
  Eze 20:43
  Os 14:8
  Zac 13:2
e Lu 20:7
f Gé 17:7
  Jer 31:33
  Eze 36:28
g Jer 23:5
  Jer 30:9
  Os 3:5
  Lu 1:32
h Jn 10:16
  1Pe 5:4
i Sl 25:9
j Dt 30:10
k Jer 32:39
  Eze 36:27
l Jer 30:3
  Eze 28:25
m Joe 3:20
  Am 9:15
o Eze 34:24
  Lu 1:32
  Jn 12:34
p Eze 34:25
q Isa 55:3
  Isa 32:40
r Jer 30:19
  Zac 8:5
  Heb 6:14
s Le 26:11
  2Co 6:16
  1 Rev 21:3
u Le 26:12
  Eze 11:20
  Eze 36:28
  Eze 43:7
  Os 2:23
v Eze 36:23

w Eze 20:12;   CAP. 38   x Eze 39:1.

tierra de Magog,[a] el cabecilla
principal de Mesec[b] y Tubal,[c] y
profetiza contra él. **3** Y tienes
que decir: 'Esto es lo que ha dicho el Señor Soberano Jehová:
"Aquí estoy contra ti, oh Gog, tú
el cabecilla principal de Mesec
y Tubal. **4** Y ciertamente te
daré la vuelta y pondré garfios
en tus mandíbulas[d] y te sacaré
con toda tu fuerza militar,[e] caballos y hombres de a caballo, todos ellos vestidos con perfecto
gusto,[f] una numerosa congregación, con escudo grande y broquel, todos ellos manejando espadas;[g] **5** Persia,[h] Etiopía[i] y
Put[j] con ellos, todos ellos con
broquel y yelmo; **6** Gómer[k] y
todas sus partidas, la casa de Togarmá,[l] [de] las partes más remotas del norte, y todas sus partidas, muchos pueblos contigo.[m]
7 "'"Apréstate, y que haya
preparación de tu parte, tú con
toda tu congregación,[n] los que
están congregados al lado tuyo,
y tienes que llegar a ser su
guarda.
8 "'"Después de muchos días
se te dará atención. En la parte final de los años llegarás a la
tierra[o] [de gente] traída de vuelta de la espada, juntada de muchos pueblos,[p] a las montañas de
Israel, que han resultado ser un
lugar constantemente devastado; aun [una tierra] que ha sido
sacada de los pueblos, [donde]
han morado en seguridad, todos
ellos.[q] **9** Y tú de seguro subirás. Como una tempestad entrarás.[r] Como nubes para cubrir la
tierra llegarás a ser,[s] tú y todas
tus partidas y muchos pueblos
contigo"'.
10 "Esto es lo que ha dicho el
Señor Soberano Jehová: 'Y en
aquel día tendrá que ocurrir que
subirán cosas a tu corazón,[t] y
ciertamente pensarás algún proyecto dañino;[u] **11** y tendrás
que decir: "Subiré contra la
tierra de abierta región rural.[v]
Vendré sobre los que están sin
disturbio, que moran en seguridad, todos ellos morando sin
muro,[a] y no tienen siquiera barra
y puertas". **12** Será para conseguir gran despojo[b] y para hacer mucho saqueo, para volver
tu mano sobre lugares devastados [que han sido] habitados de
nuevo[c] y sobre un pueblo [que ha
sido] recogido de las naciones,[d]
[uno] que está acumulando riquezas y propiedad,[e] [los que]
están morando en el centro[f] de la
tierra.
13 "'Seba[g] y Dedán[h] y los mercaderes de Tarsis[i] y todos sus
leoncillos crinados[j]... te dirán:
"¿Es a conseguir gran despojo
a lo que entras? ¿Es para hacer
mucho saqueo para lo que has
congregado tu congregación,
para llevarte plata y oro, para
tomar riquezas y propiedad,
para conseguir muy grande despojo?"'.
14 "Por lo tanto profetiza, oh
hijo del hombre, y tienes que decir a Gog: 'Esto es lo que ha dicho el Señor Soberano Jehová:
"¿No será en aquel día en que mi
pueblo Israel esté morando en
seguridad que tú [lo] sabrás?[k]
15 Y ciertamente vendrás de tu
lugar, de las partes más remotas
del norte,[l] tú y muchos pueblos
contigo, todos ellos montados a
caballo, una gran congregación,
hasta una numerosa fuerza militar.[m] **16** Y de seguro subirás
contra mi pueblo Israel, como
nubes para cubrir el país.[n] En la
parte final de los días ocurrirá, y
ciertamente te traeré contra mi
tierra,[o] con el propósito de que
las naciones me conozcan cuando me santifique en ti delante de
sus ojos, oh Gog"'.[p]
17 "Esto es lo que ha dicho el
Señor Soberano Jehová: '¿Eres[q]
el mismo de quien hablé en días
pasados por mano de mis siervos los profetas de Israel, quienes estaban profetizando en

CAP. 38
a Eze 38:15; Eze 39:6
b Eze 32:26
c Isa 66:19; Eze 27:13
d 2Re 19:28; Eze 29:4; Eze 39:2
e Eze 38:15
f Eze 23:12
g Jer 46:9
h Eze 27:10
i Eze 30:5
j 1Cr 1:8
k Gé 10:2
l Gé 10:3; Eze 27:14
m Eze 39:2
n Isa 8:9; Jer 46:3; Joe 3:9
o Isa 66:8
p Mt 24:31
q Jer 23:6; Eze 28:26; Eze 34:25
r Isa 28:2
s Jer 4:13
t Sl 83:4
u Pr 6:18; Rev 17:13
v Éx 15:9; Jer 49:31

2.ª col.
a Isa 26:1; Zac 2:4
b Pr 1:13
c Jer 33:12
d Zac 10:8
e Isa 60:5; Isa 61:6
f Zac 2:8
g Eze 27:22
h Eze 27:15
i Eze 27:25
j Jer 50:17
k Eze 38:8
l Eze 39:2
m Sof 3:8
n Eze 38:9
o Joe 3:2
p Éx 14:4; 2Re 19:19; Sl 83:18; Sl 148:14; Eze 36:23; Eze 39:21; Mt 6:9
q Éx 9:16; Isa 14:12; Jer 50:31; Eze 28:17

aquellos días —años— en cuanto a traerte sobre ellos?’.[a]
18 ”‘Y en aquel día, el día en
que Gog venga sobre el suelo de
Israel, tiene que ocurrir —es la
expresión del Señor Soberano
Jehová— que mi furia subirá a
mi nariz.[b] 19 Y en mi ardor,[c]
en el fuego de mi furor, tendré
que hablar.[d] De seguro en aquel
día un gran temblor ocurrirá en
el suelo de Israel.[e] 20 Y debido
a mí los peces del mar y las criaturas voladoras de los cielos y las
bestias salvajes del campo y todas las cosas que se arrastran
que están arrastrándose en el
suelo y toda la humanidad que
está sobre la superficie del suelo
de seguro se estremecerán,[f] y
las montañas realmente serán
derribadas,[g] y los caminos escarpados tendrán que caer, y a
tierra aun todo muro caerá.’
21 ”‘Y ciertamente llamaré
contra él por toda mi región
montañosa una espada —es la
expresión del Señor Soberano
Jehová[h]—. Contra su propio
hermano la espada de cada uno
llegará a estar.[i] 22 Y ciertamente me pondré en juicio[j] con
él, con peste[k] y con sangre;[l] y un
aguacero inundante y piedras de
granizo,[m] fuego[n] y azufre haré
llover sobre él y sobre sus partidas y sobre los muchos pueblos
que estarán con él.[o] 23 Y ciertamente me engrandeceré y me
santificaré[p] y me daré a conocer
delante de los ojos de muchas
naciones; y tendrán que saber
que yo soy Jehová.’[q]

39 ”Y en lo que respecta a ti,
oh hijo del hombre, profetiza contra Gog,[r] y tienes que decir: ‘Esto es lo que ha dicho el
Señor Soberano Jehová: “Aquí
estoy contra ti, oh Gog, cabecilla principal de Mesec[s] y Tubal.[t]
2 Y ciertamente te daré la vuelta y te conduciré[u] y haré que
subas de las partes más remotas
del norte[v] y te traeré sobre las
montañas de Israel. 3 Y ciertamente de un golpe derribaré
tu arco de tu mano izquierda, y
de tu propia mano derecha haré
que caigan tus flechas. 4 En
las montañas de Israel caerás,[a]
tú y todas tus partidas y los pueblos que estarán contigo. A aves
de rapiña, pájaros de toda suerte
de ala, y a las bestias salvajes del
campo ciertamente te daré como
alimento”’.[b]
5 ”‘Sobre la superficie del
campo caerás,[c] porque yo mismo
he hablado’, es la expresión del
Señor Soberano Jehová.
6 ”‘Y ciertamente enviaré
fuego sobre Magog[d] y sobre los
que habitan las islas en seguridad;[e] y la gente tendrá que saber
que yo soy Jehová. 7 Y mi santo nombre daré a conocer en medio de mi pueblo Israel, y ya no
dejaré que mi santo nombre sea
profanado;[f] y las naciones tendrán que saber que yo soy Jehová,[g] el Santo en Israel.’[h]
8 ”‘¡Mira! Tiene que venir y
tiene que realizarse[i] —es la expresión del Señor Soberano Jehová—. Este es el día del cual
he hablado.[j] 9 Y los habitantes de las ciudades de Israel ciertamente saldrán y quemarán y
harán fuegos con la armadura y
broqueles y escudos grandes...,
con los arcos y con las flechas y
con los bastones de mano y con
las lanzas; y con ellos tendrán
que prender fuegos[k] siete años.
10 Y no llevarán palos desde el
campo, ni recogerán leña de los
bosques, porque con la armadura prenderán fuegos.’
”‘Y ciertamente despojarán a
los que habían estado despojándolos,[l] y saquearán a los que habían estado saqueándolos’, es la
expresión del Señor Soberano
Jehová.
11 ”‘Y en aquel día tiene que
ocurrir que daré a Gog[m] un lugar
allí, una sepultura en Israel, el
valle de los que van pasando, al

CAP. 38
a Joe 3:16 Zac 2:8
b Dt 32:22 Na 1:2 Heb 12:29
c Sl 78:21
d Heb 12:29
e Hab 3:6
f Os 4:3
g Jer 4:24 Na 1:5
h Eze 14:17
i 2Cr 20:23 Ag 2:22 Zac 14:13
j Jer 25:31
k Zac 14:12
l Isa 66:16
m Éx 9:22 Jos 10:11 Sl 18:12
n Isa 29:6 Isa 30:30
o Gé 19:24 Sl 11:6
p Le 22:32 Eze 36:23
q Sl 9:16 Eze 25:17

CAP. 39
r Eze 38:2
s Eze 32:26
t Eze 27:13
u Eze 38:4
v Eze 38:15

2.ª col.
a Eze 38:21
b Eze 32:4 Eze 33:27 Rev 19:18
c Jer 8:2 Jer 25:33
d Eze 38:22
e Sl 72:10
f Le 18:21 Eze 20:9
g Eze 38:16
h Isa 6:3
i Rev 16:17
j Isa 46:10 2Pe 3:10
k Jos 11:6 Sl 46:9
l Job 34:11 Isa 14:2 Mt 7:2 Rev 18:6
m Eze 38:2

este del mar, y estará obstruyendo a los que pasen. Y allí tendrán que enterrar a Gog y toda su muchedumbre, y con toda certeza [lo] llamarán el valle de la Muchedumbre de Gog.ᵃ 12 Y los de la casa de Israel tendrán que enterrarlos con el fin de limpiar la tierra, por siete meses.ᵇ 13 Y toda la gente de la tierra tendrá que efectuar el entierro, y ciertamente llegará a ser para ellos un asunto de fama el día en que me glorifique',ᶜ es la expresión del Señor Soberano Jehová.

14 "'Y habrá hombres para [empleo] continuo a quienes pondrán en divisiones, mientras pasan por el país y, con los que van pasando, enterrarán a los que queden en la superficie de la tierra, para limpiarla. Hasta el fin de siete meses seguirán efectuando búsqueda. 15 Y los que vayan pasando tendrán que ir pasando por el país, y si uno realmente ve el hueso de algún hombre, también tiene que edificar junto a él un indicador, hasta que los que efectúan el entierro lo hayan enterrado en el valle de la Muchedumbre de Gog.ᵈ 16 Y el nombre de [la] ciudad será también Hamoná. Y tendrán que limpiar el país.'ᵉ

17 "Y en cuanto a ti, oh hijo del hombre, esto es lo que ha dicho el Señor Soberano Jehová: 'Di a los pájaros de toda suerte de ala y a todas las bestias salvajes del campo:ᶠ "Júntense y vengan. Reúnanse todo en derredor a mi sacrificio, que voy a sacrificar para ustedes, un gran sacrificio en las montañas de Israel.ᵍ Y ciertamente comerán carne y beberán sangre.ʰ 18 La carne de poderosos comerán,ⁱ y la sangre de principales de la tierra beberán, carneros, corderos,ʲ y machos cabríos, toros jóvenes,ᵏ los [animales] cebados de Basán todos ellos.ˡ 19 Y ciertamente comerán grasa a satisfacciónᵐ y

CAP. 39
a Eze 39:15
b Dt 21:23
c Eze 28:22
  Eze 38:16
d Eze 39:11
e Eze 39:12
f Jer 12:9
  Sof 1:7
g Isa 34:6
  Jer 46:10
  Eze 32:4
  Rev 19:17
h Rev 19:18
i Eze 29:5
j Jer 51:40
k Isa 34:7
  Jer 50:27
l Dt 32:14
  Sl 22:12
  Am 4:1
m Rev 19:21

2.ᵃ col.

a Sl 76:6
  Eze 38:4
  Ag 2:22
  Rev 19:18
b Éx 14:4
  Isa 37:20
  Eze 36:23
  Eze 38:16
  Mal 1:11
c Éx 7:4
  Éx 8:19
  1Sa 5:7
  1Sa 6:9
d Sl 9:16
  Jer 24:7
e 2Cr 7:22
  Jer 22:9
f Dt 31:18
  Sl 30:7
  Isa 59:2
g Le 26:25
  Dt 32:30
  Sl 106:41
h Le 26:24
  Eze 36:19
i Jer 30:3
  Eze 34:13
j Jer 31:1
  Os 1:11
  Zac 1:16
k Eze 34:14
  Eze 36:21
l Da 9:16
m Sl 99:8
n Le 26:5
o Jer 23:6
p Jer 30:10
  Jer 46:27
  Eze 28:25
  Am 9:14
  Sof 3:20
q Isa 5:16
  Eze 36:23
  Eze 38:16

beberán sangre hasta emborracharse, de mi sacrificio que ciertamente sacrificaré para ustedes"'.

20 "'Y en mi mesa tienen que satisfacerse de caballos y conductores de carros, personas poderosas y toda suerte de guerreros', es la expresión del Señor Soberano Jehová.ᵃ

21 "'Y ciertamente pondré mi gloria entre las naciones; y todas las naciones tendrán que ver mi juicio que he ejecutadoᵇ y mi mano que he colocado entre ellas.ᶜ 22 Y los de la casa de Israel tendrán que saber que yo soy Jehová su Dios desde aquel día y en adelante.ᵈ 23 Y las naciones tendrán que saber que debido a su [propio] error ellos, los de la casa de Israel, fueron al destierro,ᵉ a causa de que se portaron infielmente para conmigo, de modo que oculté de ellos mi rostroᶠ y los di en mano de sus adversarios, y siguieron cayendo —todos ellos— a espada.ᵍ 24 Según su inmundicia y según sus transgresiones hice con ellos,ʰ y seguí ocultando de ellos mi rostro.'

25 "Por lo tanto, esto es lo que ha dicho el Señor Soberano Jehová: 'Ahora es cuando traeré de vuelta a los cautivos de Jacobⁱ y realmente tendré misericordia sobre toda la casa de Israel;ʲ y ciertamente mostraré devoción exclusiva por mi santo nombre.ᵏ 26 Y habrán llevado su humillaciónˡ y toda su infidelidad con la cual han actuado para conmigo,ᵐ cuando moren en su suelo en seguridad,ⁿ sin nadie que [los] haga temblar.ᵒ 27 Cuando los traiga de vuelta de los pueblos y realmente los junte de las tierras de sus enemigos,ᵖ también ciertamente me santificaré entre ellos delante de los ojos de muchas naciones'.ᵍ

28 "'Y ellos tendrán que saber que yo soy Jehová su Dios, cuan-

do los envíe en destierro a las naciones y realmente los reúna sobre su suelo,[a] de modo que ya no deje quedar allí a ninguno de ellos.[b] 29 Y ya no ocultaré de ellos mi rostro,[c] porque ciertamente derramaré mi espíritu sobre la casa de Israel',[d] es la expresión del Señor Soberano Jehová".

40 En el año vigésimo quinto de nuestro destierro,[e] al comienzo del año, el [día] diez del mes, en el año decimocuarto después de haber sido derribada la ciudad,[f] en este mismísimo día la mano de Jehová resultó estar sobre mí,[g] de modo que me llevó a aquel lugar.[h] 2 En las visiones de Dios me llevó a la tierra de Israel y gradualmente me colocó sobre una montaña[i] muy alta, en la cual había algo como la estructura de una ciudad hacia el sur.[j]

3 Y procedió a llevarme allí, y, ¡mire!, había un hombre allí. Su apariencia era como la apariencia del cobre,[k] y en su mano había una cuerda de lino, y una caña de medir,[l] y él estaba de pie en la puerta. 4 Y el hombre empezó a hablarme: "Hijo del hombre,[m] mira con tus ojos, y con tus oídos oye, y pon tu corazón sobre todo lo que te voy a mostrar, porque con el fin de que [yo] te muestre has sido traído aquí. Informa todo lo que ves a la casa de Israel".[n]

5 Y, ¡mire!, había un muro fuera de la casa todo en derredor. Y en la mano del hombre había la caña de medir de seis codos, por un codo y un palmo menor. Y empezó a medir la anchura de la cosa construida, una caña; y la altura, una caña.

6 Entonces vino a la puerta, el frente de la cual da hacia el este,[o] y subió por sus escalones. Y empezó a medir el umbral de la puerta,[p] una caña de ancho, y el otro umbral, una caña de an-

cho. 7 Y la cámara del guarda era de una caña de largo y una caña de ancho, y entre las cámaras de la guardia[a] había cinco codos; y el umbral de la puerta al lado del pórtico de la puerta hacia el interior era de una caña.

8 Y procedió a medir el pórtico de la puerta hacia el interior, una caña.[b] 9 De modo que midió el pórtico de la puerta, ocho codos; y sus columnas laterales, dos codos; y el pórtico de la puerta estaba hacia el interior.

10 Y las cámaras de la guardia de la puerta hacia el este eran tres en este lado y tres en aquel lado. Las tres eran de la misma medida, y las columnas laterales eran de la misma medida, en este lado y en aquel lado.

11 Entonces midió la anchura de la entrada de la puerta, diez codos; la longitud de la puerta, trece codos.

12 Y la zona cercada enfrente de las cámaras de la guardia era de un codo, y había una zona cercada de un codo a [ambos] lados. Y la cámara del guarda era de seis codos en este lado y seis codos en aquel lado.

13 Y pasó a medir la puerta desde el techo de la [una] cámara de guarda hasta el techo de la otra, una anchura de veinticinco codos;[c] una entrada estaba opuesta a la otra entrada. 14 Entonces hizo columnas laterales de sesenta codos, aun a la[s] columna[s] lateral[es] del patio en la[s] puerta[s] todo en derredor. 15 Y por el frente de la puerta del paso de entrada [hasta] por el frente del pórtico de la puerta interior había cincuenta codos.

16 Y había ventanas de marcos que se enangostaban[d] para las cámaras de la guardia y para sus columnas laterales hacia el interior de la puerta todo en

Referencias (columna central):

CAP. 39
a Eze 34:30
b Dt 30:4
c Isa 45:17
  Isa 54:8
  Jer 29:14
d Isa 32:15
  Joe 2:28
  Zac 12:10
CAP. 40
e 2Re 24:15
f 2Re 25:9
  2Cr 36:19
  Eze 33:21
g Eze 1:3
h Eze 8:3
i Isa 2:2
  Miq 4:1
j Rev 21:10
k Eze 1:7
  Da 10:6
l Sl 78:55
  Eze 47:3
  Zac 2:1
  Rev 11:1
  Rev 21:15
m Eze 44:5
n Jer 26:2
  Eze 43:10
  Hch 20:27
o Eze 40:10
  Eze 43:1
p Eze 46:2
2.ª col.
a 1Cr 9:26
b Eze 40:5
c Eze 40:21
d 1Re 6:4
  Eze 41:26

derredor, y así era para los pórticos. Y las ventanas estaban todo en derredor hacia el interior, y en las columnas laterales había figuras de palmeras.[a]

17 Y gradualmente me introdujo en el patio exterior, y, ¡mire!, había comedores,[b] y un pavimento hecho para el patio todo en derredor. Había treinta comedores sobre el pavimento.[c] 18 Y el pavimento al lado de las puertas tenía exactamente la longitud de las puertas... el pavimento inferior.

19 Y procedió a medir la anchura desde enfrente de la puerta inferior hasta el frente del patio interior. Afuera era cien codos, al este y al norte.

20 Y el patio exterior tenía una puerta cuyo frente daba hacia el norte. Él midió su longitud y su anchura. 21 Y sus cámaras de la guardia eran tres en este lado y tres en aquel lado. Y sus propias columnas laterales y su propio pórtico resultaron ser según la medida de la primera puerta. Cincuenta codos era su longitud, y su anchura era veinticinco codos. 22 Y sus ventanas y su pórtico y sus figuras de palmera[d] eran de la misma medida que los de la puerta cuyo frente daba hacia el este. Y por siete escalones la gente podía subir a ella, y su pórtico estaba hacia el frente de ellos.

23 Y la puerta del patio interior estaba opuesta a la puerta del norte; también [una] hacia el este. Y procedió a medir de puerta a puerta cien codos.

24 Y gradualmente me llevó hacia el sur, y, ¡mire!, había una puerta hacia el sur,[e] y midió sus columnas laterales y su pórtico como de las mismas medidas que estos. 25 Y esta y su pórtico tenían ventanas todo alrededor, como estas ventanas. Cincuenta codos era la longitud, y la anchura era veinti-

cinco codos. 26 Y había siete escalones para subir a ella,[a] y su pórtico estaba hacia el frente de ellos. Y tenía figuras de palmeras, una en este lado y una en aquel lado en sus columnas laterales.

27 Y el patio interior tenía una puerta hacia el sur. Y midió de puerta a puerta hacia el sur cien codos. 28 Y gradualmente me introdujo en el patio interior por la puerta del sur. Y procedió a medir la puerta del sur como de las mismas medidas que estas. 29 Y sus cámaras de la guardia y sus columnas laterales y su pórtico eran de las mismas medidas que estos. Y esta y su pórtico tenían ventanas alrededor. Cincuenta codos era la longitud, y la anchura era veinticinco codos.[b] 30 Y había pórticos todo alrededor; la longitud era veinticinco codos, y la anchura cinco codos. 31 Y su pórtico daba al patio exterior, y había figuras de palmeras en sus columnas laterales,[c] y su subida era de ocho escalones.[d]

32 Y gradualmente me introdujo en el patio interior por vía del este, y procedió a medir la puerta como de las mismas medidas que estas. 33 Y sus cámaras de la guardia y sus columnas laterales y su pórtico eran de las mismas medidas que estos, y esta y su pórtico tenían ventanas todo en derredor. La longitud era cincuenta codos, y la anchura veinticinco codos. 34 Y su pórtico daba hacia el patio exterior, y había figuras de palmeras en sus columnas laterales en este lado y en aquel lado. Y su subida era de ocho escalones.

35 Y procedió a llevarme a la puerta del norte,[e] y midió, con las mismas medidas que estos,[f] 36 sus cámaras de la guardia, sus columnas laterales y su pór-

CAP. 40
a 1Re 6:35

b 1Cr 28:12

c Eze 45:5

d Eze 41:20
Eze 41:26

e Eze 46:9

2.ª col.
a Eze 40:22

b Eze 40:21

c Eze 40:16

d Eze 40:34
Eze 40:37

e Eze 44:4

f Eze 40:32

tico. Y tenía ventanas todo en derredor. La longitud era cincuenta codos, y la anchura veinticinco codos. 37 Y hacia el patio exterior estaban sus columnas laterales, y había figuras de palmeras en sus columnas laterales en este lado y en aquel lado.ᵃ Y su subida era de ocho escalones.

38 Y un comedor con su entrada estaba junto a las columnas laterales de las puertas. Allí era donde enjuagaban el holocausto.ᵇ

39 Y en el pórtico de la puerta había dos mesas en este lado y dos mesas en aquel lado, para degollar sobre ellas el holocaustoᶜ y la ofrenda por el pecadoᵈ y la ofrenda por la culpa.ᵉ 40 Y en el lado exterior, según uno sube a la entrada de la puerta del norte, había dos mesas. Y en el otro lado que pertenece al pórtico de la puerta había dos mesas. 41 Había cuatro mesas aquí y cuatro mesas allá al lado de la puerta... ocho mesas, sobre las cuales degollaban. 42 Y las cuatro mesas para el holocausto eran de piedra labrada. La longitud era codo y medio, y la anchura codo y medio, y la altura un codo. Sobre ellas también depositaban los efectos con los cuales degollaban el holocausto y el sacrificio. 43 Y las partes salientes para colocar cosas en ellas eran de un palmo menor, firmemente fijadas en el interior, todo alrededor; y sobre las mesas [depositaban] la carne de la ofrenda de dádiva.ᶠ

44 Y fuera de la puerta interior estaban los comedores de los cantores,ᵍ en el patio interior, que está al lado de la puerta del norte. Y el lado del frente de estos daba hacia el sur. Había uno al lado de la puerta del este. El frente daba hacia el norte.

45 Y procedió a hablarme:

"Este, el comedor cuyo frente está hacia el sur, es para los sacerdotes que están encargados de la obligación de la casa.ᵃ 46 Y el comedor cuyo frente está hacia el norte es para los sacerdotes que están encargados de la obligación del altar.ᵇ Son los hijos de Sadoc,ᶜ quienes, de los hijos de Leví, se acercan a Jehová para ministrarle".ᵈ

47 Y se puso a medir el patio [interior]. La longitud era cien codos, y la anchura cien codos, cuadrado. Y el altar estaba delante de la casa.

48 Y procedió a introducirme en el pórtico de la casa,ᵉ y se puso a medir la columna lateral del pórtico, cinco codos en este lado y cinco codos en aquel lado. Y la anchura de la puerta era tres codos en este lado y tres codos en aquel lado.

49 La longitud del pórtico era veinte codos, y la anchura once codos. Y por escalones era como subían a él. Y había columnas junto a los postes laterales, una aquí y otra allá.ᶠ

41 Y procedió a introducirme en el templo, y se puso a medir las columnas laterales; seis codos era la anchura aquí y seis codos la anchura allá, la anchura de la columna lateral. 2 Y la anchura de la entrada era diez codos, y los lados de la entrada eran de cinco codos aquí y cinco codos allá. Y se puso a medir su longitud, cuarenta codos; y la anchura, veinte codos.

3 Y pasó adentro y procedió a medir la columna lateral de la entrada, dos codos; y la entrada, seis codos; y la anchura de la entrada era siete codos. 4 Y se puso a medir su longitud, veinte codos;ᵍ y [su] anchura, veinte codos, delante del templo. Entonces me dijo: "Este es el Santísimo".ʰ

5 Y procedió a medir la pared de la casa, seis codos. Y la an-

CAP. 40
a Eze 40:31
b Le 8:21
c Le 1:3
Eze 43:18
d Le 4:3
e Le 5:6
Le 7:1
Eze 42:13
Eze 44:29
f Le 1:6
Le 8:20
g 1Cr 6:31
Ef 5:19
Col 3:16
2.ᵃ col.
a Le 8:35
Nú 3:7
Nú 3:32
1Cr 9:23
2Cr 13:11
Sl 134:1
b Le 6:12
Nú 18:5
c 1Re 2:35
Eze 43:19
d Nú 16:40
Eze 44:15
e 1Re 6:3
2Cr 3:4
f 1Re 7:21
Jer 52:17
Rev 3:12
CAP. 41
g 1Re 6:20
2Cr 3:8
h Éx 26:33

chura de la cámara lateral era cuatro codos, a la redonda; todo en derredor de la casa era, a la redonda.ᵃ 6 Y las cámaras laterales eran cámara lateral sobre cámara lateral, tres [pisos], y treinta veces; y entraban en la pared que pertenecía a la casa, es decir, las cámaras laterales todo en derredor, para que se las retuviera adentro, pero no se las retenía adentro en la pared de la casa.ᵇ 7 Y había un ensancharse y dar vueltas hacia arriba y más arriba a las cámaras laterales, porque el pasaje de caracol de la casa era hacia arriba y más arriba todo en derredor de la casa.ᶜ Por lo tanto, había un ensanchamiento de la casa hacia arriba, y desde el [piso] inferior uno podía subir al [piso] superior,ᵈ por el [piso] de en medio.

8 Y vi que había una plataforma alta para la casa todo en derredor. En lo que respecta a los fundamentos de las cámaras laterales, había una caña completa de seis codos hasta la unión.ᵉ 9 La anchura de la pared que pertenecía a la cámara lateral, hacia fuera, era cinco codos. Y había un espacio dejado libre [por] la construcción de las cámaras laterales que pertenecían a la casa.

10 Y entre los comedoresᶠ la anchura era de veinte codos a la redonda de la casa, todo en derredor. 11 Y la entrada a la cámara lateral daba al espacio dejado libre, y una entrada estaba hacia el norte y una entrada hacia el sur; y la anchura de la zona del espacio dejado libre era cinco codos, todo en derredor.

12 Y el edificio que estaba delante de la zona separada, el lado [del cual] daba hacia el oeste, era de setenta codos de ancho. Y la pared del edificio era de cinco codos de anchura, estando todo en derredor; y su longitud era noventa codos.

13 Y midió la casa, cien codos de longitud; y la zona separada y el edificio y sus paredes, cien codos de longitud. 14 Y la anchura del frente de la casa y la zona separada al este era cien codos.

15 Y midió la longitud del edificio delante de la zona separada que estaba detrás de ella, y sus galerías de este lado y de aquel lado, cien codos.

También el templo [y] el lugar interiorᵃ y los pórticos del patio; 16 los umbrales, y las ventanas con marcos que se enangostaban;ᵇ y las galerías estaban a la redonda de los tres. Enfrente del umbral estaba cubierto de madera todo en derredor,ᶜ y [desde] el suelo hacia arriba a las ventanas; y las ventanas eran [ventanas] cubiertas. 17 Hasta sobre la entrada y hasta la casa interior y por fuera y sobre toda la pared todo en derredor, en la [casa] interior y por fuera, había medidas, 18 hasta querubines talladosᵈ y figuras de palmeras,ᵉ con una figura de palmera entre querubín y querubín, y el querubín tenía dos rostros.ᶠ 19 Y el rostro de un hombre estaba hacia la figura de la palmera en este lado, y la cara de un leoncillo crinado estaba hacia la figura de la palmera en aquel lado,ᵍ y estaban tallados sobre toda la casa todo en derredor. 20 Desde el piso hasta sobre la entrada había querubines y figuras de palmeras tallados, [en] la pared del templo.

21 En cuanto al templo, la jamba de la puerta era cuadrangular;ʰ y frente al lugar santo había una apariencia como la [siguiente] apariencia: 22 el altar de madera tenía tres codos de alto, y su longitud era dos codos, y tenía sus postes de las esquinas.ⁱ Y su longitud y sus

CAP. 41
a 1Re 6:5

b 1Re 6:6
1Re 6:10

c 1Re 6:8

d Eze 42:5

e Eze 40:5

f 1Cr 28:12
2.ª col.
a 2Cr 3:8
Eze 41:4

b 1Re 6:4

c 1Re 6:15
2Cr 3:5

d 1Re 6:29
1Re 7:36
2Cr 3:7

e Eze 40:16

f Eze 10:14

g Eze 1:10
Rev 4:7

h 1Re 6:33

i Éx 30:1
1Re 7:48
2Cr 4:19
Rev 8:3

paredes eran de madera. Y él procedió a hablarme: "Esta es la mesa que está delante de Jehová".[a]

23 Y el templo y el lugar santo tenían dos puertas.[b] 24 Y dos hojas de puerta pertenecían a las puertas, y las dos podían girar. Una puerta tenía dos hojas de puerta, y la otra tenía dos hojas de puerta. 25 Y había, hechos sobre ellas, sobre las puertas del templo, querubines y figuras de palmeras,[c] como aquellos hechos para las paredes, y había un cobertizo de madera sobre el frente del pórtico afuera. 26 Y había ventanas de marcos que se enangostaban[d] y figuras de palmeras aquí y allá a lo largo de los lados del pórtico y las cámaras laterales de la casa y los cobertizos.

42 Y gradualmente me sacó[e] al patio exterior por el camino hacia el norte.[f] Y procedió a llevarme al [conjunto de] comedores[g] que estaba enfrente de la zona separada[h] y que estaba enfrente del edificio hacia el norte. 2 Delante de la longitud de cien codos estaba la entrada del norte, y la anchura era cincuenta codos. 3 Enfrente de los veinte [codos] que pertenecían al patio interior[i] y enfrente del pavimento[j] que pertenecía al patio exterior había galería[k] frente a galería en tres [pisos]. 4 Y delante de los comedores había un pasadizo de diez codos de ancho hacia dentro,[l] un camino de un codo, y sus entradas daban al norte. 5 Y en cuanto a los comedores, los más elevados eran más cortos, porque las galerías les restaban, más que a los más bajos y que a los de en medio, en lo que se refiere [al] edificio. 6 Porque estaban en tres pisos,[m] y no tenían columnas como las columnas de los patios. Por eso se qui-

taba más espacio que de los más bajos y de los de en medio desde el piso.

7 Y el muro de piedra que estaba afuera estaba cerca de los comedores hacia el patio exterior delante de los [otros] comedores. Su longitud era cincuenta codos. 8 Porque la longitud de los comedores que estaban hacia el patio exterior era cincuenta codos, y, ¡mire!, delante del templo era cien codos. 9 Y de debajo de estos comedores el paso de entrada estaba hacia el este, cuando uno entra a ellos desde el patio exterior.

10 En la anchura del muro de piedra del patio hacia el este, delante de la zona separada[a] y delante del edificio, había comedores.[b] 11 Y había un camino delante de ellos como la apariencia de los comedores que estaban hacia el norte;[c] así era la longitud de ellos [y] así era su anchura; y todas sus salidas [eran iguales], y sus planos iguales y sus entradas iguales. 12 Y como las entradas a los comedores que estaban hacia el sur era la entrada en la cabecera del camino, el camino delante del correspondiente muro de piedra hacia el este, cuando uno entra a ellos.[d]

13 Y procedió a decirme: "Los comedores del norte [y] los comedores del sur que están delante de la zona separada,[e] esos son los comedores santos, donde los sacerdotes que se acercan[f] a Jehová comen las cosas santísimas.[g] Allí depositan las cosas santísimas y la ofrenda de grano y la ofrenda por el pecado y la ofrenda por la culpa, porque el lugar es santo.[h] 14 Cuando ellos, los sacerdotes, hayan entrado, no saldrán también del lugar santo al patio exterior, sino que allí depositarán sus prendas de vestir con las cuales acostumbran ministrar,[i] porque

---

CAP. 41
a Eze 44:16
Mal 1:7

b 1Re 6:32
2Cr 4:22

c Eze 41:18

d Eze 40:16

CAP. 42
e Eze 40:2
Eze 41:1

f Eze 40:20
Rev 11:2

g Eze 42:13

h Eze 41:12
Eze 41:15

i Eze 41:10

j 2Cr 7:3
Eze 40:18

k Eze 41:16

l Eze 42:11

m 1Re 6:8
Eze 41:6

2.ª col.
a Eze 41:12

b Eze 42:1

c Eze 42:4

d Eze 42:9

e Eze 42:1

f Nú 16:5
Dt 21:5
Eze 40:46

g Le 6:16
Le 7:6
Le 10:13
Le 24:9
Nú 18:10

h Le 2:3
Nú 18:9
Ne 13:5

i Éx 28:40
Éx 29:8
Le 8:13
Eze 44:19

son algo santo. Se vestirán con otras prendas de vestir,[a] y tienen que acercarse a lo que tiene que ver con la gente".

15 Y terminó las medidas de la casa interior, y me sacó por vía de la puerta cuyo frente daba al este,[b] y lo midió todo en derredor.

16 Midió el lado del este con la caña de medir. Era quinientas cañas, por la caña de medir,[c] a la redonda.

17 Midió el lado del norte, quinientas cañas, por la caña de medir, a la redonda.

18 El lado del sur midió, quinientas cañas, por la caña de medir.

19 Fue alrededor al lado del oeste. Midió quinientas cañas, por la caña de medir.

20 Por los cuatro lados lo midió. Tenía un muro todo en derredor,[d] con una longitud de quinientas [cañas] y una anchura de quinientas [cañas],[e] para hacer división entre lo que es santo y lo que es profano.[f]

43 Entonces me hizo ir a la puerta, la puerta que mira hacia el este.[g] 2 Y, ¡mire!, la gloria[h] del Dios de Israel venía de la dirección del este, y su voz era como la voz de vastas aguas;[i] y la tierra misma brilló debido a su gloria.[k] 3 Y era como la apariencia de la visión que yo había visto,[l] como la visión que vi cuando vine a arruinar la ciudad;[m] y había apariencias como la apariencia que vi junto al río Kebar,[n] y procedí a caer sobre mi rostro.

4 Y la gloria[o] misma de Jehová entró en la Casa por vía de la puerta cuyo frente estaba hacia el este.[p] 5 Y un espíritu procedió a alzarme[q] e introducirme en el patio interior, y, ¡mire!, la Casa se había llenado de la gloria de Jehová.[r] 6 Y empecé a oír a alguien que me hablaba desde la Casa,[s] y [el] hombre mismo ha-

bía llegado a estar de pie a mi lado.[a] 7 Y Él pasó a decirme: "Hijo del hombre, [este es] el lugar de mi trono[b] y el lugar de las plantas de mis pies,[c] donde residiré en medio de los hijos de Israel hasta tiempo indefinido;[d] y ellos, los de la casa de Israel, ya no contaminarán mi santo nombre,[e] ellos y sus reyes,[f] por su fornicación y por los cadáveres[g] de sus reyes en su muerte, 8 por poner su umbral con mi umbral y su poste de la puerta al lado de mi poste de la puerta, con la pared entre yo y ellos.[h] Y contaminaron mi santo nombre por sus cosas detestables que hicieron,[i] de modo que fui exterminándolos en mi cólera.[j] 9 Ahora que alejen de mí su fornicación[k] y los cadáveres de sus reyes,[l] y ciertamente residiré en medio de ellos hasta tiempo indefinido.[m]

10 "En cuanto a ti, oh hijo del hombre, informa a la casa de Israel en cuanto a la Casa,[n] para que se sientan humillados debido a sus errores,[o] y tienen que medir el modelo. 11 Y si realmente se sienten humillados debido a todo lo que han hecho, de veras dales a conocer la delineación fundamental del edificio de la Casa,[p] y su arreglo y sus salidas y sus pasos de entrada, y todas sus delineaciones fundamentales y todas sus especificaciones, y todas sus delineaciones fundamentales y todas sus leyes, y escríbelas delante de sus ojos, para que observen toda su delineación fundamental y todas sus especificaciones y realmente las ejecuten.[q] 12 Esta es la ley de la Casa. En la cima de la montaña su territorio entero todo en derredor es algo santísimo. ¡Mira! Esta es la ley de la Casa.

13 "Y estas son las medidas del altar en codos,[s] y un codo es un codo y un palmo menor.[t] Y

CAP. 42
a Isa 61:10
b Eze 40:6
c Eze 40:5
d Eze 40:5
e Eze 45:2
f Le 10:10
Eze 22:26
Eze 44:23
2Co 6:17
Rev 21:27

CAP. 43
g Eze 10:19
Eze 40:6
Eze 42:15
Eze 44:1
h Isa 6:3
Eze 3:23
Eze 9:3
i Eze 11:23
j Sl 29:3
Eze 1:24
Jn 12:29
k Isa 60:1
Eze 10:4
Dan 2:14
Rev 21:23
l Eze 1:4
m Jer 1:10
n Eze 1:3
Eze 3:23
o Eze 10:19
p Eze 44:2
q Eze 3:12
Eze 8:3
Eze 11:24
r Éx 40:34
1Re 8:10
2Cr 5:14
Isa 6:3
Eze 44:4
s Rev 16:1

2.ª col.
a Eze 40:3
b Sl 47:8
Isa 6:1
Jer 3:17
Eze 1:26
Sl 99:5
d Éx 29:45
Sl 68:16
Sl 132:14
Joe 3:17
2Co 6:16
e Eze 39:7
Os 14:8
Zac 13:2
f 1Re 11:7
2Re 21:2
2Cr 33:7
g Jer 16:18
h 2Re 16:14
Eze 8:3
i Am 2:7
j Da 9:12
k Os 2:2
l Eze 37:23
m Eze 37:26
2Co 6:16
n Eze 40:4
o Eze 16:63
Ro 6:21
p Eze 44:5
Heb 8:5
q Eze 11:20
Eze 36:27
Jn 13:17
r Sl 93:5
Eze 40:2
Eze 42:20

---

s Éx 27:1; 2Cr 4:1; t Eze 40:5.

[su] fondo es un codo. Y un codo es la anchura. Y su borde está sobre su labio a la redonda, un palmo. Y esta es la base del altar. 14 Y desde el fondo en el piso hasta el saliente inferior circundante hay dos codos, y la anchura es un codo. Y desde el pequeño saliente circundante hasta el gran saliente circundante hay cuatro codos, y [su] anchura es un codo. 15 Y el hogar del altar es de cuatro codos, y desde el hogar del altar y hacia arriba están los cuatro cuernos.ª 16 Y el hogar del altar tiene doce [codos] de longitud, con doce [codos] de anchura,ᵇ cuadrado en sus cuatro lados.ᶜ 17 Y el saliente circundante es de catorce [codos] de longitud, con catorce [codos] de anchura, en sus cuatro lados; y el borde que lo cerca es de medio codo, y su fondo es de un codo a la redonda.

"Y sus escalones miran al este".

18 Y procedió a decirme: "Hijo del hombre, esto es lo que ha dicho el Señor Soberano Jehová: 'Estos son los estatutos del altar del día en que sea hecho, para ofrecer sobre él holocaustosᵈ y para rociar sobre él sangre'.ᵉ

19 "'Y tienes que dar a los sacerdotes levíticos,ᶠ quienes son de la prole de Sadoc,ᵍ los que se acercan a míʰ —es la expresión del Señor Soberano Jehová— para ministrar a mí, un toro joven, hijo de [la] vacada, como ofrenda por el pecado.ⁱ 20 Y tienes que coger parte de su sangre y poner[la] sobre sus cuatro cuernos y sobre las cuatro esquinas del saliente circundante y sobre el borde en derredor, y purificarlo de pecado,ʲ y hacer expiación por él.ᵏ 21 Y tienes que tomar el toro joven, la ofrenda por el pecado, y uno tiene que quemarlo en el lugar señalado de la Casa, fuera del santuario.ˡ 22 Y el segundo día harás que se

acerque un macho de las cabras, uno sano, como ofrenda por el pecado; y ellos tienen que purificar de pecado el altar lo mismo que [lo] habrán purificado de pecado con el toro joven.'

23 "'Al haber acabado el purificar del pecado harás que se acerque un toro joven, hijo de [la] vacada, uno sano, y un carnero del rebaño, uno sano. 24 Y tienes que hacer que se acerquen delante de Jehová, y los sacerdotes tienen que lanzar sal sobre ellos y ofrecerlosª como holocausto a Jehová. 25 Por siete días ofrecerás un macho cabrío como ofrenda por el pecado para el día;ᵇ y un toro joven, hijo de [la] vacada, y un carnero del rebaño, perfectos, ellos ofrecerán. 26 Por siete días harán expiaciónᶜ por el altar, y tienen que limpiarlo e instalarlo. 27 completarán los días. Y en el octavo día,ᵈ y desde entonces en adelante, tiene que ocurrir que los sacerdotes ofrecerán sobre el altar los holocaustos de ustedes y sus sacrificios de comunión; y ciertamente me complaceré en ustedes',ᵉ es la expresión del Señor Soberano Jehová".

44 Y procedió a traerme de vuelta por vía de la puerta del santuario, la exterior que mira al este,ᶠ y estaba cerrada.ᵍ 2 Entonces Jehová me dijo: "En lo que respecta a esta puerta, cerrada es como continuará. No será abierta, y ningún simple hombre entrará por ella; porque Jehová mismo, el Dios de Israel,ʰ ha entrado por ella, y tiene que continuar cerrada. 3 No obstante, en cuanto al principalⁱ... como principal él mismo se sentará en ella, para comer pan delante de Jehová.ʲ Por vía del pórtico de la puerta entrará, y por vía del mismo saldrá".ᵏ

4 Y ahora me trajo por vía de la puerta del norte hasta delante

---

CAP. 43
a Éx 27:2
Rev 9:13

b 2Cr 4:1

c Éx 38:1

d Éx 40:29

e Le 1:5
Le 8:19
Eze 45:19

f Isa 61:6
Jer 33:18
1Pe 2:5

g Eze 40:46
Eze 44:15
Eze 48:11

h Nú 16:40

i Éx 29:10
Le 8:14
Heb 7:27

j Éx 29:36
Le 4:26

k Le 8:15
Le 16:19
Heb 9:23

l Éx 29:14
Le 8:17
Heb 13:11

2.ª col.
a Le 2:13

b Éx 29:35

c Le 8:34

d Le 9:1

e Job 42:8
Eze 20:40
Ro 12:1
1Pe 2:5

CAP. 44
f Eze 43:1

g Eze 46:1

h Éx 24:10
Eze 43:2

i Sl 45:16
Isa 32:1

j Gé 31:54
Dt 12:7
1Co 10:18

k Eze 40:9
Eze 46:2

de la Casa, para que viera, y, ¡mire!, la gloria de Jehová había llenado la casa de Jehová.[a] Y procedí a caer sobre mi rostro.[b] 5 Entonces Jehová me dijo: "Hijo del hombre, pon tu corazón[c] y ve con tus ojos, y con tus oídos oye todo lo que estoy hablando contigo respecto a todos los estatutos de la casa de Jehová y respecto a todas sus leyes, y tienes que poner tu corazón sobre el paso de entrada de la Casa con todas las salidas del santuario. 6 Y tienes que decir a Rebeldía,[d] a la casa de Israel: 'Esto es lo que ha dicho el Señor Soberano Jehová: "Basta de ustedes debido a todas sus cosas detestables, oh casa de Israel,[e] 7 cuando introducen los extranjeros incircuncisos de corazón e incircuncisos de carne,[f] para que lleguen a estar en mi santuario para profanarlo, aun mi casa; cuando presentan mi pan,[g] grasa[h] y sangre,[i] mientras ellos siguen quebrantando mi pacto a causa de todas las cosas detestables de ustedes.[j] 8 Tampoco se han encargado ustedes de la obligación de mis cosas santas,[k] ni quisieron apostar [a otros] como cuidadores de mi obligación en mi santuario para ustedes"'.[l]

9 "'Esto es lo que ha dicho el Señor Soberano Jehová: "Ningún extranjero, incircunciso de corazón e incircunciso de carne, podrá entrar en mi santuario, es decir, ningún extranjero que esté en medio de los hijos de Israel".'[m]

10 "'Pero en cuanto a los levitas que se alejaron de mí[n] cuando Israel, quien se alejó vagando de mí, se fue vagando tras sus ídolos estercolizos, ellos también tienen que llevar su error.[o] 11 Y en mi santuario tienen que llegar a ser ministros en posiciones de superintendencia sobre las puertas de la Casa y ministros en la Casa.[p] Ellos mismos

degollarán el holocausto y el sacrificio para el pueblo,[a] y ellos mismos estarán de pie delante de ellos para ministrarles.[b] 12 Debido a que siguieron ministrándoles a ellos delante de sus ídolos estercolizos[c] y llegaron a ser para la casa de Israel un tropiezo que llevó al error,[d] por eso he alzado mi mano contra ellos[e] —es la expresión del Señor Soberano Jehová— y tienen que llevar su error. 13 Y no se acercarán a mí para hacerme trabajo de sacerdotes ni para acercarse a cualesquiera cosas santas mías, a las cosas santísimas,[f] y tienen que llevar su humillación y sus cosas detestables que hicieron.[g] 14 Y ciertamente los haré cuidadores de la obligación de la Casa, en lo que respecta a todo su servicio y en lo que respecta a todo lo que se debe hacer en ella.'[h]

15 "'Y en cuanto a los sacerdotes levíticos,[i] los hijos de Sadoc,[j] quienes se encargaron de la obligación de mi santuario cuando los hijos de Israel se alejaron vagando de mí,[k] ellos mismos se acercarán a mí para ministrarme, y ellos tienen que estar de pie delante de mí[l] para presentarme grasa[m] y sangre[n] —es la expresión del Señor Soberano Jehová—. 16 Ellos son los que entrarán en mi santuario,[o] y ellos mismos se acercarán a mi mesa a ministrarme,[p] y ellos tienen que encargarse de la obligación para conmigo.[q]

17 "'Y tiene que ocurrir que cuando entren por las puertas del patio interior deben usar prendas de vestir de lino, y ninguna lana debe subir con ellos cuando ministren en las puertas del patio interior y adentro.[r] 18 Prendas de lino para la cabeza es lo que debe resultar estar en su cabeza,[s] y calzoncillos de lino son los que deben resultar estar sobre sus caderas.[t] No deben ceñirse con [lo que cause]

CAP. 44

a Isa 6:3
  Eze 3:23
  Eze 10:4
b Gé 17:3
  Eze 1:28
c Dt 32:46
  2Cr 11:16
  Pr 24:32
  Eze 40:4
d Dt 31:27
  Isa 1:20
  Isa 30:9
  Eze 2:5
e Eze 45:9
  1Pe 4:3
f Le 22:25
  Hch 21:28
g Le 21:6
  Mal 1:7
h Le 3:16
i Le 17:11
j Le 26:15
  Dt 31:16
  Jer 11:10
  Heb 8:9
k Le 22:2
  Nú 18:3
  Hch 7:53
l 1Cr 23:32
m Sl 50:16
  Joe 3:17
  Zac 14:21
n 2Re 23:8
  2Cr 29:5
  Ne 9:34
  Jer 23:11
  Eze 8:12
o Eze 48:11
p 1Cr 26:1

2.ª col.

a 2Cr 29:34
b Nú 16:9
c Eze 6:13
d Isa 9:16
  Mal 2:8
e Dt 32:40
  Sl 106:26
f Nú 18:3
  2Re 23:9
g Eze 32:30
h Nú 18:4
  1Cr 23:28
  1Cr 23:32
i Eze 40:46
  Eze 43:19
j 1Re 2:35
k Eze 44:10
  Eze 48:11
l Dt 10:8
  Eze 43:19
m Le 3:16
n Le 17:6
o Rev 1:6
p Eze 41:22
  Mal 1:7
q Nú 18:7
r Éx 28:39
  Éx 39:27
  Le 16:4
  Rev 19:8
s Éx 28:40
  Éx 39:28
t Éx 28:42

sudor. 19 Y cuando salgan al patio exterior, [aun] al patio exterior a la gente, deben despojarse de sus prendas de vestir en las cuales estaban ministrando,[a] y tienen que depositarlas en los comedores santos[b] y ponerse otras prendas de vestir, para que no santifiquen a la gente con sus prendas de vestir.[c] 20 Y no se deben afeitar la cabeza,[d] y no deben llevar suelto el cabello de la cabeza. Por supuesto deben recortar [el cabello de] sus cabezas.[e] 21 Y ningún sacerdote debe beber vino en absoluto cuando entra en el patio interior.[f] 22 Y a ninguna viuda o divorciada deben ellos tomar para sí por esposas,[g] sino a vírgenes de la prole de la casa de Israel[h] o a la viuda de un sacerdote pueden tomar.[i]

23 "Y deben instruir a mi pueblo en cuanto a la diferencia entre una cosa santa y una cosa profana; y deben hacer que sepan la diferencia entre lo que es inmundo y lo que es limpio.[j] 24 Y en una causa judicial ellos mismos deben ponerse de pie para juzgar;[j] con mis decisiones judiciales tienen también que juzgarla.[k] Y mis leyes y mis estatutos con referencia a todos mis períodos de fiesta[l] deben guardar, y mis sábados deben santificar.[m] 25 Y a una persona muerta de la humanidad él no debe venir para hacerse inmundo, pero por padre o por madre o por hijo o por hija [o] por hermano o por hermana que no haya llegado a ser de un esposo pueden hacerse inmundos.[n] 26 Y después de su purificación, deben contársele siete días.[o] 27 Y el día en que entre en el lugar santo, en el patio interior, a ministrar en el lugar santo, debe presentar su ofrenda por el pecado,[p] es la expresión del Señor Soberano Jehová.

28 "Y tiene que llegar a ser de ellos como herencia: Yo soy su

herencia.[a] Y ninguna posesión deben darles ustedes en Israel: Yo soy su posesión. 29 La ofrenda de grano y la ofrenda por el pecado y la ofrenda por la culpa... ellos son quienes las comerán.[b] Y toda cosa dada por entero en Israel... suya llegará a ser.[c] 30 Y los primeros de todos los primeros frutos maduros de todo, y toda contribución de todo procedente de todas las contribuciones de ustedes... a los sacerdotes llegará a pertenecer;[d] y las primicias de sus harinas a medio moler deben dar al sacerdote,[e] para hacer que una bendición descanse sobre tu casa.[f] 31 Los sacerdotes no deben comer ningún cuerpo [ya] muerto ni ninguna criatura despedazada de las criaturas voladoras ni de las bestias.[g]

45 "Y cuando ustedes asignen [por sorteo] la tierra como herencia,[h] deben ofrecer una contribución a Jehová,[i] una porción santa sacada de la tierra;[j] en cuanto a longitud, veinticinco mil [codos] de longitud, y en cuanto a anchura, diez mil.[k] Será una porción santa en todos sus límites a la redonda.[l] 2 De esto resultará haber para el lugar santo quinientos por quinientos, hecho en cuadro alrededor; y cincuenta codos tendrá como dehesa a cada lado.[m] 3 Y de esta medida debes medir la longitud de veinticinco mil y la anchura de diez mil, y en ella el santuario llegará a estar, algo santísimo.[n] 4 Como porción santa tomada de la tierra llegará a ser para los sacerdotes mismos,[o] los ministros del santuario, los que se acercan a ministrar a Jehová.[p] Y para ellos tiene que resultar ser un lugar para casas, y un lugar sagrado para el santuario.

5 "Habrá veinticinco mil en longitud y diez mil en anchura.[q] Llegará a ser de los levitas, los

ministros de la casa. Como posesión tendrán veinte comedores.[a]

6 "'Y como la posesión de la ciudad, ustedes darán cinco mil en anchura y una longitud de veinticinco mil, exactamente como la contribución santa.[b] A toda la casa de Israel llegará a pertenecer.

7 "'Y para el principal habrá en este lado y en aquel lado de la contribución santa[c] y de la posesión de la ciudad, al lado de la contribución santa y al lado de la posesión de la ciudad, algo al lado occidental hacia el oeste, y algo al lado oriental hacia el este. Y la longitud será exactamente como una de las partes correspondientes, desde el límite occidental hasta el límite oriental.[d] 8 En lo que respecta a la tierra, llegará a ser de él como posesión en Israel. Y mis principales no maltratarán a mi pueblo,[e] y la tierra la darán a la casa de Israel con respecto a sus tribus.'[f]

9 "Esto es lo que ha dicho el Señor Soberano Jehová: '¡Basta de ustedes, oh principales de Israel!'.[g]

"'Remuevan la violencia y la expoliación,[h] y hagan derecho y justicia mismos.[i] Levanten de mi pueblo sus expropiaciones'[j] —es la expresión del Señor Soberano Jehová—. 10 Balanzas exactas y un efá exacto y una medida de bato exacta deben llegar a tener.[k] 11 En lo que respecta al efá y a la medida de bato, debe llegar a haber solamente una cantidad fija, de modo que el bato lleve la décima parte de un homer, y un efá[l] la décima parte del homer; con referencia al homer, debe resultar ser su cantidad requerida. 12 Y el siclo[m] es veinte guerás.[n] Veinte siclos, veinticinco siclos, quince siclos debe resultar ser el mané para ustedes.'

13 "'Esta es la contribución que ustedes deben ofrecer, la

Referencias (columna central)

CAP. 45
a 1Cr 9:26
Eze 40:17
b Eze 48:15
c Eze 46:16
d Eze 48:21
e Pr 28:16
Isa 32:1
Isa 60:17
Jer 22:17
Jer 23:5
Eze 22:27
Eze 46:18
Miq 3:1
f Jos 11:23
g Eze 44:6
h Ne 5:10
Sl 82:2
Isa 1:17
i Jer 22:3
Miq 6:8
Zac 8:16
j Job 24:2
Miq 2:2
k Le 19:36
Pr 11:1
Pr 16:11
Pr 20:10
Am 8:5
Miq 6:11
l Éx 16:36
m Eze 30:13
Le 27:25
n Nú 3:47

2.ª col.
a Pr 3:9
b Le 2:1
c Le 1:10
d Le 3:1
e Le 1:4
Le 6:30
Heb 9:22
f Éx 30:14
g Isa 16:1
h Eze 45:22
i 1Cr 16:2
2Cr 30:24
j 1Re 8:64
k Esd 6:9
l 2Cr 35:7
m 2Cr 8:13
2Cr 31:3
n Isa 66:23
o Le 23:2
p Le 22:20
q Le 16:16
Eze 43:26
r Eze 41:21
Eze 46:2
s Eze 43:20
t Le 4:27
Sl 19:12
u Le 16:20

sexta parte del efá tomado del homer de trigo, y la sexta parte del efá tomado del homer de cebada; 14 y en cuanto a la concesión del aceite, hay la medida de bato del aceite. El bato es la décima parte del coro. Diez batos son un homer; porque diez batos son un homer. 15 Y una oveja del rebaño, de doscientas del ganado de Israel,[a] para la ofrenda del grano[b] y para el holocausto[c] y para los sacrificios de comunión,[d] para hacer expiación por ellos',[e] es la expresión del Señor Soberano Jehová.

16 "'En cuanto a toda la gente de la tierra, serán responsables por esta contribución[f] al principal de Israel.[g] 17 Y sobre el principal[h] recaerán los holocaustos[i] y la ofrenda de grano[j] y la libación[k] durante las fiestas[l] y durante las lunas nuevas[m] y durante los sábados,[n] durante todos los períodos de fiesta de la casa de Israel.[o] Él será quien ha de proveer la ofrenda por el pecado y la ofrenda de grano y el holocausto y los sacrificios de comunión, para hacer expiación a favor de la casa de Israel.'

18 "Esto es lo que ha dicho el Señor Soberano Jehová: 'En el primer [mes], en el [día] primero del mes, debes tomar un toro joven, hijo de la vacada, uno sano,[p] y tienes que purificar de pecado el santuario.[q] 19 Y el sacerdote tiene que tomar parte de la sangre de la ofrenda por el pecado y ponerla sobre la jamba de la puerta[r] de la Casa y sobre las cuatro esquinas de la parte saliente circundante que pertenece al altar[s] y sobre la jamba de la puerta de la entrada del patio interior. 20 Y así harás en el [día] siete del mes por cualquier hombre que cometa una equivocación[t] y por cualquier inexperto; y ustedes tienen que hacer expiación por la Casa.[u]

21 "'En el primer [mes], en el día catorce del mes, debe ocurrir

para ustedes la pascua.ᵃ Como fiesta de siete días, tortas no fermentadas son lo que deben comer.ᵇ 22 Y en aquel día, a favor de sí mismo y a favor de toda la gente de la tierra, el principal tiene que proveer un toro joven como ofrenda por el pecado.ᶜ 23 Y por los siete días de la fiestaᵈ debe proveer como holocausto a Jehová siete toros jóvenes y siete carneros, sanos, diariamente por los siete días,ᵉ y como ofrenda por el pecado un macho de las cabras diariamente.ᶠ 24 Y como ofrenda de grano un efá por el toro joven y un efá por el carnero debe proveer, y, en lo que respecta a aceite, un hin por efá.ᵍ

25 ' "En el [mes] séptimo, el día quince del mes, durante la fiesta,ʰ debe proveer lo mismo que estos por los siete días,ⁱ lo mismo que la ofrenda por el pecado, que el holocausto, y que la ofrenda de grano y que el aceite' ".

46 "Esto es lo que ha dicho el Señor Soberano Jehová: 'En lo que respecta a la puerta del patio interior que mira al este,ʲ debe continuar cerradaᵏ durante los seis días de trabajo,ˡ y en el día del sábado debe ser abierta, y en el día de la luna nueva debe ser abierta.ᵐ 2 Y el principal tiene que entrar por vía del pórtico de la puerta,ⁿ desde afuera, y ponerse de pie junto a la jamba de la puerta de la entrada;ᵒ y los sacerdotes tienen que ofrecer el holocausto y los sacrificios de comunión de él, y él tiene que inclinarse sobre el umbral de la puerta,ᵖ y tiene que salir, pero la puerta misma no debe cerrarse hasta la tarde. 3 Y la gente de la tierra tiene que inclinarse en la entrada de aquella puerta en los sábados y en las lunas nuevas, delante de Jehová. q

4 ' "Y el holocausto que el principal debe presentar a Jeho-

CAP. 45
a Le 23:5
  Nú 9:2
  Nú 28:16
  Dt 16:1
b Éx 12:18
  Le 23:6
c Le 4:14
d Le 23:8
e Job 42:8
f Nú 28:15
g Eze 46:5
h Le 23:34
  2Cr 5:3
i Nú 29:12
  Dt 16:13
  2Cr 7:8
  Zac 14:16

CAP. 46
j Eze 40:32
k Eze 44:2
l Éx 20:9
m Sl 81:3
  Isa 66:23
n Eze 44:3
o Eze 41:21
p 2Cr 29:29
q Isa 66:23
  Lu 1:10

2.ᵃ col.
a Nú 28:9
  Eze 45:17
b Nú 28:12
  Eze 45:24
c Dt 16:17
d Le 14:21
  Eze 46:11
e Éx 8:5
f 1Cr 23:31
g Éx 16:36
  Eze 45:24
h Eze 45:16
  Eze 45:22
i Eze 46:2
j Éx 23:14
  Dt 16:16
k Eze 40:20
l Eze 40:24
m 2Cr 7:4
n Le 23:2
  Nú 29:1
  Dt 16:10
o Eze 45:24
  Eze 46:7
p Le 1:3
  1Re 3:4
q Eze 46:1
r Eze 45:17

---

vá en el día de sábado debe ser de seis corderos sanos y un carnero sano;ᵃ 5 y como ofrenda de grano un efá por el carnero,ᵇ y por los corderos una ofrenda de grano según pueda dar,ᶜ y, en lo que respecta a aceite, un hin por efá.ᵈ 6 Y en el día de la luna nuevaᵉ debe haber un toro joven, hijo de la vacada, uno sano, y seis corderos y un carnero; sanos deben resultar.ᶠ 7 Y un efá por el toro joven y un efá por el carnero debe ofrecer como ofrenda de grano, y por los corderos según lo que pueda; y, en lo que respecta a aceite, un hin por efá.ᵍ

8 ' "Y cuando el principalʰ entre, por vía del pórtico de la puerta debe entrar, y por vía de él debe salir.ⁱ 9 Y cuando la gente de la tierra entre delante de Jehová en los períodos de fiesta,ʲ el que entra por vía de la puerta del norteᵏ para inclinarse debe salir por vía de la puerta del sur;ˡ y el que entra por vía de la puerta del sur debe salir por vía de la puerta al norte. Nadie debe volverse por vía de la puerta por la cual entró, porque debe salir derecho hacia adelante de sí. 10 Y en lo que respecta al principal en medio de ellos, cuando entran, él debe entrar; y cuando salen, él debe salir.ᵐ 11 Y en las fiestasⁿ y en los períodos de fiesta la ofrenda de grano debe resultar ser un efá por el toro joven y un efá por el carnero, y por los corderos según pueda dar; y, en lo que respecta a aceite, un hin por efá.ᵒ

12 ' "Y en caso de que el principal provea como ofrenda voluntaria un holocausto,ᵖ o sacrificios de comunión como ofrenda voluntaria a Jehová, también se le tiene que abrir la puerta que mira al este,q y él tiene que proveer su holocausto y sus sacrificios de comunión tal como hace en el día de sábado.ʳ Y tiene que salir, y se tiene que

cerrar la puerta después que él salga.[a]

13 "'Y un cordero sano, en su primer año, debes proveer como holocausto diariamente a Jehová.[b] Mañana a mañana debes proveerlo. 14 Y como ofrenda de grano debes proveer con él mañana a mañana la sexta parte de un efá y, en lo que respecta a aceite, la tercera parte de un hin para rociar la flor de harina.[c] La ofrenda de grano a Jehová es un estatuto de duración indefinida, constantemente. 15 Y ellos tienen que proveer el cordero y la ofrenda de grano y el aceite mañana a mañana como un holocausto constante'.

16 "Esto es lo que ha dicho el Señor Soberano Jehová: 'En caso de que el principal diera una dádiva a cada uno de sus hijos como su herencia, ella misma llegará a ser la propiedad de sus hijos mismos. Es su posesión por herencia. 17 Y en caso de que diera una dádiva de su herencia a uno de sus siervos, también tiene que llegar a ser del él hasta el año de la libertad;[d] y tiene que volver al principal. Solo su herencia —en lo que respecta a sus hijos— es lo que debe continuar perteneciendo a ellos mismos. 18 Y el principal no debe quitar nada de la herencia del pueblo de modo que los desaloje de su posesión.[e] De su propia posesión debe dar a sus hijos una herencia, a fin de que mi pueblo no sea esparcido cada uno de su posesión'."[f]

19 Y procedió a introducirme por el paso de entrada[g] que estaba al lado de la puerta a los comedores santos, los que pertenecían a los sacerdotes, que miraban al norte,[h] y, ¡mire!, había un lugar allí en ambos lados traseros hacia el oeste. 20 Y procedió a decirme: "Este es el lugar donde los sacerdotes cocerán la ofrenda por la culpa[i] y la

ofrenda por el pecado,[a] [y] donde cocerán la ofrenda de grano,[b] para no sacar nada al patio exterior de modo que santifiquen a la gente".[c]

21 Y procedió a sacarme al patio exterior y a hacerme pasar a los cuatro postes de esquina del patio, y, ¡mire!, había un patio junto a [este] poste de esquina del patio, un patio junto a [aquel] poste de esquina del patio. 22 En los cuatro postes de esquina del patio había patios pequeños, cuarenta [codos] en longitud y treinta en anchura. Los cuatro con las estructuras de esquina tenían la misma medida. 23 Y había una fila a la redonda de ellos, a la redonda de los cuatro, y había lugares para cocer,[d] hechos debajo de las filas a la redonda. 24 Entonces me dijo: "Estas son las casas de los que efectúan el cocer, donde los ministros de la Casa cuecen el sacrificio del pueblo".[e]

47 Y gradualmente me trajo de vuelta a la entrada de la Casa,[f] y, ¡mire!, salía agua[g] de debajo del umbral de la Casa hacia el este,[h] porque el frente de la Casa daba al este. Y el agua descendía desde debajo, desde el lado derecho de la Casa, al sur del altar.

2 Y gradualmente me sacó por vía de la puerta del norte[i] y me llevó alrededor por el camino de afuera a la puerta exterior que mira hacia el este,[j] y, ¡mire!, agua[k] que salía en chorrillos del lado derecho.

3 Cuando el hombre salió hacia el este con un cordel de medir en la mano,[l] también procedió a medir mil en codos y a hacerme atravesar el agua, agua [que llegaba] hasta los tobillos.

4 Y continuó midiendo mil y entonces me hizo atravesar el agua, agua [que llegaba] hasta las rodillas.

Y continuó midiendo mil y

CAP. 46
a Eze 46:2

b Éx 29:38
Nú 28:3

c Nú 28:5

d Le 25:10

e 1Re 21:19
Eze 22:27

f Eze 34:5

g Eze 42:9

h Eze 42:1

i Éx 29:31
2Cr 35:13

2.ª col.
a Eze 44:29

b Le 2:4
Le 2:5

c Eze 44:19

d 1Sa 2:13

e 2Cr 35:13
Eze 46:20

CAP. 47
f Eze 41:2

g Jer 2:13
Zac 13:1
Zac 14:8

h Eze 43:4
Rev 22:1

i Eze 40:20

j Eze 40:6
Eze 44:2

k Rev 22:1

l Eze 40:3
Rev 21:15

ahora me hizo atravesar... agua
[que llegaba] hasta las caderas.
5 Y continuó midiendo mil.
Era un torrente que yo no podía
atravesar, porque el agua había
subido, agua [que permitía] nadar, un torrente que no podía ser
atravesado.
6 Ante eso me dijo: "¿Has visto [esto], oh hijo del hombre?".
Entonces me hizo andar y me
hizo regresar [a] la margen
del torrente. 7 Cuando regresé, pues, ¡mire!, en la margen del
torrente había muchísimos árboles, en este lado y en aquel
lado.[a] 8 Y pasó a decirme:
"Esta agua sale a la región oriental y tiene que bajar a través
del Arabá.[b] Y tiene que llegar al
mar.[c] Y debido a que es llevada
hasta el mar mismo,[d] [su] agua
también es realmente sanada.
9 Y tiene que ocurrir que toda
alma viviente que enjambra,[e] en
todo lugar al cual el torrente de
doble tamaño llegue, conseguirá
vida. Y tiene que ocurrir que habrá muchísimos peces, porque
allí es adonde esta agua ciertamente irá, y el [agua de mar] será
sanada,[f] y todo estará vivo donde
llegue el torrente.
10 "Y tiene que ocurrir que
realmente habrá pescadores de
pie a lo largo de él desde En-
guedí[g] aun hasta En-eglaim.
Llegará a haber un secadero
para redes barrederas. En sus
géneros sus peces resultarán ser,
como los peces del mar Grande,[h]
muchísimos.
11 "Hay sus lugares pantano-
sos y sus lugares cenagosos, y
no serán sanados.[i] A sal ciertamente se los dará.[j]
12 "Y junto al torrente subirán, a lo largo de su margen en
este lado y en aquel lado, toda
suerte de árboles para alimento.[k] Su follaje no se marchitará,[l]
ni se consumirá su fruto.[m] En
sus meses llevarán nuevo fruto,
porque el agua para ellos... esta
sale del santuario mismo.[a] Y su
fruto tiene que servir de alimento, y su follaje para curación".[b]
13 Esto es lo que ha dicho el
Señor Soberano Jehová: "Este
es el territorio que ustedes se
asignarán por herencia como la
tierra para las doce tribus de Israel, con dos porciones de campo
para José.[c] 14 Y ustedes tienen que heredarlo, cada uno
lo mismo que su hermano
—[tierra] de la cual levanté la
mano [en juramento][d] para darla a sus antepasados[e]—, y esta
tierra tiene que caerles [por
suertes] como herencia.[f]
15 "Y este es el límite de la
tierra al lado del norte, desde
el mar Grande por el camino a
Hetlón,[g] según uno viene a Zedad,[h] 16 Hamat,[i] Berotá,[j] Si-
braim, que está entre el límite de
Damasco[k] y el límite de Hamat;
Hazer-haticón, que está hacia el
límite de Haurán.[l] 17 Y el límite desde el mar tiene que resultar ser Hazar-enón,[m] el límite
de Damasco y norte... hacia el
norte, y el límite de Hamat.[n]
Este es el lado del norte.
18 "Y el lado oriental es de entre Haurán[o] y Damasco[p] y entre
Galaad[q] y la tierra de Israel; el
Jordán,[r] desde el límite hasta el
mar oriental deben medir. Este
es el lado oriental.
19 "Y el lado del sur es al sur,
desde Tamar[s] hasta las aguas de
Meribat-qadés,[t] el valle torrencial[u] hasta el mar Grande. Este
es el lado al sur, hacia el Négueb.
20 "Y el lado occidental es el
mar Grande, desde el límite directamente adelante hasta el
punto de entrada hacia Hamat.[v]
Este es el lado occidental".
21 "Y tienen que repartirse
esta tierra proporcionalmente, a
las doce tribus de Israel. 22 Y
tiene que ocurrir que deben
asignarla [por sorteo] por herencia a ustedes mismos[w] y a los
residentes forasteros que re-

CAP. 47
a Rev 22:2
b Dt 4:49
c Jos 3:16
d Eze 47:18 Zac 14:8
e Gé 1:20
f Sl 103:3
g Jos 15:62 2Cr 20:2
h Nú 34:6 Jos 23:4 Eze 48:28
i Heb 10:26 Rev 22:11
j Dt 29:23 Sl 107:34 Jer 17:6
k Eze 47:7
l Sl 1:3
m Jer 17:8

2.ª col.
a Eze 47:1 Rev 22:1
b Rev 22:2
c Gé 48:5 1Cr 5:1 Eze 48:5
d Gé 26:3 Nú 14:16
e Gé 28:13 Eze 20:42
f Pr 16:33 Eze 48:29
g Eze 48:1
h Nú 34:8
i Nú 13:21
j 2Sa 8:8
k Gé 14:15
l Eze 47:18
m Nú 34:9
n Eze 48:1
o Eze 47:16
p 2Sa 8:5
q Gé 31:23 Nú 32:1 Jue 10:8
r Gé 13:10
s Eze 48:28
t Nú 20:13 Dt 32:51 Sl 81:7
u 2Re 24:7 Eze 48:28
v Jos 13:5 Eze 48:28
w Eze 47:13

siden como forasteros en medio de ustedes,[a] los cuales han llegado a ser padres a hijos en medio de ustedes. Y ellos tienen que llegar a ser para ustedes como un natural entre los hijos de Israel. Con ustedes les caerá [por suertes] una herencia en medio de las tribus de Israel.[b] 23 Y tiene que ocurrir que en la tribu con la cual el residente forastero se haya domiciliado como forastero, allí será donde deben darle su herencia", es la expresión del Señor Soberano Jehová.

48 "Y estos son los nombres de las tribus. Desde la extremidad del norte, del lado por el camino de Hetlón[c] hasta el punto de entrada hacia Hamat,[d] Hazar-enán,[e] el límite de Damasco hacia el norte, en el lado de Hamat; y tiene que resultar tener un confín oriental [y] el occidental, Dan[f] una [porción]. 2 Y en el límite de Dan, desde el confín oriental hasta el confín occidental, Aser[g] una. 3 Y en el límite de Aser, desde el confín oriental aun hasta el confín occidental, Neftalí[h] una. 4 Y en el límite de Neftalí, desde el confín oriental hasta el confín occidental, Manasés[i] una. 5 Y en el límite de Manasés, desde el confín oriental hasta el confín occidental, Efraín[j] una. 6 Y en el límite de Efraín, desde el confín oriental aun hasta el confín occidental, Rubén[k] una. 7 Y en el límite de Rubén, desde el confín oriental hasta el confín occidental, Judá[l] una. 8 Y en el límite de Judá, desde el confín oriental hasta el confín occidental, la contribución que ustedes deben contribuir debe resultar ser de veinticinco mil [codos] de anchura,[m] y [la] longitud según una de las porciones desde el confín oriental hasta el confín occidental. Y el santuario tiene que resultar estar en medio de ella.[n]

9 "En lo que respecta a la contribución que ustedes deben contribuir a Jehová, [la] longitud será de veinticinco mil [codos] y [la] anchura de diez mil. 10 Y en cuanto a estos debe resultar que sea la contribución santa para los sacerdotes,[a] al norte veinticinco mil [codos], y al oeste una anchura de diez mil, y al este una anchura de diez mil, y al sur una longitud de veinticinco mil. Y el santuario de Jehová tiene que resultar estar en medio de ella.[b] 11 Será para los sacerdotes, los que están santificados de los hijos de Sadoc,[c] los que se encargaron de la obligación para conmigo, quienes no se alejaron vagando cuando los hijos de Israel se alejaron vagando, tal como los levitas se alejaron vagando.[d] 12 Y tienen que llegar a tener una contribución de la contribución de la tierra como algo santísimo, en el límite de los levitas.[e]

13 "Y los levitas deben tener,[f] directamente al lado del territorio de los sacerdotes, veinticinco mil [codos] de longitud, y de anchura diez mil; y toda la longitud es veinticinco mil, y la anchura diez mil.[g] 14 Y no deben vender nada de ello, ni debe uno hacer un intercambio, ni debe uno hacer que lo más selecto de la tierra pase [de ellos]; porque es algo santo a Jehová.[h]

15 "En lo que respecta a los cinco mil [codos] que quedan en anchura al lado de los veinticinco mil, es algo profano para la ciudad,[i] para morada y para dehesa. Y la ciudad tiene que llegar a estar en medio de ello.[j] 16 Y estas son las medidas [de la ciudad]: el confín del norte cuatro mil quinientos [codos], y el confín del sur cuatro mil quinientos, y el confín oriental cuatro mil quinientos, y el confín occidental cuatro mil quinientos. 17 Y la ciudad tiene que llegar a

---

CAP. 47
a Ro 10:12
Gál 3:8
Rev 7:9

b Col 3:11

CAP. 48
c Eze 47:15

d Nú 34:8

e Eze 47:17

f Gé 30:6

g Gé 30:13
Jos 19:24

h Gé 30:8
Jos 19:32

i Gé 41:51
Gé 48:14
Jos 13:29

j Gé 48:5
Jos 16:5
Jos 17:17

k Gé 49:3

l Gé 29:35
Jos 15:1
Jos 19:9

m Gé 45:1

n Rev 21:3

2.ª col.
a Nú 35:2
Jos 21:3
Eze 45:4

b Eze 48:8

c Eze 40:46
Eze 43:19
Eze 44:15

d Jer 23:11
Eze 22:26
Eze 44:10

e Eze 45:4

f Dt 12:19

g Eze 45:3

h Le 27:21

i Eze 45:6

j Eze 48:35

tener una dehesa,[a] al norte doscientos cincuenta [codos], y al sur doscientos cincuenta, y al este doscientos cincuenta, y al oeste doscientos cincuenta.

18 ”Y lo que sobre en largura será exactamente como la contribución santa,[b] diez mil [codos] al este, y diez mil al oeste; y tiene que resultar exactamente como la contribución santa, y su producto tiene que llegar a ser para pan a los que sirvan a la ciudad.[c] 19 Y los que sirvan a la ciudad de todas las tribus de Israel lo cultivarán.[d]

20 ”La contribución entera tiene veinticinco mil [codos] por veinticinco mil. Una parte cuadrada deben contribuir ustedes como la contribución santa con la posesión de la ciudad.

21 ”Y lo que sobre pertenecerá al principal,[e] en este lado y en aquel lado de la contribución santa y de la posesión de la ciudad,[f] a lo largo de los veinticinco mil [codos] [de] la contribución hasta el límite oriental; y en el oeste a lo largo de los veinticinco mil [codos] hasta el límite occidental.[g] Exactamente como las porciones, [será] para el principal. Y tiene que resultar que la contribución santa y el santuario de la Casa estén en medio de ello.

22 ”Y en lo que respecta a la posesión de los levitas y la posesión de la ciudad, entre lo que pertenece al principal debe resultar. Entre el límite de Judá[h] y el límite de Benjamín debe llegar a pertenecer al principal.

23 ”Y en lo que respecta a las demás tribus, desde el confín oriental hasta el confín occidental, Benjamín[i] una [porción]. 24 Y junto al límite de Benjamín, desde el confín oriental hasta el confín occidental, Simeón[j] una. 25 Y junto al límite de Simeón, desde el confín oriental hasta el confín occiden-

tal, Isacar[a] una. 26 Y junto al límite de Isacar, desde el confín oriental hasta el confín occidental, Zabulón[b] una. 27 Y junto al límite de Zabulón, desde el confín oriental hasta el confín occidental, Gad[c] una. 28 Y junto al límite de Gad, hasta el confín del sur, será hacia el sur; y tiene que resultar que el límite sea desde Tamar[d] hasta las aguas de Meribat-qadés,[e] al valle torrencial,[f] hasta el mar Grande.[g]

29 ”Esta será la tierra que ustedes deben hacer que caiga [por suertes] para herencia a las tribus de Israel,[h] y estas serán sus partes correspondientes”,[i] es la expresión del Señor Soberano Jehová.

30 ”Y estas serán las salidas de la ciudad: En el confín del norte, cuatro mil quinientos [codos] será [la] medida.[j]

31 ”Y las puertas de la ciudad serán según los nombres de las tribus de Israel, y tres puertas estarán al norte: la puerta de Rubén, una; la puerta de Judá, una; la puerta de Leví, una.

32 ”Y en el confín oriental habrá cuatro mil quinientos [codos], y tres puertas: aun la puerta de José, una; la puerta de Benjamín, una; la puerta de Dan, una.

33 ”Y el confín del sur será de cuatro mil quinientos [codos] en cuanto a medida, con tres puertas: la puerta de Simeón, una; la puerta de Isacar, una; la puerta de Zabulón, una.

34 ”El confín occidental será de cuatro mil quinientos [codos], y habrá tres puertas: la puerta de Gad, una; la puerta de Aser, una; la puerta de Neftalí, una.

35 ”A la redonda [habrá] dieciocho mil [codos]; y el nombre de la ciudad desde [aquel] día en adelante será Jehová Mismo Está Allí.”[k]

CAP. 48
a Eze 45:2

b Eze 45:1

c 2Re 25:3

d Eze 45:6

e Sl 45:16
Isa 32:1

f Eze 45:7

g Eze 48:8

h Eze 48:8

i Gé 35:18
Jos 18:21

j Gé 49:5
Jos 19:1

2.ª col.
a Gé 49:14
Jos 19:17

b Gé 49:13
Jos 19:10

c Gé 30:11
Gé 49:19

d Eze 47:19

e Nú 20:13

f Gé 15:18

g Eze 47:15

h Nú 34:2
Nú 34:13
Jos 14:2

i Eze 47:13

j Eze 48:16

k Jer 3:17
Joe 3:21
Zac 2:10

DANIEL

1 En el año tercero de la gobernación real de Jehoiaquim[e] el rey de Judá, Nabucodonosor el rey de Babilonia vino a Jerusalén y procedió a ponerle sitio.[b] **2** Con el tiempo, Jehová dio en su mano a Jehoiaquim el rey de Judá[c] y una parte de los utensilios[d] de la casa del Dios [verdadero], de modo que él los llevó a la tierra de Sinar,[e] a la casa de su dios; y llevó los utensilios a la casa del tesoro de su dios.[f]

3 Entonces el rey dijo a Aspenaz, su primer oficial de la corte,[g] que trajera a algunos de los hijos de Israel y de la prole real y de los nobles,[h] **4** niños en los cuales no hubiera ningún defecto,[i] sino que fueran buenos de apariencia y tuvieran perspicacia en toda sabiduría[j] y estuvieran familiarizados con el conocimiento, y tuvieran discernimiento de lo que se sabe,[k] en los cuales también hubiera facultad de estar de pie en el palacio del rey;[l] y les enseñara la escritura y la lengua de los caldeos. **5** Además, a ellos el rey les señaló una ración diaria de los manjares exquisitos[m] del rey y del vino que él bebía, aun para nutrirlos por tres años, para que al fin de estos estuvieran de pie delante del rey.

6 Ahora bien, sucedió que hubo entre ellos algunos de los hijos de Judá: Daniel,[n] Hananías, Misael y Azarías.[o] **7** Y a ellos el oficial principal de la corte se puso a asignar nombres.[p] De modo que asignó a Daniel [el nombre de] Beltsasar;[q] y a Hananías, Sadrac; y a Misael, Mesac; y a Azarías, Abednego.[r]

8 Pero Daniel se resolvió en su corazón en no contaminarse[s] con los manjares exquisitos del rey ni con su vino de beber. Y siguió solicitando del oficial principal de la corte no contaminarse.[a] **9** Por consiguiente, el Dios [verdadero] entregó a Daniel a bondad amorosa y misericordia delante del oficial principal de la corte.[b] **10** De manera que el oficial principal de la corte dijo a Daniel: "Estoy en temor de mi señor el rey, quien ha señalado el alimento y la bebida de ustedes.[c] ¿Por qué, entonces, debería él ver sus rostros con apariencia decaída en comparación con los niños que son de su misma edad, y [por qué] deberían ustedes tener que hacer culpable mi cabeza ante el rey?". **11** Pero Daniel dijo al guardián que el oficial principal de la corte[d] había nombrado sobre Daniel, Hananías, Misael y Azarías: **12** "Por favor, pon a tus siervos a prueba por diez días, y que nos den algunas legumbres[e] para que comamos, y agua para que bebamos; **13** y que nuestros semblantes y el semblante de los niños que están comiendo los manjares exquisitos del rey se presenten delante de ti, y, según lo que veas, haz con tus siervos".

14 Finalmente él les escuchó respecto a este asunto y los puso a prueba por diez días. **15** Y al fin de diez días el semblante de ellos pareció mejor y más nutrido en carnes que [el de] todos los niños que estaban comiendo los manjares exquisitos del rey.[f] **16** De modo que el guardián siguió llevándose de ellos sus manjares exquisitos y su vino de beber, y dándoles legumbres.[g] **17** Y en cuanto a estos niños, los cuatro, el Dios [verdadero] les dio conocimiento y perspicacia en toda escritura y sabiduría;[h] y Daniel mismo tenía entendimiento en toda suerte de visiones y sueños.[i] **18** Y al fin de los días que ha-

CAP. 1

a 2Cr 36:4
Jer 22:18
Jer 36:30
b Dt 28:49
2Re 24:1
2Cr 36:6
c Sl 106:41
Isa 42:24
d 2Cr 36:7
Jer 27:19
e Gé 10:10
Gé 11:2
f Esd 1:7
g Da 1:11
h 2Re 20:18
Isa 39:7
i 2Sa 14:25
Can 4:7
j Ec 7:19
Da 1:20
Da 2:20
Da 5:11
k Da 1:17
l Pr 22:29
m 1Re 4:22
Da 1:15
n Da 2:48
Da 5:13
Da 5:29
o Da 2:17
p Gé 41:45
2Re 23:34
2Re 24:17
q Da 4:8
Da 5:12
r Da 2:49
Da 3:12
Da 3:28
s Le 11:4
Le 11:13
Le 17:12

2.ª col.

a Le 11:47
Sl 119:2
Eze 4:13
b 1Re 8:50
Sl 106:46
1P 6:7
c Pr 29:25
d Da 1:3
e Gé 1:29
f Pr 10:22
g Da 1:12
h Sl 119:98
Pr 2:6
Ec 2:26
Isa 28:26
i Nú 12:6
Da 1:20
Da 4:9
Da 5:11

bía dicho el rey para que se los llevaran,[a] el oficial principal de la corte también procedió a llevarlos delante de Nabucodonosor. 19 Y el rey empezó a hablar con ellos, y de todos ellos no se halló a nadie como Daniel, Hananías, Misael y Azarías;[b] y ellos continuaron estando de pie delante del rey.[c] 20 Y en lo que respecta a todo asunto de sabiduría [y] entendimiento[d] que el rey inquiría de ellos, hasta llegó a hallarlos diez veces mejores que todos los sacerdotes practicantes de magia[e] [y] los sortílegos[f] que había en toda su región real. 21 Y Daniel continuó hasta el primer año de Ciro el rey.[g]

2 Y en el segundo año de la gobernación real de Nabucodonosor, Nabucodonosor soñó sueños;[h] y su espíritu empezó a sentirse agitado,[i] y su mismo dormir se le hizo algo [que estaba] más allá de él. 2 De modo que el rey dijo que se llamara a los sacerdotes practicantes de magia[j] y a los sortílegos y a los hechiceros y a los caldeos para que ellos informaran al rey los sueños.[k] Y ellos procedieron a entrar y a estar de pie delante de él. 3 Entonces el rey les dijo: "Hay un sueño que he soñado, y mi espíritu está agitado por saber el sueño". 4 Ante eso, los caldeos hablaron al rey en el lenguaje arameo:[l] "Oh rey, sigue viviendo aun para tiempos indefinidos.[m] Di a tus siervos lo que el sueño es, y mostraremos la interpretación misma".[n]

5 El rey contestaba y decía a los caldeos: "Por mí se está promulgando la palabra: Si ustedes no me hacen saber el sueño, y su interpretación, desmembrados[o] es lo que serán, y en excusados públicos serán convertidas sus propias casas.[p] 6 Pero si el sueño y su interpretación muestran, dádivas y un regalo y mu-

cha dignidad recibirán de mi parte.[a] Por lo tanto, muéstrenme el sueño mismo y su interpretación".

7 Ellos respondieron por segunda vez, y decían: "Que el rey diga lo que es el sueño a sus siervos, y mostraremos su interpretación misma".

8 El rey respondía y decía: "En realidad me doy cuenta de que es tiempo lo que ustedes están tratando de ganar, porque han percibido que se promulga por mí la palabra. 9 Porque si no me hacen saber el sueño mismo, esta única y absoluta sentencia[b] está sobre ustedes. Pero es una palabra mentirosa y equivocada la que ustedes han convenido en decir delante de mí,[c] hasta que el tiempo mismo haya cambiado. Por lo tanto, infórmenme el sueño mismo, y sabré que pueden mostrarme la interpretación misma de él".

10 Los caldeos respondieron delante del rey, y decían: "No existe hombre en la tierra seca que pueda mostrar el asunto del rey, puesto que ningún gran rey o gobernador ha pedido tal cosa como esta de ningún sacerdote practicante de magia ni sortílego ni caldeo. 11 Pero la cosa que el rey mismo está pidiendo es difícil, y no existe nadie más que pueda mostrarla delante del rey excepto los dioses,[d] cuya propia morada no existe en absoluto con la carne".[e]

12 Debido a esto, el rey mismo se encolerizó y se puso muy furioso,[f] y dijo que destruyeran a todos los sabios de Babilonia.[g] 13 Y la orden misma salió, y los sabios estaban a punto de ser muertos; y buscaron a Daniel y sus compañeros, para matarlos.

14 En aquel tiempo, Daniel, por su parte, se dirigió con consejo y buen sentido[h] a Arioc el jefe de la guardia de corps del rey, quien había salido a matar a los sabios de Babilonia.

CAP. 1
a Da 1:5
b Da 1:6
c Pr 22:29
d Sl 119:100
  Pr 4:7
  Pr 4:8
e Éx 7:11
f Da 2:2
  Da 4:7
  Da 5:8
g Da 6:28
  Da 10:1

CAP. 2
h Gé 40:5
i Gé 41:8
  Da 4:5
j Da 1:20
k Isa 19:3
  Isa 47:13
  Da 2:10
  Da 2:27
  Da 4:7
  Da 5:7
l Esd 4:7
  Isa 36:11
m 1Sa 10:24
  Ne 2:3
  Da 3:9
n Gé 41:8
o Da 3:29
p 2Re 10:27
  Esd 6:11

2.ª col.
a Da 2:48
  Da 5:7
  Da 5:16
  Da 5:29
b Da 2:5
c Pr 12:19
d Da 2:23
  Da 2:28
  Da 2:47
e 2Cr 6:18
f Pr 16:14
  Pr 19:12
  Pr 20:2
g Da 2:24
h Ec 10:4

15 Respondía y decía a Arioc el oficial del rey: "¿Por qué razón hay orden tan dura de parte del rey?". Entonces fue cuando Arioc hizo saber el asunto mismo a Daniel.[a] **16** De modo que Daniel mismo entró y pidió del rey que le diera tiempo con el propósito específico de mostrar la interpretación misma al rey.[a]

17 Después de eso Daniel se fue a su propia casa; e hizo saber el asunto a Hananías, Misael y Azarías, sus compañeros, **18** hasta [para que ellos] pidieran misericordias[c] de parte del Dios del cielo[d] respecto a este secreto,[e] para que no destruyeran a Daniel y sus compañeros con los demás sabios de Babilonia.[f]

19 Entonces fue cuando a Daniel, en una visión de la noche, le fue revelado el secreto.[g] Por consiguiente, Daniel mismo bendijo[h] al Dios del cielo. **20** Daniel respondía y decía: "Que el nombre de Dios llegue a ser bendito[i] de tiempo indefinido aun hasta tiempo indefinido, porque la sabiduría y el poderío... porque pertenecen a él.[j] **21** Y él cambia tiempos y sazones,[k] remueve reyes y establece reyes,[l] da sabiduría a los sabios y conocimiento a los que conocen el discernimiento.[m] **22** Revela las cosas profundas y las cosas ocultas,[n] y sabe lo que está en la oscuridad;[o] y con él de veras mora la luz.[p] **23** A ti, oh Dios de mis antepasados, doy alabanza y encomio,[q] porque sabiduría[r] y poderío me has dado. Y ahora me has hecho saber lo que solicitamos de ti, porque nos has hecho saber el asunto mismo del rey".[s]

24 Debido a esto, Daniel mismo fue a Arioc,[t] a quien el rey había nombrado para destruir a los sabios de Babilonia.[u] Fue, y esto fue lo que le dijo: "No destruyas a ninguno de los sabios de Babilonia. Llévame delante del rey,[a] para mostrar la interpretación misma al rey".

25 Entonces fue cuando Arioc, de prisa, llevó a Daniel delante del rey, y esto fue lo que le dijo a este: "He hallado a un hombre físicamente capacitado de los desterrados[b] de Judá que puede hacer saber al rey la interpretación misma". **26** El rey respondía y decía a Daniel, cuyo nombre era Beltsasar:[c] "¿Eres lo suficientemente competente como para hacerme saber el sueño que contemplé, y su interpretación?".[d] **27** Daniel respondía delante del rey y decía: "El secreto que el rey mismo pide, los sabios, los sortílegos, los sacerdotes practicantes de magia [y] los astrólogos mismos no pueden mostrarlo al rey.[e] **28** No obstante, existe un Dios en los cielos que es un Revelador de secretos,[f] y ha hecho saber al rey Nabucodonosor lo que ha de ocurrir en la parte final de los días.[g] Tu sueño y las visiones de tu cabeza sobre tu cama... esto es:

29 "En cuanto a ti, oh rey, en tu cama[h] subieron tus propios pensamientos tocante a lo que ha de ocurrir después de esto, y Aquel que es el Revelador de secretos te ha hecho saber lo que ha de ocurrir.[i] **30** Y en cuanto a mí, no por ninguna sabiduría que exista en mí más que en cualesquiera otros que estén vivos es revelado este secreto,[j] excepto con la intención de que la interpretación se dé a conocer al rey mismo, y que conozcas los pensamientos de tu corazón.[k]

31 "Tú, oh rey, estabas contemplando, y, ¡mira!, cierta imagen inmensa. Aquella imagen, que era grande y cuyo resplandor era extraordinario, estaba de pie enfrente de ti, y su apariencia era pavorosa. **32** En lo que respecta a aquella imagen, su cabeza era de buen oro,[l] sus pechos y sus brazos eran de plata,[m]

CAP. 2

a Da 2:9
b Gé 41:16
c SI 116:5
d SI 115:3
  SI 115:16
e SI 50:15
  Pr 3:5
  Mt 18:19
f Gé 18:23
  Mal 3:18
  2Pe 2:9
g Nú 12:6
  Job 33:15
  SI 25:14
  Da 2:28
  1Co 2:11
h SI 50:15
  SI 145:10
i 1Cr 29:20
  SI 34:1
  SI 72:18
  SI 113:2
j 1Cr 29:11
  Job 12:13
  SI 147:5
  Jer 32:18
k Isa 60:22
  Da 7:25
  Hch 1:7
l 1Sa 2:7
  SI 75:7
  Pr 8:15
  Jer 27:5
  Da 4:17
m Pr 2:6
  Ec 2:26
  Ef 1:17
  Snt 1:5
n Job 12:22
  Jer 33:3
  1Co 2:10
o SI 139:12
  Heb 4:13
p SI 36:9
  SI 112:4
  1Jn 1:5
q SI 145:3
  Da 2:28
r Ec 7:19
  Da 1:17
s Am 3:7
t Da 2:15
u Da 2:12

2.ª col.

a Da 1:19
  Da 2:16
b Ne 7:6
  Da 1:6
  Da 6:13
c Da 1:7
  Da 4:8
  Da 4:19
  Da 5:12
d Da 4:18
  Da 5:16
e Isa 47:12
  Da 2:10
f Gé 40:8
  Da 1:17
g Da 10:14
h Job 33:15
i Rev 4:1
j Pr 3:12
k Da 2:47
l Jer 51:7
  Da 2:38
  Da 4:22
  Da 7:4
m Da 2:39
  Da 5:28
  Da 7:5
  Da 8:3

su vientre y sus muslos eran de cobre,[a] 33 sus piernas eran de hierro,[b] sus pies eran en parte de hierro y en parte de barro moldeado.[c] 34 Seguiste mirando hasta que una piedra fue cortada, no por manos,[d] y dio contra la imagen en sus pies de hierro y de barro moldeado, y los trituró.[e] 35 En aquel tiempo el hierro, el barro moldeado, el cobre, la plata y el oro fueron, todos juntos, triturados, y llegaron a ser como el tamo de la era del verano,[f] y el viento se los llevó, de modo que no se halló ningún rastro de ellos.[g] Y en cuanto a la piedra que dio contra la imagen, llegó a ser una gran montaña y llenó toda la tierra.[h]

36 "Este es el sueño, y su interpretación la diremos delante del rey.[i] 37 Tú, oh rey, el rey de reyes, tú a quien el Dios del cielo ha dado el reino,[j] la potencia, y la fuerza y la dignidad, 38 y en cuya mano ha dado[k] —dondequiera que estén morando los hijos de la humanidad— las bestias del campo y las criaturas aladas de los cielos, y a quien él ha hecho gobernante sobre todos ellos, tú mismo eres la cabeza de oro.[l]

39 "Y después de ti se levantará otro reino[m] inferior a ti;[n] y otro reino, uno tercero, de cobre, que gobernará sobre toda la tierra.[o]

40 "Y en cuanto al cuarto reino,[p] resultará ser fuerte como el hierro.[q] Puesto que el hierro tritura y muele todo lo demás, así, como el hierro que destroza, triturará y destrozará aun a todos estos.[r]

41 "Y como contemplaste que los pies y los dedos de los pies eran en parte de barro moldeado de de un alfarero y en parte de hierro,[s] el reino mismo resultará dividido,[t] pero algo de la dureza del hierro resultará haber en él, puesto que contemplaste al hierro mezclado con barro[u] hú-

medo. 42 Y en cuanto a que los dedos de los pies sean en parte de hierro y en parte de barro moldeado, el reino en parte resultará fuerte y en parte resultará frágil. 43 Como contemplaste hierro mezclado con barro húmedo, llegarán a estar mezclados con la prole de la humanidad; pero no resultará que se mantengan pegados, este a aquel, tal como el hierro no se mezcla con barro moldeado.

44 "Y en los días de aquellos reyes[a] el Dios del cielo[b] establecerá un reino[c] que nunca será reducido a ruinas.[d] Y el reino mismo no será pasado a ningún otro pueblo.[e] Triturará y pondrá fin a todos estos reinos,[f] y él mismo subsistirá hasta tiempos indefinidos;[g] 45 puesto que contemplaste que de la montaña una piedra fue cortada, no por manos,[h] y [que] trituró el hierro, el cobre, el barro moldeado, la plata y el oro.[i] El magnífico Dios[j] mismo ha hecho saber al rey lo que ha de ocurrir después de esto.[k] Y el sueño es confiable, y la interpretación de él es digna de confianza".[l]

46 En aquel tiempo el rey Nabucodonosor mismo cayó sobre su rostro, y a Daniel rindió homenaje, y dijo que se le ofreciera aun un regalo, e incienso.[m] 47 El rey respondía a Daniel y decía: "Verdaderamente el Dios de ustedes es un Dios de dioses[n] y un Señor de reyes[o] y un Revelador de secretos, porque pudiste revelar este secreto".[p] 48 Por consiguiente, el rey hizo de Daniel alguien grande,[q] y muchas grandes dádivas le dio, y lo hizo el gobernante sobre todo el distrito jurisdiccional de Babilonia[r] y el prefecto principal sobre todos los sabios de Babilonia. 49 Y Daniel, por su parte,

CAP. 2

a Da 7:6
Da 8:5
b Da 2:40
Da 7:7
Da 7:19
c Da 2:41
d Da 2:45
Da 7:14
Da 7:27
Rev 12:5
e Da 2:44
Ser 11:15
f Sl 1:14
g Sl 37:10
Rev 20:11
h Sl 22:27
Isa 11:9
i Da 2:23
j Jer 28:14
k Jer 27:5
l Da 2:32
Da 4:21
m Isa 45:1
Jer 51:28
Da 5:28
Da 11:2
n Da 8:20
o Da 7:6
Da 8:21
Da 10:20
Da 11:3
p Da 2:33
q Da 7:19
Da 7:23
Jn 11:48
r Da 7:7
s Da 2:33
t Mt 12:25
u Da 2:34

2.ª col.

a Da 7:12
Rev 17:12
b Esd 1:2
Sl 115:3
Sl 115:16
c Gé 49:10
Sl 2:6
Mt 6:10
Lu 22:29
Jn 18:36
Rev 11:15
Rev 20:6
d 2Sa 7:13
Isa 9:7
Eze 37:25
Da 7:14
Miq 4:7
Rev 11:15
e Da 4:17
Rev 19:15
f Sl 2:9
Sl 110:5
Isa 60:12
Da 11:45
Rev 19:15
g Da 4:3
Da 4:34
Lu 1:33
h Isa 28:16
Da 2:34
i Da 2:35
j 2Sa 7:22
Sl 96:4
Sl 115:3
Jer 32:18
k Gé 41:28
Isa 14:24
Isa 44:26
m Esd 6:10

n Dt 32:39; Sl 136:2; Da 11:36; 1Co 8:5; o Dt 10:17; Sl 136:3; p Gé 41:39; Da 1:17; Da 2:28; Da 4:9; Am 3:7; q Da 5:16; r Da 2:6; Da 5:29.

hizo una solicitud al rey, y él nombró sobre la administración del distrito jurisdiccional de Babilonia a Sadrac, Mesac y Abednego,[a] pero Daniel estuvo en la corte[b] del rey.

3 Nabucodonosor el rey hizo una imagen[c] de oro, la altura de la cual era sesenta codos [y] la anchura de la cual era seis codos. La colocó en la llanura de Dura en el distrito jurisdiccional de Babilonia.[d] 2 Y Nabucodonosor mismo como rey envió a reunir a los sátrapas, los prefectos[e] y los gobernadores, los consejeros, los tesoreros, los jueces, los magistrados[f] policíacos y todos los administradores de los distritos jurisdiccionales para que vinieran a la inauguración[g] de la imagen que Nabucodonosor el rey había erigido.

3 Para aquel tiempo los sátrapas,[h] los prefectos y los gobernadores, los consejeros, los tesoreros, los jueces, los magistrados policíacos y todos los administradores de los distritos jurisdiccionales se reunían para la inauguración de la imagen que Nabucodonosor el rey había erigido, y se plantaban enfrente de la imagen que Nabucodonosor había erigido. 4 Y el heraldo[i] gritaba con fuerza: "A ustedes se les dice, oh pueblos, grupos nacionales y lenguajes,[j] 5 que al tiempo de oír el sonido del cuerno, el caramillo, la cítara, el arpa triangular, el instrumento de cuerdas, la gaita y toda suerte de instrumentos musicales,[k] caigan y adoren la imagen de oro que Nabucodonosor el rey ha erigido. 6 Y quienquiera que no caiga y adore,[l] al mismo momento[m] será arrojado en el horno ardiente de fuego".[n] 7 Debido a esto, al mismo tiempo que todos los pueblos oían el sonido del cuerno, el caramillo, la cítara, el arpa triangular, el

CAP. 2
a Da 1:7

b Est 2:19
Est 3:2
Jer 39:3
Am 5:15

CAP. 3
c Isa 40:19
Hch 17:29
1Co 8:4

d Est 1:1
Da 2:48

e Da 6:7

f Esd 7:25
Hch 16:20

g Esd 6:16

h Est 8:9
Da 6:1

i Da 5:29

j Est 8:9
Da 4:1

k Da 3:10
Da 3:15

l Éx 20:5
Mt 4:9

m Da 4:19
Da 4:33

n Jer 29:22
Da 3:11
Da 3:17
Da 3:26
Rev 13:15

2.ª col.
a Jer 51:7
Hch 14:16

b Da 3:12

c Ne 2:3
Da 2:4
Da 5:10

d Job 21:12
Da 3:5
Da 3:15

e Da 3:6

f Da 2:49

g Da 3:18
Da 3:28

h Pr 29:22
Da 2:12

i Da 1:7

j Isa 46:1
Jer 50:2

k Da 3:28

instrumento de cuerdas y toda suerte de instrumentos musicales, todos los pueblos,[a] grupos nacionales y lenguajes caían [y] adoraban la imagen de oro que Nabucodonosor el rey había erigido.

8 Debido a esto, en aquel mismo tiempo ciertos caldeos se acercaron y acusaron a los judíos.[b] 9 Respondieron, y decían a Nabucodonosor el rey: "Oh rey, sigue viviendo aun para tiempos indefinidos.[c] 10 Tú mismo, oh rey, pusiste el mandato de que todo hombre que oiga el sonido del cuerno, el caramillo, la cítara, el arpa triangular, el instrumento de cuerdas, y la gaita y toda suerte de instrumentos musicales,[d] caiga y adore la imagen de oro; 11 y que quienquiera que no caiga y adore sea arrojado en el horno ardiente de fuego.[e] 12 Existen ciertos judíos a quienes nombraste sobre la administración del distrito jurisdiccional de Babilonia:[f] Sadrac, Mesac y Abednego; estos hombres físicamente capacitados no te han prestado ninguna atención, oh rey, no sirven a tus propios dioses, y la imagen de oro que has erigido no adoran".[g]

13 En aquel tiempo, Nabucodonosor, en ira y furor,[h] dijo que trajeran a Sadrac, Mesac y Abednego.[i] Por consiguiente, llevaron a estos hombres físicamente capacitados delante del rey. 14 Nabucodonosor respondía y les decía: "¿Es realmente así, oh Sadrac, Mesac y Abednego, que no sirven a mis propios dioses,[j] y que la imagen de oro que he erigido ustedes no adoran?[k] 15 Ahora, si ustedes están listos de modo que cuando oigan el sonido del cuerno, el caramillo, la cítara, el arpa triangular, el instrumento de cuerdas, y la gaita y toda suerte de

instrumentos musicales,[a] caigan y adoren la imagen que he hecho, [bien]. Pero si no adoran, en ese mismo momento serán arrojados en el horno ardiente de fuego. ¿Y quién es aquel dios que pueda rescatarlos de mis manos?".[b]

16 Sadrac, Mesac y Abednego respondieron, y decían al rey: "Oh Nabucodonosor, respecto a esto no estamos bajo necesidad de devolverle palabra.[c] 17 Si ha de ser, nuestro Dios a quien servimos puede rescatarnos. Del horno ardiente de fuego y de tu mano, oh rey, [nos] rescatará.[d] 18 Pero si no, séate sabido, oh rey, que a tus dioses no servimos, y la imagen de oro que has erigido ciertamente no adoraremos".[e]

19 Entonces fue cuando Nabucodonosor mismo se llenó de furor, y la expresión misma de su rostro fue cambiada para con Sadrac, Mesac y Abednego. Respondía y decía que se calentara el horno siete veces más de lo que se acostumbraba calentarlo. 20 Y a ciertos hombres físicamente capacitados de energía vital[f] que estaban en su fuerza militar dijo que ataran a Sadrac, Mesac y Abednego, para arrojar[los] en el horno ardiente de fuego.[g]

21 Entonces fue cuando estos hombres físicamente capacitados fueron atados en sus mantos, sus prendas de vestir y sus gorros y su demás ropa, y fueron arrojados en el horno ardiente de fuego. 22 Solo porque la palabra del rey era dura y el horno había sido calentado excesivamente, estos hombres físicamente capacitados que levantaron a Sadrac, Mesac y Abednego fueron aquellos a quienes la llama de fuego mató. 23 Pero estos [otros] hombres físicamente capacitados, los tres, Sadrac, Mesac y Abednego,

CAP. 3
a Da 3:10

b Éx 5:2
2Cr 32:15
Isa 36:20
Isa 37:23

c Lu 12:11
Lu 21:14
Hch 5:29

d 1Sa 17:37
2Sa 22:26
Sl 27:1
Pr 18:10
Isa 12:2
Da 6:27
Miq 7:7
2Co 1:10

e Éx 20:5
Le 19:4
Pr 28:1
Hch 5:29
Heb 11:34

f 2Sa 22:40
Jer 48:14

g Da 3:15

2.ª col.
a Sl 34:19

b Sl 66:12
Sl 91:1
Isa 43:2

c Job 38:7
Sl 34:7

d Da 6:20

e Gé 14:18
Da 2:47
1Co 8:5

f Da 3:2

g Isa 43:2
Heb 11:34

h Mt 10:30
Lu 21:18
Hch 27:34

i Da 2:47
Da 4:34

j Sl 34:7
Heb 1:14

k 1Cr 5:20
Sl 3:8
Sl 22:4
Sl 91:14
2Co 1:9
Heb 11:6

l Éx 23:24
Rev 12:11

m Da 3:5
Da 3:15

n Éx 20:5
Mt 4:10

o Da 6:26

cayeron atados en medio del horno ardiente de fuego.[a]

24 En aquel tiempo Nabucodonosor el rey mismo se asustó, y se levantó de prisa. Respondía y decía a sus altos funcionarios reales: "¿No fueron tres los hombres físicamente capacitados que arrojamos atados en medio del fuego?".[b] Ellos respondían y decían al rey: "Sí, oh rey". 25 Él respondía y decía: "¡Miren! Contemplo a cuatro hombres físicamente capacitados que se pasean libres en medio del fuego, y no sufren daño, y la apariencia del cuarto se asemeja a un hijo de los dioses".[c]

26 Entonces fue cuando Nabucodonosor se acercó a la puerta del horno ardiente de fuego.[d] Respondía y decía: "¡Sadrac, Mesac y Abednego, siervos del Dios Altísimo,[e] salgan y vengan acá!". En aquel tiempo Sadrac, Mesac y Abednego fueron saliendo de en medio del fuego. 27 Y los sátrapas, los prefectos y los gobernadores y los altos funcionarios[f] del rey que estaban reunidos se pusieron a contemplar a estos hombres físicamente capacitados, que el fuego no había tenido poder sobre sus cuerpos,[g] y ni un cabello de su cabeza[h] había sido quemado ligeramente, y ni en sus mantos había habido cambio, y el olor del fuego mismo no les había venido.

28 Nabucodonosor respondía y decía: "Bendito sea el Dios de Sadrac, Mesac y Abednego,[i] quien envió a su ángel[j] y rescató a sus siervos que confiaron en él[k] y que cambiaron la palabra misma del rey y entregaron sus cuerpos, porque no quisieron servir[l] y no quisieron adorar[m] a ningún dios en absoluto excepto a su propio Dios.[n] 29 Y de mí una orden se emite,[o] que cualquier pueblo, grupo nacional o lenguaje que diga cualquier cosa

mala contra el Dios de Sadrac, Mesac y Abednego sea desmembrado,[a] y su casa sea convertida en excusado público;[b] puesto que no existe otro dios que pueda librar como este".[c]

30 En aquel tiempo el rey mismo hizo que Sadrac, Mesac y Abednego prosperaran en el distrito jurisdiccional de Babilonia.[d]

4 "Nabucodonosor el rey, a todos los pueblos, grupos nacionales y lenguajes que están morando en toda la tierra:[e] Que se haga grande su paz.[f] 2 Las señales y maravillas que el Dios Altísimo ha ejecutado conmigo, me ha parecido bueno declararlas.[g] 3 ¡Cuán grandes son sus señales, y cuán poderosas son sus maravillas![h] Su reino es un reino hasta tiempo indefinido,[i] y su gobernación es para generación tras generación.[j]

4 "Yo, Nabucodonosor, me hallaba tranquilo[k] en mi casa y floreciendo en mi palacio. 5 Hubo un sueño que contemplé, y empezó a darme miedo.[m] Y hubo imágenes mentales sobre mi cama y visiones de mi cabeza que empezaron a asustarme.[n] 6 Y de mí se emitía una orden de traer delante de mí a todos los sabios de Babilonia, para que me hicieran saber la interpretación misma del sueño.[o]

7 "En aquel tiempo los sacerdotes practicantes de magia, los sortílegos, los caldeos[p] y los astrólogos[q] entraban; y yo decía delante de ellos lo que era el sueño, pero su interpretación no me la hacían saber.[r] 8 Y al fin llegó a estar delante de mí Daniel, cuyo nombre es Beltsasar[s] conforme al nombre de mi dios,[t] y en quien hay el espíritu de los dioses santos;[u] y delante de él dije lo que era el sueño:

9 "'Oh Beltsasar, el jefe de los sacerdotes practicantes de magia,[v] porque yo mismo bien sé

que el espíritu de los santos dioses está en ti[a] y que no hay secreto alguno que te perturbe,[b] infórma[me] las visiones de mi sueño que he contemplado, y su interpretación.[c]

10 "'Ahora bien, sucedió que las visiones de mi cabeza sobre mi cama contemplaba,[d] y, ¡mira!, un árbol[e] en medio de la tierra, y la altura de este era inmensa.[f] 11 El árbol creció y se hizo fuerte, y su altura misma finalmente alcanzó a los cielos, y era visible hasta la extremidad de toda la tierra.[g] 12 Su follaje era hermoso, y su fruto era abundante, y había alimento para todos en él. Bajo él las bestias[h] del campo buscaban sombra,[i] y en sus ramas mayores los pájaros de los cielos moraban,[j] y de él toda carne se alimentaba.

13 "'Continué contemplando en las visiones de mi cabeza sobre mi cama, y, ¡mira!, un vigilante,[k] hasta un santo,[l] que venía bajando de los cielos mismos. 14 Clamaba con fuerza, y esto es lo que decía: "Corten el árbol,[m] y desmochen sus ramas mayores. Sacudan su follaje, y esparzan su fruto. Que la bestia huya de debajo de él, y los pájaros de sus ramas mayores.[n] 15 No obstante, dejen su tronco mismo con las raíces en la tierra, aun con una atadura de hierro y de cobre, entre la hierba del campo; y con el rocío de los cielos sea mojado, y con la bestia sea su porción entre la vegetación de la tierra.[o] 16 Sea cambiado su corazón del de la humanidad, y que se le dé el corazón de una bestia,[p] y pasen siete tiempos[q] sobre él. 17 Por el decreto de vigilantes[r] es la cosa, y [por] el dicho de santos la solicitud es, con la intención de que sepan los vivientes que el Altísimo es Gobernante en el reino de

CAP. 3
a Da 2:5
b Esd 6:11
c Dt 32:31
  Da 4:35
  Da 6:27
d Sl 1:3
  Da 2:49
  Da 3:12

CAP. 4
e Est 8:9
  Da 3:4
f Da 6:25
  Da 2:23
h Dt 4:34
  Sl 71:19
  Da 6:27
  Ro 11:33
i Sl 10:16
  Sl 29:10
  Sl 66:7
  Sl 90:2
  Jer 10:10
j Sl 146:10
k Isa 47:8
l Lu 11:21
m Da 5:6
n Da 2:1
o Gé 41:8
  Da 2:2
  Da 5:7
q Isa 47:13
  Da 2:27
r Da 2:11
s Da 1:7
  Da 5:12
t Isa 46:1
  Jer 50:2
u Nú 11:17
  Isa 63:11
  Da 4:18
  Da 4:24
  Da 5:11
v Da 1:20
  Da 2:48

2.ª col.
a Gé 41:38
  Da 6:3
b Da 1:17
c Da 2:30
d Da 2:19
e Da 4:26
f Isa 10:33
  Eze 31:3
g Gé 11:4
  Mt 11:23
h Jer 27:6
  Eze 31:6
i Lam 4:20
j Mt 13:32
k Sl 103:20
  Sl 103:21
  Da 4:23
l Dt 33:2
  Sl 89:7
  Da 8:13
  Mt 18:10
  Lu 4:34
m Eze 21:26
  Eze 21:27
  Da 4:31
  Da 5:20
  Lu 3:9
n Jer 51:6
  Eze 31:12
o Job 14:7
p Da 4:32

q Da 7:25; Da 12:7; Lu 21:24; Rev 12:14; r Da 4:13.

la humanidad,[a] y que a quien él quiere [darlo] lo da,[b] y coloca sobre él aun al de más humilde condición de la humanidad".[c]

18 "'Este fue el sueño que yo mismo, el rey Nabucodonosor, contemplé; y tú mismo, oh Beltsasar, di lo que es la interpretación, puesto que ninguno de todos los [otros] sabios de mi reino puede hacerme saber la interpretación misma.[d] Pero tú eres competente, porque el espíritu de dioses santos está en ti'.[e]

19 "En aquel tiempo Daniel mismo, cuyo nombre es Beltsasar,[f] quedó pasmado por un momento, y sus pensamientos mismos empezaron a asustarlo.[g]

"El rey respondía y decía: 'Oh Beltsasar, no dejes que el sueño y su interpretación mismos te asusten'.[h]

"Beltsasar respondía y decía: 'Oh mi señor, [aplique] el sueño a los que te odian, y su interpretación a tus adversarios.[i]

20 "'El árbol que contemplaste, que se hizo grande y llegó a ser fuerte, y la altura del cual finalmente alcanzó a los cielos, y que le era visible a toda la tierra,[j] 21 y el follaje del cual era hermoso, y el fruto del cual era abundante, y en el cual había alimento para todos; debajo del cual las bestias del campo moraban, y en las ramas mayores del cual los pájaros de los cielos residían,[k] 22 eres tú, oh rey,[l] porque te has hecho grande y has llegado a ser fuerte, y tu grandeza se ha hecho grande y ha alcanzado a los cielos,[m] y tu gobernación hasta la extremidad de la tierra.[n]

23 "'Y porque el rey contempló a un vigilante, hasta a un santo,[o] que venía bajando de los cielos, que también decía: "Corten el árbol, y arrúinenlo. No obstante, dejen su tronco mismo con las raíces en la tierra, pero

con una atadura de hierro y de cobre, entre la hierba del campo, y con el rocío de los cielos sea mojado, y con las bestias del campo sea su porción hasta que siete tiempos mismos pasen sobre él",[a] 24 esta es la interpretación, oh rey, y el decreto[b] del Altísimo[c] es lo que tiene que suceder a mi señor el rey.[d] 25 Y te echarán de entre los hombres, y con las bestias del campo tu morada llegará a ser,[e] y la vegetación es lo que se darán aun a ti a comer tal como a toros;[f] y con el rocío de los cielos tú mismo estarás mojándote, y siete tiempos[g] mismos pasarán sobre ti, hasta que sepas que el Altísimo es Gobernante en el reino de la humanidad,[h] y que a quien él quiere [darlo] lo da.[i]

26 "'Y porque dijeron que se dejara el tronco con las raíces del árbol,[j] tu reino te será seguro después que sepas que los cielos están gobernando.[k] 27 Por lo tanto, oh rey, que te parezca bueno mi consejo,[l] y remueve tus propios pecados por justicia,[m] y tu iniquidad por medio de mostrar misericordia a los pobres.[n] Quizás ocurra un alargamiento de tu prosperidad'.[o]

28 Todo esto le sobrevino a Nabucodonosor el rey.[p]

29 Al fin de doce meses lunares se halló andando sobre el palacio real de Babilonia. 30 El rey respondía y decía:[q] "¿No es esta Babilonia la Grande, la cual yo mismo he construido para la casa real con la fortaleza de mi poder[r] y para la dignidad de mi majestad?".[s]

31 Mientras la palabra todavía estaba en la boca del rey, hubo una voz que cayó de los cielos: "A ti se te dice, oh Nabucodonosor el rey: 'El reino mismo se ha ido de ti,[t] 32 y de la humanidad te echan, sí, y con las bestias del campo tu morada

CAP. 4
a Sl 83:18
  Jer 16:21
  Da 4:34
b Sl 75:7
  Sl 89:36
  Mt 25:31
  Lu 1:32
  Lu 1:33
c 1Sa 2:8
  Eze 17:24
  Zac 9:9
  Mt 11:29
d Isa 47:13
  Da 5:8
  Da 5:15
e Gé 41:16
  Da 2:28
  Da 4:8
f Da 1:7
  Da 7:28
g Isa 8:17
h 1Sa 3:17
i 2Sa 18:32
j Eze 31:3
  Da 4:10
k Da 4:12
l Da 2:37
m Isa 14:13
  Isa 14:14
n Da 2:38
o Nú 22:32
  Dt 33:2
  Sl 89:7
  Da 4:13
  Da 8:13
  Mt 18:10
  Heh 10:3
  Heh 12:23

2.ª col.
a Da 4:16
  Da 5:21
  Lu 21:24
b Isa 23:9
  Isa 55:11
  Da 4:17
c Sl 83:18
d Job 34:19
  Sl 107:40
e Da 4:32
  Da 5:21
f Sl 106:20
g Da 4:16
  Lu 21:24
h Sl 83:18
i Job 34:24
  Jer 27:5
  Da 2:21
  Da 5:21
  Da 7:14
k Sl 11:4
  Isa 66:1
i Sl 119:46
m Pr 16:6
  Pr 28:13
  Isa 55:7
  Eze 18:21
  Mt 3:8
  Sl 41:1
  Isa 58:7
  Miq 6:8
  1Jn 3:17
o 1Re 21:29
  Joe 2:14
  Jon 3:10
p Nú 16:24
  Isa 55:11
q Sl 73:9
r Pr 16:18
s Sl 49:11
t Da 4:25
  Heh 12:23

será.[a] Vegetación te darán aun a ti para comer tal como a toros, y siete tiempos mismos pasarán sobre ti, hasta que sepas que el Altísimo es Gobernante en el reino de la humanidad, y que a quien él quiere [darlo] lo da' ".[b]

33 En aquel momento[c] la palabra misma se cumplió en Nabucodonosor, y de entre la humanidad fue echado, y empezó a comer vegetación tal como los toros, y con el rocío de los cielos su propio cuerpo se mojaba, hasta que su cabello mismo le creció largo como [plumas] de águilas, y sus uñas como [garras] de pájaros.[d]

34 "Y al fin de los días[e] yo, Nabucodonosor, alcé a los cielos los ojos,[f] y mi propio entendimiento empezó a volverme; y bendije al Altísimo mismo,[g] y a Aquel que vive hasta tiempo indefinido alabé y glorifiqué,[h] porque su gobernación es una gobernación hasta tiempo indefinido, y su reino es para generación tras generación.[i] 35 Y a todos los habitantes de la tierra se está considerando como meramente nada,[j] y él está haciendo conforme a su propia voluntad entre el ejército de los cielos y los habitantes de la tierra.[k] Y no existe nadie que pueda detener su mano[l] o que pueda decirle: '¿Qué has estado haciendo?'.[m]

36 "Al mismo tiempo mi entendimiento mismo empezó a volver a mí, y para la dignidad de mi reino mi majestad y mi resplandor mismos empezaron a volver a mí;[n] y hasta mis altos oficiales reales y mis grandes me empezaron a buscar con empeño, y fui restablecido sobre mi propio reino, y grandeza extraordinaria me fue añadida.[o]

37 "Ahora yo, Nabucodonosor, alabo y ensalzo y glorifico al Rey de los cielos,[p] porque todas sus obras son verdad y sus caminos son justicia,[q] y porque a los

CAP. 4
a Da 4:14
Da 5:21
b Da 4:17
c Da 3:6
Da 5:5
d Da 4:25
e Da 4:16
f Sl 121:1
Sl 123:1
Sl 123:2
g Sl 7:17
Sl 92:1
h Jer 10:10
1Ti 1:17
Rev 4:11
i Sl 10:16
Da 4:3
Miq 4:7
j Sl 39:5
Isa 40:15
k Isa 3:18
Sl 33:11
Isa 46:10
l Job 34:24
Isa 43:13
1Co 10:22
m Job 9:12
Isa 45:9
Ro 9:20
n 2Cr 33:13
Da 4:26
o Pr 22:4
p Da 4:3
Hch 17:24
q Dt 32:4
Sl 33:5
Rev 15:3

2.ª col.
a Éx 18:11
Job 40:11
Snt 4:6

CAP. 5
b Da 5:9
Da 7:1
Da 8:1
c Isa 21:5
Jer 51:39
d Pr 20:1
Pr 31:4
e 2Re 25:15
2Cr 36:18
Esd 1:7
Jer 27:16
Jer 52:19
Da 1:2
f Pr 11:2
g Sl 115:4
Sl 135:15
Hch 17:29
Rev 9:20
h Da 5:24
i Sl 102:15
j Sl 69:23
Isa 21:3
k Eze 7:17
Na 2:10
l Gé 41:8
Da 2:2
Da 4:6
m Gé 41:42
1Sa 17:25
n Da 2:6
Da 2:48
Da 6:2

que andan con orgullo él los puede humillar."[a]

5 En lo que respecta a Belsasar[b] el rey, él hizo un gran festín para mil de sus grandes, y enfrente de los mil estuvo bebiendo vino.[c] 2 Belsasar, bajo la influencia del vino,[d] dijo que trajeran los vasos de oro y de plata[e] que Nabucodonosor su padre se había llevado del templo que hubo en Jerusalén, para que bebieran de ellos el rey y sus grandes, sus concubinas y sus esposas secundarias.[f] 3 En aquel tiempo trajeron los vasos de oro que se habían llevado del templo de la casa de Dios que hubo en Jerusalén, y bebieron de ellos el rey y sus grandes, sus concubinas y sus esposas secundarias. 4 Bebieron vino, y alabaron a los dioses de oro y de plata, cobre, hierro, madera y piedra.[g]

5 En aquel momento los dedos de la mano de un hombre salieron, y escribían enfrente del candelabro sobre el enlucido de la pared del palacio del rey,[h] y el rey contemplaba el dorso de la mano que escribía. 6 En aquel tiempo, en lo que respecta al rey, su expresión misma se cambió en él, y sus propios pensamientos empezaron a asustarlo,[i] y las coyunturas de sus caderas estuvieron aflojándose,[j] y sus rodillas mismas daban una contra otra.[k]

7 El rey gritaba con fuerza que trajeran a los sortílegos, los caldeos y los astrólogos.[l] El rey respondía y decía a los sabios de Babilonia: "A cualquier hombre que lee esta escritura y me muestre su interpretación misma, con púrpura será vestido,[m] con un collar de oro alrededor de su cuello, y como el tercero en el reino gobernará".[n]

8 En aquel tiempo todos los sabios del rey entraban, pero no fueron lo suficientemente com-

petentes como para leer la escritura misma ni hacer saber al rey la interpretación.[a] 9 Por consiguiente, el rey Belsasar quedó muy asustado, y su expresión cambiaba dentro de él; y sus grandes quedaron perplejos.[b]

10 En lo que respecta a la reina, debido a las palabras del rey y sus grandes entró directamente en el salón de banquetes. La reina respondió y dijo: "Oh rey, sigue viviendo aun hasta tiempos indefinidos.[c] No dejes que tus pensamientos te asusten, ni dejes que tu expresión cambie. 11 Existe en tu reino un hombre capacitado en el cual hay el espíritu de dioses santos;[d] y en los días de tu padre se hallaron en él iluminación y perspicacia y sabiduría como la sabiduría de dioses, y el rey Nabucodonosor tu padre mismo lo colocó como jefe[e] de los sacerdotes practicantes de magia, los sortílegos, los caldeos [y] los astrólogos, [aun] tu padre, oh rey; 12 puesto que un espíritu extraordinario y conocimiento y perspicacia para interpretar sueños[f] y la explicación de enigmas y el desatar nudos se habían hallado en él,[g] en Daniel, a quien el rey mismo dio el nombre de Beltsasar.[h] Ahora que se llame a Daniel mismo, para que muestre la interpretación misma".

13 De acuerdo con esto, trajeron a Daniel mismo delante del rey. El rey se expresaba y decía a Daniel: "¿Eres tú el Daniel que es de los desterrados de Judá,[i] a quien el rey mi padre sacó de Judá?[j] 14 También he oído acerca de ti que el espíritu de dioses está en ti,[k] e iluminación y perspicacia y sabiduría[l] extraordinaria se han hallado en ti. 15 Y ahora se ha traído delante de mí a los sabios [y] los sortílegos, para leer esta misma escritura, hasta para hacerme saber su interpretación, pero no son lo

suficientemente competentes como para mostrar la interpretación misma de la palabra.[a] 16 Y yo mismo he oído acerca de ti, que tú puedes suministrar interpretaciones[b] y desatar los nudos mismos. Ahora, si puedes leer la escritura y hacerme saber su interpretación misma, con púrpura serás vestido, con un collar de oro alrededor del cuello, y como el tercero en el reino gobernarás".[c]

17 En aquel tiempo Daniel respondía y decía delante del rey: "Tus dádivas resulten para ti mismo, y tus regalos da a otros,[d] sí. No obstante, leeré la escritura misma al rey, y la interpretación le haré saber. 18 En cuanto a ti, oh rey, el Dios Altísimo[f] mismo dio a Nabucodonosor tu padre[g] el reino y la grandeza y la dignidad y la majestad.[h] 19 Y debido a la grandeza que Él le dio, todos los pueblos, grupos nacionales y lenguajes resultaron estar temblando y mostrando temor delante de él.[i] A quien quería, mataba; y a quien quería, hería; y a quien quería, ensalzaba; y a quien quería, humillaba.[j] 20 Pero cuando su corazón se hizo altivo y su propio espíritu se hizo duro, de modo que actuó presuntuosamente,[k] fue bajado del trono de su reino, y su propia dignidad le fue quitada.[l] 21 Y de los hijos de la humanidad fue echado, y su corazón mismo fue hecho como el de una bestia, y con los asnos salvajes su morada fue.[m] Vegetación le daban a comer tal como a toros, y con el rocío de los cielos su propio cuerpo llegó a ser mojado,[n] hasta que supo que el Dios Altísimo es Gobernante en el reino de la humanidad, y que a aquel a quien quiere coloca sobre él.[o]

22 "Y en cuanto a ti, su hijo Belsasar,[p] tú no has humillado tu corazón,[q] aunque sabías todo

CAP. 5
a Gé 41:8
Da 2:27
Da 4:7
b Isa 13:7
c Da 3:9
d Da 2:47
Da 4:8
Da 4:18
e Da 2:48
Da 4:9
f Da 1:17
Da 6:3
g 1Re 4:30
Da 5:16
h Da 1:7
Da 4:8
i Da 1:6
Da 2:25
Da 6:13
j 2Re 24:14
k Da 1:17
Da 2:23
Da 4:9
l Pr 2:6
Da 1:20

2.ª col.
a Isa 47:12
Da 2:10
Da 5:8
b Gé 40:8
Da 2:28
c Da 2:6
Da 5:7
d Est 9:15
e Sl 119:46
f Sl 47:2
Sl 83:18
Sl 92:8
Da 4:17
g Da 5:11
h Da 2:37
Da 2:38
i Jer 25:9
Da 3:4
Da 4:22
j Pr 16:14
Da 2:12
Da 3:6
Da 3:29
k Pr 16:5
Isa 14:13
Da 4:30
Miq 6:8
l Isa 47:1
m Da 4:25
Da 4:32
n Da 4:33
o Job 34:24
Sl 83:18
Eze 17:24
Da 4:17
Da 4:35
p Da 5:11
Da 5:18
q Mt 23:12

esto.[a] **23** Antes bien, contra el Señor de los cielos te ensalzaste,[b] y trajeron delante de ti hasta los vasos de su casa;[c] y tú mismo y tus grandes, tus concubinas y tus esposas secundarias han estado bebiendo vino de ellos, y tú has alabado a meros dioses de plata y de oro, cobre, hierro, madera y piedra,[d] que nada contemplan y nada oyen y nada saben;[e] pero al Dios en cuya mano tu aliento está,[f] y al cual perteneceñ todos tus caminos,[g] no has glorificado.[h] **24** Por consiguiente, de delante de él se enviaba el dorso de una mano, y esta misma escritura se inscribió.[i] **25** Y esta es la escritura que se inscribió: MENÉ, MENÉ, TEQUEL y PARSÍN.

26 "Esta es la interpretación de la palabra: MENÉ: Dios ha numerado [los días de] tu reino y lo ha terminado.[j]

27 "TEQUEL: has sido pesado en la balanza y has sido hallado deficiente.[k]

28 "PERÉS: tu reino ha sido dividido y dado a los medos y los persas".[l]

29 En aquel tiempo Belsasar mandó, y vistieron a Daniel con púrpura, con un collar de oro alrededor del cuello; y por heraldo anunciaron, acerca de él, que había de llegar a ser el tercer gobernante en el reino.[m]

30 En aquella misma noche Belsasar el rey caldeo fue muerto,[n] **31** y Darío[o] el medo mismo recibió el reino, cuando era de unos sesenta y dos años de edad.

6 Le pareció bueno a Darío, y colocó sobre el reino a ciento veinte sátrapas, quienes habían de estar sobre todo el reino;[p] **2** y sobre ellos a tres altos funcionarios, de los cuales Daniel fue uno,[q] para que estos sátrapas[r] continuamente les dieran el informe y el rey mismo no saliera perdiendo.[s] **3** Entonces

---

CAP. 5

a Lu 12:47
  Snt 4:17
b Isa 37:23
  Sal 50:29
c Da 5:3
d Isa 37:19
  Hch 17:29
e Dt 32:21
  Sl 115:5
  Sl 135:17
  Isa 46:7
f Sl 104:29
  Isa 42:5
  Hch 17:25
g Pr 20:24
  Jer 10:23
h Ro 1:21
i Da 5:5
j Isa 13:11
  Jer 25:12
  Jer 27:7
  Jer 50:1
  Jer 51:11
k Job 31:6
  Ro 2:6
  1Co 3:13
  Col 3:25
l Esd 1:1
  Isa 21:2
  Isa 45:1
  Jer 50:9
  Da 6:28
  Da 9:1
m Isa 14:2
  Da 5:7
  Da 5:16
n Isa 21:9
  Jer 51:8
  Jer 51:31
  Jer 51:39
  Jer 51:57
o Da 6:1
  Da 9:1

CAP. 6

p Est 1:1
q Pr 3:16
  Isa 14:2
  Da 2:48
  Da 5:29
r Esd 8:36
  Est 8:9
  Da 3:2
s Esd 4:22
  Est 7:4
  Lu 19:23

2.ª col.

a Pr 3:35
  Pr 22:29
b Da 1:17
  Da 5:12
c Sl 37:12
  Pr 29:27
  Ec 4:4
d Flp 2:15
  1Pe 2:12
e Est 3:8
f Sl 56:6
  Pr 6:18
g Ne 2:3
  Da 2:4
h Sl 59:3
  Sl 94:20
i Da 3:6
  Da 6:16
  Da 6:24
j Est 3:12
  Est 8:10
k Est 1:19
l Est 8:8

m Da 6:7.

---

este Daniel fue distinguiéndose constantemente[a] sobre los altos funcionarios y los sátrapas, puesto que un espíritu extraordinario estaba en él;[b] y el rey tenía la intención de elevarlo sobre todo el reino.

4 En aquel tiempo los altos funcionarios y los sátrapas mismos constantemente procuraban hallar algún pretexto contra Daniel respecto al reino;[c] pero no había pretexto ni cosa corrupta alguna que pudieran hallar, puesto que él era digno de confianza y no se hallaba en él ninguna negligencia ni cosa corrupta.[d] **5** Por consiguiente, estos hombres físicamente capacitados decían: "No hallaremos en este Daniel ningún pretexto en absoluto, excepto si [lo] tenemos que hallar contra él en la ley de su Dios".[e]

6 Por lo tanto, estos altos funcionarios y sátrapas mismos entraron en tropel al rey,[f] y esto es lo que le decían: "Oh Darío el rey, sigue viviendo aun por tiempos indefinidos.[g] **7** Todos los altos funcionarios del reino, los prefectos y los sátrapas, los altos oficiales reales y los gobernadores, han entrado en consejo juntos para establecer un estatuto real[h] y dar vigor a un entredicho: que quienquiera que haga una petición a cualquier dios u hombre, por treinta días, excepto a ti, oh rey, sea arrojado en el foso de los leones.[i] **8** Ahora, oh rey, dígnate establecer el estatuto y firmar el escrito,[j] para que no se cambie, conforme a la ley de los medos y los persas,[k] que no se anula".[l]

9 De acuerdo con esto, el rey Darío mismo firmó el escrito y el entredicho.[m]

10 Pero Daniel, tan pronto como supo que el escrito había sido firmado, entró en su casa, y, las ventanas de su cámara del techo estando abiertas para él hacia Jerusalén,[a] hasta tres veces al día[b] se hincaba de rodillas y oraba[c] y ofrecía alabanza delante de su Dios,[d] como había estado haciendo regularmente antes de esto.[e] 11 En aquel tiempo estos hombres físicamente capacitados mismos entraron atropelladamente y hallaron a Daniel haciendo petición e implorando favor delante de su Dios.[f]

12 Entonces fue cuando se acercaron y estuvieron diciendo delante del rey, acerca del entredicho del rey: "¿No hay un entredicho que has firmado en el sentido de que cualquier hombre que haga petición de cualquier dios u hombre por treinta días excepto de ti, oh rey, sea arrojado en el foso de los leones?".[g] El rey respondía y decía: "El asunto está bien establecido según la ley de los medos y los persas, que no se anula".[h] 13 Ellos inmediatamente respondieron, y decían ante el rey: "Daniel,[i] quien es de los desterrados de Judá,[j] no les ha prestado atención ni a ti, oh rey, ni al entredicho que firmaste, sino que tres veces al día hace su petición".[k] 14 Por consiguiente, al rey, en cuanto oyó la palabra, esta le fue muy desagradable,[l] y fijó [la] mente hacia Daniel para rescatarlo;[m] y hasta la puesta del sol siguió esforzándose por librarlo. 15 Finalmente estos hombres físicamente capacitados mismos entraron en tropel al rey, y estuvieron diciendo al rey: "Fíjate, oh rey, que la ley que pertenece a los medos y los persas es que cualquier entredicho[n] o estatuto que el rey mismo establece no ha de ser cambiado".[o]

16 De acuerdo con esto, el rey mismo dio orden, y trajeron a Daniel y lo arrojaron en el foso de los leones.[p] El rey respondía y decía a Daniel: "Tu Dios a quien

sirves con constancia, él mismo te rescatará".[a] 17 Y fue traída una piedra, y fue colocada en la boca del foso, y el rey la selló con su anillo de sellar y con el anillo de sellar de sus grandes, para que nada se cambiara en el caso de Daniel.[b]

18 En aquel tiempo el rey fue a su palacio y pasó la noche en ayuno,[c] y no se trajeron instrumentos musicales delante de él, y su propio sueño huyó de él.[d] 19 Finalmente, el rey mismo, al rayar el alba, procedió a levantarse a la luz del día, y de prisa fue directamente al foso de los leones. 20 Y al llegar cerca del foso, gritó con voz triste aun a Daniel. El rey se expresaba y decía a Daniel: "Oh Daniel, siervo del Dios vivo, ¿ha podido tu Dios a quien sirves con constancia[e] rescatarte de los leones?".[f] 21 Inmediatamente Daniel mismo habló hasta con el rey: "Oh rey, sigue viviendo aun hasta tiempos indefinidos. 22 Mi propio Dios[g] envió a su ángel[h] y cerró la boca de los leones,[i] y no me han arruinado, puesto que delante de él se halló inocencia misma en mí;[j] y también delante de ti, oh rey, ningún acto nocivo he hecho".[k]

23 Entonces fue cuando el rey mismo se alegró mucho,[l] y ordenó que a Daniel mismo lo alzaran del foso. Y Daniel fue alzado del foso, y no se halló ningún daño en él, porque había confiado en su Dios.[m]

24 Y el rey dio orden, y trajeron a aquellos hombres físicamente capacitados que habían acusado a Daniel,[n] y en el foso de los leones los arrojaron, a ellos,[o] sus hijos y sus esposas;[p] y no habían llegado al fondo del foso antes que los leones hubieran logrado el dominio sobre ellos, y trituraron todos sus huesos.[q]

25 Entonces fue cuando Darío el rey mismo escribió a todos los

CAP. 6

a 1Re 8:30
  1Re 8:44
  2Cr 6:38
  Sl 5:7
b Sl 55:17
  Sl 86:3
  Col 4:2
c 1Re 8:54
  2Cr 6:13
  Exd 9:5
  Sl 95:6
  Lu 22:41
  Hch 7:60
d Sl 34:1
  Ro 12:12
e 1Te 5:17
f Sl 10:9
  Sl 37:32
g Da 6:7
  Da 6:24
h Est 8:8
  Da 6:8
i Da 1:6
j Da 2:25
  Da 5:13
k Est 3:8
l Mr 6:26
m 1Re 8:50
n Da 6:7
o Est 8:8
  Sl 94:20
  Da 6:8
p Heb 11:33

2.ª col.

a Sl 37:39
  Sl 91:14
  Sl 118:5
  Isa 41:10
  Isa 43:2
  2Co 1:10
b Mt 27:66
  Hch 12:4
c 2Sa 12:16
  1Re 21:27
d Est 6:1
  Da 2:1
e Dt 6:5
  1Cr 16:11
  Pr 23:17
f Gé 18:14
  Mt 19:26
  Lu 1:37
g 2Sa 22:7
  Sl 31:14
h Sl 34:7
  Da 3:28
i 1Sa 17:37
  2Ti 4:17
  Heb 11:33
j Sl 24:4
  Sl 26:6
k Ro 13:1
  1Pe 2:17
l 2Cr 20:20
  Sl 37:40
  Pr 18:10
n Dt 19:19
  Est 7:10
  Pr 11:8
o Pr 14:35
p Jos 7:24
  Sl 54:5
  Isa 38:13

pueblos, los grupos nacionales y las lenguas que moran en toda la tierra:[a] "¡Aumente muchísimo la paz de ustedes![b] 26 De delante de mí ha sido emitida una orden[c] de que, en todo dominio de mi reino, la gente ha de temblar y temer delante del Dios de Daniel.[d] Porque él es el Dios vivo y Aquel que dura hasta tiempos indefinidos,[e] y su reino[f] es uno que no será reducido a ruinas,[g] y su dominio es para siempre.[h] 27 Él está rescatando y librando[i] y ejecutando señales y maravillas en los cielos[j] y en la tierra,[k] porque ha rescatado a Daniel de la garra de los leones".

28 Y en cuanto a este Daniel, prosperó en el reino de Darío[l] y en el reino de Ciro el persa.[m]

7 En el primer año de Belsasar[n] el rey de Babilonia, Daniel mismo contempló un sueño y visiones de su cabeza sobre su cama.[o] En aquel tiempo puso por escrito el sueño mismo.[p] La narración completa de los asuntos informó. 2 Daniel se expresaba y decía:

"Sucedió que contemplaba en mis visiones durante la noche, y, ¡pues vea!, los cuatro vientos[q] de los cielos estaban agitando el vasto mar.[r] 3 Y cuatro enormes bestias[s] estaban saliendo del mar,[t] y cada una era diferente[u] de las otras.

4 "La primera era como un león,[v] y tenía las alas de un águila.[w] Seguí contemplando hasta que sus alas fueron arrancadas, y fue alzada de la tierra[x] y se le hizo pararse sobre dos pies justamente como un hombre, y se le dio el corazón de un hombre.[y]

5 "Y, ¡pues vea!, otra bestia, una segunda, y esta era como un oso.[z] Y de un lado estaba levantada,[a] y había tres costillas en su boca entre sus dientes; y esto era lo que le decían: 'Levántate, come mucha carne'.[b]

6 "Después de esto seguí con-

templando, y, ¡pues vea!, otra [bestia], una como un leopardo,[a] pero tenía cuatro alas de una criatura voladora en la espalda. Y la bestia tenía cuatro cabezas,[b] y se le dio gobernación en realidad.

7 "Después de esto seguí contemplando en las visiones de la noche, y, ¡pues vea!, una cuarta bestia, espantosa y terrible y extraordinariamente fuerte.[c] Y tenía dientes de hierro, grandes. Estaba devorando y triturando, y lo que quedaba lo estaba pisoteando con sus pies. Y era una cosa diferente de todas las [otras] bestias que habían sido antes de ella, y tenía diez cuernos.[d] 8 Seguí considerando los cuernos, y, ¡mire!, otro cuerno, uno pequeño,[e] salió entre ellos, y hubo tres de los primeros cuernos que fueron arrancados de delante de él. Y, ¡mire!, había ojos como los ojos de un hombre en este cuerno, y había una boca que estaba hablando cosas grandiosas.[f]

9 "Seguí contemplando hasta que se colocaron tronos[g] y el Anciano de Días[h] se sentó. La ropa de él era blanca justamente como la nieve,[i] y el cabello de su cabeza era como lana limpia.[j] Su trono era llamas de fuego;[k] sus ruedas eran un fuego ardiente.[l] 10 Había una corriente de fuego que fluía y salía de delante de él.[m] Había mil millares que seguían ministrándole,[n] y diez mil veces diez mil que seguían de pie directamente delante de él.[o] El Tribunal[p] tomó asiento, y hubo libros que se abrieron.

11 "Seguí contemplando en aquel tiempo debido al sonido de las palabras grandiosas que el

CAP. 6
a Est 3:12
   Est 8:9
   Da 4:1
b Esd 4:17
c Da 3:29
d Sl 99:1
   Jer 10:10
e Dt 5:26
   Da 4:34
   1Pe 1:23
   Rev 4:9
f Da 2:44
g Sl 93:1
h Sl 29:10
   Rev 15:3
i Sl 18:48
   Sl 32:7
   Da 3:28
j Hch 2:19
k Jer 32:20
   Da 4:3
   Heb 2:4
l Da 5:31
   Da 6:2
m 2Cr 36:22
   Esd 1:1
   Isa 44:28

CAP. 7
n Jer 27:7
   Da 5:1
   Da 5:30
o Nú 12:6
   Job 33:15
   Jer 23:28
   Da 2:19
   Da 8:1
p Isa 30:8
   Hab 2:2
   2Ti 3:16
   Rev 1:11
q Ef 2:2
   Ef 6:12
r Isa 57:20
   Rev 17:15
s Da 7:17
t Rev 13:1
u Da 7:19
v Pr 30:30
   Da 2:38
   Joe 1:6
w Dt 28:49
   Jer 48:40
   Lam 4:19
   Hab 1:8
x Da 4:30
y 2Sa 17:10
   Sl 9:20
z Pr 17:12
   Da 2:39
a Da 5:28
   Da 8:3
b Isa 13:18
   Da 11:2

2.ª col.
a Da 2:39
   Da 8:5
   Da 10:20
   Da 11:3
b Da 8:8
   Da 11:4
c Da 2:40
   Da 7:19
d Rev 13:1
e Da 7:24
   Rev 13:11
f Isa 2:3
   Sl 12:3
   Da 8:25
   Rev 13:5

g Rev 20:4; h Sl 90:2; Da 7:13; Da 7:22; Hab 1:12; Rev 4:2; i Sl 104:2; Rev 19:8; j Rev 1:14; k Isa 6:1; 1Dt 9:3; Heb 12:29; m Sl 50:3; Sl 97:3; n Heb 1:14; o Da 4:33:2; 1Re 22:19; Sl 68:17; Heb 12:22; Jud 14; Rev 5:11; p Da 32:36; 1Sa 2:10; Da 7:11; Sl 50:6; Ec 3:17.

cuerno estaba hablando;[a] seguí contemplando hasta que la bestia fue muerta y su cuerpo fue destruido y fue dado al fuego ardiente.[b] 12 Pero en cuanto a las demás bestias,[c] sus gobernaciones fueron quitadas, y hubo un alargamiento de vida que se les dio por un tiempo y sazón.[d]

13 "Seguí contemplando en las visiones de la noche, y, ¡pues vea!, con las nubes[e] de los cielos sucedía que venía alguien como un hijo del hombre;[f] y al Anciano de Días[g] obtuvo acceso, y lo presentaron cerca, aun delante de Aquel.[h] 14 Y a él fueron dados gobernación[i] y dignidad[j] y reino,[k] para que los pueblos, grupos nacionales y lenguajes todos le sirvieran aun a él.[l] Su gobernación es una gobernación de duración indefinida que no pasará, y su reino uno que no será reducido a ruinas.[1]

15 "En cuanto a mí, Daniel, mi espíritu estaba angustiado dentro [de mí] a causa de ello, y las visiones mismas de mi cabeza empezaron a asustarme.[n] 16 Me acerqué a uno de aquellos que estaban de pie, para solicitar de él información confiable acerca de todo esto.[o] Y él me dijo, al pasar a hacerme saber la interpretación misma de los asuntos:

17 "'En cuanto a estas enormes bestias, porque son cuatro,[p] hay cuatro reyes que se pondrán de pie desde la tierra.[q] 18 Pero los santos[r] del Supremo[s] recibirán el reino, y ellos tomarán posesión del reino[t] para tiempo indefinido, aun para tiempo indefinido sobre tiempos indefinidos'.

19 "Entonces fue cuando deseé asegurarme en cuanto a la cuarta bestia, que resultó diferente de todas las otras, extraordinariamente espantosa, los dientes de la cual eran de hierro y las garras de la cual eran de cobre, la cual devoraba [y] trituraba, y la cual pisoteaba con los

CAP. 7

a Da 7:8
 Da 7:25
 Da 8:23
b Da 8:25
 Rev 19:20
 Rev 20:10
c Da 7:3
d Da 2:21
 Hch 1:7
e Mt 24:30
 Mt 26:64
 Mr 13:26
 Mr 14:62
 Lu 21:27
 Rev 1:7
f Mt 25:31
 Jn 3:13
 Hch 7:56
 Flp 2:7
 Heb 2:14
 Rev 1:13
 Rev 14:14
g Da 7:9
 Hab 1:12
h Heb 12:23
 Rev 5:5
i Sl 2:6
 Sl 8:6
 Sl 89:27
 Sl 110:2
 Isa 9:6
 Mt 28:18
 Lu 10:22
 1Co 15:25
 Ef 1:22
 Rev 3:21
j Flp 2:9
k Lu 19:12
 Lu 22:29
 Jn 3:35
 1 Gé 49:10
m Sl 45:6
 Isa 9:7
 Da 2:44
 Lu 1:33
 Rev 11:15
n Da 8:27
o Da 12:6
p Da 7:3
q Da 2:39
r Sl 50:5
 Sl 149:5
 2Ti 2:12
 Rev 3:21
 Rev 5:10
 Rev 13:10
s Da 7:22
 Da 7:25
 Da 7:27
t Mt 5:5
 Mt 19:28
 Lu 22:29

2.ª col.

a Da 2:40
 Da 7:7
b Da 7:24
 Rev 13:1
c Da 8:9
d Da 7:8
e Rev 13:11
f Da 8:24
 Da 12:7
 Rev 11:7
 Rev 13:7
g Da 7:9
 Da 7:13
 Hab 1:12
h Da 7:18
 Da 7:27

pies hasta lo que quedaba;[a] 20 y acerca de los diez cuernos que estaban en su cabeza,[b] y el otro [cuerno][c] que subió y delante del cual cayeron tres,[d] aun aquel cuerno que tenía ojos y una boca que hablaba cosas grandiosas[e] y cuya apariencia era mayor que la de sus compañeros.

21 "Seguí contemplando cuando aquel mismo cuerno hizo guerra contra los santos, y prevalecía contra ellos,[f] 22 hasta que vino el Anciano de Días[g] y juicio mismo se dio a favor de los santos del Supremo,[h] y llegó el tiempo definitivo en que los santos tomaron posesión del reino mismo.[i]

23 "Esto es lo que él dijo: 'En cuanto a la cuarta bestia, hay un cuarto reino que llegará a existir en la tierra, que será diferente de todos los [demás] reinos; y devorará toda la tierra y la hollará y triturará.[j] 24 Y en cuanto a los diez cuernos, de ese reino hay diez reyes que se levantarán;[k] y hasta otro se levantará después de ellos, y él mismo será diferente de los primeros,[l] y a tres reyes humillará.[m] 25 Y hablará hasta palabras contra el Altísimo[n] y hostigará continuamente a los santos mismos del Supremo.[o] Y tendrá intención de cambiar tiempos[p] y ley,[q] y ellos serán dados en su mano por un tiempo, y tiempos y la mitad de un tiempo.[r] 26 Y el Tribunal mismo procedió a sentarse,[s] y finalmente le quitaron su propia gobernación, para aniquilar[lo] y destruir[lo] totalmente.[t]

27 "'Y el reino y la gobernación y la grandeza de los reinos bajo todos los cielos fueron dados al pueblo que son los santos

i Mt 19:28; Lu 22:29; Rev 3:21; Rev 5:10; Rev 20:4; j Da 2:40; Da 7:7; k Da 7:20; Rev 13:1; Rev 17:12; l Da 2:41; Da 7:8; Da 8:9; m Da 7:20; n Da 7:8; Da 8:25; Rev 13:11; o Mt 24:9; Rev 13:7; Rev 16:6; Rev 17:6; Rev 18:24; p Da 4:23; Lu 21:24; q Mt 24:14; r Da 12:7; Rev 11:2; Rev 11:3; Rev 13:5; s Da 7:10; t Da 7:11.

del Supremo.[a] Su reino es un reino de duración indefinida,[b] y todas las gobernaciones servirán y obedecerán aun a ellos'.[c]

28 "Hasta este punto es el final del asunto. En cuanto a mí, Daniel, mis propios pensamientos siguieron asustándome muchísimo, de modo que mi expresión misma cambió en mí; pero el asunto mismo lo guardé en mi propio corazón".[d]

8 En el tercer año de la gobernación real de Belsasar[e] el rey, hubo una visión que se me apareció, aun a mí, Daniel, después de la que se me apareció al comienzo.[f] 2 Y empecé a ver en la visión; y aconteció, mientras estaba viendo, que estuve en Susa[g] el castillo, que está en Elam[h] el distrito jurisdiccional; y procedí a ver en la visión, y sucedió que yo mismo estaba junto a la corriente de agua del Ulai.[i] 3 Cuando levanté los ojos, entonces vi y, ¡mire!, un carnero[j] parado delante de la corriente de agua, y tenía dos cuernos. Y los dos cuernos eran altos, pero el uno era más alto que el otro, y el más alto fue el que subió después.[k] 4 Vi al carnero dando cornadas al oeste y al norte y al sur, y ninguna bestia salvaje se mantuvo de pie delante de él, y no había nadie que librara de su mano.[l] E hizo según su voluntad, y se dio grandes ínfulas.

5 Y yo, por mi parte, seguí considerando, y, ¡mire!, había un macho de las cabras[m] que venía del poniente sobre la superficie de toda la tierra, y no tocaba la tierra. Y en lo que respecta al macho cabrío, había un cuerno conspicuo entre sus ojos.[n] 6 Y siguió viniendo hasta el carnero que poseía los dos cuernos, el cual yo había visto parado delante de la corriente de agua; y vino corriendo hacia él en su poderosa furia.

7 Y lo vi entrar en contacto

CAP. 7

a Isa 54:3
  Da 7:22
  Mt 19:28
  Lu 22:29
  Rev 20:4
b Rev 11:15
c Isa 60:12
d Lu 2:19

CAP. 8

e Da 5:1
  Da 7:1
  Da 7:15
g Ne 1:1
  Est 2:8
h Gé 10:22
  Isa 11:11
  Isa 21:2
i Da 8:16
j Isa 13:17
  Da 21:2
  Jer 51:11
  Da 7:5
  Da 8:20
k Est 1:3
  Isa 44:28
  Da 11:2
l Isa 45:1
  Jer 51:12
  Da 5:30
m Da 2:39
  Da 7:3
  Da 8:21
n Da 11:3

2.ª col.

a Da 7:6
b Pr 21:24
  Isa 29:20
c Da 8:22
  Da 11:4
d Da 7:8
  Da 7:20
e Sl 48:2
  Isa 4:2
  Isa 28:5
  Eze 20:6
  Da 11:16
  Da 11:45
f Isa 14:13
  Da 7:25
g Da 12:3
  Rev 11:20
h Rev 11:7
i Da 8:25
j Éx 29:38
  Da 12:11
k Da 11:31
  1Co 3:17
  Rev 3:12
  Rev 11:2
l Mt 24:9
  Rev 11:7
  Rev 13:7
m Mt 28:23
  Éxd 3:3
  Os 14:2
  Heb 13:15
n Sl 106:6
  Isa 44:22
o Jn 4:24
p Isa 59:14
q Jer 12:1
r 1Pe 1:12
s Rev 6:10
t Da 12:11
  Mt 24:15
  Mr 13:14
u Isa 63:18
  Da 7:25
  Da 12:7
  Rev 11:2

estrecho con el carnero, y empezó a mostrar amargura hacia él, y procedió a derribar al carnero y a quebrar sus dos cuernos, y resultó que no hubo poder en el carnero para mantenerse firme delante de él. De modo que lo arrojó a la tierra y lo holló, y resultó que el carnero no tuvo quien lo librara de su mano.[a]

8 Y el macho de las cabras, por su parte, se dio grandes ínfulas[b] hasta el extremo; pero en cuanto se hizo poderoso, el gran cuerno fue quebrado, y procedieron a subir conspicuamente cuatro en lugar de él, hacia los cuatro vientos de los cielos.[c]

9 Y de uno de ellos salió otro cuerno, uno pequeño,[d] y siguió haciéndose mucho mayor hacia el sur y hacia el naciente y hacia la Decoración.[e] 10 Y siguió haciéndose mayor hasta llegar al mismo ejército de los cielos,[f] de modo que hizo que algunos del ejército y algunas de las estrellas[g] cayeran a la tierra, y se puso a hollarlos.[h] 11 Y hasta llegar al mismo Príncipe[i] del ejército se dio grandes ínfulas, y de él el [rasgo] constante[j] fue quitado, y el lugar establecido de su santuario fue echado abajo.[k] 12 Y un ejército mismo fue gradualmente entregado,[l] junto con el [rasgo] constante,[m] debido a transgresión;[n] y siguió arrojando la verdad[o] por tierra,[p] y actuó y tuvo éxito.[q]

13 Y llegué a oír a cierto santo[r] hablando, y otro santo procedió a decir a aquel que estaba hablando: "¿Cuánto durará la visión del [rasgo] constante[s] y de la transgresión que causa desolación,[t] para hacer tanto [del] lugar santo como [del] ejército cosas para hollar?".[u] 14 De modo que él me dijo: "Hasta dos mil trescientas tardes [y] mañanas; y [el] lugar santo ciertamente será llevado a su condición correcta".[v]

v Isa 1:27; Isa 45:25; Isa 60:17; Rev 11:11.

15 Entonces aconteció que, mientras yo mismo, Daniel, veía la visión y buscaba un entendimiento,[a] pues, ¡mire!, hubo de pie enfrente de mí alguien [que era] en apariencia como un hombre físicamente capacitado.[b] 16 Y empecé a oír la voz de un hombre terrestre en medio del Ulai,[c] y procedió a clamar y decir: "Gabriel,[d] haz que ese [que está] allí entienda la cosa vista".[e] 17 De modo que vino junto a donde yo estaba de pie, pero cuando vino me aterroricé, de modo que caí sobre mi rostro. Y él procedió a decirme: "Entiende,[f] oh hijo del hombre,[g] que la visión es para el tiempo de[l] fin".[h] 18 Y mientras estaba hablando conmigo, yo me había quedado profundamente dormido sobre mi rostro en la tierra.[i] Por lo tanto, él me tocó e hizo que me pusiera de pie donde yo había estado parado.[j] 19 Y pasó a decir: "Mira, te voy a hacer saber lo que ocurrirá en la parte final de la denunciación, porque es para el señalado tiempo de[l] fin.[k] 20 "El carnero que tú viste que poseía los dos cuernos [representa a] los reyes de Media y Persia.[l] 21 Y el macho cabrío peludo [representa] al rey de Grecia;[m] y en cuanto al gran cuerno que estaba entre sus ojos, [representa] al primer rey.[n] 22 Y puesto que ese fue quebrado, de modo que hubo cuatro que finalmente se levantaron en lugar de él,[o] hay cuatro reinos de [su] nación que se pondrán de pie, pero no con su poder. 23 "Y en la parte final del reino de ellos, a medida que los transgresores actúen hasta lo completo, se pondrá de pie un rey de fiero semblante y que entenderá dichos ambiguos.[p] 24 Y su poder tiene que hacerse potente, pero no por su propio poder.[q] Y de manera maravillosa causará ruina,[r] y ciertamente

tendrá éxito y obrará con eficacia. Y realmente reducirá a la ruina a poderosos, también al pueblo hecho de [los] santos.[a] 25 Y según su perspicacia ciertamente también hará que el engaño tenga éxito en su mano.[b] Y en su corazón se dará grandes ínfulas,[c] y durante un [tiempo] libre de cuidados[d] arruinará a muchos. Y contra el Príncipe de príncipes[e] se pondrá de pie, pero será sin mano como será quebrado.[f] 26 "Y la cosa que se ha visto acerca de la tarde y la mañana, de que se ha dicho, es verdadera.[g] Y tú, por tu parte, guarda secreta la visión, porque es todavía para muchos días".[h] 27 Y en cuanto a mí, Daniel, me sentí agotado y quedé enfermo por [varios] días.[i] Entonces me levanté e hice el trabajo del rey;[j] pero seguí mostrándome aturdido a causa de la cosa vista, y no había nadie que [la] entendiera.[k]

9 En el primer año de Darío[l] el hijo de Asuero de la descendencia de los medos,[m] quien había sido hecho rey sobre el reino de los caldeos;[n] 2 en el primer año de reinar él, yo mismo, Daniel, discerní por los libros el número de los años acerca de los cuales la palabra de Jehová había ocurrido a Jeremías el profeta,[o] para cumplir las devastaciones de Jerusalén,[p] [a saber,] setenta años.[q] 3 Y procedí a dirigir mi rostro[r] hacia Jehová el Dios [verdadero], para buscar-[lo] con oración[s] y con súplicas, con ayuno y saco y cenizas.[t] 4 Y empecé a orar a Jehová mi Dios y a hacer confesión y decir:

"Ah, Jehová el Dios [verdadero], el Grande[v] e Inspirador de temor, que guarda el pacto[w] y la

---

CAP. 8
a Da 1:17
b Da 7:16
c Da 8:2
d Da 9:21
  Lu 1:19
  Lu 1:26
e Da 9:22
f Da 9:23
g Eze 2:1
h Da 10:14
  Da 12:4
  Da 12:9
i Da 10:9
j Da 10:10
  Zac 4:1
k Da 11:27
  Mt 24:3
l Da 7:5
  Da 8:3
  Da 11:2
m Da 7:6
  Da 8:5
n Da 11:3
o Da 8:8
  Da 11:4
p Da 7:8
  Da 7:11
  Rev 13:11
q Lu 4:6
  Rev 13:2
  Rev 13:7
r Da 7:25
  Rev 11:18

2.ª col.
a Da 8:10
  Rev 13:10
  Rev 16:6
b Da 7:8
  Rev 13:13
c Pr 16:18
  Pr 21:4
d Jer 23:27
e Jer 48:26
  Da 5:23
  Da 8:11
f Da 7:26
  Rev 19:20
g Isa 14:24
  Isa 46:10
  Isa 55:11
h Da 10:14
  Rev 22:10
i Da 7:28
  Da 10:16
j Da 2:48
k Da 8:17

CAP. 9
l Da 5:31
  Da 6:1
  Da 6:28
m Da 11:1
  Da 5:30
n Da 8:1
o 2Cr 36:21
  Esd 1:1
  Jer 27:7
  Jer 29:10
p Sl 79:1
  Isa 64:10
  Jer 7:34
  Lam 1:10
q Jer 25:11
  Jer 29:10
  Zac 7:5
r 2Co 1:11
s Pr 15:8
  Pr 15:29
  Jer 33:3

---

t Esd 8:21; Est 4:3; Sl 35:13; Sl 69:10; Eze 27:31;
u 1Re 8:47; v Ne 1:5; w Dt 7:9.

bondad amorosa[a] a los que lo aman y a los que guardan sus mandamientos.[b] 5 nosotros hemos pecado[c] y hecho lo malo y actuado inicuamente y nos hemos rebelado;[d] y ha habido un desviarnos de tus mandamientos y tus decisiones judiciales.[e] 6 Y no hemos escuchado a tus siervos los profetas,[f] quienes han hablado en tu nombre a nuestros reyes, nuestros príncipes y nuestros antepasados y a toda la gente de la tierra.[g] 7 A ti, oh Jehová, pertenece la justicia, pero a nosotros la vergüenza de rostro, como en este día,[h] a los hombres de Judá y a los habitantes de Jerusalén y a todos los de Israel, los que están cerca y los que están lejos en todas las tierras a las cuales los dispersaste debido a su infidelidad con la cual actuaron contra ti.[i]

8 "Oh Jehová, a nosotros pertenece la vergüenza de rostro, a nuestros reyes, a nuestros príncipes y a nuestros antepasados, porque hemos pecado contra ti.[k] 9 A Jehová nuestro Dios pertenecen las misericordias[k] y los actos de perdón,[l] porque nos hemos rebelado contra él.[m] 10 Y no hemos obedecido la voz de Jehová nuestro Dios por medio de andar en sus leyes que él colocó delante de nosotros por la mano de sus siervos los profetas.[n] 11 Y todos los de Israel han traspasado tu ley, y ha habido un desviarse al no obedecer tu voz,[o] de modo que derramaste sobre nosotros la maldición y el firme juramento[p] que está escrito en la ley de Moisés el siervo del Dios [verdadero], porque hemos pecado contra Él. 12 Y procedió a ejecutar sus palabras que había hablado contra nosotros[q] y contra nuestros jueces que nos juzgaron,[r] y trajo sobre nosotros gran calamidad, que no se ha hecho bajo todos los cielos como lo que se ha hecho en Jerusalén.[s] 13 Tal como está escrito en la ley de Moisés,[t]

toda esta calamidad... ha venido sobre nosotros,[a] y no hemos ablandando el rostro de Jehová nuestro Dios volviéndonos de nuestro error[b] y mostrando perspicacia en tu apego a la verdad.[c]

14 "Y Jehová se mantuvo alerta a la calamidad y finalmente la trajo sobre nosotros,[d] porque Jehová nuestro Dios es justo en todas sus obras que ha hecho; y nosotros no hemos obedecido su voz.[e]

15 "Y ahora, oh Jehová nuestro Dios, tú que sacaste a tu pueblo de la tierra de Egipto por mano fuerte[f] y procediste a hacer un nombre para ti como en este día,[g] hemos pecado,[h] hemos actuado inicuamente. 16 Oh Jehová, según todos tus actos de justicia,[i] por favor, vuélvase tu cólera y tu furia de contra tu ciudad Jerusalén, tu santa montaña;[j] porque, debido a nuestros pecados y debido a los errores de nuestros antepasados,[k] Jerusalén y tu pueblo son objeto de oprobio a todos los que están en derredor de nosotros.[l] 17 Y ahora escucha, oh nuestro Dios, la oración de tu siervo, y sus súplicas, y haz que tu rostro brille[m] sobre tu santuario que está desolado,[n] por causa de Jehová. 18 Inclina tu oído, oh Dios mío, y oye.[o] Dígnate abrir los ojos y ve nuestras condiciones de desolación y la ciudad que ha sido llamada por tu nombre;[p] porque no según nuestros actos justos dejamos que nuestras súplicas caigan delante de ti,[q] sino según tus muchas misericordias.[r] 19 Oh Jehová, sí oye.[s] Oh Jehová, sí perdona.[t] Oh Jehová, sí presta atención y actúa.[u] No tardes,[v] por causa de ti mismo, oh Dios mío, porque tu propio nombre ha sido llamado sobre tu ciudad y sobre tu pueblo.[w]

20 Mientras yo todavía estaba

CAP. 9

a Ex 34:6
Sl 40:11
b Dt 5:10
c Esd 9:6
Sl 106:6
d Ne 9:26
Ne 9:33
e Jer 3:25
f 2Re 17:14
2Cr 36:16
Jer 7:13
Jer 29:19
Jer 44:5
g Esd 9:7
Ne 9:32
h Sl 44:15
Jer 2:26
Jer 3:25
i Le 26:33
Dt 4:27
Dt 28:41
2Re 17:6
Isa 11:11
j Sl 106:6
Jer 14:20
Lam 3:42
k Ex 34:6
Ne 9:17
l Nú 14:18
Sl 86:5
m Ne 9:26
n 2Re 17:13
Esd 9:10
Jer 8:10
o Dt 28:15
Dt 31:17
q Lam 2:17
r Os 7:7
s Jer 1:14
Jer 39:8
t Le 26:16
Dt 28:15

2.ª col.

a Lam 1:1
b Isa 9:13
Isa 64:7
Jer 2:30
Jer 5:3
c Sl 25:10
Sl 117:2
d Jer 44:2
e Ne 9:33
f Ex 6:1
Ex 32:11
g Ex 9:16
Ne 9:10
Sl 106:8
h Da 9:5
i Sl 9:8
Sl 31:1
Sl 89:14
Isa 26:9
j Sl 48:2
Isa 66:20
k Le 26:39
Sl 106:6
l 1Re 9:7
Sl 79:4
Jer 24:9
m Nú 6:25
Sl 4:6
Sl 67:1
n Isa 64:10
Lam 5:18
o 1Re 8:29
Sl 17:6
p Jer 7:10
Jer 25:29
q Isa 64:6
Jer 14:7

r Dt 13:17; Sl 25:6; Sl 102:13; Isa 54:7; s 1Re 8:30; t Nú 14:19; u 2Cr 6:21; v Sl 79:8; w Isa 63:19; Jer 14:9.

hablando y orando y confesando mi pecado[a] y el pecado de mi pueblo Israel[b] y dejando que mi petición de favor cayera delante de Jehová mi Dios en cuanto a la santa montaña[c] de mi Dios, 21 y [mientras] todavía estaba hablando en la oración, pues, el hombre Gabriel,[d] a quien había visto en la visión al comienzo,[e] habiendo quedado rendido de cansancio, estaba llegando junto a mí al tiempo de la ofrenda de la dádiva de la tarde.[f] 22 Y empezó a impartir entendimiento y a hablar conmigo y decir:

"Oh Daniel, ahora he salido para hacerte tener perspicacia con entendimiento.[g] 23 Al comienzo de tus súplicas salió una palabra, y yo mismo he venido a dar información, porque eres alguien muy deseable.[h] Así que da consideración[i] al asunto, y ten entendimiento en la cosa vista.

24 "Hay setenta semanas que han sido determinadas sobre tu pueblo[j] y sobre tu santa ciudad,[k] para poner fin a la transgresión,[l] y para acabar con el pecado,[m] y para hacer expiación por el error,[n] y para introducir la justicia para tiempos indefinidos,[o] y para imprimir un sello[p] sobre visión y profeta, y para ungir al Santo de los Santos.[q] 25 Y debes saber y tener la perspicacia [de que] desde la salida de [la] palabra[r] de restaurar y reedificar a Jerusalén[s] hasta Mesías[t] [el] Caudillo,[u] habrá siete semanas, también sesenta y dos semanas.[v] Ella volverá y será realmente reedificada, con plaza pública y foso, pero en los aprietos de los tiempos.

26 "Y después de las sesenta y dos semanas Mesías será cortado,[w] con nada para sí.[x]

"Y a la ciudad y al lugar santo[y] el pueblo de un caudillo que viene los arruinará.[z] Y el fin del tal será por la inundación. Y hasta [el] fin habrá guerra; lo que está decidido es desolaciones.[a]

27 "Y él tiene que mantener [el] pacto[a] en vigor para los muchos por una semana;[b] y a la mitad de la semana hará que cesen el sacrificio y la ofrenda de dádiva.[c]

"Y sobre el ala de cosas repugnantes habrá el que cause desolación;[d] y hasta un exterminio, la misma cosa que se ha decidido irá derramándose también sobre el que yace desolado".[e]

10 En el tercer año de Ciro[f] el rey de Persia un asunto fue revelado a Daniel, a quien se llamó por nombre Beltsasar;[g] y el asunto era verdadero, y había un gran servicio militar.[h] Y él entendió el asunto, y tuvo entendimiento en la cosa vista.[i]

2 En aquellos días sucedió que yo mismo, Daniel, estuve de duelo[j] por tres semanas completas. 3 Pan exquisito no comí, y ni carne ni vino entraron en mi boca, y de ninguna manera me unté aceite hasta completadas las tres semanas enteras.[k] 4 Y en el día veinticuatro del primer mes, mientras sucedía que yo mismo estaba en la ribera del gran río, es decir, Hidequel,[l] 5 también procedí a levantar los ojos y ver, y aquí estaba cierto hombre vestido de lino,[m] con sus caderas[n] ceñidas con oro de Ufaz.[o] 6 Y su cuerpo era como crisólito,[p] y su rostro como la apariencia del relámpago,[q] y sus ojos como antorchas de fuego,[r] y sus brazos y el lugar de sus pies eran como la vista de cobre bruñido,[s] y el sonido de sus palabras era como el sonido de una muchedumbre. 7 Y yo vi, yo Daniel por mí mismo, el aparecimiento; pero en cuanto a los hombres que se hallaban conmigo, no vieron el aparecimiento.[t]

CAP. 9
a Sl 32:5
  Ec 7:20
b Isa 6:5
c Sl 87:1
  Isa 56:7
  Zac 8:3
d Da 8:16
  Lu 1:19
e Da 8:1
f 1Re 18:36
  Esd 9:5
g Da 8:15
h Da 10:11
  Da 10:19
i Pr 2:3
j Éx 33:16
k Ne 11:1
  Sl 87:3
  Isa 52:1
l Isa 61:1
m Jer 31:34
  Lu 1:77
  Ro 6:18
  Heb 9:26
n Ro 3:25
  2Co 5:19
  1Jn 2:2
  1Jn 4:10
o Isa 53:11
  Isa 61:11
  Ro 1:17
p Jn 3:33
  2Co 1:20
q Heb 9:7
  Heb 9:24
r Ne 2:5
s Ne 6:15
t 1Sa 2:10
  Sl 2:2
  Lu 17:21
  Jn 1:41
u 1Cr 5:2
  Isa 55:4
  Da 11:22
  Mt 23:10
  Jn 1:49
v Lu 3:1
w Sl 22:15
  Isa 53:8
  Isa 53:12
  Mt 26:2
  Lu 24:26
  1Co 15:3
x Mr 9:12
y Mt 24:15
z Lu 19:43
  Lu 21:20
a Mt 24:7
  Lu 21:22
  Lu 21:24

2.ª col.

a Gé 15:18
  Gé 17:7
  Lu 1:55
b Mt 3:9
  Mt 10:6
  Mt 15:24
  Jn 19:15
c Mt 27:51
  2Co 5:17
  Heb 9:12
  Heb 10:10
d Mr 13:14
e Da 7:7
  Da 7:23
  Lu 21:20

CAP. 10 f Esd 1:1; Isa 45:1; Da 1:21; Da 6:28;
g Da 1:7; Da 4:8; h Da 10:13; Da 11:2; i Da 1:17;
j Jer 9:1; Da 9:3; k 2Sa 14:2; l Gé 2:14; m Da
12:6; Rev 19:8; Rev 19:14; n Isa 11:5; Rev 1:13;
o Jer 10:9; p Éx 28:20; Eze 1:16; Rev 21:20;
q Eze 1:14; Mt 17:2; r Rev 1:14; Rev 2:18; s Eze
1:7; Rev 1:15; t 2Re 6:17; Hch 9:7; Hch 22:9.

No obstante, hubo un gran temblor que cayó sobre ellos, de modo que se pusieron a correr y esconderse.

8 Y a mí... a mí se me dejó solo, de modo que vi este gran aparecimiento. Y no quedó en mí ningún poder, y mi propia dignidad llegó a cambiarse sobre mí hasta arruinamiento, y no retuve ningún poder.[a] 9 Y empecé a oír el sonido de sus palabras; y al oír el sonido de sus palabras, sucedió que también me hallé profundamente dormido[b] sobre mi rostro, rostro a tierra.[c] 10 Y, ¡mire!, hubo una mano que me tocó,[d] y gradualmente me agitó para [que me pusiera] sobre las rodillas y las palmas de las manos. 11 Y procedió a decirme: "Oh Daniel, hombre muy deseable,[e] ten entendimiento en las palabras que te hablo,[f] y ponte de pie donde estabas parado, porque ahora he sido enviado a ti".

Y cuando él habló conmigo esta palabra, sí me puse de pie, retemblando.

12 Y pasó a decirme: "No tengas miedo,[g] oh Daniel, porque desde el primer día que diste tu corazón a entender[h] y a humillarte delante de tu Dios[i] tus palabras han sido oídas, y yo mismo he venido a causa de tus palabras.[j] 13 Pero el príncipe[k] de la región real de Persia[l] estuvo plantado en oposición[m] a mí por veintiún días, y, ¡mira!, Miguel,[n] uno de los príncipes prominentes,[o] vino a ayudarme; y yo, por mi parte, permanecí allí al lado de los reyes de Persia.[p] 14 Y he venido a hacer que disciernas lo que acaecerá a tu pueblo[q] en la parte final de los días,[r] porque hay una visión[s] todavía para los días [venideros]".[t]

15 Ahora bien, cuando me habló palabras como estas, yo me había puesto rostro a tierra[u] y había enmudecido. 16 Y, ¡mire!, uno parecido a la semejanza de los hijos de la humanidad estaba tocando mis labios,[a] y empecé a abrir la boca y a hablar[b] y decir al que estaba de pie enfrente de mí: "Oh mi señor,[c] debido al aparecimiento mis convulsiones fueron vueltas dentro de mí, y no retuve ningún poder.[d] 17 Así que, ¿cómo podría el siervo de este mi señor hablar con este mi señor?[e] Y en cuanto a mí, hasta ahora no siguió subsistiendo en mí ningún poder, y ningún aliento en absoluto quedó en mí".[f]

18 Y aquel como la apariencia de un hombre terrestre procedió a tocarme de nuevo y a fortalecerme.[g] 19 Entonces dijo: "No tengas miedo,[h] oh hombre muy deseable.[i] Ten paz.[j] Sé fuerte, sí, sé fuerte".[k] Y tan pronto como habló conmigo ejercí mi fuerza y finalmente dije: "Hable mi señor,[l] porque me has fortalecido".[m] 20 Así que pasó a decir: "¿Sabes realmente por qué he venido a ti? Y ahora regresaré a pelear con el príncipe de Persia.[n] Cuando yo vaya saliendo, ¡mira!, también el príncipe de Grecia viene.[o] 21 No obstante, te informaré las cosas apuntadas en la escritura de la verdad,[p] y no hay nadie que resulte fuerte conmigo en estas [cosas] sino Miguel,[q] el príncipe de ustedes.[r]

11 "Y en cuanto a mí, en el primer año de Darío el medo[s] me puse de pie como fortalecedor y como plaza fuerte para él. 2 Y ahora lo que es verdad te informaré:[t]

"¡Mira! Todavía habrá tres reyes que se pondrán de pie por Persia,[u] y el cuarto[v] acumulará más grandes riquezas que todos los [demás].[w] Y tan pronto como se haya hecho fuerte en sus riquezas, levantará todo contra el reino de Grecia.[x]

CAP. 10
a Da 7:28
  Da 8:27
  Hab 3:16
  Mt 17:6
b Gé 15:12
  Job 33:15
c Da 8:18
d Jer 1:9
  Da 9:21
  Rev 1:17
e Pr 15:9
  Da 10:19
f Da 9:22
g Isa 35:4
  Rev 1:17
h 1Re 8:49
  Hch 10:4
i Da 9:3
j Pr 15:8
  Pr 15:29
  Da 9:23
k Ef 6:12
  Rev 13:4
l Esd 4:5
  Da 11:2
m 1Te 2:18
n Da 10:21
  Da 12:1
  Jud 9
  Rev 12:7
o Jn 17:5
  Col 2:10
  1Pe 3:22
p Da 6:28
q Gál 3:29
  Gál 6:16
r Da 2:28
s Isa 46:10
t Da 8:17
  Da 8:26
  Da 12:4
u Da 8:18

2.ª col.

a Isa 6:7
  Jer 1:9
b Eze 33:22
c Jos 5:14
  Da 12:8
d Da 10:8
e Jue 6:22
f Isa 6:5
g Da 10:10
h Jue 6:23
  Rev 1:17
i Da 9:23
j Lu 24:36
k Isa 35:4
  Ag 2:4
  Zac 8:9
  1Co 16:13
l 1Sa 3:10
m Sl 138:3
n Da 10:13
o Da 7:6
  Da 8:5
  Da 11:3
p Isa 43:9
  Am 3:7
q Da 10:13
  Jud 9
  Rev 12:7
r Da 12:1

CAP. 11
s Da 5:31
  Da 9:1
t Pr 22:21
u Esd 4:5
v Esd 4:6
w Est 1:1

x Gé 10:2; Gé 10:4; Isa 66:19; Da 8:21; Zac 9:13.

3 "Y un rey poderoso ciertamente se pondrá de pie y gobernará con dominio extenso[a] y hará según su voluntad.[b] 4 Y cuando se haya puesto de pie,[c] su reino será quebrantado y será dividido hacia los cuatro vientos[d] de los cielos,[e] pero no a su posteridad[f] y no según su dominio con el cual había gobernado; porque su reino será arrancado de raíz, hasta para otros que no son estos.

5 "Y el rey del sur se hará fuerte, aun [uno] de sus príncipes; y prevalecerá contra él y ciertamente gobernará con dominio extenso [mayor que] el poder gobernante de aquel.

6 "Y al fin de [algunos] años se aliarán uno con otro, y la hija misma del rey del sur vendrá al rey del norte para hacer un arreglo equitativo. Pero ella no retendrá el poder de su brazo;[g] y él no subsistirá, ni su brazo; y ella será cedida, ella misma, y los que la trajeron, y el que causó su nacimiento, y el que la hizo fuerte en [aquellos] tiempos. 7 Y uno del brote[h] de las raíces de ella ciertamente se pondrá de pie en la posición suya, y él vendrá a la fuerza militar y vendrá contra la plaza fuerte del rey del norte y ciertamente actuará contra ellos y prevalecerá. 8 Y también con los dioses de ellos,[i] con sus imágenes fundidas, con sus objetos deseables de plata y de oro, [y] con los cautivos vendrá a Egipto. Y él mismo por [algunos] años se mantendrá apartado del rey del norte.

9 "Y él realmente entrará en el reino del rey del sur y volverá a su propio suelo.

10 "Ahora bien, en cuanto a sus hijos, se excitarán y realmente reunirán una muchedumbre de grandes fuerzas militares. Y al venir él ciertamente vendrá e inundará y pasará adelante. Pero volverá atrás, y él se

excitará hasta llegar a su misma plaza fuerte.

11 "Y el rey del sur se amargará y tendrá que salir y pelear con él, [es decir,] con el rey del norte; y ciertamente hará que una muchedumbre grande se ponga de pie, y la muchedumbre realmente será dada en mano de aquel.[a] 12 Y la muchedumbre ciertamente será llevada. El corazón de él se ensalzará,[b] y realmente hará que decenas de millares caigan; pero no usará su fuerte posición.

13 "Y el rey del norte tiene que volver y establecer una muchedumbre mayor que la primera; y al fin de los tiempos, [algunos] años, vendrá, haciéndolo con una gran fuerza militar[c] y con muchísimos bienes.[d] 14 Y en aquellos tiempos habrá muchos que se pondrán de pie contra el rey del sur.

"Y los hijos de los salteadores que pertenecen a tu pueblo, por su parte, serán llevados a tratar de hacer que se realice una visión;[e] y tendrán que tropezar.[f]

15 "Y el rey del norte vendrá y levantará un cerco de sitiar[g] y realmente tomará una ciudad con fortificaciones. Y en cuanto a los brazos del sur, no se mantendrán firmes, ni el pueblo de sus escogidos; y no habrá poder para mantenerse firmes. 16 Y aquel que viene contra él hará según su voluntad, y no habrá nadie que se mantenga firme delante de él. Y se plantará en la tierra de la Decoración,[h] y habrá exterminio en su mano.[i] 17 Y pondrá su rostro[j] para venir con el vigor de su reino entero, y habrá [términos] equitativos[k] con él; y actuará eficazmente.[l] Y en lo que respecta a la hija de las mujeres, a él se otorgará reducirla a ruina. Y ella no se mantendrá firme, y ella no continuará siendo de él.[m] 18 Y él volverá su rostro a las tierras

---

CAP. 11
a Da 7:6
Da 8:5
Da 8:21

b Da 5:19

c Sl 37:35

d Eze 12:14
Eze 17:21

e Da 7:6
Da 8:8
Da 8:22

f Ec 4:8

g Job 38:15

h Job 14:7

i Isa 37:19
Isa 43:10

2.ª col.

a Ec 9:11

b 2Re 14:10
2Cr 26:16
Pr 16:18
Eze 28:2
Da 5:20

c 2Re 6:15

d 1Sa 25:13

e Hch 5:36

f Heh 5:37

g Jer 6:6
Jer 32:24

h Sl 48:2
Eze 20:6
Da 8:9
Da 11:41
Da 11:45

i Ec 8:9

j 2Cr 20:3

k Da 11:6

l Da 11:28

m Pr 19:21

costaneras[a] y realmente tomará muchas. Y un comandante tendrá que hacer que el oprobio procedente de él cese para sí, [para que] su oprobio no sea. Él hará que vuelva sobre aquel. 19 Y él volverá su rostro a las plazas fuertes de su [propio] país, y ciertamente tropezará y caerá, y no se le hallará.[b]

20 "Y tiene que ponerse de pie en la posición suya uno[c] que esté haciendo que un exactor[d] pase por el reino espléndido, y en unos cuantos días será quebrantado, pero no en cólera ni en guerra.

21 "Y tiene que ponerse de pie en la posición suya uno que ha de ser despreciado,[e] y ciertamente no pondrán sobre él la dignidad de[l] reino; y realmente entrará durante un [tiempo] libre de cuidados[f] y se asirá de[l] reino por medio de melosidad.[g] 22 Y en lo que respecta a los brazos[h] de la inundación, serán inundados por causa de él, y serán quebrantados;[i] como lo será también[j] el Caudillo[k] de[l] pacto.[l] 23 Y por haberse aliado ellos con él, él efectuará engaño y realmente subirá y se hará poderoso mediante una nación pequeña.[m] 24 Durante un [tiempo] libre de cuidados,[n] aun en lo pingüe del distrito jurisdiccional entrará y realmente hará lo que no han hecho sus padres ni los padres de sus padres. Botín y despojo y bienes esparcirá entre ellos; y contra lugares fortificados tramará sus tramas,[o] pero solo hasta un tiempo.

25 "Y despertará su poder y su corazón contra el rey del sur con una gran fuerza militar; y el rey del sur, por su parte, se excitará para la guerra con una fuerza militar sumamente grande y poderosa. Y él no se mantendrá firme, porque tramarán contra él tramas. 26 Y los mismos que coman sus manjares exquisitos traerán su quebranto.

"Y en cuanto a su fuerza militar, será llevada por la inundación, y muchos ciertamente caerán muertos.

27 "Y en lo que respecta a estos dos reyes, su corazón estará inclinado a hacer lo que es malo, y en una misma mesa[a] una mentira es lo que seguirán hablando.[b] Pero nada tendrá éxito,[c] porque [el] fin todavía es para el tiempo señalado.[d]

28 "Y volverá a su país con una gran cantidad de bienes, y su corazón estará contra el pacto santo.[e] Y actuará eficazmente,[f] y ciertamente volverá a su país.

29 "Al tiempo señalado[g] volverá, y realmente vendrá contra el sur;[h] pero no resultará ser al final lo mismo que al principio. 30 Y ciertamente vendrán contra él las naves de Kitim,[i] y tendrá que sentirse desalentado.

"Y realmente volverá y arrojará denunciaciones[j] contra el pacto santo[k] y actuará eficazmente; y tendrá que volver, y dará consideración a los que dejan el pacto santo. 31 Y habrá brazos que se levantarán, procedentes de él; y realmente profanarán el santuario,[l] la plaza fuerte, y removerán el [rasgo] constante.[m]

"Y ciertamente pondrán en [el] lugar la cosa repugnante[n] que está causando desolación.[o]

32 "Y a los que actúan inicuamente contra [el] pacto,[p] los conducirá a apostasía[q] mediante palabras melosas.[r] Pero en lo que respecta al pueblo que conoce a su Dios,[s] ellos prevalecerán[t] y actuarán eficazmente. 33 Y tocante a los que tienen perspicacia[u] entre el pueblo, impartirán entendimiento a los muchos.[v] Y ciertamente se les hará tropezar por espada y por llama, por cautiverio y por saqueo,[w] du-

CAP. 11
a Jer 2:10
b Sl 27:2
  Sl 37:17
  Sl 37:36
c Lu 2:1
d Lu 2:2
  Hch 5:37
e Sl 12:8
  Lu 2:1
  Lu 3:1
f Jer 22:21
  Da 8:25
g Sl 55:21
h 2Cr 32:8
i Sl 10:15
j Sl 55:21
  Isa 53:10
k Mr 15:20
  Hch 3:15
l 1Cr 5:2
  Isa 55:4
  Jn 1:49
m Gé 15:18
  Da 9:27
  Lu 1:55
  Hch 3:25
n Flp 1:13
o Da 8:25
n Sl 36:4
  Pr 6:18

2.ᵃ col.

a 1Co 10:21
  1Ti 4:1
b Sl 12:2
  Sl 58:3
  Sl 64:5
  Pr 12:5
  Pr 12:20
  Pr 26:23
  1Ti 4:2
c Pr 19:21
d Da 12:9
  Hab 2:3
e 2Sa 7:12
  2Sa 23:5
  Sl 89:28
  Lu 1:33
  Lu 22:29
f Da 11:17
g Mt 24:3
  Lu 21:24
h Mt 24:7
i Gé 10:4
  Nú 24:24
  Isa 23:1
  Jer 2:10
  Eze 27:6
j Jn 15:20
k Da 11:28
l Da 8:11
  Pr 11:2
  Rev 11:2
m Éx 29:38
  Nú 28:3
  Sl 119:44
  Da 8:12
  Da 12:11
n Da 12:11
  Mt 24:15
  Rev 13:15
  Rev 17:8
o Lu 21:20
p Lu 22:29
q 2Te 2:3
r Sl 55:21
s 1Cr 28:9
  Jn 17:3
  Ro 10:13
t Joe 2:32

u Pr 1:3; Isa 32:3; Da 12:10; Mt 13:11; Mt 24:45;
v Pr 9:9; Zac 8:23; Mt 24:14; w Mt 10:18; Mt
24:9; Jn 16:2; Rev 2:10; Rev 12:17; Rev 16:6.

rante [algunos] días. 34 Pero cuando se les haga tropezar serán ayudados con un poco de ayuda;[a] y muchos ciertamente se unirán a ellos por medio de melosidad.[b] 35 Y a algunos de los que tienen perspicacia se les hará tropezar,[c] para que se haga una obra de refinación debido a ellos, y para que se haga una limpieza y para que se haga un emblanquecimiento,[d] hasta el tiempo de[1] fin;[e] porque es todavía para el tiempo señalado.[f]

36 ”Y el rey verdaderamente hará según su propia voluntad, y se ensalzará y se engrandecerá sobre todo dios;[g] y contra el Dios de dioses[h] hablará cosas maravillosas. Y ciertamente tendrá éxito hasta que [la] denunciación haya llegado a su fin;[i] porque la cosa que se ha decidido tiene que hacerse. 37 Y al Dios de sus padres no dará consideración; y al deseo de las mujeres y a todo otro dios no dará consideración, sino que sobre todos se engrandecerá.[j] 38 Pero al dios de las plazas fuertes, en su posición dará gloria; y a un dios que sus padres no conocieron dará gloria por medio de oro y por medio de plata y por medio de piedra preciosa y por medio de cosas deseables. 39 Y actuará eficazmente contra las más fortificadas plazas fuertes, junto con un dios extranjero. A quienquiera que [le] haya dado reconocimiento lo hará abundar en gloria, y realmente los hará gobernar entre muchos; y [el] suelo lo repartirá proporcionalmente por un precio.

40 ”Y en el tiempo de[1] fin el rey del sur[k] se envolverá con él en un empuje, y contra él el rey del norte se lanzará como tempestad con carros y con hombres de a caballo y con muchas naves; y ciertamente entrará en los países e inundará y pasará adelante. 41 Él también realmente

entrará[a] en la tierra de la Decoración,[b] y habrá muchas [tierras] a las que se hará tropezar.[c] Pero estas son las que escaparán de su mano: Edom y Moab[d] y la parte principal de los hijos de Ammón. 42 Y seguirá alargando su mano contra los países; y en lo que respecta a la tierra de Egipto,[e] no resultará ser una que escape. 43 Y él verdaderamente gobernará sobre los tesoros escondidos del oro y la plata y sobre todas las cosas deseables de Egipto. Y los libios y los etíopes irán en sus pasos.

44 ”Pero habrá informes que lo perturbarán,[f] desde el naciente[g] y desde el norte, y ciertamente saldrá en gran furia para aniquilar y dar por entero a muchos a la destrucción.[h] 45 Y plantará sus tiendas palaciegas entre [el] gran mar y la santa montaña de Decoración;[i] y tendrá que llegar hasta su mismo fin,[j] y no habrá ayudante para él.[k]

12 ”Y durante aquel tiempo se pondrá de pie[l] Miguel,[m] el gran príncipe[n] que está plantado a favor de los hijos de tu pueblo.[o] Y ciertamente ocurrirá un tiempo de angustia como el cual no se ha hecho que ocurra uno desde que hubo nación hasta aquel tiempo.[p] Y durante aquel tiempo tu pueblo escapará,[q] todo el que se halle escrito en el libro.[r] 2 Y habrá muchos de los que están dormidos en el suelo de polvo que despertarán,[s] estos a vida de duración indefinida[t] y aquellos a oprobios [y] a aborrecimiento de duración indefinida.[u]

3 ”Y los que tengan perspicacia brillarán como el resplandor de la expansión;[v] y los que traigan a los muchos a la justicia,[w] como las estrellas hasta tiempo indefinido, aun para siempre.

4 ”Y en cuanto a ti, oh Daniel, haz secretas las palabras y sella

CAP. 11

a Lu 18:7
  Rev 7:15
  Rev 12:16
b Sl 5:9
  Mt 7:15
  Hch 20:29
  Gál 1:10
  2Pe 2:3
c Mt 10:22
  Rev 2:10
d Da 12:10
e Mal 3:2
  Mt 24:3
  Rev 7:14
f Da 11:40
g Isa 14:14
  Da 8:25
  2Te 2:4
h Dt 10:17
  Sl 82:1
  Sl 136:2
i Sof 3:8
j Isa 14:13
k Rev 13:11

2.ᵃ col.

a Eze 38:11
  Eze 38:18
b Sl 48:2
  Eze 20:6
  Da 8:9
  Da 11:16
  Da 11:45
c Mt 24:10
d Jer 48:46
e Jer 9:26
f Eze 38:16
g Rev 16:12
h Eze 38:9
i Da 11:16
j Isa 34:2
  Eze pe:51
  Eze 39:4
  2Te 1:9
k Rev 19:20

CAP. 12

l Si 10:1
  Mt 24:30
  Heb 10:21
  Rev 12:7
m Da 10:13
  Jud 9
n Jos 5:14
  Isa 9:6
  Eze 34:24
  Da 10:21
o Ro 2:29
  Gál 3:29
  Gál 6:16
p Mt 24:21
q Isa 26:20
  Joe 2:31
  Mt 24:22
  Rev 7:13
r Mal 3:16
  Lu 10:20
  Heb 12:23
  Rev 3:5
s Jn 5:28
  Rev 20:4
t Mt 25:46
  Jn 5:29
  Jn 6:40
u Pr 10:7
  Mt 24:51
  Mt 25:46
v Da 11:33
  Mt 13:43
w 1Ti 4:16
  Rev 7:9

el libro,ᵃ hasta el tiempo de[l] fin.ᵇ Muchos discurrirán, y el [verdadero] conocimiento se hará abundante".ᶜ

5 Y yo vi, yo Daniel, y, ¡mire!, había otros dos de pie,ᵈ uno en la margen de acá de la corriente y el otro en la margen de allá de la corriente.ᵉ 6 Entonces uno dijo al hombre vestido del lino,ᶠ quien estaba arriba sobre las aguas de la corriente: "¿Cuánto pasará hasta el fin de las cosas maravillosas?".ᵍ 7 Y empecé a oír al hombre que estaba vestido del lino, quien estaba arriba sobre las aguas de la corriente, mientras él procedió a levantar la [mano] derecha y la [mano] izquierda a los cielos y a jurar por Aquel que está vivo para tiempo indefinido:ⁱ "Será por un tiempo señalado, tiempos señalados y medio.ʲ Y tan pronto como haya habido un fin del hacer añicos el poder del pueblo santo,ᵏ todas estas cosas llegarán a su fin".

8 Ahora bien, en cuanto a mí, oí, pero no pude entender,ˡ así que dije: "Oh mi señor, ¿qué será

la parte final de estas cosas?".ᵃ

9 Y él pasó a decir: "Anda, Daniel, porque las palabras quedan secretas y selladas hasta el tiempo de[l] fin.ᵇ 10 Muchos se limpiaránᶜ y se emblanqueceránᵈ y serán refinados.ᵉ Y los inicuos ciertamente actuarán inicuamente,ᶠ y absolutamente ningún inicuo entenderá;ᵍ pero los que tengan perspicacia entenderán.ʰ

11 "Y desde el tiempo en que el [rasgo] constanteⁱ haya sido removido,ʲ y haya habido una colocación de la cosa repugnanteᵏ que está causando desolación, habrá mil doscientos noventa días.

12 "¡Felizˡ es el que se mantiene en expectación y que llega a los mil trescientos treinta y cinco días!

13 "Y en cuanto a ti mismo, ve hacia el fin;ᵐ y descansarás,ⁿ pero te pondrás de pie para tu porción al fin de los días".ᵒ

OSEAS

1 La palabra de Jehováᵃ que le ocurrió a Oseasᵇ hijo de Beerí en los díasᶜ de Uzías,ᵈ Jotán,ᵉ Acazᶠ [y] Ezequías,ᵍ reyes de Judá, y en los días de Jeroboánʰ hijo de Joás,ⁱ el rey de Israel. 2 Hubo un comienzo de la palabra de Jehová por Oseas, y Jehová procedió a decir a Oseas: "Ve, tómate una esposa de fornicación e hijos de fornicación, porque por fornicación la tierra positivamente se vuelve de seguir a Jehová".ᵏ

3 Y él procedió a ir y tomar a Gómer hija de Diblaim, de modo

que ella quedó encinta y con el tiempo le dio a luz un hijo.ᵃ

4 Y Jehová pasó a decirle a él: "Llámalo por nombre Jezreel,ᵇ porque de aquí a poco tiempo tengo que pedir cuentas por los actos de derramamiento de sangre de Jezreel a la casa de Jehú,ᶜ y tengo que hacer que el regir real de la casa de Israel cese.ᵈ 5 Y en aquel día tiene que ocurrir que tengo que quebrar el arcoᵉ de Israel en la llanura baja de Jezreel".

6 Y ella procedió a quedar encinta otra vez y a dar a luz una hija. Y Él pasó a decirle a él: "Llámala por nombre Lo-ruhamá,[a] porque ya no mostraré misericordia[b] de nuevo a la casa de Israel, porque positivamente los quitaré.[c] 7 Pero a la casa de Judá mostraré misericordia,[d] y ciertamente los salvaré por Jehová su Dios;[e] pero no los salvaré por un arco ni por una espada ni por guerra, ni por caballos ni por hombres de a caballo".[f]

8 Y ella gradualmente destetó a Lo-ruhamá, y procedió a quedar encinta y dar a luz un hijo. 9 Así que Él dijo: "Llámalo por nombre Lo-ammí, porque ustedes no son mi pueblo y yo mismo no resultaré de ustedes.

10 "Y el número de los hijos de Israel tiene que llegar a ser como los granos de la arena del mar que no pueden ser medidos ni numerados.[g] Y tiene que ocurrir que, en el lugar en que solía decírseles: 'Ustedes no son mi pueblo',[h] se les dirá: 'Los hijos del Dios vivo'.[i] 11 Y los hijos de Judá y los hijos de Israel ciertamente serán juntados a unidad[j] y realmente colocarán para sí un solo cabeza, y subirán del país,[k] porque grande será el día de Jezreel.[l]

2 "Digan a sus hermanos: '¡Mi pueblo!',[m] y a sus hermanas: '¡Oh mujer a quien se ha mostrado misericordia!'.[n] 2 Entablen una causa judicial con la madre de ustedes;[o] entablen una causa judicial, porque ella no es mi esposa[p] y yo no soy su esposo.[q] Y ella debe poner a un lado su fornicación de delante de sí, y sus actos de adulterio de entre sus pechos,[r] 3 para que yo no la desvista y deje desnuda[s] y realmente la coloque como en el día en que nació,[t] y realmente la ponga como un desierto[u] y la coloque como una tierra árida[v] y la haga morir de sed.[w] 4 Y a sus hijos no mostraré misericordia,[x]

porque son hijos de fornicación.[a] 5 Porque la madre de ellos ha cometido fornicación.[b] La que estuvo encinta con ellos ha actuado vergonzosamente,[c] porque ha dicho: 'Quiero ir tras los que me aman apasionadamente,[d] los que [me] dan mi pan y mi agua, mi lana y mi lino, mi aceite y mi bebida'.[e]

6 "Por lo tanto, mira, voy a cercar tu camino con espinos; y ciertamente amontonaré un muro de piedra contra ella,[f] de modo que sus propias veredas no hallará.[g] 7 Y ella realmente correrá tras sus apasionados amantes, pero no los alcanzará;[h] y ciertamente los buscará, pero no [los] hallará. Y tendrá que decir: 'Quiero ir y volver a mi esposo,[i] el primero,[j] porque mejor me iba en aquel tiempo que ahora'.[k] 8 Pero ella misma no reconoció[l] que era yo quien le había dado el grano[m] y el vino dulce y el aceite, y que yo había hecho que la plata misma abundara para ella, y oro, [al cual] dieron uso para Baal.[n]

9 "'Por lo tanto, volveré atrás y ciertamente quitaré mi grano en su tiempo y mi vino dulce en su sazón,[o] y ciertamente arrebataré mi lana y mi lino [que son] para cubrir su desnudez.[p] 10 Y ahora descubriré sus partes naturales a los ojos de sus amantes apasionados,[q] y no habrá hombre que la arrebate de mi mano.[r] 11 Y ciertamente haré que cese todo el alborozo de ella,[s] su fiesta,[t] su luna nueva[u] y su sábado y todo período de fiesta de ella. 12 Y ciertamente haré desolada su vid[v] y su higuera,[w] de las cuales ella ha dicho: "Son un regalo a mí, que mis amantes apasionados me han dado"; y ciertamente las

CAP. 1

a Os 2:23
b Isa 27:11
  1Pe 2:10
c 2Re 17:6
  2Re 17:23
d 2Re 19:34
  Os 11:12
e 2Re 19:35
f Sl 33:16
  Isa 37:36
g Gé 13:16
  Gé 26:4
  Ro 9:27
  Heb 11:12
h Ro 9:26
  1Pe 2:10
i Jn 1:12
  Ro 8:14
  2Co 6:18
j Esd 3:1
  Isa 11:12
  Jer 3:18
  Eze 37:17
  Miq 2:12
  Ro 11:26
k Jer 23:5
  Eze 34:23
l Os 2:22

CAP. 2

m Jer 31:33
  Eze 36:28
  Zac 13:9
n Os 2:23
  1Pe 2:10
o Jer 2:2
  Eze 20:4
p Isa 50:1
  Jer 3:8
  Jer 3:1
r Jer 3:9
  Eze 16:25
s Jer 13:22
  Eze 16:37
  Eze 16:4
u Isa 33:9
  Jer 19:13
v Jer 51:43
w Jue 15:18
x Jer 13:14
  Eze 9:10
  Ro 9:18

2.ᵃ col.

a Isa 57:3
  Jn 8:41
b Isa 1:21
  Jer 3:1
  Eze 16:15
  Eze 23:5
  Os 3:1
c Esd 9:6
  Jer 2:26
  Da 9:7
  Os 9:10
d Isa 57:8
  Eze 23:16
  Os 8:9
e Jer 44:18
f Job 3:23
  Lam 3:7
g Job 19:8
h Isa 30:2
  Os 5:13
i Jer 31:18
  Os 5:15
  Lu 15:18
j Eze 16:8
  Eze 23:4

k Dt 32:13; Ne 9:25; Lu 15:17; l Dt 32:28; Isa 1:3;
m Jer 44:17; Eze 16:19; n Éx 32:4; Jue 17:4; Isa
46:6; Os 8:4; Os 13:2; o Isa 17:11; Eze 16:27;
p Eze 23:26; Sof 1:13; q Jer 13:26; Eze 16:37; Eze
23:29; r Sl 50:22; Eze 16:39; s Jer 7:34; Am 8:10;
t 1Re 12:32; Am 5:21; u Isa 1:13; v Sl 80:12; Isa
5:5; w Jer 5:17; Jer 8:13.

5 "Oigan esto, oh sacerdotes,[a] y presten atención, oh casa de Israel, y ustedes, oh casa del rey,[b] presten oído, porque con ustedes tiene que ver el juicio; porque una trampa[c] es lo que han llegado a ser a Mizpá y como una red extendida sobre Tabor.[d] 2 Y en obra de degüello los que apostatan han bajado profundamente,[e] y yo era una exhortación a todos ellos.[f] 3 Yo personalmente he conocido a Efraín,[g] e Israel mismo no ha estado escondido de mí.[h] Porque ahora, oh Efraín, tú has tratado [a las mujeres] como rameras;[i] Israel se ha contaminado.[j] 4 Sus tratos no permiten un regresar a su Dios,[k] porque hay un espíritu de fornicación[l] en medio de ellos; y a Jehová mismo no han reconocido.[m] 5 Y el orgullo de Israel ha testificado en su cara;[n] y a Israel y Efraín mismos se les hace tropezar en su error.[o] Judá también ha tropezado con ellos.[p] 6 Con su rebaño y con su vacada procedieron a ir a buscar a Jehová, pero no [lo] pudieron hallar.[q] Él se había retirado de ellos. 7 Con Jehová mismo han tratado traidoramente,[r] porque es de hijos extraños de quienes ellos han llegado a ser padres.[s] Ahora un mes los devorará con sus porciones.[t]

8 "¡Toquen un cuerno[u] en Guibeah,[v] una trompeta en Ramá! ¡Griten un grito de guerra en Bet-avén[w]... tras de ti, oh Benjamín![x] 9 Oh Efraín, un simple objeto de pasmo llegarás a ser en el día de la represión.[y] Entre las tribus de Israel he dado a conocer palabras dignas de confianza.[z] 10 Los príncipes de Judá han llegado a ser justamente como los que echan atrás un lindero.[a] Sobre ellos derramaré mi furor justamente como si fuera agua. 11 Efraín está oprimido, aplastado en justicia,[b] porque había asumido el andar en pos de su adversario.[c]

12 Y yo fui como la polilla[a] a Efraín y justamente como podredumbre a la casa de Judá. 13 "Y Efraín llegó a ver su enfermedad, y Judá su úlcera.[b] Y Efraín procedió a ir a Asiria[c] y a enviar [palabra] a un gran rey.[d] Pero aquel mismo no pudo dar curación a ustedes,[e] y no pudo quitar de ustedes una úlcera con alguna cura.[f] 14 Pues seré como un león joven a Efraín[g] y como un leoncillo crinado a la casa de Judá. Yo, yo mismo despedazaré e iré [y] llevaré conmigo, y no habrá quien libre.[h] 15 Iré, ciertamente regresaré a mi lugar hasta que lleven su culpa;[i] y ciertamente buscarán mi rostro.[j] Cuando estén en grave aprieto,[k] me buscarán."[l]

6 "Vengan, y regresemos de veras a Jehová,[m] porque él mismo ha despedazado,[n] pero él nos sanará.[o] Él siguió golpeando, pero nos vendará.[o] 2 Nos hará [estar] vivos después de dos días.[q] Al tercer día hará que nos levantemos, y viviremos delante de él.[r] 3 Y ciertamente conoceremos, ciertamente seguiremos tras el conocer a Jehová.[s] Como el alba,[t] su salida está firmemente establecida.[u] Y él entrará como lluvia fuerte a donde nosotros;[v] como lluvia de primavera que satura [la] tierra."[w]

4 "¿Qué te haré, oh Efraín? ¿Qué te haré, oh Judá,[x] cuando la bondad amorosa de ustedes es como las nubes de la mañana y como el rocío que se va temprano? 5 Por eso tendré que talar[los] por los profetas;[y] tendré que matarlos por los dichos de mi boca.[z] Y los juicios sobre ti serán como la luz que sale.[a] 6 Porque en bondad amorosa me he deleitado,[b] y no en sacrifi-

CAP. 5
a Os 4:9
Mal 1:6
b Os 7:3
c Miq 7:2
Hab 1:15
d Jue 4:6
Jer 46:18
e Isa 29:15
f 2Cr 36:15
g Isa 7:9
h Am 3:2
i Os 4:18
j Eze 23:5
k Sl 78:8
l Os 4:12
Am 2:7
Zac 13:2
m 1Sa 2:12
n Pr 30:13
Isa 9:9
Os 7:10
o Pr 11:5
p 2Re 17:19
Eze 23:31
Am 2:4
q Pr 1:28
Isa 1:15
Jer 11:11
Eze 8:18
Miq 3:4
r Isa 48:8
Jer 3:20
s Mal 2:11
t Zac 11:8
u Jer 4:5
Os 8:1
Joe 2:1
v Isa 10:29
w Os 4:15
Os 10:5
x Jue 5:14
y Isa 28:3
z Os 9:13
Zac 1:6
a Dt 19:14
Dt 27:17
Job 24:2
b Pr 28:28
c 1Re 20:1

2.ª col.
a Isa 50:9
Isa 51:8
b Jer 30:13
c 2Re 15:29
2Re 16:7
Os 8:9
Os 12:1
d Os 10:6
e 2Cr 28:20
f Jer 30:15
g Sl 50:22
Lam 3:10
h Isa 5:29
Am 2:14
i Le 26:40
j 2Cr 7:14
Jer 29:12
Os 11:10
k Dt 4:30
Isa 13:6
l Dt 30:10
Sl 78:34

CAP. 6
m Isa 55:7
Jer 3:22
n Os 5:14
o Jer 33:6
Os 14:4

p Dt 32:39; Jer 30:17; q 2Re 20:5; Isa 26:19; Eze 37:14; 1Co 15:4; r Rev 11:11; s Isa 54:13; Jer 24:7; t 2Sa 23:4; u Mal 4:2; v Isa 44:3; Joe 2:23; w Job 29:23; Sl 72:6; x Isa 5:3; Os 11:8; y 2Cr 21:12; Isa 58:1; Jer 1:10; Eze 3:9; z Jer 23:29; a Sof 3:5; b Miq 6:8; Miq 7:18; Mt 12:7.

cio;[a] y en el conocimiento de Dios más bien que en holocaustos.[b] 7 Pero ellos mismos, como el hombre terrestre, han traspasado [el] pacto.[c] Allí es donde han tratado traidoramente conmigo.[d] 8 Galaad[e] es un pueblo de practicantes de lo que es dañino; las huellas de ellos son sangre.[f] 9 Y como en el acechar a un hombre,[g] la asociación de los sacerdotes son partidas merodeadoras.[h] Al lado del camino cometen asesinato en Siquem,[i] porque no se han ocupado en cosa alguna sino en conducta relajada.[j] 10 En la casa de Israel he visto una cosa horrible.[k] Allí hay fornicación de parte de Efraín.[l] Israel se ha contaminado.[m] 11 Además, oh Judá, una siega ha sido fijada para ti, cuando yo recoja de vuelta a los cautivos de mi pueblo."[n]

7 "Cuando quisiera traer curación a Israel,[o] también realmente se descubre el error de Efraín,[p] y las malas cosas de Samaria;[q] porque han practicado falsedad,[r] y un ladrón mismo entra; una partida merodeadora realmente da un golpe afuera.[s] 2 Y no dicen a su propio corazón[t] que toda su maldad ciertamente la recordaré.[u] Ahora sus tratos los han cercado.[v] Enfrente de mi rostro han llegado a estar.[w] 3 Por su maldad hacen que [el] rey se regocije, y, por sus engaños, príncipes.[x] 4 Todos ellos son adúlteros,[y] como un horno encendido por un panadero, [quien] cesa de atizar después de amasar la pasta hasta que está leudada. 5 En el día de nuestro rey, los príncipes se han causado enfermedad[z]... hay una furia debido al vino.[a] Él ha tendido la mano junto con los escarnecedores. 6 Porque han acercado su corazón como a un horno;[b] está ardiendo dentro de ellos.[c] Durante toda la noche el panadero de ellos está durmiendo; para la mañana [el horno] está ardiendo como con fuego llameante.[a] 7 Se calientan, todos ellos, como el horno, y realmente devoran a sus jueces. Todos sus propios reyes han caído;[b] ninguno entre ellos clama a mí.[c]

8 "En cuanto a Efraín, entre los pueblos él personalmente se mezcla.[d] Efraín mismo ha llegado a ser una torta redonda a la que no se ha dado la vuelta al otro lado.[e] 9 Extraños han comido su poder,[f] y él mismo no ha llegado a saber[lo].[g] También, cabellos grises mismos se han hecho blancos en él, pero él mismo no ha llegado a saber[lo]. 10 Y el orgullo de Israel ha testificado a su cara,[h] y no se han vuelto a Jehová su Dios,[i] ni lo han buscado debido a todo esto.[j] 11 Y Efraín resulta ser como una paloma[k] simple sin corazón.[l] A Egipto han clamado;[m] a Asiria han ido.[n]

12 "Adondequiera que vayan, extenderé sobre ellos mi red.[o] Como a criaturas voladoras de los cielos los haré bajar.[p] Los disciplinaré de acuerdo con el informe a su asamblea.[q] 13 ¡Ay de ellos,[r] porque han huido de mí![s] ¡Despojo violento para ellos, porque han transgredido contra mí! Y yo mismo procedí a redimirlos,[t] pero ellos mismos han hablado mentiras hasta contra mí.[u] 14 Y no clamaron a mí por socorro con su corazón,[v] aunque siguieron aullando en sus camas. A causa de su grano y vino dulce siguieron holgazaneando;[w] siguieron volviéndose contra mí.[x] 15 Y yo, por mi parte, discipliné;[y] fortalecí sus brazos,[z] pero contra mí siguieron tramando lo que era malo.[a]

CAP. 6
a Pr 21:3
Isa 1:11
Miq 6:6
Mi 9:13
b 1Sa 15:22
1Jn 2:3
c Eze 17:15
Isa 24:5
Os 8:1
Heb 8:9
d Isa 48:8
e Os 12:11
f 1Re 2:5
Miq 7:2
g Pr 1:11
h Eze 22:25
i 1Re 12:25
j Eze 22:9
k Jer 5:30
Jer 23:14
l 2Re 17:7
Jer 3:6
m Eze 23:4
Eze 23:11
n Dt 30:3
Jer 29:14
Am 9:14

CAP. 7
o Dt 32:39
p Isa 28:1
Miq 6:16
q Eze 16:46
Am 8:14
Miq 1:5
r Jer 9:3
Miq 7:3
s Os 6:9
t Dt 32:29
Isa 1:3
Jer 44:19
u Jer 14:10
Am 8:7
v Sl 9:16
Pr 5:22
w Sl 90:8
Pr 5:21
x 1Re 22:6
Jer 5:31
Ro 1:32
Jer 3:9
Mal 3:5
z 2Pr 20:1
Isa 28:1
a Isa 5:11
Hab 2:15
b 2Sa 13:28
c Pr 4:16

2.ª col.
a Miq 2:1
b 2Re 15:10
2Re 15:14
c Isa 9:13
Eze 22:30
Da 9:13
d Sl 106:35
Eze 23:5
e 1Re 18:21
Rev 3:15
f 2Re 13:3
Jer 3:13
2Re 15:19
g Pr 23:35
h Jer 3:3
Os 5:5
i Ne 9:35
Isa 9:13
Jer 8:5
Am 4:6
Zac 1:4

j Sl 14:2; Ro 3:11; k Os 11:11; l Pr 15:32; Isa 1:3; m 2Re 17:4; Isa 30:2; n 2Re 15:19; Jer 2:18; Eze 23:5; o Eze 12:13; p Ec 9:12; q Dt 28:15; 2Re 17:13; Isa 28:26; r Isa 31:1; Eze 16:23; s Jer 2:35; t Isa 41:14; Miq 6:4; u Isa 59:13; v Sl 78:37; Isa 29:13; Jer 3:10; Zac 7:5; w Jue 9:27; Am 2:8; x Sl 78:57; y Sl 94:12; Heb 12:6; z 2Re 13:5; a Pr 6:14; Na 1:9.

16 Y procedieron a regresar, no a nada más elevado;[a] habían llegado a ser como un arco flojo.[b] A espada sus príncipes caerán debido a la denunciación de la lengua[c] de ellos. Esto será su escarnio en la tierra de Egipto."[d]

8 "¡A tu boca... un cuerno![e] [Uno viene] como un águila[f] contra la casa de Jehová, a causa de que han traspasado mi pacto,[g] y contra mi ley han transgredido.[h] 2 A mí siguen clamando: 'Oh Dios mío, nosotros, Israel, te hemos conocido'.[i]

3 "Israel ha desechado lo bueno.[j] Que lo persiga el que es enemigo.[k] 4 Ellos mismos han establecido reyes,[l] pero no debido a mí. Han establecido príncipes, pero yo no [lo] supe. Con su plata y su oro se han hecho ídolos,[m] con el fin de que sean cortados.[n] 5 Tu becerro ha sido desechado,[o] oh Samaria. Mi cólera se ha enardecido contra ellos.[p] ¿Hasta cuándo serán incapaces de lograr inocencia?[q] 6 Porque hasta esto procedió de Israel.[r] Un simple artífice lo hizo,[s] y no es Dios; porque el becerro de Samaria llegará a ser simples astillas.[t]

7 "Porque es viento lo que siguen sembrando, y un viento de tempestad es lo que segarán.[u] Nada tiene grano en pie.[v] Ningún brote produce harina.[w] Si algunos tal vez [la] producen, extraños mismos se la tragan.[x]

8 "Israel tiene que ser tragado.[y] Ahora tienen que llegar a estar entre las naciones,[z] como un vaso en que no hay deleite.[a] 9 Porque ellos mismos han subido a Asiria,[b] como una cebra aislada para sí.[c] En el caso de Efraín, ellos han alquilado amantes.[d] 10 También, aunque siguen alquilando[los] entre las naciones,[e] ahora los juntaré; y por un tiempo corto estarán con dolores fuertes[f] debido a la carga de rey [y] príncipes.

11 "Porque Efraín se ha multi-

plicado altares para pecar.[a] Ha llegado a tener altares para pecar.[b] 12 Procedí a escribir para él muchas cosas de mi ley;[c] justamente como cosa extraña han sido contadas.[d] 13 Como mis sacrificios de dádiva siguieron sacrificando carne,[e] y siguieron comiendo aquello en que Jehová mismo no se complacía.[f] Ahora recordará el error de ellos y pedirá cuentas por sus pecados.[g] A Egipto ellos mismos procedieron a regresar.[h] 14 E Israel empezó a olvidar a su Hacedor[i] y a edificar templos;[j] y Judá, por su parte, multiplicó las ciudades fortificadas.[k] Y ciertamente enviaré fuego en sus ciudades, y este tendrá que devorar las torres de habitación de [cada] una."[l]

9 "No te regocijes, oh Israel.[m] No actúes con gozo como los pueblos.[n] Pues por fornicación te has ido de al lado de tu Dios.[o] Has amado dádivas de alquiler en todas las eras de grano.[p] 2 La era y el lagar no los alimentan,[q] y el vino dulce mismo le resulta desilusionador a ella.[r] 3 No continuarán morando en la tierra de Jehová,[s] y Efraín tiene que volverse a Egipto,[t] y en Asiria comerán lo que es inmundo.[u] 4 No continuarán derramando vino a Jehová.[v] Y sus sacrificios no le serán gratos a él;[w] son como el pan de tiempos de duelo[x] para ellos; todos los que lo comen se contaminan. Porque su pan es para su propia alma; no entrará en la casa de Jehová.[y] 5 ¿Qué harán ustedes en el día de reunión y en el día de la fiesta de Jehová?[z] 6 Pues, ¡miren!, tendrán que irse debido al despojo violento.[a] Egipto mismo los jun-

CAP. 7
a Jer 3:10
b Sl 78:57
c Sl 12:4
Sl 73:9
Isa 3:8
d Eze 36:20
Os 9:3

CAP. 8
e Jer 4:5
Os 5:8
f Dt 28:49
Jer 48:40
Hab 1:8
g Jer 31:32
Eze 16:59
Os 6:7
h 2Re 17:15
Isa 24:5
i Isa 48:1
Miq 3:11
Tit 1:16
j Sl 36:3
Sl 50:17
k Le 26:36
Lam 4:19
l 1Re 12:20
Jer 12:28
Os 13:2
m Isa 45:20
Os 10:5
n Dt 32:22
2Re 17:18
o Jer 4:14
Jer 13:27
r Sl 106:19
s Sl 135:15
Isa 44:9
Jer 10:3
Hab 2:18
t 2Re 23:15
2Re 23:19
2Cr 31:1
u Job 4:8
Pr 22:8
Gál 6:7
v Isa 17:11
Jer 12:13
x Dt 28:33
2Re 15:29
Jer 18:11
Jer 50:17
Jer 51:34
z Le 26:33
a Isa 30:14
Jer 22:28
Jer 48:38
b 2Re 15:19
Eze 23:5
Os 5:13
Os 12:1
c Jer 2:24
d Eze 16:33
e Eze 16:37
Eze 23:9
f 2Re 14:26
1Cr 5:26

2.ª col.
a Isa 10:11
Eze 6:13
b Dt 4:28
Os 12:11
c Dt 4:6
Sl 119:18
Pr 22:20
d 2Re 17:15
Ne 9:26
Isa 30:9

e Jer 7:21; f Isa 15:22; Pr 21:27; Isa 1:11; Am 5:22; g Os 9:9; Am 8:7; h Os 7:16; Os 9:3; i Dt 32:18; Isa 51:13; j 1Re 12:31; k 2Cr 26:10; l 2Re 18:13; 2Cr 36:19; Jer 17:27; Jer 34:7; CAP. 9 m Os 10:5; Am 6:13; n Eze 20:32; o Eze 23:5; Os 4:12; p Os 2:12; Miq 1:7; q Os 2:9; Am 5:4; Am 5:11; s Le 20:22; Dt 28:64; Jos 23:15; 1Re 9:7; t Dt 28:68; Os 8:13; u 2Re 17:6; Eze 4:13; v Nú 15:5; Nú 28:14; Joe 1:13; w Isa 1:11; Jer 6:20; x Dt 26:14; y Nú 28:2; z Joe 1:14; a Os 7:13.

tará;[a] Menfis,[b] por su parte, los enterrará. En cuanto a sus cosas deseables de plata, ortigas mismas tomarán posesión de ellas;[c] arbustos espinosos habrá en sus tiendas.[d]

7 "Los días de dárseles atención tienen que venir;[e] los días del pago debido tienen que venir.[f] Los de Israel [lo] sabrán.[g] El profeta será tonto,[h] el hombre de expresión inspirada será enloquecido a causa de la abundancia de tu error,[i] aun siendo abundante la animosidad."

8 El atalaya[j] de Efraín estaba con mi Dios.[k] En lo que respecta a profeta,[l] hay la trampa del pajarero en todos sus caminos;[m] hay una animosidad en la casa de su Dios. 9 Han bajado a lo profundo respecto a causar ruina,[n] como en los días de Guibeah.[o] Él recordará el error de ellos;[p] dará atención a sus pecados.

10 "Como uvas en el desierto hallé a Israel.[q] Como la breva en una higuera en su principio vi a los antepasados de ustedes.[r] Ellos mismos entraron a Baal de Peor,[s] y procedieron a dedicarse a la cosa vergonzosa,[t] y se hicieron repugnantes como [la cosa de] su amor.[u] 11 En lo que respecta a Efraín, como criatura voladora su gloria se va volando,[v] de modo que no hay dar a luz, ni vientre [embarazado] ni concepción.[w] 12 Porque aunque críen sus hijos, yo también ciertamente los privaré de hijos de modo que no habrá hombre;[x] porque... ¡ay, también, de ellos cuando me aparte de ellos![y] 13 Efraín, a quien he visto como a Tiro plantado en un apacentadero,[z] aun Efraín está destinado a un sacar a sus hijos hasta a uno que mata."[a]

14 Dales, oh Jehová, lo que debes dar.[b] Dales matriz que aborta[c] y pechos que se arrugan y encogen.

15 "Toda su maldad estuvo en Guilgal,[d] porque allí tuve que odiarlos.[e] Debido al mal de sus

tratos los expulsaré de mi propia casa.[a] Ciertamente no continuaré amándolos.[b] Todos sus príncipes están actuando con terquedad.[c] 16 Efraín tiene que ser derribado.[d] La mismísima raíz de ellos tiene que secarse.[e] No habrá fruto que produzcan.[f] Además, en caso de que den a luz, ciertamente hasta daré muerte a las cosas deseables de su vientre."[g]

17 Mi Dios[h] los rechazará, porque no le han escuchado,[i] y llegarán a ser fugitivos entre las naciones."[j]

10 "Israel es una vid[k] que degenera. Sigue produciendo fruto para sí mismo.[l] En proporción con la abundancia de su fruto ha multiplicado [sus] altares.[m] En proporción con lo bueno de su tierra, erigieron buenas columnas.[n] 2 El corazón de ellos se ha hecho hipócrita;[o] ahora se les hallará culpables.

"Hay uno que quebrará sus altares;[?] él despojará con violencia sus columnas.[p] 3 Porque ahora dirán: 'No tenemos rey,[q] porque no hemos temido a Jehová. Y en lo que respecta al rey, ¿qué hará él para nosotros?'.

4 "Hablan palabras, haciendo juramentos falsos,[r] celebrando un pacto;[s] y el juicio ha brotado como una planta venenosa en los surcos del campo abierto.[t] 5 Por el becerro [idolátrico] de Bet-aven[u] los residentes de Samaria se asustarán; porque por él su pueblo ciertamente estará de duelo, así como sus sacerdotes de dioses extranjeros [que] solían estar gozosos por él, a causa de su gloria, porque se habrá ido al destierro lejos de él.[v] 6 Hasta a él alguien lo llevará a Asiria misma como regalo a un gran

CAP. 9
a Os 7:16
Os 8:13
b Jer 2:16
c Pr 24:31
Isa 7:23
d Isa 5:6
Isa 32:13
Isa 34:13
e Isa 10:3
Jer 10:15
Jer 19:44
f Lu 21:22
g Sl 9:16
h Isa 44:25
Eze 6:14
i Eze 14:10
j Jer 6:17
Jer 31:6
Eze 33:7
k 1Re 17:1
2Re 2:14
l 1Re 18:19
Eze 6:14
Isa 14:13
m Lam 2:14
n Isa 31:6
o Jue 19:22
Jue 20:5
Os 10:9
p Os 8:13
q Jer 2:2
Jer 31:2
r Nú 13:23
Isa 28:4
Miq 7:1
s Nú 25:3
Dt 4:3
Sl 106:28
t 1Re 16:31
Jer 11:13
u Isa 66:3
Eze 7:20
Am 4:5
v Snt 1:11
w Dt 28:18
x Dt 28:32
Dt 32:25
y Dt 31:17
2Re 17:18
z Eze 28:12
a 2Re 15:16
Jer 6:11
b Lu 23:29
c Sl 58:8
d Os 4:15
Os 12:11
Am 5:5
e Eze 23:18

2.ᵃ col.

a Le 26:33
2Re 17:18
Sl 78:60
Am 5:27
b Dt 29:20
c Isa 1:23
Eze 22:27
Miq 3:11
d Isa 7:8
e Mal 4:1
f Isa 5:24
Jer 24:21
h Sl 31:14
Isa 7:13
Miq 7:7
i 2Re 17:14
2Cr 36:16
Jer 25:3
Zac 1:4

j Dt 28:64; Am 9:9; CAP. 10 k Isa 5:1; Eze 15:6; 1Zac 7:6; m Jer 2:28; Eze 6:13; Os 8:11; Os 12:11; n 1Re 14:23; Os 8:4; o 1Re 18:16; Sof 1:5; p Jer 43:13; Miq 5:13; Zac 13:2; q Os 3:4; Os 13:11; r 2Re 17:4; Eze 17:13; s Os 6:7; t Dt 29:18; Isa 5:7; Am 5:7; Am 6:12; u 1Re 12:28; Os 4:15; Am 3:14; v 1Sa 4:21.

rey.[a] Vergüenza es lo que Efraín mismo conseguirá,[b] e Israel se avergonzará de su consejo.[c] 7 Samaria [y] su rey ciertamente serán reducidos a silencio,[d] como una ramita arrancada sobre la superficie de aguas. 8 Y los lugares altos de [Bet-]aven,[e] el pecado de Israel,[f] realmente serán aniquilados. Espinos y cardos[g] mismos crecerán en sus altares.[h] Y la gente en realidad dirá a las montañas: '¡Cúbrannos!', y a las colinas: '¡Caigan sobre nosotros!'.[i]

9 "Desde los días de Guibeah[k] has pecado, oh Israel. Allí se detuvieron. En Guibeah la guerra contra los hijos de la injusticia no llegó a alcanzarlos.[l] 10 Cuando sea mi deseo vehemente, también los disciplinaré.[m] Y contra ellos ciertamente serán reunidos pueblos cuando haya un enjaezarlos a sus dos errores.[n]

11 "Y Efraín era una novilla entrenada que amaba el trillar;[o] y yo, por mi parte, pasé sobre su bien parecido cuello. Hago [que alguien] monte a Efraín.[p] Judá ara;[q] Jacob grada[r] para él. 12 Siembren semilla para ustedes en justicia;[s] sieguen de acuerdo con bondad amorosa.[t] Labren para ustedes tierra cultivable,[u] cuando hay tiempo para buscar a Jehová, hasta que él venga[v] y les dé instrucción en justicia.[w]

13 "Ustedes han arado iniquidad.[x] Injusticia es lo que han segado.[y] Han comido el fruto del engaño,[z] porque han confiado en tu camino,[a] en la multitud de tus poderosos.[b] 14 Y un alboroto se ha levantado entre tu pueblo,[c] y todas tus propias ciudades fortificadas serán despojadas con violencia,[d] como con el violento despojo de la casa de Arbel por Salmán, en el día de la batalla [cuando] una madre misma fue estrellada junto con [sus] propios hijos.[e] 15 De este modo uno ciertamente les hará a ustedes, oh Betel, debido a su extre-

ma maldad.[a] Al rayar el alba el rey de Israel positivamente tendrá que ser reducido a silencio."[b]

11 "Cuando Israel era muchacho, entonces lo amé,[c] y de Egipto llamé a mi hijo.[d]

2 "Ellos los llamaron.[e] A ese mismo grado se fueron de delante de ellos.[f] A las imágenes de Baal se pusieron a hacer sacrificios,[g] y a las imágenes esculpidas empezaron a hacer humo de sacrificio.[h] 3 Pero en cuanto a mí, enseñé a Efraín a andar,[i] tomándolos sobre [mis] brazos;[j] y no reconocieron que yo los había sanado.[k] 4 Con las sogas del hombre terrestre seguí atrayéndolos, con las cuerdas del amor,[l] de modo que llegué a ser para ellos como los que alzan un yugo de sus quijadas,[m] y con dulzura llevé alimento a [cada] uno.[n] 5 No volverá a la tierra de Egipto, pero Asiria será su rey,[o] porque rehusaron volver.[p] 6 Y una espada ciertamente remolinará en las ciudades de él[q] y pondrá fin a sus barras y devorará[r] debido a los consejos[s] de ellos. 7 Y mi pueblo tiende hacia la infidelidad para conmigo.[t] Y hacia arriba lo llaman; ninguno en absoluto efectúa algún levantarse.

8 "¿Cómo puedo dejarte, oh Efraín?[u] ¿[Cómo] puedo entregarte, oh Israel?[v] ¿Cómo puedo ponerte como a Admá?[w] ¿[Cómo] puedo colocarte como a Zeboyim?[x] Mi corazón ha cambiado dentro de mí;[y] al mismo tiempo mis compasiones se han avivado. 9 No expresaré mi cólera[z] ardiente. No volveré a arruinar a Efraín,[a] porque soy Dios[b] y no hombre, el Santo en medio de ti;[c] y no vendré en excitación.

CAP. 10
a 2Re 17:3
Os 5:13
b Jer 2:26
Jer 48:13
Eze 36:32
c Isa 30:3
Jer 7:24
Miq 6:16
d Re 17:4
e Os 4:15
Am 7:9
f Dt 9:21
1Re 12:28
1Re 12:30
Miq 1:5
g Isa 32:13
Isa 34:13
h 2Re 23:15
i Isa 2:19
Lu 23:30
Rev 6:16
j Jue 20:5
k Os 9:9
l Jue 20:19
m Heb 12:6
n 1Re 14:16
Eze 16:37
o 2Re 17:6
p 2Re 17:6
q Jer 4:3
r Isa 28:24
s Pr 11:19
Snt 3:18
t Pr 11:18
u Jer 4:3
v Isa 55:6
Am 5:4
w Dt 32:2
Isa 45:8
x Gál 6:7
y Pr 22:8
Os 8:7
z Pr 1:31
a Sl 52:7
b Sl 33:16
Jer 17:5
c Sl 74:23
d 2Re 18:9
2Re 19:13
e Isa 13:16
Na 3:10

2.ª col.

a Am 7:9
b 2Re 18:10

CAP. 11

c Dt 7:8
Jer 2:2
Eze 16:6
d Éx 4:22
Mt 2:15
e Dt 29:2
2Cr 36:15
Zac 1:4
f 2Cr 36:16
Isa 30:9
g Jue 2:13
Jue 3:7
1Re 16:31
Jue 18:19
2Re 17:16
Os 2:13
h 1Re 12:33
Isa 65:7
Jer 18:15
Os 13:2
i Dt 8:2

j Dt 1:31; Dt 33:27; Isa 40:11; Isa 46:3; Isa 63:9;
k Éx 15:26; Sl 103:3; Isa 30:26; 12Sa 7:14; Isa
63:9; Jn 6:44; m Le 14:8; y Sl 78:24; Sl 105:40;
o 2Re 17:3; p 2Re 17:13; Jer 8:5; Am 4:6; q Le
26:31; Jer 5:17; r Eze 20:47; Mal 4:1; s Isa 30:1;
t Sl 78:57; Jer 3:6; Jer 8:5; u Os 6:4; v Jer 9:7;
w Gé 10:19; Dt 29:23; Mal 3:6; Sl 37:36; Jer
31:20; z Sl 78:38; a Jer 30:11; b Nú 23:19; Isa
55:8; Mal 3:6; c Isa 12:6.

10 Tras de Jehová andarán.[a] Como un león él rugirá;[b] porque él mismo rugirá,[c] e hijos vendrán temblando desde el oeste.[d] **11** Como un pájaro saldrán temblando de Egipto;[e] y como una paloma, de la tierra de Asiria;[f] y ciertamente haré que moren en sus casas", es la expresión de Jehová.[g]

12 "Con mentir, Efraín me ha cercado;[h] y con engaño, la casa de Israel. Pero Judá todavía vaga con Dios,[i] y con el Santísimo es digno de confianza."

12 "Efraín está alimentándose de viento;[j] y corriendo tras el viento del este todo el día.[k] La mentira y el despojo violento son lo que multiplica.[l] Y un pacto con Asiria celebran,[m] y a Egipto se lleva aceite mismo.

2 "Y Jehová tiene una causa judicial con Judá,[n] aun para pedir cuentas a Jacob según sus caminos;[o] según sus tratos le pagará.[p] **3** En el vientre, agarró por el talón a su hermano,[q] y con su energía dinámica contendió con Dios.[r] **4** Y siguió contendiendo con un ángel y gradualmente prevaleció. Lloró, para implorar favor para sí mismo."[t]

En Betel Él consiguió hallarlo,[u] y allí empezó a hablar con nosotros.[v] **5** Y Jehová el Dios de los ejércitos,[w] Jehová es su memoria.[x]

6 "Y en lo que respecta a ti, a tu Dios debes volver,[y] guardando bondad amorosa[z] y justicia;[a] y que haya un esperar en tu Dios constantemente.[b] **7** En lo que respecta [al] comerciante, en su mano están las balanzas del engaño;[c] defraudar es lo que ha amado.[d] **8** Y Efraín sigue diciendo: 'Realmente, me he hecho rico;[e] he hallado cosas valiosas para mí.[f] En lo que respecta a todo mi afán, no hallarán, de parte mía, error que sea pecado'.[g]

9 "Pero yo soy Jehová tu Dios desde la tierra de Egipto.[h] Sin embargo te haré morar en las tiendas como en los días de un tiempo señalado. **10** Y hablé a los profetas,[a] y las visiones yo mismo multipliqué, y por la mano de los profetas seguí haciendo semejanzas.[b]

11 "Con Galaad lo que es mágico,[c] también falsedad,[d] han ocurrido. En Guilgal han sacrificado hasta toros.[e] Además, sus altares son como montones de piedras en los surcos del campo abierto.[f] **12** Y Jacob procedió a huir al campo de Siria,[g] e Israel[h] siguió sirviendo por una esposa,[i] y por una esposa guardó [ovejas].[j] **13** Y mediante un profeta Jehová hizo subir a Israel de Egipto,[k] y mediante un profeta fue guardado.[l] **14** Efraín causó ofensa hasta la amargura,[m] y sus hechos de derramamiento de sangre deja sobre sí mismo,[n] y su magnífico Amo le pagará su oprobio."[o]

13 "Al hablar Efraín, hubo temblor; él mismo llevó [peso] en Israel.[p] Pero procedió a hacerse culpable respecto a Baal[q] y morir.[r] **2** Y ahora cometen pecado adicional y se hacen una estatua fundida de su plata,[s] ídolos según su propio entendimiento,[t] obra de artífices, todo ello.[u] A ellos les dicen: 'Que los sacrificadores que son hombres besen a simples becerros'.[v] **3** Por lo tanto, llegarán a ser como las nubes de la mañana[w] y como el rocío que temprano se va; como el tamo que es arrebatado de la era[x] como por tempestad, y como el humo [que escapa] del hoyo [del techo].

4 "Pero yo soy Jehová tu Dios desde la tierra de Egipto,[y] y no había Dios, aparte de mí, que co-

CAP. 11
a Isa 2:5
b Isa 31:4
c Joe 3:16
Am 1:2
d Zac 8:7
c Isa 11:11
Zac 10:10
f Isa 11:12
Isa 60:8
g Jer 23:6
Eze 28:25
Eze 37:21
Am 9:14
h Sl 78:36
Isa 29:13
Miq 6:12
i 2Re 18:5
2Cr 29:2
Sl 89:18
Os 4:15

CAP. 12
j Jer 22:22
k Os 8:7
l 2Re 17:4
m 2Re 15:19
n 2Re 17:19
Jer 2:35
Os 4:1
Os 6:2
o Sl 62:12
Jer 17:10
p Isa 3:11
Isa 59:18
q Gé 25:26
r Gé 32:28
s Gé 32:25
t Gé 32:26
u Gé 28:19
v Gé 28:13
w Gé 28:16
Gé 32:30
x Ex 3:15
Sl 135:13
Isa 42:8
y Isa 31:6
Jer 3:14
Os 14:1
Joe 2:13
Zac 1:3
z Miq 6:8
a Dt 16:20
b Sl 27:14
Lam 3:25
c Le 19:35
Pr 11:1
Am 8:5
d Eze 22:29
Miq 2:1
e Pr 28:20
Zac 9:23
Zac 11:5
Rev 3:17
f Dt 8:17
g Pr 30:12
Mal 2:17
h Ex 20:2
Os 13:4

2.ª col.
a 1Re 17:1
2Re 17:13
Am 7:15
b Isa 5:1
Jer 13:1
c Os 6:8
d Eze 13:8
Am 4:4
e 2Re 17:10
Os 8:11

g Gé 28:5; Dt 26:5; h Gé 32:28; i Gé 29:18; j Gé 31:38; k Ex 12:51; Sl 77:20; Isa 63:11; Miq 6:4; l Jos 24:17; 1Sa 12:8; m 2Re 17:11; Eze 23:5; n Eze 22:13; o Dt 28:37; Ro 2:6; CAP. 13 p Jos 17:17; q 2Re 17:16; Os 11:2; r Ex 20:5; s Sl 115:4; Isa 46:6; Jer 10:4; Os 2:8; t Isa 44:17; Jer 10:9; u Jer 10:3; Hab 2:18; v 1Re 12:28; 1Re 19:18; w Os 6:4; x Job 21:18; Sl 1:4; Dan 2:35; y Ex 20:2; Le 11:45; Sl 81:10; Os 12:9.

nocieras; y no había salvador sino yo.[a] 5 Yo mismo te conocí en el desierto,[b] en la tierra de fiebres.[c] 6 Según su apacentamiento ellos también llegaron a estar satisfechos.[d] Llegaron a estar satisfechos y su corazón empezó a ensalzarse.[e] Por eso me olvidaron.[f] 7 Y llegaré a ser para ellos como un león joven.[g] Como un leopardo junto a[1] camino seguiré buscando.[h] 8 Los encontraré como una osa que ha perdido sus cachorros,[i] y rasgaré la envoltura de su corazón. Y los devoraré allí como un león;[j] una bestia salvaje del campo misma los despedazará.[k] 9 Ciertamente te reducirá a ruinas,[l] oh Israel, porque fue contra mí, contra tu ayudante.[m]

10 "¿Dónde, entonces, está tu rey, para que te salve en todas tus ciudades,[n] y tus jueces, [acerca de] quienes dijiste: 'Dame un rey, sí, y príncipes'?[o] 11 Procedí a darte un rey en mi cólera,[p] y [lo] quitaré en mi furor.

12 "El error de Efraín está envuelto, su pecado está atesorado.[r] 13 Los dolores de parto de una mujer que da a luz son lo que le vendrá.[s] Es un hijo no sabio,[t] pues que en sazón no se queda quieto al [momento de] romper en salida los hijos [desde la matriz].[u]

14 "De la mano del Seol los redimiré;[v] de la muerte los recobraré.[w] ¿Dónde están tus aguijones, oh Muerte?[x] ¿Dónde está tu poder destructor, oh Seol?[y] La compasión misma estará oculta de mis ojos.[z]

15 "En caso de que él mismo como hijo de cañas muestre fructificación,[a] un viento del este, el viento de Jehová, vendrá.[b] De un desierto sube, y secará su pozo y agotará su manantial.[c] Ese saqueará el tesoro de todo objeto deseable.[d]

16 "Samaria será tenida por culpable,[e] porque ella es realmente rebelde contra su Dios.[f] A espada caerán.[g] Sus propios hijos serán estrellados,[a] y sus mismas mujeres encintas serán rajadas."[b]

14 "Vuelve, sí, oh Israel, a Jehová tu Dios,[c] porque has tropezado en tu error.[d] 2 Tomen con ustedes palabras y vuelvan a Jehová.[e] Díganle todos: 'Dígnate perdonar el error;[f] y acepta lo que es bueno, y ciertamente ofreceremos en cambio los toros jóvenes de nuestros labios.[g] 3 Asiria misma no nos salvará.[h] Sobre caballos no montaremos.[i] Y ya no diremos más: "¡Oh Dios nuestro!", a la obra de nuestras manos, porque es por ti por quien a un huérfano de padre se muestra misericordia.'[j]

4 "Sanaré la infidelidad de ellos.[k] Los amaré de [mi] propio albedrío,[l] porque mi cólera se ha vuelto de él.[m] 5 Llegaré a ser como el rocío a Israel.[n] Florecerá como el lirio, y echará sus raíces como el Líbano. 6 Sus ramitas saldrán, y su dignidad llegará a ser como la del olivo,[o] y su fragancia será como la del Líbano. 7 Volverán a ser moradores en su sombra.[p] Cultivarán grano, y echarán brotes como la vid.[q] Su memoria será como el vino del Líbano.

8 "Efraín [dirá]: '¿Qué tengo que ver ya con los ídolos?'.[r]

"Yo mismo ciertamente daré una respuesta y seguiré mirándolo.[s] Soy como un enebro frondoso.[t] De mí tiene que hallarse fruto para ti."

9 ¿Quién es sabio, para que entienda estas cosas?[u] ¿Discreto, para que las sepa?[v] Porque los caminos de Jehová son rectos,[w] y los justos son los que andarán en ellos;[x] pero los transgresores son los que tropezarán en ellos.[y]

CAP. 13
a Isa 43:11
Isa 45:21
b Dt 2:7
Dt 32:10
Jer 2:2
c Jer 2:6
d Dt 8:12
Ne 9:25
e Dt 32:15
f Dt 6:12
Dt 32:18
Pr 30:9
Isa 17:10
g Os 5:14
h Jer 5:6
i 2Sa 17:8
Pr 17:12
j Lam 3:10
k Isa 56:9
Jer 12:9
l Pr 6:32
m Sl 33:20
Sl 46:1
n 1Sa 8:20
2Re 17:4
o 1Sa 8:5
p 1Sa 8:7
1Sa 12:13
q 1Sa 12:25
Jer 52:11
r Dt 32:34
Job 14:17
s Jer 30:6
Miq 4:9
t Pr 22:3
u 2Re 19:3
v Sl 30:3
Sl 49:15
Sl 69:18
w Isa 25:8
x Isa 26:19
1Co 15:55
y Rev 20:13
z 1Sa 15:29
Jer 15:6
a Gé 41:52
Gé 48:19
b Jer 4:11
Os 4:19
c Os 9:11
d 2Re 17:20
e 2Re 17:18
Am 3:9
f 1Sa 15:23
Sl 5:10
Eze 20:21
g 1Sa 1:20
Isa 7:8

2.ª col.

a 2Re 8:12
b 2Re 15:16
Am 1:13

CAP. 14

c 1Sa 7:3
2Cr 30:6
Isa 55:6
Os 5:12
Joe 2:13
d Jer 2:19
Lam 4:6
e Os 6:6
f Ez 34:7
2Sa 24:10
Sl 51:2
Miq 7:18
g Sl 69:31
Heb 13:15
h Os 5:13

i Dt 17:16; Sl 33:17; Isa 31:1; j Dt 10:18; Sl 10:14; Sl 68:5; Sl 146:9; Pr 23:11; Snt 1:27; k Sl 103:3; Isa 57:18; Jer 3:22; l Dt 7:7; Sof 3:17; m Sl 78:38; Isa 12:1; n Dt 32:2; Pr 19:12; o Sl 52:8; p Sl 91:1; q Zac 8:12; r Os 14:3; Hch 19:18; s Jer 31:18; t Isa 41:19; Isa 60:13; u Sl 107:43; Pr 1:5; Jer 9:12; v Mt 24:45; w Dt 32:4; Da 4:37; x Lu 1:6; y Da 12:10.

JOEL

1 La palabra de Jehová que le ocurrió[a] a Joel hijo de Petuel:

2 "Oigan esto, ancianos, y presten oído, todos los habitantes del país.[b] ¿Ha ocurrido esto en sus días, o siquiera en los días de sus antepasados?[c] 3 Respecto a ello hagan el relato a sus propios hijos, y sus hijos a los hijos de ellos, y los hijos de ellos a la siguiente generación.[d] 4 Lo que dejó la oruga, la langosta se lo ha comido;[e] y lo que dejó la langosta, la langosta reptante, sin alas, se lo ha comido; y lo que la langosta reptante, sin alas, ha dejado, la cucaracha se lo ha comido.[f]

5 "Despierten, borrachos,[g] y lloren; y aúllen,[h] todos ustedes, bebedores de vino, por causa del vino dulce,[i] porque ha sido cortado de sus bocas.[j] 6 Porque hay una nación que ha subido a mi país, poderosa y sin número.[k] Sus dientes son los dientes de un león,[l] y tiene las quijadas de un león. 7 Ha puesto mi vid como objeto de pasmo,[m] y mi higuera como tocón.[n] Positivamente la ha dejado desnuda y [la] ha desechado.[o] Las ramitas de ella han quedado blancas. 8 Plañe, como una virgen ceñida de saco[p] lo hace por el dueño de su juventud.

9 "Ofrenda de grano[q] y libación[r] han sido cortadas de la casa de Jehová; los sacerdotes, los ministros[s] de Jehová, han estado de duelo.[t] 10 [El] campo ha sido despojado con violencia,[u] [el] terreno se ha puesto de duelo;[v] porque [el] grano ha sido despojado con violencia, [el] vino nuevo se ha secado,[w] [el] aceite se ha desvanecido.[x] 11 Los labradores han sentido vergüenza;[y] los viñadores han aullado, a causa del trigo y a causa de la cebada; porque la cosecha del[l] campo ha perecido.[z]

12 La vid misma ha mostrado estar seca, y hasta la higuera se ha desvanecido. En cuanto a[l] granado, también [la] palmera y [el] manzano, todos los árboles del campo, se han secado;[a] porque el alborozo se ha ido avergonzado de los hijos de la humanidad.[b]

13 "Cíñanse, y golpéense los pechos,[c] sacerdotes. Aúllen, ministros de[l] altar.[d] Entren, pasen la noche en tela de saco, ministros de mi Dios; porque de la casa de su Dios han sido retenidas la ofrenda de grano[e] y la libación.[f] 14 Santifiquen un tiempo de ayuno.[g] Convoquen asamblea solemne.[h] Reúnan a [los] ancianos, a todos los habitantes del país, a la casa de Jehová su Dios,[i] y clamen por socorro a Jehová.[j]

15 "¡Ay del día;[k] porque el día de Jehová está cerca,[l] y como despojo violento del Todopoderoso vendrá! 16 ¿No ha sido cortado de delante de nuestros propios ojos el alimento mismo; de la casa de nuestro Dios, el regocijo y el gozo?[m] 17 Los higos secos se han arrugado y encogido bajo sus palas. Los almacenes han sido desolados. Los graneros han sido demolidos, porque [el] grano se ha secado. 18 ¡Oh, cómo ha suspirado el animal doméstico! ¡[Cómo] han vagado en confusión los hatos de ganado vacuno! Porque no hay pasto para ellos.[n] También, los hatos de las ovejas han sido los que han tenido que llevar culpa.

19 "A ti, oh Jehová, llamaré;[o] porque fuego mismo ha devorado los pastos de[l] desierto, y una llama misma ha consumido todos los árboles del campo.[p] 20 Las bestias del campo tam-

bién siguen [volviéndose] a ti con anhelo,[a] porque los canales de agua se han secado,[b] y el fuego mismo ha devorado los pastos del desierto".

2 "Toquen un cuerno en Sión,[c] y den un grito de guerra[d] en mi santa montaña.[e] Que todos los habitantes de la tierra se agiten;[f] ¡porque viene el día de Jehová,[g] porque está cerca! 2 Es día de oscuridad y tenebrosidad,[h] día de nubes y densas tinieblas, como luz del alba extendida sobre las montañas.[i]

"Hay un pueblo numeroso y poderoso;[j] como uno como este no se ha hecho que exista desde el pasado indefinido,[k] y después de él no volverá a haber otro hasta los años de generación tras generación. 3 Delante de él un fuego ha devorado,[l] y detrás de él una llama consume.[m] Como el jardín de Edén es la tierra delante de él;[n] pero detrás de él un desierto desolado, y ha resultado, también, que no hay nada de ello que escape.

4 "Su apariencia es como la apariencia de caballos, y como corceles es la manera como siguen corriendo.[o] 5 Como con el sonido de carros sobre las cimas de las montañas siguen brincando,[p] como con el sonido de un fuego llameante que devora rastrojo.[q] Es como un pueblo poderoso, formado en orden de batalla.[r] 6 Debido a él, los pueblos estarán con fuertes dolores.[s] En cuanto a todos los rostros, ciertamente recogerán un fulgor [de excitación].[t]

7 "Como hombres poderosos corren.[u] Como hombres de guerra suben un muro. Y van cada cual en sus propios caminos, y no alteran sus sendas.[v] 8 Y uno al otro no se empujan. Como hombres físicamente capacitado en su derrotero, siguen yendo; y si algunos caen hasta entre los proyectiles, los [demás] no se apartan del derrotero.

9 "Penetran precipitadamente en la ciudad. Sobre el muro corren. Por las casas suben. Por las ventanas entran como el ladrón. 10 Delante de él [la] tierra se ha agitado, [los] cielos se han mecido. El sol y la luna mismos se han oscurecido,[a] y las estrellas mismas han retirado su resplandor.[b] 11 Y Jehová mismo ciertamente dará su voz[c] delante de su fuerza militar,[d] porque su campamento es muy numeroso.[e] Porque el que ejecuta su palabra es poderoso; porque el día de Jehová es grande[f] y muy inspirador de temor, ¿y quién puede sostenerse bajo él?"[g]

12 "Y ahora también —la expresión de Jehová es— vuelvan a mí con todo su corazón,[h] y con ayuno[i] y con lloro y con plañido.[j] 13 Y rasguen su corazón,[k] y no sus prendas de vestir;[l] y vuelvan a Jehová su Dios, porque él es benévolo y misericordioso,[m] tardo para la cólera[n] y abundante en bondad amorosa,[o] y ciertamente sentirá pesar debido a la calamidad.[p] 14 ¿Quién hay que sepa si se volverá y realmente sentirá pesar[q] y dejará que después de ello quede una bendición,[r] una ofrenda de grano y una libación para Jehová el Dios de ustedes?

15 "Toquen un cuerno en Sión.[s] Santifiquen un tiempo de ayuno.[t] Convoquen una asamblea solemne.[u] 16 Reúnan a[l] pueblo. Santifiquen una congregación.[v] Junten a [los] viejos. Reúnan a los niños y a los que maman los pechos.[w] Que salga [el] novio de su cuarto interior, y [la] novia de su cámara nupcial.

17 "Entre el pórtico y el altar,[x] que los sacerdotes, los ministros de Jehová, lloren y digan: 'Siente pena, sí, oh Jehová, por tu pue-

CAP. 1
a Job 38:41
Sl 104:21
Sl 145:15
Sl 147:9
b 1Re 17:7
1Re 18:5
Jer 14:1

CAP. 2
c Jer 4:5
Eze 33:3
d Sof 1:16
e Zac 8:3
f Am 3:6
g Sof 1:14
Mal 4:1
h Jer 4:28
Jer 13:16
Am 5:18
i Am 4:13
Sof 1:15
j Joe 1:6
k Éx 10:14
Lu 1:19
m Am 7:4
n Gé 2:8
Eze 13:10
Isa 51:3
o Rev 9:7
q Rev 9:9
q Isa 5:24
r Pr 30:27
s Jer 8:21
t Na 2:10
u 2Sa 1:23
v Pr 30:27

2.ᵃ col.
a Jer 4:28
Joe 2:31
Mt 24:29
Lu 21:25
Hch 2:20
Rev 9:2
b Isa 13:10
c Sl 46:6
Isa 42:13
Jer 25:30
Joe 3:16
Am 1:2
d Joe 2:25
e Joe 2:2
f Jer 30:7
Am 5:18
Sof 1:15
g Nú 24:23
Na 1:6
Rev 6:17
h Jer 4:1
Os 12:6
Os 14:1
i Ele 7:6
2Cr 20:3
j Esd 10:1
Isa 22:12
Snt 4:9
k 2Re 22:19
Sl 34:18
Sl 51:17
Isa 57:15
l Gé 37:34
2Sa 1:11
m Éx 34:6
Miq 7:19
n Nú 14:18
Miq 7:18
Na 1:3
o Ne 9:17
Sl 86:15
Sl 103:8
Jon 4:2
p Sl 106:45

q 2Cr 30:8; Jer 18:8; Jon 3:9; Sof 2:3; r Isa 65:8; Miq 7:20; Ag 2:19; s Joe 2:1; t Jer 36:9; Joe 1:14; u 2Cr 7:9; v Éx 19:10; w Dt 29:11; Dt 31:12; 2Cr 20:13; x 2Cr 8:12; Mt 23:35.

blo, y no hagas de tu herencia un oprobio,[a] de modo que gobiernen naciones sobre ellos. ¿Por qué deberían decir entre los pueblos: "¿Dónde está su Dios?"'.[b] 18 Y Jehová será celoso por su tierra[c] y mostrará compasión a su pueblo.[d] 19 Y Jehová responderá y dirá a su pueblo: 'Aquí voy a enviarles el grano y el vino nuevo y el aceite, y ustedes ciertamente estarán satisfechos con ello;[e] y ya no los haré un oprobio entre las naciones.[f] 20 Y al norteño[g] lo pondré bien lejos de sobre ustedes, y verdaderamente lo dispersaré a una tierra árida y yermo desolado, con su rostro al mar oriental[h] y su sección posterior al mar occidental.[i] Y el hedor de él ciertamente ascenderá, y la fetidez de él seguirá ascendiendo;[j] porque Él realmente hará una cosa grande en lo que Él hace'.

21 "No estés temeroso, oh suelo. Goza y regocíjate; porque Jehová realmente hará una cosa grande en lo que Él hace.[k] 22 No estén temerosas, ustedes las bestias del campo abierto,[l] porque los pastos de[1] desierto ciertamente se harán verdes.[m] Porque el árbol realmente dará su fruto.[n] La higuera y la vid tienen que dar su energía vital.[o] 23 Y ustedes, hijos de Sión, gocen y regocíjense en Jehová su Dios;[p] porque de seguro les dará la lluvia de otoño en la medida correcta,[q] y hará bajar sobre ustedes un aguacero, lluvia de otoño y lluvia de primavera, como al principio.[r] 24 Y las eras tienen que estar llenas de grano [limpio], y las tinas de lagar tienen que desbordarse de vino nuevo y aceite.[s] 25 Y ciertamente les compensaré a ustedes por los años que la langosta, la langosta reptante, sin alas, y la cucaracha y la oruga han comido, mi gran fuerza militar que he enviado entre ustedes.[t] 26 Y ciertamente comerán, comiendo y

quedando satisfechos,[a] y de seguro alabarán el nombre de Jehová su Dios,[b] quien ha obrado con ustedes tan maravillosamente;[c] y mi pueblo no será avergonzado hasta tiempo indefinido.[d] 27 Y ustedes tendrán que saber que yo estoy en medio de Israel,[e] y que yo soy Jehová su Dios y no hay otro.[f] Y mi pueblo no será avergonzado hasta tiempo indefinido.

28 "Y después de eso tiene que ocurrir que derramaré mi espíritu[g] sobre toda clase de carne,[h] y sus hijos y sus hijas[i] ciertamente profetizarán. En cuanto a sus viejos, sueños soñarán. En cuanto a sus jóvenes, visiones verán. 29 Y aun sobre los siervos y sobre las siervas derramaré en aquellos días mi espíritu.[j]

30 "Y ciertamente daré portentos presagiosos en los cielos[k] y en la tierra, sangre y fuego y columnas de humo.[l] 31 El sol mismo será convertido en oscuridad,[m] y la luna en sangre,[n] antes de la venida del día de Jehová, grande y inspirador de temor.[o] 32 Y tiene que ocurrir que todo el que invoque el nombre de Jehová escapará salvo;[p] porque en el monte Sión y en Jerusalén resultarán estar los escapados,[q] tal como ha dicho Jehová, y entre los sobrevivientes, a quienes Jehová llama."[r]

3 "Porque, ¡mira!, en aquellos días y en aquel tiempo,[s] cuando traiga de vuelta a los cautivos de Judá y Jerusalén,[t] 2 también ciertamente juntaré a todas las naciones, y las haré bajar a la llanura baja de Jehosafat;[v] y ciertamente me pondré en juicio con ellas allí a causa de mi pueblo y mi herencia Israel,[w] a quienes esparcieron entre las

---

CAP. 2

a Dt 28:37
Sl 44:14
b Dt 32:27
Sl 42:10
Sl 79:10
Sl 115:2
Miq 7:10
c Zac 1:14
Zac 8:2
d Dt 32:36
Sl 103:13
Isa 60:10
Lam 3:22
Os 11:8
Lu 15:20
Snt 5:11
e Isa 62:8
Am 9:13
Mal 3:10
f Eze 34:29
Eze 36:15
g Jer 1:14
Eze 47:18
i Dt 11:24
Dt 34:2
j Isa 34:3
k Sl 126:3
l Sl 36:6
m Sl 65:12
Isa 30:23
Zac 8:12
n Sl 67:6
Isa 51:3
Eze 34:27
o Am 9:14
p Sl 28:7
Isa 12:6
Isa 41:16
Isa 61:10
Hab 3:18
Zac 10:7
q Le 26:4
r Dt 11:14
Zac 10:1
Snt 5:7
s Le 26:10
Pr 3:10
Am 9:13
Mal 3:10
t Joe 1:4
Am 4:9

2.ª col.

a Le 26:5
Dt 6:11
Sl 22:26
b Dt 26:10
c Sl 13:6
Sl 72:18
Isa 25:1
d Sl 37:19
Sof 3:11
Ro 5:5
e Le 26:11
Sl 46:5
Eze 37:26
f Dt 4:35
1Re 8:60
Isa 45:5
g Isa 32:15
Isa 44:3
Eze 39:29
h Zac 12:10
Jn 7:39
Hch 10:45
i Hch 21:9
j Hch 2:18
k Hch 2:19
l Rev 9:2
m Hch 2:20

n Isa 13:10; Joe 3:15; Mt 24:29; Mr 13:24; Lu 21:25; Rev 6:12; o Sof 1:14; Mal 4:5; p Sl 50:15; Hch 2:21; Ro 10:13; q Isa 46:13; Abd 17; r Isa 11:11; Jer 31:7; Miq 4:7; Ro 9:27; CAP. 3. s Jer 30:3; Eze 38:14; Sof 3:20; t Dt 30:3; Jer 16:15; Eze 39:28; Am 9:14; u Sof 3:8; Zac 14:2; Rev 16:16; v Joe 3:12; w Isa 66:16; Eze 38:22.

naciones; y repartieron mi propia tierra.[a] 3 Y por mi pueblo siguieron echando suertes;[b] y daban un niño varón por una prostituta,[c] y a una niña la vendían por vino, para beber.

4 "Y, también, ¿qué tienen que ver ustedes conmigo, oh Tiro y Sidón[d] y todas ustedes las regiones de Filistea?[e] ¿Es el trato que me dan como recompensa? Y si ustedes me dan tal trato, veloz, rápidamente pagaré su trato sobre sus cabezas.[f] 5 Porque ustedes han tomado mi propia plata y mi propio oro,[g] y han llevado mis propias cosas buenas deseables a sus templos;[h] 6 y a los hijos de Judá y a los hijos de Jerusalén los han vendido[i] a los hijos de los griegos,[j] con el propósito de alejarlos de su propio territorio;[k] 7 miren, voy a despertarlos [para que vengan] del lugar al cual ustedes los han vendido,[l] y ciertamente pagaré el trato de ustedes sobre sus propias cabezas.[m] 8 Y ciertamente venderé sus hijos y sus hijas en mano de los hijos de Judá,[n] y ellos tendrán que venderlos a los hombres de Seba,[o] a una nación lejana;[p] porque Jehová mismo [lo] ha hablado.

9 "Proclamen esto entre las naciones:[q] ¡Santifiquen guerra! ¡Despierten a los hombres poderosos![r] ¡Que se acerquen! ¡Que suban, todos los hombres de guerra![s] 10 Batan sus rejas de arado en espadas, y sus podaderas[t] en lanzas. En cuanto al débil, que diga: "Soy hombre poderoso".[u] 11 Presten su ayuda y vengan, todas las naciones de en derredor,[v] y júntense'."[w]

A aquel lugar, oh Jehová, haz bajar a tus poderosos.[x]

12 "Que las naciones sean despertadas y suban a la llanura baja de Jehosafat;[y] porque allí me sentaré para juzgar a todas las naciones de en derredor.[z]

13 "Metan una hoz,[a] porque la mies ha madurado.[b] Vengan,

desciendan, porque [el] lagar se ha llenado.[a] Las tinas del lagar realmente rebosan; porque la maldad de ellos se ha hecho abundante.[b] 14 Muchedumbres, muchedumbres están en la llanura baja de la decisión,[c] porque el día de Jehová está cerca en la llanura baja de la decisión.[d] 15 El sol y la luna mismos ciertamente se oscurecerán, y las estrellas mismas realmente retirarán su resplandor.[e] 16 Y desde Sión Jehová mismo rugirá, y desde Jerusalén dará su voz.[f] Y el cielo y la tierra ciertamente se mecerán;[g] pero Jehová será un refugio para su pueblo,[h] y una plaza fuerte para los hijos de Israel.[i] 17 Y ustedes tendrán que saber que yo soy Jehová su Dios,[j] que resido en Sión, mi santa montaña.[k] Y Jerusalén tiene que llegar a ser un lugar santo;[l] y en lo que respecta a extraños, ya no pasarán por ella.[m]

18 "Y en aquel día tiene que ocurrir que las montañas gotearán vino dulce,[n] y las colinas mismas manarán leche, y los cauces mismos de Judá manarán agua. Y de la casa de Jehová saldrá un manantial,[o] y tendrá que regar el valle torrencial de los Árboles de Acacia.[p] 19 En lo que respecta a Egipto, un yermo desolado llegará a ser;[q] y en lo que respecta a Edom, un desierto de yermo desolado llegará a ser,[r] debido a la violencia [hecha] a los hijos de Judá, en cuya tierra derramaron sangre inocente.[s] 20 Pero en cuanto a Judá, hasta tiempo indefinido será habitada,[t] y Jerusalén, hasta generación tras generación.[u] 21 Y ciertamente consideraré inocente su sangre que no había considerado inocente;[v] y Jehová estará residiendo en Sión."[w]

CAP. 3
a Jer 12:14
Eze 35:10
Sof 2:8
b Abd 11
c Dt 23:17
d Isa 23:12
Zac 9:2
e Jer 47:4
Eze 25:15
f Am 1:10
Ro 2:6
g 2Cr 21:17
h 1Sa 5:2
i Dt 28:32
Eze 27:13
j Joe 10:2
Zac 9:13
k Dt 28:68
l Isa 11:12
Isa 43:5
Isa 49:12
Jer 23:8
Eze 34:12
m Sl 62:12
Jer 17:10
Jer 25:14
Jer 30:23
n Abd 20
o Job 1:15
Eze 27:22
p Jer 6:20
q Isa 34:1
Jer 31:10
r Isa 8:9
Jer 46:3
s Eze 38:7
t Isa 2:4
Miq 4:3
u Zac 12:8
v Eze 38:9
Sof 3:8
w Rev 16:14
x Sl 103:20
2Te 1:7
Rev 19:14
y Joe 3:2
z Sl 76:9
Sl 96:13
a Rev 14:19
b Jer 51:33
Rev 14:18

2.ª col.
a Isa 63:3
Lam 1:15
Rev 14:20
b Gé 6:5
Isa 13:11
c Rev 19:19
d Isa 34:2
Joe 2:1
Sof 1:14
e Isa 13:10
Eze 32:7
Joe 2:31
Hch 2:20
f Jer 25:30
Am 1:2
g Isa 13:13
h Sl 18:2
Sl 50:15
i Pr 18:10
j Sl 9:16
k Abd 16
Zac 8:3
l Isa 4:3
m Isa 35:8
Isa 60:18
Na 1:15
Zac 14:21
Rev 21:27

n Am 9:13; Zac 9:17; o Sl 46:4; Eze 47:1; Rev 22:1; p Isa 41:19; q Isa 19:1; r Jer 49:17; Eze 35:13; s Am 1:11; Abd 10; t Isa 33:20; u Sl 48:8; Isa 60:15; Am 9:15; v Sl 103:10; Isa 4:4; Eze 36:25; Miq 7:19; w Sl 48:1; Isa 24:23; Miq 4:7.

AMÓS

1 Las palabras de Amós, que se contaba entre los ganaderos de ovejas de Teqoa,[a] [y] que él contempló en visión respecto a Israel[b] en los días de Uzías[c] el rey de Judá y en los días de Jeroboán[d] hijo de Joás,[e] el rey de Israel, dos años antes del terremoto.[f] **2** Y procedió a decir:

"Jehová... desde Sión rugirá,[g] y desde Jerusalén dará su voz;[h] y los pastos de los pastores tendrán que ponerse de duelo, y la cima del Carmelo tendrá que secarse".[i]

3 "Esto es lo que ha dicho Jehová: ' "Debido a tres sublevaciones de Damasco,[j] y debido a cuatro, no lo volveré atrás, debido a que trillaron a Galaad[k] aun con instrumentos de trillar [hechos] de hierro. **4** Y ciertamente enviaré fuego[l] sobre la casa de Hazael,[m] y tendrá que devorar las torres de habitación de Ben-hadad.[n] **5** Y ciertamente quebraré la barra de Damasco[o] y cortaré [al] habitante de Biqat-aven, y al que sostiene [el] cetro de Bet-edén; y el pueblo de Siria tendrá que ir al como desterrados a Quir,[p] ha dicho Jehová'.

6 "Esto es lo que ha dicho Jehová: ' "Debido a tres sublevaciones de Gaza,[q] y debido a cuatro, no lo volveré atrás, debido a que llevaron al destierro a un cuerpo completo de desterrados[r] para entregarlos a Edom.[s] **7** Y ciertamente enviaré fuego sobre el muro de Gaza,[t] y tendrá que devorar sus torres de habitación. **8** Y ciertamente cortaré de Asdod[u] [al] habitante, y de Asquelón[v] al que sostiene [el] cetro; y ciertamente volveré mi mano[w] sobre Eqrón,[x] y los restantes de los filisteos tendrán que perecer",[y] ha dicho el Señor Soberano Jehová'.

9 "Esto es lo que ha dicho Je-

hová: 'Debido a tres sublevaciones de Tiro,[a] y debido a cuatro, no lo volveré atrás, debido a que entregaron a un cuerpo completo de desterrados a Edom, y [porque] no recordaron el pacto de hermanos.[b] **10** Y ciertamente enviaré un fuego sobre el muro de Tiro, y tendrá que devorar sus torres de habitación'.[c]

11 "Esto es lo que ha dicho Jehová: 'Debido a tres sublevaciones de Edom,[d] y debido a cuatro, no lo volveré atrás, debido a que persiguió a su propio hermano con la espada,[e] y [porque] arruinó sus [propias] cualidades misericordiosas,[f] y su cólera sigue desgarrando para siempre; y su furor... lo ha mantenido perpetuamente.[g] **12** Y ciertamente enviaré un fuego dentro de Temán,[h] y tendrá que devorar las torres de habitación de Bozrá'.[i]

13 "Esto es lo que ha dicho Jehová: ' "Debido a tres sublevaciones de los hijos de Ammón,[j] y debido a cuatro, no lo volveré atrás,[k] debido a que rajaron a las mujeres encintas de Galaad, con el propósito de ensanchar su propio territorio.[l] **14** Y ciertamente prenderé fuego al muro de Rabá,[m] y tendrá que devorar sus torres de habitación, con una señal de alarma en el día de la batalla, con una tormenta en el día del viento de tempestad.[n] **15** Y su rey tendrá que ir al destierro, él y sus príncipes juntamente",[o] ha dicho Jehová'.

2 "Esto es lo que ha dicho Jehová: ' "Debido a tres sublevaciones de Moab,[p] y debido a cuatro, no lo volveré atrás, debido a que quemó los huesos del rey de Edom para cal.[q] **2** Y ciertamente enviaré un fuego dentro de Moab, y tendrá que devorar las torres de habitación de Queriyot;[a] y con ruido tendrá que morir Moab, con una señal de alarma, con el sonido de un cuerno.[b] 3 Y ciertamente cortaré [al] juez de en medio de ella, y a todos sus príncipes los mataré con él",[c] ha dicho Jehová.

4 "Esto es lo que ha dicho Jehová: 'Debido a tres sublevaciones de Judá,[d] y debido a cuatro, no lo volveré atrás, debido a que rechazaron la ley de Jehová,[e] y [porque] no guardaron las propias disposiciones reglamentarias de él; antes bien, las mentiras de ellos,[f] tras las cuales sus antepasados habían andado, siguieron haciéndolos andar errantes.[g] 5 Y ciertamente enviaré un fuego dentro de Judá, y tendrá que devorar las torres de habitación de Jerusalén'.[h]

6 "Esto es lo que ha dicho Jehová: 'Debido a tres sublevaciones de Israel,[i] y debido a cuatro, no lo volveré atrás, debido a que vendieron a alguien justo por simple plata, y a alguien pobre por [el precio de] un par de sandalias.[j] 7 Jadean por el polvo de [la] tierra sobre la cabeza de personas de condición humilde;[k] y el camino de la gente mansa desvían;[l] y un hombre y su propio padre han ido a la [misma] muchacha,[m] con el propósito de profanar mi santo nombre.[n] 8 Y sobre vestiduras tomadas en prenda se estiran[o] al lado de todo altar;[p] y el vino de los que han sido multados beben en la casa de sus dioses'.[q]

9 "Pero en cuanto a mí, yo había aniquilado a causa de ellos al amorreo,[r] cuya altura era como la altura de cedros, y quien era vigoroso como los árboles macizos;[s] y me puse a aniquilar su fruto arriba y sus raíces abajo.[t] 10 Y yo mismo los hice subir a ustedes de la tierra de Egipto,[u] y seguí haciéndolos andar por el desierto cuarenta años,[v] para to-

mar posesión de la tierra del amorreo.[a] 11 Y seguí levantando a algunos de los hijos de ustedes como profetas[b] y a algunos de sus jóvenes como nazareos.[c] ¿No debería ser realmente así, oh hijos de Israel?', es la expresión de Jehová.

12 "'Pero ustedes siguieron dando de beber vino a los nazareos,[d] y sobre los profetas pusieron un mandato, diciendo: "No deben profetizar".[e] 13 ¡Miren!, voy a hacer que lo que está debajo de ustedes tambalee, tal como tambalea el carro que está lleno con una hilera de grano recién cortado. 14 Y un lugar al cual huir tiene que perecer del veloz,[f] y nadie [que sea] fuerte reforzará su poder, y ningún hombre poderoso proveerá escape a su alma.[g] 15 Y ninguno que maneje el arco se mantendrá en pie, y nadie [que sea] veloz sobre los pies escapará, y ninguno que monta a caballo proveerá escape a su alma.[h] 16 Y en cuanto a uno [que sea] fuerte en su corazón entre los hombres poderosos, desnudo es como huirá en aquel día',[i] es la expresión de Jehová."

3 "Oigan esta palabra que Jehová ha hablado en cuanto a ustedes,[j] oh hijos de Israel, en cuanto a la entera familia que hice subir de la tierra de Egipto,[k] diciendo: 2 'Solo a ustedes he conocido[l] de todas las familias del suelo.[m] Por eso les pediré cuentas a ustedes por todos sus errores.[n]

3 "'¿Andarán dos juntos a menos que se hayan encontrado por cita?[o] 4 ¿Rugirá un león en el bosque cuando no tiene presa?[p] ¿Dará un leoncillo crinado su voz desde su escondite si no ha prendido absolutamente nada? 5 ¿Caerá un pájaro en una tram-

CAP. 2
a Jer 48:24
b Isa 15:1
c Nú 24:17
  Isa 16:14
  Jer 48:7
d 2Re 17:19
  Jer 2:13
  Jer 9:26
e Le 26:15
  2Cr 36:14
  Ne 1:7
  Da 9:11
f Isa 28:15
  Jer 16:19
g 2Cr 30:7
  Jer 9:14
h 1Sa 12:15
  Isa 28:9
  2Cr 36:19
  Jer 17:27
  Jer 37:8
  Jer 52:13
  Os 8:14
i Dt 28:45
  2Re 17:7
  Eze 23:5
  Os 4:1
j Eze 23:6
  Eze 22:12
  Joe 3:3
  Am 5:11
  Am 8:6
k Am 4:1
  Isa 10:2
  Am 5:12
l Am 18:8
  Le 18:15
  Eze 22:11
  1Co 5:1
n Eze 36:20
  Eze 43:8
  Ro 2:24
o Ex 22:26
  Dt 24:12
  Eze 18:12
p Os 8:11
  Os 10:1
q Jue 9:27
r Nú 21:24
  Jos 24:8
  Sl 135:11
s Isa 2:13
t Dt 2:32
  Dt 2:33
u Ex 12:51
  Sl 105:43
  Miq 6:4
v Nú 14:34
  Dt 2:7
  Ne 9:21
  Hch 7:42

2.ª col.
a Dt 1:20
b 1Sa 3:20
  1Re 17:1
  1Re 19:19
  2Cr 36:15
c Nú 6:2
  Jue 13:5
  Lam 4:7
d Nú 6:3
e Isa 30:10
  Jer 11:21
  Am 7:12
  Hch 4:18
  1Te 2:16
f Am 9:1
g 2Re 25:5
  Sl 33:16
h Isa 30:16
i Dt 28:25

CAP. 3   j Isa 46:3; Os 4:1; k Am 2:10; l Ex 19:5; Dt 7:6; Sl 147:19; m Joe 10:32; Jer 10:8; n Job 34:11; Jer 9:25; Eze 9:6; Da 9:12; Os 12:2; Am 4:12; Ro 2:9; o Gé 6:9; Gé 17:1; 2Co 6:14; p Sl 104:21; Isa 31:4.

pa en la tierra cuando no hay lazo para él?[a] ¿Sube una trampa del suelo cuando no ha atrapado absolutamente nada? 6 Si se toca un cuerno en una ciudad, ¿no tiembla también la gente misma?[b] Si una calamidad ocurre en la ciudad, ¿no es también Jehová quien ha actuado? 7 Porque el Señor Soberano Jehová no hará ni una cosa a no ser que haya revelado su asunto confidencial a sus siervos los profetas.[c] 8 ¡Hay un león que ha rugido![d] ¿Quién no tendrá miedo? ¡El Señor Soberano Jehová mismo ha hablado! ¿Quién no profetizará?'.[e]

9 "'Publíquenlo en [las] torres de habitación de Asdod y en [las] torres de habitación de la tierra de Egipto,[f] y digan: "Reúnanse contra las montañas de Samaria,[g] y vean los muchos desórdenes que hay en medio de ella, y casos de defraudación dentro de ella.[h] 10 Y ellos no han sabido hacer lo que tiene derechura' —es la expresión de Jehová—, 'aquellos que están almacenando violencia[j] y despojo violento en sus torres de habitación'.

11 "Por lo tanto, esto es lo que ha dicho el Señor Soberano Jehová: 'Hay un adversario hasta alrededor del país,[k] y ciertamente rebajará tu fuerza de ti, y tus torres de habitación realmente serán saqueadas'.[l]

12 "Esto es lo que ha dicho Jehová: 'Tal como el pastor arrebata de la boca del león dos canillas o un pedazo de una oreja,[m] así serán arrebatados los hijos de Israel, los que se sientan en Samaria en un lecho espléndido y en un diván[o] damasceno'.

13 "'Oigan y den testimonio[p] en la casa de Jacob —es la expresión del Señor Soberano Jehová, el Dios de los ejércitos—, 14 Porque, en el día de pedir cuentas[q] por las sublevaciones de Israel contra él, también ciertamente pediré cuentas a los al-

tares de Betel;[a] y los cuernos del altar ciertamente serán cortados y tendrán que caer a tierra.[b] 15 Y yo ciertamente derribaré la casa de invierno[c] además de la casa de verano.'[d]

"'Y las casas de marfil tendrán que perecer,[e] y muchas casas tendrán que llegar a su fin',[f] es la expresión de Jehová."

4 "Oigan esta palabra, vacas de Basán,[g] que están en la montaña de Samaria,[h] que están defraudando a los de condición humilde,[i] que están aplastando a los pobres, que están diciendo a sus amos: ¡Traigan, sí, y bebamos!'. 2 El Señor Soberano Jehová ha jurado por su santidad:[j] ' "¡Miren! Vienen días sobre ustedes, y él ciertamente las alzará con ganchos de carnicero, y a la última parte de ustedes con anzuelos de pesca.[k] 3 Y [por] brechas saldrán,[l] cada una directamente adelante; y ciertamente serán arrojadas a Harmón", es la expresión de Jehová'.

4 "'Vengan a Betel y cometan transgresión.[m] En Guilgal sean frecuentes en cometer transgresión,[n] y traigan sus sacrificios por la mañana; al tercer día, sus décimas partes.[o] 5 Y de lo que esté leudado hagan humear un sacrificio de acción de gracias,[p] y proclamen ofrendas voluntarias;[q] publíquen[lo], porque así [lo] han amado, oh hijos de Israel',[r] es la expresión del Señor Soberano Jehová.

6 "'Y yo también, por mi parte, les di a ustedes limpieza de dientes[s] en todas sus ciudades y falta de pan en todos sus lugares;[t] pero no volvieron a mí',[u] es la expresión de Jehová.

7 "'Y en cuanto a mí, yo también retuve de ustedes el aguacero cuando todavía faltaban tres

CAP. 3
a Ec 9:12
b Jer 4:5
  Sof 1:16
c Gé 6:13
  Gé 18:17
  2Re 22:23
  2Re 3:17
  2Re 20:20
  Sl 25:14
d Isa 42:9
  Da 9:22
  Da 11:2
  Jn 15:15
  Rev 1:1
d Pr 20:2
  Pr 30:30
  Jer 4:7
  Jer 1:2
e Jer 20:9
  Am 7:15
  Hch 4:20
  Hch 5:20
f Jer 46:14
g 2Re 17:23
h Isa 9:9
  Da 7:1
  Am 4:1
i Isa 26:10
  Jer 4:22
j Sof 1:9
k 2Re 17:6
  Isa 7:17
l Os 11:6
  Am 6:8
m Isa 17:34
n Isa 8:4
o Am 6:4
p 2Cr 24:19
  Eze 3:17
q Éx 32:34
  Jer 9:25
  Os 4:9

2.ª col.
a 1Re 12:33
  2Re 23:15
  Zac 31:1
  Os 13:2
b 2Cr 34:7
  Os 10:2
  Miq 1:6
c Jer 36:22
d Jue 3:20
e 1Re 22:39
f Isa 5:9
  Am 6:11

CAP. 4
g Sl 22:12
  Eze 39:18
  Os 4:16
h Am 6:1
i Pr 22:22
  Os 4:2
  Miq 2:2
  Mal 3:5
  Snt 5:4
j Éx 15:11
  Sl 89:35
k Hab 1:15
l 2Re 25:4
  Eze 12:12
m Jer 12:29
  Eze 20:39
  Os 4:13
  Am 3:14
n Os 4:15
  Os 9:15
  Am 5:5

o Nú 28:4; Dt 14:28; Dt 26:12; Os 8:13; p Le 7:12;
q Le 22:18; Os 2:1; r Os 9:10; s Dt 32:24; Sal 8:5;
t Le 26:26; Dt 28:38; 1Re 18:2; 2Re 4:38; u 2Cr
28:22; Jer 3:7; Jer 5:3.

meses para la siega;[a] y hacía que lloviera en una ciudad, pero en otra ciudad no hacía que lloviera. Había una porción de terreno donde llovía, pero la porción de terreno donde yo no hacía que lloviera se secaba.[b] 8 Y dos o tres ciudades iban trastabillando a una ciudad para beber agua,[c] y no conseguían satisfacerse; pero ustedes no volvieron a mí',[d] es la expresión de Jehová.

9 " 'Los herí con abrasamiento y tizón.[e] Hubo un multiplicarse de sus jardines y sus viñas, pero sus higueras y sus olivos eran devorados por la oruga,[f] sin embargo no volvieron a mí',[g] es la expresión de Jehová.

10 " 'Envié entre ustedes una peste a la manera de la de Egipto.[h] Con la espada maté a sus jóvenes,[i] junto con tomar cautivos sus caballos.[j] Y seguí haciendo que el hedor de sus campamentos ascendiera aun hasta sus narices;[k] pero no volvieron a mí',[l] es la expresión de Jehová.

11 " 'Causé un derribo entre ustedes, como el derribo de Sodoma y Gomorra por Dios.[m] Y ustedes llegaron a ser como un leño arrebatado de [la] quema;[n] pero no volvieron a mí',[o] es la expresión de Jehová.

12 "Por lo tanto, eso es lo que te haré, oh Israel. En consecuencia de que esto mismo te haré a ti, prepárate para encontrarte con tu Dios,[p] oh Israel. 13 Porque, ¡mira!, el Formador de [las] montañas[q] y el Creador de[l] viento,[r] y Aquel que informa al hombre terrestre lo que es el intenso interés de su mente,[s] Aquel que torna el alba en lobreguez,[t] y Aquel que pisa sobre los lugares altos de la tierra,[u] Jehová el Dios de los ejércitos es su nombre.[v]

5 "Oigan esta palabra que levanto sobre ustedes como endecha,[w] oh casa de Israel:

2 "La virgen,[x] Israel, ha caído;[y]

CAP. 4
a Dt 28:23
1Re 8:35
2Cr 7:13
Isa 5:6
b Joe 1:20
c 1Re 18:5
Jer 14:3
d Jer 23:14
Os 7:10
e Dt 28:22
Ag 2:17
f Dt 28:42
g Isa 42:24
Jer 5:3
h Éx 9:3
Dt 28:27
Dt 28:60
Sl 78:50
i Jer 26:25
2Re 8:12
j 2Re 13:7
k Dt 28:26
1Jer 23:14
m Gé 19:24
Jud 7
n Zac 3:2
Jud 23
o Oze 24:13
Os 7:10
p Jer 17:10
Eze 18:30
Eze 22:31
Heb 4:13
q Sl 65:6
Sl 95:4
Isa 40:12
r Sl 147:18
Jer 10:13
s Sl 139:2
Da 2:28
t Éx 10:22
Éx 14:20
Isa 5:30
Jer 13:16
Am 8:9
u Dt 32:13
Miq 1:3
v Isa 47:4
Jer 10:16

CAP. 5
w Jer 7:29
Eze 19:1
Eze 27:2
x Jer 14:17
y Isa 3:8

2.ª col.
a Isa 24:20
b Jer 2:28
c Dt 4:27
Dt 28:62
Isa 10:22
d 2Cr 15:2
Isa 55:6
Jer 29:12
e Sl 69:32
Pr 4:4
Isa 55:3
f 1Re 12:29
Am 4:4
g Os 4:15
h Am 8:14
i 2Re 17:6
Os 9:15
j Isa 1:13
k Eze 33:11
1 Heb 12:29
m Zac 10:6
n Eze 20:47

no puede levantarse de nuevo.[a]
Ha sido abandonada sobre su propio suelo;
no hay nadie que la levante.[b]

3 "Porque esto es lo que ha dicho el Señor Soberano Jehová: 'La ciudad misma que salía con mil quedará con cien; y la que salía con cien quedará con diez, para la casa de Israel'.[c]

4 "Porque esto es lo que ha dicho Jehová a la casa de Israel: 'Búsquenme,[d] y sigan viviendo.[e] 5 Y no busquen a Betel,[f] y a Guilgal[g] no deben venir, y a Beer-seba no deben pasar;[h] porque Guilgal misma sin falta irá al destierro;[i] y en lo que respecta a Betel, llegará a ser algo mágico.[j] 6 Busquen a Jehová, y sigan viviendo,[k] para que él no entre en operación justamente como un fuego,[l] oh casa de José,[m] y este realmente no devore, y Betel no quede sin quien [lo] extinga,[n] 7 oh ustedes que están convirtiendo el derecho en simple ajenjo,[o] y quienes han echado a tierra la justicia misma.[p] 8 El Hacedor de la constelación Kimá[q] y de la constelación[r] Kesil,[s] y Aquel que convierte la sombra profunda[t] en la mañana misma, y Aquel que ha hecho al día mismo oscuro como la noche,[u] Aquel que llama a las aguas del mar, para derramarlas sobre la superficie de la tierra[v]... Jehová es su nombre;[w] 9 quien está haciendo que un despojo violento relumbre sobre alguien fuerte, que el despojo violento mismo venga sobre aun un lugar fortificado.

10 " 'En la puerta ellos han odiado a un censurador,[x] y a un que habla cosas perfectas detestan.[y] 11 Por lo tanto, a causa de que ustedes están extrayendo alquiler de granja del que es de

o Am 6:12; p Eze 3:20; Eze 18:24; q Job 9:9; r Job 38:31; s Isa 13:10; t Job 12:22; u Éx 10:21; v Job 36:27; Ec 1:7; w Sl 83:18; Am 4:13; x 1Re 18:17; Pr 13:19; Isa 29:21; y 1Re 22:8; 1Pe 3:16.

condición humilde, y el tributo de grano siguen quitándole,[a] casas de piedra labrada han construido ustedes,[b] pero no seguirán morando en ellas; y viñas deseables han plantado, pero no seguirán bebiendo el vino de ellas.[c] 12 Porque yo he sabido cuántas son sus sublevaciones[d] y cuán poderosos son sus pecados,[e] oh ustedes los que están mostrando hostilidad para con alguien [que es] justo,[f] ustedes los que están tomando dinero con que se compra su silencio,[g] y los que han desviado a la gente pobre[h] hasta en la puerta.[i] 13 Por lo tanto, el mismo que tiene perspicacia guardará silencio en aquel tiempo, porque será un tiempo calamitoso.[j]

14 "'Busquen lo que es bueno, y no lo que es malo,[k] a fin de que sigan viviendo;[l] y que así Jehová el Dios de los ejércitos llegue a estar con ustedes, tal como han dicho ustedes.[m] 15 Odien lo que es malo, y amen lo que es bueno,[n] y den a la justicia un lugar en la puerta.[o] Quizás Jehová el Dios de los ejércitos muestre favor[p] a los restantes de José'.[q]

16 "Por lo tanto, esto es lo que Jehová el Dios de los ejércitos, Jehová, ha dicho: 'En todas las plazas públicas habrá plañir,[r] y en todas las calles la gente estará diciendo: "¡Ay! ¡Ay!". Y tendrán que llamar a duelo a un labrador,[s] y al plañido a los que tienen experiencia en lamentación'.[t] 17 'Y en todas las viñas habrá plañido,[u] porque pasaré por en medio de ti',[v] ha dicho Jehová.

18 "'¡Ay de los que desean con vehemencia el día de Jehová![w] ¿Qué, entonces, significará para ustedes el día de Jehová?[x] Será oscuridad, y no luz,[y] 19 tal como cuando un hombre huye debido al león, y el oso realmente lo encuentra; y [como cuando] entró en la casa y apoyó su mano contra la pared, y la serpiente lo

mordió.[a] 20 ¿No será oscuridad, y no luz, el día de Jehová?; ¿y no tendrá tinieblas, y no resplandor?[b] 21 He odiado, he rechazado sus fiestas,[c] y no disfrutaré del olor de sus asambleas solemnes.[d] 22 Pero si ustedes me ofrecen holocaustos,[e] ni siquiera en sus ofrendas de dádivas me complaceré,[f] ni sus sacrificios de comunión de [animales] cebados miraré.[g] 23 Remuevan de mí la bulla de sus canciones; y el sonido melodioso de sus instrumentos de cuerda no oiga yo.[h] 24 Y que salga rodando el derecho como aguas,[i] y la justicia como un torrente que constantemente fluya.[j] 25 ¿Fueron sacrificios y ofrendas de dádivas lo que ustedes acercaron a mí en el desierto por cuarenta años, oh casa de Israel?[k] 26 Y ciertamente llevarán a Sakut su rey[l] y a Keván, sus imágenes, la estrella del dios de ustedes, que ustedes se hicieron.[m] 27 Y ciertamente haré que ustedes vayan al destierro más allá de Damasco',[n] ha dicho aquel cuyo nombre es Jehová el Dios de los ejércitos."[o]

6 "¡Ay de los que están en desahogo[p] en Sión y de los que confían en la montaña de Samaria! Son los distinguidos de la parte principal de las naciones, y a ellos la casa de Israel ha venido. 2 Avancen a Calné, y vean; y vayan desde allí a la populosa Hamat,[q] y bajen a Gat[r] de los filisteos. ¿Son ellos mejores que estos reinos, o es su territorio más grande que el territorio de ustedes?[s] 3 ¿[Están ustedes] poniendo fuera de [su] mente el día calamitoso,[t] y acercan la morada de la violencia?[u] 4 [Ustedes, hombres,] que se acuestan en lechos de marfil[v] y se echan

CAP. 5
a Miq 2:2
b Isa 9:10
  Sof 1:13
c Dt 28:30
  Ag 1:6
d Dt 31:21
  Jer 29:23
e 2Re 17:7
f Sl 37:12
  Am 2:6
g 1Sa 12:3
h Dt 15:7
  Isa 29:21
  Eze 22:12
  Am 2:7
  Snt 2:6
i Pr 22:22
  Isa 10:2
j Miq 2:3
k Pr 11:27
  Isa 1:16
  Miq 6:8
  Ro 2:7
l Le 18:5
  Dt 30:20
  Sl 69:32
  Ro 10:5
m 2Cr 15:2
  Miq 3:11
  Miq 7:20
n Sl 34:14
  Sl 97:10
  Ro 12:9
  3Jn 11
o 2Cr 19:6
  Am 5:24
p Éx 32:30
  Sl 62:12
  Sof 2:3
q Jer 31:7
  Zac 10:6
r Isa 22:12
  Jer 9:10
s Joe 1:11
  Jer 9:17
t Isa 16:10
  Jer 48:33
u Isa 5:10
v Éx 12:12
  Na 1:12
w Isa 5:19
  Jer 17:15
  Mal 3:2
x Jer 30:7
  Joe 1:15
  Am 4:12
y Sof 1:15

2.ª col.

a 1Re 20:30
  Isa 24:17
  Isa 24:18
  Jer 15:2
b Eze 34:12
  Rev 16:10
c Pr 15:8
  Pr 21:27
  Isa 1:11
  Jer 6:20
d Gé 8:21
  Le 26:31
  Isa 66:3
  Os 6:6
f Gé 4:5
  Le 7:12
g Isa 1:11
h Pr 28:9
  Am 6:5
  Am 8:10
i Pr 21:3
  Miq 6:8
  Heb 13:16

j Ro 14:17; k Jos 24:14; Eze 20:8; Hch 7:42; l Le
20:2; m Éx 20:4; Sl 115:8; Hch 7:43; n 2Re 15:29;
2Re 17:6; o Am 4:13; CAP. 6 p 1Re 22:39; Am
3:15; q Nú 34:8; 2Re 14:28; r Am 6:2; s Isa
10:10; Na 3:8; t Sl 10:13; Ec 8:11; Isa 56:12; Eze
12:27; 2Pe 3:4; u Am 5:12; v 1Re 22:39.

sobre los divanes de estos, y comen los carneros de un rebaño y los toros jóvenes de entre los becerros engordados;[a] **5** que improvisan de acuerdo con el sonido del instrumento de cuerdas;[b] que, como David, han inventado para sí instrumentos de canto;[c] **6** que beben de tazones de vino,[d] y que con los más selectos aceites[e] hacen su ungir, y que no han enfermado ante la catástrofe de José.[f]

7 "Por lo tanto, ahora irán ellos al destierro a la cabeza de los que van al destierro,[g] y la jarana de los que se echan tiene que partir.

8 "El Señor Soberano Jehová ha jurado por su propia alma,[h] es la expresión de Jehová el Dios de los ejércitos: ' "Detesto el orgullo de Jacob,[i] y sus torres de habitación he odiado,[j] y ciertamente entregaré [la] ciudad y lo que la llena.[k] **9** Y tiene que ocurrir que, si diez hombres quedaran en una casa, ellos también tendrán que morir.[l] **10** Y el hermano del padre de él tendrá que llevarlos uno por uno, y los estará quemando uno por uno, para sacar [los] huesos de la casa.[m] Y tendrá que decir a quien esté en las partes más recónditas de la casa: '¿Hay otros más contigo?'. Y él ciertamente dirá: ¡Nadie!'. Y él tendrá que decir: '¡Calla! Porque no es ocasión de hacer mención alguna del nombre de Jehová' ".[n]

11 "Porque, miren, Jehová manda,[o] y ciertamente derribará la gran casa hasta hacerla ripio, y la casa pequeña hasta hacerla escombros.[p]

12 "¿Sobre un peñasco correrán caballos, o arará uno [allí] con ganado vacuno? Porque en planta venenosa han convertido ustedes el derecho;[q] y el fruto de la justicia, en ajenjo, **13** [ustedes los que] se regocijan de una cosa que no es;[r] los que dicen: '¿No hemos tomado cuernos

para nosotros en nuestra fuerza?".[a] **14** ¡Miren! Voy a levantar contra ustedes, oh casa de Israel —es la expresión de Jehová el Dios de los ejércitos—, una nación,[b] y ellos tendrán que oprimirlos desde el punto de entrada de Hamat[c] hasta el valle torrencial del Arabá.' "

7 Esto es lo que el Señor Soberano Jehová me hizo ver, y, ¡mire!, él estaba formando un enjambre [de langostas] al comienzo de la subida del sembrado tardío.[d] Y, ¡mire!, era el sembrado tardío después de la hierba cortada del rey. **2** Y ocurrió que, cuando aquel había acabado de comer la vegetación de la tierra, procedí a decir: "Oh Señor Soberano Jehová, perdona, por favor.[e] ¿Quién se levantará de Jacob? ¡Porque es pequeño!".[f] **3** Jehová sintió pesar por esto.[g] "No ocurrirá", dijo Jehová.

4 Esto es lo que el Señor Soberano Jehová me hizo ver, y, ¡mire!, el Señor Soberano Jehová pedía una contención por medio de fuego;[h] y fue que se puso a comer la vasta profundidad acuosa y se comió la porción de terreno. **5** Y procedí a decir: "Oh Señor Soberano Jehová, detente, por favor.[i] ¿Quién se levantará de Jacob? ¡Porque es pequeño!".[j]

6 Jehová sintió pesar por esto.[k] "Eso tampoco ocurrirá", dijo el Señor Soberano Jehová.

7 Esto es lo que me hizo ver, y, ¡mire!, Jehová estaba apostado en un muro [hecho con] plomada,[l] y había una plomada en su mano. **8** Entonces Jehová me dijo: "¿Qué ves, Amós?". De modo que dije: "Una plomada". Y Jehová pasó a decir: "Aquí voy a colocar una plomada en medio de mi pueblo Israel.[m] Ya no volveré a excusarlo.[n] **9** Los lugares altos de Isaac[o] ciertamente serán desolados, y los santuarios[p] mismos de Israel serán devastados;[q] y yo ciertamente

CAP. 6
a Isa 22:13
b Isa 5:12
c 2Cr 7:6
 2Cr 29:25
d Isa 5:11
e Mt 26:7
 Jn 12:3
f 2Re 15:29
 2Re 17:6
g Dt 28:41
 Am 5:5
h Jer 51:14
 Am 4:2
 Heb 6:13
i Pr 16:18
 Eze 33:28
 Os 5:5
j Lam 2:5
k Miq 1:6
l 1Sl 109:13
m 1Sa 31:12
n 2Re 6:33
o Isa 10:5
 Isa 55:11
p 2Re 25:9
 Am 3:15
q 1Re 21:13
 Sl 94:20
 Isa 59:13
 Os 10:4
 Am 5:7
r Isa 44:9

2.ª col.
a Dt 8:17
 Sl 75:5
 Da 4:30
b Dt 28:49
 2Re 15:29
 2Re 17:6
 Isa 7:20
 Isa 8:4
 Isa 10:5
 Os 10:6
c Nú 34:8
 1Re 8:65

CAP. 7
d Joe 1:4
 Joe 2:25
e Sl 130:4
 Jer 14:7
 Da 9:19
f Isa 37:4
 Jer 42:2
g Dt 32:36
 Sl 106:45
 Os 11:8
 Jon 3:10
 Snt 5:16
h Jer 4:4
i Éx 32:11
j Isa 1:9
k Éx 32:14
l Zac 4:10
m Lam 2:8
n Jer 15:6
 Eze 7:2
 Am 8:2
o 1Re 12:32
 Os 10:8
p 1Re 12:31
q Am 5:5
 Am 8:14

me levantaré contra la casa de Jeroboán con una espada".[a]

10 Y Amasías el sacerdote de Betel[b] procedió a enviar [palabra] a Jeroboán[c] el rey de Israel, y dijo: "Amós ha conspirado contra ti dentro de la misma casa de Israel.[d] La tierra no puede soportar todas sus palabras.[e] 11 Porque esto es lo que ha dicho Amós: 'A espada Jeroboán morirá; y en lo que respecta a Israel, sin falta irá al destierro desde su propio suelo' ".[f]

12 Y Amasías procedió a decir a Amós: "Oh hombre de visiones,[g] anda, vete corriendo a la tierra de Judá, y allí come pan, y allí puedes profetizar. 13 Pero en Betel ya no debes volver a profetizar,[h] porque es el santuario de un rey[i] y es la casa de un reino".

14 Entonces Amós contestó y dijo a Amasías: "Yo no era profeta, ni era hijo de profeta;[j] sino que era guarda de ganado[k] y punzador de higos de sicómoros. 15 Y Jehová procedió a tomarme de seguir tras el rebaño, y Jehová pasó a decirme: 'Ve, profetiza a mi pueblo Israel'.[l] 16 Y ahora oye la palabra de Jehová: '¿Dices: "No debes profetizar contra Israel,[m] y no debes dejar que [palabra] alguna caiga[n] contra la casa de Isaac"? 17 Por lo tanto, esto es lo que ha dicho Jehová: "En lo que respecta a tu esposa, en la ciudad llegará a ser una prostituta.[o] Y en lo que respecta a tus hijos y tus hijas, a espada caerán. Y en lo que respecta a tu suelo, por la soga de medir será repartido. Y en lo que respecta a ti mismo, en suelo inmundo morirás;[p] y en lo que respecta a Israel, sin falta irá al destierro desde su propio suelo" ' ".[q]

8 Esto es lo que el Señor Soberano Jehová me hizo ver, y, ¡mire!, había una cesta de fruto del verano.[r] 2 Entonces dijo: "¿Qué ves,[s] Amós?". De manera que dije: "Una cesta de fruto del verano".[a] Y Jehová pasó a decirme: "El fin ha llegado a mi pueblo Israel.[b] Ya no volveré a excusarlos.[c] 3 'Y las canciones del[1] templo realmente serán un aullido en aquel día[d] —es la expresión del Señor Soberano Jehová—. Habrá muchos cadáveres.[e] En todo lugar uno ciertamente [los] arrojará fuera... ¡silencio!'

4 "Oigan esto, ustedes los que tiran a morder a alguien que es pobre,[f] aun para hacer que los mansos de la tierra cesen,[g] 5 y dicen: '¿Cuánto tiempo falta para que pase la luna nueva[h] y podamos vender cereales?[i] ¿También el sábado,[j] y podamos ofrecer grano en venta; para hacer pequeño el efá[k] y para hacer grande el siclo y para falsificar las balanzas del engaño;[l] 6 para comprar gente de condición humilde por simple plata y a alguien pobre por [el precio de] un par de sandalias, y para que vendamos simple desecho de grano?'.[m]

7 "Jehová ha jurado por la Superioridad de Jacob:[n] 'Ciertamente nunca olvidaré todas sus obras.[o] 8 ¿No será por esto por lo que la tierra será agitada,[p] y todo habitante en ella tendrá que estar de duelo?;[q] ¿y [por lo que] ella, toda ella, ciertamente subirá tal como el Nilo y será arrojada y se hundirá como el Nilo de Egipto?'.[r]

9 "'Y en aquel día tiene que ocurrir —es la expresión del Señor Soberano Jehová— que ciertamente haré que el sol se ponga en pleno mediodía,[s] y ciertamente causaré oscuridad para la tierra en un día brillante. 10 Y ciertamente convertiré las fiestas de ustedes en duelo[t] y todas sus canciones en una endecha, y ciertamente haré subir, sobre todas las caderas, saco; y sobre toda cabeza, calvicie;[u] y ciertamente haré la situación como el duelo por un [hijo] úni-

CAP. 7

a 2Re 15:10
  Os 13:16
b 1Re 12:32
  1Re 13:33
c 2Re 14:23
d Jer 26:8
e Jer 18:18
  Lu 23:2
f Am 5:5
  Am 6:7
g Isa 30:10
h Am 2:12
  Hch 4:7
  Hch 5:28
i 1Re 12:29
  1Re 12:32
  1Re 13:1
j 1Re 20:35
  2Re 4:38
k Am 1:1
l Jer 1:7
  Eze 2:3
m Jer 11:21
  Am 7:13
n Dt 32:2
  Miq 2:6
o Lam 5:11
p 2Re 17:6
q Le 26:33
  Jer 36:31

CAP. 8

r Jer 24:1
s Jer 1:11

2.ª col.

a Jer 24:8
b Lam 4:18
  Eze 7:2
c Am 4:12
  Am 7:8
d Os 10:5
  Joe 1:13
  Am 5:23
e Jer 9:21
  Am 6:10
f Sl 37:14
  Sl 140:12
  Pr 30:14
g Sl 14:4
  Am 2:6
h Nú 10:10
i Ne 10:31
j Éx 20:8
  Ne 13:15
k Le 19:36
  Miq 6:10
l Pr 11:1
  Am 2:7
  Os 12:7
m Le 25:39
n Dt 33:26
  Sl 47:4
  Sl 68:34
o Jer 17:1
  Os 8:13
  Na 1:3
p Isa 5:25
q Os 4:3
r Am 9:5
  Miq 3:6
  Mt 24:29
t Os 2:11
u Eze 7:18

co,[a] y el resultado final de ella como un día amargo.'

11 " ¡Mira! Vienen días —es la expresión del Señor Soberano Jehová—, y ciertamente enviaré un hambre al país, un hambre, no de pan, y una sed, no de agua, sino de oír las palabras de Jehová.[b] 12 Y ciertamente trastabillarán de mar a mar, y del norte aun al naciente. Seguirán discurriendo mientras buscan la palabra de Jehová, pero no [la] hallarán.[c] 13 En aquel día las vírgenes bellas se desmayarán, también los jóvenes, debido a la sed;[d] 14 los que juran por la culpabilidad de Samaria,[e] y quienes realmente dicen: "¡Tan ciertamente como que vive tu dios, oh Dan!",[f] y: "¡Tan ciertamente como que vive el camino de Beer-seba!".[g] Y ciertamente caerán, y no se levantarán más'".[h]

9 Vi a Jehová apostado más arriba del altar,[i] y procedió a decir: "Hiere la cabeza de la columna, de modo que los umbrales se mezan. Y córtalos por la cabeza, a todos ellos.[j] Y a la última parte de ellos los mataré con la espada misma. Ninguno de ellos que huya logrará escapar, y ninguno de ellos que escape logrará su fuga.[k] 2 Si cavan hasta dentro del Seol, de allí mi propia mano los tomará;[l] y si suben a los cielos, de allí los haré bajar.[m] 3 Y si se esconden en la cima del Carmelo, de allí los buscaré cuidadosamente y ciertamente los tomaré.[n] Y si se ocultan de enfrente de mis ojos en el fondo del mar,[o] allá abajo daré orden a la serpiente, y tendrá que morderlos. 4 Y si van al cautiverio delante de sus enemigos, de allí daré orden a la espada, y tendrá que matarlos;[p] y ciertamente pondré mis ojos sobre ellos para lo malo, y no para lo bueno.[q] 5 Y el Señor Soberano, Jehová de los ejércitos, es Aquel que toca la tierra,

de modo que se derrite;[a] y todos los habitantes en ella tendrán que estar de duelo;[b] y ciertamente subirá como el Nilo, toda ella, y se hundirá como el Nilo de Egipto.[c]

6 " 'El que edifica en los cielos sus escalones,[d] y su estructura sobre la tierra que fundó;[e] el que llama las aguas del mar,[f] para derramarlas sobre la superficie de la tierra[g]... Jehová es su nombre.'[h]

7 " '¿No son ustedes como los hijos de los cusitas para mí, oh hijos de Israel? —es la expresión de Jehová—. ¿No hice subir a Israel mismo de la tierra de Egipto,[i] y a los filisteos[j] de Creta, y a Siria de Quir?'[k]

8 " ¡Miren! Los ojos del Señor Soberano Jehová están sobre el reino pecaminoso,[l] y ciertamente lo aniquilará de sobre la superficie del suelo.[m] No obstante, no aniquilaré completamente a la casa de Jacob[n] —es la expresión de Jehová—. 9 Porque, ¡miren!, voy a mandar, y ciertamente zarandearé a la casa de Israel entre todas las naciones,[o] tal como uno zarandea el harnero, de modo que ni una piedrecita cae a la tierra. 10 La espada morirán... todos los pecadores de mi pueblo,[p] los que dicen: "La calamidad no se acercará ni llegará hasta nosotros".'[q]

11 " 'En aquel día levantaré[r] la cabaña[s] de David que está caída,[t] y ciertamente repararé sus brechas. Y sus ruinas levantaré, y ciertamente la edificaré como en los días de mucho tiempo atrás,[u] 12 a fin de que tomen posesión de lo que queda como residuo de Edom,[v] y todas las naciones sobre las cuales ha sido llamado mi nombre',[w] es la expresión de Jehová, quien hace esto.

13 " ¡Miren! Vienen días —es la expresión de Jehová— y el

CAP. 8

a Jer 6:26
  Lu 7:12
b Isa 3:1
  Sl 74:9
  Eze 7:26
  Mt 4:4
c Pr 1:28
d Lam 2:19
e Jos 23:7
  1Re 12:30
  Os 8:5
  Os 10:5
f 1Re 12:29
g Am 5:5
h 2Re 18:11
  Os 13:16

CAP. 9

i Isa 6:1
  Eze 1:28
j Sl 68:21
  Hab 3:13
k Isa 24:18
  Isa 30:16
  Am 2:14
l Sl 139:8
  Pr 15:11
m Job 20:6
  Jer 49:16
  Jer 51:53
  Abd 4
n Job 34:22
  Sl 139:7
  Jer 23:24
o Sl 139:9
p Le 26:33
  Dt 28:65
  Eze 5:12
q Le 17:10
  Dt 28:63
  Jer 44:11
  1Pe 3:12

2.ª col.

a Sl 46:6
  Miq 1:4
b Os 4:3
c Am 8:8
d Sl 102:19
e Isa 45:18
f Job 36:27
  Sl 135:7
g Sl 147:8
  Am 5:8
h Ex 3:15
  Jer 31:35
  Am 4:13
i Ex 12:51
  Os 12:13
  Am 2:10
j Jer 47:4
k 2Re 16:9
  Isa 22:6
  Am 1:5
l Pr 5:21
  Pr 15:3
m 1Re 13:34
  2Re 18:11
n Jer 30:11
o Le 26:33
  Dt 28:64
p 2Re 18:12
  Eze 20:38
  Na 1:3
q Sl 10:13
  Zle 3:4
r Isa 9:6
  Isa 11:1
  Jer 23:5
  Eze 17:24
  Eze 37:24
  Zac 12:8
  Lu 1:31

s Isa 16:5; t Eze 21:27; Hch 15:16; u 2Sa 7:11; Sl 89:36; v Nú 24:18; Isa 11:14; Abd 19; w Hch 15:17.

arador realmente alcanzará al cosechador,[a] y el que pisa las uvas al que lleva la semilla;[b] y las montañas tendrán que gotear vino dulce,[c] y todas las colinas mismas estarán derritiéndose.[d] 14 Y ciertamente recogeré de vuelta a los cautivos de mi pueblo Israel,[e] y ellos realmente edificarán [las] ciudades desoladas y [las] habitarán,[f] y planta-

rán viñas y beberán el vino de ellas, y harán jardines y comerán el fruto de ellos.'[a]

15 "'Y ciertamente los plantaré sobre su suelo, y ya no serán desarraigados de su suelo que les he dado',[b] ha dicho Jehová tu Dios".

CAP. 9
a Le 26:5
   Eze 36:35
b Os 2:22
c Joe 3:18
d Isa 1:11
   Isa 55:12
e Esd 3:1
   Jer 30:3
   Eze 39:25
f Isa 61:4
   Isa 65:21
   Eze 36:33

2.ª col.   a Isa 62:8; Jer 30:10; Eze 28:26; Miq 4:4;
b Isa 60:21; Jer 24:6; Eze 34:28; Eze 37:25; Joe 3:20.

ABDÍAS

1 La visión de Abdías:

Esto es lo que el Señor Soberano Jehová ha dicho acerca de Edom:[a] "Hay un informe que hemos oído de Jehová, y hay un enviado que ha sido enviado entre las naciones: 'Levántense, y levantémonos contra ella en batalla' ".[b]

2 "¡Mira! Pequeño es lo que te he hecho entre las naciones.[c] Eres muy despreciado.[d] 3 La presunción de tu corazón es lo que te ha engañado,[e] a ti que resides en los retiros del peñasco,[f] la altura donde mora él, que dice en su corazón: '¿Quién me hará bajar a [la] tierra?'. 4 Si hicieras tu posición alta como el águila, o si entre las estrellas hubiera un colocar tu nido, de allí te haría bajar",[g] es la expresión de Jehová.

5 "Si fueran ladrones los que vinieran a ti, si despojadores violentos [vinieran] de noche, ¿hasta qué grado se te habría silenciado?[h] ¿No hurtarían ellos cuanto quisieran? O si fueran vendimiadores los que vinieran a ti, ¿no dejarían que algunos rebuscos quedaran?[i] 6 Oh, ¡a qué grado han sido escudriñados los de Esaú![j] ¡[Cómo] han sido buscados sus tesoros ocultos! 7 Hasta el límite te han enviado. Los hombres mismos [que están] en pacto contigo, todos te

a Isa 21:11
   Eze 25:12
   Joe 3:19
   Am 1:11
b Jer 49:14
   Mal 15
c Jer 49:15
   Jer 49:8
d Pr 16:18
   Jer 49:16
   Mal 1:4
f 2Cr 25:12
g Jer 49:16
   Am 9:2
h Jer 49:9
i Dt 24:21
   Isa 17:6
j Jer 49:10

2.ª col.
a Jer 27:3
   Lam 1:19
b Jer 38:22
c Jer 49:7
d Sl 33:10
   1Co 3:19
e Sl 76:5
   Jer 49:22
f Gé 36:11
   Eze 25:13
   Am 1:12
g Isa 34:6
h Isa 34:5
i Gé 27:42
   Nú 20:20
   Sl 83:5
   Sl 137:7
   Joe 3:19
   Am 1:11
j Jer 49:13
k Mal 1:3
   Mal 1:4
l 2Re 24:10
   2Re 25:5
   Jer 52:28
m 2Re 25:4
n Joe 3:3
o Miq 4:11
p Pr 17:5
   Pr 24:17
   Lam 4:21

han engañado.[a] Los hombres [que están] en paz contigo han prevalecido contra ti.[b] Los [que comen] alimento contigo colocarán una red debajo de ti como uno en quien no hay discernimiento.[c] 8 ¿No será en aquel día?", es la expresión de Jehová. "Y ciertamente destruiré de Edom a los sabios,[d] y de la región montañosa de Esaú el discernimiento. 9 Y tus hombres poderosos tendrán que aterrarse,[e] oh Temán,[f] a causa de que cada uno será cortado[g] de la región montañosa de Esaú, debido a un matar.[h] 10 Por la violencia a tu hermano Jacob,[i] vergüenza te cubrirá,[j] y tendrás que ser cortado hasta tiempo indefinido.[k] 11 El día en que te quedaste parado al lado, el día en que extraños tomaron su fuerza militar en cautiverio,[l] y [cuando] extranjeros mismos entraron por su puerta[m] y sobre Jerusalén echaron suertes,[n] tú también fuiste como uno de ellos.

12 "Y no debiste mirar el espectáculo en el día de tu hermano,[o] en el día de su desventura; y no debiste regocijarte por los hijos de Judá en el día en que perecían;[p] y no debiste mantener una boca grande en el día de [su] angustia. 13 No debiste entrar en la puerta de mi pueblo en el

día de su desastre.ª Tú, aun tú, no debiste fijar la vista en su calamidad en el día de su desastre; y no debiste alargar una mano sobre su riqueza en el día de su desastre.ᵇ **14** Y no debiste estar de pie donde los caminos se dividen, para cortar [el paso] a sus escapados;ᶜ y no debiste entregar sus sobrevivientes en el día de la angustia.ᵈ **15** Porque el día de Jehová contra todas las naciones está cerca.ᵉ Del modo como has hecho, se te hará.ᶠ Tu suerte de trato volverá sobre tu propia cabeza.ᵍ **16** Porque del modo como ustedes han bebido sobre mi santa montaña, todas las naciones seguirán bebiendo constantemente.ʰ Y ciertamente beberán y engullirán y llegarán a ser como si nunca hubieran sido.

17 "Y en el monte Sión es donde resultarán estar los que escapen,ⁱ y tendrá que llegar a ser algo santo;ʲ y la casa de Jacob tendrá que tomar posesión de las cosas que han de poseer.ᵏ **18** Y la casa de Jacob tendrá que llegar a ser un fuego,ˡ y la casa de

José una llama, y la casa de Esaú como rastrojo;ª y tendrán que encenderlos y devorarlos. Y no resultará haber sobreviviente de la casa de Esaú;ᵇ porque Jehová mismo [lo] ha hablado. **19** Y tendrán que tomar posesión del Négueb, hasta de la región montañosa de Esaú,ᶜ y de la Sefelá, hasta de los filisteos.ᵈ Y tendrán que tomar posesión del campo de Efraínᵉ y del campo de Samaria;ᶠ y Benjamín [tendrá que tomar posesión de] Galaad.ᵍ **20** Y en cuanto a los desterrados de este antemural,ʰ a los hijos de Israel pertenecerá lo que los cananeosⁱ [poseían] hasta Sarepta.ʲ Y los desterrados de Jerusalén, quienes estaban en Sefarad, tomarán posesión de las ciudades del Négueb.ᵏ

21 "Y salvadoresˡ ciertamente subirán al monte Sión,ᵐ para juzgar a la región montañosa de Esaú;ⁿ y la gobernación tendrá que llegar a ser de Jehová."ᵒ

Col. 1 references:
a Zac 1:15
b Sl 137:7
  Eze 25:12
c Sl 83:4
  Am 1:11
d Jer 30:7
e Jer 9:25
  Jer 25:32
  Jer 49:12
  Joe 3:14
  Miq 5:15
  2Pe 3:10
f Eze 35:15
  Mt 7:2
g Jer 30:23
  2Te 1:6
  Snt 2:13
h Jer 25:17
  Jer 49:12
i Joe 2:32
j Isa 4:3
  Zac 8:3
k Isa 14:2
  Eze 35:10
  Am 9:12
l Isa 10:17
  Zac 12:6

2.ª col.
a Isa 5:24
b Jer 49:18
  Eze 35:15
  Abd 9
c Isa 11:14
  Am 9:12
d Am 1:8
e Jer 31:6
f 2Re 17:24
g Jos 13:25
h Sl 122:7
i Gé 13:7
  Zac 14:21
j 1Re 17:9
  Lu 4:26

k Jer 13:19; Jer 33:13; 1 Ne 9:27; Sl 2:6; Isa 19:20; Rev 7:4; m Jer 31:6; Joe 2:32; n Sl 149:7; Eze 35:11; o Sl 22:28; Zac 14:9.

JONÁS

1 Y la palabra de Jehová empezó a ocurrirle a Jonásª hijo de Amitai, diciendo: **2** "Levántate, ve a Níniveᵇ la gran ciudad, y proclama contra ella que la maldad de ellos ha subido delante de mí".ᶜ

3 Y Jonás procedió a levantarse y huir a Tarsisᵈ de delante de Jehová;ᵉ y finalmente bajó a Jopéᶠ y halló una nave que iba a Tarsis. Por lo tanto, pagó su pasaje y bajó y entró en ella, para irse con ellos a Tarsis de delante de Jehová.

4 Y Jehová mismo arrojó un gran viento en el mar,ᵍ y llegó a haber una gran tormentaʰ en el

mar; y en cuanto a la nave, estaba a punto de ser destrozada. **5** Y los marineros empezaron a temer y a clamar por socorro, cada uno a su dios.ª Y siguieron arrojando al mar los objetos que había en la nave, para aligerar-[la] de ellos.ᵇ Pero Jonás mismo había bajado a las partes más recónditas de aquel barco de cubierta, y procedió a acostarse y a quedar profundamente dormido.ᶜ **6** Al fin el capitán de la nave se le acercó y le dijo: "¿Qué te pasa, dormilón? ¡Levántate,

CAP. 1
a 2Re 14:25
  Lu 11:29
b Gé 10:11
  Na 1:1
  Sof 2:13
  Mt 12:41
c Gé 18:20
  Snt 5:4
  Rev 18:5
d Gé 10:4
  2Cr 9:21
  Isa 23:1
  Jer 10:9
e Heb 10:38
f Jos 19:46
  Hch 9:36
  Hch 10:5
g Sl 78:26
  Am 4:13
h Sl 107:25
  Hch 27:14

2.ª col.   a Sl 96:5; Isa 41:29; 1Co 8:4; b Hch 27:18; Hch 27:38; c Mt 8:24.

clama a tu dios![a] Quizás el Dios [verdadero] muestre que le importamos, y no perezcamos".[b]

7 Y empezaron a decirse unos a otros: "Vengan, y echemos suertes,[c] para que sepamos por causa de quién tenemos esta calamidad".[d] Y siguieron echando suertes, y finalmente la suerte cayó sobre Jonás.[e] 8 De modo que le dijeron: "Dinos, sí, por favor, ¿por causa de quién tenemos esta calamidad?[f] ¿Cuál es tu trabajo, y de dónde vienes? ¿Cuál es tu país, y de qué pueblo eres?".

9 Ante aquello, él les dijo: "Soy hebreo,[g] y temo[h] a Jehová el Dios de los cielos,[i] Aquel que hizo el mar y la tierra seca".[j]

10 Y los hombres empezaron a temer en gran manera, y pasaron a decirle: "¿Qué es esto que has hecho?".[k] Porque los hombres habían llegado a saber que era de delante de Jehová de donde él huía, porque les había dicho esto. 11 Finalmente le dijeron: "¿Qué debemos hacerte,[l] para que el mar se nos aquiete?". Porque continuamente el mar se hacía más tempestuoso. 12 Así que él les dijo: "Álcenme, y arrójenme al mar, y el mar se les aquietará; porque me doy cuenta de que por causa de mí está sobre ustedes esta gran tormenta".[m] 13 Pero los hombres trataron de abrirse camino para traer [la nave] de vuelta a tierra seca; pero no pudieron, porque el mar se hacía continuamente más tempestuoso contra ellos.[n]

14 Y procedieron a clamar a Jehová y decir:[o] "¡Ah, pues, oh Jehová, por favor no perezcamos por causa del alma de este hombre! ¡Y no pongas sobre nosotros sangre inocente,[p] puesto que tú mismo, oh Jehová, has hecho según aquello en que te has deleitado!".[q] 15 Entonces alzaron a Jonás y lo arrojaron al mar; y el mar empezó a detenerse de su enfurecimiento.[r] 16 Ante esto,

los hombres empezaron a temer en gran manera a Jehová,[a] y por lo tanto ofrecieron un sacrificio a Jehová[b] e hicieron votos.[c]

17 Ahora bien, Jehová asignó un gran pez para que se tragara a Jonás,[d] de modo que Jonás llegó a estar en las entrañas del pez tres días y tres noches.[e]

2 Entonces Jonás oró a Jehová su Dios desde las entrañas del pez[f] 2 y dijo:

"Desde mi angustia clamé a Jehová,[g] y él procedió a responderme.[h]
Desde el vientre del Seol grité por ayuda.[i]
Oíste mi voz.[j]

3 Cuando me lanzaste [a] las profundidades, al corazón del alto mar,[k]
entonces un río mismo me rodeó.
Todas tus ondas rompientes y tus olas... sobre mí pasaron adelante.[l]

4 Y en cuanto a mí, dije: '¡Se me ha expulsado de enfrente de tus ojos![m]
¿Cómo volveré a contemplar tu santo templo?'.[n]

5 Aguas me rodearon hasta [el] alma misma;[o] la profundidad acuosa misma siguió circundándome.
Algas marinas se me envolvieron alrededor de la cabeza.

6 A los fondos de [las] montañas bajé.
En cuanto a la tierra, sus barras estaban sobre mí por tiempo indefinido.
Pero de[l] hoyo procediste a hacer subir mi vida, oh Jehová mi Dios.[p]

7 Cuando mi alma se desmayaba dentro de mí,[q] Jehová fue Aquel a quien recordé.[r]
Entonces mi oración llegó a ti, en tu santo templo.[s]

CAP. 1

a Sl 107:6
b Jon 3:9
c Pr 16:33
  Pr 18:18
  Hch 1:26
d Jos 7:14
  1Sa 14:42
e Jos 7:18
f 1Sa 7:19
  1Sa 14:43
g Gé 14:13
  Gé 40:15
h Ec 12:13
i Sl 103:19
  Sl 115:16
  Sl 136:26
j Ne 9:6
  Sl 95:5
  Sl 146:6
  Hch 14:15
k Jos 7:25
  Sl 96:4
l 2Sa 21:3
m 2Sa 24:17
  1Cr 21:17
n Sl 107:25
o Sl 65:2
  Sl 107:28
  Isa 26:16
p Gé 9:6
  Dt 21:8
q Sl 115:3
  Sl 135:6
  Da 4:35
r Sl 65:7
  Sl 89:9
  Sl 107:29
  Mt 8:26

2.ª col.

a Da 6:26
  Hch 5:11
b Sl 50:15
c Gé 28:20
  Sl 50:14
d Gé 1:21
  Sl 104:25
e Mt 12:40
  Mt 16:4
  Lu 11:30

CAP. 2

f 2Cr 33:13
  Sl 91:15
  Isa 26:16
  Os 5:15
g Sl 130:1
  Lam 3:55
h Sl 22:24
  Sl 120:1
i Sl 16:10
  Mt 12:40
  Hch 2:27
j Sl 18:6
  Sl 34:6
k Sl 69:1
  Sl 42:7
l Sl 31:22
m 1Re 8:38
  Sl 5:7
  Sl 69:1
p Job 33:24
  Sl 16:10
  Sl 30:3
  Isa 38:17
  Hch 2:31
q Sl 119:81
  Sl 142:3

r Sl 77:11; Sl 143:5; 2Co 1:9; s 2Cr 30:27; Sl 18:6.

8 En cuanto a los que observan los ídolos de la falsedad, dejan su propia bondad amorosa.[a]

9 Pero en cuanto a mí, con la voz de acción de gracias ciertamente te haré sacrificio.[b]
Lo que he prometido en voto, ciertamente pagaré.[c] La salvación pertenece a Jehová".[d]

10 Con el tiempo Jehová dio orden al pez, de modo que este vomitó a Jonás en tierra seca.[e]

3 Entonces la palabra de Jehová le ocurrió a Jonás por segunda vez, y dijo:[f] 2 "Levántate, ve a Nínive la gran ciudad, y proclámale la proclamación[g] que te voy a hablar".

3 Ante aquello, Jonás se levantó y fue a Nínive según la palabra de Jehová.[h] Ahora bien, resultaba que Nínive misma era una ciudad grande ante Dios,[i] con distancia de tres días de camino. 4 Finalmente Jonás comenzó a entrar en la ciudad por distancia de un día de camino, y siguió proclamando y diciendo: "Solo cuarenta días más, y Nínive será derribada".[j]

5 Y los hombres de Nínive empezaron a poner fe en Dios,[k] y procedieron a proclamar un ayuno y a ponerse saco,[l] desde el mayor de ellos aun hasta el menor de ellos. 6 Cuando la palabra llegó al rey de Nínive,[m] entonces él se levantó de su trono y quitó de sí su prenda de vestir oficial y se cubrió de saco y se sentó en las cenizas.[n] 7 Además, mandó que se hiciera el pregón, e hizo que este se dijera en Nínive, por el decreto del rey y sus grandes, diciendo:

"Ningún hombre ni animal doméstico, ninguna vacada ni rebaño, debe probar cosa alguna en absoluto. Ninguno debe tomar alimento. Ni siquiera agua deben beber.[o] 8 Y que se cu-

bran de saco, hombre y animal doméstico; y que clamen a Dios con fuerza y se vuelvan,[a] cada uno, de su mal camino y de la violencia que había en sus manos. 9 ¿Quién hay que sepa si el Dios [verdadero] se vuelva y realmente sienta pesar[b] y se vuelva de su cólera ardiente, de modo que no perezcamos?".[c]

10 Y el Dios [verdadero] llegó a ver las obras de ellos,[d] que se habían vuelto de su mal camino;[e] y por eso el Dios [verdadero] sintió pesar[f] en cuanto a la calamidad de que había hablado que les causaría; y no [la] causó.[g]

4 A Jonás, sin embargo, esto le desagradó sumamente,[h] y llegó a estar enardecido de cólera. 2 Por lo tanto, oró a Jehová y dijo: "Ah, pues, oh Jehová, ¿no era este un asunto mío, mientras yo estaba en mi propio suelo? Por eso proseguí y hui a Tarsis;[i] porque sabía que tú eres un Dios benévolo y misericordioso,[j] tardo para la cólera y abundante en bondad amorosa,[k] y que sientes pesar en cuanto a la calamidad.[l] 3 Y ahora, oh Jehová, quita, por favor, mi alma[m] de mí, porque mejor es mi morir que mi estar vivo".[n]

4 A su vez, Jehová dijo: "¿Es con razón que te has enardecido de cólera?".[o]

5 Entonces Jonás salió de la ciudad y se sentó al este de la ciudad; y gradualmente se hizo allí una cabaña, para sentarse bajo ella en la sombra[p] hasta ver lo que llegaría a ser de la ciudad.[q] 6 De consiguiente, Jehová Dios asignó una calabaza vinatera, para que subiera sobre Jonás, de modo que llegara a ser sombra sobre su cabeza, para librarlo de su estado calamitoso.[r] Y Jonás empezó a regocijarse mucho por la calabaza vinatera.

7 Pero el Dios [verdadero] asignó un gusano[s] al ascender el alba al día siguiente, para que hiriera la calabaza vinatera; y

CAP. 2
a 1Sa 12:21
 Jer 16:19
 Hab 2:18
 1Co 12:2
b Sl 50:14
 Os 14:2
 Ro 12:1
 Heb 13:15
c Ec 5:4
d Sl 3:8
 Isa 12:2
e Sl 33:9
 Isa 50:2

CAP. 3
f Jon 1:1
g Jon 1:2
h Eze 9:11
 Jon 2:9
i Gé 10:11
 Jon 4:11
j Jer 18:7
 Sof 2:13
k Éx 9:20
 Mt 12:41
 Lu 11:32
 l 2Cr 20:3
 Esd 8:21
 Joe 1:13
m Sl 2:10
n Da 9:3
 Mt 11:21
 Mt 12:41
o Esd 8:21

2.ª col.
a Isa 1:16
 Eze 18:21
 Joe 2:12
 Mt 3:8
 Hch 3:19
b Joe 2:13
c Jer 18:8
d 2Cr 16:9
e Lu 11:32
f Eze 18:23
 Jon 4:2
g Jer 18:8

CAP. 4
h Mt 20:15
 Ro 12:16
 Snt 4:5
i Jon 1:3
j Éx 34:6
 Sl 103:8
 Sl 145:8
 Joe 2:13
k Sl 78:38
 Sl 86:5
 Miq 7:18
l Jer 18:8
 Eze 33:11
 Am 7:3
m Gé 35:18
n Nú 11:15
 1Re 19:4
 Job 6:9
o Mt 20:15
p 1Re 19:4
q Jon 3:4
r Sl 103:10
 Sl 103:13
 Sl 121:5
s Dt 28:39

esta gradualmente se secó.ª
8 Y sucedió que, tan pronto
como el sol brilló, Dios también
procedió a asignar un viento
abrasador del este,ᵇ y el sol siguió hiriendo la cabeza de Jonás,
de modo que él se desmayaba;ᶜ y
siguió pidiendo que su alma
muriera, y repetidamente decía:
"Mejor es mi morir que mi estar
vivo".ᵈ

9 Y Dios procedió a decir a Jonás: "¿Es con razón que te has
enardecido de cólera en cuanto a
la calabaza vinatera?".ᵉ

Ante aquello, él dijo: "Con razón me he enardecido de cólera,

hasta el punto de la muerte".
10 Pero Jehová dijo: "Tú, por tu
parte, sentiste lástima por la calabaza vinatera, por la cual no te
afanaste, y que no hiciste crecer,
la cual resultó ser el simple crecimiento de una noche y pereció
como simple crecimiento de una
noche. 11 Y, por mi parte, ¿no
debería yo sentir lástima por Nínive la gran ciudad,ª en la cual
existen más de ciento veinte mil
hombres que de ningún modo
saben la diferencia entre su
mano derecha y su izquierda,
además de muchos animales domésticos?".ᵇ

CAP. 4
a Isa 40:7

b Eze 17:10
Eze 19:12
Os 13:15

c Am 8:13

d Jon 4:3

e Jon 4:4

2.ª col.
a Jon 3:3
Mt 18:33

b Sl 36:6
Sl 145:9

MIQUEAS

1 La palabra de Jehová que le
ocurrió a Miqueasª de Moréset, en los días de Jotán,ᵇ Acaz,ᶜ
Ezequías,ᵈ reyes de Judá,ᵉ la cual
él contempló en visión acerca de
Samariaᶠ y Jerusalén:ᵍ

2 "Oigan, oh todos ustedes;
presten atención, oh tierra y lo
que la llena,ʰ y sirva el Señor
Soberano Jehová de testigo contra ustedes,ⁱ Jehová desde su
santo templo.ʲ 3 Porque, ¡miren!, Jehová sale de su lugar,ᵏ y
ciertamente bajará y pisará sobre los lugares altos de la tierra.ˡ
4 Y las montañas tienen que
derretirse bajo él,ᵐ y las llanuras
bajas mismas se henderán, como
cera debido al fuego,ⁿ como
aguas que se derraman por un
lugar empinado.

5 "Debido a la sublevación de
Jacob hay todo esto, aun debido
a los pecados de la casa de Is-
rael.º ¿Cuál es la sublevación de
Jacob? ¿No es Samaria?ᵖ Y ¿cuáles son los lugares altos de
Judá?ᵠ ¿No son Jerusalén?ʳ 6 Y
ciertamente haré de Samaria
un montón de ruinas del campo,ʳ los lugares de plantarse una
viña; y derramaré en el valle sus

piedras, y sus fundamentos pondré al descubierto.ª 7 Y todas
sus imágenes esculpidas serán
trituradas,ᵇ y todos los regalos
[hechos] a ella como su alquiler
serán quemados en el fuego;ᶜ y
de todos sus ídolos haré un yermo desolado. Porque de las cosas
que se dieron como el alquiler de
una prostituta ella [los] juntó, y
a la cosa dada como el alquiler de
una prostituta volverán".ᵈ

8 Por causa de esto cier-
tamente plañiré y aullaré;ᵉ ciertamente andaré descalzo y desnu-
do.ᶠ Haré un plañir como los
chacales, y un llanto de duelo como hembras de avestruz.
9 Porque el golpe sobre ella es
incurable;ᵍ porque ha llegado
hasta Judá;ʰ [la] plaga, hasta la
puerta de mi pueblo, hasta Jeru-
salén.ⁱ

10 "En Gat no [lo] informen;
positivamente no lloren.ʲ

"En la casa de Afrá revuélcate
en el polvo mismo.ᵏ 11 Cruza,
oh habitadora de Safir, en vergonzosa desnudez.ˡ La habitado-

CAP. 1
a Jer 26:18
b 2Re 15:7
2Re 15:32
1Cr 3:12
2Cr 27:1
c 2Re 16:2
2Cr 28:1
Isa 7:1
Os 1:1
d 2Re 18:1
2Cr 29:1
Isa 36:1
e Isa 1:1
f 1Re 16:24
Am 4:1
g Miq 3:10
h Isa 1:2
i Sl 50:7
Mal 3:5
j Sl 11:4
Hab 2:20
k Sl 115:3
Isa 26:21
Eze 3:12
l Dt 32:13
Dt 33:29
Am 4:13
m Jue 5:5
Sl 97:5
n 2Pe 3:10
o 2Re 17:7
Jer 2:17
p Os 7:1
q 2Re 16:4
r 2Re 19:25

2.ª col.
a Eze 13:14
Mt 24:2
b Le 26:30
Os 8:6
c Os 2:5
Os 9:1
d Dt 23:18
e Jer 4:19
f Isa 20:2

g Isa 1:5; Jer 15:18; h 2Re 18:13; Isa 8:8; i 2Cr
32:2; Miq 1:12; j 2Sa 1:20; k Jer 6:26; Eze 27:30;
l Isa 47:3; Jer 13:26; Eze 16:37.

ra de Zaanán no ha salido. El plañir de Bet-ezel quitará de ustedes el lugar de estar de ella. 12 Porque la habitadora de Marot ha esperado lo bueno,[a] pero lo que es malo ha bajado desde Jehová a la puerta de Jerusalén.[b] 13 Junta el carro al tiro de caballos, oh habitadora de Lakís.[c] El principio del pecado fue ella para la hija de Sión,[d] porque en ti se han hallado las sublevaciones de Israel.[e] 14 Por lo tanto, darás regalos de despedida a Móreset-gat.[f] Las casas de Aczib[g] fueron como algo engañoso a los reyes de Israel. 15 Todavía traeré a ti al que desposee,[h] oh habitadora de Maresah.[i] Hasta Adulam[j] la gloria de Israel vendrá. 16 Causa calvicie, y corta [tu cabello] a causa de tus hijos de deleite exquisito.[k] Ensancha tu calvicie como [la del] águila, porque se han ido de ti al destierro."[l]

2 "¡Ay de los que traman lo que es dañino, y de los que practican lo que es malo, sobre sus camas![m] A la luz de la mañana proceden a hacerlo,[n] porque está en el poder de su mano.[o] 2 Y han deseado campos y se han apoderado [de ellos];[p] también casas, y [las] han tomado; y han defraudado a un hombre físicamente capacitado y a su casa,[q] a un hombre y su posesión hereditaria.[r]

3 "Por lo tanto, esto es lo que ha dicho Jehová: 'Miren, voy a pensar contra esta familia[s] una calamidad[t] de la cual ustedes no removerán sus cuellos,[u] de modo que no andarán altivamente;[v] porque es un tiempo de calamidad.[w] 4 En aquel día uno levantará acerca de ustedes un dicho proverbial[x] y ciertamente lamentará una lamentación, hasta una lamentación.[y] Uno tendrá que decir: "¡Positivamente se nos ha despojado violentamente![z] La porción misma de mi pueblo él altera.[a] ¡Cómo [la]

remueve de mí! Al infiel reparte nuestros propios campos". 5 Por lo tanto, no llegarás a tener quien eche la cuerda, por la suerte,[a] en la congregación de Jehová. 6 No dejen ustedes caer [palabras].[b] Ellos dejan caer [palabras]. Ellos no dejarán caer [palabras] acerca de estas [cosas]. Las humillaciones no se mudarán.[c]

7 "'¿Se dice, oh casa de Jacob:[d] "¿Ha quedado descontento el espíritu de Jehová, o son estos sus tratos?"?'[e] ¿No hacen bien mis propias palabras[f] en el caso del que anda rectamente?[g]

8 "'Y ayer mi propio pueblo procedió a levantarse como un enemigo franco.[h] Del frente de una prenda de vestir ustedes arrancan el ornamento majestuoso, de los que pasan confiadamente, [como] los que vuelven de la guerra. 9 A las mujeres de mi pueblo ustedes las expulsan de la casa en la cual una mujer tiene deleite exquisito. De sobre los hijos de ella ustedes toman mi esplendor,[j] hasta tiempo indefinido.[j] 10 Levántense y vayan,[k] porque este no es lugar de descanso.[l] Por el hecho de que ella se ha hecho inmunda,[m] hay un destrozar; y [la] obra de destrozar es dolorosa.[n] 11 Si un hombre, andando por viento y falsedad, ha dicho la mentira:[o] "Te dejaré caer [palabras] a ti acerca de vino y acerca de licor embriagante", él también ciertamente llegará a ser el que deje caer [palabras] para este pueblo.[p]

12 "'Positivamente te reuniré, Jacob, todo;[q] sin falta juntaré a los restantes de Israel.[r] En unidad los pondré, como rebaño en el aprisco, como hato en medio de su pasto;[s] tendrán el alboroto de hombres'.[t]

13 "Ciertamente el que irrum-

CAP. 1

a Isa 59:9
   Jer 8:15
b Isa 45:7
   Am 3:6
c Jos 15:39
   2Re 18:14
d 1Re 14:16
   2Re 16:3
   Jer 3:8
f 2Re 15:19
g Jos 15:44
h Isa 7:17
i 2Cr 11:8
j Jos 38:1
   Ne 11:30
k Job 1:20
   Isa 15:2
   Isa 22:12
   Jer 7:29
l Dt 28:41
   2Re 17:6
   Isa 39:7

CAP. 2

m Est 3:8
   Sl 36:4
   Lu 22:2
n Os 7:6
   Mt 27:1
   Heh 23:12
o Gé 31:29
   1Re 21:7
   Jn 19:10
p Éx 20:17
   1Re 21:2
   Ne 5:11
   Isa 5:8
   Eze 22:29
q Jer 22:17
   Eze 18:12
   Eze 22:12
r Ne 5:5
s Jer 8:3
   Am 3:1
t Jer 18:11
   Snt 2:13
u Am 2:14
v Isa 2:11
   Da 5:20
   1Pe 5:5
w Am 5:13
x Nú 23:18
   Job 27:1
   Hab 2:6
y Jer 9:10
   Lam 1:1
   Eze 2:10
z Isa 6:11
   Jer 25:9
   Sof 1:2
a 2Re 17:23

2.ª col.

a Nú 26:55
   Sl 78:55
b Eze 21:2
   Heh 4:17
c Jer 6:15
   Jer 8:12
d Jer 2:4
e Dt 32:4
   Isa 50:2
f Sl 19:7
   Sl 33:4
   Jer 15:16
g Sl 15:2
   Pr 2:7
h Isa 9:21
i Eze 16:14
j Joe 3:6
k Jos 23:15

l Dt 12:9; m Le 18:25; Sl 106:38; n Jer 10:18; o 1Re 22:6; Isa 9:19; Jer 6:14; Eze 13:3; 1Jn 4:1; p 2Te 2:11; q Isa 11:11; Jer 31:8; Miq 4:6; r Jer 23:3; s Eze 34:11; t Eze 36:38; Zac 8:22.

pe subirá delante de ellos:[a] realmente romperán a través. Y pasarán por una puerta, y saldrán por ella.[b] Y su rey pasará a través delante de ellos, con Jehová a la cabeza de ellos."[c]

3 Y procedí a decir: "Oigan, por favor, cabezas de Jacob y ustedes los comandantes de la casa de Israel.[d] ¿No es negocio de ustedes el conocer la justicia?[e] 2 Odiadores de lo que es bueno[f] y amadores de la maldad,[g] que arrancan la piel de la gente y el organismo de sus huesos;[h] 3 ustedes los que también han comido el organismo de mi pueblo,[i] y han desollado la mismísima piel de ellos, y desmenuzado sus propios huesos, y [los] han triturado como lo que está en una vasija de boca ancha y como carne en medio de una olla.[j] 4 En aquel tiempo clamarán a Jehová por socorro, pero él no les responderá.[k] Y él ocultará de ellos su rostro en aquel tiempo,[l] según como cometieron maldad en sus tratos.[m]

5 "Esto es lo que ha dicho Jehová contra los profetas que están haciendo que mi pueblo ande errante,[n] que están mordiendo con los dientes[o] y que realmente claman: '¡Paz!',[p] que, cuando alguien no les pone [algo] en la boca, también han de hecho santifican guerra contra este:[q] 6 'Por lo tanto ustedes tendrán noche,[r] de modo que no habrá visión,[s] y oscuridad tendrán, de modo que no practiquen la adivinación. Y el sol ciertamente se pondrá sobre los profetas, y el día tendrá que oscurecerse sobre ellos.[t] 7 Y los hombres de visiones[u] tendrán que avergonzarse,[v] y los adivinos[w] ciertamente se desilusionarán. Y tendrán que cubrir el bigote,[x] todos ellos, porque no hay respuesta de Dios'".[y]

8 Y, por otra parte, yo mismo he llegado a estar lleno de poder,

con el espíritu de Jehová, y de justicia y poderío,[a] para informar a Jacob su sublevación y a Israel su pecado.[b]

9 Oigan, por favor, esto, ustedes los cabezas de la casa de Jacob y ustedes los comandantes de la casa de Israel,[c] los que detestan la justicia y los que hacen aun torcido todo lo que es derecho;[d] 10 edificando a Sión con actos de derramamiento de sangre y a Jerusalén con injusticia.[e] 11 Sus propios cabezas juzgan meramente por un soborno,[f] y sus propios sacerdotes instruyen solo por precio,[g] y sus propios profetas practican adivinación sencillamente por dinero;[h] sin embargo, sobre Jehová siguen apoyándose, y dicen: "¿No está Jehová en medio de nosotros?[i] No vendrá sobre nosotros ninguna calamidad".[j] 12 Por lo tanto, a causa de ustedes Sión será arada como un simple campo, y Jerusalén misma llegará a ser simples montones de ruinas,[k] y la montaña de la casa será como los lugares altos de un bosque.

4 Y en la parte final de los días[l] tiene que suceder [que] la montaña[m] de la casa[n] de Jehová llegará a estar firmemente establecida por encima de la cumbre de las montañas, y ciertamente será alzada por encima de las colinas;[o] y a ella tendrán que afluir pueblos.[p] 2 Y muchas naciones ciertamente irán y dirán: "Vengan,[q] y subamos a la montaña de Jehová y a la casa del Dios de Jacob;[r] y él nos instruirá acerca de sus caminos,[s] y ciertamente andaremos en sus sendas".[t] Porque de Sión saldrá ley, y de Jerusalén la palabra de Jehová.[u] 3 Y él ciertamen-

CAP. 2
a Isa 45:1
b Isa 59:16
b Isa 62:10
c Isa 42:13
Isa 49:10
Isa 52:12
Zac 9:14
Zac 10:5

CAP. 3
d Miq 3:9
e Dt 1:13
1Co 6:5
f 1Re 22:8
Am 5:10
Lu 19:14
g 2Cr 19:2
Pr 28:4
h Eze 22:27
Am 8:4
i Sl 53:4
Eze 34:3
j Isa 3:15
k Pr 1:28
Isa 1:15
Jn 9:31
l Isa 64:7
Jer 33:5
Lam 3:44
m Isa 3:11
Ro 2:8
n Isa 9:16
Isa 56:10
Eze 13:10
Mt 15:14
o Eze 13:19
Eze 34:2
Mt 7:15
Ro 16:18
p Jer 23:17
Eze 13:10
q Sl 55:3
Sl 120:7
Sl 140:2
r Isa 8:20
Jer 13:16
s Isa 29:10
Eze 13:23
t Isa 59:10
Am 8:9
u 1Sa 9:9
Isa 29:10
v Zac 13:4
w Isa 44:25
x Eze 24:17
y 1Sa 28:6

2.ª col.
a Isa 11:2
Zac 4:6
Hch 4:8
1Co 2:4
b Isa 58:1
Jer 3:7
Hch 7:51
c Miq 3:1
d Le 26:15
Dt 27:19
Jer 22:13
e Jer 22:13
Hab 2:9
Hab 2:12
f 1Sa 8:3
Isa 1:23
Isa 5:23
Eze 22:12
g Jer 6:13
Tit 1:11
h Isa 56:11
Jud 11

i Isa 48:2; Jer 7:4; Ro 2:17; j Am 9:10; k Sl 79:1; Jer 26:18; Miq 1:6; Mt 24:2; CAP. 4 l Isa 2:2; Da 12:9; Hch 2:17; m Isa 11:9; Zac 8:3; Rev 21:10; n 1Pe 2:5; o Isa 2:2; p Sl 86:9; Isa 60:3; Rev 15:4; q Rev 22:17; r Isa 2:3; Jer 31:6; Zac 8:20; s Dt 6:1; Sl 25:9; Jn 6:45; t Pr 3:6; Isa 2:3; Heb 12:13; u Sl 128:5.

te dictará el fallo entre muchos pueblos,[a] y enderezará los asuntos[b] respecto a poderosas naciones lejanas.[c] Y tendrán que batir sus espadas en rejas de arado y sus lanzas en podaderas.[d] No alzarán espada, nación contra nación, ni aprenderán más la guerra.[e] **4** Y realmente se sentarán, cada uno debajo de su vid y debajo de su higuera,[f] y no habrá nadie que [los] haga temblar;[g] porque la boca misma de Jehová de los ejércitos [lo] ha hablado.[h]

5 Porque todos los pueblos, por su parte, andarán cada cual en el nombre de su dios;[i] pero nosotros, por nuestra parte, andaremos en el nombre de Jehová nuestro Dios[j] hasta tiempo indefinido, aun para siempre.[k]

6 "En aquel día —es la expresión de Jehová— ciertamente recogeré a la que estaba cojeando;[l] y a la que estaba dispersada ciertamente juntaré,[m] aun a aquella a quien he tratado malamente. **7** Y ciertamente haré de la que cojeaba un resto,[n] y una poderosa nación de la que fue removida a lo lejano;[o] y Jehová realmente reinará sobre ellos en el monte Sión, desde ahora en adelante y hasta tiempo indefinido.[p]

8 "Y en cuanto a ti, oh torre del hato, el montículo de la hija de Sión,[q] hasta ti vendrá, sí, el primer dominio ciertamente vendrá,[r] el reino que pertenece a la hija de Jerusalén.

9 "Ahora bien, ¿por qué sigues gritando [con voz] fuerte?[t] ¿No hay rey en ti, o ha perecido tu propio consejero, de modo que se hayan apoderado de ti dolores como los de una mujer que da a luz?[u] **10** Está con dolores fuertes y estalla, oh hija de Sión, como una mujer que da a luz,[v] porque ahora saldrás de un pueblo, y tendrás que residir en el campo.[w] Y tendrás que llegar hasta Babilonia.[x] Allí serás li-

brada.[a] Allí Jehová te comprará de nuevo de la palma de la mano de tus enemigos.[b]

11 "Y ahora ciertamente se reunirán contra ti muchas naciones, las que dicen: 'Sea contaminada, y posen nuestros ojos la vista sobre Sión'.[c] **12** Pero en cuanto a ellos, no han llegado a conocer los pensamientos de Jehová, y no han llegado a entender su consejo;[d] porque él ciertamente los juntará como una hilera de grano recién cortado a la era.[e]

13 "Levántate y trilla, oh hija de Sión,[f] porque tu cuerno cambiaré a hierro, y tus cascos cambiaré a cobre, y ciertamente pulverizarás a muchos pueblos;[g] y por una proscripción realmente darás por entero a Jehová la ganancia injusta de ellos,[h] y sus recursos al Señor [verdadero] de toda la tierra."[i]

5 "En este tiempo te haces cortaduras,[j] oh hija de una invasión; un sitio ha puesto él contra nosotros.[k] Con la vara golpearán sobre la mejilla al juez de Israel.[l]

2 "Y tú, oh Belén Efrata,[m] el demasiado pequeño para llegar a estar entre los miles de Judá,[n] de ti[o] me saldrá aquel que ha de llegar a ser gobernante en Israel,[p] cuyo origen es de tiempos tempranos, desde los días de tiempo indefinido.[q]

3 "Por lo tanto, él los cederá[r] hasta el tiempo en que la que da a luz realmente dé a luz.[s] Y los demás de sus hermanos volverán a los hijos de Israel.

4 "Y él ciertamente estará de pie y hará pastoreo en la fuerza de Jehová,[t] en la superioridad del nombre de Jehová su Dios.[u] Y ellos ciertamente seguirán

---

CAP. 4

a 1Sa 2:10
Sl 96:13
Isa 51:4
Isa 51:5
b 2Ti 3:16
c Isa 60:12
d Os 2:18
Zac 9:10
e Sl 72:7
Isa 2:4
Isa 9:7
Isa 60:18
Mt 26:52
Ef 6:12
f 1Re 4:25
Zac 3:10
g Isa 54:14
Eze 34:25
Eze 39:26
h Isa 55:11
i 2Re 17:29
Jer 2:11
j Zac 10:12
k Éx 3:15
Sl 48:14
Sl 145:1
l Eze 34:16
Sof 3:19
Heb 12:12
m Sl 147:2
Isa 56:8
Eze 34:12
Eze 37:21
n Isa 10:21
Miq 2:12
Miq 7:18
Ro 9:27
Ro 11:5
o Isa 60:22
p Sl 50:2
Jer 10:10
q 2Sa 5:7
Isa 10:32
r Abd 21
s Zac 9:9
Jn 12:15
t Jer 8:19
u Sl 48:6
Isa 21:3
Jer 30:6
v Os 13:13
w Os 2:14
x 2Re 20:18
2Cr 36:20

2.ª col.

a Isa 45:13
Zac 2:7
b Sl 106:10
Sl 107:2
Isa 48:20
Jer 15:21
c Lam 2:16
Abd 12
Miq 7:10
d Isa 55:8
Jer 29:11
Ro 11:33
e Isa 21:10
Lu 3:17
f Isa 41:15
Jer 51:33
g Zac 9:13
h Jos 6:19
2Sa 8:11
Isa 18:7
Isa 23:18
i Zac 4:14
Zac 6:5

CAP. 5 j Jer 41:5; Jer 48:37; k Dt 28:52; 2Re 25:1; Lu 19:43; 1Mt 26:31; Mt 26:67; Mt 27:30; Mr 14:27; Jn 18:22; Jn 19:3; m Gé 35:19; Lu 2:4; n 1Sa 23:23; o Lu 2:11; Jn 7:42; p Gé 49:10; 1Cr 5:2; Isa 9:6; Mt 2:6; Lu 1:32; q Pr 8:22; Jn 1:1; Jn 8:58; Col 1:17; Rev 3:14; r 1Re 14:16; s Isa 66:8; 1Isa 49:9; Eze 34:23; Miq 7:14; Jn 10:11; u Sl 93:1; Eze 37:24.

morando,[a] porque ahora él será
grande hasta los cabos de la
tierra.[b] 5 Y este tiene que llegar a ser paz.[c] En cuanto al asirio, cuando entre en nuestro país
y cuando pise sobre nuestras
torres de habitación,[d] nosotros
también tendremos que levantar
contra él siete pastores, sí, ocho
adalides de la humanidad. 6 Y
realmente pastorearán la tierra
de Asiria con la espada,[e] y la
tierra de Nemrod[f] en sus entradas. Y él ciertamente efectuará
liberación [de manos] del asirio,[g]
cuando entre en nuestra tierra y
cuando pise sobre nuestro territorio.
7 ”Y los restantes de Jacob[h]
tienen que llegar a ser en medio
de muchos pueblos como rocío
de Jehová,[i] como chaparrones
copiosos sobre vegetación,[j] que
no espera en el hombre ni aguarda a los hijos del hombre terrestre.[k] 8 Y los restantes de Jacob tienen que llegar a ser entre
las naciones, en medio de muchos pueblos, como un león entre las bestias de un bosque,
como un leoncillo crinado entre
hatos de ovejas, el cual, cuando
realmente pasa a través, ciertamente huella así como también
despedaza;[l] y no hay libertador.
9 Tu mano estará muy por encima de tus adversarios,[m] y todos
los enemigos tuyos serán cortados.”[n]
10 “Y en aquel día tiene que
ocurrir —es la expresión de Jehová— que ciertamente cortaré
tus caballos de en medio de ti,
y destruiré tus carros.[o] 11 Y
ciertamente cortaré las ciudades
de tu tierra y demoleré todos
tus lugares fortificados.[p] 12 Y
ciertamente cortaré de tu mano
las hechicerías, y no continuarás
teniendo practicantes de magia.[q] 13 Y ciertamente cortaré
de en medio de ti tus imágenes
esculpidas y tus columnas, y ya
no te inclinarás a la obra de
tus manos.[r] 14 Y ciertamente
desarraigaré de en medio de ti
tus postes sagrados[a] y aniquilaré
tus ciudades. 15 Y en cólera y
en furia ciertamente ejecutaré
venganza sobre las naciones que
no han obedecido.”[b]

6 Oigan, por favor, lo que dice
Jehová.[c] Levántate, conduce
una causa judicial con las montañas, y que las colinas oigan tu
voz.[d] 2 Oigan, oh montañas, la
causa judicial de Jehová, también ustedes, objetos durables,
ustedes los fundamentos de [la]
tierra;[e] porque Jehová tiene una
causa judicial con su pueblo, y
con Israel argüirá:[f]
3 “Oh pueblo mío,[g] ¿qué te he
hecho? ¿Y de qué manera te he
rendido de cansancio?[h] Testifica
contra mí.[i] 4 Porque te hice
subir de la tierra de Egipto,[j] y de
la casa de esclavos te redimí;[k] y
procedí a enviar delante de ti a
Moisés, Aarón y Míriam.[l] 5 Oh
pueblo mío, recuerda,[m] por favor, lo que Balac el rey de Moab
aconsejó,[n] y lo que Balaam hijo
de Beor le respondió.[o] Desde Sitim[p] fue esto, aun hasta Guilgal,[q] con el fin de que los actos
justos de Jehová se supieran”.[r]
6 ¿Con qué me presentaré[s] a
Jehová? ¿[Con qué] me inclinaré
ante Dios en lo alto?[t] ¿Me presentaré con holocaustos,[u] con
becerros de un año de edad?
7 ¿Se complacerá Jehová con
miles de carneros, con decenas
de miles de torrentes de aceite?[v]
¿Daré mi hijo primogénito por
mi sublevación, el fruto de mi
vientre por el pecado de mi
alma?[w] 8 Él te ha dicho, oh
hombre terrestre, lo que es bueno.[x] ¿Y qué es lo que Jehová está
pidiendo de vuelta de ti sino
ejercer justicia[y] y amar la bon-

CAP. 5
a Isa 32:18 Jer 23:6
b Sl 72:8 Zac 9:10 Lu 1:33 Rev 11:15
c Sl 72:7 Isa 9:6 Lu 2:14
d Isa 8:7
e Isa 14:2 Isa 33:1
f Gé 10:9 Gé 10:11
g Isa 14:25 Lu 1:71
h Eze 14:22 Joe 2:32 Miq 4:7 Ro 11:5
i Dt 32:2 Sl 110:3
j Sl 72:6 Isa 44:3 1Co 3:6
k Jer 14:22
l Isa 41:15 Zac 10:5
m Sl 21:8 Isa 26:11
n Lu 19:27
o Sl 20:7 Sl 33:16 Os 1:7 Os 14:3 Zac 9:10
p Isa 2:15
q Dt 18:10 Isa 2:6 Isa 8:19 Rev 22:15
r Isa 2:8 Isa 17:8 Eze 36:25 Os 14:3 Zac 13:2

2.ª col.
a Isa 27:9
b Sl 149:7 2Te 1:8

CAP. 6
c Jer 13:15 Heb 1:1
d Sl 50:4 Isa 5:3 Eze 36:1
e Dt 32:22 Sl 50:1 Pr 8:29 Isa 1:2 Jer 31:37
f Isa 43:26 Jer 2:35 Os 4:1
g Sl 81:8
h Jer 2:5
i Isa 43:9 Ro 3:4
j Éx 12:51 Dt 4:20 Hch 7:36
k Dt 7:8 2Sa 7:23
l Éx 15:20 Nú 12:1
m Dt 9:7 Ef 2:11
n Nú 22:5 Jos 24:9

o Nú 23:7; Nú 24:10; Jos 24:10; 2Pe 2:15; Rev 2:14; p Nú 25:1; Nú 33:49; q Jos 4:19; r Jue 5:11; Sl 71:15; Ro 3:25; s Sl 50:12; Hch 17:25; t Sl 95:6; Ef 3:14; u 1Sa 15:22; Sl 50:8; Sl 51:16; Isa 1:11; Isa 40:16; Os 6:6; v Sl 50:10; Sl 51:16; Eze 16:18; w 2Re 3:27; Sl 49:7; Eze 16:20; x Sl 119:72; y Dt 10:12; Pr 21:3; Isa 1:17; Jer 22:3; Eze 45:9; Os 12:6.

dad[a] y ser modesto[b] al andar con
tu Dios?[c]
9 A la ciudad la voz misma de
Jehová clama,[d] y [la persona de]
sabiduría práctica temerá tu
nombre.[e] Oigan [la] vara y
quién fue el que designó esto.[f]
10 ¿Existen todavía [en] la casa
de un inicuo los tesoros de la
iniquidad,[g] y la acortada medida de efá que se denuncia?
11 ¿Puedo ser [moralmente]
limpio con balanzas inicuas y
con una bolsa de pesas de piedra
engañosas?[h] 12 Porque sus
propios ricos se han llenado de
violencia, y sus propios habitantes han hablado falsedad,[i] y su
lengua es mañosa en su boca.[j]
13 “Y yo también, por mi parte, ciertamente haré que enfer-
mes mediante herirte;[k] habrá un
desolar[te], a causa de tus pecados.[l] 14 Tú, por tu parte, comerás y no te satisfarás, y tu
vacuidad estará en medio de ti.[m]
Y removerás [cosas], pero no
[las] transportarás con seguridad; y lo que transportaras con
seguridad, lo daré a la espada
misma.[n] 15 Tú, por tu parte,
sembrarás, pero no segarás. Tú,
por tu parte, pisarás aceitunas,
pero no te untarás aceite; también vino dulce, pero no beberás
vino.[o] 16 Y los estatutos de
Omrí[p] y toda la obra de la casa de
Acab se observan,[q] y ustedes andan en los consejos[r] de ellos;
para que yo haga de ti un objeto
de pasmo, y de los habitantes de
ella algo de lo cual silbar;[s] y el
oprobio de pueblos llevarán ustedes.”[t]

7 ¡Lástima para mí,[u] porque he
llegado a ser como las reco-
lecciones de fruto del verano,
como el rebusco de una vendimia![v] ¡No hay racimo de uvas que
comer, ningún higo temprano,
que mi alma desearía![w] 2 El
leal ha perecido de la tierra, y
entre la humanidad no hay ninguno recto.[x] Todos ellos, para
derramamiento de sangre ace-
chan.[a] Cazan, cada uno a su propio hermano, con una red barredera.[b] 3 [Sus] manos están sobre lo que es malo, para hacer
[esto] bien;[c] el príncipe está pidiendo [algo], y el que está juzgando [lo hace] por la recompensa,[d] y el grande habla del deseo
vehemente de su alma, el suyo
mismo;[e] y lo entretejen. 4 El
mejor de ellos es como un abrojo,
el más recto [de ellos] es peor
que un seto de espinos.[f] El día de
tus atalayas, [de] que se te dé
atención, tiene que venir.[g] Ahora
ocurrirá el confundirlos.[h]
5 No pongan su fe en un compañero. No cifren su confianza
en un amigo íntimo.[i] De la que
se reclina en tu seno guarda las
aperturas de tu boca.[j] 6 Porque hijo desprecia a padre; hija
se levanta contra su madre;[k]
nuera contra su suegra;[l] los enemigos de un hombre son los
hombres de su casa.[m]
7 Pero en cuanto a mí, por Jehová me mantendré vigilante.[n]
Ciertamente mostraré una actitud de espera por el Dios de mi
salvación.[o] Mi Dios me oirá.[p]
8 No te regocijes sobre mí, oh
enemiga mía.[q] Aunque he caído,
ciertamente me levantaré;[r] aunque moro en la oscuridad,[s] Jehová será una luz para mí.[t] 9 El
enfurecimiento de Jehová so-
portaré —porque he pecado contra él[u]— hasta que él conduzca
mi causa judicial y realmente
ejecute justicia para mí.[v] Me sacará a la luz; miraré su justicia.[w]
10 Y mi enemiga verá, y la vergüenza la cubrirá,[x] [a la] que me
decía: “¿Dónde está él, Jehová tu

CAP. 6
a Pr 3:3; Pr 19:22; Os 6:6; Zac 7:9; Ef 4:32; Col 3:12
b Pr 8:13; Lu 18:13; Snt 4:6
c Gé 6:9; Gál 5:22
d Sof 3:2
e Ne 1:11; Pr 9:10; Lu 1:17
f Isa 9:13
g Jos 7:1; 2Re 5:23; Pr 10:2; Am 3:10; Snt 5:3
h Dt 25:13; Pr 11:1; Pr 20:10; Os 12:7
i Isa 59:3; Miq 7:2
j Jer 9:3
k Le 26:16; Dt 28:21; Isa 1:5; Hch 12:23
l Jer 18:16
m Le 26:26; Eze 4:16; Os 4:10
n Isa 24:17; Eze 5:12
o Dt 28:38; Jer 12:13; Joe 1:10; Am 5:11; Ag 1:6
p 1Re 16:25
q 1Re 16:30; 2Re 16:3; 2Re 21:3
r Isa 30:1; Jer 7:24
s Jer 18:16; Jer 19:8
t Sl 44:13; Jer 51:51; Lam 5:1; Da 9:16

CAP. 7
u Jer 4:31; Jer 45:3
v Isa 17:6; Isa 24:13; Jer 6:9
w Isa 28:4; Os 9:10
x Sl 12:1; Sl 14:1; Isa 57:1; Ro 3:10

2.ª col.
a Pr 1:11; Pr 1:16; Isa 59:7; Ro 3:15
b 1Sa 24:11; Sl 57:6; Hab 1:15
c Pr 4:16; Jer 3:5; Jer 4:22; Eze 22:6

d Isa 1:23; Os 4:18; Miq 3:11; e 1Re 21:5; f 2Sa 23:6; Eze 2:6; g Isa 10:3; Eze 12:23; Os 9:7; h Isa 22:5; Lu 21:25; i Job 6:15; Sl 118:8; Jer 9:4; Lu 21:16; j Jue 16:18; k Pr 30:11; Eze 22:7; Mt 10:21; Lu 21:16; l Lu 12:53; 2Ti 3:2; m Sl 41:9; Jer 12:6; Mt 10:36; Jn 13:18; n Sl 34:5; Sl 123:2; Isa 8:17; o Gé 49:18; Sl 25:5; Sl 62:1; Lam 3:26; Lu 2:25; p Sl 4:3; Sl 40:1; Sl 65:2; Isa 12:2; Isa 25:9; 1Jn 5:14; q Eze 25:6; Rev 11:10; r Sl 37:24; Pr 24:16; s Sl 107:10; t Sl 27:1; Lu 1:78; 2Co 4:6; u Lam 1:18; Lu 15:18; v 1Sa 24:15; Rev 18:20; w Sl 37:6; 1Co 4:5; 2Te 1:10; x Sl 35:26.

Dios?".ª Mis propios ojos pondrán la vista sobre ella.ᵇ Ahora ella llegará a ser un lugar de holladura, como el fango de las calles.ᶜ

11 En el día de edificar tus muros de piedra, en ese día [el] decreto estará lejos.ᵈ 12 En aquel día aun hasta a ti mismo vendrán de Asiria y de las ciudades de Egipto, y de Egipto aun hasta [el] mismo Río;ᵉ y de mar a mar, y [de] montaña a la montaña.ᶠ 13 Y el país tiene que llegar a ser un yermo desolado por causa de sus habitantes, debido al fruto de sus tratos.ᵍ

14 Pastorea a tu pueblo con tu cayado,ʰ el rebaño de tu herencia, el que residía solo en un bosque... en medio de un huerto.ⁱ Que se apacienten en Basán y Galaadʲ como en los días de mucho tiempo atrás.ᵏ

15 "Como en los días de tu salida de la tierra de Egipto le mostraré cosas maravillosas.ˡ 16 Naciones verán, y se avergonzarán de todo el poderío de ellas.ᵐ Pondrán [la] mano sobre [la] boca;ª sus oídos mismos ensordecerán. 17 Lamerán polvo como las serpientes;ᵇ como reptiles de [la] tierra saldrán de sus baluartes en agitación.ᶜ A Jehová nuestro Dios vendrán temblando, y tendrán miedo de ti.ᵈ

18 ¿Quién es un Dios como tú,ᵉ uno que perdona el error y pasa por alto la transgresiónᶠ del resto de su herencia?ᵍ Ciertamente no tendrá asida su cólera para siempre, porque se deleita en la bondad amorosa.ʰ 19 Volverá a mostrarnos misericordia;ⁱ sujetará nuestros errores.ʲ Y arrojarás a las profundidades de[l] mar todos sus pecados.ᵏ 20 Darás [el] apego a la verdad [dado] a Jacob, [la] bondad amorosa [dada] a Abrahán, que juraste a nuestros antepasados desde los días de mucho tiempo atrás.ˡ

CAP. 7
a Sl 42:3
Sl 79:10
Sl 115:2
Da 7:8
Joe 2:17
Mt 27:43
b Sl 58:10
c 2Sa 22:43
d Ne 2:17
e Gé 15:18
f Isa 11:16
Isa 27:13
Os 11:11
g Le 26:33
Jer 21:14
Jer 25:11
Lu 21:24
Gál 6:7
h Sl 23:1
Sl 28:9
Isa 40:11
Jn 10:27
i Isa 37:24
j Jer 50:19
Eze 34:23
k Mal 3:4
l Sl 78:12
Isa 63:11
Jer 23:7
m Isa 26:11
Isa 66:18

2.ª col.

a Job 29:9
Isa 52:15
b Sl 72:9
Isa 49:23
c Sl 18:45
d Jos 2:9
Jer 33:9
e Éx 15:11
Sl 35:10
Isa 40:18

f Éx 34:7; Ne 9:17; Sl 65:3; Sl 86:5; Isa 1:18; Isa 44:22; Jer 50:20; Da 9:9; g Jer 23:3; Joe 2:32; Ro 9:27; Rev 12:17; h Sl 36:7; Sl 62:12; Sl 103:9; Isa 57:16; Lam 3:22; i Dt 30:3; Sl 103:13; Da 9:9; Os 2:19; Ef 2:4; j Sl 130:8; k Sl 103:12; Isa 38:17; Isa 55:7; Jer 31:34; Jer 50:20; l Gé 22:17; Sl 105:9; Lu 1:72; Hch 3:25; Heb 6:13.

NAHÚM

1 La declaración formal contra Nínive:ª El libro de la visión de Nahúm el elqosita:

2 Jehová es un Dios que exige devoción exclusivaᵇ y se venga; Jehová se vengaᶜ y está dispuesto a la furia.ᵈ Jehová se venga en sus adversarios,ᵉ y está resentido para con sus enemigos.ᶠ 3 Jehová es tardo para la cóleraᵍ y grande en poder,ʰ y de ninguna manera se retendrá Jehová de castigar.ⁱ

En el viento destructor y en la tempestad está su camino, y la masa de nubes es el polvo de sus pies.ʲ

4 Reprende al mar,ᵏ y lo deja seco; y realmente hace que se agoten todos los ríos.ª

Basán y Carmelo se han marchitado,ᵇ y la flor misma del Líbano se ha marchitado.

5 Montañas mismas se han mecido por causa de él, y las colinas mismas estuvieron derritiéndose.ᶜ

Y la tierra será solevantada debido a su rostro; la tierra productiva también, y todos los que moran en ella.ᵈ

CAP. 1
a Isa 10:12
Na 3:7
Sof 2:13
b Éx 20:5
Dt 4:24
Jos 24:19
c Dt 32:35
Miq 5:15
Ro 13:4
Heb 10:30
d Isa 59:18
Jer 30:24
Ro 3:5
e Dt 32:41
Sl 81:14
Sl 97:3
f Miq 5:9
Ro 2:5
2Pe 2:9
g Nú 14:18
Joe 2:13
h Job 9:4
Sl 62:11
Ef 1:19

i Éx 34:7; Jer 46:28; Am 3:2; j Éx 19:18; Job 38:1; Sl 50:3; Zac 9:14; k Job 38:11; Sl 104:7; Sl 107:29; 2.ª col. a Jos 3:16; Isa 19:5; b Isa 33:9; Am 1:2; c 2Sa 22:8; Sl 68:8; Sl 97:5; Heb 12:26; d Sl 97:4; Isa 24:1.

6 Ante su denunciación, ¿quién puede mantenerse en pie?[a] ¿Y quién puede levantarse contra el ardor de su cólera?[b]

Su propia furia ciertamente será derramada como fuego,[c] y las rocas mismas realmente serán derribadas a causa de él.

7 Jehová es bueno,[d] una plaza fuerte[e] en el día de la angustia.[f]

Y sabe de los que buscan refugio en él.[g]

8 Y por la inundación que pasa hará un exterminio consumado del lugar de ella,[h] y la oscuridad perseguirá a los mismos enemigos de él.[i]

9 ¿Qué idearán ustedes contra Jehová?[j] Él causa un exterminio consumado.

La angustia no se levantará una segunda vez.[k]

10 Aunque se les entreteja aun como espinos[l] y estén borrachos como con su cerveza de trigo,[m] ciertamente serán devorados como rastrojo completamente seco.[n]

11 De ti realmente saldrá uno que idea contra Jehová lo que es malo,[o] que aconseja lo que no vale la pena.[p]

12 Esto es lo que ha dicho Jehová: "Aunque estuvieran en forma completa y hubiera muchos en aquel estado, hasta en aquel estado tendrán que ser cortados;[q] y uno tiene que pasar a través. Y ciertamente te afligiré, de tal modo que no he de afligirte más.[r] **13** Y ahora quebraré su barra transportadora de sobre ti,[s] y romperé en dos las ataduras [que hay] sobre ti.[t] **14** Y acerca de ti Jehová ha mandado: 'Ya no se sembrará nada de tu nombre.[u] De la casa de tus dioses cortaré la imagen esculpida y la estatua fundida.[v] Haré una sepultura para ti,[w] porque has sido de poca monta'.

15 ";¡Mira! Sobre las montañas los pies de uno que trae buenas nuevas, uno que publica la paz.[x] Oh Judá, celebra tus fiestas.[y]

Paga tus votos;[a] porque ya no volverá a pasar por ti ninguna persona que no sirve para nada.[b] Enteramente será por cierto cortada".[c]

2 Uno que efectúa un esparcir ha subido delante de tu rostro.[d] Que haya un salvaguardar del lugar fortificado. Vigila [el] camino. Fortalece [las] caderas. Refuerza muchísimo el poder.[e]

2 Porque Jehová ciertamente recogerá el orgullo de Jacob,[f] como el orgullo de Israel, porque los que vacían los han vaciado;[g] y han arruinado los vástagos de ellos.[h]

3 El escudo de sus hombres poderosos está teñido de rojo; [sus] hombres de energía vital están vestidos en tela de carmesí.[i] Con el fuego de [guarniciones] de hierro está el carro de guerra en el día de su aprestarse, y las [lanzas] de enebro[j] han sido sacudidas. **4** En las calles los carros de guerra siguen avanzando locamente.[k] Siguen precipitándose hacia arriba y hacia abajo en las plazas públicas. Tienen apariencias como de antorchas. Como los relámpagos[l] siguen corriendo.

5 Él recordará a los majestuosos suyos.[m] Ellos tropezarán al andar.[n] Se apresurarán al muro de ella, y la barricada tendrá que ser firmemente establecida. **6** Las puertas mismas de los ríos ciertamente serán abiertas, y el palacio mismo realmente será disuelto. **7** Y ha sido fijado; ella ha sido descubierta; ciertamente será llevada;[o] y sus esclavas estarán gimiendo, como el sonido de palomas,[p] golpeándose repetidamente sobre el corazón.[q] **8** Y Nínive, desde los días [en que] ella [ha sido],[r] fue como un estanque de aguas;[s] pero están huyendo. "¡Deténganse, hombres! ¡Deténgan-

CAP. 1
a Jer 10:10
   Rev 6:17
b Rev 32:22
   Rev 16:1
c Rev 16:8
d Sl 25:8
   Sl 136:1
   Mt 19:17
e Sl 18:2
   Sl 91:2
   Pr 18:10
   Isa 25:4
f Sl 46:1
   Sl 50:15
   Sl 91:15
g Sl 1:6
   2Ti 2:19
h Isa 28:17
   Eze 13:13
   Da 9:26
i Isa 8:22
   Jer 13:16
   Sof 1:15
   Jud 6
j Sl 2:1
   Sl 21:11
   Isa 8:10
k Isa 10:25
l Miq 7:4
m Os 4:18
n Isa 9:19
   Isa 33:11
   Mal 4:1
o 2Re 18:13
   2Re 19:22
   Isa 10:7
p 2Cr 32:16
q 2Re 19:35
   Isa 37:36
r Isa 60:18
   Joe 2:19
s Isa 14:25
   Jer 30:8
   Os 11:4
t Sl 107:14
   Jer 5:5
u Sl 109:13
   Pr 10:7
v Éx 34:13
w 2Cr 32:21
x Isa 52:7
   Lu 2:10
y Dt 16:16
   Ne 10:33

2.ª col.
a Sl 116:14
b Isa 52:1
c Sl 37:10
   Sl 109:13
   Mt 25:46

CAP. 2
d Jer 25:9
   Jer 49:32
   Eze 29:12
e Jer 46:3
f Sl 47:4
   Am 8:7
g 2Re 17:6
h Gé 49:22
   Os 10:1
i Isa 63:3
j Isa 14:8
k Isa 37:24
   Eze 26:10
l Hab 3:11
m Sl 136:18
   Jer 50:29
n Jer 46:12

o Isa 20:4; Jer 29:1; p Isa 38:14; Isa 59:11; q Lu 23:27; r Gé 10:11; s Rev 17:15.

se!" Pero no hay quien se vuelva.[a]

9 Saqueen plata; saqueen oro;[b] pues no hay límite a las [cosas en] arreglo. Hay una pesada cantidad de toda suerte de objetos deseables.[c]

10 ¡Vacío y vacuidad, y [una ciudad] asolada![d] Y el corazón se derrite,[e] y hay un tambalear de [las] rodillas,[f] y dolores severos hay en todas las caderas;[g] y en cuanto a los rostros de todos ellos, han recogido un fulgor [de excitación].[h] 11 ¿Dónde está el albergue de leones, y la cueva que pertenece a los leoncillos crinados, donde el león andaba y entraba,[i] donde el cachorro del león estaba, y nadie [los] hacía temblar?[j] 12 [El] león estaba despedazando lo suficiente para sus crías, y estaba estrangulando para sus leonas. Y mantenía llenos de presa sus agujeros, y de animales despedazados sus escondites.[k]

13 ¡Mira! Estoy contra ti —es la expresión de Jehová de los ejércitos[l]—, y ciertamente quemaré en el humo el carro de guerra en ella.[m] Y una espada devorará a tus propios leoncillos crinados.[n] Y ciertamente cortaré de la tierra tu presa, y ya no se oirá más la voz de tus mensajeros."[o]

3 ¡Ay de la ciudad de derramamiento de sangre![p] Está llena de engaño [y] de robo. ¡[De allí] la presa no parte! 2 Hay el sonido de[l] látigo[q] y el sonido del traqueteo de [la] rueda, y el caballo que arranca y el carro que salta.[r] 3 El jinete montado, y la llama de [la] espada, y el relámpago de [la] lanza,[s] y la multitud de los que han sido muertos, y la masa pesada de cadáveres; y de los cuerpos muertos no hay fin. Ellos siguen tropezando entre sus cuerpos muertos; 4 debido a la abundancia de los actos de prostitución de la prostituta,[t] atractiva con encanto, maestra de hechi-

cerías, la que está cogiendo en lazo a las naciones por sus actos de prostitución, y a familias por sus hechicerías.[a]

5 ¡Mira! Estoy contra ti[b] —es la expresión de Jehová de los ejércitos—, y ciertamente pondré la cobertura de tus faldas sobre tu rostro, y ciertamente haré que naciones vean tu desnudez,[c] y reinos tu deshonra. 6 Y ciertamente arrojaré sobre ti cosas repugnantes,[d] y ciertamente te haré despreciable; y ciertamente te pondré como espectáculo.[e] 7 Y tiene que ocurrir que todo el que te vea huirá de ti[f] y ciertamente dirá: '¡Nínive ha sido despojada con violencia! ¿Quién se condolerá de ella?'. ¿De dónde buscaré consoladores para ti? 8 ¿Eres tú mejor que No-amón,[g] que estaba sentada junto a los canales del Nilo?[h] Aguas había todo en derredor de ella, aquella cuya riqueza era [el] mar, cuyo muro era de[l] mar. 9 Etiopía era su pleno poder, también Egipto;[i] y eso sin límite. Put y los libios mismos resultaron servirte de auxilio.[j] 10 Ella, también, había de ir al destierro; fue al cautiverio.[k] Sus propios hijos también llegaron a ser estrellados en la cabecera de todas las calles;[l] y por sus hombres glorificados se echaron suertes,[m] y todos sus grandes han sido sujetados con grilletes.[n]

11 "Tú misma también te emborracharás;[o] llegarás a ser algo escondido.[p] Tú misma también buscarás una fortaleza contra [el] enemigo.[q] 12 Todos tus lugares fortificados son como higueras con los primeros frutos maduros, los cuales, si se menean, ciertamente caen en la boca del que come.[r]

13 ¡Mira! Tu pueblo son mujeres en medio de ti.[s] A tus enemigos las puertas de tu país tendrán que ser abiertas sin falta. Fuego ciertamente devorará tus barras.[t] 14 Saca para ti agua

CAP. 2
a Jer 50:16
  Sof 2:13
b Isa 33:1
  Eze 26:12
c Rev 18:12
d Isa 24:1
  Sof 2:13
e Jos 2:11
  Sl 22:14
  Isa 13:7
f Da 5:6
g Joe 2:6
i Jer 2:15
  Jer 50:17
j Isa 31:4
  Sof 3:3
k Sl 17:12
l Isa 10:12
m Jos 11:9
  Sl 46:9
  Isa 31:8
o 2Re 18:17
  2Re 19:35

CAP. 3
p Hab 2:12
q Pr 26:3
r Jue 5:22
  Jer 47:3
s Hab 3:11
t Isa 23:17
  Eze 23:30

2.ª col.
a Le 19:26
  Dt 18:10
  1Co 10:20
c Isa 47:2
  Jer 13:22
  Eze 16:37
  Rev 17:16
d Mal 2:3
e Sof 2:15
  Jud 7
f Na 2:8
g Jer 46:25
h Isa 19:6
i Isa 20:5
j Gé 10:6
  2Cr 16:8
  Jer 46:9
  Rev 27:10
k Sl 33:16
  Isa 20:4
l Sl 137:9
  Isa 13:16
m Joe 3:3
  Abd 11
n Sl 149:8
o Sl 75:8
  Jer 25:15
p Jos 10:16
  1Sa 13:6
q Jer 4:5
r Isa 28:4
  Rev 6:13
s Isa 19:16
  Jer 51:30
t Sl 107:16
  Isa 45:2

para un asedio.[a] Fortalece tus lugares fortificados.[b] Métete en el fango, y huella en el barro; agarra [el] molde de ladrillos. 15 Aun allí el fuego te devorará. Una espada te cortará.[c] Te devorará como la especie de la langosta.[d] Hazte pesada en números como la especie de la langosta; hazte pesada en números como la langosta. 16 Has multiplicado tus comerciantes más que las estrellas de los cielos.[e]

"En cuanto a la especie de la langosta, esta realmente se despoja de su piel; entonces se va volando. 17 Tus guardias son como la langosta, y tus oficiales de reclutamiento como el enjambre de langostas. Acampan en los apriscos de piedra en un día frío. El sol mismo solo tiene que brillar, y ciertamente huyen; y su lugar es realmente desconocido donde están.[a]

18 "Tus pastores se han adormecido,[b] oh rey de Asiria; tus majestuosos se quedan en sus residencias.[c] Tu pueblo ha sido esparcido sobre las montañas, y no hay nadie que [los] junte.[d] 19 No hay alivio para tu catástrofe. Tu golpe se ha hecho incurable.[e] Todos los que oigan el informe acerca de ti ciertamente batirán las manos a causa de ti;[f] porque, ¿sobre quién no pasó constantemente tu maldad?[g]

CAP. 3
a 2Cr 32:3
   2Cr 32:4
b Isa 8:9
  Joe 3:9
c Sof 2:13
d Éx 10:14
  Joe 1:4
e Gé 15:5
  Jer 33:22

2.ª col.
a Sl 109:23
b Sl 76:5
  Isa 56:10
  Jer 51:39
c Jer 51:30
d Re 22:17
  Na 2:8
  Rev 6:15
e Jer 46:11
  Eze 30:21
f Job 27:23
  Sof 2:15
g Isa 10:6
  Isa 37:18

HABACUC

1 La declaración formal que contempló en visión Habacuc el profeta: 2 ¿Hasta cuándo, oh Jehová, tengo que gritar por ayuda, sin que tú oigas?[a] ¿[Hasta cuándo] clamaré a ti por socorro contra la violencia, sin que tú salves?[b] 3 ¿Por qué me haces ver lo que es perjudicial, y sigues mirando simple penoso afán? ¿Y [por qué] hay expoliación y violencia enfrente de mí, y [por qué] ocurre la riña, y [por qué] se lleva la contienda?[c]

4 Por lo tanto, la ley se entumece, y la justicia nunca sale.[d] Porque el inicuo cerca al justo, por esa razón la justicia sale torcida.[e]

5 "Vean entre las naciones, y miren, y fijen la mirada con asombro el uno en el otro.[f] Asómbrense; porque hay una actividad que uno efectúa en los días de ustedes, [la cual] ustedes no creerán aunque se les cuente.[g] 6 Porque, miren, voy a levantar a los caldeos,[h] la nación amarga e impetuosa, que va a los lugares amplios y abiertos de la tierra para tomar posesión de residencias que no le pertenecen.[a]

7 Espantosa e inspiradora de temor es. De sí su propia justicia y su propia dignidad salen.[b] 8 Y sus caballos han resultado más veloces que leopardos, y ellos han resultado más fieros que lobos[c] nocturnos. Y sus corceles han piafado sobre el terreno, de sí lejos sus propios corceles vienen. Vuelan como el águila que se apresura a comer [algo].[d] 9 En su todo viene para simple violencia.[e] El reunirse sus rostros es como [el] viento del este,[f] y ella recoge cautivos justamente como la arena. 10 Y por su parte, se mofa de reyes mismos, y los altos funcionarios le son algo de lo cual reírse.[g] Por su parte, se ríe hasta de todo lugar fortificado, y amontona polvo y lo toma. 11 En aquel tiempo ciertamente

CAP. 1
a Sl 13:1
  Rev 6:10
b Sl 22:1
  Sl 74:10
  Ec 5:8
c Ec 4:1
  Ro 9:22
  2Pe 2:8
  2Pe 3:9
d Job 12:6
  Sl 12:8
  Ec 8:11
  Mt 23:23
e Job 33:27
  Pr 29:2
  Isa 1:21
  Mt 26:59
  Hch 7:52
f Lam 4:12
g Isa 28:21
  Isa 29:14
  Hch 13:41
h Jer 22:7
  Jer 46:2

2.ª col.
a Dt 28:49
  Jer 5:15
  Jer 6:22
  Eze 23:23
b Jer 39:5
  Jer 52:9
  Da 5:19
c Jer 5:6
d Jer 4:13
  Lam 4:19
  Eze 17:3
e Dt 28:51
  Jer 25:9
f Isa 27:8
  Eze 17:10

g 2Re 24:12; 2Cr 36:17; h Jer 32:24; Jer 52:7.

se moverá adelante [como] viento y pasará a través y realmente se hará culpable.[a] Este poder suyo se debe a su dios."[b]

12 ¿No eres tú desde mucho tiempo atrás, oh Jehová?[c] Oh Dios mío, mi Santo, tú no mueres.[d] Oh Jehová, para juicio lo has puesto; y, oh Roca,[e] para un censurar[f] lo has fundado.

13 Tú eres de ojos demasiado puros para ver lo que es malo; y mirar a penoso afán no puedes.[g] ¿Por qué miras a los que tratan traidoramente,[h] te quedas callado cuando alguien inicuo se traga a uno más justo que él?[i] 14 ¿Por [por qué] haces al hombre terrestre como los peces del mar, como cosas que se arrastran sobre las cuales nadie gobierna?[j] 15 A todos estos él los ha hecho subir con un simple anzuelo;[k] los arrastra en su red barredera, y los recoge en su red de pescar.[l] Por eso se regocija y está gozoso.[m] 16 Por eso ofrece sacrificio a su red barredera y hace humo de sacrificio a su red de pescar; porque por ellas su porción tiene mucho aceite, y su alimento es saludable.[n] 17 ¿Vaciará por eso su red barredera, y tiene él que matar a naciones constantemente, a la vez que no muestra ninguna compasión?[o]

2 En mi puesto de guardia ciertamente seguiré de pie,[p] y ciertamente me quedaré apostado sobre [el] baluarte; y vigilaré,[q] para ver lo que él hablará por mí[r] y lo que responderé ante la censura para mí.[s]

2 Y Jehová procedió a responderme y a decir: "Escribe [la] visión, y pon[la] claramente sobre tablas,[t] para que el que lea de ella en voz alta lo haga con afluencia.[u] 3 Porque [la] visión es todavía para el tiempo señalado,[v] y sigue jadeando hasta el fin, y no dirá mentira. Aun si tardara, mantente en expectativa de ella; porque sin falta se realizará.[w] No llegará tarde.

4 "¡Mira! Su alma se ha hinchado;[a] no ha sido recta dentro de él. Pero en cuanto al justo, por su fidelidad seguirá viviendo.[b] 5 Y, realmente, porque el vino trata traidoramente,[c] un hombre físicamente capacitado es soberbio;[d] y no alcanzará su meta,[e] aquel que ha hecho espaciosa su alma justamente como el Seol, y que es como la muerte y no puede satisfacerse.[f] Y sigue recogiendo para sí todas las naciones y juntando para sí todos los pueblos.[g] 6 ¿No levantarán estos mismos, todos ellos, un dicho proverbial[h] contra él y una referencia alusiva, insinuaciones a él? Y uno dirá:

"¡Ay de aquel que está multiplicando lo que no es suyo[i] —¡oh hasta cuándo!— y que está haciendo pesada la deuda contra sí mismo! 7 ¿No se levantarán súbitamente los que demandarán de ti interés, y se despertarán los que te sacudirán violentamente, y ciertamente llegarás a ser para ellos algo que saquear?[k] 8 Porque tú mismo despojaste con violencia a muchas naciones, todos los restantes de [los] pueblos te despojarán con violencia a ti,[l] por el derramamiento de la sangre de la humanidad y la violencia a [la] tierra, [al] pueblo y a todos los que moran en él.[m]

9 "¡Ay del que obtiene ganancia mala para su casa,[n] para poner su nido en la altura, para ser librado del agarro de lo que es calamitoso![o] 10 Has aconsejado algo vergonzoso a tu casa, el cortar a muchos pueblos;[p] y tu alma está pecando.[q] 11 Porque de[l] muro una piedra misma clamará lastimeramente, y del maderaje una viga misma le responderá.[r]

12 "¡Ay del que está construyendo una ciudad por derramamiento de sangre, y que ha esta-

CAP. 1
a Isa 47:6
  Jer 51:24
  Zac 1:15
b Da 5:4
c Sl 90:2
  Sl 93:2
  Rev 1:8
d 1Ti 1:17
  Rev 15:3
e Dt 32:4
  1Sa 2:2
  Sl 18:2
f Jer 10:24
  Jer 30:11
  Heb 12:5
g Sl 5:4
  Isa 59:2
  1Pe 1:15
h Jer 12:1
i Sl 35:22
  Sl 37:14
  Sl 50:21
j Pr 6:7
  Isa 63:19
k Ec 9:12
l Sl 10:9
  Miq 7:2
m Jer 50:11
n Dt 8:17
  Sl 37:1
o 2Cr 36:17
  Na 3:7

CAP. 2
p Miq 7:7
q Isa 21:8
  Isa 62:6
r Sl 85:8
  2Co 13:3
  Heb 1:1
s Job 23:5
t Éx 17:14
  Dt 27:8
u Dt 31:11
  Ne 8:8
v Da 8:19
  Da 10:14
  Heb 17:26
w Miq 7:7
  Snt 5:7

2.ª col.
a Da 5:20
  Lu 18:14
b Jn 3:36
  Ro 1:17
  Gál 3:11
  Heb 10:38
c Pr 20:1
d 2Re 14:10
  Pr 21:24
e Pr 11:2
  Pr 16:18
f Pr 27:20
  Ec 5:10
g Isa 14:17
h Isa 14:4
  Miq 2:4
i Pr 22:16
  Snt 5:4
j Sl 94:3
k Pr 29:1
  Jer 51:11
l Isa 13:19
  Isa 33:1
  Jer 27:7
  Zac 2:9
m 2Cr 36:17
  Sl 137:8
  Rev 6:10

n 1Re 21:2; Jer 22:13; o Sl 49:11; Pr 18:11; Abd 4; p Isa 14:20; q Nú 16:38; 1Re 2:23; Pr 8:36; Eze 18:20; r Gé 4:10; Snt 5:4.

blecido sólidamente un pueblo por la injusticia![a] 13 ¡Mira! ¿No es procedente de Jehová de los ejércitos el que los pueblos hayan de afanarse solo para el fuego, y que los grupos nacionales hayan de rendirse de cansancio simplemente para nada?[b] 14 Porque la tierra se llenará de conocer la gloria de Jehová como las aguas mismas cubren [el] mar.[c]

15 " '¡Ay del que da a sus compañeros algo de beber, juntando [a ello] tu furia y cólera, para emborrachar[los],[d] con el propósito de mirar sus partes vergonzosas![e] 16 Ciertamente te saciarás de deshonra en vez de gloria.[f] Bebe también, tú mismo,[g] y que se te considere incircunciso.[h] La copa de la mano derecha de Jehová te llegará, en turno,[i] y habrá vergüenza sobre tu gloria;[j] 17 porque la violencia [hecha] al Líbano[k] es lo que te cubrirá, y la rapacidad sobre [las] bestias que los aterra, por el derramamiento de la sangre de la humanidad y la violencia [hecha] a [la] tierra,[k] al pueblo y a todos los que moran en él.[l] 18 ¿De qué provecho ha sido una imagen tallada,[m] cuando el formador de ella la ha tallado, una estatua fundida, y un instructor de falsedad?,[n] ¿cuando el formador de su forma ha confiado en ella,[o] hasta el grado de hacer dioses que nada valen [y] que no pueden hablar?[p]

19 " '¡Ay del que dice al pedazo de leña: "¡Oh, sí, despierta!", a una piedra muda: "¡Oh, despierta! ¡Mira! Está cubierta de oro y plata,[r] y no hay ningún aliento en medio de ella.[s] 20 Pero Jehová está en su santo templo.[t] ¡Guarde silencio delante de él, toda la tierra!' ".[u]

3 La oración de Habacuc el profeta en endechas: 2 Oh Jehová, he oído el informe acerca de ti.[v] He quedado con miedo, oh Jehová, de tu actividad.[w]

¡En medio de [los] años, oh hazla entrar en vida! En medio de [los] años, quieras darla a conocer. Durante la agitación, de mostrar misericordia quieras acordarte.[a]

3 Dios mismo procedió a venir desde Temán, aun un Santo desde el monte Parán.[b] *Sélah.*[c] Su dignidad cubrió [los] cielos;[d] y con su alabanza la tierra quedó llena.[e] 4 En cuanto a [su] resplandor, llegó a ser justamente como la luz.[f] Tenía dos rayos [que salían] de su mano, y allí estaba el esconderse de su fuerza.[g] 5 Delante de él la peste seguía yendo,[h] y la fiebre ardiente salía a sus pies.[i] 6 Se detuvo, para sacudir [la] tierra.[j] Vio, y entonces hizo que las naciones saltaran.[k]

Y las montañas eternas quedaron desmenuzadas;[l] las colinas de duración indefinida se inclinaron.[m] Los andares de mucho tiempo atrás son suyos. 7 Debajo de lo que es perjudicial vi las tiendas de Cusán. Las lonas para tiendas de la tierra de Madián[n] empezaron a agitarse.[o]

8 ¿Es contra los ríos, oh Jehová, es contra los ríos contra lo cual tu cólera se ha enardecido,[p] o es tu furor contra el mar?[q] Porque fuiste montado sobre tus caballos;[r] tus carros eran salvación.[s] 9 En [su] desnudez llega a estar descubierto tu arco.[t] Los firmes juramentos de [las] tribus son la cosa dicha.[u] *Sélah.* Con ríos procediste a hender [la] tierra.[v]

10 Montañas te vieron; llegaron a estar con dolores fuertes.[w] Una tronada de aguas pasó a tra-

---

CAP. 2

a Jer 22:13
  Eze 24:9
  Na 3:1
  Rev 17:6
b Pr 21:30
  Isa 50:11
  Jer 51:58
c Sl 72:19
  Isa 11:9
  Zac 14:9
d 2Sa 11:13
  2Sa 13:28
  Rev 17:2
  Rev 18:3
e Gé 9:22
  Eze 22:10
f Flp 3:19
g Sl 75:8
  Isa 51:22
  Jer 51:57
  Rev 18:6
h Eze 28:10
  Eze 32:19
i Jer 25:28
j Jac 11:1
k Sl 137:8
  Pr 28:17
  Rev 18:24
l Jer 50:28
  Jer 51:24
m Isa 37:38
  Isa 42:17
  Jer 2:28
  1Co 8:4
n Jon 2:8
  Zac 10:2
  Ro 1:21
o Sl 115:8
  Isa 44:19
  Isa 45:20
p Jer 10:5
  1Co 12:2
q Sl 97:7
  Isa 37:19
  Dß 3:29
r Isa 40:19
  Isa 46:6
  Hch 17:29
  Hch 19:24
s Sl 135:17
  Jer 10:14
  Jer 51:17
t Sl 11:4
  Sl 115:3
  Isa 6:1
  Heb 8:2
u Sl 76:8
  Sof 1:7
  Zac 2:13

CAP. 3

v Sl 145:11
  Isa 53:1
w Sl 64:9

2.ª col.

a Éx 32:13
  Jer 31:20
  Lam 3:32
  Mt 24:22
b Dt 33:2
  Jue 5:4
c Sl 68:7
d Éx 19:16
  Sl 18:13
  Heb 12:18
e Sl 148:13
  Isa 6:3
f Éx 13:21
  Sl 104:2
  Isa 60:20
  Rev 22:5

g Éx 68:34; Sl 150:1; h Éx 9:15; Nú 14:12; Nú 16:46; Nú 25:9; i Dt 28:22; Dt 32:24; j Sl 60:2; Isa 13:13; Ag 2:21; Heb 12:26; k Éx 14:25; Éx 23:27; 1 Gé 49:26; Isa 54:10; m Sl 46:2; Sl 114:4; Na 1:5; n Gé 25:2; Sl 83:9; o Éx 15:14; Nú 22:4; p Sal 50:2; Na 1:4; q Sl 114:3; r Dt 33:26; Sl 18:10; Isa 19:1; s Sl 68:17; Sl 104:3; t Sl 7:12; Lam 2:4; u Lu 1:73; v Sl 105:41; w Éx 19:18; Sl 114:4.

vés. La profundidad acuosa dio su sonido.[a] En lo alto las manos alzó.

11 El sol, la luna... se pararon,[b] en la morada excelsa allá.[c] Como luz tus propias flechas siguieron yendo.[d] El relámpago de tu lanza sirvió para resplandor.[e]

12 Con denunciación fuiste marchando [por] la tierra. En cólera fuiste trillando [las] naciones.[f]

13 Y saliste para la salvación de tu pueblo,[g] para salvar a tu ungido. Hiciste pedazos la cabeza de la casa del inicuo.[h] Hubo un poner al descubierto el fundamento, hasta el mismo cuello.[i] *Sélah.*

14 Con sus propias varas traspasaste[j] [la] cabeza de sus guerreros [cuando] se movieron tempestuosamente para esparcirme.[k] Su júbilo exaltado era como el de los que están empeñados en devorar a un afligido en un escondrijo.[l]

15 A través del mar pisaste [con] tus caballos, [a través] del montón de vastas aguas.[m]

16 Oí, y mi vientre empezó a agitarse; al sonido mis labios temblaron; podredumbre empezó a entrar en mis huesos;[a] y en mi situación estuve agitado, para esperar calladamente el día de la angustia,[b] para [su] subida al pueblo,[c] [para] hacer él incursión contra ellos.

17 Aunque [la] higuera misma no florezca,[d] y no haya fruto en las vides; la obra de[l] olivo realmente resulte un fracaso, y los terraplenes mismos realmente no produzcan alimento;[e] [el] rebaño realmente sea cortado de[l] aprisco, y no haya vacada en los cercados;[f]

18 sin embargo, en cuanto a mí, ciertamente me alborozaré en Jehová mismo;[g] ciertamente estaré gozoso en el Dios de mi salvación.[h]

19 Jehová el Señor Soberano es mi energía vital;[i] y él hará mis pies como los de las ciervas,[j] y sobre mis lugares altos me hará pisar.[k]

Al director sobre mis instrumentos de cuerda.

---

h Éx 15:2; Sl 18:2; Isa 12:2; Lu 2:30; i Sl 27:1; Ef 3:16; Flp 4:13; Col 1:11; j 2Sa 22:34; Sl 18:33; k Dt 32:13; Isa 58:14.

Referencias columna CAP. 3 (1.ª col.)

a Sl 77:16
Sl 93:3
Sl 98:7
b Jos 10:12
c Sl 19:6
d Sl 77:17
Sl 77:18
Sl 144:6
e Dt 32:41
Eze 21:10
f Miq 4:12
g Sl 28:8
Sl 68:7
h Jos 11:12
Sl 68:21
Sl 110:6
i Sl 18:15
Eze 13:14
j 2Re 18:21
k Sl 83:2
l Sl 10:8
Sl 64:4
m Rev 17:15

2.ª col.

a Sl 119:120
Jer 23:9
Da 8:27
b Sl 42:5
Isa 26:20
Lam 3:26
c Isa 10:12
Isa 13:17
Abd 1
d Jer 8:13
Os 2:12
e Job 24:11
Joe 1:10
f Am 4:9
Ag 2:16
g Isa 61:10
Ro 5:2
Ro 5:11

SOFONÍAS

1 La palabra de Jehová que le ocurrió a Sofonías hijo de Cusí hijo de Guedalías hijo de Amarías hijo de Ezequías en los días de Josías[a] hijo de Amón[b] el rey de Judá:

2 "Sin falta pondré fin a todo de sobre la superficie del suelo", es la expresión de Jehová.[c]

3 "Pondré fin al hombre terrestre y a la bestia.[d] Pondré fin a la criatura voladora de los cielos y a los peces del mar,[e] y a los tropiezos con los inicuos;[f] y ciertamente cortaré a la humanidad de la superficie del suelo[g] —es la expresión de Jehová—.

4 Y ciertamente extenderé mi mano contra Judá y contra todos los habitantes de Jerusalén,[a] y ciertamente cortaré de este lugar a los restantes del Baal,[b] el nombre de los sacerdotes de los dioses extranjeros junto con los sacerdotes,[c]

5 y a los que están inclinándose en los techos ante el ejército de los cielos,[d] y a los que están inclinándose,[e] haciendo firmes juramentos a Jehová[f] y haciendo firmes juramentos por Malcam;[g]

6 y a los que están retrayéndose

Referencias columna CAP. 1 (1.ª col.)

a 2Re 22:1
Jer 1:2
b 2Re 21:18
c 2Re 22:16
Isa 6:11
Jer 6:8
Miq 7:13
d Os 4:3
e Jer 4:25
Jer 12:4
Os 4:3
f Eze 7:19
Eze 14:3
g Eze 14:13

2.ª col.

a Éx 15:12
Isa 14:27
Jer 7:30
b Nú 25:3
Jue 2:13
2Cr 28:2
Jer 11:17

---

c 2Re 23:5; Os 10:5; d 2Re 23:12; 2Cr 33:3; Jer 19:13; Jer 32:29; e 1Re 18:21; 2Re 17:31; Mt 6:24; f Isa 48:1; Os 4:15; g Jos 23:7; 1Re 11:33; Jer 49:1.

de seguir a Jehová[a] y a los que
no han buscado a Jehová ni han
inquirido de él."[b]
7 Guárdese silencio delante
del Señor Soberano Jehová;[c]
porque el día de Jehová se acerca,[d] porque Jehová ha preparado un sacrificio;[e] ha santificado[f]
a sus invitados.
8 "Y en el día del sacrificio de
Jehová tiene que ocurrir que yo
ciertamente daré atención a los
príncipes, y a los hijos del rey,[g]
y a todos los que llevan atavío
extranjero.[h] **9** Y ciertamente
daré atención a todo el que suba
a la plataforma en aquel día, a
los que llenan de violencia y
engaño la casa de sus amos.[i]
10 Y en aquel día —es la expresión de Jehová— tiene que
ocurrir el sonido de un alarido,
desde la Puerta del Pescado,[j]
y un aullar desde el segundo
barrio,[k] y un gran estallido desde las colinas.[l] **11** Aúllen,[m]
habitantes de Mactés, porque
todas las personas que son comerciantes han sido reducidas
a silencio;[n] todos los que pesan
plata han sido cortados.
12 "Y en aquel tiempo tiene
que ocurrir que con lámparas
escudriñaré cuidadosamente a
Jerusalén,[o] y ciertamente daré
atención a los hombres que se
congelan sobre sus heces[p] [y]
que dicen en su corazón: 'Jehová no hará bien, y no hará mal'.[q]
13 Y su riqueza tiene que llegar a ser para pillaje y sus casas
para yermo desolado.[r] Y edificarán casas, pero no las ocuparán;[s] y plantarán viñas, pero no
beberán el vino de ellas.[t]
14 "El gran día[u] de Jehová
está cerca.[v] Está cerca, y hay un
apresurarse muchísimo [de él].[w]
El sonido del día de Jehová es
amargo.[x] Allí un hombre poderoso da un grito.[y] **15** Ese día
es día de furor, día de angustia y
de zozobra,[z] día de tempestad y
de desolación, día de oscuridad
y de tenebrosidad,[a] día de nubes
y de densas tinieblas, **16** día
de cuerno y de señal de alarma,[b]
contra las ciudades fortificadas
y contra las elevadas torres[c] de
las esquinas. **17** Y ciertamente causaré angustia a la humanidad, y ciertamente andarán
como ciegos;[d] porque han pecado contra Jehová.[e] Y su sangre realmente será derramada
como polvo,[f] y sus entrañas
como el estiércol.[g] **18** Ni su
plata ni su oro podrá librarlos
en el día del furor de Jehová;[h]
sino que por el fuego de su celo
toda la tierra será devorada,[i]
porque él hará un exterminio,
realmente uno terrible, de todos
los habitantes de la tierra."[j]

2 Recójanse, sí, hagan el recogimiento,[k] oh nación que no
palidece de vergüenza.[l] **2** Antes que [el] estatuto dé a luz
[algo],[m] [antes que el] día haya
pasado justamente como el
tamo, antes que venga sobre
ustedes la cólera ardiente de Jehová,[n] antes que venga sobre ustedes el día de la cólera de Jehová,[o] **3** busquen a Jehová,[p]
todos ustedes los mansos de la
tierra,[q] los que han practicado
Su propia decisión judicial.
Busquen justicia,[r] busquen
mansedumbre.[s] Probablemente[t] se les oculte en el día de la
cólera de Jehová.[u] **4** Porque,
en lo que respecta a Gaza, [ciu-
dad] abandonada es lo que llegará a ser;[v] y Asquelón ha de ser
un yermo desolado.[w] En lo que
respecta a Asdod,[x] en pleno mediodía la expulsarán;[y] y en lo

CAP. 1
a 1Sa 15:11; Isa 1:4; Isa 9:17; Jer 2:13; Heb 3:12; Heb 10:38
b Sl 14:2; Isa 43:22; Ro 3:11
c Sl 76:8; Hab 2:20; Zac 2:13
d Isa 13:6; 2Pe 3:10
e Isa 34:6; Jer 46:10; Eze 39:17; Rev 19:17
f 1Sa 16:5
g 2Re 25:7; Isa 24:21; Jer 39:6
h 2Re 10:22
i 2Re 5:21; Ne 5:15
j 2Cr 33:14; Ne 3:3; Ne 12:39
k 2Cr 34:22
l 2Cr 3:1
m Jer 4:8; Jer 25:34; Joe 1:5; Snt 5:1
n Ne 3:31; Rev 18:11
o Ec 12:14; Isa 26:21; Am 9:2; Heb 4:13; Rev 2:23
p Isa 56:12; Jer 48:11
q Sl 10:13; Sl 14:1; Sl 94:7; 2Pe 3:4
r Isa 6:11; Jer 5:17; Hab 2:7
s Am 5:11
t Dt 28:30
u Mal 4:1
v Joe 2:1; Hch 2:20; Rev 6:17
w Hab 2:3
x Isa 66:6; Heb 12:26
y Isa 33:7; Jer 48:41; Joe 1:15; Rev 6:16
z Jer 30:7; Lu 21:25; Rev 6:17

2.ª col.
a Joe 2:2; Am 5:18
b Jer 4:19
c Isa 2:15
d Dt 28:28; Isa 59:10
e Isa 24:5; Da 9:5
f Sl 79:3; Rev 14:20
g Sl 83:10; Jer 9:22; Jer 16:4; Jer 25:33
h Pr 11:4; Isa 2:20; Eze 7:19; Snt 5:1; i Dt 32:22; Jer 7:20; Sof 3:8; j Jer 4:27; CAP. 2 k Joe 1:14; Joe 2:16; l Isa 1:4; Jer 6:15; m 2Pe 3:9; n 2Cr 36:16; Jer 23:20; Lam 4:11; o 2Re 23:26; Na 1:6; Mal 4:1; p Sl 105:4; Isa 2:3; Isa 55:6; Am 5:6; q Sl 25:9; Sl 76:9; Mt 5:5; r Mt 6:33; Ro 1:17; Ro 10:3; Ef 4:24; s Sl 25:9; Pr 22:4; t Sl 37:11; Joe 2:14; Am 5:15; Jon 3:9; u Gé 7:16; Sl 31:20; Isa 26:20; v Jer 25:20; Am 1:6; Zac 9:5; w Jer 25:20; Jer 47:5; Eze 25:16; x Am 1:8; y Sl 91:6; Jer 15:8.

que respecta a Eqrón, será desarraigada.[a]

5 "¡Ay de los que habitan la región del mar, la nación de keretitas![b] La palabra de Jehová está contra ustedes. Oh Canaán, la tierra de los filisteos, a ti también ciertamente te destruiré, de modo que no haya habitante.[c] 6 Y la región del mar tiene que llegar a ser apacentaderos,[d] [con] pozos para pastores y apriscos de piedra para ovejas. 7 Y tiene que llegar a ser una región para los restantes de la casa de Judá.[e] Sobre ellos se apacentarán. En las casas de Asquelón, en el atardecer, se echarán estirados. Porque Jehová su Dios les dirigirá su atención a ellos[f] y ciertamente recogerá de vuelta a los cautivos de ellos."[g]

8 "He oído el oprobio por Moab[h] y las palabras injuriosas de los hijos de Ammón,[i] con las cuales han vituperado a mi pueblo y siguieron dándose grandes ínfulas contra su territorio. 9 Por lo tanto, tan ciertamente como que estoy vivo[j] —es la expresión de Jehová de los ejércitos, el Dios de Israel—, Moab misma llegará a ser lo mismo que Sodoma,[k] y los hijos de Ammón[l] como Gomorra, un lugar poseído por ortigas, y un hoyo de sal, y un yermo desolado, aun hasta tiempo indefinido.[m] Los restantes de mi pueblo los saquearán, y el resto de mi propia nación tomará posesión de ellos.[n] 10 Esto es lo que tendrán en vez de su orgullo,[o] porque vituperaron y siguieron dándose grandes ínfulas contra el pueblo de Jehová de los ejércitos.[p] 11 Jehová será inspirador de temor contra ellos;[q] porque él ciertamente hará enflaquecer a todos los dioses de la tierra,[r] y la gente se inclinará ante él,[s] cada uno desde su lugar, todas las islas de las naciones.[t]

12 "Ustedes también, etíopes,[a] ustedes mismos serán gente muerta por mi espada.[b]

13 "Y él extenderá su mano hacia el norte, y destruirá a Asiria.[c] Y hará de Nínive un yermo desolado,[d] una región árida como el desierto. 14 Y en medio de ella, hatos ciertamente se echarán estirados, todos los animales salvajes de una nación.[e] Tanto el pelícano como el puerco espín[f] pasarán la noche allí mismo entre los capiteles de sus columnas.[g] Una voz seguirá cantando en la ventana. Habrá devastación en el umbral; porque él ciertamente pondrá al descubierto el entablado mismo.[h] 15 Esta es la ciudad de tanto alborozo que estaba sentada en seguridad,[i] que decía en su corazón: 'Yo soy, y no hay nadie más'.[j] ¡Oh, cómo ha llegado a ser objeto de pasmo, un lugar donde los animales salvajes se echen estirados! Todo el que pase junto a ella silbará; meneará la mano."[k]

3 ¡Ay de la que se rebela y contamina, la ciudad opresiva![l] 2 No escuchó una voz;[m] no aceptó disciplina.[n] En Jehová no confió.[o] A su Dios no se acercó.[p] 3 Sus príncipes en medio de ella eran leones rugientes.[q] Sus jueces eran lobos nocturnos que no roían [huesos] hasta la mañana.[r] 4 Sus profetas eran insolentes, eran hombres de traición.[s] Sus sacerdotes mismos profanaron lo que era santo; hicieron violencia a [la] ley.[t] 5 Jehová era justo en medio de ella;[u] él no hacía injusticia.[v] Mañana a mañana seguía dando su propia decisión judicial.[w] A pri-

CAP. 2
a Zac 9:5
b Eze 25:16
c Jos 13:3
  Isa 14:29
d Isa 17:2
  Eze 25:5
e Isa 11:11
  Jer 31:7
  Miq 2:12
  Miq 4:7
  Ag 1:12
f Miq 4:10
  Lu 1:68
g Sl 126:1
  Jer 23:3
  Jer 29:14
  Jer 30:10
  Eze 39:25
  Am 9:14
  Sof 3:20
h Jer 48:27
  Eze 25:8
i Sl 83:4
  Jer 49:1
  Eze 25:3
j Nú 14:21
  Isa 49:18
  Jer 46:18
  Ro 14:11
k Gé 19:24
  Eze 25:11
  Am 2:1
l Eze 25:2
  Am 1:13
m Eze 25:3
  Isa 13:19
  Jer 50:40
  Joe 3:19
  Jud 7
n Miq 5:8
o Isa 16:6
  Jer 48:29
  Abd 3
p Isa 10:12
  Isa 37:23
  Eze 38:11
  Snt 5:4
  1Pe 5:5
q Ne 1:5
r Os 2:17
  Zac 13:2
s Sl 22:27
  Sl 72:9
  Mal 1:11
t Isa 42:4
  Isa 49:1

2.a col.
a Isa 20:4
  Isa 43:3
  Eze 30:4
b Sl 17:13
  Jer 47:6
c Isa 10:12
  Eze 31:3
  Eze 31:11
  Na 3:5
d Na 3:7
  Na 3:18
e Rev 18:2
f Isa 34:11
g Am 9:1
h Jer 22:14
i Isa 22:2
  Isa 47:7
  Na 3:1
j Isa 47:8
k Na 3:19

CAP. 3 i Isa 5:7; Jer 6:6; Mal 3:5; m Dt 28:15; Jer 22:21; Jer 32:23; n Sl 50:17; Isa 1:5; Jer 5:3; o Sl 78:22; Isa 31:1; Jer 17:5; p Job 21:14; Isa 29:13; Heb 10:22; q Pr 28:15; Isa 1:23; r Hab 1:8; s Jer 23:11; Lam 2:14; Mt 7:15; 2Pe 2:1; t Isa 2:12; Eze 22:26; Miq 3:9; u Dt 32:4; Sl 99:4; Ro 3:26; v Job 34:10; w Jer 21:12; Zac 7:9.

mera luz esta no faltaba.[a] Pero el injusto no conocía la vergüenza.[b]

6 "Corté naciones; sus torres de las esquinas fueron desoladas. Devasté sus calles, de modo que no había quien pasara. Sus ciudades quedaron asoladas, de modo que no había hombre, de modo que no había habitante.[c] 7 Dije: 'De seguro me temerás; aceptarás disciplina';[d] de modo que su morada no fuera cortada[e]... de todo eso le tengo que pedir cuentas a ella.[f] Verdaderamente actuaron con prontitud al hacer ruinosos todos sus tratos.[g]

8 "'Por lo tanto, manténganse en expectación de mí[h] —es la expresión de Jehová— hasta el día en que me levante a[1] botín,[i] porque mi decisión judicial es reunir naciones,[j] para que yo junte reinos, a fin de derramar sobre ellos mi denunciación,[k] toda mi cólera ardiente; porque por el fuego de mi celo toda la tierra será devorada.[l] 9 Porque entonces haré a pueblos el cambio a un lenguaje puro,[m] para que todos ellos invoquen el nombre de Jehová,[n] para servirle hombro a hombro.[o]

10 "Desde la región de los ríos de Etiopía los que me suplican, [a saber,] la hija de mis esparcidos, me traerán un regalo.[p] 11 En aquel día no te avergonzarás debido a todos tus tratos con los cuales transgrediste contra mí,[q] porque entonces removeré de en medio de ti a los tuyos que altivamente se alborozan;[r] y nunca más serás altiva en mi santa montaña.[s] 12 Y ciertamente dejaré permanecer en medio de ti un pueblo humilde y de condición abatida,[t] y realmente se refugiarán en el nombre de Jehová.[u] 13 En lo que respecta a los restantes de Israel,[v] no harán injusticia,[w] ni hablarán mentira,[x] ni se hallará

en su boca una lengua mañosa;[a] porque ellos mismos se apacentarán y realmente se echarán estirados,[b] y no habrá nadie que [los] haga temblar."[c]

14 ¡Gozosamente grita, oh hija de Sión! ¡Rompe en gritos de alegría,[d] oh Israel! ¡Regocíjate y alborózate con todo el corazón, oh hija de Jerusalén![e] 15 Jehová ha removido los juicios [que estaban] sobre ti.[f] Ha apartado a tu enemigo.[g] El rey de Israel, Jehová, está en medio de ti.[h] No temerás más la calamidad.[i] 16 En aquel día se dirá a Jerusalén: "No temas, oh Sión.[j] No se dejen caer tus manos.[k] 17 Jehová tu Dios está en medio de ti. Como Poderoso, salvará.[l] Se alborozará sobre ti con regocijo.[m] Se hará silencioso en su amor. Estará gozoso acerca de ti con gritos felices.

18 "A los que están desconsolados[n] por su ausencia de [tu] período de fiesta ciertamente los reuniré;[o] ausentes de ti sucedió que estuvieron, por llevar oprobio por causa de ella.[p] 19 Mira, voy a actuar contra todos los que te afligen, en aquel tiempo;[q] y ciertamente salvaré a la que cojea,[r] y a la que está dispersada la juntaré.[s] Y ciertamente los pondré como alabanza y como nombre en toda la tierra de su vergüenza. 20 En aquel tiempo haré que ustedes entren, aun en el tiempo que los junte. Porque haré que sean un nombre y una alabanza entre todos los pueblos de la tierra, cuando recoja de vuelta a sus cautivos delante de los ojos de ustedes", ha dicho Jehová.[t]

CAP. 3

a Miq 7:9
Lu 12:2
Ro 2:5
1Co 4:5
b Jer 3:3
Jer 8:12
Sof 2:1
c Le 18:28
Isa 37:11
Jer 25:33
d Isa 5:4
Isa 63:8
Lu 19:42
2Pe 3:9
e Jer 7:7
Jer 25:5
f 2Cr 36:16
g Gé 6:12
Dt 32:5
Os 9:9
Miq 2:1
h Sl 37:14
Sl 37:34
Sl 62:1
Sl 130:7
Pr 20:22
Isa 30:18
Snt 5:7
i Isa 42:13
j Joe 3:2
Isa 14:2
Rev 16:14
Rev 19:19
k Sl 69:24
Jer 10:10
l Dt 32:22
Isa 34:2
Eze 36:5
Sof 1:18
m Isa 19:18
Ef 4:25
n 1Re 8:43
Zac 8:21
o Zac 8:23
Flp 1:27
p Sl 68:31
Sl 72:10
Isa 18:7
Isa 60:4
Hch 8:27
Ro 15:16
q Isa 45:17
Isa 54:4
r Lu 1:51
Snt 4:6
1Pe 5:5
s 2Sa 22:28
Isa 11:9
t Isa 57:15
Isa 61:1
Mt 5:3
1Co 1:27
u Pr 18:10
Heb 6:18
v Isa 10:22
Miq 4:7
w Isa 60:21
Mt 13:41
x Isa 63:8
Ef 4:25
Col 3:9
Rev 14:5
Rev 21:27

2.ª col.

a Pr 12:22
b Eze 34:28
Os 2:18
Miq 4:4
Rev 7:17
c Jer 30:10
Eze 39:26

d Esd 3:11; Isa 12:6; Zac 2:10; e Miq 4:8; f Isa 40:2; Zac 8:13; g Miq 7:10; Zac 2:9; Ro 8:33; h Isa 33:22; Eze 48:35; Rev 21:3; i Am 9:15; Zac 14:11; j Jer 46:28; Jn 12:15; k Isa 35:3; Heb 12:12; l Isa 46:4; Isa 12:6; m Dt 30:9; Sl 147:11; Isa 62:3; Isa 65:19; Jer 32:41; n Sl 42:3; Lam 1:4; Lam 2:6; o Isa 27:13; p Lam 5:1; q Isa 26:11; Isa 60:14; Zac 14:3; r Eze 34:16; Miq 4:6; s Isa 11:11; Isa 27:12; Eze 28:25; Am 9:14; Miq 4:7; t Isa 60:15; Isa 61:7; Jer 30:10; Jer 33:9; Eze 39:25.

AGEO

1 En el año segundo de Darío el rey,[a] en el mes sexto, en el día primero del mes, la palabra de Jehová ocurrió por medio de Ageo[b] el profeta a Zorobabel[c] hijo de Sealtiel,[d] el gobernador de Judá,[e] y a Josué[f] hijo de Jehozadaq[g] el sumo sacerdote, y dijo:

2 "Esto es lo que ha dicho Jehová de los ejércitos:[h] 'En lo que respecta a este pueblo, han dicho: "El tiempo no ha llegado, el tiempo de la casa de Jehová, para que sea construida" ' ".[i]

3 Y la palabra de Jehová continuó viniendo mediante Ageo el profeta, y dijo: 4 "¿Es tiempo para que ustedes mismos moren en sus casas revestidas de paneles,[j] mientras que esta casa está desechada?[k] 5 Y ahora, esto es lo que ha dicho Jehová de los ejércitos: 'Pongan su corazón en sus caminos.[l] 6 Ustedes han sembrado mucha semilla, pero poco es lo que se trae.[m] Hay comer, pero no es a satisfacción.[n] Hay beber, pero no hasta el punto de embriagarse. Hay ponerse ropa, pero no resulta en calor a alguien se caliente; y el que se alquila se alquila por una bolsa que tiene agujeros' ".[o]

7 "Esto es lo que ha dicho Jehová de los ejércitos: 'Pongan su corazón en sus caminos'.[p]

8 " 'Suban a la montaña, y tienen que traer madera.[q] Y edifiquen la casa,[r] para que yo me complazca en ella[s] y sea glorificado',[t] ha dicho Jehová."

9 " 'Hubo un esperar mucho, pero vean, hubo solo un poquito;[u] y ustedes [lo] han traído a la casa, y soplé sobre ello'... ¿por qué razón?[w] —es la expresión de Jehová de los ejércitos—. Por razón de mi casa que está desechada, mientras que ustedes están de prisa, cada uno a favor de su propia casa.[a] 10 Por lo tanto, sobre ustedes [los] cielos retuvieron [su] rocío, y la tierra misma retuvo su producto.[b] 11 Y seguí pidiendo sequedad sobre la tierra, y sobre las montañas, y sobre el grano, y sobre el vino nuevo,[c] y sobre el aceite, y sobre lo que el suelo producía, y sobre el hombre terrestre, y sobre el animal doméstico, y sobre todo el afán de [las] manos.' "[d]

12 Y Zorobabel[e] hijo de Sealtiel, y Josué hijo de Jehozadaq[f] el sumo sacerdote, y todos los restantes del pueblo empezaron a escuchar la voz de Jehová su Dios,[g] y las palabras de Ageo[h] el profeta, pues Jehová su Dios lo había enviado; y el pueblo empezó a temer debido a Jehová.[i]

13 Y Ageo el mensajero[j] de Jehová pasó a decir al pueblo según la comisión de mensajero de Jehová,[k] y dijo: " 'Yo estoy con ustedes',[l] es la expresión de Jehová".

14 Y Jehová procedió a despertar el espíritu de Zorobabel hijo de Sealtiel, el gobernador de Judá, y el espíritu de Josué[n] hijo de Jehozadaq el sumo sacerdote, y el espíritu de todos los restantes del pueblo; y ellos empezaron a entrar y a hacer la obra en la casa de Jehová de los ejércitos su Dios.[o] 15 Fue el día veinticuatro del sexto mes, en el segundo año de Darío[p] el rey.

2 En el séptimo[q] [mes], el [día] veintiuno del mes, la palabra de Jehová ocurrió por medio de Ageo[r] el profeta, y dijo: 2 "Di, por favor, a Zorobabel[s] hijo de Sealtiel,[t] el gobernador de Judá,[u]

CAP. 1

a Esd 4:24
  Zac 1:1
b Esd 5:1
  Esd 6:14
c 1Cr 3:19
  Esd 3:2
  Esd 5:2
  Mt 1:12
d 1Cr 3:17
  Lu 3:27
e Esd 1:8
  Esd 5:14
f Zac 3:1
  Zac 6:11
g 1Cr 6:15
h 1Sa 1:3
  2Re 6:17
i Esd 4:4
  Esd 4:23
j 2Sa 7:2
k Jer 26:18
  Jer 52:13
  Da 9:17
l Jue 19:30
  Sl 119:59
  Lam 3:40
  Mal 2:2
m Dt 28:38
  Am 4:9
n Le 26:26
  Eze 4:16
o Ec 5:6
  Stn 4:2
p Ag 1:5
q 2Cr 2:8
  Esd 3:7
r Esd 5:2
  Esd 6:15
  Zac 1:16
s 1Re 9:3
  2Cr 7:16
t Éx 29:43
  Sl 29:9
  Isa 60:13
u Isa 17:11
  Os 8:7
v Isa 40:7
  Mal 2:2
w Job 10:2
  1Co 11:31
  Stn 4:1
  Rev 3:19

2.ª col.

a Ne 10:39
  Ag 1:4
  Flp 2:21
b Le 26:19
  Dt 28:23
  1Re 8:35
c Isa 24:7
  Os 2:8
d Dt 28:20
  Joe 1:11
e Esd 5:2
f Esd 6:15
g Jer 7:23
  Heb 3:7
h Esd 5:1
  Esd 6:14
i Sl 112:1
  Pr 1:7
  Ec 12:13
  Hch 9:31
  Heb 12:28

j 2Cr 36:15; Isa 44:26; k Jer 1:17; 2Co 5:20; l 1Cr 15:2; Sl 46:7; Isa 8:10; Ro 8:31; m Esd 1:5; Zac 4:6; Flp 2:13; n Zac 3:6; Zac 6:13; o Esd 5:2; Zac 6:15; Heb 13:21; p Ag 1:1; **CAP.** 2; q 1Re 8:2; r Esd 5:1; Esd 6:14; s Zac 4:9; t 1Cr 3:17; u Esd 1:8.

y a Josué[a] hijo de Jehozadaq[b] el sumo sacerdote, y a los restantes del pueblo, diciendo: 3 '¿Quién hay entre ustedes que quede que haya visto esta casa en su gloria anterior?[c] ¿Y cómo la ven ahora? ¿No es, en comparación con aquella, como nada a sus ojos?'.[d]

4 " 'Pero ahora sé fuerte, oh Zorobabel —es la expresión de Jehová—, y sé fuerte,[e] oh Josué hijo de Jehozadaq el sumo sacerdote.'

" 'Y sean fuertes, todos ustedes, gente de la tierra —es la expresión de Jehová—, y trabajen.'[f]

" 'Porque yo estoy con ustedes[g] —es la expresión de Jehová de los ejércitos—. 5 [Recuerden] la cosa que celebré con ustedes cuando salieron de Egipto,[h] y [cuando] mi espíritu[i] estaba plantado entre ustedes. No tengan miedo' ".[j]

6 "Porque esto es lo que ha dicho Jehová de los ejércitos: 'Todavía una vez —es poco tiempo[k]— y voy a mecer los cielos y la tierra y el mar y el suelo seco'.[l]

7 " 'Y ciertamente meceré todas las naciones, y las cosas deseables de todas las naciones tienen que entrar;[m] y ciertamente llenaré de gloria esta casa',[n] ha dicho Jehová de los ejércitos.

8 " 'La plata es mía, y el oro es mío,'[o] es la expresión de Jehová de los ejércitos.

9 " 'Mayor llegará a ser la gloria de esta casa posterior que [la de] la anterior,'[p] ha dicho Jehová de los ejércitos.

" 'Y en este lugar daré paz',[q] es la expresión de Jehová de los ejércitos."

10 En el [día] veinticuatro del noveno [mes], en el segundo año de Darío, la palabra de Jehová le ocurrió a Ageo[r] el profeta, y dijo: 11 "Esto es lo que ha dicho Jehová de los ejércitos: 'Pregunta, por favor, a los sacerdotes en

cuanto a [la] ley,[a] y di: 12 "Si un hombre lleva carne santa en la falda de su prenda de vestir, y realmente toca con su falda pan o guisado o vino o aceite o cualquier suerte de alimento, ¿se hará santo esto?"'".[b]

Y los sacerdotes procedieron a responder y decir: "¡No!".

13 Y Ageo pasó a decir: "Si alguien inmundo por un alma difunta toca cualquiera de estas cosas, ¿se hará inmunda?".[c]

A su vez los sacerdotes respondieron y dijeron: "Se hará inmunda".

14 De consiguiente, Ageo respondió y dijo: " 'Así es este pueblo, y así es esta nación delante de mí —es la expresión de Jehová—, y así es toda la obra de sus manos, y cualquier cosa que presentan allí. Es inmunda'.[e]

15 " 'Pero ahora, por favor, pongan su corazón[f] [en esto] desde este día y en adelante, antes que hubiera el colocar una piedra sobre una piedra en el templo de Jehová,[g] 16 desde cuando aquellas cosas sucedieron —uno venía a un montón de veinte [medidas], y resultaba haber diez; uno venía a la tina de lagar a sacar cincuenta [medidas] de la cubeta del vino, y resultaba haber veinte;[h] 17 los herí con abrasamiento[i] y con tizón[j] y con granizo,[k] hasta toda la obra de sus manos,[l] y no había nadie con ustedes [que se volviera] a mí',[m] es la expresión de Jehová—

18 " 'Pongan su corazón,[n] por favor, [en esto] desde este día y en adelante, desde el [día] veinticuatro del noveno [mes], desde el día en que se colocó el fundamento del templo de Jehová;[o] pongan su corazón [en esto]: 19 ¿Hay hasta ahora semilla en el foso para los granos?[p] Y hasta ahora, la vid y la higuera y el granado y el olivo... no ha llevado

---

CAP. 2

a Zac 3:8
  Zac 6:11
b 1Cr 6:15
c 1Re 6:1
  Esd 3:12
d Zac 4:10
e 1Cr 22:13
  Zac 8:9
  1Co 16:13
  Ef 6:10
f Jn 6:28
  Hch 18:9
  Col 3:23
g Éx 3:12
  Isa 43:2
  Ro 8:31
h Éx 29:45
  Éx 34:10
i Nú 11:25
  Isa 63:11
  Zac 4:6
  Jn 14:16
j Isa 41:10
  Zac 8:13
k Sl 37:10
  Isa 10:25
  Heb 12:27
l Isa 34:4
  Jer 4:24
  Joe 3:16
  Heb 12:26
m Isa 2:2
  Isa 60:5
  Isa 60:11
  Rev 7:9
n Éx 40:35
  1Re 8:11
  Isa 66:12
o 1Cr 29:14
  Sl 24:1
p Isa 60:13
  Isa 66:12
  Heb 3:6
q Sl 85:8
  Isa 2:4
  Isa 60:17
  Zac 8:12
  Jn 14:27
r Ag 1:1

2.ª col.

a Le 10:11
  Dt 33:10
  Eze 44:23
  Mal 2:7
  Tit 1:9
b Éx 29:37
  Mt 23:19
c Le 7:21
  Nú 5:2
  Nú 9:6
  Nú 19:11
  Nú 31:19
d Pr 15:8
  Pr 28:9
e Isa 66:3
f Os 14:9
  Mal 2:2
  Heb 3:12
g Esd 3:10
  Zac 4:9
h Ag 1:6
  Zac 8:10
i Gé 41:27
  Am 4:9
j Dt 28:22
  1Re 8:37
  2Cr 6:28
k Isa 28:2
l Sl 78:46
  Jer 3:24

m 2Cr 28:22; Isa 29:13; Jer 5:3; Am 4:6; n Dt 32:29; Ag 1:5; o Esd 5:2; Zac 8:9; p Ag 1:6.

[fruto], ¿verdad? Desde este día otorgaré bendición'".ª

20 Y la palabra de Jehová procedió a ocurrir por segunda vez a Ageoᵇ el [día] veinticuatro del mes,ᶜ y dijo: 21 "Di a Zorobabel el gobernador de Judá:ᵈ 'Voy a mecer los cielos y la tierra.ᵉ 22 Y ciertamente derribaré el trono de reinos y aniquilaré la fuerza de los reinos de las naciones;ᶠ y ciertamente derribaré [el] carro y a los que van montados en él, y [los] caballos y sus jinetes ciertamente se vendrán aba-

jo,ª cada uno por la espada de su hermano'".ᵇ

23 "'En aquel día —es la expresión de Jehová de los ejércitos— te tomaré, oh Zorobabelᶜ hijo de Sealtiel,ᵈ siervo mío —es la expresión de Jehová—; y ciertamente te pondré como anillo de sellar,ᵉ porque tú eres aquel a quien he escogido',ᶠ es la expresión de Jehová de los ejércitos."ᵍ

CAP. 2
a Gé 26:12
Le 26:4
Sl 128:2
Pr 3:10
Pr 10:22
Zac 8:12
Mt 6:33
b Esd 5:1
Esd 6:14
c Ag 2:10
d Ag 1:1
e Ag 2:6
Heb 12:26
f Sl 2:8
Isa 60:12
Da 2:44
Sof 3:8

2.ª col. a Éx 14:28; Sl 76:6; Eze 39:20; b Jue 7:22; Isa 19:2; c 1Cr 3:19; Esd 3:8; d 1Cr 3:17; Mt 1:12; e Jer 22:24; Jn 6:27; 2Ti 2:19; f Isa 42:1; Mt 12:18; 1Cr 3:19; g Sl 103:21.

ZACARÍAS

1 En el octavo mes del segundo año de Daríoª la palabra de Jehová le ocurrió a Zacaríasᵇ hijo de Berekías hijo de Idóᶜ el profeta, y dijo: 2 "Jehová se indignó contra los padres de ustedes... muchísimo.ᵈ

3 "Y tienes que decirles: 'Esto es lo que ha dicho Jehová de los ejércitos: "'Vuelvan a míᵉ —es la expresión de Jehová de los ejércitos—, y yo volveré a ustedes',ᶠ ha dicho Jehová de los ejércitos"'.

4 "'No se hagan como sus padresᵍ a quienes los profetas anteriores llamaron,ʰ diciendo: "Esto es lo que ha dicho Jehová de los ejércitos: 'Vuélvanse, por favor, de sus malos caminos y de sus malos tratos'"'.ⁱ

"'Pero ellos no escucharon, y no me prestaron atención',ʲ es la expresión de Jehová.

5 "'En cuanto a los padres de ustedes, ¿dónde están?ᵏ Y en cuanto a los profetas,ˡ ¿fue hasta tiempo indefinido hasta cuando continuaron viviendo? 6 No obstante, en lo que respecta a mis palabras y mis disposiciones reglamentarias que mandé a mis siervos, los profetas,ᵐ ¿no alcan-

zaron estas a los padres de ustedes?'ª De modo que ellos volvieron y dijeron: 'Según lo que Jehová de los ejércitos tuvo pensado hacernos,ᵇ según nuestros caminos y según nuestros tratos, así ha hecho con nosotros'".ᶜ

7 En el día veinticuatro del mes undécimo, es decir, el mes de Sebat, en el año segundo de Darío,ᵈ la palabra de Jehová le ocurrió a Zacaríasᵉ hijo de Berekías hijo de Idóᶠ el profeta, y dijo: 8 "Vi [en] la noche, y, ¡mira!, un hombre montado en un caballo rojo,ʰ y estaba parado entre los mirtosⁱ que había en el lugar hondo; y detrás de él había caballos rojos, de rojo brillante, y blancos".ʲ

9 Así que dije: "¿Quiénes son estos, mi señor?".ᵏ

Ante aquello, el ángel que hablaba conmigo me dijo:ˡ "Yo mismo te mostraré quiénes son estos mismos".

10 Entonces el hombre que estaba parado entre los mirtos respondió y dijo: "Estos son

---

CAP. 1
a Esd 4:24
Ag 1:1
Ag 2:10
b Esd 5:1
Zac 1:7
c Ne 12:4
d Dt 29:27
2Re 22:17
Jer 44:6
Zac 8:14
e Jer 25:5
Eze 33:11
Mal 3:7
f Isa 55:7
Jer 12:15
Os 14:4
Miq 7:19
g 2Cr 29:6
Esd 9:7
Ne 9:16
h 2Cr 36:16
i Isa 1:16
Jer 3:12
Os 14:1
j Jer 11:8
Jer 44:16
Zac 7:11
k Ec 9:5
Ec 12:7
l Heb 11:37
m Jer 26:15
Zac 7:7

2.ª col.
a 2Cr 36:17
Da 9:12
b Nú 33:56
Dt 28:45
Jer 23:20
c Dt 28:20
Isa 3:8
Eze 20:43
Os 9:15
d Esd 4:24
e Esd 5:1
f Ne 12:4
g Sl 45:3

h Pr 21:31; Rev 6:4; i Isa 41:19; Isa 55:13; j Zac 6:2; Zac 6:6; k Da 7:16; Zac 4:4; l Da 8:16; Zac 4:5.

aquellos a quienes Jehová ha enviado para que anden por la tierra".[a] 11 Y ellos procedieron a responder al ángel de Jehová que estaba parado entre los mirtos, y a decir: "Hemos andado por la tierra,[b] y, ¡mira!, la tierra entera está sentada en quietud y no tiene disturbio".[c]

12 De modo que el ángel de Jehová respondió y dijo: "Oh Jehová de los ejércitos, ¿hasta cuándo no mostrarás tú mismo misericordia a Jerusalén y a las ciudades de Judá,[d] a las cuales has denunciado estos setenta años?".[e]

13 Y Jehová procedió a responder al ángel que hablaba conmigo, con palabras buenas, palabras consoladoras;[f] 14 y el ángel que hablaba conmigo pasó a decirme: "Clama, y di: 'Esto es lo que ha dicho Jehová de los ejércitos: "He estado celoso por Jerusalén y por Sión con gran celo.[g] 15 Con gran indignación me siento indignado contra las naciones que están en desahogo;[h] porque yo, por mi parte, me sentí indignado hasta solo un grado pequeño,[i] pero ellas, por su parte, ayudaron hacia la calamidad" '.[j]

16 "Por lo tanto, esto es lo que ha dicho Jehová: '"Ciertamente volveré a Jerusalén con misericordias.[k] Mi propia casa será construida en ella[l]—es la expresión de Jehová de los ejércitos—y un cordel de medir mismo será extendido sobre Jerusalén" '.[m]

17 "Clama más, y di: 'Esto es lo que ha dicho Jehová de los ejércitos: "Mis ciudades todavía rebosarán de lo bueno;[n] y Jehová ciertamente todavía sentirá pesar en cuanto a Sión[o] y todavía realmente escogerá a Jerusalén" ' ".[p]

18 Y procedí a levantar los ojos a ver; y, ¡mire!, había cuatro cuernos.[q] 19 Así que dije al ángel que hablaba conmigo: "¿Qué son estos?". A su vez me dijo: "Estos son los cuernos que dispersaron a Judá,[a] Israel[b] y Jerusalén".[c]

20 Además, Jehová me mostró cuatro artífices. 21 Ante eso dije: "¿Qué vienen a hacer estos?".

Y él pasó a decir: "Estos son los cuernos[d] que dispersaron a Judá hasta tal grado que ninguno en absoluto levantó su cabeza; y estos otros vendrán para ponerlos a temblar, para echar abajo los cuernos de las naciones que alzan un cuerno contra la tierra de Judá, con el fin de dispersarla".[e]

2 Y procedí a levantar los ojos y ver; y, ¡mire!, había un hombre, y en su mano una soga de medir.[f] 2 De modo que dije: "¿Adónde vas?".

A su vez me dijo: "A medir a Jerusalén, para ver a cuánto llega su anchura y a cuánto llega su longitud".[g]

3 Y, ¡mire!, el ángel que estaba hablando conmigo salía, y había otro ángel que salía a su encuentro. 4 Entonces él le dijo: "Corre, habla al joven que está allí, y dile: '"Como campo abierto rural Jerusalén será habitada,[h] debido a la multitud de hombres y animales domésticos en medio de ella.[i] 5 Y yo mismo llegaré a ser para ella —es la expresión de Jehová— un muro de fuego todo en derredor,[j] y una gloria es lo que llegaré a ser en medio de ella" ' ".[k]

6 "¡Oigan! ¡Oigan! Huyan, entonces, de la tierra del norte,[l] es la expresión de Jehová.

"Porque en la dirección de los cuatro vientos de los cielos yo he dispersado a ustedes",[m] es la expresión de Jehová.

7 "¡Oye, Sión![n] Escapa, tú que moras con la hija de Babilonia.[o] 8 Porque esto es lo que ha dicho Jehová de los ejércitos: 'Siguien-

CAP. 1

a Sl 91:11
  Sl 103:21
  Heb 1:14
b Sl 103:20
c Zac 1:15
d Sl 74:10
  Sl 102:13
  Isa 64:9
e 2Cr 36:21
  Jer 25:12
  Da 9:2
  Zac 7:5
f Isa 40:1
  Jer 29:10
  Jer 30:10
  Sof 3:15
g Os 11:8
  Joe 2:18
  Na 1:2
  Zac 8:2
h Jer 48:11
  Zac 1:11
i Isa 54:8
  Heb 12:7
j Sl 69:26
  Sl 137:7
  Isa 47:6
  Jer 51:35
k Isa 12:1
  Jer 33:14
  Zac 8:3
l Esd 6:14
  Isa 44:28
  Ag 1:14
m Jer 31:39
  Eze 40:3
  Zac 2:1
n Sl 69:35
o Isa 51:3
p Sl 132:13
  Zac 3:2
q Zac 1:21

2.ª col.

a 2Re 24:12
  2Re 25:11
b 2Re 15:29
  Jer 17:6
  2Re 18:11
  Jer 50:17
c 2Cr 36:20
d Da 8:9
e Sl 75:4
  Sl 110:5
  Lu 21:24

CAP. 2

f Zac 1:16
  Rev 11:1
g Jer 31:39
  Eze 45:6
  Rev 21:15
h Jer 30:18
  Eze 36:10
  Zac 12:6
i Isa 33:20
  Isa 44:26
  Jer 31:24
  Jer 33:10
  Zac 8:4
j 2Re 6:17
  Sl 46:11
  Sl 125:2
  Isa 26:1
k Isa 12:6
  Isa 60:19
  Ag 2:9
l Isa 11:12
  Isa 11:16
  Jer 1:14
m Dt 28:64
  Eze 5:12

n Isa 52:2; Miq 4:10; o Isa 48:20; Jer 50:8.

do tras de [la] gloriaᵃ él me ha enviado a las naciones que los despojaban con violencia;ᵇ porque el que los toca a ustedesᶜ está tocando el globo de mi ojo.ᵈ 9 Porque, miren, voy a agitar mi mano contra ellos,ᵉ y tendrán que llegar a ser despojo para sus esclavos'.ᶠ Y ustedes ciertamente sabrán que Jehová de los ejércitos mismo me ha enviado.ᵍ

10 "Grita con fuerza y regocíjate, oh hija de Sión;ʰ porque aquí vengo,ⁱ y ciertamente residiré en medio de tiʲ —es la expresión de Jehová—. 11 Y muchas naciones ciertamente se unirán a Jehová en aquel día,ᵏ y realmente llegarán a ser mi pueblo;ˡ y ciertamente residiré en medio de ti." Y tendrás que saber que Jehová de los ejércitos mismo me ha enviado a ti.ᵐ 12 Y Jehová ciertamente tomará posesión de Judá como su porción sobre el suelo santo,ⁿ y todavía tiene que escoger a Jerusalén.ᵒ 13 Guarde silencio, toda carne, delante de Jehová,ᵖ porque él se ha despertadoᑫ desde su santa morada.ʳ

3 Y procedió a mostrarme a Josuéˢ el sumo sacerdote de pie delante del ángel de Jehová, y a Satanásᵗ de pie a su derecha para presentarle resistencia.ᵘ 2 Entonces [el ángel*ᵛ de Jehová dijo a Satanás: "¡Jehová te reprenda,ʷ oh Satanás, sí, Jehová te reprenda, el que escoge a Jerusalén!ˣ ¿No es este un leño arrebatado del fuego?".ʸ

3 Ahora bien, en cuanto a Josué, sucedió que estaba vestido con prendas de vestir suciasᶻ y estaba de pie delante del ángel. 4 Entonces este respondió y dijo a los que estaban de pie delante de él: "Remuevan de sobre él las prendas de vestir sucias". Y pasó a decirle: "Ve, he hecho que tu error pase de sobre ti,ᵃ y hay un vestirte con vestidos de ceremonia".ᵇ

5 Ante aquello, dije: "Que le pongan un turbante limpio sobre la cabeza".ᵃ Y procedieron a ponerle el turbante limpio sobre la cabeza y a vestirlo con prendas de vestir; y el ángel de Jehová estaba de pie allí cerca. 6 Y el ángel de Jehová empezó a dar testimonio a Josué, y dijo: 7 "Esto es lo que ha dicho Jehová de los ejércitos: 'Si es en mis caminos en los que andas, y si es mi obligación la que guardas,ᵇ entonces también serás tú quien haya de juzgar mi casaᶜ y también guardar mis patios; y ciertamente te daré acceso libre entre estos que están de pie allí cerca'.

8 " '¡Oye, por favor, oh Josué el sumo sacerdote, tú y tus compañeros que se sientan delante de ti, porque son hombres [que sirven] de portentos presagiosos;ᵈ porque, miren, voy a introducir a mi siervoᵉ Brote!ᶠ 9 Porque, ¡mira!, ¡la piedra que he puesto delante de Josué! Sobre esta piedra única hay siete ojos.ʰ Aquí voy a grabar su grabadoⁱ —es la expresión de Jehová de los ejércitos—, y ciertamente quitaré el error de aquella tierra en un solo día'.'ʲ

10 " 'En aquel día —es la expresión de Jehová de los ejércitos— se llamarán, cada uno al otro, mientras [estén] debajo de [la] vid y mientras [estén] debajo de [la] higuera' ".ᵏ

4 Y el ángel que hablaba conmigo procedió a regresar y despertarme, como a hombre a quien se despierta de su sueño.ˡ 2 Entonces me dijo: "¿Qué ves?".ᵐ

Así que dije: "He visto, y, ¡mira!, hay un candelabro, todo

CAP. 2 — a Isa 60:13; Isa 66:12; Zac 2:5; b 2Re 24:2; Miq 4:11; c Sll 105:14; Sl 105:15; 2Te 1:6; d Dt 32:10; e Isa 10:32; f Isa 14:2; g Jer 28:9; h Isa 35:10; i Isa 40:9; j Le 26:12; Sl 46:5; Isa 12:6; k Sll 22:27; Isa 2:2; Zac 8:23; Mt 28:19; l Ex 12:49; Sl 82:8; Ag 2:7; m Eze 33:33; n Ex 19:5; Dt 32:9; Sl 135:4; o Zac 1:17; Sl 46:10; Hab 2:20; Sof 1:7; q Sl 78:65; Isa 26:21; Sof 3:8; r 2Cr 30:27; Sl 68:5; Isa 57:15.

CAP. 3 — s Esd 5:2; Ag 1:14; Zac 6:11; t Job 1:6; u Sl 109:6; v Sl 34:7; w Mr 1:25; Lu 9:42; Jud 9; x Zac 6:6; Zac 2:12; y Jud 23; z Nú 19:7; Nú 19:21; Ag 2:14; Rev 3:4; a 2Sa 12:13; 2Cr 30:18; Sl 32:1; Sl 51:9; Heb 8:12; b Ex 28:2; Ex 28:40; Isa 61:10.

2.ᵃ col. — a Ex 29:6; Le 8:9; b 1Re 2:3; Sl 119:4; Eze 44:8; c Dt 17:9; Mal 2:7; d Isa 8:18; Isa 20:3; Eze 12:11; Eze 24:24; e Isa 42:1; Isa 52:13; Isa 53:11.

f Isa 11:1; Isa 53:2; Jer 23:5; Jer 33:15; Zac 6:12; g Sl 118:22; Isa 28:16; Mt 21:42; 1Pe 2:4; h 2Cr 16:9; Rev 5:6; i Ex 28:11; Jn 6:27; j Jer 50:20; k 1Re 4:25; Isa 36:16; Os 2:18; Miq 4:4; CAP. 4 l Da 8:18; m Jer 1:11; Zac 5:2.

de oro,[a] con un tazón encima. Y sus siete lámparas están encima, aun siete;[b] y las lámparas que están encima de él tienen siete tubos. 3 Y hay dos olivos junto a él,[c] uno al lado derecho del tazón y uno a su lado izquierdo".

4 Entonces respondí y dije al ángel que hablaba conmigo, diciendo: "¿Qué significan estas [cosas], mi señor?".[d] 5 De modo que el ángel que hablaba conmigo respondió y me dijo: "¿No sabes realmente lo que estas cosas significan?".

A mi vez dije: "No, mi señor".

6 De consiguiente, respondió y me dijo: "Esta es la palabra de Jehová a Zorobabel, y dice: '"No por una fuerza militar,[f] ni por poder,[g] sino por mi espíritu",[h] ha dicho Jehová de los ejércitos. 7 ¿Quién eres tú, oh gran montaña?[i] Delante de Zorobabel[j] [llegarás a ser] una tierra llana. Y él ciertamente sacará la piedra de remate.[k] Habrá gritos[l] a ella: "¡Qué encantadora! ¡Qué encantadora!"'".

8 Y la palabra de Jehová continuó ocurriéndome, y dijo: 9 "Las mismas manos de Zorobabel han colocado el fundamento de esta casa,[n] y sus propias manos [la] terminarán.[o] Y tendrás que saber que Jehová de los ejércitos mismo me ha enviado a ustedes.[p] 10 Porque, ¿quién ha despreciado el día de las cosas pequeñas?[q] Y ciertamente se regocijarán,[r] y verán la plomada en la mano de Zorobabel. Estos siete son los ojos de Jehová.[s] Discurren por toda la tierra".[t]

11 Y procedí a responder y decirle: "¿Qué significan estos dos olivos, al lado derecho del candelabro y a su lado izquierdo?".[u] 12 Entonces respondí por segunda vez y le dije: "¿Qué son los dos manojos de ramitas de los olivos que, mediante los dos tubos de oro, derraman desde su interior el [líquido] dorado?".

13 De modo que me dijo: "¿No sabes, realmente, lo que estas [cosas] significan?".

A mi vez dije: "No, mi señor".[a]

14 De consiguiente dijo: "Estos son los dos ungidos[b] que están de pie al lado del Señor de toda la tierra".[c]

5 Entonces levanté los ojos de nuevo y vi; y, ¡mire!, un rollo que volaba.[d] 2 Así que me dijo: "¿Qué ves?".[e]

A mi vez dije: "Veo un rollo que vuela, y tiene una longitud de veinte codos, y tiene una anchura de diez codos".

3 Entonces me dijo: "Esta es la maldición que sale sobre la superficie de toda la tierra,[f] porque todo el que hurta,[g] según lo de este lado, ha quedado libre de castigo; y todo el que hace un firme juramento,[h] según lo de aquel lado,[i] ha quedado libre de castigo. 4 'He hecho que salga —es la expresión de Jehová de los ejércitos—, y tiene que entrar en la casa del ladrón y en la casa del que presta firme juramento falsamente en mi nombre;[j] y tiene que alojarse en medio de su casa y exterminarlos a ella y sus maderos y sus piedras'".[k]

5 Entonces el ángel que hablaba conmigo salió y me dijo: "Levanta los ojos, por favor, y ve qué es esto que sale".

6 De modo que dije: "¿Qué es?".

A su vez, él dijo: "Esto es la medida de efá que sale". Y pasó a decir: "Este es el aspecto de ellos en toda la tierra". 7 Y, ¡mire!, la tapa circular de plomo fue alzada; y esto es cierta mujer sentada en medio del efá. 8 Así que él dijo: "Esta es la Iniquidad". Y procedió a arrojarla [de vuelta] en medio del efá,[l] después de lo cual arrojó la pesa de plomo sobre la boca de este.

9 Entonces levanté los ojos y vi, y, pues aquí venían saliendo

CAP. 4

a Éx 25:31
1Re 7:49
Rev 1:12
b Éx 25:37
Rev 4:5
c Jue 9:9
Zac 4:11
Rev 11:4
d Da 7:16
Zac 1:9
e Sl 139:6
f Éx 14:4
Isa 43:17
g 1Sa 17:45
Os 1:7
Miq 3:8
h Jue 6:34
Jue 15:14
Isa 63:14
Hch 10:38
i Isa 40:4
Mt 21:21
j Esd 3:2
Ag 1:1
k Sl 118:22
Isa 28:16
l Esd 3:11
m Sl 45:2
n Esd 3:10
Esd 5:16
Esd 6:14
Zac 6:12
p Esd 6:15
q Esd 3:12
Ag 2:3
r Isa 66:14
s Rev 5:6
t 2Cr 16:9
Pr 15:3
Jer 16:17
u Zac 4:3
Rev 11:4

2.ᵃ col.

a Zac 4:5
b Éx 29:7
Ag 2:4
2Co 1:21
Rev 11:3
Rev 11:4
c Jos 3:11
Jos 3:13
Isa 54:5
Miq 4:13

CAP. 5

d Jer 36:2
Eze 2:9
e Zac 4:2
f Dt 11:28
Dt 28:15
Sl 109:17
Isa 34:6
Mal 4:6
g Éx 20:15
Pr 29:24
Jer 7:9
Os 4:2
h Le 19:12
Isa 48:1
Jer 5:2
i Eze 2:10
Rev 5:1
j Éx 20:7
k Le 14:45
Pr 3:33
Snt 5:3
l Gé 15:16
Mt 23:32
1Te 2:16

dos mujeres, y había viento en sus alas. Y tenían alas como las alas de la cigüeña. Y gradualmente levantaron el efá entre la tierra y los cielos. 10 De modo que dije al ángel que hablaba conmigo: "¿Adónde llevan el efá?".

11 A su vez, él me dijo: "Para construirle[a] una casa en la tierra de Sinar;[b] y tiene que ser establecida firmemente, y tiene que ser depositada allí sobre su debido lugar".

6 Entonces levanté los ojos de nuevo y vi; y, ¡mire!, había cuatro carros que salían de entre dos montañas, y las montañas eran montañas de cobre. 2 En el primer carro había caballos rojos;[c] y en el segundo carro, caballos negros.[d] 3 Y en el tercer carro había caballos blancos;[e] y en el cuarto carro, caballos manchados, abigarrados.[f]

4 Y procedí a responder y decir al ángel que hablaba conmigo: "¿Qué son estos, mi señor?".[g] 5 Así que el ángel respondió y me dijo: "Estos son los cuatro espíritus[h] de los cielos que salen[i] después de haber tomado su puesto delante del Señor[j] de toda la tierra.[k] 6 En cuanto a aquel en que están los caballos negros, salen hacia la tierra del norte;[l] y en cuanto a los blancos, tienen que salir hacia detrás del mar; y en cuanto a los manchados, tienen que salir hacia la tierra del sur.[m] 7 Y en cuanto a los abigarrados,[n] tienen que salir y seguir buscando [dónde] ir, para andar por la tierra".[o] Entonces dijo: "Vayan, anden por la tierra". Y empezaron a andar por la tierra.

8 Y él procedió a gritarme y hablarme, y dijo: "Mira, los que salen hacia la tierra del norte son los que han hecho que el espíritu[p] de Jehová descanse en la tierra del norte".[q]

9 Y la palabra de Jehová con-

tinuó ocurriéndome, y dijo: 10 "Que haya un tomar algo del pueblo desterrado,[a] [aun] de Heldai y de Tobiya y de Jedayá; y tú mismo tienes que ir en aquel día, y tienes que entrar en la casa de Josías hijo de Sofonías[b] [con estos] que han venido de Babilonia. 11 Y tienes que tomar plata y oro y hacer una magnífica corona[c] y poner[la] sobre la cabeza de Josué[d] hijo de Jehozadaq el sumo sacerdote. 12 Y tienes que decirle:

" 'Esto es lo que ha dicho Jehová de los ejércitos: "Aquí está el hombre[e] cuyo nombre es Brote.[f] Y de su propio lugar brotará, y ciertamente edificará el templo de Jehová.[g] 13 Y él mismo edificará el templo de Jehová, y él, por su parte, llevará [la] dignidad;[h] y tiene que sentarse y gobernar en su trono, y tiene que llegar a ser sacerdote sobre su trono,[i] y el consejo mismo de la paz[j] resultará estar entre ambos. 14 Y la magnífica corona misma llegará a pertenecer a Hélem y a Tobiya y a Jedayá[k] y a Hen hijo de Sofonías como memoria[l] en el templo de Jehová. 15 Y los que están lejos vendrán y realmente edificarán en el templo de Jehová'.[m] Y ustedes tendrán que saber que Jehová de los ejércitos mismo me ha enviado a ustedes.[n] Y tiene que ocurrir... si ustedes sin falta escuchan la voz de Jehová su Dios' ".[o]

7 Además, aconteció que en el cuarto año de Darío[p] el rey la palabra de Jehová le ocurrió a Zacarías, en el [día] cuatro del mes noveno, [es decir,] en Kislev.[q] 2 Y Betel procedió a enviar a Sarézer y Réguem-mélec y sus hombres a ablandar[r] el rostro de Jehová, 3 y a decir a los sacerdotes[s] que pertenecían a la casa de Jehová de los ejércitos, y a los profetas, sí, a decir: "¿Llo-

CAP. 5
a Jer 29:5
Jer 29:28
b Gé 10:10
Gé 11:2
Isa 11:11
Da 1:2

CAP. 6
c Zac 1:8
d Zac 6:6
e Zac 1:8
f Zac 6:7
g Zac 1:9
h Sl 104:4
i Heb 1:14
j 2Cr 18:18
Job 1:6
Da 7:10
Lu 1:19
k Miq 4:13
Zac 4:14
l Isa 14:31
Isa 43:6
Jer 1:14
Jer 25:9
m Da 11:5
Zac 6:3
n Job 6:7
Job 2:2
p Jue 8:3
Ec 10:4
q Jer 51:48

2.ª col.
a Esd 1:11
Esd 7:16
Esd 8:30
Hch 24:17
b Zac 6:14
c Éx 28:36
d Ag 1:1
Ag 2:4
Zac 3:5
e Isa 9:6
Isa 32:1
Da 7:13
Zac 13:7
Mr 15:39
Jn 19:5
f Isa 11:1
Zac 3:8
Lu 1:32
g Zac 8:9
Mt 16:18
Ef 2:20
Heb 3:6
h Sl 21:5
Sl 45:3
Isa 22:24
Heb 5:5
i Sl 110:4
Heb 3:1
Heb 4:14
Heb 6:20
Heb 8:1
j Isa 9:6
Col 1:20
k Zac 6:10
l Éx 28:12
Jos 4:7
m Isa 56:6
Isa 60:10
Zac 4:9
o Jer 7:23

CAP. 7
p Zac 1:1
q Jer 36:22

r Éx 32:11; 1Sa 13:12; 1Re 13:6; Jer 26:19; s Dt 17:9; Eze 44:15; Os 4:6; Mal 2:7.

raré en el quinto[a] mes, practicando una abstinencia, como lo he hecho estos, oh, ¿cuántos años?".[b]

4 Y la palabra de Jehová de los ejércitos continuó ocurriéndome, y dijo: 5 "Di a toda la gente de la tierra y a los sacerdotes: 'Cuando ustedes ayunaron[c] y hubo plañido en el quinto [mes] y en el séptimo[d] [mes], y esto por setenta años,[e] ¿ayunaron realmente para mí, hasta para mí?[f] 6 Y cuando comían y cuando bebían, ¿no eran ustedes los que efectuaban el comer, y no eran ustedes los que efectuaban el beber? 7 ¿No [deberían haber obedecido] las palabras[g] que Jehová clamó por medio de los profetas anteriores,[h] mientras Jerusalén se hallaba habitada, y desahogada, con sus ciudades y todo en derredor de ella, y [mientras] el Négueb[i] y la Sefelá[j] estaban habitados?' ".

8 Y le continuó ocurriendo la palabra de Jehová a Zacarías, y dijo: 9 "Esto es lo que ha dicho Jehová de los ejércitos: 'Con verdadera justicia hagan su juzgar;[k] y efectúen unos con otros bondad amorosa[l] y misericordias;[m] 10 y no defrauden a ninguna viuda[n] ni huérfano de padre,[o] a ningún residente forastero[p] ni afligido,[q] y no tramen nada malo unos contra otros en sus corazones'.[r] 11 Pero ellos siguieron rehusando prestar atención,[s] y siguieron presentando un hombro terco,[t] e hicieron sus oídos demasiado insensibles para oír.[u] 12 Y pusieron su corazón[v] como piedra de esmeril para no obedecer la ley[w] y las palabras que Jehová de los ejércitos envió por su espíritu,[x] mediante los profetas anteriores;[y] de modo que ocurrió gran indignación de parte de Jehová de los ejércitos".[z]

13 " 'Y así ocurrió que, tal como él llamó y ellos no escu-

charon,[a] así ellos llamaban y yo no escuchaba[b] —ha dicho Jehová de los ejércitos. 14 Y procedí a arrojarlos tempestuosamente por todas las naciones[c] que no habían conocido;[d] y la tierra misma ha sido dejada desolada detrás de ellos, sin que haya quien pase a través y sin que haya quien regrese;[e] y procedieron a hacer de la tierra deseable[f] un objeto de pasmo.' "

8 Y la palabra de Jehová de los ejércitos continuó ocurriendo, y dijo: 2 "Esto es lo que ha dicho Jehová de los ejércitos:[g] 'Ciertamente estaré celoso por Sión con gran celo,[h] y con gran furia[i] ciertamente estaré celoso por ella' ".

3 "Esto es lo que ha dicho Jehová: 'Ciertamente volveré a Sión[j] y residiré en medio de Jerusalén;[k] y Jerusalén ciertamente será llamada la ciudad de apego a la verdad,[l] y la montaña de Jehová[m] de los ejércitos, la santa montaña'.[n]

4 "Esto es lo que ha dicho Jehová de los ejércitos: 'Todavía se sentarán viejos y viejas en las plazas públicas de Jerusalén,[o] cada uno también con su bastón en la mano debido a la abundancia de [sus] días. 5 Y las plazas públicas de la ciudad mismas estarán llenas de niños y niñas que jugarán en sus plazas públicas'."[q]

6 "Esto es lo que ha dicho Jehová de los ejércitos: 'Aunque parezca demasiado difícil a los ojos de los restantes de este pueblo en aquellos días, ¿debería parecer demasiado difícil también a mis ojos?',[r] es la expresión de Jehová de los ejércitos.

7 "Esto es lo que ha dicho Jehová de los ejércitos: 'Aquí voy a salvar a mi pueblo de la tierra del

CAP. 7

a 2Re 25:8
Jer 52:12
b Isa 22:12
Zac 7:5
c Isa 58:6
d Jer 41:1
Jer 41:2
e Jer 25:11
Zac 1:12
f Isa 58:4
Mt 6:16
Col 2:23
g Isa 55:3
Jer 36:2
h 2Cr 36:15
Jer 7:25
Jer 44:4
i Jer 17:26
j 1Cr 27:28
k Jer 21:3
Jer 7:5
Jer 21:12
l Pr 16:6
Pr 19:22
Os 10:12
Miq 6:8
m Snt 2:13
n Dt 27:19
Isa 1:17
o Éx 22:22
Pr 23:10
Pr 23:10
Snt 1:27
p Éx 23:9
Dt 24:14
Mal 3:5
q Sl 72:4
Pr 22:22
r Sl 36:4
Pr 6:18
Zac 8:17
Mr 7:21
s 2Re 17:14
2Cr 33:10
Pr 1:24
Jer 6:10
t Ne 9:29
u Isa 6:10
Jer 25:7
Jer 1:4
v Eze 3:7
w Isa 44:18
Mt 13:15
x 2Pe 1:21
y Ne 9:30
Hch 7:51
z 2Cr 36:16
Jer 21:5

2.ᵃ col.

a Pr 1:24
Isa 50:2
b Pr 21:13
Isa 1:15
Lam 3:44
c Le 26:33
Dt 28:64
d Dt 28:33
Jer 5:15
e Le 26:22
2Cr 36:21
f Dt 8:7
Dt 11:12

CAP. 8

g Sl 103:21
h Joe 2:18
i Isa 63:5
Na 1:2
j Zac 1:16
Mal 3:7

k Isa 12:6; Joe 3:17; Zac 8:8; l Isa 1:26; Jer 33:16; m Isa 2:2; Isa 60:14; Zac 2:10; n Isa 11:9; Isa 66:20; Jer 31:23; o Isa 65:20; Jer 30:10; p Nú 11:21; Heb 11:21; q Jer 30:19; Jer 31:4; Jer 31:27; Zac 2:4; Mt 11:16; r Job 42:2; Jer 32:27; Mr 10:27; Lu 18:27.

naciente y de la tierra de la puesta del sol.[a] 8 Y ciertamente los
traeré, y tendrán que residir en
medio de Jerusalén;[b] y tendrán
que llegar a ser mi pueblo,[c] y yo
mismo llegaré a ser su Dios en
apego a la verdad y en justicia’.”[d]
9 “Esto es lo que ha dicho Jehová de los ejércitos: ‘Que sus
manos sean fuertes,[e] ustedes los
que están oyendo en estos días
estas palabras de la boca de los
profetas,[f] el día en que se colocó
el fundamento de la casa de Jehová de los ejércitos, para que el
templo sea edificado.[g] 10 Porque antes de aquellos días no se
hizo que existiera salario para la
humanidad;[h] y en cuanto al salario de los animales domésticos,
no había tal cosa; y para el que
salía y para el que entraba no
había paz debido al adversario,[i]
puesto que seguí impeliendo a
todos los hombres uno contra
otro’.[j]
11 ”‘Y ahora no seré como en
los días anteriores a los que quedan de este pueblo[k] —es la expresión de Jehová de los ejércitos—.
12 Porque habrá la semilla de la
paz;[l] la vid misma dará su fruto,[m]
y la tierra misma dará su producto,[n] y los cielos mismos darán su
rocío;[o] y ciertamente haré que los
restantes[p] de este pueblo hereden todas estas [cosas].[q] 13 Y
tiene que ocurrir que tal como
ustedes llegaron a ser una invocación de mal entre las naciones,[r]
oh casa de Judá y casa de Israel,[s]
así los salvaré, y tienen que llegar
a ser una bendición.[t] No tengan
miedo.[u] Sean fuertes sus manos.’[v]
14 ”Porque esto es lo que ha
dicho Jehová de los ejércitos:
‘“Tal como tenía pensado hacerles lo que era calamitoso debido
a que sus antepasados me indignaron[w] —ha dicho Jehová de los
ejércitos—, y no sentí pesar,[x]
15 así de nuevo ciertamente tendré pensado en estos días tratar
bien con Jerusalén y con la casa
de Judá.[a] No tengan miedo”’.[b]
16 ”‘Estas son las cosas que
ustedes deben hacer:[c] Hablen verazmente unos con otros.[d] Con
verdad y el juicio de la paz hagan
su juzgar en sus puertas.[e] 17 Y
no tramen calamidad unos para
otros en sus corazones,[f] y no
amen ningún juramento falso;[g]
porque todas estas son cosas que
yo he odiado’,[h] es la expresión de
Jehová.”
18 Y la palabra de Jehová de
los ejércitos continuó ocurriéndome, y dijo: 19 “Esto es lo que
ha dicho Jehová de los ejércitos:
‘El ayuno del cuarto[i] [mes], y el
ayuno del quinto[j] [mes], y el ayuno del séptimo[k] [mes], y el ayuno
del décimo[l] [mes] llegarán a ser
para la casa de Judá un alborozo
y un regocijo y buenos períodos
de fiesta.[m] Por lo tanto, amen la
verdad y la paz’.[n]
20 ”Esto es lo que ha dicho Jehová de los ejércitos: ‘Todavía
será que los pueblos y los habitantes de muchas ciudades vendrán;[o] 21 y los habitantes de
una [ciudad] ciertamente irán a
[los de] otra, y dirán: “Solícitamente vayamos[p] a ablandar el
rostro[q] de Jehová y a buscar a
Jehová de los ejércitos. Yo mismo ciertamente iré también”.[r]
22 Y muchos pueblos y poderosas naciones realmente vendrán
a buscar a Jehová de los ejércitos en Jerusalén,[s] y a ablandar el
rostro de Jehová’.
23 ”Esto es lo que ha dicho Jehová de los ejércitos: ‘En aquellos días sucederá que diez hombres de todos los lenguajes de las
naciones[t] asirán,[u] sí, realmente
asirán la falda de un hombre que
sea judío,[v] y dirán: “Ciertamente
iremos con ustedes,[w] porque hemos oído [que] Dios está con ustedes”’”.[x]

CAP. 8

a Sl 107:3
b Jer 3:17; Joe 3:20; Am 9:14
c Le 26:12; Jer 30:22; Eze 11:20; Rev 21:3
d Jer 4:2; Rev 21:7
e 1Cr 22:13; Isa 35:4; Ag 2:4
f Esd 5:1
g Esd 6:14
h Ag 1:6
i Jue 5:6; 2Cr 15:5
j Isa 19:2; Am 9:4
k Sl 103:9; Isa 12:1; Ag 2:19
l Sl 67:6; Sl 72:3; Isa 30:23; Snt 3:18
m Pr 3:10
n Le 26:4; Dt 28:4
o Dt 33:13; Os 14:5
p Miq 4:6
q Isa 35:10; Isa 61:7
r Dt 28:37; Jer 42:18
s 2Re 17:18
t Gé 22:18; Isa 19:24
u Isa 41:10
v Isa 35:4
w Jer 31:28; Jer 32:31; Mal 3:7
x Jer 4:28; Jer 20:16; Eze 24:14

2.ª col.

a Jer 29:11; Jer 32:42; Miq 4:10
b Isa 43:1; Sof 3:16
c Dt 10:12; Miq 6:8
d Le 19:11; Pr 12:19; Jer 9:5; Ef 4:15; Ef 4:25
e Isa 11:4; Am 5:15; Zac 7:9
f Pr 3:29; Jer 4:14; Zac 7:10; Mt 15:19
g Jer 4:2; Zac 5:4
h Pr 6:16; Pr 8:13
i Jer 52:6
j Jer 52:12; Zac 7:5
k 2Re 25:25
l Jer 52:4
m Sl 30:11; Isa 35:10; Jer 31:12
n Sl 119:165
o Sl 22:27; Isa 2:2; Isa 11:10; Os 1:10; Mt 8:11; p Sl 122:1; q Zac 7:2; r Jer 50:4; s Isa 55:5; Isa 60:3; Miq 4:2; Ag 2:7; Gál 3:8; t Rev 7:9; Rev 14:6; u Mt 25:40; v Ro 2:29; Gál 3:29; w Éx 12:38; Nú 10:29; Rut 1:16; Hch 13:47; x Dt 4:7; Isa 45:14; 1Co 14:25.

9 Una declaración formal:[a] "La palabra de Jehová está contra la tierra de Hadrac, y en Damasco[b] es donde descansa; porque Jehová tiene un ojo sobre el hombre terrestre[c] y sobre todas las tribus de Israel. 2 Y Hamat[d] misma también lindará con ella; Tiro[e] y Sidón,[f] porque ella es muy sabia.[g] 3 Y Tiro procedió a construir un antemural para sí, y a amontonar plata como polvo, y oro como el fango de [las] calles.[h] 4 ¡Mira! Jehová mismo la desposeerá, y al mar ciertamente derribará su fuerza militar;[i] y en el fuego ella misma será devorada.[j] 5 Asquelón verá, y le dará miedo; y en cuanto a Gaza, también sentirá dolores fuertes; Eqrón[k] también, porque su esperanza aguardada tendrá que experimentar vergüenza. Y un rey ciertamente perecerá de Gaza, y Asquelón misma no será habitada.[m] 6 Y un hijo ilegítimo[n] realmente se sentará en Asdod,[o] y yo ciertamente cortaré el orgullo del filisteo.[p] 7 Y ciertamente quitaré de su boca sus cosas manchadas de sangre, y de entre sus dientes sus cosas repugnantes,[q] y a él mismo también ciertamente se le dejará quedar como residuo para nuestro Dios; y tiene que llegar a ser como un jeque[r] en Judá,[s] y Eqrón como el jebuseo.[t] 8 Y ciertamente acamparé como una avanzada para mi casa,[u] para que no haya nadie que pase y nadie que regrese; y ya no pasará por ellos un señalador de tareas,[v] porque ahora [lo] he visto con mis ojos.[w]

9 "Ponte muy gozosa, oh hija de Sión.[x] Grita en triunfo,[y] oh hija de Jerusalén. ¡Mira! Tu rey[z] mismo viene a ti.[a] Es justo, sí, salvado;[b] humilde,[c] y cabalga sobre un asno, aun sobre un animal plenamente desarrollado, hijo de un asna.[d] 10 Y ciertamente cortaré de Efraín [el] carro de guerra y de Jerusalén [el] caba-

llo.[a] Y el arco de batalla[b] tiene que ser cortado. Y él realmente hablará paz a las naciones;[c] y su gobernación será de mar a mar y desde el Río hasta los cabos de [la] tierra.[d]

11 "También, tú, [oh mujer,] por la sangre de tu pacto[e] ciertamente enviaré a tus prisioneros[f] fuera del hoyo en el cual no hay agua.

12 "Vuélvanse a la plaza fuerte,[g] prisioneros de la esperanza.[h]

"También, hoy [te] informo: 'Te pagaré, [oh mujer,] una porción doble.[i] 13 Porque ciertamente pisaré como a mi [arco] a Judá. El arco ciertamente llenaré con Efraín, y ciertamente despertaré a tus hijos,[j] oh Sión, contra tus hijos, oh Grecia,[k] y ciertamente te haré como la espada de un hombre poderoso'.[l] 14 Y sobre ellos Jehová mismo[m] será visto, y su flecha ciertamente saldrá justamente como el relámpago.[n] Y el cuerno del Señor Soberano Jehová mismo tocará,[o] y ciertamente irá con las tempestades de viento del sur.[p] 15 Jehová de los ejércitos mismo los defenderá, y ellos realmente devorarán[q] y sojuzgarán las piedras de las hondas. Y ciertamente beberán[r] —harán alboroto— como si hubiera vino; y realmente quedarán llenos como el tazón, como las esquinas de[l] altar.[s]

16 "Y Jehová su Dios con certeza los salvará[t] en aquel día como el rebaño de su pueblo;[u] porque serán como las piedras de una diadema reluciendo sobre su terreno.[v] 17 Porque ¡oh cuán [grande] es su bondad,[w] y cuán [grande] es su hermosura![x] Grano es lo que hará medrar a los jóvenes, y vino nuevo a las vírgenes".[y]

CAP. 9

a Isa 13:1
b Jer 49:27
  Am 1:3
c 2Cr 16:9
  Heb 4:13
  1Pe 3:12
d Jer 49:23
  Am 6:14
e Isa 23:1
  Joe 3:4
  Am 1:9
f Eze 28:21
g Eze 28:3
h Eze 27:33
i Eze 26:17
  Eze 27:26
j Eze 28:18
k Jos 13:3
  1Sa 5:10
l Isa 20:5
m Sof 2:4
n Dt 23:2
  Heb 12:8
o Ec 2:18
  Am 1:8
p Isa 2:17
  Da 4:37
q Sl 58:6
  Am 3:12
r Gé 36:40
s Isa 60:14
t 2Sa 5:6
  1Re 9:20
  1Cr 11:4
  Eze 21:28
u Sl 125:2
v Isa 54:14
w Éx 3:7
  2Sa 16:12
x Isa 12:6
y Isa 44:23
  Sof 3:14
z Sl 2:6
  Isa 32:1
  Jer 23:5
  Lu 19:38
  Jn 1:49
a Jn 12:15
b Jn 16:33
c Mt 11:29
  Mt 21:5
d 1Re 1:33
  Mt 21:7

2.ª col.

a Pr 21:31
b Zac 10:4
c Isa 9:7
  Ef 2:14
d Éx 23:31
  Sl 2:8
  Sl 72:8
e Jer 31:31
  Mt 26:28
  Heb 12:24
  Heb 13:20
  1Pe 1:19
f Isa 49:9
g 2Sa 5:7
  Jer 31:6
h Isa 61:1
  Jer 31:17
i Job 42:10
  Isa 61:7
j Mt 13:38
k Da 8:21
  Joe 3:6
l Sl 149:6
  Isa 41:15
m Éx 14:24
n Sl 18:14

o Jos 6:5; Isa 18:3; p Isa 21:1; Isa 66:15; q Miq 5:9; Zac 10:5; Zac 12:6; r Isa 55:1; s Éx 27:2; Le 4:7; t Eze 34:22; Eze 37:23; u Sl 100:3; Miq 5:4; Zac 11:7; Lu 12:32; v Isa 62:3; Sof 3:20; w Sl 25:8; Sl 31:19; Isa 63:7; x Sl 50:2; Sl 90:17; y Isa 62:8; Joe 3:18; Am 9:13.

10 "Hagan sus solicitudes a Jehová por lluvia[a] en el tiempo de la lluvia primaveral,[b] aun a Jehová, quien hace los nubarrones de tempestad,[c] y [quien] les da un aguacero a ellos,[d] a cada uno vegetación en el campo.[e] 2 Porque los terafim[f] mismos han hablado lo que es mágico; y los practicantes de adivinación, por su parte, han contemplado falsedad[g] en visión, y sueños que nada valen es lo que siguen hablando, y en vano tratan de consolar.[h] Por eso ciertamente partirán como un rebaño;[i] llegarán a estar afligidos, porque no hay pastor.[j]

3 "Contra los pastores mi cólera se ha enardecido,[k] y a los caudillos parecidos a cabras[l] pediré cuentas;[m] porque Jehová de los ejércitos ha vuelto su atención a su hato,[n] la casa de Judá, y los ha hecho como su caballo[o] de dignidad en la batalla. 4 De él procede el hombre clave,[p] de él el gobernante apoyador,[q] de él el arco de batalla;[r] de él sale todo señalador de tareas,[s] todos juntos. 5 Y tienen que llegar a ser como hombres poderosos[t] que pisan duro en el fango de [las] calles en la batalla.[u] Y tienen que entrar en batalla, porque Jehová está con ellos;[v] y los que cabalgan los caballos tendrán que experimentar vergüenza.[v] 6 Y ciertamente haré superior a la casa de Judá, y a la casa de José salvaré.[x] Y ciertamente les daré una morada, porque les mostraré misericordia;[y] y tienen que llegar a ser como aquellos a los cuales yo no había desechado;[z] porque yo soy Jehová su Dios, y les responderé.[a] 7 Y los de Efraín tienen que llegar a ser justamente como un hombre poderoso,[b] y su corazón tiene que regocijarse como por vino.[c] Y sus propios hijos verán y ciertamente se regocijarán;[d] su corazón estará gozoso en Jehová.[e]

8 "Ciertamente silbaré[f] por ellos y los juntaré; porque ciertamente los redimiré,[a] y ellos tienen que llegar a ser muchos, justamente como los que han llegado a ser muchos.[b] 9 Y los esparciré como semilla entre los pueblos,[c] y en los lugares distantes se acordarán de mí;[d] y tienen que revivir con sus hijos y regresar.[e] 10 Y tengo que traerlos de vuelta de la tierra de Egipto;[f] y de Asiria los juntaré;[g] y a la tierra de Galaad[h] y al Líbano los traeré, y no se hallará [espacio] para ellos.[i] 11 Y él tiene que pasar por el mar [con] angustia;[j] y en el mar tiene que abatir [las] olas,[k] y todas las profundidades del Nilo se tienen que secar.[l] Y el orgullo de Asiria tiene que ser rebajado,[m] y el cetro[n] mismo de Egipto partirá.[o] 12 Y ciertamente los haré superiores en Jehová,[p] y en Su nombre andarán',[q] es la expresión de Jehová."

11 "Abre tus puertas, oh Líbano,[r] para que un fuego devore entre tus cedros.[s] 2 ¡Aúlla, oh enebro, porque el cedro ha caído; porque los majestuosos mismos han sido despojados con violencia![t] ¡Aúllen, árboles macizos de Basán, porque el bosque impenetrable se ha venido abajo![u] 3 ¡Escucha! El aullido de pastores,[v] porque su majestuosidad ha sido despojada violentamente.[w] ¡Escucha! El rugido de leoncillos crinados, porque los orgullosos [matorrales] a lo largo del Jordán han sido despojados violentamente.[x]

4 "Esto es lo que ha dicho Jehová mi Dios: 'Pastorea el rebaño [destinado] a la matanza,[y] 5 cuyos compradores proceden a matar[las][z] aunque no se les tiene por culpables.[a] Y los que las venden[b] dicen: "Jehová sea ben-

p Isa 41:10; Isa 45:24; q Pr 18:10; Miq 4:5; CAP. 11   r Jer 22:23; s Jer 22:7; t Isa 10:33; Eze 31:3; u Isa 2:13; Isa 32:19; v Eze 34:10; Joe 1:13; w Jer 2:30; x Jer 49:19; Jer 50:44; y Eze 34:8; z Jer 23:1; Eze 22:25; Eze 34:2; Miq 3:2; a Jer 2:3; b 2Re 4:1; Ne 5:8.

dito, mientras yo gane riquezas".ª Y sus propios pastores no les muestran ninguna compasión a ellas'.ᵇ

6 "'Porque no mostraré más compasión a los habitantes de la tierraᶜ —es la expresión de Jehová—. De modo que aquí voy a hacer que la humanidad se halle, cada uno en la mano de su compañeroᵈ y en la mano de su rey;ᵉ y ciertamente triturarán la tierra, y no libraré de su mano.' "ᶠ

7 Y procedí a pastorear el rebañoᵍ [destinado] a la matanza,ʰ a favor de ustedes, los afligidos del rebaño.ⁱ Así que tomé para mí dos cayados.ʲ Al uno llamé Agradabilidad,ᵏ y al otro llamé Unión,ˡ y me puse a pastorear el rebaño. 8 Y finalmente raí a tres pastores en un solo mes lunar,ᵐ pues mi alma gradualmente se impacientó con ellos,ⁿ y también su propia alma sintió asco para conmigo. 9 Al fin dije: "No seguiré pastoreándolas.º La que está muriendo, que muera. Y la que está siendo raída, que sea raída.º Y en cuanto a las que queden, que devoren, cada una la carne de su compañera".ᑫ 10 De modo que tomé mi cayado Agradabilidadʳ y lo corté en pedazos,ˢ para romper mi pacto que yo había celebrado con todos los pueblos.ᵗ 11 Y vino a quedar roto en aquel día, y los afligidos del rebañoᵘ que estaban vigilándomeᵛ llegaron a saber así que era la palabra de Jehová.

12 Entonces les dije: "Si es bueno a sus ojos,ʷ den[me] mi salario, pero si no, absténganse". Y procedieron a pagar mi salario, treinta piezas de plata.ˣ

13 Ante aquello, Jehová me dijo: "Tíralo al tesoroʸ... el valor majestuoso con el cual he sido evaluado desde su punto de vista".ᶻ De consiguiente, tomé las treinta piezas de plata y tiré aquello en el tesoro en la casa de Jehová.ª

14 Entonces corté en pedazos

CAP. 11
a Os 12:8
b Eze 34:4
c Eze 8:18
d Eze 38:21
  Miq 7:2
  Ag 2:22
  Zac 11:9
  Zac 14:13
e Mt 22:7
f Sl 50:22
  Heb 10:27
g Sl 23:1
  Sl 80:1
  Sl 95:7
  Isa 40:11
h Zac 11:4
  Zac 13:8
i Sof 3:12
  Zac 11:11
j 1Sa 17:40
  Sl 23:4
k Sl 133:1
  Zac 11:10
l Eze 37:19
  Zac 11:14
m Os 5:7
n Dt 32:19
o Jer 23:33
  Zac 10:2
p Jer 15:2
q Jer 19:9
  Eze 5:10
r Sl 90:17
  Zac 11:7
s Mt 23:38
t Jer 14:21
  Eze 16:59
u Isa 14:32
  Sof 3:12
v Isa 8:17
  Lu 2:25
w 1Re 21:2
x Mt 26:15
  Mt 27:9
  Mt 27:5
z Ex 21:32
  Mr 14:11
a Mt 27:6
  Hch 1:18

2.ª col.

a Zac 11:7
b Isa 11:13
  Eze 37:16
c 1Re 12:20
  Isa 9:21
d Mt 15:14
  Mt 15:14
e 1Pe 5:3
f Jer 23:2
  Eze 34:6
  Mt 9:36
g Eze 34:21
h Gé 31:38
  Eze 34:3
i Eze 34:10
j Jer 23:1
  Eze 13:2
  Mt 23:13
k Jn 10:12
l 1Re 13:4
  Eze 30:22

CAP. 12

m Job 26:7
  Sl 104:2
  Isa 42:5
  Isa 44:24

mi segundo cayado, el Unión,ª para quebrar la hermandadᵇ entre Judá e Israel.ᶜ

15 Y Jehová pasó a decirme: "Toma todavía para ti los aperos de un pastor inútil.ᵈ 16 Porque, mira, voy a dejar que se levante en la tierra un pastor.ᵉ A las [ovejas] a las cuales se rae no dará atención.ᶠ A la joven no buscará, y a la [oveja] quebrada no sanará.ᵍ A la que se estacione no suministrará [alimento], y la carne de la gorda comerá,ʰ y las pezuñas de las [ovejas] arrancará.ⁱ 17 ¡Ay de mi pastor que nada vale,ʲ quien deja el rebaño!ᵏ Una espada estará sobre su brazo y sobre su ojo derecho. Su propio brazo sin falta se secará,ˡ y su propio ojo derecho sin falta se oscurecerá".

12 Una declaración formal: "La palabra de Jehová acerca de Israel —es la expresión de Jehová, Aquel que extiende [los] cielosᵐ y coloca el fundamento de [la] tierraⁿ y forma el espírituº del hombre dentro de él—. 2 Aquí voy a hacer de Jerusalénᵖ un tazón [que causa] vértigo a todos los pueblos en derredor;ᑫ y también contra Judá él llegará a estar en sitio, [hasta] contra Jerusalén.ʳ 3 Y en aquel día tiene que ocurrirˢ [que] haré de Jerusalén una piedra pesadaᵗ para todos los pueblos. Todos los que la alcen, sin falta se conseguirán severos rasguños; y contra ella todas las naciones de la tierra ciertamente serán recogidas.ᵘ 4 En aquel díaᵛ —es la expresión de Jehová— heriré con aturdimiento todo caballoʷ y con locura a su jinete;ˣ y sobre la casa de Judá abriré mis ojos,ʸ y todo caballo de los pueblos heriré con

n Sl 102:25; Sl 136:6; Isa 45:18; Isa 48:13; o Job 34:14; Sl 146:4; Ec 12:7; Hch 17:25; p Heb 12:22; q Sl 75:8; Zac 14:13; r Zac 14:14; s Zac 13:9; t Da 2:34; Da 2:45; Mt 21:44; u Sl 2:2; Eze 38:9; Miq 4:11; Zac 14:2; Rev 16:14; v Isa 24:21; w Pr 21:31; x Dt 28:28; Sl 76:6; y 1Re 8:29; 2Cr 7:15; Isa 37:17.

pérdida de la vista. 5 Y los jeques[a] de Judá tendrán que decir en su corazón: 'Los habitantes de Jerusalén son fuerza para mí por Jehová de los ejércitos su Dios'.[b] 6 En aquel día haré a los jeques de Judá como una vasija de fuego entre los árboles[c] y como una antorcha de fuego en una hilera de grano recién cortado,[d] y tendrán que devorar a la [mano] derecha y a la izquierda a todos los pueblos en derredor;[e] y Jerusalén todavía tendrá que llegar a ser habitada en su [propio] lugar, en Jerusalén.[f]

7 "Y Jehová ciertamente salvará las tiendas de Judá primero, para que la hermosura de la casa de David y la hermosura de los habitantes de Jerusalén no lleguen a ser demasiado grandes sobre Judá. 8 En aquel día Jehová será una defensa alrededor de los habitantes de Jerusalén;[g] y el que está tropezando entre ellos tendrá que llegar a ser en aquel día como David,[h] y la casa de David como Dios,[i] como el ángel de Jehová delante de ellos.[j] 9 Y en aquel día tiene que ocurrir [que] procuraré aniquilar a todas las naciones que vienen contra Jerusalén.[k]

10 "Y ciertamente derramaré sobre la casa de David y sobre los habitantes de Jerusalén el espíritu de favor[l] y súplicas,[m] y ciertamente mirarán a Aquel a quien traspasaron,[n] y ciertamente plañirán por Él como en el plañir por un [hijo] único; y habrá una lamentación amarga por él como cuando hay amarga lamentación por el primogénito.[o] 11 En aquel día el plañido en Jerusalén será grande, como el plañido de Hadadrimón en la llanura-valle de Meguidó.[p] 12 Y la tierra ciertamente plañirá,[q] cada familia por sí misma; la familia de la casa de David por sí misma, y sus mujeres por sí mismas;[r] la familia de la casa de Na-

tán[a] por sí misma, y sus mujeres por sí mismas; 13 la familia de la casa de Leví[b] por sí misma, y sus mujeres por sí mismas; la familia de los simeítas[c] por sí misma, y sus mujeres por sí mismas; 14 todas las familias que queden, cada familia por sí misma, y sus mujeres por sí mismas.[d]

13 "En aquel día[e] llegará a haber un pozo[f] abierto para la casa de David y para los habitantes de Jerusalén para el pecado[g] y para una cosa aborrecible.[h]

2 "Y en aquel día tiene que ocurrir —es la expresión de Jehová de los ejércitos— [que] cortaré de la tierra los nombres de los ídolos,[i] y no serán recordados más; y también haré que pasen de la tierra los profetas[j] y el espíritu de inmundicia.[k] 3 Y tendrá que ocurrir [que], en caso de que un hombre todavía profetizara, su padre y su madre, que causaron su nacimiento, tendrán también que decirle: 'No vivirás, porque falsedad es lo que has hablado en el nombre de Jehová'. Y su padre y su madre, los que causaron su nacimiento, tendrán que traspasarlo debido a su profetizar.[l]

4 "Y en aquel día tiene que ocurrir [que] los profetas se avergonzarán,[m] cada uno de su visión cuando profetice; y no usarán un vestido oficial de pelo[n] con el propósito de engañar. 5 Y él ciertamente dirá: 'No soy profeta. Soy un hombre que cultiva [el] terreno, porque un hombre terrestre mismo me adquirió desde mi juventud en adelante'. 6 Y uno tendrá que decirle: '¿Qué son estas heridas [en tu persona] entre tus manos?'. Y él tendrá que decir: 'Son aquellas con las cuales me golpearon en la casa de los que me amaban intensamente'".

7 "Oh espada, despierta con-

CAP. 12
a Zac 9:7
b Sl 46:1
  Isa 41:10
  Joe 3:16
  Zac 12:8
c Isa 10:17
  Abd 18
d Isa 41:15
  Isa 62:1
e Miq 4:13
  Zac 9:15
f Jer 31:38
  Zac 2:4
  Zac 12:10
g Jer 23:6
  Joe 3:16
  Zac 2:5
  Zac 9:15
h Eze 34:24
i Sl 45:6
  Isa 9:6
  Os 3:5
j Éx 14:19
  Éx 23:20
k Isa 54:17
  Ag 2:22
l Isa 32:15
  Isa 44:3
  Joe 2:28
  Hch 3:19
m Zec 6:21
  Sl 28:2
n Jn 19:34
  Jn 19:37
  Jn 20:27
  Rev 1:7
o Jer 6:26
  Am 8:10
p 2Re 23:29
  2Cr 35:22
q Jer 3:21
r Mt 15:40
  Lu 23:49

2.ª col.
a 2Sa 5:14
  Lu 3:31
b Éx 6:16
c Éx 6:17
  1Re 1:8
  1Cr 23:10
d Mt 15:41

CAP. 13
e Zac 12:3
f Sl 51:7
g Isa 1:6
  Eze 36:25
  Jn 1:29
  Hch 2:38
  Hch 2:41
h 2Cr 29:5
  Lam 1:8
i Jer 31:34
  Eze 36:25
  Eze 36:29
i Éx 23:13
  Dt 12:3
  Isa 2:18
  Eze 36:25
  Sof 1:4
j Dt 13:5
  Jer 8:10
  Jer 23:14
  Eze 14:9
k 2Co 7:1
  Dt 13:6
  Dt 13:9
  Dt 18:20
  Mt 10:37

m Jer 2:26; Miq 3:7; n 2Re 1:8; Mt 3:4.

tra mi pastor,[a] hasta contra el hombre físicamente capacitado que es mi asociado[b] —es la expresión de Jehová de los ejércitos—. Hiere al pastor,[c] y que las [ovejas] del rebaño sean esparcidas;[d] y ciertamente volveré mi mano sobre los que son insignificantes."[e]

8 "Y en toda la tierra tiene que ocurrir —es la expresión de Jehová— [que] dos partes de ella son lo que será cortado [y] expirará;[f] y en cuanto a la tercera [parte], quedará en ella.[g] 9 Y ciertamente traeré la tercera [parte] por el fuego;[h] y realmente los refinaré como al refinar la plata,[i] y los examinaré como al examinar el oro.[j] Ella, por su parte, invocará mi nombre, y yo, por mi parte, le responderé.[k] Ciertamente diré: 'Es mi pueblo',[l] y ella, a su vez, dirá: 'Jehová es mi Dios'."[m]

14 "¡Mira! Viene un día que pertenece a Jehová,[n] y el despojo de ti ciertamente será repartido en medio de ti. 2 Y ciertamente recogeré a todas las naciones contra Jerusalén para la guerra;[o] y la ciudad realmente será tomada[p] y las casas saqueadas, y las mujeres mismas serán forzadas.[q] Y la mitad de la ciudad tendrá que salir al destierro;[r] pero en cuanto a los restantes del pueblo,[s] no serán cortados de la ciudad.[t]

3 "Y Jehová ciertamente saldrá y guerreará contra aquellas naciones[u] como en el día de su guerrear, en el día de pelea.[v] 4 Y sus pies realmente se plantarán en aquel día sobre la montaña de los olivos, que está enfrente de Jerusalén, al este;[w] y la montaña de los olivos[x] tendrá que partirse por en medio,[y] desde el naciente y hacia el oeste. Habrá un valle muy grande; y la mitad de la montaña realmente será movida hacia el norte, y la mitad de ella hacia el sur. 5 Y

ustedes ciertamente huirán al valle de mis montañas;[a] porque el valle de [las] montañas llegará hasta Azel misma. Y ustedes tendrán que huir, tal como huyeron debido al temblor [de tierra] en los días de Uzías el rey de Judá.[b] Y Jehová mi Dios ciertamente vendrá,[c] y con él estarán todos los santos.[d]

6 "Y en aquel día tiene que ocurrir [que] no resultará haber luz[e] preciosa... las cosas estarán congeladas.[f] 7 Y tiene que llegar a ser un día que es conocido como perteneciente a Jehová.[g] No será día, tampoco será noche;[h] y tiene que ocurrir [que] al tiempo del atardecer se hará claro.[i] 8 Y en aquel día tiene que ocurrir [que] saldrán aguas vivas de Jerusalén,[k] la mitad de ellas hacia el mar oriental[l] y la mitad de ellas hacia el mar occidental.[m] En verano y en invierno ocurrirá.[n] 9 Y Jehová tiene que llegar a ser rey sobre toda la tierra.[o] En aquel día Jehová resultará ser uno solo,[p] y su nombre uno solo.[q]

10 "Todo el país será cambiado como el Arabá,[r] desde Gueba[s] hasta Rimón[t] al sur de Jerusalén; y ella tiene que levantarse y llegar a estar habitada en su lugar,[u] desde la Puerta de Benjamín[v] hasta el mismo lugar de la Primera Puerta, hasta la misma Puerta de la Esquina, y [desde] la Torre de Hananel[w] hasta las mismas tinas de lagar del rey. 11 Y la gente ciertamente la habitará; y ya no ocurrirá más proscripción [para destrucción],[x] y Jerusalén tendrá que ser habitada en seguridad.[y]

12 "Y esto es lo que resultará ser el azote con el cual Jehová

CAP. 13
a Eze 34:23
  Miq 5:4
  Mt 26:55
  Jn 10:11
  Heb 13:20
  1Pe 5:4
b Pr 8:30
  Jn 1:1
  Jn 16:28
  Jn 17:5
c Isa 53:8
  Da 9:26
  Mr 14:27
  Hch 3:18
  Rev 13:8
d Mt 26:31
  Mr 14:50
  Jn 16:32
e Isa 1:25
  Mt 11:25
  1Co 1:27
f Mt 13:41
  Lu 12:46
g Joe 2:32
  Mt 24:22
  Ro 9:27
h Isa 43:2
i Sl 66:10
  Isa 48:10
  Mal 3:2
j Mal 3:3
  1Pe 1:7
k Isa 58:9
l Jer 30:22
  Ro 9:25
m Sl 144:15
  Rev 21:7

CAP. 14
n Isa 2:12
  Joe 2:31
  2Pe 3:10
o Joe 3:2
  Rev 16:14
p Lu 21:20
q Dt 28:30
  Lam 5:11
r Lu 21:24
s Isa 65:8
  Mt 21:43
  Mt 24:22
t Isa 65:18
  Heb 12:22
  Rev 21:2
u Isa 66:16
  Eze 38:23
  Joe 3:14
  Rev 16:14
v Éx 15:3
  2Cr 20:15
w Eze 11:23
  Hch 1:12
x Lu 19:29
y Miq 1:4

2.ª col.
a Lu 21:21
b Am 1:1
c Sl 96:13
  Sl 98:9
  Jud 14
d Dt 33:2
  Sl 149:9
  Joe 3:11
e Isa 13:10
  Am 5:18
f Éx 15:8
  Job 38:22
g Sl 118:24
  1Te 5:2
  2Te 2:2

h Sl 97:11; Pr 4:18; Rev 21:25; i Isa 30:26; j Jn 4:10; Rev 21:6; Rev 22:17; k Jer 17:13; Eze 47:1; Joe 3:18; Rev 22:1; l Dt 3:17; Eze 47:8; m Jos 1:4; Joe 2:20; n Isa 49:10; o Sl 97:1; Rev 19:6; p Dt 6:4; Mal 2:10; Gál 3:20; q Isa 42:8; Isa 44:6; r Dt 1:7; s 1Re 15:22; t 1Cr 4:32; u Jer 30:18; v Jer 37:13; Eze 48:32; w Ne 3:1; Jer 31:38; x Isa 60:18; Jer 31:40; y Jer 23:6; Jer 33:16.

azotará a todos los pueblos que realmente hagan servicio militar contra Jerusalén:[a] Habrá el pudrirse de la carne de uno, mientras uno está parado sobre sus pies;[b] y los ojos mismos de uno se pudrirán en sus cuencas, y la lengua misma de uno se pudrirá en la boca de uno.

13 "Y en aquel día tiene que ocurrir [que] entre ellos se hará extensa la confusión procedente de Jehová;[c] y cada uno realmente agarrará la mano de su compañero, y su mano realmente subirá contra la mano de su compañero. 14 Y Judá mismo también estará guerreando en Jerusalén; y la riqueza de todas las naciones en derredor ciertamente será recogida, oro y plata y prendas de vestir en abundancia excesiva.[d]

15 "Y así resultará ser el azote del caballo, el mulo, el camello, y el asno, y toda suerte de animal doméstico que se halle en aquellos campamentos, como este azote.

16 "Y tiene que ocurrir [que], en lo que respecta a todos los que queden de todas las naciones que vienen contra Jerusalén,[e] ellos también tendrán que subir de año en año[f] a inclinarse ante el Rey,[g] Jehová de los ejér-

citos,[a] y a celebrar la fiesta de las cabañas.[b]   17 Y tiene que ocurrir que, en lo que respecta a cualquiera que no suba[c] de las familias[d] de la tierra a Jerusalén a inclinarse ante el Rey, Jehová de los ejércitos, aun sobre ellos no ocurrirá lluvia fuerte.[e]   18 Y si la familia de Egipto misma no sube y realmente no entra, sobre ella tampoco la habrá. Ocurrirá el azote con el cual Jehová azotará a las naciones que no suban a celebrar la fiesta de las cabañas.   19 Esto mismo resultará ser el [castigo por el] pecado de Egipto y el pecado de todas las naciones que no suban a celebrar la fiesta de las cabañas.[f]

20 "En aquel día resultará haber[g] sobre las campanillas del caballo: '¡La santidad pertenece a Jehová!'.[h] Y las ollas de boca ancha[i] en la casa de Jehová tendrán que llegar a ser como los tazones[j] delante del altar.[k] 21 Y toda olla de boca ancha en Jerusalén y en Judá tendrá que llegar a ser algo santo que pertenezca a Jehová de los ejércitos, y todos los que estén sacrificando tendrán que entrar y tomar de ellas, y tendrán que cocer en ellas.[l] Y ya no resultará haber cananeo[m] en la casa de Jehová de los ejércitos en aquel día."[n]

CAP. 14
a 2Re 19:35
  Sl 110:5
  Joe 3:2
  Miq 4:11
  Rev 16:14
b Heh 12:23
c Jue 7:22
  Eze 38:21
  Zac 11:6
d 2Cr 14:13
  2Cr 20:25
  Zac 2:9
e Isa 66:19
  Hch 15:17
f 1Sa 1:7
  Eze 66:23
g Sl 86:9
  Isa 27:13
  Jer 48:15
  Ro 15:11

2.ª col.
a Sl 24:8
  Sl 103:21
b Le 23:34
  Ne 8:14
  Jn 7:2
c Isa 45:23
  Isa 60:12
d Ge 10:32
  Jer 10:25
  Am 3:2
e Dt 11:17
  1Re 8:35
  Jos 5:6
f Col 2:17
  Heb 10:1
g Mal 1:11
h Ex 28:36
  Ex 39:30
  Isa 35:8
i 1Sa 2:14
j Ex 25:29
  Ex 37:16
  Nú 4:7
k 2Cr 29:22
  Isa 2:13
  Isa 66:23
  Eze 46:23
m Isa 35:8
  Eze 44:9
  Rev 21:27
n 1Ti 3:15

MALAQUÍAS

1 Una declaración formal: La palabra de Jehová[a] acerca de Israel por medio de Malaquías:

2 "Los he amado",[b] ha dicho Jehová.

Y ustedes han dicho: "¿De qué manera nos has amado?".[c]

"¿No fue Esaú el hermano de Jacob?[d] —es la expresión de Jehová—. Pero yo amé a Jacob,[e]

3 y a Esaú[a] lo he odiado; y finalmente hice que sus montañas fueran un yermo desolado,[b] y su herencia para los chacales de[l] desierto."[c]

4 "Porque Edom sigue diciendo: 'Hemos sido destrozados, pero volveremos y edificaremos [los] lugares devastados', esto es

CAP. 1
a 2Pe 1:21
b Dt 7:6
  Dt 10:15
  Isa 41:8
  Ro 11:28
c Isa 49:14
d Ge 25:25
e Ro 9:13

2.ª col.
a Ge 25:34
  Ge 27:41
  Heb 12:16

b Isa 34:10; Jer 49:20; Eze 25:13; Eze 35:3; Joe 3:19; Abd 10; c Isa 34:13.

lo que ha dicho Jehová de los ejércitos: 'Ellos, por su parte, edificarán; pero yo, por mi parte, demoleré.[a] Y la gente ciertamente los llamará "el territorio de la iniquidad" y "la gente a quien Jehová ha denunciado[b] hasta tiempo indefinido". **5** Y los propios ojos de ustedes [lo] verán, y ustedes mismos dirán: "Que Jehová sea engrandecido sobre el territorio de Israel"'."[c]

6 " 'Un hijo, por su parte, honra a un padre;[d] y un siervo, a su magnífico amo.[e] Pues si yo soy un padre,[f] ¿dónde está la honra a mí?[g] Y si soy un magnífico amo, ¿dónde está el temor[h] a mí?', ha dicho Jehová de los ejércitos a ustedes, oh sacerdotes que desprecian mi nombre.[i]

" 'Y ustedes han dicho: "¿De qué manera hemos despreciado tu nombre?".'

7 " '[Al] presentar sobre mi altar pan contaminado.'[j]

" 'Y ustedes han dicho: "¿De qué manera te hemos contaminado?".'

" 'Al decir ustedes: "La mesa[k] de Jehová es algo que debe despreciarse". **8** Y cuando ustedes presentan un [animal] ciego para sacrificio: "No es nada malo". Y cuando presentan un [animal] cojo o uno enfermo: "No es nada malo".' "[m]

"Acércalo, por favor, a tu gobernador. ¿Se complacerá él en ti, o te recibirá bondadosamente?", ha dicho Jehová de los ejércitos.

9 "Y ahora, por favor, ablanden el rostro[n] de Dios, para que nos muestre favor.[o] De mano de ustedes ha ocurrido esto. ¿Recibirá él bondadosamente a cualquiera de ustedes?", ha dicho Jehová de los ejércitos.

10 "¿Quién también hay entre ustedes que haya de cerrar las puertas?[p] Y ustedes no encenderán mi altar... para nada.[q] Ningún deleite tengo en ustedes —ha dicho Jehová de los ejérci-

tos—, y en la ofrenda de dádiva de sus manos no me complazco."[a]

11 "Porque desde el nacimiento del sol aun hasta su puesta mi nombre será grande entre las naciones,[b] y en todo lugar se hará humo de sacrificio,[c] una presentación se hará a mi nombre, aun una dádiva limpia;[d] porque mi nombre será grande entre las naciones,[e] ha dicho Jehová de los ejércitos.

12 "Pero ustedes me están profanando[f] al decir: 'La mesa de Jehová es algo contaminado, y su fruto es algo que debe despreciarse, su alimento'.[g] **13** Y han dicho: '¡Mira! ¡Qué aburrimiento!',[h] y han hecho que se le resople —ha dicho Jehová de los ejércitos—. Han traído algo arrancado, y al cojo y al enfermo;[i] sí, [lo] han traído como dádiva. ¿Puedo complacerme en ello de mano de ustedes?",[j] ha dicho Jehová.

14 "Y maldito es el que actúa astutamente cuando existe en su hato un animal macho, y hace un voto y sacrifica uno arruinado a Jehová.[k] Porque yo soy un gran Rey —ha dicho Jehová de los ejércitos—, y mi nombre será inspirador de temor entre las naciones."[m]

2 "Y ahora este mandamiento es para ustedes, oh sacerdotes.[n] **2** Si no quieren escuchar,[o] y si no quieren poner en el corazón[p] el dar gloria a mi nombre[q] —ha dicho Jehová de los ejércitos—, ciertamente también enviaré sobre ustedes la maldición,[r] y ciertamente maldeciré sus bendiciones.[s] Sí, hasta he maldecido la [bendición], porque no están poniéndo[lo] en el corazón."

3 "¡Miren!, voy a reprender por causa de ustedes a la semilla [sembrada],[t] y ciertamente esparciré estiércol so-

CAP. 1
a Job 12:14
Sl 127:1
b Sl 137:7
Isa 34:5
d 1Sl 35:27
d Éx 20:12
Mt 15:4
Mr 10:19
Ef 6:2
e 1Ti 6:1
Tit 2:9
f Éx 4:22
Isa 1:2
Mt 6:9
h Pr 8:13
1Pe 2:17
i Jer 5:31
Jer 23:11
Eze 22:26
Os 4:6
j Le 21:6
k Eze 41:22
1Co 10:21
i 1Sa 2:17
m Le 22:20
Dt 15:21
n Éx 32:11
Jer 26:19
Joe 1:13
Joe 1:14
o Joe 2:17
p 2Cr 23:4
q Jer 6:13
Miq 3:11

2.ª col.
a Isa 1:11
Jer 6:20
Jer 14:12
Am 5:21
b Sl 113:3
Isa 45:6
Isa 59:19
Zac 14:16
c Sl 66:15
Ro 12:1
Heb 13:15
d Isa 66:20
Jn 4:23
e Sl 22:27
Sof 3:9
Mt 28:19
Rev 15:4
f Eze 22:26
g Mal 1:7
h Isa 43:22
Miq 6:3
i Dt 15:21
Dt 17:1
j Le 22:20
Isa 1:13
Mal 2:13
k Hch 5:3
l Sl 47:2
Mt 10:10
Da 9:4
m Sl 76:12
Rev 15:4

CAP. 2
n Lam 4:13
Os 5:1
Mal 1:6
o Le 26:14
Isa 30:9
p Sl 81:11
Isa 42:25
Isa 57:11
q Jer 13:16
r Dt 28:15

s Os 4:7; Ag 1:11; t Os 8:7; Joe 1:17.

bre sus rostros, el estiércol de sus fiestas; y alguien realmente los transportará hacia ello. 4 Y ustedes tendrán que saber que yo les he enviado este mandamiento,[a] para que mi pacto[b] con Leví continúe",[c] ha dicho Jehová de los ejércitos.

5 "En cuanto a mi pacto, resultó estar con él, [uno] de vida y de paz,[d] y seguí dándolos a él, con temor. Y él continuó temiéndome;[e] sí, debido a mi nombre él mismo se sobrecogió de terror.[f] 6 La ley misma de la verdad resultó estar en su boca,[g] y no se halló injusticia en sus labios. En paz y rectitud anduvo conmigo,[h] y muchos fueron aquellos a quienes hizo volver del error.[i] 7 Porque los labios de un sacerdote son los que deben guardar el conocimiento, y [la] ley es lo que la gente debe buscar de su boca;[j] porque es el mensajero de Jehová de los ejércitos.[k]

8 "Pero ustedes... ustedes se han desviado del camino.[l] Ustedes han hecho que muchos tropiecen en la ley.[m] Ustedes han arruinado el pacto de Leví —ha dicho Jehová de los ejércitos—. 9 Y yo también, por mi parte, ciertamente haré que ustedes sean despreciados y bajos para todo el pueblo,[o] según no estaban guardando mis caminos, sino que estaban mostrando parcialidad en la ley."[p]

10 ¿No es un solo padre el que todos nosotros tenemos?[q] ¿No es un solo Dios el que nos ha creado?[r] ¿Por qué tratamos traidoramente unos con otros,[s] al profanar el pacto de nuestros antepasados?[t] 11 Judá ha tratado traidoramente, y una cosa detestable se ha cometido en Israel y en Jerusalén;[u] porque Judá ha profanado la santidad de Jehová,[v] que Él ha amado, y ha tomado posesión de la hija de un dios extranjero como novia.[w] 12 Jehová cortará [de la exis-

CAP. 2
a Jer 28:9
  Eze 33:33
b Ex 40:15
c Nú 3:6
  Nú 18:23
  Eze 44:15
d Sl 119:165
e Sl 119:9
  Sl 111:10
f Sl 111:9
g 2Cr 17:9
  Eze 44:24
h Ex 32:26
i Snt 5:20
j Le 10:11
  Dt 24:8
  2Cr 15:3
  Ne 8:8
k Ag 1:13
l Isa 1:4
  Isa 30:9
  Heb 3:12
m Jer 18:15
  Lu 11:52
n Ne 13:29
o Isa 2:30
  Miq 3:7
p Le 19:15
  Dt 1:17
  Dt 16:19
  Snt 2:9
q 1Co 8:6
  Ef 4:6
r Gé 2:7
  Sl 100:3
  Hch 17:25
s Ne 5:8
  Miq 7:2
t Jos 23:16
u Jer 7:10
v Le 20:26
w Dt 3:6
  Jue 3:6
  1Re 11:1
  Ne 13:23

2.ᵃ col.
a Nú 15:31
b 1Sa 15:22
  Am 5:22
c Pr 21:27
  Isa 1:11
d Jer 8:12
e Pr 5:18
  Ec 9:9
f Pr 2:17
  Mt 19:5
g Gé 3:15
  Hch 3:25
  Gál 3:16
h Pr 25:28
  Dt 22:13
j Gé 2:24
  Sl 92:14
  Sl 19:8
  Mr 10:9
k Sl 11:5
  Isa 59:6
l Jer 5:11
  Os 5:7
  Mal 2:10
m Isa 1:15
  Isa 7:13
  Isa 43:24
  Jer 15:6
n Pr 30:12
  Eze 18:29
o Dt 32:4
  Sl 37:28
  Isa 58:2

tencia] a cada uno que lo hace,[a] al que está despierto y al que está respondiendo, de las tiendas de Jacob, y al que presenta una ofrenda de dádiva[b] a Jehová de los ejércitos."

13 "Y esta es la segunda cosa que ustedes hacen, [lo que resulta en que] se cubra de lágrimas el altar de Jehová, con lloro y suspiro, de modo que ya no hay un volverse hacia la ofrenda de dádiva o un complacerse [en nada] de mano de ustedes.[c] 14 Y ustedes han dicho: ¿A causa de qué?.[d] A causa de esto: de que Jehová mismo ha dado testimonio entre ti y la esposa de tu juventud,[e] con la cual tú mismo has tratado traidoramente, aunque ella es tu socia y la esposa de tu pacto.[f] 15 Y hubo uno que no [lo] hizo, porque tenía lo que quedaba de[l] espíritu. ¿Y qué buscaba ése? La descendencia de Dios.[g] Y ustedes tienen que guardarse respecto a su espíritu,[h] y con la esposa de tu juventud que nadie trate traidoramente.[i] 16 Porque él ha odiado un divorciarse[j] —ha dicho Jehová el Dios de Israel—; y al que con violencia ha cubierto su prenda de vestir[k] —ha dicho Jehová de los ejércitos—. Y tienen que guardarse respecto a su espíritu, y no deben tratar traidoramente.[l]

17 "Ustedes han fatigado a Jehová con sus palabras,[m] y han dicho: '¿De qué manera [lo] hemos fatigado?'. Al decir: 'Todo el que está haciendo lo malo es bueno a los ojos de Jehová, y en esos él mismo se ha deleitado';[n] o: '¿Dónde está el Dios de justicia?'."[o]

3 "¡Miren!, envío mi mensajero,[p] y él tiene que despejar un camino delante de mí.[q] Y súbitamente vendrá a Su templo[r] el

CAP. 3   p Mt 11:10; Lu 1:76; Jn 1:6; q Mt 3:3;
Mr 1:3; Jn 1:23; Jn 3:28; Hch 13:24; Hch 19:4;
r Mt 21:12.

Señor [verdadero],[a] a quien ustedes buscan, y el mensajero[b] del pacto[c] en quien se deleitan.[d] ¡Miren! Ciertamente vendrá", ha dicho Jehová de los ejércitos.[e]

2 "Pero ¿quién estará soportando el día de su venida,[f] y quién será el que se mantendrá en pie cuando él aparezca?[g] Porque él será como el fuego de un refinador[h] y como la lejía[i] de los lavanderos.[j] 3 Y tendrá que sentarse como refinador y limpiador de plata[k] y tendrá que limpiar a los hijos de Leví;[l] y tendrá que clarificarlos como oro[m] y como plata, y ellos ciertamente llegarán a ser para Jehová personas que presenten una ofrenda de dádiva[n] en justicia. 4 Y la ofrenda de dádiva de Judá y de Jerusalén realmente será agradable a Jehová,[o] como en los días de mucho tiempo atrás y como en los años de la antigüedad.[p]

5 "Y ciertamente me acercaré a ustedes para el juicio,[q] y ciertamente llegaré a ser testigo[r] veloz contra los hechiceros,[s] y contra los adúlteros,[t] y contra los que juran falsamente,[u] y contra los que actúan fraudulentamente con el salario del trabajador asalariado,[v] con [la] viuda[w] y con [el] huérfano de padre,[x] y los que apartan al residente forastero,[y] mientras que no me han temido",[z] ha dicho Jehová de los ejércitos.

6 "Porque yo soy Jehová; no he cambiado.[a] Y ustedes son hijos de Jacob; ustedes no se han acabado.[b] 7 Desde los días de sus antepasados se han desviado de mis disposiciones reglamentarias y no [las] han guardado.[c] Vuelvan a mí, y yo ciertamente volveré a ustedes",[d] ha dicho Jehová de los ejércitos.

Y ustedes han dicho: "¿De qué manera volveremos?".

8 "¿Robará el hombre terrestre a Dios? Pero ustedes me están robando."

Y ustedes han dicho: "¿De qué manera te hemos robado?".

"En las décimas partes y en las contribuciones. 9 Con la maldición [me] están maldiciendo,[a] y a mí me roban... la nación entera. 10 Traigan todas las décimas partes[b] al almacén, para que llegue a haber alimento en mi casa;[c] y pruébenme, por favor, en cuanto a esto[d] —ha dicho Jehová de los ejércitos—, a ver si no les abro las compuertas de los cielos[e] y realmente vacío sobre ustedes una bendición hasta que no haya más carencia."[f]

11 "Y ciertamente reprenderé por ustedes al devorador,[g] y este no les arruinará el fruto del suelo, ni les resultará sin fruto la vid del campo",[h] ha dicho Jehová de los ejércitos.

12 "Y todas las naciones tendrán que pronunciarlos felices,[i] porque ustedes mismos llegarán a ser una tierra de deleite",[j] ha dicho Jehová de los ejércitos.

13 "Fuertes han sido sus palabras contra mí",[k] ha dicho Jehová.

Y ustedes han dicho: "¿Qué hemos hablado unos con otros contra ti?".[l]

14 "Ustedes han dicho: 'De ningún valor es servir a Dios.[m] Y ¿qué provecho hay en que hayamos guardado la obligación a él, y que hayamos andado contristados por causa de Jehová de los ejércitos?[n] 15 Y en la actualidad pronunciamos feliz a la gente presuntuosa.[o] También, los que hacen iniquidad han sido edificados.[p] También, han puesto a prueba a Dios y siguen escapando'.[q]

16 En aquel tiempo los que estaban en temor de Jehová[r] hablaron unos con otros, cada uno con su compañero, y Jehová siguió prestando atención y escuchando.[s] Y un libro de recuerdo

CAP. 3

a Ef 4:5
b Isa 63:9
  Mt 15:24
  Lu 1:69
c Éx 2:24
  Lu 1:72
d Jn 12:19
e Isa 44:26
f Am 5:18
g Mt 24:13
  Jer 21:36
h Da 11:35
  De 12:10
  1Co 3:13
i Jer 2:22
j Isa 1:25
k Sl 66:10
  Pr 25:4
  Zac 13:9
l Jer 33:18
  Rev 1:6
m 1Pe 1:7
n Sl 69:31
  Heb 13:15
  1Pe 2:5
o Mal 1:11
p 2Cr 7:1
  Sl 42
q Heb 10:30
r Miq 1:2
  Rev 22:12
s Rev 21:8
t Jer 29:23
u Éx 20:7
v Sl 62:10
  Pr 14:31
  Snt 5:4
w Dt 24:17
  Lu 20:47
x Isa 1:17
  Snt 1:27
y Éx 23:9
  Zac 7:10
z Pr 8:13
a Isa 43:10
  Isa 46:4
  Snt 1:17
b Sl 105:8
  Lam 3:22
  Ro 11:29
c Pr 9:7
  Ne 9:26
  Hch 7:51
d Dt 4:30
  Jer 3:12
  Zac 1:3
  Snt 4:8

2.ᵃ col.

a Le 24:15
  Isa 8:21
b Le 27:30
  Dt 14:28
c 2Cr 31:11
  Ne 12:44
  Ne 13:10
d 2Co 9:8
e Dt 28:12
  2Re 7:19
f Le 26:10
  2Cr 31:10
  Pr 3:10
  Pr 10:22
g Joe 1:4
  Am 4:9
  Am 7:1
h Dt 11:14
  Joe 2:24
  Zac 8:12
i Sl 72:17
  Isa 61:9
j Isa 62:4
k Isa 5:13
  Isa 28:14

l Job 40:8; Mal 1:6; m Job 21:15; Sl 73:13; Isa 58:3; Sof 1:12; n Zac 7:5; Job 34:9; o Sl 10:3; Sl 49:18; p Jer 12:1; q Ec 8:11; r Gé 22:12; Sl 66:16; Hch 9:31; Rev 15:4; s Mt 18:19.

empezó a ser escrito delante de él[a] para los que estaban en temor de Jehová y para los que pensaban en su nombre.[b]

17 "Y ciertamente llegarán a ser míos[c] —ha dicho Jehová de los ejércitos— en el día en que produzca una propiedad especial.[d] Y ciertamente les mostraré compasión, tal como un hombre muestra compasión a su hijo que le sirve.[e]   18 Y ustedes ciertamente verán de nuevo [la distinción] entre uno justo y uno inicuo,[f] entre uno que sirve a Dios y uno que no le ha servido."[g]

4 "Porque, ¡miren!, viene el día que está ardiendo como el horno,[h] y todos los presuntuosos y todos los que hacen iniquidad tienen que llegar a ser como rastrojo.[i] Y el día que viene ciertamente los devorará —ha dicho Jehová de los ejércitos—, de modo que no les dejará raíz ni rama mayor.[j]   2 Y a ustedes los que están en temor de mi nombre el sol de la justicia ciertamente brillará,[a] con curación en sus alas;[b] y realmente saldrán y escarbarán el suelo como becerros engordados."[c]

3 "Y ustedes ciertamente pisotearán a [los] inicuos, porque ellos llegarán a ser como polvo debajo de las plantas de sus pies el día en que voy a actuar",[d] ha dicho Jehová de los ejércitos.

4 "Recuerden la ley de Moisés mi siervo con la cual le mandé en Horeb acerca de todo Israel, hasta disposiciones reglamentarias y decisiones judiciales.[e]

5 "¡Miren! Les envío a Elías el profeta[f] antes de la venida del día de Jehová, grande e inspirador de temor.[g]   6 Y él tendrá que volver el corazón de padres hacia hijos, y el corazón de hijos hacia padres; para que yo no venga y realmente hiera la tierra con un dar[la] por entero a la destrucción."[h]

CAP. 3
a Sl 56:8
  Sl 69:28
  Sl 139:16
b Sl 20:7
  Isa 26:8
c Jer 31:33
  Jn 17:9
d Isa 62:3
  1Pe 2:9
e Sl 103:13
f Sl 58:11
  Ro 2:6
g Da 12:3
  Mt 13:43

CAP. 4
h Sl 21:9
  Sof 2:2
  Mt 13:42
  2Te 1:8
  2Pe 3:7
i Éx 15:7
  Isa 5:24
  Abd 18
  Mt 3:12
j Os 9:16
  Am 2:9

2.ª col.
a Isa 30:26
  Lu 1:78
  Ef 5:14
b Sl 147:3
  Jer 30:17
  Jer 33:6
c Isa 49:9
d Gé 3:15
  Miq 7:10
  Zac 10:5
  Ro 16:20

---

e Dt 4:5; Sl 119:4; Sl 147:19; f Isa 40:3; Mt 11:14; Mr 9:11; g Joe 2:31; Heh 2:20; 2Pe 3:10; h Dt 29:20; Zac 14:11; Lu 1:17.

(Fin de la traducción de las Escrituras Hebreoarameas, a la que sigue la de las Escrituras Griegas Cristianas)

MATEO

1 El libro de la historia[a] de Jesucristo, hijo de David,[b] hijo de Abrahán:[c]

2 Abrahán llegó a ser padre de Isaac;[d]

Isaac llegó a ser padre de Jacob;[e]

Jacob llegó a ser padre de Judá[f] y de sus hermanos;

3 Judá llegó a ser padre de Pérez[g] y de Zérah mediante Tamar;

Pérez llegó a ser padre de Hezrón;[h]

Hezrón llegó a ser padre de Ram;[i]

4 Ram llegó a ser padre de Aminadab;

Aminadab llegó a ser padre de Nahsón;[j]

Nahsón llegó a ser padre de Salmón;[k]

5 Salmón llegó a ser padre de Boaz mediante Rahab;[l]

Boaz llegó a ser padre de Obed mediante Rut;[m]

Obed llegó a ser padre de Jesé;[n]

6 Jesé llegó a ser padre de David[o] el rey.[p]

David llegó a ser padre de Salomón[q] mediante la esposa de Urías;

7 Salomón llegó a ser padre de Rehoboam;[r]

Rehoboam llegó a ser padre de Abías;

Abías[s] llegó a ser padre de Asá;[t]

8 Asá llegó a ser padre de Jehosafat;[u]

Jehosafat llegó a ser padre de Jehoram;[v]

Jehoram llegó a ser padre de Uzías;

9 Uzías llegó a ser padre de Jotán;

Jotán[w] llegó a ser padre de Acaz;[x]

Acaz llegó a ser padre de Ezequías;[y]

10 Ezequías llegó a ser padre de Manasés;[a]

Manasés[b] llegó a ser padre de Amón;[c]

Amón[d] llegó a ser padre de Josías;

11 Josías[e] llegó a ser padre de Jeconías[f] y de sus hermanos al tiempo de la deportación a Babilonia.[g]

12 Después de la deportación a Babilonia, Jeconías llegó a ser padre de Sealtiel;[h]

Sealtiel llegó a ser padre de Zorobabel;[i]

13 Zorobabel llegó a ser padre de Abiud;

Abiud llegó a ser padre de Eliaquim;

Eliaquim llegó a ser padre de Azor;

14 Azor llegó a ser padre de Sadoc;

Sadoc llegó a ser padre de Aquim;

Aquim llegó a ser padre de Eliud;

15 Eliud llegó a ser padre de Eleazar;

Eleazar llegó a ser padre de Mattán;

Mattán llegó a ser padre de Jacob;

16 Jacob llegó a ser padre de José, el esposo de María, de la cual nació Jesús,[j] a quien se llama Cristo.[k]

17 Todas las generaciones, pues, desde Abrahán hasta David fueron catorce generaciones, y desde David hasta la deportación a Babilonia, catorce generaciones, y desde la deportación a Babilonia hasta el Cristo, catorce generaciones.

18 Pero el nacimiento de Jesucristo fue de esta manera. Durante el tiempo en que su madre María estaba comprometida[l] para casarse con José, se halló que estaba encinta por espíritu

CAP. 1

a Gé 5:1
b 1Cr 17:11
Mt 9:27
Lu 1:32
c Gé 22:18
d Gé 21:3
1Cr 1:28
Lu 3:34
e Gé 25:26
1Cr 1:34
f Gé 29:35
g Gé 38:29
1Cr 2:4
h Rut 4:18
Lu 3:33
i 1Cr 2:9
j Nú 2:3
Rut 4:20
1Cr 2:10
Lu 3:32
k 1Cr 2:11
l Jos 2:1
m Rut 4:13
n 1Cr 2:12
o Rut 4:17
1Cr 2:15
p 2Sa 5:4
q 2Sa 12:24
1Cr 3:5
Lu 3:31
r 1Re 11:43
s 1Cr 3:10
t 2Cr 14:1
u 1Re 15:24
v 1Cr 3:11
2Cr 21:1
w 2Re 15:32
x 2Re 15:38
y 2Re 18:1
1Cr 3:13

2.ª col.

a 2Re 20:21
b 2Re 21:18
c 2Cr 33:20
d 2Re 21:24
1Cr 3:14
e 2Re 23:34
f 1Cr 3:15
1Cr 3:16
Jer 28:4
g 2Re 24:15
2Cr 36:10
Jer 27:20
Jer 29:2
h 1Cr 3:17
1Cr 3:27
i 1Cr 3:19
Esd 3:2
Ne 12:1
Lu 3:27
j Mt 13:55
Mr 6:3
k Mt 27:17
l Lu 1:27

santo[a] antes que se unieran. 19 Sin embargo, José su esposo, porque era justo y no quería hacer de ella un espectáculo público,[b] tenía la intención de divorciarse[c] de ella secretamente. 20 Pero después de haber reflexionado acerca de estas cosas, ¡mire!, el ángel de Jehová se le apareció en un sueño, y dijo: "José, hijo de David, no tengas miedo de llevar a María tu esposa a casa, porque lo que ha sido engendrado en ella es por espíritu santo.[d] 21 Dará a luz un hijo, y tienes que ponerle por nombre Jesús,[e] porque él salvará[f] a su pueblo[g] de sus pecados".[h] 22 Todo esto realmente pasó para que se cumpliera lo que Jehová había hablado[i] por su profeta,[j] que dijo: 23 "¡Miren! La virgen[k] quedará encinta y dará a luz un hijo, y le pondrán por nombre Emmanuel",[l] que, traducido, significa: "Con Nosotros Está Dios".[m]

24 Entonces José, despertando de su sueño, hizo como el ángel de Jehová le había indicado, y llevó a casa a su esposa. 25 Pero no tuvo coito[n] con ella hasta que ella dio a luz un hijo;[o] y él le puso por nombre Jesús.[p]

2 Después que Jesús hubo nacido en Belén[q] de Judea en los días de Herodes[r] el rey, ¡mire!, astrólogos[s] de las partes orientales vinieron a Jerusalén, 2 diciendo: "¿Dónde está el que nació rey[t] de los judíos? Porque vimos su estrella[u] [cuando estábamos] en el Oriente, y hemos venido a rendirle homenaje". 3 Al oír esto, el rey Herodes se agitó, y toda Jerusalén junto con él; 4 y, habiendo reunido a todos los sacerdotes principales y a los escribas del pueblo, se puso a inquirir de ellos dónde había de nacer el Cristo. 5 Ellos le dijeron: "En Belén[v] de Judea; porque así ha sido escrito por medio del profeta: 6 'Y tú, oh Belén[w] de la tierra de Judá, de ninguna manera eres la [ciudad] más insignifi-

cante entre los gobernadores de Judá; porque de ti saldrá uno que gobierne,[a] que pastoreará[b] a mi pueblo, Israel' ".

7 Entonces Herodes mandó llamar secretamente a los astrólogos y averiguó cuidadosamente de ellos el tiempo en que la estrella había aparecido; 8 y, al enviarlos a Belén, dijo: "Vayan y hagan una búsqueda cuidadosa del niñito, y cuando lo hayan hallado vuelvan e infórmenme, para que yo también vaya y le rinda homenaje".[c] 9 Habiendo oído al rey, ellos siguieron su camino; y, ¡mire!, la estrella que habían visto [cuando estaban] en el Oriente[d] iba delante de ellos, hasta que llegó y se detuvo encima de donde estaba el niñito. 10 Al ver la estrella, verdaderamente se regocijaron mucho. 11 Y cuando entraron en la casa vieron al niñito con María su madre, y, cayendo, le rindieron homenaje. También abrieron sus tesoros y le presentaron regalos: oro, olíbano y mirra. 12 Sin embargo, porque en un sueño se les dio advertencia divina[e] de que no volvieran a Herodes, se retiraron a su país por otro camino.

13 Después que se hubieron retirado, ¡mire!, el ángel de Jehová[f] se apareció en un sueño a José, y dijo: "Levántate, toma al niñito y a su madre, y huye a Egipto, y quédate allá hasta que yo te diga; porque Herodes está para buscar al niñito para destruirlo". 14 De modo que él se levantó y tomó consigo al niñito y a su madre, de noche, y se retiró a Egipto, 15 y se quedó allá hasta el fallecimiento de Herodes, para que se cumpliera[g] lo que Jehová había hablado por su profeta, que dijo: "De Egipto[h] llamé a mi hijo".

16 Entonces Herodes, viendo que los astrólogos habían resultado más astutos que él, se enfureció mucho, y envió e hizo que eliminaran a todos los muchachitos en Belén y en todos sus distritos, de dos años de edad para abajo, conforme al tiem-

---

CAP. 1
a Lu 1:35

b Dt 22:23

c Dt 24:1

d Lu 1:35

e Mt 1:25
Lu 1:31
Lu 2:21

f Lu 2:30
Heb 7:25

g Hch 5:31

h Jn 1:29
Hch 4:12
Ef 1:7
1Pe 2:24

i Isa 55:11

j Snt 5:10
2Pe 1:21

k Isa 7:14

l Isa 8:8

m Isa 8:10

n Lu 1:34

o Lu 2:7

p Lu 1:31
Lu 2:21

CAP. 2
q Miq 5:2
Lu 2:4

r Lu 1:5

s Da 1:20

t Gé 49:10
Mt 27:37

u Isa 47:13
Mt 2:9

v Jn 7:42

w Miq 5:2

2.ª col.
a Isa 44:28

b 2Sa 5:2

c Sl 37:12
Pr 10:11

d Mt 2:2

e Mt 2:22

f Mt 1:20
Mt 2:19

g Mt 5:17

h Os 11:1

po que había averiguado cuidadosamente de los astrólogos.[a] 17 Entonces se cumplió lo que se había hablado por medio de Jeremías el profeta, que dijo: 18 "Se oyó una voz en Ramá,[b] llanto y gran plañido; era Raquel[c] que lloraba a sus hijos, y no quiso ser consolada, porque ya no son".

19 Cuando Herodes hubo fallecido, ¡mire!, el ángel de Jehová se apareció en un sueño[d] a José en Egipto, 20 y dijo: "Levántate, toma al niñito y a su madre, y ponte en camino a la tierra de Israel, porque han muerto los que buscaban el alma del niñito". 21 De modo que él se levantó y tomó al niñito y a su madre y entró en la tierra de Israel. 22 Mas al oír que Arquelao reinaba en Judea en vez de su padre Herodes, le dio miedo partir para allá. Además, habiéndosele dado advertencia divina en un sueño,[e] se retiró al territorio de Galilea,[f] 23 y vino y moró en una ciudad de nombre Nazaret,[g] para que se cumpliera lo que se habló por medio de los profetas: "Será llamado Nazareno".[h]

3 En aquellos días vino Juan el Bautista[i] predicando en el desierto[j] de Judea, 2 y decía: "Arrepiéntanse,[k] porque el reino de los cielos se ha acercado".[l] 3 Este, de hecho, es aquel de quien se habló por medio de Isaías el profeta[m] con estas palabras: "¡Escuchen! Alguien clama en el desierto: ¡Preparen[n] el camino de Jehová! Hagan rectas las veredas de él' ". 4 Pero este mismo Juan tenía su ropa de pelo de camello,[o] y un cinturón de cuero[p] alrededor de los lomos; su alimento también era langostas insectiles[q] y miel[r] silvestre. 5 Entonces Jerusalén y toda Judea y toda la comarca del Jordán salían a donde él, 6 y eran bautizados por él en el río Jordán,[s] y confesaban abiertamente sus pecados.

7 Cuando alcanzó a ver a mu-

chos de los fariseos y saduceos[a] que venían al bautismo, les dijo: "Prole de víboras,[b] ¿quién los ha intimado a huir de la ira venidera?[c] 8 Pues, produzcan fruto propio del arrepentimiento;[d] 9 y no se atrevan a decir dentro de sí: 'Por padre tenemos a Abrahán'.[e] Porque les digo que de estas piedras Dios puede levantar hijos a Abrahán.[f] 10 Ya el hacha[g] yace a la raíz de los árboles; por eso, todo árbol que no produce fruto excelente ha de ser cortado[h] y echado al fuego.[i] 11 Yo, por mi parte, los bautizo con agua[j] a causa de su arrepentimiento;[k] pero el que viene[l] después de mí es más fuerte que yo, y no soy digno de quitarle las sandalias.[m] Ese los bautizará con espíritu santo[n] y con fuego.[o] 12 Su aventador está en su mano, y limpiará completamente su era, y recogerá su trigo en el granero,[p] mas la paja la quemará[q] con fuego que no se puede apagar.

13 Entonces Jesús vino de Galilea[r] al Jordán a Juan, para ser bautizado[s] por él. 14 Pero este trató de impedírselo, diciendo: "Yo soy el que necesito ser bautizado por ti, ¿y vienes tú a mí?". 15 En respuesta Jesús le dijo: "Deja que sea, esta vez, porque de esa manera nos es apropiado llevar a cabo todo lo que es justo".[t] Entonces él dejó de impedírselo. 16 Después que Jesús fue bautizado, inmediatamente salió del agua; y, ¡mire!, los cielos se abrieron,[u] y él vio descender como paloma[v] el espíritu de Dios que venía sobre él.[w] 17 ¡Mire! También hubo una voz[x] desde los cielos que decía: "Este es mi Hijo,[y] el amado,[z] a quien he aprobado".[a]

4 Entonces Jesús fue conducido por el espíritu al desierto[b] para ser tentado[c] por el Diablo. 2 Después que hubo ayu-

CAP. 2
a Mt 2:7
b Jer 31:15
Jer 31:16
c Gé 35:19
d Mt 1:20
e Mt 2:12
f Mr 1:9
Lu 2:39
g Lu 2:51
Jn 1:45
h Isa 11:1
Isa 53:2
Jer 23:5
Zac 3:8

CAP. 3
i Mt 1:4
Jn 1:6
j Mt 11:7
k Lu 3:3
l Mt 4:17
m Mr 1:2
Jn 1:23
n Isa 40:3
o 2Re 1:8
p Mr 1:6
q Le 11:22
r 1Sa 14:27
Pr 24:13
s Mr 1:5
Mr 1:9

2.ª col.
a Mr 12:18
Lu 7:30
b Sl 58:4
Mt 12:34
c Mt 23:33
Lu 3:7
Lu 21:23
Ro 2:5
Rev 6:17
d Hch 26:20
e Jn 8:33
Jn 8:39
f Ro 4:12
g Lu 3:9
h Mt 7:19
Lu 13:6
i Jn 15:6
j Jn 1:33
Hch 1:5
Hch 11:16
k Hch 13:24
Hch 19:4
l Mt 11:3
Jn 1:15
m Mr 1:7
Jn 1:27
Hch 13:25
n Jn 1:33
Hch 2:4
1Co 12:13
o Lu 3:16
p Mt 13:30
q Jer 15:7
Mal 4:1
Lu 3:17
r Mr 1:9
s Lu 3:21
t Mt 5:17
Mt 5:17
Heb 10:9
u Eze 1:1
Mr 1:10
Lu 3:21
Hch 7:56
v Jn 1:32

w Isa 11:2; Lu 3:22; Lu 4:18; Hch 10:38; x Jn 12:28; y Gé 22:2; Sl 2:7; Lu 9:35; z Mt 17:5; Lu 3:22; a Isa 42:1; Mt 12:18; 2Pe 1:17; CAP. 4 b Le 16:21; Mr 1:12; Lu 4:1; c Heb 4:15.

nado cuarenta días y cuarenta noches,[a] entonces sintió hambre. 3 También, el Tentador[b] vino y le dijo: "Si eres hijo de Dios,[c] di a estas piedras que se conviertan en panes". 4 Pero en respuesta él dijo: "Está escrito: 'No de pan solamente debe vivir el hombre, sino de toda expresión que sale de la boca de Jehová' ".[d]

5 Entonces el Diablo lo llevó consigo a la ciudad santa,[e] y lo apostó sobre el almenaje del templo 6 y le dijo: "Si eres hijo de Dios, arrójate abajo;[f] porque está escrito: 'A sus ángeles dará encargo acerca de ti, y te llevarán en sus manos, para que nunca des con tu pie contra una piedra' ".[g] 7 Jesús le dijo: "Otra vez está escrito: 'No debes poner a prueba a Jehová tu Dios' ".[h]

8 De nuevo el Diablo lo llevó consigo a una montaña excepcionalmente alta, y le mostró todos los reinos del mundo[i] y su gloria, 9 y le dijo: "Todas estas cosas te las daré[j] si caes y me rindes un acto de adoración".[k] 10 Entonces Jesús le dijo: "¡Vete, Satanás! Porque está escrito: 'Es a Jehová tu Dios a quien tienes que adorar,[l] y es solo a él[m] a quien tienes que rendir servicio sagrado' ".[n] 11 Entonces el Diablo lo dejó,[o] y, ¡mire!, vinieron ángeles y se pusieron a ministrarle.[p]

12 Ahora bien, cuando él oyó que Juan había sido arrestado,[q] se retiró a Galilea.[r] 13 Además, después de salir de Nazaret, vino y se domicilió en Capernaum,[s] a la orilla del mar, en los distritos de Zabulón y Neftalí,[t] 14 para que se cumpliera lo que se habló por medio de Isaías el profeta, que dijo: 15 "¡Oh tierra de Zabulón y tierra de Neftalí, por el camino del mar, al otro lado del Jordán, Galilea[u] de las naciones!, 16 el pueblo sentado en oscuridad[v] vio una gran luz,[w] y en cuanto a los sentados en una región de sombra como de muerte, la luz[x] se levantó[y] sobre ellos". 17 Desde entonces Jesús comenzó a predicar y a decir:

"Arrepiéntanse,[a] porque el reino[b] de los cielos se ha acercado".

18 Andando a lo largo del mar de Galilea, vio a dos hermanos: Simón,[c] a quien llaman Pedro,[d] y Andrés su hermano, que bajaban una red de pescar en el mar, pues eran pescadores. 19 Y les dijo: "Vengan en pos de mí, y los haré pescadores de hombres".[e] 20 Abandonando en seguida las redes,[f] le siguieron. 21 Al seguir adelante de allí también, vio a otros dos[g] [que eran] hermanos: Santiago [hijo] de Zebedeo[h] y Juan su hermano, en la barca con Zebedeo su padre, remendando sus redes, y los llamó. 22 Ellos, dejando en seguida la barca y a su padre, le siguieron.

23 Y recorrió[i] toda Galilea, enseñando en sus sinagogas[k] y predicando las buenas nuevas del reino y curando toda suerte de dolencia[l] y toda suerte de mal entre el pueblo. 24 Y el informe acerca de él salió a toda Siria;[m] y le trajeron todos los que se hallaban mal,[n] los angustiados por diversas dolencias y tormentos, los endemoniados y epilépticos[o] y paralíticos; y él los curó. 25 Por consiguiente, grandes muchedumbres le siguieron de Galilea[p] y de Decápolis y de Jerusalén[q] y de Judea y del otro lado del Jordán.

5 Cuando vio las muchedumbres, subió a la montaña; y después que se sentó, vinieron a él sus discípulos; 2 y él, abriendo la boca, se puso a enseñarles, diciendo:

3 "Felices son los que tienen conciencia de su necesidad espiritual,[r] puesto que a ellos pertenece el reino de los cielos.[s]

4 "Felices son los que se lamentan, puesto que ellos serán consolados.[t]

5 "Felices son los de genio apacible,[u] puesto que ellos heredarán la tierra.[v]

CAP. 4
a Éx 34:28
Dt 9:9
1Re 19:8
b Mr 1:13
Lu 4:2
b 1Te 3:5
c Mt 27:40
Lu 4:3
d Dt 8:3
Lu 4:4
Jn 4:34
e Ne 11:1
Isa 52:1
Mt 27:53
f Lu 4:9
g Sl 91:11
Sl 91:12
Lu 4:10
Lu 4:11
h Dt 6:16
Lu 4:12
1Co 10:9
i Mt 16:26
Lu 4:5
1Jn 2:16
Rev 11:15
j Lu 4:6
Lu 4:7
Jn 12:31
2Co 4:4
k Dt 11:16
l Dt 5:9
Rev 22:9
m Dt 6:13
n Dt 10:20
Jos 24:14
Lu 4:8
o Lu 4:13
Snt 4:7
p Lu 22:43
Heb 1:14
q Mt 14:3
Mr 1:14
Mr 6:17
Lu 3:20
r Lu 4:14
s Lu 4:31
Jn 2:12
t Jos 19:32
u Isa 9:1
v Isa 8:22
Isa 9:2
w Lu 1:79
x Jn 1:9
y Isa 9:2

2.ª col.
a Mr 1:15
b Mt 10:7
c Mr 1:16
d Jn 1:42
e Lu 5:10
f Mt 19:28
Lu 18:28
g Mr 1:19
Jn 21:2
h Mt 10:2
Mt 27:56
Mr 3:17
Mr 10:35
i Mt 9:35
Mr 6:6
j Mr 1:14
Mt 9:35
k Lu 4:16
Hch 13:14
l Lu 9:11
Hch 10:38
m Hch 15:41
n Mr 6:55
o Mt 17:15
Mr 1:32
Hch 5:16

p Mr 3:7; q Lu 6:17; CAP. 5 r Lu 6:20; 1Co 2:14; s Snt 2:5; t Isa 12:1; Isa 61:3; Mt 11:28; u 1Ti 6:11; Tit 3:2; v Sl 37:11.

6 "Felices son los que tienen hambre y sed[a] de justicia, puesto que ellos serán saciados.[b]

7 "Felices son los misericordiosos,[c] puesto que a ellos se les mostrará misericordia.

8 "Felices son los de corazón puro,[d] puesto que ellos verán a Dios.[e]

9 "Felices son los pacíficos,[f] puesto que a ellos se les llamará 'hijos[g] de Dios'.

10 "Felices son los que han sido perseguidos[h] por causa de la justicia, puesto que a ellos pertenece el reino de los cielos.

11 "Felices son ustedes cuando los vitaperen[i] y los persigan[j] y mentirosamente digan toda suerte de cosa inicua contra ustedes por mi causa. 12 Regocíjense y salten de gozo,[k] puesto que grande es su galardón[l] en los cielos; porque de esa manera persiguieron a los profetas[m] antes de ustedes.

13 "Ustedes son la sal[n] de la tierra; pero si la sal pierde su fuerza, ¿cómo se le restaurará su salinidad? Ya no sirve para nada, sino para echarla fuera[o] para que los hombres la huellen.

14 "Ustedes son la luz del mundo.[p] No se puede esconder una ciudad cuando está situada sobre una montaña. 15 No se enciende una lámpara y se pone debajo de la cesta de medir,[q] sino sobre el candelero, y alumbra a todos los que están en la casa. 16 Así mismo resplandezca la luz[r] de ustedes delante de los hombres, para que ellos vean sus obras excelentes[s] y den gloria[t] al Padre de ustedes que está en los cielos.

17 "No piensen que vine a destruir la Ley[u] o los Profetas. No vine a destruir, sino a cumplir;[v] 18 porque en verdad les digo que antes pasarían el cielo y la tierra[w] que pasar de modo alguno una letra diminuta o una pizca de una letra de la Ley sin que sucedan todas las cosas.[x] 19 Por eso, cualquiera que quiebre[y] uno

de estos mandamientos más pequeños y enseñe así a la humanidad, será llamado 'más pequeño' con relación al reino de los cielos.[a] En cuanto a cualquiera que los haga y los enseñe,[b] este será llamado 'grande'[c] con relación al reino de los cielos. 20 Porque les digo a ustedes que si su justicia no abunda más que la de los escribas y fariseos,[d] de ningún modo entrarán[e] en el reino de los cielos.

21 "Oyeron que se dijo a los de la antigüedad: 'No debes asesinar,[f] pero quienquiera que cometa un asesinato[g] será responsable al tribunal de justicia.'[h] 22 Sin embargo, yo les digo que todo el que continúe airado[i] con su hermano será responsable[j] al tribunal de justicia; pero quienquiera que se dirija a su hermano con una palabra execrable de desdén será responsable al Tribunal Supremo; mientras que quienquiera que diga: ¡Despreciable necio!, estará expuesto al Gehena de fuego.[k]

23 "Por eso, si estás llevando tu dádiva al altar[l] y allí te acuerdas de que tu hermano tiene algo contra ti,[m] 24 deja tu dádiva allí enfrente del altar, y vete; primero haz las paces con tu hermano,[n] y luego, cuando hayas vuelto, ofrece tu dádiva.[o]

25 "Ocúpate en arreglar prestamente los asuntos con el que se queja contra ti en juicio, mientras estás con él en camino hacia allá, no sea que el querellante[p] te entregue al juez, y el juez al servidor del tribunal, y seas echado en prisión. 26 Te digo en verdad: De seguro no saldrás de allí hasta que hayas pagado la última moneda de ínfimo valor.[q]

27 "Oyeron ustedes que se dijo: 'No debes cometer adulterio'.[r] 28 Pero yo les digo que todo el que sigue mirando a una

CAP. 5
a Isa 55:1
  Lu 6:21
b Jn 6:35
  Rev 7:16
c Mt 6:14
  Mt 18:33
  Snt 2:13
d Sl 24:4
  Sl 73:1
  Pr 22:11
  Tit 1:15
e 1Jn 3:2
f Ro 12:18
  Heb 12:14
  Snt 3:18
g Gál 4:6
h Mr 10:30
  1Pe 3:14
i Mt 10:22
  Lu 6:22
  Snt 1:2
  1Pe 4:14
j Jn 15:20
k Hab 3:18
  Lu 6:23
  Hch 5:41
  Ro 5:3
l Heb 11:6
m 2Cr 36:16
  Mt 23:30
  Lu 6:23
  Hch 7:52
  1Te 2:15
  Heb 11:37
  Snt 5:10
n Mr 9:50
o Lu 14:35
p Isa 51:4
  Jn 3:19
  Jn 8:12
  Jn 9:5
  Jn 12:36
  2Co 6:14
  Flp 2:15
q Mr 4:21
  Lu 11:33
r Ef 5:8
  Flp 2:15
  1Pe 2:9
s Jn 10:32
  Jn 15:8
  Ef 5:9
t 1Pe 2:12
u Ro 3:31
v Lu 4:21
w Mt 24:35
  Lu 16:17
  Lu 21:33
x Isa 40:8
  Isa 55:11
y Snt 2:10

2.ª col.
a Lu 13:28
b Mt 28:20
c Mt 11:11
d Mt 15:9
  Mt 23:23
  Lu 11:42
e Mt 18:3
  Jn 3:5
f Ex 9:6
  Ex 20:13
  Dt 5:17
g Le 24:17
h Dt 17:9
i Ef 4:26
  Col 3:8
  Snt 1:19
  Snt 5:6
j 1Jn 3:15

k 2Re 23:10; Jer 7:31; Mt 10:28; Lu 12:5; l Dt 16:16; Mt 23:19; m Le 19:17; Mr 11:25; Lu 17:3; n Mt 18:15; 1Pe 3:11; o 1Ti 2:8; 1Jn 4:20; p Lu 12:58; Lu 18:3; q Mt 18:34; Lu 12:59; r Ex 20:14; Dt 5:18; Lu 18:20; Ro 13:9.

mujer[a] a fin de tener una pasión por ella ya ha cometido adulterio[b] en su corazón.[c] 29 Ahora bien, si ese ojo derecho tuyo te está haciendo tropezar, arráncalo y échalo de ti.[d] Porque más provechoso te es que uno de tus miembros se pierda y no que todo tu cuerpo sea arrojado[e] en el Gehena. 30 También, si tu mano derecha te está haciendo tropezar, córtala y échala de ti.[f] Porque más provechoso te es que uno de tus miembros se pierda y no que todo tu cuerpo vaya a parar al Gehena.

31 "Además se dijo: 'Cualquiera que se divorcie[g] de su esposa, déle un certificado de divorcio'.[h] 32 Sin embargo, yo les digo: que todo el que se divorcie de su esposa, a no ser por motivo de fornicación,[i] la expone al adulterio;[j] y cualquiera que se case con una divorciada comete adulterio.[k]

33 "También oyeron ustedes que se dijo a los de la antigüedad: 'No debes jurar[l] y no cumplir, sino que tienes que pagar tus votos a Jehová'.[m] 34 Sin embargo, yo les digo: No juren[n] de ninguna manera, ni por el cielo, porque es el trono de Dios;[o] 35 ni por la tierra, porque es el escabel[p] de sus pies; ni por Jerusalén, porque es la ciudad[q] del gran Rey. 36 Ni por tu cabeza debes jurar, porque no puedes volver blanco o negro un solo cabello. 37 Simplemente signifique su palabra Sí, Sí, su No, No;[r] porque lo que excede de esto proviene del inicuo.[s]

38 "Oyeron ustedes que se dijo: 'Ojo por ojo y diente por diente'.[t] 39 Sin embargo, yo les digo: No resistan al que es inicuo; antes bien, al que te dé una bofetada en la mejilla derecha,[u] vuélvele también la otra. 40 Y si alguna persona quiere ir al tribunal contigo y hacerse dueño de tu prenda de vestir interior, deja que se lleve también tu prenda de vestir exterior;[v] 41 y si alguien bajo autoridad te obliga a una milla de servicio, ve con él dos millas.[a] 42 Da al que te pida, y no le vuelvas la espalda al que quiera pedirte prestado [sin interés].[b]

43 "Oyeron ustedes que se dijo: 'Tienes que amar a tu prójimo[c] y odiar a tu enemigo'.[d] 44 Sin embargo, yo les digo: Continúen amando a sus enemigos[e] y orando por los que los persiguen;[f] 45 para que demuestren ser hijos de su Padre que está en los cielos,[g] ya que él hace salir su sol sobre inicuos y buenos y hace llover sobre justos e injustos.[h] 46 Porque si aman a los que los aman, ¿qué galardón tienen?[i] ¿No hacen también la misma cosa los recaudadores de impuestos? 47 Y si saludan a sus hermanos solamente, ¿qué cosa extraordinaria hacen? ¿No hace la misma cosa también la gente de las naciones? 48 Ustedes, en efecto, tienen que ser perfectos, como su Padre celestial es perfecto.[j]

6 "Cuídense mucho para que no practiquen su justicia[k] delante de los hombres a fin de ser observados por ellos; de otra manera no tendrán galardón ante su Padre que está en los cielos. 2 Por eso, cuando andes haciendo dádivas de misericordia,[l] no toques trompeta[m] delante de los hipócritas en las sinagogas y en las calles, para que los hombres los glorifiquen. En verdad: Ellos ya disfrutan de su galardón completo. 3 Mas tú, cuando hagas dádivas de misericordia, no sepa tu mano izquierda lo que hace tu derecha, 4 para que tus dádivas de misericordia sean en secreto; entonces tu Padre que mira en secreto te lo pagará.[n]

5 "También, cuando oren, no deben ser como los hipócritas; porque a ellos les gusta orar de pie[o] en las sinagogas y en las esquinas de los caminos anchos

---

CAP. 5
a Dt 5:21; 2Sa 11:2; Job 31:1
b 1Jn 2:16
c Mr 7:21; Mr 7:23
d Mt 18:8; Lu 11:34
e Mt 18:9; Mr 9:47
f Col 3:5
g Mt 19:3; Mt 10:2
h Dt 24:1; Mt 19:8; Mr 10:4
i Nú 14:33; Jue 19:2; Os 2:5; Mr 7:21; Hch 5:29
j Mr 10:11; Le 16:18
k Mt 19:9
l Le 19:12; Nú 30:2
m Sl 50:14; Sl 50:14; Ec 5:4
n Snt 5:12
o Hch 7:49
p Isa 66:1; Lam 2:1
q Sl 48:2
r 2Co 1:17; Snt 5:12
s Jn 8:44
t Éx 21:24; Le 24:20; Jn 19:21
u Pr 24:29; Isa 50:6; Lam 3:30; Lu 6:29; Jn 18:22; Ro 12:17; 1Pe 2:23
v Lu 6:29; 1Co 6:7

2.ª col.
a Mr 15:21
b Le 25:36; Dt 23:19
c Le 19:18; Mt 12:31
d Éx 23:4
e Pr 25:21; Ro 12:20
f Lu 6:28; Lu 23:34; Hch 7:60; Ro 12:14
g Mt 5:9; Ef 5:1
h Lu 6:35; Hch 14:17
i Lu 6:32
j Le 19:2; Dt 18:13; Lu 6:36; 1Pe 1:16

CAP. 6
k Mt 5:20; Mt 23:5
l Heb 9:36; Hch 10:2; 1Co 13:3
m Lu 18:12; n Pr 19:17; Mt 10:42; o Lu 18:11.

para ser vistos de los hombres.[a] En verdad les digo: Ellos ya disfrutan de su galardón completo. **6** Tú, sin embargo, cuando ores, entra en tu cuarto privado[b] y, después de cerrar tu puerta, ora a tu Padre que está en lo secreto;[c] entonces tu Padre que mira en secreto te lo pagará. **7** Mas al orar, no digas las mismas cosas repetidas veces,[d] así como la gente de las naciones, porque ellos se imaginan que por su uso de muchas palabras se harán oír. **8** Pues bien, no se hagan semejantes a ellos, porque Dios su Padre sabe qué cosas necesitan[e] ustedes hasta antes que se las pidan.

9 "Ustedes, pues, tienen que orar de esta manera:[f]

"'Padre nuestro [que estás] en los cielos, santificado[g] sea tu nombre.[h] **10** Venga tu reino.[i] Efectúese tu voluntad,[j] como en el cielo, también sobre la tierra.[k] **11** Danos hoy nuestro pan para este día;[l] **12** y perdónanos nuestras deudas, como nosotros también hemos perdonado a nuestros deudores.[m] **13** Y no nos metas en tentación,[n] sino líbranos del inicuo'.[o]

14 "Porque si perdonan a los hombres sus ofensas, su Padre celestial también los perdonará a ustedes;[p] **15** mientras que si no perdonan a los hombres sus ofensas, tampoco perdonará su Padre las ofensas de ustedes.[q]

16 "Cuando ayunen,[r] dejen de ponerse de rostro triste como los hipócritas, porque ellos desfiguran su rostro para que a los hombres les parezca que ayunan.[s] En verdad les digo: Ellos ya disfrutan de su galardón completo. **17** Mas tú, cuando ayunes, úntate la cabeza [con aceite] y lávate el rostro,[t] **18** para que no les parezca a los hombres que ayunas, sino a tu Padre que está en lo secreto;[u] entonces tu Padre que mira en secreto te lo pagará.

19 "Dejen de acumular para sí

tesoros[a] sobre la tierra, donde la polilla y el moho consumen, y donde ladrones entran por fuerza y hurtan. **20** Más bien, acumulen para sí tesoros en el cielo,[b] donde ni la polilla ni moho consumen,[c] y donde ladrones no entran por fuerza y hurtan. **21** Porque donde está tu tesoro, allí también estará tu corazón.

22 "La lámpara del cuerpo es el ojo.[d] Por eso, si tu ojo es sencillo, todo tu cuerpo estará brillante; **23** pero si tu ojo es inicuo,[e] todo tu cuerpo estará oscuro. Si en realidad la luz que hay en ti es oscuridad, ¡cuán grande es esa oscuridad![f]

24 "Nadie puede servir como esclavo a dos amos; porque u odiará al uno y amará al otro,[g] o se apegará al uno y despreciará al otro. No pueden ustedes servir como esclavos a Dios y a las Riquezas.[h]

25 "Por esto les digo: Dejen de inquietarse[i] respecto a su alma en cuanto a qué comerán o qué beberán, o respecto a su cuerpo en cuanto a qué se pondrán.[j] ¿No significa más el alma que el alimento, y el cuerpo que la ropa?[k] **26** Observen atentamente las aves[l] del cielo, porque ellas no siembran, ni siegan, ni recogen en graneros; no obstante, su Padre celestial las alimenta. ¿No valen ustedes más que ellas?[m] **27** ¿Quién de ustedes, por medio de inquietarse, puede añadir un codo a la duración de su vida?[n] **28** También, en cuanto al asunto de ropa, ¿por qué se inquietan? Aprendan una lección de los lirios[o] del campo, cómo crecen; no se afanan, ni hilan; **29** pero les digo que ni siquiera Salomón[p] en toda su gloria se vistió como uno de estos. **30** Pues bien, si Dios viste así a la vegetación del campo, que hoy está aquí y mañana se echa al horno, ¿no los vestirá a ustedes con mucha más razón, hombres de poca fe?[a] 31 Por eso, nunca se inquieten[b] y digan: '¿Qué hemos de comer?', o '¿qué hemos de beber?', o '¿qué hemos de ponernos?'. 32 Porque todas estas son las cosas en pos de las cuales las naciones van con empeño. Pues su Padre celestial sabe que ustedes necesitan todas estas cosas.[c]

33 "Sigan, pues, buscando primero el reino y la justicia[d] de [Dios], y todas estas [otras] cosas les serán añadidas.[e] 34 Por lo tanto, nunca se inquieten acerca del día siguiente,[f] porque el día siguiente tendrá sus propias inquietudes. Suficiente para cada día es su propia maldad.

7 "Dejen de juzgar,[g] para que no sean juzgados; 2 porque con el juicio con que ustedes juzgan, serán juzgados;[h] y con la medida con que miden, se les medirá.[i] 3 Entonces, ¿por qué miras la paja [que hay] en el ojo de tu hermano, pero no tomas en cuenta la viga [que hay] en tu propio ojo?[j] 4 O, ¿cómo puedes decir a tu hermano: 'Permíteme extraer la paja de tu ojo'; cuando ¡mira!, una viga hay en tu propio ojo?[k] 5 ¡Hipócrita! Primero extrae la viga de tu propio ojo, y entonces verás claramente cómo extraer la paja del ojo de tu hermano.

6 "No den lo santo a los perros,[l] ni tiren sus perlas delante de los cerdos, para que nunca las huellen[m] bajo los pies, y, volviéndose, los despedacen a ustedes.

7 "Sigan pidiendo,[n] y se les dará; sigan buscando, y hallarán; sigan tocando,[o] y se les abrirá. 8 Porque todo el que pide recibe,[p] y todo el que busca halla, y a todo el que toca se le abrirá. 9 De veras, ¿quién es el hombre entre ustedes a quien su hijo[q] pide pan..., no le dará una

piedra, ¿verdad? 10 O, quizás, le pida un pescado..., no le dará una serpiente, ¿verdad? 11 Por lo tanto, si ustedes, aunque son inicuos,[a] saben dar buenos regalos a sus hijos, ¡con cuánta más razón dará su Padre que está en los cielos cosas buenas[b] a los que le piden!

12 "Por lo tanto, todas las cosas que quieren que los hombres les hagan,[c] también ustedes de igual manera tienen que hacérselas a ellos; esto, de hecho, es lo que significan la Ley y los Profetas.[d]

13 "Entren por la puerta angosta;[e] porque ancho y espacioso es el camino que conduce a la destrucción, y muchos son los que entran por él; 14 mientras que angosta es la puerta y estrecho el camino que conduce a la vida, y pocos son los que la hallan.[f]

15 "Guárdense de los falsos profetas[g] que vienen a ustedes en ropa de oveja,[h] pero por dentro son lobos voraces.[i] 16 Por sus frutos los reconocerán.[j] Nunca se recogen uvas de espinos o higos de cardos, ¿verdad?[k] 17 Así mismo, todo árbol bueno produce fruto excelente, pero todo árbol podrido produce fruto inservible;[l] 18 un árbol bueno no puede dar fruto inservible, ni puede un árbol podrido producir fruto excelente. 19 Todo árbol que no produce fruto excelente llega a ser cortado y echado al fuego.[m] 20 Realmente, pues, por sus frutos reconocerán a aquellos [hombres].[n]

21 "No todo el que me dice: 'Señor, Señor', entrará en el reino de los cielos, sino el que hace[o] la voluntad de mi Padre que está en los cielos.[p] 22 Muchos me dirán en aquel día: 'Señor, Señor,[q] ¿no profetizamos en tu nombre, y en tu nombre expulsamos demonios, y en tu nombre ejecutamos muchas obras poderosas?'.[r] 23 Y sin embargo, en-

CAP. 6
a Mt 8:26
Mt 14:31
Mt 16:8
Lu 12:28
b Lu 10:41
Lu 12:29
c Lu 12:30
d Ro 1:17
Ro 14:17
e Sl 37:25
f Éx 16:4
Éx 16:19

CAP. 7
g Lu 6:37
Ro 2:1
Ro 14:13
1Co 4:5
h Mt 18:34
Snt 2:13
i Mr 4:24
Lu 6:38
Gál 6:7
j Lu 6:41
k Lu 6:42
l Pr 9:7
Pr 15:12
Mt 10:14
n Heb 10:29
n Mr 11:24
Snt 1:5
1Jn 5:14
o Lu 11:9
p Jer 29:12
Jn 14:13
1Jn 3:22
q Lu 11:11

2.ª col.
a Lu 11:13
b Snt 1:17
c Lu 6:31
d Ro 13:10
Gál 5:14
1Ti 1:5
e Lu 13:24
f Hch 14:22
1Pe 4:18
g Mt 24:11
2Pe 2:1
1Jn 4:1
h Lu 6:26
i Eze 22:27
Hch 20:29
j Pr 20:11
Ro 16:17
Gál 5:19
k Gé 1:11
Lu 6:44
Snt 3:12
l Mt 12:33
Lu 6:43
m Mt 3:10
Lu 13:9
Jn 15:2
Tit 3:14
n Mt 12:33
o Mt 21:29
Ro 2:13
Snt 1:22
1Jn 5:3
p 1Jn 2:17
q Lu 6:46
r Jer 14:14
Jer 27:15

tonces les confesaré: ¡Nunca los conocí![a] Apártense de mí, obradores del desafuero.[b]

24 "Por lo tanto, a todo el que oye estos dichos míos y los hace se le asemejará a un varón discreto, que edificó su casa sobre la masa rocosa.[c] 25 Y descendió la lluvia y vinieron las inundaciones y soplaron los vientos y dieron con ímpetu contra aquella casa, pero no se hundió, porque había sido fundada sobre la masa rocosa. 26 Además, a todo el que oye estos dichos míos y no los hace[d] se le asemejará a un varón necio,[e] que edificó su casa sobre la arena. 27 Y descendió la lluvia y vinieron las inundaciones y soplaron los vientos y dieron contra aquella casa,[f] y se hundió, y fue grande su desplome".[g]

28 Ahora bien, cuando Jesús terminó estos dichos, el efecto fue que las muchedumbres quedaron atónitas[h] por su modo de enseñar; 29 porque les enseñaba como persona que tiene autoridad,[i] y no como sus escribas.

8 Después que él hubo bajado de la montaña, grandes muchedumbres le siguieron. 2 Y, ¡mire!, un leproso[j] se acercó y se puso a rendirle homenaje, diciendo: "Señor, si tan solo quieres, puedes limpiarme". 3 De modo que, extendiendo la mano, le tocó, diciendo: "Quiero. Sé limpio".[k] E inmediatamente quedó limpio de la lepra.[l] 4 Entonces Jesús le dijo: "Mira que no lo digas a nadie,[m] sino ve, muéstrate al sacerdote,[n] y ofrece la dádiva[o] que Moisés prescribió, para que les sirva de testimonio".

5 Cuando entró en Capernaum,[p] se le acercó un oficial del ejército y le suplicó, 6 diciendo: "Señor, mi criado está postrado en casa debido a parálisis, terriblemente atormentado". 7 Él le dijo: "Cuando lle-

gue allá lo curaré". 8 Respondiendo, el oficial del ejército dijo: "Señor, no soy hombre digno de que entres debajo de mi techo, pero di tú una sola palabra, y mi criado será sanado. 9 Porque yo también soy hombre puesto bajo autoridad, que tengo soldados bajo mí, y a este digo: '¡Vete!',[a] y se va, y a otro: '¡Ven!', y viene, y a mi esclavo: '¡Haz esto!', y lo hace. 10 Al oír aquello, Jesús se asombró, y dijo a los que le seguían: "Les digo la verdad: No he hallado en Israel a nadie con tan grande fe.[b] 11 Pero les digo que muchos vendrán de las partes orientales y de las partes occidentales[c] y se reclinarán a la mesa con Abrahán e Isaac y Jacob en el reino[d] de los cielos;[e] 12 entre tanto que los hijos del reino[f] serán echados a la oscuridad de afuera. Allí es donde será [su] llanto y el crujir de [sus] dientes".[g] 13 Entonces Jesús dijo al oficial del ejército: "Ve. Tal como ha sido tu fe, así suceda contigo".[h] Y el criado fue sanado en aquella hora.

14 Y Jesús, al entrar en la casa de Pedro, vio a la suegra de este[i] acostada y enferma con fiebre.[j] 15 Por consiguiente, le tocó la mano,[k] y la fiebre la dejó, y ella se levantó y se puso a ministrarle.[l] 16 Pero, al anochecer, la gente le trajo muchos endemoniados; y con una palabra él expulsó a los espíritus, y curó a todos los que se sentían mal; 17 para que se cumpliera lo que se había hablado mediante Isaías el profeta, que dijo: "Él mismo tomó nuestras enfermedades y llevó nuestras dolencias".[m]

18 Viendo Jesús una muchedumbre a su alrededor, mandó partir hacia la otra ribera.[n] 19 Y cierto escriba se acercó y le dijo: "Maestro, te seguiré adondequiera que estés para ir".[o] 20 Pero Jesús le dijo: "Las zorras tienen cuevas, y las aves

CAP. 7
a Lu 13:25
b Sl 6:8
  Lu 13:27
  1Jn 3:4
c Lu 6:47
  Lu 6:48
  Snt 1:25
d Lu 6:49
  Snt 1:23
e Jer 8:9
f Eze 13:13
  1Co 3:13
g Lu 6:49
h Mr 1:22
  Lu 4:32
i Jn 7:46

CAP. 8
j Mr 1:40
  Lu 5:12
k Mr 1:41
l Éx 4:7
  Isa 53:4
m Mt 9:30
  Mt 12:16
  Mr 7:36
  Lu 5:14
n Le 13:49
  Le 14:2
  Lu 17:14
o Le 14:4
  Le 14:20
  Mr 1:44
  Lu 5:14
p Lu 7:1

2.ª col.
a Hch 10:7
b Mt 15:28
  Lu 7:9
c Isa 49:12
d Lu 13:29
e Mt 11:12
f Mt 25:30
g Mt 22:13
  Mt 24:51
  Lu 13:28
h Mt 9:29
  Mt 15:28
  Mr 9:23
  Lu 7:10
i 1Co 9:5
j Mr 1:30
  Lu 4:38
k Mr 5:41
  Hch 3:7
l Mr 1:31
  Lu 4:38
  Lu 4:39
m Isa 53:4
  Jn 1:29
n Mr 4:35
  Lu 8:22
o Lu 9:57

del cielo tienen donde posarse, pero el Hijo del hombre no tiene dónde recostar la cabeza".[a] 21 Entonces otro de los discípulos le dijo: "Señor, permíteme primero ir y enterrar a mi padre". 22 Jesús le dijo: "Continúa siguiéndome, y deja que los muertos entierren a sus muertos".[b]

23 Y cuando hubo subido en una barca,[c] le siguieron sus discípulos. 24 Ahora bien, ¡mire!, se levantó una gran agitación en el mar, de modo que las olas cubrían la barca; él, sin embargo, dormía.[d] 25 Y ellos vinieron y lo despertaron,[e] diciendo: "¡Señor, sálvanos, estamos a punto de perecer!". 26 Pero él les dijo: "¿Por qué se acobardan, hombres de poca fe?".[f] Entonces, levantándose, reprendió a los vientos y el mar, y sobrevino una gran calma.[g] 27 Por consiguiente, los hombres se asombraron, y dijeron: "¿Qué clase de persona es esta,[h] que hasta los vientos y el mar lo obedecen?".

28 Cuando llegó al otro lado, al país de los gadarenos,[i] le encontraron dos hombres —poseídos de demonios[j]— que salían de entre las tumbas conmemorativas, feroces en extremo, de modo que nadie tenía ánimo para pasar por aquel camino. 29 Y, ¡mire!, gritaron, diciendo: "¿Qué tenemos que ver contigo, Hijo de Dios?[k] ¿Viniste aquí a atormentarnos[l] antes del tiempo señalado?".[m] 30 Pero muy lejos de ellos había una piara de muchos cerdos paciendo. 31 De modo que los demonios le suplicaban, diciendo: "Si nos expulsas, envíanos a la piara de cerdos".[n] 32 Por consiguiente, les dijo: "¡Vayan!". Ellos salieron y se fueron a los cerdos; y, ¡mire!, toda la piara se precipitó por el despeñadero al mar, y murió en las aguas.[o] 33 Pero los porquerizos huyeron y, yéndose a la ciudad, informaron todo, incluso el asunto de los hombres po-

seídos de demonios. 34 Y, ¡mire!, toda la ciudad salió al encuentro de Jesús; y, habiéndolo visto, le instaron con ahínco a que se saliera de sus distritos.[a]

9 Por lo tanto, subiendo a la barca, prosiguió a cruzar, y entró en su propia ciudad.[b] 2 Y, ¡mire!, le traían un paralítico acostado en una cama.[c] Al ver la fe de ellos, Jesús dijo al paralítico: "Cobra ánimo, hijo; tus pecados te son perdonados".[d] 3 Y, ¡mire!, algunos de los escribas dijeron dentro de sí: "Este blasfema".[e] 4 Y Jesús, conociendo los pensamientos de ellos,[f] dijo: "¿Por qué piensan cosas inicuas en sus corazones?[g] 5 Por ejemplo, ¿qué es más fácil?, ¿decir: Tus pecados te son perdonados?, ¿o decir: Levántate y anda?[h] 6 Sin embargo, para que sepan que el Hijo del hombre tiene autoridad en la tierra para perdonar pecados[i]... —dijo entonces al paralítico: Levántate, toma tu cama y vete a tu casa".[j] 7 Y él se levantó y se fue a su casa. 8 Al ver esto, las muchedumbres fueron sobrecogidas de temor, y glorificaron a Dios,[k] que había dado tal autoridad[l] a los hombres.

9 Luego, al ir pasando de allí, Jesús alcanzó a ver a un hombre, cuyo nombre era Mateo, sentado en la oficina de los impuestos, y le dijo: "Sé mi seguidor".[m] En seguida este se levantó y le siguió.[n] 10 Más tarde, estando él en la casa[o] reclinado a la mesa, ¡mire!, muchos recaudadores de impuestos y pecadores vinieron y empezaron a reclinarse con Jesús y sus discípulos. 11 Pero al ver esto, los fariseos se pusieron a decir a sus discípulos: "¿Por qué come su maestro con los recaudadores de impuestos y pecadores?".[p] 12 Como [los] oyó, él dijo: "Las personas en salud no necesitan médico,[q] pero los enfermizos sí. 13 Vayan, pues, y aprendan lo que esto sig-

CAP. 8
a Lu 9:58
  2Co 8:9
b Lu 9:60
  Jn 1:43
  Ro 6:13
c Mr 4:36
d Sl 4:8
  Lu 8:23
e Mr 4:38
f Mt 14:31
  Mr 4:40
g Sl 65:7
  Sl 89:9
  Sl 107:29
  Lu 8:25
h Mr 4:41
i Lu 8:26
j Mr 5:2
  Lu 8:27
k 1Re 17:18
  Lu 4:34
  Lu 4:41
  Lu 8:28
l Mr 1:24
  Snt 2:19
m Jud 6
n Dt 14:8
  Isa 65:4
o Mr 5:13
  Lu 8:33

2.ª col.
a Mr 5:17
  Lu 8:37
  Hch 16:39

CAP. 9
b Mt 4:13
  Mr 2:1
  Lu 8:37
c Mr 2:3
  Lu 5:18
  Lu 5:19
d Mr 2:5
  Mr 2:9
  Lu 5:20
e Mt 26:65
  Mr 2:7
  Lu 5:21
f Mt 12:25
  Mr 2:8
g Zac 8:17
  Jn 2:25
h Mr 2:9
i Mr 2:10
  Lu 5:24
j Mr 2:11
  Jn 5:8
k Mr 2:12
  Mr 2:9
  Hch 4:21
l Jn 17:2
m Mr 2:14
n Lu 5:27
  Lu 5:28
o Lu 5:29
p Mr 2:15
  Mr 2:16
  Lu 5:30
  Lu 7:39
  Lu 15:2
  Jn 19:7
q Lu 4:23
  Lu 5:31

nifica: 'Quiero misericordia, y no
sacrificio'.[a] Porque no vine a llamar a justos, sino a pecadores".
14 Entonces los discípulos de
Juan vinieron a él y preguntaron: "¿Por qué practicamos el
ayuno nosotros y los fariseos,
pero tus discípulos no ayunan?".[b] 15 En seguida Jesús
les dijo: "Los amigos del novio
no tienen motivo para lamentarse mientras el novio[c] está con
ellos, ¿verdad? Pero vendrán
días en que el novio les será
quitado,[d] y entonces ayunarán.[e]
16 Nadie cose un remiendo de
paño no encogido en una prenda
de vestir exterior vieja; porque
su plena fuerza tiraría de la
prenda de vestir exterior, y
el desgarrón se haría peor.[f]
17 Tampoco ponen vino nuevo
en odres viejos; pero si acaso lo
ponen, entonces los odres se re-
vientan y el vino se derrama y los
odres se echan a perder.[g] Más
bien, el vino nuevo se pone en
odres nuevos, y ambas cosas se
conservan".[h]
18 Mientras les decía estas
cosas, ¡mire!, cierto gobernante[i]
que se había acercado se puso
a rendirle homenaje,[j] y a decir:
"Ya debe estar muerta mi hija;[k]
pero ven y pon tu mano sobre
ella, y llegará a vivir".[l]
19 Entonces Jesús, levantándose, empezó a seguirle; también lo hicieron sus discípulos.
20 Y, ¡mire!, una mujer que llevaba doce años padeciendo de
flujo de sangre[m] vino por detrás
y tocó el fleco de la prenda de
vestir exterior de él;[n] 21 porque decía para sí: "Si solo toco su
prenda de vestir exterior, recobraré la salud".[o] 22 Jesús se
volvió y, al observarla, dijo: "Ten
ánimo, hija; tu fe te ha devuelto
la salud".[p] Y desde aquella hora
la mujer recobró la salud.[q]
23 Ahora bien, cuando entró
en la casa del gobernante[r] y vio
a los flautistas y a la muchedumbre en ruidosa confusión,[s]
24 Jesús se puso a decir: "Salgan de aquí, porque la muchachita no ha muerto, sino que
duerme".[a] Ante eso, empezaron
a reírse de él desdeñosamente.[b]
25 Tan pronto como la muchedumbre fue enviada fuera, él
entró y tomó la mano de ella,[c]
y la muchachita se levantó.[d]
26 Por supuesto, la fama de esto
se extendió por toda aquella región.
27 Al ir pasando Jesús de allí,
dos ciegos[e] le siguieron, clamando y diciendo: "Ten misericordia de nosotros,[f] Hijo de David".
28 Después que él hubo entrado
en la casa, se le acercaron los
ciegos, y Jesús les preguntó:
"¿Tienen fe[g] en que yo puedo hacer esto?". Le contestaron: "Sí,
Señor". 29 Entonces les tocó
los ojos,[h] y dijo: "Según su fe,
sucédales". 30 Y sus ojos recibieron la vista. Además, Jesús
les mandó rigurosamente, diciendo: "Miren que nadie llegue
a saberlo".[i] 31 Pero ellos, después que salieron fuera, hicieron público esto acerca de él por
toda aquella región.[j]
32 Ahora bien, cuando ellos se
iban, ¡mire!, la gente le trajo un
hombre mudo poseído de un demonio;[k] 33 y después que el
demonio hubo sido expulsado, el
mudo habló.[l] Pues bien, las muchedumbres quedaron asombradas,[m] y dijeron: "Nunca se ha
visto cosa semejante en Israel".
34 Pero los fariseos se pusieron
a decir: "Por el gobernante de
los demonios expulsa los demonios".[n]
35 Y Jesús emprendió un re-
corrido de todas las ciudades y
aldeas, enseñando en sus sinagogas y predicando las buenas
nuevas del reino y curando toda
suerte de dolencia y toda suerte
de mal.[o] 36 Al ver las muchedumbres, se compadeció[p] de
ellas, porque estaban desolladas
y desparramadas como ovejas
sin pastor.[q] 37 Entonces dijo a
sus discípulos: "Sí; la mies es

CAP. 9

a Pr 21:3 Os 6:6 Mt 12:7
b Mr 2:18 Lu 5:33 Lu 18:12
c Mt 22:2 Mr 2:19 Lu 5:34 Jn 3:29 Rev 21:2
d Mt 26:2 Lu 17:22
e Mr 2:20 Lu 5:35
f Mr 2:21 Lu 5:36
g Mr 2:22 Lu 5:37 Lu 5:38
h Job 32:19
i Mr 5:22
j Lu 8:41
k Lu 8:42
l Lu 4:40 Jn 11:25
m Le 15:25 Mr 5:25
n Mt 14:36 Mr 6:56
o Le 6:27 Lu 8:44
p Mr 10:52 Lu 7:50 Lu 17:19 Lu 18:42 Hch 14:9
q Jn 4:53
r Mr 5:38 Lu 8:51
s Lu 8:52

2.ª col.

a Mr 5:39 Jn 11:11
b Mr 5:40
c Mr 9:27
d Lu 8:55
e Mt 20:30
f Mt 15:22 Mt 20:33 Heb 2:17
g Hch 14:9
h Mt 20:34
i Isa 42:2 Mt 12:16 Mr 1:44 Lu 5:14
j Mr 1:45 Mr 7:36
k Mt 12:22 Lu 11:14
l Mt 15:31
m Mr 2:12
n Mt 12:24 Mr 3:22 Lu 11:15
o Mt 4:23 Lu 9:11
p Mt 14:14 Heb 4:15
q Nú 27:17 1Re 22:17 Eze 34:5 Mr 6:34

mucha, pero los obreros son pocos.[a] 38 Por lo tanto, rueguen al Amo de la mies que envíe obreros a su siega".[b]

10 De manera que mandó llamar a sus doce discípulos y les dio autoridad sobre espíritus inmundos,[c] para expulsarlos y para curar toda suerte de dolencia y toda suerte de mal.

2 Los nombres de los doce apóstoles[d] son estos:[e] Primero, Simón, al que llaman Pedro,[f] y Andrés[g] su hermano; y Santiago [hijo] de Zebedeo[h] y Juan su hermano; 3 Felipe y Bartolomé;[i] Tomás[j] y Mateo[k] el recaudador de impuestos; Santiago [hijo] de Alfeo,[l] y Tadeo; 4 Simón el cananita,[m] y Judas Iscariote, el que más tarde lo traicionó.[n]

5 A estos doce Jesús los envió, dándoles estas órdenes:[o] "No se vayan por el camino de las naciones, y no entren en ciudad samaritana;[p] 6 sino, más bien, vayan continuamente a las ovejas perdidas de la casa de Israel.[q] 7 Al ir, prediquen, diciendo: 'El reino de los cielos se ha acercado'.[r] 8 Curen enfermos,[s] levanten muertos, limpien leprosos, expulsen demonios. Recibieron gratis; den gratis.[t] 9 No consigan oro, ni plata, ni cobre para las bolsas de sus cintos,[u] 10 ni alforja para el viaje, ni dos prendas de vestir interiores, ni sandalias, ni bastón; porque el obrero merece su alimento.[v]

11 "En cualquier ciudad o aldea que entren, busquen hasta descubrir quién en ella es merecedor, y quédense allí hasta que salgan.[w] 12 Al entrar en la casa, salúdenla; 13 y si la casa lo merece, venga sobre ella la paz que le desean;[x] pero si no lo merece, vuelva sobre ustedes la paz de ustedes. 14 Dondequiera que alguien no los reciba ni escuche sus palabras, al salir de aquella casa o de aquella ciudad, sacúdanse el polvo de los pies.[y] 15 En verdad les digo: En el Día

del Juicio le será más soportable a la tierra de Sodoma[a] y Gomorra que a aquella ciudad.[b]

16 "¡Miren! Los estoy enviando como ovejas en medio de lobos;[c] por lo tanto, demuestren ser cautelosos como serpientes,[d] y, sin embargo, inocentes como palomas.[e] 17 Guárdense de los hombres;[f] porque los entregarán a los tribunales locales,[g] y los azotarán[h] en sus sinagogas.[i] 18 ¡Sí hasta los llevarán ante gobernadores y reyes[j] por mi causa, para un testimonio[k] a ellos y a las naciones! 19 Sin embargo, cuando los entreguen, no se inquieten acerca de cómo o qué han de hablar; porque en aquella hora se les dará lo que han de hablar;[l] 20 porque los que hablan no son únicamente ustedes, sino que el espíritu de su Padre habla por ustedes.[m] 21 Además, el hermano[n] entregará a la muerte al hermano, y el padre a su hijo, y los hijos se levantarán contra los padres y los harán morir.[o] 22 Y ustedes serán objeto de odio de parte de toda la gente por motivo de mi nombre;[p] mas el que haya aguantado hasta el fin es el que será salvo.[q] 23 Cuando los persigan en una ciudad, huyan a otra;[r] porque en verdad les digo: De ninguna manera completarán el circuito[s] de las ciudades de Israel hasta que llegue el Hijo del hombre.[t]

24 "El discípulo no es superior a su maestro, ni el esclavo superior a su señor.[u] 25 Le basta al discípulo llegar a ser como su maestro, y al esclavo como su señor.[v] Si al amo de casa le han llamado Beelzebub,[w] ¿cuánto más [llamarán] eso a los de su casa? 26 Por lo tanto, no los te-

CAP. 9
a Lu 10:2
Jn 4:35
b Mt 13:39
Ro 10:15

CAP. 10
c Mr 3:14
Mt 3:15
Mr 6:7
Lu 9:1
d Rev 21:14
e Mr 3:16
Lu 6:13
Hch 1:13
f Jn 1:42
Hch 15:14
g Mr 1:16
Jn 1:40
h Mt 4:21
Mr 3:17
i Jn 3:18
Lu 6:14
Jn 1:45
j Jn 11:16
Jn 20:27
k Mr 2:14
Lu 5:27
l Mr 3:18
Lu 6:15
m Mr 3:18
n Sl 41:9
Mt 26:47
Jn 18:3
o Mt 28:19
Mr 6:7
Lu 9:2
p 2Re 17:24
Lu 9:52
Jn 4:9
q Isa 53:6
Jer 50:6
Eze 34:6
Hch 13:46
r Mt 4:17
Lu 10:9
s Lu 9:2
t Hch 8:20
u Lu 22:35
1Co 9:7
v Nú 18:31
Mr 6:8
Lu 9:3
Lu 10:7
1Co 9:14
1Ti 5:18
w Lu 9:4
x Lu 10:5
y Mr 6:11
Lu 10:6
Lu 10:11
Hch 13:51
Hch 18:6

2.ª col.
a Gé 19:4
2Pe 2:6
Jud 7
b Mt 11:22
Mt 12:41
Lu 11:32
c Sof 3:3
Hch 20:29
d Gé 3:1
Ro 16:19
e Flp 2:15
f Flp 3:2
g Mt 24:9
Mr 13:9
h Hch 5:40
2Co 11:24
i Mt 23:34

j Hch 4:8; Hch 24:10; Hch 25:23; Hch 26:25; Hch 27:24; k Dt 31:26; Mt 24:14; Hch 4:20; l Jer 1:7; Mr 13:11; Lu 12:11; Lu 21:14; m Lu 12:12; Jn 14:26; n Mt 10:36; Mt 24:10; o Miq 7:6; p Mt 24:9; Lu 21:17; Jn 15:21; q Mt 24:13; Rev 2:10; r 2Sa 15:14; Mt 23:34; Hch 8:1; s Mr 6:6; t Mt 16:28; Mt 24:14; Ro 10:18; Col 1:23; u Lu 6:40; Jn 13:16; Jn 15:20; v 1Pe 2:21; w Mt 12:24; Mr 3:22; Lu 11:15; Jn 8:48.

man; porque nada hay encubierto que no haya de llegar a descubrirse, ni secreto que no haya de llegar a saberse.[a] **27** Lo que les digo en la oscuridad, díganlo en la luz; y lo que oyen susurrado, predíquenlo desde las azoteas.[b] **28** Y no se hagan temerosos[c] de los que matan el cuerpo pero no pueden matar el alma; sino, más bien, teman al[d] que puede destruir tanto el alma como el cuerpo en el Gehena.[e] **29** ¿No se venden dos gorriones por una moneda de poco valor?[f] Sin embargo, ni uno de ellos cae a tierra sin [el conocimiento de] su Padre.[g] **30** Mas los mismísimos cabellos de la cabeza de ustedes están todos contados.[h] **31** Por lo tanto, no tengan temor: ustedes valen más que muchos gorriones.[i]

32 ”[En cuanto a] todo aquel, pues, que confiese unión conmigo delante de los hombres, yo también confesaré unión[j] con él delante de mi Padre que está en los cielos; **33** pero [en cuanto a] cualquiera que me repudie delante de los hombres, yo también lo repudiaré[k] delante de mi Padre que está en los cielos. **34** No piensen que vine a poner paz en la tierra; no vine a poner paz,[l] sino espada. **35** Porque vine a causar división, y estará el hombre contra su padre, y la hija contra su madre, y la esposa joven contra su suegra.[m] **36** Realmente, los enemigos del hombre serán personas de su propia casa. **37** El que le tiene mayor cariño a padre o a madre que a mí no es digno de mí; y el que le tiene mayor cariño a hijo o a hija que a mí no es digno de mí.[n] **38** Y cualquiera que no acepta su madero de tormento y sigue en pos de mí no es digno de mí.[o] **39** El que halle su alma la perderá, y el que pierda su alma por causa de mí la hallará.[p]

40 ”El que los recibe a ustedes, me recibe [también] a mí, y el que me recibe a mí, recibe [también] al que me envió.[a] **41** El que reciba a un profeta porque es profeta, recibirá galardón de profeta;[b] y el que reciba a un justo porque es justo, recibirá galardón de justo.[c] **42** Y cualquiera que dé de beber tan solo un vaso de agua fría a uno de estos pequeños porque es discípulo, de cierto les digo, de ninguna manera perderá su galardón”.[d]

11 Ahora bien, cuando Jesús hubo acabado de dar instrucciones a sus doce discípulos, partió de allí para enseñar y predicar en sus ciudades.[e]

2 Pero Juan, habiendo oído en la cárcel[f] acerca de las obras del Cristo, mandó por medio de sus propios discípulos **3** y le dijo: “¿Eres tú Aquel Que Viene, o hemos de esperar a uno diferente?”.[g] **4** En respuesta, Jesús les dijo: “Vayan e informen a Juan lo que oyen y ven: **5** Los ciegos ven otra vez,[h] y los cojos[i] andan, los leprosos[j] quedan limpios, y los sordos[k] oyen, y los muertos[l] son levantados, y a los pobres se declaran las buenas nuevas;[m] **6** y feliz es el que no halla causa para tropiezo en mí”.[n]

7 Mientras estos iban por su camino, Jesús comenzó a decir a las muchedumbres respecto a Juan: “¿Qué salieron a contemplar en el desierto?[o] ¿Una caña agitada por el viento?[p] **8** Entonces, ¿qué salieron a ver? ¿A un hombre vestido de prendas de vestir suaves? ¡Si los que llevan prendas de vestir suaves están en las casas de reyes![q] **9** Verdaderamente, pues, ¿por qué salieron? ¿A ver a un profeta? Sí, les digo, y mucho más que profeta.[r] **10** Este es aquel acerca de quien está escrito: ‘¡Mira! ¡Yo mismo envío a mi mensajero delante de tu rostro, que preparará tu camino delante de ti!’.[s]

CAP. 10

a Mr 4:22, Lu 8:17, 1Co 4:5
b Lu 12:3
c Pr 29:25, Isa 51:12, Eze 3:9, Rev 2:10
d Heb 10:31
e Lu 12:5
f Lu 12:6
g Dt 22:6, Mt 6:26, Lu 12:7
h 1Sa 14:45, 2Sa 14:11, Hch 27:34
i Mt 6:26, Lu 12:7
j Lu 12:8, Ro 10:9, Rev 3:5
k Mr 8:38, Lu 9:26, Lu 12:9, 2Ti 2:12
l Lu 12:51
m Miq 7:6, Lu 12:52, Lu 12:53
n Dt 33:9, Mt 19:29, Lu 14:26
o Mt 16:24, Mr 8:34, Lu 9:23, Lu 14:27
p Mt 16:25, Mr 8:35, Lu 17:33, Jn 12:25

2.ª col.

a Mt 25:40, Lu 10:16, Jn 12:44, Jn 13:20
b 1Re 17:10, 2Re 4:8
c Jos 2:14, 2Re 4:13
d Mt 25:40, Mr 9:41, Heb 6:10

CAP. 11

e Mt 4:23, Mt 19:1, Lu 9:6
f Mt 14:3, Mr 6:17, Lu 7:18
g Gé 49:10, Da 9:24, Mal 3:1, Mt 3:11, Jn 1:15, Jn 7:31
h Isa 35:5, Isa 61:1, Lu 17:22
i Mt 21:14
j Mt 8:3
k Mr 7:32, Lu 7:22
l Mr 5:41
m Mt 4:23

n Isa 8:14; Mr 6:3; Lu 7:23; Jn 6:61; 1Co 1:23; 1Pe 2:8; o Mt 3:5; p Lu 7:24; Ef 4:14; q 1Re 10:5; Lu 7:25; r Mt 14:5; Mt 21:25; Lu 1:76; s Isa 40:3; Mal 3:1; Mt 3:3; Lu 1:17; Jn 3:28; Jn 10:41.

11 En verdad les digo: Entre los nacidos de mujer[a] no ha sido levantado uno mayor que Juan el Bautista; mas el que sea de los menores en el reino[b] de los cielos es mayor que él.   12 Pero desde los días de Juan el Bautista hasta ahora el reino de los cielos es la meta hacia la cual se adelantan con ardor los hombres, y los que se adelantan con ardor se asen de él.[c]   13 Porque todos, los Profetas y la Ley, profetizaron hasta Juan;[d]   14 y si ustedes quieren aceptarlo: Él mismo es 'Elías, que está destinado a venir'.[e]   15 El que tiene oídos, escuche.[f]

16 "¿A quién compararé esta generación?[g] Es semejante a los niñitos sentados en las plazas de mercado, que dan voces a sus compañeros de juego,[h]   17 y dicen: 'Les tocamos la flauta, pero no danzaron; plañimos, pero no se golpearon en desconsuelo'.[i]   18 Correspondientemente, Juan vino sin comer ni beber,[j] pero dicen: 'Tiene demonio';   19 el Hijo del hombre sí vino comiendo y bebiendo,[k] y no obstante dicen: '¡Miren! Un hombre glotón y dado a beber vino, amigo de recaudadores de impuestos y pecadores'.[l] De todos modos, la sabiduría queda probada justa por sus obras".[m]

20 Entonces comenzó a reconvenir a las ciudades en que se había efectuado la mayoría de sus obras poderosas, porque no se arrepintieron:[n]   21 "¡Ay de ti, Corazín! ¡Ay de ti, Betsaida!,[o] porque si en Tiro y en Sidón se hubieran efectuado las obras poderosas que se efectuaron en ustedes, hace mucho que se habrían arrepentido en saco y ceniza.[p]   22 Por consiguiente les digo: Les será más soportable a Tiro y a Sidón en el Día del Juicio[q] que a ustedes.[r]   23 Y tú, Capernaúm,[s] ¿acaso tú serás ensalzada hasta el cielo? Hasta el Hades[t] bajarás;[u] porque si las obras poderosas que se efectuaron en ti se hubieran efectuado

en Sodoma, habría permanecido hasta este mismo día.   24 Por consiguiente, les digo: Le será más soportable a la tierra de Sodoma en el Día del Juicio que a ti".[a]

25 En aquella ocasión Jesús tomó la palabra y dijo: "Te alabo públicamente, Padre, Señor del cielo y de la tierra, porque has escondido estas cosas de los sabios e intelectuales y las has revelado a los pequeñuelos.[b]   26 Sí, oh Padre, porque el hacerlo así vino a ser la manera aprobada por ti.   27 Todas las cosas me han sido entregadas por mi Padre,[c] y nadie conoce plenamente al Hijo sino el Padre,[d] ni conoce nadie plenamente al Padre sino el Hijo, y cualquiera a quien el Hijo quiera revelarlo.   28 Vengan a mí, todos los que se afanan y están cargados,[f] y yo los refrescaré.   29 Tomen sobre sí mi yugo[g] y aprendan de mí,[h] porque soy de genio apacible[i] y humilde de corazón, y hallarán refrigerio[j] para sus almas.   30 Porque mi yugo es suave y mi carga es ligera".[k]

12 En aquel tiempo Jesús pasó por los sembrados de grano en día de sábado.[l] A sus discípulos les dio hambre, y comenzaron a arrancar las espigas y a comer.[m]   2 Al ver esto, los fariseos le dijeron:[n] "¡Mira! Tus discípulos están haciendo lo que no es lícito hacer en sábado".[o]   3 Él les dijo: "¿No han leído ustedes lo que hizo David cuando él y los hombres que iban con él tuvieron hambre?[p]   4 ¿Que entró en la casa de Dios y comieron los panes de la presentación,[q] algo que a él no le era lícito[r] comer, ni a los que iban con él, sino solamente a los sacerdotes?[s]   5 ¿O no han leído en la Ley[t] que los sábados los sacerdotes en el templo tratan el sábado como no sagrado y continúan inculpa-

CAP. 11
a Lu 1:15
b Jn 3:3
c Lu 13:24
d Lu 16:16
e Mal 4:5
  Mt 11:10
  Mt 17:12
f Rev 2:7
g Mt 12:41
  Lu 7:31
h Zac 8:5
i Lu 7:32
j Jn 23:27
j Mt 9:14
  Lu 7:33
k Mt 9:10
  Mr 2:15
  Jn 2:2
l Lu 5:30
  Lu 7:34
  Lu 15:2
  Lu 19:7
m Lu 7:35
n Jn 12:37
n Jn 12:21
p Da 9:3
  Jon 3:6
  Lu 10:13
q Lu 5:29
  Rev 20:13
r Lu 10:14
s Lu 4:31
t Isa 14:15
u Lu 10:15

2.ª col.
a Mt 10:15
  Mt 12:41
  Lu 10:12
b Sl 8:2
  Isa 29:14
  Mt 13:15
  Lu 10:21
  1Co 1:27
c Jn 3:35
  Jn 17:2
  1Co 15:27
d Jn 1:18
e Mt 28:18
  Lu 10:22
  Jn 10:15
  Jn 5:20
f Isa 55:2
g 2Co 6:14
  Gál 5:1
h Dt 18:18
i Nú 12:3
  Zac 9:9
  2Co 10:1
j Jer 6:16
k Jn 5:3

CAP. 12
l Mr 2:23
m Éx 12:16
  Dt 23:25
  Lu 6:1
n Mr 2:24
  Lu 6:2
o Éx 20:10
  Éx 31:15
  Dt 5:14
p 1Sa 21:6
  Mr 2:25
  Lu 6:3
q Éx 25:30
  Éx 40:23
r Le 24:5
  Le 24:9
  Mr 2:26

s Éx 29:33; Lu 6:4; t Nú 28:9.

bles?[a] 6 Pues yo les digo que algo mayor que el templo[b] está aquí. 7 Sin embargo, si hubieran entendido qué significa esto: 'Quiero misericordia,[c] y no sacrificio',[d] no habrían condenado a los inculpables. 8 Porque Señor del sábado[e] es el Hijo del hombre".[f]

9 Después de partir de aquel lugar, entró en la sinagoga de ellos; 10 y, ¡mire!, ¡un hombre con una mano seca![g] De modo que le preguntaron: "¿Es lícito curar en día de sábado?", para conseguir algo de qué acusarlo.[h] 11 Él les dijo: "¿Quién será el hombre entre ustedes que tenga una sola oveja, si esta hubiera de caer en un hoyo[i] en sábado, no habría echarle mano y sacarla?[j] 12 Todo considerado, ¡de cuánto más valor es un hombre que una oveja![k] De modo que es lícito hacer lo excelente en sábado". 13 Entonces dijo al hombre: "Extiende la mano". Y la extendió, y fue restaurada, sana como la otra.[l] 14 Pero los fariseos salieron y entraron en consejo contra él para poder destruirlo.[m] 15 Como llegó a saber [esto], Jesús se retiró de allí. Muchos también lo siguieron, y los curó a todos,[n] 16 mas con firmeza les ordenó que no le pusieran de manifiesto;[o] 17 para que se cumpliera lo que se habló mediante Isaías el profeta, que dijo:

18 "¡Mira! ¡Mi siervo[p] a quien escogí, mi amado,[q] a quien mi alma aprobó! Pondré mi espíritu sobre él,[r] y aclarará a las naciones lo que es la justicia. 19 No reñirá,[s] ni levantará la voz, ni oirá nadie su voz en los caminos anchos. 20 No quebrantará ninguna caña cascada, y no extinguirá ninguna mecha de lino que humea,[t] hasta que envíe la justicia[u] con éxito. 21 Realmente, en su nombre esperarán naciones".[v]

22 Entonces le trajeron un endemoniado, ciego y mudo; y lo

curó, de modo que el mudo hablaba y veía. 23 Pues, simplemente se embelesaron todas las muchedumbres, y se pusieron a decir:[a] "¿Acaso no será este el Hijo de David?".[b] 24 Al oír esto, los fariseos dijeron: "Este no expulsa a los demonios sino por medio de Beelzebub, el gobernante de los demonios".[c] 25 Conociendo sus pensamientos,[d] él les dijo: "Todo reino dividido contra sí mismo viene a parar en desolación,[e] y toda ciudad o casa dividida contra sí misma no permanecerá en pie. 26 Así mismo, si Satanás expulsa a Satanás, ha llegado a estar dividido contra sí mismo; entonces, ¿cómo podrá estar en pie su reino? 27 Además, si yo expulso a los demonios por medio de Beelzebub,[f] ¿por medio de quién los expulsan los hijos de ustedes? Por eso, ellos serán sus jueces. 28 Pero si es por medio del espíritu de Dios como yo expulso a los demonios, el reino de Dios verdaderamente los ha alcanzado.[g] 29 ¿O cómo puede alguien invadir la casa de un hombre fuerte y arrebatar sus bienes muebles, a menos que primero ate al fuerte? Y entonces saqueará su casa.[h] 30 El que no está de parte mía, contra mí está; y el que no recoge conmigo, desparrama.[i]

31 "Por este motivo les digo: Toda suerte de pecado y blasfemia será perdonada a los hombres, pero la blasfemia contra el espíritu no será perdonada.[j] 32 Por ejemplo, a cualquiera que hable una palabra contra el Hijo del hombre, le será perdonado;[k] pero a cualquiera que hable contra el espíritu santo, no le será perdonado, no, ni en este sistema de cosas ni en el venidero.[l]

33 "O hagan el árbol excelente y su fruto excelente, o hagan el árbol podrido y su fruto podrido; porque por su fruto se conoce el árbol.[m] 34 Prole de víboras,[n] ¿cómo pueden hablar cosas bue-

CAP. 12

a Jn 7:22
b Lu 11:31
  Lu 11:32
  Jn 2:19
c Mt 23:23
d Os 6:6
  Miq 6:6
  Mt 9:13
e Éx 34:21
  Le 25:4
  Le 25:10
f Mt 2:28
  Lu 6:5
g Mr 3:1
  Lu 6:6
h Mr 3:4
  Lu 14:3
  Jn 9:16
i Éx 21:33
  Éx 23:4
  Dt 22:4
  Lu 14:5
k Mt 10:31
l Lu 6:10
m Mt 27:1
  Mr 3:6
  Lu 6:11
  Jn 5:18
n Mr 3:7
  Lu 6:17
o Mt 8:4
  Mr 3:12
  Mr 7:36
p Isa 42:1
  Ag 2:23
  Hch 3:13
q Mt 3:17
  Mt 17:5
r Isa 61:1
  Mr 1:10
s Isa 42:2
  2Ti 2:24
t Mt 11:28
u Hab 1:4
v Isa 11:10
  Isa 42:4,
  LXX
  Hch 4:12
  Ro 15:12

2.ª col.

a Lu 11:14
b Jn 7:31
c Mr 3:22
  Lu 11:15
d Jn 2:25
e Mr 3:24
  Lu 11:17
f Mr 3:26
g Lu 11:20
  1Jn 3:8
h Isa 49:24
  Mr 3:27
  Lu 11:22
  1Jn 4:4
i Mr 9:40
  Lu 9:50
j Mr 3:28
  Hch 7:51
  Heb 6:4
  Heb 6:6
  1Jn 5:16
k Lu 7:34
  Jn 7:12
  1Ti 1:13
l Mr 3:28
  Lu 12:10
  Heb 10:26
m Mt 7:17
  Lu 6:43
n Mt 3:7
  Mt 23:33
  Lu 3:7

nas cuando son inicuos?[a] Porque de la abundancia del corazón habla la boca.[b] 35 El hombre bueno, de su buen tesoro envía cosas buenas;[c] mientras que el hombre inicuo, de su tesoro inicuo envía cosas inicuas.[d] 36 Les digo que de todo dicho ocioso que hablen los hombres rendirán cuenta[e] en el Día del Juicio; 37 porque por tus palabras serás declarado justo, y por tus palabras serás condenado".[f]

38 Entonces, como contestación a él, algunos de los escribas y fariseos dijeron: "Maestro, queremos ver de ti alguna señal".[g] 39 En respuesta, les dijo: "Una generación inicua y adúltera[h] sigue buscando una señal, mas no se le dará ninguna señal, sino la señal de Jonás el profeta.[i] 40 Porque así como Jonás[j] estuvo en el vientre del gran pez tres días y tres noches, así el Hijo del hombre[k] estará en el corazón de la tierra[l] tres días y tres noches.[m] 41 Varones de Nínive se levantarán en el juicio con esta generación,[n] y la condenarán;[o] porque ellos se arrepintieron por lo que Jonás[p] predicó, pero, ¡miren!, algo más que Jonás está aquí. 42 La reina del Sur[q] será levantada en el juicio con esta generación, y la condenará; porque ella vino desde los fines de la tierra para oír la sabiduría de Salomón, pero, ¡miren!, algo más que Salomón está aquí.[r]

43 "Cuando un espíritu inmundo sale de un hombre, pasa por lugares resecos en busca de un lugar de descanso, y no lo halla.[s] 44 Entonces dice: 'Me volveré a mi casa de la cual me mudé'; y al llegar la halla desocupada, pero barrida y adornada. 45 Entonces va por su camino y toma consigo siete espíritus diferentes, más inicuos que él mismo,[t] y, después de entrar, ellos moran allí; y las circunstancias finales de ese hombre resultan peores que las primeras.[u] Así

también será con esta generación inicua".[a]

46 Mientras él todavía hablaba a las muchedumbres, ¡mire!, su madre y sus hermanos[b] se situaron fuera, y procuraban hablarle. 47 De modo que alguien le dijo: "¡Mira! Tu madre y tus hermanos están parados fuera, y procuran hablarte". 48 Como contestación, dijo al que se lo decía: "¿Quién es mi madre, y quiénes son mis hermanos?".[c] 49 Y extendiendo su mano hacia sus discípulos, dijo: "¡Mira! ¡Mi madre y mis hermanos![d] 50 Porque cualquiera que hace la voluntad de mi Padre que está en el cielo, ese es mi hermano y hermana y madre".

13 En aquel día, habiendo salido Jesús de la casa, estaba sentado a la orilla del mar; 2 y grandes muchedumbres se reunieron junto a él, de modo que subió en una barca y se sentó,[e] y toda la muchedumbre estaba de pie en la playa. 3 Entonces les dijo muchas cosas por ilustraciones, diciendo: "¡Miren! Un sembrador salió a sembrar;[f] 4 y al ir sembrando, algunas [semillas] cayeron a lo largo del camino, y vinieron las aves y se las comieron.[g] 5 Otras cayeron sobre pedregales donde no tenían mucha tierra, y brotaron en seguida por no tener profundidad de tierra.[h] 6 Pero cuando salió el sol, se chamuscaron, y, por no tener raíz, se marchitaron.[i] 7 Otras, también, cayeron entre los espinos, y los espinos crecieron y las ahogaron.[j] 8 Otras más cayeron sobre la tierra excelente, y daban fruto,[k] esta de a ciento por uno, aquella de a sesenta, la otra de a treinta.[l] 9 El que tiene oídos, escuche".[m]

10 De modo que los discípulos se acercaron y le dijeron: "¿Por qué les hablas usando ilustraciones?".[n] 11 En respuesta, él

CAP. 12
a Job 14:4
b Mt 15:11
c Isa 32:8
d Mt 13:52
Lu 6:45
Snt 3:6
e Ec 12:14
Ro 14:12
Jud 15
f Pr 13:3
Lu 19:22
g Mt 16:1
Mr 8:11
Jn 2:18
1Co 1:22
h Isa 57:3
Mt 16:4
Mt 17:17
Mr 8:38
Snt 4:4
i Lu 11:29
j Jon 1:17
k Mt 27:63
l Mt 27:60
Ef 4:9
m Mt 16:21
Mt 17:23
Mt 24:46
n Lu 11:30
o Ro 2:27
p Jon 3:5
q 1Re 10:1
2Cr 9:1
r Mt 11:16
Mt 12:6
Lu 11:31
s Lu 11:24
t 1Pe 5:8
u Lu 11:26
Jn 5:14
Heb 6:4
Heb 6:6
2Pe 2:20

2.ª col.
a Mr 8:12
b Mt 13:55
Mr 3:31
Jn 2:12
Hch 1:14
1Co 9:5
Gál 1:19
c Mr 3:33
d Mr 3:35
Jn 14:23
Jn 15:14
Jn 20:17
Ro 8:29
Heb 2:11

CAP. 13
e Mr 4:1
f Mt 13:34
Mr 4:3
Lu 8:4
g Mt 13:19
Mr 4:4
Lu 8:5
h Mr 4:5
Lu 8:6
i Mt 13:20
Mt 13:21
Mr 4:6
j Mt 13:22
Mr 4:7
Mt 18:18
Mr 4:19
Lu 8:7
Heb 6:8
k Jn 15:16
l Mr 4:8
Lu 8:8

m Mt 11:15; n Mt 13:34; Mr 4:10; Lu 8:9.

dijo: "A ustedes se concede entender los secretos sagrados[a] del reino de los cielos, mas a aquellos no se les concede.[b] 12 Porque al que tiene, más se le dará, y se le hará abundar;[c] pero al que no tiene, hasta lo que tiene le será quitado.[d] 13 Por esto les hablo a ellos usando ilustraciones, porque, mirando, miran en vano, y oyendo, oyen en vano, ni captan el sentido de ello;[e] 14 y para con ellos se cumple la profecía de Isaías, que dice: 'Oyendo, oirán, pero de ningún modo captarán el sentido de ello; y, mirando, mirarán, pero de ningún modo verán.[f] 15 Porque el corazón de este pueblo se ha hecho indispuesto a recibir, y con los oídos han oído sin responder, y han cerrado los ojos; para que nunca vean con los ojos, ni oigan con los oídos, ni capten el sentido de ello con el corazón, y se vuelvan, y yo los sane'.[g]

16 "Sin embargo, felices son los ojos[h] de ustedes porque contemplan, y sus oídos porque oyen. 17 Porque en verdad les digo: Muchos profetas[i] y hombres justos desearon ver las cosas que ustedes contemplan, y no las vieron,[j] y oír las cosas que ustedes oyen, y no las oyeron.[k]

18 "Ustedes, pues, escuchen la ilustración del hombre que sembró.[l] 19 Cuando alguien oye la palabra del reino, pero no capta el sentido de ella, el inicuo[m] viene y arrebata lo que se sembró en su corazón; este es el que se sembró a lo largo del camino. 20 En cuanto al que se sembró sobre los pedregales, este es el que oye la palabra y en seguida la acepta con gozo.[n] 21 Sin embargo, no tiene raíz en sí mismo, sino que continúa por un tiempo, y después que ha surgido tribulación o persecución a causa de la palabra, en seguida se le hace tropezar.[o] 22 En cuanto al que se sembró entre los espinos, este es el que oye la palabra, pero la inquietud de

este sistema de cosas[a] y el poder engañoso de las riquezas ahogan la palabra, y él se hace infructífero.[b] 23 En cuanto al que se sembró sobre la tierra excelente, este es el que oye la palabra y capta el sentido de ella, que verdaderamente lleva fruto y produce, este de a ciento por uno, aquel de a sesenta, el otro de a treinta".[c]

24 Otra ilustración les propuso, diciendo: "El reino de los cielos ha llegado a ser semejante a un hombre que sembró semilla excelente en su campo.[d] 25 Mientras los hombres dormían, vino el enemigo de él y sobresembró mala hierba entre el trigo, y se fue. 26 Cuando el tallo brotó y produjo fruto, entonces apareció también la mala hierba. 27 De modo que los esclavos del amo de casa vinieron y le dijeron: 'Amo, ¿no sembraste semilla excelente en tu campo?' Entonces, ¿cómo sucede que tiene mala hierba?'.[f] 28 Él les dijo: 'Un enemigo, un hombre, hizo esto'.[g] Ellos le dijeron: '¿Quieres, pues, que vayamos y la juntemos?'. 29 Él dijo: 'No; no sea que por casualidad, al juntar la mala hierba, desarraiguen el trigo junto con ella. 30 Dejen que ambos crezcan juntos hasta la siega; y en la época de la siega diré a los segadores: Junten primero la mala hierba y átenla en haces para quemarla;[h] entonces pónganse a recoger el trigo en mi granero'".[i]

31 Otra ilustración les propuso,[j] diciendo: "El reino de los cielos es semejante a un grano de mostaza,[k] que un hombre tomó y sembró en su campo; 32 el cual es, de hecho, la más pequeña de todas las semillas, pero cuando ha crecido es la más grande de todas las legumbres, y se hace un árbol, de modo que vienen las aves del cielo[l] y hallan albergue entre sus ramas".[m]

33 Otra ilustración les habló: "El reino de los cielos es seme-

CAP. 13

a 1Co 2:10
Ef 1:9
Col 1:26

b Lu 8:10

c Mt 25:29

d Mr 4:25
Lu 8:18

e Isa 6:10
Jer 5:21
Eze 12:2
Mr 4:12
Mr 8:18

f Isa 6:9
Jn 12:40
Hch 28:26
Ro 11:8
2Co 3:14

g Dt 32:28
Isa 44:18
Mr 8:17
Heb 5:11

h Lu 10:23

i 1Pe 1:10

j Jn 8:56
Ef 3:5

k Lu 10:24

l Mr 4:14
Lu 8:11

m Mr 4:15
Lu 8:12
1Pe 5:8

n Isa 58:2
Eze 33:31
Jn 5:35

o Mt 24:10
Mr 4:17
Lu 8:13
2Ti 1:15

2.ª col.

a Lu 12:22

b Mt 6:21
Mr 4:19
Mr 10:23
Lu 8:14
1Ti 6:9
2Ti 4:10

c Mr 4:20
Lu 8:15

d Mr 4:26

e Mt 13:38

f Gé 1:11

g Mt 13:39

h Mt 3:12
Lu 3:17

i Rev 14:15

j Mr 4:30

k Mt 17:20
Lu 13:19

l Sl 104:12
Da 4:12

m Eze 17:23

jante a la levadura,[a] que una mujer tomó y escondió en tres grandes medidas de harina, hasta
que toda la masa quedó fermentada".
34 Todas estas cosas habló Jesús a las muchedumbres por
ilustraciones. En verdad, sin
ilustración no les hablaba;[b]
35 para que se cumpliera lo que
se habló por medio del profeta
que dijo: "Abriré mi boca con
ilustraciones, publicaré cosas
escondidas desde la fundación".[c]
36 Luego, después de despedir a las muchedumbres, entró
en la casa. Y sus discípulos vinieron a él y dijeron: "Explíca-
nos la ilustración de la mala
hierba en el campo". 37 En
respuesta dijo: "El sembrador de
la semilla excelente es el Hijo
del hombre; 38 el campo es el
mundo;[d] en cuanto a la semilla
excelente, estos son los hijos del
reino; pero la mala hierba son
los hijos del inicuo,[e] 39 y el
enemigo que la sembró es el Diablo.[f] La siega[g] es una conclusión
de un sistema de cosas,[h] y
los segadores son los ángeles.
40 De manera que, así como se
junta la mala hierba y se quema
con fuego, así será en la conclusión del sistema de cosas[i]
41 El Hijo del hombre enviará a
sus ángeles, y ellos juntarán de
su reino todas las cosas que hacen tropezar,[j] y a los que cometen desafuero, 42 y los arrojarán en el horno de fuego.[k] Allí es
donde será [su] llanto y el crujir
de [sus] dientes.[l] 43 En aquel
tiempo los justos resplandecerán[m] tan brillantemente como el
sol[n] en el reino de su Padre. El
que tiene oídos, escuche.[o]
44 "El reino de los cielos es
semejante a un tesoro escondido
en el campo, que un hombre halló y escondió; y por el gozo que
tiene, va y vende[p] cuantas cosas
tiene, y compra aquel campo.[q]
45 "Otra vez: el reino de los
cielos es semejante a un comerciante viajero que buscaba perlas excelentes. 46 Al hallar
una perla de gran valor,[a] se fue
y prontamente vendió todas las
cosas que tenía, y la compró.[b]
47 "Otra vez: el reino de los
cielos es semejante a una red
barredera bajada al mar, y que
recoge [peces] de todo género.[c]
48 Cuando se llenó, la sacaron
sobre la playa y, sentándose,
juntaron los excelentes[d] en receptáculos, pero tiraron los que
no eran apropiados.[e] 49 Así es
como será en la conclusión del
sistema de cosas: saldrán los ángeles y separarán a los inicuos[f]
de entre los justos,[g] 50 y los
echarán en el horno de fuego.
Allí es donde será [su] llanto y el
crujir de [sus] dientes.[h]
51 "¿Captaron ustedes el sentido de todas estas cosas?". Ellos
le dijeron: "Sí". 52 Entonces
les dijo: "Siendo así, todo instructor público, cuando ha sido
enseñado respecto al reino de los
cielos,[i] es semejante a un hombre, un amo de casa, que saca de
su tesoro cosas nuevas y viejas".[j]
53 Ahora bien, cuando Jesús
hubo terminado estas ilustraciones, partió por tierra de allí.
54 Y venido a su propio territorio,[k] se puso a enseñarles en las
sinagogas de ellos,[l] de modo
que quedaron atónitos y dijeron: "¿Dónde consiguió este
hombre esta sabiduría y estas obras poderosas? 55 ¿No
es este el hijo del carpintero?[m]
¿No se llama su madre María, y
los hermanos de él Santiago y
José y Simón y Judas? 56 Y
sus hermanas, ¿no están todas
con nosotros?[n] ¿Dónde, entonces, consiguió este hombre todas
estas cosas?".[o] 57 De modo
que empezaron a tropezar por
motivo de él.[p] Pero Jesús les
dijo: "El profeta no carece de
honra sino en su propio territorio y en su propia casa".[q] 58 Y
no hizo allí muchas obras poderosas a causa de la falta de fe de
ellos.[r]

CAP. 13
a Lu 13:21, 1Co 5:6, Gál 5:9
b Mr 4:34
c Sl 78:2, Ro 16:25, 1Co 2:7
d Mt 24:14, Ro 10:18, Col 1:6
e Jn 8:44
f 1Jn 3:8
g Joe 3:13, Rev 14:15
h Heb 9:26
i Mt 13:30
j Sof 1:3, 1Co 6:9
k Da 3:6, Mt 13:30, Mt 13:50, Rev 21:8
l Sl 112:10, Mt 8:12, Lu 13:28
m Da 12:3
n Jue 5:31, 2Sa 23:4
o Mr 4:23, Rev 2:7
p Flp 3:7
q Isa 55:1, Rev 3:18

2.ª col.
a Flp 3:8
b Pr 2:4, Pr 8:18
c Mt 22:10
d Le 11:9
e Le 11:12
f Sl 1:5
g Mt 25:32
h Mt 8:12, Mt 22:13
i 1Co 4:1
j Mt 12:35, Lu 6:45
k Mt 2:23, Mr 6:1
l Lu 4:16
m Mr 6:3, Lu 3:23, Lu 4:22, Jn 6:42
n Mt 12:46, Jn 2:12, Hch 1:14, 1Co 9:5, Gál 1:19
o Jn 7:15
p Mt 15:12, 1Pe 2:8
q Jer 11:21, Lu 4:24, Jn 4:44
r Mr 6:6

14 En aquel tiempo en particular, Herodes, el gobernante del distrito, oyó el informe acerca de Jesús,[a] **2** y dijo a sus sirvientes: "Este es Juan el Bautista. Fue levantado de entre los muertos, y por eso operan en él obras poderosas".[b] **3** Pues, Herodes había arrestado a Juan y lo había atado y puesto en prisión a causa de Herodías, la esposa de Filipo, su hermano.[c] **4** Porque Juan le había estado diciendo: "No te es lícito tenerla".[d] **5** Sin embargo, aunque quería matarlo, temía a la muchedumbre, porque los tenían por profeta.[e] **6** Pero cuando se celebraba el cumpleaños[f] de Herodes, la hija de Herodías danzó en la función, y tanto agradó a Herodes **7** que él prometió con juramento darle cualquier cosa que pidiera.[g] **8** Entonces ella, aleccionada de antemano por su madre, dijo: "Dame aquí en una bandeja la cabeza de Juan el Bautista".[h] **9** Bien que se contristó el rey, sin embargo, por consideración a sus juramentos y a los que estaban reclinados con él, mandó que le fuera dada;[i] **10** y envió e hizo decapitar a Juan en la prisión. **11** Y la cabeza fue traída en una bandeja y dada a la jovencita, y ella la llevó a su madre.[j] **12** Finalmente vinieron los discípulos de él y, removieron el cadáver y lo sepultaron,[k] y vinieron y lo informaron a Jesús. **13** Al oírlo, Jesús se retiró de allí en una barca a un lugar solitario en busca de aislamiento;[i] pero las muchedumbres, al llegar a oír de ello, le siguieron a pie desde las ciudades.

14 Ahora bien, cuando él salió vio una gran muchedumbre; y se compadeció de ellos, y curó a sus enfermos.[n] **15** Pero al anochecer, sus discípulos vinieron a él y dijeron: "El lugar es solitario y la hora es ya muy avanzada; despide a las muchedumbres para que vayan a las aldeas y se compren algo de comer".[a] **16** Pero Jesús les dijo: "No hay necesidad de que se vayan; ustedes denles de comer".[b] **17** Ellos le dijeron: "No tenemos nada aquí sino cinco panes y dos pescados".[c] **18** Él dijo: "Tráiganmelos acá". **19** Luego, habiendo mandado a las muchedumbres que se reclinaran sobre la hierba, tomó los cinco panes y los dos pescados, y, mirando al cielo, dijo una bendición,[d] y, después de partir los panes, los distribuyó a los discípulos, y los discípulos a su vez a las muchedumbres.[e] **20** De modo que todos comieron y quedaron satisfechos, y recogieron el sobrante de los trozos, doce cestas llenas.[f] **21** Sin embargo, los que comieron fueron unos cinco mil varones, además de mujeres y niñitos.[s] **22** Luego, sin demora, él obligó a sus discípulos a subir a la barca y adelantársele al otro lado, mientras él despedía a las muchedumbres.[h]

23 Por fin, habiendo despedido a las muchedumbres, subió solo a la montaña a orar.[i] Aunque se hizo tarde, estaba allí solo. **24** Para este tiempo la barca estaba a muchos centenares de metros de la tierra, y las olas la tenían en aprieto,[j] pues tenían el viento en su contra. **25** Pero en el período de la cuarta vigilia de la noche él vino a ellos, andando sobre el mar.[k] **26** Cuando alcanzaron a verlo andando sobre el mar, los discípulos se perturbaron, y dijeron: "¡Es un fantasma!".[i] Y clamaron en su temor. **27** Pero en seguida Jesús les habló estas palabras: "Cobren ánimo, soy yo;[m] no tengan temor". **28** En respuesta, Pedro le dijo: "Señor, si eres tú, mándame venir a ti sobre las aguas". **29** Él dijo: "¡Ven!". Entonces Pedro, bajando de la barca,[n] anduvo sobre las aguas y fue hacia Jesús. **30** Pero al mirar a la tempestad de viento, le dio miedo, y, co-

CAP. 14
a Mr 6:14
  Lu 9:7
  Hch 4:27
b Mt 16:14
  Mr 6:14
  Mr 6:16
c Mt 4:12
  Mr 6:17
  Lu 3:19
d Le 18:16
  Le 20:21
  Mt 19:9
e Mt 21:26
  Mr 6:20
  Lu 1:76
  Lu 20:6
f Gé 40:20
g 1Sa 14:28
  1Sa 25:22
  Mr 6:22
h Mr 6:24
i Mr 6:26
j Mt 17:12
  Mr 6:28
k Mr 6:29
  Hch 8:2
l Mr 6:31
  Lu 9:10
m Mt 9:36
  Mt 15:32
  Mr 1:41
  Lu 7:13
  Heb 2:17
  Heb 5:2
n Lu 9:11

2.ª col.
a Lu 9:12
b Mr 6:37
c Lu 9:13
  Jn 6:9
d Mt 15:36
  Mr 6:41
  Lu 9:16
e Mr 6:39
  Jn 6:10
f 2Re 4:44
  Mr 8:8
  Lu 9:17
  Jn 6:12
g Mr 6:44
  Lu 9:14
  Jn 6:10
h Mr 6:45
  Jn 6:15
i Mr 6:46
  Lu 6:12
  Lu 9:18
j Jn 6:18
k Mr 6:48
  Jn 6:19
l Lu 24:37
m Mr 6:50
  Jn 6:20
  Hch 23:11
n Jn 21:7

menzando a hundirse, clamó: "¡Señor, sálvame!". 31 Inmediatamente Jesús, extendiendo la mano, lo asió, y le dijo: "Hombre de poca fe, ¿por qué cediste a la duda?".ª 32 Y después que subieron a la barca, se apaciguó la tempestad de viento. 33 Entonces los que estaban en la barca le rindieron homenaje, y dijeron: "Verdaderamente eres Hijo de Dios".ᵇ 34 Y terminaron la travesía y llegaron a tierra en Genesaret.ᶜ

35 Al reconocerlo, los varones de aquel lugar enviaron por toda aquella comarca, y la gente le trajo todos los que se hallaban mal.ᵈ 36 Y se pusieron a suplicarle que les dejara tocar siquiera el fleco de su prenda de vestir exterior;ᵉ y todos los que lo tocaron recobraron completamente la salud.

15 Entonces llegaron a Jesús unos fariseos y escribas de Jerusalén,ᶠ y dijeron: 2 "¿Por qué traspasan tus discípulos la tradición de los hombres de otros tiempos? Por ejemplo, no se lavan las manos cuando van a tomar una comida".ᵍ

3 En respuesta, él les dijo: "¿Por qué traspasan ustedes también el mandamiento de Dios a causa de su tradición?ʰ 4 Por ejemplo, Dios dijo: 'Honra a tu padre y a tu madre';ⁱ y: 'El que injurie a padre o a madre termine en muerte'.ʲ 5 Pero ustedes dicen: 'Cualquiera que diga a su padre o a su madre: "Todo lo que tengo por lo cual pudieras sacar provecho de mí es una dádiva dedicada a Dios", 6 no debe honrar de ningún modo a su padre'.ᵏ Y así ustedes han invalidado la palabra de Dios a causa de su tradición.ˡ 7 Hipócritas,ᵐ aptamente profetizó de ustedes Isaías,ⁿ cuando dijo: 8 'Este pueblo me honra con los labios, pero su corazón está muy alejado de mí.º 9 En vano siguen adorándome, porque enseñan mandatos

CAP. 14
a Mt 6:30
  Mt 8:26
  Mt 28:17
  Snt 1:6
b Mt 16:16
  Jn 6:69
c Mr 6:53
  Jn 6:21
d Mr 6:56
e Le 6:27
  Nú 15:38
  Mt 9:21
  Mr 3:10
  Lu 6:19

CAP. 15
f Mr 7:1
g Mr 7:2
  Lu 11:38
  Jn 2:6
h Mr 7:9
  Mr 7:8
  Col 2:8
  Tit 1:14
i Éx 20:12
  Dt 5:16
  Ef 6:2
j Éx 21:17
  Le 20:9
  Dt 27:16
  Mt 7:10
k Mr 7:12
l Mr 7:13
m Mt 23:13
n Mr 7:6
o Isa 29:13

2.ª col.
a Sl 78:37
  Eze 33:31
  Mr 7:7
  Col 2:22
b Mr 7:14
c Mt 12:34
  Mr 7:15
  Ef 4:29
  1Ti 4:4
  Snt 3:6
d Mr 7:17
e Jn 15:6
  Hch 5:38
f Isa 9:16
  Mal 2:8
  Mt 23:16
  Lu 6:39
  Jn 9:40
g Mt 13:36
  Mr 4:10
  Lu 8:9
h Mr 7:18
i Sl 5:9
  Mr 7:20
  Ro 3:13
j Gé 8:21
  Dt 15:9
  Pr 6:14
  Jer 17:9
  Ro 1:28
k Mr 7:21
  Gál 5:19
l Mr 7:23
m Mr 7:24
n 1Re 17:9
  Mr 7:26
  Lu 4:26
o Mt 20:30
p Isa 53:6
  Mt 10:6
  Hch 3:26
  Hch 13:46
  Ro 15:8

de hombres como doctrinas'".ª 10 Con eso, llamó a sí a la muchedumbre y les dijo: "Escuchen y capten el sentido:ᵇ 11 No lo que entra por la boca contamina al hombre; pero lo que procede de la boca, eso es lo que contamina al hombre".ᶜ

12 Entonces se acercaron los discípulos y le dijeron: "¿Sabes que los fariseos tropezaron al oír lo que dijiste?".ᵈ 13 En respuesta, él dijo: "Toda planta que mi Padre celestial no ha plantado será desarraigada.ᵉ 14 Déjenlos. Guías ciegos es lo que son. Por eso, si un ciego guía a un ciego, ambos caerán en un hoyo".ᶠ 15 En forma de respuesta, Pedro le dijo: "Aclárananos la ilustración".ᵍ 16 A lo cual él dijo: "¿También ustedes están aún sin entendimiento?ʰ 17 ¿No se dan cuenta de que todo lo que entra en la boca va pasando de allí a los intestinos, y se expele en la cloaca? 18 Sin embargo, las cosas que proceden de la boca salen del corazón, y esas cosas contaminan al hombre.ⁱ 19 Por ejemplo, del corazón salen razonamientos inicuos,ʲ asesinatos, adulterios, fornicaciones, hurtos, testimonios falsos, blasfemias.ᵏ 20 Estas son las cosas que contaminan al hombre; mas el tomar una comida con las manos sin lavar no contamina al hombre".ˡ

21 Partiendo de allí, Jesús entonces se retiró a las partes de Tiro y Sidón.ᵐ 22 Y, ¡mire!, una mujer feniciaⁿ de aquellas regiones salió, y levantó la voz, y dijo: "Ten misericordia de mí,º Señor, Hijo de David. Mi hija está terriblemente endemoniada". 23 Pero él no le contestó palabra. De modo que sus discípulos se acercaron y empezaron a solicitarle: "Despídela; porque sigue clamando tras nosotros". 24 En respuesta, él dijo: "No fui enviado a nadie aparte de las ovejas perdidas de la casa de Israel".ᵖ 25 Cuando la mujer

vino, se puso a rendirle homenaje, diciendo: "¡Señor, ayúdame!".ª 26 En respuesta, él dijo: "No es correcto tomar el pan de los hijos y echarlo a los perritos". 27 Ella dijo: "Sí, Señor; pero en realidad los perritos comen de las migajas que caen de la mesa de sus amos".ᵇ 28 Entonces Jesús le dijo en respuesta: "Oh mujer, grande es tu fe; que te suceda según deseas". Y su hija fue sanada desde aquella hora.

29 Marchando por tierra de allí, Jesús en seguida llegó cerca del mar de Galilea,ᵈ y, después de subir a la montaña,ᵉ estuvo sentado allí. 30 Entonces se le acercaron grandes muchedumbres, teniendo consigo personas que eran cojas, mancas, ciegas, mudas, y muchas en otras condiciones, y casi se las tiraron a los pies, y él las curó;ᶠ 31 de modo que la muchedumbre se asombró al ver que los mudos hablaban y los cojos andaban y los ciegos veían, y glorificaron al Dios de Israel.ᵍ

32 Pero Jesús llamó a sí sus discípulos, y dijo:ʰ "Me compadezcoⁱ de la muchedumbre, porque hace ya tres días que se han quedado conmigo y no tienen qué comer; y no quiero despedirlos en ayunas. Posiblemente desfallezcan en el camino".ʲ 33 Sin embargo, los discípulos le dijeron: "¿Dónde, en este lugar solitario, vamos a conseguir panes suficientes para satisfacer a una muchedumbre de este tamaño?".ʲ 34 Entonces Jesús les dijo: "¿Cuántos panes tienen?". Ellos dijeron: "Siete, y unos cuantos pescaditos". 35 Luego, después de mandar que la muchedumbre se reclinara sobre el suelo, 36 tomó los siete panes y los pescados y, habiendo dado gracias, los partió, y los iba distribuyendo a los discípulos, y los discípulos a su vez a las muchedumbres.ᵏ 37 Y todos comieron y quedaron satisfechos, y como sobrante de tro-

zos recogieron siete cestas de provisiones llenas.ª 38 Sin embargo, los que comieron fueron cuatro mil varones, además de mujeres y niñitos. 39 Por fin, después de despedir a las muchedumbres, él entró en la barca y vino a las regiones de Magadán.ᵇ

16 Aquí se le acercaron los fariseosᶜ y saduceos y, para tentarlo, le pidieron que les mostrara alguna señal del cielo.ᵈ 2 En respuesta, él les dijo: "[[Al anochecer ustedes acostumbran decir: 'Habrá buen tiempo, porque el cielo está rojo encendido'; 3 y a la mañana: 'Hoy habrá tiempo invernal y lluvioso, porque el cielo está rojo encendido, pero de aspecto sombrío'. Saben interpretar la apariencia del cielo, pero las señales de los tiempos no las pueden interpretar.]]ᵉ 4 Una generación inicua y adúltera sigue buscando una señal, pero no se le dará señal algunaᶠ sino la señal de Jonás".ᵍ Con eso se fue, dejándolos atrás.ʰ

5 Entonces los discípulos cruzaron al otro lado, pero se les olvidó llevar consigo panes.ⁱ 6 Jesús les dijo: "Mantengan los ojos abiertos y guárdense de la levadura de los fariseos y saduceos".ʲ 7 Así que ellos se pusieron a razonar entre sí, diciendo: "No trajimos panes". 8 Sabiéndolo, Jesús dijo: "¿Por qué razonan así entre ustedes, porque no tienen panes, hombres de poca fe?ᵏ 9 ¿Aún no perciben de qué se trata, o no se acuerdan de los cinco panes en el caso de los cinco mil, y de cuántas cestas recogieron?ˡ 10 ¿O de los siete panes en el caso de los cuatro mil, y de cuántas cestas para provisiones recogieron?ᵐ 11 ¿Cómo no disciernen que no les hablé acerca de panes? Mas guárdense de la levadura de los fariseos y saduceos".ⁿ 12 Entonces comprendieron que no

CAP. 15
a Mr 7:26

b Mr 7:28

c Mr 7:29
Jn 4:53

d Mr 7:31

e Mt 5:1

f Isa 35:5
Mr 19:2
Mr 3:10
Mr 7:32

g Mt 9:33
Mr 7:37

h Mr 8:1

i Mr 14:14
Mr 6:34

j Nú 11:22
2Re 4:43
Mr 8:4

k Mr 8:10
1Sa 9:13
Mt 14:19
Mr 8:6

2.ª col.

a Mt 16:10
Mr 8:8

b Mr 8:10

CAP. 16

c Mt 12:38

d Mr 8:11
Lu 11:16
1Co 1:22

e Isa 7:14
Miq 5:2
Lu 12:54

f Mr 8:12

g Jon 1:17

h Mt 12:39
Lu 11:29

i Mr 8:13
Mr 8:14

j Mt 24:4
Mr 8:15
Lu 12:1
Ro 16:17
Col 2:8

k Mt 8:26
Mr 8:17

l Mt 14:17
Mr 8:19

m Mt 15:34
Mr 8:20

n Lu 2:11
Le 6:17
Mr 8:21
Lu 12:1

les había dicho que se guardaran de la levadura de los panes, sino de la enseñanza[a] de los fariseos y saduceos.

13 Ahora bien, cuando hubo llegado a las partes de Cesarea de Filipo, Jesús se puso a preguntar a sus discípulos: "¿Quién dicen los hombres que es el Hijo del hombre?".[b]   14 Ellos dijeron: "Algunos dicen Juan el Bautista;[c] otros, Elías;[d] otros más, Jeremías o uno de los profetas".   15 Él les dijo: "Pero ustedes, ¿quién dicen que soy?".[e]   16 En contestación, Simón Pedro dijo: "Tú eres el Cristo,[f] el Hijo del Dios vivo".[g]   17 En respuesta, Jesús le dijo: "Feliz eres, Simón hijo de Jonás, porque carne y sangre no te [lo] reveló, sino mi Padre que está en los cielos.[h]   18 También, yo te digo a ti: Tú eres Pedro,[i] y sobre esta masa rocosa[j] edificaré mi congregación, y las puertas del Hades[k] no la subyugarán.[l]   19 Yo te daré las llaves del reino de los cielos, y cualquier cosa que ates sobre la tierra será la cosa atada en los cielos, y cualquier cosa que desates sobre la tierra será la cosa desatada en los cielos".[m]   20 Entonces les ordenó rigurosamente a los discípulos que no dijeran a nadie que él era el Cristo.[n]

21 Desde ese tiempo en adelante Jesucristo comenzó a mostrar a sus discípulos que él tenía que ir a Jerusalén y sufrir muchas cosas de parte de los ancianos y de los sacerdotes principales y de los escribas, y ser muerto, y al tercer día ser levantado.[o]   22 Con eso, Pedro lo llevó aparte y comenzó a reprenderlo, diciendo: "Sé bondadoso contigo mismo, Señor; tú absolutamente no tendrás este [destino]".[p]   23 Pero él, dándole la espalda, dijo a Pedro: "¡Ponte detrás de mí, Satanás![q] Me eres un tropiezo, porque no piensas los pensamientos de Dios,[r] sino los de los hombres".

24 Entonces Jesús dijo a sus discípulos: "Si alguien quiere venir en pos de mí, repúdiese a sí mismo y tome su madero de tormento y sígame de continuo.[a]   25 Porque el que quiera salvar su alma, la perderá; pero el que pierda su alma por causa de mí, la hallará.[b]   26 Porque ¿de qué provecho le será al hombre si gana todo el mundo, pero lo paga con perder su alma?,[c] o ¿qué dará el hombre en cambio[d] por su alma?   27 Porque el Hijo del hombre está destinado a venir en la gloria de su Padre con sus ángeles, y entonces recompensará a cada uno según su comportamiento.[e]   28 En verdad les digo que hay algunos de los que están en pie aquí que de ningún modo gustarán la muerte hasta que primero vean al Hijo del hombre viniendo en su reino".[f]

17 Seis días después Jesús tomó consigo a Pedro y a Santiago y a Juan su hermano, y los llevó a una montaña encumbrada donde estuvieron solos.[g]   2 Y fue transfigurado delante de ellos, y su rostro resplandeció como el sol,[h] y sus prendas de vestir exteriores se hicieron esplendorosas como la luz.[i]   3 Y, ¡mire!, se les aparecieron Moisés y Elías, que conversaban con él.[j]   4 Tomando Pedro la palabra, dijo a Jesús: "Señor, es excelente que estemos aquí. Si quieres, erigiré aquí tres tiendas: una para ti y una para Moisés y una para Elías".[k]   5 Mientras él todavía hablaba, ¡mire!, una nube brillante los cubrió con su sombra, y, ¡mire!, una voz procedente de la nube, que decía: "Este es mi Hijo, el amado, a quien he aprobado;[l] escúchenle".[m]   6 Al oír esto, los discípulos cayeron sobre sus rostros y tuvieron mucho miedo.[n]   7 Entonces Jesús se acercó y, tocándolos, dijo: "Levántense y no teman".[o]

CAP. 16
a Mt 15:3
b Mr 8:27
   Lu 9:18
c Mt 14:2
   Lu 9:7
d Jn 1:25
e Mr 8:29
   Lu 9:20
f Jn 1:41
   Jn 4:25
   Jn 11:27
g Sl 2:7
   Mt 14:33
   Hch 9:20
   Heb 1:2
   1Jn 4:15
h Mt 11:27
   Mt 17:5
i Jn 1:42
j Ro 9:33
   1Co 3:11
   1Co 10:4
   Ef 2:20
   1Pe 2:8
k Isa 28:18
l Rev 1:18
m Mt 18:18
   Lu 20:23
n Mr 8:30
   Lu 9:21
o Sl 16:10
   Isa 53:12
   Mt 17:23
   Mt 20:19
   Mr 8:31
   Lu 9:22
   Lu 24:46
   1Co 15:4
p Mr 8:32
q Mt 4:10
r 1Co 2:11

2.ᵃ col.
a Mt 10:38
   Mr 8:34
   Lu 9:23
   Lu 14:27
b Lu 17:33
   Jn 12:25
c Mr 8:36
d Sl 49:8
e Sl 62:12
   Pr 24:12
   Ro 2:6
   2Co 5:10
   1Pe 1:17
f Mt 10:23
   Mt 17:2
   Mr 9:1

CAP. 17
g Mr 9:2
   Lu 9:28
   2Pe 1:18
h Éx 34:29
i 2Pe 1:17
   Rev 1:16
j Mr 9:4
k Mr 9:5
l Sl 2:7
   Isa 42:1
   Mt 3:17
   Lu 9:35
m Dt 18:15
   Hch 3:23
   Heb 2:3
n Mr 9:6
o Rev 1:17

8 Cuando alzaron los ojos, no vieron a nadie sino solo a Jesús mismo.[a]   9 Y al ir descendiendo de la montaña, Jesús les mandó, y dijo: "No digan a nadie la visión hasta que el Hijo del hombre sea levantado de entre los muertos".[b]

10 Sin embargo, los discípulos le hicieron la pregunta: "¿Por qué, pues, dicen los escribas que Elías tiene que venir primero?".[c] 11 En respuesta él dijo: "Elías, en realidad, viene, y restaurará todas las cosas.[d] 12 Sin embargo, les digo que Elías ya ha venido, y ellos no lo reconocieron, antes bien, hicieron con él las cosas que quisieron. De esta manera también el Hijo del hombre está destinado a sufrir a manos de ellos".[e] 13 Entonces los discípulos percibieron que les hablaba de Juan el Bautista.[f]

14 Y cuando fueron hacia la muchedumbre,[g] se le acercó un hombre que se arrodilló ante él y dijo: 15 "Señor, ten misericordia de mi hijo, porque es epiléptico y está mal, pues muchas veces cae en el fuego y muchas veces en el agua;[h] 16 y lo traje a tus discípulos, pero ellos no pudieron curarlo".[i] 17 En respuesta, Jesús dijo: "Oh generación falta de fe y aviesa,[j] ¿hasta cuándo tengo que continuar con ustedes? ¿Hasta cuándo tengo que soportarlos? Tráiganmelo acá". 18 Entonces Jesús lo reprendió, y el demonio salió de él;[k] y el muchacho quedó curado desde aquella hora.[l] 19 Por consiguiente, los discípulos se acercaron privadamente a Jesús, y dijeron: "¿Por qué no pudimos expulsarlo nosotros?".[m] 20 Él les dijo: "Por su poca fe. Porque en verdad les digo: Si tienen fe del tamaño de un grano de mostaza, dirán a esta montaña: 'Transfiérete de aquí allá', y se transferirá, y nada les será imposible".[n] 21 ——

22 Mientras estaban reunidos en Galilea, Jesús les dijo: "El Hijo del hombre está destinado a ser traicionado en manos de los hombres,[a] 23 y lo matarán, y al tercer día será levantado".[b] Por consiguiente, se contristaron en gran manera.[c]

24 Después que llegaron a Capernaum, se acercaron a Pedro los hombres que cobran [el impuesto de] los dos dracmas y dijeron: "¿No paga el maestro de ustedes [el impuesto] los dos dracmas?".[d] 25 Él dijo: "Sí". Sin embargo, cuando entró en la casa, Jesús se le anticipó, diciendo: "¿Qué te parece, Simón? ¿De quiénes reciben los reyes de la tierra contribuciones o la capitación? ¿De sus hijos, o de los extraños?". 26 Cuando él dijo: "De los extraños", Jesús le dijo: "Entonces, realmente, los hijos están libres de impuestos. 27 Pero para que no los hagamos tropezar,[e] ve al mar, echa el anzuelo, y toma el primer pez que suba y, al abrirle la boca, hallarás una moneda de estater. Toma esa y dásela a ellos por mí y por ti".[f]

18 En aquella hora se acercaron los discípulos a Jesús y dijeron: "¿Quién, realmente, es mayor en el reino de los cielos?".[g] 2 De modo que, llamando a sí a un niñito, lo puso en medio de ellos[h] 3 y dijo: "Verdaderamente les digo: A menos que ustedes se vuelvan y lleguen a ser como niñitos,[i] de ninguna manera entrarán en el reino de los cielos.[j] 4 Por eso, cualquiera que se humille[k] como este niñito, es el mayor en el reino de los cielos;[l] 5 y cualquiera que reciba a un niñito como este sobre la base de mi nombre, a mí [también] me recibe.[m] 6 Pero cualquiera que haga tropezar a uno de estos pequeños que ponen fe en mí, más provechoso le es que le cuelguen alrededor del cuello una piedra de molino[n] como la

CAP. 17

a Mr 9:8
b Mt 16:20
  Mr 9:9
  Lu 9:36
c Mt 11:14
d Isa 40:3
  Mal 3:1
  Mal 4:5
  Lu 1:17
e Mt 16:21
  Mr 9:13
  Lu 23:25
f Lu 1:17
g Lu 9:37
h Mr 9:17
i Lu 9:40
j Dt 32:5
  Dt 32:20
  Flp 2:15
k Mr 9:25
l Mt 8:13
  Mt 9:22
  Mt 15:28
  Jn 4:52
m Mr 9:28
n Mt 21:21
  Mt 11:23
  Lu 17:6
  1Co 13:2

2.ª col.

a 2Sa 24:14
  Mt 20:18
  Mr 9:31
  Lu 9:44
b Mt 16:21
  Mt 28:6
c Mr 9:32
  Lu 9:45
d Éx 30:13
  Éx 38:26
e Ro 14:13
  1Co 8:13
  1Co 10:32
  2Co 6:3
f Mr 12:17
  Ro 13:7

CAP. 18

g Mr 9:34
  Lu 9:46
  Lu 22:24
h Mr 9:36
i Mt 19:14
  1Co 14:20
  1Pe 2:2
j Lu 18:17
k Mt 20:26
  Mt 23:12
  Lu 14:11
  Lu 22:26
  Snt 4:10
l 1Pr 15:33
  Lu 9:48
  1Pe 5:5
m Mr 9:37
n Rev 18:21

que el asno hace girar y que lo hundan en alta mar.[a]

7 "¡Ay del mundo, debido a los tropiezos! Pues, forzosamente tienen que venir los tropiezos,[b] pero ¡ay del hombre por medio de quien viene el tropiezo![c] 8 Por eso, si tu mano o tu pie te está haciendo tropezar, córtalo y échalo de ti;[d] mejor te es entrar en la vida manco o cojo, que con dos manos o dos pies ser echado en el fuego eterno.[e] 9 También, si tu ojo te está haciendo tropezar, arráncalo y échalo de ti; mejor te es entrar en la vida con un solo ojo, que con dos ojos ser echado al Gehena de fuego.[f] 10 Miren que no desprecien a uno de estos pequeños; porque les digo que sus ángeles[g] en el cielo siempre contemplan el rostro de mi Padre que está en el cielo.[h] 11 ———

12 "¿Qué les parece? Si cierto hombre llega a tener cien ovejas y una de ellas se descarría,[j] ¿no dejará las noventa y nueve sobre las montañas y emprenderá una búsqueda por la que anda descarriada?[j] 13 Y si sucede que la halla, de seguro les digo, se regocija más por ella que por las noventa y nueve que no se han descarriado.[k] 14 Así mismo, no es cosa deseable a mi Padre que está en el cielo el que uno de estos pequeños perezca.[l]

15 "Además, si tu hermano comete un pecado, ve y ponlo al descubierto su falta entre tú y él a solas.[m] Si te escucha, has ganado a tu hermano.[n] 16 Pero si no escucha, toma contigo a uno o dos más, para que por boca de dos o tres testigos se establezca todo asunto.[o] 17 Si no les escucha a ellos, habla a la congregación. Si no escucha ni siquiera a la congregación, sea para ti exactamente como hombre de las naciones[p] y como recaudador de impuestos.[q]

18 "En verdad les digo: Cualesquiera cosas que aten sobre la tierra serán cosas atadas en el

CAP. 18
a Mr 9:42
  Lu 17:2
b Mt 26:24
c Lu 17:1
d Mt 5:29
  Mr 9:43
  Col 3:5
e Mt 25:41
f Mt 5:22
  Mt 5:29
  Mr 9:47
  Ro 8:13
g Hch 12:15
  Heb 1:14
h Lu 1:19
i 1Pe 2:25
j Lu 15:4
k Lu 15:6
l Lu 15:7
  2Pe 3:9
m Le 19:17
  Pr 25:9
  Lu 17:3
n Snt 5:20
o Dt 19:15
  Jn 8:17
  2Co 13:1
  1Ti 5:19
  Heb 10:28
p Jn 18:28
  Hch 10:28
  Hch 11:3
q Ro 16:17
  1Co 5:11

2.ᵃ col.

a Mt 16:19
  Jn 20:23
b Mt 11:24
  Jn 14:13
  Jn 16:24
  1Jn 3:22
c 1Co 5:4
d Mt 28:20
e Pr 9:11
f Mt 6:12
g Mr 11:25
  Lu 17:4
  Ef 4:32
  Col 3:13
h Mt 22:2
i Ro 14:12
j Éx 21:7
  Le 25:39
  2Re 4:1
  Ne 5:8
k Lu 7:42
l 1Jn 1:9
m Lu 7:41
n Mt 18:26

cielo, y cualesquiera cosas que desaten sobre la tierra serán cosas desatadas en el cielo.[a] 19 Otra vez les digo en verdad: Si dos de ustedes sobre la tierra convienen acerca de cualquier cosa de importancia que soliciten, se les efectuará debido a mi Padre en el cielo.[b] 20 Porque donde están dos o tres reunidos en mi nombre,[c] allí estoy yo en medio de ellos".[d]

21 Entonces se acercó Pedro y le dijo: "Señor, ¿cuántas veces ha de pecar mi hermano y he de perdonarle yo?[e] ¿Hasta siete veces?".[f] 22 Jesús le dijo: "No te digo: Hasta siete veces, sino: Hasta setenta y siete veces.[g]

23 "Por eso el reino de los cielos ha llegado a ser semejante a un hombre, un rey,[h] que quiso ajustar cuentas[i] con sus esclavos. 24 Cuando comenzó a ajustarlas, le fue traído un hombre que le debía diez mil talentos [60.000.000 de denarios]. 25 Pero como no tenía con qué pagar[lo], su amo ordenó que fueran vendidos él y su esposa y sus hijos y todas las cosas que tenía, y que se hiciera el pago.[j] 26 Por lo tanto, el esclavo cayó y se puso a rendirle homenaje, diciendo: 'Ten paciencia conmigo y te lo pagaré todo'. 27 Enternecido por esto, el amo de aquel esclavo lo dejó ir libre[k] y canceló su deuda.[l] 28 Pero aquel esclavo salió y encontró a uno de sus coesclavos que le debía cien denarios;[m] y, agarrándolo, lo ahogaba, diciendo: 'Paga todo lo que debes'. 29 Con eso, su coesclavo cayó y se puso a suplicarle, diciendo: 'Ten paciencia[n] conmigo, y te lo pagaré'. 30 Sin embargo, él no quiso, sino que se fue e hizo que lo echaran en prisión hasta que pagara lo que se debía. 31 Por lo tanto, al ver sus coesclavos las cosas que habían sucedido, se contristaron mucho, y fueron y

aclararon a su amo todo lo que había sucedido.[a] 32 Entonces su amo mandó llamarlo y le dijo: 'Esclavo inicuo, yo te cancelé toda aquella deuda, cuando me suplicaste. 33 ¿No deberías tú, en cambio, haberle tenido misericordia[b] a tu coesclavo, como yo también te tuve misericordia[c] a ti?'. 34 Con eso, su amo, provocado a ira,[d] lo entregó a los carceleros, hasta que pagara todo lo que se debía. 35 Del mismo modo[e] también tratará mi Padre celestial con ustedes si no perdonan de corazón cada uno a su hermano".[f]

19 Ahora bien, cuando Jesús hubo acabado estas palabras, partió de Galilea y llegó a los términos de Judea al otro lado del Jordán.[g] 2 Además, le siguieron grandes muchedumbres, y los curó allí.[h]

3 Y se le acercaron unos fariseos, resueltos a tentarlo, y dijeron: "¿Es lícito para un hombre divorciarse de su esposa por toda suerte de motivo?".[i] 4 En respuesta, él dijo: "¿No leyeron que el que los creó desde [el] principio los hizo macho y hembra[j] y dijo: 'Por esto el hombre dejará a su padre y a su madre[k] y se adherirá a su esposa, y los dos serán una sola carne'?[l] 6 De modo que ya no son dos, sino una sola carne. Por lo tanto, lo que Dios ha unido bajo un yugo, no lo separe ningún hombre".[m] 7 Ellos le dijeron: "Entonces, ¿por qué prescribió Moisés dar un certificado de despedida y divorciarse de ella?".[n] 8 Él les dijo: "Moisés, en vista de la dureza del corazón de ustedes,[o] les hizo la concesión de que se divorciaran de sus esposas, pero tal no ha sido el caso desde [el] principio.[p] 9 Yo les digo que cualquiera que se divorcie de su esposa, a no ser por motivo de fornicación, y se case con otra, comete adulterio".[q]

10 Le dijeron los discípulos:

"Si tal es la situación del hombre con su esposa, no conviene casarse".[a] 11 Él les dijo: "No todos hacen lugar para el dicho, sino únicamente los que tienen el don.[b] 12 Porque hay eunucos que nacieron así de la matriz de su madre,[c] y hay eunucos que fueron hechos eunucos por los hombres, y hay eunucos que a sí mismos se han hecho eunucos por causa del reino de los cielos. Quien pueda hacer lugar para ello, haga lugar para ello".[d]

13 Entonces le fueron traídos unos niñitos, para que pusiera las manos sobre ellos y dijera oración; mas los discípulos los corrigieron.[e] 14 Sin embargo, Jesús dijo: "Dejen a los niñitos en paz, y cesen de impedir que vengan a mí, porque el reino de los cielos pertenece a los que son así".[f] 15 Y puso las manos sobre ellos, y se fue de allí.[g]

16 Luego, ¡mire!, cierto individuo se le acercó y dijo: "Maestro, ¿qué tengo que hacer de bueno para obtener la vida eterna?".[h] 17 Él le dijo: "¿Por qué me preguntas a mí acerca de lo que es bueno? Uno solo hay que es bueno.[i] Sin embargo, si quieres entrar en la vida, observa los mandamientos continuamente".[j] 18 Él le dijo: "¿Cuáles?".[k] Jesús dijo: "Pues: No debes asesinar,[l] No debes cometer adulterio,[m] No debes hurtar,[n] No debes dar falso testimonio,[o] 19 Honra a [tu] padre y a [tu] madre,[p] y, Tienes que amar a tu prójimo como a ti mismo".[q] 20 El dijo al joven: "Todos estos los he guardado; ¿qué me falta aún?".[k] 21 Jesús le dijo: "Si quieres ser perfecto, ve, vende tus bienes y da a los pobres, y tendrás tesoro en el cielo,[r] y ven, sé mi seguidor".[s] 22 Al oír el joven este dicho, se fue contristado, porque tenía muchas posesiones.[t] 23 Mas Jesús dijo a sus discípulos: "En

---

CAP. 18
a Le 5:1
b Mt 6:12
  Mt 7:12
  Snt 2:13
c Isa 55:7
d Mt 22:7
e Job 34:11
  Sl 62:12
  Pr 24:12
  Ro 2:6
f Pr 21:13
  Mt 6:14
  Mr 11:25
  Lu 17:3
  Ef 4:32

CAP. 19
g Mt 10:1
  Jn 10:40
h Mt 12:15
  Mt 14:14
  Mt 15:30
  Lu 5:15
i Dt 24:1
  Mt 16:1
  Mr 10:2
j Gé 1:27
  Gé 5:2
k Mr 10:6
k Mr 10:7
  Ef 5:31
l Gé 2:24
m Gé 10:9
  1Co 7:11
n Dt 24:1
  Mt 5:31
o Mr 10:5
p Gé 2:24
q Mal 2:14
  Mt 5:32
  Mr 10:11
  Ro 7:3
  1Co 7:10
  Heb 13:4

2.ª col.
a 1Co 7:8
  1Co 7:38
  1Co 7:40
b 1Co 7:7
c Dt 23:1
  Isa 56:3
d 1Co 7:32
  1Co 7:38
  1Co 9:5
e Mr 10:13
  Lu 18:15
f Mt 18:3
  Mr 10:14
  Lu 18:16
g Mr 10:16
h Mt 19:29
  Mr 10:17
  Lu 10:25
  Lu 18:18
i Mr 10:18
j Le 18:5
  Lu 10:28
  Lu 18:20
k Lu 10:26
l Éx 20:13
  Dt 5:17
m Éx 20:14
  Dt 5:18
n Éx 20:15
  Dt 5:19
o Éx 20:16
  Dt 5:20
p Éx 20:12
  Dt 5:16

q Le 19:18; Mt 22:39; Mr 12:31; Lu 10:27; r Mt 6:20; s Lu 12:33; Lu 18:22; Flp 3:7; t Sl 62:10; Mr 10:22; Lu 18:23.

verdad les digo que será cosa difícil el que un rico entre en el reino de los cielos.[a] 24 Otra vez les digo: Más fácil es que un camello pase por el ojo de una aguja que el que un rico entre en el reino de Dios".[b]

25 Cuando los discípulos oyeron aquello, expresaron sorpresa muy grande, y dijeron: "¿Quién, realmente, puede ser salvo?".[c] 26 Mirándolos al rostro, Jesús les dijo: "Para los hombres esto es imposible, pero para Dios todas las cosas son posibles".[d]

27 Entonces Pedro le dijo en respuesta: "¡Mira! Nosotros hemos dejado todas las cosas y te hemos seguido; ¿qué habrá para nosotros, realmente?".[e] 28 Jesús les dijo: "En verdad les digo: En la re-creación, cuando el Hijo del hombre se siente sobre su trono glorioso, ustedes los que me han seguido también se sentarán sobre doce tronos y juzgarán a las doce tribus de Israel.[f] 29 Y todo el que haya dejado casas, o hermanos, o hermanas, o padre, o madre, o hijos, o tierras, por causa de mi nombre, recibirá muchas veces más, y heredará la vida eterna.[g]

30 "Pero muchos que son primeros serán últimos; y los últimos, primeros.[h]

20 "Porque el reino de los cielos es semejante a un hombre, un amo de casa, que salió muy de mañana para contratar obreros para su viña.[i] 2 Cuando hubo convenido con los obreros en un denario al día,[j] los envió a su viña. 3 Saliendo también cerca de la hora tercera,[k] vio a otros que estaban de pie desocupados en la plaza del mercado;[l] 4 y a aquellos dijo: 'Ustedes también, vayan a la viña, y les daré lo que sea justo'. 5 De modo que ellos se fueron. Él volvió a salir cerca de la hora sexta,[m] y de la nona,[n] e hizo lo mismo. 6 Finalmente, sa-

lió cerca de la hora undécima y halló a otros de pie, y les dijo: '¿Por qué han estado de pie aquí desocupados todo el día?'. 7 Le dijeron: 'Porque nadie nos ha contratado'. Les dijo: 'Ustedes también vayan a la viña'.[a]

8 "Cuando empezó a anochecer,[b] el amo de la viña dijo a su encargado: 'Llama a los obreros y págales su salario,[c] procediendo desde los últimos hasta los primeros'. 9 Cuando vinieron los hombres de la hora undécima, recibieron cada uno un denario. 10 Por eso, cuando vinieron los primeros, concluyeron que ellos recibirían más; pero ellos también recibieron pago a razón de un denario. 11 Al recibirlo, se pusieron a murmurar contra el amo de casa[d] 12 y dijeron: '¡Estos últimos trabajaron una sola hora; no obstante, tú los hiciste iguales a nosotros que soportamos el peso del día y el calor ardiente!'. 13 Mas él, respondiendo a uno de ellos, dijo: 'Amigo, no te hago ningún mal. Conviniste conmigo por un denario, ¿no es verdad?[e] 14 Toma lo tuyo y vete. Quiero dar a este último lo mismo que a ti.[f] 15 ¿No me es lícito hacer lo que quiero con mis propias cosas? ¿O es inicuo tu ojo[g] porque yo soy bueno?'.[h] 16 De esta manera los últimos serán primeros, y los primeros, últimos".[i]

17 Estando ya para subir a Jerusalén, Jesús llevó aparte privadamente a los doce discípulos[j] y les dijo en el camino: 18 "¡Miren! Subimos a Jerusalén, y el Hijo del hombre será entregado a los sacerdotes principales y a los escribas, y lo condenarán a muerte;[k] 19 y lo entregarán a [hombres de] las naciones para que se burlen de él y lo azoten y lo fijen en un madero,[l] y al tercer día será levantado".[m]

20 Entonces se le acercó la madre de los hijos de Zebedeo[n]

CAP. 19

a Mr 10:23
  Lu 18:24
  1Ti 6:10
b Mr 10:25
  Lu 18:25
d Mr 10:26
d Gé 18:14
  Job 42:2
  Jer 32:17
  Zac 8:6,
  LXX
e Lu 18:27
f Mr 10:28
  Lu 5:11
  Lu 18:28
f Da 7:14
  Mt 20:21
  Mt 25:31
  Lu 18:29
  Lu 22:30
  1Co 6:2
  Rev 20:4
g Mr 10:30
  Lu 18:29
  Lu 18:30
  Heb 10:34
h Mt 20:16
  Mr 10:31
  Lu 13:30

CAP. 20

i Isa 5:1
  Mt 21:33
j Rev 6:6
k Mr 15:25
  Hch 2:15
l Hch 17:17
m Mr 15:33
  Jn 4:6
n Mt 27:45

2.ª col.

a Jn 15:8
b Jue 19:16
c Le 19:13
  Dt 24:15
d Mt 20:2
f Jn 17:2
g Dt 15:9
  Mt 6:23
  Mt 7:22
h 1Pe 2:3
i Mt 19:30
  Mr 9:35
  Mr 10:31
  Lu 13:30
j Mr 10:32
  Lu 18:31
k Mt 16:21
  Lu 9:22
l Mt 27:31
  Jn 19:1
m Mt 17:23
  Mt 28:6
  Mt 10:34
  Lu 18:33
  Hch 10:40
  1Co 15:4
n Mt 4:21
  Mt 27:56

con sus hijos, rindiéndole homenaje y pidiéndole algo.ᵃ 21 Él le dijo: "¿Qué quieres?". Ella le dijo: "Di la palabra para que estos dos hijos míos se sienten, uno a tu derecha y uno a tu izquierda, en tu reino".ᵇ 22 Jesús dijo en contestación: "Ustedes no saben lo que piden. ¿Pueden beber la copaᶜ que yo estoy a punto de beber?". Ellos le dijeron: "Podemos". 23 Les dijo: "De cierto beberán mi copa,ᵈ pero esto de sentarse a mi derecha y a mi izquierda no es cosa mía darlo, sino que pertenece a aquellos para quienes ha sido preparado por mi Padre".ᵉ 24 Cuando los otros diez oyeron de esto, se indignaron con los dos hermanos.ᶠ 25 Pero Jesús, llamándolos a sí, dijo: "Ustedes saben que los gobernantes de las naciones se enseñorean de ellas, y los grandes ejercen autoridad sobre ellas.ᵍ 26 No es así entre ustedes;ʰ antes bien, el que quiera llegar a ser grande entre ustedes tiene que ser ministro de ustedes,ⁱ 27 y el que quiera ser el primero entre ustedes tiene que ser esclavo de ustedes.ʲ 28 Así como el Hijo del hombre no vino para que se le ministrara, sino para ministrarᵏ y para dar su alma en rescate en cambio por muchos".ˡ

29 Ahora bien, al salir ellos de Jericó,ᵐ una gran muchedumbre lo siguió. 30 Y, ¡mire!, dos ciegos que estaban sentados junto al camino, al oír que Jesús iba pasando, clamaron y dijeron: "¡Señor, ten misericordia de nosotros, Hijo de David!".ⁿ 31 Pero la muchedumbre les dijo con rigor que se callaran; sin embargo, ellos gritaron con más fuerza, diciendo: "¡Señor, ten misericordia de nosotros, Hijo de David!".ᵒ 32 De modo que Jesús se detuvo, los llamó, y dijo: "¿Qué quieren que les haga?". 33 Le dijeron: "Señor, que se abran nuestros ojos".ᵖ

34 Enternecido, Jesús les tocó los ojos,ᵃ y ellos inmediatamente recibieron la vista, y le siguieron.ᵇ

21 Pues bien, cuando se acercaron a Jerusalén y llegaron a Betfagué en el monte de los Olivos, entonces Jesús envió a dos discípulos,ᶜ 2 diciéndoles: "Pónganse en camino a la aldea que está a su vista, y en seguida hallarán un asna atada, y un pollino con ella; desátenlos y tráiganmelos.ᵈ 3 Y si alguien les dice algo, tienen que decir: 'El Señor los necesita'. Con eso él los enviará inmediatamente".

4 Esto verdaderamente se efectuó para que se cumpliera lo que se había hablado mediante el profeta, que dijo: 5 "Digan a la hija de Sión: '¡Mira! Tu Rey viene a ti,ᵉ de genio apacible,ᶠ y montado sobre un asno, sí, sobre un pollino, prole de una bestia de carga'".ᵍ 6 De modo que los discípulos se pusieron en camino e hicieron exactamente como les había ordenado Jesús. 7 Y trajeron el asna y su pollino, y pusieron sobre estos las prendas de vestir exteriores de ellos, y él se sentó sobre estas.ʰ 8 La mayor parte de la muchedumbre tendió sus prendas de vestir exterioresⁱ en el camino, mientras otros se pusieron a cortar ramas de los árboles y a tenderlas por el camino.ʲ 9 En cuanto a las muchedumbres, los que iban delante de él y los que seguían, clamaban: "¡Salva, rogamos,ᵏ al Hijo de David!ˡ ¡Bendito es el que viene en el nombre de Jehová!ᵐ ¡Sálvalo, rogamos, en las alturas!".ⁿ

10 Entonces, cuando él entró en Jerusalén,ᵒ toda la ciudad se puso en conmoción, y decían: "¿Quién es este?". 11 Las muchedumbres seguían diciendo: "¡Este es el profetaᵖ Jesús, de Nazaret de Galilea!".

12 Y Jesús entró en el templo

CAP. 20

a Mt 10:35
b Mr 19:28
  Mr 10:37
c Mt 26:39
  Mr 14:36
  Jn 18:11
d Hch 12:2
  Ro 8:17
  2Co 1:7
  Rev 1:9
e Mr 10:40
f Mr 10:41
  Lu 22:24
g 1Co 2:6
  2Co 1:24
h 1Pe 5:3
i Mt 18:4
  Mt 23:11
  Mr 10:43
  Lu 22:26
j Mr 9:35
  Mr 10:44
k Lu 22:27
  Jn 13:14
  Flp 2:7
l Le 4:21
  Isa 53:11
  1Ti 2:6
  Tit 2:14
  Heb 9:28
m Mr 10:46
  Lu 18:35
n Mt 9:27
  Mt 15:22
  Mr 10:47
  Lu 18:38
o Lu 18:39
p Lu 18:41

2.ᵃ col.

a Mt 9:29
b Mr 10:52
  Lu 18:43

CAP. 21

c Mr 11:1
  Lu 19:29
d Mr 11:2
  Lu 19:30
e Isa 62:11
  Jn 12:15
f Mt 11:29
g Zac 9:9
h 1Re 1:38
  Lu 19:35
  Jn 12:14
i 2Re 9:13
  Lu 19:36
j 1Re 1:40
  Jn 12:13
k Sl 118:25
l Mt 9:27
  Mt 21:15
m Sl 118:26
  Mt 23:39
  Lu 13:35
  Jn 5:43
  Jn 12:13
n Lu 2:14
o Mr 11:11
p Mt 21:46
  Lu 7:16
  Lu 24:19

y echó fuera a todos los que vendían y compraban en el templo, y volcó las mesas de los cambistas y los bancos de los que vendían palomas.[a] 13 Y les dijo: "Está escrito: 'Mi casa será llamada casa de oración',[b] pero ustedes la hacen cueva de salteadores".[c] 14 También, se acercaron a él ciegos y cojos en el templo, y los curó.

15 Cuando los sacerdotes principales y los escribas vieron las cosas maravillosas que hizo,[d] y a los muchachos que estaban clamando en el templo y diciendo: "¡Salva, rogamos,[e] al Hijo de David!",[f] se indignaron, 16 y le dijeron: "¿Oyes lo que estos están diciendo?". Jesús les dijo: "Sí. ¿Nunca leyeron[g] esto: 'De la boca de los pequeñuelos y de los lactantes has proporcionado alabanza'?".[h] 17 Y dejándolos atrás, salió fuera de la ciudad a Betania, y allí pasó la noche.[i]

18 Cuando volvía a la ciudad muy de mañana, le dio hambre.[j] 19 Y alcanzó a ver una higuera junto al camino, y fue a ella, pero no halló nada[k] en ella sino hojas solamente, y le dijo: "Nunca más venga fruto de ti para siempre".[l] Y la higuera se marchitó al instante. 20 Pero cuando los discípulos vieron esto, quedaron admirados, y dijeron: "¿Cómo sucedió que se marchitara al instante la higuera?".[m] 21 En respuesta, Jesús les dijo: "En verdad les digo: Si solo tienen fe y no dudan,[n] no solo harán lo que yo hice a la higuera, sino que también si dijeran a esta montaña: 'Sé alzada y arrojada al mar', sucederá.[o] 22 Y todas las cosas que pidan en oración, teniendo fe, las recibirán".[p]

23 Entonces, después que entró en el templo, los principales sacerdotes y los ancianos del pueblo se le acercaron mientras estaba enseñando, y dijeron:[q] "¿Con qué autoridad haces estas cosas? ¿Y quién te dio esta auto-

ridad?".[a] 24 En respuesta, Jesús les dijo: "Yo, también, les preguntaré una cosa. Si me la dicen, yo también les diré con qué autoridad hago estas cosas:[b] 25 El bautismo por Juan, ¿de dónde era? ¿Del cielo, o de los hombres?".[c] Pero ellos empezaron a razonar entre sí, diciendo: "Si decimos: 'Del cielo', nos dirá: 'Entonces, ¿por qué no le creyeron?'.[d] 26 Sin embargo, si decimos: 'De los hombres', tememos a la muchedumbre a quien temer,[e] porque todos tienen a Juan por profeta".[f] 27 De modo que, en respuesta a Jesús, dijeron: "No sabemos". Él, a su vez, les dijo: "Tampoco les digo yo con qué autoridad hago estas cosas.[g]

28 "¿Qué les parece? Un hombre tenía dos hijos.[h] Dirigiéndose al primero, dijo: 'Hijo, ve, trabaja hoy en la viña'. 29 En respuesta, este dijo: 'Iré, señor',[i] pero no fue. 30 Acercándose al segundo, dijo lo mismo. En respuesta, este dijo: 'No quiero'. Después le pesó,[j] y fue. 31 ¿Cuál de los dos hizo la voluntad de [su] padre?".[k] Ellos dijeron: "El segundo". Jesús les dijo: "En verdad les digo que los recaudadores de impuestos y las rameras van delante de ustedes al reino de Dios. 32 Porque Juan vino a ustedes en camino de justicia,[l] pero ustedes no le creyeron.[m] No obstante, los recaudadores de impuestos y las rameras le creyeron,[n] y a ustedes, aunque vieron [esto], no les pesó después, de modo que le creyeran.

33 "Oigan otra ilustración: Había un hombre, un amo de casa,[o] que plantó una viña y la rodeó de una cerca y cavó en ella un lagar y erigió una torre,[p] y la arrendó a cultivadores, y viajó al extranjero.[q] 34 Cuando llegó la época de los frutos, despachó sus esclavos a los cultivadores para conseguir sus frutos.

CAP. 21
a Mr 11:15
Lu 19:45
Jn 2:15
b 2Cr 6:33
Isa 56:7
c Jer 7:11
Mr 11:17
Lu 19:46
Jn 2:16
d Mr 11:18
e Sl 118:25
f Mt 21:9
g Lu 6:3
h Sl 8:2
i Mr 11:11
Lu 21:37
Jn 11:1
j Mr 11:12
k Mr 11:13
Lu 13:6
l Mt 3:10
m Mr 11:21
n Snt 1:6
o Mt 17:20
Lu 17:6
1Co 13:2
p Mr 11:24
Lu 11:9
Jn 14:13
Snt 1:5
1Jn 3:22
q Mr 11:27
Lu 20:1

2.ª col.
a Éx 2:14
Lu 20:2
Jn 2:18
Hch 4:7
c Lu 20:4
Jn 1:33
d Mt 21:32
Mr 11:31
Lu 7:30
e Mt 14:5
Mt 21:46
f Mr 11:32
Lu 20:6
g Lu 20:8
h Lu 15:11
i Mt 7:21
Lu 6:46
j Pr 24:32
k Lu 18:14
l Mt 21:25
Lu 7:29
m Jn 7:48
n Mr 2:15
Lu 3:12
Lu 7:29
o Mt 20:1
p Isa 5:2
Jer 2:21
q Mr 12:1
Lu 20:9

35 Sin embargo, los cultivadores tomaron a sus esclavos, y a
uno lo golpearon severamente, a
otro lo mataron, a otro lo apedrearon.[a] 36 De nuevo despachó otros esclavos, más que los
primeros, pero a estos les hicieron lo mismo.[b] 37 Por último
despachó su hijo a ellos, diciendo: ‘Respetarán a mi hijo’.
38 Al ver al hijo, los cultivadores dijeron entre sí: ‘Este es el
heredero;[c] ¡vengan, matémoslo
y consigamos su herencia!’.[d]
39 De modo que lo tomaron y lo
echaron fuera de la viña y lo mataron.[e] 40 Por lo tanto, cuando venga el dueño de la viña,
¿qué les hará a aquellos cultivadores?”. 41 Le dijeron: “Por
ser malos, traerá sobre ellos una
destrucción mala,[f] y arrendará
su viña a otros cultivadores, que
le darán los frutos a su tiempo”.[g]
42 Jesús les dijo: “¿Nunca han
leído en las Escrituras: ‘La piedra que los edificadores rechazaron[h] es la que ha llegado a ser
la principal piedra angular.[i] De
parte de Jehová ha venido a ser
esto, y es maravilloso a nuestros
ojos’? 43 Por eso les digo: El
reino de Dios les será quitado a
ustedes y será dado a una nación que produzca sus frutos.[j]
44 También, el que caiga sobre
esta piedra será hecho añicos.
En cuanto a cualquiera sobre
quien ella caiga, lo pulverizará”.[k]
45 Pues bien, cuando los
sacerdotes principales y los fariseos hubieron oído sus ilustraciones, se dieron cuenta de que
hablaba de ellos.[l] 46 Pero,
aunque procuraban prenderlo,
temían a las muchedumbres,
porque estas lo tenían por profeta.[m]

22 Tomando de nuevo la palabra, Jesús volvió a ha-
blarles con ilustraciones, diciendo:[n] 2 “El reino de los cielos
ha llegado a ser semejante a un
hombre, un rey, que hizo un banquete de bodas[a] para su hijo.
3 Y envió sus esclavos a llamar
a los invitados al banquete de
bodas,[b] pero ellos no quisieron
venir.[c] 4 De nuevo envió otros
esclavos,[d] diciendo: ‘Digan a los
invitados: “¡Miren! He preparado mi comida,[e] mis toros y animales cebados están degollados,
y todas las cosas están listas.
Vengan al banquete de bodas” ’.[f]
5 Pero ellos, sin que les importara, se fueron, uno a su propio
campo, otro a su negocio comercial;[g] 6 pero los demás, echando mano a los esclavos de él, los
trataron insolentemente y los
mataron.[h]
7 ”Entonces el rey se airó, y
envió sus ejércitos, y destruyó
a aquellos asesinos y quemó su
ciudad.[i] 8 Luego dijo a sus esclavos: ‘El banquete de bodas
por cierto está listo, pero los invitados no eran dignos.[j] 9 Por
eso, vayan a los caminos que salen de la ciudad, e inviten al banquete de bodas a cualquiera que
hallen’.[k] 10 Por consiguiente,
aquellos esclavos salieron a los
caminos y reunieron a cuantos
hallaron, tanto a inicuos como a
buenos;[l] y la sala para las ceremonias de bodas quedó llena de
los que se reclinaban[m] a la mesa.
11 ”Cuando el rey entró para
inspeccionar a los convidados,
alcanzó a ver allí a un hombre
no vestido con traje de boda.[n]
12 De modo que le dijo: ‘Amigo, ¿cómo entraste aquí sin tener puesto traje de boda?’.[o] Él
enmudeció. 13 Entonces el
rey dijo a sus sirvientes: ‘Átenlo
de manos y pies y échenlo a la
oscuridad de afuera. Allí es donde será [su] llanto y el crujir de
[sus] dientes’.[p]
14 ”Porque hay muchos invitados, pero pocos escogidos”.[q]
15 Entonces los fariseos siguieron su camino y entraron en
consejo a fin de entramparlo en
su habla.[r] 16 De modo que le
despacharon discípulos de ellos,

CAP. 21
a Ne 9:26, Mt 22:6, Lu 20:10
b 2Cr 36:15, Mr 12:5, Hch 7:52, 1Te 2:15, Heb 11:37
c Heb 1:2
d Lu 20:14
e Mt 27:18, Mr 12:8, Hch 2:23, Hch 3:15, Heb 13:12
f Zac 12:2
g Mr 12:9, Lu 20:16, Hch 18:6
h Sl 118:22, 1Pe 2:7
i Isa 28:16, Mr 12:10, Lu 20:17, Hch 4:11, Ro 9:33, Ef 2:20
j Mt 8:12, Mt 22:9, Heb 8:9
k Isa 8:14, Da 2:34, Da 2:44, Lu 20:18, 1Pe 2:8
l Lu 20:19
m Mt 21:11, Mr 12:12, Jn 7:32, Jn 7:40

CAP. 22
n Lu 14:16

2.ª col.
a Gé 29:22, Mt 9:15, Rev 19:9
b Jn 13:20
c Lu 14:17
d Mt 21:36
e Jue 14:10
f Rev 19:9
g Lu 14:18
h Mt 21:35, Mt 23:37, 1Te 2:15
i Da 9:26, Lu 19:27
j Hch 13:46
k Mt 21:43, Lu 14:21
l Mt 13:47
m Mr 2:15
n Rev 19:8
o Ef 4:24
p Sl 112:10, Mt 8:12, Mt 13:42, Mt 24:51, Mt 25:30
q Mt 7:14, Lu 13:23
r Mr 12:13, Lu 20:20

junto con partidarios de Herodes,[a] a decir: "Maestro, sabemos que eres veraz y enseñas el camino de Dios en verdad, y no te importa nadie, porque no miras la apariencia exterior de los hombres.[b] 17 Dinos, por lo tanto: ¿Qué te parece? ¿Es lícito pagar la capitación a César, o no?".[c] 18 Pero Jesús, conociendo la iniquidad de ellos, dijo: "¿Por qué me ponen a prueba, hipócritas?[d] 19 Muéstrenme la moneda de la capitación". Ellos le trajeron un denario. 20 Y él les dijo: "¿De quién es esta imagen e inscripción?".[e] 21 Dijeron: "De César". En seguida les dijo: "Por lo tanto, paguen a César las cosas de César, pero a Dios las cosas de Dios".[f] 22 Pues, al oír [aquello], se maravillaron; y dejándolo, se fueron.[g]

23 En aquel día vinieron a él saduceos, que dicen que no hay resurrección, y le preguntaron:[h] 24 "Maestro, Moisés dijo: 'Si alguien muere sin tener hijos, su hermano tiene que tomar a su esposa en matrimonio y levantar prole a su hermano'.[i] 25 Pues había con nosotros siete hermanos; y el primero se casó y falleció, y, no teniendo prole, dejó su esposa a su hermano.[j] 26 Les pasó lo mismo también al segundo y al tercero, hasta el último de los siete.[k] 27 Con posterioridad a todos, murió la mujer. 28 Por consiguiente, en la resurrección, ¿de cuál de los siete será ella esposa? Porque todos la tuvieron".[l]

29 En respuesta, Jesús les dijo: "Ustedes están equivocados, porque no conocen ni las Escrituras ni el poder de Dios;[m] 30 porque, en la resurrección, ni se casan los hombres ni se dan en matrimonio las mujeres,[n] sino que son como los ángeles en el cielo. 31 Respecto a la resurrección de los muertos, ¿no leyeron lo que les habló Dios al

decir:[a] 32 'Yo soy el Dios de Abrahán y el Dios de Isaac y el Dios de Jacob'?[b] Él es el Dios, no de los muertos, sino de los vivos".[c] 33 Al oír [aquello], las muchedumbres quedaron atónitas de su enseñanza.[d]

34 Los fariseos, después de oír que había hecho callar a los saduceos, se juntaron en un grupo. 35 Y uno de ellos, versado en la Ley,[e] preguntó, para probarlo: 36 "Maestro, ¿cuál es el mandamiento más grande de la Ley?".[f] 37 Él le dijo: "'Tienes que amar a Jehová tu Dios con todo tu corazón y con toda tu alma y con toda tu mente'.[g] 38 Este es el más grande y el primer mandamiento. 39 El segundo, semejante a él, es este: 'Tienes que amar a tu prójimo como a ti mismo'.[h] 40 De estos dos mandamientos pende toda la Ley, y los Profetas".[i]

41 Luego, mientras estaban reunidos los fariseos, Jesús les preguntó:[j] 42 "¿Qué les parece del Cristo? ¿De quién es hijo?". Le dijeron: "De David".[k] 43 Él les dijo: "Entonces, ¿cómo es que David por inspiración[l] lo llama 'Señor', diciendo: 44 'Jehová dijo a mi Señor: "Siéntate a mi diestra hasta que ponga a tus enemigos debajo de tus pies"'?[m] 45 Por lo tanto, si David lo llama 'Señor', ¿cómo es él su hijo?".[n] 46 Y nadie podía decir una palabra en respuesta a él, ni se atrevió nadie desde aquel día a interrogarle ya más.[o]

23 Entonces Jesús habló a las muchedumbres y a sus discípulos,[p] y dijo: 2 "Los escribas[q] y los fariseos se han sentado en la cátedra de Moisés.[r] 3 Por eso, todas las cosas que les digan,[s] háganlas y obsérvenlas, pero no hagan conforme a los hechos de ellos,[t] porque dicen y no hacen. 4 Atan cargas pesadas y las ponen sobre los hombros de los hombres,[u] pero ellos

Referencias marginales

CAP. 22
a Mr 3:6
  Mr 12:13
  Lu 20:21
  Jn 3:2
c Mt 17:25
  Mr 10:22
d Mr 12:15
e Mr 12:16
f Da 3:18
  Mal 3:8
  Mr 12:17
  Lu 20:25
  Lu 23:2
  Ro 13:7
g Lu 20:26
h Mr 12:18
  Lu 20:27
  Hch 4:2
  Hch 23:8
i Gé 38:8
  Dt 25:5
  Rut 1:11
  Rut 3:13
  Mr 12:19
j Lu 20:29
k Mr 12:21
  Lu 20:31
l Mr 12:23
  Lu 20:33
m Mr 12:24
  Lu 20:35

2.ᵃ col.
a Mr 12:26
b Éx 3:6
  Hch 3:13
  Heb 11:16
c Lu 20:37
  Lu 20:38
  Ro 4:17
d Mt 7:28
  Mr 11:18
  Lu 10:25
f Mr 12:28
g Dt 6:5
  Dt 10:12
  Jos 22:5
  Mr 12:30
  Lu 10:27
h Le 19:18
  Mr 12:31
  Lu 10:27
  Col 3:14
  Snt 2:8
  1Pe 1:22
i Ro 13:10
  Gál 5:14
j Mr 12:35
k Lu 20:41
  Jn 7:42
l 2Sa 23:2
m Sl 110:1
  Hch 2:34
  1Co 15:25
  Heb 1:13
  Heb 10:13
n Mr 12:37
o Mr 12:34
  Lu 20:40

CAP. 23
p Lu 20:45
q Mr 12:38
r Éx 18:13
s Mal 2:7
t Mal 2:8
u Mt 11:28
  Hch 15:10

mismos ni con el dedo quieren moverlas.[a] 5 Todas las obras que hacen, las hacen para ser vistos por los hombres;[b] porque ensanchan las cajitas [que contienen escrituras][c] que llevan puestas como resguardos, y agrandan los flecos[d] [de sus prendas de vestir]. 6 Les gusta el lugar más prominente[e] en las cenas y los asientos delanteros en las sinagogas,[f] 7 y los saludos[g] en las plazas de mercado, y el ser llamados por los hombres Rabí.[h] 8 Mas ustedes, no sean llamados Rabí, porque uno solo es su maestro,[i] mientras que todos ustedes son hermanos. 9 Además, no llamen padre de ustedes a nadie sobre la tierra, porque uno solo es su Padre,[j] el Celestial. 10 Tampoco sean llamados 'caudillos',[k] porque su Caudillo es uno, el Cristo. 11 Pero el mayor entre ustedes tiene que ser su ministro.[l] 12 El que se ensalce será humillado,[m] y el que se humille será ensalzado.[n]

13 ";Ay de ustedes, escribas y fariseos, hipócritas!, porque cierran[o] el reino de los cielos delante de los hombres; pues ustedes[p] mismos no entran, ni permiten entrar a los que están entrando. 14 ——

15 ";Ay de ustedes, escribas y fariseos, hipócritas!,[q] porque atraviesan mar y tierra seca para hacer un solo prosélito, y cuando este llega a serlo, lo hacen merecedor del Gehena dos veces más que ustedes.

16 ";Ay de ustedes, guías ciegos!,[r] que dicen: 'Si alguien jura por el templo, no es nada; pero si alguien jura por el oro del templo, queda obligado'.[s] 17 ";Necios y ciegos! ¿Cuál, de hecho, es mayor?: ¿el oro, o el templo que ha santificado el oro?[t] 18 También: 'Si alguien jura por el altar, no es nada; pero si alguien jura por la dádiva que está sobre él, queda obligado'.

19 ¡Ciegos! ¿Cuál, de hecho, es mayor?: ¿la dádiva, o el altar[a] que santifica la dádiva? 20 Por lo tanto, el que jura por el altar jura por él y por todas las cosas que están sobre él; 21 y el que jura por el templo jura por él y por el que en él habita;[b] 22 y el que jura por el cielo jura por el trono de Dios[c] y por el que está sentado sobre él.

23 ";Ay de ustedes, escribas y fariseos, hipócritas!, porque dan el décimo[d] de la hierbabuena y del eneldo y del comino, pero han desatendido los asuntos de más peso de la Ley, a saber: la justicia[e] y la misericordia[f] y la fidelidad.[g] Era obligatorio hacer estas cosas, y sin embargo no desatender las otras cosas. 24 ¡Guías ciegos,[h] que cuelan el mosquito[i] pero engullen el camello![j]

25 ";Ay de ustedes, escribas y fariseos, hipócritas!, porque limpian el exterior de la copa[k] y del plato, pero por dentro están llenos de saqueo[l] e inmoderación. 26 Fariseo ciego,[m] limpia primero el interior de la copa[n] y del plato, para que su exterior también quede limpio.

27 ";Ay de ustedes, escribas y fariseos, hipócritas!,[o] porque se asemejan a sepulcros blanqueados,[p] que por fuera realmente parecen hermosos, pero por dentro están llenos de huesos de muertos y de toda suerte de inmundicia. 28 Así ustedes, también, por fuera realmente parecen justos a los hombres,[q] pero por dentro están llenos de hipocresía y de desafuero.

29 ";Ay de ustedes, escribas y fariseos, hipócritas!,[r] porque edifican los sepulcros de los profetas y adornan las tumbas conmemorativas de los justos,[s] 30 y dicen: 'Si hubiéramos estado en los días de nuestros antepasados, no hubiéramos sido partícipes con ellos en la sangre de los profetas'.[t] 31 Así que

CAP. 23
a Lu 11:46
b Mt 6:1
c Dt 6:8
d Nú 15:38
   Dt 22:12
e Mr 12:39
   Lu 14:7
   Lu 14:10
f Lu 11:43
g Lu 20:46
h Job 32:22
i Jn 13:13
j Mt 6:9
k 1Pe 5:3
l Mt 20:26
   Mr 9:35
   Lu 22:26
m Pr 16:18
   Pr 29:23
n Pr 15:33
   Mt 18:4
   Lu 14:11
   Ro 12:3
   Ef 4:2
   1Pe 5:5
o Mt 16:19
p Lu 11:52
q Mt 6:2
   Mt 7:5
   Lu 12:56
r Mt 15:14
   Ro 2:19
s Mt 5:34
t Éx 30:29

2.ª col.

a Éx 29:37
b 1Re 8:13
   Sl 11:4
   Sl 26:8
   Sl 132:14
c Mt 5:34
d Le 27:30
   Lu 11:42
e Jer 22:15
   Jn 7:24
f Os 6:6
   Miq 6:8
   Mt 9:13
   Mt 12:7
g 1Ti 1:5
h Mt 15:14
i Le 11:42
j Le 11:4
k Mr 7:4
l Mt 12:40
m Jn 9:40
n Lu 11:39
o Lu 12:56
p Dt 27:4
   Lu 11:44
   Hch 23:3
q Lu 16:15
r Mt 6:2
s Lu 11:47
t Lu 11:50

dan testimonio contra ustedes mismos de que son hijos de los que asesinaron a los profetas.[a] 32 Bueno, pues, llenen hasta el colmo la medida[b] de sus antepasados.

33 "Serpientes, prole de víboras,[c] ¿cómo habrán de huir del juicio del Gehena?[d] 34 Por eso, miren, les envío[e] profetas y sabios e instructores públicos.[f] A algunos de ellos ustedes los matarán[g] y fijarán en maderos, y a algunos los azotarán[h] en sus sinagogas y los perseguirán de ciudad en ciudad; 35 para que venga sobre ustedes toda la sangre justa vertida sobre la tierra,[i] desde la sangre del justo[j] Abel[k] hasta la sangre de Zacarías, hijo de Baraquías, a quien ustedes asesinaron entre el santuario y el altar.[l] 36 En verdad les digo: Todas estas cosas vendrán sobre esta generación.[m]

37 "Jerusalén, Jerusalén, la que mata a los profetas[n] y apedrea[o] a los que son enviados a ella[p]..., ¡cuántas veces quise reunir a tus hijos, como la gallina reúne a sus pollitos debajo de sus alas![q] Pero ustedes no lo quisieron.[r] 38 ¡Miren! Su casa[s] se les deja abandonada a ustedes.[t] 39 Porque les digo: No me verán de ningún modo de aquí en adelante hasta que digan: '¡Bendito es el que viene en el nombre de Jehová!' ".[u]

24 Partiendo en seguida, Jesús se iba del templo, pero sus discípulos se acercaron para mostrarle los edificios del templo.[v] 2 En respuesta él les dijo: "¿No contemplan todas estas cosas? En verdad les digo: De ningún modo se dejará aquí piedra sobre piedra que no sea derribada".[w]

3 Estando él sentado en el monte de los Olivos, se acercaron a él los discípulos privadamente, y dijeron: "Dinos: ¿Cuándo serán estas cosas, y qué será

la señal de tu presencia[a] y de la conclusión del sistema de cosas?".[b]

4 Y en contestación, Jesús les dijo: "Cuidado que nadie los extravíe;[c] 5 porque muchos vendrán sobre la base de mi nombre, diciendo: 'Yo soy el Cristo', y extraviarán a muchos.[d] 6 Ustedes van a oír de guerras e informes de guerras; vean que no se aterroricen. Porque estas cosas tienen que suceder, mas todavía no es el fin.[e]

7 "Porque se levantará nación contra nación[f] y reino contra reino,[g] y habrá escaseces de alimento[h] y terremotos[i] en un lugar tras otro. 8 Todas estas cosas son principio de dolores de angustia.

9 "Entonces los entregarán a tribulación[j] y los matarán,[k] y serán objeto de odio[l] de parte de todas las naciones por causa de mi nombre.[m] 10 Entonces, también, a muchos se les hará tropezar,[n] y se traicionarán unos a otros y se odiarán unos a otros.[o] 11 Y muchos falsos profetas[p] se levantarán y extraviarán a muchos;[q] 12 y por el aumento del desafuero[r] se enfriará el amor de la mayor parte.[s] 13 Pero el que haya aguantado[t] hasta el fin es el que será salvo.[u] 14 Y estas buenas nuevas[v] del reino[w] se predicarán en toda la tierra habitada para testimonio a todas las naciones;[x] y entonces vendrá el fin.[y]

15 "Por lo tanto, cuando alcancen a ver la cosa repugnante[z] que causa desolación, como se habló de ella por medio de Daniel el profeta, de pie en un lugar

CAP. 23
a Lu 11:48
  Hch 7:52
  Heb 11:37
b 1Te 2:16
c Gé 3:15
  Mt 3:7
  Mt 12:34
  Lu 3:7
d Mt 10:28
  Mt 12:40
  Lu 12:5
c Lu 11:49
f Mt 10:41
  Mt 13:52
g Hch 7:59
h Lu 21:12
  Jn 16:2
  Hch 5:40
  2Co 11:24
  1Te 2:15
i Mt 27:25
j Lu 11:50
  Lu 11:51
  Rev 18:24
k Gé 4:10
  Heb 11:4
l 2Cr 24:22
m Ex 20:5
n Lu 13:34
o Heb 11:37
p 2Cr 24:21
  Jn 8:59
  1Te 2:15
q Sl 91:4
r Lu 19:14
s 1Re 9:7
  Jer 12:7
  Jer 22:5
  Mt 21:43
  Lu 19:42
t Lu 21:20
u Sl 118:26
  Mt 21:9

CAP. 24
v Mr 13:1
  Lu 21:5
w Jer 7:14
  Jer 26:18
  Miq 3:12
  Mt 22:7
  Lu 19:44

2.ᵃ col.
a Mt 24:27
  Mt 24:37
  Mt 24:39
b Mt 13:39
  Mt 28:20
  Mt 13:4
c Jer 14:14
  Mt 13:5
  Lu 21:8
  Col 2:8
  2Te 2:3
d Mt 24:24
e Mr 13:7
  Lu 21:9
f Mt 24:7
  Mr 13:8
  Rev 6:4
g Lu 21:10
h Hch 11:28
  Rev 6:6
i Mt 13:8
  Lu 21:11
j Mt 10:17
  Jn 15:20
  Hch 11:19
  Rev 2:10

k Jn 16:2; Hch 7:59; Hch 12:2; Rev 6:11; l Mt 10:22; Jn 15:21; Hch 8:3; m Mr 13:9; Lu 21:12; 2Ti 3:12; 1Pe 2:21; n Mt 13:21; o Mt 10:21; p Mt 7:15; 2Pe 2:1; 1Jn 4:3; q Hch 20:29; 1Ti 4:1; r Mt 7:23; 2Ti 3:2; s 2Te 2:10; t Heb 10:36; u Mt 10:22; Rev 2:10; v Isa 52:7; Mt 9:35; Col 1:23; w Da 2:44; Mt 6:10; x Mt 28:19; Mr 13:10; Ro 10:18; Rev 14:6; y Rev 16:16; Rev 19:19; z Dt 29:17; 1Re 11:5; Rev 13:15.

santo[a] (use discernimiento el lector), 16 entonces los que estén en Judea echen a huir[b] a las montañas. 17 El que esté sobre la azotea no baje para sacar los efectos de su casa; 18 y el que esté en el campo no vuelva a la casa a recoger su prenda de vestir exterior. 19 ¡Ay de las mujeres que estén encintas y de las que den de mamar en aquellos días![c] 20 Sigan orando que su huida no ocurra en tiempo de invierno, ni en día de sábado; 21 porque entonces habrá gran tribulación[d] como la cual no ha sucedido una desde el principio del mundo hasta ahora,[e] no, ni volverá a suceder. 22 De hecho, a menos que se acortaran aquellos días, ninguna carne se salvaría; mas por causa de los escogidos[f] aquellos días serán acortados.[g]

23 "Entonces si alguien les dice: '¡Miren! Aquí está el Cristo',[h] o: '¡Allá!', no lo crean.[i] 24 Porque se levantarán falsos Cristos[j] y falsos profetas[k] y darán grandes señales[l] y prodigios para extraviar, si fuera posible, hasta a los escogidos.[m] 25 ¡Miren! Les he avisado de antemano.[n] 26 Por eso, si les dicen: '¡Miren! Está en el desierto', no salgan; '¡Miren! Está en los aposentos interiores', no lo crean.[o] 27 Porque así como el relámpago[p] sale de las partes orientales y resplandece hasta las partes occidentales, así será la presencia del Hijo del hombre.[q] 28 Dondequiera que esté el cadáver, allí se reunirán[r] las águilas.[s]

29 "Inmediatamente después de la tribulación de aquellos días el sol será oscurecido,[t] y la luna[u] no dará su luz, y las estrellas caerán de los cielos, y los poderes de los cielos serán sacudidos.[v] 30 Y entonces aparecerá en el cielo la señal del Hijo del hombre,[w] y entonces todas las tribus de la tierra se golpearán en la-

mento,[a] y verán al Hijo del hombre viniendo sobre las nubes del cielo con poder y gran gloria.[b] 31 Y él enviará sus ángeles con un gran sonido de trompeta,[c] y ellos reunirán a los escogidos[d] de él desde los cuatro vientos,[e] desde un extremo de los cielos hasta su otro extremo.

32 "Ahora bien, aprendan de la higuera como ilustración este punto: Luego que su rama nueva se pone tierna y brota hojas, ustedes saben que el verano está cerca.[f] 33 Así mismo también, ustedes, cuando vean todas estas cosas, sepan que él está cerca, a las puertas.[g] 34 En verdad les digo que de ningún modo pasará esta generación[h] hasta que sucedan todas estas cosas. 35 El cielo y la tierra pasarán,[i] pero mis palabras de ningún modo pasarán.[j]

36 "Respecto a aquel día y hora[k] nadie sabe, ni los ángeles de los cielos, ni el Hijo, sino solo el Padre.[l] 37 Porque así como eran los días de Noé,[m] así será la presencia del Hijo del hombre.[n] 38 Porque como en aquellos días antes del diluvio estaban comiendo y bebiendo, los hombres casándose y las mujeres siendo dadas en matrimonio, hasta el día en que Noé[o] entró en el arca;[p] 39 y no hicieron caso hasta que vino el diluvio y los barrió a todos,[q] así será la presencia del Hijo del hombre. 40 Entonces dos hombres estarán en el campo: uno será llevado, y el otro será abandonado; 41 dos mujeres estarán moliendo en el molino de mano:[r] una será llevada, y la otra será abandonada.[s] 42 Manténganse alerta, pues, porque no saben en qué día viene su Señor.[t]

43 "Mas sepan una cosa, que si el amo de casa hubiera sabido en qué vigilia habría de venir el ladrón,[u] se habría quedado despierto y no habría permitido que forzaran su casa. 44 Por este

CAP. 24
a Da 9:27
Da 11:31
Da 12:11
Mr 13:14
b Gé 19:17
Lu 21:21
c Mr 13:17
Lu 21:23
d Rev 7:14
e Da 12:1
f Isa 65:8
1Pe 2:9
Mr 13:20
h Mt 24:5
Lu 17:23
i 1Jn 4:1
j 1Jn 2:18
k Dt 13:1
Mt 7:15
Mt 13:22
2Pe 2:1
l Mt 7:22
2Te 2:9
Rev 13:13
m Mr 13:22
n Jn 13:19
o Lu 17:23
p Job 37:3
q Da 7:13
Lu 17:24
1Co 15:23
1Te 4:15
r Job 39:30
s Lu 17:37
t Joe 2:31
u Rev 6:12
v Mr 13:25
Lu 21:25
Rev 6:13
w Da 7:13
Lu 21:27

2.ª col.
a Zac 12:12
Rev 1:7
b Da 7:14
Mt 13:26
Mt 26:64
c Isa 27:13
d Rev 7:3
e Mr 13:27
f Mr 13:28
Lu 21:30
g Snt 5:9
h Mt 23:36
i Heb 1:11
j Mt 5:18
Lu 21:33
k Heb 1:7
1Te 5:1
l Mr 13:32
m Gé 6:11
Isa 54:9
n Mt 24:27
Lu 17:26
o Gé 7:7
p Lu 17:27
Heb 11:7
1Pe 3:20
2Pe 2:5
q Gé 7:23
2Pe 3:6
r Isa 47:2
s Lu 17:35
Mt 25:13
Mr 13:33
Lu 21:36
u Lu 12:39
1Te 5:2
2Pe 3:10
Rev 3:3

motivo, ustedes también demuestren estar listos,[a] porque a una hora que no piensan que es, viene el Hijo del hombre.

45 "¿Quién es, verdaderamente, el esclavo fiel y discreto[b] a quien su amo nombró sobre sus domésticos, para darles su alimento al tiempo apropiado?[c] 46 ¡Feliz[d] es aquel esclavo si su amo, al llegar, lo hallara haciéndolo así! 47 En verdad les digo: Lo nombrará sobre todos sus bienes.[e]

48 "Mas si alguna vez aquel esclavo malo dijera en su corazón:[f] 'Mi amo se tarda',[g] 49 y comenzara a golpear a sus coesclavos, y comiera y bebiera con los borrachos inveterados, 50 vendrá el amo de aquel esclavo en un día que no espera y a una hora[h] que no sabe, 51 y lo castigará con la mayor severidad[i] y le asignará su parte con los hipócritas. Allí es donde será [su] llanto y el crujir de [sus] dientes.[j]

25 "Entonces el reino de los cielos llegará a ser semejante a diez vírgenes que tomaron sus lámparas[k] y salieron al encuentro del novio. 2 Cinco de ellas eran necias,[m] y cinco eran discretas.[n] 3 Porque las necias tomaron sus lámparas, pero no tomaron consigo aceite, 4 mientras que las discretas tomaron aceite en sus receptáculos con sus lámparas. 5 Como el novio se tardaba, todas cabecearon y se durmieron.[o] 6 Justamente a mitad de la noche se levantó un clamor:[p] '¡Aquí está el novio! Salgan a su encuentro!' 7 Entonces todas aquellas vírgenes se levantaron y pusieron en orden sus lámparas.[q] 8 Las necias dijeron a las discretas: 'Dennos de su aceite,[r] porque nuestras lámparas están a punto de apagarse'. 9 Las discretas[s] contestaron con las palabras: 'Tal vez no haya suficiente para

CAP. 24
a Mr 13:35
  Lu 12:40
b 1Co 4:2
  Heb 3:5
c Lu 12:42
d Rev 16:15
e Mt 25:21
  Lu 12:44
f Ec 8:11
  Heb 3:12
g 2Pe 3:4
h Mt 25:13
i Lu 12:46
j Sl 112:10
  Mt 8:12
  Mt 25:30
  Lu 13:28

CAP. 25
k Lu 12:35
  Flp 2:15
l Jn 3:29
  Rev 19:7
m Mt 7:26
n Mt 7:24
o 1Te 5:6
p Mt 24:31
q Lu 12:35
r Heb 1:9
s Mt 7:24

2.ª col.
a Rev 19:9
b Lu 13:25
c Lu 13:27
d 1Te 5:6
  1Pe 5:8
e Mt 24:42
  Mt 24:50
  Mr 13:33
f Lu 19:12
g Mt 21:33
h Lu 19:13
i Ro 12:6
j Pr 10:4
k Mt 24:48
l Mt 18:23
  Lu 19:15
m Lu 19:16
n Lu 19:17
o Pr 28:20
  Lu 16:10
p Pr 12:24
  Lu 12:44
q Heb 12:2
r Lu 19:18

nosotras y ustedes. Vayan, más bien, a los que lo venden y compren para ustedes'. 10 Mientras ellas iban a comprar, llegó el novio, y las vírgenes que estaban listas entraron con él al banquete de bodas;[a] y la puerta fue cerrada. 11 Después vinieron también las demás vírgenes, y dijeron: '¡Señor, señor, ábrenos!'.[b] 12 En respuesta, él dijo: 'Les digo la verdad: no las conozco'.[c]

13 "Manténganse alerta,[d] pues, porque no saben ni el día ni la hora.[e]

14 "Porque es justamente como un hombre[f] que, estando para emprender un viaje al extranjero,[g] mandó llamar a sus esclavos y les encargó sus bienes.[h] 15 Y a uno dio cinco talentos; a otro, dos; y a otro, uno, a cada uno según su propia habilidad,[i] y se fue al extranjero. 16 Inmediatamente, el que recibió los cinco talentos se fue y negoció con ellos y ganó cinco.[j] 17 Así mismo, el que recibió los dos ganó otros dos. 18 Pero el que recibió solamente uno se fue, y cavó en la tierra y escondió el dinero en plata de su amo.

19 "Después de mucho tiempo[k] vino el amo de aquellos esclavos y ajustó cuentas con ellos.[l] 20 De modo que se presentó el que había recibido cinco talentos y trajo cinco talentos más, diciendo: 'Amo, me encargaste cinco talentos; mira, gané otros cinco talentos'.[m] 21 Su amo le dijo: '¡Bien hecho, esclavo bueno y fiel![n] Fuiste fiel[o] sobre unas cuantas cosas. Te nombraré sobre muchas cosas.[p] Entra en el gozo[q] de tu amo'. 22 En seguida se presentó el que había recibido los dos talentos, y dijo: 'Amo, me encargaste dos talentos; mira, gané otros dos talentos'.[r] 23 Su amo le dijo: '¡Bien hecho, esclavo bueno y fiel! Fuiste fiel sobre unas cuantas cosas.

Te nombraré sobre muchas cosas.[a] Entra en el gozo[b] de tu amo'.

24 "Por último se presentó el que había recibido un solo talento,[c] y dijo: 'Amo, yo sabía que eres hombre exigente, que siegas donde no sembraste y recoges donde no aventaste. 25 De modo que me dio miedo,[d] y me fui, y escondí tu talento en la tierra. Aquí tienes lo tuyo'. 26 En respuesta, su amo le dijo: 'Esclavo inicuo e indolente, ¿conque sabías que yo segaba donde no sembraba y recogía donde no aventaba? 27 Pues, entonces, deberías haber llevado como depósito mis dineros en plata a los banqueros, y, al llegar yo, estaría recibiendo lo que es mío con interés.[e]

28 "'Por tanto, quítenle el talento y dénselo al que tiene los diez talentos.[f] 29 Porque a todo el que tiene, más se le dará, y tendrá en abundancia; pero en cuanto al que no tiene, hasta lo que tiene le será quitado.[g] 30 Y al esclavo que no sirve para nada, échenlo a la oscuridad de afuera. Allí es donde será [su] llanto y el crujir de [sus] dientes'.[h]

31 "Cuando el Hijo del hombre[i] llegue en su gloria, y todos los ángeles con él,[j] entonces se sentará sobre su glorioso trono.[k] 32 Y todas las naciones serán reunidas delante de él,[l] y separará[m] a la gente unos de otros,[n] así como el pastor separa las ovejas de las cabras. 33 Y pondrá las ovejas a su derecha,[o] pero las cabras a su izquierda.[p]

34 "Entonces dirá el rey a los de su derecha: 'Vengan, ustedes que han sido bendecidos por mi Padre,[q] hereden[r] el reino[s] preparado para ustedes desde la fundación del mundo.[t] 35 Porque me dio hambre, y ustedes me dieron de comer;[u] me dio sed, y me dieron de beber. Fui extraño, y me recibieron hospitala-

riamente;[a] 36 desnudo[b] estuve, y me vistieron. Enfermé, y me cuidaron. Estuve en prisión,[c] y vinieron a mí. 37 Entonces los justos le contestarán con las palabras: 'Señor, ¿cuándo te vimos con hambre y te alimentamos, o con sed,[d] y te dimos de beber?[e] 38 ¿Cuándo te vimos extraño y te recibimos hospitalariamente, o desnudo, y te vestimos? 39 ¿Cuándo te vimos enfermo, o en prisión, y fuimos a ti?'. 40 Y en respuesta el rey[f] les dirá: 'En verdad les digo: Al grado que lo hicieron a uno de los más pequeños[g] de estos hermanos míos,[h] a mí me lo hicieron'.[i]

41 "Entonces dirá, a su vez, a los de su izquierda: 'Váyanse de mí,[j] ustedes que han sido maldecidos, al fuego eterno[k] preparado para el Diablo y sus ángeles.[l] 42 Porque me dio hambre, pero ustedes no me dieron de comer,[m] y me dio sed,[n] pero no me dieron de beber. 43 Fui extraño, pero no me recibieron hospitalariamente; desnudo estuve, pero no me vistieron;[o] enfermo y en prisión,[p] pero no me cuidaron'. 44 Entonces ellos también contestarán con las palabras: 'Señor, ¿cuándo te vimos con hambre, o con sed, o extraño, o desnudo, o enfermo, o en prisión, y no te ministramos?'. 45 Entonces les contestará con las palabras: 'En verdad les digo: Al grado que no lo hicieron a uno de estos más pequeños,[q] no me lo hicieron[r] a mí'.[s] 46 Y estos partirán al cortamiento eterno,[t] pero los justos a la vida eterna".[u]

26 Ahora bien, cuando Jesús hubo acabado todos estos dichos dijo a sus discípulos: 2 "Saben que de aquí a dos días ocurre la pascua,[v] y el Hijo del hombre ha de ser entregado para ser fijado en un madero".[w]

CAP. 25
a Lu 19:19
b Heb 12:2
c Lu 19:20
d Pr 26:13
Lu 19:21
Rev 21:8
e Lu 19:23
f Lu 19:24
g Mt 13:12
Mr 4:25
Lu 8:18
Jn 15:2
h Sl 112:10
Mt 8:12
i Da 7:13
Mt 16:27
Hch 1:11
Rev 1:7
j Zac 14:5
Mt 13:41
Mt 19:28
k Rev 3:21
1Co 5:10
m Eze 34:17
Mt 13:49
n Eze 20:38
o Jn 10:16
p Mt 25:41
q Sl 115:15
r Ro 8:17
s 1Te 2:12
Rev 5:10
t Mt 13:35
Heb 9:26
1Pe 1:20
Rev 13:8
u Isa 58:7
Eze 18:16

2.ª col.
a Heb 13:2
3Jn 5
b Eze 18:7
Snt 2:15
c 2Ti 1:16
d Mt 10:42
e Mt 6:3
f Lu 19:38
Rev 17:14
g Pr 19:17
Mt 10:40
Mr 9:41
h 2Co 5:20
Heb 2:11
i Heb 6:10
j Mt 7:23
Lu 13:27
k Mt 18:8
Rev 20:10
l Rev 12:9
m Isa 58:7
Eze 18:16
n Mt 10:42
o Eze 18:7
Snt 2:15
p 2Ti 1:16
q Dt 23:4
2Co 5:20
Heb 2:11
r Zac 2:8
s Hch 9:5
t Da 12:2
2Pe 2:9
u Ro 2:7

CAP. 26
v Éx 12:14
Mr 14:1
Lu 22:1
Jn 13:1

w Mt 16:21; Mt 20:19; Mt 27:26; Mr 15:15; Jn 19:16.

3 Entonces los sacerdotes principales y los ancianos del pueblo se reunieron en el patio del sumo sacerdote, que se llamaba Caifás,ᵃ 4 y entraron en consejoᵇ para prender a Jesús mediante un ardid astuto, y matarlo. 5 Sin embargo, decían: "No en la fiesta, para que no se levante un alboroto entre el pueblo".ᶜ

6 Hallándose Jesús en Betania,ᵈ en casa de Simón el leproso,ᵉ 7 se le acercó una mujer con una cajita de alabastro llena de costoso aceite perfumado,ᶠ y se puso a derramarlo sobre la cabeza de él, estando él reclinado a la mesa. 8 Al ver esto, los discípulos se indignaron y dijeron: "¿Para qué este desperdicio?ᵍ 9 Porque esto pudiera haberse vendido por una gran cantidad y haberse dado a los pobres".ʰ 10 Dándose cuenta de esto,ⁱ Jesús les dijo: "¿Por qué tratan de causarle molestia a la mujer? Pues ha hecho una obra excelente para conmigo.ʲ 11 Porque siempre tienen a los pobresᵏ con ustedes, pero a mí no siempre me tendrán.ˡ 12 Porque esta mujer, al ponerme este aceite perfumado sobre el cuerpo, lo hizo en preparación de mí para ser enterrado.ᵐ 13 En verdad les digo: Dondequiera que se prediquen estas buenas nuevas en todo el mundo, lo que esta mujer ha hecho también se contará para recuerdo de ella".ⁿ

14 Entonces uno de los doce, el que se llamaba Judas Iscariote,ᵒ fue a los sacerdotes principales 15 y dijo: "¿Qué me darán para que lo traicione a ustedes?"ᵖ Le estipularon treinta piezas de plata.ᵠ 16 De modo que desde entonces él siguió buscando una buena oportunidad para traicionarlo.ʳ

17 En el primer día de las tortas no fermentadasˢ vinieron los discípulos a Jesús, y dijeron:

"¿Dónde quieres que preparemos para que comas la pascua?".ᵃ 18 Él dijo: "Vayan a la ciudad, a Fulano,ᵇ y díganle: El Maestro dice: 'Mi tiempo señalado está cerca; celebraré la pascua con mis discípulos en tu casa' ".ᶜ 19 Y los discípulos hicieron como Jesús les ordenó, y prepararon las cosas para la pascua.ᵈ

20 Pues bien, cuando hubo anochecidoᵉ él se hallaba reclinado a la mesa con los doce discípulos.ᶠ 21 Mientras comían, él dijo: "En verdad les digo: Uno de ustedes me traicionará".ᵍ 22 Contristados en gran manera por esto, comenzaron a decirle, cada uno sin excepción: "Señor, no soy yo, ¿verdad?".ʰ 23 En respuesta, dijo: "El que mete la mano conmigo en la fuente es el que me traicionará.ⁱ 24 Cierto, el Hijo del hombre se va, así como está escrito respecto a él, mas ¡ayᵏ de aquel hombre mediante el cual el Hijo del hombre es traicionado!ˡ Hubiera sido mejor para él el que tal hombre no hubiera nacido". 25 Tomando la palabra Judas, que ya estaba para traicionarlo, dijo: "No soy yo, ¿verdad, Rabí?". Le dijo: "Tú mismo [lo] dijiste".

26 Mientras continuaron comiendo, Jesús tomó un panᵐ y, después de decir una bendición, lo partióⁿ y, dándolo a los discípulos, dijo: "Tomen, coman. Esto significa mi cuerpo".ᵒ 27 También, tomó una copaᵖ y, habiendo dado gracias, la dio a ellos, diciendo: "Beban de ella, todos ustedes;ᵠ 28 porque esto significaʳ mi 'sangreˢ del pacto',ᵗ que ha de ser derramada a favor de muchosᵘ para perdón de pecados.ᵛ 29 Pero les digo: de aquí en adelante de ningún modo beberé yo de este producto de la vid hasta aquel día en que lo beba nuevo con

CAP. 26
a Mt 26:57
Lu 3:2
Lu 22:2
Jn 18:13
Jn 18:24
b El 2:2
Mr 14:1
Jn 11:49
c Mr 14:2
d Mt 21:17
Mr 8:2
f Mr 14:3
Jn 12:3
Mr 14:4
Jn 12:4
h Mr 14:5
Jn 12:5
i Jn 12:6
j Mr 14:6
k Dt 15:11
Mr 14:7
l Mt 9:15
Mr 2:20
Jn 17:11
m Mr 14:8
Jn 12:7
n Mt 24:14
o Mt 10:4
Lu 22:3
Jn 13:2
p Mr 14:10
Jn 11:57
1Ti 6:10
q Éx 21:32
Zac 11:12
Mt 27:3
Mr 14:11
Lu 22:5
r Mr 14:11
Lu 22:6
s Éx 12:18
Éx 23:15
Le 23:6
Mr 14:12
Lu 22:7

2.ᵃ col.
a Lu 22:9
b Mr 21:3
Mr 14:13
Lu 22:10
c Mr 14:14
Lu 22:11
d Mr 14:15
Lu 22:13
e Dt 16:6
f Mr 14:17
Lu 22:14
g Mr 14:18
Jn 6:70
Jn 13:21
Jn 14:19
Jn 13:22
h Sl 41:9
Mr 14:20
Lu 22:21
Jn 13:26
j Mt 5:17
k Dt 27:25
Lu 22:22
Mr 14:21
Jn 17:12
l 1Co 11:23
m 1Co 10:16
1Co 11:24
o Mr 14:22
Lu 22:19
p 1Co 11:25
q Lu 22:20
r Lu 10:16
s Éx 24:8
Zac 9:11

t Jer 31:31; Heb 7:22; Heb 9:20; u Mt 20:28; Mr 14:24; v Ef 1:7; Heb 9:22.

ustedes en el reino de mi Padre".ª 30 Por último, después de cantar alabanzas,ᵇ salieron al monte de los Olivos.ᶜ

31 Entonces Jesús les dijo: "A todos ustedes se les hará tropezar respecto a mí esta noche, porque está escrito: 'Heriré al pastor, y las ovejas del rebaño serán esparcidas'.ᵈ 32 Pero después que yo haya sido levantado iré delante de ustedes a Galilea".ᵉ 33 Pero Pedro, en respuesta, le dijo: "Aunque a todos los demás se les haga tropezar respecto a ti, ¡a mí nunca se me hará tropezar!".ᶠ 34 Jesús le dijo: "En verdad te digo: Esta noche, antes que un gallo cante, me repudiarás tres veces".ᵍ 35 Pedro le dijo: "Aun cuando tenga que morir contigo, de ningún modo te repudiaré". Todos los demás discípulos también dijeron lo mismo.ʰ

36 Entonces Jesús fue con ellos al lugarⁱ llamado Getsemaní, y dijo a los discípulos: "Siéntense aquí mientras voy allá a orar".ʲ 37 Y tomando consigo a Pedro y a los dos hijosᵏ de Zebedeo, comenzó a contristarse y a perturbarse en gran manera.ˡ 38 Entonces les dijo: "Mi alma está hondamente contristada, hasta la muerte.ᵐ Quédense aquí y manténganse alerta conmigo".ⁿ 39 Y yendo un poco más adelante, cayó sobre su rostro, orandoᵒ y diciendo: "Padre mío, si es posible, pase de mí esta copa.ᵖ Sin embargo, no como yo quiero,q sino como tú quieres".ʳ

40 Y se acercó a los discípulos y los halló durmiendo, y dijo a Pedro: "¿No pudieron siquiera mantenerse alerta una hora conmigo?ˢ 41 Manténganse alertaᵗ y orenᵘ de continuo, para que no entren en tentación.ᵛ El espíritu, por supuesto, está pronto, pero la carne es débil".ʷ 42 De nuevo, por segunda vez,ˣ se fue y oró, diciendo: "Padre mío, si no es posible que esta pase sin que la beba, efectúese tu voluntad".ʸ

CAP. 26

a Lu 22:18
b Sl 113
  a 118
c Lu 22:39
  Jn 18:1
d Zac 13:7
  Mr 14:27
  Jn 16:32
e Mt 28:7
  Mt 28:16
f Pr 11:2
  Mr 14:30
g Mr 14:30
  Lu 22:34
  Jn 13:38
h Mr 14:31
  Lu 22:33
i Lu 22:39
  Jn 18:1
j Mr 14:32
  Lu 22:40
k Mr 5:37
l Isa 53:3
  Mr 14:33
m Sl 42:11
  Sl 43:5
n Mr 14:34
o Heb 5:7
p Mt 20:22
  Jn 18:11
q Jn 5:30
  Jn 6:38
r Sl 40:8
  Mr 14:36
  Lu 22:42
  Heb 10:9
s Mr 14:37
  Lu 22:45
t Mr 13:33
  1Pe 5:8
  Mr 16:15
u Lu 18:1
  Ro 12:12
  Ef 6:18
  1Pe 4:7
v Mt 6:13
  Lu 22:46
w Mr 14:38
  Ro 7:23
  Gál 5:17
x Mr 14:39
y Mt 6:10
  Jn 12:27
  Hch 21:14

2.ª col.

a Mr 14:40
b 2Co 12:8
c Mr 14:41
d Mr 14:42
e Lu 22:47
  Jn 18:3
f Lu 22:52
  Hch 1:16
g Mr 14:43
h Mr 14:44
i Mr 14:45
j 2Sa 20:9
  Pr 27:6
k Lu 22:48
l Sl 41:9
  Mr 14:46
m Mr 14:47
  Lu 22:50
  Jn 18:10
n Jn 18:11
o Gé 9:6
  Rev 13:10
p 2Re 6:17
  Da 7:10
  Mt 4:11

q Mr 14:48; Lu 22:52.

43 Y vino otra vez y los halló durmiendo, pues tenían los ojos cargados.ª 44 Así que, dejándolos, se fue de nuevo y oró por tercera vez,ᵇ diciendo una vez más la misma palabra. 45 Entonces fue a los discípulos y les dijo: "¡En una ocasión como esta ustedes duermen y descansan! ¡Miren! Se ha acercado la hora en que el Hijo del hombre ha de ser traicionado en manos de pecadores.ᶜ 46 Levántense, vámonos. ¡Miren! El que me traiciona se ha acercado".ᵈ 47 Y mientras todavía hablaba, ¡mire!, vino Judas,ᵉ uno de los doce, y con él una gran muchedumbre con espadasᶠ y garrotes, de parte de los sacerdotes principales y de los ancianos del pueblo.ᵍ

48 Ahora bien, el que lo traicionaba les había dado una señal, diciendo: "Al que bese, ese es; deténganlo".ʰ 49 Y yendo directamente a Jesús, dijo: "¡Buenos días, Rabí!",ⁱ y lo besó muy tiernamente. 50 Pero Jesúsᵏ le dijo: "Amigo, ¿con qué propósito estás presente?". Entonces se adelantaron y echaron mano a Jesús y lo detuvieron.ˡ 51 Pero, ¡mire!, uno de los que estaban con Jesús, extendiendo la mano, sacó su espada, e hiriendo al esclavo del sumo sacerdote, le quitó la oreja.ᵐ 52 Entonces Jesús le dijo: "Vuelve tu espada a su lugar,ⁿ porque todos los que toman la espada perecerán por la espada.ᵒ 53 ¿O crees que no puedo apelar a mi Padre para que me suministre en este momento más de doce legiones de ángeles?ᵖ 54 En tal caso, ¿cómo se cumplirían las Escrituras en el sentido de que tiene que suceder de esta manera?". 55 En aquella hora Jesús dijo a las muchedumbres: "¿Han salido con espadas y garrotes como contra un salteador para arrestarme?q Día tras día me sentaba

en el templo,[a] enseñando, y sin embargo ustedes no me detuvieron. 56 Pero todo esto ha sucedido para que se cumplan las escrituras de los profetas".[b] Entonces todos los discípulos lo abandonaron y huyeron.[c]

57 Los que detuvieron a Jesús se lo llevaron a Caifás,[d] el sumo sacerdote, donde los escribas y los ancianos estaban reunidos.[e] 58 Pero Pedro fue siguiéndolo de lejos, hasta el patio[f] del sumo sacerdote, y, después de entrar, se quedó sentado con los servidores de la casa para ver el resultado.[g]

59 Mientras tanto, los sacerdotes principales y todo el Sanedrín buscaban testimonio falso contra Jesús a fin de darle muerte,[h] 60 pero no lo hallaron, aunque muchos testigos falsos se presentaron.[i] Más tarde se presentaron dos 61 y dijeron: "Este hombre dijo: 'Puedo derribar el templo de Dios y edificarlo en tres días' ".[j] 62 Ante aquello, el sumo sacerdote se puso de pie y le dijo: "¿Nada respondes? ¿Qué es lo que testifican estos contra ti?".[k] 63 Pero Jesús se quedó callado.[l] Por eso el sumo sacerdote le dijo: "Por el Dios vivo te pongo bajo juramento[m] de que nos digas si tú eres el Cristo[n] el Hijo de Dios!". 64 Jesús le dijo:[o] "Tú mismo [lo] dijiste.[p] Sin embargo, digo a ustedes: De aquí en adelante[q] verán al Hijo del hombre[r] sentado a la diestra[s] del poder y viniendo sobre las nubes del cielo".[t] 65 Entonces el sumo sacerdote rasgó sus prendas de vestir exteriores, y dijo: "¡Ha blasfemado![u] ¿Qué más necesidad tenemos de testigos?[v] ¡Miren! Ahora han oído la blasfemia.[w] 66 ¿Qué opinan?". Dijeron en respuesta: "Expuesto está a muerte".[x] 67 Entonces le escupieron en el rostro[y] y le dieron[z] de puñetazos. Otros le dieron de bofetadas,[a] 68 diciendo: "Profetízanos, Cristo.[b] ¿Quién es el que te hirió?".[c]

69 Ahora bien, Pedro estaba sentado fuera en el patio; y una sirvienta se le acercó, y dijo: "¡Tú, también, estabas con Jesús el galileo!".[a] 70 Pero él lo negó ante todos, diciendo: "No sé de qué hablas". 71 Después que él hubo salido al portal, otra muchacha lo observó, y dijo a los que estaban allí: "Este hombre estaba con Jesús el Nazareno".[b] 72 Y otra vez él lo negó, con juramento: "¡No conozco al hombre!".[c] 73 Un poco después se acercaron los que estaban parados por allí, y dijeron a Pedro: "Ciertamente tú también eres uno de ellos, porque, de hecho, tu dialecto te denuncia".[d] 74 Entonces él empezó a maldecir y a jurar: "¡No conozco al hombre!". E inmediatamente un gallo cantó.[e] 75 Y Pedro se acordó del dicho que Jesús habló, a saber: "Antes que un gallo cante, me repudiarás tres veces".[f] Y salió fuera, y lloró amargamente.[g]

27 Cuando hubo amanecido, todos los sacerdotes principales y los ancianos del pueblo tuvieron consulta contra Jesús para darle muerte.[h] 2 Y, después de atarlo, se lo llevaron y lo entregaron a Pilato, el gobernador.[i]

3 Entonces Judas, que lo había traicionado, viendo que [Jesús] había sido condenado, sintió remordimiento, y devolvió las treinta[j] piezas de plata a los sacerdotes principales y a los ancianos, 4 diciendo: "Pequé cuando traicioné sangre justa".[k] Ellos dijeron: "¿Qué nos importa? ¡Tú tienes que atender a eso!".[l] 5 De modo que él tiró las piezas de plata en el templo y se retiró, y se fue y se ahorcó.[m] 6 Mas los sacerdotes principa-

CAP. 26
a Lu 19:47
  Jn 18:20
b Sl 22
  Isa 53
  Lam 4:20
  Da 9:26
c Zac 13:7
  Mt 14:50
  Jn 16:32
d Mr 14:53
  Jn 18:13
e Lu 22:54
f Lu 22:55
g Jn 18:16
h Éx 20:16
  Mr 14:55
i Dt 19:15
  Sl 27:12
  Sl 35:11
  Mt 5:7
  Mt 27:40
  Jn 2:19
  Hch 6:14
k Mr 14:60
l Pr 11:12
  Isa 53:7
  Hch 8:32
m 1Re 22:16
n Mt 16:15
  Lu 22:67
  Jn 10:24
o Mr 14:62
p Lu 22:70
q Lu 22:69
r Jn 1:51
s Sl 110:1
  Da 7:14
  Mt 22:69
t Da 7:13
  Mr 14:62
  Rev 1:7
u Mr 14:63
v Lu 22:71
w Mr 14:64
x Le 24:16
  Jn 19:7
y Isa 50:6
  Mt 27:30
  Mt 26:67
z Lu 22:63
a Isa 53:3
  Jn 19:3
b Lu 23:39
c Mr 14:65
  Lu 22:64

2.ª col.
a Lu 22:57
  Jn 18:17
b Mr 14:67
  Jn 18:25
c Lu 22:58
d Jue 12:6
  Lu 22:59
  Jn 18:26
e Lu 22:60
  Jn 18:27
f Mt 26:34
  Mr 14:30
  Jn 13:38
g Mr 14:72
  Lu 22:62

CAP. 27
h Sl 2:2
  Mr 15:1
  Lu 22:66
  Jn 18:28

i Mt 20:19; Lu 23:1; Jn 18:28; Hch 3:13; j Mt 26:15; Mr 14:11; k Dt 19:10; 2Re 24:4; l Mt 27:24; Heb 10:26; m 2Sa 17:23; Sl 55:23; Hch 1:18.

les tomaron las piezas de plata y dijeron: "No es lícito echarlas en la tesorería sagrada, porque son el precio de sangre". 7 Después de consultar entre sí, compraron con ellas el campo del alfarero para sepultar a los extraños. 8 Por eso se ha llamado aquel campo "Campo de Sangre"[a] hasta el día de hoy. 9 Entonces se cumplió lo que se habló mediante Jeremías el profeta, que dijo: "Y tomaron las treinta piezas de plata,[b] el precio del hombre que estaba a precio, aquel a quien pusieron precio algunos de los hijos de Israel, 10 y las dieron para el campo del alfarero,[c] según lo que me había mandado Jehová".

11 Jesús entonces estuvo de pie delante del gobernador; y el gobernador le hizo la pregunta: "¿Eres tú el rey de los judíos?".[d] Jesús respondió: "Tú mismo [lo] dices".[e] 12 Pero, mientras lo acusaban[f] los sacerdotes principales y los ancianos, no contestó nada.[g] 13 Entonces Pilato le dijo: "¿No oyes cuántas cosas testifican contra ti?".[h] 14 Pero no le contestó, no, ni una sola palabra, de modo que el gobernador quedó muy admirado.[i]

15 Ahora bien, de fiesta en fiesta era la costumbre del gobernador poner en libertad un preso a la muchedumbre, el que quisieran.[j] 16 En aquel entonces tenían un preso famoso llamado Barrabás.[k] 17 Así que, estando ellos reunidos, les dijo Pilato: "¿A cuál quieren que les ponga en libertad?: ¿a Barrabás, o a Jesús, el llamado Cristo?".[l] 18 Porque se daba cuenta de que por envidia[m] lo habían entregado.[n] 19 Además, mientras él estaba sentado en el tribunal, su esposa le envió a decir: "No tengas nada que ver con ese hombre justo,[o] porque sufrí mucho hoy en un sueño[p] a causa de él". 20 Pero los sacerdotes principales y los ancianos persuadieron a las muchedum-

bres a que pidieran a Barrabás,[a] pero hicieran destruir a Jesús. 21 Entonces, tomando la palabra, el gobernador les dijo: "¿A cuál de los dos quieren que les ponga en libertad?". Ellos dijeron: "A Barrabás".[b] 22 Pilato les dijo: "Entonces, ¿qué haré con Jesús, el llamado Cristo?". Todos dijeron: "¡Al madero con él!".[c] 23 Él dijo: "Pues, ¿qué mal ha hecho?". Pero ellos siguieron clamando más y más: "¡Al madero con él!".[d]

24 Viendo que no lograba nada, sino, más bien, que se levantaba un alboroto, Pilato cogió agua[e] y se lavó las manos delante de la muchedumbre, y dijo: "Soy inocente de la sangre de este [hombre]. Ustedes mismos tienen que atender a ello". 25 Ante eso, todo el pueblo dijo en respuesta: "Venga su sangre sobre nosotros y sobre nuestros hijos".[f] 26 Entonces él les puso en libertad a Barrabás, pero hizo dar latigazos[g] a Jesús y lo entregó para que fuera fijado en el madero.[h]

27 Entonces los soldados del gobernador llevaron a Jesús dentro del palacio del gobernador y reunieron a él todo el cuerpo de soldados.[i] 28 Y desvistiéndolo, le pusieron un manto escarlata,[j] 29 y entretejieron una corona de espinas y se la pusieron sobre la cabeza, y una caña en la mano derecha, y, arrodillándose delante de él, se burlaron[k] de él, diciendo: "¡Buenos días, rey de los judíos!".[l] 30 Y le escupieron,[m] y tomaron la caña y empezaron a pegarle en la cabeza. 31 Por último, cuando se hubieron burlado[n] de él, le quitaron el manto y le pusieron sus prendas de vestir exteriores, y se lo llevaron para fijarlo en el madero.[o]

32 Cuando iban saliendo, encontraron a un natural de Cirene, de nombre Simón.[p] A este lo obligaron a rendir servicio para que le levantara el madero de

CAP. 27

a Hch 1:19
b Zac 11:12
c Zac 11:13
d Mr 15:2
  Lu 23:3
  Jn 18:33
e Mt 26:64
  1Ti 6:13
f Mr 15:3
g Pr 11:12
  Isa 53:7
  Mt 26:63
  Jn 19:9
h Mr 15:4
i Mr 15:5
j Lu 23:17
  Jn 18:39
k Lu 23:19
  Jn 18:40
l Mr 15:9
m Pr 27:4
  Jn 12:19
  Ro 1:29
n Mr 15:10
o Isa 53:11
  Zac 9:9
  1Jn 2:1
p Mt 2:12

2.ª col.

a Lu 23:18
  Jn 18:40
  Hch 3:14
b Mr 15:11
c Mr 15:13
  Lu 23:21
d Mr 15:14
  Lu 23:23
  Hch 3:13
e Dt 21:6
f Dt 19:10
  Jos 2:19
  Hch 5:28
  1Te 2:15
g Lu 18:33
  Jn 19:1
h Mr 15:15
  Lu 23:25
i Mr 15:16
j Jn 19:2
k Jue 16:25
l Mr 15:18
  Jn 19:3
m Isa 49:7
  Isa 50:6
  Mt 26:67
n Isa 53:7
  Mt 20:19
o Mr 15:20
p Mr 15:21
  Lu 23:26
  Jn 19:17

tormento. 33 Y cuando llegaron a un lugar llamado *Gólgota*,[a] es decir, Lugar del Cráneo, 34 le dieron a beber vino mezclado con hiel;[b] pero, después de gustarlo, él rehusó beber.[c] 35 Cuando lo hubieron fijado en el madero,[d] repartieron sus prendas de vestir exteriores[e] echando suertes,[f] 36 y, sentados, lo vigilaban allí. 37 También, por encima de su cabeza fijaron el cargo contra él, escrito: "Este es Jesús el rey de los judíos".[g]

38 Entonces fueron fijados en maderos con él dos salteadores, uno a su derecha y uno a su izquierda.[h] 39 De modo que los que pasaban hablaban injuriosamente[i] de él, meneando[j] la cabeza 40 y diciendo: "¡Oh tú, supuesto derribador del templo[k] y edificador de él en tres días, sálvate! Si eres hijo de Dios, ¡baja del madero de tormento!".[l] 41 Del mismo modo, también, los sacerdotes principales junto con los escribas y ancianos empezaron a burlarse de él y a decir:[m] 42 "¡A otros salvó; a sí mismo no se puede salvar! Él es rey[n] de Israel; baje ahora del madero de tormento y creeremos en él.[o] 43 Ha puesto en Dios su confianza; líbrelo[p] Él ahora si le quiere, puesto que dijo: 'Soy Hijo de Dios' ".[q] 44 Así mismo, hasta los salteadores que estaban fijados en maderos con él se pusieron a vituperarlo.[r]

45 Desde la hora sexta en adelante cayó sobre toda la tierra una oscuridad,[s] hasta la hora nona.[t] 46 Cerca de la hora nona Jesús clamó con voz fuerte, y dijo: *'É·li, É·li, ¿lá·ma sa·baj·thá·ni?'*, esto es: "Dios mío, Dios mío, ¿por qué me has desamparado?".[u] 47 Al oír esto, algunos de los que estaban parados allí empezaron a decir: "A Elías llama este".[v] 48 E inmediatamente uno de ellos corrió y, tomando una esponja, la empapó en vino agrio[w] y, poniéndola

en una caña, se puso a darle de beber.[a] 49 Pero los demás dijeron: "¡Déja[lo]! Veamos si Elías viene a salvarlo".[b] [[Otro hombre tomó una lanza y le traspasó el costado, y salió sangre y agua.]][c] 50 De nuevo clamó Jesús en voz fuerte, y cedió [su] espíritu.[d]

51 Y, ¡mire!, la cortina[e] del santuario se rasgó en dos, de arriba abajo,[f] y la tierra tembló, y las masas rocosas se hendieron.[g] 52 Y las tumbas conmemorativas se abrieron y muchos cuerpos de los santos que habían dormido fueron levantados 53 (y algunas personas, saliendo de entre las tumbas conmemorativas después que él fue levantado, entraron en la ciudad santa),[h] y se hicieron visibles a mucha gente. 54 Pero el oficial del ejército y los que con él vigilaban a Jesús, al ver el terremoto y las cosas que sucedían, tuvieron muchísimo miedo, y dijeron: "Ciertamente este era Hijo de Dios".[i]

55 Además, estaban allí, mirando desde lejos,[j] muchas mujeres que habían acompañado a Jesús desde Galilea para ministrarle;[k] 56 entre las cuales estaba María Magdalena, también María la madre de Santiago y de José, y la madre de los hijos de Zebedeo.[l]

57 Entonces, como era hora avanzada de la tarde, vino un hombre rico de Arimatea, de nombre José, que también se había hecho discípulo de Jesús.[m] 58 Este fue a Pilato y pidió el cuerpo de Jesús.[n] Entonces Pilato mandó que se lo entregaran.[o] 59 Y José tomó el cuerpo, lo envolvió en un lino limpio y fino,[p] 60 y lo puso en su nueva tumba conmemorativa,[q] que había labrado en la masa rocosa. Y, después de hacer rodar una piedra grande a la puerta de la tumba conmemorativa, se fue.[r] 61 Pero María Magdalena y la

CAP. 27

a Lu 23:33
Jn 19:17
b Sl 69:21
c Mr 15:23
d Sl 22:18
Jn 19:18
e Sl 22:18
Lu 23:34
Jn 19:23
f Mr 15:24
Sl 22:18
g Mr 15:26
Jn 19:19
h Isa 53:12
Mr 15:27
Lu 23:33
Jn 19:18
i Lu 18:32
Heb 12:3
Sl 22:7
Sl 109:25
Lu 23:35
k Mt 26:61
Jn 2:19
l Mr 15:30
Lu 4:3
m Mr 15:31
Lu 23:35
n Jn 1:49
Jn 12:13
o Mr 15:32
Sl 22:8
Sl 42:10
q Mr 14:62
Jn 5:18
Jn 10:36
r Mr 15:32
Lu 23:39
s Am 8:9
t Mr 15:33
Lu 23:44
u Sl 22:1
Isa 53:10
Mr 15:34
v Mr 15:35
w Sl 69:21

S 1.ª col.

a Lu 23:36
Jn 19:29
b Mr 15:36
c Jn 19:34
d Mr 15:37
Jn 19:30
e Éx 26:31
Heb 9:3
Heb 10:20
f Mr 15:38
Lu 23:45
g Isa 14:15
h Mt 4:5
i Mr 15:39
Lu 23:47
j Lu 23:49
k Mr 15:41
Lu 8:3
l Mt 20:20
Mr 15:40
Lu 23:49
m Mr 15:43
n Dt 21:23
Mr 15:43
Lu 23:52
o Mr 15:45
Jn 19:38
p Mr 15:46
Jn 23:53
Jn 19:40
q Isa 53:9
Hch 13:29

r Mr 15:46; Lu 23:53; Jn 19:41.

otra María continuaron allí, sentadas enfrente del sepulcro.ᵃ

62 Al día siguiente, que fue después de la Preparación,ᵇ los sacerdotes principales y los fariseos se reunieron ante Pilato, 63 y dijeron: "Señor, hemos recordado que ese impostor dijo mientras todavía estaba vivo: 'Después de tres días'ᶜ he de ser levantado'. 64 Por lo tanto, manda que se asegure el sepulcro hasta el día tercero, para que nunca vengan sus discípulos, y lo hurten,ᵈ y digan al pueblo: '¡Fue levantado de entre los muertos!', y esta última impostura será peor que la primera". 65 Pilato les dijo: "Tienen guardia.ᵉ Vayan y asegúrenlo lo mejor que sepan". 66 De modo que ellos fueron y aseguraron el sepulcro, sellando la piedraᶠ y teniendo la guardia.

28 Después del sábado, cuando esclareció el primer día de la semana, María Magdalena y la otra María vinieron a ver el sepulcro.ᵍ

2 Y, ¡atención!, había ocurrido un gran terremoto; porque el ángel de Jehová había descendido del cielo, y se había acercado, y había hecho rodar la piedra, y estaba sentado sobre ella.ʰ 3 Su apariencia exterior era como el relámpago;ⁱ y su ropa, blanca como la nieve.ʲ 4 Sí, por temor a él los guardias temblaron y quedaron como muertos.

5 Pero el ángel,ᵏ tomando la palabra, dijo a las mujeres: "No teman, porque sé que buscan a Jesús,ˡ que fue fijado en un madero. 6 No está aquí, porque ha sido levantado,ᵐ como dijo. Vengan, vean el lugar donde yacía. 7 Y vayan de prisa y digan a sus discípulos que él ha sido levantadoⁿ de entre los muertos, y, ¡miren!, va delante de ustedes a Galilea;ᵒ allí lo verán. ¡Miren! Se lo he dicho".ᵖ

8 De modo que ellas, yéndose de prisa de la tumba conmemorativa, con temor y gran gozo, corrieron a informarlo a sus discípulos.ᵃ 9 Y, ¡mire!, Jesús se encontró con ellas y dijo: "¡Buenos días!". Ellas se acercaron y lo asieron de los pies y le rindieron homenaje. 10 Entonces Jesús les dijo: "¡No teman! Vayan, informen a mis hermanos,ᵇ para que se vayan a Galilea; y allí me verán".

11 Mientras ellas iban por su camino, ¡mire!, algunos de la guardiaᶜ fueron a la ciudad e informaron a los sacerdotes principales todas las cosas que habían sucedido. 12 Y después que estos se hubieron reunido con los ancianos y entrado en consejo, dieron una cantidad suficiente de piezas de plata a los soldadosᵈ 13 y dijeron: "Digan: 'Sus discípulos vinieron de noche y lo hurtaron mientras nosotros dormíamos'. 14 Y si esto llega a oídos del gobernador, nosotros [lo] persuadiremos y los libraremos a ustedes de toda preocupación". 15 De modo que ellos tomaron las piezas de plata e hicieron como se les instruyó; y este dicho se ha divulgado entre los judíos hasta el día de hoy.

16 Sin embargo, los once discípulos fueron a Galilea,ᶠ a la montaña donde Jesús les había ordenado, 17 y cuando lo vieron, le rindieron homenaje; pero algunos dudaron.ᵍ 18 Y Jesús se acercó y les habló, diciendo: "Toda autoridadʰ me ha sido dada en el cielo y sobre la tierra. 19 Vayan, por lo tanto, y hagan discípulosⁱ de gente de todas las naciones,ʲ bautizándolosᵏ en el nombre del Padreˡ y del Hijoᵐ y del espíritu santo,ⁿ 20 enseñándolesᵒ a observar todas las cosas que yo les he mandado.ᵖ Y, ¡miren!, estoy con ustedesʳ todos los días hasta la conclusión del sistema de cosas".ˢ

CAP. 27

a Mr 15:47
Lu 23:55
b Lu 23:54
Lu 23:54
Jn 19:14
c Mt 12:40
Jn 2:19
d Mt 28:13
e Mt 28:11
f Da 6:17

CAP. 28

g Mt 16:1
Lu 24:1
Lu 24:10
Jn 20:1
h Mr 16:4
Lu 24:2
i Jue 13:6
Da 10:6
j Mr 16:5
Lu 24:4
Hch 1:10
Rev 10:1
k Heb 1:14
Mr 16:6
l Mr 16:21
Mt 17:23
Lu 24:6
1Co 15:4
n 2Ti 2:8
o Mt 26:32
Mt 28:16
Mt 14:28
p Mr 16:7

2.ᵃ col.

a Mr 16:8
Lu 24:9
b Jn 20:17
Ro 8:29
Heb 2:11
c Mt 27:65
d Pr 17:23
e Mt 27:64
f Mt 26:32
1Co 15:6
g Mt 14:31
h Da 7:14
Mt 11:27
Ef 1:21
Flp 2:9
i Hch 14:21
Hch 21:16
j Hch 1:8
Ro 10:18
Ro 11:13
Rev 14:6
k Hch 2:38
Hch 8:12
l Sl 83:18
Isa 64:8
m Flp 2:9
Rev 19:16
n Jn 14:16
o Mt 5:19
Hch 20:20
2Ti 2:2
p Mt 7:24
Jn 14:23
1Ti 6:14
q 1Co 11:23
2Pe 3:2
1Jn 3:23
r Mt 13:39
Hch 18:10
s Mt 13:39
Mt 13:49
Mt 24:3

1 [El] principio de las buenas nuevas acerca de Jesucristo: 2 Así como está escrito en Isaías el profeta: "(¡Mira! Envío a mi mensajero delante de tu rostro, que preparará tu camino;)[a] 3 ¡escuchen!, alguien clama en el desierto: 'Preparen el camino de Jehová, hagan rectas sus veredas'".[b] 4 Juan el bautizante se presentó en el desierto, predicando bautismo [en símbolo] de arrepentimiento para perdón de pecados.[c] 5 Por consiguiente, todo el territorio de Judea y todos los habitantes de Jerusalén salían a donde él, y eran bautizados por él en el río Jordán, y confesaban abiertamente sus pecados.[d] 6 Ahora bien, Juan estaba vestido de pelo de camello y con un cinturón de cuero alrededor de los lomos,[e] y comía langostas insectiles[f] y miel silvestre.[g] 7 Y predicaba, diciendo: "Después de mí viene alguien más fuerte que yo; no soy digno de agacharme y desatar las correas de sus sandalias.[h] 8 Yo los he bautizado con agua, pero él los bautizará con espíritu santo".[i]

9 En el transcurso de aquellos días Jesús vino de Nazaret de Galilea y fue bautizado en el Jordán por Juan.[j] 10 E inmediatamente al subir del agua vio que los cielos se abrían, y que, como paloma, el espíritu descendía sobre él;[k] 11 y de los cielos salió una voz: "Tú eres mi Hijo, el amado; yo te he aprobado".[l]

12 E inmediatamente el espíritu lo impelió a irse al desierto.[m] 13 De modo que él continuó en el desierto cuarenta días,[n] y fue tentado por Satanás,[o] y estaba con las bestias salvajes, pero los ángeles le ministraban.[p]

14 Ahora bien, después que Juan fue arrestado, Jesús entró en Galilea,[a] predicando las buenas nuevas de Dios[b] 15 y diciendo: "El tiempo señalado se ha cumplido,[c] y el reino de Dios se ha acercado. Arrepiéntanse[d] y tengan fe en las buenas nuevas".

16 Al ir andando a lo largo del mar de Galilea, vio a Simón[e] y a Andrés el hermano de Simón echando [sus redes] en el mar, pues eran pescadores.[f] 17 De modo que Jesús les dijo: "Vengan en pos de mí, y haré que lleguen a ser pescadores de hombres".[g] 18 Y en seguida ellos abandonaron sus redes y le siguieron.[h] 19 Y después de ir un poco más adelante, vio a Santiago [hijo] de Zebedeo y a Juan su hermano, de hecho, mientras estaban en su barca remendando sus redes;[i] 20 y sin demora los llamó. Ellos, a su vez, dejaron a su padre Zebedeo en la barca con los asalariados y se fueron en pos de él. 21 Y entraron en Capernaum.[j]

Luego que fue sábado, él entró en la sinagoga y se puso a enseñar. 22 Y quedaban atónitos por su modo de enseñar,[k] porque allí estaba enseñándoles como quien tiene autoridad, y no como los escribas.[l] 23 También, a la sazón había en la sinagoga de ellos un hombre bajo el poder de un espíritu inmundo, y este gritó,[m] 24 diciendo: "¿Qué tenemos que ver contigo, Jesús Nazareno?[n] ¿Viniste a destruirnos? Sé[o] exactamente quién eres, el Santo[p] de Dios".[q] 25 Pero Jesús lo reprendió, diciendo: "¡Calla, y sal de él!".[r] 26 Y el espíritu inmundo, después de convulsionarlo y gritar a voz en cuello, salió de él.[s] 27 Pues bien, todos quedaron tan pas-

CAP. 1
a Mal 3:1
Mt 11:10
Lu 7:27
b Isa 40:3
Lu 3:4
Jn 1:23
c Mt 3:2
Lu 3:3
Hch 13:24
d Pr 28:13
Mal 3:5
Hch 19:4
e 2Re 1:8
f Le 11:22
g Mt 3:4
h Jn 1:27
Hch 13:25
i Isa 44:3
Joe 2:28
Lu 3:16
Hch 2:4
Hch 11:16
j Mt 3:13
k Isa 42:1
Mt 3:16
Lu 3:22
Jn 1:32
l Sl 2:7
Mt 3:17
2Pe 1:17
m Lu 4:1
n Mt 4:2
o Mt 4:1
p Mt 4:11

2.ª col.
a Mt 4:12
Mt 4:14
b Lu 8:1
c Da 9:26
Gál 4:4
Ef 1:10
d Mt 4:17
e Mt 10:2
f Mt 4:18
Lu 5:4
g Mt 4:19
h Mt 19:27
Lu 5:11
i Mt 4:21
j Mt 4:13
Lu 4:31
k Mt 7:28
Mt 7:29
l Mt 4:33
m Mt 8:29
o Snt 2:19
p Rev 3:7
q Lu 4:34
r Lu 4:35
s Mr 9:20
Mr 9:26

mados que empezaron una discusión entre sí, y dijeron: "¿Qué es esto? ¡Una nueva enseñanza! Con autoridad ordena hasta a los espíritus inmundos, y le obedecen".[a]   28 De modo que el informe acerca de él se extendió inmediatamente en toda dirección por toda la comarca de Galilea.[b]

29 E inmediatamente salieron de la sinagoga y entraron en la casa de Simón[c] y Andrés, con Santiago y Juan.   30 Ahora bien, la suegra de Simón[d] estaba acostada enferma, con fiebre,[e] y en seguida le dijeron acerca de ella.   31 Y, yendo a ella, él la levantó, tomándola de la mano; y la fiebre la dejó,[f] y ella se puso a ministrarles.[g]

32 Después de caer la tarde, cuando se había puesto el sol, empezaron a traerle todos los que se hallaban mal,[h] y los endemoniados;[i]   33 y toda la ciudad estaba reunida justamente a la puerta.   34 De modo que curó a muchos que se hallaban mal de diversas enfermedades,[j] y expulsó muchos demonios, pero no dejaba hablar a los demonios, porque sabían que él era Cristo.[k]

35 Y levantándose muy de mañana, mientras todavía estaba oscuro, salió y se fue a un lugar solitario,[l] y allí se puso a orar.[m]   36 Sin embargo, fueron en busca de él Simón y los que con él estaban,   37 y lo hallaron, y le dijeron: "Todos te buscan".   38 Pero él les dijo: "Vamos a otra parte, a las villas cercanas, para que prediquen[n] también allí, porque con este propósito he salido".[o]   39 Y sí fue, predicando en las sinagogas de ellos por todas partes de Galilea, y expulsando los demonios.[p]

40 También vino a él un leproso, y le suplicó hasta de rodillas, diciéndole: "Si tan solo quieres, puedes limpiarme".[q]   41 Con esto, él se enterneció,[r] y extendió la mano y lo tocó, y

CAP. 1

a Lu 4:36
b Mt 4:24
  Lu 4:37
c Lu 4:38
d 1Co 9:5
e Mt 8:14
f Sl 103:3
g Mt 8:15
  Lu 4:39
h Mt 4:24
  Lu 4:40
i Mt 8:16
j Isa 53:4
k Mr 3:12
  Lu 4:41
l Lu 4:42
m Mt 14:23
  Mr 14:32
  Heb 5:7
n Isa 61:1
o Lu 4:43
  Jn 17:4
p Mt 4:23
  Lu 4:44
q Mt 8:2
  Lu 5:12
r Heb 2:17

2.* col.

a Mt 8:3
b Lu 5:13
c Le 13:49
  Le 14:3
d Le 14:10
  Dt 24:8
e Mt 8:4
  Lu 5:14
f Mr 2:13
  Lu 5:15

CAP. 2

g Mt 9:1
h Sl 40:9
  Isa 61:1
  Ef 2:17
  Heb 2:3
i Mt 9:2
  Lu 5:18
j Lu 5:19
k Hch 14:9
l Isa 53:11
  Lu 5:20
  Lu 7:48
m Lu 5:21
n Sl 130:4
  Isa 43:25
o Sl 7:9
  Mt 9:4
  Lu 6:8
  Heb 4:13
  Rev 2:23

le dijo: "Quiero. Sé limpio".[a]   42 E inmediatamente la lepra desapareció de él, y quedó limpio.[b]   43 Además, le dio órdenes estrictas y en seguida lo despidió,   44 y le dijo: "Mira que no digas nada a nadie; mas ve, muéstrate al sacerdote[c] y ofrece a favor de tu limpieza las cosas que Moisés prescribió,[d] para testimonio a ellos".[e]   45 Pero después de haberse ido, el hombre comenzó a proclamarlo en gran manera, y a divulgar el relato, de modo que [Jesús] ya no podía entrar abiertamente en ciudad alguna, sino que continuaba afuera en lugares solitarios. No obstante, seguían viniendo a él de todas partes.[f]

2 Sin embargo, después de algunos días volvió a entrar en Capernaum, y corrió la noticia de que estaba en casa.[g]   2 Por consiguiente, muchos se reunieron, a tal grado que ya no cabían, ni siquiera cerca de la puerta, y él se puso a hablarles la palabra.[h]   3 Y vinieron unos hombres trayéndole un paralítico, llevado por cuatro.[i]   4 Pero como no pudieron traerlo directamente a [Jesús] a causa de la muchedumbre, quitaron el techo por encima de donde él estaba, y habiendo cavado una abertura, bajaron la camilla en que estaba acostado el paralítico.[j]   5 Y cuando Jesús vio la fe de ellos,[k] dijo al paralítico: "Hijo, tus pecados son perdonados".[l]   6 Ahora bien, estaban allí algunos de los escribas, sentados, y razonaban en sus corazones:[m]   7 "¿Por qué habla este hombre de esta manera? Blasfema. ¿Quién puede perdonar pecados sino uno solo, Dios?".[n]   8 Pero Jesús, habiendo discernido inmediatamente por su espíritu que razonaban de aquella manera dentro de sí, les dijo: "¿Por qué razonan estas cosas en sus corazones?[o]   9 ¿Qué es más fácil?, ¿decir al paralítico: 'Tus pecados son perdonados', o decir: 'Levántate y toma tu camilla y anda'?[a] 10 Pero para que sepan ustedes que el Hijo del hombre[b] tiene autoridad para perdonar pecados sobre la tierra[c]... —dijo al paralítico—: 11 Te digo: Levántate, toma tu camilla, y vete a tu casa".[d] 12 Con eso, él sí se levantó, y tomó inmediatamente su camilla y salió andando delante de todos ellos,[e] de modo que todos ellos simplemente se embelesaba, y glorificaron a Dios, y dijeron: "Jamás hemos visto cosa semejante".[f]

13 Salió de nuevo a la orilla del mar; y toda la muchedumbre siguió viniendo a él, y les enseñaba. 14 Mas al ir pasando, alcanzó a ver a Leví[g] [hijo] de Alfeo sentado en la oficina de los impuestos, y le dijo: "Sé mi seguidor". Y levantándose, le siguió.[h] 15 Más tarde sucedió que estuvo reclinado a la mesa en casa de este, y muchos recaudadores de impuestos[i] y pecadores estaban reclinados con Jesús y sus discípulos, porque había muchos de ellos, y le seguían.[j] 16 Pero los escribas de los fariseos, cuando vieron que comía con los pecadores y recaudadores de impuestos, se pusieron a decir a sus discípulos: "¿Come él con los recaudadores de impuestos y pecadores?".[k] 17 Al oír esto, Jesús les dijo: "Los fuertes no necesitan médico, pero los que se hallan mal sí. No vine a llamar a justos, sino a pecadores".[l]

18 Ahora bien, los discípulos de Juan y los fariseos practicaban el ayuno. De modo que vinieron y le dijeron: "¿Por qué practican el ayuno los discípulos de Juan y los discípulos de los fariseos, pero tus discípulos no practican el ayuno?".[m] 19 Y Jesús les dijo: "Mientras el novio está con ellos, los amigos del novio no pueden ayunar,[n] ¿verdad? Entretanto que tienen con ellos al novio, no pueden ayunar.[o] 20 Pero vendrán días en que el novio les será quitado, y entonces ayunarán en aquel día.[a] 21 Nadie cose un remiendo de paño no encogido en una prenda de vestir exterior vieja; si lo hace, su plena fuerza tira de ella, lo nuevo de lo viejo, y el desgarrón se hace peor.[b] 22 Además, nadie pone vino nuevo en odres viejos; si lo hace, el vino revienta los cueros, y el vino se pierde, así como también los cueros.[c] Más bien, el vino nuevo se pone en odres nuevos".[d]

23 Ahora bien, sucedió que él iba pasando por los sembrados de grano en día de sábado, y sus discípulos comenzaron a caminar y a arrancar[e] las espigas.[f] 24 De modo que los fariseos empezaron a decirle: "¡Mira eso! ¿Por qué están haciendo ellos en día de sábado lo que no es lícito?".[g] 25 Pero él les dijo: "¿No han leído ni siquiera una vez lo que David[h] hizo cuando se halló en necesidad y le dio hambre, a él y a los hombres que estaban con él?[i] 26 ¿Que entró en la casa de Dios, en el relato acerca de Abiatar[j] el sacerdote principal, y comió los panes de la presentación,[k] que a nadie es lícito[l] comer, sino a los sacerdotes, y dio algo también a los hombres que estaban con él?".[m] 27 De modo que siguió diciéndoles: "El sábado vino a existir por causa del hombre,[n] y no el hombre por causa del sábado;[o] 28 así es que el Hijo del hombre es Señor hasta del sábado".[p]

3 Una vez más entró en una sinagoga, y allí estaba un hombre con una mano seca.[q] 2 De modo que lo estaban observando detenidamente para ver si curaría al hombre en sábado, para poder acusarlo.[r] 3 Y él dijo al hombre que tenía la mano seca: "Levántate [y ponte] en medio". 4 Entonces les dijo: "¿Es lícito en sábado hacer un hecho bueno, o hacer un hecho malo?, ¿salvar un alma, o

CAP. 2

a Mt 9:5
  Lu 5:23
b Da 7:13
c Isa 53:11
  Hch 5:31
d Mt 9:6
  Lu 5:24
e Mt 9:8
  Lu 5:26
f Mt 9:33
  Jn 7:31
  Jn 9:32
g Mt 9:9
h Lu 5:27
i Lu 15:1
j Mt 9:10
  Lu 5:29
k Isa 65:5
  Mt 9:11
  Mt 5:31
l Isa 61:1
  Mt 9:12
  Lu 5:31
  Lu 19:10
  1Ti 1:15
m Mt 9:14
  Lu 5:33
n Jn 3:29
o Sl 45
  Mt 22:2
  2Co 11:2
  Rev 19:7

2.ª col.

a Mt 9:15
  Lu 5:35
  Lu 17:22
b Mt 9:16
  Lu 5:36
c Job 32:19
d Mt 9:17
  Lu 5:38
e Dt 23:25
f Mt 12:1
  Lu 6:1
g Mt 12:2
h 1Sa 21:6
i Mt 12:3
  Lu 6:3
j 1Sa 22:20
k Le 24:6
l Éx 25:30
  Éx 29:32
  Le 24:9
m Lu 6:4
n Éx 20:10
  Eze 20:12
o Mt 12:7
  Col 2:16
p Mt 12:8
  Lu 6:5

CAP. 3

q Mt 12:9
  Lu 6:6
r Mt 12:10
  Lu 6:7
  Lu 14:1

matarla?".[a] Pero ellos se quedaron callados. 5 Y después de darles una mirada en derredor con indignación, estando él cabalmente contristado por la insensibilidad de sus corazones,[b] dijo al hombre: "Extiende la mano". Y la extendió, y la mano le fue restaurada.[c] 6 Visto aquello, los fariseos salieron e inmediatamente se pusieron a celebrar consejo con los partidarios de Herodes[d] contra él, para destruirlo.[e]

7 Pero Jesús, con sus discípulos, se retiró al mar; y una gran multitud de Galilea y de Judea lo siguió.[f] 8 Hasta Jerusalén y de Idumea y del otro lado del Jordán y de los alrededores de Tiro[g] y de Sidón, una gran multitud, al oír cuántas cosas hacía, vino a él. 9 Y él dijo a sus discípulos que le tuvieran dispuesta de continuo una barquilla para que la muchedumbre no lo oprimiera. 10 Porque curó a muchos, y el resultado fue que todos los que tenían dolencias penosas caían sobre él para tocarlo.[h] 11 Hasta los espíritus inmundos,[i] siempre que lo contemplaban, se postraban delante de él y clamaban, diciendo: "Tú eres el Hijo de Dios".[j] 12 Pero muchas veces les ordenó rigurosamente que no lo dieran a conocer.[k]

13 Y ascendió a una montaña y mandó llamar a los que quiso,[l] y ellos se fueron a donde él.[m] 14 Y formó [un grupo de] doce, a quienes también dio el nombre de "apóstoles", para que continuaran con él y para enviarlos a predicar 15 y a tener autoridad para expulsar los demonios.[o]

16 Y el [grupo de] doce que él formó fueron: Simón, a quien también dio el sobrenombre de Pedro,[p] 17 y Santiago [hijo] de Zebedeo, y Juan el hermano de Santiago[q] (también dio a estos el sobrenombre de Boanerges, que significa Hijos del Trueno),

18 y Andrés, y Felipe, y Bartolomé, y Mateo, y Tomás, y Santiago [hijo] de Alfeo, y Tadeo, y Simón el cananita 19 y Judas Iscariote, que más tarde lo traicionó.[a]

Y entró en una casa. 20 Una vez más se juntó la muchedumbre, de modo que ellos no podían siquiera tomar una comida.[b] 21 Pero cuando sus parientes[c] oyeron esto, salieron para apoderarse de él, porque decían: "Ha perdido el juicio".[d] 22 También, los escribas que habían bajado de Jerusalén decían: "Tiene a Beelzebub, y expulsa los demonios por medio del gobernante de los demonios".[e] 23 De modo que él, después de llamarlos a sí, empezó a decirles con ilustraciones: "¿Cómo puede Satanás expulsar a Satanás? 24 Pues, si un reino llega a estar dividido contra sí mismo, ese reino no puede estar en pie;[f] 25 y si una casa llega a estar dividida contra sí misma, esa casa no podrá estar en pie.[g] 26 También, si Satanás se ha levantado contra sí mismo y ha llegado a estar dividido, no puede estar en pie, sino que tiene fin.[h] 27 De hecho, nadie que ha logrado entrar en la casa de un hombre fuerte puede saquear[i] sus bienes muebles a menos que primero ate al fuerte, y entonces saqueará su casa.[j] 28 En verdad les digo que todas las cosas les serán perdonadas a los hijos de los hombres, no importa qué pecados y blasfemias cometan blasfemamente.[k] 29 Sin embargo, cualquiera que blasfema contra el espíritu santo no tiene perdón jamás, sino que es culpable de pecado eterno".[l] 30 Esto, porque decían: "Tiene espíritu inmundo".[m]

31 Entonces vinieron su madre y sus hermanos,[n] y, como estaban parados fuera, le enviaron recado para llamarlo.[o] 32 Sucedía que una muchedumbre es-

---

CAP. 3

a Mt 12:11
  Lu 14:3
b Jn 12:40
  Ro 11:25
c Mt 12:13
  Lu 6:10
d Mt 22:16
  Mr 12:13
e Mt 12:14
  Lu 6:11
  Jn 11:53
f Mt 12:15
  Lu 6:17
g Mt 11:21
h Mt 9:21
  Mr 5:28
  Mr 6:56
i Mt 8:31
  Mr 1:23
j Mr 5:7
  Lu 4:41
k Mt 12:16
  Mr 1:25
l Jn 15:16
m Lu 6:12
  Lu 9:1
n Lu 6:13
o Mt 10:1
p Jn 1:42
q Mt 10:2
  Lu 6:14
  Lu 9:54
  Hch 1:13

2.ª col.

a Mt 10:4
  Lu 6:16
b Mr 6:31
c Jn 7:5
d Jn 10:20
e Mt 9:34
  Mt 10:25
  Lu 11:15
  Jn 8:48
f Mt 12:25
g Lu 11:17
h Mt 12:26
  Lu 11:18
i Isa 49:24
j Mt 12:29
k Mt 12:31
  Lu 12:10
l Mt 12:32
  Heb 6:4
  Heb 6:6
  Heb 10:26
  1Jn 5:16
m Jn 7:20
  Jn 10:20
n Mt 13:55
  Jn 2:12
  Hch 1:14
o Mt 12:46
  Lu 8:19

taba sentada alrededor de él, de modo que le dijeron: "¡Mira! Tu madre y tus hermanos [están] fuera [y] te buscan".[a] 33 Mas él, respondiendo, les dijo: "¿Quiénes son mi madre y mis hermanos?".[b] 34 Y habiendo mirado alrededor a los que estaban sentados en torno de él en círculo, dijo: "Vean: ¡mi madre y mis hermanos![c] 35 Cualquiera que hace la voluntad de Dios, este es mi hermano y hermana y madre".[d]

4 Y de nuevo comenzó a enseñar a la orilla del mar.[e] Y una muchedumbre muy grande se reunió cerca de él, de modo que él subió a una barca y se sentó más allá en el mar, pero toda la muchedumbre a la orilla del mar estaba en la ribera.[f] 2 De modo que se puso a enseñarles muchas cosas con ilustraciones,[g] y les decía en su enseñanza:[h] 3 "Escuchen. ¡Miren! El sembrador salió a sembrar.[i] 4 Y al ir sembrando, parte [de la semilla] cayó a lo largo del camino, y las aves vinieron y se la comieron.[j] 5 Y otra [parte] cayó sobre el pedregal, donde, por supuesto, no tenía mucha tierra, y brotó inmediatamente por no tener profundidad de tierra.[k] 6 Mas cuando salió el sol, se chamuscó, y, por no tener raíz, se marchitó.[l] 7 Y otra [parte] cayó entre los espinos, y los espinos crecieron y la ahogaron, y no dio fruto.[m] 8 Mas otras cayeron sobre la tierra excelente,[n] y, creciendo y aumentando, empezaron a dar fruto, y llevaban de a treinta y de a sesenta y de a ciento por uno".[o] 9 Entonces agregó la palabra: "El que tiene oídos para escuchar, escuche".[p]

10 Ahora bien, cuando quedó solo, los que se hallaban alrededor de él con los doce se pusieron a interrogarle acerca de las ilustraciones.[q] 11 Y él procedió a decirles: "A ustedes se les ha dado el secreto sagrado[a] del reino de Dios, mas a los de afuera todas las cosas ocurren en ilustraciones,[b] 12 para que, aunque estén mirando, miren y sin embargo no vean, y, aunque estén oyendo, oigan y sin embargo no capten el sentido de ello, ni nunca se vuelvan y se les dé perdón".[c] 13 Además, les dijo: "Ustedes no saben esta ilustración, así es que ¿cómo entenderán todas las demás ilustraciones?

14 "El sembrador siembra la palabra.[d] 15 Estos, pues, son aquellos a lo largo del camino donde se siembra la palabra; mas luego que [la] han oído viene Satanás[e] y se lleva la palabra que ha sido sembrada en ellos.[f] 16 Y, así mismo, estos son los [que han sido] sembrados sobre los pedregales: luego que han oído la palabra, la aceptan con gozo.[g] 17 Sin embargo, no tienen raíz en sí mismos, sino que continúan por un tiempo; entonces, luego que surge tribulación o persecución a causa de la palabra, se les hace tropezar.[h] 18 Y hay otros que son sembrados entre los espinos; estos son los que han oído la palabra,[i] 19 pero las inquietudes de este sistema de cosas y el poder engañoso de las riquezas[k] y los deseos[l] de las demás cosas van entrando y ahogan la palabra, y esta se hace infructífera.[m] 20 Finalmente, los que han sido sembrados en la tierra excelente son los que escuchan la palabra y la reciben favorablemente y llevan fruto de a treinta y a sesenta y a ciento por uno".[n]

21 Y siguió diciéndoles: "No se trae la lámpara para ponerla debajo de la cesta de medir, o debajo de la cama, ¿verdad? Se trae para ponerla sobre el candelero, ¿no es así?[o] 22 Porque nada hay escondido salvo con el propósito de que sea expuesto; nada ha llegado a estar cuidado-

CAP. 3
a Mt 12:47
  Mr 6:3
  Lu 8:20
b Mt 10:37
c Mt 12:49
  Ro 8:29
  Heb 2:11
d Mt 12:50
  Lu 8:21
  Jn 15:14

CAP. 4
e Isa 9:1
f Mt 13:1
  Lu 8:4
g Mt 13:34
h Mt 12:38
i Mr 4:14
  Lu 8:5
j Mt 13:4
k Mt 13:5
  Mt 4:16
  Mt 4:17
  Lu 8:6
l Mt 13:6
  Snt 1:11
m Mt 13:7
  Mt 4:18
  Mt 4:19
  Lu 8:7
n Heb 6:7
o Mt 13:8
  Mt 4:20
  Jn 15:5
p Pr 1:5
  Mt 11:15
q Pr 4:7
  Mt 13:10
  Lu 8:9

2.ª col.
a Ef 1:9
  Col 1:26
b Mt 13:11
  Lu 8:10
  Col 4:5
  1Ti 3:7
c Dt 29:4
  Isa 6:9
  Jer 5:21
  Mt 13:14
  Jn 12:40
  Hch 28:26
d Mt 13:19
  1Pe 1:25
e 2Co 2:11
  Mt 4:15
f Heb 2:1
g Mt 13:20
  Lu 8:13
h Mt 13:21
i Mt 13:22
  Lu 8:14
j Mt 6:25
  Mt 24:38
k Pr 23:5
  Mr 10:23
  Lu 18:24
  1Ti 6:9
  2Ti 4:10
l 1Jn 2:16
m Mt 13:22
  Lu 8:14
n Mt 13:23
  Ro 7:4
  Col 1:10
  2Pe 1:8
o Mt 5:15
  Lu 11:33

samente ocultado, sino con el propósito de que venga al descubierto.[a] 23 El que tiene oídos para escuchar, que escuche".[b]

24 También les decía: "Presten atención a lo que oyen.[c] Con la medida con que ustedes miden, se les medirá a ustedes,[d] sí, hasta se les añadirá.[e] 25 Porque al que tiene se le dará más; pero al que no tiene, aun lo que tiene le será quitado".[f]

26 Y siguió diciendo: "De esta manera el reino de Dios es como cuando un hombre echa la semilla sobre la tierra,[g] 27 y duerme de noche y se levanta de día, y la semilla brota y crece alta —precisamente cómo, él no lo sabe[h]—. 28 Por sí misma la tierra gradualmente fructifica: primero el tallo de hierba, luego la espiga, finalmente el grano lleno en la espiga. 29 Pero tan pronto como el fruto lo permite, él mete la hoz, porque ha llegado el tiempo de la siega".

30 Y siguió diciendo: "¿A qué hemos de asemejar el reino de Dios, o en qué ilustración lo presentaremos?[i] 31 Como un grano de mostaza, que al tiempo que se sembró en la tierra era la más pequeña de todas las semillas que hay en la tierra[i]..., 32 pero cuando se ha sembrado, sale y se hace mayor que todas las demás legumbres,[k] y produce grandes ramas,[k] de modo que las aves del cielo[l] pueden hallar albergue bajo su sombra".[m]

33 De manera que con muchas ilustraciones[n] de ese tipo les hablaba la palabra, hasta el grado que podían escuchar. 34 Verdaderamente, sin ilustración no les hablaba, pero privadamente explicaba a sus discípulos todas las cosas.[o]

35 Y en aquel día, al anochecer, les dijo: "Pasemos a la otra ribera".[p] 36 Por eso, después de haber despedido ellos a la muchedumbre, lo llevaron en la barca, tal como estaba, y había

con él otras barcas.[a] 37 Ahora bien, estalló una grande y violenta tempestad de viento, y las olas seguían lanzándose dentro de la barca, de modo que faltaba poco para que la barca se llenara.[b] 38 Pero él estaba en la popa, durmiendo sobre una almohada. De modo que lo despertaron y le dijeron: "Maestro, ¿no te importa que estemos a punto de perecer?".[c] 39 Con eso, él se despertó, y reprendió al viento y dijo al mar: "¡Silencio! ¡Calla!".[d] Y el viento se apaciguó, y sobrevino una gran calma.[e] 40 De modo que les dijo: "¿Por qué se acobardan? ¿Todavía no tienen fe?". 41 Pero ellos sintieron un temor extraordinario, y se decían unos a otros: "¿Quién, realmente, es este, porque hasta el viento y el mar le obedecen?".[f]

5 Ahora bien, llegaron a la otra orilla del mar, al país de los gerasenos.[g] 2 E inmediatamente después que él salió de la barca, vino a su encuentro de entre las tumbas conmemorativas un hombre bajo el poder de un espíritu inmundo.[h] 3 Este tenía su guarida entre las tumbas; y hasta aquel entonces absolutamente nadie podía atarlo firmemente ni siquiera con una cadena, 4 porque muchas veces había sido sujetado con grilletes y cadenas, mas las cadenas las había roto con estallido, y los grilletes realmente quedaban hechos pedazos; y nadie tenía fuerzas para domarlo. 5 Y continuamente, noche y día, aquel estaba en las tumbas y en las montañas dando gritos y cortándose con piedras. 6 Pero al alcanzar a ver a Jesús desde lejos, corrió y le rindió homenaje, 7 y, habiendo clamado en alta voz,[i] dijo: "¿Qué tengo que ver contigo, Jesús, Hijo del Dios Altísimo?[j] Te pongo bajo juramento[k] por Dios que no me atormentes".[l] 8 Porque él le había estado diciendo: "Sal del

CAP. 4

a Mt 10:26
  Lu 12:2
  Hch 4:20
  1Ti 5:25
  1Jn 1:2

b Pr 1:5
  Mt 11:15
  Rev 2:7

c Lu 8:18
  Snt 1:25

d Pr 11:25

e Mt 7:2
  Lu 6:38
  2Co 9:6

f Mt 13:12
  Mt 25:23
  Lu 8:18
  Lu 19:26

g Mt 13:24

h Gé 1:11
  Gál 6:7

i Mt 13:31
  Lu 13:18

j Mt 13:32
  Lu 13:19

k Da 4:12
  Da 4:21

l Sl 104:12
  Eze 31:6

m Mt 13:34

n Sl 78:2

o Mt 13:11
  Mt 13:35
  Mr 4:11

p Mt 8:18

2.ᵃ col.

a Mt 8:23
  Lu 8:22

b Mt 8:24
  Lu 8:23

c Mt 8:25
  Lu 8:24

d Sl 89:9

e Mt 8:26
  Lu 8:24

f Mt 8:27
  Lu 8:25
  Jn 6:19

CAP. 5

g Mt 8:28
  Lu 8:26

h Lu 8:27

i Hch 16:17

j 1Re 17:18
  Snt 2:19

k Mt 26:63

l Mt 8:29

hombre, espíritu inmundo".[a]
9 Pero se puso a preguntarle: "¿Cuál es tu nombre?". Y él le dijo: "Mi nombre es Legión,[b] porque somos muchos".[c]   10 Y le suplicó muchas veces que no enviara a los espíritus fuera del país.[d]

11 Ahora bien, allí junto a la montaña una gran piara de cerdos[e] estaba paciendo.[f]   12 De modo que ellos le suplicaron, diciendo: "Envíanos a los cerdos, para que entremos en ellos".   13 Y él se lo permitió. Con eso, los espíritus inmundos salieron, y entraron en los cerdos; y la piara se precipitó por el despeñadero en el mar, unos dos mil de ellos, y uno tras otro se ahogaron en el mar.[g]   14 Pero sus porquerizos huyeron y lo informaron en la ciudad y en la región rural; y la gente vino a ver qué era lo que había acontecido.[h]   15 De modo que llegaron a Jesús, y contemplaron al endemoniado sentado, vestido y en su cabal juicio, este que había tenido la legión; y tuvieron temor.   16 También, los que lo habían visto les contaron cómo se había ocurrido esto al endemoniado, y acerca de los cerdos.   17 Así que comenzaron a suplicarle que se fuera de sus distritos.[i]

18 Entonces, al entrar él en la barca, el que había estado endemoniado se puso a suplicarle que le dejara continuar con él.[j]   19 Sin embargo, él no le dejó, sino que le dijo: "Vete a casa a tus parientes,[k] e infórmales acerca de todas las cosas que Jehová[l] ha hecho por ti, y de la misericordia[m] que te tuvo".   20 Y él se fue y comenzó a proclamar en la Decápolis[n] todas las cosas que Jesús había hecho por él, y toda la gente se admiraba.[o]

21 Después que Jesús hubo pasado de nuevo a la ribera opuesta en la barca, se le reunió una gran muchedumbre; y él estaba a la orilla del mar.[p]

22 Ahora bien, uno de los presidentes de la sinagoga, Jairo por nombre, vino, y, al verlo, cayó a sus pies   23 y le suplicó muchas veces, diciendo: "Mi hijita está gravísima. Sírvete venir y poner las manos[b] sobre ella, para que recobre la salud y viva".[c]   24 Ante aquello, él se fue con él. Y le seguía una gran muchedumbre, y lo apretaba.[d]

25 Ahora bien, había una mujer que padecía flujo de sangre desde hacía doce años,[f]   26 y muchos médicos le habían hecho pasar muchas penas,[g] y ella había gastado todos sus recursos y no se había beneficiado, sino al contrario, había empeorado.   27 Cuando ella oyó las cosas acerca de Jesús, vino por detrás, entre la muchedumbre, y le tocó[h] la prenda de vestir exterior;   28 porque decía: "Si toco nada más que sus prendas de vestir exteriores, recobraré la salud".[i]   29 E inmediatamente se secó la fuente de su sangre, y sintió en su cuerpo que había sido sanada de la penosa enfermedad.[j]

30 Inmediatamente, también, Jesús reconoció en sí mismo que de él había salido poder,[k] y, volviéndose entre la muchedumbre, se puso a decir: "¿Quién tocó mis prendas de vestir exteriores?".[l]   31 Mas sus discípulos empezaron a decirle: "Ves la muchedumbre que te aprieta,[m] y ¿dices tú: '¿Quién me tocó?'?".   32 Sin embargo, él miraba alrededor para ver a la que había hecho esto.   33 Pero la mujer, atemorizada y temblando, sabiendo lo que le había pasado, vino y cayó delante de él y le dijo toda la verdad.[n]   34 Él le dijo: "Hija, tu fe te ha devuelto la salud. Ve en paz,[o] y queda sana de tu penosa enfermedad".[p]

35 Mientras él todavía estaba hablando, vinieron algunos hombres de la casa del presidente de la sinagoga y dijeron: "¡Tu

CAP. 5
a Hch 16:18
b Mt 12:45
c Lu 8:30
d Lu 8:31
e Le 11:7
  Dt 14:8
f Mt 8:30
  Lu 8:32
g Mt 8:32
  Lu 8:32
h Mt 8:33
  Lu 8:35
i Mt 8:34
  Lu 8:37
  Hch 16:39
  1Co 2:14
j Lu 8:33
k Mr 6:4
l Éx 18:8
m Ro 9:15
  Ef 2:4
n Mr 7:31
o Lu 8:39
p Lu 8:40

2.ª col.
a Lu 8:41
b Mr 6:5
  Lu 4:40
  Hch 9:17
c Mt 9:18
d Mt 9:19
  Lu 8:42
e Le 15:25
f Mt 9:20
  Lu 8:43
g Sl 108:12
h Mt 14:36
  Mr 6:56
i Le 6:27
  Mt 9:21
j Lu 8:44
k Lu 5:17
  Lu 6:19
l Lu 8:46
m Lu 8:45
n Lu 8:47
o Jue 18:6
  1Sa 1:17
  Lu 7:50
  Lu 8:48
p Mt 9:22

hija murió! ¿Por qué molestar ya
al maestro?”.[a] **36** Mas Jesús,
oyendo por casualidad la palabra que se hablaba, dijo al presidente de la sinagoga: “No temas,
ejerce fe solamente”.[b] **37** Y no
dejó que nadie siguiera con él,
sino Pedro y Santiago y Juan el
hermano de Santiago.[c]
38 De modo que llegaron a la
casa del presidente de la sinagoga, y él contempló la ruidosa
confusión y a los que lloraban y
daban muchos plañidos, **39** y,
después de entrar, les dijo: “¿Por
qué causan ruidosa confusión y
lloran? La niñita no ha muerto,
sino que duerme”.[d] **40** Ante
aquello, ellos empezaron a reírse
de él desdeñosamente. Pero, habiendo echado fuera a todos, él
tomó consigo al padre y a la madre de la niñita y a los que estaban con él, y entró a donde estaba la niñita.[e] **41** Y, tomando la
mano de la niñita, le dijo: *“Tál-
i·tha cú·mi”*, que, traducido,
significa: “Jovencita, te digo:
¡Levántate!”.[f] **42** E inmediatamente la jovencita se levantó y
echó a andar, pues tenía doce
años. Y en seguida estuvieron
fuera de sí con gran éxtasis.[g]
43 Pero él les ordenó repetidas
veces que no dejaran que nadie
se enterara[h] de esto, y dijo que le
dieran a ella algo de comer.

6 Y partió de allí y entró en su
propio territorio, y sus discípulos le siguieron.[i] **2** Llegado
el sábado, comenzó a enseñar en
la sinagoga; y la mayor parte de
los que estaban escuchando quedaron atónitos y dijeron: “¿De
dónde consiguió este hombre estas cosas?[j] ¿Y por qué se le habrá
dado esta sabiduría a este hombre, y que tales obras poderosas sean ejecutadas por medio
de sus manos? **3** Este es el carpintero,[k] el hijo de María[l] y el
hermano de Santiago[m] y de José
y de Judas y de Simón,[n] ¿no es
verdad? Y sus hermanas están
aquí con nosotros, ¿no es verdad?”. De modo que empezaron
a tropezar a causa de él.[a]
4 Pero Jesús pasó a decirles: “El
profeta no carece de honra sino
en su propio territorio[b] y entre
sus parientes y en su propia
casa”.[c] **5** De modo que no pudo
hacer allí ninguna obra poderosa salvo poner las manos sobre
unos cuantos enfermizos y cu-
rarlos. **6** De hecho, se admiró
de la falta de fe de ellos. Y recorría las aldeas en circuito, enseñando.[d]
7 Entonces mandó llamar a
los doce, e inició el enviarlos de
dos en dos,[e] y empezó a darles
autoridad sobre los espíritus inmundos.[f] **8** También, les dio
órdenes de que no llevaran nada
para el viaje, sino solamente un
bastón; ni pan, ni alforja,[g] ni
dinero de cobre en las bolsas de
sus cintos,[h] **9** pero que se ataran sandalias, y no llevaran
puestas dos prendas de vestir interiores.[i] **10** Además, les dijo:
“Dondequiera que entren en una
casa,[j] quédense allí hasta que
salgan de aquel lugar.[k] **11** Y
dondequiera que algún lugar no
los reciba ni los oiga, al salir de
allí sacudan el polvo que está
debajo de sus pies, para testimonio a ellos”.[l] **12** De modo que
ellos salieron y predicaron para
que la gente se arrepintiera;[m]
13 y expulsaban muchos demonios[n] y untaban con aceite[o] a
muchos enfermizos y los cura-
ban.[p]
14 Ahora bien, esto llegó a oídos del rey Herodes, porque el
nombre de [Jesús] se hizo notorio, y la gente decía: “Juan el
bautizante ha sido levantado de
entre los muertos, y por eso
operan en él obras poderosas”.[q]
15 Pero otros decían: “Es
Elías”.[r] Y otros decían: “Es profeta como uno de los profetas”.[s]
16 Pero cuando Herodes lo oyó,
se puso a decir: “El Juan a quien
decapité, este ha sido levantado”.[t] **17** Pues Herodes mismo

CAP. 5
a Lu 8:49
b 2Cr 20:20; Lu 8:50; Jn 11:40
c Mt 17:1; Mt 26:37
d Mt 9:23; Lu 8:52; Jn 11:11
e Mt 9:24; Lu 8:51; Lu 8:53
f Mt 9:25; Lu 7:14; Lu 8:54; Hch 9:40
g Lu 8:55
h Mr 1:44; Mr 7:36

CAP. 6
i Mt 13:54; Lu 4:16
j Mt 13:54; Jn 6:42; Jn 7:15
k Isa 53:2; 1Co 1:23
l Jn 6:42
m Gál 1:19
n Mr 3:31

2.ª col.
a Mt 13:56
b Jer 11:21
c Mt 13:57; Lu 4:24; Jn 4:44
d Mt 9:35; Mt 10:23; Lu 13:22
e Ec 4:9; Lu 10:1
f Mt 10:1; Lu 9:1
g Ro 15:27; Gál 6:6
h Mt 10:9; Lu 9:3
i Mt 10:10; Hch 12:8
j Mt 10:11
k Lu 9:4
l Mt 10:14; Lu 10:10; Hch 13:51
m Hch 2:38; Hch 3:19
n Lu 10:17
o Snt 5:14
p Lu 9:6
q Mt 14:1; Lu 9:7
r Mr 8:28
s Mt 16:14; Lu 9:8
t Lu 9:9

había enviado a arrestar a Juan y lo había atado en prisión a causa de Herodías, la esposa de Filipo su hermano, porque se había casado con ella.[a] 18 Porque Juan había dicho repetidas veces a Herodes: "No te es lícito tener a la esposa de tu hermano".[b] 19 Pero Herodías le abrigaba rencor[c] y quería matarlo, pero no podía.[d] 20 Porque Herodes le tenía temor[e] a Juan, sabiendo que era varón justo y santo;[f] y lo tenía protegido. Y después de oírlo[g] estaba muy indeciso en cuanto a qué hacer; sin embargo, continuaba oyéndole con gusto.

21 Pero vino un día oportuno[h] cuando Herodes, en su cumpleaños,[i] dio una cena para sus hombres de primer rango y para los comandantes militares y para los insignes de Galilea. 22 Y entró la hija de la misma Herodías y danzó y agradó a Herodes y a los que con él estaban reclinados.[j] El rey dijo a la jovencita: "Pídeme lo que quieras, y te lo daré". 23 Sí, le juró: "Cualquier cosa que me pidas, te la daré,[k] hasta la mitad de mi reino".[l] 24 Y ella salió y dijo a su madre: "¿Qué debo pedir?". Ella dijo: "La cabeza de Juan el bautizante".[m] 25 Inmediatamente ella entró de prisa al rey e hizo su petición, diciendo: "Quiero que me des ahora mismo en una bandeja la cabeza de Juan el Bautista". 26 Aunque se contristó profundamente, el rey, sin embargo, no quiso desatenderla, a causa de los juramentos y de los que estaban reclinados a la mesa.[n] 27 De modo que el rey inmediatamente despachó a uno de la guardia y le mandó traer la cabeza [de Juan]. Y este se fue y lo decapitó en la prisión,[o] 28 y trajo la cabeza de aquel en una bandeja, y se la dio a la jovencita, y la jovencita se la dio a su madre.[p] 29 Cuando los discípulos

de él lo oyeron, vinieron y tomaron el cadáver y lo pusieron en una tumba conmemorativa.[a]

30 Y los apóstoles se reunieron delante de Jesús y le informaron todas las cosas que habían hecho y enseñado.[b] 31 Y él les dijo: "Vengan, ustedes mismos, en privado, a un lugar solitario,[c] y descansen un poco".[d] Porque eran muchos los que venían e iban, y ellos no tenían tiempo libre siquiera para tomar una comida.[e] 32 De modo que se fueron en la barca a un lugar solitario donde estuvieran solos.[f] 33 Pero la gente los vio ir y muchos llegaron a saberlo, y de todas las ciudades concurrieron allá a pie, y se adelantaron a ellos.[g] 34 Pues, al salir, él vio una muchedumbre grande, porque se enterneció[h] por ellos, porque eran como ovejas sin pastor.[i] Y comenzó a enseñarles muchas cosas.[j]

35 Para entonces la hora se había hecho tarde, y sus discípulos se le acercaron y se pusieron a decirle: "El lugar es aislado, y la hora es ya muy avanzada.[k] 36 Despídelos para que se vayan a la región rural y a las aldeas de alrededor y se compren algo de comer".[l] 37 Él, respondiendo, les dijo: "Denles ustedes de comer". Entonces ellos le dijeron: "¿Nos iremos y compraremos doscientos denarios de panes y se [los] daremos a comer?".[m] 38 Les dijo: "¿Cuántos panes tienen? ¡Vayan a ver!". Después de averiguarlo, dijeron: "Cinco, además de dos pescados".[n] 39 Y mandó que toda la gente se reclinara por compañías[o] sobre la hierba verde.[p] 40 Y se recostaron en grupos de a ciento y de a cincuenta.[q] 41 Entonces, tomando los cinco panes y los dos pescados, él miró al cielo y dijo una bendición,[r] y partió los panes e iba dándolos a los discípulos para que los pusieran delante de la gente; y dividió

CAP. 6

a Mt 14:3
  Lu 3:19
b Le 18:16
  Le 20:21
  Mt 14:4
  Heb 13:4
c Le 19:18
d Sl 37:32
  Mt 14:5
e Mt 21:26
f Mt 11:11
g Hch 24:24
h Mt 14:6
i Gé 40:20
j Mr 2:15
k Est 5:6
  Est 7:2
l Le 5:4
  Mt 14:7
m Pr 12:10
  Mt 14:10
n Mt 14:9
o Mt 14:10
p Mt 14:11

2.ª col.

a Mt 14:12
  Hch 8:2
b Lu 9:10
c Mt 14:13
d Mt 11:29
e Mr 3:20
f Jn 6:1
g Lu 9:11
  Jn 6:2
h Miq 6:8
  Mt 9:36
  Mt 14:14
  Heb 4:15
i 1Re 22:17
  Isa 53:6
  Eze 34:5
  Mt 9:36
j Isa 61:1
  Lu 9:11
k Mt 14:15
  Lu 9:12
l Jn 6:5
m Nú 11:13
  2Re 4:43
  Mt 15:33
  Jn 6:7
n Mt 14:17
  Lu 9:13
  Jn 6:9
o Mt 15:35
  1Co 14:40
p Mt 14:19
  Jn 6:10
q Lu 9:14
r 1Sa 9:13
  Lu 24:30
  1Ti 4:4
s Mt 26:26
  Mr 8:6
  Hch 27:35

los dos pescados para todos.
42 De modo que todos comieron y quedaron satisfechos;[a] 43 y recogieron los trozos: doce cestas llenas, aparte de los pescados. 44 Además, los que comieron de los panes fueron cinco mil varones.[b]

45 Y, sin demora, él obligó a sus discípulos a subir a la barca e ir adelante a la ribera opuesta hacia Betsaida, en tanto que él mismo despedía a la muchedumbre.[c] 46 Pero después de haberse despedido de ellos, se fue a una montaña a orar.[d] 47 Cuando ya había anochecido, la barca estaba en medio del mar, pero él solo en tierra.[e] 48 Y cuando vio que se hallaban en un aprieto[f] al remar, porque el viento estaba en su contra, como a la cuarta vigilia de la noche vino hacia ellos, andando sobre el mar; pero pensaba pasarlos de largo. 49 Al alcanzar a verlo andando sobre el mar, ellos pensaron: "¡Es un fantasma!", y gritaron.[g] 50 Porque todos lo vieron y se perturbaron. Pero él inmediatamente habló con ellos, y les dijo: "Cobren ánimo; soy yo; no tengan temor."[h] 51 Y subió a la barca con ellos, y el viento se apaciguó. Con esto, se asombraron mucho dentro de sí,[i] 52 pues no habían captado el significado de los panes, sino que su corazón continuaba embotado e incapaz de entender.[j]

53 Y habiendo hecho la travesía, vinieron a Genesaret y anclaron cerca de allí.[k] 54 Pero luego que salieron de la barca, la gente lo reconoció, 55 y corrieron por toda aquella región y comenzaron a llevar en camillas a los que se hallaban mal, a donde oían que él estaba. 56 Y dondequiera que entraba en aldeas, o en ciudades, o en región rural,[l] ponían a los enfermos en las plazas de mercado, y le suplicaban que les dejara tocar[m] siquiera el fleco[n] de su

prenda de vestir exterior. Y cuantos sí lo tocaban recobraban la salud.[a]

7 Ahora bien, los fariseos y algunos de los escribas que habían venido de Jerusalén se juntaron en torno de él.[b] 2 Y cuando vieron a algunos de los discípulos de él tomar su comida con manos contaminadas, es decir, no lavadas[c] 3 —porque los fariseos y todos los judíos no comen a menos que se laven las manos hasta el codo, teniendo firmemente asida la tradición de los hombres de otros tiempos, 4 y, al volver del mercado, no comen a menos que se limpien por rociadura; y hay muchas otras tradiciones[d] que han recibido para tenerlas firmemente asidas: bautismos de copas y cántaros y vasos de cobre[e]—; 5 de modo que estos fariseos y escribas le preguntaron: "¿Por qué no proceden tus discípulos conforme a la tradición de los hombres de otros tiempos, sino que toman su comida con manos contaminadas?".[f] 6 Él les dijo: "Aptamente profetizó Isaías acerca de ustedes, hipócritas, como está escrito:[g] 'Este pueblo me honra con los labios, pero su corazón está muy alejado de mí.[h] 7 En vano me siguen adorando, porque enseñan como doctrinas mandatos de hombres'.[i] 8 Soltando el mandamiento de Dios, ustedes tienen firmemente asida la tradición de los hombres".[j]

9 Además, siguió diciéndoles: "Diestramente ponen ustedes a un lado el mandamiento[k] de Dios para retener su tradición. 10 Por ejemplo, Moisés dijo: 'Honra a tu padre y a tu madre',[l] y: 'El que injurie a padre o a madre termine en muerte'.[m] 11 Pero ustedes dicen: 'Si un hombre le dice a su padre o a su madre: "Todo lo que tengo por lo cual pudieras sacar provecho de mí es corbán[n] (es decir, una dádiva dedicada[o] a Dios)"'...,

CAP. 6
a Mt 14:20
  Lu 9:17
  Jn 6:12
b Mt 14:21
  Jn 6:13
c Mt 14:22
  Jn 6:14
d Mt 6:6
  Mt 14:23
  Mr 1:35
  Lu 6:12
e Mt 14:24
  Jn 6:16
f Jn 6:19
g Lu 24:37
  Jn 6:19
h Mt 14:27
  Jn 6:20
i Mt 14:32
  Jn 6:21
j Mt 16:9
  Mr 3:5
  Mr 8:17
k Mt 14:34
l Mt 14:35
m Mt 9:20
  Mr 5:27
  Lu 8:44
  Hch 19:12
n Nú 15:38

2.ª col.
a Mt 14:36

CAP. 7
b Mt 15:1
c Lu 11:38
d Mt 15:6
e Mt 23:25
  Lu 11:39
f Mt 15:2
g Mt 15:7
h Eze 33:31
  Mt 15:8
i Isa 29:13
  Mt 15:9
  Col 2:8
j Mt 15:3
  Gál 1:14
  Tit 1:14
k Isa 24:5
l Éx 20:12
  Dt 5:16
  Mt 15:4
  Ef 6:2
m Éx 21:17
  Le 20:9
  Pr 20:20
n Mt 15:5
  Mt 23:18
o Le 1:2
  Le 2:1

12 ya no le dejan hacer ni una sola cosa por su padre o su madre,[a]   13 y así invalidan la palabra de Dios[b] por la tradición suya que ustedes transmitieron. Y hacen muchas cosas[c] parecidas a esto".   14 Entonces, llamando a sí otra vez a la muchedumbre, procedió a decirles: "Escúchenme, todos ustedes, y capten el significado.[d] 15 Nada hay que entre en el hombre de fuera de él que pueda contaminarlo; mas las cosas que proceden del hombre son las cosas que contaminan al hombre".[e] 16 ——

17 Ahora bien, cuando hubo entrado en una casa, apartado de la muchedumbre, sus discípulos se pusieron a preguntarle acerca de la ilustración.[f]   18 De modo que les dijo: "¿Están ustedes también faltos de percepción como ellos?[g] ¿No se dan cuenta de que nada que de fuera entra en el hombre puede contaminarlo, 19 puesto que no entra en [su] corazón, sino en [sus] intestinos, y sale a la cloaca?". [h] Así declaró limpios todos los alimentos.[i] 20 Además dijo: "Lo que procede del hombre es lo que contamina al hombre; 21 porque de dentro, del corazón de los hombres,[k] proceden razonamientos perjudiciales: fornicaciones,[l] hurtos, asesinatos,[m] 22 adulterios, codicias,[n] actos de iniquidad, engaño, conducta relajada,[o] ojo envidioso, blasfemia, altanería, irracionalidad. 23 Todas estas cosas inicuas proceden de dentro y contaminan al hombre".[p]

24 Levantándose de allí, se fue a las regiones de Tiro y Sidón.[q] Y entró en una casa y no quería que nadie llegara a saberlo. Sin embargo, no pudo pasar inadvertido;[r] 25 antes bien, inmediatamente una mujer cuya hijita tenía un espíritu inmundo oyó acerca de él, y vino y

se postró a sus pies.[a]   26 La mujer era griega, de nacionalidad sirofenicia; y siguió pidiéndole que expulsara de su hija al demonio.[b]   27 Pero él empezó por decirle: "Primero deja que los hijos se satisfagan, porque no es correcto tomar el pan de los hijos[c] y echarlo a los perritos".[d] 28 Pero, en respuesta, ella le dijo: "Sí, señor; sin embargo, los perritos, debajo de la mesa, comen de las migajas[e] de los niñitos".[f] 29 Ante aquello, él le dijo: "Por haber dicho esto, ve; el demonio ha salido de tu hija".[g] 30 De modo que ella se fue a su casa y halló[h] a la niñita acostada en la cama, y que el demonio había salido.

31 Entonces, saliendo él de nuevo de las regiones de Tiro, se fue por Sidón al mar de Galilea y subió por en medio de las regiones de Decápolis.[i] 32 Aquí le trajeron un hombre sordo con un impedimento del habla, y le suplicaron que pusiera la mano sobre él.[j] 33 Y él se lo llevó aparte de la muchedumbre, en privado, y puso sus dedos en los oídos del hombre y, después de escupir, le tocó la lengua.[k] 34 Y con una mirada al cielo[l] suspiró[m] profundamente y le dijo: *"Éffatha"*, esto es: "Sé abierto". 35 Pues bien, las facultades de oír de aquel fueron abiertas,[n] y el impedimento de su lengua fue desatado, y empezó a hablar normalmente. 36 Con eso, él les ordenó que no lo dijeran a nadie;[o] pero cuanto más les ordenaba, tanto más lo proclamaban.[p] 37 De hecho, estaban atónitos[q] de una manera sumamente extraordinaria, y decían: "Todas las cosas las ha hecho bien. Hasta a los sordos hace oír y a los mudos hablar".[r]

8 En aquellos días, cuando otra vez hubo una muchedumbre grande y no tenían qué comer, mandó llamar a los

---

CAP. 7
a 1Ti 5:8
b Mt 15:6
c Mr 7:3
d Pr 8:5
  Mt 15:10
e Mt 15:11
  Hch 10:14
  1Co 8:8
  1Ti 4:4
  Tit 1:15
f Mt 15:15
  Lu 8:9
g Mt 15:16
h Mt 15:17
i Lu 11:41
  Hch 10:15
j Mt 15:18
k Gé 6:5
  Gé 8:21
  Sl 14:1
  Jer 17:9
l Gál 5:19
m Mt 15:19
n Tit 3:3
o Gál 5:19
  Ef 4:19
p Mt 15:20
  Ro 1:28
q Mt 11:21
  Mt 15:21
r Mr 2:1

2.ª col.
a Mt 15:22
b Mt 15:22
c Mt 15:24
d Mt 7:6
  Mt 10:5
  Mt 15:26
  Ro 9:4
  Ef 2:12
e Lu 16:21
f Mt 15:27
g Mt 15:28
h Jn 4:51
i Mt 15:29
  Mr 5:20
j Mt 9:32
  Lu 11:14
  Jn 17:1
k Mr 8:23
  Jn 9:6
l Mr 6:41
  Jn 17:1
m Jn 11:33
  Jn 11:38
n Isa 35:5
  Mt 11:5
  Mt 15:30
o Isa 42:2
  Mt 8:4
  Mr 5:43
p Mt 1:45
q Hch 14:11
r Isa 35:5
  Mt 15:31

discípulos y les dijo:[a] **2** "Me compadezco[b] de la muchedumbre, porque ya son tres días que han permanecido cerca de mí y no tienen qué comer; **3** y si los envío en ayunas a sus casas, desfallecerán en el camino. De hecho, algunos de ellos son de muy lejos". **4** Pero sus discípulos le contestaron: "¿De dónde podrá alguien aquí en un lugar aislado satisfacer a estos con panes?".[c] **5** A pesar de eso, él procedió a preguntarles: "¿Cuántos panes tienen?". Ellos dijeron: "Siete".[d] **6** Y mandó que la muchedumbre se reclinara sobre el suelo, y tomó los siete panes y, habiendo dado gracias,[e] los partió, e iba dándolos a sus discípulos para que los sirvieran, y ellos los sirvieron a la muchedumbre. **7** También tenían unos cuantos pescaditos; y él, habiéndolos bendecido, les dijo que también sirvieran estos.[g] **8** De modo que comieron y quedaron satisfechos, y recogieron trozos sobrantes, siete cestas de provisiones llenas.[h] **9** Sin embargo, eran unos cuatro mil [hombres]. Por fin los despidió.[i]

10 E inmediatamente subió a la barca con sus discípulos y entró en las partes de Dalmanuta.[j] **11** Aquí salieron los fariseos y comenzaron a disputar con él, buscando de él una señal procedente del cielo, para ponerlo a prueba.[k] **12** De modo que él gimió profundamente[l] con su espíritu, y dijo: "¿Por qué busca señal esta generación? Verdaderamente digo: No se le dará señal alguna a esta generación".[m] **13** Con eso los dejó, volvió a embarcarse, y se fue a la ribera opuesta.

14 Sucedió que se les olvidó llevar panes, y, con la excepción de un pan, no tenían nada consigo en la barca.[n] **15** Y él se puso a ordenarles expresamente y a decir: "Mantengan los ojos abiertos, cuídense de la levadura

de los fariseos y de la levadura de Herodes".[a] **16** De modo que iban discutiendo los unos con los otros sobre el hecho de que no tenían panes.[b] **17** Notándolo él, les dijo: "¿Por qué discuten sobre el no tener panes?[c] ¿Todavía no perciben ni captan el significado? ¿Tienen su corazón embotado e incapaz de entender?[d] **18** 'Aunque tienen ojos, ¿no ven?; y aunque tienen oídos, ¿no oyen?'[e] ¿Y no se acuerdan, **19** cuando partí los cinco panes[f] para los cinco mil [hombres], cuántas cestas llenas de trozos recogieron?". Le dijeron: "Doce".[g] **20** "Cuando partí los siete para los cuatro mil [hombres], ¿cuántas cestas de provisiones llenas de trozos recogieron?". Y le dijeron: "Siete".[h] **21** Entonces les dijo: "¿Todavía no captan el significado?".[i]

22 Ahora bien, arribaron a Betsaida. Aquí le trajeron un ciego, y le suplicaron que lo tocara.[j] **23** Y tomando al ciego de la mano, lo sacó fuera de la aldea, y, habiendo escupido[k] sobre los ojos de este, puso las manos sobre él y se puso a preguntarle: "¿Ves algo?". **24** Y el hombre miró hacia arriba, y decía: "Veo hombres, porque observo lo que parece árboles, pero están andando". **25** Entonces él volvió a poner las manos sobre los ojos del hombre, y el hombre vio con claridad, y quedó restaurado, y veía todo distintamente. **26** De modo que él lo envió a su casa, diciendo: "Pero no entres en la aldea".[l]

27 Entonces Jesús y sus discípulos partieron para las aldeas de Cesarea de Filipo, y en el camino se puso a interrogar a sus discípulos, diciéndoles: "¿Quién dicen los hombres que soy?".[m] **28** Ellos le dijeron: "Juan el Bautista,[n] y otros: Elías,[o] y otros: Uno de los profetas".[p] **29** Y él les hizo la pregunta:

CAP. 8

a Mt 15:32

b Heb 2:17
Heb 4:15
Heb 5:2

c Nú 11:21
2Re 7:2
Mt 15:33
Mr 6:52

d Mt 15:34
Mr 6:38

e Dt 8:10
Lu 22:19
1Ti 4:4

f Mt 15:36
Mr 6:41

g Mt 14:19

h Mt 15:37

i Mt 15:38

j Mt 15:39

k Mt 12:38
Mt 16:1
Jn 6:30

l Mr 7:34

m Mt 16:4

n Mt 16:5

2.ª col.

a Mt 16:6
Lu 12:1
1Co 5:7
Gál 5:9

b Mt 16:7

c Jn 4:33

d Isa 29:24
Mt 16:8
Mr 6:52

e Isa 44:18
Jer 5:21
Eze 12:2
Mt 13:13

f Mr 6:38

g Mt 14:20
Mr 6:43
Lu 9:17
Jn 6:13

h Mt 15:37

i Mt 16:11
Mr 6:52

j Mr 6:56

k Mr 7:33
Jn 9:6

l Mt 8:4
Mr 5:43

m Mt 16:13
Lu 9:18

n Mt 14:2
Mr 6:14

o Mr 9:11

p Mt 16:14
Lu 9:19

"Pero ustedes, ¿quién dicen que soy?". Respondiendo, Pedro le dijo: "Tú eres el Cristo".[a] 30 Entonces les ordenó con firmeza que no dijeran a nadie acerca de él.[b] 31 También, comenzó a enseñarles que el Hijo del hombre tenía que pasar por muchos sufrimientos y ser rechazado por los ancianos y los sacerdotes principales y los escribas, y ser muerto,[c] y levantarse tres días después.[d] 32 De hecho, con franqueza les hacía aquella declaración. Mas Pedro lo llevó aparte y comenzó a reprenderlo.[e] 33 Él se volvió, miró a sus discípulos, y reprendió a Pedro, y dijo: "Ponte detrás de mí, Satanás, porque tú no piensas los pensamientos de Dios, sino los de los hombres".[f]

34 Entonces llamó a sí a la muchedumbre con sus discípulos y les dijo: "Si alguien quiere venir en pos de mí, repúdiese a sí mismo y tome su madero de tormento y sígame de continuo.[g] 35 Porque el que quiera salvar su alma, la perderá; mas el que pierda su alma por causa de mí y de las buenas nuevas, la salvará.[h] 36 En realidad, ¿de qué provecho le es al hombre ganar todo el mundo y pagarlo con perder su alma?[i] 37 ¿Qué, realmente, daría el hombre en cambio por su alma?[j] 38 Porque el que se avergüence de mí y de mis palabras en esta generación adúltera y pecadora, y el Hijo del hombre también se avergonzará[k] de él cuando llegue en la gloria de su Padre con los santos ángeles".[l]

9 Además, siguió diciéndoles: "En verdad les digo: Hay algunos de los que están de pie aquí que de ningún modo gustarán la muerte hasta que primero vean el reino de Dios ya venido en poder".[m] 2 Por consiguiente, seis días después Jesús tomó consigo a Pedro y a Santiago y a Juan, y los llevó a una montaña

encumbrada donde estuvieran solos. Y fue transfigurado delante de ellos,[a] 3 y sus prendas de vestir exteriores se volvieron relucientes, mucho más blancas de lo que pudiera blanquearlas cualquier limpiador de ropa en la tierra.[b] 4 También, se les apareció Elías con Moisés, y estaban conversando con Jesús.[c] 5 Y, tomando la palabra, Pedro dijo a Jesús: "Rabí, es excelente que estemos aquí, de modo que erijamos tres tiendas: una para ti y una para Moisés y una para Elías".[d] 6 De hecho, no sabía cómo debía responder, porque estaban aterrados a gran grado. 7 Y se formó una nube que los cubría con su sombra, y de la nube salió una voz:[e] "Este es mi Hijo,[f] el amado; escúchenle".[g] 8 De repente, sin embargo, miraron alrededor y no vieron a nadie con ellos ya, sino a Jesús solo.[h]

9 Mientras venían bajando de la montaña, él les ordenó expresamente que no contaran[i] a nadie lo que habían visto, hasta después que el Hijo del hombre se hubiera levantado de entre los muertos.[j] 10 Y tomaron la palabra a pecho, pero entre sí trataban acerca de lo que quería decir esto de levantarse de entre los muertos. 11 Y se pusieron a interrogarle, diciendo: "¿Por qué dicen los escribas que Elías[k] tiene que venir primero?".[l] 12 Él les dijo: "Elías sí viene primero y restaura todas las cosas;[m] pero ¿cómo es que está escrito respecto al Hijo del hombre que él tiene que pasar por muchos sufrimientos[n] y ser menospreciado?[o] 13 Pero yo les digo: Elías,[p] de hecho, ha venido, y le hicieron con él cuantas cosas quisieron, así como está escrito de él".[q]

14 Ahora bien, al acercarse a los demás discípulos, notaron

CAP. 8
a Mt 16:16
  Lu 9:20
  Jn 1:41
  Jn 6:69
  1Jn 4:15
b Mt 16:20
  Mr 9:9
  Lu 9:21
c Mt 26:2
d Mt 16:21
  Mt 17:23
  Lu 9:22
f Mt 16:23
  Ro 8:7
  1Co 2:14
g Mt 10:38
  Mt 16:24
  Lu 9:23
  Lu 14:27
  Gál 5:24
h Mt 10:39
  Mt 16:25
  Lu 9:24
  Jn 12:25
  Rev 12:11
i Mt 16:26
  Lu 9:25
j Sl 49:8
k Mt 10:33
  Mt 16:27
  Lu 9:26
  Lu 12:9
  Ro 1:16
  2Ti 1:8
l Mt 25:31
  2Te 1:7

CAP. 9
m Mt 16:28
  Lu 9:27
  1Co 4:20

2.ª col.
a Mt 17:1
  Lu 9:28
b Da 7:9
  Mt 17:2
  Mt 28:3
  Lu 9:29
c Mt 17:3
  Lu 9:30
d Mt 17:4
  Lu 9:33
e Lu 3:22
  Jn 12:28
f Sl 2:7
  Isa 42:1
  Mt 3:17
g Dt 18:15
  Mt 17:5
  Lu 9:35
  Hch 3:22
  2Pe 1:17
h Mt 17:8
  Lu 9:36
i Mt 12:16
  Mr 8:30
  Mt 17:9
  Lu 9:36
k Mal 4:5
  Mt 8:28
l Mt 17:10
  Mt 17:11
n Gé 3:15
  Sl 22:6
  Isa 50:6
  Isa 53:3
  Da 9:26
o Lu 23:11
  Flp 2:7

p Mt 11:14; Lu 1:17; q Mt 17:12.

una muchedumbre grande alrededor de ellos, y a unos escribas que disputaban con ellos.ª 15 Pero luego que toda la muchedumbre alcanzó a verlo, quedó aturdida, y, corriendo hacia él, lo saludaban. 16 Y él les preguntó: "¿Qué disputan con ellos?". 17 Y uno de entre la muchedumbre le contestó: "Maestro, te traje a mi hijo porque tiene un espíritu mudo;ᵇ 18 y dondequiera que lo prende lo echa al suelo, y [el muchacho] echa espumarajos y hace rechinar los dientes y pierde la fuerza. Y dije a tus discípulos que lo expulsaran, pero no pudieron".ᶜ 19 En respuesta, él les dijo: "Oh generación falta de fe,ᵈ ¿hasta cuándo tengo que continuar con ustedes? ¿Hasta cuándo tengo que soportarlos? Tráiganmelo". 20 De modo que se lo llevaron. Pero al verlo, el espíritu en seguida convulsionó [al muchacho], y este, cayendo al suelo, se revolcaba, espumajeando.ᶠ 21 Y [Jesús] preguntó al padre de él: "¿Cuánto tiempo hace que le sucede esto?". Dijo él: "Desde niño, y repetidas veces lo echaba en el fuego así como en el agua para destruirlo.ᵍ Pero si puedes hacer algo, compadécete de nosotros y ayúdanos". 23 Jesús le dijo: "Esa expresión: ¡Si puedes'! ¡Todas las cosas son posibles para uno si tiene fe!".ʰ 24 Clamando inmediatamente, el padre del niñito decía: "¡Tengo fe! ¡Ayúdame donde necesite fe!".ⁱ

25 Jesús, notando ahora que una muchedumbre venía corriendo en masa hacia [ellos], reprendióʲ al espíritu inmundo, diciéndole: "Espíritu mudo y sordo, yo te ordeno: sal de él y no entres más en él". 26 Y después de clamar y hacer muchas convulsiones, salió;ᵏ y [el muchacho] quedó como muerto, de modo que la mayor parte de ellos decía: "¡Está muerto!".

27 Pero Jesús, tomándolo de la mano, lo alzó, y él se levantó.ª 28 Por eso, después que hubo entrado en una casa, sus discípulos procedieron a preguntarle privadamente: "¿Por qué no pudimos expulsarlo nosotros?".ᵇ 29 Y él les dijo: "Este género con nada puede salir salvo con oración".ᶜ

30 Partieron de allí y siguieron su camino a través de Galilea, pero él no quería que nadie llegara a saberlo. 31 Porque enseñaba a sus discípulos y les decía: "El Hijo del hombre ha de ser entregado en manos de los hombres, y lo matarán,ᵈ pero, a pesar de que lo maten, se levantará tres días después".ᵉ 32 Sin embargo, ellos no entendían el camino, y tenían miedo de interrogarle.ᶠ

33 Y entraron en Capernaum. Ahora bien, cuando estuvo en la casa, les hizo la pregunta: "¿Qué discutían en el camino?".ᵍ 34 Se quedaron callados, porque en el camino habían discutido entre sí sobre quién era el mayor.ʰ 35 De modo que él se sentó y llamó a los doce y les dijo: "Si alguien quiere ser el primero, tiene que ser el último de todos y ministro de todos".ⁱ 36 Y tomando a un niñito, lo puso de pie en medio de ellos y lo rodeó con los brazos y les dijo: 37 "Cualquiera que reciba a uno de tales niñitos sobre la base de mi nombre, a mí me recibe; y cualquiera que me reciba a mí, no me recibe a mí [solamente], sino [también] al que me envió".ᵏ

38 Juan le dijo: "Maestro, vimos a cierto hombre que expulsaba demonios por el uso de tu nombre y tratamos de impedírselo,ˡ porque no nos acompañaba".ᵐ 39 Pero Jesús dijo: "No traten de impedírselo, porque nadie hay que haga una obra poderosa sobre la base de mi nombre que pronto pueda injuriarme;ⁿ 40 porque el que no está

CAP. 9
a Lu 9:37
b Mt 17:14
Lu 9:38
c Mt 17:15
Lu 9:39
d Dt 32:20
e Mt 17:17
Lu 9:41
f Mr 1:26
Lu 9:42
g Mt 17:15
h 2Cr 20:20
Mt 17:20
Mr 11:23
Lu 7:6
Jn 11:40
Hch 14:9
i Lu 17:5
Ef 2:8
Heb 12:2
j Mt 17:18
Mr 1:25
Lu 4:35
Hch 10:38
k Mr 1:26

2.ª col.
a Lu 9:42
b Mt 17:19
c Mt 17:20
d Mt 17:22
Mt 26:2
e Mt 16:21
Mt 17:23
Mr 8:31
Lu 9:44
f Lu 9:45
Jn 16:19
g Mt 18:1
Lu 9:46
Lu 22:24
h Pr 13:10
i Mt 18:1
Mt 20:28
Mr 10:43
Lu 9:46
Flp 2:8
j Mt 18:2
Mr 10:16
Lu 9:47
Lu 18:16
k Mt 10:40
Mt 18:3
Lu 9:48
Jn 13:20
l Nú 11:28
Hch 19:13
m Lu 9:49
n 1Co 12:3

contra nosotros, está a favor nuestro.[a] 41 Porque cualquiera que les dé de beber un vaso[b] de agua debido a que pertenecen a Cristo,[c] verdaderamente les digo, de ninguna manera perderá su galardón. 42 Pero cualquiera que haga tropezar a uno de estos pequeños que creen, mejor le sería que se le pusiera alrededor del cuello una piedra de molino como la que el asno hace girar y realmente fuera arrojado al mar.[d]

43 "Y si en cualquier tiempo tu mano te hace tropezar, córtala; mejor te es entrar manco en la vida que con dos manos irte al Gehena, al fuego que no se puede apagar.[e] 44 —— 45 Y si tu pie te hace tropezar, córtalo; mejor te es entrar cojo en la vida[f] que con dos pies ser arrojado al Gehena.[g] 46 —— 47 Y si tu ojo te hace tropezar, tíralo;[h] mejor te es entrar con un solo ojo en el reino de Dios que con dos ojos ser arrojado al Gehena,[i] 48 donde su cresa no muere y fuego no se apaga.[j]

49 "Pues todos tienen que ser salados[k] con fuego. 50 La sal es excelente; pero si en cualquier tiempo la sal pierde su fuerza, ¿con qué la sazonarán?[l] Tengan sal[m] en ustedes, y mantengan paz[n] entre unos y otros".

10 Levantándose de allí, vino a los términos de Judea y al otro lado del Jordán, y de nuevo las muchedumbres se le reunieron, y según tenía por costumbre, de nuevo se puso a enseñarles.[o] 2 Entonces se le acercaron unos fariseos y, para ponerlo a prueba, se pusieron a preguntarle si le era lícito al varón divorciarse de su esposa.[p] 3 Él, respondiendo, les dijo: "¿Qué les mandó Moisés?". 4 Ellos dijeron: "Moisés permitió escribir un certificado de despedida y divorciarse [de ella]".[q] 5 Pero Jesús les dijo:

CAP. 9
a Mt 12:30
  Lu 9:50
  Lu 11:23
b Mt 10:42
  Mt 25:35
c Mt 25:40
  Ro 8:9
  2Co 10:7
d Mt 18:6
  Lu 17:1
e Mt 5:30
  Col 3:5
f Mt 18:8
g Mt 10:28
  Mt 23:33
  Lu 12:5
h Mt 5:29
  Mt 18:9
  Ro 8:13
  Gál 5:24
i Rev 21:8
j Isa 66:24
k Lu 17:29
  Mt 5:13
  Lu 14:34
m Pr 15:1
  Pr 16:23
  Col 4:6
n Ro 12:18
  Ef 4:29
  1Te 5:13
  Heb 12:14

CAP. 10
o Mt 19:1
  Jn 10:40
p Mal 2:16
  Mt 19:3
q Dt 24:1
  Mt 5:31
  Mt 19:7

2.ª col.
a Dt 9:6
  Hch 13:18
b Gé 1:27
  Gé 5:2
  Mt 19:4
c Gé 2:24
  Ef 5:31
d Mt 19:6
e Mr 9:28
f Mt 5:32
  Mt 19:9
  Lu 16:18
g Ro 7:3
  1Co 7:13
h Mt 19:13
  Lu 18:15
i Mt 18:4
  Mt 19:14
  Lu 18:16
  1Pe 2:2
j Mt 18:3
  Lu 18:17
k Gé 48:14
  Mr 9:36
  Mt 19:16
  Lu 18:18
m Sl 86:5
n Mt 19:17
  Lu 18:19
o Éx 20:13
  Dt 5:17
  Mt 5:21
  1Jn 3:15
p Éx 20:14
  Dt 5:18
q Éx 20:15
  Dt 5:19
r Éx 20:16
  Dt 5:20

"En vista de la dureza del corazón de ustedes[a] les escribió este mandamiento. 6 Sin embargo, desde [el] principio de la creación 'Él los hizo macho y hembra.[b] 7 Por este motivo dejará el hombre a su padre y a su madre, 8 y los dos serán una sola carne';[c] de modo que ya no son dos, sino una sola carne. 9 Por lo tanto, lo que Dios ha unido bajo un yugo, no lo separe ningún hombre".[d] 10 Y en la casa de nuevo,[e] los discípulos le interrogaban acerca de esto. 11 Y él les dijo: "Cualquiera que se divorcie de su esposa y se case con otra comete adulterio[f] contra ella, 12 y si alguna vez una mujer, después de divorciarse de su esposo, se casa con otro, ella comete adulterio".[g]

13 Entonces la gente empezó a traerle niñitos para que los tocara; pero los discípulos corrigieron [a la gente].[h] 14 Al ver esto, Jesús se indignó y les dijo: "Dejen que los niñitos vengan a mí; no traten de detenerlos, porque el reino de Dios pertenece a los que son así.[i] 15 En verdad les digo: El que no reciba el reino de Dios como un niñito, de ninguna manera entrará en él".[j] 16 Y tomó a los niños en los brazos y empezó a bendecirlos, poniendo las manos sobre ellos.[k]

17 Y al salir él para seguir su camino, cierto hombre vino corriendo y cayó de rodillas delante de él y le hizo una pregunta: "Buen Maestro, ¿qué tengo que hacer para heredar vida eterna?".[l] 18 Jesús le dijo: "¿Por qué me llamas bueno?[m] Nadie es bueno, sino uno solo, Dios.[n] 19 Conoces los mandamientos: 'No asesines,[o] No cometas adulterio,[p] No hurtes,[q] No des falso testimonio,[r] No defraudes,[s] Honra a tu padre y a tu madre'".[t] 20 El hombre le dijo: "Maestro, todas estas cosas

s Le 19:13; t Éx 20:12; Dt 5:16; Ef 6:2.

las he guardado desde mi juventud". 21 Y mirándolo, Jesús sintió amor por él, y le dijo: "Una cosa falta en cuanto a ti: Ve, vende las cosas que tienes, y da a los pobres, y tendrás tesoro en el cielo, y ven, sé mi seguidor".ª 22 Mas él se entristeció por el dicho, y se fue contristado, porque tenía muchas posesiones.b

23 Después de mirar alrededor, Jesús dijo a sus discípulos: "¡Cuán difícil les será a los que tienen dineroᶜ entrar en el reino de Dios!".ᵈ 24 Pero los discípulos estaban sorprendidosᵉ de sus palabras. En respuesta Jesús les dijo de nuevo: "Hijos, ¡cuán difícil es entrar en el reino de Dios! 25 Más fácil es que un camello pase por el ojo de una aguja que el que un rico entre en el reino de Dios".ᶠ 26 Quedaron aún más atónitos, y le dijeron: "¿Quién, de hecho, puede ser salvo?".ᵍ 27 Mirándolos directamente, Jesús dijo: "Para los hombres es imposible, mas no para Dios, porque todas las cosas son posibles para Dios".ʰ 28 Pedro comenzó a decirle: "¡Mira! Nosotros dejamos todas las cosas y te hemos estado siguiendo".ᶦ 29 Jesús dijo: "En verdad les digo: Nadie ha dejado casa, o hermanos, o hermanas, o madre, o padre, o hijos, o campos, por causa de mí y por causa de las buenas nuevas,ʲ 30 que no reciba el céntuploᵏ ahora en este período de tiempo: casas, y hermanos, y hermanas, y madres, e hijos, y campos, con persecuciones,ˡ y en el sistema de cosas venidero vida eterna. 31 Sin embargo, muchos que son primeros serán últimos; y los últimos, primeros".ᵐ

32 Ahora bien, iban avanzando por el camino que sube a Jerusalén, y Jesús iba delante de ellos, y ellos estaban asombrados; pero los que venían siguiendo temían. De nuevo llevó aparte a los doce y comenzó a decirles

estas cosas destinadas a sobrevenirle:ª 33 "Aquí estamos, subiendo hacia Jerusalén, y el Hijo del hombre será entregado a los sacerdotes principales y a los escribas, y lo condenarán a muerte y lo entregarán a [hombres de] las naciones,b 34 y se burlarán de él y lo escupirán y lo azotarán y lo matarán, pero tres días después se levantará".ᶜ

35 Y Santiago y Juan, los dos hijos de Zebedeo,ᵈ se le acercaron y le dijeron: "Maestro, queremos que hagas por nosotros cualquier cosa que te pidamos".ᵉ 36 Él les dijo: "¿Qué quieren que les haga?". 37 Le dijeron: "Concédenos sentarnos, uno a tu derecha y uno a tu izquierda, en tu gloria".ᶠ 38 Mas Jesús les dijo: "No saben lo que piden. ¿Pueden beber la copa que yo bebo, o ser bautizados con el bautismo con que yo soy bautizado?".ᵍ 39 Ellos le dijeron: "Podemos". Ante eso, Jesús les dijo: "La copa que yo bebo ustedes beberán, y con el bautismo con que yo soy bautizado ustedes serán bautizados.ʰ 40 Sin embargo, esto de sentarse a mi derecha o a mi izquierda no es cosa mía darlo,ᶦ sino que pertenece a aquellos para quienes se ha preparado".

41 Ahora bien, cuando los otros diez oyeron de esto, comenzaron a indignarse contra Santiago y Juan.ʲ 42 Mas Jesús, habiéndolos llamado a sí, les dijo: "Ustedes saben que los que parecen gobernar a las naciones se enseñorean de ellas, y sus grandes ejercen autoridad sobre ellas.ᵏ 43 No es así entre ustedes; antes bien, el que quiera llegar a ser grande entre ustedes tiene que ser ministro de ustedes,ˡ 44 y el que quiera ser el primero entre ustedes tiene que ser el esclavo de todos.ᵐ 45 Porque aun el Hijo del hombre no vino para que se le ministrara,ⁿ sino para ministrar y

CAP. 10

a Mt 19:21
b Lu 18:23
c Job 31:24
  Sl 17:14
  Sl 52:7
  Sl 62:10
  Jer 9:23
  1Ti 6:17
d Mt 19:24
  Lu 18:25
e Lu 4:32
f Mt 19:24
  Lu 18:25
g Mt 19:25
  Lu 18:26
  1Pe 4:18
h Gé 18:14
  Job 42:2
  Jer 32:17
  Zac 8:6,
    LXX
  Lu 18:27
i Mt 19:27
  Lu 18:28
j Mt 10:37
  Mt 19:29
  Lu 18:29
k Lu 18:30
l Mt 5:11
  Jn 16:22
  Hch 14:22
m Mt 19:30
  Mt 20:16
  Lu 13:30

2.ª col.

a Mr 8:31
  Mr 9:31
  Lu 9:22
  Lu 18:31
b Mt 20:18
  Lu 18:31
c Mt 20:19
  Lu 18:33
  Hch 10:40
  1Co 15:4
d Mt 10:2
e Mt 20:20
f Mt 19:28
  Mt 20:21
g Mt 20:22
  Lu 12:50
  Jn 18:11
  Ro 6:3
h Mt 20:23
  Hch 12:2
  Rev 1:9
i Snt 4:3
j Mt 20:24
k Mt 20:25
  Lu 22:25
  1Pe 5:3
l Mt 20:26
  Mr 9:35
  Lu 9:48
m Mt 20:27
  Lu 22:26
n Jn 13:14
  Flp 2:7

para dar su alma en rescate[a] en cambio por muchos".[b]

46 Y entraron en Jericó. Pero cuando salían de Jericó él y sus discípulos y una muchedumbre considerable, Bartimeo (hijo de Timeo), un mendigo ciego, estaba sentado junto al camino.[c] 47 Al oír que era Jesús el Nazareno, comenzó a gritar y a decir: "¡Hijo de David,[d] Jesús, ten misericordia de mí!".[e] 48 Ante eso, muchos se pusieron a decirle rigurosamente que se callara; pero él siguió gritando mucho más: "¡Hijo de David, ten misericordia de mí!".[f] 49 De modo que Jesús se detuvo y dijo: "Llámenlo". Y llamaron al ciego, diciéndole: "Cobra ánimo, levántate; te llama".[g] 50 Tirando su prenda de vestir exterior, él se puso de pie de un salto y fue a Jesús. 51 Y en respuesta a él, Jesús le dijo: "¿Qué quieres que te haga?".[h] El ciego le dijo: *"Rabboni*, que recobre la vista".[i] 52 Y Jesús le dijo: "Vete, tu fe te ha devuelto la salud".[j] E inmediatamente recobró la vista,[k] y se puso a seguirle en el camino.[l]

11 Ahora bien, cuando se acercaban a Jerusalén, a Betfagué y a Betania,[m] al monte de los Olivos, él despachó a dos de sus discípulos[n] 2 y les dijo: "Vayan a la aldea que está a su vista, y luego que entren en ella hallarán un pollino atado, sobre el cual ninguno de la humanidad se ha sentado aún; desátenlo y tráiganlo.[o] 3 Y si alguien les dice: '¿Por qué están haciendo esto?', digan: 'El Señor lo necesita, y en seguida lo enviará de vuelta acá'".[p] 4 De modo que se fueron y hallaron el pollino atado junto a la puerta, afuera en la calle secundaria, y lo desataron.[q] 5 Pero algunos de los que estaban de pie allí se pusieron a decirles: "¿Qué están haciendo, desatando el pollino?".[r] 6 Ellos dijeron a estos así como

Jesús había dicho; y ellos los dejaron ir.[a]

7 Y llevaron el pollino[b] a Jesús, y pusieron sus prendas de vestir exteriores sobre [el pollino], y [Jesús] se sentó en él.[c] 8 También, muchos tendieron sus prendas de vestir exteriores[d] en el camino, pero otros cortaron follaje[e] de los campos.[f] 9 Y los que iban delante y los que venían detrás clamaban: "¡Salva, rogamos!;[g] ¡Bendito es el que viene en el nombre de Jehová![h] 10 ¡Bendito es el reino venidero de nuestro padre David![i] ¡Salva, rogamos, en las alturas!". 11 Y él entró en Jerusalén, en el templo; y miró todas las cosas alrededor, y, como la hora era ya avanzada, salió para Betania con los doce.[j]

12 Al día siguiente, cuando habían salido de Betania, le dio hambre.[k] 13 Y de lejos alcanzó a ver una higuera que tenía hojas, y fue a ver si acaso hallaba algo en ella. Mas, al llegar a ella, nada halló sino hojas, porque no era la época de los higos.[l] 14 Así que, tomando la palabra, le dijo: "Nunca jamás coma ya nadie fruto de ti".[m] Y sus discípulos estaban escuchando.

15 Luego llegaron a Jerusalén. Allí él entró en el templo y comenzó a echar fuera a los que vendían y compraban en el templo, y volcó las mesas de los cambistas y los bancos de los que vendían palomas;[n] 16 y no dejaba que nadie llevara utensilio alguno por el templo, 17 sino que siguió enseñando y diciendo: "¿No está escrito: 'Mi casa será llamada casa de oración[o] para todas las naciones'?[p] Pero ustedes la han hecho una cueva de salteadores".[q] 18 Y lo oyeron los sacerdotes principales y los escribas, y se pusieron a buscar cómo destruirlo;[r] porque le temían, pues toda la muchedumbre estaba continuamente atónita de su enseñanza.[s]

CAP. 10

a Isa 53:10
Da 9:24
2Co 5:21
Gál 3:13
Tit 2:14
b Le 16:17
Mt 20:28
c Mt 20:29
Lu 18:35
d Jer 23:5
Mt 9:27
Mt 15:22
Ro 1:3
e Lu 18:38
f Mt 20:31
Lu 18:39
g Mt 20:32
Lu 18:40
h Mr 10:36
Mt 20:33
Lu 18:41
i Mt 9:22
Lu 8:48
k Isa 35:5
Isa 42:7
Mt 8:25
Hch 26:18
l Mt 20:34
Lu 18:43

CAP. 11

m Jn 11:18
n Mt 21:1
Lu 19:29
o Mt 21:2
Lu 19:30
p Mt 21:3
Jn 19:31
Jn 13:13
q Mt 21:6
Lu 19:32
r Lu 19:33

2.ª col.

a Lu 19:34
b Lu 1:33
Zac 9:9
c Mt 21:7
Jn 12:14
d 2Re 9:13
e Jn 12:13
f Mt 21:8
Lu 19:36
g Sl 118:25
h Sl 118:26
Mt 21:9
Lu 19:38
Jn 12:13
i Zac 9:9
Lu 1:32
Hch 2:29
j Mt 21:10
k Mt 21:18
l Mt 21:19
m Mr 11:20
n Mt 21:12
Lu 19:45
o Isa 2:14
1Re 8:43
p Isa 60:7
Zac 2:11
q Jer 7:11
Mt 21:13
Lu 19:46
Jn 2:16
r Mr 14:1
Lu 19:47
Lu 20:19
s Mt 21:46
Lu 19:48

19 Y cuando se hacía tarde
en el día, salían de la ciudad.
20 Pero cuando estaban pasando muy de mañana, vieron la
higuera ya marchitada, desde
las raíces.[a] 21 Entonces Pedro, acordándose de ello, le
dijo: "¡Rabí, mira!, la higuera
que maldijiste se ha marchitado".[b] 22 Y respondiendo, Jesús les dijo: "Tengan fe en Dios.
23 En verdad les digo que cualquiera que diga a esta montaña:
'Sé alzada y echada al mar', y no
duda en su corazón, sino que tiene fe en que va a ocurrir lo que
dice, así lo tendrá.[c] 24 Por eso
les digo: Todas las cosas que
oran y piden, tengan fe en que
pueden darse por recibidas, y
las tendrán.[d] 25 Y cuando estén de pie orando, perdonen[e] lo
que tengan contra alguno; para
que su Padre que está en los
cielos también les perdone sus
ofensas".[f] 26 ——
27 Y vinieron de nuevo a Jerusalén. Y al ir él andando por el
templo, los sacerdotes principales y los escribas y los ancianos
se le acercaron[g] 28 y se pusieron a decirle: "¿Con qué autoridad haces estas cosas?, ¿o quién
te dio esta autoridad para hacer
estas cosas?".[h] 29 Jesús les
dijo: "Yo les haré una pregunta.
Contéstenme, y yo también les
diré con qué autoridad hago
estas cosas.[i] 30 El bautismo[j]
de Juan, ¿era del cielo, o de
los hombres? Contéstenme".[k]
31 De modo que razonaban entre sí, diciendo: "Si decimos:
'Del cielo', dirá: 'Entonces, ¿por
qué no le creyeron?'.[l] 32 Pero,
¿nos atrevemos a decir: 'De los
hombres'?"... Temían a la muchedumbre, porque todos estos
sostenían que Juan realmente
había sido profeta.[m] 33 Pues,
en respuesta a Jesús dijeron:
"No sabemos". Y Jesús les dijo:
"Tampoco les digo yo con qué
autoridad hago estas cosas".[n]

CAP. 11
a Mt 21:19
b Mr 11:14
c Mt 17:20
Mt 21:21
Lu 17:6
1Co 13:2
d Mt 7:7
Mt 18:19
Mt 21:22
Lu 11:9
Jn 14:13
Jn 15:7
Jn 16:24
e Mt 6:14
Ef 4:32
Col 3:13
f Sl 103:12
Mt 6:12
g Mt 21:23
Lu 20:1
h Lu 20:2
i Mt 21:24
Lu 20:3
j Mr 1:4
k Mt 21:25
Lu 20:4
l Lu 20:5
m Mt 3:5
Mt 14:5
Mt 21:26
Mr 6:20
Lu 20:6
n Pr 26:4
Mt 7:6
Mt 21:27
Lu 20:8

2.ª col.

CAP. 12
a Sl 80:8
Jer 2:21
b Isa 5:2
c Can 8:11
d Mt 21:33
Lu 20:9
e Mt 21:34
Lu 20:10
f Mt 21:35
g Mt 21:36
Lu 20:11
Heb 11:37
h Sl 2:7
Mt 1:23
Gál 4:4
1Jn 4:9
i Mt 21:37
Lu 20:13
j Sl 2:8
Heb 1:2
k Mt 21:38
Lu 20:14
l Hch 2:23
m Mt 21:39
Lu 20:15
Heb 13:12
n Hch 28:28
o Mt 21:41
Lu 20:16
p Hch 4:11
q Sl 118:22
Mt 21:42
Lu 20:17
Ef 2:20
1Pe 2:7
r Sl 118:23
s Mt 21:45
Mr 11:18
Lu 20:19
t Mr 3:6
u Mt 22:15
Lu 20:20

12 También, comenzó a hablarles con ilustraciones:
"Un hombre plantó una viña,[a] y
la rodeó de una cerca, y cavó un
estanque para el lagar y erigió
una torre,[b] y la arrendó a cultivadores,[c] y viajó al extranjero.[d]
2 Pues bien, a su debido tiempo
envió un esclavo a los cultivadores, para que consiguiera de los
cultivadores parte de los frutos
de la viña.[e] 3 Pero estos lo tomaron, lo golpearon severamente y lo enviaron sin nada.[f] 4 Y
de nuevo él les envió otro esclavo; y a ese lo hirieron en la cabeza y lo deshonraron.[g] 5 Y envió otro, y a aquel lo mataron; y
muchos otros, a algunos de los
cuales golpearon severamente y
a algunos de los cuales mataron. 6 Tenía todavía uno, un
hijo amado.[h] Se lo envió por último, diciendo: 'Respetarán a mi
hijo'.[i] 7 Mas aquellos cultivadores dijeron entre sí: 'Éste es el
heredero.[j] Vengan, matémoslo,
y la herencia será nuestra'.[k]
8 De modo que lo tomaron y lo
mataron,[l] y lo echaron fuera de
la viña.[m] 9 ¿Qué hará el dueño
de la viña? Vendrá, y destruirá a
los cultivadores, y dará la viña[n] a
otros.[o] 10 ¿Nunca leyeron esta
escritura: 'La piedra[p] que los
edificadores rechazaron, esta ha
llegado a ser la principal piedra
angular.[q] 11 De parte de Jehová ha venido a ser esto, y es maravilloso a nuestros ojos'?".[r]
12 Ante aquello, buscaban
cómo prenderlo, pero temían a
la muchedumbre, pues se dieron
cuenta de que él, al hablar la
ilustración, estaba pensando en
ellos. De modo que lo dejaron, y
se fueron.[s]
13 Entonces le enviaron algunos de los fariseos y de los partidarios de Herodes,[t] para sorprenderlo en su habla.[u] 14 Al
llegar estos, le dijeron: "Maestro, sabemos que eres veraz y no
te importa nadie, porque no mi-

ras la apariencia exterior de los hombres, sino que enseñas el camino de Dios de acuerdo con la verdad:[a] ¿Es lícito pagar la capitación a César, o no? 15 ¿Debemos pagar, o no debemos pagar?".[b] Echando de ver su hipocresía, él les dijo: "¿Por qué me ponen a prueba? Tráiganme un denario para verlo".[c] 16 Trajeron uno. Y él les dijo: "¿De quién es esta imagen e inscripción?". Ellos le dijeron: "De César".[d] 17 Jesús entonces dijo: "Paguen a César las cosas de César,[e] pero a Dios las cosas de Dios".[f] Y se maravillaban de él.[g]

18 Entonces vinieron a él saduceos, que dicen que no hay resurrección, y le hicieron la pregunta:[h] 19 "Maestro, Moisés nos escribió que si el hermano de alguien muere y deja atrás una esposa, pero no deja hijo, su hermano[i] debe tomar la esposa y levantar prole de ella a su hermano.[j] 20 Hubo siete hermanos; y el primero tomó una esposa, mas no dejó prole cuando murió.[k] 21 Y el segundo la tomó, pero murió sin dejar prole; y el tercero lo mismo. 22 Y ninguno de los siete dejó prole. Con posterioridad a todos, también la mujer murió.[l] 23 En la resurrección, ¿de cuál de ellos será esposa ella? Porque los siete la tuvieron por esposa".[m] 24 Jesús les dijo: "¿No es por esto por lo que están equivocados, por no conocer ni las Escrituras ni el poder de Dios?[n] 25 Porque cuando se levantan de entre los muertos, ni se casan los hombres ni se dan en matrimonio las mujeres, sino que son como los ángeles en los cielos.[o] 26 Mas concerniente a los muertos, que son levantados, ¿no leyeron en el libro de Moisés, en el relato acerca de la zarza, cómo Dios le dijo: 'Yo soy el Dios de Abrahán y Dios de Isaac y Dios de Jacob'?[p] 27 Él no es

Dios de muertos, sino de vivos. Ustedes están muy equivocados".[a]

28 Ahora bien, uno de los escribas que había llegado y los había oído disputar, sabiendo que él les había contestado de excelente manera, le preguntó: "¿Cuál mandamiento es el primero de todos?".[b] 29 Jesús contestó: "El primero es: 'Oye, oh Israel, Jehová nuestro Dios es un solo Jehová,[c] 30 y tienes que amar a Jehová tu Dios con todo tu corazón y con toda tu alma y con toda tu mente y con todas tus fuerzas'.[d] 31 El segundo es este: 'Tienes que amar a tu prójimo como a ti mismo'.[e] No hay otro mandamiento mayor que estos". 32 El escriba le dijo: "Maestro, bien dijiste de acuerdo con la verdad: 'Uno Solo es Él, y no hay otro fuera de Él';[f] 33 y esto de amarlo con todo el corazón y con todo el entendimiento y con todas las fuerzas, y esto de amar al prójimo como a uno mismo, vale mucho más que todos los holocaustos y sacrificios".[g] 34 Ante aquello, Jesús, discerniendo que había contestado inteligentemente, le dijo: "No estás lejos del reino de Dios". Pero nadie tenía ánimo ya para interrogarle.[h]

35 Sin embargo, al responder, Jesús se puso a decir mientras enseñaba en el templo: "¿Cómo es que los escribas dicen que el Cristo es hijo de David?[i] 36 Por el espíritu santo[j] David mismo dijo: 'Jehová dijo a mi Señor: "Siéntate a mi diestra hasta que ponga a tus enemigos debajo de tus pies"'.[k] 37 David mismo lo llama 'Señor', pero ¿cómo sucede que él sea su hijo?".[l]

Y la gran muchedumbre le escuchaba con gusto.[m] 38 Y en su enseñanza él procedió a decir: "Cuídense de los escribas[n] que quieren andar por todos lados en ropas largas y quieren saludos

en las plazas de mercado 39 y
asientos delanteros en las sinagogas y lugares muy prominentes en las cenas.[a] 40 Ellos son
los que devoran las casas[b] de las
viudas y por pretexto hacen largas oraciones; estos recibirán
juicio más pesado”.[c]
41 Y se sentó con las arcas de
la tesorería[d] a la vista, y se puso
a observar cómo la muchedumbre echaba dinero en las arcas
de la tesorería; y muchos ricos
echaban muchas monedas.[e]
42 Luego vino una viuda pobre
y echó dos monedas pequeñas,
que tienen muy poco valor.[f]
43 Entonces él llamó a sí a sus
discípulos y les dijo: “En verdad les digo que esta viuda pobre echó más que todos los que
están echando dinero en las arcas de la tesorería;[g] 44 porque
todos ellos echaron de lo que les
sobra, pero ella, de su indigencia, echó cuanto poseía, todo lo
que tenía para vivir”.[h]

13 Al ir saliendo él del templo, uno de sus discípulos
le dijo: “Maestro, ¡mira!, ¡qué clase de piedras y qué clase de edificios!”.[i] 2 Sin embargo, Jesús le dijo: “¿Contemplas estos
grandes edificios?[j] De ningún
modo se dejará aquí piedra sobre
piedra[k] que no sea derribada”.[l]
3 Y estando él sentado en el
monte de los Olivos con el templo a la vista, Pedro[m] y Santiago
y Juan y Andrés empezaron
a preguntarle privadamente:[n]
4 “Dinos: ¿Cuándo serán estas
cosas, y qué será la señal cuando
todas estas cosas estén destinadas a alcanzar una conclusión?”.[o] 5 De modo que Jesús
comenzó a decirles: “Cuidado
que nadie los extravíe.[p] 6 Muchos vendrán sobre la base de mi
nombre, diciendo: ‘Yo soy ese’, y
extraviarán a muchos.[q] 7 Además, cuando oigan de guerras
e informes de guerras, no se
aterroricen; [estas cosas] tienen

CAP. 12
a Mt 23:6
Lu 11:43
Lu 20:46
b 2Ti 3:6
c Mt 23:14
d 2Re 12:9
Jn 8:20
e Lu 21:1
f Lu 21:2
g 1Cr 29:9
Lu 21:3
2Co 8:12
h 1Cr 29:9
Lu 21:4

CAP. 13
i Mt 24:1
Lu 21:5
j Jer 7:14
k Lu 19:44
l Le 26:31
Mt 24:2
Lu 21:6
m Mt 17:1
n Mt 24:3
o Lu 21:7
p Jer 29:8
Mt 24:4
q Mt 24:5
Lu 21:8

2.ª col.
a Mt 24:6
b Lu 21:10
Rev 6:4
c Mt 24:7
d Lu 21:11
Rev 6:6
Rev 6:8
e Mt 24:8
f Hch 4:15
g Mt 10:17
Lu 21:12
Jn 16:2
Rev 2:10
h Mt 24:9
Lu 21:12
2Ti 3:12
i Mt 24:14
Ro 10:18
Rev 14:6
j Hch 8:12
k Mt 10:19
Lu 12:11
Lu 21:14
l Éx 4:12
Lu 21:15
Hch 4:8
Hch 6:10
m Miq 7:6
Mt 10:21
Lu 21:16
2Ti 3:3
n Mt 24:10
2Ti 3:1
o Lu 21:17
p Da 12:12
2Ti 4:7
Heb 3:6
q Rev 2:10
r Dt 29:17
1Re 11:5
Rev 13:15
s Da 9:27
t Mt 24:15
u Mt 24:16
v Mt 24:17
w Mt 24:18

que suceder, pero todavía no es
el fin.[a]
8 ”Porque se levantará nación
contra nación y reino contra reino,[b] habrá terremotos[c] en un lugar tras otro, habrá escaseces de
alimento.[d] Estos son principio
de dolores de angustia.[e]
9 ”En cuanto a ustedes, cuídense; los entregarán a los tribunales locales,[f] y serán golpeados en las sinagogas[g] y tendrán
que estar de pie ante gobernadores y reyes por mi causa, para
testimonio a ellos.[h] 10 También, en todas las naciones primero tienen que predicarse[i] las
buenas nuevas.[j] 11 Pero cuando vayan conduciéndolos para
entregarlos, no se inquieten de
antemano acerca de qué hablar;[k]
más bien, lo que se les dé en
aquella hora, eso hablen, porque
no son ustedes los que hablan,
sino el espíritu santo.[l] 12 Además, el hermano entregará a la
muerte al hermano, y el padre al
hijo,[m] y los hijos se levantarán
contra los padres y los harán
morir;[n] 13 y ustedes serán objeto de odio de parte de toda la
gente por causa de mi nombre.[o] Pero el que haya aguantado hasta el fin[p] es el que será
salvo.[q]
14 ”Sin embargo, cuando alcancen a ver la cosa repugnante[r]
que causa desolación[s] parada
donde no debe (use discernimiento el lector),[t] entonces los
que estén en Judea echen a
huir a las montañas.[u] 15 El
que esté sobre la azotea no baje,
ni entre a sacar nada de su casa;[v]
16 y el que se halle en el campo
no vuelva a las cosas atrás para
recoger su prenda de vestir exterior.[w] 17 ¡Ay de las mujeres
que estén encintas y de las que
den de mamar en aquellos días![x]
18 Sigan orando que no
ocurra en tiempo de invierno;[y]
19 porque aquellos días serán

x Mt 24:19; Lu 19:44; Lu 21:23; Lu 23:28; y Mt 24:20.

[días de] una tribulación[a] como la cual no ha sucedido una desde [el] principio de la creación que Dios creó hasta aquel tiempo, y no volverá a suceder.[b] 20 De hecho, a menos que Jehová[c] hubiera acortado los días, ninguna carne se salvaría. Mas por causa de los escogidos[d] que él ha escogido[e] ha acortado los días.[e]

21 "Entonces, también, si alguien les dice: '¡Miren! Aquí está el Cristo', '¡Miren! Allá está',[g] no [lo] crean.[h] 22 Porque se levantarán falsos Cristos y falsos profetas[i] y darán señales y prodigios[j] para descarriar, si posible, a los escogidos.[k] 23 Ustedes, pues, estén alerta;[l] les he dicho todas las cosas de antemano.[m]

24 "Pero en aquellos días, después de aquella tribulación, el sol se oscurecerá, y la luna no dará su luz, 25 y las estrellas estarán cayendo del cielo, y los poderes que están en los cielos serán sacudidos.[n] 26 Y entonces verán al Hijo del hombre[o] viniendo en las nubes con gran poder y gloria.[p] 27 Y entonces él enviará los ángeles y reunirá a sus escogidos[q] desde los cuatro vientos, desde el extremo de la tierra hasta el extremo del cielo.[r]

28 "Ahora bien, aprendan de la higuera la ilustración: Luego que su rama nueva se pone tierna y hace brotar sus hojas, ustedes saben que está cerca el verano.[s] 29 Así mismo también ustedes, cuando vean acontecer estas cosas, sepan que él está cerca, a las puertas.[t] 30 En verdad les digo que de ningún modo pasará esta generación hasta que acontezcan todas estas cosas.[u] 31 El cielo[v] y la tierra pasarán, pero mis palabras[w] no pasarán.[x]

32 "Respecto a aquel día o la hora, nadie sabe, ni los ángeles en el cielo, ni el Hijo, sino el Padre.[y] 33 Sigan mirando, man-

ténganse despiertos,[a] porque no saben cuándo es el tiempo señalado.[b] 34 Es como un hombre que, al viajar al extranjero,[c] dejó su casa y dio la autoridad a sus esclavos, a cada uno su trabajo, y mandó al portero que se mantuviera alerta. 35 Por lo tanto, manténganse alerta,[d] porque no saben cuándo viene el amo de la casa, si tarde en el día o a medianoche o al canto del gallo o muy de mañana;[e] 36 para que, cuando él llegue de súbito, no los halle durmiendo.[f] 37 Pero lo que les digo a ustedes, a todos lo digo: Manténganse alerta".[g]

14 Ahora bien, dos días después[h] era la pascua[i] y [la fiesta[j] de] las tortas no fermentadas. Y los sacerdotes principales y los escribas buscaban cómo prenderlo mediante un ardid astuto, y matarlo;[k] 2 porque repetidas veces decían: "No en la fiesta; puede que haya alboroto del pueblo".[l]

3 Y mientras él estaba en Betania, en casa de Simón el leproso,[m] estando reclinado a la mesa, vino una mujer con una cajita de alabastro llena de aceite perfumado, nardo genuino, muy costoso. Rompiendo la cajita de alabastro, ella se puso a derramarlo sobre la cabeza de él.[n] 4 Al ver esto, hubo algunos que expresaban indignación entre sí: "¿Por qué se ha efectuado este desperdicio del aceite perfumado?[o] 5 ¡Pues este aceite perfumado pudiera haberse vendido por más de trescientos denarios y haberse dado a los pobres!". Y estaban muy disgustados con ella.[p] 6 Pero Jesús dijo: "Déjenla. ¿Por qué tratan de causarle molestia? Excelente obra ha hecho ella para conmigo.[q] 7 Porque siempre tienen a los pobres[r] con

CAP. 13

a Da 12:1
  Joe 2:2
  Rev 7:14
b Isa 1:9
  Zac 13:8
d Rev 17:14
e Ro 8:33
  Ef 1:4
f Mt 24:22
g Lu 17:23
  Lu 21:8
h Mt 24:23
  1Jn 4:1
i Dt 13:1
  Dt 18:22
  Mt 7:15
j Rev 13:13
k Mt 24:24
l Mt 7:15
  Mt 24:42
  Ef 6:18
  2Pe 3:17
m Mt 13:19
n Mt 24:29
o Da 7:13
  Heb 1:11
  Rev 1:7
p Mt 24:30
  Lu 21:27
q Rev 7:3
r Dt 30:4
  Zac 2:6
s Mt 24:31
  Mt 24:32
  Lu 21:29
t Mt 24:33
  Mr 13:28
u Mt 24:34
  Lu 21:32
v Sl 102:26
  Isa 51:6
w Jos 23:14
  Isa 40:8
x Mt 5:18
  Mt 24:35
  Lu 16:17
y Mt 24:36
  Hch 1:7

2.ª col.

a Ro 13:11
  1Te 5:6
b Mt 25:13
  Lu 21:34
c Mt 25:14
d Mt 24:42
  Lu 12:36
  Hch 20:31
  Rev 3:3
e Lu 12:38
  Lu 21:36
f Mt 25:5
g Hab 2:3

CAP. 14

h Mt 26:2
i Ex 12:6
  Le 23:5
  Lu 22:1
  Jn 13:1
j Le 23:6
k Mt 26:4
  Lu 22:2
l Mt 26:5
m Mt 26:6
n Mt 26:7
  Jn 12:3
o Mt 26:8
  Jn 12:4

p Mt 26:9; Jn 12:5; q Mt 26:10; Jn 12:7; r Dt 15:11; Jn 12:8.

ustedes, y cuando quieran pueden hacerles bien, pero a mí no siempre me tienen.[a] 8 Ella hizo lo que pudo; se anticipó a ponerme aceite perfumado sobre el cuerpo en vista del entierro.[b] 9 En verdad les digo: Dondequiera que se prediquen las buenas nuevas en todo el mundo,[c] lo que hizo esta mujer también se contará para recuerdo de ella".[d]

10 Y Judas Iscariote, uno de los doce, se fue a los sacerdotes principales para traicionarlo a ellos.[e] 11 Estos, al oírlo, se regocijaron, y prometieron darle dinero en plata.[f] De modo que él se puso a buscar cómo traicionarlo convenientemente.[g]

12 Ahora bien, el primer día de las tortas no fermentadas,[h] cuando acostumbraban sacrificar la [víctima de la] pascua, sus discípulos[i] le dijeron: "¿Dónde quieres que vayamos y hagamos los preparativos para que comas la pascua?".[j] 13 Entonces él envió a dos de sus discípulos y les dijo: "Vayan a la ciudad, y se encontrarán con ustedes un hombre que lleva una vasija de barro con agua.[k] Síganlo, 14 y donde entre, digan al amo de casa: 'El Maestro dice: "¿Dónde está el cuarto para convidados para mí donde yo pueda comer la pascua[l] con mis discípulos?"'.[m] 15 Y él les mostrará un cuarto grande, arriba, amueblado en preparación; y allí hagan los preparativos para nosotros".[n] 16 De modo que los discípulos salieron, y entraron en la ciudad y lo hallaron así como él les había dicho; e hicieron preparativos para la pascua.[o]

17 Cuando hubo anochecido, él vino con los doce.[p] 18 Y estando ellos reclinados a la mesa y comiendo, Jesús dijo: "En verdad les digo: Uno de ustedes, que come[q] conmigo, me traicio-

CAP. 14
a Mt 26:11
  Jn 12:8
b Mt 26:12
c Mt 24:14
d Mt 26:13
e Mt 26:14
  Lu 22:4
f Dt 27:25
  Zac 11:12
  Mt 26:15
  Lu 22:5
  1Ti 6:10
g Mt 26:16
  Lu 22:6
h Éx 12:15
  Éx 23:18
  Éx 23:15
  Le 23:6
  Lu 22:7
i Lu 22:8
j Nú 9:2
  Mt 26:17
  Lu 22:9
k Mt 26:18
  Lu 22:10
l Éx 12:6
  Le 23:5
m Lu 22:11
n Lu 22:12
o Mt 26:19
  Lu 22:13
p Mt 26:20
  Lu 22:14
q Sl 41:9

2.ª col.
a Mt 26:21
  Lu 22:22
  Jn 13:21
b Mt 26:22
  Lu 22:23
  Jn 13:22
c Mt 26:23
d Job 3:3
  Mt 26:24
e Mt 26:26
  Lu 22:19
  1Co 10:16
  1Co 11:24
f Mt 26:27
  Jn 6:53
  1Co 10:16
  1Co 11:25
g Éx 24:8
  Le 17:11
  Zac 9:11
h Jer 31:31
  Heb 7:22
  Heb 9:15
i Isa 53:12
  Mt 26:28
  Lu 22:20
k 1Co 11:26
l Sl 113
  á 118
m Mt 26:30
  Lu 22:39
  Jn 18:1
n Isa 53:5
  Da 9:26
  Zac 13:7
o Mt 26:31
  Mt 26:56
  Mr 14:50
  Jn 16:32
p Mt 26:32
  Mr 16:7
q Mt 11:23
  Mt 26:33
  Lu 22:33
  Jn 13:37
r Mt 26:34
  Lu 22:34
  Jn 13:38

s Mt 26:35.

nará".[a] 19 Ellos comenzaron a contristarse y a decirle uno por uno: "No soy yo, ¿verdad?".[b] 20 Él les dijo: "Es uno de los doce, que moja conmigo en la fuente común.[c] 21 Cierto, el Hijo del hombre se va, así como está escrito respecto a él, mas ¡ay de aquel hombre por medio de quien el Hijo del hombre es traicionado! Le hubiera sido mejor a aquel hombre no haber nacido".[d]

22 Y mientras continuaban comiendo, él tomó un pan, y habiendo dicho una bendición, lo partió y se lo dio a ellos, y dijo: "Tómenlo; esto significa mi cuerpo".[e] 23 Y tomando una copa, ofreció gracias y se la dio a ellos, y todos bebieron de ella.[f] 24 Y les dijo: "Esto significa mi 'sangre[g] del pacto',[h] que ha de ser derramada[i] a favor de muchos.[j] 25 En verdad les digo: De ningún modo beberé yo más del producto de la vid hasta aquel día en que lo beba nuevo en el reino de Dios".[k] 26 Por último, después de cantar alabanzas,[l] salieron al monte de los Olivos.[m]

27 Y Jesús les dijo: "A todos ustedes se les hará tropezar, porque está escrito: 'Heriré al pastor,[n] y las ovejas serán esparcidas'.[o] 28 Pero después que yo haya sido levantado iré delante de ustedes a Galilea'.[p] 29 Pero Pedro le dijo: "Aun si a todos los demás se les hace tropezar, sin embargo a mí no se me hará".[q] 30 Ante aquello, Jesús le dijo: "En verdad te digo: Hoy tú, sí, esta noche, antes que un gallo cante dos veces, hasta tú me repudiarás tres veces".[r] 31 Pero él se puso a decir con insistencia: "Aunque tenga que morir contigo, de ningún modo te repudiaré". También, todos los demás decían la misma cosa.[s]

32 Entonces llegaron a un lugar cuyo nombre era Getsemaní, y él dijo a sus discípulos: "Siéntense aquí mientras yo oro".[a] 33 Y tomó consigo a Pedro y a Santiago y a Juan,[b] y comenzó a aturdirse y a perturbarse penosamente.[c] 34 Y les dijo: "Mi alma está hondamente contristada,[d] hasta la muerte. Quédense aquí y manténganse alerta".[e] 35 Y yendo un poco más adelante caía al suelo y oraba que, si fuera posible, pasara de él aquella hora.[f] 36 Y decía: "Abba, Padre,[g] todas las cosas te son posibles; remueve de mí esta copa. No obstante, no lo que yo quiero, sino lo que tú quieres".[h] 37 Y vino y los halló durmiendo, y dijo a Pedro: "Simón, ¿duermes? ¿No tuviste las fuerzas para mantenerte alerta una sola hora?[i] 38 Varones, manténganse alerta y orando,[j] para que no entren en tentación. El espíritu, por supuesto, está pronto, pero la carne es débil".[k] 39 Y de nuevo se fue y oró, diciendo la misma palabra.[l] 40 Y vino otra vez y los halló durmiendo, pues tenían los ojos cargados, de modo que no sabían qué contestarle.[m] 41 Y vino la tercera vez y les dijo: "¡En una ocasión como esta ustedes duermen y descansan! ¡Basta! ¡Ha llegado la hora![n] ¡Miren! El Hijo del hombre es traicionado en manos de pecadores.[o] 42 Levántense, vámonos.[p] ¡Miren! El que me traiciona se ha acercado".[q]

43 E inmediatamente, mientras todavía hablaba, llegó Judas, uno de los doce, y con él una muchedumbre con espadas y garrotes, de parte de los sacerdotes principales y los escribas y de los ancianos.[r] 44 Ahora bien, el que lo traicionaba les había dado una señal fija, diciendo: "Al que bese, ese es; deténganlo y llévenselo con

seguridad".[a] 45 Y vino en seguida y se acercó a él y dijo: "¡Rabí!", y lo besó[b] muy tiernamente. 46 De modo que ellos le echaron mano y lo detuvieron.[c] 47 Sin embargo, uno de los que estaban de pie allí sacó su espada e hirió al esclavo del sumo sacerdote y le quitó la oreja.[d] 48 Mas, tomando la palabra, Jesús les dijo: "¿Salieron con espadas y garrotes como contra un salteador para arrestarme?[e] 49 Día tras día estaba con ustedes en el templo enseñando,[f] y sin embargo no me detuvieron. No obstante, es con el fin de que se cumplan[g] las Escrituras".[h]

50 Y todos lo abandonaron[i] y huyeron.[j] 51 Pero cierto joven que llevaba puesta sobre su [cuerpo] desnudo una prenda de vestir de lino fino se puso a seguirlo de cerca; y trataron de prenderlo,[k] 52 pero él dejó atrás su prenda de lino y se escapó desnudo.

53 Entonces condujeron a Jesús al sumo sacerdote, y se reunieron todos los sacerdotes principales y los ancianos y los escribas.[l] 54 Mas Pedro, de lejos, lo siguió[m] hasta dentro del patio del sumo sacerdote; y estaba sentado junto con los servidores de la casa y calentándose delante de la brillante lumbre. 55 Mientras tanto, los sacerdotes principales y todo el Sanedrín buscaban testimonio contra Jesús para darle muerte,[n] pero no hallaban ninguno.[o] 56 Muchos, en realidad, testificaban falsamente contra él,[p] pero sus testimonios no estaban de acuerdo.[q] 57 También, algunos se levantaban y daban falso testimonio contra él, diciendo: 58 "Nosotros le oímos decir: 'Yo derribaré este templo que fue hecho de manos y en tres días edificaré otro, no hecho de manos'".[r] 59 Pero tampoco sobre esta

CAP. 14

a Mt 26:36
  Lu 22:39
  Jn 18:1
b Mt 17:1
c Mt 26:37
d Sl 42:5
  Sl 43:5
  Jn 12:27
e Mt 26:38
  Jn 12:39
  Lu 22:41
g Ro 8:15
  Gál 4:6
h Lu 22:42
  Jn 6:38
  Heb 5:7
i Mt 26:40
  Lu 22:45
j Mt 6:13
  Lu 11:4
k Mt 26:41
  Ro 7:23
  Gál 5:17
l Mt 26:42
m Mt 26:43
n Jn 13:1
o Mt 26:45
p Jn 14:31
q Mt 26:46
  Jn 18:2
r Mt 26:47
  Lu 22:47
  Jn 18:3

2.ª col.

a Mt 26:48
b 2Sa 20:9
c Mt 26:50
  Lu 22:49
d Mt 26:51
  Lu 22:50
  Jn 18:10
e Mt 26:55
  Lu 22:52
f Lu 19:47
  Jn 18:20
g Mt 26:56
  Rev 19:10
h Sl 22:6
  Isa 53:7
  Da 9:26
  Lu 22:37
i Sl 38:11
  Sl 88:8
  2Ti 4:16
j Zac 13:7
  Mt 26:31
  Jn 16:32
k Jn 18:15
l Mt 26:57
  Lu 22:54
  Jn 18:13
m Mt 26:58
  Jn 18:15
n Sl 37:12
  Sl 37:32
o Da 6:4
  Mt 26:59
  1Pe 3:16
p Éx 20:16
  Dt 19:16
  Sl 35:11
  Pr 19:5
q Mt 26:60
r Mt 26:61
  Mr 15:29
  Jn 2:19

base estaba de acuerdo su testimonio.

60 Por fin se levantó en medio de ellos el sumo sacerdote e interrogó a Jesús, diciendo: "¿No responses nada? ¿Qué es lo que estos testifican contra ti?".[a] 61 Mas él se quedó callado y no respondió nada.[b] De nuevo el sumo sacerdote se puso a interrogarle, y le dijo: "¿Eres tú el Cristo el Hijo del Bendito?".[c] 62 Entonces Jesús dijo: "Lo soy; y ustedes verán al Hijo del hombre[d] sentado a la diestra[e] del poder y viniendo con las nubes del cielo".[f] 63 Ante esto, el sumo sacerdote rasgó sus prendas de vestir interiores[g] y dijo: "¿Qué más necesidad tenemos de testigos?[h] 64 Ustedes han oído la blasfemia.[i] ¿Qué se les hace evidente?". Todos ellos lo condenaron, declarándolo expuesto a muerte. 65 Y algunos comenzaron a escupirle[j] y a cubrirle todo el rostro y a darle de puñetazos y a decirle: "¡Profetiza!". Y, dándole de bofetadas, lo recibieron los servidores del tribunal.[k]

66 Ahora bien, mientras Pedro estaba abajo en el patio, vino una de las sirvientas del sumo sacerdote,[l] 67 y, viendo a Pedro que se calentaba, lo miró directamente y dijo: "Tú, también, estabas con el Nazareno, este Jesús".[m] 68 Pero él lo negó, diciendo: "Ni lo conozco, ni entiendo lo que dices", y salió fuera al vestíbulo.[n] 69 Allí la sirvienta, al verlo, comenzó de nuevo a decir a los que estaban de pie por allí: "Este es uno de ellos".[o] 70 De nuevo lo negaba. Y otra vez, después de poco, los que estaban de pie por allí se pusieron a decir a Pedro: "Ciertamente eres uno de ellos, porque, de hecho, eres galileo".[p] 71 Pero él comenzó a maldecir y a jurar:[q] "No conozco a este hombre de quien hablan". 72 E inmediatamente cantó un gallo por segunda vez;[a] y Pedro recordó el dicho que Jesús le había hablado: "Antes que un gallo cante dos veces, me repudiarás tres veces".[b] Y, abatido, rompió a llorar.[c]

15 E inmediatamente al rayar el alba los sacerdotes principales tuvieron consulta con los ancianos y los escribas, aun todo el Sanedrín,[d] y ataron a Jesús y se lo llevaron y lo entregaron a Pilato.[e] 2 De modo que Pilato le hizo la pregunta: "¿Eres tú el rey[f] de los judíos?". En respuesta, él le dijo: "Tú mismo [lo] dices".[g] 3 Pero los sacerdotes principales procedieron a acusarlo de muchas cosas.[h] 4 Entonces Pilato se puso a interrogarlo de nuevo, diciendo: "¿No responses nada?[i] ¡Mira cuántas acusaciones hacen contra ti!".[j] 5 Pero Jesús ya no respondió más, de manera que Pilato se maravillaba.[k]

6 Ahora bien, de fiesta en fiesta este solía ponerles en libertad un preso, que ellos solicitaban.[l] 7 Por entonces el llamado Barrabás estaba en cadenas con los sediciosos, que en su sedición habían cometido asesinato.[m] 8 De modo que la muchedumbre se presentó y comenzó a hacer petición según lo que él solía hacer para ellos. 9 Pilato les respondió, y dijo: "¿Quieren que les ponga en libertad al rey de los judíos?".[n] 10 Pues se daba cuenta de que por envidia[o] lo habían entregado los sacerdotes principales.[p] 11 Pero los sacerdotes principales excitaron a la muchedumbre para que les pusiera en libertad a Barrabás, más bien.[q] 12 Respondiendo de nuevo, Pilato les decía: "Entonces, ¿qué haré con el que ustedes llaman rey[r] de los judíos?".[s] 13 Otra vez clamaron: "¡Al madero con él!".[t] 14 Pero Pilato les decía: "Pues,

CAP. 14
a Mt 26:62
b Isa 53:7
1Pe 2:23
c Mt 26:63
d Da 7:13
Mt 24:30
e Sl 110:1
Ef 1:20
Col 3:1
f Mt 26:64
Lu 21:27
Rev 1:7
Rev 14:14
g Le 10:6
h Mt 26:65
i Le 24:16
1Re 21:13
j Isa 50:6
Isa 53:3
Mt 26:67
k Lu 22:64
l Mt 26:69
Lu 22:55
Jn 18:18
m Lu 22:56
n Mt 26:70
Lu 22:57
o Mt 26:71
Lu 22:58
Jn 18:25
p Mt 26:73
Lu 22:59
Jn 18:26
q Pr 29:25
Mt 5:37
r Mt 26:74

2.ª col.
a Lu 22:61
Jn 18:27
b Mt 26:34
Mr 14:30
Lu 22:34
Jn 13:38
c 2Co 7:10

CAP. 15
d Sl 2:2
Hch 4:26
e Mt 27:1
Lu 22:66
Jn 18:28
Hch 3:13
f Sl 2:2
Jn 18:33
g Mt 27:11
Lu 23:3
h Mt 27:12
i Mt 26:62
j Mt 27:13
Jn 19:10
k Sl 53:7
Mt 27:14
Jn 19:9
l Mt 27:15
Lu 23:17
Jn 18:39
m Mt 27:16
n Mt 27:17
Hch 23:16
o Pr 27:4
Mt 21:38
Hch 13:45
p Mt 27:18
q Mt 27:20
Hch 3:14
r Sl 2:6
Isa 9:6
Jer 23:5

s Mt 27:22; Lu 23:20; t Lu 23:21; Jn 19:6.

¿qué mal ha hecho?". Pero ellos clamaron más y más: "¡Al madero con él!".ª 15 Con eso, Pilato, deseando satisfacer a la muchedumbre,ᵇ les puso en libertad a Barrabás, y, habiendo hecho que le dieran latigazos a Jesús, lo entregó para que fuera fijado en un madero.ᶜ

16 Entonces los soldados lo llevaron dentro del patio, es decir, al palacio del gobernador; y convocaron al entero cuerpo de soldados,ᵈ 17 y lo ataviaron de púrpura, y entretejieron una corona de espinas y se la pusieron.ᵉ 18 Y comenzaron a saludarlo: "¡Buenos días,ᶠ rey de los judíos!". 19 También, le daban en la cabeza con una caña y le escupían y, doblando las rodillas, le rendían homenaje.ᵍ 20 Por fin, cuando se hubieron burlado de él, lo despojaron de la púrpura y le pusieron sus prendas de vestir exteriores. Y lo condujeron fuera para fijarlo en el madero.ʰ 21 También, obligaron a rendir servicio a uno que iba pasando, a cierto Simón de Cirene, que venía del campo, el padre de Alejandro y de Rufo, para que levantara su madero de tormento.ⁱ

22 De modo que lo llevaron al lugar de *Gólgota,* que, traducido, significa Lugar del Cráneo.ʲ 23 Aquí trataron de darle vino drogado con mirra,ᵏ pero él rehusó tomarlo.ˡ 24 Y lo fijaron en el madero y repartieron sus prendas de vestir exterioresᵐ echando suertes sobre ellas para decidir quién se llevaba qué.ⁿ 25 Era ya la hora tercera,ᵒ y lo fijaron en el madero. 26 Y la inscripción del cargoᵖ contra él estaba escrita encima: "El rey de los judíos". q 27 Además, con él fijaron en maderos a dos salteadores, uno a su derecha y uno a su izquierda.ʳ 28 —— 29 Y los que pasaban le hablaban injuriosamente,ˢ meneando la cabeza y

CAP. 15

a Mt 27:23
Lu 23:22
Hch 3:13
Hch 13:28
b Pr 29:25
c Mt 27:26
Jn 19:1
d Mt 27:27
e Mt 27:28
f Mt 27:29
Jn 19:3
g Mt 27:30
h Mt 27:31
Jn 19:16
i Mt 27:32
Lu 23:26
j Mt 27:33
Lu 23:33
Jn 19:17
Heb 13:12
k Sl 69:21
l Mt 27:34
m Mt 22:18
n Mt 27:35
Jn 19:23
o Mt 27:45
Lu 23:44
Jn 19:14
p Mt 27:29
q Mt 27:37
Lu 23:38
Jn 19:19
r Mt 27:38
s Sl 22:7
Sl 109:25
Isa 53:3

2.ᵃ col.

a Mt 27:40
Mr 14:58
b Lu 23:35
c Mt 27:41
Mt 16:4
Mt 27:42
Ro 3:3
e Mt 27:44
1Pe 2:23
f Mt 27:45
Lu 23:44
g Sl 22:1
Mt 27:46
h Mt 27:47
i Sl 69:21
Mt 27:48
Jn 19:29
j Mt 27:49
k Sl 31:5
Mt 27:50
Lu 23:46
Jn 19:30
l Éx 26:31
Heb 6:19
Heb 10:20
m Mt 27:51
Lu 23:45
Mt 27:47
Lu 23:47
o Sl 38:11
p Mt 27:56
q Lu 8:2
r Lu 23:49

diciendo: "¡Bah! Tú, supuesto derribador del templo y edificador de él en tres días,ª 30 sálvate bajando del madero de tormento".ᵇ 31 Del mismo modo también los sacerdotes principales se burlaban entre sí junto con los escribas y decían: "A otros salvó; ¡a sí mismo no se puede salvar!ᶜ 32 Baje ahora el Cristo el rey de Israel del madero de tormento, para que veamos y creamos".ᵈ Hasta los que estaban fijados en maderos junto con él lo vituperaban.ᵉ

33 Cuando llegó a ser la hora sexta, una oscuridad cayó sobre toda la tierra hasta la hora nona.ᶠ 34 Y a la hora nona Jesús clamó con voz fuerte: *"É·li, É·li, ¿lá·ma sa·baj·thá·ni?",* que, traducido, significa: "Dios mío, Dios mío, ¿por qué me has desamparado?".ᵍ 35 Y algunos de los que estaban de pie cerca, al oírlo, empezaron a decir: "¡Miren! Llama a Elías".ʰ 36 Pero uno corrió, empapó una esponja en vino agrio, y, poniéndola en una caña, se la daba de beber,ⁱ diciendo: "¡Déjen[lo]! Veamos si Elías viene a bajarlo".ʲ 37 Pero Jesús dio un grito fuerte, y expiró.ᵏ 38 Y la cortinaˡ del santuario se rasgó en dos, de arriba abajo.ᵐ 39 Ahora bien, cuando el oficial del ejército que estaba de pie allí donde lo tenía a la vista vio que había expirado en estas circunstancias, dijo: "Ciertamente este hombre era Hijo de Dios".ⁿ

40 Había también unas mujeres mirando desde lejos,ᵒ entre ellas María Magdalena, así como también María la madre de Santiago el Menos y de Josés, y Salomé,ᵖ 41 las cuales acostumbraban acompañarloq y ministrarle cuando estaba en Galilea, y muchas otras que habían subido junto con él a Jerusalén.ʳ

42 Entonces, como ya era una hora avanzada de la tarde, y puesto que era Preparación, es decir, la víspera del sábado,

43 vino José de Arimatea, miembro estimable del Consejo, que también esperaba, él mismo, el reino de Dios.ª Cobrando ánimo, entró ante la presencia de Pilato y pidió el cuerpo[b] de Jesús. **44** Pero Pilato deseaba saber si ya estaba muerto, y, mandando llamar al oficial del ejército, le preguntó si ya había muerto. **45** Entonces, una vez que se aseguró de ello por el oficial del ejército, concedió el cadáver a José.[c] **46** Este, en efecto, compró lino fino, y lo bajó, lo envolvió en el lino fino y lo puso[d] en una tumba[e] que estaba labrada en una masa rocosa; e hizo rodar una piedra hasta la puerta de la tumba conmemorativa.[f] **47** Pero María Magdalena y María la madre de Josés se quedaron mirando dónde había sido puesto.[g]

16 Entonces, cuando el sábado[h] hubo pasado, María Magdalena,[i] y María la madre de Santiago, y Salomé compraron especias para ir a untarlo.[j] **2** Y muy de mañana, el primer día[k] de la semana, vinieron a la tumba conmemorativa, cuando el sol había salido.[l] **3** Y se decían unas a otras: "¿Quién nos removerá la piedra de la puerta de la tumba conmemorativa?". **4** Pero alzando los ojos, vieron que la piedra había sido removida, a pesar de ser muy grande.[m] **5** Cuando entraron en la tumba conmemorativa, vieron a un joven sentado a la derecha, vestido de una ropa larga blanca, y se aturdieron.[n] **6** Él les dijo: "Dejen de aturdirse. Ustedes buscan a Jesús el Nazareno, que fue fijado en un madero.[o] Fue levantado; no está aquí. ¡Miren! El lugar donde lo pusieron.[q] **7** Pero vayan, digan a sus discípulos y a Pedro: 'Él va delante de ustedes a Galilea;[r] allí lo verán, así como les dijo' ".[s] **8** De modo que, cuando salieron, huyeron de la tumba conmemorativa,

porque temblor y fuerte emoción se habían apoderado de ellas. Y no dijeron nada a nadie, porque temían.ª

CONCLUSIÓN LARGA

Ciertos manuscritos (ACD) y versiones (VgSy[c,p]) antiguos añaden la siguiente conclusión larga, pero אB-Sy[s]Arm la omiten:

9 Después que él se levantó muy de mañana, el primer día de la semana, apareció primero a María Magdalena, de quien había expulsado siete demonios. **10** Ella fue e informó a los que habían estado con él, mientras ellos estaban lamentándose y llorando. **11** Pero ellos, cuando oyeron que él vivía de nuevo y que había sido visto por ella, no creyeron. **12** Además, después de estas cosas apareció en otra forma a dos de ellos que iban andando, mientras estaban en camino al campo; **13** y estos volvieron y lo informaron a los demás. Tampoco creyeron a estos. **14** Pero más tarde apareció a los once mismos, estando ellos reclinados a la mesa, y les reconvino su falta de fe y dureza de corazón, porque no creyeron a los que lo habían visto ya levantado de entre los muertos. **15** Y les dijo: "Vayan por todo el mundo y prediquen las buenas nuevas a toda la creación. **16** El que crea y sea bautizado será salvo, mas el que no crea será condenado. **17** Además, estas señales acompañarán a los que crean: Mediante el uso de mi nombre expulsarán demonios, hablarán en lenguas, **18** y con las manos tomarán serpientes, y si beben algo mortífero no les hará ningún daño. Pondrán las manos sobre los enfermos, y estos sanarán".

19 Entonces el Señor Jesús, después de haberles hablado, fue tomado arriba al cielo y se sentó a la diestra de Dios. **20** Por consiguiente, ellos salieron y predicaron por todas partes, mientras el Señor obraba con ellos y apoyaba el mensaje por las señales que acompañaban a este.

CONCLUSIÓN CORTA

Algunos manuscritos y versiones recientes contienen una conclusión corta después de Marcos 16:8, como sigue:

Pero todas las cosas que se habían mandado las relataron brevemente a los que estaban alrededor de Pedro. Además, después de estas cosas, Jesús mismo envió por medio de ellos desde el oriente hasta el occidente la santa e incorruptible proclamación de la salvación eterna.

CAP. 15
a Mt 27:57
Jn 19:38

b Dt 21:23

c Mt 27:58

d Isa 53:9
Mt 27:59

e Hch 13:29

f Mt 27:60
Lu 23:53
Jn 19:40

g Mt 27:61
Lu 23:55

CAP. 16
h Éx 20:8

i Mt 28:1

j Mr 14:8
Lu 23:56

k Lu 24:1

l Jn 20:1

m Lu 24:2

n Lu 24:3
Jn 20:11

o Mt 28:5
Lu 24:4

p Mr 8:31
Lu 18:33
Hch 4:10

q Mt 28:6

r Mt 26:32
Mt 28:7

s Mt 14:28

2.ª col.
a Mt 28:8
Lu 24:9

LUCAS

1 Puesto que muchos han emprendido la recopilación de una declaración de los hechos[a] que entre nosotros están plenamente acreditados, 2 así como nos los entregaron los que desde [el] principio[b] llegaron a ser testigos oculares[c] y servidores del mensaje,[d] 3 yo también, porque he investigado todas las cosas desde el comienzo con exactitud, resolví escribírtelas en orden lógico,[e] excelentísimo[f] Teófilo,[g] 4 para que conozcas plenamente la certeza de las cosas que se te han enseñado oralmente.[h]

5 Sucedió que en los días de Herodes,[i] rey de Judea, hubo cierto sacerdote de nombre Zacarías, de la división de Abías,[j] y este tenía una esposa que vino de las hijas de Aarón,[k] y el nombre de ella era Elisabet. 6 Ambos eran justos[l] delante de Dios porque andaban exentos de culpa[m] de acuerdo con todos los mandamientos[n] y requisitos legales[o] de Jehová.[p] 7 Pero no tenían hijo, porque Elisabet era estéril,[q] y ambos eran de edad avanzada.

8 Ahora bien, mientras él actuaba como sacerdote en la asignación de su división[r] delante de Dios, 9 conforme a la práctica solemne del oficio sacerdotal le tocó su turno de ofrecer el incienso[s] al entrar en el santuario de Jehová;[t] 10 y toda la multitud del pueblo estaba fuera orando a la hora en que se ofrecía el incienso.[u] 11 A él se apareció el ángel de Jehová, de pie al lado derecho del altar del incienso.[v] 12 Mas Zacarías se perturbó al verlo, y cayó temor sobre él.[w] 13 Sin embargo, el ángel le dijo: "No temas, Zacarías, porque tu ruego ha sido

oído favorablemente,[a] y tu esposa Elisabet llegará a ser para ti madre de un hijo, y has de ponerle por nombre Juan.[b] 14 Y tendrás gozo y gran alegría, y muchos se regocijarán[c] por su nacimiento; 15 porque él será grande delante de Jehová.[d] Mas no debe beber en absoluto vino ni bebida alcohólica alguna,[e] y estará lleno de espíritu santo hasta desde la matriz de su madre;[f] 16 y a muchos de los hijos de Israel los volverá a Jehová,[g] Dios de ellos. 17 También, irá delante de él con el espíritu y poder de Elías,[h] para volver los corazones[i] de padres a hijos, y los desobedientes a la sabiduría práctica de los justos, para alistar para Jehová[j] un pueblo preparado".[k]

18 Y Zacarías dijo al ángel: "¿Cómo he de estar seguro de esto? Porque yo he envejecido,[l] y mi esposa es de edad avanzada". 19 En respuesta, el ángel le dijo: "Yo soy Gabriel,[m] que estoy de pie cerca y delante de Dios, y fui enviado para hablar[n] contigo y declararte las buenas nuevas de estas cosas. 20 Pero, ¡mira!, estarás en silencio[o] y no podrás hablar hasta el día en que sucedan estas cosas, porque no creíste mis palabras, las cuales se cumplirán a su tiempo señalado". 21 Entretanto, el pueblo estaba aguardando a Zacarías,[p] y se extrañaba de que se tardara tanto en el santuario. 22 Pero cuando él salió no podía hablarles, y percibieron que acababa de ver una vista sobrenatural[q] en el santuario; y él les hacía señas, pero permanecía mudo. 23 Pues bien, cuando se cumplieron los días de su servicio público[r] él se fue a su casa.

24 Pero después de estos días

CAP. 1

a Jn 20:31
b Mr 1:1
  1Jn 1:1
c Jn 15:27
  1Pe 5:1
  2Pe 1:16
d Hch 6:4
  Heb 2:3
e 1Co 14:40
f Hch 24:3
g Hch 1:1
  Hch 18:25
  Gál 6:6
i Mt 2:1
j 1Cr 24:10
k Le 21:14
l Gé 7:1
  Flp 3:6
m Job 1:1
n 1Re 9:4
  2Re 20:3
  Sl 119:6
o Le 18:5
  Le 20:8
  Sl 119:1
q Gé 18:11
r 1Cr 24:19
  2Cr 8:14
  2Cr 31:2
s Éx 30:7
t Éx 40:5
u Rev 8:3
v Heb 10:3
w Jue 6:22
  Da 10:8
  Hch 10:4
  Rev 1:17

2.ª col.

a Da 10:12
b Gé 17:19
  Lu 1:60
c Lu 1:58
d Lu 7:28
e Nú 6:3
  Jue 13:4
  Mt 11:18
f Jer 1:5
  Ro 9:11
  Gál 1:15
g Mal 4:6
h Mt 11:14
  Mt 17:10
i Isa 40:3
k 1Sa 7:3
  Mal 3:1
l Gé 17:17
  Gé 18:11
m Da 8:16
  Da 9:21
  Heb 1:14
n Lu 1:26
o Eze 3:26
  Eze 24:27
p Nú 6:23
q 2Co 12:1
r 1Cr 9:25

Elisabet su esposa quedó encinta;[a] y se mantuvo recluida por cinco meses, y dijo: 25 "Así es como Jehová ha tratado conmigo en estos días en que me ha dado su atención para quitar mi oprobio entre los hombres".[b]

26 En el sexto mes de ella el ángel Gabriel[c] fue enviado de parte de Dios a una ciudad de Galilea cuyo nombre era Nazaret, 27 a una virgen que estaba comprometida para casarse con un varón de nombre José, de la casa de David; y el nombre de la virgen[d] era María.[e] 28 Y cuando entró delante de ella, dijo: "Buenos días,[f] altamente favorecida, Jehová[g] está contigo".[h] 29 Pero ella se turbó profundamente por el dicho, y razonaba sobre qué suerte de saludo sería este. 30 De modo que el ángel le dijo: "No temas, María, porque has hallado favor[i] con Dios; 31 y, ¡mira!, concebirás en tu matriz y darás a luz un hijo,[j] y has de ponerle por nombre Jesús.[k] 32 Este será grande[l] y será llamado Hijo del Altísimo;[m] y Jehová Dios le dará el trono[n] de David su padre,[o] 33 y reinará sobre la casa de Jacob para siempre, y de su reino no habrá fin".[p]

34 Pero María dijo al ángel: "¿Cómo será esto, puesto que no estoy teniendo coito[q] con varón alguno?". 35 En respuesta, el ángel le dijo: "Espíritu santo[r] vendrá sobre ti, y poder del Altísimo te cubrirá con su sombra. Por eso, también, lo que nace será llamado santo,[s] Hijo de Dios.[t] 36 Y, ¡mira!, tu parienta Elisabet también ha concebido ella misma un hijo, en su vejez, y este es el sexto mes para ella, la llamada estéril;[u] 37 porque con Dios ninguna declaración será una imposibilidad".[v] 38 Entonces dijo María: "¡Mira! ¡La esclava de Jehová![w] Efectúese conmigo según tu declaración". Con eso, el ángel se fue de ella.

39 De modo que María se levantó en aquellos días y fue apresurada a la serranía, a una ciudad de Judá, 40 y entró en casa de Zacarías y saludó a Elisabet. 41 Pues bien, al oír Elisabet el saludo de María, la criatura saltó en su matriz; y Elisabet se llenó de espíritu santo, 42 y clamó con fuerte voz y dijo: "¡Bendita eres tú entre las mujeres, y bendito[a] es el fruto de tu matriz! 43 ¿Pues a qué se debe que tenga yo este [privilegio], de que venga a mí la madre de mi Señor?[b] 44 Porque, ¡mira!, al entrar en mis oídos el sonido de tu saludo, la criatura que llevo en la matriz saltó con gran alegría.[c] 45 Feliz también es la que creyó, porque tendrán ejecución completa[d] las cosas que se le hablaron de parte de Jehová".[e]

46 Y María dijo: "Mi alma engrandece a Jehová,[f] 47 y mi espíritu no puede menos que llenarse de gran gozo[g] a causa de Dios mi Salvador;[h] 48 porque él ha mirado la posición baja de su esclava.[i] Pues, ¡mira!, desde ahora todas las generaciones me declararán feliz;[j] 49 porque grandes obras me ha hecho el Poderoso, y santo es su nombre;[k] 50 y por generaciones tras generaciones su misericordia está sobre los que le temen.[l] 51 Poderosamente ha ejecutado con su brazo,[m] ha esparcido a los que son altivos en la intención de su corazón.[n] 52 Ha rebajado de tronos a hombres de poder,[o] y ensalzado a los de condición humilde;[p] 53 a los que tenían hambre los ha satisfecho plenamente con cosas buenas,[q] y ha despedido sin nada a los que tenían riquezas.[r] 54 Ha venido en socorro de Israel su siervo,[s] para recordar la misericordia,[t] 55 así como dijo a nuestros

CAP. 1

a Mt 1:18
b Gé 30:23
  1Sa 1:11
c Da 8:16
  Lu 1:19
d Isa 7:14
e Mt 1:18
  Lu 2:5
f Mt 26:49
  Mr 15:18
  Jn 19:3
g Jer 1:19
h Jue 5:24
i Pr 12:2
j Gé 16:11
  Jue 13:3
  Gál 4:4
k Mt 1:21
  Lu 2:21
l Flp 2:10
  1Ti 6:15
m Mt 27:54
  Jn 1:49
n 2Sa 7:12
  Sl 132:11
  Isa 9:7
  Jer 23:5
o Isa 11:1
  Isa 11:10
  Mt 1:1
p Da 2:44
  Da 7:14
  Heb 1:8
q Isa 7:14
r Mt 1:18
  Mt 1:20
s Jn 6:69
  Jn 10:36
t Mt 14:33
  Jn 1:34
  Jn 20:31
  Ro 1:4
u Gé 11:30
  Sl 113:9
v Gé 18:14
  Sl 115:3
  Jer 32:17
  Zac 8:6
  Mt 19:26
w 1Sa 1:11

2.ª col.

a Dt 28:4
  Lu 11:27
b Mt 3:11
c Jn 3:29
d Heb 11:11
e Gé 18:14
  Gé 21:1
f 1Sa 2:1
  Sl 34:2
g Hab 3:18
h 1Sa 22:3
  Isa 43:3
  Tit 1:3
  Jud 25
i 1Sa 1:11
  Sl 138:6
j Lu 11:27
k Sl 71:19
  Sl 111:9
  Isa 57:15
l Éx 20:6
  Sl 103:17
m Sl 89:10
  Isa 40:10
  Isa 52:10
n 2Sa 22:28
  Da 4:37
  1Pe 5:5

o Job 12:19; Isa 22:19; Isa 40:23; p 1Sa 2:6;
q 1Sa 2:5; Sl 34:10; Sl 107:9; r Isa 65:13; s Isa
44:21; t Sl 98:3; Isa 41:8; Jer 31:3.

antepasados, a Abrahán y a su descendencia, para siempre".ᵃ 56 Entonces María permaneció con ella como tres meses, y se volvió a su propia casa.

57 Luego llegó el tiempo debido para que Elisabet diera a luz, y dio a luz un hijo. 58 Y sus vecinos y sus parientes oyeron que Jehová había engrandecido para con ella su misericordia,ᵇ y empezaron a regocijarseᶜ con ella. 59 Y al octavo día vinieron para circuncidar al niñito,ᵈ e iban a llamarlo por el nombre de su padre, Zacarías. 60 Pero su madre contestó y dijo: "¡No, por cierto!, sino que será llamado Juan". 61 Ante eso, le dijeron: "Nadie hay entre tus parientes que se llame por ese nombre". 62 Entonces se pusieron a preguntar por señas al padre cómo quería que se le llamara. 63 Y él pidió una tablilla y escribió: "Juanᵉ es su nombre". Ante esto, todos se maravillaron. 64 Al instante a él se le abrió la bocaᶠ y se le soltó la lengua, y empezó a hablar, bendiciendo a Dios. 65 Y cayó temor sobre todos los que vivían en la vecindad de ellos; y en toda la serranía de Judea se hablaba de todas estas cosas, 66 y cuantos oían tomaban nota de ello en su corazón,ᵍ y decían: "¿Qué habrá de ser en realidad este niñito?". Porque la manoʰ de Jehová ciertamente estaba con él.

67 Y Zacarías su padre se llenó de espíritu santo,ⁱ y profetizó,ʲ diciendo: 68 "Bendito sea Jehová el Dios de Israel,ᵏ porque ha dirigido su atención y ejecutado liberación¹ para con su pueblo.ᵐ 69 Y nos ha levantado un cuernoⁿ de salvación en la casa de David su siervo, 70 así como él, por medio de la boca de sus santos profetas de antiguo,ᵒ ha hablado 71 de una salvación de nuestros enemigos y de la mano de todos los que nos odian;ᵖ 72 para ejecutar la mi-

CAP. 1
a Gé 17:19
Miq 7:20
Gál 3:16
b Sl 113:9
Sl 116:5
c Lu 1:14
Ro 12:15
d Gé 17:12
Le 12:3
Flp 3:5
e Lu 1:13
f Lu 7:10
g Lu 2:19
h Gé 39:2
Sl 80:17
i Nú 11:25
2Sa 23:2
j 2Pe 1:21
k 1Re 1:48
Sl 41:13
Sl 72:18
Sl 106:48
l Sl 111:9
Lu 7:16
m Dt 7:6
Sl 135:4
n 1Sa 2:10
Sl 132:17
o Jer 23:5
Da 9:24
p Sl 106:10

2.ª col.
a Gé 17:7
Le 26:42
Dt 4:31
Dt 7:12
Sl 105:8
Sl 106:45
b Gé 22:16
Miq 7:20
Heb 6:13
c Jer 30:8
Ro 6:22
d Jer 30:9
Heb 9:14
e Gál 4:4
f Isa 40:3
Mal 3:1
g Mr 1:4
h Sl 97:11
i Isa 11:1
j Sl 107:10
Isa 9:2
Isa 49:9
Isa 59:9
Mt 4:16
Hch 26:18
k Lu 2:40

CAP. 2
l Da 11:20
m Ro 13:1
n 1Sa 16:1
Miq 5:2
Mt 2:6
o Mt 1:16
p Lu 1:27
q Mt 1:25
Lu 1:27
r Mt 1:18
s Mt 1:25

sericordia relacionada con nuestros antepasados y para recordar su santo pacto,ᵃ 73 el juramento que juró a Abrahán nuestro antepasado,ᵇ 74 de concedernos, después de haber sido librados de la mano de nuestros enemigos,ᶜ el privilegio de rendirle servicio sagradoᵈ sin temor, 75 con lealtad y justicia delante de él todos nuestros días.ᵉ 76 Mas en cuanto a ti, niñito, serás llamado profeta del Altísimo, porque irás por adelantado ante Jehová para alistarle sus caminos,ᶠ 77 para dar conocimiento de salvación a su pueblo por el perdón de sus pecados,ᵍ 78 debido a la tierna compasión de nuestro Dios. Con esta [compasión] nos visitará un amanecerʰ desde lo alto,ⁱ 79 para dar luz a los que están sentados en oscuridad y en sombra de muerte,ʲ para dirigir nuestros pies prósperamente en el camino de la paz".

80 Y el niñito siguió creciendoᵏ y haciéndose fuerte en espíritu, y continuó en los desiertos áridos hasta el día de mostrarse abiertamente a Israel.

2 Ahora bien, en aquellos días salió un decreto¹ de César Augusto de que se inscribiera toda la tierra habitada 2 (esta primera inscripción se efectuó cuando Quirinio era el gobernador de Siria); 3 y todos se pusieron a viajar para inscribirse,ᵐ cada uno a su propia ciudad. 4 Por supuesto, José también subió desde Galilea, de la ciudad de Nazaret, a Judea, a la ciudad de David, que se llama Belén,ⁿ por ser miembro de la casa y familia de David,ᵒ 5 para inscribirse con María,ᵖ quien se le había dado en matrimonio según se había prometido,ᵠ y a la sazón estaba en estado avanzado de gravidez.ʳ 6 Mientras estaban allí, a ella se le cumplieron los días para dar a luz. 7 Y dio a luz a su hijo, el primogénito,ˢ y

lo envolvió con bandas de tela y
lo acostó en un pesebre,[a] porque
no había sitio para ellos en el
lugar de alojamiento.
8 También había en aquella
misma zona pastores que vivían
a campo raso y guardaban las
vigilias de la noche sobre sus rebaños. 9 Y de repente el ángel
de Jehová[b] estuvo de pie junto a
ellos, y la gloria de Jehová[c] centelleó en derredor de ellos, y tuvieron gran temor. 10 Pero el
ángel les dijo: “No teman, porque, ¡miren!, les declaro buenas
nuevas de un gran gozo que todo
el pueblo tendrá,[d] 11 porque
les ha nacido hoy un Salvador,[e]
que es Cristo [el] Señor,[f] en la
ciudad de David.[g] 12 Y esto
les servirá de señal: hallarán
un nene envuelto en bandas de
tela y acostado en un pesebre”.
13 Y de súbito se juntó con el
ángel una multitud del ejército
celestial,[h] alabando a Dios[i] y diciendo: 14 “Gloria en las alturas[j] a Dios, y sobre la tierra paz[k]
entre los hombres de buena voluntad”.[l]
15 Así que, cuando los ángeles
hubieron partido de ellos al cielo, los pastores empezaron a decirse unos a otros: “Vamos sin
falta directamente a Belén, y
veamos esta cosa que ha sucedido, que Jehová[m] nos ha dado a
conocer”. 16 Y fueron apresuradamente y hallaron a María
así como a José, y al nene acostado en el pesebre. 17 Cuando
lo vieron, dieron a conocer el dicho que se les había hablado respecto a este niñito. 18 Y cuantos oyeron se maravillaron de las
cosas que les dijeron los pastores, 19 pero María iba conservando todos estos dichos, sacando conclusiones en su corazón.[n]
20 Entonces los pastores se volvieron, glorificando y alabando a
Dios por todas las cosas que habían oído y visto, así como estas
se les habían dicho.
21 Ahora bien, cuando se
cumplieron los ocho días[a] para
circuncidarlo,[b] también se le
puso por nombre Jesús,[c] el nombre puesto por el ángel antes que
fuera concebido en la matriz.[d]
22 También, cuando se cumplieron los días para la purificación[e] de ellos conforme a la ley
de Moisés, lo llevaron a Jerusalén para presentarlo a Jehová,
23 así como está escrito en la
ley de Jehová: “Todo varón que
abre matriz tiene que ser llamado santo a Jehová”,[f] 24 y para
ofrecer sacrificio, según lo que se
dice en la ley de Jehová: “Un par
de tórtolas o dos pichones”.[g]
25 Y, ¡mira!, había en Jerusalén un hombre cuyo nombre era
Simeón, y este hombre era justo y reverente, que esperaba la
consolación de Israel,[h] y había espíritu santo sobre él.
26 Además, se le había revelado
divinamente por el espíritu santo que no vería la muerte antes
que hubiera visto al Cristo[i] de
Jehová. 27 Bajo el poder del
espíritu[j] él entró entonces en el
templo; y al traer adentro los padres al niñito Jesús para hacer
por él según la práctica usual de
la ley,[k] 28 él mismo lo recibió
en los brazos y bendijo a Dios
y dijo: 29 “Ahora, Señor Soberano, estás dejando que tu esclavo vaya libre en paz,[l] según
tu declaración; 30 porque mis
ojos han visto tu medio de
salvar[m] 31 que has alistado a
la vista de todos los pueblos,[n]
32 una luz[o] para remover de las
naciones[p] el velo,[q] y una gloria
de tu pueblo Israel”. 33 Y su
padre y su madre continuaron
admirándose de las cosas que
se hablaban acerca de él.
34 También, Simeón los bendijo, pero dijo a María su madre:
“¡Mira! Este es puesto para la
caída[r] y el volver a levantarse de
muchos en Israel,[s] y para señal
contra la cual se hable[t] 35 (sí,
a ti misma una espada larga te
atravesará el alma),[u] para que

CAP. 2

a Isa 53:2
b Heb 1:14
c Le 9:6
d Gé 12:3; Hch 13:48
e Isa 9:6; Isa 19:20
f Hch 2:36; Flp 2:11
g 1Sa 20:6
h Sl 103:21
i Gé 28:12; Da 7:10; Heb 1:14; Rev 5:11
j Sl 148:1; Mr 11:10
k Isa 57:19; Col 1:20
l Sl 30:5; Isa 61:2; Lu 19:38
m Sl 111:2
n Gé 37:11; Lu 1:66; Lu 2:51

2.ª col.

a Gé 17:12; Le 12:3; Gál 4:4
b Gé 17:10
c Mt 1:21
d Lu 1:31
e Le 12:2
f Éx 13:2; Éx 22:29; Éx 34:19; Nú 3:13; Nú 8:17
g Le 1:14; Le 5:7; Le 12:8
h Sl 119:166; Isa 40:1; Isa 49:13
i Lu 9:20
j Hch 8:29
k Le 12:6
l Gé 46:30; Isa 57:2
m Isa 52:10; Lu 3:6; Hch 4:12
n Isa 40:5; Isa 42:1
o Isa 9:2; Isa 60:1; Mt 4:16
p Isa 11:10; Isa 42:6; Isa 49:6; Hch 13:47; Hch 26:23
q Isa 25:7
r Isa 53:10
s Isa 8:14; Os 14:9; 1Co 1:23; 1Pe 2:8
t Hch 28:22; 1Pe 2:12
u Jn 19:25

los razonamientos de muchos corazones sean descubiertos".[a]

36 Ahora bien, había una profetisa, Ana, hija de Fanuel, de la tribu de Aser (esta mujer era de edad avanzada, y había vivido con su esposo siete años desde su virginidad, 37 y para este tiempo era una viuda[b] de ochenta y cuatro años de edad), la cual nunca faltaba del templo, rindiendo servicio sagrado noche y día[c] con ayunos y ruegos. 38 Y en aquella misma hora se acercó y empezó a dar gracias a Dios y a hablar acerca [del niño] a todos los que esperaban la liberación de Jerusalén.[d]

39 Entonces, cuando hubieron llevado a cabo todas las cosas según la ley[e] de Jehová, se volvieron a Galilea, a su propia ciudad de Nazaret.[f] 40 Y el niñito continuó creciendo y haciéndose fuerte,[g] lleno como estaba de sabiduría, y el favor de Dios[h] continuó sobre él.

41 Ahora bien, sus padres acostumbraban ir de año en año a Jerusalén[i] para la fiesta de la pascua. 42 Y cuando él cumplió doce años de edad, subieron según la costumbre[j] de la fiesta 43 y completaron los días. Pero cuando regresaban, el muchachito Jesús permaneció atrás en Jerusalén, y sus padres no se dieron cuenta de ello. 44 Dando por supuesto que estaba en la compañía de los que viajaba junta, viajaron la distancia correspondiente a un día[k] y entonces se pusieron a buscarlo entre los parientes y conocidos. 45 Pero, al no hallarlo, se volvieron a Jerusalén, y lo buscaron diligentemente. 46 Pues bien, después de tres días lo hallaron en el templo,[l] sentado en medio de los maestros, y escuchándoles e interrogándolos. 47 Pero todos los que le escuchaban quedaban asombrados de su entendimiento y de sus respuestas.[m] 48 Pues, cuando ellos lo vieron quedaron atónitos, y su madre le

dijo: "Hijo, ¿por qué nos trataste de este modo? Mira que tu padre y yo te hemos estado buscando con la mente angustiada". 49 Pero él les dijo: "¿Por qué tuvieron que andar buscándome? ¿No sabían que tengo que estar en la [casa] de mi Padre?".[a] 50 Sin embargo, no comprendieron el dicho que les habló.[b]

51 Y él bajó con ellos y vino a Nazaret, y continuó sujeto[c] a ellos. También, su madre guardaba cuidadosamente todos estos dichos en su corazón.[d] 52 Y Jesús siguió progresando en sabiduría[e] y en desarrollo físico y en favor ante Dios y los hombres.[f]

3 En el año decimoquinto del reinado de Tiberio César, cuando Poncio Pilato era gobernador de Judea, y Herodes[g] era gobernante de distrito de Galilea, pero Filipo su hermano era gobernante de distrito del país de Iturea y de Traconítide, y Lisanias era gobernante de distrito de Abilene, 2 en los días del sacerdote principal Anás, y de Caifás,[h] la declaración de Dios vino a Juan[i] el hijo de Zacarías en el desierto.[j]

3 De modo que él entró en toda la comarca del Jordán, predicando bautismo [en símbolo] de arrepentimiento para perdón de pecados,[k] 4 así como está escrito en el libro de las palabras de Isaías el profeta: "¡Escuchen! Alguien clama en el desierto: 'Preparen el camino de Jehová, hagan rectas sus veredas.[l] 5 Todo barranco tiene que ser rellenado, y toda montaña y colina allanada, y las curvas tienen que convertirse en caminos rectos, y los lugares escarpados en caminos llanos;[m] 6 y toda carne verá el medio de salvar de Dios'".[n]

7 Por eso empezó a decir a las muchedumbres que salían para ser bautizadas por él: "Prole de víboras,[o] ¿quién les ha intima-

CAP. 2
a 1Co 11:19
b 1Ti 5:5
c Heb 26:7
d Isa 52:9
  Lam 3:26
  Mr 15:43
  Lu 2:35
e Le 12:6
f Mt 2:23
  Lu 1:26
g Lu 1:80
  Lu 2:52
h Isa 11:2
i Éx 23:14
  Dt 16:16
j Éx 34:23
k 1Re 19:4
l Mt 26:55
m Sl 119:99
  Mt 7:28
  Mr 1:22
  Jn 7:15

2.ª col.
a Sl 26:8
  Sl 27:4
  Pr 20:11
  Jn 2:16
b Lu 9:45
  Lu 18:34
c Éx 20:12
  Dt 5:16
  Ef 6:1
  Col 3:20
d Gé 37:11
  Da 7:28
  Lu 2:19
e Pr 2:2
  Pr 2:5
  Isa 11:2
f Pr 3:4

CAP. 3
g Mt 14:1
  Lu 23:7
h Mt 26:57
  Jn 18:13
  Jn 18:24
  Hch 4:6
i Jn 1:6
j Lu 1:80
k Mt 3:1
  Mr 1:4
  Lu 1:77
  Hch 13:24
l Isa 40:3
  Mt 3:3
  Mt 1:3
m Isa 40:4
n Sl 98:2
  Isa 40:5
  Isa 52:10
  Lu 2:30
  Hch 28:28
o Isa 59:5

do a huir de la ira venidera?ª 8 Por lo tanto, produzcan frutos propios del arrepentimiento.ᵇ Y no comiencen a decir dentro de sí: 'Por padre tenemos a Abrahán'. Porque les digo que Dios tiene poder para levantar de estas piedras hijos a Abrahán. 9 De hecho, el hacha ya está puesta a la raíz de los árboles; por lo tanto, todo árbol que no produce fruto excelente ha de ser cortado y echado al fuego".ᶜ

10 Y las muchedumbres le preguntaban: "Entonces, ¿qué haremos?".ᵈ 11 En respuesta les decía: "El que tiene dos prendas de vestir interiores comparta con el que no tiene, y el que tiene comestibles haga lo mismo".ᵉ 12 Pero hasta recaudadores de impuestos vinieron a bautizarse, y le dijeron: "Maestro, ¿qué haremos?".ᶠ 13 Él les dijo: "No exijan nada en exceso del impuesto fijo".ᵍ 14 También, los que estaban en el servicio militar le preguntaban: "¿Qué haremos nosotros también?". Y les dijo: "No acosen a nadie, ni acusenʰ falsamente a nadie, y estén satisfechos con lo que se les suministra".ⁱ

15 Ahora bien, estando el pueblo en expectación, y todos razonando en sus corazones acerca de Juan: "¿Acaso será él el Cristo?",ʲ 16 Juan contestó, y dijo a todos: "Yo, por mi parte, los bautizo con agua; pero viene el que es más fuerte que yo, la correa de cuyas sandalias no soy digno de desatarle.ᵏ Él los bautizará con espíritu santo y con fuego.ˡ 17 Su aventador está en su mano para limpiar por completo su era y para recogerᵐ el trigo en su granero, pero la pajaⁿ la quemará con fuegoᵒ que no se puede apagar".

18 Por lo tanto, también dio muchas otras exhortaciones y continuó declarando buenas nuevas al pueblo. 19 Pero Herodes, el gobernante de distrito, porque fue censurado por él res-

pecto a Herodías, la esposa de su hermano, y respecto a todos los hechos inicuos que hizo Herodes,ª 20 añadió también esto a todos aquellos [hechos]: encerró a Juan en la prisión.ᵇ

21 Ahora bien, cuando todo el pueblo se bautizó, Jesúsᶜ también fue bautizado y, mientras oraba, el cieloᵈ se abrió 22 y el espíritu santo bajó sobre él en forma corporal como una paloma, y salió una voz del cielo: "Tú eres mi Hijo, el amado; yo te he aprobado".ᵉ

23 Además, Jesús mismo, cuando comenzó [su obra],ᶠ era como de treintaᵍ años, siendo hijo,ʰ según se opinaba,
    de José,ⁱ
24 [hijo] de Helí,
    [hijo] de Matat,
    [hijo] de Leví,
    [hijo] de Melquí,
    [hijo] de Janaí,
    [hijo] de José,
25 [hijo] de Matatías,
    [hijo] de Amós,
    [hijo] de Nahúm,
    [hijo] de Eslí,
    [hijo] de Nagai,
26 [hijo] de Maat,
    [hijo] de Matatías,
    [hijo] de Semeín,
    [hijo] de Josec,
    [hijo] de Jodá,
27 [hijo] de Joanán,
    [hijo] de Resá,
    [hijo] de Zorobabel,ʲ
    [hijo] de Sealtiel,ᵏ
    [hijo] de Nerí,
28 [hijo] de Melquí,
    [hijo] de Adí,
    [hijo] de Cosam,
    [hijo] de Elmadam,
    [hijo] de Er,
29 [hijo] de Jesús,
    [hijo] de Eliezer,
    [hijo] de Jorim,
    [hijo] de Matat,
    [hijo] de Leví,
30 [hijo] de Simeón,
    [hijo] de Judas,
    [hijo] de José,
    [hijo] de Jonam,
    [hijo] de Eliaquim,

CAP. 3

a Mt 3:7
  Mt 23:33

b Mt 3:8
  Hch 26:20

c Mt 3:10
  Mt 7:19
  Jn 15:6

d Hch 2:37
  Hch 16:30

e Hch 10:2
  2Co 8:14
  1Ti 6:18
  Snt 2:15
  1Jn 3:17

f Mt 21:32
  Lu 7:29

g Lu 19:8
  1Co 6:10

h Éx 23:1
  Éx 23:7
  Le 19:11
  Pr 6:19

i 1Ti 6:8

j Jn 1:25

k Mr 1:7
  Hch 13:25

l Mt 3:11
  Mr 1:8
  Hch 2:4

m Miq 4:12

n Sl 1:4

o Mt 13:30

2.ª col.

a Mt 14:3

b Mr 6:17

c Mt 3:13
  Mr 1:9

d Mt 3:16
  Mr 1:10

e Sl 2:7
  Mt 3:17
  Mr 1:11
  Jn 1:32
  2Pe 1:17

f Hch 10:38

g Nú 4:3

h Mt 13:55

i Mt 1:16
  Lu 1:35
  Lu 4:22
  Jn 6:42

j Esd 3:2

k 1Cr 3:17
  Mt 1:12

31 [hijo] de Meleá,
[hijo] de Mená,
[hijo] de Matatá,
[hijo] de Natán,[a]
[hijo] de David,[b]
32 [hijo] de Jesé,[c]
[hijo] de Obed,[d]
[hijo] de Boaz,[e]
[hijo] de Salmón,[f]
[hijo] de Nahsón,[g]
33 [hijo] de Aminadab,[h]
[hijo] de Arní,[i]
[hijo] de Hezrón,[j]
[hijo] de Pérez,[k]
[hijo] de Judá,[l]
34 [hijo] de Jacob,[m]
[hijo] de Isaac,[n]
[hijo] de Abrahán,[o]
[hijo] de Taré,[p]
[hijo] de Nacor,[q]
35 [hijo] de Serug,[r]
[hijo] de Reú,[s]
[hijo] de Péleg,[t]
[hijo] de Éber,[u]
[hijo] de Selah,[v]
36 [hijo] de Caínán,
[hijo] de Arpaksad,[w]
[hijo] de Sem,[x]
[hijo] de Noé,[y]
[hijo] de Lamec,[z]
37 [hijo] de Matusalén,[a]
[hijo] de Enoc,[b]
[hijo] de Jared,[c]
[hijo] de Mahalaleel,[d]
[hijo] de Caínán,[e]
38 [hijo] de Enós,[f]
[hijo] de Set,[g]
[hijo] de Adán,[h]
[hijo] de Dios.

4 Ahora bien, Jesús, lleno de espíritu santo, se apartó del Jordán, y el espíritu lo condujo por aquí y por allá en el desierto[i] 2 por cuarenta días,[j] mientras lo tentaba[k] el Diablo. Además, no comió nada en aquellos días, y por eso, cuando estos hubieron concluido, tuvo hambre. 3 Entonces el Diablo le dijo: "Si eres hijo de Dios, di a esta piedra que se convierta en pan". 4 Pero Jesús le respondió: "Está escrito: 'No de pan solamente debe vivir el hombre'".[l]

5 De modo que lo llevó hacia arriba y le mostró todos los reinos de la tierra habitada en un instante de tiempo; 6 y el Diablo le dijo: "Te daré toda esta autoridad[a] y la gloria de ellos, porque a mí me ha sido entregada, y a quien yo quiera se la doy.[b] 7 Por eso, si tú haces un acto[c] de adoración delante de mí, todo será tuyo". 8 Respondiendo, Jesús le dijo: "Está escrito: 'Es a Jehová tu Dios[d] a quien tienes que adorar, y es solo a él a quien tienes que rendir servicio sagrado'".[e]

9 Entonces lo condujo a Jerusalén y lo apostó sobre el almenaje[f] del templo y le dijo: "Si eres hijo de Dios, échate abajo desde aquí;[g] 10 porque está escrito: 'A sus ángeles dará encargo acerca de ti, que te conserven',[h] 11 y: 'Te llevarán en sus manos, para que nunca des con tu pie contra una piedra'".[i] 12 Respondiendo, Jesús le dijo: "Dicho está: 'No debes poner a prueba a Jehová tu Dios'".[j] 13 De modo que el Diablo, habiendo concluido toda la tentación, se retiró de él hasta otro tiempo conveniente.[k]

14 Entonces Jesús volvió en el poder del espíritu a Galilea.[l] Y su fama se extendió por toda la comarca.[m] 15 También, enseñaba en las sinagogas de ellos, y era honrado por todos.[n]

16 Y vino a Nazaret,[o] donde había sido criado; y, según su costumbre en día de sábado, entró en la sinagoga,[p] y se puso de pie para leer. 17 De modo que se le dio el rollo del profeta Isaías, y abrió el rollo y halló el lugar donde estaba escrito: 18 "El espíritu de Jehová[q] está sobre mí, porque él me ungió para declarar buenas nuevas a los pobres, me envió para predicar una liberación a los cautivos y un recobro de vista a los ciegos, para despachar a los que-

CAP. 3
a 2Sa 5:14
b 1Sa 16:13
1Cr 3:5
Mt 1:6
c 1Sa 17:58
Isa 11:1
Mt 1:6
d Rut 4:17
e Rut 4:13
f Rut 4:21
Mt 1:5
g Nú 1:7
1Cr 2:11
Mt 1:4
h Rut 4:20
i 1Cr 2:10
j Rut 4:19
k Rut 4:18
1Cr 2:5
l Gé 29:35
Rut 4:12
1Cr 2:4
Mt 1:3
m Gé 25:26
1Cr 2:1
n Gé 21:3
o Gé 11:27
1Cr 1:28
Mt 1:2
p Gé 11:26
q Gé 11:24
r Gé 11:22
s Gé 11:20
1Cr 1:25
t Gé 11:18
u Gé 11:16
v Gé 11:14
w Gé 11:12
x Gé 11:10
y Gé 5:29
Gé 5:32
z Gé 5:25
a Gé 5:21
b Gé 5:19
c Gé 5:16
d Gé 5:12
e Gé 5:9
1Cr 1:2
f Gé 4:26
Gé 5:7
Gé 5:10
1Cr 1:1
g Gé 5:4
h Gé 5:1

CAP. 4
i Le 16:21
Mt 4:1
Mr 1:12
j Éx 34:28
1Re 19:8
k Heb 2:18
l Dt 8:3

2.ᵃ col.
a Rev 13:2
b Jn 12:31
Jn 14:30
Ef 2:2
c Da 3:5
d Éx 20:3
e Dt 6:13
Dt 10:20
f Mt 4:5
g Mt 4:6
h Sl 91:11
i Sl 91:12
j Dt 6:16
1Co 10:9
k Heb 4:15

l Mt 4:12; Jn 4:3; m Heb 10:37; n Isa 52:13; o Mt 2:23; p Hch 13:14; Hch 17:2; q Isa 61:1.

brantados con una liberación,[a] 19 para predicar el año acepto de Jehová".[b] 20 Con eso enrolló el rollo, se lo devolvió al servidor, y se sentó; y los ojos de todos [los que estaban] en la sinagoga se fijaron atentamente en él. 21 Entonces comenzó a decirles: "Hoy se cumple esta escritura que acaban de oír".[c]

22 Y todos daban testimonio favorable acerca de él y se maravillaban de las palabras llenas de gracia[d] que procedían de su boca, y decían: "Este es hijo de José, ¿verdad?".[e] 23 Entonces les dijo: "Sin duda me aplicarán esta ilustración: 'Médico,[f] cúrate a ti mismo; las cosas[g] que oímos que sucedieron en Capernaum,[h] hazlas también aquí en tu propio territorio' ".[i] 24 Pero dijo: "En verdad les digo que ningún profeta es acepto en su propio territorio. 25 Por ejemplo, les digo en verdad: Había muchas viudas en Israel en los días de Elías, cuando el cielo fue cerrado por tres años y seis meses, de modo que vino una gran hambre sobre toda la tierra;[j] 26 sin embargo, Elías no fue enviado a ninguna de aquellas [mujeres], sino únicamente a Sarepta[k] en la tierra de Sidón, a una viuda. 27 También, había muchos leprosos en Israel en tiempo de Eliseo el profeta; sin embargo, ninguno de ellos fue limpiado, sino Naamán[l] el hombre de Siria".[l] 28 Entonces todos los que oyeron estas cosas en la sinagoga se llenaron de cólera;[m] 29 y se levantaron y lo sacaron apresuradamente de la ciudad, y lo llevaron hasta la cumbre de la montaña sobre la cual había sido edificada la ciudad de ellos, para despeñarlo.[n] 30 Mas él pasó por en medio de ellos y siguió su camino.[o]

31 Y bajó a Capernaum,[p] ciudad de Galilea. Y les enseñaba en día de sábado; 32 y estaban atónitos de su modo de enseñar,[q] porque su habla tenía au-

toridad.[a] 33 Ahora bien, en la sinagoga había un hombre con un espíritu,[b] un demonio inmundo, y este gritó con voz fuerte: 34 "¡Ah! ¿Qué tenemos que ver contigo,[c] Jesús, nazareno?[d] ¿Viniste a destruirnos? Sé exactamente quién eres: el Santo de Dios".[f] 35 Pero Jesús lo reprendió, y dijo: "Calla, y sal de él". Entonces, después de derribar al hombre en medio de ellos, el demonio salió de él sin hacerle daño.[g] 36 Ante esto, todos quedaron pasmados, y conversaban unos con otros, y decían: "¿Qué clase de habla es esta, porque con autoridad y poder ordena a los espíritus inmundos, y salen?".[h] 37 De modo que las noticias respecto a él salían a todo rincón de la comarca.

38 Después de levantarse y salir de la sinagoga, él entró en casa de Simón. Ahora bien, la suegra de Simón estaba angustiada con una fiebre alta, y le hicieron petición a favor de ella.[j] 39 De modo que se puso cerca de ella y reprendió la fiebre,[k] y esta la dejó. Al instante ella se levantó y se puso a ministrarles.[l]

40 Pero cuando estaba poniéndose el sol, todos los que tenían enfermos de diversas dolencias los trajeron a él. Poniendo las manos sobre cada uno de ellos, él los curaba.[m] 41 Salían también demonios de muchos,[n] clamando y diciendo: "Tú eres el Hijo[o] de Dios". Pero él, reprendiéndolos, no les permitía hablar,[p] porque sabían que él[q] era el Cristo.[r]

42 Sin embargo, cuando se hizo de día, salió y prosiguió a un lugar solitario.[s] Pero las muchedumbres andaban buscándolo y llegaron hasta donde estaba, y trataron de detenerlo para que no se fuera de ellos. 43 Pero él les dijo: "También a otras ciudades tengo que declarar las buenas nuevas del reino de Dios, porque para esto fui enviado".[t] 44 Por consiguiente, iba predi-

CAP. 4

a Isa 42:3
  Mt 12:20
b Isa 58:6
  Isa 61:2
c Mt 5:17
  2Co 6:2
d Sl 45:2
  Isa 50:4
  Ef 4:29
e Mt 13:54
  Mr 6:2
  Jn 6:42
f Mt 8:7
g Mt 9:12
h Mt 4:13
i Mt 13:57
  Mr 6:4
  Jn 4:44
j 1Re 17:9
  1Re 18:1
  Snt 5:17
k 1Re 17:10
  1Re 5:14
m Lu 2:34
n Mt 21:38
o Jn 8:59
  Jn 10:39
p Mr 1:21
q Mt 7:28
  Jn 7:46

2.ª col.

a Tit 2:15
b Mr 1:23
c Mt 8:29
  Lu 8:28
d Mt 2:23
  Lu 18:37
  Jn 19:19
  Hch 2:22
e Snt 2:19
f Mr 1:24
  Lu 1:35
  Lu 4:41
g Mr 1:26
h Mr 1:27
i Mr 1:28
  Lu 5:15
j Mt 8:14
  Mr 1:30
k Sl 103:3
  Hch 28:8
l Mt 8:15
  Mr 1:31
m Mt 8:16
  Mr 1:32
  Hch 28:9
n Mr 1:34
o Mt 8:29
  Mr 3:11
p Mr 1:25
  Mr 3:12
  Hch 16:17
  Hch 16:18
q Hch 19:15
r Lu 2:11
  Lu 4:34
s Mr 1:35
t Lu 8:1
  Jn 9:4
  Hch 10:38
  Ro 15:8

cando en las sinagogas de Judea.[a]

5 En cierta ocasión, cuando la muchedumbre se agolpaba sobre él y escuchaba la palabra de Dios, él estaba de pie junto al lago de Genesaret.[b] 2 Y vio dos barcas atracadas al borde del lago, pero los pescadores habían salido de ellas y estaban lavando sus redes.[c] 3 Subiendo a una de las barcas, que era de Simón, le pidió que se apartara un poco de la tierra. Entonces se sentó, y desde la barca[d] se puso a enseñar a las muchedumbres. 4 Cuando cesó de hablar, dijo a Simón: "Rema hasta donde está profundo, y echen sus redes[e] para la pesca". 5 Pero respondiendo Simón, dijo: "Instructor, toda la noche nos afanamos y no sacamos nada,[f] pero porque tú lo dices bajaré las redes". 6 Pues bien, cuando hicieron esto, encerraron una gran multitud de peces. En realidad, se les rompían las redes. 7 De modo que hicieron señas a sus socios [que estaban] en la otra barca para que vinieran y les prestaran ayuda;[g] y ellos vinieron, y llenaron ambas barcas, de manera que estas se hundían. 8 Viendo esto, Simón Pedro[h] cayó a las rodillas de Jesús, y dijo: "Apártate de mí, porque soy varón pecador, Señor".[i] 9 Pues, ante la redada de peces que habían pescado, quedaron pasmados él y todos los que con él estaban, 10 y así mismo Santiago y Juan, hijos de Zebedeo,[j] que eran partícipes con Simón. Pero Jesús dijo a Simón: "Deja de tener miedo. De ahora en adelante estarás pescando vivos a hombres".[k] 11 De modo que volvieron a traer las barcas a tierra, y abandonaron todo y le siguieron.[l]

12 En otra ocasión, mientras él estaba en una de las ciudades, ¡mira!, ¡un varón lleno de lepra! Cuando alcanzó a ver a Jesús, este cayó sobre su rostro y le rogó, diciendo: "Señor, si tan solo quieres, puedes limpiarme".[a] 13 Entonces, extendiendo la mano, él lo tocó, y dijo: "Quiero. Sé limpio". Y al instante desapareció de aquel la lepra.[b] 14 Y él dio al hombre órdenes de no decirlo a nadie:[c] "Mas vete y muéstrate al sacerdote,[d] y haz una ofrenda[e] relacionada con tu limpieza, así como prescribió Moisés, para testimonio a ellos".[f] 15 Pero su fama se extendía cada vez más, y se juntaban grandes muchedumbres para escucharle y para ser curados de sus enfermedades.[g] 16 Sin embargo, él continuaba en retiro en los desiertos áridos, y orando.[h]

17 En el transcurso de uno de los días, estaba enseñando, y estaban sentados allí fariseos y maestros de la ley que habían venido de toda aldea de Galilea y de Judea y de Jerusalén; y el poder de Jehová estaba allí para que él hiciera curaciones.[i] 18 Y, ¡mira!, unos varones que llevaban en una cama a un hombre paralítico, y buscaban la manera de introducirlo y ponerlo delante de él.[j] 19 Por eso, al no hallar la manera de introducirlo a causa de la muchedumbre, subieron al techo, y por las tejas lo bajaron con la camita en medio de los que estaban enfrente de Jesús.[k] 20 Y cuando él vio la fe de ellos, dijo: "Hombre, tus pecados te son perdonados".[l] 21 Por lo tanto, los escribas y los fariseos comenzaron a razonar, diciendo: "¿Quién es este que habla blasfemias?[m] ¿Quién puede perdonar pecados sino Dios solo?".[n] 22 Pero Jesús, discerniendo lo que razonaban, les dijo en respuesta: "¿Qué razonan en sus corazones?[o] 23 ¿Qué es más fácil?, ¿decir: 'Tus pecados te son perdonados', o decir: 'Levántate y anda'?[p] 24 Pero para que sepan que el Hijo del hombre tiene autoridad en la tierra para perdonar pecados... —dijo

CAP. 4
a Mt 4:23
  Mr 1:39

CAP. 5
b Mt 4:18
  Mr 1:16
c Mt 4:21
d Mr 4:1
e Jn 21:6
f Jn 21:3
g Jn 21:8
h Jn 21:7
i Mt 8:8
j Mt 4:21
  Mr 1:19
k Mt 4:19
  Mr 1:17
l Mt 4:20
  Mr 6:33
  Mt 19:27
  Mr 1:20
  Lu 18:28
  Flp 3:8

2.ª col.
a Mt 8:2
  Mr 1:40
b Mt 8:3
  Mr 1:42
c Mr 7:36
  Lu 8:56
d Le 13:49
  Le 14:2
e Le 14:10
  Le 14:2
f Mt 8:4
  Mr 1:44
g Mt 4:25
  Mr 3:7
  Jn 6:2
h Mr 1:45
i Sl 103:3
  Mr 2:1
j Mt 9:2
  Mr 2:3
k Mr 2:4
l Mr 2:5
m Mt 9:3
  Mr 2:7
n Sl 32:5
  Sl 103:3
  Sl 130:4
  Isa 1:18
  Isa 43:25
  Da 9:9
o Mt 9:4
  Mr 2:8
p Mt 9:5
  Mr 2:9

al paralítico—: Te digo: Levántate y toma tu camita y ponte en camino a tu casa".[a] 25 Y al instante este se levantó delante de ellos, tomó aquello en que antes se había acostado, y se fue a su casa, glorificando a Dios.[b] 26 Entonces un éxtasis[c] se apoderó de todos sin excepción, y se pusieron a glorificar a Dios, y se llenaron de temor, y decían: "¡Cosas extrañas hemos visto hoy!".[d]

27 Ahora bien, después de estas cosas él salió y vio a un recaudador de impuestos de nombre Leví sentado en la oficina de los impuestos, y le dijo: "Sé mi seguidor".[e] 28 Y dejándolo todo[f] atrás, él se levantó y se puso a seguirlo. 29 También, Leví le hizo un gran banquete de recepción en su casa; y había una gran muchedumbre de recaudadores de impuestos y otros que estaban con ellos reclinados a la mesa.[g] 30 Por esto los fariseos y sus escribas se pusieron a murmurar, y decían a los discípulos de él: "¿Por qué comen y beben ustedes con recaudadores de impuestos y pecadores?".[h] 31 Respondiendo, Jesús les dijo: "Los que están sanos no necesitan médico,[i] pero los que se hallan mal sí.[j] 32 No he venido a llamar a justos, sino a pecadores a arrepentimiento".[k]

33 Ellos le dijeron: "Los discípulos de Juan ayunan frecuentemente, y hacen ruegos, y así mismo los de los fariseos; pero los tuyos comen y beben".[l] 34 Jesús les dijo: "Ustedes no pueden hacer ayunar a los amigos del novio mientras el novio está con ellos, ¿verdad?[m] 35 Sin embargo, vendrán días en que el novio[n] sí les será quitado;[o] entonces ayunarán en aquellos días".[p]

36 Además, siguiendo, les dio una ilustración: "Nadie corta un remiendo de una nueva prenda de vestir exterior y lo cose en una vieja prenda de vestir exterior; pero si lo hace, entonces el remiendo nuevo se arranca, y, además, el remiendo de la prenda nueva no hace juego con la vieja.[a] 37 Por otra parte, nadie pone vino nuevo en odres viejos; pero si lo hace, entonces el vino nuevo revienta los odres,[b] y se vierte, y los odres se echan a perder.[c] 38 Pero el vino nuevo tiene que ponerse en odres nuevos. 39 Nadie que haya bebido vino añejo quiere el nuevo; porque dice: 'El añejo[d] es exquisito'".

6 Ahora bien, un sábado sucedió que él iba pasando por los sembrados de grano, y sus discípulos arrancaban[e] y comían las espigas, tras frotarlas con las manos.[f] 2 Por esto, algunos de los fariseos dijeron: "¿Por qué hacen ustedes lo que no es lícito[g] en día de sábado?".[h] 3 Pero Jesús, respondiendo, les dijo: "¿Nunca han leído ustedes lo que hizo David[i] cuando él y los hombres que estaban con él tuvieron hambre?[j] 4 ¿Que entró en la casa de Dios y recibió los panes de la presentación[k] y comió y dio parte a los hombres que estaban con él, lo que no es lícito a nadie comer, sino solo a los sacerdotes?".[l] 5 Y pasó a decirles: "Señor del sábado es lo que el Hijo del hombre es".[m]

6 En el transcurso de otro sábado[n] entró en la sinagoga y se puso a enseñar. Y estaba allí un hombre cuya mano derecha estaba seca.[o] 7 Los escribas y fariseos entonces estuvieron observándolo[p] detenidamente para ver si curaría en día de sábado, a fin de hallar alguna manera de acusarlo.[q] 8 Él, sin embargo, conocía sus razonamientos;[r] no obstante, dijo al hombre de la mano seca: "Levántate y ponte de pie en medio". Y él se levantó y quedó de pie.[s] 9 Entonces Jesús les dijo: "Les pregunto: ¿Es lícito en el sábado hacer bien,[t] o hacer daño?, ¿salvar un alma, o destruirla?".[u] 10 Y después de mirar alrededor a to-

CAP. 5

a Mt 9:6
  Mr 2:11
  Jn 5:8
b Mt 9:7
  Mr 2:12
  Mr 4:21
  Gál 1:24
c Mr 5:42
  Hch 3:10
d Mt 9:8
e Mt 9:9
  Mr 2:14
f Lu 5:11
g Mt 9:10
  Mr 2:15
  Lu 15:1
h Mt 9:11
  Mr 2:16
  Lu 15:2
i Isa 53:4
j Mt 9:12
  Mr 2:17
k Mt 9:13
  1Ti 1:15
l Mt 9:14
  Mr 2:18
  Lu 7:34
m Mt 9:15
  Mr 2:19
  Jn 3:29
n Mt 22:2
  2Co 11:2
  Rev 19:7
o Lu 17:22
p Mr 16:20

2.ª col.

a Mt 9:16
  Mr 2:21
b Job 32:19
c Mt 9:17
  Mr 2:22
d Isa 25:6

CAP. 6

e Dt 23:25
f Mt 12:1
  Mr 2:23
g Éx 20:10
  Dt 5:14
h Mt 12:2
  Mr 2:24
  Jn 5:10
i 1Sa 21:4
j Mt 12:3
  Mr 2:25
k 1Sa 21:6
l Le 24:9
  Mt 12:4
  Mr 2:26
m Mt 12:8
  Mr 2:28
n Lu 13:14
  Jn 9:16
o Mt 12:10
  Mr 3:1
p Lu 14:1
q Mr 3:2
r Lu 5:22
  Jn 2:24
s Mr 3:3
t Mt 12:11
  Jn 7:23
u Mr 3:4

dos ellos, dijo al hombre: "Extiende la mano". Él lo hizo, y la mano le fue restaurada.[a] 11 Pero ellos se llenaron de insensatez, y se pusieron a hablar unos con otros en cuanto a qué podrían hacerle a Jesús.[b]

12 En el transcurso de aquellos días él salió a la montaña a orar,[c] y pasó toda la noche en oración a Dios.[d] 13 Pero cuando se hizo de día llamó a sí a sus discípulos y escogió doce de entre ellos, a los cuales también dio el nombre de "apóstoles":[e] 14 Simón, a quien también dio el nombre de Pedro,[f] y Andrés su hermano, y Santiago y Juan,[g] y Felipe[h] y Bartolomé, 15 y Mateo y Tomás,[i] y Santiago [hijo] de Alfeo, y Simón que es llamado "el celoso",[j] 16 y Judas [hijo] de Santiago, y Judas Iscariote, que se volvió traidor.[k]

17 Y bajó con ellos y se apostó en un lugar llano, y había una gran muchedumbre de sus discípulos, y una gran multitud del pueblo[l] de toda Judea y de Jerusalén y del país marítimo de Tiro y Sidón, que vinieron a oírle y a ser sanados de sus enfermedades.[m] 18 Hasta aquellos a quienes perturbaban espíritus inmundos eran curados. 19 Y toda la muchedumbre procuraba tocarlo,[n] porque de él salía poder[o] y sanaba a todos.

20 Y él alzó los ojos sobre sus discípulos y se puso a decir:[p]

"Felices son ustedes, los pobres,[q] porque de ustedes es el reino de Dios.

21 "Felices son ustedes los que tienen hambre[r] ahora, porque serán saciados.[s]

"Felices son ustedes los que lloran ahora, porque reirán.[t]

22 "Felices son ustedes cuando los hombres los odien,[u] y cuando los excluyan y los vituperen y desechen[ ] su nombre como inicuo por causa del Hijo del hombre. 23 Regocíjense en aquel día y salten, porque, ¡miren!, su galardón es grande en

el cielo, porque esas son las mismas cosas que hacían los antepasados de ellos a los profetas.[a]

24 "Mas ¡ay de ustedes los ricos,[b] porque ya disfrutan de su consolación completa![c]

25 "¡Ay de ustedes los que están saciados ahora, porque padecerán hambre![d]

"¡Ay, ustedes que ríen ahora, porque se lamentarán y llorarán![e]

26 "¡Ay, cuando todos los hombres hablen bien de ustedes, porque cosas como estas son las que los antepasados de ellos hicieron a los falsos profetas![f]

27 "Pero les digo a ustedes los que escuchan: Continúen amando a sus enemigos,[g] haciendo bien[h] a los que los odian, 28 bendiciendo a los que los maldicen, orando por los que los insultan.[i] 29 Al que te hiera en una mejilla,[j] ofrécele también la otra; y al que te quite[k] tu prenda de vestir exterior, no le retengas siquiera la prenda de vestir interior. 30 Da a todo el que te pida,[l] y al que te quite lo tuyo, no [lo] pidas de vuelta.

31 "También, así como quieren que los hombres les hagan a ustedes, háganles de igual manera a ellos.[m]

32 "Y si ustedes aman a los que los aman, ¿de qué mérito les es? Porque hasta los pecadores aman a los que los aman.[n] 33 Y si hacen bien a los que les hacen bien, ¿de qué mérito, realmente, les es a ustedes? Hasta los pecadores hacen lo mismo.[o] 34 También, si prestan [sin interés][p] a aquellos de quienes esperan recibir, ¿de qué mérito les es? Hasta los pecadores prestan [sin interés] a los pecadores para que se les devuelva otro tanto.[q] 35 Al contrario, continúen amando a sus enemigos y haciendo bien y prestando[r] [sin interés], sin esperar que se les devuelva nada; y su galardón será grande, y serán hijos del Altísimo,[s] porque él es bondadoso[t]

CAP. 6

a Mt 12:13
  Mr 3:5
b Sl 2:2
  Mt 12:14
  Mr 3:6
c Mt 6:6
  Mr 3:13
d Isa 26:9
  Mt 14:23
e Mt 3:14
  Jn 6:70
f Mt 10:2
g Mr 3:17
  Hch 1:13
h Jn 14:8
i Jn 11:16
j Mr 3:18
k Mr 3:19
l Mt 4:25
m Mr 3:7
n Mt 14:36
o Mr 5:30
p Mt 5:2
q Isa 57:15
  Mt 5:3
  Snt 2:5
r Isa 55:1
  Mt 5:6
s Sl 107:9
  Jer 31:25
t Isa 61:3
  Mt 5:11
  Rev 21:4
u Mt 5:10
  Jn 17:14
  1Pe 3:14
v Jn 16:2

2.ª col.

a 2Cr 36:16
  Mt 5:12
  Lu 11:47
  Hch 7:52
b Lu 16:25
c Mt 6:2
  Lu 16:25
d Isa 65:13
e Pr 14:13
f Jn 15:19
  Snt 4:4
  1Jn 4:5
g Mt 5:44
h Éx 23:4
  Pr 25:21
  Ro 12:20
i Hch 7:60
  Ro 12:14
j Mt 5:39
k Mt 5:40
  1Co 6:7
l Dt 15:7
  Pr 3:27
  Pr 21:26
  Mt 5:42
m Mt 7:12
n Mt 5:46
  1Ti 5:8
o Mt 5:47
p Le 25:36
  Dt 15:8
q Mt 5:42
  Éx 22:25
  Le 25:37
  Dt 23:20
  Sl 37:26
s Dt 14:29
  Mt 5:45
  1Jn 3:1
t Hch 14:17

para con los ingratos e inicuos. 36 Continúen haciéndose misericordiosos, así como su Padre es misericordioso.[a]

37 "Además, dejen de juzgar, y de ninguna manera serán juzgados;[b] y dejen de condenar, y de ninguna manera serán condenados. Sigan poniendo en libertad, y se les pondrá en libertad.[c] 38 Practiquen el dar, y se les dará.[d] Derramarán en sus regazos una medida excelente, apretada, remecida y rebosante. Porque con la medida con que ustedes miden, se les medirá en cambio".[e]

39 Entonces les habló también una ilustración: "Un ciego no puede guiar a un ciego, ¿verdad? Ambos caerán en un hoyo, ¿no es cierto?[f] 40 El alumno no es superior a su maestro, pero todo el que esté perfectamente instruido será como su maestro.[g] 41 ¿Por qué, entonces, miras la paja que está en el ojo de tu hermano, pero no observas la viga que está en tu propio ojo?[h] 42 ¿Cómo puedes decir a tu hermano: 'Hermano, permíteme extraer la paja que está en tu ojo', mientras tú mismo no miras la viga en ese ojo tuyo? ¡Hipócrita! Primero extrae la viga de tu propio ojo,[i] y entonces verás claramente cómo extraer la paja que está en el ojo de tu hermano.[k]

43 "Porque no hay árbol excelente que produzca fruto podrido; de nuevo, no hay árbol podrido que produzca fruto excelente.[l] 44 Porque cada árbol es conocido por su propio fruto.[m] Por ejemplo, no se recogen higos de espinos, ni de la zarza se cortan uvas.[n] 45 El hombre bueno, del buen tesoro de su corazón produce lo bueno;[o] pero el hombre inicuo produce lo que es inicuo de su [tesoro] inicuo; porque de la abundancia del corazón habla su boca.[p]

46 "Entonces, ¿por qué me llaman '¡Señor! ¡Señor!', pero no hacen las cosas que digo?[q]

47 Todo el que viene a mí y oye mis palabras y las hace, les mostraré a quién es semejante:[a] 48 Es semejante a un hombre que, al edificar una casa, cavó y ahondó y puso el fundamento sobre la masa rocosa. Por consiguiente, cuando sobrevino una inundación,[b] el río rompió contra aquella casa, pero no tuvo la fuerza para sacudirla, porque estaba bien edificada.[c] 49 Por otra parte, el que oye, y no hace,[d] es semejante a un hombre que edificó una casa sobre tierra sin fundamento. El río rompió contra esta, y esta inmediatamente se desplomó, y la ruina de aquella casa vino a ser grande".[f]

7 Cuando él hubo acabado todos sus dichos a oídos del pueblo, entró en Capernaum.[g] 2 Ahora bien, el esclavo de cierto oficial del ejército, a quien este apreciaba mucho, se hallaba mal y estaba a punto de morir.[h] 3 Habiendo oído acerca de Jesús, envió a él algunos ancianos de los judíos a pedirle que viniera a sacar de peligro a su esclavo. 4 Entonces los que vinieron a Jesús se pusieron a suplicarle solícitamente, diciendo: "Es digno de que le otorgues esto, 5 porque ama a nuestra nación,[i] y él mismo nos edificó la sinagoga". 6 De modo que Jesús partió con ellos. Pero no estando él lejos de la casa, el oficial del ejército ya había enviado unos amigos a decirle: "Señor, no te molestes, porque no soy digno de que entres debajo de mi techo.[j] 7 Por esto no me consideré digno de ir a ti. Mas di tú la palabra, y sea sanado mi sirviente. 8 Porque yo también soy hombre puesto bajo autoridad, que tengo soldados bajo mí, y digo a este: '¡Vete!', y se va, y a otro: '¡Ven!', y viene, y a mi esclavo: '¡Haz esto!', y lo hace".[k] 9 Pues bien, al oír estas cosas Jesús se maravilló de él, y se volvió a la muchedumbre que le seguía y dijo: "Les digo: Ni siquie-

CAP. 6
a Mt 5:48
Ef 5:2
Snt 2:13

b Mt 7:1
Ro 2:1
Ro 14:10

c Isa 58:6
Mt 6:14
Mr 11:25

d Pr 19:17

e Mt 7:2
Mr 4:24

f Mt 15:14
Mt 23:16

g Mt 10:24
Jn 13:16
Jn 15:20

h Mt 7:3

i Mt 7:4

j Pr 18:17
Ro 2:21

k Mt 7:5

l Mt 7:16

m Mt 12:33

n Gé 1:11

o Mt 12:35

p Mt 12:34

q Mt 7:21
Mt 25:11
Lu 13:24
Ro 2:13
Snt 1:22

2.ª col.
a Mt 7:24

b Hch 14:22
2Ti 3:12

c Sl 125:1
Mt 7:25
2Ti 2:19
1Pe 1:5

d Snt 1:24

e Job 8:13
Heb 10:29
2Pe 2:20

f Mt 7:27

CAP. 7
a Mt 8:5

h Mt 8:6
Jn 4:47

i Hch 10:2

j Mt 8:8

k Mt 8:9

ra en Israel he hallado fe tan grande".[a] 10 Y los que habían sido enviados, al volver a la casa, hallaron al esclavo en buena salud.[b]

11 Poco después de esto viajó a una ciudad llamada Naín, y sus discípulos y una gran muchedumbre viajaban con él. 12 Al acercarse él a la puerta de la ciudad, pues ¡mira!, sacaban a un muerto,[c] el hijo unigénito[d] de su madre. Además, ella era viuda. También estaba con ella una muchedumbre bastante numerosa de la ciudad. 13 Y cuando el Señor alcanzó a verla, se enterneció[e] por ella, y le dijo: "Deja de llorar".[f] 14 En seguida se acercó y tocó el féretro, y los que lo llevaban se detuvieron, y él dijo: "Joven, yo te digo: ¡Levántate!".[g] 15 Y el muerto se incorporó y comenzó a hablar, y él lo dio a su madre.[h] 16 Entonces el temor[i] se apoderó de todos, y se pusieron a glorificar a Dios, diciendo: "Un gran profeta[j] ha sido levantado entre nosotros", y: "Dios ha dirigido su atención a su pueblo".[k] 17 Y estas noticias respecto a él se extendieron por toda Judea y por toda la comarca.

18 Ahora bien, los discípulos de Juan le informaron acerca de todas estas cosas.[l] 19 Entonces Juan mandó llamar a ciertos dos de sus discípulos y los envió al Señor a decir: "¿Eres tú Aquel Que Viene, o hemos de esperar a uno diferente?".[m] 20 Cuando llegaron a él, los varones dijeron: "Juan el Bautista nos despachó a ti a decir: '¿Eres tú Aquel Que Viene, o hemos de esperar a otro?'". 21 En aquella hora él curó a muchos de enfermedades[n] y de penosas dolencias y de espíritus inicuos, y concedió a muchos ciegos el favor de ver. 22 Por lo tanto, en respuesta dijo a los [dos]: "Vayan,[o] informen a Juan lo que vieron y oyeron: los ciegos[p] reciben la vista, los cojos andan, los leprosos quedan limpios y los sor-

dos oyen, los muertos son levantados, a los pobres se anuncian[a] las buenas nuevas.[b] 23 Y feliz es el que no haya tropezado a causa de mí".[c]

24 Cuando los mensajeros de Juan se hubieron ido, él comenzó a decir a las muchedumbres respecto a Juan: "¿Qué salieron a contemplar en el desierto? ¿Una caña agitada por el viento?[d] 25 Entonces, ¿qué salieron a ver? ¿A un hombre vestido de suaves prendas exteriores?[e] ¡Si los que visten con esplendor y existen en lujo están en casas reales![f] 26 Verdaderamente, pues, ¿qué salieron a ver? ¿A un profeta?[g] Sí, les digo, y mucho más que profeta.[h] 27 Este es aquel acerca de quien está escrito: '¡Mira! Envío a mi mensajero delante de tu rostro,[i] que preparará tu camino delante de ti'.[j] 28 Les digo a ustedes: Entre los nacidos de mujer ninguno hay mayor[k] que Juan; pero el que sea de los menores en el reino de Dios es mayor que él'.[l] 29 (Y todo el pueblo y los recaudadores de impuestos, al oír [esto], declararon justo a Dios,[m] pues habían sido bautizados con el bautismo de Juan.[n] 30 Pero los fariseos y los versados en la Ley habían desatendido el consejo[o] de Dios a ellos, pues no habían sido bautizados por él.)

31 "¿A quién, por lo tanto, compararé a los hombres de esta generación, y a quién son semejantes?[p] 32 Son semejantes a los niñitos sentados en una plaza de mercado y que se dan voces unos a otros, y dicen: 'Les tocamos la flauta, pero no danzaron; plañimos, pero no lloraron'.[q] 33 Correspondientemente, Juan el Bautista ha venido sin comer pan ni beber vino, pero ustedes dicen: 'Tiene demonio'.[r] 34 El Hijo del hombre ha venido comiendo y bebiendo, pero ustedes dicen: '¡Miren! ¡Un hombre glotón y dado a beber vino, amigo de recaudadores de impues-

CAP. 7
a Mt 8:10
Ro 3:2
Ro 9:4
b Mt 8:13
c 1Re 17:17
Lu 8:42
d Lu 9:38
e Heb 4:15
f Lu 8:52
Jn 11:33
g 1Re 17:21
Lu 8:54
Jn 11:43
Hch 9:40
h 1Re 17:23
2Re 4:36
i Lu 1:65
j Dt 18:15
Lu 24:19
Jn 4:19
Jn 6:14
Jn 7:40
Hch 7:37
k Éx 4:31
Sl 106:4
Lu 1:68
l Mt 11:2
Jn 3:26
m Sl 40:7
Sl 118:26
Eze 21:27
Zac 9:9
Mal 3:1
Mt 3:11
n Isa 53:4
o Mt 11:4
p Isa 29:18
Isa 35:5
Isa 42:7

2.ª col.
a Isa 61:1
Sof 3:12
Lu 4:18
Snt 2:5
b Mt 11:5
c Isa 8:14
Mt 11:6
Lu 2:34
Jn 6:66
d Mt 11:7
e Mr 1:6
f Est 1:11
Mt 11:8
Lu 1:76
h Mt 11:9
i Mal 3:1
j Isa 40:3
Mt 11:10
Lu 1:16
Jn 1:23
k Lu 1:15
l Mt 11:11
m Mt 3:15
Mt 21:32
n Mt 3:6
Lu 3:12
o Dt 32:28
Hch 13:46
Hch 20:27
Ro 10:3
p Mt 11:16
q Mt 11:17
r Nú 6:3
Jue 13:4
Mt 3:4
Mr 1:6
Lu 1:15

tos y pecadores!".[a] **35** De todos modos, la sabiduría[b] queda probada justa por todos sus hijos".[c]

36 Ahora bien, uno de los fariseos seguía invitándolo a comer con él. Por consiguiente, él entró en la casa[d] del fariseo y se reclinó a la mesa. **37** Y ¡mira!, una mujer que era conocida en la ciudad como pecadora se enteró de que él estaba reclinado a la mesa en casa del fariseo, y trajo una cajita de alabastro[e] llena de aceite perfumado **38** y, tomando una posición detrás, junto a sus pies, lloró y comenzó a mojarle los pies con sus lágrimas, y se los enjugaba con los cabellos de su cabeza. También, le besaba los pies tiernamente y se los untaba con el aceite perfumado. **39** Al ver esto, el fariseo que lo había invitado dijo dentro de sí: "Este hombre, si fuera profeta,[f] conocería quién y qué clase de mujer es la que le toca, que es pecadora".[g] **40** Pero, respondiendo, Jesús le dijo: "Simón, tengo algo que decirte". Él dijo: "Maestro, ¡dilo!".

41 "Dos hombres eran deudores a cierto prestamista; el uno le debía quinientos denarios,[h] pero el otro cincuenta. **42** Cuando no tuvieron con qué pagar, él sin reserva perdonó[i] a ambos. Por lo tanto, ¿cuál de ellos le amará más?" **43** Contestando, Simón dijo: "Supongo que será aquel a quien sin reserva le perdonó más". Él le dijo: "Juzgaste correctamente". **44** Con eso, se volvió a la mujer y dijo a Simón: "¿Contemplas a esta mujer? Entré en tu casa; no me diste agua[j] para los pies. Pero esta mujer me ha mojado los pies con sus lágrimas y los ha enjugado con sus cabellos. **45** No me diste beso;[k] pero esta mujer, desde la hora que entré, no ha dejado de besarme los pies tiernamente. **46** No me untaste la cabeza con aceite;[l] pero esta mujer me ha untado los pies con aceite perfumado. **47** En vir-

tud de esto, te digo, los pecados de ella, por muchos que sean, son perdonados,[a] porque amó mucho; mas al que se le perdona poco, poco ama". **48** Entonces le dijo a ella: "Tus pecados son perdonados".[b] **49** Ante esto, los que estaban reclinados a la mesa con él comenzaron a decir dentro de sí: "¿Quién es este hombre que hasta perdona pecados?".[c] **50** Pero él dijo a la mujer: "Tu fe te ha salvado;[d] vete en paz".[e]

8 Poco después iba viajando de ciudad en ciudad y de aldea en aldea, predicando y declarando las buenas nuevas del reino de Dios.[f] Y con él iban los doce, **2** y ciertas mujeres[g] que habían sido curadas de espíritus inicuos y de enfermedades, María la llamada Magdalena, de quien habían salido siete demonios,[h] **3** y Juana[i] la esposa de Cuza, el intendente de Herodes, y Susana y muchas otras mujeres, que les ministraban de sus bienes.

4 Ahora bien, cuando se hubo reunido una gran muchedumbre junto con los que acudían a él de ciudad tras ciudad, habló por medio de una ilustración:[j] **5** "Un sembrador salió a sembrar su semilla. Pues bien, al ir sembrando, parte de ella cayó a lo largo del camino y fue hollada, y las aves del cielo se la comieron.[k] **6** Otra parte cayó sobre la masa rocosa, y, después de brotar, se secó por no tener humedad.[l] **7** Otra parte cayó entre los espinos, y los espinos que crecieron con ella la ahogaron.[m] **8** Otra parte cayó sobre la tierra buena, y, después de brotar, produjo fruto de a ciento por uno".[n] Al decir estas cosas, procedió a clamar: "El que tiene oídos para escuchar, escuche".[o]

9 Pero sus discípulos se pusieron a preguntarle qué pudiera significar esta ilustración.[p] **10** Él dijo: "A ustedes se les concede entender los secretos sagra-

CAP. 7
a Mt 11:19
  Lu 5:30
b 1Co 1:24
c Jn 10:38
d Mt 26:6
  Lu 11:37
e Mt 26:7
  Mr 14:3
  Jn 12:3
f Jn 4:19
g Lu 15:2
h Mt 18:28
i Sl 32:1
  Sl 103:3
  Isa 1:18
  Mt 18:27
  Lu 7:47
j Gé 18:4
  1Ti 5:10
k 1Co 16:20
  1Pe 5:14
l Sl 23:5
  Sl 45:7

2.ª col.
a Sl 51:1
  Isa 43:25
  Isa 44:22
  Lu 7:42
  1Ti 1:14
b Mt 9:2
  Mr 2:5
c Isa 53:3
  Mt 9:3
  Mr 2:7
  Lu 5:21
d Mt 9:22
  Lu 8:48
  Ef 2:8
e 1Sa 1:17
  Jn 14:27

CAP. 8
f Mt 9:35
  Lu 4:43
g Mt 27:55
  Mr 15:40
h Mr 16:9
  Lu 11:26
i Lu 24:10
j Mt 13:3
  Mr 4:1
k Mt 13:4
  Mr 4:4
  Lu 8:12
l Mt 13:5
  Mr 4:5
  Lu 8:13
m Mt 13:7
  Mr 4:7
  Lu 8:14
n Mt 13:8
  Mr 4:8
  Lu 8:15
o Mt 11:15
  Mt 13:9
  Mr 4:9
p Mt 13:10
  Mr 4:10

dos del reino de Dios, pero para los demás está en ilustraciones,[a] para que, aunque estén mirando, miren en vano, y aunque estén oyendo, no capten el significado.[b] 11 Bueno, la ilustración[c] significa esto: La semilla es la palabra de Dios.[d] 12 Los de a lo largo del camino son los que han oído,[e] entonces viene el Diablo[f] y quita la palabra de su corazón para que no crean y sean salvos.[g] 13 Los de sobre la masa rocosa son los que, cuando la oyen, reciben la palabra con gozo, pero estos no tienen raíz; creen por un tiempo, pero en tiempo de prueba se apartan.[h] 14 En cuanto a lo que cayó sobre los espinos, estos son los que han oído, pero, por ser arrebatados por las inquietudes y las riquezas y los placeres[i] de esta vida, son completamente ahogados y no llevan nada a perfección.[j] 15 En cuanto a lo que está en la tierra excelente, estos son los que, después de oír la palabra con un corazón excelente y bueno,[k] la retienen y llevan fruto con aguante.[l]

16 "Nadie, después de encender una lámpara, la cubre con una vasija o la pone debajo de la cama, sino que la pone en el candelero, para que los que entren vean la luz.[m] 17 Porque nada hay escondido[n] que no llegue a manifestarse, ni nada cuidadosamente ocultado que nunca llegue a saberse y nunca salga al descubierto.[o] 18 Por lo tanto, presten atención a cómo escuchan; porque al que tiene, se le dará más,[p] pero al que no tiene, aun lo que se imagina tener le será quitado".[q]

19 Entonces vinieron hacia él su madre y sus hermanos,[r] pero no podían llegar a él a causa de la muchedumbre.[s] 20 Sin embargo, se le informó: "Tu madre y tus hermanos están de pie fuera, y quieren verte".[t] 21 En respuesta, les dijo: "Mi madre y mis hermanos son estos que oyen la palabra de Dios y la hacen".[u]

22 En el transcurso de uno de los días, él y sus discípulos entraron en una barca, y él les dijo: "Pasemos al otro lado del lago". De modo que se hicieron a la vela.[a] 23 Pero, mientras navegaban, él se durmió. Ahora bien, una violenta tempestad de viento descendió sobre el lago, e iban llenándose de [agua] y estaban en peligro.[b] 24 Por fin fueron a él y lo despertaron, diciendo: "¡Instructor, Instructor, estamos a punto de perecer!".[c] Despertándose, él reprendió[d] al viento y al furor del agua, y estos se apaciguaron, y sobrevino una calma. 25 Entonces les dijo: "¿Dónde está su fe?". Pero ellos, sobrecogidos de temor, se maravillaban, y se decían unos a otros: "¿Quién, realmente, es este, porque ordena hasta a los vientos y al agua, y le obedecen?".[e]

26 Y arribaron al país de los gerasenos, que está en el lado opuesto a Galilea.[f] 27 Pero al salir él a tierra se encontró con él cierto varón de la ciudad, [uno] que tenía demonios. Y hacía mucho tiempo que no se ponía ropa, y no se quedaba en casa, sino entre las tumbas.[g] 28 Al ver a Jesús, dio un grito y cayó delante de él, y en voz fuerte dijo: "¿Qué tengo que ver contigo,[h] Jesús, Hijo del Dios Altísimo? Te ruego que no me atormentes".[i] 29 (Porque él había estado ordenando al espíritu inmundo que saliera del hombre. Pues hacía mucho tiempo que lo tenía firmemente asido,[j] y repetidas veces lo sujetaban con cadenas y grilletes, custodiado, pero él reventaba las ataduras y era impelido por el demonio a los lugares solitarios.) 30 Jesús le preguntó: "¿Cuál es tu nombre?". Él dijo: "Legión", porque muchos demonios habían entrado en él.[k] 31 Y le suplicaban[l] que no les ordenara irse al abismo.[m] 32 Pues bien, había una piara de cerdos[n] bastante numerosa pa-

CAP. 8

a Sl 78:2
Mt 13:35
Mr 4:34
b Isa 6:9
Mt 13:11
Mr 4:11
c Mt 13:18
Mr 4:14
d Hch 20:32
1Pe 1:23
e Snt 1:23
f 2Co 2:11
g Mt 13:19
Mr 4:15
1Co 1:21
2Co 4:3
h Mt 13:20
Mr 4:16
i Mt 19:23
1Ti 6:9
2Ti 3:4
2Ti 4:10
j Mt 13:22
Mr 4:18
k Mt 16:14
l Mt 13:23
Mr 4:20
Heb 10:36
Rev 3:10
m Mt 5:15
Mr 4:21
Lu 11:33
Flp 2:15
n Ec 12:14
Mt 10:26
Mr 4:22
Lu 12:2
1Co 4:5
p Mt 25:23
q Mt 13:12
Mr 25:29
Mr 4:25
r Mt 13:55
Jn 7:5
Hch 1:14
s Mt 12:46
Mr 3:31
t Mt 12:47
Mr 3:32
u Mt 12:50
Mr 3:35
Jn 15:14

2.ᵃ col.

a Mt 8:23
Mr 4:36
b Mt 8:24
Mr 4:37
c Mt 8:25
Mr 4:38
d Sl 65:7
Mt 8:26
Mr 4:39
e Mt 8:27
Mr 4:41
f Mt 8:28
Mr 5:1
g Mr 5:2
h Mr 1:24
i Mt 8:29
Mr 5:7
Lu 4:34
j Mr 9:21
Lu 13:16
Jn 5:6
k Mr 5:9
l Mr 5:10
m Rev 20:3
n Le 11:7
Dt 14:8

ciendo allí en la montaña; de modo que le suplicaron que les permitiera entrar en ellos.[a] Y les dio permiso. 33 Entonces los demonios salieron del hombre y entraron en los cerdos, y la piara se precipitó por el despeñadero en el lago, y se ahogó.[b] 34 Pero al ver los porquerizos lo que había sucedido, huyeron y lo informaron a la ciudad y a la región rural.[c]

35 Entonces salió la gente a ver lo que había sucedido, y vinieron a Jesús, y hallaron al hombre de quien habían salido los demonios, vestido y en su cabal juicio, sentado a los pies de Jesús; y se llenaron de temor.[d] 36 Los que lo habían visto les informaron cómo se le había devuelto la salud al endemoniado.[e] 37 Entonces toda la multitud de la comarca de los gerasenos le pidió que se fuera de ellos, porque estaban poseídos de gran temor.[f] Entonces él subió a la barca y se apartó. 38 Sin embargo, el varón de quien habían salido los demonios le rogaba [que lo dejara] continuar con él; pero él despidió al hombre, diciendo:[g] 39 "Vuélvete a tu casa, y sigue contando qué cosas ha hecho Dios por ti".[h] Por consiguiente, este se fue, proclamando por todas partes de la ciudad qué cosas había hecho Jesús por él.[i]

40 Al volver Jesús, la muchedumbre lo recibió amablemente, porque todos estaban esperándolo.[j] 41 Pero, ¡mira!, vino un varón, por nombre Jairo, y este varón era un presidente de la sinagoga. Y cayó a los pies de Jesús y se puso a suplicarle que entrara en su casa,[k] 42 porque tenía una hija unigénita, como de doce años, y esta se estaba muriendo.[l]

Mientras [Jesús] iba, las muchedumbres lo apretaban.[m] 43 Y una mujer, que padecía flujo de sangre[n] hacía doce años, y que no había podido conseguir que nadie la curara,[o] 44 se

acercó por detrás y le tocó el fleco[a] de la prenda de vestir exterior,[b] y al instante el flujo de su sangre cesó.[c] 45 De modo que Jesús dijo: "¿Quién es el que me ha tocado?".[d] Cuando todos lo negaban, Pedro dijo: "Instructor, las muchedumbres te cercan y te oprimen estrechamente".[e] 46 Sin embargo, Jesús dijo: "Alguien me ha tocado, porque percibí que ha salido poder[f] de mí".[g] 47 Viendo que no había pasado inadvertida, la mujer vino temblando y cayó delante de él y reveló ante todo el pueblo por qué razón lo había tocado, y cómo había sido sanada al instante.[h] 48 Pero él le dijo: "Hija, tu fe te ha devuelto la salud;[i] vete en paz".[j]

49 Mientras él todavía estaba hablando, vino cierto representante del presidente de la sinagoga, y dijo: "Ha muerto tu hija; no molestes ya al maestro".[k] 50 Al oír esto, Jesús le contestó: "No temas, solo muestra fe,[l] y ella será salva". 51 Cuando llegó a la casa, no dejó que nadie entrara con él sino Pedro y Juan y Santiago y el padre y la madre de la muchacha.[m] 52 Pero toda la gente estaba llorando y golpeándose en desconsuelo por ella. De modo que él dijo: "Dejen de llorar,[n] porque no murió, sino que duerme".[o] 53 Ante esto, empezaron a reírse de él desdeñosamente, porque sabían que ella había muerto.[p] 54 Mas él la tomó de la mano y llamó, diciendo: "Muchacha, ¡levántate!".[q] 55 Y el espíritu[r] de ella volvió, y ella se levantó[s] al instante, y él ordenó que se le diera algo de comer.[t] 56 Pues bien, sus padres quedaron fuera de sí; pero él les dio instrucciones de que no dijeran a nadie lo que había acontecido.[u]

9 Entonces convocó a los doce y les dio poder y autoridad sobre todos los demonios, y para curar enfermedades.[v] 2 Y los

CAP. 8
a Mt 8:31
  Mr 5:12
b Mt 8:32
  Mr 5:13
c Mt 8:33
  Mr 5:14
d Mt 8:34
  Mr 5:15
e Mr 5:16
f Mr 5:17
g Mr 5:18
  Lu 18:43
h Mr 5:19
i Mr 5:20
j Mr 5:21
k Mt 9:18
  Mr 5:22
l Mt 9:18
  Mr 5:23
m Mr 5:24
n Le 15:25
o Mt 9:20
  Mr 5:25

2.ª col.
a Nú 15:38
b Mt 9:21
  Mr 5:27
c Le 6:27
d Mr 5:30
e Mr 5:31
f Lu 5:17
g Mr 5:32
h Mr 5:30
i Lu 7:50
j 1Sa 1:17
  Mt 9:22
  Mr 5:34
k Mr 5:35
l Mr 5:36
  Jn 11:25
  Ro 4:17
m Mr 5:37
n Lu 7:13
o Mr 5:39
  Jn 11:11
  Hch 7:60
  Hch 13:36
  1Co 7:39
p Mt 9:24
  Mr 5:40
q Mr 5:41
  Lu 7:14
  Jn 11:43
r Gé 2:7
  Gé 6:17
  Job 33:4
  Ec 3:19
  Isa 42:5
  Rev 11:11
s Mr 5:42
t Mr 5:43
u Mr 7:36
  Lu 5:14

CAP. 9
v Mt 10:1
  Mr 3:14
  Mr 6:7

envió a predicar el reino de Dios y a hacer curaciones, 3 y les dijo: "No lleven nada para el viaje, ni bastón, ni alforja, ni pan, ni dinero en plata; tampoco tengan dos prendas de vestir interiores.[a] 4 Pero dondequiera que entren en una casa, quédense allí y partan de allí.[b] 5 Y dondequiera que no los reciban, al salir de aquella ciudad,[c] sacúdanse el polvo de los pies para testimonio contra ellos".[d] 6 Partiendo entonces, ellos recorrieron el territorio de aldea en aldea, declarando las buenas nuevas y ejecutando curaciones por todas partes.[e]

7 Ahora bien, Herodes el gobernante de distrito oyó todas las cosas que acontecían, y estaba muy perplejo porque algunos decían que Juan había sido levantado de entre los muertos,[f] 8 pero otros que Elías había aparecido, pero otros que uno de los antiguos profetas se había levantado. 9 Herodes dijo: "A Juan yo lo decapité.[g] ¿Quién, pues, es este de quien oigo tales cosas?". De modo que procuraba[h] verlo.

10 Y cuando los apóstoles volvieron, le refirieron qué cosas habían hecho.[i] Entonces los tomó consigo y se retiró a un sitio privado[j] en una ciudad llamada Betsaida. 11 Pero las muchedumbres, al saberlo, lo siguieron. Y él los recibió amablemente y se puso a hablarles del reino de Dios,[k] y sanó a los que tenían necesidad de curación. 12 Luego el día comenzó a declinar. Entonces se acercaron los doce y le dijeron: "Despide a la muchedumbre, para que vayan a las aldeas y a la región rural de alrededor y consigan alojamiento y hallen provisiones, porque aquí estamos en un lugar solitario".[m] 13 Pero él les dijo: "Denles ustedes algo de comer".[n] Ellos dijeron: "No tenemos nada más que cinco panes y dos pescados,[o] a no ser que vayamos nosotros mismos a comprar víveres para toda esta gente".[a] 14 Eran, de hecho, como cinco mil varones.[b] Pero él dijo a sus discípulos: "Háganlos reclinarse como en las comidas, en grupos como de cincuenta cada uno".[c] 15 Y lo hicieron así, e hicieron que todos se reclinaran. 16 Entonces, tomando los cinco panes y los dos pescados, él miró al cielo, los bendijo y los partió, e iba dándolos a los discípulos para que ellos los pusieran delante de la muchedumbre.[d] 17 De modo que todos comieron y quedaron satisfechos, y se recogió el sobrante que tuvieron, doce cestas de trozos.[e]

18 Más tarde, mientras oraba solo, los discípulos vinieron a él juntos, y él los interrogó, diciendo: "¿Quién dicen las muchedumbres que soy?".[f] 19 Respondiendo, ellos dijeron: "Juan el Bautista; pero otros, Elías, y otros, que uno de los antiguos profetas se ha levantado".[g] 20 Entonces les dijo: "Pero ustedes, ¿quién dicen que soy?". Pedro dijo en respuesta:[h] "El Cristo[i] de Dios". 21 Entonces, en un discurso riguroso, les instruyó que no anduvieran diciendo esto a nadie,[j] 22 pero dijo: "El Hijo del hombre tiene que pasar por muchos sufrimientos y ser rechazado por los ancianos y los sacerdotes principales y los escribas, y ser muerto,[k] y al tercer día ser levantado".[l]

23 Siguiendo entonces, dijo a todos: "Si alguien quiere venir en pos de mí, repúdiese a sí mismo[m] y tome su madero de tormento día tras día y sígame de continuo.[n] 24 Porque el que quiera salvar su alma la perderá; pero el que la pierda su alma por causa de mí es el que la salvará.[o] 25 Realmente, ¿de qué provecho le es al hombre el que gane el mundo entero pero se pierda a sí

CAP. 9

a Mt 10:10
Mr 6:8
Lu 10:4
b Mt 10:11
Mr 6:10
Lu 10:5
Lu 10:7
c Lu 10:10
d Ne 5:13
Mt 10:14
Mr 6:11
Hch 13:51
e Mt 11:1
Mr 6:12
f Mt 14:2
Mr 6:14
Mr 8:28
Lu 9:19
g Mt 14:3
Mr 6:16
h Lu 23:8
i Mr 6:30
j Mt 14:13
k Hch 28:31
l Mt 14:14
Mr 6:34
Jn 6:2
m Sl 78:19
Mt 14:15
Mr 6:35
n 2Re 4:42
o Nú 11:22
Sl 78:19

2.ª col.

a Mt 14:17
Mr 6:38
Jn 6:9
b Mt 14:21
Mr 6:44
Jn 6:10
c Mt 14:19
Mr 6:39
1Co 14:40
d Mr 6:41
Jn 6:11
Jn 6:44
Sl 145:15
Mt 14:20
Mr 6:43
Jn 6:13
f Mt 16:13
Mr 8:27
g Mt 16:14
Mr 8:28
Lu 9:7
h Mt 16:15
Mr 8:29
i Mt 16:16
Lu 4:41
Jn 1:41
Jn 6:69
j Mt 16:20
Mr 8:30
k Is 22:15
Isa 53:5
Isa 53:8
Da 11:22
l Mt 16:21
Mr 8:31
Lu 17:25
m Flp 3:8
n Mt 10:38
Mt 16:24
Mr 8:34
Lu 14:27
o Mt 16:25
Mr 8:35
Jn 12:25
Hch 20:24
Rev 2:10

mismo o sufra daño?[a] 26 Porque el que se avergüence de mí y de mis palabras, de este se avergonzará el Hijo del hombre cuando llegue en su gloria y en la del Padre y de los santos ángeles.[b] 27 Pero les digo verdaderamente: Hay algunos de los que están en pie aquí que de ningún modo gustarán la muerte hasta que primero vean el reino de Dios".[c]

28 En efecto, unos ocho días después de estas palabras, tomó consigo a Pedro y a Juan y a Santiago y subió a la montaña a orar.[d] 29 Y, mientras oraba, la apariencia[e] de su rostro se hizo diferente, y su vestidura se volvió lustrosamente blanca.[f] 30 También, ¡mira!, dos varones conversaban con él, los cuales eran Moisés y Elías.[g] 31 Estos aparecieron con gloria y se pusieron a hablar de la partida de él que él estaba destinado a cumplir en Jerusalén.[h] 32 Pues bien, Pedro y los que estaban con él estaban cargados de sueño; mas cuando despertaron completamente, vieron la gloria de él[i] y a los dos varones que estaban de pie con él. 33 Y mientras estos iban siendo separados de él, Pedro dijo a Jesús: "Instructor, es excelente que estemos aquí; por eso, erijamos tres tiendas: una para ti y una para Moisés y una para Elías", pues no se daba cuenta de lo que decía.[j] 34 Pero mientras decía estas cosas se formó una nube, y los cubría con su sombra. Al entrar ellos en la nube, se llenaron de temor.[k] 35 Y de la nube salió una voz,[l] y dijo: "Este es mi Hijo, el que ha sido escogido.[m] Escúchenle".[n] 36 Y al ocurrir la voz, se halló a Jesús solo.[o] Pero ellos callaron y no informaron a nadie en aquellos días ninguna de las cosas que habían visto.[p]

37 Al día siguiente, cuando bajaron de la montaña, una gran muchedumbre vino al encuentro de él.[q] 38 Y ¡mira!, un varón

CAP. 9

a Sl 49:6
Mt 16:26
Mr 8:36
Hch 1:18
Rev 18:7
b Mt 10:33
Mr 8:38
2Ti 2:12
c Mt 16:28
Mr 9:1
d Mt 17:1
Mr 9:2
e Éx 34:29
f Mt 17:2
Mr 9:3
g 2Re 2:11
Mt 17:3
Mr 9:4
h Lu 9:22
Lu 13:33
i Jn 1:14
2Pe 1:16
j Mt 17:4
Mr 9:5
k Mt 17:5
Mr 9:7
l Lu 3:22
Jn 12:28
m Sl 2:7
Isa 42:1
2Pe 1:17
n Dt 18:15
Mt 3:17
Hch 3:22
o Mt 17:8
Mr 9:8
p Mt 17:9
Mr 9:9
q Mt 17:14
Mr 9:14

2.ª col.

a Mt 17:15
Mr 9:17
Lu 7:12
b Mr 1:26
c Mt 17:16
Mr 9:18
d Dt 32:5
Sl 78:8
e Mt 17:17
Mr 9:19
f Mr 9:20
Lu 7:15
g Sl 147:5
h Mt 17:22
Mr 9:31
Lu 18:32
i Mr 9:32
Lu 2:50
j Mt 18:1
Mr 9:33
Lu 22:24
k Mt 18:2
Mr 9:36
l Mr 9:37
Jn 12:44
m Mt 23:11
Ro 12:10
n Pr 18:12
Mt 18:4
Mt 23:12
o Lu 10:17

clamó de entre la muchedumbre, y dijo: "Maestro, te ruego que mires a mi hijo, porque es mi unigénito,[a] 39 y, ¡mira!, un espíritu[b] lo toma, y de repente clama, y lo convulsiona con espumarajos, y apenas se retira de él después de magullarlo. 40 Y rogué a tus discípulos que lo expulsaran, pero no pudieron".[c] 41 Respondiendo, Jesús dijo: "Oh generación falta de fe y aviesa,[d] ¿hasta cuándo tengo que continuar con ustedes y soportarlos? Conduce a tu hijo acá".[e] 42 Pero al mismo tiempo que él se acercaba, el demonio lo arrojó al suelo y lo convulsionó violentamente. Sin embargo, Jesús reprendió al espíritu inmundo y sanó al muchacho y se lo entregó a su padre.[f] 43 Pues bien, todos empezaron a quedar atónitos ante el poder majestuoso[g] de Dios.

Ahora bien, mientras todos se maravillaban de todas las cosas que él hacía, él dijo a sus discípulos: 44 "Alojen estas palabras en sus oídos, porque el Hijo del hombre está destinado a ser entregado en manos de los hombres".[h] 45 Pero ellos continuaron sin entender este dicho. De hecho, les fue ocultado para que no lo penetraran, y tenían miedo de interrogarle acerca de este dicho.[i]

46 Entonces entró entre ellos un razonamiento sobre quién de ellos sería el mayor.[j] 47 Jesús, conociendo el razonamiento de sus corazones, tomó a un niñito, lo puso a su lado,[k] 48 y les dijo: "Cualquiera que reciba a este niñito sobre la base de mi nombre, a mí me recibe [también], y cualquiera que me recibe a mí, recibe [también] al que me envió.[l] Porque el que se porta como uno de los menores[m] entre todos ustedes es el que es grande".[n]

49 Respondiendo, Juan dijo: "Instructor, vimos a cierto hombre que expulsaba demonios[o] por el uso de tu nombre y tratamos

de impedírselo,[a] porque no sigue con nosotros".[b] 50 Pero Jesús le dijo: "No traten de impedir[selo], porque el que no está contra ustedes está a favor de ustedes".[c]

51 Como ya se cumplían los días en que había de ser tomado arriba,[d] afirmó su rostro para ir a Jerusalén. 52 De modo que envió mensajeros delante de sí. Y ellos fueron por su camino y entraron en una aldea de samaritanos,[e] para hacerle preparativos; 53 mas estos no lo recibieron, porque él tenía el rostro fijo para ir a Jerusalén.[f] 54 Cuando los discípulos Santiago y Juan[g] vieron esto, dijeron: "Señor, ¿quieres que digamos que baje fuego[h] del cielo y los aniquile?". 55 Pero él se volvió y los reprendió. 56 De modo que fueron a una aldea diferente.

57 Ahora bien, mientras iban por el camino, alguien le dijo: "Te seguiré a cualquier lugar adonde partas".[i] 58 Y Jesús le dijo: "Las zorras tienen cuevas y las aves del cielo tienen donde posarse, pero el Hijo del hombre no tiene donde recostar la cabeza".[j] 59 Luego dijo a otro: "Sé mi seguidor". El hombre dijo: "Permíteme primero ir a enterrar a mi padre".[k] 60 Pero él le dijo: "Deja que los muertos[l] entierren a sus muertos, mas vete tú y declara por todas partes el reino de Dios".[m] 61 Y uno más dijo: "Te seguiré, Señor; pero primero permíteme despedirme[n] de los de mi casa". 62 Jesús le dijo: "Nadie que ha puesto la mano en el arado[o] y mira a las cosas [que deja] atrás[p] es muy apto para el reino de Dios".

10 Después de estas cosas el Señor designó a otros setenta[q] y los envió de dos en dos[r] delante de sí a toda ciudad y lugar adonde él mismo iba a ir. 2 Entonces empezó a decirles: "La mies,[s] en realidad, es mucha, pero los obreros[t] son pocos. Por lo tanto, rueguen[u] al Amo de la

mies que envíe obreros[a] a su mies. 3 Vayan. ¡Miren! Los envío como a corderos[b] en medio de lobos. 4 No lleven bolsa, ni alforja,[c] ni sandalias, y no abracen[d] a nadie en saludo por el camino. 5 Dondequiera que entren en una casa, digan primero: 'Tenga paz esta casa'.[e] 6 Y si hay allí un amigo de la paz, la paz de ustedes descansará sobre él.[f] Pero si no lo hay, se volverá a ustedes.[g] 7 De modo que quédense en aquella casa,[h] comiendo y bebiendo las cosas que les suministren,[i] porque el obrero es digno de su salario.[j] No anden transfiriéndose de casa en casa.[k]

8 "También, dondequiera que entren en una ciudad y los reciban, coman las cosas que pongan delante de ustedes, 9 y curen[l] a los enfermos en ella, y sigan diciéndoles: 'El reino[m] de Dios se ha acercado a ustedes'. 10 Pero dondequiera que entren en una ciudad y no los reciban,[n] salgan a sus caminos anchos y digan: 11 'Hasta el polvo de su ciudad que se nos pegó a los pies nos lo limpiamos contra ustedes.[o] No obstante, tengan presente esto, que el reino de Dios se ha acercado'. 12 Les digo que a Sodoma le será más soportable[p] en aquel día que a aquella ciudad.

13 "¡Ay de ti, Corazín![q] ¡Ay de ti, Betsaida!,[r] porque si las obras poderosas que se han efectuado en ustedes se hubieran efectuado en Tiro y en Sidón, hace mucho que se habrían arrepentido, sentadas en saco y cenizas.[s] 14 Por consiguiente, a Tiro y a Sidón les será más soportable en el juicio que a ustedes.[t] 15 Y tú, Capernaum, ¿acaso tú serás ensalzada hasta el cielo?[u] ¡Hasta el Hades[v] irás! 16 "El que les escucha[w] a ustedes me escucha a mí [también]. Y el que los desatiende a ustedes me desatiende a mí [también].

w Mt 10:40; Mr 9:37; Jn 5:23; Jn 13:20.

Además, el que me desatiende a mí desatiende[a] [también] al que me envió".

17 Entonces los setenta volvieron con gozo, y dijeron: "Señor, hasta los demonios quedan sujetos[b] a nosotros por el uso de tu nombre". **18** Ante aquello, él les dijo: "Contemplaba yo a Satanás ya caído[c] como un relámpago del cielo. **19** ¡Miren! Yo les he dado la autoridad para hollar bajo los pies serpientes[d] y escorpiones,[e] y sobre todo el poder del enemigo,[f] y nada les hará ningún daño. **20** Sin embargo, no se regocijen a causa de esto, de que los espíritus queden sujetos a ustedes, sino regocíjense porque sus nombres[g] hayan sido inscritos en los cielos". **21** En aquella misma hora se llenó de gran gozo[h] en el espíritu santo, y dijo: "Te alabo públicamente, Padre, Señor del cielo y de la tierra, porque has escondido cuidadosamente estas cosas de los sabios[i] e intelectuales y las has revelado a los pequeñuelos. Sí, oh Padre, porque el hacerlo así vino a ser la manera aprobada por ti. **22** Todas las cosas me han sido entregadas[j] por mi Padre, y nadie conoce quién es el Hijo sino el Padre;[k] y nadie [conoce] quién es el Padre sino el Hijo,[l] y aquel a quien el Hijo esté dispuesto a revelarlo".

23 Con eso se volvió a los discípulos, aparte, y dijo: "Felices son los ojos que contemplan las cosas que ustedes contemplan.[m] **24** Porque les digo: Muchos profetas y reyes desearon ver[n] las cosas que ustedes contemplan, pero no las vieron; y oír las cosas que ustedes oyen, pero no las oyeron".

25 Entonces, ¡mira!, cierto hombre versado en la Ley[o] se levantó, para probarlo, y dijo: "Maestro, ¿qué he de hacer para heredar la vida eterna?".[p] **26** Él le dijo: "¿Qué está escrito en la Ley?[q] ¿Cómo lees?". **27** Contestando, este dijo: " 'Tienes que

CAP. 10
a Éx 16:8
   Jn 12:48
   Jn 15:23
   1Te 4:8
b Hch 16:18
c Jn 12:31
   Jn 16:11
   Heb 2:14
   Rev 12:8
d Mt 23:33
e Eze 2:6
f Gé 3:15
   Sl 91:13
g Éx 32:32
   Sl 69:28
   Isa 4:3
   Da 12:1
   Flp 4:3
   Heb 12:23
   Rev 3:5
   Rev 13:8
h Mt 11:25
i 1Co 1:19
   1Co 2:6
j Mt 28:18
   Jn 3:35
k Jn 10:15
l Jn 1:18
   2Co 4:6
m Mt 13:16
n 1Co 2:9
   1Pe 1:10
o Mt 22:35
p Mt 19:16
   Mr 10:17
   Lu 18:18
q Le 18:5

2.ª col.
a Dt 6:5
   Dt 10:12
   Dt 11:22
   Jos 22:5
   Mr 12:30
b Le 19:18
   Mt 19:19
   Ro 13:9
   Gál 5:14
   Snt 2:8
c Le 18:5
   Mt 9:29
   Eze 20:11
   Jn 17:3
   Ro 10:5
   Gál 3:12
d Lu 16:15
e Job 6:14
f Pr 27:10
g Jn 4:9
h Isa 1:6
i Mt 19:19
j Pr 14:21
   Os 6:6
   Miq 6:8
k Lu 6:36
   Jn 13:17
   Efe 4:32
l Jn 12:2
m Dt 33:3
   Lu 8:35
   Hch 22:3
n 1Co 7:35

amar a Jehová tu Dios con todo tu corazón y con toda tu alma y con todas tus fuerzas y con toda tu mente',[a] y, 'a tu prójimo como a ti mismo' ".[b] **28** Él le dijo: "Contestaste correctamente; 'sigue haciendo esto y conseguirás la vida' ".[c]

29 Pero, queriendo probar que era justo, el hombre dijo a Jesús: "¿Quién, verdaderamente, es mi prójimo?".[d] **30** Respondiendo, Jesús dijo: "Cierto hombre bajaba de Jerusalén a Jericó y cayó entre salteadores, que lo despojaron y también le descargaron golpes, y se fueron, dejándolo medio muerto. **31** Ahora bien, por casualidad, cierto sacerdote bajaba por aquel camino, pero, cuando lo vio, pasó por el otro lado.[e] **32** Así mismo, un levita también, cuando bajó al lugar y lo vio, pasó por el otro lado.[f] **33** Pero cierto samaritano[g] que viajaba por el camino llegó a donde estaba y, al verlo, se enterneció. **34** De modo que se le acercó y le vendó sus heridas, y vertió en ellas aceite y vino.[h] Luego lo montó sobre su propia bestia y lo llevó a un mesón y lo cuidó. **35** Y al día siguiente sacó dos denarios, se los dio al mesonero, y dijo: 'Cuídalo, y lo que gastes además de esto, te lo pagaré cuando vuelva acá'. **36** ¿Quién de estos tres se parece haberse hecho prójimo[i] del que cayó entre los salteadores?". **37** Él dijo: "El que actuó misericordiosamente[j] para con él". Entonces Jesús le dijo: "Ve y haz[k] tú lo mismo".

38 Ahora bien, mientras seguían su camino, él entró en cierta aldea. Aquí cierta mujer, de nombre Marta,[l] lo recibió en la casa como huésped. **39** Esta también tenía una hermana llamada María, quien, sin embargo, se sentó a los pies[m] del Señor y se quedó escuchando su palabra. **40** Marta, por otra parte, estaba distraída[n] atendiendo a muchos quehaceres. De modo que se acercó y dijo: "Señor, ¿no te importa que mi hermana me haya dejado sola para atender las cosas?[a] Dile, por lo tanto, que me ayude". 41 En contestación, el Señor le dijo: "Marta, Marta, estás inquieta[b] y turbada en cuanto a muchas cosas.[c] 42 Son pocas, sin embargo, las cosas[d] que se necesitan, o solo una. Por su parte, María escogió la buena porción,[e] y no le será quitada".

11 Ahora bien, aconteció que estando él en cierto lugar orando, cuando cesó, cierto discípulo suyo le dijo: "Señor, enséñanos a orar,[g] así como Juan también enseñó a sus discípulos".[g]

2 Entonces él les dijo: "Cuando oren,[h] digan: 'Padre, santificado sea tu nombre.[i] Venga tu reino.[j] 3 Danos nuestro pan[k] para el día según la necesidad del día. 4 Y perdónanos nuestros pecados,[l] porque nosotros mismos también perdonamos a todo el que nos debe;[m] y no nos metas en tentación'".[n]

5 Además, les dijo: "¿Quién de ustedes tendrá un amigo e irá a él a medianoche y le dirá: 'Amigo, préstame tres panes, 6 porque un amigo mío acaba de venir a mí de viaje y no tengo qué poner delante de él'? 7 Y aquel, desde dentro, en respuesta dice: 'Deja de causarme molestia.[o] La puerta ya está asegurada con cerradura, y mis niñitos están conmigo en la cama; no puedo levantarme y darte nada'. 8 Les digo: Aunque no se levante a darle algo por ser su amigo, ciertamente por causa de su persistencia[p] atrevida se levantará y le dará cuantas cosas necesite. 9 Por consiguiente, les digo: Sigan pidiendo,[q] y se les dará; sigan buscando,[r] y hallarán; sigan tocando, y se les abrirá. 10 Porque todo el que pide recibe,[s] y todo el que busca halla, y a todo el que toca se le abrirá. 11 Realmen-

CAP. 10
a Lu 8:3
b 1Co 7:32
c Jn 6:27
d Mt 4:4
e Mt 6:33
Jn 6:27

CAP. 11
f Snt 4:3
g Lu 5:33
h Mt 6:9
i Le 22:32
Dt 32:3
Sl 145:21
Isa 5:16
Isa 8:13
Isa 29:23
Eze 36:23
j Da 2:44
Da 7:14
Mt 6:10
k Sl 37:25
Isa 51:14
l Sl 79:9
Da 9:19
Mt 9:6
m Mt 6:14
Mr 11:25
Ef 4:32
Col 3:13
n Mt 6:13
Lu 22:46
1Co 10:13
Snt 1:13
Rev 3:10
o Mt 26:10
Mr 14:6
p Lu 18:5
q Ro 12:12
r Mt 7:7
s Sl 50:15
Jer 33:3
Mr 11:24
Jn 15:7
Snt 1:6
1Jn 3:22
1Jn 5:14

2.ª col.
a Mt 7:9
b 2Co 12:14
c Isa 44:3
Snt 1:17
d Mt 9:32
Mt 12:22
e Mt 9:34
Mr 3:22
f Mt 12:38
Mt 8:11
1Co 1:22
g Jn 2:25
h Mt 12:25
Mr 3:24
Mr 3:26
i Mr 9:38
Lu 9:49
k Ex 8:19
Mt 12:28
l Lu 17:21
m Isa 49:24
Mt 12:29
Mr 3:27
n Isa 9:6
Isa 53:12
Col 2:15
1Jn 4:4
o Mt 12:29
Mt 3:27
p Mt 12:30
Mr 9:40
Lu 9:50
Jn 11:52

te, ¿qué padre hay entre ustedes que, si su hijo[a] pide un pescado, le dará acaso una serpiente en vez de un pescado? 12 ¿O si también pide un huevo, le dará un escorpión? 13 Por lo tanto, si ustedes, aunque son inicuos, saben dar buenos regalos a sus hijos,[b] ¡con cuánta más razón dará el Padre en el cielo espíritu santo[c] a los que le piden!".

14 Más tarde estaba expulsando a un demonio mudo.[d] Después que el demonio salió, el mudo habló. Y las muchedumbres se maravillaron. 15 Pero algunos de ellos dijeron: "Expulsa los demonios por medio de Beelzebub el gobernante de los demonios".[e] 16 Sin embargo, otros, para tentarlo, buscaban de él una señal[f] procedente del cielo. 17 Conociendo sus pensamientos,[g] les dijo: "Todo reino dividido contra sí mismo viene a parar en desolación; y una casa [dividida] contra sí misma, cae.[h] 18 Por eso, si Satanás también está dividido contra sí mismo, ¿cómo podrá estar en pie su reino?[i] Porque ustedes dicen que por medio de Beelzebub yo expulso los demonios. 19 Si es por medio de Beelzebub como yo expulso los demonios, ¿por medio de quién los expulsan los hijos de ustedes?[j] A causa de esto, ellos serán jueces de ustedes. 20 Pero si es por medio del dedo de Dios[k] como yo expulso los demonios, el reino de Dios verdaderamente los ha alcanzado.[l] 21 Cuando un hombre fuerte,[m] bien armado, guarda su palacio, sus bienes continúan en paz. 22 Mas cuando alguien más fuerte[n] que él arremete contra él y lo vence,[o] le quita todo su armamento en que confiaba, y reparte las cosas de que lo ha despojado. 23 El que no está de mi parte, contra mí está, y el que no recoge conmigo, desparrama.[p]

24 "Cuando un espíritu inmundo sale de un hombre, pasa por lugares resecos en busca de

un lugar de descanso, y, al no hallarlo, dice: 'Me volveré a mi casa de la cual me mudé'.[a] 25 Y al llegar, la halla barrida y adornada. 26 Entonces va por su camino y toma siete[b] espíritus diferentes, más inicuos que él mismo, y, después de entrar, moran allí; y las circunstancias finales de ese hombre resultan peores que las primeras".[c]

27 Ahora bien, mientras decía estas cosas cierta mujer de entre la muchedumbre levantó la voz y le dijo: ¡Feliz es la matriz[d] que te llevó y los pechos que mamaste!". 28 Pero él dijo: "No; más bien: ¡Felices son los que oyen la palabra de Dios y la guardan!".[e]

29 Cuando las muchedumbres estaban apiñándose, comenzó a decir: "Esta generación es una generación inicua; busca una señal.[f] Pero no se le dará ninguna señal sino la señal de Jonás.[g] 30 Porque así como Jonás[h] llegó a ser señal para los ninivitas, de la misma manera lo será también el Hijo del hombre para esta generación. 31 La reina[i] del Sur será levantada en el juicio con los varones de esta generación y los condenará; porque ella vino desde los fines de la tierra para oír la sabiduría de Salomón, pero, ¡miren!, algo más[j] que Salomón está aquí. 32 Los varones de Nínive se levantarán en el juicio con esta generación y la condenarán; porque ellos se arrepintieron por lo que Jonás predicó;[k] pero, ¡miren!, algo más[j] que Jonás está aquí. 33 Después de encender una lámpara, no la pone uno en un escondrijo ni debajo de la cesta de medir, sino sobre el candelero,[m] para que los que entren contemplen la luz. 34 La lámpara del cuerpo es tu ojo. Cuando tu ojo es sencillo, todo tu cuerpo también está brillante;[n] pero cuando es inicuo, tu cuerpo también está oscuro. 35 Está alerta, por lo tanto. Tal vez la luz que hay en ti sea oscuridad.[o]

CAP. 11
a Mt 12:43

b Lu 8:2

c Mt 12:45
Jn 5:14
2Pe 2:20

d Lu 1:28
Lu 1:48

e Dt 29:9
Sl 1:2
Sl 112:1
Sl 119:2
Isa 56:2
Mt 7:21
Snt 1:25

f Mt 12:38
1Co 1:22

g Mt 16:4

h Jon 1:17
Mt 12:39

i 1Re 10:1
2Cr 9:1

j Isa 9:6
Flp 2:10

k Jon 3:5

l Mt 12:41

m Mt 5:15
Mr 4:21
Lu 8:16

n Mt 6:22
Hch 26:18
Ef 1:18

o Mt 6:23

2.ª col.
a Mt 28:3

b Lu 7:36
Lu 14:1

c Mt 15:2

d Pr 26:24
Jer 4:14
Tit 1:15

e Mt 23:25

f Mt 23:26

g Lu 12:33
Hch 3:3

h Le 27:30

i Mt 23:23
Jn 7:24

j Mt 23:6

k Mt 23:27

l Lu 10:25

m Mt 23:4

36 Por lo tanto, si todo tu cuerpo está brillante sin absolutamente ninguna parte oscura, todo estará tan brillante[a] como cuando una lámpara te alumbra con sus rayos".

37 Cuando hubo hablado esto, un fariseo solicitó que comiera[b] con él. De modo que él entró y se reclinó a la mesa. 38 Sin embargo, el fariseo se sorprendió al ver que primero no se lavó[c] antes de la comida. 39 Pero el Señor le dijo: "Ahora bien, ustedes los fariseos limpian el exterior de la copa y el plato, pero el interior[d] de ustedes está lleno de saqueo e iniquidad.[e] 40 ¡Irrazonables! El que hizo lo exterior[f] hizo también lo interior, ¿no es verdad? 41 Sin embargo, den como dádivas de misericordia[g] las cosas que están dentro, y ¡miren!, todas las [otras] cosas son limpias respecto a ustedes. 42 Mas ¡ay de ustedes, fariseos, porque dan el décimo[h] de la hierbabuena y de la ruda y de toda [otra] legumbre, pero pasan por alto la justicia y el amor de Dios! Tenían la obligación de hacer estas cosas, pero de no omitir aquellas otras.[i] 43 ¡Ay de ustedes, fariseos, porque aman los asientos delanteros en las sinagogas y los saludos en las plazas de mercado![j] 44 ¡Ay de ustedes, porque son como aquellas tumbas conmemorativas que no están expuestas a la vista, de modo que los hombres andan sobre ellas y no [lo] saben!".[k]

45 Respondiendo, uno de aquellos versados[l] en la Ley le dijo: "Maestro, al decir estas cosas nos insultas también a nosotros". 46 Entonces él dijo: "¡Ay, también, de ustedes los que están versados en la Ley, porque cargan a los hombres con cargas difíciles de llevar, pero ustedes mismos no tocan las cargas ni con uno de sus dedos![m]

47 "¡Ay de ustedes, porque edifican las tumbas conmemorati-

vas de los profetas, pero los antepasados de ustedes los mataron.[a] 48 Ciertamente ustedes son testigos de los hechos de sus antepasados, y sin embargo ellos cuentan con el consentimiento de ustedes;[b] porque estos mataron[c] a los profetas, pero ustedes edifican [sus tumbas]. 49 Por este motivo la sabiduría[d] de Dios también dijo: 'Yo enviaré a ellos profetas y apóstoles, y a algunos de ellos matarán y perseguirán, 50 para que la sangre de todos los profetas[e] vertida desde la fundación del mundo sea demandada de esta generación,[f] 51 desde la sangre de Abel[g] hasta la sangre de Zacarías,[h] que fue muerto entre el altar y la casa'.[i] Sí, les digo, será demandada de esta generación.

52 "¡Ay de ustedes que están versados en la Ley, porque quitaron la llave del conocimiento;[j] ustedes mismos no entraron, y a los que estaban entrando los estorbaron!".[k]

53 Así que, cuando salió de allí, los escribas y los fariseos comenzaron a apremiarlo terriblemente, y a importunarle con preguntas acerca de otras cosas, 54 acechándolo,[l] para sorprender[m] algo de su boca.

12 Entretanto, cuando los de la muchedumbre se hubieron reunido en tantos millares que se pisaban unos a otros, él comenzó por decir primero a sus discípulos: "Guárdense de la levadura[n] de los fariseos, que es la hipocresía.[o] 2 Pero nada hay cuidadosamente ocultado que no haya de revelarse, ni secreto que no llegue a saberse.[p] 3 Por lo tanto, las cosas que ustedes digan en la oscuridad se oirán en la luz, y lo que susurren en cuartos privados se predicará desde las azoteas.[q] 4 Además, les digo, amigos míos:[r] No teman a los que matan el cuerpo y después de esto no pueden hacer

nada más.[a] 5 Pero yo les indicaré a quién temer: Teman a aquel[b] que después de matar tiene autoridad para echar en el Gehena.[c] Sí, les digo, teman[d] a Este. 6 Se venden cinco gorriones por dos monedas de poco valor, ¿no es verdad? Sin embargo, ni uno de ellos está olvidado delante de Dios.[e] 7 Pero hasta los cabellos[f] de la cabeza de ustedes están todos contados. No tengan temor; ustedes valen más que muchos gorriones.[g]

8 "Yo les digo, pues: Todo el que confiese[h] unión conmigo delante de los hombres, el Hijo del hombre también confesará unión con él delante de los ángeles de Dios.[i] 9 Mas el que me repudie[j] delante de los hombres será repudiado delante de los ángeles de Dios.[k] 10 Y a todo el que diga una palabra contra el Hijo del hombre, le será perdonado; pero al que blasfeme contra el espíritu santo no le será perdonado.[l] 11 Pero cuando los lleven ante asambleas públicas y ante funcionarios de gobierno y autoridades, no se inquieten acerca de cómo o qué hablarán en defensa, o de qué dirán;[m] 12 porque el espíritu santo[n] les enseñará en aquella misma hora las cosas que deben decir".[o]

13 Entonces uno de la muchedumbre le dijo: "Maestro, di a mi hermano que divida conmigo la herencia". 14 Él le dijo: "Hombre, ¿quién me nombró juez[p] o repartidor sobre ustedes?". 15 Entonces les dijo: "Mantengan abiertos los ojos y guárdense de toda suerte de codicia,[q] porque hasta cuando uno tiene en abundancia, su vida no resulta de las cosas que posee".[r] 16 Con eso les habló una ilustración, y dijo: "El terreno de cierto hombre rico produjo bien. 17 Por consiguiente, él razonaba dentro de sí, diciendo: '¿Qué

CAP. 11

a Mt 23:37
b Ro 1:32
c Hch 7:52
  Heb 11:37
d Pr 1:20
  Mt 11:19
e Isa 26:21
  Rev 18:24
f Éx 20:5
  Jer 51:56
g Gé 4:8
h 2Cr 24:20
i 2Cr 24:21
j Mal 2:7
k Mt 23:13
  1Te 2:16
l Sl 37:32
m Mt 12:13
  Lu 20:20

CAP. 12

n 1Co 5:8
  Mt 16:6
  Mr 8:15
p Ec 12:14
  Mt 10:26
  Mr 4:22
  Lu 8:17
  1Co 4:5
q Mt 10:27
r Jn 15:14

2.ª col.

a Mt 10:28
  Mr 20:24
b Sl 119:120
  Heb 10:31
c Isa 66:24
  Mt 10:28
d Isa 8:13
  1Pe 2:17
  Rev 14:7
e Dt 22:6
  Mt 10:29
f 1Sa 14:45
  2Sa 14:11
  Lu 21:18
  Hch 27:34
g Mt 10:31
  Lu 12:24
h Ro 10:9
i Mt 10:32
  Mr 8:38
j Hch 3:13
k Lu 9:26
  2Ti 2:12
  1Jn 2:23
l Mt 12:31
  Mr 3:29
  1Jn 5:16
m Mt 10:19
  Mr 13:11
  Lu 21:14
n 1Jn 2:27
o Éx 4:12
  Hch 6:10
  1Pe 5:7
p Jn 18:36
  Hch 7:27
q Éx 20:17
  Dt 5:21
  Pr 28:16
  Col 3:5
r 1Ti 6:7

haré, ya que no tengo dónde
recoger mis cosechas?’. **18** De
modo que dijo: ‘Haré esto:[a] demoleré mis graneros y edificaré otros mayores, y allí recogeré todo mi grano y todas
mis cosas buenas;[b] **19** y diré[c] a
mi alma: “Alma, tienes muchas
cosas buenas almacenadas para
muchos años; pásalo tranquila,
come, bebe, goza”’.[d] **20** Pero
Dios le dijo: ‘Irrazonable, esta
noche exigen de ti tu alma.[e]
Entonces, ¿quién ha de tener
las cosas que almacenaste?’.[f]
21 Así pasa con el hombre que
atesora para sí, pero no es rico
para con Dios”.[g]

22 Entonces dijo a sus discípulos: “Por esta razón les digo:
Dejen de inquietarse respecto a
su alma, en cuanto a qué comerán, o respecto a su cuerpo,
en cuanto a qué se pondrán.[h]
23 Porque el alma vale más que
el alimento, y el cuerpo que la
ropa. **24** Reparen en los cuervos,[i] que ni siembran ni siegan, y
no tienen ni troje ni granero, y
sin embargo Dios los alimenta.
¿Cuánto más valen ustedes que
las aves?[j] **25** ¿Quién de ustedes, por medio de inquietarse,
puede añadir un codo a la duración de su vida?[k] **26** Pues, si
no pueden hacer la cosa mínima,
¿por qué inquietarse[l] por las demás cosas? **27** Reparen en los
lirios, cómo crecen;[m] no se afanan, ni hilan; pero les digo: Ni
siquiera Salomón en toda su gloria se vistió como uno de estos.[n]
28 Pues, si Dios viste así a la
vegetación del campo que hoy
existe y mañana se echa en el
horno, ¡con cuánta más razón los
vestirá a ustedes, hombres de
poca fe![o] **29** Por eso, dejen de
andar buscando qué podrán comer y qué podrán beber, y dejen
de estar en ansiedad y suspenso;[p] **30** porque todas estas son
las cosas en pos de las cuales
van con empeño las naciones del
mundo, pero el Padre de ustedes
sabe que ustedes necesitan estas
cosas.[a] **31** Sin embargo, busquen continuamente el reino de
él, y estas cosas les serán añadidas.[b]

32 ”No teman,[c] rebaño pequeño,[d] porque su Padre ha aprobado darles el reino.[e] **33** Vendan[f]
las cosas que les pertenecen y
den dádivas de misericordia.[g]
Háganse bolsas que no se gastan, tesoro en los cielos[h] que
nunca falla, donde ladrón no
se acerca ni polilla consume.
34 Porque donde esté el tesoro
de ustedes, allí también estará
su corazón.[i]

35 ”Estén ceñidos sus lomos[j]
y encendidas sus lámparas,[k]
36 y sean ustedes mismos como
hombres que esperan a su amo[l]
cuando vuelve de las bodas,[m]
para que, al llegar él y tocar,[n]
le abran al instante. **37** ¡Felices son aquellos esclavos a quienes el amo al llegar halle vigilando![o] Verdaderamente les digo: Él
se ceñirá[p] y hará que se reclinen
a la mesa, y vendrá a su lado y les
servirá.[q] **38** Y si llega en la segunda vigilia, sí, o en la tercera,
y los halla así, ¡felices son ellos![r]
39 Mas sepan esto: que si el amo
de casa hubiera sabido a qué
hora vendría el ladrón, hubiera
seguido vigilando y no hubiera
dejado que forzaran su casa.[s]
40 Ustedes también, manténganse listos, porque a una hora
que menos piensen viene el Hijo
del hombre”.[t]

41 Entonces dijo Pedro: “Señor, ¿nos dices esta ilustración a
nosotros, o también a todos?”.
42 Y el Señor dijo: “¿Quién es
verdaderamente el mayordomo
fiel,[u] el discreto,[v] a quien su amo
nombrará sobre su servidumbre
para que siga dándoles su medida de víveres a su debido tiempo?[w] **43** ¡Feliz es aquel esclavo,
si al llegar su amo lo halla ha-

CAP. 12
a Snt 4:15
b Snt 4:16
c Pr 27:1
d Sl 49:18; Ec 11:9; Lu 16:19; Snt 4:13; Snt 5:5
e Heb 9:27
f Sl 39:6; Sl 52:7; Jer 17:11; Snt 4:14
g Mt 6:20; 1Ti 6:18; Snt 2:5
h Mt 6:25; Ro 14:17; Flp 4:6
i Job 38:41; Sl 147:9
j Mt 6:26; Lu 12:7
k Mt 6:27
l Mt 6:34
m Mt 6:28
n 1Re 10:4; 2Cr 9:3; Mt 6:29
o Mt 6:30
p Mt 6:31

2.ª col.
a 2Cr 16:9; Isa 65:24; Mt 6:32; Flp 4:19
b Sl 34:10; Isa 33:16; Mt 6:33; 1Ti 4:8
c Isa 41:14
d Jn 10:16
e Da 7:27; Lu 22:29; Heb 12:28; Snt 2:5; Rev 1:6
f Mt 19:21; Lu 18:22; Hch 2:45; Hch 4:34
g Lu 11:41; Lu 16:9
h Mt 6:20; 1Ti 6:19
i Mt 6:21
j Éx 12:11; 1Re 18:46; Pr 31:17; Ef 6:14; 1Pe 1:13
k Mt 25:1; Flp 2:15
l Mr 13:35
m Mt 25:5
n Rev 3:20
o Mt 24:46; Mt 25:10
p Jn 13:4
q Mt 20:28; 2Ti 4:8
r Mr 13:35
s Mt 24:43; 1Te 5:2; 2Pe 3:10; Rev 16:15
t Mt 24:44; Mt 25:13; Mr 13:13; 2Pe 3:12; Rev 3:3

u Gé 24:2; 1Co 4:2; 2Te 2:15; 1Pe 4:10; v Gé 41:33; Dt 1:13; w Mt 24:45; Mt 25:21; Lu 19:17.

ciéndolo así!ª 44 Les digo en verdad: Lo nombrará sobre todos sus bienes.ᵇ 45 Mas si aquel esclavo dijera alguna vez en su corazón: 'Mi amo tarda en venir',ᶜ y comenzara a golpear a los criados y a las criadas, y a comer y beber y emborracharse,ᵈ 46 vendrá el amo de aquel esclavo en un día en que este no [lo] espera y a una hora que no sabe,ᵉ y lo castigará con la mayor severidad y le asignará una parte con los infieles.ᶠ 47 Entonces aquel esclavo que entendió la voluntad de su amo, pero que no se alistó, ni hizo conforme a la voluntad de él, será golpeado con muchos golpes.ᵍ 48 Pero el que no entendióʰ y por eso hizo cosas que merecen golpes será golpeado con pocos.ⁱ De hecho, a todo aquel a quien se dio mucho, mucho se le exigirá;ʲ y al que pusieron a cargo de mucho, le exigirán más de lo acostumbrado.ᵏ

49 "Vine a prender un fuegoˡ en la tierra, y ¿qué más hay que pueda desear si ya se ha encendido? 50 En verdad, tengo un bautismo con que ser bautizado, ¡y cuán angustiado me siento hasta que quede terminado!ᵐ 51 ¿Se imaginan ustedes que vine a dar paz en la tierra? No, les digo por cierto, sino más bien división.ⁿ 52 Porque de ahora en adelante habrá cinco en una casa divididos, tres contra dos y dos contra tres.º 53 Estarán divididos padre contra hijo e hijo contra padre, madre contra hija e hija contra [su] madre, suegra contra su nuera y nuera contra [su] suegra".ᵖ

54 Siguiendo entonces, dijo también a las muchedumbres: "Cuando ven levantarse una nube en las partes occidentales, en seguida dicen: 'Viene una tempestad', y así sucede.ۥ 55 Y cuando ven que sopla el viento del sur, dicen: 'Habrá una ola de calor', y ocurre. 56 Hi-

pócritas, saben examinar la apariencia externa de la tierra y del cielo, ¿pero cómo es que no saben examinar este tiempo en particular?ª 57 ¿Por qué no juzgan también por ustedes mismos lo que es justo?ᵇ 58 Por ejemplo, cuando vas con tu adversario en juicio al gobernante, esfuérzate, mientras estás en el camino, por desembarazarte de la disputa con él, para que nunca te lleve ante el juez, y el juez te entregue al oficial del tribunal, y el oficial del tribunal te eche en prisión.ᶜ 59 Te digo: De seguro no saldrás de allí hasta que hayas pagado la última moneda pequeña de ínfimo valor".ᵈ

13 En aquel mismo tiempo estaban presentes algunos que le informaron acerca de los galileosᵉ cuya sangre Pilato había mezclado con los sacrificios de ellos. 2 Y en respuesta les dijo él: "¿Se imaginan ustedes que porque estos galileos han sufrido estas cosas eso prueba que ellos eran peores pecadoresᶠ que todos los demás galileos? 3 No, les digo en verdad; más bien, a menos que ustedes se arrepientan, todos ustedes igualmente serán destruidos.ᵍ 4 O aquellos dieciocho sobre quienes cayó la torre de Siloam, matándolos, ¿se imaginan ustedes que con eso se probó que fueran mayores deudores que todos los demás hombres que habitaban en Jerusalén? 5 No, les digo en verdad; más bien, a menos que ustedes se arrepientan, todos ustedes serán destruidos de la misma manera".ʰ

6 Entonces pasó a decirles esta ilustración: "Cierto hombre tenía una higuera plantada en su viña,ⁱ y vino buscando fruto en ella,ʲ pero no lo halló.ᵏ 7 Luego dijo al viñador: 'Mira que ya van tres añosˡ que he venido buscando fruto en esta higuera, pero no lo he hallado. ¡Córtala!ᵐ ¿Por

CAP. 12
a Mt 24:46
b Mt 24:47
c Mt 24:48
d Mt 24:49
e Mt 24:50
f Mt 24:51
Rev 21:8
g Dt 25:2
Jn 9:41
Snt 1:22
Snt 4:17
h Le 5:17
i 1Ti 1:13
j Mt 25:29
k Jn 15:2
l Mt 10:34
m Mt 20:22
Mr 10:38
Jn 12:27
n Miq 7:6
Mt 10:34
Jn 7:43
Jn 9:16
o Mt 10:36
p Mt 10:35
q Mt 16:2

2.ᵃ col.
a Mt 16:3
Lu 19:42
b Lu 21:30
1Co 6:5
c Pr 25:8
Mt 5:25
d Mt 18:34
Mr 12:42
CAP. 13
e Hch 5:37
f Jn 9:2
g Hch 3:19
h Eze 18:30
i Isa 5:1
j Hab 3:17
Mr 11:13
k Mt 21:19
l Le 19:23
m Jn 15:2

qué, realmente, debe hacer que la tierra permanezca inútil?'. 8 En respuesta él le dijo: 'Amo, déjala[a] también este año, hasta que cave alrededor de ella y le eche estiércol; 9 y si entonces produce fruto en el futuro, [bien está]; pero si no, la cortarás'".[b]

10 Ahora bien, estaba enseñando en una de las sinagogas en día de sábado. 11 Y, ¡mira!, una mujer que tenía un espíritu[c] de debilidad desde hacía dieciocho años, y estaba encorvada y no podía levantarse de manera alguna. 12 Al verla, Jesús se dirigió a ella y le dijo: "Mujer, se te pone en libertad[d] de tu debilidad". 13 Y puso las manos sobre ella; y al instante ella se enderezó,[e] y se puso a glorificar a Dios. 14 Pero, en respuesta, el presidente de la sinagoga, indignado porque Jesús había hecho la curación en sábado, empezó a decir a la muchedumbre: "Seis días hay en que se debe hacer trabajo;[f] en estos, por lo tanto, vengan y sean curados, y no en día de sábado".[g] 15 Sin embargo, el Señor le contestó y dijo: "Hipócritas,[h] ¿no desata del pesebre cada uno de ustedes en día de sábado su toro o su asno y lo lleva a beber?[i] 16 ¿No era propio, pues, que esta mujer que es hija de Abrahán,[j] y a quien Satanás tuvo atada, ¡fíjense!, dieciocho años, fuera desatada de esta ligadura en día de sábado?". 17 Pues bien, cuando él dijo estas cosas, todos sus opositores empezaron a avergonzarse,[k] pero toda la muchedumbre empezó a regocijarse de todas las cosas gloriosas que él había hecho.[l]

18 Por lo tanto, siguió diciéndoles: "¿A qué es semejante el reino de Dios, y a qué lo compararé?[m] 19 Es semejante a un grano de mostaza que un hombre tomó y puso en su huerto, y este creció y se hizo árbol, y las aves del cielo[a] se albergaron en sus ramas".[b]

20 Y de nuevo dijo: "¿A qué compararé el reino de Dios? 21 Es semejante a la levadura, que una mujer tomó y escondió en tres medidas grandes de harina hasta que toda la masa quedó fermentada".[c]

22 Y pasó de ciudad en ciudad y de aldea en aldea, enseñando y continuando su viaje hacia Jerusalén.[d] 23 Entonces le dijo cierto hombre: "Señor, ¿son pocos los que se salvan?".[e] Él les dijo: 24 "Esfuércense[f] vigorosamente por entrar por la puerta angosta,[g] porque muchos, les digo, tratarán de entrar, pero no podrán.[h] 25 Una vez que el amo de casa se haya levantado y [haya] asegurado la puerta con cerradura, y ustedes comiencen a quedar de pie afuera y a tocar a la puerta, diciendo: 'Señor, ábrenos'.[i] Pero en respuesta él les dirá: 'No sé de dónde son'.[j] 26 Entonces ustedes comenzarán a decir: 'Comimos y bebimos delante de ti, y enseñaste en nuestros caminos anchos'.[k] 27 Pero él hablará y les dirá: 'No sé de dónde son. ¡Apártense de mí, todos ustedes los obradores de lo injusto!'.[l] 28 Allí es donde será [su] llanto y el crujir de [sus] dientes,[m] cuando vean a Abrahán y a Isaac y a Jacob y a todos los profetas en el reino de Dios,[n] pero a ustedes echados fuera. 29 Además, vendrá gente de partes orientales y occidentales, y del norte y del sur,[o] y se reclinarán a la mesa en el reino de Dios.[p] 30 Y, ¡miren!, hay aquellos últimos que serán primeros, y hay aquellos primeros que serán últimos".[q]

31 En aquella misma hora ciertos fariseos se acercaron, y le dijeron: "Sal y vete de aquí, porque Herodes quiere matarte". 32 Y él les dijo: "Vayan y digan

CAP. 13
a Éx 32:11
  Joe 2:17
b 2Pe 3:9
c Hch 16:16
d Isa 61:1
  Lu 4:18
e Lu 4:39
f Éx 20:9
  Éx 23:12
  Éx 35:2
g Dt 5:14
  Mt 12:10
  Mr 3:2
  Jn 5:16
h Mt 23:28
  Lu 12:1
i Lu 14:5
j Lu 19:9
k 1Pe 3:16
l Lu 9:43
m Mt 13:31
  Mr 4:30

2.ª col.
a Eze 17:23
  Eze 31:6
  Da 4:12
b Mt 13:32
  Mr 4:32
c Mt 13:33
d Mt 9:35
  Mr 6:6
e Mt 7:14
  Mt 19:25
f Isa 55:6
g Mt 7:13
  Flp 3:12
h Jn 7:34
  Ro 9:31
  1Ti 6:12
i Mt 25:11
  Lu 6:46
j Sl 32:6
  Isa 55:6
k Mt 7:22
  Tit 1:16
l Sl 6:8
  Mt 7:23
m Isa 65:14
  Mt 8:12
  Mt 13:42
n Mt 8:11
o Gé 28:14
  Sl 107:3
  Isa 49:12
  Isa 59:19
p Lu 14:15
  Lu 22:16
  Hch 2:39
  Rev 5:9
q Mt 19:30
  Mr 10:31

a esa zorra:[a] ¡Mira! Echo fuera demonios y llevo a cabo curaciones hoy y mañana, y al tercer día terminaré'.[b] 33 No obstante, tengo que seguir mi camino hoy y mañana y el día siguiente, porque no es admisible que un profeta sea destruido fuera de Jerusalén.[c] 34 Jerusalén, Jerusalén, la que mata[d] a los profetas y apedrea[e] a los que son enviados a ella... ¡cuántas veces quise reunir a tus hijos de la manera como la gallina reúne su pollada debajo de las alas,[f] pero ustedes no [lo] quisieron![g] 35 ¡Miren! Su casa[h] se les deja abandonada a ustedes. Les digo: No me verán de ningún modo hasta que digan: ¡Bendito es el que viene en el nombre de Jehová!'".[i]

14 Y en una ocasión cuando entró en la casa de cierto gobernante de los fariseos en día de sábado para tomar una comida,[j] lo estaban observando detenidamente.[k] 2 Y, ¡mira!, estaba delante de él cierto hombre que tenía hidropesía. 3 De modo que, tomando la palabra, Jesús habló a los que estaban versados en la Ley y a los fariseos, y dijo: "¿Es lícito curar en sábado, o no?".[l] 4 Mas ellos guardaron silencio. Con eso, él se asió [del hombre], lo sanó y [lo] despachó. 5 Y les dijo: "¿Quién de ustedes, si su hijo o su toro cae en un pozo,[m] no lo saca inmediatamente en día de sábado?".[n] 6 Y no pudieron contestar respecto a estas cosas.[o]

7 Entonces pasó a decir a los invitados una ilustración, puesto que reparó en cómo escogían para sí los lugares más prominentes, y les dijo:[p] 8 "Cuando alguien te invita a un banquete de bodas, no te recuestes en el lugar más prominente.[q] Puede que alguien más distinguido que tú haya sido invitado por él en ese tiempo, 9 y que venga el que los invitó a ti y a él y te diga: 'Deja que este tenga el lugar'. Y entonces tendrás que irte con vergüenza a ocupar el lugar más bajo.[a] 10 Pero cuando se te invita, ve y reclínate en el lugar más bajo,[b] para que cuando venga el que te haya invitado te diga: 'Amigo, sube más arriba'. Entonces tendrás honra delante de todos los demás convidados contigo.[c] 11 Porque todo el que se ensalza será humillado, y el que se humilla será ensalzado".[d]

12 En seguida prosiguió a decir también al que lo había invitado: "Cuando des una comida o una cena, no llames a tus amigos, ni a tus hermanos, ni a tus parientes, ni a los vecinos ricos. Quizás alguna vez ellos también te inviten a ti en cambio, y esto llegue a ser tu pago correspondiente. 13 Pero cuando des un banquete, invita a los pobres, a los lisiados, a los cojos, a los ciegos;[e] 14 y serás feliz, porque ellos no tienen con qué pagártelo. Pues se te pagará en la resurrección[f] de los justos".

15 Al oír estas cosas, cierta persona de entre los convidados con él le dijo: "Feliz es el que coma pan en el reino de Dios".[g]

16 [Jesús] le dijo: "Cierto hombre daba una gran cena, e invitó a muchos.[h] 17 Y a la hora de la cena envió a su esclavo a decir a los invitados: 'Vengan,[i] porque las cosas ya están listas'. 18 Pero todos a una comenzaron a rogar que se les excusara.[j] El primero le dijo: 'Compré un campo y tengo que salir a verlo; te pido: Excúsame'.[k] 19 Y otro dijo: 'Compré cinco yuntas de bueyes y voy a examinarlas; te pido: Excúsame'.[l] 20 Uno más dijo: 'Acabo de casarme[m] con una esposa, y por eso no puedo ir'. 21 De modo que el esclavo vino al amo y le informó estas cosas. Entonces el amo de casa se airó, y dijo a su esclavo: 'Sal pronto a los caminos an-

CAP. 13
a Sof 3:3
b Heb 2:10
Mt 16:21
Isa 1:21
e 2Cr 24:21
f Isa 40:11
g Mt 23:37
h Le 26:31
1Re 9:7
Sl 69:25
Isa 1:7
Jer 12:7
Jer 22:5
Miq 3:12
i Sl 118:26
Mt 21:9
Mt 23:39
Lu 19:38
Jn 12:13

CAP. 14
j Lu 7:36
Lu 11:37
k Sl 37:32
l Mt 12:10
Lu 6:9
Lu 13:15
Jn 7:23
m Éx 23:5
Dt 22:4
n Mt 12:11
Lu 13:15
o Mt 22:46
p Mt 23:6
Lu 11:43
Lu 20:46
q Sl 25:6

2.ª col.
a Pr 25:7
b Mt 23:12
Lu 18:14
c Pr 15:33
Snt 4:10
1Pe 5:5
d Sl 18:27
Pr 29:23
Mt 23:12
Snt 4:6
e Ne 8:10
Job 31:16
Pr 3:28
f Jn 5:29
Jn 11:24
Hch 24:15
g Lu 13:29
Rev 19:9
h Mt 22:2
i Pr 9:5
j Mt 22:3
k Mt 6:24
Sl 8:14
1Ti 6:9
2Ti 4:10
l Mt 22:5
m Dt 24:5
1Co 7:33

chos y a las callejuelas de la ciudad, y trae acá a los pobres y a los lisiados y a los ciegos y a los cojos'.ᵃ **22** Andando el tiempo, el esclavo dijo: 'Amo, se ha hecho lo que ordenaste, y todavía hay lugar'. **23** Y el amo dijo al esclavo: 'Sal a los caminosᵇ y a los lugares cercados, y oblígalos a entrar, para que se llene mi casa.ᶜ **24** Porque les digo a ustedes: Ninguno de aquellos varones que fueron invitados gustará mi cena' ".ᵈ

25 Ahora bien, grandes muchedumbres viajaban con él, y él se volvió y les dijo: **26** "Si alguien viene a mí y no odia a su padre y madre y esposa e hijos y hermanos y hermanas, sí, y hasta su propia alma,ᵉ no puede ser mi discípulo.ᶠ **27** El que no lleva su madero de tormento y viene en pos de mí no puede ser mi discípulo.ᵍ **28** Por ejemplo, ¿quién de ustedes que quiere edificar una torre no se sienta primero y calcula los gastos,ʰ a ver si tiene lo suficiente para completarla? **29** De otra manera, pudiera poner el fundamento, pero no poder terminarla, y todos los que miraran pudieran comenzar a burlarse de él, **30** diciendo: 'Este hombre comenzó a edificar, pero no pudo terminar'. **31** ¿O qué rey, al marchar al encuentro de otro rey en guerra, no se sienta primero y delibera si puede con diez mil soldados hacer frente al que viene contra él con veinte mil?ⁱ **32** En realidad, si no puede hacerlo, entonces, mientras aquel todavía está lejos él envía un cuerpo de embajadores y pide paz.ʲ **33** Por consiguiente, puedes estar seguro: ninguno de ustedes que no se despida de todos sus bienesᵏ puede ser mi discípulo.

34 "La sal, de seguro, es excelente. Pero si hasta la sal pierde su fuerza, ¿con qué será sazonada?ˡ **35** Ni para la tierra, ni

para el estiércol es apropiada. La echan fuera. El que tiene oídos para escuchar, escuche".ᵃ

15 Ahora bien, todos los recaudadores de impuestosᵇ y los pecadoresᶜ seguían acercándose a él para oírle. **2** Por consiguiente, tanto los fariseos como los escribas seguían murmurando, diciendo: "Este hombre recibe con gusto a pecadores, y come con ellos".ᵈ **3** Entonces él les habló esta ilustración, y dijo: **4** "¿Qué hombre de ustedes que tiene cien ovejas, al perder una de ellas, no deja las noventa y nueve atrás en el desierto y va en busca de la perdida hasta que la halla?ᵉ **5** Y cuando la ha hallado, la pone sobre sus hombros y se regocija.ᶠ **6** Y cuando llega a casa convoca a sus amigos y a sus vecinos, y les dice: 'Regocíjense conmigo, porque he hallado mi oveja que estaba perdida'.ᵍ **7** Les digo que así habrá más gozo en el cielo por un pecador que se arrepienteʰ que por noventa y nueve justos que no tienen necesidad de arrepentimiento.ⁱ

8 "¿O qué mujer que tiene diez monedas de dracma, si pierde una moneda de dracma, no enciende una lámpara y barre su casa y busca cuidadosamente hasta que la halla? **9** Y cuando la ha hallado, convoca a sus amigas y vecinas, y dice: 'Regocíjense conmigo, porque he hallado la moneda de dracma que perdí'. **10** Así, les digo, surge gozo entre los ángeles de Dios por un pecador que se arrepiente".ʲ

11 Entonces dijo: "Cierto hombre tenía dos hijos.ᵏ **12** Y el más joven de ellos dijo a su padre: 'Padre, dame la parte que me corresponde de la hacienda'.ˡ Entonces él les dividió su medio de vivir.ᵐ **13** Más tarde, no muchos días después, el hijo más joven recogió todas las cosas y viajó al extranjero a un país distante, y allí malgastó su ha-

CAP. 14
a Mt 22:9
  Mt 28:19
  Hch 13:46
  1Co 1:26
b Mt 22:10
c 2Co 5:20
d Mt 21:43
  Mt 22:8
  Heb 3:19
e Rev 12:11
f Dt 33:9
  Mt 10:37
  Lu 18:29
  Jn 12:25
g Mt 16:24
  Mr 8:34
  Lu 9:23
  Gál 6:14
h Pr 24:27
  Mt 21:33
i Pr 20:18
j Isa 33:7
k Mt 19:27
  Lu 9:62
  Flp 3:7
l Mt 5:13
  Mr 9:50
  Col 4:6

2.ª col.
a Mt 13:43
  Mr 4:9
  Rev 2:29
CAP. 15
b Mt 9:10
  Mr 2:15
  Lu 5:29
  Lu 19:2
c 1Ti 1:15
d Mt 9:11
  Lu 5:30
  Hch 11:3
e Eze 34:11
  Mt 18:12
  Lu 19:10
  1Pe 2:25
f Mt 18:13
g Mt 18:14
  Ro 12:15
  1Pe 2:25
h Eze 33:11
  Lu 5:32
i Pr 30:12
j Mt 9:13
  Mr 2:17
k Mt 21:28
l Dt 21:17
m Pr 13:22

cienda viviendo una vida diso-
luta.ᵃ 14 Cuando lo hubo gastado todo, ocurrió un hambre
severa por todo aquel país, y él
comenzó a padecer necesidad.
15 Hasta fue y se acogió a uno
de los ciudadanos de aquel país,
y este lo envió a sus campos a
guardar cerdos.ᵇ 16 Y deseaba
saciarse de las algarrobas que
comían los cerdos, y nadie le
daba [nada].ᶜ

17 "Cuando recobró el juicio,
dijo: ¡Cuántos asalariados de mi
padre tienen pan en abundancia, mientras yo aquí perezco
de hambre! 18 Me levantaré y
haré el viajeᵈ a donde mi padre,
y le diré: "Padre, he pecado contra el cielo y contra ti.ᵉ 19 Ya
no soy digno de ser llamado hijo
tuyo. Hazme como uno de tus
asalariados"'. 20 De modo que
se levantó y fue a donde su padre. Mientras él estaba todavía
lejos, su padre alcanzó a verlo, y
se enterneció, y corrió y se le
echó sobre el cuello y lo besó
tiernamente. 21 Entonces el
hijo le dijo: 'Padre, he pecado
contra el cielo y contra ti.ᶠ Ya
no soy digno de ser llamado hijo
tuyo. Hazme como uno de tus
asalariados'.ᵍ 22 Pero el padre
dijo a sus esclavos: '¡Pronto!, saquen una ropa larga, la mejor, y
vístanloʰ con ella, y pónganle un
anilloⁱ en la mano y sandalias en
los pies. 23 Y traigan el torillo
cebado,ʲ degüéllenlo, y comamos
y gocemos, 24 porque este hijo
mío estaba muerto y volvió a vivir;ᵏ estaba perdido y fue hallado'. Y comenzaron a gozar.

25 "Pues bien, su hijo mayorˡ
estaba en el campo; y a medida
que venía y se acercaba a la casa
oyó un concierto de música y
danzas. 26 De modo que llamó a sí a uno de los sirvientes e
inquirió qué significaban estas
cosas. 27 Él le dijo: 'Tu her-
manoᵐ ha venido, y tu padreⁿ
degolló el torillo cebado, porque lo recobró en buena salud'.

28 Pero él se airó, y no quiso
entrar. Entonces su padre salió
y se puso a suplicarle.ᵃ 29 En
respuesta, él dijo a su padre:
'Hace ya tantos años que he trabajado para ti como un esclavo,
y ni una sola vez transgredí tu
mandamiento, y, no obstante, a
mí ni una sola vez me diste un
cabrito para que gozara con mis
amigos.ᵇ 30 Pero tan pronto
como llegó este hijo tuyoᶜ que se
comió tu medio de vivir con las
rameras,ᵈ le degollaste el torillo cebado'.ᵉ 31 Entonces él le
dijo: 'Hijo, tú siempre has estado
conmigo, y todas las cosas que
son mías son tuyas;ᶠ 32 pero
simplemente teníamos que gozar y tener regocijo, porque este
hermano tuyo estaba muerto y
llegó a vivir, y estaba perdido y
fue hallado'".ᵍ

16 Entonces pasó a decir
también a los discípulos:
"Cierto hombre era rico y tenía
un mayordomo,ʰ y este fue acusado ante él de manejar sus bienes en forma despilfarradora.ⁱ
2 De modo que él lo llamó y le
dijo: ¿Qué es esto que oigo de ti?
Entrega la cuentaʲ de tu mayordomía, porque ya no puedes
tener a tu cargo la casa'. 3 Entonces el mayordomo dijo dentro de sí: '¿Qué he de hacer, ya
que mi amoᵏ va a quitarme la
mayordomía? No tengo las fuerzas para cavar, me da vergüenza mendigar. 4 ¡Ah!, sé lo que
haré, para que, cuando sea de-
puesto de la mayordomía, haya
quienes me reciban en sus hogares'.ˡ 5 Y llamando a sí a cada
uno de los deudores de su amo,
pasó a decir al primero: '¿Cuánto debes a mi amo?'. 6 Él dijo:
'Cien medidas de bato de aceite
de oliva'. Le dijo: 'Toma otra vez
tu acuerdo escrito y siéntate y escribe pronto cincuenta'.
7 Luego dijo a otro: 'Y tú,
¿cuánto debes?'. Dijo él: 'Cien
medidas de coro de trigo'. Le

CAP. 15
a Pr 29:3
  Lu 15:30
b Lu 11:7
c Pr 23:21
d Ef 4:17
  1Pe 4:3
e 2Cr 7:14
  Sl 32:5
  Pr 28:13
  Lu 18:13
  1Jn 1:9
f Sl 51:4
g 2Co 7:10
h Zac 3:4
i Gé 41:42
  Est 8:8
j Mt 22:4
k Jn 5:25
  Ro 6:13
  Ef 2:1
  Ef 2:5
  Rev 3:1
l Heb 12:23
m Jn 10:16
n Isa 25:6

2.ª col.
a Mt 20:11
b Mt 20:12
c Rev 7:13
d Pr 29:3
e Rev 7:14
f Jn 17:10
  Ro 8:17
g Lu 15:24

CAP. 16
h Gé 15:2
  Gé 24:2
i 1Co 4:2
j Mt 18:23
  Mt 25:19
  1Pe 4:5
k Mt 24:50
l Pr 19:6

dijo: 'Toma otra vez tu acuerdo escrito y escribe ochenta'. **8** Y su amo alabó al mayordomo, aunque era injusto, porque obró con sabiduría práctica;[a] porque los hijos de este sistema de cosas, en su trato con los de su propia generación, son más sabios, de manera práctica, que los hijos de la luz.[b]

9 "También, les digo a ustedes: Háganse amigos[c] por medio de las riquezas injustas,[d] para que, cuando las tales fallen, se los reciba en los lugares de habitación eternos.[e] **10** La persona fiel en lo mínimo es fiel también en lo mucho, y la persona injusta en lo mínimo es injusta también en lo mucho.[f] **11** Por lo tanto, si ustedes no han demostrado ser fieles en lo que tiene que ver con las riquezas injustas, ¿quién les encomendará lo que es verdadero?[g] **12** Y si no han demostrado ser fieles en lo que tiene que ver con lo ajeno,[h] ¿quién les dará lo que es para ustedes mismos? **13** Ningún sirviente de casa puede ser esclavo de dos amos; porque, u odiará al uno y amará al otro, o se adherirá al uno y despreciará al otro. No pueden ser esclavos de Dios y de las Riquezas".[i]

14 Ahora bien, los fariseos, que eran amantes del dinero, escuchaban todas estas cosas, y le hacían gestos de desprecio.[j] **15** Por consiguiente, él les dijo: "Ustedes son aquellos que se declaran a sí mismos justos delante de los hombres,[k] pero Dios conoce sus corazones;[l] porque lo que entre los hombres es encumbrado, cosa repugnante es a la vista de Dios.[m]

16 "La Ley y los Profetas eran hasta Juan.[n] Desde entonces se declara el reino de Dios como buenas nuevas, y toda clase de persona se adelanta con ardor hacia él.[o] **17** En realidad, más fácil es que pasen el cielo y la tierra[p] que el que quede sin cum-

plirse[a] una pizca[b] de una letra de la Ley.

18 "Todo el que se divorcia de su esposa y se casa con otra comete adulterio, y el que se casa con una mujer divorciada de un esposo comete adulterio.[c]

19 "Pero cierto hombre[d] era rico, y se ataviaba de púrpura y lino, y gozaba de día en día con magnificencia.[e] **20** Pero a su puerta solían colocar a cierto mendigo, de nombre Lázaro, lleno de úlceras **21** y deseoso de saciarse de las cosas que caían de la mesa del rico. Sí; además, los perros venían y le lamían las úlceras. **22** Pues bien, con el pasar del tiempo el mendigo murió,[f] y fue llevado por los ángeles a [la posición del] seno[g] de Abrahán.[h]

"También, el rico murió y fue sepultado. **23** Y en el Hades él alzó los ojos, mientras existía en tormentos,[i] y vio de lejos a Abrahán y a Lázaro en [la posición del] seno con él. **24** De modo que llamó y dijo: 'Padre Abrahán,[k] ten misericordia de mí y envía a Lázaro para que moje la punta de su dedo en agua y refresque mi lengua,[l] porque estoy en angustia en este fuego llameante'.[m] **25** Pero Abrahán dijo: 'Hijo, acuérdate de que recibiste de lleno tus cosas buenas en tu vida, pero Lázaro correspondientemente las cosas perjudiciales. Ahora, sin embargo, él tiene consuelo aquí, pero tú estás en angustia.[n] **26** Y además de todas estas cosas, se ha fijado una gran sima[o] entre nosotros y ustedes,[p] de modo que los que quieran pasar de aquí a ustedes no pueden, ni se puede cruzar de allá a nosotros'.[q] **27** Entonces dijo: 'En tal caso te pido, padre, que lo envíes a la casa de mi padre, **28** porque tengo cinco hermanos, para que les dé un testimonio cabal, a fin de que no entren ellos también en este lugar de tormento'. **29** Pero

---

CAP. 16
a Pr 19:8

b Jn 12:36
  Ef 5:8
  1Te 5:5

c Ec 11:1
  Lu 19:8

d Mt 19:21
  Lu 12:20
  1Ti 6:17

e Mt 25:34
  Jn 14:2

f Mt 25:21
  Lu 19:17

g Ef 3:8
  Rev 3:18

h Lu 12:48
  1Co 4:2

i Mt 6:24

j Isa 53:3

k Mt 6:2
  Mt 23:28
  Lu 10:29
  Lu 18:9

l 1Sa 16:7
  1Cr 28:9
  2Cr 6:30
  Pr 15:11
  Hch 1:24

m 1Pe 5:5

n Mt 11:13

o Mt 11:12

p Sl 102:26
  Heb 1:11

2.ª col.

a Mt 5:17

b Mt 5:18

c Mt 5:32
  Mt 19:9
  Mr 10:11

d Mt 13:34

e Mt 23:5

f Ro 7:4

g Jn 1:18

h Isa 63:16
  Mt 8:11

i Ro 7:6

j Hch 5:33

k Isa 51:2
  Mt 3:9

l Isa 65:13

m Hch 7:54

n Ro 11:22

o Sl 36:6

p 1Co 1:23

q 2Co 6:14

Abrahán dijo: 'Tienen a Moisés[a] y a los Profetas;[b] que escuchen a estos'.[c] 30 Entonces él dijo: 'No, por cierto, padre Abrahán, pero si alguien va a ellos de entre los muertos se arrepentirán'. 31 Pero él le dijo: 'Si no escuchan a Moisés[d] y a los Profetas, tampoco se dejarán persuadir si alguien se levanta de entre los muertos'".

17 Entonces dijo a sus discípulos: "Es inevitable que vengan causas de tropiezo.[e] Sin embargo, ¡ay de aquel por medio de quien vienen![f] 2 Más ventajoso le sería que se suspendieran del cuello una piedra de molino y lo arrojaran al mar[g] que el que él hiciera tropezar a uno de estos pequeños.[h] 3 Presten atención a ustedes mismos. Si tu hermano comete un pecado, dale una reprensión;[i] y si se arrepiente, perdónalo.[j] 4 Aun si siete veces al día peca contra ti y siete veces vuelve a ti, diciendo: 'Me arrepiento', tienes que perdonarlo".[k]

5 Ahora bien, los apóstoles dijeron al Señor: "Danos más fe".[l] 6 Entonces el Señor dijo: "Si ustedes tuvieran fe del tamaño de un grano de mostaza, dirían a este moral: '¡Sé desarraigado y plantado en el mar!', y les obedecería.[m]

7 "¿Quién hay de ustedes que tenga un esclavo arando, o cuidando el rebaño, que diga a este cuando vuelva del campo: 'Ven acá en seguida y reclínate a la mesa'? 8 Por el contrario, ¿no le dirá: 'Prepárame algo para que cene, y ponte un delantal y sírveme hasta que yo haya acabado de comer y beber, y después tú puedes comer y beber'? 9 Él no se sentirá agradecido al esclavo porque este haya hecho las cosas asignadas, ¿verdad? 10 Así también ustedes, cuando hayan hecho todas las cosas que se les hayan asignado, digan:

CAP. 16
a Dt 18:18
b 1Pe 1:10
c Lu 24:27
d Jn 5:46

CAP. 17
e 1Co 11:19
f Mt 26:24
  Jud 11
  Rev 2:14
g Rev 18:21
h Mt 18:6
  Mr 9:42
i Pr 17:10
  Mt 8:33
j Le 19:17
  Pr 19:11
  Mt 18:15
k Isa 55:7
  Mt 6:12
  Mt 18:22
  Col 3:13
l Mr 9:24
  Ef 2:8
  Heb 12:2
m Mt 17:20
  Mt 21:21
  Mr 9:23
  Mr 11:23

2.ª col.
a Job 22:3
  Sl 16:2
  Ro 3:12
  Ro 11:35
  1Co 9:16
b Lu 9:51
  Jn 4:4
c Le 13:46
  Mt 8:2
d Mt 9:27
  Mt 20:30
e Le 13:2
  Le 13:49
  Le 14:2
  Mt 24:8
  Mt 8:4
  Lu 5:14
f 2Re 5:14
g Sl 50:15
  Sl 103:1
h Mt 8:2
i 2Re 17:24
  Jn 4:9
j Mt 9:22
  Mr 5:34
  Lu 7:50
k Mt 24:3
l Mt 24:23
  Mt 13:21
m Mt 12:28
  Mt 21:5
n Mt 9:15
  Lu 5:35
  Jn 8:56
o Mt 24:23
  Mr 13:21
  Lu 21:8
p 1Jn 4:1
q Mt 24:27
r Da 7:13

'Somos esclavos que no servimos para nada.[a] Lo que hemos hecho es lo que deberíamos haber hecho'".

11 Y mientras iba a Jerusalén pasaba por en medio de Samaria y Galilea.[b] 12 Y en el momento en que entraba en cierta aldea lo encontraron diez varones leprosos,[c] pero se pusieron de pie a lo lejos. 13 Y levantaron la voz y dijeron: "¡Jesús, Instructor, ten misericordia de nosotros!". 14 Y cuando él alcanzó a verlos, les dijo: "Vayan y muéstrense a los sacerdotes".[e] Entonces, mientras se iban, se efectuó su limpieza.[f] 15 Uno de ellos, cuando vio que había sido sanado, volvió atrás, glorificando[g] a Dios en alta voz. 16 Y cayó sobre su rostro a los pies [de Jesús],[h] y le dio gracias; además, era samaritano.[i] 17 En respuesta Jesús dijo: "Los diez fueron limpiados, ¿no es verdad? Entonces, ¿dónde están los otros nueve? 18 ¿No se halló ninguno que volviera atrás a dar gloria a Dios, sino este hombre de otra nación?". 19 Y le dijo: "Levántate y ponte en camino; tu fe te ha devuelto la salud".[j]

20 Pero cuando los fariseos le preguntaron cuándo vendría el reino de Dios,[k] les contestó y dijo: "El reino de Dios no viene de modo que sea llamativamente observable, 21 ni dirán: '¡Miren acá!', o, '¡Allá!'.[l] Porque, ¡miren!, el reino de Dios está en medio de ustedes".[m]

22 Entonces dijo a los discípulos: "Vendrán días en que desearán ver uno de los días del Hijo del hombre, mas no [lo] verán. 23 Y les dirán: '¡Miren allá!', o, '¡Miren acá!'.[o] No salgan ni corran tras [ellos].[p] 24 Porque así como el relámpago,[q] por su relampagueo, resplandece desde una parte debajo del cielo hasta otra parte debajo del cielo, así será el Hijo del hombre.[r] 25 Primero, sin embargo, tie-

ne que pasar por muchos sufrimientos y ser rechazado por esta generación.[a] 26 Además, así como ocurrió en los días de Noé,[b] así será también en los días del Hijo del hombre:[c] 27 comían, bebían, los hombres se casaban, las mujeres se daban en matrimonio, hasta aquel día en que Noé entró en el arca, y llegó el diluvio y los destruyó a todos.[d] 28 De igual modo, así como ocurrió en los días de Lot:[e] comían, bebían, compraban, vendían, plantaban, edificaban. 29 Pero el día en que Lot salió de Sodoma, llovió del cielo fuego y azufre y los destruyó a todos.[f] 30 De la misma manera será en aquel día en que el Hijo del hombre ha de ser revelado.[g]

31 "En aquel día, el que esté en la azotea, pero cuyas cosas movibles estén dentro de la casa, no baje a recogerlas; e, igualmente, el que esté en el campo no vuelva a las cosas atrás. 32 Acuérdense de la esposa de Lot.[h] 33 Cualquiera que procure mantener segura su alma para sí mismo la perderá, pero cualquiera que la pierda la conservará viva.[i] 34 Les digo: En aquella noche estarán dos [hombres] en una cama; uno será llevado, pero el otro será abandonado.[j] 35 Habrá dos [mujeres] moliendo en el mismo molino; una será llevada, pero la otra será abandonada.[k] 36 — 37 Así que, en respuesta, le dijeron: "¿A dónde, Señor?". Él les dijo: "Donde esté el cuerpo,[l] allí también se reunirán las águilas".[m]

18 Entonces pasó a decirles una ilustración respecto a lo necesario que les era orar siempre y no desistir,[n] 2 diciendo: "En cierta ciudad había cierto juez que no le tenía temor a Dios ni tenía respeto a hombre. 3 Pues bien, había en aquella ciudad una viuda, y ella seguía

yendo[a] a él, y decía: 'Ve que se me rinda justicia de mi adversario en juicio'. 4 Pues, por algún tiempo él no quiso, pero después dijo dentro de sí: 'Aunque no temo a Dios ni respeto a hombre, 5 de todos modos, porque esta viuda me causa molestia[b] de continuo, veré que se le rinda justicia, para que no siga viniendo y aporreándome[c] hasta acabar conmigo'". 6 Entonces dijo el Señor: "¡Oigan lo que dijo el juez, aunque era injusto! 7 De seguro, entonces, ¿no hará Dios que se haga justicia[d] a sus escogidos que claman a él día y noche, aun cuando es sufrido[e] para con ellos? 8 Les digo: Él hará que se les haga justicia rápidamente.[f] Sin embargo, cuando llegue el Hijo del hombre, ¿verdaderamente hallará la fe sobre la tierra?".

9 Pero habló esta ilustración también a algunos que confiaban en sí mismos como justos,[g] y que consideraban como nada a los demás:[h] 10 "Dos hombres subieron al templo a orar, el uno fariseo y el otro recaudador de impuestos. 11 El fariseo se puso de pie[i] y oraba[j] para sí estas cosas: 'Oh Dios, te doy gracias de que no soy como los demás hombres, dados a extorsión, injustos, adúlteros, ni siquiera como este recaudador de impuestos.[k] 12 Ayuno dos veces a la semana, doy el décimo de todas las cosas que adquiero'.[l] 13 Pero el recaudador de impuestos, estando de pie a la distancia, no quería ni siquiera alzar los ojos hacia el cielo, sino que se golpeaba el pecho,[m] y decía: 'Oh Dios, sé benévolo para conmigo, [que soy] pecador'.[n] 14 Les digo: Este hombre bajó a su casa probado más justo[o] que aquel; porque todo el que se ensalza será humillado, pero el que se humilla será ensalzado".[p]

15 Entonces la gente empezó a traerle también sus criaturas

CAP. 17

a Mr 8:31
  Mr 9:31
  Lu 9:22

b Gé 6:5

c Mt 24:37

d Gé 7:7
  Mt 24:38

e Gé 19:15

f Gé 19:24

g Mt 24:30
  Mr 13:26
  1Co 1:7
  Col 3:4
  2Te 1:7
  2Te 2:8
  Rev 1:7

h Gé 19:26

i Mt 10:39
  Mt 16:25
  Mr 8:35
  Lu 9:24
  Jn 12:25

j Mt 24:40

k Mt 24:41

l Job 39:30

m Mt 24:28

CAP. 18

n Sl 55:16
  Ro 12:12
  Ef 6:18
  Flp 4:6
  Col 4:2
  1Te 5:17

2.ª col.

a Lu 11:8

b Lu 11:7

c Jue 16:16

d 1Sa 24:12
  Isa 40:27
  Jer 20:12

e 2Pe 3:9
  Rev 6:10

f Hab 2:3
  Heb 10:37

g Pr 30:12
  Lu 10:29

h Isa 65:5

i Sl 135:2

j Isa 1:15

k Rev 3:17

l Mt 23:23

m Jer 31:19
  Lu 23:48

n Sl 51:3

o Isa 16:7
  Isa 66:2
  Mt 21:31

p Isa 2:11
  Mt 18:4
  Snt 4:6
  1Pe 5:5

para que las tocara; pero los discípulos, al ver esto, empezaron a corregirla.[a] 16 Sin embargo, Jesús llamó a sí a las [criaturas], y dijo: "Dejen que los niñitos vengan a mí, y no traten de detenerlos. Porque el reino de Dios pertenece a los que son así.[b] 17 En verdad les digo: El que no reciba el reino de Dios como un niñito, de ninguna manera entrará en él".[c]

18 Y cierto gobernante le interrogó, y dijo: "Buen Maestro, ¿qué he de hacer para heredar la vida eterna?".[d] 19 Jesús le dijo: "¿Por qué me llamas bueno? Nadie es bueno, sino uno solo, Dios.[e] 20 Conoces los mandamientos:[f] 'No cometas adulterio,[g] No asesines,[h] No hurtes,[i] No des testimonio falso,[j] Honra a tu padre y a tu madre'".[k] 21 Entonces él dijo: "Todos estos los he guardado desde la juventud".[l] 22 Al oír aquello, Jesús le dijo: "Todavía hay una cosa que falta en cuanto a ti: Vende todas las cosas que tienes y distribuye entre los pobres, y tendrás tesoro en los cielos; y ven, sé mi seguidor".[m] 23 Cuando oyó esto, él se contristó profundamente, porque era muy rico.[n]

24 Jesús le miró y dijo: "¡Cuán difícil les será a los que tienen dinero abrirse camino en el reino de Dios![o] 25 Más fácil es, de hecho, que un camello pase por el ojo de una aguja de coser que el que un rico entre en el reino de Dios".[p] 26 Los que oyeron esto dijeron: "¿Quién, acaso, puede ser salvo?". 27 Él dijo: "Las cosas que son imposibles para los hombres son posibles para Dios".[o] 28 Pero Pedro dijo: "¡Mira! Nosotros hemos dejado nuestras propias cosas y te hemos seguido".[r] 29 Él les dijo: "En verdad les digo: Nadie hay que haya dejado casa, o esposa, o hermanos, o padres, o hijos, por causa del reino de Dios,[s]

30 que no reciba de algún modo muchas veces más en este período, y en el sistema de cosas venidero la vida eterna".[a]

31 Entonces tomó aparte a los doce y les dijo: "¡Miren! Subimos a Jerusalén, y se completarán todas las cosas que por medio de los profetas[b] se han escrito acerca del Hijo del hombre.[c] 32 Por ejemplo, lo entregarán a [hombres de] las naciones y se burlarán[d] de él y lo tratarán insolentemente[e] y escupirán[f] contra él; 33 y después de azotarlo[g] lo matarán,[h] pero al tercer día él se levantará".[i] 34 Sin embargo, ellos no captaron el significado de ninguna de estas cosas; sino que esta expresión quedó escondida de ellos, y no sabían las cosas que se habían dicho.[j]

35 Ahora bien, al acercarse él a Jericó, cierto ciego estaba sentado al lado del camino, mendigando.[k] 36 Puesto que este oyó a la muchedumbre que iba pasando, se puso a inquirir lo que significaba esto. 37 Le informaron: "¡Jesús el Nazareno va pasando!".[l] 38 Con eso, clamó, y dijo: "¡Jesús, Hijo de David, ten misericordia de mí!".[m] 39 Y los que iban delante empezaron a decirle rigurosamente que se callara, pero mucho más gritaba él: "Hijo de David, ten misericordia de mí".[n] 40 Entonces Jesús se detuvo y mandó que condujeran el [hombre] hasta él.[o] Después que él se hubo acercado, [Jesús] le preguntó: 41 "¿Qué quieres que te haga?".[p] Él dijo: "Señor, que recobre la vista".[q] 42 De modo que Jesús le dijo: "Recobra tu vista; tu fe te ha devuelto la salud".[r] 43 Y al instante recobró la vista,[s] y se puso a seguirle, glorificando a Dios.[t] También, todo el pueblo, al ver [esto], dio alabanza a Dios.

CAP. 18
a Mt 19:13
  Mr 10:13
b 1Co 14:70
  1Pe 2:2
c Mt 18:3
  Mr 10:15
d Mt 19:16
  Mr 10:17
  Lu 10:25
e Mt 19:17
  Mr 10:18
f Ro 13:9
g Éx 20:14
  Dt 5:18
h Éx 20:13
  Dt 5:17
i Éx 20:15
  Dt 5:19
j Éx 20:16
  Dt 5:20
k Éx 20:12
  Dt 5:16
  Ef 6:2
l Mt 19:20
  Mr 10:20
m Mt 6:20
  Mr 19:21
  Mr 10:21
  Lu 12:33
  1Ti 6:19
n Mt 19:22
  Mr 10:22
o Pr 11:28
  1Ti 6:9
p Mt 19:24
  Mr 10:25
q Gé 18:14
  Jer 32:17
  Zac 8:6
  Mr 14:36
r Mt 19:27
s Dt 33:9
  Mr 10:29

2.ª col.
a Mt 19:29
  Mr 10:30
  Rev 2:10
b Sl 16:10
  Sl 22
  Sl 34:20
  Sl 41:9
  Isa 53
  Isa 53
  Miq 5:1
  Zac 9:9
  Zac 11:12
  Zac 13:7
c Mt 16:21
  Mr 10:32
d Sl 22:7
  Mt 27:2
  Hch 3:13
e Isa 53:5
f Isa 50:6
g Isa 53:5
h Isa 53:7
i Jon 1:17
  Mt 20:19
  Mr 10:34
  Lu 9:22
j Mr 9:32
k Mt 20:29
  Mr 10:46
l Mt 10:47
m Mt 20:30
  Lu 17:13
n Mt 20:31
  Mt 10:48
o Mr 10:49
p Mt 20:32

q Mt 20:33; Mr 10:51; r Mt 20:34; Lu 7:50; Lu 17:19; s Mr 10:52; t Lu 5:26; Hch 4:21; Gál 1:24.

19 Y él entró en Jericó[a] e iba pasando. 2 Ahora bien, allí había un varón que se llamaba por nombre Zaqueo, y era principal recaudador de impuestos, y era rico. 3 Pues bien, este buscaba la manera de ver[b] quién era este Jesús, pero a causa de la muchedumbre no podía, porque era pequeño de estatura. 4 De modo que corrió adelante a una posición al frente y se subió a una higuera moral para verlo, porque él estaba a punto de pasar por allí. 5 Pues bien, cuando Jesús llegó al lugar, miró hacia arriba y le dijo: "Zaqueo, date prisa y baja, porque hoy tengo que quedarme en tu casa". 6 Con eso, él se dio prisa y bajó, y lo recibió con regocijo como huésped. 7 Pero cuando vieron [esto], todos se pusieron a murmurar,[e] diciendo: "Entró a alojarse con un varón que es pecador". 8 Mas Zaqueo se puso de pie y dijo al Señor: "¡Mira! La mitad de mis bienes, Señor, la doy a los pobres, y todo cuanto extorsioné de persona alguna por acusación falsa,[d] lo devuelvo el cuádruplo".[e] 9 Entonces Jesús le dijo: "Este día ha venido la salvación a esta casa, porque él también es hijo de Abrahán.[f] 10 Porque el Hijo del hombre vino a buscar y a salvar lo que estaba perdido".[g]

11 Mientras ellos escuchaban estas cosas, habló también una ilustración, porque estaba cerca de Jerusalén y ellos se imaginaban que el reino de Dios iba a exhibirse instantáneamente.[h] 12 Por lo tanto dijo: "Cierto hombre de noble nacimiento viajó a una tierra distante para conseguir para sí poder real y volver.[i] 13 Llamando a diez esclavos suyos, les dio diez minas y les dijo: 'Negocien hasta que venga'.[j] 14 Pero sus ciudadanos lo odiaban,[k] y enviaron tras él un cuerpo de embajadores a decir: 'No queremos que este llegue a ser rey sobre nosotros'.[a]

15 "Con el tiempo, cuando volvió después de haber conseguido el poder real, mandó llamar a sí a estos esclavos a quienes había dado el dinero en plata, para averiguar lo que habían ganado por la actividad de negociar.[b] 16 Entonces se presentó el primero, y dijo: 'Señor, tu mina ganó diez minas'.[c] 17 De modo que le dijo: '¡Bien hecho, buen esclavo! Porque has probado ser fiel en un asunto muy pequeño, ten autoridad sobre diez ciudades'.[d] 18 Luego vino el segundo, y dijo: 'Tu mina, Señor, produjo cinco minas'. 19 Le dijo también a este: 'Tú, también, ten a tu cargo cinco ciudades'.[f] 20 Pero vino uno diferente, y dijo: 'Señor, aquí está tu mina, que tuve guardada en un paño. 21 Pues mira, yo te temía, porque eres hombre severo; recoges lo que no depositaste y siegas lo que no sembraste'.[g] 22 Él le dijo: 'De tu propia boca[h] te juzgo, esclavo inicuo. ¿Sabías de veras que yo soy hombre severo, que recojo lo que no deposité y siego lo que no sembré?[i] 23 Entonces, ¿por qué no pusiste mi dinero en plata en el banco? Así, al llegar yo, lo hubiera cobrado con interés'.[j]

24 "Con eso, dijo a los que estaban de pie allí: 'Quítenle la mina y dénsela al que tiene las diez minas'.[k] 25 Pero ellos le dijeron: '¡Señor, él tiene diez minas!'... 26 'Les digo: A todo el que tiene, más se le dará; pero al que no tiene, hasta lo que tiene le será quitado.[l] 27 Además, a estos enemigos míos que no querían que yo llegara a ser rey sobre ellos, tráiganlos acá y degüéllenlos delante de mí'".[m]

28 Entonces, después de haber dicho estas cosas, empezó a seguir adelante, subiendo a Jerusalén.[a] 29 Y cuando se acercó a Betfagué y Betania, a la montaña llamada el monte de los Olivos,[o] envió a dos de los

---

CAP. 19

a Mt 20:29

b Jn 6:24
  Jn 12:21

c Mt 9:11
  Lu 5:30
  Lu 15:2

d Éx 20:16
  Lu 3:14

e Éx 22:1
  Le 6:5
  2Sa 12:6

f Mt 15:24
  Lu 13:16
  Hch 3:25

g Eze 34:16
  Mt 18:11
  Mt 10:6
  Lu 15:4
  Ro 5:8
  1Ti 1:15

h Mt 24:33
  Lu 17:20
  Hch 1:6
  2Te 2:2

i Mt 25:14
  Mr 13:34
  Jn 18:36

j Mt 25:15

k Jn 1:11

2.ª col.

a Sl 2:2
  Mt 23:37

b Mt 25:19

c Mt 25:20

d Mt 25:21
  Lu 16:10
  Rev 2:26

e Mt 25:22

f Mt 25:23

g Mt 25:24

h 2Sa 1:16
  Mt 12:37

i Mt 25:26

j Dt 23:20
  Mt 25:27

k Mt 25:28

l Mt 13:12
  Mt 25:29
  Mr 4:25
  Lu 8:18

m Gé 3:15
  Sl 2:9
  Isa 60:12
  1Co 15:25
  2Te 1:9
  Rev 19:15

n Mr 10:32
  Lu 9:51

o Jn 8:1
  Hch 1:12

discípulos,[a] 30 y dijo: "Vayan a la aldea que está a su vista, y después de entrar en ella hallarán un pollino atado, sobre el cual nadie de la humanidad jamás se ha sentado. Desátenlo y tráiganlo.[b] 31 Pero si alguien les pregunta: '¿Por qué están desatándolo?', tienen que hablar así: 'El Señor lo necesita' ".[c] 32 De modo que los enviados partieron, y lo hallaron así como él les había dicho.[d] 33 Pero al desatar el pollino, sus dueños les dijeron: "¿Por qué están desatando el pollino?".[e] 34 Ellos dijeron: "El Señor lo necesita".[f] 35 Y lo condujeron a Jesús, y echaron sus prendas de vestir exteriores sobre el pollino y pusieron encima a Jesús.[g]

36 A medida que él iba avanzando,[h] ellos tendían sus prendas de vestir exteriores por el camino.[i] 37 Tan pronto como se acercó al camino que baja del monte de los Olivos, toda la multitud de los discípulos comenzó a regocijarse y a alabar a Dios en voz alta respecto a todas las obras poderosas que habían visto,[j] 38 y decían: "¡Bendito es El que viene como Rey en el nombre de Jehová![k] ¡Paz en el cielo, y gloria en los lugares más altos!".[l] 39 Sin embargo, algunos de los fariseos de entre la muchedumbre le dijeron: "Maestro, reprende a tus discípulos".[m] 40 Pero en respuesta él dijo: "Les digo: Si estos permanecieran callados, las piedras[n] clamarían".

41 Y cuando llegó a estar cerca, miró la ciudad y lloró sobre ella,[o] 42 diciendo: "Si tú, aun tú, hubieras discernido[p] en este día las cosas que tienen que ver con la paz..., pero ahora han sido escondidas de tus ojos.[q] 43 Porque vendrán días sobre ti en que tus enemigos edificarán en derredor de ti una fortificación[r] de estacas puntiagudas[s] y te rodearán[t] y te afligirán[u] de todos lados, 44 y te arrojarán al

suelo, a ti y a tus hijos dentro de ti,[a] y no dejarán en ti piedra sobre piedra,[b] porque no discerniste el tiempo en que se te inspeccionaba".[c]

45 Y entró en el templo y comenzó a echar fuera a los que vendían,[d] 46 diciéndoles: "Está escrito: 'Y mi casa será casa de oración',[e] pero ustedes la hicieron cueva de salteadores".[f]

47 Además, enseñaba diariamente en el templo. Pero los sacerdotes principales y los escribas y los de más importancia del pueblo procuraban destruirlo;[g] 48 y sin embargo no hallaban lo que les sería eficaz hacer, porque todo el pueblo, sin excepción, seguía colgándose de él para oírle.[h]

20 En uno de aquellos días, mientras él enseñaba al pueblo en el templo y declaraba las buenas nuevas, se acercaron los sacerdotes principales y los escribas con los ancianos,[i] 2 y tomaron la palabra, y le dijeron: "Dinos con qué autoridad haces estas cosas, o quién es el que te dio esta autoridad".[j] 3 Respondiendo, él les dijo: "Yo también les haré una pregunta, y díganme ustedes:[k] 4 El bautismo de Juan, ¿era del cielo, o de los hombres?".[l] 5 Entonces ellos sacaron conclusiones entre sí, diciendo: "Si decimos: 'Del cielo', dirá: '¿Por qué no le creyeron?'.[m] 6 Pero si decimos: 'De los hombres', todo el pueblo, sin excepción, nos apedreará,[n] porque están persuadidos de que Juan[o] era profeta".[p] 7 De modo que respondieron que no sabían de dónde. 8 Y Jesús les dijo: "Tampoco les digo yo con qué autoridad hago estas cosas".[q]

9 Entonces comenzó a decir al pueblo esta ilustración: "Un hombre plantó una viña[r] y la arrendó a cultivadores, y viajó al

CAP. 19

a Mt 21:1
  Mr 11:1
b Mt 21:2
  Mr 11:2
c 1 S 50:10
  Mt 21:3
  Mr 11:3
d Mt 21:6
  Mr 11:4
  Lu 22:13
e Mr 11:5
f Mr 11:6
g 2Re 9:13
  Mt 21:7
  Mr 11:7
  Lu 12:14
h Zac 9:9
i Mt 21:8
  Mr 11:8
k Isa 49:11
l 1Sl 118:26
  Mr 11:9
  Lu 2:14
m Mt 21:15
  Jn 12:19
n Hab 2:11
o Sl 119:136
  Jer 9:1
  Lu 23:28
p Jn 11:35
q Dt 28:52
  Dt 32:29
q Isa 6:10
  Mt 13:14
  Mr 4:12
  Hch 28:26
  Ro 11:8
r Isa 29:3
s Jer 6:6
t Lu 21:20
u Dt 28:57
  Da 9:26

2.ª col.

a Sl 137:9
  Miq 3:12
  Lu 23:28
b Mt 24:2
  Mr 13:2
  Lu 21:6
c Os 9:7
  Miq 7:4
  Lu 1:68
  1Pe 2:12
d Mt 21:12
  Mr 11:15
e Isa 56:7
f Jer 7:11
  Mt 21:13
  Mr 11:17
g Jn 2:16
h Mt 21:18
  Jn 7:19
  Jn 18:20
h Mt 12:37
  Lu 21:38

CAP. 20

i Mt 21:23
j Mt 21:28
  Hch 4:7
  Hch 7:27
k Mt 21:24
  Mr 11:29
l Mt 21:30
m Mt 21:25
  Mr 11:31
n Mt 14:5
o Mt 11:9
  Lu 7:29

p Mt 21:26; Mr 11:32; q Mt 21:27; Mr 11:33; r Sl 80:8; Can 8:11; Isa 5:1; Jer 2:21.

extranjero por un tiempo bastante largo.[a] 10 Pero a su debido tiempo envió un esclavo[b] a los cultivadores,[c] para que le dieran parte del fruto de la viña.[d] Los cultivadores, sin embargo, lo despidieron sin nada,[e] después de golpearlo severamente. 11 Pero él lo repitió y envió un esclavo diferente. A aquel también lo golpearon severamente y lo deshonraron y lo despidieron sin nada.[f] 12 Aún volvió a enviarles un tercero;[g] a este también lo hirieron y lo echaron fuera. 13 Entonces el dueño de la viña dijo: ¿Qué haré? Enviaré a mi hijo el amado.[h] Probablemente a este lo respeten'. 14 Cuando los cultivadores alcanzaron a verlo, se pusieron a razonar unos con otros, diciendo: 'Este es el heredero; matémoslo, para que la herencia llegue a ser nuestra'.[i] 15 Con eso, lo echaron fuera[j] de la viña y lo mataron.[k] Entonces, ¿qué les hará el dueño de la viña?[l] 16 Vendrá y destruirá a estos cultivadores y dará la viña a otros".[m]

Al oír [esto], ellos dijeron: "¡Jamás suceda eso!". 17 Pero él los miró, y dijo: "Entonces, ¿qué significa esto que está escrito: 'La piedra que los edificadores rechazaron,[n] esta ha llegado a ser la principal piedra angular'?[o] 18 Todo el que caiga sobre esa piedra será hecho añicos.[p] En cuanto a cualquiera sobre quien ella caiga,[q] lo pulverizará".[r]

19 Los escribas y los sacerdotes principales entonces procuraron echar las manos sobre él en aquella misma hora, pero temieron al pueblo; pues percibieron que él, al hablar esta ilustración, estaba pensando en ellos.[s] 20 Y, después de observarlo detenidamente, enviaron hombres a quienes habían contratado secretamente para que se fingieran justos, a fin de sorprenderlo[t] en su habla, para así entregarlo al gobierno y a la autoridad del

gobernador.[a] 21 Y le interrogaron, diciendo: "Maestro, sabemos que hablas y enseñas correctamente y no muestras parcialidad, sino que enseñas el camino de Dios de acuerdo con la verdad:[b] 22 ¿Nos es lícito pagar impuesto a César, o no?".[c] 23 Pero él echó de ver su astucia, y les dijo:[d] 24 "Muéstrenme un denario. ¿De quién es la imagen e inscripción que tiene?". Ellos dijeron: "De César".[e] 25 Él les dijo: "Sin falta, entonces, paguen a César las cosas de César,[f] pero a Dios las cosas de Dios".[g] 26 Pues bien, no pudieron sorprenderlo en este dicho delante del pueblo, pero, asombrados de su respuesta, no dijeron nada.[h]

27 Sin embargo, algunos de los saduceos, los que dicen que no hay resurrección, se acercaron[i] y le interrogaron, 28 diciendo: "Maestro, Moisés[j] nos escribió: 'Si al hermano de algún hombre muere mientras tiene esposa, pero esta ha quedado sin hijos, su hermano[k] debe tomar la esposa y levantar prole de ella a su hermano'.[l] 29 Pues bien, hubo siete hermanos; y el primero tomó esposa y murió sin hijos.[m] 30 Lo mismo el segundo, 31 y el tercero la tomó. Igualmente los siete; no dejaron hijos, sino que murieron.[n] 32 Por último, la mujer también murió.[o] 33 Por consiguiente, en la resurrección, ¿de cuál de ellos llega a ser esposa? Porque los siete la tuvieron por esposa".[h]

34 Jesús les dijo: "Los hijos de este sistema de cosas se casan[q] y se dan en matrimonio, 35 pero los que han sido considerados dignos[r] de ganar aquel sistema de cosas[s] y la resurrección de entre los muertos[t] ni se casan ni se dan en matrimonio. 36 De hecho, tampoco pueden ya morir,[u] porque son como los ángeles, y son hijos de Dios por ser hijos de la resurrección.[v] 37 Pero el que los muertos son levantados,

CAP. 20

a Mt 21:33
  Mr 12:1
b 2Re 17:13
  2Cr 36:15
c Hch 7:52
d Mt 21:34
  Mr 12:2
e 1Te 2:15
  Heb 11:36
f Mt 21:36
  Mr 12:4
g Ne 9:29
h Mt 17:5
  Jn 3:16
i Mt 21:38
  Mr 12:7
j Heb 13:12
k Hch 3:15
l Mt 21:40
m Mt 21:41
  Mr 12:9
n Sl 118:22
  1Pe 2:7
o Isa 28:16
  Mt 21:42
  Mr 12:10
p Isa 8:15
  Da 2:35
  Da 2:44
r Sl 2:9
  Isa 8:14
  Mt 21:44
s Mt 21:45
  Mr 12:12
t Lu 11:54

2.ᵃ col.

a Mt 22:15
  Mr 12:13
b Le 19:15
c Mt 22:16
  Mr 12:14
c Mt 22:17
d Pr 26:24
  Mt 22:18
  Mr 12:15
e Mt 22:20
  Mr 12:16
f Ro 13:7
  Tit 3:1
  1Pe 2:13
g Mt 22:21
  Mr 12:17
  Lu 23:2
h Mt 22:22
i Mt 22:23
  Mr 12:18
  Hch 23:8
j Dt 25:5
k Ge 38:8
l Mt 22:24
  Mr 12:19
  Mt 22:25
n Mr 12:21
o Mt 22:27
p Mt 22:28
  Mr 12:23
q Ge 1:28
  Lu 17:27
r Rev 3:4
s Ef 1:21
  Heb 1:2
  Heb 6:5
  2Pe 3:13
t Jn 5:29
  Hch 24:15
u Rev 21:4
v Mt 22:30
  Mr 12:25
  Jn 5:29

hasta Moisés lo expuso, en el relato acerca de la zarza,[a] cuando llama a Jehová 'el Dios de Abrahán y Dios de Isaac y Dios de Jacob'.[b] 38 Él no es Dios de muertos, sino de vivos, porque para él todos ellos viven".[c] 39 En respuesta, algunos de los escribas dijeron: "Maestro, hablaste bien". 40 Porque ya no tenían ánimo para hacerle ni una sola pregunta.

41 A su vez, él les dijo: "¿Cómo sucede que dicen que el Cristo es hijo de David?[d] 42 Porque David mismo dice en el libro de los Salmos: 'Jehová dijo a mi Señor: "Siéntate a mi diestra 43 hasta que coloque a tus enemigos como banquillo para tus pies" '.[e] 44 David, pues, lo llama 'Señor'; entonces, ¿cómo es él su hijo?".

45 Luego, mientras todo el pueblo escuchaba, dijo a los discípulos:[f] 46 "Cuídense de los escribas que desean andar por todos lados en ropas largas, y a quienes les gustan los saludos en las plazas de mercado y los asientos delanteros en las sinagogas y lugares muy prominentes en las cenas,[g] 47 y que devoran las casas de las viudas[h] y por pretexto hacen largas oraciones. Estos recibirán juicio más pesado".[i]

21 Ahora bien, al levantar la vista, vio a los ricos que echaban sus dádivas en las arcas de la tesorería.[j] 2 Entonces vio a cierta viuda necesitada echar allí dos monedas pequeñas de ínfimo valor,[k] 3 y dijo: "En verdad les digo: Esta viuda, aunque pobre, echó más que todos ellos.[l] 4 Porque todos estos echaron dádivas de lo que les sobra, mas esta echó, de su indigencia, todo el medio de vivir que tenía".[m]

5 Más tarde, cuando algunos hablaban respecto al templo, cómo estaba adornado de piedras hermosas y cosas dedicadas,[n] 6 él dijo: "En cuanto a estas cosas que contemplan, vendrán los días en que no se dejará aquí piedra sobre piedra que no sea derribada".[a] 7 Entonces le interrogaron, diciendo: "Maestro, ¿cuándo realmente serán estas cosas, y qué será la señal cuando estas cosas estén destinadas a suceder?".[b] 8 Dijo: "Cuidado que no los extravíen;[c] porque muchos vendrán sobre la base de mi nombre, y dirán: 'Yo soy ese', y: 'El debido tiempo se ha acercado'.[d] No vayan en pos de ellos. 9 Además, cuando oigan de guerras y desórdenes, no se aterroricen.[e] Porque estas cosas tienen que suceder primero, pero el fin no [sucede] inmediatamente".

10 Entonces pasó a decirles: "Se levantará nación contra nación,[f] y reino contra reino;[g] 11 y habrá grandes terremotos, y en un lugar tras otro pestes y escaseces de alimento;[h] y habrá escenas espantosas, y del cielo grandes señales.[i]

12 "Pero antes de todas estas cosas les echarán mano a ustedes y los perseguirán,[j] entregándolos a las sinagogas y prisiones, y serán llevados ante reyes y gobernadores por causa de mi nombre.[k] 13 Resultará para ustedes en testimonio.[l] 14 Por lo tanto, resuélvanlo en sus corazones que no ensayarán de antemano cómo hacer su defensa,[m] 15 porque yo les daré boca y sabiduría, que todos sus opositores juntos no podrán resistir ni disputar.[n] 16 Además, serán entregados hasta por padres[o] y hermanos y parientes y amigos, y a algunos de ustedes los harán morir;[p] 17 y serán objeto de odio de parte de toda la gente por causa de mi nombre.[q] 18 Y, con todo, no perecerá ni un cabello[r] de su cabeza. 19 Mediante el aguante de parte de ustedes adquirirán sus almas.[s]

20 "Además, cuando vean a Jerusalén cercada[t] de ejércitos

CAP. 20
a Ex 3:2
b Ex 3:6
  Ex 6:3
c Mt 22:32
d Mt 22:42
e Sl 110:1
  Hch 2:34
f Mt 23:1
  Mt 23:38
g Mt 23:5
  Mt 12:39
h Isa 10:2
  2Ti 3:6
i Mt 12:40

CAP. 21
j Mr 12:41
k Mr 12:42
  Mr 12:43
  2Co 8:12
m Mt 22:37
  Mt 12:44
n Mt 24:1
  Mt 13:1

2.ª col.
a 1Re 9:7
  1Re 9:8
  Jer 7:14
  Miq 3:12
  Mt 24:2
  Mr 13:2
  Lu 19:44
b Mt 24:3
  Mr 13:4
c Ef 5:6
  2Te 2:3
  2Ti 3:13
  1Jn 4:1
  Rev 12:9
d Mt 24:5
  Mr 13:6
e Pr 3:25
  Mt 24:6
  Mr 13:7
f Rev 6:4
g Mt 24:7
  Mr 13:8
h Hch 11:28
  Rev 6:8
i Rev 6:12
j Mt 10:17
  Mt 13:9
  Jn 16:2
k Mt 24:9
  Mr 13:9
  Hch 25:23
l Flp 1:28
m Lu 12:11
n Mr 13:11
o 2Ti 3:3
p Miq 7:6
  Mt 24:10
  Mr 13:12
  Hch 7:59
q Mt 10:22
  Mr 13:13
r 1Sa 14:45
  Mt 10:30
  Lu 12:7
s 2Cr 15:7
  Ro 5:3
  Heb 10:36
  2Pe 1:6
t Lu 19:43

acampados, entonces sepan que la desolación de ella se ha acercado.[a] 21 Entonces los que estén en Judea echen a huir a las montañas, y los que estén en medio de [Jerusalén] retírense, y los que estén en los lugares rurales no entren en ella;[b] 22 porque estos son días para hacer justicia, para que se cumplan todas las cosas que están escritas.[c] 23 ¡Ay de las mujeres que estén encintas y de las que den de mamar en aquellos días![d] Porque habrá gran necesidad sobre la tierra y ira sobre este pueblo; 24 y caerán a filo de espada y serán llevados cautivos a todas las naciones;[e] y Jerusalén será hollada por las naciones, hasta que se cumplan los tiempos señalados[f] de las naciones.

25 "También, habrá señales en el sol[g] y en la luna y en las estrellas, y sobre la tierra angustia de naciones, por no conocer la salida a causa del bramido del mar[h] y [de su] agitación,[i] 26 mientras que los hombres desmayan por el temor[j] y la expectación de las cosas que vienen sobre la tierra habitada;[k] porque los poderes de los cielos serán sacudidos.[l] 27 Y entonces verán al Hijo del hombre[m] viniendo en una nube con poder y gran gloria.[n] 28 Pero al comenzar a suceder estas cosas, levántense erguidos y alcen la cabeza, porque su liberación se acerca".

29 Con eso les habló una ilustración: "Noten la higuera y todos los demás árboles:[o] 30 Cuando ya echan brotes, ustedes, al observarlo, saben por sí que ya se acerca el verano.[p] 31 Así también ustedes, cuando vean suceder estas cosas, sepan que el reino de Dios está cerca.[q] 32 En verdad les digo: Esta generación no pasará de ningún modo sin que todas las cosas sucedan.[r] 33 El cielo y la tierra pasarán,[s] pero mis palabras de ningún modo pasarán.[t]

34 "Mas presten atención a sí mismos para que sus corazones nunca lleguen a estar cargados debido a comer con exceso y beber con exceso,[a] y por las inquietudes[b] de la vida, y de repente esté aquel día sobre ustedes instantáneamente[c] 35 como un lazo.[d] Porque vendrá sobre todos los que moran sobre la haz de toda la tierra.[e] 36 Manténganse despiertos,[f] pues, en todo tiempo haciendo ruego[g] para que logren escapar de todas estas cosas que están destinadas a suceder, y estar en pie delante del Hijo del hombre".[h]

37 De modo que de día enseñaba en el templo,[i] pero de noche salía y se alojaba en la montaña llamada el monte de los Olivos.[j] 38 Y todo el pueblo,[k] temprano en el día, acudía a él en el templo para oírle.

22 Ahora bien, se acercaba la fiesta de las tortas no fermentadas, la llamada Pascua.[l] 2 Y los sacerdotes principales y los escribas buscaban de qué manera les sería eficaz deshacerse de él,[m] porque temían al pueblo.[n] 3 Pero Satanás entró en Judas, el que se llamaba Iscariote, que se contaba entre los doce;[o] 4 y él se fue y habló con los sacerdotes principales y los capitanes [del templo] acerca de la manera eficaz de traicionarlo a ellos.[p] 5 Pues bien, estos se regocijaron y convinieron en darle dinero en plata.[q] 6 De modo que él consintió, y se puso a buscar una buena oportunidad para traicionarlo a ellos sin que estuviera presente una muchedumbre.[r]

7 Entonces llegó el día de las tortas no fermentadas, en que hay que sacrificar la [víctima de la] pascua;[s] 8 y él despachó a Pedro y a Juan, y dijo: "Vayan y preparen la pascua[t] para que la

CAP. 21
a Da 9:26
Mt 23:38
Mt 24:15
b Mt 24:16
Mr 13:14
c Dt 32:35
Dt 32:43
Jer 5:29
Os 9:7
d Mt 24:19
Mr 13:17
Lu 19:44
Lu 23:28
Dt 28:64
Sl 79:1
Isa 63:18
Da 9:27
Zac 12:3
f Eze 21:26
Eze 21:27
Da 4:25
g Rev 6:12
h Isa 57:20
Rev 17:15
i Mt 24:29
Mr 13:24
j Sof 1:17
k Joe 2:10
Joe 2:30
l Isa 34:4
2Pe 3:10
m Da 7:13
n Mt 24:30
Mr 13:26
Rev 1:7
o Mt 24:32
Mr 13:28
p Mt 24:33
Mr 13:29
r Mt 24:34
Mr 13:30
s Mt 5:18
t Mt 24:35
Mr 13:31
Rev 3:14

2.ª col.

a Isa 5:11
b Mt 6:25
1Ti 6:8
c Pr 11:4
Isa 5:13
Ro 13:13
d 1Te 5:3
e 1Te 5:2
2Pe 3:10
f Mt 25:13
Mr 13:33
g Ro 12:12
Ef 6:18
1Pe 4:7
h Mt 24:42
Mr 13:35
1Co 16:13
1Pe 5:8
Rev 6:17
Rev 16:15
i Lu 19:47
j Jn 8:1
k Mr 12:37
Lu 19:48

CAP. 22

l Éx 12:3
Le 23:5
Jn 13:1
1Co 5:7
m Lu 9:22
n Mt 21:46
Mt 26:4
Mr 14:2
Lu 20:19

o Mt 26:14; Mr 14:10; Jn 6:70; Jn 13:2; Jn 13:27; Hch 1:17; p Jn 13:18; q Zac 11:12; Mt 26:15; 1Ti 6:10; Jud 11; r Mt 26:16; Mr 14:11; s Éx 12:14; Éx 12:18; Le 23:6; Dt 16:2; Mt 26:17; Mr 14:12; t Éx 12:8.

comamos". 9 Ellos le dijeron: "¿Dónde quieres que [la] preparemos?". 10 Él les dijo:[a] "¡Miren! Al entrar en la ciudad los encontrará un hombre que lleva una vasija de barro con agua. Síganlo hasta dentro de la casa en que entre.[b] 11 Y tienen que decir al dueño de la casa: 'El Maestro te dice: "¿Dónde está el cuarto para convidados en que pueda comer la pascua con mis discípulos?" '.[c] 12 Y ese les mostrará un cuarto grande, arriba, amueblado. Prepáren[la] allí".[d] 13 De modo que ellos partieron y lo hallaron así como él les había dicho, y prepararon la pascua.[e]

14 Al fin, cuando llegó la hora, él se reclinó a la mesa, y los apóstoles con él.[f] 15 Y les dijo: "En gran manera he deseado comer con ustedes esta pascua antes que sufra; 16 porque les digo: No volveré a comerla hasta que quede cumplida en el reino de Dios".[g] 17 Y, aceptando una copa,[h] dio gracias y dijo: "Tomen esta y pásenla del uno al otro entre ustedes; 18 porque les digo: De ahora en adelante no volveré a beber del producto de la vid hasta que llegue el reino de Dios".[i]

19 También, tomó un pan,[j] dio gracias, lo partió, y se lo dio a ellos, diciendo: "Esto significa mi cuerpo[k] que ha de ser dado a favor de ustedes.[l] Sigan haciendo esto en memoria de mí".[m] 20 También, la copa[n] de la misma manera después que hubieron cenado, diciendo él: "Esta copa significa el nuevo pacto[o] en virtud de mi sangre,[p] que ha de ser derramada a favor de ustedes.[q]

21 "Pero, ¡miren!, la mano del que me traiciona[r] está conmigo en la mesa.[s] 22 Porque el Hijo del hombre se va conforme a lo que está designado;[t] no obstante, ¡ay de aquel hombre por medio de quien es traicionado!".[u] 23 De modo que comenzaron a tratar entre sí la cuestión de quién de

ellos realmente sería el que estaba a punto de hacer esto.[a]

24 Sin embargo, también se suscitó entre ellos una disputa acalorada sobre quién de ellos parecía ser el mayor.[b] 25 Pero él les dijo: "Los reyes de las naciones se enseñorean de ellas, y a los que tienen autoridad sobre ellas se les llama Benefactores.[c] 26 Ustedes, sin embargo, no han de ser así.[d] Antes, el que sea mayor entre ustedes hágase como el más joven,[e] y el que actúe como principal, como el que ministra.[f] 27 Porque, ¿cuál es mayor?: ¿el que se reclina a la mesa, o el que ministra? ¿No es el que se reclina a la mesa? Mas yo estoy en medio de ustedes como el que ministra.[g]

28 "Sin embargo, ustedes son los que con constancia han continuado[h] conmigo en mis pruebas;[i] 29 y yo hago un pacto con ustedes, así como mi Padre ha hecho un pacto[j] conmigo, para un reino,[k] 30 para que coman[l] y beban a mi mesa en mi reino,[m] y se sienten sobre tronos[n] para juzgar a las doce tribus de Israel.

31 "Simón, Simón, ¡mira! Satanás[o] ha demandado tenerlos para zarandearlos como a trigo.[p] 32 Mas yo he hecho ruego[q] a favor de ti para que tu fe no desfallezca; y tú, una vez que hayas vuelto, fortalece[r] a tus hermanos". 33 Entonces le dijo él: "Señor, estoy listo para ir contigo a la prisión así como a la muerte".[s] 34 Pero él dijo: "Te digo, Pedro: No cantará hoy el gallo hasta que tres veces hayas negado conocerme".[t]

35 También les dijo: "Cuando los envié[u] sin bolsa y sin alforja y sin sandalias, no les faltó nada, ¿verdad?". Ellos dijeron: "¡No!". 36 Entonces les dijo: "Mas ahora, el que tiene bolsa, tómela, así

CAP. 22

a 1Sa 10:3
b Mt 26:18
   Mr 14:13
c Mr 14:14
d Mr 14:15
e Mr 26:19
   Mr 14:16
   Lu 19:32
f Mt 26:20
   Mr 14:17
g Lu 13:29
   Lu 14:15
h 1Co 10:16
   1Co 11:25
i Rev 19:9
j Éx 12:8
   Éx 12:20
   Dt 16:3
   1Co 10:17
   1Co 11:23
k Jn 6:51
   1Co 10:16
l Heb 10:10
   Éx 2:24
m Mt 26:26
   Mr 14:22
   1Co 11:24
n Mr 14:23
o Jer 31:31
   Jer 32:40
   2Co 3:6
   Heb 7:22
   Heb 8:8
p Éx 24:8
   Zac 9:11
   Mt 26:28
   1Co 11:25
   Heb 9:18
q Sl 50:5
   Mt 26:28
   Mr 14:24
   Heb 2:16
   Heb 9:14
   1Pe 1:19
r Sl 41:9
s Mt 26:21
   Jn 13:21
t Isa 53
   Da 9:26
   Hch 4:28
   Mt 26:24
u Mt 26:24

2.ª col.

a Mt 26:22
   Mr 14:19
   Jn 13:22
b Mr 9:34
   Lu 9:46
c Mt 20:25
   Mr 10:42
d 1Pe 5:3
e Lu 9:48
f Mt 20:26
   Mr 10:43
   Lu 9:48
g Mt 20:28
   Jn 13:4
   Flp 2:7
h Jn 6:67
i Ro 8:17
   Heb 4:15
j Sl 110:4
k Da 7:14
   Lu 12:32
   2Ti 2:12
   Heb 12:28
   Snt 2:5
   Rev 1:6
l Lu 12:37
   Rev 19:9

m Lu 13:29; Jn 17:24; n Mt 19:28; 1Co 6:2; Rev 2:26; Rev 3:21; Rev 20:6; o 2Co 2:11; 1Pe 5:8; p Am 9:9; Mt 26:31; Mr 14:27; q Jn 17:15; Heb 7:25; 1Jn 2:1; r Isa 35:3; s Mt 26:33; Mr 14:29; Jn 13:37; t Mt 26:34; Mr 14:30; Lu 22:61; Jn 13:38; u Mt 10:9; Mr 6:8; Lu 9:3.

mismo también la alforja; y el que no tiene espada venda su prenda de vestir exterior y compre una. 37 Porque les digo que uno que está escrito tiene que realizarse en mí, a saber: 'Y fue contado con los desaforados'.[a] Porque lo que tiene que ver conmigo está realizándose".[b] 38 Entonces ellos dijeron: "Señor, ¡mira!, aquí hay dos espadas". Él les dijo: "Basta".

39 Al salir, se fue como de costumbre al monte de los Olivos; y le siguieron también los discípulos.[c] 40 Una vez que llegaron al lugar, les dijo: "Ocúpense en orar, para que no entren en tentación".[d] 41 Y él mismo se apartó de ellos como a un tiro de piedra, y dobló las rodillas y se puso a orar, 42 diciendo: "Padre, si deseas, remueve de mí esta copa. Sin embargo, que no se efectúe mi voluntad,[e] sino la tuya".[f] 43 Entonces se le apareció un ángel del cielo y lo fortaleció.[g] 44 Mas él, entrando en agonía, continuó orando más encarecidamente;[h] y su sudor se hizo como gotas de sangre que caían al suelo.[i] 45 Y levantándose de orar, fue a los discípulos y los halló adormitados de desconsuelo;[j] 46 y les dijo: "¿Por qué duermen? Levántense y ocúpense en orar, para que no entren en tentación".[k]

47 Mientras él todavía hablaba, ¡mira!, una muchedumbre, y el que se llamaba Judas, uno de los doce, iba delante de ellos;[l] y se acercó a Jesús para besarlo.[m] 48 Pero Jesús le dijo: "Judas, ¿con un beso traicionas al Hijo del hombre?".[n] 49 Cuando los que estaban en derredor de él vieron lo que iba a acontecer, dijeron: "Señor, ¿herimos con la espada?".[o] 50 Uno de ellos sí hirió al esclavo del sumo sacerdote y le quitó la oreja derecha.[p] 51 Pero, respondiendo, Jesús dijo: "Hasta esto dejen que llegue". Y tocó la oreja y lo sanó.[q] 52 Entonces Jesús dijo a los

sacerdotes principales y a los capitanes del templo y a los ancianos que habían venido allí por él: "¿Salieron con espadas y garrotes como contra un salteador?[a] 53 Mientras estaba con ustedes día tras día en el templo[b] no extendieron las manos contra mí.[c] Pero esta es su hora[d] y la autoridad[e] de la oscuridad".[f]

54 Entonces lo arrestaron y se lo llevaron[g] y lo introdujeron en la casa del sumo sacerdote;[h] pero Pedro seguía de lejos.[i] 55 Luego encendieron fuego en medio del patio y se sentaron juntos, Pedro estaba sentado entre ellos.[j] 56 Pero cierta sirvienta lo vio sentado a la brillante lumbre y lo miró detenidamente y dijo: "Este hombre también estaba con él".[k] 57 Pero él lo negó,[l] diciendo: "No lo conozco, mujer".[m] 58 Y poco tiempo después otra persona, al verlo, dijo: "Tú también eres uno de ellos". Pero Pedro dijo: "Hombre, no lo soy".[n] 59 Y después que pasó como una hora, otro se puso a insistir enérgicamente: "¡Por cierto este también estaba con él; porque, de hecho, es galileo!".[o] 60 Pero Pedro dijo: "Hombre, no sé lo que dices". Y al instante, mientras él todavía estaba hablando, cantó un gallo.[p] 61 Y el Señor se volvió y miró a Pedro, y Pedro recordó lo que el Señor había expresado cuando le dijo: "Antes que el gallo cante hoy, me repudiarás tres veces".[q] 62 Y salió fuera y lloró amargamente.[r]

63 Ahora bien, los varones que lo custodiaban se pusieron a burlarse[s] de él, y le[t] pegaban;[u] 64 y después de cubrirlo, preguntaban y decían: "Profetiza. ¿Quién es el que te hirió?".[v] 65 Y seguían diciendo otras muchas cosas en blasfemia[w] contra él.

66 Al fin, cuando se hizo de día, se reunió la asamblea de los

CAP. 22
a Isa 53:12
b Lu 18:31
c Mt 26:30
  Mr 14:26
  Jn 18:1
d Mt 26:41
  Mr 14:38
  Lu 22:46
e Mt 26:39
  Mr 14:39
f Mt 6:10
  Mr 14:36
  Jn 5:30
  Jn 6:38
g Isa 19:5
  Isa 49:8
  Da 10:18
  Mt 4:11
h Jn 12:27
  Heb 5:7
i Isa 53:7
  Isa 53:10
  Lu 12:50
j Mt 26:40
  Mr 14:37
k Mt 26:41
  Mr 14:38
  Lu 22:40
l Mt 26:47
  Mr 14:43
  Jn 18:2
m 2Sa 20:9
n Mt 26:48
  Mr 14:45
o Lu 22:36
p Mt 26:51
  Mr 14:47
  Jn 18:10
q Jn 18:11

2.ª col.
a Mt 26:55
  Mr 14:48
b Lu 19:47
c Jn 7:30
d Jn 12:27
e Jn 19:11
f Col 1:13
g Isa 53:7
  Hch 8:32
h Mt 26:57
i Mt 26:58
  Mr 14:54
  Jn 18:15
j Jn 18:18
k Mt 26:69
  Mr 14:67
l Pr 29:25
m Mt 26:70
  Mr 14:68
n Mt 26:71
  Mr 14:69
  Jn 18:25
o Mt 26:73
  Mr 14:70
  Jn 18:26
p Mt 26:74
  Mr 14:71
  Jn 18:27
q Mt 26:75
  Mr 14:72
r Isa 66:2
  Eze 7:16
  1Co 10:12
  2Co 7:10
s Sl 22:7
t Mt 26:67
  Mr 14:65
  Isa 50:6
  Isa 53:5
u Isa 50:6
v Mt 26:68

w Sl 44:16; Isa 51:7.

ancianos del pueblo, tanto los sacerdotes principales como los escribas,[a] y estos lo llevaron dentro de la sala de su Sanedrín, y dijeron:[b] 67 "Si eres tú el Cristo,[c] dínoslo". Pero él les dijo: "Aunque se lo dijera, de ningún modo lo creerían.[d] 68 Además, si los interrogara, de ningún modo contestarían.[e] 69 Sin embargo, desde ahora en adelante el Hijo del hombre[f] estará sentado a la poderosa diestra[g] de Dios".[h] 70 Con esto, todos dijeron: "¿Eres tú, por lo tanto, el Hijo de Dios?". Él les dijo: "Ustedes mismos dicen[i] que lo soy". 71 Ellos dijeron: "¿Por qué necesitamos más testimonio?[j] Pues nosotros mismos [lo] hemos oído de su propia boca".[k]

23 De modo que la multitud de ellos se levantó, toda, y lo condujeron a Pilato.[l] 2 Entonces comenzaron a acusarlo,[m] y dijeron: "A este hombre lo hallamos subvirtiendo[n] a nuestra nación, y prohibiendo pagar impuestos[o] a César, y diciendo que él mismo es Cristo, un rey".[p] 3 Entonces Pilato le hizo la pregunta: "¿Eres tú el rey de los judíos?". En respuesta a él, dijo: "Tú mismo [lo] dices".[q] 4 Entonces Pilato dijo a los principales sacerdotes y a las muchedumbres: "No hallo ningún delito en este hombre".[r] 5 Pero ellos empezaron a insistir, diciendo: "Alborota al pueblo enseñando por toda Judea, sí, comenzando desde Galilea hasta aquí". 6 Al oír aquello, Pilato preguntó si el hombre era galileo, 7 y, después de averiguar que era de la jurisdicción de Herodes,[s] lo envió a Herodes, quien también estaba en Jerusalén en aquellos días. 8 Cuando Herodes vio a Jesús se regocijó mucho, pues hacía bastante tiempo que quería verlo,[t] por haber oído[u] acerca de él, y esperaba ver alguna señal ejecutada por él. 9 Entonces empezó a interrogarlo con muchas pa-

labras; pero él no le contestó nada.[a] 10 Sin embargo, los sacerdotes principales y los escribas siguieron poniéndose de pie y acusándolo con vehemencia.[b] 11 Entonces Herodes, junto con los soldados de su guardia, lo desacreditó,[c] y, burlándose[d] de él, lo vistió con una prenda de vestir vistosa, y lo volvió a Pilato.[e] 12 Entonces Herodes y Pilato se hicieron amigos uno del otro en aquel mismo día; porque antes de aquello habían continuado enemistados entre sí.

13 Luego Pilato convocó a los sacerdotes principales y a los gobernantes y al pueblo, 14 y les dijo: "Ustedes me trajeron a este hombre como amotinador del pueblo, y, ¡miren!, lo examiné delante de ustedes, pero no hallé en este hombre base alguna[f] para las acusaciones que hacen contra él. 15 De hecho, ni Herodes tampoco, porque nos lo devolvió; y, ¡miren!, nada que merezca la muerte[g] ha sido cometido por él. 16 Por tanto, lo castigaré[h] y lo pondré en libertad". 17 —— 18 Pero todos ellos, sí, la multitud entera, clamaron, diciendo: "¡Quita a este,[i] pero ponnos en libertad a Barrabás!".[j] 19 ([Un hombre] que había sido echado en la prisión por cierta sedición que había ocurrido en la ciudad, y por asesinato.) 20 De nuevo Pilato les dirigió la palabra, porque quería poner en libertad a Jesús.[k] 21 Entonces ellos se pusieron a vociferar, diciendo: "¡Al madero! ¡Al madero con él!".[l] 22 Por tercera vez les dijo: "Pues, ¿qué mal ha hecho este [hombre]? Yo no he hallado en él nada que merezca la muerte; por lo tanto lo castigaré y lo pondré en libertad".[m] 23 Con esto, ellos se pusieron a instar a grandes voces, y a demandar que fuera fijado en un madero; y sus voces empezaron a salir triunfantes.[n] 24 De modo que Pilato dio sentencia de que se satis-

CAP. 22
a Sl 2:2
Hch 4:26
b Mt 27:1
Mr 15:1
c Mt 26:63
Mr 14:61
Jn 10:24
d Jn 3:12
Jn 8:45
e Lu 20:7
f Da 7:13
Rev 1:7
g Sl 110:1
h Mt 26:64
Mr 14:62
Hch 2:33
Hch 7:55
Ro 8:34
Col 3:1
Heb 1:3
i Mt 27:11
Mr 15:2
j Dt 17:6
k Mt 26:65
Mr 14:63

CAP. 23
l Mt 27:2
Mr 15:1
Jn 18:28
m 1Re 21:10
Sl 35:11
n Jn 12:19
Hch 24:5
o Pr 25:18
Mr 12:17
p Jn 1:49
Jn 18:33
q Mt 27:11
r Jn 18:38
Heb 7:26
1Pe 2:22
s Lu 3:1
t Lu 9:9
u Mt 14:1
Mr 6:14

2.ª col.
a Sl 39:1
Isa 53:7
b Hch 25:7
c Isa 53:3
Lu 9:22
d Lu 22:7
e Hch 4:27
f Jn 18:38
g Hch 23:29
h Mt 27:26
Jn 19:1
i Isa 49:7
j Mt 27:20
Mr 15:11
Jn 18:40
k Mt 27:22
Mr 15:12
Jn 19:12
l Mr 15:13
Jn 19:6
m Mt 27:23
Mr 15:14
n Éx 23:2
Jn 19:15

ficiera la demanda de ellos:[a] 25 puso en libertad[b] al que había sido echado en la prisión por sedición y asesinato, y a quien ellos demandaban, pero a Jesús lo entregó a la voluntad de ellos.[c]

26 Ahora bien, al llevárselo de allí, echaron mano de Simón, cierto natural de Cirene, que venía del campo, y le pusieron encima el madero de tormento para que lo cargara detrás de Jesús.[d] 27 Pero le seguía una gran multitud del pueblo y de mujeres que se golpeaban en desconsuelo y le planían.[d] 28 Jesús se volvió a las mujeres y dijo: "Hijas de Jerusalén, dejen de llorar por mí. Al contrario, lloren por ustedes mismas y por sus hijos;[e] 29 porque, ¡miren!, vienen días en que se dirá: '¡Felices son las estériles, y las matrices que no dieron a luz y los pechos que no dieron de mamar!'.[f] 30 Entonces comenzarán a decir a las montañas: '¡Caigan sobre nosotros!', y a las colinas: '¡Cúbrannos!'.[g] 31 Porque si hacen estas cosas cuando el árbol está húmedo, ¿qué ocurrirá cuando esté marchito?".[h]

32 Pero también conducían a otros dos hombres, malhechores, para ser ejecutados con él.[i] 33 Y cuando llegaron al lugar llamado Cráneo,[j] allí los fijaron en maderos a él y a los malhechores, uno a su derecha y uno a su izquierda.[k] 34 [[Pero Jesús decía: "Padre, perdónalos,[l] pues no saben lo que hacen".]] Además, para repartir sus prendas de vestir, echaron suertes.[m] 35 Y el pueblo estaba de pie mirando.[n] Mas los gobernantes hacían gestos de desprecio, y decían: "A otros salvó;[o] sálvese a sí mismo, si este es el Cristo de Dios, el Escogido".[p] 36 Hasta los soldados se burlaban[q] de él, acercándose y ofreciéndole vino agrio[r] 37 y diciendo: "Si tú eres el rey de los judíos, sálvate".
38 Había también una inscrip-

ción sobre él: "Este es el rey de los judíos".[a]

39 Pero uno de los malhechores que estaban colgados le decía afrentosamente:[b] "Tú eres el Cristo, ¿no es verdad? Sálvate a ti mismo y a nosotros". 40 En respuesta, el otro le reprendió, y dijo: "¿No temes tú a Dios de ninguna manera, ahora que estás en el mismo juicio?[c] 41 Y nosotros, en verdad, justamente, porque estamos recibiendo de lleno lo que merecemos por las cosas que hicimos; pero este no ha hecho nada indebido".[d] 42 Y pasó a decir: "Jesús, acuérdate de mí cuando entres en tu reino".[e] 43 Y él le dijo: "Verdaderamente te digo hoy: Estarás conmigo[f] en el Paraíso".[g]

44 Ahora bien, era ya como la hora sexta, y sin embargo una oscuridad cayó sobre toda la tierra hasta la hora nona,[h] 45 porque falló la luz del sol; entonces la cortina[i] del santuario se rasgó en medio.[j] 46 Y Jesús llamó con voz fuerte y dijo: "Padre, en tus manos encomiendo mi espíritu".[k] Cuando hubo dicho esto, expiró".[l] 47 Debido a que vio lo que sucedió, el oficial del ejército se puso a glorificar a Dios, y dijo: "Verdaderamente este hombre era justo".[m] 48 Y todas las muchedumbres que estaban reunidas allí para este espectáculo, cuando contemplaron las cosas que habían sucedido, empezaron a regresar golpeándose el pecho. 49 Además, todos los que lo conocían estaban de pie a lo lejos.[n] También, mujeres, que juntas le habían seguido desde Galilea, estaban de pie contemplando estas cosas.[o]

50 Y, ¡mira!, un varón de nombre José, que era miembro del Consejo, varón bueno y justo[p] 51 —este no había votado en apoyo del designio y acción de ellos[q]—, era de Arimatea, ciudad de los Judea, y esperaba el reino de Dios;[r] 52 este fue a Pi-

---

CAP. 23

a Mr 15:15
  Jn 19:16
b Pr 17:15
c Mt 27:26
d Mr 15:21
  Jn 19:17
e Dt 28:57
  Jer 9:19
  Mr 13:17
  Lu 19:44
f Mt 24:19
  Lu 21:23
g Isa 2:19
  Os 10:8
  Rev 6:16
h Pr 11:31
  Jer 25:29
  Eze 20:47
  1Pe 4:17
i Isa 53:12
  Mt 27:38
j Mt 27:33
k Jn 19:18
l Hch 7:60
m Sl 22:18
  Isa 53:12
  Mt 27:35
  Mr 15:24
n Zac 12:10
o Sl 22:8
p Mt 27:42
  Mr 15:31
q Sl 22:7
r Sl 69:21

2.ª col.

a Mt 27:37
  Mr 15:26
  Jn 19:19
b Mt 26:68
  Mt 27:44
  Mr 15:32
c Jer 5:3
d 1Pe 1:19
e Lu 1:32
f Jn 5:29
  Hch 24:15
g Isa 11:6
  Isa 51:3
  Isa 65:17
  Rev 21:1
h Am 8:9
  Mt 27:45
  Mr 15:33
i Éx 26:31
  Éx 36:35
j Heb 10:20
k Sl 31:5
  Hch 7:59
l Mt 27:50
m Mt 27:54
n Sl 38:11
  Sl 88:8
o Mt 27:55
  Mr 15:40
  Lu 8:2
p Mt 27:57
  Mr 15:43
  Jn 19:38
q Gé 37:21
r Mt 15:43
  Lu 2:25

lato y pidió el cuerpo de Jesús.[a] 53 Y lo bajó[b] y lo envolvió en lino fino, y lo puso en una tumba[c] cortada en la roca, en la cual nadie había yacido aún.[d] 54 Ahora bien, era el día de la Preparación,[e] y la luz vespertina del sábado[f] se aproximaba. 55 Pero las mujeres, que habían venido con él desde Galilea, fueron siguiendo de cerca y miraron la tumba conmemorativa[g] y cómo fue puesto su cuerpo;[h] 56 y se volvieron para preparar especias y aceites perfumados.[i] Pero, por supuesto, descansaron el sábado,[j] según el mandamiento.

24 El primer día de la semana, sin embargo, fueron muy de mañana a la tumba, llevando las especias que habían preparado.[k] 2 Pero hallaron removida la piedra de la tumba conmemorativa,[l] 3 y cuando entraron no hallaron el cuerpo del Señor Jesús.[m] 4 Mientras estaban perplejas sobre esto, ¡mira!, se pusieron junto a ellas dos varones en ropa fulgurante.[n] 5 Como ellas se atemorizaron y tenían los rostros inclinados hacia el suelo, los [hombres] les dijeron: "¿Por qué buscan al Vivo entre los muertos? 6 [[No está aquí, sino que ha sido levantado.]][o] Recuerden cómo les habló mientras todavía estaba en Galilea,[p] 7 diciendo que el Hijo del hombre tenía que ser entregado en manos de hombres pecadores y ser fijado en un madero y, sin embargo, levantarse al tercer día".[q] 8 De modo que ellas se acordaron de sus dichos,[r] 9 y regresaron de la tumba conmemorativa e informaron todas estas cosas a los once y a todos los demás.[s] 10 Eran María la Magdalena, y Juana,[t] y María la [madre] de Santiago. También, las demás mujeres[u] [que estaban] con ellas decían estas cosas a los apóstoles. 11 Sin embargo, a ellos estos dichos les pare-

cieron como tonterías, y no quisieron creer[a] a las [mujeres].

12 [[Mas Pedro se levantó y corrió a la tumba conmemorativa, y, agachándose, contempló las vendas solas. De modo que se fue, admirándose de lo que había ocurrido.]]

13 Pero, ¡mira!, aquel mismo día dos de ellos iban caminando a una aldea que dista unos once kilómetros de Jerusalén, Emaús por nombre, 14 y estaban conversando el uno con el otro de todas estas cosas[b] que habían sucedido.

15 Ahora bien, mientras iban conversando y hablando, Jesús mismo se acercó y se puso a andar con ellos; 16 pero se impidió que los ojos de ellos lo reconocieran.[d] 17 Él les dijo: "¿Qué asuntos son estos que consideran entre ustedes mientras van andando?". Y ellos se detuvieron con rostros tristes. 18 En respuesta, el que tenía por nombre Cleopas le dijo: "¿Moras tú solo como forastero en Jerusalén y por eso no sabes las cosas que han ocurrido en ella en estos días?". 19 Y él les dijo: "¿Qué cosas?". Ellos le dijeron: "Las cosas respecto a Jesús el Nazareno,[e] que vino a ser profeta[f] poderoso en obra y en palabra delante de Dios y de todo el pueblo; 20 y cómo lo entregaron nuestros sacerdotes principales y gobernantes a sentencia de muerte y lo fijaron en un madero.[g] 21 Pero nosotros esperábamos que este fuera el que estaba destinado a librar a Israel;[h] sí, y además de todas estas cosas, este es ya el tercer día desde que han ocurrido estas cosas. 22 Por otra parte, ciertas mujeres[i] de entre nosotros también nos han pasmado, porque muy de mañana habían estado en la tumba conmemorativa, 23 pero no hallaron el cuerpo de él, y vinieron diciendo que también habían visto una vista sobrenatural de ángeles, los cuales dijeron que él está vivo.

CAP. 23
a Mt 27:58
b Dt 21:23
c Isa 53:9
d Mt 27:59
  Mr 15:46
e Éx 12:6
  Mt 27:62
  Mr 15:42
  Jn 19:42
f Éx 20:10
  Dt 5:14
g Jn 5:28
h Mt 27:61
  Mr 15:47
i Mt 26:7
j Éx 16:29
  Éx 20:8
  Éx 31:15
  Dt 5:12

CAP. 24
k Mt 28:1
  Mr 16:1
  Mr 20:1
l Mr 16:4
m Mr 16:5
n Jue 13:6
  Mt 28:5
  Hch 1:10
o Mt 28:6
  Mr 16:6
p Mt 28:7
  Mr 16:7
q Jon 1:17
  Mt 16:21
  Mr 8:31
  Lu 9:22
  Hch 17:3
r Jn 2:22
s Mt 28:8
t Lu 8:3
u Lu 8:2

2.ª col.
a Gé 45:26
b Lu 9:22
c Mt 18:20
d Jn 20:14
  Jn 21:4
e Mt 2:23
  Mt 21:11
f Dt 18:18
  Jn 7:16
  Jn 3:2
  Jn 6:14
  Hch 2:22
g Lu 23:1
  Hch 3:13
  Hch 13:27
h Hch 1:6
i Mt 28:8
  Lu 24:10

24 Además de eso, algunos de los que estaban con nosotros se fueron a la tumba conmemorativa;[a] y hallaron que así era, exactamente como las mujeres habían dicho, pero a él no lo vieron".

25 De modo que él les dijo: "¡Oh insensatos y lentos de corazón para creer en todas las cosas que hablaron los profetas![b] 26 ¿No era necesario que el Cristo sufriera[c] estas cosas y entrara en su gloria?".[d] 27 Y comenzando desde Moisés[e] y todos los Profetas[f] les interpretó cosas referentes a él en todas las Escrituras.

28 Por fin se acercaron a la aldea adonde iban, y él hizo como que iba más lejos. 29 Pero ellos fueron muy insistentes con él, y dijeron: "Quédate con nosotros, porque casi anochece y el día ya ha declinado". Ante aquello, él entró a quedarse con ellos. 30 Y estando reclinado con ellos a la mesa, tomó el pan, lo bendijo, lo partió y empezó a dárselo.[g] 31 Con esto, a ellos se les abrieron los ojos completamente y lo reconocieron; y él desapareció de ante ellos.[h] 32 Y ellos se dijeron el uno al otro: "¿No nos ardía el corazón cuando él venía hablándonos por el camino, cuando nos estaba abriendo por completo las Escrituras?". 33 Y en aquella misma hora se levantaron y volvieron a Jerusalén, y hallaron congregados a los once y a los que estaban con ellos, 34 que decían: "¡Es un hecho que el Señor ha sido levantado y se ha aparecido a Simón!".[i] 35 Entonces ellos mismos contaron lo [que había sucedido] en el camino, y cómo se les dio a conocer en el [acto de] partir el pan.[j]

36 Mientras estaban hablando de estas cosas, él mismo se puso de pie en medio de ellos [[y les dijo: "Tengan paz".]] 37 Pero porque estaban aterra-

dos, y se habían atemorizado,[a] se imaginaban que contemplaban un espíritu. 38 Por eso les dijo: "¿Por qué están perturbados, y por qué se suscitan dudas en su corazón? 39 Vean mis manos y mis pies, que soy yo mismo; pálpenme[b] y vean, porque un espíritu no tiene carne y huesos[c] así como contemplan que yo tengo". 40 [[Y al decir esto les mostró las manos y los pies.]] 41 Pero mientras todavía no creían[d] de puro gozo, y seguían admirados, les dijo: "¿Tienen ahí algo de comer?".[e] 42 Y le dieron un pedazo de pescado asado;[f] 43 y lo tomó y lo comió[g] delante de los ojos de ellos.

44 En seguida les dijo: "Estas son mis palabras que les hablé mientras todavía estaba con ustedes,[h] que todas las cosas escritas en la ley de Moisés y en los Profetas[i] y en los Salmos[j] acerca de mí tenían que cumplirse". 45 Entonces les abrió la mente por completo para que captaran el significado de las Escrituras,[k] 46 y les dijo: "De esta manera está escrito que el Cristo sufriría y se levantaría de entre los muertos al tercer día,[l] 47 y sobre la base de su nombre se predicaría arrepentimiento para perdón de pecados[m] en todas las naciones[n]... comenzando desde Jerusalén,[o] 48 ustedes han de ser testigos[p] de estas cosas. 49 Y, ¡miren!, envío sobre ustedes lo que está prometido por mi Padre. Ustedes, sin embargo, permanezcan en la ciudad hasta que lleguen a estar revestidos de poder desde lo alto".[q]

50 Mas los condujo fuera, hasta Betania, y alzó las manos y los bendijo.[r] 51 Mientras los bendecía, fue separado de ellos y comenzó a ser llevado arriba al cielo.[s] 52 Y ellos le rindieron homenaje y regresaron a Jerusalén con gran gozo.[t] 53 Y estaban de continuo en el templo bendiciendo a Dios.[u]

CAP. 24

a Lu 24:12
   Jn 20:3
b Sl 22
   Isa 53
   Jn 20:27
c Hch 17:3
   1Co 15:3
d Jn 20:9
   Flp 2:9
   Heb 2:9
   1Pe 1:11
e Gé 3:15
   Gé 22:18
   Gé 49:10
   Nú 21:9
   Dt 18:15
f Isa 7:14
   Isa 9:6
   Jer 23:5
   Eze 34:23
   Da 9:24
   Miq 5:2
   Mal 3:1
   Jn 1:45
   Hch 10:43
   Hch 26:22
g Mt 14:19
   Mt 15:36
   Mr 6:41
h Jn 20:19
   1Co 15:5
j Lu 9:16

2.ª col.

a Mt 14:26
b 1Jn 1:1
c 1Co 15:50
d Gé 45:26
e Jn 21:5
f Jn 21:13
g Hch 10:41
h Mt 16:21
   Lu 9:22
   Jn 5:39
i Lu 24:27
j Sl 2:2
   Sl 16:10
   Sl 27:12
   Sl 69:9
   Sl 78:2
   Sl 118:22
   Sl 132:11
k Jn 12:16
l Isa 53:5
   Os 6:2
   Jon 1:17
   Mr 9:31
m Hch 5:31
   Hch 13:38
n Gé 22:18
   1Co 15:12
   Gál 3:14
   1Ti 3:16
o Hch 4:2
   Hch 5:28
p Jn 15:27
   Hch 1:8
q Joe 2:28
   Jn 14:16
   Hch 1:4
   Hch 2:4
r Dt 33:1
s Hch 1:9
t Jn 14:28
   Jn 16:22
   Hch 1:11
   Hch 1:12
u Hch 2:46

1 En [el] principio[a] la Palabra[b] era, y la Palabra estaba con Dios,[c] y la Palabra era un dios.[d] **2** Este estaba en [el] principio[e] con Dios.[f] **3** Todas las cosas vinieron a existir por medio de él,[g] y sin él ni siquiera una cosa vino a existir.

Lo que ha venido a existir **4** por medio de él era vida,[h] y la vida era la luz[i] de los hombres. **5** Y la luz resplandece en la oscuridad,[j] mas la oscuridad no la ha subyugado.

6 Se levantó un hombre que fue enviado como representante de Dios:[k] su nombre era Juan.[l] **7** Este [hombre] vino para testimonio,[m] a fin de dar testimonio acerca de la luz,[n] para que gente de toda clase creyera por medio de él.[o] **8** Él no era aquella luz,[p] sino que había de dar testimonio[q] acerca de aquella luz.

9 La luz verdadera[r] que da luz[s] a toda clase de hombre[t] estaba para venir al mundo. **10** Estaba en el mundo,[u] y el mundo vino a existir por medio de él,[v] pero el mundo no lo conoció. **11** Vino a su propia casa, pero los suyos no lo recibieron.[w] **12** No obstante, a cuantos sí lo recibieron,[x] a ellos les dio autoridad de llegar a ser hijos de Dios,[y] porque ejercían fe en su nombre;[z] **13** y ellos nacieron, no de sangre, ni de voluntad carnal, ni de voluntad de varón, sino de Dios.[a]

14 De modo que la Palabra vino a ser carne[b] y residió entre nosotros, y tuvimos una vista de su gloria, gloria como la que pertenece a un hijo unigénito[c] de parte de un padre; y estaba lleno de bondad inmerecida y verdad.[d] **15** (Juan dio testimonio acerca de él, sí, realmente clamó —este fue el que [lo] dijo— diciendo: "El que viene detrás de mí se me

ha adelantado, porque existió antes que yo".)[a] **16** Porque todos nosotros recibimos de su plenitud,[b] sí, bondad inmerecida sobre bondad inmerecida.[c] **17** Porque la Ley fue dada por medio de Moisés,[d] la bondad inmerecida[e] y la verdad[f] vinieron a ser por medio de Jesucristo. **18** A Dios ningún hombre lo ha visto jamás;[g] el dios unigénito[h] que está en [la posición del] seno[i] para con el Padre es el que lo ha explicado.[j]

19 Ahora bien, este es el testimonio de Juan, cuando los judíos le enviaron sacerdotes y levitas desde Jerusalén para preguntarle: "Tú, ¿quién eres?".[k] **20** Y él confesó y no negó, sino confesó: "Yo no soy el Cristo".[l] **21** Y le preguntaron: "¿Qué, entonces? ¿Eres Elías?".[m] Y dijo: "No lo soy". "¿Eres El Profeta?"[n] Y contestó: "¡No!". **22** Por lo tanto le dijeron: "¿Quién eres?, para que demos respuesta a los que nos enviaron. ¿Qué dices acerca de ti mismo?". **23** Dijo: "Yo soy la voz de alguien que clama en el desierto: 'Hagan recto el camino de Jehová', así como dijo el profeta Isaías".[p] **24** Ahora bien, aquellos enviados venían de los fariseos. **25** De modo que le interrogaron y le dijeron: "¿Por qué bautizas,[q] pues, si tú mismo no eres el Cristo, ni Elías, ni El Profeta?". **26** Juan les contestó, diciendo: "Yo bautizo en agua. En medio[r] de ustedes está de pie uno a quien ustedes no

CAP. 1

a Pr 8:22
Col 1:15
Rev 3:14
b Jn 12:50
Rev 19:13
c Pr 8:30
Jn 17:5
d Isa 9:6
Jn 1:18
Jn 10:35
Flp 2:6
e Gé 1:1
Miq 5:2
f Gé 1:26
Gé 3:22
g Jn 1:10
Col 1:16
Col 1:16
Heb 1:2
h Jn 5:26
Hch 3:15
1Jn 1:2
1Jn 5:11
i Jn 8:12
j Jn 3:19
Jn 12:35
k Jn 3:28
l Mt 3:1
Lu 1:13
m Isa 40:3
Lu 5:33
n Hch 19:4
o Jn 1:20
Hch 13:25
p Jn 5:36
r Mt 4:16
Jn 3:19
Jn 2:8
Jn 9:39
Jn 12:46
u Jn 1:14
v Jn 1:3
w Lu 19:14
x Ro 9:27
y Ro 8:16
2Co 6:18
Ef 1:5
1Jn 3:1
z Gál 3:26
a Jn 3:3
Snt 1:18
1Pe 1:23
1Jn 3:9
b Flp 2:7
Ro 1:3
Heb 2:14
1Jn 4:2
2Jn 7
c Jn 3:16
1Jn 4:9
d Ef 4:21

2.ª col.

a Lu 3:16
Jn 8:58
Col 1:17
b Col 1:19
Col 2:3
Col 2:9
c Ef 1:6

d Éx 31:18; Dt 4:44; Jn 7:19; e Ro 3:24; Ro 6:14;
f Jn 8:32; Jn 14:6; Jn 18:37; 2Co 1:20; g Éx 33:20;
Jn 6:46; 1Jn 4:12; h Jn 1:1; i Pr 8:30; Jn 13:23;
j Mt 11:27; Lu 10:22; 1Jn 3:2; k Lu 3:15; l Jn
3:28; Hch 13:25; m Mal 4:5; Mt 11:14; Mt 17:10;
Mr 9:13; n Dt 18:15; Jn 6:14; Jn 7:40; Hch 3:22;
o Lu 3:16; p Isa 40:3; Mt 3:3; Lu 1:17; Lu 1:76;
Lu 7:27; Jn 3:28; q Mt 21:25; r Lu 17:21.

conocen,[a] 27 el que viene detrás de mí, pero a quien no soy digno de desatar la correa de su sandalia".[b] 28 Estas cosas sucedieron en Betania, al otro lado del Jordán, donde Juan estaba bautizando.[c]

29 Al día siguiente contempló a Jesús que venía hacia él, y dijo: "¡Mira, el Cordero[d] de Dios que quita el pecado[e] del mundo![f] 30 Este es aquel de quien dije: Detrás de mí viene un varón que se me ha adelantado, porque existió antes que yo.[g] 31 Ni siquiera yo lo conocía, pero la razón por la cual yo vine bautizando en agua fue para que él fuera puesto de manifiesto a Israel".[h] 32 Juan también dio testimonio, y dijo: "Vi el espíritu bajar como paloma del cielo, y permaneció sobre él.[i] 33 Ni siquiera yo lo conocía, pero El Mismo que me envió[j] a bautizar en agua me dijo: 'Sobre quienquiera que veas el espíritu descender y permanecer, este es el que bautiza en espíritu santo'.[k] 34 Y yo [lo] he visto, y he dado testimonio de que este es el Hijo de Dios".[l]

35 De nuevo, al día siguiente, Juan estaba de pie con dos de sus discípulos, 36 y al mirar a Jesús que iba andando, dijo: "¡Miren, el Cordero[m] de Dios!". 37 Y los dos discípulos le oyeron hablar, y siguieron a Jesús. 38 Entonces Jesús se volvió y, al ver que le seguían, les dijo: "¿Qué buscan?". Ellos le dijeron: "Rabí (que, traducido, significa Maestro), ¿dónde estás alojado?". 39 Les dijo: "Vengan, y verán".[n] Por lo tanto, fueron y vieron dónde estaba alojado, y se quedaron con él aquel día; era como la hora décima. 40 Andrés[o] el hermano de Simón Pedro era uno de los dos que oyeron lo que Juan dijo y siguieron a [Jesús]. 41 Primero halló este a su propio hermano, Simón, y le dijo: "Hemos hallado al Mesías"[p] (que, traducido, significa Cristo).[a] 42 Lo condujo a Jesús. Cuando Jesús lo miró,[b] dijo: "Tú eres Simón,[c] hijo de Juan;[d] tú serás llamado Cefas" (que se traduce Pedro).[e]

43 Al día siguiente, deseó partir para Galilea. De modo que Jesús halló a Felipe[f] y le dijo: "Sé mi seguidor".[g] 44 Ahora bien, Felipe era de Betsaida,[h] de la ciudad de Andrés y Pedro. 45 Felipe halló a Natanael[i] y le dijo: "Hemos hallado a aquel de quien Moisés, en la Ley,[j] y los Profetas[k] escribieron, a Jesús, hijo de José,[l] de Nazaret. 46 Pero Natanael le dijo: "¿De Nazaret puede salir algo bueno?".[m] Felipe le dijo: "Ven y ve". 47 Jesús vio a Natanael venir hacia él y dijo de él: "Mira, un israelita de seguro, en quien no hay engaño".[n] 48 Le dijo Natanael: "¿Cómo es que me conoces?". En respuesta, Jesús le dijo: "Antes que Felipe te llamara, mientras estabas debajo de la higuera, te vi". 49 Natanael le contestó: "Rabí, tú eres el Hijo de Dios,[o] tú eres el Rey[p] de Israel". 50 En respuesta, Jesús le dijo: "¿Porque te dije que te vi debajo de la higuera crees? Cosas mayores que estas verás". 51 Le dijo además: "Muy verdaderamente les digo: Verán el cielo abierto y a los ángeles[q] de Dios ascendiendo y descendiendo al Hijo del hombre".[r]

2 Ahora bien, al tercer día se efectuó un banquete de bodas en Caná[s] de Galilea, y estaba allí la madre[t] de Jesús. 2 Jesús y sus discípulos también fueron invitados al banquete de bodas.

3 Cuando faltó el vino, la madre[u] de Jesús le dijo: "No tienen vino". 4 Pero Jesús le dijo: "¿Qué tengo que ver contigo, mujer?[v] Todavía no ha llegado

CAP. 1
a Isa 53:2
b Mt 3:11
Hch 13:25
c Mt 3:6
d Éx 12:3
Isa 53:7
1Co 5:7
1Pe 1:19
Rev 5:6
e Isa 53:11
1Co 15:3
Heb 9:14
1Pe 2:24
1Jn 3:5
f Jn 6:51
1Jn 2:2
1Jn 4:14
g Jn 1:15
Jn 8:58
Col 1:17
h Isa 40:3
Mal 3:1
Lu 1:76
Hch 19:4
i Mt 3:16
Mr 1:10
Lu 3:22
j Lu 3:2
k Mt 3:11
Hch 1:5
Hch 2:4
l Mt 3:17
Jn 5:33
m Hch 8:32
Rev 5:12
n Mt 8:20
2Co 8:9
o Mt 4:18
p Da 9:25
Jn 11:27

2.ᵃ col.
a Jn 4:25
b Jn 2:25
c Mt 10:2
Hch 15:14
d Mt 16:17
Jn 21:15
e Mt 16:18
Mr 3:16
Lu 6:14
f Mt 10:3
g Mt 9:9
Rev 14:4
h Mr 8:22
Jn 12:21
i Mt 10:3
Lu 6:14
j Gé 3:15
Gé 22:18
Gé 49:10
Dt 18:18
Jn 5:46
k Isa 9:6
Jer 33:15
Eze 34:23
Miq 5:2
Zac 6:12
Mal 3:1
l Mt 1:16
Mt 13:55
Lu 2:4
m Jn 7:41
n Jn 2:25
o Lu 1:32
p Zac 9:9
Mt 27:11
Jn 12:13
q Sl 104:4
Mt 4:11
Lu 22:43

r Gé 28:12; Da 7:13; CAP. 2 s Jn 4:46; Jn 21:2; t Lu 2:51; u Hch 1:14; v Jn 19:26.

mi hora".ᵃ 5 Su madre dijo a los que ministraban: "Todo cuanto le diga, háganlo".ᵇ 6 Sucedió que había puestas allí seis tinajas de piedra para agua según lo exigido por los reglamentos de purificaciónᶜ de los judíos, cada una de las cuales podía contener dos o tres medidas de líquido. 7 Jesús les dijo: "Llenen de agua las tinajas de agua". Y las llenaron hasta el borde. 8 Y les dijo: "Saquen un poco ahora y llévenlo al director del banquete". De modo que ellos lo llevaron. 9 Pues bien, cuando el director del banquete probó el agua que había sido convertida en vino,ᵈ pero no sabía de dónde venía, aunque lo sabían los que ministraban que habían sacado el agua, el director del banquete llamó al novio 10 y le dijo: "Todo otro hombre pone primero el vino excelente,ᵉ y cuando la gente está embriagada, el inferior. Tú has reservado el vino excelente hasta ahora". 11 Jesús ejecutó esto en Caná de Galilea como principio de sus señales, y puso de manifiesto su gloria;ᶠ y sus discípulos pusieron su fe en él.

12 Después de esto, él y su madre y sus hermanosᵍ y sus discípulos bajaron a Capernaum,ʰ pero no se quedaron allí muchos días.

13 Pues bien, se acercaba la pascuaⁱ de los judíos, y Jesús subió a Jerusalén.ʲ 14 Y halló en el templo a los que vendían ganado vacuno y ovejas y palomas,ᵏ y a los corredores de cambios en sus asientos. 15 Por consiguiente, después de hacer un látigo de cuerdas, expulsó del templo a todos aquellos junto con las ovejas y el ganado vacuno, y desparramó las monedas de los cambistas y volcó sus mesas.ˡ 16 Y dijo a los que vendían las palomas: "¡Quiten estas cosas de aquí! ¡Dejen de hacer de la casaᵐ de mi Padre una casa de

mercancías!".ᵃ 17 Sus discípulos recordaron que está escrito: "El celo por tu casa me consumirá".ᵇ

18 Por lo tanto, en respuesta, los judíos le dijeron: "¿Qué señalᶜ tienes para mostrarnos, ya que haces estas cosas?". 19 En respuesta, Jesús les dijo: "Derriben este templo,ᵈ y en tres días lo levantaré". 20 Por eso dijeron los judíos: "Este templo fue edificado en cuarenta y seis años, ¿y tú en tres días lo levantarás?". 21 Pero él hablaba acerca del temploᵉ de su cuerpo. 22 Sin embargo, cuando fue levantado de entre los muertos, sus discípulos recordaronᶠ que él solía decir esto; y creyeron la Escritura y el dicho que Jesús dijo.

23 Sin embargo, cuando estuvo en Jerusalén en la pascua, en la fiestaᵍ de esta, muchos pusieron su fe en el nombre de élʰ al ver las señales que él ejecutaba.ⁱ 24 Pero Jesús mismo no se confiabaʲ a ellos, porque los conocía a todos 25 y porque no tenía necesidad de que nadie diera testimonio acerca del hombre, porque él mismo conocía lo que había en el hombre.ᵏ

3 Ahora bien, había un hombre de los fariseos, Nicodemoˡ era su nombre, un gobernante de los judíos. 2 Este vino a él de nocheᵐ y le dijo: "Rabí,ⁿ sabemos que tú como maestroᵒ has venido de Dios;ᵖ porque nadie puede ejecutar estas señalesᑫ que tú ejecutas a menos que Dios esté con él".ʳ 3 En respuesta, Jesús le dijo:ˢ "Muy verdaderamente te digo: A menos que nazca de nuevo,ᵗ no puede ver el reino de Dios".ᵘ 4 Nicodemo le dijo: "¿Cómo puede nacer el hombre cuando es viejo? No puede entrar en la matriz de su madre por segunda vez y nacer, ¿verdad?". 5 Jesús contestó: "Muy verdaderamente te digo: A menos que

CAP. 2
a Mt 26:2
Jn 7:6
Jn 12:23
b Gé 41:55
c Mr 7:3
Jn 3:25
d Jn 4:46
e Lu 5:39
f Isa 9:1
Jn 1:14
g Mt 12:46
Mt 13:55
Mr 3:31
Lu 8:19
Hch 1:14
1Co 9:5
Gál 1:19
h Mt 4:13
i Ex 12:14
Nú 28:16
Dt 16:1
Jn 11:55
Jn 2:23
j Jn 5:1
k Le 1:14
l Mt 21:12
Mr 11:15
Lu 19:45
m Sl 93:5
Lu 2:49

2.ᵃcol.
a Jer 7:11
Mt 21:13
Mr 11:17
Lu 19:46
b Sl 69:9
c Mt 12:38
Mt 16:1
Jn 4:48
Jn 6:30
d Mt 26:61
Mt 27:40
Mr 14:58
e Mt 12:6
Mt 16:21
Lu 24:7
1Co 6:19
f Lu 24:8
Jn 14:26
Jn 20:9
g Jn 4:45
h Jn 11:48
i Jn 7:31
Jn 6:15
k Mt 9:4
Mr 2:8
Jn 1:48
Jn 6:64
Rev 2:23

CAP. 3
l Jn 7:50
Jn 19:39
m Jn 12:42
Jn 13:30
o Mt 7:29
Jn 7:46
p Jn 7:16
Jn 8:28
q Jn 2:11
r Jn 14:11
Hch 2:22
Hch 10:38
s Rch 2:38
t Jn 1:13
2Co 5:17
Gál 6:15
1Pe 1:3
1Pe 1:23
1Jn 3:9

u 1Co 15:50.

uno nazca del agua[a] y del espíritu,[b] no puede entrar en el reino de Dios. 6 Lo que ha nacido de la carne, carne es, y lo que ha nacido del espíritu, espíritu es.[c] 7 No te maravilles a causa de que te dije: Ustedes tienen que nacer otra vez.[d] 8 El viento[e] sopla donde quiere, y oyes su sonido, pero no sabes de dónde viene ni adónde va. Así es todo el que ha nacido del espíritu".[f]

9 En respuesta, Nicodemo le dijo: "¿Cómo pueden suceder estas cosas?". 10 En respuesta, Jesús le dijo: "¿Eres tú maestro de Israel, y sin embargo no sabes estas cosas?[g] 11 Muy verdaderamente te digo: Lo que sabemos hablamos, y de lo que hemos visto damos testimonio,[h] pero ustedes no reciben el testimonio que damos.[i] 12 Si les he dicho cosas terrenales y sin embargo no creen, ¿cómo creerán si les digo cosas celestiales?[j] 13 Además, ningún hombre ha ascendido al cielo[k] sino el que descendió del cielo,[l] el Hijo del hombre.[m] 14 Y así como Moisés alzó la serpiente[n] en el desierto, así tiene que ser alzado el Hijo del hombre,[o] 15 para que todo el que cree en él tenga vida eterna.[p] 16 "Porque tanto amó[q] Dios al mundo que dio a su Hijo unigénito,[r] para que todo el que ejerce fe[s] en él no sea destruido,[t] sino que tenga vida eterna.[u] 17 Porque Dios no envió a su Hijo al mundo para que juzgara[v] al mundo, sino para que el mundo se salve[w] por medio de él. 18 El que ejerce fe en él no ha de ser juzgado.[x] El que no ejerce fe ya ha sido juzgado, porque no ha ejercido fe en el nombre del Hijo unigénito de Dios.[y] 19 Ahora bien, esta es la base para el juicio, que la luz[z] ha venido al mundo,[a] pero los hombres han amado la oscuridad más bien que la luz,[b] porque sus obras eran inicuas. 20 Porque el que practica cosas viles[c] odia la luz y no

viene a la luz, para que sus obras no sean censuradas.[a] 21 Pero el que hace lo que es verdad viene a la luz,[b] para que sus obras sean puestas de manifiesto como obradas en armonía con Dios".

22 Después de estas cosas, Jesús y sus discípulos entraron en el país de Judea, y allí pasó algún tiempo con ellos, y bautizaba.[c] 23 Pero Juan[d] también estaba bautizando en Enón cerca de Salim, porque allí había una gran cantidad de agua,[e] y la gente seguía viniendo y bautizándose;[f] 24 porque Juan todavía no había sido echado en la prisión.[g]

25 Por consiguiente, se suscitó una disputa de parte de los discípulos de Juan con un judío acerca de la purificación.[h] 26 De modo que vinieron a Juan y le dijeron: "Rabí, el hombre que estaba contigo al otro lado del Jordán, de quien tú has dado testimonio,[i] fíjate, este está bautizando, y todos están yendo a él".[j] 27 En respuesta, Juan dijo: "El hombre no puede recibir una sola cosa a menos que se le haya dado del cielo.[k] 28 Ustedes mismos me dan testimonio de que dije: Yo no soy el Cristo,[l] sino que he sido enviado delante de aquel.[m] 29 El que tiene la novia es el novio.[n] Sin embargo, el amigo del novio, cuando está de pie y lo oye, tiene mucho gozo a causa de la voz del novio. Por eso, este gozo mío se ha hecho pleno.[o] 30 Aquel tiene que seguir aumentando, pero yo tengo que seguir menguando".

31 El que viene de arriba está sobre todos los demás.[p] El que es de la tierra, de la tierra es y habla de las cosas de la tierra.[q] El que viene del cielo está sobre todos

---

CAP. 3

a Mt 28:19
Hch 8:36
Hch 10:47
Hch 19:5
Mt 3:11
Jn 1:33
Hch 1:5
Hch 10:45
Hch 11:16
1Co 12:13
c 1Co 15:44
d 1Pe 1:3
1Pe 1:23
e Ec 11:5
f Jn 14:17
Hch 2:2
Ro 8:16
1Co 2:11
g Jn 9:30
h Jn 3:32
1Co 2:14
j Lu 22:67
k Hch 2:34
Heb 9:8
l Jn 6:38
Jn 8:23
Jn 8:42
Jn 15:47
Ef 4:9
m Jn 1:51
n Nú 21:9
o Jn 8:28
Gál 3:13
p Jn 3:36
Jn 20:31
q Jn 4:10
1Jn 4:19
r Gé 22:2
Gé 22:16
Ro 5:8
Ro 8:32
1Jn 4:9
s Jn 1:12
Jn 12:44
Ef 4:5
Flp 1:29
2Ti 3:15
Mt 25:46
u Jn 6:40
Jn 20:31
Ro 6:23
1Jn 5:13
v Jn 12:47
2Co 5:19
w Lu 19:10
1Co 15:22
1Ti 1:15
1Jn 2:2
1Jn 4:14
x Jn 5:24
Ro 8:1
y Mt 10:33
Heb 10:29
z Jn 1:9
Jn 8:12
Jn 9:5
Jn 12:46
a Jn 1:5
b Job 24:13
Isa 5:20
Jn 12:48
c 1Co 6:9
Gál 5:19
1Pe 4:3

2.ª col.

a Ef 5:13
b Jn 12:36
Jn 12:46
1Jn 1:7

c Jn 3:26; Jn 4:2; d Mt 3:1; e Mr 1:10; Hch 8:36;
f Mt 3:6; g Mt 14:3; Lu 3:20; h Mr 7:3; i Jn 1:7;
Jn 1:34; j Jn 6:65; k Jn 19:11; Heb 5:4; Snt 1:17;
l Jn 1:20; Hch 13:25; m Isa 40:3; Mal 3:1; Mt
11:10; Lu 1:17; n Mt 22:2; 2Co 11:2; Ef 5:25; Rev
21:9; o Lu 1:44; p Jn 8:23; q 1Jn 4:5.

los demás.[a] 32 Lo que ha visto y oído, de esto da testimonio,[b] pero ningún hombre acepta su testimonio.[c] 33 El que ha aceptado su testimonio ha puesto su sello a esto: que Dios es veraz.[d] 34 Porque aquel a quien Dios envió habla los dichos de Dios,[e] porque él no da el espíritu por medida.[f] 35 El Padre ama[g] al Hijo y ha entregado en su mano todas las cosas.[h] 36 El que ejerce fe[i] en el Hijo tiene vida eterna;[j] el que desobedece al Hijo no verá la vida,[k] sino que la ira de Dios permanece sobre él.[l]

4 Ahora bien, cuando el Señor se dio cuenta de que los fariseos habían oído que Jesús hacía y bautizaba[m] más discípulos que Juan 2 —aunque, en realidad, Jesús mismo no en ningún caso bautizaba, sino sus discípulos— 3 salió de Judea y partió otra vez para Galilea. 4 Pero era necesario que pasara por Samaria.[n] 5 Por consiguiente, vino a una ciudad de Samaria llamada Sicar, cerca del campo que Jacob había dado a José su hijo.[o] 6 De hecho, allí estaba la fuente de Jacob.[p] Ahora Jesús, cansado del viaje, estaba sentado junto a la fuente tal como estaba. La hora era a eso de la sexta.

7 Llegó una mujer de Samaria a sacar agua. Jesús le dijo: "Dame de beber". 8 (Pues sus discípulos se habían ido a la ciudad a comprar víveres.) 9 Por lo tanto, la mujer, la samaritana, le dijo: "¿Cómo es que tú, a pesar de ser judío, me pides de beber a mí, que soy mujer samaritana?". (Porque los judíos no se tratan con los samaritanos.)[q] 10 En respuesta, Jesús le dijo: "Si hubieras conocido la dádiva gratuita[r] de Dios, y quién[s] es el que te dice: 'Dame de beber', tú le habrías pedido, y él te habría dado agua viva".[t] 11 Ella le dijo: "Señor, ni siquiera tienes un

cubo para sacar agua, y el pozo es hondo. ¿De dónde, pues, tienes esta agua viva? 12 Tú no eres mayor[a] que nuestro antepasado Jacob, que nos dio el pozo y que bebió de él él mismo junto con sus hijos y su ganado vacuno, ¿verdad?". 13 En respuesta, Jesús le dijo: "A todo el que bebe de esta agua le dará sed otra vez. 14 A cualquiera que beba del agua que yo le daré de ningún modo le dará sed jamás,[b] sino que el agua que yo le daré se hará en él una fuente de agua[c] que brotará para impartir vida eterna".[d] 15 La mujer le dijo: "Señor, dame esta agua, para que ni tenga sed ni siga viniendo acá a este lugar a sacar agua".

16 Él le dijo: "Ve, llama a tu esposo y ven a este lugar". 17 En respuesta, la mujer dijo: "No tengo esposo". Jesús le dijo: "Bien dijiste: 'No tengo esposo'. 18 Porque has tenido cinco esposos, y el que ahora tienes no es tu esposo. Esto lo has dicho verazmente". 19 Le dijo la mujer: "Señor, percibo que eres profeta.[e] 20 Nuestros antepasados adoraron en esta montaña;[f] pero ustedes dicen que en Jerusalén es el lugar donde se debe adorar".[g] 21 Jesús le dijo: "Créeme, mujer: La hora viene cuando ni en esta montaña ni en Jerusalén[h] adorarán ustedes[i] al Padre. 22 Ustedes adoran lo que no conocen;[j] nosotros adoramos lo que conocemos, porque la salvación se origina de los judíos.[k] 23 No obstante, la hora viene, y ahora es, en que los verdaderos adoradores adorarán al Padre con espíritu[l] y con verdad,[m] porque, en realidad, el Padre busca a los de esa clase para que lo adoren.[n] 24 Dios es un Espíritu,[o] y los que lo adoran tienen que adorarlo con espíritu y con verdad".[p] 25 La mujer le

CAP. 3
a Mt 3:11
b Jn 8:26
  Jn 15:15
c Isa 53:2
  Jn 1:11
  Jn 3:11
d Ro 3:4
  1Jn 5:10
e Jn 7:16
f Jn 1:16
g Jn 5:20
  Jn 15:9
h Mt 11:27
  Mt 28:18
  Lu 10:22
  Jn 17:2
i Hab 2:4
  Ro 1:17
j Jn 3:16
  Jn 6:47
  Heb 5:9
k 2Te 1:8
  1Jn 5:12
l Ro 2:8
  Ef 5:6
  Heb 10:27

CAP. 4
m Jn 3:22
n Lu 9:52
o Gé 33:19
  Gé 48:22
  Jos 24:32
p Jn 4:12
q 2Re 17:24
  Esd 4:3
  Lu 9:52
  Hch 10:28
r Ef 2:8
s Isa 9:6
  Jn 4:26
t Isa 12:3
  Jer 2:13
  Zac 13:1
  Zac 14:8
  Jn 7:37

2.ª col.
a Mt 12:41
  Lu 11:31
  Jn 8:53
b Jn 6:35
  Jn 7:38
c Isa 58:11
d Ro 6:23
  1Jn 5:20
e Lu 7:16
  Lu 7:39
  Jn 9:17
f Dt 11:29
g Dt 12:5
  Re 9:3
  2Cr 7:12
  Sl 122
h Mr 14:58
  Heb 9:11
i Mal 1:11
j Jer 17:29
  2Re 17:33
k Isa 2:3
  Ro 9:4
l Jn 14:17
  Ro 8:4
  2Co 4:18
  Flp 3:3
m Jos 24:14
  1Sa 12:24
  Sl 25:5
  Sl 86:11
  Mr 7:7
n 2Cr 16:9

o 2Co 3:17; 1Ti 1:17; Heb 11:27; p Ro 12:1.

dijo: "Yo sé que el Mesías[a] viene, el que se llama Cristo.[b] Cuando llegue ese, él nos declarará todas las cosas abiertamente". 26 Jesús le dijo: "Yo, el que habla contigo, soy ese".[c]

27 En esto, pues, llegaron sus discípulos, y se admiraban de que hablara con una mujer. Por supuesto, nadie dijo: "¿Qué buscas?", o: "¿Por qué hablas con ella?". 28 La mujer, por lo tanto, dejó su cántaro de agua y se fue a la ciudad y dijo a los hombres: 29 "Vengan acá, vean a un hombre que me ha dicho todas las cosas que hice. ¿Acaso no es este el Cristo?".[d] 30 Ellos salieron de la ciudad y empezaron a venir a él.

31 Entretanto, los discípulos estaban instándole, diciendo: "Rabí,[e] come". 32 Pero él les dijo: "Yo tengo alimento para comer del cual ustedes no saben". 33 Por lo tanto, los discípulos empezaron a decirse unos a otros: "Nadie le ha traído de comer, ¿verdad?". 34 Jesús les dijo: "Mi alimento[f] es hacer la voluntad[g] del que me envió y terminar su obra.[h] 35 ¿No dicen ustedes que todavía hay cuatro meses antes que venga la siega? ¡Miren! Les digo: Alcen los ojos y miren los campos, que están blancos para la siega.[i] Ya 36 el segador está recibiendo salario y recogiendo fruto para vida eterna,[j] a fin de que el sembrador[k] y el segador se regocijen juntos.[l] 37 En este sentido, realmente, es verdadero el dicho: Uno es el sembrador y otro el segador. 38 Yo los despaché a segar aquello en que ustedes no han hecho labor. Otros han labrado,[m] y ustedes han entrado en el provecho de la labor de ellos".

39 Ahora bien, muchos de los samaritanos de aquella ciudad pusieron fe[n] en él a causa de la palabra de la mujer que había dicho en testimonio: "Me dijo

todas las cosas que hice".[a] 40 Por eso, cuando los samaritanos vinieron a él, se pusieron a pedirle que se quedara con ellos; y él se quedó allí dos días.[b] 41 Por consiguiente, muchos más creyeron a causa de lo que él dijo,[c] 42 y empezaron a decir a la mujer: "Ya no creemos a causa de tu habla; porque hemos oído por nosotros mismos[d] y sabemos que este hombre es verdaderamente el salvador[e] del mundo".

43 Después de los dos días, partió de allí para Galilea.[f] 44 Jesús mismo, sin embargo, dio testimonio de que el profeta no tiene honra en su propia tierra.[g] 45 Por lo tanto, cuando llegó a Galilea, lo recibieron los galileos, porque habían visto todas las cosas que había hecho en Jerusalén en la fiesta,[h] porque ellos también habían ido a la fiesta.[i]

46 Así que fue otra vez a Caná[j] de Galilea, donde había convertido el agua en vino.[k] Ahora bien, había cierto servidor del rey cuyo hijo estaba enfermo en Capernaum.[l] 47 Cuando este hombre oyó que Jesús había venido de Judea a Galilea, se fue a donde él y se puso a pedirle que bajara y sanara a su hijo, porque este estaba a punto de morir. 48 Sin embargo, Jesús le dijo: "A menos que ustedes vean señales[m] y prodigios,[n] de ninguna manera creerán". 49 El servidor del rey le dijo: "Señor, baja antes que mi niñito muera". 50 Jesús le dijo: "Ponte en camino;[o] tu hijo vive".[p] El hombre creyó la palabra que Jesús le habló, y se fue. 51 Pero ya mientras iba bajando sus esclavos lo encontraron para decirle que su muchachito vivía.[q] 52 De modo que él se puso a inquirir de ellos la hora en que mejoró de salud. Por consiguiente, le dijeron: "Ayer a la hora séptima lo dejó la fiebre".[r] 53 De manera

---

CAP. 4

a Dt 18:18
Da 9:25
Jn 1:41

b Jn 11:27

c Jn 9:37

d Dt 18:15
Jn 7:26

e Jn 1:38

f Mt 4:4

g Jn 5:30
Jn 6:38

h Jn 5:36
Jn 17:4
Jn 19:30

i Mt 9:37

j Ro 6:22

k Pr 11:18

l Da 12:3
1Co 3:8
2Jn 8

m Hch 10:43
1Pe 1:12

n Eze 16:53
Ro 10:17

2.ª col.

a Jn 4:29

b Mt 10:14
Hch 10:48

c Jn 10:27

d Jn 7:8

e Isa 49:6
Mt 1:21
Jn 1:29
Hch 13:23
1Ti 1:15
1Jn 4:14

f Jn 4:40

g Mt 13:57
Mr 6:4
Lu 4:24

h Jn 2:23

i Dt 16:16

j Jn 21:2

k Jn 2:1
Jn 2:11

l Mt 8:5

m Mt 16:1
Jn 2:18
1Co 1:22

n Hch 4:30

o Jn 8:13
Mr 7:29

p 1Re 17:23

q Mr 7:30

r Mt 8:15
Hch 28:8

que el padre supo que era en la misma hora[a] en que Jesús le había dicho: "Tu hijo vive". Y él y toda su casa creyeron.[b] 54 De nuevo, esta fue la segunda señal[c] que Jesús ejecutó cuando vino de Judea a Galilea.

5 Después de estas cosas hubo una fiesta[d] de los judíos, y Jesús subió a Jerusalén. 2 Pues bien, en Jerusalén, junto a la puerta de las ovejas,[e] hay un estanque designado en hebreo Betzata, que tiene cinco columnatas. 3 En estas yacía una multitud de enfermos, ciegos, cojos y los que tenían miembros secos. 4 —— 5 Pero estaba allí cierto hombre que llevaba treinta y ocho años en su enfermedad. 6 Al ver a este hombre acostado, y dándose cuenta de que ya por mucho tiempo había estado [enfermo],[f] Jesús le dijo: "¿Quieres ponerte bien de salud?".[g] 7 El enfermo le contestó: "Señor, no tengo un hombre que me meta en el estanque cuando se revuelve el agua; y entretanto que yo voy, otro baja antes que yo". 8 Jesús le dijo: "Levántate, toma tu camilla y anda".[h] 9 Con eso, el hombre inmediatamente se puso bien de salud, y tomó su camilla y echó a andar.

Ahora bien, aquel día era sábado.[i] 10 Por lo tanto, los judíos se pusieron a decir al sanado: "Es sábado, y no te es lícito[j] llevar la camilla". 11 Pero él les contestó: "El mismo que me sanó me dijo: 'Toma tu camilla y anda'". 12 Le preguntaron: "¿Quién es el hombre que te dijo: 'Tómala y anda'?". 13 Pero el sanado no sabía quién era, porque Jesús se había apartado, puesto que había una muchedumbre en el lugar.

14 Después de estas cosas, Jesús lo halló en el templo y le dijo: "Mira, te has puesto bien de salud. Ya no peques, para que no te

suceda algo peor". 15 El hombre se fue y dijo a los judíos que había sido Jesús quien lo había puesto bien de salud. 16 De modo que a causa de esto los judíos empezaron a perseguir[a] a Jesús, porque hacía estas cosas durante el sábado. 17 Pero él les contestó: "Mi Padre ha seguido trabajando hasta ahora, y yo sigo trabajando".[b] 18 A causa de esto, realmente, los judíos procuraban con más empeño matarlo,[c] porque no solo quebraba el sábado, sino que también llamaba a Dios su propio Padre,[d] haciéndose igual[e] a Dios.

19 Por eso, en respuesta, Jesús pasó a decirles: "Muy verdaderamente les digo: El Hijo no puede hacer ni una sola cosa por su propia iniciativa, sino únicamente lo que ve hacer al Padre.[f] Porque cualesquiera cosas que Aquel hace, estas cosas también las hace el Hijo de igual manera. 20 Porque el Padre le tiene cariño al Hijo[g] y le muestra todas las cosas que él mismo hace, y le mostrará obras mayores que estas, a fin de que ustedes se maravillen.[h] 21 Porque así como el Padre levanta a los muertos y los vivifica,[i] así el Hijo también vivifica a los que él quiere.[j] 22 Porque el Padre no juzga a nadie, sino que ha encargado todo el juicio al Hijo,[k] 23 para que todos honren al Hijo[l] así como honran al Padre. El que no honra al Hijo no honra al Padre que lo envió.[m] 24 Muy verdaderamente les digo: El que oye mi palabra y cree al que me envió tiene vida eterna,[n] y no entra en juicio, sino que ha pasado de la muerte a la vida.[o]

25 "Muy verdaderamente les digo: La hora viene, y ahora es, cuando los muertos[p] oirán la voz[q] del Hijo de Dios, y los que hayan hecho caso vivirán.[r] 26 Porque así como el Padre tiene vida en sí mismo,[s] así ha concedido también al Hijo el tener

CAP. 4
a Mt 8:13
b Hch 11:14
   Hch 18:8
c Jn 2:11

CAP. 5
d Ex 12:14
   Dt 16:1
   Dt 16:16
   Jn 2:13
   Jn 6:4
e Ne 3:1
   Ne 12:39
f Lu 13:11
g Sl 72:13
   Isa 53:3
h Mt 9:6
   Mr 2:11
   Lu 5:24
   Hch 3:7
i Jn 9:14
j Ex 20:10
   Ne 13:19
   Jer 17:21
   Mt 12:2
   Lu 6:2

2.ᵃ col.
a Mt 12:14
   Jn 15:20
b Gé 2:3
   Jn 9:4
   Jn 14:10
c Jn 7:1
   Jn 7:19
d Jn 10:38
   Jn 14:28
e Flp 2:6
f Jn 5:30
   Jn 8:28
   Jn 12:49
g Mt 3:17
   Jn 3:35
   Jn 10:17
   2Pe 1:17
h Lu 8:25
   Jn 6:11
   Jn 6:19
i 2Re 4:34
   Heb 11:35
j Lu 7:14
   Lu 8:54
   Jn 11:25
   Rev 1:18
k Ex 12:14
   Mt 11:27
   Hch 10:42
   Hch 17:31
   2Co 5:10
   2Ti 4:1
l Jn 3:35
   Flp 2:10
m Lu 10:16
n Jn 3:16
   Jn 6:40
   Jn 8:51
o 1Jn 3:14
p Mt 8:22
q Jn 10:27
r Ro 6:13
   Ef 2:3
s Sl 36:9
   Hch 17:28

vida en sí mismo.[a] **27** Y le ha dado autoridad para hacer juicio,[b] por cuanto es Hijo del hombre.[c] **28** No se maravillen de esto, porque viene la hora en que todos los que están en las tumbas conmemorativas[d] oirán su voz **29** y saldrán, los que hicieron cosas buenas a una resurrección de vida,[e] los que practicaron cosas viles a una resurrección de juicio.[f] **30** No puedo hacer ni una sola cosa por mi propia iniciativa; así como oigo, juzgo; y el juicio que yo dicto es justo,[g] porque no busco mi propia voluntad, sino la voluntad[h] del que me envió.

31 "Si yo solo doy testimonio[i] acerca de mí mismo, mi testimonio no es verdadero.[j] **32** Hay otro que da testimonio acerca de mí, y sé que el testimonio que él da[k] acerca de mí es verdadero. **33** Ustedes han despachado hombres a Juan, y él ha dado testimonio de la verdad.[l] **34** Sin embargo, yo no acepto el testimonio de parte de hombre, pero digo estas cosas para que ustedes se salven.[m] **35** Aquel hombre era una lámpara que ardía y resplandecía, y ustedes por un poco de tiempo estuvieron dispuestos a regocijarse mucho en su luz.[n] **36** Pero yo tengo el testimonio mayor que el de Juan, porque las obras mismas que mi Padre me asignó realizar, las obras mismas que yo hago,[o] dan testimonio acerca de mí, de que el Padre me despachó. **37** También, el Padre que me envió ha dado testimonio él mismo acerca de mí.[p] Ustedes ni han oído su voz en ningún tiempo ni visto su figura;[q] **38** y no tienen su palabra permaneciendo en ustedes, porque al mismísimo que él despachó no creen.

39 "Ustedes escudriñan las Escrituras,[r] porque piensan que por medio de ellas tendrán la vida eterna; y estas son las mismas que dan testimonio acerca de mí.[a] **40** Y con todo, ustedes no quieren venir a mí para que tengan vida.[b] **41** Yo no acepto gloria de parte de los hombres,[c] **42** pero bien sé que no tienen el amor de Dios en ustedes.[d] **43** Yo he venido en el nombre de mi Padre,[e] pero ustedes no me reciben; si algún otro llegara en su propio nombre, recibirían a ese. **44** ¿Cómo pueden creer ustedes, cuando aceptan gloria[f] unos de otros y no buscan la gloria que proviene del único Dios?[g] **45** No piensen que yo los acusaré ante el Padre; hay quien los acusa, Moisés,[h] en quien ustedes han puesto su esperanza. **46** En realidad, si creyeran a Moisés, me creerían a mí, porque aquel escribió de mí.[i] **47** Pero si no creen los escritos de aquel,[j] ¿cómo creerán mis dichos?"

6 Después de estas cosas, Jesús partió para el otro lado del mar de Galilea, o Tiberíades.[k] **2** Pero una gran muchedumbre continuó siguiéndole, porque contemplaban las señales que él ejecutaba en los que estaban mal.[l] **3** De modo que Jesús subió a una montaña,[m] y allí estaba sentado con sus discípulos. **4** Ahora bien, estaba cerca la pascua,[n] la fiesta de los judíos. **5** Por lo tanto, cuando Jesús alzó los ojos y observó que una gran muchedumbre venía a él, dijo a Felipe: "¿Dónde compraremos panes para que estos coman?".[o] **6** Sin embargo, decía esto para probarlo, porque él mismo sabía lo que iba a hacer. **7** Felipe le contestó: "Doscientos denarios de pan no les bastan, para que cada uno reciba un poco".[p] **8** Uno de sus discípulos, Andrés, el hermano de Simón Pedro, le dijo: **9** "Aquí está un muchachito que tiene cinco panes de cebada[q] y dos

CAP. 5

a Jn 11:25
  Rev 1:18
b Jn 5:22
  2Ti 4:1
c Da 7:13
d Job 14:13
  Isa 25:8
  Isa 26:19
  Rev 20:12
e Da 12:2
  Rev 20:12
f 2Pe 2:9
  Rev 20:15
g Isa 11:4
h Mt 26:39
  Jn 4:34
  Jn 6:38
i Dt 19:15
j Jn 8:14
k Mt 3:17
  Mt 9:7
  Jn 12:30
  1Jn 5:9
l Jn 1:15
  Jn 1:32
m Jn 11:42
n Mt 3:5
  Mt 13:20
  Mr 6:20
  2Pe 1:19
o Mt 11:5
  Jn 3:2
  Jn 7:31
  Jn 10:25
p Mt 17:5
  Mt 1:11
  Jn 8:18
  Jn 12:30
  1Jn 5:9
q Dt 4:12
  Jn 1:18
  Jn 6:46
  1Ti 1:17
  1Jn 4:12
r Isa 8:20
  Lu 11:52
  Hch 17:11
  2Ti 3:15
  1Pe 1:10

2.ª col.

a Dt 18:15
b Isa 53:3
  Jn 1:11
c 1Te 2:6
d 1Jn 4:20
e Éx 3:15
f Jn 12:43
g 1Co 4:5
h Dt 31:26
  Jn 7:19
  Ro 2:12
i Gé 3:15
  Gé 49:10
  Dt 18:15
  Lu 24:44
  Jn 1:45
  Hch 26:22
j Lu 16:31

CAP. 6

k Mt 14:13
  Lu 9:10
l Mt 6:33
  Lu 9:11
  Jn 2:23
m Mt 15:29
n Jn 2:13
  Jn 5:1
o Mt 14:14
  Mr 6:35
  Lu 9:12

p Mr 6:37; q 2Re 4:42.

pescaditos. Pero ¿qué son estos entre tantos?".[a] 10 Jesús dijo: "Hagan que los varones se reclinen como en una comida".[b] Bueno, había mucha hierba en el lugar. Entonces los hombres se reclinaron, en número de unos cinco mil.[c] 11 De modo que Jesús tomó los panes y, después de dar gracias, los distribuyó a los que estaban reclinados; igualmente también todo lo que querían de los pescaditos.[d] 12 Pero cuando se hubieron saciado[e] dijo a sus discípulos: "Recojan los trozos que sobran, para que nada se desperdicie". 13 Por lo tanto los recogieron, y llenaron doce cestas de trozos de los cinco panes de cebada, que les sobraron a los que habían comido.[f]

14 Por consiguiente, cuando los hombres vieron las señales que él ejecutó, empezaron a decir: "Con certeza este es el profeta[g] que había de venir al mundo". 15 Por lo tanto, Jesús, sabiendo que estaban a punto de venir y prenderlo para hacerlo rey, se retiró[h] otra vez a la montaña, él solo.

16 Al anochecer, sus discípulos bajaron al mar,[i] 17 y, subiendo a una barca, se pusieron a cruzar el mar en dirección a Capernaum. Pues bien, ya había oscurecido, y Jesús aún no había venido a ellos. 18 También, el mar empezó a agitarse a causa de un viento fuerte que soplaba.[j] 19 Sin embargo, cuando hubieron remado unos cinco o seis kilómetros, contemplaron a Jesús que andaba sobre el mar y se acercaba a la barca; y se sobrecogieron de temor.[k] 20 Pero él les dijo: "¡Soy yo; no teman!".[l] 21 Por lo tanto estuvieron dispuestos a recibirlo en la barca, y en seguida la barca llegó a la tierra a la cual trataban de ir.[m]

22 Al día siguiente, la muchedumbre que estaba de pie al otro lado del mar vio que no había allí otra barca sino una pequeña, y que Jesús no había entrado en la barca con sus discípulos, sino que solo sus discípulos habían partido; 23 pero barcas de Tiberíades llegaron cerca del lugar donde habían comido el pan después que el Señor hubo dado gracias. 24 Por lo tanto, cuando la muchedumbre vio que no estaba allí Jesús, ni sus discípulos, subieron a sus barquillas y fueron a Capernaum para buscar[a] a Jesús.

25 Entonces, al hallarlo al otro lado del mar, le dijeron: "Rabí,[b] ¿cuándo llegaste acá?". 26 Jesús les contestó y dijo: "Muy verdaderamente les digo: Ustedes me buscan, no porque vieron señales, sino porque comieron de los panes y quedaron satisfechos.[c] 27 Trabajen, no por el alimento que perece,[d] sino por el alimento que permanece[e] para vida eterna, que el Hijo del hombre les dará; porque sobre este el Padre, sí, Dios, ha puesto su sello [de aprobación]".[f]

28 Por lo tanto le dijeron: "¿Qué haremos para obrar las obras de Dios?". 29 En respuesta, Jesús les dijo: "Esta es la obra de Dios: que ejerzan fe[g] en aquel a quien Ese ha enviado".[h] 30 Por consiguiente le dijeron: "¿Qué ejecutas tú de señal,[i] entonces, para que [la] veamos y te creamos? ¿Qué obra haces? 31 Nuestros antepasados comieron el maná[j] en el desierto, así como está escrito: 'Pan del cielo les dio a comer' ".[k] 32 Entonces Jesús les dijo: "Muy verdaderamente les digo: Moisés no les dio el pan del cielo, pero mi Padre sí les da el verdadero pan del cielo.[l] 33 Porque el pan de Dios es aquel que baja del cielo y da vida al mundo". 34 Por lo tanto le dijeron: "Señor, siempre danos este pan".[m]

35 Jesús les dijo: "Yo soy el pan de la vida. Al que viene a mí, de ninguna manera le dará ham-

CAP. 6
a Mt 14:17
Mr 6:38
Lu 9:13
b Gé 18:4
c 2Re 4:43
Mt 14:19
Mt 14:21
Mr 6:39
Mr 6:44
Lu 9:14
d 2Re 4:44
Mr 6:41
Lu 9:16
e Mr 6:42
f Mt 14:20
Mr 6:43
Lu 9:17
g Dt 18:15
Dt 18:18
Isa 9:6
Lu 24:19
Hch 3:22
h Mt 14:23
Mr 6:45
Jn 17:16
Jn 18:36
Snt 1:27
Snt 4:4
i Mt 14:22
Mr 6:47
j Mt 8:24
Mt 14:24
Mr 6:48
k Mt 14:26
Mr 6:49
l Mt 14:27
Mr 6:50
m Mt 14:34
Mr 6:51

2.ª col.
a Mr 1:37
b Jn 1:38
c Jn 6:11
d Hab 3:17
e Jn 4:14
Jn 17:3
Ro 6:23
f Sl 22:8
Mt 3:17
Hch 2:22
2Pe 1:17
g Hch 16:31
1Jn 3:23
h Jn 7:29
Jn 8:42
i Mt 12:38
Mr 8:12
Jn 2:18
1Co 1:22
j Éx 16:15
Nú 11:7
Ne 9:15
Jn 6:49
1Co 10:3
k Sl 78:24
Sl 105:40
l Jn 3:16
m Jn 4:15

bre, y al que ejerce fe en mí no le dará sed nunca.ᵃ 36 Pero yo les he dicho: Ustedes hasta me han visto, y sin embargo no creen.ᵇ 37 Todo lo que el Padre me da vendrá a mí, y al que viene a mí de ninguna manera lo echaré;ᶜ 38 porque he bajado del cieloᵈ para hacer, no la voluntad mía, sino la voluntad del que me ha enviado.ᵉ 39 Esta es la voluntad del que me ha enviado, que no pierda nada de todo lo que me ha dado, sino que lo resuciteᶠ en el último día. 40 Porque esta es la voluntad de mi Padre: que todo el que contempla al Hijo y ejerce fe en él tenga vida eterna,ᵍ y yo lo resucitaré en el último día".ʰ

41 Por lo tanto, los judíos se pusieron a murmurar de él porque había dicho: "Yo soy el pan que bajó del cielo";ⁱ 42 y empezaron a decir:ʲ "¿No es este Jesús, hijo de José,ᵏ cuyo padre y madre nosotros conocemos? ¿Cómo es que ahora dice: 'Yo he bajado del cielo'?". 43 En respuesta, Jesús les dijo: "Dejen de murmurar entre ustedes. 44 Nadie puede venir a menos que el Padre, que me envió, lo atraiga;ˡ y yo lo resucitaré en el último día.ᵐ 45 Está escrito en los Profetas: 'Y todos ellos serán enseñados por Jehová'.ⁿ Todo el que ha oído de parte del Padre, y ha aprendido, viene a mí.ᵒ 46 No que hombre alguno haya visto al Padre,ᵖ salvo aquel que es de Dios; este ha visto al Padre.ᵠ 47 Muy verdaderamente les digo: El que cree tiene vida eterna.ʳ

48 "Yo soy el panˢ de la vida. 49 Los antepasados de ustedes comieron el manáᵗ en el desierto y sin embargo murieron. 50 Este es el pan que baja del cielo, para que cualquiera pueda comer de él y no morir. 51 Yo soy el pan vivo que bajó del cielo; si alguien come de este pan vivirá para siempre; y, de hecho, el

pan que yo daré es mi carneᵃ a favor de la vida del mundo".ᵇ

52 Por eso, los judíos se pusieron a contender unos con otros, y decían: "¿Cómo puede este hombre darnos a comer su carne?". 53 Entonces Jesús les dijo: "Muy verdaderamente les digo: A menos que coman la carneᶜ del Hijo del hombre y beban su sangre,ᵈ no tienen vidaᵉ en ustedes. 54 El que se alimenta de mi carne y bebe mi sangre tiene vida eterna, y yo lo resucitaréᶠ en el último día; 55 porque mi carne es verdadero alimento, y mi sangre es verdadera bebida. 56 El que se alimenta de mi carne y bebe mi sangre permanece en unión conmigo, y yo en unión con él.ᵍ 57 Así como me envió el Padre vivienteʰ y yo vivo a causa del Padre, así también el que se alimenta de mí, sí, ese mismo vivirá a causa de mí.ⁱ 58 Este es el pan que bajó del cielo. No es como cuando sus antepasados comieron y sin embargo murieron. El que se alimenta de este pan vivirá para siempre".ʲ 59 Estas cosas las dijo enseñando en asamblea pública en Capernaum.

60 Por lo tanto, muchos de sus discípulos, al oír esto, dijeron: "Este discurso es ofensivo; ¿quién puede escucharlo?".ᵏ 61 Pero Jesús, conociendo en sí mismo que sus discípulos murmuraban acerca de esto, les dijo: "¿Esto los hace tropezar?ˡ 62 ¿Qué hay, pues, si contemplan al Hijo del hombre ascender a donde estaba antes?ᵐ 63 El espíritu es lo que es dador de vida;ⁿ la carne no sirve para nada. Los dichos que yo les he hablado son espírituᵒ y son vida.ᵖ 64 Pero hay algunos de ustedes que no creen". Porque Jesús supo desde [el] principio quiénes eran los que no creían y quién era el que lo traicionaría.ᵠ 65 Así que pasó a decir: "Por

CAP. 6

a Jn 4:14
Jn 7:37
Rev 22:17
b Jn 6:64
c Mt 11:28
Jn 17:6
d Jn 3:13
Jn 8:23
Jn 8:42
e Mt 26:39
Jn 5:30
f Jn 5:28
Jn 17:12
Ro 6:5
g Jn 10:28
h Da 12:13
Jn 11:24
i Hch 7:31
1Te 4:16
Rev 20:12
i Jn 6:33
j Mt 13:55
Mr 6:3
Lu 4:22
k Lu 3:23
l Jn 6:65
2Te 2:13
m Jn 11:24
n Isa 54:13
Jer 31:34
Miq 4:2
o Mt 4:9
p Éx 33:20
q Mt 11:27
Lu 10:22
Jn 1:18
r Jn 3:16
Jn 6:33
t Jn 6:31

2.ª col.

a Jn 1:14
1Jn 4:2
b Heb 10:10
c Jn 6:27
Jn 6:33
d Hch 20:28
Ro 3:25
e Rev 20:4
f Jn 6:40
1Co 15:52
1Te 4:16
g Jn 14:23
Jn 15:4
1Jn 3:24
h Jer 10:10
Da 6:26
2Co 3:3
1Te 1:9
i Jn 5:26
1Co 15:22
j Jn 6:51
k Mt 11:6
Jn 6:66
1 Mt 13:21
m Jn 3:13
Jn 6:38
Jn 8:23
Hch 1:9
Ef 4:8
n 1Co 15:45
2Co 3:6
Gál 6:8
o 1Co 2:13
p Dt 8:3
Sl 119:50
Mt 4:4
Flp 2:16
q Mt 9:4
Jn 2:24
Jn 13:11

esto les he dicho: Nadie puede venir a mí a menos que se lo conceda el Padre".[a]

66 Debido a esto, muchos de sus discípulos se fueron a las cosas de atrás,[b] y ya no andaban con él.[c] 67 Por eso Jesús dijo a los doce: "Ustedes no quieren irse también, ¿verdad?". 68 Simón Pedro[d] le contestó: "Señor, ¿a quién nos iremos?[e] Tú tienes dichos de vida eterna;[f] 69 y nosotros hemos creído y llegado a conocer que tú eres el Santo de Dios".[g] 70 Jesús les contestó: "Yo los escogí a ustedes, a los doce,[h] ¿no es verdad? No obstante, uno de ustedes es calumniador".[i] 71 Hablaba, en realidad, de Judas [hijo] de Simón Iscariote; porque este iba a traicionarlo,[j] aunque era uno de los doce.

7 Ahora bien, después de estas cosas Jesús continuó andando por Galilea, pues no quería andar por Judea, porque los judíos procuraban matarlo.[k] 2 Sin embargo, estaba cerca la fiesta de los judíos, la fiesta de los tabernáculos.[l] 3 Por eso sus hermanos[m] le dijeron: "Sal de aquí y ve a Judea, para que tus discípulos también contemplen las obras que haces. 4 Porque nadie hace cosa alguna en secreto mientras él mismo procura ser conocido públicamente. Si haces estas cosas, manifiéstate al mundo". 5 Sus hermanos,[n] de hecho, no ejercían fe en él.[o] 6 Por lo tanto, Jesús les dijo: "Mi debido tiempo todavía no está presente,[p] pero el debido tiempo de ustedes siempre está disponible. 7 El mundo no tiene razón para odiarlos a ustedes, pero a mí me odia, porque doy testimonio, respecto a él, de que sus obras son inicuas.[q] 8 Ustedes suban a la fiesta; yo no subo todavía a esta fiesta, porque mi debido tiempo[r] todavía no ha llegado

cabalmente".[a] 9 Así fue que, después de decirles estas cosas, permaneció en Galilea.

10 Pero cuando sus hermanos hubieron subido a la fiesta, entonces él mismo también subió, no abiertamente, sino como en secreto.[b] 11 Por consiguiente, los judíos se pusieron a buscarlo[c] en la fiesta y a decir: "¿Dónde está ese?". 12 Y había mucha habla restringida acerca de él entre las muchedumbres.[d] Algunos decían: "Es hombre bueno". Otros decían: "No lo es, sino que extravía a la muchedumbre". 13 Nadie, por supuesto, hablaba de él públicamente, por temor a los judíos.

14 Cuando la mitad de la fiesta ya había pasado, Jesús subió al templo y se puso a enseñar.[f] 15 Por eso los judíos se admiraban, y decían: "¿Cómo tiene este hombre conocimiento de letras,[g] cuando no ha estudiado en las escuelas?".[h] 16 Jesús, a su vez, les contestó y dijo: "Lo que yo enseño no es mío, sino que pertenece al que me ha enviado.[i] 17 Si alguien desea hacer la voluntad de Él, conocerá respecto a la enseñanza si es de Dios[j] o si hablo por mí mismo. 18 El que habla por sí mismo busca su propia gloria; pero el que busca la gloria[k] del que lo envió, este es veraz, y no hay injusticia en él. 19 Moisés les dio la Ley,[l] ¿no es verdad? Pero ninguno de ustedes obedece la Ley. ¿Por qué procuran matarme?".[m] 20 La muchedumbre contestó: "Demonio tienes.[n] ¿Quién procura matarte?". 21 En respuesta, Jesús les dijo: "Un hecho ejecuté,[o] y todos ustedes están admirados. 22 Por esto Moisés les ha dado la circuncisión[p] —no que sea de Moisés, sino que es de los antepasados[q]— y ustedes circuncidan a un hombre en sábado. 23 Si un hombre recibe la circuncisión en sábado para que no sea quebrada la ley

CAP. 6	
a	Jn 6:44
b	Lu 9:62
c	Mt 11:6
	Jn 6:60
d	Mt 16:16
	Mt 8:29
e	Rev 14:4
f	Jn 6:63
	Jn 17:3
	Hch 5:20
g	Mr 1:24
	Lu 9:20
h	Lu 6:13
	Jn 15:16
i	Lu 22:3
	Jn 13:18
j	Mt 26:14
	Jn 12:4
CAP. 7	
k	Mr 9:30
	Jn 5:18
l	Le 23:34
m	Mt 12:46
	Mr 6:3
	Lu 8:19
	Jn 2:12
	Hch 1:14
n	Mt 13:55
	Lu 8:20
o	Mr 3:21
p	Jn 2:4
	Jn 7:30
q	Jn 3:19
	Jn 15:19
r	Mt 26:45
2.ª col.	
a	Jn 8:20
b	Mt 10:16
c	Jn 11:56
d	Mt 21:46
	Lu 7:16
	Jn 6:14
	Jn 9:16
e	Jn 9:22
	Jn 12:42
	Jn 19:38
f	Lu 19:47
g	Lu 4:16
h	Mt 13:54
	Mr 6:2
	Lu 2:47
	Hch 4:13
i	Jn 3:34
	Jn 8:28
	Jn 12:49
	Jn 14:10
	Rev 1:1
j	Jn 8:47
k	Jn 5:41
	Jn 8:50
	Éx 24:3
	Dt 33:4
	Hch 7:38
	Gál 3:19
m	Mt 12:14
	Mr 3:6
n	Jn 8:48
	Jn 10:20
o	Jn 5:16
p	Le 12:3
q	Gé 17:10
	Gé 21:4
	Ro 4:11
	Flp 3:5

de Moisés, ¿se encolerizan violentamente contra mí porque hice que un hombre quedara completamente bien de salud en sábado?[a] 24 Dejen de juzgar por la apariencia exterior, pero juzguen con juicio justo".[b]

25 Por lo tanto, algunos de los habitantes de Jerusalén se pusieron a decir: "Este es el hombre a quien procuran matar,[c] ¿no es verdad? 26 Y sin embargo, ¡miren!, habla en público,[d] y no le dicen nada. Los gobernantes no han llegado a conocer con certeza que este sea el Cristo, ¿verdad?[e] 27 Antes bien, nosotros sabemos de dónde es este hombre;[f] sin embargo, cuando venga el Cristo, nadie ha de saber de dónde es".[g] 28 Por lo tanto, Jesús clamó mientras enseñaba en el templo, y dijo: "Ustedes me conocen, y también saben de dónde soy.[h] Además, yo no he venido por mi propia iniciativa,[i] pero el que me ha enviado es real,[j] y ustedes no lo conocen.[k] 29 Yo lo conozco,[l] porque soy representante de parte de él, y Aquel me ha enviado".[m] 30 Por consiguiente, empezaron a buscar cómo apoderarse de él,[n] pero nadie lo echó mano, porque todavía no había llegado su hora.[o] 31 Aun así, muchos de la muchedumbre pusieron fe en él;[p] y empezaron a decir: "Cuando llegue el Cristo, no ejecutará más señales[q] que las que ha ejecutado este hombre, ¿verdad?".

32 Los fariseos oyeron a la muchedumbre que murmuraba estas cosas acerca de él, y los sacerdotes principales y los fariseos despacharon oficiales para que se apoderaran de él. 33 Por lo tanto Jesús dijo: "Continúo con ustedes un poco de tiempo todavía antes de irme al que me ha enviado.[s] 34 Ustedes me buscarán,[t] pero no me hallarán, y donde yo esté uste-

des no pueden venir".[a] 35 Por consiguiente, los judíos dijeron entre sí: "¿Adónde piensa ir este, de modo que nosotros no hayamos de hallarlo? No piensa ir a los [judíos] dispersos[b] entre los griegos y enseñar a los griegos, ¿verdad? 36 ¿Qué significa este dicho que dijo: 'Me buscarán, pero no me hallarán, y donde yo esté ustedes no pueden venir'?".

37 Ahora bien, en el último día, el gran día de la fiesta,[c] Jesús estaba de pie, y clamó, diciendo: "Si alguien tiene sed,[d] venga a mí y beba. 38 El que pone fe en mí,[e] así como ha dicho la Escritura: 'De su parte más interior fluirán corrientes de agua viva'".[f] 39 Sin embargo, dijo esto respecto al espíritu que estaban para recibir los que ponían fe en él; porque aún no había espíritu,[g] por cuanto Jesús todavía no había sido glorificado.[h] 40 Por eso, algunos de la muchedumbre que oyeron estas palabras se pusieron a decir: "Este con certeza es El Profeta".[i] 41 Otros decían: "Este es el Cristo".[j] Pero algunos decían: "El Cristo[k] no viene realmente de Galilea, ¿verdad?[l] 42 ¿No ha dicho la Escritura que el Cristo viene de la prole de David,[m] y de Belén,[n] la aldea donde David solía estar?".[o] 43 Así que se produjo una división respecto a él entre la muchedumbre.[p] 44 Algunos de ellos, pues, querían apoderarse de él, pero nadie echó la manos sobre él.

45 Por lo tanto, los oficiales volvieron a los sacerdotes principales y fariseos, y estos les dijeron: "¿Por qué no lo trajeron?". 46 Los oficiales respondieron: "Jamás ha hablado [otro] hombre así".[q] 47 A su vez, los fariseos contestaron: "Ustedes no se han dejado extraviar también, ¿verdad? 48 Ni uno de los gobernantes o de los fariseos

CAP. 7

a Jn 5:9
b Dt 1:16
  Isa 11:3
  Mt 23:23
c Jn 5:18
d Mt 26:55
  Jn 18:20
e Jn 7:48
f Mt 13:55
g Gé 49:10
  Miq 5:2
  Heb 7:3
h Mr 6:3
i Jn 8:14
j Jn 8:42
j Jn 8:26
k Jn 8:55
l Mt 11:27
  Jn 1:18
  Jn 10:15
m Heb 3:1
n Mt 11:18
  Lu 16:47
o Lu 22:53
  Jn 8:20
p Jn 2:23
  Jn 8:30
  Jn 10:42
  Jn 11:45
q Miq 5:4
  Jn 11:47
r Jn 11:57
s Jn 13:33
  Jn 16:16
t Jn 8:21

2.ᵃ col.

a Jn 8:22
b Isa 11:12
  Hch 17:10
  1Pe 1:1
c Le 23:36
d Isa 55:1
  Jn 4:14
  Jn 6:35
  Rev 22:17
e Dt 18:15
f Éx 17:6
  Nú 20:8
  Pr 18:4
  Jn 4:14
  1Co 10:4
g Isa 44:3
  Joe 2:28
  Jn 16:7
  Hch 2:17
h Jn 12:16
  Jn 13:32
  1Ti 3:16
i Dt 18:18
  Jn 1:21
  Jn 6:14
  Hch 3:22
j Jn 6:69
k Jn 4:42
  Jn 7:52
l Jn 1:46
m 2Cr 13:5
  Sl 89:4
  Sl 132:11
  Jer 23:5
n Miq 5:2
  Mt 2:5
  Lu 2:4
o 1Sa 16:1
p Jn 9:16
  Jn 10:19
q Gé 49:21
  Mt 7:29
  Lu 4:22
  Lu 20:39

ha puesto fe en él, ¿verdad?[a] 49 Pero esta muchedumbre que no conoce la Ley son unos malditos".[b] 50 Nicodemo, que antes había venido a él, y que era uno de ellos, les dijo: 51 "Nuestra ley no juzga a un hombre a menos que primero haya oído[c] de parte de él y llegado a saber lo que hace, ¿verdad?". 52 En respuesta, le dijeron: "Tú no eres también de Galilea, ¿verdad? Escudriña, y ve que de Galilea no ha de ser levantado ningún profeta".*[d]

8 12 Por lo tanto Jesús les habló otra vez, diciendo: "Yo soy la luz[e] del mundo. El que me sigue, de ninguna manera andará en oscuridad,[f] sino que poseerá la luz de la vida". 13 Por esto le dijeron los fariseos: "Tú das testimonio acerca de ti mismo; tu testimonio no es verdadero". 14 En respuesta, Jesús les dijo: "Aunque yo doy testimonio acerca de mí mismo, mi testimonio[g] es verdadero, porque sé de dónde vine y adónde voy.[h] Pero ustedes no saben de dónde vine ni adónde voy. 15 Ustedes juzgan según la carne;[i] yo no juzgo a nadie.[j] 16 Y sin embargo, si juzgo, mi juicio es verídico, porque no estoy solo, sino que conmigo está el Padre

que me envió.[a] 17 También, en la propia Ley de ustedes está escrito: 'El testimonio de dos hombres es verdadero'.[b] 18 Yo soy quien doy testimonio acerca de mí mismo, y el Padre que me envió da testimonio acerca de mí.[c] 19 Por lo tanto procedieron a decirle: "¿Dónde está tu Padre?". Jesús contestó: "Ustedes no me conocen a mí, ni a mi Padre.[d] Si me conocieran, conocerían a mi Padre también".[e] 20 Estos dichos los habló en la tesorería[f] mientras enseñaba en el templo. Pero nadie se apoderó de él,[g] porque todavía no había llegado su hora.[h]

21 Entonces les dijo otra vez: "Yo me voy, y ustedes me buscarán,[i] y sin embargo morirán en su pecado.[j] A donde yo voy ustedes no pueden venir. 22 Por eso empezaron a decir los judíos: "Él no va a matarse, ¿verdad? Porque dice: 'A donde yo voy ustedes no pueden venir'".[k] 23 Así que él pasó a decirles: "Ustedes son de las regiones de abajo; yo soy de las regiones de arriba.[l] Ustedes son de este mundo;[m] yo no soy de este mundo.[n] 24 Por eso les dije: Morirán en sus pecados.[o] Porque si no

---

CAP. 7

a Jn 12:42
Hch 6:7
b Gál 3:10
c Dt 1:16
Dt 17:8
Pr 18:13
d Isa 9:1
Mt 4:15

CAP. 8

e Isa 9:2
Isa 49:6
Mt 4:16
Jn 1:5
Jn 12:35
f Miq 3:6
Jn 12:46
1Pe 2:9
1Jn 2:8
g Jn 5:31
h Jn 7:28
Jn 13:3
Jn 16:28
i 1Sa 16:7
Jn 7:24
j Lu 12:14
Jn 3:17

2.ª col.

a Jn 14:10
Jn 16:32
b Dt 17:6
Dt 19:15
Mt 18:16
2Co 13:1
Heb 10:28
c Jn 5:37
2Pe 1:17
1Jn 5:9
d Jn 16:3
e Mt 11:27
Jn 14:7
f Mr 12:41
Jn 7:30
Jn 7:8
i Jn 7:34
Jn 13:33
j Jn 8:24
k Jn 7:35
l Jn 3:31
Jn 16:28
Col 3:1

m Jn 15:19; Jn 17:6; 1Jn 4:5; n Jn 18:36; o Eze 18:4.

---

* Los manuscritos אBSy[s] omiten los versículos 53 hasta el capítulo 8, versículo 11, que dicen (con algunas variantes en los diversos textos y versiones griegos) como sigue:

53 Entonces se fueron cada uno a su casa.

8 Pero Jesús se fue al monte de los Olivos. 2 Al amanecer, sin embargo, se presentó otra vez en el templo, y todo el pueblo empezó a venir a él, y se sentó y se puso a enseñarles. 3 Entonces los escribas y los fariseos trajeron a una mujer sorprendida en adulterio, y, después de ponerla de pie en medio de ellos, 4 le dijeron a él: "Maestro, esta mujer ha sido sorprendida en el acto de cometer adulterio. 5 En la Ley Moisés prescribió que apedreáramos a mujeres de esta clase. Tú, pues, ¿qué dices? 6 Por supuesto, decían esto para ponerlo a prueba, a fin de tener algo de qué acusarlo. Pero Jesús se inclinó y empezó a escribir en la tierra con el dedo. 7 Como persistieron en preguntarle, se enderezó y les dijo: "El que de ustedes esté sin pecado sea el primero en tirarle una piedra". 8 E inclinándose de nuevo, siguió escribiendo en la tierra. 9 Pero los que oyeron esto empezaron a salir, uno a uno, comenzando por los ancianos, y lo dejaron solo, y a la mujer que estaba en medio de ellos. 10 Enderezándose, Jesús le dijo: "Mujer, ¿dónde están? ¿No te condenó nadie?". 11 Dijo ella: "Nadie, señor". Jesús dijo: "Tampoco yo te condeno. Vete; desde ahora ya no practiques pecado".

creen que yo soy [ese], morirán en sus pecados".[a] 25 Por lo tanto se pusieron a decirle: "¿Tú quién eres?". Jesús les dijo: "¿Para qué les hablo siquiera? 26 Muchas cosas tengo que hablar respecto de ustedes y sobre las cuales pronunciar juicio. En realidad, el que me ha enviado es veraz, y las mismas cosas que oí de parte de él las hablo en el mundo".[b] 27 No comprendieron que les hablaba del Padre. 28 Por lo tanto, dijo Jesús: "Una vez que hayan alzado[c] al Hijo del hombre,[d] entonces sabrán que yo soy [ese],[e] y que no hago nada por mi propia iniciativa,[f] sino que hablo estas cosas así como el Padre me ha enseñado.[g] 29 Y el que me ha enviado está conmigo; no me ha dejado solo, porque yo siempre hago las cosas que le agradan".[h] 30 Al hablar él estas cosas, muchos pusieron fe en él.[i]

31 De modo que Jesús siguió diciendo a los judíos que le habían creído: "Si permanecen en mi palabra,[j] verdaderamente son mis discípulos, 32 y conocerán la verdad,[k] y la verdad los libertará".[l] 33 Ellos les respondieron: "Somos prole de Abrahán[m] y nunca hemos sido esclavos de nadie.[n] ¿Cómo es que dices tú: 'Llegarán a ser libres'?". 34 Jesús les contestó: "Muy verdaderamente les digo: Todo hacedor de pecado es esclavo del pecado.[o] 35 Además, el esclavo no permanece en la casa para siempre; el hijo permanece para siempre.[p] 36 Por eso, si el Hijo los liberta, serán realmente libres.[q] 37 Yo sé que son prole de Abrahán; pero procuran matarme,[r] porque mi palabra no hace progreso entre ustedes.[s] 38 Cuantas cosas he visto con mi Padre[t] las hablo;[u] y ustedes, por tanto, hacen las cosas que han oído de [su] padre". 39 En respuesta, le dijeron: "Nuestro padre es Abra-

hán".[a] Jesús les dijo: "Si son hijos de Abrahán,[b] hagan las obras de Abrahán. 40 Pero ahora procuran matarme, un hombre que les ha dicho la verdad que oí de parte de Dios.[c] Abrahán no hizo esto.[d] 41 Ustedes hacen las obras de su padre". Le dijeron ellos: "Nosotros no nacimos de fornicación; tenemos un solo Padre,[e] Dios".

42 Jesús les dijo: "Si Dios fuera su Padre, ustedes me amarían a mí,[f] porque de Dios vine yo y estoy aquí.[g] Tampoco he venido por mi propia iniciativa, no, sino que Aquel me ha enviado.[h] 43 ¿Por qué no saben ustedes lo que hablo? Porque no pueden escuchar mi palabra.[i] 44 Ustedes proceden de su padre el Diablo,[j] y quieren hacer los deseos de su padre. Ese era homicida cuando principió,[l] y no permaneció firme en la verdad, porque la verdad no está en él. Cuando habla la mentira, habla según su propia disposición, porque es mentiroso y el padre de [la mentira].[m] 45 Porque yo, por otra parte, digo la verdad, ustedes no me creen.[n] 46 ¿Quién de ustedes me prueba culpable de pecado?[o] Si yo hablo la verdad, ¿por qué no me creen ustedes? 47 El que procede de Dios escucha los dichos de Dios.[p] Por esto no escuchan ustedes, porque no proceden de Dios".[q]

48 En respuesta, los judíos le dijeron: "¿No decimos correctamente: Tú eres samaritano[r] y tienes demonio?".[s] 49 Jesús contestó: "Yo no tengo demonio, sino que honro a mi Padre,[t] y ustedes me deshonran a mí. 50 Pero yo no busco gloria para mí mismo; hay Quien busca y juzga.[v] 51 Muy verda-

---

CAP. 8

a Sl 51:5
  Isa 58:1
b Jn 7:28
  Jn 18:20
c Nú 21:9
  Jn 3:14
  Jn 12:32
  Gál 3:13
d Da 7:13
  Mt 26:64
e Mt 27:54
f Jn 5:19
  Jn 5:30
g Jn 3:11
  Jn 4:34
  Jn 14:10
  Heb 1:9
i Jn 7:31
  Jn 10:42
  Jn 11:45
j Jn 5:38
k Jn 17:17
  Jn 18:37
l Sl 119:45
  Lu 4:18
  Ro 6:14
  Ro 6:22
  Heb 2:15
  Snt 1:25
m Mt 3:9
  Lu 25:42
o Pr 5:22
  Ro 6:6
  Ro 6:16
  Ro 7:14
  2Pe 2:19
p Gé 21:10
  Gé 25:6
  Gál 4:30
q Gál 5:1
r Jn 7:19
s Flp 3:16
t Jn 5:19
u Jn 14:10

2.ᵃ col.

a Gé 26:4
  Mt 3:9
  Jn 8:33
b Ro 2:28
  Ro 9:8
  Gál 3:7
  Gál 3:29
c Jn 8:26
d Ro 4:12
e Dt 32:6
  Isa 63:16
  Isa 64:8
  Mal 1:6
  Mal 2:10
f Jn 16:27
  1Jn 5:1
g Jn 13:3
h Jn 3:16
  Jn 5:19
  Gál 4:4
i Ro 8:7
j Mt 4:1
  Mt 13:39
  1Pe 5:8
  Rev 12:9
k Gé 3:15
  Mt 12:34
  Hch 13:10
l Jn 3:8
m Gé 3:4
  2Co 11:3
  Rev 12:9
n Lu 22:67
  Jn 6:64

o 2Co 5:21; Heb 4:15; Heb 7:26; 1Pe 2:22; 1Jn 3:5; p Jn 18:37; 1Jn 4:6; q Jn 10:26; r Jn 4:9; s Mt 12:24; Jn 7:20; Jn 8:48; Jn 15:18; t Mal 1:6; u Jn 5:41; Jn 7:18; v Gé 18:25; Eze 36:1; Isa 33:22; Hch 17:31; Ro 3:6.

deramente les digo: Si alguien observa mi palabra, no verá la muerte nunca".[a]   52 Los judíos le dijeron: "Ahora sabemos que tienes demonio.[b] Abrahán murió,[c] también los profetas;[d] pero tú dices: 'Si alguien observa mi palabra, no gustará[e] la muerte nunca'.   53 Tú no eres mayor[f] que nuestro padre Abrahán, que murió, ¿verdad? También, los profetas murieron.[g] ¿Quién pretendes ser?"   54 Jesús contestó: "Si yo me glorifico a mí mismo, mi gloria no es nada. Es mi Padre quien me glorifica,[h] el que ustedes dicen que es su Dios; 55 y sin embargo ustedes no lo han conocido.[i] Pero yo lo conozco.[j] Y si dijera que no lo conozco sería como ustedes, mentiroso. Pero sí lo conozco, y observo su palabra.[k]   56 Abrahán el padre de ustedes se regocijó mucho por la expectativa de ver mi día,[l] y lo vio y se regocijó".[m]   57 Por eso le dijeron los judíos: "Todavía no tienes cincuenta años, ¿y sin embargo has visto a Abrahán?".   58 Jesús les dijo: "Muy verdaderamente les digo: Antes que Abrahán llegara a existir, yo he sido".[n]   59 Por lo tanto, tomaron piedras para arrojárse[las];[o] pero Jesús se escondió, y salió del templo.

9 Entonces, al ir pasando, vio a un hombre ciego de nacimiento.   2 Y sus discípulos le preguntaron: "Rabí,[p] ¿quién pecó[q] este hombre, o sus padres,[r] para que naciera ciego?".   3 Jesús contestó: "Ni este hombre pecó, ni sus padres, sino que fue para que las obras de Dios se pusieran de manifiesto en su caso.[s]   4 Tenemos que obrar las obras del que me envió mientras es de día;[t] la noche[u] viene cuando nadie puede trabajar. 5 Mientras estoy en el mundo, luz soy del mundo".[v]   6 Después de decir estas cosas, escupió en la tierra e hizo barro con la saliva, y puso su barro sobre

los ojos [del hombre][a]   7 y le dijo: "Ve a lavarte[b] en el estanque de Siloam"[c] (que se traduce 'Enviado'). Y él se fue, pues, y se lavó,[d] y volvió viendo.[e]

8 Por lo tanto, los vecinos y los que solían ver que era mendigo empezaron a decir: "Este es el hombre que estaba sentado y mendigaba, ¿no es así?"[f] 9 Unos decían: "Es este". Otros decían: "De ninguna manera, pero se le parece". El hombre decía: "Soy yo".   10 Por consiguiente, empezaron a decirle: "Entonces, ¿cómo se te abrieron los ojos?".[g]   11 Él contestó: "El hombre que se llama Jesús hizo barro y me [lo] untó en los ojos y me dijo: 'Ve a Siloam[h] y lávate'. Por lo tanto fui y me lavé, y recibí la vista".   12 Entonces le dijeron: "¿Dónde está ese [hombre]?". Él dijo: "No sé".

13 Condujeron al hombre mismo que antes había sido ciego a los fariseos.   14 A propósito, era sábado[i] el día en que Jesús había hecho el barro y le había abierto los ojos.[j]   15 Esta vez, pues, los fariseos también se pusieron a preguntarle cómo había recibido la vista.[k] Él les dijo: "Me puso barro sobre los ojos, y me lavé, y tengo vista".   16 Entonces algunos de los fariseos se pusieron a decir: "Este no es hombre de Dios, porque no observa el sábado".[l] Otros decían: "¿Cómo puede un hombre pecador ejecutar señales[m] de esa clase?". De modo que hubo una división[n] entre ellos.   17 Por eso dijeron otra vez al ciego: "¿Qué dices tú de él, ya que te abrió los ojos?". El [hombre] dijo: "Es profeta".[o]

18 Sin embargo, los judíos no creían, respecto de él, que hubiera sido ciego y hubiera recibido la vista, hasta que llamaron a los padres del hombre que había recibido la vista.   19 Y les preguntaron: "¿Es este su hijo que ustedes dicen que nació ciego?

CAP. 8

a Jn 5:24
Jn 11:26
1Co 15:54
Rev 20:6
b Jn 10:20
c Gé 25:8
d Zac 1:5
Hch 2:34
Heb 11:13
e Mt 16:28
f Jn 4:12
g Mt 23:29
h Jn 5:41
Jn 13:32
Hch 3:13
i Jn 7:28
j Jn 7:29
l Mt 17:5
l Lu 10:24
m Mt 13:17
Heb 11:13
1Pe 1:11
n Pr 8:22
Jn 17:5
Flp 2:6
Col 1:17
1Jn 2:13
o Jn 10:31
Jn 11:8

CAP. 9

p Jn 1:38
q Lu 13:2
r Éx 20:5
Eze 18:19
s Mt 11:5
Jn 11:4
t Jn 4:34
Jn 11:9
u Job 10:21
Ec 9:10
v Isa 49:6
Isa 61:1
Jn 1:5
Jn 8:12

2.ᵃ col.

a Mr 8:23
b 2Re 5:10
c 2Re 20:20
2Cr 32:30
d 2Re 5:14
e Isa 42:7
f Hch 3:10
g Jn 9:15
h Jn 9:7
i Jn 13:14
Jn 5:9
j Jn 9:6
k Jn 9:10
l Éx 20:10
m Jn 3:2
n Lu 12:51
Jn 7:12
Jn 7:43
Jn 10:19
o Dt 18:22
Jn 4:19

¿Cómo es, pues, que ve ahora?". 20 Entonces sus padres dijeron en respuesta: "Sabemos que este es nuestro hijo, y que nació ciego. 21 Pero cómo es que ve ahora, no lo sabemos, o quién le abrió los ojos, no lo sabemos. Pregúntenle. Es mayor de edad. Él tiene que hablar por sí mismo". 22 Sus padres dijeron estas cosas porque temían[a] a los judíos, porque los judíos ya habían quedado de acuerdo en que, si alguno lo confesaba como Cristo, fuera expulsado de la sinagoga.[b] 23 Por eso sus padres dijeron: "Es mayor de edad. Interróguenle".

24 Por eso ellos llamaron por segunda vez al hombre que había sido ciego y le dijeron: "Da gloria a Dios;[c] nosotros sabemos que este hombre es pecador". 25 Él, a su vez, contestó: "Si es pecador, no lo sé. Una cosa sí sé: que, siendo el caso que yo era ciego, ahora veo". 26 Por tanto le dijeron: "¿Qué te hizo? ¿Cómo te abrió los ojos?". 27 Él les contestó: "Ya se lo dije a ustedes, y sin embargo no escucharon. ¿Por qué quieren oírlo otra vez? No quieren hacerse discípulos de él también, ¿verdad?". 28 Ante esto, ellos lo injuriaron y dijeron: "Tú eres discípulo de ese [hombre], pero nosotros somos discípulos de Moisés. 29 Nosotros sabemos que Dios ha hablado a Moisés;[d] pero en cuanto a este, no sabemos de dónde es".[e] 30 En respuesta, el hombre les dijo: "Esto sí que es una maravilla,[f] que ustedes no sepan de dónde es, y sin embargo me abrió los ojos. 31 Sabemos que Dios no escucha a pecadores,[g] pero si alguien es temeroso de Dios y hace su voluntad, a este escucha.[h] 32 Desde la antigüedad jamás se ha oído que alguien abriera los ojos a uno que hubiera nacido ciego. 33 Si este [hombre] no fuera de Dios,[i] no podría ha-

cer nada". 34 En respuesta le dijeron: "Tú naciste del todo en pecados,[a] ¿y sin embargo nos enseñas a nosotros?". ¡Y lo echaron fuera![b]

35 Jesús oyó que lo habían echado fuera, y, al hallarlo, le dijo: "¿Pones tú fe en el Hijo[c] del hombre?". 36 Él contestó: "¿Y quién es, señor, para que ponga fe en él?". 37 Le dijo Jesús: "Lo has visto y, además, el que habla contigo es ese".[d] 38 Entonces él dijo: "Pongo fe [en él], Señor". Y le rindió homenaje.[e] 39 Y Jesús dijo: "Para [este] juicio[f] he venido a este mundo: para que los que no ven, vean,[g] y los que ven, queden ciegos".[h] 40 Aquellos de los fariseos que estaban con él oyeron estas cosas, y le dijeron: "Nosotros no somos ciegos también,[i] ¿verdad?". 41 Jesús les dijo: "Si fueran ciegos, no tendrían pecado. Pero ahora ustedes dicen: 'Vemos'.[j] Su pecado[k] permanece".

10 "Muy verdaderamente les digo: El que no entra en el aprisco de las ovejas por la puerta,[l] sino que trepa por otra parte, ese es ladrón y saqueador.[m] 2 Pero el que entra por la puerta[n] es pastor de las ovejas.[p] 3 A este le abre el portero,[q] y las ovejas[r] escuchan su voz, y él llama a sus propias ovejas por nombre y las saca fuera. 4 Cuando ha sacado todas las suyas propias, va delante de ellas, y las ovejas le siguen,[s] porque conocen su voz.[t] 5 A un extraño de ningún modo seguirán, sino que huirán[u] de él, porque no conocen la voz de los extraños".[v] 6 Jesús les habló esta comparación; pero ellos no sabían lo que querían decir las cosas que les hablaba.[w]

7 Por lo tanto Jesús dijo otra vez: "Muy verdaderamente les digo: Yo soy la puerta[x] de las ovejas. 8 Todos los que han venido en lugar de mí son ladro-

CAP. 9

a Pr 29:25
  Jn 7:13
  Jn 19:38
  Jn 20:19
b Jn 12:42
  Jn 16:2
c Jos 7:19
d Sl 103:7
e Jn 8:14
f Jn 3:10
g Sl 66:18
  Pr 28:9
  Isa 1:15
  Eze 8:18
  Miq 3:4
  Zac 7:13
h Sl 34:15
  Pr 15:29
  Hch 10:35
i Jn 3:2
  Jn 5:36

2.ª col.

a Jn 9:2
b Jn 9:22
  Jn 16:2
c 1Jn 5:13
d Jn 4:26
e 1Sa 25:23
  Mt 2:2
  Mt 9:18
f Jn 12:47
g Lu 4:18
  Jn 12:46
h Isa 29:14
  Mt 11:25
  Mt 13:13
  Jn 3:19
  Hch 28:26
  Ro 1:28
  2Pe 1:9
i Mt 15:14
  Ro 2:19
j Pr 26:12
  2Co 4:4
k Jn 15:22

CAP. 10

l Jn 10:7
m Mt 7:15
n Jn 10:9
o Mt 26:31
  Jn 10:11
p Mr 14:27
  Lu 12:32
q Mal 3:1
  Lu 1:17
  Jn 3:28
r Jn 10:27
s Mt 4:20
  Mt 9:9
  Rev 14:4
t Rev 3:20
u Rev 2:2
v Gál 1:8
  Col 2:8
w Jn 16:25
x Jn 14:6

nes y saqueadores;[a] pero las ovejas no les han escuchado.[b] 9 Yo soy la puerta;[c] cualquiera que entra por mí será salvo, y entrará y saldrá y hallará pastos.[d] 10 El ladrón[e] no viene sino para hurtar y matar y destruir.[f] Yo he venido para que tengan vida, y la tengan en abundancia. 11 Yo soy el pastor excelente;[g] el pastor excelente entrega su alma a favor de las ovejas.[h] 12 El asalariado,[i] que no es pastor, y a quien las ovejas no pertenecen como suyas propias, ve venir al lobo y abandona las ovejas y huye —y el lobo las arrebata y las desparrama[j]— 13 porque es asalariado[k] y no le importan las ovejas.[l] 14 Yo soy el pastor excelente, y conozco a mis ovejas[m] y mis ovejas me conocen a mí,[n] 15 así como el Padre me conoce y yo conozco al Padre;[o] y yo entrego mi alma a favor de las ovejas.[p]

16 "Y tengo otras ovejas,[q] que no son de este redil;[r] a esas también tengo que traer, y escucharán mi voz,[s] y llegarán a ser un solo rebaño, un solo pastor.[t] 17 Por eso el Padre me ama,[u] porque entrego mi alma,[v] a fin de que la reciba de nuevo. 18 Nadie me la ha quitado, sino que la entrego por mi propia iniciativa. Tengo autoridad para entregarla, y tengo autoridad para recibirla de nuevo.[w] El mandamiento[x] acerca de esto lo recibí de mi Padre".

19 Otra vez resultó una división[y] entre los judíos a causa de estas palabras. 20 Muchos de ellos decían: "Demonio tiene, y está loco. ¿Por qué le escuchan?". 21 Otros decían: "Estos no son dichos de un endemoniado. Un demonio no puede abrir los ojos a los ciegos, ¿verdad?".

22 Por entonces se celebraba la fiesta de la dedicación en Jerusalén. Era invierno, 23 y Jesús estaba andando por el templo, en la columnata de Salomón.[a] 24 Así que los judíos lo rodearon y se pusieron a decirle: "¿Hasta cuándo has de tener nuestras almas en suspenso? Si eres el Cristo,[b] dínoslo francamente".[c] 25 Jesús les contestó: "Se lo dije a ustedes, y sin embargo no creen. Las obras que hago en el nombre de mi Padre, estas dan testimonio acerca de mí.[d] 26 Pero ustedes no creen, porque no son de mis ovejas.[e] 27 Mis ovejas[f] escuchan mi voz, y yo las conozco, y ellas me siguen.[g] 28 Y yo les doy vida eterna,[h] y no serán destruidas nunca,[i] y nadie las arrebatará de mi mano.[j] 29 Lo que mi Padre[k] me ha dado es algo mayor que todas las otras cosas,[l] y nadie puede arrebatarlas de la mano del Padre.[m] 30 Yo y el Padre somos uno".[n]

31 Otra vez los judíos alzaron piedras para apedrearlo.[o] 32 Jesús les respondió: "Muchas obras excelentes les exhibí de parte del Padre. ¿Por cuál de esas obras me apedrean?". 33 Los judíos le contestaron: "No por obra excelente te apedreamos, sino por blasfemia,[p] sí, porque tú, aunque eres hombre, te haces a ti mismo un dios".[q] 34 Jesús les contestó: "¿No está escrito en su Ley:[r] 'Yo dije: "Ustedes son dioses"'?[s] 35 Si él llamó 'dioses' a aquellos contra quienes vino la palabra de Dios, y sin embargo la Escritura no puede ser nulificada,[u] 36 ¿me dicen ustedes a mí, a quien el Padre santificó y despachó al mundo: 'Blasfemas', porque dije: Soy Hijo de Dios?[v] 37 Si no hago las obras[w] de mi Padre, no me crean. 38 Pero si las hago, aun cuando no me crean a mí, crean las obras,[x] a fin de que lleguen a saber y continúen sabiendo que el Padre está en

---

CAP. 10
a Jer 23:1
 Eze 34:2
b Hch 5:36
c Ef 2:18
 Jn 21:17
 Mt 7:15
f Hch 20:29
 2Pe 2:1
g Eze 34:23
 Mt 9:36
h 1Sa 17:35
 Isa 53:7
 Heb 13:20
j Job 7:2
 Zac 11:16
j Hch 20:29
k 1Pe 5:2
l Mr 12:40
m Jn 10:27
n 1Jn 5:20
o Mt 11:27
p Mt 20:28
 Jn 15:13
 1Jn 3:16
q Sl 45:14
 Mt 25:33
 Rev 7:9
r Lu 12:32
 Jn 10:1
s Gé 49:10
t Eze 34:23
 Eze 37:24
 1Pe 5:4
u Jn 17:23
v Isa 53:12
 Flp 2:8
 Heb 2:9
 Heb 12:2
w Jn 2:19
 Hch 2:24
x Jn 14:31
y Lu 12:51
 Jn 7:12
 Jn 9:16
z Mt 11:18
 Mr 3:30
 Lu 7:33

2.ᵃ col.
a Hch 3:11
 Hch 5:12
b Mt 26:63
c Mr 8:30
d Jn 3:2
 Jn 5:36
 Jn 10:38
 Jn 14:10
 Hch 2:22
e Jn 6:64
 Jn 8:47
 1Jn 4:6
f Lu 15:6
 Jn 10:3
g Mt 4:20
 Mt 9:9
 Rev 14:4
h Jn 5:24
 Jn 17:2
i Jn 6:37
j Jn 18:9
k Jn 14:28
 Jn 17:2
l Jn 17:24
 1Pe 1:5
n Jn 10:38
 Jn 17:11
 Jn 17:21
o Jn 8:59
p Le 24:16
 Mt 9:3
 Mt 26:65

q Jn 5:18; Flp 2:6; r Jn 15:25; s Sl 82:6; 1Co 8:5; t Sl 82:1; u Jn 5:17; Lu 16:17; v Lu 1:35; Jn 5:18; w Jn 5:36; x Jn 14:10.

unión conmigo y yo estoy en unión con el Padre".[a] 39 Por eso, otra vez trataron de prenderlo;[b] pero se les fue de las manos.[c]

40 De modo que se fue de nuevo al otro lado del Jordán, al lugar donde Juan bautizaba[d] al principio, y se quedó allí. 41 Y muchas personas vinieron a él, y empezaron a decir: "Juan, en realidad, no ejecutó una sola señal, pero cuantas cosas dijo Juan acerca de este hombre, todas eran verdaderas".[e] 42 Y muchos pusieron fe en él allí.[f]

11 Ahora bien, estaba enfermo cierto hombre, Lázaro de Betania, de la aldea de María y de Marta[g] su hermana. 2 Esta fue, de hecho, la María que untó al Señor con aceite perfumado[h] y le enjugó los pies con sus cabellos,[i] cuyo hermano Lázaro estaba enfermo. 3 Por lo tanto, sus hermanas le despacharon un recado, diciendo: "Señor, ¡mira!, está enfermo aquel a quien le tienes cariño".[j] 4 Pero cuando Jesús lo oyó, dijo: "Esta enfermedad no tiene la muerte como su objeto, sino que es para la gloria de Dios,[k] a fin de que el Hijo de Dios sea glorificado mediante ella".

5 Ahora bien, Jesús amaba a Marta y a su hermana y a Lázaro. 6 Sin embargo, cuando oyó que este estaba enfermo, entonces realmente permaneció dos días en el lugar donde estaba. 7 Luego, después de esto, dijo a los discípulos: "Vamos otra vez a Judea". 8 Los discípulos le dijeron: "Rabí,[l] hace poco procuraban apedrearte los de Judea,[m] ¿y vas allá otra vez?". 9 Jesús contestó: "Hay doce horas de luz del día, ¿no es verdad? Si alguien anda en la luz del día[n] no choca contra nada, porque ve la luz de este mundo. 10 Pero si alguien anda de noche,[o] choca contra algo, porque la luz no está en él".

11 Dijo estas cosas, y después de esto les dijo: "Nuestro amigo Lázaro está descansando, pero yo me voy allá para despertarlo del sueño".[a] 12 Por lo tanto los discípulos le dijeron: "Señor, si está descansando, recobrará la salud". 13 Sin embargo, Jesús había hablado de la muerte de aquel. Pero ellos se imaginaban que él estaba hablando de descansar en el sueño. 14 Entonces, por lo tanto, Jesús les dijo francamente: "Lázaro ha muerto,[b] 15 y me regocijo, por causa de ustedes, de que yo no haya estado allí, a fin de que ustedes crean. Pero vamos a él". 16 Por eso Tomás, que se llamaba El Gemelo, dijo a sus condiscípulos: "Vamos nosotros también, para que muramos con él".[c]

17 Por consiguiente, cuando Jesús llegó, halló que hacía ya cuatro días que aquel estaba en la tumba conmemorativa.[d] 18 Pues bien, Betania estaba cerca de Jerusalén, como a tres kilómetros de allí. 19 Así que muchos de los judíos habían venido a Marta y a María para confortarlas[e] respecto a su hermano. 20 Entonces Marta, cuando oyó que Jesús venía, salió a su encuentro; pero María[f] se quedó sentada en casa. 21 Marta entonces dijo a Jesús: "Señor, si hubieras estado aquí mi hermano no habría muerto.[g] 22 Y sin embargo, actualmente sé que cuantas cosas pidas a Dios,[h] Dios te las dará". 23 Jesús le dijo: "Tu hermano se levantará".[i] 24 Marta le dijo: "Yo sé que se levantará en la resurrección[j] en el último día". 25 Jesús le dijo: "Yo soy la resurrección y la vida.[k] El que ejerce fe en mí, aunque muera, llegará a vivir;[l] 26 y todo el que vive y ejerce fe en mí no morirá jamás.[m] ¿Crees tú esto?". 27 Ella le dijo: "Sí, Señor; yo he creído que tú eres el Cristo, el Hijo de Dios, Aquel que viene al mun-

CAP. 10
a Jn 17:21
b Jn 7:30
c Lu 4:30
d Jn 1:28
e Jn 1:29
   Jn 3:30
f Jn 8:30
   Jn 11:45

CAP. 11
g Lu 10:38
h Mt 26:7
   Mr 14:3
   Jn 12:3
i Lu 7:38
j Jn 11:36
k Jn 9:3
l Jn 1:38
m Jn 8:59
   Jn 10:31
n Jn 9:4
o Isa 5:20
   Jn 12:35
   1Jn 2:11

2.ª col.
a Sl 13:3
   Mt 9:24
   Hch 7:60
   1Co 15:6
   1Co 15:51
b Ec 9:5
c Jn 11:8
d Mt 8:28
   Jn 5:28
e 1Cr 7:22
   Job 2:11
f Lu 10:39
g Jn 11:32
h Jn 9:31
i 1Te 4:14
j Isa 26:19
   Da 12:2
   Jn 5:29
   Hch 24:15
   Heb 11:35
   Rev 20:12
k Jn 1:4
   Jn 14:6
   Col 3:4
   1Jn 1:2
   Rev 1:18
l Jn 5:24
m Jn 8:51

do".[a] 28 Y cuando ella hubo dicho esto, se fue y llamó a María su hermana, diciendo secretamente: "El Maestro[b] está presente, y te llama". 29 Esta, cuando oyó esto, se levantó pronto y se encaminó a él.

30 Jesús, de hecho, aún no había entrado en la aldea, sino que todavía estaba en el lugar donde Marta se había encontrado con él. 31 Por lo tanto, los judíos que estaban con ella en la casa,[c] y que la confortaban, al ver que María se levantó pronto y salió, la siguieron, pensando que iba a la tumba conmemorativa[d] para llorar allí. 32 Así que María, cuando llegó a donde Jesús estaba y alcanzó a verlo, cayó a sus pies, y le dijo: "Señor, si tú hubieras estado aquí, mi hermano no habría muerto".[e] 33 Jesús, pues, cuando la vio llorando, y a los judíos que vinieron con ella llorando, gimió en el espíritu y se perturbó;[f] 34 y dijo: "¿Dónde lo han puesto?". Ellos le dijeron: "Señor, ven y ve". 35 Jesús cedió a las lágrimas.[g] 36 Por eso los judíos empezaron a decir: "Mira, ¡cuánto cariño le tenía!".[h] 37 Pero algunos de ellos dijeron: "¿No pudiera este [hombre], que abrió los ojos[i] al ciego, haber impedido que este muriera?".

38 Así que Jesús, después de gemir otra vez en sí mismo, vino a la tumba conmemorativa.[j] Era, de hecho, una cueva, y había una piedra[k] recostada contra ella. 39 Jesús dijo: "Quiten la piedra".[l] Marta, la hermana del fallecido, le dijo: "Señor, ya debe oler mal, porque hace cuatro días". 40 Jesús le dijo: "¿No te dije que si creías habrías de ver la gloria de Dios?".[m] 41 Por lo tanto, quitaron la piedra. Entonces Jesús alzó los ojos hacia el cielo[n] y dijo: "Padre, te doy gracias porque me has oído.[o] 42 Cierto, yo sabía que siempre me oyes; pero a causa de la mu-

chedumbre[a] que está de pie en derredor hablé, a fin de que crean que tú me has enviado".[b] 43 Y cuando hubo dicho estas cosas, clamó con fuerte voz: "¡Lázaro, sal!".[c] 44 El [hombre] que había estado muerto salió con los pies y las manos atados con envolturas,[d] y su semblante estaba envuelto en un paño. Jesús les dijo: "Desátenlo y déjenlo ir".

45 Por eso, muchos de los judíos que habían venido a María y que contemplaron lo que él había hecho pusieron fe en él;[e] 46 pero algunos de ellos se fueron a los fariseos y les dijeron las cosas que Jesús había hecho.[f] 47 Por consiguiente, los sacerdotes principales y los fariseos reunieron el Sanedrín[g] y empezaron a decir: "¿Qué hemos de hacer, porque este hombre ejecuta muchas señales?[h] 48 Si lo dejamos así, todos pondrán fe en él,[i] y los romanos[j] vendrán y nos quitarán nuestro lugar[k] así como nuestra nación". 49 Pero uno de ellos, Caifás, que era sumo sacerdote aquel año,[l] les dijo: "Ustedes no saben nada, 50 y no raciocinan que les es de provecho a ustedes que un solo hombre muera[m] en el interés del pueblo, y no que la nación entera sea destruida".[n] 51 Esto, sin embargo, no lo dijo por sí mismo; sino que, como era sumo sacerdote aquel año, profetizó que Jesús estaba destinado a morir por la nación, 52 y no por la nación solamente, sino para que a los hijos de Dios que están esparcidos[o] también los reuniera en uno.[p] 53 Por eso, desde aquel día entraron en consejo para matarlo.

54 Así que Jesús ya no andaba en público[r] entre los judíos,[s] sino que partió de allí al país cerca del desierto, a una ciudad llamada Efraín,[t] y permaneció allí con los discípulos. 55 Ya estaba cerca la pascua[u] de los ju-

CAP. 11

a Mal 3:1
Jn 4:42
Jn 6:14
b Mt 23:8
Jn 13:13
c Jn 11:19
d Jn 11:17
e Jn 11:21
f Jn 13:21
g Lu 19:41
Ro 12:15
Heb 4:15
h Jn 11:3
i Jn 9:6
j Mt 8:28
Jn 5:28
k Mt 27:60
Mr 15:46
l Mr 16:3
Jn 20:1
m Jn 9:3
n Mt 14:19
Mr 7:34
o 1Jn 5:14

2.° col.

a Jn 12:30
b Jn 6:29
Jn 17:8
c Lu 7:14
d Mt 27:59
Jn 20:7
e Jn 2:23
Jn 10:42
Jn 12:11
f Lu 16:31
g Sl 2:2
h Nú 14:11
Jn 7:31
Jn 12:37
Hch 4:16
i Jn 12:19
j Da 9:26
Hch 28:17
k Mt 24:15
Hch 6:13
l Mt 26:3
Lu 3:2
Hch 4:6
m Jn 18:14
n Lu 2:34
o Isa 49:6
Snt 1:1
1Jn 2:2
p Jn 17:21
Gál 3:28
Ef 2:14
Ef 3:6
q Mt 26:4
Mt 26:59
Jn 5:18
r Mt 10:23
Hch 12:17
s Jn 7:1
t 2Sa 13:23
2Cr 13:19
u Éx 12:14
Dt 16:1
Jn 2:13
Jn 5:1
Jn 6:4
Jn 12:1

díos, y mucha gente del país subió a Jerusalén, antes de la pascua, a fin de limpiarse ceremonialmente.[a] **56** Entonces iban
buscando a Jesús y se decían
unos a otros mientras estaban
de pie en el templo: "¿Qué opinan ustedes? ¿Que ni siquiera
vendrá a la fiesta?". **57** En
todo caso, los sacerdotes principales y los fariseos habían dado
órdenes de que, si alguien llegaba a saber dónde estaba, [lo] ex-
pusiera, a fin de prenderlo.

12 De consiguiente, Jesús,
seis días antes de la pascua, llegó a Betania,[b] donde estaba Lázaro,[c] a quien Jesús
había levantado de entre los
muertos. **2** De modo que le
dieron una cena allí, y Marta[d]
estaba sirviendo,[e] pero Lázaro
era uno de los que estaban reclinados a la mesa con él.[f] **3** María, pues, tomó una libra de aceite perfumado, nardo genuino,[g]
muy costoso, y le untó los pies a
Jesús y le enjugó los pies con sus
cabellos.[h] La casa se llenó de la
fragancia del aceite perfumado.
4 Pero Judas Iscariote,[i] uno de
sus discípulos, que estaba para
traicionarlo, dijo: **5** "¿Por qué
no se vendió este aceite perfumado[j] por trescientos denarios y
se dio a los pobres?".[k] **6** Dijo
esto, sin embargo, no porque le
importaran los pobres, sino porque era ladrón[l] y tenía la caja
del dinero[m] y se llevaba el dinero que se echaba en ella.   **7** Por
eso Jesús dijo: "Déjala, para que
guarde esta observancia en vista
del día de mi entierro.[n] **8** Porque a los pobres[o] siempre los tienen con ustedes, pero a mí no me
tendrán siempre".

9 Así que una gran muchedumbre de los judíos llegó a
saber que él estaba allí, y vinieron, no a causa de Jesús solamente, sino también para ver
a Lázaro, a quien él había levantado de entre los muertos.[p]
10 Los sacerdotes principales

ahora entraron en consejo
para matar también a Lázaro,[a]
11 porque a causa de él muchos
de los judíos iban allá y ponían fe
en Jesús.[b]

12 Al día siguiente la gran
muchedumbre que había venido
a la fiesta, al oír que Jesús venía a Jerusalén, **13** tomaron
ramas de palmeras[c] y salieron a
su encuentro. Y se pusieron
a gritar:[d] "¡Salva, te rogamos![e]
¡Bendito es el que viene en el
nombre de Jehová,[f] sí, el rey[g]
de Israel!". **14** Pero Jesús, habiendo hallado un asnillo,[h] se
sentó sobre él, así como está escrito: **15** "No temas, hija de
Sión. ¡Mira! Tu rey viene,[i] sentado sobre un pollino de asna".[j]
16 Al principio sus discípulos
no se fijaron en estas cosas,[k] pero cuando Jesús fue glorificado,[l] entonces recordaron
que estas cosas estaban escritas
respecto a él, y que le habían
hecho estas cosas.[m]

17 En efecto, la muchedumbre que estaba con él cuando él
llamó a Lázaro[n] de la tumba conmemorativa y lo levantó de entre
los muertos siguió dando testimonio.[o] **18** A causa de esto
también salió a su encuentro la
muchedumbre, porque oyeron
que había ejecutado esta señal.[p]
19 Por lo tanto, los fariseos[q] dijeron entre sí: "Observan que ustedes no logran absolutamente
nada. ¡Miren! El mundo se ha ido
tras él".[r]

20 Ahora bien, había unos
griegos[s] entre los que habían
subido a adorar en la fiesta.
21 Estos, pues, se acercaron a
Felipe,[t] que era de Betsaida de
Galilea, y empezaron a solicitarle, diciendo: "Señor, queremos
ver a Jesús".[u] **22** Felipe vino y
se lo dijo a Andrés. Andrés y
Felipe vinieron y se lo dijeron a
Jesús.

23 Pero Jesús les contestó, y
dijo: "Ha llegado la hora para que
el Hijo del hombre sea glorificado.[v] **24** Muy verdaderamen-

CAP. 11
a 2Cr 30:17

CAP. 12
b Mr 11:1
c Jn 11:1
  Jn 11:43
d Lu 10:40
e Mt 27:55
  Mr 15:41
f Mt 26:6
  Mr 14:3
g Cam 1:12
  Mt 26:7
h Lu 7:38
  Jn 11:2
i Mt 26:47
  Mr 14:10
  Lu 22:48
  Jn 13:29
  Hch 1:16
j Mt 26:8
  Mr 14:4
  Lu 7:46
k Mt 19:21
  Mr 14:5
l Éx 20:15
  Pr 26:25
m Jn 13:29
n Mt 26:12
  Mr 14:8
  Jn 19:40
o Dt 15:11
  Mt 26:11
  Mr 14:7
p Jn 11:43

2.ª col.

a Pr 1:16
  Lu 16:31
b Jn 7:31
  Jn 11:45
c Mt 21:8
  Mr 11:8
  Rev 7:9
d Mt 21:9
  Mr 11:9
e Sl 118:25
f Sl 118:26
g Jn 1:49
h 1Re 1:33
  Mt 21:7
  Mr 11:7
  Lu 19:35
i 1Re 1:34
j Zac 9:9
k Lu 18:34
  1 Jn 7:39
m Lu 24:45
  Jn 14:26
n Jn 11:1
  Jn 11:43
o Mt 21:15
  Lu 19:37
p Jn 4:54
q Lu 19:39
r Jn 3:26
  Jn 11:48
  Hch 5:28
s Hch 17:4
t Jn 1:44
u Lu 19:3
  Lu 23:8
v Jn 13:32
  Jn 17:1

te les digo: A menos que el grano de trigo caiga en la tierra y muera, permanece un solo [grano]; pero si muere,[a] entonces lleva mucho fruto. 25 El que tiene afecto a su alma la destruye, pero el que odia su alma[b] en este mundo la resguardará para vida eterna.[c] 26 Si alguien quiere ministrarme, sígame, y donde yo esté, allí también estará mi ministro.[d] Si alguien quiere ministrarme, el Padre lo honrará.[e] 27 Ahora mi alma está perturbada,[f] ¿y qué diré? Padre, sálvame de esta hora.[g] No obstante, por esto he venido a esta hora. 28 Padre, glorifica tu nombre". Luego vino una voz[h] del cielo: "[Lo] glorifiqué, y también [lo] glorificaré de nuevo".[i]

29 Por lo tanto, la muchedumbre que estaba de pie por allí y lo oyó empezó a decir que había tronado. Otros empezaron a decir: "Un ángel le ha hablado". 30 En respuesta, Jesús dijo: "Esta voz ha ocurrido, no por mí, sino por ustedes.[j] 31 Ahora se somete a juicio a este mundo; ahora el gobernante de este mundo[k] será echado fuera.[l] 32 Y sin embargo yo, si soy alzado[m] de la tierra, atraeré a mí a hombres de toda clase".[n] 33 Esto realmente lo decía para significar qué clase de muerte estaba para morir.[o] 34 Por lo tanto la muchedumbre le contestó: "Nosotros oímos, de la Ley, que el Cristo permanece para siempre;[p] ¿y cómo es que dices tú que el Hijo del hombre tiene que ser alzado?[q] ¿Quién es este Hijo del hombre?".[r] 35 Entonces Jesús les dijo: "La luz estará entre ustedes un poco de tiempo todavía. Anden mientras tienen la luz, para que la oscuridad[s] no los subyugue; y el que anda en la oscuridad no sabe adónde va.[t] 36 Mientras tienen la luz, ejerzan fe en la luz, para que lleguen a ser hijos de la luz".[u]

Jesús habló estas cosas y se fue y se escondió de ellos. 37 Pero aunque había ejecutado tantas señales delante de ellos, no ponían fe en él, 38 de modo que se cumplió la palabra de Isaías el profeta, que él dijo: "Jehová, ¿quién ha puesto fe en la cosa oída por nosotros?[a] Y en cuanto al brazo de Jehová, ¿a quién ha sido revelado?".[b] 39 La razón por la cual no podían creer es que otra vez dijo Isaías: 40 "Él les ha cegado los ojos y ha hecho duro su corazón,[c] para que no vean con los ojos y capten la idea con su corazón y se vuelvan y yo los sane".[d] 41 Isaías dijo estas cosas porque vio su gloria,[e] y habló de él. 42 Con todo, hasta de los gobernantes muchos realmente pusieron fe en él,[f] pero a causa de los fariseos no [lo] confesaban, para no ser expulsados de la sinagoga;[g] 43 porque amaban la gloria de los hombres más que la misma gloria de Dios.[h]

44 Sin embargo, Jesús clamó y dijo: "El que pone fe en mí, no pone fe en mí [solamente], sino [también] en el que me ha enviado;[i] 45 y el que me contempla, contempla [también] al que me ha enviado.[j] 46 Yo he venido como luz al mundo,[k] para que todo el que pone fe en mí no permanezca en la oscuridad.[l] 47 Pero si alguien oye mis dichos y no los guarda, yo no lo juzgo; porque no vine para juzgar al mundo,[m] sino para salvar al mundo.[n] 48 El que me desatiende y no recibe mis dichos tiene quien lo juzgue. La palabra[o] que he hablado es lo que lo juzgará en el último día; 49 porque no he hablado de mi propio impulso, sino que el Padre mismo, que me ha enviado, me ha dado mandamiento en cuanto a qué decir y qué hablar.[p] 50 También, sé que su mandamiento significa vida eter-

CAP. 12
a Mt 16:21
  Ro 14:9
  1Co 15:36
b Mt 10:28
  Rev 12:11
c Mt 16:25
  Mr 8:35
  Lu 9:24
d Jn 14:3
  Jn 17:24
  1Te 4:17
e 1Sa 2:30
  Pr 27:18
f Sl 6:3
  Mt 26:38
  Mr 14:34
g Lu 12:50
  Lu 22:42
  Heb 5:7
h Mt 3:17
  Mt 17:5
  Mr 1:11
  Mr 9:7
  Lu 3:22
  Lu 9:35
  2Pe 1:17
i Jn 17:1
j Jn 11:42
k Jn 14:30
  Jn 16:11
  Hch 26:18
  2Co 4:4
  Ef 2:2
l Lu 10:18
  Rev 12:9
m Jn 8:28
n Ro 5:18
  Heb 2:9
o Jn 18:32
  Hch 5:30
p Sl 89:36
  Sl 110:4
  Isa 9:7
q Jn 3:14
  Jn 20:9
r Da 7:13
  Jn 13:16
t Jn 11:10
u Ef 5:8

2.ª col.
a Ro 10:16
b Isa 53:1
c Éx 4:21
d Isa 6:10
  Mt 13:14
  Mr 4:12
  Hch 28:27
e Isa 6:1
f Jn 19:38
g Pr 29:25
  Jn 7:13
  Jn 9:22
  Jn 16:2
h Jn 5:44
  Ro 2:29
i Mt 10:40
  Mr 9:37
  1Pe 1:21
j Jn 14:9
k Jn 3:19
  Jn 8:12
  Jn 9:5
l Jn 12:35
m Jn 3:17
  Jn 5:45
  Jn 8:15
n Jn 3:16
o Dt 18:19
p Dt 18:18
  Jn 8:38
  Jn 14:10

na.[a] Por lo tanto, las cosas que hablo, así como el Padre me [las] ha dicho, así [las] hablo".[b]

13 Ahora bien, puesto que antes de la fiesta de la pascua sabía que había llegado su hora[c] para irse de este mundo al Padre,[d] Jesús, habiendo amado a los suyos que estaban en el mundo,[e] los amó hasta el fin. 2 Así que, mientras estaba en progreso la cena, como el Diablo ya había metido en el corazón de Judas Iscariote,[f] hijo de Simón, que lo traicionara,[g] 3 [Jesús], sabiendo que el Padre había dado en [sus] manos todas las cosas,[h] y que de Dios había venido y a Dios iba,[i] 4 se levantó de la cena y puso a un lado sus prendas de vestir exteriores. Y, tomando una toalla, se ciñó.[j] 5 Después de aquello echó agua en una palangana y comenzó a lavar los pies[k] de los discípulos y a secarlos con la toalla con que estaba ceñido. 6 Y vino, pues, a Simón Pedro. Él le dijo: "Señor, ¿tú me lavas los pies?".[l] 7 En respuesta, Jesús le dijo: "Lo que yo hago, tú no lo entiendes ahora, pero lo entenderás después de estas cosas".[m] 8 Pedro le dijo: "Tú ciertamente no me lavarás los pies nunca". Jesús le contestó: "A menos que te lave,[n] no tienes parte conmigo". 9 Le dijo Simón Pedro: "Señor, no los pies solamente, sino también las manos y la cabeza". 10 Jesús le dijo: "El que se ha bañado[o] no necesita lavarse más que los pies, sino que está todo limpio. Y ustedes están limpios, pero no todos". 11 Conocía, en efecto, al hombre que lo traicionaba.[p] Por esto dijo: "No todos ustedes están limpios".

12 Ahora bien, cuando les hubo lavado los pies y se hubo puesto sus prendas de vestir exteriores y recostado de nuevo a la mesa, les dijo: "¿Saben lo que les he hecho? 13 Ustedes me

llaman: 'Maestro',[a] y, 'Señor',[b] y hablan correctamente, porque lo soy.[c] 14 Por eso, si yo, aunque soy Señor y Maestro, les he lavado los pies a ustedes,[d] ustedes también deben lavarse los pies unos a otros.[e] 15 Porque yo les he puesto el modelo, que, así como yo hice con ustedes, ustedes también deben hacerlo.[f] 16 Muy verdaderamente les digo: El esclavo no es mayor que su amo, ni es el enviado mayor que el que lo envió.[g] 17 Si saben estas cosas, felices son si las hacen.[h] 18 No hablo de todos ustedes; yo conozco a los que he escogido.[i] Mas es para que se cumpla la Escritura:[j] 'El que comía de mi pan ha alzado contra mí su talón'.[k] 19 Desde este momento en adelante se lo digo a ustedes antes que suceda,[l] para que cuando suceda ustedes crean que soy yo. 20 Muy verdaderamente les digo: El que recibe a cualquiera a quien yo envío me recibe a mí [también].[m] A su vez, el que me recibe a mí recibe [también] al que me envió".[n]

21 Después de decir estas cosas, Jesús se perturbó en espíritu, y dio testimonio y dijo: "Muy verdaderamente les digo: Uno de ustedes me traicionará".[o] 22 Los discípulos empezaron a mirarse unos a otros, perplejos por no saber de quién [lo] decía.[p] 23 Ante el seno de Jesús estaba reclinado uno de sus discípulos, y Jesús lo amaba.[q] 24 Por lo tanto, Simón Pedro le hizo seña con la cabeza a este y le dijo: "Di quién es de quien [lo] dice". 25 De modo que este se recostó sobre el pecho de Jesús y le dijo: "Señor, ¿quién es?".[r] 26 Por tanto Jesús contestó: "Es aquel a quien daré el bocado que mojo".[s] Y así que, habiendo mojado el bocado, lo tomó y se lo dio a Ju-

CAP. 12
a Jn 6:40
Jn 17:2
b Jn 3:34

CAP. 13
c Mt 26:2
Jn 12:23
Jn 17:1
d Jn 16:28
Jn 17:11
e Jn 15:9
Jn 17:9
Gál 2:20
Ef 5:2
1Jn 3:16
f Mt 15:19
Lu 22:3
Jn 13:27
Hch 1:25
g Mt 26:16
Mt 26:24
Mr 14:11
h Mt 11:27
Hch 2:36
1Co 15:27
Heb 2:8
i Jn 16:28
j Flp 2:7
k Gé 18:4
Lu 7:44
1Pe 5:3
m Jn 13:12
n Sl 51:2
1Co 6:11
Ef 5:26
Tit 3:3
Heb 10:22
o 2Co 7:1
Ef 4:22
p Jn 6:64

2.ª col.
a Jn 1:38
Lu 2:11
Hch 10:36
c Mt 23:8
1Co 8:6
Flp 2:11
d Lu 22:27
e Mt 20:26
Lu 9:48
Lu 22:26
Ro 12:10
Gál 5:13
1Pe 5:5
f Mt 23:3
Flp 2:5
1Pe 2:21
1Jn 2:6
g Mt 10:24
Lu 6:40
Jn 15:20
h Mt 7:24
Lu 11:28
Snt 1:25
i Jn 15:16
Ef 1:4
2Te 2:13
2Ti 2:10
j Jn 17:12
k Sl 41:9
Mt 26:23
l Mt 24:25
Jn 14:29
Jn 16:4
m Mt 22:3
Gál 4:14
n Mt 10:40
Mt 25:40

o Mt 26:21; Mr 14:18; Lu 22:21; Jn 6:70; Hch 1:16; p Mt 26:22; Lu 22:23; q Jn 19:26; Jn 20:2; r Jn 21:20; s Mt 26:23.

das, hijo de Simón Iscariote. 27 Y después del bocado, entonces Satanás entró en este.[a] Jesús, por lo tanto, le dijo: "Lo que haces, hazlo más pronto". 28 Sin embargo, ninguno de los que estaban reclinados a la mesa sabía con qué propósito le había dicho esto. 29 Algunos, de hecho, se imaginaban que, como Judas tenía la caja del dinero,[b] Jesús le decía: "Compra las cosas que necesitamos para la fiesta", o que diera algo a los pobres.[c] 30 De manera que, después de recibir el bocado, salió inmediatamente. Y era de noche.[d]

31 Entonces, cuando aquel hubo salido, Jesús dijo: "Ahora es glorificado el Hijo del hombre,[e] y Dios es glorificado respecto a él. 32 Y Dios mismo lo glorificará,[f] y él lo glorificará inmediatamente. 33 Hijitos,[g] estoy con ustedes un poco de tiempo más. Me buscarán ustedes; y así como dije a los judíos: 'A donde yo voy ustedes no pueden venir',[h] también se lo digo a ustedes ahora. 34 Les doy un nuevo mandamiento: que se amen unos a otros; así como yo los he amado,[i] que ustedes también se amen los unos a los otros.[j] 35 En esto todos conocerán que ustedes son mis discípulos, si tienen amor entre sí".[k]

36 Simón Pedro le dijo: "Señor, ¿adónde vas?". Jesús contestó: "A donde yo voy no puedes seguirme ahora, pero seguirás después".[l] 37 Pedro le dijo: "Señor, ¿por qué no puedo seguirte ahora? Entregaré mi alma a favor de ti".[m] 38 Jesús contestó: "¿Entregarás tu alma a favor de mí? Muy verdaderamente te digo: No cantará el gallo de ninguna manera hasta que me hayas repudiado tres veces".[n]

14 "No se les perturbe el corazón.[o] Ejerzan fe en Dios,[p] ejerzan fe también en mí.[q] 2 En la casa de mi Padre hay muchas moradas.[a] De otra manera, se lo hubiera dicho a ustedes, porque voy a preparar un lugar[b] para ustedes. 3 También, si prosigo mi camino y les preparo un lugar, vengo otra vez[c] y los recibiré en casa a mí mismo,[d] para donde yo estoy también estén ustedes.[e] 4 Y a donde yo voy ustedes saben el camino."

5 Tomás[f] le dijo: "Señor, no sabemos adónde vas.[g] ¿Cómo sabemos el camino?".

6 Jesús le dijo: "Yo soy el camino[h] y la verdad[i] y la vida.[j] Nadie viene al Padre sino por mí.[k] 7 Si ustedes me hubieran conocido, habrían conocido a mi Padre también; desde este momento lo conocen y lo han visto".[l]

8 Felipe le dijo: "Señor, muéstranos al Padre, y nos basta".

9 Jesús le dijo: "¿He estado con ustedes tanto tiempo, y aun así, Felipe, no has llegado a conocerme? El que me ha visto a mí ha visto al Padre[m] [también]. ¿Cómo es que dices: 'Muéstranos al Padre'?[n] 10 ¿No crees que yo estoy en unión con el Padre y el Padre está en unión conmigo?[o] Las cosas que les digo a ustedes no las hablo por mí mismo; sino que el Padre que permanece en unión conmigo está haciendo sus obras.[p] 11 Créanme que yo estoy en unión con el Padre y el Padre está en unión conmigo; de otra manera, crean a causa de las obras mismas.[q] 12 Muy verdaderamente les digo: El que ejerce fe en mí, ese también hará las obras que yo hago; y hará obras mayores[r] que estas, porque yo estoy siguiendo mi camino al Padre.[s] 13 También, cualquier cosa que ustedes pidan en mi nombre, esto lo haré, para que el Padre sea glorificado con respecto al Hijo.[t] 14 Si

CAP. 13
a Si 109:6
  Lu 22:3
b Jn 12:6
c Jn 19:21
d Mt 26:20
  Jn 12:23
  Jn 14:13
f Jn 7:39
  Jn 17:1
g Heb 2:13
h Jn 7:34
  Jn 8:21
  Ef 5:2
j Le 19:18
  Jn 15:12
  1Te 4:9
  Snt 2:8
  1Pe 1:22
  1Jn 3:14
k Ro 13:8
  1Co 13:8
  Gál 6:2
  1Jn 4:20
l Jn 14:3
  Rev 14:4
m Mt 26:33
  Mt 14:29
  Lu 22:33
n Mt 26:34
  Mr 14:30
  Lu 22:34
  Jn 18:27

CAP. 14
o Jn 14:27
p Mr 11:22
  1Pe 1:21
q Ef 1:13

2.ª col.
a Lu 16:9
b Lu 12:32
  Col 1:5
  1Pe 1:4
c Hch 1:11
d Jn 17:24
  Ro 8:17
  1Co 15:23
  Flp 1:23
  2Ti 4:8
  Heb 10:19
e 1Te 4:17
f Jn 11:16
g Jn 13:36
h Jn 10:9
  Ro 5:2
  Ef 2:18
  Heb 10:20
i Jn 1:17
  Ro 15:8
  Ef 4:21
  Col 2:17
j Jn 1:4
  Jn 6:63
  Jn 11:3
  Ro 6:23
  Rev 2:10
k Hch 4:12
l Mt 11:27
  Jn 1:18
  Jn 8:19
  Jn 14:12
m Jn 5:19
  Jn 8:28
  Jn 12:45
  Heb 1:3
n Jn 12:45
o Jn 10:38
  Jn 17:21

p Jn 7:16; Jn 8:28; Jn 12:49; q Jn 5:36; r Mt 21:21; Hch 1:8; Hch 2:41; Col 1:23; s Hch 2:33; t Jn 15:16; Jn 16:23.

ustedes piden algo en mi nombre, lo haré.

15 "Si ustedes me aman, observarán mis mandamientos;[a] 16 y yo pediré al Padre, y él les dará otro ayudante que esté con ustedes para siempre,[b] 17 el espíritu de la verdad,[c] que el mundo no puede recibir,[d] porque ni lo contempla ni lo conoce. Ustedes lo conocen, porque permanece con ustedes y está en ustedes.[e] 18 No los dejaré desconsolados.[f] Vengo a ustedes. 19 Un poco más y el mundo ya no me contemplará,[g] pero ustedes me contemplarán,[h] porque yo vivo y ustedes vivirán.[i] 20 En aquel día ustedes conocerán que yo estoy en unión con mi Padre y ustedes están en unión conmigo y yo estoy en unión con ustedes.[j] 21 El que tiene mis mandamientos y los observa, ese es el que me ama.[k] A su vez, el que me ama será amado por mi Padre, y yo lo amaré y me mostraré a él claramente.[k]

22 Le dijo Judas,[l] no el Iscariote: "Señor, ¿qué ha pasado que vas a mostrarte claramente a nosotros y no al mundo?".[m]

23 En respuesta, Jesús le dijo: "Si alguien me ama, observará mi palabra, y mi Padre lo amará, y vendremos a él y haremos nuestra morada con él.[o] 24 El que no me ama no observa mis palabras; y la palabra que ustedes oyen no es mía, sino que pertenece al Padre que me ha enviado.[p]

25 "Mientras permanecía con ustedes les he hablado estas cosas. 26 Mas el ayudante, el espíritu santo, que el Padre enviará en mi nombre, ese enseñará todas las cosas y les hará recordar todas las cosas que les he dicho.[q] 27 La paz les dejo, mi paz les doy.[r] No se la doy a ustedes como el mundo la da. No se les perturbe el corazón ni se les encoja de temor. 28 Oyeron que les dije: Me voy y vengo [otra vez] a ustedes. Si me ama-

ran, se regocijarían de que sigo mi camino al Padre, porque el Padre es mayor[a] que yo. 29 De modo que ahora se lo he dicho a ustedes antes que suceda,[b] para que, cuando suceda, crean. 30 Ya no hablaré mucho con ustedes, porque el gobernante[c] del mundo viene. Y él no tiene dominio sobre mí,[d] 31 pero, para que el mundo conozca que yo amo al Padre, así como el Padre me ha dado mandamiento[e] [de hacer], así hago. Levántense, vámonos de aquí.

15 "Yo soy la vid verdadera,[f] y mi Padre es el cultivador.[g] 2 Todo sarmiento en mí que no lleva fruto, él lo quita,[h] y todo el que lleva fruto él lo limpia,[i] para que lleve más fruto.[i] 3 Ustedes ya están limpios a causa de la palabra que les he hablado.[k] 4 Permanezcan en unión conmigo, y yo en unión con ustedes.[l] Así como el sarmiento no puede llevar fruto por sí mismo a menos que permanezca en la vid, así mismo tampoco pueden ustedes, a menos que permanezcan en unión conmigo.[m] 5 Yo soy la vid, ustedes son los sarmientos. El que permanece en unión conmigo, y yo en unión con él, este lleva mucho fruto;[n] porque separados de mí ustedes no pueden hacer nada. 6 Si alguien no permanece en unión conmigo, es echado fuera como un sarmiento, y se seca; y a esos sarmientos los recogen y los arrojan al fuego, y se queman.[o] 7 Si permanecen en unión conmigo y mis dichos permanecen en ustedes, pidan lo que quieran y se efectuará para con ustedes.[p] 8 Mi Padre es glorificado en esto, que ustedes sigan llevando mucho fruto y demuestren ser mis discípulos.[q] 9 Así como

CAP. 14
a Jn 13:34
Jn 15:10
Stu 1:22
1Jn 5:3
b Lu 24:49
Jn 15:26
Jn 16:7
Hch 1:5
Hch 2:4
Ro 8:26
c Mt 10:20
Jn 16:13
1Co 2:12
1Jn 2:27
d 1Co 2:14
e Gál 4:6
f Mt 28:20
g Mt 23:39
h Jn 16:16
Jn 17:24
i 1Co 15:22
j Jn 10:38
Jn 17:21
k Jn 2:5
1Jn 5:1
l Lu 6:16
Hch 1:13
m Jn 7:4
Hch 10:41
n Jn 15:10
o Jn 2:24
Rev 3:20
p Jn 5:19
Jn 7:16
Jn :2:49
q Lu 24:49
Jn 15:26
Jn 16:13
1Jn 2:27
r Jn 16:33
Ef 2:14
Flp 4:7
Col 3:15
2Te 3:16

2.ª col.
a Jn 20:17
1Co 11:3
1Co 15:28
Flp 2:6
b Jn 13:19
Jn 16:4
c Jn 12:31
Jn 16:11
d Jn 16:33
e Jn 10:18
Jn 12:49
Jn 15:10
Flp 2:8
1Jn 5:3

CAP. 15
f Isa 4:2
g Sl 80:8
Jer 2:21
1Co 3:9
h Mt 15:13
Heb 6:8
i Ef 5:26
Tit 2:14
1Jn 1:7
1Jn 1:9
j 2Pe 1:8
k Jn 13:10
Jn 17:17
Hch 15:9
1Pe 1:22
l Jn 6:56
1Co 12:27
Col 2:19

m Gál 2:20; Ef 2:21; 1Jn 2:6; n Pr 11:30; Os 14:8; Jn 15:16; Gál 5:22; o Eze 15:4; Mt 3:10; Ro 11:20; Heb 6:4; Heb 6:8; 1Jn 2:19; p Mt 7:7; Jn 16:23; q Mt 5:16; Jn 13:35; Flp 1:11.

me ha amado el Padre[a] y yo los he amado a ustedes, permanezcan en mi amor.   10 Si observan mis mandamientos,[b] permanecerán en mi amor, así como yo he observado los mandamientos del Padre[c] y permanezco en su amor.

11 "Estas cosas les he hablado, para que mi gozo esté en ustedes y su gozo se haga pleno.[d] 12 Este es mi mandamiento: que ustedes se amen unos a otros así como yo los he amado a ustedes.[e]   13 Nadie tiene mayor amor que este: que alguien entregue su alma a favor de sus amigos.[f]   14 Ustedes son mis amigos si hacen lo que les mando.[g]   15 Ya no los llamo esclavos, porque el esclavo no sabe lo que hace su amo. Pero los he llamado amigos,[h] porque todas las cosas que he oído de mi Padre se las he dado a conocer a ustedes.[i] 16 Ustedes no me escogieron a mí, sino que yo los escogí a ustedes, y los nombré para que vayan adelante y sigan llevando fruto y que su fruto permanezca; a fin de que sin importar qué le pidan al Padre en mi nombre, él se lo dé a ustedes.[k]

17 "Estas cosas les mando: que se amen unos a otros.[l] 18 Si el mundo los odia, saben que me ha odiado a mí antes que los odiara a ustedes.[m]   19 Si ustedes fueran parte del mundo, el mundo le tendría afecto a lo que es suyo.[n] Ahora bien, porque ustedes no son parte del mundo,[o] sino que yo los he escogido del mundo, a causa de esto el mundo los odia.[p]   20 Tengan presente la palabra que les dije: El esclavo no es mayor que su amo. Si ellos me han perseguido a mí, a ustedes también los perseguirán;[q] si ellos han observado mi palabra, también observarán la de ustedes.   21 Mas todas estas cosas las harán contra ustedes por causa de mi nombre, porque ellos no conocen al que

me ha enviado.[a]   22 Si yo no hubiera venido y no les hubiera hablado a ellos, no tendrían pecado;[b] pero ahora no tienen excusa de su pecado.[c]   23 El que a mí me odia, odia también a mi Padre.[d]   24 Si yo no hubiera hecho entre ellos las obras que ningún otro ha hecho,[e] no tendrían pecado;[f] pero ahora han visto y también han odiado tanto a mí como a mi Padre.[g] 25 Pero es para que se cumpla la palabra [que está] escrita en la Ley de ellos: 'Me odiaron sin causa'.[h]   26 Cuando llegue el ayudante que yo enviaré a ustedes del Padre,[i] el espíritu de la verdad, que procede del Padre, ese dará testimonio acerca de mí;[j]   27 y ustedes, a su vez, han de dar testimonio,[k] porque han estado conmigo desde que principié.

16 "Les he hablado estas cosas para que no se les haga tropezar.[l]   2 Los expulsarán de la sinagoga.[m] De hecho, viene la hora en que todo el que los mate se imaginará que ha rendido servicio sagrado a Dios.[n] 3 Mas ellos harán estas cosas porque no han llegado a conocer ni al Padre ni a mí.[o]   4 Sin embargo, les he hablado estas cosas a ustedes para que, cuando llegue la hora para ellas, se acuerden de que se las dije.[p]

"Estas cosas, sin embargo, no se las dije al principio, porque estaba con ustedes.   5 Pero ahora voy al que me ha enviado,[q] y sin embargo ni uno de ustedes me pregunta: '¿Adónde vas?'. 6 Pero porque les he hablado estas cosas el corazón se les ha llenado de desconsuelo.[r]   7 No obstante, les digo la verdad: Es para provecho de ustedes por lo que me voy. Porque si no me voy, el ayudante[s] de ninguna manera vendrá a ustedes; pero si sigo mi

CAP. 15
a Jn 3:35
b Jn 13:34
 Jn 14:15
 Jn 2:5
c Jn 8:29
d Jn 16:24
 Jn 17:13
 1Jn 1:4
e Mr 12:31
 Jn 13:34
 1Te 4:9
 1Pe 4:8
f Jn 10:11
 Ro 5:7
 Ef 5:2
g Mt 12:50
 Jn 14:23
h Lu 12:4
i Hch 20:27
 Mt 28:19
j Ro 1:13
 Flp 1:22
k Jn 14:13
 1Jn 13:34
 1Jn 3:23
 Mt 10:22
 Lu 19:14
 Jn 17:14
 Jn 3:13
n 1Jn 4:5
o Jn 17:14
 Snt 4:4
p Lu 6:22
 1Pe 4:4
q Mt 5:11
 Mt 10:22
 Mt 24:9
 2Ti 3:12
 1Pe 2:21

2.ª col.
a Jn 16:3
b Jn 9:41
c Mt 11:21
 Ro 1:20
 Snt 4:17
d Jn 5:23
 Jn 3:23
e Mt 11:23
 Jn 7:31
 Jn 11:47
f Jn 9:41
g Éx 20:5
 Jn 5:42
 Sl 35:19
 Sl 69:4
 Lu 23:22
i Lu 24:49
 Jn 14:26
j 1Jn 5:6
k Lu 1:2
 Lu 24:48
 Hch 1:8
 Hch 3:22
 Hch 5:32
 1Pe 5:1

CAP. 16
l Mt 11:6
m Jn 9:22
 Jn 24:9
 Hch 8:1
 Hch 12:2
 Hch 26:11
o Jn 8:19
 Jn 15:21
 Ro 10:2
 1Co 2:8
p Jn 13:19
 Jn 14:29
q Jn 7:33
 Jn 13:3

r Mt 17:23; Jn 14:1; Jn 16:22; s Jn 14:16; Jn 14:26; Jn 15:26; Hch 2:33.

camino, lo enviaré a ustedes.
8 Y cuando ese llegue dará al
mundo evidencia convincente
respecto al pecado y respecto a
la justicia y respecto al juicio:[a]
9 en primer lugar, respecto al
pecado,[b] porque ellos no están
ejerciendo fe en mí;[c]　10 luego
respecto a la justicia,[d] porque
voy al Padre y ustedes no me
contemplarán más;　11 luego
respecto al juicio,[e] porque el gobernante de este mundo ha sido
juzgado.[f]

12 "Tengo muchas cosas que
decirles todavía, pero no las pueden soportar ahora.[g]　13 Sin
embargo, cuando llegue aquel,
el espíritu de la verdad,[h] él los
guiará a toda la verdad, porque
no hablará por su propio impulso, sino que hablará las cosas
que oye, y les declarará las cosas
que vienen.[i]　14 Aquel me glorificará,[j] porque recibirá de lo
que es mío y se lo declarará a
ustedes.[k]　15 Todas las cosas
que el Padre tiene son mías.[l]
Por eso dije que él recibe de
lo mío y se [lo] declara a ustedes.　16 Dentro de poco no me
contemplarán más,[m] y, otra vez,
dentro de poco me verán.

17 Por eso, algunos de sus discípulos se dijeron unos a otros:
"¿Qué significa esto que nos
dice: 'Dentro de poco tiempo no
me contemplarán, y, otra vez,
dentro de poco tiempo me verán', y, 'porque voy al Padre'?".
18 Así que decían: "¿Qué significa esto que dice de 'poco tiempo'? No sabemos de qué habla".
19 Jesús supo[n] que querían interrogarlo, de modo que les dijo:
"¿Andan inquiriendo entre ustedes sobre esto, porque dije: Dentro de poco no me contemplarán, y, otra vez, dentro de poco
me verán?　20 Muy verdaderamente les digo: Ustedes llorarán
y plañirán, pero el mundo
se regocijará; ustedes estarán
desconsolados,[o] pero su desconsuelo será cambiado a gozo.[p]

21 La mujer, cuando está dando
a luz, siente desconsuelo, porque
ha llegado su hora;[a] mas cuando
ha dado a luz al niñito, ya no se
acuerda de la tribulación, por el
gozo de que un hombre haya nacido en el mundo.　22 Ustedes
también, pues, ahora sienten, en
realidad, desconsuelo; pero los
veré otra vez, y se regocijará su
corazón,[b] y su gozo nadie se lo
quitará.　23 Y en aquel día[c] ustedes no me harán pregunta alguna. Muy verdaderamente les
digo: Si le piden alguna cosa al
Padre,[d] él se la dará en mi nombre.[e]　24 Hasta el tiempo actual ustedes no han pedido una
sola cosa en mi nombre. Pidan y
recibirán, para que su gozo se
haga pleno.[f]

25 "Les he hablado estas cosas en comparaciones.[g] Viene la
hora en que ya no les hablaré en
comparaciones, sino que les informaré con claridad acerca del
Padre.　26 En aquel día pedi-
rán en mi nombre, y no les digo
que haré petición al Padre respecto a ustedes.　27 Porque el
Padre mismo les tiene cariño,
porque ustedes me han tenido
cariño a mí[h] y han creído que salí
como representante del Padre.[i]
28 Salí del Padre y he venido al
mundo. Además, dejo el mundo
y sigo mi camino al Padre".[j]

29 Dijeron sus discípulos:
"¡Ves! Ahora hablas con claridad,
y no expresas comparación alguna.　30 Ahora sabemos que sabes todas las cosas[k] y no nece-
sitas que nadie te interrogue.[l]
En esto creemos que saliste de
Dios".[m]　31 Jesús les contestó: "¿Ahora creen?　32 ¡Miren!
Viene la hora, en realidad, ha
llegado, en que serán esparcidos
cada uno a su propia casa,[n] y me
dejarán solo; y sin embargo no
estoy solo, porque el Padre está
conmigo.[o]　33 Les he dicho estas cosas para que por medio de
mí tengan paz.[p] En el mundo
están experimentando tribula-

CAP. 16
a Jn 12:48
Hch 24:25
b Jn 15:22
Ro 3:20
Ro 7:9
c Jn 5:38
1Te 2:15
d Isa 42:6
Da 9:24
Ro 4:25
Ro 5:18
e Isa 42:1
Mt 12:18
Jn 3:18
f Jn 12:31
Jn 14:30
g Mr 4:33
1Co 3:1
h Jn 16:7
i Hch 11:28
Hch 16:6
Hch 21:11
1Ti 4:1
j 1Jn 4:2
k Jn 15:26
1Jn 2:27
l Mt 11:27
Jn 3:35
Jn 17:10
m Jn 7:33
Jn 14:19
n Jn 2:25
o Lu 5:35
p Mt 28:8
Lu 24:41
Jn 20:20

2.ª col.
a Gé 3:16
Isa 26:17
b Lu 24:52
1Pe 1:8
c Jn 14:20
d Flp 4:6
1Pe 5:7
e Jn 14:13
Jn 15:16
1Jn 5:14
f Jn 15:11
1Jn 1:4
g Mt 13:34
Jn 10:6
h Jn 14:21
i Jn 3:13
Jn 17:8
j 1Re 8:49
Sl 11:4
Jn 13:3
Heb 9:24
k Jn 21:17
1Jn 2:25
m Jn 17:8
n Zac 13:7
Mt 26:31
Mt 26:56
Mr 14:27
o Jn 8:29
p Jn 14:27
Ef 2:14

ción, pero ¡cobren ánimo!, yo he vencido al mundo".[a]

17 Jesús habló estas cosas, y, alzando los ojos al cielo,[b] dijo: "Padre, la hora ha llegado; glorifica a tu hijo, para que tu hijo te glorifique a ti,[c] 2 como le has dado autoridad sobre toda carne,[d] para que, en cuanto a todo [el número de los] que le has dado,[e] les dé vida eterna.[f] 3 Esto significa vida eterna,[g] el que estén adquiriendo conocimiento[h] de ti, el único Dios verdadero,[i] y de aquel a quien tú enviaste, Jesucristo.[j] 4 Yo te he glorificado[k] sobre la tierra, y he terminado la obra que me has dado que hiciera.[l] 5 Así que ahora, Padre, glorifícame al lado de ti mismo con la gloria que tenía al lado de ti antes que el mundo fuera.[m]

6 "He puesto tu nombre de manifiesto a los hombres que me diste del mundo.[n] Tuyos eran, y me los diste, y han observado tu palabra. 7 Ahora han llegado a conocer que todas las cosas que me diste vienen de ti; 8 porque los dichos que me diste se los he dado,[o] y ellos los han recibido y ciertamente han llegado a conocer que yo salí como representante tuyo,[p] y han creído que tú me enviaste.[q] 9 Hago petición respecto a ellos; no hago petición respecto al mundo,[r] sino respecto a los que me has dado; porque tuyos son, 10 y todas las cosas mías son tuyas y las tuyas son mías,[s] y yo he sido glorificado entre ellos.

11 "Además, yo ya no estoy en el mundo, pero ellos están en el mundo[t] y yo voy a ti. Padre santo, vigílalos[u] por causa de tu propio nombre que me has dado, para que sean uno así como lo somos nosotros.[v] 12 Cuando estaba con ellos yo los vigilaba[w] por causa de tu propio nombre que me has dado; y los he guardado, y ninguno de ellos es destruido[x] sino el hijo de des-

trucción,[a] para que la escritura se cumpla.[b] 13 Mas ahora voy a ti, y hablo estas cosas en el mundo para que ellos tengan su gozo en sí mismos en plenitud.[c] 14 Yo les he dado tu palabra, pero el mundo los ha odiado,[d] porque ellos no son parte del mundo, así como yo no soy parte del mundo.[e]

15 "Te solicito, no que los saques del mundo, sino que los vigiles a causa del inicuo.[f] 16 Ellos no son parte del mundo,[g] así como yo no soy parte del mundo.[h] 17 Santifícalos[i] por medio de la verdad; tu palabra[j] es la verdad.[k] 18 Así como tú me has enviado al mundo, yo también los he enviado al mundo.[l] 19 Y me santifico a favor de ellos, para que ellos también sean santificados[m] mediante la verdad.

20 "Hago petición, no respecto a estos solamente, sino también respecto a los que pongan fe en mí mediante la palabra de ellos;[n] 21 para que todos ellos sean uno,[o] así como tú, Padre, estás en unión conmigo y yo estoy en unión contigo,[p] que ellos también estén en unión con nosotros,[q] para que el mundo crea que tú me enviaste.[r] 22 Además, les he dado la gloria que me diste, para que ellos sean uno así como nosotros somos uno.[s] 23 Yo en unión con ellos y tú en unión conmigo, para que ellos sean perfeccionados en uno,[t] para que el mundo tenga el conocimiento de que tú me enviaste y de que tú los amaste a ellos así como me amaste a mí. 24 Padre, en cuanto a lo que me has dado, deseo que, donde yo esté, ellos también estén conmigo,[u] para que contemplen mi gloria que me has dado, porque me amaste antes de la funda-

CAP. 16
a Hch 14:22
1Te 3:4
1Jn 4:4
1Jn 5:4
Rev 3:21

CAP. 17
b Mt 14:19
Mr 7:34
Jn 11:41
c Jn 12:23
Jn 13:32
d Da 7:14
Mt 28:18
1Co 15:25
Flp 2:10
Heb 2:8
e Jn 6:37
f Isa 53:11
Jn 4:14
Jn 6:27
g Lu 10:25
h Ef 4:13
Flp 1:9
1Ti 6:20
2Pe 3:18
i 1Co 8:4
1Te 1:9
1Jn 5:20
j Jn 5:37
k Jn 13:31
Jn 14:13
Jn 4:34
m Jn 1:1
Jn 8:58
Col 1:15
n Sl 22:22
Jn 10:29
Hch 15:14
Heb 2:12
o Jn 6:68
Jn 8:28
Jn 12:49
Jn 14:10
p Jn 16:27
Heb 3:1
q Jn 16:30
r 1Jn 5:19
s Jn 16:15
t Jn 13:1
u 1Pe 1:5
Jud 24
v Jn 10:30
Jn 17:21
w Jn 6:39
Jn 10:28
1Jn 5:18
x Jn 18:9

2.ª col.
a Mr 14:21
Heb 10:27
b Sl 41:9
Sl 109:8
Hch 1:20
c Jn 15:11
d 1Jn 3:13
e Jn 8:23
Jn 15:19
Snt 4:4
f Mt 6:13
2Te 3:3
1Jn 5:18
g Col 1:13
h Jn 18:36
i Hch 15:9
Ef 5:26
1Te 5:23
2Te 2:13
1Pe 1:22
j Flp 2:16

k Sl 12:6; Sl 119:151; Sl 119:160; Snt 1:18; 1Jn 20:21; m 1Te 4:7; Heb 10:10; n Ro 10:17; 1Jn 1:3; o Ro 12:5; 1Co 1:10; Gál 3:28; 1Jn 1:7; p Jn 10:38; Jn 14:10; q 1Co 6:17; r Jn 17:8; s Jn 14:20; Jn 17:11; 1Jn 1:3; 1Jn 3:24; t 1Co 6:17; u Lu 22:30; Jn 12:26; 1Te 4:17.

ción[a] del mundo.[b] 25 Padre justo,[c] el mundo, por cierto, no ha llegado a conocerte;[d] pero yo he llegado a conocerte, y estos han llegado a conocer que tú me enviaste.[e] 26 Y yo les he dado a conocer tu nombre,[f] y lo daré a conocer, para que el amor con que me amaste esté en ellos, y yo en unión con ellos."[g]

18 Habiendo dicho estas cosas, Jesús salió con sus discípulos al otro lado del torrente invernal de Cedrón[h] a donde había un huerto, y él y sus discípulos entraron en él.[i] 2 Pues bien, Judas, el que lo traicionaba, también conocía el lugar, porque Jesús se había reunido allí muchas veces con sus discípulos.[j] 3 Por lo tanto, Judas tomó a la banda de soldados y a los oficiales de los sacerdotes principales y de los fariseos y llegó allí con antorchas y lámparas y armas.[k] 4 Jesús, pues, sabiendo todas las cosas que iban a sobrevenirle,[l] salió y les dijo: "¿A quién buscan?". 5 Le contestaron: "A Jesús el Nazareno".[m] Les dijo: "Soy yo". Y Judas, el que lo traicionaba,[n] también estaba con ellos.

6 Sin embargo, cuando él les dijo: "Soy yo", retrocedieron[o] y cayeron en tierra. 7 Por eso les preguntó otra vez: "¿A quién buscan?". Dijeron: "A Jesús el Nazareno". 8 Jesús contestó: "Les dije que soy yo. Por lo tanto, si es a mí a quien buscan, dejen ir a estos"; 9 para que se cumpliera la palabra que él dijo: "De los que me has dado no he perdido ni uno solo".[p]

10 Entonces Simón Pedro, dado que tenía una espada, la desenvainó e hirió al esclavo del sumo sacerdote, y le cortó la oreja derecha.[q] El nombre del esclavo era Malco. 11 Jesús, sin embargo, dijo a Pedro: "Mete la espada en [su] vaina.[r] La copa que el Padre me ha dado, ¿no la he de beber?".[s]

12 Entonces la banda de soldados y el comandante militar y los oficiales de los judíos prendieron a Jesús y lo ataron, 13 y lo condujeron primero a Anás; porque era suegro de Caifás, que era sumo sacerdote aquel año.[a] 14 Caifás, de hecho, era el que había aconsejado a los judíos que era en provecho de ellos el que un hombre muriera en el interés del pueblo.[b]

15 Ahora bien, Simón Pedro —y lo mismo otro discípulo— iba siguiendo a Jesús.[c] Aquel discípulo era conocido del sumo sacerdote, y entró junto con Jesús en el patio del sumo sacerdote, 16 pero Pedro se quedó de pie, fuera, a la puerta.[d] Por lo tanto salió el otro discípulo, que era conocido del sumo sacerdote, y habló a la portera y trajo dentro a Pedro. 17 La sirvienta, la portera, entonces dijo a Pedro: "Tú no eres también uno de los discípulos de este hombre, ¿verdad?". Él dijo: "No lo soy".[e] 18 Pues bien, los esclavos y los oficiales estaban allí de pie, y habían hecho un fuego de carbón,[f] porque hacía frío, y se calentaban. Pedro también estaba de pie con ellos y se calentaba.

19 Y el sacerdote principal interrogó a Jesús acerca de sus discípulos y acerca de su enseñanza. 20 Jesús le contestó: "Yo he hablado públicamente al mundo. Siempre enseñé en una sinagoga y en el templo,[g] donde concurren todos los judíos; y no hablé nada en secreto. 21 ¿Por qué me interrogas? Interroga a los que han oído lo que les hablé. ¡Mira! Estos saben lo que dije". 22 Después que hubo dicho estas cosas, uno de los oficiales que estaba de pie allí cerca le dio a Jesús una bofetada[h] y dijo: "¿Así contestas al sacerdote principal?". 23 Jesús le contestó: "Si hablé mal, da testimonio respecto al mal; pero si bien, ¿por qué me pegas?". 24 Entonces

CAP. 17
a Gé 4:1
Heb 4:3
b Jn 17:5
c Jer 50:7
Ro 3:26
d 1Jn 3:1
e Mt 11:27
Jn 8:55
Jn 15:21
f Dt 32:3
Mt 6:9
Jn 17:6
g Jn 15:9
Ro 8:39
Ef 3:17

CAP. 18
h 2Sa 15:23
i Mt 26:36
Mr 14:32
j Lu 22:39
k Mt 26:47
Mr 14:43
Hch 1:16
l Jn 13:3
m Mt 2:23
Mr 1:24
Mr 10:47
Mr 14:67
n Lu 22:47
o Jn 7:46
p Jn 6:39
Jn 17:12
q Mt 26:51
Mr 14:47
Lu 22:50
r Mt 26:52
Lu 22:51
Jn 18:36
s Mt 20:22
Mt 26:42

2.ª col.
a Mt 26:57
Lu 3:2
Jn 18:24
Hch 4:6
b Jn 11:50
c Mt 26:58
Mr 14:54
Lu 22:54
d Mt 26:69
Mr 14:66
e Mr 14:68
Jn 18:25
f Jer 36:22
g Mt 26:55
Lu 4:15
Lu 19:47
Jn 7:14
h Isa 50:6
Mt 5:39
Jn 19:3
Hch 23:2

Anás lo envió atado a Caifás el sumo sacerdote.[a]

25 Pues bien, Simón Pedro estaba de pie calentándose. Entonces le dijeron: "Tú no eres también uno de sus discípulos, ¿verdad?". Lo negó, y dijo: "No lo soy".[b] 26 Uno de los esclavos del sumo sacerdote, porque era pariente del hombre a quien Pedro había cortado la oreja,[c] dijo: "Yo te vi en el huerto con él, ¿no es verdad?". 27 Sin embargo, Pedro lo negó otra vez; y al instante un gallo cantó.[d]

28 Entonces condujeron a Jesús desde Caifás al palacio del gobernador.[e] Era temprano en el día ahora. Pero ellos mismos no entraron en el palacio del gobernador, para no contaminarse,[f] sino poder comer la pascua. 29 Por lo tanto, Pilato salió fuera a ellos y dijo: "¿Qué acusación traen contra este hombre?".[g] 30 En respuesta, le dijeron: "Si este hombre no fuera delincuente, no te lo habríamos entregado". 31 Así que Pilato les dijo: "Tómenlo ustedes mismos y júzguenlo según su ley".[h] Los judíos le dijeron: "A nosotros no nos es lícito matar a nadie". 32 Esto, para que se cumpliera la palabra de Jesús que él había dicho para significar qué clase de muerte estaba destinado a morir.[j]

33 De modo que Pilato entró otra vez en el palacio del gobernador y llamó a Jesús y le dijo: "¿Eres tú el rey de los judíos?".[k] 34 Jesús contestó: "¿Es por ti mismo que dices esto, o te hablaron otros acerca de mí?".[i] 35 Pilato contestó: "Yo no soy judío, ¿verdad? Tu propia nación y los sacerdotes principales te entregaron a mí.[m] ¿Qué hiciste?". 36 Jesús contestó:[n] "Mi reino no es parte de este mundo.[o] Si mi reino fuera parte de este mundo, mis servidores habrían peleado[p] para que yo no fuera entregado a los judíos. Pero, como es el caso, mi reino no es de

esta fuente". 37 Por lo tanto le dijo Pilato: "Bueno, pues, ¿eres tú rey?". Jesús contestó: "Tú mismo dices que yo soy rey.[a] Yo para esto he nacido, y para esto he venido al mundo, para dar testimonio acerca de la verdad.[b] Todo el que está de parte de la verdad[c] escucha mi voz".[d] 38 Le dijo Pilato: "¿Qué es la verdad?".

Y después de decir esto, de nuevo salió a los judíos y les dijo: "Yo no hallo en él ninguna falta.[e] 39 Además, ustedes tienen por costumbre que les ponga en libertad a un hombre en la pascua.[f] ¿Desean, pues, que les ponga en libertad al rey de los judíos?". 40 Entonces ellos gritaron de nuevo, y dijeron: "¡No a este hombre, sino a Barrabás!". Y Barrabás era salteador.[g]

19 Por lo tanto, en aquel momento Pilato tomó a Jesús y lo azotó.[h] 2 Y los soldados entretejieron una corona de espinas y se la pusieron sobre la cabeza y lo vistieron con una prenda de vestir exterior de púrpura;[i] 3 y empezaron a acercarse a él y decir: "¡Buenos días, rey de los judíos!". También, le daban bofetadas.[j] 4 Y Pilato salió fuera otra vez y les dijo: "¡Vean! Se lo traigo fuera para que sepan que no hallo en él ninguna falta".[k] 5 Por consiguiente, Jesús salió fuera, llevando la corona espinosa y la prenda de vestir exterior de púrpura. Y [Pilato] les dijo: "¡Miren! ¡El hombre!". 6 Sin embargo, cuando los sacerdotes principales y los oficiales lo vieron, gritaron, y dijeron: "¡Al madero [con él]! ¡Al madero [con él]!".[l] Pilato les dijo: "Tómenlo ustedes mismos y fíjenlo en el madero, porque yo no hallo en él falta alguna".[m] 7 Los judíos le contestaron: "Nosotros tenemos una ley,[n] y según la ley debe morir, porque se hizo hijo de Dios".[o]

8 Por eso, cuando Pilato oyó

CAP. 18
a Mt 26:57
b Mt 26:69
Mr 14:69
Lu 22:58
c Jn 18:10
d Mt 26:74
Mr 14:72
Lu 22:60
Jn 13:38
e Mt 27:2
Mr 15:1
Lu 23:1
Hch 3:13
f Hch 10:28
g Lu 23:2
h Jn 19:6
Hch 18:15
i Jn 19:10
j Mt 20:19
Jn 3:14
Jn 12:32
k Mt 27:11
Jn 12:13
l Jn 18:29
m Jn 1:11
n 1Ti 6:13
o Isa 9:6
Da 2:44
Da 7:14
p Mt 26:53
Jn 18:11

2.ª col.

a Mt 26:64
Mt 27:11
b Jn 1:14
Jn 1:17
Jn 14:6
c Jn 8:32
1Jn 3:19
1Jn 4:6
d Jn 8:46
e Mt 27:24
Lu 23:4
Lu 15:25
f Mt 27:15
Mr 15:6
g Nú 35:31
Lu 23:19
Hch 3:14

CAP. 19

h Isa 50:6
Mt 20:19
Mt 27:26
Mr 15:15
Lu 18:33
i Mt 27:29
Mr 15:17
Lu 23:11
j Isa 53:3
k Lu 23:4
Jn 18:38
2Co 5:21
l Éx 23:7
Mt 27:22
Mr 15:13
Lu 23:21
m Jn 18:31
Hch 3:13
Le 24:16
n Mt 26:63
Jn 5:18

este dicho, tuvo mayor temor; 9 y entró otra vez en el palacio del gobernador y dijo a Jesús: "¿De dónde eres tú?". Pero Jesús no le dio respuesta.ᵃ 10 Así que Pilato le dijo: "¿A mí no me hablas?ᵇ ¿No sabes que tengo autoridad para ponerte en libertad y tengo autoridad para fijarte en un madero?". 11 Jesús le contestó: "No tendrías autoridad alguna contra mí a menos que te hubiera sido concedida de arriba.ᶜ Por eso, el hombre que me entregó a ti tiene mayor pecado".

12 Por esta razón Pilato siguió buscando cómo ponerlo en libertad. Pero los judíos gritaron, diciendo: "Si pones en libertad a este, no eres amigo de César. Todo el que se hace rey habla contra César".ᵈ 13 Por eso Pilato, después de oír estas palabras, sacó fuera a Jesús, y se sentó en el tribunal en un lugar llamado El Empedrado, pero, en hebreo, *Gáb·ba·tha*. 14 Era, pues, la preparación ᵉ de la pascua; era como la hora sexta. Y dijo a los judíos: "¡Miren! ¡Su rey!". 15 Sin embargo, ellos gritaron: "¡Quíta[lo]! ¡Quíta[lo]! ¡Al madero con él!". Pilato les dijo: "¿A su rey fijo en un madero?". Los sacerdotes principales contestaron: "No tenemos más rey que César".ᶠ 16 Por lo tanto, en aquel momento él se lo entregó a ellos para que fuera fijado en un madero.ᵍ

Entonces se encargaron de Jesús. 17 Y, cargando el madero de tormento para sí mismo,ʰ él salió al llamado Lugar del Cráneo, que en hebreo se llama *Gólgota*,ʲ 18 y allí lo fijaron en el madero,ᵏ y con él a otros dos [hombres], uno de este lado y uno de aquel, pero a Jesús en medio.ˡ 19 Pilato escribió un título también y lo puso sobre el madero de tormento. Estaba escrito: "Jesús el Nazareno el rey de los judíos".ᵐ 20 Muchos de

CAP. 19
a Isa 53:7
  Mt 27:12
  Mt 27:14
  Hch 8:32

b Lu 23:9

c Gé 45:8
  Da 4:17
  Lu 22:53
  Jn 7:30
  Jn 10:18
  Ro 13:2
  Rev 13:7

d Lu 23:2
  Hch 17:7

e Mt 27:62
  Jn 19:31

f Gé 49:10
  Dt 17:15

g Éx 23:2
  Da 9:27
  Mt 27:26
  Mt 27:31
  Mr 15:15
  Lu 23:24

h Gé 22:6
  Mt 27:32

i Le 16:27
  Heb 13:12

j Mt 27:33
  Mr 15:22

k Jn 3:14
  Hch 5:30
  2Co 5:21
  Gál 3:13

l Isa 53:9
  Lu 23:33

m Mt 27:37
  Mt 27:26
  Lu 23:38

2.ᵃ col.
a Heb 13:12

b Mt 27:35
  Mr 15:24
  Lu 23:34

c Sl 22:18

d Lu 2:34

e Mt 27:61

f Mt 27:56
  Mr 15:40
  Lu 23:49

g Jn 13:23
  Jn 21:7
  Jn 21:20

h Sl 22:15

i Sl 69:21
  Mt 27:48
  Mr 15:36
  Lu 23:36

los judíos, pues, leyeron este título, porque el lugar donde Jesús fue fijado en el madero estaba cerca de la ciudad;ᵃ y estaba escrito en hebreo, en latín, en griego. 21 Pero los sacerdotes principales de los judíos empezaron a decir a Pilato: "No escribas: 'El rey de los judíos', sino que él dijo: 'Soy rey de los judíos'". 22 Pilato contestó: "Lo que he escrito, he escrito".

23 Entonces, cuando los soldados hubieron fijado a Jesús en el madero, tomaron sus prendas de vestir exteriores e hicieron cuatro partes, para cada soldado una parte, y la prenda de vestir interior. Pero la prenda de vestir interior era sin costura, pues era tejida desde arriba toda ella.ᵇ 24 Por eso se dijeron unos a otros: "No la rasguemos, sino que por suertes sobre ella decidamos de quién será". Esto fue para que se cumpliera la escritura: "Repartieron entre sí mis prendas de vestir exteriores, y sobre mi vestidura echaron suertes".ᶜ Y así los soldados realmente hicieron estas cosas.

25 Junto al madero de tormento de Jesús, pues, estaban de pie su madreᵈ y la hermana de su madre; Maríaᵉ la esposa de Clopas, y María Magdalena.ᶠ 26 Entonces Jesús, al ver a su madre y al discípulo a quien él amaba,ᵍ de pie allí cerca, dijo a su madre: "Mujer, ¡ahí está tu hijo!". 27 Entonces dijo al discípulo: "¡Ahí está tu madre!". Y desde aquella hora el discípulo la llevó consigo a su propio hogar.

28 Después de esto, cuando Jesús supo que ya todas las cosas se habían realizado, para que se realizara la escritura, dijo: "Tengo sed".ʰ 29 Había allí un vaso lleno de vino agrio. Por tanto, pusieron una esponja llena de vino agrio sobre [una caña de] hisopo y se la acercaron a la boca.ⁱ 30 Pues bien, cuando

hubo recibido el vino agrio, Jesús dijo: "¡Se ha realizado!",[a] e, inclinando la cabeza, entregó [su] espíritu.[b]

31 Entonces los judíos, puesto que era la Preparación,[c] a fin de que los cuerpos no permanecieran[d] en los maderos de tormento en el sábado (porque era grande el día de aquel sábado),[e] solicitaron de Pilato que se les quebraran las piernas y fueran quitados los [cuerpos]. 32 Vinieron, pues, los soldados y quebraron las piernas del primer [hombre], y las del otro que había sido fijado en un madero con él. 33 Pero al venir a Jesús, como vieron que ya estaba muerto, no le quebraron las piernas. 34 No obstante, uno de los soldados le punzó el costado con una lanza,[f] y al instante salió sangre y agua. 35 Y el que [lo] ha visto ha dado testimonio, y su testimonio es verdadero, y ese hombre sabe que dice cosas verdaderas, para que ustedes también crean.[g] 36 De hecho, estas cosas sucedieron para que se cumpliera la escritura: "Ni un hueso de él será quebrantado".[h] 37 Y, de nuevo, una escritura diferente dice: "Mirarán a Aquel a quien traspasaron".[i]

38 Entonces, después de estas cosas, José de Arimatea, que era discípulo de Jesús, pero oculto por [su] temor a los judíos,[j] solicitó de Pilato que le permitiera llevarse el cuerpo de Jesús; y Pilato le dio permiso.[k] Por lo tanto vino y se llevó el cuerpo.[l] 39 También Nicodemo, el hombre que la primera vez vino a él de noche, vino trayendo un rollo de mirra y áloes, como cien libras [de ello].[m] 40 De modo que ellos tomaron el cuerpo de Jesús y lo envolvieron con las vendas con especias,[n] así como tienen costumbre los judíos de preparar para el entierro. 41 A propósito, había un huerto en el lugar donde él había sido fijado

en el madero, y en el huerto una tumba conmemorativa nueva,[a] en la cual nadie todavía había sido puesto. 42 Allí, pues, a causa de la preparación[b] de los judíos, pusieron a Jesús, porque la tumba conmemorativa estaba cerca.

20 El primer día[c] de la semana, María Magdalena vino a la tumba conmemorativa temprano, mientras todavía había oscuridad, y contempló la piedra ya quitada de la tumba conmemorativa.[d] 2 De modo que corrió y vino a Simón Pedro y al otro discípulo,[e] a quien le tenía cariño Jesús, y les dijo: "Han quitado al Señor de la tumba conmemorativa,[f] y no sabemos dónde lo han puesto".

3 Entonces Pedro[g] y el otro discípulo salieron y se dirigieron hacia la tumba conmemorativa. 4 Sí, los dos juntos echaron a correr; pero el otro discípulo corrió delante de Pedro, más aprisa, y llegó primero a la tumba conmemorativa. 5 Y, agachándose, contempló las vendas echadas,[h] sin embargo no entró. 6 Entonces llegó también Simón Pedro, que le seguía, y entró en la tumba conmemorativa. Y vio las vendas echadas,[i] 7 también el paño que había estado sobre la cabeza de él, no echado con las vendas, sino aparte, arrollado en un lugar. 8 En aquel momento, pues, el otro discípulo que había llegado primero a la tumba conmemorativa también entró, y vio y creyó. 9 Porque todavía no discernían la escritura de que él tenía que levantarse de entre los muertos.[j] 10 De modo que los discípulos se volvieron a casa.

11 María, sin embargo, se quedó de pie fuera, junto a la tumba conmemorativa, llorando. Entonces, mientras lloraba, se agachó para mirar dentro de la tumba conmemorativa 12 y vio a dos ángeles[k] vestidos de

---

CAP. 19
a Jn 17:4
b Sl 104:29
Isa 53:12
Mt 27:50
Mr 15:37
Lu 23:46
c Mt 27:62
Jn 19:14
d Dt 21:23
e Le 23:7
f Isa 53:5
Zac 12:10
Mt 27:49
Jn 20:25
Rev 1:7
g Jn 20:31
Jn 21:24
1Jn 1:1
h Le 12:46
Nú 9:12
Sl 34:20
i Zac 12:10
Rev 1:7
j Pr 29:25
Jn 7:13
Jn 9:22
k Mt 27:58
Mr 15:43
Lu 23:50
l Dt 21:23
m 2Cr 16:14
Lu 23:56
Jn 7:50
n Jn 20:7

2.ª col.
a Isa 53:9
Hch 13:29
b Mt 27:62
Jn 19:14

CAP. 20
c Le 23:11
1Co 15:20
d Mt 28:1
Mr 16:1
Lu 24:1
e Jn 13:23
Jn 19:26
Jn 21:24
f Jn 19:41
g Lu 24:12
h Jn 19:40
i Jn 11:44
j Sl 16:10
Isa 53:10
Mt 16:21
Jn 2:22
Hch 2:27
1Co 15:4
k Mr 16:5
Heb 1:14
Rev 19:14

blanco, sentados uno a la cabeza
y uno a los pies donde había yacido el cuerpo de Jesús. 13 Y
le dijeron: "Mujer, ¿por qué lloras?". Les dijo: "Han quitado a
mi Señor, y no sé dónde lo han
puesto". 14 Después de decir
estas cosas, ella se volvió atrás y
vio a Jesús de pie, pero no dis-
cernió que era Jesús.[a] 15 Jesús
le dijo: "Mujer, ¿por qué lloras?
¿A quién buscas?".[b] Ella, imaginándose que era el hortelano, le
dijo: "Señor, si tú te lo has llevado, dime dónde lo has puesto, y
yo lo quitaré". 16 Jesús le dijo:
"¡María!".[c] Al volverse, le dijo
ella en hebreo: "*¡Rabboni!*"[d]
(que significa: "¡Maestro!").
17 Jesús le dijo: "Deja de colgar-
te de mí. Porque todavía no he
ascendido al Padre. Pero ponte
en camino a mis hermanos[e] y diles: 'Asciendo a mi Padre[f] y Padre de ustedes y a mi Dios[g] y
Dios de ustedes' ".[h] 18 María
Magdalena fue y llevó las nuevas
a los discípulos: "¡He visto al Señor!", y que él le había dicho estas cosas.[i]

19 Entonces, cuando se hizo
tarde aquel día, el primero de la
semana,[j] y, aunque las puertas
donde estaban los discípulos estaban aseguradas con cerradura por temor[k] a los judíos, Jesús
vino[l] y estuvo de pie en medio de
ellos, y les dijo: "Tengan paz".[m]
20 Y después de decir esto, les
mostró las manos y también el
costado.[n] Entonces los discípulos se regocijaron[o] al ver al Señor. 21 Jesús, por eso, les dijo
otra vez: "Tengan paz. Así como
el Padre me ha enviado,[p] yo también los envío".[q] 22 Y después
de decir esto, sopló sobre ellos y
les dijo: "Reciban espíritu santo.[r] 23 Si ustedes perdonan los
pecados de cualesquiera personas,[s] les quedan perdonados; si
retienen los de cualesquiera personas, quedan retenidos".[t]

24 Pero Tomás,[u] uno de los
doce, que se llamaba El Gemelo,
no estaba con ellos cuando vino
Jesús. 25 Por consiguiente,
los otros discípulos le decían:
"¡Hemos visto al Señor!". Pero él
les dijo: "A menos que vea en sus
manos la impresión de los clavos
y meta mi dedo en la impresión
de los clavos y meta mi mano en
su costado,[a] de ninguna manera
creeré".[b]

26 Ahora bien, ocho días después, sus discípulos estaban
dentro otra vez, y Tomás con
ellos. Jesús vino, aunque las
puertas estaban aseguradas con
cerradura, y estuvo de pie en
medio de ellos y dijo: "Tengan
paz".[c] 27 Dijo entonces a Tomás: "Pon tu dedo aquí, y ve mis
manos, y toma tu mano[d] y mé-
tela en mi costado, y deja de
ser incrédulo, y hazte creyente".
28 En contestación, Tomás le
dijo: "¡Mi Señor y mi Dios!".[e]
29 Jesús le dijo: "¿Porque me
has visto has creído? Felices son
los que no ven y sin embargo
creen".[f]

30 Por supuesto, Jesús también ejecutó muchas otras señales delante de los discípulos, que
no están escritas en este rollo.[g]
31 Pero estas han sido escritas[h]
para que ustedes crean que Jesús es el Cristo el Hijo de Dios,
y que, a causa de creer,[i] tengan
vida por medio de su nombre.

21 Después de estas cosas Jesús se manifestó otra vez
a los discípulos junto al mar
de Tiberíades; pero hizo la manifestación de esta manera.
2 Estaban juntos Simón Pedro y
Tomás, que se llamaba El Gemelo,[j] y Natanael[k] de Caná de Galilea y los hijos de Zebedeo[l] y otros
dos de sus discípulos. 3 Simón
Pedro les dijo: "Voy a pescar".
Ellos le dijeron: "Vamos también nosotros contigo". Salieron
y subieron a la barca, mas durante aquella noche no pescaron
nada.[m]

4 Sin embargo, justamente

CAP. 20
a Lu 24:16, Lu 24:31, Jn 21:4
b Jn 1:38
c Jn 10:3
d Mr 10:51, Jn 1:38
e Sl 22:22, Mt 12:50, Mt 25:40, Mt 28:10, Ro 8:29, Heb 2:11
f Jn 14:28, Jn 16:28
g 1Co 11:3, Ef 1:17, Col 1:3
h Gé 17:7, Heb 11:16
i Mt 28:10, Lu 24:10
j Lu 24:1
k Jn 9:22
l 1Co 15:5
m Mt 10:12, Lu 10:5, Lu 24:36
n Jn 19:34, 1Jn 1:1
o Jn 16:22
p Isa 61:1, Jn 5:36
q Mt 28:19, Jn 17:18, 2Ti 2:2
r Lu 1:67, Lu 2:25, Hch 2:2, Hch 2:4
s Mt 16:19
t Hch 13:11
u Jn 11:16

2.ª col.
a Jn 19:34
b 2Co 5:7
c Jn 20:19
d 1Jn 1:1
e Isa 9:6, Jn 1:1, Jn 1:18, Jn 14:28, Jn 20:17, Jn 20:31
f 2Co 5:7, 1Pe 1:8
g Jn 21:25
h Lu 1:4
i Jn 3:15, Jn 5:24, 1Pe 1:9, 1Jn 5:13

CAP. 21
j Jn 11:16, Jn 20:24
k Jn 1:45
l Mt 4:21
m Lu 5:5

cuando estaba amaneciendo, Jesús estuvo de pie en la playa, pero los discípulos, por supuesto, no discernieron que era Jesús.[a] 5 Entonces Jesús les dijo: "Niñitos, no tienen nada de comer, ¿verdad?". Le contestaron: "¡No!". 6 Él les dijo: "Echen la red al lado derecho de la barca, y hallarán".[b] Entonces la echaron, pero ya no podían sacarla a causa de la multitud de peces.[c] 7 Por lo tanto, aquel discípulo a quien Jesús amaba[d] dijo a Pedro: "¡Es el Señor!". Entonces Simón Pedro, al oír que era el Señor, se ciñó su prenda de vestir de encima, porque estaba desnudo, y se lanzó al mar. 8 Pero los otros discípulos vinieron en la barquilla, pues no estaban lejos de tierra, solamente a unos noventa metros de ella, arrastrando la red de peces.

9 Sin embargo, cuando salieron de la barca a tierra, contemplaron un fuego de carbón[f] puesto allí, y pescado puesto encima, y pan. 10 Jesús les dijo: "Traigan de los peces que acaban de pescar". 11 Simón Pedro, por lo tanto, subió a bordo, y sacó a tierra la red llena de peces grandes, ciento cincuenta y tres. Pero aunque había tantos, la red no se reventó. 12 Jesús les dijo: "Vengan, desayúnense".[g] Ni uno de los discípulos tuvo el ánimo de inquirir de él: "Tú, ¿quién eres?", porque sabían que era el Señor. 13 Jesús se acercó y tomó el pan y se lo dio,[h] y así mismo el pescado. 14 Esta fue ya la tercera vez[i] que Jesús se apareció a los discípulos después de haber sido levantado de entre los muertos.

15 Pues bien, cuando se hubieron desayunado, Jesús dijo a Simón Pedro: "Simón hijo de Juan, ¿me amas más que a estos?".[j] Él le dijo: "Sí, Señor, tú sabes que te tengo cariño".[k] Le dijo: "Apacienta mis corderos".[l] 16 De nuevo le dijo, por segunda vez: "Simón hijo de Juan, ¿me

CAP. 21
a Lu 24:16
  Jn 20:14
b Lu 5:4
c Lu 5:6
d Jn 13:23
  Jn 19:26
  Jn 20:2
e Mt 14:29
f 1Re 19:6
g Hch 10:41
h Lu 24:30
i Jn 20:19
  Jn 20:26
j Jn 21:12
k Mt 26:33
  Jn 17:26
l Lu 22:32
  Hch 20:28
  1Pe 5:2

2.ª col.
a Jn 14:21
b Sl 95:7
  Mt 16:16
  Hch 1:15
  Hch 2:14
  Heb 13:20
  1Pe 2:25
c Mr 2:8
  Jn 2:24
  Jn 2:25
  Jn 16:30
d Jn 10:3
  Jn 10:16
e Hch 21:11
f Hch 12:3
g 2Pe 1:14
h Flp 1:20
i Mt 19:28
  Jn 12:26
  Jn 14:4
j Jn 13:23
  Jn 20:2
k Mt 16:27
  Mt 25:31
  1Co 4:5
  Rev 1:10
  Rev 22:20
l Rev 1:1
  Rev 1:9
m Jn 13:23
  Jn 19:26
  Jn 20:2
  Jn 21:7
n Jn 19:35
  3Jn 12
o Jn 20:30

amas?".[a] Él le dijo: "Sí, Señor, tú sabes que te tengo cariño". Le dijo: "Pastorea mis ovejitas".[b] 17 Le dijo por tercera vez: "Simón hijo de Juan, ¿me tienes cariño?". Pedro se contristó de que por tercera vez le dijera: "¿Me tienes cariño?". De modo que le dijo: "Señor, tú sabes todas las cosas;[c] tú bien sabes que te tengo cariño". Le dijo Jesús: "Apacienta mis ovejitas.[d] 18 Muy verdaderamente te digo: Cuando eras más joven, tú mismo te ceñías y andabas por donde querías. Pero cuando envejezcas extenderás las manos y otro te ceñirá[e] y te cargará a donde no desees".[f] 19 Esto lo dijo para significar con qué clase de muerte[g] glorificaría a Dios.[h] Entonces, cuando hubo dicho esto, le dijo: "Continúa siguiéndome".[i]

20 Volviéndose, Pedro vio al discípulo a quien Jesús amaba,[j] que venía siguiendo, que en la cena también se había recostado sobre su pecho y dicho: "Señor, ¿quién es el que te traiciona?". 21 Por eso, cuando alcanzó a verlo, Pedro dijo a Jesús: "Señor, ¿qué [hará] este?". 22 Jesús le dijo: "Si es mi voluntad que él permanezca hasta que yo venga,[k] ¿en qué te incumbe eso? Tú continúa siguiéndome". 23 Por consiguiente, entre los hermanos salió este dicho: que aquel discípulo no moriría. Sin embargo, Jesús no le dijo que no moriría, sino: "Si es mi voluntad que él permanezca[l] hasta que yo venga, ¿en qué te incumbe eso?".

24 Este es el discípulo[m] que da testimonio acerca de estas cosas y que escribió estas cosas, y sabemos que el testimonio que él da es verdadero.[n]

25 Hay, de hecho, muchas otras cosas también que Jesús hizo, que, si se escribieran alguna vez en todo detalle, supongo que el mundo mismo no podría contener los rollos que se escribieran.[o]

HECHOS DE APÓSTOLES

1 El primer relato, oh Teófilo,[a] lo compuse acerca de todas las cosas que Jesús comenzó a hacer y también a enseñar,[b] 2 hasta el día en que fue tomado arriba,[c] después de haber dado mandamiento por espíritu santo a los apóstoles que escogió.[d] 3 A estos también se les mostró vivo por muchas pruebas positivas después de haber sufrido,[e] pues fue visto por ellos por espacio de cuarenta días, y dijo las cosas acerca del reino de Dios.[f] 4 Y estando reunido con ellos, les dio las órdenes: "No se retiren de Jerusalén,[g] sino sigan esperando lo que el Padre ha prometido,[h] acerca de lo cual oyeron de mí; 5 porque Juan, en verdad, bautizó con agua, pero ustedes serán bautizados en espíritu santo[i] no muchos días después de esto".

6 Pues bien, cuando se hubieron congregado, se pusieron a preguntarle: "Señor, ¿estás restaurando el reino a Israel en este tiempo?" 7 Les dijo: "No les pertenece a ustedes adquirir el conocimiento de los tiempos o sazones[k] que el Padre ha colocado en su propia jurisdicción;[l] 8 pero recibirán poder[m] cuando el espíritu santo llegue sobre ustedes, y serán testigos[n] de mí tanto en Jerusalén[o] como en toda Judea, y en Samaria,[p] y hasta la parte más distante de la tierra".[q] 9 Y después que hubo dicho estas cosas, estando ellos mirando, fue elevado,[r] y una nube se lo llevó de la vista de ellos. 10 Y estando ellos mirando con fijeza al cielo mientras él se iba,[t] también, ¡mira!, dos varones con prendas de vestir blancas[u] estuvieron de pie al lado de ellos, 11 y dijeron: "Varones de Galilea, ¿por qué están de pie mirando al cielo? Este Jesús que fue recibido de entre ustedes arriba al cielo, vendrá así de la misma manera[a] como lo han contemplado irse al cielo".

12 Entonces ellos se volvieron[b] a Jerusalén desde una montaña llamada el monte de los Olivos, que está cerca de Jerusalén, distante el camino de un sábado.[c] 13 Así, cuando hubieron entrado, subieron al aposento de arriba,[d] donde estaban alojados, tanto Pedro como Juan y Santiago y Andrés, Felipe y Tomás, Bartolomé y Mateo, Santiago [hijo] de Alfeo y Simón el celoso, y Judas [hijo] de Santiago.[e] 14 Todos estos persistían de común acuerdo en oración,[f] junto con algunas mujeres[g] y María la madre de Jesús, y con los hermanos de él.[h]

15 Ahora bien, durante estos días Pedro se levantó en medio de los hermanos y dijo (la muchedumbre de personas era en conjunto como de ciento veinte): 16 "Varones, hermanos, era necesario que se cumpliera la escritura,[i] que el espíritu santo[j] habló de antemano por boca de David acerca de Judas,[k] que se hizo guía de los que arrestaron a Jesús, 17 porque él había sido contado entre nosotros[m] y obtuvo participación en este ministerio.[n] 18 (Este mismo hombre, por tanto, compró[o] un campo con el salario de la injusticia,[p] y cayendo de cabeza,[q] reventó ruidosamente por en medio, y todos sus intestinos quedaron derramados. 19 También llegó a ser conocido de todos los habitantes de Jerusalén, de modo que aquel campo fue llamado en su lenguaje *Akéldama*, es decir, Campo de Sangre.) 20 Porque está escrito en el libro de los Salmos: 'Que de desolado su alojamiento, y no

---

CAP. 1

a Lu 1:3
b Lu 3:23
c Ef 4:10
  1Ti 3:16
  1Pe 3:22
d Mt 28:20
  Lu 6:13
  Jn 15:16
e Mt 28:9
  Jn 20:19
  1Co 15:6
f Lu 24:27
g Lu 24:49
h Jn 14:16
  Hch 2:33
i Joe 2:28
  Mt 3:11
  Mt 1:8
j Isa 1:26
  Da 7:27
  Miq 4:8
  Lu 19:11
  Lu 24:21
k Da 2:21
  Da 7:25
  Lu 21:24
l Dt 29:29
  Mt 24:36
m Hch 4:33
n Isa 43:10
  Lu 24:48
  Jn 15:27
o Hch 5:28
p Hch 8:14
q Col 1:23
r Jn 6:62
s Lu 24:51
t 1Pe 3:22
u Mt 28:3
  Lu 24:4

2.ᵃ COL.

a Da 7:13
  Mt 26:64
  Rev 1:7
b Lu 24:52
c Esd 16:29
  Jn 11:18
d Hch 9:37
e Mt 10:2
  Mr 3:16
f Col 4:2
  1Te 5:17
g Lu 23:49
h Mt 13:55
  Jn 7:5
  Gál 1:19
i Jn 13:18
j Mr 12:36
k Sl 41:9
  Sl 55:12
  Lu 22:47
l Jn 18:3
m Lu 6:16
  Jn 6:71
n Mt 10:4
o Mt 27:5
p Zac 11:12
  Mt 26:15
  2Pe 2:15
q Sl 55:23

haya morador en él',[a] y: 'Su puesto de superintendencia tómelo otro'.[b] 21 Por lo tanto, es necesario que de los varones que se reunieron con nosotros durante todo el tiempo en que el Señor Jesús entró y salió entre nosotros,[c] 22 comenzando con su bautismo por Juan[d] y hasta el día en que fue recibido arriba de entre nosotros,[e] uno de estos hombres llegue a ser testigo, con nosotros, de su resurrección".[f]

23 De modo que propusieron a dos: a José llamado Barsabás, que tenía por sobrenombre Justo, y a Matías. 24 Y oraron y dijeron: "Tú, oh Jehová, que conoces los corazones de todos,[g] designa cuál de estos dos hombres has escogido, 25 para que tome el lugar de este ministerio y apostolado,[h] del cual Judas se desvió para ir a su propio lugar". 26 De modo que echaron suertes[i] sobre ellos, y la suerte cayó sobre Matías; y él fue contado junto con los once[j] apóstoles.

2 Ahora bien, mientras estaba en progreso el día [de la fiesta] del Pentecostés,[k] todos se hallaban juntos en el mismo lugar. 2 y de repente ocurrió desde el cielo un ruido exactamente como el de una brisa impetuosa y fuerte, y llenó toda la casa en la cual estaban sentados.[l] 3 Y lenguas como de fuego[m] se les hicieron visibles y fueron distribuidas en derredor, y una se asentó sobre cada uno de ellos, 4 y todos se llenaron de espíritu santo[n] y comenzaron a hablar en lenguas diferentes,[o] así como el espíritu les concedía expresarse.

5 Sucedía que moraban en Jerusalén judíos,[p] varones reverentes,[q] de toda nación de las que hay bajo el cielo. 6 De modo que, cuando este sonido ocurrió, la multitud se juntó, y se azoraron, porque cada uno los oía hablar en su propio lenguaje. 7 En verdad, estaban pasmados, y empezaron a admirarse y a de-

cir: "Pues miren, todos estos que están hablando son galileos,[a] ¿verdad? 8 Y sin embargo, ¿cómo es que oímos, cada uno de nosotros, nuestro propio lenguaje en que nacimos? 9 Partos y medos[b] y elamitas,[c] y los habitantes de Mesopotamia, y de Judea[d] y de Capadocia,[e] de Ponto[f] y del [distrito de] Asia,[g] 10 y de Frigia[h] y de Panfilia,[i] de Egipto y de las partes de Libia, que está hacia Cirene, y residentes temporales procedentes de Roma, tanto judíos como prosélitos,[j] 11 cretenses[k] y árabes,[l] los oímos hablar en nuestras lenguas acerca de las cosas magníficas de Dios". 12 Sí, todos estaban pasmados y perplejos, y se decían unos a otros: "¿Qué querrá decir esto?". 13 Sin embargo, otros se mofaban de ellos y decían: "Están llenos de vino dulce".

14 Pero Pedro se puso de pie con los once[n] y levantó la voz y les hizo esta expresión: "Varones de Judea y todos ustedes los que son habitantes de Jerusalén,[o] séales conocido esto, y presten oído a mis dichos. 15 Estos, de hecho, no están borrachos,[p] como suponen ustedes, pues es la hora tercera del día. 16 Por el contrario, esto es lo que se dijo por medio del profeta Joel: 17 '"Y en los últimos días —dice Dios— derramaré algo de mi espíritu[q] sobre toda clase de carne, y sus hijos y sus hijas profetizarán, y sus jóvenes verán visiones y sus viejos soñarán sueños;[r] 18 y aun sobre mis esclavos y sobre mis esclavas derramaré algo de mi espíritu en aquellos días, y profetizarán.[s] 19 Y daré portentos presagiosos en el cielo arriba y señales en la tierra abajo, sangre y fuego y neblina de humo;[t] 20 el sol[u] será convertido en oscuridad y la luna en sangre antes que llegue el grande e ilustre día de Jehová.[v] 21 Y todo el que invoque

CAP. 1
a Sl 69:25
b Sl 109:8
  1Ti 3:1
c Jn 15:27
d Mt 3:13
  Hch 10:37
e Lu 24:51
f Mt 28:6
  Mr 16:6
  Hch 1:9
g 1Sa 16:7
  1Cr 28:9
  Jer 11:20
  Hch 15:8
h Jn 6:70
i Pr 16:33
j Mt 28:16

CAP. 2
k Le 23:16
  Hch 4:31
l Mt 1:8
n Jn 14:26
  Hch 6:3
  1Pe 1:12
o Hch 10:46
  1Co 12:10
p Éx 23:17
q Hch 22:12

2.ª col.
a Mr 14:70
  Hch 1:11
b 2Re 17:6
c Da 8:2
d Mt 24:16
  Mr 1:5
e 1Pe 1:1
f Hch 18:2
g Hch 13:1
  1Pe 1:1
h Hch 16:6
  Hch 18:23
i Hch 13:13
  Hch 15:38
j Éx 12:48
  Isa 56:6
k Tit 1:12
l 2Cr 17:11
m 1Sa 1:14
n Mt 28:16
o Hch 7:2
  Hch 22:1
p Hch 26:25
  1Ti 5:7
q Isa 44:3
  Eze 36:27
  Zac 12:10
r Joe 2:28
s Nú 11:29
  Joe 2:29
  Hch 21:4
  1Co 12:10
t Joe 2:30
u Mt 24:29
v Joe 2:31
  Mr 13:24

el nombre de Jehová será salvo” ’.[a]
22 ”Varones de Israel, oigan
estas palabras: A Jesús el Nazareno,[b] varón públicamente
mostrado por Dios a ustedes mediante obras poderosas[c] y portentos presagiosos y señales que
Dios hizo mediante él en medio
de ustedes,[d] así como ustedes
mismos lo saben, 23 a este
[hombre], como uno entregado
por el consejo determinado y
presciencia de Dios,[e] ustedes lo
fijaron en un madero por mano
de desaforados, y lo eliminaron.[f]
24 Pero Dios lo resucitó[g] desatando los dolores de la muerte,[h]
porque no era posible que él
continuara retenido por ella.[i]
25 Porque David dice tocante a
él: ‘Tenía a Jehová constantemente ante mis ojos; porque
está a mi diestra para que yo
nunca sea sacudido.[j] 26 A causa de esto se alegró mi corazón
y se regocijó mucho mi lengua.
Además, hasta mi carne residirá
en esperanza;[k] 27 porque no
dejarás mi alma en el Hades, ni
permitirás que el que te es leal
vea corrupción.[l] 28 Me has
dado a conocer los caminos de la
vida, me llenarás de alegría con
tu rostro’.[m]
29 ”Varones, hermanos, es
permisible hablarles con franqueza de expresión respecto al
cabeza de familia David, que falleció[n] y también fue sepultado,
y su tumba está entre nosotros
hasta este día. 30 Por lo tanto,
porque era profeta y sabía que
Dios le había jurado con juramento que sentaría a uno del
fruto de sus lomos sobre su trono,[o] 31 vio de antemano y habló respecto a la resurrección del
Cristo, que ni fue abandonado en
el Hades ni su carne vio corrupción.[p] 32 A este Jesús lo resucitó Dios, del cual hecho todos nosotros somos testigos.[q]
33 Por eso, debido a que fue ensalzado a la diestra de Dios[r] y
recibió del Padre el espíritu santo prometido,[a] él ha derramado
esto que ustedes ven y oyen.
34 De hecho, David no ascendió
a los cielos,[b] sino que él mismo
dice: ‘Jehová dijo a mi Señor: “Siéntate a mi diestra,[c]
35 hasta que coloque a tus enemigos como banquillo para tus
pies” ’.[d] 36 Por lo tanto, sepa
con certeza toda la casa de Israel
que Dios lo hizo Señor[e] y también Cristo, a este Jesús a quien
ustedes fijaron en un madero”.[f]
37 Ahora bien, cuando aquellos oyeron esto se sintieron heridos en el corazón,[g] y dijeron a
Pedro y a los demás apóstoles:
“Varones, hermanos, ¿qué haremos?”.[h] 38 Pedro les [dijo]:
“Arrepiéntanse,[i] y bautícese[j]
cada uno de ustedes en el nombre[k] de Jesucristo para perdón[l]
de sus pecados, y recibirán la dádiva gratuita[m] del espíritu santo. 39 Porque la promesa[n] es
para ustedes y para sus hijos y
para todos los que están lejos,[o]
para cuantos llame a sí Jehová
nuestro Dios”.[p] 40 Y con muchas otras palabras dio testimonio cabal y siguió exhortándolos,
diciendo: “Sálvense de esta generación torcida”.[q] 41 Por lo
tanto, los que abrazaron su palabra de buena gana fueron bautizados,[r] y en aquel día unas tres
mil almas fueron añadidas.[s]
42 Y continuaron dedicándose a
la enseñanza de los apóstoles y
a compartir [unos con otros],[t] a
tomar comidas[u] y a oraciones.[v]
43 En realidad, empezó a sobrevenirle temor a toda alma, y
muchos portentos presagiosos y
señales ocurrían mediante los
apóstoles.[w] 44 Todos los que
se hacían creyentes estaban juntos, teniendo todas las cosas
en común,[x] 45 y se pusieron a
vender sus posesiones[y] y pro-
piedades y a distribuir el [pro-
ducto] a todos, según la nece-

CAP. 2

a Joe 2:32; Ro 10:13
b Mt 2:23
c Lu 24:19; Jn 5:36
d Jn 14:10; Heb 2:4
e Lu 24:44; Jn 19:11; Hch 4:28; 1Pe 1:20
f Lu 23:33; Hch 5:30; Hch 7:52
g Sl 16:10; Hch 3:15; Ro 4:24; 1Co 6:14; Col 2:12; Heb 13:20
h Sl 9:13
i Jn 10:18
j Sl 16:8
k Sl 16:9
l Sl 16:10; Hch 13:35
m Sl 16:11
n 1Re 2:10; Hch 13:36
o 2Sa 7:12; Sl 89:4; Sl 132:11
p Sl 16:10; Hch 13:35; Hch 13:37
q Lu 24:48; Hch 1:8; Hch 3:15
r Ro 8:34; Flp 2:9; 1Pe 3:22

2.ª col.

a Jn 14:26; Hch 1:4
b Jn 3:13
c Sl 110:1
d Gé 3:15; Lu 20:43; 1Co 15:25; Heb 10:13
e Mt 28:18; Jn 3:35; Hch 5:31
f Jn 19:6; Hch 4:10
g 2Sa 24:10; Sl 73:21
h Lu 3:10; Hch 16:30
i Lu 24:47; Hch 17:30; Hch 26:20
j Mt 28:19
k Flp 2:9; Rev 19:16
l Isa 44:22; Mt 26:28; Ef 1:7
m Hch 8:20
n Joe 2:28
o Isa 57:19; Ef 2:17
p Joe 2:32
q Dt 32:5; Sl 78:8; Gál 1:4; Flp 2:15
r Hch 8:12; Hch 18:8
s Isa 60:22; Hch 4:4; Hch 5:14

t Flp 1:5; u Hch 2:46; v Hch 1:14; w Hch 5:12; Hch 19:17; x Hch 4:32; y Mt 19:21.

sidad que cualquiera tuviera.[a] 46 Y día tras día asistían constantemente y de común acuerdo al templo,[b] y tomaban sus comidas en hogares particulares y participaban del alimento con gran regocijo[c] y sinceridad de corazón, 47 alabando a Dios y hallando favor con todo el pueblo.[d] Al mismo tiempo, Jehová continuó uniendo[e] diariamente a ellos los que se iban salvando.[f]

3 Ahora bien, Pedro y Juan iban subiendo al templo para la hora de oración, la hora nona,[g] 2 y a cierto varón que era cojo desde la matriz de su madre[h] lo llevaban, y diariamente lo ponían cerca de la puerta del templo que se llamaba Hermosa,[i] para que pidiera dádivas de misericordia a los que entraban en el templo.[j] 3 Cuando este alcanzó a ver a Pedro y a Juan, que estaban a punto de entrar en el templo, empezó a solicitar el recibir dádivas de misericordia.[k] 4 Mas Pedro, junto con Juan, lo miró con fijeza[l] y dijo: "Míranos". 5 De modo que él fijó su atención en ellos, esperando conseguir algo de ellos. 6 Sin embargo, Pedro dijo: "Plata y oro no poseo, pero lo que tengo es lo que te doy:[m] ¡En el nombre de Jesucristo el Nazareno,[n] anda!".[o] 7 Con eso, lo asió de la mano derecha[p] y lo levantó. Al instante se le pusieron firmes las plantas de los pies y los huesos de los tobillos;[q] 8 y, dando un salto,[r] se puso de pie y echó a andar, y entró con ellos en el templo,[s] andando y saltando y alabando a Dios. 9 Y todo el pueblo[t] alcanzó a verlo andando y alabando a Dios. 10 Además, empezaron a reconocerlo, que este era el hombre que solía sentarse para [pedir] dádivas de misericordia en la Puerta Hermosa[u] del templo, y se llenaron de pasmo y éxtasis[v] por lo que le había acontecido.

11 Entonces, mientras el hombre tenía asidos a Pedro y a Juan, todo el pueblo, sorprendido casi fuera de sí, concurrió a ellos en lo que se llamaba la columnata de Salomón.[a] 12 Al ver esto Pedro, dijo al pueblo: "Varones de Israel, ¿por qué están admirados de esto, o por qué nos miran con fijeza como si fuera por poder personal o devoción piadosa que hubiéramos hecho que él anduviera?[b] 13 El Dios de Abrahán y de Isaac y de Jacob,[c] el Dios de nuestros antepasados, ha glorificado[d] a su Siervo,[e] Jesús, a quien ustedes, por su parte, entregaron[f] y repudiaron ante el rostro de Pilato, cuando él había decidido ponerlo en libertad.[g] 14 Sí, ustedes repudiaron a aquel santo y justo,[h] y pidieron que se les concediera de gracia un varón, un asesino,[i] 15 mientras que mataron al Agente Principal de la vida.[j] Pero Dios lo ha levantado de entre los muertos, del cual hecho nosotros somos testigos.[k] 16 Por consiguiente, su nombre, por [nuestra] fe en su nombre, ha hecho fuerte a este hombre a quien ustedes contemplan y conocen, y la fe que es mediante él ha dado al hombre esta completa sanidad a vista de todos ustedes. 17 Y ahora, hermanos, yo sé que obraron por ignorancia,[l] así como también lo hicieron sus gobernantes.[m] 18 Pero Dios ha cumplido de esta manera las cosas que anunció de antemano por boca de todos los profetas, que su Cristo sufriría.[n]

19 "Arrepiéntanse,[o] por lo tanto, y vuélvanse[p] para que sean borrados sus pecados,[q] para que vengan tiempos de refrigerio[r] de parte de la persona de Jehová 20 y para que él envíe al Cristo nombrado para ustedes, Jesús, 21 a quien el cielo, en verdad, tiene que retener dentro de sí[s] hasta los tiempos de la restauración[t] de todas las cosas de que habló Dios por boca de sus santos profetas[u] de tiem-

CAP. 2
a Isa 58:7
    Hch 4:34
b Lu 24:53
c Ec 9:7
d Ro 14:18
e Sl 115:14
    1Co 3:7
f Hch 5:14
    Hch 11:21
    Hch 11:24

CAP. 3
g Hch 10:30
h Jn 9:1
    Hch 14:8
i Hch 3:10
j Jn 9:8
k Lu 11:41
l Hch 14:9
m 2Co 6:10
n Mt 2:23
    Hch 4:10
o Hch 3:16
p Mt 9:25
    Lu 6:6
q Jn 5:8
    Hch 9:34
    Hch 14:10
r Isa 35:6
t Hch 4:21
u Jn 9:8
    Hch 3:2
v Mr 5:42

2.ª col.
a Jn 10:23
    Hch 5:12
b 2Co 3:5
c Éx 3:6
    Mt 22:32
d Jn 7:39
    Flp 2:9
e Isa 52:13
    Hch 4:27
f Hch 2:23
    Hch 5:30
g Mt 27:21
    Lu 23:14
h 1Jn 2:1
i Mt 27:20
    Lu 23:18
j Hch 5:31
    Heb 2:10
k Lu 24:48
    Hch 1:8
    Hch 2:32
l Lu 23:34
    Jn 16:3
    1Ti 1:13
m 1Co 2:8
n Sl 22:16
    Sl 118:22
    Isa 50:6
    Isa 53:8
    Da 9:26
o Hch 2:38
p Eze 33:11
    Ef 4:22
q Eze 33:16
    1Jn 1:7
r Isa 28:12
s Sl 110:1
t Mt 17:11
u Isa 1:26

po antiguo. 22 De hecho, Moisés dijo: 'Jehová Dios les levantará a ustedes de entre sus hermanos un profeta semejante a mí.ᵃ Tienen que escucharle conforme a todas las cosas que él les hable.ᵇ 23 En verdad, cualquier alma que no escuche a ese Profeta será completamente destruida de entre el pueblo'.ᶜ 24 Y todos los profetas, de hecho, desde Samuel en adelante y los que siguieron en sucesión, cuantos han hablado, también han declarado estos días patentemente.ᵈ 25 Ustedes son los hijosᵉ de los profetas y del pacto que Dios pactó con sus antepasados, al decir a Abrahán: 'Y en tu descendencia serán bendecidas todas las familias de la tierra'.ᶠ 26 A ustedes primeroᵍ Dios, después de haber levantado a su Siervo, lo ha enviado para que los bendijera, apartando, a cada uno, de sus hechos inicuos."

4 Ahora bien, mientras los [dos] hablaban al pueblo, se les presentaron los sacerdotes principales y el capitán del temploʰ y los saduceos,ⁱ 2 molestos porque ellos enseñaban al pueblo y declaraban patentemente la resurrección de entre los muertos en el caso de Jesús;ʲ 3 y les echaron mano y los pusieron en custodia hasta el día siguiente,ᵏ porque ya entraba la noche. 4 Sin embargo, muchos de los que habían escuchado el discurso creyeron,ˡ y el número de los varones llegó a ser como de cinco mil.ᵐ

5 Al día siguiente se efectuó en Jerusalén la reunión de sus gobernantes y de los ancianos y de los escribas,ⁿ 6 (también de Anásᵒ el sacerdote principal, y de Caifás,ᵖ y de Juan, y de Alejandro, y cuantos eran de la parentela del sacerdote principal), 7 y los pusieron de pie en medio de ellos y empezaron a inquirir: "¿Con qué poder o

en nombre de quién hicieron esto?".ᵃ 8 Entonces Pedro, lleno de espíritu santo,ᵃ les dijo: "Gobernantes del pueblo y ancianos, 9 si a nosotros se nos examina este día, sobre la base de una acción buena hecha a un hombre enfermizo,ᶜ en cuanto a por quién ha recibido la salud este, 10 séales conocido a todos ustedes y a todo el pueblo de Israel, que en el nombre de Jesucristo el Nazareno,ᵈ a quien ustedes fijaron en un madero,ᵉ pero a quien Dios levantó de entre los muertos,ᶠ por este se halla este hombre de pie aquí sano delante de ustedes. 11 Esta es 'la piedra que fue tratada por ustedes los edificadores como de ningún valor, que ha llegado a ser cabeza del ángulo'.ᵍ 12 Además, no hay salvación en ningún otro, porque no hay otro nombreʰ debajo del cielo que se haya dado entre los hombres mediante el cual tengamos que ser salvos".ⁱ

13 Ahora bien, al contemplar la franqueza de Pedro y de Juan, y al percibir que eran hombres iletrados y del vulgo,ʲ se admiraban. Y empezaron a reconocer, acerca de ellos, que solían estar con Jesús;ᵏ 14 y mirando al hombre que había sido curado, de pie con ellos,ˡ no tenían nada que replicar.ᵐ 15 De modo que les mandaron salir fuera del salón del Sanedrín, y se pusieron a consultar unos con otros, 16 diciendo: "¿Qué haremos con estos hombres?ⁿ Porque, de hecho, una señal notable ha ocurrido mediante ellos, una que les es manifiesta a todos los habitantes de Jerusalén;ᵒ y no podemos negarlo. 17 Sin embargo, a fin de que no se divulgue más entre el pueblo, digámosles con amenazas que ya no hablen sobre la base de este nombre a hombre alguno".ᵖ 18 Con eso, los llamaron y les ordenaron que en ningún lugar

---

CAP. 3

a Dt 18:15
  Dt 34:10
b Dt 18:18
  Hch 7:37
c Dt 18:19
d Lu 24:27
  Hch 10:43
e Ro 9:4
f Gé 22:18
  Gál 3:8
g Hch 13:46
  Ro 1:16

CAP. 4

h Lu 22:4
i Hch 23:8
j Hch 4:33
  Hch 17:18
k Lu 21:12
l 1 Ti 3:16
m Hch 2:41
  Hch 6:7
n Mr 13:9
o Lu 3:2
  Jn 18:13
p Mt 26:57
  Lu 3:2
  Jn 11:49

2.ᵃ col.

a Mt 21:23
  Mr 11:28
  Lu 20:2
b Hch 7:55
c Hch 3:7
d Mt 2:23
  Hch 3:6
e Hch 2:36
f Hch 2:24
  Hch 5:30
g Sl 118:22
  Isa 28:16
  Mt 21:42
  1 Pe 2:7
h Mt 1:21
  Hch 10:43
  Flp 2:9
i Jn 1:12
  Jn 14:6
  1 Ti 2:5
j Mt 11:25
  1 Co 1:27
k Jn 7:15
l Hch 3:11
m Lu 21:15
n Jn 11:47
o Hch 3:9
p Hch 5:40

hicieran expresión alguna ni enseñaran sobre la base del nombre de Jesús. 19 Pero, en respuesta, Pedro y Juan les dijeron: "Si es justo a vista de Dios escucharles a ustedes más bien que a Dios, júzguenlo ustedes mismos. 20 Pero en cuanto a nosotros, no podemos dejar de hablar de las cosas que hemos visto y oído".ᵃ 21 Así que, habiéndolos amenazado de nuevo, los pusieron en libertad, puesto que no hallaban en qué basarse para castigarlos, y a causa del pueblo,ᵇ porque todos estaban glorificando a Dios por lo que había sucedido; 22 porque el hombre en quien se había efectuado esta señal de curación tenía más de cuarenta años.

23 Después de haber sido puestos en libertad, ellos fueron a su propia genteᶜ e informaron las cosas que los sacerdotes principales y los ancianos les habían dicho. 24 Al oír esto, ellos levantaron la voz de común acuerdo a Diosᵈ y dijeron:

"Señor Soberano,ᵉ tú eres Aquel que hizo el cielo y la tierra y el mar y todas las cosas [que hay] en ellos,ᶠ 25 y que por espíritu santo dijiste por boca de nuestro antepasado David,ᵍ tu siervo: '¿Por qué se pusieron tumultuosas las naciones, y los pueblos meditaron cosas vacías?ʰ 26 Los reyes de la tierra tomaron su posición y los gobernantes se reunieron en masa como uno solo contra Jehová y contra su ungido'.ⁱ 27 De veras, pues, tanto Herodes como Poncio Pilatoʲ con [hombres de] naciones y con pueblos de Israel realmente fueron reunidos en esta ciudad contra tu santoᵏ siervo Jesús, a quien tú ungiste,ˡ 28 a fin de hacer cuantas cosas tu mano y consejo habían predeterminado que sucedieran.ᵐ 29 Y ahora, Jehová, da atención a sus amenazas,ⁿ y concede a tus esclavos que sigan hablando tu palabra con todo denuedo,ᵃ 30 mientras extiendes tú la mano para hacer curaciones y mientras ocurren señales y portentos presagiososᵇ mediante el nombreᶜ de tu santo siervoᵈ Jesús".

31 Y cuando hubieron hecho ruego, el lugar donde estaban reunidos fue sacudido;ᵉ y todos sin excepción quedaron llenos del espíritu santo,ᶠ y hablaban la palabra de Dios con denuedo.ᵍ

32 Además, la multitud de los que habían creído tenía un solo corazón y alma,ʰ y ni siquiera uno de ellos decía que fuera suya propia cosa alguna de las que poseía; más bien, todas las cosas las tenían en común.ⁱ 33 Además, con gran poder los apóstoles continuaron dando el testimonio acerca de la resurrección del Señor Jesús;ʲ y sobre todos ellos había bondad inmerecida en gran medida. 34 De hecho, no había ningún necesitado entre ellos;ᵏ porque todos los que eran poseedores de campos o de casas los vendían, y traían los valores de las cosas vendidas 35 y los depositaban a los pies de los apóstoles.ˡ A su vez, se efectuaba distribuciónᵐ a cada uno, según tuviera necesidad. 36 Así fue como José, que había recibido de los apóstoles el sobrenombre de Bernabé,ⁿ que traducido significa Hijo del Consuelo, levita, natural de Chipre, 37 puesto que poseía un terreno, lo vendió y trajo el dinero y lo depositó a los pies de los apóstoles.ᵒ

5 Sin embargo, cierto varón, por nombre Ananías, junto con Safira su esposa, vendió una posesión 2 y retuvo secretamente parte del precio, de lo cual sabía también su esposa, y trajo solo una parte y la depositó a los pies de los apóstoles.ᵖ 3 Pero Pedro dijo: "Ananías, ¿por qué te ha envalento-

CAP. 4
a Hch 5:29
 2Pe 1:16
b Lu 22:2
 Hch 5:26
c Hch 12:12
d Sl 55:16
e Rev 6:10
f Ex 20:11
 Ne 9:6
 Sl 146:6
 Rev 10:6
g 2Sa 23:2
h Sl 2:1
i Sl 2:2
j Lu 23:12
k Hch 3:13
 Heb 7:26
l Sl 45:7
 Hch 10:38
m Isa 53:10
 Lu 24:44
 Hch 2:23
 1Pe 1:20
n Isa 37:17

2.ᵃ col.
a Isa 58:1
 Hch 19:8
b Hch 2:43
 Hch 5:12
c Hch 3:16
d Hch 3:26
e Hch 2:2
f Hch 2:4
g 1Te 2:2
h Jn 17:21
 Flp 1:27
i Hch 2:44
j Hch 1:22
 Hch 4:2
k Dt 15:4
 Hch 2:45
 1Jn 3:17
l Hch 5:2
m Hch 6:1
n Hch 11:22
 Hch 12:25
o Pr 3:9
 Lu 12:33

CAP. 5
p Hch 4:35

nado Satanás[a] a tratar con engaño[b] al espíritu santo[c] y a retener secretamente parte del precio del campo? 4 Mientras permanecía contigo, ¿no permanecía tuyo?, y después que fue vendido, ¿no continuaba bajo tu control? ¿Por qué te propusiste un hecho de esta índole en tu corazón? No has tratado con engaño[d] a los hombres, sino a Dios".[e] 5 Al oír estas palabras, Ananías cayó y expiró.[f] Y gran temor[g] vino sobre todos los que oyeron de ello. 6 Pero los hombres más jóvenes se levantaron, lo envolvieron en paños,[h] y, sacándolo, lo enterraron.

7 Luego, después de un intervalo de como tres horas, entró su esposa, ignorando lo que había acontecido. 8 Pedro le dijo: "Dime, ¿vendieron ustedes [dos] el campo en tanto?" Ella dijo: "Sí, en tanto." 9 Entonces le [dijo] Pedro: "¿Por qué convinieron entre ustedes [dos] en poner a prueba[i] el espíritu de Jehová? ¡Mira! Los pies de los que enterraron a tu esposo están a la puerta, y te sacarán a ti". 10 Al instante ella cayó a los pies de él y expiró.[j] Cuando los jóvenes entraron, la hallaron muerta, y la sacaron y la enterraron al lado de su esposo. 11 Por consiguiente, gran temor vino sobre toda la congregación y sobre todos los que oyeron de estas cosas.

12 Además, mediante las manos de los apóstoles continuaron efectuándose muchas señales y portentos presagiosos entre el pueblo;[k] y todos estaban de común acuerdo en la columnata de Salomón.[l] 13 Cierto, ni uno solo de los demás tenía ánimo para unirse a ellos;[m] sin embargo, el pueblo los elogiaba.[n] 14 Más aún, siguieron añadiéndose creyentes en el Señor, multitudes de varones así como de mujeres;[o] 15 de modo que sacaban a los enfermos hasta los

caminos anchos y los ponían allí sobre camitas y camillas, para que, al pasar Pedro, por lo menos su sombra cayera sobre alguno de ellos.[a] 16 También, la multitud de las ciudades alrededor de Jerusalén siguió concurriendo, cargando a los enfermos y a los que eran perturbados por espíritus inmundos, y todos sin excepción eran curados.

17 Pero el sumo sacerdote y todos los que estaban con él, la entonces existente secta de los saduceos, se levantaron llenos de celos,[b] 18 y echaron mano a los apóstoles y los pusieron en el lugar público de custodia.[c] 19 Pero durante la noche el ángel de Jehová[d] abrió las puertas de la prisión,[e] los sacó y dijo: 20 "Váyanse, y puestos de pie en el templo, sigan hablando al pueblo todos los dichos acerca de esta vida".[f] 21 Después de oír esto, ellos entraron en el templo al amanecer y se pusieron a enseñar.

Ahora bien, cuando llegaron el sumo sacerdote y los que con él estaban, convocaron el Sanedrín y toda la asamblea de los ancianos de los hijos de Israel,[g] y enviaron a la cárcel para que los trajeran. 22 Pero cuando los oficiales llegaron allá, no los hallaron en la prisión. De modo que volvieron y dieron informe, 23 diciendo: "La cárcel la hallamos cerrada con toda seguridad, y a los guardas de pie ante las puertas, pero al abrir no hallamos a nadie dentro". 24 Pues bien, cuando el capitán del templo así como los sacerdotes principales oyeron estas palabras, quedaron perplejos tocante a estos asuntos, respecto a lo que vendría a resultar de ello.[h] 25 Pero llegó cierto hombre y les informó: "¡Miren! Los varones que ustedes pusieron en la prisión están en el templo, puestos de pie y enseñando al pueblo".[i] 26 Entonces el capitán

CAP. 5
a Lu 22:3

b Sl 101:7
Sl 119:118
Ef 4:25
Col 3:9
Rev 21:8

c Nú 30:2
Ec 5:4
Hch 5:9

d Dt 23:23

e 1Sa 2:25

f 1Pe 4:17

g Hch 2:43
Hch 5:11

h Jn 19:40

i Éx 17:2
Sl 95:9
Mt 4:7
Lu 4:12
1Co 10:9

j Hch 5:5

k Hch 4:30
Hch 6:8
Hch 7:36
Hch 14:3
Hch 15:12
Ro 15:19
2Co 12:12

l Jn 10:23
Hch 3:11

m Jn 19:38

n Hch 2:47

o Hch 6:7

2.ª col.

a Mt 9:21
Mt 14:36
Mr 6:56

b Pr 27:4
Mt 27:18

c Lu 21:12
Hch 4:3

d Sl 34:7
Hch 12:7
Heb 1:14

e Hch 16:26

f Jn 6:68

g Hch 4:5

h Hch 4:1

i Hch 4:20

se fue con sus oficiales y procedió a traerlos, pero sin violencia, porque tenían miedo[a] de que el pueblo los apedreara.

27 De modo que los trajeron y los pusieron de pie en el salón del Sanedrín. Y el sumo sacerdote los interrogó, 28 y dijo: "Les ordenamos[b] positivamente que no siguieran enseñando sobre la base de este nombre, y sin embargo, ¡miren!, han llenado a Jerusalén con su enseñanza,[c] y están resueltos a traer la sangre[d] de este hombre sobre nosotros". 29 En respuesta, Pedro y los [otros] apóstoles dijeron: "Tenemos que obedecer a Dios como gobernante más bien que a los hombres.[e] 30 El Dios de nuestros antepasados levantó a Jesús, a quien ustedes mataron, colgándolo en un madero.[g] 31 A este, Dios lo ensalzó a su diestra[h] como Agente Principal[i] y Salvador,[j] para dar a Israel arrepentimiento[k] y perdón de pecados.[l] 32 Y nosotros somos testigos de estos asuntos,[m] y también lo es el espíritu santo,[n] el cual Dios ha dado a los que lo obedecen como gobernante".

33 Cuando oyeron esto, se sintieron cortados profundamente, y querían eliminarlos.[o] 34 Pero se levantó cierto hombre en el Sanedrín, un fariseo de nombre Gamaliel,[p] maestro de la Ley estimado por todo el pueblo, y dio mandato de que sacaran fuera a los hombres por un momento.[q] 35 Y les dijo: "Varones de Israel,[r] presten atención a ustedes mismos en cuanto a lo que piensan hacer respecto a estos hombres. 36 Por ejemplo, antes de estos días se levantó Teudas, diciendo que él mismo era alguien,[s] y un número de varones, como cuatrocientos, se unió a su partido.[t] Pero él fue eliminado, y todos los que le obedecían fueron dispersados y vinieron a nada. 37 Después de él se levantó Judas el galileo en los días de la inscripción,[u] y

atrajo gente en pos de sí. Y sin embargo ese hombre pereció, y todos los que le obedecían fueron esparcidos por todas partes. 38 De modo que, en las presentes circunstancias, les digo: No se metan con estos hombres, sino déjenlos (porque si este proyecto o esta obra proviene de hombres, será derribada;[a] 39 pero si proviene de Dios,[b] no podrán derribarlos);[c] de otro modo, quizás se les halle a ustedes luchadores realmente contra Dios".[d] 40 De modo que le hicieron caso, y, mandando llamar a los apóstoles, los fustigaron,[e] y les ordenaron que dejaran de hablar sobre la base del nombre de Jesús,[f] y los dejaron ir.

41 Estos, por lo tanto, se fueron de delante del Sanedrín, regocijándose[g] porque se les había considerado dignos de sufrir deshonra a favor del nombre de él.[h] 42 Y todos los días en el templo, y de casa en casa,[i] continuaban sin cesar enseñando[j] y declarando las buenas nuevas acerca del Cristo, Jesús.[k]

6 Ahora bien, en estos días, cuando aumentaban los discípulos, se suscitó una murmuración de parte de los judíos de habla griega[l] contra los judíos de habla hebrea, porque a sus viudas se las pasaba por alto en la distribución diaria.[m] 2 De modo que los doce convocaron a la multitud de los discípulos y dijeron: "No es cosa grata el que nosotros dejemos la palabra de Dios para distribuir [alimento] a las mesas.[n] 3 Por eso, hermanos, búsquense[o] siete varones acreditados de entre ustedes, llenos de espíritu y de sabiduría,[p] para que los nombremos sobre este asunto necesario; 4 pero nosotros nos dedicaremos a la oración y al ministerio de la palabra".[q] 5 Y lo que se habló fue grato a toda la multitud, y seleccionaron a Esteban, varón lleno de fe y de espíritu

CAP. 5
a Mt 14:5
  Lu 20:19
b Hch 4:18
c Jn 12:19
d Mt 27:25
  Hch 3:15
e 1Sa 15:22
  Da 3:18
  Jn 14:15
  Hch 4:19
f Hch 2:24
  Hch 13:30
g Hch 2:23
  Hch 10:39
  1Pe 2:24
h Hch 3:13
  Flp 2:9
i Hch 3:15
j Jn 1:21
  Heb 2:10
k Hch 2:38
l Isa 53:11
  Lu 24:47
  Hch 10:43
  Hch 13:38
m Lu 24:48
  Hch 1:8
  Hch 1:22
n Jn 15:26
o Hch 7:54
p Hch 22:3
q Hch 4:15
r Hch 2:22
s Hch 8:9
t Hch 21:38
u Lu 2:2

2.ª col.
a Sl 127:1
  Pr 21:30
  Mt 15:13
b Isa 26:12
  Ro 8:31
c Isa 8:10
d Hch 26:14
e Mt 10:17
  Mr 13:9
  Lu 20:10
  Hch 22:19
f Hch 4:18
g Mt 5:12
  Hch 16:25
  Ro 5:3
  2Co 12:10
  Flp 1:29
  Heb 10:34
  1Pe 4:13
h Hch 9:16
i Hch 20:20
j Hch 2:46
  Hch 4:31
  Hch 16:2
k 2Co 10:14

CAP. 6
l Hch 9:29
m Hch 4:35
  1Ti 5:3
  Snt 1:27
n Éx 18:18
o Dt 1:13
p Hch 6:10
  Hch 16:2
  1Ti 3:7
q Hch 2:42

santo,[a] y a Felipe[b] y a Prócoro y
a Nicanor y a Timón y a Parme-
nas y a Nicolás, prosélito de Antioquía; 6 y los colocaron delante de los apóstoles, y, después
de haber orado, estos les impusieron las manos.[c]
7 Por consiguiente, la palabra
de Dios siguió creciendo,[d] y el
número de los discípulos siguió
multiplicándose muchísimo[e] en
Jerusalén; y una gran muchedumbre de sacerdotes[f] empezó a
ser obediente[g] a la fe.
8 Ahora bien, Esteban, lleno
de gracia y de poder, ejecutaba grandes portentos presagiosos y señales[h] entre el pueblo.
9 Pero se levantaron ciertos
hombres de aquellos de la llamada Sinagoga de los Libertos, y de
los cireneos y alejandrinos[i] y de
los de Cilicia[j] y Asia, para disputar con Esteban; 10 y, sin embargo, no podían mantenerse
firmes contra la sabiduría[k] y
el espíritu con que él hablaba.[l]
11 Entonces, en secreto, induje-
ron a unos varones a decir:[m] "Le
hemos oído hablar dichos blasfemos[n] contra Moisés y contra
Dios". 12 Y alborotaron al
pueblo y a los ancianos y a los
escribas, y, cayendo sobre él de
repente, lo tomaron por la fuerza y lo condujeron al Sanedrín.[o]
13 Y presentaron testigos falsos,[p] que dijeron: "Este hombre
no cesa de hablar cosas contra
este lugar santo y contra la Ley.[q]
14 Por ejemplo, le hemos oído
decir que este Jesús el Nazareno
derribará este lugar y cambiará
las costumbres que Moisés nos
transmitió".
15 Y mientras todos los que
estaban sentados en el Sanedrín
lo miraban con fijeza,[r] vieron
que su rostro era como el rostro
de un ángel.[s]

7 Pero el sumo sacerdote dijo:
"¿Son así estas cosas?".
2 Él dijo: "Varones, hermanos y
padres, oigan. El Dios de la gloria[t] se apareció a nuestro antepasado Abrahán, cuando él estaba en Mesopotamia, antes que se
domiciliara en Harán,[a] 3 y le
dijo: 'Sal de tu tierra y de tus
parientes y ve a la tierra que
yo te mostraré'.[b] 4 Entonces
él salió de la tierra de los caldeos
y se domicilió en Harán. Y de
allí, después que hubo muerto su
padre,[c] [Dios] hizo que mudara
su domicilio a esta tierra donde
ustedes ahora moran.[d] 5 Y, sin
embargo, no le dio ninguna posesión heredable en ella, no, ni lo
ancho de un pie;[e] pero prometió
dársela como posesión,[f] y después de él a su descendencia,[g]
cuando todavía no tenía hijo.[h]
6 Además, Dios habló de esta
manera: que su descendencia sería residente forastera[i] en una
tierra extranjera,[j] y la esclaviza-
rían y afligirían por cuatrocientos años.[k] 7 'Y a esa nación a la
cual servirán como esclavos la
juzgaré[l] yo —dijo Dios—, y después de estas cosas ellos saldrán
y me rendirán servicio sagrado
en este lugar.'[m]
8 "También le dio un pacto de
circuncisión;[n] y así él llegó a ser
el padre de Isaac[o] y lo circuncidó
el día octavo;[p] e Isaac, de Jacob;
y Jacob, de los doce cabezas de
familia.[q] 9 Y los cabezas de familia se pusieron celosos[r] de
José y lo vendieron en [manos
de] Egipto.[s] Pero Dios estaba
con él,[t] 10 y lo libró de todas
sus tribulaciones y le dio gracia
y sabiduría a vista de Faraón rey
de Egipto. Y él lo nombró para
que gobernara a Egipto y a toda
su casa.[u] 11 Pero vino hambre
sobre todo Egipto y Canaán,
sí, gran tribulación; y nuestros
antepasados no hallaban provisiones.[v] 12 Pero Jacob oyó que
había comestibles en Egipto,[w] y
envió a nuestros antepasados
por primera vez.[x] 13 Y durante la segunda vez José fue dado
a conocer a sus hermanos;[y] y
la estirpe de José vino a serle

CAP. 6
a Hch 11:24
b Hch 21:8
c Dt 34:9
Hch 8:17
Hch 13:3
Hch 14:23
1Ti 4:14
1Ti 5:22
2Ti 1:6
d Hch 12:24
Hch 19:20
e Hch 2:47
f Jn 12:42
Hch 15:5
g Ro 16:26
h Hch 2:43
i Hch 18:24
j Hch 23:34
k Lu 21:15
Hch 6:3
l Isa 54:17
Lu 21:15
m Éx 23:1
Le 19:16
n 1Re 21:10
Mt 26:59
o Lu 22:66
p Dt 5:20
Pr 19:28
q Jer 26:11
Hch 21:28
r Mt 10:17
s Jue 13:6

CAP. 7
t Sl 29:3

2.ª col.
a Gé 11:31
Gé 15:7
Ne 9:7
b Gé 12:1
c Gé 11:32
Heb 11:8
d Gé 12:4
e Dt 2:5
f Gé 17:8
Éx 6:8
g Gé 48:4
Dt 32:49
Ne 9:24
h Gé 12:7
Gé 13:15
i Gé 15:13
Sl 39:12
1Pe 2:11
j Éx 12:40
k Gé 15:13
l Gé 15:14
m Éx 3:12
n Gé 17:10
o Gé 21:1
p Gé 21:4
Le 12:3
Lu 2:21
q Gé 29:32
r Gé 37:11
s Gé 37:28
Gé 45:4
Sl 105:17
t Gé 39:2
u Gé 41:40
Gé 41:41
Gé 41:46
Sl 105:21
v Gé 41:54
Gé 42:5
w Gé 42:2
x Gé 42:6
y Gé 45:1

manifiesta a Faraón.ᵃ 14 De modo que José envió y mandó llamar a Jacob su padre y a todos sus parientes de aquel lugar,ᵇ en número de setenta y cinco almas.ᶜ 15 Jacob bajó a Egipto.ᵈ Y falleció;ᵉ e igualmente nuestros antepasados,ᶠ 16 y fueron transferidos a Siquemᵍ y fueron puestos en la tumbaʰ que con dinero de plata Abrahán había comprado a precio a los hijos de Hamor en Siquem.ⁱ

17 "Justamente cuando se iba acercando el tiempo para [el cumplimiento de] la promesa que Dios había declarado abiertamente a Abrahán, el pueblo creció y se multiplicó en Egipto,ʲ 18 hasta que se levantó sobre Egipto un rey diferente, que no sabía acerca de José.ᵏ 19 Este empleó astucia estatal en contra de nuestra raza,ˡ e injustamente obligó a los padres a exponer a sus criaturas, para que no fueran conservadas con vida.ᵐ 20 En aquel mismo tiempo nació Moisés,ⁿ y era divinamente hermoso.ᵒ Y por tres meses fue criado en casa de [su] padre. 21 Mas cuando fue expuesto, lo recogió la hija de Faraón y lo crió como hijo suyo.ᵖ 22 Por consiguiente, Moisés fue instruido en toda la sabiduríaᑫ de los egipcios. De hecho, era poderoso en sus palabrasʳ y hechos.

23 "Ahora bien, cuando estaba cumpliéndose el tiempo de su año cuadragésimo, le vino al corazón el inspeccionar a sus hermanos, los hijos de Israel.ˢ 24 Y cuando alcanzó a ver a alguien a quien se trataba injustamente, lo defendió, y ejecutó venganza a favor del maltratado, derribando al egipcio.ᵗ 25 Suponía que sus hermanos comprenderían que por su mano Dios les daba salvación,ᵘ pero ellos no [lo] comprendieron. 26 Y al día siguiente se presentó a ellos mientras estaban peleando, y trató de avenirlos en paz,ᵛ

CAP. 7

a Gé 45:16
b Gé 45:9
c Gé 46:27
  Dt 10:22
d Gé 46:29
  Dt 26:5
e Gé 49:33
f Éx 1:6
g Gé 50:13
h Éx 13:19
  Jos 24:32
i Gé 23:16
j Éx 1:7
k Éx 1:8
l Éx 1:10
m Éx 1:22
n Éx 2:2
o Heb 11:23
p Éx 2:5
  Éx 2:10
q 1Re 4:30
r Éx 11:3
  Lu 24:19
s Éx 2:11
t Éx 2:12
u Heb 11:26
v Gé 13:8

2.ᵃcol.

a Éx 2:13
b Hch 7:35
c Éx 2:14
d Éx 2:15
e Éx 2:22
  Éx 18:3
f Éx 3:2
  Isa 63:9
g Éx 3:3
h Gé 50:24
  Éx 3:6
  Mr 12:26
  Lu 20:37
i Éx 3:5
  Jos 5:15
j Éx 3:7
  Dt 26:7
k Éx 2:24
l Éx 3:8
m Éx 3:10
n Éx 2:14
  Hch 7:27
o Éx 4:19
p Éx 12:41
q Éx 7:3
  Éx 8:5
  Éx 9:10
  Sl 105:27
r Éx 14:21
  Éx 15:5
  Heb 11:29
s Éx 16:35
  Nú 14:33
t Dt 18:15
  Hch 3:22
u Éx 19:3
v Dt 5:27

diciendo: 'Varones, ustedes son hermanos. ¿Por qué se tratan injustamente el uno al otro?'.ᵃ 27 Pero el que estaba tratando injustamente a su prójimo lo echó de sí, diciendo: '¿Quién te nombró a ti gobernante y juez sobre nosotros?ᵇ 28 No querrás eliminarme de la misma manera como eliminaste al egipcio ayer, ¿verdad?'.ᶜ 29 Ante esta palabra, Moisés huyó, y se hizo residente forastero en la tierra de Madián,ᵈ donde llegó a ser padre de dos hijos.ᵉ

30 "Y cuando se cumplieron cuarenta años, se le apareció un ángel en el desierto del monte Sinaí, en la llama de fuego de una zarza.ᶠ 31 Pues bien, cuando Moisés vio aquello, se maravilló de la vista.ᵍ Pero al acercarse para investigar, vino la voz de Jehová: 32 'Yo soy el Dios de tus antepasados, el Dios de Abrahán y de Isaac y de Jacob'.ʰ Sobrecogido de temblor, Moisés no se atrevía a seguir investigando. 33 Jehová le dijo: 'Quítate las sandalias de los pies, porque el lugar donde estás de pie es suelo santo.ⁱ 34 Ciertamente he visto el maltrato de mi pueblo que está en Egipto,ʲ y he oído su gemidoᵏ y he bajado para librarlos.ˡ Y ahora ven, te enviaré a Egipto'.ᵐ 35 A este Moisés, a quien repudiaron, diciendo: '¿Quién te nombró a ti gobernante y juez?',ⁿ a este hombre Dios lo envióᵒ como gobernante y también como libertador por mano del ángel que se le apareció en la zarza. 36 Este hombre los sacóᵖ después de efectuar portentos presagiosos y señales en Egiptoᑫ y en el mar Rojoʳ y en el desierto por cuarenta años.ˢ

37 "Este es el Moisés que dijo a los hijos de Israel: 'Dios les levantará a ustedes de entre sus hermanos un profeta semejante a mí'.ᵗ 38 Este es elᵘ que llegó a estar entre la congregaciónᵛ en

el desierto, con el ángel[a] que le habló en el monte Sinaí y con nuestros antepasados, el recibió vivas y sagradas declaraciones formales[b] para darlas a ustedes. 39 Nuestros antepasados rehusaron hacerse obedientes a él; antes bien, lo echaron a un lado,[c] y en sus corazones se volvieron a Egipto,[d] 40 diciendo a Aarón: 'Haznos dioses que vayan delante de nosotros. Porque a este Moisés, que nos sacó de la tierra de Egipto, no sabemos qué le habrá pasado'.[e] 41 Así que hicieron un becerro en aquellos días[f] y le trajeron un sacrificio al ídolo y se pusieron a gozar en las obras de sus manos.[g] 42 De modo que Dios se volvió y los entregó[h] a que rindieran servicio sagrado al ejército del cielo, así como está escrito en el libro de los profetas:[i] 'No fue a mí a quien ustedes ofrecieron víctimas y sacrificios por cuarenta años en el desierto, ¿verdad, oh casa de Israel?[j] 43 Antes bien, fue la tienda de Moloc[k] y la estrella[l] del dios Refán lo que ustedes tomaron, las figuras que ustedes hicieron para adorarlas. Por consiguiente, los deportaré[m] más allá de Babilonia'.

44 "Nuestros antepasados tenían en el desierto la tienda del testimonio, así como él dio órdenes, cuando habló con Moisés, de que él la hiciera conforme al modelo que había visto.[n] 45 Y nuestros antepasados, que la recibieron en sucesión, también la introdujeron con Josué[o] en la tierra poseída por las naciones,[p] a quienes Dios echó fuera de delante de nuestros antepasados.[q] Allí permaneció hasta los días de David. 46 Él halló favor[r] a vista de Dios y pidió [el privilegio de] proveer habitación[s] para el Dios de Jacob. 47 Sin embargo, Salomón le edificó casa.[t] 48 No obstante, el Altísimo no mora en casas hechas de mano;[u] así como dice el

profeta: 49 'El cielo es mi trono,[a] y la tierra es el escabel de mis pies.[b] ¿Qué clase de casa edificarán para mí?, dice Jehová. ¿O cuál es el lugar de mi descanso?[c] 50 Mi mano hizo todas estas cosas, ¿no es así?'.[d]

51 "Hombres obstinados e incircuncisos de corazón y de oídos, siempre están ustedes resistiendo el espíritu santo; como hicieron sus antepasados, así hacen ustedes.[f] 52 ¿A cuál de los profetas no persiguieron sus antepasados?[g] Sí, mataron[h] a los que de antemano hicieron anuncio respecto a la venida del Justo,[i] cuyos traidores y asesinos ustedes ahora han llegado a ser,[j] 53 ustedes que recibieron la Ley según fue transmitida por ángeles,[k] pero no la han guardado".

54 Pues bien, al oír estas cosas se sintieron cortados hasta el corazón,[l] y se pusieron a crujir[m] los dientes contra él. 55 Mas él, estando lleno de espíritu santo, miró con fijeza al cielo y alcanzó a ver la gloria de Dios y a Jesús de pie a la diestra de Dios,[n] 56 y dijo: "¡Miren! Contemplo los cielos abiertos,[o] y al Hijo del hombre[p] de pie a la diestra de Dios".[q] 57 Ante esto, ellos clamaron a voz en cuello y se pusieron las manos sobre los oídos[r] y se precipitaron de común acuerdo sobre él. 58 Y después de echarlo fuera de la ciudad,[s] se pusieron a arrojarle piedras.[t] Y los testigos[u] pusieron sus prendas de vestir exteriores a los pies de un joven llamado Saulo.[v] 59 Y siguieron arrojándole piedras a Esteban mientras él hacía petición y decía: "Señor Jesús, recibe mi espíritu".[w] 60 Entonces, doblando las rodillas, clamó con fuerte voz: "Jehová, no les imputes este pecado".[x] Y después de decir esto, se durmió [en la muerte].

CAP. 7
a Dt 5:4
Isa 63:9
Heb 7:53
Gál 3:19
Heb 2:2
b Éx 21:1
Dt 9:10
Ro 3:2
1Pe 4:11
c Nú 14:3
d Éx 16:3
e Éx 32:1
Éx 32:23
f Éx 32:4
Dt 9:16
g Éx 32:6
Sl 106:19
h Sl 81:12
Ro 1:24
2Te 2:11
i 2Re 17:16
Jer 7:18
j Am 5:25
k 1Re 11:7
l Dt 4:19
Am 5:26
m Jer 25:11
Jer 29:10
Am 5:27
n Éx 25:40
Heb 8:5
o Dt 3:28
Dt 31:3
Jos 3:14
p Gé 17:8
Ne 9:24
q Jos 23:9
Jos 24:18
r Sl 89:20
s 2Sa 7:2
1Cr 22:7
Sl 132:5
t 1Re 6:1
1Cr 17:12
2Cr 3:1
u Isa 66:1
Hch 17:24

2.ª col.
a Sl 11:4
Mt 5:34
b Mt 5:35
c Isa 66:1
d Heb 3:4
e Le 26:41
Dt 10:16
f Isa 1:4
Isa 63:10
Jer 6:10
g 2Cr 36:16
h Mt 23:31
i Hch 3:14
1Jn 2:1
j Isa 53:8
k Hch 7:38
Gál 3:19
Heb 2:2
l Hch 5:33
m Sl 35:16
Sl 112:10
n Sl 110:1
Mt 26:64
o Dze 1:1
Mt 3:16
Jn 1:51
p Da 7:13
q Ro 8:34
Ef 1:20
Col 3:1
r Zac 7:11
Lu 16:24

s 1Re 21:13; Heb 13:12; t Le 24:16; Mt 23:37;
u Dt 17:7; Jn 16:2; v Hch 8:1; Hch 22:20; w Sl 31:5; x Mt 5:44.

8 Saulo, por su parte, aprobaba el asesinato de él.[a]

En aquel día se levantó gran persecución[b] contra la congregación que estaba en Jerusalén; todos salvo los apóstoles fueron esparcidos[c] por las regiones de Judea y de Samaria. 2 Pero varones reverentes se llevaron a Esteban para sepultarlo,[d] e hicieron gran lamentación[e] sobre él. 3 Sin embargo, Saulo empezó a tratar atrozmente a la congregación. Iba invadiendo una casa tras otra, sacando a rastras tanto a varones como a mujeres, los entregaba a la prisión.[f]

4 No obstante, los que habían sido esparcidos iban por la tierra declarando las buenas nuevas de la palabra.[g] 5 Felipe, uno de estos, bajó a la ciudad de Samaria[h] y se puso a predicarles al Cristo. 6 Las muchedumbres prestaban atención de común acuerdo a las cosas que Felipe decía, mientras escuchaban y miraban las señales que él ejecutaba. 7 Porque había muchos que tenían espíritus inmundos,[i] y estos clamaban con voz fuerte y salían. Además, muchos paralíticos[j] y cojos fueron curados. 8 De modo que llegó a haber mucho gozo en aquella ciudad.[k]

9 Ahora bien, en la ciudad había cierto varón, Simón por nombre, que, antes de esto, había estado practicando artes mágicas[l] y asombrando a la nación de Samaria, mientras decía que él mismo era alguien grande.[m] 10 Y todos ellos, desde el menor hasta el mayor, le prestaban atención y decían: "Este hombre es el Poder de Dios, que puede llamarse Grande". 11 De modo que le prestaban atención porque los había asombrado durante mucho tiempo con sus artes mágicas. 12 Pero cuando creyeron a Felipe, que estaba declarando las buenas nuevas del reino de Dios[n] y del

nombre de Jesucristo, procedieron a bautizarse, tanto varones como mujeres. 13 Simón mismo también se hizo creyente, y, después de bautizarse, atendía constantemente a Felipe;[b] y quedaba asombrado al contemplar las señales y grandes obras poderosas que se efectuaban.

14 Cuando los apóstoles que estaban en Jerusalén oyeron que Samaria había aceptado la palabra de Dios,[c] se despacharon a Pedro y a Juan; 15 y estos bajaron y oraron para que recibieran espíritu santo.[d] 16 Porque todavía no había caído sobre ninguno de ellos, sino que solo habían sido bautizados en el nombre del Señor Jesús.[e] 17 Entonces se pusieron a imponerles las manos,[f] y ellos empezaron a recibir espíritu santo.

18 Ahora bien, cuando Simón vio que mediante la imposición de las manos de los apóstoles se daba el espíritu, les ofreció dinero,[g] 19 diciendo: "Denme a mí también esta autoridad, para que cualquiera a quien yo imponga las manos reciba espíritu santo". 20 Pero Pedro le dijo: "Perezca tu plata contigo, porque pensaste conseguir posesión de la dádiva gratuita de Dios mediante dinero.[h] 21 No tienes tú ni parte ni suerte en este asunto, porque tu corazón no es recto a vista de Dios.[i] 22 Arrepiéntete, por lo tanto, de esta maldad tuya, y ruega intensamente a Jehová[j] que, si es posible, se te perdone el proyecto de tu corazón; 23 porque veo que eres hiel venenosa[k] y lazo de injusticia".[l] 24 En respuesta, Simón dijo: "Rueguen ustedes intensamente a Jehová por mí[m] para que no me sobrevenga ninguna de las cosas que han dicho".

25 Por lo tanto, habiendo dado el testimonio cabalmente, y hablado la palabra de Jehová, ellos se volvieron a Jerusalén, e

CAP. 8
a Hch 7:58
b Hch 11:19
c Mt 10:23
d Mt 14:12
e Gé 50:10
f Hch 9:1
  Hch 22:4
  Hch 26:10
  1Co 15:9
  Gál 1:13
  Flp 3:6
g Isa 52:7
h Hch 11:19
h Hch 1:8
i Mt 10:1
  Mr 6:7
j Hch 9:33
k Jn 4:42
l Hch 13:6
m Hch 5:36
n Lu 8:1

2.ª col.
a Mt 28:19
  Hch 18:8
b Hch 6:5
c Hch 11:1
d Mt 16:19
e Hch 10:48
  Hch 19:2
f Hch 6:6
  Hch 19:6
  2Ti 1:6
g Miq 3:11
  1Ti 6:5
h Mt 10:8
  Hch 10:45
i Sl 78:37
  Ef 5:5
j Isa 55:7
  Da 4:27
k Dt 29:18
l Heb 12:15
m Éx 8:8
  Nú 21:7
  1Re 13:6
  Snt 5:16

iban declarando las buenas nuevas a muchas aldeas de los samaritanos.[a]

26 Sin embargo, el ángel de Jehová[b] habló a Felipe y dijo: "Levántate y ve hacia el sur, al camino que baja de Jerusalén a Gaza". (Este es un camino por el desierto árido.) **27** Ante aquello, él se levantó y se fue, y, ¡mira!, un eunuco[c] etíope,[d] hombre en poder bajo Candace reina de los etíopes, y que estaba sobre todo el tesoro de ella. Él había ido a Jerusalén para adorar,[e] **28** pero volvía, y estaba sentado en su carro y leía en voz alta al profeta Isaías.[f] **29** De modo que el espíritu dijo[g] a Felipe: "Acércate y únete a este carro". **30** Felipe corrió al lado y le oyó leer en voz alta a Isaías el profeta, y dijo: "¿Verdaderamente sabes lo que estás leyendo?". **31** Él dijo: "¿Realmente, cómo podría hacerlo, a menos que alguien me guiara?". Y suplicó a Felipe que subiera y se sentara con él. **32** Ahora bien, el pasaje de la Escritura que leía en voz alta era este: "Como oveja fue llevado al degüello; y como cordero que es mudo ante el que lo trasquila, así él no abre su boca.[h] **33** Durante su humillación apartaron de él el juicio.[i] ¿Quién referirá los detalles de su generación? Porque su vida se quita de la tierra".[j]

34 En respuesta, el eunuco dijo a Felipe: "Ruégote: ¿De quién dice esto el profeta? ¿De sí mismo, o de algún otro hombre?". **35** Felipe abrió la boca[k] y, comenzando por esta Escritura,[l] le declaró las buenas nuevas acerca de Jesús. **36** Entonces, siguiendo por el camino, llegaron a cierta masa de agua, y el eunuco dijo: "¡Mira! Agua; ¿qué impide que yo sea bautizado?".[m] **37** —— **38** Con eso, mandó parar el carro, y ambos bajaron al agua, tanto Felipe como el eunuco; y él lo bautizó. **39** Cuando

hubieron subido del agua, el espíritu de Jehová prontamente condujo a otro lugar a Felipe,[a] y el eunuco no lo vio más, porque siguió su camino regocijándose. **40** Pero Felipe se halló en Asdod, y pasó por el territorio y siguió declarando[b] las buenas nuevas a todas las ciudades hasta que llegó a Cesarea.[c]

9 Pero Saulo, respirando todavía amenaza y asesinato[d] contra los discípulos[e] del Señor, fue al sumo sacerdote **2** y le pidió cartas para las sinagogas de Damasco, para que pudiera traer atados a Jerusalén a cualesquiera que hallara que pertenecieran al Camino,[f] tanto a varones como a mujeres.

3 Ahora bien, al ir viajando se acercó a Damasco, cuando de repente una luz del cielo fulguró alrededor de él,[g] **4** y él cayó a tierra y oyó una voz que le decía: "Saulo, Saulo, ¿por qué me estás persiguiendo?".[h] **5** Dijo él: "¿Quién eres, Señor?". Él dijo: "Soy Jesús, a quien estás persiguiendo.[i] **6** Sin embargo, levántate[j] y entra en la ciudad, y se te dirá lo que tienes que hacer". **7** Ahora bien, los varones que viajaban con él[k] estaban parados sin poder hablar,[l] oyendo, en realidad, el sonido de una voz,[m] pero sin ver a nadie. **8** Entonces Saulo se levantó del suelo, y aunque tenía abiertos los ojos, no veía nada.[n] De modo que lo llevaron de la mano y lo condujeron a Damasco. **9** Y por tres días no vio nada,[o] y ni comió ni bebió.

10 Había en Damasco cierto discípulo de nombre Ananías,[p] y el Señor le dijo en una visión: "¡Ananías!". Él dijo: "Aquí estoy, Señor". **11** El Señor le dijo: "Levántate, ve a la calle llamada Recta, y busca en casa de Judas a un hombre cuyo nombre es Saulo, de Tarso.[q] Porque, ¡mira!, está orando, **12** y en una visión ha visto que un varón por

CAP. 8

a Mt 9:35
  Hch 1;8

b Sl 34:7
  Heb 1:14
  Rev 14:6

c Isa 56:4

d Jer 13:23
  Sof 3:10

e 2Cr 6:32
  Jn 12:20

f Hch 17:11

g Hch 10:19

h Isa 53:7
  1Pe 2:23

i Mt 26:59

j Isa 53:8
  Da 9:26
  Flp 2:8

k Mt 13:52

l Hch 18:28
  2Ti 3:16

m Hch 10:47

2.ᵃ col.

a 1Re 18:12

b Lu 9:6

c Hch 21:8

CAP. 9

d Hch 22:4
  Hch 26:11

e Hch 8:3
  Gál 1:13
  1Ti 1:13

f Hch 9:14
  Hch 11:26
  Hch 22:4
  Hch 24:14

g Hch 22:6

h 1Co 15:8

i Mt 25:40

j Hch 9:11

k Hch 22:9
  Hch 26:13

l Da 10:7

m Hch 22:9

n Hch 22:11

o Hch 13:11

p Hch 22:12

q Hch 11:25
  Hch 21:39
  Hch 22:3

nombre Ananías entra y pone las manos sobre él para que recobre la vista".[a] 13 Pero Ananías contestó: "Señor, he oído de muchos acerca de este varón, cuántas cosas perjudiciales hizo a tus santos en Jerusalén. 14 Y aquí tiene autoridad de parte de los sacerdotes principales para poner en cadenas a todos los que invocan tu nombre".[b] 15 Pero el Señor le dijo: "Ponte en camino, porque este hombre me es un vaso escogido[c] para llevar mi nombre a las naciones[d] así como a reyes[e] y a los hijos de Israel. 16 Porque le mostraré claramente cuántas cosas tendrá que sufrir por mi nombre".[f]

17 De modo que Ananías se fue, y entró en la casa, y puso las manos sobre él y dijo: "Saulo, hermano, el Señor, el Jesús que se te apareció en el camino por el cual venías, me ha enviado, para que recobres la vista y seas lleno de espíritu santo".[g] 18 E inmediatamente cayó de los ojos de él lo que se parecía a escamas, y recobró la vista; y se levantó y fue bautizado, 19 y tomó alimento y cobró fuerza.[h]

Estuvo por algunos días con los discípulos que había en Damasco,[i] 20 e inmediatamente en las sinagogas se puso a predicar a Jesús,[j] que Este es el Hijo de Dios. 21 Pero todos los que le oían quedaban pasmados y decían: "¿No es este el hombre que en Jerusalén asolaba[k] a los que invocan este nombre, y que había venido acá con ese mismo propósito, para conducirlos atados a los sacerdotes principales?".[l] 22 Pero Saulo siguió adquiriendo tanto más poder, y confundía a los judíos que moraban en Damasco al probar lógicamente que este es el Cristo.[m]

23 Entonces, cuando se cumplía una buena cantidad de días, los judíos entraron en consejo para eliminarlo.[n] 24 Sin embargo, el complot de ellos contra él llegó a serle conocido a Saulo.

Pero también vigilaban cuidadosamente las puertas tanto de día como de noche para eliminarlo.[a] 25 De modo que sus discípulos lo tomaron y lo bajaron de noche por una abertura en el muro, descolgándolo en un cesto.[b]

26 Al llegar a Jerusalén[c] él se esforzó por unirse a los discípulos; pero todos le tenían miedo, porque no creían que fuera discípulo. 27 De modo que Bernabé vino en socorro de él[d] y lo condujo a los apóstoles, y les dijo en detalle cómo en el camino este había visto al Señor,[e] y que le había hablado,[f] y cómo en Damasco[g] había hablado denodadamente en el nombre de Jesús. 28 Y él continuó con ellos, entrando y saliendo en Jerusalén, hablando denodadamente en el nombre del Señor;[h] 29 y hablaba y disputaba con los judíos de habla griega. Pero estos intentaron eliminarlo.[i] 30 Cuando los hermanos descubrieron esto, lo llevaron a Cesarea y lo enviaron a Tarso.[j]

31 Entonces, verdaderamente, la congregación[k] por toda Judea y Galilea y Samaria entró en un período de paz, siendo edificada; y como andaba en el temor de Jehová[l] y en el consuelo del espíritu santo,[m] siguió multiplicándose.

32 Ahora bien, puesto que Pedro iba pasando por todas [partes], bajó también a los santos que moraban en Lida.[n] 33 Allí halló a cierto hombre de nombre Eneas, que llevaba ocho años de yacer postrado en su camilla, pues era paralítico. 34 Y Pedro le dijo:[o] "Eneas, Jesucristo te sana.[p] Levántate y haz tu cama". Y al instante él se levantó. 35 Y lo vieron todos los que habitaban en Lida y en la [llanura de] Sarón,[q] y estos se volvieron al Señor.[r]

36 Pero en Jope[s] había cierta discípula de nombre Tabita, que, traducido, significa Dorcas.

CAP. 9
a Hch 9:17
b 1Co 1:2
2Ti 2:22
c Hch 13:2
Ro 1:1
1Ti 1:12
d Ro 1:5
Gál 2:7
1Ti 2:7
e Hch 25:22
Hch 26:1
Hch 27:24
f Hch 20:23
Hch 21:11
2Co 11:23
Col 1:24
2Ti 1:12
g Hch 13:52
Hch 22:13
h Sl 104:15
i Hch 26:20
j Gál 1:16
k Hch 8:3
Gál 1:13
Gál 1:23
l Hch 9:2
m Hch 17:3
Hch 18:28
n Hch 20:3
Hch 23:12
2Co 11:23

2.ª col.

a 2Co 11:32
b Jos 2:15
1Sa 19:12
2Co 11:33
c Gál 1:18
d Hch 4:36
e 1Co 9:1
f Hch 9:4
Hch 22:7
g Hch 9:20
h Hch 4:29
i Hch 11:26
j Hch 11:25
Gál 1:21
k Hch 8:1
l Sl 86:11
m Jn 14:16
n Hch 9:38
o Mt 10:8
p Hch 3:6
Hch 4:10
q 1Cr 5:16
r Hch 11:21
s 2Cr 2:16

Esta abundaba en buenos hechos[a] y en dádivas de misericordia que hacía. 37 Pero en aquellos días sucedió que enfermó y murió. De modo que la lavaron y la pusieron en un aposento de arriba. 38 Ahora bien, como Lida estaba cerca de Jope,[b] cuando los discípulos oyeron que Pedro estaba en esta ciudad le despacharon dos varones para suplicar[le]: "Por favor, no titubees en venir hasta donde estamos". 39 Ante aquello, Pedro se levantó y fue con ellos. Y cuando llegó, lo condujeron al aposento de arriba; y todas las viudas se le presentaron llorando y exhibiendo muchas prendas de vestir interiores y exteriores[c] que Dorcas solía hacer mientras estaba con ellas.[d] 40 Pero Pedro hizo salir a todos[e] y, doblando las rodillas, oró, y, volviéndose hacia el cuerpo, dijo: "Tabita, ¡levántate!". Ella abrió los ojos y, alcanzando a ver a Pedro, se incorporó.[f] 41 Dándole la mano, él la levantó,[g] y llamó a los santos y a las viudas y la presentó viva.[h] 42 Esto llegó a ser conocido por toda Jope, y muchos se hicieron creyentes en el Señor.[i] 43 Por espacio de bastantes días él permaneció en Jope[j] con cierto Simón, curtidor.[k]

10 Ahora bien, en Cesarea había cierto varón de nombre Cornelio, oficial del ejército[l] de la banda italiana,[m] como se le llamaba, 2 hombre devoto[n] y que temía[o] a Dios junto con toda su casa, y hacía muchas dádivas de misericordia al pueblo[p] y hacía ruego a Dios continuamente.[q] 3 Como alrededor de la hora nona[r] del día vio claramente, en una visión,[s] que un ángel[t] de Dios entraba a donde él estaba, y le decía: "¡Cornelio!". 4 El hombre lo miró con fijeza y, atemorizándose, dijo: "¿Qué hay, Señor?". Le dijo: "Tus oraciones[u] y dádivas de misericordia han ascendido como recuerdo delante de Dios.[v] 5 De modo que

Referencias

ahora envía varones a Jope y manda llamar a cierto Simón que tiene por sobrenombre Pedro. 6 A este lo está hospedando cierto Simón, curtidor, que tiene su casa junto al mar".[a] 7 Luego que el ángel que le habló se fue, él llamó a dos de sus sirvientes de casa y a un soldado devoto de entre los que le atendían constantemente,[b] 8 y les contó todo, y los despachó a Jope.[c]

9 Al día siguiente, mientras ellos iban caminando y se acercaban a la ciudad, Pedro subió a la azotea[d] para orar como a la hora sexta.[e] 10 Pero le dio mucha hambre y quiso comer. Mientras hacían preparaciones, a él le sobrevino un arrobamiento,[f] 11 y contempló el cielo abierto,[g] y cierta clase de receptáculo que descendía como una gran sábana de lino que era bajada por sus cuatro extremos sobre la tierra; 12 y en este había toda suerte de cuadrúpedos y criaturas de la tierra que se arrastran y aves del cielo.[h] 13 Y le vino una voz: "¡Levántate, Pedro, degüella y come!".[i] 14 Pero Pedro dijo: "De ninguna manera, Señor, porque jamás he comido cosa alguna contaminada e inmunda".[j] 15 Y le [habló] de nuevo la voz, por segunda vez: "Deja tú de llamar contaminadas[k] las cosas que Dios ha limpiado". 16 Esto ocurrió una tercera vez, y en seguida el receptáculo fue tomado arriba al cielo.[l]

17 Ahora bien, estando Pedro muy perplejo en su interior respecto a lo que pudiera significar la visión que había visto, ¡mira!, los varones que habían sido despachados por Cornelio habían preguntado por la casa de Simón y estaban de pie allí a la puerta.[m] 18 Y, llamando a voces, preguntaron si se hospedaba allí Simón, que tenía por sobrenombre Pedro. 19 Mientras Pedro repasaba en su mente lo de la visión, el espíritu[n] dijo: "¡Mira! Tres va-

rones te buscan. 20 Levántate, pues, baja y vete con ellos, sin dudar nada, porque yo los he despachado".ᵃ 21 De modo que Pedro bajó a donde estaban los varones y dijo: "¡Miren! Yo soy el que buscan. ¿Cuál es la causa por la que están presentes?". 22 Ellos dijeron: "Cornelio, oficial del ejército, varón justo y que teme a Dios,ᵇ y acerca de quien da buen informeᶜ toda la nación de los judíos, recibió instrucciones divinas, mediante un santo ángel, de que te enviara a decir que vinieras a su casa y de que oyera las cosas que tú dijeras". 23 Por lo tanto él los invitó a entrar y los hospedó.

Al día siguiente se levantó y se fue con ellos, y algunos de los hermanos que eran de Jope fueron con él. 24 El día después de aquello entró en Cesarea. Cornelio, por supuesto, los esperaba, y había convocado a sus parientes y a sus amigos íntimos. 25 Al momento en que entraba Pedro, Cornelio salió a su encuentro, cayó a sus pies y le rindió homenaje. 26 Pero Pedro lo alzó, y dijo: "Levántate; yo mismo también soy hombre".ᵈ 27 Y conversando con él, entró y halló reunidas a muchas personas, 28 y les dijo: "Bien saben ustedes cuán ilícito le es a un judío unirse o acercarse a un hombre de otra raza;ᵉ y, no obstante, Dios me ha mostrado que no debo llamar contaminado o inmundo a ningún hombre.ᶠ 29 Por lo tanto vine, verdaderamente sin oponerme, cuando se me mandó llamar. Así es que pregunto por qué razón mandaron a llamarme".

30 Por consiguiente, Cornelio dijo: "Cuatro días atrás, contando desde esta hora, yo estaba orando en mi casa a la hora nona,ᵍ cuando, ¡mira!, un varón con ropaje brillanteʰ estuvo de pie delante de mí 31 y dijo: 'Cornelio, tu oración ha sido oída favorablemente y tus dádivas de misericordia han sido recordadas delante de Dios.ᵃ 32 Envía, pues, a Jope, y llama a Simón, que tiene por sobrenombre Pedro.ᵇ Este está hospedado en casa de Simón, curtidor, junto al mar'.ᶜ 33 Por eso en seguida envié a donde ti, y hiciste bien en venir acá. Y así es que ahora todos estamos presentes delante de Dios para oír todas las cosas que Jehová te ha mandado decir".ᵈ

34 Ante aquello, Pedro abrió la boca y dijo: "Con certeza percibo que Dios no es parcial,ᵉ 35 sino que, en toda nación, el que le teme y obra justicia le es acepto.ᶠ 36 Él envió la palabraᵍ a los hijos de Israel para declararles las buenas nuevas de pazʰ mediante Jesucristo: Este es Señor de todos [los demás].ⁱ 37 Ustedes conocen el tema acerca del cual se habló por toda Judea, comenzando desde Galilea después del bautismo que Juan predicó,ʲ 38 a saber, Jesús que era de Nazaret, cómo Dios lo ungió con espíritu santoᵏ y poder, y fue por la tierra haciendo bien y sanando a todos los [que eran] oprimidos por el Diablo;ˡ porque Dios estaba con él.ᵐ 39 Y nosotros somos testigos de todas las cosas que hizo tanto en el país de los judíos como en Jerusalén; pero ellos también lo eliminaron colgándolo en un madero.ⁿ 40 Dios levantó a Este al tercer día y le concedió manifestarse,ᵒ 41 no a todo el pueblo, sino a testigos nombrados de antemano por Dios,ᵖ a nosotros, que comimos y bebimos con élq después que se levantó de entre los muertos. 42 También, nos ordenó que predicáramosʳ al pueblo y que diéramos testimonio cabal de que este es Aquel de quien Dios ha decretado que sea juez de vivos y de muertos.ˢ 43 De él dan testimonio todos los profetas,ᵗ que todo el que pone fe en él

CAP. 10
a Hch 11:12
b Hch 22:12
c Hch 22:12
d Lu 4:8
  Hch 14:15
  Rev 19:10
  Rev 22:9
e Jn 4:9
  Jn 18:28
f Hch 10:45
  Hch 15:8
  Ef 3:6
g Hch 11:13
h Mt 28:3
  Hch 1:10

2.ᵃ col.
a Da 10:12
  Heb 6:10
b Hch 10:18
c Hch 9:43
d Hch 10:42
e Dt 10:17
  2Cr 19:7
  Job 34:19
  Ro 2:11
  Gál 2:6
f Ro 2:13
  1Co 12:13
  Gál 3:28
g Sl 107:20
  Sl 147:18
h Isa 52:7
  Na 1:15
i Da 7:14
  Mt 28:18
  Ro 14:9
  Ef 1:20
  Rev 19:16
j Lu 4:14
k Isa 11:2
  Isa 42:1
  Isa 61:1
  Mt 3:16
  Heb 1:9
l Lu 13:16
m Jn 3:2
n Hch 2:23
  Gál 3:13
o Jon 1:17
  Jon 2:10
  Hch 2:24
  1Co 15:4
p Jn 14:22
q Lu 24:30
  Jn 21:13
r Mt 28:19
  Hch 1:8
s Jn 5:22
  Hch 17:31
  Ro 14:9
  2Co 5:10
  2Ti 4:1
  1Pe 4:5
t Isa 53:11
  Jer 31:34
  Eze 34:23
  Da 9:24
  Lu 24:27
  Rev 19:10

consigue perdón de pecados mediante su nombre".[a]

44 Mientras Pedro todavía estaba hablando acerca de estos asuntos, el espíritu santo cayó sobre todos los que oían la palabra.[b] 45 Y los fieles que habían venido con Pedro que eran de los circuncisos estaban asombrados, porque la dádiva gratuita del espíritu santo también estaba siendo derramada sobre gente de las naciones.[c] 46 Pues los oían hablar en lenguas y engrandecer a Dios.[d] Entonces Pedro respondió: 47 "¿Puede alguien negar el agua de modo que no sean bautizados estos,[e] que han recibido el espíritu santo igual que nosotros?". 48 Con eso, mandó que fueran bautizados en el nombre de Jesucristo.[f] Entonces ellos le solicitaron que permaneciera algunos días.

11 Ahora bien, los apóstoles y los hermanos que estaban en Judea oyeron que también gente de las naciones[g] había recibido la palabra de Dios. 2 Por eso, cuando Pedro subió a Jerusalén, los [apoyadores] de la circuncisión[h] se pusieron a contender con él, 3 diciendo que había entrado en casa de varones que no eran circuncisos y había comido con ellos. 4 Entonces Pedro comenzó y pasó a explicarles los detalles, diciendo:

5 "Yo estaba en la ciudad de Jope orando, y vi en un arrobamiento una visión: alguna clase de receptáculo que descendía como una gran sábana de lino que era bajada por sus cuatro extremos desde el cielo, y vino hasta mí. 6 Mirando en este con fijeza, hice observaciones, y vi cuadrúpedos de la tierra y bestias salvajes y criaturas que se arrastran y aves del cielo.[i] 7 También oí una voz que me decía: '¡Levántate, Pedro, degüella y come!'.[j] 8 Pero dije: 'De ninguna manera, Señor, porque

ninguna cosa contaminada o inmunda ha entrado jamás en mi boca'.[a] 9 Por segunda vez la voz del cielo contestó: 'Deja tú de llamar contaminadas las cosas que Dios ha limpiado'.[b] 10 Esto ocurrió por tercera vez, y todo fue recogido de nuevo al cielo.[c] 11 También, ¡miren!, en aquel instante tres varones estuvieron de pie delante de la casa donde estábamos, pues habían sido despachados a mí desde Cesarea.[d] 12 De modo que el espíritu me dijo que fuera con ellos, sin dudar nada. Pero estos seis hermanos también fueron conmigo, y entramos en la casa del varón.[f]

13 "Él nos informó cómo vio al ángel estar de pie en su casa y decir: 'Despacha varones a Jope y envía a llamar a Simón que tiene por sobrenombre Pedro,[g] 14 y él te hablará las cosas por las cuales se salven tú y toda tu casa'.[h] 15 Pero cuando comencé a hablar, el espíritu santo cayó sobre ellos así como también había caído sobre nosotros en [el] principio.[i] 16 Con esto recordé el dicho del Señor, cómo decía: 'Juan, por su parte, bautizó con agua,[j] pero ustedes serán bautizados en espíritu santo'.[k] 17 Por lo tanto, si Dios les dio a ellos la misma dádiva gratuita que también dio a nosotros los que hemos creído en el Señor Jesucristo,[l] ¿quién era yo para poder estorbar a Dios?".[m]

18 Ahora bien, cuando oyeron estas cosas, ellos asintieron,[n] y glorificaron a Dios,[o] y dijeron: "¡Conque Dios ha concedido también a gente de las naciones arrepentimiento con la vida como objeto!".[p]

19 Por consiguiente, los que habían sido esparcidos[q] por la tribulación que se había levantado a causa de Esteban pasaron hasta Fenicia y Chipre[s] y Antioquía, pero no hablaban la palabra a nadie sino únicamente a los judíos.[t] 20 Sin embargo, de entre ellos hubo algunos varones

CAP. 10
a Ro 10:11
Gál 3:22
b Hch 4:31
Hch 8:15
c Gál 3:14
d Hch 2:4
Hch 19:6
e Hch 3:11
Hch 8:36
Hch 11:17
f Mt 16:19
Hch 2:38
Hch 19:5

CAP. 11
g Zac 2:11
Lu 2:32
Hch 14:27
h Hch 10:45
Gál 2:12
i Hch 10:12
j Hch 10:13

2.ª col.
a Eze 4:14
Mt 15:11
Hch 10:14
b Hch 15:9
c Hch 10:16
d Hch 10:17
e Jn 16:13
Hch 10:19
f Hch 10:23
Hch 15:7
g Hch 10:30
h Hch 16:30
i Hch 2:4
j Mt 3:11
Mr 1:8
Lu 3:16
Hch 1:5
k Isa 44:3
Joe 2:28
Jn 1:33
Hch 2:17
l Hch 15:8
Gál 3:2
m Da 4:35
Hch 10:47
n Hch 21:14
o Lu 2:20
Hch 13:48
Hch 14:27
p Isa 11:10
Hch 17:30
Hch 20:21
Ro 10:12
Hch 15:9
q Hch 8:1
r Hch 21:2
s Hch 21:3
t Mt 10:6

de Chipre y de Cirene que vinieron a Antioquía y se pusieron a hablar a la gente de habla griega,[a] declarando las buenas nuevas del Señor Jesús.[b] 21 Además, con ellos estaba la mano de Jehová,[c] y un gran número de personas que se hicieron creyentes se volvió al Señor.[d]

22 El relato acerca de ellos llegó a los oídos de la congregación que estaba en Jerusalén, y estos enviaron a Bernabé[e] hasta Antioquía. 23 Cuando él llegó y vio la bondad inmerecida[f] de Dios, se regocijó[g] y empezó a animar a todos a continuar en el Señor con propósito de corazón;[h] 24 porque era un varón bueno y lleno de espíritu santo y de fe. Y se añadió una muchedumbre considerable al Señor.[i] 25 Entonces él se fue a Tarso[j] a buscar con detenimiento a Saulo[k] 26 y, al hallarlo, lo trajo a Antioquía. Así sucedió que por un año entero se reunieron con ellos en la congregación y enseñaron a una muchedumbre bastante grande, y fue primero en Antioquía donde a los discípulos por providencia divina se les llamó cristianos.[l]

27 Ahora bien, en estos días unos profetas[m] bajaron de Jerusalén a Antioquía. 28 Uno de ellos, por nombre Ágabo,[n] se levantó, y por el espíritu procedió a indicar que una gran hambre estaba para venir sobre toda la tierra habitada;[o] la cual, de hecho, tuvo lugar en el tiempo de Claudio. 29 Así que aquellos de los discípulos resolvieron, cada uno de ellos según los medios que tenía,[p] enviar una ministración de socorro[q] a los hermanos que moraban en Judea; 30 y lo hicieron, despachándola a los ancianos por mano de Bernabé y de Saulo.[r]

12 Por aquel mismo tiempo, Herodes el rey extendió las manos para maltratar[s] a algunos de la congregación. 2 Con la espada[t] eliminó a Santiago hermano de Juan.[a] 3 Como vio que esto fue del agrado de los judíos,[b] prosiguió a arrestar también a Pedro. (Sucedió que eran aquellos los días de las tortas no fermentadas.)[c] 4 Y apoderándose de él, lo puso en la prisión,[d] y lo entregó a cuatro relevos de cuatro soldados cada uno para que lo guardaran, puesto que tenía la intención de presentarlo al pueblo después de la pascua.[e] 5 Por consiguiente, Pedro estaba guardado en la prisión; pero con insistencia la congregación se ocupaba en orar[f] a Dios por él.

6 Entonces, cuando Herodes estaba a punto de presentarlo, aquella noche Pedro dormía sujetado con dos cadenas entre dos soldados, y guardas que estaban delante de la puerta guardaban la prisión. 7 Pero, ¡mira!, el ángel de Jehová estuvo de pie[g] allí, y una luz resplandeció en la celda de la prisión. Dando un golpe a Pedro en el costado, lo despertó,[h] y dijo: "¡Levántate pronto!". Y las cadenas se le cayeron[i] de las manos. 8 El ángel[j] le dijo: "Cíñete y átate las sandalias". Así lo hizo. Por último le dijo: "Ponte tu prenda de vestir exterior[k] y ven siguiéndome". 9 Y él salió e iba siguiéndolo, pero no sabía que era realidad lo que estaba aconteciendo mediante el ángel. De hecho, suponía que estaba viendo una visión.[l] 10 Pasando por la primera guardia de centinelas, y por la segunda, llegaron a la puerta de hierro que conduce a la ciudad, y esta se les abrió por sí misma.[m] Y después de salir, siguieron adelante por una calle, y en seguida el ángel se apartó de él. 11 Y Pedro, volviendo en sí, dijo: "Ahora sé realmente que Jehová envió su ángel[n] y me libró[n] de la mano de Herodes y de todo lo que el pueblo de los judíos esperaba".

12 Y después de considerarlo, fue a la casa de María la madre

CAP. 11

a Hch 6:1
  Hch 9:29
b Mr 13:10
  Ef 3:8
c Lu 1:66
d Hch 2:47
  Hch 9:35
e Hch 4:36
f Heb 12:15
g 3Jn 4
h Hch 13:43
  Hch 14:22
i Hch 2:47
  Hch 4:4
  Hch 5:14
  Hch 9:31
j Hch 21:39
k Hch 9:30
l Hch 9:2
m Hch 13:1
  Hch 15:32
  1Co 12:28
  Ef 4:11
n Hch 21:10
o Mt 24:7
  Lu 4:25
p 2Co 8:12
q Le 25:35
  Pr 3:27
  Hch 24:17
  Ro 15:26
  1Co 16:1
  Gál 2:10
r Hch 12:25
  Gál 2:1

CAP. 12

s Jn 15:20
  Hch 4:3
t Mt 20:23
  Lu 11:49

2.ª col.

a Mt 4:21
b Hch 24:27
c Éx 12:15
  Éx 23:15
  Le 23:6
d Lu 21:12
  Hch 5:18
e Éx 12:11
f 2Co 1:11
  Ef 6:18
  1Te 5:17
  Snt 5:16
g Sl 34:7
  Heb 1:14
h 1Re 19:7
i Hch 16:26
j Hch 5:19
k Mr 10:50
l Hch 11:5
m Hch 16:26
n Sl 34:7
  Da 3:28
  Da 6:22
  Heb 1:14
o 2Pe 2:9

de Juan el que tenía por sobrenombre Marcos,[a] donde muchos estaban reunidos y orando. 13 Cuando tocó a la puerta de la entrada, una sirvienta de nombre Rode vino a atender a la llamada, 14 y, al reconocer la voz de Pedro, de gozo no abrió la puerta, sino que corrió adentro e informó que Pedro estaba de pie delante de la entrada. 15 Ellos le dijeron: "Estás loca". Pero ella siguió afirmando vigorosamente que era así. Ellos empezaron a decir: "Es su ángel".[b] 16 Pero Pedro permaneció allí tocando. Cuando abrieron, lo vieron, y quedaron pasmados. 17 Pero él les hizo señas[c] con la mano para que callaran, y les dijo en detalle cómo Jehová lo había sacado de la prisión, y dijo: "Informen estas cosas a Santiago[d] y a los hermanos". Con eso, salió y caminó a otro lugar.

18 Entonces, cuando se hizo de día,[e] hubo una conmoción no pequeña entre los soldados sobre qué, verdaderamente, habría sido de Pedro. 19 Herodes[f] lo buscó con diligencia y, al no hallarlo, sometió a examen a los guardas y mandó que se los llevaran [al castigo];[g] y bajó de Judea a Cesarea y pasó algún tiempo allí.

20 Ahora él estaba con ánimos de pelear contra los tirios y sidonios. De modo que ellos vinieron a él de común acuerdo y, habiendo persuadido a Blasto, que tenía a su cargo el dormitorio del rey, se pusieron a pedir la paz, porque su país se proveía de alimento[h] del [país] del rey. 21 Pero en un día determinado Herodes se vistió de ropaje real y se sentó sobre el tribunal y empezó a pronunciarles un discurso público. 22 A su vez, el pueblo congregado empezó a gritar: "¡Voz de un dios, y no de un hombre!".[i] 23 Al instante el ángel de Jehová lo hirió,[j] porque no dio la gloria a Dios;[k] y llegó a estar comido de gusanos, y expiró.

24 Pero la palabra[a] de Jehová siguió creciendo y difundiéndose.[b]

25 En cuanto a Bernabé[c] y Saulo, después que hubieron llevado a cabo por completo la ministración de socorro[d] en Jerusalén, volvieron y tomaron consigo a Juan,[e] el que tenía por sobrenombre Marcos.

13 Ahora bien, había en Antioquía profetas[f] y maestros en la congregación local: tanto Bernabé como Symeón, que se llamaba Niger, y Lucio[g] de Cirene, y Manaén, que se había educado con Herodes el gobernante de distrito, y Saulo. 2 Mientras ellos estaban ministrando[h] públicamente a Jehová y ayunando, el espíritu santo dijo: "De todas las personas apártenme a Bernabé y a Saulo[i] para la obra a que los he llamado". 3 Entonces ayunaron y oraron y les impusieron las manos[j] y los dejaron ir.

4 Por consiguiente, estos hombres, enviados por el espíritu santo, bajaron a Seleucia, y de allí se embarcaron para Chipre. 5 Y cuando llegaron a estar en Salamina se pusieron a publicar la palabra de Dios en las sinagogas de los judíos. Tenían a Juan[k] también como servidor.

6 Habiendo atravesado toda la isla hasta Pafos, encontraron a cierto hombre, hechicero, falso profeta,[l] un judío cuyo nombre era Bar-Jesús, 7 y él estaba con el procónsul Sergio Paulo, varón inteligente. Llamando a sí a Bernabé y a Saulo, este hombre procuró solícitamente oír la palabra de Dios. 8 Pero Elimas el hechicero (así, de hecho, se traduce su nombre) empezó a oponerse a ellos,[m] procurando apartar de la fe al procónsul. 9 Saulo, que también es Pablo, llenándose de espíritu santo, lo miró fijamente 10 y dijo: "Oh hombre lleno de toda suerte de fraude y toda suerte de villanía,

CAP. 12
a Hch 13:5; Hch 15:37; Col 4:10
b Gé 48:16; Mt 18:10
c Hch 13:16; Hch 19:33
d Mt 13:55; Hch 15:13; Hch 21:18; 1Co 15:7; Gál 1:19; Gál 2:9
e Hch 5:21
f Hch 12:6
g Hch 16:27
h 1Re 5:9; Eze 27:17
i Eze 28:2; Jud 16
j 2Sa 24:17; 2Cr 32:21
k Isa 42:8; 1Co 1:29

2.ª col.
a Isa 55:11; Hch 6:7; Hch 19:20
b Col 1:6
c Hch 4:36
d Hch 11:29
e Hch 13:5; Hch 15:37

CAP. 13
f Hch 11:27; Hch 15:32; 1Co 12:28; Ef 4:11
g Hch 11:20
h Ef 3:7; 1Ti 2:7
i Hch 9:15; Heb 5:4
j Hch 14:23; 1Ti 4:14; 2Ti 1:6
k Hch 12:25
l Mt 24:24
m 2Ti 3:8

hijo del Diablo,[a] enemigo de todo lo justo, ¿no cesarás de torcer los caminos correctos de Jehová? 11 Ahora pues, ¡mira!, la mano de Jehová está sobre ti, y estarás ciego, y no verás la luz del sol por un espacio de tiempo". Al instante cayeron sobre él neblina espesa y oscuridad, y andaba alrededor buscando hombres que lo llevaran de la mano.[b] 12 Entonces el procónsul,[c] al ver lo que había acontecido, se hizo creyente, pues quedó atónito por la enseñanza de Jehová.

13 Los hombres, junto con Pablo, entonces se hicieron a la mar desde Pafos y llegaron a Perga de Panfilia.[d] Pero Juan[e] se retiró de ellos y se volvió[f] a Jerusalén. 14 Ellos, sin embargo, siguieron adelante desde Perga y llegaron a Antioquía de Pisidia y, entrando en la sinagoga[g] en el día de sábado, tomaron asiento. 15 Después de la lectura pública de la Ley[h] y de los Profetas, los presidentes[i] de la sinagoga enviaron a decirles: "Varones, hermanos, si tienen alguna palabra de estímulo para el pueblo, díganla".[j] 16 Entonces Pablo se levantó, y haciendo señas[j] con la mano, dijo:

"Varones, israelitas y ustedes [los demás] que temen a Dios, oigan.[k] 17 El Dios de este pueblo Israel escogió a nuestros antepasados, y ensalzó al pueblo durante su residencia forastera en la tierra de Egipto, y con brazo alzado los sacó de ella.[l] 18 Y por un período de como cuarenta años[m] soportó su manera de actuar en el desierto. 19 Después de destruir a siete naciones en la tierra de Canaán, distribuyó por suerte la tierra de ellos;[n] 20 todo eso durante unos cuatrocientos cincuenta años.

"Y después de estas cosas les dio jueces hasta Samuel el profeta.[o] 21 Pero desde entonces demandaron un rey,[p] y Dios les dio a Saúl hijo de Quis, varón de la tribu de Benjamín,[a] por cuarenta años. 22 Y después de removerlo,[b] les levantó a David como rey,[c] acerca de quien dio testimonio y dijo: 'He hallado a David hijo de Jesé,[d] varón agradable a mi corazón,[e] que hará todas las cosas que yo deseo'.[f] 23 De la prole[g] de este [hombre], según su promesa, Dios ha traído a Israel un salvador,[h] Jesús, 24 después que Juan,[i] antes de la entrada de Aquel,[j] había predicado públicamente a todo el pueblo de Israel bautismo [en símbolo] de arrepentimiento. 25 Pero cuando Juan estaba cumpliendo su carrera, decía: '¿Qué suponen que soy? No soy él. Pero, ¡miren!, después de mí viene uno de quien no soy digno de desatar las sandalias de sus pies'.[k]

26 "Varones, hermanos, ustedes los hijos de la cepa de Abrahán y los [demás] entre ustedes que temen a Dios, la palabra de esta salvación ha sido enviada a nosotros.[l] 27 Porque los habitantes de Jerusalén y sus gobernantes no conocieron a Este,[m] sino que, al ejercer las funciones de jueces, cumplieron las cosas dichas por voz de los Profetas,[n] las cuales se leen en voz alta todos los sábados, 28 y, aunque no hallaron en él causa alguna de muerte,[o] exigieron de Pilato que fuera ejecutado.[p] 29 Ahora bien, cuando hubieron llevado a cabo todas las cosas que estaban escritas acerca de él,[q] lo bajaron del madero[r] y lo pusieron en una tumba conmemorativa.[s] 30 Pero Dios lo levantó de entre los muertos;[t] 31 y por muchos días se hizo visible a los que habían subido con él de Galilea a Jerusalén, los cuales ahora son testigos de él al pueblo.[u]

32 "De modo que nosotros estamos declarándoles las buenas nuevas acerca de la promesa hecha a los antepasados,[v] 33 que Dios la ha cumplido enteramen-

CAP. 13

1.ª col.
a Mt 13:38
 Jn 8:44
 1Jn 3:8
b Hch 9:8
c Hch 19:38
d Hch 15:38
e Hch 12:12
f Hch 15:38
g Hch 16:13
 Hch 17:2
 Hch 18:4
 Hch 19:8
h Hch 15:21
 i Mr 5:22
j Hch 12:17
 Hch 21:40
 Hch 26:1
k Hch 13:26
l Éx 6:6
 Éx 14:8
 Dt 7:6
m Éx 16:35
 Nú 14:34
 Dt 2:7
n Dt 7:1
 Jos 14:2
o Jue 2:16
 1Sa 3:20
p 1Sa 8:5

2.ª col.
a 1Sa 10:21
b Os 3:11
c 1Sa 16:12
 2Sa 2:4
 Sl 89:20
d 1Sa 16:1
e 1Sa 13:14
f Isa 44:28
g 2Sa 7:12
 Isa 11:1
h Lu 1:32
 Lu 1:69
 Ro 11:26
i Mt 3:1
 Lu 16:16
j Mt 1:21
k Mt 3:11
 Lu 3:16
 Lu 24:47
m Jn 16:3
 Hch 3:17
n Sl 22:16
 Sl 41:9
 Isa 53:7
 Zac 11:12
o Mt 26:60
 Lu 23:15
 Jn 19:4
p Mt 27:22
 Jn 19:15
q Lu 18:31
 Jn 19:36
r Jn 19:40
s Mt 27:60
t Mt 28:6
 Hch 2:24
u Mt 28:16
 Hch 1:3
 Hch 3:15
 1Co 15:6
v Gé 12:3
 Hch 13:23
 Ro 4:13

te para con nosotros los hijos de ellos al haber resucitado a Jesús;[a] así como está escrito en el salmo segundo: 'Tú eres mi hijo, este día he llegado a ser tu Padre'.[b] 34 Y ese hecho de que lo resucitó de entre los muertos destinado a nunca más volver a la corrupción, lo ha declarado de esta manera: 'Les daré las bondades amorosas para con David, que son fieles'.[c] 35 Por eso también dice en otro salmo: 'No permitirás que el que te es leal vea corrupción'.[d] 36 Porque David,[e] por una parte, sirvió según la voluntad expresa de Dios en su propia generación, y se durmió [en la muerte], y fue puesto con sus antepasados y sí vio corrupción.[f] 37 Por otra parte, aquel a quien Dios levantó no vio corrupción.[g]

38 "Por lo tanto, séales conocido, hermanos, que mediante Este se les está publicando perdón de pecados;[h] 39 y que de todas las cosas de las cuales no podían ser declarados sin culpa mediante la ley de Moisés,[i] todo el que cree es declarado sin culpa por medio de Este.[j] 40 Por lo tanto, cuiden que no les sobrevenga lo que se dice en los Profetas: 41 'Contémplenlo, escarnecedores, y admírense de ello, y desaparezcan, porque obro una obra en sus días, una obra que ustedes de ninguna manera creerán aunque alguien se la contara en detalle' ".[k]

42 Ahora bien, cuando ellos iban saliendo, la gente se puso a suplicar que se le hablara de estos asuntos el sábado siguiente.[l] 43 De modo que, una vez disuelta la asamblea de la sinagoga, muchos de los judíos y de los prosélitos que adoraban [a Dios] siguieron a Pablo y a Bernabé,[m] los cuales, al hablarles, los instaban[n] a continuar en la bondad inmerecida de Dios.[o]

44 El sábado siguiente casi toda la ciudad se reunió para oír la palabra de Jehová.[p]

CAP. 13
a Ro 1:4
b Sl 2:7
   Heb 1:5
   Heb 5:5
c Isa 55:3
d Sl 16:10
   Hch 2:31
e Hch 2:34
f 1Re 2:10
   Hch 2:29
g Hch 2:27
h Da 9:24
   Lu 24:47
   Hch 5:31
   Hch 10:43
i Ro 8:3
   Heb 7:19
   Heb 10:1
j Isa 53:11
   Ro 3:28
   Ro 5:18
k Hab 1:5,
   LXX
l Hch 18:4
m Hch 17:4
n Hch 14:22
o Hch 11:23
   Tit 2:11
p Hch 12:24

2.ª col.

a Pr 27:4
b Hch 14:2
   Hch 17:5
c Mt 10:6
   Hch 3:26
   Ro 1:16
d Mt 22:8
   Lu 7:30
e Isa 55:5
   Lu 2:32
   Hch 18:6
   Ro 10:19
f Isa 42:6
g Isa 49:6
   Hch 1:8
h Isa 39:5
   Isa 66:5
   Hch 11:18
   2Te 1:12
i Ro 8:29
j Hch 15:36
k Hch 14:2
   Hch 14:19
l Mt 23:34
   Hch 17:5
   2Ti 3:11
m Mt 10:14
   Lu 9:5
   Hch 18:6
   Mt 5:12
   1Te 1:6

CAP. 14

o 2Ti 3:11
p Hch 13:5
q Hch 17:4
r Hch 13:45
s Ro 15:31

45 Cuando los judíos alcanzaron a ver las muchedumbres, se llenaron de celos,[a] y se pusieron a contradecir con blasfemias las cosas que Pablo hablaba.[b] 46 De modo que, hablando con denuedo, Pablo y Bernabé dijeron: "Era necesario que la palabra de Dios se les hablara primero a ustedes.[c] Puesto que la están echando[d] de ustedes y no se juzgan dignos de vida eterna, ¡miren!, nos volvemos a las naciones.[e] 47 De hecho, Jehová nos ha impuesto el mandamiento con estas palabras: 'Te he nombrado como luz de naciones,[f] para que sea una salvación hasta la extremidad de la tierra' ".[g]

48 Al oír esto los de las naciones, empezaron a regocijarse y a glorificar la palabra de Jehová,[h] y todos los que estaban correctamente dispuestos para vida eterna se hicieron creyentes.[i] 49 Además, la palabra de Jehová siguió llevándose por todo el país.[j] 50 Pero los judíos[k] alborotaron a las mujeres estimables que adoraban [a Dios], y a los hombres prominentes de la ciudad, y levantaron una persecución[l] contra Pablo y Bernabé, y los echaron fuera de sus límites. 51 Estos sacudieron el polvo de los pies contra ellos[m] y se fueron a Iconio. 52 Y los discípulos continuaron llenos de gozo[n] y de espíritu santo.

14 Ahora bien, en Iconio[o] entraron juntos en la sinagoga[p] de los judíos y hablaron de tal manera que una gran multitud tanto de judíos como de griegos[q] se hicieron creyentes. 2 Pero los judíos que no creyeron alborotaron[r] las almas de gente de las naciones contra los hermanos e influyeron en ellas de mala manera.[s] 3 Por lo tanto, ellos pasaron bastante tiempo hablando con denuedo por la autoridad de Jehová, quien daba testimonio de la palabra de su bondad inmerecida, concediendo que mediante las manos de ellos ocurrieran señales y portentos presagiosos.[a]   4 Sin embargo, la multitud de la ciudad se dividió, y algunos estaban por los judíos, pero otros por los apóstoles.   5 Ahora bien, cuando se produjo un esfuerzo violento tanto de parte de gente de las naciones como de judíos con sus gobernantes, para tratarlos con insolencia y tirarles piedras,[b]   6 ellos, cuando esto se les informó, huyeron[c] a las ciudades de Licaonia, Listra y Derbe y su comarca;   7 y allí siguieron declarando las buenas nuevas.[d]

8 Ahora bien, en Listra estaba sentado cierto varón imposibilitado de los pies, cojo desde la matriz de su madre,[e] y no había andado nunca.   9 Este estaba escuchando hablar a Pablo, el cual, mirándolo fijamente, y viendo que tenía fe[f] para recibir la salud,   10 dijo con voz fuerte: "Levántate erguido sobre tus pies." Y él se levantó de un salto, y echó a andar.[g]   11 Y las muchedumbres, viendo lo que Pablo había hecho, levantaron la voz y dijeron en la lengua licaónica: "¡Los dioses[h] se han hecho como humanos y han bajado a nosotros!".   12 Y se pusieron a llamar Zeus a Bernabé, pero Hermes a Pablo, puesto que este era el que llevaba la delantera al hablar.   13 Y el sacerdote de Zeus, cuyo [templo] estaba delante de la ciudad, trajo toros y guirnaldas a las puertas, y deseaba ofrecer sacrificios[i] con las muchedumbres.

14 Sin embargo, cuando los apóstoles Bernabé y Pablo oyeron de ello, se rasgaron las prendas de vestir exteriores y se lanzaron entre la muchedumbre, clamando   15 y diciendo: "Varones, ¿por qué hacen estas cosas? Nosotros también somos humanos[j] que tenemos sufrimientos[k] igual que ustedes, y

les estamos declarando las buenas nuevas, para que se vuelvan de estas cosas vanas[a] al Dios vivo,[b] que hizo el cielo[c] y la tierra y el mar y todas las cosas [que hay] en ellos.   16 En las generaciones pasadas él permitió a todas las naciones seguir adelante en sus caminos,[d]   17 aunque, verdaderamente, no se dejó a sí mismo sin testimonio, por cuanto hizo bien,[e] dándoles lluvias[f] desde el cielo y épocas fructíferas, llenando por completo sus corazones de alimento y de alegría".[g]   18 Y aun diciendo estas cosas, apenas pudieron hacer que las muchedumbres desistieran de hacerles sacrificios.

19 Pero unos judíos llegaron de Antioquía y de Iconio y persuadieron a las muchedumbres,[h] y apedrearon a Pablo y lo arrastraron fuera de la ciudad, imaginándose que estaba muerto.[i]   20 Sin embargo, cuando los discípulos lo cercaron, él se levantó y entró en la ciudad. Y al día siguiente partió con Bernabé para Derbe.[j]   21 Y después de declarar las buenas nuevas a aquella ciudad y de hacer una buena cantidad de discípulos,[k] volvieron a Listra y a Iconio y a Antioquía,   22 fortaleciendo las almas de los discípulos,[l] animándolos a permanecer en la fe, y [diciendo]: "Tenemos que entrar en el reino de Dios a través de muchas tribulaciones".[m]   23 Además, les nombraron ancianos[n] en cada congregación y, haciendo oración con ayunos,[o] los encomendaron a Jehová,[p] en quien habían llegado a creer.

24 Y pasaron a través de Pisidia y entraron en Panfilia,[q]   25 y, después de hablar la palabra en Perga, bajaron a Atalia.   26 Y de allí se embarcaron para Antioquía,[r] donde habían sido encomendados a la bondad inmerecida de Dios para la obra

---

CAP. 14

a Hch 5:12
Hch 19:11
Heb 2:4

b Hch 14:19
1Te 2:2
2Ti 3:11

c Mt 10:23

d 1Co 1:17

e Hch 3:2

f Mt 9:28

g Isa 35:6
Hch 3:8

h Hch 12:22
Hch 28:6

i Da 2:46

j Hch 10:26

k Snt 5:17

2.ª col.

a Dt 32:21
1Sa 12:21
Jer 10:15

b 1Te 1:9

c Gé 1:1
Ex 20:11
Sl 33:6
Sl 146:6
Hch 4:24

d Dt 18:14
Hch 17:30

e Hch 17:27
Ro 1:20

f Sl 65:10
Sl 147:8
Jer 5:24
Hch 4:24

g Sl 145:16

h Hch 17:13

i 2Co 6:9
2Co 11:25
2Ti 3:11

j Hch 16:1

k Mt 28:19
1Hch 11:23

m Mt 10:38
Jn 15:19
Ro 8:17
1Te 3:4

n Tit 1:5

o Hch 13:3

p Hch 20:32

q Hch 13:13

r Hch 13:1

que habían ejecutado completamente.[a]

27 Cuando hubieron llegado y hubieron reunido a la congregación, procedieron a contar[b] las muchas cosas que Dios había hecho mediante ellos, y que había abierto a las naciones la puerta a la fe.[c] 28 De modo que pasaron no poco tiempo con los discípulos.

15 Y ciertos hombres bajaron de Judea[d] y se pusieron a enseñar a los hermanos: "A menos que se circunciden[e] conforme a la costumbre de Moisés,[f] no pueden ser salvos". 2 Pero cuando hubo ocurrido no poca disensión y disputa de Pablo y Bernabé con ellos, hicieron los arreglos para que Pablo y Bernabé y algunos otros de ellos subieran a donde los apóstoles y ancianos en Jerusalén[g] respecto a esta disputa.

3 Por consiguiente, habiendo sido acompañados parte del camino por la congregación, estos hombres continuaron su camino a través de Fenicia y también de Samaria, contando en detalle la conversión de gente de las naciones,[i] y ocasionaban gran gozo a todos los hermanos.[j] 4 Llegados a Jerusalén, fueron amablemente recibidos[k] por la congregación y por los apóstoles y los ancianos, y refirieron las muchas cosas que Dios había hecho por medio de ellos.[l] 5 Sin embargo, algunos de los de la secta de los fariseos que habían creído se levantaron de sus asientos y dijeron: "Es necesario circuncidarlos[m] y ordenarles que observen la ley de Moisés".[n]

6 Y los apóstoles y los ancianos se reunieron para ver acerca de este asunto.[o] 7 Ahora bien, cuando se hubo disputado[p] mucho, se levantó Pedro y les dijo: "Varones, hermanos, bien saben ustedes que desde los primeros días Dios hizo de entre ustedes la selección de que, por mi boca, la

gente de las naciones oyera la palabra de las buenas nuevas y creyera;[a] 8 y Dios, que conoce el corazón,[b] dio testimonio dándoles el espíritu santo,[c] así como nos lo dio también a nosotros. 9 Y no hizo ninguna distinción entre nosotros y ellos,[d] sino que purificó los corazones de ellos por fe.[e] 10 Ahora, pues, ¿por qué están ustedes poniendo a Dios a una prueba, imponiendo sobre el cuello de los discípulos un yugo[f] que ni nuestros antepasados ni nosotros fuimos capaces de cargar?[g] 11 Por el contrario, confiamos en ser salvados mediante la bondad inmerecida[h] del Señor Jesús de la misma manera como esa gente también".[i]

12 Ante aquello, toda la multitud calló, y empezaron a escuchar a Bernabé y a Pablo contar las muchas señales y portentos presagiosos que Dios había hecho mediante ellos entre las naciones.[j] 13 Después que cesaron de hablar, Santiago contestó, y dijo: "Varones, hermanos, óiganme.[k] 14 Symeón[l] ha contado cabalmente cómo Dios por primera vez dirigió su atención a las naciones para sacar de entre ellas un pueblo para su nombre.[m] 15 Y con esto convienen las palabras de los Profetas, así como está escrito: 16 'Después de estas cosas volveré y reedificaré la cabaña de David que está caída; y reedificaré sus ruinas y la erigiré de nuevo,[n] 17 para que los que queden de los hombres busquen solícitamente a Jehová, junto con gente de todas las naciones, personas que son llamadas por mi nombre, dice Jehová, que está haciendo estas cosas,[o] 18 conocidas desde la antigüedad'.[p] 19 Por lo tanto, es mi decisión el no perturbar a los de las naciones que están volviéndose a Dios,[q] 20 sino escribirles que se abstengan de las cosas contaminadas por los ídolos,[r] y de la fornicación,[s] y de lo estrangulado,[t] y

CAP. 14
a 1Co 15:10
b Hch 15:4
  Hch 21:19
c Hch 11:18
  1Co 16:9

CAP. 15
d Gál 2:12
e Gál 5:2
f Gé 17:10
  Éx 12:48
  Le 12:3
g Hch 11:30
  Hch 16:4
  Gál 2:1
h Ro 15:24
  1Co 16:6
i Hch 13:4
  Hch 14:27
j Hch 11:18
k Hch 21:17
l Hch 21:19
m Hch 11:2
n Éx 12:48
o Pr 13:10
  Pr 15:22
p Mr 9:2
  Hch 15:2

2.ª col.
a Hch 10:34
  Hch 11:17
b 1Cr 28:9
  Jer 11:20
  Hch 1:24
c Hch 10:44
  Hch 11:15
d Gál 3:28
e Gál 2:16
  1Pe 1:22
f Gál 5:1
g Gál 3:10
h Isa 53:11
  Jn 1:17
  Gál 2:16
i Mt 20:28
j Ro 15:19
k Hch 12:17
l Hch 11:13
  2Pe 1:1
m Isa 55:5
  1Pe 2:9
n Am 9:11
o Am 9:12,
  LXX
p Isa 45:21
q Hch 15:10
r Gé 35:2
  Éx 20:3
  Eze 20:30
  1Co 8:7
  1Co 10:14
s 1Co 6:9
  Col 3:5
  1Te 4:3
t Le 17:13

de la sangre.[a] 21 Porque desde tiempos antiguos Moisés ha tenido en ciudad tras ciudad quienes lo prediquen, porque es leído en voz alta en las sinagogas todos los sábados".[b]

22 Entonces pareció bien a los apóstoles y a los ancianos, junto con toda la congregación, enviar a varones escogidos de entre ellos a Antioquía junto con Pablo y Bernabé, a saber, a Judas, que se llamaba Barsabás,[c] y a Silas, varones prominentes entre los hermanos; 23 y por mano de ellos escribieron:

"Los apóstoles y los ancianos, hermanos, a los hermanos de Antioquía[d] y Siria y Cilicia[e] que son de las naciones: ¡Saludos! 24 Dado que hemos oído que algunos de entre nosotros los han perturbado con discursos,[f] tratando de subvertir sus almas, aunque nosotros no les dimos instrucción alguna,[g] 25 hemos llegado a un acuerdo unánime[h] y nos ha parecido bien escoger a unos varones para enviarlos a ustedes junto con nuestros amados, Bernabé y Pablo,[i] 26 hombres que han entregado sus almas por el nombre de nuestro Señor Jesucristo.[j] 27 Por lo tanto estamos despachando a Judas y a Silas,[k] para que ellos también de palabra informen acerca de las mismas cosas.[l] 28 Porque al espíritu santo[m] y a nosotros mismos nos ha parecido bien no añadirles ninguna otra carga,[n] salvo estas cosas necesarias: 29 que sigan absteniéndose de cosas sacrificadas a ídolos,[o] y de sangre,[p] y de cosas estranguladas,[q] y de fornicación.[r] Si se guardan cuidadosamente de estas cosas,[s] prosperarán. ¡Buena salud a ustedes!".

30 Por consiguiente, cuando a estos hombres se les dejó ir, bajaron a Antioquía, y reunieron a la multitud y les entregaron la carta.[t] 31 Después de leerla, ellos se regocijaron por el estímulo.[u] 32 Y Judas y Silas,

puesto que ellos mismos también eran profetas,[a] animaron a los hermanos con muchos discursos, y los fortalecieron.[b] 33 Entonces, cuando hubieron pasado algún tiempo, los hermanos los dejaron ir en paz[c] a los que los habían enviado. 34 —— 35 Sin embargo, Pablo y Bernabé continuaron pasando tiempo en Antioquía[d] enseñando y declarando, con muchos otros también, las buenas nuevas de la palabra de Jehová.[e]

36 Ahora bien, después de algunos días Pablo dijo a Bernabé: "Sobre todo, volvamos y visitemos a los hermanos en cada una de las ciudades en las cuales publicamos la palabra de Jehová, para ver cómo están".[f] 37 Por su parte, Bernabé estaba resuelto a llevar consigo también a Juan, que se llamaba Marcos.[g] 38 Pero a Pablo no le pareció propio tomar consigo a este, puesto que se había apartado de ellos desde Panfilia[h] y no había ido con ellos a la obra. 39 Ante esto, ocurrió un agudo estallido de cólera, de modo que se separaron el uno del otro; y Bernabé[i] tomó consigo a Marcos y se embarcó para Chipre.[j] 40 Pablo seleccionó a Silas[k] y se fue, después de haber sido encomendado por los hermanos a la bondad inmerecida de Jehová.[l] 41 Pero pasó por Siria y Cilicia, fortaleciendo a las congregaciones.[m]

16 De modo que llegó a Derbe y también a Listra.[n] Y, ¡mira!, estaba allí cierto discípulo de nombre Timoteo,[o] hijo de una mujer judía creyente, pero de padre griego, 2 y los hermanos de Listra y de Iconio daban buenos informes acerca de él. 3 Pablo expresó el deseo de que este saliera con él, y lo tomó y lo circuncidó[p] a causa de los judíos que había en aquellos lugares, porque todos sabían que su padre era griego. 4 Ahora bien, a medida que iban viajando por las

CAP. 15

a Gé 9:4
Le 3:17
Le 7:26
Le 17:10
Le 19:26
Dt 12:23
Dt 15:23
1Sa 14:32
b Hch 13:15
2Co 3:15
c Hch 1:23
d Hch 1:21
e Gál 1:21
f Hch 15:1
g Gál 2:4
Tit 1:10
h Hch 1:14
i 2Pe 3:15
j Hch 13:50
1Co 15:30
2Co 11:23
Flp 2:29
k 1Te 1:1
1Pe 5:12
m Jn 16:13
n Mt 23:4
o Gé 35:2
Éx 20:3
Éx 34:15
Eze 20:30
1Co 8:1
p Gé 9:4
Le 3:17
Le 7:26
Le 17:10
Dt 12:16
Dt 12:23
1Sa 14:32
q Le 17:13
r Gé 39:9
1Co 6:9
Ef 5:5
Col 3:5
1Te 4:3
1Pe 4:3
s Hch 21:25
t Hch 11:26
u Pr 15:30

2.ª col.

a Hch 11:27
Hch 13:1
b Hch 13:15
Hch 18:23
c 1Co 16:11
d Hch 13:1
e 2Co 11:7
f 2Co 11:28
g Col 4:10
2Ti 4:11
h Hch 13:13
i Hch 4:36
Hch 13:4
j Hch 11:20
k Hch 15:27
l Hch 14:26
Ef 3:7
m Hch 16:5

CAP. 16

n Hch 14:6
2Ti 3:11
o Hch 19:22
Ro 16:21
1Co 4:17
1Te 3:2
1Ti 1:2
p 1Co 9:20

ciudades entregaban a los de allí, para que los observaran, los decretos sobre los cuales habían tomado decisión los apóstoles y ancianos que estaban en Jerusalén.[a] 5 Por lo tanto, en realidad, las congregaciones continuaron haciéndose firmes en la fe[b] y aumentando en número de día en día.

6 Además, atravesaron Frigia y el país de Galacia,[c] porque el espíritu santo les había prohibido hablar la palabra en el [distrito de] Asia. 7 Además de eso, al bajar a Misia, se esforzaron por entrar en Bitinia,[d] pero el espíritu de Jesús no se lo permitió. 8 De modo que pasaron por alto a Misia y bajaron a Troas.[e] 9 Y durante la noche le apareció a Pablo una visión:[f] cierto varón macedonio estaba de pie y le suplicaba y decía: "Pasa a Macedonia y ayúdanos". 10 Ahora bien, luego que hubo visto la visión, procuramos salir para Macedonia,[g] pues llegamos a la conclusión de que Dios nos había mandado llamar para declararles las buenas nuevas.

11 Por lo tanto, nos hicimos a la mar desde Troas y fuimos con rumbo directo a Samotracia, mas al día siguiente a Neápolis, 12 y de allí a Filipos,[h] una colonia, que es la ciudad principal del distrito de Macedonia.[i] Continuamos en esta ciudad, pasando algunos días. 13 Y el día de sábado salimos fuera de la puerta junto a un río, donde pensábamos que había un lugar de oración; y nos sentamos y empezamos a hablar a las mujeres que se habían congregado. 14 Y cierta mujer por nombre Lidia, vendedora de púrpura, de la ciudad de Tiatira[j] y adoradora de Dios, estaba escuchando, y Jehová le abrió el corazón[k] ampliamente para que prestara atención a las cosas que Pablo estaba hablando. 15 Ahora bien, cuando fueron bautizadas ella y su casa,[l] ella

dijo con súplica: "Si ustedes me han juzgado fiel a Jehová, entren en mi casa y quédense".[a] Y sencillamente nos obligó a aceptar.[b]

16 Y aconteció que, yendo nosotros al lugar de oración, nos encontró cierta sirvienta que tenía un espíritu,[c] un demonio de adivinación.[d] Ella proporcionaba mucha ganancia a sus amos practicando el arte de la predicción. 17 Esta [muchacha] seguía detrás de Pablo y de nosotros y gritaba,[f] usando estas palabras: "Estos hombres son esclavos del Dios Altísimo, los cuales les están publicando el camino de la salvación". 18 Esto lo siguió haciendo por muchos días. Por fin Pablo se cansó de ello[g] y se volvió y dijo al espíritu: "Te ordeno en el nombre de Jesucristo que salgas de ella".[h] Y salió en aquella misma hora.[i]

19 Pues bien, cuando sus amos vieron que se les había ido su esperanza de ganancia,[j] se apoderaron de Pablo y de Silas y los arrastraron a los gobernantes[k] en la plaza de mercado, 20 y, conduciéndolos a los magistrados civiles, dijeron: "Estos hombres están turbando[l] muchísimo a nuestra ciudad, judíos como son, 21 y están publicando costumbres[m] que no nos es lícito adoptar ni practicar, puesto que somos romanos". 22 Y la muchedumbre se levantó a una contra ellos; y los magistrados civiles, habiéndoles arrancado las prendas de vestir exteriores, dieron el mandato de que los golpearan con varas.[n] 23 Después de haberles descargado muchos golpes,[o] los echaron en la prisión, y ordenaron al carcelero que los guardara con seguridad.[p] 24 Porque recibió tal orden, este los echó en la prisión interior[q] y les aseguró los pies en el cepo.[r]

25 Mas como a la mitad de la noche,[s] Pablo y Silas estaban orando y alabando a Dios con canción;[t] sí, los presos los oían.

CAP. 16
a Hch 15:28
b Hch 15:41
c Hch 18:23
  Gál 4:13
d 1Pe 1:1
e 2Co 2:12
  2Ti 4:13
f Job 33:15
  Hch 9:10
  2Co 12:1
g 2Co 1:16
  2Co 2:13
h Flp 1:1
  1Te 2:2
i Hch 20:6
j Rev 1:11
k Lu 24:45
  1Co 3:7
l Hch 16:33
  Hch 18:8

2.ª col.
a Mt 10:11
  Ro 12:13
  Gál 6:6
  Heb 13:2
b Gé 19:2
  Jue 19:20
  Lu 24:29
c 1Sa 28:7
d Le 19:31
  Le 20:6
e Hch 19:24
f Mr 1:24
  Lu 4:41
g Mr 1:25
h Mr 1:34
  Lu 9:1
  Lu 10:17
i Mt 17:18
j Hch 19:25
k Mt 10:18
  2Co 6:5
l 1Re 18:17
  Hch 17:6
m Est 3:8
n 1Te 2:2
o 2Co 11:23
p Lu 21:12
  Hch 5:23
q Hch 12:6
  Hch 12:10
r Sl 105:18
  Jer 20:2
s Sl 42:8
t Ef 5:19
  Col 3:16
  Snt 5:13

26 De repente ocurrió un gran terremoto, de modo que se sacudieron los fundamentos de la cárcel. Además, se abrieron al instante todas las puertas, y las cadenas de todos se soltaron.ᵃ 27 El carcelero, despertando del sueño y viendo abiertas las puertas de la prisión, desenvainó su espada y estaba a punto de quitarse la vida,ᵇ imaginándose que los presos se habían escapado.ᶜ 28 Pero Pablo clamó con voz fuerte, y dijo: "¡No te hagas ningún daño,ᵈ porque todos estamos aquí!". 29 De modo que él pidió luz y entró de un salto y, sobrecogido de temblor, cayóᵉ ante Pablo y Silas. 30 Y los sacó fuera y dijo: "Señores, ¿qué tengo que hacerᶠ para salvarme?". 31 Ellos dijeron: "Cree en el Señor Jesús y serás salvo,ᵍ tú y tu casa".ʰ 32 Y le hablaron la palabra de Jehová junto con todos los que estaban en su casa.ⁱ 33 Y él los tomó consigo en aquella hora de la noche y les lavó las heridas; y todos, él y los suyos, fueron bautizadosʲ sin demora. 34 Y los introdujo en su casa y les puso la mesa, y se regocijó mucho con toda su casa ahora que había creído a Dios.

35 Cuando se hizo de día, los magistrados civilesᵏ despacharon a los alguaciles a decir: "Pon en libertad a aquellos hombres". 36 De modo que el carcelero informó sus palabras a Pablo: "Los magistrados civiles han despachado hombres para que ustedes [dos] sean puestos en libertad. Ahora, pues, salgan y sigan su camino en paz". 37 Pero Pablo les dijo: "Nos fustigaron públicamente sin ser condenados, a nosotros que somos hombres romanos,ˡ y nos echaron en la prisión; ¿y ahora nos echan fuera secretamente? ¡No, por cierto!, antes, que vengan ellos mismos y nos saquen". 38 De modo que los alguaciles informaron estos dichos a los magistrados civiles. Estos tuvie-

ron temor al oír que los hombres eran romanos.ᵃ 39 Por consiguiente, vinieron y les suplicaron y, después de sacarlos, les solicitaron que partieran de la ciudad. 40 Pero ellos salieron de la prisión y fueron a casa de Lidia, y, cuando vieron a los hermanos, los animaron,ᵇ y partieron.

17 Entonces viajaron a través de Anfípolis y Apolonia y llegaron a Tesalónica,ᶜ donde había una sinagoga de los judíos. 2 Así que, según tenía por costumbre Pablo,ᵈ pasó adentro a donde ellos, y por tres sábados razonó con ellos a partir de las Escrituras.ᵉ 3 explicando y probando por referencias que era necesario que el Cristo sufrieraᶠ y se levantara de entre los muertos,ᵍ y [decía]: "Este es el Cristo,ʰ este Jesús que yo les estoy publicando". 4 Como resultado, algunos de ellos se hicieron creyentesⁱ y se asociaron con Pablo y con Silas,ʲ y una gran multitud de los griegos que adoraban [a Dios], y no pocas de las mujeres prominentes, lo hicieron.

5 Pero los judíos, poniéndose celosos,ᵏ tomaron como compañeros a ciertos varones inicuos de los haraganes de la plaza de mercado, y formaron una chusma y procedieron a alborotar la ciudad.ˡ Y asaltando la casa de Jasón,ᵐ procuraban hacer que los sacaran a la gentuza. 6 Como no los hallaron, arrastraron a Jasón y a ciertos hermanos ante los gobernantes de la ciudad, clamando: "Estos hombres que han trastornadoⁿ la tierra habitada están presentes aquí también, 7 y Jasón los ha recibido con hospitalidad. Y todos estos actúan en oposición a los decretosᵒ de César, diciendo que hay otro rey,ᵖ Jesús". 8 Verdaderamente agitaron a la muchedumbre y a los gobernantes de la ciudad, cuando estos

---

CAP. 16
a Hch 4:31
  Hch 5:19
  Hch 12:7
b Hch 12:19
c 1Re 20:39
d 1Te 5:15
e Hch 10:25
f Hch 2:37
g Jn 3:16
  Jn 6:47
h Hch 11:14
i Hch 10:24
j Hch 8:12
  Hch 16:15
k Hch 16:20
l Hch 22:25
  Hch 23:27

2.ª col.
a Hch 22:29
b Lu 22:32
  2Co 1:4

CAP. 17
c 1Te 2:1
d Hch 9:20
  Hch 13:14
  Hch 14:1
  Hch 18:4
e Hch 18:19
f Sl 22:7
  Sl 22:16
  Sl 34:20
  Sl 69:21
  Isa 50:6
  Isa 53:3
  Isa 53:5
g Sl 16:10
  Lu 24:46
h Hch 18:28
  Gál 3:1
i Hch 28:24
j Hch 15:22
  Hch 15:40
k Hch 13:45
l Hch 16:20
m Ro 16:21
n 1Re 18:17
  Hch 16:20
o Esd 4:12
p Lu 23:2
  Jn 19:12

oyeron estas cosas; 9 y después de primero tomar suficiente fianza de Jasón y de los demás, los dejaron ir.

10 Inmediatamente, de noche,[a] los hermanos enviaron a Pablo, así como a Silas, hacia Berea, y estos, al llegar, entraron en la sinagoga de los judíos. 11 Ahora bien, estos eran de disposición más noble que los de Tesalónica, porque recibieron la palabra con suma prontitud de ánimo, y examinaban con cuidado[b] las Escrituras[c] diariamente en cuanto a si estas cosas eran así.[d] 12 Por lo tanto, muchos de ellos se hicieron creyentes, y también no pocas de las mujeres griegas estimables,[e] y no pocos de los varones. 13 Pero cuando los judíos de Tesalónica se enteraron de que también en Berea Pablo publicaba la palabra de Dios, fueron también allá para incitar[f] y agitar[g] a las masas. 14 Entonces los hermanos inmediatamente enviaron a Pablo para que se fuera hasta el mar;[h] pero tanto Silas como Timoteo permanecieron atrás, allá. 15 Sin embargo, los que conducían a Pablo lo llevaron hasta Atenas y, después de recibir mandato de que Silas y Timoteo[i] vinieran a él cuanto antes, partieron.

16 Ahora bien, mientras Pablo los esperaba en Atenas, se le irritó el espíritu en su interior[j] al contemplar que la ciudad estaba llena de ídolos. 17 Por consiguiente, se puso a razonar en la sinagoga con los judíos[k] y con las otras personas que adoraban [a Dios], y todos los días en la plaza de mercado[l] con los que por casualidad se hallaban allí. 18 Pero ciertos individuos, filósofos de los epicúreos así como de los estoicos,[m] entablaban conversación polémica con él, y algunos decían: "¿Qué es lo que este charlatán quisiera contar?".[n] Otros: "Parece que es publicador de deidades extran-

jeras". Esto se debió a que declaraba las buenas nuevas de Jesús y de la resurrección.[a] 19 De modo que se apoderaron de él y lo condujeron al Areópago, y dijeron: "¿Podemos llegar a saber qué es esta nueva enseñanza[b] que hablas? 20 Porque presentas algunas cosas que son extrañas a nuestros oídos. Por lo tanto deseamos llegar a saber qué se da a entender por estas cosas".[c] 21 De hecho, todos los atenienses y los extranjeros que residían allí temporalmente no pasaban su tiempo libre en ninguna otra cosa sino en decir algo o escuchar algo nuevo. 22 Pablo entonces se puso de pie en medio del Areópago[d] y dijo:

"Varones de Atenas, contemplo que en todas las cosas ustedes parecen estar más entregados que otros al temor a las deidades.[e] 23 Por ejemplo, al ir pasando y observando cuidadosamente sus objetos de veneración, también hallé un altar sobre el cual se había inscrito: 'A un Dios Desconocido'. Por lo tanto, aquello a lo que ustedes sin conocerlo dan devoción piadosa, esto les estoy publicando. 24 El Dios que hizo el mundo y todas las cosas [que hay] en él, siendo, como es Este, Señor del cielo y de la tierra,[f] no mora en templos hechos de manos,[g] 25 ni es atendido por manos humanas como si necesitara algo,[h] porque él mismo da a toda [persona] vida[i] y aliento[j] y todas las cosas. 26 E hizo de un solo [hombre][k] toda nación[l] de hombres, para que moren sobre la entera superficie de la tierra,[m] y decretó los tiempos señalados[n] y los límites fijos de la morada de [los hombres],[o] 27 para que busquen a Dios,[p] por si buscaban a tientas y verdaderamente lo hallaban,[q] aunque, de hecho, no está muy lejos de cada uno de nosotros. 28 Porque por él tenemos vida y nos movemos y existimos,[r] aun como ciertos

CAP. 17
a Hch 9:25
b Lu 16:29
c Jn 5:39
d Pr 14:15
e Hch 13:50
f Hch 14:19
  1Te 2:15
g Hch 14:2
h Mt 10:23
i Hch 16:1
  1Te 3:2
j 2Pe 2:8
k Hch 13:5
  Hch 18:19
l Pr 1:20
m 1Co 1:22
  Col 2:8
n 1Co 4:13

2.ª col.
a Jn 5:29
  Jn 11:25
  1Co 15:12
  Rev 20:6
b Mr 1:27
c Hch 2:12
d Hch 17:34
e Hch 17:16
f Sl 146:6
  Isa 42:5
  Hch 4:24
  Hch 14:15
g 1Re 8:27
  Isa 66:1
  Hch 7:48
h Sl 50:12
i Gé 2:7
j Isa 42:5
k Gé 5:2
l Gé 1:28
m Dt 32:8
n Sl 74:17
o Dt 2:5
  Dt 2:19
  Dt 32:8
  Isa 34:17
p Dt 4:29
  Isa 55:6
q Sl 145:18
  Jer 23:23
  Ro 1:20
r Isa 42:5

poetas[a] de entre ustedes han dicho: 'Porque también somos linaje de él'.

29 "Visto, pues, que somos linaje de Dios,[b] no debemos imaginarnos que el Ser Divino[c] sea semejante a oro, o plata, o piedra, semejante a algo esculpido por el arte e ingenio del hombre.[d] 30 Cierto, Dios ha pasado por alto los tiempos de tal ignorancia;[e] sin embargo, ahora está diciéndole a la humanidad que todos en todas partes se arrepientan.[f] 31 Porque ha fijado un día en que se propone juzgar[g] la tierra habitada con justicia por un varón a quien ha nombrado, y ha proporcionado a todos los hombres una garantía con haberlo resucitado[h] de entre los muertos".

32 Pues bien, al oír de una resurrección de muertos, algunos empezaron a mofarse,[i] mientras que otros dijeron: "Te oiremos acerca de esto hasta en otra ocasión". 33 Así que Pablo salió de en medio de ellos, 34 pero algunos varones se unieron a él y se hicieron creyentes, entre los cuales también estuvieron Dionisio, juez del tribunal del Areópago,[j] y una mujer de nombre Dámaris, y otros además de ellos.

18 Después de estas cosas, él partió de Atenas y llegó a Corinto. 2 Y halló a cierto judío de nombre Áquila,[k] un natural del Ponto que recientemente había llegado de Italia,[l] y a Priscila su esposa, por el hecho de que Claudio[m] había ordenado que todos los judíos se fueran de Roma. De modo que fue a ellos 3 y, por ser del mismo oficio, se quedó en su casa, y trabajaban,[n] porque el oficio de ellos era hacer tiendas de campaña. 4 Sin embargo, todos los sábados pronunciaba un discurso en la sinagoga[o] y persuadía a judíos y a griegos.

5 Pues bien, cuando Silas[p] y

también Timoteo[a] hubieron bajado de Macedonia, Pablo empezó a estar intensamente ocupado con la palabra, dando testimonio a los judíos para probar que Jesús es el Cristo.[b] 6 Pero como ellos siguieron oponiéndose y hablando injuriosamente,[c] sacudió sus prendas de vestir[d] y les dijo: "Esté la sangre de ustedes[e] sobre sus propias cabezas. Yo estoy limpio.[f] Desde ahora me iré a gente de las naciones".[g] 7 Por consiguiente, se transfirió de allí y entró en la casa de uno de nombre Ticio Justo, adorador de Dios, cuya casa estaba contigua a la sinagoga. 8 Pero Crispo,[h] el presidente de la sinagoga, se hizo creyente en el Señor, y también toda su casa. Y muchos de los corintios que oyeron empezaron a creer y a bautizarse. 9 Además, de noche el Señor dijo a Pablo[i] mediante una visión: "No temas, sino sigue hablando y no calles, 10 porque yo estoy contigo[j] y nadie te asaltará para hacerte daño; porque tengo mucha gente en esta ciudad". 11 De modo que se quedó establecido allí un año y seis meses, enseñando entre ellos la palabra de Dios.

12 Ahora bien, mientras Galión era procónsul[k] de Acaya, los judíos se levantaron de común acuerdo contra Pablo y lo condujeron al tribunal,[l] 13 diciendo: "Contrario a la ley, este persuade[m] a los hombres a otra manera de adorar a Dios". 14 Pero cuando Pablo estaba a punto de abrir la boca, Galión dijo a los judíos: "Si fuera, en realidad, alguna injusticia o un acto inicuo de villanía, oh judíos, yo tendría razón para soportarlos con paciencia. 15 Pero si es de controversias sobre palabras y sobre nombres[n] y sobre la ley[o] entre ustedes, ustedes mismos tienen que atender a ello. Yo no deseo ser juez de estas cosas". 16 Con eso, los echó del tribu-

CAP. 17
a Tit 1:12
b Gé 1:27
c Jos 22:22
  Sl 50:1
  Isa 46:9
d Dt 5:8
  Isa 37:19
  Isa 40:18
  Isa 46:5
  Heb 19:26
e Hch 14:16
  Ro 3:25
  Ro 5:13
  Ef 4:18
f Lu 24:47
g Sl 96:13
  Sl 98:9
  Isa 2:4
  Jn 5:22
  Heb 10:42
h Jn 11:25
  Hch 2:24
  Hch 13:33
  Ro 6:5
i 1Co 1:23
j Heb 17:19

CAP. 18
k Hch 18:26
  1Co 16:19
  2Ti 4:19
l Heb 13:24
m Hch 11:28
n Hch 20:34
  1Co 4:12
  1Co 9:15
  1Te 2:9
  2Te 3:10
o Mt 4:23
  Hch 13:14
  Hch 17:2
p Hch 15:27
  Hch 17:14

2.ª col.
a Hch 16:1
  1Te 3:6
b Hch 17:3
  Hch 28:23
c 1Pe 4:4
d Mt 10:14
  Hch 13:51
e 1Re 2:37
  Eze 18:13
  Eze 33:4
f Eze 3:18
  Hch 20:26
g Hch 13:46
  Hch 28:28
  Ro 1:16
h 1Co 1:14
i Lu 22:43
j Jer 1:19
  Mt 28:20
k Hch 13:7
  Hch 19:38
l Hch 16:19
m Hch 24:5
n 1Ti 6:4
o Hch 23:29
  Hch 25:19

nal. 17 De modo que todos se apoderaron de Sóstenesª el presidente de la sinagoga y se pusieron a golpearlo enfrente del tribunal. Pero Galión no se interesaba en ninguna de estas cosas.

18 Sin embargo, Pablo, después de quedarse bastantes días más, se despidió de los hermanos y procedió a embarcarse para Siria, y con él Priscila y Áquila, puesto que en Cencreasb él se había hecho cortar al rape el pelo de la cabeza,c porque tenía un voto. 19 De modo que llegaron a Éfeso, y a ellos los dejó allí; pero él mismo entró en la sinagogad y razonó con los judíos. 20 Aunque seguían solicitándole que permaneciera por más tiempo, no consintió, 21 sino que se despidió y agregó: "Volveré otra vez a ustedes, si Jehová quiere".f Y se hizo a la mar desde Éfeso 22 y bajó a Cesarea. Y subió y saludó a la congregación, y bajó a Antioquía.

23 Y cuando hubo pasado algún tiempo allí, partió y fue de lugar en lugar a través del país de Galaciag y de Frigia,h fortaleciendoi a todos los discípulos.

24 Ahora bien, cierto judío de nombre Apolos,j natural de Alejandría, varón elocuente, llegó a Éfeso; y estaba bien versado en las Escrituras.k 25 Este había sido instruido oralmente en el camino de Jehová y, puesto que estaba fulgurante con el espíritu,l iba hablando y enseñando con exactitud las cosas acerca de Jesús, pero conocía solamente el bautismom de Juan. 26 Y comenzó a hablar con denuedo en la sinagoga. Cuando lo oyeron Priscila y Áquila,n lo tomaron consigo y le expusieron con mayor exactitud el camino de Dios. 27 Además, porque deseaba pasar a Acaya, los hermanos escribieron a los discípulos, exhortándolos a recibirlo ama-

blemente. De modo que, cuando llegó allá, ayudó muchoª a los que habían creído a causa de la bondad inmerecida [de Dios];b 28 porque con intensidad probó cabalmente en público que los judíos estaban equivocados, mientras demostraba por las Escriturasc que Jesús era el Cristo.d

19 En el transcurso de los sucesos, mientras Apolose estaba en Corinto, Pablo pasó por las partes del interior y bajó a Éfeso,f y halló a algunos discípulos; 2 y les dijo: "¿Recibieron espíritu santog cuando se hicieron creyentes?". Ellos le dijeron: "¡Si nunca hemos oído si hay o no espíritu santo!".h 3 Y él dijo: "Entonces, ¿en qué fueron bautizados?". Dijeron: "En el bautismo de Juan".i 4 Pablo dijo: "Juan bautizó con el bautismo [en símbolo] de arrepentimiento,j diciendo al pueblo que creyeran en el que había de venir después de él,k es decir, en Jesús". 5 Al oír esto, se bautizaron en el nombre del Señor Jesús.l 6 Y cuando Pablo les impuso las manos,m vino sobre ellos el espíritu santo, y empezaron a hablar en lenguas y a profetizar.n 7 En conjunto, eran unos doce varones.

8 Entrando en la sinagoga,o él habló con denuedo por tres meses, pronunciando discursos y usando persuasión respecto al reinop de Dios. 9 Pero cuando algunos persistieron en endurecerse y en no creer,q y hablaban perjudicialmente acerca del Caminor delante de la multitud, se retiró de elloss y separó de ellos a los discípulos,t y pronunciaba discursos diariamente en [la sala de conferencias de] la escuela de Tirano. 10 Esto se efectuó por dos años,u de modo que todos los que habitaban en el [distrito de] Asiav oyeron la palabra del Señor, tanto judíos como griegos.

11 Y Dios siguió ejecutando

CAP. 18
a 1Co 1:1
b Ro 16:1
c Nú 6:18
  Hch 21:23
d Hch 13:14
  Hch 17:2
e Hch 21:6
f Ro 1:10
  1Co 4:19
  Snt 4:15
g Gál 1:2
h Hch 16:6
i Hch 14:22
  Hch 15:32
j Hch 19:1
  1Co 1:12
  1Co 3:6
k 1Co 4:6
l Ro 12:11
m Hch 19:3
n Ro 16:3
  1Co 16:19

2.ª col.
a 1Co 3:6
b Ef 2:8
c Lu 24:27
  1Co 15:3
  2Ti 3:16
d Gé 49:10
  Dt 18:15
  Sl 16:10
  Isa 7:14
  Miq 5:2
  Mal 3:1
  Hch 9:22

CAP. 19
e Hch 18:24
  1Co 3:5
f 1Co 16:8
g Hch 2:38
h Hch 8:16
i Hch 18:25
j Mt 3:11
  Mr 1:4
  Hch 1:5
k Jn 1:15
  Jn 1:30
l Hch 8:16
m Hch 8:17
n Hch 2:4
  Hch 10:46
  1Co 12:10
o Lu 4:16
  Hch 13:5
  Hch 17:2
p Hch 1:3
  Hch 28:23
  Hch 28:31
q 2Te 3:2
r Hch 9:2
  Hch 22:4
s Mt 10:14
  Ro 16:17
t Tit 3:10
  2Jn 10
u Hch 20:31
v Hch 20:18
  2Ti 1:15

obras extraordinarias de poder mediante las manos de Pablo,[a] 12 de manera que hasta llevaban paños y delantales de su cuerpo a los dolientes,[b] y las dolencias los dejaban, y los espíritus inicuos salían.[c] 13 Pero ciertos individuos de los judíos ambulantes que practicaban la expulsión de demonios[d] también intentaron nombrar el nombre del Señor Jesús[e] sobre los que tenían espíritus inicuos, diciendo: "Les ordeno solemnemente[f] por Jesús a quien Pablo predica". 14 Ahora bien, había siete hijos de cierto Esceva, sacerdote principal judío, que hacían esto. 15 Pero, en respuesta, el espíritu inicuo les dijo: "Conozco a Jesús,[g] y sé quién es Pablo;[h] pero ustedes, ¿quiénes son?". 16 Con eso, el hombre en quien estaba el espíritu inicuo se echó sobre ellos de un salto,[i] logró el dominio de uno tras otro, y prevaleció contra ellos, de modo que huyeron de aquella casa desnudos y heridos. 17 Esto llegó a ser conocido de todos, tanto de los judíos como de los griegos que moraban en Éfeso; y cayó temor[j] sobre todos ellos, y el nombre del Señor Jesús siguió siendo engrandecido.[k] 18 Y muchos de los que se habían hecho creyentes venían y confesaban[l] e informaban acerca de sus prácticas abiertamente. 19 De hecho, buen número de los que habían practicado artes mágicas[m] juntaron sus libros y los quemaron delante de todos. Y calcularon en conjunto los precios de ellos y hallaron que valían cincuenta mil piezas de plata. 20 Así, de una manera poderosa, la palabra de Jehová siguió creciendo y prevaleciendo.[n]

21 Ahora bien, cuando estas cosas se habían completado, Pablo se propuso en su espíritu que, después de pasar por Macedonia[o] y Acaya, haría el viaje a Jerusalén,[a] y dijo: "Después que llegue allá tengo que ver también a Roma".[b] 22 De modo que despachó a Macedonia a dos de los que le servían, Timoteo[c] y Erasto,[d] pero él mismo se detuvo por algún tiempo en el [distrito de] Asia.

23 En aquel mismo tiempo surgió un disturbio no pequeño[e] acerca del Camino.[f] 24 Porque cierto hombre, de nombre Demetrio, platero, haciendo en plata templetes de Ártemis, proporcionaba a los artífices no poca ganancia;[g] 25 y reunió a estos y a los que trabajaban en cosas semejantes[h] y dijo: "Varones, bien saben ustedes que de este negocio nos viene nuestra prosperidad.[i] 26 También, contemplan y oyen cómo, no solo en Éfeso,[j] sino en casi todo el [distrito de] Asia, este Pablo ha persuadido a una muchedumbre considerable y los ha vuelto a otra opinión, diciendo que no son dioses los que son hechos con las manos.[k] 27 Además, existe el peligro, no solo de que esta ocupación nuestra caiga en descrédito, sino también de que el templo de la gran diosa Ártemis[l] sea tenido en nada, y hasta su magnificencia que todo el [distrito de] Asia y la tierra habitada adora esté a punto de ser reducida a nada". 28 Al oír esto y llenarse de cólera, los hombres empezaron a gritar, diciendo: "¡Grande es Ártemis de los efesios!".

29 De modo que la ciudad se llenó de confusión, y de común acuerdo entraron precipitadamente en el teatro, llevando consigo por la fuerza a Gayo y a Aristarco,[m] macedonios, compañeros de viaje de Pablo. 30 Por su parte, Pablo quería ir adentro a la gente, pero los discípulos no se lo permitían. 31 Hasta algunos de los comisionados de fiestas y juegos, que eran amigables con él, enviaron a donde él

CAP. 19
a Hch 14:3
b Mr 6:56
Hch 5:15
c Mt 10:1
d Mt 12:27
e Mr 9:38
Lu 9:49
f Hch 16:18
g Mt 8:29
Mr 1:24
Lu 4:34
h Hch 16:17
i Mt 8:28
j Hch 2:43
Hch 5:5
k 2Te 1:12
l Mt 3:6
Snt 5:16
m Dt 18:10
Da 2:2
Hch 8:9
n Hch 6:7
Hch 12:24
Col 1:6
o 1Co 16:5

2.ª col.
a Hch 20:22
Ro 15:25
b Hch 23:11
Ro 1:15
c Hch 16:1
d 2Ti 4:20
e 2Co 1:8
f Hch 9:2
Hch 19:9
Hch 22:4
g Hch 16:16
h Sl 115:4
i Rev 18:15
j Ef 1:1
k Dt 4:28
1Cr 16:26
Isa 44:10
Jer 10:3
Hch 17:29
1Co 8:4
l Hch 19:34
m Hch 20:4
Col 4:10
Flm 24

y empezaron a suplicarle que no se arriesgara en el teatro. 32 Lo cierto es que unos gritaban una cosa y otros otra;ª porque la asamblea estaba en confusión, y la mayoría de ellos no sabía por qué razón se habían reunido. 33 Así que, juntos, sacaron a Alejandro de entre la muchedumbre, empujado por los judíos hacia el frente; y Alejandro hizo señas con la mano y quería presentar su defensa ante el pueblo. 34 Pero cuando reconocieron que era judío, se levantó un mismo grito de parte de todos, y ellos vociferaron por unas dos horas: "¡Grandeᵇ es Ártemis de los efesios!".

35 Por fin, cuando el registrador de la ciudad hubo aquietadoᶜ a la muchedumbre, dijo: "Varones de Éfeso, ¿quién verdaderamente hay de la humanidad que no sepa que la ciudad de los efesios es la guardiana del templo de la gran Ártemis y de la imagen que cayó del cielo? 36 Por lo tanto, puesto que estas cosas son indiscutibles, es conveniente que ustedes se mantengan sosegados y que no obren precipitadamente.ᵈ 37 Porque han traído a estos varones, que ni son saqueadores de templos ni blasfemadores de nuestra diosa. 38 Por lo tanto, si Demetrioᵉ y los artífices que están con él sí tienen causa contra alguien, hay días en que los tribunalesᶠ celebran sesiones, y hay procónsules;ᵍ presenten cargos unos contra otros. 39 Sin embargo, si ustedes están buscando algo más allá de eso, tendrá que decidirse en una asamblea formal. 40 Porque verdaderamente estamos en peligro de ser acusados de sedición por el asunto de hoy, pues no existe ni una sola causa que nos permita dar razón de esta chusma desordenada". 41 Y cuando hubo dicho estas cosas,ʰ despidió a la asamblea.ⁱ

20 Ahora bien, después que se hubo apaciguado el alboroto, Pablo envió a llamar a los discípulos, y cuando los hubo animado y se hubo despedido de ellos,ª salió en viaje a Macedonia.ᵇ 2 Después de pasar por aquellas partes, y de animar con muchas palabrasᶜ a los de allí, entró en Grecia. 3 Y cuando hubo pasado tres meses allí, puesto que los judíos fraguaron un complotᵈ contra él cuando estaba a punto de embarcarse para Siria, se resolvió a volverse por Macedonia. 4 Le acompañaban Sópaterᵉ hijo de Pirro, de Berea, Aristarcoᶠ y Segundo, de los tesalonicenses, y Gayo de Derbe, y Timoteo,ᵍ y, del [distrito de] Asia, Tíquicoʰ y Trófimo.ⁱ 5 Estos fueron adelante y se quedaron esperándonos en Troas;ʲ 6 pero nosotros nos hicimos a la mar desde Filipos, después de los días de las tortas no fermentadas,ᵏ y dentro de cinco días llegamos a ellos en Troas;ˡ y allí pasamos siete días.

7 El primer díaᵐ de la semana, estando nosotros reunidos para tomar una comida, Pablo se puso a disertar con ellos, puesto que iba a partir al día siguiente; y prolongó su discurso hasta la medianoche. 8 De modo que había muchas lámparas en el aposento de arriba donde estábamos reunidos. 9 Sentado a la ventana, cierto joven de nombre Eutico se abismó en profundo sueño mientras Pablo seguía hablando, y, desplomándose en el sueño, cayó desde el tercer piso abajo, y lo alzaron muerto. 10 Pero Pablo bajó, se echó sobre élⁿ y lo abrazó, y dijo: "Dejen de hacer estruendo, porque su alma está en él".ᵖ 11 Entonces subió y empezó la comida y tomó alimento, y después de conversar por largo tiempo, hasta el amanecer, por fin partió. 12 De modo que se llevaron al muchacho vivo y quedaron in-

CAP. 19

a Hch 21:34

b Hch 19:28

c Pr 15:18

d Pr 14:29

e Hch 19:24

f Hch 17:34

g Hch 13:7
Hch 18:12

h Ec 9:17

i Hch 19:32

2.ª col.

CAP. 20

a 2Co 2:13

b 1Co 16:5
1Ti 1:3

c Ro 12:8

d Hch 23:16
Hch 25:3
2Co 11:26

e Ro 16:21

f Hch 27:2

g Hch 16:1

h Ef 6:21
Col 4:7
2Ti 4:12

i Hch 21:29
2Ti 4:20

j Hch 16:11

k Éx 12:14
Éx 23:15

l 2Ti 4:13

m 1Co 16:2

n Hch 1:13

o 1Re 17:21
2Re 4:34

p Mt 9:24
Mr 5:39
Jn 11:40
Hch 9:40

conmensurablemente consolados.

13 Nosotros entonces seguimos adelante al barco y nos hicimos a la vela para Asón, donde nos proponíamos tomar a bordo a Pablo, pues, después de dar instrucciones de que así se hiciera, él mismo se proponía ir a pie. 14 Por lo tanto, cuando nos alcanzó en Asón, lo tomamos a bordo y fuimos a Mitilene; 15 y, haciéndonos a la vela desde allí al día siguiente, llegamos hasta al lugar opuesto a Quíos, pero al otro día tocamos en Samos, y al día siguiente arribamos a Mileto. 16 Porque Pablo había decidido pasar de largo de Éfeso,[a] para no pasar tiempo en el [distrito de] Asia; porque se apresuraba para llegar a Jerusalén[b] el día de la [fiesta del] Pentecostés por si de algún modo le era posible.

17 Sin embargo, desde Mileto envió a Éfeso y mandó llamar a los ancianos[c] de la congregación. 18 Cuando llegaron a él, les dijo: "Bien saben ustedes cómo desde el primer día que puse pie en el [distrito de] Asia[d] estuve con ustedes todo el tiempo,[e] 19 sirviendo como esclavo[f] al Señor con la mayor humildad mental[g] y con lágrimas y con las pruebas que me sobrevinieron por los complots[h] de los judíos; 20 mientras no me he retraído de decirles ninguna de las cosas que fueran de provecho, ni de enseñarles[i] públicamente y de casa[j] en casa. 21 Antes bien, di testimonio cabalmente,[k] tanto a judíos como a griegos, acerca del arrepentimiento[l] para con Dios y de la fe en nuestro Señor Jesús. 22 Y ahora, ¡miren!, atado en el espíritu,[m] estoy de viaje a Jerusalén, aunque no sé las cosas que me acontecerán en ella, 23 salvo de ciudad en ciudad el espíritu santo[n] me da testimonio repetidamente, diciendo que me esperan cadenas y tribulaciones.[o] 24 Sin

embargo, no hago mi alma de valor alguno como preciada para mí,[a] con tal que termine mi carrera[b] y el ministerio[c] que recibí[d] del Señor Jesús, de dar testimonio cabal de las buenas nuevas de la bondad inmerecida de Dios.[e]

25 "Y ahora, ¡miren!, sé que todos ustedes entre quienes anduve predicando el reino no verán más mi rostro. 26 Por eso los llamo para que este mismo día sean testigos de que estoy limpio de la sangre[f] de todo hombre, 27 porque no me he retraído de decirles todo el consejo[g] de Dios. 28 Presten atención[h] a sí mismos[i] y a todo el rebaño,[j] entre el cual el espíritu santo los ha nombrado superintendentes,[k] para pastorear la congregación de Dios,[l] que él compró con la sangre[m] del [Hijo] suyo. 29 Yo sé que después de mi partida entrarán entre ustedes lobos opresivos[n] y no tratarán al rebaño con ternura, 30 y de entre ustedes mismos se levantarán varones y hablarán cosas aviesas[o] para arrastrar a los discípulos tras de sí.[p]

31 "Por lo tanto, manténganse despiertos, y recuerden que por tres años,[q] noche y día, no cesé de amonestar[r] a cada uno con lágrimas. 32 Y ahora los encomiendo a Dios[s] y a la palabra de su bondad inmerecida, la cual [palabra] puede edificarlos[t] y darles la herencia entre todos los santificados.[u] 33 No he codiciado la plata, ni el oro, ni la vestidura de nadie.[v] 34 Ustedes mismos saben que estas manos han atendido a las necesidades mías[w] y a las de los que andan conmigo. 35 En todas las cosas les he exhibido que por medio de laborar[x] así tienen que prestar ayuda a los que son débiles,[y] y tienen que tener presentes las palabras del Señor Jesús, cuando él mismo dijo: 'Hay más felicidad en dar[z] que en recibir' ".

CAP. 20

a Hch 18:21
b Hch 21:4
  Hch 24:17
c Hch 11:30
d Hch 16:6
e Hch 19:10
f 1Co 11:27
g 1Co 15:9
  1Te 2:6
  1Pe 5:3
h Hch 9:24
  Hch 20:3
i Mt 28:20
  Hch 20:27
  2Ti 4:2
j Hch 5:42
k Hch 18:5
l Mr 1:15
  Lu 24:47
m Hch 2:38
n Hch 21:4
  Hch 21:11
o Hch 9:16

2.ª col.

a Ro 8:35
  2Co 4:16
b 2Ti 4:7
c 2Co 4:1
  2Co 5:18
d Gál 1:1
e 2Co 6:1
f Eze 33:8
  Hch 18:6
  2Co 7:2
g Mt 28:20
  Jn 15:15
h Col 4:17
  1Ti 4:16
i 1Ti 3:2
j Pr 27:23
k 1Ti 3:1
  Tit 1:5
  Heb 13:17
l Jn 21:15
  Ef 4:11
  1Pe 5:2
m Mt 26:28
  Jn 6:54
n 1Jn 1:7
n Isa 56:11
  Mt 7:15
  2Te 2:3
o 2Pe 2:1
  2Ti 4:3
p Gál 4:17
  1Ti 4:1
  1Jn 2:19
q Hch 19:10
r 2Co 2:4
  1Te 2:11
s Hch 14:23
  Ro 16:25
u Dt 33:3
  Ef 1:18
  Col 1:12
v 1Sa 12:3
  Mt 10:8
  1Co 9:12
  Tit 1:7
w Hch 18:3
  1Co 4:12
  1Te 2:9
x Ef 4:28
  1Te 4:11
  2Te 3:8
y Ro 15:1
z Pr 19:17
  Mt 10:8
  Lu 6:38

36 Y cuando hubo dicho estas cosas, se arrodilló[a] con todos ellos y oró. 37 En realidad, prorrumpió gran llanto entre todos ellos, y se echaron sobre el cuello de Pablo[b] y lo besaron tiernamente,[c] 38 porque especialmente les causaba dolor la palabra que había hablado en el sentido de que no iban a contemplar más su rostro.[d] Así que procedieron a acompañarlo[e] hasta el barco.

21 Ahora bien, cuando nos hubimos arrancado de ellos y hecho a la mar, marchamos con rumbo directo y llegamos a Cos, pero al [día] siguiente a Rodas, y de allí a Pátara. 2 Y habiendo hallado un barco que hacía la travesía a Fenicia, subimos a bordo y nos hicimos a la vela. 3 Después de avistar la [isla de] Chipre,[f] la dejamos atrás a la izquierda y seguimos navegando a Siria,[g] e hicimos escala en Tiro, porque allí el barco había de descargar [su] cargamento.[h] 4 Tras hacer una búsqueda, hallamos a los discípulos, y permanecimos allí siete días. Pero por el espíritu[i] le decían repetidamente a Pablo que no pusiera pie en Jerusalén. 5 De modo que, cuando hubimos completado los días, salimos y nos pusimos en camino; pero nos acompañaron todos ellos, junto con las mujeres y los niños, hasta fuera de la ciudad. Y, arrodillándonos[j] en la playa, hicimos oración 6 y nos despedimos[k] los unos de los otros, y nosotros subimos al barco, pero ellos se volvieron a sus hogares.

7 Entonces completamos la navegación desde Tiro y llegamos a Tolemaida, y saludamos a los hermanos y nos quedamos con ellos un día. 8 Al día siguiente partimos, y llegamos a Cesarea,[l] y entramos en casa de Felipe el evangelizador, que era uno de los siete hombres,[m] y nos quedamos con él. 9 Este tenía cuatro hijas, vírgenes, que pro-

fetizaban.[a] 10 Pero mientras permanecíamos allí bastantes días, bajó de Judea cierto profeta de nombre Ágabo,[b] 11 y viniendo a nosotros y tomando el cinturón de Pablo, se ató los pies y las manos y dijo: "Así dice el espíritu santo: 'Al varón a quien pertenece este cinturón los judíos lo atarán[c] de esta manera en Jerusalén, y lo entregarán[d] en manos de gente de las naciones'". 12 Pues, cuando oímos esto, nos pusimos a suplicarle, tanto nosotros como los de aquel lugar, que no subiera[e] a Jerusalén. 13 Entonces Pablo contestó: "¿Qué están haciendo al llorar[f] y hacerme débil de corazón?[g] Pueden estar seguros: estoy listo no solo para ser atado, sino también para morir[h] en Jerusalén por el nombre del Señor Jesús". 14 Como no se dejaba disuadir, asentimos con las palabras: "Efectúese la voluntad[i] de Jehová".

15 Entonces, después de estos días, nos preparamos para el viaje y empezamos a subir a Jerusalén.[j] 16 Pero también fueron con nosotros algunos de los discípulos de Cesarea,[k] para llevarnos al hombre en cuya casa habíamos de hospedarnos, cierto Mnasón de Chipre, antiguo discípulo. 17 Cuando llegamos a Jerusalén,[l] los hermanos nos recibieron con gozo.[m] 18 Mas al [día] siguiente Pablo entró con nosotros [a ver] a Santiago;[n] y estaban presentes todos los ancianos. 19 Y él los saludó y se puso a hacerles un relato detallado[o] de las cosas que Dios había hecho entre las naciones mediante su ministerio.[p]

20 Después de oír esto, ellos empezaron a glorificar a Dios, y le dijeron: "Contemplas, hermano, cuántos millares de creyentes hay entre los judíos; y todos son celosos por la Ley.[q] 21 Pero ellos han oído que se rumorea acerca de ti que has estado enseñando a todos los ju-

CAP. 20
a Hch 21:5
b Gé 45:14
c Ro 16:16
d Hch 20:25
e Hch 15:3

CAP. 21
f Hch 15:39
g Hch 20:3
h Hch 27:10
i Hch 21:11
  Hch 21:12
j Esd 9:5
  Hch 9:40
  Hch 20:36
k Hch 18:21
l Hch 18:22
m Hch 6:5

2.ª col.
a Joe 2:28
  Hch 2:17
  1Co 11:5
b Hch 11:28
c Hch 20:23
  Hch 21:33
d Hch 9:16
e Mt 16:22
f Hch 20:24
g Dt 20:8
h 2Co 4:10
  2Ti 4:6
i 1Sa 3:18
  Mt 26:42
j Ro 15:25
k Hch 18:22
l Hch 24:11
m Hch 15:4
n Hch 12:17
  Hch 15:13
  Gál 1:19
  Gál 2:9
  Snt 1:1
o Hch 11:4
  Hch 14:27
p Hch 15:12
  Ro 15:18
q Hch 15:1
  Hch 22:3
  Ro 10:2
  Gál 1:14

díos entre las naciones una apostasía contra Moisés,[a] diciéndoles que ni circunciden[b] a sus hijos ni anden en las costumbres [solemnes]. 22 Entonces, ¿qué ha de hacerse acerca de ello? En todo caso van a oír que has llegado. 23 Por lo tanto, haz esto que te decimos: Tenemos cuatro varones que tienen sobre sí un voto. 24 Toma a estos contigo[c] y límpiate ceremonialmente con ellos y hazte cargo de sus gastos,[d] para que se les rape la cabeza.[e] Y así sabrán todos que no son ciertos los rumores que se les contaron acerca de ti, sino que estás andando ordenadamente, tú mismo también guardando la Ley.[f] 25 En cuanto a los creyentes de entre las naciones, hemos enviado [aviso], habiendo dictado nuestra decisión de que se guarden de lo sacrificado a los ídolos[g] así como también de la sangre[h] y de lo estrangulado[i] y de la fornicación".[j]

26 Entonces Pablo tomó consigo a los varones, al día siguiente, y se limpió ceremonialmente junto con ellos,[k] y entró en el templo, para notificar en cuanto a los días que habían de cumplirse[l] para el limpiamiento ceremonial, hasta que se presentara la ofrenda[m] por cada uno de ellos.[n] 27 Entonces, cuando estaban para acabarse los siete[o] días, los judíos de Asia, al contemplarlo en el templo, empezaron a revolver a toda la muchedumbre,[p] y le echaron mano, 28 clamando: "Varones de Israel, ayuden! Este es el hombre que enseña a todos en todas partes contra el pueblo[q] y contra la Ley y contra este lugar y, además de esto, hasta introdujo a griegos en el templo y ha contaminado este lugar santo".[r] 29 Porque antes habían visto a Trófimo,[s] efesio, en la ciudad con él, pero se imaginaban que Pablo lo había introducido en el templo. 30 Y la ciudad entera se alborotó,[t] y

hubo un agolpamiento del pueblo; y se apoderaron de Pablo y lo arrastraron fuera del templo.[a] E inmediatamente fueron cerradas las puertas. 31 Y mientras ellos procuraban matarlo, al comandante de la banda subió información de que toda Jerusalén estaba revuelta;[b] 32 y al instante él tomó soldados y oficiales del ejército y bajó corriendo a ellos.[c] Cuando alcanzaron a ver al comandante militar[d] y a los soldados, cesaron de golpear a Pablo.

33 Entonces el comandante militar se acercó y lo asió y dio mandato de que lo sujetaran con dos cadenas;[e] y procedió a inquirir quién era y qué había hecho. 34 Pero algunos de la muchedumbre gritaban una cosa, y otros otra.[f] Así que, no pudiendo él mismo enterarse de ninguna cosa cierta a causa del tumulto, mandó que lo llevaran al cuartel de los soldados.[g] 35 Pero cuando llegó a las escaleras, la situación llegó a tal punto que los soldados iban llevándolo en peso a causa de la violencia de la muchedumbre; 36 porque la multitud del pueblo venía siguiendo, y clamaba: "¡Quítalo!".[h]

37 Y estando ya para ser conducido dentro del cuartel de los soldados, Pablo dijo al comandante militar: "¿Se me permite decirte algo?". Él dijo: "¿Hablas griego? 38 ¿No eres tú, en realidad, el egipcio que antes de estos días promovió una sedición[i] y condujo al desierto a los cuatro mil varones de puñal?". 39 Entonces Pablo dijo: "Soy, de hecho, judío,[j] de Tarso[k] en Cilicia, ciudadano de una ciudad no oscura. Así es que te ruego: permíteme hablar al pueblo". 40 Después que se le dio permiso, Pablo, de pie sobre las escaleras, hizo señas[l] con la mano al pueblo. Cuando cayó un gran silencio, les dirigió la palabra en el lenguaje hebreo,[m] y dijo:

CAP. 21
a Heb 6:14
　Gál 5:1
b Ro 2:28
　1Co 7:19
c Nú 6:2
d Nú 6:14
　Nú 6:15
　Nú 6:17
e Nú 6:18
　Hch 18:18
f 1Co 9:20
g Gé 35:2
　Éx 34:15
　Hch 15:29
h Gé 9:4
　Le 3:17
　Le 17:10
　Dt 12:23
　Jue 14:32
i Le 17:13
j 1Co 6:9
　Col 3:5
　1Te 4:3
　1Pe 4:3
k Hch 24:18
　1Co 9:20
l Nú 6:5
m Nú 6:19
n Nú 6:21
o Nú 6:9
p Hch 19:29
q Hch 24:5
r Hch 24:6
s Hch 20:4
　2Ti 4:20
t Hch 17:5

2.ª col.
a Hch 26:21
b Hch 21:27
c Hch 23:27
d Hch 23:26
e Hch 20:23
　Hch 21:11
　Ef 6:20
f Hch 19:32
g Hch 22:24
h Lu 23:18
　Jn 19:15
　Hch 22:22
i Hch 5:36
j Flp 3:5
k Hch 9:11
　Hch 22:3
l Hch 13:16
　Hch 19:33
m Hch 26:14

22 "Varones, hermanos[a] y padres, oigan mi defensa[b] dirigida a ustedes ahora". 2 (Pues, cuando oyeron que les dirigía la palabra en el lenguaje hebreo,[c] guardaron mayor silencio, y él dijo:) 3 "Yo soy judío,[d] nacido en Tarso de Cilicia,[e] pero educado en esta ciudad a los pies de Gamaliel,[f] instruido conforme al rigor[g] de la Ley de nuestros antepasados, siendo celoso[h] por Dios así como todos ustedes lo son este día. 4 Y perseguí de muerte este Camino,[i] atando y entregando a las prisiones[j] tanto a varones como a mujeres, 5 como puede dar testimonio de mí el sumo sacerdote así como toda la asamblea de ancianos.[k] De ellos también obtuve cartas[j] para los hermanos de Damasco, y estaba en camino para también traer atados a Jerusalén a los que estaban allí, para que fueran castigados.

6 "Mas al ir caminando y acercándome ya a Damasco, hacia el mediodía, de repente fulguró desde el cielo una gran luz en derredor de mí,[m] 7 y caí al suelo y oí una voz que me decía: 'Saulo, Saulo, ¿por qué me estás persiguiendo?'.[n] 8 Contesté: '¿Quién eres, Señor?'. Y me dijo: 'Soy Jesús el Nazareno, a quien estás persiguiendo'.[o] 9 Ahora bien, los hombres que estaban conmigo[p] contemplaron, en realidad, la luz, pero no oyeron la voz del que me hablaba.[q] 10 Entonces dije: '¿Qué haré,[r] Señor?'. El Señor me dijo: 'Levántate, sigue tu camino a Damasco, y allí se te dirá acerca de todo lo que te está señalado hacer'.[s] 11 Pero como yo no veía nada a causa de la gloria de aquella luz, llegué a Damasco, conducido por la mano de los que estaban conmigo.[t]

12 "Entonces Ananías, cierto varón reverente según la Ley, acerca de quien daban buen informe[u] todos los judíos que allí moraban, 13 vino a mí y,

CAP. 22

2 a Hch 7:2
b Flp 1:7
1Pe 3:15
c Hch 21:40
d Hch 26:5
Ro 11:1
e Hch 21:39
Hch 23:34
f Hch 5:34
g Hch 26:5
h Gál 1:14
Flp 3:6
i Hch 8:3
Hch 9:2
1Ti 1:13
j Hch 26:10
k Hch 4:23
l Hch 9:2
m Hch 9:3
Hch 26:13
n Hch 9:4
Hch 26:14
o Jn 18:5
Hch 9:5
Hch 26:15
p Da 10:7
q Hch 9:7
r Lu 3:10
Hch 16:30
s Hch 26:16
t Hch 9:8
u Hch 10:22
1Ti 3:7

2.ᵃ col.

a Hch 9:17
b Hch 3:13
Hch 5:30
c Hch 9:15
Gál 1:15
d 1Co 9:1
1Co 15:8
Hch 3:14
Heb 7:26
f 1Co 11:23
Gál 1:12
g Hch 4:20
Hch 23:11
Hch 26:16
h Hch 9:18
i Isa 1:16
1Co 6:11
Tit 3:5
Heb 10:22
1Jn 1:7
Rev 1:5
j Hch 10:43
k Hch 9:26
Gál 1:18
l 2Co 12:1
m Hch 9:29
n Hch 8:3
o Mt 10:17
p Hch 7:58
q Hch 8:1
1Ti 1:15
r Hch 9:15
Hch 13:2
Ro 1:5
Ro 11:13
Gál 2:7
1Ti 2:7
s Hch 21:36
Hch 23:14
Hch 25:24
t 2Sa 16:13
u Hch 21:34

puesto de pie a mi lado, me dijo: '¡Saulo, hermano, recobra la vista!'.[a] Y levanté la vista hacia él en aquella misma hora. 14 Él dijo: 'El Dios de nuestros antepasados[b] te ha escogido[c] para que llegues a conocer su voluntad y veas[d] al Justo[e] y oigas la voz de su boca,[f] 15 porque has de ser testigo a todos los hombres acerca de cosas que has visto y oído.[g] 16 Y ahora, ¿por qué te demoras? Levántate, bautízate[h] y lava[i] tus pecados mediante invocar su nombre'.[j]

17 "Pero cuando hube vuelto a Jerusalén[k] y estaba orando en el templo, me sobrevino un arrobamiento[l] 18 y lo vi que me decía: 'Date prisa y sal pronto de Jerusalén, porque no convendrán[m] en tu testimonio acerca de mí'. 19 Y dije: 'Señor, ellos mismos saben que yo solía encarcelar[n] y fustigar de sinagoga en sinagoga a los que creían en ti;[o] 20 y cuando se estaba vertiendo la sangre de tu testigo Esteban,[p] yo mismo también estuve de pie allí, y aprobando,[q] y guardando las prendas de vestir exteriores de los que lo eliminaban'. 21 Y sin embargo me dijo: 'Ponte en camino, porque yo te enviaré a naciones lejanas'".[r]

22 Ahora bien, siguieron escuchándolo hasta esta palabra, y levantaron la voz, y dijeron: "¡Quita de la tierra a tal [hombre], porque no ha debido vivir!".[s] 23 Y como estaban gritando y arrojando sus prendas de vestir exteriores y lanzando polvo al aire,[t] 24 el comandante militar dio órdenes de llevarlo dentro del cuartel de los soldados y dijo que lo interrogaran sometiéndolo a azotes, para saber cabalmente por qué causa vociferaban[u] así contra él. 25 Mas cuando lo hubieron estirado para darle los latigazos, Pablo dijo al oficial del ejército que estaba de pie allí: "¿Les es lícito azotar a un hombre que es

romano[a] y no condenado?". 26 Pues, al oír esto el oficial del ejército, fue al comandante militar e informó de ello, diciendo: "¿Qué piensas hacer? ¡Este hombre es romano!". 27 De modo que el comandante militar se acercó y le dijo: "Dime: ¿Eres romano?".[b] Él dijo: "Sí". 28 El comandante militar respondió: "Yo compré estos derechos como ciudadano por una gran suma [de dinero]". Pablo dijo: "Pero yo hasta nací[c] [en ellos]".

29 Por lo tanto, inmediatamente se retiraron de él los hombres que iban a interrogarlo con tormento; y al comandante militar le dio miedo cuando averiguó que era romano[d] y que él lo había atado.

30 Así que, al día siguiente, deseando saber con certeza exactamente por qué lo estaban acusando los judíos, lo desató, y mandó que se congregaran los sacerdotes principales y todo el Sanedrín. E hizo bajar a Pablo y lo puso de pie en medio de ellos.[e]

23 Mirando fijamente al Sanedrín, Pablo dijo: "Varones, hermanos, yo me he portado delante de Dios con conciencia perfectamente limpia[f] hasta este día". 2 Ante esto, el sumo sacerdote Ananías ordenó a los que estaban de pie cerca de él que le hirieran[g] en la boca. 3 Entonces Pablo le dijo: "Dios te va a herir a ti, pared blanqueada.[h] ¿A un mismo tiempo te sientas tú a juzgarme según la Ley[i] y, violando la Ley,[i] me mandas herir?". 4 Los que estaban parados allí cerca dijeron: "¿Al sumo sacerdote de Dios injurias?". 5 Y Pablo dijo: "Hermanos, no sabía que era sumo sacerdote. Porque está escrito: 'No debes hablar perjudicialmente de un gobernante de tu pueblo'".[i]

6 Entonces, cuando Pablo notó que una parte era de saduceos,[l] pero la otra de fariseos, procedió a clamar en el Sane-

CAP. 22
a Hch 16:37
  Hch 23:27
b Hch 23:27
c Hch 16:37
d Hch 16:38
  Hch 25:16
e Mt 10:17
  Lu 21:12

CAP. 23
f Hch 24:16
  2Co 1:12
  2Ti 1:3
  Heb 13:18
  1Pe 3:16
g 1Re 22:24
  Jer 20:2
  Jn 18:22
h Mt 23:27
i Le 19:15
j Dt 25:1
  Jn 7:51
k Ex 22:28
  Ec 10:20
l Hch 4:1

2.ª col.
a Hch 26:5
  Flp 3:5
b Hch 24:21
c Hch 28:20
d Mt 22:23
e Mr 12:18
f Lu 20:27
g Mt 8:29
h Lu 23:4
  Hch 25:25
i Hch 22:7
  Hch 22:17
j Hch 21:32
k Hch 22:24
l Hch 27:23
m Hch 18:9
  Hch 27:24
n Hch 20:21
o Hch 28:23
  Hch 28:30
  Ro 1:15
p Hch 25:3
q Hch 23:21
r Sl 31:13
s Ec 5:8

drín: "Varones, hermanos, yo soy fariseo,[a] hijo de fariseos. Respecto a la esperanza de la resurrección[b] de los muertos se me está juzgando".[c] 7 Porque dijo esto, se suscitó una disensión[d] entre los fariseos y los saduceos, y la multitud se dividió. 8 Porque los saduceos[e] dicen que no hay ni resurrección,[f] ni ángel, ni espíritu, pero los fariseos los declaran todos públicamente. 9 De modo que estalló una gran gritería,[g] y se levantaron algunos de los escribas del partido de los fariseos y empezaron a contender ferozmente, diciendo: "No hallamos nada malo en este hombre;[h] pero si un espíritu o un ángel le habló...". 10 Entonces, cuando se hizo grande la disensión, al comandante militar le dio miedo de que Pablo fuera despedazado por ellos, y mandó que el cuerpo de soldados[i] bajara y lo arrebatara de en medio de ellos y lo llevara al cuartel de los soldados.[k]

11 Pero a la noche siguiente el Señor se puso de pie a su lado[i] y dijo: "¡Ten ánimo![m] Porque como has estado dando testimonio cabal[n] de las cosas acerca de mí en Jerusalén, así también tienes que dar testimonio en Roma".[o]

12 Ahora bien, cuando se hizo de día, los judíos formaron una conspiración[p] y se comprometieron con maldición,[q] diciendo que ni comerían ni beberían hasta que hubieran matado a Pablo.[r] 13 Eran más de cuarenta hombres los que habían formado esta conspiración juramentada; 14 y fueron a los sacerdotes principales[s] y a los ancianos y dijeron: "Nos hemos comprometido solemnemente con maldición a no tomar un bocado de comida hasta que hayamos matado a Pablo. 15 Ahora, por lo tanto, aclárenle junto con el Sanedrín al comandante militar por qué debe bajarlo a ustedes como si tuvieran la intención de indagar con más

exactitud los asuntos referentes a él.ª Pero antes que él se acerque estaremos listos para eliminarlo".ᵇ

16 Sin embargo, el hijo de la hermana de Pablo oyó de la acechanza,ᶜ y vino y entró en el cuartel de los soldados y se lo informó a Pablo. 17 De modo que Pablo llamó a sí a uno de los oficiales del ejército y dijo: "Conduce a este joven al comandante militar, porque tiene algo que informarle". 18 Por lo tanto, lo tomó y lo condujo al comandante militar y dijo: "El preso Pablo me llamó a sí y solicitó que condujera a este joven a ti, porque tiene algo que decirte". 19 El comandante militar lo tomóᵈ de la mano, y se retiró y se puso a inquirir en privado: "¿Qué tienes que informarme?". 20 Él dijo: "Los judíos han convenido en solicitarte que mañana hagas bajar a Pablo al Sanedrín como si fuera con la intención de averiguar algo más exacto acerca de él.ᵉ 21 Sobre todo, no te dejes persuadir por ellos, porque lo acechanᶠ más de cuarenta varones de ellos, y se han comprometido con maldición a ni comer ni beber hasta que lo hayan eliminado;ᵍ y ya están listos, esperando la promesa de tu parte". 22 Por tanto el comandante militar dejó ir al joven después de ordenarle: "No vayas a divulgar a nadie que me has aclarado estas cosas".

23 Y mandó llamar a ciertos dos de los oficiales del ejército y dijo: "Alisten doscientos soldados para marchar hasta Cesarea, también setenta jinetes y doscientos lanceros, a la hora tercera de la noche. 24 También, provean bestias de carga para que ellos hagan cabalgar a Pablo y lo lleven con seguridad a Félix el gobernador". 25 Y escribió una carta que tenía esta forma:

26 "Claudio Lisias al excelentísimo gobernador Félix:ʰ ¡Saludos! 27 Este varón fue prendi-

do por los judíos y estaba a punto de ser eliminado por ellos, pero vine yo de repente con un cuerpo de soldados y lo libré,ª porque me enteré de que era romano.ᵇ 28 Y deseando averiguar la causa por la cual estaban acusándolo, lo hice bajar al Sanedrín de ellos.ᶜ 29 Lo hallé acusado respecto de cuestiones de la Ley de ellos,ᵈ pero sin tener cargo contra él de una sola cosa que mereciera muerte o cadenas.ᵉ 30 Pero como me ha sido expuesto un complotᶠ que va a armarse contra el varón, te lo envío inmediatamente, y mando a los acusadores que hablen contra él delante de ti".ᵍ

31 Por tanto, estos soldadosʰ tomaron a Pablo según sus órdenes y lo llevaron de noche a Antípatris. 32 Al día siguiente permitieron que los jinetes siguieran con él, y ellos se volvieron al cuartel de los soldados. 33 Los [jinetes] entraron en Cesareaⁱ y entregaron la carta al gobernador y también le presentaron a Pablo. 34 De modo que él la leyó e inquirió de qué provincia era él, y averiguó que era de Cilicia.ᵏ 35 "Te daré audiencia cabal —dijo— cuando lleguen también tus acusadores".ˡ Y mandó que lo tuvieran bajo guardia en el palacio pretoriano de Herodes.

24 Cinco días después bajó el sumo sacerdote Ananíasᵐ con algunos ancianos y un orador público, cierto Tértulo, y dieron informaciónⁿ al gobernadorᵒ contra Pablo. 2 Al ser llamado, Tértulo comenzó a acusarlo, diciendo:

"Puesto que por ti gozamos de mucha pazᵖ y por providencia tuya se están efectuando reformas en esta nación, 3 en todo tiempo y también en todo lugar lo recibimos, oh excelentísimoᵠ Félix, con suma gratitud. 4 Pero a fin de no estorbarte más, ruégote que nos oigas brevemente en tu amabilidad.

CAP. 23
a Hch 23:20
b Hch 25:3
c Hch 9:24
d Hch 23:16
e Hch 23:15
f Sl 10:9
  Pr 1:16
  Isa 59:7
  Hch 9:23
  2Co 11:26
g Hch 23:12
h Hch 24:3

2.ª col.
a Hch 21:33
b Hch 16:37
  Hch 22:25
c Hch 22:30
d Hch 18:15
  Hch 24:5
  Hch 25:19
e Hch 26:31
f Hch 23:16
  Hch 25:3
g Hch 24:8
  Hch 25:5
  Hch 25:11
h Hch 23:23
i Hch 8:40
j Hch 22:3
k Hch 6:9
  Hch 21:39
l Hch 24:1
  Hch 25:16

CAP. 24
m Hch 23:2
n Hch 25:2
  Hch 25:15
o Hch 23:26
p Sl 12:2
  Sl 55:21
  Pr 26:28
q Hch 23:26

5 Porque hemos hallado que este varón es un individuo pestilente[a] y que promueve sediciones[b] entre todos los judíos por toda la tierra habitada, y es vanguardia de la secta de los nazarenos,[c] 6 uno que también trató de profanar el templo,[d] y a quien prendimos. 7 —— 8 De él, haciendo un examen, tú mismo podrás enterarte respecto de todas estas cosas de que nosotros lo acusamos"

9 Con eso, los judíos también tomaron parte en el ataque, afirmando que estas cosas eran así. 10 Y Pablo, cuando el gobernador le hizo señas con la cabeza de que hablara, contestó:

"Sabiendo bien que hace muchos años que esta nación se tiene de juez, de buena gana hablo en mi defensa[e] las cosas acerca de mí mismo, 11 puesto que puedes averiguar en cuanto a mí que no hace más de doce días subí a Jerusalén a adorar;[f] 12 y ni en el templo[g] me hallaron discutiendo con nadie ni ocasionando un agolpamiento de la chusma,[h] ni en las sinagogas, ni por la ciudad. 13 Tampoco pueden probarte[i] las cosas de que me están acusando ahora mismo. 14 Pero esto sí te confieso, que, según el camino que ellos llaman 'secta', de esta manera estoy rindiendo servicio sagrado al Dios de mis antepasados,[j] puesto que creo todas las cosas expuestas en la Ley[k] y escritas en los Profetas; 15 y tengo esperanza[l] en cuanto a Dios, esperanza que estos mismos también abrigan, de que va a haber resurrección[m] así de justos[n] como de injustos.[o] 16 En cuanto a esto, realmente, me ejercito continuamente para tener conciencia[p] de no haber cometido ofensa contra Dios ni contra los hombres. 17 Así que, después de muchos años, vine para traer dádivas de misericordia a mi nación, y ofrendas.[q] 18 Estando yo en estos asuntos, me hallaron ceremonialmente

limpio en el templo,[a] mas no con muchedumbre ni con tumulto. Pero había ciertos judíos del [distrito de] Asia, 19 que debieran estar presentes delante de ti y acusarme si tuvieran alguna cosa contra mí.[b] 20 O que digan por sí mismos los aquí presentes qué hallaron de mal cuando yo estuve de pie ante el Sanedrín, 21 a no ser que tenga que ver con esta sola expresión que clamé estando de pie entre ellos: '¡Respecto a la resurrección de los muertos se me está juzgando hoy ante ustedes!' ".[c]

22 Sin embargo, Félix,[d] que conocía con bastante exactitud los asuntos respecto a este Camino,[e] empezó a dar largas a los [hombres] diciendo: "Cuando baje Lisias[f] el comandante militar, decidiré sobre estos asuntos que tienen que ver con ustedes". 23 Y ordenó al oficial del ejército que fuera guardado el hombre, y que se le relajara algo [la custodia], y que no le prohibiera a ninguno de los suyos el atenderlo.[g]

24 Algunos días después llegó Félix[h] con Drusila su esposa, que era judía,[i] y envió a llamar a Pablo y lo escuchó acerca de la creencia en Cristo Jesús.[j] 25 Mas al hablar él sobre la justicia[k] y el autodominio[l] y el juicio[m] venidero, Félix se atemorizó y contestó: "Por ahora vete, pero cuando tenga un tiempo conveniente te enviaré a llamar otra vez". 26 Al mismo tiempo, sin embargo, esperaba que Pablo le diera dinero.[n] A causa de eso, lo enviaba a llamar aún más frecuentemente, y conversaba con él.[o] 27 Pero, cuando habían transcurrido dos años, Félix tuvo por sucesor a Porcio Festo; y porque Félix deseaba ganarse el favor[p] de los judíos, dejó a Pablo en cadenas.

25 Por lo tanto, Festo, después de entrar[q] en [el gobierno de] la provincia, a los tres días subió de Cesarea a Jerusa-

CAP. 24
a Mt 5:11
  Hch 16:20
  Hch 17:6
b Lu 23:2
  Hch 19:40
c Mt 2:23
  Hch 28:22
d Hch 21:28
e 1Pe 3:15
f Hch 21:26
g Hch 25:8
h Hch 21:28
i Hch 25:7
j Éx 3:15
  Hch 3:13
  Hch 26:22
  2Ti 1:3
k Dt 18:18
  Hch 28:23
  Ro 3:21
l Hch 23:6
m Isa 26:19
  Da 12:2
  Mt 22:31
  Jn 5:28
  Jn 11:25
  Rev 20:12
n Lu 14:14
  Heb 11:35
o Hch 23:43
p Da 6:5
  Hch 23:1
  1Co 4:4
  Hch 23:1
q Hch 11:29
  2Co 8:4

2.ᵃ col.
a Hch 21:26
b Hch 23:30
  Hch 25:16
c Hch 23:6
  Hch 28:20
d Hch 23:24
e Hch 9:2
  Hch 19:9
f Hch 23:26
g Hch 27:3
h Hch 23:24
i Hch 16:1
j Mt 10:18
  1Pe 3:15
k Ro 1:17
  Ro 3:22
l Gál 5:23
  2Pe 1:6
m Mt 12:18
  Jn 16:8
  2Co 5:10
  Rev 20:12
n Éx 23:8
  Dt 16:19
  Sl 26:10
  Pr 17:23
  Isa 5:23
o Mr 6:20
p Pr 29:25
  Lu 23:25
  Hch 25:9

CAP. 25
q Hch 24:27

lén;[a] 2 y los sacerdotes principales y los hombres prominentes de los judíos le dieron información[b] contra Pablo. Así que se pusieron a suplicarle, 3 pidiendo para sí, como favor contra el [hombre], que enviara para que él viniera a Jerusalén, puesto que ellos le estaban poniendo una emboscada[c] para eliminarlo por el camino. 4 Sin embargo, Festo contestó que Pablo había de ser guardado en Cesarea, y que él mismo iba a partir para allá en breve. 5 "Por lo tanto, los que están en el poder entre ustedes —dijo él— bajen conmigo y acúsenlo,[d] si hay algo impropio en el varón."

6 Entonces, cuando hubo pasado no más de ocho o diez días entre ellos, bajó a Cesarea, y al día siguiente se sentó en el tribunal[e] y mandó que trajeran a Pablo. 7 Al llegar él, los judíos que habían bajado de Jerusalén se pusieron de pie en derredor de él, presentando muchos y graves cargos[f] contra él, para los cuales no podían mostrar prueba.

8 Pero Pablo dijo en defensa: "Ni contra la Ley de los judíos, ni contra el templo,[g] ni contra César he cometido pecado alguno".[h] 9 Festo, deseando ganarse el favor[i] de los judíos, dijo en respuesta a Pablo: "¿Deseas subir a Jerusalén y ser juzgado allí delante de mí respecto a estas cosas?".[j] 10 Pero Pablo dijo: "Estoy de pie delante del tribunal de César,[k] donde debo ser juzgado. No he hecho ningún mal a los judíos,[l] como tú también estás descubriendo bastante bien. 11 Si, por una parte, realmente soy delincuente[m] y he cometido algo que merece la muerte,[n] no ruego que se me exima de la muerte; por otra parte, si ninguna de las cosas de que estos me acusan existe, nadie puede entregarme a ellos a manera de favor. ¡Apelo a César!".[o] 12 Entonces Festo, después de hablar con la asamblea de consejeros,

respondió: "A César has apelado; a César irás".

13 Ahora bien, cuando hubieron pasado algunos días, Agripa el rey y Berenice llegaron a Cesarea para hacer una visita de cumplimiento a Festo. 14 Entonces, como iban a pasar allí varios días, Festo puso ante el rey los asuntos acerca de Pablo, y dijo:

"Hay cierto varón que Félix dejó preso, 15 y cuando estuve en Jerusalén los sacerdotes principales y los ancianos de los judíos presentaron información[a] acerca de él, pidiendo contra él juicio de condenación. 16 Pero yo les respondí que no es proceder romano entregar a manera de favor a ningún hombre antes que el acusado se encuentre cara a cara con sus acusadores[b] y tenga la oportunidad de hablar en defensa de sí mismo respecto a la queja. 17 Por eso, cuando se juntaron aquí, no puse dilación, sino que al día siguiente me senté en el tribunal y mandé traer al varón. 18 Puestos de pie, los acusadores no produjeron cargo alguno[c] de las cosas inicuas que yo había supuesto respecto a él. 19 Simplemente tuvieron con él ciertas disputas respecto a su propia adoración[d] de la deidad y respecto a cierto Jesús que estaba muerto, pero que Pablo seguía afirmando que estaba vivo.[e] 20 Entonces, estando yo perplejo en cuanto a la disputa sobre estos asuntos, procedí a preguntarle si quería ir a Jerusalén y ser juzgado allí respecto a estos asuntos.[f] 21 Pero cuando Pablo apeló[g] para que se le guardara para la decisión del Augusto, mandé que se le guardara hasta que lo envié a César."

22 Entonces Agripa [dijo] a Festo: "Yo mismo también quisiera oír al hombre".[h] "Mañana —dijo él— lo oirás." 23 Por eso, al día siguiente vinieron Agripa y Berenice con mucha pompa,[i] y entraron en la audien-

CAP. 25
a Hch 21:15

b Hch 24:1
b Hch 25:15

c Sl 37:32
Pr 1:16
Hch 9:23
Hch 14:5
Hch 23:21
2Co 11:26

d Hch 25:16

e Jn 19:13
Hch 12:21
Hch 25:17

f Mt 5:11
Lu 23:2
Hch 24:5

g Hch 24:12

h Hch 28:17

i Hch 24:27

j Hch 25:20

k Hch 25:21
Hch 26:32

l Hch 28:17

m 1Pe 4:15

n Hch 23:29
Hch 26:31

o Hch 25:21
Hch 26:32
Hch 28:19

2.ª col.

a Hch 25:2

b Hch 25:5

c Hch 25:7

d Hch 18:15
Hch 23:29

e Hch 22:8

f Hch 25:9

g Hch 25:11
Hch 26:32
Hch 28:19

h Hch 9:15

i 1Pe 1:24
1Jn 2:16

cia junto con comandantes militares así como varones de eminencia de la ciudad, y cuando Festo dio mandato, Pablo fue traído. 24 Y Festo dijo: "Rey Agripa, y todos ustedes los varones que están presentes con nosotros, ustedes contemplan a este hombre respecto de quien toda la multitud de los judíos junta ha recurrido a mí, tanto en Jerusalén como aquí, diciendo a voces que no debe seguir viviendo.ᵃ 25 Pero yo percibí que él no había cometido nada que mereciera la muerte.ᵇ Por eso, cuando este [hombre] mismo apelóᶜ al Augusto, decidí enviarlo. 26 Mas respecto a él no tengo ninguna cosa segura que escribir a [mi] Señor. Por eso lo traje ante ustedes, y especialmente ante ti, rey Agripa, a fin de que, habiéndose efectuado el examen judicial,ᵈ consiga yo algo que escribir. 27 Porque me parece irrazonable enviar a un preso y no significar también los cargos contra él".

26 Agripaᵉ dijo a Pablo: "Se te permite hablar a favor de ti mismo". Entonces Pablo extendió la manoᶠ y procedió a decir en su defensa:ᵍ

2 "Acerca de todas las cosas de que soy acusadoʰ por judíos, rey Agripa, me considero feliz de que sea ante ti ante quien haya de presentar mi defensa este día, 3 especialmente por cuanto eres perito en todas las costumbresⁱ así como también en las controversias entre los judíos. Por eso te ruego que me oigas con paciencia.

4 "En realidad, en cuanto al modo de vivirʲ desde joven que desde [el] principio llevé entre mi nación y en Jerusalén, todos los judíos 5 que me han conocido de antes, desde el principio, saben, si tan solo desean dar testimonio, que conforme a la secta más estrictaᵏ de nuestra forma de adoración yo viví fariseo.ˡ

6 Y sin embargo, ahora, por la esperanzaᵃ de la promesaᵇ que fue hecha por Dios a nuestros antepasados me hallo en pie llamado a juicio; 7 puesto que nuestras doce tribus esperan alcanzar el cumplimiento de esta promesa rindiéndole servicio sagrado asiduamente noche y día.ᶜ Respecto a esta esperanza me acusanᵈ judíos, oh rey.

8 "¿Por qué se juzga increíble entre ustedes el que Dios levante a los muertos?ᵉ 9 Yo, personalmente, en realidad, pensé dentro de mí que debía cometer muchos actos de oposición contra el nombre de Jesús el Nazareno; 10 lo cual, en realidad, hice en Jerusalén, y a muchos de los santos encerré en prisiones,ᶠ pues había recibido autoridad de los sacerdotes principales;ᵍ y cuando habían de ser ejecutados, yo echaba mi voto contra ellos. 11 Y castigándolos muchas veces en todas las sinagogas,ʰ trataba de obligarlos a hacer una retractación; y estando sumamente enojado contra ellos, fui hasta el extremo de perseguirlos hasta en las ciudades de afuera.

12 "Empeñado en estas actividades, mientras viajaba a Damascoⁱ con autoridad y una comisión de parte de los sacerdotes principales, 13 vi al mediodía en el camino, oh rey, una luz que fulguró desde el cielo en derredor de mí y de los que conmigo iban,ʲ y su resplandor sobrepasaba el del sol. 14 Y cuando todos habíamos caído a tierra oí una voz que me decía en el lenguaje hebreo: 'Saulo, Saulo, ¿por qué me estás persiguiendo? Te resulta duro seguir dando coces contra los aguijones.ᵏ 15 Pero yo dije: '¿Quién eres, Señor?'. Y el Señor dijo: 'Yo soy Jesús, a quien estás persiguiendo.ˡ 16 No obstante, levántate y ponte sobre tus pies.ᵐ Porque con este fin me he hecho visible a ti, para escogerte como servidor y testigoⁿ tanto de cosas

CAP. 25
a Hch 22:22
b Hch 23:29
  Hch 26:31
c Hch 25:21
d Hch 26:32

CAP. 26
e Hch 25:13
f Hch 13:16
g Hch 24:10
h Hch 24:5
i Hch 25:26
j Gál 1:13
k Hch 22:3
l Hch 23:6
  Flp 3:5

2.ᵃ col.
a Hch 24:15
b Gé 3:15
  Dt 18:15
  2Sa 7:12
  Da 9:24
  Mal 3:1
c Lu 2:37
  Ro 11:7
d Hch 24:21
e 1Re 17:22
  2Re 4:35
  Heb 11:35
f Jn 16:2
  Hch 8:3
  1Co 15:9
  Gál 1:13
  1Ti 1:13
g Hch 9:2
  Hch 9:14
h Hch 22:19
i Hch 9:2
  Hch 22:5
j Hch 9:3
  Hch 22:6
k Hch 9:4
  Hch 22:7
l Hch 9:5
  Hch 22:8
m Eze 2:1
n Hch 22:15
  Gál 1:12
  1Ti 1:12

que has visto como de cosas que haré que veas respecto a mí; 17 mientras te libro de [este] pueblo y de las naciones, a quienes te envío,[a] 18 para abrirles los ojos,[b] para volverlos de la oscuridad[c] a la luz[d] y de la autoridad de Satanás[e] a Dios, a fin de que reciban perdón de pecados[f] y una herencia[g] entre los santificados[h] por [su] fe en mí".

19 "Por lo cual, rey Agripa, no me hice desobediente a la vista celestial,[i] 20 sino que, tanto a los de Damasco,[j] primeramente, como a los de Jerusalén,[k] y por todo el país de Judea, y a las naciones,[l] fui llevando el mensaje de que se arrepintieran y volvieran a Dios, e hicieran obras propias del arrepentimiento.[m] 21 Por estas cosas los judíos me prendieron en el templo e intentaron matarme.[n] 22 Sin embargo, porque he obtenido la ayuda[o] que proviene de Dios, continúo hasta este día dando testimonio tanto a pequeño como a grande, pero no diciendo ninguna cosa salvo las que los Profetas[p] así como Moisés[q] declararon que habían de efectuarse: 23 que el Cristo había de sufrir[r] y, como el primero en ser resucitado[s] de entre los muertos, iba a publicar luz[t] tanto a este pueblo como a las naciones".[u]

24 Ahora bien, mientras él decía estas cosas en su defensa, Festo dijo con voz fuerte: "¡Estás volviéndote loco,[v] Pablo! ¡El gran saber te está impulsando a la locura!". 25 Pero Pablo dijo: "No estoy volviéndome loco, excelentísimo Festo, sino que expreso dichos de verdad y de buen juicio. 26 En realidad, el rey a quien hablo con franqueza de expresión bien sabe de estas cosas; porque estoy persuadido de que ni siquiera una de estas cosas hay de la que él no se dé cuenta, porque esto no se ha hecho en un rincón.[w] 27 ¿Crees tú, rey Agripa, a los Profetas? Yo sé que crees".[x] 28 Pero Agripa dijo a Pablo: "¡En poco tiempo me per-

suadirías a hacerme cristiano". 29 A esto Pablo dijo: "Desearía de Dios que, fuera en poco tiempo o en mucho tiempo, no solo tú, sino también todos los que me oyen hoy llegaran a ser tales hombres como lo que yo también soy, a excepción de estas cadenas".

30 Y se levantó el rey, y lo mismo hicieron el gobernador y Berenice y los hombres que con ellos estaban sentados. 31 Pero al retirarse iban hablando los unos con los otros, y decían: "Este hombre no practica nada que merezca muerte[a] o cadenas". 32 Además, Agripa dijo a Festo: "Este hombre podría haber sido puesto en libertad si no hubiera apelado[b] a César".

27 Entonces, como se decidió que navegáramos a Italia,[c] procedieron a entregar a Pablo así como a ciertos otros presos a un oficial del ejército de nombre Julio, de la banda de Augusto. 2 Subiendo en un barco de Adramitio que estaba a punto de zarpar para los lugares costaneros del [distrito de] Asia, nos hicimos a la vela, y con nosotros estaba Aristarco,[d] macedonio de Tesalónica. 3 Y al día siguiente arribamos a Sidón, y Julio trató a Pablo con bondad humana[e] y le permitió ir a donde sus amigos y disfrutar de [su] atención.[f]

4 Y, haciéndonos a la mar desde allí, navegamos al [abrigo de] Chipre, por ser contrarios los vientos; 5 y navegamos por alta mar a lo largo de Cilicia y Panfilia, e hicimos escala en Mira de Licia. 6 Pero allí el oficial del ejército halló un barco de Alejandría[g] que navegaba hacia Italia, y nos hizo subir a bordo. 7 Entonces, después de navegar bastantes días lentamente, y de llegar con dificultad a Cnido, porque el viento no nos dejaba seguir adelante, navegamos al [abrigo de] Creta junto a Salmone, 8 y, costeándola con difi-

CAP. 26

a Hch 22:21
  Ro 11:13
b Isa 35:5
  Isa 61:1
c Isa 42:7
  Col 1:13
d Isa 60:2
  Jn 8:12
  2Co 4:6
e Ef 2:2
f Lu 1:77
  1Jn 3:5
g Ef 1:11
h Hch 20:32
i Hch 9:20
j Hch 9:22
k Hch 9:28
l Hch 9:15
m Eze 18:31
  Mt 3:8
  2Co 7:11
n Hch 21:31
o 2Co 1:10
p Isa 9:6
  Jer 23:5
  Jer 33:15
  Eze 34:23
  Miq 5:2
  Mal 3:1
  Lu 24:27
  Lu 24:44
  Ro 3:21
q Gé 3:15
  Gé 49:10
  Dt 6:4
  Dt 18:18
  Jn 5:46
r Sl 22:7
  Sl 22:16
  Sl 35:19
  Isa 50:6
  Isa 53:5
s Sl 16:10
t Lu 2:32
u Sl 18:49
  Isa 11:10
  Isa 52:15
v 1Co 1:23
w Jn 18:20
x Hch 26:3

2.ª col.

a Hch 23:29
  Hch 25:25
b Hch 25:11
  Hch 25:21
  Hch 28:19

CAP. 27

c Hch 25:12
d Hch 19:29
  Hch 20:4
  Col 4:10
e Pr 19:22
  Hch 28:16
f Hch 24:23
g Hch 28:11

cultad, llegamos a cierto lugar llamado Bellos Puertos, cerca del cual estaba la ciudad de Lasea.

9 Como había transcurrido bastante tiempo, y para ahora era peligroso el navegar, porque ya había pasado hasta el ayuno [del día de la expiación[a]], Pablo hizo una recomendación, 10 y les dijo: "Varones, percibo que el navegar va a ser con daño y gran pérdida, no solo del cargamento y del barco, sino también de nuestras almas".[b] 11 Sin embargo, el oficial del ejército hacía caso al piloto y al dueño de la nave más bien que a las cosas que Pablo decía. 12 Ahora bien, como la bahía era incómoda para invernar, la mayoría aconsejó hacerse a la mar desde allí, por ver si de algún modo lograban llegar a Fenice, bahía de Creta que mira al nordeste y al sudeste, para invernar allí.

13 Además, cuando el viento del sur sopló suavemente, pensaron que podía darse por realizado su propósito, y levaron anclas y fueron costeando a Creta cerca de la orilla. 14 Después de no mucho tiempo, sin embargo, se desató contra ella un viento tempestuoso[c] llamado euroaquilón. 15 Puesto que el barco fue prendido por la violencia y no pudo mantenerse proa al viento, cedimos y nos dejamos llevar. 16 Luego marchamos al [abrigo de] cierta isleta llamada Cauda, y sin embargo apenas pudimos tomar posesión del esquife[d] [que estaba en la popa]. 17 Pero después de alzarlo a bordo empezaron a emplear ayudas para ceñir el barco por debajo; y temiendo encallar en la Sirte, arriaron los aparejos, y así fueron llevados. 18 Sin embargo, debido a que nos sacudía violentamente la tempestad, al [día] siguiente empezaron a alijar[e] la nave; 19 y al tercer [día], con sus propias manos, arrojaron las jarcias del barco.

20 Pues bien, cuando no apa-

recieron ni sol ni estrellas por muchos días, y teníamos encima una tempestad no pequeña,[a] toda esperanza de salvarnos por fin se nos iba acabando. 21 Y cuando hubo durado mucho tiempo la abstención de alimentos, entonces Pablo se puso de pie en medio de ellos[b] y dijo: "Varones, ciertamente debieran haber tomado mi consejo y no haberse hecho a la mar desde Creta y haber sufrido este daño y pérdida.[c] 22 Sin embargo, ahora les recomiendo que estén alegres, porque no se perderá ni un alma de entre ustedes, sino solo el barco. 23 Porque esta noche estuvo de pie cerca de mí un ángel[d] del Dios a quien yo pertenezco y a quien rindo servicio sagrado,[e] 24 y dijo: 'No temas, Pablo. Tienes que estar de pie ante César,[f] y, ¡mira!, Dios te ha dado de gracia a todos los que navegan contigo'. 25 Por lo tanto, estén alegres, varones; porque creo a Dios[g] que será exactamente como se me ha dicho. 26 Sin embargo, tenemos que ser echados en cierta isla".[h]

27 Ahora bien, como llegó la decimocuarta noche y nos hallábamos arrojados de acá para allá en el [mar de] Adria, a la medianoche los marineros empezaron a sospechar que estaban acercándose a alguna tierra. 28 Y sondearon la profundidad y hallaron veinte brazas; de modo que siguieron adelante una corta distancia y volvieron a echar la sonda y hallaron quince brazas. 29 Y porque temían que fuéramos a ser echados en algún lugar sobre los escollos, echaron de la popa cuatro anclas, y deseaban que se hiciera de día. 30 Pero cuando los marineros empezaron a procurar escapar del barco y bajaron el esquife al mar so pretexto de que iban a largar las anclas desde la proa, 31 Pablo dijo al oficial del ejército y a los soldados: "A menos que estos hombres permanezcan en el bar-

CAP. 27
a Le 16:29
Le 23:27

b Hch 27:21

c Mr 4:37

d Hch 27:32

e Jon 1:5

2.ª col.
a Jon 1:13

b Jon 1:9

c Hch 27:10

d Da 6:16
Hch 5:19
Hch 23:11
Heb 1:14

e Ro 1:9
2Ti 1:3
Heb 12:28

f Hch 23:11
Hch 25:11

g Nú 23:19
Ro 4:21
Tit 1:2

h Hch 28:1

co, ustedes no pueden salvarse".[a] 32 Entonces los soldados cortaron las cuerdas del esquife[b] y lo dejaron caer.

33 Ahora bien, faltando ya poco para que se hiciera de día, Pablo empezó a animar a todos sin excepción a que tomaran alimento, diciendo: "Hoy es el decimocuarto día que ustedes han estado vigilando y continúan sin alimento, por no haber tomado nada. 34 Por lo tanto, los animo a que tomen algún alimento, porque esto es en el interés de su seguridad; porque no perecerá un cabello[c] de la cabeza de ninguno de ustedes". 35 Después que dijo esto, también tomó un pan, dio gracias[d] a Dios ante todos ellos, y lo partió y comenzó a comer. 36 De modo que todos se alegraron, y ellos mismos empezaron a tomar algún alimento. 37 Ahora bien, en conjunto, éramos doscientas setenta y seis almas en el barco. 38 Cuando hubieron quedado satisfechos de alimento, procedieron a alijar[e] el barco, echando el trigo al mar.

39 Por fin, cuando se hizo de día, no reconocían la tierra, pero observaban cierta ensenada con una playa, a[f] en esta se resolvieron a varar, si podían, el barco. 40 Así que, cortando las [cuerdas de las] anclas, las dejaron caer en el mar, y al mismo tiempo aflojaron las amarraduras de los remos timoneros y, después de izar el trinquete al viento, hicieron rumbo a la playa. 41 Cuando descansaron sobre un bajío, bañado por el mar por ambos lados, encallaron la nave, y la proa se hincó y quedó inmóvil, pero la popa empezó a hacerse pedazos debido a la violencia [del mar].[g] 42 Entonces llegó a ser la resolución de los soldados matar a los presos, para que nadie se echara a nadar y escapara. 43 Pero el oficial del ejército deseaba que Pablo saliera a salvo, y los restringió de su propósito. Y mandó que los que pudieran nadar se

echaran al mar y llegaran a tierra primero, 44 y que los demás lo hicieran, algunos en tablas y algunos en ciertas cosas del barco. Y así sucedió que todos fueron llevados a salvo a tierra.[a]

28 Y cuando nos hubimos puesto a salvo, entonces nos enteramos de que la isla se llamaba Malta.[b] 2 Y la gente de habla extranjera nos mostró extraordinaria bondad humana,[c] pues encendieron un fuego y nos recibieron a todos servicialmente a causa de la lluvia que estaba cayendo y a causa del frío.[d] 3 Pero cuando Pablo juntó cierto manojo de leña menuda y lo puso en el fuego, salió una víbora debido al calor, y se le prendió en la mano. 4 Cuando los de habla extranjera alcanzaron a ver la criatura venenosa colgando de su mano, empezaron a decirse unos a otros: "De seguro este hombre es asesino, y aunque logró salir a salvo del mar, la justicia vindicativa no le ha permitido seguir viviendo". 5 Sin embargo, él sacudió a la criatura venenosa en el fuego y no sufrió daño alguno.[e] 6 Pero ellos estaban esperando que se hincharía de inflamación o caería muerto de repente. Después que esperaron largo tiempo y contemplaron que no le acontecía nada perjudicial, mudaron de parecer y empezaron a decir que era un dios.[f]

7 Ahora bien, en las cercanías de aquel lugar tenía terrenos el hombre prominente de la isla, de nombre Publio; y él nos recibió con hospitalidad y nos hospedó tres días benévolamente. 8 Pero aconteció que el padre de Publio estaba acostado, angustiado con fiebre y disentería, y Pablo entró donde él y oró, puso las manos[g] sobre él, y lo sanó.[h] 9 Después que esto sucedió, los demás de la isla que tenían enfermedades también empezaron a venir a él y ser curados.[i] 10 Y

CAP. 27
a Hch 27:22

b Hch 27:16

c 1Sa 14:45
2Sa 14:45
Mt 10:30
Lu 12:7

d Mt 15:36
Mr 8:6
Jn 6:11
Ro 14:6
1Ti 4:4

e Jon 1:5

f Hch 28:1

g Hch 27:22
2Co 11:25

2.ª col.
a Hch 27:24

CAP. 28
b Hch 27:26

c Pr 19:22
Hch 27:3

d 2Co 11:27

e Lu 10:19

f Hch 14:11

g Mr 7:32
Hch 19:11
1Co 12:9

h Lu 4:39

i Mt 10:8

también nos honraron con muchas dádivas y, cuando nos hicimos a la vela, nos cargaron de cosas para satisfacer nuestras necesidades.

11 Tres meses después, nos hicimos a la vela en un barco de Alejandría[a] que había invernado en la isla y que llevaba el mascarón de proa "Hijos de Zeus". 12 Y, haciendo escala en Siracusa, permanecimos allí tres días, 13 desde donde rodeamos y arribamos a Regio. Y un día después se levantó un viento del sur, y al segundo día llegamos a Puteoli. 14 Aquí hallamos hermanos, y se nos suplicó que permaneciéramos con ellos siete días; y así nos acercamos a Roma. 15 Y de allí los hermanos, al oír las noticias acerca de nosotros, vinieron a nuestro encuentro hasta la Plaza del Mercado de Apio y las Tres Tabernas y, cuando alcanzó a verlos, Pablo dio gracias a Dios y cobró ánimo.[b] 16 Por fin, cuando entramos en Roma, a Pablo se le permitió[c] alojarse solo con el soldado que lo guardaba.

17 Sin embargo, tres días después él convocó a los que eran los hombres prominentes de los judíos. Cuando se hubieron congregado, procedió a decirles: "Varones, hermanos, sin haber hecho yo nada contrario al pueblo, ni contrario a las costumbres de nuestros antepasados,[d] desde Jerusalén fui entregado como preso en manos de los romanos.[e] 18 Y estos, después de haber efectuado un examen,[f] deseaban ponerme en libertad,[g] puesto que no había en mí causa alguna de muerte.[h] 19 Pero como los judíos siguieron hablando en contra de ello, me vi obligado a apelar[i] a César, mas no como que tuviera yo alguna cosa de que acusar a mi nación. 20 En verdad, por esta causa supliqué poder verlos y hablarles, porque a causa de la esperanza[j] de Israel estoy rodeado de esta cadena".[k] 21 Ellos le dijeron: "Ni hemos

recibido nosotros cartas acerca de ti de Judea, ni ninguno de los hermanos que han llegado ha informado ni hablado ninguna cosa inicua acerca de ti. 22 Pero nos parece propio oír de ti cuáles son tus pensamientos, porque, verdaderamente, en lo que toca a esta secta[a] se nos es conocido que en todas partes se habla en contra de ella".[b]

23 Entonces hicieron los arreglos para un día con él, y vinieron a él en mayor número a su alojamiento. Y él les explicó el asunto, dando testimonio cabal respecto al reino de Dios[c] y tratando de persuadirlos respecto a Jesús, tanto por la ley de Moisés[d] como por los Profetas,[e] desde la mañana hasta el atardecer. 24 Y algunos creían[f] las cosas que se decían; otros no creían.[g] 25 Así, porque estaban en desacuerdo unos con otros, empezaron a irse, mientras Pablo hacía este único comentario:

"Aptamente habló el espíritu santo por Isaías el profeta a los antepasados de ustedes, 26 diciendo: 'Ve a este pueblo y di: "Oyendo, oirán, pero de ningún modo entenderán; y, mirando, mirarán, pero de ningún modo verán.[h] 27 Porque el corazón de este pueblo se ha hecho indispuesto a recibir, y con los oídos han oído sin responder, y han cerrado los ojos; para que nunca vean con los ojos, ni oigan con los oídos, ni entiendan con el corazón y se vuelvan, y yo los sane" '.[i] 28 Por lo tanto, séales conocido que esto, el medio por el cual Dios salva, ha sido enviado a las naciones;[j] ellas sí lo escucharán".[k] 29 ——

30 De modo que permaneció dos años enteros en su propia casa alquilada,[l] y recibía amablemente a todos los que venían a él, 31 predicándoles el reino de Dios y enseñando las cosas respecto al Señor Jesucristo con la mayor franqueza de expresión,[m] sin estorbo.

CAP. 28
a Hch 27:6
b 2Co 1:4
c Hch 24:23
d Hch 24:12
  Hch 25:8
e Hch 21:33
f Hch 24:10
g Hch 26:32
h Hch 23:9
  Hch 23:29
  Hch 25:25
  Hch 26:31
i Hch 25:11
  Hch 26:32
j Hch 23:6
  Hch 26:6
  Tit 2:13
k Ef 6:20
  2Ti 1:16

2.ª col.
a Hch 24:14
b Lu 2:34
  Jn 15:19
c Hch 17:2
d Gé 3:15
  Gé 22:18
  Gé 49:10
  Dt 18:18
  Dt 32:43
  Jn 5:46
e Isa 9:6
  Isa 11:10
  Isa 52:15
  Jer 23:5
  Miq 5:2
  Zac 13:8
  Mal 3:1
  Lu 24:44
f Hch 17:4
g Hch 14:4
  2Te 3:2
h Isa 6:9
  Jer 5:31
  Eze 12:2
  Ro 11:8
i Isa 6:10
j Lu 3:6
  Hch 13:46
  Hch 22:21
  Ro 11:11
k Sl 67:2
  Sl 98:3
  Isa 11:10
l Hch 28:16
m Hch 26:26
  Ef 6:19

A LOS
ROMANOS

1 Pablo, esclavo[a] de Jesucristo y llamado[b] a ser apóstol,[c] separado para las buenas nuevas de Dios,[d] **2** que él prometió en tiempo pasado mediante sus profetas[e] en las santas Escrituras, **3** acerca de su Hijo, que provino de la descendencia de David[f] según la carne,[g] **4** pero que con poder[h] fue declarado Hijo de Dios[i] según el espíritu[j] de la santidad mediante la resurrección de entre los muertos[k] —sí, Jesucristo nuestro Señor, **5** mediante quien recibimos bondad inmerecida[l] y un apostolado[m] para que hubiera obediencia de fe entre todas las naciones[n] respecto a su nombre, **6** entre las cuales [naciones] ustedes también son los llamados para pertenecer a Jesucristo— **7** a todos los que están en Roma como amados de Dios, llamados[o] a ser santos:[p]

Que tengan bondad inmerecida y paz[q] de parte de Dios nuestro Padre y de[1] Señor Jesucristo.[r]

8 Ante todo, doy gracias[s] a mi Dios mediante Jesucristo acerca de todos ustedes, porque por todo el mundo se habla de la fe de ustedes.[t] **9** Porque Dios, a quien rindo servicio sagrado con mi espíritu respecto a las buenas nuevas acerca de su Hijo, es mi testigo de cómo sin cesar siempre hago mención de ustedes en mis oraciones,[v] **10** rogando que, si de algún modo es posible, ahora por fin sea prosperado en la voluntad[w] de Dios para ir a ustedes. **11** Porque anhelo verlos,[x] para impartirles algún don espiritual[y] a fin de que se les haga firmes; **12** o, más bien, para que haya un intercambio de estímulo[z] entre ustedes, por cada uno mediante la fe[a] del otro, tanto la de ustedes como la mía.

13 Pero no quiero que ignoren, hermanos,[a] que muchas veces me propuse ir a ustedes[b] —pero he sido estorbado hasta ahora— para adquirir algún fruto[c] también entre ustedes lo mismo que entre las demás naciones. **14** Tanto a griegos como a bárbaros, tanto a sabios[d] como a insensatos, soy deudor: **15** de modo que por mi parte tengo vivo interés en declararles las buenas nuevas[e] también a ustedes, allí en Roma.[f] **16** Porque no me avergüenzo[g] de las buenas nuevas, en realidad, el poder de Dios[h] para salvación a todo el que tiene fe,[i] al judío primero[c] y también al griego;[k] **17** porque en ellas se revela la justicia de Dios[l] a causa de fe[m] y hacia la fe, así como está escrito: "Mas el justo... por medio de la fe vivirá".[n]

18 Porque la ira de Dios[o] se revela desde el cielo contra toda impiedad e injusticia[p] de los hombres que suprimen la verdad[q] de un modo injusto, **19** porque lo que puede conocerse acerca de Dios está en ellos manifiesto,[s] porque Dios se lo ha puesto de manifiesto.[t] **20** Porque las [cualidades] invisibles[u] de él se ven claramente desde la creación del mundo en adelante,[v] porque se perciben por las cosas hechas,[w] hasta su poder sempiterno[x] y Divinidad,[y] de modo que ellos son inexcusables;[z] **21** porque, aunque conocieron a Dios, no lo glorificaron como a Dios ni le dieron

---

CAP. 1

a Gál 1:10
b Hch 9:15
  Gál 1:15
c 1Co 15:9
d Gál 3:8
e Nú 12:6
  Lu 1:70
  Tit 1:2
f 2Sa 7:12
  Lu 1:32
  2Ti 2:8
g Jn 1:14
  Gál 4:4
h 2Co 13:4
i Sl 2:7
j Lu 11:13
  Ef 1:13
  1Ti 3:16
k Sl 16:10
  Hch 3:15
  Hch 13:33
l Jn 1:16
  Ef 3:8
m 1Ti 2:7
  2Ti 1:11
n Hch 15:14
  Gál 2:7
o Flp 3:14
  1Te 2:12
p 1Co 1:2
  Ef 6:23
r 1Co 1:3
  Gál 1:3
s Flp 1:3
t Ro 16:19
  1Te 1:8
u 2Co 1:23
  Flp 1:8
v 1Te 3:10
  2Ti 1:3
w Hch 18:21
  Ro 15:32
  Snt 4:15
x Flp 1:8
  Flp 4:1
  1Te 2:17
y Ro 15:29
z Flp 2:1
  1Te 5:11
  Heb 10:25
a Gál 6:10
  1Ti 4:10
  1Pe 1:7

2.ª col.

a Mr 3:35
b Ro 15:23
c Jn 15:16
  Flp 4:17
d 1Co 3:18
e Mr 13:10
f Hch 19:21
g Sl 119:46
  Mr 8:38
  2Ti 1:8
h 1Co 1:18
i Heb 11:6
j Hch 3:26
k Hch 18:6
l Ro 3:21

m Jn 3:36; Flp 3:9; n Hab 2:4; Gál 3:11; Heb 10:38; o Ro 2:5; Ef 5:6; p Job 24:13; q Ro 1:25; r Jn 8:44; s Hch 14:17; t Sl 19:1; u 1Ti 1:17; Heb 11:27; v Isa 40:21; w Isa 40:26; Rev 4:11; x Jer 10:12; 2Pe 1:3; y Sl 103:19; Jer 10:10; Rev 15:3; z Hch 17:27; Ro 3:2.

gracias,[a] sino que se hicieron casquivanos[b] en sus razonamientos, y se les oscureció su fatuo corazón.[c] 22 Aunque afirmaban que eran sabios, se hicieron necios[d] 23 y tornaron la gloria[e] del Dios incorruptible en algo semejante a la imagen[f] del hombre corruptible, y de aves y cuadrúpedos y cosas que se arrastran.[g]

24 Por lo tanto, en conformidad con los deseos de sus corazones, Dios los entregó a la inmundicia,[h] para que sus cuerpos[i] fueran deshonrados entre sí,[j] 25 hasta los que cambiaron la verdad[k] de Dios por la mentira[l] y veneraron y rindieron servicio sagrado a la creación más bien que a Aquel que creó, que es bendito para siempre. Amén. 26 Por eso Dios los entregó a apetitos sexuales vergonzosos,[p] porque sus hembras cambiaron el uso natural de sí mismas a uno que es contrario a la naturaleza;[n] 27 y así mismo hasta los varones dejaron el uso natural de la hembra[o] y se encendieron violentamente en su lascivia unos para con otros, varones con varones,[p] obrando lo que es obsceno[q] y recibiendo en sí mismos la recompensa completa,[r] que se les debía por su error.

28 Y así como no aprobaron el tener a Dios en conocimiento exacto,[t] Dios los entregó a un estado mental desaprobado,[u] para que hicieran las cosas que no son apropiadas,[v] 29 llenos como estaban de toda injusticia,[w] iniquidad,[x] codicia,[y] maldad,[a] estando llenos de envidia,[a] asesinato,[b] contienda,[c] engaño,[d] genio malicioso,[e] siendo susurradores,[f] 30 difamadores solapados,[g] odiadores de Dios, insolentes,[h] altivos,[i] presumidos,[j] inventores de cosas perjudiciales,[k] desobedientes a los padres,[l] 31 sin entendimiento,[m] falsos en los acuerdos,[n] sin tener cariño natural,[o] despiada-

dos.[a] 32 Aunque estos conocen muy bien el justo decreto de Dios,[b] que los que practican tales cosas son merecedores de muerte,[c] no solo siguen haciéndolas, sino que también consienten[d] a los que las practican.

2 Por lo tanto eres inexcusable, oh hombre,[e] quienquiera que seas, si juzgas;[f] porque en lo que juzgas a otro, te condenas a ti mismo, puesto que tú que juzgas[g] practicas las mismas cosas.[h] 2 Ahora bien, sabemos que el juicio de Dios es, de acuerdo con la verdad,[i] contra los que practican tales cosas.

3 Pero ¿tienes tú esta idea, oh hombre,[j] mientras juzgas a los que practican tales cosas y, no obstante, las haces, que tú escaparás del juicio de Dios?[k] 4 ¿O desprecias las riquezas de su bondad[l] y longanimidad[m] y gran paciencia,[n] porque ignoras que la [cualidad] bondadosa de Dios está tratando de conducirte al arrepentimiento?[o] 5 Pero conforme a tu dureza[p] y corazón impenitente[q] estás acumulando ira[r] para ti mismo en el día de la ira[s] y de la revelación[t] del justo juicio de Dios.[u] 6 Y él pagará a cada uno conforme a sus obras:[v] 7 vida eterna a los que por aguante en la obra que es buena buscan gloria y honra e incorruptibilidad;[w] 8 sin embargo, para los que son contenciosos[x] y que desobedecen la verdad,[y] pero obedecen la injusticia, habrá ira y cólera,[z] 9 tribulación y angustia, sobre el alma de todo hombre que obra lo que es perjudicial, del judío[a]

CAP. 1
a Dt 4:8
Sl 50:23
Sl 147:19
b Mt 23:28
Tit 1:14
c Gé 6:5
Mt 9:4
Mt 13:15
Lu 5:22
d Mt 23:17
2Pe 2:19
e Jer 2:11
Os 4:7
Hch 17:29
f Dt 4:16
Sl 106:20
Hch 14:15
g Dt 4:17
Eze 8:10
h Sl 81:12
Hch 7:42
2Co 12:21
Gál 5:19
i 1Co 6:18
Le 18:22
Ef 5:12
k Mt 4:10
Jn 8:32
Ro 2:8
l Sl 106:39
Sl 14:1
Mal 3:14
m 1Te 4:5
n Le 18:23
Jud 7
o Le 18:22
p Gé 19:5
Le 20:13
1Co 6:9
q Ro 6:21
Ef 5:4
r Dt 7:15
Gál 6:7
2Pe 2:13
2Pe 2:19
Jud 10
t Heb 10:26
u Ro 11:7
2Co 3:14
v Gál 5:19
2Ti 3:2
w 1Pe 4:3
x Mr 7:22
y Dt 5:21
2Pe 2:14
z 1Pe 2:16
a Tit 3:3
b Snt 4:2
1Jn 3:15
c Gál 5:20
d 1Te 2:3
1Pe 2:1
e Ef 4:31
1Ti 5:13
f Pr 11:13
g 1Pe 2:1
h Sl 10:13
i 2Ti 3:2
j Pr 21:24
k Sl 140:2
l 1Dt 21:18
m Sl 32:9
Ro 1:21
n 1Ti 1:10
o Dt 28:54
2Ti 3:3

2.ª col.

a Snt 2:13

b Dt 4:8; c Dt 22:21; 2Te 2:12; Rev 21:8; d Sl
50:18; Os 7:3; CAP. 2 e Ro 2:9; Ro 9:20; f Ro
14:10; Snt 4:11; g Mt 7:5; h Ro 2:21; i Isa 11:3;
2Te 1:6; j Ro 2:17; k Mt 23:33; Mt 12:34; l 1Ti
5:24; 1 Sl 86:5; Ro 11:22; Ef 1:7; m Ro 3:25; n Éx
34:6; Isa 30:18; o 2Ti 2:25; 2Pe 3:9; p Dt 9:6;
Eze 3:7; q 1Sa 6:6; r Dt 32:35; Pr 28:14; s Rev
6:17; t 2Te 1:7; u Hch 17:31; Rev 11:18; v Job
34:11; Sl 62:12; Pr 24:12; Eze 18:30; Mt 16:27;
Jn 5:29; w 1Ti 6:16; Rev 20:6; x Flp 2:3; y Mt
4:10; Jn 8:44; Gál 5:7; z Isa 3:11; Ro 1:18; Col
3:6; Heb 10:27; a Am 3:2.

primero y también del griego;[a] **10** pero gloria y honra y paz para todo el que obra lo que es bueno,[b] para el judío primero,[c] y también para el griego.[d] **11** Porque con Dios no hay parcialidad.[e]

12 Por ejemplo, todos los que hayan pecado sin ley, también perecerán sin ley;[f] pero todos los que hayan pecado bajo ley[g] serán juzgados por ley.[h] **13** Porque los oidores de ley no son los justos ante Dios, sino que a los hacedores[i] de ley se declarará justos.[j] **14** Porque siempre que los de las naciones[k] que no tienen ley[l] hacen por naturaleza las cosas de la ley,[m] estos, aunque no tienen ley, son una ley para sí mismos. **15** Son los mismísimos que demuestran que la sustancia de la ley está escrita en sus corazones,[n] mientras su conciencia[o] da testimonio con ellos y, entre sus propios pensamientos, están siendo acusados[p] o hasta excusados. **16** Esto será en el día que Dios, mediante Cristo Jesús, juzgue[q] las cosas secretas[r] de la humanidad,[s] conforme a las buenas nuevas que yo declaro.[t]

17 Ahora bien, si eres judío de nombre[u] y descansas sobre ley[v] y te glorías en Dios,[w] **18** y conoces su voluntad[x] y apruebas las cosas que son admirables porque eres instruido oralmente de la Ley;[y] **19** y estás persuadido de que eres guía de ciegos,[z] luz para los que están en oscuridad,[a] **20** corregidor de los irrazonables,[b] maestro de los pequeñuelos,[c] y tienes en la Ley la armazón[d] del conocimiento y de la verdad[e]... **21** tú, sin embargo, el que enseñas a otro, ¿no te enseñas a ti mismo?[f] Tú, el que predicas: "No hurtes",[g] ¿hurtas?[h] **22** Tú, el que dices: "No cometas adulterio",[i] ¿cometes adulterio? Tú, el que expresas aborrecimiento de los ídolos, ¿robas[j] a los templos? **23** Tú, que te glorías en ley, ¿por tu

transgresión de la Ley[a] deshonras a Dios? **24** Porque "el nombre de Dios es blasfemado entre las naciones a causa de ustedes";[b] así como está escrito.

25 La circuncisión,[c] en realidad, es de provecho solo si practicas ley;[d] pero si eres transgresor de ley, tu circuncisión[e] ha llegado a ser incircuncisión.[f] **26** Por eso, si el incircunciso[g] guarda los justos requisitos[h] de la Ley, su incircuncisión será contada por circuncisión, ¿no es verdad?[i] **27** Y el incircunciso, que lo es por naturaleza, al llevar a cabo la Ley, te juzgará a ti,[j] que, teniendo su código escrito y la circuncisión, eres transgresor de ley. **28** Porque no es judío el que lo es por fuera,[k] ni es la circuncisión la que está afuera en la carne.[l] **29** Más bien, es judío el que lo es por dentro,[m] y [su] circuncisión es la del corazón[n] por espíritu, y no por un código escrito.[o] La alabanza[p] de ese viene, no de los hombres, sino de Dios.[q]

3 ¿Cuál, pues, es la superioridad del judío,[r] o cuál es el provecho de la circuncisión?[s] **2** Muchísimo de todas maneras. En primer lugar, porque a ellos fueron encomendadas las sagradas declaraciones formales de Dios.[t] **3** ¿Cuál, pues, [es el caso]? Si algunos no expresaron fe,[u] ¿acaso su falta de fe hará sin efecto la fidelidad[v] de Dios?[w] **4** ¡Jamás suceda eso! Más bien, sea Dios hallado veraz,[x] aunque todo hombre sea hallado mentiroso,[y] y así como está escrito: "Para que seas probado justo en tus palabras y ganes cuando se te esté juzgando".[z] **5** Sin embargo, si nuestra injusticia hace resaltar la justicia de Dios,[a] ¿qué

CAP. 2

a 2Te 1:6
b Gál 5:22
c Jn 4:22
d Hch 13:46
d Hch 15:14
e Dt 10:17
   2Cr 19:7
   Hch 10:34
f Ef 2:12
   Col 2:13
g Ro 3:19
h Ro 7:9
i Dt 30:14
   Eze 20:11
   Snt 1:22
j Hch 13:39
   Gál 3:11
k Dt 26:19
l Sl 147:20
m Hch 10:2
n Hch 10:4
o 1Co 8:7
   1Pe 3:16
p Gál 4:13
q Jn 5:22
   Hch 10:42
   Hch 17:31
r Lu 8:17
   1Ti 5:25
s 1Pe 4:5
t 2Co 5:10
   1Pe 4:6
u Ro 9:6
v Miq 3:11
   Mt 23:23
   Lu 11:46
w Isa 45:25
   Jn 8:41
x Dt 4:8
   Sl 143:10
y Ro 3:2
z Isa 42:7
   Mt 15:14
   Mt 23:16
a Isa 49:6
b 2Re 5:11
c Isa 42:20
   Mt 15:26
d Ex 25:9
   Hch 7:44
   Heb 8:5
   Heb 10:1
e Ro 1:25
   Col 2:17
f Mt 23:3
g Éx 20:15
   Jos 7:11
h Mr 12:40
i Dt 5:18
   1Co 6:9
j Mal 3:8

2.ᵃ col.

a Sl 78:10
b Isa 52:5
   Eze 36:20
c Gé 17:10
d Gál 5:3
e 1Co 7:19
f Jer 9:25
   Gál 5:6
g Ef 2:11
h Hch 10:34
i Ro 4:10
j Mt 12:41
k Jn 8:39
   Rev 2:9
l Jn 7:24
   1Co 7:19
m Ro 9:6

n Dt 10:16; Dt 30:6; Jer 4:4; Hch 7:51; Flp 3:3;
o Ro 7:6; p 1Co 4:5; q Jn 5:44; **CAP. 3** r Ro 9:4;
s Jn 4:22; t Dt 4:8; Sl 147:19; Hch 7:38; u 2Te
3:2; Heb 4:2; v 2Ti 2:13; w Nú 23:19; Isa 55:11;
x Flp 18:39; Jn 3:33; Jn 8:26; y Sl 116:11; Jer
8:9; Jer 9:5; z Sl 51:4; Lu 7:29; a Ro 1:17; Flp
3:9.

diremos? Dios no es injusto[a] cuando descarga su ira, ¿verdad? (Estoy hablando como lo hace un hombre[b].) 6 ¡Jamás suceda eso! ¿Cómo, de otro modo, juzgará Dios al mundo?[c]

7 No obstante, si con motivo de mi mentira la verdad de Dios[d] se ha hecho más prominente para gloria de él, ¿por qué, también, todavía se me juzga como pecador?[e] 8 ¿Y [por qué] no [decir], así como lo que se nos imputa falsamente[f] y así como declaran algunos que decimos: "Hagamos las cosas malas para que vengan las cosas buenas"?[g] El juicio[h] contra tales [hombres] está en armonía con la justicia.[i]

9 ¿Qué, pues? ¿Estamos en mejor posición nosotros?[j] ¡De ninguna manera! Porque arriba hemos hecho el cargo de que tanto los judíos como los griegos están todos bajo pecado;[k] 10 así como está escrito: "No hay justo, ni siquiera uno;[l] 11 no hay quien tenga perspicacia alguna, no hay quien busque a Dios.[m] 12 Todos se han desviado, todos juntos se han hecho inútiles; no hay quien haga bondad, no hay siquiera uno solo".[n] 13 "Sepulcro abierto es su garganta, con sus lenguas han usado engaño.[o] "Hay veneno de áspides detrás de sus labios."[p] 14 "Y su boca está llena de maldición y de expresión amarga."[q] 15 "Sus pies son veloces para derramar sangre."[r] 16 "Ruina y desdicha se hallan en sus caminos,[s] 17 y no han conocido el camino de la paz."[t] 18 "No hay temor de Dios delante de sus ojos."[u]

19 Ahora bien, sabemos que todas las cosas que la Ley[v] dice, las dirige a los que están bajo la Ley, para que toda boca se cierre[w] y todo el mundo quede expuesto[x] a castigo ante Dios.[y] 20 Así es que por obras de ley ninguna carne será declarada justa[z] ante él, porque por ley es

el conocimiento exacto del pecado.[a]

21 Mas ahora, aparte de ley, la justicia de Dios[b] ha sido puesta de manifiesto, según dan testimonio[c] de ella la Ley[d] y los Profetas;[e] 22 sí, la justicia de Dios mediante la fe en Jesucristo,[f] para todos los que tienen fe.[g] Porque no hay distinción.[h] 23 Porque todos han pecado[i] y no alcanzan a la gloria de Dios,[j] 24 y es como dádiva gratuita[k] que por su bondad inmerecida[l] se les está declarando justos mediante la liberación por el rescate[m] [pagado] por Cristo Jesús. 25 Dios lo presentó como ofrenda para propiciación[n] mediante fe en su sangre.[o] Esto fue con el fin de exhibir su propia justicia, porque estaba perdonando los pecados[p] que habían ocurrido en el pasado mientras Dios estaba ejerciendo longanimidad;[q] 26 para exhibir su propia justicia[r] en esta época presente, para que él sea justo hasta al declarar justo[s] al hombre que tiene fe en Jesús.

27 Entonces, ¿dónde está la jactancia?[t] Queda excluida. ¿Mediante qué ley?[u] ¿La de obras?[v] No, por cierto, sino mediante la ley de la fe.[w] 28 Porque estimamos que el hombre es declarado justo por fe aparte de obras de ley.[x] 29 ¿O es él el Dios de los judíos únicamente?[y] ¿No lo es también de gente de las naciones?[z] Sí, de gente de las naciones también,[a] 30 si en verdad Dios es uno solo,[b] que declarará justos a los circuncisos[c] como resultado de fe y justos a los incircuncisos[d] por medio de su fe. 31 ¿Abolimos ley, pues, por medio de nuestra fe?[e] ¡Jamás suceda eso! Al contrario, establecemos ley.[f]

CAP. 3
a Gé 18:25
b Sl 3:15
c Sl 9:8
  Sl 96:13
  Sl 98:9
  Hch 17:31
d 1Ti 2:7
e Hch 24:20
f Mt 28:15
g Ro 6:1
h Heb 2:2
i Ro 11:17
k Ro 3:23
  Gál 3:22
l Sl 14:1
  Pr 20:9
  Ec 7:20
m Sl 14:2
  Sl 53:2
n Sl 14:3
  Sl 53:3
o Sl 5:9
  Sl 52:2
p Sl 58:4
  Sl 140:3
  Mt 12:34
  Snt 3:8
q Sl 10:7
  Sl 59:12
r Pr 1:16
  Isa 59:7
s Isa 59:7,
  LXX
t Isa 59:8
u Gé 20:11
  Sl 36:1
  Sl 112:1
  Pr 16:6
v Gál 3:24
w Sl 63:11
x Ro 5:13
y Ro 2:12
  Gál 3:10
z Hch 13:39
  Gál 3:11
a Ro 7:9

2.ᵃ col.

a Ro 7:13
  Gál 3:19
b Dt 32:4
  Ro 1:17
c Heb 11:4
d Nú 21:9
  Dt 18:18
e Isa 53:11
  Jer 31:34
  Da 9:24
f Jn 1:17
g Isa 59:20
  Hag 3:28
i Ec 7:20
  Ro 3:9
j 1Co 1:31
  Isa 64:6
k Ro 5:17
  Ro 6:23
  Ef 1:7
l Ef 2:8
m Mt 20:28
  1Co 1:30
  1Ti 2:6
  1Pe 2:24
n Isa 53:11
  2Co 5:19
  1Jn 2:2
  1Jn 4:10
o Le 17:11
  Hch 13:39
  Ef 1:7
p Hch 13:38

q Hch 17:30; Ro 2:4; r Sl 89:14; Ro 5:18; s Ro 8:33; 1Co 8:13; t 1Co 1:29; u 1Co 1:29; v Ef 2:9; w Jer 31:33; Ro 1:17; Ro 8:2; x Hch 13:39; Gál 2:16; Snt 2:24; y Hch 17:27; z Hch 10:4; a Isa 54:5; Ro 10:12; Gál 3:14; b Dt 6:4; Mr 12:29; 1Co 8:6; Ef 4:6; 1Ti 2:5; c 1Co 7:18; d Gál 3:8; e Mt 5:17; f Ro 8:4; Ro 3:10.

4 Siendo así, ¿qué diremos de Abrahán, nuestro antepasado[a] según la carne? **2** Por ejemplo, si a Abrahán se le declarara justo como resultado de obras,[b] tendría base para jactarse; mas no con Dios. **3** Porque, ¿qué dice la escritura? "Abrahán ejerció fe en Jehová, y le fue contado por justicia."[c] **4** Ahora bien, al que trabaja[d] no se le cuenta el pago como bondad inmerecida,[e] sino como deuda.[f] **5** Por otra parte, al que no trabaja, pero pone fe[g] en el que declara justo al impío, su fe le es contada por justicia.[h] **6** Así como también David habla de la felicidad del hombre a quien Dios imputa justicia aparte de obras: **7** "Felices son aquellos cuyos desafueros han sido perdonados[i] y cuyos pecados han sido cubiertos;[j] **8** feliz es el hombre cuyo pecado Jehová de ninguna manera tomará en cuenta".[k]

9 Esta felicidad, pues, ¿les viene a los circuncisos, o también a los incircuncisos?[l] Porque decimos: "Su fe le fue contada a Abrahán por justicia".[m] **10** ¿En qué circunstancias, pues, le fue contada? ¿Cuando estaba en la circuncisión, o en la incircuncisión?[n] No en la circuncisión, sino en la incircuncisión. **11** Y recibió una señal,[o] a saber, la circuncisión, como sello de la justicia por la fe que tuvo mientras se halló en su estado de incircuncisión, para que fuera el padre[p] de todos los que tienen fe[q] mientras están en incircuncisión, a fin de que se les impute la justicia; **12** y padre de prole circuncidada, no solo de los que se adhieren a la circuncisión, sino también de los que andan ordenadamente en las pisadas de aquella fe que tuvo nuestro padre[r] Abrahán estando en condición de incircuncisión.

13 Porque no fue mediante ley que Abrahán o su descendencia tuvieron la promesa[a] de que él hubiera de ser heredero de un mundo, sino que fue mediante la justicia por fe.[b] **14** Porque si son herederos los que se adhieren a ley, la fe se ha hecho inútil y la promesa ha sido abolida.[c] **15** En realidad la Ley produce ira,[d] pero donde no hay ley, tampoco hay transgresión alguna.[e]

16 A causa de esto fue como resultado de fe, para que sea según bondad inmerecida,[f] a fin de que la promesa[g] le sea segura a toda su descendencia,[h] no solo a la que se adhiere a la Ley, sino también a la que se adhiere a la fe de Abrahán. (Él es el padre[i] de todos nosotros, **17** así como está escrito: "Te he nombrado padre de muchas naciones".)[j] Esto fue a vista de Aquel en quien tenía fe, sí, de Dios, que vivifica a los muertos[k] y llama las cosas que no son como si fueran.[l] **18** Aunque más allá de toda esperanza, basado todavía en esperanza tuvo fe,[m] para llegar a ser padre de muchas naciones[n] conforme a lo que se había dicho: "Así será tu descendencia".[o] **19** Y, aunque no se debilitó en fe, consideró su propio cuerpo, ahora ya amortiguado,[p] pues tenía como cien años,[q] además del amortiguamiento de la matriz de Sara.[r] **20** Pero, a causa de la promesa[s] de Dios, no titubeó con falta de fe,[t] sino que se hizo poderoso por su fe,[u] dando gloria a Dios **21** y estando plenamente convencido de que lo que él había prometido también lo podía hacer.[v] **22** Por tanto, "le fue contado por justicia".[w]

23 El que "le fue contado"[x] fue escrito, sin embargo, no solo por causa de él,[y] **24** sino también por causa de nosotros a quienes está destinado a ser contado, porque creemos en el que levantó de entre los muertos a Jesús nuestro Señor.[z] **25** Él

CAP. 4

a Isa 51:2
  Jn 8:39
b Gé 12:4
  Dt 6:25
c Gé 15:6
  Gál 3:6
  Snt 2:23
d Ro 9:32
e Ro 11:6
f Mt 20:9
  1Ti 5:18
g Jn 6:29
h Hch 13:39
  Gál 2:16
  Gál 2:17
i Sl 85:2
  Isa 43:25
j Sl 32:1
k Sl 32:2
  2Co 5:19
l Ro 3:30
m Ro 4:3
n 1Co 7:19
o Gé 17:1
  Gé 17:11
  Hch 7:8
p Lu 19:9
q Gé 15:6
  Gál 3:7
r Gál 3:29

2.ᵃ col.

a Gé 12:3
  Gé 17:6
  Gé 18:18
  Gé 22:17
b Heb 11:8
c Gál 3:18
d Ro 3:20
  Ro 5:20
  2Co 3:7
  Gál 3:19
e Ro 5:13
f Ro 3:24
g Ro 15:8
  Gál 3:22
h Ro 9:8
  Gál 3:29
i Ro 4:11
j Gé 17:5
k Da 12:13
  Lu 20:37
  Ef 2:1
  Heb 11:19
l Lu 20:38
  1Co 1:28
  1Pe 2:10
m Heb 11:17
n Gé 17:6
o Gé 15:5
p Heb 11:12
q Gé 17:17
r Gé 18:11
  Heb 11:11
s Heb 6:13
t Heb 3:19
u Gál 3:9
  Heb 11:34
v Sl 115:3
  Heb 11:19
w Gé 15:6
  Snt 2:23
x Flm 18
y Ro 15:4
z Hch 2:24
  Hch 13:30
  1Pe 1:21

fue entregado a causa de nuestras ofensas[a] y fue levantado a fin de declararnos justos.[b]

5 Por lo tanto, ahora que hemos sido declarados justos como resultado de fe,[c] gocemos de paz[d] con Dios mediante nuestro Señor Jesucristo, 2 mediante quien también hemos obtenido nuestro acceso[e] por fe a esta bondad inmerecida en la cual ahora nos mantenemos; y alborocémonos, basados en la esperanza[f] de la gloria de Dios. 3 Y no solo eso, sino que alborocémonos estando en tribulaciones,[g] puesto que sabemos que la tribulación produce aguante; 4 el aguante,[h] a su vez, una condición aprobada; la condición aprobada,[i] a su vez, esperanza, 5 y la esperanza[j] no conduce a la desilusión;[k] porque el amor de Dios[l] ha sido derramado en nuestros corazones[m] mediante el espíritu santo,[n] que nos fue dado.

6 Porque, de hecho, Cristo, mientras todavía éramos débiles,[o] murió por impíos al tiempo señalado.[p] 7 Porque apenas muere alguien por un [hombre] justo;[q] en realidad, por el [hombre] bueno,[r] quizás, alguien hasta se atreve a morir.[s] 8 Pero Dios recomienda su propio amor[t] a nosotros en que, mientras todavía éramos pecadores, Cristo murió por nosotros.[u] 9 Mucho más, pues, dado que hemos sido declarados justos ahora por su sangre,[v] seremos salvados mediante él de la ira.[w] 10 Porque si, cuando éramos enemigos,[x] fuimos reconciliados con Dios mediante la muerte de su Hijo,[y] mucho más, ahora que estamos reconciliados, seremos salvados por su vida.[z] 11 Y no solo eso, sino que también nos alborozamos en Dios mediante nuestro Señor Jesucristo, mediante quien ahora hemos recibido la reconciliación.[a]

12 Por eso, así como por me-

dio de un solo hombre[a] el pecado entró en el mundo, y la muerte[b] mediante el pecado, y así la muerte se extendió a todos los hombres porque todos habían pecado[c]... 13 Porque hasta la Ley había pecado en el mundo, pero a nadie se imputa pecado cuando no hay ley.[d] 14 No obstante, la muerte reinó desde Adán hasta Moisés,[e] aun sobre los que no habían pecado a la semejanza de la transgresión de Adán,[f] el cual tiene un parecido con el que había de venir.[g]

15 Mas no es con el don como fue con la ofensa. Porque si por la ofensa de un solo hombre murieron muchos, mucho más abundaron para los muchos la bondad inmerecida de Dios y su dádiva gratuita con la bondad inmerecida[h] por el solo hombre,[i] Jesucristo. 16 También, no es con la dádiva gratuita[j] como fue con el resultado que se produjo mediante el solo [hombre] que pecó.[k] Porque el juicio[l] resultó de una sola ofensa en condenación,[m] pero el don resultó de muchas ofensas en una declaración de justicia.[n] 17 Porque si por la ofensa del solo [hombre][o] la muerte reinó[p] mediante aquel solo, mucho más los que reciben la abundancia de la bondad inmerecida[q] y de la dádiva gratuita[r] de la justicia reinarán[s] en vida mediante la sola [persona], Jesucristo.[t]

18 Así, pues, como mediante una sola ofensa el resultado a toda clase de hombres fue la condenación,[u] así mismo también mediante un solo acto de justificación[v] el resultado a toda clase de hombres[w] es el declararlos justos para vida.[x] 19 Porque así como mediante la desobediencia del solo hombre muchos[y] fueron constituidos pe-

---

CAP. 4

a Isa 53:12
Mt 20:28
b Isa 53:11
2Co 5:21

CAP. 5

c Hch 13:39
Ro 3:26
d Isa 32:17
Gál 6:16
Ef 2:14
e Jn 10:9
2Co 5:18
Ef 2:12
Ef 3:12
Heb 10:19
f Ro 15:13
Heb 3:6
g Hch 5:41
Flp 2:17
1Pe 3:14
1Pe 4:13
h Hch 5:42
Heb 10:36
i 2Ti 2:15
Snt 1:12
j Flp 1:20
k Jos 21:45
l 1Jn 2:5
2Jn 6
m 2Co 1:22
Gál 4:6
n Ef 1:13
Tit 3:5
o Ef 2:5
p Mt 20:28
q Sl 49:8
r Mt 12:35
s Jn 15:13
t Jn 3:16
Ef 2:4
1Jn 4:10
u Isa 53:12
1Pe 3:18
v Hch 13:39
Gál 2:16
Heb 9:14
w 1Te 1:10
1Te 5:9
x Isa 59:2
Col 1:21
y 2Co 5:18
Col 1:22
z Hch 15:11
a 2Co 5:19
1Jn 2:2

2.ª col.

a Gé 2:17
Gé 3:6
Isa 43:27
b Gé 3:19
1Co 15:21
c Sl 51:5
Eze 18:4
Ro 3:23
d Ro 4:15
e Heb 2:15
f Os 4:7
Os 6:7
g 1Co 15:45
h Mt 20:28
i Isa 53:11
Heb 2:9
j Ro 6:23
k Gé 2:17
Gé 3:6
l Gé 3:17
m Gé 3:19
1Co 11:32

n Ro 4:25; o Ro 5:12; p Ro 5:14; q 2Co 9:8; r Ro 3:24; 2Co 9:15; Snt 1:17; s Rev 5:10; Rev 20:4; t 1Pe 3:18; Rev 1:5; u 1Co 15:21; v Ro 4:25; w Ro 1:16; Gál 3:28; 1Ti 2:4; x Jn 10:10; Ro 3:25; y Sl 51:5; Ro 5:12.

cadores, así mismo, también, mediante la obediencia[a] de la sola [persona] muchos[b] serán constituidos justos.[c] 20 Ahora bien, la Ley[d] entró además para que abundara la ofensa.[e] Mas donde abundó el pecado,[f] abundó aún más la bondad inmerecida.[g] 21 ¿Con qué fin? Para que, así como el pecado reinó con la muerte,[h] así mismo también la bondad inmerecida[i] reinara mediante la justicia con vida eterna[j] en mira mediante Jesucristo nuestro Señor.

6 Por consiguiente, ¿qué diremos? ¿Continuaremos en el pecado, para que abunde la bondad inmerecida?[k] 2 ¡Jamás suceda eso! Ya que hemos muerto con referencia al pecado,[l] ¿cómo habremos de seguir viviendo todavía en él?[m] 3 ¿O ignoran que todos los que fuimos bautizados en Cristo Jesús[n] fuimos bautizados en su muerte?[o] 4 Por lo tanto, fuimos sepultados[p] con él mediante nuestro bautismo en su muerte, para que, así como Cristo fue levantado de entre los muertos mediante la gloria del Padre,[q] así también nosotros andemos en novedad de vida.[r] 5 Porque si hemos sido unidos con él en la semejanza de su muerte,[s] ciertamente también seremos [unidos con él en la semejanza] de su resurrección;[t] 6 porque sabemos que nuestra vieja personalidad fue fijada en el madero con [él],[u] para que nuestro cuerpo pecaminoso fuera hecho inactivo,[v] para que ya no sigamos siendo esclavos del pecado.[w] 7 Porque el que ha muerto ha sido absuelto de [su] pecado.[x]

8 Además, si hemos muerto con Cristo, creemos que también viviremos con él.[y] 9 Porque sabemos que Cristo, ahora que ha sido levantado de entre los muertos,[z] ya no muere; la muerte ya no es amo sobre él. 10 Porque [la muerte] que él murió, la murió con referencia al

pecado una vez para siempre;[a] pero [la vida] que vive, la vive con referencia a Dios.[b] 11 Así mismo también ustedes: ténganse por muertos,[c] en verdad, con referencia al pecado, pero vivos[d] con referencia a Dios por Cristo Jesús.

12 Por lo tanto, no dejen que el pecado continúe reinando[e] en su cuerpo mortal de modo que obedezcan los deseos de este.[f] 13 Tampoco sigan presentando sus miembros al pecado[g] como armas de la injusticia,[h] sino preséntense a Dios como aquellos vivos[i] de entre los muertos; también sus miembros a Dios como armas[j] de la justicia. 14 Porque el pecado no debe ser amo sobre ustedes, puesto que no están bajo ley,[k] sino bajo bondad inmerecida.

15 ¿Qué, pues? ¿Cometeremos un pecado porque no estamos bajo ley,[m] sino bajo bondad inmerecida?[n] ¡Jamás suceda eso! 16 ¿No saben que si siguen presentándose a alguien como esclavos para obedecerle son esclavos de él porque le obedecen,[o] ya sea del pecado[p] con la muerte en mira[q] o de la obediencia[r] con la justicia[s] en mira? 17 Pero gracias a Dios que ustedes eran esclavos del pecado pero se hicieron obedientes de corazón a aquella forma de enseñanza a la cual fueron entregados.[t] 18 Sí, habiendo sido libertados[u] del pecado, vinieron a ser esclavos[v] de la justicia.[w] 19 Estoy hablando en términos humanos a causa de la debilidad de su carne;[x] porque así como presentaron sus miembros[y] como esclavos a la inmundicia[z] y al desafuero con el desafuero en mira, así ahora presenten sus miembros como esclavos a la justicia con la santidad en mira.[a] 20 Porque cuando eran esclavos del pecado,[b] eran libres en cuanto a la justicia.

CAP. 5

a Heb 5:8
b Heb 2:10
c Isa 53:11
d Ro 3:20
e Gál 3:19
f Jn 15:22
g 1Ti 1:14
h 1Co 15:56
i Jn 1:17
j Jn 3:16
　1Jn 4:9

CAP. 6

k Ro 3:8
　1Co 2:20
　1Pe 2:24
m Heb 10:26
n 1Co 12:13
　Gál 3:27
o Mr 10:38
　1Co 15:29
p Mr 10:39
　2Co 4:10
　Col 2:12
q 1Co 6:14
　2Ti 2:11
r 2Co 5:17
　Gál 6:15
　Ef 3:16
　Col 3:10
　1Jn 3:14
s Flp 3:10
　Rev 2:10
t 1Co 15:42
　1Co 15:49
　Ef 2:6
u Gál 5:24
　Col 3:5
v Col 2:11
　Col 3:5
w 2Co 7:1
　Gál 5:1
x Isa 40:2
　Lu 23:41
　Hch 13:39
y 2Ti 2:11
z Hch 13:34
　1Co 15:20
a Rev 1:18

2.ª col.

a Heb 9:28
　1Pe 3:18
b 1Pe 4:2
c Col 3:3
d 1Pe 2:24
　Gé 4:7
　Sl 119:133
f Snt 4:1
g Ro 7:5
h 1Co 6:15
i Ro 12:1
j 2Co 10:4
　Ef 6:17
k Ro 7:6
　Gál 5:18
　Col 2:11
　1Jn 1:17
m 1Co 9:21
n Ro 5:21
o 2Pe 2:19
p Jn 8:34
q Eze 18:4
　Ro 6:23
r Heb 5:9
s Ro 1:17
t 2Ti 1:13
u Jn 8:32
　Gál 5:1
v 1Co 7:22

w 1Pe 2:24; x Ro 7:23; y Mt 18:8; z 1Co 6:15;
a Ro 12:1; b Ro 8:34.

21 Entonces, ¿cuál era el fruto[a] que tenían en aquel tiempo? Cosas[b] de las cuales ahora se avergüenzan. Porque el fin de aquellas cosas es la muerte.[c] 22 Sin embargo, ahora, porque han sido libertados del pecado, pero han llegado a ser esclavos de Dios,[d] tienen su fruto[e] en forma de santidad, y el resultado final vida eterna.[f] 23 Porque el salario que el pecado paga es muerte,[g] pero el don[h] que Dios da es vida eterna[i] por Cristo Jesús nuestro Señor.[j]

7 ¿Será que ignoran, hermanos (porque estoy hablando a los que conocen ley), que la Ley es amo sobre el hombre en tanto que este vive?[k] 2 Por ejemplo, la mujer casada está atada por ley a su esposo mientras este vive; pero si su esposo muere, queda desobligada de la ley de su esposo.[l] 3 Así es que, mientras vive su esposo, sería llamada adúltera si llegara a ser de otro hombre.[m] Pero si su esposo muere, queda libre de la ley de él, de modo que no es adúltera si llega a ser de otro hombre.[n]

4 Así es que, hermanos míos, a ustedes también se les hizo morir a la Ley[o] mediante el cuerpo del Cristo, para que llegaran a ser de otro,[p] de aquel que fue levantado de entre los muertos,[q] para que llevemos fruto[*] para Dios. 5 Porque cuando estábamos en conformidad con la carne,[s] las pasiones pecaminosas que eran excitadas por la Ley obraban en nuestros miembros para que produjéramos fruto para muerte.[t] 6 Pero ahora hemos sido desobligados de la Ley,[u] porque hemos muerto[v] a aquello por lo cual se nos tenía sujetos, para que seamos esclavos[w] en un sentido nuevo por el espíritu,[x] y no en el sentido viejo por el código escrito.[y]

7 Entonces, ¿qué diremos? ¿Es pecado la Ley?[z] ¡Jamás llegue a ser eso así! Realmente, yo no habría llegado a conocer el pecado[a] si no hubiera sido por la Ley; y, por ejemplo, no habría conocido la codicia[b] si la Ley no hubiera dicho: "No debes codiciar".[c] 8 Pero el pecado, recibiendo un incentivo por medio del mandamiento,[d] obró en mí toda clase de codicia, porque aparte de ley el pecado estaba muerto.[e] 9 De hecho, yo estaba vivo en otro tiempo aparte de ley;[f] mas cuando llegó el mandamiento,[g] el pecado revivió, pero yo morí.[h] 10 Y el mandamiento que era para vida,[i] este hallé que fue para muerte;[j] 11 Porque el pecado, recibiendo un incentivo mediante el mandamiento, me sedujo,[k] y mediante él me mató. 12 De manera que, por su parte, la Ley es santa,[l] y el mandamiento es santo y justo[m] y bueno.[n]

13 ¿Acaso, pues, llegó a ser muerte para mí lo que es bueno? ¡Jamás suceda eso! Pero el pecado lo fue, para que se mostrara como pecado que obraba muerte para mí mediante lo que es bueno;[o] para que el pecado llegara a ser mucho más pecaminoso mediante el mandamiento.[p] 14 Porque sabemos que la Ley es espiritual;[q] pero yo soy carnal, vendido bajo el pecado.[r] 15 Porque lo que obro no lo sé. Porque lo que deseo, esto no lo practico; sino que lo que odio es lo que hago. 16 Sin embargo, si lo que no deseo es lo que hago,[s] convengo en que la Ley es excelente.[t] 17 Mas ahora el que lo obra ya no soy yo, sino el pecado que reside en mí.[u] 18 Porque sé que en mí, es decir, en mi carne, nada bueno mora;[v] porque la facultad de desear[w] está presente conmigo, pero la facultad de obrar[x] lo que es excelente no está [presente]. 19 Porque lo bueno que deseo no lo hago, pero lo malo que no deseo es lo que practico. 20 Ahora, pues, si lo

---

CAP. 6

a Jer 12:13
b Gál 5:19
c Ro 8:6
d Ro 8:15
e Gál 5:22
f 1Co 9:25
g Gé 2:17
h Ro 3:24
 Eze 18:4
i Mt 25:46
 1Pe 1:4
j 1Jn 1:16
 1Jn 2:2
 Jud 21

CAP. 7

k Ro 3:19
l Nú 30:8
 1Co 7:39
m Mt 5:32
 Mt 19:9
 Mr 10:12
 Lu 16:18
n 1Co 7:9
 1Ti 5:14
o Ro 6:14
 Gál 2:19
 Col 2:14
p Sl 45:10
 2Co 11:2
q Heb 5:30
 2Co 5:15
r Gál 5:22
 Col 1:10
s Gál 5:19
t Ro 6:21
 Snt 1:15
u Ro 10:4
 Ef 2:15
 Col 2:14
v Gál 2:19
w Ro 12:11
 x 2Co 3:6
y Gál 3:10
 Col 2:14
z Ro 7:14

2.ª col.

a Ro 3:20
 Gál 3:19
b Miq 2:2
 Hch 20:33
c Éx 20:17
 Dt 5:21
 Ef 5:3
d Ro 4:15
 Ro 5:20
e 1Co 15:56
f Ro 11:1
 Heb 7:10
g Heb 7:11
h 2Co 3:6
i Le 18:5
 Eze 20:11
 Lu 10:28
j 2Co 3:7
k Heb 3:13
l Sl 19:8
 Gál 3:21
m Pr 2:9
 Ro 10:5
n Dt 4:8
o 1Co 15:56
p Ro 5:13
q 1Co 10:4
r Sl 51:3
 Jn 8:34
 Ro 6:16
s Sl 51:3
 Lu 18:13

---

t 1Ti 1:8; u Gé 8:21; v Gé 6:5; Isa 64:6; w Mt 26:41; x Job 14:4

que no deseo es lo que hago,[a] el que lo obra ya no soy yo, sino el pecado que mora en mí.[b]

21 Hallo, pues, esta ley en el caso mío: que cuando deseo hacer lo que es correcto,[c] lo que es malo está presente conmigo.[d] 22 Verdaderamente me deleito[e] en la ley de Dios conforme al hombre[f] que soy por dentro, 23 pero contemplo en mis miembros[g] otra ley que guerrea[h] contra la ley de mi mente[i] y que me conduce cautivo a la ley del pecado[j] que está en mis miembros. 24 ¡Hombre desdichado que soy! ¿Quién me librará del cuerpo que está padeciendo esta muerte?[k] 25 ¡Gracias a Dios mediante Jesucristo nuestro Señor![l] Así pues, con [mi] mente yo mismo soy esclavo a la ley de Dios,[m] pero con [mi] carne a la ley del pecado.[n]

8 Por lo tanto, no tienen condenación los que están en unión con Cristo Jesús.[o] 2 Porque la ley[p] de ese espíritu[q] que da vida[r] en unión con Cristo Jesús te ha libertado[s] de la ley del pecado y de la muerte.[t] 3 Pues, dado que había incapacidad de parte de la Ley,[u] en tanto que era débil[v] a causa de la carne, Dios, al enviar a su propio Hijo[w] en la semejanza de carne pecaminosa[x] y tocante al pecado,[y] condenó al pecado en la carne, 4 para que el justo requisito de la Ley se cumpliera[z] en nosotros los que andamos, no en conformidad con la carne, sino en conformidad con el espíritu.[a] 5 Porque los que están en conformidad con la carne fijan la mente en las cosas de la carne;[b] pero los que están en conformidad con el espíritu, en las cosas del espíritu.[c] 6 Porque el tener la mente puesta en la carne significa muerte,[d] pero el tener la mente puesta en el espíritu significa vida y paz; 7 porque el tener la mente puesta en la carne significa enemistad[f] con Dios,

porque esta no está sujeta[a] a la ley de Dios, ni, de hecho, lo puede estar. 8 Por eso los que están en armonía con la carne[b] no pueden agradar a Dios.

9 Sin embargo, ustedes no están en armonía con la carne, sino con el espíritu,[c] si es que el espíritu de Dios verdaderamente mora en ustedes.[d] Pero si alguien no tiene el espíritu de Cristo,[e] este no le pertenece. 10 Pero si Cristo está en unión con ustedes,[f] el cuerpo verdaderamente está muerto a causa del pecado, pero el espíritu es vida[g] a causa de la justicia. 11 Por eso, si el espíritu del que levantó a Jesús de entre los muertos mora en ustedes, el que levantó a Cristo Jesús de entre los muertos[h] vivificará también sus cuerpos mortales[i] mediante Su espíritu que reside en ustedes.

12 Así pues, hermanos, no nos vemos obligados a la carne, para vivir de acuerdo con la carne;[j] 13 porque si ustedes viven de acuerdo con la carne, de seguro morirán;[k] pero si por el espíritu hacen morir las prácticas del cuerpo,[l] vivirán. 14 Porque todos los que son conducidos por el espíritu de Dios, estos son los hijos de Dios.[m] 15 Porque ustedes no recibieron un espíritu de esclavitud que ocasione temor[n] de nuevo, sino que recibieron un espíritu[u] de adopción[o] como hijos, espíritu por el cual clamamos: "¡Abba,[q] Padre!". 16 El espíritu[r] mismo da testimonio[s] con nuestro espíritu[t] de que somos hijos de Dios.[u] 17 Pues, si somos hijos, también somos herederos: herederos por cierto de Dios, pero coherederos[v] con Cristo, con tal que suframos[w] juntamente para que también seamos glorificados juntamente.[x]

CAP. 7
a Snt 4:17
b Ec 7:20
c Sl 34:14
d Ec 7:29
Jer 17:9
Lu 5:22
e Sl 1:2
f 2Co 4:16
Ef 3:16
Ef 4:23
g Ro 6:13
h Snt 4:1
i Gál 5:17
j Jn 8:34
k Ro 6:6
Ro 8:10
l Ro 6:17
1Co 15:57
m Sl 19:7
Gál 5:18
n Gál 5:17

CAP. 8
o Col 1:22
1Jn 3:24
p Snt 1:25
q Gál 5:16
r Jn 5:24
s Jn 8:32
Heb 10:14
t Ro 7:9
2Co 3:6
u Ro 3:20
Heb 7:11
v Heb 7:18
w 1Jn 4:9
x Jn 1:14
Gál 4:4
Heb 4:15
y 2Co 5:21
z Ro 3:31
a Gál 5:16
Gál 5:18
b Jn 3:6
Gál 5:19
c 1Co 2:15
Gál 5:22
d Ro 6:21
Heb 9:14
e Gál 6:8
f Sl 5:4
Isa 48:22
Col 1:21
Snt 4:4

2.ª col.
a Ro 7:14
b 1Co 3:3
c Gál 5:25
d 1Co 3:16
e Gál 4:6
f Jn 15:4
1Jn 2:6
1Jn 3:6
g Gál 2:20
1Pe 4:6
h Hch 2:24
1Co 6:14
i Ef 2:5
j Gál 5:19
k Ro 8:6
1 1Co 9:27
Gál 5:24
Col 6:8
Ef 4:22
Col 3:5
m Jn 1:12
Jn 3:5
Jn 3:8
Heb 2:11

n Heb 2:15; o 1Co 2:12; 2Co 1:22; 2Ti 1:7; p Gál 4:5; q Gál 4:6; r Jn 14:17; 1Co 2:10; Tit 3:6; s 1Jn 5:7; t Hch 17:16; Ro 1:9; 1Co 2:11; u Jn 1:12; Gál 3:26; 1Jn 3:1; Gál 4:7; Jn 12:32; Hch 26:18; Gál 3:29; Rev 21:7; w Flp 1:29; Col 1:24; x 1Co 15:53; 2Ti 2:11; Rev 3:21.

18 Por consiguiente, estimo que los sufrimientos[a] de la época presente no son de ninguna importancia en comparación con la gloria[b] que va a ser revelada en nosotros. 19 Porque la expectación[c] anhelante de la creación[d] aguarda la revelación de los hijos de Dios.[e] 20 Porque la creación fue sujetada a futilidad,[f] no de su propia voluntad, sino por aquel que la sujetó, sobre la base de la esperanza[g] 21 de que la creación[h] misma también será libertada[i] de la esclavitud a la corrupción y tendrá la gloriosa libertad de los hijos de Dios. 22 Porque sabemos que toda la creación sigue gimiendo juntamente y estando en dolor juntamente hasta ahora. 23 No solo eso, sino que también nosotros mismos los que tenemos las primicias,[j] a saber, el espíritu, sí, nosotros mismos gemimos[k] en nuestro interior, mientras aguardamos con intenso anhelo la adopción como hijos,[l] el ser puestos en libertad de nuestros cuerpos por rescate. 24 Porque fuimos salvados en [esta] esperanza;[m] pero la esperanza que se ve no es esperanza, porque, cuando el hombre ve una cosa, ¿la espera? 25 Pero si esperamos[n] lo que no vemos,[o] seguimos aguardándolo con aguante.[p]

26 De igual manera el espíritu[q] también acude con ayuda para nuestra debilidad;[r] porque el [problema de] lo que debemos pedir en oración como necesitamos hacerlo no lo sabemos,[s] pero el espíritu[t] mismo aboga por nosotros con gemidos no expresados. 27 Sin embargo, el que escudriña los corazones[u] sabe cuál es la intención del espíritu,[v] porque este aboga en conformidad con Dios por los santos.[w]

28 Ahora bien, sabemos que Dios hace que todas sus obras[x] cooperen juntas para el bien de los que aman a Dios, los que son llamados según su propósito;[y]

29 porque a los que dio su primer reconocimiento[a] también los predeterminó[b] para que fueran hechos conforme[c] a la imagen[d] de su Hijo, para que él fuera el primogénito[e] entre muchos hermanos.[f] 30 Además, a los que él predeterminó,[g] también llamó;[h] y a los que llamó, también declaró ser justos.[i] Finalmente, a los que declaró justos, él también glorificó.[j]

31 Entonces, ¿qué diremos a estas cosas? Si Dios está por nosotros, ¿quién estará contra nosotros?[k] 32 El que ni aun a su propio Hijo perdonó,[l] sino que lo entregó por todos nosotros,[m] ¿por qué no nos dará bondadosamente también con él todas las demás cosas?[n] 33 ¿Quién presentará acusación contra los escogidos de Dios?[o] Dios es Aquel que [los] declara justos.[p] 34 ¿Quién es el que condenará? Cristo Jesús es aquel que murió, sí, más bien aquel que fue levantado de entre los muertos, que está a la diestra[q] de Dios, que también aboga por nosotros.[r]

35 ¿Quién nos separará del amor del Cristo?[s] ¿La tribulación, o la angustia, o la persecución, o el hambre, o la desnudez, o el peligro, o la espada?[t] 36 Así como está escrito: "Por tu causa se nos hace morir todo el día, se nos ha tenido por ovejas para degollación".[u] 37 Al contrario, en todas estas cosas estamos saliendo completamente victoriosos[v] mediante el que nos amó. 38 Porque estoy convencido de que ni muerte, ni vida,[w] ni ángeles,[x] ni gobiernos,[y] ni cosas aquí ahora, ni cosas por venir, ni poderes,[z] 39 ni altura, ni profundidad, ni ninguna otra creación podrá separarnos del amor de Dios que está en Cristo Jesús nuestro Señor.[a]

CAP. 8
a 1Pe 4:13
b 2Co 4:17
  Flp 3:8
c Pr 13:12
d Col 1:23
  Heb 11:13
e 1Jn 3:2
f Gé 3:19
  Sl 51:5
  Ec 1:2
g Gé 3:15
  Hch 24:15
h 1Ti 2:4
i Jn 8:32
  1Co 15:22
  2Pe 3:13
j Flp 3:11
  Rev 20:6
k 2Co 5:2
l Gál 4:5
  1Pe 1:4
  Rev 21:7
m Ef 1:13
n 1Pe 1:3
o 2Co 5:7
p Ro 5:4
q Jn 15:26
  1Co 2:12
r Jn 14:16
  Jn 16:7
s Lu 11:13
t 2Sa 23:2
u Jer 11:20
  Hch 1:24
v Jn 6:63
  Jn 14:17
  1Co 2:10
  1Co 2:14
  2Ti 3:16
w 1Pe 1:15
x Sl 145:17
  Jn 9:3
y Ro 9:11
  Ef 1:11
  2Ti 1:9

2.ª col.

a 1Co 15:23
b Gé 3:15
c Jn 13:15
d Jn 17:23
  Ro 6:5
  1Co 15:49
  Ef 4:24
e Sl 89:27
  Heb 1:6
f Mt 25:40
  Heb 2:11
  1Jn 3:2
g Ef 1:5
h Flp 3:14
  1Te 2:12
  Heb 3:1
i Ro 5:18
  1Co 6:11
  Tit 3:7
j 2Co 3:7
  2Co 3:18
  2Co 4:6
k Sl 118:6
  1Jn 4:4
l Jn 3:16
m Ro 3:25
  2Co 5:21
  1Jn 4:9
n Ef 2:4
o Isa 50:8
  Col 1:22
p Hch 13:38
  Heb 10:17
q Sl 110:1

r Heb 7:25; 1Jn 2:1; s Jn 15:10; t 2Co 4:9; u Sl 44:22; v Jn 16:33; w 1Co 3:22; x 1Pe 3:22; y Ef 1:21; z Ef 6:12; a 2Te 3:5.

9 Digo la verdad[a] en Cristo; no miento,[b] puesto que mi conciencia da testimonio conmigo en espíritu santo, 2 de que tengo gran desconsuelo e incesante dolor en mi corazón.[c] 3 Porque podría desear que yo mismo fuera separado del Cristo como el maldito a favor de mis hermanos,[d] mis parientes según la carne,[e] 4 que, como tales, son israelitas,[f] a quienes pertenecen la adopción como hijos[g] y la gloria[h] y los pactos[i] y la promulgación de la Ley[j] y el servicio sagrado[k] y las promesas;[l] 5 a quienes pertenecen los antepasados[m] y de quienes [provino] el Cristo según la carne:[n] Dios,[o] que está sobre todos, [sea] bendito para siempre. Amén.

6 Sin embargo, no es como si la palabra de Dios hubiera fallado.[p] Porque no todos los que [provienen] de Israel son realmente "Israel".[q] 7 Ni porque son descendencia de Abrahán son todos hijos,[r] sino: "Lo que será llamado 'descendencia tuya' será mediante Isaac".[s] 8 Es decir, los hijos en la carne[t] no son realmente los hijos de Dios,[u] sino que los hijos de la promesa[v] son contados como descendencia. 9 Porque la palabra de promesa fue como sigue: "Por este tiempo vendré y Sara tendrá un hijo".[w] 10 Y no solo ese caso, sino también cuando Rebeca concibió gemelos[x] de un solo [hombre], de Isaac nuestro antepasado: 11 pues cuando todavía no habían nacido ni practicado cosa buena ni vil,[y] para que el propósito de Dios tocante a la selección continuara dependiendo, no de obras, sino de Aquel que llama,[z] 12 se le dijo a ella: "El mayor será esclavo del menor".[a] 13 Así como está escrito: "Amé a Jacob, pero odié a Esaú".[b]

14 ¿Qué diremos, pues? ¿Hay injusticia con Dios?[c] ¡Jamás llegue a ser eso así! 15 Porque a Moisés dice: "Tendré misericor-

dia de quien tenga misericordia, y mostraré compasión a quien muestre compasión".[a] 16 Así, pues, no depende del que desea ni del que corre, sino de Dios,[b] que tiene misericordia.[c] 17 Porque dice la Escritura a Faraón: "Para esto mismo te he dejado permanecer, para que con respecto a ti muestre mi poder, y para que mi nombre sea declarado por toda la tierra".[d] 18 Así, pues, de quien desea tiene misericordia,[e] pero de quien lo desea deja que se haga obstinado.[f]

19 Por tanto me dirás: "¿Por qué señala falta todavía? Pues, ¿quién ha resistido su voluntad expresa?".[g] 20 Oh hombre,[h] ¿quién, pues, eres tú, realmente, para que repliques contra Dios?[i] ¿Acaso la cosa moldeada dirá al que la moldeó: "¿Por qué me hiciste de esta manera?"?[j] 21 ¿Qué? ¿No tiene el alfarero[k] autoridad sobre el barro, para hacer de la misma masa un vaso para uso honroso, otro para uso deshonroso?[l] 22 Pues, si Dios, aunque tiene la voluntad de demostrar su ira y de dar a conocer su poder, toleró con mucha paciencia vasos de ira hechos a propósito para la destrucción,[m] 23 a fin de dar a conocer las riquezas[n] de su gloria sobre vasos[o] de misericordia, que él preparó de antemano para gloria,[p] 24 a saber, nosotros, a quienes llamó no solo de entre los judíos, sino también de entre las naciones,[q] ¿[qué hay de ello]? 25 Es como él dice también en Oseas: "A los que no son pueblo mío[r] llamaré 'pueblo mío', y a la que no era amada, 'amada';[s] 26 y en el lugar donde se les dijo: 'Ustedes no son mi pueblo', allí serán llamados 'hijos del Dios vivo'".[t]

27 Además, Isaías clama respecto a Israel: "Aunque el número de los hijos de Israel sea como la arena del mar,[u] es el resto lo que será salvo.[v] 28 Porque Je-

---

CAP. 9

a 1Ti 2:7
b Gál 1:20
c Ro 10:1
d Éx 32:32
e Ro 16:7
  Ro 16:21
f 2Co 11:22
  Flp 3:5
g Éx 4:22
h Dt 26:19
i Hch 3:25
  Hch 7:8
j Éx 24:12
k Heb 26:7
  Heb 9:1
l Hch 13:32
m Ro 4:13
  Dt 10:15
n Mt 1:17
o Sl 103:19
p Nú 23:19
q Mt 23:38
  Ro 2:28
  Rev 2:9
r Gé 8:39
  Gál 3:29
s Gé 21:12
  Heb 11:18
t Jn 1:13
v Isa 54:1
  Gál 4:28
w Gé 18:14
x Gé 25:24
y Sl 139:16
z Ro 8:28
  Heb 5:4
a Gé 25:23
b Mal 1:3
  Heb 12:16
c Dt 32:4
  2Cr 19:6
  Job 34:10

2.ª col.

a Éx 33:19
b Sl 115:3
c Dt 4:31
  Tit 3:5
d Éx 9:16,
  LXX
e Éx 20:6
f Éx 10:1
  Éx 14:4
g 2Cr 20:6
  Job 23:13
  Da 4:35
h Ro 2:1
i Job 40:2
j Isa 29:16
  Isa 45:9
k Isa 64:8
  Jer 18:6
l 2Ti 2:20
m 1Te 5:9
n Col 1:27
o Hch 9:15
p Flp 4:19
q Ro 11:13
  Ef 3:6
r Ef 2:12
s Os 2:23
  Mt 21:43
  1Pe 2:10
t Os 1:10
  Gál 3:26
u Gé 22:17
  1Re 4:20
v Isa 10:22
  Ro 11:5

hová hará un ajuste de cuentas
sobre la tierra, concluyéndolo
y acortándolo”.[a] 29 También,
así como Isaías había dicho en
otro tiempo: “A menos que Jehová de los ejércitos[b] nos hubiera
dejado descendencia, habríamos
llegado a ser justamente como
Sodoma, y habríamos quedado
justamente como Gomorra”.[c]
30 ¿Qué diremos, pues? Que
gente de las naciones, aunque no
seguía tras la justicia, alcanzó la
justicia, la justicia[d] que resulta
de la fe;[e] 31 pero Israel, aunque seguía tras una ley de justicia, no logró alcanzar la ley.[f]
32 ¿Por qué razón? Porque siguió tras ella, no por fe, sino
como por obras.[g] Tropezaron
con la “piedra de tropiezo”;[h]
33 como está escrito: “¡Miren!
Coloco en Sión piedra[i] de tropiezo y masa rocosa de ofensa,[j] pero
el que cifre su fe en ella no sufrirá desilusión”.[k]

10 Hermanos, la buena voluntad de mi corazón y mi
ruego a Dios por ellos son, en
realidad, para su salvación.[l]
2 Porque les doy testimonio de
que tienen celo[m] por Dios; mas
no conforme a conocimiento
exacto;[n] 3 pues, a causa de no
conocer la justicia de Dios,[o] pero
de procurar establecer la suya
propia,[p] no se sujetaron a la justicia de Dios.[q] 4 Porque Cristo
es el fin de la Ley,[r] para que todo
el que ejerza fe tenga justicia.[s]
5 Porque Moisés escribe que
el hombre que ha cumplido la
justicia de la Ley vivirá por ella.[t]
6 Pero la justicia que resulta de
la fe habla de esta manera: “No
digas en tu corazón:[u] ‘¿Quién ascenderá al cielo?’,[v] esto es, para
hacer bajar a Cristo;[w] 7 o:
‘¿Quién descenderá al abismo?’,[x]
esto es, para hacer subir a Cristo
de entre los muertos”.[y] 8 Pero
¿qué dice? “La palabra está cerca
de ti, en tu propia boca y en tu
propio corazón”;[z] es decir, la
“palabra”[a] de fe, que predicamos.[a] 9 Porque si declaras
públicamente aquella ‘palabra
en tu propia boca’,[b] que Jesús es
Señor,[c] y en tu corazón ejerces fe
en que Dios lo levantó de entre los muertos,[d] serás salvo.[e]
10 Porque con el corazón[f] se
ejerce fe para justicia, pero con
la boca se presenta declaración
pública[g] para salvación.
11 Pues dice la Escritura:
“Ninguno que cifre[h] su fe en él
será desilusionado”.[i] 12 Porque no hay distinción entre judío y griego,[j] puesto que hay el
mismo Señor sobre todos, que es
rico[k] para con todos los que lo
invocan. 13 Porque “todo el
que invoque el nombre de Jehová será salvo”.[l] 14 Sin embargo, ¿cómo invocarán a aquel en
quien no han puesto fe?[m] ¿Cómo,
a su vez, pondrán fe en aquel de
quien no han oído? ¿Cómo, a su
vez, oirán sin alguien que predi-
que?[n] 15 ¿Cómo, a su vez, predicarán a menos que hayan sido
enviados?[o] Así como está escrito: “¡Cuán hermosos son los pies
de los que declaran buenas nuevas de cosas buenas!”.[p]
16 Sin embargo, no todos obedecieron las buenas nuevas.[q]
Pues Isaías dice: “Jehová,
¿quién puso fe en la cosa oída
de parte de nosotros?”.[r] 17 De
modo que la fe sigue a lo oído.[s]
A su vez, lo oído es mediante
la palabra acerca de Cristo.[t]
18 Sin embargo, pregunto: No
es que no hayan oído, ¿verdad?
Pues, de hecho, “por toda la
tierra salió su sonido,[u] y hasta
las extremidades de la tierra
habitada sus expresiones”.[v]
19 Con todo, pregunto: No es
que Israel no haya sabido, ¿verdad?[w] Primero dice Moisés: “Los
incitaré a ustedes a celos mediante aquello que no es nación;
los incitaré a cólera violenta me-

CAP. 9
a Isa 10:23
b Sl 103:21
c Isa 1:9; Jer 50:40
d Ro 10:20
e Ro 1:17; Ro 4:11; Flp 3:9
f Gál 2:21; Gál 5:4
g Gál 2:16
h Lu 20:18; 1Co 1:23
i Sl 118:22; Mt 21:42; 1Pe 2:6
j Isa 8:14
k Isa 28:16; Isa 49:23

CAP. 10
l Ro 9:3
m Mt 7:22; Hch 21:20; Gál 1:14; Flp 3:6
n Ef 1:17
o Ro 1:17
p Lu 16:15; Lu 18:9; Flp 3:9
q Mt 15:6; Lu 7:30
r Mt 5:17; Ro 7:6; Ef 2:15; Col 2:14
s Hch 13:39; Gál 3:24
t Le 18:5; Ne 9:29; Eze 20:11; Gál 3:12
u Dt 9:4
v Dt 30:12
w Heb 8:1
x Dt 30:13; Rev 20:1
y Mt 27:64
z Dt 30:14; Jn 6:45; Hch 16:14
a Lu 8:15; 2Co 5:19

2.ª col.
a 2Ti 4:2
b 1Co 9:16
c Hch 16:31
d Hch 3:15; Ro 4:24; 1Pe 1:21
e Mt 10:32
f 1Cr 28:9; 2Te 3:5
g 2Co 4:13; Heb 13:15
h Jer 17:7
i Isa 28:16; Ro 9:33
j Hch 15:9; Gál 3:28; Ef 2:14
k 1Ti 6:17
l Joe 2:32; Sof 3:9; Hch 2:21
m Heb 11:6
n Lu 19:40
o Mt 28:20

p Isa 52:7; Na 1:15; Ef 6:15; q 2Te 1:8; Heb 4:2; 1Pe 4:17; r Isa 53:1; Jn 12:38; s Jn 4:42; Jn 17:20; t Gál 3:2; u Mt 24:14; Hch 1:8; v Sl 19:4; w Mt 10:5; Hch 2:14.

diante una nación estúpida".[a]
20 Pero Isaías se hace muy denodado y dice: "Fui hallado por los que no me buscaban;[b] vine a ser manifiesto a los que no preguntaban por mí".[c] 21 Pero en cuanto a Israel dice: "Todo el día he extendido mis manos hacia un pueblo que es desobediente[d] y respondón".[e]

11 Pregunto, pues: Dios no rechazó a su pueblo, ¿verdad?[f] ¡Jamás suceda eso! Pues yo también soy israelita,[g] de la descendencia de Abrahán, de la tribu de Benjamín.[h] 2 Dios no rechazó a su pueblo, a quien primero reconoció.[i] ¿Acaso no saben lo que dice la Escritura con relación a Elías, al argüir él ante Dios contra Israel?[j] 3 "Jehová, han matado a tus profetas, han excavado tus altares, y yo solo quedo, y buscan mi alma".[k] 4 Sin embargo, ¿qué le dice la declaración formal divina?[l] "He dejado que me queden siete mil hombres, [hombres] que no han doblado la rodilla ante Baal".[m] 5 De esta manera, por lo tanto, también en la época presente ha llegado a haber un resto[n] según una selección[o] que se debe a bondad inmerecida.[p] 6 Ahora bien, si es por bondad inmerecida, ya no se debe a obras;[q] de otra manera, la bondad inmerecida ya no resulta ser bondad inmerecida.[r]

7 Entonces, ¿qué? La mismísima cosa que Israel busca solícitamente no la obtuvo,[s] pero los escogidos[t] la obtuvieron. A los demás les fueron embotadas las sensibilidades;[u] 8 así como está escrito: "Dios les ha dado un espíritu de sueño profundo,[v] ojos para que no vean, y oídos para que no oigan, hasta el mismo día de hoy".[w] 9 También, David dice: "Que su mesa llegue a ser para ellos un lazo y una trampa y una piedra de tropiezo y una retribución;[x] 10 que se les oscurezcan los ojos para que

no vean, y encórvales siempre la espalda".[a]

11 Por lo tanto, pregunto: ¿Tropezaron ellos de modo que cayeran[b] por completo? ¡Jamás suceda eso! Pero por su paso en falso[c] hay salvación para gente de las naciones,[d] para incitarlos a celos a ellos.[e] 12 Ahora bien, si su paso en falso significa riqueza para el mundo, y su disminución significa riqueza para gente de las naciones,[f] ¡cuánto más lo significará el número pleno[g] de ellos!

13 Ahora les hablo a ustedes los que son gente de las naciones. Por cuanto soy, en realidad, apóstol[h] a las naciones,[i] glorifico[j] mi ministerio,[k] 14 por si de algún modo incite a celos [a los que son] mi propia carne, y salve[l] a algunos de entre ellos.[m] 15 Porque si el desecharlos[n] significa reconciliación[o] para el mundo, ¿qué significará el recibirlos, sino de vida de entre los muertos? 16 Además, si la [parte que se toma como] primicias[p] es santa, también lo es la masa; y si la raíz es santa,[q] también lo son las ramas.

17 Sin embargo, si algunas de las ramas fueron desgajadas, pero tú, aunque eres acebuche, fuiste injertado entre ellas[r] y llegaste a ser partícipe de la raíz de grosura[s] del olivo,[t] 18 no te alboroces en triunfo sobre las ramas. Pero, si te alborozas en triunfo sobre ellas,[u] no eres tú quien soporta la raíz,[v] sino la raíz a ti.[w] 19 Dirás, pues: "Algunas ramas fueron desgajadas[x] para que yo fuera injertado".[y] 20 ¡Está bien! Por [su] falta de fe[z] fueron desgajadas, pero tú por la fe estás en pie.[a] Cesa de tener ideas encumbradas;[b] antes bien, teme.[c] 21 Porque si Dios no perdonó a las ramas naturales, tampoco te perdonará a ti.[d]

CAP. 10
a Dt 32:21
b Ro 9:30
c Isa 65:1, LXX
d Jer 11:8 Zac 7:12
e Isa 65:2

CAP. 11
f 1Sa 12:22 Jer 31:37 Am 9:8
g Hch 22:3 2Co 11:22
h Flp 3:5
i Éx 19:5 Sl 94:14
j 1Re 19:10 Ro 9:31 1Re 19:14
k Heb 7:38
l Jer 19:18 Jer 3:14 Ro 9:27
o Ro 9:11
p Ef 1:7 Ef 2:8
q Gál 2:16 Ef 2:9
r Gál 5:4
s Jn 1:11 Ro 9:31 Ro 11:28
u 2Co 3:14
v Isa 29:10
w Dt 29:4 Jer 5:21
x Sl 69:22

2.ª col.
a Sl 69:23
b 1Co 10:8 Heb 4:11
c Gál 6:1
d Ro 11:19
e Dt 32:21 Ro 10:19
f Ro 9:23 Col 1:27
g Ro 11:25 Rev 7:4
h 1Co 9:1 1Co 15:9
i Hch 9:15 Gál 1:16 Ef 3:8
j Flp 1:12 2Ti 4:5
k Hch 28:31 Col 1:23 1Ti 1:12
l 1Co 9:22 1Ti 4:16
m Ro 9:3
n Mt 21:43 Heb 8:13
o Ro 5:11 2Co 5:19 Ne 10:37 Eze 44:30
q Le 11:44 1Pe 1:16
r Ef 2:11 Ef 2:14
s Jue 9:9
t Jer 11:16 1Co 10:12
v Isa 37:31

w Isa 60:21; Heb 2:11; x Jn 15:6; y Hch 15:14; z Mt 21:43; Heb 3:19; Heb 11:6; a Gál 3:11; Ef 2:8; b Ro 12:16; c Flp 2:12; d Jn 15:2.

22 Ve, por lo tanto, la bondad[a] y la severidad[b] de Dios. Para con los que cayeron hay severidad,[c] mas para contigo hay la bondad de Dios, con tal que permanezcas[d] en su bondad; de otra manera, tú también serás podado.[e] 23 Ellos también, si no permanecen en su falta de fe, serán injertados;[f] porque Dios puede injertarlos de nuevo. 24 Porque si tú fuiste cortado del olivo que por naturaleza es silvestre, y contrario a la naturaleza fuiste injertado[g] en el olivo de huerto, ¡cuánto más estos que son naturales serán injertados en su propio olivo![h]

25 Porque no quiero, hermanos, que ignoren este secreto sagrado,[i] para que no sean discretos a sus propios ojos: que un embotamiento de las sensibilidades[j] le ha sucedido en parte a Israel hasta que el número pleno[k] de gente de las naciones haya entrado,[l] 26 y de esta manera todo Israel[m] será salvo. Así como está escrito: "Saldrá de Sión el libertador[n] y apartará de Jacob las prácticas impías.[o] 27 Y este es el pacto de parte mía con ellos,[p] cuando les quite sus pecados".[q] 28 Es verdad que con referencia a las buenas nuevas ellos son enemigos por causa de ustedes,[r] pero con referencia a la selección [de Dios] son amados por causa de sus antepasados.[s] 29 Porque los dones y el llamamiento de Dios no son cosas que le hayan de pesar.[t] 30 Pues así como ustedes en otro tiempo fueron desobedientes[u] a Dios, mas ahora se les ha mostrado misericordia[v] a causa de la desobediencia de ellos,[w] 31 así también estos ahora han sido desobedientes y el resultado ha sido misericordia para ustedes,[x] para que también a ellos mismos ahora se les muestre misericordia. 32 Porque Dios los ha encerrado a todos juntos en la desobediencia,[a] para mostrarles misericordia a todos ellos.[b]

33 ¡Oh la profundidad de las riquezas[c] y de la sabiduría[d] y del conocimiento[e] de Dios! ¡Cuán inescrutables [son] sus juicios[f] e ininvestigables sus caminos![g] 34 Porque "¿quién ha llegado a conocer la mente de Jehová,[g] o quién se ha hecho su consejero?".[h] 35 O, "¿Quién le ha dado primero, para que tenga que pagársele?".[i] 36 Porque procedentes de él y por él y para él son todas las cosas.[j] A él sea la gloria para siempre.[k] Amén.

12 Por consiguiente, les suplico por las compasiones de Dios, hermanos, que presenten sus cuerpos[l] como sacrificio[m] vivo,[n] santo,[o] acepto a Dios,[p] un servicio sagrado[q] con su facultad de raciocinio.[r] 2 Y cesen de amoldarse[s] a este sistema de cosas; más bien, transfórmense rehaciendo su mente,[t] para que prueben para ustedes mismos[u] lo que es la buena y la acepta y la perfecta voluntad[v] de Dios.

3 Pues por la bondad inmerecida que se me ha dado digo a cada uno que está allí entre ustedes que no piense más de sí mismo de lo que sea necesario pensar;[w] sino que piense de tal modo que tenga juicio sano,[x] cada uno según le haya distribuido Dios una medida[y] de fe.[z] 4 Porque así como en un solo cuerpo tenemos muchos miembros,[a] pero los miembros no tienen todos la misma función, 5 así nosotros, aunque muchos, somos un solo cuerpo[b] en unión con Cristo, pero miembros que pertenecemos individualmente unos a otros.[c] 6 Entonces, puesto que tenemos dones que difieren[d] según la bondad inmerecida[e] que se nos ha dado, si es

CAP. 11

a Éx 19:4
  Lu 6:35
  Ro 2:4
b Jud 5
  Mt 23:38
  1Co 15:2
  Mt 25:30
  Mt 25:46
f Hch 2:38
g Ro 11:17
h 2Co 3:16
  1Co 4:1
  Ef 3:5
j Ro 11:7
  2Co 3:14
k Ro 11:12
  Rev 7:4
l Rev 7:3
m Ro 2:29
  Ro 9:6
  Gál 3:29
  Gál 6:16
n Sl 14:7
o Isa 59:20,
    LXX
p Isa 59:21
q Isa 27:9
  Jer 31:33
  Heb 8:3
r Heb 4:6
s Dt 10:15
t Nú 23:19
u Ef 2:2
  Ef 2:12
v Hch 15:9
w Heb 7:51
  Heb 3:8
x Col 1:22

2.ª col.

a Ro 3:9
b 1Ti 1:16
  1Ti 2:4
  Heb 4:16
c Ro 2:4
  Ro 9:23
d Pr 2:6
  Pr 3:19
e Sl 139:6
f Sl 36:6
g 1Co 2:16
h Isa 40:13
  Da 4:35
i Job 41:11
j 1Co 8:6
k Gál 1:5
  Rev 4:11

CAP. 12

l Sl 110:3
  1Co 6:20
m Heb 13:13
n Ro 6:13
o 2Co 7:1
  1Pe 1:15
p Le 22:19
q Flp 3:3
  Heb 9:14
r 2Ti 1:7
s 1Pe 1:14
t Ro 7:25
  Ef 4:23
u 1Ti 4:15
v 1Te 4:3
  Rev 4:11
w Pr 16:18
  1Co 4:6
  Gál 6:3
  Ef 4:2
  1Pe 5:5

x Tit 2:6; 1Pe 4:7; y Ef 4:7; z Ef 2:8; a 1Co 12:12;
b Col 3:15; c 1Co 12:25; Ef 4:25; d 1Co 12:4; Ef
3:7; e 1Pe 4:10.

profecía, [profeticemos] según la proporción de fe que se [nos] haya dado; **7** o un ministerio, [ocupémonos] en este ministerio;[a] o el que enseña,[b] [ocúpese] en su enseñanza;[c] **8** o el que exhorta, [ocúpese] en su exhortación;[d] el que distribuye, [hágalo] con liberalidad;[e] el que preside,[f] [hágalo] con verdadera solicitud; el que muestra misericordia,[g] [hágalo] con alegría.

9 Sea [su] amor[h] sin hipocresía.[i] Aborrezcan lo que es inicuo;[j] adhiéranse a lo que es bueno.[k] **10** En amor fraternal[l] ténganse tierno cariño unos a otros. En cuanto a mostrarse honra[m] unos a otros, lleven la delantera. **11** No sean holgazanes en sus quehaceres.[n] Fulguren con el espíritu.[o] Sirvan a Jehová como esclavos.[p] **12** Regocíjense en la esperanza.[q] Aguanten bajo tribulación.[r] Perseveren en la oración.[s] **13** Compartan con los santos según las necesidades de estos.[t] Sigan la senda de la hospitalidad.[u] **14** Sigan bendiciendo a los que [los] persiguen;[v] estén bendiciendo,[w] y no maldiciendo.[x] **15** Regocíjense con los que se regocijan;[y] lloren con los que lloran. **16** Estén dispuestos para con otros del mismo modo como lo están para consigo mismos;[z] no tengan la mente puesta en cosas encumbradas,[a] sino déjense llevar con las cosas humildes.[b] No se hagan discretos a sus propios ojos.[c]

17 No devuelvan mal por mal[d] a nadie. Provean cosas excelentes a vista de todos los hombres. **18** Si es posible, en cuanto dependa de ustedes, sean pacíficos[e] con todos los hombres. **19** No se venguen,[f] amados, sino cédanle lugar a la ira;[g] porque está escrito: "Mía es la venganza; yo pagaré, dice Jehová".[h] **20** Pero, "si tu enemigo tiene hambre, aliméntalo; si tiene sed, dale algo de beber;[i] porque ha-

ciendo esto amontonarás brasas ardientes sobre su cabeza".[a] **21** No te dejes vencer por el mal, sino sigue venciendo el mal con el bien.[b]

13 Toda alma esté en sujeción[c] a las autoridades superiores,[d] porque no hay autoridad[e] a no ser por Dios;[f] las autoridades que existen están colocadas por Dios[g] en sus posiciones relativas.[h] **2** Por lo tanto, el que se opone a la autoridad se ha puesto en contra del arreglo de Dios; los que se han puesto en contra de este recibirán juicio para sí.[i] **3** Porque los que gobiernan no son objeto de temor para el hecho bueno, sino para el malo.[j] ¿Quieres, pues, no temer a la autoridad? Sigue haciendo el bien,[k] y tendrás alabanza de ella; **4** porque es ministro de Dios para ti para bien tuyo.[l] Pero si estás haciendo lo que es malo,[m] teme: porque no es sin propósito que lleva la espada; porque es ministro de Dios, vengador[n] para expresar ira sobre el que practica lo que es malo.

5 Hay, por lo tanto, razón apremiante para que ustedes estén en sujeción, no solo por causa de esa ira, sino también por causa de [su] conciencia[o]. **6** Pues por eso ustedes también pagan impuestos; porque ellos son siervos públicos de Dios[p] que sirven constantemente con este mismo propósito. **7** Den a todos lo que les es debido: al que [pide] impuesto, el impuesto;[q] al que [pide] tributo, el tributo; al que [pide] temor, dicho temor;[r] al que [pide] honra, dicha honra.[s]

8 No deban a nadie ni una sola cosa,[t] salvo el amarse unos a otros;[u] porque el que ama a su

---

CAP. 12

a 1Pe 4:11
b Gál 6:6
c 1Ti 5:17
d 2Ti 4:2
e Dt 15:11
  Pr 11:25
  2Co 8:2
f 1Te 5:12
  1Pe 5:2
g Ef 4:32
h 1Co 13:4
i 1Ti 1:5
  Snt 3:17
  1Pe 1:22
j Sl 97:10
  Pr 8:13
k Sl 34:14
  Heb 1:9
l 1Te 4:9
m Flp 2:3
n Pr 13:4
o Hch 18:25
p Ro 6:22
q 1Te 1:3
r Hch 14:22
s Flp 4:6
  1Te 5:17
t Pr 3:27
  1Jn 3:17
u 1Pe 4:9
  3Jn 8
v Mt 5:44
w Lu 6:28
  1Co 4:12
x Snt 3:9
y Lu 1:58
z Mt 22:39
  1Pe 3:8
a Mr 10:42
  Lu 22:24
b Lu 14:10
  Jn 13:14
  Ef 4:2
  Flp 2:3
c Job 37:24
  Pr 3:7
  Snt 3:13
d 1Te 5:15
  1Pe 2:23
  1Pe 3:9
e 2Ti 2:24
  Heb 12:14
  Snt 3:18
f Heb 10:30
g Mt 5:39
h Le 19:18
  Dt 32:35
  Sl 99:8
  Na 1:2
  Heb 10:30
i Pr 25:21

2.ᵃ col.

a Pr 25:22
b Éx 23:4
  Mt 5:44
  Lu 6:27

CAP. 13

c Tit 3:1
d 1Pe 2:13
e Lu 4:6
  Rev 13:4
f Jn 19:11
g Dt 32:8
  Hch 17:26
h Mt 22:21
  Hch 5:29
  Col 1:16
i Ec 8:4
j 1Pe 2:14

k 1Pe 3:13; 1 Heb 13:21; m Sl 34:16; n Isa 10:5; Isa 45:1; o 1Pe 2:19; 1Pe 3:16; p Ro 15:27; q Mt 22:21; Mr 12:17; Lu 20:25; r Pr 24:21; s 1Pe 2:13; 1Pe 2:17; t Sl 37:21; u Col 3:14; 1Ti 1:5; 1Jn 4:11.

semejante ha cumplido [la] ley.[a] 9 Porque el [código]: "No debes cometer adulterio,[b] No debes asesinar,[c] No debes hurtar,[d] No debes codiciar",[e] y cualquier otro mandamiento que haya, se resume en esta palabra, a saber: "Tienes que amar a tu prójimo como a ti mismo".[f] 10 El amor[g] no obra mal al prójimo;[h] por lo tanto, el amor es el cumplimiento de la ley.[i]

11 [Hagan] esto, también, porque ustedes conocen el tiempo, que ya es hora de que despierten[j] del sueño, porque ahora está más cerca nuestra salvación que cuando nos hicimos creyentes.[k] 12 La noche está muy avanzada; el día[l] se ha acercado. Por lo tanto, quitémonos las obras que pertenecen a la oscuridad[m] y vistámonos las armas[n] de la luz. 13 Como de día, andemos decentemente,[o] no en diversiones estrepitosas y borracheras,[p] no en coito ilícito y conducta relajada,[q] no en contienda[r] y celos. 14 Antes bien, vístanse del Señor Jesucristo,[s] y no estén haciendo planes con anticipación para los deseos de la carne.[t]

14 Reciban con gusto al que tiene debilidades[u] en [su] fe, pero no para tomar decisiones sobre cuestiones de duda interna.[v] 2 Un [hombre] tiene fe para comer de todo,[w] pero el que es débil come legumbres. 3 El que come no menosprecie al que no come,[x] y el que no come no juzgue al que come, porque Dios ha recibido con gusto a ese. 4 ¿Quién eres tú para juzgar al sirviente de casa ajeno?[y] Para su propio amo está en pie o cae.[z] En verdad, se le hará estar en pie, porque Jehová puede hacer que esté en pie.[a]

5 Un [hombre] juzga un día como superior a otro;[b] otro juzga un día como todos los demás;[c] cada uno esté plenamente convencido en su propia mente.

6 El que observa el día, lo observa para Jehová. También, el que come, come para Jehová,[a] pues da gracias a Dios;[b] y el que no come, no come para Jehová,[c] y sin embargo da gracias a Dios.[d] 7 Ninguno de nosotros, de hecho, vive con respecto a sí mismo únicamente,[e] y ninguno muere con respecto a sí mismo únicamente; 8 pues tanto si vivimos, vivimos para Jehová,[f] como si morimos, morimos para Jehová.[g] Por consiguiente, tanto si vivimos como si morimos, pertenecemos a Jehová.[h] 9 Porque con este fin murió Cristo y volvió a vivir otra vez,[i] para ser Señor tanto sobre los muertos[j] como sobre los vivos.[k]

10 Pero ¿por qué juzgas a tu hermano?[l] ¿O por qué también menosprecias a tu hermano? Pues todos estaremos de pie ante el tribunal[m] de Dios; 11 porque está escrito: "'Tan ciertamente como que vivo yo —dice Jehová—, ante mí toda rodilla se doblará, y toda lengua hará reconocimiento abierto a Dios'".[o] 12 De manera que cada uno de nosotros rendirá cuenta de sí mismo a Dios.[p]

13 Por lo tanto, ya no andemos juzgándonos[q] unos a otros, sino más bien hagan que sea su decisión:[r] el no poner delante de un hermano[s] tropiezo[t] ni causa para dar un traspié. 14 Yo sé, y de ello estoy persuadido en el Señor Jesús, que nada de sí mismo es contaminado;[u] solo cuando el hombre considera que algo es contaminado, para él es contaminado.[v] 15 Pues si por causa de alimento se contrista tu hermano, no andas ya de acuerdo con el amor.[w] No arruines por tu alimento a aquel por quien Cristo murió.[x] 16 No dejen, pues, que del bien que ustedes hacen se hable con daño

CAP. 13
a Gál 5:14
Snt 2:8
b Éx 20:14
Mat 3:5
Mt 5:28
Mt 19:18
1Co 6:9
c Gé 9:6
Dt 5:17
Pr 6:17
d Éx 20:15
e Éx 20:17
f Le 19:18
Mt 19:19
Mt 22:39
g 1Co 13:4
h Lu 6:31
2Ti 2:24
i Mt 22:40
j Lu 21:36
1Co 15:34
1Te 5:6
k Isa 56:1
Ef 4:30
m Ef 5:11
n 2Co 6:7
Ef 6:11
1Te 5:8
o Pr 2:12
p 1Pe 4:3
q Pr 21:27
Ef 4:19
r 2Co 12:20
Tit 3:9
s 1Co 11:1
Gál 3:27
Ef 4:24
t Gál 5:16

CAP. 14
u Ro 15:1
1Co 8:11
1Te 5:14
v 1Co 8:7
w Ge 9:3
x 1Co 10:31
1Co 6:19
f Sl 146:2
Gál 2:19
1Pe 4:2
g Est 4:16
Sl 116:15
h 1Te 4:14
i Jn 12:24
j 1Te 5:10
Rev 1:18
k Hch 10:36
l Lu 6:37
Ro 14:4

2.ᵃ col.
a Sl 92:1
b Mt 15:36
1Ti 4:4
c Le 11:8
Jer 36:9
d 1Co 10:31
e 1Co 6:19
f Sl 146:2
Gál 2:19
1Pe 4:2
g Est 4:16
Sl 116:15
h 1Te 4:14
i Jn 12:24
j 1Te 5:10
Rev 1:18
k Hch 10:36
l Lu 6:37
Ro 14:4
m Hch 10:42
Hch 17:31
2Co 5:10
n Isa 49:18
o Isa 45:23,
LXX

p Ec 12:14; Mt 12:36; 2Co 5:10; 1Pe 4:5; q Mt 7:1; r Flp 1:10; 1Jn 2:10; t Mt 17:27; Mt 18:6; 1Co 8:9; 1Co 10:32; u Mt 15:11; Hch 10:15; 1Ti 4:4; v Tit 1:15; w Ef 5:2; x 1Co 8:11.

para ustedes. 17 Porque el reino de Dios[a] no significa comer y beber,[b] sino que [significa] justicia[c] y paz[d] y gozo[e] con espíritu santo. 18 Pues el que a este respecto sirve como esclavo a Cristo es acepto a Dios y tiene aprobación entre los hombres.[f]

19 Por eso, pues, sigamos tras las cosas que contribuyen a la paz[g] y las cosas que sirven para edificación mutua.[h] 20 Deja de demoler la obra de Dios simplemente por causa de alimento.[i] Es verdad que todas las cosas son limpias, pero si es perjudicial al hombre que con ocasión de tropiezo come.[j] 21 Es bueno no comer carne, ni beber vino, ni hacer cosa alguna por la cual tu hermano tropiece.[k] 22 La fe que tienes, tenla de acuerdo contigo mismo a vista de Dios.[l] Feliz es el hombre que no se impone juicio por lo que aprueba. 23 Pero si tiene dudas, ya está condenado si come,[m] porque no [come] por fe. En realidad, todo lo que no es por fe es pecado.[n]

15 Nosotros, pues, los que somos fuertes, debemos soportar las debilidades de los que no son fuertes,[o] y no estar agradándonos a nosotros mismos.[p] 2 Cada uno de nosotros agrade a [su] prójimo en lo que es bueno para [la] edificación [de este].[q] 3 Porque hasta el Cristo no se agradó a sí mismo;[r] sino que, así como está escrito: "Los vituperios de los que te vituperaban han caído sobre mí".[s] 4 Porque todas las cosas que fueron escritas en tiempo pasado fueron escritas[t] para nuestra instrucción,[u] para que mediante nuestro aguante[v] y mediante el consuelo[w] de las Escrituras tengamos esperanza.[x] 5 Ahora, que el Dios que suministra aguante y consuelo les conceda tener entre sí la misma actitud mental[y] que tuvo Cristo Jesús, 6 para que, de común acuerdo,[z]

con una sola boca glorifiquen al Dios y Padre de nuestro Señor Jesucristo.

7 Por lo tanto, recíbanse con gusto unos a otros,[a] así como el Cristo también nos recibió con gusto a nosotros,[b] con gloria a Dios en mira. 8 Porque digo que Cristo realmente llegó a ser ministro[c] de los circuncisos[d] a favor de la veracidad de Dios,[e] para confirmar las promesas[f] que Él hizo a los antepasados de ellos, 9 y para que las naciones[g] glorifiquen a Dios por su misericordia.[h] Así como está escrito: "Por eso te reconoceré abiertamente entre las naciones y ciertamente tocaré melodía a tu nombre".[i] 10 Y de nuevo dice: "Alégrense, oh naciones, con su pueblo".[j] 11 Y otra vez: "Alaben a Jehová, naciones todas, y alábenlo pueblos todos".[k] 12 Y otra vez dice Isaías: "Habrá la raíz de Jesé,[l] y habrá uno que se levante para gobernar naciones;[m] en él cifrarán su esperanza naciones".[n] 13 Que el Dios que da esperanza los llene de todo gozo y paz por el creer de ustedes, para que abunden en la esperanza con poder de espíritu santo.[o]

14 Ahora yo mismo también estoy persuadido acerca de ustedes, hermanos míos, de que ustedes mismos también están llenos de bondad por haberse llenado de todo conocimiento,[p] y de que también pueden amonestarse unos a otros.[q] 15 Sin embargo, les escribo más francamente sobre algunos puntos, como dándoles un recordatorio[r] de nuevo, a causa de la bondad inmerecida que de Dios me fue dada[s] de ser siervo público de Cristo Jesús a las naciones,[t] ocupándome en la obra santa de las buenas nuevas[u] de Dios, a fin de que la ofrenda,[v] a saber, estas naciones, resulte acepta,[w] sien-

CAP. 14
a Mt 6:33
   Lu 17:20
b 1Co 8:8
c 2Pe 3:13
d Jn 14:27
e Mt 25:21
f 2Co 8:21
g Mt 5:9
   Ro 12:18
h 1Co 14:12
   Heb 10:24
i Ro 14:3
   1Co 8:11
j 1Co 8:9
k Ro 14:13
   1Co 8:13
   1Co 10:32
l 1Co 10:23
m Tit 1:15
n Snt 4:17

CAP. 15
o Ro 14:1
   Gál 6:1
   Gál 6:2
p 1Te 5:14
q 1Co 10:24
q 1Co 9:22
   Flp 2:4
r Mr 10:45
   Jn 5:30
   Jn 4:34
s Sl 69:9
t Ro 4:23
   1Co 10:11
u 2Ti 3:16
   2Pe 1:19
v Ro 5:4
w Sl 119:50
x 1Co 9:10
   Heb 3:6
   1Pe 1:10
y Flp 2:5
z 1Co 1:10
   2Co 13:11
   Flp 2:2
   1Pe 3:8

2.ª col.
a Flm 17
b Jn 6:37
c Mt 20:28
d Mt 15:24
   Jn 1:11
e Miq 7:20
f Gé 22:18
   Sl 89:3
g Ro 3:29
h Ro 9:23
i 2Sa 22:50
   Sl 18:49
j Dt 32:43
k Sl 117:1
l Isa 11:1
   Rev 5:5
m Gé 49:10
n Isa 11:10
   Mt 12:21
o Isa 40:31
   Heb 6:11
p Co 8:7
   Flp 1:9
   2Pe 1:12
   1Jn 2:21
q 2Te 3:15
r 2Pe 1:13
s Ro 12:3
   Gál 1:15
   Ef 3:7

t Ro 11:13; Gál 2:7; Gál 2:8; u Mt 4:23; Mr 1:1; Hch 20:24; Ef 6:15; Rev 14:6; v Flp 2:17; w Ro 12:1.

do santificada con espíritu santo.[a]

17 Por lo tanto, tengo causa para alborozarme en Cristo Jesús[b] cuando se trata de cosas pertenecientes a Dios.[c] 18 Pues no me atreveré a decir una sola cosa si no es de aquellas cosas que Cristo obró mediante mí[d] para que las naciones sean obedientes,[e] por [mi] palabra[f] y hecho, 19 con el poder de señales y portentos presagiosos,[g] con el poder de espíritu santo; de modo que desde Jerusalén y en un circuito[h] hasta Ilírico he predicado cabalmente las buenas nuevas acerca del Cristo. 20 De este modo, en realidad, me fijé como meta no declarar las buenas nuevas donde Cristo ya hubiera sido nombrado, para no estar edificando sobre fundamento ajeno;[j] 21 más bien, así como está escrito: "Aquellos a quienes no se les ha hecho anuncio acerca de él, verán, y los que no han oído entenderán".[k]

22 Por esto también se me impidió muchas veces llegar a ustedes.[l] 23 Pero ahora que ya no tengo territorio [sin tocar] en estas regiones, y habiendo tenido por algunos años el anhelo de llegar a ustedes,[m] 24 cuando viaje con rumbo a España,[n] espero, sobre todo, cuando esté en camino a ese lugar, poder verlos y ser acompañado[o] parte del camino por ustedes después que primero me haya satisfecho hasta cierto grado con su compañía. 25 Pero ahora estoy para viajar a Jerusalén para servir a los santos.[p] 26 Porque los de Macedonia y de Acaya[q] han tenido gusto en compartir sus cosas haciendo una contribución[r] a los pobres de los santos [que están] en Jerusalén. 27 Es cierto que han tenido gusto en hacerlo, y, no obstante, les eran deudores a ellos; porque si las naciones han participado de las cosas espirituales de ellos,[s] ellas también tienen la obligación de ministrar

CAP. 15
a 2Co 3:3
b Flp 3:3
c Heb 2:17
  Heb 5:1
d Mt 28:20
e 2Co 3:5
  Ro 16:26
f 1Co 2:4
  2Co 13:3
g Hch 15:12
  2Co 12:12
h Mt 10:23
  Hch 21:19
i 2Co 10:13
j 2Co 10:15
k Isa 52:15
l Ro 1:13
m Hch 19:21
n Ro 15:28
o Hch 15:3
  1Co 16:6
p Hch 11:29
  Hch 19:21
  Hch 20:22
  Hch 24:17
q 2Co 9:2
r 1Co 16:1
  2Co 8:4
  2Co 9:12
s Ro 11:12

2.ª col.
a 1Co 9:11
  1Co 9:14
  Gál 6:6
b Flp 4:17
c Ro 15:24
d Ro 1:11
e Flp 2:1
f 2Co 1:11
  Efe 6:18
  Col 4:3
  1Te 5:25
g 2Te 3:2
h Ro 15:24
i 2Co 8:4
j 1Co 16:18
k Mr 5:34
  Lu 1:79
  1Co 14:33
  Flp 4:9
  1Te 5:23
  Heb 13:20

CAP. 16
l Mt 27:55
  Lu 8:3
  Hch 2:18
m Hch 18:18
n Flp 2:29
  3Jn 8
o Ro 12:13
  1Jn 3:17
p Hch 18:2
  Hch 18:26
  1Co 16:19
  2Ti 4:19
q 1Co 3:9
  Col 4:11
r 1Jn 3:16
s Efe 5:20
t 1Co 16:19
  Col 4:15
  Flm 2
u 1Co 16:15
v Flp 4:3
  Ro 16:11
w Col 4:10

públicamente a estos con cosas para el cuerpo carnal.[a] 28 Por lo tanto, cuando haya terminado esto y les haya llevado este fruto[b] con seguridad, partiré para España[c] y pasaré por donde están ustedes. 29 Además, sé que cuando vaya a ustedes iré con una medida plena de la bendición de Cristo.[d]

30 Ahora bien, los exhorto, hermanos, por nuestro Señor Jesucristo y por el amor del espíritu,[e] a que se esfuercen conmigo en oraciones a Dios por mí,[f] 31 para que yo sea librado[g] de los incrédulos de Judea, y para que mi ministerio que es para Jerusalén[h] resulte acepto a los santos,[i] 32 a fin de que cuando llegue a ustedes con gozo por la voluntad de Dios yo sea refrescado[j] juntamente con ustedes. 33 Que el Dios que da paz esté con todos ustedes.[k] Amén.

16 Les recomiendo a Febe nuestra hermana, que es ministra[l] de la congregación que está en Cencreas,[m] 2 para que la reciban con gusto[n] en [el] Señor, de una manera digna de los santos, y para que le presten ayuda en cualquier asunto en que los necesite,[o] porque ella misma también demostró ser defensora de muchos, sí, de mí mismo.

3 Den mis saludos a Prisca y a Aquila[p] mis colaboradores[q] en Cristo Jesús, 4 los cuales por mi alma han arriesgado su propio cuello,[r] a quienes no solo yo, sino todas las congregaciones de las naciones, dan gracias;[s] 5 y [saluden] a la congregación que está en casa de ellos.[t] Saluden a mi amado Epéneto, que es primicias[u] de Asia para Cristo. 6 Saluden a María, la cual ha realizado muchas labores por ustedes. 7 Saluden a Andrónico y a Junias mis parientes[v] y mis compañeros de cautiverio,[w] los cuales son insignes entre los apóstoles, y que han estado en

unión[a] con Cristo más tiempo que yo.

8 Den mis saludos[b] a Ampliato mi amado en [el] Señor. 9 Saluden a Urbano nuestro colaborador en Cristo, y a mi amado Estaquis. 10 Saluden[c] a Apeles, el aprobado en Cristo. Saluden a los de la casa de Aristóbulo. 11 Saluden a Herodión mi pariente.[d] Saluden a los de la casa de Narciso que están en [el] Señor.[e] 12 Saluden a Trifena y a Trifosa, [mujeres] que están trabajando con ahínco en [el] Señor. Saluden a Pérsida nuestra amada, porque ella realizó muchas labores en [el] Señor. 13 Saluden a Rufo el escogido en [el] Señor, y a su madre y la mía. 14 Saluden a Asíncrito, a Flegonte, a Hermes, a Patrobas, a Hermas, y a los hermanos que están con ellos. 15 Saluden a Filólogo y a Julia, a Nereo y a su hermana, y a Olimpas, y a todos los santos que están con ellos.[f] 16 Salúdense unos a otros con beso santo.[g] Todas las congregaciones del Cristo los saludan a ustedes.

17 Ahora los exhorto, hermanos, a que vigilen a los que causan divisiones[h] y ocasiones de tropiezo contrario a la enseñanza[i] que ustedes han aprendido, y que los eviten.[j] 18 Porque hombres de esa clase no son esclavos de nuestro Señor Cristo, sino de su propio vientre;[k] y con palabras melosas[l] y habla lisonjera[a] seducen los corazones de los cándidos. 19 Pues la obediencia de ustedes ha llegado a noticia de todos.[b] Por lo tanto me regocijo a causa de ustedes. Pero deseo que sean sabios[c] en cuanto a lo que es bueno, pero inocentes[d] en cuanto a lo que es malo.[e] 20 Por su parte, el Dios que da paz[f] aplastará a Satanás[g] bajo los pies de ustedes en breve. Que la bondad inmerecida de nuestro Señor Jesús esté con ustedes.[h]

21 Timoteo mi colaborador los saluda, y también Lucio y Jasón y Sosípatro mis parientes.[i]

22 Yo, Tercio, que he escrito esta carta, los saludo en [el] Señor.

23 Gayo,[j] mi hospedador y el de toda la congregación, los saluda. Erasto el mayordomo de la ciudad[k] los saluda, y también Cuarto su hermano. 24 ——

25 Ahora, al[l] que puede hacerlos firmes de acuerdo con las buenas nuevas que yo declaro y la predicación de Jesucristo, conforme a la revelación del secreto sagrado[m] que ha sido guardado en silencio por tiempos de larga duración, 26 pero que ahora ha sido puesto de manifiesto[n] y dado a conocer mediante las escrituras proféticas entre todas las naciones de acuerdo con el mandato del Dios eterno para promover obediencia por fe;[o] 27 a Dios, solo sabio,[p] sea la gloria[q] mediante Jesucristo[r] para siempre. Amén.

CAP. 16
a Jn 17:21
  Flp 1:1
b 2Ti 4:19
  Col 4:15
d Ro 9:3
e Ef 6:21
  Col 4:7
f 1Co 16:19
g 1Co 16:20
  2Co 13:12
  1Te 5:26
  1Pe 5:14
h Jud 19
i Mt 7:15
  Ro 6:17
j 2Te 3:6
  2Te 3:14
  Tit 3:10
  2Jn 10
k Flp 3:19
  Jud 12
l 2Pe 2:3
  Jud 16

2.ª col.
a Col 2:4
  Tit 1:10
b Ro 1:8
c Col 1:9
d Mt 10:16
e Jer 4:22
  1Co 14:20
f Ro 15:33
g Gé 3:15
  Heb 2:14
h 1Co 16:23
  Rev 22:21
i Ro 9:3
  Ro 16:7
j 1Co 1:14
k Hch 19:35
l Ef 3:20
  Jud 24
m Ef 1:9
  Ef 3:9
  Col 1:26
n 2Ti 1:10
o Hch 6:7
  Tit 1:3
p Ro 11:33
q Gál 1:5
r Heb 13:21

LA PRIMERA A LOS
CORINTIOS

1 Pablo, llamado a ser apóstol[a] de Jesucristo por la voluntad de Dios,[b] y Sóstenes[c] nuestro hermano, 2 a la congregación de Dios que está en Corinto,[d] a ustedes los que han sido santificados[a] en unión con Cristo Jesús, llamados a ser santos,[b] junto con todos los que en todo lugar están invocando el

CAP. 1
a Hch 9:15
  Ro 1:1
  1Ti 2:7
b 2Co 1:1
  Col 1:1
c Hch 18:17

d Hch 18:1; 2.ª col. a Jn 17:19; 1Co 6:11; Heb 2:11; Heb 9:14; b Da 7:27; 1Pe 1:15.

nombre[a] de nuestro Señor, Jesucristo, Señor de ellos y nuestro:[b] 3 Que tengan bondad inmerecida[c] y paz[d] de parte de Dios nuestro Padre y de[1] Señor Jesucristo.[e]

4 Siempre doy gracias a Dios por ustedes en vista de la bondad inmerecida[f] de Dios dada a ustedes en Cristo Jesús;[g] 5 porque en todo han sido enriquecidos[h] en él, en plena capacidad para hablar y en pleno conocimiento,[i] 6 tal como el testimonio acerca del Cristo[j] ha sido hecho firme entre ustedes, 7 de modo que no se quedan atrás en ningún don,[k] mientras aguardan con intenso anhelo la revelación[l] de nuestro Señor Jesucristo. 8 Él también los hará firmes[m] hasta el fin, para que no estén expuestos a ninguna acusación[n] en el día[o] de nuestro Señor Jesucristo.[p] 9 Fiel es Dios,[q] por quien fueron llamados a [tener] participación[r] con su Hijo Jesucristo nuestro Señor.

10 Ahora los exhorto,[s] hermanos, por el nombre[t] de nuestro Señor Jesucristo, a que todos hablen de acuerdo,[u] y que no haya divisiones[v] entre ustedes, sino que estén aptamente unidos en la misma mente y en la misma forma de pensar.[w] 11 Porque se me hizo saber[x] acerca de ustedes, hermanos míos, por los de [la casa de] Cloe, que existen disensiones entre ustedes. 12 Lo que quiero decir es esto, que cada uno de ustedes dice: "Yo pertenezco a Pablo". "Pero yo a Apolos."[y] "Pero yo a Cefas." "Pero yo a Cristo." 13 El Cristo existe dividido.[z] Pablo no fue fijado en un madero por ustedes, ¿verdad? ¿O fueron ustedes bautizados[a] en el nombre de Pablo? 14 Agradecido estoy de que no bauticé a ninguno de ustedes, sino a Crispo[b] y a Gayo,[c] 15 para que nadie diga que ustedes fueron bautizados en mi nombre. 16 Sí, también bauticé a la casa de Estéfanas.[a] En cuanto a los demás, no sé si bauticé a algún otro. 17 Porque no me despachó Cristo[b] para ir bautizando, sino para ir declarando las buenas nuevas, no con sabiduría de habla,[c] para que no se haga inútil el madero de tormento del Cristo.

18 Pues el habla acerca del madero de tormento es necedad[d] para los que están pereciendo,[e] pero para nosotros, los que estamos siendo salvados,[f] es el poder de Dios.[g] 19 Porque está escrito: "Haré perecer la sabiduría de los sabios,[h] y echaré a un lado[i] la inteligencia de los intelectuales".[j] 20 ¿Dónde está el sabio? ¿Dónde el escriba?[k] ¿Dónde el disputador[l] de este sistema de cosas?[m] ¿No hizo Dios necedad la sabiduría del mundo?[n] 21 Pues ya que, en la sabiduría de Dios, el mundo mediante su sabiduría[o] no llegó a conocer a Dios,[p] Dios tuvo a bien salvar mediante la necedad[q] de lo que se predica a los que creen.

22 Porque tanto los judíos piden señales[r] como los griegos buscan sabiduría;[s] 23 pero nosotros predicamos a Cristo fijado en el madero;[t] para los judíos causa de tropiezo,[u] pero para las naciones necedad;[v] 24 no obstante, para los que son los llamados, tanto judíos como griegos, Cristo el poder[w] de Dios y la sabiduría[x] de Dios. 25 Porque una cosa necia de Dios es más sabia que los hombres, y una cosa débil de Dios es más fuerte que los hombres.[y]

26 Pues ustedes contemplan su llamamiento por él, hermanos, que no muchos sabios[z] según la carne fueron llamados,[a] no muchos poderosos,[b] no muchos de nacimiento noble; 27 sino que Dios escogió las cosas necias del mundo,[c] para avergonzar a los sabios; y Dios escogió las cosas débiles del

---

CAP. 1

a Mt 12:21
  Hch 4:12
b Ro 3:22
  Ef 4:5
c Tit 2:11
d Nú 6:26
  Flp 4:7
e 2Pe 1:2
f Jn 1:17
g Ef 1:7
  Ef 2:7
h Ef 3:19
i Col 1:9
j Hch 18:5
  2Ti 1:8
k Heb 6:4
l Lu 17:30
  2Te 1:7
  1Pe 1:7
m Ro 14:4
  1Te 3:13
  2Te 3:3
n Col 1:22
o 1Co 4:5
  1Co 5:5
  Rev 1:10
p 1Te 5:23
q Dt 7:9
  Jn 17:21
  1Jn 1:3
s 2Te 3:6
t 1Co 13:10
u 2Co 13:11
  Flp 2:2
v Ro 16:17
  Ef 4:3
w Ro 15:5
  2Co 13:11
x Le 5:1
  1Co 5:1
y Hch 18:24
  1Co 3:4
  1Co 3:21
z Ef 4:5
a Hch 2:38
b Hch 18:8
c Ro 16:23

2.ª col.

a 1Co 16:15
b Hch 9:15
c 1Co 2:1
d Hch 17:18
  Col 2:14
e 1Jn 2:17
f 1Co 15:2
g Ro 1:16
h Isa 33:10
  1Co 3:19
i Isa 29:14
j Jer 8:9
  1Ti 6:20
k Isa 33:18
  1 Hch 17:18
m Ef 2:2
n Lu 12:17
  Ro 1:22
o Col 2:8
p Mt 11:25
  Lu 10:21
q Hch 17:18
  1Co 2:14
  1Co 3:18
r Mt 12:38
  Lu 11:29
s Hch 17:18
t 1Co 2:2
u Isa 8:14
v Hch 17:32

---

w Mr 13:26; x 1Co 1:30; Col 2:3; y 2Co 13:4; z Hch 4:13; a Ro 8:30; b Jn 7:48; Snt 2:5; c Lu 16:8.

mundo, para avergonzar las cosas fuertes;[a] 28 y Dios escogió las cosas innobles del mundo, y las cosas menospreciadas, las cosas que no son,[b] para reducir a nada[c] las cosas que son, 29 a fin de que ninguna carne se jacte[d] a vista de Dios. 30 Pero a él se debe el que ustedes estén en unión con Cristo Jesús, que ha venido a ser para nosotros sabiduría[e] procedente de Dios, también justicia[f] y santificación[g] y liberación por rescate;[h] 31 para que sea así como está escrito: "El que se jacta, jáctese en Jehová".[i]

2 Y así es que yo, cuando fui a ustedes, hermanos, no fui con extravagancia de habla[j] o de sabiduría al declararles el secreto sagrado[k] de Dios. 2 Porque decidí no conocer cosa alguna entre ustedes salvo a Jesucristo,[l] y a él fijado en el madero. 3 Y fui a ustedes en debilidad y en temor y con mucho temblor;[m] 4 y mi habla y lo que prediqué no fueron con palabras persuasivas de sabiduría, sino con una demostración de espíritu y poder,[n] 5 para que su fe no estuviera en la sabiduría de los hombres,[o] sino en el poder de Dios.[p]

6 Ahora bien, hablamos sabiduría entre los que son maduros,[q] pero no la sabiduría[r] de este sistema de cosas, ni la de los gobernantes de este sistema de cosas,[s] que han de quedar reducidos a nada.[t] 7 Más bien, hablamos la sabiduría de Dios en un secreto sagrado,[u] la sabiduría escondida, que Dios predeterminó antes de los sistemas[v] de cosas para nuestra gloria. 8 Esta [sabiduría] ni uno de los gobernantes[w] de este sistema de cosas la llegó a conocer,[x] porque si [la] hubieran conocido, no habrían fijado en el madero[y] al glorioso Señor. 9 Pero así como está escrito: "Ojo no ha visto, ni oído ha oído, ni se han concebido en el corazón del hombre las cosas que Dios ha preparado para los

que lo aman".[a] 10 Pues es a nosotros a quienes Dios las ha revelado[b] mediante su espíritu,[c] porque el espíritu[d] escudriña todas las cosas, hasta las cosas profundas[e] de Dios.

11 Porque, ¿quién entre los hombres conoce las cosas del hombre salvo el espíritu[f] del hombre que está en él? Así, también, nadie ha llegado a conocer las cosas de Dios, salvo el espíritu[g] de Dios. 12 Ahora bien, nosotros recibimos, no el espíritu[h] del mundo, sino el espíritu[i] que proviene de Dios, para que conozcamos las cosas que Dios nos ha dado bondadosamente. 13 De estas cosas también hablamos, no con palabras enseñadas por sabiduría humana,[k] sino con las enseñadas por [el] espíritu,[l] al combinar nosotros [asuntos] espirituales con [palabras] espirituales.[m]

14 Pero el hombre físico no recibe las cosas del espíritu de Dios, porque para él son necedad; y no [las] puede llegar a conocer,[n] porque se examinan espiritualmente. 15 Sin embargo, el hombre espiritual[o] examina de hecho todas las cosas, pero él mismo no es examinado[p] por ningún hombre. 16 Porque "¿quién ha llegado a conocer la mente de Jehová,[q] para que le instruya?".[r] Pero nosotros sí tenemos la mente[s] de Cristo.

3 Y así es que, hermanos, no pude hablarles como a hombres espirituales,[t] sino como a carnales, como a pequeñuelos[u] en Cristo. 2 Los alimenté con leche, no con algo de comer,[v] porque todavía no estaban bastante fuertes. De hecho, tampoco están bastante fuertes ahora,[w] 3 porque ustedes todavía son carnales.[x] Porque mientras haya entre ustedes celos y con-

CAP. 1
a Mt 11:25
b Ro 4:17
c 1Co 2:6
d Ro 3:27
1Co 4:7
e Jer 23:5
Rev 5:12
f Ro 10:4
2Co 5:21
g Jn 17:19
Heb 10:10
h Ro 3:24
Col 1:14
i Jer 9:24
2Co 10:17

CAP. 2
j Lu 1:17
2Co 10:10
2Co 11:6
k Ef 3:5
Col 2:2
l Gál 6:14
Flp 3:8
m 2Co 10:1
Gál 4:13
n Mt 15:19
1Co 4:20
1Te 1:5
2Pe 1:16
o Ef 1:17
p 2Co 4:7
2Co 6:7
q 1Co 14:20
Ef 4:13
Heb 5:14
r 1Co 3:20
Col 2:12
1Ti 6:20
s Mt 20:25
t 1Co 15:24
u Ef 3:15
Ro 16:25
Ef 3:9
v Col 1:26
w Jn 7:48
Hch 13:27
x 1Co 1:18
2Co 3:14
y Hch 4:10
Hch 5:30

2.ª col.
a Isa 64:4
b Dt 29:29
Mt 16:17
Mr 4:11
Ef 3:5
2Ti 1:10
1Pe 1:12
c Jn 14:26
Jn 1:27
d Ro 8:26
e Job 11:7
Ro 11:33
Ef 3:18
f Ro 1:9
Ro 8:16
g Jn 14:17
Ro 8:27
h 1Jn 4:3
1Jn 5:19
Rev 16:14
i Jn 15:26
j 1Jn 4:6
k Col 2:8
1Ti 6:20
2Pe 1:16
l 1Jn 16:13
m Pr 1:23
Jn 6:63

n Mt 16:23; o 1Co 8:5; p 1Co 4:3; q Ro 11:34; r Isa 40:13; s Ro 15:5; Flp 2:5; CAP. 3 t Mt 5:3; 1Co 2:15; Col 1:9; Jud 19; u 1Co 14:20; v Heb 5:12; Heb 5:14; w Heb 5:13; x Ro 8:7; Gál 5:17.

tiendas,[a] ¿no son ustedes carnales, y no están andando como andan los hombres?[b] 4 Porque cuando uno dice: "Yo pertenezco a Pablo", pero otro dice: "Yo a Apolos",[c] ¿no son ustedes simplemente hombres?

5 Pues, ¿qué es Apolos?[d] Sí, ¿qué es Pablo? Ministros[e] mediante los cuales ustedes llegaron a ser creyentes, así como el Señor se lo concedió a cada uno. 6 Yo planté,[f] Apolos regó,[g] pero Dios siguió haciendo[lo] crecer;[h] 7 de modo que ni el que planta es algo,[i] ni el que riega, sino Dios que [lo] hace crecer.[j] 8 Ahora bien, el que planta y el que riega uno son,[k] pero cada [persona] recibirá su propio galardón según su propia labor.[l] 9 Porque somos colaboradores de Dios.[m] Ustedes son campo de Dios bajo cultivo,[n] edificio de Dios.[o]

10 Conforme a la bondad inmerecida[p] de Dios que me fue dada, como sabio director de obras yo puse un fundamento,[q] pero algún otro está edificando sobre él. Mas siga vigilando cada uno cómo edifica sobre él.[r] 11 Porque nadie puede poner ningún otro fundamento[s] sino lo que está puesto, que es Jesucristo.[t] 12 Ahora bien, si alguien edifica sobre el fundamento oro, plata, piedras preciosas, maderas, heno, rastrojo, 13 la obra de cada uno se hará manifiesta, porque el día la pondrá al descubierto, por cuanto será revelada por medio de fuego;[u] y el fuego mismo probará qué clase de obra es la de cada uno. 14 Si la obra de alguien, obra que él ha edificado encima, permanece,[v] él recibirá galardón.[w] 15 Si la obra de alguien es quemada por completo, él sufrirá pérdida, pero él mismo será salvado;[x] sin embargo, si así es, [será] como a través de fuego.[y]

16 ¿No saben que ustedes son el templo de Dios,[z] y que el espíritu de Dios mora en ustedes?[a] 17 Si alguien destruye el templo de Dios, Dios lo destruirá a él;[b] porque el templo[a] de Dios es santo,[b] el cual son ustedes.[c]

18 Que nadie esté seduciéndose a sí mismo: Si alguno entre ustedes piensa que es sabio[d] en este sistema de cosas, hágase necio, para que se haga sabio.[e] 19 Porque la sabiduría de este mundo es necedad para con Dios;[f] porque está escrito: "Prende a los sabios en su propia astucia".[g] 20 Y otra vez: "Jehová sabe que los razonamientos de los sabios son vanos".[h] 21 Por eso, que nadie se jacte en los hombres; porque todas las cosas les pertenecen a ustedes,[i] 22 sea Pablo, o Apolos,[j] o Cefas, o el mundo, o la vida, o la muerte, o las cosas presentes, o las cosas venideras,[k] todas las cosas les pertenecen; 23 a su vez, ustedes pertenecen a Cristo;[l] Cristo, a su vez, pertenece a Dios.[m]

4 Valórenos el hombre como quienes son subordinados[n] de Cristo y mayordomos[o] de los secretos sagrados[p] de Dios. 2 Además, en este caso, lo que se busca en los mayordomos[q] es que al hombre se le halle fiel.[r] 3 Pues para mí es asunto de ínfima importancia el que yo sea examinado por ustedes o por un tribunal humano.[s] Ni siquiera yo mismo me examino. 4 Porque no tengo conciencia[t] de nada contra mí mismo. Sin embargo, no por esto quedo probado justo, sino que el que me examina es Jehová.[u] 5 Por lo tanto, no juzguen[v] nada antes de su debido tiempo, hasta que venga el Señor,[w] el cual sacará a la luz las cosas secretas de la oscuridad[x] así como también pondrá de manifiesto los consejos de los corazones,[y] y entonces a cada uno su alabanza le vendrá de Dios.[z]

6 Ahora pues, hermanos, es-

CAP. 3
a Ro 13:13
2Co 12:20
Gál 5:19
b 1Pe 4:3
c 1Co 1:12
1Co 11:18
d Heh 18:24
e 2Co 3:6
Col 1:23
1Ti 1:12
f Heh 18:4
g Heh 18:28
Heh 18:28
Heh 19:1
h Isa 55:10
2Co 9:10
i 2Co 12:11
Gál 6:3
j Ro 9:16
2Co 6:1
k Gál 3:28
1 Ro 2:6
1Co 4:5
Flp 2:13
Rev 22:12
m 1Co 3:6
Heh 13:38
n Ef 2:22
1Pe 2:5
1Co 15:10
q Ro 15:20
r 1Pe 4:11
s Isa 28:16
1Pe 2:6
t Sl 118:22
Mt 21:42
Heh 4:11
Ef 2:20
u Da 11:35
Zac 13:9
1Pe 1:7
1Pe 4:12
v Mt 7:25
w 1Co 9:17
x Eze 3:19
y Jud 23
z 2Co 6:16
Ef 2:21
1Pe 2:5
a Ro 8:9
b Isa 54:15
2Ti 1:6

2.ª col.

a 2Co 6:16
b Sl 11:4
c 1Pe 2:5
d Pr 3:7
Lu 16:8
2Co 1:3
Da 12:10
f 1Co 1:20
g Job 5:13
Lu 20:23
h Sl 94:11
i 2Co 4:15
1Co 1:12
k Ro 8:33
l Jn 17:9
2Co 10:7
m 1Co 11:3

CAP. 4

n Lu 1:2
2Co 5:20
o Lu 12:42
1Co 9:17
Col 1:25
Tit 1:7

p Mt 13:11; Ro 16:25; q Gé 24:2; r Gé 39:9; Gál 3:9; Heb 3:5; s Mt 10:17; 1Pe 4:6; t Job 27:6; Heh 23:1; Heh 24:16; u Pr 21:2; Ro 14:10; Heb 4:13; v Mt 7:1; w Mal 3:2; Mt 24:46; Mt 25:13; Rev 1:10; x Pr 10:9; Mt 10:26; Lu 8:17; 1Ti 5:24; y Jn 2:35; 1Te 2:4; z Jn 5:44; Ro 2:29; 2Co 10:18.

tas cosas las he transferido de modo que nos apliquen a mí y a Apolos[a] para el bien de ustedes, para que en nuestro caso aprendan la [regla]: "No vayas más allá de las cosas que están escritas",[b] a fin de que no se hinchen[c] ustedes individualmente a favor de uno y en contra de otro.[d] 7 Pues, ¿quién hace que tú difieras[e] de otro? En realidad, ¿qué tienes tú que no hayas recibido?[f] Entonces, si verdaderamente [lo] recibiste,[g] ¿por qué te jactas[h] como si no [lo] hubieras recibido?

8 Ustedes ya están hartos, ¿verdad? Ya son ricos, ¿verdad?[i] Han empezado a reinar[j] sin nosotros, ¿verdad? Y verdaderamente desearía yo que hubieran empezado a reinar, para que nosotros también reináramos[k] con ustedes. 9 Porque me parece que a nosotros los apóstoles Dios nos ha puesto últimos en exhibición[l] como hombres designados para muerte,[m] porque hemos llegado a ser un espectáculo teatral[o] al mundo, tanto a ángeles[o] como a hombres.[p] 10 Nosotros somos necios[q] por causa de Cristo, pero ustedes son discretos[r] en Cristo; nosotros somos débiles,[s] pero ustedes fuertes;[t] ustedes tienen buena reputación,[u] pero nosotros deshonra.[v] 11 Hasta la hora actual continuamos padeciendo hambre[w] y también sed[x] y estando escasamente vestidos[y] y siendo maltratados[z] y estando sin hogar[a] y afanándonos,[b] trabajando con nuestras propias manos.[c] Cuando se nos injuria, bendecimos;[d] cuando se nos persigue, lo soportamos;[e] 13 cuando se nos infama, suplicamos;[f] hemos llegado a ser como la basura del mundo, el desecho de todas las cosas, hasta ahora.[g]

14 No estoy escribiendo estas cosas para avergonzarlos, sino para amonestarlos como a mis hijos amados.[h] 15 Pues aun-

que ustedes tengan diez mil tutores[a] en Cristo, ciertamente no [tienen] muchos padres;[b] porque en Cristo Jesús yo he llegado a ser padre de ustedes mediante las buenas nuevas.[c] 16 Les suplico, por lo tanto: háganse imitadores de mí.[d] 17 Por eso les envío a Timoteo,[e] puesto que él es mi hijo amado[f] y fiel en [el] Señor; y él les recordará mis métodos relacionados con Cristo Jesús,[g] así como yo estoy enseñando en todas partes en toda congregación.

18 Algunos están hinchados[h] como si yo en realidad no hubiera de ir a ustedes. 19 Pero iré a ustedes dentro de poco, si Jehová quiere,[i] y llegaré a conocer, no el habla de los que están hinchados, sino [su] poder. 20 Porque el reino de Dios no [estriba] en habla, sino en poder.[j] 21 ¿Qué quieren ustedes? ¿Iré a ustedes con vara,[k] o con amor y apacibilidad de espíritu?[l]

5 De hecho, se informa que hay fornicación[m] entre ustedes, y tal fornicación como ni siquiera la hay entre las naciones: que cierto [hombre] tiene la esposa de [su] padre.[n] 2 ¿Y están ustedes hinchados,[o] y no se lamentaron[p] más bien, para que fuera quitado de en medio de ustedes el hombre que ha cometido este hecho?[q] 3 Yo, por mi parte, aunque ausente en cuerpo, pero presente en espíritu, ciertamente te he juzgado ya,[r] como si estuviera presente, al hombre que ha obrado de dicha manera, 4 que en el nombre de nuestro Señor Jesús, estando ustedes reunidos, también mi espíritu con el poder de nuestro Señor Jesús,[s] 5 entreguen a tal hombre a Satanás[t] para la destrucción de la carne, a fin de que el espíritu[u] sea salvado en el día del Señor.[v]

CAP. 4
a 1Co 1:12
  1Co 3:22
b 1Co 1:31
  2Jn 9
  3Jn 9
c Ro 12:3
d 2Co 12:20
e Ro 12:6
f Jn 3:27
  Snt 1:17
g 1Pe 4:10
h Gál 6:14
i Rev 3:17
j Rev 20:4
  Rev 20:6
k 2Ti 2:12
  Rev 3:21
  1 1Co 15:32
m Sl 44:22
  Ro 8:36
  2Co 6:9
  Rev 6:9
n Heb 10:33
o Ef 6:12
  1Pe 1:12
p 2Co 2:16
q 1Co 3:18
r Mt 10:16
s 2Co 11:29
t 1Co 10:12
u Gál 2:6
v Jn 8:49
w Flp 4:12
x 2Co 11:27
r Ro 8:35
z Hch 14:19
  Hch 23:2
  2Co 11:24
a Mt 8:20
b 1Te 2:9
c Hch 18:3
  Hch 20:34
  2Te 3:8
d Sl 109:28
  Ro 12:14
  1Pe 3:9
e Mt 5:44
f 1Pe 2:23
g Lam 3:45
h 2Co 6:13

2.ª col.

a Gál 3:24
b 3Jn 4
c Gál 4:19
  1Te 2:11
d 1Co 11:1
  Flp 3:17
  1Te 1:6
e Hch 19:22
  Flp 2:19
  1Te 3:2
f 2Ti 1:2
g Lu 6:40
  2Ti 1:13
h 1Ti 3:6
i Hch 18:21
  Snt 4:15
j 1Co 2:4
  1Te 1:5
k 2Co 10:8
  2Co 13:10
l Gál 1:20

CAP. 5

m Ef 5:3
n Gén 35:22
  Le 18:8
  Dt 22:30
o 1Co 4:18

p Eze 9:4; 2Co 7:9; q 1Co 5:13; 2Jn 10; r 1Co 6:3;
s Jn 20:23; t Hch 26:18; 1Ti 1:20; u 1Co 7:34;
v 1Co 1:8.

6 No es excelente [la razón de] su jactancia[a]. ¿No saben que un poco de levadura hace fermentar[b] toda la masa?[c] 7 Quiten la levadura vieja, para que sean una masa nueva,[d] según estén libres de fermento. Porque, en realidad, Cristo[e] nuestra pascua[f] ha sido sacrificado.[g] 8 Por consiguiente, guardemos la fiesta,[h] no con levadura vieja,[i] ni con levadura[j] de maldad e iniquidad,[k] sino con tortas no fermentadas de sinceridad y verdad.[l]

9 En mi carta les escribí que cesaran de mezclarse en la compañía de fornicadores, 10 no [queriendo decir] enteramente con los fornicadores[m] de este mundo,[n] o personas dominadas por la avidez y los que practican extorsión, o idólatras. De otro modo, ustedes realmente tendrían que salirse del mundo.[o] 11 Pero ahora les escribo que cesen de mezclarse en la compañía[p] de cualquiera que, llamándose hermano, sea fornicador, o persona dominada por la avidez,[q] o idólatra, o injuriador, o borracho,[r] o que practique extorsión, y ni siquiera coman con tal hombre. 12 Pues, ¿qué tengo yo que ver con juzgar a los de afuera?[s] ¿No juzgan ustedes a los de adentro,[t] 13 mientras Dios juzga a los de afuera?[u] "Remuevan al [hombre] inicuo de entre ustedes."[v]

6 ¿Se atreve cualquiera de ustedes que tenga un pleito[w] contra el otro a ir al tribunal ante hombres injustos,[x] y no ante los santos?[y] 2 ¿O no saben ustedes que los santos juzgarán[z] el mundo?[a] Y si el mundo ha de ser juzgado por ustedes, ¿son ustedes incapaces de juzgar asuntos de ínfima importancia?[b] 3 ¿No saben que juzgaremos a ángeles?[c] Entonces, ¿por qué no los asuntos de esta vida? 4 Por eso, si en realidad tienen asuntos de esta vida que hayan de ser juzgados,[d] ¿es a los hombres a

quienes se menosprecia en la congregación a quienes ustedes ponen por jueces?[a] 5 Hablo para hacerles sentir vergüenza.[b] ¿Es verdad que no hay entre ustedes ni un solo sabio[c] que pueda juzgar entre sus hermanos, 6 sino que hermano va con hermano a los tribunales, y eso ante los incrédulos?[d]

7 En verdad, pues, significa del todo derrota para ustedes el que estén teniendo litigios[e] unos con otros. ¿Por qué no dejan más bien que les hagan injusticias?[f] ¿Por qué no dejan más bien que los defrauden?[g] 8 Al contrario, ustedes hacen injusticias y defraudan, y eso a sus hermanos.[h]

9 ¡Qué! ¿No saben que los injustos no heredarán el reino de Dios?[i] No se extravíen. Ni fornicadores,[j] ni idólatras,[k] ni adúlteros,[l] ni hombres que se tienen para propósitos contranaturales,[m] ni hombres que se acuestan con hombres,[n] 10 ni ladrones, ni personas dominadas por la avidez,[o] ni borrachos,[p] ni injuriadores, ni los que practican extorsión heredarán el reino de Dios.[q] 11 Y, sin embargo, eso era lo que algunos de ustedes eran.[r] Pero ustedes han sido lavados,[s] pero ustedes han sido santificados,[t] pero ustedes han sido declarados justos[u] en el nombre de nuestro Señor Jesucristo[v] y con el espíritu de nuestro Dios.[w]

12 Todas las cosas me son lícitas; pero no todas las cosas son ventajosas.[x] Todas las cosas me son lícitas;[y] pero no me dejaré poner bajo autoridad por cosa alguna.[z] 13 Los alimentos para el vientre, y el vientre para los alimentos;[a] pero tanto a aquel como a estos Dios los reducirá a nada.[b] Ahora bien, el cuerpo no es para fornicación,

CAP. 5
a 1Co 3:21
Snt 4:16
b Gál 5:9
2Ti 2:17
c Ec 9:18
1Co 15:33
e 1Pe 1:19
f Jn 1:29
g Rev 5:12
h Ex 13:7
i Dt 16:3
k 1Pe 4:3
l Jn 1:17
Jn 17:17
m Ro 1:28
1Co 6:9
Ef 5:5
n 1Jn 2:17
o Jn 7:15
p Nú 16:26
Ro 16:17
2Te 3:6
2Jn 10
q Ef 5:5
r Dt 21:20
1Co 6:10
Gál 5:21
1Pe 4:3
s Mr 4:11
t 1Co 6:5
u Ec 12:14
v Gé 3:24
Dt 17:7
Tit 3:10
2Jn 10

CAP. 6
w Mt 18:15
x Hch 18:17
y 1Co 5:3
Tit 1:9
Heb 13:17
z Lu 22:30
Ro 20:4
a 2Pe 3:7
b Mt 18:28
c Ro 16:20
d Mt 18:17

2.ª col.

a Pr 29:27
b 1Co 15:34
c Dt 1:13
1Ti 3:2
d 2Co 6:15
e 2Cr 19:8
Lu 12:13
f Pr 20:22
Mt 5:39
Ro 12:17
1Te 5:15
Pr 3:9
g Sl 146:7
h 1Te 4:6
i Ef 5:5
Rev 22:15
j Nú 21:8
k Col 3:5
1 Heb 13:4
m Ro 1:27
n 1Ti 1:10
o 1Co 5:11
p Dt 21:20
Pr 23:20
1Pe 4:3
q Heb 12:14
1Pe 4:18

r Col 3:7; Tit 3:3; s Jn 13:10; Hch 22:16; Heb
10:22; t Ef 5:26; 2Te 2:13; u Ro 5:18; v 1Jn 2:12;
w Ro 8:33; x 1Co 10:23; y Ro 6:14; z Ro 6:16;
a Tit 1:12; b Ro 14:17.

sino para el Señor;[a] y el Señor es para el cuerpo.[b] **14** Pero así como Dios levantó al Señor[c] también nos levantará a nosotros de [la muerte][d] mediante su poder.[e]

15 ¿No saben que sus cuerpos son miembros[f] de Cristo?[g] ¿Quitaré yo, pues, los miembros del Cristo y los haré miembros de una ramera?[h] ¡Jamás suceda eso! **16** ¡Qué! ¿No saben que el que se une a una ramera es un solo cuerpo? Porque: "Los dos —dice él— serán una sola carne".[i] **17** Pero el que se une al Señor es un solo[j] espíritu.[k] **18** Huyan de la fornicación.[l] Todo otro pecado que el hombre cometa está fuera de su cuerpo, pero el que practica la fornicación peca contra su propio cuerpo.[m] **19** ¡Qué! ¿No saben que el cuerpo que ustedes son es [el] templo[n] del espíritu santo que está en ustedes,[o] el cual tienen de Dios? Además, no se pertenecen a sí mismos,[p] **20** porque fueron comprados por precio.[q] Sin falta, glorifiquen a Dios[r] en el cuerpo[s] que son ustedes.

7 Ahora bien, respecto a las cosas de que escribieron ustedes, es bueno que el hombre no toque[t] mujer; **2** no obstante, a causa de la ocurrencia común de la fornicación,[u] que cada hombre tenga su propia esposa[v] y que cada mujer tenga su propio esposo. **3** Que el esposo dé a [su] esposa lo que le es debido;[w] pero que la esposa haga lo mismo también a [su] esposo.[x] **4** La esposa no ejerce autoridad sobre su propio cuerpo, sino su esposo;[y] así mismo, también, el esposo no ejerce autoridad sobre su propio cuerpo, sino su esposa.[z] **5** No se priven [de ello][a] el uno al otro, a no ser de común acuerdo por un tiempo señalado,[b] para que dediquen tiempo a la oración y vuelvan a juntarse, para que no siga tentándolos Sata-

nás[a] por su falta de regulación en sí mismos.[b] **6** Sin embargo, digo esto a modo de concesión,[c] no a modo de mandato.[d] **7** Pero quisiera yo que todos los hombres fueran como yo mismo soy.[e] No obstante, cada uno tiene de Dios su propio don,[f] uno de esta manera, otro de aquella manera.

8 Ahora bien, digo a los no casados[g] y a las viudas: les es bueno permanecer así como yo.[h] **9** Pero si no tienen autodominio,[i] cásense, porque mejor es casarse[j] que estar encendidos [de pasión].[k]

10 A los casados doy instrucciones —sin embargo, no yo, sino el Señor[l]— de que la esposa no debe irse de su esposo;[m] **11** pero si de hecho se fuera, que permanezca sin casarse, o, si no, que se reconcilie con su esposo; y el esposo no debe dejar a su esposa.

12 Pero a los demás digo —sí, yo, no el Señor[n]—: Si algún hermano tiene esposa incrédula, y sin embargo ella está de acuerdo en morar con él, no la deje; **13** y la mujer que tiene esposo incrédulo, y sin embargo él está de acuerdo en morar con ella, no deje a su esposo. **14** Porque el esposo incrédulo es santificado con relación a [su] esposa, y la esposa incrédula es santificada con relación al hermano; de otra manera, sus hijos verdaderamente serían inmundos,[o] pero ahora son santos.[p] **15** Pero si el incrédulo procede a irse,[q] que se vaya; el hermano o la hermana no está en servidumbre en tales circunstancias; antes bien, Dios los ha llamado a ustedes a la paz.[r] **16** Pues, esposa, ¿cómo sabes que no salvarás a [tu] esposo?[s] O, esposo, ¿cómo sabes que no salvarás a [tu] esposa?[t]

CAP. 6

a 1Te 4:3
b Col 1:18
  1Te 5:23
c Hch 2:24
  Ro 6:4
  Ef 1:20
d Ro 8:5
  Ro 8:11
  2Co 4:14
e Ef 1:19
f 1Co 12:18
  1Co 12:27
  Ef 5:30
g Ro 12:5
  Ef 4:15
h Snt 4:4
i Gé 2:24
  Mt 19:5
  Ef 5:31
  Jn 17:21
k Ef 4:3
  Ef 4:4
l Gé 39:12
  1Te 4:3
m Ro 1:24
  Ro 1:27
  Ro 6:12
n 1Co 3:16
  2Co 6:16
o 1Te 4:8
p Ro 14:8
q 1Co 7:23
  Heb 9:12
  1Pe 1:18
r Mt 5:16
s Ro 12:1
  1Co 12:27
  Ef 4:12

CAP. 7

t Gé 20:6
  Dt 22:28
  Pr 6:29
u Jer 5:7
  1Te 4:3
v Gé 2:24
  Pr 5:19
  Heb 13:4
w Éx 21:10
  1Co 7:5
x Os 3:3
  1Pe 3:7
y Ef 5:24
z Ef 5:21
a Gé 4:1
  1Sa 1:19
  Mt 1:25
  Heb 13:4
b Éx 19:15

2.ª col.

a 2Co 2:11
  1Te 3:5
b 1Co 9:25
c Mt 19:8
d 1Co 7:25
  2Co 8:8
e 1Co 9:5
f Mt 19:11
g 1Co 7:27
h 1Co 9:5
i 1Te 4:4
  1Ti 5:11
j 1Ti 5:14
k 1Te 4:5
l Mt 5:32
m Jer 3:20
  Mt 19:6
  Mr 10:11
  Lu 16:18
n 1Co 7:25

o Ef 6:1; p Ro 11:16; q Mal 2:15; r Heb 12:14; s 1Pe 3:1; t Snt 5:20.

17 Solo que, según Jehová haya dado a cada uno una porción,ª así cada cada uno según lo ha llamado Dios.ᵇ Y así ordenoᶜ en todas las congregaciones. 18 ¿Fue llamado algún hombre en estado de circuncisión?ᵈ No se haga incircunciso. ¿Ha sido llamado algún hombre en incircuncisión?ᵉ No se circuncide.ᶠ 19 La circuncisiónᵍ no significa nada, y la incircuncisiónʰ no significa nada, pero la observancia de los mandamientos de Dios [sí].ⁱ 20 En el estado en que cada uno haya sido llamado,ʲ que permanezca en él.ᵏ 21 ¿Fuiste llamado siendo esclavo? No dejes que te preocupe;ˡ pero si también puedes hacerte libre, más bien aprovéchate de la oportunidad. 22 Porque cualquiera en [el] Señor que haya sido llamado siendo esclavo es liberto del Señor;ᵐ así mismo, el que haya sido llamado siendo hombre libreⁿ es esclavoᵒ de Cristo. 23 Ustedes fueron comprados por precio;ᵖ dejen de hacerse esclavosᑫ de los hombres. 24 En la condiciónʳ en que cada uno fue llamado, hermanos, permanezca en ella asociado con Dios.

25 Ahora bien, respecto a vírgenes no tengo mandamiento del Señor, pero doy mi opiniónˢ como uno a quien el Señor ha mostrado misericordiaᵗ para que sea fiel.ᵘ 26 Por lo tanto, pienso que esto es bueno en vista de la necesidad entre nosotros aquí: que es bueno que el hombre continúe como está. 27 ¿Estás atado a una esposa?ʷ Deja de procurar liberación.ˣ ¿Estás desatado de una esposa? Deja de buscar esposa. 28 Pero aunque te casaras, no cometerías ningún pecado.ʸ Y si una [persona] virgen se casara, la tal no cometería ningún pecado. No obstante, los que lo hagan tendrán tribulación en la carne.ᶻ Pero yo les ahorro [eso].

29 Además, esto digo, hermanos: el tiempo que queda está reducido.ª En adelante, los que tienen esposas sean como si no tuvieran,ᵇ 30 y también los que lloran sean como los que no lloran, y los que se regocijan, como los que no se regocijan, y los que compran, como los que no poseen, 31 y los que hacen uso del mundo,ᶜ como los que no lo usan a plenitud; porque la escena de este mundo está cambiando.ᵈ 32 En realidad, quiero que estén libres de inquietud.ᵉ El hombre no casado se inquieta por las cosas del Señor, en cuanto a cómo ganar la aprobación del Señor. 33 Pero el hombre casado se inquietaᶠ por las cosas del mundo, en cuanto a cómo ganar la aprobación de su esposa,ᵍ 34 y está dividido. Además, la mujer no casada —y la virgen— se inquieta por las cosas del Señor,ʰ para ser santa tanto en su cuerpo como en su espíritu. Sin embargo, la mujer casada se inquieta por las cosas del mundo, en cuanto a cómo ganar la aprobación de su esposo.ⁱ 35 Pero esto lo digo para la ventaja personal de ustedes, no para echarles un lazo, sino para moverlos a lo que es decorosoʲ y a lo que resulta en atender constantemente al Señor sin distracción.ᵏ

36 Pero si alguno piensa que se está portando impropiamente para con su virginidad,ˡ si esta ha pasado la flor de la juventud, y esa es la manera como debe efectuarse, que haga lo que quiera; no peca. Que se casen.ᵐ 37 Pero si alguno está resuelto en su corazón, no teniendo necesidad alguna, sino que tiene autoridad sobre su propia voluntad y ha tomado esta decisión en su propio corazón, de guardar su propia virginidad, hará bien.ⁿ 38 Por consiguiente, también el que da su virginidad en matri-

CAP. 7
a Sl 143:10; Isa 46:11; 1Co 12:18
b 1Co 7:7
c Hch 9:14
d Hch 21:20
e Hch 10:45; Gál 5:2
f Hch 15:1; Hch 15:24
g Ro 2:25
h Gál 6:15; Col 3:11
i Ec 12:13; Jer 7:23; Gál 5:6; Lu 5:3
j Ef 4:1
k 1Co 7:17
l Gál 3:28
m Jn 8:36; Flm 16
n Ef 6:8
o 1Pe 2:16
p 1Co 6:20; Heb 9:12; 1Pe 1:18
q Gál 4:9; Gál 5:1
r 1Co 7:26
s 1Co 7:12
t 1Ti 1:16
u 1Ti 1:12
v 1Co 7:17
w Mt 19:6
x Mal 2:16; Ef 5:33
y Heb 13:4
z Gé 3:16

2.ª col.
a Mt 24:33; Ro 13:11; 1Pe 4:7
b Lu 14:26
c 1Jn 2:16
d 2Ti 3:13
e Lu 10:41
f Lu 14:20; 1Ti 5:8
g 1Co 7:4
h Lu 10:42; 1Ti 5:5
i Pr 31:12
j 1Co 6:12
k Lu 10:40
l Mt 19:12
m 1Co 7:28
n Mt 19:11

monio hace bien,[a] pero el que no la da en matrimonio hará mejor.[b]

39 La esposa está atada durante todo el tiempo que su esposo vive.[c] Pero si su esposo se durmiera [en la muerte], está libre para casarse con quien quiera, [pero] solo en [el] Señor.[d] 40 Pero es más feliz si permanece como está,[e] según mi opinión. Ciertamente pienso que yo también tengo el espíritu de Dios.[f]

8 Ahora bien, respecto a los alimentos ofrecidos a ídolos:[g] sabemos que todos tenemos conocimiento.[h] El conocimiento hincha, pero el amor edifica. 2 Si alguien piensa que ha adquirido conocimiento de algo,[j] todavía no[j] sabe exactamente como debe saber[lo].[k] 3 Pero si alguien ama a Dios,[l] este es conocido por él.[m]

4 Ahora bien, respecto al comer[n] alimentos ofrecidos a ídolos, sabemos que un ídolo no es nada[o] en el mundo, y que no hay más que un solo Dios.[p] 5 Porque aunque hay aquellos que son llamados "dioses",[q] sea en el cielo[r] o en la tierra,[s] así como hay muchos "dioses" y muchos "señores",[t] 6 realmente para nosotros hay un solo Dios[u] el Padre,[v] procedente de quien son todas las cosas, y nosotros para él;[w] y hay un solo Señor,[x] Jesucristo,[y] mediante quien son todas las cosas,[z] y nosotros mediante él.

7 No obstante, no hay este conocimiento en todos;[a] sino que algunos, estando hasta ahora acostumbrados al ídolo, comen alimento como algo sacrificado al ídolo,[b] y su conciencia, que es débil, se contamina.[c] 8 Pero el alimento no nos recomienda a Dios;[d] si no comemos, no por eso somos menos, si sí comemos, no nos es de ningún mérito.[e] 9 Pero sigan vigilando que esta autoridad suya no llegue a ser de algún modo tropiezo para los

que son débiles.[a] 10 Porque si alguien te viera a ti, el que tiene conocimiento, reclinado a una comida en un templo de ídolos, ¿no será edificada la conciencia de aquel que es débil hasta el grado de comer alimentos ofrecidos a ídolos?[b] 11 Realmente, por tu conocimiento, el hombre que es débil se arruina, [tu] hermano por cuya causa Cristo murió.[c] 12 Pero cuando ustedes pecan así contra sus hermanos y hieren la conciencia de ellos[d] que es débil, están pecando contra Cristo. 13 Por lo tanto, si el alimento hace tropezar a mi hermano,[e] no volveré a comer carne jamás, para no hacer tropezar a mi hermano.[f]

9 ¿No soy yo libre?[g] ¿No soy apóstol?[h] ¿No he visto a Jesús nuestro Señor?[i] ¿No son ustedes mi obra en [el] Señor? 2 Si para otros no soy apóstol, con toda certeza lo soy para ustedes, porque ustedes son el sello que confirma[j] mi apostolado en relación con [el] Señor.

3 Mi defensa para con los que me examinan es como sigue:[k] 4 Tenemos autoridad para comer[l] y beber, ¿verdad? 5 Tenemos autoridad para llevar en derredor a una hermana como esposa,[m] tal como los demás apóstoles, y los hermanos del Señor,[n] y Cefas,[o] ¿verdad? 6 ¿O acaso solamente Bernabé[p] y yo no tenemos la autoridad para dejar de hacer trabajo [seglar]?[q] 7 ¿Quién es el que jamás sirve de soldado a sus propias expensas? ¿Quién planta una viña y no come de su fruto? ¿O quién pastorea un rebaño y no come algo de la leche del rebaño?[s]

8 ¿Hablo estas cosas según normas humanas?[t] ¿O no dice la Ley[u] también estas cosas? 9 Porque en la ley de Moisés

CAP. 7
a Heb 13:4
b 1Co 7:32
c Ro 7:2
d Gé 24:3
Dt 7:3
Dt 7:4
Ne 13:25
2Co 6:14
e 1Co 7:26
f 1Te 4:8

CAP. 8
g Hch 15:20
h Ro 14:14
1Co 8:10
i 1Co 8:13
1Co 13:5
Ef 3:19
j Gál 6:3
k 1Ti 6:4
l 1Jn 4:8
m Éx 33:12
Na 1:7
n 1Co 10:18
o Dt 32:21
2Re 19:18
Isa 44:10
Jer 16:20
p Dt 6:4
Dt 32:39
Ef 4:6
q Sl 82:1
Jn 10:35
r Sl 8:5
Heb 2:7
s Sl 82:6
t Sl 136:3
u 1Ti 2:5
v Mal 2:10
Mt 23:9
w Hch 17:28
Ro 11:36
x Ef 4:5
y Flp 2:11
z Jn 1:3
Col 1:16
a Ro 14:14
1Co 10:27
b 1Co 10:28
Ro 14:23
d Ro 14:17
e Heb 13:9

2.ª col.
a Ro 14:13
Ro 14:20
b Rev 2:14
c Mt 20:28
Ro 14:15
d 1Co 10:29
e Ro 14:15
f Mt 18:6
Ro 14:21
2Co 11:29

CAP. 9
g Gál 5:1
h 2Co 12:12
i Hch 9:5
1Co 15:8
j 2Co 3:2
k 1Co 4:3
l Lu 10:8
m Mt 19:11
n Mt 13:55
Gál 1:19
o Mt 8:14
Jn 1:42

p Hch 13:2; q Hch 18:3; 2Te 3:8; r Dt 20:6; Pr 27:18; s Dt 32:14; 1Pe 5:2; t Ro 3:5; u Sl 19:7.

está escrito: "No debes poner bozal al toro cuando trilla el grano".ᵃ ¿Es por los toros en lo que se interesa Dios? 10 ¿O es enteramente por nuestra causa que lo dice? Realmente, por nuestra causa fue escrito,ᵇ porque el hombre que ara debe arar con esperanza, y el hombre que trilla debe hacerlo con esperanza de ser partícipe.ᶜ

11 Si nosotros les hemos sembrado cosas espiritualesᵈ a ustedes, ¿es gran cosa que seguemos de ustedes cosas para la carne?ᵉ 12 Si otros hombres participan de esta autoridad sobre ustedes,ᶠ ¿no con mucha más razón nosotros? Sin embargo, no hemos hecho uso de esta autoridad,ᵍ sino que soportamos todas las cosas, a fin de no poner estorbo alguno a las buenas nuevasʰ acerca del Cristo. 13 ¿No saben ustedes que los hombres que desempeñan los deberes sagrados comenⁱ las cosas del templo, y a los que constantemente atiendenʲ al altar les toca una porción con el altar? 14 De esta manera, también, el Señor ordenó,ᵏ para los que proclaman las buenas nuevas, que vivan de las buenas nuevas.ˡ

15 Pero yo no me he valido ni de una de estas [provisiones].ᵐ En realidad, no he escrito estas cosas para que llegue a ser así en mi caso, porque mejor me sería morir que... ¡nadie va a invalidar la razón que tengo para jactarme!ⁿ 16 Ahora bien, si declaro las buenas nuevas,ᵒ eso no es motivo para que me jacte, porque necesidadᵖ me está impuesta. Realmente, ¡ayᑫ de mí si no declarara las buenas nuevas! 17 Si hago esto de buena gana,ʳ tengo galardón;ˢ mas si lo hago contrario a mi voluntad, de todos modos tengo encomendada a mí una mayordomía.ᵗ 18 Entonces, ¿cuál es mi galardón? Que al declarar las buenas nuevas proporcione las buenas

nuevas sin costo,ᵃ para no abusar de mi autoridad en las buenas nuevas.

19 Porque, aunque soy libre respecto de toda persona, me he hecho el esclavoᵇ de todos, para ganarᶜ el mayor número de personas. 20 Y por eso a los judíos me hice como judío,ᵈ para ganar a judíos; a los que están bajo ley me hice como bajo ley,ᵉ aunque yo mismo no estoy bajo ley,ᶠ para ganar a los que están bajo ley. 21 A los que están sin leyᵍ me hice como sin ley,ʰ aunque yo no estoy sin ley para con Dios, sino bajo leyⁱ para con Cristo,ʲ para ganar a los que están sin ley. 22 A los débiles me hice débil, para ganar a los débiles.ᵏ Me he hecho toda cosa a gente de todas clase,ˡ para que de todos modos salve a algunos. 23 Pero hago todas las cosas por causa de las buenas nuevas, para hacerme partícipeᵐ de ellas con [otros].

24 ¿No saben ustedes que los corredoresⁿ en una carrera todos corren, pero solo uno recibe el premio?ᵒ Corranᵖ de tal modo que lo alcancen.ᑫ 25 Además, todo hombre que toma parte en una competencia ejerce autodominioʳ en todas las cosas. Pues bien, ellos, por supuesto, lo hacen para obtener una corona corruptible,ˢ pero nosotros una incorruptible.ᵗ 26 Por lo tanto, la manera como estoy corriendoᵘ no es incierta; la manera como estoy dirigiendo mis golpes es como para no estar hiriendo el aire;ᵛ 27 antes bien, aporreo mi cuerpoʷ y lo conduzco como a esclavo, para que, después de haber predicado a otros, yo mismo no llegue a ser desaprobadoˣ de algún modo.

10 Ahora bien, no quiero que ignoren, hermanos, que nuestros antepasados todos estuvieron bajo la nubeʸ y todos pasaron por el marᶻ 2 y todos

CAP. 9
a Dt 25:4
1Ti 5:18
b Ro 15:4
1Co 10:11
c 2Ti 2:6
d 1Co 2:13
Gál 1:11
e Ro 15:27
Gál 6:6
Flp 4:17
f Mt 17:25
Lu 20:25
g Hch 20:34
h 2Co 6:3
2Co 11:7
i Le 6:16
Nú 18:31
Dt 18:1
j 1Co 7:35
k Mt 10:10
Lu 10:7
l Ro 15:27
Gál 6:6
1Te 2:9
Heb 13:16
m Hch 18:3
Hch 20:34
2Te 3:8
n 2Co 11:10
o Rev 22:17
p Jer 20:9
Lu 17:10
q Ro 3:18
r 1Pe 5:2
s 1Co 3:14
t Gál 2:7
Ef 3:2
Col 1:25

2.ª col.
a 2Co 11:7
b Gál 5:13
c 1Co 3:1
d Hch 16:3
Hch 18:18
e Hch 21:24
Hch 21:26
f Ro 6:14
g Ro 2:12
Gál 2:3
i Jn 13:34
Gál 6:2
j 1Co 7:22
k Ro 14:1
Ro 15:1
2Co 11:29
l Gál 3:28
m Hch 19:26
1Te 2:8
n Gál 5:7
o Flp 3:14
Col 2:18
p Gál 2:2
Flp 2:16
q Mt 10:22
Mt 24:13
2Ti 4:8
s 2Pe 1:6
s 2Ti 2:5
t Snt 1:12
u Heb 12:1
v 1Co 14:9
w Ro 8:13
x 2Co 13:6

CAP. 10
y Éx 13:21
z Éx 14:22

fueron bautizados en Moisés[a] por medio de la nube y del mar; 3 y todos comieron el mismo alimento espiritual[b] 4 y todos bebieron la misma bebida espiritual.[c] Porque bebían de la masa rocosa[d] espiritual que los seguía, y aquella masa rocosa[e] significaba el Cristo.[f] 5 Sin embargo, sobre la mayor parte de ellos Dios no expresó su aprobación,[g] pues quedaron tendidos[h] en el desierto.

6 Ahora bien, estas cosas llegaron a ser nuestros ejemplos, para que nosotros no seamos personas que deseen cosas perjudiciales,[i] tal como ellos las desearon. 7 Ni nos hagamos idólatras, como hicieron algunos de ellos;[j] así como está escrito: "Se sentó el pueblo a comer y beber, y se levantaron para divertirse".[k] 8 Ni practiquemos fornicación, como algunos de ellos cometieron fornicación,[l] de modo que cayeron, veintitrés mil [de ellos] en un día.[m] 9 Ni pongamos a Jehová[n] a prueba, como algunos de ellos [lo] pusieron a prueba,[o] de modo que perecieron por las serpientes.[p] 10 Ni seamos murmuradores, así como algunos de ellos murmuraron,[q] de modo que perecieron por el destructor.[r] 11 Pues bien, estas cosas siguieron aconteciéndoles como ejemplos, y fueron escritas para amonestación[s] de nosotros a quienes los fines de los sistemas de cosas[t] han llegado.

12 Por consiguiente, el que piensa que está en pie, cuídese de no caer.[u] 13 Ninguna tentación los ha tomado a ustedes salvo lo que es común a los hombres.[v] Pero Dios es fiel,[w] y no dejará que sean tentados más allá de lo que pueden soportar,[x] sino que junto con la tentación también dispondrá la salida[y] para que puedan aguantarla.

14 Por lo cual, amados míos, huyan[z] de la idolatría.[a] 15 Ha-

blo como a hombres de discernimiento;[a] juzguen por ustedes mismos lo que digo. 16 La copa[b] de bendición que bendecimos, ¿no es un participar de la sangre del Cristo? El pan que partimos,[c] ¿no es un participar del cuerpo del Cristo?[d] 17 Porque hay un solo pan, nosotros, aunque muchos,[e] somos un solo cuerpo,[f] porque todos participamos de ese solo pan.[g]

18 Miren a aquello que es Israel según la carne:[h] Los que comen los sacrificios, ¿no son partícipes con el altar?[i] 19 Entonces, ¿qué he de decir? ¿Que lo que se sacrifica a un ídolo es algo, o que un ídolo es algo?[j] 20 No; digo que las cosas que las naciones sacrifican, a demonios las sacrifican,[k] y no a Dios; y no quiero que ustedes se hagan partícipes con los demonios.[l] 21 No pueden estar bebiendo la copa de Jehová[m] y la copa de demonios; no pueden estar participando de "la mesa de Jehová"[n] y de la mesa de demonios. 22 ¿O estamos incitando a Jehová a celos?[o] Nosotros no somos más fuertes[p] que él, ¿verdad?

23 Todas las cosas son lícitas; pero no todas las cosas son ventajosas.[q] Todas las cosas son lícitas;[r] pero no todas las cosas edifican.[s] 24 Que cada uno siga buscando, no su propia [ventaja],[t] sino la de la otra persona.[u]

25 Todo lo que se vende en la carnicería, sigan comiéndolo,[v] sin inquirir nada por causa de su conciencia;[w] 26 porque "a Jehová[x] pertenecen la tierra y lo que la llena".[y] 27 Si alguno de los incrédulos los invita y ustedes desean ir, procedan a comer todo lo que se ponga delante de ustedes,[z] sin inquirir

CAP. 10

a Heb 3:5
b Éx 17:6
c Éx 17:6
  Sl 78:15
d Nú 20:11
e Mt 16:18
  1Pe 2:4
f Jn 4:10
  Jn 4:25
g Nú 14:16
  Eze 20:15
  Jud 5
h Nú 14:29
  Heb 3:17
i Nú 11:34
  Sl 106:14
j Éx 32:4
k Éx 32:6
l Nú 25:1
  2Pe 2:2
m Nú 25:9
n Dt 6:16
o Nú 21:5
p Nú 21:6
q Nú 14:2
r Éx 23:21
  Nú 14:37
s Ro 15:4
t Heb 9:26
  1Pe 4:7
u Pr 28:14
  Lu 22:34
  Ro 11:20
  Gál 6:1
v 1Pe 5:9
w 1Te 5:24
  2Te 3:3
x Lu 22:32
  2Pe 2:9
y 1Sa 30:6
  Hch 27:44
  Flp 4:13
z 2Co 6:17
  Col 3:5
  1Jn 5:21

2.ª col.

a 1Co 14:20
b Mt 26:27
  Lu 22:17
c Mt 26:26
  Lu 22:19
d 1Co 12:18
e Ro 12:5
  1Co 12:25
f Ef 4:4
g Jn 6:33
  Jn 6:35
h Ro 9:8
i Le 7:15
j 1Co 8:4
k Dt 32:17
  Sl 106:37
l Jud 6
m Sl 116:13
n Eze 41:22
  Mal 1:12
o Éx 34:14
p Job 9:4
q 1Co 6:12
r Ro 6:14
s Ro 14:19
  Ro 15:2
t 1Co 10:33
  1Co 13:5
  Flp 2:21
u Flp 2:4
v 1Ti 4:4

w Ro 14:22; x Éx 19:5; Dt 10:14; y Sl 24:1; z Lu 10:8.

nada por causa de su conciencia.[a] 28 Pero si alguno les dijera: "Esto es algo ofrecido en sacrificio", no coman, por causa del que se lo haya expuesto y por causa de la conciencia.[b] 29 "Conciencia", digo, no la tuya propia, sino la de la otra persona.[c] Pues ¿por qué debería mi libertad ser juzgada por la conciencia de otra persona? 30 Si participo con gracias, ¿por qué ha de hablarse injuriosamente de mí por aquello por lo cual doy gracias?[d]

31 Por esto, sea que estén comiendo, o bebiendo, o haciendo cualquier otra cosa, hagan todas las cosas para la gloria de Dios.[e] 32 Eviten hacerse causas de tropiezo[f] tanto a judíos como a griegos y a la congregación de Dios, 33 así como yo estoy agradando a toda la gente en todas las cosas,[g] no buscando mi propia ventaja,[h] sino la de los muchos, para que se salven.[i]

11 Háganse imitadores de mí, así como yo lo soy de Cristo.[j]

2 Ahora los alabo porque en todas las cosas me tienen presente, y tienen firmemente asidas las tradiciones[k] exactamente como se [las] transmití. 3 Pero quiero que sepan que la cabeza de todo varón es el Cristo;[l] a su vez, la cabeza de la mujer es el varón;[m] a su vez, la cabeza del Cristo es Dios.[n] 4 Todo varón que ora o profetiza con algo sobre la cabeza avergüenza su cabeza;[o] 5 pero toda mujer que ora o profetiza[p] con la cabeza descubierta avergüenza su cabeza,[q] porque es una y la misma cosa como si fuera [mujer] con la cabeza rapada. 6 Porque si la mujer no se cubre, que también se trasquile; pero si le es vergonzoso a la mujer ser trasquilada o rapada,[s] que se cubra.[t]

7 Porque el varón no debe tener cubierta la cabeza, puesto que es la imagen[a] y gloria de Dios;[b] pero la mujer es la gloria del varón.[c] 8 Porque el varón no procede de la mujer, sino la mujer del varón;[d] 9 y, más aún, el varón no fue creado por causa de la mujer, sino la mujer por causa del varón.[e] 10 Por eso la mujer debe tener una señal de autoridad sobre la cabeza,[f] debido a los ángeles.[g]

11 Además, en lo relacionado con [el] Señor, ni es la mujer sin el varón ni el varón sin la mujer.[h] 12 Porque así como la mujer procede del varón,[i] así también el varón es mediante la mujer;[j] pero todas las cosas proceden de Dios.[k] 13 Juzguen por ustedes mismos: ¿Es propio que la mujer ore a Dios [con la cabeza] descubierta? 14 ¿No les enseña la naturaleza misma a ustedes que si el varón tiene cabello largo, es una deshonra para él; 15 pero si la mujer tiene cabello largo, es una gloria[l] para ella? Porque se le da el cabello en lugar de prenda para la cabeza.[m] 16 No obstante, si algún hombre parece disputar[n] en pro de otra costumbre,[o] nosotros no tenemos otra, ni tampoco las congregaciones de Dios.

17 Pero, al dar estas instrucciones, no los alabo; porque no es para lo mejor, sino para lo peor, para lo que ustedes se reúnen.[p] 18 Porque, en primer lugar, cuando se juntan en congregación, oigo que existen divisiones entre ustedes;[q] y hasta cierto grado lo creo. 19 Porque también tiene que haber sectas[r] entre ustedes, para que las personas aprobadas también se hagan manifiestas entre ustedes.[s]

20 Por esto, cuando se juntan en un mismo lugar, no es posible comer la cena del Señor.[t] 21 Porque, cuando [la] comen, cada uno toma su propia cena de antemano; de modo que uno tiene hambre, pero otro está em-

CAP. 10
a 1Co 8:7
b 1Co 8:10
c Ro 14:16
  1Co 8:12
d Ro 14:6
  1Ti 4:3
e Mt 5:16
  Col 3:17
  1Pe 4:11
f Ro 14:13
  1Co 8:13
  2Co 6:3
g 1Co 9:22
h Ro 15:2
  Flp 2:4
i 1Te 2:16

CAP. 11
j Flp 3:17
  2Te 3:9
k 1Co 4:17
  2Te 2:15
  2Te 3:6
l Ro 14:9
  Ef 4:15
  Col 2:10
m Gé 3:16
  Ef 5:23
  1Pe 3:1
n 1Co 15:27
  1Co 15:28
o Ef 4:15
p Joe 2:28
  Hch 21:9
q Ef 5:23
r Jer 7:29
  1Co 11:15
s Dt 21:12
t Gé 24:65

2.ª col.
a Gé 1:27
  Snt 3:9
b Ro 3:23
c Gé 2:22
d Gé 2:18
e Gé 24:65
f Ec 5:0
  1Co 4:9
g Gé 2:24
h Gé 2:21
j Gé 3:16
  Job 14:1
k 2Co 5:18
l Can 7:5
m Jer 13:18
n 1Ti 6:4
o Ro 2:8
p 1Co 11:22
q 1Co 1:10
  1Co 3:3
r Hch 20:30
  1Co 1:12
  Gál 5:20
  1Ti 4:1
  2Pe 2:1
s Dt 13:3
  Lu 2:35
  1Jn 2:19
t Lu 22:19

briagado. 22 Ciertamente ustedes sí tienen casas para comer y beber, ¿verdad?ª ¿O desprecian a la congregación de Dios y avergüenzan a los que no tienen nada?ᵇ ¿Qué les diré? ¿Los alabaré? En esto no los alabo.

23 Porque yo recibí del Señor lo que también les transmití, que el Señor Jesús, la nocheᶜ en que iba a ser entregado, tomó un panᵈ 24 y, después de dar gracias, lo partióᵈ y dijo: "Esto significa mi cuerpoᵉ a favor de ustedes. Sigan haciendo esto en memoriaᶠ de mí." 25 Hizo lo mismo respecto a la copaᵍ también, después de haber cenado, al decir: "Esta copa significa el nuevo pactoʰ en virtud de mi sangre.ⁱ Sigan haciendo esto, cuantas veces la beban, en memoriaʲ de mí." 26 Porque cuantas vecesᵏ coman este pan y beban esta copa, siguen proclamando la muerteˡ del Señor, hasta que él llegue.ᵐ

27 Por consiguiente, cualquiera que coma el pan o beba la copa del Señor indignamente, será culpableⁿ respecto al cuerpo y la sangreº del Señor. 28 Primero apruébese el hombre a sí mismo después de escrutinio,ᵖ y así coma del pan y beba de la copa. 29 Porque el que come y bebe, come y bebe juicioᑫ contra sí mismo si no discierne el cuerpo. 30 A eso se debe que muchos entre ustedes estén débiles y enfermizos, y no pocos estén durmiendoʳ [en la muerte]. 31 Pero si discerniéramos lo que nosotros mismos somos, no se nos juzgaría.ˢ 32 Sin embargo, cuando se nos juzga,ᵗ somos disciplinados por Jehová,ᵘ para que no lleguemos a ser condenadosᵛ con el mundo.ʷ 33 Por consiguiente, hermanos míos, cuando se juntan para comer[la],ˣ espérense unos a otros. 34 Si alguno tiene hambre, que coma en su casa,ʸ para que no se junten para juicio.ᶻ Pero los demás asuntos

CAP. 11
a 1Co 11:34
b Snt 2:5
c Mt 26:20
  Lu 22:14
d Mt 26:26
  Mr 14:22
e Ro 7:4
  Ro 12:5
  1Co 10:17
  1Co 12:27
  Ef 4:12
f Lu 22:19
g Mt 26:27
  Mr 14:23
  1Co 10:16
h Jer 31:31
  Heb 8:8
  Heb 9:15
i Lu 22:20
  Heb 9:14
  Heb 12:24
  1Pe 1:2
  1Pe 1:19
j Éx 12:14
  Sl 119:24
  Sl 119:144
k Heb 9:25
l Ef 1:7
  Heb 9:15
m 1Te 4:17
n Mr 3:29
o Heb 10:29
  2Co 13:5
q Ro 2:2
  Ef 5:14
  1Te 5:6
  x Rev 3:3
t 2Co 5:10
u Pr 3:11
  Heb 12:5
v 2Pe 2:20
w 2Pe 3:7
x Mt 26:26
y 1Co 11:22
z 1Co 11:29

2.ª col.

CAP. 12
a 1Co 14:1
  1Co 14:37
b Ef 2:12
c 1Co 8:4
  Gál 4:8
  1Te 1:9
  1Pe 4:3
d Sl 115:5
  Hab 2:18
e Mr 9:39
  1Jn 4:3
f Mt 16:17
  1Jn 4:2
g Heb 2:4
  1Pe 4:10
h Ef 4:4
i Ro 12:7
  Ef 4:11
j Ef 4:5
k Hch 2:43
l Ef 4:6
m 1Pe 4:11
n 1Co 14:26
o Ef 1:17
p 1Co 14:6
  2Co 8:7
q 1Co 13:2
  2Co 4:13
r Hch 3:7
  Heb 28:9
s Heb 2:4

los pondré en orden cuando llegue allá.

12 Ahora bien, respecto a los dones espirituales,ª hermanos, no quiero que estén en ignorancia. 2 Ustedes saben que, cuando eran gente de las naciones,ᵇ se dejaban llevar a aquellos ídolosᶜ mudosᵈ según y como iban siendo llevados. 3 Por eso quiero que sepan que nadie que habla por espíritu de Dios dice: "¡Jesús es maldito!,"ᵉ y nadie puede decir: "¡Jesús es Señor!," salvo por espíritu santo.ᶠ

4 Ahora bien, hay variedades de dones,ᵍ pero hay el mismo espíritu;ʰ 5 y hay variedades de ministerios,ⁱ y sin embargo hay el mismo Señor;ʲ 6 y hay variedades de operaciones,ᵏ y sin embargo es el mismo Diosˡ quien ejecuta todas las operaciones en todos.ᵐ 7 Pero la manifestación del espíritu se da a cada uno con un propósito provechoso.ⁿ 8 Por ejemplo, a uno se le da mediante el espíritu habla de sabiduría,º a otro habla de conocimientoᵖ según el mismo espíritu, 9 a otro feᑫ por el mismo espíritu, a otro dones de curacionesʳ por ese único espíritu, 10 a otro operaciones de obras poderosas,ˢ a otro el profetizar,ᵗ a otro discernimientoᵘ de expresiones inspiradas,ᵛ a otro lenguasʷ diferentes, y a otro interpretaciónˣ de lenguas. 11 Pero todas estas operaciones las ejecuta el uno y mismo espíritu,ʸ distribuyendoᶻ a cada uno respectivamente así como dispone.

12 Porque así como el cuerpo es uno, pero tiene muchos miembros, y todos los miembros de ese cuerpo, aunque son muchos, son un solo cuerpo,ᵇ así también es el Cristo.ᶜ 13 Porque, de hecho, por un solo espí-

t Ro 12:6; u 1Co 14:29; v 1Jn 4:1; w Hch 10:46; 1Co 14:18; x 1Co 14:26; y 1Co 12:6; z Ro 12:3; 1Co 7:7; Ef 4:7; a Heb 2:4; b Ro 12:5; c Ro 7:4; 1Co 10:16; Ef 4:12.

ritu todos nosotros fuimos bautizados[a] [para formar] un solo cuerpo, seamos judíos o griegos, seamos esclavos o libres, y a todos se nos hizo beber[b] un solo espíritu.

14 Porque el cuerpo, en realidad, no es un solo miembro, sino muchos.[c] 15 Si el pie dijera: "Porque no soy mano, no soy parte del cuerpo", no por esta razón deja de ser parte del cuerpo.[d] 16 Y si la oreja dijera: "Porque no soy ojo, no soy parte del cuerpo", no por esta razón deja de ser parte del cuerpo.[e] 17 Si todo el cuerpo fuera ojo, ¿dónde estaría el [sentido del] oído? Si todo fuera oído, ¿dónde estaría el olfato? 18 Pero ahora Dios ha colocado a los miembros en el cuerpo, cada uno de ellos, así como le agradó.[f]

19 Si todos fueran un solo miembro,[g] ¿dónde estaría el cuerpo? 20 Pero ahora son muchos miembros,[h] aunque un solo cuerpo. 21 El ojo no puede decir a la mano: "No tengo necesidad de ti"; o, de nuevo, la cabeza [no puede decir] a los pies: "No tengo necesidad de ustedes". 22 Antes bien, con mucho el caso es que los miembros del cuerpo que parecen ser más débiles[i] son necesarios, 23 y a las partes del cuerpo que creemos que son menos honorables, a estas las cercamos de más abundante honra,[j] y así nuestras partes indecorosas tienen el más abundante decoro, 24 mientras que nuestras partes decorosas no necesitan nada. No obstante, Dios compuso el cuerpo, dando más abundante honra a la parte a que le hacía falta, 25 para que no hubiera división en el cuerpo, sino que sus miembros tuvieran el mismo cuidado los unos de los otros.[k] 26 Y si un miembro sufre, todos los demás miembros sufren[l] con él; o si un miembro es glorificado,[m] to-

dos los demás miembros se regocijan con él.[a]

27 Pues bien, ustedes son el cuerpo de Cristo, y miembros individualmente.[b] 28 Y Dios ha colocado a las personas respectivas en la congregación:[c] primero, apóstoles;[d] segundo, profetas;[e] tercero, maestros;[f] luego obras poderosas;[g] luego dones de curaciones;[h] servicios de ayuda,[i] capacidades directivas,[j] diferentes lenguas.[k] 29 No todos son apóstoles, ¿verdad? No todos son profetas, ¿verdad? No todos son maestros, ¿verdad? No todos ejecutan obras poderosas, ¿verdad? 30 No todos tienen dones de curaciones, ¿verdad? No todos hablan en lenguas,[l] ¿verdad? No todos son traductores,[m] ¿verdad? 31 Pero sigan procurando celosamente los dones mayores.[n] Y todavía les muestro un camino sobrepujante.[o]

13 Si hablo en las lenguas[p] de los hombres y de los ángeles, pero no tengo amor, he venido a ser un [pedazo de] bronce sonante o un címbalo[q] estruendoso. 2 Y si tengo el don de profetizar[r] y estoy enterado de todos los secretos sagrados[s] y de todo el conocimiento,[t] y si tengo toda la fe como para trasladar montañas,[u] pero no tengo amor, nada soy.[v] 3 Y si doy todos mis bienes para alimentar a otros,[w] y si entrego mi cuerpo,[x] para jactarme, pero no tengo amor,[y] de nada absolutamente me aprovecha.

4 El amor[z] es sufrido[a] y bondadoso.[b] El amor no es celoso,[c] no se vanagloria,[d] no se hincha,[e] 5 no se porta indecentemente,[f] no busca sus propios intereses,[g] no se siente provocado.[h] No lleva cuenta del daño.[i] 6 No se regocija por la injusticia,[j] sino que se regocija con la verdad.[k] 7 Todas las cosas las soporta,[l] todas

CAP. 12
a Ef 4:5
b Jn 4:14
  Jn 7:37
  Rev 22:17
c Ef 4:16
d Ef 4:25
e Ef 5:30
f Pr 20:12
  1Co 15:38
g Ro 12:4
  1Co 12:14
h 1Co 12:4
i Ec 9:15
  Ro 9:23
  1Co 1:26
j Gé 3:7
  Gé 3:21
  2Ti 2:20
k Ro 12:10
  Ef 4:25
l Gál 6:2
  Heb 13:3
  1Pe 5:9
m Ro 8:17

2.ª col.
a Ro 12:15
  1Pe 3:8
  1Pe 4:13
b Ro 12:5
  Ef 1:23
  Col 1:24
c 1Co 12:18
d Ef 2:20
e Hch 13:1
f Ef 4:11
g Gál 3:5
h Hch 5:16
i Hch 18:27
j Ro 12:8
  1Co 3:10
  Heb 13:17
k Hch 2:6
l 1Co 14:4
m 1Co 14:5
n 1Co 14:1
o 1Co 13:8

CAP. 13
p 1Co 14:18
q 2Sa 6:5
r Mt 7:22
  1Co 14:3
  Rev 19:10
s 1Co 4:1
  Ef 1:9
t 1Co 12:8
  Lu 17:6
v 1Jn 4:20
w Mt 6:2
x Ro 5:7
y 2Co 9:7
z Ro 5:5
  Ro 13:10
  1Jn 4:8
a 1Te 5:14
  2Pe 3:15
b Ef 4:32
c 2Co 12:20
  Gál 5:26
d Col 2:18
  1Pe 5:5
f Ro 13:13
  1Co 14:40
g 1Co 10:24
  Flp 2:4
h Mt 5:39
  Snt 1:19

i Ef 4:32; Col 3:13; j Ro 12:9; k 2Co 13:8; l 1Pe 4:8.

las cree,[a] todas las espera,[b] todas las aguanta.[c]

8 El amor nunca falla.[d] Pero sea que haya [dones de] profetizar, serán eliminados; sea que haya lenguas, cesarán; sea que haya conocimiento, será eliminado.[e] 9 Porque tenemos conocimiento parcial[f] y profetizamos parcialmente;[g] 10 pero cuando llegue lo que es completo,[h] lo que es parcial será eliminado. 11 Cuando yo era pequeñuelo, hablaba como pequeñuelo, pensaba como pequeñuelo, razonaba como pequeñuelo; pero ahora que he llegado a ser hombre,[i] he eliminado las [cosas características] de pequeñuelo. 12 Porque en la actualidad vemos en contorno nebuloso por medio de un espejo de metal,[j] pero entonces será cara a cara.[k] En la actualidad conozco parcialmente, pero entonces conoceré con exactitud así como soy conocido con exactitud.[l] 13 Ahora, sin embargo, permanecen la fe, la esperanza, el amor, estos tres; pero el mayor de estos es el amor.[m]

14 Sigan tras el amor; sin embargo, sigan procurando celosamente los dones espirituales,[n] pero preferiblemente que profeticen.[o] 2 Porque el que habla en una lengua no habla a los hombres, sino a Dios, porque nadie escucha,[p] sino que él habla secretos sagrados[q] por el espíritu. 3 Sin embargo, el que profetiza edifica[r] y anima y conforta a los hombres con su habla. 4 El que habla en una lengua se edifica a sí mismo, pero el que profetiza edifica a la congregación. 5 Ahora bien, yo quisiera que todos ustedes hablaran en lenguas,[s] pero prefiero que profeticen.[t] Realmente, el que profetiza es mayor que el que habla en lenguas,[u] a no ser, de hecho, que traduzca, para que la congregación reciba edificación. 6 Pero al presente, hermanos, si yo fue-

ra a ustedes hablándoles en lenguas, ¿de qué les serviría a menos que les hablara o con una revelación[a] o con conocimiento[b] o con una profecía o con una enseñanza?

7 Como es el caso, las cosas inanimadas emiten sonido,[c] sea flauta o arpa; a menos que esta haga intervalo a los tonos, ¿cómo se sabrá lo que se está tocando con la flauta o con el arpa? 8 Porque en verdad, si la trompeta da un toque de llamada indistinto, ¿quién se preparará para el combate?[d] 9 Así mismo ustedes también, a menos que por la lengua profieran habla fácil de entender,[e] ¿cómo se sabrá lo que se está hablando? En efecto, estarán hablando al aire.[f] 10 Puede ser que haya muchísimos géneros de sonidos del habla en el mundo, y sin embargo ningún [género] carece de significado. 11 Por eso, si yo no entiendo la fuerza del sonido del habla, seré extranjero[g] al que está hablando, y el que está hablando será extranjero para mí. 12 Por eso ustedes mismos, también, dado que están celosamente deseosos de [dones del] espíritu,[h] procuren abundar en ellos para la edificación de la congregación.[i]

13 Por lo tanto, el que hable en una lengua ore que pueda traducir.[j] 14 Porque si oro en una lengua, mi [don del] espíritu es lo que ora,[k] pero mi mente es infructífera. 15 ¿Qué ha de hacerse, entonces? Oraré con el [don del] espíritu, pero también oraré con la mente. Cantaré alabanzas[l] con el [don del] espíritu, pero también cantaré alabanzas con la mente.[m] 16 De otro modo, si ofreces alabanzas con un [don del] espíritu, ¿cómo dirá "Amén"[n] a tu expresión de gracias el hombre que ocupa el asiento de la persona común, puesto que no sabe lo que estás

CAP. 13
a Hch 17:11
b Ro 8:25
Ro 12:12
c 1Co 10:13
1Te 1:3
d 1Jn 4:8
e 1Co 12:31
f Pr 4:18
g 2Pe 1:19
h Da 12:4
Jn 1:51
i Ef 4:13
Heb 6:1
j Heb 2:8
k Mt 5:8
1Jn 3:2
Rev 22:4
l 2Co 5:10
Heb 4:13
m Mt 22:37
Ro 13:10

CAP. 14
n 1Co 12:1
o 1Co 12:6
1Te 5:20
p 1Co 14:5
q 1Co 13:2
r 2Co 10:8
s 1Co 12:30
t Joe 2:28
Hch 2:17
Hch 21:9
u 1Co 12:10

2.ª col.
a Gál 1:12
Gál 2:2
b 1Co 12:8
2Co 11:6
c Job 21:12
d Nú 10:9
Job 39:25
e 1Co 14:19
f 1Co 9:26
g 2Re 18:26
h 1Co 12:1
1Co 12:7
i 1Co 14:4
1Co 14:26
j 1Co 12:10
1Co 14:5
k 1Co 14:2
l 1Co 3:16
m Sl 47:7
n 2Co 1:20

diciendo? **17** Es verdad que das gracias de una manera excelente, pero el otro hombre no está siendo edificado.[a] **18** Doy gracias a Dios que hablo en más lenguas que todos ustedes.[b] **19** Sin embargo, en la congregación prefiero hablar cinco palabras con mi mente, para también instruir a otros oralmente, a diez mil palabras en una lengua.[c]

20 Hermanos, no se hagan niñitos en facultades de entendimiento;[d] más bien, sean pequeñuelos en cuanto a la maldad;[e] sin embargo, lleguen a estar plenamente desarrollados en facultades de entendimiento.[f] **21** En la Ley está escrito: "'Con las lenguas de extranjeros[g] y con los labios de extraños hablaré a este pueblo,[h] y sin embargo ni aun entonces me harán caso', dice Jehová".[i] **22** Por consiguiente, las lenguas son para una señal,[j] no a los creyentes, sino a los incrédulos,[k] entre tanto que el profetizar es, no para los incrédulos, sino para los creyentes.[l] **23** Por eso, si toda la congregación se junta en un lugar y todos hablan en lenguas,[m] pero entran personas comunes, o incrédulos, ¿no dirán que ustedes están locos? **24** Pero si todos ustedes están profetizando y entra cualquier incrédulo o persona común, es censurado por todos ellos,[n] es examinado detenidamente por todos; **25** los secretos de su corazón quedan manifiestos,[o] de modo que él cae sobre [su] rostro y adora a Dios, declarando: "Dios verdaderamente está entre ustedes".[p]

26 ¿Qué ha de hacerse, pues, hermanos? Cuando ustedes se juntan, uno tiene un salmo, otro tiene una enseñanza, otro tiene una revelación, otro tiene una lengua, otro tiene una interpretación.[q] Efectúense todas las cosas para edificación.[r] **27** Y si alguno habla en una lengua, limítese esto a dos o tres a lo más,

y por turno; y que alguien traduzca.[a] **28** Pero si no hay traductor, que guarde silencio en la congregación y hable consigo mismo[b] y con Dios. **29** Además, hablen dos o tres profetas,[c] y los demás disciernan el significado.[d] **30** Pero si hay una revelación a otro[e] mientras está sentado allí, que el primero calle. **31** Porque todos ustedes pueden profetizar[f] uno por uno, para que todos aprendan y todos reciban estímulo.[g] **32** Y [los dones del] espíritu de los profetas han de ser controlados por los profetas. **33** Porque Dios no es [Dios] de desorden,[h] sino de paz.[i]

Como en todas las congregaciones de los santos, **34** las mujeres guarden silencio[j] en las congregaciones, porque no se permite que hablen, sino que estén en sujeción,[k] tal como dice la Ley.[l] **35** Pues, si quieren aprender algo, interroguen a sus propios esposos en casa, porque es vergonzoso[m] que una mujer hable en la congregación.

36 ¿Qué? ¿Fue de ustedes de quienes salió la palabra de Dios,[n] o fue solamente hasta ustedes hasta quienes llegó?

37 Si alguno piensa que es profeta o [está] dotado del espíritu, que reconozca las cosas que les escribo, que son mandamiento del Señor.[o] **38** Pero si alguno es ignorante, continúa ignorante. **39** Por consiguiente, hermanos míos, sigan procurando celosamente el profetizar,[p] y sin embargo no prohíban el hablar en lenguas.[q] **40** Pero que todas las cosas se efectúen decentemente y por arreglo.[r]

15 Ahora les doy a conocer, hermanos, las buenas nuevas[s] que les declaré,[t] las cuales también recibieron, en las cuales también están firmes,[u] **2** mediante las cuales también están siendo salvados,[v] con el habla con que les declaré las buenas nuevas, si las tienen firmemente asidas, no ser, de hecho, que se hayan hecho creyentes en balde.[a]

3 Porque les transmití, entre las primeras cosas, lo que yo también recibí:[b] que Cristo murió por nuestros pecados según las Escrituras;[c] 4 y que fue enterrado,[d] sí, que ha sido levantado[e] al tercer día[f] según las Escrituras;[g] 5 y que se apareció a Cefas,[h] entonces a los doce.[i] 6 Después de eso se apareció a más de quinientos hermanos de una vez, de los cuales la mayoría permanece hasta ahora,[j] pero algunos se han dormido [en la muerte]. 7 Después de eso se apareció a Santiago,[k] luego a todos los apóstoles;[l] 8 pero último de todos también se me apareció a mí[m] como si fuera a uno nacido prematuramente.

9 Porque yo soy el más pequeño[n] de los apóstoles, y no soy digno de ser llamado apóstol, porque perseguí[o] a la congregación de Dios. 10 Mas por la bondad inmerecida[p] de Dios soy lo que soy. Y su bondad inmerecida que fue para conmigo no resultó ser en vano,[q] sino que trabajé laboriosamente mucho más que todos ellos,[r] no yo, sino la bondad inmerecida de Dios que está conmigo.[s] 11 Sin embargo, sea yo o sean ellos, así estamos predicando y así han creído ustedes.[t]

12 Ahora bien, si de Cristo se está predicando que él ha sido levantado de entre los muertos,[u] ¿cómo dicen algunos entre ustedes que no hay resurrección de los muertos?[v] 13 Realmente, si no hay resurrección de los muertos, tampoco ha sido levantado Cristo.[w] 14 Pero si Cristo no ha sido levantado, nuestra predicación ciertamente es en vano, y nuestra fe es en vano.[x] 15 Además, también se nos halla falsos testigos de Dios,[y] porque hemos dado testimonio[z]

CAP. 15
a Gál 3:4
b Gál 1:12
c Sl 22:15
  Isa 53:8
  Isa 53:12
  Da 9:26
  1Pe 2:24
d Isa 53:9
  Mt 27:60
e Mt 28:7
f Lu 24:46
g Sl 16:10
  Isa 53:10
  Jon 2:10
h Lu 24:34
i Jn 20:26
  Mt 28:17
k Hch 12:17
l Hch 1:2
  Hch 1:6
m Hch 9:4
  Hch 9:1
n Ef 3:8
o Hch 8:3
  Gál 1:13
  1Ti 1:13
p Ef 4:7
q 2Co 6:1
r 2Co 11:23
s Flp 2:13
t Hch 18:10
u Hch 4:2
  Hch 17:31
v Mt 22:23
  Hch 26:8
w Ro 10:7
x 1Te 4:14
y Hch 3:15
z Hch 1:22

2.ᵃ col.

a Hch 2:24
  Hch 4:10
  Hch 13:30
b Hch 17:31
  1Co 6:14
c Ro 4:25
  Heb 7:25
d Hch 7:59
e 1Co 15:14
f Jn 1:12
g 1Pe 1:3
h Le 23:10
  Col 1:18
i Hch 26:23
j Gé 3:19
k Jn 11:25
l Ro 5:12
m Ro 5:17
  Ro 6:23
n Rev 1:5
o Mt 24:3
  Mt 25:31
  1Te 4:16
p Sl 110:2
  Da 2:44
q Sl 110:1
r Rev 20:14
s Sl 8:6
  Ef 1:22
t Heb 2:8
u 1Pe 3:22
v Flp 3:21
w Jn 3:35
  Jn 14:28
x 1Co 3:23

contra Dios de que él levantó al Cristo,[a] pero a quien no levantó si los muertos verdaderamente no han de ser levantados.[b] 16 Porque si los muertos no han de ser levantados, tampoco ha sido levantado Cristo. 17 Además, si Cristo no ha sido levantado, la fe de ustedes es inútil; todavía están en sus pecados.[c] 18 De hecho, también, los que se durmieron [en la muerte] en unión[d] con Cristo perecieron.[e] 19 Si solo en esta vida hemos esperado en Cristo,[f] de todos los hombres somos los más dignos de lástima.

20 Sin embargo, ahora Cristo ha sido levantado de entre los muertos,[g] las primicias[h] de los que se han dormido [en la muerte].[i] 21 Pues, dado que la muerte[j] es mediante un hombre, la resurrección[k] de los muertos también es mediante un hombre. 22 Porque así como en Adán todos están muriendo,[l] así también en el Cristo todos serán vivificados.[m] 23 Pero cada uno en su propia categoría: Cristo las primicias,[n] después los que pertenecen al Cristo durante su presencia.[o] 24 En seguida, el fin, cuando él entrega el reino a su Dios y Padre, cuando haya reducido a nada todo gobierno y toda autoridad y poder.[p] 25 Porque él tiene que reinar hasta que [Dios] haya puesto a todos los enemigos debajo de sus pies.[q] 26 Como el último enemigo, la muerte ha de ser reducida a nada.[r] 27 Porque [Dios] "sujetó todas las cosas debajo de sus pies".[s] Mas cuando dice que 'todas las cosas han sido sujetadas',[t] es evidente que esto es con la excepción de aquel que le sujetó todas las cosas.[u] 28 Pero cuando todas las cosas le hayan sido sujetadas,[v] entonces el Hijo mismo también se sujetará a Aquel[w] que le sujetó todas las cosas, para que Dios sea todas las cosas para con todos.[x]

29 De otro modo, ¿qué harán

los que se bautizan con el propósito de [ser] personas muertas?ª Si los que han muerto no han de ser levantados en manera alguna,ᵇ ¿por qué se bautizanᶜ ellos también con el propósito de [contarse entre los] tales? 30 ¿Por qué también estamos nosotros en peligro cada hora?ᵈ 31 Diariamente me enfrento con la muerte.ᵉ Esto lo afirmo por el alborozoᶠ que por causa de ustedes, hermanos, tengo en Cristo Jesús nuestro Señor. 32 Si yo, lo mismo que los hombres, he peleado con bestias salvajes en Éfeso,ᵍ ¿de qué me sirve? Si los muertos no han de ser levantados, "comamos y bebamos, porque mañana hemos de morir".ʰ 33 No se extravíen. Las malas compañías echan a perder los hábitos útiles.ⁱ 34 Despierten de manera justa al estado sobrioʲ y no practiquen el pecado, porque algunos no tienen conocimiento de Dios.ᵏ Hablo para hacer que sientan vergüenza.ˡ

35 No obstante, alguien dirá: "¿Cómo han de ser levantados los muertos? Sí, ¿con qué clase de cuerpo vienen?".ᵐ 36 ¡Persona irrazonable! Lo que siembras no es vivificado a menos que primero muera;ⁿ 37 y en cuanto a lo que siembras, no siembras el cuerpo que se desarrollará, sino un grano desnudo,ᵒ sea de trigo o cualquiera de los demás; 38 pero Dios le da un cuerpoᵖ así como le ha agradado,ᵠ y a cada una de las semillas su propio cuerpo. 39 No toda carne es la misma carne, sino que hay una de la humanidad, y hay otra carne del ganado, y otra carne de las aves, y otra de los peces.ʳ 40 Y hay cuerpos celestes,ˢ y cuerpos terrestres;ᵗ mas la gloriaᵘ de los cuerpos celestes es de una clase, y la de los cuerpos terrestres es de una clase diferente. 41 La gloria del solᵛ es de una clase, y la gloria de la lunaʷ es otra, y la

gloria de las estrellasª es otra; de hecho, estrella difiere de estrella en gloria.

42 Así también es la resurrección de los muertos.ᵇ Se siembra en corrupción, se levanta en incorrupción.ᶜ 43 Se siembra en deshonra,ᵈ se levanta en gloria.ᵉ Se siembra en debilidad,ᶠ se levanta en poder.ᵍ 44 Se siembra cuerpo físico,ʰ se levanta cuerpo espiritual.ⁱ Si hay cuerpo físico, también lo hay espiritual. 45 Así también está escrito: "El primer hombre, Adán, llegó a ser alma viviente".ʲ El último Adán llegó a ser un espírituᵏ dador de vida.ˡ 46 No obstante, no es primero lo que es espiritual, sino lo que es físico, después lo que es espiritual.ᵐ 47 El primer hombre procede de la tierra y es hecho de polvo;ⁿ el segundo hombre procede del cielo.ᵒ 48 Tal como el que fue hecho de polvoᵖ [es], así aquellos hechos de polvo [son] también; y tal como el celestialᵠ [es], así los que son celestiales [son] también.ʳ 49 Y así como hemos llevado la imagenˢ de aquel hecho de polvo, llevaremos también la imagenᵗ del celestial.

50 Sin embargo, esto digo, hermanos: que carne y sangre no pueden heredar el reino de Dios,ᵘ ni tampoco la corrupción hereda la incorrupción.ᵛ 51 ¡Miren! Les digo un secreto sagrado: No todos nos dormiremos [en la muerte], pero todos seremos cambiados,ʷ 52 en un momento, en un abrir y cerrar de ojos, durante la última trompeta. Porque sonará la trompeta,ˣ y los muertos serán levantados incorruptibles, y nosotros seremos cambiados. 53 Porque esto que es corruptible tiene que vestirse de incorrupción,ʸ y esto que es mortalᶻ tiene que vestirse de inmortalidad. 54 Pero cuando [esto que es corruptible se vista de incorrupción y] esto que es mortal se vista de inmortalidad, entonces se efectuará

el dicho que está escrito: "La muerte[a] es tragada para siempre".[b] 55 "Muerte, ¿dónde está tu victoria? Muerte, ¿dónde está tu aguijón?."[c] 56 El aguijón[d] que produce muerte es el pecado, mas el poder para el pecado es la Ley.[e] 57 ¡Pero gracias a Dios, porque él nos da la victoria mediante nuestro Señor Jesucristo![f]

58 Por consiguiente, amados hermanos míos, háganse constantes,[g] inmovibles, siempre teniendo mucho que hacer en la obra del Señor,[h] sabiendo que su labor no es en vano[i] en lo relacionado con [el] Señor.

16 Ahora bien, respecto a la colecta[j] que es para los santos:[k] así como di órdenes a las congregaciones de Galacia,[l] háganlo de esa manera ustedes también. 2 Cada primer día de la semana, que cada uno de ustedes en su propia casa ponga algo aparte en reserva según vaya prosperando, para que cuando yo llegue no se hagan colectas entonces. 3 Pero cuando llegue yo allá, a cualesquiera hombres que ustedes aprueben por cartas,[m] a estos los enviaré para que lleven su bondadoso don a Jerusalén. 4 Sin embargo, si es apropiado que yo también vaya allá, ellos irán allá conmigo.

5 Pero iré a ustedes cuando haya pasado por Macedonia, porque voy a pasar por Macedonia;[n] 6 y quizás me quede, o aun pase el invierno con ustedes, para que me acompañen[o] parte del camino a donde vaya. 7 Pues no quiero verlos ahora mismo al pasar por allí, porque espero permanecer algún tiempo con ustedes,[p] si Jehová[q] lo permite.[r] 8 Mas voy a permanecer en Éfeso[s] hasta [la fiesta d]el Pentecostés; 9 porque una puerta grande que conduce a la actividad se me ha abierto,[t] pero hay muchos opositores.

10 Sin embargo, si llega Timoteo,[a] vean que quede libre de temor entre ustedes, porque él está haciendo la obra de Jehová,[b] así como yo. 11 Por lo tanto, no lo menosprecie nadie.[c] Acompáñenlo parte del camino en paz, para que llegue aquí a donde mí, porque lo estoy esperando con los hermanos.

12 Ahora bien, respecto a Apolos[d] nuestro hermano, le supliqué mucho que fuera a ustedes con los hermanos, y sin embargo no fue su voluntad de manera alguna ir a ustedes ahora; pero irá cuando tenga la oportunidad.

13 Manténganse despiertos,[e] estén firmes en la fe,[f] pórtense como hombres,[g] háganse poderosos.[h] 14 Efectúense todos sus asuntos con amor.[i]

15 Ahora los exhorto, hermanos: ustedes saben que la casa de Estéfanas es las primicias[j] de Acaya, y que ellos se pusieron a servir a los santos.[k] 16 Sigan ustedes también sometiéndose a personas de esa clase y a todo el que coopera y labora.[l] 17 Pero me regocijo por la presencia de Estéfanas[m] y de Fortunato y de Acaico, porque ellos han compensado por la ausencia de ustedes. 18 Porque han refrescado mi espíritu[n] y el de ustedes. Por lo tanto, reconozcan a hombres de esa clase.[o]

19 Las congregaciones de Asia les envían sus saludos.[p] Áquila y Prisca, junto con la congregación que está en su casa,[q] los saludan cordialmente en [el] Señor. 20 Todos los hermanos los saludan. Salúdense unos a otros con beso santo.[r]

21 [Aquí está] mi saludo, de Pablo, de mi propia mano.[s]

22 Si alguien no le tiene cariño al Señor, sea maldito.[t] ¡Oh, Señor nuestro, ven![u] 23 Que la bondad inmerecida del Señor Jesús esté con ustedes. 24 Que mi amor esté con todos ustedes en unión con Cristo Jesús.

CAP. 15

a Rev 20:6
  Rev 21:4
b Isa 25:8
c Os 13:14
d Ro 6:23
e Ro 3:20
  Ro 7:13
f Jn 3:16
  Hch 4:12
  1Jn 5:4
g Col 1:23
  Heb 3:14
  2Pe 3:17
h Ro 12:11
i 2Cr 15:7
  1Co 3:8
  Rev 14:13

CAP. 16

j Hch 24:17
  Ro 15:26
k 2Co 8:4
l Gál 1:2
m 2Co 8:19
n Hch 19:21
  2Co 1:16
o Hch 17:15
  Ro 15:24
  3Jn 6
p Hch 20:2
q Snt 4:15
  1Jn 5:14
r Hch 18:21
s Hch 19:1
t Hch 19:10

2.ª col.

a Hch 16:1
  Flp 2:19
b Flp 2:20
  1Ti 4:14
c 1Ti 4:12
d Hch 18:24
e 1Te 5:6
f 1Co 15:58
  Flp 1:27
g Hch 4:29
h Ef 6:10
  Col 1:11
i 1Co 13:4
  1Pe 4:8
j Ro 16:5
k 2Co 8:4
  Heb 6:10
l Flp 2:29
  1Te 5:12
  1Ti 5:17
m 1Co 1:16
n 2Co 7:13
o Flp 2:29
p Ro 16:5
q Flm 2
r Ro 16:16
s 2Te 3:17
  Flm 19
t Gál 1:8
u Rev 22:20

CORINTIOS

1 Pablo, apóstol[a] de Cristo Jesús por la voluntad de Dios, y Timoteo[b] [nuestro] hermano, a la congregación de Dios que está en Corinto, junto con todos los santos[c] que están en toda Acaya:[d]

2 Que tengan bondad inmerecida y paz de parte de Dios nuestro Padre y de[1] Señor Jesucristo.[e]

3 Bendito sea el Dios y Padre[f] de nuestro Señor Jesucristo, el Padre de tiernas misericordias[g] y el Dios de todo consuelo,[h] **4** que nos consuela en toda nuestra tribulación,[i] para que nosotros podamos consolar[j] a los [que se hallan] en cualquier clase de tribulación mediante el consuelo con que nosotros mismos estamos siendo consolados por Dios.[k] **5** Porque, así como abundan en nosotros los sufrimientos por el Cristo,[l] así también abunda el consuelo que recibimos mediante el Cristo.[m] **6** Ahora bien, sea que estemos en tribulación, es para el consuelo y salvación de ustedes;[n] o sea que se nos esté consolando, es para su consuelo, el cual opera para hacerles aguantar los mismos sufrimientos que nosotros también sufrimos.[o] **7** De modo que nuestra esperanza tocante a ustedes es invariable, ya que sabemos que, así como ustedes son partícipes de los sufrimientos, de la misma manera también participarán del consuelo.[p]

8 Porque no deseamos que estén en ignorancia, hermanos, acerca de la tribulación que nos sucedió en el [distrito de] Asia,[q] que estuvimos bajo extremada presión más allá de nuestras fuerzas, de modo que nos sentimos muy inseguros hasta de nuestra vida.[r] **9** De hecho, sentimos en nosotros mismos que habíamos recibido la sentencia de muerte. Esto fue para que no tuviéramos nuestra confianza[a] en nosotros mismos, sino en el Dios que levanta a los muertos.[b] **10** De tan grande cosa como la muerte nos libró y nos librará;[c] y en él está puesta nuestra esperanza de que también nos seguirá librando.[d] **11** Ustedes también pueden coadyuvar con su ruego por nosotros,[e] a fin de que por muchos se den gracias[f] a favor nuestro por lo que se nos da bondadosamente debido a muchos rostros [vueltos hacia arriba en oración].[g]

12 Porque la cosa de que nos jactamos es esta, de la cual da testimonio nuestra conciencia:[h] que con santidad y sinceridad piadosa, no con sabiduría carnal,[i] sino con la bondad inmerecida de Dios, nos hemos comportado en el mundo, pero más especialmente para con ustedes. **13** Porque realmente no les escribimos nada salvo las cosas que conocen bien o también reconocen; y las cuales espero que continúen reconociendo hasta el fin,[j] **14** así como ustedes también han reconocido, hasta cierto grado, que nosotros somos causa de jactancia para ustedes,[k] así como también lo serán ustedes para nosotros en el día de nuestro Señor Jesús.[l]

15 Así es que, con esta confianza, yo antes tenía la intención de ir a ustedes,[m] para que tuvieran un segundo[n] [motivo de] gozo, **16** y después de una parada con ustedes, ir a Macedonia,[o] y de Macedonia volver a ustedes[p] y ser acompañado[q] parte del camino por ustedes a Judea. **17** Pues bien, cuando tenía tal intención, no me entregué a nin-

CAP. 1	
a	1Co 1:1
	1Ti 1:1
b	Hch 16:1
	Flp 2:20
c	Col 1:2
d	1Te 1:8
e	Ro 1:7
	Ef 1:3
	Flp 1:2
f	Jn 20:17
	Ef 4:6
g	Ex 34:6
	Sl 86:5
	Miq 7:18
h	Isa 51:3
	Ro 15:5
i	Sl 23:4
	2Co 7:6
j	Ef 6:22
	1Te 4:18
k	1Co 15:4
	2Te 2:16
l	1Co 4:11
	Col 1:24
m	Flp 2:1
	2Te 2:16
n	Ef 1:13
o	Ro 8:17
	1Pe 3:17
	1Pe 4:16
p	Ro 8:18
	2Ti 2:12
q	Hch 19:22
	Hch 20:18
r	Hch 19:23
	1Co 15:32
	1Co 16:9
	2Co 11:23

2.ᵃ col.	
a	Sl 33:20
	Jer 17:7
	2Co 12:10
b	Heb 11:19
c	Sl 34:19
	2Pe 2:9
d	Sl 34:7
	2Ti 4:18
e	Ro 15:30
	Flp 1:19
f	2Co 9:11
g	Hch 12:5
h	Hch 23:1
i	1Co 2:4
j	1Co 4:14
k	2Co 5:12
l	Flp 2:16
	1Te 2:19
m	1Co 4:19
n	Hch 20:2
o	1Co 16:5
p	Hch 20:3
q	Hch 17:15
	Ro 15:24
	1Co 16:6

guna ligereza,[a] ¿verdad? O las cosas que me propongo, ¿me [las] propongo según la carne,[b] para que conmigo haya "Sí, Sí" y "No, No"?[c] **18** Mas en Dios se puede confiar respecto a que nuestra habla dirigida a ustedes no es Sí y, no obstante, No. **19** Porque el Hijo de Dios,[d] Cristo Jesús, que fue predicado entre ustedes por nosotros, es decir, por mí y Silvano y Timoteo,[e] no llegó a ser Sí y, no obstante, No, sino que el Sí ha llegado a ser Sí en el caso de él.[f] **20** Porque no importa cuántas sean las promesas[g] de Dios, han llegado a ser Sí mediante él.[h] Por eso también mediante él [se dice] el "Amén"[i] a Dios, para gloria por medio de nosotros. **21** Pero el que garantiza que ustedes y que nosotros pertenecemos a Cristo, y el que nos ha ungido,[j] es Dios. **22** Él también ha puesto su sello[k] sobre nosotros y nos ha dado la prenda[l] de lo que ha de venir, es decir, el espíritu,[m] en nuestros corazones.

23 Ahora invoco a Dios como testigo[n] contra mi propia alma [al asegurarles] que por consideración a ustedes[o] no he ido todavía a Corinto. **24** No que seamos nosotros amos[p] sobre la fe de ustedes, sino que somos colaboradores[q] para su gozo, porque es por [su] fe[r] que están firmes.[s]

2 Porque esto es lo que he decidido para conmigo: no ir a ustedes otra vez en tristeza.[t] **2** Porque si los entristezco,[u] ¿quién hay en verdad que me alegre, sino aquel a quien entristezco? **3** De modo que escribí esta misma cosa, para que, cuando vaya, no me entristezca[v] por causa de aquellos de quienes debería regocijarme;[w] porque tengo confianza[x] en todos ustedes en el sentido de que el gozo que tengo es el de todos ustedes. **4** Porque de en medio de mucha tribulación y angustia de corazón les escribí con muchas lágrimas,[y] no para que se

entristecieran,[a] sino para que conocieran el amor que más especialmente les tengo.

5 Ahora bien, si alguien ha causado tristeza,[b] ese no me ha entristecido a mí, sino a todos ustedes hasta cierto grado —para no ser demasiado severo en lo que digo—. **6** Esta reprensión[c] dada por la mayoría es suficiente para tal hombre, **7** de modo que, al contrario ahora, deben perdonar[lo] bondadosamente[d] y consolar[lo], para que de un modo u otro tal hombre no sea tragado por hallarse demasiado triste.[e] **8** Por lo tanto, los exhorto a que confirmen su amor[f] para con él. **9** Pues con este objeto también escribo para conseguir la prueba de lo que ustedes son, si es que son obedientes en todas las cosas.[g] **10** Cualquier cosa que le perdonen bondadosamente a cualquiera, yo también se la perdono.[h] De hecho, en cuanto a mí, lo que yo he perdonado bondadosamente, si es que bondadosamente he perdonado algo, ha sido por causa de ustedes a vista de Cristo; **11** para que no seamos alcanzados por Satanás,[i] porque no estamos en ignorancia de sus designios.[j]

12 Ahora bien, cuando llegué a Troas[k] para declarar las buenas nuevas acerca del Cristo, y me fue abierta una puerta en [el] Señor,[l] **13** no obtuve alivio en mi espíritu porque no hallé a Tito[m] mi hermano, pero me despedí de ellos y partí para Macedonia.[n]

14 ¡Mas gracias a Dios que siempre nos conduce[o] en una procesión triunfal en compañía[p] con el Cristo y hace que el olor del conocimiento de él sea perceptible en todo lugar por medio de nosotros![q] **15** Porque somos para Dios un olor grato[r] de Cristo entre los que están siendo salvados y entre los que están pereciendo;[s] **16** a estos un olor que proviene de muerte para

CAP. 1

a 2Co 10:2
b 2Co 5:16
c Mt 5:37
Snt 5:12
d Lu 1:35
Heb 9:20
e Hch 18:5
f Heb 13:8
g Gé 3:15
Gé 17:7
Gé 49:10
h Ro 15:8
i 2Co 14:16
Rev 3:14
1 1Jn 2:20
1Jn 2:27
k Ef 4:30
1 2Co 5:5
Ef 1:14
m Ro 8:9
Ro 8:23
1Co 12:13
n Ro 1:9
Flp 1:8
o 1Co 4:21
p Heb 13:17
1Pe 5:3
q 1Co 3:9
1Jn 1:3
r Ro 11:20
s 1Co 15:1

CAP. 2

t Ro 9:2
u 1Co 4:21
v 2Co 12:21
w 2Co 7:16
x Gál 5:10
y Hch 20:31

2.ª col.

a 2Co 7:8
b 1Co 5:1
c 1Ti 5:20
d Lu 15:24
e Heb 12:12
f Ro 12:10
Col 1:4
g 2Co 10:6
h Jn 20:23
i Lu 22:31
Ef 6:12
2Ti 2:26
j Ef 6:11
1Pe 5:8
k Hch 16:8
Hch 20:6
l 1Co 16:9
m Gál 2:3
Tit 1:4
n Hch 16:9
2Co 7:5
o Sl 68:7
p Rev 14:4
q Hch 8:5
r Ef 5:2
s 1Co 1:18

muerte,[a] a aquellos un olor que proviene de vida para vida. ¿Y quién está adecuadamente capacitado para estas cosas?[b] 17 [Nosotros;] porque no somos vendedores ambulantes de la palabra de Dios[c] como muchos hombres,[d] sino que, como movidos por sinceridad, sí, como enviados de parte de Dios, bajo la mirada de Dios, en compañía con Cristo, hablamos.[e]

3 ¿Comenzamos de nuevo a recomendarnos a nosotros mismos?[f] ¿O acaso necesitamos, como algunos hombres, cartas[g] de recomendación para ustedes o de ustedes? 2 Ustedes mismos son nuestra carta,[h] inscrita en nuestros corazones y conocida y leída por toda la humanidad.[i] 3 Porque queda mostrado que ustedes son carta de Cristo escrita por nosotros como ministros,[j] no inscrita con tinta, sino con espíritu[k] de un Dios vivo, no en tablas de piedra,[l] sino en tablas de carne, en corazones.[m]

4 Ahora bien, mediante el Cristo tenemos esta clase de confianza[n] para con Dios. 5 No que de nosotros mismos estemos adecuadamente capacitados para estimar algo como proveniente de nosotros mismos,[o] sino que el estar nosotros adecuadamente capacitados proviene de Dios,[p] 6 quien verdaderamente nos ha capacitado adecuadamente para ser ministros de un nuevo pacto,[q] no de un código escrito,[r] sino de espíritu;[s] porque el código escrito condena[t] a muerte, pero el espíritu vivifica.[u]

7 Además, si el código que administra muerte[v] y que fue grabado con letras en piedras[w] se efectuó con una gloria,[x] de modo que los hijos de Israel no podían fijar la vista con intensidad en el rostro de Moisés a causa de la gloria de su rostro,[y] [gloria] que había de ser eliminada, 8 ¿por qué no debería ser con mucha

más razón con gloria[a] la administración del espíritu?[b] 9 Porque si el código que administraba condenación[c] fue glorioso,[d] mucho más abunda en gloria[e] la administración de la justicia.[f] 10 De hecho, hasta lo que en un tiempo fue hecho glorioso ha sido despojado de gloria en este respecto,[g] a causa de la gloria que lo supera.[h] 11 Porque si lo que había de ser eliminado fue introducido con gloria,[i] mucho más sería con gloria lo que permanece.[j]

12 Por lo tanto, dado que tenemos tal esperanza,[k] estamos usando gran franqueza de expresión, 13 y no hacemos como cuando Moisés se ponía un velo[l] sobre el rostro, para que los hijos de Israel no fijaran la vista con intensidad en el fin[m] de aquello que había de ser eliminado. 14 Pero sus facultades mentales fueron embotadas.[n] Porque hasta este día presente el mismo velo permanece sin ser alzado durante la lectura del antiguo pacto,[o] porque es eliminado por medio de Cristo.[p] 15 De hecho, hasta el día de hoy cuando se lee a Moisés,[q] un velo está puesto sobre el corazón de ellos.[r] 16 Pero cuando hay un volverse a Jehová, se quita el velo.[s] 17 Ahora bien, Jehová es el Espíritu;[t] y donde está el espíritu[u] de Jehová,[v] hay libertad.[w] 18 Y todos nosotros,[x] mientras con rostros descubiertos reflejamos como espejos la gloria de Jehová,[y] somos transformados[z] en la misma imagen[a] de gloria en gloria,[b] exactamente como lo hace Jehová [el] Espíritu.

4 Por eso, teniendo este ministerio[d] según la misericordia que se nos mostró,[e] no nos rendimos; 2 antes bien, hemos renunciado a las cosas solapadas de las cuales hay que avergon-

---

CAP. 2
a Jn 15:19
  2Co 4:3
  1Pe 2:8
b 1Co 15:10
c 2Co 4:2
d 2Co 11:13
e 2Co 12:19

CAP. 3
f 2Co 5:12
  2Co 10:12
g Hch 18:27
h 1Co 9:2
i Jn 5:36
j Ro 10:38
j Ro 15:16
  1Co 3:5
k Jn 14:17
l 1Ex 31:18
  Ex 34:1
m Pr 3:3
  Pr 7:3
  Eze 11:19
  Eze 36:26
n Ef 3:12
  Ro 15:18
  1Co 2:7
o Ex 4:15
  Flp 2:13
  1Jn 2:27
q Heb 8:6
  1Jn 2:20
r Ro 13:9
s Ro 7:6
t Gál 3:10
u Ro 6:63
v Ro 7:10
w Ex 31:18
  Ex 32:16
x Ex 34:29
y Ex 34:30

2.ª col.
a Heb 2:4
  1Pe 4:14
b Heb 2:4
  Gál 3:5
c Dt 27:26
d Ex 34:35
e 2Co 4:6
f Ro 3:21
  2Co 5:18
g Col 2:15
h Col 2:17
i Ex 19:16
  Ex 24:17
j Heb 12:22
k 1Pe 1:3
l Ex 34:33
m Ro 10:4
n Ro 11:7
o Isa 6:10
  Jn 12:40
p Ro 7:6
  Ef 2:15
q Hch 15:21
r Ro 11:8
  Ex 34:34
  Ro 11:23
  Ro 11:26
t Gé 6:3
u Ro 4:24
v Isa 5:18
v Isa 61:1
w Ro 6:14
  Gál 5:1
  Gál 5:13
x Ro 8:30
y Sl 138:5
  Isa 40:5
  Isa 60:1

z Jn 1:12; Gál 4:5; a Ef 4:24; Ef 5:1; b Ro 8:30;
1Co 3:12; 1Pe 1:4; 1Jn 3:2; c 2Co 4:6; CAP. 4
d Ro 11:13; 1Ti 1:12; e Hch 9:15.

zarse,[a] y no andamos con astucia, ni adulteramos la palabra de Dios,[b] sino que mediante poner de manifiesto la verdad, nos recomendamos a toda conciencia humana a vista de Dios.[c] 3 Ahora, si las buenas nuevas que declaramos están de hecho veladas, están veladas entre los que están pereciendo,[d] 4 entre quienes el dios de este sistema de cosas[e] ha cegado las mentes de los incrédulos,[f] para que no pase [a ellos] la iluminación[g] de las gloriosas buenas nuevas[h] acerca del Cristo, que es la imagen[i] de Dios.[j] 5 Porque no nos estamos predicando a nosotros mismos, sino a Cristo Jesús como Señor,[k] y a nosotros como esclavos de ustedes[l] por causa de Jesús. 6 Porque Dios es el que dijo: "De la oscuridad resplandezca la luz",[m] y él ha resplandecido en nuestros corazones para iluminar[los][n] con el glorioso conocimiento[o] de Dios por el rostro de Cristo.[p]

7 Sin embargo, tenemos este tesoro[q] en vasos[r] de barro,[s] para que el poder[t] que es más allá de lo normal sea de Dios[u] y no el que procede de nosotros.[v] 8 Se nos oprime de toda manera,[w] mas no se nos aprieta de tal modo que no podamos movernos; nos hallamos perplejos, pero no absolutamente sin salida;[x] 9 se nos persigue, pero no se nos deja sin ayuda;[y] se nos derriba,[z] pero no se nos destruye.[a] 10 Siempre aguantamos por todas partes en nuestro cuerpo el tratamiento mortífero que se dio a Jesús,[b] para que la vida de Jesús también se haga manifiesta en nuestro cuerpo.[c] 11 Porque a nosotros los que vivimos se nos está poniendo siempre cara a cara con la muerte[d] por causa de Jesús, para que la vida de Jesús también se haga manifiesta en nuestra carne mortal.[e] 12 Por consiguiente, la muerte está obrando en nosotros, pero la vida en ustedes.[f]

13 Ahora bien, porque tenemos el mismo espíritu de fe como aquel del cual está escrito: "Ejercí fe, por eso hablé",[a] nosotros también ejercemos fe y por eso hablamos, 14 sabiendo que el que levantó a Jesús nos levantará también a nosotros junto con Jesús y nos presentará juntamente con ustedes.[b] 15 Porque todas las cosas son para el bien de ustedes,[c] para que la bondad inmerecida que fue multiplicada abunde a causa de la acción de gracias de muchos más para gloria de Dios.[d]

16 Por lo tanto no nos rendimos; más bien, aunque el hombre que somos exteriormente se vaya desgastando, ciertamente el hombre que somos interiormente[e] va renovándose de día en día. 17 Porque aunque la tribulación es momentánea[f] y liviana, obra para nosotros una gloria que es de más y más sobrepujante peso y es eterna;[g] 18 mientras tenemos los ojos fijos, no en las cosas que se ven, sino en las que no se ven.[h] Porque las cosas que se ven son temporales,[i] pero las que no se ven son eternas.[j]

5 Porque sabemos que si nuestra casa terrestre,[k] esta tienda,[l] fuera disuelta,[m] hemos de tener un edificio procedente de Dios, una casa no hecha de manos,[n] eterna,[o] en los cielos. 2 Porque en esta casa de habitación verdaderamente gemimos,[p] deseando con intenso anhelo ponernos la que es para nosotros procedente del cielo,[q] 3 para que, realmente habiéndonosla puesto, no se nos halle desnudos.[r] 4 De hecho, nosotros los que estamos en esta tienda gemimos, estando cargados, porque lo que queremos no es quitárnosla, sino ponernos la otra,[s] para que lo mortal sea tragado

CAP. 4
a Ro 6:21
b 2Co 2:17
  2Co 6:3
  2Co 8:20
  Gál 1:9
c 2Co 6:4
d 2Co 2:15
e Jn 14:30
  Ef 2:2
  1Jn 5:19
f 2Co 11:14
g Mt 5:14
h 1Ti 1:11
i Col 1:15
  Heb 1:3
j Isa 60:2
  Jn 8:12
k 1Co 1:23
l Mt 20:27
m Gé 1:3
n Jn 2:9
o Jn 17:3
p 2Pe 1:3
q 2Co 4:1
r Hch 9:15
  1Te 4:4
s Sl 8:4
  Isa 64:8
  1Co 15:47
t Ef 1:19
u 1Co 2:5
v 2Co 12:9
  Flp 4:13
w 2Co 7:5
x Sl 7:1
  1Co 10:13
y Heb 13:5
z Hch 14:19
a Rev 2:10
b Ro 8:38
  Flp 3:10
  1Te 4:13
c Hch 4:13
d Ro 8:36
  1Co 4:9
  1Co 15:31
e 2Co 6:9
f 2Co 2:16

2.ª col.
a Sl 116:10
b Ro 8:11
  1Co 6:14
c 1Co 3:21
d 2Ti 2:10
e Ro 7:22
  Col 3:10
f 1Pe 1:6
g Mt 5:12
  Ro 8:18
h Ro 8:34
  2Co 5:7
  Heb 11:1
i Sl 37:10
  Snt 1:11
j Da 7:27

CAP. 5
k Ec 12:3
  2Co 4:7
l 2Pe 1:13
m 2Pe 1:14
n 1Co 15:48
  1Co 15:50
  Flp 3:21
o Lu 16:9
p Ro 8:23
q 2Co 6:4
  1Co 15:48
r Rev 3:18

s 1Co 15:43; Flp 1:21.

por la vida.[a] 5 Ahora bien, el que nos produjo para esta mísísima cosa es Dios,[b] que nos dio la prenda[c] de lo que ha de venir, es decir, el espíritu.[d]

6 Por lo tanto siempre tenemos buen ánimo y sabemos que, mientras tengamos nuestro hogar en el cuerpo, estamos ausentes del Señor,[e] 7 porque andamos por fe, no por vista.[f] 8 Pero tenemos buen ánimo y preferiblemente nos place bien ausentarnos del cuerpo y hacer nuestro hogar con el Señor.[g] 9 Por lo tanto, también tenemos como mira nuestra, sea que tengamos nuestro hogar con él o estemos ausentes de él,[h] ser aceptos a él.[i] 10 Porque todos tenemos que ser puestos de manifiesto ante el tribunal del Cristo,[j] para que cada uno reciba su retribución por las cosas que haya hecho mediante el cuerpo, según las cosas que haya practicado, sea cosa buena o vil.[k]

11 Conociendo, pues, el temor[l] del Señor, seguimos persuadiendo[m] a los hombres, pero nosotros hemos sido puestos de manifiesto a Dios. Sin embargo, espero que también hayamos sido puestos de manifiesto a las conciencias de ustedes.[n] 12 No nos estamos recomendando[o] de nuevo a ustedes, sino que les estamos dando un incentivo para jactarse respecto a nosotros,[p] para que tengan [con qué responder] a los que se jactan de la apariencia externa,[q] mas no del corazón.[r] 13 Porque si perdimos el juicio,[s] fue para Dios; si somos de juicio sano,[t] es para ustedes. 14 Porque el amor del Cristo nos obliga, porque esto es lo que hemos juzgado, que un hombre murió por todos;[u] así pues, todos habían muerto; 15 y murió por todos para que los que viven no vivan ya para sí,[v] sino para el[w] que murió por ellos y fue levantado.[x]

16 Por consiguiente, de ahora en adelante nosotros no cono-

cemos a nadie según la carne.[a] Hasta si hemos conocido a Cristo según la carne,[b] ciertamente ya no lo conocemos así.[c] 17 Por consiguiente, si alguien está en unión con Cristo, es una nueva creación;[d] las cosas viejas pasaron,[e] ¡miren!, cosas nuevas han llegado a existir.[f] 18 Pero todas las cosas vienen de Dios, que nos ha reconciliado[g] consigo mediante Cristo y nos ha dado el ministerio[h] de la reconciliación, 19 a saber, que Dios mediante Cristo[i] estaba reconciliando consigo mismo[j] a un mundo,[k] no imputándoles sus ofensas,[l] y nos ha encomendado la palabra[m] de la reconciliación.[n]

20 Somos,[o] por lo tanto, embajadores[p] en sustitución de Cristo,[q] como si Dios estuviera suplicando mediante nosotros.[r] Como sustitutos por Cristo rogamos:[s] "Reconcíliense con Dios". 21 Al que no conoció pecado,[t] él lo hizo pecado[u] por nosotros, para que nosotros llegáramos a ser justicia de Dios[v] por medio de él.

6 En colaboración con él,[w] nosotros también les suplicamos que no acepten la bondad inmerecida de Dios y dejen de cumplir su propósito.[x] 2 Porque él dice: "En un tiempo acepto te oí, y en día de salvación te ayudé".[y] ¡Miren! Ahora es el tiempo especialmente acepto.[z] ¡Miren! Ahora es el día de salvación.[a]

3 De ninguna manera estamos dando causa alguna para tropiezo,[b] para que no se encuentre falta en nuestro ministerio;[c] 4 antes bien, de toda manera nos recomendamos[d] como ministros de Dios, por el aguante de mucho, por tribulaciones, por necesidades, por dificultades,[e] 5 por golpes, por prisiones,[f] por desórdenes, por labores, por noches sin dormir, por veces sin alimento,[g] 6 por

CAP. 5

a 1Co 15:53
  1Pe 1:4
b Ef 2:10
c 2Co 1:22
  Ef 1:14
d Ro 8:23
  1Co 12:13
e Jn 14:3
f Ro 8:24
  2Co 4:18
g Flp 1:23
  2Co 4:18
h Hch 10:35
i Hch 17:31
k Col 3:24
  Rev 22:12
l Heb 10:31
  1Pe 1:17
m Hch 18:4
n 2Co 4:2
o 2Co 3:1
  2Co 10:12
p 2Co 1:14
q Jer 9:23
  2Co 10:10
r Jer 9:24
s 2Co 11:1
  2Co 11:16
t 2Co 12:6
u Isa 53:10
  Mt 20:28
  1Ti 2:6
v Ro 14:7
w Ro 6:11
x Hch 3:15

2.ª col.

a Mt 12:50
  2Co 7:1
  1Pe 4:6
b Mt 23:39
c Jn 20:17
d Ro 6:4
  Gál 6:15
e Isa 43:18
  Ef 4:22
f Ef 4:24
g Ro 5:10
  Ef 2:16
  Col 1:20
h Hch 20:24
i Ro 3:24
j Sl 37:29
  Rev 21:3
k Ro 5:6
  Ro 11:15
  1Jn 2:2
l Isa 43:25
  Ro 4:25
  Ro 5:18
m Hch 13:38
n Mt 28:19
o Flp 3:20
p Ef 6:20
q Mt 25:40
r 2Co 2:14
s Rev 22:17
t Jn 8:46
  Heb 4:15
  Heb 7:26
u Lu 16:21
v Dt 21:23
  Ro 1:17

CAP. 6

w Mt 28:20
  2Co 5:20
x Ro 2:4
y Isa 49:8
z Lu 4:19

a Jn 9:4; Heb 3:13; b Ro 14:13; c 1Co 9:22; d 2Co 4:2; e 2Co 11:23; f Rev 2:10; g 2Co 11:27.

pureza, por conocimiento, por gran paciencia,[a] por bondad,[b] por espíritu santo, por amor libre de hipocresía;[c] **7** por habla verídica, por el poder de Dios;[d] mediante las armas[e] de la justicia a diestra y a siniestra, **8** mediante gloria y deshonra, mediante mal informe y buen informe; como engañadores[f] y, sin embargo, veraces, **9** como desconocidos y, sin embargo, reconocidos,[g] como quienes están muriendo y, sin embargo, ¡miren!, vivimos,[h] como disipadados[i] y, sin embargo, no entregados a la muerte,[j] **10** como apesadumbrados, pero siempre regocijados, como pobres, pero enriqueciendo a muchos, como no teniendo nada y, sin embargo, poseyendo todas las cosas.[k]

11 Nuestra boca se ha abierto para ustedes, corintios, nuestro corazón[l] se ha ensanchado. **12** Ustedes no se hallan apretados y escasos de lugar en nosotros,[m] pero sí se hallan apretados y escasos de lugar en sus propios tiernos cariños.[n] **13** Así es que, como recompensa, en cambio —hablo como a hijos[o]—, ustedes, también, ensánchense.

14 No lleguen a estar unidos bajo yugo desigual con los incrédulos.[p] Porque, ¿qué consorcio tienen la justicia y el desafuero?[q] ¿O qué participación tiene la luz con la oscuridad?[r] **15** Además, ¿qué armonía hay entre Cristo y Belial?[s] ¿O qué porción[t] tiene una persona fiel con un incrédulo? **16** ¿Y qué acuerdo tiene el templo de Dios con los ídolos?[u] Porque nosotros somos templo[v] de un Dios vivo; así como dijo Dios: "Yo residiré entre ellos[w] y andaré entre [ellos], y yo seré su Dios, y ellos serán mi pueblo".[x] **17** "'Por lo tanto, sálganse de entre ellos, y sepárense —dice Jehová—, y dejen de tocar la cosa inmunda'";[y] "'y yo los recibiré'".[z] **18** "'Y yo seré para ustedes padre,[a] y ustedes me serán

CAP. 6

a Ef 4:2
  Col 3:13
  1Te 5:14
b Miq 6:8
  Ef 4:32
c Ro 12:9
  1Ti 1:5
d 1Co 2:4
e 2Co 10:4
  Ef 6:11
f Mt 10:16
g Heb 4:13
  2Co 4:10
h 2Co 4:11
  i Sl 118:18
  Heb 12:6
j Hch 14:19
  2Co 4:9
k Flp 4:13
  Rev 2:9
l 2Co 8:16
m 2Co 12:15
n 1Pe 2:17
  1Jn 4:20
o 1Co 4:14
p Éx 23:32
  Dt 7:3
  1Re 11:4
  1Co 7:39
  1Co 5:11
  Snt 4:4
r Ef 5:8
s Mt 4:10
  Rev 12:7
t 1Co 10:21
u 1Co 10:14
v 1Co 3:16
  1Co 6:19
w Éx 29:45
  Le 26:11
x Le 26:12
  Eze 37:27
  Zac 8:8
y Isa 52:11
  Jer 51:45
  Rev 18:4
z Eze 20:41
  2Co 7:1
a 2Sa 7:14

2.ª col.

a Isa 43:6
  Os 1:10
  Jn 1:12
b Rev 1:8

CAP. 7

c 2Co 6:16
  2Pe 1:4
d 1Ti 3:9
  1Jn 3:3
e Zac 13:2
  Ro 12:1
  1Ti 1:5
f 2Co 1:12
  Rev 14:17
g Ro 12:10
  3Co 6:12
h Hch 20:33
  2Co 12:17
  2Co 6:12
i 1Co 1:4
  2Co 1:14
k 2Co 1:4
l Flp 2:17
  Flm 7
m Hch 20:1
n 2Co 2:13
o 2Co 4:8
p 2Co 1:3
q Pr 25:25

hijos e hijas',[a] dice Jehová el Todopoderoso."[b]

7 Por lo tanto, dado que tenemos estas promesas,[c] amados, limpiémonos[d] de toda contaminación de la carne y del espíritu,[e] perfeccionando la santidad en el temor de Dios.[f]

2 Dejen lugar para nosotros.[g] A nadie hemos hecho injusticia, a nadie hemos corrompido, a nadie hemos explotado.[h] **3** Esto no lo digo para condenarlos. Porque antes he dicho que ustedes están en nuestros corazones para morir y para vivir con nosotros.[i] **4** Tengo gran franqueza de expresión para con ustedes. Tengo mucho de qué jactarme respecto a ustedes.[j] Estoy lleno de consuelo,[k] estoy rebosando de gozo en toda nuestra aflicción.[l]

5 De hecho, cuando llegamos a Macedonia,[m] no obtuvo alivio nuestra carne, sino que continuamos siendo afligidos[o] de toda manera... había peleas por fuera, temores por dentro. **6** No obstante, Dios, que consuela[p] a los abatidos, nos consoló con la presencia de Tito; **7** sin embargo, no únicamente con su presencia, sino también con el consuelo con que él había sido consolado a causa de ustedes, puesto que de nuevo nos trajo noticias[q] del anhelo de ustedes, de su lamentación, de su celo por mí; de modo que me regocijé todavía más.

8 Por eso, aunque los entristecí con mi carta,[r] no me pesa. Aun cuando al principio sí me pesó (veo que aquella carta los entristeció, aunque solo por un breve espacio), **9** ahora me regocijo, no porque fueran simplemente entristecidos, sino porque fueron entristecidos para arrepentimiento;[s] porque fueron entristecidos de manera piadosa,[t] para que en nada sufrieran daño debido a nosotros. **10** Porque la

r 2Co 2:4; 2Co 10:10; s Jer 31:19; Hch 26:20; t Hch 8:22.

tristeza de manera piadosa obra arrepentimiento para salvación del cual no hay que tener pesar;[a] pero la tristeza del mundo produce muerte.[b] 11 Porque, ¡miren!, esta misma cosa, el que hayan sido entristecidos de manera piadosa,[c] ¡qué gran solicitud produjo en ustedes, sí, el librarse de culpa, sí, indignación, sí, temor, sí, anhelo, sí, celo, sí, corrección del abuso![d] En todo respecto ustedes demostraron ser castos en este asunto. 12 Ciertamente, aunque les escribí, no lo hice por el que cometió el mal,[e] ni por el que padeció el mal, sino para que la solicitud de ustedes por nosotros se pusiera de manifiesto entre ustedes a vista de Dios. 13 Por eso hemos sido consolados.

Sin embargo, además de nuestro consuelo, nos regocijamos más abundantemente todavía debido al gozo de Tito, porque su espíritu[f] ha sido refrescado por todos ustedes. 14 Porque si me he jactado a él de algo respecto a ustedes, no he quedado avergonzado; mas así como les hemos hablado todas las cosas a ustedes en verdad, así también nuestra jactancia[g] ante Tito ha resultado ser verdad. 15 Además, los tiernos cariños de él son más abundantes para con ustedes, al recordar él la obediencia[h] de todos ustedes, cómo lo recibieron con temor y temblor. 16 Me regocijo de poder en todo sentido tener buen ánimo a causa de ustedes.[i]

8 Ahora les hacemos saber, hermanos, acerca de la bondad inmerecida de Dios que ha sido otorgada a las congregaciones de Macedonia,[j] 2 que durante una gran prueba, bajo aflicción, su abundancia de gozo y su profunda pobreza hicieron abundar las riquezas de su generosidad.[k] 3 Porque según lo que verdaderamente podían hacer[l] —sí, yo testifico, más allá de

lo que verdaderamente podían hacer— fue esto, 4 mientras espontáneamente siguieron rogándonos con fuerte súplica por el [privilegio de] dar bondadosamente y de tener participación en el ministerio destinado para los santos.[a] 5 Y no simplemente como lo habíamos esperado, sino que primero se dieron ellos mismos al Señor[b] y a nosotros por la voluntad de Dios. 6 Esto nos hizo animar a Tito[c] a que, tal como él había sido el que lo había iniciado entre ustedes, así también él completara este mismo bondadoso dar de parte de ustedes. 7 No obstante, así como ustedes están abundando en todo,[d] en fe y en palabra y en conocimiento[e] y en toda solicitud y en este amor de nosotros para con ustedes, abunden también en este bondadoso dar.

8 No es a manera de darles mandato[f] que estoy hablando, sino en vista de la solicitud de otros y para poner a prueba lo genuino de su amor. 9 Porque ustedes conocen la bondad inmerecida de nuestro Señor Jesucristo, que, aunque era rico, se hizo pobre por causa de ustedes,[g] para que ustedes se hicieran ricos[h] mediante la pobreza de él.

10 Y en esto doy una opinión:[i] porque este asunto es de provecho para ustedes,[j] en vista de que ya hace un año que ustedes iniciaron no solo el hacer, sino también el querer [hacer];[k] 11 ahora, pues, terminen también el hacerlo, para que, así como hubo prontitud para querer hacer, así mismo haya también un terminarlo de lo que tengan. 12 Porque si primero está allí la prontitud, es especialmente acepto según lo que tiene la persona,[l] no según lo que no tiene. 13 Porque no es mi intención que les sea fácil a otros,[m] pero difícil a ustedes; 14 sino que, mediante una igualación, el sobrante de ustedes

---

CAP. 7
a Sl 32:5
Mt 26:75
1Jn 1:9

b Gé 4:13
Mt 27:5
Heb 12:17

c Jer 3:25
Jer 50:4
Hch 2:37

d Mt 3:8
Mt 26:20

e 1Co 5:5
1Co 5:13

f Gé 45:27
1Co 16:18

g 2Co 8:24

h 2Co 2:9
Heb 13:17

i 2Te 3:4

CAP. 8
j Ro 15:26

k Ro 12:8

l Mr 12:44
Hch 11:29
2Co 9:7

2.ª col.
a Ro 15:25
1Co 16:1
2Co 9:1

b Ro 6:13

c 2Co 12:18

d 2Co 9:8

e 1Co 1:5

f 1Co 7:6

g Mt 8:20
Lu 9:58
Flp 2:7

h 2Co 6:10

i 1Co 7:25

j Mt 10:42

k 2Co 9:2
1Ti 6:18

l Le 27:8
Dt 16:10
Dt 16:17
Pr 3:27
Mr 12:43
Lu 21:3

m Mr 12:44

precisamente ahora compense lo que les falta a ellos, para que el sobrante de ellos también llegue a compensar lo que les falte a ustedes, para que se efectúe una igualación.[a] 15 Así como está escrito: "La persona que tenía mucho no tuvo demasiado, y a la persona que tenía poco no le faltó".[b]

16 Ahora bien, a Dios vayan las gracias por haber puesto la misma solicitud por ustedes en el corazón de Tito,[c] 17 porque él de veras ha respondido al estímulo, pero, por ser muy solícito, sale de su propia voluntad hacia ustedes.[a] 18 Pero enviamos junto con él al hermano cuya alabanza en relación con las buenas nuevas se ha extendido por todas las congregaciones. 19 No solo eso, sino que también ha sido nombrado[d] por las congregaciones para que sea nuestro compañero de viaje con respecto a este don bondadoso que ha de ser administrado por nosotros para la gloria[e] del Señor y en prueba de nuestro ánimo pronto.[f] 20 Así evitamos que hombre alguno encuentre falta[g] en nosotros respecto a esta contribución liberal[h] que ha de ser administrada por nosotros. 21 Porque "hacemos provisión honrada, no solo a vista de Jehová, sino también a vista de los hombres".[i]

22 Además, enviamos con ellos a nuestro hermano del cual en muchas cosas frecuentemente hemos probado que ha sido solícito, mas ahora mucho más solícito debido a la gran confianza que tiene en ustedes. 23 Empero, si hay alguna pregunta respecto a Tito, él es partícipe conmigo y colaborador[j] para bien de ustedes; o si las hay respecto a nuestros hermanos, son apóstoles de congregaciones y gloria de Cristo. 24 Por lo tanto, demuéstrenles la prueba de su amor[k] y de lo que nos jactamos[l] acerca de ustedes, ante el rostro de las congregaciones.

9 Ahora bien, respecto al ministerio[a] que es para los santos, me es superfluo escribirles, 2 porque conozco su prontitud de ánimo, de la cual me jacto ante los macedonios respecto de ustedes, que ya hace un año que Acaya ha estado lista,[b] y el celo de ustedes ha estimulado a la mayoría de ellos. 3 Pero envío a los hermanos, para que nuestra jactancia acerca de ustedes no resulte vacía respecto a esto, sino que realmente estén listos,[c] así como solía decir que lo estarían. 4 De lo contrario, de algún modo, si vinieran macedonios conmigo y los hallaran desprevenidos, nosotros —por no decir ustedes— quedaríamos avergonzados en esta seguridad nuestra. 5 Por eso pensé necesario animar a los hermanos a ir a ustedes por anticipado y alistar por anticipado su liberal dádiva previamente prometida,[d] para que así estuviera lista como dádiva liberal y no como algo sacado por fuerza.[e]

6 Mas en cuanto a esto, el que siembra parcamente,[f] parcamente también segará; y el que siembra liberalmente,[g] liberalmente también segará. 7 Que cada uno haga tal como lo ha resuelto en su corazón, no de mala gana[h] ni como obligado, porque Dios ama al dador alegre.[i]

8 Dios, además, puede hacer que toda su bondad inmerecida abunde para con ustedes, para que, teniendo ustedes siempre plena autosuficiencia en todo, tengan en abundancia para toda buena obra.[j] 9 (Así como está escrito: "Ha distribuido ampliamente, ha dado a los pobres, su justicia continúa para siempre".[k] 10 Ahora bien, el que suministra abundantemente la semilla al sembrador y pan para comer,[l] suministrará y multiplicará la semilla para que ustedes siembren, y aumentará los pro-

---

CAP. 8
a 2Co 9:12

b Éx 16:18

c 2Co 12:18

d 1Co 16:3

e 2Co 4:15

f 2Co 9:2

g 2Co 6:3

h 1Co 16:1

i Pr 3:4
1Pe 2:12

j Flp 2:25

k 1Pe 1:22
1Pe 2:17

l 2Co 7:14

2.ª col.

CAP. 9
a Ro 15:26
1Co 16:1
2Co 8:4
2Co 9:12

b 2Co 8:10

c 2Co 8:6

d 2Co 9:2

e Isa 32:8

f Pr 11:24
Gál 6:7

g Pr 19:17
Pr 22:9
Ec 11:1
Lu 6:38

h Dt 15:7
Dt 15:10
Pr 22:8

i Éx 22:29
1Cr 29:17
Pr 11:25
Hch 20:35
Ro 12:8
Heb 13:16

j Pr 28:27
Mal 3:10
Ef 4:28
Flp 4:19
Tit 2:14

k Sl 112:9

l Dt 30:9
Isa 55:10

ductos de la justicia de ustedes.)[a] 11 En todo están siendo enriquecidos para toda clase de generosidad, la cual produce, mediante nosotros, una expresión de gracias a Dios;[b] 12 porque el ministerio de este servicio público no solo es satisfacer abundantemente las necesidades de los santos,[c] sino también ser ricos con muchas expresiones de gracias a Dios. 13 Por la prueba que este ministerio da, ellos glorifican a Dios porque ustedes son sumisos a las buenas nuevas acerca del Cristo,[d] como ustedes declaran públicamente que lo son, y porque ustedes son generosos en su contribución a ellos y a todos;[e] 14 y en ruego a favor de ustedes ellos sienten anhelo por ustedes a causa de la sobrepujante bondad inmerecida[f] de Dios sobre ustedes.

15 A Dios vayan las gracias por su indescriptible dádiva gratuita.[g]

10 Ahora yo mismo, Pablo, les suplico por la apacibilidad[h] y bondad[i] del Cristo, yo que soy humilde de apariencia[j] entre ustedes, mientras que estando ausente soy denodado para con ustedes.[k] 2 En verdad ruego que, estando presente, no use del denuedo con aquella confianza con que estoy contando tomar medidas denodadas[l] contra algunos que nos valoran como si anduviéramos según [lo que somos en la] carne.[m] 3 Porque aunque andamos en la carne, no guerreamos según [lo que somos en la] carne.[n] 4 Porque las armas de nuestro guerrear no son carnales,[o] sino poderosas por Dios[p] para derrumbar cosas fuertemente atrincheradas. 5 Porque estamos derrumbando razonamientos y toda cosa encumbrada que se levanta contra el conocimiento de Dios;[q] y ponemos bajo cautiverio todo pen-

---

CAP. 9
a Os 10:12
b 2Co 1:11
  2Co 4:15
c Ro 15:27
  2Co 8:14
  Gál 6:6
  Flp 4:18
d Ro 6:17
  2Co 7:15
e Mt 5:16
  Heb 13:16
  Snt 1:27
  1Jn 3:17
f Hch 20:24
g Jn 1:17
  Ro 3:24
  Ro 5:15
  Ef 3:7

CAP. 10
h Mt 11:29
i Mt 11:30
j 1Co 2:3
k 2Co 10:10
l 1Co 4:21
  2Co 13:2
  2Co 13:10
m Gál 2:20
n Ro 8:13
  Ef 6:12
o Mt 26:52
  Ro 13:12
  Ef 6:13
  1Te 5:8
  1Ti 1:18
  2Ti 2:24
p Ro 8:14
  2Co 6:7
q 1Co 1:19
  1Co 3:19
  2Ti 2:25

2.ª col.
a 1Ti 1:20
  Heb 12:10
b 2Co 2:9
  2Co 7:15
c 2Co 5:12
d 1Jn 4:6
e 2Co 12:6
f 2Co 13:10
  Heb 13:17
g 2Co 10:1
  Gál 4:13
h 2Co 11:6
i 2Co 12:20
  2Co 13:2
j 2Co 3:1
k 2Co 5:12
l Pr 25:27
  Pr 26:12
  Gál 6:3
  Gál 6:4
l Ro 12:3
m Hch 9:15
  Gál 2:8
n 1Co 3:10
  1Co 4:15

---

samiento para hacerlo obediente al Cristo; 6 y nos mantenemos listos para infligir castigo por toda desobediencia,[a] tan pronto como la propia obediencia de ustedes haya sido plenamente llevada a cabo.[b]

7 Ustedes miran las cosas según su valor aparente.[c] Si cualquiera tiene para sí confianza en que pertenece a Cristo, que vuelva a tomar en cuenta para sí mismo este hecho: que, así como él pertenece a Cristo, así también nosotros.[d] 8 Porque aunque yo me jactara[e] un poquito más de lo debido acerca de la autoridad que el Señor nos dio para edificarlos y no para demolerlos,[f] no quedaría avergonzado, 9 para que no parezca que quiero aterrorizarlos con [mis] cartas. 10 Porque, ellos dicen: "[Sus] cartas son de peso y enérgicas, pero [su] presencia en persona es débil,[g] y [su] habla desdeñable".[h] 11 Tome en cuenta esto tal hombre, que lo que somos en nuestra palabra por cartas estando ausentes, eso mismo también seremos en acción estando presentes.[i] 12 Porque no nos atrevemos a clasificarnos entre algunos ni a compararnos con algunos que se recomiendan a sí mismos.[j] Ciertamente ellos, al medirse a sí mismos por sí mismos y al compararse consigo mismos, no tienen entendimiento.[k]

13 Por nuestra parte nos jactaremos, no fuera de los límites asignados a nosotros,[l] sino según los límites del territorio que Dios nos repartió por medida, haciendo que llegara hasta alcanzarlos a ustedes.[m] 14 Realmente no estamos extendiéndonos más de lo debido como si no llegáramos hasta ustedes, porque fuimos los primeros en ir hasta alcanzarlos en la declaración de las buenas nuevas acerca del Cristo.[n] 15 No, no nos jactamos fuera de los lí-

mites asignados a nosotros en labores ajenas,[a] sino que abrigamos la esperanza de que, a medida que vaya aumentando su fe,[b] seamos engrandecidos entre ustedes con relación a nuestro territorio.[c] Entonces abundaremos más aún, 16 para declarar las buenas nuevas a los países más allá de ustedes,[d] para que no nos jactemos en territorio ajeno donde ya estén preparadas las cosas. 17 "Pero el que se jacta, jáctese en Jehová."[e] 18 Porque no el que a sí mismo se recomienda es aprobado,[f] sino el hombre a quien Jehová[g] recomienda.[h]

11 Quisiera que me soportaran un poco de sinrazón.[i] ¡Pero, de hecho, me están soportando! 2 Porque estoy celoso de ustedes con un celo piadoso,[j] porque yo personalmente los prometí en matrimonio[k] a un solo esposo[l] para presentarlos cual virgen casta[m] al Cristo.[n] 3 Mas tengo miedo de que de algún modo, así como la serpiente sedujo a Eva[o] por su astucia, las mentes de ustedes sean corrompidas[p] y alejadas de la sinceridad y castidad que se deben al Cristo.[q] 4 Porque, como están las cosas, si alguien viene y predica a un Jesús que no sea el que nosotros predicamos,[r] o si ustedes reciben un espíritu que no sea el que recibieron,[s] o buenas nuevas[t] que no sean las que aceptaron, con facilidad [lo] soportan.[u] 5 Porque yo considero que ni en una sola cosa he resultado ser inferior[v] a sus apóstoles superfinos.[w] 6 Pero aunque yo sea inexperto en el habla,[x] ciertamente no lo soy en conocimiento;[y] pero [esto se lo] hemos manifestado a ustedes de toda forma en todas las cosas.[z]

7 ¿O cometí un pecado al humillarme[a] para que ustedes fueran ensalzados, porque, sin costo,[b] gustosamente les declaré las buenas nuevas de Dios?

8 Robé a otras congregaciones, aceptando provisiones, a fin de ministrarles a ustedes;[a] 9 y, no obstante, cuando estuve presente con ustedes y me encontré necesitado, no me hice una carga a nadie absolutamente,[b] porque los hermanos que habían venido de Macedonia[c] suministraron abundantemente lo que me hacía falta. Sí, de toda forma me guardé de ser una carga para ustedes, y me guardaré de serlo.[d] 10 Es una verdad[e] de Cristo, en mi caso, que no se le pondrá coto a esta jactancia[f] en las regiones de Acaya. 11 ¿Por qué razón? ¿Porque no los amo a ustedes? Dios sabe [que los amo].[g]

12 Ahora bien, lo que estoy haciendo lo haré todavía,[h] para cortar el pretexto a los que quieren un pretexto para que se les halle iguales a nosotros en el puesto del cual se jactan. 13 Porque tales hombres son apóstoles falsos, obreros engañosos,[i] que se transforman en apóstoles de Cristo.[j] 14 Y no es maravilla, porque Satanás mismo sigue transformándose en ángel de luz.[k] 15 No es, por lo tanto, gran cosa el que sus ministros[l] también sigan transformándose en ministros de justicia. Pero su fin será conforme a sus obras.[m]

16 Otra vez digo: No piense ningún hombre que soy irrazonable. Sin embargo, si ustedes realmente piensan que lo soy, acéptenme aunque sea como irrazonable, para que yo también me jacte un poco.[n] 17 Lo que hablo, no lo hablo según el ejemplo del Señor, sino como con falta de razón, en esta exagerada seguridad propia del jactarse.[o] 18 Ya que muchos están jactándose según la carne,[p] yo también me jactaré. 19 Porque ustedes gustosamente soportan a los irrazonables, puesto que ustedes son razonables. 20 De hecho, soportan a

CAP. 10
a Ro 15:20
b 2Te 1:3
c 1Co 9:1
d Heh 19:21
  Ro 15:24
e Isa 65:16
  Jer 9:24
  1Co 1:31
f Lu 18:14
g 1Sa 13:14
  Pr 29:26
h Ro 2:29
  1Co 4:5
  2Ti 2:15

CAP. 11
i 2Co 5:13
j Flp 1:8
k Rev 21:2
  Rev 21:9
  Rev 22:17
l Mt 9:15
m Ef 5:27
  Col 1:28
n Le 21:13
  Ef 5:23
o Gé 3:4
  1Ti 2:14
p Jn 8:44
  Heb 13:9
  2Pe 3:17
  2Jn 8
q 1Co 6:15
r Gál 1:7
s 1Jn 4:3
t Gál 1:8
u Flp 2:21
  2Jn 10
v 1Co 15:10
  2Co 11:23
w 2Co 12:11
  Gál 2:6
x Éx 4:10
  2Co 10:10
y 1Co 2:13
z Ef 3:4
  2Co 2:3
  2Co 10:1
b Heh 18:3
  1Co 9:18

2.ª col.
a Flp 4:10
b 2Co 12:13
c Flp 4:15
d 1Te 2:9
e Ro 9:1
f 1Co 9:15
g 2Co 6:11
  2Co 7:3
  2Co 12:15
h 1Co 9:12
i Sl 101:7
  Sl 119:118
  Heh 5:3
j Ef 4:14
k Ro 16:18
  2Co 2:17
  2Pe 2:1
k Gál 1:8
  2Te 2:9
l Jn 8:44
m Mt 16:27
  Ro 2:6
  Gál 5:10
  Flp 3:19
  2Ti 4:14
n 2Co 10:8
o 1Co 3:21
p Flp 3:4

cualquiera que los esclaviza,[a] a cualquiera que devora [lo que tienen], a cualquiera que arrebata [lo que tienen], a cualquiera que se ensalza a sí mismo por encima [de ustedes], a cualquiera que los hiere en el rostro.[b]

21 Digo esto para deshonra [nuestra], como si nuestra posición hubiera sido débil.

Pero si algún otro se porta con osadía en algo —estoy hablando irrazonablemente[c]— yo también me porto con osadía en ello. 22 ¿Son hebreos ellos? Yo también lo soy.[d] ¿Son israelitas? Yo también lo soy. ¿Son descendencia de Abrahán? Yo también.[e] 23 ¿Son ministros de Cristo? Respondo como loco: más sobresalientemente soy yo uno;[f] en labores, más abundantemente; en prisiones, más abundantemente;[h] en golpes, con exceso; a punto de morir, frecuentemente.[i] 24 De los judíos cinco veces recibí cuarenta golpes[j] menos uno, 25 tres veces fui golpeado con varas,[k] una vez fui apedreado,[l] tres veces experimenté naufragio,[m] una noche y un día los he pasado en lo profundo; 26 en viajes a menudo, en peligros de ríos, en peligros por parte de salteadores,[n] en peligros por parte de [mi propia] raza,[o] en peligros por parte de las naciones,[p] en peligros en la ciudad,[q] en peligros en el desierto, en peligros en el mar, en peligros en falsos hermanos, 27 en labor y afán, en noches sin dormir[r] a menudo, en hambre y sed,[s] en abstinencia de alimento muchas veces, en frío y desnudez.

28 Además de esas cosas de carácter externo, hay lo que se me viene encima de día en día, la inquietud por todas las congregaciones.[u] 29 ¿Quién es débil,[v] y no soy débil yo? ¿A quién se hace tropezar, y no ardo yo [de indignación]?

30 Si hay que jactarse, me jactaré[w] de las cosas que tienen que ver con mi debilidad. 31 El Dios y Padre del Señor Jesús, sí, Aquel que ha de ser alabado para siempre, sabe que no estoy mintiendo. 32 En Damasco, el gobernador bajo Aretas el rey estaba guardando la ciudad de los damascenos para prenderme,[a] 33 pero por una ventana del muro fui descolgado en un cesto de mimbre,[b] y escapé de sus manos.

12 Tengo que jactarme. No es provechoso; pero pasaré a visiones[c] y revelaciones sobrenaturales de[l] Señor. 2 Conozco a un hombre en unión con Cristo que, hace catorce años —si en el cuerpo, no lo sé, o fuera del cuerpo, no lo sé; Dios lo sabe— fue arrebatado[d] como tal hasta el tercer cielo. 3 Sí, conozco a tal hombre —si en el cuerpo o aparte del cuerpo,[e] no lo sé, Dios lo sabe— 4 que fue arrebatado al paraíso[f] y oyó palabras inexpresables que no le es lícito al hombre hablar. 5 De tal hombre me jactaré, pero no me jactaré de mí mismo, salvo en cuanto a [mis] debilidades.[g] 6 Porque si alguna vez quiero jactarme,[h] no seré irrazonable, pues diré la verdad. Pero me abstengo, para que nadie me acredite con más de lo que ve que soy u oye de mí, 7 simplemente debido al exceso de las revelaciones.

Por esto, para que no me sintiera desmedidamente ensalzado,[i] me fue dada una espina en la carne,[j] un ángel de Satanás, que siguiera abofeteándome, para que no me ensalzara desmedidamente. 8 Tocante a esto, tres veces[k] supliqué al Señor que esta se apartara de mí; 9 y, con todo, él realmente me dijo: "Mi bondad inmerecida es suficiente[l] para ti; porque [mi] poder está perfeccionándose en la debilidad".[m] Por eso muy gustosamente prefiero jactarme respecto de mis debilidades,[n] para que el poder del Cristo permanezca

CAP. 11
a Gál 2:4
  Gál 4:9
  Gál 5:1
b Flp 3:19
c 2Co 5:13
  2Co 12:11
d Hch 22:3
e Ro 11:1
  Flp 3:5
f 2Co 11:5
g Ro 11:13
  1Co 15:10
h Hch 16:24
i Hch 9:16
  2Co 6:4
  1Pe 2:21
j Dt 25:3
k Hch 16:22
l Hch 14:19
m Hch 27:41
n Hch 20:3
o Hch 23:10
p Hch 14:5
q Hch 13:50
r Hch 20:31
s 1Co 4:11
t 2Co 6:5
u 2Co 2:4
  Col 2:1
v 1Co 9:22
w 2Co 12:5

2.ª col.

a Hch 9:24
b Hch 9:25

CAP. 12

c Hch 2:17
  Hch 22:17
d Eze 8:3
e Eze 3:14
f Ef 1:3
g 2Co 11:30
h 2Co 10:8
  2Co 11:16
i Pr 16:18
j Gál 4:13
k 1Pe 5:7
l Dt 3:26
m Isa 40:29
  Heb 11:34
n 2Co 11:30

como tienda sobre mí. 10 Por lo tanto me complazco en debilidades, en insultos, en necesidades, en persecuciones y dificultades, por Cristo. Porque cuando soy débil, entonces soy poderoso.[a]

11 Me he hecho irrazonable. Ustedes me obligaron[b] a ello, porque debiera haber sido recomendado por ustedes. Pues no resulté ser inferior a [sus] apóstoles superfinos[c] ni en una sola cosa, aunque nada soy.[d] 12 En verdad, las señales de apóstol[e] fueron producidas entre ustedes por todo aguante,[f] y por señales y portentos presagiosos y obras poderosas.[g] 13 Pues, ¿respecto a qué llegaron ustedes a ser menos que las demás congregaciones, salvo respecto a que yo mismo no me hice una carga para ustedes?[h] Tengan la bondad de perdonarme este agravio.

14 ¡Miren! Esta es la tercera vez[i] que estoy listo para ir a ustedes, y, con todo, no me haré una carga. Porque no estoy buscando sus posesiones,[j] sino a ustedes; porque los hijos[k] no deben ahorrar para los padres, sino los padres para los hijos.[l] 15 Por mi parte muy gustosamente gastaré y quedaré completamente gastado por sus almas.[m] Si los amo más abundantemente, ¿he de ser amado menos? 16 Pero sea como sea, no les impuse una carga.[n] No obstante, ustedes dicen que fui "astuto" y los pillé "con tretas".[o] 17 En cuanto a los que les he despachado, no los exploté por medio de alguno de ellos, ¿verdad? 18 Insté a Tito y con él despaché al hermano. Tito no los exploté de ninguna manera, ¿verdad? Anduvimos en el mismo espíritu,[q] ¿verdad? En las mismas pisadas, ¿verdad?

19 ¿Han estado ustedes pensando todo este tiempo que hemos estado presentando nuestra defensa a ustedes? Es ante Dios

ante quien estamos hablando con relación a Cristo. Pero, amados, todas las cosas son para su edificación.[a] 20 Porque tengo miedo de que de algún modo, cuando yo llegue,[b] no los halle como pudiera desear, y yo resulte ser para ustedes no como pudieran desear, sino que, en cambio, de algún modo haya contienda, celos,[c] casos de encolerizarse, altercaciones, difamaciones solapadas, susurros, hinchazón por parte de algunos, desórdenes.[d] 21 Quizás, cuando vaya otra vez, mi Dios me humille entre ustedes, y yo me lamente de muchos de aquellos que hayan pecado antes,[e] pero que no se hayan arrepentido de su inmundicia y fornicación[f] y conducta relajada[g] que han practicado.

13 Esta es la tercera vez[h] que voy a ustedes. "Por boca de dos testigos, o de tres, todo asunto tiene que ser establecido."[i] 2 He dicho previamente y, como si estuviera presente la segunda vez y sin embargo ausente ahora, digo con anticipación a los que han pecado antes y a todos los demás: que si en cualquier tiempo voy otra vez, no perdonaré,[j] 3 ya que ustedes buscan una prueba de que Cristo habla en mí,[k] [Cristo] que no es débil para con ustedes, sino que es poderoso entre ustedes. 4 Es cierto, en realidad, que fue fijado en un madero[l] debido a debilidad,[m] pero está vivo debido al poder de Dios.[n] Es cierto, también, que nosotros somos débiles con él, pero viviremos juntamente con él[o] debido al poder de Dios[p] para con ustedes.

5 Sigan poniéndose a prueba para ver si están en la fe, sigan dando prueba de lo que ustedes mismos son.[q] ¿O no reconocen que Jesucristo está en unión con ustedes?[r] A no ser que estén desaprobados. 6 Verdaderamen-

CAP. 12
a Flp 4:13
b 2Co 12:1
c 2Co 11:5
Rev 2:2
d 2Co 11:23
e 1Co 9:2
f 2Co 6:4
g Hch 14:3
Hch 15:12
Ro 15:19
h 1Co 9:12
2Co 11:9
i 2Co 13:1
j Hch 20:33
k 1Co 4:14
Gál 4:19
l Pr 13:22
Pr 19:14
m Pr 11:30
2Co 1:6
Flp 2:17
Col 1:24
1Te 2:8
Heb 13:17
n 2Co 11:9
o 2Co 7:2
p 2Co 8:6
2Co 8:16
q Flp 1:27

2.ª col.
a 1Co 10:33
b 2Co 10:2
2Co 13:2
c 1Co 3:3
d Flp 2:3
e 1Co 5:1
2Co 2:2
f 1Co 6:9
1Co 6:13
g Ro 13:13
Gál 5:19
Ef 4:19
2Pe 2:2
Jud 4

CAP. 13
h 2Co 12:14
i Nú 35:30
Dt 19:15
Mt 18:16
Jn 8:17
j 2Co 1:23
2Co 10:2
2Co 12:21
k Ro 15:18
1Co 5:4
l 1Co 2:2
m Flp 2:7
n Ro 6:4
o 2Ti 2:12
1Pe 3:18
p 1Co 1:18
1Co 6:14
q 1Co 11:28
Gál 6:4
r Ro 8:10

te espero que lleguen a saber que nosotros no estamos desaproba-dos.

7 Ahora oramos[a] a Dios que no hagan ustedes nada malo, no para que nosotros mismos parezcamos aprobados, sino para que ustedes estén haciendo lo que es excelente, aunque nosotros mismos parezcamos desaprobados. 8 Porque no podemos hacer nada contra la verdad, sino solo a favor de la verdad.[b] 9 Ciertamente nos regocijamos cuando nosotros somos débiles, pero ustedes son poderosos;[c] y esto es lo que estamos pidiendo en oración:[d] que ustedes sean reajustados. 10 Por eso escribo estas cosas

estando ausente, para que, cuando esté presente, no obre con severidad[a] según la autoridad que el Señor me dio, para edificar[b] y no para demoler.

11 Finalmente, hermanos, continúen regocijándose, siendo reajustados, siendo consolados,[c] pensando de acuerdo,[d] viviendo pacíficamente;[e] y el Dios de amor y de paz[f] estará con ustedes. 12 Salúdense unos a otros con beso santo.[g] 13 Todos los santos les envían sus saludos.

14 La bondad inmerecida del Señor Jesucristo y el amor de Dios y la participación en el espíritu santo estén con todos ustedes.[h]

CAP. 13
a Ro 1:9
Flp 1:4
Flp 1:9
Col 1:3
1Te 1:2
b Hch 4:20
1Co 13:6
c 1Co 4:10
d 1Te 3:10

2.ª col.
a 1Co 4:21
2Co 10:6
b Tit 1:13
c 2Co 1:4
2Co 1:6
d Flp 2:2
e 1Te 5:13
Heb 3:17
1Pe 3:11
2Pe 3:14
f Ro 15:33
1Co 14:33
1Te 5:23
g Ro 16:16
1Te 5:26
1Pe 5:14
h Flp 2:1

A LOS

GÁLATAS

1 Pablo,[a] apóstol,[b] ni de parte de hombres ni mediante algún hombre, sino mediante Jesucristo[c] y Dios el Padre,[d] que lo levantó de entre los muertos,[e] 2 y todos los hermanos [que están] conmigo,[f] a las congregaciones de Galacia:[g]

3 Que tengan bondad inmerecida y paz[h] de parte de Dios nuestro Padre y de[l] Señor Jesucristo. 4 Él se dio por nuestros pecados[i] para librarnos del inicuo sistema de cosas[j] actual según la voluntad[k] de nuestro Dios y Padre, 5 a quien sea la gloria para siempre jamás.[l] Amén.

6 Me maravillo de que tan pronto se les remueva de Aquel[m] que los llamó con la bondad inmerecida de Cristo[n] [y se les pase] a otra clase de buenas nuevas.[o] 7 Pero no son otras; solo que hay algunos que les están causando dificultades[p] y que quieren pervertir las bue-

nas nuevas acerca del Cristo.[a] 8 Sin embargo, aunque nosotros o un ángel del cielo les declarara como buenas nuevas algo [que fuera] más allá de lo que nosotros les declaramos como buenas nuevas, sea maldito.[b] 9 Como hemos dicho más arriba, también vuelvo a decirlo ahora: Sea quien sea que les esté declarando como buenas nuevas algo más allá de lo que aceptaron,[c] sea maldito.

10 ¿Es, de hecho, a hombres a quienes ahora estoy tratando de persuadir, o a Dios? ¿O estoy procurando agradar a hombres?[d] Si todavía estuviera agradando a hombres,[e] no sería esclavo de Cristo.[f] 11 Porque les hago saber, hermanos, que las buenas nuevas declaradas por mí como buenas nuevas no son cosa humana;[g] 12 porque ni las recibí de ningún hombre, ni me fueron enseñadas, salvo me-

CAP. 1
a Hch 13:9
b Ro 1:5
Tit 1:1
c Hch 9:15
Hch 26:16
Gál 1:12
d Hch 22:14
e Hch 2:24
f Flp 4:21
g 1Co 16:1
h 1Co 1:3
Gál 6:16
2Jn 3
i Tit 2:14
1Jn 2:2
j Jn 15:19
Ro 12:2
k Eze 33:11
1Ti 2:4
l Heb 16:27
m Heb 3:6
n 2Co 1:2
o 2Co 11:4
Gál 5:7
p Gál 5:10

2.ª col.
a Hch 15:1
2Co 11:13
1Ti 6:3
b 1Co 16:22
Gál 5:12
c Dt 12:32
Pr 30:6
d 1Te 2:4
e Snt 4:4
f Ro 1:1
g 1Te 2:13

diante revelación por Jesucristo.[a]

13 Ustedes, por supuesto, oyeron acerca de mi conducta en otro tiempo en el judaísmo,[b] que hasta el punto de exceso seguí persiguiendo[c] a la congregación de Dios y devastándola,[d] 14 y estaba alcanzando mayor progreso en el judaísmo que muchos de mi propia edad de mi raza,[e] puesto que era mucho más celoso[f] por las tradiciones[g] de mis padres. 15 Pero cuando Dios, que me separó de la matriz de mi madre y [me] llamó[h] por su bondad inmerecida,[i] tuvo a bien 16 revelar a su Hijo con relación a mí,[j] para que yo declarara las buenas nuevas acerca de él a las naciones,[k] no me puse a conferenciar inmediatamente con carne y sangre.[l] 17 Tampoco subí a Jerusalén a los que eran apóstoles antes que yo,[m] sino que me fui a Arabia, y volví de nuevo a Damasco.[n]

18 Entonces, tres años después subí a Jerusalén[o] para visitar a Cefas,[p] y me quedé con él quince días. 19 Pero de los apóstoles no vi a ningún otro, sino solo a Santiago[q] el hermano[r] del Señor. 20 Ahora bien, en cuanto a las cosas que les escribo, ¡miren!, a vista de Dios, no miento.[s]

21 Después de aquello entré[t] en las regiones de Siria y de Cilicia. 22 Pero era desconocido de rostro a las congregaciones de Judea que estaban en unión con Cristo;[u] 23 solo oían: "El hombre que en otro tiempo nos perseguía,[v] ahora está declarando las buenas nuevas acerca de la fe que en otro tiempo devastaba".[w] 24 De modo que empezaron a glorificar[x] a Dios a causa de mí.

2 Entonces, después de catorce años, volví a subir a Jerusalén[y] con Bernabé,[z] llevando también conmigo a Tito. 2 Pero subí como resultado de una revelación.[a] Y puse ante

ellos[a] las buenas nuevas que estoy predicando entre las naciones, privadamente, sin embargo, ante los que eran hombres sobresalientes, por temor de que de algún modo estuviera corriendo[b] o hubiera corrido en vano.[c] 3 No obstante, ni siquiera Tito,[d] que estaba conmigo, fue obligado a circuncidarse,[e] aunque era griego. 4 Pero a causa de los falsos hermanos[f] introducidos calladamente,[g] que entraron a hurtadillas para espiar nuestra libertad[h] que tenemos en unión con Cristo Jesús, a fin de esclavizarnos[i] completamente... 5 a estos no cedimos a manera de sumisión,[j] no, ni por una hora, para que la verdad[k] de las buenas nuevas continuara con ustedes.

6 Pero de parte de los que parecían ser algo[l] —qué clase de hombres hayan sido en otro tiempo a mí no me importa[m]... Dios no se rige por la apariencia exterior del hombre[n]— a mí, de hecho, aquellos hombres sobresalientes no me impartieron nada nuevo. 7 Pero, al contrario, cuando ellos vieron que yo tenía encomendadas[o] a mí las buenas nuevas para los incircuncisos,[p] así como Pedro [las tenía] para los circuncisos[q] 8 —porque El que dio a Pedro poderes necesarios para un apostolado a los circuncisos me dio poderes también a mí para los que son de las naciones—; 9 sí, cuando llegaron a saber de la bondad inmerecida[t] que me había sido dada,[t] Santiago[u] y Cefas y Juan, los que parecían ser columnas,[v] nos dieron a mí y a Bernabé la mano derecha de la coparticipación:[x] que nosotros fuéramos a las naciones, mas ellos a los circuncisos. 10 Solamente que tuviéramos presentes a los pobres.[y] Esta misma

CAP. 1

a Ro 16:25
  Gál 2:2
  Ef 3:5
b Hch 23:6
  Gál 2:14
c 1Ti 1:13
d Hch 8:3
  Hch 9:1
  Hch 22:4
  Hch 26:11
e Hch 22:3
f Flp 3:6
g Mr 7:5
h 1Co 1:1
  1Te 2:12
i Ro 11:5
  1Co 15:10
  Ef 3:7
j 2Co 4:6
k Hch 9:15
  Ro 11:13
l Mt 16:17
m Hch 2:42
n Hch 9:19
o Hch 9:26
p Jn 1:42
  1Co 15:5
q Hch 12:17
r Mt 13:55
  1Co 9:5
s Ro 9:1
t Hch 9:30
u Jn 17:21
  Ro 16:7
  1Co 1:30
  1Te 2:14
v Gál 1:13
w Hch 8:3
x Hch 21:20

CAP. 2

y Hch 15:2
z Hch 9:27
a 1Co 14:6

2.ª col.

a Hch 15:12
b Gál 5:7
c Flp 2:16
  1Te 3:5
d 2Co 2:13
e Hch 16:3
f Isa 66:5
g Hch 15:24
  2Co 11:26
  Jud 4
h Jn 8:32
  Jn 8:36
  2Co 3:17
  Gál 5:1
  1Pe 2:16
i 2Co 11:20
  Gál 4:9
j Gál 2:14
k Jn 18:37
  Gál 4:16
l Gál 2:9
m Dt 10:17
  Hch 10:34
  Ro 2:11
o 1Te 2:4
p Hch 22:21
  Ro 11:13
  1Ti 2:7
q Hch 8:14
r Hch 9:15
  Ro 1:5
  Col 1:29

s Ro 1:5; Ef 3:8; t 2Pe 3:15; u Hch 15:13; v Ef 2:20; w Hch 13:2; Hch 15:25; x 1Jn 1:3; y Dt 15:8; 1Co 16:1.

cosa también me he esforzado solícitamente por hacer.ª

11 Sin embargo, cuando Cefasᵇ vino a Antioquía,ᶜ lo resistí cara a cara, porque se hallaba condenado.ᵈ 12 Porque, antes de la llegada de ciertos hombres desde Santiago,ᵉ solía comerᶠ con gente de las naciones; pero cuando estos llegaron, se puso a retirarse y a separarse, por temorᵍ a la clase circuncisa.ʰ 13 Los demás de los judíos también se unieron a él en hacer esta simulación,ⁱ de modo que aun Bernabéʲ fue llevado con ellos en su simulación. 14 Mas cuando yo vi que no estaban andando rectamente conforme a la verdad de las buenas nuevas,ᵏ dije a Cefas delante de todos ellos:ˡ "Si tú, aunque eres judío, vives como las naciones, y no como los judíos, ¿cómo obligas a gente de las naciones a vivir conforme a la práctica judía?".ᵐ

15 Nosotros que somos judíos por naturaleza,ⁿ y no pecadoresᵒ de entre las naciones, 16 sabiendo como lo sabemos que el hombre no es declarado justoᵖ debido a obras de ley, sino únicamente por medio de feᑫ para con Cristo Jesús, hasta nosotros hemos puesto nuestra fe en Cristo Jesús, para ser declarados justos debido a fe para con Cristo,ʳ y no debido a obras de ley, porque debido a obras de ley ninguna carne será declarada justa.ˢ 17 Ahora bien, si, procurando que se nos declare justos mediante Cristo,ᵗ a nosotros mismos también se nos ha hallado pecadores,ᵘ ¿es Cristo en realidad ministro del pecado?ᵛ ¡Jamás suceda eso! 18 Porque si las mismas cosas que en otro tiempo eché abajo las edifico de nuevo,ʷ demuestro que yo mismo soy transgresor.ˣ 19 En cuanto a mí, mediante ley moríʸ tocante a ley, para llegar a vivir tocante a Dios.ᶻ 20 Estoy fijado en un madero junto con Cris-

to.ª Ya no soy yo el que vivo;ᵇ antes bien, es Cristo el que vive en unión conmigo.ᶜ En verdad, la vida que ahora vivoᵈ en carne la vivo por la fe que es para con el Hijo de Dios, que me amó y se entregó por mí.ᵉ 21 No echo a un lado la bondad inmerecida de Dios;ᶠ porque si la justicia es mediante ley,ᵍ Cristo realmente murió en balde.ʰ

3 Oh gálatas insensatos, ¿quién los puso bajo mala influencia,ⁱ a ustedes ante cuyos ojos Jesucristo fue abiertamente representado fijado en el madero?ʲ 2 Solo de esto quiero enterarme de parte de ustedes: ¿Recibieron ustedes el espírituᵏ debido a obras de ley, o debido a oírᵐ por fe? 3 ¿Tan insensatos son? Después de haber comenzado en espíritu,ⁿ ¿están ahora completándose en carne?ᵒ 4 ¿Padecieron tantos sufrimientos en vano?ᵖ Si realmente fue en vano. 5 Por lo tanto, el que les suministra el espírituᑫ y ejecuta obras poderosasʳ entre ustedes, ¿lo hace debido a obras de ley, o debido a un oír por fe? 6 Así como Abrahán "puso fe en Jehová, y le fue contado por justicia".ˢ

7 De seguro ustedes saben que son los que se adhieren a la feᵗ quienes son hijos de Abrahán.ᵘ 8 Ahora bien, la Escritura, viendo por anticipado que Dios declararía justa a gente de las naciones debido a fe, declaró las buenas nuevas de antemano a Abrahán, a saber: "Por medio de ti todas las naciones serán bendecidas".ᵛ 9 Por consiguiente, los que se adhieren a la fe están siendo bendecidosʷ junto con el Abrahán que tuvo fe.ˣ

10 Porque todos los que dependen de obras de ley están bajo maldición; porque está escrito: "Maldito es todo el que no

CAP. 2
a Hch 11:29
b Jn 1:42
c Hch 11:26
  Hch 15:35
d Le 19:17
e Hch 12:17
f Hch 10:28
  Hch 11:3
  Hch 15:28
g Pr 29:25
h Hch 21:20
i Snt 3:17
j Hch 15:39
k Hch 10:15
  Hch 10:34
  Gál 3:28
l 1Ti 5:20
m Hch 15:10
  Hch 15:28
  Gál 1:13
n Jn 8:39
  Ro 11:23
o Ef 2:12
p Sl 143:2
  Hch 13:39
  Ro 8:33
q Ro 1:17
  Ro 5:22
  Snt 2:23
r Ro 5:17
  1Co 6:11
  Heb 7:19
s Ro 3:20
  Gál 3:19
u 1Jn 3:9
v Ro 6:1
w Gál 5:2
  Col 2:14
x Gál 5:4
y Ro 7:9
z Ro 6:11
  Heb 9:14

2.ª col.
a Ro 6:6
  Gál 5:24
  Gál 6:14
b 1Pe 4:2
c Jn 17:23
d 2Co 5:15
e 1Ti 2:6
f Jn 1:17
  Ro 4:5
g Gál 3:21
  Heb 7:11
h Tit 3:5

CAP. 3
i Gál 5:7
j 1Co 1:23
k Ef 1:13
l Ro 3:20
m Ro 10:17
n Gál 4:9
o Heb 7:16
p Heb 10:36
  2Ti 8
q Hch 10:44
r 1Co 12:10
s Gé 15:6
  Ro 4:3
  Snt 2:23
t Ro 4:12
u Jn 8:39
v Gé 12:3
  Gé 18:18
  Hch 3:25

w Heb 13:7; x Gál 3:28; Gál 3:29; Heb 2:16.

continúa en todas las cosas escritas en el rollo de la Ley a fin de hacerlas".[a] **11** Además, que por ley nadie es declarado justo[b] para con Dios es evidente, porque "el justo vivirá a causa de la fe".[c] **12** Ahora bien, la Ley no se adhiere a la fe, sino que "el que los hace vivirá por medio de ellos".[d] **13** Cristo, por compra,[e] nos libró[f] de la maldición de la Ley, llegando a ser una maldición[g] en lugar de nosotros, porque está escrito: "Maldito es todo aquel que es colgado en un madero".[h] **14** El propósito fue que la bendición de Abrahán llegara a ser para las naciones por medio de Jesucristo,[i] para que mediante nuestra fe[j] recibiéramos el espíritu prometido.[k]

15 Hermanos, hablo con una ilustración humana: Un pacto validado, aunque sea de hombre, nadie lo pone a un lado, ni se le hacen añadiduras al tal.[l] **16** Ahora bien, las promesas se hablaron a Abrahán[m] y a su descendencia.[n] No dice: "Y a descendencias", como si se tratara de muchos, sino como tratándose de uno solo: "Y a tu descendencia",[p] que es Cristo.[q] **17** Además, digo esto: En cuanto al pacto previamente validado por Dios,[r] la Ley que vino a existir cuatrocientos treinta años[s] después no lo invalida, para así abolir la promesa.[t] **18** Porque si la herencia se debe a ley, ya no se debe a promesa;[u] mientras que Dios bondadosamente la ha dado a Abrahán mediante una promesa.[v]

19 Entonces, ¿por qué la Ley? Fue añadida para poner de manifiesto las transgresiones,[w] hasta que llegara la descendencia[x] a quien se había hecho la promesa; y fue transmitida mediante ángeles[y] por mano de un mediador.[z] **20** Ahora bien, no hay mediador cuando se trata de una sola persona, mas Dios es uno solo.[a] **21** ¿Está la Ley, por

lo tanto, contra las promesas de Dios?[a] ¡Jamás suceda eso! Porque si se hubiera dado una ley capaz de dar vida,[b] la justicia realmente habría sido por medio de ley.[c] **22** Pero la Escritura[d] entregó todas las cosas juntas a la custodia del pecado,[e] para que la promesa que resulta de fe para con Jesucristo se diera a los que ejercen fe.[f]

23 Sin embargo, antes que llegara la fe,[g] estábamos guardados bajo ley,[h] entregados juntos en custodia, esperando la fe que estaba destinada a ser revelada.[i] **24** Por consiguiente, la Ley ha llegado a ser nuestro tutor que nos conduce a Cristo,[j] para que se nos declarara justos[k] debido a fe. **25** Pero ahora que ha llegado la fe,[l] ya no estamos bajo tutor.[m]

26 Todos ustedes, de hecho, son hijos[n] de Dios mediante su fe en Cristo Jesús. **27** Porque todos ustedes los que fueron bautizados en Cristo[o] se han vestido de Cristo.[p] **28** No hay ni judío ni griego,[q] no hay ni esclavo ni libre,[r] no hay ni varón ni hembra;[s] porque todos ustedes son una [persona] en unión con Cristo Jesús.[t] **29** Además, si pertenecen a Cristo, realmente son descendencia de Abrahán,[u] herederos respecto a una promesa.[v]

4 Ahora bien, digo que mientras el heredero es pequeñuelo en nada difiere del esclavo,[w] aunque sea señor de todas las cosas, **2** sino que está bajo hombres encargados[x] y bajo mayordomos hasta el día señalado de antemano por su padre. **3** Igualmente nosotros también, cuando éramos pequeñuelos, continuábamos esclavizados por las cosas elementa-

CAP. 3
a Dt 27:26
  Jer 11:3
  Hch 15:10
  Snt 2:10
b Hch 13:39
  Gál 2:16
c Hab 2:4
  Heb 10:38
d Le 18:5
  Dt 30:16
  Ne 9:29
  Ro 10:5
e 1Co 7:23
f Isa 35:10
  Mt 26:28
  Tit 2:14
  Heb 9:15
g Nú 21:9
  Jn 3:14
  Jn 19:31
  Hch 5:30
h Dt 21:23
i Ro 4:9
  Ef 2:15
j Hch 19:4
  1Pe 2:6
k Joe 2:28
l Heb 9:17
m Gé 12:1
  Gé 12:7
  Gé 13:15
  Gé 17:7
n Gé 24:7
  Isa 6:13
  Gál 3:29
o Gé 25:5
  Ro 9:7
  Ro 9:8
p Gé 22:18
q Gé 49:10
  Mt 1:17
r Ro 4:13
s Éx 12:41
t Ro 4:14
u Ro 11:6
v Gé 22:17
w Ro 3:20
  Ro 4:15
  Ro 7:12
  Ro 7:14
x Jn 1:29
  Ro 10:4
y Hch 7:38
  Hch 7:53
  Heb 2:2
z Éx 20:19
  Dt 5:5
  Jn 1:17
  Heb 9:15
a Dt 6:4

2.ª col.
a 1Ti 1:8
b Ro 8:3
c Ro 3:10
  Gál 2:21
d Mt 11:13
e Ro 3:9
f Ro 4:11
g Gál 4:4
h Col 2:14
i Ro 10:4
j Mt 5:17
  Heb 8:5
k Hch 13:39
  Ro 5:1
  Ro 8:33
l Col 2:17
m Hch 21:21
  Heb 8:6
  Heb 10:1

n Os 1:10; Jn 1:12; Ro 8:14; o Hch 19:5; Ro 6:3;
p Ro 13:14; Ef 4:24; q Ro 10:12; r 1Co 12:13; Col
3:11; s Hch 2:17; 1Pe 3:7; t Jn 17:21; u Isa 54:1;
Ro 8:17; Ro 9:7; v Gál 4:28; **CAP. 4** w Lu 2:51;
x Ge 24:3.

les[a] que pertenecen al mundo. 4 Pero cuando llegó el límite cabal del tiempo,[b] Dios envió a su Hijo,[c] que vino a ser procedente de una mujer[d] y que llegó a estar bajo ley,[e] para que librara por compra[f] a [los que se hallaban] bajo ley,[g] para que nosotros, a nuestra vez, recibiéramos la adopción de hijos.[h]

6 Ahora bien, porque ustedes son hijos, Dios ha enviado el espíritu[i] de su Hijo a nuestros corazones, y este clama: "¡Abba, Padre!".[j] 7 Así es que ya no eres esclavo, sino hijo; y si hijo, también heredero, gracias a Dios.[k]

8 Sin embargo, cuando ustedes no conocían a Dios,[l] entonces servían como esclavos a los que por naturaleza no son dioses.[m] 9 Pero ahora que han llegado a conocer a Dios, o, más bien, ahora que han llegado a ser conocidos por Dios,[n] ¿cómo es que se vuelven de nuevo a las débiles[o] y miserables cosas elementales[p] y quieren servirles como esclavos otra vez?[q] 10 Están observando escrupulosamente días[r] y meses[s] y sazones y años. 11 Temo por ustedes, que de algún modo me haya afanado en vano[t] respecto a ustedes.

12 Hermanos, les ruego: Háganse como yo,[u] porque yo también antes era como ustedes.[v] Ustedes no me hicieron ninguna injusticia.[w] 13 Pero ustedes saben que por una enfermedad de mi carne les declaré las buenas nuevas la primera vez.[x] 14 Y lo que fue una prueba para ustedes en mi carne, no lo trataron con desdén ni escupieron contra ello con disgusto; antes bien, me recibieron como a un ángel[y] de Dios, como a Cristo Jesús.[z] 15 ¿Dónde, pues, está aquella felicidad que tenían?[a] Porque les doy testimonio de que, si hubiera sido posible, se habrían sacado los ojos y me los

CAP. 4

a Col 2:8
  Heb 9:10
b Gé 3:15
  Gé 49:10
c Mt 3:17
  Jn 8:42
d Jn 1:14
  1Ti 3:16
  Heb 2:14
e Mt 5:17
f 1Co 7:23
  Gál 3:13
g Mt 20:28
h Jn 1:12
  Ro 8:23
  2Co 6:18
i Jn 14:26
  Ro 5:5
j Mr 14:36
  Ro 8:15
k Ro 8:17
  Gál 3:29
  Ef 1:14
l 1Ki 2:12
  1Te 4:5
m Ro 1:25
  1Co 12:2
  1Te 1:9
n 1Co 8:3
  Ro 8:3
  Heb 7:18
o Col 2:20
  Ro 14:5
s Col 2:16
t Gál 2:2
  1Te 3:5
u Gál 6:14
v Gál 1:14
w 2Co 2:5
x Heb 16:6
y 2Sa 19:27
z Mt 10:40
  Jn 13:20
a Rev 2:4

2.ᵃ col.

a Gál 6:11
b Pr 27:6
  Isa 63:10
  Heb 12:6
c Jn 8:45
  Ef 4:15
d Ro 16:18
  2Pe 2:3
  2Pe 2:18
e Hch 20:30
  2Pi 2:21
f 1Co 15:58
  Tit 2:14
g Flp 2:12
  1Co 4:15
  1Te 2:11
  Flm 10
h 2Jn 12
j 2Jn 12
k 2Co 4:8
  Gál 6:2
l Ro 7:6
  Gál 5:1
m Gál 3:24
n Gé 16:15
o Gé 16:1
  Gé 21:3
p Gé 16:2
  Ro 9:8
q Gé 17:16
r 1Co 10:11
s Heb 8:7
t Ex 19:23
u Ex 19:18
  Heb 12:18

habrían dado.[a] 16 Pues, entonces, ¿me he hecho enemigo de ustedes[b] porque les digo la verdad?[c] 17 Los buscan a ustedes celosamente[d] —no de manera excelente—, pero quieren aislarlos [de mí], para que ustedes los busquen a ellos celosamente.[e] 18 Sin embargo, es excelente que se les busque celosamente en una causa excelente[f] en todo tiempo, y no solo cuando yo estoy presente[g] con ustedes, 19 hijitos míos,[h] por quienes vuelvo a estar en dolores de parto hasta que Cristo sea formado en ustedes.[i] 20 Pero pudiera ser mi deseo estar presente con ustedes ahora mismo[j] y hablar de manera diferente, porque estoy perplejo[k] en cuanto a ustedes.

21 Díganme, ustedes los que quieren estar bajo ley:[l] ¿No oyen la Ley?[m] 22 Por ejemplo, está escrito que Abrahán adquirió dos hijos, uno de la sirvienta[n] y uno de la mujer libre;[o] 23 pero el de la sirvienta realmente nació a la manera de la carne;[p] el otro, de la mujer libre mediante una promesa.[q] 24 Estas cosas quedan como un drama simbólico;[r] porque estas [mujeres] significan dos pactos;[s] el primero del monte Sinaí,[t] que da a luz hijos para esclavitud, y el cual es Agar. 25 Ahora bien, esta Agar significa Sinaí,[u] una montaña de Arabia, y ella corresponde a la Jerusalén de hoy, porque está en esclavitud[v] con sus hijos. 26 Pero la Jerusalén[w] de arriba es libre, y ella es nuestra madre.[x]

27 Porque está escrito: "Alégrate, mujer estéril que no das a luz; prorrumpe y clama en voz alta, mujer que no tienes dolores de parto; porque los hijos de la desolada son más numerosos que [los] de la que tiene el esposo".[y] 28 Ahora bien, nosotros, hermanos, somos hijos pertene-

v Isa 61:1; Jn 8:35; w Isa 54:5; Gál 4:31; x Gé 3:15; Isa 54:13; Flp 3:20; Rev 12:1; y Isa 54:1.

cientes a la promesa, así como Isaac lo fue.[a] 29 Pero tal como en aquel entonces el que nació a la manera de la carne se puso a perseguir[b] al que nació a la manera del espíritu, así también ahora.[c] 30 Sin embargo, ¿qué dice la Escritura? "Expulsa a la sirvienta y a su hijo, porque de ningún modo será heredero el hijo de la sirvienta con el hijo de la mujer libre."[d] 31 Por lo tanto, hermanos, no somos hijos de una sirvienta,[e] sino de la mujer libre.[f]

5 Para tal libertad Cristo nos libertó.[g] Por lo tanto, estén firmes,[h] y no se dejen restringir otra vez en un yugo de esclavitud.[i]

2 ¡Vean! Yo, Pablo, les estoy diciendo que si ustedes se circuncidan,[j] Cristo no les será de ningún provecho. 3 Además, de nuevo doy testimonio, a todo hombre que se circuncida, de que está obligado a ejecutar toda la Ley.[k] 4 Quedan separados de Cristo, quienesquiera que sean ustedes los que tratan de ser declarados justos por medio de ley;[l] han caído de la bondad inmerecida[m] de él. 5 En cuanto a nosotros, por espíritu estamos aguardando con intenso anhelo la esperada justicia como resultado de fe.[n] 6 Porque tocante a Cristo Jesús, ni la circuncisión es de valor alguno, ni lo es la incircuncisión,[o] sino la fe[p] que opera mediante el amor.[q]

7 Ustedes estaban corriendo bien.[r] ¿Quién les causó estorbo para que no siguieran obedeciendo la verdad?[s] 8 Esta clase de persuasión no procede de Aquel que los llama.[t] 9 Un poco de levadura hace fermentar toda la masa.[u] 10 Respecto a ustedes que están en unión[v] con [el] Señor tengo confianza[w] en que no llegarán a pensar de otro modo; pero el que les está causando dificultades[x] llevará [su]

juicio,[a] sin importar quién sea. 11 En cuanto a mí, hermanos, si todavía estoy predicando la circuncisión, ¿por qué se me persigue todavía? Entonces, por cierto, se ha abolido el tropiezo[b] del madero de tormento.[c] 12 Quisiera que hasta se castraran[d] los hombres que están tratando de derrumbarlos.[e]

13 Ustedes fueron llamados, por supuesto, para libertad,[f] hermanos; solamente que no usen esta libertad como incentivo para la carne;[g] antes bien, mediante el amor, sírvanse como esclavos unos a otros.[h] 14 Porque toda la Ley queda cumplida[i] en un dicho, a saber: "Tienes que amar a tu prójimo como a ti mismo".[j] 15 Pero si ustedes siguen mordiéndose y devorándose unos a otros,[k] cuidado que no sean aniquilados los unos por los otros.[l]

16 Pero digo: Sigan andando por espíritu[m] y no llevarán a cabo ningún deseo carnal.[n] 17 Porque la carne está contra el espíritu[o] en su deseo, y el espíritu contra la carne; porque estos están opuestos el uno al otro, de manera que las mismísimas cosas que ustedes quisieran hacer, no las hacen.[p] 18 Además, si se les conduce por espíritu,[q] no están bajo ley.[r]

19 Ahora bien, las obras de la carne son manifiestas,[s] y son: fornicación,[t] inmundicia, conducta relajada,[u] 20 idolatría, práctica de espiritismo,[v] enemistades, contiendas, celos, arrebatos de cólera, altercaciones, divisiones, sectas, 21 envidias, borracheras,[w] diversiones estrepitosas, y cosas semejantes a estas. En cuanto a estas cosas, les aviso de antemano, de la misma manera como ya les avisé, que los

CAP. 4
a Ro 9:8; Gál 3:29
b Gé 21:9; 2Ti 3:12
c Gál 5:11; Gál 6:12
d Gé 21:10
e Ro 6:14
f Jn 8:36; Gál 5:13

CAP. 5
g Jn 8:32; Ro 6:18
h 1Co 16:13; Flp 4:1
i Hch 15:10
j Hch 15:1; Gál 6:12
k Ro 2:25; Gál 3:10
l Ro 3:20; Ro 4:4; Ro 9:31
m Ro 11:6; Heb 12:15
n Ro 8:23
o 1Co 7:19; Gál 2:3; Gál 6:15; Col 3:11
p Ro 3:22; Snt 2:18
q 1Te 1:3; 1Ti 1:5
r 1Co 9:24; Gál 3:3
s Ro 2:8; Ro 6:17; 2Co 10:5
t Gál 1:6
u Dt 17:7; 1Co 5:6; 1Co 15:33; 2Ti 2:17; 2Pe 2:2
v Jn 17:21; Gál 3:28
w 2Co 2:3
x Gál 1:7

2.ª col.
a 2Co 11:15
b 1Co 1:23
c Flp 3:18; Jn 15:19
d Dt 23:1
e Hch 15:1; Jn 8:36; Ro 6:22
g 1Co 8:9; 1Pe 2:16; 2Pe 2:19
h 1Co 9:19
i Ro 13:8; Le 19:18; Mt 7:12; Mt 22:39; Snt 2:8
k Snt 3:14
l 1Pr 24:29; Snt 4:2
m Ro 8:5; Ro 8:13; Ro 6:12; 1Pe 2:11
o Ro 8:4
p Ro 7:15; Ro 7:19; Ro 7:23
q Ro 8:14

r Ro 6:14; Ro 8:2; s Pr 20:11; 1Co 3:3; t 1Co 5:9; Ef 5:3; Col 3:5; Rev 2:20; u Le 18:17; Mr 7:22; Ef 4:19; 2Pe 2:2; Jud 4; v Le 19:26; Le 19:31; Dt 18:11; w Dt 21:20; Isa 5:11; 1Pe 4:3.

que practican[a] tales cosas no heredarán el reino de Dios.[b]

22 Por otra parte, el fruto[c] del espíritu es: amor, gozo, paz, gran paciencia, benignidad, bondad,[d] fe, 23 apacibilidad, autodominio.[e] Contra tales cosas no hay ley.[f] 24 Además, los que pertenecen a Cristo Jesús han fijado en un madero la carne junto con sus pasiones y deseos.[g]

25 Si estamos viviendo por espíritu, sigamos andando también por espíritu.[h] 26 No nos hagamos egotistas, promoviendo competencias[i] unos con otros, envidiándonos unos a otros.[j]

6 Hermanos, aunque un hombre dé algún paso en falso[k] antes que se dé cuenta de ello, ustedes los que tienen las debidas cualidades espirituales[l] traten de reajustar a tal hombre con espíritu de apacibilidad,[m] vigilándote a ti mismo,[n] por temor de que tú también seas tentado.[o] 2 Sigan llevando las cargas[p] los unos de los otros, y así cumplan la ley del Cristo.[q] 3 Porque si alguien piensa que es algo, no siendo nada,[r] está engañando su propia mente. 4 Pero que cada uno pruebe lo que su propia obra es,[s] y entonces tendrá causa para alborozarse respecto de sí mismo solo, y no en comparación[t] con la otra persona. 5 Porque cada uno llevará su propia carga de responsabilidad.[u]

6 Además, que cualquiera a quien se esté enseñando oralmente[v] la palabra haga partícipe[w] en todas las cosas buenas al que da dicha instrucción oral.[x]

7 No se extravíen:[y] de Dios uno no se puede mofar.[z] Porque cualquier cosa que el hombre esté sembrando, esto también segará;[a] 8 porque el que esté sembrando con miras a su carne, segará de su carne la corrup-

ción;[a] pero el que esté sembrando con miras al espíritu,[b] segará del espíritu vida eterna.[c] 9 Así es que no desistamos de hacer lo que es excelente,[d] porque al debido tiempo segaremos si no nos cansamos.[e] 10 Realmente, pues, mientras tengamos tiempo favorable para ello,[f] obremos lo que es bueno para con todos, pero especialmente para con los que están relacionados con [nosotros] en la fe.[g]

11 Vean con qué grandes letras les he escrito de mi propia mano.[h]

12 Todos los que quieren presentar una apariencia agradable en la carne son los que tratan de obligarlos a circuncidarse,[i] solo para que ellos no sean perseguidos por el madero de tormento del Cristo,[j] Jesús. 13 Porque ni siquiera los que se circuncidan guardan la Ley ellos mismos,[k] pero quieren que ustedes se circunciden para tener causa para jactarse en la carne de ustedes. 14 Jamás suceda que yo me jacte, salvo en el madero de tormento[l] de nuestro Señor Jesucristo, mediante quien el mundo ha sido fijado en un madero para mí,[m] y yo para el mundo. 15 Porque ni la circuncisión es nada, ni la incircuncisión,[n] sino una nueva creación[o] [es algo]. 16 Y a todos los que hayan de andar ordenadamente por esta regla de conducta, sobre ellos haya paz y misericordia, sí, sobre el Israel de Dios.[p]

17 De aquí en adelante que nadie me esté causando molestias, porque llevo en mi cuerpo las marcas[q] [de un esclavo] de Jesús.[r]

18 La bondad inmerecida de nuestro Señor Jesucristo [esté] con el espíritu[s] que ustedes [manifiestan], hermanos. Amén.

CAP. 5
a Ro 8:13
  2Co 12:21
b 1Co 6:9
c Flp 1:11
  Col 1:10
d Ef 5:9
e Snt 3:17
f 1Ti 1:9
g Ro 6:6
  1Pe 2:11
h Ro 8:4
i Ec 4:4
  1Co 4:7
  Gál 6:4
j Flp 2:3

CAP. 6
k Le 4:2
  Mt 18:15
  Ro 11:11
l 1Co 2:15
m Pr 15:1
  1Co 4:21
  Col 3:12
  1Ti 6:11
  Tit 3:2
o 1Co 10:12
  1Co 7:5
  Snt 3:2
p Ro 15:1
  1Co 11:29
  1Te 5:14
q Jn 13:34
  Jn 15:12
  1Jn 4:21
r Ro 12:3
  1Co 8:2
  2Co 3:5
  2Co 12:11
s 1Co 11:28
  2Co 13:5
t Gál 5:26
u Ro 14:4
  2Co 5:10
v Lu 1:4
  Hch 18:25
w Le 8:31
  Lu 10:7
  Ro 15:27
  1Co 9:11
  Heb 13:16
x Nú 18:31
  Mt 10:10
  1Co 9:14
y Snt 1:16
z Job 13:9
a Lu 16:25
  Ro 2:6

2.ª col.
a Ro 8:6
b Jn 6:63
  Ro 8:13
c Isa 3:10
d 2Te 3:13
e Heb 3:14
  Heb 12:3
  Rev 2:10
f Jn 9:4
  Col 4:5
g Ef 2:19
h 1Co 16:21
i Gál 2:3
j Gál 5:11
  Flp 3:18
k Snt 2:10
l Lu 14:27
  1Co 2:2
m Ro 6:6
n Gál 5:6
o 2Co 5:17
  Ef 2:10

p Sl 125:5; Sl 128:6; Ro 9:6; q Isa 3:24; r 2Co 4:10; Flp 3:10; s 2Ti 4:22; Flm 25.

EFESIOS

1 Pablo, apóstol[a] de Cristo Jesús por la voluntad de Dios,[b] a los santos que están [en Éfeso] y a los fieles[c] en unión[d] con Cristo Jesús:

2 Que tengan bondad inmerecida[e] y paz[f] de parte de Dios nuestro Padre y de[1] Señor Jesucristo.

3 Bendito sea el Dios y Padre de nuestro Señor Jesucristo,[g] porque nos ha bendecido[h] con toda bendición espiritual en los lugares celestiales[i] en unión con Cristo, 4 así como nos escogió[j] en unión con él antes de la fundación[k] del mundo, para que fuéramos santos y sin tacha[l] delante de él en amor.[m] 5 Pues nos predeterminó[n] a la adopción[o] mediante Jesucristo como hijos[p] para sí mismo, según el beneplácito de su voluntad,[q] 6 para alabanza[r] de su gloriosa bondad inmerecida[s] que él nos confirió bondadosamente por medio de [su] amado.[t] 7 Por medio de él tenemos la liberación por rescate[r] mediante la sangre[u] de ese, sí, el perdón de [nuestras] ofensas, según las riquezas de su bondad inmerecida.[w]

8 Esta él la hizo abundar para con nosotros en toda sabiduría[x] y buen sentido, 9 por cuanto nos dio a conocer el secreto sagrado[y] de su voluntad. Es según su beneplácito que él se propuso en sí mismo[z] 10 para una administración[a] al límite cabal de los tiempos señalados,[b] a saber: reunir[c] todas las cosas de nuevo en el Cristo,[d] las cosas en los cielos[e] y las cosas en la tierra.[f] [Sí,] en él, 11 en unión con el cual a nosotros también se nos asignó como herederos,[g] por cuanto fuimos predeterminados según el propósito de aquel que opera todas las cosas conforme a la manera como su voluntad aconseja,[a] 12 para que sirviéramos para la alabanza de su gloria,[b] nosotros los que hemos sido los primeros en esperar en el Cristo.[c] 13 Pero ustedes también esperaron en él después que oyeron la palabra de la verdad,[d] las buenas nuevas acerca de su salvación.[e] Por medio de él también, después que ustedes creyeron, fueron sellados[f] con el espíritu santo prometido,[g] 14 que es una prenda[h] por anticipado de nuestra herencia,[i] con el propósito de poner en libertad por rescate[j] la propia posesión [de Dios],[k] para su gloriosa alabanza.

15 Por eso yo también, habiendo oído de la fe que ustedes tienen en el Señor Jesús y para con todos los santos,[l] 16 no ceso de dar gracias por ustedes. Continúo mencionándolos en mis oraciones,[m] 17 para que el Dios de nuestro Señor Jesucristo, el Padre de la gloria, les dé espíritu de sabiduría[n] y de revelación en el conocimiento exacto de él;[o] 18 habiendo sido iluminados[p] los ojos[q] de su corazón, para que sepan cuál es la esperanza[r] a la cual él los llamó, cuáles son las gloriosas riquezas[s] que él guarda como herencia para los santos,[t] 19 y cuál es la sobrepujante grandeza de su poder[u] para con nosotros los creyentes. Es según la operación[v] de la potencia de su fuerza, 20 con la cual ha operado en el caso del Cristo cuando lo levantó de entre los muertos[w] y lo sentó a su diestra[x] en los lugares celestiales,[y] 21 muy por encima de todo gobierno y autoridad y po-

---

CAP. 1
a 1Co 1:1
b 2Co 1:1
c Rev 2:3
d Jn 15:4
  Jn 15:5
e Jn 1:17
  Ro 2:30
  1Co 1:4
f Jn 14:27
g 2Co 1:3
h Gál 3:14
i Ef 2:6
j Isa 43:10
  Jn 17:24
  Jud 1
k 1Pe 1:20
l Ef 5:27
  Col 1:22
m Snt 2:5
n 2Te 2:13
  1Pe 1:2
o Ro 8:15
  Ro 8:29
  Gál 4:5
p Ro 8:23
q Ro 8:28
r Isa 43:21
s Ro 3:24
t Jn 3:35
u Hch 20:28
  Ro 3:25
  Rev 5:9
v Hch 13:38
  Col 1:14
  Col 2:13
w Jn 1:16
x Col 1:9
y Ro 16:25
  1Co 4:1
z 2Ti 1:9
a Isa 32:1
  Ef 3:9
  Heb 3:6
  Rev 20:6
b Lu 21:24
  Hch 1:7
c 1Co 15:28
  Col 1:20
e 1Pe 1:4
f Jn 10:16
  Flp 2:10
g Ro 8:17
h Ef 3:6
  1Pe 3:7

2.ª col.
a Isa 46:10
  Ro 8:28
b Ef 3:21
c Snt 1:18
d Col 1:5
e 1Ti 2:4
f 2Co 1:22
  Ef 4:30
  Rev 7:4
g Gál 3:2
h 2Co 5:5
i Ro 8:23
  Col 1:14
  1Ti 2:6
k 1Pe 2:9

l Col 1:4; m Ro 1:9; n Pr 2:6; o Col 1:9; 1Ti 2:4; p 2Co 3:16; q Lu 10:23; r 1Pe 1:3; s Col 1:27; t Dt 33:3; u 2Co 13:4; v Col 1:29; w Hch 2:24; x Sl 110:1; Hch 7:55; y Ef 2:6; Heb 7:26.

1445

der y señorío,[a] y de todo nombre que se nombra,[b] no solo en este sistema de cosas,[c] sino también en el que ha de venir.[d]   22 Él también sujetó todas las cosas debajo de sus pies,[e] y lo hizo cabeza sobre todas las cosas[f] en cuanto a la congregación, 23 la cual es su cuerpo,[g] la plenitud[h] de aquel que llena todas las cosas en todos.[i]

2 Además, a ustedes [Dios los vivificó] aunque estaban muertos en sus ofensas y pecados,[j] 2 en los cuales en un tiempo anduvieron conforme al sistema[k] de cosas de este mundo, conforme al gobernante[l] de la autoridad del aire, el espíritu[m] que ahora opera en los hijos de la desobediencia.[n] 3 Sí, entre ellos todos nosotros en un tiempo nos comportamos en armonía con los deseos de nuestra carne,[o] y hacíamos las cosas que eran la voluntad de la carne[p] y de los pensamientos, y éramos naturalmente hijos de la ira[q] así como los demás. 4 Pero Dios, que es rico en misericordia,[r] por su gran amor con que nos amó,[s] 5 nos vivificó junto con el Cristo, aun cuando estábamos muertos en ofensas[t] —por bondad inmerecida han sido salvados ustedes[u]— 6 y nos levantó[v] juntos y nos sentó juntos en los lugares celestiales[w] en unión con Cristo Jesús, 7 a fin de que en los sistemas de cosas venideros[x] se demostraran las riquezas[y] sobrepujantes de su bondad inmerecida en su benevolencia para con nosotros en unión[z] con Cristo Jesús.

8 Por esta bondad inmerecida, en verdad, ustedes han sido salvados mediante fe;[a] y esto no debido a ustedes:[b] es dádiva de Dios.[c] 9 No, no es debido a obras,[d] a fin de que nadie tenga base para jactarse.[e] 10 Porque somos producto de su obra[f] y fuimos creados[g] en unión[h] con Cristo Jesús para obras buenas,[i] las

cuales Dios preparó por anticipado[a] para que anduviéramos en ellas.

11 Por lo tanto, sigan recordando que en otro tiempo ustedes eran gente de las naciones en cuanto a la carne;[b] "incircuncisión" eran llamados por lo que se llama "circuncisión", hecha en la carne con las manos[c]... 12 que estaban en aquel mismo tiempo sin Cristo,[d] alejados[e] del estado de Israel y extraños a los pactos de la promesa,[f] y no tenían esperanza,[g] y estaban sin Dios en el mundo.[h] 13 Pero ahora, en unión con Cristo Jesús, ustedes los que en un tiempo estaban lejos han llegado a estar cerca por la sangre[i] del Cristo. 14 Porque él es nuestra paz,[j] el que de los dos grupos[k] uno solo[l] y destruyó el muro[m] de en medio que los separaba.[n] 15 Por medio de su carne[o] abolió la enemistad,[p] la Ley de mandamientos que consistía en decretos,[q] para crear de los dos pueblos[r] en unión consigo mismo un solo hombre nuevo,[s] y hacer la paz; 16 y para reconciliar[t] plenamente con Dios a ambos pueblos en un solo cuerpo[u] mediante el madero de tormento,[v] porque había matado la enemistad[w] por medio de sí mismo. 17 Y vino y les declaró las buenas nuevas de paz[x] a ustedes, los que estaban lejos, y paz a los que estaban cerca;[y] 18 porque mediante él nosotros, ambos pueblos,[z] tenemos el acceso[a] al Padre en un solo espíritu.[b]

19 Ciertamente, por lo tanto, ustedes ya no son extraños[c] y residentes forasteros,[d] sino que son conciudadanos[e] de los santos[f] y son miembros de la casa[g] de Dios, 20 y han sido edificados sobre el fundamento[h] de los apóstoles[i] y profetas,[j] siendo

CAP. 1
a 1Co 15:24
 Col 2:10
 Heb 1:4
b Heb 4:12
 Flp 2:9
c 1Co 2:6
d Heb 6:5
e Sl 8:6
f Mt 28:18
 Ef 5:23
 Col 1:18
g Ro 12:5
h Ro 11:25
i Col 3:11

CAP. 2
j Mt 8:22
 Col 2:13
 1Ti 5:6
k Ro 12:2
 Ef 4:17
l Jn 12:31
m 1Co 2:12
 Snt 4:5
n Mt 13:38
 Col 3:6
 1Jn 2:16
o 1Co 6:11
p Mt 26:41
 1Pe 4:3
q Jn 3:36
r Sl 145:9
 Isa 54:10
 Ro 10:12
s Ro 5:8
 1Jn 4:9
 1Jn 4:19
t Col 2:13
u Jn 1:17
v Col 2:12
w Ef 1:3
 1Pe 1:4
x Heb 6:5
 Ef 1:7
z Jn 17:21
a Ro 4:16
b Jn 6:44
c Jn 1:12
d Ro 3:20
 Snt 2:22
e 1Co 1:29
f 2Co 5:5
g Gál 6:15
h Ef 1:4
i Col 1:10

2.ª col.

a Ef 1:5
b 1Co 12:2
c Jos 5:3
d Ef 4:18
e Col 1:21
 Ro 9:4
g 1Te 4:13
h Isa 65:1
i Heb 10:19
j 1Co 12:20
k Le 20:26
l Hch 10:35
 Ro 11:24
 Col 3:11
m Col 2:14
n Ef 2:12
o Ro 8:3
p Mr 7:28
q Dt 4:8
r Ro 2:10
s 1Co 12:12

t Col 1:22; u Gál 3:28; Ef 4:4; v Heb 12:2; w Hch 10:28; x Isa 52:7; y Isa 57:19; z Ro 10:12; a Heb 7:25; b Isa 12:13; c Ef 2:12; d Heb 11:13; e Flp 3:20; f Col 1:12; g Isa 56:5; 1Ti 3:15; Heb 3:6; h 1Co 3:10; i Rev 21:14; j 1Co 12:28.

Cristo Jesús mismo la piedra angular de fundamento.[a] 21 En unión con él, el edificio entero, unido armoniosamente,[b] va creciendo para [ser] un templo santo para Jehová.[c] 22 En unión con él,[d] ustedes, también, están siendo edificados juntamente para [ser] lugar donde habite Dios por espíritu.[e]

3 Por causa de esto yo, Pablo, el prisionero[f] de Cristo Jesús a favor de ustedes, la gente de las naciones[g]... 2 si es que, realmente, ustedes han oído acerca de la mayordomía[h] de la bondad inmerecida de Dios que me fue dada con ustedes en mira, 3 que por vía de una revelación se me dio a conocer el secreto sagrado,[i] así como escribí antes con brevedad. 4 En vista de esto, ustedes, cuando lean esto, pueden darse cuenta de la comprensión[j] que tengo del secreto sagrado[k] del Cristo. 5 En otras generaciones este [secreto][l] no fue dado a conocer a los hijos de los hombres como ahora ha sido revelado[m] a sus santos apóstoles y profetas[n] por espíritu, 6 a saber, que gente de las naciones hubieran de ser coherederos y miembros del cuerpo[o] y participantes con nosotros de la promesa[p] en unión con Cristo Jesús mediante las buenas nuevas. 7 Llegué a ser ministro[q] de estas conforme a la dádiva gratuita de la bondad inmerecida de Dios que me fue dada según la manera como opera su poder.[r]

8 A mí, hombre que soy menos que el más pequeño[s] de todos los santos, me fue dada esta bondad inmerecida,[t] de declarar a las naciones[u] las buenas nuevas acerca de las riquezas insondables[v] del Cristo, 9 y de hacer ver a los hombres cómo se administra[w] el secreto sagrado[x] que desde el pasado indefinido ha estado escondido en Dios, que creó todas las cosas,[y] 10 [Esto fue] a fin de que ahora a los gobiernos y a las autoridades[a] en los lugares celestiales se diera a conocer mediante la congregación[b] la grandemente diversificada sabiduría de Dios,[c] 11 según el propósito eterno que él formó con relación al Cristo,[d] Jesús nuestro Señor, 12 por medio de quien tenemos esta franqueza de expresión y un acceso[e] con confianza mediante nuestra fe en él. 13 Por lo cual les pido que no se rindan por causa de estas tribulaciones[f] mías a favor de ustedes, porque estas significan gloria para ustedes.

14 Por causa de esto doblo mis rodillas[g] ante el Padre,[h] 15 a quien toda familia[i] en el cielo y en la tierra debe su nombre,[j] 16 a fin de que les conceda, según las riquezas[k] de su gloria, que sean hechos poderosos en el hombre que son en el interior,[l] con poder mediante el espíritu de él,[m] 17 que mediante la fe [de ustedes] el Cristo more en sus corazones con amor;[n] para que estén arraigados[o] y establecidos sobre el fundamento,[p] 18 a fin de que sean enteramente capaces de comprender[q] con todos los santos cuál es la anchura y longitud y altura y profundidad,[r] 19 y de conocer el amor del Cristo[s] que sobrepuja al conocimiento, para que se les llene de toda la plenitud[t] que Dios da.

20 Ahora, a aquel que, según su poder que está operando[u] en nosotros, puede hacer más que sobreabundantemente en exceso de todas las cosas que pedimos o concebimos,[v] 21 a él sea la gloria por medio de la congregación y por medio de Cristo Jesús por todas las generaciones para siempre jamás.[w] Amén.

4 Yo, por lo tanto, el prisionero[x] en [el] Señor, les suplico que anden de una manera digna[y] del llamamiento con el cual fue-

CAP. 2
a Isa 28:16
b Col 2:19
c Zac 6:12
1Co 3:16
1Co 6:19
d Jn 17:23
e 1Pe 2:5

CAP. 3
f Ef 4:1
Ef 6:20
g 1Te 2:16
2Ti 4:17
h 1Co 9:17
Col 1:25
i 1Col 1:26
j 2Co 11:6
k 1Co 4:1
Ef 6:19
l Col 1:26
m Ro 11:25
Ro 16:25
n Mt 16:17
Ef 2:20
o Ef 2:16
p Lu 24:49
Hch 1:8
Gál 3:14
q Col 12:7
Col 1:25
r Ro 15:15
s 1Co 15:9
1Ti 1:14
u Gál 1:16
v Col 1:27
w Ef 1:10
Col 1:18
x 1Co 2:7
Ef 1:9
y Isa 40:28
Col 1:16
Heb 1:2

2.ª col.
a 1Pe 3:22
b 1Pe 1:12
1Pe 2:9
c Ro 11:33
d Ef 1:11
e Jn 14:6
Ro 5:2
Heb 4:16
f Hch 14:22
2Ti 2:10
g Hch 20:36
h Ef 1:3
i Isa 54:1
j Isa 54:5
Isa 62:2
k Ro 9:23
Flp 4:19
l Ro 7:22
2Co 4:16
m Ro 15:19
n Jn 14:23
o Col 2:7
p Col 1:23
q Jn 17:3
Ef 1:18
r Ro 11:33
s Ro 8:35
t Jn 1:16
u Col 1:29
v Mr 11:24
1Co 2:9
w Heb 13:21

CAP. 4   x Ef 6:20; Flm 9; y Flp 1:27.

ron llamados,[a] 2 con completa humildad mental[b] y apacibilidad, con gran paciencia,[c] soportándose unos a otros en amor,[d] 3 esforzándose solícitamente por observar la unidad del espíritu en el vínculo unidor de la paz.[e] 4 Un cuerpo[f] hay, y un espíritu,[g] así como ustedes fueron llamados en la sola esperanza[h] a la cual fueron llamados; 5 un Señor,[i] una fe,[j] un bautismo;[k] 6 un Dios[l] y Padre de todos, que es sobre todos y por todos y en todos.

7 Ahora bien, a cada uno de nosotros se le dio bondad inmerecida[m] según la manera como el Cristo dio por medida la dádiva gratuita.[n] 8 Por lo cual él dice: "Cuando ascendió a lo alto se llevó cautivos; dio dádivas [en] hombres".[o] 9 Ahora bien, la expresión "ascendió",[p] ¿qué significa, sino que también descendió a las regiones inferiores, es decir, a la tierra?[q] 10 El mismísimo que descendió también es el que ascendió[r] muy por encima de todos los cielos,[s] para dar plenitud[t] a todas las cosas.

11 Y dio algunos como apóstoles,[u] algunos como profetas,[v] algunos como evangelizadores,[w] algunos como pastores y maestros,[x] 12 con miras al reajuste[y] de los santos, para obra ministerial, para la edificación del cuerpo del Cristo,[z] 13 hasta que todos logremos alcanzar la unidad en la fe y en el conocimiento exacto del Hijo de Dios, a un hombre hecho,[a] a la medida de estatura que pertenece a la plenitud del Cristo;[b] 14 a fin de que ya no seamos pequeñuelos, aventados[c] como por olas y llevados de aquí para allá por todo viento de enseñanza[d] por medio de las tretas[e] de los hombres, por medio de astucia en tramar el error. 15 Antes bien, hablando la verdad,[f] por el amor crezcamos[g] en todas las cosas en aquel que es la cabeza,[h] Cristo.

16 De él todo el cuerpo,[a] por estar unido armoniosamente y hacérsele cooperar mediante toda coyuntura que da lo que se necesita, conforme al funcionamiento de cada miembro respectivo en la medida debida, contribuye al crecimiento del cuerpo para la edificación de sí mismo en amor.[b]

17 Esto, por lo tanto, digo, y de ello doy testimonio en [el] Señor: que ya no sigan ustedes andando tal como las naciones[c] también andan en la inutilidad de su mente,[d] 18 mientras mentalmente se hallan en oscuridad,[e] y alejadas[f] de la vida que pertenece a Dios, a causa de la ignorancia[g] que hay en ellas, a causa de la insensibilidad[h] de su corazón. 19 Habiendo llegado a estar más allá de todo sentido moral,[i] se entregaron a la conducta relajada[j] para obrar toda clase de inmundicia[k] con avidez.[l]

20 Pero ustedes no aprendieron que el Cristo sea así,[m] 21 si es que, realmente, lo oyeron y se les enseñó por medio de él,[n] tal como [la] verdad[o] está en Jesús, 22 que ustedes deben desechar la vieja personalidad[p] que se conforma a su manera de proceder anterior y que va corrompiéndose[q] conforme a sus deseos engañosos;[r] 23 pero que deben ser hechos nuevos en la fuerza que impulsa su mente,[s] 24 y deben vestirse[t] de la nueva personalidad[u] que fue creada[v] conforme a la voluntad de Dios en verdadera justicia[w] y lealtad.

25 Por lo cual, ahora que han desechado la falsedad,[x] hable verdad cada uno de ustedes con su prójimo,[y] porque somos miembros que nos pertenecemos unos a otros.[z] 26 Están airados, y, no obstante, no

CAP. 4

a Ro 8:30
b Mt 11:29
  Hch 20:19
  Ro 12:3
  Flp 2:3
  1Pe 5:5
c 2Co 6:6
  1Te 5:14
d 1Co 13:4
e Ro 15:6
  1Co 1:10
  Flp 1:27
  Col 3:15
f Ro 12:5
  Ef 2:16
g 1Co 12:4
h 1Pe 1:3
i 1Co 8:6
  1Co 12:5
j 2Co 4:13
k Mt 28:19
l 1Co 8:6
  1Co 12:6
m Ro 12:3
n Ro 12:6
  1Co 12:11
  2Co 9:15
o Sl 68:18
  1Co 12:28
  Ef 4:11
p Jn 3:13
  Hch 2:31
q Mt 12:40
r Hch 1:9
  1Ti 3:16
s Heb 4:14
  Heb 9:24
t Col 1:19
u 1Co 12:28
v Hch 21:8
x Hch 13:1
  Snt 3:1
y 1Co 12:7
z 1Co 14:26
  1Co 14:20
b Col 1:28
  Heb 6:19
  Snt 1:6
d Col 2:18
  Heb 13:9
  1Pe 2:1
e 2Co 11:13
f Jn 3:18
g Snt 1:4
h 1Co 11:3
  Col 1:18

2.ª col.

a 1Co 12:27
b Col 2:19
c 1Pe 4:3
d Ro 1:21
e Hch 26:18
f Gál 4:8
  Ef 2:12
  Col 1:21
g Hch 17:30
h Ro 11:25
i Ro 1:28
j 1Co 12:21
  Gál 5:19
  Jud 4
k Ro 1:26
l Isa 56:11
m 1Te 4:4
  Heb 7:26
n 1Te 4:1
o Jn 1:14
p Ro 6:6
  Col 3:9

q Ro 8:13; r Ro 7:23; s Sl 51:10; Eze 11:19; Eze 18:31; Ro 12:2; t Gál 3:27; u Col 3:10; v Ef 2:10; w Sl 45:7; Ro 1:17; x Hch 5:2; Col 3:8; y Zac 8:16; Col 3:9; Rev 21:8; z Ro 12:5.

pequen;[a] que no se ponga el sol estando ustedes en estado provocado,[b] **27** ni dejen lugar para el Diablo.[c] **28** El que hurta, ya no hurte más,[d] sino, más bien, que haga trabajo duro, haciendo con las manos lo que sea buen trabajo,[e] para que tenga algo que distribuir a alguien que tenga necesidad.[f] **29** No proceda de la boca de ustedes ningún dicho corrompido,[g] sino todo dicho que sea bueno para edificación según haya necesidad, para que imparta lo que sea favorable a los oyentes.[h] **30** También, no estén contristando el espíritu santo de Dios,[i] con el cual han sido sellados[j] para un día de liberación por rescate.[k]

31 Que se quiten toda amargura maliciosa[l] y cólera e ira y gritería y habla injuriosa,[m] junto con toda maldad.[n] **32** Más bien háganse bondadosos[o] unos con otros, tiernamente compasivos,[p] y perdónense liberalmente unos a otros, así como Dios también por Cristo liberalmente los perdonó a ustedes.[q]

5 Por lo tanto, háganse imitadores de Dios,[r] como hijos amados, **2** y sigan andando en amor,[s] así como el Cristo también los amó a ustedes[t] y se entregó por ustedes como ofrenda[u] y sacrificio a Dios para olor fragante.[v]

3 Que la fornicación[w] y la inmundicia de toda clase, o la avidez,[x] ni siquiera se mencionen entre ustedes,[y] tal como es propio de personas santas;[z] **4** tampoco comportamiento vergonzoso,[a] ni habla necia, ni bromear obsceno,[b] cosas que no son decorosas, sino, más bien, el dar gracias.[c] **5** Porque saben esto, y ustedes mismos lo reconocen: que ningún fornicador,[d] ni inmundo, ni persona dominada por la avidez[e] —lo que significa ser idólatra— tiene herencia

alguna en el reino del Cristo y de Dios.[a]

6 Que nadie los engañe con palabras vacías,[b] porque a causa de las cosas susodichas viene la ira de Dios sobre los hijos de la desobediencia.[c] **7** Por lo tanto, no se hagan participantes con ellos;[d] **8** porque en un tiempo ustedes eran oscuridad,[e] pero ahora son luz[f] en relación con [el] Señor. Sigan andando como hijos de la luz, **9** porque el fruto de la luz consiste en toda clase de bondad y justicia y verdad.[g] **10** Sigan asegurándose de lo que es acepto[h] al Señor; **11** y cesen de participar[i] con [ellos] en las obras infructíferas que pertenecen a la oscuridad,[j] sino, más bien, hasta censúren[las],[k] **12** porque hasta contar las cosas efectuadas por ellos en secreto es vergonzoso,[l] **13** Ahora bien, todas las cosas que reciben censura[m] son puestas de manifiesto por la luz, porque todo lo que se pone de manifiesto[n] es luz. **14** Por lo cual él dice: "Despierta,[o] tú que duermes, y levántate de entre los muertos,[p] y el Cristo resplandecerá[q] sobre ti".

15 Así es que vigilen cuidadosamente que su manera de andar[r] no sea como imprudentes, sino como sabios, **16** comprándose todo el tiempo oportuno[s] que queda, porque los días son inicuos.[t] **17** Por esta razón dejen de estar haciéndose irrazonables, sino sigan percibiendo[u] cuál es la voluntad[v] de Jehová. **18** También, no anden emborrachándose[w] con vino, en lo cual hay disolución,[x] sino sigan llenándose de espíritu,[y] **19** hablándose a sí mismos con salmos[z] y alabanzas[a] a Dios y canciones espirituales, cantan-

---

CAP. 4

a Sl 4:4
b Le 19:17
  Col 3:13
  1Pe 4:8
c Snt 4:7
d Dt 5:19
e 1Te 4:11
  2Te 3:10
f Heb 20:35
g Mt 15:11
  Snt 3:10
h Col 4:6
i Isa 63:10
  2Co 6:1
  1Te 5:19
j Ef 1:13
k Ro 8:23
l Snt 3:14
m Col 3:8
n Tit 3:2
o Miq 6:8
  2Co 6:6
p Col 3:12
  1Pe 3:8
q Mt 6:14
  Mt 18:35
  Mr 11:25
  2Co 2:10

CAP. 5

r Mt 5:48
  Lu 6:36
s 1Co 16:14
t Jn 13:34
  1Jn 3:23
u Gál 2:20
  Heb 10:10
v Éx 29:18
  2Co 2:15
w 2Co 12:21
x 1Co 5:11
y Col 3:5
z 1Te 4:3
a Ro 1:28
b Ro 1:27
  Col 3:8
c 1Te 5:18
d Heb 13:23
  Gál 5:19
e 1Ti 3:8
  Tit 1:7

2.ª col.

a 1Co 6:9
  Gál 5:21
b Col 2:4
  Col 2:8
c Ef 2:2
d 2Co 6:14
e Hch 26:18
  1Pe 2:9
f Mt 5:16
  Jn 12:36
  1Jn 2:9
g Gál 5:22
h Ro 12:2
  Flp 1:10
i Isa 52:11
  Ro 16:17
  2Ti 3:5
j Ro 13:12
k Pr 28:23
  1Ti 5:20
  Tit 1:9
  Tit 1:13
  Rev 3:19
l Ro 1:26
m Jn 3:20
n 1Co 4:5

o Isa 26:19; Ro 13:11; p Ef 2:5; Col 2:13; q Jn 8:12; 2Ti 1:10; r Mt 10:16; 1Ti 4:8; 2Ti 2:22; s Col 4:5; t 2Ti 3:1; u Sl 143:10; Pr 2:5; Jn 7:17; v Ro 12:2; 1Te 4:3; 1Te 5:18; 1Pe 4:2; w Isa 5:11; x Hab 2:15; y Hch 2:4; z Snt 5:13; a Hch 16:25.

do[a] y acompañándose con música[b] en el corazón a Jehová, 20 dando gracias[c] siempre por todas las cosas a nuestro Dios y Padre en el nombre de nuestro Señor Jesucristo.

21 Estén en sujeción los unos a los otros[d] en temor de Cristo. 22 Que las esposas estén en sujeción[e] a sus esposos como al Señor, 23 porque el esposo es cabeza de su esposa[f] como el Cristo también es cabeza de la congregación,[g] siendo él el salvador de [este] cuerpo. 24 De hecho, como la congregación está en sujeción al Cristo, así también lo estén las esposas a sus esposos en todo.[h] 25 Esposos, continúen amando a sus esposas,[i] tal como el Cristo también amó a la congregación y se entregó por ella,[j] 26 para santificarla,[k] limpiándola con el baño de agua por medio de la palabra,[l] 27 para presentarse él a sí mismo la congregación en su esplendor,[m] sin que tenga mancha, ni arruga, ni ninguna de tales cosas, sino que sea santa y sin tacha.[n]

28 De esta manera los esposos deben estar amando a sus esposas como a sus propios cuerpos. El que ama a su esposa, a sí mismo se ama, 29 porque nadie jamás ha odiado a su propia carne; antes bien, la alimenta y la acaricia,[o] como también el Cristo hace con la congregación, 30 porque somos miembros de su cuerpo.[p] 31 "Por esta razón el hombre dejará a [su] padre y a [su] madre y se adherirá a su esposa, y los dos llegarán a ser una sola carne."[q] 32 Este secreto sagrado[r] es grande. Ahora bien, yo estoy hablando tocante a Cristo y la congregación.[s] 33 Sin embargo, también, que cada uno de ustedes individualmente ame a su esposa[t] tal como se ama a sí mismo; por otra parte, la esposa debe tenerle profundo respeto[u] a su esposo.

6 Hijos, sean obedientes a sus padres[a] en unión[b] con [el] Señor, porque esto es justo:[c] 2 "Honra a tu padre y a [tu] madre";[d] que es el primer mandato con promesa:[e] 3 "Para que te vaya bien y dures largo tiempo sobre la tierra".[f] 4 Y ustedes, padres, no sean irritando a sus hijos,[g] sino sigan criándolos[h] en la disciplina[i] y regulación mental[j] de Jehová.

5 Ustedes, esclavos, sean obedientes a los que son [sus] amos en sentido carnal,[k] con temor y temblor[l] en la sinceridad de su corazón, como al Cristo, 6 no a modo de servir al ojo, como quienes procuran agradar a los hombres,[m] sino como esclavos de Cristo, haciendo de toda alma[n] la voluntad de Dios. 7 Sean esclavos con buenas inclinaciones, como a Jehová,[o] y no a los hombres, 8 porque ustedes saben que cada uno, cualquier bien que haga, recibirá eso de vuelta de Jehová,[p] sea esclavo o sea libre.[q] 9 También, ustedes, amos, sigan haciéndoles las mismas cosas a ellos, y dejen de usar amenazas,[r] porque ustedes saben que el Amo tanto de ellos como de ustedes[s] está en los cielos, y con él no hay parcialidad.[t]

10 Finalmente, sigan adquiriendo poder[u] en [el] Señor y en la potencia[v] de su fuerza. 11 Pónganse la armadura completa[w] que proviene de Dios para que puedan estar firmes contra las maquinaciones[x] del Diablo; 12 porque tenemos una lucha,[y] no contra sangre y carne, sino contra los gobiernos,[z] contra las autoridades,[a] contra los gobernantes mundiales[b] de esta oscuridad, contra las fuerzas espirituales inicuas[c] en los lugares celestiales. 13 Por esta causa tomen la armadura completa que proviene de Dios,[d] para que

CAP. 5

a 1Co 14:15
b Sl 33:2
c Col 3:17
1Te 5:18
d Flp 2:3
1Pe 5:5
e Col 3:18
Tit 2:5
1Pe 3:1
f Ro 7:2
g 1Co 11:3
h 1Co 14:34
i 1Pe 3:7
j Hch 20:28
k Heb 13:12
l Jn 17:17
m Sl 45:13
Tit 2:14
n 2Co 11:2
Ef 1:4
Col 1:22
Heb 10:22
Rev 21:27
o 1Co 7:33
p Ro 12:5
1Co 6:15
Ef 1:23
q Ge 2:24
Mt 19:5
1Co 6:16
r Ef 1:9
Ef 3:4
Col 1:26
s Ef 3:6
Heb 12:23
Col 3:19
u 1Pe 3:6

2.ª col.

CAP. 6

a Pr 1:8
Pr 6:20
Pr 23:22
Col 3:20
b Jn 17:21
c Flp 3:12
d Pr 23:22
Mt 15:4
e Éx 20:12
Pr 20:20
f Dt 5:16
g Col 3:21
h Pr 22:6
i Pr 3:11
Pr 13:24
Pr 19:18
2Ti 3:16
j Dt 4:9
Dt 6:7
Dt 6:20
Pr 2:2
Isa 50:5
k 1Ti 6:1
Pr 2:18
l Flp 2:12
m Col 3:22
n Lu 10:27
o 1Co 10:31
p Sl 24:5
Col 3:24
q Gál 3:28
r Le 25:43
s 1Co 7:22
Ecl 19:7
u Ef 3:16
v 1Co 16:13
w Ro 13:12

x Lu 4:13; 2Co 10:5; y 2Ti 4:7; z Ro 8:38; a Da 2:38; b Da 2:39; c Da 10:13; Hch 17:22; 2Pe 2:4; Rev 16:14; d 2Co 6:7.

puedan resistir en el día inicuo y, después de haber hecho todas las cosas cabalmente, estar firmes.[a]

14 Estén firmes, por lo tanto, teniendo los lomos ceñidos[b] con la verdad,[c] y teniendo puesta la coraza de la justicia,[d] 15 y teniendo calzados los pies[e] con el equipo de las buenas nuevas de la paz.[f] 16 Sobre todo, tomen el escudo grande de la fe,[g] con el cual podrán apagar todos los proyectiles encendidos del inicuo.[h] 17 También, acepten el yelmo[i] de la salvación, y la espada[j] del espíritu,[k] es decir, la palabra de Dios,[l] 18 mientras que, con toda forma de oración[m] y ruego, se ocupan en orar en toda ocasión en espíritu.[n] Y, con ese fin, manténganse despiertos con toda constancia y con ruego a favor de todos los santos, 19 también por mí, para que se me dé capacidad para hablar[o] al

abrir la boca, que con franqueza de expresión[a] dé a conocer el secreto sagrado de las buenas nuevas,[b] 20 para las cuales actúo como embajador[c] en cadenas; para que hable con relación a ellas con denuedo, como debo hablar.[d]

21 Ahora bien, para que ustedes también sepan de mis asuntos, en cuanto a cómo me va, Tíquico,[e] un hermano amado y ministro fiel en [el] Señor, les hará saber todo.[f] 22 Lo envío a ustedes con este mismo propósito, para que sepan de las cosas que tienen que ver con nosotros y para que él consuele sus corazones.[g]

23 Que los hermanos tengan paz y amor con fe procedentes de Dios el Padre y del Señor Jesucristo. 24 Que la bondad inmerecida[h] esté con todos los que aman a nuestro Señor Jesucristo en incorrupción.

CAP. 6
a Col 2:7
b 1Sa 25:13
Isa 11:5
c Ef 5:9
d Pr 4:23
Isa 59:17
e Isa 52:7
f Hch 10:36
Ro 10:15
g 1Jn 5:4
h 1Pe 5:9
i Isa 59:17
1Te 5:8
j Isa 49:2
k Jn 6:63
l Heb 4:12
m Col 4:2
n Mt 6:6
Jud 20
o Hch 4:29

2.ª col.
a 2Co 3:12
1Ti 3:13
Heb 3:6
b Col 1:23
Col 4:3
c 2Co 5:20
d Col 4:4
e 2Ti 4:12
Tit 3:12
f Col 4:7
g Col 4:8
h Col 5:18

A LOS

FILIPENSES

1 Pablo y Timoteo, esclavos[a] de Cristo Jesús, a todos los santos en unión con Cristo Jesús que están en Filipos,[b] juntamente con los superintendentes y siervos ministeriales:[c]

2 Que tengan bondad inmerecida y paz de parte de Dios nuestro Padre y de[l] Señor Jesucristo.[d]

3 Siempre doy gracias a mi Dios cada vez que me acuerdo de ustedes[e] 4 en todo ruego mío por todos ustedes,[f] mientras ofrezco mi ruego con gozo, 5 por causa de la contribución[g] que ustedes han hecho a las buenas nuevas desde el primer día hasta este momento. 6 Porque confío en esto mismo: que el que comenzó una buena obra en us-

CAP. 1
a 1Co 7:22
b Hch 16:12
c 1Ti 3:1
1Ti 3:8
d Ef 1:2
e Ro 1:8
f 1Te 1:2
g Flp 1:27

2.ª col.
a Flp 2:13
b 1Co 1:8
c 2Co 3:2
d Flp 4:14
e Ef 3:1
Flp 1:13
Col 4:18
2Ti 1:8
Flm 13
f Hch 24:10
Hch 24:14
Flp 1:16
g Hch 25:11
h Col 3:12
i 1Te 3:12
j Jn 17:3
2Pe 3:18

tedes la efectuará cumplidamente[a] hasta el día[b] de Jesucristo. 7 Es del todo correcto que yo piense esto respecto a todos ustedes, por cuanto los tengo en mi corazón,[c] ya que todos ustedes son partícipes[d] conmigo en la bondad inmerecida, tanto en mis cadenas [de prisión][e] como en defender[f] y establecer legalmente[g] las buenas nuevas.

8 Porque Dios es mi testigo de cómo siento anhelo por todos ustedes en tierno cariño[h] como el de Cristo Jesús. 9 Y esto es lo que continúo orando: que el amor de ustedes abunde[i] todavía más y más con conocimiento exacto[j] y pleno discernimiento;[k] 10 para que se aseguren de las

k 1Co 10:15; Heb 5:14.

cosas más importantes,[a] para que estén exentos de defectos[b] y no hagan tropezar[c] a otros hasta el día de Cristo, 11 y estén llenos de fruto justo,[d] que es mediante Jesucristo, para la gloria y alabanza de Dios.[e]

12 Ahora bien, deseo que sepan, hermanos, que mis asuntos han resultado para el adelantamiento de las buenas nuevas[f] más bien que de lo contrario, 13 de modo que mis cadenas[g] se han hecho públicas[h] en asociación con Cristo entre toda la guardia pretoriana y entre todos los demás;[i] 14 y la mayoría de los hermanos en [el] Señor, sintiendo confianza a causa de mis cadenas [de prisión], están mostrando tanto más ánimo para hablar sin temor la palabra de Dios.[j]

15 Es cierto que algunos están predicando al Cristo por envidia y rivalidad,[k] pero otros también por buena voluntad.[l] 16 Estos están dando publicidad al Cristo debido a amor, porque saben que estoy puesto aquí para la defensa[m] de las buenas nuevas; 17 pero aquellos lo hacen debido a un espíritu de contradicción,[n] no con motivo puro, pues se figuran que suscitan tribulación[o] [para mí] en mis cadenas [de prisión]. 18 ¿Qué, pues? [Nada,] salvo que de toda forma, sea por pretexto[p] o sea por verdad, se está dando publicidad a Cristo,[q] y en esto me regocijo. De hecho, también seguiré regocijándome, 19 porque sé que esto resultará en mi salvación mediante el ruego de ustedes[r] y un suministro del espíritu de Jesucristo,[s] 20 en armonía con mi expectación anhelante[t] y esperanza[u] de que no esté avergonzado[v] en ningún sentido, sino que con toda franqueza de expresión,[w] Cristo, como siempre antes, así ahora será engrandecido por medio de mi cuerpo,[x] sea mediante vida o sea mediante muerte.[y]

21 Porque en mi caso el vivir es Cristo,[a] y el morir,[b] ganancia. 22 Ahora bien, si ha de ser el seguir viviendo en la carne, esto es fruto de mi trabajo[c]... y, con todo, qué cosa seleccionar no la doy a conocer. 23 Estas dos cosas[d] me tienen en premura; pero lo que sí deseo es la liberación y el estar con Cristo,[e] porque esto, de seguro, es mucho mejor.[f] 24 Sin embargo, el que yo permanezca en la carne es más necesario por causa de ustedes.[g] 25 Así es que, confiando en esto, sé que permaneceré[h] y continuaré con todos ustedes para su adelantamiento[i] y el gozo que pertenece a [su] fe, 26 para que su alborozo se desborde en Cristo Jesús por causa de mí mediante mi presencia de nuevo con ustedes.

27 Solamente pórtense de una manera digna[j] de las buenas nuevas acerca del Cristo, a fin de que, sea que yo vaya y los vea, o esté ausente, oiga de las cosas que tienen que ver con ustedes, que están firmes en un mismo espíritu, esforzándose lado a lado con una misma alma[k] por la fe de las buenas nuevas, 28 y en ningún sentido atemorizados por sus contrarios.[l] Esto mismo es prueba de destrucción para ellos, pero de salvación para ustedes;[m] y esta [indicación] proviene de Dios, 29 porque a ustedes se dio el privilegio a favor de Cristo, no solo de poner su fe[n] en él, sino también de sufrir[o] a favor de él. 30 Porque tienen la misma lucha que vieron en mi caso[p] y de que ahora oyen en mi caso.[q]

2 Si hay, pues, algún estímulo en Cristo,[r] si alguna consolación de amor, si alguna participación de espíritu,[s] si algunos tiernos cariños[t] y compasiones, 2 hagan pleno mi gozo por ser ustedes de la misma mente[u] y tener el mismo amor, estando unidos en alma, teniendo pre-

---

CAP. 1

a Ro 12:2
Ef 5:10
b Flp 2:15
c Ro 14:13
Ro 14:21
d Jn 15:5
Snt 3:18
e Ef 1:14
f Flp 1:14
g Ef 3:1
h Hch 28:31
i Flp 4:22
j 2Ti 2:9
k Mt 7:22
2Co 12:20
l 1Co 9:17
1Co 13:2
m Flp 1:7
n Snt 3:14
o 2Co 11:28
p Gál 2:4
q Lu 9:50
r 2Co 1:11
s Jn 15:26
1Pe 1:11
t Ro 8:19
u Ro 5:5
v Sl 119:46
Ro 1:16
2Ti 1:8
w Ef 6:20
x 2Co 4:10
Col 1:24
y Ro 14:8
1Pe 4:16

2.ᵃcol.

a Gál 2:20
Gál 6:14
b 1Te 4:14
2Ti 4:8
Rev 14:13
c Jn 15:16
d 2Co 5:6
e 2Co 5:8
f 1Co 15:42
2Co 5:8
g Hch 9:15
Ro 20:29
h Flm 22
i Ro 1:11
Ef 4:12
1Ti 4:15
j Ef 4:1
Col 1:10
k Hch 4:32
Ro 15:6
1Co 1:10
Ef 4:3
l 1Co 16:9
m Lu 21:19
2Te 1:5
n Ef 2:8
o Hch 5:41
Ro 5:3
p Hch 16:22
1Te 2:2
2Ti 3:12
q Col 1:24

CAP. 2

r Ro 1:12
s 2Co 13:14
t Flp 1:8
Col 3:12
1Pe 1:22
u Ro 15:5
2Co 13:11
1Pe 3:8

sente el mismo pensamiento,[a] 3 no haciendo nada movidos por espíritu de contradicción[b] ni por egotismo,[c] sino considerando con humildad mental que los demás son superiores[d] a ustedes, 4 no vigilando con interés personal solo sus propios asuntos,[e] sino también con interés personal los de los demás.[f]

5 Mantengan en ustedes esta actitud mental que también hubo en Cristo Jesús,[g] 6 quien, aunque existía en la forma de Dios,[h] no dio consideración a una usurpación, a saber, el que debiera ser igual a Dios.[i] 7 No; antes bien, se despojó a sí mismo y tomó la forma de un esclavo[j] y llegó a estar en la semejanza de los hombres.[k] 8 Más que eso, al hallarse a manera de hombre,[l] se humilló y se hizo obediente hasta la muerte,[m] sí, muerte en un madero de tormento.[n] 9 Por esta misma razón, también, Dios lo ensalzó a un puesto superior[o] y bondadosamente le dio el nombre que está por encima de todo [otro] nombre,[o] 10 para que en el nombre de Jesús se doble toda rodilla de los [que están] en el cielo y de los [que están] sobre la tierra y de los [que están] debajo del suelo,[q] 11 y reconozca abiertamente toda lengua[r] que Jesucristo es Señor[s] para la gloria de Dios el Padre.[t]

12 Por consiguiente, amados míos, tal como siempre han obedecido,[u] no durante mi presencia solamente, sino ahora con mucha más prontitud durante mi ausencia, sigan obrando su propia salvación con temor[v] y temblor; 13 porque Dios es el que, por causa de [su] beneplácito, está actuando en ustedes[w] a fin de que haya en ustedes tanto el querer como el actuar.[x] 14 Sigan haciendo todas las cosas libres de murmuraciones[y] y discusiones,[z] 15 para que resulten sin culpa[a] e inocentes, hi-

jos[a] de Dios sin tacha en medio de una generación torcida y aviesa,[b] entre los cuales ustedes resplandecen como iluminadores en el mundo,[c] 16 teniendo la palabra de vida asida con fuerza,[d] para que yo tenga causa para alborozarme en el día de Cristo:[e] que no corrí en vano, ni trabajé duro en vano.[f] 17 No obstante, aun si yo estoy siendo derramado como libación[g] sobre el sacrificio[h] y servicio público a los cuales los ha conducido la fe,[i] me alegro y me regocijo[j] con todos ustedes. 18 Ahora, de la misma manera, ustedes mismos también alégrense y regocíjense conmigo.[k]

19 Por mi parte, espero en el Señor Jesús enviarles dentro de poco a Timoteo, para que yo sea un alma alegre[l] cuando llegue a saber de las cosas que tienen que ver con ustedes. 20 Porque no tengo a ningún otro de disposición como la de él, que genuinamente cuide[m] de las cosas que tienen que ver con ustedes. 21 Porque todos los demás buscan sus propios intereses,[n] no los de Cristo Jesús. 22 Pero ustedes saben la prueba que él dio de sí mismo, que, cual hijo[o] con su padre, sirvió como esclavo conmigo en el adelanto de las buenas nuevas. 23 Este, por lo tanto, es el hombre que espero enviar tan pronto como yo vea cómo están las cosas que tienen que ver conmigo. 24 En verdad, con confianza en [el] Señor yo mismo espero también ir dentro de poco.[p]

25 Sin embargo, considero necesario enviarles a Epafrodito,[q] mi hermano y colaborador[r] y compañero de armas,[s] pero enviado y siervo personal de ustedes para mi necesidad, 26 puesto que él anhela verlos a todos y se siente abatido porque

---

CAP. 2

a 1Co 1:10
b 2Co 12:20
  Flp 1:15
  Flp 1:17
  Snt 3:14
c Gál 5:26
d Mt 23:11
  Ef 4:2
  Ef 5:21
e Ro 12:10
  1Co 10:33
  1Co 13:5
f 1Co 10:24
g Mt 11:29
  Jn 13:15
h Col 1:15
  Heb 1:3
i Jn 14:28
j Isa 53:3
k Jn 1:14
  Ro 1:3
l Heb 2:9
  Heb 10:5
m Isa 50:5
  Jn 10:17
  Heb 5:8
n Dt 21:23
  Gál 3:13
o Isa 52:13
  Hch 2:33
  Ef 1:21
p Hch 4:12
q Jn 5:23
r Ro 10:9
s Hch 2:36
t Sl 22:27
u Ro 16:19
v 2Co 7:15
  Heb 12:28
w Jer 31:33
  2Co 3:5
  Heb 13:21
x 2Cr 30:12
  1Te 4:8
y 1Co 10:10
  1Pe 4:9
z 1Ti 2:8
a 1Co 1:8
  Ef 5:27

2.ª col.

a Ro 8:16
  Ef 5:1
b Dt 32:5
  Mt 17:17
  1Pe 2:12
c Mt 5:14
  Ef 5:8
  1Pe 2:9
d Jn 6:68
  Heb 4:12
e 2Co 1:14
  1Te 2:19
f Isa 49:4
  Gál 2:2
  1Te 3:5
g Éx 29:40
  2Ti 4:6
h Heb 13:15
  1Pe 2:5
i 2Co 12:15
j Flp 1:18
k Flp 3:1
  1Pe 25:25
  2Co 7:7
m 1Co 4:17
  1Co 16:10
n 1Co 10:24
  Gál 4:17
  2Ti 4:10

o 1Co 4:17; 2Ti 1:2; p Flp 1:25; Flm 22; q Flp 4:18; r 2Co 8:23; s Flm 2.

ustedes oyeron que él había enfermado. 27 Sí, en verdad estuvo enfermo casi a punto de morir; pero Dios tuvo misericordia[a] de él; de hecho, no solo de él, sino también de mí, para que yo no tuviera desconsuelo sobre desconsuelo. 28 Por lo tanto lo envío con mayor presteza, para que al verlo se regocijen de nuevo y yo quede más libre de desconsuelo. 29 Por lo tanto, denle la acostumbrada acogida[b] en [el] Señor con todo gozo; y sigan teniendo aprecio a hombres de esa clase,[c] 30 porque a causa de la obra del Señor llegó a estar muy próximo a la muerte, al exponer su alma al peligro,[d] para compensar de lleno la ausencia de ustedes aquí para prestarme servicio personal.[e]

3 Finalmente, hermanos míos, continúen regocijándose en [el] Señor.[f] El escribirles las mismas cosas no se me hace molesto, pero les sirve de seguridad a ustedes.

2 Cuídense de los perros,[g] cuídense de los obradores de perjuicio, cuídense de los que mutilan la carne.[h] 3 Porque nosotros somos los que tenemos la circuncisión verdadera,[i] los que estamos rindiendo servicio sagrado por el espíritu de Dios[j] y tenemos nuestra jactancia en Cristo Jesús[k] y no tenemos nuestra confianza en la carne,[l] 4 aunque yo, si acaso hay alguno, ciertamente tengo base para confianza también en la carne.

Si algún otro cree que tiene base para confianza en la carne, yo con más razón:[m] 5 circuncidado al octavo día,[n] de la estirpe de Israel, de la tribu de Benjamín,[o] hebreo [nacido] de hebreos;[p] respecto a ley, fariseo;[q] 6 respecto a celo, perseguidor de la congregación;[r] respecto a la justicia que es por medio de ley, uno que se probó exento de culpa. 7 No obstante, cuantas cosas eran para mí

ganancias, estas las he considerado pérdida a causa del Cristo.[a] 8 Pues, en cuanto a eso, de veras sí considero también que todas las cosas son pérdida a causa del sobresaliente valor del conocimiento de Cristo Jesús mi Señor.[b] Por motivo de él he sufrido la pérdida de todas las cosas y las considero como un montón de basura,[c] a fin de ganar a Cristo 9 y ser hallado en unión con él, teniendo, no mi propia justicia, que resulta de la ley,[d] sino la que es mediante fe[e] en Cristo, la justicia que proviene de Dios sobre la base de la fe,[f] 10 a fin de conocerlo a él y el poder de su resurrección[g] y una participación en sus sufrimientos,[h] sometiéndome a una muerte como la de él,[i] 11 [para ver] si de algún modo puedo alcanzar la resurrección más temprana[j] de entre los muertos.

12 No que lo haya recibido ya, ni que ya haya sido perfeccionado,[k] sino que prosigo[l] para ver si también puedo asir[m] aquello para lo cual yo también he sido asido[n] por Cristo Jesús. 13 Hermanos, todavía no me considero como si [lo] hubiera asido; pero hay una cosa en cuanto a ello: Olvidando las cosas que quedan atrás,[o] y extendiéndome hacia adelante a las cosas más allá,[p] 14 prosigo hacia la meta[q] para el premio[r] de la llamada hacia arriba[s] por Dios mediante Cristo Jesús. 15 Nosotros, pues, cuantos somos maduros,[t] seamos de esta actitud mental;[u] y si ustedes se inclinan mentalmente de otro modo en sentido alguno, Dios les revelará la [actitud] mencionada. 16 De todos modos, hasta donde hayamos progresado, sigamos andando ordenadamente[v] en esta misma rutina.

17 Unidamente háganse imitadores[w] de mí, hermanos, y fijen los ojos en los que andan de la manera que concuerde con el

CAP. 2
a Sl 30:3
 Sl 34:19
b Col 4:10
c 1Co 16:18
 1Te 5:12
d Hch 20:24
e 1Co 16:17
 Flm 13

CAP. 3
f 2Co 13:11
 Flp 4:4
 1Te 5:16
g Rev 22:15
h Ro 2:28
 Gál 5:2
i Dt 10:16
 Jer 4:4
 Ro 2:29
 Col 2:11
j Hch 2:17
 Ro 8:26
k Gál 6:14
 Heb 9:14
l 2Co 11:18
m 2Co 11:22
n Gé 17:12
 Le 12:3
o Ro 11:1
p 2Co 11:22
q Hch 23:6
 Hch 26:5
r Hch 8:3
 Hch 9:1
 Gál 1:13

2.ª col.
a Mt 13:44
b Ef 4:13
 2Pe 3:18
c 1Co 2:2
d Ro 3:20
 Ro 10:3
e Ro 4:5
 Ro 9:30
 Gál 2:16
f Ro 1:17
 Ro 3:21
g 1Co 15:22
 2Co 13:4
h Ro 8:17
 2Co 4:10
 Col 1:24
i Ro 6:5
j Le 14:14
 1Te 4:16
 Rev 20:6
k Heb 12:23
l Lu 13:24
m 1Ti 6:12
n Hch 9:15
o Lu 9:62
p 1Co 9:24
 1Co 14:20
r 2Ti 4:8
s Ro 8:30
 Heb 3:1
t 1Co 2:6
 1Co 14:20
u Flp 2:5
v 1Co 4:16
 2Te 3:9

ejemplo que ustedes tienen en nosotros.[a] 18 Porque hay muchos —solía mencionarlos frecuentemente, pero ahora los menciono también llorando— que andan como enemigos del madero de tormento del Cristo,[b] 19 y su fin es la destrucción,[c] y su dios es su vientre,[d] y su gloria consiste en su vergüenza,[e] y tienen la mente puesta en las cosas de la tierra.[f] 20 En cuanto a nosotros, nuestra ciudadanía[g] existe en los cielos,[h] lugar de donde también aguardamos con intenso anhelo[i] a un salvador, el Señor Jesucristo,[j] 21 que amoldará de nuevo nuestro cuerpo humillado[k] para que se conforme a su cuerpo glorioso,[l] según la operación[m] del poder que él tiene, hasta para sujetar[n] todas las cosas a sí mismo.

4 Por consiguiente, hermanos míos amados y anhelados, mi gozo y corona,[o] estén firmes[p] de esta manera en [el] Señor, amados.

2 A Evodia exhorto, y a Síntique exhorto, a que sean de la misma mente[q] en [el] Señor. 3 Sí, a ti también te solicito, genuino compañero de yugo,[r] que sigas prestando ayuda a estas [mujeres] que se han esforzado lado a lado conmigo[s] en las buenas nuevas, junto con Clemente así como también con los demás colaboradores míos,[t] cuyos nombres[u] están en el libro de la vida.[v]

4 Siempre regocíjense en [el] Señor.[w] Una vez más diré: ¡Regocíjense![x] 5 Llegue a ser conocido de todos los hombres lo razonables[y] que son ustedes. El Señor está cerca.[z] 6 No se inquieten por cosa alguna,[a] sino que en todo, por oración y ruego[b] junto con acción de gracias, dense a conocer sus peticiones a Dios;[c] 7 y la paz[d] de Dios que supera a todo pensamiento guardará sus corazones[e] y sus

facultades mentales mediante Cristo Jesús.

8 Finalmente, hermanos, cuantas cosas sean verdaderas, cuantas cosas sean de seria consideración, cuantas sean justas, cuantas sean castas,[a] cuantas sean amables, cuantas sean de buena reputación, cualquier virtud que haya y cualquier cosa que haya digna de alabanza, continúen considerando estas cosas.[b] 9 Las cosas que ustedes aprendieron así como también aceptaron y oyeron y vieron relacionadas conmigo, practiquen estas;[c] y el Dios de la paz[d] estará con ustedes.

10 Ciertamente me regocijo en gran manera en [el] Señor de que ya por fin hayan revivificado su pensar a favor de mí,[e] en lo que a la verdad pensaban, pero les faltaba la oportunidad. 11 No es que esté hablando respecto a estar en necesidad, porque he aprendido, en cualesquiera circunstancias que me sea, a ser autosuficiente.[f] 12 Realmente sé estar en escasez [de provisiones],[g] realmente sé tener abundancia. En toda cosa y en toda circunstancia he aprendido el secreto tanto de estar saciado como de tener hambre, tanto de tener abundancia como de padecer necesidad.[h] 13 Para todas las cosas tengo la fuerza en virtud de aquel que me imparte poder.[i]

14 No obstante, ustedes actuaron bien al hacerse partícipes[j] conmigo en mi tribulación.[k] 15 De hecho, ustedes, filipenses, también saben que en [el] comienzo de declarar las buenas nuevas, cuando partí de Macedonia, no hubo ninguna congregación que tomara parte conmigo en el asunto de dar y recibir, sino ustedes solos;[l] 16 porque, hasta en Tesalónica,

CAP. 3
a Flp 4:9
  Tit 2:7
  1Pe 5:3
b Gál 5:11
  Gál 6:12
c 2Co 11:15
  2Pe 2:1
d Ro 16:18
  e Jud 13
f Ro 8:5
  1Co 3:3
  2Ti 3:4
  Snt 3:15
g Ef 2:19
h Jn 18:36
  Ef 2:6
  Col 3:1
i 1Te 1:10
  Heb 9:28
j 1Co 1:7
  Tit 2:13
k 1Co 15:42
  Ro 8:29
  1Co 15:49
m Ef 1:19
n 1Co 15:27
  Heb 2:8

CAP. 4
o 1Te 2:19
p Flp 1:27
q Ro 15:5
  1Co 1:10
  2Co 13:11
  Flp 2:2
  1Pe 3:8
r Mt 11:29
s Lu 8:3
  t Ro 16:3
u Lu 10:20
v Sl 69:28
w Sl 64:10
  Sl 104:34
x Dt 26:11
  Sl 97:12
  Isa 9:3
  1Te 5:16
y Tit 3:2
  Snt 3:17
z Snt 5:8
a Mt 6:25
  Lu 12:22
  1Pe 5:7
b Ro 12:12
  Snt 1:5
c Sl 145:18
  Jn 16:23
d Jn 14:27
  Ro 5:1
e Col 3:15

2.ª col.
a 2Co 11:3
  1Ti 4:12
  1Ti 5:2
  1Pe 3:2
b Gál 5:22
  Col 3:2
c Flp 3:17
  Col 1:23
d Ro 15:33
  1Co 14:33
  Heb 13:20
e 2Co 11:9
f 1Ti 6:6
  Heb 13:5
g 1Co 4:11
  2Co 6:10
h 2Co 11:27

i Isa 12:2; Isa 40:29; Jn 15:5; 2Co 4:7; 2Co 12:9; 2Ti 4:17; j Flp 1:7; k Ef 3:13; Heb 10:33; l 2Co 11:8.

ustedes me enviaron algo una vez y también la segunda vez para mi necesidad. 17 No es que yo busque solícitamente el don,[a] sino que busco solícitamente el fruto[b] que resulta en acreditar más a su cuenta. 18 Sin embargo, tengo todas las cosas en plenitud y tengo abundancia. Estoy lleno, ahora que he recibido de Epafrodito[c] las cosas [enviadas] por ustedes, un olor fragante,[d] un sacrificio acepto, muy agradable a Dios.   19 A su vez, mi Dios[f] suplirá plenamente toda necesidad[g] de ustedes al

CAP. 4
a 1Co 9:11
b Ro 15:28
c Flp 2:25
d Éx 29:18
  Eze 20:41
e Heb 13:15
f Sl 23:1
g Dt 2:7
  2Co 9:8

2.ª col.
a Ro 9:23
  Ef 1:7
b Ro 16:27
  Gál 1:5
c Col 4:18
d 1Te 1:1
e Flp 1:13
f Gál 6:18

alcance de sus riquezas[a] en gloria por medio de Cristo Jesús. 20 Ahora a nuestro Dios y Padre sea la gloria para siempre jamás.[b] Amén.

21 Den mis saludos[c] a todo santo en unión[d] con Cristo Jesús. Los hermanos que están conmigo les envían sus saludos. 22 Todos los santos, pero especialmente los de la casa de César, les envían sus saludos.[e]

23 La bondad inmerecida del Señor Jesucristo [esté] con el espíritu que ustedes [manifiestan].[f]

A LOS

COLOSENSES

1 Pablo, apóstol de Cristo Jesús por la voluntad de Dios,[a] y Timoteo[b] [nuestro] hermano, 2 a los santos y fieles hermanos en unión[c] con Cristo en Colosas:

Que tengan bondad inmerecida y paz de parte de Dios nuestro Padre.[d]

3 Damos gracias[e] a Dios el Padre de nuestro Señor Jesucristo siempre que oramos por ustedes,[f] 4 puesto que oímos de su fe relacionada con Cristo Jesús y del amor que les tienen a todos los santos[g] 5 a causa de la esperanza[h] que está reservada para ustedes en los cielos.[i] De esta [esperanza] oyeron antes por la declaración de la verdad de esas buenas nuevas[j] 6 que se les han presentado, así como ellas están llevando fruto[k] y aumentando[l] en todo el mundo[m] tal como [lo están haciendo] entre ustedes también, desde el día en que oyeron y conocieron con exactitud la bondad inmerecida[n] de Dios en verdad.[o] 7 Eso es lo que ustedes han aprendido de Epafras,[p] nuestro amado coesclavo, que es un fiel ministro del Cristo a favor nues-

CAP. 1
a Ef 1:1
b Col 4:17
c Jn 17:21
d Ro 1:7
  Gál 1:3
e 1Co 1:4
  Flp 1:3
f Ef 1:16
g Ro 15:25
  Flm 5
  Heb 6:10
h Ef 1:18
  2Ti 4:8
  Heb 6:19
i 1Pe 1:4
j Ro 10:17
  Ef 1:13
k Jn 15:16
l Mr 4:8
m Col 1:23
  1Ti 3:16
n Ef 3:2
  Tit 2:11
o 2Pe 1:12
p Col 4:12
  Flm 23

2.ª col.
a 1Pe 1:22
b Ef 1:16
  Snt 5:16
c Flp 1:9
d 1Co 2:7
  Col 2:3
e 2Ti 2:7
  1Jn 5:20
f Ef 4:1
g Miq 4:5
h Ef 2:10
i Ef 1:17
  2Pe 1:2
  2Pe 1:8
j Ef 3:16
k Ro 5:3

tro, 8 que también nos dio a conocer el amor[a] de ustedes en sentido espiritual.

9 Por eso nosotros también, desde el día en que [lo] oímos, no hemos cesado de orar por ustedes[b] y de pedir que se les llene del conocimiento exacto[c] de su voluntad en toda sabiduría[d] y comprensión espiritual,[e] 10 para que anden de una manera digna[f] de Jehová[g] a fin de que [le] agraden plenamente mientras siguen llevando fruto en toda buena obra[h] y aumentando en el conocimiento exacto[i] de Dios, 11 siendo hechos poderosos con todo poder al alcance de la gloriosa potencia de él[j] para que aguanten[k] plenamente y sean sufridos con gozo, 12 dando gracias al Padre que los ha hecho idóneos para participar en la herencia[l] de los santos[m] en la luz.[n] 13 Él nos libró de la autoridad[o] de la oscuridad y nos transfirió[p] al reino[q] del Hijo de su

l Hch 26:18; Ro 8:17; Ef 1:14; m Ef 2:19; n Isa 60:20; o Lu 22:53; Ef 2:2; p Ro 11:24; q Jn 18:36; Heb 1:8.

amor,[a]   14 por medio de quien tenemos nuestra liberación por rescate, el perdón de nuestros pecados.[b]   15 Él es la imagen[c] del Dios invisible,[d] el primogénito[e] de toda la creación;   16 porque por medio de él[f] todas las [otras] cosas fueron creadas en los cielos y sobre la tierra, las cosas visibles y las cosas invisibles, no importa que sean tronos, o señoríos, o gobiernos, o autoridades.[g] Todas las [otras] cosas han sido creadas mediante él[h] y para él.   17 También, él es antes de todas las [otras] cosas[i] y por medio de él se hizo que todas las [otras] cosas existieran,[j] 18 y él es la cabeza del cuerpo, la congregación.[k] Él es el principio, el primogénito de entre los muertos,[l] para que llegara a ser el que es primero[m] en todas las cosas;   19 porque [Dios] tuvo a bien el que toda la plenitud[n] morara en él,   20 y mediante él reconciliar[o] de nuevo consigo mismo todas las [otras] cosas,[p] haciendo la paz[q] mediante la sangre[r] [que derramó] en el madero de tormento,[s] no importa que estas sean las cosas sobre la tierra o las cosas en los cielos.

21 En verdad, a ustedes, que en otro tiempo estaban alejados[t] y eran enemigos porque tenían la mente [puesta] en las obras que eran inicuas,[u]   22 él ahora los ha reconciliado[v] de nuevo por medio del cuerpo carnal de aquel mediante [su] muerte,[w] para presentarlos santos y sin tacha[x] y no expuestos a ninguna acusación[y] delante de él,   23 con tal que, por supuesto, continúen en la fe,[z] establecidos sobre el fundamento,[a] y constantes,[b] y no dejándose mover de la esperanza de esas buenas nuevas que ustedes oyeron,[c] y que se han predicado[d] en toda la creación[e] que está bajo el cielo. De estas [buenas nuevas] yo Pablo llegué a ser ministro.[f]

24 Me regocijo ahora en mis sufrimientos por ustedes,[g] y

yo, a mi vez, lleno lo que falta de las tribulaciones[a] del Cristo en mi carne a favor del cuerpo de él, que es la congregación.[b]   25 Llegué a ser ministro[c] de esta [congregación] de acuerdo con la mayordomía[d] procedente de Dios, que me fue dada en el interés de ustedes, de predicar la palabra de Dios plenamente,   26 el secreto sagrado[e] que fue escondido de los pasados sistemas de cosas[f] y de las generaciones pasadas. Mas ahora ha sido puesto de manifiesto[g] a sus santos,   27 a quienes ha agradado a Dios dar a conocer lo que son las gloriosas riquezas[h] de este secreto sagrado[i] entre las naciones. Es Cristo[j] en unión con ustedes, la esperanza de la gloria [de él].[k]   28 Él es a quien damos publicidad,[l] amonestando a todo hombre y enseñando a todo hombre en toda sabiduría,[m] a fin de que presentemos a todo hombre completo[n] en unión con Cristo.   29 Con ese fin, verdaderamente trabajo duro, esforzándome[o] de acuerdo con la operación[p] de él y que obra en mí con poder.[q]

2 Porque quiero que se den cuenta de cuán grande lucha[r] tengo a favor de ustedes y a favor de los que están en Laodicea[s] y de todos los que no han visto mi rostro en la carne,   2 para que los corazones de ellos sean consolados,[t] a fin de que ellos estén unidos armoniosamente en amor,[u] y con miras a [alcanzar] todas las riquezas de la plena seguridad de [su] entendimiento,[v] con miras a un conocimiento exacto del secreto sagrado de Dios, a saber, Cristo.[w]   3 Cuidadosamente ocultados en él están todos los tesoros de la sabiduría y del conocimiento.[x]   4 Esto lo digo para que nadie los alucine con argumentos persua-

CAP. 1

a Pr 8:30
b Ef 1:7
c Jn 10:30
  Jn 14:9
  2Co 4:4
d Jn 4:24
  1Ti 1:17
e Rev 3:14
f Jn 1:3
g Ef 1:21
h Jn 1:10
  Heb 1:2
i Jn 17:5
j Heb 1:3
k Ef 1:22
l Rev 1:5
  1Co 15:23
n Jn 1:16
  Col 2:3
o 2Co 5:19
p Ef 1:10
q Ef 2:14
r Le 17:11
s Isa 53:10
  Heb 12:2
t Ef 2:12
u 2Co 10:5
v Ro 5:10
  Ef 2:16
w Heb 9:16
x Ef 5:27
  2Pe 3:14
y 1Co 1:8
z Rev 2:10
a 1Co 3:11
  Ef 3:17
b 1Co 15:58
  Heb 3:14
c Ro 10:17
d Mt 24:14
  1Ti 3:16
e Ro 8:19
f 2Co 11:23
  Ef 3:8
  2Ti 1:11
g Ef 3:1
  Flp 3:10

2.ª col.

a Hch 9:16
b 1Co 10:17
  Ef 1:23
c Ef 3:7
d Lu 16:2
  1Co 9:17
  Ef 3:2
e Ef 3:5
  Ef 5:32
f Lu 8:10
  1Co 2:7
g Ro 16:26
  Ro 9:23
  2Co 4:6
  Ef 3:8
i Ef 3:9
j Ef 3:6
  Ef 3:17
k Ro 8:18
  1Ti 1:1
l Hch 20:20
m 1Co 1:30
  Col 3:16
n Ef 4:13
o Lu 13:24
p Ef 3:7
q Flp 4:13

CAP. 2

r Flp 1:30
s Col 4:16

t 2Co 1:6; u Col 3:14; v Ef 3:18; w 1Co 2:1; 1Co 2:7; Ef 3:6; x 1Co 1:30; 1Co 2:16.

sivos.[a] 5 Porque aunque estoy ausente en la carne, sin embargo estoy con ustedes en el espíritu,[b] regocijándome y contemplando su buen orden[c] y la firmeza de su fe[d] para con Cristo.

6 Por lo tanto, como han aceptado a Cristo Jesús el Señor, sigan andando en unión[e] con él, 7 arraigados[f] y siendo edificados[g] en él y siendo estabilizados en la fe,[h] así como se les enseñó, rebosando de [fe] en acción de gracias.[i]

8 Cuidado: quizás haya alguien que se los lleve[j] como presa suya mediante la filosofía[k] y el vano engaño[l] según la tradición de los hombres, según las cosas elementales[m] del mundo y no según Cristo; 9 porque en él mora corporalmente toda la plenitud[n] de la cualidad[o] divina.[p] 10 De modo que ustedes están poseídos de una plenitud por medio de él, que es la cabeza de todo gobierno y autoridad.[q] 11 Por su relación[r] con él también fueron circuncidados[s] con una circuncisión hecha sin manos mediante desnudarse del cuerpo de la carne,[t] por la circuncisión que pertenece al Cristo, 12 porque ustedes fueron enterrados con él en [su] bautismo,[u] y por relación con él también fueron levantados[v] juntos mediante la fe[w] [de ustedes] en la operación[x] de Dios, que lo levantó de entre los muertos.[y]

13 Además, aunque estaban muertos en sus ofensas y en el estado incircunciso de su carne, [Dios] los vivificó junto con él.[z] Bondadosamente nos perdonó todas nuestras ofensas 14 y borró[b] el documento manuscrito[c] contra nosotros, que consistía en decretos[d] y que estaba en oposición a nosotros;[e] y Él lo ha quitado del camino clavándolo[f] al madero de tormento.[g] 15 Desnudando por completo a los gobiernos y a las autoridades,[h] los exhibió a la vista pública como vencidos,[i] y los condujo

en una procesión triunfal[a] mediante ello.

16 Por lo tanto, que nadie los juzgue[b] en el comer y beber,[c] o respecto de una fiesta,[d] o de una observancia de la luna nueva,[e] o de un sábado;[f] 17 porque esas cosas son una sombra[g] de las cosas por venir, pero la realidad[h] pertenece al Cristo.[i] 18 Que no los prive[j] del premio[k] nadie que se deleite en una humildad [ficticia] y en una forma de adoración de los ángeles, "plantándose en" las cosas que ha visto, hinchado sin debida razón por su disposición de ánimo carnal, 19 puesto que no está firmemente adherido a la cabeza,[l] a aquel de quien todo el cuerpo, suministrado y armoniosamente unido[m] por medio de sus coyunturas y ligamentos, sigue creciendo con el crecimiento que Dios da.[n]

20 Si ustedes murieron[o] junto con Cristo para con las cosas elementales[p] del mundo, ¿por qué, como si vivieran en el mundo, se sujetan aún a los decretos:[r] 21 "No toques, ni gustes,[s] ni palpes",[t] 22 respecto a cosas que están destinadas, todas, a la destrucción por el uso, de acuerdo con los mandatos y enseñanzas de los hombres?[u] 23 Esas mismísimas cosas, en verdad, tienen una apariencia de sabiduría en una forma autoimpuesta de adoración y humildad [ficticia], un tratamiento severo del cuerpo;[v] pero no son de valor alguno en combatir la satisfacción de la carne.[w]

3 Sin embargo, si ustedes fueron levantados[x] con el Cristo, sigan buscando las cosas de arriba,[y] donde el Cristo está sentado a la diestra de Dios.[z] 2 Mantengan la mente fija en las cosas

CAP. 2
a Ro 16:18
  Ef 5:6
b Heb 17:16
  1Co 5:3
c 1Co 14:40
  1Co 15:58
  Heb 3:14
  1Pe 5:10
e Jn 17:21
f Ef 3:17
g Ef 2:20
h Mt 31:24
  Jud 20
i Ef 5:20
  1Te 5:18
j Heb 13:9
k 1Co 2:13
  2Pe 1:16
l Ef 5:6
m Gál 4:3
n Ef 1:23
  Col 1:19
o Jn 1:16
  Ro 1:20
p Heb 17:29
q Ef 1:21
  1Pe 3:22
r Mt 5:19
s Dt 10:16
  Ro 2:29
  Flp 3:3
t Ro 6:6
u Ro 6:4
  1Co 15:29
v Ef 2:6
  Col 3:1
w Ef 2:8
x Ef 1:19
y Hch 2:24
z Ef 2:1
  Ef 2:5
  Ef 2:13
a Hch 2:38
b Hch 3:19
c Éx 34:27
  Dt 31:24
  2Re 22:2
d Ef 2:14
  Heb 7:18
d Dt 4:8
e Ro 7:10
  Gál 3:10
f Jn 20:25
g Gál 3:13
  Heb 9:15
  1Pe 2:24
h Ef 6:12
i 1Jn 5:4
  Rev 3:21

2.ª col.

a Sl 68:24
  2Co 2:14
b Ro 14:3
c Ro 14:17
d Ro 14:6
e Sl 81:3
f Gál 4:10
g Éx 25:40
  Heb 8:5
  Heb 10:1
h Jn 14:6
  Heb 9:23
i Heb 9:11
j Ro 16:18
  Ef 5:6
  2Pe 2:14
k Flp 3:14
l Ef 1:22

m Ef 2:21; n Ef 4:16; o Gál 2:20; p Gál 4:3; q Jn 17:16; 1Jn 2:15; r Ef 2:15; Col 2:14; s Le 7:23; t Le 5:2; u Isa 29:13; Mt 15:9; v 1Ti 4:3; w Ro 13:14; CAP. 3 x Ef 2:6; y Mt 6:33; z Sl 110:1; 1Pe 3:22.

de arriba,[a] no en las cosas sobre la tierra.[b] 3 Porque ustedes murieron,[c] y su vida[d] ha sido escondida con el Cristo en unión[e] con Dios. 4 Cuando el Cristo, nuestra vida,[f] sea puesto de manifiesto, entonces ustedes también serán puestos de manifiesto[g] con él en gloria.[h]

5 Amortigüen,[i] por lo tanto, los miembros de su cuerpo[j] que están sobre la tierra en cuanto a fornicación, inmundicia, apetito sexual,[k] deseo perjudicial y codicia,[l] que es idolatría. 6 Por causa de esas cosas viene la ira de Dios.[m] 7 En esas mismísimas cosas ustedes, también, anduvieron en un tiempo cuando vivían en ellas.[n] 8 Pero ahora realmente deséchenlas todas de ustedes:[o] ira, cólera, maldad, habla injuriosa[p] y habla obscena[q] de su boca. 9 No estén mintiéndose unos a otros.[r] Desnúdense de la vieja personalidad[s] con sus prácticas, 10 y vístanse de la nueva[t] [personalidad], que mediante conocimiento exacto va haciéndose nueva según la imagen[u] de Aquel que la ha creado, 11 donde no hay ni griego ni judío, circuncisión ni incircuncisión, extranjero, escita, esclavo, libre,[v] sino que Cristo es todas las cosas y en todos.[w]

12 De consiguiente, como escogidos de Dios,[x] santos y amados, vístanse de los tiernos cariños de la compasión,[y] la bondad, la humildad mental,[z] la apacibilidad[a] y la gran paciencia.[b] 13 Continúen soportándose unos a otros y perdonándose liberalmente unos a otros[c] si alguno tiene causa de queja[d] contra otro. Como Jehová los perdonó liberalmente a ustedes,[e] así también háganlo ustedes. 14 Pero, además de todas estas cosas, [vístanse de] amor,[f] porque es un vínculo perfecto[g] de unión.

15 También, que la paz[h] del Cristo controle en sus corazones,[i] porque, de hecho, ustedes fueron llamados a ella en un solo

cuerpo.[a] Y muéstrense agradecidos. 16 Que la palabra del Cristo resida en ustedes ricamente en toda sabiduría.[b] Sigan enseñándose[c] y amonestándose unos a otros con salmos,[d] alabanzas a Dios, canciones espirituales[e] con gracia, cantando en sus corazones a Jehová.[f] 17 Y cualquier cosa que hagan en palabra o en obra,[g] háganlo todo en el nombre del Señor Jesús,[h] dando gracias[i] a Dios el Padre mediante él.

18 Esposas, estén en sujeción[j] a [sus] esposos, como es decoroso en [el] Señor. 19 Esposos, sigan amando a [sus] esposas[k] y no se encoloricen amargamente con ellas.[l] 20 Hijos, sean obedientes[m] a [sus] padres en todo, porque esto es muy agradable en [el] Señor. 21 Padres, no estén exasperando a sus hijos,[n] para que ellos no se descorazonen. 22 Esclavos, sean obedientes en todo a los que son [sus] amos en sentido carnal,[o] no con actos de servir al ojo, como quienes procuran agradar a los hombres,[p] sino con sinceridad de corazón, con temor de Jehová.[q] 23 Cualquier cosa que estén haciendo, trabajen en ello de toda alma[r] como para Jehová,[s] y no para los hombres, 24 porque ustedes saben que es de Jehová[t] de quien recibirán el debido galardón de la herencia.[u] Sirvan como esclavos al Amo, Cristo.[v] 25 Ciertamente el que haga injusticia recibirá de vuelta[w] lo que haya hecho injustamente, y no hay parcialidad.[x]

4 Amos, sigan dando lo que es justo y lo que es equitativo a [sus] esclavos,[y] sabiendo que también ustedes tienen un Amo en el cielo.[z]

2 Sean perseverantes en la

CAP. 3
a Flp 3:20
Flp 4:8
1Pe 1:13
b Jn 3:31
1Jn 2:15
c Ro 6:2
d Gál 2:20
e Jn 17:21
f Jn 11:25
g 2Ti 4:8
h 1Co 15:43
i Gál 5:24
j Mr 9:43
k 1Co 6:18
Ef 5:3
2Ti 2:22
l Ex 20:17
m Ro 1:18
Ef 5:6
n 1Co 6:11
Ef 2:3
Tit 3:3
o 1Pe 2:1
p Ef 4:31
q Ef 5:4
r Sl 5:6
Sl 34:13
Ef 4:25
Rev 21:8
s Ef 4:22
t Ro 12:2
Ef 4:24
u Gé 1:27
1Pe 1:16
v Gál 3:28
w Ef 1:23
x 1Pe 2:9
y Flp 2:1
z Ro 12:16
a Tit 3:2
1Pe 3:4
b 2Co 6:6
Ef 4:2
1Te 5:14
c Pr 19:11
Ef 4:32
1Pe 4:8
d Mt 18:15
e Jer 31:34
Mt 6:14
Mr 11:25
f Ro 13:10
1Jn 3:23
g 1Co 13:8
h Jn 14:27
i Flp 4:7

2.ª col.
a Ef 2:15
b 1Co 2:7
Col 2:3
c Col 1:28
Tit 2:1
d Dt 31:19
1Co 14:26
e Ef 5:19
f 1Cr 16:23
Sl 30:4
Sl 147:7
g 1Co 10:31
h Ef 5:20
i 1Te 5:18
j Ef 5:22
1Pe 3:1
k Ef 5:25
1Pe 3:7
l Ef 4:31
m Ef 6:1
Lu 2:51
Ef 6:1

---

n Ef 6:4; o Ef 6:5; Tit 2:9; 1Pe 2:18; p Ef 6:6; q Pr 8:13; Pr 22:4; r Lu 10:27; s Sl 9:1; Mt 22:37; Ro 12:11; t Ef 6:8; u Ef 1:14; Heb 9:15; 1Pe 1:4; v 1Co 7:22; Gál 1:10; w Ro 2:6; 1Co 3:8; Gál 6:7; x Dt 10:17; Ro 2:11; 1Pe 1:17; CAP. 4 y Le 25:43; Dt 15:13; z Ef 6:9.

oración,[a] y permanezcan despiertos en ella con acción de gracias,[b] 3 al mismo tiempo orando también por nosotros,[c] para que Dios nos abra una puerta[d] de expresión, para hablar el secreto sagrado[e] acerca del Cristo, por el cual, de hecho, estoy en cadenas de prisión;[f] 4 para que lo ponga de manifiesto como debo hablar.[g]

5 Sigan andando en sabiduría para con los de afuera,[h] comprándose todo el tiempo oportuno[i] que queda. 6 Que su habla siempre sea con gracia,[j] sazonada con sal,[k] para que sepan cómo deben dar una respuesta[l] a cada uno.

7 Todos mis asuntos se los hará saber Tíquico,[m] [mi] amado hermano y fiel ministro y coesclavo en [el] Señor. 8 Con el mismísimo propósito de que sepan de las cosas que tienen que ver con nosotros, y para que él consuele sus corazones,[n] lo envío a ustedes 9 junto con Onésimo,[o] mi fiel y amado hermano, que es de entre ustedes. Todas las cosas de aquí, ellos se las harán saber.

10 Aristarco,[p] mi compañero de cautiverio, les envía sus saludos, y también Marcos[q] el primo de Bernabé (respecto de quien ustedes recibieron mandatos de recibirlo con gusto si alguna vez fuera a ustedes), 11 y Jesús,

que se llama Justo, los cuales son de los circuncisos. Solamente estos son mis colaboradores para el reino de Dios, y estos mismos han venido a ser para mí un socorro fortalecedor. 12 Epafras,[a] que es de entre ustedes, esclavo de Cristo Jesús, les envía sus saludos, y siempre está esforzándose a favor de ustedes en [sus] oraciones, para que al fin estén de pie completos[b] y con firme convicción en toda la voluntad de Dios. 13 Yo verdaderamente doy testimonio de él, que se empeña mucho a favor de ustedes y de los [que están] en Laodicea[c] y de los [que están] en Hierápolis.

14 Lucas[d] el médico amado les envía sus saludos, y también Demas.[e] 15 Den mis saludos a los hermanos [que están] en Laodicea, y a Ninfa y a la congregación [que se reúne] en su casa.[f] 16 Y cuando esta carta haya sido leída entre ustedes, hagan arreglos para que también se lea[g] en la congregación de los laodicenses, y para que ustedes también lean la de Laodicea. 17 También, digan a Arquipo:[h] "Sigue vigilando el ministerio que aceptaste en [el] Señor, que lo cumplas."

18 [Aquí está] mi saludo, de Pablo, de mi propia mano.[i] Continúen teniendo presentes mis cadenas[j] [de prisión]. La bondad inmerecida sea con ustedes.

CAP. 4
a Lu 18:1
  Ro 12:12
  Ef 6:18
b Col 3:15
  1Te 5:18
c Ro 15:30
d 1Co 16:9
e Ef 6:19
f Flp 1:7
g Ef 6:20
h Mt 10:16
  1Te 4:12
  Snt 3:13
i Ef 5:16
j Col 3:16
k Mt 5:13
  Mr 9:50
  1Pe 3:15
m Ef 6:21
n Ef 6:22
o Flm 10
p Hch 19:29
  Hch 20:4
  Hch 27:2
  Flm 24
q Hch 12:12
  Hch 15:37
r Ro 15:7

2.ª col.
a Col 1:7
b 1Co 15:58
  Col 1:23
c Rev 3:14
d Lu 1:3
  Hch 1:1
e Flm 24
f Ro 16:5
  1Co 16:19
g 1Te 5:27
h Flm 2
i 1Co 16:21
  2Te 3:17
j Flp 1:7
  Flm 9
  Heb 13:3

LA PRIMERA A LOS

TESALONICENSES

1 Pablo y Silvano[a] y Timoteo[b] a la congregación de los tesalonicenses en unión[c] con Dios el Padre y [el] Señor Jesucristo: Que tengan ustedes bondad inmerecida y paz.[d]

2 Siempre damos gracias a Dios cuando hacemos mención respecto a todos ustedes en

nuestras oraciones,[a] 3 porque incesantemente tenemos presentes su fiel obra[b] y [su] amorosa labor y [su] aguante debido a [su] esperanza[c] en nuestro Señor Jesucristo delante de nuestro Dios y Padre. 4 Porque sa-

CAP. 1
a Hch 15:27
  2Te 1:1
  1Pe 5:12
b Hch 16:1
  Hch 17:21
d 1Ti 1:2

2.ª col.
a Ef 1:16
  2Te 1:11

b Heb 6:10; c 1Pe 1:3.

bemos, hermanos amados por Dios, que él los escogió a ustedes,[a] 5 porque las buenas nuevas que predicamos no resultaron estar entre ustedes con habla solamente, sino también con poder[b] y con espíritu santo y fuerte convicción,[c] tal como ustedes saben qué clase de hombres llegamos a ser para con ustedes por su causa;[d] 6 y ustedes llegaron a ser imitadores[e] de nosotros y del Señor,[f] puesto que aceptaron la palabra bajo mucha tribulación[g] con gozo de espíritu santo,[h] 7 de modo que llegaron a ser un ejemplo a todos los creyentes de Macedonia y de Acaya.

8 La realidad es que no solo ha resonado desde ustedes la palabra de Jehová[i] en Macedonia y en Acaya, sino que en todo lugar la fe de ustedes[j] para con Dios se ha divulgado,[k] de modo que no tenemos necesidad de decir nada. 9 Porque ellos mismos siguen informando acerca de la manera como primero entramos entre ustedes y cómo ustedes se volvieron de [sus] ídolos[l] a Dios para servir como esclavos a un Dios vivo[m] y verdadero,[n] 10 y para esperar[o] de los cielos a su Hijo,[p] a quien él levantó de entre los muertos,[q] a saber, a Jesús, que nos libra de la ira que viene.[r]

2 Sin duda ustedes mismos saben, hermanos, cómo nuestra visita[s] a ustedes no ha quedado sin resultados,[t] 2 sino que, después de primero haber sufrido[u] y de haber sido tratados insolentemente[v] (como ustedes lo saben) en Filipos,[w] cobramos denuedo por medio de nuestro Dios para hablarles[x] las buenas nuevas de Dios con mucho luchar. 3 Porque la exhortación que damos no proviene de error, ni de inmundicia,[y] ni con engaño, 4 sino que, así como hemos sido probados y

reconocidos por Dios como aptos para tener encomendadas[a] a nosotros las buenas nuevas, así hablamos, como agradando,[b] no a los hombres, sino a Dios, que prueba nuestros corazones.[c]

5 De hecho, en ninguna ocasión nos hemos presentado ya sea con habla lisonjera[d] (como ustedes lo saben) ni con una apariencia fingida[e] para la codicia,[f] ¡Dios es testigo! 6 Tampoco hemos estado buscando la gloria de los hombres,[g] no, ni de ustedes ni de otros, aunque pudiéramos ser una carga costosa[h] como apóstoles de Cristo. 7 Al contrario, nos hicimos amables en medio de ustedes, como cuando una madre que cría acaricia[i] a sus propios hijos. 8 Así, teniéndoles tierno cariño,[j] nos fue de mucho agrado impartirles, no solo las buenas nuevas de Dios, sino también nuestras propias almas,[k] porque ustedes llegaron a sernos amados.[l]

9 Ciertamente ustedes recuerdan, hermanos, nuestra labor y afán. Fue trabajando[m] noche y día, para no poner una carga costosa sobre ninguno de ustedes,[n] como les predicamos las buenas nuevas de Dios. 10 Ustedes son testigos, Dios también lo es, de cuán leales y justos e inculpables[o] demostramos ser para con ustedes los creyentes. 11 En armonía con eso, bien saben que, como un padre[p] hace con sus hijos, nosotros seguimos exhortando[q] a cada uno de ustedes, y confortándolos y dándoles testimonio, 12 a fin de que siguieran andando[r] de una manera digna de Dios, que los llama[s] a su reino[t] y gloria.

13 Realmente, por eso nosotros también incesantemente damos gracias a Dios,[u] porque cuando ustedes recibieron la

CAP. 1	
a	3:12
	2Te 2:13
b	1Co 2:4
c	Col 4:12
d	1Co 9:19
	1Co 11:1
	Flp 3:17
	2Te 3:9
e	1Pe 2:21
f	1Te 2:14
g	Hch 13:52
h	Isa 39:5
i	Isa 66:5
	1Pe 1:23
j	1Te 1:4
k	Ro 1:8
	Ro 10:18
l	1Co 10:14
	1Co 12:2
	Gál 4:8
m	Jn 5:21
n	Hch 14:15
	1Ti 4:10
o	Jn 17:3
	1Co 8:4
p	1Te 2:13
q	Hch 1:11
	Hch 2:24
r	1Te 5:2
	2Pe 3:12
	Rev 6:17

CAP. 2	
s	Hch 17:1
	2Te 3:8
t	Hch 17:4
u	Hch 16:22
v	Hch 16:37
w	Hch 16:12
x	Hch 17:2
y	1Te 4:7

2.ª col.	
a	1Ti 1:11
	Tit 1:3
b	Gál 1:10
c	Pr 17:3
	Jer 11:20
	1Co 4:5
d	Pr 28:23
	Pr 29:5
e	Mr 12:40
f	Hch 20:33
	Col 3:5
	2Pe 2:3
g	Jn 5:41
	Jn 5:44
h	2Co 11:9
	2Te 3:8
	2Te 3:10
i	1Re 3:26
j	2Co 12:15
k	Jn 15:13
	1Jn 13:35
m	Hch 18:3
	Hch 20:34
	1Co 4:12
n	2Co 11:9
	2Te 3:8
o	Hch 18:18
p	1Co 4:15
q	Hch 20:31
r	Gál 5:16
	Ef 4:1
	Col 1:10
	1Pe 1:15
s	1Te 5:24
	2Te 1:11
	1Pe 5:10
t	Lu 22:29
u	1Te 1:2

palabra de Dios,[a] que oyeron de parte de nosotros, la aceptaron, no como palabra de hombres,[b] sino, como lo que verdaderamente es, como palabra de Dios, la cual también está obrando en ustedes los creyentes.[c] 14 Porque ustedes se hicieron imitadores, hermanos, de las congregaciones de Dios que están en Judea en unión con Cristo Jesús, porque ustedes también empezaron a sufrir[d] a manos de sus propios compatriotas las mismas cosas que ellos también [están sufriendo] a manos de los judíos, 15 los cuales mataron hasta al Señor Jesús[e] y a los profetas,[f] y a nosotros nos persiguieron.[g] Además, ellos no agradan a Dios, sino que están en contra de [los intereses de] todos los hombres, 16 puesto que tratan de estorbar[h] el que hablemos a gente de las naciones para que estas se salven,[i] con el resultado de que siempre colman la medida[j] de sus pecados. Pero al fin la ira de él ha venido sobre ellos.[k]

17 En cuanto a nosotros, hermanos, cuando se nos hubo privado de ustedes por solo un corto tiempo, en persona, no en corazón, nos esforzamos mucho más de lo acostumbrado por ver su rostro con gran deseo.[l] 18 Por esta razón quisimos ir a ustedes, sí, yo, Pablo, una vez y también la segunda, pero Satanás nos cortó el camino. 19 Porque, ¿cuál es nuestra esperanza, o gozo, o corona[m] de alborozo —pues, de hecho, ¿no lo son ustedes?— delante de nuestro Señor Jesús al tiempo de su presencia?[n] 20 Ustedes ciertamente son nuestra gloria y gozo.

3 Por eso, cuando ya no pudimos soportarlo más, nos pareció bien el que se nos dejara solos en Atenas;[o] 2 y enviamos a Timoteo,[p] nuestro hermano y ministro de Dios en las buenas nuevas[a] acerca del Cristo, para hacerlos firmes y consolarlos para el bien de su fe, 3 para que nadie se dejara mover por estas tribulaciones.[b] Porque ustedes mismos saben que a esto mismo estamos designados.[c] 4 De hecho, también, cuando estábamos con ustedes, solíamos decirles de antemano[d] que estábamos destinados a sufrir tribulación,[e] así como también ha sucedido y como ustedes lo saben.[f] 5 Por eso, realmente, cuando ya no pude soportarlo más, envié para saber de la fidelidad de ustedes,[g] puesto que tal vez de algún modo el Tentador[h] los hubiera tentado, y nuestra labor hubiera resultado en vano.[i]

6 Pero Timoteo acaba de venir de ustedes a nosotros[j] y nos ha dado las buenas noticias de la fidelidad y amor[k] de ustedes, y de que continúan teniendo buen recuerdo de nosotros en todo tiempo, y anhelan vernos de la misma manera, en realidad, como nosotros también a ustedes.[l] 7 Por eso, hermanos, hemos sido consolados[m] respecto a ustedes en toda nuestra necesidad y tribulación mediante la fidelidad que ustedes muestran,[n] 8 porque ahora vivimos si ustedes están firmes en [el] Señor. 9 Pues, ¿qué acción de gracias podemos dar a Dios respecto a ustedes a cambio de todo el gozo con que nos estamos regocijando[p] a causa de ustedes delante de nuestro Dios, 10 mientras que noche y día hacemos ruegos[q] más que extraordinarios para ver el rostro de ustedes y para completar las cosas que faltan tocante a su fe?[r]

11 Ahora bien, que nuestro Dios y Padre mismo, y nuestro Señor Jesús,[s] dirijan nuestro camino prósperamente a ustedes.

CAP. 2
a Hch 11:1
  Heb 4:12
b Gál 1:11
c Flp 2:13
d Jn 15:19
  Hch 17:5
e Hch 2:23
f Mt 5:12
  Hch 7:52
g Mt 23:34
  Hch 21:13
h Lu 11:52
  Hch 13:50
i Ro 10:9
j Gé 15:16
  Mt 23:32
k Ro 1:18
l Ro 1:11
m Flp 4:1
  1Te 1:4
n 1Te 3:13
  1Te 5:23

CAP. 3
o Hch 17:15
p Hch 16:1
  Ro 16:21
  1Co 16:10

2.ª col.
a Mt 24:14
  2Te 1:8
  Rev 14:6
b Hch 14:22
  Ef 3:13
c 1Co 4:9
  1Pe 2:21
e Hch 20:23
f 1Te 2:14
g 1Te 3:2
h Mt 4:3
  1Co 7:5
  2Co 11:3
i 1Co 15:58
  Gál 4:11
  Flp 2:16
j Hch 18:5
k Ro 13:8
  Snt 2:8
  1Pe 1:22
l Flp 1:8
m 2Co 7:6
n 1Te 1:4
o Ro 11:20
  1Co 15:1
  Flp 4:1
p Flp 2:2
q 2Ti 1:3
r 2Te 1:3
  Jud 20
s 2Te 2:16

12 Además, que el Señor los haga aumentar,[a] sí, que los haga abundar, en amor[b] unos para con otros y para con todos, así como nosotros también lo hacemos para con ustedes; 13 a fin de que él haga firmes sus corazones, inculpables[c] en santidad delante de nuestro Dios y Padre al tiempo de la presencia[d] de nuestro Señor Jesús con todos sus santos.[e]

4 Finalmente, hermanos, les solicitamos y exhortamos por el Señor Jesús, tal como ustedes recibieron de nosotros [la instrucción] acerca de cómo deben andar[f] y agradar a Dios, tal como de hecho están andando: que sigan haciéndolo más plenamente.[g] 2 Porque ustedes saben las órdenes[h] que les dimos por el Señor Jesús.

3 Porque esto es la voluntad de Dios: la santificación de ustedes,[i] que se abstengan de la fornicación;[j] 4 que cada uno de ustedes sepa tomar posesión de su propio vaso[k] en santificación[l] y honra, 5 no en codicioso apetito sexual[m] tal como el que también tienen las naciones[n] que no conocen a Dios;[o] 6 que nadie llegue al punto de perjudicar y abuse de los derechos de su hermano en este asunto,[p] porque Jehová es uno que exige castigo por todas estas cosas,[q] así como les dijimos de antemano y también les dimos un testimonio cabal.[r] 7 Porque Dios nos llamó, no con permiso para inmundicia, sino con relación a santificación.[s] 8 Así, pues, el hombre que muestra desatención,[t] no está desatendiendo a hombre, sino a Dios, el que pone su espíritu santo[u] en ustedes.

9 Sin embargo, respecto al amor fraternal,[w] ustedes no tienen necesidad de que les escribamos, porque ustedes mismos son enseñados por Dios[a] a amarse unos a otros;[b] 10 y, de hecho, lo están haciendo para con todos los hermanos en toda Macedonia. Pero los exhortamos, hermanos, a que sigan haciéndolo en medida más plena, 11 y a tener como mira suya el vivir en quietud[c] y ocuparse en sus propios negocios[d] y trabajar con sus manos,[e] tal como les ordenamos; 12 para que anden decentemente[f] en lo que tiene que ver con los de afuera[g] y no necesiten nada.[h]

13 Además, hermanos, no queremos que estén en ignorancia respecto a los que están durmiendo[i] [en la muerte]; para que no se apesadumbren ustedes como lo hacen también los demás que no tienen esperanza.[j] 14 Porque si nuestra fe es que Jesús murió y volvió a levantarse,[k] así, también, a los que se han dormido [en la muerte] mediante Jesús, Dios los traerá con él.[l] 15 Porque esto les decimos por palabra de Jehová:[m] que nosotros los vivientes que sobrevivamos hasta la presencia del Señor[n] no precederemos de ninguna manera a los que se han dormido [en la muerte]; 16 porque el Señor mismo descenderá del cielo[o] con una llamada imperativa, con voz de arcángel[p] y con trompeta de Dios,[q] y los que están muertos en unión con Cristo se levantarán primero.[r] 17 Después nosotros los vivientes que sobrevivamos seremos arrebatados,[s] juntamente con ellos,[t] en nubes[u] al encuentro[v] del Señor en el aire; y así siempre estaremos con [el] Señor.[w] 18 Por consiguiente, sigan consolándose unos a otros con estas palabras.

CAP. 3
a 2Ti 1:3
b 1Te 4:9
  2Pe 1:7
c 1Co 1:8
  Flp 1:10
d Snt 5:8
  1Jn 2:28
e 1Te 2:19
  1Te 5:23
  2Te 2:1

CAP. 4
f Col 1:10
  1Pe 2:12
g Flp 1:27
h 1Ti 6:13
i Jn 17:19
  Ef 5:26
  2Ti 2:13
  1Pe 1:16
j 1Co 6:15
  Ef 5:3
k Col 3:5
  2Ti 2:22
l Ro 6:19
  2Ti 2:21
m 1Co 6:18
  Ef 5:5
n 1Co 5:10
  Ef 4:17
o Si 79:6
  1Pe 4:3
p Dt 5:21
  1Co 6:8
  1Co 7:2
q Si 94:1
  2Te 1:8
r Hch 20:20
  Hch 28:23
s Le 11:44
  1Co 1:2
  Heb 12:14
  1Pe 1:15
t Lu 10:16
u 1Co 6:19
v Eze 37:14
  1Jn 3:24
w Jn 13:34
  Jn 13:35
  Ro 12:10

2.ª col.
a Isa 54:13
  Jn 6:45
b 1Pe 1:22
  1Jn 4:21
c 2Te 3:12
d Ro 12:11
  1Pe 4:15
e 1Co 4:12
  Ef 4:28
  2Te 3:10
  1Ti 5:8
f Ro 13:13
g Ro 12:17
  2Co 8:21
h Snt 1:4
i Jn 11:11
  Hch 7:60
  1Co 15:6
j 1Co 15:32
  Ef 2:12
k Ro 14:9
  1Co 15:4
l 1Co 15:23
  Flp 3:21
  2Te 2:1
  Rev 20:4
m 1Te 2:13
  1Jn 4:2

n Mt 24:30; 1Co 15:51; o Hch 1:11; p Jud 9; q Mt 24:31; r 1Co 15:52; s 2Ti 4:8; t Hch 1:9; 2Co 5:8; Flp 1:23; u Mt 26:64; v Jn 12:26; Jn 17:24; 2Te 2:1; w Jn 14:3; Rev 20:6.

5 Ahora bien, en cuanto a los tiempos y a las sazones,[a] hermanos, no tienen necesidad de que se les escriba nada. 2 Porque ustedes mismos saben bastante bien que el día de Jehová[b] viene exactamente como ladrón en la noche.[c] 3 Cuando [los hombres][d] estén diciendo: "¡Paz y seguridad!", entonces destrucción[f] repentina ha de sobrevenirles instantáneamente, como el dolor de angustia a la mujer encinta;[g] y no escaparán de ninguna manera.[h] 4 Pero ustedes, hermanos, ustedes no están en oscuridad,[i] para que aquel día los alcance como alcanzaría a ladrones.[j] 5 porque todos ustedes son hijos de la luz[k] e hijos del día.[l] Nosotros no pertenecemos ni a la noche ni a la oscuridad.[m]

6 Pues bien, entonces, no sigamos durmiendo[n] como los demás,[o] sino quedémonos despiertos[p] y mantengamos nuestro juicio.[q] 7 Porque los que duermen[r] acostumbran dormir de noche,[s] y por lo general los que se emborrachan están borrachos de noche. 8 Pero en cuanto a nosotros los que pertenecemos al día, mantengamos nuestro juicio y llevemos puesta la coraza[t] de la fe[u] y el amor, y como yelmo[v] la esperanza de la salvación;[w] 9 porque Dios no nos asignó a la ira,[x] sino a la adquisición de salvación[y] mediante nuestro Señor Jesucristo.[z] 10 Él murió por nosotros,[a] para que, sea que permanezcamos despiertos o estemos dormidos, vivamos juntamente con él.[b] 11 Por lo tanto, sigan consolándose unos a otros y edificándose unos a otros,[c] así como de hecho lo están haciendo.[d]

12 Ahora les solicitamos, hermanos, que respeten a los que trabajan duro entre ustedes y los presiden[e] en [el] Señor y los amonestan; 13 y que les den consideración más que extraordinaria en amor por causa de su trabajo.[a] Sean pacíficos unos con otros.[b] 14 Por otra parte, los exhortamos, hermanos: amonesten a los desordenados,[c] hablen confortadoramente a las almas abatidas,[d] den su apoyo a los débiles, tengan gran paciencia[e] para con todos. 15 Vean que nadie pague daño por daño a ningún otro;[f] antes bien, sigan siempre tras lo que es bueno los unos para con los otros y para con todos los demás.[g]

16 Regocíjense siempre.[h] 17 Oren incesantemente.[i] 18 Con relación a todo, den gracias.[j] Porque esta es la voluntad de Dios en unión con Cristo Jesús en cuanto a ustedes. 19 No apaguen el fuego del espíritu.[k] 20 No traten con desdén el profetizar.[l] 21 Asegúrense de todas las cosas;[m] adhiéranse firmemente a lo que es excelente.[n] 22 Absténganse de toda forma de iniquidad.[o]

23 Que el mismo Dios de paz[p] los santifique completamente.[q] Y sanos en todo sentido sean conservados el espíritu y el alma y el cuerpo de ustedes [los hermanos] de manera exenta de culpa al tiempo de la presencia de nuestro Señor Jesucristo.[r] 24 El que los llama es fiel, y él también lo hará.

25 Hermanos, continúen orando por nosotros.[s]

26 Saluden a todos los hermanos con beso santo.[t]

27 Estoy imponiéndoles la solemne obligación, por el Señor, de que se lea esta carta a todos los hermanos.[u]

28 La bondad inmerecida[v] de nuestro Señor Jesucristo esté con ustedes.

CAP. 5
a Da 2:21
Da 7:25
Hch 1:7
b Sof 1:14
c Mt 24:36
2Pe 3:10
Rev 3:3
d Jer 8:9
e Jer 8:11
f Sl 37:10
2Te 1:9
g Sl 48:6
Os 13:13
h Heb 2:3
Heb 12:25
i Ro 13:12
Col 1:13
1Pe 2:9
j Job 24:14
k Jn 12:36
l Hch 26:18
Ro 13:12
Ef 5:8
m Jn 8:12
n Ef 5:14
o Ro 13:11
1Co 11:30
p Mt 24:42
q Ef 5:8
r Ef 5:14
s Ro 13:13
t Ef 6:14
u Ef 6:16
v Ef 6:17
w Ro 8:24
x Ro 9:22
y 2Te 2:13
z 2Ti 2:10
a Ro 5:8
1Co 15:3
b 2Co 5:15
1Te 4:17
c Isa 35:3
Ro 1:12
Ro 15:2
d Ro 15:14
1Te 4:10
e Ro 12:8

2.ª col.

a Isa 32:2
Flp 2:29
1Ti 5:17
Heb 13:7
b Mr 9:50
2Co 13:11
Heb 12:14
1Pe 3:11
c Le 19:17
2Ti 4:2
d Isa 61:2
Heb 12:12
e 1Co 13:4
Gál 5:22
Ef 4:2
Col 3:13
f Pr 20:22
Mt 5:39
Ro 12:19
g Ro 12:17
h 2Co 6:10
Flp 4:4
i Lu 18:1
Ro 12:12
j Ef 5:20
Col 3:17
k Ef 4:30
l 1Co 14:1
m 1Jn 4:1
n Heb 10:23
o Job 2:3

p Ro 15:33; q Heb 2:11; 1Pe 1:2; r 1Co 1:8; s Ro 15:30; t Ro 16:16; 1Co 16:20; 2Co 13:12; u Col 4:16; 2Pe 3:15; v Ro 16:20.

TESALONICENSES

1 Pablo y Silvano y Timoteo[a] a la congregación de los tesalonicenses en unión con Dios nuestro Padre y [el] Señor Jesucristo:

2 Que tengan bondad inmerecida y paz de parte de Dios el Padre y [del] Señor Jesucristo.[b]

3 Estamos obligados a dar gracias a Dios siempre por ustedes,[c] hermanos, como es apropiado, porque se les está creciendo[d] en gran manera y el amor de cada uno de ustedes, y todos, está aumentando, el uno para con el otro.[e] 4 Como resultado, nosotros mismos nos gloriamos[f] de ustedes entre las congregaciones de Dios a causa del aguante y la fe de ustedes en todas sus persecuciones y las tribulaciones que están soportando.[g] 5 Esto es prueba del justo juicio de Dios,[h] que conduce a que se les considere dignos del reino de Dios,[i] por el cual verdaderamente están sufriendo.

6 Esto toma en cuenta que es justo por parte de Dios pagar con tribulación a los que les causan tribulación,[k] 7 pero, a ustedes que sufren la tribulación, con alivio juntamente con nosotros al tiempo de la revelación[l] del Señor Jesús desde el cielo con sus poderosos ángeles[m] 8 en fuego llameante, al traer él venganza[n] sobre los que no conocen a Dios[o] y sobre los que no obedecen[p] las buenas nuevas acerca de nuestro Señor Jesús.[q] 9 Estos mismos sufrirán el castigo judicial[r] de destrucción eterna[s] de delante del Señor y de la gloria de su fuerza,[t] 10 al tiempo en que él viene para ser glorificado con relación a sus santos[u] y para ser considerado en aquel día con admiración con relación a todos los que han ejer-

cido fe, porque el testimonio que dimos fue recibido con fe entre ustedes.

11 Con ese mismo fin, en verdad, siempre oramos por ustedes, que nuestro Dios los considere dignos de [su] llamamiento[a] y ejecute completamente todo lo que le agrade de la bondad y de la obra de la fe con poder; 12 para que el nombre de nuestro Señor Jesús sea glorificado en ustedes,[b] y ustedes en unión[c] con él, de acuerdo con la bondad inmerecida[d] de nuestro Dios y del Señor Jesucristo.

2 Sin embargo, hermanos, tocante a la presencia[e] de nuestro Señor Jesucristo[f] y el ser nosotros reunidos a él,[f] les solicitamos 2 que no se dejen sacudir prontamente de su razón, ni se dejen excitar tampoco mediante una expresión inspirada,[g] ni mediante un mensaje verbal,[h] ni mediante una carta[i] como si fuera de nosotros, en el sentido de que el día[j] de Jehová esté aquí.

3 Que nadie los seduzca de manera alguna, porque no vendrá a menos que primero venga la apostasía[k] y el hombre del desafuero[l] quede revelado,[m] el hijo de la destrucción.[n] 4 Él está puesto en oposición[o] y se alza a sí mismo sobre todo aquel a quien se llama "dios" o [todo] objeto de reverencia, de modo que se sienta en el templo del Dios, y públicamente ostenta ser un dios.[p] 5 ¿No se acuerdan de que, estando todavía con ustedes, yo solía decirles[q] estas cosas?

6 De modo que ahora ustedes conocen la cosa[r] que obra como restricción,[s] con miras a que él

CAP. 1
a 2Co 1:19
b Ro 1:7
c 1Te 1:2
d Lu 17:5
1Te 3:12
e 1Te 4:9
1Pe 1:22
f 2Co 7:14
1Te 2:19
g 1Te 1:6
1Te 2:14
1Pe 2:21
h Rev 16:7
i Hch 14:22
j Ro 8:17
2Ti 2:12
k Ro 12:19
Rev 6:10
l Lu 17:30
1Pe 1:7
m Mt 25:31
Mr 8:38
Jud 14
n Heb 10:30
o Jn 3:19
Ro 1:18
p Ro 2:8
Heb 10:29
q 1Pe 4:17
r 2Pe 2:17
2Pe 3:7
s Jud 13
t Isa 2:21,
LXX
u Ro 8:17

2.ᵃ col.

a Ro 8:30
2Ti 1:9
b Jn 17:10
1Pe 1:7
c Jn 17:21
d 1Co 1:4

CAP. 2

e Mt 24:3
f Mt 24:31
1Te 4:17
g 1Jn 4:1
h Ef 5:6
i 2Te 3:17
j Isa 13:6
Sof 1:14
2Pe 3:10
k Mt 13:25
1Ti 4:1
2Ti 2:18
2Ti 4:3
2Pe 2:1
1Jn 2:18
l Mt 7:15
Mt 13:41
Mt 24:24
Hch 20:29
2Jn 7
m Mt 13:30
n 2Pe 2:3
o Lu 11:23
p Eze 28:2
q 1Te 3:4
r 1Co 5:3
3Jn 10

s Mt 18:18.

sea revelado a su propio tiempo.[a] 7 Es verdad que el misterio de este desafuero ya está obrando;[b] pero solo hasta que el que ahora mismo está obrando como restricción llegue a estar fuera del camino.[c] 8 Entonces, realmente, será revelado el desaforado, a quien el Señor Jesús eliminará por el espíritu de su boca,[d] y reducirá a nada por la manifestación[e] de su presencia.[f] 9 Pero la presencia del desaforado es según la operación[g] de Satanás con toda obra poderosa y señales y portentos presagiosos mentirosos,[h] 10 y con todo engaño injusto[i] para los que están pereciendo,[j] como retribución porque no aceptaron el amor[k] de la verdad para que fueran salvos.[l] 11 Por eso Dios deja que les vaya una operación de error, para que lleguen a creer la mentira,[m] 12 a fin de que todos ellos sean juzgados por no haber creído la verdad,[n] sino haberse complacido en la injusticia.[o]

13 Sin embargo, estamos obligados a dar gracias a Dios siempre por ustedes, hermanos amados por Jehová, porque Dios los seleccionó[p] desde [el] principio para salvación al santificarlos[q] con espíritu[r] y por su fe en la verdad.[s] 14 A este [mismo destino] los llamó él mediante las buenas nuevas que nosotros declaramos,[t] con el propósito de que adquieran la gloria de nuestro Señor Jesucristo.[u] 15 De manera que, hermanos, estén firmes[v] y mantengan asidas las tradiciones[w] que les fueron enseñadas, ya fuera mediante un mensaje verbal o mediante una carta nuestra. 16 Además, que nuestro Señor Jesucristo mismo y Dios nuestro Padre, que nos amó[x] y dio consuelo eterno y buena esperanza[y] por medio de bondad inmerecida, 17 consuelen sus corazones y los hagan firmes en todo buen hecho y buena palabra.[z]

3 Finalmente, hermanos, ocúpense en orar por nosotros,[a] para que la palabra de Jehová[b] siga moviéndose rápidamente[c] y siendo glorificada, así como lo es de hecho entre ustedes; 2 y para que seamos librados de hombres dañinos e inicuos,[d] porque la fe no es posesión de todos.[e] 3 Pero el Señor es fiel, y él los hará firmes y los guardará del inicuo.[f] 4 Además, nosotros tenemos confianza[g] en [el] Señor, respecto a ustedes, de que hacen y seguirán haciendo las cosas que ordenamos.[h] 5 Que el Señor continúe dirigiendo sus corazones con éxito al amor[i] de Dios y al aguante[j] por el Cristo.

6 Ahora les damos órdenes,[k] hermanos, en el nombre del Señor Jesucristo, de que se aparten[l] de todo hermano que ande desordenadamente[m] y no según la tradición que ustedes recibieron de nosotros.[n] 7 Porque ustedes mismos saben la manera como deben imitarnos,[o] porque nosotros no nos portamos desordenadamente entre ustedes,[p] 8 ni comimos alimento de nadie gratis.[q] Al contrario, con esfuerzo laborioso y afán,[r] noche y día estuvimos trabajando para no imponer una carga costosa a ninguno de ustedes.[s] 9 No que no tengamos autoridad,[t] sino a fin de ofrecernos como ejemplo a ustedes, para que nos imiten.[u] 10 De hecho, también, cuando estábamos con ustedes, les dábamos esta orden:[v] "Si alguien no quiere trabajar, que tampoco coma".[w] 11 Porque estamos oyendo que algunos están andando desordenadamente[x] entre ustedes, y no hacen ningún trabajo, sino que se entre-

CAP. 2
a Mt 10:26
  Lu 8:17
  1Co 4:5
b Heb 20:29
  1Co 11:19
  1Jn 2:18
c 2Ti 4:6
  2Pe 1:14
d Isa 11:4
  Rev 19:15
e 1Ti 6:15
  2Ti 4:1
  2Ti 4:8
f Mal 3:2
  Mr 8:38
  2Te 1:7
g Jn 8:44
  2Co 11:3
  Ef 2:2
h Mt 24:24
i Mt 24:11
  2Co 11:13
j Jer 17:13
  Rev 22:15
k Mt 24:12
  Jud 19
l 1Ti 2:4
m Mt 24:5
  1Ti 4:1
  2Ti 4:4
n Ro 1:25
o Pr 1:32
  Ro 1:18
  Jud 4
p Jn 6:44
  Ro 8:30
  Ef 1:4
q Jn 17:17
  1Co 6:11
  1Te 4:7
r 1Pe 1:2
s Jn 8:32
  Col 1:5
  1Ti 4:3
  2Jn 2
t 1Te 2:12
  1Pe 5:10
v Ro 12:9
  1Co 15:58
  1Co 16:13
w 1Co 11:2
x 1Jn 4:10
y 1Pe 1:3
z 1Te 3:13

2.ª col.

CAP. 3
a Ro 15:30
  1Te 5:25
  Heb 13:18
b Isa 38:4
  Hch 8:25
  Hch 15:35
  1Te 1:8
  1Pe 1:25
c Hch 19:20
d Isa 25:4,
  LXX
  2Co 1:8
  Rev 2:10
e Heb 28:24
  Ro 10:16
f Jn 17:15
  1Co 10:13
  2Pe 2:9
g 2Co 5:10
h 1Te 4:11
i 1Jn 5:3
j Lu 21:19
  Ro 5:3

k 1Te 4:2; 1Ti 6:17; Tit 1:5; l Mt 18:17; 1Co 5:11; 2Te 3:14; Tit 3:10; m Pr 24:30; 1Te 5:14; n Ro 16:17; 1Co 11:2; 2Te 2:15; o 1Co 4:16; 1Te 1:6; p 1Te 2:10; q Hch 20:34; r Hch 18:3; 1Co 4:12; s 1Co 9:15; 2Co 9:6; t 1Te 2:9; u Mt 10:1; 1Co 9:6; u 1Co 11:1; Flp 3:17; v 1Te 4:11; w Pr 13:4; Pr 20:4; Ro 12:11; 1Ti 5:8; x 1Te 5:14.

meten en lo que no les atañe.[a]
12 A los tales les damos la orden y exhortación en [el] Señor Jesucristo de que, trabajando con quietud, coman alimento que ellos mismos ganen.[b]

13 Por su parte, hermanos, no desistan de hacer lo correcto.[c]
14 Pero si alguno no es obediente a nuestra palabra[d] mediante esta carta, mantengan a este señalado,[e] dejen de asociarse con él,[f] para que se avergüence.[g]
15 Y, no obstante, no estén considerándolo como enemigo,

sino continúen amonestándolo[a] como a hermano.

16 Ahora, que el mismo Señor de la paz les dé paz constantemente de toda manera.[b] El Señor esté con todos ustedes.

17 [Aquí está] mi saludo, de Pablo, de mi propia mano,[c] que es una señal en toda carta; así es como escribo.

18 La bondad inmerecida[d] de nuestro Señor Jesucristo esté con todos ustedes.

CAP. 3
a 1Ti 5:13
1Pe 4:15
b Ef 4:28
Gál 6:9
d 2Te 3:6
2Ti 2:18
e Le 19:17
Ro 16:17
f Ro 16:17
1Co 5:11
Tit 3:10
2Jn 10
g Tit 2:8

2.ª col.
a 1Te 5:14
Tit 3:10
b Jn 14:27
c 1Co 16:21
Col 4:18

d Jn 1:16.

LA PRIMERA A

TIMOTEO

1 Pablo, apóstol[a] de Cristo Jesús bajo mandato de Dios[b] nuestro Salvador[c] y de Cristo Jesús, nuestra esperanza,[d] 2 a Timoteo,[e] un hijo genuino[f] en la fe:

Que haya bondad inmerecida, misericordia, paz, de parte de Dios [el] Padre y de Cristo Jesús nuestro Señor.[g]

3 Así como te animé a quedarte en Éfeso cuando yo estaba a punto de seguir mi camino a Macedonia,[h] así lo hago ahora, para que mandes[i] a ciertos individuos que no enseñen diferente doctrina,[j] 4 ni presten atención a cuentos falsos[k] ni a genealogías, que terminan en nada,[l] pero que proporcionan cuestiones para investigación más bien que una dispensación de cosa alguna por Dios con relación a la fe. 5 Realmente, el objetivo de este mandato es amor[m] procedente de un corazón limpio[n] y de una buena conciencia[o] y de fe sin hipocresía.[p] 6 Desviándose de estas cosas, ciertos individuos han sido apartados[q] al habla ociosa,[r] 7 queriendo ser maestros[s] de ley,[t] pero sin percibir ni las cosas que dicen ni las cosas

acerca de las cuales hacen vigorosas afirmaciones.

8 Ahora bien, nosotros sabemos que la Ley es excelente[a] con tal que uno la maneje legítimamente[b] 9 con el conocimiento de este hecho: que la ley no se promulga para el justo, sino para desaforados[c] e ingobernables,[d] impíos y pecadores, faltos de bondad amorosa,[e] y profanos, parricidas y matricidas, homicidas, 10 fornicadores,[f] hombres que se acuestan con varones, secuestradores, mentirosos, perjuros[g] y cualquier otra cosa que esté en oposición[h] a la enseñanza saludable[i] 11 según las gloriosas buenas nuevas del Dios feliz,[j] que me fueron encomendadas.[k]

12 Estoy agradecido a Cristo Jesús nuestro Señor, que me impartió poder, porque me consideró fiel[l] y me asignó a un ministerio,[m] 13 aunque antes era blasfemo y perseguidor[n] y hombre insolente.[o] No obstante, se

CAP. 1
a Ro 1:1
b Gál 1:1
c Tit 1:3
Jud 25
d Col 1:27
e Hch 16:1
Flp 2:19
f 1Co 4:17
g Heb 4:16
2Jn 3
h Hch 20:1
Flp 2:24
i 1Ti 4:11
j Gál 1:6
2Jn 9
k 1Ti 4:7
2Ti 4:4
Tit 1:14
l 1Ti 6:20
2Ti 2:14
m Ro 13:8
Gál 5:6
n Mt 5:8
2Ti 2:22
o Hch 23:1
Hch 24:16
1Pe 3:16
p Ro 12:9
2Co 6:6
Snt 3:17
q 2Ti 2:18
r 1Ti 6:20
s Snt 3:1
t Ro 3:19

2.ª col.
a Ro 7:12
b Ro 7:14
Heb 10:1
c Gál 3:19
d Ro 2:21
e 2Ti 3:2
f Ro 2:22
g Hch 5:3
Ro 1:31

h Ro 2:23; i 2Ti 1:13; Tit 1:9; j Sl 104:31; k Gál 2:7; Col 1:25; 1Te 2:4; 1Co 4:2; m Hch 9:15; 2Co 3:6; n Hch 8:3; Gál 1:13; Flp 3:6; o Hch 9:1.

me mostró misericordia,[a] porque era ignorante[b] y obré con falta de fe. 14 Pero la bondad inmerecida de nuestro Señor sobreabundó[c] junto con la fe y el amor que hay en relación con Cristo Jesús.[d] 15 Fiel y merecedor de plena aceptación es el dicho[e] de que Cristo Jesús vino al mundo para salvar a pecadores.[f] De estos yo soy el más notable.[g] 16 No obstante, la razón por la cual se me mostró misericordia[h] fue para que, por medio de mí como el caso más notable, Cristo Jesús demostrara toda su gran paciencia como muestra de los que van a cifrar su fe[i] en él para vida eterna.[j]

17 Ahora bien, al Rey de la eternidad,[k] incorruptible,[l] invisible,[m] [el] único Dios,[n] sea honra y gloria para siempre jamás.[o] Amén.

18 Este mandato[p] te encargo, hijo, Timoteo, de acuerdo con las predicciones[q] que condujeron directamente a ti, que por estas sigas guerreando el guerrear excelente;[r] 19 manteniendo la fe y una buena conciencia,[s] la cual algunos han echado a un lado,[t] y han experimentado naufragio respecto a [su] fe.[u] 20 Himeneo[v] y Alejandro[w] pertenecen a estos, y los he entregado a Satanás[x] para que se les enseñe por disciplina a no blasfemar.[y]

2 Por lo tanto exhorto, ante todo, a que se hagan ruegos, oraciones,[z] intercesiones, ofrendas de gracias, respecto a hombres de toda clase,[a] 2 respecto a reyes[b] y a todos los que están en alto puesto;[c] a fin de que sigamos llevando una vida tranquila y quieta con plena devoción piadosa y seriedad.[d] 3 Esto es excelente y acepto[e] a vista de nuestro Salvador, Dios,[f] 4 cuya voluntad es que hombres de toda clase[g] se salven[h] y lleguen a un conocimiento exacto[i] de la verdad.[j] 5 Porque hay un

solo Dios,[a] y un solo mediador[b] entre Dios[c] y los hombres,[d] un hombre, Cristo Jesús,[e] 6 que se dio a sí mismo como rescate correspondiente por todos[f]... de [esto] ha de darse testimonio a sus propios tiempos particulares. 7 Con el propósito de este testimonio[g] fui nombrado predicador y apóstol[h] —digo la verdad,[i] no miento—, maestro de naciones[j] en el asunto de la fe[k] y la verdad.

8 Por lo tanto, deseo que en todo lugar los hombres se ocupen en orar, alzando manos leales,[l] libres de ira[m] y debates.[n] 9 Igualmente deseo que las mujeres se adornen en vestido bien arreglado, con modestia[o] o buen juicio, no con estilos de cabellos trenzados y oro o perlas o traje muy costoso,[p] 10 sino como es propio de mujeres que profesan reverenciar a Dios,[q] a saber, mediante buenas obras.[r]

11 Que la mujer aprenda en silencio, con plena sumisión.[s] 12 No permito que la mujer enseñe,[t] ni que ejerza autoridad sobre el hombre,[u] sino que esté en silencio. 13 Porque Adán fue formado primero, luego Eva.[v] 14 También, Adán no fue engañado,[w] sino que la mujer fue cabalmente engañada[x] y llegó a estar en transgresión.[y] 15 No obstante, a ella se le mantendrá en seguridad mediante el tener hijos,[z] con tal que continúen en fe y amor y santificación junto con buen juicio.[a]

3 Esa declaración es fiel.[b] Si algún hombre está procurando alcanzar un puesto de superintendente,[c] desea una obra excelente. 2 El superintendente, por lo tanto, debe ser irre-

---

CAP. 1
a 1Co 7:25
b Hch 3:17
c Ro 5:20
d 2Ti 1:13
e 1Ti 4:9
f Lu 5:32
  2Co 5:19
  1Jn 2:2
g Hch 9:1
  1Co 15:9
h 2Co 4:1
  1Jn 6:40
  Jn 20:31
j Jud 21
k Sl 10:16
  Sl 29:10
  Da 6:26
  Rev 15:3
l Ro 1:23
m Jn 1:18
  Col 1:15
n Dt 6:4
  Isa 43:10
  Col 8:4
o Sl 90:2
p 1Ti 6:13
q Hch 16:2
r 2Ti 2:3
s 1Ti 1:5
t Heb 3:12
  2Pe 2:1
u 1Ti 6:9
  2Pe 2:1
v 2Ti 2:17
w 2Ti 4:14
x 1Co 5:5
  1Co 5:13
y Pr 11:9
  Hch 13:45

CAP. 2
z Ro 12:12
a Gál 3:28
b Hch 26:27
c 1Pe 2:14
d Jer 29:7
e Ro 12:2
f Jud 25
g Ro 5:18
  Ro 9:24
  1Ti 4:10
h Isa 45:22
  Hch 17:30
  1Co 12:13
i Ef 1:17
  Flp 1:9
j 2Ti 2:25

2.ª col.
a Dt 6:4
  Ro 3:30
  1Co 8:4
b Heb 8:6
  Heb 9:15
  Heb 12:24
d Gál 3:20
d 1Co 11:25
  Gál 3:29
  Ef 5:27
  Heb 2:16
e Hch 4:12
  Ro 5:15
  Col 2:13
  2Ti 1:10
f Mt 20:28
  Mr 10:45
  Col 1:14
g Hch 9:15
h Ro 1:5
  Gál 2:8

i Ro 9:1; j Gál 1:16; k Ro 3:22; Gál 5:6; 1Sl 141:2; m Gál 5:20; Snt 1:20; n Flp 2:14; o Snt 3:3; p 1Pe 3:3; q Pr 31:30; 1Pe 3:4; r Hch 21:9; s Ef 5:24; t 1Co 14:34; u Gé 3:16; v Gé 2:18; 1Co 11:8; w Gé 3:6; x Gé 3:13; y 2Ti 5:14; a 1Ti 2:9; CAP. 3. b 2Ti 2:11; c Éx 18:21; Dt 1:13; Jer 3:15; Hch 20:28; Tit 1:5.

prensible,[a] esposo de una sola mujer, moderado[b] en los hábitos, de juicio sano,[c] ordenado,[d] hospitalario,[e] capacitado para enseñar,[f] 3 no un borracho pendenciero,[g] no un golpeador,[h] sino razonable,[i] no belicoso,[j] no amador del dinero,[k] 4 hombre que presida su propia casa excelentemente,[l] que tenga hijos en sujeción con toda seriedad[m] 5 (si de veras no sabe algún hombre presidir su propia casa, ¿cómo cuidará de la congregación de Dios?); 6 no un hombre recién convertido,[n] por temor de que se hinche [de orgullo][o] y caiga en el juicio pronunciado contra el Diablo.[p] 7 Además, debe también tener excelente testimonio de los de afuera,[q] para que no caiga en vituperio y en un lazo[r] del Diablo.

8 Los siervos ministeriales,[s] igualmente, deben ser serios, no de lengua doble, no dados a mucho vino, no ávidos de ganancia falta de honradez,[t] 9 manteniendo el secreto sagrado[u] de la fe con una conciencia limpia.[v]

10 También, que primero se pruebe a estos[w] en cuanto a aptitud; entonces que sirvan como ministros, al estar libres de acusación.[x]

11 Las mujeres, igualmente, deben ser serias, no calumniadoras,[y] moderadas[z] en los hábitos, fieles en todas las cosas.[a]

12 Que los siervos ministeriales sean esposos de una sola mujer,[b] y presidan de manera excelente a [sus] hijos y sus propias casas.[c] 13 Porque los hombres que sirven excelentemente están adquiriendo para sí mismos una excelente posición[d] y gran franqueza de expresión[e] en la fe con relación a Cristo Jesús.

14 Te escribo estas cosas, aunque espero dentro de poco ir a ti,[f] 15 pero en caso de que tardara, para que sepas cómo debes comportarte en la casa de Dios,[g] que es la congregación de[l] Dios vivo, columna y apo-

CAP. 3

a Lu 1:6
Ro 16:19
Flp 2:15
1Ti 6:14
b Pr 23:20
c Ro 12:3
2Co 5:13
1Pe 4:7
d Ro 4:12
Gál 5:25
Flp 3:16
e Hch 28:7
Tit 1:8
1Pe 4:9
f 1Ti 5:17
2Ti 2:24
Tit 1:9
Snt 3:1
g Ro 13:13
h Tit 1:7
i Flp 4:5
Snt 3:17
j Ro 12:18
Snt 3:18
k Heb 13:5
1Pe 5:2
l Jos 24:15
Tit 1:6
m Ef 6:4
n Hch 8:13
1Ti 5:22
o Eze 28:17
Hch 8:19
p Lu 8:31
Hch 8:22
Rev 20:3
q Hch 16:2
Hch 22:12
2Co 8:21
1Te 4:12
r 2Ti 2:26
s Flp 1:1
t Hch 6:3
Tit 1:7
1Pe 5:2
u Ef 3:3
Ef 3:9
v Hch 24:16
1Ti 1:5
1Ti 1:19
2Ti 1:3
Flp 3:16
w 2Co 8:22
x Da 6:5
1Pe 2:12
y Pr 11:13
1Ti 5:13
z Pr 23:20
a Tit 2:3
b 1Ti 3:2
Tit 1:6
c 1Ti 3:4
d Sl 15:1
e Ef 6:19
Heb 3:6
f Flm 22
g Ef 2:19
Heb 3:6

2.ª col.

a 2Ti 2:2
b Gé 3:15
c Jn 1:14
Jn 18:37
Flp 2:7
d 1Pe 3:18
e 1Pe 3:22
f Col 1:23
g Col 1:6
h Sl 2:6
Mt 24:30

yo[a] de la verdad. 16 Realmente, se reconoce que el secreto sagrado[b] de esta devoción piadosa es grande: 'Él fue puesto de manifiesto en carne,[c] fue declarado justo en espíritu,[d] se apareció a ángeles,[e] fue predicado entre naciones,[f] fue creído en [el] mundo,[g] fue recibido arriba en gloria'.[h]

4 Sin embargo, la expresión inspirada dice definitivamente que en períodos posteriores[i] algunos se apartarán[j] de la fe, prestando atención a expresiones inspiradas que extravían[k] y a enseñanzas de demonios,[l] 2 por la hipocresía de hombres que hablan mentiras,[m] marcados en su conciencia[n] como si fuera con hierro de marcar; 3 que prohibirán casarse,[o] y mandarán abstenerse de alimentos[p] que Dios creó[q] para que participen de ellos con acción de gracias los que tienen fe[r] y conocen la verdad con exactitud. 4 La razón de esto es que toda creación de Dios es excelente,[s] y nada ha de desecharse[t] si se recibe con acción de gracias,[u] 5 porque se santifica mediante la palabra de Dios y oración sobre [ello].

6 Al dar estos consejos a los hermanos serás excelente ministro de Cristo Jesús, uno nutrido con las palabras de la fe y de la excelente enseñanza[v] que has seguido con sumo cuidado y atención.[w] 7 Pero niégate a admitir los cuentos falsos[x] que violan lo que es santo, y los cuales las viejas cuentan. Por otra parte, ve entrenándote con la devoción piadosa como mira.[y] 8 Porque el entrenamiento corporal es provechoso para poco; pero la devoción piadosa[z] es pro-

CAP. 4   i 2Ti 4:3; j 2Ti 2:2; 2Pe 2:1; l 2Co 11:14; Rev 16:14; m Hch 20:30; 2Ti 2:16; 2Pe 2:3; n Hch 24:16; 1Ti 1:5; Heb 10:22; o 1Co 7:36; 1Co 9:5; Heb 13:4; p Ro 14:3; q Gé 9:3; r Ro 14:17; 1Co 10:25; Gál 1:31; t Hch 10:15; u Hch 27:35; v Tit 2:1; w 2Ti 2:15; 2Ti 3:14; x 1Ti 6:20; Tit 1:14; y 2Pe 1:7; z Ro 12:1; 1Co 10:31; Ef 6:7.

vechosa para todas las cosas,[a] puesto que encierra promesa de la vida de ahora y de la que ha de venir.[b] 9 Fiel y merecedora de plena aceptación es esa declaración.[c] 10 Porque con este fin estamos trabajando duro y esforzándonos,[d] porque hemos cifrado nuestra esperanza[e] en un Dios vivo, que es Salvador[f] de hombres de toda clase,[g] especialmente de los fieles.[h]

11 Sigue dando estos mandatos[i] y enseñándolos.[j] 12 Que nadie jamás menosprecie tu juventud.[k] Por lo contrario, hazte ejemplo[l] para los fieles[m] en el hablar, en conducta, en amor, en fe, en castidad.[n] 13 Mientras llego, continúa aplicándote a la lectura[o] pública,[p] a la exhortación, a la enseñanza. 14 No descuides el don[q] que hay en ti, que te fue dado mediante una predicción[r] y cuando el grupo de ancianos te impuso las manos.[s] 15 Reflexiona sobre estas cosas;[t] hállate intensamente ocupado en ellas, para que tu adelantamiento[u] sea manifiesto a todos. 16 Presta constante atención a ti mismo[v] y a tu enseñanza.[w] Persiste en estas cosas, pues haciendo esto te salvarás a ti mismo y también a los que te escuchan.[x]

5 No critiques severamente a un hombre mayor.[y] Por lo contrario, ínstale como a un padre, a los de menos edad como a hermanos, 2 a las mujeres de más edad[z] como a madres, a las de menos edad como a hermanas,[a] con toda castidad.

3 Honra a las viudas que realmente son viudas.[b] 4 Pero si alguna viuda tiene hijos o nietos, que estos aprendan primero a practicar devoción piadosa en su propia casa[c] y a seguir pagando la debida compensación a sus padres[d] y abuelos, porque esto es acepto a vista de Dios.[e] 5 Ahora bien, la mujer que realmente es viuda y ha quedado en indi-

CAP. 4
a Mt 6:33
 Ro 8:28
b Jn 17:3
c 1Ti 1:15
d Lu 13:24
 1Te 1:3
 f Jud 25
g Gál 3:28
 1Ti 2:4
h Sl 31:23
i 1Co 14:37
 1Co 16:1
 1Te 4:11
j 1Ti 6:3
k 1Co 16:11
 Tit 2:15
l Flp 3:17
m Col 3:12
n Gál 5:22
 Snt 3:17
o Col 4:16
 1Te 5:27
p Hch 13:15
 Hch 19:6
 1Co 14:1
r 1Ti 1:18
s Hch 6:6
 Hch 13:3
 t Pr 15:28
u Flp 1:25
v Hch 20:28
w 2Ti 4:2
 Tit 2:1
x Ro 11:14
 1Co 9:22
 1Pe 3:15

CAP. 5
y Le 19:32
 Tit 2:2
z Tit 2:3
a Mr 3:35
b 1Ti 5:16
 1Ti 5:8
d Mt 15:4
 Ef 6:2
e Pr 23:22

2.ª col.
a Snt 1:27
b Jer 49:11
 1Co 7:34
c Lu 2:37
 Lu 18:1
d Col 3:5
e Ef 2:1
 Col 2:13
f 1Ti 4:11
g 1Ti 6:14
h 1Ti 5:8
i Isa 58:7
j Tit 1:16
l 1Ti 3:2
m Hch 9:39
 1Ti 2:10
n 1Ti 2:15
o Heb 13:2
 1Pe 4:9
p 1Sa 25:41
 Jn 13:5
 Jn 13:14
q 1Ti 5:16
 1Co 12:27
r Pr 31:27
s 1Co 7:9
t Rev 2:4
u 2Te 3:11
 1Ti 3:11
 1Pe 4:15

gencia[a] ha puesto su esperanza en Dios[b] y persiste en ruegos y oraciones noche y día.[c] 6 Pero la que se entrega a la satisfacción sensual[d] está muerta[e] aunque esté viviendo. 7 De modo que sigue dando estos mandatos,[f] para que sean irreprensibles.[g] 8 Ciertamente si alguno no provee para los que son suyos,[h] y especialmente para los que son miembros de su casa,[i] ha repudiado[j] la fe[k] y es peor que una persona sin fe.

9 Que sea puesta en la lista la viuda que haya cumplido no menos de sesenta años, mujer de un solo esposo,[l] 10 de quien se dé testimonio por sus excelentes obras:[m] si crió hijos,[n] si hospedó a extraños,[o] si lavó los pies de los santos,[p] si socorrió a los atribulados,[q] si siguió con diligencia toda buena obra.[r]

11 Por otra parte, niégate a admitir a las viudas de menos edad, porque cuando sus impulsos sexuales se han interpuesto entre ellas y el Cristo,[s] quieren casarse, 12 y tienen un juicio porque han desatendido su primera [expresión de] fe.[t] 13 Al mismo tiempo también aprenden a estar desocupadas, andorreando por las casas; sí, no solo [a estar] desocupadas, sino también [a ser] chismosas y entremetidas en asuntos ajenos,[u] hablando de cosas que no debieran. 14 Por eso deseo que las viudas de menos edad se casen,[v] que tengan hijos,[w] que manejen la casa, que no den al opositor incentivo alguno para injuriar.[x] 15 Ya, de hecho, algunas han sido apartadas para seguir a Satanás. 16 Si alguna mujer creyente tiene viudas, que las socorra,[y] y que la congregación no esté bajo la carga. Entonces esta puede socorrer a las que realmente son viudas.[z]

17 Que los ancianos que presi-

v 1Co 7:9; w 1Ti 2:15; x Tit 2:8; y 1Ti 5:10; z Dt 15:11; 1Ti 5:5; Snt 1:27.

den[a] excelentemente sean tenidos por dignos de doble honra,[b] especialmente los que trabajan duro en hablar y enseñar.[c] 18 Porque la escritura dice: "No debes poner bozal al toro cuando trilla el grano";[d] también: "El trabajador es digno de su salario".[e] 19 No admitas una acusación contra un anciano, salvo únicamente por la evidencia de dos o tres testigos.[f] 20 Censura[g] delante de todos los presentes a las personas que practican el pecado,[h] para que los demás también tengan temor.[i] 21 Solemnemente te encargo delante de Dios y de Cristo Jesús[j] y de los ángeles escogidos que guardes estas cosas sin prejuicio, y no hagas nada según una inclinación parcial.[k]

22 Nunca impongas las manos[l] apresuradamente a ningún hombre;[m] ni seas partícipe de los pecados ajenos;[n] consérvate casto.[o]

23 Ya no bebas agua, sino usa un poco de vino[p] a causa de tu estómago y de tus frecuentes casos de enfermedad.

24 Los pecados de algunos hombres son públicamente manifiestos,[q] y conducen directamente al juicio, mas en cuanto a otros hombres, [sus pecados] también se hacen manifiestos más tarde.[r] 25 De la misma manera también las obras excelentes son públicamente manifiestas,[s] y las que no lo son no pueden mantenerse escondidas.[t]

6 Que cuantos sean esclavos bajo yugo sigan considerando dignos de plena honra a sus dueños,[u] para que nunca se hable perjudicialmente del nombre de Dios ni de la enseñanza.[v] 2 Además, los que tienen dueños creyentes,[w] no menosprecien a estos,[x] porque son hermanos.[y] Al contrario, que sean esclavos con mayor prontitud, porque los que reciben el provecho de su buen servicio son creyentes y amados.

CAP. 5
a Ro 12:8
Heb 13:17
1Pe 5:2
b Hch 28:10
c 1Te 5:12
Heb 13:7
d Dt 25:4
1Co 9:9
e Le 19:13
Mt 10:10
Gál 6:6
f Dt 19:15
Mt 18:16
2Co 13:1
Heb 10:28
g Pr 28:23
Ef 5:11
Tit 1:9
Tit 1:13
Rev 3:19
h 1Co 15:34
1Jn 3:9
i 1Ti 3:11
Gál 2:14
j 2Ti 4:1
k Le 19:15
Snt 3:17
1Ti 4:14
m Hch 6:6
Hch 14:23
1Ti 3:6
n 2Jn 11
Rev 18:4
o 1Ti 4:12
1Jn 3:3
p Lu 10:34
1Ti 3:8
q Pr 28:13
Gál 5:19
r Jos 7:11
Heb 4:13
s Mt 5:16
1Ti 3:7
t Mt 10:26
Lu 12:2
1Co 4:5

CAP. 6
u Ro 13:7
Ef 6:5
Col 3:22
v Ro 2:24
Tit 2:5
1Pe 2:13
w Ef 6:9
x Col 4:1
y Flm 16

2.ª col.

a 1Ti 4:11
b Pr 11:9
Jer 17:13
Gál 1:7
c 2Ti 1:13
d Tit 1:1
e Pr 28:25
Gál 6:3
1Ti 3:6
f 1Co 8:2
g Ro 1:28
Tit 3:11
h 2Ti 2:14
Tit 1:10
Tit 3:9
i Gál 5:21
j 2Pe 2:11
k 2Co 11:3
2Ti 3:8
Jud 10

Sigue enseñando estas cosas[a] y dando estas exhortaciones. 3 Si cualquier otro enseña otra doctrina[b] y no se aviene a palabras saludables,[c] las de nuestro Señor Jesucristo, ni a la enseñanza que va de acuerdo con la devoción piadosa,[d] 4 está hinchado [de orgullo],[e] y no entiende nada,[f] sino que está mentalmente[g] enfermo sobre cuestiones y debates acerca de palabras.[h] De estas cosas provienen envidia,[i] contienda, discursos injuriosos,[j] sospechas inicuas, 5 disputas violentas acerca de insignificancias por parte de hombres corrompidos de mente[k] y despojados de la verdad,[l] que piensan que la devoción piadosa es un medio de ganancia.[m] 6 Ciertamente es un medio de gran ganancia,[n] [esta] devoción piadosa[o] junto con autosuficiencia.[p] 7 Porque nada hemos traído al mundo, y tampoco podemos llevarnos cosa alguna.[q] 8 Teniendo, pues, sustento y con qué cubrirnos, estaremos contentos con estas cosas.[r]

9 Sin embargo, los que están resueltos a ser ricos caen en tentación[s] y en un lazo y en muchos deseos insensatos y perjudiciales,[t] que precipitan a los hombres en destrucción y ruina.[u] 10 Porque el amor[v] al dinero es raíz[w] de toda suerte de cosas perjudiciales,[x] y, procurando realizar este amor, algunos han sido descarriados de la fe y se han acribillado con muchos dolores.[y]

11 Sin embargo, tú, oh hombre de Dios, huye de estas cosas.[z] Pero sigue tras la justicia, la devoción piadosa, la fe, el amor, el aguante, la apacibilidad de genio.[a] 12 Pelea la excelente pe-

l Flp 3:18; 2Ti 4:4; Tit 1:14; m 1Co 13:2; 1Pe 5:2; n 2Co 4:18; Flp 1:21; o Ro 12:1; 1Ti 3:16; p Flp 4:11; q Job 1:21; Sl 49:17; r Pr 30:8; Heb 13:5; Snt 13:22; Snt 5:1; t Pr 20:21; Col 3:5; Tit 1:7; u Pr 28:20; Pr 28:22; v Mt 6:24; Lu 12:34; Heb 12:1; w Snt 1:15; x Dt 16:19; Eze 22:12; y 1Ti 1:19; z 2Ti 2:22; a Pr 15:1; Mt 5:5; Gál 5:22; Col 3:12; 1Pe 3:15.

lea de la fe,[a] logra asirte firmemente de la vida eterna para la cual fuiste llamado y presentaste la excelente declaración pública[b] enfrente de muchos testigos.

13 A vista de Dios, que conserva vivas todas las cosas, y de Cristo Jesús, que como testigo[c] hizo la excelente declaración pública[d] delante de Poncio Pilato,[e] te doy órdenes[f] 14 de que observes el mandamiento de manera inmaculada e irreprensible hasta la manifestación[g] de nuestro Señor Jesucristo. 15 Esta [manifestación] la mostrará a los propios tiempos señalados de ella[h] el feliz y único Potentado,[i] [él] el Rey[j] de los que reinan y Señor[k] de los que gobiernan como señores, 16 el único que tiene inmortalidad,[l] que mora en luz inaccesible,[m] a quien ninguno de los hombres ha visto ni puede ver.[n] A él sea honra[o] y poderío eterno. Amén.

17 A los que son ricos[p] en el presente sistema de cosas da órdenes de que no sean altaneros,[a] y de que cifren su esperanza, no en las riquezas inseguras,[b] sino en Dios, que nos proporciona todas las cosas ricamente para que disfrutemos de ellas;[c] 18 que trabajen en lo bueno,[d] que sean ricos en obras excelentes,[e] que sean liberales, listos para compartir,[f] 19 atesorando para sí con seguridad[g] un fundamento[h] excelente para el futuro, para que logren asirse firmemente de la vida que realmente lo es.[i]

20 Oh Timoteo, guarda lo que ha sido depositado a tu cuidado,[j] apartándote de las vanas palabrerías que violan lo que es santo, y de las contradicciones del falsamente llamado "conocimiento".[k] 21 Por ostentar tal [conocimiento] algunos se han desviado de la fe.[l]

Que la bondad inmerecida esté con ustedes.

CAP. 6
a 1Co 9:26
   Jud 3
b Heb 10:23
c Isa 55:4
d Jn 18:36
   Jn 19:11
e Mt 27:11
f 1Te 4:2
g 2Te 2:8
   2Ti 4:1
   2Ti 4:8
h Hch 1:7
i Da 7:14
j Da 2:44
   Rev 17:14
k Rev 19:16
l Heb 7:16
   Heb 7:25
m Hch 9:3
   Hch 22:6
   Rev 1:16
n Jn 5:37
   Jn 14:19
   1Pe 3:18
o Jn 17:24
p Mr 10:23

2.ª col.
a Pr 28:11
b Mt 13:22
c Ec 5:19
   Mt 6:33
   Snt 1:17
d Ef 4:28
   Snt 1:27
e Mt 28:19
   Tit 3:8
f Ro 12:13
   2Co 8:14
g Mt 6:20

h Lu 6:48; 2Ti 2:19; i Lu 16:9; j 2Ti 3:14; 2Ti 4:5; Tit 1:9; k 1Co 2:13; 1Co 3:19; Col 2:8; l 1Ti 1:19.

LA SEGUNDA A
TIMOTEO

1 Pablo, apóstol de Cristo Jesús por la voluntad de Dios,[a] según la promesa de la vida[b] que hay en unión con Cristo Jesús,[c] 2 a Timoteo, un hijo amado:[d]

Que haya bondad inmerecida, misericordia, paz, de parte de Dios [el] Padre y de Cristo Jesús nuestro Señor.[e]

3 Estoy agradecido a Dios —a quien rindo servicio sagrado[f] como lo hicieron mis antepasados,[g] y con conciencia limpia[h]— de que nunca ceso de acordarme de ti en mis ruegos,[i] y noche y día 4 anhelo verte[j] —pues recuerdo tus lágrimas— para llenarme de gozo. 5 Porque recuerdo la fe[k] que hay en ti sin hipocresía[a] alguna, y que moró primero en tu abuela Loida y en tu madre Eunice, pero la cual —estoy seguro— también se halla en ti.

6 Por esta misma causa te recuerdo que avives cual fuego[b] el don[c] de Dios que está en ti mediante la imposición de mis manos.[d] 7 Porque Dios no nos dio un espíritu de cobardía,[e] sino de poder[f] y de amor y de buen juicio.[g] 8 Por lo tanto, no te avergüences del testimonio acerca de nuestro Señor,[h] ni de mí, pri-

CAP. 1
a Jn 6:44
   2Co 1:1
b Jn 3:16
   Ro 2:7
   1Pe 1:4
c Jn 6:40
d 1Co 4:17
e 1Te 4:2
   2Jn 3
f Ro 1:9
   Ro 12:1
g Ro 11:1
   Hch 23:1
   1Ti 1:2
j 2Ti 4:9
k Hch 16:2

2.ª col.
a 1Ti 1:5
   1Ti 4:6
b Ro 12:11
   1Te 5:19
c Hch 19:6
   1Co 14:1

d Hch 13:3; 1Ti 4:14; e Ro 8:15; 1Te 2:2; Rev 21:8; f Lu 24:49; Hch 1:8; 1Co 1:18; g Ef 4:23; h Ro 1:16.

sionero por su causa;[a] antes bien, acepta tu parte en sufrir[b] el mal por las buenas nuevas según el poder de Dios.[c] **9** Él nos salvó[d] y nos llamó con un llamamiento santo,[e] no a causa de nuestras obras,[f] sino a causa de su propio propósito y bondad inmerecida. Esta se nos dio con relación a Cristo Jesús antes de tiempos de larga duración,[g] **10** pero ahora se ha hecho claramente patente mediante la manifestación[h] de nuestro Salvador, Cristo Jesús, que ha abolido la muerte,[i] pero ha arrojado luz[j] sobre la vida[k] y la incorrupción[l] mediante las buenas nuevas,[m] **11** para las cuales fui nombrado predicador y apóstol y maestro.[n]

12 Por esta misma causa también estoy sufriendo[o] estas cosas, pero no me avergüenzo.[p] Porque conozco a aquel a quien he creído, y confío en que él puede guardar[q] lo que he depositado a su cuidado hasta aquel día.[r] **13** Sigue reteniendo el modelo de palabras saludables[s] que oíste de mí con la fe y el amor que hay en relación con Cristo Jesús.[t] **14** Este excelente depósito a tu cuidado,[u] guárdalo mediante el espíritu santo que mora en nosotros.[v]

15 Tú sabes esto, que todos los hombres del [distrito de] Asia[w] se han apartado de mí.[x] Fígelo y Hermógenes son de ese grupo. **16** Que el Señor conceda misericordia a la casa de Onesíforo,[y] porque a menudo me trajo refrigerio,[z] y no se avergonzó de mis cadenas.[a] **17** Por lo contrario, cuando sucedió que estuvo en Roma, me buscó con diligencia y me halló.[b] **18** Que el Señor le conceda hallar misericordia[c] de parte de Jehová en aquel día.[d] Y todos los servicios que él prestó en Éfeso los conoces muy bien.

2 Tú, por lo tanto, hijo mío,[e] sigue adquiriendo poder[f] en la bondad inmerecida[g] que está relacionada con Cristo Jesús,

2 y las cosas que oíste de mí con el apoyo de muchos testigos,[a] estas cosas encárgalas a hombres fieles, quienes, a su vez, estarán adecuadamente capacitados para enseñar a otros.[b] **3** Como excelente soldado[c] de Cristo Jesús, acepta tu parte en sufrir el mal.[d] **4** Ningún hombre que sirve como soldado se envuelve en los negocios comerciales de la vida,[f] a fin de conseguir la aprobación de aquel que lo alistó como soldado. **5** Además, si alguien compite hasta en los juegos,[g] no es coronado a menos que haya competido de acuerdo con las reglas. **6** El labrador que trabaja con tesón tiene que ser el primero en participar de los frutos.[h] **7** Piensa constantemente en lo que estoy diciendo; el Señor verdaderamente te dará discernimiento[i] en todas las cosas.

8 Acuérdate de que Jesucristo fue levantado de entre los muertos[j] y fue de la descendencia de David,[k] según las buenas nuevas que yo predico;[l] **9** con relación a las cuales estoy sufriendo el mal hasta el punto de cadenas [de prisión][m] como malhechor. Sin embargo, la palabra de Dios no está encadenada.[n] **10** Por esta razón sigo aguantando todas las cosas por causa de los escogidos,[o] para que ellos también obtengan la salvación que hay en unión con Cristo Jesús junto con gloria eterna.[p] **11** Fiel es el dicho:[q] Ciertamente si morimos juntos, también viviremos juntos;[r] **12** si seguimos aguantando, también reinaremos juntos;[t] si negamos,[t] él también nos negará; **13** si somos infieles, él permanece fiel,[u] porque no puede negarse a sí mismo.

14 Sigue recordándoles[v] estas

CAP. 1

a Ef 3:1
  2Ti 2:9
b Col 1:24
  2Ti 2:3
c 2Co 6:7
  Flp 4:13
  Col 1:11
  1Pe 1:5
d Hch 2:47
  Ef 2:5
e Ro 8:28
  Ef 1:4
  Heb 3:1
f Ef 2:8
  Tit 3:5
g 1Pe 1:20
h Jn 1:14
  Heb 2:9
i Lu 15:54
  Heb 2:14
j Jn 1:9
k Jn 1:4
  Jn 5:24
  1Jn 1:2
l 1Pe 1:4
m Ro 1:16
n Hch 9:15
  Ef 3:7
  1Ti 2:7
o Hch 9:16
  Ef 3:1
  1Pe 4:19
p 2Co 4:2
q 1Ti 6:20
r 2Ti 4:8
s 1Ti 6:3
  Tit 1:9
t Flp 4:9
  2Ti 2:2
  2Ti 3:14
u Gál 2:7
  1Ti 4:14
v Ro 8:11
w Hch 19:10
x 2Ti 4:10
y 2Ti 4:19
z Flm 7
a Hch 28:20
  Ef 6:20
b Hch 28:30
c Éx 34:6
  Ro 9:15
  Ef 2:4
d Sof 2:3

CAP. 2

e 1Ti 1:2
f Ef 6:10
g Jn 1:17

2.ᵃ col.

a 2Ti 1:13
  2Ti 3:14
b Mt 28:20
c 1Ti 1:18
d 2Ti 1:8
e Flm 2
f 1Co 9:7
g 1Co 9:25
h 1Co 9:7
  Ro 9:10
i Col 1:9
  1Jn 5:20
j Hch 2:24
  1Co 15:4
k Hch 2:30
  Hch 13:23
  Ro 1:3
l Hch 28:31
  Ro 2:16

m Hch 9:16; Flp 1:7; 1Pe 2:20; n Col 4:3; o Mt 22:14; 2Co 1:6; Ef 3:13; Col 1:24; p Col 1:27; 2Te 2:14; 1Pe 5:10; q 1Ti 1:15; r Ro 6:5; Ro 6:8; 1Te 4:17; s Rev 3:21; Rev 20:4; t Mt 10:33; Lu 12:9; u 1Te 5:24; 2Te 3:3; Rev 3:14; v 2Pe 1:12.

cosas, encargándoles[a] delante de Dios como testigo,[b] que no peleen respecto a palabras,[c] cosa que absolutamente no sirve para nada, porque derrumba a los que escuchan. 15 Haz lo sumo posible para presentarte aprobado[d] a Dios, trabajador[e] que no tiene de qué avergonzarse,[f] que maneja la palabra de la verdad correctamente.[g] 16 Mas evita las vanas palabrerías que violan lo que es santo;[h] porque ellos avanzarán a más y más impiedad,[i] 17 y su palabra se esparcirá como gangrena.[j] Himeneo y Fileto son de ese grupo.[k] 18 Estos mismos se han desviado de la verdad,[l] diciendo que la resurrección ya ha sucedido;[m] y están subvirtiendo la fe de algunos.[n] 19 Con todo, el fundamento sólido de Dios queda en pie,[o] y tiene este sello: "Jehová conoce a los que le pertenecen,"[p] y: "Que renuncie a la injusticia[q] todo el que nombra el nombre de Jehová".[r]

20 Ahora bien, en una casa grande no hay solamente vasos de oro y de plata, sino también de madera y barro, y algunos para un propósito honroso, pero otros para un propósito falto de honra.[s] 21 Por eso, si alguien se mantiene apartado de estos, será un vaso para propósito honroso, santificado, útil a su dueño, preparado para toda buena obra.[t] 22 De modo que, huye de los deseos que acompañan a la juventud,[u] mas sigue tras la justicia,[v] la fe, el amor, la paz,[w] junto con los que de corazón limpio invocan al Señor.[x]

23 Además, niégate a admitir las cuestiones necias e ignorantes,[y] pues sabes que producen peleas.[z] 24 Pero el esclavo del Señor no tiene necesidad de pelear,[a] sino de ser amable para todos,[b] capacitado para enseñar,[c] manteniéndose reprimido bajo lo malo,[d] 25 instruyendo con apacibilidad a los que no están favorablemente dis-

puestos;[a] ya que Dios quizás les dé arrepentimiento[b] que conduzca a un conocimiento exacto de la verdad,[c] 26 y recobren el juicio fuera del lazo[d] del Diablo, ya que han sido pescados vivos[e] por él para la voluntad de ese.

3 Mas sabe esto, que en los últimos días[f] se presentarán tiempos críticos, difíciles de manejar.[g] 2 Porque los hombres serán amadores de sí mismos, amadores del dinero, presumidos, altivos, blasfemos, desobedientes a los padres,[h] desagradecidos, desleales,[i] 3 sin tener cariño natural,[j] no dispuestos a ningún acuerdo,[k] calumniadores,[l] sin autodominio, feroces,[m] sin amor del bien,[n] 4 traicioneros,[o] testarudos, hinchados [de orgullo],[p] amadores de placeres más bien que amadores de Dios,[q] 5 teniendo una forma de devoción piadosa,[r] pero resultando falsos a su poder;[s] y de estos apártate.[t] 6 Porque de estos se levantan aquellos hombres que astutamente logran introducirse en las casas[u] y se llevan como cautivas suyas a mujeres débiles cargadas de pecados, llevadas de diversos deseos,[v] 7 que siempre están aprendiendo y, sin embargo, nunca pueden llegar a un conocimiento exacto de la verdad.[w]

8 Ahora bien, de la manera como Janes y Jambres[x] resistieron a Moisés, así también estos siguen oponiendo resistencia a la verdad,[y] hombres completamente corrompidos de mente,[z] desaprobados en cuanto a la fe.[a] 9 Sin embargo, no harán más progreso, porque su locura será muy patente a todos, así como lo llegó a ser la [locura] de aquellos [dos hombres].[b] 10 Pero tú has seguido con sumo cuidado y atención mi enseñanza, el derrotero de mi vida,[c] mi propósito,

CAP. 2

a 2Ti 4:1
b 2Co 12:3
c 1Ti 1:4
d Ro 14:18
  1Te 2:4
e 1Ti 4:6
f Tit 2:8
g 2Ti 4:2
h 1Ti 4:7
  1Ti 6:20
i 2Ti 3:13
j 1Co 5:6
k 1Ti 1:20
  1Ti 1:6
m 1Co 15:12
n 1Ti 6:21
o Isa 28:16
  Heb 11:10
p Nú 16:5
  1Co 8:3
q Sof 3:13
r Isa 26:13
  Sof 3:9
  Sof 3:12
  Ro 10:13
s Ro 9:21
t 2Ti 3:17
  Tit 3:1
u 1Co 6:18
  Ef 5:15
v 1Ti 6:11
w 1Pe 3:11
x Gál 5:22
  1Ti 1:4
y 1Ti 1:4
  1Ti 4:7
  Tit 3:9
z Hch 23:9
a Tit 1:7
b 1Te 2:7
c 1Ti 3:2
d Mt 5:39

2.ª col.

a Pr 15:1
  Lu 17:3
  Gál 6:1
  Tit 3:2
  1Pe 3:15
b Hch 11:18
c 1Ti 2:4
d 2Co 2:11
  1Ti 3:7
e Si 124:7
  Jn 13:27
  Hch 5:3
  1Ti 1:20

CAP. 3

f Jer 23:20
  Da 10:14
  Mt 24:3
  Jud 18
g 1Ti 4:1
  2Pe 3:3
h Dt 21:18
  Pr 30:17
  Ef 6:2
i Ro 1:30
  1Ti 1:9
j Ro 1:31
k Ro 1:31
l Eze 22:9
  Tit 2:3
m Mt 8:28
n Miq 3:2
o Hch 7:52
p 1Ti 6:4
q Flp 3:19
  Jud 19
r Mt 7:15
  Mt 7:20
  2Ti 4:4

s Tit 1:16; 1 2Co 6:14; 2Te 3:6; u Tit 1:11; 2Pe 2:3; Jud 4; v 1Ti 5:11; w 1Ti 4:3; x Éx 7:11; y Hch 13:8; z Ro 1:28; 1Ti 6:5; a 2Te 3:2; b Éx 7:12; Éx 9:11; c 1Co 4:17; 2Ti 1:13.

mi fe, mi gran paciencia, mi amor, mi aguante. 11 mis persecuciones, mis sufrimientos, la clase de cosas que me sucedieron en Antioquía,[a] en Iconio,[b] en Listra,[c] la clase de persecuciones que he soportado; y, no obstante, de todas ellas el Señor me libró.[d] 12 De hecho, todos los que desean vivir con devoción piadosa en asociación con Cristo Jesús también serán perseguidos.[e] 13 Pero los hombres inicuos e impostores avanzarán de mal en peor, extraviando y siendo extraviados.[f]

14 Tú, sin embargo, continúa en las cosas que aprendiste y fuiste persuadido a creer,[g] sabiendo de qué personas las aprendiste,[h] 15 y que desde la infancia[i] has conocido los santos escritos, que pueden hacerte sabio para la salvación[j] mediante la fe relacionada con Cristo Jesús.[k] 16 Toda Escritura es inspirada de Dios[l] y provechosa para enseñar,[m] para censurar,[n] para rectificar las cosas,[o] para disciplinar[p] en justicia, 17 para que el hombre de Dios sea enteramente competente[q] [y esté] completamente equipado para toda buena obra.[r]

4 Solemnemente te encargo delante de Dios y de Cristo Jesús, que está destinado a juzgar[s] a los vivos y a los muertos,[t] y por su manifestación[u] y su reino:[v] 2 predica la palabra,[w] ocúpate en ello urgentemente en tiempo favorable,[x] en tiempo dificultoso;[y] censura,[z] corrige, exhorta, con toda gran paciencia[a] y [arte de] enseñar. 3 Porque habrá un período en que no soportarán la enseñanza saludable,[b] sino que, de acuerdo con sus propios deseos, acumularán para sí mismos maestros para que les regalen los oídos;[c] 4 y apartarán sus oídos de la verdad, puesto que serán desviados a cuentos falsos.[d] 5 Tú, sin embargo, mantén tu juicio[e] en todas las cosas, sufre el mal,[f] haz

[la] obra de evangelizador,[a] efectúa tu ministerio plenamente.[b]

6 Porque ya estoy siendo derramado como libación,[c] y el debido tiempo de mi liberación[d] es inminente. 7 He peleado la excelente pelea,[e] he corrido la carrera hasta terminarla,[f] he observado la fe.[g] 8 De este tiempo en adelante me está reservada la corona de la justicia,[h] que el Señor, el justo juez,[i] me dará como galardón[j] en aquel día;[k] sin embargo, no solo a mí, sino también a todos los que han amado su manifestación.

9 Haz lo sumo posible por venir a mí dentro de poco.[l] 10 Pues Demas[m] me ha abandonado porque ha amado el presente sistema[n] de cosas, y se ha ido a Tesalónica; Crescente, a Galacia;[o] Tito, a Dalmacia. 11 Solo Lucas está conmigo. Toma a Marcos y tráelo contigo, porque me es útil[p] para ministrar. 12 Pero a Tíquico[q] lo he enviado a Éfeso. 13 Cuando vengas, trae la capa que dejé en Troas[r] con Carpo, y los rollos, especialmente los pergaminos.

14 Alejandro[s] el calderero en cobre me hizo muchos males —Jehová se lo pagará conforme a sus hechos[t]—, y tú también guárdate de él, porque opuso resistencia a nuestras palabras a grado excesivo.

16 En mi primera defensa nadie vino a mi lado, sino que todos procedieron a abandonarme[u] —que no se les ponga en su cuenta[v]—; 17 pero el Señor estuvo cerca de mí[w] y me infundió poder,[x] para que por medio de mí la predicación se efectuara plenamente y todas las naciones la oyeran;[y] y fui librado de la boca del león.[z] 18 El Señor me librará de toda obra inicua[a] y [me] salvará para su reino celestial.[b] A él sea

---

CAP. 3

a Hch 13:50
b Hch 14:5
c Hch 14:19
d 2Co 1:10
e Mt 16:24
 Jn 15:20
 Hch 14:22
f 2Te 2:11
 1Ti 4:1
g 2Ti 1:13
 2Ti 2:2
i Pr 22:6
 Hch 16:1
j Pr 2:1
 Jn 5:39
k Jn 20:31
 1Jn 14:26
 2Pe 1:21
m Ro 15:4
n Pr 3:12
 Jn 16:8
 Tit 1:9
o 1Co 10:11
p Heb 12:5
q 2Ti 2:21
r 1Ti 6:11

CAP. 4

s Jn 5:22
 Hch 17:31
 2Co 5:10
t Jn 5:28
 Hch 10:42
u 1Ti 6:15
 1Pe 5:4
v Rev 11:15
 Rev 12:10
w Mt 28:20
 Lu 9:2
 Hch 20:20
x Hch 9:31
 Hch 28:31
y Hch 8:4
z 1Ti 5:20
 Tit 1:9
 Tit 1:13
 Tit 2:15
a 2Ti 2:25
b 1Ti 1:3
 1Ti 1:10
 1Ti 4:1
c Hch 17:21
 Tit 1:14
 2Pe 1:16
e 1Te 5:6
f 2Ti 1:8
 2Ti 2:3

2.ᵃ col.

a Ro 10:15
b Ro 15:19
 Col 1:25
c Éx 29:40
d Flp 1:23
e 1Co 9:26
 1Ti 6:12
f Flp 3:14
g Lu 11:28
 Jn 17:6
h 1Co 9:25
 Snt 1:12
i Jn 5:22
j Rev 2:10
k 1Pe 5:4
 1Ti 1:4
m Col 4:14
 Flm 24
n Ro 12:2
o Gál 1:2
p Flm 11

---

q Ef 6:21; Col 4:7; r Hch 16:8; s 1Ti 1:20; t Sl 28:4; Sl 62:12; Pr 24:12; u 2Ti 1:15; v Ro 4:8; 1Co 13:5; w Hch 23:11; Hch 27:23; x Flp 4:13; y Hch 9:15; z Sl 22:21; 1Pe 5:8; a 2Pe 2:9; b Da 2:44; Rev 20:4.

la gloria para siempre jamás. Amén.

19 Da mis saludos a Prisca[a] y a Áquila y a la casa de Onesíforo.[b]

20 Erasto[c] se quedó en Corinto,[d] pero a Trófimo[e] lo dejé enfermo en Mileto.[f] **21** Haz lo sumo posible por llegar antes del invierno.

Eubulo te envía sus saludos, y [lo mismo] Pudente y Lino y Claudia y todos los hermanos.

22 El Señor [esté] con el espíritu que [manifiestas].[a] Su bondad inmerecida [esté] con ustedes.

CAP. 4
a Ro 16:3
b 2Ti 1:16
c Hch 19:22
d 1Co 1:2
e Hch 21:29
f Hch 20:15

2.ª col. a Gál 6:18; Flm 25.

A

TITO

1 Pablo, esclavo[a] de Dios y apóstol[b] de Jesucristo según la fe de los escogidos[c] de Dios y el conocimiento exacto[d] de la verdad[e] que concuerda con la devoción piadosa[f] **2** sobre la base de una esperanza de la vida eterna[g] que Dios, que no puede mentir,[h] prometió antes de tiempos de larga duración,[i] **3** mientras que a sus propios tiempos puso de manifiesto su palabra en la predicación que me fue encomendada,[j] bajo mandato de nuestro Salvador,[k] Dios; **4** a Tito, un hijo genuino[l] según una fe de la que participamos en común:

Que haya bondad inmerecida y paz de parte de Dios [el] Padre[m] y del Cristo Jesús nuestro Salvador.[n]

5 Por esta razón te dejé en Creta,[o] para que corrigieras las cosas defectuosas e hicieras nombramientos[p] de ancianos en ciudad tras ciudad, como te di órdenes;[q] **6** si hay algún hombre libre de acusación,[r] esposo de una sola mujer,[s] que tenga hijos creyentes no acusados de disolución, ni ingobernables.[t] **7** Porque el superintendente tiene que estar libre de acusación[u] como mayordomo[v] de Dios, no [ser] voluntarioso,[w] ni propenso a la ira,[x] ni borracho pendenciero,[y] ni golpeador,[z] ni ávido

de ganancia falta de honradez,[a] **8** sino hospitalario,[b] amador del bien, de juicio sano,[c] justo, leal,[d] que ejerza autodominio,[e] **9** que se adhiera firmemente a la fiel palabra en lo que toca a su [arte de] enseñar,[f] para que pueda exhortar por la enseñanza que es saludable[g] y también censurar[h] a los que contradicen.

10 Porque hay muchos hombres ingobernables, habladores sin provecho[i] y engañadores de la mente, especialmente esos hombres que se adhieren a la circuncisión.[j] **11** Hay que cerrar la boca a estos, puesto que estos mismos hombres siguen subvirtiendo casas enteras,[k] enseñando cosas que no deben por causa de la ganancia falta de honradez.[l] **12** Uno de entre ellos, su propio profeta, dijo: "Los cretenses siempre son mentirosos, bestias salvajes perjudiciales,[m] glotones desocupados".

13 Este testimonio es verdadero. Por esta misma causa sigue censurándolos con severidad,[n] para que estén saludables[o] en la fe, **14** y no presten atención a las fábulas[p] judaicas y a los mandamientos de hombres[q]

CAP. 1
a Ro 12:11
Snt 1:1
b Col 1:1
c 2Ti 2:10
d 2Ti 2:25
e Jn 8:32
f 1Ti 6:3
2Pe 1:3
g Ro 5:21
Ro 6:23
h Nú 23:19
Heb 6:18
i Isa 53:11
Ro 16:25
2Ti 1:9
j 1Te 2:4
k Hch 9:15
1Ti 1:2
m 2Pe 1:11
n Hch 27:7
p Hch 14:23
q 1Ti 6:13
r 1Co 1:8
s 1Ti 3:2
t 1Ti 3:4
u 1Ti 3:10
v 1Co 4:2
1Co 9:17
w 2Pe 2:10
x Ro 12:19
Snt 1:19
z Pr 23:35

2.ª col.
a 1Ti 3:8
b 1Pe 4:9
c Ro 12:3
d 1Ti 2:2
Tit 2:2
e Ef 4:24
1Ti 2:8
e Sl 119:101
2Ti 2:24
Snt 3:13
f 1Ti 4:16
1Ti 6:3
Snt 3:1
f 3Ti 1:10
2Ti 1:13

---

h Pr 6:23; Ef 5:11; 1Ti 5:20; 2Ti 4:2; Tit 1:13; Rev 3:19; i Ro 16:18; 1Ti 1:6; j Hch 15:1; k 2Ti 3:6; l 1Ti 6:5; 1Pe 5:2; m Tit 3:2; n 2Co 13:10; Ef 5:11; Tit 1:9; o Tit 2:2; p 1Ti 4:7; 2Pe 4:4; 2Pe 1:16; q Mt 15:9.

que se apartan de la verdad.[a]
15 Todas las cosas son limpias a los limpios.[b] Pero a los contaminados[c] y sin fe[d] nada les es limpio, sino que tienen contaminada tanto la mente como la conciencia.[e] **16** Declaran públicamente que conocen a Dios,[f] pero por sus obras lo repudian,[g] porque son detestables y desobedientes y no aprobados[h] para obra buena de clase alguna.

2 Tú, sin embargo, sigue hablando las cosas que son apropiadas para la enseñanza saludable.[i] **2** Que los hombres de edad[j] sean moderados en los hábitos, serios,[k] de juicio sano, saludables en fe,[l] en amor, en aguante.[m] **3** Igualmente, que las mujeres de edad[n] sean reverentes en su comportamiento,[o] no calumniadoras, no esclavizadas a mucho vino, maestras de lo que es bueno; **4** para que hagan recobrar el juicio a las mujeres jóvenes para que estas amen a sus esposos,[p] amen a sus hijos,[q] **5** sean de juicio sano, castas,[r] trabajadoras en casa, buenas, sujetas[s] a sus propios esposos, para que no se hable injuriosamente de la palabra de Dios.[t]

6 Igualmente, sigue exhortando a los hombres de menos edad a que sean de juicio sano,[u] **7** en todas las cosas mostrándote tú mismo ejemplo de obras excelentes;[v] mostrando incorrupción[w] en tu enseñanza,[x] seriedad, **8** habla saludable que no se pueda condenar;[y] para que el hombre que está del lado opuesto se avergüence, al no tener nada vil que decir acerca de nosotros.[z] **9** Que los esclavos[a] estén en sujeción a sus dueños en todas las cosas[b] y les sean de buen agrado, no siendo respondones,[c] **10** no cometiendo robos,[d] sino desplegando buena fidelidad a plenitud,[e] para que en todas las cosas adornen la enseñanza de nuestro Salvador,[f] Dios.

11 Porque la bondad inmerecida[a] de Dios que trae salvación[b] a toda clase de hombres[c] se ha manifestado,[d] **12** y nos instruye a repudiar la impiedad[e] y los deseos mundanos[f] y a vivir con buen juicio y justicia y devoción piadosa[g] en medio de este sistema de cosas actual,[h] **13** mientras aguardamos la feliz esperanza[i] y la gloriosa[j] manifestación del gran Dios y de[1] Salvador nuestro, Cristo Jesús, **14** que se dio a sí mismo[k] por nosotros para librarnos[l] de toda clase de desafuero y limpiar[m] para sí un pueblo peculiarmente suyo,[n] celoso de obras excelentes.[o]

15 Sigue hablando estas cosas y exhortando y censurando con plena autoridad para mandar.[p] Que nadie jamás te desprecie.[q]

3 Continúa recordándoles que estén en sujeción[r] y sean obedientes a los gobiernos y a las autoridades como gobernantes,[s] que estén listos para toda buena obra,[t] **2** que no hablen perjudicialmente de nadie, que no sean belicosos,[u] que sean razonables,[v] y desplieguen toda apacibilidad para con todos los hombres.[w] **3** Porque hasta nosotros en un tiempo éramos insensatos, desobedientes, extraviados, esclavizados a diversos deseos y placeres, ocupados en maldad y envidia, aborrecibles, y nos odiábamos unos a otros.[x]

4 Sin embargo, cuando se manifestó[1] la bondad[z] y el amor para con el hombre de parte de nuestro Salvador,[a] Dios, **5** él nos salvó, no debido a obras[b] de justicia que nosotros hubiéramos ejecutado,[c] sino según su

---

CAP. 1

a Gál 4:9
2Pe 2:22
b Ro 14:14
c Mt 15:11
Lu 11:39
d 2Te 3:2
e 1Co 8:7
1Ti 1:5
f Flp 1:17
2Ti 3:5
g Mt 7:16
2Ti 3:2
h 2Ti 3:8

CAP. 2

i 1Ti 4:16
2Ti 1:13
j 1Ti 5:1
k 1Ti 3:8
1Tit 1:13
m Mt 24:13
n 1Ti 5:2
o 1Ti 3:11
1Pe 3:1
p Ef 6:4
r Snt 3:17
1Pe 3:2
s Gé 3:16
1Co 14:34
t 1Ti 6:1
2Ti 2:15
u Ro 12:3
1Pe 5:5
v 1Ti 6:18
w Ef 6:24
x 2Ti 2:15
y Col 3:8
1Ti 6:3
z 2Ti 2:15
a Ef 6:5
b 1Pe 2:18
c 1Ti 6:1
d Ef 4:28
e Mt 5:16
Heb 13:18
f 1Ti 2:3

2.ᵃ col.

a Jn 1:17
b Ro 5:18
c Gál 3:28
1Ti 2:4
d 1Ti 3:16
e 1Te 4:7
f 1Jn 2:16
g 1Ti 6:6
h Ro 12:2
i 1Pe 1:13
1Pe 1:21
j Hab 3:3
k Mt 20:28
1Ti 2:6
1Pe 1:19
l 1Gál 1:4
Ef 1:7
Col 1:14
m Heb 9:14
n Dt 7:6
1Pe 2:9
o Ef 2:10
p 2Ti 4:2
q 1Ti 4:12

CAP. 3

r Ro 13:1
Heb 13:17
s Da 6:5
Mr 12:17
1Pe 2:13

t Col 1:10; u 2Ti 2:24; v Flp 4:5; Snt 3:17; w Flp
15:1; Gál 6:1; Ef 4:2; 1Ti 6:11; 2Ti 2:25; 1Pe
2:15:15; x Ef 2:1; y Tit 2:11; z Lu 6:35; Ro 11:22; Ef
4:32; a Ro 2:4; 1Ti 2:3; b Ro 3:10; Gál 3:21; c Dt
9:5; Da 9:18; Ro 6:23.

misericordia,[a] mediante el baño[b] que nos trajo a la vida[c] y mediante hacernos nuevos por espíritu santo.[d] 6 Este [espíritu] él lo derramó ricamente sobre nosotros mediante Jesucristo nuestro Salvador,[e] 7 para que, después de ser declarados justos[f] en virtud de la bondad inmerecida de ese,[g] llegáramos a ser herederos[h] según una esperanza de vida eterna.[i]

8 Fiel es el dicho,[j] y respecto a estas cosas deseo que constantemente hagas afirmaciones sólidas, para que los que han creído a Dios tengan la mente [puesta] en mantener obras excelentes.[k] Estas cosas son excelentes y provechosas a los hombres.

9 Pero evita cuestiones necias[l] y genealogías[m] y contienda[n] y peleas acerca de la Ley,[o] porque son inútiles y vanas. 10 En cuanto al hombre que promueve una secta,[p] recházalo[q] después de una primera y una segunda admonición;[a] 11 sabiendo que tal hombre ha sido descaminado y está pecando, y a sí mismo se condena.[b]

12 Cuando te envíe a Ártemas o a Tíquico,[c] haz lo sumo posible por venir a mí en Nicópolis, porque es allí donde he decidido invernar.[d] 13 Cuidadosamente suministra lo de su viaje a Zenas, que está versado en la Ley, y a Apolos, para que no les falte nada.[e] 14 Pero que los nuestros también aprendan a mantener obras excelentes a fin de satisfacer sus necesidades apremiantes,[f] para que no sean infructíferos.[g]

15 Todos los que están conmigo te envían sus saludos.[h] Da mis saludos a los que nos tienen cariño en la fe.

Que la bondad inmerecida sea con todos ustedes.[i]

CAP. 3
a Sl 130:4
Ro 5:15
Ro 5:21
Ro 11:22
b 1Jn 1:7
1Jn 2:2
Rev 1:5
Rev 7:14
c Ro 5:18
d Jn 3:5
Ro 8:14
Ro 8:23
2Co 5:17
Heb 6:4
e Hch 2:33
f Ro 5:1
Ro 5:9
g Ro 3:24
Gál 2:16
h Ro 8:17
i Ro 6:23
j 1Ti 1:15
k 1Ti 6:18
l 1Ti 6:4
1Ti 6:20
2Ti 2:23
m 1Ti 1:4
n 1Ti 3:13
Flp 2:3
o 1Ti 1:7
p 1Co 11:19
Rev 2:6
q Ro 16:17
2Te 3:6
2Te 3:14
2Jn 10

2.ª col. a 2Co 13:2; 2Ti 4:2; b Heb 6:6; c Hch 20:4; Ef 6:21; 2Ti 4:12; d 1Co 16:6; e 1Co 9:14; Gál 6:6; Heb 13:16; f Ro 15:27; 1Co 9:11; g Col 1:10; 2Pe 1:8; h Flp 4:21; i 1Te 5:28.

A

FILEMÓN

1 Pablo, prisionero[a] por Cristo Jesús, y Timoteo,[b] [nuestro] hermano, a Filemón, amado nuestro y colaborador,[c] 2 y a Apfia, nuestra hermana, y a Arquipo,[d] nuestro compañero de armas,[e] y a la congregación que está en tu casa:[f]

3 Que tengan ustedes bondad inmerecida y paz de parte de Dios nuestro Padre y de[l] Señor Jesucristo.[g]

4 Siempre doy gracias a mi Dios cuando hago mención de ti en mis oraciones,[h] 5 pues sigo oyendo de tu amor y de la fe que tienes para con el Señor Jesús y para con todos los santos;[i] 6 para que el compartir tu fe entre en acción por tu reconocimiento de toda cosa buena entre nosotros con relación a Cristo. 7 Porque obtuve mucho gozo y consuelo a causa de tu amor,[a] por cuanto los tiernos cariños de los santos han sido refrescados[b] por medio de ti, hermano.

8 Por esta misma razón, aunque tengo gran franqueza de expresión con relación a Cristo para ordenar[c] que hagas lo que es propio, 9 más bien te estoy exhortando sobre la base del amor,[d] puesto que soy tal como soy, Pablo, hombre de edad, sí, ahora también un prisionero[e] por Cristo Jesús; 10 te estoy exhortando respecto a mi hijo,[f] para quien llegué a ser padre[g] estando en mis cadenas [de

a Ef 4:1
b Hch 16:1
Heb 13:23
c Flp 2:25
d Col 4:17
e 2Ti 2:3
f Ro 16:5
1Co 16:19
g Ro 1:7
h Ef 1:16
1Te 1:2
i Ef 1:15
Col 1:4
j Gál 5:6

2.ª col.
a 2Co 7:13
b 2Ti 1:16
Heb 6:10
c 1Ti 6:13
d 2Co 8:8
Gál 5:13
e Ef 3:1
f Gál 4:19
g 1Co 4:15

prisión], Onésimo,[a] **11** que en otro tiempo te fue inútil, pero que ahora nos es útil a ti y a mí.[b] **12** A este mismísimo te lo devuelvo, sí, a él, es decir, a mis propios tiernos cariños.[c]

13 Quisiera retenerlo para mí mismo para que, en lugar de ti,[d] siguiera ministrándome a mí en las cadenas [de prisión][e] que llevo por las buenas nuevas. **14** Pero sin tu consentimiento no quiero hacer nada, para que tu buen acto no sea como obligado, sino de tu propia voluntad.[f] **15** Quizás realmente sea por esto por lo que se escabulló por una hora, para que vuelvas a tenerlo para siempre, **16** ya no como esclavo,[g] sino como más que esclavo,[h] como hermano amado[i] —lo cual es especialmente para mí, sin embargo cuánto más para ti—, tanto en relación carnal como en [el] Señor. **17** Por lo tanto, si me consideras como partícipe,[j] recíbelo[k] amablemente como lo harías conmigo. **18** Además, si te hizo alguna injusticia o te debe algo, tenlo cargado a mi cuenta. **19** Yo, Pablo, escribo de mi propia mano:[a] Yo lo pagaré —por no decirte que, además, hasta tú mismo te me debes—. **20** Sí, hermano, saque yo provecho de ti en relación con [el] Señor: refresca mis tiernos cariños[b] en relación con Cristo.

21 Confiando en tu anuencia, te escribo, pues sé que harás aún más de las cosas que digo.[c] **22** Pero junto con eso, también alístame alojamiento,[d] porque espero que, por las oraciones[e] de ustedes, yo les sea puesto en libertad.[f]

23 Te envía saludos Epafras,[g] mi compañero en cautiverio en unión con Cristo, **24** [también] Marcos, Aristarco,[h] Demas,[i] Lucas, mis colaboradores.

25 La bondad inmerecida del Señor Jesucristo [esté] con el espíritu que ustedes [manifiestan].[j]

Referencias (columna central)

a Col 4:9
b 2Ti 4:11
c Flm 20
d Flp 2:30
e Ef 6:20
Flp 1:7
f 2Co 9:7
1Pe 5:2
g 1Co 7:22
h Col 3:22
i 1Ti 6:2
j 2Co 8:23
k Ro 15:7

2.ª col.

a Gál 6:11
b Flm 12
c Flp 2:2
d Hch 28:23
e Hch 12:5
f Flp 2:24
g Col 1:7
Col 4:12
h Hch 19:29
Hch 27:2
Col 4:10
i Col 4:14
2Ti 4:10
j Gál 6:18

A LOS
HEBREOS

1 Dios, que hace mucho habló en muchas ocasiones[a] y de muchas maneras a nuestros antepasados por medio de los profetas,[b] **2** al fin de estos días[c] nos ha hablado por medio de un Hijo,[d] a quien nombró heredero de todas las cosas,[e] y mediante el cual hizo[f] los sistemas de cosas. **3** Él es el reflejo de [su] gloria[g] y la representación exacta de su mismo ser,[h] y sostiene todas las cosas por la palabra de su poder;[i] y después de haber hecho una purificación por nuestros pecados[j] se sentó a la diestra[k] de la Majestad en lugares encumbrados.[l] **4** De modo que ha llegado a ser mejor que los ángeles,[a] al grado que ha heredado un nombre[b] más admirable que el de ellos.

5 Por ejemplo, ¿a cuál de los ángeles dijo él alguna vez: "Tú eres mi hijo; yo, hoy, yo he llegado a ser tu padre"?[c] ¿Y otra vez: "Yo mismo llegaré a ser su padre, y él mismo llegará a ser mi hijo"?[d] **6** Pero cuando introduce de nuevo a su Primogénito[e] en la tierra habitada, dice: "Y

Referencias (Cap. 1)

CAP. 1

a Nú 12:8
Isa 1:2
b Éx 24:3
Jer 7:25
Eze 33:33
Lu 1:70
c Hch 3:21
c Gál 4:4
1Pe 1:11
1Pe 1:20
d Mt 17:5
Jn 3:17
Jn 13:34
e Sl 2:8
Jn 16:15
Ro 8:17
f Jn 1:3
1Co 8:6
Col 1:16
g Jn 1:14
Jn 17:5
h Jn 1:1
i Col 1:17
j Da 9:24
Heb 9:26
1Pe 1:19

k Sl 110:1; Hch 2:33; Hch 7:55; Ro 8:34; Col 3:1; l Sl 33:13; Ef 1:20; Heb 8:1; Jud 25; 2.ª col. a Flp 2:21; Flp 3:22; b Hch 4:12; Flp 2:9; c Sl 2:7; d 2Sa 7:14; Mr 1:11; Lu 9:35; 2Pe 1:17; e Jn 1:14; Jn 3:18; Ro 8:29; Col 1:15.

que todos los ángeles[a] de Dios le rindan homenaje".[b]

7 También, respecto a los ángeles dice: "Y hace a sus ángeles espíritus, y a sus siervos públicos una llama de fuego".[c]
8 Pero respecto al Hijo: "Dios es tu trono para siempre[d] jamás, y [el] cetro de tu reino[e] es el cetro de rectitud.[f] 9 Amaste la justicia, y odiaste el desafuero. Por eso Dios, tu Dios, te ungió[g] con [el] aceite de alborozo más que a tus socios".[h] 10 Y: "Tú en [el] principio, oh Señor, colocaste los fundamentos de la tierra misma, y los cielos son [las] obras de tus manos.[i] 11 Ellos mismos perecerán, pero tú mismo has de permanecer de continuo; e igual que una prenda de vestir exterior[j] todos ellos envejecerán, 12 y los envolverás igual que una capa,[k] como una prenda de vestir exterior; y serán cambiados, pero tú eres el mismo, y tus años nunca se acabarán".[l]

13 Pero ¿con respecto a cuál de los ángeles ha dicho él alguna vez: "Siéntate a mi diestra, hasta que coloque a tus enemigos como banquillo para tus pies"?[m] 14 ¿No son todos ellos espíritus[n] para servicio público,[o] enviados para servir a favor de los que van a heredar[p] la salvación?

2 Por eso es necesario que prestemos más de la acostumbrada atención a las cosas oídas[q] por nosotros, para que nunca se nos lleve a la deriva.[r] 2 Porque si la palabra hablada mediante ángeles[s] resultó firme, y toda transgresión y acto de desobediencia recibió retribución en conformidad con la justicia,[t] 3 ¿cómo escaparemos nosotros[u] si hemos descuidado[v] una salvación de tal grandeza,[w] puesto que empezó a ser hablada mediante [nuestro] Señor[x] y nos fue verificada[y] por los que le oyeron, 4 mientras Dios

tomó parte en dar testimonio tanto con señales como con portentos presagiosos y con diversas obras poderosas[a] y con distribuciones[b] de espíritu santo según su voluntad?[c]

5 Porque no es a ángeles a quienes él ha sujetado la tierra habitada por venir,[d] acerca de la cual hablamos. 6 Pero cierto testigo ha dado prueba en algún lugar, diciendo: "¿Qué es el hombre para que lo tengas presente,[e] o [el] hijo del hombre para que cuides de él?[f] 7 Lo hiciste un poco inferior a los ángeles; con gloria y honra[g] lo coronaste, y lo nombraste sobre las obras de tus manos.[h] 8 Todas las cosas las sujetaste debajo de sus pies".[i] Porque al sujetar todas las cosas a él,[j] no dejó [Dios] nada que no esté sujeto a él.[k] Ahora, sin embargo, no vemos todavía todas las cosas sujetas a él;[l] 9 pero contemplamos a Jesús, que había sido hecho un poco inferior a los ángeles,[m] coronado de gloria[n] y honra por haber sufrido la muerte,[o] para que por la bondad inmerecida de Dios gustase la muerte por todo [hombre].[p]

10 Porque le fue propio a aquel por cuya causa todas las cosas son[q] y mediante el cual todas las cosas son, al llevar a la gloria a muchos hijos,[r] perfeccionar mediante sufrimientos al Agente Principal[s] de su salvación.[t] 11 Porque tanto el que está santificado como los que están siendo santificados,[u] todos [emanan] de uno solo,[v] y por esa causa él no se avergüenza de llamarlos "hermanos",[w] 12 como dice: "Declararé tu nombre a mis hermanos; en medio de [la] congregación te alabaré con can-

CAP. 1

a Sl 91:11
Lu 22:43
Jn 20:12
b Dt 32:43,
LXX.
Sl 97:7
c Sl 104:4
d Mt 28:18
Hch 2:30
Rev 3:21
e Gé 49:10
Nú 24:17
f Sl 2:9
f Sl 45:6
g Isa 61:1
Lu 3:22
Lu 4:18
Hch 4:27
Hch 10:38
h Sl 45:7
i Sl 102:25
j Isa 51:6
k Isa 34:4
Rev 6:14
Sl 102:26
m Sl 110:1
Mt 22:44
Mr 12:36
Lu 20:42
n Sl 104:4
Sl 35:8
o Sl 34:7
Sl 91:11
Mt 18:10
Lu 2:13
Lu 16:22
Hch 5:19
Hch 12:7
p Mt 19:29
Mt 25:34
Snt 2:5

CAP. 2

q Lu 8:15
2Ti 2:2
r Sl 73:2
Heb 3:12
2Pe 3:17
Rev 2:4
s Hch 7:53
Gál 3:19
t Dt 4:3
1Co 10:11
Jud 5
u Heb 10:29
v Mt 11:23
Mt 22:5
w Lu 1:69
x Mr 1:14
Jn 18:20
y Lu 1:2

2.ª col.

a Hch 2:22
1Co 2:4
b 1Co 12:4
c 1Co 12:11
Ef 1:2
Rev 4:11
d Isa 11:9
Hch 17:31
2Pe 3:13
e Job 7:17
f Sl 8:4
Sl 144:3
g Sl 8:5
h Gé 1:26
Gé 9:2
i Sl 8:6

j Mt 28:18; 1Co 15:27; Ef 1:22; Flp 3:21; k Heb 13:3; Hch 2:35; 1Pe 3:22; l Sl 110:1; m Flp 2:7; n Da 7:14; o Isa 53:8; 1Pe 1:19; 1Jn 4:10; Rev 5:9; p Isa 53:5; Ro 5:17; 1Ti 2:6; q Ro 11:36; r Ro 8:19; 2Co 6:18; 1Jn 3:2; s Hch 5:31; 1Co 8:6; Heb 12:2; t Lu 24:26; Heb 5:8; u Jn 17:19; Heb 10:14; v Jn 1:13; Jn 20:17; w Mt 12:50; Ro 8:29.

ción".ª   13 Y otra vez: "Tendré mi confianza en él".ᵇ Y otra vez: "¡Miren! Yo y los hijitos, los cuales Jehová me dio".ᶜ

14 Por lo tanto, puesto que los "hijitos" son partícipes de sangre y carne, él también de igual manera participó de las mismas cosas,ᵈ para que por muerteᵉ redujera a nadaᶠ al que tiene el medio para causar la muerte,ᵍ es decir, al Diablo;ʰ 15 y emanciparaⁱ a todos los que por temor de la muerteʲ estaban sujetos a esclavitud durante toda su vida.ᵏ 16 Porque verdaderamente no está prestando ayuda a ángeles de manera alguna, sino que está prestando ayuda a la descendencia de Abrahán.ˡ 17 Por consiguiente, le era preciso llegar a ser semejante a sus "hermanos" en todo respecto,ᵐ para llegar a ser un sumo sacerdote misericordioso y fiel en cosas que tienen que ver con Dios,ⁿ a fin de ofrecer sacrificio propiciatorioᵒ por los pecados de la gente.ᵖ 18 Pues por cuanto él mismo ha sufrido al ser puesto a prueba,ᑫ puede ir en socorro de los que están siendo puestos a prueba.ʳ

3 Por consiguiente, hermanos santos, partícipes del llamamiento celestial,ˢ consideren al apóstolᵗ y sumo sacerdote que nosotros confesamos:ᵘ a Jesús. 2 Él fue fielᵛ a Aquel que lo hizo tal, así como Moisésʷ también lo fue en toda la casa de Aquel.ˣ 3 Porque a este se le considera digno de más gloriaʸ que a Moisés, puesto que tiene más honra que la casaᶻ que el que la construye. 4 Por supuesto, toda casa es construida por alguien, pero el que ha construido todas las cosas es Dios.ᵇ 5 Y Moisés como servidorᶜ fue fiel en toda la casa de Aquel como testimonio de las cosas que habían de hablarse después,ᵈ 6 pero Cristo [fue fiel] como Hijoᵉ sobre la casa de Aquel. Nosotros somos

la casa de Aquel,ª si mantenemos fuertemente asida nuestra franqueza de expresión y nuestra jactancia respecto a la esperanza con firmeza hasta el fin.ᵇ

7 Por esta razón, así como dice el espíritu santo:ᶜ "Hoy, si ustedes escuchan la propia voz de él,ᵈ 8 no endurezcan sus corazones como en la ocasión de causar amarga cólera,ᵉ como en el día de hacer la pruebaᶠ en el desierto,ᵍ 9 en el cual sus antepasados me probaron con una prueba, y, con todo, habían visto mis obrasʰ durante cuarenta años.ⁱ 10 Por esta razón quedé asqueado de esta generación y dije: 'Siempre se descarrían en su corazón,ʲ y ellos mismos no han llegado a conocer mis caminos'.ᵏ 11 De modo que juré en mi cólera: 'No entrarán en mi descanso'".ᵐ

12 Cuidado, hermanos, por temor de que alguna vez se desarrolle en alguno de ustedes un corazón inicuo y falto de fe al alejarse del Dios vivo;ⁿ 13 pero sigan exhortándoseᵒ los unos a los otros cada día, mientras pueda llamársele "Hoy",ᵖ por temor de que alguno de ustedes se deje endurecer por el poder engañosoᑫ del pecado. 14 Porque realmente llegamos a ser participantes del Cristoʳ sólo si mantenemos fuertemente asida la confianza que tuvimos al principio con firmeza hasta el fin,ˢ 15 entretanto que se dice: "Hoy, si ustedes escuchan la propia voz de él,ᵗ no endurezcan sus corazones como en la ocasión de causar amarga cólera".ᵘ

16 Pues, ¿quiénes fueron los que oyeron y, no obstante, provocaron a amarga cólera?ᵛ De hecho, ¿no lo hicieron todos los que salieron de Egipto bajo Moi-

CAP. 2

a Sl 22:22
Sl 40:9
Lu 4:31
Lu 19:42
b Isa 8:17
c Isa 8:18
Jn 1:12
1Jn 3:1
d Mt 11:19
Jn 1:14
Jn 11:11
e Isa 53:12
Ro 6:5
Ro 14:9
f Gé 3:15
Lu 10:18
1Jn 3:8
g Job 1:19
Job 2:6
Rev 6:9
h Jn 8:44
Jn 12:31
Rev 12:9
i Ro 8:21
j Sl 89:48
2Co 15:28
1Co 15:26
k Isa 25:7
Ro 8:22
l Gál 3:29
Heb 9:15
Rev 14:4
m Flp 2:7
n Heb 5:1
Heb 7:26
o Ro 3:25
1Jn 2:2
1Jn 4:10
p Ro 5:10
2Co 5:18
q Mt 26:28
Heb 4:15
r Heb 7:25
Rev 2:10
Rev 3:10

CAP. 3

s Ro 8:30
1Co 1:9
Flp 3:14
1Te 2:12
2Ti 1:9
2Pe 1:10
t Jn 3:17
Jn 7:29
u Heb 8:1
Heb 9:15
v Jn 8:29
Rev 3:14
w Dt 34:10
x Nú 12:7
y Mt 17:2
2Co 3:9
1Co 3:9
1Pe 2:5
z Zac 6:12
Mt 16:18
b Gé 2:3
Ef 3:9
c Dt 3:24
d Dt 18:18
e Mt 17:5

2.ª col.

a 2Co 6:16
Ef 2:19
b Ro 5:2
1Ti 3:13
c 2Isa 23:9
Heb 1:16
d Sl 95:7

e Éx 15:23; f Éx 17:7; g Sl 95:8; h Sl 105:40; i Éx 16:35; Nú 32:13; Dt 8:2; Sl 95:9; j Nú 14:11; Sl 78:8; k Dt 8:3; Sl 95:10; l Nú 14:23; m Sl 95:11; n Heb 2:1; Heb 12:15; o 1Te 5:11; p Sl 95:7; q Mr 4:19; 2Te 2:10; r Ef 3:6; Heb 6:4; Heb 12:8; s Ro 11:22; 2Co 3:4; 1Jn 3:14; Rev 2:10; t Sl 95:7; Jn 6:45; u Sl 95:8; v Éx 17:2.

sés?[a] 17 Además, ¿de quiénes quedó asqueado [Dios] durante cuarenta años?[b] ¿No fue de los que pecaron, cuyos cadáveres cayeron en el desierto?[c] 18 Pero ¿a quiénes juró[d] él que no entrarían en su descanso, sino a los que habían actuado desobedientemente?[e] 19 Así vemos que ellos no pudieron entrar debido a falta de fe.[f]

4 Por lo tanto, puesto que queda una promesa de entrar en el descanso de él,[g] temamos que en algún tiempo alguno de ustedes parezca no haberla alcanzado.[h] 2 Porque a nosotros también se nos han declarado las buenas nuevas,[i] así como a ellos también;[j] pero la palabra que fue oída no les aprovechó, porque no estaban unidos por fe con los que sí oyeron.[m] 3 Porque nosotros los que hemos ejercido fe sí entramos en el descanso, tal como él ha dicho: "De modo que juré[n] en mi cólera: 'No entrarán[o] en mi descanso'",[p] aunque las obras de él habían sido terminadas[q] desde la fundación del mundo.[r] 4 Porque en un lugar él ha dicho del séptimo día como sigue: "Y Dios descansó en el séptimo día de todas sus obras,"[s] 5 y otra vez en este lugar: "No entrarán en mi descanso".[t]

6 Por lo tanto, puesto que falta que algunos entren en él, y aquellos a quienes primero se declararon las buenas nuevas[u] no entraron a causa de desobediencia,[v] 7 vuelve a señalar cierto día, al decir después de tanto tiempo, en [el salmo de] David: "Hoy"; tal como se ha dicho antes: "Hoy, si ustedes escuchan la propia voz de él,[w] no endurezcan sus corazones".[x] 8 Porque si Josué los hubiera conducido a un lugar de descanso,[z] [Dios] no habría hablado después[a] de otro día. 9 De modo que queda un descanso sabático para el pueblo de Dios.[b] 10 Porque el hombre que ha entrado en el descanso [de Dios][a] ha descansado él mismo también de sus propias obras,[b] así como Dios de las suyas.

11 Hagamos, por lo tanto, lo sumo posible para entrar en ese descanso, por temor de que alguien caiga en el mismo modelo de desobediencia.[c] 12 Porque la palabra[d] de Dios es viva,[e] y ejerce poder,[f] y es más aguda que toda espada de dos filos,[g] y penetra hasta dividir entre alma[h] y espíritu,[i] y entre coyunturas y [su] tuétano, y puede discernir pensamientos e intenciones de[1] corazón.[j] 13 Y no hay creación que no esté manifiesta a la vista de él,[k] sino que todas las cosas están desnudas y abiertamente expuestas a los ojos de aquel a quien tenemos que dar cuenta.[l]

14 Visto, por lo tanto, que tenemos un gran sumo sacerdote que ha pasado por los cielos,[m] Jesús el Hijo de Dios,[n] tengamos asida [nuestra] confesión de [él].[o] 15 Porque no tenemos como sumo sacerdote a uno que no pueda condolerse[p] de nuestras debilidades, sino a uno que ha sido probado en todo sentido igual que nosotros, pero sin pecado.[q] 16 Acerquémonos,[r] por lo tanto, con franqueza de expresión[s] al trono de la bondad inmerecida, para que obtengamos misericordia y hallemos bondad inmerecida para ayuda al tiempo apropiado.[t]

5 Porque todo sumo sacerdote tomado de entre los hombres es nombrado a favor de los hombres sobre las cosas que tienen que ver con Dios,[u] para que ofrezca dádivas y sacrificios por los pecados.[v] 2 Puede tratar con moderación a los ignorantes

CAP. 3
a Nú 14:2
  Nú 14:4
b Nú 14:11
  Dt 32:21
c Nú 14:22
  Nú 14:29
  1Co 10:5
  1Co 10:10
  Jud 5
d Dt 1:34
  Sl 106:26
e Nú 14:30
  Dt 1:35
f Heb 4:6

CAP. 4
g Gé 2:3
  Ex 20:11
  Heb 3:11
h Gál 5:4
  Heb 3:12
  Heb 12:15
i Mt 4:23
  Hch 15:7
  Col 1:23
j Jn 19:5
  Dt 32:1
  Hch 10:36
k Dt 32:15
l Dt 32:20
m Dt 1:34
n Nú 14:23
  Dt 1:35
p Sl 95:11
  Heb 3:11
q Éx 31:17
r Jn 17:24
  Ef 1:4
s Gé 2:2
t Sl 95:11
u Dt 32:1
v Nú 14:30
  Dt 31:27
w Sl 95:7
x Sl 95:8
y Éx 24:13
  Dt 31:8
  Dt 31:7
z Jos 22:4
a Jer 6:16
b Isa 66:23
  Zac 14:16
  Mr 2:28

2.ª col.
a Gé 2:2
b Rev 14:13
c Sl 95:11
d Mt 15:6
  Hch 1:11
  1Te 2:13
  1Te 4:15
e Jer 23:29
  Zac 4:6
  Jn 2:17
f 2Co 10:4
g Isa 49:2
  Ef 6:17
h Mt 16:26
i Hch 17:16
  Ro 1:9
j Pr 21:2
  Jn 12:48
  1Co 4:5

k Sl 7:9; Sl 90:8; Pr 15:11; 1Job 31:14; Hch 17:31; Ro 2:16; Ro 14:12; m Heb 7:26; n Mt 26:63; Mr 1:11; Heb 1:2; o Heb 3:1; Heb 10:23; p Isa 53:4; Isa 61:1; Heb 2:17; q 2Co 5:21; Heb 7:26; 1Pe 2:22; Heb 2:18; Heb 10:19; s Ef 3:12; t Heb 13:6; CAP. 5 u Éx 40:13; v Le 5:6; Heb 8:3.

y errados, puesto que él también está cercado de su propia debilidad,[a] 3 y a causa de ella le es preciso hacer ofrendas por los pecados, tanto por sí mismo como por el pueblo.[b]

4 También, el hombre no toma esta honra por su propia cuenta,[c] sino únicamente cuando es llamado por Dios,[d] así como también [lo fue] Aarón.[e] 5 Del mismo modo también, el Cristo no se glorificó a sí mismo[f] mediante llegar a ser sumo sacerdote,[g] sino [que fue glorificado[h] por aquel] que habló respecto a él: "Tú eres mi hijo; yo, hoy, yo he llegado a ser tu padre".[i] 6 Así como dice también en otro lugar: "Tú eres sacerdote para siempre a la manera de Melquisedec".[j]

7 En los días de su carne [Cristo] ofreció ruegos y también peticiones[k] a Aquel que podía salvarlo de la muerte, con fuertes[l] clamores y lágrimas, y fue oído favorablemente por su temor piadoso.[m] 8 Aunque era Hijo, aprendió la obediencia por las cosas que sufrió;[n] 9 y después de haber sido perfeccionado[o] vino a ser responsable de la salvación eterna[p] para todos los que le obedecen,[q] 10 porque ha sido llamado específicamente por Dios sumo sacerdote a la manera de Melquisedec.[r]

11 En lo que respecta a él tenemos mucho que decir y difícil de explicar, puesto que ustedes se han hecho embotados en su oír.[s] 12 Porque, en realidad, aunque deberían ser maestros[t] en vista del tiempo, de nuevo necesitan que alguien les enseñe desde el principio las cosas elementales[u] de las sagradas declaraciones formales de Dios;[v] y han llegado a ser como quienes necesitan leche, no alimento sólido.[w] 13 Porque todo el que participa de leche no conoce la palabra de la justicia, porque es pequeñuelo.[x] 14 Pero el alimento sólido pertenece a perso-

CAP. 5

a Heb 2:18
  Heb 4:15
b Le 9:7
  Le 16:6
  Mal 2:7
c 2Cr 26:18
d Jn 3:27
e Éx 28:1
f Jn 8:54
g Heb 4:14
h Jn 12:28
i Sl 2:7
  Hch 13:33
j Sl 110:4
  Heb 7:17
k Lu 22:44
l Mt 26:39
  Jn 12:27
m Lu 12:5
n Mt 26:39
  Jn 10:17
  Flp 2:8
o Le 8:33
  Heb 7:28
p Isa 45:17
  Isa 49:6
  Isa 53:11
  Lu 1:69
q Jn 3:16
r Sl 110:4
s 2Pe 3:16
t Ef 4:11
u Heb 6:1
v Hch 7:38
  Ro 3:2
  1Pe 4:11
w 1Co 3:2
x 1Co 13:11
  Ef 4:14

2.ª col.

a Mr 7:18
  Ef 1:18
b Isa 7:15
  Ro 16:19
  Flp 1:10
  1Ti 5:21

CAP. 6

c 1Co 3:1
  Heb 5:12
d Col 1:27
  1Ti 3:16
e 1Co 13:11
  1Co 14:20
  Ef 4:13
  Flp 3:16
  Heb 5:14
f 1Co 3:10
g Ef 4:22
h 1Pe 1:8
i Hch 19:4
  Ro 6:3
j Hch 8:6
  1Ti 5:22
k Mt 22:31
  Jn 5:29
  Jn 11:25
l Hch 17:31
  2Pe 3:7
  Rev 20:12
m Snt 4:15
n Ef 1:18
  Heb 10:26
o Hch 10:45
  Ef 3:7
  Snt 1:17
p Hch 15:8
  Gál 3:5
  Heb 2:4
q 1Pe 2:3

nas maduras, a los que mediante el uso tienen sus facultades perceptivas[a] entrenadas para distinguir tanto lo correcto como lo incorrecto.[b]

6 Por esta razón, ya que hemos dejado la doctrina primaria[c] acerca del Cristo,[d] pasemos adelante a la madurez,[e] y no pongamos de nuevo un fundamento,[f] a saber, arrepentimiento de obras muertas,[g] y fe para con Dios,[h] 2 la enseñanza acerca de bautismos[i] y la imposición de las manos,[j] la resurrección de los muertos[k] y el juicio eterno.[l] 3 Y esto lo haremos, si Dios en realidad lo permite.[m]

4 Porque es imposible tocante a los que una vez por todas han sido iluminados,[n] y que han gustado de la dádiva gratuita celestial,[o] y que han llegado a ser participantes de espíritu santo,[p] 5 y que han gustado[q] la excelente palabra de Dios y los poderes del sistema de cosas venidero,[r] 6 pero que han caído en la apostasía,[s] revivificarlos otra vez al arrepentimiento,[t] porque de nuevo fijan en un madero al Hijo de Dios para sí mismos y lo exponen a vergüenza pública.[u] 7 Por ejemplo, la tierra que embebe la lluvia que a menudo viene sobre ella, y que luego produce vegetación apropiada para aquellos para quienes también se cultiva,[v] recibe en cambio una bendición de Dios. 8 Pero si produce espinos y abrojos, es rechazada, y está próxima a ser maldecida;[w] y termina por ser quemada.[x]

9 Sin embargo, en el caso de ustedes, amados, estamos convencidos de cosas mejores y de cosas acompañadas de la salvación, aunque estamos hablando de esta manera. 10 Porque Dios no es injusto para olvidar la obra de ustedes y el amor que

r 2Co 5:5; Ef 1:14; s Sl 119:118; 2Co 11:13; Heb 10:39; 1Jn 2:19; t Mt 12:32; u Heb 10:29; v Gé 1:11; w Gé 3:18; x Mt 13:30.

mostraron para con su nombre,[a] por el hecho de que han servido a los santos[b] y continúan sirviendo. 11 Pero deseamos que cada uno de ustedes muestre la misma diligencia a fin de tener la plena seguridad[c] de la esperanza[d] hasta el fin,[e] 12 para que no se hagan indolentes,[f] sino que sean imitadores[g] de los que mediante fe y paciencia heredan las promesas.[h]

13 Porque cuando Dios hizo su promesa a Abrahán,[i] puesto que no podía jurar por nadie mayor, juró[j] por sí mismo, 14 diciendo: "De cierto, bendiciendo te bendeciré, y multiplicando te multiplicaré".[k] 15 Y así, después que [Abrahán] hubo mostrado paciencia, obtuvo [esta] promesa.[l] 16 Porque los hombres juran por el que es mayor,[m] y su juramento es el fin de toda disputa, ya que para ellos es una garantía legal.[n] 17 De esta manera, Dios, cuando se propuso demostrar más abundantemente a los herederos[o] de la promesa la inmutabilidad[p] de su consejo, intervino con un juramento, 18 a fin de que, mediante dos cosas inmutables en las cuales es imposible que Dios mienta,[q] tengamos nosotros, los que hemos huido al refugio, fuerte estímulo para asirnos de la esperanza[r] puesta delante de nosotros. 19 Esta [esperanza][s] la tenemos como ancla del alma, tanto segura como firme, y entra cortina adentro,[t] 20 donde un precursor ha entrado a favor nuestro,[u] Jesús, que ha llegado a ser sumo sacerdote a la manera de Melquisedec para siempre.[v]

7 Porque este Melquisedec, rey de Salem, sacerdote del Dios Altísimo,[w] que salió al encuentro de Abrahán cuando este volvía de la matanza de los reyes, y lo bendijo,[x] 2 y a quien Abrahán repartió el décimo de todas las cosas,[y] es primeramente, según se traduce, "Rey de Justicia", y

después también es rey de Salem,[a] es decir, "Rey de Paz". 3 Estando sin padre, sin madre, sin genealogía, sin tener principio de días[b] ni fin de vida, pero habiendo sido hecho semejante al Hijo de Dios,[c] permanece sacerdote perpetuamente.[d]

4 Contemplen, por lo tanto, cuán grande era este hombre a quien Abrahán, cabeza de familia, dio el décimo de los despojos principales.[e] 5 Es verdad que los hombres de los hijos de Leví[f] que reciben su oficio sacerdotal tienen mandamiento de cobrar los diezmos[g] del pueblo[h] según la Ley, es decir, de sus hermanos, aunque estos hayan procedido de los lomos de Abrahán;[i] 6 pero el hombre que no derivó de ellos su genealogía[j] tomó diezmos de Abrahán[k] y bendijo al que tenía las promesas.[l] 7 Ahora bien, sin disputa alguna, lo menor es bendecido por lo mayor.[m] 8 Y en el primer caso, hombres que mueren son los que reciben los diezmos,[n] pero en el otro caso se da testimonio de que vive.[o] 9 Y, si se me permite usar la expresión, mediante Abrahán hasta Leví, que recibe diezmos, ha pagado diezmos, 10 porque este todavía estaba en los lomos[p] de su antepasado cuando Melquisedec salió a su encuentro.[q]

11 Por eso, si la perfección[r] realmente fuera mediante el sacerdocio levítico (porque con este como rasgo se dio la Ley al pueblo),[t] ¿qué necesidad habría todavía[u] de que se levantara otro sacerdote a la manera de Melquisedec,[v] y del que no se dijera que es a la manera de Aarón? 12 Porque ya que se está cambiando el sacerdocio,[w] por necesidad llega a haber también un cambio de la ley.[x] 13 Porque el

CAP. 6
a 1Te 1:3
  Heb 10:32
b Ro 15:25
  2Co 8:4
  2Ti 1:18
c Col 2:2
d 1Pe 1:3
e Heb 3:14
f Ro 12:11
  Rev 2:4
g 1Co 11:1
h Heb 10:36
i Ro 4:20
j Gé 22:16
  Sl 105:9
  Isa 45:23
  Lu 1:73
k Gé 22:17
l Heb 11:17
m Ex 22:11
  Jer 12:16
n Gé 31:53
  Gé 47:31
o Mal 3:6
p Nú 23:19
  1Sa 15:29
  Tit 1:2
r Ro 5:4
s Col 1:5
t 1Pe 1:3
t Le 16:2
  Le 16:12
  Jn 14:3
  Heb 9:7
  Heb 10:20
u Heb 4:14
v Sl 110:4
  Heb 5:6

CAP. 7
w Gé 14:18
x Gé 14:19
y Gé 14:20

2.ª col.
a Gé 14:18
  Sl 76:2
b Pr 8:23
c Mt 16:16
d Sl 110:4
e Gé 14:20
f Éx 40:15
  Nú 18:21
g Nú 18:26
  Dt 14:28
h Le 7:34
i Jn 8:33
j Esd 2:62
k Gé 14:20
l Gé 12:7
  Gé 17:6
  Gé 22:17
  Ro 4:13
  Gál 3:16
m Heb 11:20
n Nú 18:21
o Heb 7:3
p Éx 1:5
  Ro 7:9
r Ro 3:20
  Gál 2:21
  Heb 7:19
  Heb 8:9
s Heb 10:1
t Gál 3:19
u Jer 31:31
  Heb 8:7

v Sl 110:4; w Heb 8:1; x Ro 3:27; 1Co 9:21; Gál 6:2; Col 2:14.

hombre respecto de quien se dicen estas cosas ha sido miembro de otra tribu,[a] de la cual nadie ha atendido a los deberes del altar.[b] 14 Porque muy patente es que nuestro Señor ha provenido de Judá,[c] de la cual tribu nada habló Moisés respecto a sacerdotes.

15 Y es aún más abundantemente claro que con semejanza a Melquisedec[d] se levanta otro sacerdote,[e] 16 que ha venido a serlo, no según la ley de un mandamiento que dependa de la carne,[f] sino según el poder de una vida indestructible,[g] 17 pues se dice en testimonio: "Tú eres sacerdote para siempre a la manera de Melquisedec".[h]

18 Ciertamente, pues, ocurre un poner a un lado del mandamiento anterior a causa de su debilidad[i] e ineficacia.[j] 19 Porque la Ley no llevó nada a la perfección,[k] pero el introducir además una esperanza mejor[l] sí, por medio de la cual estamos acercándonos a Dios.[m] 20 También, hasta el grado que no fue sin firme juramento 21 (porque hay en realidad hombres que han llegado a ser sacerdotes sin firme juramento, pero hay uno con firme juramento por Aquel que dijo respecto a él: "Jehová ha jurado[n] —y no sentirá pesar—: 'Tú eres sacerdote para siempre'"),[o] 22 hasta ese grado también Jesús ha venido a ser el que es dado en fianza de un pacto mejor.[p] 23 Además, muchos tuvieron que llegar a ser sacerdotes [por sucesión][q] porque la muerte[r] les impedía continuar como tales, 24 pero él, por cuanto continúa vivo para siempre,[s] tiene su sacerdocio sin sucesores. 25 Por consiguiente, él también puede salvar completamente a los que están acercándose a Dios mediante él, porque siempre está vivo para abogar por ellos.[t]

26 Porque tal sumo sacerdote nos era apropiado:[a] leal,[b] sin engaño,[c] incontaminado,[d] separado de los pecadores,[e] y llegado a ser más alto que los cielos.[f] 27 Él no tiene que ofrecer sacrificios diariamente,[g] como aquellos sumos sacerdotes, primero por sus propios pecados[h] y luego por los del pueblo[i] (porque esto lo hizo una vez[j] para siempre cuando se ofreció[k] a sí mismo); 28 porque la Ley nombra sumos sacerdotes[l] a hombres que tienen debilidad,[m] pero la palabra del firme juramento[n] que vino después de la Ley [nombra] a un Hijo, que es perfeccionado[o] para siempre.

8 Ahora bien, en cuanto a las cosas que se consideran, este es el punto principal: Tenemos tal sumo sacerdote,[p] y él se ha sentado a la diestra del trono de la Majestad en los cielos,[q] 2 siervo público del lugar santo[r] y de la tienda verdadera, que Jehová[s] levantó, y no el hombre.[t] 3 Porque todo sumo sacerdote es nombrado para ofrecer tanto dádivas como sacrificios;[u] por lo cual fue necesario que este también tuviera algo que ofrecer. 4 Pues bien, si estuviera sobre la tierra, no sería sacerdote,[w] puesto que hay [hombres] que ofrecen las dádivas según la Ley, 5 pero los cuales [hombres] rinden servicio sagrado en una representación típica[x] y sombra de las cosas celestiales; así como Moisés, cuando estaba para hacer la tienda[z] hasta completarla, recibió el mandato divino:[a] Porque dice él: "Ve que hagas todas las cosas conforme a [su] modelo que te fue mostrado en la montaña"[b] 6 Pero ahora [Jesús] ha obtenido un servicio público más admirable, de modo que

CAP. 7

a Rev 5:5
Nú 18:7
2Cr 26:18
c Gé 49:10
Isa 11:1
Mt 1:3
Lu 3:33
d Sl 110:4
e Heb 3:1
Heb 7:26
f Ro 7:14
g Ro 6:9
1Ti 6:16
Rev 1:18
h Sl 110:4
Heb 5:6
Heb 6:20
i Ro 8:3
Gál 4:9
j Heb 9:9
Heb 13:9
k Heb 13:39
Gál 2:16
Heb 10:1
l 1Ti 1:1
Heb 6:18
1Pe 1:3
m Jn 14:6
Ro 5:2
Heb 4:16
n Heb 6:18
o Sl 110:4
p Jer 31:31
Mt 26:28
1Co 11:25
Heb 8:6
Heb 9:15
Heb 12:24
q 1Cr 6:4
r Nú 20:28
Jos 24:33
s Lu 1:33
Heb 7:16
Heb 13:8
t Ro 8:34
1Ti 2:5
Heb 9:24
1Jn 2:1

2.ª col.

a Heb 4:15
b Isa 16:5
Heb 3:2
c Zac 9:9
d Isa 53:9
1Pe 2:22
e Jn 8:46
f Ef 1:20
Heb 4:14
1Pe 3:22
g Nú 28:3
h Le 9:15
j Ro 6:10
k Heb 9:28
Heb 10:14
l Éx 29:9,
LXX
m Le 16:11
n Sl 2:7
Sl 110:4
o Heb 2:10
Heb 5:9

CAP. 8

p Zac 6:13
Heb 3:1
Heb 7:26
q Sl 110:1
Heb 1:3

r Heb 9:8; Heb 9:24; s Éx 25:9; Sl 84:1; Heb 3:4; t Heb 9:11; u Heb 5:1; v Jn 6:51; Ef 5:2; w Heb 7:14; x Heb 9:9; Heb 9:24; y Col 2:17; Heb 10:1; z Heb 9:9; a Éx 25:9; Éx 25:40; Éx 26:30; Nú 8:4; Hch 7:44.

también es mediador[a] de un pacto correspondientemente mejor,[b] que ha sido establecido legalmente sobre mejores promesas.[c]

7 Porque si aquel primer pacto hubiera estado exento de falta, no se habría buscado lugar para uno segundo;[d] 8 porque él encuentra falta en el pueblo cuando dice: "'¡Mira! Vienen días —dice Jehová— y celebraré con la casa de Israel y con la casa de Judá un nuevo pacto;[e] 9 no según el pacto[f] que hice con sus antepasados en [el] día que los tomé de la mano para sacarlos de la tierra de Egipto,[g] porque no continuaron en mi pacto,[h] de modo que dejé de interesarme en ellos', dice Jehová'.[i]

10 "'Porque este es el pacto que pactaré con la casa de Israel después de aquellos días —dice Jehová—. Pondré mis leyes en su mente, y en sus corazones[j] las escribiré. Y yo llegaré a ser su Dios,[k] y ellos mismos llegarán a ser mi pueblo.[l]

11 "'Y de ningún modo enseñarán ellos cada uno a su conciudadano y cada uno a su hermano, diciendo: "¡Conoce a Jehová!".[m] Porque todos ellos me conocerán,[n] desde [el] menor hasta [el] mayor de ellos. 12 Porque seré misericordioso en cuanto a sus hechos injustos, y de ningún modo recordaré más[o] sus pecados.'"[p]

13 Al decir él "un nuevo [pacto]" ha hecho anticuado al anterior. Ahora bien, lo que se hace anticuado y envejece está próximo a desvanecerse.[r]

9 Por su parte, pues, el [pacto] anterior tenía ordenanzas de servicio sagrado[s] y [su] lugar santo mundanal.[t] 2 Porque fue construido un primer [compartimiento de la] tienda[u] en el cual estaba el candelabro[v] y también la mesa[w] y la exhibición de los panes;[x] y lo llaman "el Lu-

gar Santo".[a] 3 Pero detrás de la segunda cortina[b] estaba el [compartimiento de la] tienda llamado "el Santísimo".[c] 4 Este tenía un incensario de oro[d] y el arca del pacto[e] cubierta de oro por todas partes,[f] en la cual estaban la jarra de oro que contenía el maná[g] y la vara de Aarón que echó botones[h] y las tablas[i] del pacto; 5 pero por encima de ella estaban los querubines[j] gloriosos que cubrían con su sombra [la cubierta] propiciatoria.[k] Pero ahora no es el tiempo de hablar en detalle respecto a estas cosas.

6 Después de haberse construido estas cosas de esta manera, los sacerdotes entran a todo tiempo en el primer [compartimiento de la] tienda[l] para llevar a cabo los servicios sagrados;[m] 7 pero en el segundo [compartimiento] el sumo sacerdote entra solo, una vez al año,[n] no sin sangre,[o] que él ofrece por sí mismo[p] y por los pecados de ignorancia del pueblo.[q] 8 Así el espíritu santo aclara que el camino al lugar santo todavía no se había puesto de manifiesto entre tanto que estaba en pie la primera tienda.[s] 9 Esta misma [tienda] es una ilustración[t] para el tiempo señalado que está aquí ahora,[u] y en conformidad con tal [ilustración] se ofrecen tanto dádivas como sacrificios.[v] Sin embargo, estos no pueden perfeccionar en cuanto a su conciencia[w] al [hombre] que efectúa servicio sagrado,[x] 10 sino que tienen que ver solamente con alimentos[y] y bebidas[z] y diversos bautismos.[a] Eran requisitos legales que tenían que ver con la carne[b] y que fueron impuestos hasta el tiempo señalado para rectificar las cosas.[c]

11 Sin embargo, cuando Cristo vino como sumo sacerdote[d] de

CAP. 8

a 1Ti 2:5
b Heb 12:24
b 1Co 11:25
Heb 7:22
Heb 9:15
c Sl 110:4
Ro 8:17
d Heb 7:11
Heb 7:18
e Jer 31:31
f Dt 4:23
g Éx 12:51
g Éx 32:15
i Jer 31:32
j Eze 11:19
Ro 2:29
k 2Co 6:16
l Jer 31:33
Zac 8:8
Heb 10:16
m Os 2:20
n Isa 54:13
Jn 6:45
o Jer 31:34
Heb 10:17
Ro 11:27
q Ro 10:4
Heb 7:12
r Mt 23:38
Ef 2:14
Col 2:14

CAP. 9

s Le 4:6
Heb 9:9
t Éx 25:8
u Éx 26:33
v Éx 40:24
Nú 4:9
w Éx 40:22
x Éx 40:23

2.ª col.

a Éx 26:33
b Éx 36:35
c Éx 26:34
d Le 16:12
Rev 8:3
e Éx 40:21
f Éx 25:11
g Éx 16:33
h Nú 17:10
i Éx 32:15
2Cr 5:10
j Éx 25:22
Nú 7:89
k Éx 25:18
1Cr 28:11
l Le 24:3
m Le 24:4
n Le 16:2
Heb 9:25
o Éx 30:10
Le 16:14
p Le 16:6
q Le 16:15
r Jn 1:14
s Heb 10:20
t Heb 8:5
u Col 2:17
Heb 10:1
v Le 3:9:38
w 1Pe 3:21
x Gál 3:21
Heb 7:11
Heb 7:19
Heb 8:6
y Le 11:2

z Le 10:9; L e 11:34; a Le 11:40; b Nú 19:13; c Isa 2:4; Jn 1:17; Heb 1:2; d Heb 4:14.

las cosas buenas que han llegado a realizarse, mediante la tienda más grande y más perfecta no hecha de manos, es decir, no de esta creación,[a] 12 él entró —no, no con la sangre[b] de machos cabríos y de torillos, sino con su propia sangre[c]— una vez para siempre en el lugar santo, y obtuvo liberación eterna [para nosotros].[d] 13 Porque si la sangre de machos cabríos[e] y de toros,[f] y las cenizas[g] de novilla rociadas sobre los que se han contaminado,[h] santifica al grado de limpieza de la carne,[i] 14 ¿cuánto más la sangre[j] del Cristo, que por un espíritu eterno se ofreció[k] a sí mismo sin tacha a Dios, limpiará[l] nuestra conciencia de obras muertas[m] para que rindamos servicio sagrado[n] a[l] Dios vivo?

15 Por eso él es mediador[o] de un nuevo pacto, para que, habiendo ocurrido una muerte para la liberación [de ellos] por rescate[p] de las transgresiones bajo el pacto anterior,[q] los que han sido llamados reciban la promesa de la herencia eterna.[r] 16 Porque donde hay un pacto,[s] es necesario que se suministre la muerte del [humano] que hace el pacto. 17 Porque el pacto es válido sobre [víctimas] muertas, puesto que no está en vigor en ningún tiempo mientras vive el [humano] que ha hecho el pacto. 18 Por consiguiente, ni el [pacto][t] anterior fue inaugurado sin sangre.[u] 19 Porque cuando Moisés hubo hablado a todo el pueblo todo mandamiento según la Ley,[v] tomó la sangre de los torillos y de los machos cabríos, con agua y lana escarlata e hisopo,[w] y roció el libro mismo y a todo el pueblo, 20 y dijo: "Esta es la sangre del pacto que Dios ha impuesto como encargo a ustedes".[x] 21 Y de la misma manera roció con la sangre[y] la tienda[z] y todos los vasos del servicio público. 22 Sí, casi todas las cosas son limpiadas con sangre[a] según la Ley, y a menos que se derrame sangre[b] no se efectúa ningún perdón.[c]

23 Por lo tanto, fue necesario que las representaciones típicas[d] de las cosas en los cielos fueran limpiadas por estos medios,[e] pero las mismas cosas celestiales con sacrificios que son mejores que dichos sacrificios. 24 Porque Cristo entró, no en un lugar santo hecho de manos,[f] el cual es copia de la realidad,[g] sino en el cielo mismo,[h] para comparecer ahora delante de la persona de Dios a favor de nosotros.[i] 25 Tampoco es con el fin de que se ofreciera a sí mismo muchas veces, como realmente entra el sumo sacerdote en el lugar santo[j] de año en año[k] con sangre ajena. 26 De otro modo, tendría que sufrir muchas veces desde la fundación[l] del mundo. Mas ahora se ha manifestado[m] una vez[n] para siempre, en la conclusión de los sistemas de cosas,[o] para quitar de en medio el pecado mediante el sacrificio de sí mismo.[p] 27 Y así como está reservado a los hombres[q] morir una vez para siempre, pero después de esto un juicio,[r] 28 así también el Cristo fue ofrecido una vez[s] para siempre para cargar con los pecados de muchos;[t] y la segunda vez[u] que aparece[v] será aparte del pecado[w] y a los que lo están esperando con intenso anhelo para [la] salvación [de ellos].[x]

10 Porque, puesto que la Ley tiene una sombra[y] de las buenas cosas por venir, pero no la sustancia misma de las cosas, nunca pueden [los hombres] con los mismos sacrificios que ofrecen continuamente de año en año perfeccionar a los que se

CAP. 9
a Heb 9:24
b Mt 20:28
  1Ti 2:6
  Heb 12:24
  Heb 13:20
c Heb 8:3
d Isa 45:17
  Da 9:24
  Ro 11:27
  Heb 10:17
e Le 16:15
f Le 16:6
g Nú 19:9
h Nú 19:19
i Nú 19:19
j Le 17:11
  1Pe 1:19
k Ef 5:2
l Heb 10:2
  1Jn 1:7
m 1Co 6:11
  Heb 6:1
n Ro 12:1
o Flp 3:3
  Heb 12:28
o 1Ti 2:5
  Heb 12:24
p Mt 20:28
  Lu 22:20
q Gál 3:13
r Ro 8:17
s Gé 21:27
  Gál 3:15
t Éx 24:7
u Éx 24:6
v Éx 24:3
  Nú 19:6
x Éx 24:8
y Éx 29:12
  Le 8:15
  Le 16:18
z Le 16:16

2.ᵃ col.

a Le 17:11
b Le 9:9
c Ef 1:7
d Heb 8:5
  Heb 9:9
e Le 16:19
  Le 16:20
f Heb 8:2
g Col 2:17
h Heb 6:20
  Heb 9:12
  Heb 10:19
i Le 16:15
  Jn 16:28
  Ro 8:34
j Le 16:2
k Le 16:34
l Ef 1:4
m Gál 4:4
  1Pe 1:20
n Heb 7:27
  Flp 3:18
o Mt 24:3
  1Co 10:11
  Heb 1:2
p Isa 53:12
  Da 9:24
  1Co 5:7
q Éx 29:9
  Le 16:11
  Heb 7:27
  Heb 7:28
  Heb 9:7
r Jn 17:1
s Ro 6:10
t Isa 53:12
  1Pe 2:24

u Mt 24:3; Tit 2:13; v 2Ti 1:7; w Mt 24:30; x Mt 25:34; 2Ti 4:8; CAP. 10 y Col 2:17; Heb 8:5.

acercan.ᵃ 2 De otro modo, ¿no habrían dejado de ofrecerse los [sacrificios], por cuanto los que rendían servicio sagrado, habiendo sido limpiados una vez para siempre, no tendrían ya ninguna conciencia de pecados?ᵇ 3 Al contrario, por estos sacrificios se hace recordar los pecados de año en año,ᶜ 4 porque no es posible que la sangre de toros y de machos cabríos quite los pecados.ᵈ

5 Por eso, cuando entra en el mundo, él dice: "'Sacrificio y ofrenda no quisiste,ᵉ pero me preparaste un cuerpo.ᶠ 6 No aprobaste holocaustos ni [ofrenda por] el pecado'.ᵍ 7 Entonces dije yo: ¡Mira! He venido (en el rollo del libro está escrito de mí)ʰ para hacer tu voluntad, oh Dios'".ⁱ 8 Después de primero decir: "No quisiste ni aprobaste sacrificios ni ofrendas ni holocaustos ni [ofrenda por] el pecado"ʲ —[sacrificios] que se ofrecen según la Leyᵏ— 9 entonces realmente dice: "¡Mira! He venido para hacer tu voluntad".ˡ Elimina lo primero para establecer lo segundo.ᵐ 10 Por dicha "voluntad"ⁿ hemos sido santificadosᵒ mediante el ofrecimientoᵖ del cuerpo de Jesucristo una vezq para siempre.

11 También, todo sacerdote ocupa su puestoʳ de día en díaˢ para rendir servicio público y para ofrecer los mismos sacrificios muchas veces, puesto que estos no pueden en ningún tiempo quitar los pecados completamente.ᵗ 12 Pero este [hombre] ofreció un solo sacrificio por los pecados perpetuamente,ᵘ y se sentó a la diestra de Dios,ᵛ 13 esperando desde entonces hasta que se coloque a sus enemigos como banquillo para sus pies.ʷ 14 Porque por una sola ofrenda [de sacrificio]ˣ él ha perfeccionado perpetuamente a los que están siendo santificados.ʸ

15 Además, el espíritu santoᵃ también nos da testimonio, porque después de haber dicho: 16 "'Este es el pacto que pactaré para con ellos después de aquellos días —dice Jehová—. Pondré mis leyes en sus corazones, y en su mente las escribiré'",ᵇ 17 [dice después:] "Y de ningún modo recordaré más sus pecados y sus desafueros".ᶜ 18 Ahora bien, donde hay perdónᵈ de estos, ya no hay ofrenda por el pecado.ᵉ

19 Por lo tanto, hermanos, puesto que tenemos denuedo respecto al camino de entradaᶠ al lugar santoᵍ por la sangre de Jesús, 20 el cual él nos inauguró como camino nuevo y vivo a través de la cortina,ʰ es decir, su carne,ⁱ 21 y puesto que tenemos un gran sacerdote sobre la casa de Dios,ʲ 22 acerquémonos con corazones sinceros en la plena seguridad de la fe, pues los corazones se nos han limpiado por rociadura de una conciencia inicua,ᵏ y los cuerpos se nos han lavado con agua limpia.ˡ 23 Tengamos firmemente asida la declaración pública de nuestra esperanzaᵐ sin titubear,ⁿ porque fiel es elᵒ que ha prometido. 24 Y considerémonos unos a otros para incitarnosᵖ al amor y a las obras excelentes,q 25 sin abandonar el reunirnos,ʳ como algunos tienen por costumbre, sino animándonosˢ unos a otros, y tanto más al contemplar ustedes que el día se acerca.ᵗ

26 Porque si voluntariamente practicamos el pecadoᵘ después de haber recibido el conocimiento exacto de la verdad,ᵛ no queda ya sacrificio alguno por los pecados,ʷ 27 sino [que hay] cierta horrenda expectación de juicioˣ y [hay] un celo ardiente que va a consumir a

---

CAP. 10
a Heb 7:19
  Heb 9:9
b Gál 3:21
c Le 16:30
  Le 16:34
d Isa 1:11
  Miq 6:7
e Sl 50:8
  Am 5:22
f Sl 40:6,
  LXX
g Sl 40:6
h Sl 40:7
i Sl 40:8
j Sl 40:6
k Le 17:5
  1Sl 40:8
  Jn 6:38
m Col 2:14
  Heb 8:13
n Sl 40:8
  Gál 1:4
o Jn 17:19
  1Co 6:11
  Heb 13:12
p Ef 5:2
q Ro 6:10
  Heb 9:28
r 1Sa 2:28
  Zac 24:19
  2Cr 29:11
s Éx 29:38
  Nú 28:3
t Heb 7:18
  Heb 7:27
  Heb 10:1
u Heb 9:28
v Ro 8:34
  Col 3:1
w Sl 110:1
  Hch 2:35
  1Co 15:25
x Heb 9:28
y Heb 7:11
  Heb 7:19

2.ᵃ col.
a Jer 1:4
b Jer 31:33,
  LXX
  Heb 8:10
c Jer 31:34
  Heb 8:12
d Jn 8:36
e Jn 20:23
f Jn 14:6
  Ro 5:2
g Heb 9:8
  Heb 9:24
h Mt 27:51
i Jn 6:51
  Heb 6:20
j Zac 6:13
k Heb 13:18
  1Jn 1:7
l Eze 36:25
  Ef 5:26
m Heb 3:6
  Heb 6:19
n 1Co 15:58
  Col 1:23
o 1Te 5:24
p Éx 25:2
  Col 3:23
  1Ti 6:18
r Ro 13:12
  Mt 18:20
  Hch 2:42
  Hch 20:7
s Isa 35:3
  Ro 1:12

---

t Ro 13:11; 2Pe 3:12; u Snt 4:17; 1Jn 5:16; v Heb 6:4; 2Pe 2:21; w Mt 12:32; x Lu 19:27.

los que están en oposición.[a] 28 Cualquiera que ha desatendido la ley de Moisés muere sin compasión, por el testimonio de dos o tres.[b] 29 ¿De cuánto más severo castigo[c] piensan ustedes que será considerado digno el que ha hollado[d] al Hijo de Dios y que ha estimado como de valor ordinario la sangre[e] del pacto por la cual fue santificado, y que ha ultrajado con desdén el espíritu[f] de bondad inmerecida? 30 Porque conocemos al que dijo: "Mía es la venganza; yo recompensaré";[g] y otra vez: "Jehová juzgará a su pueblo".[h] 31 Es cosa horrenda caer en las manos de[l] Dios vivo.[i]

32 Sin embargo, sigan acordándose de los días anteriores, en los cuales, después que hubieron sido iluminados,[j] ustedes aguantaron una gran contienda bajo sufrimientos,[k] 33 a veces estando expuestos como en un teatro[l] tanto a vituperios como a tribulaciones, y a veces llegando a ser partícipes con los que estaban pasando por tal experiencia.[m] 34 Porque ustedes se condolieron de los que estaban en prisión y también aceptaron gozosamente el saqueo[n] de sus bienes, sabiendo que ustedes mismos tienen una posesión mejor y duradera.[o]

35 Por lo tanto, no desechen su franqueza de expresión,[p] la cual tiene un gran galardón[q] que se le ha de pagar. 36 Porque ustedes tienen necesidad de aguante,[r] para que, después que hayan hecho la voluntad de Dios,[s] reciban [el cumplimiento de] la promesa.[t] 37 Porque aún "un poquito de tiempo",[u] y "el que viene llegará y no tardará".[v] 38 "Pero mi justo vivirá a causa de la fe",[w] y, "si se retrae, mi alma no se complace en él".[x] 39 Ahora bien, nosotros no somos de la clase que se retrae para destrucción,[y] sino de la cla-

CAP. 10
a Isa 26:11, LXX
Mr 3:29
b Dt 17:6
e 1Pe 4:18
d Mt 7:6
Flp 3:18
Heb 6:6
e Mt 26:28
Lu 22:20
f Ef 4:30
g Dt 32:35
h Heb 12:29
2Pe 2:4
j Hch 26:18
2Co 4:6
Heb 6:4
k Flp 1:29
2Ti 3:12
l 1Co 4:9
Flp 1:7
m Mt 5:12
o Lu 16:9
p Jn 18:20
1Co 15:58
q Mt 10:32
r Lu 21:19
Snt 5:11
s Gál 6:9
t Gál 3:29
Col 3:24
u Isa 26:20
v Hab 2:3
2Pe 3:9
w Hab 2:4
Jn 3:16
Ro 1:17
x Hab 2:4, LXX
1Jn 2:19
y 2Pe 2:20

2.ª col.
a 1Te 5:9
1Pe 1:9

CAP. 11
b Lu 17:5
Lu 18:8
Gál 3:11
c Heb 10:22
Heb 11:13
d Ro 8:24
2Co 4:18
2Co 5:7
e Heb 11:39
f Col 1:26
g Sl 33:6
2Pe 3:5
h Ro 1:20
i Gé 4:5
j Gé 4:4
k Gé 4:10
Mt 23:35
l Gé 5:22
Jud 14
m Gé 5:24, LXX
n Gé 5:22, LXX
o 2Te 3:2
p Gál 2:16
Heb 7:26
Ro 10:14
Heb 9:24
r 1Isa 2:7
Sl 58:11
Mt 5:12
s Sof 2:3
Mt 6:33

se que tiene fe que resulta en conservar viva el alma.[a]

11 Fe[b] es la expectativa segura de las cosas que se esperan,[c] la demostración evidente de realidades aunque no se contemplen.[d] 2 Porque por medio de esta recibieron testimonio los hombres de tiempos antiguos.[e]

3 Por fe percibimos que los sistemas de cosas[f] fueron puestos en orden por la palabra de Dios,[g] de modo que lo que se contempla ha llegado a ser de cosas que no aparecen.[h]

4 Por fe Abel ofreció a Dios un sacrificio de mayor valor que el de Caín,[i] por la cual [fe] se le dio testimonio de que era justo, pues Dios dio testimonio[j] respecto a sus dádivas; y por ella, aunque murió, todavía habla.[k]

5 Por fe Enoc[l] fue transferido para que no viera la muerte, y no fue hallado en ningún lugar, porque Dios lo había transferido;[m] porque antes de su transferencia tuvo el testimonio de haber sido del buen agrado de Dios.[n] 6 Además, sin fe[o] es imposible ser[le] de buen agrado,[p] porque el que se acerca a Dios tiene que creer que él existe[q] y que llega a ser remunerador[r] de los que le buscan solícitamente.[s]

7 Por fe Noé,[t] habiéndosele dado advertencia divina de cosas todavía no contempladas,[u] mostró temor piadoso y construyó un arca[v] para la salvación de su casa; y por esta [fe] condenó al mundo,[w] y llegó a ser heredero de la justicia[x] que es según fe.

8 Por fe Abrahán,[y] cuando fue llamado, obedeció, y salió a un lugar que estaba destinado a recibir como herencia; y salió, aunque no sabía adónde iba.[z] 9 Por fe residió como forastero en la tierra de la promesa como

t Gé 6:8; u Gé 6:13; v Gé 6:14; w Gé 6:22; x Ro 1:17; Ro 3:22; Gál 5:5; Flp 3:9; 2Pe 2:5; y Gé 12:1; Ro 4:11; Ro 4:13; z Gé 12:4; Hch 7:2.

en tierra extranjera,[a] y moró en tiendas[b] con Isaac[c] y Jacob,[d] herederos con él de la mismísima promesa.[e] 10 Porque esperaba la ciudad[f] que tiene fundamentos verdaderos, cuyo edificador y hacedor es Dios.[g]

11 Por fe también Sara[h] misma recibió poder para concebir descendencia, aun cuando había pasado más allá del límite de la edad,[i] puesto que estimó fiel al que había prometido.[j] 12 Por lo tanto, también, de un solo [hombre],[k] y este como si estuviera muerto,[l] nacieron [hijos] como las estrellas del cielo en multitud y como las arenas que están a la orilla del mar, innumerables.[m]

13 En fe murieron todos estos,[n] aunque no consiguieron [el cumplimiento de] las promesas,[o] pero las vieron desde lejos[p] y las acogieron, y declararon públicamente que eran extraños y residentes temporales en la tierra.[q] 14 Porque los que dicen tales cosas evidencian que buscan solícitamente un lugar suyo propio.[r] 15 Y sin embargo, si verdaderamente hubieran seguido acordándose de aquel [lugar] de donde habían salido,[s] habrían tenido la oportunidad de volver.[t] 16 Pero ahora procuran alcanzar un [lugar] mejor, es decir, uno que pertenece al cielo.[u] Por lo tanto, Dios no se avergüenza de ellos, de ser invocado como su Dios,[v] porque les tiene lista una ciudad.[w]

17 Por fe Abrahán, cuando fue probado,[x] ofreció, por decirlo así, a Isaac, y el que gustosamente había recibido las promesas trató de ofrecer a [su hijo] unigénito,[y] 18 aunque se le había dicho: "Lo que será llamado 'descendencia tuya' será mediante Isaac".[z] 19 Pero estimó que Dios podía levantarlo hasta de entre los muertos;[a] y de allí

lo recibió también a manera de ilustración.[a]

20 Por fe también Isaac bendijo a Jacob[b] y a Esaú[c] respecto a cosas por venir.

21 Por fe Jacob, cuando estaba para morir,[d] bendijo a cada uno de los hijos de José[e] y adoró apoyado sobre la parte superior de su bastón.[f]

22 Por fe José, aproximándose a su fin, hizo mención del éxodo[g] de los hijos de Israel; y dio mandato respecto a sus huesos.[h]

23 Por fe Moisés fue escondido por sus padres por tres meses después que nació,[i] porque ellos vieron que el niñito era hermoso,[j] y no temieron la orden[k] del rey. 24 Por fe Moisés, ya crecido,[l] rehusó ser llamado hijo de la hija de Faraón,[m] 25 escogiendo ser maltratado con el pueblo de Dios más bien que disfrutar temporalmente del pecado, 26 porque estimaba el vituperio[n] del Cristo como riqueza más grande que los tesoros de Egipto; porque miraba atentamente hacia el pago del galardón.[o] 27 Por fe dejó a Egipto,[p] pero sin temer la cólera del rey,[q] porque continuó constante como si viera a Aquel que es invisible.[r] 28 Por fe había celebrado la pascua[s] y la salpicadura de la sangre,[t] para que el destructor no tocara a los primogénitos de ellos.[u]

29 Por fe pasaron por el mar Rojo como en tierra seca,[v] pero los egipcios, al aventurarse sobre ella, fueron tragados.[w]

30 Por fe los muros de Jericó cayeron después de haber sido rodeados por siete días.[x] 31 Por fe Rahab[y] la ramera no pereció con los que obraron desobedientemente, porque recibió a los espías de manera pacífica.[z]

32 ¿Y qué más diré? Porque me faltará tiempo si sigo contando de Gedeón,[a] de Barac,[b] de

CAP. 11

a Gé 23:4
b Gé 12:8
c Gé 21:3
d Gé 25:26
e Gé 17:5
Gé 26:3
Gé 28:13
f Jn 8:56
Heb 13:14
Rev 21:2
g Heb 3:4
h Gé 17:15
i Gé 17:17
j Gé 21:2
k Gé 21:5
l Ro 4:19
m Gé 22:17
1Re 4:20
n Gé 47:9
o Gé 47:9
p Jn 8:56
q 1Cr 29:15
Sl 39:12
Ef 2:19
1Pe 2:11
r Heb 13:14
s Gé 11:31
t Gé 24:6
u Mt 4:17
Mt 25:34
Flp 3:20
v Éx 3:15
Mt 22:32
Hch 7:32
w Heb 12:22
Rev 21:2
x Gé 22:1
y Gé 22:9
Jn 3:16
z Gé 21:12
Ro 9:7
a Ro 4:17

2.ª col.

a 1Co 10:11
1Co 15:20
b Gé 27:27
c Gé 27:39
d Gé 47:29
e Gé 48:20
f Gé 47:31
g Gé 50:24
h Gé 50:25
Éx 13:19
i Éx 2:2
j Hch 7:20
k Éx 1:16
Éx 1:22
l Éx 2:11
m Éx 2:10
Hch 7:21
n Sl 69:9
Ro 15:3
o Heb 10:34
p Éx 12:51
q Éx 10:28
r Jn 1:18
Jn 4:24
1Ti 1:17
s Éx 12:21
t Éx 12:22
u Éx 12:23
v Éx 14:22
w Éx 14:28
x Jos 6:20
y Jos 2:1
z Jos 6:17
a Jue 6:11
b Jue 6:4

Sansón,[a] de Jefté,[b] de David,[c] así como también de Samuel[d] y de los [demás] profetas,[e] 33 que por fe derrotaron reinos en conflicto,[f] efectuaron justicia,[g] obtuvieron promesas,[h] taparon bocas de leones,[i] 34 detuvieron la fuerza del fuego,[j] escaparon del filo de la espada,[k] de un estado débil fueron hechos poderosos,[l] se hicieron valientes en guerra,[m] pusieron en fuga a los ejércitos de extranjeros.[n] 35 [Hubo] mujeres [que] recibieron a sus muertos por resurrección;[o] pero otros [hombres] fueron atormentados porque rehusaron aceptar la liberación por algún rescate, con el fin de alcanzar una resurrección mejor. 36 Sí, otros recibieron su prueba por mofas y azotes, en verdad, más que eso, por cadenas[p] y prisiones.[q] 37 Fueron apedreados,[r] fueron probados,[s] fueron aserrados en pedazos, murieron[t] degollados a espada, anduvieron de acá para allá en pieles de oveja,[u] en pieles de cabra, hallándose en necesidad,[v] en tribulación,[w] bajo maltratamiento;[x] 38 y el mundo no era digno de ellos. Anduvieron vagando por los desiertos áridos y las montañas y en las cuevas[y] y cavernas de la tierra.

39 Y, no obstante, todos estos, aunque recibieron testimonio por su fe, no obtuvieron [el cumplimiento de] la promesa,[z] 40 puesto que Dios previó algo mejor[a] para nosotros,[b] para que ellos[c] no fueran perfeccionados[d] aparte de nosotros.[e]

12 Pues, entonces, porque tenemos tan grande nube de testigos[f] que nos rodea tan cerca, quitémonos nosotros también todo peso,[g] y el pecado que fácilmente nos enreda,[h] y corramos con aguante[i] la carrera[j] que está puesta delante de nosotros,[k] 2 mirando atentamente al Agente Principal[l] y Perfecciona-

dor de nuestra fe.[a] Jesús. Por el gozo que fue puesto delante de él aguantó[b] un madero de tormento, despreciando la vergüenza, y se ha sentado a la diestra del trono de Dios.[c] 3 Sí, consideren con sumo cuidado y atención al que ha aguantado tal habla contraria[d] de pecadores en contra de sus propios intereses, para que no vayan a cansarse y a desfallecer en sus almas.[e]

4 Al ocuparse en su contienda contra ese pecado, ustedes todavía no han resistido hasta la sangre,[f] 5 pero se han olvidado por completo de la exhortación que se dirige a ustedes como a hijos:[g] "Hijo mío, no tengas en poco [la] disciplina de Jehová, ni desfallezcas cuando seas corregido por él;[h] 6 porque Jehová disciplina a quien ama; de hecho, azota a todo aquel a quien recibe como hijo".[i]

7 Para disciplina[j] ustedes están aguantando. Dios está tratando con ustedes como con hijos.[k] Pues, ¿qué hijo es aquel a quien el padre no disciplina?[l] 8 Pero si ustedes están sin la disciplina de la cual todos han llegado a ser participantes, son verdaderamente hijos ilegítimos,[m] y no hijos. 9 Además, solíamos tener padres que eran de nuestra carne para disciplinarnos,[n] y les mostrábamos respeto. ¿No hemos de sujetarnos mucho más al Padre de nuestra vida espiritual, y vivir?[o] 10 Pues ellos por unos cuantos días nos disciplinaban según lo que les parecía bien,[p] pero él lo hace para provecho nuestro de modo que participemos de su santidad.[q] 11 Es cierto que ninguna disciplina parece por el presente ser cosa de gozo, sino penosa;[r] sin embargo, después, a

CAP. 11

a Jue 13:24
b Jue 11:1
c 1Sa 16:13
d 1Sa 3:20
e Hch 3:24
f Jue 7:22
g Gé 15:6
  Heb 11:4
h 2Sa 7:12
i Jue 14:6
  1Sa 17:34
j Da 3:23
k 2Re 6:15
l Jue 16:28
m Jue 18:46
m Jue 11:32
  2Sa 23:8
n Jue 4:16
o 1Re 17:22
  2Re 4:34
p Jer 20:2
q Jer 37:15
r 1Re 21:13
  2Cr 24:21
s 1Re 22:24
t 1Re 18:4
u 2Re 1:8
v 1Re 19:5
w 1Re 19:2
x Jer 38:6
y 1Re 18:4
  1Re 19:9
z Gé 22:18
  Gé 49:10
  Heb 11:13
a Heb 2:3
  Heb 3:1
  Heb 7:22
  Rev 20:6
b Ro 8:18
  Ro 9:27
  Ro 11:5
  Heb 10:19
c Heb 11:32
d Heb 7:11
  Heb 7:19
e Snt 1:18
  Rev 14:4

CAP. 12

f Heb 11:39
g 1Co 9:26
  Flp 3:13
  1Pe 2:1
h Col 2:8
  1Ti 6:9
  Heb 3:12
i 1Ti 6:12
j 1Co 9:24
k Flp 3:14
l 2Ti 14:6
  Hch 5:31
  Heb 2:10

2.ª col.

a 1Co 1:8
  Flp 1:6
b Flp 2:8
c Sl 110:1
  Heb 10:12
d Mt 27:39
e Gál 6:9
  2Te 3:13
f Hch 12:2
  Heb 10:32
g Mt 5:45
h Pr 3:11
i Pr 3:12
j Heb 12:1

k 2Sa 7:14; Mt 5:9; Heb 2:10; 1Pr 13:24; m Dt 23:2; n Pr 23:13; o Nú 16:22; Isa 42:5; Mal 1:6; Snt 4:10; p Pr 22:6; q Pr 11:44; 1Pe 1:15; r 2Co 4:17.

los que han sido entrenados por ella, da fruto pacífico,[a] a saber, justicia.[b]

12 Por lo tanto, enderecen las manos que cuelgan[c] y las rodillas debilitadas,[d] 13 y sigan haciendo sendas rectas para sus pies,[e] para que lo cojo no se descoyunte, sino que, más bien, sea sanado.[f] 14 Sigan tras la paz con todos,[g] y la santificación[h] sin la cual nadie verá al Señor,[i] 15 vigilando cuidadosamente que nadie quede privado de la bondad inmerecida de Dios;[j] que no brote ninguna raíz venenosa[k] y cause perturbación, y que muchos no sean contaminados por ella;[l] 16 que no haya ningún fornicador ni nadie que no aprecie cosas sagradas, como Esaú,[m] que a cambio de una sola comida vendió regalados sus derechos de primogénito.[n] 17 Porque ustedes saben que después, también, cuando quiso heredar la bendición,[o] fue rechazado,[p] pues aunque con lágrimas procuró solícitamente un cambio de parecer,[q] no halló lugar para ello.

18 Porque ustedes no se han acercado a lo que se puede palpar[s] y que ha sido encendido con fuego,[t] ni a una nube oscura y a una densa oscuridad y a una borrasca,[u] 19 ni al fuerte sonido de trompeta[v] y a la voz de palabras;[w] respecto de la cual [voz] el pueblo al oírla imploró que no se le añadiera palabra alguna.[x] 20 Porque no les era soportable el mandato: "Y si una bestia toca la montaña, tiene que ser apedreada".[y] 21 También, tan horrenda era la exhibición que Moisés dijo: "Estoy aterrado y temblando".[z] 22 Mas ustedes se han acercado a un monte Sión[a] y a una ciudad[b] de[l] Dios vivo, a Jerusalén celestial,[c] y a miríadas de ángeles,[d] 23 en asamblea general,[e] y a la congregación de los primogénitos[f] que han sido matriculados[g] en los cielos, y a Dios el Juez de todos,[a] y a las vidas espirituales[b] de justos que han sido perfeccionados,[c] 24 y a Jesús el mediador[d] de un nuevo pacto,[e] y a la sangre de la rociadura,[f] que habla de mejor manera que la [sangre] de Abel.[g]

25 Vean que no se excusen [de oír] al que está hablando.[h] Porque si no escaparon los que se excusaron [de oír] al que estuvo dando advertencia divina sobre la tierra,[i] con mucha más razón no escaparemos nosotros si nos apartamos del que habla desde los cielos.[j] 26 En aquel tiempo su voz sacudió la tierra,[k] pero ahora ha prometido, diciendo: "Todavía una vez más pondré en conmoción no solo la tierra, sino también el cielo".[l] 27 Ahora bien, la expresión "Todavía una vez más" significa la remoción de las cosas que son sacudidas como cosas que han sido hechas,[m] a fin de que permanezcan las cosas que no son sacudidas.[n] 28 Por eso, puesto que hemos de recibir un reino que no puede ser sacudido,[o] continuemos teniendo bondad inmerecida, por la cual podamos rendir a Dios servicio sagrado de manera acepta, con temor piadoso y reverencia.[p] 29 Porque nuestro Dios es también un fuego consumidor.[q]

13 Que su amor fraternal continúe.[r] 2 No olviden la hospitalidad,[s] porque por ella algunos, sin saberlo, hospedaron a ángeles.[t] 3 Recuerden a los que están en cadenas de prisión,[u] como si estuvieran encadenados con ellos,[v] y a los que son maltratados,[w] puesto que ustedes mismos, también, todavía están en un cuerpo. 4 Que el matrimonio sea honorable en

CAP. 12
a 1Pe 1:6
b Flp 1:11
Snt 3:18
c Job 4:3
Isa 40:29
Lu 22:32
d Isa 35:3
Heb 10:25
e Sl 119:105
Pr 4:26,
LXX
f Gál 6:1
Snt 5:15
Jud 23
g Sl 34:14
Ro 12:18
Ro 14:19
2Ti 2:22
h Ro 6:19
1Te 4:4
Heb 10:10
i Mt 5:8
Ro 8:8
j 2Co 6:1
Gál 5:4
Heb 3:12
k Dt 29:18
Jn 13:2
Hch 8:23
l 1Snt 1:14
m Gé 25:32
n Gé 25:34
o Gé 27:31
p Gé 27:32
q Gé 27:34
r 2Co 7:10
Heb 6:6
s Éx 19:12
t Éx 19:18
u Éx 19:16
v Éx 19:19
w Éx 4:12
x Éx 20:19
y Éx 19:13
z Dt 9:19
a Rev 14:1
b Heb 11:10
Heb 13:14
c Mt 26:29
Rev 21:2
d Mt 24:31
e Da 7:10
f 1Co 15:23
Rev 20:6
g Sl 87:6
Rev 7:4
Rev 21:27

2.ª col.
a Gé 18:25
Sl 94:2
Isa 33:22
b Jn 5:8
Heb 12:9
1Pe 1:3
c Heb 10:14
d 1Ti 2:5
Heb 9:15
e Mt 26:28
Lu 22:29
f 1Pe 1:2
g Mt 23:35
h Heb 2:3
i Éx 20:19
j Heb 1:2
k Éx 19:18
l Ag 2:6
m 2Pe 3:10
n Sl 37:11
2Pe 3:13
Rev 21:10

o Mt 16:18; p Flp 2:12; 1Ti 2:2; q Dt 4:24; Isa 33:14; CAP. 13 r 1Te 4:9; Ro 12:10; 1Ti 3:2; t Gé 18:3; Gé 19:1; Mt 25:35; u Mt 25:36; Col 4:18; v Ro 12:15; 1Pe 3:8; w 1Co 12:26.

tre todos, y el lecho conyugal sea sin contaminación,[a] porque Dios juzgará a los fornicadores y a los adúlteros.[b] 5 Que [su] modo de vivir esté exento del amor al dinero,[c] y estén contentos[d] con las cosas presentes.[e] Porque él ha dicho: "De ningún modo te dejaré y de ningún modo te desampararé".[f] 6 De modo que podemos tener buen ánimo[g] y decir: "Jehová es mi ayudante; no tendré miedo. ¿Qué puede hacerme el hombre?".[h]

7 Acuérdense de los que llevan la delantera entre ustedes,[i] los cuales les han hablado la palabra de Dios, y al contemplar detenidamente en lo que resulta la conducta [de ellos], imiten[j] [su] fe.[k]

8 Jesucristo es el mismo ayer y hoy, y para siempre.[l]

9 No se dejen llevar por enseñanzas diversas y extrañas;[m] porque es excelente que el corazón se le dé firmeza por bondad inmerecida,[n] no por cosas de comer,[o] de las cuales no han sacado provecho los que se ocupan en ellas.

10 Tenemos un altar del cual no tienen autoridad para comer los que efectúan servicio sagrado en la tienda.[p] 11 Porque los cuerpos de aquellos animales, cuya sangre se introduce en el lugar santo por el sumo sacerdote por el pecado, son quemados fuera del campamento.[q] 12 Por eso Jesús también, para santificar[r] al pueblo con su propia sangre,[s] sufrió fuera de la puerta.[t] 13 Salgamos, pues, a él fuera del campamento, soportando el vituperio que él soportó,[u] 14 porque no tenemos aquí una ciudad que continúe,[v] sino que buscamos solícitamente la que ha de venir.[w] 15 Mediante él ofrezcamos siempre a Dios sacrificio de alabanza,[x] es decir, el fruto de labios[y] que hacen declaración pública de su

nombre.[a] 16 Además, no olviden el hacer bien[b] y el compartir cosas con otros, porque dichos sacrificios le son de mucho agrado a Dios.[c]

17 Sean obedientes a los que llevan la delantera entre ustedes,[d] y sean sumisos,[e] porque ellos están velando por las almas de ustedes como los que han de rendir cuenta;[f] para que ellos lo hagan con gozo y no con suspiros, por cuanto esto les sería gravemente dañoso a ustedes.[g]

18 Ocúpense en orar[h] por nosotros, porque confiamos en que tenemos una conciencia honrada, puesto que deseamos comportarnos honradamente en todas las cosas.[i] 19 Pero los exhorto más particularmente a que hagan esto, para que yo sea restaurado a ustedes más pronto.[j]

20 Ahora bien, que el Dios de la paz,[k] que hizo subir de entre los muertos[l] al gran pastor[m] de las ovejas[n] con la sangre de un pacto eterno,[o] a nuestro Señor Jesús, 21 los equipe con toda cosa buena para hacer su voluntad, efectuando en nosotros, mediante Jesucristo, lo que es muy agradable a su vista;[p] a quien sea la gloria para siempre jamás.[q] Amén.

22 Ahora los exhorto, hermanos, a que soporten esta palabra de estímulo, porque, en realidad, les he compuesto una carta en pocas palabras.[r] 23 Noten que nuestro hermano Timoteo[s] ha sido puesto en libertad, con quien, si viene en breve, los veré.

24 Den mis saludos a todos los que llevan la delantera[t] entre ustedes, y a todos los santos. Los de Italia[u] les envían sus saludos.

25 La bondad inmerecida[v] esté con todos ustedes.

CAP. 13
a Gé 49:4
  Pr 5:16
  Pr 5:20
  Mt 5:28
b Pr 6:32
  1Co 5:9
  1Co 6:9
  1Co 6:18
  Gál 5:21
c 1Ti 6:10
d Pr 30:8
  1Ti 6:8
e Flp 4:11
f Dt 31:6
  Dt 31:8
g Heb 10:39
  Snl 1:6
h Sl 56:11
  Sl 118:6
  Da 3:17
  Lu 12:4
i 1Ti 5:17
  Heb 13:17
j 1Co 11:1
  2Te 3:7
k Heb 12:3
  l Rev 1:17
m Ef 4:14
  Col 2:8
  2Te 2:2
n Jn 1:17
o Ro 14:17
  1Co 8:8
  Col 2:16
p 1Co 9:13
  1Co 10:18
q Éx 29:14
  Le 16:27
r Jn 17:19
  Heb 10:29
s Heb 9:14
  Mt 21:39
t Mt 21:39
  Jn 19:17
u Heb 7:58
  Ro 15:3
  2Co 12:10
  1Pe 4:14
v Le 23:42
  1Pe 2:11
w Lu 16:9
  Heb 11:10
  Heb 12:22
  Rev 3:12
  Rev 21:2
x Le 7:12
  2Cr 29:31
  Sl 50:14
  1Pe 2:5
y Sl 69:30
  Os 14:2
  1Co 9:16

2.ᵃ col.

a Mt 24:14
  Ro 10:9
b Ro 12:13
  Tit 1:8
c Flp 4:18
d 1Te 5:12
  Heb 13:24
e Lu 16:16
  Ef 5:21
  1Pe 5:5
f Heb 20:28
g Isa 35:10
h Col 1:9
i 2Co 1:12
  1Te 2:10
  Tit 2:10
j Flm 22
k Ro 15:33
l Hch 2:24

m 1Pe 2:25; 1Pe 5:4; n Sl 79:13; Jn 10:7; o Isa 55:3; Eze 37:26; Zac 9:11; p Flp 2:13; 2Te 2:17; q Ro 16:27; r 1Pe 5:12; s 1Te 3:2; t Isa 1:26; Heb 13:17; 1Pe 5:3; u Hch 27:1; v 2Ti 4:22.

SANTIAGO

1 Santiago,[a] esclavo[b] de Dios y de[1] Señor Jesucristo, a las doce tribus[c] que están esparcidas[d] por todas partes:

¡Saludos!

2 Considérenlo todo gozo, mis hermanos, cuando se encuentren en diversas pruebas,[e] **3** puesto que ustedes saben que esta cualidad probada de su fe obra aguante.[f] **4** Pero que el aguante tenga completa su obra, para que sean completos[g] y sanos en todo respecto, sin tener deficiencia en nada.[h]

5 Por lo tanto, si alguno de ustedes tiene deficiencia en cuanto a sabiduría,[i] que siga pidiéndole a Dios,[j] porque él da generosamente a todos, y sin echar en cara;[k] y le será dada.[l] **6** Pero que siga pidiendo[m] con fe, sin dudar nada,[n] porque el que duda es semejante a una ola del mar impelida por el viento[o] y aventada de una parte a otra. **7** De hecho, no vaya a figurarse ese hombre que recibirá cosa alguna de Jehová;[p] **8** es un hombre indeciso,[q] inconstante[r] en todos sus caminos.

9 Pero que el hermano de condición humilde se alboroce a causa de su ensalzamiento,[s] **10** y el rico[t] a causa de su humillación, porque como una flor de la vegetación pasará.[u] **11** Porque el sol sale con su calor abrasador y marchita la vegetación, y la flor de esta se cae, y la belleza de su apariencia externa perece. Así, también, el rico se desvanecerá en sus maneras de proceder en la vida.[v]

12 Feliz es el hombre que sigue aguantando la prueba,[w] porque al llegar a ser aprobado recibirá la corona de la vida,[x] que Jehová prometió a los que continúan amándolo.[y] **13** Al estar bajo prueba,[z] que nadie diga:

"Dios me somete a prueba". Porque con cosas malas Dios no puede ser sometido a prueba, ni somete a prueba él mismo a nadie. **14** Más bien, cada uno es probado al ser provocado y cautivado por su propio deseo.[a] **15** Entonces el deseo, cuando se ha hecho fecundo, da a luz el pecado; a su vez, el pecado,[b] cuando se ha realizado, produce la muerte.[c]

16 No se extrañen,[d] mis amados hermanos. **17** Toda dádiva buena[e] y todo don perfecto es de arriba,[f] porque desciende del Padre de las luces[g] [celestes], y con él no hay la variación del giro de la sombra.[h] **18** Porque fue su voluntad,[i] él nos produjo por la palabra de la verdad,[j] para que fuéramos ciertas primicias[k] de sus criaturas.

19 Sepan esto, mis amados hermanos. Todo hombre tiene que ser presto en cuanto a oír, lento en cuanto a hablar,[l] lento en cuanto a ira;[m] **20** porque la ira del hombre no obra la justicia de Dios.[n] **21** Por lo tanto, desechen toda suciedad, y esa cosa superflua, la maldad,[o] y acepten con apacibilidad la implantación de la palabra[p] que puede salvar sus almas.[q]

22 Sin embargo, háganse hacedores de la palabra,[r] y no solamente oidores, engañándose a sí mismos con razonamiento falso.[s] **23** Porque si alguno es oidor de la palabra, y no hacedor,[t] este es semejante al hombre que mira su rostro natural en un espejo. **24** Pues se mira, y allá se va e inmediatamente olvida qué

CAP. 1

a Mt 13:55
Hch 12:17
Gál 1:19
b Ro 12:11
Col 3:24
1Te 1:9
c Jer 31:31
Hch 26:7
d Hch 2:5
Hch 8:1
1Pe 1:1
e Mt 5:12
Hch 5:41
1Pe 1:7
f Ro 5:3
1Pe 1:7
g Mt 5:48
1Co 14:20
Ef 4:13
i Pr 2:3
j Heb 3:9
Mr 11:24
1Jn 3:22
k Mt 7:11
Pr 2:6
Jn 15:7
1Jn 5:14
m Mt 7:7
n Mt 21:22
Heb 11:6
o Ef 4:14
p Isa 58:3
Snt 4:3
q Snt 4:8
r 2Pe 3:16
s Isa 64:5
Snt 2:5
t 1Ti 6:17
u Isa 37:27
Isa 40:6
1Pe 1:24
v Isa 40:7
Mt 19:24
w Mt 5:10
Snt 1:2
x 2Ti 4:8
1Pe 5:4
Rev 2:10
y Snt 2:5
z Heb 2:18
Heb 4:15

2.ª col.

a Gé 3:6
Dt 32:35
Isa 44:20
1Jn 2:16
b Sl 7:14
c Eze 18:4
Ro 5:21
Ro 7:11
d Gál 6:7
e Sl 115:16
Ro 6:23
1Co 14:1
f Mt 7:11
Jn 3:27
g Sl 136:7
Isa 45:7
Isa 60:20
Ef 5:8
1Jn 1:5
h Mal 3:6

i Jn 1:13; Ro 8:28; 2Te 2:13; j Heb 4:12; 1Pe 1:23; k Éx 34:22; Le 23:17; Rev 14:4; 1Pe 10:19; Pr 17:27; m Ec 7:9; Mt 5:22; n Snt 3:18; o Col 3:8; 1Pe 2:1; p Mt 13:23; q Heb 2:3; 1Pe 1:9; r Le 18:5; Dt 7:11; 1Sa 15:22; Mt 7:21; Ro 10:5; 1Jn 3:7; s 2Ti 3:13; Tit 3:3; t Lu 6:46; Snt 2:14.

clase de hombre es. 25 Pero el que mira con cuidado en la ley perfecta[a] que pertenece a la libertad, y persiste en [ella], este, por cuanto se ha hecho, no un oidor olvidadizo, sino un hacedor de la obra,[b] será feliz[c] al hacer[la].

26 Si a un hombre le parece que es adorador formal,[d] y con todo no refrena su lengua,[e] sino que sigue engañando su propio corazón,[f] la forma de adoración de este hombre es vana.[g] 27 La forma de adoración que es limpia[h] e incontaminada[i] desde el punto de vista de nuestro Dios y Padre es esta: cuidar de los huérfanos[j] y de las viudas[k] en su tribulación,[l] y mantenerse sin mancha[m] del mundo.[n]

2 Hermanos míos, ustedes no tienen la fe de nuestro Señor Jesucristo, nuestra gloria,[o] con actos de favoritismo,[p] ¿verdad? 2 Pues, si entra en una reunión de ustedes un varón con anillos de oro en los dedos y con ropa espléndida, pero entra también un pobre con ropa sucia,[r] 3 pero ustedes miran con favor[s] al que lleva la ropa espléndida y dicen: "Tú toma este asiento aquí en un lugar excelente", y dicen al pobre: "Tú quédate de pie", o: "Toma tú ese asiento allá debajo de mi escabel", 4 tienen distinción de clases entre sí[t] y han llegado a ser jueces[u] que dictan fallos inicuos,[v] ¿no es verdad?

5 Escuchen, mis amados hermanos. Dios escogió a los que son pobres[w] respecto al mundo para que sean ricos[x] en fe y herederos del reino, que él prometió a los que lo aman,[y] ¿no es verdad? 6 Ustedes, sin embargo, han deshonrado al pobre. Los ricos los oprimen[z] a ustedes, y los arrastran ante los tribunales,[a] ¿no es verdad? 7 Blasfeman[b] contra el nombre excelente por el cual ustedes fueron llamados,[c] ¿no es verdad? 8 Por eso, si us-

tedes practican el llevar a cabo la ley real[a] según la escritura: "Tienes que amar a tu prójimo como a ti mismo",[b] hacen bastante bien. 9 Pero si continúan mostrando favoritismo,[c] están obrando un pecado, porque son censurados por la ley[d] como transgresores.

10 Porque cualquiera que observa toda la Ley, pero da un paso en falso en un solo punto, se ha hecho ofensor respecto de todos ellos.[e] 11 Porque el que dijo: "No debes cometer adulterio",[f] también dijo: "No debes asesinar".[g] Ahora bien, si no cometes adulterio, pero sí asesinas, te has hecho transgresor de ley. 12 Sigan hablando de tal modo y sigan haciendo de tal modo como lo hacen los que van a ser juzgados por la ley de un pueblo libre.[h] 13 Porque al que no practica misericordia se le hará [su] juicio sin misericordia.[i] La misericordia se alboroza triunfalmente sobre el juicio.

14 ¿De qué provecho es, hermanos míos, que alguno diga que tiene fe,[j] pero no tenga obras?[k] Esa fe no puede salvarlo, ¿verdad?[l] 15 Si un hermano o una hermana están en estado de desnudez y carecen del alimento suficiente para el día,[m] 16 y sin embargo alguno de entre ustedes les dice: "Vayan en paz, manténganse calientes y bien alimentados", pero ustedes no les dan las cosas necesarias para [su] cuerpo, ¿de qué provecho es?[n] 17 Así, también, la fe, si no tiene obras,[o] está muerta en sí misma.

18 No obstante, alguien dirá: "Tú tienes fe, y yo tengo obras. Muéstrame tu fe aparte de las obras, y yo te mostraré mi fe por mis obras".[p] 19 Tú crees que hay un solo Dios, ¿verdad?[q] Haces bastante bien. Y sin embargo los demonios creen y se estreme-

CAP. 1
a Sl 19:7
  Ro 8:2
b Dt 30:14
  Mt 7:24
  Jn 13:17
c Lu 11:28
d Lu 18:12
e Sl 39:1
  Pr 12:18
  Pr 15:2
  1Pe 3:10
f Rev 3:17
g Lu 18:14
  Rev 3:16
h Isa 1:16
i 1Ti 1:5
j Dt 14:29
  Dt 27:19
  Job 29:12
  Sl 68:5
k Job 29:13
  Isa 1:17
  1Ti 5:3
  Isa 58:7
m 1Co 5:7
  Rev 18:4
n Snt 4:4

CAP. 2
o 1Co 2:8
p Pr 24:23
  Mt 22:16
  1Ti 5:21
  Snt 3:17
q Heb 10:25
r Lc 1:26
s Le 19:15
t Gál 3:28
u Lc 6:37
v Dt 1:17
  Gál 2:10
x Rev 2:9
y Lu 22:29
z Hch 13:50
a Hch 18:12
b Isa 52:5
  Lu 12:10
c Jn 17:6

2.ª col.
a Mt 22:39
  Ro 13:10
b Le 19:18
c Snt 2:1
d Le 19:15
  Gál 3:19
e Le 4:2
  Dt 27:26
  Gál 3:10
f Éx 20:14
g Dt 5:17
h Snt 1:25
i Pr 21:13
  Isa 3:11
  Mt 5:7
  Mt 6:15
  Lu 6:36
j Heb 11:1
k 1Te 1:3
  Tit 3:8
  Snt 1:25
l 1Co 13:2
m Job 31:19
  Isa 58:7
  Mt 25:36
  Lu 3:11
  Dt 15:7
  1Jn 3:17

o Mt 7:21; Ro 12:13; 1Ti 5:4; Heb 10:24; Snt 1:27; p Gál 5:6; Snt 3:13; q Dt 6:4.

cen.[a] **20** Pero, ¿quieres saber,
oh hombre vano, que la fe aparte de las obras es inactiva?
21 ¿No fue declarado justo por
obras nuestro padre Abrahán[b]
después que hubo ofrecido a
Isaac su hijo sobre el altar?[c]
22 Contemplas que [su] fe obró
junto con sus obras, y por [sus]
obras [su] fe fue perfeccionada,[d]
23 y se cumplió la escritura que
dice: "Abrahán puso fe en Jehová, y le fue contado por justicia",[e] y vino a ser llamado "amigo de Jehová".[f]

24 Ustedes ven que el hombre
ha de ser declarado justo[g] por
obras,[h] y no por fe solamente.[i]
25 De la misma manera, también, Rahab[j] la ramera, ¿no fue
declarada justa por obras, después que hubo recibido hospitalariamente a los mensajeros y
los hubo enviado por otro camino?[k] **26** En verdad, como el
cuerpo sin espíritu está muerto,[l]
así también la fe sin obras está
muerta.[m]

3 No muchos de ustedes deberían hacerse maestros,[n] hermanos míos, sabiendo que re-
cibiremos juicio más severo.[o]
2 Porque todos tropezamos muchas veces.[p] Si alguno no tro-
pieza en palabra,[q] este es varón
perfecto,[r] capaz de refrenar también [su] cuerpo entero. **3** Si a
los caballos les ponemos frenos[s]
en la boca para que nos obedezcan,[t] manejamos también su
cuerpo entero. **4** ¡Miren! Hasta los barcos, aunque son tan
grandes y son impelidos por
vientos recios, son dirigidos por
un timón[u] muy pequeño a donde
la inclinación del timonel lo desea.

5 Así, también, la lengua es un
miembro pequeño, y sin embargo hace grandes alardes.[v] ¡Miren! ¡Con cuán pequeño fuego
se incendia tan grande bosque!
6 Pues bien, la lengua es un
fuego.[w] La lengua constituye un
mundo de injusticia entre nuestros miembros, porque mancha
todo el cuerpo[a] y enciende en llamas la rueda de la vida natural y
es encendida en llamas por el
Gehena. **7** Porque toda especie de bestias salvajes así como
de aves y de cosas que se arrastran y de criaturas marinas ha
de ser domada y ha sido domada
por el género humano.[b] **8** Pero
la lengua, nadie de la humanidad puede domarla. Cosa ingo-
bernable y perjudicial, está llena
de veneno mortífero.[c] **9** Con
ella bendecimos a Jehová,[d] sí,
[al] Padre,[e] y, no obstante, con
ella maldecimos[f] a hombres que
han llegado a la existencia "a la
semejanza de Dios".[g] **10** De la
misma boca salen bendición y
maldición.

No es correcto, hermanos
míos, que estas cosas sigan
ocurriendo de esta manera.[h]
11 La fuente[i] no hace que lo dulce y lo amargo salgan burbujeando por la misma abertura,
¿verdad? **12** Hermanos míos,
la higuera no puede producir
aceitunas, ni la vid higos, ¿verdad?[j] Tampoco puede el agua salada producir agua dulce.

13 ¿Quién es sabio y entendido entre ustedes? Que muestre
por su conducta excelente sus
obras[k] con una apacibilidad
que pertenece a la sabiduría.
14 Pero si ustedes tienen en el
corazón amargos celos[l] y espíritu de contradicción,[m] no anden
haciendo alardes[n] y mintiendo
contra la verdad.[o] **15** Esta no
es la sabiduría que desciende de
arriba,[p] sino que es [la] terrenal,[q]
animal, demoníaca.[r] **16** Porque donde hay celos[s] y espíritu
de contradicción, allí hay desorden y toda cosa vil.[t]

17 Pero la sabiduría[u] de arriba es primeramente casta,[v] luego pacífica,[w] razonable,[x] lista
para obedecer, llena de misericordia y buenos frutos,[y] sin
hacer distinciones por par-

CAP. 2
a Mt 8:29; Lu 4:34; Heb 10:27; Heb 10:31
b Ro 9:8
c Gé 22:9; Gé 22:12
d Heb 11:17
e Gé 15:6; Ro 4:3; Gál 3:6
f 2Cr 20:7; Isa 41:8
g Ro 4:5
h Jn 8:39
i Ro 4:13
j Jos 2:1
k Jos 6:17; Heb 11:31
l Sl 146:4; Ec 12:7
m Ro 10:10; Snt 2:17

CAP. 3
n 1Co 12:29; Ef 4:11
o Isa 3:14; Lu 12:48
p 1Re 8:46; Pr 20:9
q Mt 12:37; 1Jn 1:8
r Jn 8:46
s Pr 26:3
t Sl 32:9
u Hch 27:40
v Sl 12:4
w Pr 16:27; Mt 12:36

2.ª col.
a Sl 39:1; Mt 15:11; Mt 15:18; Mr 7:23
b Gé 9:2
c Sl 140:3; Pr 12:18; Pr 13:3; Pr 18:7; Ro 3:13
d Sl 34:1; Sl 103:1
e Mal 2:10
f 2Sa 16:7
g Gé 1:26; Gé 5:1
h Ef 4:29
i Rev 21:6
j Mt 7:16
k Mt 7:24; Gál 6:4; Snt 2:18
l Ro 13:13; 1Co 3:3
m Ef 4:31
n 1Co 13:4
o 1Jn 2:21
p 1Co 2:7
q Ro 1:28; 1Co 2:14; Flp 3:19
r 1Ti 4:1
s Pr 14:30
t Gál 5:20
u 1Co 2:6
v Ro 12:9; 1Ti 5:2

w 2Co 13:11; 1Te 5:13; 1Pe 3:11; 2Pe 3:14; x 1Ti 3:3; Tit 3:2; y Gál 5:22.

cialidad,[a] sin ser hipócrita.[b] 18 Además, en cuanto al fruto[c] de la justicia,[d] su semilla se siembra en condiciones pacíficas[e] para los que están haciendo la paz.[f]

4 ¿De qué fuente son las guerras y de qué fuente son las peleas entre ustedes? ¿No son de esta fuente,[g] a saber, de sus deseos vehementes de placer sensual que se hallan en conflicto en sus miembros?[h] 2 Ustedes desean, y sin embargo no tienen. Siguen asesinando[i] y codiciando,[j] y sin embargo no pueden obtener. Siguen peleando[k] y guerreando. No tienen, porque no piden. 3 Sí piden, y sin embargo no reciben, porque piden con un propósito malo,[l] para gastar[lo] en los deseos vehementes que tienen de placer sensual.[m]

4 Adúlteras,[n] ¿no saben que la amistad con el mundo es enemistad con Dios?[o] Cualquiera, por lo tanto, que quiere ser amigo[p] del mundo está constituyéndose enemigo de Dios.[q] 5 ¿O se figuran ustedes que la escritura dice en balde: "Es con tendencia hacia la envidia con lo que el espíritu[r] que se ha domiciliado en nosotros sigue anhelando"? 6 Sin embargo, la bondad inmerecida que él da es mayor.[s] Por eso se dice: "Dios se opone a los altivos,[t] pero da bondad inmerecida a los humildes".[u]

7 Sujétense,[v] por lo tanto, a Dios; pero opónganse al Diablo,[w] y él huirá de ustedes.[x] 8 Acérquense a Dios, y él se acercará a ustedes.[y] Límpiense las manos, pecadores,[z] y purifiquen su corazón,[a] indecisos.[b] 9 Dense a la desdicha y laméntense, y lloren.[c] Que su risa se torne en lamento, y [su] gozo en desaliento.[d] 10 Humíllense en los ojos de Jehová,[e] y él los ensalzará.[f]

11 Dejen de hablar unos contra otros, hermanos.[g] El que habla contra un hermano o juzga[h] a su hermano habla contra ley y juzga ley. Ahora bien, si juzgas ley, no eres hacedor de ley, sino juez.[a] 12 Uno solo hay que es legislador y juez,[b] el que puede salvar y destruir.[c] Pero tú, ¿quién eres, para que estés juzgando a [tu] prójimo?[d]

13 Vamos, ahora, ustedes los que dicen: "Hoy o mañana iremos a tal ciudad y allí pasaremos un año, y negociaremos y haremos ganancias",[e] 14 cuando el caso es que ustedes no saben lo que será su vida mañana.[f] Porque son una neblina que aparece por un poco de tiempo y luego desaparece.[g] 15 En vez de eso, deberían decir: "Si Jehová quiere,[h] viviremos y también haremos esto o aquello".[i] 16 Pero ahora ustedes se glorían en sus alardes llenos de presunción.[j] Todo ese gloriarse es inicuo. 17 Por lo tanto, si uno sabe hacer lo que es correcto y, sin embargo, no lo hace,[k] es para él un pecado.[l]

5 Vamos, ahora, ricos,[m] lloren, aullando por las desdichas que les sobrevienen.[n] 2 Sus riquezas se han podrido, y sus prendas de vestir exteriores han quedado apolilladas.[o] 3 Su oro y plata están enmohecidos, y el moho de estos servirá como testimonio contra ustedes y comerá sus carnes. Algo semejante al fuego[p] es lo que ustedes han acumulado[q] en los últimos días.[r] 4 ¡Miren! El salario que se debe a los obreros que cosecharon sus campos, pero el cual es retenido por ustedes,[s] sigue clamando,[t] y los gritos por auxilio[u] de los segadores han entrado en los oídos[v] de Jehová de los ejércitos. 5 Ustedes han vivido en lujo sobre la tierra y se han dado al

CAP. 3
a Snt 2:9
b 1Pe 1:22
c Flp 1:11
d Pr 11:18
  Isa 32:17
e Heb 12:11
f Mt 5:9
  1Pe 3:11

CAP. 4
g Snt 3:14
h Ro 7:23
  Gál 5:17
  1Pe 2:11
i 1Jn 3:15
j Col 3:5
k Mt 5:22
  Snt 3:16
l Isa 1:15
  Zac 7:13
m Miq 3:4
  1Jn 3:22
n Eze 16:15
o 2Cr 19:2
  Jn 15:19
  Jn 17:14
  Jn 15:19
p Lu 6:26
  Gál 1:10
q 1Jn 2:15
r Gé 8:21
s Jn 1:16
t Sl 138:6
  Isa 2:11
u Pr 3:34
  1Pe 5:5
v Ro 10:3
  Heb 12:9
  1Pe 2:17
w Ef 4:27
  Ef 6:11
x Mt 4:10
  Mt 4:11
  Lu 4:13
y Isa 44:22
  Isa 55:6
z Isa 1:16
a 1Jn 3:3
b Snt 1:8
c Joe 2:12
d Lu 6:25
  Rev 3:17
e 2Cr 7:14
  2Cr 33:13
  Sl 34:15
  Zac 4:10
  1Pe 3:12
f Pr 29:23
  Mt 23:12
g Le 19:16
  Pr 17:9
h Lu 6:37

2.ᵃ col.

a Mt 7:1
b Isa 33:22
c Mt 10:28
  Jud 15
d Ro 14:4
e Pr 27:1
  Lu 12:18
f Job 14:1
  Sl 39:6
  Ec 6:12
g Sl 102:3
  1Pe 1:24

h Sl 40:8; Sl 143:10; Jn 4:34; Hch 18:21; i Sl
34:2; Heb 6:3; j Sl 52:7; Isa 47:10; k Lu 12:47;
l Jn 9:41; Jn 15:22; Jud 15; m Pr 11:28; n Lu
6:24; Lu 18:25; o Job 13:28; Mt 6:19; Lu 12:33;
p Isa 30:27; q Ro 2:5; r Eze 7:19; s Le 19:13; Jer
22:13; Mal 3:5; t Dt 24:15; u Sl 9:12; Lu 18:7;
v Isa 5:9.

placer sensual.[a] Han engordado sus corazones en el día del degüello.[b] 6 Han condenado, han asesinado al justo. ¿No se les opone él?[c]

7 Ejerzan paciencia, por lo tanto, hermanos, hasta la presencia[d] del Señor. ¡Miren! El labrador sigue esperando el precioso fruto de la tierra, aguardándolo con paciencia hasta que recibe la lluvia temprana y la lluvia tardía.[e] 8 Ustedes también ejerzan paciencia;[f] hagan firme su corazón, porque se ha acercado la presencia del Señor.

9 No exhalen suspiros unos contra otros, hermanos, para que no vayan a ser juzgados.[h] ¡Miren! El Juez está de pie delante de las puertas.[i] 10 Hermanos, tomen por modelo[j] de sufrir el mal[k] y de ejercer paciencia[l] a los profetas,[m] que hablaron en el nombre de Jehová.[n] 11 ¡Miren! Pronunciamos felices a los que han aguantado.[o] Ustedes han oído del aguante de Job[p] y han visto el resultado que Jehová dio,[q] que Jehová es muy tierno en cariño, y misericordioso.[r]

12 Sin embargo, sobre todo, hermanos míos, dejen de jurar, sí, ya sea por el cielo o por la tierra o por cualquier otro juramento.[s] Pero que su *Sí* signifique Sí, y su *No*, No, para que no caigan bajo juicio.[t]

13 ¿Hay alguno que esté sufriendo el mal entre ustedes? Que se ocupe en orar.[a] ¿Hay alguno que se sienta contento? Que cante salmos.[b] 14 ¿Hay alguno enfermo entre ustedes?[c] Que llame a [sí] a los ancianos[d] de la congregación, y que ellos oren sobre él, untándo[lo] con aceite[e] en el nombre de Jehová. 15 Y la oración de fe sanará al indispuesto,[f] y Jehová lo levantará.[g] También, si hubiera cometido pecados, se le perdonará.[h]

16 Por lo tanto, confiesen[i] abiertamente sus pecados unos a otros y oren unos por otros, para que sean sanados.[j] El ruego del hombre justo, cuando está en acción, tiene mucho vigor.[k] 17 Elías era hombre de sentimientos semejantes a los nuestros,[l] y, no obstante, en oración oró que no lloviera;[m] y no llovió sobre la tierra por tres años y seis meses. 18 Y volvió a orar, y el cielo dio lluvia y la tierra produjo su fruto.[n]

19 Hermanos míos, si alguno de entre ustedes se deja extraviar de la verdad y otro lo hace volver,[o] 20 sepan que el que hace volver a un pecador del error[p] de su camino salvará una alma de la muerte[q] y cubrirá una multitud de pecados.[r]

CAP. 5
a Isa 22:13
Am 6:4
Lu 16:25
1Ti 5:6
b Jer 12:3
c Pr 3:34
d Mt 24:3
e Dt 11:14
Jer 5:24
Joe 2:23
Zac 10:1
f Heb 6:12
g 1Te 3:13
h 1Co 4:5
i Rev 3:20
j 1Co 10:11
k Mt 5:12
l Heb 6:12
m Heb 11:39
n 2Cr 36:16
o Sl 94:12
Snt 1:4
p Job 1:21
Job 42:10
r Sl 103:8
Lu 6:36
s Le 19:12
t Mt 5:34
t Mt 5:37
2Co 1:17
1Ti 1:10

2.ª col.
a Sl 50:15
b Col 3:16
c Mr 6:13
d Hch 20:28
Hch 20:35
1Pe 5:2
e Sl 141:5
Isa 61:3
Lu 10:34
f Flp 1:19
g Os 6:1
Os 13:14
h Isa 33:24
Mt 9:2
i 2Sa 12:13
Sl 32:5
Pr 28:13
1Jn 1:9
j Dt 9:18
Jn 9:31
k 1Sa 12:18
1Re 13:6

l Hch 14:15; m 1Re 17:1; n 1Re 18:42; 1Re 18:45; o Mt 18:15; p Gál 6:1; q Sl 56:13; Sl 116:8; r 1Ti 4:16.

LA PRIMERA DE

PEDRO

1 Pedro, apóstol[a] de Jesucristo, a los residentes temporales[b] esparcidos por[c] el Ponto, Galacia, Capadocia,[d] Asia y Bitinia, a los escogidos[e] 2 según la presciencia de Dios el Padre,[f] con santificación por el espíritu,[g] con el propósito de que sean obedientes y rociados[h] con la sangre de Jesucristo:[i]

Que bondad inmerecida y paz sean aumentadas a ustedes.[a]

3 Bendito sea el Dios y Padre de nuestro Señor Jesucristo,[b] porque, según su gran misericordia, nos dio un nuevo nacimiento[c] a una esperanza

CAP. 1
a Mt 10:2
b Jn 15:19
Heb 11:13
c Snt 1:1
d Hch 2:9
e Ro 1:7
f Ro 8:29
g 2Te 2:13
h Le 6:27
Heb 12:24

i Le 17:11; 1Pe 1:19; 2.ª col. a 2Pe 1:2; b 2Co 1:3; c 1Co 15:44; 1Pe 1:23.

viva[a] mediante la resurrección[b] de Jesucristo de entre los muertos, 4 a una herencia incorruptible e incontaminada e inmarcesible.[c] Está reservada en los cielos para ustedes,[d] 5 que están resguardados por el poder de Dios mediante la fe[e] para una salvación[f] [que está] lista para ser revelada[g] en el último período.[h] 6 En este hecho ustedes están regocijándose en gran manera, aunque ahora, por un poco de tiempo, si tiene que ser, han sido contristados por diversas pruebas.[i] 7 a fin de que la cualidad probada de su fe,[j] de mucho más valor que el oro que perece a pesar de ser probado por fuego,[k] sea hallada causa de alabanza y gloria y honra al tiempo de la revelación[l] de Jesucristo. 8 Aunque ustedes nunca lo vieron, lo aman.[m] Aunque ahora no están mirándolo, sin embargo ejercen fe en él y están regocijándose en gran manera con gozo inefable y glorificado, 9 al recibir el fin de su fe, la salvación de sus almas.[n]

10 Respecto a esta misma salvación, los profetas que profetizaron[o] acerca de la bondad inmerecida que había de ser para ustedes[p] hicieron una indagación diligente y una búsqueda cuidadosa.[q] 11 Siguieron investigando qué época en particular,[r] o qué suerte de [época], indicaba respecto a Cristo[s] el espíritu[t] que había en ellos cuando este de antemano daba testimonio acerca de los sufrimientos para Cristo[u] y acerca de las glorias[v] que habían de seguir a estos. 12 A ellos les fue revelado que, no para sí mismos,[w] sino para ustedes, ministraban las cosas que ahora han sido anunciadas[x] a ustedes mediante los que les han declarado las buenas nuevas con espíritu santo[y] enviado desde el cielo. En estas mismas cosas los ángeles desean mirar con cuidado.[z]

13 Por lo tanto, fortifiquen su mente para actividad,[a] manten-

gan completamente su juicio;[a] pongan su esperanza resueltamente en la bondad inmerecida[b] que ha de ser traída a ustedes en la revelación[c] de Jesucristo. 14 Como hijos obedientes, dejen de amoldarse[d] según los deseos que tuvieron en otro tiempo en su ignorancia, 15 y más bien, de acuerdo con el Santo que los llamó, háganse ustedes mismos santos también en toda [su] conducta,[e] 16 porque está escrito: "Tienen que ser santos, porque yo soy santo".[f]

17 Además, si ustedes invocan al Padre que juzga imparcialmente[g] según la obra de cada cual, compórtense con temor[h] durante el tiempo de su residencia forastera.[i] 18 Porque ustedes saben que no fue con cosas corruptibles,[j] con plata u oro, con lo que fueron librados[k] de su forma de conducta infructuosa recibida por tradición de sus antepasados. 19 Más bien, fue con sangre preciosa,[l] como la de un cordero sin tacha e inmaculado,[m] sí, la de Cristo.[n] 20 Es verdad que él fue preconocido antes de la fundación[o] del mundo, pero fue manifestado al fin de los tiempos por causa de ustedes[p] 21 los que mediante él son creyentes en Dios,[q] el que lo levantó de entre los muertos[r] y le dio gloria;[s] para que la fe y esperanza de ustedes estén puestas en Dios.[t]

22 Ahora que ustedes han purificado[u] sus almas por [su] obediencia a la verdad con el cariño fraternal sin hipocresía[v] como resultado, ámense unos a otros intensamente desde el corazón. 23 Porque se les ha dado un nuevo nacimiento,[w] no de semilla corruptible,[x] sino de semilla[z] [reproductiva] incorruptible,[a] mediante la palabra de[l] Dios vivo y duradero.[c] 24 Porque "toda carne es como hierba,

CAP. 1

a Rev 20:6
b 1Co 15:20
c 1Co 15:53
  2Ti 1:10
  1Pe 5:4
d Mt 14:2
  Lu 18:8
  Col 1:5
  2Ti 4:8
e 1Co 2:5
f Heb 9:28
g 1Pe 1:7
h Mt 24:30
i 2Co 4:17
  2Ti 3:12
j Dt 8:16
  Snt 1:3
k Pr 17:3
l 2Te 1:7
m Jn 20:29
n Ro 6:22
o Da 2:44
  Ag 2:7
  Zac 6:12
p Sl 84:11
q Mt 13:17
r Da 12:4
s Da 9:25
t 2Sa 23:2
u Isa 53:5
  Heb 11:26
  Rev 19:10
v Isa 65:17
  Isa 66:11
w Heb 11:39
x Da 9:24
  Hch 2:14
y Jn 15:26
  Hch 2:4
z Ef 3:10
a Lu 12:35

2.ª col.

a Ef 5:17
  1Pe 4:7
b Hch 15:11
c 1Co 1:7
d Ro 12:2
e Dt 28:9
  Isa 62:12
  Ro 12:1
  Heb 12:14
f Le 11:44
  Le 19:2
  Le 20:26
  Dt 23:14
g Dt 10:17
h 2Co 7:1
i Heb 11:13
j Isa 52:3
k 1Co 6:20
l Isa 53:12
  Heb 9:14
m Éx 12:5
  Le 22:20
  Jn 1:29
n 1Co 5:7
o Jn 17:5
  Ef 1:4
p Col 1:26
  Tit 1:3
q Jn 14:6
r Hch 2:24
s Heb 2:9
t Ro 15:13
u Hch 15:9
v Ro 12:9
  1Jn 3:1
  1Jn 3:17
w 1Ti 1:5

x Jn 3:3; 2Co 5:17; 1Pe 1:3; 1Jn 3:9; y 1Co 15:50;
z Jn 3:6; a 1Co 15:42; b Jn 6:63; Heb 4:12; Snt
1:18; c Da 6:26.

y toda su gloria es como una flor de la hierba;[a] la hierba se marchita, y la flor se cae,[b] 25 pero el dicho de Jehová dura para siempre".[c] Pues bien, este es el "dicho",[d] esto que se les ha declarado[e] como buenas nuevas.

2 Por consiguiente, desechen toda maldad[f] y todo lo engañoso, e hipocresía, y envidias, y toda suerte de difamación solapada,[g] 2 [y,] como criaturas recién nacidas,[h] desarrollen el anhelo por la leche[i] no adulterada que pertenece a la palabra, para que mediante ella crezcan a la salvación,[j] 3 con tal que hayan gustado que el Señor es bondadoso.[k]

4 Llegando a él como a una piedra viva,[l] rechazada,[m] es verdad, por los hombres,[n] pero escogida, preciosa, para con Dios,[o] 5 ustedes mismos también como piedras vivas están siendo edificados en casa espiritual[p] para el propósito de un sacerdocio santo, para ofrecer sacrificios espirituales[q] aceptos a Dios mediante Jesucristo.[r] 6 Porque está contenido en la Escritura: "¡Miren!, voy a colocar en Sión una piedra, escogida, una piedra angular de fundamento, preciosa; y nadie que ejerza fe en ella sufrirá desilusión de manera alguna".[s]

7 Para ustedes, por lo tanto, él es precioso, porque son creyentes; pero para los que no creen: "la mismísima piedra que los edificadores rechazaron[t] ha llegado a ser [la] cabeza de[l] ángulo",[u] 8 y "una piedra de tropiezo y masa rocosa de ofensa".[v] Estos tropiezan porque son desobedientes a la palabra. Para este mismo fin también fueron señalados.[w] 9 Pero ustedes son "una raza escogida, un sacerdocio real, una nación santa,[x] un pueblo para posesión especial,[y] para que declaren en público las excelencias"[z] de aquel que los llamó de la oscuridad a su luz maravillosa.[a] 10 Porque en un tiempo ustedes no eran pueblo, pero ahora son pueblo de Dios;[b] eran aquellos a quienes no se había mostrado misericordia, pero ahora son aquellos a quienes se ha mostrado misericordia.[c]

11 Amados, los exhorto como a forasteros y residentes temporales[d] a que sigan absteniéndose de los deseos carnales,[e] los cuales son los mismísimos que llevan a cabo un conflicto en contra del alma.[f] 12 Mantengan excelente su conducta entre las naciones,[g] para que, en la cosa de que hablan contra ustedes como [de] malhechores, ellos, como resultado de las obras excelentes[h] de ustedes, de las cuales son testigos oculares, glorifiquen a Dios en el día para la inspección [por él].[i]

13 Por causa del Señor sujétense[j] a toda creación humana:[k] sea a un rey[l] como quien es superior, 14 o a gobernadores como quienes son enviados por él para infligir castigo a los malhechores, pero para alabar a los que hacen el bien.[m] 15 Porque así es la voluntad de Dios, para que haciendo el bien amordacen el habla ignorante de los hombres irrazonables.[n] 16 Sean como personas libres,[o] y, sin embargo, tengan su libertad, no como disfraz para la maldad,[p] sino como esclavos de Dios.[q] 17 Honren a [hombres] de toda clase,[r] tengan amor a toda la asociación de hermanos,[s] estén en temor de Dios,[t] den honra al rey.[u]

18 Que los sirvientes de casa estén en sujeción[v] a [sus] dueños con todo [el debido] temor,[w] no solo a los buenos y razonables, sino también a los que son difíciles de complacer. 19 Porque si alguno, por motivo de con-

CAP. 1
a Sl 90:5
Sl 103:15
Isa 40:6
b Isa 40:7
Isa 51:12
Isa 40:8
d 2Pe 1:19
e Tit 1:3

CAP. 2
f Isa 1:16
Gál 5:16
Snt 1:21
g Gál 5:21
Ef 4:22
h Mt 10:15
i Heb 5:12
j 2Ti 3:15
k Sl 34:8
l 1Co 10:4
m Sl 118:22
Isa 53:3
Mt 21:42
Hch 4:11
n Jn 19:15
o Isa 42:1
Ef 2:21
q Isa 56:7
Heb 13:15
r Ro 12:1
s Isa 28:16
t Sl 69:8
Isa 53:3
Lu 20:17
Hch 4:11
u Sl 118:22
Mt 21:42
v Isa 8:14
1Co 10:4
w Ro 9:22
x Éx 19:6
Isa 66:8
Rev 5:10
Rev 20:6
y Éx 19:5
Dt 7:6
Dt 10:15
Am 3:2
Mal 3:17
z Isa 43:21
Isa 61:6

2.ª col.
a Isa 51:4
Isa 60:2
Ef 5:8
Col 1:13
b Os 1:10
Hch 15:14
Ro 9:25
c Isa 65:1
Os 2:23
Sl 39:12
e Ro 8:5
Gál 5:24
Snt 4:1
f Gál 5:17
g Ro 12:17
2Co 8:21
1Ti 3:7
h Mt 5:16
Snt 3:13
i Mt 25:32
Lu 19:44
Hch 17:31
j Ro 13:1
Tit 3:1
k Ef 6:5
l 1Pe 2:17
m Ro 13:3

n Tit 2:8; o Gál 5:1; p Gál 5:13; q 1Co 7:22; r Le 19:32; Ro 12:10; Os 3:4; s Gál 3:28; 1Jn 2:10; 1Jn 4:21; t Ne 5:15; Sl 111:10; Pr 8:13; 2Co 7:1; u Pr 24:21; v Ef 6:5; Col 3:22; Tit 2:9; w 1Ti 6:1.

ciencia para con Dios, sobrelleva cosas penosas y sufre injustamente, esto es algo que agrada.[a] 20 Pues, ¿qué mérito hay en ello si, cuando ustedes están pecando y son abofeteados, lo aguantan?[b] Pero si, cuando están haciendo lo bueno y sufren,[c] lo aguantan, esto es algo que agrada a Dios.[d]

21 De hecho, ustedes fueron llamados a este [curso]; porque hasta Cristo sufrió por ustedes,[e] dejándoles dechado para que sigan sus pasos con sumo cuidado y atención.[f] 22 Él no cometió pecado,[g] ni en su boca se halló engaño.[h] 23 Cuando lo estaban injuriando,[i] no se puso a injuriar en cambio.[j] Cuando estaba sufriendo,[k] no se puso a amenazar, sino que siguió encomendándose al[l] que juzga con justicia. 24 Él mismo cargó con nuestros pecados[m] en su propio cuerpo sobre el madero,[n] para que acabáramos con los pecados[o] y viviéramos a la justicia. Y "por sus heridas ustedes fueron sanados".[p] 25 Porque ustedes, como ovejas, andaban descarriados;[q] pero ahora se han vuelto al pastor[r] y superintendente de sus almas.

3 De igual manera,[s] ustedes, esposas, estén en sujeción[t] a sus propios esposos, a fin de que, si algunos no son obedientes[u] a la palabra, sean ganados[v] sin una palabra por la conducta de [sus] esposas,[w] 2 por haber sido ellos testigos oculares de su conducta casta[x] junto con profundo respeto. 3 Y que su adorno no sea el de trenzados externos del cabello[y] ni el de ponerse ornamentos de oro[z] ni el uso de prendas de vestir exteriores, 4 sino que sea la persona secreta[a] del corazón en la [vestidura] incorruptible del espíritu quieto y apacible,[c] que es de gran valor a los ojos de Dios. 5 Porque así, también, se adornaban en otros tiempos las mujeres

santas que esperaban en Dios, sujetándose a sus propios esposos, 6 como Sara obedecía a Abrahán, llamándolo "señor".[a] Y ustedes han llegado a ser hijas de ella, con tal que sigan haciendo el bien y no teman a ninguna causa de terror.[b]

7 Ustedes, esposos, continúen morando con ellas de igual manera,[c] de acuerdo con conocimiento,[d] asignándoles honra[e] como a un vaso más débil, el femenino, puesto que ustedes también son herederos[f] con ellas del favor inmerecido de la vida, a fin de que sus oraciones no sean estorbadas.[g]

8 Finalmente, todos ustedes sean de un mismo ánimo y parecer,[h] compartiendo sentimientos como compañeros, teniendo cariño fraternal, siendo tiernamente compasivos,[i] de mente humilde,[j] 9 no pagando daño por daño[k] ni injuria por injuria,[l] sino, al contrario, confiriendo una bendición,[m] porque ustedes fueron llamados a este [derrotero], para que hereden una bendición.

10 Pues, "el que quiera amar la vida y ver días buenos,[n] reprima su lengua[o] de lo que es malo, y [sus] labios de hablar engaño;[p] 11 antes bien, apártese de lo que es malo[q] y haga lo que es bueno; busque la paz y siga tras ella.[r] 12 Porque [los] ojos[s] de Jehová están sobre los justos, y sus oídos están hacia su ruego;[t] pero [el] rostro de Jehová está contra los que hacen cosas malas".[u]

13 En verdad, ¿quién es el hombre que les hará daño a ustedes si se hacen celosos por lo que es bueno?[v] 14 Pero hasta si sufrieran por causa de la justicia, son felices.[w] Sin embargo, no teman lo que para ellos es objeto de temor,[x] ni vayan a agitarse.[y] 15 Antes bien, santifiquen al Cristo como Señor en su

CAP. 2

a Ro 13:5
b 1Pe 4:15
c Hch 5:41
1Pe 3:14
1Pe 4:14
d Mt 5:10
e 1Pe 3:18
f Mt 16:24
Jn 13:15
g Jn 8:46
Heb 4:15
h Isa 53:9
i Mt 27:39
j Isa 53:7
Ro 12:21
k Heb 5:8
l Jer 11:20
Ro 4:24
m Lc 16:21
2Co 5:21
n Flp 2:8
o Isa 53:12
p Isa 53:5
q Isa 53:6
r Sl 23:1
Isa 40:11

CAP. 3

s 1Pe 2:21
t Ro 7:2
1Co 11:3
1Co 14:34
Ef 5:22
u Ro 10:16
v Pr 11:30
w 1Co 7:16
x 1Pe 2:12
y 1Ti 2:9
z Pr 11:22
a Ro 7:22
Ef 3:16
b 2Co 4:16
Ef 4:24
Col 3:10
c Pr 25:28
Col 3:12

2.ª col.

a Gé 18:12
Ef 5:33
b Pr 3:25
Flp 1:28
c 1Pe 2:21
d 1Co 7:3
e Ef 5:25
f Gál 3:28
g Lam 3:44
h Hch 1:10
Flp 2:2
i Ro 12:10
Col 3:12
j Ro 15:5
k Ro 12:17
1Te 5:15
l 1Pe 2:23
m Ro 12:14
Col 4:12
n Sl 34:12
o Snt 3:8
p Sl 34:13
1Ti 3:11
q Pr 8:13
r Sl 34:14
1Te 5:13
Snt 3:17
3Jn 11
s 1Jn 3:22
t Sl 34:15
u Sl 34:16

v Da 6:5; Ro 13:3; w Mt 5:12; Hch 5:41; 1Pe 2:19; x Isa 8:12; y Mt 10:28.

corazón,[a] siempre listos para presentar una defensa[b] ante todo el que les exija razón de la esperanza que hay en ustedes, pero haciéndolo junto con genio apacible[c] y profundo respeto.

16 Tengan una buena conciencia,[d] para que en el particular de que se hable contra ustedes queden avergonzados[e] los que están hablando con menosprecio de su buena conducta en lo relacionado con Cristo.[f]

17 Porque mejor es sufrir porque estén haciendo el bien,[g] si la voluntad de Dios lo desea, que porque estén haciendo el mal.[h]

18 Pues, hasta Cristo murió una vez para siempre respecto a pecados,[i] un justo por injustos,[j] para conducirlos a ustedes a Dios,[k] habiendo sido muerto en la carne,[l] pero hecho vivo en el espíritu.[m] 19 En esta [condición] también siguió su camino y predicó a los espíritus en prisión,[n] 20 que en un tiempo habían sido desobedientes[o] cuando la paciencia de Dios[p] estaba esperando en los días de Noé, mientras se construía el arca,[q] en la cual unas pocas personas, es decir, ocho almas, fueron llevadas a salvo a través del agua.[r]

21 Lo que corresponde a esto ahora también los está salvando a ustedes,[s] a saber, el bautismo (no el desechar la suciedad de la carne, sino la solicitud hecha a Dios para una buena conciencia),[t] mediante la resurrección de Jesucristo.[u] 22 Él está a la diestra de Dios,[v] porque siguió su camino al cielo; y ángeles[w] y autoridades y poderes fueron sujetados a él.[x]

4 Por lo tanto, puesto que Cristo sufrió en la carne,[y] ustedes también ármense de la misma disposición mental;[z] porque la persona que ha sufrido en la carne ha desistido de los pecados,[a] 2 con el fin de vivir el resto de [su] tiempo en la carne,[b] ya no

para los deseos de los hombres, sino para la voluntad de Dios.[a] 3 Porque basta el tiempo[b] que ha pasado para que ustedes hayan obrado la voluntad de las naciones[c] cuando procedían en hechos de conducta relajada,[d] lujurias, excesos con vino,[e] diversiones estrepitosas, partidas de beber e idolatrías ilegales.[f] 4 Porque no continúan corriendo con ellos en este derrotero al mismo bajo sumidero de disolución,[g] ellos están perplejos y siguen hablando injuriosamente de ustedes.[h] 5 Pero estas personas rendirán cuenta al[i] que está listo para juzgar a los vivos y a los muertos.[j] 6 De hecho, con este propósito las buenas nuevas fueron declaradas también a los muertos,[k] para que fueran juzgados en cuanto a la carne desde el punto de vista de los hombres,[l] pero vivieran en cuanto al espíritu[m] desde el punto de vista de Dios.

7 Pero el fin de todas las cosas se ha acercado.[n] Sean de juicio sano,[o] por lo tanto, y sean vigilantes en cuanto a oraciones.[p] 8 Ante todo, tengan amor intenso unos para con otros,[q] porque el amor cubre una multitud de pecados.[r] 9 Sean hospitalarios unos para con otros sin rezongar.[s] 10 En proporción al don que cada uno haya recibido, úsenlo al ministrarse unos a otros como excelentes mayordomos de la bondad inmerecida de Dios expresada de diversas maneras.[t] 11 Si alguno habla, [que hable] como si fueran [las] sagradas declaraciones formales[u] de Dios; si alguno ministra,[v] [que ministre] como dependiendo de la fuerza que Dios suministra;[w] para que en todas las cosas Dios sea glorificado[x] mediante Jesucristo. De él son la

CAP. 3
a 1Co 1:2
b Col 4:6
c Pr 15:1
    1Ti 6:11
    2Ti 2:25
    Tit 3:2
d Hch 23:1
    Hch 24:16
    1Ti 1:5
    1Ti 1:19
    1Ti 3:9
e Tit 2:8
f Ro 12:21
    1Pe 2:12
g 2Co 1:7
    Col 1:24
    1Pe 4:12
h Hch 5:9
    1Pe 4:15
i Isa 53:6
    Heb 9:28
j Ro 5:6
k 2Co 5:18
l 1Co 15:50
    Col 1:22
m 1Ti 3:16
n Lu 8:31
    2Pe 2:4
    Jud 6
o Gé 6:2
p Gé 6:3
    Gé 6:14
r Gé 7:23
s Col 2:12
t Heb 9:9
    Heb 9:14
    Heb 10:2
    Heb 10:22
u Ro 6:4
v Sl 110:1
    Hch 7:55
    Heb 10:12
w Heb 1:6
x Mt 28:18
    1Co 15:25
    Ef 1:21
    Flp 2:9

CAP. 4
y Flp 2:8
z Ro 6:7
    2Co 5:14
    Col 3:5
a Ro 6:11
    1Jn 3:6
b Gál 2:20

2.ª col.
a 2Co 5:15
    Ef 5:17
b Hch 17:30
c Ro 1:28
    Ro 6:21
    Ef 4:17
    Tit 3:3
d Ef 4:19
    2Pe 2:18
    Jud 4
e 1Co 5:11
    Gál 5:21
f Ro 13:13
g Ro 1:27
h Hch 13:45
    Hch 18:6
    1Pe 3:16
i Hch 10:42
    2Ti 4:1
j Hch 17:31
    Rev 20:12
k Mt 8:22
    Ef 2:1

l 1Sa 16:7; m Jn 6:63; n Mt 24:33; o Ro 12:3; 1Ti 3:2; Tit 2:6; p Col 4:2; q 1Co 13:8; Col 3:14; r Pr 10:12; Pr 17:9; 1Co 13:7; s Flp 2:14; 1Pe 3:8; Heb 13:2; t Ro 12:6; u Hch 7:38; Ro 3:2; v Ro 12:7; w Isa 12:2; Ef 3:20; x 1Co 10:31.

gloria[a] y la potencia para siempre jamás. Amén.
12 Amados, no estén perplejos a causa del incendio entre
ustedes, que les está sucediendo
para prueba,[b] como si algo extraño les sobreviniera. 13 Al
contrario, sigan regocijándose[c]
por cuanto son partícipes de los
sufrimientos del Cristo,[d] para
que también durante la revelación[e] de su gloria se regocijen y
se llenen de gran gozo. 14 Si
a ustedes los están vituperando
por el nombre de Cristo,[f] son felices,[g] porque el [espíritu] de gloria, sí, el espíritu de Dios, descansa sobre ustedes.[h]
15 Sin embargo, que ninguno
de ustedes sufra[i] como asesino, o
ladrón, o malhechor, o como en-
tremetido[j] en asuntos ajenos.
16 Pero si [sufre][k] como cristiano, no se avergüence,[l] sino siga
glorificando a Dios en este nombre. 17 Porque es el tiempo señalado para que el juicio comience con la casa de Dios.[m]
Ahora bien, si comienza primero
con nosotros,[n] ¿cuál será el fin de
los que no son obedientes a las
buenas nuevas de Dios?[o] 18 "Y
si el justo con dificultad se salva,[p] ¿dónde aparecerán el impío
y el pecador?"[q] 19 Así, pues,
también los que están sufriendo
en armonía con la voluntad de
Dios sigan encomendando sus
almas a un fiel Creador mientras
están haciendo el bien.[r]

5 Por lo tanto, a los [que son]
ancianos entre ustedes doy
esta exhortación, porque yo
también soy anciano[s] con [ellos]
y testigo[t] de los sufrimientos del
Cristo, hasta partícipe de la gloria que ha de ser revelada:[u]
2 Pastoreen[v] el rebaño de Dios[w]
bajo su custodia, no como obligados, sino de buena gana;[x] tampoco por amor a ganancia falta
de honradez,[y] sino con empeño;
3 tampoco como enseñoreándo-
se[z] de los que son la herencia de
Dios,[a] sino haciéndose ejemplos
del rebaño.[a] 4 Y cuando el
pastor principal[b] haya sido manifestado, ustedes recibirán la
inmarcesible[c] corona de la gloria.[d]
5 De igual manera, ustedes,
hombres de menos edad, estén
en sujeción[e] a los hombres de
más edad. Pero todos ustedes cíñanse con humildad mental los
unos para con los otros,[f] porque
Dios se opone a los altivos, pero
da bondad inmerecida a los humildes.[g]
6 Humíllense, por lo tanto,
bajo la poderosa mano de Dios,
para que él los ensalce al tiempo
debido;[h] 7 a la vez que echan
sobre él toda su inquietud,[i] porque él se interesa por ustedes.[j]
8 Mantengan su juicio, sean vigilantes.[k] Su adversario, el Diablo, anda en derredor como león
rugiente, procurando devorar [a
alguien].[l] 9 Pero pónganse en
contra de él,[m] sólidos en la fe,
sabiendo que las mismas cosas
en cuanto a sufrimientos van
realizándose en toda la asociación de sus hermanos en el mundo.[n] 10 Pero, después que ustedes hayan sufrido por un poco
de tiempo,[o] el Dios de toda bondad inmerecida, que los llamó a
su gloria[p] eterna en unión[q] con
Cristo, terminará él mismo el
entrenamiento de ustedes; él los
hará firmes,[r] él los hará fuertes.[s]
11 A él sea la potencia[t] para
siempre. Amén.
12 Mediante Silvano,[u] un fiel
hermano, según lo considero yo,
les he escrito en pocas [pala-
bras],[v] para dar estímulo y un
testimonio sincero de que esta es
la verdadera bondad inmerecida de Dios; en la cual, estén
firmes.[w] 13 La que está en Babilonia,[x] escogida igual [que us-
tedes], les envía sus saludos,
y también Marcos[y] mi hijo.
14 Salúdense los unos a los
otros con un beso de amor.[z]
Que todos ustedes los que están en unión con Cristo tengan
paz.[a]

CAP. 4
a Ro 16:27
b 1Pe 5:9
c Hch 5:41
Snt 1:2
d Ro 8:17
2Co 4:10
2Ti 3:12
e 1Pe 1:7
f Sl 89:51
g Snt 1:12
Snt 5:11
h Isa 11:2
i 1Pe 2:20
j 1Ti 5:13
k Col 1:24
l Flp 1:20
2Ti 1:12
Heb 12:2
m Eze 9:6
Mal 3:1
n 1Co 11:32
Heb 3:6
o 2Te 1:8
p Mt 7:14
q Pr 11:31
Mt 7:13
r 2Ti 1:12

CAP. 5
s 2Jn 1
t Lu 22:28
Hch 1:22
u Ro 8:18
v Isa 40:11
Jn 21:16
w Miq 7:14
Hch 20:28
x Jn 10:11
y 1Ti 3:2
Tit 1:11
z 2Co 1:24
a Sl 33:12

2.ª col.
a Flp 3:17
b Heb 13:20
c 1Co 9:25
1Pe 1:4
d 2Ti 4:8
e Ef 5:21
Snt 3:17
f Isa 57:15
Tit 2:6
g Pr 3:34
Snt 4:6
h Mt 23:12
Lu 14:11
i Mt 6:25
j Sl 55:22
k 1Te 5:6
l Lu 22:31
Jn 8:44
m Ef 6:11
Snt 4:7
n Hch 14:22
2Ti 3:12
o 2Co 4:17
p 1Te 2:12
q Jn 17:21
r 2Te 2:17
s Ef 6:10
t Jud 25
u Hch 15:27
v Heb 13:22
w Ro 5:2
x Hch 7:43
y Hch 12:12
z Ro 16:16
a Ef 6:23

PEDRO

1 Simón Pedro, esclavo[a] y apóstol[b] de Jesucristo, a los que han obtenido una fe, tenida en igualdad de privilegio con la nuestra,[c] por la justicia[d] de nuestro Dios y de[1] Salvador Jesucristo:[e]

2 Que bondad inmerecida y paz les sean aumentadas[f] por un conocimiento exacto[g] de Dios y de Jesús nuestro Señor, 3 por cuanto su poder divino nos ha dado libremente todas las cosas que atañen a la vida[h] y a la devoción piadosa,[i] mediante el conocimiento exacto de aquel que nos llamó[j] mediante gloria[k] y virtud. 4 Mediante estas cosas nos ha dado libremente las preciosas y grandiosísimas promesas,[l] para que por estas ustedes lleguen a ser partícipes de la naturaleza[m] divina,[n] habiendo escapado de la corrupción que hay en el mundo[o] por la lujuria.

5 Sí; por esta misma razón, contribuyendo ustedes en respuesta todo esfuerzo solícito,[a] suministren a su fe, virtud;[q] a [su] virtud, conocimiento;[r] 6 a [su] conocimiento, autodominio; a [su] autodominio,[s] aguante; a [su] aguante, devoción piadosa;[t] 7 a [su] devoción piadosa, cariño fraternal; a [su] cariño fraternal, amor.[u] 8 Porque si estas cosas existen en ustedes y rebosan, impedirán que ustedes sean inactivos o infructíferos[v] respecto al conocimiento exacto de nuestro Señor Jesucristo.

9 Porque si estas cosas no están presentes en alguien, está ciego, pues cierra los ojos [a la luz],[w] y se ha hecho olvidadizo[x] respecto al limpiamiento[y] de sus pecados de hace mucho. 10 Por esta razón, hermanos, tanto más hagan lo sumo por hacer seguros para sí su llama-

miento[a] y selección;[b] porque si siguen haciendo estas cosas no fracasarán nunca.[c] 11 De hecho, así se les suministrará ricamente la entrada[d] en el reino eterno[e] de nuestro Señor y Salvador Jesucristo.[f]

12 Por esta razón siempre estaré dispuesto a recordarles[g] estas cosas, aunque [las] conocen y están firmemente establecidos en la verdad[h] que está presente [en ustedes].[i] 13 Pero considero apropiado, mientras estoy en este tabernáculo,[j] despertarlos por vía de hacerles recordar,[k] 14 puesto que sé que pronto veré quitado mi tabernáculo,[l] tal como también me lo significó nuestro Señor Jesucristo.[m] 15 Así es que haré lo sumo posible también a todo tiempo para que, después de mi partida,[n] ustedes puedan hacer mención de estas cosas para sí.

16 No, no fue siguiendo cuentos falsos[o] artificiosamente tramados como les hicimos conocer el poder y la presencia de nuestro Señor Jesucristo,[p] sino por haber llegado a ser testigos oculares de su magnificencia.[q] 17 Porque él recibió de Dios el Padre honra y gloria,[r] cuando palabras como estas le fueron dirigidas por la magnífica gloria: "Este es mi hijo, mi amado, a quien yo mismo he aprobado".[s] 18 Sí, estas palabras las oímos[t] dirigidas desde el cielo mientras estábamos con él en la santa montaña.[u]

19 Por consiguiente, tenemos la palabra profética[v] [hecha] más segura;[w] y ustedes hacen bien en prestarle atención como a una lámpara[x] que resplandece

CAP. 1
a Tit 1:1
b 1Pe 1:1
c Hch 15:7
Gál 3:28
d Ro 1:17
e Tit 2:13
f Jud 2
g Col 1:9
h Jn 17:3
i 1Ti 3:16
j 2Ti 1:9
1Pe 2:9
k 2Co 4:6
2Te 2:14
l Lu 22:30
Jn 14:2
Gál 3:29
m 1Co 15:53
Heb 12:10
1Pe 1:4
1Jn 3:2
Rev 20:6
n Hch 17:29
o 2Pe 2:20
p Flp 2:12
2Ti 2:15
Heb 4:11
Jud 3
q Flp 4:8
r Jn 17:3
Heb 5:14
s 1Co 9:25
2Ti 2:24
t 2Pe 2:9
u 1Te 4:9
v Tit 3:14
Rev 2:4
w 1Jn 2:9
Rev 3:17
x Snt 1:25
y Heb 9:14
1Jn 1:7

2.ª col.
a Heb 3:1
b 1Te 1:4
c 2Ti 4:7
d Mt 7:14
Lu 16:9
Jn 3:5
e Da 2:44
1Co 15:53
f 2Ti 4:18
g Ro 15:15
h 1Jn 2:21
i Jud 5
j 2Co 5:1
k 2Pe 3:1
l 2Ti 4:6
m Jn 21:18
n Jn 9:31
o 1Ti 1:4
p Mt 24:30
q Mt 17:2
Mr 9:2
Lu 9:29
r Da 7:14
s Sl 2:7
Mt 17:5
Mr 9:7
Lu 9:35
t Mt 17:6

u Mt 17:1; Lu 9:28; v Dt 18:15; Da 7:14; Mal 4:5;
w Mt 17:3; x Sl 119:105; Jn 1:9; Jn 5:35.

en un lugar oscuro, hasta que amanezca el día y el lucero[a] se levante, en sus corazones. 20 Porque ustedes saben esto primero, que ninguna profecía de la Escritura proviene de interpretación privada alguna.[b] 21 Porque la profecía no fue traída en ningún tiempo por la voluntad del hombre,[c] sino que hombres hablaron de parte de Dios[d] al ser llevados por espíritu santo.[e]

2 Sin embargo, llegó a haber también falsos profetas entre el pueblo, como también habrá falsos maestros entre ustedes.[f] Estos mismísimos introducirán calladamente sectas destructivas y repudiarán hasta al dueño que los compró,[g] trayendo sobre sí mismos destrucción acelerada. 2 Además, muchos seguirán[h] los actos de conducta relajada[i] de ellos y por causa de estos se hablará injuriosamente del camino de la verdad.[j] 3 También, con codicia los explotarán a ustedes con palabras fingidas.[k] Pero en cuanto a ellos, el juicio desde lo antiguo[l] no se mueve lentamente, y la destrucción de ellos no dormita.[m]

4 Ciertamente si Dios no se contuvo de castigar a los ángeles[n] que pecaron, sino que, al echarlos en el Tártaro,[o] los entregó a hoyos de densa oscuridad para que fueran reservados para juicio;[p] 5 y no se contuvo de castigar a un mundo antiguo,[q] sino que guardó en seguridad a Noé, predicador de justicia,[r] con otras siete [personas][s] cuando trajo un diluvio[t] sobre un mundo de gente impía;[u] 6 y al reducir a cenizas a las ciudades de Sodoma y Gomorra las condenó,[u] poniendo para personas impías un modelo de cosas venideras;[v] 7 y libró al justo Lot,[w] a quien angustiaba sumamente la entrega de la gente desafiadora de ley a la conducta relajada[x] 8 —porque aquel

CAP. 1
a Nú 24:17
Rev 2:28
Rev 22:16
b Hch 3:21
c 2Ti 3:16
d Eze 2:2
Lu 1:70
e 2Sa 23:2
Hch 1:16
Hch 28:25
1Pe 1:11

CAP. 2
f Mt 24:24
1Ti 4:1
g 1Co 6:20
h 1Co 15:33
Gál 5:7
i 2Co 12:21
Jud 4
j Isa 52:5
k Tit 1:11
l 2Pe 3:9
m Gé 6:4
n Lu 8:31
Ef 6:12
1Pe 3:19
p Jud 6
q Gé 7:23
r Gé 6:9
Heb 11:7
s Gé 8:18
t 2Pe 3:6
u Gé 19:24
v Jud 7
w Gé 19:16
x Gé 19:7

2.ª col.
a Sl 34:19
1Co 10:13
2Ti 4:18
Rev 3:10
b Ro 2:5
2Pe 3:7
c Isa 56:11
Ro 1:26
Jud 7
d Éx 22:28
e Jud 8
f Jud 9
g Zac 3:2
h Pr 19:29
Jud 10
i Ro 1:28
j Flp 3:19
k Ro 13:13
l Jud 12
m Pr 6:25
Mt 5:28
Mr 7:21
n Ro 1:27
o Ro 1:24
p 1Jn 3:10
q Nú 22:5
Jud 11
Rev 2:14
r Nú 22:7
Nú 22:21
Dt 23:5
Ne 13:2
s Nú 22:34
t Nú 22:28
u Nú 22:31
Nú 31:8

hombre justo, por lo que veía y oía mientras moraba entre ellos de día en día, atormentaba su alma justa a causa de los hechos desaforados de ellos—, 9 Jehová sabe librar de la prueba a personas de devoción piadosa,[a] pero reservar a personas injustas para el día del juicio para que sean cortadas [de la existencia],[b] 10 especialmente, sin embargo, a las que siguen tras la carne con el deseo de contaminar[la],[c] y que menosprecian el señorío.[d]

Osados, voluntariosos, estos no tiemblan ante los gloriosos, sino que hablan injuriosamente,[e] 11 mientras que los ángeles, aunque son mayores en fuerza y poder, no presentan contra ellos acusación en términos injuriosos,[f] [lo cual no hacen] por respeto a Jehová.[g] 12 Pero estos [hombres], como animales irracionales nacidos naturalmente para ser atrapados y destruidos, hasta sufrirán —en las cosas que ignoran las cuales hablan injuriosamente[h]— destrucción en su propio [derrotero de] destrucción, 13 haciéndose mal a sí mismos[i] como paga por hacer el mal.[j]

Ellos consideran un placer el vivir lujosamente durante el día.[k] Son manchas y tachas, que se entregan con desenfrenado deleite a sus enseñanzas engañosas mientras banquetean junto con ustedes.[l] 14 Tienen ojos llenos de adulterio,[m] y no pueden desistir del pecado,[n] y cautivan almas inconstantes. Tienen un corazón entrenado en la codicia.[o] Son hijos malditos.[p] 15 Abandonando la senda recta, han sido extraviados. Han seguido la senda de Balaam,[q] [hijo] de Beor, que amó la paga de la maldad,[r] 16 pero recibió censura por su propia violación de lo que era correcto.[s] Una bestia de carga sin voz, expresándose con voz de hombre,[t] estorbó el loco proceder del profeta.[u] 17 Estos son fuentes sin agua,[a] y neblinas impelidas por una tempestad violenta, y para ellos ha sido reservada la negrura de la oscuridad.[b] 18 Porque profieren expresiones hinchadas de ningún provecho, y cautivan,[c] por los deseos de la carne[d] y por los hábitos relajados, a los que precisamente están escapando[e] de personas que se comportan en error. 19 A la vez que les están prometiendo libertad,[f] ellos mismos existen como esclavos de la corrupción.[g] Porque cualquiera que es vencido por otro queda esclavizado por este.[h] 20 Ciertamente si, después de haber escapado de las contaminaciones del mundo[i] por un conocimiento exacto del Señor y Salvador Jesucristo, se vuelven de nuevo en estas mismas cosas y son vencidos,[j] las condiciones finales han llegado a ser peores para ellos que las primeras.[k] 21 Porque mejor les hubiera sido no haber conocido con exactitud la senda de la justicia[l] que, después de haberla conocido con exactitud, apartarse del santo mandamiento que les fue entregado.[m] 22 Les ha sucedido el dicho del proverbio verdadero: "El perro ha vuelto a su propio vómito, y la cerda bañada a revolcarse en el fango".[o]

3 Amados, esta es ya la segunda carta que les escribo, en la cual, como en mi primera,[p] estoy despertando sus facultades de raciocinio claro a modo de recordatorio,[q] 2 para que se acuerden de los dichos hablados previamente por los santos profetas,[r] y del mandamiento del Señor y Salvador mediante los apóstoles[s] de ustedes. 3 Porque ustedes saben esto primero, que en los últimos días[t] vendrán burlones[u] con su burla, procediendo según sus propios deseos[v] 4 y diciendo:[w] "¿Dónde está esa prometida presencia de él?[x] Pues, desde el día en que nuestros antepasados se dur-

CAP. 2

a Jud 12
b Jud 13
c 2Pe 2:14
d Ro 1:26
  Jud 16
e Heb 2:40
f 1Pe 2:16
g Jn 8:34
h Ro 6:16
  2Pe 1:4
i Heb 6:4
k Mt 12:45
  Lu 11:26
  Heb 10:26
l Lu 12:47
m Mt 12:32
  Jn 9:41
  Heb 6:6
n Mt 7:6
o Pr 26:11

CAP. 3

p 1Pe 1:1
q Ro 15:15
  Pr 1:13
r Heb 3:2
  Hch 3:24
s Jud 17
t 1Ti 4:1
u Pr 24:9
v Jud 18
w Isa 5:19
  Jer 17:15
  Ge 12:22
x Mt 24:48
  Lu 12:45

2.ᵃ col.

a Eze 12:27
b Gé 1:1
c Gé 1:9
d Gé 1:6
  Job 38:9
e Gé 7:11
  Gé 7:23
  Isa 54:9
f Ag 2:21
  Rev 12:9
g Gé 18:25
  Sl 96:13
  Rev 11:18
h 2Te 1:8
i Isa 66:16
j Dt 7:10
  Isa 26:21
k Sl 90:4
l Isa 30:18
  Hab 2:3
m Isa 30:19
  Ro 2:4
n Joe 2:31
  Sof 1:14
o 1Te 5:2
p Rev 21:1
q Rev 6:14
r Ef 2:2
  Col 2:8
s Isa 13:13
  Mt 24:35
t Sl 37:10
  Isa 18:9
  Sof 1:18
u Mal 4:2
v Sof 1:14
w Isa 34:4
  Mal 4:1
x Isa 65:17
  Rev 21:1
y Isa 66:22

mieron [en la muerte], todas las cosas continúan exactamente como desde el principio de la creación".[a]

5 Porque, conforme al deseo de ellos, este hecho se les escapa, que hubo cielos[b] desde lo antiguo, y una tierra mantenida compactamente fuera de agua[c] y en medio de agua[d] por la palabra de Dios; 6 y por aquellos [medios] el mundo de aquel tiempo sufrió destrucción cuando fue anegado en agua.[e] 7 Pero por la misma palabra los cielos[f] y la tierra[g] que existen ahora están guardados para fuego[h] y están en reserva para el día del juicio[i] y de la destrucción de los hombres impíos.[j]

8 Sin embargo, no vayan a dejar que este hecho en particular se les escape, amados, que un día es para con Jehová como mil años, y mil años como un día.[k] 9 Jehová no es lento respecto a su promesa,[l] como algunas personas consideran la lentitud, pero es paciente para con ustedes porque no desea que ninguno sea destruido; más bien, desea que todos alcancen el arrepentimiento.[m] 10 Sin embargo, el día de Jehová[n] vendrá como ladrón,[o] y en este los cielos pasarán[p] con un ruido de silbido,[q] pero los elementos, estando intensamente calientes, serán disueltos,[r] y la tierra[s] y las obras [que hay] en ella serán descubiertas.[t]

11 Puesto que todas estas cosas así han de ser disueltas, ¡qué clase de personas deben ser ustedes en actos santos de conducta y hechos de devoción piadosa, 12 esperando[u] y teniendo muy presente la presencia del día de Jehová,[v] por el cual [los] cielos, estando encendidos, serán disueltos,[w] y [los] elementos, estando intensamente calientes, se derretirán! 13 Pero hay nuevos cielos[x] y una nueva tierra[y] que esperamos según su

promesa, y en estos la justicia habrá de morar.ᵃ

14 Por eso, amados, ya que están esperando estas cosas, hagan lo sumo posible para que finalmente él los halle inmaculadosᵇ y sin tacha y en paz.ᶜ 15 Además, consideren la paciencia de nuestro Señor como salvación, así como también nuestro amado hermano Pablo, según la sabiduríaᵈ que le fue dada, les escribió,ᵉ 16 al hablar de estas cosas como también lo hace en todas [sus] cartas. En ellas, sin embargo, hay algunas cosas difíciles de entender, las cuales los indoctos e in-

constantes tuercen, como también [hacen con] las demás Escrituras,ᵃ para su propia destrucción.

17 Ustedes, por lo tanto, amados, teniendo este conocimiento de antemano,ᵇ guárdense para que no vayan a ser llevados con ellos por el error de gente desafiadora de ley y caigan de su propia constancia.ᶜ 18 No; sino sigan creciendo en la bondad inmerecida y en el conocimiento de nuestro Señor y Salvador Jesucristo.ᵈ A él [sea] la gloria tanto ahora como hasta el día de la eternidad.ᵉ

CAP. 3
a Isa 11:5
Mt 6:33
Heb 12:11
Snt 3:18
b Dt 18:13
2Co 11:2
c 1Co 15:58
2Co 13:11
Flp 1:10
1Te 3:13
d 1Co 3:10
e Ro 2:4

2.ᵃ col.
a Lu 24:44
2Ti 3:16
b Mt 24:30
Mt 13:32
c Mt 24:24
Ef 4:14
d Ef 4:15
Flp 3:8
e 2Ti 4:18

- - -

LA PRIMERA DE

JUAN

1 Lo que era desde [el] principio,ᵃ lo que hemos oído,ᵇ lo que hemos visto con nuestros ojos,ᶜ lo que hemos contempladoᵈ atentamente y nuestras manos palparon,ᵉ respecto a la palabra de la vidaᶠ 2 (sí, la vida fue manifestada,ᵍ y nosotros hemos visto y estamos dando testimonioʰ e informándoles de la vida eternaⁱ que estaba con el Padre y nos fue manifestada), 3 lo que hemos visto y oído se lo estamos informando también a ustedes,ʲ para que ustedes también estén teniendo participación con nosotros.ᵏ Además, esta participaciónˡ nuestra es con el Padre y con su Hijo Jesucristo.ᵐ 4 De modo que escribimos estas cosas para que nuestro gozo sea a plenitud.ⁿ

5 Y este es el mensaje que hemos oído de él y les estamos anunciando:ᵒ que Dios es luzᵖ y no hay oscuridad alguna en unión con él.q 6 Si hacemos la declaración: "Tenemos participación con él", y sin embargo seguimos andando en la oscuri-

CAP. 1
a 1Jn 2:7
1Jn 2:24
1Jn 3:11
b Jn 15:27
c Hch 4:20
d Jn 1:14
e Lu 24:39
f Jn 1:4
Jn 6:68
g Jn 1:14
Gál 4:4
h Jn 21:24
Hch 2:32
i Jn 17:3
j Mt 13:17
k Jn 17:20
1Co 1:9
m Jn 17:21
Jn 15:11
Jn 16:24
o Jn 3:11
p Isa 2:5
Snt 1:17
q Ef 5:8

2.ᵃ col.
a 2Co 6:14
b Tit 1:16
1Jn 2:4
c Jn 1:9
d 2Co 8:4
e Ro 3:25
Ef 1:7
Heb 9:14
f Heb 10:22
g Le 16:30
Rev 1:5
h Pr 20:9
i 1Re 8:46
Ec 7:20

dad,ᵃ estamos mintiendo y no estamos practicando la verdad.ᵇ 7 Sin embargo, si andamos en la luz, como él mismo está en la luz,ᶜ sí tenemos participación unos con otros,ᵈ y la sangreᵉ de Jesús su Hijo nos limpiaᶠ de todo pecado.

8 Si hacemos la declaración: "No tenemos pecado,"ʰ a nosotros mismos nos estamos extraviandoⁱ y la verdad no está en nosotros. 9 Si confesamos nuestros pecados,ʲ él es fiel y justo para perdonarnos nuestros pecados y limpiarnos de toda injusticia.ᵏ 10 Si hacemos la declaración: "No hemos pecado", lo estamos haciendo mentiroso a él, y su palabra no está en nosotros.ˡ

2 Hijitos míos, les escribo estas cosas para que no cometan un pecado.ᵐ Y no obstante, si alguno comete un pecado, tenemos un ayudanteⁿ para con el

j Le 5:5; Sl 32:5; Pr 28:13; Snt 5:16; k 2Co 7:1; Tit 2:14; 1 Ro 3:4; 1Jn 5:10; **CAP. 2** m Gál 6:1; 1Jn 3:6; n Ro 8:34; Heb 7:25.

Padre, a Jesucristo, uno que es justo.[a] 2 Y él es un sacrificio[b] propiciatorio[c] por nuestros pecados,[d] pero no solo por los nuestros,[e] sino también por los de todo el mundo.[f] 3 Y en esto tenemos el conocimiento de que hemos llegado a conocerlo, a saber, si continuamos observando sus mandamientos.[g] 4 El que dice: "Yo he llegado a conocerlo",[h] y sin embargo no está observando sus mandamientos,[i] es mentiroso, y la verdad no está en esta [persona].[j] 5 Pero cualquiera que sí observa su palabra,[k] verdaderamente en esta [persona] el amor a Dios ha sido perfeccionado.[l] En esto tenemos el conocimiento de que estamos en unión con él.[m] 6 El que dice que permanece en unión[n] con él está obligado él mismo también a seguir andando así como anduvo aquel.[o]

7 Amados, no les escribo un mandamiento nuevo, sino un mandamiento viejo[p] que ustedes han tenido desde [el] principio.[q] Este mandamiento viejo es la palabra que ustedes oyeron. 8 Otra vez, les escribo un mandamiento nuevo, un hecho que es verdadero en el caso de él y en el de ustedes, porque la oscuridad[r] va pasando y la luz verdadera[s] ya está resplandeciendo. 9 El que dice que está en la luz y, sin embargo, odia[t] a su hermano, está en la oscuridad hasta ahora mismo.[u] 10 El que ama a su hermano permanece en la luz,[v] y en el caso de él no hay causa de tropiezo.[w] 11 Pero el que odia a su hermano está en la oscuridad y está andando en la oscuridad,[x] y no sabe a dónde va,[y] porque la oscuridad le ha cegado los ojos.

12 Les escribo, hijitos, porque sus pecados les han sido perdonados por causa del nombre de él.[z] 13 Les escribo, padres, porque ustedes han llegado a conocer al que es desde [el] princi-

pio.[a] Les escribo, jóvenes,[b] porque han vencido al inicuo.[c] Les escribo, niñitos,[d] porque han llegado a conocer al Padre.[e] 14 Les escribo, padres,[f] porque han llegado a conocer al que es desde [el] principio.[g] Les escribo, jóvenes, porque son fuertes[h] y la palabra de Dios permanece en ustedes,[i] y han vencido al inicuo.[j]

15 No estén amando ni al mundo ni las cosas [que están] en el mundo.[k] Si alguno ama al mundo, el amor del Padre no está en él;[l] 16 porque todo [lo que hay] en el mundo[m] —el deseo de la carne[n] y el deseo de los ojos[o] y la exhibición ostentosa del medio de vida de uno[p]— no se origina del Padre, sino que se origina del mundo.[q] 17 Además, el mundo va pasando, y también su deseo,[r] pero el que hace la voluntad[s] de Dios permanece para siempre.[t]

18 Niñitos, es la última hora,[u] y, así como han oído que [el] anticristo viene,[v] aun ahora ha llegado a haber muchos anticristos;[w] del cual hecho adquirimos el conocimiento de que es la última hora. 19 Ellos salieron de entre nosotros, pero no eran de nuestra clase;[x] porque si hubieran sido de nuestra clase, habrían permanecido con nosotros.[y] Pero [salieron], para que se mostrara a las claras que no todos son de nuestra clase.[z] 20 Y ustedes tienen una unción del santo;[a] todos ustedes tienen conocimiento.[b] 21 Les escribo, no porque no conocen la verdad,[c] sino porque la conocen,[d] y porque ninguna mentira se origina de la verdad.[e]

22 ¿Quién es el mentiroso si no es el que niega que Jesús es el

CAP. 2
a 1Ti 2:5
b 1Co 5:7
   2Co 5:21
c Ro 3:25
   1Ti 2:6
   Heb 2:17
d Jn 4:10
e Le 16:6
   Isa 53:5
   Col 1:14
   1Ti 1:15
   1Pe 2:24
e Snt 1:18
   Rev 14:4
f Le 16:15
   Mt 20:28
h Jn 1:29
   Rev 7:14
g Jn 14:21
   Jn 15:10
h Os 8:2
   Os 4:1
j Tit 1:16
   Jn 14:23
i 1Jn 4:18
m Jn 14:20
   Jn 17:21
n Jn 15:4
o Jn 13:15
   1Pe 2:21
p Le 19:18
   Dt 6:5
   Jn 13:34
q 1Jn 1:1
   2Jn 5
r Ro 13:12
   1Te 5:5
s Jn 1:9
   Jn 8:12
t Ef 4:31
   Col 3:8
   Tit 3:3
   Isa 59:9
   1Co 13:2
v Ef 5:8
w Jn 11:9
   2Pe 1:10
x Jn 11:10
   2Pe 1:9
   1Jn 4:20
y Jn 12:35
z Lu 24:47
   Hch 4:12
   Hch 10:43

2.ª col.
a Jn 1:1
b Tit 2:6
c Jn 4:17
   1Jn 5:19
   Rev 12:11
d Jn 17:25
f 1Ti 5:17
g 1Jn 1:1
   Ef 6:10
i Heb 8:10
j Jn 2:14
3Jn 3
k Ro 6:37
   1Co 7:31
   Ef 5:15
l Mt 6:24
   Snt 4:4
m Tit 2:12
n Mt 5:28
   Ro 13:14
   1Pe 1:14

o Gé 3:6; Pr 27:20; Mt 4:8; p Ef 5:11; Snt 4:16; q 1Co 7:33; Ef 2:2; r 1Co 7:31; 1Pe 1:24; s Mt 7:21; 1Pe 4:2; t 1Sl 37:29; Jn 6:40; u Mt 24:33; v Mt 24:24; 2Te 2:3; 2Pe 2:1; w Mt 13:27; 2Te 2:7; 2Jn 7; Jud 4; x Hch 20:30; y 1Co 11:19; 2Co 1:21; 1Jn 2:27; b Heb 10:26; c Jn 8:32; d 2Pe 1:12; e Jn 8:44.

Cristo?[a] Este es el anticristo,[b] el que niega al Padre y al Hijo.[c] 23 Todo el que niega al Hijo, tampoco tiene al Padre.[d] El que confiesa[e] al Hijo, también tiene al Padre.[f] 24 En cuanto a ustedes, que lo que han oído desde [el] principio permanezca en ustedes.[g] Si lo que han oído desde [el] principio permanece en ustedes, ustedes también continuarán en unión[h] con el Hijo y en unión con el Padre.[i] 25 Además, esta es la cosa prometida que él mismo nos prometió: la vida eterna.[j]

26 Estas cosas les escribo acerca de los que tratan de extraviarlos.[k] 27 Y en cuanto a ustedes, la unción[l] que recibieron de él permanece en ustedes, y no necesitan que nadie les esté enseñando;[m] antes bien, como la unción de él les está enseñando acerca de todas las cosas,[n] y es verdad[o] y no es mentira, y así como les ha enseñado, permanezcan en unión[p] con él. 28 Ahora, pues, hijitos,[q] permanezcan en unión[r] con él, para que cuando él sea manifestado[s] tengamos franqueza de expresión[t] y no se nos haga apartarnos de él avergonzados al tiempo de su presencia.[u] 29 Si ustedes saben que él es justo,[v] adquieren el conocimiento de que todo el que practica la justicia ha nacido de él.[w]

3 ¡Vean qué clase de amor[x] nos ha dado el Padre, de modo que se nos llame hijos de Dios![y] y eso somos. Por eso el mundo no tiene conocimiento de nosotros, porque no ha llegado a conocerlo a él.[a] 2 Amados, ahora somos hijos de Dios,[b] pero todavía no se ha manifestado lo que seremos.[c] Sí sabemos que cuando él sea manifestado[d] seremos semejantes a él,[e] porque lo veremos tal como él es.[f] 3 Y todo el que tiene esta esperanza puesta en él se purifica[g] a sí mismo así como ese es puro.[h]

4 Todo el que practica pecado[a] también está practicando desafuero,[b] de modo que el pecado[c] es desafuero. 5 Ustedes saben también que aquel fue manifestado para quitar [nuestros] pecados,[d] y no hay pecado[e] en él. 6 Todo el que permanece en unión[f] con él no practica el pecado;[g] nadie que practica el pecado lo ha visto ni ha llegado a conocerlo.[h] 7 Hijitos, no vaya a extraviarlos nadie; el que se ocupa en la justicia es justo, así como ese es justo.[i] 8 El que se ocupa en el pecado se origina del Diablo, porque el Diablo ha estado pecando desde [el] principio.[j] Con este propósito el Hijo de Dios fue manifestado,[k] a saber, para desbaratar las obras del Diablo.[l]

9 Todo el que ha nacido de Dios no se ocupa en el pecado,[m] porque la semilla [reproductiva] de Él permanece en el tal, y no puede practicar el pecado, porque ha nacido de Dios.[n] 10 Los hijos de Dios y los hijos del Diablo se hacen evidentes por este hecho: Todo el que no se ocupa en la justicia[o] no se origina de Dios, tampoco el que no ama a su hermano.[p] 11 Porque este es el mensaje que ustedes han oído desde [el] principio,[q] que debemos tener amor unos para con otros;[r] 12 no como Caín, que se originó del inicuo y degolló a su hermano. ¿Y por qué causa lo degolló? Porque sus propias obras eran inicuas,[t] pero las de su hermano [eran] justas.[u]

13 No se maravillen, hermanos, de que el mundo los odie.[v] 14 Nosotros sabemos que hemos pasado de muerte a vida,[w] porque amamos a los hermanos.[x] El que no ama permanece en la muerte.[y] 15 Todo el que

---

CAP. 2

a 1Jn 4:3
  2Jn 7
b 1Jn 2:18
c Lu 12:9
d Jn 5:23
  2Jn 9
e Ro 10:10
f Jn 14:7
  1Jn 4:15
g Jn 14:23
  2Jn 6
h Jn 15:4
i 1Jn 3:24
j Jn 17:3
k Mr 13:22
  3Jn 10
  Re 2:20
l 2Co 1:21
  1Jn 2:20
m Jer 31:34
  Heb 8:11
n Jn 14:26
  Jn 16:13
o Jn 17:17
  Ro 3:4
p Jn 17:21
q 1Jn 3:2
r Jn 6:56
s 1Co 3:14
  1Jn 4:17
t 1Jn 4:17
u Mt 24:3
  1Te 3:13
v 1Jn 3:7
w 1Pe 1:23
  1Jn 4:7

CAP. 3

x Jn 3:16
y Jn 1:12
  Ro 8:15
z Jn 15:19
a Jn 16:3
  Jn 17:25
b Ro 8:16
  Ef 1:5
c 1Co 15:49
  Flp 3:21
d Jn 14:3
  Heb 12:23
e 2Pe 1:4
f Mt 5:8
  Jn 4:34
g 2Co 7:1
h 1Pe 1:16

2.ª col.

a Ro 3:20
  1Ti 5:20
b Mt 7:23
  Ro 4:15
c 1Jn 5:17
d Lu 16:22
  Isa 53:11
  Jn 1:29
e Jn 8:46
  2Co 5:21
f Jn 15:4
g Ro 6:12
  1Pe 4:1
h Jn 15:1
  3Jn 11
i Dt 32:4
  Sl 119:137
  Sl 145:17
j Gé 3:14
  Jn 8:44
k Heb 2:14

l Jn 16:33; Col 2:15; Heb 2:14; m 1Jn 5:18; n 1Pe
1:23; o 1Jn 2:29; p 1Jn 4:8; q 1Jn 1:1; 1Jn 2:7;
2Jn 5; r 1Jn 3:34; s Gé 4:8; t 1Jn 4:5; Jud 11;
u Gé 4:4; Heb 11:4; v Mt 5:11; Jn 15:18; 2Ti 3:12;
w Jn 5:24; Ro 8:2; x 1Jn 2:10; y Jn 3:36.

odia[a] a su hermano es homicida,[b] y ustedes saben que ningún homicida[c] tiene la vida eterna [como cosa] permanente en él.[d] 16 En esto hemos venido a conocer el amor,[e] porque aquel entregó su alma por nosotros;[f] y nosotros estamos obligados a entregar [nuestras] almas por [nuestros] hermanos.[g] 17 Pero cualquiera que tiene los medios de este mundo para el sostén de la vida,[h] y contempla a su hermano pasar necesidad,[i] y sin embargo le cierra la puerta de sus tiernas compasiones,[j] ¿de qué manera permanece el amor de Dios en él?[k] 18 Hijitos, no amemos[l] de palabra ni con la lengua,[m] sino en hecho[n] y verdad.[o]

19 En esto conoceremos que nos originamos de la verdad,[p] y aseguraremos nuestro corazón delante de él 20 respecto a cualquier cosa en que nos condene nuestro corazón,[q] porque Dios es mayor que nuestro corazón y conoce todas las cosas.[r] 21 Amados, si [nuestro] corazón no [nos] condena, tenemos franqueza de expresión para con Dios;[s] 22 y cualquier cosa que le pedimos la recibimos de él,[t] porque estamos observando sus mandamientos y estamos haciendo las cosas que son gratas a sus ojos.[u] 23 En verdad, este es su mandamiento: que tengamos fe en el nombre de su Hijo Jesucristo[v] y nos estemos amando unos a otros,[w] así como él nos dio mandamiento. 24 Además, el que observa sus mandamientos permanece en unión con él, y él en unión con el tal;[x] y en esto adquirimos el conocimiento de que él permanece en unión con nosotros,[y] debido al espíritu[z] que nos dio.

4 Amados, no crean toda expresión inspirada,[a] sino prueben las expresiones inspiradas para ver si se originan de Dios,[a] porque muchos falsos profetas han salido al mundo.[b] 2 Adquieren conocimiento de [que] la expresión inspirada procede de Dios[c] por esto: Toda expresión inspirada que confiesa que Jesucristo ha venido en carne se origina de Dios,[d] 3 pero toda expresión inspirada que no confiesa a Jesús no se origina de Dios.[e] Además, esta es la [expresión inspirada] del anticristo que ustedes han oído que venía,[f] y actualmente ya está en el mundo.[g]

4 Ustedes se originan de Dios, hijitos, y han vencido a esas [personas],[h] porque el que está en unión[i] con ustedes es mayor[j] que el que está en unión con el mundo.[k] 5 Ellos se originan del mundo;[l] por eso hablan [lo que procede] del mundo y el mundo los escucha.[m] 6 Nosotros nos originamos de Dios.[n] El que adquiere el conocimiento de Dios nos escucha;[o] el que no se origina de Dios no nos escucha.[p] Es así como notamos la expresión inspirada de la verdad y la expresión inspirada del error.[q]

7 Amados, continuemos amándonos unos a otros,[r] porque el amor[s] es de Dios, y todo el que ama ha nacido de Dios[t] y adquiere el conocimiento de Dios.[u] 8 El que no ama no ha llegado a conocer a Dios, porque Dios es amor.[v] 9 Por esto el amor de Dios fue manifestado en nuestro caso,[w] porque Dios envió a su Hijo unigénito[x] al mundo para que nosotros consiguiéramos la vida mediante él.[y] 10 El amor consiste en esto, no en que nosotros hayamos amado a Dios, sino en que él nos amó a nosotros y envió a su Hijo como sacrificio[z] propiciatorio[a] por nuestros pecados.[b]

CAP. 3
a Le 19:17
b Mt 5:21
  Ef 4:31
c Gé 9:6
d Nú 35:31
  Rev 21:8
  Rev 22:15
e Jn 13:1
f Jn 3:16
  Jn 15:13
  Ro 8:32
g Jn 13:15
  Ro 16:4
  1Te 2:8
h Lu 3:11
i Dt 26:12
  Ro 12:13
j Le 25:35
  Dt 15:7
  Snt 2:16
k Isa 58:7
  1Jn 4:20
l 1Co 13:4
m Ro 12:9
n Snt 1:22
  Snt 2:17
o Mt 7:22
  1Pe 1:22
p Jn 18:37
  Mt 26:75
  Lu 18:13
r Lu 12:30
  Heb 4:13
s Heb 4:16
  1Jn 5:14
t Sl 10:17
  Sl 34:15
  Sl 145:18
  1Pe 3:12
u Jn 9:31
  Heb 13:21
v Jn 6:29
w Jn 13:34
x Jn 15:4
  1Jn 2:24
y Jn 14:23
z Ro 8:2
  Ro 8:9

CAP. 4
a Dt 18:21
  2Te 2:2
  1Ti 4:1

2.ª col.
a Rev 22:6
b Mt 24:24
  Rev 16:14
c 2Ti 3:16
  Rev 22:6
d Jn 1:14
  1Co 12:3
  Rev 19:10
e 2Pe 2:1
  1Jn 2:22
f 2Te 2:7
  1Jn 2:18
g Hch 20:30
h 1Jn 5:4
i Jn 17:21
j 2Cr 20:6
k Ef 2:2
  Ef 6:12
l 1Jn 5:19
m Jn 15:19
n 1Jn 3:10
o Jn 10:27
p Jn 8:47
  Jn 14:17
q 1Jn 4:1

r 1Pe 1:22; s 1Co 13:13; t 1Jn 3:6; 1Jn 3:9; 1Jn 4:16; u Jn 17:3; v Éx 34:6; Miq 7:18; 1Jn 4:19; w Ro 5:8; x Jn 1:14; y Jn 3:16; Ro 5:21; Ro 8:32; 1Jn 5:11; z 1Co 5:7; 2Co 5:21; a Ro 3:25; 1Jn 2:2; b Heb 2:17; Heb 9:26.

11 Amados, si Dios nos amó así a nosotros, entonces nosotros mismos estamos obligados a amarnos unos a otros.[a] 12 Nadie ha contemplado a Dios nunca.[b] Si continuamos amándonos unos a otros, Dios permanece en nosotros y su amor se perfecciona en nosotros.[c] 13 En esto adquirimos conocimiento de que permanecemos en unión[d] con él y él en unión con nosotros,[e] porque él nos ha impartido su espíritu.[f] 14 Además, nosotros mismos hemos contemplado[g] —y de ello estamos dando testimonio[h]— que el Padre ha enviado a su Hijo como Salvador del mundo.[i] 15 Cualquiera que haga la confesión de que Jesucristo es el Hijo de Dios,[j] Dios permanece en unión con el tal y él en unión con Dios.[k] 16 Y nosotros mismos hemos llegado a conocer y hemos creído el amor[l] que Dios tiene en nuestro caso.

Dios es amor,[m] y el que permanece en el amor[n] permanece en unión con Dios, y Dios permanece en unión[o] con él. 17 Así es como el amor ha sido perfeccionado con nosotros, para que tengamos franqueza de expresión[p] en el día del juicio,[q] porque, tal como es ese, así somos nosotros mismos en este mundo.[r] 18 No hay temor en el amor,[s] sino que el amor perfecto echa fuera el temor,[t] porque el temor ejerce una restricción. En verdad, el que está bajo temor no ha sido perfeccionado en el amor.[u] 19 En cuanto a nosotros, amamos, porque él nos amó primero.[v]

20 Si alguno hace la declaración: "Yo amo a Dios", y sin embargo está odiando a su hermano, es mentiroso.[w] Porque el que no ama a su hermano,[x] a quien ha visto, no puede estar amando a Dios, a quien no ha visto.[y] 21 Y este mandamiento lo tenemos de él,[z] que el que

ama a Dios esté amando también a su hermano.[a]

5 Todo el que cree que Jesús es el Cristo ha nacido de Dios,[b] y todo el que ama al que hizo nacer, ama al que ha nacido de ese.[c] 2 En esto adquirimos conocimiento de que estamos amando[d] a los hijos de Dios,[e] cuando estamos amando a Dios y cumpliendo sus mandamientos.[f] 3 Pues esto es lo que el amor[g] de Dios significa: que observemos sus mandamientos;[h] y, sin embargo, sus mandamientos no son gravosos,[i] 4 porque todo lo que ha nacido[j] de Dios vence al mundo.[k] Y esta es la victoria[l] que ha vencido[m] al mundo, nuestra fe.[n]

5 ¿Quién es el que vence[o] al mundo[p] sino el que tiene fe[q] en que Jesús es el Hijo de Dios?[r] 6 Este es el que vino por medio de agua y sangre, Jesucristo; no con el agua[s] solamente, sino con el agua y con la sangre.[t] Y el espíritu[u] es lo que está dando testimonio, porque el espíritu es la verdad. 7 Porque hay tres que dan testimonio: 8 el espíritu[v] y el agua[w] y la sangre,[x] y los tres están de acuerdo.[y]

9 Si recibimos el testimonio que los hombres dan,[z] el testimonio que Dios da es mayor, porque este es el testimonio que Dios da: el hecho de que él ha dado testimonio[a] respecto a su Hijo. 10 La [persona] que pone su fe en el Hijo de Dios tiene el testimonio[b] dado en su propio caso. La [persona] que no tiene fe en Dios lo ha hecho mentiroso,[c] porque no ha puesto su fe en el testimonio dado,[d] el cual Dios como testigo[e] ha dado respecto a su Hijo. 11 Y este es el testimonio dado: que Dios nos

CAP. 4
a Mt 18:33
Jn 15:12
Ro 13:8
1Jn 3:16
b Bx 33:20
Jn 1:18
Jn 4:24
Jn 5:37
Jn 6:46
c 1Jn 2:5
d Jn 6:56
e 1Jn 4:4
e Jn 14:21
f 1Jn 3:24
g 1Jn 1:1
h 1Jn 1:2
i Mt 1:21
Jn 3:17
Jn 4:42
Jn 12:47
Heh 5:31
j Ro 10:9
1Jn 2:23
k 1Jn 2:24
1Jn 3:16
m 1Jn 4:8
n Mt 22:37
o Jn 17:21
p Heb 4:16
1Jn 2:28
q Hch 17:31
2Pe 3:7
r Jn 17:16
s Ro 8:15
t 2Ti 1:7
u 1Jn 2:5
v 1Jn 4:10
w 1Jn 2:4
x 1Jn 3:17
y 1Jn 3:2
1Jn 4:12
z Mt 22:37

2.ª col.

a Mt 22:39
Jn 13:34
Jn 15:12

CAP. 5

b 1Pe 1:3
c 1Jn 1:12
Jn 3:3
1Pe 1:23
1Jn 3:9
d 1Pe 1:22
e Jn 1:12
Ro 8:14
f Rev 14:12
g Jn 14:23
Jn 6
h Dt 5:29
Dt 12:28
i Dt 30:11
Miq 6:8
j 1Jn 5:18
k Jn 16:33
l Rev 15:2
m Rev 12:11
o 1Co 15:57
p 1Jn 4:4
q Ef 6:16
r Jn 20:31
s Mt 3:13
t Hch 20:28
Ef 1:7
Heb 9:22
1Pe 1:19

u Mt 3:16; Jn 1:33; v Lu 3:22; Lu 4:18; Jn 1:32; Hch 10:38; w Lu 3:21; x Heb 9:14; y Mt 18:16; 2Co 13:1; 1Ti 3:16; z Jn 5:34; a Mt 18:16; a Mr 1:11; Lu 9:35; Jn 12:28; b Ro 8:16; c Jn 3:33; d 1Co 15:15; e Jn 5:37.

dio vida eterna,[a] y esta vida está en su Hijo.[b] 12 El que tiene al Hijo tiene vida; el que no tiene al Hijo de Dios no tiene esta vida.[c]

13 Les escribo estas cosas para que sepan que tienen vida eterna,[d] ustedes los que ponen su fe en el nombre del Hijo de Dios.[e] 14 Y esta es la confianza que tenemos para con él,[f] que, no importa qué sea lo que pidamos conforme a su voluntad, él nos oye.[g] 15 Además, si sabemos que nos oye respecto a cualquier cosa que estemos pidiendo,[h] sabemos que hemos de tener las cosas pedidas porque se las hemos pedido a él.[i]

16 Si alguno alcanza a ver a su hermano pecando un pecado que no incurre en muerte,[j] pedirá, y él le dará vida,[k] sí, a los que no pecan para incurrir en muerte.[l] Hay un pecado que sí incurre en muerte. Respecto a ese peca-

do no le digo que haga solicitud.[a] 17 Toda injusticia es pecado;[b] y, sin embargo, hay un pecado que no incurre en muerte.

18 Sabemos que toda [persona] que ha nacido de Dios[c] no practica el pecado, sino que Aquel[d] que nació de Dios lo vigila, y el inicuo no logra asirlo.[e] 19 Sabemos que nosotros nos originamos de Dios,[f] pero el mundo entero yace en el [poder del] inicuo.[g] 20 Pero por nosotros sabemos que el Hijo de Dios ha venido,[h] y nos ha dado capacidad intelectual[i] para que adquiramos el conocimiento del verdadero.[j] Y estamos en unión[k] con el verdadero, por medio de su Hijo Jesucristo. Este es el Dios verdadero[l] y vida eterna.[m] 21 Hijitos, guárdense de los ídolos.[n]

CAP. 5
a Jn 17:3
b Jn 5:26
c Jn 3:36
d Jn 1:2
e Jn 20:31
1Jn 3:23
f Heb 4:16
1Jn 3:21
g Pr 15:29
Jn 9:31
h Jn 14:13
i Lu 11:13
j Isa 6:7
Jer 31:34
Snt 5:15
1Jn 1:9
k Snt 5:20
l Mt 12:31
Mr 3:29
Lu 12:10
Heb 6:6
Heb 10:26

2.ª col.
a 2Jn 11
b 1Jn 3:4
c 1Jn 5:1
d Col 1:15
Rev 3:14
e Jn 17:15
f Jn 8:47
g Mt 13:19
Lu 4:6
Jn 12:31
Heb 2:14

h 1Ti 3:16; i Col 1:9; 2Ti 2:7; j 1Co 2:12; k Jn 17:21; l 1Te 1:9; m Jn 17:3; n 1Co 10:14.

LA SEGUNDA DE

JUAN

1 El anciano,[a] a la señora escogida[b] y a sus hijos, a quienes verdaderamente amo,[c] y no solo yo, sino también todos los que han llegado a conocer la verdad,[d] 2 a causa de la verdad que permanece en nosotros,[e] y esta estará con nosotros para siempre.[f] 3 Con nosotros habrá bondad inmerecida,[g] misericordia [y] paz de parte de Dios el Padre[h] y de parte de Jesucristo el Hijo del Padre, con verdad y amor.[i]

4 Me regocijo muchísimo porque he hallado a ciertos hijos tuyos[j] andando en la verdad,[k] así como recibimos mandamiento del Padre.[l] 5 De modo que ahora te solicito, señora, no como [persona] que te escribe un mandamiento nuevo,[m] sino uno que tuvimos desde [el] principio,[n] que nos amemos unos a

otros.[a] 6 Y esto es lo que el amor significa:[b] que sigamos andando según sus mandamientos.[c] Este es el mandamiento, así como han oído ustedes desde [el] principio: que deben seguir andando en él.[d] 7 Porque muchos engañadores han salido al mundo,[e] personas que no confiesan a Jesucristo como venido en carne.[f] Este es el engañador[g] y el anticristo.[h]

8 Cuídense, para que no pierdan las cosas para producir las cuales hemos trabajado, sino que obtengan un galardón pleno.[i] 9 Todo el que se adelanta[j] y no permanece[k] en la enseñanza

a 1Pe 5:1
3Jn 1
b 1Pe 5:13
c 1Pe 1:22
Flp 2:17
d Jn 8:32
1Jn 3:18
e Jn 8:31
f Jn 17:17
h 1Ti 1:2
2Jn 1:2
i Ef 4:15
j 1Jn 2:13
k 2Co 4:2
Ef 6:1
m 1Jn 2:7
n 1Jn 1:1

2.ª col.
a Jn 13:34
Jn 15:12
1Pe 4:8
b 1Co 13:4
c Jn 14:15
1Jn 2:5
1Jn 5:3
d Jn 14:21

e Mt 24:24; Hch 20:29; 2Pe 2:1; 1Jn 2:18; Rev 2:2; f 1Jn 4:2; g Mt 7:15; Mt 7:23; Mt 24:24; 2Te 2:7; h Lu 11:23; 1Jn 2:22; 1Jn 4:3; Jud 4; i 1Jn 4:36; Heb 10:35; j 1Jn 2:22; k Jn 15:6; 1Jn 2:27.

del Cristo no tiene a Dios.[a] El que sí permanece en esta enseñanza es el que tiene al Padre y también al Hijo.[b] **10** Si alguno viene a ustedes y no trae esta enseñanza, nunca lo reciban en casa[c] ni le digan un saludo.[d] **11** Porque el que le dice un saludo es partícipe en sus obras inicuas.[e]

12 Aunque tengo muchas cosas que escribirles, no deseo hacerlo con papel y tinta,[a] sino que espero ir a ustedes y hablar con ustedes cara a cara,[b] para que su gozo[c] sea a plenitud.[d]

13 Los hijos de tu hermana, la escogida, te envían sus saludos.[e]

a Jn 14:6
3Jn 9
b Heb 3:14
1Jn 2:23
c Dt 17:5
Ro 16:17
1Co 5:11
2Te 3:6
2Te 3:14
d 1Re 13:16
Hch 19:9
e 1Ti 5:22
Rev 18:4

2.ᵃ col.   a 3Jn 13;   b 3Jn 14;   c Jn 17:13;   d 1Jn 1:4;   e 1Pe 5:13.

LA TERCERA DE
JUAN

1 El anciano,[a] a Gayo, el amado, a quien verdaderamente amo.[b]

2 Amado,[c] oro que en todas las cosas estés prosperando[d] y tengas buena salud,[e] así como tu alma está prosperando.[f] **3** Pues me regocijé muchísimo cuando vinieron los hermanos y dieron testimonio de la verdad que abrigas, así como sigues andando en la verdad.[g] **4** No tengo mayor causa de [sentir] agradecimiento que estas cosas: que oiga yo que mis hijos siguen andando en la verdad.[h]

5 Amado, estás haciendo trabajo fiel en cualquier cosa que haces para los hermanos[i] —y hasta siendo extraños[j]— **6** que han dado testimonio de tu amor delante de la congregación. A estos tendrás la bondad de poner en camino de una manera digna de Dios.[k] **7** Pues fue a favor del nombre [de él] que salieron, sin tomar nada[l] de la gente de las naciones. **8** Nosotros, por lo tanto, estamos obligados a recibir hospitalariamente[m] a tales personas, para que lleguemos a ser colaboradores en la verdad.[n]

9 Escribí algo a la congregación, pero Diótrefes, a quien le gusta tener el primer lugar[o] en-

a 1Pe 5:1
2Jn 1
b 1Pe 1:22
1Pe 2:17
c 1Ti 6:2
Flm 1
d 1Co 16:2
Hch 15:29
f 1Co 14:20
g 2Jn 4
h 1Co 4:15
2Ti 1:2
Tit 1:4
Flm 10
i Mt 25:38
j Heb 13:2
k Hch 20:38
Tit 3:13
l 1Co 9:12
1Co 9:15
m Mt 10:41
Mt 25:35
Hch 17:7
Flm 22
1Pe 4:9
n Ro 12:13
o Mt 20:27
Hch 20:30
Flp 2:3

2.ᵃ col.

a Col 4:16
b Ro 12:10
Heb 13:7
Heb 13:17
c 1Co 4:19
2Co 13:2
d Sl 101:5
Pr 6:19
e Ef 6:21
Flp 2:19
Col 4:7
f 2Co 7:15
g 2Ti 4:15
h Mt 24:49
i Ro 12:9
Ro 13:3
1Pe 3:11
j 1Jn 3:6
1Jn 3:9
k 1Jn 3:10
1Ti 3:7
m Jn 19:35
n Jn 21:24
o 2Jn 12

tre ellos, no recibe nada[a] de nosotros con respeto.[b] **10** Por eso, si voy, traeré a memoria sus obras que sigue haciendo,[c] charlando acerca de nosotros con palabras inicuas.[d] Además, no estando contento con estas cosas, tampoco recibe él mismo a los hermanos[e] con respeto, y a los que quieren recibirlos[f] él trata de impedírselo[g] y de echarlos[h] de la congregación.

11 Amado, no seas imitador de lo que es malo, sino de lo que es bueno.[i] El que hace el bien se origina de Dios.[j] El que hace el mal no ha visto a Dios.[k] **12** Todos ellos, y la verdad misma, han dado testimonio de Demetrio.[l] De hecho, nosotros, también, estamos dando testimonio,[m] y tú sabes que el testimonio que nosotros damos es verdadero.[n]

13 Tenía muchas cosas que escribirte; sin embargo, no deseo seguir escribiéndote con tinta y pluma.[o] **14** Pero espero verte en breve, y hablaremos cara a cara.[p]

Que tengas paz.[q]

Los amigos te envían sus saludos.[r] Da mis saludos[s] a los amigos por nombre.

p Gál 4:20;   q 1Pe 5:14;   r Flp 4:22;   s Tit 3:15.

JUDAS

1 Judas, esclavo de Jesucristo, pero hermano de Santiago,[a] a los llamados[b] que son amados en relación con Dios [el] Padre[c] y conservados[d] para Jesucristo:

2 Que misericordia[e] y paz[f] y amor[g] les sean aumentados.[h]

3 Amados,[i] aunque estaba haciendo todo esfuerzo por escribirles acerca de la salvación que tenemos en común,[j] se me hizo necesario escribirles para exhortarlos a que luchen tenazmente por la fe[k] que una vez para siempre fue entregada a los santos.[l]

4 Mi razón es que se han metido disimuladamente ciertos hombres[m] que desde hace mucho han estado señalados[n] por las Escrituras a este juicio,[o] hombres impíos,[p] que tornan la bondad inmerecida de nuestro Dios en una excusa para conducta relajada,[q] y que demuestran ser falsos[r] a nuestro único Dueño[s] y Señor,[t] Jesucristo.

5 Deseo recordarles, a pesar de que saben todas las cosas[u] de una vez para siempre, que Jehová, aunque salvó a un pueblo de la tierra de Egipto,[v] después destruyó a los que no mostraron fe.[w]

6 Y a los ángeles que no guardaron su posición original, sino que abandonaron su propio y debido lugar de habitación,[x] los ha reservado con cadenas sempiternas[y] bajo densa oscuridad para el juicio del gran día.[z]

7 Así también Sodoma y Gomorra y las ciudades circunvecinas[a] —después que ellas de la misma manera como los anteriores hubieron cometido fornicación con exceso, e ido en pos de carne para uso contranatural[b]— son puestas delante [de nosotros] como ejemplo [amonestador][c] al sufrir el castigo judicial de fuego eterno.[d]

8 De igual manera, no obstante, estos hombres, también, entregados a sueños,[a] están contaminando la carne y desatendiendo el señorío[b] y hablando injuriosamente de los gloriosos.[c]

9 Pero cuando Miguel[d] el arcángel[e] tuvo una diferencia[f] con el Diablo y disputaba acerca del cuerpo de Moisés,[g] no se atrevió a llevar un juicio contra él en términos injuriosos,[h] sino que dijo: "Que Jehová te reprenda".[i]

10 Sin embargo, estos [hombres] están hablando injuriosamente de todas las cosas que realmente no conocen;[j] pero [en cuanto a] todas las cosas que sí entienden naturalmente como los animales irracionales,[k] en estas cosas siguen corrompiéndose.[l]

11 ¡Ay de ellos, porque han ido en la senda de Caín,[m] y por la paga se han precipitado en el curso erróneo de Balaam,[n] y han perecido en el habla rebelde[o] de Coré![p] 12 Estos son las rocas escondidas bajo agua en sus fiestas de amor[q] mientras banquetean con ustedes, pastores que se apacientan a sí mismos sin temor;[r] nubes sin agua llevadas de acá[s] para allá por los vientos;[t] árboles a finales del otoño, [pero] sin fruto, que han muerto dos veces, que han sido arrancados de raíz;[u] 13 olas bravas del mar, que lanzan como espuma sus propias causas de vergüenza;[v] estrellas sin rumbo fijo, para las cuales la negrura de la oscuridad permanece reservada para siempre.[w]

---

a Mt 13:55
Mr 6:3
Gál 2:9
Snt 1:1
b Heb 3:1
c Mt 11:27
1Jn 3:24
d Jn 6:39
Jn 17:15
2Ti 1:12
1Pe 1:4
1Pe 1:5
e Sl 103:13
Ro 9:16
Tit 3:5
f Sl 29:11
Flp 4:7
Col 1:20
g Ro 5:8
h 1Pe 1:2
i Ro 1:7
j Ro 19:6
Jn 4:22
Tit 1:4
Heb 2:3
1Pe 2:9
Gál 1:6
k 2Co 11:4
Gál 1:6
Ef 6:11
1Ti 1:18
1Ti 6:12
l Ef 3:5
m Mt 13:25
Mt 13:38
Gál 2:4
1Jn 2:19
n 1Pe 2:8
o 2Pe 3:7
p 2Ti 2:16
Tit 1:16
q Pr 21:27
2Co 12:21
Gál 5:19
2Pe 2:14
r Hch 20:30
2Te 2:3
2Te 3:1
s 1Co 6:20
1Co 7:23
2Pe 2:1
t Ef 4:15
u Ro 15:4
2Pe 3:1
v Ex 12:41
Dt 17:16
w Nú 14:35
1Co 10:5
Heb 3:19
x Gé 6:4
1Pe 3:20
2Pe 2:4
Rev 12:7
y Lu 8:31
z Ro 6:3
2Pe 2:4
Rev 20:1
a Gé 14:2
Dt 29:23
b Gé 19:5
Le 18:22
Ro 1:26
c 1Co 10:11
d Gé 19:24
Mt 10:15
2Pe 2:6

2.ª col.   a Dt 13:3; 2Pe 2:1; b Dt 17:12; 2Pe 2:10; c Ex 22:28; Jn 17:22; 1Ti 6:4; 1Pe 4:14; 3Jn 10; d Ex 23:20; Ex 32:34; Ex 33:2; Da 10:21; Da 12:1; e 1Te 4:16; f Da 10:13; g Dt 34:6; h 2Pe 2:11; i Zac 3:2; j 1Co 2:14; Jud 19; k 2Pe 2:12; l Ro 1:24; Gál 6:8; Ef 4:22; m Gé 4:5; Gé 4:8; 1Jn 3:12; n Nú 22:32; Dt 23:5; 2Pe 2:15; Rev 2:14; o 2Te 2:3; 1Ti 1:20; 2Ti 2:16; p Nú 16:3; Nú 16:32; q 2Ti 3:6; 2Pe 2:13; r Eze 34:8; s 2Pe 2:17; t Ef 4:14; u Mt 15:13; v Isa 57:20; w Heb 6:4; Rev 21:8.

14 Sí, también profetizó respecto de ellos Enoc,[a] el séptimo [en línea] desde Adán, cuando dijo: "¡Miren! Jehová vino con sus santas miríadas,[b] **15** para ejecutar juicio contra todos,[c] y para probar la culpabilidad de todos los impíos respecto a todos sus hechos impíos que hicieron impíamente, y respecto de todas las cosas ofensivas que pecadores impíos hablaron contra él".[d]

16 Estos hombres son murmuradores,[e] quejumbrosos respecto a su suerte en la vida, que proceden según sus propios deseos,[f] y su boca habla cosas hinchadas,[g] a la vez que están admirando personalidades[h] en el interés de [su propio] provecho.

17 En cuanto a ustedes, amados, recuerden los dichos que han sido declarados previamente por los apóstoles de nuestro Señor Jesucristo,[i] **18** que ellos solían decirles: "En el último tiempo habrá burlones, que procederán según sus propios deseos de cosas impías".[j] **19** Estos son los que hacen separaciones,[k] [hombres] animales,[l] que no tienen espiritualidad.[m]

20 Pero ustedes, amados, edificándose[a] sobre su santísima fe,[b] y orando con espíritu santo,[c] **21** manténganse en el amor de Dios,[d] mientras esperan la misericordia[e] de nuestro Señor Jesucristo con vida eterna en mira.[f] **22** También, continúen mostrando misericordia[g] a algunos que tienen dudas;[h] **23** sálven-[los],[i] arrebatándo[los] del fuego.[j] Pero continúen mostrando misericordia a otros, haciéndolo con temor, mientras odian hasta la prenda de vestir interior que ha sido manchada por la carne.[k]

24 Ahora, al que puede guardarlos[l] de tropezar y ponerlos sin tacha[m] a vista de su gloria con gran gozo, **25** a[l] único Dios nuestro Salvador[n] mediante Jesucristo[o] nuestro Señor, sea gloria,[p] majestad, potencia[q] y autoridad[r] por toda la eternidad pasada[s] y ahora y para toda la eternidad.[t] Amén.[u]

---

a Gé 5:22
b Dt 33:2
Da 7:10
Zac 14:5
Heb 12:22
c 1Jn 1:49:7
Eze 25:17
2Te 1:6
d Mal 3:13
Mt 12:36
e Nú 14:27
1Co 10:10
Flp 2:14
f Snt 4:3
2Pe 2:18
g Sl 75:5
Sl 140:11
Tit 1:10
h Le 19:15
Pr 28:21
Snt 2:9
i 2Pe 3:2
j Heb 20:30
1Ti 4:1
2Ti 3:1
2Pe 2:1
2Pe 3:3
k Lu 11:23
Ro 16:17
1Co 1:10
Snt 3:16
3Jn 10
Rev 2:15
l Os 4:14
m 1Co 2:14
Heb 12:16

2.ª col.

a Hch 20:32
1Co 3:10
b Gál 5:22
Col 2:7
1Te 5:11
c Lu 11:13
Ro 8:26
Ef 6:18

d Jn 15:10; Ro 8:39; 1Jn 5:3; e 2Ti 1:18; Tit 3:5; f Tit 3:7; 1Jn 1:2; 1Jn 2:25; g Mt 5:7; Mt 9:13; Snt 2:13; h Snt 1:6; i Ro 11:14; Gál 6:1; Snt 5:19; j Am 4:11; Zac 3:2; Mt 18:8; k Pr 8:13; Gál 5:19; Rev 3:4; l Sl 145:20; m Ro 8:33; Ef 1:4; Ef 5:27; Flp 1:10; Col 1:22; n Lu 1:47; o Mt 20:28; Jn 3:16; Ro 5:8; 1Jn 4:9; p Sl 29:1; q Rev 11:17; r Da 4:35; s Sl 90:2; t Hab 1:12; u Ro 16:27.

UNA REVELACIÓN

A JUAN
(APOCALIPSIS)

1 Una revelación[a] por Jesucristo, que Dios le dio,[b] para mostrar a sus esclavos[c] las cosas que tienen que suceder dentro de poco.[d] Y él envió a su ángel[e] y mediante este [la] presentó en señales[f] a su esclavo Juan,[g] **2** que dio testimonio de la palabra que Dios dio[h] y del testimonio que Jesucristo dio,[i] aun de todas las cosas que vio. **3** Feliz[j] es el que lee en voz alta,[k] y los que oyen, las palabras de esta profecía,[l] y que observan las co-

sas que se han escrito en ella;[a] porque el tiempo señalado está cerca.[b]

4 Juan, a las siete congregaciones[c] que están en el [distrito de] Asia:

Que tengan bondad inmerecida y paz de parte de "Aquel que es y que era y que viene",[d] y de los siete espíritus[e] que están delante de su trono, **5** y de Jesu-

CAP. 1
a 1Co 14:6
Gál 1:12
b Da 2:28
Jn 12:49
c Am 3:7
Rev 7:3
Rev 22:6
d Rev 1:19
e Rev 22:16
f Hch 2:22
g Mt 10:2
Mr 1:19
Jn 21:20
h Rev 1:9
i Rev 22:20
j Jn 13:17
k Sl 1:2
1Ti 4:13
l Rev 22:18

2.ª col. a Lu 11:28; Snt 1:22; b Da 8:19; Rev 22:10; c Rev 1:11; d Éx 3:14; Rev 1:8; Rev 4:8; Rev 11:17; e Rev 4:5.

cristo, "el Testigo Fiel",[a] "El primogénito de los muertos",[b] y "El Gobernante de los reyes de la tierra".[c]

Al que nos ama[d] y que nos desató de nuestros pecados por medio de su propia sangre[e] 6 —e hizo que fuéramos un reino,[f] sacerdotes[g] para su Dios y Padre—, sí, a él sea la gloria y la potencia para siempre.[h] Amén.

7 ¡Miren! Viene con las nubes,[i] y todo ojo lo verá,[j] y los que lo traspasaron;[k] y todas las tribus de la tierra se golpearán en desconsuelo a causa de él.[l] Sí, amén.

8 "Yo soy el Alfa y la Omega[m] —dice Jehová Dios—, Aquel que es y que era y que viene,[n] el Todopoderoso."[o]

9 Yo Juan, hermano de ustedes y partícipe con ustedes en la tribulación[p] y reino[q] y aguante[r] en compañía de Jesús,[s] llegué a estar en la isla que se llama Patmos por hablar acerca de Dios y por dar testimonio de Jesús.[t] 10 Por inspiración[u] llegué a estar[v] en el día del Señor,[w] y oí detrás de mí una voz poderosa[x] como la de una trompeta, 11 que decía: "Lo que ves, escríbelo[y] en un rollo y envíalo a las siete congregaciones,[z] en Éfeso[a] y en Esmirna[b] y en Pérgamo[c] y en Tiatira[d] y en Sardis[e] y en Filadelfia[f] y en Laodicea".[g]

12 Y me volví para ver la voz que hablaba conmigo, y, habiéndome vuelto, vi siete candelabros de oro,[h] 13 y en medio de los candelabros a alguien semejante a un hijo de hombre,[i] vestido de una prenda de vestir que llegaba hasta los pies, y ceñido por los pechos con un cinturón de oro. 14 Además, su cabeza y su cabello eran blancos[j] como lana blanca, como nieve, y sus ojos como una llama de fuego;[k] 15 y sus pies eran semejantes al cobre fino[l] cuando fulgura en el horno; y su voz[m] era como el sonido de muchas aguas. 16 Y en su mano derecha tenía siete estrellas,[n] y de su boca salía una aguda espada larga de dos filos,[a] y su semblante era como el sol cuando resplandece en su poder.[b] 17 Y cuando lo vi, caí como muerto a sus pies.

Y él puso su mano derecha sobre mí y dijo: "No tengas temor.[c] Yo soy el Primero[d] y el Último,[e] 18 y el viviente;[f] y llegué a estar muerto,[g] pero, ¡mira!, vivo para siempre jamás,[h] y tengo las llaves de la muerte[i] y del Hades.[j] 19 Por lo tanto, escribe las cosas que viste, y las cosas que son y las cosas que se efectuarán después de estas.[k] 20 En cuanto al secreto sagrado de las siete estrellas[l] que viste sobre mi mano derecha, y [de] los siete candelabros de oro:[m] Las siete estrellas significan [los] ángeles de las siete congregaciones, y los siete candelabros significan siete congregaciones.[n]

2 "Al ángel[o] de la congregación que está en Éfeso[p] escribe: Estas son las cosas que dice el que tiene las siete estrellas[q] en su mano derecha, el que anda en medio de los siete candelabros de oro:[r] 2 'Conozco tus hechos,[s] y tu labor y aguante, y que no puedes soportar a hombres malos, y que pusiste a prueba[t] a los que dicen ser apóstoles,[u] pero no lo son, y los hallaste mentirosos. 3 También estás mostrando aguante,[v] y has soportado por causa de mi nombre,[w] y no te has cansado.[x] 4 No obstante, tengo [esto] contra ti: que has dejado el amor que tenías al principio.[y]

5 "'Por lo tanto, recuerda de qué has caído, y arrepiéntete,[z] y haz los hechos de antes. Si no lo haces, vengo a ti,[a] y removeré tu

CAP. 1

1.ᵃ col.
a Isa 9:37
  Rev 3:14
b Col 1:18
c Sl 89:27
1Ti 6:15
  Rev 19:16
d Jn 15:9
e Heb 9:14
  1Pe 1:19
  1Jn 1:7
f Éx 19:6
  Lu 22:29
g 1Pe 2:5
  Rev 5:10
  Rev 20:6
h 1Ti 6:16
i Da 7:13
  Mt 26:64
  Mr 13:26
  Hch 1:11
  1Te 4:17
  Rev 14:14
j Ef 1:18
k Mt 27:49
l Mt 24:30
m Isa 48:12
  Rev 21:6
  Rev 22:13
n Rev 1:4
o Gé 17:1
  Éx 6:3
p Mt 24:9
  Heb 10:33
  Rev 2:10
q Lu 12:32
r Mt 10:22
  2Ti 2:12
s Ro 8:17
t Hch 1:8
u 1Cr 28:12
  Mt 22:43
v Eze 40:2
  2Co 12:2
w 1Co 1:8
  1Co 5:5
x Rev 1:15
y Hab 2:2
z Rev 1:4
a Ef 1:1
  Rev 2:1
b Rev 2:8
c Rev 2:12
d Hch 16:14
  Rev 2:18
e Rev 3:1
f Rev 3:7
g Col 4:16
  Rev 3:14
h 2Cr 4:7
i Eze 1:26
j Da 7:13
  Rev 14:14
k Rev 19:12
l Rev 2:18
m Rev 1:10
n Rev 1:20

2.ᵃ col.
a Isa 49:2
b Mt 17:2
c Mt 17:7
d Hch 26:23
  Col 1:18
  Rev 1:5
e Jn 5:21
  Jn 6:40
f Lu 24:5
  1Co 15:45

g Ro 5:6; 1Pe 3:18; h Ro 6:9; 1Ti 6:16; Heb 7:24; i Job 38:17; Sl 9:13; j Isa 38:10; Mt 16:18; Jn 6:54; Jn 11:25; k Rev 4:1; Rev 22:6; l Rev 1:16; m Rev 1:12; n Mt 5:16; Flp 2:15; CAP. 2 o Rev 1:20; p Heb 19:1; Ef 1:1; q Rev 1:16; r Rev 1:13; s Jn 2:25; Rev 2:19; Rev 3:1; t 1Jn 4:1; u Hch 20:30; 2Co 11:13; v Lu 21:19; Heb 12:1; w 1Pe 4:14; x Gál 6:9; y Mt 24:12; z Hch 26:20; Rev 3:19; a Rev 2:16.

candelabro[a] de su lugar, a menos que te arrepientas. **6** Sin embargo, sí tienes esto: que odias[b] los hechos de la secta de Nicolás,[c] que yo también odio. **7** El que tenga oído, oiga lo que el espíritu[d] dice a las congregaciones: Al que venza,[e] le concederé comer del árbol de la vida,[f] que está en el paraíso de Dios'.

8 "Y al ángel[g] de la congregación que está en Esmirna, escribe: Estas son las cosas que él dice, 'el Primero y el Último',[h] que llegó a estar muerto y llegó a vivir [de nuevo]:[i] **9** 'Conozco tu tribulación y pobreza —pero eres rico[j]— y la blasfemia por parte de los que dicen que ellos mismos son judíos,[k] y sin embargo no lo son, sino que son una sinagoga de Satanás.[l] **10** No tengas miedo de las cosas que estás para sufrir.[m] ¡Mira! El Diablo[n] seguirá echando a algunos de ustedes en la prisión para que sean puestos a prueba plenamente,[o] y para que tengan tribulación[p] diez días. Pruébate fiel hasta la misma muerte,[q] y yo te daré la corona de la vida.[r] **11** El que tenga oído, oiga[s] lo que el espíritu[t] dice a las congregaciones: El que venza,[u] de ninguna manera recibirá daño de la muerte segunda'.[v]

12 "Y al ángel de la congregación que está en Pérgamo escribe: Estas son las cosas que dice el que tiene la aguda espada larga de dos filos:[w] **13** 'Sé dónde moras, es decir, donde está el trono de Satanás, y sin embargo sigues teniendo firmemente asido mi nombre,[x] y no negaste tu fe en mí[y] ni siquiera en los días de Antipas, mi testigo,[z] el fiel, que fue muerto[a] al lado de ustedes, donde mora Satanás.

14 "'No obstante, tengo contra ti unas cuantas cosas: que tienes allí a los que tienen firmemente asida la enseñanza de Balaam,[b] el cual anduvo enseñando a Balac[c] a poner un tropiezo delante de los hijos de Israel, a co-

CAP. 2

a Rev 1:20
b Sl 139:21
c 1Co 11:19
  Rev 2:15
d Mt 11:15
  Rev 2:17
  Rev 2:29
e 1Jn 5:4
f Pro 2:7
  Rev 2:10
g Rev 2:1
h Rev 1:17
i Ro 14:9
j 2Co 6:10
  1Ti 6:18
  Snt 2:5
k Hch 13:45
l 2Co 11:14
  Rev 3:9
m Mt 10:28
n 1Pe 5:8
o 2Co 8:2
  Heb 2:18
p Ro 8:35
  Heb 10:33
q 2Ti 4:7
r Pro 2:7
  Snt 1:12
  Rev 20:4
s Rev 13:9
t 1Jn 4:2
u 1Jn 5:5
v Rev 20:6
  Rev 20:14
  Rev 21:8
w Rev 1:16
  Rev 19:15
x Mr 13:9
  Rev 2:3
y Lu 12:8
  Jn 14:1
  1Jn 2:23
z Hch 1:8
a Mt 24:9
b Nú 22:6
  Nú 31:16
  2Pe 2:15
  Jud 11
c Nú 22:4

2.ª col.

a Nú 25:2
  Hch 15:29
  1Co 5:9
  1Co 10:8
  Ef 5:5
b 2Pe 2:1
  Rev 2:6
c Hch 3:19
d Isa 11:4
e Rev 1:16
f Rev 2:7
g 1Jn 5:5
  Rev 3:12
h Éx 16:15
  Éx 16:31
  Sl 78:24
  Jn 6:51
  Heb 9:4
i Pr 22:1
  Rev 3:12
j Rev 19:12
k Hch 16:31
  1Jn 20:31
l Rev 1:14
  Rev 19:12
m Rev 1:15
n Rev 1:15
o Heb 6:10
p Snt 2:20
q Flp 3:16
r Rev 16:31
  2Re 9:22

mer cosas sacrificadas a ídolos y a cometer fornicación.[a] **15** Así tú, también, tienes a los que de igual manera tienen firmemente asida la enseñanza de la secta de Nicolás.[b] **16** Por lo tanto, arrepiéntete.[c] Si no lo haces, voy a ti pronto, y guerrearé[d] contra ellos con la espada larga de mi boca.[e]

17 "'El que tenga oído, oiga lo que el espíritu dice a las congregaciones:[f] Al que venza,[g] le daré del maná[h] escondido, y le daré una piedrecita blanca, y, sobre la piedrecita, un nombre nuevo[i] escrito que nadie conoce salvo el que lo recibe'.[j]

18 "Y al ángel de la congregación que está en Tiatira[k] escribe: Estas son las cosas que dice el Hijo[l] de Dios, el que tiene los ojos como llama de fuego,[m] y sus pies son semejantes a cobre fino:[n] **19** 'Conozco tus hechos, y tu amor[o] y fe y ministerio y aguante, y que tus hechos[p] recientes son más que los de antes.[q]

20 "'No obstante, sí tengo [esto] contra ti: que toleras a aquella mujer Jezabel,[r] que a sí misma se llama profetisa, y enseña[s] y extravía a mis esclavos[t] para que cometan fornicación[u] y coman cosas sacrificadas a los ídolos.[v] **21** Y le di tiempo para que se arrepintiera,[w] pero ella no quiere arrepentirse de su fornicación.[x] **22** ¡Mira! Estoy a punto de echarla en un lecho de enfermo, y a los que cometen adulterio con ella, en gran tribulación, a menos que se arrepientan de los hechos de ella. **23** Y a los hijos de ella los mataré con plaga mortífera, de modo que todas las congregaciones sabrán que yo soy el que escudriña los riñones y corazones, y a ustedes les daré individualmente según sus hechos.[y]

24 "'Sin embargo, les digo a los demás de ustedes que están

s 1Ti 2:12; t Ef 6:6; u Hch 15:29; 1Co 5:11; Gál 5:19; Ef 5:5; v Rev 2:14; w Ro 2:4; x Ro 2:5; Rev 21:8; y Mt 16:27; Rev 22:12.

en Tiatira, a todos los que no tienen esta enseñanza, a los mismísimos que no llegaron a conocer las "cosas profundas de Satanás",[a] como dicen ellos: No les estoy imponiendo ninguna otra carga.[b] 25 Sin embargo, tengan firmemente asido lo que tienen[c] hasta que yo venga. 26 Y al que venza y observe mis hechos hasta el fin,[d] le daré autoridad sobre las naciones,[e] 27 y pastoreará a la gente con vara de hierro,[f] de modo que serán hechos pedazos como vasos de barro,[g] como lo que he recibido de mi Padre, 28 y le daré la estrella de la mañana.[h] 29 El que tenga oído, oiga lo que el espíritu[i] dice a las congregaciones'.[j]

3 "Y al ángel[k] de la congregación que está en Sardis escribe: Estas son las cosas que dice el que tiene los siete espíritus[l] de Dios y las siete estrellas;[m] 'Conozco tus hechos, que tienes nombre de estar vivo, pero estás muerto.[n] 2 Hazte vigilante,[o] y fortalece[p] las cosas restantes que estaban a punto de morir, porque no he hallado tus hechos plenamente ejecutados delante de mi Dios.[q] 3 Por lo tanto, continúa teniendo presente cómo has recibido[r] y cómo oíste, y sigue guardando[lo],[s] y arrepiéntete.[t] Ciertamente, a menos que despiertes[u] vendré como ladrón,[v] y no sabrás de ningún modo a qué hora vendré sobre ti.[w]

4 "'No obstante, sí tienes en Sardis unos cuantos nombres[x] que no contaminaron[y] sus prendas de vestir exteriores, y andarán conmigo en [prendas] blancas,[z] porque son dignos.[a] 5 El que venza[b] será vestido así de prendas de vestir exteriores blancas;[c] y de ninguna manera borraré su nombre del libro de la vida,[d] sino que haré reconocimiento de su nombre delante de mi Padre[e] y delante de sus ángeles.[f] 6 El que tenga oído, oiga

lo que el espíritu[a] dice a las congregaciones'.

7 "Y al ángel[b] de la congregación que está en Filadelfia escribe: Estas son las cosas que dice el que es santo,[c] el que es verdadero,[d] el que tiene la llave de David,[e] el que abre de modo que nadie cierre, y cierra de modo que nadie abra: 8 'Conozco tus hechos[f] —¡mira!, he puesto delante de ti una puerta abierta,[g] la cual nadie puede cerrar—, que tienes un poco de poder, y guardaste mi palabra y no resultaste falso a mi nombre.[h] 9 ¡Mira! Daré a los de la sinagoga de Satanás, que dicen ser judíos,[i] y sin embargo no lo son, sino que mienten[j]... ¡mira!, los haré venir y rendir homenaje[k] ante tus pies y les haré saber que yo te he amado. 10 Porque guardaste la palabra acerca de mi aguante,[l] yo también te guardaré[m] de la hora de prueba, que ha de venir sobre toda la tierra habitada, para someter a prueba a los que moran en la tierra.[n] 11 Vengo pronto.[o] Sigue teniendo firmemente asido lo que tienes,[p] para que nadie tome tu corona.[q]

12 "'Al que venza... lo haré columna[s] en el templo[s] de mi Dios,[t] y ya no saldrá [de este] nunca, y sobre él escribiré el nombre de mi Dios y el nombre de la ciudad de mi Dios, la nueva Jerusalén[u] que desciende del cielo desde mi Dios, y ese es nuevo nombre mío.[v] 13 El que tenga oído, oiga lo que el espíritu[w] dice a las congregaciones'.

14 "Y al ángel de la congregación que está en Laodicea[x] escribe: Estas son las cosas que dice el Amén,[y] el testigo[z] fiel[a] y verdadero,[b] el principio de la

---

CAP. 2

a Sl 64:6
Jn 8:44
Hch 13:10
1Co 4:5
b Hch 15:28
Rev 3:11
d Mt 28:20
e Sl 2:8
Mt 19:28
Lu 22:29
Rev 3:21
Rev 20:4
f Rev 12:5
Rev 19:15
g Sl 2:9
Da 2:44
Míq 4:13
h Nú 24:17
Rev 22:16
i 1Jn 4:2
j Rev 2:7

CAP. 3

k Rev 2:1
l Rev 1:4
Rev 4:5
m Rev 1:16
n Snt 2:26
o Lu 21:34
Ef 5:15
1Te 5:6
p Lu 22:32
Hch 18:23
q 2Co 6:1
r Mt 10:8
s Lu 21:36
Flp 2:16
t Mt 3:8
2Co 7:11
u Ef 5:14
v Rev 16:15
w Mt 24:42
Lu 12:39
x Pr 10:7
Pr 22:1
Ec 7:1
y Snt 1:27
z Rev 3:18
Rev 6:11
a Ef 4:1
b 1Jn 5:4
c Rev 4:4
Rev 19:8
d Flp 4:3
Rev 21:27
e Mt 10:32
f Lu 12:8

2.ª col.

a 1Jn 4:2
b Rev 2:1
c Jn 6:69
Hch 3:14
Heb 7:26
d Rev 3:14
Rev 19:11
e Isa 22:22
Lu 1:32
f Rev 2:2
g 1Co 9:6
2Co 2:12
h Mt 25:21
i Ro 2:28
j Rev 9:29
j Jn 8:44
k Isa 60:14

l Lu 8:15; Lu 21:19; 2Ti 2:12; Heb 10:36; Heb 12:3; m 2Te 3:3; 2Pe 2:9; n Mt 24:21; o Rev 2:16; p Rev 2:10; q Snt 1:12; r 2Cr 3:17; s 1Co 3:16; Ef 2:21; 1Pe 2:5; t Mt 27:46; Jn 20:17; u Heb 12:22; Rev 21:2; Rev 14:1; Rev 1:9; Rev 22:4; w 1Jn 4:2; x Col 4:16; y 2Co 1:20; z Jn 18:37; 1Ti 6:13; a Heb 3:6; Rev 1:5; b Jn 1:14; Rev 19:11.

creación por Dios:[a] 15 'Conozco tus hechos, que no eres ni frío ni caliente. Quisiera que fueras frío o, si no, caliente. 16 Así, por cuanto eres tibio, y ni caliente[b] ni frío,[c] voy a vomitarte de mi boca. 17 Porque dices: "Soy rico[d] y he adquirido riquezas y no necesito absolutamente nada", pero no sabes que eres desdichado y lastimoso y pobre y ciego[e] y desnudo, 18 te aconsejo que compres de mí oro[f] acrisolado por fuego, para que te enriquezcas, y prendas de vestir exteriores blancas, para que llegues a estar vestido y para que la vergüenza de tu desnudez no quede manifiesta,[g] y pomada para los ojos, para que te la frotes en los ojos[h] a fin de que veas.

19 "'A todos aquellos a quienes les tengo cariño los censuro y los disciplino.[i] Por lo tanto, sé celoso y arrepiéntete.[j] 20 ¡Mira! Estoy de pie a la puerta,[k] y toco. Si alguno oye mi voz y abre la puerta,[l] yo entraré en su [casa] y cenaré con él, y él conmigo. 21 Al que venza,[m] le concederé sentarse conmigo en mi trono,[n] así como yo vencí y me senté[o] con mi Padre en su trono.[p] 22 El que tenga oído, oiga lo que el espíritu[q] dice a las congregaciones'".[r]

4 Después de estas cosas vi, y, ¡miren!, una puerta abierta en el cielo, y la primera voz que oí era como de una trompeta,[s] que hablaba conmigo, y decía: "Sube acá,[t] y te mostraré las cosas que tienen que suceder".[a] 2 Después de estas cosas, inmediatamente llegué a estar en [el poder del espíritu: y, ¡miren!, un trono[v] estaba en su posición en el cielo,[w] y hay uno sentado sobre el trono.[x] 3 Y el que está sentado es, en apariencia,[y] semejante a una piedra de jaspe[z] y a una piedra preciosa de color rojo, y alrededor del trono [hay] un arco iris[a] de apariencia semejante a una esmeralda.[b] 4 Y alrededor del trono [hay]

CAP. 3

a Pr 8:22
  Col 1:15
b Sl 69:9
  2Co 9:2
c Pr 25:13
  Pr 25:25
d Os 12:8
  1Co 4:8
e 2Pe 1:9
f Job 23:10
  1Pe 1:7
g Rev 16:15
h Sl 19:8
i Pr 3:12
j Rev 2:5
  Rev 3:3
k Snt 5:9
l Lu 12:36
m 1Jn 5:4
  Rev 2:26
  Rev 12:11
n Mt 19:28
  Lu 22:30
o Heb 10:12
p Isa 66:1
q Rev 2:7
r Rev 1:11

CAP. 4

s Éx 19:16
  Rev 1:10
t Gé 28:12
  Rev 11:12
u Da 2:28
  Rev 1:1
v 1Re 22:19
  Isa 6:1
w Sl 11:4
  Hch 7:55
x Eze 1:26
  Da 7:9
y 1Jn 1:5
z Rev 21:11
a Gé 9:13
b Éx 28:17

2.ª col.

a Rev 3:21
  Rev 20:4
b 1Cr 24:1
  1Cr 24:18
  Lu 1:5
c Rev 1:6
  Rev 4:10
d Rev 6:11
  Rev 19:8
e 1Pe 5:4
f Job 38:35
  Eze 1:13
g Éx 19:16
  Éx 20:18
h Éx 25:31
  Rev 1:4
  Rev 5:6
i Éx 30:18
  1Re 7:23
k Eze 1:5
  Rev 4:9
l 2Sa 17:10
  Pr 28:1
  Isa 31:4
m 1Re 7:25
  Rev 6:3
n Rev 6:5
o Rev 6:7
p Job 39:29
  Eze 1:10
q Rev 5:8
r Isa 6:2

veinticuatro tronos, y sobre estos tronos[a] [vi] sentados a veinticuatro[b] ancianos[c] vestidos de prendas de vestir exteriores blancas,[d] y sobre sus cabezas coronas de oro.[e] 5 Y del trono proceden relámpagos[f] y voces y truenos;[g] y [hay] siete lámparas[h] de fuego ardiendo delante del trono, y estas significan los siete espíritus[i] de Dios. 6 Y delante del trono hay, como si fuera, un mar vítreo[j] semejante a cristal.

Y en medio del trono y alrededor del trono [hay] cuatro criaturas vivientes[k] que están llenas de ojos por delante y por detrás. 7 Y la primera criatura viviente es semejante a un león,[l] y la segunda criatura viviente es semejante a un torillo,[m] y la tercera criatura viviente[n] tiene rostro como de hombre, y la cuarta criatura viviente[o] es semejante a un águila[p] en vuelo. 8 Y en cuanto a las cuatro criaturas vivientes,[q] cada una de ellas respectivamente tiene seis alas;[r] alrededor y por debajo están llenas de ojos.[s] Y no tienen descanso día y noche mientras dicen: "Santo, santo, santo es Jehová[t] Dios, el Todopoderoso,[u] que era y que es[v] y que viene".

9 Y siempre que las criaturas vivientes ofrecen gloria y honra y acción de gracias[w] al que está sentado sobre el trono,[x] al que vive para siempre jamás,[y] 10 los veinticuatro ancianos[z] caen delante del que está sentado sobre el trono y adoran[a] al que vive para siempre jamás, y echan sus coronas delante del trono, y dicen: 11 "Digno eres tú, Jehová, nuestro Dios mismo, de recibir la gloria[b] y la honra[c] y el poder,[d] porque tú creaste todas las cosas,[e] y a causa de tu

s Pr 15:3; Eze 1:18; Eze 10:12; Heb 4:13; t Isa 6:3; Lu 1:49; u Éx 6:3; Rev 11:17; Rev 15:3; v Éx 3:14; Rev 1:4; w Sl 92:1; x Sl 47:8; Rev 21:5; y Sl 90:2; Da 4:34; Da 12:7; z Rev 5:8; a 1Cr 16:29; Sl 95:6; Rev 19:10; b Mt 5:16; Rev 14:7; c 1Ti 1:17; d Rev 5:13; Rev 7:12; Rev 11:17; Rev 12:10; e Ef 3:9; Rev 10:6.

voluntad[a] existieron y fueron creadas".[b]

5 Y vi en la mano derecha del que estaba sentado sobre el trono[c] un rollo escrito por dentro y por el reverso,[d] fuertemente sellado[e] con siete sellos. 2 Y vi a un ángel fuerte que proclamaba con voz fuerte: "¿Quién es digno de abrir el rollo y desatar sus sellos?". 3 Pero ni en el cielo ni sobre la tierra ni debajo de la tierra había siquiera uno que pudiera abrir el rollo o mirar en él. 4 Y me puse a llorar muchísimo porque no se hallaba a nadie digno de abrir el rollo ni mirar en él.[f] 5 Pero uno de los ancianos me dice: "Deja de llorar. ¡Mira! El León que es de la tribu de Judá,[g] la raíz[h] de David,[i] ha vencido[j] para abrir el rollo y sus siete sellos".

6 Y vi de pie en medio del trono[k] y de las cuatro criaturas vivientes, y en medio de los ancianos,[l] un cordero[m] como si hubiera sido degollado,[n] que tenía siete cuernos y siete ojos, los cuales [ojos] significan los siete espíritus[o] de Dios que han sido enviados por toda la tierra. 7 Y él fue y en seguida [lo] tomó de la mano derecha del que estaba sentado en el trono.[p] 8 Y cuando tomó el rollo, las cuatro criaturas vivientes y los veinticuatro ancianos[q] cayeron delante del Cordero, cada uno teniendo un arpa[r] y tazones de oro que estaban llenos de incienso, y el [incienso][s] significa las oraciones[t] de los santos. 9 Y cantan una canción nueva,[u] y dicen: "Eres digno de tomar el rollo y de abrir sus sellos, porque fuiste degollado y con tu sangre[v] compraste[w] para Dios personas[x] de toda tribu y lengua y pueblo y nación, 10 e hiciste que fueran un reino[y] y sacerdotes[z] para nuestro Dios,[a] y han de reinar[b] sobre la tierra".

11 Y vi, y oí la voz de muchos ángeles alrededor del trono y de las criaturas vivientes y de los ancianos —y el número de ellos era miríadas de miríadas[a] y millares de millares[b]—, 12 que decían con voz fuerte: "El Cordero que fue degollado[c] es digno de recibir el poder y riquezas y sabiduría y fuerza y honra y gloria y bendición".[d]

13 Y a toda criatura que está en el cielo y en la tierra y debajo de la tierra[e] y en el mar, y a todas las cosas que hay en ellos, oí decir: "Al que está sentado en el trono[f] y al Cordero[g] sean la bendición y la honra[h] y la gloria[i] y la potencia para siempre jamás". 14 Y las cuatro criaturas vivientes se pusieron a decir: "¡Amén!", y los ancianos[j] cayeron y adoraron.[k]

6 Y vi cuando el Cordero[l] abrió uno de los siete sellos,[m] y oí a una de las cuatro criaturas vivientes[n] decir con voz como de trueno: "¡Ven!".[o] 2 Y vi, y, ¡miren!, un caballo blanco;[p] y el que iba sentado[q] sobre él tenía un arco;[r] y le fue dada una corona,[s] y salió venciendo[t] y para completar su victoria.[u]

3 Y cuando abrió el segundo sello, oí a la segunda criatura viviente[v] decir: "¡Ven!". 4 Y salió otro, un caballo de color de fuego; y al que iba sentado sobre él se le concedió quitar de la tierra la paz para que se degollaran unos a otros; y le fue dada una gran espada.[w]

5 Y cuando abrió[x] el tercer sello, oí a la tercera criatura viviente[y] decir: "¡Ven!". Y vi, y, ¡miren!, un caballo negro; y el que iba sentado sobre él tenía en su mano una balanza.[z] 6 Y oí una voz como si fuera en medio de las cuatro criaturas vivientes[b] decir: "Un litro de trigo por un denario,[c] y tres litros de cebada

CAP. 4
a Mt 6:10
Mt 26:39
1Pe 4:2
1Jn 2:17
b Gé 2:3

CAP. 5
c Rev 4:2
d Eze 2:10
e Isa 29:11
Da 12:9
f Mt 24:36
Hch 1:7
g Gé 49:9
h Isa 11:1
Ro 15:12
i 2Sa 7:12
Mt 22:16
j Jn 16:33
k Ef 1:20
l Ef 1:22
m Isa 53:7
Jn 1:29
1Pe 1:19
n Jn 19:30
Rev 5:12
o Rev 1:4
p Sl 47:8
Isa 6:1
q Rev 5:14
Rev 19:4
r 2Cr 29:25
Rev 15:2
s Sl 141:2
Rev 8:4
t Col 4:2
u Sl 33:3
Sl 144:9
Isa 42:10
Rev 14:3
v Mt 26:28
Heb 9:12
1Pe 1:19
w 1Co 6:20
x Rev 14:4
y Lu 12:32
Rev 22:29
Heb 12:28
z Rev 1:6
a Éx 19:6
1Pe 2:9
Rev 20:6
b Mt 19:28
Rev 20:4
Rev 22:5

2.ª col.
a Dt 33:2
Heb 12:22
Jud 14
b Da 7:10
c Isa 53:7
Rev 5:6
d Mt 28:18
e Flp 2:10
f 1Re 22:19
g Jn 1:29
Rev 7:17
h Jn 5:23
1Ti 6:16
i 1Pe 4:11
j Rev 4:10
k Mt 4:10

CAP. 6
l Rev 5:6
m Rev 5:5
n Rev 4:7

o Rev 22:20; p Job 39:25; Pr 21:31; Rev 19:11; q Sl 45:4; r 2Re 9:24; s Gé 49:10; Sl 21:3; Eze 21:27; Da 7:14; Rev 14:14; t Sl 110:2; Rev 12:7; u Rev 16:14; Rev 17:14; v Rev 4:7; w Da 11:40; Mt 24:7; Lu 21:10; x Rev 6:1; y Rev 4:7; z Eze 4:16; a Rev 5:6; b Rev 7:11; c Mt 20:2.

por un denario; y no dañes el aceite de oliva ni el vino".a

7 Y cuando abrió el cuarto sello, oí la voz de la cuarta criatura vivienteb decir: "¡Ven!". 8 Y vi, y, ¡miren!, un caballo pálido; y el que iba sentado sobre él tenía el nombre Muerte. Y el Hadesc venía siguiéndolo de cerca. Y se les dio autoridad sobre la cuarta parte de la tierra, para matar con una espadad larga y con escasez de alimentoe y con plaga mortífera y por las bestias salvajesf de la tierra.

9 Y cuando abrió el quinto sello, vi debajo del altarg las almash de los que habían sido degolladosi a causa de la palabra de Dios y a causa de la obra de testimonioj que solían tener. 10 Y clamaban con voz fuerte, y decían: "¿Hasta cuándo, Señor Soberanok santo y verdadero,l te abstienes de juzgarm y de vengar nuestra sangren en los que moran en la tierra?". 11 Y a cada uno de ellos se dio una larga ropa blanca;o y se les dijo que descansaran por un poco de tiempo más, hasta que se completara también el número de sus coesclavos y de sus hermanos que estaban a punto de ser muertosp como ellos también lo habían sido.

12 Y vi cuando abrió el sexto sello, y ocurrió un gran terremoto; y el sol se puso negro como saco de pelo, y la luna entera se puso como sangre.r 13 y las estrellas del cielo cayeron a la tierra, como cuando una higuera sacudida por un viento fuerte echa sus higos aún no maduros. 14 Y el cielo se apartó como un rollo que se va enrollando,s y toda montaña y [toda] isla fueron removidas de sus lugares.t 15 Y los reyes de la tierra y los de primer rango y los comandantes militares y los ricos y los fuertes y todo esclavo y [toda] persona libre se escondieron en las cuevas y en las masas rocosasu de las montañas. 16 Y siguen diciendo a las montañas y a las masas rocosas: "Caigan so-

bre nosotrosa y escóndannos del rostro del que está sentado en el trono,b y de la ira del Cordero,c 17 porque ha llegado el gran díad de la ira de ellos,e y ¿quién puede estar de pie?".f

7 Después de esto vi a cuatro ángelesg de pie sobre los cuatro ángulos de la tierra, reteniendo los cuatro vientosh de la tierra, para que no soplara viento alguno sobre la tierra ni sobre el mar ni sobre ningún árbol.i 2 Y vi a otro ángel que ascendía del nacimiento del sol,j teniendo un sello de[1] Dios vivo;k y clamó con voz fuerte a los cuatro ángeles a quienes estaba concedido hacer daño a la tierra y al mar, 3 y dijo: "No hagan daño a la tierra ni al mar ni a los árboles, hasta que hayamos sellado[l] en la frente a los esclavos de nuestro Dios".m

4 Y oí el número de los que fueron sellados, ciento cuarenta y cuatro mil,n sellados de toda tribuo de los hijos de Israel:p

5 De la tribu de Judá,q doce mil sellados;

de la tribu de Rubén,r doce mil;

de la tribu de Gad,s doce mil;

6 de la tribu de Aser,t doce mil;

de la tribu de Neftalí,u doce mil;

de la tribu de Manasés,v doce mil;

7 de la tribu de Simeón,w doce mil;

de la tribu de Leví,x doce mil;

de la tribu de Isacar,y doce mil;

8 de la tribu de Zabulón,z doce mil;

de la tribu de José,a doce mil;

de la tribu de Benjamín,b doce mil sellados.c

9 Después de estas cosas vi, y, ¡miren!, una gran muchedumbre,d que ningún hombre podía contar, de todas las nacionese y

CAP. 6

a Mr 13:8
b Rev 4:7
c Rev 20:13
d Am 4:10
e Jer 15:2
  Lu 21:11
f Le 26:22
  Eze 14:21
  Eze 33:27
g Le 4:7
  Rev 8:3
h Le 17:11
  Rev 17:6
i Mt 24:9
  1Jn 3:12
j Mt 24:14
  Jn 18:37
  Rev 20:4
k Hch 4:24
  1Jn 5:20
l Lu 18:7
  Heb 12:23
  Rev 19:2
m Gé 4:10
  Dt 32:43
n Rev 3:5
  Rev 4:4
p Mt 24:9
  Hch 9:1
  2Co 1:8
q Isa 50:3
r Joe 2:31
  Mt 24:29
  Hch 2:20
s Isa 34:4
t Rev 16:20
u Isa 2:10
  Isa 2:19
  Eze 33:27

2.ª col.

a Os 10:8
  Lu 23:30
b Rev 4:2
c Rev 5:6
d Sof 1:14
e Sof 1:18
  Ro 2:5
f Joe 2:11

CAP. 7

g Mt 25:31
h Jer 25:32
i Sl 37:35
j Rev 16:12
k Jn 6:27
l 2Co 1:22
  Ef 1:13
  Ef 4:30
m Mt 24:31
  Rev 9:4
n Rev 14:1
  Rev 14:3
o Snt 1:1
  Rev 21:12
p Ro 2:29
  Ro 9:6
  Gál 6:16
q Gé 49:10
  1Cr 5:2
r Gé 49:3
s Gé 49:19
t Gé 49:20
u Gé 49:21
v Gé 48:4
w Gé 49:5
x Nú 3:6

y Gé 49:14; z Gé 49:13; a 1Cr 5:2; b Gé 49:27; c Rev 7:3; d Mt 25:34; Jn 10:16; Rev 22:17; e Gé 22:18; Isa 2:2; Isa 60:3; Rev 15:4.

tribus y pueblos[a] y lenguas,[b] de pie delante del trono[c] y delante del Cordero, vestidos de largas ropas blancas;[d] y había ramas de palmera[e] en sus manos. 10 Y siguen clamando con voz fuerte, y dicen: "La salvación [se la debemos] a nuestro Dios,[f] que está sentado en el trono,[g] y al Cordero".[h]

11 Y todos los ángeles[i] estaban de pie alrededor del trono y de los ancianos[j] y de las cuatro criaturas vivientes,[k] y cayeron sobre sus rostros delante del trono y adoraron a Dios,[l] 12 y dijeron: "¡Amén! La bendición y la gloria y la sabiduría y la acción de gracias y la honra y el poder[m] y la fuerza [sean] a nuestro Dios para siempre jamás. Amén".[n]

13 Y, en respuesta, uno de los ancianos[o] me dijo: "Estos que están vestidos de la larga ropa blanca,[p] ¿quiénes son, y de dónde vinieron?". 14 De modo que le dije inmediatamente: "Señor mío, tú eres el que sabe". Y me dijo: "Estos son los que salen de la gran tribulación,[q] y han lavado sus ropas largas y las han emblanquecido[r] en la sangre[s] del Cordero. 15 Por eso están delante[t] del trono de Dios, y están rindiendo servicio sagrado[u] día y noche en su templo; y Él que está sentado en el trono[v] extenderá su tienda[w] sobre ellos. 16 Ya no tendrán hambre ni tendrán más sed, ni los batirá el sol ni ningún calor abrasador,[x] 17 porque el Cordero,[y] que está en medio del trono, los pastoreará,[z] y los guiará a fuentes de aguas[a] de vida. Y Dios limpiará toda lágrima de los ojos de ellos".[b]

8 Y cuando él[c] abrió el séptimo sello,[d] en el cielo ocurrió un silencio como por media hora. 2 Y vi a los siete ángeles[e] que están de pie delante de Dios, y les fueron dadas siete trompetas.

3 Y llegó otro ángel y se puso de pie junto al altar,[a] teniendo una vasija de oro para el incienso; y se le dio una gran cantidad de incienso[b] para que lo ofreciera con las oraciones de todos los santos sobre el altar de oro que estaba delante del trono. 4 Y el humo del incienso ascendió de la mano del ángel con las oraciones[c] de los santos delante de Dios. 5 Pero inmediatamente el ángel tomó la vasija del incienso, y la llenó del fuego[d] del altar y lo arrojó a la tierra.[e] Y ocurrieron truenos[f] y voces y relámpagos[g] y un terremoto.[h] 6 Y los siete ángeles con las siete[i] trompetas[j] se prepararon para tocarlas.

7 Y el primero tocó su trompeta. Y ocurrió granizo y fuego[k] mezclados con sangre, y esto fue arrojado a la tierra; y la tercera parte de la tierra se quemó,[l] y la tercera parte de los árboles se quemó, y toda la vegetación verde[m] se quemó.

8 Y el segundo ángel tocó su trompeta. Y algo semejante a una montaña[n] grande que ardía en fuego fue arrojado al mar.[o] Y la tercera parte del mar se convirtió en sangre;[p] 9 y murió la tercera parte de las criaturas que están en el mar, las cuales tienen alma,[q] y la tercera parte de los barcos fue destrozada.

10 Y el tercer ángel tocó su trompeta. Y una gran estrella que ardía como una lámpara cayó del cielo,[r] y cayó sobre la tercera parte de los ríos y sobre las fuentes de aguas.[s] 11 Y el nombre dado a la estrella es Ajenjo. Y la tercera parte de las aguas se tornó en ajenjo, y muchos de los hombres murieron a causa de las aguas, porque se habían hecho amargas.[t]

12 Y el cuarto ángel tocó su trompeta. Y la tercera parte del sol fue herida, y la tercera parte

CAP. 7
a Sl 117:1
b Isa 66:18
c Sl 11:4
d Rev 7:14
e Le 23:40
  Jn 12:13
f Sl 3:8
  Lu 1:69
  Tit 2:10
  Jud 25
g Rev 4:2
h Hch 4:12
i Mt 25:31
  Heb 12:22
j Rev 11:16
k Rev 14:3
  1 Sl 95:6
m Rev 4:11
n Heb 13:21
  1Pe 4:11
  1Pe 5:11
o Rev 4:4
  Rev 7:9
q Mt 24:21
  Mt 13:19
r Isa 1:18
  Jn 1:29
s Heb 9:14
  Heb 9:22
  1Jn 1:7
t Rev 1:5
u Sl 11:4
u Mt 4:10
  Lu 2:37
v Rev 4:2
w Sl 15:1
  Rev 21:3
x Sl 121:6
  Isa 49:10
y Rev 5:6
z Mt 25:32
  Jn 10:11
a Rev 22:1
b Isa 25:8
  Rev 21:4

CAP. 8
c Rev 6:1
d Rev 5:1
e Rev 15:1

2.ª col.
a Éx 30:1
  Rev 9:13
b Rev 5:8
c Sl 141:2
  Lu 1:10
  1Pe 4:7
d Isa 6:6
e Lu 12:49
f Éx 19:16
  Rev 4:5
  Rev 10:4
  Rev 16:18
g Sl 97:4
h Rev 6:12
i Rev 8:7
  Rev 8:8
  Rev 8:10
  Rev 8:12
  Rev 9:1
  Rev 9:13
  Rev 11:15
j Le 25:9
  Nú 10:2
k Éx 9:23
  Joe 2:30
l Dt 4:24
  Sl 97:3
  Heb 12:29

m Isa 40:6; n Jer 51:25; o Sl 65:7; Isa 17:13; Isa 57:20; p Éx 7:20; q Rev 16:3; r Isa 14:12; Lu 10:18; 2Co 11:14; s Rev 16:4; t Pr 25:26; Am 5:7; Am 6:12.

de la luna y la tercera parte de las estrellas, para que se oscureciera[a] la tercera parte de ellos y el día no tuviera iluminación durante su tercera parte,[b] e igualmente la noche.

13 Y vi, y oí un águila[c] que volaba en medio del cielo[d] decir con voz fuerte: "¡Ay, ay, ay[e] de los que moran en la tierra por causa de los demás toques de trompeta de los tres ángeles que están a punto de tocar sus trompetas!".[f]

9 Y el quinto ángel tocó su trompeta.[g] Y vi una estrella[h] que había caído del cielo a la tierra, y a él le fue dada la llave[i] del hoyo del abismo.[j] 2 Y él abrió el hoyo del abismo, y del hoyo ascendió humo[k] como el humo de un gran horno,[l] y el sol fue oscurecido,[m] también el aire, por el humo del hoyo. 3 Y del humo salieron langostas[n] sobre la tierra; y se les dio autoridad, la misma autoridad que tienen los escorpiones[o] de la tierra. 4 Y se les dijo que no dañaran la vegetación de la tierra ni ninguna cosa verde ni ningún árbol, sino solo a los hombres que no tienen el sello de Dios en la frente.[p]

5 Y a las [langostas] les fue concedido, no que los mataran, sino que estos fueran atormentados[q] cinco meses, y el tormento sobre ellos era como el tormento de un escorpión[r] cuando hiere al hombre. 6 Y en aquellos días los hombres buscarán la muerte,[s] pero no la hallarán de ninguna manera; y desearán morir, pero la muerte sigue huyendo de ellos.

7 Y las semejanzas de las langostas se parecían a caballos[t] preparados para combate; y sobre sus cabezas [tenían] lo que parecía ser coronas semejantes a oro, y sus rostros [eran] como rostros de hombres,[u] 8 pero tenían cabellos como cabellos de mujeres.[v] Y sus dientes eran como los de leones;[w] 9 y te-

nían corazas[a] como corazas de hierro. Y el sonido de sus alas [era] como el sonido de carros[b] de muchos caballos que corren al combate.[c] 10 También, tienen colas y aguijones semejantes a escorpiones;[d] y en sus colas está su autoridad para lastimar a los hombres cinco meses. 11 Tienen sobre ellas un rey, el ángel del abismo.[e] En hebreo su nombre es Abadón, pero en griego tiene el nombre Apolión.[f]

12 El primer ay ha pasado. ¡Miren! Dos ayes más[g] vienen después de estas cosas.

13 Y el sexto ángel[h] tocó su trompeta.[i] Y oí una voz,[j] procedente de los cuernos del altar de oro[k] que está delante de Dios, 14 decir al sexto ángel, que tenía la trompeta: "Desata a los cuatro ángeles[l] que están atados[m] junto al gran río Éufrates".[n] 15 Y fueron desatados los cuatro ángeles, que han estado preparados para la hora y día y mes y año, para matar a la tercera parte de los hombres.

16 Y el número de los ejércitos de la caballería era dos miríadas de miríadas: yo oí el número de ellos. 17 Y de esta manera vi los caballos en la visión, y a los que iban sentados sobre ellos: tenían corazas rojas como el fuego y azules como el jacinto y amarillas como el azufre; y las cabezas de los caballos eran como cabezas de leones,[o] y de la boca de ellos salía fuego y humo y azufre.[p] 18 Por estas tres plagas fue muerta la tercera parte de los hombres, del fuego y del humo y del azufre que salían de la boca de ellos. 19 Porque la autoridad de los caballos está en sus bocas y en sus colas; pues sus colas son semejantes a serpientes,[q] y tienen cabezas, y con estas causan daño.

20 Pero los demás de los hombres que no fueron muertos por estas plagas no se arrepintieron de las obras de sus manos,[r] de manera que no adoraran a los

CAP. 8
a Éx 10:22
b Isa 60:2
  Ef 6:12
  Col 1:13
c Job 39:29
d Dt 4:11
  Rev 14:6
  Rev 19:17
e Rev 9:12
  Rev 11:14
f Rev 8:2

CAP. 9
g Rev 8:2
h Nú 24:17
  Rev 22:16
i Rev 20:1
j Lu 8:31
  Rev 9:11
k Éx 19:18
  Joe 2:30
l Gé 19:28
m Joe 2:2
  Joe 2:10
n Éx 10:4
  Éx 10:12
o Dt 8:15
  Lu 11:12
p Rev 7:3
q Rev 16:9
  Rev 18:7
r Rev 9:10
s Job 3:21
  Rev 6:16
t Joe 2:4
u Joe 2:6
v 1Co 11:15
  Ef 5:24
w Joe 1:6

2.ª col.
a Ef 6:14
  1Te 5:8
  2Ti 2:3
b Joe 2:5
c 2Co 10:4
d Rev 9:5
e Rev 9:1
  Rev 20:1
f Lu 4:34
  Rev 19:15
g Rev 8:13
h Rev 8:6
i Rev 11:15
j Rev 1:12
k Rev 8:3
l Gál 4:14
m Sl 102:20
  Sl 137:1
  Sl 142:7
  Isa 42:7
  Isa 49:9
n Gé 2:14
  Rev 16:12
  Rev 17:15
o 1Cr 12:8
  Pr 28:1
p Sl 11:6
q Gé 8:17
r Dt 31:29
  Jer 5:3

demonios[a] ni a los ídolos de oro y de plata[b] y de cobre y de piedra y de madera, los cuales no pueden ver ni oír ni andar;[c] 21 y no se arrepintieron de sus asesinatos[d] ni de sus prácticas espiritistas[e] ni de su fornicación ni de sus robos.

10 Y vi a otro ángel fuerte[f] que descendía del cielo, revestido de una nube,[g] y había un arco iris sobre su cabeza, y su rostro era como el sol,[h] y sus pies[i] como columnas de fuego, 2 y tenía en la mano un rollito abierto. Y puso su pie derecho sobre el mar, pero el izquierdo sobre la tierra,[j] 3 y clamó con voz fuerte como cuando ruge el león.[k] Y cuando clamó, los siete truenos[l] profirieron sus propias voces.

4 Ahora bien, cuando los siete truenos hablaron, yo estuve a punto de escribir; pero oí una voz procedente del cielo[m] decir: "Sella las cosas[n] que hablaron los siete truenos, y no las escribas". 5 Y el ángel que vi de pie sobre el mar y sobre la tierra levantó su mano derecha al cielo,[o] 6 y juró por Aquel que vive[p] para siempre jamás,[q] que creó el cielo y las cosas [que hay] en él, y la tierra[r] y las cosas [que hay] en ella, y el mar y las cosas [que hay] en él:[s] "Ya no habrá más demora;[t] 7 sino que en los días de dar el toque el séptimo ángel,[u] cuando esté a punto de tocar su trompeta,[v] verdaderamente queda terminado el secreto sagrado[w] de Dios, según las buenas nuevas que él declaró a sus propios esclavos los profetas".[x]

8 Y la voz[y] que oí procedente del cielo habla de nuevo conmigo y dice: "Ve, toma el rollo abierto que está en la mano del ángel que está de pie sobre el mar y sobre la tierra".[z] 9 Y me fui al ángel y le dije que me diera el rollito. Y él me dijo: "Tómalo y cómetelo,[a] y te amargará el vientre, pero en tu boca será dulce como la miel". 10 Y tomé

el rollito de la mano del ángel y me lo comí,[a] y en mi boca era dulce como la miel;[b] pero cuando me lo hube comido, se me amargó el vientre. 11 Y me dicen: "Tienes que profetizar de nuevo respecto a pueblos y naciones y lenguas y muchos reyes".[c]

11 Y me fue dada una caña semejante a una vara[d] al decir él: "Levántate y mide el [santuario del] templo[e] de Dios y el altar y a los que adoran en él. 2 Pero en cuanto al patio que está fuera[f] del [santuario del] templo, échalo fuera y no lo midas, porque ha sido dado a las naciones,[g] y ellas hollarán bajo sus pies la santa ciudad[h] por cuarenta y dos meses.[i] 3 Y haré que mis[j] testigos profeticen[k] mil doscientos sesenta días vestidos de saco".[l] 4 Estos son [simbolizados por] los dos olivos[m] y los dos candelabros,[n] y están de pie delante del Señor de la tierra.[o]

5 Y si alguien quiere hacerles daño, de la boca de ellos sale fuego y devora a sus enemigos;[p] y si alguien quisiera hacerles daño, tiene que ser muerto de esta manera. 6 Estos tienen la autoridad para cerrar el cielo[q] de modo que no caiga lluvia[r] durante los días de su profetizar, y tienen autoridad sobre las aguas para tornarlas en sangre,[s] y para herir la tierra con toda clase de plaga cuantas veces deseen.

7 Y cuando hayan terminado de dar su testimonio, la bestia salvaje que asciende del abismo[t] hará guerra contra ellos y los vencerá y los matará.[u] 8 Y sus cadáveres estarán en el camino ancho de la gran ciudad que en sentido espiritual se llama Sodoma[v] y Egipto, donde también el Señor de ellos fue fijado en el madero.[w] 9 Y los de los pueblos y tribus y lenguas y nacio-

CAP. 9
a Dt 32:17
  Sl 106:37
  1Co 10:20
b Sl 115:4
  Sl 135:15
c Isa 44:9
  Jer 10:5
  Da 5:23
d Éx 20:13
e Gál 5:20

CAP. 10
f Da 10:21
  Jud 9
  Rev 12:7
g Da 7:13
  Rev 1:7
h Mal 4:2
  Mt 17:2
i Rev 1:15
  Heb 2:8
k Pr 20:2
  Rev 5:5
l Éx 19:16
  Rev 4:5
  Rev 11:19
m Rev 10:8
o Da 12:7
p Jer 10:10
q Sl 90:2
  1Ti 1:17
  Rev 4:9
r Éx 20:11
  Ne 9:6
  Sl 146:6
  Hch 4:24
t Isa 46:13
  Eze 12:25
  Hab 2:3
u Rev 8:6
  Rev 11:15
w Mr 4:11
x Am 3:7
y Rev 10:4
z Rev 10:2
a Eze 2:8

2.ª col.
a Jer 15:16
b Sl 119:103
  Eze 3:3
c Jer 1:10

CAP. 11
d Eze 40:3
e 1Co 3:16
  2Co 6:16
  Ef 2:21
  1Pe 2:5
  1Pe 4:17
f Eze 40:17
g Lu 21:24
h Heb 12:22
  Rev 21:2
i Rev 13:5
j Jn 8:17
k Hch 2:17
  Rev 19:10
l Sl 69:11
m Zac 4:3
  Zac 4:11
n Zac 4:12
  Mt 5:14
o Zac 4:14
p Jer 5:14
q Lu 4:25

r 1Re 17:1; Snt 5:17; s Gé 9:4; Éx 7:19; Hch 15:20; t Rev 13:1; u Rev 2:10; Rev 2:13; Rev 12:17; v Isa 1:10; w Lu 13:33; Heb 13:12.

nes[a] mirarán sus cadáveres por tres días y medio,[b] y no permiten que sus cadáveres sean puestos en una tumba. 10 Y los que moran en la tierra se regocijan[c] sobre ellos y gozan, y se enviarán regalos los unos a los otros,[d] porque estos dos profetas atormentaron a los que moran en la tierra.

11 Y después de los tres días y medio,[e] espíritu de vida procedente de Dios entró en ellos,[f] y se pusieron de pie, y gran temor cayó sobre los que los contemplaban. 12 Y oyeron una voz fuerte[g] procedente del cielo decirles: "Suban acá."[h] Y subieron al cielo en la nube, y sus enemigos los contemplaron. 13 Y en aquella hora ocurrió un gran terremoto, y la décima[i] parte de la ciudad cayó; y siete mil personas fueron muertas por el terremoto, y los demás se atemorizaron y dieron gloria al Dios del cielo.[j]

14 El segundo ay[k] ha pasado. ¡Miren! El tercer ay viene pronto.

15 Y el séptimo ángel tocó su trompeta.[l] Y en el cielo ocurrieron voces fuertes, que decían: "El reino del mundo sí llegó a ser el reino de nuestro Señor[m] y de su Cristo,[n] y él reinará para siempre jamás".[o]

16 Y los veinticuatro ancianos[p] que estaban sentados sobre sus tronos delante de Dios cayeron sobre sus rostros[q] y adoraron a Dios,[r] 17 y dijeron: "Te damos gracias,[s] Jehová Dios, el Todopoderoso,[t] Aquel que eres[u] y que eras, porque has tomado tu gran poder[v] y has empezado a reinar.[w] 18 Pero las naciones se airaron, y vino tu propia ira, y el tiempo señalado para que los muertos sean juzgados, y para dar [su] galardón[x] a tus esclavos los profetas[y] y a los santos y a los que temen tu nombre, a los pequeños y a los grandes,[z] y para causar la ruina[a] de los que están arruinando la tierra".[b]

19 Y fue abierto el [santuario

CAP. 11

a Rev 13:7
  Rev 17:15
b Rev 11:11
c Sl 35:15
  Pr 24:17
d Lu 23:12
e Rev 11:9
f Eze 37:5
g Sl 29:4
h Sl 50:5
  Sl 147:2
  Rev 4:1
i Isa 6:13
j Isa 26:16
k Rev 9:12
l Rev 8:6
m 1Cr 29:11
  Sl 22:28
  Sl 97:1
  Da 4:17
  Da 4:34
  Rev 12:10
n Sl 2:6
  Eze 21:27
  Da 7:13
  Lu 1:33
  Lu 22:29
  2Pe 1:11
o Sl 145:13
  Da 2:44
p Rev 4:10
  Rev 14:3
q Sl 95:6
r Rev 7:11
s Isa 12:1
t Éx 6:3
  Am 4:13,
  LXX
  Rev 16:7
u Éx 3:14
  Rev 1:4
  Rev 16:5
v Éx 9:16
  Job 37:23
  Isa 40:26
  Ro 9:17
  Rev 4:11
w Sl 99:1
  Zac 14:9
  Rev 19:6
x 1Te 4:16
  Heb 11:6
  Rev 14:13
y Os 12:10
  Am 3:7
  Mt 2:23
  Hch 3:18
  Ro 1:2
  Heb 1:1
  Snt 5:10
  1Pe 1:10
z Sl 115:13
  Hch 26:22
a Isa 6:11
  Jer 4:7
  Jer 26:18
  Miq 3:12
b Gé 6:11
  Sl 53:1
  Jer 6:28
  Jer 51:25
  Sof 3:7

2.ª col.

a Rev 14:17
b Hab 2:20
  Heb 8:2
  Heb 9:11
c 1Re 8:1
  Sl 132:8

CAP. 12

d Rev 1:1

del] templo de Dios que está en el cielo,[a] y se vio en [el santuario de] su templo[b] el arca[c] de su pacto. Y ocurrieron relámpagos y voces y truenos y un terremoto y un granizo grande.

12 Y se vio en el cielo una gran señal,[d] una mujer[e] vestida del sol, y la luna estaba debajo de sus pies, y sobre su cabeza había una corona de doce estrellas, 2 y ella estaba encinta. Y clama en sus dolores[f] y en su agonía por dar a luz.

3 Y se vio otra señal en el cielo, y, ¡miren!, un dragón[g] grande de color de fuego, con siete cabezas y diez cuernos, y sobre sus cabezas siete diademas; 4 y su cola[h] arrastra la tercera parte de las estrellas[i] del cielo, y las arrojó abajo a la tierra.[j] Y el dragón se quedó de pie delante de la mujer[k] que estaba a punto de dar a luz,[l] para, cuando diera a luz, devorar[m] a su hijo.

5 Y ella dio a luz un hijo,[n] un varón, que ha de pastorear a todas las naciones con vara de hierro.[o] Y su hijo fue arrebatado hacia Dios y hacia su trono.[p] 6 Y la mujer huyó al desierto,[q] donde tiene un lugar preparado por Dios, para que la alimentaran[r] allí mil doscientos sesenta días.[s]

7 Y estalló guerra en el cielo: Miguel[t] y sus ángeles combatieron con el dragón, y el dragón y sus ángeles combatieron, 8 pero este no prevaleció, ni se halló ya lugar para ellos en el cielo. 9 De modo que hacia abajo fue arrojado el gran dragón,[u] la serpiente original,[v] el que es llamado Diablo[w] y Satanás,[x] que está extraviando a toda

e Isa 54:1; Isa 54:5; Gál 4:26; f Gé 3:16; Rev 12:9; Rev 20:2; h Isa 9:15; i Gé 6:2; Job 38:7; 2Co 11:15; j 2Pe 2:4; Jud 6; k Gé 3:15; l Isa 66:9; m Jer 51:34; n Rev 11:15; o Sl 2:9; Sl 110:2; Rev 19:15; p Sl 2:6; Sl 110:1; q Sl 55:7; r 1Re 19:6; Pr 30:8; s Rev 11:3; Rev 12:14; t Da 10:13; Da 12:1; Jud 9; u Rev 12:3; Rev 20:2; v Gé 3:1; 2Co 11:3; Rev 12:14; w Mt 4:1; Jn 8:44; Rev 2:14; Snt 4:7; 1Pe 5:8; x 1Cr 21:1; Job 1:6; Zac 3:2; Mt 4:10; Jn 13:27; Ro 16:20; 2Te 2:9.

la tierra habitada;[a] fue arrojado abajo a la tierra,[b] y sus ángeles fueron arrojados abajo con él. **10** Y oí una voz fuerte en el cielo decir:

"¡Ahora han acontecido la salvación[c] y el poder[d] y el reino de nuestro Dios[e] y la autoridad de su Cristo,[f] porque ha sido arrojado hacia abajo el acusador de nuestros hermanos, que los acusa día y noche delante de nuestro Dios![g] **11** Y ellos lo vencieron[h] debido a la sangre del Cordero[i] y debido a la palabra del testimonio que dieron,[j] y no amaron sus almas[k] ni siquiera al arrostrar la muerte. **12** A causa de esto, ¡alégrense, cielos, y los que residen en ellos![l] ¡Ay[m] de la tierra y del mar!,[n] porque el Diablo ha descendido a ustedes, teniendo gran cólera, sabiendo que tiene un corto espacio de tiempo".[o]

13 Ahora bien, cuando el dragón vio que había sido arrojado abajo a la tierra,[p] persiguió a la mujer[q] que había dado a luz al hijo varón. **14** Pero las dos alas de la gran águila[r] le fueron dadas a la mujer, para que volara al desierto[s] a su lugar; allí es donde es alimentada[t] por un tiempo y tiempos y medio tiempo,[u] lejos de la cara de la serpiente.[v]

15 Y la serpiente lanzó de su boca agua[w] como un río tras la mujer, para hacer que ella fuera ahogada por el río.[x] **16** Pero la tierra vino en ayuda de la mujer,[y] y la tierra abrió su boca y se tragó el río que el dragón había lanzado de su boca. **17** Y el dragón se airó contra la mujer,[z] y se fue para hacer guerra contra los restantes de la descendencia de ella, los cuales observan los mandamientos de Dios y tienen la obra de dar testimonio[a] de Jesús.

13 Y se quedó de pie inmóvil sobre la arena[b] del mar.

Y vi una bestia salvaje[c] que ascendía del mar,[d] con diez cuernos[a] y siete cabezas,[b] y sobre sus cuernos diez diademas, pero sobre sus cabezas nombres blasfemos.[c] **2** Ahora bien, la bestia salvaje que vi era semejante a un leopardo,[d] pero sus pies eran como los de un oso,[e] y su boca era como boca de león.[f] Y el dragón[g] dio a [la bestia] su poder y su trono y gran autoridad.[h]

3 Y vi una de las cabezas de ella como muerta por degüello, pero su golpe de muerte[i] fue sanado, y toda la tierra siguió a la bestia salvaje con admiración. **4** Y adoraron al dragón porque este dio la autoridad a la bestia salvaje, y adoraron a la bestia salvaje con las palabras: "¿Quién es semejante a la bestia salvaje, y quién puede combatir con ella?". **5** Y se le dio una boca que hablaba cosas grandes[j] y blasfemias,[k] y se le dio autoridad para actuar cuarenta y dos meses.[l] **6** Y ella abrió su boca en blasfemias[m] contra Dios, para blasfemar de su nombre y de su residencia, hasta de los que residen en el cielo.[n] **7** Y se le concedió[o] hacer guerra contra los santos y vencerlos,[p] y se le dio autoridad sobre toda tribu y pueblo y lengua y nación. **8** Y todos los que moran en la tierra la adorarán; el nombre de ninguno de estos está escrito en el rollo[q] de la vida del Cordero que fue degollado,[r] desde la fundación del mundo.[s]

9 Si alguno tiene oído, oiga.[t] **10** Si alguno [está] para cautiverio, se va en cautiverio.[u] Si alguno mata a espada, tiene que ser muerto a espada.[v] Aquí está lo que significa el aguante[w] y la fe[x] de los santos.[y]

11 Y vi otra bestia salvaje[z] que

CAP. 12
a 2Co 4:4
  2Co 11:14
  Ef 2:2
  1Jn 5:19
b Lu 10:18
  Rev 12:13
c eSl 118:14
  Lu 1:69
  Ro 13:11
  2Co 6:2
  Heb 9:28
  1Pe 1:5
d Rev 11:17
e Rev 11:15
f Mt 24:30
  Mt 25:32
  2Co 5:10
  Ef 1:10
  1Te 4:16
g Job 1:9
h 1Jn 2:14
i 1Pe 1:19
j Hch 1:8
  2Ti 1:8
  Rev 1:9
  Rev 19:10
k Mt 16:25
  Lu 14:26
  Hch 20:24
l Mt 7:53
  Heb 12:22
  Rev 13:6
m Rev 8:13
n Isa 57:20
  Isa 60:2
  Rev 17:15
o Da 8:19
  Miq 4:1
  Mt 24:34
  Ro 16:20
  2Ti 3:1
  2Pe 3:3
p Lu 10:18
q Gé 3:15
  Rev 12:1
  Rev 17:14
  Isa 40:31
r Sl 55:7
s Mt 4:4
  Lu 12:42
t Rev 11:3
  Rev 12:6
v Gé 3:1
  2Co 11:3
w Sl 18:4
  Isa 17:12
x Da 11:40
y Tit 3:1
  Rev 13:11
z Gé 3:15
a Mt 24:9
  Hch 1:8
  Rev 1:9
  Rev 6:9

CAP. 13
b Jer 5:22
c Rev 11:7
  Rev 13:18
  Rev 19:20
d Isa 57:20
  Da 7:2
  Hab 1:14
  Rev 17:15
  Rev 21:1

2.ª col.
a Da 7:7
b Rev 13:3
c Sl 74:10
d Da 7:6

e Da 7:5; f Da 7:4; g Rev 12:9; h Lu 4:6; i Rev 13:14; j Da 7:8; k Lu 12:10; l Rev 11:2; Rev 11:3; m Éx 5:2; Isa 14:13; Da 7:25; n Rev 12:12; o Jn 19:11; p Lu 22:31; Rev 12:17; q Da 12:1; Rev 3:5; Rev 21:27; r Isa 53:7; Mt 27:50; Rev 5:6; Rev 5:12; s Ef 1:4; 1Pe 1:20; t Mt 11:15; u Zac 14:2; v Gé 9:6; Mt 26:52; w Mt 24:13; Heb 10:36; Heb 12:3; x Rev 2:10; Da 7:18; 1Co 6:2; Rev 20:6; z Da 7:8; Rev 16:13; Rev 19:20.

ascendía de la tierra,[a] y tenía dos cuernos como un cordero, pero empezó a hablar como un dragón.[b] 12 Y ejerce toda la autoridad de la primera bestia salvaje[c] a su vista. Y hace que la tierra y los que moran en ella adoren a la primera bestia salvaje, cuyo golpe de muerte fue sanado.[d] 13 Y ejecuta grandes señales,[e] de modo que hasta hace bajar fuego del cielo a la tierra a vista de la humanidad.

14 Y extravía a los que moran en la tierra, a causa de las señales que se le concedió ejecutar a vista de la bestia salvaje, mientras dice a los que moran en la tierra que hagan una imagen[f] a la bestia salvaje que tuvo el golpe de espada[g] y sin embargo revivió. 15 Y se le concedió dar aliento a la imagen de la bestia salvaje, de modo que la imagen de la bestia salvaje tanto hablara como hiciera que se matara a todos los que no adoraran de manera alguna a la imagen[h] de la bestia salvaje.

16 Y pone bajo obligación a todas las personas[i] —los pequeños y los grandes, y los ricos y los pobres, y los libres y los esclavos— para que a estas se dé una marca en su mano derecha o sobre su frente,[j] 17 y para que nadie pueda comprar o vender salvo la persona que tenga la marca, el nombre[k] de la bestia salvaje o el número de su nombre.[l] 18 Aquí es donde entra la sabiduría: El que tenga inteligencia, calcule el número de la bestia salvaje, porque es número de hombre;[m] y su número es seiscientos sesenta y seis.[n]

14 Y vi, y, ¡miren!, el Cordero[o] de pie sobre el monte Sión,[p] y con él ciento cuarenta y cuatro mil[q] que tienen escritos en sus frentes el nombre de él y el nombre de su Padre.[r] 2 Y oí un sonido procedente del cielo como el sonido de muchas aguas[s] y como el sonido de fuerte

trueno; y el sonido que oí fue como el de cantantes que se acompañan con el arpa,[a] tocando sus arpas. 3 Y están cantando[b] como si fuera una canción nueva[c] delante del trono y delante de las cuatro criaturas vivientes[d] y de los ancianos;[e] y nadie pudo dominar aquella canción sino los ciento cuarenta y cuatro mil,[f] que han sido comprados[g] de la tierra. 4 Estos son los que no se contaminaron con mujeres;[h] de hecho, son vírgenes.[i] Estos son los que van siguiendo al Cordero no importa adónde vaya.[j] Estos fueron comprados[k] de entre la humanidad como primicias[l] para Dios y para el Cordero, 5 y no se halló en su boca falsedad;[m] están sin tacha.[n]

6 Y vi a otro ángel que volaba en medio del cielo,[o] y tenía buenas nuevas[p] eternas que declarar como noticias gozosas a los que moran en la tierra, y a toda nación y tribu y lengua y pueblo,[q] 7 y decía con voz fuerte: "Teman a Dios[r] y denle gloria,[s] porque ha llegado la hora del juicio por él,[t] de modo que adoren al que hizo[u] el cielo y la tierra y [el] mar y [las] fuentes de [las] aguas".[v]

8 Y otro, un segundo ángel, vino después, diciendo: "¡Ha caído! ¡Babilonia[w] la Grande ha caído,[x] la que hizo que todas las naciones bebieran del vino[y] de la cólera de su fornicación".[z]

9 Y otro ángel, un tercero, les siguió, y decía con voz fuerte: "Si alguno adora a la bestia salvaje[a] y a su imagen,[b] y recibe una marca en su frente o sobre su mano,[c] 10 también beberá del vino de la cólera de Dios que ha sido vertido sin diluir en la copa de su ira,[d] y será atormentado[e] con fuego y

CAP. 13

a Rev 12:16
b Da 7:8
  Rev 16:13
  Rev 20:2
c Rev 13:1
d Rev 13:3
e Dt 13:1
  Mt 24:24
f Rev 20:4
  Rev 19:20
  Rev 20:4
g Rev 13:3
h Dt 29:17
  1Re 11:5
  Da 3:6
  Mt 24:15
i Jer 39:10
  Jer 52:16
j Rev 14:9
  Rev 16:2
  Rev 19:20
k Rev 14:11
  Rev 15:2
m Ec 7:20
  Ro 3:23
n 1Cr 20:6
  Da 3:1

CAP. 14

o Jn 1:29
  Rev 5:6
  Rev 22:3
p Sl 2:6
  Heb 12:22
  1Pe 2:6
q Rev 7:4
r Rev 3:12
s Rev 1:15

2.ª col.

a 2Cr 5:12
  Rev 5:8
b 1Cr 6:31
c Sl 33:3
  Sl 98:1
  Sl 149:1
  Rev 5:9
d Rev 4:6
e Rev 4:4
  Rev 19:4
f Rev 7:4
  Rev 14:1
g 1Co 6:20
h Snt 1:27
i 2Co 11:2
  Snt 4:4
j 1Pe 2:21
k 1Co 7:23
  Rev 5:9
l Éx 23:16
  Le 23:15
  Snt 1:18
m Pr 14:5
  Rev 21:27
n Ef 5:27
  Jud 24
o Dt 4:11
  Rev 8:13
  Rev 19:17
p Mt 24:14
  Mr 13:10
q Hch 1:8
  Col 1:23
r Pr 8:13
  Mt 10:28
s Sl 19:1
  Ro 11:36
  Jud 25
  Rev 4:9
t 1Pe 4:17
  2Pe 2:9

u Éx 20:11; Sl 124:8; Sl 146:6; v Hch 14:15; w Rev 17:18; Rev 18:2; x Isa 21:9; Jer 51:8; Rev 18:21; y Jer 51:7; z Rev 17:2; Rev 18:3; a Rev 13:1; b Rev 13:15; c Rev 13:16; d Sl 75:8; Rev 11:18; Rev 16:19; e Rev 20:10.

azufre[a] a vista de los santos ángeles y a vista del Cordero. 11 Y el humo del tormento de ellos asciende para siempre jamás,[b] y día y noche no tienen descanso, los que adoran a la bestia salvaje y a su imagen, y cualquiera que recibe la marca[c] de su nombre. 12 Aquí está lo que significa aguante para los santos,[d] los que observan los mandamientos de Dios[e] y la fe[f] de Jesús".

13 Y oí una voz procedente del cielo decir: "Escribe: Felices son los muertos[g] que mueren en unión con [el] Señor[h] desde este tiempo en adelante.[i] Sí, dice el espíritu, que descansen de sus labores, porque las cosas que hicieron van junto con ellos".

14 Y vi, y, ¡miren!, una nube blanca, y sobre la nube alguien sentado semejante a un hijo del hombre,[j] con una corona[k] de oro sobre su cabeza y una hoz aguda en su mano.

15 Y otro ángel salió del [santuario del] templo, clamando con voz fuerte al que estaba sentado sobre la nube: "Pon dentro tu hoz y siega,[l] porque ha llegado la hora de segar, porque la mies[m] de la tierra está cabalmente madura".[n] 16 Y el que estaba sentado sobre la nube metió su hoz sobre la tierra, y la tierra fue segada.

17 Y otro ángel salió del [santuario del] templo que está en el cielo,[o] y él, también, tenía una hoz aguda.

18 Y otro ángel salió del altar, y tenía autoridad sobre el fuego.[p] Y clamó con voz fuerte al que tenía la hoz aguda, y dijo: "Pon dentro tu hoz aguda y vendimia los racimos de la vid de la tierra,[q] porque sus uvas se han madurado". 19 Y el ángel[r] metió su hoz en la tierra y vendimió la vid[s] de la tierra, y la arrojó en el gran lagar de la cólera de Dios.[t] 20 Y fue pisado el lagar fuera de la ciudad,[u] y salió sangre del lagar hasta la altura de los frenos

de los caballos,[a] por una distancia de mil seiscientos estadios.[b]

15 Y vi en el cielo otra señal,[c] grande y maravillosa: siete ángeles[d] con siete plagas.[e] Estas son las últimas, porque por medio de ellas la cólera[f] de Dios queda terminada.[g]

2 Y vi lo que parecía ser un mar vítreo[h] mezclado con fuego, y, de pie al lado del mar vítreo,[i] a los que salen victoriosos[j] de la bestia salvaje y de su imagen[k] y del número[l] de su nombre, y estos tenían arpas[m] de Dios. 3 Y están cantando la canción de Moisés[n] el esclavo de Dios y la canción del Cordero,[o] y dicen:

"Grandes y maravillosas son tus obras,[p] Jehová Dios, el Todopoderoso.[q] Justos y verdaderos son tus caminos,[r] Rey de la eternidad.[s] 4 ¿Quién no te temerá[t] verdaderamente, Jehová,[u] y glorificará tu nombre,[v] porque solo tú eres leal?[w] Porque todas las naciones vendrán y adorarán delante de ti,[x] porque tus justos decretos han sido manifestados".[y]

5 Y después de estas cosas vi, y se abrió el santuario de la tienda[z] del testimonio[a] en el cielo,[b] 6 y del santuario salieron los siete ángeles[c] con las siete plagas,[d] vestidos de lino[e] limpio y brillante y ceñidos alrededor de los pechos con cinturones de oro. 7 Y una de las cuatro criaturas vivientes[f] dio a los siete ángeles siete tazones de oro que estaban llenos de la cólera de Dios,[g] que vive para siempre jamás.[h] 8 Y el santuario se llenó de humo a causa de la gloria de Dios[i] y a causa de su poder, y nadie podía entrar en el santuario sino hasta que las siete plagas[j] de los siete ángeles fueran terminadas.

CAP. 14
a Rev 21:8
b Mt 25:46
  2Te 1:9
c Rev 19:3
d Rev 13:16
  Rev 16:2
  Rev 20:4
d Rev 13:10
e Ec 12:13
  Rev 1:3
f Heb 10:38
g Col 3:3
h Ro 6:3
  1Co 15:51
i 1Te 4:16
j Da 7:13
  Mt 25:31
  Hch 1:11
  Rev 1:7
k Sl 21:3
  Rev 6:2
l Mt 4:29
m Mt 13:39
n Joe 3:13
o Rev 11:19
p Rev 20:9
q Dt 32:32
r Mt 13:39
  Rev 9:11
s Jer 12:10
  Rev 19:15
u Heb 13:12
  Rev 22:15

2.ª col.

a Pr 21:31
b Jer 25:33

CAP. 15

c Rev 1:1
d Rev 16:1
e Le 26:21
f Sl 7:11
g Rev 16:17
h 1Re 7:23
  1Re 7:39
i Rev 4:6
j Rev 2:7
k Rev 13:15
l Rev 13:18
m Rev 5:8
n Éx 15:1
  Dt 31:30
  Heb 3:5
o Jn 1:29
  Hch 3:22
  Heb 2:12
p Éx 15:11
  Sl 92:5
  Sl 111:2
  Sl 139:14
q Éx 6:3
  Rev 19:6
r Dt 32:4
  Sl 145:17
s Jer 10:10
  1Ti 1:17
t Jer 10:7
u Sl 22:23
  Sl 33:8
v Sl 86:12
  Jn 12:28
w Jer 3:12
x Sl 86:9
  Mal 1:11
y Isa 2:4
z Heb 8:2
  Heb 9:11
a Hch 7:44
b Rev 11:19

c Rev 8:2; d Rev 15:1; e Da 10:5; f Rev 19:4; g Sl 75:8; Jer 25:15; Rev 14:10; h Sl 90:2; 1Ti 1:17; i Éx 40:34; 1Re 8:11; Isa 6:4; Eze 44:4; j Le 26:21; Rev 15:1.

16 Y oí una voz fuerte[a] procedente del santuario decir a los siete ángeles: "Vayan y derramen en la tierra los siete tazones de la cólera[b] de Dios".

2 Y el primero[c] se fue y derramó su tazón en la tierra.[d] Y una úlcera perjudicial y maligna[e] llegó a estar sobre los hombres que tenían la marca de la bestia salvaje[f] y que adoraban a su imagen.[g]

3 Y el segundo[h] derramó su tazón en el mar.[i] Y este se convirtió en sangre[j] como de muerto, [sí,] y toda alma viviente murió, [sí,] las cosas [que había] en el mar.[k]

4 Y el tercero[l] derramó su tazón en los ríos[m] y sobre las fuentes de las aguas. Y se convirtieron en sangre.[n] 5 Y oí al ángel sobre las aguas decir: "Tú, Aquel que eres y que eras,[o] el Leal,[p] eres justo porque has dictado estas decisiones,[q] 6 porque ellos derramaron la sangre de santos y de profetas,[r] y tú les has dado a beber sangre.[s] Lo merecen".[t] 7 Y oí al altar decir: "Sí, Jehová Dios, el Todopoderoso,[u] verdaderas y justas son tus decisiones judiciales.[v]

8 Y el cuarto[w] derramó su tazón sobre el sol; y [al sol] se le concedió chamuscar[x] con fuego a los hombres. 9 Y los hombres fueron chamuscados con gran calor, pero blasfemaron contra el nombre[y] de Dios, que tiene la autoridad[z] sobre estas plagas, y no se arrepintieron para darle gloria.[a]

10 Y el quinto derramó su tazón sobre el trono de la bestia salvaje.[b] Y su reino se oscureció,[c] y empezaron a roerse las lenguas de dolor, 11 pero blasfemaron[d] contra el Dios del cielo por sus dolores y por sus úlceras, y no se arrepintieron de sus obras.

12 Y el sexto[e] derramó su tazón sobre el gran río Éufrates,[f] y su agua se secó,[g] para que se pre-

parara el camino para los reyes[a] procedentes del nacimiento del sol.

13 Y vi tres expresiones inspiradas[b] inmundas [que se parecían] a ranas[c] salir de la boca del dragón[d] y de la boca de la bestia salvaje[e] y de la boca del falso profeta.[f] 14 Son, de hecho, expresiones inspiradas[g] por demonios, y ejecutan señales,[h] y salen a los reyes[i] de toda la tierra habitada,[j] para reunirlos a la guerra[k] del gran día[l] de Dios el Todopoderoso.

15 "¡Mira! Vengo como ladrón.[n] Feliz es el que se mantiene despierto[o] y guarda sus prendas de vestir exteriores, para que no ande desnudo y la gente mire su vergüenza.[p]

16 Y los reunieron en el lugar que en hebreo se llama Har–Magedón.[q]

17 Y el séptimo derramó su tazón sobre el aire.[r] Con esto, una voz fuerte[s] salió del santuario, desde el trono, y dijo: "¡Ha acontecido!". 18 Y ocurrieron relámpagos y voces y truenos, y ocurrió un gran terremoto[t] con el cual no había ocurrido uno desde cuando los hombres vinieron a estar en la tierra,[u] tan extenso el terremoto,[v] tan grande. 19 Y la gran ciudad[w] se dividió en tres partes, y las ciudades de las naciones cayeron; y Babilonia la Grande[x] fue recordada a vista de Dios, para darle la copa del vino de la cólera de su ira.[y] 20 También, toda isla huyó, y no se hallaron las montañas.[z] 21 Y un granizo[a] grande, con cada piedra como del peso de un talento, descendió del cielo sobre los hombres; y los hombres blasfemaron[b] contra Dios debido a la plaga de granizo,[c] porque la plaga de este fue excepcionalmente grande.

CAP. 16
a Isa 66:6
  Rev 16:17
b Sl 69:24
  Sof 3:8
c Rev 8:7
d Rev 20:11
e Éx 9:10
  Dt 28:35
f Rev 13:16
  Rev 13:18
g Rev 13:15
  Rev 19:20
h Rev 8:8
i Rev 17:15
j Éx 7:20
k Isa 57:20
l Rev 8:10
m Sl 78:44
n Éx 7:20
o Éx 3:14
  Rev 1:4
p Sl 145:17
  Jer 3:12
  Nah 1:3
q Gé 9:5
  Sl 79:3
        23:35
s Isa 49:26
u Éx 6:3
v Sl 119:9
  Sl 119:137
  Rev 19:2
w Rev 8:12
x Isa 49:10
y Sl 83:18
z Ro 13:1
a Rev 9:20
  Rev 14:7
b Rev 13:1
e Éx 10:21
  Isa 8:22
d Rev 16:21
e Rev 9:13
f Sl 137:1
g Isa 44:27
  Jer 50:38

2.ª col.
a Isa 44:28
  Jer 51:57
b 1Jn 4:1
c Lu 11:12
d Rev 12:3
e Rev 13:1
f Rev 13:11
g 1Ti 4:1
h Rev 13:13
i Sl 2:2
j Rev 18:3
  Rev 18:9
k Eze 38:16
  Rev 19:19
l Joe 2:1
m Isa 13:6
  Jer 25:33
  Eze 30:3
  Joe 1:15
  Joe 2:11
  Sof 1:15
  2Pe 3:12
n 1Te 5:2
  2Pe 3:10
o Lu 21:36
p Rev 3:18
q 2Cr 35:22
  Zac 12:11
  Rev 19:19

r Ef 2:2; Ef 6:12; s Isa 66:6; Rev 16:1; t Eze 38:19; u Da 12:1; v Heb 12:26; w Rev 17:18; x Rev 18:2; Jer 25:15; Rev 15:7; z Rev 6:14; a Job 38:22; Job 38:23; Isa 28:2; b Rev 16:9; c Éx 9:24; Rev 11:19.

17 Y uno de los siete ángeles que tenían los siete tazones[a] vino y habló conmigo, y dijo: "Ven, te mostraré el juicio sobre la gran ramera[b] que se sienta sobre muchas aguas,[c] 2 con quien los reyes de la tierra cometieron fornicación,[d] entre tanto que los que habitan la tierra fueron emborrachados con el vino de su fornicación".[e]

3 Y me llevó en [el poder del] espíritu[f] a un desierto. Y alcancé a ver a una mujer sentada sobre una bestia salvaje de color escarlata[g] que estaba llena de nombres blasfemos[h] y que tenía siete cabezas[i] y diez cuernos. 4 Y la mujer estaba vestida de púrpura[j] y escarlata,[k] y estaba adornada con oro y piedra preciosa y perlas,[l] y tenía en la mano una copa de oro[m] que estaba llena de cosas repugnantes[n] y de las inmundicias de su fornicación.[o] 5 Y sobre su frente estaba escrito un nombre, un misterio:[p] "Babilonia la Grande, la madre de las rameras[q] y de las cosas repugnantes de la tierra".[r] 6 Y vi que la mujer estaba borracha con la sangre[s] de los santos y con la sangre de los testigos de Jesús.[t]

Pues, al alcanzar yo a verla, me admiré con gran admiración.[u] 7 De modo que el ángel me dijo: "¿Por qué te admiraste? Yo te diré el misterio de la mujer[v] y de la bestia salvaje que la lleva y que tiene las siete cabezas y los diez cuernos:[w] 8 La bestia salvaje que viste era,[x] pero no es, y, no obstante, está para ascender del abismo,[y] y ha de irse a la destrucción. Y cuando vean como la bestia salvaje era, pero no es, y, no obstante, estará presente, los que moran en la tierra se maravillarán con admiración, pero sus nombres no han estado escritos en el rollo de la vida[z] desde la fundación del mundo.[a]

9 "Aquí es donde entra la inteligencia que tiene sabiduría:[b] Las siete cabezas[a] significan siete montañas,[b] sobre las cuales se sienta la mujer. 10 Y hay siete reyes: cinco han caído,[c] uno es,[d] el otro todavía no ha llegado,[e] pero cuando sí llegue tiene que permanecer un corto tiempo.[f] 11 Y la bestia salvaje que era, pero no es,[g] también ella misma es un octavo [rey], pero proviene de los siete, y se va a la destrucción.

12 "Y los diez cuernos que viste significan diez reyes,[h] que todavía no han recibido un reino, pero sí reciben autoridad como reyes por una hora con la bestia salvaje. 13 Estos tienen un solo pensamiento, y por eso dan su poder y autoridad a la bestia salvaje.[i] 14 Estos combatirán contra el Cordero,[j] pero, porque es Señor de señores y Rey de reyes,[k] el Cordero los vencerá.[l] También, los llamados y escogidos y fieles que con él están [lo harán]".[m]

15 Y me dice: "Las aguas que viste, donde está sentada la ramera, significan pueblos y muchedumbres y naciones y lenguas.[n] 16 Y los diez cuernos[o] que viste, y la bestia salvaje,[p] estos odiarán a la ramera[q] y harán que quede devastada y desnuda, y se comerán sus carnes y la quemarán por completo con fuego.[r] 17 Porque Dios puso en sus corazones llevar a cabo Su pensamiento,[s] aun llevar a cabo el solo pensamiento [de ellos] al dar ellos su reino a la bestia salvaje,[t] hasta que se hayan realizado las palabras de Dios.[u] 18 Y la mujer[v] que viste significa la gran ciudad que tiene un reino sobre los reyes de la tierra".[w]

18 Después de estas cosas vi a otro ángel que descendía del cielo, con gran autoridad;[x] y la tierra fue alumbrada por su gloria.[y] 2 Y él clamó con voz

CAP. 17
a Rev 16:1
b 1Co 6:15
  Snt 4:4
c Isa 57:20
  Jer 51:13
  Rev 17:15
  Rev 19:2
d Isa 47:5
  Snt 4:4
  Rev 18:9
e Jer 51:7
  Rev 14:8
  Rev 18:3
f Eze 37:1
  Rev 1:10
g Rev 13:15
h Mr 3:29
i Rev 17:9
j Da 5:29
  Lu 16:19
k Mt 27:28
l Rev 18:12
  Snt 5:1
m Jer 51:7
n Dt 29:17
  Isa 66:3
o Ro 1:24
p 2Ti 2:7
q Rev 19:2
r Eze 22:2
  Rev 18:5
s Rev 18:24
  Rev 19:2
t Rev 6:9
u Eze 28:19
v Rev 17:5
w Rev 17:3
x Rev 13:15
y Rev 20:1
z Éx 32:32
  Sl 69:28
  Flp 4:3
a Rev 13:8
b Mt 24:15
  Snt 3:17

2.ª col.

a Rev 17:7
b Jer 51:25
c Jer 46:2
  Jer 51:11
  Da 8:20
  Da 8:21
  Sof 2:13
d Jn 19:15
e Da 8:23
f Rev 13:11
  Rev 19:20
g Rev 17:8
h Da 7:24
i Sl 2:2
j Jn 1:29
  Rev 5:6
k Mt 28:18
  Heb 2:36
  1Ti 6:15
l Rev 19:15
m Ro 16:20
n Isa 57:20
  Snt 3:13
o Da 7:24
  Rev 17:12
p Rev 17:8
q Rev 17:7
r Gé 38:24
  Ez 21:9
  Rev 18:8
s Jos 11:20
  Pr 21:1
  Jer 51:12
t Rev 17:12

u Isa 55:11; v Rev 17:5; w Isa 47:5; CAP. 18
x Rev 12:10; y Mt 17:2; Rev 1:16.

poderosa,[a] y dijo: "¡Ha caído! ¡Babilonia la Grande ha caído,[b] y ha llegado a ser lugar de habitación de demonios y escondite de toda exhalación[c] inmunda y escondite de toda ave inmunda y odiada![d] 3 Porque a causa del vino de la cólera de su fornicación todas las naciones han caído [víctima],[e] y los reyes de la tierra cometieron fornicación[f] con ella, y los comerciantes[g] viajeros de la tierra se enriquecieron debido al poder del lujo desvergonzado de ella".[h]

4 Y oí otra voz procedente del cielo decir: "Sálganse de ella, pueblo mío,[i] si no quieren participar con ella en sus pecados,[j] y si no quieren recibir parte de sus plagas. 5 Porque sus pecados se han amontonado hasta llegar al cielo,[k] y Dios ha recordado sus actos de injusticia.[l] 6 Páguenle a ella así como ella misma pagó,[m] y háganle a ella el doble, sí, el doble del número de las cosas que ella hizo;[n] en la copa[o] en que ella vació una mezcla, vácienle a ella el doble[p] de la mezcla.[q] 7 Al grado que ella se glorificó a sí misma y vivió en lujo desvergonzado, a ese grado denle tormento y lamento.[r] Porque sigue diciendo en su corazón: 'Estoy sentada [como] reina,[s] y no soy viuda,[t] y nunca veré lamento'.[u] 8 Por eso, en un solo día vendrán sus plagas:[v] muerte y lamento y hambre, y será quemada por completo con fuego,[w] porque fuerte es Jehová Dios que la juzgó.[x]

9 Y los reyes[y] de la tierra que cometieron fornicación con ella y vivieron en lujo desvergonzado llorarán y se golpearán en desconsuelo por ella,[z] cuando miren el humo[a] del incendio de ella, 10 mientras se quedan de pie lejos, por su temor del tormento de ella, y dicen:[b] '¡Qué lástima, qué lástima, tú, la gran ciudad,[c] Babilonia la fuerte ciudad, por-

que en una sola hora ha llegado tu juicio!'.[a]

11 "También, los comerciantes[b] viajeros de la tierra están llorando y lamentándose por ella,[c] porque no hay nadie que compre ya su surtido cabal, 12 surtido cabal[d] de oro y plata y piedra preciosa y perlas y lino fino y púrpura y seda y escarlata; y todo lo de madera olorosa y toda clase de objeto de marfil y toda clase de objeto de la madera más preciosa, y de cobre y de hierro y de mármol;[e] 13 también canela y especia de la India e incienso y aceite perfumado y olíbano y vino y aceite de oliva y flor de harina y trigo y ganado mayor y ovejas, y caballos y coches y esclavos y almas humanas.[f] 14 Sí, el fruto excelente que tu alma deseaba[g] se ha apartado de ti, y todas las cosas exquisitas y las cosas suntuosas han perecido de ti, y nunca volverán a hallarse.[h]

15 "Los comerciantes[i] viajeros de estas cosas, que se enriquecieron de ella, estarán de pie lejos por [su] temor del tormento de ella, y llorarán y se lamentarán,[j] 16 diciendo: '¡Qué lástima, qué lástima... la gran ciudad,[k] vestida de lino fino y púrpura y escarlata, y adornada ricamente con ornamento de oro y piedra preciosa y perla,[l] 17 porque en una sola hora riquezas tan grandes han quedado devastadas!'.[m]

"Y todo capitán de nave y todo hombre que viaja a cualquier parte,[n] y los marineros y todos los que se ganan la vida en el mar, se mantuvieron de pie a lo lejos[o] 18 y clamaron mientras miraban el humo del incendio de ella, y dijeron: ¿Qué ciudad es semejante a la gran ciudad?'.[p] 19 Y se echaron polvo sobre la cabeza[q] y clamaron, llorando y lamentándose,[r] y dijeron: '¡Qué lástima, qué lástima... la gran ciudad, en la cual todos los que

---

CAP. 18

a Jer 50:2
b Isa 21:9
  Jer 51:8
c Sl 39:5
d Isa 13:21
  Jer 50:39
  Jer 51:37
e Jer 51:7
f Isa 47:5
  Rev 17:2
g Isa 23:8
h Pr 19:10
  Isa 47:1
i Isa 48:20
  Isa 52:11
  Jer 50:8
  Jer 51:45
  Zac 2:7
j Jer 51:6
  2Co 6:17
k Jer 51:9
  1Ti 5:24
l Jer 51:49
  Jer 51:56
  Rev 16:19
m 2Te 1:6
n Sl 137:8
  Jer 50:15
  Jer 51:24
o Sl 75:8
  Jer 51:7
  Rev 16:19
p Jer 17:18
  Jer 50:21
q Rev 14:10
r Jer 50:29
s Rev 17:15
t Isa 47:8
u Sl 10:6
v Jer 50:13
w Lu 21:9
  Jer 51:58
  Heb 12:29
x Jer 50:34
y Isa 23:17
z Jer 50:46
  Eze 27:35
a Rev 18:18
b Eze 26:17
c Da 4:30

2.ª col.

a Jer 51:8
b Eze 27:36
c Eze 27:30
d Eze 27:12
e Eze 27:22
f Eze 27:13
g 1Ti 6:10
h Ec 5:10
i Eze 27:36
j Eze 27:30
k Eze 27:31
l Rev 17:4
m Pr 11:4
n Isa 23:14
o Eze 27:27
p Eze 27:32
q 1Sa 4:12
r Eze 27:30

tenían barcos en el mar[a] se enriquecieron[b] por motivo de su preciosidad, porque en una sola hora ha quedado devastada!'.[c]

20 "¡Alégrate sobre ella, oh cielo,[d] [y] también ustedes santos[e] y los apóstoles[f] y los profetas, porque, judicialmente, Dios le ha impuesto castigo a ella por ustedes!".[g]

21 Y un ángel fuerte alzó una piedra semejante a una gran piedra de molino[h] y la arrojó al mar,[i] diciendo: "Así con lanzamiento veloz será arrojada abajo Babilonia la gran ciudad, y nunca volverá a ser hallada.[j] 22 Y el sonido de cantantes que se acompañan con el arpa, y de músicos y de flautistas y de trompeteros nunca se volverá a oír en ti,[k] y ningún artífice de oficio alguno volverá a hallarse en ti jamás, y ningún sonido de piedra de molino volverá a oírse en ti jamás, 23 y ninguna luz de lámpara volverá a resplandecer en ti jamás, y ninguna voz de novio ni de novia volverá a oírse en ti jamás;[l] porque tus comerciantes[o] viajeros eran los hombres de primer rango[n] de la tierra, pues por tu práctica espiritista[o] todas las naciones fueron extraviadas. 24 Sí, en ella se halló la sangre[p] de profetas[q] y de santos[r] y de todos los que han sido degollados en la tierra".[s]

19 Después de estas cosas oí lo que era como una voz fuerte de una gran muchedumbre en el cielo.[t] Decían: "¡Alaben a Jah![u] La salvación[v] y la gloria y el poder pertenecen a nuestro Dios,[w] 2 porque verdaderos y justos son sus juicios.[x] Porque ha ejecutado juicio sobre la gran ramera que corrompió la tierra con su fornicación, y ha vengado la sangre de sus esclavos de la mano de ella".[y] 3 E inmediatamente, por segunda vez, dijeron: "¡Alaben a Jah![z] Y el humo de ella sigue ascendiendo para siempre jamás".[a]

4 Y los veinticuatro ancianos[a] y las cuatro criaturas vivientes[b] cayeron y adoraron a Dios, que estaba sentado[c] sobre el trono, y dijeron: "¡Amén! ¡Alaben a Jah!".[d]

5 También, una voz salió desde el trono y dijo: "Alaben a nuestro Dios, todos ustedes sus esclavos,[e] que le temen, los pequeños y los grandes".[f]

6 Y oí lo que era como la voz de una gran muchedumbre y como un sonido de muchas aguas y como un sonido de fuertes truenos. Decían: "¡Alaben a Jah,[g] porque Jehová nuestro Dios, el Todopoderoso,[h] ha empezado a reinar! 7 Regocijémonos y llenémonos de gran gozo, y démosle la gloria,[i] porque han llegado las bodas[k] del Cordero,[l] y su esposa se ha preparado.[m] 8 Sí, a ella se le ha concedido estar vestida de lino fino, brillante y limpio, porque el lino fino representa los actos justos de los santos".[n]

9 Y él me dice: "Escribe: Felices son los invitados[o] a la cena de las bodas del Cordero".[p] También, me dice: "Estos son los dichos verdaderos de Dios".[q] 10 Ante aquello, caí delante de sus pies para adorarlo.[r] Pero me dice: "¡Ten cuidado! ¡No hagas eso! Yo simplemente soy coesclavo tuyo y de tus hermanos que tienen la obra de dar testimonio de Jesús.[t] Adora a Dios;[u] porque el dar testimonio de Jesús es lo que inspira el profetizar".[v]

11 Y vi el cielo abierto, y, ¡miren!, un caballo blanco.[w] Y el que iba sentado sobre él se llama Fiel[x] y Verdadero,[y] y juzga y se ocupa en guerrear con justicia.[z] 12 Sus ojos son una llama de fuego,[a] y sobre su cabeza hay muchas diademas.[b] Tiene un

CAP. 18
a Eze 27:9
b Eze 27:33
c Isa 47:11
  Jer 51:55
d Jer 51:48
  Rev 12:12
e Rev 14:12
f 1Co 4:9
g Dt 32:43
  Ro 12:19
  Rev 6:10
  Rev 19:2
h Mt 18:6
i Jer 51:63
j Jer 51:64
  Eze 26:21
k Isa 24:8
  1Jer 25:10
m Isa 23:8
n Mr 6:21
o Isa 47:9
  Gál 5:20
  Rev 9:21
p Rev 6:10
q Mt 23:37
r Rev 16:6
s Gé 9:6
  Jer 51:49

CAP. 19
t Da 7:10
u Sl 150:6
v Rev 12:10
w Rev 7:12
x Dt 32:4
  Sl 19:9
  1Pe 1:17
  Rev 15:3
y Dt 32:43
  2Re 9:7
  Sl 79:10
  Rev 18:20
  Rev 18:24
z Sl 117:1
a Isa 34:10

2.ᵃ col.
a Rev 4:4
b Rev 4:6
c 1Re 22:19
  Isa 6:1
d Sl 106:48
e Sl 134:1
  Sl 135:1
f Sl 115:13
g Sl 113:1
h Éx 6:3
i Sl 97:1
  Isa 52:7
  Da 7:9
j Rev 11:15
j Rev 7:12
k Mt 25:10
  Rev 19:9
l 1Te 4:16
m 2Co 11:2
  Isa 61:10
  Ef 5:27
  Rev 14:4
o Mt 22:3
  Lu 14:17
  Jn 3:34
  Jn 8:47
r Rev 22:8
s Hch 10:26
  Rev 22:9
t Mt 28:19
  Hch 1:8

u Mt 4:10; Jn 4:23; v Lu 24:27; Hch 2:17; Hch 10:43; 1Pe 1:11; w Job 39:25; Pr 21:31; Jer 8:6; Rev 6:2; x Heb 3:6; Rev 1:5; y Jn 14:6; Rev 3:14; z Isa 11:4; Heb 1:8; Heb 1:9; a Rev 1:14; Rev 2:18; b Rev 19:16.

nombre[a] escrito que nadie conoce sino él mismo, **13** y está vestido de una prenda de vestir exterior rociada de sangre,[b] y el nombre con que se le llama es La Palabra[c] de Dios. **14** También, los ejércitos que estaban en el cielo le seguían en caballos blancos, y estaban vestidos de lino fino, blanco y limpio. **15** Y de su boca sale una aguda espada larga,[d] para que hiera con ella a las naciones, y las pastoreará con vara de hierro.[e] Pisa también el lagar de vino[f] de la cólera de la ira de Dios[g] el Todopoderoso. **16** Y sobre su prenda de vestir exterior, aun sobre su muslo, tiene un nombre escrito: Rey de reyes y Señor de señores.[h]

17 Vi también a un ángel que estaba de pie en el sol, y clamó con voz fuerte y dijo a todas las aves[i] que vuelan en medio del cielo: "Vengan acá, sean reunidas a la gran cena de Dios, **18** para que coman las carnes[j] de reyes y las carnes de comandantes militares y las carnes de hombres fuertes[k] y las carnes de caballos[l] y de los que van sentados sobre ellos, y las carnes de todos, de libres así como de esclavos y de pequeños y grandes".

19 Y vi a la bestia salvaje[m] y a los reyes[n] de la tierra y a sus ejércitos reunidos para hacer la guerra[o] contra el que iba sentado en el caballo[p] y contra su ejército. **20** Y la bestia salvaje[q] fue prendida, y junto con ella el falso profeta[r] que ejecutó delante de ella las señales[s] con las cuales extravió a los que recibieron la marca[t] de la bestia salvaje y a los que rinden adoración a su imagen.[u] Estando todavía vivos, ambos fueron arrojados al lago de fuego que arde con azufre.[v] **21** Pero los demás fueron muertos con la espada larga del que iba sentado en el caballo,[w] la [espada] que salía de su boca.[x] Y todas las aves[y] se saciaron[z] de las carnes de ellos.[a]

---

20 Y vi a un ángel que descendía del cielo con la llave del abismo[a] y una gran cadena en la mano. **2** Y prendió al dragón,[b] la serpiente original,[c] que es el Diablo[d] y Satanás,[e] y lo ató por mil años. **3** Y lo arrojó al abismo,[f] y [lo] cerró y [lo] selló sobre él, para que no se extraviara más a las naciones hasta que se terminaran los mil años. Después de estas cosas tiene que ser desatado por un poco de tiempo.[g]

4 Y vi tronos,[h] y hubo quienes se sentaron en ellos, y se les dio poder para juzgar.[i] Sí, vi las almas de los que fueron ejecutados con hacha por el testimonio que dieron de Jesús y por hablar acerca de Dios, y los que no habían adorado ni a la bestia salvaje[j] ni a su imagen,[k] y que no habían recibido la marca sobre la frente ni sobre la mano.[l] Y llegaron a vivir, y reinaron[m] con el Cristo por mil años. **5** (Los demás de los muertos[n] no llegaron a vivir sino hasta que se terminaron los mil años.)[o] Esta es la primera[p] resurrección. **6** Feliz[q] y santo[r] es cualquiera que tiene parte en la primera resurrección; sobre estos la muerte segunda[s] no tiene autoridad,[t] sino que serán sacerdotes[u] de Dios y del Cristo, y reinarán con él por los mil años.[v]

7 Ahora bien, luego que hayan terminado los mil años, Satanás será soltado de su prisión, **8** y saldrá a extraviar a aquellas naciones que están en los cuatro ángulos de la tierra, a Gog y a Magog, para reunirlos para la guerra. El número de estos es como la arena del mar.[w] **9** Y avanzaron sobre la anchura de la tierra y rodearon el campamento de los santos[x] y la ciudad amada.[y] Pero descendió fuego del cielo, y los devoró.[z] **10** Y el

---

CAP. 19

a Rev 2:17
b Heb 12:24
  1Pe 1:2
c Jn 1:1
  Jn 11:1
d 2Te 2:8
  Rev 1:16
e Sl 2:9
  Rev 2:27
  Rev 12:5
f Jer 25:30
  Rev 14:20
g Rev 14:19
h Mt 28:18
  Flp 2:10
  1Ti 6:15
  Rev 17:14
i 1Sa 17:46
  Eze 39:4
  Eze 39:17
j Eze 39:17
k Eze 39:18
  1Eze 39:20
m Rev 13:1
n Rev 16:14
  Rev 17:12
o Eze 38:16
  Rev 16:16
p Sl 2:2
q Rev 13:18
r Rev 13:11
  Rev 16:13
s Rev 13:13
  Rev 13:16
t Rev 13:15
u Mt 10:28
  2Pe 2:6
  Jud 7
  Rev 20:14
w Rev 6:2
x Rev 2:16
y Eze 39:4
  Rev 19:17
z Eze 39:20
a Eze 39:17

2.ª col.

CAP. 20

a Rev 9:1
b Rev 12:3
c Gé 3:1
d Jn 8:44
e Zac 3:1
  Rev 12:9
f Rev 9:11
g Rev 20:7
h Lu 22:30
i Mt 19:28
  Lu 22:30
  1Co 6:2
j Rev 13:12
k Rev 13:15
l Rev 13:16
m 2Ti 2:12
  Rev 1:6
n Jn 5:28
  Hch 24:15
  Ef 2:1
o Mt 25:46
  Rev 20:13
p 1Co 15:23
  1Co 15:52
  Flp 3:11
  1Te 4:16
q Rev 14:13
  Rev 22:7
r Rev 13:10

s Mt 10:28; Rev 2:11; Rev 20:14; t 1Co 15:54; u 1Pe 2:9; Rev 1:6; v Rev 5:10; w Eze 38:15; x Eze 48:35; Rev 21:3; y Heb 12:22; Rev 21:2; z 2Re 1:10; Eze 38:22.

Diablo[a] que los estaba extraviando fue arrojado al lago de fuego y azufre, donde [ya estaban] tanto la bestia salvaje[b] como el falso profeta;[c] y serán atormentados día y noche para siempre jamás.

11 Y vi un gran trono blanco, y al que estaba sentado en él.[d] De delante de él huyeron la tierra y el cielo,[e] y no se halló lugar para ellos. 12 Y vi a los muertos, los grandes y los pequeños,[f] de pie delante del trono, y se abrieron rollos. Pero se abrió otro rollo; es el rollo de la vida.[g] Y los muertos fueron juzgados de acuerdo con las cosas escritas en los rollos según sus hechos.[h] 13 Y el mar entregó los muertos que había en él, y la muerte y el Hades entregaron los muertos[i] que había en ellos, y fueron juzgados individualmente según sus hechos.[j] 14 Y la muerte[k] y el Hades fueron arrojados al lago de fuego. Esto significa la muerte segunda:[l] el lago de fuego. 15 Además, cualquiera a quien no se halló escrito en el libro de la vida[m] fue arrojado al lago de fuego.[o]

21 Y vi un nuevo cielo[p] y una nueva tierra;[q] porque el cielo anterior[r] y la tierra anterior[s] habían pasado, y el mar[t] ya no existe. 2 Vi también la santa ciudad,[u] la Nueva Jerusalén, que descendía del cielo[v] desde Dios y preparada como una novia[w] adornada para su esposo.[x] 3 Con eso, oí una voz fuerte desde el trono decir: "¡Mira! La tienda[y] de Dios está con la humanidad, y él residirá[z] con ellos, y ellos serán sus pueblos.[a] Y Dios mismo estará con ellos.[b] 4 Y limpiará toda lágrima[c] de sus ojos, y la muerte no será más,[d] ni existirá ya más lamento ni clamor ni dolor.[e] Las cosas anteriores han pasado".[f]

5 Y Aquel que estaba sentado en el trono[g] dijo: "¡Mira!, voy a hacer nuevas todas las cosas".[h]

También, dice: "Escribe, porque estas palabras son fieles y verdaderas". 6 Y me dijo: "¡Han acontecido! Yo soy el Alfa y la Omega, el principio y el fin.[a] A cualquiera que tenga sed le daré de la fuente del agua de la vida gratis.[b] 7 Cualquiera que venza heredará estas cosas, y yo seré su Dios[c] y él será mi hijo.[d] 8 Pero en cuanto a los cobardes y los que no tienen fe[e] y los que son repugnantes en su suciedad,[f] y asesinos[g] y fornicadores[h] y los que practican espiritismo, e idólatras[i] y todos los mentirosos,[j] su porción será en el lago que arde con fuego[k] y azufre.[l] Esto significa la muerte segunda".[m]

9 Y vino uno de los siete ángeles que tenían los siete tazones que estaban llenos de las siete últimas plagas,[n] y habló conmigo y dijo: "Ven acá, te mostraré a la novia, la esposa del Cordero".[o] 10 De modo que me llevó en [el poder del] espíritu a una montaña grande y encumbrada,[p] y me mostró la santa ciudad[q] de Jerusalén, que descendía del cielo desde Dios,[r] 11 y que tenía la gloria de Dios.[s] Su resplandor era semejante a una piedra preciosísima, como piedra de jaspe que brillara con claridad cristalina.[t] 12 Tenía un muro[u] grande y encumbrado, y tenía doce puertas, y a las puertas doce ángeles, y había nombres inscritos, que son los de las doce tribus de los hijos de Israel.[v] 13 Al oriente había tres puertas, al norte tres puertas, y al sur tres puertas, y al occidente tres puertas.[w] 14 El muro de la ciudad también tenía doce piedras de fundamento,[x] y sobre ellas los

CAP. 20
a Rev 12:9
b Rev 13:1
c Rev 19:20
d Heb 12:23
Rev 4:2
e 2Pe 3:7
f Hch 24:15
Rev 11:18
g Éx 32:33
Sl 69:28
Da 12:1
h Jn 5:29
i Hch 10:42
j Jn 5:29
k Isa 25:8
Ro 5:12
1Co 15:26
l Rev 21:1
Rev 20:6
Rev 21:8
m Mt 5:22
Mt 18:9
Snt 3:6
n Rev 17:8
o Pr 10:7
Rev 21:8

CAP. 21
p Isa 65:17
Rev 3:13
q Isa 66:22
r 2Pe 3:10
s Rev 20:11
t Isa 57:20
Rev 17:15
u Isa 52:1
v Heb 12:22
Rev 3:12
w Rev 19:7
x Mt 9:15
Jn 3:29
y Eze 37:27
z Isa 51:1
a Isa 66:23
b Eze 43:7
Eze 48:35
c Isa 65:19
Rev 7:17
d 1Co 15:26
Isa 35:10
Rev 4:2
e Isa 42:9
Lam 5:20
Eze 36:26
2Pe 3:13

2.ª col.
a Rev 1:8
Rev 22:13
b Sl 36:9
Isa 55:1
Rev 7:17
Rev 22:1
c 1Co 15:28
Rev 3:12
d 2Sa 7:14
e Ro 11:20
Heb 3:19
1Jn 5:10
f Ro 1:24
1Co 6:9
g 1Jn 3:15
h Ef 5:5
i Gál 5:20

j Jn 8:44; Hch 5:3; 1Ti 1:10; k Mt 5:22; Mt 18:9; Snt 3:6; l Isa 30:33; Mt 10:28; Rev 19:20; m Pr 10:7; Heb 10:26; Rev 2:11; Rev 20:6; n Le 26:21; Rev 15:1; o Sl 45:9; Rev 19:7; p Isa 2:2; Eze 40:2; Miq 4:1; q Isa 52:1; r Heb 12:22; s Isa 60:1; t Éx 24:10; u Isa 60:18; v Éx 28:21; Éx 39:14; w Rev 22:14; x Heb 11:10.

doce nombres de los doce apóstoles[a] del Cordero.

15 Ahora bien, el que hablaba conmigo tenía como medida una caña[b] de oro, para que midiera la ciudad y sus puertas y su muro.[c] 16 Y la ciudad se extiende en cuadro, y su longitud es tan grande como su anchura. Y midió la ciudad[d] con la caña, doce mil estadios; su longitud y anchura y altura son iguales. 17 También, midió su muro, ciento cuarenta y cuatro codos, según la medida de hombre, [y] a la vez de ángel. 18 Ahora bien, la estructura del muro era jaspe,[e] y la ciudad era oro puro, semejante a vidrio claro. 19 Los fundamentos[f] del muro de la ciudad estaban adornados con toda clase de piedra preciosa:[g] el primer fundamento era jaspe;[h] el segundo, zafiro;[i] el tercero, calcedonia; el cuarto, esmeralda;[j] 20 el quinto, sardónica; el sexto, sardio; el séptimo, crisólito;[k] el octavo, berilo; el nono, topacio;[l] el décimo, crisoprasa; el undécimo, jacinto; el duodécimo, amatista.[m] 21 También, las doce puertas eran doce perlas; cada una de las puertas estaba hecha de una sola perla.[n] Y el camino ancho de la ciudad era oro puro, como vidrio transparente.

22 Y no vi en ella templo,[o] porque Jehová[p] Dios el Todopoderoso[q] es su templo; también [lo es] el Cordero.[s] 23 Y la ciudad no tiene necesidad de que el sol ni la luna resplandezcan sobre ella, porque la gloria de Dios la alumbraba,[t] y su lámpara era el Cordero.[u] 24 Y las naciones andarán por medio de su luz,[v] y los reyes de la tierra llevarán a ella su gloria.[w] 25 Y sus puertas de ninguna manera se cerrarán de día,[x] pues allí no existirá noche.[y] 26 Y llevarán a ella la gloria y la honra de las naciones.[z] 27 Pero cualquier cosa que no sea sagrada, y cualquiera que se ocupe en una cosa repugnante,[a] y la mentira,[b] no entrará en ella de ninguna manera;[c] solamente [entrarán] los que estén escritos en el rollo de la vida del Cordero.[d]

22 Y él me mostró un río de agua de vida,[e] claro como el cristal, que fluía desde el trono de Dios y del Cordero,[f] 2 por en medio de su camino ancho. Y de este lado del río, y de aquel lado, [había] árboles[g] de vida que producían doce cosechas de fruto, y que daban sus frutos cada mes.[h] Y las hojas de los árboles [eran] para la curación de las naciones.[i]

3 Y ya no habrá ninguna maldición.[j] Pero el trono de Dios[k] y del Cordero[l] estará en [la ciudad], y sus esclavos le rendirán servicio sagrado;[m] 4 y verán su rostro,[n] y tendrán su nombre en sus frentes.[o] 5 Además, ya no habrá noche,[p] y no tienen necesidad de luz de lámpara ni [tienen] luz solar, porque Jehová Dios arrojará luz[q] sobre ellos, y reinarán para siempre jamás.[r]

6 Y me dijo: "Estas palabras son fieles y verdaderas;[s] sí, Jehová el Dios de las expresiones inspiradas[t] de los profetas[u] envió a su ángel para mostrar a sus esclavos las cosas que tienen que efectuarse dentro de poco.[v] 7 Y, ¡mira!, vengo pronto.[w] Feliz es cualquiera que observa las palabras de la profecía de este rollo".[x]

8 Pues bien, yo, Juan, fui el que oyó y vio estas cosas. Y cuando hube oído y visto, caí para adorar[y] delante de los pies del ángel que me había estado mostrando estas cosas. 9 Pero él me dice: "¡Ten cuidado! ¡No hagas eso! Yo simplemente soy coesclavo tuyo y de tus hermanos que son profetas,[z] y de los que están observando las pa-

CAP. 21

a Mt 10:2
  Lu 6:13
  Hch 1:13
b Ef 2:20
  Eze 40:3
  Rev 11:1
c Eze 40:5
d Rev 3:12
e Rev 4:3
  Rev 21:11
f Isa 54:11
g Isa 54:12
h Eze 28:18
  Eze 28:13
i Eze 28:19
  Job 28:6
j Éx 28:17
  Rev 4:3
k Éx 28:20
  Can 5:14
  Eze 1:16
  Da 10:6
l Eze 28:17
  Éx 39:10
  Job 28:19
  Eze 28:13
m Éx 28:19
  Éx 39:12
n Éx 28:20
  Job 28:18
  Mt 13:46
o Hch 7:49
p Sl 11:4
q Éx 6:3
  Rev 15:3
r Jn 4:23
s Ef 2:20
t Isa 60:19
  Rev 22:5
u Jn 1:9
  Heb 26:13
  Heb 1:3
v Isa 60:3
w Sl 138:4
x Isa 60:11
y Isa 60:20
z Isa 60:5

2.ª col.

a 1Co 6:9
  Gál 5:21
b Sl 5:6
  Col 3:9
  Rev 21:8
c Isa 52:1
d Da 12:1
  Flp 4:3
  Rev 13:8

CAP. 22

e Eze 47:1
f Jn 1:29
g Rev 2:7
h Eze 47:12
i Eze 47:12
j Zac 14:11
k Sl 9:7
l Rev 3:21
m Ro 1:9
n Sl 17:15
  Mt 5:8
o Rev 14:1
p Rev 21:25
q Isa 60:19
  1Jn 1:5
r Da 7:18
  Rev 3:21
  Rev 14:1
s Tit 1:2
  Rev 21:5

t 2Sa 23:2; 2Ti 3:16; u 1Sa 3:21; Jer 37:6; v Rev 1:1; w Rev 16:15; Rev 22:20; x Jn 13:17; Rev 1:3; y Hch 10:25; z Joe 2:28.

labras de este rollo. Adora a Dios".ᵃ

10 También me dice: "No selles las palabras de la profecía de este rollo, porque el tiempo señalado está cerca.ᵇ 11 El que está haciendo injusticia, haga injusticia todavía;ᶜ y el sucio sea ensuciado todavía;ᵈ pero el justoᵉ haga justicia todavía, y el santo sea hecho santo todavía.ᶠ 12 "¡Mira! Vengo pronto,ᵍ y el galardónʰ que doy está conmigo, para dar a cada uno según sea su obra.ⁱ 13 Yo soy el Alfa y la Omega,ʲ el primero y el último,ᵏ el principio y el fin. 14 Felices son los que lavan sus ropas largas,ˡ para que sea suya la autoridad [de ir] a los árboles de la vida,ᵐ y para que consigan entrada en la ciudad por sus puertas.ⁿ 15 Afuera están los perrosᵒ y los que practican espiritismoᵖ y los fornicadoresᑫ y los asesinos y los idólatras y todo aquel a quien le gusta la mentiraʳ y se ocupa en ella.'

16 "Yo, Jesús, envié a mi ángel para darles a ustedes testimonio de estas cosas para las congregaciones. Yo soy la raízˢ y

CAP. 22
a Sl 29:2
  Mt 4:10
  Rev 19:10
b Rev 1:3
c Da 12:10
d 2Ti 3:13
  Jud 10
e Ro 5:1
f Flp 3:16
  1Pe 1:15
g Isa 40:10
h Heb 11:6
i Sl 62:12
  Pr 24:12
  Jer 17:10
  Ro 2:6
j Isa 44:6
  Rev 1:8
  Rev 21:6
k Isa 48:12
l 1Jn 1:7
  Rev 1:3
m Rev 2:7
n Rev 21:12
o Dt 23:18
  Mt 7:6
  Flp 3:2
p Gál 5:20
q Ef 5:5
r Col 3:9
  Rev 21:8
s Isa 11:10
  Rev 5:5

2.ᵃ col.
a Isa 11:1
  Isa 53:2
  Jer 23:5
  Jer 33:15
  Ro 1:3
b Nú 24:17
  Rev 2:28
c Rev 22:6
d Rev 21:9
e Mt 11:28

la proleᵃ de David, y la brillante estrella de la mañana'".ᵇ

17 Y el espírituᶜ y la noviaᵈ siguen diciendo: "¡Ven!". Y cualquiera que oiga, diga: "¡Ven!".ᵉ Y cualquiera que tenga sed, venga;ᶠ cualquiera que desee, tome gratis el agua de la vida.ᵍ

18 "Estoy dando testimonio a todo el que oye las palabras de la profecía de este rollo: Si alguien hace una añadiduraʰ a estas cosas, Dios le añadirá a él las plagasⁱ que están escritas en este rollo; 19 y si alguien quita algo de las palabras del rollo de esta profecía, Dios le quitará su porción de los árboles de la vidaʲ y de la santa ciudad,ᵏ cosas de las cuales se ha escrito en este rollo.

20 "El que da testimonio de estas cosas dice: 'Sí; vengo pronto'."ˡ

"¡Amén! Ven, Señor Jesús."

21 [Que] la bondad inmerecida del Señor Jesucristo [esté] con los santos.ᵐ

f Jn 4:14; g Isa 55:1; Jn 7:37; Rev 7:17; Rev 21:6; h Dt 4:2; Dt 12:32; Pr 30:6; Jn 20:30; 2Co 11:4; Gál 1:9; 1Jn 4:3; 1Jn 9; Rev 15:1; j Rev 2:7; Rev 22:2; k Rev 21:2; Rev 3:11; Rev 22:7; m Ro 16:20; 2Te 3:18.

TABLA DE LOS LIBROS DE LA BIBLIA

Libros de las Escrituras Hebreas, antes de la era común o cristiana

Nombre del libro	Escritor o escritores	Dónde se escribió	Cuándo se completó (a.E.C.)	Tiempo abarcado (a.E.C.)
Génesis	Moisés	Desierto	1513	"En el principio" hasta 1657
Éxodo	Moisés	Desierto	1512	1657–1512
Levítico	Moisés	Desierto	1512	1 mes (1512)
Números	Moisés	Desierto y llanuras de Moab	1473	1512–1473
Deuteronomio	Moisés	Llanuras de Moab	1473	2 meses (1473)
Josué	Josué	Canaán	c. 1450	1473–c. 1450
Jueces	Samuel	Israel	c. 1100	c. 1450–c. 1120
Rut	Samuel	Israel	c. 1090	11 años de la gobernación de los jueces
1 Samuel	Samuel; Gad; Natán	Israel	c. 1078	c. 1180–1078
2 Samuel	Gad; Natán	Israel	c. 1040	1077–c. 1040
1 Reyes	Jeremías	Judá y Egipto	1 rollo 580	c. 1040–580
2 Reyes	Jeremías			
1 Crónicas	Esdras	Jerusalén (?)	1 rollo	Después de 1 Crónicas 9:44: 1077–537
2 Crónicas	Esdras	Jerusalén (?)	c. 460	
Esdras	Esdras	Jerusalén	c. 460	537–c. 467
Nehemías	Nehemías	Jerusalén	d. 443	456–d. 443
Ester	Mardoqueo	Susa, Elam	c. 475	493–c. 475
Job	Moisés	Desierto	c. 1473	Más de 140 años entre 1657 y 1473
Salmos	David y otros		c. 460	
Proverbios	Salomón; Agur; Lemuel	Jerusalén	c. 717	
Eclesiastés	Salomón	Jerusalén	a. 1000	
El Cantar de los Cantares	Salomón	Jerusalén	c. 1020	
Isaías	Isaías	Jerusalén	d. 732	c. 778–d. 732
Jeremías	Jeremías	Judá; Egipto	580	647–580
Lamentaciones	Jeremías	Cerca de Jerusalén	607	
Ezequiel	Ezequiel	Babilonia	c. 591	613–c. 591
Daniel	Daniel	Babilonia	c. 536	618–c. 536
Oseas	Oseas	Samaria (Distrito)	d. 745	a. 804–d. 745
Joel	Joel	Judá	c. 820 (?)	
Amós	Amós	Judá	c. 804	
Abdías	Abdías		c. 607	
Jonás	Jonás		c. 844	
Miqueas	Miqueas	Judá	a. 717	c. 777–717
Nahúm	Nahúm	Judá	a. 632	
Habacuc	Habacuc	Judá	c. 628 (?)	
Sofonías	Sofonías	Judá	a. 648	
Ageo	Ageo	Jerusalén reconstruida	520	112 días (520)
Zacarías	Zacarías	Jerusalén reconstruida	518	520–518
Malaquías	Malaquías	Jerusalén reconstruida	d. 443	

Libros de las Escrituras Griegas, escritos durante la era común o cristiana

Nombre del libro	Escritor	Dónde se escribió	Cuándo se completó (E.C.)	Tiempo abarcado
Mateo	Mateo	Palestina	c. 41	2 a.E.C.– 33 E.C.
Marcos	Marcos	Roma	c. 60–65	29–33 E.C.
Lucas	Lucas	Cesarea	c. 56–58	3 a.E.C.– 33 E.C.
Juan	Apóstol Juan	Éfeso, o cerca	c. 98	Después del prólogo, 29–33 E.C.
Hechos	Lucas	Roma	c. 61	33–c. 61 E.C.
Romanos	Pablo	Corinto	c. 56	
1 Corintios	Pablo	Éfeso	c. 55	
2 Corintios	Pablo	Macedonia	c. 55	
Gálatas	Pablo	Corinto o Antioquía de Siria	c. 50–52	
Efesios	Pablo	Roma	c. 60–61	
Filipenses	Pablo	Roma	c. 60–61	
Colosenses	Pablo	Roma	c. 60–61	
1 Tesalonicenses	Pablo	Corinto	c. 50	
2 Tesalonicenses	Pablo	Corinto	c. 51	
1 Timoteo	Pablo	Macedonia	c. 61–64	
2 Timoteo	Pablo	Roma	c. 65	
Tito	Pablo	Macedonia (?)	c. 61–64	
Filemón	Pablo	Roma	c. 60–61	
Hebreos	Pablo	Roma	c. 61	
Santiago	Santiago (hermano de Jesús)	Jerusalén	a. 62	
1 Pedro	Pedro	Babilonia	c. 62–64	
2 Pedro	Pedro	Babilonia (?)	c. 64	
1 Juan	Apóstol Juan	Éfeso, o cerca	c. 98	
2 Juan	Apóstol Juan	Éfeso, o cerca	c. 98	
3 Juan	Apóstol Juan	Éfeso, o cerca	c. 98	
Judas	Judas (hermano de Jesús)	Palestina (?)	c. 65	
Revelación	Apóstol Juan	Patmos	c. 96	

[Los nombres de los escritores de algunos libros y de los lugares donde fueron escritos no se saben con certeza. Muchas fechas son solo aproximadas; el símbolo a. significa "antes de", d. "después de" y c. "alrededor de".]

Los corchetes [ ] encierran palabras que se han insertado para completar el sentido del texto en español; [[ ]] dan a entender interpolaciones en el texto original.

ÍNDICE DE PALABRAS BÍBLICAS

ACEPTO(S), 2Co 6:2 En un tiempo a.
  Ef 5:10 asegurándose de lo que es a.
  1Pe 2:5 ofrecer sacrificios espirituales a.
  Lu 4:19; Ro 12:1; 1Ti 2:3.
ACERCARSE, Heb 7:25 a. a Dios mediante él
  Snt 4:8 A. a Dios, y él se a. a ustedes
ACOGIDA, Ec 10:19 dinero tiene buena a.
  Flp 2:29 acostumbrada a.
ACOMETEDOR, Job 9:13; 26:12.
ACOMETER, Jue 18:25 hombres los a.
  1Sa 22:17 mano para a. a los sacerdotes de
ACOMPAÑADO, Ro 15:24 a. parte del camino
ACONSEJAR, Isa 14:24 como he a., eso es
ACORDAR(SE), Gé 9:15 me a. de mi pacto
  Éx 20:8 A. del día del sábado
  Job 14:13 límite de tiempo y te a. de mí!
  Sl 25:7 pecados de mi juventud no te a.
  Ec 12:1 A. de tu Creador en los días de
  Jer 31:34 no me a. más de su pecado
  Lu 17:32 A. de la esposa de Lot
  Heb 10:32 sigan a. de días anteriores
  Heb 13:7 A. de los que llevan la delantera
  Sl 137:6; Isa 43:25; Isa 23:42; 2Pe 3:2.
ACORTADO(DA), Nú 11:23 mano de Jehová a.
  Miq 6:10 la a. medida de efá
  Pr 10:27; Mt 24:22.
ACORTAR(SE), Isa 50:2; Mr 13:20.
  Isa 59:1 La mano de Jehová no se ha a.
  Mt 24:22 a menos que se a. aquellos días
  Ro 9:28 concluyéndolo y a.
ACOSTAR(SE), Éx 22:16; Dt 22:28; 2Sa 11:4.
  Dt 27:21 Maldito es el que se a. con bestia
ACOSTUMBRADO(DA), 1Co 8:7 a. al ídolo
  Flp 2:29 denle la a. acogida
ACOSTUMBRAR, Jue 21:25 cada uno a. hacer
ACREDITADOS, Lu 1:1 hechos están a.
  Hch 6:3 siete varones a. de entre ustedes
ACREDITAR, 2Co 12:6 nadie me a. más de lo
  Flp 4:17 resulta en a. más a su cuenta
ACREEDOR, Dt 15:2; 1Sa 22:2; 2Re 4:1.
ACRIBILLADO, 1Ti 6:10 a. con muchos dolores
ACTITUD, Ro 15:5 a. mental que tuvo Cristo
  Flp 2:5 Mantengan esta a. mental
  Flp 3:15 seamos de esta a. mental
ACTITUD CRITICONA, Sl 18:43 a. del pueblo
ACTITUD MENTAL, Ro 15:5 a. que Cristo
  Flp 3:15 somos maduros, seamos de a.
ACTIVIDAD, Dt 32:4 perfecta es su a.
  Pr 10:16 La a. del justo resulta en vida
  Pr 21:8 el puro es recto en su a.
  Pr 24:12 pagará al hombre conforme a su a.?
  Job 36:24; Sl 9:16; Isa 59:6; Hab 3:2.
ACTOS, Jue 5:11 relatar los a. justos
  Sl 103:6; 145:4, 12.
ACTUAL, Gál 1:4 inicuo sistema de cosas a.
ACTUAR, Sl 101:2 a. con discreción
ACTUAR EFICAZMENTE, Da 11:17, 28, 32.
  Da 11:39 Y a. con un dios extranjero
ACUDIR, Isa 19:3 a. a dioses que nada valen
ACUERDO, Mr 14:56 testimonios no de a.
  1Co 1:10 que todos hablen de a.
  1Co 7:5 No se priven a no ser de común a.
  1Co 7:12, 13 está de a. en morar con
  2Co 6:16 qué a. el templo de Dios con ídolos?
  Hch 2:46; 19:29; Ro 15:6.
ACUSACIÓN, Ro 8:33 ¿Quién presentará a.
  1Ti 3:10 ministros, al estar libres de a.
  1Ti 5:19 No admitas una a. contra un anciano
  Tit 1:7 superintendente estar libre de a.
  Esd 4:6; Jn 18:29; 1Co 1:8; Col 1:22.
ACUSADOR(ES), Hch 25:16 a cara con sus a.
  Rev 12:10 arrojado a. de nuestros hermanos
  Hch 23:30, 35; 25:18.
ADALIDES, Jos 13:21; Sl 83:11; Miq 5:5.
ADÁN, 1Co 15:22 en A. todos están muriendo

  1Co 15:45 primer hombre, A., alma viviente
  Gé 3:21; 5:5; Lu 3:38; Ro 5:14; 1Ti 2:14.
ADECUADAMENTE, 2Co 2:16; 3:5; 2Ti 2:2.
ADELANTADORES, Jer 7:24 retrógrados, no a.
ADELANTAMIENTO, Flp 1:12, 25; 1Ti 4:15.
ADELANTARSE, 2Jn 9 Todo el que se a.
ADHERIR(SE), Dt 30:20 escuchando y a. a él
  Jos 23:8 a Jehová su Dios deben a.
  Dt 4:4; 10:20; 13:4; Jos 22:5; Isa 14:1.
ADIESTRADOS, Gé 14:14 juntó a hombres a.
ADIESTRAR, Sl 144:1 a. mis manos para pelea
ADIVINACIÓN, Nú 22:7 los pagos por a.
  Dt 18:10 No hallarse nadie que emplee a.
  1Sa 15:23 la rebeldía es lo mismo que a.
  Eze 13:6 no es cierto y es una a. mentirosa
  Miq 3:11 profetas practican a. por dinero
  2Cr 33:6; Isa 3:2; Jer 27:9; Zac 10:2.
ADIVINAR, Dt 18:14 escuchar a los que a.
  Eze 13:9 profetas están a. una mentira
  Eze 13:23 no a. más la adivinación
ADIVINO(S), Jos 13:22 Balaam, el a.
  1Sa 6:2; Isa 44:25; Miq 3:7.
ADJUDICAR, Isa 26:12 tú nos a. paz
ADMINISTRACIÓN, 2Co 3:9 la a. de justicia
  Ef 1:10 una a. al límite cabal de los tiempos
  1Cr 26:30; Da 2:49.
ADMINISTRADORES, Da 3:2, 3 a. de distritos
ADMINISTRAR, Rut 1:1 en que los jueces a.
  Ef 3:9 ver cómo se a. el secreto sagrado
ADMIRABLE(S), Ro 2:18; Heb 1:4; 8:6.
ADMIRACIÓN, 2Te 1:10 considerado con a.
  Rev 13:3 siguió a la bestia salvaje con a.
  Rev 17:6 me admiré con gran a.
ADMIRAR PERSONALIDADES, Jud 16.
ADMONICIÓN, Tit 3:10 primera y segunda a.
ADOLORIDOS, Gé 34:25 se hallaban a.
ADOPCIÓN, Ro 8:15 recibieron espíritu de a.
  Ro 8:23; 9:4; Gál 4:5; Ef 1:5.
ADORACIÓN, Hch 25:19 su a. de la deidad
  Col 2:18 una forma de a. de los ángeles
  Snt 1:27 La forma de a. que es limpia
  Hch 26:5; Col 2:23; Snt 1:26.
ADORADORES, 2Re 10:22 de Baal
  Jn 4:23 verdaderos a. adorarán con espíritu
ADORADOR FORMAL, Snt 1:26 que es a.
ADORAR, Gé 22:5 queremos ir allá, y a., y
  Éx 10:26 tomaremos algunos para a. a Jehová
  Dt 11:16 Cuídense por temor de a. a otros
  Dt 17:3 y se fuera y a. a otros dioses
  Da 3:6 quienquiera que no caiga y a.
  Lu 4:8 Es a Jehová a quien tienes que a.
  Jn 4:20 Jerusalén el lugar donde se debe a.
  Jn 4:24 a. con espíritu y con verdad
  Jn 12:20 habían subido a a. en la fiesta
  Hch 8:27 Él había ido a Jerusalén para a.
  Hch 17:4 griegos que a.
  Hch 17:17 razonar con personas que a. a Dios
  Hch 19:27 Ártemis, que la tierra habitada a.
  Heb 11:21 Jacob, a. apoyado de su bastón
  Rev 7:11 ángeles cayeron sobre rostros y a.
  Rev 9:20 que no a. a los demonios
  Rev 11:16 veinticuatro ancianos a. a Dios
  Rev 13:4 a. al dragón porque este dio la
  Rev 14:9 Si alguno a. a la bestia salvaje
  Rev 16:2 hombres que a. a su imagen
  Rev 19:4 veinticuatro ancianos a. a Dios
  Rev 20:4 que no habían a. ni a la bestia
  Da 3:12; Mt 4:10; Hch 18:13; Rev 11:1; 13:15.
ADORMECER(SE), Sl 76:5 poderosos a.
  Sl 121:3 A Aquel no le es posible a.
  Na 3:18 Tus pastores se han a.
ADORNADO(DA), Lu 21:5; Rev 17:4; 21:2.
ADORNAR, 1Ti 2:9 mujeres a. con modestia
  Tit 2:10; 1Pe 3:5.

ADORNO, 1Pe 3:3 que su a. no sea
1Cr 16:29; Sl 29:2; Pr 14:28.
ADQUIRIR, Pr 15:32 escucha a. corazón
Lu 21:19 aguante de ustedes a. sus almas
2Te 2:14; 1Ti 3:13.
ADQUISICIÓN, Job 15:29 extenderá su a.
1Te 5:9 a. de salvación mediante Jesucristo
ADULAM, Jos 12:15; 1Sa 22:1; 1Cr 11:15.
ADULTERAR, 2Co 4:2 ni a. la palabra de Dios
ADULTERIO(S), Éx 20:14 No debes cometer a.
Eze 23:37 con sus ídolos han cometido a.
Rev 2:22 los que cometen a. con ella
Mt 5:28; 15:19; Mr 7:22; Snt 2:11.
ADÚLTERO(RA), Ro 7:3 sería llamada a.
Snt 4:4 A., amistad con el mundo es
Le 20:10; Job 24:15; Sl 50:18; Jer 9:2; Eze
23:45; 1Co 6:9; Heb 13:4.
ADVERSARIO(S), Isa 64:2 nombre a a.
Jer 46:10 Jehová, día para vengarse de sus a.
1Pe 5:8 Su a., el Diablo, anda en derredor
Dt 32:43; Est 7:6; Sl 74:10; 107:2; Na 1:2.
ADVERSIDAD(ES), Sl 94:20 trono que causa a.
Pr 17:4 lengua que causa a.
Pr 19:13 hijo estúpido significa a.
Eze 7:26 Vendrá a. sobre a., y la ley perecerá
Job 6:2; 30:13; Sl 5:9; 38:12; 55:11; 91:3.
ADVERTENCIA, Eze 33:4 no acepte la a.
Eze 33:5 oyó, pero no aceptó la a. Su propia
Eze 33:7 atalaya tienes que darles a. de mí
Heb 12:25 dando a. divina sobre la tierra
ADVERTIR, 2Cr 19:10; Eze 3:17; 33:8, 9.
AFÁN, Sl 128:2 comerás el a. de tus manos
AFANARSE, Isa 65:23 No se a. para nada, ni
Jon 4:10 por la cual no te a.
Mt 11:28 Vengan a mí, todos los que se a.
Gál 4:11 me haya a. en vano
AFECTO, Jn 12:25 a. a alma la destruye
Jn 15:19 el mundo tendría a. a lo suyo
AFEITAR(SE), Dt 21:12; Jue 16:17, 19.
2Sa 14:26 cuando se a. la cabeza
AFIRMACIONES, 1Ti 1:7; Tit 3:8.
AFIRMAR, Pr 3:19 A. los cielos con
AFLICCIÓN, Sl 107:17 errores, causaron a.
Sl 107:41 protege de la a. al pobre
2Co 8:2 bajo a. hicieron abundar
Éx 3:7, 17; 4:31; Job 36:15; Sl 119:92.
AFLIGIDO(S), Job 36:15 librará al a.
Sl 82:3 Hagan justicia al a.
Pr 31:9 defiende la causa del a. y pobre
Isa 66:2 al a. y contrito de espíritu
Job 34:28; Isa 49:13; 53:4.
AFLIGIR, Gé 15:13 a. por cuatrocientos años
Éx 22:22 No a. a viuda ni a huérfano
2Sa 7:10; Sl 94:5; Isa 53:7; 58:10; 60:14; Na
1:12; Sof 3:19.
AFLOJAR, Jos 10:6 No dejes a. tu mano
AFLUENCIA, Hab 2:2 lea de ella con a.
AFLUIR, Isa 2:2; Jer 51:44; Miq 4:1.
AFRENTA, Pr 13:5 inicuos se acarrean a.
AFRENTOSA, Pr 14:34 pecado es cosa a.
AFUERA, 1Te 4:12 decentemente con los de a.
1Ti 3:7 excelente testimonio de los de a.
ÁGABO, Hch 11:28; 21:10.
AGACHAR(SE), Isa 31:4; 46:2; Lam 3:16.
AGAR, Gé 16:1; Gál 4:24.
AGAZAPADO, Gé 4:7 hay pecado a. a
AGENTE PRINCIPAL, Hch 3:15 mataron al A.
Hch 5:31 ensalzó a su diestra como A.
Heb 2:10 perfeccionar al A. de su salvación
Heb 12:2 mirando atentamente al A., Jesús
AGITADO, Sl 45:1 Mi corazón se halla a.
AGITAR(SE), Sl 4:4 A., pero no pequen
Sl 99:1 Jehová ser rey. A. los pueblos
Pr 28:22 hombre de ojo envidioso se a.
Isa 13:13 haré que el cielo mismo se a.
Joe 2:10 Delante de él la tierra se ha a.

1Pe 3:14 objeto de temor, ni vayan a a.
Éx 15:14; Dt 2:25; Joe 2:1; Hch 17:8.
AGONÍA, Rev 12:2 a. por dar a luz
AGOTADO, Da 8:27 me sentí a.
AGOTAR(SE), Gé 21:15; 1Re 17:16.
AGRADABILIDAD, Sl 16:11 a. a tu diestra
AGRADABLE(S), 2Sa 23:1 a. de las melodías
Sl 133:1 ¡Qué a. es que hermanos moren
Pr 2:10 conocimiento se haga a. a tu alma
Mal 3:4 dádiva será a. a Jehová
Col 3:20 esto es muy a. en el Señor
Heb 13:21 efectuando lo que es muy a.
2Sa 1:26; 16:6; 147:1; Pr 15:26; 22:18.
AGRADAR, Sl 105:22 según a. a su alma
Jn 8:29 hago cosas que le a.
Ro 8:8 con la carne no pueden a. a Dios
Ro 15:1 no estar a. a nosotros mismos
Ro 15:3 Cristo no se a. a sí mismo
1Co 12:18 colocado a miembros como le a.
Gál 1:10 ¿estoy procurando a. a hombres?
1Te 2:4 a., no a los hombres, sino a Dios
1Te 2:15 no a. a Dios, sino que
1Te 4:1 deben andar y a. a Dios
2Te 1:11 y ejecute lo que le a.
1Co 10:33; 15:38; Ef 6:6; Col 1:27; 3:22.
AGRADECIDO, 1Ti 1:12 Estoy a. a Cristo
Lu 17:9; 2Ti 1:3.
AGRADO, Heb 11:6 imposible serle de a.
Heb 13:16 son de mucho a. a Dios
AGRANDAR, Mt 23:5 a. flecos de prendas
AGRAZ, Eze 18:2 Padres comen el a.
AGREGAR, 1Sa 2:36 A., para comer pan
Pr 19:4 riqueza a. muchos compañeros
AGRÍCOLAS, Ne 10:37 nuestras ciudades a.
AGRICULTURA, 2Cr 26:10 amante de la a.
AGUA(S), Gé 6:17 diluvio de a. sobre la
Éx 14:21 una partición de las a.
Jos 9:27 de leña y sacadores de a.
Pr 25:25 Como a. fría a un alma cansada, así
Isa 11:9 conocimiento de Jehová como las a.
Isa 12:3 a. de manantiales de salvación
Isa 55:1 Vengan al a. Compren y coman
Jer 2:13 cisternas, que no pueden contener a.
Am 8:11 una sed, no de a., sino de oír
Jn 4:14 beba del a. que yo le daré de ningún
Jn 7:38 fluirán corrientes de a. viva
Rev 7:17 los guiará a fuentes de a. de vida
Rev 22:17 cualquiera tome gratis el a. de vida
Nú 20:10; Isa 30:20; Mt 10:42; Jn 5:7; Rev
17:1, 15; 22:1.
AGUACERO, 1Re 17:7 no había ocurrido a.
AGUANTAR, Mt 24:13 el que haya a. hasta el fin
Ro 12:12 A. bajo tribulación. Perseveren
1Co 10:13 dispondrá salida para a.
Heb 12:7 para disciplina están a.
1Pe 2:20 lo a., esto agrada a Dios
AGUANTE, Lu 21:19 el a. de parte de ustedes
Ro 2:7 por a. en obra que es buena
Ro 5:3 tribulación produce a.
Ro 5:4 el a., una condición aprobada
Ro 15:4 mediante a. tengamos esperanza
Heb 12:1 corramos con a. la carrera
Rev 13:10 el a. y la fe de los santos
Lu 8:15; 1Te 1:3; Snt 5:11; 2Pe 1:6.
AGUARDAR, 1Co 1:7 a. con anhelo la
Snt 5:7 El labrador sigue a.
Gál 5:5; Flp 3:20.
AGUDAMENTE, Jer 31:7.
AGÜEROS, Dt 18:10 nadie que busque a.
Gé 30:27; 44:5; 2Re 21:6.
AGUIJÓN(ES), Os 13:14 tus a., oh Muerte?
Hch 26:14 duro seguir dando contra los a.
1Co 15:55 Muerte, ¿dónde está tu a.?
ÁGUILA(S), Isa 40:31 remontarán como á.
Eze 10:14; Abd 4; Mt 24:28; Rev 12:14.

AGUJERO, Sl 7:15 caerá en el a.
AGUZAR, Pr 27:17 Con hierro, el hierro se a.
AHITOFEL, 2Sa 15:31; 17:23.
AHITUB, 1Sa 14:3; 2Sa 8:17; 1Cr 9:11.
AHÍYA, 1Re 12:15; 14:2; 1Cr 26:20.
AHOGAR, Rev 12:15 fuera a. por el río
Mt 13:22; Mr 4:7, 19; Lu 8:7, 14.
AHORCARSE, Mt 27:5 y se a.
AIRADOS, Ef 4:26 Estén a., y no pequen
AIRARSE, Rev 11:18 naciones se a., y
Rev 12:17 el dragón se a. contra la mujer
AIRE, Ef 2:2 gobernante del a.
1Te 4:17 al encuentro del Señor en el a.
Job 41:16; 1Co 9:26; 14:9; Rev 9:2.
AIROSA, Gé 3:8 hacia la parte a. del día
AISLAMIENTO, Mt 14:13 se retiró a a.
AISLARSE, Pr 18:1 El que se a. buscará
AJENJO, Jer 23:15 voy a hacerles comer a.
Rev 8:11 el nombre de la estrella es A.
Dt 29:18; Pr 5:4; Lam 3:15; Am 5:7; 6:12.
AKÉLDAMA, Hch 1:19 A., Campo de Sangre
ALABANZA, Isa 42:8 ni mi a. a imágenes
Mt 21:16 los pequeñuelos proporcionado a.?
1Co 4:5 a cada uno su a. le vendrá de Dios
Heb 13:15 ofrezcamos a Dios sacrificio de a.
Sl 65:1; 71:8; 79:13; 111:10; Isa 60:18; 62:7;
Hab 3:3; Sof 3:19; Ro 2:29; Flp 4:8.
ALABAR, Pr 27:2 A. un extraño, y no
Isa 38:18 la muerte misma no puede a.
1Co 11:2 los a. porque tienen asidas las
Heb 2:12 te a. con canción
Sl 109:30; 119:164; Lu 2:13; Hch 2:47; 3:8.
ALABAR A JAH, Sl 115:17 Los muertos no a.
Sl 150:6 Toda cosa que respira... a.
Rev 19:1 muchedumbre en cielo. Decían: ¡A.!
Sl 102:18; 147:1; Rev 19:3, 4, 6.
ÁLAMOS, Sl 137:2 Sobre á. colgamos arpas
ALARDES, Snt 3:5 lengua hace a.
ALARGAR, Isa 54:2 A. tus cuerdas de tienda
ALARMA, 2Cr 13:12; Sof 1:16.
ALAS, Rut 2:12 bajo cuyas a. has venido
Sl 18:10 vuelo rápido sobre a. de un espíritu
Mal 4:2 con curación en sus a.
Rev 12:14 las dos a. de la gran águila
ALBA, Job 38:12 ¿Hiciste que el a. conociera
Isa 14:12 resplandeciente, hijo del a.!
Sl 139:9; Isa 8:20; Os 6:3.
ALBEDRÍO, Os 14:4 amaré de mi propio a.
ALBOROTADORA, Pr 9:13.
ALBOROTARSE, Sl 39:6 a. en vano
ALBOROTO, Sl 83:2 enemigos están en a.
Isa 13:4 ¡El a. de reinos, de naciones
Miq 2:12 de Israel tendrán a. de hombres
ALBOROZADA, Isa 23:7 ciudad que estuvo a.
ALBOROZADAMENTE, 1Cr 16:35; Sl 106:47.
ALBOROZAR(SE), Sl 25:2 No se a. enemigos
Sl 94:3 hasta cuándo los inicuos van a a.?
Pr 28:12 Cuando los justos a.
Isa 65:18 Pero a. en lo que voy a crear
Ro 5:3 a. aún en tribulaciones
Ro 15:17 tengo causa para a. en Cristo
Gál 6:4 tendrá causa para a. de sí
Flp 2:16 causa para a. en día de Cristo:
1Sa 2:1; Isa 35:1; Jer 32:41.
ALBOROZO, Sl 45:7 con el aceite de a.
Sof 2:15 Esta es la ciudad de tanto a.
Sl 105:43; 119:111; Isa 65:18; Os 2:11.
ÁLCALI, Pr 25:20; Jer 2:22.
ALCANZAR, Nú 32:23 su pecado los a.
Sl 40:12 Me a. mis errores míos
Ro 3:23 no a. a la gloria de Dios
1Co 9:24 Corran de tal modo que lo a.
Ef 4:13 logremos a. la unidad en la fe
1Te 5:4 día los a. como ladrones

Dt 19:6; Sl 18:37; 69:24; 139:6; Hch 26:7; Ro
9:31; Flp 3:11; Heb 4:1.
ALDEA(S), Mt 9:35; 10:11; Mr 6:6.
ALEGRAR(SE), Dt 32:43 A., oh naciones, con
Ec 2:3 mediante a. mi carne con vino
2Co 2:2 ¿quién hay que me a., sino aquel
Gál 4:27 A., mujer estéril que no das
Rev 18:20 ¡A. sobre ella, oh cielo
Ro 15:10; Rev 12:12.
ALEGRE, Jue 16:25 estaba a. el corazón
Pr 8:30 obrero maestro, a. delante de él
2Co 9:7 Dios ama al dador a.
Flp 2:19 enviarles Timoteo, para que yo a.
ALEGRÍA, Hch 14:17 llenando de a.
ALEJADO(DA), Col 1:21 estaban a. y eran
Ef 2:12; 4:18.
ALEJANDRO, Hch 19:33; 1Ti 1:20; 2Ti 4:14.
ALEJAR(SE), Pr 30:8 A. de mí palabra
Isa 29:13 pueblo ha a. de mí su corazón
Heb 3:12 falto de fe al a. del Dios
ALENTADORAMENTE, Gé 50:21.
ALERTA, Mt 26:41 Manténganse a. y oren
ALFA, Rev 1:8; 21:6; 22:13.
ALFARERO(S), Sl 2:9 vaso de a. harás añicos
Isa 29:16 a. debe considerar igual al barro?
Isa 64:8 somos el barro, y tú nuestro A.
Jer 18:6 Como el barro en la mano del a.
Mt 27:7 compraron campo del a. para
Ro 9:21 ¿No tiene el a. autoridad
Isa 30:14; 41:25; Jer 18:4; Lam 4:2.
ALFEO, Mt 10:3; Mr 3:18; Hch 1:13.
ALFORJA, Mt 10:10; Lu 22:35, 36.
ALIADO(S), Gé 14:3 estos marcharon como a.
Sl 94:20 el trono estará a. contigo
Da 11:23 por haberse a. con él
ALIANZA(S) MATRIMONIAL(ES), Gé 34:9; Dt
7:3; Jos 23:12; 1Sa 18:23.
ALIARSE, Da 11:6.
ALIENTO, Gé 2:7 en sus narices el a. de vida
Gé 7:22; Isa 42:5; Hch 17:25.
ALIMENTADA, Rev 12:14 mujer, a. un tiempo
ALIMENTAR, Mt 25:37 con hambre y te a.
1Co 3:2 Los a. con leche, no con algo de
Rev 12:6 la a. mil doscientos sesenta días
ALIMENTO, 1Re 19:8 por el poder de a.
Mt 24:45 darles su a. al tiempo
Jn 4:34 Mi a. es hacer la voluntad
Jn 6:27 Trabajen, no por a. que perece
Jn 6:55 mi carne es verdadero a.
Ro 14:15 si por causa de a. tu hermano
Heb 5:14 a. sólido pertenece a personas
Sl 136:25; Mt 6:25; Hch 14:17; 1Co 8:13.
ALIVIO, 1Sa 16:23; Est 4:14; Job 32:20.
2Te 1:7 a. juntamente con nosotros al
ALMA(S), Gé 1:20 aguas un enjambre de a.
Gé 2:7 el hombre vino a ser a. viviente
Gé 9:4 carne con su a. —su sangre—
Éx 1:5 las a. que procedieron de Jacob
Le 17:14 el a. de toda carne es su sangre
Nú 31:28 un a. del ganado lanar
Dt 6:5 amar a Jehová con toda tu a.
Dt 19:21 a. será por a., ojo por ojo
Jos 11:11 se pusieron a herir todas las a.
Job 11:20 será un expirar del a.
Sl 49:15 Dios redimirá mi a. del Seol
Sl 89:48 ¿Puede proveer a. escape
Pr 14:25 testigo verdadero librando a.
Isa 53:12 derramó su a. hasta la muerte
Jer 2:34 las marcas de sangre de las a. de
Jer 15:9 su a. ha luchado por aliento
Eze 18:4, 20 a. que peca... morirá
Mt 10:28 puede destruir a. como cuerpo en
Mt 16:26 gana mundo, paga con perder su a.?
Mt 22:37 amar a Jehová con toda tu a.
Hch 2:27 no dejarás mi a. en el Hades
Hch 3:23 cualquier a. que no escuche a ese

Ef 6:6 haciendo de toda **a.** la voluntad de
Col 3:23 trabajen en ello de toda **a.**
Rev 20:4 **a.** de los ejecutados con hacha
Jos 20:9; Job 31:39; Mr 14:34; Jn 12:25; Hch
2:41; 1Co 15:45; Flp 1:27.
ALMACÉN(ES), Dt 28:12; Job 38:22.
ALMACENAMIENTO, 2Cr 8:4 ciudades de **a.**
ALMENAJE, Mt 4:5; Lu 4:9.
ALOJAR, Pr 15:31 se **a.** en medio de sabios
ALQUILADOS, Jer 46:21.
ALQUILAR, Gé 30:16; Ne 6:12.
Dt 23:4 **a.** contra ti a Balaam
Ne 13:2 **a.** contra ellos a Balaam
ALQUILER, Dt 23:18 el **a.** de una ramera
Isa 23:17 tendrá que volver a su **a.**
ALTAMENTE RESPETADO, Isa 9:15.
ALTANERÍA, Isa 2:11 **a.** de los hombres tiene
Sl 10:4; Mr 7:22.
ALTANERO(S), Pr 6:17 ojos **a.,** una lengua
Pr 18:12 el corazón del hombre es **a.,** y
Sl 131:1; Pr 30:13.
AL TANTO, Sl 37:18 Jehová **a.** de los exentos
ALTAR(ES), Gé 8:20 a edificar **a.** a Jehová
Le 17:11 la sangre he puesto sobre el **a.**
Eze 6:4 sus **a.** tienen que quedar desolados
Hch 17:23 a. A un Dios Desconocido
Heb 13:10 Tenemos un **a.** del cual
Rev 6:9 vi debajo del **a.** las almas de
Éx 34:13; Isa 56:7; Mt 23:18; Heb 7:13.
ALTERAR, Sl 15:4 malo para sí, no lo **a.**
ALTÍSIMO, Sl 83:18 Jehová, tú eres el **A.**
Sl 91:1 en el lugar secreto del **A.**
Isa 14:14 me haré parecer al **A.**
Da 4:17 sepan que el **A.** es Gobernante
Hch 7:48 **A.** no mora en casas
Sl 82:6; Lu 1:32, 76; 6:35; Heb 16:17.
ALTIVAMENTE, 1Sa 2:3 No hablen muy **a.**
Sl 56:2 guerreando contra mí **a.**
Sof 3:11 removeré a los que **a.**
ALTIVEZ, Sl 10:2 En su **a.,** el inicuo
Sl 31:23; Pr 14:3; 29:23.
ALTIVO(S), Pr 16:18 espíritu **a.,** antes del
Isa 2:11 ojos **a.** del hombre ser rebajados
Lu 1:51 esparcido a los que son **a.**
Snt 4:6 Dios se opone a los **a.**
2Sa 22:28; Sl 94:2; 101:5; 2Ti 3:2.
ALTO, Dt 2:36; Sl 139:6.
Isa 2:11 Jehová tiene que ser puesto en **a.**
1Ti 2:2 reyes y los que están en **a.** puesto
ALTURA, Ro 8:39 ni **a.,** ni profundidad, ni
ALTURA SEGURA, Sl 18:2 salvación, mi **a.**
Sl 59:17 Dios es mi **a.,** el Dios de bondad
Sl 9:9; 62:6; 144:2.
ALUCINAR, Col 2:4 para que nadie los **a.**
ALUMBRAR, Rev 18:1 tierra **a.** por su gloria
Sl 77:18; 97:4; Rev 21:23.
ALUMNO, Lu 6:40 **a.** no es superior a maestro
ALZADA, Isa 2:2 **a.** por encima de colinas
ALZAR, Isa 14:13 por encima de estrellas **a.**
ALLANADA, Lu 3:5 toda colina **a.**
AMABLE(S), Pr 5:19 **a.** cierva y encantadora
Flp 4:8 cuantas cosas sean **a.**
1Te 2:7 nos hicimos **a.** en medio de ustedes
2Ti 2:24 sino de ser **a.** para con todos
AMADO(DA), Ro 11:28 son **a.** por causa
Rev 20:9 de los santos y la ciudad **a.**
Mt 3:17; 1Co 10:14; 2Co 7:1; 1Pe 4:12.
AMADOR(ES), 2Cr 20:7 Abrahán, tu **a.**
Sl 33:5 Él es **a.** de justicia
2Ti 3:4 **a.** de placeres más que **a.** de Dios
Ec 5:10; Jer 20:4; Miq 3:2.
AMALEQ, Éx 17:16; Dt 25:17; 1Sa 15:20.
AMANECER, 2Sa 2:32 les **a.** en Hebrón
Ne 8:3 leyendo desde el **a.**
AMANTES, Os 2:7 tras apasionados **a.**
Os 8:9 Efraín, alquilado **a.**

AMANTES DEL DINERO, Lu 16:14 fariseos, **a.**
AMAR, Le 19:18 **a.** a prójimo como a ti
Dt 7:8 por **a.**[los] Jehová, y por guardar
Dt 23:5 porque Jehová tu Dios te **a.**
Sl 78:68 monte Sión, que él **a.**
Sl 119:165 Paz a los que **a.** tu ley
Sl 145:20 guardando a todos los que lo **a.**
Pr 12:1 El que **a.** disciplina **a.** conocimiento
Jer 5:31 Y mi propio pueblo así lo ha **a.**
Mt 22:37 Tienes que **a.** a Jehová tu Dios
Jn 3:16 tanto **a.** Dios al mundo que dio
Ro 9:13 A **a.** Jacob, pero odié a Esaú
2Co 9:7 Dios **a.** al dador alegre
Col 3:19 Esposos, sigan **a.** a sus esposas
Tit 2:4 recobrar juicio para **a.** sus esposos
Heb 1:9 **A.** la justicia, y odiaste
1Jn 2:15 No estén **a.** al mundo ni las cosas
Rev 12:11 no **a.** sus almas al arrostrar muerte
Ec 3:8; Miq 6:8; Jn 11:5; 12:43; 13:23, 34; Ro
8:37; 2Ti 4:8; 1Jn 4:10.
AMARGAMENTE, Isa 33:7 llorarán **a.**
Eze 27:30 sobre ti clamarán **a.**
Mt 26:75 salió fuera, y lloró **a.**
Col 3:19 no se encolericen **a.** con ellas
AMARGAR, Éx 1:14 Y siguieron **a.** la vida
AMARGO(GA), Sl 64:3 su flecha, discurso **a.**
Hab 1:6 los caldeos, la nación **a.** e impetuosa
Snt 3:11 lo dulce y lo **a.** salgan de la misma
Éx 12:8; Job 13:26; Isa 5:20; 24:9.
AMARGURA, Job 10:1 ¡Hablaré, en la **a.** de
2Sa 2:26; Pr 14:10; Isa 38:15; Ef 4:31.
AMARILLENTO, Jue 5:10 asnas de rojo **a.**
AMASÁ, 2Sa 17:25; 20:10; 1Re 2:5.
AMASÍAS, 2Re 12:21; 14:11, 18; 2Cr 25:27.
AMÉN, 1Co 14:16 ¿cómo dirá **A.** a tu
Rev 3:14 dice el **A.,** el testigo fiel y
Dt 27:15-26; 1Cr 16:36; 2Co 1:20.
AMENAZA(S), Hch 4:29 da atención a sus **a.**
Hch 9:1 Saulo, respirando **a.** y asesinato
Ef 6:9 dejen de usar de **a.**
AMENAZAR, 1Pe 2:23 no se puso a **a.,** sino que
AMIGO(S), Pr 14:20 son muchos los **a.** del rico
Pr 18:24 **a.** más apegado que hermano
Miq 7:5 No cifren confianza en **a.** íntimo
Lu 16:9 Hágause **a.** por medio de riquezas
Jn 15:13 entregue su alma a favor de **a.**
Snt 2:23 Abrahán **a.** de Jehová
Snt 4:4 **a.** del mundo enemigo de Dios
Mt 11:19; 20:13; 26:50; Jn 15:14; 19:12.
AMIGO ÍNTIMO, Pr 2:17; Jer 3:4.
Miq 7:5 No cifren confianza en **a.**
AMISTAD, Snt 4:4 **a.** con el mundo
AMMÓN, Sof 2:9 hijos de **A.** como Gomorra
Gé 19:38; Jue 10:6; 2Cr 20:1; Da 11:41.
AMNISTÍA, Est 2:18 otorgó una **a.**
AMO(S), Mt 6:24 esclavo a dos **a.**
Mt 25:21 Entra en el gozo de tu **a.**
Ro 6:9 la muerte no es **a.** sobre él
Ro 6:14 el pecado no debe ser **a.** sobre
Ro 14:4 Para su propio **a.** está en pie o cae
Col 4:1 también tienen un **A.** en el cielo
Sl 123:2; Isa 26:13; Mal 1:6; Mt 9:38; Lu
12:45; Ef 6:9; Col 3:22.
AMO DE CASA, Mt 10:25 al **a.** Beelzebub
Mt 13:27; 20:1; 21:33; 24:43.
AMOLDAR DE NUEVO, Flp 3:21 **a.** cuerpo
AMOLDARSE, Ro 12:2 cesen de **a.** a este
1Pe 1:14 dejen de **a.** según ignorancia
AMONESTACIÓN, 1Co 10:11 escritas para **a.**
AMONESTAR(SE), 2Te 3:15 continúen **a.**
Hch 20:31; Ro 15:14; 1Co 4:14; Col 1:28;
3:16; 1Te 5:12, 14.
AMOR, 2Sa 1:26 Más que el **a.** de mujeres
Sl 122:8 Por **a.** a mis hermanos
Mt 24:12 se enfriará **a.** de mayor parte
Jn 15:13 Nadie tiene mayor **a.** que este:

Ro 8:39 separarnos del **a.** de Dios
Ro 13:10 **a.** es el cumplimiento de la ley
1Co 13:4 El **a.** no es celoso, no se
1Co 13:13 pero el mayor de estos es el **a.**
1Co 16:14 Efectúense sus asuntos con **a.**
Col 3:14 **a.** es vínculo perfecto de unión
1Pe 4:8 **a.** cubre multitud de pecados
1Jn 4:8 Dios es **a.**
1Jn 4:18 No hay temor en el **a.**
1Jn 5:3 **a.** de Dios significa: que observemos
Can 8:6; 1Co 13:1-4, 8; Col 2:2; 1Ti 1:5.

AMORDAZAR, 1Pe 2:15 **a.** el habla de los
AMOR FRATERNAL, Ro 12:10; Heb 13:1.
AMORREO(S), Gé 10:16; 15:16; Jos 3:10.
AMORTIGUADO, Ro 4:19 cuerpo, ya **a.**
AMORTIGUAR, Col 3:5 A. su cuerpo
AMPARO, Sl 27:5 me esconderá en su **a.**
AMPOLLAS, Éx 9:9 **a.** sobre hombre y bestia
AMPUTAR, Dt 25:12 tienes que **a.** la mano
AMRAM, Éx 6:18; Nú 26:58; 1Cr 6:3.
ANA 1., 1Sa 1:2, 20; 2:1, 21.
ANA 2., Lu 2:36 una profetisa, **A.**
ANANÍAS, Hch 5:1, 5; 9:10; 22:12; 23:2.
ANAQ, Nú 13:22 los que nacieron de **A.**
ANÁS, Lu 3:2; Jn 18:13, 24; Hch 4:6.
ANCIANO(S), Éx 24:1 setenta de los **a.**
Da 7:9 A. de Días se sentó
1Ti 5:17 **a.** dignos de doble honra
1Pe 5:1 a los **a.** doy esta exhortación
Rut 4:2; Pr 31:23; Mt 16:21; 21:23; Hch 4:5;
Rev 4:4; 5:5; 7:11; 11:16; 14:3; 19:4.
ANCLA, Heb 6:19 Esta esperanza como **a.**
ANCHURA, El 3:18; Rev 20:9; 21:16.
ANDAR, Gé 6:9 Noé **a.** con Dios
Dt 6:7 cuando **a.** y cuando te acuestes y
2Sa 5:18 **a.** a paso fuerte en la llanura
Sl 23:4 **a.** en el valle de sombra profunda
Sl 26:11 **a.** en mi integridad
Pr 10:9 el que está **a.** en integridad **a.** en
Isa 30:21 Este es el camino. **A.** en él
Isa 35:9 los recomprados tendrán que **a.** allí
Jer 10:23 No pertenece al hombre que está **a.**
Miq 6:8 ser modesto al **a.** con tu Dios?
Jn 6:19 contemplaron a Jesús que **a.** sobre
Hch 9:31 la congregación **a.** en el temor de
Ef 2:2 en un tiempo **a.** conforme al sistema
Ef 4:1 **a.** de manera digna del llamamiento
Ef 5:15 vigilen cuidadosamente que su **a.**
1Jn 2:6 seguir **a.** así como **a.** aquel
Gé 3:8; 5:24; Job 1:7; Hch 3:8; 2Te 3:11.
ANDAR ERRANTE(S), Isa 23:7 del licor han **a.**
Isa 35:8 ningún tonto **a.** por ella
Isa 53:6 Como ovejas hemos **a.**; cada cual
Jer 50:6 pastores las han hecho **a.**
ANDORREAR, 1Ti 5:13 **a.** por las casas
ANDRÉS, Mt 4:18; Jn 12:22; Hch 1:13.
ANEGADO, 2Pe 3:6 mundo **a.** en agua
ANEGAR, Gé 7:20 las **a.** las aguas
ÁNGEL(ES), Sl 34:7 El **a.** está acampado
1Co 4:9 espectáculo teatral a **á.**
1Co 6:3 ¿No saben que juzgaremos a **á.**?
2Co 11:14 Satanás transformándose **á.** de luz
2Co 12:7 un **á.** de Satanás, que siguiera
1Pe 1:12 los **á.** desean mirar con cuidado
Rev 22:6 envió a su **á.** para mostrar
Gé 19:15; Éx 3:2; 23:20; Mt 22:30; 28:2; Hch
5:19; Gál 1:8; Heb 13:2; 2Pe 2:4, 11.
ANGOSTA, Mt 7:14 **a.** es la puerta
ÁNGULO, Sl 118:22 ser cabeza del **á.**
Isa 28:16 fundamento en Sión precioso **á.**
Hch 4:11 de ningún valor, a ser cabeza del **á.**
1Pe 2:7 piedra llegado a ser cabeza del **á.**
ANGUSTIA(S), Sl 46:1 ayuda durante **a.**
Pr 11:8 justo es librado aun de la **a.**
Pr 24:10 desanimado en el día de la **a.**?

Da 12:1 un tiempo de **a.** como el cual no
Sof 1:15 día de **a.** y de zozobra
Lu 21:25 sobre la tierra **a.** de naciones
2Co 2:4 en medio de **a.** de corazón escribí
1Te 5:3 como el dolor de **a.** a la mujer
2Sa 22:7; Pr 17:17; Isa 8:22; Ro 2:9.
ANGUSTIAR, 2Pe 2:7 Lot, **a.** quien **a.**
ANHELAR, Sl 45:11 el rey **a.** tu belleza
Sl 84:2 Mi alma ha **a.**
Gé 31:30; Ro 1:11; 2Ti 1:4.
ANHELO, Flp 1:8 siento **a.** por ustedes
Job 14:15; 1Pe 2:2.
ANIMAL(ES), 2Pe 2:12 **a.** para ser atrapados
Snt 3:15; Jud 10, 19.
ANIMAL(ES) DOMÉSTICO(S), Gé 1:24; 2:20.
ANIMAL(ES) MOVIENTE(S), Gé 1:24; 8:17.
ANIMAR(SE), Dt 3:28 comisiona a Josué y **a.**
Hch 14:22 **a.** a permanecer en la fe
1Co 14:3 el que profetiza edifica y **a.**
Heb 10:25 **a.** unos a otros, y tanto más
2Cr 35:2; Hch 11:23; 2Co 9:5.
ÁNIMO, 2Co 5:6 tenemos buen **á.**
Flp 1:14 **á.** para hablar la Palabra de Dios
Heb 13:6 podemos tener buen **á.** y decir:
2Cr 15:8; Mt 8:28; Hch 17:11; 28:15.
ANIMOSIDAD, Gé 50:15; Job 16:9; Sl 55:3.
ANIMOSO(S), Dt 31:6 Sean **a.** y fuertes
Nú 13:20; Jos 1:6, 7; 1Cr 19:13; 28:20.
ANIQUILADO(DA), Sl 92:7 sean **a.** para
Gé 34:30; Sl 37:38; Pr 14:11; Gál 5:15.
ANIQUILAR, Sl 145:20 a inicuos los **a.**
Dt 6:15; 28:63; Sl 106:23; Da 11:44.
ANSIEDAD, Lu 12:29 estar en **a.** y suspenso
ANSIOSA, Pr 12:25 La solicitud **a.**
ANTAGONISTA JUDICIAL, Isa 50:8.
ANTAÑO, Pr 22:28 No muevas lindero de **a.**
ANTECESORES, Dt 19:14; Esd 4:15; Sl 79:8.
ANTEMANO, Mr 13:23; Hch 1:16; Ro 9:23.
ANTEMURAL, Sl 48:13 corazón en su **a.**
ANTEPASADO(S), Sl 45:16 En lugar de tus **a.**
Hch 22:3 instruido conforme la Ley de **a.**
1Pe 1:18 recibida por tradición de sus **a.**
Gé 15:15; 2Re 18:3; Mal 7:20; 2Ti 1:3.
ANTERIOR(ES), Isa 65:17 cosas **a.** no serán
Ag 2:9; Ef 4:22.
ANTICIPADO, El 2:10 Dios preparó por **a.**
ANTICRISTO(S), 1Jn 2:18, 22; 4:3; 2Jn 7.
ANTICUADO, Heb 8:13 hecho **a.** al anterior
ANTIGÜEDAD, Mal 3:4 como en años de **a.**
ANTIGUO, 2Pe 2:5 castigar **a.** un mundo **a.**
ANTIPAS, Rev 2:13 A., mi testigo, el fiel
ANTORCHA(S), Jue 7:16 **a.** dentro de jarrones
Isa 62:1 su salvación como **a.** que arde
Da 10:6 ojos como **a.** de fuego, y brazos
Gé 15:17; Jue 15:4; Eze 1:13; Na 2:4.
ANUENCIA, Flm 21 Confiando en tu **a.**
ANULAR(SE), Nú 30:8, 12; Da 6:8, 12.
ANUNCIAR, Sl 40:9 He **a.** las buenas nuevas
Sl 68:11 las mujeres que **a.** las buenas nuevas
Isa 42:9 llegado, pero nuevas cosas **a.**
Jer 50:2 **a.** entre las naciones
ANUNCIO, Ro 15:21 a quienes no ha hecho **a.**
AÑADIDURA(S), Gál 3:15 pacto, ni se hacen **a.**
Rev 22:18 Si alguien hace una **a.**
AÑADIR, Dt 4:2 No deben **a.** a la palabra
Pr 10:22 bendición enriquece, y no **a.** dolor
Pr 16:23 sabio a sus labios **a.** persuasiva
Lu 12:25 **a.** un codo **a.** duración de su vida?
Gé 30:24; Dt 12:32; 2Cr 10:14; Job 34:37; Pr
30:6; Mt 6:27.
AÑICOS, Sl 2:9 las harás **a.**
Isa 8:9 oh pueblos, y sean hechos **a.**
Jer 51:20 por medio de ti haré **a.** a naciones
Da 12:7 fin del hacer **a.** del pueblo santo
Mt 21:44 caiga sobre piedra será hecho **a.**

AÑO(S), Gé 1:14 servir de señales para **a**.
Le 25:10 al a. cincuenta proclamar libertad
Nú 14:34 cuarenta días, un día por un **a**.
Dt 8:2 andar cuarenta **a**. en el desierto
Sl 90:4 mil **a**. solo como el día de ayer
Isa 34:8 un **a**. de retribuciones a Sión
Isa 61:2 **a**. de la buena voluntad de Jehová
Isa 65:20 simple muchacho, cien **a**. de edad
Jer 25:11 servir rey de Babilonia setenta **a**.
Eze 4:6 Un día por un **a**., un día por un **a**.
Zac 14:16 **a**. en **a**. a inclinarse ante Jehová
Gál 3:17 Ley cuatrocientos treinta **a**.
2Pe 3:8 mil **a**. como un día
Rev 20:4, 6 reinar con Cristo por mil **a**.
Isa 63:4; Jer 23:12; Hab 3:2.
APACENTADEROS, Sof 2:6.
APACENTAMIENTO, Sl 79:13 rebaño de tu **a**.
Eze 34:31 ovejas de mi **a**.
Sl 100:3; Jer 23:1.
APACENTAR(SE), Eze 34:8 pastores a sí
Jn 21:17 dijo Jesús: **A**. mis ovejitas
Jud 12 se **a**. a sí mismos sin temor
Jer 3:15; Eze 34:14, 16, 23.
APACIBILIDAD, 1Co 4:21 con amor y **a**.
2Co 10:1 **a**. y bondad del Cristo
Gál 6:1 reajustar a tal con espíritu de **a**.
2Ti 2:25 instruyendo con **a**. a los
Snt 3:13 obras con una **a**. que pertenece a
Gál 5:23; 1Ti 6:11; Tit 3:2.
APACIBLE, 1Pe 3:4 espíritu quieto y **a**.
1Pe 3:15 defensa con genio **a**. y respeto
Mt 5:5; 11:29; 21:5.
APACIGUAR(SE), Est 2:1 furia se había **a**.
Pr 15:18 el tardo para la cólera **a**. la riña
Mr 4:39 el viento se **a**., y sobrevino
APAGAR(SE), Mr 9:48 el fuego no se **a**.
Ef 6:16 **a**. proyectiles del inicuo
1Te 5:19 No **a**. el fuego del espíritu
APAREAR, Le 19:19 No debes **a**. animales
APARECER(SE), Gé 12:7 Jehová **a**. a Abrán
Éx 3:16 Jehová se ha **a**. [a Moisés]
Dt 31:15 Jehová **a**. en la tienda
1Sa 3:21 Jehová procedió a **a**. en Siló
1Re 11:9 el que se había **a**. dos veces
2Cr 3:1 Jehová se había **a**. a David
Sl 102:16 Jehová tiene que **a**. en su gloria
Mt 24:30 entonces **a**. la señal del Hijo
1Pe 4:18 ¿dónde **a**. el impío y el pecador?
Éx 16:10; Jue 6:12; Lu 9:31; Hch 9:17; 16:9.
APAREJOS, 1Re 19:21 **a**. de los toros coció
APARIENCIA(S), Sl 39:6 en **a**. el hombre anda
Jn 7:24 Dejen de juzgar por la **a**.
2Co 5:12 se jactan de la **a**. externa
1Te 2:5 ni con una **a**. fingida
1Sa 16:7; Joe 2:4; Na 2:4; Mt 28:3.
APARIENCIA DECAÍDA, Da 1:10 rostros con **a**.
APARIENCIA EXTERIOR, Mt 22:16.
Gál 2:6 Dios no se rige por **a**. del hombre
APARIENCIA FINGIDA, 1Te 2:5.
APARTAR(SE), Jos 1:8 ley no debe **a**. de boca
Isa 28:6 **a**. la batalla de la puerta
Ro 11:26 **a**. de Jacob las prácticas impías
APARTE, Ro 7:9 estaba vivo **a**. de ley
APEGO A LA VERDAD, Sl 85:10, 11; Zac 8:3.
Sl 40:10 No he escondido tu **a**.
Sl 91:4 Su **a**. será un escudo y baluarte
Sl 117:2 el **a**. de Jehová es para tiempo
APELAR A CÉSAR, Hch 25:11; 28:19.
APÉNDICE, Éx 29:13; Le 3:4.
APESADUMBRARSE, 1Te 4:13 no se **a**. como
A PESAR, 1Pe 1:7 oro perece **a**. de ser
APETECER, Pr 23:6 **a**. sus platos sabrosos
APETITO(S) SEXUAL(ES), Ro 1:26.
Col 3:5 inmundicia, **a**., deseo perjudicial
1Te 4:5 no en codiciosa **a**. tal como
APIÑARSE, Lu 11:29 muchedumbres **a**.

APLACAR, Gé 32:20 lo **a**. mediante el regalo
APLASTADO(S), Sl 9:9; Isa 57:15.
Isa 58:6 despachar libres a los **a**.
APLASTAR, Sl 94:5 A tu pueblo, siguen **a**.
Isa 53:5 se le estuvo **a**. por nuestros
Ro 16:20 Dios **a**. a Satanás bajo los pies
Sl 72:4; 74:14; Isa 53:10.
APLAUSO, Job 38:7 empezaron a gritar en **a**.?
APLICAR(SE), Ec 12:12 el **a**. a los libros
1Ti 4:13 continúa **a**. a la lectura pública
APODERAR(SE), Jn 7:30; 8:20.
APOLIÓN, Rev 9:11 griego tiene el nombre **A**.
APORREAR, 1Co 9:27 **a**. mi cuerpo y lo
APOSENTO DE ARRIBA, Hch 1:13; 9:37; 20:8.
APOSTARSE, Nú 11:16 setenta hombres **a**.
Sl 82:1 Dios está **a**. en la asamblea
Pr 22:29 delante de reyes es donde él se **a**.
APOSTASÍA, Isa 32:6 ocuparse en **a**.
Jer 23:15 de los profetas ha salido la **a**.
Da 11:32 los conducirá a **a**. mediante
Hch 21:21 enseñando una **a**. contra Moisés
2Te 2:3 a menos que primero venga la **a**.
APÓSTATA(S), Job 13:16 no entrará ningún **a**.
Job 17:8 se excita a causa del **a**.
Job 27:8 ¿cuál es la esperanza de un **a**.?
Job 34:30 para que no reine un **a**.
Isa 10:6 Contra una nación **a**. lo enviaré
Sl 35:16; Pr 11:9; Isa 9:17; 33:14.
APOSTATAR, Jer 17:13 Los que **a**. de mí
APÓSTOL(ES), Mt 10:2 nombres de doce **a**.
2Co 11:13 tales hombres son **a**. falsos
2Co 12:12 señales de **a**. fueron producidas
Gál 1:1 **a**., ni de parte de hombres
Heb 3:1 **a**. y sumo sacerdote: Jesús
Mr 3:14; 1Co 4:9; 12:28; 15:9; Rev 21:14.
APOSTOLADO, Hch 1:25; 1Co 9:2; Gál 2:8.
APOYAR, Pr 3:5 no **a**. en tu propio
APOYOS, 1Sa 2:8 a Jehová pertenecen los **a**.
APRECIAR, Lu 7:2 esclavo a quien este **a**.
APRECIO, Sl 27:4 mirar con **a**. a su templo
Flp 2:29 Sigan teniendo **a**. a hombres
APREMIANTES, Tit 3:14 necesidades **a**.
APREMIAR, Jue 14:17; 16:16.
APRENDER, Dt 31:12 a fin de que **a**.
Isa 2:4 No alzará espada, ni **a**. más la guerra
Miq 4:3 ni **a**. más la guerra
Ro 16:17 la enseñanza que han **a**.
1Co 14:35 si quieren **a**. interroguen a sus
Flp 4:9 Las cosas que ustedes **a**. así como
1Ti 5:13 **a**. a estar desocupadas, andorreando
2Ti 3:7 siempre están **a**. y, sin embargo
Heb 5:8 **a**. obediencia por las cosas que sufrió
Dt 4:10; Sl 119:73; Pr 30:3; Jn 6:45; 1Co
14:31; Flp 4:11, 12; 1Ti 2:11; 2Ti 3:14.
APRESADORES, 1Re 8:47 país de sus **a**.
APRESURADAMENTE, 1Ti 5:22 manos **a**.
APRESURADO, Pr 21:5; 29:20.
APRESURAR(SE), Pr 19:2 a. con los pies
Pr 28:20 el que se **a**. a ganar riquezas
Ec 5:2 a tu corazón, no se **a**. ante Dios
Sof 1:14 hay un **a**. del día de Jehová
Gé 19:22; Jue 9:48; 1Sa 23:27; Na 2:5.
APRETADOS, 2Co 6:12 sí se hallan **a**.
APRETAR, Pr 16:30 A. los labios
Pr 30:33 **a**. la cólera produce riña
2Co 4:8 Se nos oprime, mas no se nos **a**.
APRETÓN DE MANOS, Pr 6:1 **a**. al extraño
APRISCO(S), Miq 2:12 como rebaño en el **a**.
Sof 2:6 pozos **a**. de piedra para ovejas
APROBACIÓN, 1Co 7:33 ganar la **a**. de esposa
Dt 33:16; Pr 12:2; Ro 14:18.
APROBADO(S), 2Ti 2:15 presentarte **a**. a Dios
Ro 16:10; 2Co 10:18; 13:7.
APROBAR, Mt 3:17 mi Hijo, a quien he **a**.
Lu 12:32 ha **a**. darles el reino

Hch 8:1 Saulo **a.** el asesinato de él
Heb 10:6 No **a.** holocaustos ni ofrenda
APROPIADAMENTE, Sl 116:7; 119:17; 142:7.
APROPIADO(DA), Est 7:4 angustia no es **a.**
Tit 2:1 cosas que son **a.** para la enseñanza
Mt 3:15; Heb 7:26.
APROVECHAR, 1Co 7:21 **a.** de la oportunidad
APTITUD, 1Ti 3:10 se pruebe en cuanto a **a.**
ÁQUILA, Hch 18:2, 26; Ro 16:3; 2Ti 4:19.
ARABÁ, Dt 1:7 sus vecinos en el **A.**
Dt 4:49; Jer 52:7; Eze 47:8; Zac 14:10.
ÁRABE(S), 2Cr 9:14; Ne 2:19; Jer 3:2; 25:24;
Eze 27:21; Hch 2:11.
ARABIA, Gál 1:17; 4:25.
ARADO, Isa 2:4 espadas en rejas de **a.**
Joe 3:10 Batan sus rejas de **a.** en espadas
Lu 9:62 mano en el **a.** y mira atrás
ARADOR, Am 9:13 **a.** alcanzará al cosechador
ARAM, Gé 10:22; Nú 23:7; 1Cr 1:17.
ARAMEO, Esd 4:7; Da 2:4.
ARAR, Pr 13:23 terreno **a.** rinde
Pr 20:4 perezoso no quiere **a.**
1Co 9:10 el hombre que **a.** debe **a.** con
ARARAT, Gé 8:4; 2Re 19:37; Jer 51:27.
ARBITRARIEDAD, Gé 49:6 en su **a.**
ARBITRARIO, Isa 3:4 poder **a.** gobernará
ÁRBITRO, 1Sa 2:25 Dios decidirá como **á.**
ÁRBOL(ES), Gé 2:9 todo **á.** deseable a la
Gé 2:17 **á.** del conocimiento de bueno y malo
Jue 9:8 los **á.** fueron a ungir un rey
Job 14:7 existe esperanza hasta para un **á.**
Sl 1:3 llegará a ser como **á.** plantado al
Sl 37:35 extendiéndose cual **á.** frondoso
Ec 11:3 caiga el **á.**, allí resultará estar
Isa 61:3 **á.** grandes de justicia, el plantío
Isa 65:22 un **á.** serán los días de mi pueblo
Eze 17:24 abatido al **á.** alto, el **á.** bajo
Eze 47:7 muchísimos **á.**, en este lado y
Da 4:14 Corten el **á.**, y desmochen sus
Mt 3:10 **á.** no produce fruto debe ser cortado
Mt 7:18 **á.** bueno no puede dar fruto
Pr 3:18; Isa 55:12; Lu 6:43; Rev 7:3; 22:2.
ÁRBOL(ES) DE LA VIDA, Gé 3:22 fruto del **á.**
Pr 3:18 Es **á.** a los que se asen de ella
Rev 2:7 concederé comer del **á.**
Rev 22:19 Dios quitará su porción de los **á.**
Gé 2:9; Pr 11:30.
ARBUSTOS BEKJA, 2Sa 5:23; 1Cr 14:14.
ARCA, Gé 6:14 Haz para ti un **a.**
Jos 3:13 sacerdotes que llevan el **a.**
Gé 7:1; Éx 25:10; 1Pe 3:20; Rev 11:19.
ARCÁNGEL, 1Te 4:16 con voz de **a.**
Jud 9 Miguel el **a.** tuvo una diferencia
ARCO, Os 2:18 el **a.** quebraré
Sl 46:9; Rev 6:2.
ARCO IRIS, Gé 9:13 doy mi **a.** en la nube
Rev 4.3; 10:1.
ARDER, Éx 3:2 la zarza **a.** y no se consumía
Dt 4:11 la montaña **a.** con fuego hasta
ARDID, Mt 26:4; Mr 14:1.
ARDIENTE, Jer 20:9 fuego **a.**, en mis huesos
Da 3:17 Del horno **a.** de fuego y
ARDOR, Dt 29:20; Eze 23:25; 38:19.
ARENA, Sl 139:18; Jer 5:22; 33:22; Rev 20:8.
Gé 22:17 tu descendencia como granos de **a.**
Isa 10:22 oh Israel, como granos de **a.**
Mt 7:26 que edificó su casa sobre la **a.**
Ro 9:27 Israel sea como la **a.** del mar
AREÓPAGO, Hch 17:19, 22, 34.
ARGAMASA, Gé 11:3; Éx 1:14.
ARGÜIR, Ro 11:2 **a.** él contra Dios contra
Job 13:3, 15; Miq 6:2.
ARGUMENTOS, Isa 41:21 Produzcan sus **a.**
Col 2:4 que nadie los alucine con **a.**
ARIMATEA, Mt 27:57; Lu 23:51; Jn 19:38.

ARMA(S), Isa 54:17 **a.** que se forme contra
Jer 50:25 saca las **a.** de su denunciación
Eze 9:2 cada uno con su **a.** desmenuzadora
Ro 6:13 sus miembros como **a.** de justicia
Ro 13:12 vistámonos las **a.** de la luz
2Co 6:7 **a.** de la justicia a diestra y **a.**
2Co 10:4 **a.** de nuestro guerrear no carnales
ARMADURA, Ef 6:11 Pónganse la **a.**
Ef 6:13 tomen la **a.** completa que proviene
ARMAGEDÓN. Véase HAR–MAGEDÓN.
ARMARSE, 1Pe 4:1 **á.** de la disposición
ARMAZÓN, Ro 2:20 **a.** del conocimiento
ARMONÍA, Ro 8:9 ustedes no están en **a.**
2Co 6:15 ¿qué **a.** hay entre Cristo y
ARMONIOSAMENTE, Ef 2:21 unido **a.**
Ef 4:16; Col 2:2, 19.
ARNÓN, Nú 21:13; Jue 11:26; Isa 16:2.
ARPA(S), Gé 4:21 Jubal, fundador del **a.**
Sl 33:2 Den gracias a Jehová con el **a.**
Sl 49:4 con un **a.** abriré mi enigma
Isa 23:16 Toma un **a.**, da vuelta por
Rev 15:2 estos tenían **a.** de Dios
1Sa 16:23; Sl 137:2; Isa 5:12; Rev 14:2.
ARPONES, Job 41:7 ¿Llenarás tú de **a.**
ARQUITECTÓNICO, 1Cr 28:11, 19 plano **a.**
ARRAIGADOS, Ef 3:17 **a.** y establecidos sobre
Col 2:7 **a.** y siendo edificados en él y siendo
ARRANCADOS DE RAÍZ, Jud 12.
ARRANCAR(SE), 1Re 11:11-13; Lu 5:36.
ARRASADO, Jer 51:58 muro de Babilonia **a.**
ARRASTRAR, Snt 2:6 ricos los **a.** ante
ARREBATAR, Mt 13:19 **a.** lo que se sembró
Jn 10:12 el lobo las **a.** y las
Jn 10:28 nadie las **a.** de mi mano
Jud 23 sálvenlos, **a.** del fuego
ARREGLAR ASUNTOS, Mt 5:25 Ocúpate en **a.**
ARREGLO(S), Pr 16:1 los **a.** del corazón
Ro 13:2 puesto en contra del **a.** de Dios
1Co 14:40 efectúen decentemente y por **a.**
Eze 43:11; Na 2:9.
ARREPENTIMIENTO, Mt 3:8 fruto del **a.**
Hch 26:20 hicieran obras propias del **a.**
Ro 2:4 Dios tratando de conducirte al **a.**?
2Co 7:10 tristeza de manera piadosa obra **a.**
2Ti 2:25 Dios quizás les dé **a.**
Mt 3:11; Lu 15:7; 24:47; Hch 11:18; 2Pe 3:9.
ARREPENTIR(SE), Mt 3:2 **A.**, porque el
Lu 15:7 por un pecador que se **a.**
Hch 3:19 **A.**, y vuélvanse para que
Rev 16:9 no se **a.** para darle gloria
Mt 11:21; 12:41; Lu 13:3; 16:30; 17:4; 2Co
12:21; Rev 2:5, 21; 3:19.
ARRESTAR, Mt 4:12; Lu 22:54; Hch 1:16.
ARRIESGAR, Ro 16:4 han **a.** su cuello
ARROBAMIENTO, Hch 10:10; 11:5; 22:17.
ARROGANTE, Sl 101:5; Pr 28:25.
ARROJARLAS, Eze 10:2 **a.** sobre la ciudad
ARRUINADA, Gé 6:11 tierra llegó a estar **a.**
ARRUINAMIENTO, 2Cr 22:4; Eze 9:6.
ARTAJERJES, Esd 4:7, 23; Ne 2:1; 13:6.
ARTE DE ENSEÑAR, 2Ti 4:2; Tit 1:9.
ÁRTEMIS, Hch 19:27, 34, 35.
ARTEROS, Job 5:13 consejo de los **a.**
ARTESA PARA VINO, Isa 63:3 **a.** he pisado
ARTÍCULOS DE VENTA, Eze 26:12; 28:5, 16.
Eze 28:18 injusticia de **a.**, has profanado
ARTÍFICE(S), Os 8:6 Un simple **a.** lo hizo
Éx 35:35; 2Re 24:14; Isa 40:19; Jer 10:3; Os
13:2; Hch 19:24, 38.
ARTIFICIOSAMENTE, 2Pe 1:16 cuentos **a.**
ARTIMAÑA(S), Sl 101:7; Jer 8:5; 14:14.
ASÁ, 1Re 15:9, 24; 2Cr 14:2; Jer 41:9.
ASAF, 1Cr 6:39; 16:5; 25:1; 2Cr 35:15.
ASALARIADOS, Lu 15:19 como uno de tus **a.**
ASALTADOR, Job 36:32 contra un **a.**

ASALTAR, Hch 17:5 Y **a.** la casa de Jasón
ASAMBLEA(S), Sl 1:5 pecadores en la **a.**
  Isa 1:13 poder mágico con **a.** solemne
  Am 5:21 no disfrutaré del olor de sus **a.**
  Nú 27:16; Sl 82:1; Hch 19:39.
ASCENDER, Gé 28:12 los ángeles de Dios **a.**
  Sl 135:7 Está haciendo **a.** vapores
  Jn 3:13 ningún hombre ha **a.** al cielo
  Jn 6:62 Hijo del hombre **a.** a donde estaba
  Jn 20:17 no he **a.** al Padre
  Hch 2:34 David no **a.** a los cielos
  Jue 13:20; Sl 24:3; 68:18; 139:8; Pr 30:4; Ro
  10:6; Ef 4:8-10; Rev 13:11.
ASCENSO, 1Cr 17:17 del hombre en **a.**
ASCO, Sl 22:24 ni miró con **a.** la aflicción
  Le 11:13; Dt 7:26.
ASDOD, Jos 11:22; 1Sa 5:1, 6; Sof 2:4.
ASEGURADO(DA), Lu 11:7; 13:25.
ASEGURAR(SE), Flp 1:10 **a.** de las cosas más
  1Te 5:21 **A.** de todas las cosas; adhiéranse
  1Jn 3:19 **a.** nuestro corazón delante de él
ASEMEJAR, Isa 40:18 a quién **a.** a Dios
ASENTIR, Hch 11:18 cuando oyeron, **a.**
ASER, Gé 30:13; Dt 33:24; Jue 1:31.
ASERRADOS, Heb 11:37 fueron **a.** en pedazos
ASESINAR, Éx 20:13 No debes **a.**
  Snt 2:11; 5:6.
ASESINATO, Mt 5:21; 15:19; Hch 8:1.
ASESINO(S), Véase también HOMICIDA.
  Nú 35:31 por alma de un **a.**
  Isa 1:21; Hch 3:14; 7:52; 1Pe 4:15.
ASÍ, Jn 11:48 Si lo dejamos **a.,** todos
ASIA, Hch 19:10; 1Co 16:19; Rev 1:4.
ASIDO, Flp 3:12 he sido **a.** por Cristo
ASIENTOS DELANTEROS, Mt 23:6; Lu 11:43.
  Lu 20:46 los **a.** en las sinagogas
ASIGNADOS(DAS), Lu 17:9 hecho cosas **a.**
  2Co 10:13 fuera de los límites **a.**
ASIGNAR, 2Sa 7:23; 1Cr 17:21; Jon 1:17.
  Isa 60:17 como los que te **a.** tus tareas
  Mt 24:51 lo castigará y le **a.** su parte
  1Te 5:9 Dios no nos **a.** a la ira, sino a
  1Ti 1:12 y me **a.** a un ministerio
ASIR, Hch 3:7 lo **a.** de mano derecha
ASIRIA, Gé 10:11 **A.** y edificar a Nínive
  Isa 19:23 **A.** realmente entrará en Egipto
  2Re 17:6; Jer 50:17; Miq 5:6; Zac 10:10.
ASIRIO(S), Isa 14:25 quebrar al **a.**
  Miq 5:5 En cuanto al **a.,** cuando entre
  2Re 19:35; Isa 10:5, 24; 31:8; Eze 31:3.
ASISTIR, Hch 2:46 día tras día **a.** al templo
ASNINA, Job 11:12 como una cebra **a.**
ASNO(NA), Nú 22:28 a. le dijo a Balaam:
  Zac 9:9 Tu rey cabalga sobre un **a.**
  Nú 22:23; 31:28; Jue 15:15; Mt 21:5.
ASOCIACIÓN, 2Cr 20:37; 1Pe 2:17.
  1Pe 5:9 toda la **a.** de hermanos en el mundo
ASOCIADO, Le 6:2; 24:19; Zac 13:7.
  1Co 7:24 permanezca en ella **a.** con Dios
ASOCIAR(SE), Hch 17:4 creyentes y se **a.**
  2Te 3:14 señalado, dejen de **a.** con él
ASOLADA, Isa 24:1 tierra y la deja **a.**
ASOLAR, Hch 9:21 hombre que en Jerusalén **a.**
ASOMBRADO(DA), Sl 40:15.
  Le 26:32 enemigos quedarán **a.**
  Jer 2:12 Fijen su mirada **a.,** oh cielos, en
  Jer 4:9 los profetas mismos quedarán **a.**
  Lu 2:47 quedaban **a.** de su entendimiento
ASOMBRAR(SE), Sl 48:5; Mt 15:31.
  Job 26:11 se **a.** de su represión
ASOMBRO, Eze 26:16; 27:35.
ASPECTO, Zac 5:6 **a.** de ellos en la tierra
ASPIRAR, Pr 15:14 **a.** a la tontedad
ASQUEADO, Heb 3:10 **a.** de generación
  Heb 3:17 **a.** Dios durante cuarenta años?

ASQUEROSA(S), Le 11:10, 11, 43; 20:25.
ASTAROT, Dt 1:4; 1Cr 6:71.
ASTILLERO, Isa 23:10 Ya no hay **a.**
ASTORET, 1Re 11:5, 33; 2Re 23:13.
ASTRÓLOGOS, Da 2:27; 4:7; Mt 2:7, 16.
  Mt 2:1 **a.** de las partes orientales
ASTUCIA, 2Re 10:19 Jehú actuó con **a.**
  Job 5:13 prende sabios en su **a.**
  1Co 3:19 Prende a los sabios en su **a.**
  Lu 20:23; 2Co 4:2; 11:3.
ASTUCIA ESTATAL, Hch 7:19 **a.** contra raza
ASTUTAMENTE, Sl 83:3 Contra tu pueblo **a.**
  2Ti 3:6 a. logran introducirse en casas
ASTUTO, 1Sa 23:22 él es de veras **a.**
  Mt 26:4 prender a Jesús mediante ardid **a.**
  2Co 12:16 dicen que fui **a.** y los pillé
ASUERO, Est 1:1; 3:1; 8:1; 9:30; 10:3.
ASUNTO(S), Dt 19:15 establecido el **a.**
  Pr 18:13 responde a un **a.** antes de oírlo
  Ec 3:1 un tiempo para todo **a.** bajo los
  Ec 12:13 La conclusión del **a.,** es: Teme al
  Mt 23:23 desatendido los **a.** de más peso
  1Co 16:14 Efectúense todos sus **a.** con amor
  Dt 17:8; Est 3:4; Pr 11:13; Ee 10:20; Hch 6:3;
  15:6; 25:20; 1Co 6:2.
ASUSTADO, Dt 9:19 **a.** de la cólera de Jehová
  Job 9:28 **a.** de todos mis dolores
ATACAR, Gé 4:8 procedió a **a.** a Abel
ATADO(DA), Sl 146:7 soltando a los **a.**
  Mt 16:19 ates sobre tierra será **a.** en cielos
  1Co 7:39 La esposa está **a.** todo el tiempo
  Lu 13:16; Hch 20:22; Ro 7:2.
ATADURA(S), Sl 2:3 ¡Rompamos sus **a.**
  Eze 20:37 los introduciré en la **a.** del pacto
  Da 4:15 **a.** de hierro y de cobre
  Sl 116:16; Isa 58:6; Jer 30:8; Na 1:13.
ATALAYA(S), Gé 31:49 La **A.**
  2Cr 20:24 Judá, llegó a la **a.** del
  Isa 21:8 Sobre la **a.,** o Jehová, estoy de pie
  Isa 21:11 A., ¿qué hay de la noche?
  Isa 52:8 Tus propios **a.** han levantado la voz
  Isa 56:10 Los **a.** de él son ciegos
  Isa 62:6 he comisionado **a.** Todo el día
  Eze 3:17 **a.** es lo que te he hecho
  Isa 32:14; Jer 6:17; Eze 33:6; Miq 7:4.
ATALAYAR, Gé 31:49 **A.** Jehová entre yo y tú
ATALÍA, 2Re 8:26; 11:1; 2Cr 24:7.
ATAR, Dt 6:8 **a.** como señal sobre tu mano
  Jos 2:21 ella **a.** el cordón de escarlata en
  Mt 13:30 Junten la mala hierba y **a.** en
  Mt 16:19 que **a.** sobre la tierra será
  Mt 23:4 **A.** cargas pesadas y las ponen
  Rev 20:2 Satanás, y lo **a.** por mil años
  Gé 22:9; Nú 30:2; Jos 2:18; Sl 118:27; Pr 3:3;
  6:21; 7:3; Jer 51:63.
ATAÚD, Gé 50:26 José fue puesto en un **a.**
ATAVIAR(SE), Mr 15:17 y lo **a.** de púrpura
  Lu 16:19 rico, se **a.** de púrpura y lino
ATAVÍO, Sof 1:8 que llevan **a.** extranjero
ATEMORIZADOS, Flp 1:28 ningún sentido **a.**
ATENCIÓN, Sl 37:10 darás **a.** a su lugar
  2Pe 1:19 hacen bien en prestarle **a.**
  Pr 29:12; Isa 21:7; 1Ti 1:4; 4:1.
ATENDER, Hch 8:13 Simón, **a.** a Felipe
  1Co 7:35 **a.** constantemente al Señor
  Heb 7:13 nadie ha **a.** a los deberes del altar
ATENDIDO, Hch 17:25 ni es **a.** por manos
ATENTAMENTE, Mt 6:26 Observen **a.** las aves
  Heb 12:2 mirando **a.** al Agente Principal
  1Jn 1:1 lo que hemos contemplado **a.**
ATENTO, Job 37:14 **a.** a las obras de Dios
ATERRORIZAR(SE), Jos 1:9; 1Sa 16:14.
ATESORADO, Pr 13:22 riqueza del pecador **a.**
ATESORAR, Job 23:12 He **a.** los dichos

ATESTACIÓN, Isa 8:20 ¡A la ley y a la **a.**!
  Rut 4:7; Isa 8:16.
A TIENTAS, Dt 28:29 anda **a.** al mediodía
  Job 12:25 Andan **a.** en la oscuridad
  Hch 17:27 buscaban **a.** y lo hallaban
ATOLONDRARSE, Isa 44:8 no se **a.**
ATÓNITAS, Mt 7:28 muchedumbres **a.**
ATORMENTADOS, Rev 9:5; 20:10.
  Heb 11:35 otros fueron **a.** porque rehusaron
ATORMENTAR, Mt 8:29 ¿Viniste aquí a **a.**
  Mr 5:7; Lu 8:28; Rev 11:10.
ATRACTIVA, Gé 24:16; 26:7; Na 3:4.
ATRAER, Jue 4:7 a. hacia ti a Sísara
  Jn 6:44 que el Padre lo **a.**
ATRAER EN SECRETO, Dt 13:6.
ATRAÍDO SEDUCTORAMENTE, Dt 11:16.
ATRÁS, Gé 19:17 ¡No mires **a.**
  Flp 3:13 Olvidando cosas que quedan **a.**
ATRAVESAR, Mt 23:15 a. mar y tierra para
ATREVER(SE), Nú 14:44 ellos se **a.** a subir
  Ro 5:7 alguien se **a.** a morir
  Ro 15:18 no me **a.** a decir una sola cosa si
ATRINCHERADAS, 2Co 10:4 cosas **a.**
ATROZMENTE, Hch 8:3 empezó a tratar **a.**
ATURDIDO(DA), Sl 143:4; Eze 3:15; Mr 9:15.
  Da 8:27 a. a causa de la cosa vista
ATURDIMIENTO, Dt 28:28; Zac 12:4.
ATURDIRSE, Mr 14:33; 16:5.
AUDAZ, Job 41:10 Ninguno es tan **a.** como
AUGUSTO, Hch 25:21 decisión del **A.**
AUGUSTO, BANDA DE, Hch 27:1 Julio, de la **b.**
AULLAR, Isa 13:6 ¡A., porque el día de
  Jer 25:36 a. de los majestuosos
  Snt 5:1 ricos, lloren, **a.** por las desdichas
  Isa 23:1, 6; 65:14; Jer 25:34; Eze 21:12.
AULLIDO, Zac 11:3 ¡Escucha! El **a.** de pastores
AUMENTADOS, Éx 11:9 **a.** mis milagros
AUMENTAR, Mr 4:8 a., empezaron a dar fruto
  Jn 3:30 tiene que seguir **a.**, pero yo
  Col 1:6 llevando fruto y **a.** en el mundo
  Col 1:10 a. en el conocimiento exacto
  Le 25:16; Pr 11:24; 2Co 9:10.
AUMENTO, Mt 24:12 por **a.** del desafuero
A UNA, 1Re 22:13 palabras son **a.** de bien
AUSENCIA, Flp 2:12 durante mi **a.**
AUSENTE(S), Col 2:5 estoy **a.** en la carne
  1Co 5:3; 2Co 5:9; 10:1, 11; Flp 1:27.
AUTODOMINIO, Isa 42:14 ejerciendo **a.**
  1Co 9:25 hombre en competencia ejerce **a.**
  Tit 1:8 hospitalario, que ejerza **a.**
  2Pe 1:6 a su conocimiento, **a.**
  Hch 24:25; 1Co 7:9; Gál 5:23; 2Ti 3:3.
AUTOIMPUESTA, Col 2:23 una forma **a.**
AUTORIDAD(ES), Mt 28:18 Toda **a.** dada
  Jn 5:27 le ha dado **a.** para hacer juicio
  Jn 10:18 Tengo **a.** para entregarla
  Jn 19:11 No tendrías **a.** a menos que
  Ro 13:1 alma esté en sujeción a **a.**
  Ro 13:2 el que se opone a la **a.** se ha
  1Co 7:4 La esposa no ejerce **a.** sobre
  1Co 9:5 Tenemos **a.** para llevar hermana
  Ef 2:2 gobernante de la **a.** del aire
  Ef 6:12 tenemos una lucha contra las **a.**
  Col 1:13 nos libró de la **a.** de la oscuridad
  1Pe 3:22 **a.** y poderes fueron sujetados
  Mt 7:29; 20:25; Lu 4:6; 12:5; 1Co 15:24; Ef
  1:21; Col 2:15; Tit 3:1; Rev 17:12.
AUTOSUFICIENCIA, Job 21:23 su plena **a.**
  2Co 9:8 teniendo siempre plena **a.** en todo
  1Ti 6:6 devoción piadosa junto con **a.**
AUTOSUFICIENTE, Flp 4:11 a ser **a.**
AUXILIO, Jue 5:23 no en **a.** de Jehová
  Isa 31:1 en pos de quienes bajan a Egipto por **a.**
  Sl 22:19; Isa 10:3.
AVALUAR, 1Sa 2:3 hechos son correctamente **a.**

  Pr 21:2 Jehová está **a.** corazones
  Pr 24:12 aquel que está **a.** los corazones
AVE(S), Sl 79:2 alimento a las **a.**
  Isa 46:11 llama un **a.** de rapiña
  Mt 8:20 zorras tienen cuevas, y **a.** tienen
  Rev 18:2 de toda **a.** inmunda y odiada!
  Gé 9:10; Le 17:13; Dt 14:11; Hch 10:12.
AVENIDA INUNDANTE, Isa 28:18 la **a.** pase
AVENTADA, Snt 1:6 semejante a una ola **a.**
AVENTADOR, Mt 3:12; Lu 3:17.
AVENTAR, Rut 3:2; Jer 4:11.
AVENTURARSE, Heb 11:29 egipcios, al **a.**
AVERGONZADO(DA), Sl 25:3; 83:17.
  Isa 54:4 miedo, porque no serás **a.**
AVERGONZAR(SE), Zac 13:4 profetas se **a.**
  Mr 8:38 el que se **a.** de mí y de mis
  Ro 1:16 no me **a.** de las buenas nuevas
  1Co 1:27 para **a.** a los sabios
  Heb 11:16 Dios no se **a.** de ellos, de ser
  1Pe 4:16 sufre como cristiano, no se **a.**
  Lu 9:26; 1Co 4:14; 2Te 3:14; 2Ti 1:8; 2:15.
AVIDEZ, 1Co 5:11 persona dominada por la **a.**
  Ef 5:3 a., ni siquiera se mencione
ÁVIDOS, 1Ti 3:8 no **á.** de ganancia
AVIESO(SA), Pr 12:8 el **a.** de corazón llegará
  Mt 17:17 generación falta de fe y **a.**
  Hch 20:30 se levantarán y hablarán cosas **a.**
  Flp 2:15 generación torcida y **a.**
AVISADO, Éx 2:25 de Israel y se dio por **a.**
AVISAR DE ANTEMANO, Mt 24:25 Les he **a.**
  Gál 5:21 les **a.** de la misma manera como
AVIVAR, Sl 85:6 ¿No volverás tú a **a.**
  2Ti 1:6 que **a.** cual fuego el don
AY, Isa 6:5 ¡A. de mí! ¡Pues puedo darme
  Isa 31:1 ¡A. de los que bajan a Egipto
  Am 6:1 ¡A. de los que están en desahogo en
  1Co 9:16 ¡a. de mí si no declarara las
  Rev 12:12 ¡A. de la tierra y del mar!
AYALÓN, Jos 10:12; Jue 12:12; 1Cr 6:69.
AYUDA, Sl 46:1 **a.** que puede hallarse
  Da 11:34 ayudados con un poco de **a.**
  Flp 4:3 sigas prestando **a.** a estas mujeres
  Heb 2:16 no **a.** a ángeles, sino a descendencia
  Ro 8:26; Heb 4:16.
AYUDADOR, Sl 30:10; 54:4.
  Sl 10:14 Tú has llegado a ser su **a.**
AYUDANTE, Da 11:45 no habrá **a.** para él
  Jn 14:16 él les dará otro **a.**
  Jn 14:26 el **a.**, el espíritu, les enseñará
  Jn 15:26 el **a.** dará testimonio acerca
  2Re 14:26; Jn 16:7; Heb 13:6.
AYUDAR, Jos 10:6; Zac 1:15; Hch 16:9.
AYUNAR, Lu 5:33 discípulos de Juan **a.**
  Lu 5:34 no hacer **a.** amigos del novio
  Est 4:16; Jer 14:12; Mt 6:16.
AYUNO, Isa 58:5 a. que yo escoja ser
  Joe 1:14 Santifiquen un tiempo de **a.**
  Mr 2:18 tus discípulos no practican el **a.**?
  2Cr 20:3; Jon 3:5.
AYUNTAMIENTO INMORAL,
  Jue 2:17 tenían **a.** con otros dioses
  Sl 106:39 teniendo **a.** por sus tratos
  Éx 34:15; Le 17:7; 20:5; Nú 15:39.
AZAFRÁN, Can 2:1 Un **a.** de la llanura
  Isa 35:1 desierto florecerá como el **a.**
AZAZEL, Le 16:8, 10, 26.
AZORAR, Hch 2:6 la multitud se **a.**
AZOTAR, Zac 14:12 Jehová **a.** a pueblos
  Mt 10:17 los **a.** en sus sinagogas
  Mt 23:34 a algunos los **a.** y perseguirán
  Heb 12:6 a. todo aquel quien recibe como hijo
AZOTE, Sl 106:29 un **a.** prorrumpió
AZOTEA(S), Mt 10:27 prediquen desde las **a.**
  Mt 24:17; Lu 12:3; 17:31; Hch 10:9.
AZUFRE, Rev 21:8 arde con fuego y **a.**
  Gé 19:24; Sl 11:6; Eze 38:22; Rev 19:20.

B

BAAL, 1Re 18:21 si **B.** lo es, vayan a él
2Re 10:28 exterminó Jehú a **B.** de Israel
Ro 11:4 que no han doblado rodilla ante **B.**
Jue 2:13; 1Re 16:31; 2Re 10:18; Jer 7:9.
BAAL DE PEOR, Sl 106:28 apegarse a **B.**
Nú 25:3; Dt 4:3; Os 9:10.
BAAL-PERAZIM, 2Sa 5:20; 1Cr 14:11.
BAAL-ZEBUB, 2Re 1:2, 3, 6, 16.
BABEL, Gé 10:10; 11:9.
BABILONIA, Jer 51:6 Huyan de **B.**
Rev 17:5 **B.** la Grande, madre de rameras
Rev 18:2 ¡**B.** la Grande ha caído
Isa 21:9; Jer 25:12; Da 3:1.
BAGAJE, 1Sa 25:13; 30:24.
BAILE, Jue 11:34 a su encuentro con **b.**!
BAJAR, Gé 8:1 aguas empezaron a **b.**
BAJO(S), Eze 17:14 reino a ser **b.**
Eze 21:26 póngase lo que es alto
Mal 2:9 haré que sean despreciados y **b.**
BALAAM, Nú 22:28 asna dijo a **B.:**
Jud 11 en el curso erróneo de **B.**
Nú 22:5; 24:1; Dt 23:4; Miq 6:5; Rev 2:14.
BALAC, Nú 22:2; Miq 6:5; Rev 2:14.
BALANZA, Job 31:6 me pesará en **b.**
Sl 62:9 humanidad en **b.** son, más leves que
Pr 20:23 una **b.** defraudadora no es buena
Isa 40:15 naciones como polvo en la **b.**
Da 5:27 has sido pesado en la **b.**
Pr 11:1; Rev 6:5.
BALANZA(S) EXACTA(S), Le 19:36; Job 31:6.
BALUARTE, (obras de asedio), Sl 91:4.
BAMBOLEAR, Isa 54:10.
BAMBOLEO, Isa 24:19.
BANDA, Éx 28:4; 39:29; Le 8:7; Isa 22:21.
BANDEJA, Mt 14:8; Mr 6:25.
BANQUEROS, Mt 25:27 como depósito a **b.**
BANQUETE, Isa 25:6 **b.** de platos, **b.** de vino
Jer 16:8 no debes entrar en casa de **b.**
Est 2:18; 5:4; Ec 7:2; Lu 5:29.
BANQUILLO, Sl 110:1 enemigos como **b.** para
Hch 2:35; Heb 10:13.
BAÑADA, 2Pe 2:22 cerda **b.** en el fango
BAÑARSE, 2Re 5:10 **b.** siete veces
BARAC, Jue 4:6, 8, 14; 5:1, 12; Heb 11:32.
BARATO, Lam 1:8 tratado como algo **b.**
BARBA(S), 1Sa 21:13; Jer 41:5; Eze 5:1.
BÁRBAROS, Ro 1:14 a griegos como a **b.**
BARBECHO, Éx 23:11 tienes que dejarla en **b.**
BARCO(CA), Mt 4:22; Snt 3:4; Rev 18:19.
BARCOS DE PAPIRO, Jer 51:32 quemado los **b.**
BARRABÁS, Jn 18:40 B. era salteador
BARRAS, Sl 107:16; 147:13; Jon 2:6; Na 3:13.
BARRA TRANSPORTADORA, Na 1:13.
BARRER, Lu 15:8 **b.** su casa y busca
BARRICADA, Job 38:8 puso **b.** al mar
Na 2:5 **b.** tendrá que ser establecida
BARRO, Job 10:9 del **b.** me has hecho
Isa 29:16 al alfarero considerar igual al **b.**?
Isa 64:8 somos el **b.**, y tú nuestro Alfarero
2Co 4:7 tenemos tesoro en vasos de **b.**
Isa 45:9; Eze 23:34; Da 2:34; Mr 14:13; Lu 22:10; Jn 9:6; Ro 9:21.
BARSABÁS, Hch 1:23; 15:22.
BARTOLOMÉ, Mt 10:3; Hch 1:13.
BARUC, Jer 32:12; Jer 32:12; 43:6; 45:2.
BASÁN, Sl 22:12 los poderosos de **B.**
Zac 11:2 ¡Aúllen, árboles macizos de **B.**
Sl 68:15; Isa 2:13; Am 4:1; Na 1:4.
BASE, Ro 8:20 sobre la **b.** de la esperanza
Flp 3:9 proviene de Dios sobre **b.** de fe
Mt 24:5; Mr 9:39; Hch 4:17; 5:28.
BASTA, Pr 30:15 cuatro no han dicho ¡**B.**!
1Pe 4:3 **b.** tiempo que ha pasado

BASTÓN, Gé 49:10 **b.** de entre sus pies
Éx 12:11 comerlo: teniendo su **b.** en la mano
Isa 14:5 el **b.** de los que gobernaban
Isa 9:4; Jer 48:17.
BASTÓN DE COMANDANTE, Gé 49:10.
Nú 21:18 Un pozo, excavaron, con el **b.**
Sl 60:7; 108:8 Judá es mi **b.**
BASURA, Isa 5:25 llegarán a ser como la **b.**
1Co 4:13 a ser como **b.** del mundo
Flp 3:8 las considero como un montón de **b.**
BATALLA, 2Cr 20:15 **b.** no de ustedes, sino
Sl 24:8 Jehová poderoso en **b.**
Dt 20:1; 1Sa 17:47; Ec 9:11; Isa 28:6.
BATIR, Éx 39:3; Pr 30:33.
BAT-SEBA, 2Sa 11:3; 12:24; 1Re 1:11.
BAUTISMO, Lu 12:50 tengo un **b.** con que ser
Ro 6:4 sepultados mediante **b.** en su muerte
Ef 4:5 un Señor, una fe, un **b.**
Mt 3:7; Mr 10:38; Col 2:12; 1Pe 3:21.
BAUTISMO EN SÍMBOLO DE,
Lu 3:3; Hch 19:4.
BAUTISTA, Mt 3:1; 11:11; 14:2; Lu 7:33.
BAUTIZADO(S), Mt 3:13; Hch 2:41; 10:47.
Ro 6:3 fuimos **b.** en su muerte?
1Co 10:2 **b.** en Moisés por medio de
1Co 12:13 todos **b.** para formar un cuerpo
BAUTIZAR, Mt 3:11 **b.** con espíritu santo
Mt 28:19; Mr 1:8; Lu 3:16; Jn 1:26, 33; 1Co 1:17; 15:29.
BEBER, Ec 2:24 coma y **b.** y vea el bien
Jer 25:28 Esto ha dicho Jehová: **B.** sin falta
Mt 26:29 lo **b.** nuevo con ustedes en el
Sl 69:21; Mt 10:42; 1Co 10:4; Rev 14:8.
BECERRO(S), Mal 4:2 escarbarán como **b.**
Éx 32:4; 1Re 12:28; 2Re 17:16; 2Cr 13:8; Sl 106:19; Isa 11:6.
BEDELIO, Gé 2:12; Nú 11:7.
BEELZEBUB, Mt 10:25; 12:24; Mr 3:22.
BEER-SEBA, Gé 21:31; 2Sa 24:15; Am 5:5.
BEL, Isa 46:1; Jer 50:2; 51:44.
BELÉN, Mt 2:1 Jesús nacido en **B.**
Gé 35:19; Rut 2:4; Miq 5:2; Mt 2:5; Lu 2:4.
BELIAL, 2Co 6:15 armonía entre Cristo y **B.**?
BELICOSO(S), 1Ti 3:3; Tit 3:2.
BELSASAR, Da 5:1, 2, 9, 22, 29, 30.
BELTSASAR, Da 1:7; 2:26; 4:19; 5:12.
BELLEZA, Est 1:11 mostrar a príncipes su **b.**
Sl 50:2 Sión, la perfección de la **b.**
Pr 6:25 No desees en tu corazón su **b.**
BELLO(LLA), Ec 3:11 Todo lo ha hecho **b.**
Job 42:15; Sl 48:2.
BENDECIDO, Heb 7:7 lo menor **b.** por mayor
BENDECIR, Gé 12:3 los dos y
Nú 6:24 Jehová te **b.** y te guarde
Sl 29:11 **b.** a su pueblo con paz
Sl 145:21 **b.** toda carne el santo nombre
Ro 12:14 sigan **b.**, y no maldiciendo
1Co 10:16 copa de bendición que **b.**
Gé 12:2; 32:26; Rut 2:4; Sl 62:4; Lu 6:28.
BENDICIÓN(ES), Dt 30:19 **b.** y la invocación
Pr 10:22 **b.** de Jehová es lo que enriquece
Mal 3:10 vacío sobre ustedes una **b.**
Gé 12:2; Pr 28:20; Mal 2:2; 1Pe 3:9.
BENDITO, Job 1:21; Sl 72:19; 1Pe 1:3.
Dt 7:14 el más **b.** de todos los pueblos
BENEFACTORES, Lu 22:25 se les llama **B.**
BENEPLÁCITO, Ef 1:5; Flp 2:13.
BENÉVOLO(LA), 2Cr 30:9 Jehová es **b.**
Sl 86:15 Jehová, Dios **b.**, tardo para
Sl 112:5 bueno el que es **b.** y está prestando
Joe 2:13 vuelvan a Jehová, porque es **b.**
Lu 18:13 sé **b.** para conmigo, pecador
Éx 34:6; Sl 103:8; 111:4; 116:5; Pr 26:25.
BEN-HADAD, 1Re 15:18; 20:1; 2Re 8:7.
BENIGNIDAD, Gál 5:22 fruto del espíritu es: **b.**

BENJAMÍN, Gé 35:18; Sl 68:27; Rev 7:8.
BERNABÉ, Hch 15:2; 1Co 9:6; Gál 2:1.
BESAR, 1Re 19:18 boca que no lo ha **b.**
Sl 2:12 **B.** al hijo, para que Él no se
Lu 7:38; 15:20; Hch 20:37.
BESO(S), Pr 27:6 **b.** de uno que odia
Lu 22:48 ¿con un **b.** traicionas al
Ro 16:16 Salúdense con **b.** santo
BESTIA(S), Éx 22:19 se acueste con una **b.**
Le 18:23 no dar emisión a ninguna **b.**
Ec 3:19 no hay superioridad sobre la **b.**
Rev 19:20 la marca de la **b.** salvaje
Job 18:3; 35:11; Sl 49:12; 50:10; 73:22; Ec
3:21; Da 7:3; Rev 13:17; 17:3.
BETANIA, Mt 21:17; 26:6; Jn 1:28; 11:1.
BETEL, Gé 28:19; 31:13; Jue 4:5.
BETFAGÚE, Mt 21:1 llegaron a **B.** en el
BET-PEOR, Dt 3:29; 34:6; Jos 13:20.
BETSAIDA, Mt 11:21; Lu 9:10; Jn 1:44.
BEZALEL, Éx 31:2; 35:30; 36:1; 38:22.
BIEN, Dt 10:13 estatutos para **b.** tuyo?
Ec 2:24 vea el **b.** a causa de su trabajo
Ro 8:28 obras cooperen para el **b.** de los
Ro 12:21 venciendo el mal con el **b.**
2Ti 3:3 feroces, sin amor del **b.**
Sl 23:6; Mt 25:21; Lu 6:26; Gál 5:7.
BIEN ARREGLADO, 1Ti 2:9 en vestido **b.**
BIENES, Mt 12:29 arrebatar sus **b.** muebles
Mt 19:21 ve, vende tus **b.** y da
Mt 25:14 sus esclavos y les encargó sus **b.**
Lu 14:33 que no se despida de sus **b.**
Gé 12:5; Nú 16:32; 2Cr 31:3; Esd 1:4.
BIENESTAR, Gé 41:16; 1Cr 18:10; Jer 15:5.
BIGOTE, Miq 3:7 tendrán que cubrir el **b.**
Le 13:45; 2Sa 19:24; Eze 24:17.
BILDAD, Job 2:11; 8:1; 18:1; 25:1; 42:9.
BLANCO(CA), Mt 5:36; Rev 2:17; 7:9; 20:11.
Isa 1:18 **b.** justamente como la nieve
BLANQUEADO(DA), Mt 23:27; Hch 23:3.
BLASFEMAR, Mr 3:29 **b.** contra espíritu santo
Rev 16:21 hombres **b.** contra Dios debido
1Ti 1:20; Snt 2:7; Rev 13:6.
BLASFEMIA(S), Mt 12:31 **b.** contra espíritu
Mt 26:65 Ahora han oído la **b.**
Mr 14:64; Jn 10:33; Hch 13:45; Rev 2:9.
BLASFEMO(S), Hch 6:11; 1Ti 1:13; 2Ti 3:2.
Rev 17:3 bestia salvaje llena de nombres **b.**
BLOQUEADA, Isa 1:8 como una ciudad **b.**
BOANERGES, Mr 3:17 sobrenombre de **B.**
BOAZ, Rut 2:1; 4:9, 13; 1Re 7:21; Mt 1:5.
BOCA, Jos 1:8 no debe apartarse de tu **b.**
Isa 6:7 Y procedió a tocarme la **b.**
Isa 29:13 se ha acercado con su **b.**
Isa 51:16 pondré mis palabras en tu **b.**
Isa 62:2 nombre nuevo, que la **b.** de Jehová
Jer 1:9 hizo que esta me tocara la **b.**
Eze 33:31 con la **b.** deseos lujuriosos
Lu 6:45 abundancia del corazón habla su **b.**
Lu 19:22 De tu propia **b.** te juzgo
Ro 3:19 que toda **b.** se cierre
Ro 10:10 la **b.** presenta declaración pública
1Pe 2:22 ni en su **b.** se halló engaño
Rev 14:5 no se halló en su **b.** falsedad
Éx 4:12; Dt 8:3; Sl 37:30; 62:4; Pr 2:6; Ec 5:2;
Isa 58:14; 59:21; Abd 12; Rev 3:16.
BOCA ABAJO, 2Re 21:13 volviéndolo **b.**
BOCADO, Jn 13:26, 27, 30.
BOCADOS EXQUISITOS, Gé 49:20; Sl 141:4.
BOCHORNO, 2Re 8:11 grado de causar **b.**
Esd 9:6 me da vergüenza y **b.**
BODAS, Mt 22:2 rey, hizo un banquete de **b.**
Mt 22:10 para las ceremonias de **b.**
Jn 2:1 se efectuó un banquete de **b.** en Caná
Rev 19:9 cena de las **b.** del Cordero

BOFETADA(S), Jn 18:22 dio a Jesús una **b.**
Mt 5:39; Jn 19:3.
BOLSA, 1Sa 25:29 envuelta en **b.** de la vida
Job 14:17 Sellada en una **b.** está mi
Job 28:18 a. llena de sabiduría vale más
Lu 10:4; 12:33; 22:35, 36.
BONDAD, Sl 27:13 **b.** de Jehová
Sl 65:11 Has coronado el año con tu **b.**
Miq 6:8 justicia y amar la **b.**
Ro 11:22 Ve, la **b.** y la severidad de Dios
Gál 5:22 el fruto del espíritu es: **b.**
Zac 9:17; Hch 28:2; 2Co 6:6; 10:1; Col 3:12;
2Te 1:11; Tit 3:4.
BONDAD(ES) AMOROSA(S), Éx 20:6 ejerce **b.**
Éx 34:6 Jehová, abundante en **b.** y verdad
Sl 107:8 gracias a Jehová por su **b.**
Isa 54:10 mi **b.** no será removida
Os 6:6 en **b.** me he deleitado, y no en
Hch 13:34 Daré **b.** para con David
Sl 13:5; 40:10; 92:2; 141:5; Pr 3:3; 11:17; Isa
16:5; 63:7; Lam 3:22; Os 12:6.
BONDAD INMERECIDA, Jn 1:17; Ro 5:15; 2Co
6:1; Ef 2:7; Heb 10:29; 12:28.
Ro 5:21 la **b.** reinara mediante justicia
Ro 11:6 si por **b.**, ya no se debe a obras
2Co 12:9 Mi **b.** es suficiente para ti
Ef 2:8 Por esta **b.** han sido salvados
Heb 2:9 por la **b.** de Dios gustase la muerte
Heb 4:16 Acerquémonos al trono de **b.**
Snt 4:6 él da la **b.** a los humildes
BONDADOSO, Pr 22:9 El que es **b.** de ojo
1Co 13:4 El amor es sufrido y **b.**
BONITA, Est 2:7 joven de **b.** figura
BORDADA, Jue 5:30 prenda de vestir **b.**
BORDADOR, Éx 26:1 querubines, obra de **b.**
BORRACHERAS, Ro 13:13 no en **b.**, no en
Gál 5:21 envidias, **b.**, diversiones estrepitosas
BORRACHO(CHA), Pr 23:21 **b.** en pobreza
Isa 28:1 ¡Ay de los **b.** de Efraín
Mt 24:49 [esclavo malo] bebiera con los **b.**
1Co 5:11 cesen la compañía de **b.**
1Co 6:10 ni **b.**, heredarán reino de Dios
Rev 17:6 mujer estaba **b.** con la sangre
Job 12:25; Sl 107:27; Isa 19:14; Hch 2:15.
BORRADOS, Sl 69:28 Sean **b.** del libro de
BORRAR. Véase también RAER.
Sl 51:1 **b.** mis transgresiones
Rev 3:5 de ninguna manera **b.** su nombre
Gé 6:7; Éx 32:33; Dt 9:14; Jer 18:23; Hch
3:19; Col 2:14.
BOSQUES, Eze 34:25 y dormirán en los **b.**
BOTÍN, Sof 3:8 me levante al **b.**
BÓVEDA(S), Jue 9:49; 1Sa 13:6; Job 22:14.
BOZAL, Sl 39:1 **b.**, guardia para mi boca
Dt 25:4; 1Co 9:9; 1Ti 5:18.
BRAMIDO, Lu 21:25 a causa del **b.** del mar
BRASA(S), Sl 18:12; Eze 6:6; Eze 10:2.
Isa 47:14 No habrá brillo de **b.**
Ro 12:20 **b.** ardientes sobre su cabeza
BRASERO, Jer 36:22 **b.** ardiendo
BRAZO, Isa 40:10 su **b.** estará gobernando
Isa 52:10 Jehová ha desnudado su santo **b.**
Isa 53:1 en cuanto al **b.** de Jehová, ¿a quién
Jn 12:38 **b.** de Jehová, ¿a quién revelado?
2Cr 32:8; Sl 10:15; 44:3.
BRECHA(S), Sl 106:23; Eze 13:5; 22:30; 30:16.
Isa 22:9 **b.** de la Ciudad de David
BRILLANTE(S), Job 37:21 **b.** en los cielos
Jer 5:28 se han hecho **b.**
BRILLAR, Nú 6:25 Jehová haga **b.** su rostro
1Sa 14:29 han **b.** mis ojos porque probé miel
Sl 13:3 **b.** mis ojos, para que no me duerma
Sl 104:15 hacer **b.** el rostro con aceite
Isa 60:1 ha **b.** la gloria de Jehová
Da 12:3 los que tengan perspicacia **b.**
Esd 9:8; Sl 119:135; Ec 8:1; Isa 13:10.

BRILLO, Pr 15:30 El **b.** de los ojos
BRISA, Hch 2:2 ruido como una **b.**
BROMA(S), Pr 26:19 ¿No lo hice por **b.?**
Jer 15:17 los que gastan **b.**
BROMEAR, Gé 19:14 parecía hombre que **b.**
Ef 5:4 **b.** obsceno, cosas no decorosas
BRONCE, 1Co 13:1 pedazo de **b.** sonante
BROTAR, Sl 72:7 el justo **b.**
Sl 92:7 los inicuos **b.** como vegetación
Isa 42:9 Antes que empiecen a **b.,** hago
Isa 66:14 sus huesos mismos **b.** como la
Isa 4:2; 61:11; Jer 33:15.
BROTE, Jer 23:5 levantaré a David **b.** justo
Da 11:7 del **b.** de las raíces de ella se
Zac 3:8 voy a introducir a mi siervo **B.!**
Isa 14:19; Jer 33:15; Zac 6:12.
BUENA GANA, Sl 110:3 se ofrecerá de **b.**
BUENAS NUEVAS, Sl 40:9 **b.** en congregación
Isa 52:7 hermosos los pies del que trae **b.**
Isa 61:1 ungido para anunciar **b.** a mansos
Mt 9:35 Jesús predicando las **b.**
Mt 24:14 estas **b.** del reino se
Mr 13:10 todas las naciones predicarse las **b.**
Lu 2:10 ¡miren!, les declaro **b.**
Ro 1:16 no me avergüenzo de las **b.**
1Te 2:4 tener encomendadas las **b.**
2Ti 1:10 ha arrojado luz mediante las **b.**
Isa 41:27; Lu 1:19; Hch 20:24; Ro 10:15; 1Co
9:16; 2Co 4:3, 4; Gál 1:8; Flp 1:12, 16.
BUENA SUERTE, DIOS DE, Isa 65:11.
BUENA VOLUNTAD, Sl 30:5 bajo su **b.**
Pr 8:35 me halla consigue **b.** de Jehová
Pr 10:32 justo llega a conocer **b.**
Isa 61:2 proclamar año de la **b.** de Jehová
Ro 10:1 la **b.** de mi corazón y mi ruego
Flp 1:15 predicando por **b.**
Sl 89:17; Pr 11:27; 16:15; 19:12; Isa 49:8.
BUENO, Gé 3:5 conociendo lo **b.** y lo malo
Sl 25:8 **B.** y recto es Jehová
Sl 133:1 ¡Qué **b.** que los hermanos moren
Am 5:15 Odien lo malo, amen lo **b.**
Mr 10:18 Nadie es **b.,** sino Dios
Lu 6:45 hombre **b.,** produce lo **b.**
Lu 18:19 ¿Por qué me llamas **b.?**
Ro 7:19 lo **b.** que deseo no lo hago
Gál 6:10 obremos lo **b.** para con todos
Gé 1:31; 1Cr 16:34; Ro 13:3.
BUENOS DÍAS, Mt 27:29; Lu 1:28; Jn 19:3.
BUEN SENTIDO, Ef 1:8 en toda sabiduría y **b.**
BULLA, 1Sa 4:14; Sl 65:7.
Isa 32:14 **b.** de la ciudad dejada
BULLICIOSA, Isa 22:2 una ciudad **b.**
BURBUJEAR, Snt 3:11 dulce y amargo **b.**
BURLADOR(ES), Sl 1:1 en el asiento de **b.**
Pr 3:34 de **b.,** él mismo escarnecerá
Pr 14:6 El **b.** ha procurado hallar sabiduría
Pr 19:25 Debes golpear al **b.,** para que
Pr 20:1 El vino es **b.,** el licor embriagante
Pr 1:22; 9:7; 13:1; 15:12; 19:29.
BURLAR(SE), Gé 21:9 hijo de Agar, se **b.**
2Cr 36:16 estuvieron **b.** de mensajeros
Lu 14:29 los que miraran pudieran **b.**
Lu 18:32 y se **b.** de él y lo tratarán
Éx 32:25; Jue 16:10; Mt 27:29; Lu 22:63.
BURLONES, 2Pe 3:3 vendrán **b.** con burla
BUSCA, Pr 2:4 como a tesoros sigues en **b.** de
BUSCAR, Sl 27:4 Una cosa es lo que **b.**
Sl 37:25 ni a su prole **b.** pan
Isa 55:6 **B.** a Jehová mientras pueda ser
Eze 34:11 **b.** a mis ovejas y las cuidaré
Am 8:12 **b.** palabra de Jehová, no hallarán
Sof 2:3 **b.** a Jehová, los mansos
Mal 3:1 el Señor, a quien ustedes **b.**
Mt 6:33 Sigan **b.** primero el reino
Mt 7:7 sigan **b.,** y hallarán
Mt 10:11 **b.** quién en ella es merecedor

1Co 10:33 no **b.** mi propia ventaja
Col 3:1 sigan **b.** las cosas de arriba
Heb 11:6 remunerador de los que le **b.**
Heb 11:14 **b.** solícitamente un lugar
Heb 13:14 **b.** la que ha de venir
Sl 9:12; 119:2; Pr 1:28; 11:27; Isa 16:5; 26:9;
Jer 29:13; Eze 7:25; 34:8; Am 9:3; Zac 8:22;
Jn 8:50; Hch 15:17; Ro 2:7; 1Co 1:22; Rev 9:6.
BÚSQUEDA, Eze 39:14 meses efectuando **b.**
1Pe 1:10 indagación y **b.** cuidadosa

C

CABALLO(S), Sl 33:17 El **c.** es un engaño
Sl 147:10 No en el poder del **c.**
Rev 19:11 y, ¡miren!, un **c.** blanco
Dt 17:16; Est 6:8; Isa 31:1; Jer 51:21.
CABALLOS SEMENTALES, Jer 8:16; 50:11.
CABAÑAS, Dt 16:13 fiesta de las **c.**
Le 23:42; Dt 16:16; Esd 3:4; Ne 8:14.
CABELLO(S), Jue 16:22 el **c.** comenzó a crecer
Lu 21:18 no perecerá ni un **c.** de su cabeza
1Co 11:14 si varón tiene **c.** largo, es deshonra
1Ti 2:9 no con estilos de **c.** trenzados
Isa 3:24; Da 3:27; 7:9; 1Pe 3:3; Rev 9:8.
CABEZA(S), Gé 3:15 te magullará en la **c.**
Miq 3:11 sus **c.** juzgan por un soborno
Mt 8:20 Hijo no tiene dónde recostar la **c.**
Lu 21:28 alcen la **c.,** su liberación se acerca
Hch 18:6 sangre de ustedes sobre sus **c.**
Ro 12:20 brasas ardientes sobre su **c.**
1Co 11:10 señal de autoridad sobre la **c.**
Col 1:18 él es la **c.** del cuerpo
Col 2:19 no firmemente adherido a la **c.**
Sl 110:6; Isa 9:15; 35:10; Da 2:38; Abd 15;
1Co 11:3; Ef 1:22; Rev 12:1.
CABEZA DURA, Eze 3:7 Israel son de **c.**
CABOS, Sl 2:8 **c.** de la tierra por posesión
Sl 72:8 desde el Río hasta los **c.** de la
CABRA(S), Zac 10:3 caudillos parecidos a **c.**
Mt 25:32 como pastor separa ovejas de **c.**
Éx 12:5; Le 17:7.
CABRITOS, Le 16:5 dos **c.** para una ofrenda
CADÁVER(ES), Eze 43:9 alejen **c.** de reyes
Mt 24:28 Dondequiera que esté el **c.,** allí
Gé 15:11; Le 26:30; Lu 14:8; 1Sa 31:10; Isa
14:19; Am 8:3; Mt 14:12.
CADENAS, Hch 12:7 **c.** se cayeron de manos
Ef 6:20 como embajador en **c.;** para que
Flp 1:13 mis **c.** se han hecho públicas
Hch 20:23; 26:31; Col 4:3; Heb 11:36.
CADERAS, Jer 1:17 ceñirte las **c.,** y
Éx 12:11; Isa 11:5; 45:1; Jer 13:11.
CAER, Pr 11:28 en sus riquezas... **c.**
Pr 24:16 puede que el justo **c.** siete veces
Lu 11:17 una casa dividida **c.**
Ro 11:11 ¿Tropezaron de modo que **c.**
1Co 10:12 está en pie, cuídese de no **c.**
Heb 10:31 cosa horrenda **c.** en manos del Dios
Sl 37:24; Pr 11:14; Lu 23:30; Ro 14:4; 1Ti 6:9.
CAER, DEJAR, 2Cr 15:7 no **d.** las manos
Sof 3:16 No se **d.** tus manos
CAÍDA ANORMAL, Le 13:30, 34.
CAIFÁS, Jn 11:49; 18:13, 28; Hch 4:6.
CAÍN, Gé 4:1; Heb 11:4; 1Jn 3:12.
CAJITAS QUE CONTIENEN ESCRITURAS,
Mt 23:5 ensanchan las **c.**
CALABOZO, Sl 142:7 Saca mi alma del **c.**
CALAMBRE, 2Sa 1:9 ha apoderado de mí el **c.**
CALAMIDAD(ES), Dt 32:23 Aumentaré **c.** sobre
Sl 27:5 me esconderá en el día de **c.**
Sl 34:19 Son muchas las **c.** del justo
Isa 45:7 Jehová, hago paz y creo **c.**
Jer 1:14 Desde el norte se soltará la **c.**
Jer 38:4 paz de este pueblo, sino **c.**
Sl 71:24; 107:26; Jer 2:27; 25:6, 29.

CALAMITOSO, Ec 7:14 en un día **c.** ve
Am 6:3 poniendo fuera de mente día **c.**
CALCULAR, Isa 14:24 **c.**, así tiene que suceder
Rev 13:18 **c.** número de bestia
Pr 23:7; Lu 14:28; Hch 19:19.
CALDEOS, Jer 37:13 a los **c.** te estás
Jer 21:9; 25:12; 40:9; Hab 1:6; Hch 7:4.
CALDERA, 1Sa 2:14 lo metía en la **c.**
CALEB, Nú 13:30; 14:24; 26:65; Jue 1:20.
CALENTARSE, Da 3:19 **c.** el horno siete veces
CALIENTE(S), 2Pe 3:10 elementos, estando **c.**
Rev 3:15 no eres ni frío ni **c.**
CALMA, Pr 15:4 La **c.** de la lengua
Job 4:16; Sl 107:29; Mt 8:26.
CALMADO(DA), 1Re 19:12.
Pr 14:30 un corazón **c.** es vida
CALOR, Sl 19:6 se oculte de su **c.**
Isa 49:10; Mt 20:12; Rev 7:16.
CALUMNIADOR(RA), Pr 11:13; 20:19.
Pr 16:28 el **c.** está separando a los que
Pr 26:20 no hay **c.**, la contienda se aquieta
1Ti 3:11 Las mujeres, serias, no **c.**
Tit 2:3 no **c.**, ni esclavizadas a mucho vino
CALUMNIAR. Véanse también
INJURIADOR(ES), INJURIAR.
Le 19:16 No debes andar con el fin de **c.**
Sl 101:5 A cualquiera que **c.** a su compañero
2Sa 19:27; Sl 15:3.
CALVICIE, Le 13:40; Dt 14:1; Miq 1:16.
CALZADA, Isa 11:16 **c.** que salga de Asiria
Isa 35:8 **c.** allí, el Camino de Santidad
Isa 62:10 terraplenen la **c.** Límpienla de
Pr 16:17; Isa 19:23; 40:3; Jer 31:21.
CALLADO, Job 31:34 me quedara a
Sl 32:3 Cuando me quedé **c.**, se gastaron los
CALLAR, Ec 3:7 tiempo de **c.** y tiempo
Mt 22:34 había hecho **c.** a los saduceos
CALLE(S), Pr 1:20 clamando en la **c.**
Isa 42:2 en la **c.** no dejará oír su voz
Eze 7:19 En las **c.** arrojarán su plata
Jer 5:1; Eze 11:6; 28:23; Na 2:4.
CAM, Gé 5:32; 10:6; 1Cr 4:40; Sl 78:51.
CAMA(S), Miq 2:1 lo malo, sobre sus **c.**
Sl 36:4; Isa 57:2; Lu 8:16.
CÁMARA NUPCIAL, Sl 19:5; Joe 2:16.
CAMBIAR, Jer 13:23 cusita a **c.** su piel?
Da 7:25 intención de **c.** tiempos y ley
Mal 3:6 yo soy Jehová; no he **c.**
1Co 7:31 escena de este mundo está **c.**
Jer 23:36; Hch 6:14.
CAMBIO(S), Sof 3:9 el **c.** a un lenguaje puro
Heb 7:12 llega a haber un **c.** de la ley
Rut 4:7; Job 15:31; 28:17; Pr 24:21.
CAMBISTAS, Jn 2:15 expulsó a los **c.**
CAMELLO(S), Gé 24:10, 11; Mt 19:24; 23:24.
CAMILLA(S), Mr 2:4; 6:55; Jn 5:8; Hch 5:15.
CAMINO(S), Dt 32:4 todos sus **c.** son justicia
Job 13:15 argüiría por mis propios **c.**
Sl 2:12 ustedes no perezcan del **c.**
Sl 25:4 Hazme conocer tus propios **c.**
Sl 39:1 guardaré mis **c.** para no pecar
Pr 6:23 censuras son el **c.** de la vida
Pr 16:25 un **c.** recto delante del hombre, pero
Pr 22:6 Entrena al muchacho conforme al **c.**
Isa 2:3 él nos instruirá acerca de sus **c.**
Isa 30:21 Este es el **c.** Anden en él
Isa 55:8 ni son mis **c.** los **c.** de ustedes
Mal 3:1 despejar un **c.** delante de mí
Mt 7:14 estrecho el **c.** que conduce a vida
Jn 14:6 Yo soy el **c.** y la verdad
Hch 9:2 hallara que pertenecieran al **C.**
Hch 19:9 hablaban perjudicialmente del **C.**
Hch 22:4 Y perseguí de muerte este **C.**
Hch 24:14 según el **c.** que llaman secta
Ro 11:33 ininvestigables sus **c.**!
Rev 15:3 Justos y verdaderos son tus **c.**

Dt 30:16; Isa 62:10; Eze 28:15; Mt 10:5; 13:4;
20:17; 22:9; Mr 11:8; Heb 8:26; 2Pe 2:2.
CAMINO DE UN DÍA, Nú 11:31.
CAMINO DE UN SÁBADO, Hch 1:12.
CAMINOS ANCHOS, Mt 12:19; Hch 5:15.
CAMPAMENTO, Heb 13:11 fuera del **c.**
Éx 14:19; Nú 1:52; Rev 20:9.
CAMPEÓN, 1Sa 17:4, 23 **c.**, Goliat, de Gat
CAMPO(S), Mt 13:38 el **c.** es el mundo
Jn 4:35 miren los **c.**, que están blancos
1Co 3:9 Ustedes son **c.** de Dios bajo cultivo
Isa 55:12; Mt 6:30; 13:44; 24:18, 40.
CAMPO RURAL, Zac 2:4 como **c.** Jerusalén
CANÁ, Jn 2:1; 4:46.
CANAÁN, Gé 17:8; Nú 35:10; Jue 4:23.
CANAL(ES), Eze 29:3 en **c.** del Nilo
2Re 19:24; Job 38:25; Isa 37:25; Eze 31:4.
CANANEOS, Éx 3:8; 13:5; Jos 3:10.
CANAPÉ, Gé 49:4; 1Cr 5:1; Job 17:13.
CANCIÓN(ES), Dt 31:19 escríbanse esta **c.**
Jue 5:12 profiere una **c.**!
Sl 98:1 Canten a Jehová una **c.** nueva
Sl 149:6 **c.** que enaltecen a Dios estén
Isa 23:15 como en la **c.** de una prostituta:
Isa 42:10 Canten a Jehová una **c.** nueva
Hch 16:25 y Silas alabando a Dios con **c.**
Ef 5:19 **c.** espirituales, con música en el
Col 3:16 alabanzas a Dios, **c.** espirituales
Rev 15:3 están cantando la **c.** de Moisés
Ne 12:46; Sl 28:7; Eze 33:32.
CANDELABRO(S), Éx 25:31 un **c.** de oro
1Cr 28:15; Heb 9:2; Rev 1:12, 13, 20; 2:1.
CÁNDIDOS, Ro 16:18 habla seducen los **c.**
CANICIE, Pr 16:31 **c.** es corona
CANSADO(DA), Jue 8:4 **c.**, pero continuando
Pr 25:25 Como agua fría a un alma **c.**, así
Isa 40:29 Está dando poder al **c.**; y hace
CANSARSE, Isa 40:28 Él no se **c.** ni
Isa 40:31 Correrán, andarán, y no se **c.**
Jer 15:6 Me he **c.** de sentir pesar
CANTAR, Sl 96:1 **C.** a Jehová una canción
Sl 144:9 te **c.** una canción nueva
Isa 5:1 Déjeseme a mi amado una canción
Isa 42:10 **C.** a Jehová una canción nueva, su
Mt 26:30 después de **c.** alabanzas, salieron
Mt 26:34 antes que un gallo **c.**
1Co 14:15 **C.** con el don del espíritu
Ef 5:19 **c.** y acompañándose con música
Col 3:16 amonestándose unos a otros, **c.**
Éx 15:1; 1Cr 16:9; Sl 68:4; Jer 20:13; Eze
26:13; Sof 2:14; Mr 14:30; Rev 14:3.
CANTEROS, 2Re 12:12 albañiles y los **c.**
CANTO, 1Cr 6:31 la dirección del **c.**
CANTORES, 2Cr 20:21 apostó **c.** a Jehová
1Cr 15:16; Ne 10:28; Sl 68:25; 87:7.
CAÑA, Eze 40:3, 5; 42:16; Mt 11:7; 27:29.
CAPACIDAD(ES), Pr 31:29; 1Co 12:28.
1Co 1:5 plena **c.** para hablar y en pleno
1Jn 5:20 Hijo nos ha dado **c.** intelectual
CAPACIDADES DE PENSAR, Pr 5:2 guardar **c.**
CAPACITADO(S), Da 5:11 hombre **c.** en el cual
2Co 2:16 adecuadamente **c.**
2Co 3:5 el estar adecuadamente **c.** proviene
CAPACITADO(S) PARA ENSEÑAR, 1Ti 3:2.
2Ti 2:2 hombres quienes estarán **c.** a otros
2Ti 2:24 amable para con todos, **c.**
CAPATACES, 2Cr 8:10 **c.** sobre la gente
CAPA TENUE, Isa 40:15 como **c.** de polvo
CAPAZ(CES), Hch 15:10 ni **c.** de cargar?
Éx 18:21; Pr 12:4; 31:10.
CAPERNAUM, Mt 11:23 **C.** Hasta el Hades
Mt 4:13; Lu 4:23; 7:1; 12; 6:59.
CAPITACIÓN, Mt 17:25 ¿De quiénes la **c.**?
CAPITÁN(ES), Lu 22:4; Hch 4:1; 5:24, 26.
CARA A CARA, Gál 2:11 Cefas vino, lo resistí **c.**
Hch 25:16; 1Co 13:12.

CARAVANA(S), Gé 37:25; Isa 21:13.
CÁRCEL, Mt 11:2; Hch 5:21; 16:26.
CARGA(S), Dt 1:12 ¿Cómo llevar yo solo la **c.**
  Sl 55:22 Arroja tu **c.** sobre Jehová
  Sl 68:19 Jehová nos lleva la **c.**
  Mt 11:30 mi yugo es suave y mi **c.** ligera
  Mt 23:4 Atan **c.** pesadas y las ponen
  Gál 6:2 llevando las **c.** los unos de otros
  Éx 23:5; Nú 11:11; Sl 38:4; Isa 10:27.
CARGA COSTOSA, 1Te 2:6, 9; 2Te 3:8.
CARGADO, Flm 18 debe algo, tenlo **c.** a mi
CARGADOS(DAS), Lu 21:34 nunca estar **c.**
  2Co 5:4 en esta tienda gemimos, estando **c.**
  2Ti 3:6 mujeres débiles **c.** de pecados
CARGAR, Heb 9:28 Cristo **c.** los pecados
CARGO, 1Cr 9:22 en su **c.** de confianza
  Mt 27:37 encima de cabeza fijaron **c.**
CARIÑO(S), Mt 10:37 El que tiene mayor **c.**
  Jn 5:20 el Padre le tiene **c.** al Hijo
  Jn 21:17 por tercera vez: ¿me tienes **c.**?
  Col 3:12 vístanse de tiernos **c.**
  2Ti 3:3 sin tener **c.** natural, no dispuestos
  Rev 3:19 a quienes tengo **c.** los censuro
  Can 1:2; 4:10; 5:1; Jn 11:3; 1Co 16:22; 2Co
  7:15; Tit 3:15.
CARMELO, 1Re 18:19; Isa 35:2; Am 1:2.
CARNAL(ES), 2Co 1:12 no con sabiduría **c.**
  Ro 7:14; 1Co 3:3; Col 2:18.
CARNE, Gé 2:24 llegar a ser una sola **c.**
  Joe 2:28 espíritu sobre toda clase de **c.**
  Zac 14:12 Habrá el pudrirse de la **c.**
  Jn 1:14 la Palabra vino a ser **c.**
  Ro 8:5 en conformidad con la **c.** fijan
  Ro 8:7 mente puesta en la **c.** enemistad
  1Co 15:39 No toda **c.** es la misma **c.**
  1Co 15:50 **c.** y sangre no pueden heredar
  2Co 10:3 no guerreamos en la **c.**
  Ef 6:12 tenemos lucha, no contra sangre y **c.**
  Gé 2:23; 9:11; Sl 56:4; Isa 40:6; 49:26; Hch
  2:17; 1Co 1:29; Gál 5:19.
CARNERO(S), Gé 22:13 **c.** prendido por los
  1Sa 15:22 el prestar atención que **c.**
  Eze 34:17 juzgar entre **c.** y machos cabríos
  Miq 6:7 ¿Se complacerá con miles de **c.**
  Le 5:15; 8:22; 9:18; Isa 1:11; Da 8:20.
CARNE, SER UNA SOLA,
  Mr 10:8; 1Co 6:16; Ef 5:31.
CARNICERÍA, 1Co 10:25 se vende en la **c.**
CARPINTERO, Mr 6:3 Este es el **c.**, el hijo
CARRERA, Ec 9:11 veloces no tienen la **c.**
  1Co 9:24 corredores en una **c.** todos corren
  2Ti 4:7 he corrido la **c.** hasta
  Heb 12:1 corramos la **c.** puesta delante de
  Hch 13:25; 20:24.
CARRETA, Isa 5:18 con cuerdas de **c.**
CARRO(S), Jue 5:28 ha tardado la **c.** de guerra
  2Re 10:15 lo hizo subir al **c.** consigo
  Isa 31:1 cifran confianza en **c.** de guerra
  Na 2:3 está el **c.** de guerra en el día
  Zac 9:10 cortaré de Efraín el **c.** de
  Nú 7:3; 2Re 2:11; Isa 43:17; Jer 46:9.
CARRUAJES, Gé 46:5 **c.** que Faraón envió
CARTA(S), 2Re 19:14 tomó la **c.** y las leyó
  2Co 3:1 necesitamos, **c.** de recomendación
  Esd 4:7; 7:11; Jer 29:29; Hch 23:25.
CASA(S), Sl 27:4 pueda morar en **c.** de
  Sl 127:1 A menos que Jehová edifique la **c.**
  Isa 2:2 la montaña de la **c.** de Jehová
  Isa 6:11 Hasta que las **c.** estén sin hombre
  Isa 65:21 edificarán **c.**, y las ocuparán
  Ag 2:7 llenaré de gloria esta **c.**
  Mt 10:36 enemigos personas de su propia **c.**
  Mt 21:13 Mi **c.** será llamada **c.** de oración
  Mt 23:38 Su **c.** se les deja abandonada
  Mr 3:25 si una **c.** llega a estar dividida
  Hch 7:48 el Altísimo no mora en **c.**

Hch 20:20 públicamente y de **c.** en **c.**
  Ro 16:5 la congregación en **c.** de ellos
  1Pe 2:5 siendo edificados en **c.** espiritual
  Gé 7:1; 47:12; 2Sa 7:13; Sl 84:10; Pr 27:27;
  31:15; Mr 10:30; Ef 2:19; Heb 3:3, 6.
CASA DE DETENCIÓN, 1Re 22:27.
CASA DE HABITACIÓN, 2Co 5:2 en **c.** gemimos
CASADO(DA), Ro 7:2 mujer **c.** atada por ley
  1Co 7:33 hombre **c.** se inquieta por las
CASA(S) PATERNA(S), Nú 17:2 vara por **c.**
  Jos 22:14; 1Cr 23:11; 24:4, 31; 26:13.
CASAR(SE), Mt 22:30 resurrección, ni se **c.**
  Mt 24:38 hombres **c.** y las mujeres dadas en
  Lu 14:20 Acabo de **c.** con una esposa, y
  1Co 7:39 libre para **c.**, pero en el Señor
  1Co 7:9 prohibirán **c.**, y mandarán
  1Co 7:9, 28, 36; 1Ti 5:14.
CASOS JUDICIALES, 1Re 3:11 para oír **c.**
CASQUIVANOS, Ro 1:21 se hicieron **c.**
CASTA(S), 2Co 11:2 virgen **c.** al Cristo
  Snt 3:17 sabiduría de arriba es **c.**
  Flp 4:8; Tit 2:5; 1Pe 3:2.
CASTIDAD, 2Co 11:3 **c.** que se deben al Cristo
  1Ti 4:12; 5:2.
CASTIGADOS, Hch 22:5 para que fueran **c.**
CASTIGAR, Le 26:18 **c.** siete veces más
  Pr 19:18 **C.** a tu hijo mientras existe
  Pr 29:17 **C.** a tu hijo y te traerá descanso
  Hch 4:21 en qué basarse para **c.**
  Hch 26:11 **c.** muchas veces en las sinagogas
CASTIGO, Éx 34:7 no dará exención de **c.**
  Jer 25:29 ¿y deben quedar libres de **c.**?
  2Co 10:6 infligir **c.** por toda desobediencia
  1Te 4:6 Jehová es uno que exige **c.**
  Heb 10:29 cuánto más severo **c.** piensan
  Éx 32:34; Nú 16:29; Pr 16:5; 19:5; Jer 30:14;
  Zac 14:19; 2Te 1:9; Jud 7.
CASTIGO JUDICIAL, 2Te 1:9 sufrirán **c.**
  Jud 7 **c.** de fuego eterno
CASTILLO, 1Cr 29:1; Ne 2:8; 7:2; Est 1:2.
CASTRAR, Gál 5:12 que se **c.** los hombres
CASUALIDAD, Lu 10:31 **c.**, cierto sacerdote
CATÁSTROFE, Isa 15:5; Am 6:6; Na 3:19.
CATEGORÍA, 1Co 15:23 cada uno en su **c.**
CAUDAL, Isa 33:6 **c.** de salvaciones
CAUDILLO(S), 1Sa 9:16 ungirlo como **c.**
  1Sa 25:30 comisionará como **c.** sobre Israel
  2Sa 7:8 te tomé para **c.** sobre mi pueblo
  Isa 55:4 Lo he dado como **c.** y comandante
  Mt 23:10 Tampoco llamados **c.**, porque su **C.**
  Dt 32:42; 1Cr 13:1; 2Cr 32:21.
CAUSA, Éx 9:16 por esta **c.** te he mantenido
  Sl 23:3 por **c.** de su nombre
  Sl 69:4 Los que me odian sin **c.** han
  Eze 36:22 No por **c.** de ustedes lo hago
  Mt 5:10 perseguidos por **c.** de la justicia
  Mt 10:39 pierda su alma por **c.** de mí
  Mt 24:9 objeto de odio por **c.** de mi nombre
  Mt 24:22 **c.** de escogidos serán acortados
  Ro 11:28 son enemigos por **c.** de ustedes
  2Co 8:9 se hizo pobre por **c.** de ustedes
  2Ti 1:12 Por esta misma **c.** sufriendo
  2Re 19:34; Job 2:3; 5:8; Sl 106:8; 109:3;
  119:161; Gál 4:18; Tit 1:11.
CAUSA DE JUSTICIA, Job 23:4 Presentaría **c.**
CAUSA JUDICIAL, Pr 25:8 No conducir una **c.**
  Isa 34:8 para la **c.** respecto a Sión
  Miq 6:2 Jehová tiene una **c.** con su pueblo
  2Sa 15:4; Sl 43:1; Pr 18:17; Os 4:1; 12:2.
CAUSAR MUERTE, Heb 2:14 al que **c.**, Diablo
CAUTELOSO(SA), Gé 3:1 serpiente la más **c.**
  Mt 10:16 **c.** como serpientes, inocentes como
CAUTIVADO, Snt 1:14 cada uno es **c.** por deseo
CAUTIVAR, 2Pe 2:14 **c.** almas inconstantes

CAUTIVERIO. Véanse también
DESTERRADOS, DESTIERRO, EXILIO.
Da 11:33 por espada y llama, por **c**.
2Co 10:5 poniendo bajo **c**. todo pensamiento
Ne 1:3; Jer 43:11; Am 9:4; Na 3:10.

CAUTIVO(VA), Jue 5:12 llévate a tus **c**.
Isa 52:2 Suéltate, oh **c**. hija de Sión
Da 11:8 con los **c**. vendrá a Egipto
Lu 21:24 llevados **c**. a todas las naciones
Ro 7:23 me conduce **c**. a la ley del pecado
Sl 68:18; Lu 4:18; Ef 4:8; 2Ti 3:6.

CAYADO, Sl 23:4 vara y **c**. me consuelan
Miq 7:14 Pastorea a tu pueblo con tu **c**.
Zac 11:10 tomé mi **c**. Agradabilidad

CAZA, Pr 12:27 no activa animales de **c**.
Gé 27:5, 30.

CAZADOR(ES), Gé 10:9 **c**. en oposición a
Jer 16:16 enviaré a llamar muchos **c**.

CAZAR, Gé 25:27 hombre que sabía **c**.
Gé 27:5; Le 17:13; Job 38:39; Pr 6:26; Lam 4:18; Eze 13:20.

CEBADO(S), 2Sa 6:13; Eze 39:18; Am 5:22.

CEBOLLAS, Nú 11:5 las **c**. y el ajo!

CEBRAS, Jer 14:6 **c**. han aspirado el viento

CEDRO(S), 1Re 4:33; Eze 31:8.

CEDRÓN, 2Sa 15:23; 2Cr 15:16; Jn 18:1.

CEFAS, 1Co 9:5; 15:5; Gál 2:14.

CEGAR, Dt 16:19 el soborno **c**. los ojos
2Co 4:4 dios de sistema ha **c**. las mentes
Jn 12:40; 1Jn 2:11.

CEGUERA, Gé 19:11; 2Re 6:18.

CELEBRACIÓN, 1Sa 18:7 mujeres en la **c**.

CELEBRAR, Gé 15:18 **c**. un pacto con Abrán
Dt 5:2 Jehová **c**. un pacto con
Sl 89:3 **c**. un pacto con David
Heb 11:28 Por fe había **c**. la pascua
Éx 12:14; Sl 42:4; Zac 14:16.

CELESTIAL(ES), 1Co 15:49 imagen del **c**.
Ef 2:6 nos sentó en lugares **c**. en unión
Heb 3:1 participantes del llamamiento **c**.
Heb 8:5 representación y sombra de cosas **c**.
Heb 12:22 monte Sión, Jerusalén **c**.
Jn 3:12; Ef 1:20; 2Ti 4:18; Heb 9:23.

CELO(S), Nú 11:29 ¿Sientes **c**. por mí?
Dt 32:16 incitarlo a **c**. con dioses extraños
Sl 69:9 **c**. por tu casa me ha consumido
Sl 78:58 siguieron incitándolo a **c**.
Pr 6:34 furia de un hombre son los **c**.
Pr 14:30 los **c**. son podredumbre a los huesos
Isa 9:7 **c**. de Jehová de los ejércitos hará
Sof 3:8 por el fuego de mi **c**. tierra devorada
Ro 10:2 tienen **c**. por Dios; mas no
Ro 10:19 Los incitaré a ustedes a **c**.
1Co 10:22 estamos incitando a Jehová a **c**.?
2Co 11:2 con un **c**. piadoso, porque yo
Nú 5:14; Ec 9:6; Isa 37:32; Eze 8:3; Jn 2:17; 1Co 3:3; Flp 3:6.

CELOSAMENTE, 1Co 12:31; 14:1; Gál 4:17.

CELOSO(S), Éx 34:14 Jehová, nombre es **c**.
Zac 1:14 Jehová **c**. por Jerusalén
1Co 13:4 El amor no es **c**., no se
Gál 1:14 **c**. por tradiciones de mis padres
Tit 2:14 pueblo **c**. de obras excelentes
1Pe 3:13; Rev 3:19.

CELOSO, EL, Lu 6:15; Hch 1:13 Simón **e**.

CEMENTERIO, Job 17:1 el **c**. es para mí
Jer 26:23 echó su cuerpo muerto en el **c**.
2Cr 34:28; 35:24; Job 21:32.

CENA(S), Mt 23:6 lugar prominente en las **c**.
Lu 14:12 una **c**., no llames a tus amigos
1Co 11:20 no posible comer la **c**. del Señor
Rev 19:9 Felices los invitados a la **c**.
Rev 19:17 reunidas a la gran **c**. de Dios
Mr 6:21; Lu 14:16; Jn 13:4; 1Co 11:21.

CENAR, Lu 22:20; 1Co 11:25.

CENSO, Éx 30:12; 2Cr 2:17.

CENSURA(S), Pr 1:23 Vuélvanse ante mi **c**.
Pr 6:23 las **c**. de la disciplina son camino
Pr 10:17 el que deja la **c**. hace que se
Pr 13:18 que guarda una **c**. es glorificado
Pr 29:15 La vara y la **c**. da sabiduría
Ef 5:13 cosas que reciben **c**. son
Pr 1:25; 3:11; 15:5, 10, 31, 32.

CENSURADO(DA), Pr 29:1 Un hombre **c**. será
Lu 3:19 Herodes fue **c**. por él respecto
Jn 3:20 para que sus obras no sean **c**.

CENSURAR, Job 40:2 el que **c**. a Dios
Sl 105:14 a causa de ellos **c**. a reyes
Pr 9:8 No **c**. a un burlador, que no te odie
1Ti 5:20 **C**. delante de todos los presentes
2Ti 3:16 Toda Escritura provechosa para **c**.
2Ti 4:2 **c**., con toda gran paciencia
Tit 1:13 sigue **c**. con severidad
Rev 3:19 a quienes tengo cariño los **c**.
2Sa 7:14; Job 13:10; Sl 50:21; Pr 30:6.

CÉNTUPLO, Mt 10:30 no reciba el **c**. ahora

CERA, Sl 68:2 como se derrite **c**., inicuos
Sl 97:5 montañas derretirse lo mismo que **c**.

CERCA, Jer 23:23 ¿Soy yo un Dios de **c**.

CERCAR, Isa 51:13 furia del que te **c**.

CERDO(DA), Le 11:7 **c**., inmundo para ustedes
Mt 7:6 No tiren perlas delante de los **c**.
Lu 15:15 lo envió a sus campos a guardar **c**.
2Pe 2:22 la **c**. bañada a revolcarse
Mt 8:30; Mr 5:11; Lu 8:33.

CEREAL(ES), Gé 42:1; 44:2; Ne 10:31.

CERRADA, Hch 5:23 cárcel la hallamos **c**.

CERRAR, Gé 7:16 Jehová **c**. la puerta
Jue 3:23 Ehúd **c**. tras sí las puertas
Isa 26:20 entra en tus cuartos, y **c**. tus
Mt 23:13 ustedes, fariseos, **c**. el reino
Mt 25:10 de bodas; y la puerta fue **c**.
Rev 3:8 puerta abierta, nadie puede **c**.
Rev 21:25 puertas de ninguna manera se **c**.
Isa 22:22; Mal 1:10; Rev 11:6; 20:3.

CERTIFICADO, Dt 24:1; Mt 19:7.

CERVEZA, Isa 1:22; Os 4:18 **c**. de trigo

CESACIÓN, Esd 6:8 se dará el gasto sin **c**.
Isa 38:11 los habitantes de la tierra de **c**.

CÉSAR, Mr 12:17 Paguen a **C**. las cosas de **C**.
Lu 23:2 prohibiendo pagar impuestos a **C**.
Jn 19:15 No tenemos más rey que **C**.
Mt 22:17; Lu 2:1; 20:25; Jn 19:12.

CESAR, 1Co 5:9 **c**. de mezclarse en

CESAREA, Mt 16:13; Hch 10:1; 23:23.

CESTA(S), Jer 24:2; Am 8:1; Mt 14:20; 15:37.

CESTO, 2Co 11:33 fui descolgado en un **c**.

CETRO. Véase también BASTÓN DE COMANDANTE.
Gé 49:10 **c**. no se apartará de Judá
Nú 24:17 un **c**. se levantará de Israel
Sl 2:9 Las quebrarás con **c**. de hierro
Sl 125:3 **c**. de iniquidad no descansando
Heb 1:8 **c**. de tu reino es **c**. de rectitud
Est 5:2; Sl 45:6; Eze 19:14; Zac 10:11.

CIEGO(S), Isa 35:5 ojos de los **c**. serán
Isa 56:10 Los atalayas de él son **c**. Ninguno
Mt 15:14 Guías **c**. es lo que son
Dt 28:29; Sl 146:8; Isa 42:7; Mt 23:24.

CIELO(S), Jue 5:20 Desde el **c**. estrellas
Sl 19:1 Los **c**. están declarando la gloria
Isa 65:17 voy a crear nuevos **c**. y nueva
Isa 66:1 **c**. son mi trono, y la tierra
Jn 3:13 ningún hombre ha ascendido al **c**.
Hch 2:34 David no ascendió a los **c**.
2Pe 3:5 hubo **c**. desde lo antiguo, y
2Pe 3:10 los **c**. pasarán con un ruido
2Pe 3:13 hay nuevos **c**. y una nueva tierra
Rev 12:7 estalló guerra en el **c**.:
Rev 19:11 vi el **c**. abierto, y, un caballo
Dt 10:14; Sl 2:4; 50:6; Pr 30:19; Ag 2:6; Mal 3:10; Mt 11:11; 24:35; Lu 17:24.

CIEN(TO), Isa 65:20 aunque tenga c. años
  Mt 13:8 esta de a c. por uno
  Mt 18:12 hombre llega a tener c. ovejas
  Ec 6:3; Rev 7:4.
CIENCIA. Véase CONOCIMIENTO.
CIENO, Sl 69:2 Me he hundido en c.
  Jer 38:22 pie se hunda en el c.
CIENTO CUARENTA Y CUATRO MIL, Rev 14:1.
CIERVO(VA), Pr 5:19 amable c. y encantadora
  Gé 49:21; Dt 12:15; Sl 18:33; Isa 35:6; Lam
  1:6; Hab 3:19.
CÍMBALO(S), 2Sa 6:5 celebrando con c.
  1Co 13:1 venido a ser un c. estruendoso
CINTO, 2Re 1:8; Isa 5:27; 11:5; Jer 13:1.
CINTURÓN, Éx 29:5; Mt 3:4; Hch 21:11.
CIRCUITO, Mr 6:6 recorría en c., enseñando
  Job 1:5; Sl 19:6; Mt 10:23; Ro 15:19.
CIRCULAR, 1Sa 2:24 informe haciendo c.
CÍRCULO, Job 26:10; Isa 40:22.
CIRCUNCISIÓN, Ro 2:29 c. del corazón
  Ro 4:11; 1Co 7:19; Flp 3:3; Col 2:11.
CIRCUNCISOS, Ro 3:30 justos a los c.
CIRCUNSTANCIAS, Sl 118:5 c. angustiosas
CIRO, Isa 44:28 dice de C.: Es mi pastor
  Isa 45:1 a su ungido, a C., a quien he
  2Cr 36:22; Esd 1:2, 7; 5:13; 6:3, 14.
CISNE, Le 11:18; Dt 14:16.
CISÓN, Jue 4:7; 1Re 18:40; Sl 83:9.
CISTERNA(S), Pr 5:15 Bebe de tu propia c.
  2Re 18:31; Ec 12:6; Isa 36:16; Jer 2:13.
CITA, 1Sa 21:2 he hecho una c. con los
  Am 3:3 ¿Andarán dos juntos a menos por c.?
CIUDAD(ES), Nú 35:6 seis c. de refugio
  Isa 6:11 Hasta las c. sin habitante
  Isa 54:3 habitará aun c. desoladas
  Mt 5:14 No se puede esconder una c.
  Heb 11:10 c. que tiene fundamentos
  Heb 11:16 les tiene lista una c.
  Rev 21:2 la santa c., la Nueva Jerusalén
  Gé 11:4; Eze 9:4; Lu 4:43; 19:17; Rev 14:8.
CIUDADANÍA, Flp 3:20 c. existe en los cielos
CIUDADANO(S), Hch 22:28 derechos como c.
  Lu 15:15; 19:14; Hch 21:39.
CIUDAD DE REFUGIO, Nú 35:11, 21:13, 21.
CLAMAR, Isa 55:6 C. a él mientras cerca
  Isa 65:24 antes que c., yo responderé
  Lu 19:40 permanecieran callados, piedras c.
  Isa 58:1; Jer 25:34; Lu 18:7.
CLAMAR GOZOSAMENTE, Isa 54:1 C., estéril
  Sl 20:5; 92:4.
CLAMOR GOZOSO, Isa 49:13 con un c.
  Isa 51:11 venir a Sión con un c.
CLANES, Gé 25:16; Nú 25:15; Sl 117:1.
CLARA, Pr 4:18 luz más y más c. hasta que
CLARAMENTE, Hab 2:2 Escribe la visión, c.
CLARIFICADA, Sl 12:6 c. siete veces
CLASE, Jer 5:4 son de c. baja
COBARDES, Rev 21:8 c., su porción en el lago
COBARDÍA, 2Ti 1:7 no dio espíritu de c.
COBRA, Isa 11:8 jugará sobre agujero de la c.
COCINERO(RA), 1Sa 8:13; 9:23, 24.
CODICIA(S), Mr 7:21, 22 del corazón, c.
  Lu 12:15 guárdense de toda c.
  Ro 7:7 no habría conocido la c. si la Ley
  1Te 2:5 ni con apariencia fingida para la c.
  Ro 1:29; Col 3:5; 2Pe 2:3, 14.
CODICIAR, Ro 7:7; 13:9 No debes c.
  Snt 4:2 Siguen c., y no pueden
CÓDIGO, Ro 13:9 el c.: No debes cometer
  2Co 3:7 si el c. que administra muerte
CÓDIGO ESCRITO, 2Co 3:6 el c. condena
  Ro 2:27, 29; 7:6.
CODO(S), Mt 6:27 ¿Quién puede añadir un c.
  Gé 6:15; Éx 27:1; Eze 41:8; Rev 21:17.
CODORNICES, Nú 11:31 impeler c. desde

COGIDO EN LAZO, Pr 12:13 el malo es c.
COHEREDEROS, Ro 8:17 c. con Cristo
  Ef 3:6 gentes de las naciones ser c.
COITO, Gé 4:1; 38:26; Jue 21:12.
COJEAR, 1Re 18:21 c. sobre dos opiniones
  Miq 4:7 haré de la que c. una resto
COJO(JA), Isa 35:6 el c. trepará como ciervo
  Mal 1:8, 13; Mt 15:30; Heb 12:13.
COLA(S), Job 14:17 tú aplicas c. sobre
  Isa 9:15 instrucción falsa es c.
  Dt 28:13, 44; Rev 9:10; 12:4.
COLABORADORES, 1Co 3:9 somos c. de Dios
  3Jn 8 lleguemos a ser c. en la verdad
COLECCIONES, Ec 12:11 c. de sentencias
COLECTA(S), 1Co 16:1, 2 c. para los santos
COLEGAS, Esd 4:7, 9; 5:3, 6.
CÓLERA, Sl 37:8 Depón la c. y deja
  Sl 103:8 Jehová es tardo para la c.
  Sl 110:5 hará pedazos a reyes el día de su c.
  Pr 14:29 El que es tardo para la c. abunda
  Pr 22:24 con nadie dado a la c.
  Sof 2:2 antes que venga la c. de Jehová
  Job 16:9; Sl 2:5; 55:3; Isa 30:27; Sof 3:8; Col
  3:8; Rev 14:10; 15:1.
COLGADO(S), Dt 21:23 cosa maldita el c.
  Est 8:7; 9:14; Lam 5:12; Lu 23:39.
COLGAR, Jos 8:29 c. al rey de Hai en madero
  Est 7:10 a Hamán en el madero que él
  Jn 20:17 Deja de c. de mí
  Hch 5:30 mataron, c. en un madero
  Hch 10:39 ellos lo eliminaron c. en madero
  Gé 40:22; Jos 10:26; 2Sa 18:10; Sl 137:2.
COLIGAR, 2Re 12:20; 14:19.
COLINAS, Isa 2:2 por encima de las c.
  Isa 55:12 las c. mismas se alegrarán
  Hab 3:6 las c. de duración se inclinaron
  Pr 8:25; Eze 6:3; Os 10:8; Lu 23:30.
COLOCADAS, Ro 13:1 autoridades c. por Dios
COLONIA, Hch 16:12 a Filipos, una c.
COLOR DE FUEGO, Rev 6:4; 12:3.
COLUMNA(S), Gé 19:26 convirtió en c. de sal
  Éx 13:22 c. de nube ni la c. de fuego
  Jue 16:25 colocarlo de pie entre las c.
  1Ti 3:15 c. y apoyo de la verdad
  Rev 3:12 c. en el templo de mi Dios
  Gé 28:18, 22; Esd 3:3; Sl 99:7; Gál 2:9.
COLUMNA(S) SAGRADA(S), Éx 34:13; 1Re
  14:23; 2Re 3:2; 17:10.
COLUMNATA, Jn 10:23; Hch 3:11; 5:12.
COLLAR, Pr 1:9 c. fino a tu garganta
COMANDANTE(S), Isa 55:4 caudillo y c. a los
  Jos 10:24; Jue 11:6; Pr 6:7; 25:15.
COMANDANTE MILITAR, Hch 21:32.
COMBATE, 1Co 14:8 se preparará para c.?
COMBATIR, Col 2:23 c. satisfacción de carne
COMBUSTIBLE, Eze 15:4, 6 En fuego para c.
COMENZAR, Flp 1:6 el que c. una buena obra
COMER, Gé 2:17 no debes c. de él
  Gé 3:19 Con el sudor de tu rostro c. pan
  Le 17:14 No deben c. la sangre de
  Dt 28:53 c. el fruto de tu vientre
  Ec 2:24 que c. y beba y vea el bien
  Isa 11:7 león c. paja como el toro
  Isa 21:5 ¡Haya un c., un beber!
  Isa 24:6 maldición se ha c. la tierra
  Isa 65:13 Mis siervos c., pero ustedes
  Jer 15:16 tus palabras, procedí a c.
  Jer 19:9 haré que c. la carne de sus hijos
  Mt 26:26 c., Jesús tomó un pan y lo partió
  Ro 14:6 el que c., c. para Jehová
  2Te 3:10 no trabajar, que tampoco c.
  Rev 2:7 le concederé c. del árbol
  Sl 22:26; Isa 65:21; Eze 3:1; Jn 6:53.
COMERCIALES, 2Ti 2:4 negocios c. de vida
COMERCIANTE(S), Job 41:6 entre c.?

Isa 23:8 **c.** eran los honorables de tierra?
Na 3:16 Has multiplicado tus **c.**
Rev 18:3 **c.** de la tierra se enriquecieron
Rev 18:11 **c.** viajeros llorando por ella
Eze 27:3, 13, 15, 17, 22-24; Mt 13:45.
COMERCIANTE VIAJERO, Mt 13:45.
COMERCIO, Pr 31:18 su **c.** es bueno
COMER Y BEBER, Mt 11:19 sí vino **c.**
Mt 24:38 días antes del diluvio estaban **c.**
Lu 10:7 quédense en aquella casa, **c.** las
Ro 14:17 reino no significa **c.,** sino
Col 2:16 que nadie los juzgue en **c.**
COMETER, Rev 18:3 reyes **c.** fornicación
COMIDA(S), Heb 12:16 Esaú, a cambio de **c.**
1Sa 20:24; Hch 2:46.
COMIENZO, Pr 9:10 temor de Jehová el **c.** de
COMISARIO ORDENADO, Jer 51:59.
COMISARIOS, 2Cr 8:10 jefes de los **c.**
COMISIÓN, 1Cr 6:32; Ag 1:13; Hch 26:12.
COMISIONADO(S), Hch 19:31 **c.** de fiestas
Jue 9:28; 2Cr 31:13; Est 2:3; Jer 52:25.
COMISIONAR, Isa 62:6 he **c.** atalayas
1Sa 13:14; 25:30; Jer 1:10.
COMODIDAD, Gé 33:14 el viaje a mi **c.**
COMPACTA, Job 38:30 profundidad acuosa **c.**
COMPACTAMENTE, 2Pe 3:5 **c.** fuera de agua
COMPADECER, 1Sa 22:8 ninguno que se **c.**
Mt 15:32 Me **c.** de la muchedumbre
COMPAÑERISMO, Pr 20:19.
Pr 22:24 No **c.** con nadie dado a cólera
COMPAÑERO(RA), Pr 17:17 **c.** verdadero ama
Éx 11:2; Jue 11:37; Sl 122:8; Isa 41:6; Jer
31:34; Zac 14:13.
COMPAÑERO DE YUGO, Flp 4:3 genuino **c.**
COMPAÑÍA(S), 1Co 5:11 de mezclarse en **c.**
1Co 15:33 Las malas **c.** echan a perder los
COMPAÑÍA MIXTA, Éx 12:38 subió una **c.**
Ne 13:3 separar a Israel a toda la **c.**
COMPARABLE(S), Sl 49:12; Pr 27:15.
COMPARACIÓN(ES), Jn 16:25 no hablaré en **c.**
Ro 8:18 en **c.** con la gloria que va a
Gál 6:4 no en **c.** con la otra persona
COMPARAR(SE), Sl 89:6 ¿quién **c.** a Jehová?
Isa 46:5 ¿A quién me asemejarán o me **c.**
2Co 10:12 al **c.** consigo mismos no tienen
COMPARECER, Heb 9:24.
COMPARTIMIENTO, Heb 9:6 en el primer **c.**
COMPÁS, Isa 44:13 **c.** sigue trazándolo
COMPASIÓN(ES), Jer 13:14 No mostraré **c.**
Joe 2:18 Jehová mostrará **c.** a su
Ro 9:15 mostraré **c.** a quien muestre **c.**
Ro 12:1 suplico por las **c.** de Dios
Flp 2:1 si tiernos cariños y **c.**
Col 3:12 vístanse de tiernos cariños de **c.**
Jer 15:5; Eze 7:9; Os 13:14; Zac 11:5, 6.
COMPENSACIÓN, Éx 21:34; Le 24:18; 2Sa
12:6; Eze 29:20; 1Ti 5:4.
COMPETENCIA(S), 1Co 9:25 en **c.** ejerce
Gál 5:26 No egotistas, promoviendo **c.**
COMPETENTE(S), Da 4:18; 5:15; 2Ti 3:17.
COMPETIR, 2Ti 2:5 **c.** en los juegos
COMPLACER(SE), 1Cr 29:3 **c.** en casa de Dios
Sl 149:4 Jehová está **c.** en su pueblo
Miq 6:7 ¿Se **c.** Jehová con miles de
2Co 12:10 en debilidades
Heb 10:38 mi alma no se **c.** en él
1Cr 29:17; Sl 147:11; Mal 1:8; 2Te 2:12.
COMPLETAR(SE), Lu 18:31 se **c.** todas las
Gál 3:3 ¿están ahora **c.** en carne?
COMPLETO(S), 1Cr 28:9 sírvele con corazón **c.**
2Cr 16:9 cuyo corazón es **c.** para con él
Col 1:28 presentemos todo hombre **c.** en
1Co 13:10; Snt 1:4.
COMPONER, Hch 1:1 El relato, lo **c.**
Eze 17:2; 24:3.

COMPORTAMIENTO, Jue 2:19 su **c.** terco
Mt 16:27 recompensará según su **c.**
COMPORTARSE, 2Co 1:12 nos hemos **c.** en
COMPOSICIÓN, Éx 30:32 de la **c.** no semejante
COMPRA, Gál 3:13 por **c.,** nos libró
COMPRADOR, Pr 20:14 ¡Es malo! dice el **c.**
COMPRADOS, 1Co 7:23 **c.** por precio
COMPRAR, Gé 47:19 **C.** a nosotros y
Gé 49:32 campo que se **c.** y la cueva
Pr 23:23 **C.** la verdad y no la vendas
Isa 55:1 los sedientos! Vengan, **c.**
Mt 13:46 al hallar una perla, la **c.**
Hch 20:28 él **c.** con la sangre
1Co 7:30 los que **c.,** como los que no
Col 4:5 **c.** todo el tiempo oportuno
2Pe 2:1 repudiarán al dueño que los **c.**
Rev 5:9 con tu sangre **c.** para Dios
Rev 13:17 nadie pueda **c.** o vender salvo
Le 27:24; Rut 4:4, 8; 2Sa 12:3; Jer 32:44; Mt
13:44; Lu 14:18; Rev 3:18; 18:11.
COMPRENDER, Ef 3:18 **c.** la anchura y
COMPRENSIÓN, Ef 3:4 la **c.** que tengo del
Col 1:9 se les llene de **c.** espiritual
COMPROMETER(SE), Dt 28:30; Os 2:19, 20.
COMPROMETIDA, Dt 22:23, 25, 27, 28.
Éx 22:16 hombre seduzca a virgen no **c.**
COMPUERTAS, Gé 7:11; 2Re 7:2; Mal 3:10.
COMÚN, Hch 4:32 las cosas las tenían en **c.**
1Co 10:13 Ninguna tentación salvo lo **c.**
1Co 14:24 entra cualquier persona **c.**
Hch 2:44; Tit 1:4; Jud 3.
COMUNICACIÓN, 2Sa 3:17 **c.** con ancianos
COMUNICAR, Job 37:20 ello será **c.**
CON ANHELO, Sl 37:7 [a Jehová] espéralo **c.**
CONCEBIR, Rut 4:13 Jehová le concedió **c.**
Sl 51:5 en pecado me **c.** mi madre
Lu 1:31 ¡mira!, **c.** en tu matriz
Ro 9:10 Rebeca **c.** gemelos de un solo
Ef 3:20 hacer en exceso cosas que **c.**
Heb 11:11 Sara recibió poder para **c.**
CONCEBIR DESCENDENCIA, Le 12:2.
CONCEPCIÓN, Os 9:11 no hay dar a luz, ni **c.**
1Co 7:6 digo esto a modo de **c.**
CONCESIÓN, Nú 19:8 Moisés, les hizo la **c.**
CONCIENCIA, Ec 9:5 muertos, no tienen **c.**
Mt 5:3 Felices los que tienen **c.** de su
Ro 9:1 **c.** da testimonio
1Co 4:4 no tengo **c.** de nada contra mí
1Co 10:29 juzgada por la **c.** de otra
1Ti 1:19 manteniendo fe y buena **c.**
1Ti 4:2 marcados en **c.** como con hierro
Heb 9:14 limpiará nuestra **c.** de obras
Heb 10:2 no tendrían ninguna **c.** de pecados?
Hch 23:1; 1Co 8:12; 2Co 1:12; 1Pe 3:16, 21.
CONCIERTO, Lu 15:25 oyó un **c.** de música
CONCIUDADANOS, Ef 2:19 son **c.** de santos
CONCLUIR, Ro 9:28 **c.** y acortándolo
CONCLUSIÓN, Mt 24:3 **c.** del sistema de cosas?
Mt 28:20 estoy con ustedes hasta la **c.**
Heb 9:26 **c.** de sistemas de cosas
CONCLUSIONES, SACANDO, Lu 2:19.
CONCUBINA(S), Jue 19:25 abusando de la **c.**
1Re 11:3 llegó a tener trescientas **c.**
Gé 22:24; Éx 21:8; 2Sa 3:7; Est 2:14.
CONDENACIÓN, Ro 5:18 el resultado fue **c.**
Ro 8:1; 2Co 3:9.
CONDENADO(S), Mt 12:37; 1Co 11:32.
Lu 6:37 de ninguna manera serán **c.**
Hch 22:25 ¿es lícito azotar un hombre no **c.?**
CONDENAR, Isa 54:17 en el juicio, la **c.**
Ro 8:3 tocante al pecado, **c.** al pecado
Tit 3:11 y a sí mismo se **c.**
Mt 12:7, 41, 42; 20:18; Ro 8:34; Tit 2:8; Heb
11:7; Snt 5:6; 1Jn 3:20.
CONDENAR A MUERTE, 2Co 3:6 código **c.**

CONDESCENDIENDO, Sl 113:6.
CONDICIÓN, 1Co 7:24 En c. que cada uno
CONDICIÓN APROBADA, Ro 5:4 c., a su vez
CONDICIÓN DE FUGITIVO, Gé 4:16.
CONDICIONES DE DESOLACIÓN, Da 9:18.
CONDOLER(SE), Sl 69:20 que alguien se c.
Heb 4:15 sumo sacerdote que no pueda c. de
Job 42:11; Isa 51:19; Na 3:7.
CONDUCIDO(S), Ro 8:14 c. por el espíritu
Mt 4:1 c. por el espíritu al desierto
CONDUCIR, 1Sa 24:15; Sl 31:3; 43:1; 74:22;
119:154; Pr 25:8; Jer 50:34; 51:36; Gál 5:18.
CONDUCTA, 1Co 13:2 acerca de mi c.
Gál 6:16 por esta regla de c.
1Ti 4:12 hazte ejemplo en c., en amor
Snt 3:13 muestre por su c. excelente
1Pe 2:12 Mantengan excelente su c. entre
1Pe 3:16 menosprecio de su buena c.
Heb 13:7; 1Pe 1:15, 18; 3:1, 2.
CONDUCTA FIEL, Isa 26:2 nación con c.
CONDUCTA RELAJADA, Pr 10:23; Gál 5:19.
1Pe 4:3 cuando procedían en hechos de c.
CONDUCTO, 2Re 18:17; Isa 7:3; 36:2.
CON EXACTITUD, 1Co 13:12.
CONFEDERADOS, Gé 14:13 c. de Abrán
CONFERENCIAR, Gál 1:16 no c. con carne y
CONFESAR. Véase también
     RECONOCER(SE).
Le 5:5 c. de qué manera ha pecado
Pr 28:13 al que c. mostrará misericordia
Snt 5:16 c. sus pecados unos a otros
Le 16:21; 26:40; Mt 7:23; Hch 24:14; 1Jn 1:9.
CONFESIÓN, Esd 10:11 Y ahora hagan c.
Ne 1:6 c. respecto a los pecados
Sl 32:5 Haré c. de mis transgresiones
Jos 7:19; 2Cr 30:22; Ne 9:2; Da 9:4.
CONFIABLE, Da 2:45 el sueño es c., y
Da 7:16 para solicitar de él información c.
CONFIADO(DA), Jue 18:7 moraba c. en sí
Pr 14:16 el estúpido se pone c. en sí mismo
CONFIANZA, Sl 56:11 En Dios cifrado mi c.
Sl 146:3 No cifren su c. en nobles
Pr 3:26 Jehová resultará ser tu c.
Pr 28:1 justos como león que tiene c.
Isa 31:1 ¡Ay de los que cifran c. en carros
Miq 7:5 No cifren c. en amigo íntimo
2Co 1:9 no c. en nosotros, sino en Dios
Ef 3:12 acceso con c. mediante fe en él
Flp 3:3 no tenemos nuestra c. en la carne
2Te 3:4 tenemos c. en el Señor
Pr 14:26; Ec 9:4; Isa 36:4; Jer 7:4; 12:5; 2Co
1:15; Heb 3:14.
CONFIANZA EN SÍ MISMOS, Sl 85:8.
CONFIAR, Sl 84:12 feliz hombre c. en ti
Pr 3:5 C. en Jehová con todo tu corazón
Pr 11:28 El que c. en sus riquezas... caerá
Pr 29:25 el que c. en Jehová será protegido
Isa 26:3 porque en ti se hace que uno c.
Sl 9:10; 32:10; 49:6; Pr 28:26; Isa 12:2; Jer
46:25; 2Co 1:8.
CONFIAR EN SÍ MISMA, Eze 30:9 Etiopía c.
CONFIDENCIAL, Am 3:7 revelado asunto c.
CONFINES, Isa 26:15 extendido todos los c.
CONFLICTO, 1Pe 2:11 llevan a cabo un c.
CONFORMARSE, Flp 3:21 se c. a su cuerpo
CONFORTAR, Jn 11:19 Marta y María para c.
1Co 14:3 el que profetiza c. a los hombres
1Te 2:11 c. y dándoles testimonio
CONFUNDIR, Jue 22:5; Miq 7:4.
CONFUSIÓN, Isa 22:5 es el día de c.
Zac 14:13 extensa c. procedente de Jehová
Dt 28:20; Pr 15:16; Eze 7:7; Hch 19:29.
CONGELADAS, Zac 14:6 cosas espesar c.
CONGELARSE, Sof 1:12 se c. sobre heces
CONGREGACIÓN(ES), Éx 12:6; Dt 9:10; 1Sa

17:47; Sl 149:1; Pr 26:26; Hch 16:5; 1Co
14:19; Gál 1:13; Ef 1:22.
Hch 20:28 pastorear la c. de Dios
1Co 14:34 mujeres guarden silencio en c.
Ef 5:24 c. está en sujeción al Cristo
Col 1:18 él es cabeza del cuerpo, la c.
Heb 12:23 la c. de los primogénitos
CONGREGADOR, Ec 1:1 Las palabras del c.
Ec 1:12; 7:27; 12:9, 10.
CONGREGAR(SE), Le 8:3 la asamblea se c.
Dt 31:12 C. al pueblo a fin de que aprendan
Est 9:18 los judíos en Susa, se c.
CONMEMORACIÓN, Est 9:28 Purim, la c.
CONMOCIÓN, Isa 16:14; Mt 21:10.
CONOCER, Gé 3:5 c. lo bueno y lo malo
Da 11:32 pueblo que c. a su Dios
Jn 8:32 c. la verdad, y la verdad
Jn 10:14 c. mis ovejas y mis ovejas me c.
Hch 18:25 c. solamente el bautismo de Juan
Hch 19:15 C. a Jesús, y sé quién es Pablo
2Co 5:16 no c. a nadie según la carne
Jer 31:34; Hch 26:5; 1Co 13:12.
CONOCIDOS, Sl 38:11 c. parados a distancia
2Re 10:11; Sl 31:11; 55:13; 88:8, 18.
CONOCIDOS ÍNTIMOS, Job 19:14.
CONOCIMIENTO, Pr 1:7 temor principio de c.
Pr 15:7 sabios siguen esparciendo c.
Ec 9:10 ni c. ni sabiduría en el Seol
Isa 11:9 tierra llena del c. de Jehová
Da 1:4 c. y discernimiento de lo que
Da 12:4 discurrirán, y c. se hará abundante
Os 4:6 c. silencio, porque no hay c.
Lu 11:52 quitaron la llave del c.
Jn 17:3 significa vida eterna, c.
1Ti 6:20 contradicciones del llamado c.
Gé 2:9; Sl 19:2; Pr 1:29; 8:10; 9:9; 10:14;
14:18; Isa 44:25; 53:11; Jer 3:15; Mal 2:7; Ro
11:33; 1Co 8:1; 2Pe 3:18.
CONOCIMIENTO EXACTO, Ro 10:2 celo; no c.
Ef 4:13 alcanzar unidad en fe y c.
Flp 1:9 abunde con c. y discernimiento
Col 1:9 se les llene del c. de su voluntad
1Ti 2:4 se salven y lleguen a un c.
2Ti 3:7 aprendiendo y, nunca llegar a un c.
Heb 10:26 practicando pecado después de c.
Ro 1:28; 3:20; Col 3:10; 2Ti 2:25; 2Pe 2:20.
CONSAGRAR. Véase LLENAR MANO DE
     PODER.
CONSECUENCIAS, Job 13:26 las c. de errores
CONSEJERO(S), Pr 24:6 multitud de c.
Isa 9:6 Maravilloso C., Príncipe de Paz
Ro 11:34 ¿quién se ha hecho su c.?
Job 12:17; Pr 15:22; Isa 1:26; Miq 4:9.
CONSEJO(S), Sl 33:11 c. subsistirá
Isa 46:10 Mi propio c. subsistirá
Isa 46:11 hombre ha de ejecutar mi c.
Hch 20:27 decirles todo el c. de Dios
1Co 4:5 manifiesto los c. de los corazones
Sl 1:1; 5:10; 33:10; 73:24; 119:24; Pr 19:21;
22:20; Isa 14:26; 23:9; 25:1; 40:13; Heb 6:17.
CONSENTIMIENTO, Lu 11:48 cuentan con c.
CONSENTIR, Pr 1:10 seducirte, no c.
CONSERVACIÓN, Gé 45:5 c. de vida me ha
CONSERVAR, Sl 79:11 c. a los designados a
Sl 80:18 Quieras c. vivos, para que
Ec 7:12 sabiduría c. vivos a sus dueños
Lu 17:33 cualquiera que la pierda la c. viva
Job 36:6; Sl 119:25, 50, 107; Jer 49:11.
CONSIDERACIÓN, 2Re 16:15; 2Co 1:23.
Sl 41:1 Feliz es cualquiera que obra con c.
Flp 2:6 no dio c. a una usurpación
1Te 5:13 c. en amor por causa de trabajo
CONSIDERADO, 2Te 1:10 c. en aquel día con
CONSIDERAR, Job 37:24 El no c. a sabios
Sl 119:128 he c. rectas las órdenes
Ro 4:19 c. su propio cuerpo, amortiguado

Flp 2:3 c. que los demás son superiores
Flp 3:7 he c. pérdida a causa del Cristo
Flp 4:8 continúen c. estas cosas
Heb 3:1 c. al apóstol y sumo sacerdote
Heb 8:1 cosas que se c., este es el punto
CONSISTIR, Ef 2:15 Ley que c. en decretos
CONSOLACIÓN, Lu 2:25 la c. de Israel
2Sa 3:35; Isa 66:11; Jer 16:7; Flp 2:1.
CONSOLADO(DA), Mt 5:4; 2Co 1:4; Col 2:2.
Jer 31:15 rehusado ser c. por hijos
CONSOLAR. Véase AYUDANTE.
CONSOLADORES, Job 16:2; Sl 69:20; Na 3:7.
CONSOLAR, Isa 61:2 c. a los de duelo
2Co 1:4 c. los que se hallan en tribulación
Gé 37:35; Job 2:11; Isa 40:1; 49:13.
CONSORCIO, 2Co 6:14 ¿qué c. justicia y
CONSORTE, Ne 2:6; Sl 45:9.
CONSPICUAMENTE, Da 8:8 a subir c. cuatro
CONSPICUO, Da 8:5 cuerno a. entre sus ojos
CONSPIRACIÓN, Isa 8:12 no deben decir: ¡C.!
Jer 11:9; Eze 22:25; Hch 23:13.
CONSPIRAR, 1Sa 22:8; 1Re 15:27; 2Re 9:14;
10:9; 15:10; 15:25; 21:23; Am 7:10.
CONSTANCIA, Da 6:16, 20 sirves con c.
Ef 6:18 despiertos con toda c. y ruego
2Pe 3:17 para que no caigan de su c.
CONSTANTE(S), Sl 78:37 corazón no c. con
1Co 15:58 háganse c., inmovibles, siempre
Col 1:23 establecidos sobre fundamento, y c.
CONSTANTE, RASGO, Da 8:11; 11:31; 12:11.
CONSTELACIÓN, Job 9:9; Am 5:8.
CONSTELACIÓN ASH, Job 9:9 haciendo c.
CONSTELACIÓN KESIL, Job 38:31.
CONSTERNACIÓN, Job 41:25.
CONSTITUIDOS JUSTOS, Ro 5:19 muchos c.
CONSTITUIR(SE), Sl 21:6 lo c. bendecido
Snt 4:4 está c. enemigo de Dios
CONSTREÑIRLO, 2Re 4:8 ella se puso a c.
CONSTRUIR, Heb 3:3 más honra el que la c.
Heb 3:4 el que ha c. todas las cosas es Dios
CONSUELO, Ro 15:4 mediante c. de Escrituras
Gé 37:35; 2Co 1:3.
CONSULTA, Mt 27:1 tuvieron c. contra Jesús
CONSULTAR, Le 19:31 no c. a pronosticadores
2Sa 21:1; 2Cr 20:4.
CONSUMIR(SE), Ef 3:2 zarza no se c.
Sl 119:81 Se ha c. mi alma en su vivo
Sl 119:123 ojos se han c. del vivo deseo
Mt 6:19 la polilla y el moho c.
Gé 41:30; Sl 84:2; Isa 27:10; Heb 10:27.
CONTADO(DA), Lu 22:37 c. con desaforados
Ro 4:5 su fe le es c. por justicia
Ro 4:24 a quienes está destinado a ser c.
Ro 9:8 hijos de promesa c. descendencia
Snt 2:23 le fue c. por justicia
CONTAMINACIÓN, Heb 13:4 lecho sin c.
CONTAMINADO(DA), Sl 106:38; Miq 4:11.
Isa 24:5 tierra c. bajo habitantes
Mal 1:7 sobre mi altar pan c.
Mal 1:12 mesa de Jehová es algo c.
Ro 14:14 nada de sí mismo es c.
Tit 1:15 a los c. nada les es limpio
CONTAMINAR, Nú 35:34 no debes c. la tierra
Sl 79:1 han c. tu santo templo
Jer 23:11 profeta y sacerdote se han c.
Mt 15:18 las cosas de la boca c.
Isa 30:22; Jer 3:1, 9; 32:34; Eze 20:7.
CONTAR, Sl 78:4 c. a la generación venidera
Sl 90:12 Muéstranos cómo c. días
Sl 147:4 Está c. las estrellas
Hch 15:14 Symeón ha c. cómo Dios
Rev 7:9 ningún hombre podía c.
Gé 40:8; 41:12; 2Re 8:4; 1Cr 16:24.
CONTEMPLAR, Pr 5:6 Ella no c. la senda

Heb 13:7 al c. la conducta de ellos
Hch 17:22; Heb 11:1; 1Jn 1:1.
CONTEMPORÁNEOS, Gé 6:9 Noé entre sus c.
CONTENCIOSO(SA), Pr 21:9 con una esposa c.
Pr 21:19 desértica que con esposa c.
Pr 26:21 así es un hombre c. para
Pr 27:15 lluvia y la esposa c. comparables
Ro 2:8 los que son c. y que desobedecen
CONTENDER, Dt 33:8 Empezaste a c. con él
Job 13:8; 40:2; Isa 3:13; 49:25; 50:8; Os 4:4.
CONTENDIENTE, Jue 12:2 Jefté c. especial
CONTENTOS, 1Ti 6:8 estaremos c. con estas
CONTIENDA(S), Sl 80:6 por c. a vecinos
Pr 6:19 cualquiera que envía c. entre
Pr 28:25 El que es arrogante suscita c.
1Co 3:3 haya entre ustedes celos y c.
Gál 5:20 c., altercaciones, divisiones
Pr 26:28; 18:19; 22:10; Lam 3:58; Heb 12:4.
CONTINUA, Isa 26:3 en paz c.
CONTINUAR, Flp 1:25 permaneceré y c. con
CONTORNO, 1Co 1:12 vemos en c. nebuloso
CONTRA, Isa 19:2 guerrearán cada cual c. su
Mt 12:30 El que no está de parte mía, c. mí
Ro 8:31 Si Dios está por nosotros, ¿quién c.
Mal 3:5; Mt 10:35; 12:25; Ef 6:12.
CONTRAARGUMENTOS, Job 13:6 Oigan mis c.
Sl 38:14 en mi boca no hubo c.
CONTRADECIR, Tit 1:9 censurar a los que c.
CONTRADICCIONES, 1Ti 6:20.
CONTRANATURAL(ES), 1Co 6:9 propósitos c.
Jud 7 ido en pos de carne para uso c.
CONTRARIO(S), Ro 16:17 c. a la enseñanza
Flp 1:28 atemorizados por sus c.
Est 9:1; Hch 18:13; Ro 11:24.
CONTRATAR, Ne 9:38 estaban c. un arreglo
Mt 20:1 c. obreros para su viña
CONTRIBUCIÓN, Éx 25:2 recojan una c.
2Cr 31:10 traer la c. a la casa de Jehová
Eze 45:1 ofrecer una c. a Jehová
Eze 45:16; Ro 15:26; 2Co 9:13.
CONTRINCANTE JUDICIAL, Job 9:15.
CONTRISTAR, Ro 14:15 se c. tu hermano
Ef 4:30 no estén c. el espíritu santo
CONTRITO, Isa 66:2 al afligido c.
CONTROLAR, Pr 16:32 que c. su espíritu
Col 3:15 paz del Cristo c. en sus corazones
CONTROVERSIA, Isa 66:16 tomará la c.
Jer 25:31 hay una c. que Jehová tiene con
CONVENCIDO(S), Ro 8:38 estoy c. que ni
Heb 6:9 estamos c. de cosas mejores
CONVENIR, Mt 18:19; 20:13; Hch 5:9; 15:15.
Mt 19:10 Si tal es la situación, no c. casarse
CONVERSIÓN, Hch 15:3 c. de gente
CONVERTIDO, RECIÉN, 1Ti 3:6 no hombre r.
CONVICCIÓN, 1Te 1:5 con fuerte c.
CONVOCACIÓN(ES), Le 23:4 Estas son las c.
Isa 4:5 sobre lugar de c. una nube de día
Éx 12:16; Le 23:35; Nú 28:26; 29:7.
CONVULSIONES, Isa 13:8; 21:3; Da 10:16.
Mr 9:26 después de hacer muchas c., salió
COOPERAR, Ro 8:28; 1Co 16:16; Ef 4:16.
COPA, Sl 116:13 c. de salvación alzaré
Isa 51:17, 22 c. de furia
Jer 25:15 Toma esta c. del vino de la furia
Lu 22:20 c. significa el nuevo pacto
Lu 22:42 si deseas, remueve esta c.
1Co 10:21 c. de Jehová y c. de demonios
Gé 44:12; Jer 51:7; Mt 20:22; 1Co 10:16.
COPIA, Heb 9:24 c. de la realidad
COPIOSOS CHAPARRONES, Dt 32:2; Sl 65:10.
COPISTA, Esd 7:6; Sl 45:1; Jer 36:10.
CÓPULA, Jer 2:24 el tiempo de c.
CORALES, Pr 8:11 sabiduría mejor que c.
CORAZA, Ef 6:14 c. de la justicia
1Te 5:8 puesta la c. de fe y amor

CORAZÓN(ES), 1Sa 16:7 Jehová ve el **c.**
1Cr 28:9 sírvele con **c.** completo
Pr 4:23 salvaguarda tu **c.,** porque
Pr 14:30 c. calmado es vida del organismo
Pr 21:2 Jehová está avaluando los **c.**
Jer 17:9 c. es más traicionero que
Jer 17:10 Yo, Jehová, escudriñando el **c.**
Mt 5:8 Felices los de **c.** puro
Mt 15:8 su **c.** está muy alejado de mí
Mt 22:37 amar a Jehová con todo tu **c.**
Ro 10:10 con el **c.** se ejerce fe
Ef 1:18 iluminados los ojos de su **c.**
Heb 3:8 no endurezcan sus **c.** como
2Re 10:15; Ne 4:6; Sl 14:1; 24:4; Pr 3:5;
15:28; 17:3; Isa 14:13; 35:4; Jer 31:33; Eze
28:17; Da 11:27; Mal 4:6; Lu 12:34; 2Co 3:3;
Snt 4:8; 5:8; 1Pe 3:15; Rev 17:17.
CORAZÓN DISPUESTO, Éx 35:5 todo el de **c.**
CORBÁN, Mr 7:11 lo que tengo es **c.**
CORCELES, Jue 5:22.
CORDEL, 2Sa 8:2; Isa 28:10; Jer 31:39.
CORDEL DE MEDIR, Sl 19:4.
2Re 21:13 c. que se aplicó a Samaria
Isa 28:10 c. sobre **c.,** aquí un poco, allí
Isa 28:17 haré del derecho el **c.**
CORDERO(S), Isa 40:11 brazo juntará los **c.**
Lu 10:3 Los envío como a **c.** en medio de
Jn 1:29 ¡Mira, el **C.** de Dios que quita
Jn 21:15 Apacienta mis **c.**
Isa 11:11; Sl 37:20; Rev 5:6; 7:10.
CORDURA, 1Sa 21:13 [David] disfrazó su **c.**
CORÉ, Nú 16:1; 26:9-11; Jud 11.
CORNELIO, Hch 10:1, 3, 22, 24, 25, 30, 31.
CORO(S), Ne 12:31, 38, 40.
CORONA, Eze 21:26 turbante, quita la **c.**
1Te 2:19 ¿cuál es nuestra **c.** de alborozo
2Ti 4:8 me está reservada la **c.**
Rev 2:10 te daré la **c.** de la vida
Est 8:15; Mt 27:29; Snt 1:12; 1Pe 5:4.
CORPORAL, Lu 3:22; 1Ti 4:8.
CORRECCIÓN. Véase DISCIPLINA.
CORRECTA, CONDICIÓN, Da 8:14 llevado a **c.**
CORRECTAMENTE, 2Ti 2:15 la verdad **c.**
CORRECTO(TA), Da 8:14 lugar a condición **c.**
Snt 3:10 No es **c.,** que sigan de esta manera
Snt 4:17 sabe hacer lo que es **c.** y no lo hace
CORREDOR, Isa 1:23 soborno y **c.** tras regalos
CORREGIDOR, Ro 2:20 c. de los irrazonables
CORREGIR, Dt 8:5 Jehová tu Dios iba **c.**
Sl 2:10 déjense **c.,** oh jueces
Sl 94:10 Aquel que **c.** a las naciones
Sl 118:18 Jah me **c.** severamente
Pr 29:19 no se dejará **c.** por palabras
Pr 9:7; Lu 18:15; 2Ti 4:2.
CORREOS, Est 3:13 cartas por **c.**
CORRER, Pr 1:16 pies **c.** a la maldad
1Co 9:24 todos **c.,** pero solo uno recibe el
Heb 12:1 c. con aguante la carrera
1Pe 4:4 no continúan **c.** con ellos en
Isa 40:31; 55:5; Joe 2:9; Flp 2:16.
CORRESPONDER, Gál 4:25 Agar **c.** a
CORRESPONDIENTEMENTE, Heb 8:6 c. mejor
CORRIDOS, Sl 35:26 queden **c.** todos juntos
CORRO, Sl 150:4 la danza de **c.**
CORROMPER, Nú 35:33 sangre **c.** la tierra
Rev 19:2 ramera que **c.** la tierra con su
CORROMPIDO(DA), Ef 4:29 ningún dicho **c.**
2Ti 3:8 hombres **c.** de mente
2Co 11:3; 1Ti 6:5.
CORRUPCIÓN, Ro 8:21 de la esclavitud a la **c.**
1Co 15:42 Se siembra en **c.,** se levanta
Gál 6:8 su carne, segará de su carne la **c.**
2Pe 2:19 existen como esclavos de **c.**
Hch 2:27, 31; 13:36; 1Co 15:50; 2Pe 1:4.
CORRUPTIBLE(S), 1Co 15:53 esto que es **c.**
Ro 1:23; 1Co 9:25; 15:54; 1Pe 1:18, 23.

CORRUPTO(TA), Sl 14:3; Eze 20:44; Da 6:4.
CORTADO(DA), Sl 37:9 malhechores serán **c.**
Da 9:26 Mesías será **c.,** con nada para sí
2Pe 2:29 día del juicio para que sean **c.**
Sl 37:38; 88:5; Isa 14:12; 53:8; 56:5; Miq 5:9.
CORTAMIENTO, Mt 25:46 al **c.** eterno
CORTAR, Dt 7:5; 2Cr 34:7; Sl 34:16.
CORTINA, Mt 27:51 c. se rasgó en dos
Heb 10:20 camino nuevo a través de la **c.**
Éx 26:31; Heb 6:19; 9:3.
CORTO, Rev 12:12 sabiendo que tiene **c.**
COSA, Gál 1:11 buenas nuevas no **c.** humana
COSA ABORRECIBLE, Lam 1:17; Eze 7:19, 20.
COSA(S) BUENA(S), Ne 9:25 casas llenas de **c.**
Ec 5:11 Cuando **c.** llegan a ser muchas, los
COSA DADA POR ENTERO, Nú 18:14; Dt 7:26.
COSA DETESTABLE, Pr 3:32 sinuoso es **c.**
COSA(S) REPUGNANTE(S), Dt 29:17; 2Re
23:24; Jer 7:30; Da 9:27; Zac 9:7; Rev 17:5.
Da 11:31 c. que está causando desolación
Na 3:6 arrojaré sobre ti **c.**
Mt 24:15 alcancen a ver la **c.** que causa
Lu 16:15 entre hombres encumbrado, **c.**
Rev 17:4 una copa de oro llena de **c.**
COSAS ELEMENTALES, Gál 4:3, 9; Col 2:8.
Heb 5:12 c. de las sagradas declaraciones
COSAS QUE SE ARRASTRAN, Sl 148:10.
COSAS VALIOSAS, Pr 3:9; 11:4; 28:22.
COSECHA, Gé 8:22; Éx 23:16.
COSTO, 1Co 9:18 buenas nuevas sin **c.**
COSTOSO(SA), 1Re 5:17; 7:9, 11.
1Ti 2:9 se adornen no con traje muy **c.**
COSTUMBRE(S) 1Cr 15:13 conforme a la **c.**
Jer 10:3 c. de pueblos son una exhalación
Hch 16:21 están publicando **c.** que no nos es
Heb 10:25 c., sino animándonos unos a otros
Le 18:30; Hch 6:14; 15:1; 26:3; 1Co 11:16.
COTA DE MALLA, 1Sa 17:5; Isa 59:17.
COYUNTURA(S), Ef 4:16; Col 2:19; Heb 4:12.
CRÁNEO, Mt 27:33; Mr 15:22; Lu 23:33.
Nú 24:17 partirá **c.** de los hijos de guerra
CREACIÓN, Ro 1:20 desde la **c.** del mundo
Ro 1:25 servicio a la **c.** más bien que a Aquel
Ro 8:20 la **c.** fue sujetada a futilidad
Ro 8:22 toda **c.** sigue gimiendo juntamente
2Co 5:17 en unión con Cristo, es nueva **c.**
Gál 6:15 sino una nueva **c.** es algo
Rev 3:14 el principio de la **c.** por Dios:
Col 1:15, 23; 1Ti 4:4; Heb 4:13; 2Pe 3:4.
CREADO(DA), Col 1:16 por él fueron **c.**
Sl 104:30; Ef 2:10.
CREADOR, Ec 12:1 Acuérdate, de tu **C.**
Isa 40:28; 43:15; 1Pe 4:19.
CREAR, Gé 1:1 En el principio Dios **c.**
Gé 1:27 lo **c.;** macho y hembra los **c.**
Sl 51:10 **C.** en mí un corazón puro
Isa 45:18 que no **c.** la tierra para nada
Isa 65:17 voy a **c.** nuevos cielos y una
Col 3:10 la imagen de Aquel que la ha **c.**
Rev 4:11 a causa de tu voluntad fueron **c.**
Isa 45; 43:7; 45:7, 12; 57:19; 65:18.
CRECER, Hch 6:7 palabra de Dios siguió **c.**
1Co 3:7 sino Dios que lo hace **c.**
Col 2:19 el cuerpo sigue **c.** con el
Lu 12:27; Ef 4:15; 1Pe 2:2.
CREER. Véase también FE, PONER.
Jn 5:24 El que **c.** al que me envió
Heb 11:6 c. que él existe y que
Snt 2:19 los demonios **c.** y se estremecen
1Jn 5:1 c. que Jesús es el Cristo
Éx 4:5; Hab 1:5; Mt 21:32; Hch 4:32; 15:7;
16:31; Flp 3:4; 2Te 2:12; 1Ti 3:16; 1Jn 4:1.
CRESA(S), Job 7:5 carne vestida de **c.**
Job 25:6 hombre mortal, que es una **c.**

Mr 9:48 donde su **c**. no muere
Éx 16:24; Job 17:14; 24:20; Isa 14:11.
CREYENTES, Hch 5:14 añadiéndose a
1Ti 6:2 de su buen servicio son **c**.
1Pe 2:7 él es precioso, porque son **c**.
CRÍA, Dt 7:13 la **c**. de tus vacas
CRIAR, Éx 2:7; 1Ti 2:7.
CRIATURA(S), Snt 1:18 primicias de sus **c**.
Le 11:10; Eze 1:5; Hch 7:19; 1Pe 2:2; Rev
4:6; 5:6; 8:9.
CRIATURAS QUE SE ARRASTRAN, Hch 10:12.
CRIATURAS VOLADORAS, Gé 1:20; Le 11:13.
CRISTIANO(S), Hch 11:26 donde se les llamó **c**.
Hch 26:28 me persuadirías a hacerme **c**.
1Pe 4:16 sufre como **c**., no se avergüence
CRISTO, Mt 16:16 Tú eres el **C**.
Ro 8:17 coherederos con **C**., con tal que
1Co 12:12 un solo cuerpo, así también el **C**.
1Co 15:23 propia categoría: **C**. primicias
Col 1:24 tribulaciones del **C**. en mi carne
1Pe 4:13 partícipes de sufrimientos del **C**.
Rev 20:4 reinaron con **C**. por mil años
1Co 1:13; 3:23; 7:22; 2Co 12:10; Gál 3:29; Ef
5:23; Col 1:27; 1Pe 2:21.
CRISTOS, FALSOS, Mt 24:24; Mr 13:22.
CRITICAR, Gé 21:25 Abrahán **c**. a Abimélec
1Ti 5:1 No **c**. hombre de edad
CRÓNICO, Jer 15:18; 30:12.
CRUCIFICAR. Véase FIJAR EN MADERO(S).
CRUEL(ES), Pr 5:9; 11:17; 12:10; Isa 13:9.
CRUJIR, Sl 37:12 él está **c**. los dientes
Lu 13:28 su llanto y el **c**. de sus
Mt 8:12; 13:42; 22:13; 24:51; 25:30.
CRUZ. Véase MADERO DE TORMENTO.
CUAJADAS, Éx 15:8 aguas **c**. en el mar
CUAJARSE, Job 10:10 como queso, a **c**.?
CUALIDAD(ES), Am 1:11 arruinó sus **c**.
Ro 1:20 **c**. invisibles se ven desde creación
Ro 2:4 **c**. bondadosa de Dios está tratando
Gál 6:1 ustedes que tienen las debidas **c**.
Col 2:9 mora la plenitud de la **c**. divina
CUALIDAD PROBADA, Snt 1:3 **c**. de fe
1Pe 1:7 que la **c**. de su fe
CUARENTA, Gé 7:4 llueva **c**. días y **c**. noches
Dt 29:5 guiándolos **c**. años en el desierto
Mr 1:13 continuó en el desierto **c**. días
Éx 16:35; Eze 4:6; Mt 4:2; Hch 1:3.
CUARENTENA, Nú 12:14, 15 en **c**. fuera del
CUARTO MÁS RECÓNDITO, 1Re 6:5; Sl 28:2.
CUATROCIENTOS, 1Re 22:6.
CUBIERTA, Éx 25:17 hacer una **c**. de oro
CUBIERTA PROPICIATORIA,
1Cr 28:11; Heb 9:5.
CUBRIR, Le 17:13 derramar la sangre y **c**.
CUBRIR CON SU SOMBRA, Heb 9:5.
CUCARACHA(S), 1Re 8:37; Joe 1:4.
CUELLO, Lu 15:20; 17:2; Hch 20:37.
CUENCAS, Gé 1:22 llenen las **c**. de los mares
CUENTA(S), Pr 3:6; 1Co 13:5; Flm 18.
Ro 4:8 de ninguna manera tomará en **c**.
Ro 9:28 Jehová hará ajuste de **c**.
Ro 14:12 cada uno de nosotros rendirá **c**.
Heb 4:13 a quien tenemos que dar **c**.
CUENTOS, 1Ti 1:4; 4:7 atención a **c**. falsos
2Ti 4:4 serán desviados a **c**. falsos
2Pe 1:16 **c**. falsos artificiosamente tramados
CUERDA(S), Sl 2:3 de nosotros sus **c**.!
Ec 4:12 una **c**. triple no puede ser rota
Isa 54:2 Alarga tus **c**. de tienda
Jn 2:15 látigo de **c**., expulsó del templo
CUERNO(S), Le 25:9 **c**. de sonido fuerte
Eze 33:6 venir la espada y no toque el **c**.
Da 7:8 otro **c**., uno pequeño
Rev 17:12 los diez **c**. que viste
CUERO, 2Re 1:8 cinto de **c**. ceñido

CUERPO(S), Mt 10:28 matan el **c**.
Ro 12:1 presenten sus **c**. como sacrificio
1Co 6:20 glorifiquen a Dios en el **c**. que
1Co 12:18 Dios ha colocado miembros en **c**.
1Co 15:44 siembra **c**. físico, se levanta **c**.
Col 1:18 cabeza del **c**., la congregación
Heb 10:5 me preparaste un **c**.
Mt 26:12; 27:52; Lu 11:34; Jn 2:21; Ro 8:11;
1Co 6:15; 15:40.
CUERPO DEL CRISTO, Ef 4:12.
CUESTIONES, Hch 23:29 **c**. de la Ley
Ro 14:1 **c**. de duda interna
1Ti 1:4 pero que proporcionan **c**.
1Ti 6:4 mentalmente enfermo sobre **c**. y
2Ti 2:23 niégate a admitir **c**. necias
Tit 3:9 evita **c**. necias y genealogías
CUEVA, Jer 7:11 una **c**. de salteadores
Mt 21:13 la hacen **c**. de salteadores
CUIDADO, 1Co 12:25 mismo **c**. unos de otros
CUIDARSE, Dt 8:11 **C**. de que no vayas a
CULEBRA, Nú 21:8 Hazte una **c**. abrasadora
Sl 91:13 hollarás la **c**. grande
CULEBRILLA, Le 21:20 o que tenga **c**.
CULPA, Gé 26:10 traído sobre nosotros **c**.
Jos 2:17 libres de **c**. respecto a juramento
1Cr 21:3 ¿Por qué hacerse causa de **c**.
2Cr 28:10 casos de **c**. contra Jehová
Jer 51:5 la tierra ha estado llena de **c**.
CULPABILIDAD, Esd 9:13; Sl 68:21.
CULPABLE(S), Isa 24:6; Eze 22:4; Zac 11:5.
Sl 55:23 hombres **c**. de sangre y engañosos
Sl 59:2 de hombre **c**. de sangre sálvame
Os 13:1 hacerse **c**. respecto a Baal
1Co 11:27 beba la copa del Señor será **c**.
CULPABLES DE SANGRE, Sl 55:23; 139:19.
Sl 59:2 de hombres **c**. sálvame
CULTIVABLE, Jer 4:3; Os 10:12.
CULTIVADOR(ES), Jn 15:1 Padre es el **c**.
Gé 4:2; Mt 21:33.
CULTIVAR, Gé 2:5 no había hombre que **c**.
Gé 3:23 para que **c**. el suelo del cual
Zac 13:5 soy hombre que **c**. terreno
Heb 6:7 para quienes se **c**.
CULTIVO, 1Co 3:9 campo bajo **c**.
CUMPLEAÑOS, Gé 40:20; Mt 14:6; Mr 6:21.
CUMPLIDAMENTE, Flp 1:6 la efectuará **c**.
CUMPLIMIENTO, 1Re 8:15 ha dado **c**.
2Cr 6:4, 15; Jer 44:25.
CUMPLIR, 2Cr 36:21 para **c**. setenta años
Mt 5:17 No vine a destruir, sino a **c**.
Lu 21:22 que se **c**. todas las cosas
Job 39:2; Sl 20:4, 5; Mt 2:15; 12:17; Gál 6:2.
CUÑADA, Rut 1:15 Tu **c**. enviudada
CURACIÓN, Pr 12:18 lengua de sabios es **c**.
Pr 13:17 un enviado fiel es una **c**.
Isa 6:10 no se vuelvan y consigan **c**.
Isa 53:5 ha habido una **c**. para nosotros
Mal 4:2 brillará, con **c**. en sus alas
Lu 13:14 hecho la **c**. en sábado
Rev 22:2 eran para **c**. de las naciones
CURADOS, Lu 13:14 sean **c**., no en sábado
Hch 5:16 todos sin excepción eran **c**.
CURAR, Lu 4:23 Médico, **c**. a ti mismo
Mt 8:7; 9:35; 12:15; 19:2; 21:14; Mr 3:2; Lu
6:7; 10:9.
CURVAS, Lu 3:5 **c**. en caminos rectos
CUS, Gé 10:6-8; Isa 11:11; Jer 46:9.
CUSTODIA, Nú 13:14 la **c**. de la casa
Gál 3:22 a la **c**. del pecado
Hch 4:3; 5:18.
CUSTODIAR, Jer 37:21 **c**. a Jeremías

CH

CHAMUSCAR, Isa 43:2 ni la llama te **ch**.
CHAPARRONES, Dt 32:2 **ch**. sobre vegetación

Sl 72:6 descenderá, como **ch.** copiosos
Miq 5:7 los restantes como **ch.** copiosos
CHARLAR, 3Jn 10 **ch.** con palabras inicuas
CHILLIDOS, Isa 12:6 Da **ch.** de alegría
CHIRRIAR, Isa 38:14 Como el bulbul sigo **ch.**
CHISMOSAS, 1Ti 5:13 **ch.** y entremetidas en
CHISPEAR, Eze 1:22 como el **ch.** de hielo
CHUSMA, Hch 17:5; 19:40; 24:12.

D

DADA A DESTRUCCIÓN, Dt 7:26; Jos 7:1.
DÁDIVA(S), Pr 18:16 La **d.** de un hombre
Hch 8:20 conseguir **d.** gratuita de Dios
Heb 11:4 Dios dio respecto a sus **d.**
Ec 7:7; Eze 20:39; Mal 1:11; Mt 5:24; 2Co
9:15; Ef 2:8.
DÁDIVA GRATUITA, Ro 5:17 **d.** de la justicia
Heb 6:4 han gustado la **d.**
DADOR DE ESTATUTOS, Isa 33:22 Jehová **D.**
DADOR DE VIDA, 1Co 15:45 último Adán **d.**
DAGÓN, Jue 16:23; 1Sa 5:2, 3, 4, 5, 7.
DALILA, Jue 16:4, 6, 10, 12, 13, 18.
DAMA, Ef 11:19; 15:13; Jer 13:18; 29:2.
DAMASCO, 2Sa 8:6; Isa 7:8; Hch 9:2.
DAN, Jue 5:17 **D.,** ¿por qué continuó en naves?
Gé 30:6; 46:23; 49:16; Dt 33:22.
DANIEL, Da 12:9 Anda, **D.,** porque
Eze 14:20; Da 6:2; 12:4; Mt 24:15.
DANZA(S), Éx 15:20; 32:19; 1Sa 18:6; Sl 30:11;
149:3; Lam 5:15; Lu 15:25.
DAÑAR, Rev 9:4 se les dijo que no **d.**
DAÑINO(NA), Isa 10:1 disposiciones **d.**
2Te 3:2 librados de hombres **d.**
Le 26:6; 2Re 4:41; Eze 5:16; 38:10.
DAÑO, Isa 65:25 No harán **d.** ni
Lu 10:19 nada hará ningún **d.**
1Pe 3:13 ¿quién les hará **d.** si se hacen
Gé 43:6; Isa 11:9; Hch 18:10; 1Pe 3:9.
DAÑOSO, Heb 13:17 sería **d.** a ustedes
DAR, 1Re 22:34 logró **d.** al rey entre
Pr 3:30 ni tu pie **d.** contra cosa alguna
Pr 22:9 El bondadoso de ojo ha **d.** de su
Lu 12:48 se **d.** mucho, mucho se le
Jn 5:37 el Padre ha **d.** testimonio
Hch 20:35 más felicidad en **d.** que en recibir
Ro 13:7 **D.** a todos lo que es debido:
Job 1:21; Sl 21:2; 112:9; Ec 2:26; 5:19; Mt
10:8; 21:41; Lu 6:30; 1Ti 5:14.
DAR A LUZ, Isa 66:7 **d.** hijo varón
Snt 1:15 **d.** el pecado; a su vez
Rev 12:2 clama en su agonía por **d.**
Sl 48:6; Isa 37:3; 66:9; Jn 16:21.
DAR DE MAMAR, Lu 21:23.
DAR GRACIAS, 2Cr 5:13; Sl 107:8.
DÁRICOS, 1Cr 29:7 diez mil **d.,** y plata
Esd 8:27 veinte tazas con valor de mil **d.**
DARÍO, Esd 6:12; Da 6:28; Ag 1:1.
DAR POR ENTERO, Isa 37:11.
DAR PRISA, Ec 5:2 No **d.** respecto a tu boca
DARSE CUENTA, Gé 3:7 **d.** que desnudos
1Sa 3:20; Ec 5:1; Jon 1:12; Mt 26:10; Mr 7:18;
Jn 5:6; Gál 6:1.
DARSE POR, Pr 13:7 Existe el que se **d.** rico
Pr 13:7 el que se **d.** persona de escasos
DAR TESTIMONIO, Jn 18:37 **d.** a la verdad
Ro 8:16 El espíritu mismo **d.** con
Heb 7:8 alguien de quien se **d.** de que vive
Jn 8:18; Hch 18:5; 1Pe 1:11; Rev 19:10.
DAR VUELTAS, Sl 107:27 **d.** y se mueven
DATÁN, Nú 26:9; Dt 11:6; Sl 106:17.
DAVID, 1Sa 18:3 Jonatán y **D.**
Mt 21:9 clamaban: ¡Salva, Hijo de **D.**!
Lu 20:41 ¿Cómo dicen Cristo es hijo de **D.**?
Hch 2:34 **D.** no ascendió a los cielos
1Sa 16:13; Sl 89:3; Isa 9:7; Hch 2:29.

DEBATES, 1Ti 2:8; 6:4.
DEBER(ES), 1Cr 26:12 hombres tenían **s.**
Pr 3:27 No retengas bien a quienes se **d.**
Ro 13:8 No **d.** a nadie ni una sola cosa
Ef 3:15 toda familia **d.** su nombre
Ne 13:30; Ec 12:13.
DEBIDO, Ro 13:7 Den a todos lo que es **d.:**
1Co 7:3 esposo del a su esposa lo que es **d.**
Gál 6:9 al **d.** tiempo segaremos
1Pe 5:6 Dios los ensalce al tiempo **d.**
DÉBIL(ES), Joe 3:10 **d.,** que diga: Soy
Mt 26:41 espíritu, está pronto, carne es **d.**
1Co 1:25 cosa **d.** de Dios es más fuerte
1Co 1:27 Dios escogió las cosas **d.**
1Te 5:14 den su apoyo a los **d.**
DEBILIDAD(ES), Ro 8:26 ayuda para **d.**
Ro 15:1 soportar las **d.** de los no fuertes
1Co 2:3 fui a ustedes en **d.** y en temor
1Co 15:43 Se siembra en **d.,** se levanta en
2Co 12:9 mi poder perfeccionándose en **d.**
Heb 4:15 no pueda condolerse de nuestras **d.**
DEBILITAR, Jer 38:4 **d.** las manos de hombres
DÉBITO, Éx 21:10 ni su **d.** conyugal
DÉBORA, Jue 4:9; 14; 5:1, 7, 12, 15.
DECAÍDO(S), Gé 40:6; 1Re 20:43.
DECAIMIENTO, Éx 23:28; Dt 7:20; Jos 24:12.
DECAPITAR, Mt 14:10; Mr 6:16; Lu 9:9.
DECÁPOLIS, Mt 4:25; Mr 5:20; 7:31.
DECENTEMENTE, 1Co 14:40 se efectúen **d.**
1Te 4:12 andando **d.** con los de afuera
DECIDIDAMENTE, Jer 33:39 **d.,** y abandonaré
DECIDIDO(S), Isa 28:22 exterminio, ya **d.**
Da 9:26 lo que está **d.** es desolaciones
Da 11:36 la cosa que se ha **d.** tiene que
1Re 20:40; Job 14:5; Isa 10:22; Tit 3:12.
DECIDIR, 1Co 2:2 **d.** no conocer cosa
DÉCIMA(S) PARTE(S), Le 27:30 **d.** pertenece a
Nú 18:26 a Jehová una **d.** de la **d.**
Mal 3:10 Traigan todas las **d.** al almacén
DÉCIMO(MA), Gé 14:20 Abrán le dio el **d.**
Ne 10:38 cuando los levitas reciban un **d.**
Mt 23:23 porque dan el **d.** de la hierbabuena
Lu 18:12 doy el **d.** de todas las cosas
Le 27:32; Dt 14:22; 2Cr 31:12; Ne 13:12.
DECISIÓN(ES), Pr 16:10 **D.** inspirada sobre
Joe 3:14 muchedumbres en la llanura de la **d.**
Ro 14:1 no tomar **d.** sobre cuestiones de duda
Ro 14:13 hagan esto su **d.:** no poner tropiezo
1Co 7:37 **d.** de guardar su virginidad
Hch 15:19; 16:4; Rev 16:7.
DECISIÓN(ES) JUDICIAL(ES), Le 18:5; 1Re
3:28; Sl 36:6; 119:91; Eze 11:20.
Dt 4:8 qué nación hay que tenga **d.**
1Cr 16:14 en toda la tierra están sus **d.**
Sl 19:9 Las **d.** de Jehová son verdaderas
Sl 25:9 hará que mansos anden en Su **d.**
Sl 119:108 enséñame tus propias **d.**
Sl 149:9 ejecutar en ellos la **d.** escrita
Sof 2:3 mansos que han practicado Su **d.**
DECLARACIÓN(ES), Hch 7:38; Ro 3:2; 11:4.
1Ti 4:9 merecedora de aceptación es esa **d.**
1Ti 6:13 hizo la excelente **d.** pública
DECLARACIÓN JURADA, Gé 26:3; Sl 119:106.
Dt 7:8 por guardar la **d.** a sus antepasados
Sl 105:9 su **d.** a Isaac
DECLARACIÓN PÚBLICA,
Ro 10:10 con la boca se presenta **d.**
Heb 13:15 fruto de labios que hacen **d.**
DECLARADO, Éx 9:16 que mi nombre sea **d.**
DECLARADO(DA) JUSTO(TA), Isa 43:9.
Ro 5:1 **d.** como resultado de fe
1Ti 3:16 fue **d.** en espíritu, se apareció
Snt 2:24 hombre **d.** por obras, y no
Ro 3:20; 5:9; Gál 2:16; Snt 2:21, 25.
DECLARAR, Dt 32:3 **d.** el nombre de Jehová

Sl 19:1 cielos **d.** la gloria de Dios
Lu 4:18 él me ungió para **d.** buenas nuevas
Hch 8:4 por la tierra **d.** buenas nuevas
1Co 9:16 jay de mí si no **d.** las buenas
1Pe 2:9 para que **d.** en público las excelencias
Éx 23:7; 33:19; Sl 22:30; 79:13; 88:11; 96:3; 102:21; 119:13, 26; Heb 2:12.
DECLARAR JUSTOS, Ro 3:24; 8:30.
Job 27:5 ¡Ni se piense que yo los **d.**
Lu 16:15 Ustedes se **d.** delante de
Ro 2:13 a los hacedores de ley se **d.**
Ro 5:18 resultado a hombre es el **d.**
Ro 8:33 Dios es Aquel que los **d.**
DE CONDICIÓN ABATIDA, Sof 3:12 pueblo **d.**
DECORACIÓN, Isa 28:5 Jehová corona de **d.**
Da 11:45 la santa montaña de **D.**
Isa 4:2; 13:19; Eze 20:6; Da 8:9; 11:16.
DE CORAZÓN IRRESOLUTO, Sl 119:113.
DECORO, 1Co 12:23 partes indecorosas más **d.**
DECRECER, Gé 8:3 aguas habían de **d.**
DECRÉPITO, 2Cr 36:17 ni viejo ni **d.**
DECRETAR, Pr 8:15 siguen **d.** justicia
Hch 10:42 Dios ha **d.** que sea juez de
Hch 17:26 **d.** los tiempos señalados
DECRETO(S), Sl 94:20 afán mediante **d.?**
Ro 1:32 conocen bien el justo **d.** de Dios
Ef 2:15 mandamientos que consistía en **d.**
Col 2:14 borró el manuscrito en **d.**
Col 2:20 ¿por qué se sujetan a los **d.**
Est 1:20; Miq 7:11; Lu 2:1; Heb 16:4.
DECHADO, 1Pe 2:21 dejándoles **d.** para
DEDICACIÓN, Éx 39:30; Le 8:9; Jn 10:22.
DEDICADA(S), Mr 7:11 dádiva **d.** a Dios
Lu 21:5 adornado de cosas **d.**
DEDICAR(SE), Os 9:10 **d.** a la cosa
Hch 6:4 nosotros nos **d.** a la oración
DEDO(S), Éx 8:19 ¡Es el **d.** de Dios!
Éx 31:18 tablas que el **d.** de Dios había
Jer 52:21 grueso era de cuatro **d.**
Da 5:5 **d.** escribían sobre la pared
Lu 11:20 **d.** de Dios expulso demonios
Sl 8:3; Isa 58:9; Mt 23:4; Jn 20:25.
DE DURACIÓN INDEFINIDA, Isa 55:3; Jer 50:5; 51:39, 57; Eze 35:5, 9; Da 12:2; Hab 3:6.
DE EDAD, Sl 107:32; Tit 2:3; Flm 9.
DEFECTO, Le 22:21; Pr 9:7; Da 1:4.
DEFECTUOSAS, Tit 1:5 corrigiera cosas **d.**
DEFENDER, 2Re 20:6 **d.** esta ciudad por causa
Isa 1:17 **d.** la causa de la viuda
Jer 30:13 No hay quien **d.** tu causa
Flp 1:7 **d.** y establecer legalmente las
2Re 19:34; Pr 22:23; Isa 31:5; Zac 9:15.
DEFENSA, Lu 12:11 hablarán en **d.**
Hch 25:16 hablar en **d.** de sí mismo
Flp 1:16 **d.** de las buenas nuevas
2Ti 4:16 En mi primera **d.** nadie vino
1Pe 3:15 siempre listos para presentar una **d.**
Zac 12:8; Hch 19:33; 2Co 12:19.
DEFICIENCIA, Snt 1:5 **d.** en cuanto a sabiduría
DEFICIENTE, Da 5:27 pesado y hallado **d.**
DEFRAUDADOR(RA), Sl 72:4 aplaste al **d.**
Sl 119:134 Redimeme de cualquier **d.**
Pr 11:1; 20:23 balanza **d.**
Jer 22:3 libren de la mano del **d.**
DEFRAUDADOS, Sl 103:6; 146:7.
DEFRAUDAR, 2Co 24:14 No **d.** jornalero
Sl 119:121 los que me **d.!**
Pr 22:16 El que **d.** al humilde
Mr 10:19 No **d.,** Honra a tu padre
1Co 6:7 no dejan más bien que los **d.?**
Le 19:13; Sl 62:10; 119:122; Pr 14:31; Jer 22:17; Eze 22:29; Am 4:1; Miq 2:2; Zac 7:10.
DEGENERAR, Os 10:1 Israel vid que **d.**
DEGOLLACIÓN, Sl 44:22 por ovejas para **d.**
Isa 53:7 como oveja a la **d.**
Jer 25:34 se han cumplido sus días para **d.**

DEGOLLADO(S), Rev 5:12 Cordero que fue **d.**
Rev 6:9; 18:24.
DEGOLLAR, Eze 34:3; Hch 10:13.
DEGÜELLO, Isa 34:2 tiene que darlos al **d.**
Est 9:5; Eze 21:10.
DEIDAD(ES), Hch 17:18 de **d.** extranjeras
Hch 25:19 su adoración de la **d.**
DEJADA, Isa 62:4 Ya no eres una mujer **d.**
DEJADO ENTERAMENTE, Sl 37:25 justo **d.**
DEJAR, Dt 31:8 No te desamparará ni te **d.**
Sl 27:10 padre y madre me **d.**
Sl 37:28 Jehová no **d.** a los leales
Pr 10:17 el que **d.** la censura hace que
Isa 1:4 Han **d.** a Jehová, tratado con falta
Isa 54:7 Por un momentito te **d.** pero con
Eze 9:9 Jehová ha **d.** la tierra
Da 11:30 a los que **d.** el pacto santo
Mt 19:29 todo el que haya **d.** padre
Hch 5:38 con estos hombres, sino **d.**
2Te 3:14 señalado, **d.** de asociarse
Pr 15:10; 28:13; Isa 1:28; Jer 17:13; Ro 9:29.
DEJAR CAER, 2Cr 15:7 no **d.** las manos
Sof 3:16 No se **d.** tus manos
DELANTERA, Heb 13:7, 17 llevan la **d.**
DELEITABLES, Ec 12:10 hallar las palabras
DELEITAR(SE), Sl 22:8 Jehová se ha **d.**
Sl 40:8 hacer tu voluntad, me he **d.**
Pr 21:1 Adondequiera que él se **d.**
Isa 1:11 sus sacrificios? no me he **d.**
Isa 55:1 hará aquello en que me ha **d.**
Isa 56:4 escogido aquello en que me he **d.**
Nú 14:8; 1Sa 15:22; Isa 53:10; Jer 9:24; Eze 33:11; Jon 1:14; Ro 7:22.
DELEITE(S), Sl 1:2 su **d.** está en la ley
Pr 8:11 otros **d.** no pueden ser igualados
Isa 58:14 hallarás tu exquisito **d.** en Jehová
DELEITE(S) EXQUISITO, Ec 2:8.
Sl 37:11 hallarán su **d.** en la paz
DELINCUENTES, Jos 18:3 **d.** para tomar
DELITO, Lu 23:4 No hallo **d.** en este hombre
DEMACRADO, Sl 102:7 Me he **d.**
DE MALA GANA, 1Sa 15:32 Agag fue **d.**
DEMANDAR, Lu 11:50 sangre de profetas **d.**
DEMARCACIÓN, Éx 8:23 fijaré **d.** entre
DEMASIADO APRESURADOS, Isa 32:4.
DEMENCIA, Ec 2:2 Dije a la risa: **D.**
DE MENOS EDAD, 1Ti 5:1, 2, 11, 14.
DEMOLEDOR, Isa 22:5 el **d.** del muro
DEMOLER, Ro 14:20 Deja de **d.** la obra de Dios
DEMONÍACA, Snt 3:15 terrenal, animal, **d.**
DEMONIOS, Dt 32:17 sacrificios a **d.**
1Co 10:21 y de la mesa de **d.**
1Ti 4:1 se apartarán a enseñanzas de **d.**
Snt 2:19 los **d.** creen y se estremecen
Rev 16:14 expresiones inspiradas por **d.**
Sl 106:37; Mt 12:24; 1Co 10:20; Rev 18:2.
DEMONIOS DE FORMA DE CABRA, Le 17:7.
Isa 13:21 **d.** irán brincando
DEMOSTRACIÓN, 1Co 2:4; Heb 11:1.
DEMOSTRAR, Ro 9:22; Ef 2:7; 1Ti 1:16.
DENARIO, Mt 20:2 un **d.** al día
Mt 20:9 recibieron cada uno un **d.**
Mr 12:15 Tráiganme un **d.** para verlo
Mt 20:10, 13; 22:19; Lu 20:24.
DE NUEVO, Heb 6:6 **d.** fijan en madero al Hijo
DENUNCIACIÓN(ES), Jue 26:20 pase la **d.**
Jer 10:10 ninguna nación sostenerse bajo **d.**
Da 11:30 **d.** contra el pacto santo
Sof 3:8 derramar sobre ellos mi **d.**
Sl 69:24; Isa 10:5, 25; Da 8:19; Na 1:6.

DENUNCIAR, Nú 23:7 de veras **d.** a Israel
DEPENDER, Ro 9:11 **d.,** no de obras
  1Pe 4:11 ministre como **d.** de la fuerza que
DEPORTACIÓN, Mt 1:11 **d.** a Babilonia
DEPOSITAR, Zac 5:11 tiene que ser **d.**
DEPÓSITO(S), Gé 41:56 a abrir todos los **d.**
  2Cr 17:12 ciudades de **d.**
  2Ti 1:14 excelente **d.** a tu cuidado
DE PROPÓSITO, Gé 48:14 **D.** puso sus manos
DERECHA, Mt 20:23 sentarse a mi **d.** y a
  Mt 25:33 pondrá las ovejas a su **d.**
  Gál 2:9 dieron la mano **d.** de coparticipación:
DERECHAMENTE, Pr 24:26 quien responde **d.**
DERECHO(S), Éx 21:9 **d.** debido de las hijas
  Dt 18:3 debido de **d.** de sacerdotes del pueblo
  Isa 61:8 yo, Jehová, amo el **d.**
  Eze 21:27 venga aquel que tiene el **d.** legal
  1Te 4:6 nadie abuse de los **d.** de su hermano
  Dt 21:17; 1Cr 24:19; Isa 59:14.
DERECHO COMO PRIMOGÉNITO, Gé 43:33.
  1Cr 5:2 pero el **d.** fue de José
DERECHO LEGAL, Eze 21:27 que tiene **d.**
DERECHOS COMO CIUDADANO, Hch 22:28.
DERECHURA, Isa 26:10; Am 3:10.
DERIVA, Heb 2:1 nunca nos lleve a la **d.**
DERRAMADO(DA), Lam 4:1; Na 1:6.
  Sl 22:14 Como agua he sido **d.**
  Sof 1:17 sangre será **d.** como polvo
DERRAMAMIENTO DE SANGRE,
  Sl 5:6 Al hombre de **d.** Jehová lo detesta
  Miq 3:10 edificando a Sión con actos de **d.**
DERRAMAR, Gé 9:6 Cualquiera que **d.** sangre
  Le 17:13 **d.** la sangre y cubrirla con polvo
  Isa 53:12 **d.** su alma hasta la muerte
  Sof 3:8 **d.** sobre ellos mi denunciación
  Hch 2:17 **d.** mi espíritu sobre toda carne
  Sl 45:2; 62:8; 77:17; Jer 7:20; Eze 21:31; Joe
  2:28; Miq 1:4; Hch 2:33; Rev 16:1.
DERRETIR(SE), Jos 2:11 **d.** el corazón
  Sl 58:8 Como un caracol que se va **d.**
  Sl 68:2 se **d.** la cera a causa del fuego
  Sl 97:5 montañas **d.** lo mismo que cera
  Sl 147:18 Envía su palabra y los **d.**
  Am 9:5 tierra, se **d.;** y sus habitantes
  Na 1:5 las colinas estuvieron **d.**
  2Pe 3:12 elementos, calientes, se **d.!**
  Jos 14:8; Sl 46:6; 107:26; Isa 13:7; 19:1.
DERRIBAR, 2Re 9:7 **d.** a la casa de Acab
  Pr 12:7 Hay un **d.** a los inicuos
  Ec 3:3 tiempo de **d.** y tiempo de edificar
DERROTERO, Joe 2:8 en su **d.,** siguen yendo
DERRUMBAR, 2Co 10:4 **d.** cosas atrincheradas
DESACREDITAR, Lu 23:11 Herodes lo **d.**
DESAFIADORA, Sl 40:4 hacia gente **d.**
DESAFIADORA DE LEY, 2Pe 2:7; 3:17 gente **d.**
DESAFIAR, Jer 49:19; 50:44.
  Pr 27:11 responder al que está **d.** con escarnio
DESAFORADO(S), Lu 22:37 contado con **d.**
  2Te 2:8 será revelado el **d.**
  Hch 2:23; 1Ti 1:9; 2Pe 2:8.
DESAFUERO(S), Mt 7:23; 23:28; Ro 4:7; 6:19;
  2Te 2:3; Heb 10:17.
  Mt 13:41 juntarán los que cometen **d.**
  Mt 24:12 por aumento del **d.** se enfriará
  2Co 6:14 ¿qué consorcio la justicia y el **d.?**
  2Te 2:7 misterio de este **d.** está obrando
  Heb 1:9 Amaste la justicia, odiaste el **d.**
  1Jn 3:4 practicando el... el pecado es **d.**
DESAGRADABLE(S), Gé 21:11; 28:8; 48:17.
DESAHOGO, Am 6:1 ¡Ay de los en **d.**
  Dt 28:65; Jer 49:31; Zac 1:15.
DESALENTADAMENTE, 1Re 21:27.
DESALENTADO(S), Jos 2:9 **d.** a causa de
  Sl 109:16 **d.** de corazón, para darle muerte
DESALENTAR(SE), Eze 21:7.

Nú 32:7 ¿Y por qué **d.** a los hijos de Israel
Eze 13:22 **d.** el corazón de un justo con
DESALIENTO, Snt 4:9 torne su gozo en **d.**
DESAMPARAR, Mt 27:46 Jehová no te **d.**
  Mt 27:46 ¿por qué me has **d.?**
  Sl 27:9; 94:14; Isa 2:6.
DESANIMADO, Pr 24:10 ¿Te has mostrado **d.**
DESÁNIMO, Éx 6:9 no escucharon por su **d.**
DESAPEGO, Nú 14:34 conocer mi **d.**
DESAPROBADO(S), Ro 1:28 estado mental
  1Co 9:27 no llegue a ser **d.** de algún modo
  2Co 13:5-7; 2Ti 3:8.
DESARRAIGADO(DA), Mt 15:13; Lu 17:6.
DESARREGLAR, Lam 3:11 Ha **d.** mis
DESARROLLO FÍSICO, Lu 2:52 **d.** y en favor
DESASEADAS, Le 10:6 No dejar cabezas **d.**
DESASOSIEGO, Pr 23:29 ¿Quién tiene **d.**
DESASTRE, Dt 32:35 cercano día de su **d.**
  2Sa 22:19 en el día de mi **d.**
  Job 31:23; Pr 17:5; Jer 18:17; Eze 35:5.
DESASTROSAS, Job 30:12 contra mis sus **d.**
DESATADAS, Mt 18:18 cosas **d.** en el cielo
DESATAR, Rev 1:5 nos **d.** de pecados
DESATENDER, Mt 23:23; Mr 6:26.
  Heb 10:28 ha **d.** la ley de Moisés muere
  Lu 7:30; 10:16; Jn 12:48; 1Te 4:8; 1Ti 5:12.
DESBANDADA, 1Sa 14:20 la **d.** fue grande
DESCANSADEROS, Sl 23:2 me conduce por **d.**
DESCANSAR, Éx 23:12 séptimo día para que **d.**
  Job 3:17 los fatigados en poder **d.**
  Sl 125:3 cetro no seguirá **d.**
  Da 12:13 ve hacia el fin; y **d.**
DESCANSO, Isa 14:7 tierra ha entrado en **d.**
  Heb 4:3 nosotros sí entramos en el **d.**
  Éx 31:15; Heb 3:11; Rev 14:11.
DESCARADAMENTE, 1Sa 12:25 **d.** hacen malo
DESCARADO, Pr 21:29 adoptado un rostro **d.**
DESCARGAR, Ro 3:5 cuando **d.** su ira
DESCARRIADOS, 1Pe 2:25 como ovejas, **d.**
DESCARRIARSE, Sl 119:118 los que se **d.**
  Heb 3:10 se **d.** en su corazón
  Pr 28:10; Isa 28:7; Mt 18:12.
DESCENDENCIA(S), Gé 3:15 entre tu **d.** y la **d.**
  Gé 12:7 A tu **d.** voy a dar esta tierra
  Gé 22:17 y de seguro multiplicaré tu **d.**
  Ro 9:29 A menos que hubiera dejado **d.**
  Gál 3:16 No dice: a **d.,** sino uno solo: Cristo
  Gál 3:29 realmente son **d.** de Abrahán
  Rev 12:17 los restantes de la **d.** de ella
  Job 18:19; Hch 17:28; Ro 9:7; Gál 3:19.
DESCENDER, Rev 21:2 Nueva Jerusalén, **d.**
  Sl 133:3; Pr 30:4; Ro 10:7; Ef 4:9; 1Te 4:16.
DESCEÑIR, Isa 45:1 para que **d.** caderas
DESCONCERTADO, Sl 38:6; Isa 21:3.
DESCONOCIDO(S), 2Co 6:9; Gál 1:22.
  Dt 32:17 para sus antepasados eran **d.**
  Hch 17:23 altar A un Dios **D.**
DESCONSUELO, Isa 35:10 **d.** y suspirar huir
  Jn 16:20 su **d.** será cambiado a gozo
  Gé 42:38; Sl 31:10; Isa 51:11; Jer 45:3.
DESCONTENTO, Miq 2:7 **d.** espíritu de Jehová
DESCORAZONARSE, Col 3:21 no se **d.**
DESCUBIERTOS(TAS), 2Sa 4:6.
  2Co 3:18 con rostros **d.**
  2Pe 3:10 obras que hay en ella serán **d.**
DESCUBRIR, Pr 11:13 **d.** habla confidencial
DESCUIDADAMENTE, Jer 48:10 **d.** la misión de
DESCUIDADAS, Isa 32:9 ¡Hijas **d.,** presten
DESCUIDAR, 1Ti 4:14 No **d.** el don que hay
  Heb 2:3 si hemos **d.** una salvación de tal
DESCUIDO, Jer 23:39 entregaré al **d.**
DESDÉN, Gál 4:14 no lo trataron con **d.**
  Heb 10:29 ultrajado con **d.** el espíritu
DESDEÑABLE, 2Co 10:10 su habla **d.**
DESDEÑAR, Eze 16:31 al **d.** el alquiler

DESDICHA(S), Ro 3:16 Ruina y d. sus caminos
Snt 4:9 Dense a la d., y laméntense
Snt 5:1 ricos, aullando por las d.
DESDICHADO, Ro 7:24 ¡Hombre d. que soy!
DESEABLE(S), Eze 24:16 la cosa d.
Da 11:38 por medio de cosas d.
Da 11:43 gobernará sobre las cosas d.
Ag 2:7 cosas d. de todas las naciones
DESEAR, Éx 20:17 No d. esposa de semejante
Miq 2:2 han d. campos y se han
Ro 7:21 cuando d. hacer lo correcto
Ro 9:18 misericordia, pero de quien lo d.
Flp 1:23 lo que sí d. es estar con Cristo
Rev 22:17 que d., tome el agua de vida
DESEAR CON VEHEMENCIA, Dt 12:20.
Pr 21:10 iniciuo ha d. lo que es malo
Am 5:18 d. el día de Jehová!
DESECHARSE, 1Ti 4:4 nada ha de d. si se
DESECHO, 1Co 4:13 llegando a ser el d.
DESEMBARAZARSE, Isa 1:24 Me d. de mis
DESEMBRIAGARSE, Sl 78:65 d. del vino
DESENFRENADO, 1Sa 2:3 nada d. de su boca
Éx 32:25; Pr 29:18.
DESENFRENO, 2Cr 28:19 que el d. creciera
DESEO(S), Sl 145:16 satisfaciendo el d.
Jn 8:44 hacer los d. de su padre
1Ti 6:9 muchos d. insensatos y dañinos
Tit 2:12 repudiar impiedad y d. mundanos
Snt 1:14 cautivado por su propio d.
2Pe 3:3 procediendo según sus d.
1Jn 2:16 d. de la carne y d. de los ojos
1Jn 2:17 mundo pasando, y también su d.
Gál 5:24; 2Ti 2:22; 2Pe 2:18.
DESEO(S) CARNAL(ES), Gál 5:16 ningún d.
1Pe 2:11 sigan absteniéndose de d.
DESEO DEL ALMA, Isa 56:11 fuertes en d.
DESEO EGOÍSTA, Sl 106:14 mostraron d.
DESEO(S) VEHEMENTE(S), Gé 3:16 d. esposo
Snt 4:1 sus d. de placer sensual
Gé 4:7; 2Sa 23:15; Can 7:10; Os 10:10.
DESÉRTICA, Isa 35:1; 51:3; Jer 50:12.
DESERTORES, 2Re 25:11 los d. se habían
DESESPERADO, Job 6:26 dichos de un d.
DESESPERAR, Ec 2:20 hacer d. mi corazón
DESFALLECER, Heb 12:5 ni d. cuando seas
DESFIGURACIÓN, Isa 52:14 tanto más d.
DESGASTAR, 2Co 4:16 hombre exterior d.
DESHONRA, Pr 3:35 estúpidos ensalzando d.
Hch 5:41 d. a favor del nombre de él
1Co 15:43 siembra en d., levanta en gloria
1Co 11:14; 2Co 6:8; 11:21.
DESHONROSO, Ro 9:21 otro para uso d.?
DESIERTO(S), Dt 8:16 te alimentó en el d.
Isa 34:11 y las piedras de lo d.
Isa 35:6 en el d. habrán brotado aguas
Mt 3:3 ¡Escuchen! Alguien clama en el d.
Heb 11:38 Anduvieron vagando por los d.
Rev 12:6 la mujer huyó al d.
Isa 41:19; 43:19; Eze 34:25; Lu 1:80.
DESIGNADOS, Sl 79:11 a los d. a muerte
Nú 1:17; 1Cr 12:31; 2Cr 31:19.
DESIGNAR, 1Sa 16:3 ungirme al que yo te d.
Miq 6:9 la vara y quién fue que te d. esto
Lu 10:1 Señor d. a otros setenta
DESIGNIO(S), Lu 23:51 no en apoyo del d.
2Co 2:11 no en ignorancia de sus d.
DESILUSIÓN, Ro 5:5 no conduce a d.
Ro 9:33 cifre fe en ella no sufrirá d.
1Pe 2:6 nadie que ejerza fe sufrirá d.
DESILUSIONADO, Ro 10:11 que cifre fe será d.
DESILUSIONAR(SE), Miq 3:7 adivinos se d.
DESINTEGRACIÓN, Isa 38:17 hoyo de la d.
DESINTEGRARSE, Jer 49:23 Se han d.
DESISTIR, Gál 6:9 no d. de lo excelente
1Pe 4:1 la persona que ha sufrido ha d.
2Pe 2:14 ojos de adulterio, y no pueden d.

DESJARRETAR, Jos 11:6; 2Sa 8:4.
DESLEALES, 2Ti 3:2 hombres serán d.
DESMAYARSE, Am 8:13 vírgenes se d.
DESMEMBRADO(S), Da 2:5; 3:29.
DESMENUZADORA, Eze 9:2 con su arma d.
DESNUDAR, Esd 4:14 que se d. al rey
Col 2:15 D. a los gobiernos
DESNUDEZ, Miq 1:11 en vergonzosa d.
Snt 2:15 hermano en estado de d.
DESNUDO(DA), Gé 3:7 de que estaban d.
Job 1:21 D. salí del vientre de mi madre
2Co 5:3 no se nos halle d.
Heb 4:13 d. y expuestas a los ojos de aquel
Rev 3:17 pobre y ciego y d.
Rev 16:15 estará para que no ande d.
Rev 17:16 harán que quede devastada y d.
Gé 2:25; Job 26:6; Os 2:3; Mt 25:36.
DESOBEDIENCIA, Ro 5:19 d. del hombre
Ef 2:2 que opera en los hijos de la d.
Heb 2:2 acto de d. recibió retribución
2Co 10:6; Ef 5:6.
DESOBEDIENTE, Ro 10:21 pueblo que es d.
DESOBEDIENTEMENTE, Heb 3:18 actuado d.?
DESOBLIGADA, Ro 7:2 d. de ley de su esposo
DESOCUPADO(DA), Mt 20:3 otros de pie d.
1Ti 5:13 d., andorreando por las casas
Tit 1:12 bestias perjudiciales, glotones d.
DESOLACIÓN, Mt 12:25 parar en d.
Mt 24:15 ver la cosa que causa d.
DESOLADO(DA), Isa 62:4 no se dirá d.
Gál 4:27 hijos de la d. son más numerosos
Joe 3:19; Sof 1:13.
DESORDEN(ES), Lu 21:9 guerras y d.
1Co 14:33 no Dios de d., sino de paz
2Cr 15:5; Am 3:9; 2Co 6:5; 12:20; Snt 3:16.
DESORDENADAMENTE, 2Te 3:6, 7, 11.
DESORDENADO(DA), Hch 19:40; 1Te 5:14.
DESPACIOSO, Pr 1:32 lo d. de estúpidos
DESPACHAR, Mt 21:34; Heb 8:14; 1Co 1:17.
DESPARRAMAR, Mt 12:30 el que no recoge d.
Jn 10:12 lobo las arrebata y las d.
DESPEDIRSE, Lu 9:61; Hch 18:18; 2Co 2:13.
DESPEJAR, Isa 40:3 ¡D. el camino de Jehová!
Isa 57:14; 62:10; Mal 3:1.
DESPEÑADERO, Mt 8:32; Mr 5:13; Lu 8:33.
DESPERTAR, Joe 1:5; Hab 2:19.
Sl 17:15 estaré satisfecho cuando d.
Isa 26:19 ¡D. y clamen gozosamente
Isa 52:1 ¡D., oh Sión! ¡Ponte tus prendas
Da 12:2 los dormidos en el polvo que d.
Jn 11:11 Lázaro descansando, voy para d.
Ro 13:11 es hora de que d. del sueño
1Co 15:34 D. al estado sobrio
DESPIADADAMENTE, Nú 22:29 has tratado d.
DESPIERTO(S), 1Te 5:6 quedémonos d. y
Rev 16:15 Feliz es el que se mantiene d.
Lu 21:36; 1Co 16:13; Ef 6:18; Col 4:2.
DESPLOMAR(SE), Sl 58:7 mientras ellos se d.
DESPLOME, Lam 1:7; Mt 7:27.
DESPOJADO(S), Sl 102:17 oración de los d.
2Co 3:10 glorioso ha sido d. de gloria
Sl 76:5; 1Ti 6:5.
DESPOJAR(SE), Sl 17:9 iniciuos me han d.
Flp 2:7 se d. y tomó forma de esclavo
Jer 25:36; 48:3; 51:55; Hab 2:8.
DESPOJAR VIOLENTAMENTE, Isa 59:15.
DESPOJO, Isa 53:12 repartirá el d.
Jer 39:18 tener tu alma como d.
Jos 8:2; Jue 5:30; Isa 10:2, 6; Eze 38:12.
DESPOJO VIOLENTO, Isa 22:4; 51:19; 59:7;
60:18; Os 7:13; Am 3:10.
DESPOSEER, Jue 11:24 es su d.
DÉSPOTA, Eze 31:11 en mano del d.
DESPRECIABLE, Est 3:6; Mt 5:22.

DESPRECIADO(DA), Isa 53:3 **d.** y evitado
  Ec 9:16; Abd 2.
DESPRECIAR, Sl 51:17; Pr 6:30; 11:12.
  Pr 1:7 sabiduría han **d.** los tontos
  Pr 23:9, 22; 30:17; Eze 17:19; Tit 2:15.
DESPRECIO, Pr 12:8 a ser objeto de **d.**
  Job 31:34; Sl 107:40; Pr 18:3; Isa 23:9.
DESPREOCUPADOS, Jer 12:1.
DESQUITE, 2Sa 4:8 Jehová da **d.** hoy
DESTAPADOS, Isa 35:5 oídos de sordos **d.**
DESTERRADOS, Isa 20:4; Am 1:5.
DESTETADO(S), Isa 11:8; 28:9.
  Sl 131:2 alma como un niño **d.** sobre mí
DESTETAR, 1Sa 1:23, 24.
DESTIERRO, Gé 4:11 se te maldice con **d.**
  2Re 18:11 Asiria se llevó a Israel al **d.**
  Isa 5:13 al **d.** por falta de conocimiento
  Esd 6:16; Jer 13:19; Eze 25:3.
DESTINADAS A DESTRUCCIÓN, Col 2:22.
DESTINADO(DA), Pr 22:16 **d.** a la carencia
  Lu 21:7 estén **d.** a suceder?
  Gál 3:23 fe que estaba **d.** a ser revelada
  1Te 3:4 estábamos **d.** a sufrir
  Lu 24:21; Jn 11:51; Hch 13:34.
DESTINO, Mt 16:22 no tendrás este **d.**
DESTINO, DIOS DEL, Isa 65:11 vino para **d.**
DESTROZAR, Éx 15:6 Jehová **d.** a un enemigo
  Sl 48:7 Con un viento **d.** las naves
DESTRUCCIÓN, Mt 7:13 ancho camino a la **d.**
  Jn 17:12 es destruido sino el hijo de **d.**
  Ro 9:22 vasos de ira hechos para **d.**
  1Te 5:3 ¡Paz y seguridad!, **d.** repentina
  2Te 1:9 castigo judicial de **d.** eterna
  2Te 2:3 revelado, el hijo de la **d.**
  1Ti 6:9 precipitan a hombres en **d.** y ruina
  2Pe 2:1 trayendo sobre sí mismos **d.**
  2Pe 2:3 la **d.** de ellos no dormita
  Rev 17:8 bestia salvaje ha de irse a la **d.**
  Job 28:22; Heb 10:39; 2Pe 3:7, 16.
DESTRUCTOR, 1Co 10:10 perecieron por el **d.**
  Heb 11:28 **d.** no tocara a primogénitos
DESTRUIDO(S), Jn 3:16 no sea **d.**, sino
  2Pe 2:12 como animales para ser **d.**
  Sl 49:12; 2Pe 3:9.
DESTRUIR, Isa 26:14 **d.** toda mención
  Mt 10:28 **d.** el alma y cuerpo en Gehena
  Snt 4:12 Uno solo puede salvar y **d.**
  Jud 5 salvó un pueblo, después **d.** a los
  Jer 1:10; Lu 17:27; 2Co 4:9.
DESVALIDO, 2Re 14:26 ni **d.** ni un inútil
DESVANECER(SE), Heb 8:13 pacto a **d.**
  Isa 19:8; Jer 14:2; Os 4:3; Snt 1:11.
DESVENTURA, Job 20:22; Abd 12.
DESVIAR(SE), Sl 119:110 no me he **d.** de tus
  Pr 17:23 soborno para **d.**
  Pr 22:6 haga viejo no se **d.**
  Hch 1:25 Judas se **d.** para ir a su lugar
  Ro 3:12 Todos se han **d.**
  1Ti 1:6 **D.**, individuos han sido apartados
  1Ti 6:21 algunos se han **d.** de la fe
  2Ti 2:18 se han **d.** de la verdad
  Job 23:11; 31:7; Sl 44:18.
DETENER, Mt 26:48 Al que bese, ese es; **d.**
  Heb 11:34 **d.** la fuerza del fuego
DETESTABLE(S), Dt 14:3 No comer cosa **d.**
  Dt 27:15 estatua fundida, cosa **d.** a Jehová
  Pr 3:32 el sinuoso es cosa **d.** a Jehová
  Pr 12:22 labios falsos son **d.** a Jehová
  Pr 16:5 orgulloso es cosa **d.** a Jehová
  Pr 28:9 hasta su oración es cosa **d.**
  Eze 9:4 gimiendo por las cosas **d.** que
  Eze 23:36 decirles lo que son sus cosas **d.**?
  Gé 43:32; Le 20:13; Dt 18:9; 2Cr 28:3; 33:2;
  Isa 41:24; Jer 7:10; Mal 2:11; Tit 1:16.
DETESTAR, Job 19:19 grupo íntimo me **d.**
  Sl 5:6 hombre de engaño Jehová lo **d.**

Sl 119:163 falsedad he odiado, sigo **d.**
  Pr 7:26; Sl 106:40.
DETRÁS, Mt 16:23 Pedro: ¡Ponte **d.** de mí
  Sl 50:17; Eze 23:35; Joe 2:3.
DEUDA(S), 2Re 4:7; Mt 6:12; 18:27; Ro 4:4.
  Ne 10:31 del séptimo año y de la **d.**
DEUDOR(ES), Lu 7:41; 13:4; Ro 1:14; 15:27.
DEVASTACIONES, Da 9:2 de Jerusalén
DEVASTADA(S), Isa 60:12 naciones serán **d.**
  Jer 26:9; Eze 6:6; Rev 17:16; 18:19.
DEVASTAR, Gál 1:13, 23 persiguiendo y **d.**
DEVOCIÓN EXCLUSIVA, Eze 39:25 mostraré **d.**
  Na 1:2 Jehová es un Dios que exige **d.**
  Nú 25:11; Jos 24:19; Can 8:6; Eze 5:13.
DEVOCIÓN PIADOSA, Hch 3:12; 17:23.
  1Ti 4:8 **d.** es provechosa para
  1Ti 6:6 está **d.** junto con autosuficiencia
  2Ti 3:5 teniendo una forma de **d.**
  2Ti 3:12 desean vivir con **d.**
  2Pe 2:9 librar a personas de **d.**
  1Ti 2:2; 3:16; 4:7; 6:5; Tit 1:1; 2Pe 1:3; 3:11.
DEVOLVER, Ro 12:17 No **d.** mal por mal
DEVORADA, Sof 3:8 la tierra será **d.**
  Sof 1:18; Zac 9:4.
DEVORADOR, Mal 3:11 reprenderé al **d.**
DEVORAR(SE), Pr 30:8 **d.** el alimento
  Gál 5:15 mordiéndose y **d.** unos a otros
  1Pe 5:8 león rugiente, procurando **d.**
  Rev 12:4 cuando diera a luz, **d.** a su hijo
  Rev 20:9 descendió fuego del cielo, y **d.**
  Isa 31:8; Jer 30:16; 46:10; Eze 34:28; Da 7:7;
  Am 5:6; Mal 4:1.
DEVOTO, Hch 10:2 hombre **d.** y que temía a
  Hch 10:7 llamó a un soldado **d.**
DÍA(S), Gé 1:5 empezó a llamar la luz **D.**
  Nú 14:34 un **d.** por un año, un **d.** por un año
  Pr 4:18 hasta que el **d.** queda establecido
  Isa 2:2 en la parte final de los **d.** tiene
  Da 2:44 en los **d.** de aquellos reyes
  Mt 24:22 que se acortaran aquellos **d.**
  Mr 13:32 aquel **d.** o la hora, nadie sabe
  Hch 17:31 ha fijado un **d.** en que juzgar
  Ro 14:5 Un hombre juzga un **d.** superior
  2Co 6:2 Ahora es el **d.** de salvación
  2Pe 3:8 mil años como un **d.**
  Sl 61:8; 90:12; Pr 3:16; Isa 58:2; Jer 25:33;
  Am 8:11; Zac 8:23; Mal 3:2; Ro 13:12.
DIABLO, Jn 8:44 de su padre el **D.**
  Ef 4:27 ni dejen lugar para el **D.**
  Ef 6:11 firmes contra maquinaciones del **D.**
  Heb 2:14 redujera a nada al **D.**
  Snt 4:7 opónganse al **D.**, y él huirá
  1Pe 5:8 Su adversario, el **D.**, anda
  1Jn 3:8 **D.** pecando desde el principio
  1Jn 3:8 para desbaratar las obras del **D.**
  Rev 12:12 el **D.** ha descendido a ustedes
  Rev 20:2 que es el **D.** y Satanás, y lo ató
  Mt 4:1, 8; 25:41; Jn 13:2; Jud 9.
DIÁCONO. Véase MINISTRO(S).
DÍA DE EXPIACIÓN, Hch 27:9.
DÍA DE JEHOVÁ, Sof 2:3 se les oculte en el **d.**
  Joe 2:11; Sof 1:14; 2Te 2:2.
DÍA DEL JUICIO, Mt 10:15 **D.** a Gomorra que
  2Sa 1:10; Sl 89:39; Pr 27:24; Rev 12:3.
DIADEMA(S), Rev 19:12 sobre su cabeza **d.**
DIALECTO, Mt 26:73 tu **d.** te denuncia
DIAMANTE, Eze 3:9 Como un **d.**, más dura
DIARIAMENTE, Lu 19:47 **d.** en el templo
  Hch 17:11 examinaban las Escrituras **d.**
  Sl 68:19; Jer 7:25; 1Co 15:31; Heb 7:27.
DÍAS POSTERIORES, Dt 8:16 en tus **d.**
DICTADOR(ES), Isa 1:10; 3:6.
DICHAS POR VOZ DE, Hch 13:27 **d.** Profetas
DICHO PROVERBIAL, Hab 2:6 levantarán un **d.**

Dt 28:37; Sl 44:14; 78:2; Isa 14:4; Eze 17:2; 18:2; Miq 2:4.
DICHOS, Jer 49:13 se complacen en los **d.**
Sl 119:103 ¡Cuán suaves tus **d.**
Pr 4:10 Oye, hijo mío, y acepta mis **d.**
Jn 6:63 que he hablado son espíritu
Jn 12:47 si alguien oye mis **d.** y no
Job 6:25; Sl 19:14; Pr 4:20.
DICHOS AMBIGUOS, Da 8:23 un rey, **d.**
DIENTES, Eze 18:2 **d.** de hijos dentera?
Joe 1:6 Sus **d.** son los **d.** de un león
Job 19:20; Pr 10:26; Da 7:7, 19; Mt 8:12.
DIESTRA, Sl 21:8 tu propia **d.** hallará
Sl 45:4 tu **d.** te instruirá
Sl 110:1 Siéntate a mi **d.** hasta
Hch 7:55 Jesús de pie a la **d.** de Dios
Heb 10:12 se sentó a la **d.** de Dios
Éx 15:6; Jue 5:26; Isa 62:8; Heb 1:3.
DIEZ, Éx 34:28 sobre tablas las **D.** Palabras
Zac 8:23 **d.** hombres asirán la falda
Rev 2:10 que tengan tribulación **d.** días
Gé 18:32; 2Re 20:11; Mt 25:1; Rev 13:1.
DIEZMAR, Dt 26:12 el entero décimo
DIEZMOS. Véase también DÉCIMA(S) PARTE(S), DÉCIMO(MA).
Heb 7:5 mandamiento cobrar **d.**
Heb 7:9 Leví, que recibe **d.,** ha pagado **d.**
DIFAMACIONES, 2Co 12:20 **d.** solapadas
DIFAMADORES, Ro 1:30 **d.,** odiadores de Dios
DIFERENTE(S), Gál 4:20 hablar de manera **d.**
Est 1:7; Da 7:3, 7, 19, 23, 24.
DIFÍCIL(ES), Da 2:11 rey está pidiendo es **d.**
Dt 1:17; 2Pe 3:16.
DIFÍCIL DE ENTENDER, Pr 1:6 el dicho **d.**
DIFICULTAD, 1Pe 4:18 justo con **d.** se salva
DIFUNTA, Nú 5:2 inmundo por un alma **d.**
DIGNA DE CONFIANZA, Da 2:45 es **d.**
DIGNIDAD, 1Cr 16:27 **D.** y esplendor ante él
Job 37:22 Sobre Dios la **d.** es inspiradora
Sl 111:3 tu actividad es **d.** y esplendor
Isa 30:30 Jehová hará oír la **d. d.** de su voz
Job 40:10; Jer 22:18; Da 2:6, 37; Zac 6:13.
DIGNO(NA), Lu 20:35 **d.** de ganar aquel
Hch 5:41 considerado **d.** de sufrir deshonra
Hch 13:46 no juzgan **d.** de vida eterna
Ef 4:1 anden de una manera **d.** del
Flp 1:27 pórtense de una manera **d.** de
Col 1:10 anden de una manera **d.** de Jehová
1Te 2:12 andando de manera **d.** de Dios
2Te 1:5 se les considere **d.** del reino
1Ti 5:18 trabajador es **d.** de su salario
Heb 11:38 el mundo no era **d.** de ellos
Rev 4:11 **D.** eres tú, Jehová, porque
DILIGENCIA, 2Ti 1:17 me buscó con **d.**
Heb 6:11 que cada uno muestre la misma **d.**
DILIGENTE(S), Pr 10:4; 13:4; 21:5.
DILUVIO, Gé 6:17 voy a traer el **d.** de
Gé 7:17 el **d.** siguió por cuarenta días
Gé 9:11 Nunca más será cortada carne por **d.**
Mt 24:38 antes del **d.** estaban comiendo
2Pe 2:5 trajo un **d.** sobre un mundo
Gé 7:7; 10:1, 32; Sl 29:10.
DINA, Gé 30:21; 34:1, 3, 5, 13, 26; 46:15.
DINERO, Le 25:37 No darle tu **d.** a interés
Ec 7:12 es para una protección; pero
Isa 55:1 vengan, compren leche sin **d.**
Mr 6:8 no llevaran alforja, ni **d.** de cobre
1Ti 3:3 no amador del **d.**
1Ti 6:10 amor al **d.** es raíz de toda
Heb 13:5 exento del amor al **d.**
Gé 44:2; 1Sa 12:3; Mt 25:18; Mr 14:11.
DINERO MATRIMONIAL, Gé 34:12; 1Sa 18:25.
DIOS(ES), Gé 1:1 En el principio **D.** creó
Éx 12:12 todos los **d.** de Egipto ejecutaré
Éx 20:3 No debes tener otros **d.** contra mi
Dt 7:16 No debes servir a sus **d.**
2Cr 20:15 la batalla es de **D.**

Sl 75:7 **D.** es el juez
Sl 82:6 he dicho: Ustedes son **d.**
Sl 90:2 a tiempo indefinido tú eres **D.**
Isa 9:6 **D.** Poderoso, Padre Eterno
Da 3:18 a tus **d.** no servimos
Lu 20:25 a **D.** las cosas de **D.**
Ro 2:11 con **D.** no hay parcialidad
Ro 13:6 son siervos públicos de **D.**
1Co 8:5 hay aquellos llamados **d.**
1Co 14:33 **D.** no es **D.** de desorden
2Co 1:3 **D.** y Padre de nuestro Señor
2Co 4:4 el **d.** de este sistema
Heb 12:29 **D.** es también un fuego
1Jn 4:8 **D.** es amor
Éx 20:5; 23:24; Jue 2:17; 2Re 19:15; Job 35:2; Sl 47:7; Jer 10:10; Col 3:12; Tit 1:7.
DIOSA, 1Re 11:5, 33; Hch 19:27, 37.
DIOS DE LA BUENA SUERTE, Isa 65:11.
DIOS DEL DESTINO, Isa 65:11 vino para **d.**
DIOS DURADERO, 1Pe 1:23 palabra del **D.**
DIOS(ES) EXTRANJERO(S), Jos 24:20.
Sl 81:9 no te inclinarás ante un **d.**
DIOSES QUE NADA VALEN, Le 19:4; 26:1.
Sl 96:5 dioses de los pueblos son **d.**
Hab 2:18 hacer **d.** y que no pueden hablar?
DIOS UNIGÉNITO, Jn 1:18 [Jesús]
DIPUTACIONES, Sl 78:49 **d.** de ángeles
DIRECCIÓN, 1Re 8:48 oren en **d.** de su tierra
DIRECCIÓN CONTRARIA, Jer 21:4 **d.** las armas
DIRECCIÓN DIESTRA, Pr 1:5 adquiere **d.**
Pr 11:14 Cuando no hay **d.,** el pueblo cae
Pr 20:18; 24:6.
DIRECTAMENTE, Pr 15:21 va **d.** adelante
DIRECTOR, Ne 11:17 el **d.** del canto
Jn 2:8 al **d.** del banquete
1Co 3:10 como sabio **d.** de obras
DIRIGIR, 1Cr 21:10 voy a **d.** contra ti
Sl 21:11 han **d.** contra ti lo malo
Jer 10:23 hombre siquiera **d.** su paso
1Co 9:26 manera como estoy **d.** golpes
2Te 3:5 continúe **d.** sus corazones
DISCERNIMIENTO, Pr 2:11 **d.** salvaguardará
1Co 10:15 Hablo a hombres de **d.;** juzguen
2Ti 2:7 Señor te dará **d.** en todas
Pr 2:2; 3:19; 10:23; 11:12; 17:27; 24:3.
DISCERNIR, Pr 1:2 para **d.** los dichos
Pr 19:25 censura al entendido para que **d.**
Jn 20:9 no **d.** la escritura de que él
1Co 11:29 si no **d.** el cuerpo
1Sa 3:8; 1Re 3:9; Pr 20:24; Da 10:14.
DISCIPLINA, Pr 6:23 censuras de la **d.** son
Pr 15:33 El temor de **d.** son
Pr 22:15 vara de **d.** es lo que la alejará
Pr 23:13 No retengas del muchacho la **d.**
Isa 26:16 cuando tuvieron de ti **d.**
Jer 5:3 Rehusaron aceptar **d.**
Heb 12:5 no tengas en poco la **d.** de Jehová
Heb 12:11 ninguna **d.** parece cosa de gozo
Job 5:17; Sl 50:17; Pr 1:2; 4:13; Ef 6:4.
DISCIPLINADOS, 1Co 11:32 somos **d.** por
DISCIPLINAR, Os 7:15 yo, por mi parte, **d.**
2Ti 3:16 para **d.** en justicia
Heb 12:6 porque Jehová **d.** a quien ama
DISCÍPULO(S), Isa 8:16 ley entre mis **d.!**
Mt 28:19 hagan **d.** de gente de todas
Jn 8:31 permanecen en mi palabra, son **d.**
Mt 10:24, 42; 26:26, 56.
DISCRECIÓN, Sl 47:7 actúen con **d.**
2Cr 30:22; Sl 101:2; Pr 12:8; Jer 23:5.
DISCRETAMENTE, Pr 10:19 labios actuando **d.**
DISCRETO(TA), Isa 29:14 entendimiento de **d.**
Mt 7:24 varón **d.,** que edificó su casa
Mt 24:45 ¿Quién es el esclavo fiel y **d.**
Mt 25:2 Cinco necias, y cinco eran **d.**
Ro 12:16 No se hagan **d.** a propios ojos
Gé 41:39; Isa 5:21; Ro 11:25; 1Co 4:10.

DISCURRIR, 2Cr 16:9 sus ojos están **d.** por
Da 12:4 muchos **d.** y conocimiento se hará
Jer 5:1; Am 8:12; Zac 4:10.
DISCURSOS, Hch 15:32 con muchos **d.**
DISCUSIÓN(ES), Mr 1:27 empezaron una **d.**
Flp 2:14 haciendo las cosas libres de **d.**
DISCUTIR, Mr 8:16, 17.
DISENSIÓN(ES), Hch 15:2; 23:7; 1Co 1:11.
DISENTERÍA, Hch 28:8 angustiado con **d.**
DISEÑO DEL ALTAR, 2Re 16:10.
DISFRAZ, 1Pe 2:16 no como **d.** para la
DISFRAZADO, 1Re 20:38 se mantuvo **d.**
DISFRAZAR(SE), 2Cr 35:22; Pr 28:12.
1Re 22:30 habrá para mí un **d.**
DISFRUTAR, Heb 11:25 **d.** del pecado
DISGUSTO, Gál 4:14 ni escupieron con **d.**
DISMINUCIÓN, Ro 11:12 su **d.** significa
DISMINUIR, Job 15:4; Eze 5:11.
DISOLUCIÓN, Ef 5:18; Tit 1:6; 1Pe 4:4.
DISOLVER, Job 8:19 es **d.** su camino
Job 7:5; Sl 58:7.
DISPARAR, 2Re 13:17 Eliseo dijo: ¡D.!
1Sa 20:20; Sl 11:2; 64:4, 7; Jer 50:14.
DISPENSACIÓN, 1Ti 1:4 más bien que una **d.**
DISPENSAR, Éx 4:10 Moisés dijo: D., Jehová
DISPERSADOS, Isa 27:13 los **d.** vendrán
DISPERSAR(SE), Isa 51:6; Zac 1:19.
DISPERSOS, Isa 11:12 reunirá a los **d.**
Isa 56:8 Jehová está juntando a los **d.**
Sl 147:2; Isa 16:3, 4.
DISPOSICIÓN, Flp 2:20 ningún otro de **d.**
Col 2:18 su **d.** de ánimo carnal
DISPOSICIÓN MENTAL, 1Pe 4:1 la misma **d.**
DISPOSICIÓN REGLAMENTARIA(S),
Dt 4:1 escucha las **d.** a fin de que vivan
Sl 119:12 oh Jehová. Enséñame tus **d.**
Éx 18:20; Le 10:11; Dt 4:40; Jue 11:39; Ne
9:13; Sl 50:16; 119:5, 8, 48, 71, 80; Isa 10:1;
24:5; Jer 31:36; Mal 3:7.
DISPUESTO(S), 2Cr 29:31 todo de corazón **d.**
Sl 51:12 con un espíritu bien **d.**
Ro 12:16 Estén **d.** para con otros del mismo
Pr 29:22; Na 1:2.
DISPUTA(S), 1Ti 6:5 **d.** violentas acerca
Dt 25:1; Hch 25:19; Heb 6:16.
DISPUTADOR, 1Co 1:20 ¿Dónde el **d.** de este
DISPUTAR, 1Co 11:16 si hombre **d.** en pro
Jud 9 **d.** acerca del cuerpo de Moisés
DISTINCIÓN(ES), Le 11:47 hacer **d.** entre
Eze 22:26 Entre cosa santa no han hecho **d.**
Ro 10:12 no hay **d.** entre judío y griego
Snt 2:4 tienen **d.** de clases entre sí
Mal 3:18; Hch 15:9; Ro 3:22; Snt 3:17.
DISTINGUIDO(S), 1Cr 11:25; Am 6:1.
DISTINGUIR(SE), Da 6:3 Daniel fue **d.**
Heb 5:14 entrenadas para **d.**
DISTRACCIÓN, 1Co 7:35 al Señor sin **d.**
DISTRAÍDA, Lu 10:40 Marta estaba **d.**
DISTRIBUCIÓN, Hch 4:35; 6:1.
DISTRIBUIR, Ro 12:3 le haya **d.** Dios
Ro 12:8 el que **d.**, hágalo con liberalidad
1Co 12:11 **d.** a cada uno así como dispone
DISTRITO(S), Mr 5:17 se fuera de sus **d.**
Dt 34:3; Ne 12:28; Lu 3:1.
DISTRITO DEL JORDÁN, Gé 13:10.
DISTRITOS JURISDICCIONALES,
1Re 20:14; Est 1:1; Ec 2:8; Eze 19:8.
DISTURBIO, Isa 65:23 ni darán a luz para **d.**
Zac 1:11 tierra en quietud y no tiene **d.**
DISUADIR, Hch 21:14 Como no se dejaba **d.**
DISUELTO(TA), Isa 28:18 pacto será **d.**
2Co 5:1 casa terrestre, tienda, fuera **d.**
2Pe 3:10 elementos, calientes, serán **d.**
DIVÁN, Sl 41:3 sobre **d.** de enfermedad

DIVERSIFICADA SABIDURÍA DE DIOS,
Ef 3:10 se diera a conocer la **d.**
DIVERSIÓN(ES), Jue 16:25 sirviera de **d.**
Pr 21:17 El que ama la **d.** será indigente
1Pe 4:3 excesos con vino, **d.** estrepitosas
Ro 13:13; Gál 5:21.
DIVERTIRSE, Gé 26:8; Éx 32:6.
DIVIDIDO, Mr 3:24 reino a estar **d.** contra sí
Da 2:41; 5:28; 11:4; 1Co 1:13.
DIVIDIR, Jue 7:16 **d.** y puso cuernos
DIVIESO(S), Éx 9:11; Job 2:7.
DIVINAMENTE, Hch 7:20 Moisés, **d.** hermoso
DIVINIDAD, Ro 1:20 poder sempiterno y **D.**
DIVINO(NA), Jos 22:22; Sl 82:1; 83:1.
Sl 50:1 El **D.**, Dios, Jehová, él mismo
Hch 17:29 el Ser **D.** sea semejante a oro
Col 2:9 mora corporalmente la cualidad **d.**
2Pe 1:4 ser partícipes de la naturaleza **d.**
Sl 118:27; Isa 46:9; Hch 10:22; 2Pe 1:3.
DIVISIÓN(ES), Gé 1:4 **d.** entre la luz y la
Mt 10:35 vine a causar **d.**, hombre contra
Lu 12:51 dar paz en la tierra? No, sino **d.**
Ro 16:17 vigilen a los que causan **d.**
1Co 1:10 que no haya **d.** entre ustedes
Jn 9:16; 1Co 11:18; Gál 5:20.
DIVISIÓN(ES) (términos de servicio de
sacerdotes), 1Cr 27:1; 2Cr 5:11; 8:14.
Esd 6:18 nombraron a levitas en sus **d.**
Lu 1:5 de la **d.** de Abías
DIVORCIADA, Le 21:7; 22:13; Nú 30:9.
DIVORCIAR(SE), Mal 2:16 ha odiado un **d.**
Mt 1:19 José tenía la intención de **d.**
Mt 5:31 Cualquiera que se **d.** de su esposa
Mt 19:7 ¿por qué prescribió Moisés un **d.**?
Mt 19:9 cualquiera que se **d.** a no ser por
Jer 3:8; Mt 14:4; Lu 16:18.
DIVORCIO, Dt 24:1 certificado de **d.**
Isa 50:1 ¿Dónde está el certificado de **d.**?
Jer 3:8 darle el certificado de pleno **d.**
DIVULGAR, Hch 23:22 No vayas a **d.** a nadie
DOBLAR, Ef 3:14 **d.** mis rodillas ante el Padre
Flp 2:10 nombre de Jesús se **d.** toda rodilla
DOBLE, Éx 22:7 dar compensación **d.**
Rev 18:6 Páguenle a ella **d.**
DOCE, Gé 49:28 son las **d.** tribus de
Mt 10:2 nombres de los **d.** apóstoles son
Snt 1:1 a las **d.** tribus esparcidas
DOCTRINA(S). Véase también
ENSEÑANZA(S).
Mt 15:9 de hombres como **d.**
1Ti 1:3 que no enseñen diferente **d.**
1Ti 6:3 Si cualquier hombre enseña otra **d.**
Heb 6:1 **d.** primaria del Cristo
DOCUMENTO, Col 2:14 borró el **d.**
DOEG, 1Sa 21:7; 22:22.
DOLENCIA(S), Sl 103:3 sanando tus **d.**
Pr 18:14 hombre puede soportar su **d.**
Éx 23:25; 2Cr 21:15.
DOLER, Job 14:22 su carne seguirá **d.**
DOLIENTES, Jer 16:5 un banquete de **d.**
DOLOR(ES), Pr 10:22 no añade **d.** con ella
Pr 15:1 palabra causa **d.** hace subir cólera
Isa 53:4 nuestros **d.**, él los cargó
Jer 22:23 **d.** como los de una mujer
Mt 24:8 son principio de **d.** de angustia
Hch 2:24 desatando **d.** de la muerte
1Te 5:3 destrucción repentina como **d.** de
1Ti 6:10 acribillado con muchos **d.**
Rev 12:2 clama en **d.** por dar a luz
Rev 21:4 ni existirá ya **d.**
Gé 3:17; Sl 32:10; 55:4; Isa 66:7; Rev 16:10.
DOLORES DE MUERTE, Sl 73:4 no tienen **d.**
DOLORES DE PARTO, Éx 15:14 **d.** apoderarse
Sl 51:5 Con error fui dado a luz con **d.**
Isa 66:8 tierra producida con **d.** en un día?
Gál 4:19 por quienes vuelvo a estar en **d.**

Gé 3:16; Sl 48:6; Isa 13:8; 23:4; 51:2; 54:1;
  Jer 6:24; 22:23; Gál 4:27.
DOLORIDO, Sl 69:29 estoy afligido y **d.**
DOMADA, Snt 3:7 ser **d.** y ha sido **d.** por
DOMAR, Snt 3:8 la lengua, nadie puede **d.**
DOMINACIÓN, Sl 103:19 ha tenido la **d.**
DOMINADO, Ec 8:9 **d.** para perjuicio suyo
DOMINAR, Gé 37:8; Dt 15:6; Rev 14:3.
  Gé 1:18 para **d.** de día y de noche
  Gé 3:16 tu esposo te **d.**
  Sl 8:6 **d.** sobre las obras de tus manos
DOMINIO, Gé 4:7 ¿lograrás el **d.** sobre él?
  Sl 145:13 tu **d.** dura por todas
  Hch 19:16 logró el **d.** de uno tras otro
  1Re 9:19; Isa 22:21; Da 6:26; Miq 4:8.
DON(ES), Mt 19:11 los que tienen el **d.**
  Ro 5:16 el **d.** resultó en declaración de
  Ro 6:23 el **d.** que Dios da es vida eterna
  1Co 7:7 cada uno tiene de Dios su **d.**
  1Co 12:4 hay variedades de **d.**
  1Co 14:12 deseosos de **d.** del espíritu
  1Ti 4:14 No descuides el **d.** que hay en ti
  Snt 1:17 todo **d.** perfecto es de arriba
DONCELLA, Isa 7:14 **d.** quedará encinta
DORMIDO(S), 1Re 18:27 quizás esté **d.** y
  Da 12:2 muchos que están **d.** despertarán
DORMIR(SE), Job 3:13 Hubiera **d.** entonces
  Sl 121:4 No estará adormecido ni se **d.**
  Mt 13:25 Mientras los hombres **d.**
  Mt 25:5 todas cabecearon y se **d.**
  1Co 15:20 primicias de los que han **d.**
  1Co 15:51 No todos nos **d.** en la muerte
  1Te 4:13 respecto a los que están **d.**
  1Te 5:6 no sigamos **d.** como los demás
  Sl 13:3; Jer 51:57; Eze 34:25; Mt 27:52; Hch
  7:60; 13:36; 1Co 15:6, 18; 1Te 4:14; 2Pe 3:4.
DORMITAR, Pr 6:10 poco más de sueño, de **d.**
  Isa 56:10 perros mudos; aman **d.**
  2Pe 2:3 la destrucción de ellos no **d.**
DOS FILOS, Sl 149:6 espada de **d.** en su
  Heb 4:12 palabra más aguda que espada de **d.**
DOS PARTES, 2Re 2:9 **d.** de tu espíritu
DOTÁN, Gé 37:17; 2Re 6:13.
DOTE, Gé 30:20 con una buena **d.**
DRACMA, Lu 15:8 mujer pierde **d.**
DRAGÓN, Rev 12:17 **d.** se airó contra
  Rev 12:3, 7, 9; 13:2; 16:13; 20:2.
DUDA(S), Ro 14:23 si tiene **d.**, ya está
  Jud 22 a algunos que tienen **d.**
DUDAR, Mt 21:21; Mr 11:23; Snt 1:6.
DUELO, Isa 60:20 los días de tu **d.**
  Isa 61:2 consolar los que están de **d.**
  Eze 24:17 Por los muertos no hacer **d.**
  Joe 1:9 los ministros han estado de **d.**
  Gé 37:35; Ne 8:9; Est 4:3; Sl 30:11; Jer 4:28;
  Eze 7:12; Os 4:3; Am 1:2.
DUEÑO(S), Éx 21:3; 2Sa 11:26; 1Ti 6:1.
  Est 1:17 esposas, que despreciarán a sus **d.**
  Isa 54:5 tu Magnífico Hacedor es tu **d.**
  Jer 31:32 yo los poseía como **d.** marital
  Mt 21:40 cuando venga el **d.** de la viña
  Tit 2:9 esclavos en sujeción a sus **d.**
  2Pe 2:1 repudiarán al **d.** que los compró
  Jud 4 demuestran ser falsos a nuestro **D.**
DULCE, Snt 3:11 fuente no hace que lo **d.**
DURABLE(S), Jer 49:19; 50:44; Miq 6:2.
DURA CERVIZ, Éx 32:9; 34:9; Dt 9:6.
DURACIÓN, Job 11:17 **d.** de tu vida
  Sl 39:5 la **d.** de mi vida es como nada
  Sl 89:47 cuál es la **d.** de mi vida
DURACIÓN DE SU VIDA, Mt 6:27; Lu 12:25.
DURADERA, Heb 10:34 una posesión mejor y **d.**
DURAR, Ef 6:3 **d.** largo tiempo sobre tierra
  1Pe 1:25 dicho de Jehová **d.** para siempre
DUREZA DEL CORAZÓN, Mt 19:8; Mr 10:5.

DURO(RA), Pr 29:1 hace **d.** su cerviz
  Da 2:15 orden tan **d.** de parte del rey?
  Da 5:20 su propio espíritu se hizo **d.**
  Éx 1:14; Eze 3:8; Hch 26:14.
DURO TRABAJO, Ec 2:24 vea bien de su **d.**

E

EBAL, Gé 36:23; Dt 11:29; 27:4; Jos 8:30.
ÉBED-MÉLEC, Jer 38:7, 8, 10-12; 39:16.
ÉBER, Gé 10:21, 24; 11:16; Lu 3:35.
ECONÓMICAMENTE DÉBIL, Le 25:35.
ECZEMA, Dt 28:27 Jehová te herirá con **e.**
ECHADO(S), Jue 7:12 **e.** en llanura baja
  Isa 56:10 perros mudos; **e.**, que aman
  Mt 3:10; 5:25; 7:19.
ECHAR, Eze 17:23 **e.** ramas y producirá fruto
ECHAR A PERDER, 1Co 15:33 compañías **e.**
ECHAR BOTONES, Heb 9:4 vara de Aarón **e.**
EDÉN, Gé 2:15 estableció en **E.** para que
  Isa 51:3 hará su desierto sea como **E.**
  Eze 28:13 En **E.**, estuviste estar
  Eze 36:35 Esa tierra ser como jardín de **E.**
  Gé 2:8; 3:23, 24; Joe 2:3.
EDIFICACIÓN, Ro 15:2 lo bueno para la **e.**
  1Co 14:26 Efectúense todas cosas para **e.**
  Ef 4:29 dicho que sea bueno para **e.**
  Ro 14:19; 1Co 14:12; 2Co 12:19.
EDIFICADO(S), Jn 2:20 templo **e.** en 46 años
  Ef 2:20 han sido **e.** sobre el fundamento
  Ef 2:22 siendo **e.** juntamente para ser
  Col 2:7 arraigados y siendo **e.** en él
EDIFICADOR(ES), Heb 11:10 **e.** es Dios
  1Pe 2:7 piedra que los **e.** rechazaron
  Mt 21:42; Hch 4:11.
EDIFICAR, Sl 102:16 Jehová **e.** a Sión
  Sl 127:1 A menos que Jehová **e.** la casa
  Isa 65:22 No **e.** y otro lo ocupará
  Jer 1:10 para derruir, para **e.** y plantar
  Miq 3:10 **e.** a Sión con actos de
  Mt 7:24 **e.** casa sobre la masa rocosa
  Mt 16:18 sobre esta masa rocosa **e.** mi
  Lu 17:28 días de Lot: plantaban, **e.**
  1Co 3:10 vigilando cada uno cómo **e.** sobre
  1Co 8:1 conocimiento hincha, el amor **e.**
  1Co 10:23 no todas las cosas **e.**
  1Co 14:3 el que profetiza **e.** y anima
  1Co 14:4 el que profetiza a **e.** congregación
  1Re 6:2, 38; 1Cr 28:6; Esd 4:4; Pr 24:3; Ec
  3:3; Hch 7:49; 20:32; 1Co 3:14; Jud 20.
EDIFICIO, 1Co 3:9 son **e.** de Dios
  2Co 5:1 tener un **e.** procedente de Dios
  Ef 2:21 el **e.** entero, unido armoniosamente
EDOM, Gé 25:30; 36:8; Jer 49:7; Abd 1.
EDREI, Nú 21:33; Jos 12:4; 13:31; 19:37.
EDUCARSE, Hch 13:1 se **e.** con Herodes
EFÁ, Dt 25:15 un **e.** exacto y justo
  Éx 16:36; Le 19:36; Eze 45:11.
EFECTUAR, 2Ti 4:5 **e.** tu ministerio
  2Ti 4:17 la predicación se **e.** plenamente
ÉFESO, 1Co 15:32; Rev 2:1.
EFICAZMENTE, ACTUAR, Da 11:17, 28, 32, 39.
EFOD, Éx 28:6; Isa 23:9; 30:7; Os 3:4.
EFRAÍN, Gé 41:52; Jos 14:4; Sl 78:67.
EFRATA, Rut 4:11; Sl 132:6; Miq 5:2.
EGIPCIO(CIA), Éx 14:18 los **e.** sabrán
  Isa 31:3 Los **e.**, son hombres, y no Dios
  Gé 16:1; Éx 2:11; 7:5; Isa 19:2.
EGIPTO, Sl 68:31 Efectos saldrán de **E.**
  Isa 19:23 calzada de **E.** a Asiria
  Isa 31:1 ¡Ay de los que bajan a **E.** por
  Da 11:43 sobre cosas deseables de **E.**
  Rev 11:8 **E.**, donde Señor fijado en madero
  Gé 37:36; 41:41; Éx 11:5; Mt 2:15.
EGLÓN, Jos 10:3; Jue 3:12, 14, 15, 17.

EGOÍSTA, Nú 11:4 expresó anhelo e.
EGOTISMO, Flp 2:3 no haciendo nada por e.
EGOTISTAS, Gál 5:26 No nos hagamos e.
EHÚD, Jue 3:15, 21; 4:1.
EJECUCIONES, Sl 106:2 poderosas e. de
EJECUTADOS, Rev 20:4 los e. con hacha
EJECUTAR, 2Cr 34:31 e. palabras del pacto
Job 37:12 por Su manejo para que e.
Sl 149:9 e. en ellos la decisión judicial
2Te 1:11 e. todo lo que agrade
Jud 15 para e. juicio contra todos
Éx 12:12; Jer 23:5; Eze 25:17; Miq 5:15.
EJEMPLO(S), 1Co 10:11 e. para amonestación
Flp 3:17 concuerde con e. en nosotros
1Te 1:7 llegaron a ser e. a todos
1Ti 4:12 hazte e. para los fieles
Tit 2:7 mostrándote e. de obras excelentes
1Pe 5:3 haciéndose e. del rebaño
2Te 3:9; Jud 7.
EJERCER, Da 10:19 e. mi fuerza y finalmente
1Co 7:4 esposo no e. autoridad
1Co 9:25 todo hombre e. autodominio
1Ti 2:12 No permito que mujer e. autoridad
Heb 4:12 palabra de Dios es viva, y e. poder
1Jn 4:18 el temor e. una restricción
EJERCER FE, Isa 28:16 Nadie que e. será
Jn 11:26 todo el que vive y e. en mí
Ro 10:4 para que todo el que e. tenga
Ro 10:10 con el corazón se e. para
2Co 4:13 nosotros también e. y hablamos
Gál 3:22 promesa se diera a los que e.
Heb 4:3 los que hemos e. fe sí
EJERCITAR, Hch 24:16 me e. continuamente
EJÉRCITO(S), Job 2:1 terminados todo su e.
Isa 34:2 Jehová tiene furia contra el e.
Jer 33:22 no puede contarse e. de cielos
Lu 21:20 Jerusalén cercada de e.
Ro 9:29 Jehová de los e. dejado descendencia
Snt 5:4 en los oídos de Jehová de los e.
Rev 19:14 e. en el cielo le seguían
Dt 24:5; 1Sa 17:45; Eze 17:16; Jer 28:2; Da
4:35; 8:10; Mt 22:7; Heb 11:34; Rev 9:16.
ELEALÉ, Nú 32:3, 37; Jer 48:34.
ELEAZAR, Éx 6:23; Nú 20:26; Dt 10:6.
ELECTOS. Véase ESCOGIDO(DA).
ELEGANCIA, Gé 49:21 dando palabras de e.
Isa 23:18 paga no se cubran con e.
ELEMENTOS, 2Pe 3:10 e. serán disueltos
ELEVADO, Isa 26:5 el pueblo e.
ELEVAR, Da 6:3 el rey e. sobre el reino
ELÍ, 1Sa 1:3; 2:11; 3:15; Mt 27:46.
ELÍAS, 1Re 18:21 E. dijo: ¿Hasta cuándo
2Re 2:9 E. dijo a Eliseo: Pide lo que he
2Re 2:11 E. fue ascendiendo en la tempestad
1Re 18:36, 40; Mal 4:5; Mt 17:11, 12.
ELIFAZ, Job 2:11; 42:7, 9.
ELIHÚ, Job 32:2; 34:1; 35:1; 36:1.
ELIMAS, Hch 13:8 E. el hechicero
ELISEO, 2Re 4:32 E. entró, muchacho muerto
2Re 6:17 carros de guerra en derredor de E.
1Re 19:16, 19; 2Re 2:2, 9, 15; 5:8; 6:18.
ELOCUENTE, Hch 18:24 Apolos, varón e.
ELOGIAR, Sl 8:33; Sl 9:1; 44:8; 138:1.
Sl 6:5 en el Seol, ¿quién te e.?
EMANAR, Heb 2:11 santificados, e. de uno
EMANCIPAR, Heb 2:15 e. a los sujetos
EMAÚS, Lu 24:13 aldea, E. por nombre
EMBAJADOR(ES), 2Co 5:20 e. en sustitución
Ef 6:20 actúo como e. en cadenas
EMBALSAMAR, Gé 50:2 médicos e. a Israel
EMBAUCADO, Jer 20:7 Me has e., oh Jehová
EMBLANQUECIDO, Rev 7:14 ropas las han e.
EMBLANQUECIMIENTO, Da 11:35 haga un e.
EMBORRACHAR(SE), Jer 51:7 e. la tierra

Ef 5:18 no anden e. con vino
1Te 5:7 por lo general los que se e.
EMBOSCADA, Jer 51:12 Preparen la e.
Jos 8:2; Jue 16:9.
EMBOSCARSE, 1Sa 15:5 Saúl procedió a e.
EMBOTADO(DA), Mr 6:52; 8:17 corazón e.
Ro 11:7 fueron e. las sensibilidades
2Co 3:14 sus facultades mentales e.
Heb 5:11 se han hecho e. en su oír
EMBOTAMIENTO, Ro 11:25 e. de sensibilidades
EMBOTAR, Ec 10:10 de hierro se ha e.
EMBRIAGADA, Jn 2:10 cuando e., el inferior
EMBRIAGANTE, LICOR, Pr 31:6 Den ustedes l.
Le 10:9; Pr 20:1; Isa 28:7.
EMBRIAGAR(SE), Gé 9:21 [Noé] se e.
Pr 5:19 sus pechos te e. a todo tiempo
Ag 1:6 no hasta el punto de e.
EMBRIÓN, Sl 139:16 Tus ojos vieron mi e.
EMINENCIA, Dt 33:26 Dios en su e.
Sl 93:1 Jehová de e. está vestido
Sl 68:34; Eze 7:11; Hch 25:23.
EMINENTE, Isa 28:1 ¡Ay de la corona e.
EMISIÓN, Le 15:16 hombre e. de semen
Le 18:23 no debes dar tu e. a bestia
Le 20:15 hombre da e. seminal a bestia
Le 22:4 hombre de quien salga e. seminal
EMISIÓN SEMINAL, Le 20:15; 22:4.
EMMANUEL, Isa 7:14; 8:8; Mt 1:23.
EMOCIÓN, Mr 16:8 fuerte e. se ha apoderado
EMOCIONES INTERNAS, Gé 43:30; 1Re 3:26.
EMPAPAMIENTO, Sl 65:10 e. de sus surcos
EMPAPAR, Isa 16:9 e. con mis lágrimas
Isa 34:5 en los cielos mi espada se e.
EMPEDRADO, Jn 19:13 lugar llamado El E.
EMPEÑO, 1Pe 5:2 Pastoreen el rebaño con e.
EMPEZAR, Job 17:10 pueden e. de nuevo
EMPLACE, Job 9:19 en justicia me e.
EMPLEAR, Dt 18:10 nadie que e. adivinación
EMPLEO, 2Cr 29:19 removió del e.
EMPOBRECER, 2Sa 2:7 Jehová es Uno que e.
1Co 7:9 mejor casarse que e. de pasión
Éx 22:24; Nú 11:33; Dt 31:17; 32:22; Jue
2:14; 3:8; 6:39; 10:7; Jer 15:14.
EMPOBRECIDO(S), Sl 79:8 hemos quedado e.
Sl 116:6 Me hallé e., y él procedió a e.
EMPUJAR, Dt 33:17; 1Re 22:11; Sl 44:5.
EN ACCIÓN, Snt 5:16 ruego cuando está e.
ENALTECIMIENTO, Sl 66:17 e. con lengua
ENAMORAR, Gé 24:67 Isaac se e. de ella
ENARDECER, Pr 29:8 hombres e. un pueblo
ENCANTADOR(RA), Isa 3:3 y el e. diestro
Isa 19:3 acudirán a los e., y a los médium
Sl 45:2; Pr 5:19; Zac 4:7.
ENCANTO, Pr 3:22; 4:9; 11:16; 31:30.
ENCARGAR, 2Ti 2:2 estas cosas e. a hombres
2Ti 2:14 e. delante de Dios como testigo
ENCARGO, Mt 4:6 A sus ángeles dará e.
ENCARIÑADO, Pr 8:30 con quien él estuvo e.
ENCENDER(SE), Ro 1:27 se e. en su lascivia
1Co 7:9 mejor casarse que e. de pasión
Éx 22:24; Nú 11:33; Dt 31:17; 32:22; Jue
2:14; 3:8; 6:39; 10:7; Jer 15:14.
ENCENDIDOS(DAS), Jer 17:4 e. en mi cólera
Lu 12:35 Estén e. sus lámparas
ENCERRADO, Ro 11:32 Dios los ha e. a todos
ENCIERRO, 2Sa 20:3 concubinas en casa de e.
ENCINTA, Isa 7:14 quedará e., y va a dar
Gé 4:1; Ec 11:5; Lu 1:24.
ENCLAVADAS, Jos 16:9 tenían ciudades e.
ENCOGER, Dt 33:29 enemigos se e. ante ti
ENCOGIDOS, 2Sa 22:45; Sl 18:44; 66:3.
ENCOMENDADA(S), 1Te 2:4 e. buenas nuevas
Ro 3:2; 1Co 9:17; Gál 2:7; Tit 1:3.
ENCOMENDAR, Lu 16:11 ¿quién les e. lo que
2Co 5:19 ha e. la palabra de la
1Pe 4:19 sigan e. sus almas a un fiel
ENCOMIAR, Ec 8:15 yo e. el regocijo
Sl 63:3; 117:1; 145:4.

ENCOMIO, Jue 11:40 iban a dar **e.** a la hija
Da 2:23 doy alabanza y **e.**
ENCUBIERTO, Mt 10:26 nada hay **e.** que no
ENCUBRIR, Pr 17:9 El que **e.** transgresión
ENCUENTRO, Nú 20:20; 2Cr 35:20.
ENCUMBRADO(DA), Lu 16:15 lo que es **e.**
Ro 12:16 no tengan mente puesta en cosas **e.**
2Co 10:5 estamos derrumbando toda cosa **e.**
Eze 17:22; Ro 11:20.
ENDEBLES, Ne 4:2 haciendo los **e.** judíos?
ENDECHA(S), 2Sa 1:17 salmodiar esta **e.**
2Cr 35:25; Jer 7:29; 9:10; Eze 32:16.
ENDEMONIADO(DA), Mt 15:22; Mr 1:32; Lu
8:36; Jn 10:21.
ENDEREZAR, Isa 45:13 todos sus caminos **e.**
ENDEREZAR LOS ASUNTOS,
Isa 1:18; Miq 4:3.
EN-DOR, Jos 17:11; 1Sa 28:7.
ENDURECER(SE), Dt 15:7 no **e.** tu corazón
Ne 9:16 antepasados, procedieron a **e.** su
Heb 3:13 **e.** por el poder del pecado
Pr 28:14; Hch 19:9; Heb 3:8, 15; 4:7.
ENEMIGO(S), 1Re 8:33 delante del **e.**
Sl 8:2 para hacer desistir al **e.**
Sl 110:2 sojuzgando en medio de tus **e.**
Miq 7:6 los **e.** son los hombres de su casa
Mt 10:36 los **e.** del hombre serán personas
Mt 13:39 el **e.** que la sembró es el Diablo
Ro 12:20 si tu **e.** tiene hambre, aliméntalo
1Co 15:26 el último **e.**, la muerte ha de ser
Snt 4:4 amigo del mundo, **e.** de Dios
Miq 4:10; Mt 22:44; Ro 11:28; 1Co 15:25.
ENEMISTAD, Gé 3:15 pondré **e.** entre ti
Ro 8:7 mente puesta en la carne **e.** con Dios
Snt 4:4 amistad con mundo es **e.** con Dios?
ENERGÍA, 1Sa 2:4; 2Sa 22:40; Sl 18:32.
ENERGÍA DINÁMICA, Isa 40:29 sin **e.**
Os 12:3 con su **e.** contendió con Dios
Job 40:16; Isa 40:26.
ENERGÍA VITAL, Sl 60:12 Por Dios **e.**
Pr 31:3 No des tu **e.** a las mujeres
Na 2:3 hombres de **e.** vestidos de carmesí
Sl 84:7; 118:15; Jer 48:14; Joe 2:22.
ENFERMAR, 2Re 20:1 Ezequías **e.** de muerte
Pr 13:12 expectación **e.** el corazón
ENFERMEDAD(ES), Dt 28:61 no escrita en
Sl 41:3 sobre un diván de **e.**
Mt 8:17 tomó nuestras **e.** y llevó
Jn 5:5 treinta y ocho años en su **e.**
Gál 4:13 que por una **e.** de mi carne
1Ti 5:23 poco de vino a causa de **e.**
ENFERMIZOS, 1Co 11:30 débiles y **e.**
ENFERMO(MA), Mal 1:8; Mt 25:39; Jn 11:2.
Isa 33:24 ningún residente dirá: Estoy **e.**
Eze 34:4 A las **e.** no han fortalecido
Snt 5:14 ¿Hay alguno **e.** entre ustedes?
ENFLAQUECIDA, Isa 17:4 su carne será **e.**
ENFRIAR, Mt 24:12 se **e.** el amor
ENFURECER(SE), Sl 89:38; Pr 26:17.
ENFURECIDO(DA), Pr 15:18 hombre **e.** suscita
Eze 5:15 furia y **e.** censuras
ENFURECIMIENTO, Job 19:29; Miq 7:9.
ENGALÁNATE, Job 40:10 E. con superioridad
ENGAÑADORES, 2Co 6:8; Tit 1:10; 2Jn 7.
ENGAÑAR, Gé 31:26 a **e.** por tretas
Le 19:11 no deben **e.**, y no deben
Abd 3 La presunción te ha **e.**
Jer 29:8; 37:9; Zac 13:4; Ef 5:6.
ENGAÑO(S), Sl 5:6 **e.** Jehová lo detesta
Sl 34:13 Salvaguarda contra hablar **e.**
Isa 53:9 no hubo **e.** en su boca
Jn 1:47 en quien no hay **e.**
Col 2:8 filosofía y el vano **e.** según
1Pe 2:22 ni en su boca se halló **e.**
Job 15:35; Sl 10:7; 32:2; Pr 12:17; Jer 9:6; Ro
3:13; 2Te 2:10.

ENGAÑOSAMENTE, Sl 24:4 juramento **e.**
ENGAÑOSO(SA), Le 6:3 **e.** en cuanto a ello
Jer 15:18 llegas a ser como una cosa **e.**
Miq 1:14 casas de Aczib fueron **e.** a los
Mt 13:22 poder **e.** de las riquezas
2Co 11:13 tales hombres son obreros **e.**
Ef 4:22 conforme a sus deseos **e.**
Heb 3:13 endurecer por el poder **e.** del
1Pe 2:1 desechen maldad y todo lo **e.**
ENGENDRAR, Dt 32:18 La Roca que te
ENGORDAR, Pr 28:25 se fía de Jehová **e.**
Snt 5:5 Han **e.** sus corazones en el día del
ENGRANDECER(SE), Sl 34:3 Oh, a **e.** a Jehová
Sl 138:2 has **e.** tu dicho sobre tu nombre
Eze 38:23 me **e.** y me santificaré
Da 11:36 rey se **e.** sobre todo dios
Lu 1:46 María dijo: Mi alma **e.** a Jehová
Hch 10:46 en lenguas y **e.** a Dios
Job 36:24; Sl 41:9; 69:30; Isa 10:15; 42:21.
ENGRANDECIDO, Sl 40:16 Sea **e.** Jehová
Flp 1:20 será **e.** por medio de mi cuerpo
Sl 35:27; 70:4; Mal 1:5; Hch 19:17.
ENGREIMIENTO, Isa 10:12 **e.** de su altanería
ENGULLIR, Abd 16 naciones beberán y **e.**
ENIGMA(S), Jue 14:12; Sl 78:2.
ENJAEZAR, Os 10:10 **e.** a sus dos errores
ENJAMBRE(S), Gé 1:20; Éx 8:24.
ENJUGAR, Jn 12:3 le **e.** los pies con sus
ENLOQUECIDO(DA), Jer 25:16 actuar como **e.**
Jer 51:7 naciones siguen obrando **e.**
Os 9:7 a causa de tu error
ENLUCIDO, Da 5:5 escribían sobre el **e.** de
ENLUCIR, Eze 13:10 lo **e.** con lechada
Le 14:42, 48; Eze 13:14.
ENMIENDA, Éx 32:30 hacer **e.** por el pecado
ENMUDECER, Isa 53:7 como oveja ha **e.**
ENOC, Sl 5:22 E. siguió andando con Dios
Gé 5:24; Lu 3:37; Heb 11:5; Jud 14.
ENOJAR(SE), 1Re 11:9 Jehová **e.** con Salomón
Sl 2:12; 79:5.
EN PEDAZOS, Heb 11:37 aserrados **e.**
ENREDAR, Heb 12:1 pecado que nos **e.**
ENRIQUECER, 1Sa 2:7 Jehová es Uno que **e.**
Pr 10:22 bendición de Jehová **e.**
2Co 6:10 como pobres, pero **e.** a muchos
ENROLLARSE, Isa 34:4 cielos tienen que **e.**
Rev 6:14 apartó como rollo que se va **e.**
ENSALZADO(DA), Sl 46:10 **e.** en la tierra
Sl 57:5; Mt 11:23; 23:12; Hch 2:33.
ENSALZAMIENTO, Gé 4:7 ¿no habrá **e.**?
Pr 8:13 El propio **e.** y el orgullo he odiado
Snt 1:9 humilde se alborece a causa de **e.**
ENSALZAR(SE), Éx 15:1 Jehová se ha **e.**
1Sa 2:7 Jehová es también Uno que **e.**
1Sa 2:10 para **e.** el cuerno de su ungido
Sl 34:3 juntos **e.** su nombre
Pr 14:29 impaciente está **e.** tontedad
Pr 14:34 La justicia **e.** a una nación
Isa 2:12 Viene sobre el que a sí mismo se **e.**
Da 11:36 se **e.** sobre todo dios
Mt 23:12 El que se **e.** será humillado
Hch 5:31 Dios lo **e.** como Agente Principal
1Pe 5:6 para que él los **e.** al tiempo
Sl 37:34; 118:28; Pr 15:25; Isa 25:1; Flp 2:9.
ENSANCHAR, Dt 19:8 Dios **e.** tu territorio
ENSAYAR, Lu 21:14 no **e.** de antemano cómo
ENSEÑADAS, Isa 54:13 hijos personas **e.**
ENSEÑANZA(S), 1Ti 4:6; 6:1; Tit 1:9.
Mt 16:12 se guardaran de la **e.** de fariseos
Ef 4:14 llevados por todo viento de **e.**
Col 2:22 mandatos y **e.** de hombres?
1Ti 4:1 prestando atención a **e.** de demonios
1Ti 4:16 Presta atención a ti mismo y a tu **e.**
2Ti 4:3 no soportarán la **e.** saludable
Heb 13:9 No se dejen llevar por **e.** extrañas

ENSEÑANZA SALUDABLE, 2Ti 4:3.
Tit 1:9 exhortar por la **e.** y censurar
Tit 2:1 hablando cosas para **e.**
ENSEÑANZAS ENGAÑOSAS, 2Pe 2:13.
ENSEÑAR, 2Cr 17:9 **e.** entre la gente
Esd 7:10 Esdras preparado para **e.**
Job 33:33 yo te **e.** sabiduría
Job 35:11 El nos **e.** más que a las bestias
Sl 25:4 oh Jehová; **e.** tus sendas
Sl 25:9 Él **e.** a los mansos Su camino
Sl 34:11 temor de Jehová es lo que **e.**
Sl 143:10 **E.** a hacer tu voluntad
Isa 29:13 mandamiento de hombres se está **e.**
Isa 48:17 Jehová, Aquel que te **e.**
Jer 31:34 ya no **e.** cada uno a su hermano
Jer 32:33 se les **e.**, madrugando y **e.**
Mt 5:19 quiebre mandamientos y **e.**
Mt 7:29 les **e.** como persona que tiene
Mt 15:9 **e.** mandatos como doctrinas
Mt 28:20 a **e.** a observar todas las cosas
Mr 6:6 recorría las aldeas en circuito, **e.**
Jn 7:16 Lo que **e.** no es mío, sino que
Jn 8:28 hablo así como el Padre me ha **e.**
Jn 14:26 el espíritu santo les **e.** todas
Hch 4:2 molestos porque **e.** al pueblo
Hch 5:42 de casa en casa, sin cesar **e.**
Hch 18:25 hablando y **e.** con exactitud
Hch 20:20 **e.** públicamente y de casa en
Ro 12:7 el que **e.**, ocúpese en su enseñanza
1Co 4:17 estoy **e.** en todas partes en toda
Gál 6:6 cualquiera a quien se esté **e.**
2Ti 2:2 adecuadamente capacitado para **e.**
2Ti 2:24 amable, capacitado para **e.**
2Ti 3:16 Toda Escritura provechosa para **e.**
Tit 1:11 **e.** cosas que no deben por ganancia
Éx 4:12; Dt 4:5; Sl 71:17; 94:12; Mt 11:1; Lu
12:12; Hch 5:25; 11:26; Ro 2:21; 1Ti 2:12.
ENSEÑOREAR, Mt 20:25 gobernantes se **e.**
ENSEÑOREARSE DOMINANTEMENTE,
Sl 119:133 no se **e.** de mí ninguna cosa
ENSORDECER, Miq 7:16 sus oídos.
ENTABLAR CONVERSACIÓN, Hch 17:18.
ENTENDER, Dt 32:27 lo **e.** mal sus adversarios
Sl 119:34 Hazme **e.**, para que observe
Pr 28:5 buscando a Jehová pueden **e.** todo
Isa 6:9 Oigan pero no **e.**; y vean pero no **e.**
Da 12:8 oí, pero no pude **e.**
Da 12:10 absolutamente ningún inicuo **e.**
1Co 14:9 profieran habla fácil de **e.**
Job 6:30; Sl 82:5; 119:27; Isa 43:10.
ENTENDIDO, Snt 3:13 ¿Quién es sabio y **e.**
ENTENDIMIENTO, Job 32:8 les da **e.**
Sl 119:104 tus órdenes me porto con **e.**
Sl 147:5 su **e.** es superior a lo que se puede
Pr 3:5 no te apoyes en tu propio **e.**
Pr 9:10 conocimiento del Santísimo es **e.**
1Co 14:20 niñitos en facultades de **e.**
1Cr 22:12; Pr 4:7; Isa 29:14.
ENTERA, Mal 3:9 me roban... la nación **e.**
ENTERAMENTE, Na 1:15 **E.** será cortada
ENTERNECER, Mr 6:34 se **e.** por ellos
ENTERNECIDO, Mt 20:34 **E.**, Jesús les tocó
ENTERRADO(DA), Rut 1:17; Jer 16:4, 6.
1Co 15:4 fue **e.**, sí, ha sido levantado
ENTERRAR, 2Re 9:10 no habrá quien la **e.**
Eze 39:11 tendrán que **e.** a Gog y toda su
Lu 9:60 que los muertos **e.** a sus muertos
Gé 23:4; Dt 21:23; Sl 79:3; Jer 14:16; 19:11;
Eze 39:14, 15.
ENTIERRO, Eze 39:13 la gente efectuar el **e.**
ENTRADA(S), Pr 17:19 alto su paso de **e.**
Eze 33:30 **e.** de las casas
Hch 12:14 Pedro de pie delante de la **e.**
Le 8:3, 33; 16:7; Jos 19:51; 2Pe 1:11.
ENTRAÑAS, Sl 40:8 tu ley dentro de mis **e.**
Sof 1:17 sus **e.** como el estiércol

ENTRAR, Isa 26:2 **e.** la nación justa
Mt 19:17 si quieres **e.** en la vida
Mt 25:21 **E.** en el gozo de tu amo
Hch 14:22 **e.** en reino de Dios a través de
Pr 4:14; 23:10; Ro 5:12; Heb 4:6, 10; 9:12, 24.
ENTRAR A HURTADILLAS, Gál 2:4.
ENTRAR POR FUERZA, Mt 6:19 ladrones **e.** y
ENTREDICHO, Da 6:7, 9, 12, 13, 15.
ENTREGA, Isa 37:19 **e.** de dioses al fuego
2Pe 2:7 **e.** a la conducta relajada
ENTREGADO(DA), Lu 4:6; Ro 4:25; Jud 3.
Mt 11:27 me han sido **e.** por mi Padre
ENTREGAR, 1Jn 3:16 **e.** su alma por nosotros
Sl 118:18; Isa 43:6; Mt 10:17.
ENTREMETER(SE), Pr 14:10 **e.** ningún extraño
Pr 24:21 a favor de un cambio, no te **e.**
2Te 3:11 **e.** en lo que no les atañe
ENTREMETIDO(DA), 1Ti 5:13 **e.** en asuntos
1Pe 4:15 ninguno sufra como **e.**
ENTRENADO(DA), Heb 5:14 a para distinguir
Heb 12:11 a los **e.** por ella, da fruto
2Pe 2:14 Tienen corazón a. en la codicia
ENTRENAMIENTO, 1Ti 4:8 **e.** corporal es
1Pe 5:10 Cristo, terminará **e.** de ustedes
ENTRENAR, Job 15:5 tu error **e.** a tu boca
Pr 22:6 **E.** al muchacho conforme al camino
1Ti 4:7 ve **e.** con devoción piadosa
ENTRETEJER, Mt 27:29; Mr 15:17; Jn 19:2.
ENTRETENIMIENTO, Jue 16:25 ofrezca **e.**
ENTRISTECIDOS, 2Co 7:9.
ENTUMECERSE, Sl 38:8 Me he **e.** y quedado
Hab 1:4 ley se **e.**, y la justicia nunca sale
ENTUMECIMIENTO, Lam 2:18 No te de **e.**
ENUMERAR, Sl 50:16 de **e.** mis disposiciones
ENVALENTONADO, Est 7:5; Hch 5:3.
ENVEJECER, Lu 1:18 yo he **e.**
ENVIADO(S), Isa 30:4 los **e.** de él llegan
Ro 10:15 ¿Cómo predicarán a menos que **e.**?
Flp 2:25 Epafrodito, **e.** y servidor personal
Pr 13:17; 25:13; Isa 57:9; Abd 1.
ENVIAR, Sl 43:3 **E.** tu luz y verdad
Sl 110:2 La vara Jehová **e.** desde Sión
Isa 6:8 ¿A quién **e.**, y quién irá por
Isa 55:11 éxito en lo cual la he **e.**
Isa 61:1 **e.** para vendar a quebrantados
Jer 25:15 las naciones a quienes voy a **e.**
Mal 3:1 ¡Miren!, **e.** a mi mensajero
Mal 4:5 ¡Miren! les **e.** a Elías el profeta
Mt 10:16 Los estoy **e.** como ovejas
Mt 11:10 **e.** a mi mensajero delante de
Jn 20:21 Padre me ha **e.**, yo también los **e.**
Gál 4:4 llegó el tiempo, Dios **e.** a su Hijo
Gé 24:7; Éx 3:14; Jer 16:16; Mt 10:5; 13:41;
Lu 10:1; Jn 14:26; Hch 3:20; 1Jn 4:9.
ENVIDIA(S), Pr 3:31 No tengas **e.** del
Flp 1:15 predicando al Cristo por **e.**
1Ti 6:4 De estas cosas provienen **e.**
Snt 4:5 tendencia hacia **e.** que espíritu
1Pe 2:1 desechen toda hipocresía y **e.**
Sl 73:3; Ro 1:29; Tit 3:3.
ENVIDIAR, Pr 23:17 No **e.** tu corazón
Pr 24:1 No **e.** a hombres malos
Gé 26:14; Sl 37:1; 106:16; Gál 5:26.
ENVOLTURA, Isa 25:7 la cara de la **e.**
ENVOLVER(SE), 2Cr 24:20 espíritu de **e.**
Sl 104:2 **e.** en luz como prenda de vestir
Isa 8:16 **E.** la atestación, pon un sello
Da 11:40 el rey del sur se **e.** en un empuje
Os 4:19 Un viento la ha **e.** en sus
2Ti 2:4 que sirve como soldado se **e.** en
Heb 1:12 los **e.** igual que una capa
2Pe 2:20 se **e.** de nuevo en estas cosas
ENVUELTO(TA), 1Sa 25:29 **e.** en bolsa de vida
Os 13:12 error está **e.**, su pecado
EPILÉPTICO(S), Mt 4:24; 17:15.

ÉPOCA, 1Pe 1:11 investigando qué é. en
EQUILIBRIOS, Job 37:16 é. de la nube
EQUIPADO, 2Ti 3:17 e. para buena obra
EQUIPAJE, 1Sa 10:22; Eze 12:3, 7.
EQUIPAR, Heb 13:21 los e. para hacer su
EQUIPO, Gé 45:20 no sentirse apenado de e.
   Ef 6:15 calzados con e. de buenas nuevas
EQUITATIVO(S), Da 11:6 un arreglo e.
   Da 11:17 habrá términos e. para el
EQUIVALER, 2Sa 17:3 E. a vuelta de todos
EQUIVOCACIÓN, Le 4:2 peque un alma por e.
   Nú 15:25 porque fue una e.
   Job 6:24 la e. que he cometido
   Job 19:4 con quien mi e. se alojará
ERA, Rut 3:2; 2Sa 24:21.
ERIGIR, Mt 21:33 e. una torre
ERIZARSE, Job 4:15 pelo empezó a e.
ERRADO, 1Re 8:47 Hemos pecado y e.
ERRANTE, Sl 36:11 no de mí un e.
ERRÓNEO, Isa 57:17 e. de ganancia injusta
ERROR(ES), Gé 15:16 el e. de los amorreos
   Esd 9:6 nuestros e. se han multiplicado
   Job 31:11 e. para la atención de los jueces
   Sl 51:5 Con e. fui dado a luz
   Sl 130:3 Si e. fuera lo que tú vigilas
   Isa 53:5 estuvo aplastando por nuestros e.
   Jer 33:8 perdonaré, sí, todos sus e.
   Snt 5:20 hace volver a un pecador del e.
   2Pe 2:18 que se comportan en e.
   Éx 20:5; Le 16:21; Dt 5:9; Jos 22:17; Ef 4:14;
   1Te 2:3; 2Pe 3:17; 1Jn 4:6.
ERROR, OPERACIÓN DE, 2Te 2:11 deja una o.
ESAÚ, Gé 25:34 E. despreció la primogenitura
   Jer 49:10 en cuanto a mí, desnudaré a E.
   Abd 18 y la casa de E. como rastrojo
   Gé 25:27, 30; 36:8; Abd 21; Heb 12:16.
ESCABEL, Isa 66:1 tierra es el e. de mis
   Sl 99:5; 132:7; Lam 2:1; Snt 2:3.
ESCABROSO, Sl 40:4 terreno e. una llanura
ESCALAR, Pr 21:22 sabio ha e. ciudad
ESCALERA, Gé 28:12 e. alcanzaba los cielos
ESCALOFRÍO, Isa 33:14 e. se ha apoderado de
ESCANDALOSOS, Sl 99:8 venganza contra e.
   Sl 141:4 para efectuar hechos e. en
ESCAPADO(S), Isa 45:20 e. de las naciones
   Joe 2:32 resultarán estar los e., tal como
   Jer 42:17; 44:14; Eze 24:27.
ESCAPAR, Isa 10:20 de Jacob que hayan e.
   Lu 21:36 ruego para que logren e.
   1Te 5:3 no e. de ninguna manera
   2Pe 1:4 habiendo e. de la corrupción
   2Pe 2:20 e. de contaminaciones del mundo
   2Pe 3:5 Porque este se les e.
   Pr 11:21; 19:5; Ro 2:3; Heb 2:3; 11:34.
ESCAPE, Ec 8:8; Jer 25:35.
ESCARCHA, Éx 16:14 una cosa fina como e.
   Job 38:29; Sl 147:16; Jer 36:30.
ESCARLATA, Jos 2:18 cordón de hilo e.
   Isa 1:18 Aunque pecados de ustedes como e.
   Rev 17:3 una bestia salvaje de color e.
   Le 14:49; Jer 4:30; Mt 27:28.
ESCARNECEDORES, Isa 28:22.
ESCARNECER, Pr 3:34; 19:28.
ESCARNIO, 2Cr 30:10 mofa y se hacía e.
   Sl 2:4 Jehová hará e. de ellos
   Pr 27:11 al que me está desafiando con e.
   Sl 44:13; 59:8; Eze 23:32; Os 7:16.
ESCARPADO(S), Pr 13:15 el camino e.
   Isa 7:19 sobre los valles torrenciales e.
ESCASEZ(CES) DE ALIMENTO, Ne 5:3.
   Mt 24:7 en un lugar tras otro
   Mr 13:8; Lu 21:11; Rev 6:8.
ESCASO, Pr 24:10 Tu poder será e.
ESCENA, 1Co 7:31 e. de mundo cambiando
ESCLAVITUD, Éx 2:23; Gál 4:24.

   Ro 8:15 no recibieron un espíritu de e.
   Ro 8:21 creación será libertada de la e.
   Gál 5:1 restringir otra vez en yugo de e.
   Heb 2:15 sujetos a e. toda su vida
ESCLAVIZADO(S), Éx 6:5 egipcios tienen e.
   Gál 4:3 e. por cosas elementales
   2Pe 2:19 vencido por otro queda e. por este
ESCLAVIZAR, Gál 2:4 a fin de e.
ESCLAVO(VA). Véase también SIERVO(VA).
   Mt 6:24 servir como e. a dos amos
   Mt 24:45 ¿Quién es el e. fiel y discreto
   Mt 24:48 si aquel e. malo llegara en su
   Mt 25:30 al e. que no sirve para nada
   Lu 12:37 ¡Felices aquellos e. a quienes
   Lu 17:10 e. que no servimos para nada
   Jn 8:34 Todo hacedor de pecado es e. del
   Jn 13:16 El e. no es mayor que su amo
   Hch 2:18 sobre mis e. y e. derramaré
   Ro 6:6 ya no sigamos siendo e. del pecado
   Ro 6:16 son e. de él porque le obedecen
   Ro 7:6 para que seamos e. por el espíritu
   1Co 7:23 dejen de hacerse e. de hombres
   Gál 1:10 agradando a hombres, no e. de Cristo
   Gál 3:28 no hay ni e. ni libre
   Gál 5:13 mediante amor, sírvanse como e.
   Rev 19:2 ha vengado la sangre de sus e.
   Sl 86:16; 116:16; Mt 20:27; Lu 1:38; Jn 8:35;
   Hch 7:7; Ro 6:17-20; Gál 4:7, 9; 2Ti 2:24; 1Pe
   2:16; 2Pe 2:19.
ESCOGER(SE), Dt 30:19 tienes que e. vida
   Jos 24:15 e. hoy a quién quieren servir
   Hch 26:16 para e. como servidor y
   1Co 1:27 Dios e. las cosas necias
   Dt 7:6; 12:11; Ne 1:9; Pr 16:16; 22:1; Isa
   7:15; Zac 1:17; Jn 15:16; 1Te 1:4.
ESCOGIDO(DA), Isa 42:1 Mi e., a quien
   Isa 65:22 obra de sus manos mis e. usarán
   Da 11:15 ni el pueblo de sus e.
   Mt 22:14 muchos invitados, pocos e.
   Mt 24:24 para extraviar hasta a los e.
   Mt 24:31 ángeles reunirán a los e.
   Mr 13:20 por causa de los e. ha acortado
   Mr 13:27 reunirá a e. desde el extremo
   Lu 18:7 haga justicia a sus e.
   1Pe 2:4 rechazada, por hombres, pero e.
   1Pe 2:9 son una raza e., un sacerdocio
   Rev 17:14 los llamados y e. y fieles
   Sl 89:3; Isa 43:10; Mt 24:22; Ro 8:33; Col
   3:12; 2Ti 2:10.
ESCOLTARLO, 2Sa 19:31 e. hasta el Jordán
ESCOMBROS, Am 6:11 casa hacerla e.
ESCONDER(SE), Jos 7:22 e. en su tienda
   Job 27:11 está con el Todopoderoso no lo e.
   Sl 27:5 me e. en su amparo
   Sl 40:10 No he e. tu bondad amorosa
   Mt 5:14 No se puede e. una ciudad
   Mt 11:25 has e. estas cosas de los sabios
   Jos 6:25; Sl 9:15; Isa 26:20; 30:20; Rev 6:16.
ESCONDIDO(DA), 1Co 2:7 sabiduría e.
   Ef 3:9 secreto sagrado e. en Dios
   Col 1:26 secreto sagrado e. de sistemas
   Col 3:3 su vida ha sido e. con Cristo
   1Ti 5:25; Rev 2:17.
ESCONDRIJO(S), Sl 119:114; Jer 49:10.
   Isa 28:17 aguas inundarán el e.
   Isa 45:19 En un e. no hablé
ESCORPIÓN(ES), Dt 8:15; Lu 11:12; Rev 9:10.
ESCRIBAS, Mt 5:20 justicia de los e.
   Mt 7:29 autoridad, y no como sus e.
   Mt 9:3; 17:10; Lu 5:21, 30.
ESCRIBIR, Éx 17:14 E. esto como memoria
   Éx 34:28 procedió a e. sobre las tablas
   Pr 3:3 E. sobre la tabla de tu corazón
   Jer 31:33 ley, en su corazón la e.
   Jer 51:60 Jeremías procedió a e. en un libro
   Hab 2:2 E. la visión, y ponla

Jn 8:6 Jesús empezó a **e.** con el dedo
Jn 19:21 No **e.**: El rey de los judíos
Éx 24:4; 34:27; Jos 24:26; Est 1:22; Sl
102:18; Isa 30:8; Jn 5:46; 19:19; 21:24; Rev
1:11; 3:12; 21:5.

ESCRITO(TA), Éx 31:18 dedo de Dios había **e.**
Lu 21:22 se cumplan todas las cosas **e.**
Ro 15:4 en tiempo pasado **e.** para nuestra
1Co 10:11 fueron **e.** para amonestación
2Ti 3:15 has conocido los santos **e.**
Rev 14:1 **e.** en sus frentes el nombre de
Rev 21:27 los que estén **e.** en el rollo de
Dt 10:4; Sl 149:9; Isa 10:1; Mal 3:16; Mt 4:4;
Jn 5:47; Rev 1:3; 17:5.

ESCRITURA(S), Éx 32:16 **e.** era **e.** de Dios
Mt 21:42 ¿Nunca han leído en las **E.**:
Mt 22:29 no conocen ni las **E.** ni el poder
Lu 4:21 Hoy se cumple esta **e.**
Lu 24:27 les interpretó cosas en todas las **E.**
Jn 5:39 escudriñan las **E.**, porque piensan
Jn 10:35 la **E.** no puede ser nulificada
Jn 13:18 para que se cumpla la **E.**
Hch 17:2 razonó con ellos de las **E.**
Hch 17:11 examinaban con cuidado las **E.**
Hch 18:24 Apolos, bien versado en las **E.**
Ro 15:4 consuelo de las **E.** esperanza
2Ti 3:16 Toda **E.** es inspirada de Dios y
2Pe 1:20 ninguna profecía de la **E.** proviene
2Pe 3:16 indoctos tuercen las **E.**
Da 5:7; Lu 24:32, 45; Jn 20:9; Hch 8:32; 1Co
15:3, 4; Snt 4:5.

ESCRITURA DE COMPRA, Jer 32:12, 16.
ESCRUPULOSAMENTE, Gál 4:10 **e.** días y
ESCRUTINIO, 1Co 11:28 después de **e.**
ESCUCHAR, Jue 2:20 no ha **e.** mi voz
Pr 1:5 El sabio **e.** y absorbe instrucción
Isa 55:3 **E.**, y su alma se mantendrá viva
Mt 17:5 mi Hijo, el amado, **e.**
Mr 12:37 muchedumbre le **e.** con gusto
Lu 10:16 El que **e.** a ustedes me **e.** a mí
Jn 8:47 El que procede de Dios **e.**
Jn 8:47 no **e.** ustedes, porque no proceden
Jn 9:31 Dios no **e.** a pecadores
Jn 18:37 el que está de parte de verdad **e.**
Hch 3:23 alma que no **e.** a ese Profeta
Gé 3:17; Dt 4:30; 8:20; 1Re 20:36; Job
34:34; Sl 34:11; 69:33; 81:11; Pr 8:34; Jer
11:8; Ag 1:12; Mal 3:16; Mt 11:15; Hch 4:19.

ESCUDERO, 1Sa 14:6; 31:4.
ESCUDO(S), Gé 15:1 Soy para ti un **e.**
Jue 5:8 No se veía un **e.** en Israel
2Sa 1:21 el **e.** de poderosos fue ensuciado
2Sa 22:3 Dios es mi **e.** y mi cuerno de
Sl 18:35 me darás tu **e.** de salvación
Sl 84:11 Jehová es sol y **e.**
Sl 91:4 Su apego a la verdad será un **e.**
Ef 6:16 tomen el **e.** grande de la fe
Sl 18:30; 47:9; 144:2; Pr 30:5; Isa 21:5.

ESCUDRIÑADO(S), Sl 139:1 Jehová, me has **e.**
Abd 6 han sido **e.** los de Esaú!
ESCUDRIÑAMIENTOS, Jue 5:16 **e.** de corazón
ESCUDRIÑAR, 1Cr 28:9 corazones Jehová **e.**
Sl 64:6 Siguen **e.** cosas injustas
Sl 139:23 **E.**, oh Dios, y conoce mi
Pr 25:2 es **e.** completamente un asunto
Isa 40:28 No se puede **e.** su entendimiento
Jer 17:10 Yo, Jehová, estoy **e.** el corazón
Jn 5:39 Ustedes **e.** las Escrituras, porque
Ro 8:27 el que **e.** los corazones
1Co 2:10 el espíritu **e.** todas las cosas
Rev 2:23 que **e.** los riñones y corazones
Job 28:3; Pr 18:17; 28:11; Lam 3:40.

ESCUELA(S), Jn 7:15 no estudiado en las **e.**?
Hch 19:9 discursos en la sala de la **e.**
ESCUPIR, Gál 4:14 ni **e.** con disgusto
Mt 26:67; 27:30.

ESDRAS, Esd 7:6; 10:1; Ne 8:1, 6.
ESFORZAR(SE), Ec 1:14 vanidad y **e.** tras
Lu 13:24 **E.** por entrar por la puerta
Ro 15:30; Gál 2:10; Ef 4:3; Flp 1:27; Col 4:12;
1Te 2:17; 1Ti 4:10.

ESFUERZO, Gé 38:12 Israel hizo un gran **e.** y se
Ec 2:22 ¿qué llega a tener un hombre por **e.**
ESPACIOS, Job 38:18 **e.** de la tierra
ESPACIOSO(SA), 2Sa 22:20 sacarme a lugar **e.**
Isa 5:14 el Seol ha hecho **e.** su alma
Isa 54:2 Haz más **e.** el lugar de tu tienda
Mt 7:13 es **e.** el camino que conduce a
ESPADA(S), Jue 3:16 Ehúd se hizo una **e.**
Jue 7:22 **e.** de cada uno contra el otro
1Sa 17:47 ni con **e.** salva Jehová
Isa 2:4 No alzará **e.** nación contra nación
Eze 33:6 atalaya, que vea venir la **e.** y
Joe 3:10 Batan sus rejas de arado en **e.**
Miq 4:3 batir sus **e.** en rejas de arado
Mt 26:52 toman la **e.** perecerán por la **e.**
Ef 6:17 **e.** del espíritu, palabra de Dios
Heb 4:12 palabra de Dios, **e.** de dos filos
Rev 19:15 boca sale una aguda **e.** larga
Da 11:33; Mt 10:34; Lu 21:24; 22:38.

ESPANTAPÁJAROS, Jer 10:5 **e.** de un pepinar
ESPANTOSA, Da 7:7 una cuarta bestia, **e.**
ESPAÑA, Ro 15:24 viaje con rumbo a **E.**
ESPARCIDO(DA), Gé 11:4 de que seamos **e.**
Gé 11:9 los había **e.** Jehová sobre la tierra
Zac 13:7 que las ovejas del rebaño sean **e.**
Hch 8:4 los **e.** iban por la tierra declarando
Snt 1:1 doce tribus que están **e.**
1Pe 1:1 los residentes temporales **e.** por
Sl 68:1; Eze 34:5, 12.

ESPARCIR, Sl 147:16 **e.** la escarcha
Pr 11:24 Existe el que **e.** y se le aumenta
Pr 15:7 los sabios siguen **e.** conocimiento
Jer 23:2 han **e.** mis ovejas; dispersándolas
Hab 3:14 guerreros se movieron para **e.**
Sl 144:6; Jer 30:11; Eze 5:10; 34:21.

ESPECIAL, Sl 90:10 debido a poderío **e.**
ESPECIAS, Lu 23:56; 24:1.
ESPECIE, Na 3:15, 16 la **e.** de la langosta
Snt 3:7 toda **e.** de bestias salvajes
ESPECIFICACIONES, Eze 43:11 todas sus **e.**
ESPECTÁCULO, Na 3:6 te pondré como **e.**
1Co 4:9 un **e.** teatral al mundo
ESPEJO, 1Co 13:12; Snt 1:23.
ESPERANZA, Isa 57:10 ¡No hay **e.**
Hch 26:7 Respecto a esta **e.** me acusan
Ro 5:5 la **e.** no conduce a desilusión
Ro 8:20 sujetó, sobre la base de **e.**
Ro 8:24 e. que se ve no es **e.**
Ro 15:4 mediante aguante tengamos **e.**
Ef 2:12 y no tenían **e.**, y sin Dios
1Te 4:13 los demás que no tienen **e.**
Heb 6:19 Esta **e.** la tenemos como ancla
Heb 10:23 declaración pública de nuestra **e.**
1Pe 3:15 el que les exija razón de la **e.**
Job 14:7; Sl 146:5; 1Co 9:10; Ef 4:4; Col 1:27.

ESPERAR, Isa 40:31 los **e.** en Jehová
Mt 12:21 en su nombre **e.** naciones
Heb 11:1 expectativa de cosas que se **e.**
Job 13:15; Sl 25:3; Pr 20:22; Isa 42:4; Miq 5:7;
Ro 8:25; 1Te 1:10.

ESPIAR, Nú 13:2 para que **e.** la tierra
Gál 2:4 falsos hermanos entraron para **e.**
ESPÍAS, Heb 11:31 Rahab recibió a los **e.**
Gé 42:14, 31; Jos 2:1.

ESPIGAR, Rut 2:8 No **e.** en otro campo
ESPIGAS, Gé 41:5; Rut 2:2.
ESPINA(S), Isa 55:13 del matorral de **e.**
2Co 12:7 me fue dada una **e.** en la carne
ESPINOS, Mt 7:16 Nunca recogen uvas de **e.**
Mt 13:22 en cuanto al que se sembró entre **e.**

ESPIRITISMO, Gál 5:20 práctica de **e**.
Rev 22:15 perros y los que practican **e**.
ESPIRITISTA, 1Sa 28:7 en mediación **e**.
1Cr 10:13 preguntar a una médium **e**.
ESPÍRITU(S), Jos 5:1 no **e**. a causa de Israel
2Sa 23:2 El **e**. de Jehová habló por mí
2Re 2:9 dos partes de tu **e**. vengan a mí
Job 12:10 **e**. de toda carne del hombre?
Job 33:4 El propio **e**. de Dios me hizo
Sl 51:17 sacrificios son al **e**. quebrantado
Sl 104:29 Si les quitas su **e**., expiran
Sl 146:4 Sale su **e**., él vuelve a
Ec 3:19 todos tienen un solo **e**.
Ec 3:21 **e**. de humanidad asciende arriba
Ec 12:7 **e**. vuelve a Dios que lo dio
Isa 8:19 Recurran a **e**. de predicción
Isa 19:14 mezclado el **e**. de desconcierto
Isa 42:1 He puesto mi **e**. en él
Isa 61:1 El **e**. de Jehová está sobre mí
Zac 4:6 No por fuerza, sino por mi **e**.
Mt 3:16 como paloma el **e**. de Dios venía
Mt 26:41 El **e**. está pronto, pero la carne
Lu 24:39 un **e**. no tiene carne y huesos
Jn 4:24 Dios es un **E**., y los que adoran
Hch 2:17 derramaré mi **e**. sobre toda clase
Hch 7:51 Hombres obstinados resistiendo **e**.
Ro 8:6 mente puesta en el **e**. vida y paz
Ro 8:9 si el **e**. de Dios mora en ustedes
Ro 8:11 **e**. del que levantó a Jesús mora
Ro 8:16 **e**. da testimonio con nuestro **e**.
Ro 11:8 Dios dado **e**. con sueño profundo
1Co 2:10 **e**. escudriña todas las cosas
1Co 2:11 conocer cosas de Dios, salvo el **e**.
1Co 3:16 el **e**. de Dios mora en ustedes?
2Co 3:6 muerte, pero el **e**. vivifica
2Co 3:17 donde está el **e**. hay libertad
Ef 2:22 lugar donde habite Dios por **e**.
Ef 4:30 no estén contristando **e**. santo de
Ef 6:17 espada del **e**., palabra de Dios
2Ti 1:7 Dios no nos dio **e**. de cobardía
1Pe 3:19 predicó a los **e**. en prisión
Rev 22:17 **e**. y novia diciendo: ¡Ven!
Job 27:3; 32:8; Pr 16:18; Joe 2:28; Jn 16:13;
1Co 15:45; Gál 1:8; Snt 4:5; 1Pe 3:18.
ESPIRITUAL(ES), Ro 1:11; 7:14; 1Co 10:3, 4;
Gál 6:1; Col 1:8.
Mt 5:3 conciencia de su necesidad **e**.
1Co 2:13 al combinar asuntos **e**. con
1Co 15:44 se levanta cuerpo **e**.
Ef 6:12 lucha contra fuerzas **e**. inicuas
1Pe 2:5 siendo edificados en casa **e**.
Rev 11:8 en sentido **e**. se llama Sodoma
ESPIRITUALMENTE, 1Co 2:14 se examinan **e**.
ESPÍRITU DE CONTRADICCIÓN, Flp 1:17.
Flp 2:3 no haciendo nada por **e**.
Snt 3:16 donde hay celo y **e**., allí hay
ESPÍRITU DE MÉDIUM, Le 20:27 tenga **e**.
ESPÍRITU SANTO, Sl 51:11 tu **e**., no me lo
Mt 1:18 se halló encinta por **e**.
Mt 12:32 cualquiera que hable contra **e**.
Lu 3:22 **e**. bajó como paloma
Jn 14:26 el ayudante, el **e**., que el
Hch 2:4 todos se llenaron de **e**.
Hch 11:16 serán bautizados en **e**.
1Co 6:19 cuerpo es el templo del **e**.
Ef 4:30 no estén contristando el **e**. de
Heb 6:4 llegado a ser participantes de **e**.
2Pe 1:21 hablaron al ser llevados por **e**.
Isa 63:10; Mt 3:11; Mr 13:11; Hch 20:28.
ESPLENDOR, Sl 145:12 gloria del **e**. de su
Sl 149:9 Tal **e**. pertenece a los leales
Isa 53:2 No tiene forma regia, ni **e**.
Ef 5:27 a sí mismo congregación con **e**.
ESPONJA, Mt 27:48; Mr 15:36; Jn 19:29.
ESPOSA(S), Gé 2:24 adherirse a su **e**.
Gé 6:2 se pusieron a tomar **e**. para sí
Sl 128:3 **e**. será como vid que produce

Pr 5:18 regocíjate con **e**. de tu juventud
Isa 54:6 Jehová te llamó como una **e**.
Jer 16:2 No debes tomar para ti **e**.
Jer 40:1 estaba sujeto con **e**.
Mal 2:14 ti y la **e**. de tu juventud
1Co 7:2 que cada hombre tenga su propia **e**.
1Co 7:39 La **e**. está atada todo el tiempo
Ef 5:22 Que las **e**. estén en sujeción a
Rev 21:9 te mostraré la novia, la **e**. del
Dt 29:11; 1Re 11:3, 4; 2Cr 20:13; Pr 18:22;
1Co 9:5; Ef 5:23, 28.
ESPOSO(S), Ro 7:2 atada por ley a su **e**.
1Co 7:2 cada mujer tenga su propio **e**.
1Co 7:14 el **e**. incrédulo es santificado
2Co 11:2 los prometí a un solo **e**.
Ef 5:25 **E**., continúen amando a sus esposas
Col 3:19 **E**., sigan amando a sus esposas
1Pe 3:1 esposas en sujeción a sus **e**.
Rev 21:2 como novia adornada para su **e**.
Rut 1:11; Jer 29:6; 44:19; Eze 16:45; 1Co
7:34; 14:35; Col 3:18; 1Ti 3:2.
ESTABILIZADOS, Col 2:7 en **e**. en la fe
ESTABLECER, Sl 7:9 al justo
Ro 3:31 Al contrario, **e**. ley
Gé 6:18; Dt 28:9; Isa 9:7; Mt 18:16; Ro 10:3.
ESTABLECER LEGALMENTE, Flp 1:7.
ESTABLECIDO(DA), 1Re 8:49 lugar **e**. de tu
Sl 93:2 Tu trono está firmemente **e**.
Isa 2:2 casa de Jehová llegará a estar **e**.
2Pe 1:12 firmemente **e**. en la verdad
Sl 89:14; 96:10.
ESTABLECIDO LEGALMENTE, Heb 8:6.
ESTACIÓN(ES), Gé 1:14 de señales y para **e**.
Sl 1:3 da su propio fruto en su **e**.
Jer 5:24 la primavera en su **e**.
ESTADO, Jos 20:7 **e**. sagrado a Quedes
1Co 7:20 **e**. en que haya sido llamado
ESTADO DE ISRAEL, Ef 2:12 alejados del **e**.
ESTADO MENTAL, Ro 1:28 **e**. desaprobado
ESTALLIDO, Jer 4:6; 51:54; Lam 2:11.
ESTAMPIDO, Job 36:33 Su **e**. informa de él
ESTANTES DE INCIENSO, Isa 17:8; Eze 6:4.
ESTAR FIRMES, 1Co 16:13 **e**. en la fe
Gál 5:1 Por lo tanto, **e**., y no se dejen
Ef 6:11 que puedan **e**. contra Diablo
Ef 6:13 todas las cosas cabalmente, **e**.
Flp 1:27 **e**. en un mismo espíritu
Flp 4:1 **e**. de esta manera en el Señor
2Te 2:15 **e**. y mantengan asidas las
ESTAR QUIETOS, 2Cr 20:17 **e**. y vean
ESTATUA, Dt 27:15 hace una **e**. fundida
ESTATURA, Lu 19:3 porque era pequeño de **e**.
ESTATUTO(S), Éx 12:14 Como **e**. hasta tiempo
Eze 37:24 mis **e**. guardarán, y los ejecutarán
Sof 2:2 Antes que el **e**. dé a luz algo
Le 18:5; Nú 10:8; Job 38:33; Jer 31:35.
ESTE, Gé 3:24; Eze 8:16.
ESTEBAN, Hch 6:5; 7:59; 8:2; 22:20.
ESTE DÍA, Mt 6:11 pan para **e**.
ESTER, Est 2:7; 7:6; 8:2.
ESTÉRIL(ES), Job 3:7 llegue a ser **e**.
Isa 54:1 ¡Clama, mujer **e**. que no diste a
Lu 23:29 ¡Felices son las **e**., y las que
Gé 11:30; Éx 23:26; 1Sa 2:5; Job 15:34; 30:3;
Isa 49:21; Gál 4:27.
ESTIÉRCOL, Jer 25:33 Quedarán como **e**.
Eze 4:12 tortas de **e**. del excremento
1Re 14:10; Sl 83:10; Sof 1:17; Lu 13:8.
ESTILO, 2Sa 19:24 el de correr de Ahimáaz
Sl 45:1 Sea mi lengua el **e**. de copista
Job 19:24; 31:35; 144:12; Isa 8:1; Jer 8:8;
17:1; Eze 35:13.
ESTILOS DE CABELLOS, 1Ti 2:9 no con **e**.
ESTIMA, 2Re 5:1 Naamán tenido en **e**.
ESTIMABLE(S), Mr 15:43; Hch 13:50; 17:12.

ESTIMADO, 1Sa 18:23 hombre **e.** en poco
ESTIMAR, Esd 9:13 has **e.** error en menos
  Heb 10:29 ha **e.** de valor ordinario sangre
  Heb 11:26 porque **e.** el vituperio del Cristo
ESTÍMULO, Ro 1:12 haya intercambio de **e.**
  1Co 14:31 todos aprendan y reciban **e.**
  2Co 8:17 de veras ha respondido al **e.**
  Flp 2:1 Si hay algún **e.** en Cristo, si
  Heb 6:18 fuerte **e.** para asirnos de esperanza
  Heb 13:22; 1Pe 5:12.
ESTIPULAR, Gé 30:28 **E.** tu salario y lo
ESTÓMAGO, Dt 18:3 dar al sacerdote el **e.**
  1Ti 5:23 poco de vino a causa de tu **e.**
ESTORBADAS, 1Pe 3:7 oraciones no sean **e.**
ESTORBAR, Hch 11:17 para poder **e.** a Dios?
  Gál 5:7 ¿Quién les **e.** para que no
  1Te 2:16 **e.** que hablemos a las naciones
ESTORNUDAR, 2Re 4:35 **e.** siete veces
ESTORNUDOS, Job 41:18 **e.** destellan luz
ESTRANGULAR, 2Sa 17:23 Ahitofel se **e.**
ESTRECHEZ, Dt 28:53, 57; Jer 19:9.
ESTRECHO, Mt 7:14 angosta la puerta y **e.**
ESTRELLA(S), Nú 24:17 saldrá de Jacob
  Jue 5:20 Desde el cielo pelearon las **e.**
  Job 38:7 las **e.** de la mañana clamaron
  Isa 14:13 Por encima de **e.** de Dios alzaré
  Isa 47:13 te salven, contempladores de **e.**
  Da 12:3 perspicacia brillarán como las **e.**
  1Co 15:41 **e.** difiere de **e.** en gloria
  Rev 12:1 sobre cabeza corona de doce **e.**
ESTRELLA(S) DE LA MAÑANA, Job 38:7.
  Rev 2:28 le daré la **e.**
  Rev 22:16 raíz de David, la brillante **e.**
ESTREMECER(SE), Eze 27:35 reyes **e.**
  Eze 32:10 reyes se **e.** de horror
  Eze 38:20 toda la humanidad se **e.**
  Snt 2:19 sin embargo demonios creen y se **e.**
ESTRENAR, Dt 20:5 casa nueva y no la ha **e.?**
ESTRUCTURA, Am 9:6 su **e.** sobre la tierra
ESTRUENDO, Isa 14:11 **e.** de tus instrumentos
ESTRUENDOSO, 1Co 13:1 bronce o címbalo **e.**
ESTUDIAR, Jn 7:15 no ha **e.** en escuelas?
ESTUPIDEZ, Pr 9:13; Ec 7:25.
ESTÚPIDO(S), Pr 13:20 con los **e.** le irá mal
  Pr 14:16 el **e.** se pone furioso
ETAPAS, Nú 33:1 **e.** de Israel que salieron
ETERNIDAD, 1Ti 1:17 al Rey de la **e.**
  Jud 25 potencia y autoridad por **e.** pasada
  Rev 15:3 Rey de la **e.**
ETERNO(NA). Véase también TIEMPO(S)
  INDEFINIDO(S).
  Isa 9:6 Dios Poderoso, Padre **E.**
  Jn 17:3 Esto significa vida **e.,** el que
  Ro 5:21 con vida **e.** en mira mediante
  Ro 6:23 el don que Dios da es vida **e.**
  2Co 4:18 las cosas que no se ven son **e.**
  1Pe 5:10 que los llamó a su gloria **e.**
  Gé 49:26; Hab 3:6; Mt 25:46; Mr 3:29; Lu
  16:9; Ef 3:11; 1Jn 5:11.
ETÍOPE(S), Da 11:43; Hch 8:27.
ETIOPÍA, 2Re 19:9; Est 1:1; Isa 20:5.
ÉUFRATES, Gé 2:14; 15:18; Rev 9:14.
EUNICE, 2Ti 1:5 tu madre **E.**
EUNUCO(S), Mt 19:12 **e.** que nacieron así
  Isa 56:3, 4; Jer 38:7; Hch 8:27.
EVA, Gé 3:20; 2Co 11:3; 1Ti 2:13.
EVANGELIZADOR(ES), Hch 21:8 Felipe el **e.**
  Ef 4:11 algunos como **e.,** algunos como
  2Ti 4:5 haz tu obra de **e.,** efectúa
EVAPORAR(SE), Éx 16:14; Isa 44:27.
EVIDENCIAR, Heb 11:14 **e.** que buscan un
EVIDENTE, Gál 3:11 con Dios es **e.**
  Heb 11:1 Fe es la demostración **e.** de
EVITADO, Isa 53:3 Fue **e.** por hombres
EVITAR, Pr 16:14; 2Ti 2:16.

  Isa 47:11 adversidad; no podrás **e.**
  Tit 3:9 **e.** peleas acerca de la Ley
EXACCIONES, Sl 89:22 Ninguno impondrá **e.**
EXACTA, Heb 1:3 representación **e.**
EXACTO, CONOCIMIENTO, Ro 1:28; 3:20.
  Ef 4:13 alcanzar unidad en fe y **c.**
  1Ti 2:4 hombres se salven y lleguen a **c.**
  2Ti 3:7 nunca llegar a un **c.** de verdad
EXACTOR, Da 11:20 haciendo que un **e.** pase
EXAGERADA SEGURIDAD, Sl 30:6.
EXAMEN, Le 13:36 el sacerdote no hacer **e.**
EXAMINADO, 1Co 2:15 él no es **e.** por
  1Co 4:3; 14:24.
EXAMINADOR, 1Cr 29:17 eres **e.** del corazón
EXAMINAR, Sl 11:5 Jehová **e.** al justo
  Sl 26:2 **E.,** oh Jehová, y ponme
  Jer 17:10 Yo, Jehová, estoy **e.** los riñones
  Zac 13:9 los **e.** como al **e.** el oro
  Hch 17:11 **e.** con cuidado las Escrituras
  1Co 2:14 cosas se **e.** espiritualmente
  1Co 2:15 el hombre espiritual **e.** todas cosas
  1Co 4:3 Ni siquiera yo mismo me **e.**
  1Co 4:4 el que me **e.** es Jehová
  1Re 3:21; Sl 11:4; 139:23; Jer 9:7; 11:20;
  20:12; Lu 23:14; Hch 4:9.
EXASPERAR(SE), Gé 45:24 No se **e.** unos con
  Col 3:21 Padres, no estén **e.** a sus hijos
EXCAVADO, Gé 50:5; Jer 18:20.
EXCAVAR, Pr 26:27 El que **e.** un hoyo
EXCELENCIA, 1Sa 15:29 la **E.** de Israel
  1Cr 29:11 Tuya, oh Jehová, es la **e.** y
  Lam 3:18 Ha perecido mi **e.,** y mi expectación
  1Pe 2:9 para que declaren las **e.** de aquel
EXCELENTE(S), 1Te 5:21 adhiéranse a lo **e.**
  2Ti 1:14; Heb 10:24; Snt 3:13.
EXCELENTÍSIMO, Hch 24:3 oh **e.** Félix
EXCELSO, Isa 57:15 el Alto y **E.**
EXCEPCIÓN, Hch 45:5 Con **e.** de mí no hay Dios
EXCESIVO, 2Ti 4:15 resistencia a grado **e.**
EXCESO(S), 2Co 12:7 **e.** de las revelaciones
  1Pe 4:3 conducta relajada, **e.** con vino
EXCITACIÓN, Os 11:9; Joe 2:6; Na 2:10.
EXCITADO, Pr 29:9 ha **e.** y se ha reído
EXCITAR, 2Co 2:2 ni se dejen **e.**
EXCLUIR, 2Cr 26:21 **e.** de la casa de Jehová
  Isa 46:5 los **e.** por causa de mi nombre
EXCOMULGADO. Véase EXPULSAR.
EXCREMENTO, Pr 30:12 lavada de su **e.**
  Dt 23:13; Eze 4:12.
EXCUSA, Jn 15:22 no tienen **e.** de su pecado
  Jud 4 **e.** para conducta relajada
EXCUSADOS, Ro 2:15 acusados o hasta **e.**
EXCUSAR(SE), Lu 14:18, 19; Heb 12:25.
EXECRAR, Nú 23:8; Job 3:8; Pr 11:26; 24:24.
EXENCIÓN, 1Sa 3:14 no **e.** de castigo
EXENTA DE CULPA, 1Te 5:23 manera **e.**
EXENTO, Heb 13:5 **e.** del amor al dinero
  2Re 15:5; 2Cr 26:21.
EXENTO(S) DE FALTA, Gé 6:9 Noé resultó **e.**
  Jos 24:14 teman a Jehová y sírvanle **e.**
  Sl 15:2 El que está andando **e.**
  Eze 28:15 Estuviste **e.** en tus caminos hasta
  Heb 8:7 si primer pacto **e.**
  Gé 17:1; Dt 18:13; 1Ti 1:19:1; Pr 28:10.
EXHALACIÓN, Sl 78:33 días de ellos como **e.**
  Sl 39:5; 94:11; 144:4; Isa 57:13; Rev 18:2.
EXHALAR, Snt 5:9 No **e.** suspiros contra otros
EXHIBICIÓN, 1Co 4:9 apóstoles en **e.**
EXHIBICIÓN OSTENTOSA, 1Jn 2:16 **e.** de vida
EXHIBIR, Col 2:15 los **e.** a vista pública
EXHORTACIÓN(ES), 1Ti 6:2 Sigue dando **e.**
  Job 20:3; 36:10; Os 5:2; Ro 12:8.
EXHORTAR(SE), 1Te 2:11 seguimos **e.** a cada
  2Ti 4:2 **e.,** con gran paciencia y arte
  Tit 2:15 Sigue **e.** y censurando

Heb 3:13 sigan e. unos a otros cada día
Jud 3 para e. a que luchen tenazmente por fe
1Co 16:15; 2Co 2:8; Flp 4:2; 1Te 4:1; 5:14; Tit
  1:9; Heb 13:19.
EXIGIR, Lu 12:48 mucho se le e.
EXIGIR DEVOCIÓN EXCLUSIVA, Éx 20:5.
Dt 4:24 Jehová es un Dios que e.
EXILIO, Esd 7:26 ejecute juicio para e.
EXISTENCIA, Ec 1:10 ha venido a la e.
Snt 3:9 hombres llegado a e. a la semejanza
EXISTENTE, 1Re 11:14 la e. secta de saduceos
EXISTIR, Lam 3:29 Quizás e. esperanza
Da 2:28 e. un Dios en los cielos
Da 3:29 puesto que no e. otro dios
Hch 17:28 por él tenemos vida y e.
Ro 13:1 autoridades que e. están colocadas
2Co 5:17 cosas nuevas han llegado a e.
Flp 2:6 aunque e. en la forma de Dios
Col 1:17 por él todas las cosas e.
Rev 4:11 a causa de tu voluntad e.
Mr 2:27; Lu 7:25; Jn 1:3.
ÉXITO, Jos 1:8 tendrás é. en tu camino
2Cr 20:20 fe en sus profetas y logren é.
Sl 1:3 todo lo que haga tendrá é.
Sl 118:25 Jehová, otorga é., sí
Isa 53:10 el deleite de Jehová tendrá é.
Isa 54:17 arma contra ti, no tendrá é.
Isa 55:11 mi palabra tendrá é. seguro
Mt 12:20 hasta que envíe justicia con é.
Gé 39:2; Jue 18:5; 1Cr 22:13; Sl 37:7.
ÉXODO, Heb 11:22 é. de Israel
EXPANSIÓN, Sl 19:1 obra de sus manos la e.
Da 12:3 perspicacia brillarán como la e.
Gé 1:6; Sl 150:1; Eze 1:22; 10:1.
EXPECTACIÓN, Sl 33:20 alma en e.
Pr 10:28 e. de los justos en un regocijo
Pr 13:12 e. pospuesta enferma el corazón
Isa 8:17 me mantendré en e. de Jehová
Da 12:12 ¡Feliz el que se mantiene en e.
Ro 8:19 e. anhelante de creación aguarda
Lu 3:15; 21:26; Heb 10:27.
EXPECTATIVA, Heb 11:1 Fe es la e. segura
EXPEDICIÓN MILITAR, Nú 31:14.
EXPENSAS, 2Re 15:20; 1Co 9:7.
EXPERIENCIA, Jue 3:2; 8:16; Heb 10:33.
EXPERIMENTAR, 1Ti 1:19.
EXPIACIÓN, Éx 30:10 e. una vez al año
Le 17:11 sangre hace e. en virtud del alma
Dt 32:43 e. por el suelo de su pueblo
Eze 16:63 cuando yo haga e. por ti
Da 9:24 para hacer e. por el error
Le 16:6, 16, 30, 33, 34; 2Sa 21:3.
EXPIADO, Isa 6:7; 22:14; 27:9.
EXPIAR, Pr 16:6 Por bondad se e. el error
EXPIRAR, Gé 7:21 e. toda carne sobre tierra
Gé 25:8 e. Abrahán y murió en buena vejez
Job 14:10 hombre terrestre e. ¿dónde está?
Sl 104:29 quitas su espíritu, e.
Lu 23:46 Cuando hubo dicho esto, e.
Gé 6:17; Job 11:20; 34:15.
EXPLORAR, Jos 2:3 e. todo el país
Ec 1:13 corazón a la sabiduría
Ec 2:3 E. con mi corazón mediante alegrar
Ec 7:25 e. y buscar la sabiduría y la razón
EXPLOTAR, 2Co 7:2 a nadie hemos e.
2Pe 2:3 con codicia los e. a ustedes
Jer 25:14; 27:7; 30:8; 2Co 12:17, 18.
EXPOLIACIÓN, Jer 6:7; 20:8; Eze 45:9.
Hab 1:3 ¿Y por qué hay e.
EXPONER, Ne 8:8 la ley en e.
Heb 6:6 lo e. a vergüenza pública
EXPORTACIÓN, 1Re 10:28 e. de caballos
EXPORTAR, 2Cr 1:17 e. de Egipto
EXPOSICIÓN, 2Cr 13:22; 24:27.
EXPRESA, Ro 9:19 resistido su voluntad e.?

EXPRESIÓN(ES), Mt 4:4 sino de toda e.
2Co 3:12 usando gran franqueza de e.
2Co 9:12 con muchas e. de gracias a Dios
1Ti 5:12 desatendido primera e. de fe
Da 5:9, 10; 7:28.
EXPRESIONES HINCHADAS, 2Pe 2:18.
EXPRESIÓN(ES) INSPIRADA(S), Os 9:7.
1Co 12:10 a otro discernimiento de e.
1Ti 4:1 la e. dice que en períodos
1Jn 4:1 no crean toda e., sino prueben
Rev 16:13 tres e. que se parecían a ranas
EXPRESIÓN PROVERBIAL, Sl 49:4 A una e.
EXPROPIACIONES, Eze 45:9 Levanten sus e.
EXPUESTO, 1Re 8:31 hacer que esté e.
Mt 5:22 necio!, estará e. al Gehena
Mt 26:66 E. está a muerte
Ro 3:19 el mundo e. a castigo ante Dios
Heb 10:33 e. como en un teatro
EXPULSADO(S), Jn 9:22 fuera e. de sinagoga
Jn 12:42 para no ser e. de la sinagoga
EXPULSAR, Mt 10:1 autoridad para e.
Jn 16:2 Los e. de la sinagoga
EXPULSAR DEMONIOS, Mt 7:22.
ÉXTASIS, Pr 5:19; Mr 5:42; Hch 3:10.
EXTENDERSE, Flp 3:13 e. hacia adelante
EXTENDIDA, Isa 14:27 su mano está e.
EXTERIORMENTE, 2Co 4:16 hombre somos e.
EXTERMINADO(S), 2Sa 22:38.
Sl 18:37 hasta que queden e.
Jer 9:16 hasta que yo los haya e.
EXTERMINAR, Éx 33:5; Nú 25:11; Dt 28:21;
Jos 24:20; 2Sa 21:5; Eze 20:13.
EXTERMINIO, Isa 10:22 Un e. ya decidido
Sof 1:18 e. de habitantes de la tierra
Ne 9:31; Isa 28:22; Da 9:27.
EXTERNO, 2Co 11:28 cosas de carácter e.
EXTINCIÓN, Job 31:29; Pr 24:20.
EXTINGUIDO(DA), Job 18:5 luz de inicuos e.
Sl 118:12; Eze 20:48.
EXTINGUIR(SE), Pr 13:9 lámpara se e.
Isa 34:10 Ni de noche ni de día se e.
Isa 66:24 su fuego mismo no se e.
Mt 12:20 no e. mecha de lino que humea
2Sa 21:17; 2Re 22:17; Pr 20:20; 24:20; Isa
  1:31; 42:3; Jer 21:12; Am 5:6.
EXTORSIÓN, 1Co 6:10 ni los que practican e.
EXTRANJERO(S), 1Re 8:41 también al e.
Sl 18:44 e. vendrán a mí encogidos
Sl 69:8 llegado a ser e. para los hijos
Isa 56:6 e. que se han unido a Jehová
1Co 14:11 seré e. al que está hablando
Job 19:15; Isa 2:6; 56:3; 60:10; 61:5.
EXTRAÑAMIENTO, Gé 34:30 han acarreado e.
Jos 7:25 ¿Por qué nos has acarreado e.?
Jue 11:35 la que yo estuve obligando a e.
Pr 11:29 acarreando e. a su propio
1Sa 14:29; 1Re 18:18; Sl 39:2; Pr 15:6, 27.
EXTRAÑO(S), Heb 11:13 eran e. en la tierra
Eze 16:32; Mt 25:35; Jn 10:5; Ef 2:12.
EXTRAORDINARIO(RIA), Gé 18:14; Dt 17:8; Da
  4:36; 6:3; 1Te 3:10; 5:13.
EXTRAVAGANCIA, 1Co 2:1 no fui con e.
EXTRAVIAR(SE), Mt 24:4 que nadie los e.
Mt 24:24 falsos profetas para e.
Lu 21:8 Cuidado que no los e.
1Co 15:33 No se e. Las malas compañías
Gál 6:7 No se e.: de Dios uno no mofar
1Jn 1:8 nosotros mismos nos estamos e.
1Jn 3:7 Hijitos, no vaya a e. nadie
Rev 12:9 Satanás, que está e. la tierra
Rev 18:23 práctica espiritista naciones e.
Rev 20:3 que no e. más a las naciones
1Co 15:9; 2Ti 3:13; Rev 19:20.
EXTREMADA, 2Co 1:8 bajo e. presión
EXTREMIDADES, Job 38:13; Eze 7:2.

EXTREMO, Jer 25:33 desde un **e.** hasta
EXULTACIÓN, Isa 61:6 hablarán con **e.**
EZEQUÍAS, 2Re 19:1, 15; Isa 36:7; 38:2.
EZEQUIEL, Eze 1:3; 24:24.

F

FABRICANTES, Isa 45:16 f. de ídolos
FABRICAR, Pr 3:29 No f. cosa mala
  Pr 6:14 Está f. algo malo a todo tiempo
  Pr 6:18 corazón f. proyectos perjudiciales
FÁBULAS, Tit 1:14 no atención a f. judaicas
FACULTAD(ES), Da 1:4 f. de estar de pie en el
  Ro 7:18 la f. de obrar lo excelente no está
  2Co 3:14 f. mentales fueron embotadas
  Flp 4:7 paz guardará sus f. mentales
  Heb 5:14 tienen f. perceptivas entrenadas
  2Pe 3:1 despertando sus f. de raciocinio
FAJAS PARA LOS PECHOS, Jer 2:32.
FALACES, Jer 47:4, 8 palabras f.
FALDA(S), Isa 6:1 sus f. llenaban el
  Jer 2:34 en tus f. hallado sangre de almas
  Zac 8:23 diez hombres asirán la f. de
FALSAMENTE, Éx 20:16 No dar testimonio f.
  Zac 5:4 juramento f. en mi nombre
  Lu 3:14 No acusen f. a nadie
  1Ti 6:20 vanas palabrerías y del f. llamado
  Le 6:3; Sl 44:17; Jer 6:13.
FALSEDAD, Job 13:4 embarradores de f.
  Sl 12:2 Siguen hablándose f.
  Sl 41:6 f. es lo que su corazón habla
  Pr 30:8 Aleja de mí f. y palabra mentirosa
  Jer 5:31 profetas profetizan en f.
  Ef 4:25 desechado la f., hable verdad
  Sl 7:14; Isa 28:15; Zac 10:2; Rev 14:5.
FALSIFICADOR, Pr 17:4 f. presta oído
FALSO(SA), Eze 13:7 visión f. han visto
  Mt 24:24 Porque f. Cristos y f. profetas
  2Co 11:13 tales hombres son apóstoles f.
  Éx 23:7; Sl 27:12; 119:104; Pr 6:17, 19; 19:5;
  Isa 9:15; Mt 26:59; Gál 2:4.
FALSO(S) PROFETA(S), Mt 7:15 f. en ropa de
  1Jn 4:1 muchos f. han salido al mundo
  Mt 24:11; 2Pe 2:1; Rev 16:13.
FALSOS EN ACUERDOS, Ro 1:31 f., sin tener
FALTA(S), Job 4:18 imputa tener f.
  Mt 18:15 pon al descubierto su f.
  Jn 18:38 dijo Pilato: no hallo en él f.
  2Co 6:3 no se encuentre f. en ministerio
  Éx 5:16; Sl 50:20; Ro 9:19; Heb 8:8.
FALTA DE FE, Mr 6:6 de la f. de ellos
  Ro 4:20 no titubeó con f.
  Ro 11:23 si no permanecen en su f.
  Heb 3:19 no pudieron entrar debido a f.
  Mt 13:58; Ro 3:3; 11:20; 1Ti 1:13.
FALTA DE RESPETO, Sl 74:18 nombre con f.
  Pr 1:30 mostraron f. a mi censura
  Pr 15:5 tonto trata con f. disciplina
  Isa 52:5 se trataba con f. mi nombre
  Eze 35:12 has dicho con f.
  2Sa 12:14; Ne 9:26; Sl 74:10; Jer 14:21.
FALTAR, Ec 1:15 no puede contar lo que f.
  2Co 8:14 compense lo que les f. a ellos
  Heb 11:32 me f. tiempo si sigo
FALTO DE RASGOS DISTINTIVOS, Sl 107:40.
FALLAR, Sl 71:9 mi poder está f.
  1Co 13:8 El amor nunca f.
FALLECER, Mt 22:25; Hch 2:29.
FALLO(S), Isa 1:17 dicten f. para el huérfano
  Isa 2:4; Snt 2:4.
FAMA, Jos 9:9 hemos oído de su f.
  Nú 14:15; 1Cr 14:17; Est 9:4.
FAMILIA(S), Gé 12:3 bendecirán f. del suelo
  Sl 107:41 lo convierte en f. como rebaño
  Zac 14:17 f. de la tierra a Jerusalén
  Ef 3:15 a quien toda f. debe su nombre
  Gé 28:14; Jer 1:15; 10:25; 25:9; Hch 3:25.

FAMILIARIZADO, Sl 139:3 f. con mis caminos
  Isa 53:3 un hombre f. con enfermedad
FAMILIARIZARSE, Job 22:21 F. con él
FANFARRÓN, Pr 21:24 soberbio f. es el
FANGO, Jer 38:6 empezó a hundirse en el f.
  2Pe 2:22 la cerda a revolcarse en el f.
  Isa 57:20; Miq 7:10; Zac 9:3; 10:5.
FANTASMA, Mt 14:26; Mr 6:49.
FARAÓN, Gé 41:55 a clamar a **F.** por pan
  Éx 5:2 Pero dijo **F.:** ¿Quién es Jehová
  Éx 9:13 toma una posición enfrente de **F.**
  Ro 9:17 a **F.:** Para esto mismo te he
  Éx 6:29; 14:18; Isa 19:11; Hch 7:10.
FARISEO(S), Mt 5:20 escribas y f.
  Mt 23:26 **F.** ciego, limpia primero el
  Lu 18:11 El f. se puso de pie y oraba
  Jn 12:42 pero a causa de los f. no lo
  Hch 5:34 un f. de nombre Gamaliel
  Mt 12:14; 23:15, 23, 27, 29; Lu 5:21.
FATIGADOS, Job 3:17 allí los f. descansan
FATIGARSE, Isa 40:31 Correrán, y no se f.
FATIGOSAS, Ec 1:8 Todas las cosas son f.
FATUO, Ro 1:21 se oscureció su f. corazón
FAVOR, Gé 4:4 Jehová miraba con f. a Abel
  Zac 12:10 derramaré el espíritu de f.
  Lu 2:52 Jesús siguió progresando en f.
  Sl 37:21; Pr 3:4; 28:23; Ec 9:11.
FAVORABLE, Gál 6:10 tiempo f., obremos
FAVORITISMO, Snt 2:1 actos de f.
  Snt 2:9 si continúan mostrando f., están
FE, Lu 18:8 ¿verdaderamente hallará la f.
  Jn 3:16 todo el que ejerce f. en él
  Ro 4:13 fue mediante la justicia por f.
  Ro 10:9 en tu corazón ejerces f.
  Ro 14:23 todo lo que no es por f. es pecado
  Gál 3:8 declararía justa a gente debido a f.
  Gál 3:11 el justo vivirá a causa de f.
  Gál 6:10 los relacionados con nosotros en la f.
  Ef 4:5 un Señor, una f., un bautismo
  2Te 3:2 la f. no es posesión de todos
  1Ti 6:12 Pelea la excelente pelea de la f.
  2Ti 4:7 terminarla, he observado la f.
  Heb 11:1 F. es la expectativa segura
  Heb 11:6 sin f. es imposible serle de agrado
  Snt 2:26 la f. sin obras está muerta
  1Pe 1:7 la cualidad probada de su f.
  1Pe 5:9 sólidos en la f., sabiendo
  1Jn 5:4 vencido al mundo, nuestra f.
  Ro 4:3; 2Co 5:7; Ef 6:16; 1Ti 4:1; Heb 12:2.
FECUNDAR, Job 21:10 Su toro f.
FECUNDO, Snt 1:15 el deseo, cuando f.
FE, FALTA DE, Mt 13:58; Mr 6:6 f. de ellos
  Ro 4:20 no titubeó con f.
  Ro 11:20 Por su f. fueron desgajadas
  1Ti 1:13; Heb 3:19.
FELICIDAD, Hch 20:35; Ro 4:6; Gál 4:15.
FELICITAR, 1Cr 18:10 David para f.
  Ec 4:2 f. a los muertos
FELIPE 1., Mt 10:3; Jn 1:43; 6:5; 12:21.
FELIPE 2., Hch 6:5; 8:5, 26; 21:8.
FÉLIX, Hch 23:24; 24:3, 25, 27.
FELIZ(CES), Sl 144:15 ¡F. pueblo cuyo Dios
  Mt 5:3 F. los que tienen conciencia
  Mt 24:46 F. es aquel esclavo si su amo
  Jn 13:17 f. son si las hacen
  1Ti 1:11 buenas nuevas del Dios f.
  1Pe 3:14 si sufrieran por justicia, son f.
  1Pe 4:14 son f., porque el espíritu
  1Re 10:8; Pr 3:13; 16:20; 29:18; Da 12:12;
  Mal 3:15; Lu 12:37; 1Ti 6:15; Snt 1:12.
FEMENINO, 1Pe 3:7 vaso más débil, el f.
FENÓMENO, Éx 3:3 inspeccionar este gran f.
  Job 38:36 entendimiento al f. celeste?
FE, PONER, Gé 15:6 él p. en Jehová
  1Re 10:7 no p. hasta que vi mis propios ojos
  Sl 78:22 no p. en Dios
  Jn 11:48 todos p. en él, y los romanos

Jn 12:42 gobernantes realmente **p**. en él
Jn 12:44 p. en mí, no **p**. en mí solamente
Hch 10:43 todo el que **p**. consigue perdón
Ro 10:14 en quien no han **p**.?
Flp 1:29 no solo de **p**. en él, sino sufrir
Jon 3:5; Jn 2:11; 4:39; 7:48; 9:35, 36, 38.
FERMENTADA, Mt 13:33 la masa quedó f.
FERMENTAR, Gál 5:9 poco levadura hace f.
FERMENTO, 1Co 5:7 estén libres de f.
FEROCES, Mt 8:28; 2Ti 3:3.
FERVIENTES, Pr 26:23 labios f. junto con
FERVOR, Ne 3:20 trabajó con f.
FESTO, Hch 24:27; 26:24.
FIADA EXPECTATIVA, Jer 17:5.
FIADOR, Pr 6:1 si has salido f. por
Pr 11:15; 17:18; 27:13.
FIANZA, Gé 43:9 Yo seré f. por él
FIDEDIGNO, Sl 19:7 recordatorio es f.
Sl 78:8 cuyo espíritu no fue f. con Dios
FIDELIDAD, Dt 32:4 Dios de f., con
Dt 32:20 hijos en quienes no hay f.
Hab 2:4 por su f. seguirá viviendo
1Te 3:7 mediante la f. que muestran
Tit 2:10 desplegando f. a plenitud
2Re 12:15; 2Cr 19:9; 31:12; Sl 33:4; 36:5;
40:10; 119:90; Isa 25:1; Ro 3:3.
FIEBRE, Mt 8:15; Jn 4:52; Hch 28:8.
FIEBRE ARDIENTE, Dt 32:24; Hab 3:5.
FIEL(ES), Sl 31:23 A los f. Jehová
Pr 13:17 un enviado f. es curación
Pr 14:5 Un testigo f. no miente
Pr 27:6 heridas por uno que ama son f.
Mt 24:45 ¿Quién es el esclavo f. y discreto
Lu 16:10 persona f. en mínimo es f. en mucho
2Ti 2:2 encárgalas a hombres f.
1Pe 4:19 encomendando almas a f. Creador
Rev 2:10 Pruébate f. hasta la muerte
Rev 3:14 el testigo f. y verdadero
Rev 17:14 llamados y escogidos y f. con él
Dt 7:9; Ne 9:8; 13:13; 1Co 4:2; Rev 19:11.
FIESTA(S), Éx 23:14 Tres veces una f.
Éx 23:15 f. de las tortas no fermentadas
Éx 23:16 f. de la cosecha y la f. de
Le 23:4 Estas son las f. periódicas de
Lu 22:1 f. de las tortas no fermentadas
Jud 12 escondidas en sus f. de amor
Éx 10:9; 12:14; 34:22; Le 23:2; Nú 28:17; Jn
2:23; 5:1; 6:4; 7:8, 10, 37; 1Co 5:8.
FIESTA, PERÍODO(S) DE, Sof 3:18; Zac 8:19.
FIGURA(S), Jn 5:37 ni visto su f.
Hch 7:43 las f. que hicieron para adorarlas
FIGURAR(SE), Flp 1:17 f. suscitan tribulación
Snt 1:7 no vaya a f. ese hombre
FIJA, Col 3:2 Mantengan la mente f. en
FIJADO(DA) EN MADERO,
Lu 24:7 Hijo del hombre tenía que ser f.
Rev 11:8 también el Señor de ellos fue f.
Mt 26:2; Ro 6:6; 1Co 1:13; Gál 2:20; 6:14.
FIJAR, Hch 17:31 ha f. un día en que juzgar
Sl 119:90 Has f. sólidamente la tierra
FIJAR EN MADERO(S), Mt 20:19 para que lo f.
Jn 19:6 Tómenlo ustedes mismos y f.
Heb 6:6 de nuevo f. al Hijo de Dios
Mt 23:34; Mr 15:25; Jn 19:10, 15.
FIJAR LA VISTA, Abd 13 no f. en su calamidad
2Co 3:7 no podían f. en rostro de Moisés
2Co 3:13 velo para que Israel no f.
FILADELFIA, Rev 1:11; 3:7.
FILETO, 2Ti 2:17 Himeneo y **F**.
FILISTEO(S), Jue 3:3 cinco señores de los f.
Jue 16:30 Muera mi alma con los f.
1Sa 4:10 f. pelearon, Israel fue derrotado
1Sa 17:36 este f. incircunciso tiene que ser
1Sa 31:8 f. llegaron a hallar a Saúl y sus
Isa 2:6 practicantes de la magia como los f.
Eze 25:15 f. han actuado con venganza
Jue 14:4; 1Sa 17:37, 43; Sof 2:5; Zac 9:6.

FILOSOFÍA, Col 2:8 presa mediante la f. y
FILÓSOFOS, Hch 17:18 f. de los estoicos
FILTRADO, Isa 25:6 vino sobre heces, f.
FIN(ES), Job 42:12 bendijo el f. de Job
Isa 9:7 de la paz no habrá f., sobre el
Da 11:27 el f. es para el tiempo señalado
Mt 10:22 que haya aguantado hasta el f.
Mt 24:14 entonces vendrá el f.
1Co 10:11 los f. de los sistemas de cosas
1Pe 4:7 f. de todas cosas se ha acercado
Eze 7:2; Da 12:4; Rev 2:26.
FINAL(ES), Isa 2:2 en la parte f. de los
Eze 38:16 En la parte f. de los días
Da 10:14 a tu pueblo en la parte f. de
2Pe 2:20 las condiciones f. ser peores
Isa 46:10; Jer 5:31; 17:11; 23:20; Eze 38:8;
Da 2:28; 8:19.
FINEHÁS, Nú 25:7 **F**. alcanzó a ver esto
Nú 31:6; Jos 22:30; Jue 20:28; Sl 106:30.
FINGIDAS, 2Pe 2:3 con palabras f.
FIRMA, Job 31:35 que conforme a mi f.
FIRME(S), 1Te 3:13 él haga f. corazones
Heb 6:19 alma, tanto segura como f.
FIRMEZA, Col 2:5 la f. de su fe
Heb 3:6 esperanza con f. hasta el fin
FÍSICO, 1Co 2:14 el hombre f. no recibe
1Co 15:44 Se siembra cuerpo f., se
FLACA, Eze 34:20 la oveja gorda y la f.
FLAUTA, 1Co 14:7 tocando con la f.
Mt 11:17; Lu 7:32.
FLECO(S), Mt 9:20; 23:5; Mr 6:56.
FLECHA(S), Dt 32:42 Embriagaré mis f.
2Re 13:17 ¡La f. de salvación de Jehová
Sl 127:4 Como f. en mano de un poderoso
Isa 49:2 hizo de mí una f. pulida
Hab 3:11 Como luz tus f. saltaron
1Sa 20:20; Sl 18:14; Jer 50:14; 51:11.
FLEXIBLE, Gé 49:24 fuerza de sus manos f.
FLOJEDAD, Pr 12:27 La f. no activa animales
FLOJO(JA), Pr 10:4 mano f. será persona
Pr 12:24; 18:9; 19:15.
FLOR(ES), 1Co 7:36 pasado f. de juventud
FLOR DE LA VIDA, Ec 11:10 f. son vanidad
FLORECER, Isa 35:1 desierto f. como azafrán
FLOTA, 1Re 9:26; 10:11; Isa 33:21.
FLOTAR, Gé 7:17 el arca estaba f.
FLUIDEZ, Éx 4:10 no que hable con f.
FORASTERO(S), Sl 146:9; Jer 7:6; 22:3; Lu
24:18; Ef 2:19; Heb 11:9.
FORCEJEAR, Gé 32:24 se puso a f. con Jacob
FORJADOR, Gé 4:22 Tubal-caín, f. de
FORJAR AFÁN MEDIANTE DECRETO,
Sl 94:20 trono está f.
FORMA(S), Gé 1:2 la tierra se hallaba sin f.
Dt 4:15 no vieron ninguna f.
Job 10:8 Tus manos me han dado f.
Flp 2:6 existía en la f. de Dios
2Ti 3:5 f. de devoción piadosa, pero falsos
Sl 17:15; Isa 53:2; Hch 23:15; 1Te 5:22.
FORMA DE ADORACIÓN, Hch 26:5 secta de f.
Snt 1:26 la f. de este hombre es vana
Snt 1:27 La f. que es limpia
FORMA DE ENSEÑANZA,
Ro 6:17 se hicieron obedientes a f.
FORMA DE PENSAR, 1Co 1:10 unido en la f.
FORMADO, Isa 43:10 Antes de mí no fue f.
FORMADOR, Isa 45:9; Jer 10:16.
FORMAR, Isa 37:26; 45:18.
FORNICACIÓN(ES), 2Re 9:22 f. de Jezabel
1Co 5:1 se informa f. entre ustedes
1Co 6:13 el cuerpo no es para f.
1Co 6:18 Huyan de la f. Todo otro pecado
1Co 10:8 Ni practiquemos f., como algunos
Gál 5:19 obras de la carne son: f.

Ef 5:3 la f. y la inmundicia ni se mencionen
Col 3:5 Amortigüen miembros en cuanto a f.
1Te 4:3 que se abstengan de la f.
Rev 17:2 reyes de la tierra cometieron f.
Eze 43:7, 9; Os 2:2; 4:12; 5:4; 6:10; 9:1.
FORNICADOR(ES), 1Co 5:9 en compañía de f.
Ef 5:5 ningún f. tiene herencia en reino
1Ti 1:10; Heb 12:16.
FORNIDOS, Isa 59:10 entre f. somos muertos
FORTALECER, Esd 6:22 f. las manos en
Ne 2:18 f. sus manos para la buena obra
Isa 35:3 F. las manos débiles, y hagan
Eze 34:4 A las enfermas no han f.
FORTIFICACIÓN(ES), Sl 89:40; Lu 19:43.
FORTIFICADO(DA), Isa 17:3; 25:12; 34:13.
FORTIFICAR, Isa 41:10 soy tu Dios. Yo te f.
FORTUNA, Gé 30:11 dijo Lea: ¡Con buena f.!
FORZADAS, Zac 14:2 mujeres serán f.
FORZAR, Jue 19:24 Aquí están y f. y háganles
Jue 20:5 fue a mi concubina a quien f.
Est 7:8 se ha de f. a la reina, estando yo
FOSO, Da 6:7 arrojado en f. de leones
FRACASAR, 2Pe 1:10 no f. nunca
FRACTURA, Le 21:19; 24:20.
FRÁGIL, Da 2:42 el reino resultará f.
FRAGMENTOS, Job 41:30 f. de vasijas de barro
FRANQUEZA, Hch 8:32 con f. les hacía
Hch 4:13 contemplar la f. de Pedro y Juan
FRANQUEZA DE EXPRESIÓN, Flp 1:20.
Hch 2:29 hablarles con f. respecto
1Ti 3:13 f. en la fe con relación a Cristo
Heb 3:6 fuertemente asida nuestra f.
FRAUDE. Véase también DEFRAUDAR.
Hch 13:10 Oh hombre lleno de f. y
FRAUDULENTAMENTE, Mal 3:5 que actúan f.
FRAUDULENTAS, Pr 28:16 en prácticas f.
FRAZADA, Jue 4:18 ella lo cubrió con una f.
FRECUENTE, Ec 6:1 calamidad f. entre
FRECUENTEMENTE, Lu 5:33; Hch 24:26.
FRENÉTICAMENTE, Sl 62:3 rabiarán f. contra
FRENO(S), Isa 30:28 f. en mandíbulas de
Snt 3:3 Si a caballos ponemos f. en la boca
FRENTE(S), 1Sa 17:49 se le hundió en f. la
Eze 9:4 tienes que poner marca en las f.
Rev 14:1 en sus f. el nombre de su Padre
Rev 14:9 recibe marca en su f. o mano
Eze 3:9; Rev 7:3; 9:4; 17:5; 20:4; 22:4.
FRÍO(A), Sl 147:17 Delante de su f., ¿quién
Rev 3:15 no eres ni f. ni caliente
Gé 8:22; Job 37:9; Mt 10:42; Rev 3:16.
FRONTERA, Éx 16:35 llegada a la f. de Canaán
FRUCTÍFERO(RA), Gé 1:28 Sean f. y háganse
Gé 17:6 te haré f. en sumo grado
Gé 9:1, 7; Le 26:9; Jer 23:3.
FRUSTRADOS, Pr 15:22 f. los planes donde
FRUSTRAR, Esd 4:5 f. su consejo
Isa 44:25 f. las señales de habla vacía
FRUTO(S), Sl 127:3 el f. del vientre
Sl 128:3 esposa como vid que produce f.
Pr 13:2 Del f. de su boca el hombre come
Isa 65:21 plantarán viñas y comerán su f.
Eze 34:27 árbol del campo dar su f.
Eze 47:12 f. servir de alimento
Mt 7:19 árbol que no produce f.
Mt 7:20 por sus f. reconocerán a
Mt 21:43 una nación que produzca sus f.
Jn 15:2 sarmiento que no lleva f.
Ro 7:4 para que llevemos f. para Dios
Gál 5:22 el f. del espíritu es-
Flp 1:11 llenos de f. justo
Col 1:10 llevando f. en toda buena obra
Heb 13:15 el f. de labios que hacen
Gé 3:3; Sl 85:12; Lu 3:8; Jn 4:36; 15:8, 16.
FUEGO, Isa 66:16 como f. Jehová tomará
Sof 3:8 por el f. de mi celo toda la tierra

Mal 3:2 como el f. de un refinador
Heb 12:29 Dios es también un f. consumidor
2Pe 3:7 están guardados para f.
Rev 17:16 ramera la quemarán con f.
1Re 18:38; Zac 3:2; Mt 3:11, 12; 1Co 3:13.
FUEGO CONSUMIDOR, Dt 4:24; 9:3.
Heb 12:29 nuestro Dios es también un f.
FUENTE(S), Sl 36:9 está la f. de la vida
Pr 10:11 boca del justo es f. de vida
Jn 4:14 se hará en él una f. de agua
2Pe 2:17 Estos son f. sin agua
Rev 7:17 guiará a f. de aguas de vida
Gé 16:7; 49:22; Pr 13:14; Isa 41:18; Jer 2:13;
Snt 3:11; Rev 16:4.
FUERA, Heb 13:11 quemados f. del
FUERTE(S), Éx 13:9 por mano f. te sacó
Jos 1:7 sé animoso y muy f. para hacer
Pr 18:10 El nombre de Jehová es una torre f.
Ro 15:1 soportar debilidades de los no f.
1Co 1:27 para avergonzar las cosas f.
1Pe 5:10 él los hará f.
FUERZA(S), Sl 59:17 Oh F. mía, a ti te
Sl 62:11 Que la f. pertenece a Dios
Sl 110:2 La vara de tu f. Jehová
Isa 12:2 Jehová es mi f. y mi poderío
Zac 4:6 No por f. militar, sino espíritu
Mr 12:30 amar a Dios con todas tus f.
Flp 4:13 tengo la f. en virtud de aquel
Éx 15:2; Sl 8:2; 28:8; Isa 52:1; Ag 2:22.
FUERZA ACTIVA, Gé 1:2 la f. de Dios
FUERZA MILITAR, Zac 4:6 No por f.
Eze 37:10; 38:4, 15; Jue 2:11, 25.
FUERZAS ESPIRITUALES INICUAS, Ef 6:12.
FUERZA VITAL, Dt 6:5; 2Re 23:25.
FUGA, Am 9:1 ninguno logrará su f.
Dt 32:30; Isa 52:12.
FUGITIVO(S), Gé 4:12; Eze 17:21.
FULGOR DE EXCITACIÓN, Joe 2:6; Na 2:10.
FULGURANTE, Hch 18:25.
FULGURAR, Gé 32:31 el sol empezó a f.
Ro 12:11 F. con el espíritu
2Re 3:22; Sl 112:4; Isa 58:10; Hch 9:3.
FUNCIÓN, 1Cr 23:28 su f. estaba a la
Ro 12:4 miembros no tienen todos la misma f.
FUNCIONAMIENTO, Ef 4:16.
FUNCIONARIO(S), 2Re 17:32 llegaron a ser f.
Pr 14:28 ruina del alto f.
FUNDACIÓN, Mt 13:35 escondidas desde f.
1Pe 1:20 preconocido antes de la f.
Rev 13:8 degollado, desde la f. del mundo
Mt 25:34; Jn 17:24; Ef 1:4; Heb 4:3.
FUNDAMENTO(S), 1Co 3:11 ningún otro f.
Ef 2:20 edificados sobre f. de los apóstoles
Heb 11:10 esperaba ciudad que tiene f.
2Sa 22:8; Sl 102:25; Pr 10:25; Isa 51:16; Miq
1:6; Hab 3:13; Lu 6:48; Sl 15:20.
FUNDAMENTO-RAÍZ, Pr 12:3 f. de los justos
FUNDAR, Job 38:4 cuando yo f. la tierra?
Sl 78:69 tierra que ha f. hasta tiempo
Sl 104:5 Él ha f. la tierra sobre sus
FUNDICIÓN, Isa 1:25 por f. tu escoria
FUNDIDA, Éx 32:4; Hab 2:18.
FURIA, Sl 76:10 la misma f. del hombre
Pr 15:1 respuesta apacible aparta la f.
Jer 6:11 con la f. de Jehová me he llenado
Sl 79:6; Pr 6:34; 19:19; 22:24; 27:4.
FURIOSO(SA), Pr 14:16 estúpido se pone f.
Sl 78:59; Eze 25:17.
FUROR, Pr 11:4 no provecho en día del f.
FURTIVAMENTE, Rut 3:7 f. y le descubrió
FUSTIGAR, Sl 140 apóstoles, los f.
Hch 16:37 Pablo les dijo: Nos f.
FUTILIDAD, Ro 8:20 creación sujeta a f.
FUTURO, Sl 37:37 f. será pacífico
Sl 37:38 f. de inicuos será cortado

Pr 24:20 no haber f. para ninguno malo
Isa 41:22 apliquemos corazón y sepamos f.
Lu 13:9 produce fruto en el f.
Sl 73:17; Pr 5:11; 20:21; 23:18; Jer 29:11.

G

GABAÓN, Jos 10:6 Sol. a decir a Josué
Jos 10:12 Sol, tente inmóvil sobre G.
1Re 3:5 En G. Jehová apareció a Salomón
Ne 3:7 hombres de G. y de Mispá
Jos 9:3; 10:1, 10; 11:19; 2Cr 1:3.
GABAONITA(S), 2Sa 21:1 dio muerte a los G.
2Sa 21:3, 9; 1Cr 12:4; Ne 3:7.
GABRIEL, Da 8:16; 9:21; Lu 1:19, 26.
GAD, Gé 30:11; 49:19; Jos 18:7.
GAITA, Da 3:5, 10, 15.
GAJO, Can 4:3; 6:7 g. de granada
GALAAD, Jos 21:38 ciudad de refugio en G.
Miq 7:14 se apacienten en Basán y G.
Nú 26:29; 32:40; Jer 8:22; Zac 10:10.
GALARDÓN, Gé 15:1 Tu g. será muy grande
Sl 127:3 el fruto del vientre es un g.
Mt 5:12 grande es su g. en los cielos
Col 3:24 de Jehová recibirán g.
Mt 6:1, 2; 10:41; 1Co 3:8; Heb 10:35.
GALILEA, Mt 4:23; Jn 2:11; 7:41, 52.
GALILEO(S), Mr 14:70; Lu 13:1; Jn 4:45.
GALLO, Mt 26:34, 74, 75; Mr 14:30.
GAMALIEL, Hch 5:34; 22:3.
GANA, 1Co 9:17 Si de buena g., tengo
1Pe 5:2 Pastoreen el rebaño de buena g.
GANADO, Éx 9:3 de Jehová sobre tu g.
Isa 30:23 Tu g. pacerá en prado espacioso
Dt 3:19; Sl 107:38; 1Co 15:39.
GANADOR, 1Sa 26:25 a David: saldrás g.
GANANCIA(S), Isa 23:18 g. y su alquiler
Jer 6:13 sacando para sí g. injusta
1Ti 6:6 de gran g., esta devoción
Snt 4:13 negociaremos y haremos g.
Jue 5:19; Isa 56:11.
GANANCIA FALTA DE HONRADEZ,
Tit 1:11 enseñando por causa de g.
1Pe 5:2 tampoco por amor a g., sino con
1Ti 3:8; Tit 1:7.
GANAR, Pr 11:30 g. almas es sabio
Mt 16:26 g. todo el mundo, pero la paga
Lu 20:35 dignos de g. aquel sistema
1Co 9:20 como judío, para g. a judíos
1Pe 3:1 esposos, sean g. por
1Co 9:19-22.
GANGRENA, 2Ti 2:17 se esparcirá como g.
GARANTÍA, Hch 17:31 a todos una g.
Heb 6:16 juramento es g. legal
GARANTIZAR, 2Co 1:21 el que g. es Dios
GARFIOS, Eze 38:4 g. en tus mandíbulas
GARGANTA, Sl 149:6 canciones en la g.
Pr 3:3 Átalos alrededor de tu g. Escríbelos
Pr 3:22 vida a tu alma y encanto a tu g.
GARRAS, Sl 141:9 Guárdame de g. de trampa
GARROTE(S), Jer 51:20 g., como armas de
Mt 26:47, 55; Lu 22:52.
GASA, Isa 40:22 cielos como g. fina
GASTADO, 2Co 12:15 g. por sus almas
GASTARSE, Dt 29:5 prendas no se g.
Isa 51:6 cual prenda la tierra misma se g.
GASTOS, Lu 14:28; Hch 21:24.
GAT, Jos 11:22; 1Sa 17:4; 1Cr 18:1.
GAZA, Jue 1:18; 16:1; Jer 47:5; Hch 8:26.
GEDEÓN, Jue 8:23 G. dijo: Jehová gobernará
Heb 11:32 si sigo contando de G.
Jue 6:24, 27, 34, 39; 7:2, 4, 7, 20; 8:4.
GEHENA. Véase también HINÓN.
Mt 10:28 alma y cuerpo en el G.
Mt 23:15 merecedor del G. dos veces

Mt 23:33 huir del juicio del G.?
Mr 9:43 con dos manos irte al G.
Lu 12:5 autoridad para echar en el G.
Snt 3:6 es encendida en llamas por G.
Mt 5:22, 29, 30; 18:9; Mr 9:45, 47.
GEMELO(S), Gé 25:24; 38:27; Jn 11:16; 20:24.
GEMIDO(S), Éx 2:24 Dios oyó su g.
Ro 8:26 aboga con g. no expresados
GEMIR, Eze 9:4 hombres suspirando y g.
Ro 8:22 toda la creación sigue g.
Jer 51:52; Eze 26:15; 2Co 5:2.
GENEALOGÍA(S), 1Ti 1:4 g. terminan en nada
Heb 7:3 sin madre, sin g., sin tener
GENERACIÓN(ES), Dt 32:5 ¡G. torcida y
Ec 1:4 Una g. se va, y una g. viene
Lam 5:19 Tu trono es para g. tras g.
Mt 24:34 de ningún modo pasará esta g.
Lu 11:51 será demandada de esta g.
Ef 3:5 En otras g. este secreto no
Flp 2:15 de una g. torcida y aviesa
Col 1:26 escondido de las g. pasadas
Gé 9:12; Éx 3:15; Sl 48:13; 78:4; 79:13;
100:5; 119:90; Mt 12:39; 23:36; Lu 21:32.
GÉNERO(S), Gé 1:11 fruto según sus g.
Gé 1:25; 6:20; Le 11:14; Dt 14:13; Eze 47:10.
GÉNERO HUMANO, Nú 31:28 un alma del g.
Nú 16:32; Jos 11:14; Eze 36:10.
GENEROSA, Pr 11:25 alma g. será engordada
GENEROSAMENTE, Dt 15:8 abrirle tu mano g.
Snt 1:5 pidiéndole a Dios, porque él da g.
GENEROSIDAD, 2Co 8:2 riquezas de su g.
2Co 9:11 enriquecidos para toda g.
GENESARET, Mt 14:34; Lu 5:1.
GENIO APACIBLE, Mt 5:5 Felices los de g.
Mt 11:29 soy de g. y humilde de corazón
Mt 21:5 Tu Rey viene a ti, de g.
1Pe 3:15 presentar una defensa junto con g.
GENTE, Os 4:9; Heb 2:17.
GENTILES. Véase NACIÓN(ES).
GENUINAMENTE, Flp 2:20 g. cuide las cosas
GENUINO, 1Ti 1:2 un hijo g. en la fe:
GETSEMANÍ, Mt 26:36; Mr 14:32.
GIGANTES. Véase NEFILIM.
GLOBO DEL OJO, Zac 2:8 tocando el g.
GLORIA, Sl 19:1 cielos declarando la g.
Pr 18:12 antes de la g. hay humildad
Isa 42:8 a ningún otro daré mi g.
Isa 43:7 a quien he creado para mi g.
Mt 5:16 sus obras excelentes y den g. a
Mt 25:31 Hijo del hombre llegue en su g.
Lu 2:14 G. en las alturas a Dios
Ro 9:23 las riquezas de su g. sobre vasos
2Co 3:8 con g. la administración del
Rev 21:23 la g. de Dios la alumbraba
1Cr 16:24; Sl 29:9; 79:9; 102:16; Hab 2:14; Jn
1:14; Ro 1:23; 3:23; 1Pe 5:4.
GLORIARSE, Jer 9:24 el que se g., g.
2Te 1:4 nos g. de ustedes
Snt 4:16 Todo ese g. es inicuo
GLORIFICADO(S), Jn 15:8 Mi Padre g. en esto
Ro 8:17 suframos juntamente seamos g.
Jn 7:39; 17:10.
GLORIFICAR(SE), Sl 50:15 tú me g.
Isa 60:13 yo g. el lugar de mis pies
Jn 17:1 hora ha llegado; g. a tu hijo
Jn 17:5 Padre, g. al lado de ti con la
Ro 1:21 no lo g. como a Dios ni le
1Co 6:20 g. a Dios en el cuerpo que son
Heb 5:5 Cristo no se g. a sí mismo
Rev 18:7 Al grado que ella se g.
Sl 86:12; Isa 25:3; Da 5:23; Jn 12:28; 17:4; Ro
15:6; 1Pe 2:12.
GLORIOSO(SA), Ne 9:5 bendigan g. nombre
Sl 24:7 que entre el g. Rey!

2Co 4:4 **g.** buenas nuevas acerca del Cristo
Sl 29:3; 66:2; 145:5; Isa 11:10; Jer 14:21.
GLOTÓN(ES), Pr 23:20; Mt 11:19.
　Tit 1:12 cretenses **g.** desocupados
GOBERNACIÓN(ES), Da 7:27 las **g.** servirán
　Da 4:3, 34; 7:6.
GOBERNADOR(ES), Mt 2:6 los **g.** de Judá
　Jer 51:23; Mal 1:8; Mt 10:18; 1Pe 2:14.
GOBERNANTE(S), Da 4:17 Altísimo es **g.** en
　Mt 9:34 Por el **g.** de los demonios
　Mt 20:25 a. de las naciones se enseñorean
　Jn 7:48 Ni uno de los **g.** ha puesto fe en
　Jn 12:42 **g.** muchos pusieron fe en él, pero
　Ef 2:2 **g.** de la autoridad del aire
　Isa 28:14; Hch 3:17; 4:26; 17:6; 1Co 2:8.
GOBERNANTE DE ESTE (DEL) MUNDO,
　Jn 12:31; 14:30; 16:11.
GOBERNANTES DIPUTADOS, Ne 12:40; 13:11.
GOBERNANTES MUNDIALES,
　Ef 6:12 contra **g.** de esta oscuridad
GOBERNAR, Jue 8:23 no **g.** sobre ustedes
　2Sa 23:3 Cuando el que **g.** es justo
　Sl 59:13 Dios está **g.** hasta los cabos
　Pr 29:2 cuando inicuo **g.**, el pueblo suspira
　Isa 32:1 **g.** como príncipes para derecho
　Pr 8:16; Isa 3:4; 14:5; Da 11:39.
GOBIERNO(S), Ro 8:38 ni ángeles, ni **g.**
　1Co 15:24 cuando reducido a nada todo **g.**
　Ef 1:21 por encima de todo **g.** y poder
　Ef 6:12 lucha contra **g.**, en lugares
　Col 2:15 Desnudando a **g.** y autoridades
　Tit 3:1 sean obedientes a los **g.**
　Hch 25:1; Ef 3:10; Col 1:16; 2:10.
GOG, Eze 38:16 naciones me conozcan, oh **G.**
　Eze 39:11 daré a **G.** una sepultura
　Eze 38:2, 3, 14, 18; Rev 20:8.
GÓLGOTHA, Mt 27:33; Jn 19:17.
GOLIAT, 1Sa 17:23 **G.**, el filisteo de Gat
　1Sa 17:4; 21:9; 22:10.
GOLPE(S), Éx 9:14 enviar mis **g.** contra
　Le 26:21 infligirles siete veces más **g.**
　2Cr 21:14 Jehová va a asestar un **g.** a tu
　Lu 12:47 será golpeado con muchos **g.**
　1Co 9:26 estoy dirigiendo mis **g.**
　Pr 19:29; Eze 24:16; Lu 12:48; 2Co 6:5.
GOLPEADO(S), Mr 13:9 serán **g.** en sinagogas
　Lu 12:47 será **g.** con muchos golpes
　Éx 5:14; 2Co 11:25.
GOLPEADOR, 1Ti 3:3; Tit 1:7.
GOLPEAR, Sl 141:5 Si me **g.** el justo
　Miq 5:1 Con la vara **g.** sobre la mejilla
　Hch 21:32 cesaron de **g.** a Pablo
　Éx 17:6; Nú 22:25; Dt 25:2, 3; Mt 21:35.
GOMORRA, Mt 10:15 más soportable a **G.**
　Gé 18:20; 19:24; Isa 1:9; Ro 9:29; Jud 7.
GORDO(S), Jue 3:17; Jer 5:28.
GOSÉN, Gé 45:10; 47:4; Éx 8:22; 9:26.
GOTAS DEL ROCÍO, Job 38:28 dio a luz las **g.**
GOTEANDO, Eze 7:17 rodillas siguen **g.**
GOTEAR, Isa 45:8 cielos, **g.** la justicia
GOTERAS, Pr 27:15 techo con **g.** que
GOZAR, Lu 16:19 **g.** de día en día con
　Joe 2:23; Lu 12:19; Hch 7:41; Rev 11:10.
GOZO, Ne 8:10 **g.** de Jehová es su plaza
　Isa 35:10 **g.** y alegre griterío
　Isa 65:18 Jerusalén una causa para **g.**
　Heb 12:2 Por el **g.** puesto delante de él
　Heb 12:11 ninguna disciplina parece ser **g.**
　Esd 3:12; Sl 45:15; Joe 1:16; Lu 2:10; Jn
　16:22; 2Co 7:4.
GOZOSAMENTE, Job 38:7 estrellas **g.**
　Sl 95:1; Isa 65:14; Heb 10:34.
GOZOSO(SA), Sl 126:5 segarán con clamor **g.**
　Sl 149:2 Sión... estén **g.** en su Rey
　Isa 35:1 desértica estará **g.**, y florecerá

Isa 65:18 estén **g.** para siempre en lo que
　1Cr 16:31; Sl 13:5; 35:9; 113:9; 118:24; Isa
　25:9; 49:13; 61:10; Zac 9:9.
GRABADO, 2Co 3:7 código **g.** en piedras
GRACIA. Véase también BONDAD
INMERECIDA.
　Col 3:16 canciones con **g.**
　Hch 6:8; 7:10.
GRACIAS, 2Sa 22:50 te daré **g.**, oh Jehová
　1Cr 16:4 para dar **g.** y alabar a Jehová
　1Cr 16:8 ¡Den **g.** a Jehová; invoquen su
　1Cr 29:13 te damos las **g.** y alabamos
　Sl 92:1 Es bueno dar **g.** a Jehová
　Sl 97:12 den **g.** a su mención conmemorativa
　Mt 26:27 tomó una copa y, habiendo dado **g.**
　Jn 11:41 Padre, doy **g.** porque me has oído
　Hch 28:15 Pablo dio **g.** a Dios y cobró ánimo
　Ro 14:6 come para Jehová, pues da **g.** a Dios
　1Co 1:4 Siempre doy **g.** a Dios por ustedes
　1Co 10:30 Si participo con **g.**, ¿por qué
　1Co 14:17 das **g.** de manera excelente, pero
　2Co 9:15 A Dios vayan las **g.** por su dádiva
　Ef 5:20 dando **g.** en el nombre de Jesucristo
　Rev 11:17 Te damos **g.**, Jehová Dios, el
GRADO, Jer 30:11; 2Ti 4:15.
GRANDES, Da 5:1 festín para mil **g.**
GRANDES ÍNFULAS, Sl 55:12 **g.** contra mí
　Da 8:25 se draría **g.**, y arruinará
　Sl 35:26; 38:16; Jer 48:26; Lam 1:9; Da 8:4.
GRANDEZA, 1Cr 29:11 Tuya, es la **g.**
　Da 4:22 tu **g.** se ha hecho grande
　Ef 1:19 sobrepujante **g.** de su poder
　Est 1:4; Sl 71:21; 145:3, 6.
GRANDIOSAS, Da 7:8, 11, 20.
GRAN GOZO, Lu 10:21 se llenó de **g.**
GRANERO(S), Mt 3:12; 6:26.
GRANIZO, Isa 28:17 **g.** tiene que barrer
　Éx 9:22; Job 38:22; Sl 148:8; Rev 8:7.
GRAN MUCHEDUMBRE, Mr 12:37 **g.** escuchaba
　Rev 7:9 **g.**, que ningún hombre podía contar
　Rev 19:6 voz de **g.** y sonido de muchas
GRAN MULTITUD, Lu 5:6 **g.** de peces
GRANO, Joe 2:19 voy a enviarles el **g.** y
　1Co 15:37 desarrollará, sino **g.** desnudo
　Joe 1:10; Mr 4:28; 1Co 9:9.
GRAN PACIENCIA, Ro 9:22 Dios, con **g.**
　1Te 5:14 apoyo a débiles, tengan **g.** con
　2Ti 4:2 exhorta, con **g.** y arte de enseñar
　Ro 2:4; Gál 5:22; Ef 4:2; Col 3:12.
GRASA, 1Sa 15:22; Eze 34:3.
GRATIS, Mt 10:8 Recibieron **g.**; den **g.**
　Rev 21:6 le daré agua de la vida **g.**
　Rev 22:17 tome **g.** el agua de la vida
GRATO(TAS), Sl 69:31; 1Jn 3:22.
GRATUITA, Ro 3:24 dádiva **g.**
GRAVE APRIETO, Dt 4:30; Lam 1:20; Os 5:15.
GRAVOSOS, 1Jn 5:3 mandamientos no son **g.**
GREBAS, 1Sa 17:6 **g.** de cobre más arriba
GRECIA, Da 10:20; 11:2; Zac 9:13.
GRIEGO(S), 1Co 1:22 **g.** buscan sabiduría
　Gál 3:28 No hay ni judío ni **g.**
　Jn 19:20; Ro 1:16; 1Co 10:32; 12:13.
GRILLETES, Isa 58:6 desatar los **g.** de
GRITAR, Jos 6:20 el pueblo **g.**
　Job 38:7 hijos de Dios empezaron a **g.**
　Sl 89:15 pueblo que conoce el gozoso **g.**
　Isa 12:6 Da a chillidos y **g.** de gozo
　Zac 9:9 **G.** en triunfo, oh hija de
　Sl 47:1; Isa 44:23; Jer 31:7; Hch 21:34.
GRITO(S), Joe 2:1 den **g.** de guerra en mi
　Le 9:24; Jos 6:5; Esd 3:13.
GRUÑIR, Jer 51:38 **g.** como leones
GRUPO ÍNTIMO, Job 19:19 **g.** me detestan
　Jer 23:22 si se hubieran parado en mi **g.**
　Sl 89:7; 111:1; Jer 15:17; 23:18; Eze 13:9.

GRUPOS, Pr 30:27 divididas en **g.**
GRUPOS NACIONALES, Sl 7:7; Isa 49:1.
  Isa 55:4 Lo he dado como testigo a **g.**
GUARDADOS, Gál 3:23 g. bajo ley
GUARDAR(SE), Gé 17:9 has de **g.** mi pacto
  Dt 7:9 Dios fiel, que **g.** pacto y bondad
  Sl 121:5 Jehová te está **g.**
  Sl 145:20 Jehová está **g.** a los que lo aman
  Sl 146:9 Jehová está **g.** a los residentes
  Pr 2:8 g. el camino de los leales
  Pr 13:3 El que vigila su boca **g.** su alma
  Isa 56:2 g. el sábado para no profanarlo
  Mt 7:15 **G.** de los falsos profetas
  Mt 10:17 **G.** de los hombres
  Flp 4:7 g. sus corazones y facultades
  1Ti 6:20 g. lo depositado a tu cuidado
  1Jn 5:21 Hijitos, **g.** de los ídolos
  Rev 16:15 g. sus prendas de vestir
  Gé 30:31; Éx 20:6; Sl 34:20; 39:1; 97:10;
  121:3; Pr 14:3; Isa 56:1; 2Ti 1:12; Jud 24.
GUARDIA, Jer 51:12; Mt 27:66.
GUARDIA DE CORPS, 2Sa 22:14 jefe sobre g.
GUARDIÁN, Gé 4:9 ¿Soy el **g.** de mi hermano?
  Est 2:3, 8, 15 Hegai el **g.** de las mujeres
GUARDIA PRETORIANA, Flp 1:13 toda la g.
GUARDIA, Mr 5:3 g. entre las tumbas
GUARNICIÓN(ES), 2Sa 8:6 g. en Siria
  1Sa 10:5; 1Cr 18:13.
GUEDALÍAS, 2Re 25:22; Jer 39:14; 40:5, 6.
GUEHAZÍ, 2Re 5:20; 8:4.
GUERIZIM, Dt 11:29; Jos 8:33; Jue 9:7.
GUERRA(S), Éx 15:3 Jehová es persona de **g.**
  Sl 46:9 Hace cesar las **g.** hasta la
  Sl 144:1 adiestrando mis dedos para la **g.**
  Isa 2:4 ni aprenderán más la **g.**
  Joe 3:9 Proclamen esto: ¡Santifiquen **g.**!
  Mt 24:6 oír de **g.** e informes de **g.**
  Rev 12:7 estalló **g.** en el cielo: Miguel
  Rev 12:17 dragón se fue para hacer **g.**
  Rev 16:14 g. del gran día de Dios
  Isa 13:4; Jer 50:22; Os 1:7; 2:18; Miq 4:3; Zac
  14:2; Lu 21:9; Snt 4:1; Rev 19:19.
GUERREAR, Zac 14:3 Jehová g. naciones
  2Co 10:3 no g. según la carne
  2Co 10:4 armas de nuestro **g.** no carnales
  1Ti 1:18 que sigas **g.** el **g.** excelente
GUÍA(S), Isa 11:6 un muchachito será **g.**
  Mt 15:14 G. ciegos es lo que son
  Mt 23:16 ustedes, **g.** ciegos!, que dicen:
  Ro 2:19 persuadido que eres **g.** de ciegos
GUIADOS, Isa 9:16 que están siendo **g.**
GUIAR, Dt 32:12 solo Jehová siguió **g.**
  Sl 23:3 Me **g.** por causa de su nombre
  Sl 31:3 por causa de tu nombre me **g.**
  Sl 43:3 tu luz y verdad que me **g.**
  Sl 48:14 nos **g.** hasta que muramos
  Sl 143:10 me **g.** en la tierra de rectitud
  Pr 11:3 integridad de los rectos los **g.**
  Isa 3:12 los que te van **g.** están haciendo
  Jn 16:13 él los **g.** a toda la verdad
  Hch 8:31 a menos que alguien me **g.**?
  Éx 13:21; Pr 23:19; Isa 49:10; Rev 7:17.
GUIBEAH, Jue 20:5, 13, 37; Isa 10:29.
GUILBOA, 1Sa 28:4; 2Sa 1:21; 1Cr 10:8.
GUILGAL, Jos 4:20 doce piedras en **G.**
  Jos 9:6 Josué en el campamento, en **G.**
  Jue 3:19 desde las canteras que había en **G.**
  Jos 5:9; 10:6; 1Sa 10:8; 11:14, 15.
GUIÑAR, Pr 6:13 g. el ojo, haciendo señales
GUIRNALDA, Isa 28:5 como **g.** de hermosura
GUIRNALDA DE ATRACCIÓN, Pr 1:9.
GUSANO(S), Isa 14:11 g. son tu cubierta
  Isa 41:14 No tengas miedo, **g.** Jacob
GUSTAR, Heb 6:4 han **g.** la dádiva
  1Pe 2:3 hayan **g.** que el Señor es bondadoso
  Mt 16:28; Col 2:21; Heb 2:9.

H

HABILIDAD, Éx 15:6; Mt 25:15.
HABITACIONES, Sl 74:20 h. de violencia
HABITADO(DA), Isa 44:26 Jerusalén: Será **h.**
  Isa 45:18 que la formó aun para ser **h.**:
  Isa 13:20; Jer 6:8; Eze 12:20; 38:12.
HABITANTE(S), Isa 6:11 para estar sin **h.**
  Isa 24:5 tierra contaminada bajo **h.**
  Jer 1:3:20 objeto de pasmo, sin **h.** alguno
  Jer 25:29; 26:15; Os 4:1; Zac 12:8.
HABITAR, Isa 54:3 h. ciudades desoladas
  Ef 2:22 edificados lugar donde **h.** Dios
HÁBITOS, 1Co 15:33 compañías perder **h.**
  1Ti 3:2 superintendente, moderado en **h.**
  1Ti 3:11 mujeres, moderadas en los **h.**
  Tit 2:2 hombres de edad moderados en **h.**
HABLA, Sl 19:2 día tras día hace salir el **h.**
  1Co 14:9 profieran **h.** fácil de entender
  Col 4:6 Que su **h.** sea sazonada con sal
  Tit 2:8 h. saludable no se pueda condenar
  Job 6:3; Sl 64:2; 1Ti 1:6.
HABLA CONFIDENCIAL, Pr 15:22 donde no **h.**
  Pr 20:19 El calumniador descubriendo **h.**
  Sl 64:2; 83:3; Pr 11:13; 25:9.
HABLA CONTRARIA, Heb 12:3 aguantado tal **h.**
HABLAR, Éx 4:10 no **h.** con fluidez
  Pr 17:9 el que sigue **h.** de un asunto
  Isa 30:10 H. cosas melosas; vean cosas
  Jn 8:43 no saben ustedes lo que **h.**?
  Ro 1:8 se **h.** de la fe de ustedes
HABLAR ALBOROZADAMENTE, 1Cr 16:35.
HABLAR ENTRE DIENTES, Job 27:4; Sl 2:1;
  38:12; Isa 59:3, 13.
HABLAR INJURIOSAMENTE, Hch 18:6 ellos **h.**
  Tit 2:5 para que no se **h.** de la palabra
  1Pe 4:4 están perplejos y siguen **h.**
  2Pe 2:10 ante gloriosos, sino que **h.**
HACEDOR(ES), Job 32:22 mi **H.** me llevaría
  Isa 51:13 te olvidaras de Jehová tu **H.**
  Heb 11:10 cuyo edificador y **h.** es Dios
  Snt 1:22 háganse **h.** de la palabra
  Sl 95:6; Pr 14:31; 22:2; Isa 17:7; Ro 2:13; Snt
  1:23, 25.
HACE MUCHO TIEMPO, Isa 44:7 pueblo de **h.**
HACER(SE), Dt 32:41 h. retribución a los que
  Mt 13:15 el corazón **h.** indispuesto a recibir
  Mt 23:3 fariseos dicen y no **h.**
  Mt 24:46 si su amo lo hallara **h.** así!
  Ef 2:3 h. cosas que eran de la carne
  Ef 6:6 h. de toda alma voluntad de Dios
  Sl 56:12; Ro 12:20; Flp 2:3; 1Ti 5:21.
HACER (EL) BIEN, 1Pe 3:17 sufrir **h.**
  Hch 10:38; 1Pe 2:15; 4:19.
HACER CASO, Pr 29:19 pero no está **h.**
HACER DAÑO, Rev 7:2 h. a tierra y mar
HACER ENFLAQUECER, Sof 2:11 h. a dioses
HACER MORIR, Lu 21:16 a algunos **h.**
HACER PEDAZOS, Sl 68:21 Dios **h.** enemigos
HACER SALIDA, 1Sa 7:11 Israel **h.**
HACERSE MUCHOS, Gé 1:28 h. y llenen
  Gé 9:1; 35:11.
HACER SEÑAS, Hch 12:17; 19:33; 21:40.
HACIA ARRIBA, Flp 3:14 llamada **h.**
HACIENDA, Lu 15:13 malgastó su **h.**
HACHA(S), Dt 19:5 con **h.** a su semejante
  1Re 6:7; 2Re 6:5; Lu 3:9.
HADASSÁ, Est 2:7 el cuidador de **h.**
HADES, Mt 16:18 las puertas del **H.** no
  Lu 10:15 ¡Hasta el **H.** descenderás!
  Hch 2:31 ni fue abandonado en el **H.**
  Rev 1:18 llaves de muerte y del **H.**
  Rev 20:14 la muerte y el **H.** fueron arrojados
  Mt 11:23; Lu 16:23; Rev 6:8; 20:13.
HAI, Jos 7:2, 3; 8:1, 26, 28, 29; Jer 49:3.

HALLAR, Sl 21:8 Tu mano h. enemigos
Pr 8:35 Porque el que me h. h. la vida
Pr 18:22 ¿Ha h. una esposa buena?
Ec 9:10 Todo lo que tu mano h.
Mt 7:7 sigan buscando, y h.
Mt 7:8 todo el que busca h.
Mt 7:14 pocos son los que la h.
Mt 10:39 El que h. su alma la perderá
2Sa 1:6; Job 38:4; Pr 1:28; 2:5; Jer 29:13; Lu 12:37; Hch 17:27; Rev 9:6.
HAMÁN, Est 7:10 colgar a H. en el madero
Est 3:5; 5:11; 6:11; 7:6, 9; 8:2, 7; 9:10.
HAMAT, Nú 13:21; Isa 10:9; Jer 49:23.
HAMBRE. Véase también ESCASEZ(CES) DE ALIMENTO.
Gé 41:57 el h. tenía agarrada
Isa 65:13 ustedes padecerán h.
Jer 14:15 A espada y por h. serán acabados
Am 8:11 h., no de pan, y sed
Mt 5:6 Felices los que tienen h.
Jn 6:35 de ninguna manera le dará h.
Ro 8:35 ¿Quién nos separará del Cristo, h.?
Rev 18:8 plagas: muerte y lamento y h.
Dt 28:48; 32:24; Rut 1:1; Ne 9:15; Sl 50:12; Isa 29:8; Jer 5:12; 11:22; 42:17; 2Co 11:27.
HAMBRIENTO(TA), Sl 146:7 da pan a h.
Sl 107:9; Eze 18:7.
HARÁN, Gé 11:26-29, 31, 32; 27:43; Hch 7:2.
HAR—MAGEDÓN, Rev 16:16 lugar se llama H.
HARTO, Job 10:15; 14:1.
HATO, Isa 40:11 pastoreará su h.
HAZAÑAS, Dt 3:24 h. como las tuyas?
HAZMERREÍR, Job 12:4 h. para su semejante
HÉBER, Gé 46:17; Nú 26:45; Jue 4:11.
HEBREO(S), Éx 3:18 el Dios de los
Rev 16:16 en h. se llama Har—Magedón
Gé 14:13; Jon 1:9; 2Co 11:22; Flp 3:5.
HEBRÓN, 1Re 2:11 En H. había reinado siete
Gé 23:2; Jos 10:36; Jue 1:20; 2Sa 2:1.
HECES, Isa 25:6 vino sobre las h.
HECHICERÍA(S). Véase ADIVINACIÓN.
2Cr 33:6 practicó la h.
Miq 5:12 cortaré de tu mano las h.
2Re 9:22; Isa 47:9; Na 3:4.
HECHICERO(RA), Éx 7:11; Da 2:2; Hch 13:6.
Éx 22:18 No debes conservar viva a una h.
Jer 27:9 no escuchen a sus h., que están
Mal 3:5 ser testigo veloz contra los h.
HECHO(S), Job 33:17 desviar de su h.
Ef 4:13 hasta que logremos a un hombre h.
Rev 20:12 fueron juzgados según sus h.
HEDER, Éx 7:18; 16:20; Ec 10:1.
HEDIONDAS, Sl 38:5 heridas se han hecho h.
HEMBRA(S), Gé 1:27 macho y h. los creó
Ro 1:26 h. cambiaron uso natural
HEMORROIDES, Dt 28:27; 1Sa 5:6; 6:4.
HERALDO, Da 3:4 el h. gritaba con fuerza
HEREDAR, Mt 19:29 h. vida eterna
Mt 25:34 h. el reino preparado para ustedes
1Co 15:50 carne y sangre no h. el reino
Mt 5:5; Heb 6:12; 1Pe 3:9; Rev 21:7.
HEREDERO(S), Mt 21:38 el h.; matémoslo
Ro 8:17 h.: h. de Dios, pero coherederos con
Gál 3:29 de Abrahán, h. respecto a una
Ef 1:11 también se nos asignó como h.
Heb 1:2 Hijo, a quien nombró h. de todas
Gé 21:10; Ro 4:13; Gál 4:7; Heb 6:17; 11:9.
HEREJÍA. Véase SECTAS DESTRUCTIVAS.
HERENCIA, Sl 2:8 naciones por h. tuya
Ef 1:14 prenda por anticipado de h.
Col 1:12 h. de los santos en la luz
1Pe 1:4 h. incontaminada e inmarcesible
1Pe 5:3 de los que son la h. de Dios
Nú 18:20; Eze 47:22; Ef 5:5; Heb 9:15.
HERIDA(S), Pr 27:6 h. por uno que ama
Isa 30:26 que Jehová sane la grave h.

Isa 53:5 a causa de sus h. una curación
1Pe 2:24 por sus h. ustedes fueron sanados
Sl 38:5; Pr 20:30; 23:29; Isa 1:6; Hch 16:33.
HERIDO(S), Eze 26:15; 30:24; Hch 19:16.
HERIR(SE), Dt 32:39 Yo he h. gravemente
2Cr 20:22 se pusieron a h. unos a otros
Eze 9:5 Pasen por la ciudad y h.
Mal 4:6 h. la tierra con destrucción
1Co 9:26 para no estar h. el aire
Mt 26:31; Hch 23:3.
HERIR MORTALMENTE, Le 24:21 h. bestia
HERMANAS, 1Ti 5:2 mujeres como a h., con
HERMANDAD, Zac 11:14 quebrar la h.
HERMANO(S), Gé 4:9 ¿Dónde está Abel tu h.?
Sl 49:7 redimir siquiera a un h.
Sl 133:1 que h. moren juntos en unidad!
Pr 18:24 amigo más apegado que un h.
Pr 27:10 vecino que un h. que está lejos
Jer 31:34 ya no enseñarán a su h.
Ag 2:22 cada uno por la espada de su h.
Mt 23:8 mientras que todos ustedes son h.
Mr 13:12 h. entregará a la muerte al h.
1Pe 5:9 en toda la asociación de sus h.
Rev 12:10 arrojado acusador de nuestros h.
Gé 43:3; Ne 4:14; Eze 38:21; Mt 5:22; 12:49, 50; 18:15; 25:40; Hch 15:36; Heb 2:11.
HERMÓN, Sl 133:3 como el rocío de H.
Dt 3:8; Jos 12:1; 13:5; Sl 89:12; Can 4:8.
HERMOSEADO, Isa 61:3 para que él sea h.
Isa 55:5 el Santo de Israel, él te habrá h.
HERMOSEAR, Esd 7:27 h. la casa de Jehová
Sl 149:4 H. a los mansos con salvación
Isa 60:13 para h. el lugar de mi santuario
HERMOSO(SA), Sl 45:2 más h. que hombres
Isa 52:7 h. son los pies del que trae
Mt 23:27 por fuera parecen h., pero por
Ro 10:15 ¡Cuán h. son los pies de los que
Heb 11:23 vieron que el niñito era h.
2Sa 14:25; Est 2:2; Can 1:7.
HERMOSURA, Pr 17:6 la h. de los hijos son
Isa 33:17 rey en su h. es lo que
Eze 28:12 lleno de sabiduría y perfecto en h.
Isa 23:9; 28:5; Eze 28:17.
HERODES, Mt 2:1 en los días de H. el rey
Lu 23:12; Hch 4:27; 12:1.
HÉROES, Isa 33:7 Sus h. han clamado
HERRUMBRE, Eze 24:6, 11, 12.
HIEL, Mt 27:34; Hch 8:23.
HIELO, Eze 1:22 chispear de h.
HIERBA, Sl 37:2 como h., se marchitarán
2Re 19:26; Sl 103:15; Isa 40:8; 51:12.
HIERRO(S), Sl 2:9 quebrarás con cetro de h.
Ec 10:10 Si un h. se ha embotado
Isa 60:17 en vez del h. traeré plata
Da 2:33 piernas eran de h., pies de
1Ti 4:2 conciencia como si fuera con h.
1Re 6:7; Jer 1:18; 28:14; Rev 2:27; 12:5.
HÍGADO, Éx 29:13; Pr 7:23; Eze 21:21.
HIGUERA, Miq 4:4 debajo de su vid y su h.
Mt 24:32 la h. como ilustración
1Re 4:25; Mt 21:19-21; Lu 13:6, 7.
HIJA(S), Gé 5:4 Adán padre de h.
Isa 52:2 Suéltate, oh cautiva h. de Sión
Joe 2:28 sus hijos y sus h. profetizarán
Lu 23:28 H. de Jerusalén, dejen de llorar
Da 11:6, 17; Mt 21:5; Hch 2:17; 2Co 6:18.
HIJITOS, 1Jn 5:21 H., guárdense de ídolos
HIJO(S), Gé 6:2 h. de Dios tomar esposas
Dt 6:7 tienes que inculcarlas en tus h.
Job 1:6 h. de Dios entraban delante de
Sl 2:7 me ha dicho: Tú eres mi h.
Sl 2:12 Besen al h., para que no perezcan
Sl 45:16 En lugar llegará a haber tus h.
Pr 4:3 resulté ser h. verdadero para mi
Isa 9:6 un h. se nos ha dado

Isa 13:16 sus **h.** serán estrellados ante sus
Isa 14:12 has caído, h. del alba!
Isa 54:13 **h.** personas enseñadas por Jehová
Isa 60:14 h. de aquellos que te afligieron
Joe 2:28 sus **h.** y sus hijas profetizarán
Mt 1:21 Dará a luz un **h.**
Mt 3:17 Este es mi **H.**, el amado, a quien
Lu 16:8 h. de este sistema de cosas son
Jn 3:16 Dios dio a su **H.** unigénito
Jn 17:1 glorifica a tu **h.**, para que tu h.
Ro 8:14 los conducidos por espíritu, h. de Dios
1Co 7:14 sus h. serían inmundos
2Co 6:18 ustedes me serán h. e hijas
Ef 6:1 **H.**, sean obedientes a sus padres
Ef 6:4 no estén irritando a sus **h.**
1Te 5:5 ustedes son **h.** de luz e **h.** del día
Heb 12:7 Dios tratando con ustedes como h.
Rev 12:5 su h. fue arrebatado hacia Dios
Isa 66:7; Da 3:25; Jn 17:12; Ro 8:16; 2Co
    12:14; Ef 5:8; 1Te 2:7; Heb 11:24.
HIJO DEL HOMBRE, Eze 2:1 **H.**, plántate
Da 7:13 con las nubes venía alguien como **H.**
Mt 10:23 hasta que llegue el **H.**
Mt 12:40 el **H.** estará en el corazón de la
Mt 24:30 aparecerá la señal del **H.**
Lu 17:26 así también en los días del **H.:**
Rev 14:14 sentado semejante a un **h.**
Mt 8:20; 17:22; Lu 18:8; Jn 3:13.
HIMENEO, 1Ti 1:20 **H.** entregado a Satanás
2Ti 2:17 **H.** y Fileto son de ese grupo
HINCHAR(SE), 1Co 8:1 conocimiento h., pero
1Co 4:6; 5:2; 13:4.
HINÓN, 2Cr 33:6 hijos por fuego en valle **H.**
Jos 15:8; 2Re 23:10; 2Cr 28:3; Ne 11:30; Jer
    7:31; 19:2; 32:35.
HIPOCRESÍA, Mt 23:28 están llenos de **h.**
Ro 12:9 Sea su amor sin **h.**
2Co 6:6 por amor libre de **h.**
1Ti 4:2 **h.** de hombres que hablan mentiras
Lu 12:1; 1Ti 1:5; 2Ti 1:5.
HIPÓCRITA(S), Mt 7:5; **¡H.!** Primero extrae
Mt 15:7 **H.**, aptamente profetizó Isaías
Mt 23:13 escribas y fariseos, **h.!**
Mt 24:51 asignará su parte con los **h.**
Snt 3:17 sabiduría es casta, sin ser **h.**
HIRAM, 1Re 5:1, 10; 7:13, 45; 9:11; 10:11.
HISOPO, Sl 51:7 purifícarme con h.
    Le 14:6; Nú 19:6; Jn 19:29; Heb 9:19.
HISTORIA, Ge 2:4; 5:1; 6:9; Mt 1:1.
HITITA(S), Gé 23:10; Jue 1:26; 2Sa 11:3.
HOBAB, Nú 10:29; Jue 4:11.
HOCICO, Pr 11:22 nariguera en **h.** de cerdo
HOJA(S), Gé 3:24 la **h.** llameante de espada
Rev 22:2 **h.** eran para la curación
HOLGADAS, Jer 22:14 cámaras **h.**
HOLGAR, Éx 5:8 porque están **h.**
    Éx 5:17 él dijo: ¡Están **h.**, están **h.**!
HOLGAZANEANDO, Os 7:14 siguieron **h.**
HOLGAZANES, Ro 12:11 No sean **h.** en sus
HOLOCAUSTO(S), Sl 51:16; Jer 19:5.
HOLLADO(DA), Eze 34:19 el apacentador **h.**
Lu 21:24 Jerusalén será **h.** por las naciones
HOLLAR, Isa 63:3 seguí **h.** en mi furia
Da 8:13 hacer del ejército cosas para **h.?**
Heb 10:29 ha **h.** al Hijo de Dios
Rev 11:2 ellas **h.** la santa ciudad
Isa 26:6; Eze 34:18; Da 7:23.
HOMBRE(S). Véanse también ESPOSO(S), GÉ-
    NERO HUMANO, HOMBRE FÍSICAMENTE
    CAPACITADO, HOMBRE MORTAL, HOM-
    BRE PODEROSO, HOMBRE TERRESTRE,
    HUMANIDAD.
HOMBRE(S), Gé 2:7 procedió a formar al **h.**
Éx 18:21 debes seleccionar **h.** capaces
Job 34:15 **h.** vuelve al mismísimo polvo
Pr 29:25 temblar ante **h.** tiende un lazo

Jer 10:23 No pertenece al **h.** dirigir su paso
Jer 17:5 Maldito **h.** cifra expectativa en **h.**
Eze 34:31 ustedes mis ovejas, **h.** terrestres
Zac 8:23 diez **h.** asirán la falda
Mt 4:4 No de pan solamente debe vivir el **h.**
Mt 4:19 los haré pescadores de **h.**
Mt 15:9 enseñan mandatos de **h.** como
Lu 16:15 lo que entre **h.** es encumbrado, es
Hch 5:29 obedecer a Dios más que a **h.**
Ro 5:12 por medio de un **h.** pecado entró
Ro 7:22 conforme al **h.** que soy por dentro
1Co 6:9 **h.** que se acuestan con **h.**
1Co 15:47 primer **h.** procede de la tierra
1Co 16:13 pórtense como **h.**, háganse
2Co 4:16 **h.** interiormente va renovándose
Gál 1:10 estoy procurando agradar a **h.?**
Ef 4:13 logremos alcanzar a un **h.** hecho
Gé 6:4, 9; Éx 33:20; Sl 115:16; 118:6; 144:4;
    146:3; Isa 2:22; 51:12; Jer 5:26; Joe 2:7; Sof
    3:4; 1Co 1:25; Flp 2:8; 2Ti 2:2; 3:2.
HOMBRE DE DIOS, 1Ti 6:11; 2Ti 3:17.
HOMBRE(S) DE VISIONES, 2Sa 24:11 Gad, **h.**
2Cr 33:19 entre las palabras de sus **h.**
Isa 29:10 ha cubierto las cabezas de **h.**
Miq 3:7 los **h.** tendrán que avergonzarse
2Re 17:13; 1Cr 25:5; 2Cr 9:29; 35:15.
HOMBRE DEL DESAFUERO,
    2Te 2:3 el **h.** quede
HOMBRE FÍSICAMENTE CAPACITADO,
Joe 2:8 Como **h.** siguen yendo
1Cr 23:3; Job 3:23; Sl 34:8; 37:23; 89:48; Pr
    6:34; 20:24; 29:5; Isa 22:17; Jer 17:5.
HOMBRE MORTAL, Job 15:14 ¿Qué es **h.**, para
Sl 9:19 No superior en fuerzas al **h.**
Job 33:12; 36:25; Sl 8:4; 90:3; 144:3; Isa
    13:7; 33:8; Jer 20:10.
HOMBRE PODEROSO, Sl 19:5; 33:16; Pr 16:32;
    Isa 3:2; 42:13; Jer 14:9; Sof 1:14.
HOMBRES DE OTROS TIEMPOS, Mt 15:2.
HOMBRES DE TIEMPOS ANTIGUOS, Heb 11:2.
HOMBRES OCIOSOS, Jue 9:4; 11:3; 2Cr 13:7.
HOMBRES PROMINENTES, Hch 13:50; 25:2.
HOMBRE TERRESTRE, 1Sa 15:29 Él no es **h.**
Job 34:11; Sl 39:5; 49:20; 108:12; Pr 3:4.
HOMBRO, Ne 9:29 dando un **h.** terco
Isa 9:6 regir principesco sobre su **h.**
Zac 7:11 siguieron presentando un **h.** terco
Jos 4:5; Isa 10:27; 22:22; Eze 29:18.
HOMENAJE, Da 2:46 a Daniel rindió **h.**
Lu 24:52 le rindieron **h.** y regresaron
Heb 1:6 todos los ángeles le rindan **h.**
Mt 2:11; Jn 9:38; Hch 10:25; Rev 3:9.
HOMICIDA, Nú 35:11 refugio **h.** que hiera
Dt 19:4 el caso del **h.** que podrá huir
Jn 8:44 Ese era **h.** cuando principió
1Jn 3:15 el que odia a su hermano es **h.**
Nú 35:6, 25; Dt 4:42; Jos 20:3, 5.
HONORABLES, Isa 23:9 tratar a los **h.**
HONRA, Ro 12:10 mostrarse **h.** unos a otros
Ro 13:7 al que pide **h.**, dicha **h.**
2Ti 2:20 para propósito falto de **h.**
Heb 5:4 no toma esta **h.** por propia cuenta
Est 6:9; 1Ti 1:17; Heb 2:9; Heb 2:9; Rev 4:11.
HONRADA, 2Co 8:21 hacemos provisión **h.**
Heb 13:18 tenemos una conciencia **h.**
HONRADEZ, Gé 20:5 En la **h.** de mi corazón
HONRAR, Éx 20:12 **H.** a tu padre y
1Sa 2:30 a los que me **h.**, y los que me
Pr 3:9 **H.** a Jehová con tus cosas valiosas
Lu 18:20 **H.** a tu padre y a tu madre
Ef 6:2 **H.** a tu padre y madre; que sea
HONROSO, Ro 9:21 un vaso para uso **h.**
HORA, Mt 24:36 aquel día y **h.** nadie sabe
Lu 22:53 esta su **h.** y la autoridad de
Jn 17:1 la **h.** ha llegado; glorifica a

1Jn 2:18 Niñitos, es la última **h.**
Rev 3:10 te guardaré de la **h.** de prueba
Rev 17:12 reciben autoridad por una **h.**
Mt 24:44, 50; 26:45; Rev 14:7, 15; 18:10.
HORARIO, Le 23:37 ofrenda conforme al **h.**
HOREB, Dt 5:2 pacto con nosotros en **H.**
Éx 3:1; 17:6; Dt 9:8; 29:1; Sl 106:19.
HORNO, Mt 13:42 los arrojarán en el **h.** de
Dt 4:20; Da 3:17, 19; Mal 4:1.
HORNO DE FUNDICIÓN, Sl 12:6 refinada en **h.**
Isa 48:10 en el **h.** de la aflicción
HORRENDA, Heb 10:27 h. expectación de juicio
Heb 10:31 cosa **h.** caer en manos del Dios vivo
HORROR, Eze 4:16 con **h.** beberán agua
HOSPEDADOR, Ro 16:23 Gayo, mi **h.** los saluda
HOSPEDAR, 1Ti 5:10 si **h.** a extraños
HOSPITALARIAMENTE, Mt 25:35 recibieron **h.**
Snt 2:25 hubo recibido **h.** a mensajeros
HOSPITALARIOS, 1Pe 4:9 Sean **h.** unos para
HOSPITALIDAD, Ro 12:13 la senda de la **h.**
HOSTIGAR, Nú 25:17 **h.** de los madianitas
HOSTILIDAD, Sl 23:5 me muestran **h.**
HOY, Lu 4:21; 23:43.
HOYO, Job 33:24 de bajar al **h.!**
Isa 14:15 partes más remotas del **h.**
Mt 15:14 a un ciego, ambos caerán en un **h.**
Sl 7:15; 40:2; Isa 38:18; Eze 26:20.
HUECO, Isa 24:18 suba de dentro del **h.**
HUÉRFANO(S) DE PADRE, Sl 68:5 padre de **h.**
Éx 22:22; Dt 10:18; Sl 10:14; Jer 5:28.
HUÉRFANOS, Snt 1:27 cuidar de **h.**
HUESO(S), Sl 34:20 guardando los **h.** de aquél
Pr 14:30 los celos son podredumbre a los **h.**
Pr 25:15 lengua apacible puede quebrar un **h.**
Jer 20:9 fuego ardiente, encerrado en mis **h.**
Eze 37:1 llanura-valle, llena de **h.**
Mt 23:27 por dentro llenos de **h.** de muertos
Jn 19:36 Ni un **h.** de él será quebrantado
Gé 2:23; Job 10:11; Sl 22:14; Hab 3:16.
HUÉSPED, Sl 15:1 ¿quién **h.** en tu tienda?
Lu 19:6 lo recibió como **h.**
HUIDA, Mt 24:20 no en invierno
HUIR, Snt 4:7 un lugar adonde **h.**
Jer 51:6 **H.** de en medio de Babilonia
Mt 23:33 ¿cómo **h.** del juicio del Gehena?
Snt 4:7 opónganse al Diablo, y **h.** de
Nú 35:15; Pr 28:1; Isa 35:10; Jer 16:19; Mt
24:16; 1Co 10:14.
HULDÁ, 2Re 22:14 fueron a **H.** la profetisa
HUMANA(S), 1Co 9:8 ¿Hablo según normas **h.?**
Gál 1:11 buenas nuevas no son cosa **h.**
HUMANIDAD, Pr 15:11; Ec 3:10.
HUMEAR, Éx 30:7 Aarón hacer **h.** incienso
HUMEAR IRRITADO, Sl 80:4.
HUMEDAD DE MI VIDA, Sl 32:4 La **h.** se ha
HUMILDAD, Pr 15:33 antes de la gloria **h.**
Pr 22:4 resultado de **h.** es riquezas
Flp 2:3 considerando con **h.** mental
Col 2:18, 23 una **h.** ficticia
Hch 20:19; Ef 4:2; Col 3:12.
HUMILDAD FICTICIA, Col 2:18 deleite en **h.**
HUMILDE(S), Sl 41:1 consideración para **h.**
Zac 9:9 Es **h.,** y cabalga sobre un asno
Mt 11:29 soy **h.** de corazón
Ro 12:16 déjense llevar con cosas **h.**
Sl 138:6; Pr 16:19; Eze 29:14; 2Co 10:1.
HUMILLACIÓN, Pr 18:13 tontedad y **h.**
Snt 1:10 el rico a causa de su **h.**
Isa 45:16; Eze 16:54; 36:32.
HUMILLADO(DA), Flp 3:21 amoldará cuerpo **h.**
Sl 35:4; Isa 41:11; 50:7; 54:4; Jer 22:22.
HUMILLAR(SE), Dt 8:2 a fin de **h.**
Da 4:37 andan con orgullo él los puede **h.**
Mt 23:12 el que se **h.** será ensalzado
Flp 2:8 se **h.** y se hizo obediente

Snt 4:10 **H.** a los ojos de Jehová
1Re 21:29; 2Re 22:19; 1Cr 17:10; 2Cr 7:14;
12:6; Pr 29:23; Mt 18:4; Lu 14:11; 1Pe 5:6.
HUMO, 2Re 22:17 **h.** de sacrificio a otros
Sl 37:20 En **h.** tienen que acabarse
Isa 34:10 su **h.** seguirá ascendiendo
Isa 51:6 cielos dispersarse como **h.**
Jer 7:9 y hacer **h.** de sacrificio a Baal
Jer 44:25 **h.** de sacrificio a la reina de
Rev 14:11 el **h.** del tormento de ellos
Sl 68:2; Jer 44:5; Mal 1:11.
HUMOR, Job 11:19 de **h.** amable
HURTADOS(DAS), Pr 9:17 aguas **h.** son dulces
Éx 22:12; 2Sa 21:12.
HURTAR, Gé 31:32 Raquel los había **h.**
Éx 20:15 No debes **h.**
Éx 22:1 En caso que un hombre **h.** un toro
Le 19:11 No deben **h.,** y no deben engañar
Pr 30:9 para que no **h.** y acometa el nombre
Jer 7:9 ¿Acaso se puede **h.,** asesinar
Jer 23:30 los que están **h.** mis palabras
Mt 6:20 ladrones no entran por fuerza y **h.**
Ef 4:28 El que **h.,** ya no **h.** más
HUSO, Pr 31:19 manos asen el **h.**

I

IDEA(S), Job 42:2 no hay **i.** irrealizable
Sl 10:4 sus **i.** son: No hay Dios
Sl 21:11; Pr 12:2; 24:8; Jer 23:20.
IDEAR, Pr 14:22 los que **i.** maldad no
Na 1:11 saldrá uno que **i.** contra Jehová
IDÓLATRA(S), 1Co 5:11 cesen mezclarse **i.**
1Co 5:10; 6:9; 10:7; Ef 5:5.
IDOLATRÍA, 1Co 10:14 huyan de la **i.**
Col 3:5 codicia, que es **i.**
ÍDOLO(S), Sl 106:36 **i.,** ser un lazo
Jon 2:8 observan los **í.** de la falsedad
Hch 15:20 de cosas contaminadas por **í.**
1Co 8:4 un **i.** no es nada en el mundo
2Co 6:16 el templo de Dios con los **i.?**
1Jn 5:21 Hijitos, guárdense de **í.**
Sl 115:4; Isa 48:5; Miq 1:7; Hch 7:41.
ÍDOLOS ESTERCOLIZOS,
Le 26:30; 1Re 15:12.
ÍDOLO(S) VANO(S), Sl 31:6 **í.,** inútiles
Dt 32:21; 1Re 16:13; 2Re 17:15; Jer 2:5.
IDÓNEOS, Col 1:12 Padre los ha hecho **i.**
IGLESIA. Véase CONGREGACIÓN(ES).
IGNORANCIA, Hch 17:30 pasado por alto **i.**
2Co 2:11 no estamos en **i.** de sus designios
1Te 4:13 no en **i.** respecto a los durmiendo
Hch 3:17; Ef 4:18; Heb 9:7; 1Pe 1:14.
IGNORANTE(S), 1Ti 1:13 era **i.** y obré
Heb 5:2 tratar con moderación a **i.**
1Pe 2:15 amordacen el habla **i.** de hombres
IGNORAR, 2Pe 2:12 cosas que **i.** y hablan
IGUAL(ES), Isa 46:5 ¿A quién me harán **i.?**
Jn 5:18 haciéndose **i.** a Dios
Flp 2:6 no consideración a ser **i.** a Dios
Mt 20:12; Rev 21:16.
IGUALACIÓN, 2Co 8:14 se efectúe una **i.**
IGUALADOS, Pr 3:15; 8:11.
ILEGALES, 1Pe 4:3 hechos de idolatrías **i.**
ILEGÍTIMO(S), Dt 23:2 Ningún hijo **i.**
Heb 12:8 sin disciplina, son hijos **i.**
ILESO, Job 9:4 y salir **i.?**
ILETRADOS, Hch 4:13 **i.** y del vulgo
ILÍCITO, Ro 13:13 no en coito **i.**
ILUMINACIÓN, Da 5:11, 14; 2Co 4:4.
ILUMINADO(S), Job 33:30 **i.** con la luz
Ef 1:18 habiendo sido **i.** los ojos de su
Heb 6:4 que una vez por todas han sido **i.**
Heb 10:32 después que hubieron sido **i.**
ILUMINADORES, Flp 2:15 como **i.** en mundo

ILUMINAR, 2Co 4:6 en corazones para i.
ILUSIONAR, 2Re 18:32; Sl 62:4.
ILUSTRACIÓN(ES), Mt 13:10 usando i.?
Mt 13:34 sin i. no les hablaba
Mt 13:35 Abriré mi boca con i.
Mt 24:32 de la higuera como i.
Lu 8:10 para los demás está en i.
Gál 3:15 hablo con una i. humana:
Heb 9:9 Esta tienda es una i. para el
Heb 11:19 lo recibió a manera de i.
Mt 15:15; Mr 4:10, 11; 12:1, 12; 13:28.
ILUSTRE, Hch 2:20 i. día de Jehová
IMAGEN(ES), Gé 1:26 hombre a nuestra i.
Éx 20:4 No debes hacerte una i. tallada
Sl 78:58 i. incitándolo a celos
Isa 42:8 ni mi alabanza a i. esculpidas
Da 2:31 rey, estabas contemplando cierta i.
Da 3:18 i. de oro no adoraremos
Mt 22:20 ¿De quién es esta i. e inscripción?
1Co 15:49 llevaremos la i. del celestial
Rev 14:9 adora a la bestia y a su i.
Rev 20:4 no habían adorado bestia ni i.
Miq 5:13; Hab 2:18; Ro 8:29; Col 1:15.
IMÁGENES MENTALES, Da 4:5 i. sobre cama
IMAGINABLE, Le 7:24 cualquier cosa i.
IMAGINACIÓN(ES), Sl 73:7 i. del corazón
Pr 18:11 como muro protector en su i.
IMAGINARSE, Est 4:13 No te i. dentro de
Lu 12:51 ¿Se i. que vine a dar paz
Jn 11:13 ellos se i. que él estaba
Jn 13:29 Algunos se i. que, como Judas
IMITADORES, 1Co 11:1 Háganse i. de mí
Ef 5:1 háganse i. de Dios, como hijos
1Co 4:16; Flp 3:17; 1Te 1:6; 2:14; Heb 6:12.
IMITAR, 2Te 3:7 ustedes deben i.
2Te 3:9; Heb 13:7.
IMPACIENTARSE, Job 21:4; Zac 11:8.
IMPACIENTE, Pr 14:29.
IMPARCIAL, 1Pe 1:17 Padre juzga i.
IMPARTIR, Pr 9:9 i. conocimiento a alguien
Da 2:21 empezó a i. entendimiento y a
Da 11:33 i. entendimiento a los muchos
Gál 2:6 aquellos hombres no me i. nada nuevo
Flp 4:13 de aquel que me i. poder
1Ti 1:12 me i. poder, porque me asignó
IMPEDIMENTO, Mr 7:35 i. de su lengua
IMPEDÍRSELO, Mr 9:38 tratamos de i.
IMPELER, Éx 35:21; 36:2 corazón lo i.
Jue 13:25 espíritu de Jehová comenzó a i.
IMPENETRABLE, Zac 11:2 bosque i.
IMPERIAL, 2Cr 32:9 todo su poder i.
IMPETUOSA, Hab 1:6 nación amarga e i.
IMPIEDAD, Ro 1:18 ira contra toda i.
2Ti 2:16 avanzarán a más y más i.
Tit 2:12 nos instruye a repudiar la i.
IMPÍO(PÍA), Ro 5:6 Cristo murió por i.
Ro 11:26 y apartará de Jacob prácticas i.
1Ti 1:9 la ley para i. y pecadores
1Pe 4:18; 2Pe 2:6; 3:7; Jud 15.
IMPLANTACIÓN, Snt 1:21 i. de la palabra
IMPLORAR, Jer 7:16 ni me i., porque no te
Heb 12:19 pueblo i. que no se añadiera
IMPONER(SE), Éx 21:22 i. el pago de daños
Ne 10:32 nos i. mandamientos
IMPORTANTES, Flp 1:10 las cosas más i.
IMPORTUNACIONES, Pr 6:3 inunda con i.
IMPOSIBILIDAD, Lu 1:37 con Dios ninguna i.
IMPOSIBILITADO, Hch 14:8 varón i. de los pies
IMPOSIBLE, Mt 19:26 hombres esto es i.
Heb 6:18 es i. que Dios mienta
Mt 17:20; Mr 10:27; Heb 11:6.
IMPOSTOR(ES), Mt 27:63; 2Ti 3:13.
IMPOSTURA, Mt 27:64 esta i. será peor

IMPOTENTES EN LA MUERTE, Pr 9:18.
Isa 26:14 i., no se levantarán
IMPRESIÓN, Jn 20:25 i. de los clavos
IMPRIMIR, Da 9:24 i. sello sobre visión
IMPROPIEDAD, Jer 23:13 he visto i.
IMPROPIO, Job 1:22; 24:12.
IMPROVISAR, Am 6:5 i. de acuerdo con
IMPUESTO(S), Nú 31:28 i. para Jehová
Mt 17:24 ¿No paga el maestro el i.
Lu 23:2 prohibiendo pagar i. a César
Ro 13:7 al que pide i., el i.
Heb 9:10 fueron i. hasta el tiempo
IMPULSAR, Ex 4:23 fuerza que i. su mente
IMPULSO(S), Jn 16:13 no hablará por i.
1Ti 5:11 sus i. sexuales se han
IMPURA, 2Cr 29:5; Esd 9:11.
IMPUREZA, Eze 18:6 una mujer en su i.
IMPUTAR(SE), Ro 5:13 a nadie se i. pecado
2Co 5:19 a un mundo, no i. sus ofensas
INACCESIBLE, 1Ti 6:16 en luz i.
INACTIVO(VA), Ro 6:6 cuerpo pecaminoso i.
Snt 2:20 fe aparte de obras es i.?
2Pe 1:8 impedirán que sean i.
INANIMADOS(DAS), Jer 51:6; 1Co 14:7.
INAUGURACIÓN, Nú 7:10 en la i. del altar
2Cr 7:9 la i. del altar
Esd 6:16; Ne 12:27; Da 3:2.
INAUGURADO, Heb 9:18 ni pacto anterior i. sin
INAUGURAR, 1Re 8:63 i. la casa de Jehová
Heb 10:20 nos i. como camino nuevo y
INCAPACIDAD, Ro 8:3 i. de parte de la Ley
INCENDIO, 1Pe 4:12; Rev 18:9.
INCENSARIO, Heb 9:4 tenía un i. y el arca
INCENTIVO, Ro 7:8 pecado, recibiendo i.
2Co 5:12 dando un i. para jactarse
Gál 5:13 libertad como i. para carne
1Ti 5:14 no dar al opositor i. para
INCESANTEMENTE, 1Te 1:3.
INCIENSO, Rev 8:4 i. con las oraciones
Le 16:13; Dt 33:10; Sl 141:2.
INCIENSO PERFUMADO, Ex 25:6; 30:7.
INCIERTA, 1Co 9:26 estoy corriendo no es i.
INCINERAR, Eze 5:4 i. en el fuego
INCIRCUNCISIÓN, Gál 5:6 ni la i., sino la fe
Ro 2:25, 26; 1Co 7:19; Col 3:11.
INCIRCUNCISO(S), Isa 52:1 no volverá el i.
Hch 7:51 obstinados e i. de corazón
Le 26:41; Eze 32:24; Hab 2:16; 1Co 7:18.
INCISIÓN, Le 21:5 no hacer i. en su carne
INCITAR, 1Re 21:25 i. Jezabel su esposa
Ro 10:19 Los i. a ustedes a celos
1Co 10:22 estamos i. a Jehová a celos
Heb 10:24 unos a otros para i. al amor
Jos 15:18; Jue 1:14; 1Cr 21:1; Job 2:3.
INCLINACIÓN(ES), Gé 6:5 toda i. de los
1Cr 28:9 escudriñando, toda i. de los
1Cr 29:18 mantén esto como i. del corazón
Ef 6:7 Sean esclavos con buenas i.
Gé 8:21; Dt 31:21; Isa 26:3; Snt 3:4.
INCLINACIÓN PARCIAL, 1Ti 5:21 según i.
INCLINADAS, Sl 62:3 son como una pared i.
INCLINAR(SE), Dt 30:17 te i. ante otros dioses
2Cr 7:3 se i. rostros a tierra
Sl 138:2 Me i. hacia tu santo templo
Isa 2:8 Ante la obra de manos se i.
Ex 20:5; Jue 9:3; 1Sa 8:3; Sl 17:11; 66:4; Pr
4:27; 5:1, 13; Isa 27:13; Zac 14:16; Flp 3:15.
INCOMODIDAD, Rut 2:22 no te causen i.
INCOMPRENSIBLES, Jer 33:3 cosas i.
INCONSTANTE, Snt 1:8 hombre indeciso, i. en
INCONTAMINADO(DA), Heb 7:26 i., separado
Snt 1:27 adoración que es limpia e i.
1Pe 1:4 herencia i. e inmarcesible
INCORRUPCIÓN, 1Co 15:42 se levanta en i.

1Co 15:50 tampoco corrupción hereda i.
Ef 6:24 aman a Jesucristo en i.
2Ti 1:10 ha arrojado luz sobre vida y la i.
Tit 2:7 mostrando i. en tu enseñanza
INCORRUPTIBILIDAD, Ro 2:7 que buscan i.
INCORRUPTIBLE(S), Ro 1:23 gloria del Dios i.
1Co 9:25 corona corruptible, nosotros una i.
1Co 15:52 muertos serán levantados i.
1Ti 1:17 al Rey de la eternidad, i.
1Pe 1:4 a herencia i. e inmarcesible
1Pe 1:23 no semilla corruptible, sino i.
1Pe 3:4 vestidura i. del espíritu
INCREDULIDAD. Véase FALTA DE FE.
INCRÉDULO(LA), 1Co 6:6 tribunales, ante i.?
1Co 7:12 esposa i., sin embargo ella
1Co 7:14 esposo i. es santificado con
1Co 14:22 lenguas son señal a los i.
2Co 4:4 ha cegado mentes de los i.
2Co 6:14 No bajo yugo desigual con i.
2Co 6:15 una persona fiel con un i.?
INCREÍBLE, Hch 26:8 ¿Por qué juzga i.
INCREMENTAR, 2Cr 28:13.
INCULCAR, Dt 6:7 a tu hijo
INCULPABLE(S), Job 12:4 hazmerreír el i.
1Te 2:10 justos e i. demostramos ser
1Ti 3:13 i. en santidad delante de Dios y
INCURABLE, Isa 17:11 y del dolor i.
Miq 1:9 el golpe sobre ella es i.
Job 34:6; Jer 15:18; 30:15; Na 3:19.
INCURRIR, 1Jn 5:16, 17 pecado que no i.
INDECENTE, Dt 23:14; 24:1.
INDECENTEMENTE, 1Co 13:5 no se porta i.
INDECISO(S), Snt 1:8; 4:8.
INDESCRIPTIBLE, 2Co 9:15 su i. dádiva
INDESTRUCTIBLE, Heb 7:16 poder de vida i.
INDIA, Est 1:1; 8:9.
INDICACIÓN, Flp 1:28 i. proviene de Dios
INDICADOR, Pr 16:11 i. y balanza justos
INDICAR, 1Pe 1:11 i. respecto a Cristo
INDIGENCIA, 1Ti 5:5 viuda en i. ha puesto
INDIGNACIÓN, 2Cr 29:8 la i. de Jehová vino
Isa 34:2 i. contra todas las naciones
Mr 3:5 después de una mirada con i., dijo:
Dt 29:28; Jer 10:10; 50:13; Mr 14:4.
INDIGNACIÓN, ARDER DE, 2Co 11:29.
INDIGNADO, Gé 41:10 Faraón estaba i.
INDIGNAMENTE, 1Co 11:27 copa del Señor i.
INDIGNAR(SE), Éx 16:20 Moisés se i. contra
Mr 10:14 Al ver esto, Jesús se i.
Nú 16:22; Ec 5:6; Isa 57:17; Mt 21:15.
INDIGNIDAD, Sl 24:4 alma a pura i.
INDIGNO(NA), Gé 32:10 i. soy de todas las
Éx 20:7 No tomar el nombre de manera i.
INDISPUESTO, Snt 5:15 oración sanará al i.
INDISPUESTO A RECIBIR, Isa 6:10.
INDISPUTABLEMENTE, 2Sa 12:14.
INDISTINTO, 1Co 14:8 trompeta da toque i.
INDIVIDUALMENTE, Ro 12:5 pertenecemos i.
1Co 12:27 cuerpo de Cristo, miembros i.
INDIVIDUO, Pr 27:21 i. es conforme a su
Hch 24:5 es un i. pestilente y promueve
INDOCTOS, 2Pe 3:16 cartas que i. tuercen
INDOLENTE, Mt 25:26 Esclavo inicuo e i.
Heb 6:12 para que no se hagan i.
INDUCIR, Dt 26:17, 18 Jehová ha i. a decir
Pr 25:15 paciencia se i. a un comandante
INDULGENTE, Ne 9:30 i. con ellos por años
INEFICACIA, Heb 7:18 a causa de su i.
INESCRUTABLE(S), Ro 11:33 ¡Cuán i. sus
Job 5:9; 9:10; Sl 145:3; Pr 25:3.
INEXCUSABLE(S), Ro 1:20 de modo que son i.
Ro 2:1 eres i., oh hombre, si juzgas
INEXISTENTE, Isa 41:12, 24, 29.

INEXPERTO(S), Sl 19:7 hace sabio al i.
Pr 22:3 los i. tienen que sufrir la pena
2Co 11:6 aunque sea i. en el habla
Sl 119:130; Pr 1:22; 14:15; 21:11; Eze 45:20.
INEXPRESABLES, 2Co 12:4 oyó palabras i.
INFAMAR, 1Co 4:13 cuando se nos i.
INFAMIA, Eze 23:10 ser i. para mujeres
INFANCIA, 2Ti 3:15 desde la i. has
INFIDELIDAD, 1Cr 10:13 murió Saúl por i.
Jos 7:1; 22:22; Eze 17:20; 18:24.
INFIELES, Lu 12:46 una parte con los i.
2Ti 2:13 si somos i., él permanece fiel
INFIERNO. Véanse GEHENA, HADES, SEOL, TÁRTARO.
ÍNFIMA IMPORTANCIA, 1Co 4:3 asunto de í.
INFLAMACIÓN, Dt 28:22; Hch 28:6.
INFLIGIR, 2Co 10:6 i. castigo por desobediencia
INFORMADOR, 2Sa 15:13 vino un i. a David
INFORMANTE, Jer 51:31 i. al encuentro de i.
INFORMAR, Le 5:1 es testigo, si no lo i.
1Te 1:9 siguen i. acerca de
1Jn 1:2 estamos dando testimonio e i. de
INFORME(S), Éx 23:1 No repetir i. falso
Pr 25:25 un buen i. de un país distante
Da 11:44 i. que lo perturbarán, desde el
Mt 24:6 oír de guerras e i. de guerras
2Co 6:8 mediante mal i. y buen i.
Nú 14:36; Job 28:22; Pr 15:30; Eze 7:26.
INFRUCTÍFERO(RA), Tit 3:14 no sean i.
2Pe 1:8 inactivos o i. al conocimiento
Mt 13:22; 1Co 14:14; Ef 5:11
ÍNFULAS, DARSE, Jer 48:26; Da 8:4, 8.
INFUNDIR, 2Ti 4:17 el Señor me i. poder
INGENIEROS, 2Cr 26:15 invención de i.
INGENIOSOS, Éx 35:33 hacer i. productos
INGOBERNABLES, 1Ti 1:9; Tit 1:6, 10.
INICIAL, Eze 36:11 más que su estado i.
INICIAR, Mr 6:7 i. el enviarlos de dos en
2Co 8:6 el que lo había i., él completara
2Co 8:10 ya hace un año que ustedes i.
INICIATIVA, Jn 5:19, 30; 7:28; 8:28, 42.
INICUO(CUA), Job 11:20 ojos de i. fallarán
Sl 9:17 La gente i. se volverá al Seol
Sl 37:10 y el i. ya no será
Pr 15:8 sacrificio de los i. es detestable
Pr 29:2 i. gobierna, el pueblo suspira
Isa 57:21 No hay paz para los i.
Eze 3:18 advertir a i. de su camino i.
Eze 33:11 no me deleito en la muerte del i.
Da 12:10 i. actuarán inicuamente, ningún i.
Mt 6:13 tentación, sino líbranos del i.
Ef 5:16 porque los días son i.
Ef 6:16 apagar proyectiles encendidos del i.
1Jn 5:19 mundo yace en el poder del i.
Sl 145:20; Jer 12:1; Mt 12:35; Ro 12:9.
ININTELIGIBLEMENTE, Sl 114:1 hablaba i.
ININVESTIGABLES, Ro 11:33 i. sus caminos!
INIQUIDAD, Sl 45:7 y odias la i.
Sl 84:10 que ir en las tiendas de la i.
1Co 5:8 levadura de maldad y e i.
1Te 5:22 Absténganse de toda forma de i.
Sl 5:4; 125:3; Eze 3:19; Mt 22:18.
INJERTADO(S), Ro 11:17, 19, 23, 24.
INJURIADOR(ES), 1Co 5:11 cesen mezclarse i.
1Co 6:10 ni i., heredarán el reino de Dios
INJURIAR, 1Co 4:12; 1Pe 2:23.
INJURIOSO(SA), Ef 4:31 griteriá y habla i.
1Ti 6:4 contienda, discursos i., sospechas
INJUSTAMENTE, 1Pe 2:19 sufre i., esto es
INJUSTICIA(S), Le 19:15 No hacer i.
Le 25:14 no se hagan i. unos a otros
Dt 32:4 Dios con quien no hay i.
Sl 92:15 mi Roca, en quien no hay i.
Sof 3:5 Jehová no hacía i.

Ro 9:14 ¿Hay i. con Dios? ¡Jamás
1Co 6:7 no dejan que les hagan i.?
2Co 7:2 A nadie hemos hecho i., a nadie
1Jn 5:17 Toda i. es pecado
Rev 22:11 El que está haciendo i., haga i.
Sl 7:3; Pr 29:27; Eze 3:20; Rev 18:5.

INJUSTO(TA), Éx 18:21 odien ganancia i.
Pr 15:27 El que saca ganancia i. acarreando
Hch 24:15 resurrección de justos como de i.
1Co 6:9 i. no heredarán el reino de Dios?
Heb 6:10 Dios no es i. para olvidar la obra
1Pe 3:18 un justo por i., para conducirlos
Jer 2:5; Ro 3:5.

INMACULADO(DA), 1Ti 6:14; 1Pe 1:19.
2Pe 3:14 los halle i. y sin tacha

INMARCESIBLE, 1Pe 1:4 herencia i.
1Pe 5:4 recibirán la i. corona de gloria

INMINENTE, 2Ti 4:6 mi liberación es i.

INMODERACIÓN, Sl 23:25 saqueo e i.

INMORALMENTE, Sl 73:27 que i. te deja

INMORTALIDAD, 1Co 15:53 vestirse de i.
1Ti 6:16 el único que tiene i., que mora

INMÓVIL(ES), Éx 15:16; Jos 10:12, 13.

INMUNDICIA, Lam 1:9 i. está en sus faldas
Mt 23:27 llenos de toda suerte de i.
Ro 1:24 Dios los entregó a la i.
1Te 4:7 nos llamó, no con permiso para i.
Eze 39:24; Ro 6:19; Ef 5:3.

INMUNDO(DA), Job 14:4 de alguien i.?
Isa 6:5 hombre i. de labios soy
Isa 35:8 El i. no pasará por ella
Isa 52:1 ya no volverá a entrar el i.
Isa 64:6 llegamos a ser como alguien i.
1Co 7:14 sus hijos serían i.
2Co 6:17 dejen de tocar la cosa i.
Rev 16:13 tres expresiones inspiradas i.
Le 11:8; Ag 2:13; Hch 10:14; Rev 18:2.

INMUTABILIDAD, Heb 6:17 i. de su consejo

INMUTABLES, Heb 6:18 dos cosas i.

INNEGABLEMENTE, 2Sa 12:14 i. tratado con

INNOBLES, 1Co 1:28 Dios escogió cosas i.

INNUMERABLES, Heb 11:12 arenas del mar, i.

INOCENCIA, Os 8:5 incapaces de lograr i.

INOCENTE(S), Sl 94:21 la sangre del i.
Mt 10:16 demuestren ser i. como palomas
Mt 27:24 i. de la sangre de este hombre
Ro 16:19 pero i. en cuanto a lo malo
Éx 23:7; Dt 19:10; Sl 24:4; Pr 6:17.

INQUIETANTES, Sl 94:19 pensamientos i.

INQUIETAR(SE), Sl 38:18 empecé a i.
Mt 6:25 Dejen de i. respecto a su alma
Mt 10:19 no se i. de cómo o qué hablar
1Co 7:32 El hombre no casado se i. por
Jer 17:8; Mt 6:34; Flp 4:6.

INQUIETO(TA), 1Sa 9:5 se ponga i. por
Lu 10:41 Marta, estás i. y turbada

INQUIETUD(ES), Sl 55:2 que mostrar i.
Mr 4:19 i. de este sistema
1Co 7:32 quiero que estén libres de i.
Mt 6:34; 13:22; Lu 8:14; 21:34; 1Pe 5:7.

INQUIRIR, Mt 2:4; Hch 21:33; 23:34.
Esd 8:15 pudiera i. acerca del pueblo

INSCRIBIR(SE), Éx 39:30 i. sobre ella
Nú 1:44 a quienes Moisés i.
Isa 30:8 escríbelo e i. hasta un libro
Lu 2:1 decreto de que se i. toda la tierra

INSCRIPCIÓN, Éx 39:30 i. con grabados
Mt 22:20 ¿De quién es esta i.?

INSCRITO(TA), 2Co 3:2 carta i. en corazones
Nú 3:22; 26:7.

INSECTOS, Dt 28:42 tomarán en posesión i.

INSEGURIDAD, Sl 38:16 se movieran con i.
Isa 24:20 tierra se mueve con i. como
Isa 29:9 movido con i., no a causa de licor

INSEGURO(RA), 2Co 1:8 i. de nuestra vida
1Ti 6:17 no en riquezas i., sino en Dios

INSENSATEZ, Lu 6:11.
Isa 9:17 toda boca está hablando i.

INSENSATO(S), Sl 14:1 El i. ha dicho
Sl 74:18 pueblo i. ha tratado tu nombre
Jer 17:11; Lu 24:25; 1Ti 6:9; Tit 3:3.

INSENSIBILIDAD, Mr 3:5 contristado por i.
Ef 4:18 a causa de la i. de su corazón

INSENSIBLE, Éx 7:14 corazón de Faraón i.
1Sa 6:6 ¿por qué deben hacer i. su corazón

INSERTADAS, 2Cr 20:34 palabras i. en Libro

INSIGNIFICANCIAS, 1Ti 6:5 disputas de i.

INSIGNIFICANTE(S), Sl 119:141 soy i. y
Jer 30:19 ellos no se harán i.
Zac 13:7 volveré mi mano sobre los i.
Mt 2:6 Belén, no eres ciudad i.
1Re 16:31; 2Re 3:18; Job 14:21; Jer 14:3.

INSINUACIONES, Heb 12:6 contra él i.

INSISTENCIA. Véase DEVOCIÓN
EXCLUSIVA.
Sl 90:10 i. está en penoso afán

INSOLENCIA, Pr 11:2 Isa 9:9; Isa 37:3; Hch 14:5.

INSOLENCIA DE CORAZÓN,
Isa 9:9; Lam 3:65.

INSOLENTE(S), Sof 3:4 Sus profetas eran i.
Isa 33:19; Eze 2:4; Ro 1:30.

INSOLENTEMENTE, 1Te 2:2 tratados i.
Mt 22:6; Lu 18:32.

INSONDABLES, Ef 3:8 riquezas i. del Cristo

INSOSPECHADAMENTE, Gé 34:25 i. y a matar

INSPECCIÓN, 1Pe 2:12 el día para la i.

INSPECCIONAR, Lu 19:44 que se te i.

INSPIRACIÓN, 1Cr 28:12 estar con él por i.
Mt 22:43 David por i. lo llama Señor
Rev 1:10 Por i. llegué a estar en el día

INSPIRADA, Pr 16:10 Decisión i. debe
2Ti 3:16 Toda Escritura es i.

INSPIRADOR(RA) DE TEMOR, Éx 34:10 cosa i.
Dt 10:17 Jehová es el Dios grande, i.
Sl 45:4 tu diestra te instruirá en cosas i.
Joe 2:11 día de Jehová es grande y muy i.
Sof 2:11 Jehová será i. contra ellos
Jue 13:6; 1Cr 17:21; Ne 1:5; Sl 111:9; Isa
18:2; Joe 2:31.

INSPIRAR, Sl 139:14 de manera que i. temor
Rev 19:10 testimonio de Jesús i. el

INSTALACIÓN, Éx 29:22; Le 7:37; 8:28.

INSTANTÁNEAMENTE, 1Te 5:3 destrucción i.

INSTANTE, Lu 4:5 le mostró en un i.

INSTAR, Éx 12:33 egipcios empezaron a i.
1Ti 5:1 Por lo contrario, i. como a padre

INSTIGAR, Jer 43:3 Nerías te está i.

INSTINTIVAMENTE, Pr 30:24 i. sabias:

INSTRUCCIÓN, Dt 32:2 Goteará mi i.
Pr 1:5 El sabio escucha y absorbe más i.
Ro 15:4 escritas para nuestra i.
Gál 6:6 haga partícipe al que da i.
Pr 4:2; Isa 9:15; 1Te 4:1.

INSTRUCTOR(ES), Isa 30:20 tu Magnífico I.
Mt 13:52 todo i. público, cuando
Mt 23:34 envío profetas y sabios e i.
2Cr 35:3; Esd 8:16; Pr 5:13; Hab 2:18.

INSTRUCTOR(ES) PÚBLICO(S),
Mt 13:52; 23:34.

INSTRUIDO, Hch 7:22; Ro 2:18.

INSTRUIR, Esd 7:25 ustedes lo i.
Ne 8:9 los levitas que i. a la gente
Sl 25:8 Jehová i. a los pecadores
Isa 2:3 Jehová, él nos i. acerca de sus
1Co 2:16 mente de Jehová, para que le i.?
Dt 17:10; 1Sa 12:23; Sl 25:12; 27:11; 32:8;
45:4; Miq 3:11; 1Co 14:19; 2Ti 2:25; Tit 2:12.

INSTRUMENTO, Sl 71:22 i. de cuerdas
INSTRUMENTO DE HIERRO, Ec 10:10.
INSTRUMENTO DE NIVELAR, 2Re 21:13.
 Isa 28:17 y de la justicia el i.
INSULTANTE, Job 20:3 i. exhortación
INSULTO, Sl 4:2 mi gloria objeto de i.
INTEGRIDAD, Job 31:6 Dios conocer mi i.
 Sl 26:11 cuanto a mí, andaré en mi i.
 Pr 14:32 justo hallará refugio en su i.
 1Re 9:4; Job 27:5; Sl 7:8; 25:21; 41:12; 78:72;
 Pr 2:7; 11:3; 20:7.
INTELECTUALES, Mt 11:25 escondido de i.
 1Co 1:19 a un lado la inteligencia de i.
 1Jn 5:20 nos ha dado capacidad i.
INTELIGENCIA, 1Co 1:19; Rev 13:18; 17:9.
INTENCIÓN(ES), Éx 32:12 mala i. los sacó
 Da 7:25 Y tendrá i. de cambiar tiempos y
 Heb 4:12 puede discernir i. del corazón
 Lu 1:51; 2Co 1:17.
INTENSIDAD, Hch 18:28 con i. probó
INTENSO, 1Pe 4:8 tengan amor i. unos
INTENSO INTERÉS, Am 4:13.
INTERCAMBIO, Ro 1:12 i. de estímulo
INTERCEDER, Nú 21:7 i. con Jehová para
INTERCESIONES, 1Ti 2:1 oraciones, i.
INTERÉS(ES), Mt 25:27 recibiendo con i.
 1Co 13:5 amor no busca sus propios i.
 Flp 2:4 también con i. personal los demás
 Flp 2:21 buscan sus propios i., no
 Éx 22:25; Pr 28:8; 1Te 2:15.
INTERÉS INTENSO, Sl 119:97 tu ley, mi i.
INTERIOR, Lu 11:39 i. lleno de saqueo
 Ef 3:16 poderosos en el hombre i.
 Sl 5:9; 51:6.
INTERIORMENTE, 2Co 4:16 que somos i.
INTERNA, Ro 14:1 cuestiones de duda i.
INTERPONERSE, Sal 33:12 procedió a i.
 Isa 59:16 no hubiera quien se i.
INTERPRETACIÓN(ES), Gé 40:8 i. de Dios?
 Ec 8:1 ¿quién que conozca la i. de
 Da 2:3 mostraremos la i. misma
 Da 5:16 he oído que puedes suministrar i.
 Da 5:26 Esta es la i. de la palabra:
 1Co 12:10 a otro i. de lenguas
 1Co 14:26 una i. Efectúense todas las cosas
 2Pe 1:20 ninguna profecía de i. privada
INTERPRETAR, Mt 16:3 i. la apariencia del
INTERROGAR, Mt 22:46; Hch 22:29.
INTERVALO, Gé 32:16 fijar un i. entre hato
 1Co 14:7 a menos que haga i. a los tonos
INTERVENIR, Sl 106:30 Finehás i.
INTESTINOS, Éx 29:13 grasa que cubre i.
INTIMIDAD, Job 29:4 la i. con Dios estaba
 Sl 25:14 i. con Jehová pertenece a los
 Sl 55:14 disfrutábamos de dulce i. juntos
 Pr 3:32 Él tiene i. con los rectos
INTRIGAS, Pr 16:28 hombre de i. sigue
INTRODUCIR, Lu 22:54 i. en la casa del
INUNDACIÓN, Da 9:26 el fin por la i.
 Na 1:8 la i. hará un exterminio
INÚTIL(ES), Sl 60:11 salvación por hombre i.
 Jer 18:12 Y ellos dijeron: ¡Es i.!
 Ro 3:12 todos juntos se han hecho i.
 Tit 3:9 cuestiones necias son i. y vanas
INUTILIDAD, Ef 4:17 i. de su mente
INVADIR, 2Cr 24:23 Siria i. a Judá
INVALIDAR, Job 40:8 ¿i. tú mi justicia?
 Gál 3:17 Ley que vino a existir no lo i.
INVARIABLE, 2Co 1:7 a ustedes es i.
INVASIÓN, Miq 5:1 oh hija de una i.
INVENCIÓN, 2Cr 26:15 i. de ingenieros
INVENTAR, 1Re 12:33 mes octavo que había i.
 Ne 6:8 de tu corazón las estás i.
INVENTARIO, Éx 38:21 el i. del tabernáculo
INVESTIGACIÓN, Job 34:24 sin ninguna i.

 1Ti 1:4 proporcionan cuestiones para i.
 Esd 4:15; 5:17; 6:1.
INVESTIGAR, Dt 13:14 escudriñar e i.
 Hch 7:31 acercarse para i., voz de Jehová:
 1Pe 1:11 Siguieron i. qué época
INVIERNO, Gé 8:22 nunca cesarán verano e i.
 Sl 74:17 verano e i.… tú los formaste
 Zac 14:8 En verano y en i. ocurrirá
 Mt 24:20 su huida no ocurra en tiempo de i.
INVISIBLE(S), Ro 1:20 las cualidades i.
 Col 1:15 Él es la imagen del Dios i.
 1Ti 1:17 Rey de la eternidad, i.
 Heb 11:27 si viera a Aquel que es i.
INVITADOS, Mt 22:14 muchos i., pero pocos
 Sof 1:7; Jn 2:2; Rev 19:9.
INVITAR, Éx 34:15 te i., y comerás
INVOCACIÓN DE MAL, Dt 11:26; Pr 26:2.
INVOCAR, Sl 145:18 cerca de los que lo i.
 Hch 2:21 todo que i. el nombre de Jehová
 Gé 4:26; Éx 21:17; Joe 2:32; Ro 10:13.
IR(SE), Pr 11:15 le i. mal a fiador por un
 Hch 18:2 los judíos se f. de Roma
 1Co 7:10, 15 esposa no i. de esposo
IRA, Jn 3:36 la i. de Dios permanece
 Snt 1:20 i. del hombre no obra la justicia
 Rev 11:18 se airaron, y vino tu propia i.
 Ro 9:22; 12:19; 13:4; 1Te 5:9; Rev 19:15.
IRRACIONALES, 2Pe 2:12 como animales i.
IRRAZONABLE(S), Lu 12:20 i., esta noche
 Sl 49:10; 73:22; 92:6; 94:8; Pr 12:1; 30:2; Lu
 11:40; 1Co 15:36; 2Co 11:16; 1Pe 2:15.
IRRAZONABLEMENTE, Jer 10:14 portado i.
IRREALIDAD, Isa 41:29; 44:9; 59:4.
 Isa 40:17 Todas las naciones como una i.
IRREALIZABLE, Job 42:2 no idea que sea i.
IRREFLEXIÓN, Job 35:15 nota de extremada i.
IRREFLEXIVAMENTE, Pr 12:18 habla i.
IRREPRENSIBLE(S), 1Ti 3:2 debe ser i.
 1Ti 5:7 mandatos, para que sean i.
 1Ti 6:14 observes de manera inmaculada e i.
IRREVERENTE, 2Sa 6:7 lo derribó por el acto i.
IRRITACIÓN, Job 6:2 que se pesara mi i.
 Sl 6:7 Por i. mi ojo se ha debilitado
 Pr 17:25 hijo estúpido es i. a su
 Ec 1:18 en la sabiduría hay abundancia de i.
 Ec 7:3 Mejor es la i. que la risa, porque se
IRRITAR, Esd 5:12 nuestros padres i. al Dios
 Ef 6:4 no estén i. a sus hijos
 Job 19:2; Isa 51:23.
IRRITAR PENOSAMENTE, 1Sa 1:6.
ISAAC, Gé 17:19 llamarlo por nombre I.
 Ro 9:7 descendencia será mediante I.
 Gé 22:9; Mt 8:11; Heb 11:17, 20.
ISACAR, Gé 30:18; Jue 5:15; Rev 7:7.
ISAÍAS, Isa 1:1; Mt 15:7; Ro 15:12.
ISCARIOTE, Mt 10:4; 26:14; Jn 6:71.
ISLA(S), Sl 97:1 Regocíjense las i.
 Isa 40:15; 41:1; 42:12; Rev 6:14; 16:20.
ISMAEL, Gé 16:11; 25:9; 28:9; Jer 41:6.
ISRAEL, Gé 35:10 I. llegará a ser tu nombre
 Éx 4:22 I. es mi hijo, mi primogénito
 1Cr 17:21 que nación como tu pueblo I.
 Ro 9:6 no todos los de I. son realmente I.
 Ef 2:12 alejados del estado de I.
 Gé 32:28; Sl 135:4; Isa 8:14; 10:20; Eze
 36:22; Os 1:10; Hch 13:23; Heb 8:10.
ISRAELITA, Jn 1:47 un i. de seguro
 Ro 11:1 también soy i., de la descendencia
ITALIA, Heb 13:24 Los de I. les envían

J

JABALINA, Jos 8:18, 26; 1Sa 17:6.
JABÍN, Jos 11:1; Jue 4:2, 24; Sl 83:9.
JACOB, Gé 25:33 vender su derecho a J.
 Nú 24:17 Una estrella saldrá de J.

Jer 30:7 el tiempo de angustia para J.
Eze 39:25 traeré a los cautivos de J.
Ro 9:13 Amé a J., pero odié a Esaú
Heb 11:9 Isaac y J., herederos con él de
Gé 25:26; Sl 14:7; Miq 1:5; Mt 22:32.
JACTANCIA, Ro 3:27; 2Co 9:3.
JACTANCIOSA, Pr 29:8 hombres de habla j.
JACTARSE, 1Co 1:29 ninguna carne se j.
Sl 34:2; 97:7; Pr 27:1; 1Co 1:31; Ef 2:9.
JADE, Éx 28:20; Eze 28:13.
JADEANTES, Isa 56:10 atalayas j., echados
JAEL, Jue 4:17, 18, 21, 22; 5:6, 24.
JAFET, Gé 5:32; 9:27; 1Cr 1:5.
JAH, Éx 15:2 Mi fuerza y mi poderío es J.
Sl 146:1 ¡Alaben a J.!
Isa 12:2 porque J. Jehová es mi fuerza
Sl 68:4; Can 8:6; Rev 19:1.
JAIRO, Mr 5:22; Lu 8:41.
JAKÍN, Gé 46:10; 1Re 7:21; 1Cr 9:10.
JARANA, Am 6:7 j. tiene que partir
JARDÍN(ES), Gé 2:8 plantó un j. en Edén
Jer 31:12 su alma como j. bien regado
Am 9:14 harán j. y comerán el fruto
Gé 2:15; 3:24; Isa 51:3; 58:11; Eze 36:35.
JARRA, Isa 26:11, 16; 1Re 19:6; Heb 9:4.
JARRO(S), Gé 24:14; Ec 12:6; Lam 4:2.
JARRONES, Jue 7:19, 20.
Jue 7:16 j. vacíos, y antorchas
JAULA, Eze 19:9 lo pusieron en la j.
JAVÁN, Gé 10:2; Isa 66:19; Eze 27:13.
JEBÚS, Jue 19:10; 1Cr 11:4.
JEBUSÍ, Jos 18:28 J., Jerusalén
JECONÍAS, 1Cr 3:16; 2Re 24:6; Jer 24:1.
JEFE(S), Gé 21:22; Dt 20:9; Ne 2:9; Isa 3:3.
JEFTÉ, Jue 11:30; Heb 11:32.
JEHOACAZ, 2Re 10:35; 23:30; 2Cr 21:17.
JEHOÁS, 2Re 11:21; 13:10; 14:13, 15.
JEHOIADÁ, 2Sa 8:18; 2Re 11:4; 2Cr 23:16.
JEHOIAQUIM, 2Re 23:34; 24:6; Da 1:2.
JEHONADAB, 2Re 10:15, 23.
JEHORAM, 1Re 22:50; 2Re 1:17; 2Cr 17:8.
JEHOSAFAT, Joe 3:2 la llanura baja de J.
2Cr 17:3, 10; 20:3, 15, 27; Joe 3:12.
JEHOVÁ, Gé 18:14 extraordinaria para J.?
Éx 5:2 ¿Quién es J.? No conozco a J.
Éx 6:3 mi nombre J. no me di a conocer
Éx 9:29 sepas que a J. pertenece la tierra
Éx 15:3 J. es persona varonil de guerra
Éx 20:7 No debes tomar el nombre de J. tu
Éx 32:26 ¿Quién está de parte de J.?
Éx 34:6 J., J., un Dios misericordioso
Le 19:2 santos, porque yo J. soy santo
Dt 4:24 J. tu Dios es un fuego consumidor
Dt 6:5 amar a J. tu Dios con todo corazón
Dt 10:17 J. es el Dios de dioses y Señor de
Dt 32:9 parte que corresponde a J. es su
1Sa 2:6 J. es Uno que mata y conserva
1Sa 16:7 J., él ve lo que es el corazón
1Sa 17:47 ni con espada ni lanza salva J.
1Sa 17:47 a J. pertenece la batalla
2Sa 22:32 ¿quién es un Dios fuera de J.
2Re 13:17 ¡La flecha de salvación de J.
Ne 4:14 J. el Grande y el Inspirador de
Sl 3:8 La salvación pertenece a J.
Sl 19:7 La ley de J. es perfecta
Sl 22:28 a J. pertenece la gobernación
Sl 33:12 Feliz la nación cuyo Dios es J.
Sl 34:8 Gusten y vean que J. es bueno
Sl 83:18 nombre es J., tú solo Altísimo
Sl 94:1 J., Dios de actos de venganza
Sl 113:5 ¿Quién es como J. nuestro Dios
Sl 125:2 así J. en derredor de su pueblo
Pr 18:10 nombre de J. es una torre fuerte
Pr 21:31 la salvación pertenece a J.
Isa 26:4 en Jah J. está Roca de tiempos
Isa 30:18 J. es un Dios de juicio
Isa 33:22 J. es nuestro Juez, Dador de
Isa 40:28 J., el Creador, no se cansa
Isa 59:1 mano de J. no se ha acortado
Isa 60:19 J. luz de duración indefinida
Isa 61:1 espíritu del Señor J. sobre mí
Isa 61:2 año de la buena voluntad de J.
Isa 66:1 J.: Los cielos son mi trono
Jer 10:10 J. es el Dios vivo y el Rey
Jer 51:6 tiempo de venganza pertenece a J.
Os 12:5 J. de los ejércitos, J. es su
Na 1:2 J. es un Dios que exige devoción
Na 1:3 J. es tardo para la cólera
Hab 2:20 J. está en su santo templo
Sof 2:3 busquen a J., todos los mansos
Mal 3:6 yo soy J.; no he cambiado
Mt 1:20 ángel de J. se le apareció
Mt 4:10 a J. tu Dios tienes que adorar
Mr 12:29 nuestro Dios es un solo J.
Lu 1:38 ¡Mira! ¡La esclava de J.!
Lu 1:46 Mi alma engrandece a J.
Lu 2:9 gloria de J. centelleó en derredor
Lu 2:26 hubiera visto al Cristo de J.
Jn 12:13 que viene en el nombre de J.
Hch 2:34 J. dijo a mi Señor: Siéntate
Hch 9:31 andaba en el temor de J. y en
Hch 21:14 Efectúese la voluntad de J.
Ro 14:8 vivimos para J., morimos para J.
Ro 15:11 Alaben a J., naciones todas
1Co 10:21 de la mesa de J. y de demonios
1Co 10:26 a J. pertenecen la tierra y lo
2Co 3:17 J. es el Espíritu; y donde
Ef 2:21 para ser templo santo para J.
Col 3:23 trabajen de toda alma como para J.
1Te 4:15 les decimos por palabra de J.:
1Te 5:2 día de J. viene exactamente como
2Te 2:2 el día de J. esté aquí
2Ti 2:19 J. conoce a los que le pertenecen
Heb 12:6 J. disciplina a quien ama
Heb 13:6 J. es mi ayudante; no tendré miedo
Snt 4:15 Si J. quiere, haremos esto o aquello
Snt 5:15 al indispuesto, y J. lo levantará
1Pe 1:25 el dicho de J. dura para siempre
2Pe 3:9 J. no es lento respecto a su promesa
2Pe 3:10 día de J. vendrá como ladrón
Jud 9 sino que dijo: Que J. te reprenda
Rev 4:8 Santo, santo, santo es J. Dios
Gé 2:4; Jos 24:15; Isa 14:6; 1Cr 29:11; Ne
8:10; Sl 31:23; 118:23; Pr 3:5; 8:13; Isa 12:2;
43:10; 55:8; Jer 17:10; 23:24; Da 9:4; Jn 1:23;
1Co 1:31; Gál 3:6; Col 3:13; Heb 8:11; Snt
5:11; 1Pe 3:12; Rev 19:6.
JEHOVÁ (en la *Versión Torres Amat*), Sl 82:19
(83:18); Isa 42:8.
JEHOVÁ DE LOS EJÉRCITOS, Isa 8:13; 47:4.
Isa 9:7 celo de J. hará esto
JEHOVÁ-NISÍ, Éx 17:15 altar por nombre J.
JEHOVÁ-SALOM, Jue 6:24 edificó altar J.
JEHOVÁ-YIRÉ, Gé 22:14 lugar por nombre J.
JEHÚ, 2Re 19:16; 2Re 9:13; 10:11, 21, 28.
JEREMÍAS, 2Cr 36:21; Jer 1:1; Da 9:2.
JERICÓ, Heb 11:30 muros de J. cayeron
Jos 2:1; 8:2; 1Re 16:34.
JEROBOÁN, 1Re 11:28; 2Re 17:21; Am 7:9.
JERUSALÉN, Jos 10:1 el rey de J. oyó
2Sa 5:5 en J. reinó por 33 años [David]
Isa 65:18 creando a J. una causa para gozo
Eze 9:4 Pasa por en medio de J., y
Mt 23:37 J., J., la que mata a profetas
Lu 21:24 J. será hollada por naciones
Gál 4:26 J. de arriba es libre, nuestra
Heb 12:22 se han acercado a J. celestial
Rev 21:2 Nueva J., que descendía del cielo
Jos 15:8; 2Re 14:13; 25:2; Isa 52:1; 62:6; Joe
2:32; Miq 4:2; Zac 8:3; Rev 3:12.
JESÉ, 1Sa 16:1; Isa 11:1; Ro 15:12.

JESUCRISTO, Jn 17:3; Flp 2:11; Rev 1:5.
JESURÚN, Dt 32:15; 33:5; Isa 44:2.
JESÚS, Mt 1:21 ponerle por nombre **J.**
  Mt 27:37 Este es J. el rey de los judíos
  Hch 9:5 Soy J., a quien estás persiguiendo
  Flp 2:10 nombre J. se doble toda rodilla
  Rev 20:4 ejecutados por testimonio de J.
  Mt 3:16; 27:17; Lu 2:43; Jn 1:45; Hch 2:36;
  4:13; Ro 6:23; Heb 2:9; 3:1.
JETRÓ, Éx 3:1; 4:18; 18:5.
JEZABEL, 1Re 16:31; 21:15, 23; 2Re 9:30.
JEZREEL, Jue 6:33; 1Re 18:45; Os 1:4.
JOAB, 2Sa 2:13; 1Re 2:31.
JOAQUÍN, 2Cr 36:9; Jer 52:31.
JOB, Job 2:3 J., un hombre sin culpa
  Eze 14:14 en ella: Noé, Daniel y J.
  Snt 5:11 han oído del aguante de J.
  Job 1:1, 9, 22; 3:1; 38:1; 40:1; 42:10, 12.
JONADAB, Jer 35:6, 8, 14, 19.
JONÁS, Mt 12:39 señal de J. el profeta
  Jon 1:1; 2:1; 3:1; Lu 11:30.
JONATÁN, 1Sa 18:1, 3; 19:2; 2Sa 1:17, 22.
JOPE, 2Cr 2:16; Esd 3:7; Hch 9:42.
JORDÁN, Nú 35:14; Jos 3:13; Mr 1:9.
JOSÉ 1., Heb 11:22 Por fe J. hizo
  Gé 47:15; Sl 105:17; Hch 7:9.
JOSÉ 2., Mt 1:19; Lu 3:23; Jn 6:42.
JOSÍAS, 2Re 21:24; 2Cr 35:26.
JOSUÉ, Dt 31:23; Jos 3:7; Heb 4:8.
JOTÁN, Jue 9:5; 2Cr 27:6.
JOVEN(ES), Sl 37:25 Un j. era yo
  Sl 110:3 j. como gotas de rocío
  Eze 9:6 A j. y virgen deben matar
  Joe 2:28 sus j., visiones verán
  Pr 20:29; Mt 19:22; Hch 2:17; 26:4; 1Jn 2:14.
JUAN 1., Mt 3:1 vino J. el Bautista
  Mt 11:11 no uno mayor que J. el Bautista
  Mt 14:10; 21:25; Mr 1:9; Lu 1:13.
JUAN 2., Rev 22:8 yo, J., fui el que oyó
  Mt 4:21; Hch 3:1; Gál 2:9; Rev 1:4.
JUBILEO, Le 25:10; 27:24; Nú 36:4.
JÚBILO, Hab 3:14 Su j. exaltado era
JUBILOSO(S), Sl 68:4 Jah, j. delante de él
  Pr 11:10 de la bondad el pueblo está j.
JUDÁ, Gé 49:10 cetro no se apartará de J.
  Jer 31:31 celebraré con J. un nuevo pacto
  Miq 5:2 J., de ti me saldrá aquel que
  Sl 60:7; Jer 50:4; Mt 2:6; Heb 8:8.
JUDAÍSMO, Gál 1:13 mi conducta en el j.
JUDAS 1., Mt 26:25; Lu 6:16; 22:48.
JUDAS 2., Jud 1 J., esclavo de Jesucristo
JUDEA, Mt 24:16; Lu 21:21.
JUDÍO(S), 2Re 18:26 el lenguaje de los j.
  Est 8:17 muchos individuos se declaraban j.
  Zac 8:23 asirán falda de hombre que sea j.
  Ro 2:29 es j. el que lo es por dentro
  Ro 3:29 es Dios de los j. únicamente?
  1Co 1:23 Cristo para j. causa de tropiezo
  1Co 9:20 a los j. me hice como j.
  Gál 3:28 No hay j. ni griego
  Rev 3:9 dicen ser j., y sin embargo no lo son
  Ne 4:1; Est 3:4; Mt 2:2; 27:11; Col 3:11.
JUEGO(S), Pr 10:23 conducta relajada j.
  2Ti 2:5 alguien compite hasta en los j.
JUEZ(CES), Jue 2:16 Jehová levantaba j.
  Hch 10:42 que sea j. de vivos y de muertos
  Hch 13:20 les dio j. hasta Samuel el profeta
  Dt 16:18; Sl 2:10; Isa 1:26; Sof 3:3; Snt 2:4.
JUGAR, Job 40:20; 41:5; Sl 104:26.
JUICIO(S), 1Re 8:47 recobren el j. en el país
  Joe 3:2 me pondré en j. con
  Mt 12:41 de Nínive se levantarán en el j.
  Mt 23:33 habrán de huir del j. del Gehena?
  Lu 15:17 Cuando recobró el j., dijo:
  Jn 5:29 cosas viles a resurrección de j.

Ro 11:33 ¡Cuán inescrutables son sus j.
1Co 11:29 come y bebe j. contra sí mismo
2Te 1:5 es prueba del justo j. de Dios
Heb 10:27 horrenda expectación de j.
Snt 2:13 se alboroza sobre el j.
1Pe 4:17 el j. comience con casa de Dios
1Pe 5:8 Mantengan su j., sean vigilantes
2Pe 2:3 el j. desde lo antiguo no se mueve
2Pe 3:7 en reserva para el día del j. y de
1Jn 4:17 franqueza en el día del j.
Rev 19:2 verdaderos y justos son sus j.
  Éx 7:4; 12:12; Sl 89:14; Jer 54:17; Jer
  25:31; Hch 24:25; Heb 9:27; Jud 6.
JUNTADOS, Isa 60:4 Todos han sido j.
JUNTAR(SE), Isa 40:11 j. los corderos
  Jer 23:3 j. el resto de mis ovejas
  Mt 13:41 enviará sus ángeles, y ellos j.
  2Re 10:18; Sl 102:22; 106:47; Isa 11:12; 43:9;
  54:7; 56:8; Jer 49:14; Hch 28:3.
JURAMENTO, Jos 2:17 de cuipa a este j.
  Jos 9:20 no indignación con motivo del j.
  Sl 24:4 ni prestado j. engañosamente
  Gé 26:28; Nú 30:2; Hch 2:30; Heb 7:20, 28.
JURAR, Gé 22:16 Por mí mismo de veras j.
  Sl 15:4 Ha j. a lo que es malo
  Isa 45:23 Por mí mismo he j. que ante mí
  Mt 5:34 No j. de ninguna manera, ni por
  Hch 2:30 Dios le había j. con juramento
  Heb 6:13 no podía j. por nadie mayor
  Dt 6:13; Jos 2:20; 9:18; Sl 89:3, 35; 132:11;
  Isa 14:24; 65:16; Jer 12:16.
JURISDICCIÓN, Hch 1:7 Padre colocó en su j.
JUSTAMENTE, Lu 23:41 j., recibiendo lo que
JUSTA PRETENSIÓN, 2Sa 19:28.
JUSTICIA, Rut 1:1 jueces administraban j.
  Job 27:6 A mi j., no la soltaré
  Job 40:8 ¿invalidarás tú mi j.?
  Sl 37:28 Jehová es amador de la j.
  Sl 45:7 Has amado la j. y odias
  Pr 21:3 Efectuar j. preferible a Jehová
  Pr 21:7 inicuos han rehusado hacer j.
  Pr 29:4 Mediante la j. rey hace que el país
  Pr 31:9 juzga con j. y defiende la causa
  Isa 26:9 j. es lo que habitantes aprenden
  Isa 28:17 haré de la j. el instrumento de
  Isa 32:1 Un rey reinará para j. misma
  Isa 60:17 j. como los que asignan tareas
  Isa 61:3 llamar árboles grandes de j.
  Isa 61:10 vestidura sin mangas de la j.
  Jer 11:20 Jehová está juzgando con j.
  Miq 6:8 sino ejercer j. y amar bondad
  Sof 2:3 Busquen j., busquen mansedumbre
  Mt 5:10 perseguidos por causa de la j.
  Lu 18:7 ¿no hará Dios que se haga j.
  Jn 16:8 evidencia respecto a la j.
  Hch 10:35 el que obra j. le es acepto
  Hch 17:31 juzgar la tierra con j.
  Ro 1:17 se revela la j. de Dios
  Ro 10:3 a causa de no conocer la j. de Dios
  2Ti 3:16 Escritura para disciplinar en j.
  Heb 2:2 retribución en conformidad con j.
  1Pe 2:23 encomendándose al que juzga con j.
  1Pe 3:14 si sufrieran por causa de la j.
  2Pe 3:13 en estos la j. habrá de morar
  Rev 19:11 se ocupa en guerrear con j.
  Gé 15:6; Job 29:14; Isa 1:17; 9:7; 11:4; 28:6;
  45:8; Jer 22:3; Da 12:3; Miq 3:1, 9; 7:9; Hab
  1:4; Mal 2:17; Mt 5:6; 12:20.
JUSTICIA VINDICATIVA, Hch 28:4 j. no le
JUSTIFICACIÓN, Ro 5:18 un solo acto de j.
JUSTIFICAR. Véanse DECLARADO(DA)
  JUSTO(TA), DECLARAR JUSTOS.
JUSTO(TA), Dt 32:4 La Roca, j. y recto
  2Sa 23:3 Cuando el que gobierna es j.
  Sl 34:19 calamidades del j.
  Sl 37:25 no he visto a j. dejado enteramente

Pr 15:28 corazón del j. medita para responder
Pr 29:2 j. llegan a ser muchos, el pueblo se
Isa 26:2 para que entre la nación j.
Isa 26:7 allanarás el derrotero de un j.
Am 5:12 mostrando hostilidad para con j.
Mal 3:18 entre uno j. y uno inicuo
Mt 13:43 los j. resplandecerán
Hch 24:15 resurrección así de j. como
Ro 3:10 No hay j., ni siquiera uno
Ro 3:26 sea j. hasta al declarar j. al hombre
2Ti 1:6 es j. por parte de Dios pagar con
Heb 10:38 j. vivirá a causa de la fe
1Pe 3:12 ojos de Jehová están sobre los j.
Gé 7:1; Sl 1:5; Isa 29:21; 53:11; Mt 5:45; Ro
2:13; 1Co 15:34; 2Ti 4:8; Heb 12:23.
JUVENTUD, Gé 8:21 inclinación mala desde j.
Job 33:25 carne más fresca que en la j.
Pr 5:18 regocíjate con la esposa de tu j.
1Ti 4:12 Que nadie menosprecie tu j.
2Ti 2:22 deseos que acompañan a la j.
2Sa 19:7; Sl 71:17; 103:5; Ec 11:10; Isa 54:4;
Mal 2:14; Mr 10:20.
JUZGADO(DA), Sl 9:19 j. naciones delante
Jn 3:18 ya ha sido j., porque no ha
Jn 16:11 gobernante de mundo ha sido j.
Hch 25:9 subir a Jerusalén y ser j.
Rev 11:18 tiempo que muertos sean j.
JUZGAR, Pr 29:14 un rey j. a humilde
Mt 19:28 j. a las doce tribus de Israel
Lu 6:37 dejen de j. y de ninguna manera
Jn 5:22 el Padre no j. a nadie, sino que
Jn 8:50 hay Quien busca y j.
Jn 12:48 La palabra lo j. en el último día
Hch 17:31 un día en que se propone j. la
Ro 2:1 tú que j. practicas las mismas cosas
Ro 14:4 ¿Quién eres tú para j. sirviente
Ro 14:5 Un hombre j. un día como superior
1Co 5:13 Dios j. a los de afuera?
1Co 6:2 los santos j. al mundo?
Col 2:16 que nadie los j. en comer y beber
2Ti 4:1 Jesús, que está destinado a j.
Heb 13:4 Dios a fornicadores y adúlteros
1Pe 1:17 al Padre que j. imparcialmente
Éx 18:26; Sl 9:8; 37:33; 58:11; 82:1; 109:7,
31; Isa 11:4; Jer 11:20; Miq 3:11; Jn 3:17.

K

KEMÓS, Jue 11:24; 1Re 11:7; Jer 48:7.
KERETITAS, 1Sa 30:14; 2Sa 20:7.
KINÉRET, Nú 34:11; Jos 11:2.

L

LABÁN, Gé 24:29; 29:5; 31:24, 48; 32:4.
LABIOS, Pr 10:21 l. del justo paciendo
Pr 15:7 l. de sabios esparciendo conocimiento
Isa 6:5 hombre inmundo de l.
Os 14:2 ofreceremos toros de nuestros l.
Mal 2:7 l. sacerdote guardar conocimiento
Mt 15:8 me honra con los l., pero su
Heb 13:15 alabanza, el fruto de l. que
1Pe 3:10 sus l. de hablar engaño
Job 2:10; Sl 31:18; 106:33; Isa 30:27.
LABOR(ES), 1Co 15:58 l. no es en vano
2Co 11:23 en l., más abundantemente
Rev 14:13 sus l. van junto con ellos
Jn 4:38; 1Co 3:8; 1Te 2:9; 3:5.
LABORAR, 1Co 16:16 todo el que coopera y l.
LABORIOSO, 2Te 3:8 con esfuerzo l. y afán
LABRADO, Pr 9:1 sabiduría ha l.
Jn 4:38 Otros han l.
LABRADOR(ES), Gé 9:20 Noé comenzó de l.
Snt 5:7 El l. sigue esperando el fruto
Isa 61:5; Jer 14:4; 51:23; 2Ti 2:6.
LACTANTE(S), Jer 44:7; Mt 21:16.
LADRAR, Sl 59:6 siguen l. como un perro

LADRILLOS, Gé 11:3; Éx 1:14; 5:7.
LADRÓN(ES), Éx 22:2 l. forzar su
Job 24:14 durante la noche se hace l.
Sl 50:18 l., hasta te complacías en él
Pr 29:24 El que es socio de un l. odia
Lu 1:23 Tus príncipes son socios de l.
Joe 2:9 Por ventanas entran como el l.
Mt 6:20 donde l. no entran por fuerza
1Co 6:10 ni l., heredarán reino
1Te 5:2 día viene como l. en la noche
1Te 5:4 día los alcance como a l.
1Pe 4:15 ninguno de ustedes sufra como l.
Rev 16:15 ¡Mira! Vengo como l.
LAGAR, Jue 6:11 batiendo el trigo en el l.
Joe 3:13 el l. se ha llenado
Rev 19:15 Pisa el l. de vino de la cólera
LAGO, Rev 21:8 el l. que arde con fuego y
LAGO DE FUEGO, Rev 19:20; 20:14, 15.
LÁGRIMA(S), Sl 126:5 siembran con l.
Rev 21:4 limpiará toda l. de sus ojos
Isa 25:8; Lu 7:38; Heb 5:7; Rev 7:17.
LAKÍS, Jos 10:3; 2Re 14:19; Jer 34:7.
LAMEC, Gé 4:18; 5:25; 1Cr 1:3; Lu 3:36.
LAMENTACIÓN, Jer 31:15 En Ramá, l. y
Jer 9:10, 20; Eze 27:32; Am 5:16; Miq 2:4.
LAMENTAR(SE), Mt 5:4 Felices los que se l.
Rev 18:11 comerciantes de tierra l. por
Eze 32:18; Miq 2:4; Lu 6:25; Snt 4:9.
LAMENTO, Rev 21:4 ni l. ni clamor ni
LAMER, Jue 7:5 que l. me del agua
LÁMPARA(S), 2Sa 22:29 tú eres mi l., Jehová
1Re 15:4 Dios le dio una l., su hijo
Sl 119:105 Tu palabra una l.
Pr 6:23 el mandamiento es una l., y
Pr 13:9 l. de los inicuos... se extinguirá
Mt 5:15 No una l. debajo de la cesta
Mt 6:22 La l. del cuerpo es el ojo
Mt 25:1 diez vírgenes tomaron sus l.
Lu 12:35 Estén encendidas sus l.
Sl 18:28; Pr 21:4; Jn 5:35; Rev 4:5; 22:5.
LANGOSTA(S), Éx 10:4 voy a traer l.
Pr 30:27 las l. no tienen rey
Dt 28:38; Joe 1:4; 2:25; Mt 3:4; Rev 9:3.
LANGUIDECER, Jer 31:12 no volverán a l.
Sl 88:9; Jer 31:25; Lam 4:9.
LANZA(S), Sl 46:9; Isa 2:4; Miq 4:3.
LANZAR, Pr 12:17 El que l. fidelidad
Pr 14:25 engañoso l. simples mentiras
Pr 19:5 el que l. mentiras no escapará
LANZARSE VORAZMENTE, 1Sa 15:19.
LAODICEA, Col 2:1; 4:16; Rev 1:11; 3:14.
LÁPIDA SEPULCRAL, Eze 23:17 ¿Qué es la l.
LÁSTIMA, 1Co 15:19 hombres más dignos de l.
LASTIMAR, Rev 9:10 autoridad para l.
LÁTIGO(S), Jn 2:15 hacer un l. de cuerdas
1Re 12:11; Pr 26:3; Na 3:2.
LAVADO(DA), Pr 30:12; 1Co 6:11.
Jer 2:22 hicieras el l. con álcali
LAVANDEROS, Mal 3:2 como lejía de l.
LAVAR(SE), Sl 51:2 L. de mi error
Isa 4:4 Jehová haya l. de las hijas
Rev 7:14 han l. sus ropas en la sangre
Jer 4:14; Mt 15:2; Jn 9:11; 13:5.
LÁZARO, Lu 16:20; Jn 11:1, 2; 12:1.
LAZO(S), Dt 7:16 eso te será un l.
Jos 23:13 ser para ustedes como l.
Sl 106:36 ídolos, llegaron a ser l. para
Pr 14:27 para apartar de los l. de muerte
Pr 18:7 sus labios son un l. para su alma
Pr 29:25 temblar ante hombres tiende un l.
Isa 29:21 tienden l. para el que censura
Lu 21:35 como l. vendrá sobre la tierra
Ro 11:9 su mesa llegue a ser un l.
1Co 7:35 no para echarles un l.
1Ti 6:9 ricos caen en tentación y un l.
Jue 2:3; 2Sa 22:6; Isa 8:14; 2Ti 2:26.

LEA, Gé 29:23; Rut 4:11.
LEAL(ES), Sl 16:10 No que el l. vea el hoyo
  Sl 37:28 Jehová no dejará a los l.
  Sl 50:5 Reúnanme a los que me son l.
  Sl 97:10 guardando las almas de los l.
  Sl 116:15 Preciosa es la muerte de los l.
  Pr 2:8 guardará el camino de los l.
  Jer 3:12 soy l., es la expresión de Jehová
  Miq 7:2 El l. ha perecido de la tierra
  Rev 15:4 porque solo tú eres l.?
  Dt 33:8; 1Sa 2:9; Sl 31:23; 145:10; 149:1, 9;
  Hch 2:27; 13:35; 1Te 2:10; Heb 7:26.
LEALTAD, 2Sa 22:26 tú actuarás en l.
  Lu 1:75 con l. y justicia delante de él
  Ef 4:24 conforme a la voluntad de Dios y l.
LECTOR, Mt 24:15 use discernimiento l.
LECTURA, 1Ti 4:13 aplicándote a la l.
LECTURA PÚBLICA, Hch 13:15; 1Ti 4:13.
LECHADA, Eze 22:28 enlucido con l.
  Eze 13:11, 14.
LECHE, Éx 3:8 una tierra que mana l.
  1Co 3:2 Los alimenté con l., no con algo de
  Heb 5:12 han llegado a ser como necesitan l.
  1Pe 2:2 anhelo por la l. no adulterada
  Le 20:24; Jue 4:19; Isa 7:22; 55:1; 60:16.
LECHO, Sl 139:8 si tendiera mi l. en el Seol
  Isa 28:20 el l. ha resultado corto para
  Heb 13:4 el l. conyugal sin contaminación
LEER, Ne 8:8 continuaron l. en voz alta
  Isa 29:11 L. esto en voz alta, por favor
  Isa 34:16 en el libro y l. en voz alta:
  Hab 2:2 l. en voz alta lo haga con afluencia
  Rev 1:3 Feliz es el que l. en voz alta
  Éx 24:7; Dt 17:19; Lu 4:16; Hch 13:27.
LEGISLADOR, Snt 4:12 Uno es l. y juez
LEGUMBRES, Ro 14:2 hombre débil come l.
LEÍDA, 2Co 3:2 conocida y l. por toda la
LEJÍA, Jer 2:22; Mal 3:2.
LENGUA(S), 2Sa 23:2 palabra sobre mi l.
  Sl 31:20 esconderás del reñir de las l.
  Sl 34:13 Salvaguarda tu l. contra lo malo
  Sl 39:1 para no pecar con la l.
  Pr 6:17 ojos altaneros, una l. falsa, y
  Pr 16:1 de Jehová procede respuesta de la l.
  Pr 18:21 Muerte y vida en el poder de la l.
  Isa 32:4 l. de los tartamudos será rápida
  Isa 35:6 l. del mudo clamará con alegría
  Isa 54:17 l. que se levante contra
  Zac 14:12 la l. misma de uno se pudrirá
  Hch 2:3 l. como de fuego se hicieron visibles
  1Co 13:1 Si hablo en las l. de los ángeles
  1Co 13:8 sea que haya l., cesarán
  1Co 14:5 mayor que el que habla en l.
  1Co 14:9 por la l. profieran habla fácil
  1Co 14:22 l. son para una señal, no a los
  Flp 2:11 reconozca toda l. que Jesucristo
  Snt 1:26 Si un hombre no refrena su l.
  Snt 3:6 la l. es un fuego
  1Co 12:10; 14:6, 13, 19; Snt 3:8; Rev 7:9.
LENGUA DOBLE, 1Ti 3:8 siervos no de l.
LENGUAJE(S), Gé 11:1 un solo l. y
  Gé 11:7 Bajemos y confundamos su l.
  Da 7:14 y l. todos sirvieran a él
  Sof 3:9 daré a pueblos un l. puro
  Zac 8:23 diez hombres de todos los l. de
  Hch 2:6 los oía hablar en su propio l.
  Sl 81:5; Isa 36:11; Jer 5:15; Eze 3:5, 6.
LENGUA MAÑOSA, Sof 3:13 ni se hallará l.
LENTO(S), Pr 29:3 Jehová no es l.
  Dt 23:21; Lu 24:25; Snt 1:19.
LEÓN(ES), Pr 28:1 justos son como un l.
  Isa 11:7 el l. comerá paja como el toro
  Heb 11:33 taparon bocas de l.
  1Pe 5:8 Diablo, anda como l. rugiente
  Rev 5:5 El L. que es de la tribu de Judá

Jue 14:9; 1Sa 17:36; Sl 91:13; Isa 35:9; Da
  6:27; Joe 1:6; Miq 5:8; Sof 3:3.
LEOPARDO(S), Jer 13:23 l. sus manchas?
  Can 4:8; Isa 11:6; Da 7:6; Rev 13:2.
LEPRA, Nú 12:10 Míriam herida de l.
  Le 13:2; Dt 24:8; 2Re 5:3, 27; Lu 5:12.
LEPROSO(S), Mt 11:5; 26:6; Lu 4:27.
LEUDADO(DA), Os 7:4 hasta que está l.
  Éx 12:15; 34:25; Dt 16:3; Am 4:5.
LEVADURA. Véase también LEUDADO(DA).
  Mt 16:6 guárdense de la l. de fariseos
  Lu 13:21 l., que una mujer tomó y escondió
  1Co 5:7, 8 Quiten la l. vieja
  Gál 5:9 Un poco de l. hace fermentar toda
  Éx 12:15; Le 2:11; Dt 16:4; Mt 13:33; 16:12;
  Mr 8:15; Lu 12:1.
LEVANTADO(S), Mt 28:7 digan él ha sido l.
  Lu 20:37 los muertos son l., hasta Moisés
  Col 3:1 si fueron l. con el Cristo
  Jer 25:32; 1Co 15:17; Col 2:12.
LEVANTAR(SE), Isa 26:19 muertos se l.
  Isa 28:21 Porque Jehová se l.
  1Co 15:44 se l. cuerpo espiritual
  2Co 4:14 el que l. a Jesús nos l.
  1Te 4:16 muertos con Cristo se l. primero
  Heb 7:15 se l. otro sacerdote
  2Pe 1:19 lucero se l., en sus corazones
  Nú 24:17; Dt 28:7; Sl 3:7; 9:19; 36:12; 92:11;
  Jer 25:27; Na 1:9; Sof 3:8; Mt 10:21; 1Co
  15:42; Ef 1:20; 2:6; 5:14.
LEVÍ, Gé 29:34 llamado por nombre L.
  Éx 32:26 los hijos de L. reunirse a él
  Dt 10:9 L. no tener participación ni
  Mal 3:3 tendrá que limpiar a hijos de L.
  Gé 35:23; Nú 18:21; Sl 135:20; Rev 7:7.
LEVIATÁN, Isa 27:1 L., la serpiente
  Job 41:1; Sl 74:14; 104:26.
LEVITAS, Nú 3:12 l. llegar a ser míos
  Nú 8:19 l. como gente dada a Aarón
  Nú 35:6 a los l.: seis ciudades de refugio
  Nú 3:41; 1Cr 15:2, 16; 2Cr 23:7.
LEY(ES), Éx 24:12 quiero darte la l.
  Est 3:8 sus l. son diferentes de
  Est 3:8 palabra del rey y su l. ejecutadas
  Sl 19:7 La l. de Jehová es perfecta
  Sl 40:8 tu l. está dentro de mis entrañas
  Pr 6:20 no abandones la l. de tu madre
  Isa 2:3 de Sión saldrá l., y de Jerusalén
  Isa 24:5 pasado por alto l., cambiado
  Da 6:15 l. que pertenece a los medos y
  Lu 16:16 La L. y los Profetas eran
  Lu 24:44 cosas escritas en l. de Moisés
  Ro 2:14 hacen por naturaleza cosas de la l.
  Ro 4:15 donde no hay l., tampoco hay
  Ro 7:2 desobligada de l. de su esposo
  Ro 7:12 por su parte, la L. es santa, y
  Ro 7:22 me deleito en la l. de Dios
  Ro 7:23 contra la l. de mi mente
  Ro 8:2 libertado de l. del pecado y muerte
  Gál 3:24 L. ha llegado a ser nuestro tutor
  Gál 6:2 cumplan la l. del Cristo
  Heb 10:1 L. tiene una sombra de las buenas
  Snt 2:8 llevar a cabo la l. real
  Ne 9:13; Isa 8:16; Jer 31:33; Da 6:5; Mt 5:17;
  Jn 10:34; Ro 6:14; 10:4; 13:8; Gál 3:19.
LIBACIÓN, 2Ti 4:6 derramado como l.
  Nú 28:7; Flp 2:17.
LÍBANO, Dt 3:25; Isa 35:2; Eze 17:3.
LIBERACIÓN, Est 4:14 l. para los judíos
  Lu 4:18 predicar l. a cautivos
  Lu 21:28 alcen la cabeza, su l. se acerca
  1Co 7:27 atado a esposa? Deja de procurar l.
  Flp 1:23 lo que sí deseo es la l. y
  2Ti 4:6 el tiempo de mi l. es inminente
  Heb 9:12 obtuvo l. eterna para nosotros
  Dt 15:1, 2; 1Sa 30:8.

LIBERACIÓN POR RESCATE, Ro 3:24.
1Co 1:30 sabiduría también justicia y l.
Ef 1:7 tenemos la l. mediante la sangre
Ef 4:30 sellados para un día de l.
Col 1:14 tenemos nuestra l., el perdón
Heb 9:15 l. de las transgresiones bajo el
Heb 11:35 rehusaron l., con el fin de
LIBERAL, 2Co 8:20 contribución l. que
LIBERALIDAD, Ro 12:8 distribuye, con l.
LIBERTAD, Le 19:20 ni se le ha dado l.
Le 25:10 proclamar l. en la tierra
Sl 88:5 puesto en l. entre muertos
Isa 61:1 proclamar l. a cautivos
Eze 46:17 de él hasta el año de la l.
Lu 6:37 poniendo en l., y se pondrá en l.
Ro 8:21 l. de los hijos de Dios
1Co 10:29 ¿por qué mi l. ser juzgada
2Co 3:17 espíritu de Jehová, hay l.
Gál 2:4 entraron para espiar nuestra l.
Gál 5:1 Para tal l. Cristo nos libertó
Gál 5:13 Ustedes fueron llamados para l.
Snt 1:25 ley perfecta que pertenece a l.
1Pe 2:16 tengan su l., no como disfraz
2Pe 2:19 les están prometiendo l.
Jer 34:17; Mt 27:21; Hch 3:13; Ro 8:23.
LIBERTAD DE CUIDADO, Sl 122:7.
LIBERTADO(DA), Ro 6:18 l. del pecado
Ro 8:2 te ha l. de la ley del pecado
Ro 8:21 creación será l. de la esclavitud
LIBERTADOR, Ro 11:26 Saldrá el l.
2Sa 14:6; Sl 7:2; Isa 5:29; Hch 7:35.
LIBERTAR, Jn 8:32 la verdad los l.
LIBERTO, 1Co 7:22 es l. del Señor
LIBIA, Hch 2:10 las partes de L., que
LIBIOS, Da 11:43 l. irán en sus pasos
LIBRAR, Sl 34:4 de sustos él me l.
Pr 10:2 justicia lo que l. de muerte
Pr 14:25 testigo verdadero está l. almas
Jer 1:19 Yo estoy contigo para l.
Lu 24:21 estaba destinado a l. a Israel
Ro 7:24 ¿Quién me l. del cuerpo
2Co 1:10 De cosa como la muerte nos l.
1Te 1:10 nos l. de la ira que viene
2Pe 2:9 Jehová sabe l. de prueba a
Éx 3:8; Sl 18:17; 33:19; 34:19; Isa 50:2; Da
8:4; Heb 12:11; 23:27.
LIBRAR POR COMPRA, Gál 4:5 l. bajo ley
LIBRE(S), Gál 3:28 No hay ni esclavo ni l.
Gál 4:26 Jerusalén de arriba es l.
Job 10:7; Isa 58:6; Ef 6:8; Col 3:11.
LIBRE DE CUIDADO, Pr 11:15; Jer 22:21.
LIBRE DEL DISTURBIO, Pr 1:33.
LIBRO(S), Ec 12:12 hacer muchos l. no
Isa 29:11 las palabras del l. sellado
Isa 34:16 Escudriñen en el l. de Jehová
Da 7:10 hubo l. que se abrieron
Da 9:2 discerní por l. el número de años
Da 12:4 sella el l., hasta tiempo del fin
Heb 9:19 roció el l. mismo y a todo
Éx 17:14; Mr 12:26; Hch 19:19; Heb 10:7.
LICENCIA, Ne 13:6 pedí l. del rey
Ec 8:8 ni hay l. en la guerra
LÍCITO(TA), Mr 12:14 ¿Es l. pagar a César
Lu 14:3 ¿Es l. curar en sábado?
Lu 20:22 ¿Nos es l. pagar impuesto a César
1Co 6:12 Todas cosas son l.; pero no todas
Mr 2:26; Hch 22:25; 1Co 10:23; 2Co 12:4.
LICOR EMBRIAGANTE, Le 10:9; Nú 6:3; Jue
13:4; Sl 69:12; Pr 20:1; 31:6; Isa 28:7.
LICUAR(SE), Eze 22:21, 22; 24:11.
LIENZO ENCUBRIDOR, 2Sa 17:19 un l. sobre
LIGAMENTOS, Col 2:19 unido por medio de l.
LÍMITE(S), Dt 11:24 llegará a ser su l.
Job 14:13 me fijaras un l. de tiempo
Job 34:36 que Job sea probado hasta el l.

Ef 1:10 l. cabal de tiempos
Sl 74:17; Isa 19:19; 60:18; Gál 4:4.
LIMPIADO(DA), Heb 9:22 cosas l. con sangre
Lu 4:27; Heb 10:2.
LIMPIADOR DE ROPA, Mr 9:3 blancas que l.
LIMPIAR(SE), 2Re 21:13 l. a Jerusalén como
Eze 20:38 l. de ustedes a sublevadores
Eze 36:33 día que los l. de sus errores
Da 12:10 muchos l. y se emblanquecerán
Hch 10:15 cosas que Dios ha l.
2Co 7:1 amados, l. de toda contaminación
Ef 5:26 santificarla, l. con baño de agua
Tit 2:14 l. para sí un pueblo peculiarmente
1Jn 1:7 sangre de Jesús nos l. de pecado
1Jn 1:9 pecados l. de toda injusticia
Rev 21:4 l. toda lágrima de sus ojos
2Cr 29:18; Sl 51:2; Isa 25:8; Eze 39:12; Mt
23:25; Lu 10:11; Hch 11:9; Heb 9:14; Snt 4:8.
LIMPIEZA, Da 11:35 haga una l. y haga un
LIMPIO(PIA), Job 14:4 l. de inmundo?
Sl 24:4 inocente de manos y l. de corazón
Jn 15:3 ya están l. a causa de la palabra
Hch 20:26 estoy l. de la sangre de todo
Tit 1:15 Todas las cosas son l. a los l.
Gé 7:2; Le 10:10; Job 17:9; Eze 22:26; Ro
14:20; 1Ti 1:5; 2Ti 2:22; Snt 1:27.
LINAJE, Hch 17:28 somos l. de él
LINO, Rev 9:2 un hombre vestido de l.
Rev 19:8 l. representa actos justos
Le 16:4; Dt 22:11; Da 12:6, 7; Rev 19:14.
LISIAR(SE), Éx 22:10 muriera o se l.
LISONJEAR, Pr 28:23; 29:5.
LISONJERA, Pr 26:28; 1Te 2:5.
LISTO(TA), 1Ti 5:9 puesta en la l. la viuda
1Ti 6:18 l. para compartir
Heb 11:16 les tiene l. una ciudad
LITIGIO(S), Dt 19:17 hombres que tienen l.
Sl 74:22 Dios, conduce tu propio l.
1Co 6:7 el que estén teniendo l. unos con
Dt 17:8; 21:5; Job 31:13.
LOBO(S), Isa 11:6 l. morará con cordero
Eze 22:27 príncipes son como l.
Mt 10:16 como ovejas en medio de l.
Jn 10:12 ve venir al l. y abandona sus
Hch 20:29 entrarán entre ustedes l.
LOBREGUEZ, Isa 8:22 l., tiempos difíciles
Job 10:22; Isa 9:1; Am 4:13.
LOCAMENTE, Jer 46:9; 50:38; Na 2:4.
Isa 44:25 hace que adivinos actúen l.
LOCO(CA), 1Sa 21:13 empezó a hacerse el l.
Jn 10:20 Demonio tiene, y está l.
1Co 14:23 incrédulos, dirán que están l.?
2Co 11:23 Respondo como l.: más soy yo
2Pe 2:16 estorbó el l. proceder del profeta
1Sa 21:15; Ec 7:7.
LOCURA, Hch 26:24 impulsando a l.
2Ti 3:9 su l. será muy patente a todos
Ec 1:17; 2:12; 7:25; 9:3; 10:13.
LÓGICAMENTE, Hch 9:22 probar l. que es el
LÓGICO, Lu 1:3 escribírtelas en orden l.
LOGRAR, Gé 11:6 nada que no sea posible l.
LOGRO(S), Pr 8:22 más temprano de sus l.
Pr 15:22 en multitud de consejeros hay l.
1Cr 17:19, 21; Isa 41:24; 45:9.
LOIDA, 2Ti 1:5 tu abuela L. y
LOMOS, Gé 3:7 hicieron coberturas para l.
Ef 6:14 los l. ceñidos con la verdad
Gé 35:11; Lu 12:35.
LONGANIMIDAD, Ro 2:4 ¿O desprecias su l.
LOS QUE QUEDAN(DEN), Eze 39:14; Zac 8:11.
LOT, Lu 17:28 como en los días de L.:
2Pe 2:7 libró al justo L.
Gé 11:27; 19:26.
LOTE ASIGNADO, Sl 16:5 porción de mi l.
LUCAS, Col 4:14; 2Ti 4:11.

LUCERO. También RESPLANDECIENTE.
2Pe 1:19 el l. se levante
LUCES CELESTES, Snt 1:17 Padre de l.
LUCHA, Ef 6:12 una l., no contra sangre
Flp 1:30 tienen la misma l. que vieron
Col 2:1 de cuán grande l. tengo
LUCHADORES, Hch 5:39 l. contra Dios
LUCHAR, 1Te 2:2 buenas nuevas con mucho l.
Jud 3 l. tenazmente por la fe
LUGAR, 1Re 8:49 l. establecido de tu morada
Sl 37:10 darás atención a su l.
Pr 15:3 ojos de Jehová están en todo l.
Ec 3:20 Todos van a un solo l. Del polvo
Mt 24:15 cosa repugnante de pie en l. santo
Jn 14:2 voy a preparar un l. para ustedes
Dt 12:11; Sl 91:1; Eze 39:11; Rev 12:6, 8.
LUGAR DE DESCANSO, Sl 132:14 Este es mi l.
1Re 8:56; Sl 95:11; Isa 11:10; 28:12; 66:1.
LUGAR(ES) DE HABITACIÓN, Jud 6; Rev 18:2.
Isa 32:18 morar en un l. pacífico
Jer 25:37 l. pacíficos han quedado sin vida
Eze 34:14 se echarán en buen l.
LUGAR DE HOLLADURA, Isa 28:18.
Miq 7:10 ella llegará a ser un l.
LUGAR DE LA DESTRUCCIÓN, Pr 27:20.
LUGARES ALTOS, Le 26:30; Sl 78:58.
LUGARES DESOLADOS, Esd 9:9 restaurar l.
LUGAR SANTO, Sl 150:1 Alaben en su l.
LUJO, Pr 19:10 El l. no es propio para
Lu 7:25; Snt 5:5; Rev 18:7.
LUJOSAMENTE, 2Pe 2:13 placer el vivir l.
LUJURIA. Véanse también CODICIA(S),
DESEO(S).
2Pe 1:4 corrupción por la l.
LUMBRERA(S), Sl 74:16 Tú preparaste la l.
Gé 1:14-16; Eze 32:8.
LUNA, Sl 104:19 l. para tiempos señalados
Joe 2:10 sol y l. se han oscurecido
Hab 3:11 sol, l.... se pararon, en la morada
Lu 21:25 señales en el sol y en la l. y
Hch 2:20 oscuridad y la l. en sangre
Rev 12:1 la l. estaba debajo de sus pies
Jos 10:12; Joe 2:31; Col 2:16; Rev 21:23.
LUSTRE, Sl 89:44 hecho cesar de su l.
LUSTROSOS, Pr 6:25 atraparte con ojos l.
LUZ(CES), Sl 97:11 L. para el justo
Sl 119:105 Tu palabra es una l. para mi
Pr 4:18 l. brillante haciéndose más y más
Isa 42:6 te daré como l. de las naciones
Isa 60:1 Levántate, despide l., venido tu l.
Mt 5:16 resplandezca la l. de ustedes
Jn 3:19 amado lo oscuridad más que la l.
Jn 8:12 Yo soy la l. del mundo
2Co 11:14 transformándose en ángel de l.
1Ti 6:16 que mora en l. inaccesible
Snt 1:17 desciende del Padre de l. celestes
1Pe 2:9 de la oscuridad a su l. maravillosa
Gé 1:3; Zac 14:6; 1Jn 1:5, 7; Rev 22:5.

LL

LLAMA(S), Can 8:6 fuego, la ll. de Jah
Eze 20:47 La ll. no será extinguida
Da 3:22 a quienes la ll. de fuego mató
Da 11:33 tropezar por espada y por ll.
Joe 2:3 detrás de él una ll. consume
Sl 83:14; Isa 5:24; 10:17; 43:2; Heb 1:7.
LLAMADA IMPERATIVA, 1Te 4:16 con una ll.
LLAMADO(DA), Isa 54:5 Dios será ll. él
Ro 7:3 ll. adúltera si llegara a ser
Ro 9:26 serán ll. hijos del Dios vivo
1Co 1:9 ll. a participación con Jesucristo
1Co 1:26 no muchos sabios fueron ll.
Ef 4:4 ll. en la sola esperanza
Rev 17:14 los ll. y escogidos y fieles
Gál 5:13; Flp 3:14; 1Pe 2:21.

LLAMAMIENTO, Ro 11:29 ll. no cosas de pesar
Ef 4:1 anden de manera digna del ll.
2Ti 1:9 nos salvó y llamó con ll. santo
Heb 3:1 participantes del ll. celestial
2Pe 1:10 hacer seguros su ll. y selección
1Co 1:26; 2Te 1:11.
LLAMAR, Gé 2:19 lo que ll. a cada una
Ro 8:30 y a los que ll. también
2Ti 1:9 nos ll. con un llamamiento santo
1Pe 2:9 los ll. de la oscuridad a su luz
1Jn 3:1 se nos ll. hijos de Dios!
Gé 4:26; Isa 60:14, 18; 62:2; 65:15; 1Te 4:7.
LLAMEANTE, 2Te 1:8 en fuego ll.
Gé 3:24; Isa 4:5; Lam 2:3.
LLANTO, Sl 30:5 puede alojarse el ll.
Isa 65:19 no se oirá más en ella el sonido de ll.
Jer 3:21; 31:16; Mt 8:12; 13:50.
LLANURA BAJA, Joe 3:2 ll. de Jehosafat
Joe 3:14 muchedumbres en ll. de decisión
Jos 10:12; Jue 5:15; 2Cr 20:26; Job 39:21.
LLANURA COSTANERA, Can 2:1 azafrán de ll.
LLANURA-VALLE, Isa 40:4 ser una ll.
LLAVE(S), Mt 16:19 las ll. del reino
Lu 11:52 quitaron la ll. del conocimiento
Rev 1:18 tengo las ll. de la muerte y Hades
Rev 20:1 ángel con la ll. del abismo
Jue 3:25; Isa 22:22; Rev 3:7; 9:1.
LLEGAR, Sl 2:7 he ll. a ser tu padre
Lu 19:23 Así, al ll. yo, lo
1Co 11:26 muerte hasta que él ll.
LLEGAR A SER MUCHOS, Gé 9:7; Jer 23:3.
LLENAR(SE), Gé 1:28 y ll. la tierra
Sl 24:1 la tierra y lo que la ll.
Da 2:35 montaña y ll. toda la tierra
Hab 2:14 tierra se ll. de conocer
Ag 2:7 ll. de gloria esta casa
Ef 5:18 sigan ll. de espíritu
Gé 6:1; 9:1; 1Re 8:11; Sl 81:10; 96:11; Isa
27:6; Jer 51:14; Mt 23:32; Col 1:9.
LLENAR MANO DE PODER, Éx 28:41; 32:29; Le
16:32; 2Cr 13:9.
Éx 29:33 se ha hecho expiación para ll.
Éx 29:35 Tomarás siete días para ll.
Jue 17:5 y a ll. de uno de sus hijos
LLENO(S), Hch 4:31 ll. del espíritu
LLEVAR, Sl 68:19 Jehová, que nos ll. la carga
Isa 53:4 enfermedades él ll.
Mt 13:23 ll. fruto y produce
Jn 15:2 para que ll. más fruto
1Co 15:49 como hemos ll. la imagen de aquel
Gál 6:5 cada uno ll. su propia carga
Col 1:10 sigan ll. fruto en toda buena obra
Ro 13:4; 1Co 9:5; Col 1:6.
LLEVAR A CABO, Jer 33:14 ll. la palabra
LLEVAR A LA DERIVA, Heb 2:1 nunca nos ll.
LLORAR, Isa 30:19 no ll. de manera alguna
Isa 33:7 mensajeros ll. amargamente
Eze 24:16 golpearte, ni debes ll. ni
Ro 12:15 ll. con los que ll.
Snt 5:1 ll., aullando por las desdichas
Rev 18:9 los reyes de la tierra ll.
Rev 18:15 y ll. y se lamentarán
Jer 50:4; Joe 1:5; Miq 1:10; Lu 6:21; 23:28.
LLOVER, Gé 2:5 no había hecho ll. sobre
Gé 7:4 dentro de siete días voy a hacer que ll.
Mt 5:45 hace ll. sobre justos e injustos
Sl 11:6; Snt 5:17.
LLUVIA, Joe 2:23 ll. de otoño y ll. de
Snt 5:7 labrador recibe ll. temprana y
Dt 11:14; 32:2; Job 38:28; Sl 72:6; Isa 55:10;
Zac 14:17; Rev 11:6.

M

MACEDONIA, Hch 16:9 Pasa a **M.**
Hch 20:1; 1Co 16:5; 2Co 8:1; 1Te 1:7, 8.

MACHACADO, Le 2:14 grano nuevo **m**.
MACHACAR, Éx 30:36 m. hasta polvo fino
MACHO, Gé 1:27 m. y hembra los creó
    Gé 7:2 dos, el **m**. y su hembra
    Eze 43:22; 45:23 m. de las cabras
MACHO(S) CABRÍO(S), Le 9:3 m. para ofrenda
    Le 9:15 m. de la ofrenda por el pecado
    Le 16:10 el m. sobre el cual la suerte
    Le 16:26 el m. para Azazel
    Heb 9:12 entró —no con sangre de **m**.
    Le 16:7, 22, 27; Eze 34:17; Heb 10:4.
MADERO, Dt 21:22 muerte, y colgado en **m**.
    Jos 8:29 colgó al rey de Hai en un **m**.
    Mr 15:14 ellos clamaron: ¡Al m. con él!
    Lu 23:21 vocifera, diciendo: ¡Al m. con él!
    Hch 5:30 Jesús, colgándolo en un **m**.
    Gál 3:13 Maldito aquel colgado en un **m**.
    1Pe 2:24 pecados en su cuerpo sobre **m**.
MADERO DE TORMENTO, Mt 27:40 ¡baja del **m**.
    Mr 15:32 Baje Cristo del **m**.
    Lu 9:23 tome su **m**. día tras día y
    Lu 23:26 le pusieron encima el **m**. para que
    Ef 2:16 reconciliar a pueblos mediante **m**.
    Flp 2:8 hasta la muerte, sí, muerte en un **m**.
    Flp 3:18 enemigos del **m**. del Cristo
    Col 2:14 ha quitado clavándolo al **m**.
    Heb 12:2 aguantó un **m**., despreciando la
    Mt 10:38; Jn 19:31; 1Co 1:17; Gál 6:14.
MADIÁN, Jue 6:1 los dio en mano de **M**.
    Éx 2:15; Jue 9:17; Hab 3:7; Hch 7:29.
MADIANITAS, Gé 37:36; Nú 25:17; 31:2.
MADRE, Gé 3:20 Eva, la **m**. de todo
    Éx 20:12 Honra a tu padre y a tu **m**.
    Sl 51:5 en pecado me concibió mi **m**.
    Pr 6:20 no abandones la ley de tu **m**.
    Pr 23:22 no desprecies a tu **m**. porque ha
    Lu 8:21 Mi m. y mis hermanos son estos
    Gál 4:26 Jerusalén de arriba es nuestra **m**.
    Gé 2:24; Jue 5:7; Isa 49:1; Lu 12:53; 14:26.
MADUREZ, Heb 6:1 adelante a la **m**.
MADURO(RA), 1Co 2:6 sabiduría entre **m**.
    Flp 3:15 cuantos somos **m**., seamos de
    Heb 5:14 alimento sólido a personas **m**.
MAESTRO(S), Sl 119:99 más que mis **m**.
    Mt 23:8 porque uno solo es su **m**.
    Jn 3:10 ¿Eres tú **m**. de Israel, y sin embargo
    Jn 13:13 Ustedes me llaman: **M**., y, Señor
    1Ti 2:7 m. de naciones en el asunto
    2Ti 4:3 acumularán para sí mismos
    Heb 5:12 deberían ser **m**. en vista del
    Mt 10:24; Ef 4:11; Snt 3:1; 2Pe 2:1.
MAGIA, Isa 2:6 practicantes de **m**. como
MÁGICO, 1Sa 15:23; Isa 1:13; Am 5:5.
MAGISTRADOS, Esd 7:25; Hch 16:20, 22, 38.
MAGNÍFICAS, Hch 2:11 las cosas **m**. de Dios
MAGNIFICENCIA, Hch 19:27 su **m**. a nada
    2Pe 1:16 testigos oculares de su **m**.
MAGNÍFICO DIOS, Da 2:45 m. ha hecho saber
MAGOG, Eze 38:2 rostro contra Gog de **M**.
    Eze 39:6 enviaré fuego sobre **M**. y
    Rev 20:8 Gog y **M**., para reunirlos
MAGULLAR, Gé 3:15 te **m**. en la cabeza
MAHER-SALAL-HAS-BAZ, Isa 8:1, 3.
MAJADOR, Pr 27:22 un **m**. en un mortero
MAJESTAD, Da 4:36 mi m. y resplandor volver
    Da 5:18 dio a Nabucodonosor el
    Heb 1:3 diestra de la **M**. en lugares
    Heb 8:1 trono de la **M**. en los cielos
    Jud 25 al Dios sea gloria, **m**., potencia
MAJESTUOSIDAD, Zac 11:3 **m**. despojada
MAJESTUOSO(SA), 1Sa 4:8 mano de **m**. Dios?
    Sl 8:1 Jehová, ¡cuán **m**. es tu nombre en
    Sl 76:4 Tú, más **m**. que las montañas
    Isa 33:21 el **M**., Jehová, será para
    Isa 42:21 engrandezca la ley y la haga **m**.

Jer 25:34-36 m. del rebaño
    Jue 5:13; Sl 16:3; 136:18; Miq 2:8.
MAL, Pr 30:20 No he cometido **m**. alguno
    Ro 12:17 No devuelvan **m**. por **m**.
    Ro 13:10 El amor no obra **m**. al prójimo
    2Ti 2:3 acepta tu parte en sufrir **m**.
    Gé 50:15; Éx 21:17; Est 1:16; Pr 2:14; Lam
    3:59; Mt 20:13; Hch 25:10; 2Ti 1:8; 2:9; 4:5.
MALA ACCIÓN, Sl 125:3 mano a ninguna **m**.
MALA HIERBA, Mt 13:25 sobresembró **m**.
MALA SUERTE, Nú 23:23; 24:1.
MALDAD, Pr 6:18 pies se apresuran a la **m**.
    Ec 7:15 el inicuo que continúa en su **m**.
    Hch 8:22 Arrepiéntete, de esta **m**.
    1Co 14:20 sean pequeñuelos en cuanto a **m**.
    Tit 3:3 ocupados en **m**. y envidia
    1Sa 23:9; Pr 12:20; 14:22.
MALDECIR, Job 2:5 ve si no te **m**.
    Gé 12:3; Job 2:9; Ro 12:14.
MALDICIÓN, Gál 3:13 libró de **m**. de la Ley
    Isa 24:6; Rev 22:3.
MALDITO(TA), Gé 3:17 m. está el suelo por tu
    Dt 21:23 cosa **m**. de Dios es el colgado
    Jn 7:49 muchedumbre son unos **m**.
    Gál 3:13 **M**. todo aquel colgado en un madero
    1Co 12:3; 16:22; Gál 1:8.
MALGASTAR, Lu 15:13 hijo **m**. su hacienda
MALHECHOR(ES), Sl 37:9 m. serán cortados
    1Pe 2:12 hablan contra ustedes como de **m**.
    Sl 14:5 ninguno de ustedes sufra como **m**.
    Sl 22:16; 37:1; 119:115; Jer 20:13; 23:14.
MAL HUMOR, Ec 7:3 por el **m**. del rostro
MALIGNO(NA), Dt 28:35; Job 2:7; Eze 28:24.
MALO(LA), Gé 3:5 conociendo lo bueno y **m**.
    Jer 2:13 dos cosas **m**. mi pueblo ha hecho:
    Da 11:27 corazón inclinado a hacer lo **m**.
    Hab 1:13 ojos demasiado puros para ver lo **m**.
    Mt 24:48 si aquel esclavo **m**. dijera en
    Ro 7:19 lo **m**. que no deseo es lo que
    Ro 16:19 inocentes en cuanto a lo **m**.
    1Co 15:33 compañías echan a perder
    Snt 1:13 cosas **m**. Dios no sometido a prueba
    Gé 2:9; Le 27:10.
MALTRATADO(S), Eze 18:12 al pobre haya **m**.
    Eze 22:7 Al huérfano y viuda han **m**.
    Hch 7:24 a favor del **m**.
    Heb 11:25 escogiendo ser **m**. con el
    Heb 13:3 Recuerden los que sean **m**.
MALTRATAMIENTO, Heb 11:37 bajo **m**.
MALTRATAR, Éx 18:7 a ningún hombre **m**.
    Éx 22:21; Pr 19:26; Isa 49:26; Jer 22:3; Eze
    22:29; 45:8.
MALVAVISCO, Job 6:6 jugo del **m**.
MAMA, Isa 66:11 la **m**. de la gloria de **m**.
MAMRÉ, Gé 13:18; 23:17; 35:27; 50:13.
MANÁ, Éx 16:31 llamar por nombre **m**.
    Jn 6:49 comieron el **m**. y sin embargo
    Heb 9:4 contenía el **m**. y la vara de Aarón
    Rev 2:17 daré del **m**. escondido
    Éx 16:35; Jos 5:12; Ne 9:20; Sl 78:24.
MANANTIALES, Gé 7:11 m. de la profundidad
    Isa 12:3 sacarán agua de **m**. de la salvación
    Isa 35:7 suelo sediento, como **m**. de agua
    Isa 49:10 junto a **m**. de agua los conducirá
MANASÉS, Gé 41:51; 48:13; 2Re 21:16-18.
MANCO, Mt 18:8 mejor entrar en vida **m**.
MANCHA(S), Snt 1:27 sin **m**. del mundo
    Ef 5:27; 2Pe 2:13.
MANCHADA, Jud 23 prenda **m**. por la carne
MANDAMIENTO(S), Pr 6:23 el **m**. es lámpara
    Mt 15:3 traspasan también el **m**. de Dios
    Mt 22:40 De estos dos **m**. pende toda la Ley
    Mr 12:28 le preguntó: ¿Cuál **m**. es el primero
    Jn 12:50 su **m**. significa vida eterna
    Jn 14:21 El que tiene mis **m**. y los
    1Jn 2:7 no les escribo un **m**. nuevo, sino

1Jn 5:3 observemos sus **m.**; y, sin embargo
Sl 119:98; Pr 6:20; Isa 29:13; Jer 35:18; Mr
12:31; Jn 10:18; 1Jn 3:23; Rev 12:17.
MANDAR, Éx 7:2 hablarás todo lo que te **m.**
Dt 4:2 palabra que les estoy **m.**
Dt 6:6 estas palabras que te estoy **m.** hoy
Eze 9:11 He hecho tal como me has **m.**
Jn 15:17 Estas cosas les **m.**
Nú 9:8; Dt 5:33; Sl 78:5; 105:8; Jer 1:7.
MANDAR TRAER, 1Sa 17:31 Saúl lo **m.**
MANDATO(S), Gé 3:17 m.: No debes comer
Isa 28:10 m. sobre **m.**, m. sobre **m.**
Mt 15:9 enseñan **m.** de hombres como
Col 2:22 de acuerdo con **m.** de los hombres?
1Ti 1:5 objetivo de este **m.** es amor
1Ti 1:18 Este **m.** te encargo, Timoteo
MANEJAR, 2Ti 2:15 m. la palabra de verdad
MANEJO, Job 37:12; Pr 12:5.
MANERA, Sl 110:4 sacerdote a la **m.** de
Hch 1:11 vendrá de la misma **m.** como
Gál 4:23 nació a la **m.** de la carne
Flp 2:7 pórtense de una **m.** digna de las
Flp 2:8 al hallarse a **m.** de hombre
1Ti 3:10 presidan de **m.** excelente a
1Pe 3:1 De igual **m.**, esposas, estén
MANERA DE PROCEDER, Ef 4:22.
MANIFESTACIÓN, 2Te 2:8 por la **m.** de su
1Ti 6:14 hasta la **m.** de nuestro Señor
2Ti 4:1 juzgar a los vivos, y por su **m.**
1Co 12:7; 2Ti 1:10; 4:8; Tit 2:13.
MANIFESTADO(DA), 1Jn 1:2 vida fue **m.**
1Pe 5:4; 1Jn 3:8; Rev 15:4.
MANIFESTARSE, Lu 8:17 no llegue a **m.**
Jn 21:1 Jesús se **m.** otra vez
Tit 2:11 bondad inmerecida se ha **m.**
Heb 9:26 se ha **m.** una vez para siempre
1Jn 3:2 no se ha **m.** lo que seremos
MANIFIESTO(TA), Jn 17:6 tu nombre **m.**
Ro 1:19 conocerse acerca de Dios está **m.**
1Co 3:13 obra de cada uno se hará **m.**
Col 1:26 secreto sagrado **m.** a sus santos
Col 3:4 Cuando Cristo sea puesto de **m.**
1Ti 5:24 pecados se hacen **m.** más tarde
Jn 3:21; Ro 3:21; 1Co 4:5; Gál 5:19; 1Ti 3:16.
MANO(S), 2Re 10:15 Si lo es, dame tu **m.**
Sl 8:6 sobre las obras de tus **m.**
Isa 35:3 Fortalezcan las **m.** débiles
Isa 59:1 m. de Jehová no se ha acortado
Da 2:34 piedra fue cortada, no por **m.**
Da 5:5 los dedos de la **m.** de un
Zac 14:13 contra la **m.** de su compañero
Lu 9:62 la **m.** en el arado y mira atrás
Heb 10:31 caer en **m.** del Dios vivo
1Pe 5:6 Humíllense, bajo la poderosa **m.**
Éx 17:12; Sl 21:8; 24:4; 49:15; Isa 65:22; Jer
38:4; Os 13:14; Sof 3:16; 2Co 5:1; Heb 9:11.
MANOAH, Jue 13:2, 8, 21 **M.** y su esposa
MANSEDUMBRE, Sof 2:3 busquen **m.**
MANSO(SA), Nú 12:3 Moisés era el más **m.** de
Sl 37:11 los **m.** poseerán la tierra
Pr 3:34 pero a los **m.** mostrará favor
Isa 61:1 anunciar buenas nuevas a los **m.**
Sof 2:3 busquen a Jehová, todos los **m.**
Sl 10:17; 22:26; Isa 11:4; 29:19; Am 2:7.
MANTECOSA, Isa 34:6 hacerse **m.**
MANTENER, Éx 9:16 te he **m.** en existencia
Tit 3:8 mente en **m.** obras excelentes
Snt 1:27; Jud 21.
MANTENER JUICIO, 1Te 5:6 despiertos y **m.**
1Te 5:8 m. y llevemos puesta la coraza
2Ti 4:5 m. en todas las cosas, sufre
1Pe 1:13 m.; pongan su esperanza
MANTENERSE APARTADO,
2Ti 2:21 si alguien se **m.** de estos
MANTENERSE FIRMES, Ec 4:12 dos juntos **m.**

MANTENERSE PEGADOS, Da 2:43.
MANTENIMIENTO, Gé 34:29; Nú 31:9; Sl 49:6.
MANTO, Isa 61:3 m. de alabanza en vez
MANUFACTURA, Dt 27:15 estatua, m. de
MANUSCRITO, Col 2:14 borró el documento **m.**
MANZANAS, Pr 25:11 Como m. de oro en
MAÑANA, Sl 30:5 a la **m.** hay clamor gozoso
Sl 49:14 tendrán en sujeción a la **m.**
Isa 28:19 m. a **m.** pasará, durante
Jue 6:28; 2Re 19:35; Mr 1:35; Hch 28:23.
MAPAS, Jos 18:4 delineen **m.** de acuerdo con
MÁQUINA(S), 2Cr 26:15; Eze 26:9.
MAQUINACIONES, Ef 6:11 m. del Diablo
MAQUINANDO, Sl 37:12 El inicuo está **m.**
MAR(ES), Gé 1:10 aguas llamó **m.**
Éx 14:21 m. se convirtiera en suelo seco
Sl 72:8 tendrá súbditos de m. a **m.**
Isa 11:9 conocimiento como aguas cubren **m.**
Isa 57:20 inicuos son como el m. agitado
Isa 60:5 a ti se dirigirá la riqueza del **m.**
Da 11:45 plantará tiendas entre el gran **m.**
Lu 21:25 bramido del m. y de su agitación
1Co 10:2 bautizados por medio del **m.**
Jud 13 olas bravas del **m.**, como espuma
Rev 20:13 m. entregó los muertos que había
Rev 21:1 habían pasado, y el m. ya no existe
Isa 17:12; Eze 27:27; Jon 1:15; Rev 7:3.
MARAVILLA(S). Véase también PORTENTO(S)
PRESAGIOSO(S).
Éx 15:11 Aquel que hace m.
Sl 88:10 Para los muertos, ¿harás una **m.**?
Da 4:3 cuán poderosas sus **m.**!
MARAVILLARSE, Lu 4:22 todos se **m.** de
Lu 2:18; Hch 7:31.
MARAVILLOSAMENTE, Sl 78:12.
Sl 139:14 estoy **m.** hecho
Isa 29:14 yo, Aquel que volverá a obrar **m.**
MARAVILLOSO(SA), 1Cr 16:9 en sus actos **m.**
Job 42:3 cosas demasiado **m.** para mí, las
Sl 26:7 declarar todas tus **m.** obras
Sl 31:21 proporcionado **m.** bondad amorosa
Sl 89:5 los cielos elogiarán tu **m.** acto
Sl 98:1 m. son las cosas que ha obrado
Sl 107:8 gracias a Jehová por sus **m.** obras
Sl 136:4 al Hacedor de cosas **m.**, grandes
Isa 9:6 nombre se le llamará **M.** Consejero
Da 11:36 contra el Dios hablará cosas **m.**
1Pe 2:9 de la oscuridad a su luz **m.**
Job 10:16; Sl 77:11; 145:5; Mt 21:42.
MARCA(S), Eze 9:4 una m. en las frentes
Gál 6:17 en mi cuerpo las m. de un esclavo
Rev 13:17 comprar salvo que tenga la **m.**
Rev 20:4 no habían recibido la **m.** sobre la
Rev 14:9, 11.
MARCHAR, Jos 6:3 m. alrededor de la ciudad
Sl 68:7 m. por el desierto
Hab 3:12 Con denunciación m. por la tierra
MARCHITAR(SE), Snt 1:11 sol m. la vegetación
1Sa 2:5; Mt 13:6; 21:19; 1Pe 1:24.
MARDOQUEO, Est 3:2 **M.**, él no se inclinaba
Est 7:10 colgar a Hamán en madero para **M.**
Esd 2:2; Ne 7:7; Est 2:5; 6:10; 9:3; 10:3.
MARÍA 1., Lu 1:27 la virgen era **M.**
Mt 1:16; 13:55; Mr 6:3; Lu 2:19, 34.
MARÍA 2., Jn 20:1 M. Magdalena vino a
Mt 27:56; Mr 16:1; Lu 8:2; 24:10.
MARÍA 3., Mt 27:56 M. madre de Santiago
Mr 15:47; 16:1; Lu 24:10; Jn 19:25.
MARÍA 4., Lu 10:42 M. escogió la buena
Lu 10:39; Jn 11:1; 12:3.
MARÍA 5., Hch 12:12 M. la madre de Marcos
MARÍA 6., Ro 16:6 M. ha realizado labores
MARINEROS, Eze 27:9, 27, 29; Jon 1:5; Hch
27:27; Rev 18:17.

MARITAL, Isa 54:5 Hacedor es tu dueño **m.**
 Jer 31:32 los poseía como dueño **m.**
MAR MUERTO. Véase MAR SALADO.
MAR ROJO, Heb 11:29 pasaron por el **m.**
 Éx 10:19; 15:4; Ne 9:9; Hch 7:36.
MAR SALADO, Jos 3:16 mar del Arabá, el **m.**
MARTA, Lu 10:41; Jn 11:39; 12:2.
MARTILLAR, Jue 5:26 ella **m.** a Sísara
MARTILLO(S), Jer 23:29 mi palabra como **m.**
 1Re 6:7; Isa 41:7; Jer 50:23.
MASA, Ro 9:21 hacer de la misma **m.** un
 1Co 5:7 para que sean una **m.** nueva, libres
 Gál 5:9 poco levadura hace fermentar la **m.**
MASACRAR, Jer 50:27 M. todos sus toros
MASACRE, Jer 50:21 m. vayan al alcance
MASA FERMENTADA,
 Éx 12:19 no ha de hallarse **m.**
MASAJES, Est 2:3, 9, 12.
MÁS ALTO, 1Sa 10:23; Da 8:3.
MÁS ALLÁ, 2Co 4:7 poder **m.** de lo normal
 Gál 1:9 algo **m.** de lo que aceptaron
MÁS APEGADO, Pr 18:24 amigo **m.** que
MASA ROCOSA, Mt 16:18 Pedro, y sobre **m.**
 Lu 8:6 Otra cayó sobre la **m.**
 Ro 9:33 piedra de tropiezo y **m.** de
 1Co 10:4 bebían de la **m.** espiritual
 1Pe 2:8 piedra de tropiezo y **m.** de
MÁS DÉBILES, 1Co 12:22 miembros **m.**
MATANZA, Jos 10:10 gran **m.** en Gabaón
MATAR(SE), Nú 25:5 M. cada uno de ustedes a
 1Sa 2:6 Jehová es Uno que **m.** y Uno que
 Eze 9:6 A niñito y mujeres deben **m.**
 Mt 10:28 no temerosos de los que **m.** cuerpo
 Mt 24:9 a tribulación y los **m.**
 Lu 12:5 Teman a aquel que después de **m.**
 Jn 16:2 todo el que los **m.** se imaginará que
 Ro 11:3 han **m.** a tus profetas
 Gé 37:20; Ne 4:11; Job 13:15; 24:14; Sl 44:22;
 139:19; Am 9:1; Zac 11:5; Hch 3:15; 7:52;
 Rev 13:15.
MATEO, Mt 9:9; 10:3; Lu 6:15; Hch 1:13.
MATRICULADOS, Heb 12:23 m. en los cielos
MATRIMONIO, Lu 20:35 ni se dan en **m.**
 2Co 11:2 los prometí en **m.** a un solo esposo
 Heb 13:4 Que **m.** sea honorable entre todos
 Lu 17:27; 1Co 7:38.
MATRIMONIO DE CUÑADO, Gé 38:8; Dt 25:5.
 Dt 25:7 No ejecutar el **m.**
MATRIZ, Sl 110:3 desde la **m.** del alba
 Jn 3:4; Gál 1:15.
MATRIZ QUE ABORTA, Os 9:14 Dales **m.** y
MATUSALÉN, Gé 5:21, 25, 27; Lu 3:37.
MAYOR, Jn 14:28 el Padre es **m.** que yo
 Heb 7:7 lo menor es bendecido por lo **m.**
MAYORDOMÍA, 1Co 9:17 encomendada una **m.**
 Lu 16:2; Ef 3:2; Col 1:25.
MAYORDOMO(S), Lu 12:42 el **m.** fiel
 1Co 4:1 de secretos sagrados de Dios
 Tit 1:7 libre de acusación como **m.** de Dios
MAYORÍA, 2Co 2:6 represión dada por **m.**
MECER(SE), Isa 14:16 haciendo **m.** reinos
 Joe 3:16 la tierra se **m.**
 Ag 2:7 Y ciertamente **m.** todas las naciones
MEDIA, Esd 6:2; Est 1:3; Da 8:20.
MEDIACIÓN ESPIRITISTA, 1Sa 28:7.
MEDIADOR, 1Ti 2:5 un solo **m.** entre Dios
 Heb 12:24 Jesús el **m.** de un nuevo pacto
 Gál 3:19, 20; Heb 8:6; 9:15.
MÉDICO(S), Gé 50:2 los **m.** embalsamaron
 Job 13:4 ustedes son **m.** de ningún valor
 Lu 4:23 M., cúrate a ti mismo
 Lu 5:31 Los que están sanos no necesitan **m.**
 Col 4:14 Lucas el **m.** amado
MEDIDA(S), Mt 7:2 la **m.** con que miden
 Lu 6:38 **m.** excelente, apretada, rebosante

 Lu 12:42 **m.** de víveres a su debido tiempo?
 2Co 10:2 tomar **m.** denodadas contra algunos
 1Te 2:16 siempre colman la **m.** de sus pecados
 Ro 12:3; Ef 4:16.
MEDIO, Heb 2:14 **m.** para causar la muerte
MEDIO DE VIDA, 1Jn 2:16 exhibición del **m.**
MEDIODÍA, Dt 28:29 anda a tientas al **m.**
 1Re 18:27 al **m.** Elías empezó a mofarse
 Isa 59:10 Hemos tropezado en pleno **m.**
 Am 8:9 sol se ponga en pleno **m.**
 Sof 2:4 en pleno **m.** la expulsarán
 Sl 37:6; 91:6; Isa 16:3; 58:10; Jer 15:8.
MEDIOS DE MANTENIMIENTO, Sl 62:10.
 Sl 49:6 que están confiando en sus **m.**
MEDIR, 2Sa 8:2 **m.** con cordeles para muerte
 Isa 65:7; Zac 2:2.
MEDITACIÓN, Sl 19:14 **m.** de mi corazón
 Sl 104:34 Sea placentera mi **m.** de él
MEDITAR. Véase también VOZ BAJA.
 Gé 24:63 paseando a fin de **m.** en
 Sl 77:12 **m.** en toda tu actividad
 Sl 143:5 he **m.** en toda tu actividad
 Pr 15:28 El corazón del justo **m.** para
 Hch 4:25 los pueblos **m.** cosas vacías?
MÉDIUM ESPIRITISTA(S), 1Sa 28:3; 2Re
 21:6; 23:24; Isa 8:19; 19:3; 29:4.
 Le 19:31 No se vuelvan a los **m.**
 Dt 18:11 nadie que consulte a un **m.**
MEDRAR, Sl 62:10 mantenimiento **m.**
 Sl 92:14 **m.** durante la canicie
MEGUIDÓ, Jue 5:19 aguas de M.
 Jos 12:21; 2Re 9:27; 23:29; 2Cr 35:22.
MEJILLA(S), Job 16:10 herido las **m.**
 Mt 5:39 bofetada en la **m.** derecha
 Lam 3:30; Miq 5:1; Lu 6:29.
MEJOR, Ec 2:24 nada **m.** que el que coma
MELODÍA(S), 2Sa 22:50 tocaré **m.** a tu
 Sl 21:13 Celebren con **m.** a Jehová
 Sl 47:7 produzcan **m.**, actúen con discreción
 Sl 119:54 M. han llegado a ser tus
 Job 35:10; Sl 18:49; 57:9; 66:2; 135:3; 144:9.
MELOSIDAD, Da 11:21, 34 por medio de **m.**
MELOSO(SA), Sl 12:3 cortará labios **m.**
 Da 11:32 apostasía mediante palabras **m.**
MELQUISEDEC, Heb 5:6 manera de M.
 Gé 14:18; Sl 110:4; Heb 6:20; 7:1, 15.
MEMORÁNDUM, Esd 6:2 estaba escrito el **m.**
MEMORIA, Éx 3:15 este es la **m.** de mí
 Éx 12:14 este día servirles de **m.**
 Isa 26:8 Por tu nombre y tu **m.** el deseo
 Lu 22:19 Sigan haciendo esto en **m.** de mí
 Éx 13:9; Ne 2:20; Os 12:5; 1Co 11:25; 3Jn 10.
MENCIÓN, Sl 6:5 en la muerte no hay **m.**
 Isa 26:14 destruir toda **m.** de ellos
MENCIONAR, Flp 3:18 hay muchos —solía **m.**
MENCIÓN CONMEMORATIVA, Sl 135:13.
 Sl 30:4 den gracias a su santa **m.**
MENDIGO, Lu 16:20 cierto **m.,** Lázaro
MENEAR, Na 3:12 frutos maduros, si lo **m.**
MENGUAR, Isa 60:20 ni irá **m.** tu luna
MENOR(ES), Jer 31:34 desde el **m.** hasta el
 Mt 11:11 **m.** en reino de los cielos es mayor
 Lu 9:48 se porta como **m.** es grande
 Heb 7:7 lo **m.** bendecido por lo mayor
 Heb 8:11 me conocerán, desde el **m.** hasta el
MENOSPRECIAR, Sl 78:59 Dios **m.** a Israel
 Sl 89:38 has desechado, y sigues **m.**
 Sl 106:24 se pusieron a **m.** la tierra
MENSAJE, 1Jn 1:5; 3:11 este el **m.**
MENSAJERO(S), Jos 6:17 ella escondió los **m.**
 Isa 33:7 **m.** de paz llorarán amargamente
 Eze 17:15 se rebeló al enviar **m.** a Egipto
 Mal 3:1 ¡Miren!, envío mi **m.**
 Mt 11:10 envío a mi **m.** delante de
 2Re 9:18; Pr 13:17; 17:11; Isa 14:32.

MENSTRUACIÓN, Eze 36:17.
Le 18:19 no acercarte a mujer durante **m.**
MENSTRUAL, Le 15:19 siete días impureza **m.**
Le 15:26 como la cama de su impureza **m.**
MENSTRUAR, Le 12:2 impureza cuando **m.**
MENTAL, Hch 20:19 con humildad **m.** y
MENTALMENTE, Flp 3:15 si se inclinan **m.**
MENTALMENTE ENFERMO, 1Ti 6:4 **m.** sobre
MENTE, Da 6:14 fijó **m.** para rescatarlo
Mt 22:37 amar a Jehová con toda tu **m.**
Ro 8:5 fijan la **m.** en las cosas de la carne
Ro 11:34 ¿quién conocer la **m.** de Jehová
Ro 12:2 transfórmense rehaciendo su **m.**
1Co 2:16 llegado a conocer la **m.** de Jehová
2Co 4:4 dios de este sistema ha cegado la **m.**
Flp 3:19 tienen la **m.** puesta en cosas
Flp 4:2 sean de la misma **m.** en el Señor
Col 3:2 Mantengan **m.** fija en cosas de arriba
Heb 8:10 Pondré mis leyes en su **m.**
1Pe 1:13 fortifiquen su **m.** para actividad
Ro 7:25; 8:6; 14:5; 1Co 1:10.
MENTE ANGUSTIADA, Lu 2:48 padre con la **m.**
MENTIR, Pr 14:5 Un testigo fiel no **m.**
Col 3:9 No estén **m.** unos a otros
Heb 6:18 es imposible que Dios **m.**
MENTIRA(S), Nú 23:19 Dios no que diga **m.**
Pr 6:19 un testigo falso que lanza **m.**
Isa 28:15 hecho de una **m.** nuestro refugio
Jn 8:44 mentiroso y padre de la **m.**
Ro 1:25 cambiaron verdad de Dios por **m.**
2Te 2:11 para que lleguen a creer la **m.**
Jue 16:10; Sl 89:35; Da 11:27; Hab 2:3; Sof
3:13; 1Ti 4:2; Rev 21:27; 22:15.
MENTIROSO(SA), Jn 8:44 Diablo es **m.** y
Ro 3:4 Dios veraz, todo hombre **m.**
1Jn 1:10 lo estamos haciendo **m.** a él
1Jn 5:10 no tiene fe en Dios lo ha hecho **m.**
Pr 19:22; 30:6; Eze 13:6; 2Te 2:9; 1Jn 2:4, 22;
4:20; Rev 21:8.
MERCADERES, Isa 23:2 Los **m.** de Sidón
Eze 27:21 Los árabes eran **m.**
MERCADERÍAS, Ne 10:31 **m.** en sábado
MERCANCÍA(S), Eze 27:27 artículos de **m.**
Jn 2:16 casa de mi Padre una casa de **m.**
MERECEDOR(ES), Ro 1:32; 1Ti 1:15.
MERECER, Mt 10:10 obrero **m.** su alimento
Lu 23:15; Hch 23:29; 26:31.
MERIBÁ, Éx 17:7; Nú 20:13; Dt 32:51.
MÉRITO, Lu 6:32, 34 ¿de qué **m.** les es?
1Co 8:8 comemos, no nos es de ningún **m.**
1Pe 2:20 ¿qué **m.** hay en ello
MERODEADORA, 1Sa 30:8; 1Re 11:24.
Sl 18:29 correr contra una partida **m.**
MES(ES), Éx 12:2 primero de los **m.** del año
Gál 4:10 observando días y **m.**
Rev 22:2 daban sus frutos cada **m.**
2Re 15:13; 1Cr 27:1; Est 3:7; Da 4:29.
MESA, Sl 23:5 Dispones una **m.**
Isa 21:5 ¡Haya un poner en orden la **m.**
Isa 28:8 las **m.** se han llenado de vómito
Da 11:27 en una **m.** una mentira es lo que
Mal 1:7 la mesa de Jehová debe despreciarse
Lu 22:30 beban a mi **m.** en mi reino
1Co 10:21 participando de la **m.** de Jehová
MESÍAS, Da 9:26 sesenta y dos semanas **M.**
Jn 1:41 le dijo: Hemos hallado al **M.**
Jn 4:25 Yo sé que el **M.** viene, Cristo
MES LUNAR, 1Re 6:37; 8:2; Esd 6:15.
MESOPOTAMIA, Gé 24:10; Dt 23:4; Hch 2:9.
META, Flp 3:14 hacia la **m.** para el premio
Hab 2:5; Mt 11:12.
METER(SE), Pr 18:6 estúpido se **m.** en
Pr 26:6 que **m.** asuntos en mano de
METERSE DISIMULADAMENTE, Jud 4.
MÉTODOS, 1Co 4:17 **m.** relacionados con
MEZCLA, Rev 18:6 una **m.**, vacíene doble

MEZCLAR(SE), Esd 9:2 **m.** con pueblos de los
1Co 5:11 de **m.** en compañía de hermano que
MICAYA, 1Re 22:8; 2Re 22:12; 2Cr 13:2.
MIEDO, Gé 3:10 tuve **m.** porque estaba
Isa 51:12 **m.** a un hombre mortal
Jer 1:8 No tengas **m.,** porque: estoy contigo
Sl 112:7; Heb 13:6; Rev 2:10.
MIEL, Éx 3:8 tierra que mana leche y **m.**
Sl 19:10 más dulces que la **m.**
Sl 119:103 más que la **m.** a mi boca!
Eze 3:3 llegó a ser en mi boca como **m.**
Jue 14:9; Pr 25:27; Isa 7:15; Rev 10:10.
MIEMBROS, Ro 6:13 presentando sus **m.** al
Ro 7:23 ley del pecado que está en mis **m.**
1Co 6:15 sus cuerpos son **m.** de Cristo?
1Co 12:18 Dios ha colocado a los **m.** en el
Ef 3:6 ser coherederos y **m.** del cuerpo
1Co 12:27; Col 3:5; Snt 3:6; 4:1.
MIEMBRO VIRIL, Isa 57:8 Contemplaste el **m.**
MIES, Joe 3:13 la **m.** ha madurado
Mt 9:37 la **m.** es mucha, los obreros pocos
MIGAJAS, Mt 15:27 perritos comen **m.**
MIGRATORIA, Le 11:22 la langosta **m.**
MIGUEL, Da 12:1 se pondrá de pie **M.**
Rev 12:7 **M.** y sus ángeles combatieron
Da 10:13, 21; Jud 9.
MIL, Dt 7:9 hasta mil **m.** generaciones
1Re 19:18 siete **m.** no doblado a Baal
Job 33:23 vocero, uno de entre **m.**
Sl 50:10 las bestias sobre **m.** montañas
Sl 84:10 un día en tus patios mejor que **m.**
Sl 91:7 **M.** caerán a tu lado mismo
Isa 60:22 El pequeño llegará a ser **m.**
Rev 14:1 con él ciento cuarenta y cuatro **m.**
MILAGRO(S), Éx 4:21 ejecuten todos los **m.**
Éx 11:9 que sean aumentados mis **m.**
Isa 8:18 hijos somos como señales y **m.**
Dt 29:3; Ne 9:10; Sl 71:7; 105:5; Jer 32:20.
MIL AÑOS, Sl 90:4 **m.** son a tus ojos
2Pe 3:8 un día es para con Jehová como **m.**
Rev 20:2 Satanás, y lo ató por **m.**
Rev 20:4 reinaron con el Cristo por **m.**
MILITAR, EXPEDICIÓN, Nú 31:14.
MILLÓN, 1Cr 21:5; 22:14; 2Cr 14:9.
MIMAR, Pr 29:21 Si viene **m.** a su siervo
MINA(S), Lu 19:16 la **m.** ganó diez **m.**
1Re 10:17; Esd 2:69; Lu 19:13, 24, 25.
MÍNIMO(MA), Lu 16:10 hacer la cosa **m.**
Lu 16:10 persona fiel en lo **m.** es fiel
MINISTERIAL, Ef 4:12 para obra **m.**
MINISTERIO(S), Hch 20:24 termine el **m.**
Ro 11:13 a las naciones, glorifico mi **m.**
1Co 12:5 hay variedades de **m.**
2Co 4:1 teniendo este **m.** según la
2Co 5:18 ha dado el **m.** de la reconciliación
2Co 6:3 no se encuentre falta en nuestro **m.**
1Ti 1:12 y me asignó a un **m.**
2Ti 4:5 efectúa tu **m.** plenamente
Hch 21:19; Ro 12:7; 2Co 8:4; 9:1; Col 4:17.
MINISTRAR(SE), 1Sa 2:18 Samuel estaba **m.**
Da 7:10 mil millares que seguían **m.**
Mt 20:28 Hijo del hombre vino para **m.**
1Pe 1:12 sino para ustedes, **m.** cosas
Isa 56:6; Mt 4:11; 25:44; Mr 1:13; 1Pe 4:10.
MINISTRO(TRA), Isa 61:6 **m.** de nuestro Dios
Mr 10:43 grande ser **m.** de
Ro 13:4 es **m.** de Dios para bien tuyo
Ro 15:8 Cristo realmente llegó a ser **m.**
Ro 16:1 Febe que es **m.** de
2Co 3:6 capacitados **m.** de un nuevo pacto
2Co 11:15 sus **m.** sigan transformándose
1Ti 3:10 entonces que sirvan como **m.**
1Ti 4:6 serás excelente **m.** de Cristo
Sl 103:21; 2Co 3:3; 6:4; Gál 2:17; Col 1:23.
MIQUEAS, Jue 17:1; 2Cr 34:20; Miq 1:1.
MIRA, Ro 5:21 vida eterna en **m.**

2Co 5:9 teniendo como **m.** nuestra
1Ti 4:7 entrenándote con devoción como **m.**
MIRADAS PROVOCATIVAS, Isa 3:16.
MIRAR, Sl 27:4 m. con aprecio a su templo
Sl 94:9 que formó el ojo, ¿no puede m.?
Isa 51:1 **M.** roca de la cual fueron labrados
Mt 14:19 m. al cielo, dijo una bendición
Lu 9:62 mano en arado y **m.** a cosas atrás
Heb 12:2 m. atentamente al Agente, Jesús
1Pe 1:12 los ángeles desean m.
Isa 17:7; Zac 12:10; Snt 1:23; Rev 18:9.
MIRAR CON FIJEZA, Dt 4:31 muchísimas m.
MIRÍADAS, Heb 12:22; Jud 14; Rev 5:11.
MÍRIAM, Éx 15:20; Nú 12:1; 20:1; 26:59.
MIRRA, Mt 2:11; Jn 19:39.
MISERABLES, Gál 4:9 y m. cosas elementales
MISERICORDIA(S), 1Cr 21:13 muchísimas m.
Pr 28:13 confiesa se te mostrará m.
Mt 9:13 Quiero m., y no sacrificio
Ro 9:15 Tendré m. de quien tenga
2Co 1:3 el Padre de tiernas m.
1Ti 1:13 se me mostró m., era ignorante
Snt 2:13 m. se alboroza sobre el juicio
Snt 3:17 llena de m. y buenos frutos
1Pe 2:10 pero ahora se ha mostrado m.
Éx 33:19; 2Sa 24:14; Ne 9:19, 27; Isa 54:7;
60:10; Hab 3:2; Zac 1:16.
MISERICORDIOSO(S), Dt 4:31 Jehová es m.
Ne 9:17 tú eres un Dios benévolo y m.
Mt 5:7 Felices son los m.
Lu 6:36 haciéndose m., así como su Padre
Heb 2:17 un sumo sacerdote m. y fiel
Snt 5:11 Jehová es muy tierno, y m.
2Cr 30:9; Sl 78:38; 86:15; Heb 8:12.
MISIÓN, Jer 48:10 m. de Jehová
MISMO, Heb 1:12 cambiados, tú eres el m.
MISTERIO. Véase también SECRETO(S)
SAGRADO(S).
2Te 2:7 el m. de desafuero
Rev 17:5 m.: Babilonia la Grande, la madre
Rev 17:7 te diré el m. de la mujer
MIZPÁ, Jos 11:3; Jue 10:17; Os 5:1.
MIZPÉ, Jos 11:8; Jue 11:29.
MOAB, Dt 29:1 pacto en la tierra de M.
Rut 1:1, 22; 2Re 1:1; 2Cr 20:22; Da 11:41.
MOCEDAD, 1Sa 17:33 de guerra desde m.
Ec 12:1 Acuérdate, en los días de tu m.
MODELADOR, Job 36:3 a mi M. atribuiré
MODELO, 2Ti 1:13 Sigue reteniendo m.
Snt 5:10 tomen por m. a los profetas
2Pe 2:6 poniendo para personas impías m.
Éx 25:9, 40; Jn 13:15; Heb 4:11; 8:5.
MODERACIÓN, Heb 5:2 con m. a ignorantes
MODERADO(DA) EN LOS HÁBITOS, 1Ti 3:2.
1Ti 3:11 mujeres, igualmente, deben ser m.
Tit 2:2 hombres de edad sean m.
MODESTIA, 1Ti 2:9 mujeres se adornen con m.
MODESTO(S), Pr 11:2 sabiduría con los m.
Miq 6:8 ser m. al andar con tu Dios?
MODO DE ENSEÑAR, Mt 7:28; Lu 4:32.
MODO DE VIVIR, Hch 26:4 m. desde joven
MOFA, Sl 44:13; 79:4; Jer 20:8.
MOFAR(SE), 1Re 18:27 Elías empezó a m.
2Cr 36:16 m. de sus profetas
Sl 35:16 apóstatas que se m. por una
Pr 1:26 me m. cuando venga lo que los
Hch 17:32 oír resurrección, empezaron a m.
Gál 6:7 de Dios uno no se puede m.
2Re 2:23; Eze 22:5; Hab 1:10; Hch 2:13.
MOFAS, Heb 11:36 recibieron prueba por m.
MOHO, Snt 5:3 oro y plata, el m. de estos
MOISÉS, Éx 2:10 ponerle por nombre M.
Nú 12:3 el hombre M. era el más manso
Mt 17:3 se les aparecieron M. y Elías
1Co 10:2 todos fueron bautizados en M. por

Heb 11:24 Por fe **M.,** ya crecido, rehusó
Éx 3:13; 4:20; 7:1; Hch 3:22; Heb 3:2; Jud 9;
Rev 15:3.
MOLDEADA, Ro 9:20 cosa m. dirá al que la
MÓLEK, 2Re 23:10 pasar por el fuego a M.
Le 18:21; 20:2; 1Re 11:7; Jer 32:35.
MOLER, Ec 12:3 mujeres que m. hayan dejado
MOLESTAR, Rut 2:15; 1Sa 25:7, 15.
MOLESTO, Flp 3:1 escribirles no se me hace m.
MOMENTÁNEA, 2Co 4:17 tribulación es m.
MOMENTITO, Esd 9:8 por un m. favor de
Isa 54:7 Por un m. te dejé por completo
MOMENTO, Sl 30:5 cólera es por un m.
1Co 15:52 en un m., en un abrir y cerrar de
Isa 26:20; 27:3.
MONEDA, Mt 10:29 dos gorriones por una m.
MONSTRUOS, Gé 1:21 crear grandes m.
MONTAÑA(S), Éx 3:12 servirán sobre esta m.
Jue 5:5 m. fluyeron del rostro de Jehová
Sl 2:6 sobre Sión, mi santa m.
Sl 46:2 m. caigan en el caos y cambien
Isa 2:2 establecida por encima de m.
Isa 2:3 subamos a la m. de Jehová
Isa 11:9 No harán daño en mi santa m.
Isa 52:7 hermosas sobre las m. son los pies
Jer 16:16 los cazarán de toda m.
Da 2:45 de la m. una piedra fue cortada
Da 11:45 la santa m. de Decoración
Mt 4:8 m. alta, y le mostró todos los
Mt 17:20 dirán a esta m.: Transfiérete
Mr 13:14 en Judea echen a huir a las m.
Lu 3:5 toda m. y colina allanada
Rev 6:16 diciendo a las m.: Caigan sobre
Isa 40:12; 41:15; 65:25; Jer 51:25; Eze 35:8;
Am 9:13; Miq 1:4; Hab 3:6.
MONTE SEÍR, Dt 2:5 he dado el m. a Esaú
MONTE SINAÍ, Éx 19:20 Jehová sobre el m.
Éx 24:16 gloria de Jehová continuó sobre m.
Éx 31:18; Le 7:38; Ne 9:13; Hch 7:30.
MONTE SIÓN, Sl 48:2 m. en los lados
Sl 125:1 como el m., que no puede tambalear
Isa 29:8 naciones haciendo guerra contra m.
Joe 2:32 en el m. resultarán los escapados
Heb 12:22 m. y a una ciudad del Dios vivo
Rev 14:1 el Cordero de pie sobre m., y con él
2Re 19:31; Sl 78:68; Isa 8:18; Abd 21; Miq 4:7.
MONUMENTO, 1Sa 15:12 Saúl erigiéndose m.
2Sa 18:18 el M. de Absalón
MORADA(S), 1Re 8:49 cielos, lugar de tu m.
Hab 3:11 sol, luna... se pararon, en su m.
Jn 14:2 casa de mi Padre hay muchas m.
Dt 26:15; Sl 91:9; Jer 31:23; Hch 17:26.
MORADORA, Isa 12:6 m. de Sión
MORADORES, Jue 5:7 m. de campiña abierta
MORALMENTE LIMPIO, Miq 6:11.
MORAR, Nú 35:34 tierra en que están m.
Jue 5:17 ¿por qué continuó m. en naves?
Sl 27:4 que pueda m. en la casa de Jehová
Sl 133:1 bueno que hermanos m. en unidad!
Isa 40:22 m. encima del círculo de la tierra
Ro 7:20 no yo, sino el pecado que m. en mí
1Co 3:16 espíritu de Dios m. en ustedes?
Sl 61:7; 68:16; Pr 21:9, 19; Isa 32:18.
MORDER, Sl 57:3 está tirando a m.
MORENA, Can 1:6 soy m., porque el sol
MORIA, Gé 22:2; 2Cr 3:1.
MORIR, Gé 2:17 día que comas de él m.
Gé 3:4 Positivamente no m.
Ec 3:2 tiempo de nacer y tiempo de m.
Ec 3:19 Como m. el uno, así m.
Eze 18:4 El alma que peca m.
Jn 11:26 fe en mí no m. jamás
Ro 5:8 pecadores, Cristo m. por nosotros
Ro 6:9 Cristo ya no m.; la muerte ya no
Heb 11:13 En fe m. todos estos

Ec 9:5; Jer 16:4; Lu 16:22; 20:36; Ro 7:9;
14:9; 2Co 5:15; Heb 9:27.
MORTAL(ES), Gé 42:4 un accidente **m.**
Éx 21:22 salgan, pero no ocurra accidente **m.**
Ro 6:12 pecado reinando en su cuerpo **m.**
1Co 15:53 esto **m.** vestirse de inmortalidad
Sl 144:3; Isa 13:7; Ro 8:11; 2Co 4:11.
MORTERO, Le 14:42 tomar **m.** de barro
Pr 27:22 un majador en un **m.**
MORTÍFERO, 2Co 4:10; Snt 3:8.
MOSAICO, 1Cr 29:2 piedrecitas de **m.**
MOSQUITO, Mt 46:20 m. vendrá contra
Mt 23:24 cuelan el **m.** pero engullen el
MOSTAZA, GRANO DE, Mt 17:20; Lu 13:19.
MOSTRAR, Éx 9:16 a fin de **m.** mi poder
2Cr 16:9 **m.** su fuerza a favor de
Gé 12:1; Rev 22:6.
MOTEADOS, Gé 31:10 eran rayados, **m.**
MOTIVO, Job 11:12 obtendrá buen **m.**
Os 4:11 Fornicación y vino quitan el buen **m.**
Flp 1:17 no con **m.** puro, pues se figuran
MOVER(SE), Gé 1:2 fuerza activa de Dios se **m.**
2Co 4:8 no se nos aprieta que no podamos **m.**
Col 1:23 no dejándose **m.**
1Te 3:3 que nadie se dejara **m.** por
2Te 3:1 palabra de Jehová siga **m.**
MOVER(SE) HACIA ATRÁS, Isa 59:14.
Dt 19:14 No **m.** los hitos
MOVIDA, Zac 14:4 montaña será **m.**
MOVIMIENTO CIRCULAR, Ec 1:6 viento en **m.**
MOZO, 1Sa 17:56; 20:22.
MUCHACHITO(S), Isa 11:6 **m.** será guía sobre
Mt 2:16; Jn 4:51.
MUCHACHO(CHA), Pr 22:6 Entrena al **m.**
Isa 65:20 morirá como simple **m.,** aunque
Lu 8:54 diciendo: **M.,** ¡levántate!
Mt 17:18; 21:15.
MUCHEDUMBRE(S), 2Cr 20:15 No miedo de **m.**
Eze 32:20 arrastrando, a ella y a todas sus **m.**
Mt 21:9 las **m.,** los que iban delante de él
Rev 7:9 ¡miren!, una gran **m.,** de todas
Eze 39:11; Mt 13:34; Mr 3:9; Jn 6:5.
MUCHEDUMBRE MIXTA, Nú 11:4 **m.** egoísta
MUCHO(S), Mt 22:14 **m.** invitados, pocos
1Co 15:58 **m.** que hacer en la obra del
Jer 28:8; 1Co 15:6.
MUDAR, Gé 35:2 límpiense y **m.** sus mantos
MUDO(DA), Isa 35:6 la lengua del **m.**
Isa 56:10 atalayas. Todos son perros **m.**
Eze 3:26; 24:27; Mt 9:32; 12:22; 15:30; Lu
1:22; 1Co 12:2.
MUERTE, Dt 30:19 he puesto vida y **m.**
Job 38:17 ¿descubriste puertas de **m.**
Sl 116:15 Preciosa es la **m.** de los leales
Pr 16:25 los caminos de la **m.** son el fin
Ec 7:1 día de **m.** que día en que nace
Isa 25:8 se tragará a la **m.** para siempre
Ro 5:12 la **m.** se extendió a los hombres
Ro 5:17 **m.** reinó mediante aquel solo
Ro 6:23 salario que pecado paga es **m.**
1Co 15:21 **m.** es mediante un hombre
1Co 15:26 último enemigo, la **m.** a nada
Heb 2:9 sufrido **m.** por todo hombre
Heb 2:14 medio para causar **m.,** Diablo
Rev 2:10 Pruébate fiel hasta la **m.**
Rev 20:14 la **m.** y el Hades arrojados
Rev 21:4 la **m.** no será más
Sl 89:48; Eze 33:11; Jn 8:51; Ro 6:10.
MUERTE SEGUNDA, Rev 2:11 daño de la **m.**
Rev 20:6 estos la **m.** no tiene autoridad
Rev 20:14 Esto significa la **m.:** el lago de
Rev 21:8 fuego y azufre. Esto significa la **m.**
MUERTO(TA), Sl 115:17 **m.** no alaban a Jah
Ec 9:5 los **m.** no tienen conciencia de nada
Isa 26:14 Están **m.;** no vivirán
Jer 25:33 los **m.** por Jehová llegarán a

Eze 9:7 llenen los patios con los **m.**
Mt 8:22 los **m.** entierren a sus **m.**
Mt 16:21 ser **m.,** y al tercer día
Jn 5:25 **m.** oirán la voz del Hijo
Ro 6:11 **m.,** con referencia al pecado, pero
Ef 2:1 los vivificó aunque estaban **m.**
1Te 4:16 **m.** en unión con Cristo se
Sl 110:6; Isa 66:16; Jer 51:49; Eze 6:13; Mt
22:32; Rev 2:13; 9:18; 14:13; 20:13.
MUERTOS DE HAMBRE, Isa 5:13 hombres **m.**
MUESTRA, 1Ti 1:16 gran paciencia como **m.**
MUJER(ES), Gé 2:22 de la costilla una **m.**
Gé 3:15 pondré enemistad entre ti y la **m.**
Le 18:23 no ponerse delante de bestia
Jue 5:24 Jael bendita entre las **m.**
1Sa 28:7 **m.** perita en mediación espiritista
2Sa 1:26 Más que el amor procedente de **m.**
Jer 51:30 hombres de Babilonia en **m.**
Jn 2:4 ¿Qué tengo que ver contigo, **m.**?
Jn 19:26 Jesús dijo a su madre: **M.,** ¡ahí
1Co 11:3 cabeza de la **m.** es el varón
1Co 11:10 **m.** debe tener una señal de
1Co 11:12 como la **m.** procede del varón
1Co 14:34 las **m.** guarden silencio
1Ti 2:11 **m.** aprenda en silencio
1Ti 2:12 No permito que la **m.** enseñe
Tit 2:4 a las **m.** que amen a sus esposos
Rev 12:1 una **m.** vestida del sol
Rev 12:17 dragón se airó contra la **m.**
Rev 14:4 no se contaminaron con **m.**
Rev 17:3 **m.** sentada sobre bestia salvaje
Dt 31:12; Da 11:37; Mt 11:11; 24:41; 1Ti 3:2.
MUJERES PROMINENTES, Hch 17:4.
MULTA, Pr 21:11 imposición de **m.** al burlador
2Re 23:33; Pr 17:26.
MULTAR, Dt 22:19 tienen que **m.** en cien
MÚLTIPLES, Job 11:6 cosas de sabiduría son **m.**
MULTIPLICADA, 2Co 4:15 bondad fue **m.**
MULTIPLICAR(SE), Gé 26:4 **m.** tu descendencia
Hch 6:7 número de discípulos siguió **m.**
Gé 17:2; 26:24; Dt 8:1; Jer 33:22; Hab 2:6.
MULTITUD, Pr 11:14 salvación en la **m.** de
Pr 15:22 en la **m.** de consejeros hay logro
Snt 5:20 y cubrirá una **m.** de pecados
1Pe 4:8 amor cubre una **m.** de pecados
Lu 2:13; 5:6; Jn 21:6; Heb 11:12.
MULTITUDES CONGREGADAS, Sl 26:12.
MUNDO. Véanse también SISTEMA(S) DE
COSAS, TIERRA HABITADA.
Mt 24:21 desde principio del **m.**
Jn 3:16 tanto amó Dios al **m.** que
Jn 14:19 el **m.** ya no me contemplará
Jn 14:30 el gobernante del **m.** viene
Jn 15:19 **m.,** el **m.** le tendría afecto
Jn 17:16 Ellos no son parte del **m.,** así
Jn 18:36 Mi reino no es parte de este **m.**
Ro 1:20 cualidades desde la creación del **m.**
Ro 4:13 de ser heredero de un **m.,** sino
1Co 4:9 espectáculo teatral al **m.**
Snt 4:4 amistad con el **m.** es enemistad
2Pe 3:6 el **m.** de aquel tiempo fue anegado
1Jn 2:2 por pecados, los de todo el **m.**
1Jn 5:19 el **m.** entero yace en el poder
Mt 25:34; Jn 8:23; 17:5, 6; Ef 1:4; 2:2; Snt
1:27; 1Jn 2:15, 16; Rev 17:8.
MURMURACIÓN(ES), Flp 2:14 libres de **m.**
Nú 14:27; 17:5.
MURMURADORES, 1Co 10:10; Jud 16.
MURMURAR, Éx 16:7; 1Co 10:10.
MURO(S), Isa 26:1 pone la salvación por **m.**
Eze 38:11 todos ellos morando sin **m.**
Joe 2:7 Como hombres de guerra suben un **m.**
Ef 2:14 destruyó el **m.** de en medio
Heb 11:30 Por fe los **m.** de Jericó cayeron
MÚSICA, Sl 77:6; Lam 5:14.
MÚSICOS, Esd 7:24 levitas, los **m.**
MUTILAR, Flp 3:2 los que **m.** la carne

N

NAAMÁN, 2Re 5:1; Lu 4:27.
NABUCODONOSOR, 2Cr 36:7 **N.** utensilios
Jer 27:6 estos países en la mano de **N.**
Da 3:1 **N.** el rey hizo una imagen de oro
Esd 5:12; Da 2:1; 3:16, 24, 28; 4:18, 31.
NABUCODOROSOR, Jer 25:9 **N.** rey Babilonia
Jer 43:10; 50:17; Eze 26:7; 30:10.
NACER, Ec 3:2 tiempo de **n.**
Ec 7:1 que el día en que uno **n.**
Isa 9:6 un niño nos ha **n.,** un hijo
Mt 1:16 de María, de la cual **n.** Jesús
Lu 2:11 les ha **n.** hoy un Salvador
Jn 3:3 A menos que uno **n.** de nuevo, no
Sl 87:5; Mt 2:1; Jn 18:37.
NACIDO, Job 14:1 El hombre, **n.** de mujer
1Co 15:8 a mí como a uno **n.** prematuramente
NACIENTE, Da 11:44 informes desde el **n.**
NACIMIENTO(S), 1Pe 1:3 nos dio un nuevo **n.**
Éx 28:10; Eze 16:3; Rev 16:12.
NACIÓN(ES), Éx 19:6 sacerdotes, **n.** santa
2Sa 7:23 ¿Y qué **n.** en la tierra es como
Sl 9:17 **n.** que se olvidan de Dios
Sl 33:12 Feliz es la **n.** cuyo Dios es
Isa 2:2 tendrán que afluir las **n.**
Isa 2:4 No alzará espada **n.** contra **n.**
Isa 26:2 **n.** justa mantiene conducta fiel
Isa 66:8 nacerá una **n.** de una vez?
Jer 25:32 Una calamidad va a salir de **n.**
Sof 2:1 Recójanse, oh **n.** que no palidece
Sof 3:8 mi decisión judicial es reunir **n.**
Ag 2:7 cosas deseables de todas las **n.**
Mt 12:21 en su nombre esperarán **n.**
Mt 21:43 quitado y dado a una **n.**
Mt 24:7 se levantará **n.** contra **n.**
Mt 24:14 para testimonio a las **n.**
Mt 25:32 todas las **n.** serán reunidas
Lu 21:24 tiempos señalados de las **n.**
Lu 21:25 sobre la tierra angustia de **n.**
Lu 23:2 A este hombre subvirtiendo **n.**
Hch 15:14 Dios dirigió atención a **n.**
Ef 4:17 no sigan andando como las **n.**
1Pe 2:12 excelente conducta entre **n.**
Rev 11:18 Pero las **n.** se airaron
Gé 22:18; Hch 10:35; Ro 3:29; Rev 7:9.
NADA, Isa 45:18 no la creó para **n.**
Isa 65:23 No se afanarán para **n.**
1Co 1:28 reducir a **n.** las cosas que son
1Co 2:6 gobernantes quedar reducidos a **n.**
1Co 8:4 sabemos que un ídolo no es **n.**
NADAR, Sl 6:6; Isa 25:11.
NADA VALEN, Pr 12:11 tras cosas que **n.**
Isa 1:13 Cesen de traer ofrendas que **n.**
NADIE, 2Co 5:16 no conocemos a **n.** según
NARICES, Gé 2:7 en **n.** el aliento de vida
NARIZ, Eze 8:17 el vástago a mi **n.**
NATÁN, 2Sa 12:7 **N.** dijo: ¡Tú mismo eres
2Sa 7:3; 12:5, 13; 1Cr 17:1, 2.
NATANAEL, Jn 1:45-49; 21:2.
NATURAL(ES), Le 18:23 violación de lo **n.**
Ro 1:27 varones dejaron uso **n.** de la hembra
Snt 3:6 en llamas la rueda de la vida **n.**
Ro 1:31; 11:24; 2Ti 3:3.
NATURALEZA, 2Pe 1:4 partícipes de **n.** divina
Ro 1:26; 2:14, 27; 11:24; 1Co 11:14.
NATURALMENTE, Ef 2:3 **n.** hijos de ira
NAUFRAGIO, 2Co 11:25; 1Ti 1:19.
NAVAJA, Jue 13:5; 16:17; 1Sa 1:11; Eze 5:1.
NAVEGAR, Hch 27:5 **n.** por alta mar
NAVES, Sl 48:7 destrozas las **n.** de Tarsis
Sl 107:23 bajando al mar en las **n.**
Isa 23:1 ¡Aúllen, **n.** de Tarsis!
Da 11:40 rey del norte con muchas **n.**
Jue 5:17; Isa 43:14; Eze 30:9; Da 11:30.

NAZARENO(S), Hch 24:5 secta de los **n.**
Jn 19:19; Hch 2:22.
NAZAREO, Nú 6:2, 18-21; Jue 13:5; 16:17.
NAZARET, Mt 2:23; 4:13; 21:11.
Mt 2:23; 4:13; ¿De **N.** salir algo bueno?
Mt 2:23; 4:13; 21:11.
NEBLINA, Job 36:27 atrae agua como **n.**
Snt 4:14 una **n.** que por un poco de tiempo
NEBO, Nú 32:3; Isa 15:2; 46:1; Jer 48:1.
NEBULOSO, 1Co 13:12 vemos contorno **n.**
NECEDAD, 1Co 1:18 habla del madero es **n.**
1Co 1:20 hizo **n.** la sabiduría del mundo?
1Co 1:23 Cristo en madero; para naciones **n.**
1Co 2:14; 3:19.
NECESARIAS, Snt 2:16 no les dan cosas **n.**
NECESARIO, Ro 12:3 no piense más de lo **n.**
Flp 1:24 permanezca en la carne es más **n.**
Heb 2:1 es **n.** que prestemos más atención
NECESIDAD, 1Co 7:26 en vista de la **n.** entre
1Co 9:16 porque **n.** me está impuesta
1Co 12:21 No tengo **n.** de ustedes
Da 3:16; 1Co 7:37; Ef 4:28; Heb 7:12.
NECESITAR, Mt 6:32 Padre sabe que **n.**
Dt 15:8; Ro 16:2; Heb 5:12.
NECIO(CIA), Mt 5:22 diga: ¡Despreciable **n.**!
Mt 25:2 Cinco de ellas eran **n.**
1Co 1:25 cosa **n.** de Dios más sabia que
1Co 3:18 hágase **n.,** para que se haga sabio
2Ti 2:23 mejora a admitir cuestiones **n.**
1Co 1:27; 4:10; Ef 5:4; Tit 3:9.
NEFILIM, Gé 6:4; Nú 13:33.
NEFTALÍ, Gé 30:8; Éx 1:4; Mt 4:13.
NEGAR, Jos 24:27 para que no **n.** a su Dios
Gé 18:15; Job 8:18; 31:28; Pr 30:9; Jer 5:12;
Mt 26:70; Jn 18:25; 2Ti 2:12.
NEGLIGENCIA, Esd 4:22 que no haya **n.**
NEGOCIAR, Sl 107:23 **n.** sobre vastas aguas
Snt 4:13 **n.** y haremos ganancias
NEGOCIO(S), 1Re 19:13 ¿Qué **n.** tienes aquí
2Ti 2:4 Ningún soldado se envuelve en **n.**
2Re 23:5; Miq 3:1; Mt 22:5; Hch 19:25.
NEGRURA, 2Pe 2:17 **n.** de la oscuridad
Jud 13 **n.** permanece reservada para siempre
NÉGUEB, Dt 1:7 vayan a la Sefelá y el **N.**
NEMROD, Gé 10:9 Como **N.** poderoso cazador
NETINEOS, Esd 7:24 **n.,** trabajadores
Esd 8:20 **n.,** a quienes dieron al servicio
1Cr 9:2; Esd 2:43; Ne 10:28; 11:21.
NICODEMO, Jn 3:1, 4, 9; 7:50; 19:39.
NIEVE, Job 38:22 almacenes de la **n.**
Sl 51:7 que quede más blanco que la **n.**
Sl 147:16 Está dando la **n.** como lana
Isa 1:18 los pecados hará blancos como **n.**
Da 7:9 La ropa era blanca como la **n.**
Éx 4:6; Sl 148:8; Pr 25:13; 26:1; Rev 1:14.
NILO, Isa 19:7; Jer 46:8; Zac 10:11.
NÍNIVE, Jon 1:2 a **N.** la gran ciudad
Jon 3:5 de **N.** empezaron a poner fe
Mt 12:41 Varones de **N.** se levantarán
Gé 10:11; Jon 3:2, 3; 4:11; Sof 2:13.
NINIVITAS, Lu 11:30 señal para los **n.**
NIÑA DEL OJO, Sl 17:8 Guárdame como a la **n.**
Dt 32:10; Pr 7:2; Lam 2:18.
NIÑITO(S), Mt 18:3 lleguen a ser como **n.**
Mt 19:14 Dejen a **n.** en paz, y cesen de impedir
Lu 9:47 tomó a un **n.,** lo puso a su lado
NIÑO(S), Sl 8:2 De la boca de los **n.**
Isa 9:6 un **n.** nos ha nacido, un hijo
Éx 2:3, 10; 1Re 3:26.
NIÑO DE PECHO, Isa 65:20 Ya no un **n.**
NISÁN, Ne 2:1; Est 3:7.
NO ADULTERADA, 1Pe 2:2 leche **n.** a palabra
NOBLE(S), Job 12:21 desprecio sobre **n.**
Sl 146:3 No cifren su confianza en **n.**
Lu 19:12 hombre de **n.** nacimiento viajó
Hch 17:11 de disposición más **n.** que los de

1Co 1:26 no muchos de nacimiento **n.**
Sl 107:40; 118:9; Jer 27:20; 39:6.
NO CASADO(DA), 1Co 7:8 digo a los **n.** y
1Co 7:32 El **n.** se inquieta por el Señor
1Co 7:34 la mujer **n.** — y la virgen— se
NOCIVIDAD, Pr 17:4 al labio de la **n.**
Job 34:36; Sl 64:2; Eze 11:2.
NO CONOCER, Heb 5:13 participa de leche la.
NOCHE, Gé 1:5 a la oscuridad llamó **N.**
2Re 19:35 aquella la. el ángel de Jehová
Sl 19:2 una **n.** tras otra **n.** manifiesta
Isa 21:11 Atalaya, ¿qué hay de la **n.?**
Jn 9:4 **n.** viene cuando nadie puede trabajar
Ro 13:12 La **n.** está muy avanzada
1Te 5:2 viene como ladrón en la **n.**
Rev 22:5 ya no habrá **n.**, y no necesidad
Jos 1:8; Lu 18:7; 1Te 5:5; Rev 7:15; 12:10.
NODRIZA(S), Rut 4:16; 2Sa 4:4; Isa 49:23.
Éx 2:7 una **n.** de entre las hebreas?
NOÉ, Gé 6:9 Esta es la historia de **N.**
Gé 7:23 borrados de la tierra; y solo **N.**
Gé 9:1 Dios pasó a bendecir a **N.**
Lu 17:26 como ocurrió en días de **N.**
Heb 11:7 Por fe **N.**, habiéndosele dado
Gé 5:29; 9:17; Mt 24:37; 1Pe 3:20.
NOEMÍ, Rut 1:2, 19; 2:1, 2, 20; 4:9, 14, 17.
NO FERMENTADAS, Éx 13:6 comer tortas **n.**
Le 2:4 tortas anulares **n.**, mojadas
Mt 26:17 primer día de las tortas **n.**
1Co 5:8 con tortas **n.** de sinceridad
Éx 12:17; Jue 6:21; 1Sa 28:24.
NO GENEROSO, Pr 23:6 alimento de ojo **n.**
NO HABER REMEDIO, Jer 2:25.
NOMBRADO, 1Ti 2:7 fui **n.** predicador y
2Ti 1:11; Heb 5:1; 8:3.
NOMBRAMIENTOS, Tit 1:5 hicieras **n.** de
NOMBRAR, Jn 15:16 yo los **n.** para que
Hch 14:23 **n.** ancianos en congregación
Hch 17:31 juzgar la tierra por quien ha **n.**
Heb 1:2 a quien **n.** heredero de todas las
Nú 1:50; Esd 7:25; Heb 6:3.
NOMBRE, Gé 6:3 en cuanto a mi **n.** Jehová
Éx 9:16 para que mi **n.** sea declarado en toda
Éx 20:7 No tomar el **n.** de manera indigna
Pr 18:10 **n.** de Jehová es torre fuerte
Pr 22:1 escogerse **n.** más bien que riquezas
Ec 7:1 Mejor es un **n.** que el buen aceite
Isa 12:4 Invoquen su **n.** Den a conocer
Isa 62:2 se te llamará por un **n.** nuevo
Eze 36:22 mi santo **n.** ustedes han profanado
Mt 6:9 santificado sea tu **n.**
Mt 12:21 en su **n.** esperarán naciones
Mt 24:9 objeto de odio por mi **n.**
Lu 21:12 llevados ante reyes por mi **n.**
Jn 14:14 Si piden en mi **n.**, lo haré
Jn 17:26 he dado a conocer tu **n.**
Hch 4:12 no hay otro **n.** dado entre
Hch 15:14 naciones un pueblo para su **n.**
Ro 10:13 invoque el **n.** de Jehová
Ef 3:15 a quien toda familia debe su **n.**
Flp 2:9 **n.** que está encima de todo otro **n.**
Gé 2:19; Éx 3:15; Pr 10:7; 1Jn 2:12; Rev 2:3.
NORMAL, 2Co 4:7 poder más allá de lo **n.**
NORMALMENTE, Mr 7:35 a hablar **n.**
NORMAS, 1Co 9:8 ¿Hablo según **n.** humanas?
NORTE, Sl 48:2 Sión en los lados del **n.**
Isa 14:13 me sentaré en partes remotas del **n.**
Isa 41:25 suscitado a alguien desde el **n.**
Jer 1:14 Desde el **n.** se soltará calamidad
Da 11:44 habrá informes desde el **n.**
Jer 50:9; Am 8:12; Zac 2:6; Lu 13:29.
NO SER CIERTO, Eze 13:6 visión lo que **n.**
NOSOTROS MISMOS, Ro 8:23 **n.** gemimos
Ro 15:1 y no agradándonos a **n.**
2Co 1:9 sentimos en **n.** la sentencia de
2Co 3:5 No que de **n.** estemos capacitados
Esd 4:3; Job 34:4; 2Co 4:5; 1Jn 1:8.

NOTABLE, 1Ti 1:15 yo soy el más **n.**
NO TOLERAR RIVALIDAD, Nú 25:13.
2Re 10:16 Ven y ve como **n.** respecto a Jehová
NOVECIENTOS, Jue 4:13 **n.** carros de guerra
NOVEDAD, Ro 6:4 andemos en **n.** de vida
NOVIO(VIA), Isa 62:5 alborozo de un **n.**
Mt 25:1 salieron al encuentro del **n.**
Rev 21:2 como una **n.** adornada para
Isa 61:10; Jer 33:11; Mt 9:15; 25:5, 6, 10; Jn
3:29; Rev 18:23.
NUBE(S), Gé 9:13 doy mi arco iris en la **n.**
Ec 11:4 el que está mirando las **n.** no segará
Isa 14:14 Subiré por encima de las **n.**
Joe 2:2 día de **n.** y densas tinieblas
Lu 21:27 viniendo en una **n.** con poder y
Hch 1:9 una **n.** se lo llevó de la vista
1Te 4:17 arrebatados en **n.** al encuentro
Heb 12:1 tan grande **n.** de testigos
Rev 1:7 Viene con las **n.**, y todo ojo
Éx 13:21; 1Re 8:10; Mt 24:30; 1Co 10:2.
NUBES VAPOROSAS, Pr 25:14 **n.** es un hombre
NUERA, Gé 11:31; Le 18:15.
NUEVAS, Sl 40:9 He anunciado buenas **n.**
Isa 40:9 mujer que traes buenas **n.** para Sión
Isa 61:1 ungido para anunciar buenas **n.**
Mt 24:14 estas buenas **n.** del reino
Isa 52:7; Na 1:15; Ro 10:16; 2Co 11:4.
NUEVO(VA), Sl 51:10 pon en mí espíritu **n.**
Ec 1:9 no hay nada **n.** bajo el sol
Isa 42:9 pero **n.** cosas anuncio
Isa 65:17 **n.** cielos y una **n.** tierra
Isa 66:22 los **n.** cielos y la **n.** tierra
Mt 26:29 día en que lo beba **n.** con ustedes
Jn 13:34 Les doy un **n.** mandamiento
2Co 5:17 con Cristo, es una **n.** creación
2Co 5:17 cosas **n.** han llegado a existir
Col 3:10 vístanse de la **n.** personalidad
1Pe 1:23 se les ha dado un **n.** nacimiento
2Pe 3:13 **n.** cielos y una **n.** tierra
Rev 14:3 una canción **n.** delante del trono
Rev 21:5 voy a hacer **n.** todas las cosas
Lu 22:20; Gál 6:15; Heb 10:20; Rev 3:12.
NULIFICADA, Jn 10:35 Escritura no ser **n.**
NULO, Jer 19:7 **n.** el consejo de Judá
NUMERAR, Job 38:37 puede, **n.** las nubes
NÚMERO, Rev 7:4 **n.** de los sellados
Rev 13:18 calcule el **n.** de la bestia
Ro 9:27; Rev 5:11; 13:17; 20:8.
NÚMERO PLENO, Ro 11:12 significará el **n.**
NUMEROSO(SA), Éx 1:20 haciéndose más **n.**
Dt 26:5 llegó a ser nación grande, y **n.**
Eze 38:15 del norte, una **n.** fuerza militar
NUN, Éx 33:11; Dt 32:44; 1Cr 7:27.
NUNCA FALLA, Lu 12:33 tesoro que **n.**
NUTRIDO, 1Ti 4:6 **n.** con palabras de la fe

O

OBED, Rut 4:17, 21, 22; Lu 3:32.
OBEDECER, Éx 19:5 o. estrictamente mi voz
1Sa 15:22 El o. es mejor que un sacrificio
Hch 5:29 Tenemos que o. a Dios más bien que
Ro 6:16 son esclavos de él porque le o.
2Te 1:8 que no o. las buenas nuevas
Heb 5:9 salvación para todos los que le o.
Heb 11:8 Abrahán o., y salió a un lugar
Jer 35:8, 14; Da 7:27; Mt 8:27; Hch 5:32; Ro
2:8; 1Pe 3:6.
OBED-EDOM, 2Sa 6:10-12; 1Cr 13:13.
OBEDIENCIA, Gé 49:10 Siló; o. de pueblos
Ro 5:19 mediante la o. de la sola persona
Ro 6:16 la o. con la justicia en mira?
Heb 5:8 aprendió o. por cosas que sufrió
Ro 1:5; 16:26; 2Co 7:15; 10:6; 1Pe 1:22.
OBEDIENTE(S), 2Co 10:5 o. al Cristo
Ef 6:1 sean o. a sus padres

Ef 6:5 sean o. a los que son sus amos
Flp 2:8 se hizo o. hasta la muerte
Tit 3:1 sean o. a los gobiernos
Heb 13:17 Sean o. a los que llevan delantera
Éx 24:7; 2Sa 22:45; Sl 18:44; Hch 7:39; Ro
6:17; 2Co 2:9; 1Pe 1:2, 14; 3:1; 4:17.
OBISPO. Véase SUPERINTENDENTE(S).
OBJETIVO, 1Ti 1:5 o. de este mandato
OBJETO(S), Pr 14:20 o. de odio a semejante
1Pe 3:14 no teman lo que es o. de temor
Gé 24:53; Éx 3:22; 1Re 7:51; Isa 8:12, 13.
OBLIGACIÓN, Dt 11:1 guardar tu o. con él
OBLIGADO(S), Ro 8:12 no o. a la carne
2Te 1:3 o. a dar gracias a Dios
1Pe 5:2 Pastoreen el rebaño, no como o.
Hch 28:19; 2Co 9:7; Gál 5:3; Flm 14; 1Jn 2:6.
OBLIGAR, Mt 14:22; Gál 2:3.
Gál 2:14 ¿cómo o. naciones a vivir conforme
OBRA(S), Sl 8:6 dominar las o. de
Sl 71:17 sigo informando acerca de tus o.
Sl 104:24 ¡Cuántas son tus o., oh Jehová!
Sl 150:2 Alábenlo por sus o. de poder
Isa 28:21 para obrar su o. —su o. es
Jn 9:4 Tenemos que obrar o. del que me envió
Jn 14:12 ese hará o. mayores que estas
Jn 17:4 he terminado la o. que me has
Hch 19:11 o. extraordinarias mediante Pablo
Hch 26:20 hicieran o. del arrepentimiento
Ro 8:28 Dios hace que todas sus o. cooperen
Gál 5:19 o. de la carne son manifiestas
Tit 2:14 pueblo celoso de o. excelentes
Heb 10:24 incitarnos al amor y o. excelentes
Snt 2:26 fe sin o. está muerta
Gé 20:9; Nú 16:28; 1Co 3:13; 2Ti 3:17.
OBRA DE TESTIMONIO, Rev 6:9 a causa de o.
OBRADORES, Flp 3:2 cuídense de los o.
OBRAR, Nú 23:23 ¡Lo que Dios ha o.!
Isa 29:14 volverá a o. maravillosamente
Ro 7:18 facultad de o. lo excelente
Ro 13:10 El amor no o. mal al prójimo
Flp 2:12 sigan o. su propia salvación
1Pe 4:3 hayan o. voluntad de naciones
OBRAS PODEROSAS, 1Co 12:10, 29; Gál 3:5.
OBRERO(S), Pr 8:30 a su lado como o. maestro
Mt 9:37 mies es mucha, los o. pocos
Mt 20:1 contratar o. para su viña
Lu 10:7 el o. es digno de su salario
Snt 5:4 salario que se debe a o. clamando
OBSCENO(NA), Ro 1:27; Ef 5:4; Col 3:8.
OBSEQUIO, 2Sa 11:8 el o. del rey
OBSERVABLE, Lu 17:20 de modo o.
OBSERVAR, Pr 6:20 O. el mandamiento de tu
Mt 6:26 O. atentamente las aves del cielo
Mt 28:20 enseñándoles a o. todas las cosas
Jn 14:15 me aman, o. mis mandamientos
Jn 14:21 que tiene mis mandamientos y los o.
Ro 14:6 El que o. el día, lo o. para Jehová
Gál 4:10 Están o. escrupulosamente días y
Pr 28:7; Mt 23:3; Rev 22:7.
OBSTÁCULO, Le 19:14; Isa 57:14.
OBSTINADO, Éx 7:3 o. el corazón de Faraón
Éx 14:17 se haga o. el corazón de egipcios
Ro 9:18 deja que se haga o.
OCASIÓN, Heb 3:15 o. de amarga cólera
OCASIÓN DE TROPIEZO, Ro 14:20 que con o.
OCIOSO(SA), Mt 12:36 todo dicho o.
1Ti 1:6 han sido apartados al habla o.
OCULTADO, Isa 28:15 falsedad nos hemos o.
Jer 23:24 o. en escondrijos?
Lu 8:17 nada o. que nunca llegue a saberse
Lu 9:45 les fue o. para que no
OCULTAR(SE), Pr 22:3 el que procede a o.
Isa 29:14 entendimiento de discretos se o.
Sof 2:3 si se les o. en el día
OCULTO(TA), Pr 27:5 censura que amor o.

Da 2:22 Revela las cosas o.
Dt 29:29; Sl 89:46; Jer 16:17.
OCUPACIÓN, Ec 1:13 la o. calamitosa
Gé 46:33; 47:3; Ec 2:23; 3:10; 4:8; 5:3.
OCUPADO, 1Ti 4:15 hállate o. en ellas
OCUPAR(SE), Isa 65:21 casas, y las o.
1Te 4:11 o. en sus propios negocios y
OCURRENCIA COMÚN, 1Co 7:2 o. fornicación
OCURRIR, Snt 3:10 cosas sigan o. de esta
OCHO, 1Pe 3:20 o. almas fueron llevadas
Gé 17:12; 1Sa 17:12; Ec 11:2; Lu 2:21.
ODIAR, Éx 18:21 que o. ganancia injusta
Sl 11:5 Jehová o. la violencia
Sl 97:10 o. lo que es malo
Pr 6:16 seis cosas Jehová o.; siete son
Pr 8:13 temor de Jehová significa o. lo malo
Pr 15:10 cualquiera que o. la censura morirá
Pr 27:6 los besos de uno que o. son cosas
Pr 28:16 el que o. la ganancia injusta
Ec 3:8 tiempo de amar y tiempo de o.
Mt 5:43 amar a tu prójimo y o. a tu enemigo
Mt 6:24 o. al uno y amará al otro
Lu 6:22 Felices cuando los hombres los o.
Lu 6:27 haciendo bien a los que los o.
Lu 14:26 o. a su padre y madre y esposa
Jn 3:20 practica cosas viles o. la luz
Jn 7:7 mundo me o., porque doy testimonio
Jn 12:25 el que o. su alma en este mundo
Jn 15:19 a causa de esto el mundo los o.
Ro 7:15 lo que o. es lo que hago
Ro 9:13 Amé a Jacob, pero o. a Esaú
Heb 1:9 y o. el desafuero
1Jn 3:15 o. a su hermano es homicida
1Jn 4:20 o. a su hermano, es mentiroso
Le 19:17; Sl 21:8; 44:7; 69:4; 139:21; Pr 1:29;
5:12; 13:24; Jn 15:18, 25; 17:14; Tit 3:3; Jud
23; Rev 17:16.
ODIO, Dt 19:6 no tenía o. con anterioridad
Sl 139:22 con un o. completo
Mt 24:9 objeto de o. de las naciones
Sl 25:19; Pr 10:12; Eze 23:29; Mt 10:22.
ODRES, Mt 9:17; Mr 2:22; Lu 5:37.
OFENDER, Eze 32:9 o. el corazón de muchos
Dt 4:25; 31:29; 1Re 16:33.
OFENSA(S), Mt 6:14 perdonan a hombres o.
Ro 4:25 entregado a causa de nuestras o.
Ro 5:15 o. de un hombre murieron
Ef 2:1 muertos en sus o. y pecados
Col 2:13 Bondadosamente nos perdonó o.
Mr 11:25; Hch 24:16; Ro 9:33; 2Co 5:19.
OFENSIVO(VA), Jn 6:60 Este discurso es o.
Jud 15 las cosas o. que pecadores hablaron
OFENSOR, Snt 2:10 un solo punto, hecho o.
OFICIALES DE LA CORTE, 2Re 9:32; Isa 39:7.
OFICIO, Hch 18:3; Rev 18:22.
OFIR, Isa 13:12 más raro que oro de O.
1Re 9:28; 10:11; Job 28:16; 45:9.
OFRECER(SE), Heb 9:14 Cristo, que se o.
Heb 10:12 o. un solo sacrificio por pecados
Heb 11:17 Por fe Abrahán o. a Isaac
Gé 22:13; Esd 1:6; Hch 8:18; Heb 9:28.
OFRENDA(S), Gé 4:4 miraba a Abel y su o.
1Cr 29:9 hicieron o. voluntarias a Jehová
Isa 53:10 pones su alma como o. por culpa
Heb 10:14 o. de sacrificio él ha perfeccionado
Nú 15:14; Esd 2:68; Mal 3:3, 4; Ef 5:2.
OFRENDA DE BEBIDA, Isa 30:1 derramar o.
OFRENDA POR LA CULPA, Le 5:6; Nú 6:12.
OFRENDA QUEMADA, Sl 40:6 O. no pediste
OÍDAS, Job 42:5; Sl 18:44.
OÍDO(S), Pr 20:12 o... Jehová ha hecho
Isa 35:5 o. de los sordos destapados
2Ti 4:4 apartarán sus o. de la verdad
Snt 5:4 entrado en los o. de Jehová
Dt 5:1; 2Re 21:12; Mt 13:16; Rev 2:7.
OIDORES, Ro 2:13; Snt 1:22.
OÍR, Jos 9:9 o. de su fama en Egipto

Sl 34:2 mansos **o.** y se regocijarán
Pr 15:29 Jehová **o.** oración de los justos
Isa 66:8 ¿Quién ha **o.** cosa como esta?
Am 8:11 hambre de **o.** las palabras
Mt 7:24 todo el que **o.** estos dichos
Mt 10:27 lo que **o.** susurrado, predíquenlo
Mt 13:13 **o.** en vano, ni captan
Jn 5:28 en las tumbas **o.** su voz
Ro 10:14 ¿Cómo, a su vez, **o.**
Rev 22:17 cualquiera que **o.**, diga: ¡Ven!
Jos 2:11; 2Re 21:12; Sl 19:3; 85:8; Pr 20:12;
Isa 34:1; 40:28; 43:9; 64:4; 65:24; Mt 13:23;
Lu 8:10; Jn 5:24; Hch 9:7; 1Co 2:9; 1Jn 5:14;
Rev 3:20.

OJO(S), Job 42:5 mi propio **o.** te ve
Sl 11:4 sus propios **o.** radiantes examinan
Pr 15:3 Los **o.** de Jehová en todo lugar
Pr 16:2 caminos del hombre puros a sus **o.**
Jer 16:17 mis **o.** están sobre sus caminos
1Co 2:9 **O.** no ha visto, ni oído ha oído
1Co 15:52 en un abrir y cerrar de **o.**
Ef 1:18 habiendo sido iluminados los **o.**
1Pe 3:12 **o.** de Jehová están sobre justos
1Jn 2:16 el deseo de los **o.** y exhibición
Rev 1:7 nubes, y todo **o.** le verá
Rev 21:4 limpiará toda lágrima de sus **o.**
Zac 14:12; Mt 13:16; Mr 8:18; 2Co 4:18.

OJO DE UNA AGUJA, Mt 19:24; Mr 10:25.
OJO POR OJO, Dt 19:21; Mt 5:38.
OLA DE CALOR, Lu 12:55 dicen: Habrá **o.**
OLAS, Isa 51:15 **o.** estén bulliciosas
Sl 65:7; 89:9; Jon 2:3; Jud 13.
OLÍBANO, Éx 30:34; Jer 41:5.
OLIVA, Éx 27:20 aceite de **o.** puro
OLIVO(S), Jue 9:8 dijeron al **o.**: Sé rey
Sl 128:3 hijos serán como **o.**
Ro 11:24 injertados en su propio **o.**
Rev 11:4 dos **o.** y dos candelabros
Dt 28:40; Ne 8:15; Sl 52:8; Zac 4:11.
OLIVOS, MONTE DE LOS, Lu 22:39; Hch 1:12.
OLOR, Gé 8:21 a oler un **o.** a descanso
2Co 2:15 somos para Dios un **o.** grato
Ef 5:2 sacrificio a Dios para **o.** fragante
Isa 3:24; 5:24.
OLVIDADIZO, 2Pe 1:9 **o.** al limpiamiento
OLVIDADO(HA), Isa 65:16 angustias serán **o.**
Sl 9:18; Jer 50:5.
OLVIDAR, Dt 4:23 no **o.** el pacto de Jehová
Job 19:14 se han **o.** de mí
Jer 23:27 como sus padres **o.** mi nombre
Os 4:6 sigues **o.** la ley de tu Dios
Os 8:14 Israel empezó **o.** a su Hacedor
Flp 3:13 **O.** las cosas que quedan atrás
Dt 6:12; Sl 9:17; 10:11; 45:10; 78:7; Isa
49:15; Jer 30:14; Heb 6:10; 13:16.
OLVIDO, Sl 88:12 justicia en tierra del **o.?**
OLLA(S), Nú 11:8; Jue 6:19.
OMBLIGO, Pr 3:8 curación a tu **o.** y
OMEGA, Rev 1:8; 21:6; 22:13.
OMER, Éx 16:16, 18, 36.
OMRI, 1Re 16:16, 21-23, 27-29; Miq 6:16.
ONDAS ROMPIENTES, Jon 2:3 tus **o.** y
OPERACIÓN(ES), 1Co 12:6 variedades de **o.**
1Co 12:11; 1Co 2:12; 2Te 2:9.
OPINAR, Jn 11:56 ¿Qué **o.** ustedes?
OPINIÓN, 1Co 7:25, 40 doy mi **o.** como uno
OPONERSE, Snt 4:6 Dios se **o.** a altivos
Snt 4:7 **o.** al Diablo, y él huirá de ustedes
Snt 5:6 ¿No se les **o.** él?
OPORTUNIDAD, Gé 31:28 **o.** de besar mis hijos
1Co 7:21 libre, aprovéchate de la **o.**
Flp 4:10 pero les faltaba **o.**
Heb 11:15 habrían tenido **o.** de volver
OPOSICIÓN, Hch 17:7 **o.** a los decretos
Heb 10:27 consumir los que están en **o.**
Col 2:14; 2Te 2:4; 1Ti 1:10.

OPOSITOR(ES), Lu 21:15 todos sus **o.** juntos
1Ti 5:14 no den al **o.** incentivo para injuriar
OPRESIÓN(ES), Sl 72:14 De la **o.** redimirá
Pr 29:13; Isa 14:4; 54:14; 59:13; Jer 6:6.
OPRESOR(ES), Jue 6:9; Ec 4:1; Isa 16:4.
OPRIMIDOS, Jer 50:33; Hch 10:38.
OPRIMIR, Éx 3:9 egipcios los están **o.**
Éx 23:9 no **o.** a un residente forastero
Jue 4:3 **o.** a los hijos de Israel
Isa 52:4 sin causa Asiria los **o.**
Jer 7:6 a ninguna viuda **o.**, y sangre
2Co 4:8 Se nos **o.** de toda manera
OPROBIO, Isa 25:8 **o.** de pueblo quitará
Isa 51:7 miedo al **o.** de hombres mortales
1Sa 17:26; Sl 22:6; 69:7; Isa 4:1; Lu 1:25.
OPUESTO, Tit 2:8 hombre del lado **o.**
ORACIÓN(ES), 1Re 8:28 volverte hacia **o.**
1Re 8:49 tienes que oír la **o.** y petición
Pr 15:8 **o.** de los rectos es un placer
Mt 21:13 Mi casa será casa de **o.**
Mr 12:40 por pretexto hacen largas **o.**
Hch 10:4 Tus **o.** ascendido delante de Dios
Ro 12:12 Perseveren en la **o.**
Flp 4:6 por **o.** junto con acción de gracias
Col 4:2 Sean perseverantes en la **o.**
1Pe 4:7 sean vigilantes en cuanto a **o.**
Sl 102:17; Pr 15:29; 28:9; Isa 1:15; 56:7; Ro
8:26; Ef 6:18; 1Ti 2:1; 1Pe 3:7; Rev 8:4.
ORALMENTE, Lu 1:4; Hch 18:25; Gál 6:6.
1Co 14:19 cinco palabras para instruir **o.**
ORAR, 1Re 8:48 **o.** en la dirección de
2Cr 7:14 se humilla y **o.** y busca mi rostro
Jer 7:16 no **o.** a favor de este pueblo
Mt 5:44 **o.** por los que los persiguen
Mt 6:9 tienen que **o.** de esta manera:
Mt 24:20 Sigan **o.** que su huida
Mt 26:41 **o.** para que no entren en
Mr 11:24 las cosas que **o.** las tendrán
1Te 5:17 **o.** incesantemente
Snt 5:16 **o.** unos por otros, sean sanados
2Cr 6:32; Mt 6:5; Hch 10:9; 1Co 14:15.
ORDEN(ES), Jos 1:9 ¿No te he dado **o.** yo?
Sl 19:8 Las **o.** de Jehová son
1Co 11:34 los demás asuntos pondré en **o.**
Col 2:5 contemplando su buen **o.**
1Te 4:2 ustedes saben las **ó.** que dimos
Tit 1:5 hicieras nombramientos, como di **ó.**
Sl 119:93, 110; Isa 45:12; Da 3:29; Hch 1:4.
ORDENADAMENTE, Gál 5:25 andando **o.**
Flp 3:16 sigamos andando **o.** en esta rutina
ORDENADO, 1Ti 3:2 de juicio sano, **o.**
ORDENANZAS, Heb 9:1 pacto anterior tenía **o.**
ORDENAR. Véase NOMBRAR.
1Cr 9:22 Samuel el vidente **o.**
1Co 7:17 así **o.** en todas las congregaciones
1Co 9:14 el Señor **o.**, para los que proclaman
ORDEN DE BATALLA, Jue 20:20.
OREJA, Jn 18:10 Pedro le cortó la **o.**
1Co 12:16 la **o.**: dijera: no soy ojo
ORGANISMO(S), Pr 5:11 tu carne y tu **o.**
1Sa 21:5; Pr 11:17; 14:30.
ORGANIZAR, Pr 9:2 Ha **o.** su degollación
ÓRGANO GENITAL, Le 15:2, 3; Eze 23:20.
ORGULLO, Pr 16:18 **o.** antes de un ruidoso
1Ti 3:6 por temor de que se hinche de **o.**
Sl 59:12; Pr 8:13; Jer 13:9; 48:29.
ORGULLOSO(S), Pr 16:5 Todo **o.** de corazón
Zac 11:3 **o.** matorrales han sido despojados
ORIENTALES, Eze 25:4 voy a darte a los **o.**
Mt 2:1 astrólogos de partes **o.**
Gé 29:1; Jue 6:3, 33; 7:12; 8:10; 1Re 4:30; Job
1:3; Eze 25:10; Mt 8:11; 24:27; Lu 13:29.
ORIENTE, Sl 75:6 ni del **o.** ni del
Isa 2:6; Jer 49:28.
ORIGEN, Eze 29:14 tierra de su **o.**
ORIGINAR, 1Jn 2:16 se **o.** del mundo

1Jn 4:1 para ver si se **o**. de Dios
1Jn 4:6 no se **o**. de Dios no nos escucha
ORNAMENTO, Miq 2:8 arrancan **o**. majestuoso
ORO, Pr 16:16 sabiduría mejor que **o**.!
Eze 7:19 su **o**. llegará a ser aborrecible
Sof 1:18 ni su **o**. podrá librarlos
Ag 2:8 plata es mía, y el **o**. es mío
Mal 3:3 tendrá que clarificarlos como **o**.
Snt 5:3 **o**. y plata están enmohecidos
Éx 12:35; Sl 19:10; Pr 8:10; Rev 21:18, 21.
ORUGA, Joe 1:4; Am 4:9.
OSCURECER(SE), Job 38:2 ¿Quién **o**. consejo
Joe 2:10 sol y luna se han **o**.
Jn 6:17 ya había **o**., y Jesús aún no
Ro 1:21 se les **o**. su fatuo corazón
Ro 11:10 **o**. los ojos para que no vean
OSCURIDAD, Gé 1:2 **o**. sobre la superficie
Isa 42:7 sacar de casa a los sentados en **o**.
Isa 45:7 formo luz y creo **o**.
Isa 60:2 la **o**. misma cubrirá la tierra
Mt 25:30 échenlo a la **o**. de afuera
Jn 3:19 hombres han amado la **o**.
1Te 5:4 no están en **o**., para que aquel día
1Pe 2:9 los llamó de la **o**. a su luz
1Jn 1:5 no hay **o**. en unión con él
Éx 10:21; Joe 2:31; 2Co 6:14; Ef 4:18.
OSCURO(RA), Mt 6:23; Lu 11:36; 2Pe 1:19.
OSO(SA), Lu 15:17; Pr 2:24; Isa 11:7.
OTNIEL, Jos 15:17; Jue 3:9.
OTORGAR, Sl 99:8 Dios que **o**. perdón
Lu 7:4 que le **o**. esto
OTRAS OVEJAS, Jn 10:16 tengo **o**.
OTRO TIEMPO, 1Pe 1:14 deseos en **o**.
OVEJA(S), Sl 44:22 **o**. para degollación
Isa 53:7 como una **o**. a la degollación
Jer 23:2 Ustedes han esparcido mis **o**.
Eze 34:12 así es como cuidaré de mis **o**.
Sof 2:6 apriscos de piedra para **o**.
Mt 9:36 como **o**. sin pastor
Mt 10:6 a las perdidas de la casa de Israel
Mt 10:16 enviando como **o**. en medio de lobos
Mt 18:12 cien **o**. y una se descarría
Mt 25:32 pastor separa **o**. de las cabras
Jn 10:16 otras **o**., no de este redil
Jn 21:16 Pastorea mis **o**.
Hch 8:32 Como **o**. fue llevado al degüello
Jer 51:40; Mt 26:31; Ro 8:36; 1Pe 2:25.

P

PABLO, Hch 26:24 volviéndote loco, **P**.!
Gál 1:1 **P**., apóstol, ni mediante algún hombre
Flm 1 **P**., prisionero por Cristo
Flm 9 **P**., hombre de edad, si
Hch 13:9; 1Co 1:12; Tit 1:1; 2Pe 3:15.
PACER, Isa 49:9 Al lado de caminos **p**.
PACIENCIA. También GRAN PACIENCIA.
Pr 25:15 Por **p**. se induce
Heb 6:12 fe y **p**. heredan las promesas
Snt 5:7 Ejerzan **p**., hermanos
2Pe 3:15 la **p**. de Señor como salvación
Mt 18:26, 29; Heb 6:15; Snt 5:10; 1Pe 3:20.
PACIENTE, 2Sa 13:5 me dé pan como a un **p**.
Ec 7:8; 2Pe 3:9.
PACÍFICAMENTE, 2Co 13:11 viviendo **p**.
PACÍFICO(CA), Isa 32:18 morar en lugar **p**.
Mt 5:9 Felices son los **p**.
Ro 12:18 sean **p**. con todos los hombres
Heb 12:11 fruto **p**., a saber, justicia
Snt 3:17 casta, luego **p**., razonable
PACTO(S), Gé 9:9 estableciendo mi **p**.
Gé 15:18 Jehová celebró un **p**. con Abrán
Sl 50:5 celebraron mi **p**. sobre sacrificio
Sl 89:3 He celebrado un **p**. con David
Isa 28:15 celebrado **p**. con la Muerte
Jer 31:31 con Israel y Judá un nuevo **p**.

Da 11:30 denunciaciones contra **p**. santo
Os 2:18 **p**. con bestia salvaje del campo
Mal 3:1 el mensajero del **p**.
Mt 26:28 esto significa mi sangre del **p**.
Lu 22:29 hago **p**. con ustedes, así como
1Co 11:25 copa significa el nuevo **p**.
2Co 3:6 ministros de un nuevo **p**., no de
2Co 3:14 la lectura del antiguo **p**.
Gál 4:24 estas mujeres significan dos **p**.
Heb 8:6 **p**. mejor, establecido legalmente
Heb 9:17 el **p**. es válido sobre víctimas
Heb 12:24 Jesús el mediador de nuevo **p**.
Éx 19:5; Jos 9:6; Sl 25:10; Isa 24:5; Am 1:9;
Hch 7:8; Ro 9:4; Gál 3:15; Heb 7:22; 9:16.
PADRE(S), Sl 89:26 eres mi **P**., mi Dios
Pr 17:6 hermosura de hijos son sus **p**.
Isa 64:8 Jehová, tú eres nuestro **P**.
Mt 6:9 **P**. nuestro en los cielos
Mt 10:21 hijos contra los **p**.
Mt 23:9 no llamen **p**. a nadie sobre tierra
Lu 2:49 tengo que estar en casa de mi **P**.?
Lu 18:29 dejado **p**., por causa del reino
Lu 21:16 serán entregados hasta por **p**.
Jn 8:44 Ustedes de su **p**. el Diablo
Jn 14:28 el **P**. es mayor que yo
1Co 4:15 **p**. de ustedes tienen nuevas
2Co 12:14 hijos no ahorrar para los **p**.
Ef 6:1 Hijos, sean obedientes a sus **p**.
Ef 6:4 **p**., no estén irritando a hijos
2Ti 3:2 serán desobedientes a **p**. e hijos
Snt 1:17 desciende del **P**. de las luces
Gé 2:24; Pr 6:20; 13:1; 23:22; Isa 38:19; Mal
4:6; Mt 10:37; 26:29; Mr 13:12; Lu 2:27; Jn
10:30; 14:6, 24; Ro 1:30; Gál 1:14; Ef 4:6; Col
3:20; Rev 14:1.
PAGADO, Isa 40:2 error ha sido **p**.
PAGANOS. Véase NACIÓN(ES).
PAGAR, Le 26:34 la tierra **p**. sus sábados
Dt 23:21 voto no debes ser lento en **p**.
Sl 35:12 Me **p**. con mal por bien
Sl 61:8 que **p**. mis votos día tras día
Sl 116:12 ¿Qué **p**. a Jehová por todos
Pr 17:13 que **p**. mal por bien
Pr 20:22 No digas: **p**. el mal! Espera en
Ec 5:4 un voto, no titubees en **p**.
Isa 66:6 Jehová **p**. lo merecido
Jon 2:9 Lo que he prometido en voto, **p**.
Mt 22:21 **p**. a César las cosas de César
Ro 11:35 para que tenga que **p**.?
Ro 12:19 Mía es la venganza; yo **p**., dice
Ro 13:6 ustedes también **p**. impuestos
2Ti 4:14 Jehová se lo **p**. conforme a
Rev 18:6 **P**. a ella como ella **p**.
Sl 22:25; 50:14; 66:13; 76:11; 116:14.
PAGO, Isa 35:4 vendrá Dios con un **p**.
Isa 66:15 **p**. de su cólera
Os 9:7 días del **p**. debido tienen que
Lu 14:12 llegue a ser tu **p**. correspondiente
Heb 11:26 miraba hacia el **p**. del galardón
PAÍS, Gé 12:1 Vete de tu **p**. al **p**. que yo
Jon 1:8 de dónde vienes? ¿Cuál es tu **p**.?
PAJA, Job 21:18 ¿Llegan a ser como **p**.
Mt 3:12 recogerá trigo, la **p**. la quemará
Mt 7:3-5; Lu 6:41, 42.
PÁJARO(S), Le 14:4; Dt 4:17; Sl 8:8; Isa 31:5.
PALABRA(S), Éx 34:28 escribir las Diez **P**.
Jue 3:20 Una **p**. de Dios tengo para ti
Sl 119:105 Tu **p**. es lámpara para mi pie
Pr 25:11 **p**. hablada al tiempo apropiado
Isa 50:4 responder al cansado con una **p**.
Isa 55:11 así resultará mi **p**.
Jer 8:9 Los sabios han rechazado la **p**. de
Mt 12:37 por tus **p**. serás condenado
Mt 24:35 mis **p**. de ningún modo pasarán
Jn 1:1 principio la **P**. era, y la **P**.
Jn 1:14 **P**. vino a ser carne y residió
Jn 17:17 tu **p**. es la verdad

Ro 10:8 la **p.** de fe que predicamos
Ro 16:18 con **p.** melosas seducen
Flp 2:16 teniendo la **p.** de vida asida
2Ti 1:13 Sigue reteniendo **p.** saludables
2Ti 2:15 maneja la **p.** de la verdad
2Ti 4:2 predica la **p.**, ocúpate en ello
Snt 1:22 hágasne hacedores de la **p.**, y no
2Pe 1:19 **p.** profética hecha más segura
PALABRA DE DIOS, Mr 7:13 invalidan la **p.**
Lu 8:11 La semilla es la **p.**
Ef 6:17 espada del espíritu, la **p.**
Heb 4:12 **p.** es viva, y ejerce poder
2Pe 3:5 cielos y tierra por la **p.**
Rev 19:13 se le llama La **P.**
Hch 6:7; 1Ti 2:13; 2Ti 2:9; Heb 11:3.
PALABRAS SALUDABLES, 1Ti 6:3 no a **p.**
2Ti 1:13 Sigue reteniendo el modelo de **p.**
PALACIO DEL GOBERNADOR, Jn 18:28.
Mt 27:27 Jesús dentro del **p.**
PALADAR, Sl 137:6 lengua se pegue a mi **p.**
Job 34:3; Pr 24:13; Can 5:16; Lam 4:4.
PALIDECER, Isa 29:22 ni **p.** su rostro
Sof 2:1 nación que no **p.** de vergüenza
PÁLIDO, Rev 6:8 caballo **p.**; y el que iba
PALMERA(S), Nú 33:9 y setenta **p.**
Jn 12:13 tomaron ramas de **p.**
Rev 7:9 ramas de **p.** en sus manos
Jue 1:16; 4:5; Sl 92:12; Joe 1:12.
PALOMA(S), Mt 3:16 como **p.** espíritu de Dios
Mt 10:16 como serpientes, inocentes como **p.**
Gé 8:11; Isa 59:11; Mt 21:12.
PALPAR, Isa 59:10 **p.** muro como ciegos
1Jn 1:1 hemos visto, y nuestras manos **p.**
PALPITADO, Sl 38:10 Mi corazón ha **p.**
PAN(ES), Am 8:11 un hambre, no de **p.**
Mt 4:4 No de **p.** solamente debe vivir
Mt 26:26 tomó un **p.** y lo partió
Lu 9:13 No tenemos nada más que cinco **p.**
Jn 6:35 Yo soy el **p.** de la vida
1Co 10:17 un **p.**, participamos de ese **p.**
1Co 11:26 cuantas veces coman este **p.**
Gé 3:19; Sl 37:25; Isa 55:2; Mt 6:11; 16:12.
PAN DE LA PROPOSICIÓN, 1Sa 21:6; 2Cr 4:19.
Éx 25:30 poner delante de mí el **p.**
PANDERETAS, 2Sa 6:5 celebrando con **p.**
PANES DE LA PRESENTACIÓN, Mt 12:4.
PÁNICO, 2Sa 4:4; Sl 104:7; 116:11; Isa 28:16.
Dt 20:3 No tengan miedo ni corran de **p.**
PANZA, Sl 73:4 su **p.** está gorda
PAÑAL, Job 38:9 densas tinieblas por su **p.**
PAÑO(S), Jn 11:44; 20:7; Hch 19:12.
PAPIRO, Éx 2:3; Job 8:11; Isa 18:2.
PARÁBOLA(S). Véase ILUSTRACIÓN(ES).
PARAÍSO, Can 4:13; Rev 2:7.
Lu 23:43 Estarás conmigo en el **P.**
2Co 12:4 fue arrebatado al **p.** y oyó
PARALÍTICO(S), Mt 4:24; 9:2; Lu 5:24.
PARA SIEMPRE, Sl 104:5 fundado tierra **p.**
Isa 57:15 Excelso, que está residiendo **p.**
Sl 111:8; 148:6; Da 12:3.
PARCAMENTE, 2Co 9:6 el que siembra **p.**
PARCIAL(ES), Dt 1:17 No **p.** en el juicio
Hch 10:34 percibo que Dios no es **p.**
1Co 13:10 lo que es **p.** será eliminado
PARCIALIDAD, Le 19:15 No tratar con **p.**
Dt 10:17 Dios, que no trata a nadie con **p.**
Job 32:21 No mostrar **p.** a un hombre
Pr 28:21 Mostrar **p.** no es bueno
Ro 2:11 con Dios no hay **p.**
Snt 3:17 sin hacer distinciones por **p.**
Sl 82:2; Pr 18:5; Ef 6:9; Col 3:25.
PARCIALMENTE, 1Co 13:9 profetizamos **p.**
PARECER(SE), Isa 14:14; 46:5; 2Co 13:7.
Mt 23:28 **p.** justos a los hombres
PARECIDO, Sl 8:5 tienen **p.** a Dios
Ro 5:14 Adán, un **p.** con el que había de

PARED, Da 5:5 escribían sobre la **p.** del
PARIENTE(S), Lu 14:12; Hch 10:24.
Rut 3:2 ¿no es **p.** nuestro Boaz
PARPADEAR, Pr 16:30 ojos **p.** para
PARQUE(S), Ne 2:8; Ec 2:5.
PARTE(S), Dt 32:9 **p.** corresponde a Jehová
Sl 119:57 Jehová es **p.** que me corresponde
Mt 24:51 asignará su **p.** con hipócritas
Lu 15:12 dame la **p.** que me corresponde
Rev 20:6 tiene **p.** en la primera resurrección
Sl 17:14; 63:9; 142:5; Jer 10:16; 12:10; Ro
11:25; 1Co 12:23.
PARTES NATURALES, Dt 25:11 agarrado las **p.**
Éx 20:26; Eze 16:36.
PARTICIPACIÓN, 1Co 1:9 **p.** con Jesucristo
Flp 3:10; 1Jn 1:3, 6, 7.
PARTICIPANTES, Heb 3:1 **p.** del llamamiento
Ef 3:6; Heb 3:14; 6:4; 12:8.
PARTICIPAR, 1Co 10:16 ¿no es un **p.** del cuerpo
1Co 10:17 todos **p.** de ese solo pan
1Co 10:21 no **p.** de la mesa de Jehová y de
Col 1:12 **p.** en la herencia de los santos
Rev 18:4 Sálganse, si no quieren **p.** con ella
PARTÍCIPE(S), 1Co 9:23 hacerme **p.** de ellas
2Co 1:7 ustedes son **p.** de los sufrimientos
Gál 6:6 haga **p.** en las cosas buenas
Heb 10:33 llegando a ser **p.** con
1Pe 4:13 **p.** de sufrimientos del Cristo
1Pe 5:1 **p.** de la gloria que ha de ser
2Pe 1:4 **p.** de la naturaleza divina
Mt 23:30; 1Co 10:18; Flp 1:7; 1Ti 5:22.
PARTICULARES, 1Ti 2:6 tiempos **p.**
PARTIDA, Lu 9:31 hablar de la **p.**
2Pe 1:15 después de mi **p.**, ustedes
PARTIR(SE), Nú 16:31 suelo empezó a **p.**
1Co 10:16 El pan que **p.**, ¿no es participar del
PARTO, DOLORES DE, Isa 66:8.
Jer 6:24 Angustia se ha apoderado, **d.**
PASADOS, Ec 1:11 gente de tiempos **p.**
PASAR, Jer 8:20 ¡Ha **p.** la siega
Jer 37:14 No me estoy **p.** a los caldeos
Hch 16:9 **P.** a Macedonia y ayúdanos
1Pe 4:3 basta el tiempo que ha **p.** para
Sl 90:4; Heb 11:11.
PASAR POR ALTO, Isa 24:5 han **p.** leyes
Jer 5:x4; 9:3; 10:25.
PASCUA, Éx 12:11 Es la **p.** de Jehová
Le 23:5 es la **p.** a Jehová
Jn 2:13 se acercaba la **p.** de los judíos
Jn 6:4 estaba cerca la **p.**
Jn 13:1 antes de la fiesta de la **p.** sabía
1Co 5:7 Cristo nuestra **p.** sacrificado
Éx 12:27, 48; Mr 14:1; Lu 2:41; Heb 11:28.
PASIÓN(ES), Mt 5:28 tener **p.** por ella
Ro 7:5 **p.** pecaminosas excitadas por Ley
1Co 7:9 casarse que estar encendido de **p.**
Gál 5:24 en un madero la carne junto con **p.**
PASMADO(S), Isa 59:16 **p.** de que no
Jer 50:13 Babilonia, se quedará mirando **p.**
Hch 2:7 estaban **p.**, y empezaron admirarse
Hch 9:21 los que le oían quedaban **p.**
PASMO, Jer 18:16 su tierra objeto de **p.**
Jer 49:17; Miq 6:16.
PASMOSA, Jer 5:30 Una situación **p.**
PASO(S), Sl 37:31 sus **p.** no vacilarán
Pr 4:12 Cuando andes, no será estrecho tu **p.**
Jer 10:23 No pertenece al hombre dirigir **p.**
1Pe 2:21 dechado para que sigan sus **p.**
PASO EN FALSO, Ro 11:11, 12; Gál 6:1.
PASO MEDIDO, Pr 30:29 tres en **p.**
PASTOR(ES), Sl 23:1 Jehová es mi **P.**
Isa 56:11 **p.** que no han sabido entender
Jer 2:8 los **p.** transgredieron contra mí
Jer 3:15 daré **p.** de acuerdo con mi corazón
Jer 10:21 **p.** se han portado irrazonablemente

Jer 23:1 ¡Ay de **p.** destruyendo y esparciendo
Jer 23:4 levantaré **p.** que las pastorearán
Eze 34:2 profetiza contra los **p.** de Israel
Eze 37:24 y un solo **p.** llegarán a tener
Miq 5:5 levantar contra él siete **p.**
Zac 11:17 ¡Ay de mi **p.** que nada vale
Mt 26:31 Heriré al **p.**, y serán esparcidas
Lu 2:8 **p.** que vivían a campo raso
Jn 10:11 Yo soy **p.** excelente; entrega alma
Jn 10:16 a ser un solo rebaño, un solo **p.**
Ef 4:11 algunos como **p.** y maestros
Heb 13:20 gran **p.** de las ovejas con sangre
1Pe 5:4 **p.** principal haya sido manifestado
Gé 49:24; Jer 25:34; Zac 11:3; Mt 9:36; 25:32.

PASTOREAR, Hch 20:28 **p.** congregación de
1Pe 5:2 **P.** el rebaño de Dios con empeño
Rev 7:17 el Cordero los **p.**, y los guiará
Rev 12:5 **p.** a naciones con vara de hierro

PASTOS, Eze 34:14 En buenos **p.** las
Eze 34:18 mejores **p.** se alimenten
Jn 10:9 saldrá y hallará **p.**
Jer 9:10; Lam 1:6; Joe 1:19; 2:22; Am 1:2.

PASTURAJE, Jer 25:36 voy a despojar su **p.**

PATIO, Éx 27:9; 2Cr 4:9; Eze 8:16.

PAVIMENTO, 2Cr 7:3; Est 1:6.

PAVOR, Éx 15:16 caerán terror y **p.**
1Sa 11:7 p. de Jehová sobre el pueblo
Dt 28:66; 2Cr 19:7; Isa 12:2; 24:17; Jer 30:5.

PAVOROSO(SA), Sl 91:5 No miedo de nada **p.**
Da 2:31 imagen, su apariencia era **p.**
Job 3:25; Pr 3:25; Isa 2:21; Jer 49:5.

PAZ(CES), 2Re 9:22 ¿Hay **p.**, Jehú?
Sl 29:11 Jehová bendecirá su pueblo con **p.**
Sl 37:11 deleite en la abundancia de **p.**
Sl 72:7 abundancia de **p.** hasta que la luna
Pr 12:20 aconsejan la **p.** tienen regocijo
Ec 3:8 tiempo para guerra y tiempo para **p.**
Isa 9:6 Padre Eterno, Príncipe de **P.**
Isa 33:7 mensajeros de la **p.** llorarán
Isa 60:17 nombraré **p.** como superintendentes
Jer 6:14 ¡Hay **p.**!, cuando no hay **p.**
Miq 3:5 claman: ¡**P.**!, santifican guerra
Mt 5:24 primero haz las **p.** con tu hermano
Mt 10:34 no vine a poner **p.**, sino espada
Lu 2:14 **p.** entre hombres de buena voluntad
Jn 14:27 mi **p.** les doy
Ro 14:19 cosas que contribuyen a la **p.**
Ro 16:20 Dios que de **p.** aplastará
Ef 6:15 equipo de buenas nuevas de la **p.**
Flp 4:7 **p.** de Dios que supera todo
Col 1:20 haciendo **p.** mediante la sangre
1Te 5:3 **P.** y seguridad!, destrucción
1Pe 3:11 busque la **p.** y siga tras ella
Rev 6:4 le concedió quitar de la tierra la **p.**
Nú 25:12; Jos 9:15; Sl 28:3; 35:27; 119:165;
122:8; Isa 26:3; 52:7; 54:13; Eze 34:25;
37:26; Miq 5:5; Jn 16:33; Snt 3:18.

PEAJE, Esd 4:13 ni impuesto ni **p.** darán

PECADO(S), Gé 4:7 hay **p.** agazapado a la
Nú 32:23 sepan que su **p.** los alcanzará
Sl 19:12 De **p.** ocultos pronúnciame
Sl 32:1 Feliz aquel cuyo **p.** le es cubierto
Sl 51:5 en **p.** me concibió mi madre
Isa 1:18 Aunque **p.** resulten como escarlata
Isa 6:7 tu **p.** mismo queda expiado
Jer 31:34 no me acordaré más de su **p.**
Mt 12:31 **p.** y blasfemia será perdonada
Mr 3:29 blasfema contra espíritu, **p.** eterno
Jn 1:29 Cordero que quita el **p.** del mundo!
Hch 3:19 Arrepiéntanse, sean borrados sus **p.**
Ro 4:8 feliz es hombre cuyo **p.** Jehová
Ro 5:12 un solo hombre el **p.** entró en mundo
Ro 5:21 así como el **p.** reinó con muerte
Ro 6:23 salario que el **p.** paga es muerte
Ro 7:7 no habría llegado a conocer **p.** si
Ro 8:2 libertado de la ley del **p.** y muerte

Ro 14:23 todo lo que no es por fe es **p.**
2Co 5:21 no conoció **p.**, él lo hizo **p.**
Heb 10:12 un solo sacrificio por los **p.**
Heb 10:17 de ningún modo recordaré sus **p.**
Heb 10:26 voluntariosamente practicamos **p.**
Heb 12:1 quitémonos el **p.** que fácilmente
Snt 1:15 da a luz el **p.**, a su vez, el **p.**
Snt 4:17 no lo hace, es para él un **p.**
Snt 5:15 si cometido **p.**, se le perdonará
Rev 18:4 no participar con ella en sus **p.**
Sl 79:9; Eze 33:14; Mt 26:28; Hch 10:43; 1Ti
5:24; Heb 11:25; 1Jn 1:8, 9; 2:1; 5:16.

PECADOR(ES), Isa 65:20 **p.**, cien años
Mt 11:19 amigo de recaudadores y **p.**
Lu 15:2 Este hombre recibe a **p.**, y come
Lu 15:7 más gozo en el cielo por un **p.**
Lu 18:13 Dios, sé benévolo para conmigo, **p.**
Jn 9:31 Sabemos que Dios no escucha a **p.**
Ro 5:8 nosotros todavía **p.**, Cristo murió
Ro 5:19 del solo hombre muchos **p.**
1Ti 1:9 la ley [es] para impíos y **p.**
1Ti 1:15 Cristo vino para salvar a **p.**
Heb 7:26 sumo sacerdote separado de los **p.**
Snt 5:20 el que hace volver a un **p.**
1Pe 4:18 ¿dónde aparecerán el impío y **p.**?

PECAMINOSO, Ro 6:6 cuerpo **p.** inactivo
Ro 7:13 pecado llegara a ser mucho más **p.**

PECAR, 1Re 8:46 no hay hombre que no **p.**
1Re 8:47 y digan: Hemos **p.** y errado
Ro 3:23 todos han **p.** y no alcanzan la
Ro 5:12 muerte a todos porque todos **p.**
1Co 6:18 el que practica fornicación **p.** contra
Ef 4:26 airados, y, no obstante, no **p.**
1Jn 3:8 Diablo ha estado **p.** desde principio

PECTORAL, Éx 28:15 hacer el **p.** de juicio
Éx 25:7; 28:29; Le 8:8.

PECHO(S), Pr 5:19 sus **p.** te embriaguen
Lu 18:13 se golpeaba el **p.**, y decía:
Jer 2:32; Lu 23:48; Jn 13:25.

PEDAZOS, Isa 30:14 triturados

PEDIR, Dt 10:12 **p.** que temas a Jehová
Sl 40:6 ofrenda por el pecado no **p.**
Miq 6:8 qué es lo que Jehová está **p.**
Mt 7:7 Sigan **p.**, y se les dará
Ef 3:20 en exceso de las cosas que **p.**
Snt 1:6 siga **p.** con fe, sin dudar nada
Snt 4:3 **p.**, y sin embargo no reciben
1Jn 5:14 lo que **p.** conforme a su voluntad
Dt 18:19; Sl 2:8; Mt 6:8; Jn 14:13; 1Co 1:22.

PEDIR CUENTAS, Os 4:14; Zac 10:3.

PEDREGAL(ES), Mt 13:5, 20; Mr 4:5, 16.

PEDRO, Mt 16:16 **P.** dijo: Tú eres el Cristo
Jn 21:15 dijo a Simón **P.**: ¿me amas
Hch 10:26 **P.** lo alzó, y dijo: Levántate
Mt 26:75; Jn 18:10; Hch 8:20; 10:13.

PEGAR, Isa 6:10 **p.** los mismísimos ojos

PELEA(S), 1Ti 6:12 **P.** la excelente
2Ti 4:7 He peleado la excelente **p.**
Snt 4:1 de qué fuente son las **p.** entre
2Ti 2:23; Tit 3:9.

PELEAR, Jos 10:14 Jehová estaba **p.** por
Jn 18:36 habrían **p.** para que no
2Ti 2:24 del Señor no tiene necesidad de **p.**
2Ti 4:7 He **p.** la excelente pelea
Snt 4:2 Siguen **p.** y guerreando
Jue 5:20; 2Cr 20:17, 29; Sl 109:3; 2Ti 2:14.

PÉLEG, Gé 10:25; 11:16-19.

PELIGRO(S), 1Co 15:30 en **p.** cada hora?
2Co 11:26 en **p.** por parte de salteadores
Lu 8:23; Hch 19:27, 40; Ro 8:35.

PELO DE CAMELLO, Mr 1:6 vestido de **p.**

PENA, Pr 22:3; 27:12.

PENALIDAD, Job 10:17 está conmigo

PENDENCIERO, 1Ti 3:3; Tit 1:7 ni **p.**

PENDÓN(ES), Sl 20:5 alzaremos nuestros **p.**
Can 2:4 su **p.** sobre mí fue amor

PENOSA(S), Heb 12:11 disciplina parece **p.**
  1Pe 2:19 sobrelleva cosas **p.**
PENOSO AFÁN, Sl 94:20 está forjando **p.**
  Isa 53:11 A causa del **p.** de su alma
PENSADO BIEN, 2Sa 14:14 él ha **p.** razones
PENSAMIENTO(S), Sl 94:11 conociendo los **p.**
  Sl 139:2 Has considerado mi **p.** desde lejos
  Sl 146:4 en ese día perecen sus **p.**
  Pr 12:5 Los **p.** de los justos son juicio
  Isa 55:8 **p.** de ustedes no son mis **p.**
  Lu 11:17 Conociendo sus **p.**
  2Co 10:5 bajo cautiverio todo **p.**
  Heb 4:12 palabra de Dios puede discernir **p.**
  Rev 17:17 llevar a cabo Su **p.**
  Gé 6:5; Sl 40:5; 139:23; Jer 29:11; Flp 4:7.
PENSAR, Job 23:13 él está en un solo **p.**
  Jer 29:11 pensamiento que estoy **p.** para con
  Mal 3:16 temor de Jehová **p.** en su nombre
  Mt 5:17 No **p.** que vine a destruir
  Mt 16:23 no **p.** los pensamientos de Dios
  Ro 12:3 no **p.** más de sí mismo de lo que
  1Co 8:2 **p.** que ha adquirido conocimiento
  1Co 10:12 el que **p.** que está en pie, cuídese
  Gál 6:3 alguien **p.** que es algo, no siendo
  Flp 4:10 hayan revivificado su **p.** a favor de
  Jer 18:11; 23:27; Miq 2:3; Mt 10:34; 24:44; Jn
  5:39; 1Co 3:18; 14:37; Heb 10:29.
PENTECOSTÉS, Hch 20:16; 1Co 16:8.
  Hch 2:1 en progreso la fiesta del **P.**
PEÑASCO, Nú 20:11; Sl 18:2; Jer 49:16.
PEOR, Nú 23:28; 25:18; 31:16; Jos 22:17.
PÉQAH, 2Re 15:25; 2Cr 28:6; Isa 7:1.
PEQUEÑO(S), Mt 5:19.
  Isa 60:22 El **p.** llegará a ser mil
  Mt 25:40 de los más **p.** de estos hermanos
  1Co 15:9 soy el más **p.** de los apóstoles
  Snt 3:5 la lengua es un miembro **p.**
PEQUEÑUELO(S), Mt 11:25 revelado a **p.**
  1Co 13:11 Cuando era **p.**, hablaba como **p.**
  1Co 14:20 sean **p.** en cuanto a la maldad
  Mt 21:16; 1Co 3:1.
PERCEPTIBLE, 2Co 2:14 olor sea **p.** en todo
PERCIBIR, Sl 139:14 muy bien **p.** mi alma
  Pr 31:18 Ha **p.** intuitivamente
  Hch 4:13 al **p.** que eran hombres iletrados
  Hch 10:34 que Dios no es parcial
  Ro 1:20 cualidades se **p.** por cosas hechas
  Ef 5:17 sigan **p.** cuál es la voluntad de
PERDER, 1Sa 27:1; Mt 10:39.
  Lu 9:24 el que la salvará **p.** la salvará
  Jn 18:9 no he **p.** ni uno solo
PERDER LA ESPERANZA, 1Sa 27:1.
PERDICIÓN. Véase DESTRUCCIÓN.
PÉRDIDA, Jos 6:26 **p.** de su primogénito
  Isa 47:9 **p.** de hijos y viudez
  1Co 3:15 sufrirá **p.**, pero él mismo será
  Flp 3:7 las he considerado **p.** a causa del
PERDIDO(DA), 1Ti 1:19:176 como oveja **p.**
  Lu 15:24 hijo mío estaba **p.** y fue hallado
  Lu 19:10 buscar y a salvar lo que estaba **p.**
  Eze 34:4; Mt 15:24.
PERDÓN, Ne 9:17 Dios de actos de **p.**
  Sl 99:8 Un Dios que otorga **p.**
  Mt 26:28 para **p.** de pecados
  Mr 1:4 bautismo de arrepentimiento para **p.**
  Hch 2:38 en nombre de Jesucristo para **p.**
  Col 1:14 liberación por rescate, el **p.**
  Heb 9:22 a menos se derrame sangre no **p.**
  Lu 1:77; 24:47; Hch 10:43; Heb 10:18.
PERDONAR, Éx 32:32 **p.** su pecado..., o no
  Jer 31:34 Porque **p.** su error, y no me
  Miq 7:18 un Dios que **p.** el error
  Mt 6:12 y **p.** nuestras deudas, como
  Mt 12:31 blasfemia contra el espíritu no **p.**
  Jn 20:23 Si ustedes **p.** los pecados de
  1Jn 1:9 él es fiel y justo para **p.**

Éx 23:21; 34:9; Nú 14:19; 1Sa 15:25; 1Re
  8:36, 50; 32:15, 18; Isa 55:7; Mt 9:6; Mr
  2:7; 11:25; Ro 11:21; 2Co 2:10; Snt 5:15.
PERECER, Nú 16:33 fueron al Seol, y **p.**
  2Sa 1:27 ¡Cómo han **p.** las armas de guerra!
  Sl 2:12 ustedes no **p.** del camino
  Sl 9:6 mención de ellas ciertamente **p.**
  Sl 10:16 naciones han **p.** de Su tierra
  Sl 68:2 **p.** inicuos de delante de Dios
  Sl 146:4 ese día **p.** sus pensamientos
  Isa 29:14 sabiduría de sabios tiene que **p.**
  Isa 60:12 nación que no te sirva **p.**
  Mt 18:14 que uno de estos pequeños **p.**
  1Co 1:18 necedad para los que están **p.**
  2Te 2:10 engaño para los que están **p.**
  Heb 11:31 Por fe Rahab la ramera no **p.**
  Dt 30:18; Job 11:20; Sl 37:20; Ec 9:6; Jer
  7:28; 10:11; Miq 4:9; Hch 8:20; Jud 11.
PEREZA, Pr 19:15 **p.** un sueño profundo
  Pr 31:27 y el pan de la **p.** no come
  Ec 10:18 Por **p.** se hunde el envigado
PEREZOSO(S), Pr 6:6 donde la hormiga, **p.**
  Pr 15:19 El camino del **p.** es como seto de
  Pr 20:4 del invierno, el **p.** no quiere arar
  Pr 26:15 El **p.** ha escondido la mano en
  Jue 18:9; Pr 10:26; 13:4; 19:24; 21:25; 26:13.
PERFECCIÓN, Sl 50:2 Sión, **p.** de la belleza
  Heb 7:19 la Ley no llevó nada a la **p.**
  Sl 119:96; Lam 2:15; Lu 8:14; Heb 7:11.
PERFECCIONADO(S), Jn 17:23 sean **p.** en uno
  Heb 7:28 nombra Hijo, que es **p.** para siempre
  Heb 10:14 **p.** perpetuamente a santificados
  Heb 11:40 no fueran **p.** aparte de nosotros
  Flp 3:12; Heb 5:9.
PERFECCIONADOR, Heb 12:2 **P.** de fe, Jesús
PERFECCIONAR, 2Co 7:1 **p.** santidad en temor
  2Co 12:9 mi poder está **p.** en debilidad
  Heb 2:10 **p.** al Agente Principal de salvación
PERFECTO(TA), Dt 32:4 La Roca, **p.** es su
  Sl 19:7 La ley de Jehová es **p.**
  Eze 28:12 sabiduría y **p.** en hermosura
  Mt 5:48 ser **p.**, como su Padre es **p.**
  Ro 12:2 prueben la **p.** voluntad de Dios
  1Jn 4:18 el amor **p.** echa fuera el temor
  2Sa 22:31; Sl 18:32; Heb 9:11; Snt 1:17.
PERFORAR, Jue 16:21 **p.** y sacaron los ojos
PERFUMADO, Mt 26:7; Lu 7:46; Jn 11:2.
PERFUMADO, INCIENSO, Éx 25:6; 30:7.
PERFUME, Eze 8:11 **p.** del incienso ascendía
PERGAMINOS, 2Ti 4:13 trae los **p.**
PERICIA SOBRESALIENTE, Ec 2:21; 4:4.
PERINEAL, Gé 38:29 producido ruptura **p.?**
PERJUDICIAL(ES), Pr 6:18 proyectos **p.**
  Pr 12:21 Nada **p.** le acaecerá al justo
  1Co 10:6 personas que deseen cosas **p.**
  Col 3:5 deseo **p.** y codicia
  1Ti 6:10 raíz de toda suerte de cosas **p.**
  Sl 101:8; 141:4; Pr 21:15; Isa 59:4; Lu 16:25.
PERJUDICIALMENTE, 1Ti 6:1 nunca hable **p.**
PERJUICIO, 1Sa 25:26 los que procuran el **p.**
PERLA(S), Mt 7:6 ni tiren sus **p.** delante
  Mt 13:45, 46; Rev 17:4; 18:12; 21:21.
PERMANECER, Jn 3:36 ira de Dios **p.** sobre
  Jn 6:27 alimento que **p.** para vida eterna
  Jn 8:31 Si **p.** en mi palabra, son mis
  1Co 3:14 Si la obra de alguien **p.**, recibirá
  1Jn 2:17 el que hace voluntad de Dios **p.**
  Jn 15:4; 1Co 7:20; 13:13; 2Jn 9.
PERMISO, 1Te 4:7 no con **p.** para inmundicia
PERMITIR, Heb 6:3 lo haremos, si Dios **p.**
  Lu 4:41; Hch 19:30; 28:4.
PERPETRADO, Jos 22:31 no han **p.** contra
PERPETUAMENTE, Heb 7:3 sacerdote **p.**
  Isa 57:16; Am 1:11; Heb 10:12, 14.
PERPETUIDAD, Le 25:23 no venderse en **p.**

PERPETUO. Véanse DE DURACIÓN
INDEFINIDA, TIEMPO(S) INDEFINIDO(S).
PERPLEJIDAD, 1Re 10:1 preguntas causan p.
PERPLEJO(S), Isa 19:3 el espíritu de Egipto p.
2Co 4:8 p., pero no sin salida
1Pe 4:4 están p. y siguen hablando
1Pe 4:12 no estén p. a causa del incendio
Lu 9:7; Hch 2:12; 5:24; 10:17; Gál 4:20.
PERRITOS, Mt 15:26 No echarlo a los p.
PERRO(S), Isa 56:10 atalayas son p.
2Pe 2:22 p. ha vuelto a su vómito
Jue 7:5; 2Re 9:36; Rev 22:15.
PERSECUCIÓN(ES), Jue 4:22 en p. de Sísara
Isa 14:6 una p. sin restricción
Mt 13:21 surgido la p. a causa de la palabra
Ro 8:35 la p., o hambre, o desnudez
2Co 12:10 en p. y dificultades, por Cristo
Mr 10:30; Hch 13:50; 2Te 1:4; 2Ti 3:11.
PERSEGUIDOR(ES), 1Ti 1:13 era p.
Sl 119:157; 142:6; Jer 15:15; 17:18.
PERSEGUIDOS, Mt 5:10 Felices los p. por
PERSEGUIR, Job 19:22 ¿Por qué siguen p.
Jer 20:11 los que me p. tropezarán
Mt 5:11 Felices cuando los vituperen y p.
Mt 5:12 a los profetas antes de ustedes
Mt 5:44 orando por los que los p.
Mt 10:23 Cuando los p. en una ciudad
Mt 23:34 y p. de ciudad en ciudad
Lu 21:12 los p., entregándolos a prisiones
Jn 15:20 Si me han p. a mí, a ustedes
Hch 7:52 ¿A cuál de los profetas no p.
Ro 12:14 Sigan bendiciendo a los que los p.
1Co 4:12 cuando se nos p., lo soportamos
2Co 4:9 se nos p., no se nos deja sin ayuda
Gál 1:13 seguí a p. la congregación
2Ti 3:12 vivir con devoción serán p.
Dt 30:7; Sl 71:11; 119:86, 161; Na 1:8.
PERSEVERAR, 1Sa 23:22 p. un poco más
Ro 12:12 p. en la oración
Col 4:2 Sean p. en la oración
PERSIA, Esd 1:8; 6:14; Est 1:14; Da 8:20.
PERSISTIR, Rut 1:18 p. en ir con ella
1Ti 4:16 p. en estas cosas
1Ti 5:5 p. en ruegos y oraciones
PERSONA(S), Éx 33:14 Mi propia p. te
Hch 3:19 de parte de la p. de Jehová
1Co 7:35 soy libre respecto de toda p.
Heb 9:24 delante de la p. de Dios
1Pe 3:4 sea la p. secreta del corazón
2Pe 3:11 ¡qué clase de p. deben ser ustedes
PERSONAL, Flp 2:4 vigilando con interés p.
Flp 2:25, 30.
PERSONALIDAD(ES), Ro 6:6 nuestra vieja p.
Ef 4:22 deben desechar la vieja p.
Ef 4:24 vestirse de la nueva p.
Col 3:9 Desnúdense de la vieja p.
Jud 16 están admirando la p. en el interés de
PERSONALMENTE, Jer 25:31 p. en juicio
PERSPICACIA, Pr 1:3 disciplina que da p.
Pr 13:15 buena p. misma da favor, pero
Pr 14:35 placer del rey con el siervo con p.
Pr 16:22 la p. es un pozo de vida
Pr 19:11 La p. ciertamente retarda su cólera
Ro 3:11 no hay quien tenga p.
1Cr 28:19; Sl 111:10; 119:99; Pr 3:4; Isa
44:18; Jer 3:15; 9:24; Da 11:33; 12:3, 10.
PERSUADIDO, Hch 26:26 p. de que ni una
Ro 14:14 Yo sé, y estoy p. en el Señor Jesús
PERSUADIR, Lu 16:31 tampoco dejarán p.
Hch 18:13 p. a otra manera de adorar
2Co 5:11 seguimos p. a los hombres
PERSUASIÓN, Gál 5:8 clase de p. no procede
PERSUASIVA(S), Pr 7:21 ha extraviado con p.
Pr 16:23 El sabio a sus labios añade p.
1Co 2:4 prediqué no con palabras p. de
PERTENECER, Ro 14:8 morimos, p. a Jehová

PERTENENCIA, Dt 4:20 un pueblo de p.
PERTURBADOS, Gé 45:3; Sl 90:7.
PERTURBAR(SE), Sl 2:5 en desagrado los p.
Sl 6:2; Isa 21:3; Eze 27:35.
PERVERSA(S), Pr 2:12; 23:33 cosas p.
Pr 8:13 mal camino y la boca p. he odiado
PERVERSIDAD, Dt 32:20 generación de p.
Pr 6:14 La p. se halla en su corazón
Pr 10:31 la lengua de la p. será cortada
Isa 29:16 ¡Qué p. la de ustedes!
PERVERTIR, Dt 16:19 No debes p. el juicio
Job 33:27 lo recto he p.
Gál 1:7 p. buenas nuevas acerca del Cristo
Éx 23:2, 6; 1Sa 8:3; Job 34:12; Pr 31:5.
PESA, Dt 25:15 una p. exacta y justa
PESADO(DA), Da 5:27 has sido p. en balanza
Zac 12:3 haré de Jerusalén una piedra p.
PESAR, Gé 6:6 Jehová sintió p.
1Sa 15:29 no sentirá p., Él no es hombre
Job 31:6 él me p. en balanza exacta
Sl 110:4 Jehová no sentirá p.:
Isa 40:12 ¿Quién ha p. las montañas
Jer 26:13 Jehová sentirá p. por las
Ro 11:29 no son cosas que te hayan de p.
Nú 23:19; Jue 2:18; Job 6:2; Sl 106:45; Jer
18:10; Jon 3:10; Zac 8:14; Heb 7:21.
PESCA, Lu 5:4 echen sus redes para la p.
PESCADORES, Jer 16:16 llamar muchos p.
Eze 47:10 habrá de pie a lo largo
Mt 4:19 los haré p. de hombres
PESCADOS, Mt 14:19 cinco panes y dos p.
PESCAR, Jer 16:16 pescadores los p.
PESEBRE, Pr 14:4 no hay ganado el p. está
Lu 2:7, 12, 16.
PESO, Eze 4:16; 2Co 4:17.
Mt 23:23 desatendido los asuntos de más p.
Heb 12:1 quitémonos todo p., y el pecado
PESTE(S), Eze 38:22 juicio con p.
Lu 21:11 y en un lugar tras otro p.
Dt 28:21; Sl 78:50; Jer 14:12; Am 4:10.
PETICIÓN(ES), Sl 20:5 Jehová cumpla p.
Jn 17:9 Hago p. respecto a ellos
Jn 17:20 Hago p., no respecto a estos
Flp 4:6 dense a conocer sus p. a Dios
Heb 5:7 p. a Aquel que podía salvarlo
1Sa 1:27; Est 5:6; 9:12; Da 6:7, 13.
PEZ(CES), Eze 47:9 habrá muchísimos p.
Jon 1:17 asignó un gran p. que se tragara
Mt 12:40 en el vientre del gran p.
Sl 105:29; Ec 9:12; Eze 29:4, 5; Jon 2:10.
PEZUÑA, Le 11:3 p. partida y hendidura
PIADOSA, 2Co 7:10 tristeza de manera p.
PIARA, Mt 8:30; Mr 5:11; Lu 8:33.
PICOTA, Jer 29:26 ponerlo en la p.
PIE(S), Sl 119:105 palabra lámpara para mi p.
Isa 52:7 los p. del que trae buenas nuevas
Ro 16:20 aplastará a Satanás bajo los p.
1Co 15:25 los enemigos debajo de sus p.
Ef 6:15 calzados los p. con equipo
Isa 59:7; Lu 1:79; Ro 10:15; Heb 2:8.
PIEDAD, Isa 49:13 muestra p. a afligidos
Gé 43:14; 1Re 8:50; Sl 40:11.
PIE, DE, Da 12:1 se pondrá d. Miguel
Da 12:13 te pondrás d. al fin de
PIEDRA(S), Sl 91:12 pie contra p. alguna
Isa 60:17 en vez de las p., hierro
Isa 62:10 la calzada. Límpienla de p.
Da 2:34 una p. fue cortada, no por manos
Mt 21:42 La p. que edificadores rechazaron
Lu 19:40 callados, las p. clamarían
Ro 9:32 Tropezaron con la p. de tropiezo
1Pe 2:6 voy a colocar en Sión una p.
PIEDRA ANGULAR, Mt 21:42 principal p.
Ef 2:20 Jesús mismo la p. de fundamento
Job 38:6; Mr 12:10; 1Pe 2:6.

PIEDRA DE ESMERIL, Zac 7:12 como **p.**
PIEDRA DE MOLINO, Lu 17:2 una **p.** y
  Jue 9:53; Job 41:24; Rev 18:21.
PIEDRA DE REMATE, Zac 4:7 sacará la **p.**
PIEDRECITA, Rev 2:17 sobre **p.**, nombre nuevo
PIE, EN, Mal 3:2 quién se mantendrá **e.**
  Ro 14:4 Jehová puede hacer que esté **e.**
  1Co 10:12 el que piensa que está **e.**, cuídese
PIEL, Gé 3:21 hacer largas prendas de **p.**
  Job 2:4 P. en el interés de **p.**, y todo
  Job 19:26 después de mi **p.**, han desollado
  Jer 13:23 ¿Puede un cusita cambiar su **p.**?
  Eze 37:6 carne, y los cubriré con **p.**
PIERNAS, Jn 19:33 no le quebraron **p.**
  Da 2:33 sal y cázame una **p.**
PIEZA(S), Gé 27:3 sal y cázame una **p.**
  Mt 26:15 estipularon treinta **p.** de plata
PILATO, Mt 27:2 lo entregaron a **P.**
  Mt 27:22 P. dijo: ¿qué haré con
  Mr 15:15 P. puso en libertad a Barrabás
  Lu 23:12 Herodes y P. se hicieron amigos
  Jn 19:6 P. dijo: no hallo en él falta
  Lu 13:1; Jn 18:37; 19:12, 22; 1Ti 6:13.
PINTURA, Jer 4:30 ojos con **p.** negra?
PISADAS, Sl 44:18; Ro 4:12; 2Co 12:18.
PISADO, Isa 63:3 La artesa para vino he **p.**
  Rev 14:20 fue **p.** el lagar
PISAR, Isa 28:28 nunca sigue **p.** uno
  Jos 1:3; Jer 25:30; Eze 34:18; Rev 19:15.
PISOTEADO, Isa 25:10 Moab ser **p.** en
PISOTEAR, Isa 22:5 día de **p.** y de confundir
  Job 40:12; Sl 44:5; 60:12; Mal 4:3.
PLACENTERO(S), Sl 19:14 dichos ser **p.**
  Pr 13:19 deseo, cuando se realiza, es **p.**
PLACER(ES), Lu 8:14 riquezas y **p.** de
  2Ti 3:4 amadores de **p.** más que de Dios
  Snt 5:5 y se han dado al **p.** sensual
  Pr 14:35; Tit 3:3.
PLAGA(S), Éx 11:1 Una **p.** más sobre Faraón
  Jer 50:13 silbará por motivo de sus **p.**
  Rev 15:1 siete ángeles con siete **p.**
  Rev 18:4 no quieren recibir parte de sus **p.**
  Rev 22:18 Dios le añadirá a él las **p.**
  Éx 12:13; Jer 19:8; Rev 9:20; 11:6; 21:9.
PLAN(ES), Pr 15:22 frustrados los **p.**
  Ro 13:14 no haciendo **p.** con anticipación
  Éx 26:30; Pr 19:21.
PLANO, 1Re 6:38 terminada en cuanto a su **p.**
PLANTA(S), Mt 13:25 M **p.** produce como **p.** nueva
  Sl 69:21 por alimento una **p.** venenosa
  Mt 15:13 Toda **p.** que mi Padre celestial
  Isa 37:25; Eze 1:7; 43:7; Mal 4:3.
PLANTACIÓN, Isa 5:7 hombres son la **p.**
PLANTADO, Sl 1:3; Jer 17:8; Lu 17:6.
  Jer 2:21 te había **p.** como una vid roja
PLANTAR, Gé 2:8 Dios **p.** un jardín en
  Sl 94:9 Aquel que **p.** el oído, ¿no puede
  Isa 51:16 **p.** los cielos y tierra
  Isa 65:22 no **p.** y otro comerá
  Jer 1:10 para derruir, para edificar y **p.**
  Mt 21:33 hombre **p.** una viña y viajó
  1Co 3:6 Yo **p.**, Apolos regó, pero Dios
  Isa 40:24; Jer 18:9; 31:28; Am 9:14.
PLAÑIDO(S), Jer 25:33 No serán **p.**, ni
  Joe 2:12; Zac 12:11; Mt 2:18.
PLAÑIR, Ec 3:4 tiempo de **p.** y tiempo de
  Miq 1:8 Haré un **p.** como los chacales
  Zac 12:10 **p.** por Él como en el **p.** por un
  Jn 16:20 Ustedes llorarán y **p.**, pero el
PLATA, Pr 2:4 buscando esto como a **p.**
  Pr 25:11 de oro en entalladuras de **p.**
  Eze 7:19 En las calles arrojarán su **p.**
  Sof 1:18 Ni su **p.** ni su oro podrá librarlos
  Mal 3:3 sentarse como refinador de **p.**
  Mt 26:15 estipularon treinta piezas de **p.**
  Snt 5:3 Su oro y **p.** están enmohecidos
  Éx 12:35; Da 2:32; Ag 2:8; Hch 3:6.

PLATAFORMA, 2Cr 6:13; Sof 1:9.
PLAYA, Mt 13:2; Hch 21:5; 27:39.
PLAZA, Gé 19:2 en **p.** pública quedaremos
  Dt 13:16; Jue 19:15; Isa 59:14.
PLAZA(S) DE MERCADO, Mt 11:16.
  Hch 16:19 los arrastraron a la **p.**
  Hch 17:17 razonar con personas en la **p.**
PLAZA FUERTE, Sl 18:2 Jehová mi **p.**
  Sl 31:4 porque tú eres mi **p.**
  Sl 37:39 es su **p.** en tiempo de angustia
  Sl 91:2 mi **p.**, mi Dios, en quien confiaré
  Pr 10:29 El camino de Jehová es **p.**
  Da 11:31 profanarán la **p.**
  Na 1:7 Jehová es bueno, una **p.** en el día
  Zac 9:12 Vuélvanse a la **p.**, prisioneros
  Sl 28:8; Isa 25:4.
PLEITO, 1Co 6:1 **p.** contra otro ir al tribunal
PLENA, 2Co 9:8 teniendo **p.** autosuficiencia
PLENAMENTE DESARROLLADOS, 1Co 14:20.
PLENITUD, Ef 1:23; 4:13; Col 2:10.
PLOMADA, Am 7:7, 8; Zac 4:10.
PLUMA, 3Jn 13 escribiéndote con tinta y **p.**
POBLACIÓN, Pr 14:28 falta de **p.** está la
POBRE(S), Sl 69:33 escuchando a los **p.**
  Jer 2:34 marcas de sangre de los **p.**
  Lu 4:18 declarar buenas nuevas a los **p.**
  Jn 12:8 a los **p.** siempre tienen con ustedes
  2Co 6:10 como **p.**, pero enriqueciendo a
  2Co 8:9 se hizo **p.** por causa de ustedes
  Snt 2:5 Dios escogió a los que son **p.**
  Éx 23:6; 1Sa 2:8; Job 24:4; Sl 9:18; 72:4;
  107:41; 132:15; Isa 14:30; 25:4; Jer 5:28; Am
  8:4; Mt 11:5; Mr 12:43.
POBREZA, Pr 13:18 para en **p.** y deshonra
  Pr 30:8 No me des ni **p.** ni riqueza
  2Co 8:9 se hicieran ricos mediante **p.** de él
  Rev 2:9 Conozco tu tribulación y **p.**
  Gé 45:11; Pr 6:11; 20:13; 24:34; 30:9.
POCO, Pr 15:16 Mejor es un **p.** en temor
  Isa 28:10 aquí un **p.**, allí un **p.**
  1Ti 4:8 entrenamiento corporal provechoso **p.**
  Heb 2:7 Jesús, un **p.** inferior a ángeles
  Sl 8:5; 37:16; Da 11:34; 1Co 5:6; 1Ti 5:23.
POCO GENEROSO, Dt 15:9 temor de ser **p.**
PODADERAS, Isa 2:4 batir lanzas en **p.**
  Joe 3:10 y sus **p.**
  Miq 4:3 lanzas en **p.** No alzarán espada
PODADO, Ro 11:22 tú también serás **p.**
PODAR, Le 25:3, 4 debes **p.** tu viña
PODER(ES), Éx 9:16 a fin de mostrarte mi **p.**
  Isa 40:29 Está dando **p.** al cansado
  Zac 4:6 No por **p.**, sino por mi espíritu
  Mt 24:29 los **p.** de los cielos sacudidos
  Hch 1:8 recibirán **p.** cuando espíritu santo
  Ro 8:38 ni cosas por venir, ni **p.**
  Ro 9:22 voluntad de dar a conocer su **p.**
  1Co 4:20 reino no estriba en habla, sino **p.**
  1Co 15:43 en debilidad, se levanta en **p.**
  2Co 4:7 que el **p.** más allá de lo normal
  2Co 12:9 que el Cristo permanezca sobre mí
  Col 1:29 que obra en mí con **p.**
  2Ti 1:7 no espíritu de cobardía, sino **p.**
  2Ti 3:5 de devoción pero falsos a su **p.**
  1Pe 3:22 autoridades y **p.** fueron sujetados
  Rev 11:17 has tomado tu gran **p.** y empezado
  Le 27:8; Jue 16:17; 1Sa 2:9; 2Re 19:3; Job
  37:23; Isa 40:31; 63:1; Eze 46:7; Lu 1:35; Ro
  1:16, 20; 2Ti 2:1; Heb 6:5; 1Pe 1:5; Rev 12:10.
PODER DESTRUCTOR, Os 13:14.
PODERÍO, Jue 5:31 el sol sale en su **p.**
  Sl 106:8 para dar a conocer su **p.**
  Isa 11:2 espíritu de consejo y de **p.**
  1Re 15:23; 1Cr 29:30; Jer 51:30.
PODEROSO(SA), Gé 6:4 estos fueron los **p.**
  Gé 10:9 Se exhibió **p.** cazador en
  Isa 9:6 Dios **P.**, Padre Eterno, Príncipe

1Co 1:26 no muchos **p.**, no muchos de
1Co 16:13 como hombres, háganse **p.**
2Co 10:4 no carnales, sino **p.** por Dios
2Co 12:10 cuando soy débil, entonces soy **p.**
2Te 1:7 Jesús desde el cielo con **p.** ángeles
Sl 24:8; Isa 1:24; Jer 9:23; 51:57; Joe 2:7; Mr
9:39; Ro 4:20; Heb 11:34.
PODREDUMBRE, Pr 12:4 como **p.** en sus huesos
Pr 14:30 los celos son **p.** a los huesos
PODRIDO, Isa 40:20 Escoge un árbol no **p.**
Mt 7:18 ni puede un árbol **p.** producir
Mt 12:33 hagan el árbol **p.** y su fruto **p.**
Snt 5:2 Sus riquezas se han **p.**
PODRIR(SE), Pr 10:7 nombre de inicuos se **p.**
Isa 34:4; Zac 14:12.
POLÉMICA, Isa 41:21 Presenten causa **p.**
Hch 17:18 estoicos entablaban **p.** con él
POLICÍACOS, Da 3:2, 3 los magistrados **p.**
POLVO, Gé 2:7 formar al hombre del **p.**
Gé 3:19 p. eres y a **p.** volverás
Sl 72:9 sus enemigos lamerán el **p.**
Ec 12:7 el **p.** vuelve a la tierra como
Mt 10:14 sacúdanse el **p.** de los pies
1Co 15:47 primer hombre hecho de **p.**
Éx 8:16; 2Cr 34:4; Sl 103:14; Ec 3:20; Isa
40:15; Da 12:2; Na 1:3; Mal 4:3.
POLVO AROMÁTICO, Can 3:6 toda suerte de **p.**
POLLINO, Mt 21:5; Lu 19:30.
PONER, Isa 21:5 ¡Haya un **p.** en orden la mesa
PONER(SE) A PRUEBA, Sl 7:9 corazón y
Sl 26:2 Examíname, oh Jehová, y **p.**
Mal 3:15 han **p.** a Dios y siguen escapando
Mt 4:7 No debes **p.** a Jehová
Hch 5:9 ¿Por qué **p.** el espíritu de Jehová?
1Co 10:9 Ni **p.** a Jehová, como algunos
2Co 13:5 **p.** para ver si están en la fe
PONERSE DE PIE, Da 12:1 **p.** Miguel, el
PONERSE EN CONTRA, 1Pe 5:9 **p.** de él
PONZOÑA, Job 6:4; Sl 58:4; 140:3.
POPA, Mr 4:38; Hch 27:29, 41.
POPULAR, Jer 8:6 volviéndose al proceder **p.**
POPULOSA, Sl 110:6 cabeza sobre tierra **p.**
PORCIÓN, Isa 53:12 le daré una **p.** entre
Da 12:13 de pie para tu **p.** al fin
1Co 7:17 Jehová haya dado a cada uno una **p.**
2Co 6:15 ¿O qué **p.** tiene una persona fiel con
Sl 11:6; Ec 9:6; Zac 2:12.
PORCIÓN DESIGNADA, 2Re 25:30; Jer 40:5.
PORCIÓN DOBLE, Isa 61:7; Zac 9:12.
POR DENTRO, Ro 7:22 al hombre que soy **p.**
POR LO MENOS, Gé 24:55 **p.** diez días
POR MÍ MISMO, Jn 7:17 de Dios o habló **p.**
Jn 14:10 no las hablo **p.**
PORQUERIZOS, Mt 8:33; Mr 5:14; Lu 8:34.
PORTADOR, 1Sa 4:17 el **p.** de la nueva
2Sa 18:26 Este también es **p.** de noticias
PORTARSE, 1Co 13:5; 2Te 3:7.
1Co 7:36 que se está **p.** impropiamente
1Co 16:13 **p.** como hombres, háganse
PORTENTO(S) PRESAGIOSO(S), Zac 3:8.
Hch 2:22 Jesús mostrado mediante **p.**
Heb 2:4 testimonio con señales como con **p.**
Dt 13:1, 2; Eze 12:11; 24:24, 27; Joe 2:30.
POSEER, Sl 37:11 mansos **p.** la tierra
2Co 6:10 sin embargo, **p.** todas las cosas
POSEÍDA, Hch 7:45 Josué en la tierra **p.**
POSESIÓN, Gé 17:8 **p.** hasta tiempo
Gé 22:17 descendencia tomará **p.** de puerta
Sl 2:8 cabos de la tierra por tu **p.** tuya
Hch 7:5 no le dio **p.** heredable en ella
Ef 1:14 por rescate la propia **p.** de Dios
1Te 4:4 tomar **p.** de su propio vaso
2Te 3:2 fe no es **p.** de todos
1Pe 2:9 un pueblo para **p.** especial
Nú 13:30; Dt 1:21; 2Cr 20:11; Sl 44:3; 69:35;
Isa 57:13; Eze 36:12.

POSESIONES MATERIALES, Ec 5:19; 6:2.
POSESIÓN HEREDITARIA, Ro 8:36; 21:3.
POSIBLE(S), Mt 19:26 Dios todas cosas **p.**
Mt 24:24 extraviar, si **p.**, a escogidos
Mt 26:39 si **p.**, pase de mí esta copa
Heb 10:4 no es **p.** que sangre de toros
Hch 2:24; Ro 12:18; 1Co 11:20.
POSICIÓN(ES), Abd 4; Jud 6; Rev 4:2.
Sl 2:2 reyes de la tierra toman su **p.**
Ro 13:1 autoridades colocadas en sus **p.**
POSICIÓN DE JUSTOS, Isa 53:11.
POSITIVAS, Hch 1:3 se mostró por pruebas **p.**
POSPUESTA, Pr 13:12 La expectación **p.**
POSTERGACIÓN, Eze 12:25, 28 no habrá **p.**
POSTERIDAD, Job 18:19; Da 11:4.
POSTERIOR, Ag 2:9 Mayor gloria de casa **p.**
POSTE(S) SAGRADO(S), Dt 7:5; Jue 3:7; 6:25;
1Re 15:13; 2Re 13:6; 21:3; Isa 17:8.
POSTRAR(SE), Éx 34:14 no **p.** ante otro
POTASA, Job 9:30 limpiara mis manos en **p.**
POTENCIA, 1Cr 29:12 en tu mano hay **p.**
Isa 40:29 hace que abunde en plena **p.**
Ef 6:10 la **p.** de su fuerza
Rev 1:6 a él sea la **p.** para siempre. Amén
POTENTADO, 1Ti 6:15 feliz y único **P.**
POTENTES, Sl 135:10 mató a reyes **p.**
POZO(S), Gé 26:18 cavar un **p.** de agua
Pr 14:27 temor de Jehová es **p.** de vida
PRÁCTICA(S), Lu 16:8 sabios, de manera **p.**
Ro 8:13 hacen morir las **p.** del cuerpo
**PRACTICANTES DE LO QUE ES
PERJUDICIAL,** Sl 14:4; 59:2; 92:7; 94:4;
125:5; Pr 10:29.
PRACTICANTES DE MAGIA, Isa 2:6; Jer 27:9.
Miq 5:12 no continuarás teniendo **p.**
PRACTICAR, Miq 2:1 los que **p.** lo que es malo
Ro 2:1 tú que juzgas **p.** las mismas cosas
Ro 7:19 lo malo que no deseo es lo que **p.**
Ro 9:11 no habían nacido ni **p.** cosa buena ni
2Co 5:10 retribución según haya **p.**
1Jn 1:6 y no estamos **p.** la verdad
1Jn 3:6 en unión con él no **p.** pecado
Sl 141:4; Ro 1:32; 7:15; 1Ti 5:20; Heb 10:26.
PRACTICAR LO PERJUDICIAL, Job 34:22.
PRADO(S). Véanse también
APACENTADEROS, PASTOS.
Sl 23:2 En **p.** herbosos
Sl 65:13; Isa 30:23.
PRECEDER, 1Te 4:15 no **p.** a los que
PRECIO, Isa 55:1 vengan, compren sin **p.**
Miq 3:11 sacerdotes instruyen sólo por **p.**
1Co 6:20 fueron comprados por **p.**
Da 11:39; Mt 27:9; Hch 5:3; 1Co 7:23.
PRECIOSO(SA), Sl 116:15 a los ojos de
Sl 139:17 **p.** son tus pensamientos!
Pr 3:15 más **p.** que los corales
Isa 43:4 has sido **p.** a mis ojos
1Pe 1:19 fue con sangre **p.**, la de Cristo
1Pe 2:4 rechazada, por hombres, **p.**, para Dios
1Sa 26:21; 1Pe 2:6; 2Pe 1:4; Rev 17:4.
PRECIPITACIÓN, FUERTE, Sl 68:9.
PRECIPITADAMENTE, Joe 2:9 Penetran **p.**
PRECIPITAR, Lu 5:6 no hacer que se **p.**
1Ti 6:9 deseos perjudiciales, **p.** a hombres
PRECONOCIDO, 1Pe 1:20 fue **p.** antes de
PREDESTINAR. Véase PREDETERMINAR.
PREDETERMINAR, Hch 4:28.
Ro 8:29 la **p.** para que fueran hechos
Ro 8:30 a los que él **p.**, también llamó
1Co 2:7 sabiduría escondida, que Dios **p.**
Ef 1:5 nos **p.** a la adopción mediante Cristo
Ef 1:11 **p.** según el propósito de aquel que
PREDICACIÓN, 1Co 15:14 nuestra **p.** en vano
PREDICADOR, 1Ti 2:7 fui nombrado **p.**

2Ti 1:11 fui nombrado **p.** y apóstol
2Pe 2:5 guardó a Noé, **p.** de justicia
PREDICAR, Mt 4:17 Jesús comenzó a **p.**
  Mt 10:7 Al ir, **p.,** diciendo: El reino
  Mt 10:27 **p.** desde las azoteas
  Mt 24:14 buenas nuevas del reino se **p.**
  Lu 4:19 **p.** el año acepto de Jehová
  Lu 8:1 de aldea en aldea, **p.**
  Hch 10:42 nos ordenó que **p.** al pueblo
  Ro 10:14 ¿Cómo oirán sin alguien que **p.?**
  Ro 10:15 ¿Cómo **p.** a menos que enviados?
  1Co 1:21 necedad de lo que se **p.**
  1Co 1:23 **p.** a Cristo fijado en el madero
  1Co 2:4 **p.** no con palabras persuasivas
  2Ti 4:2 **p.** la palabra, urgentemente
  Mt 3:1; 4:23; 9:35; Lu 11:32; Hch 28:31; Ro
  15:19; 1Co 9:27; Gál 2:2; 1Pe 3:19.
PREDICCIÓN(ES), Hch 16:16; 1Ti 1:18; 4:14.
PREFECTO(S), Da 2:48; 3:2; 6:7.
PREFERENCIA, Éx 23:3 no mostrar **p.** en una
PREFERIBLE, Pr 21:3 juicio es más **p.**
PREGUNTAR, Dt 4:29 p. con todo tu corazón
PREGUNTAS, 1Re 10:1 vino a probarlo con **p.**
PREJUICIO, 1Ti 5:21 cosas sin **p.**
PREMATURAMENTE, Ec 6:3; 1Co 15:8.
PREMIO, 1Co 9:24 solo uno recibe el **p.?**
  Flp 3:14 prosigo hacia la meta para el **p.**
  Col 2:18 Que no los prive del **p.** nadie
PREMURA, Sl 55:3 la **p.** del inicuo
  Flp 1:23 dos cosas me tienen en **p.**
PRENDA(S), 2Re 10:22 Saca **p.** de vestir
  Sl 22:18 Reparten mis **p.** de vestir
  Pr 7:10 con la **p.** de vestir de una prostituta
  Isa 61:10 **p.** de vestir de salvación
  Mt 9:16 cose en **p.** de vestir vieja
  Mt 23:5 agrandan flecos de **p.** de vestir
  Mt 27:35 repartieron sus **p.** echando suertes
  2Co 1:22 nos ha dado la **p.,** el espíritu
  2Co 5:5 dio la **p.** de lo que ha de venir
  Ef 1:14 una **p.** por anticipado de herencia
  Jud 23 la **p.** de vestir interior manchada
  Mt 17:2; 21:8; Jn 19:2; Rev 3:18; 16:15.
PRENDA(S) DE VESTIR EXTERIOR(ES),
  Mt 5:40 que se lleve también tu **p.**
  Rev 16:15 Feliz el que guarda sus **p.**
  Mt 24:18; Heb 1:12; Snt 5:2; 1Pe 3:3.
PRENDA DE VESTIR OFICIAL, 1Re 19:19.
  2Re 2:8, 13 **p.** de Elías
PRENDA PARA LA CABEZA, 1Co 11:15.
PRENDER, 1Co 3:19 **P.** a los sabios en su
PREOCUPACIÓN, Job 10:1; Sl 142:2.
  1Sa 1:18 no mostrar **p.** por su propia
PREOCUPADO, 1Re 18:27 dios; debe estar **p.**
PREPARACIÓN, Jer 46:14 haciendo **p.** para
  Eze 38:7; Mt 27:62; Jn 19:14, 31, 42.
PREPARADO(S), Sl 8:3 luna que tú has **p.**
  Sl 37:23 pasos han sido **p.**
  Mt 25:34 hereden reino **p.**
  Lu 1:17 alistar para Jehová un pueblo **p.**
  1Co 2:9 Dios ha **p.** para los que lo aman
  2Ti 2:21 **p.** para toda buena obra
  Pr 21:31; Mt 20:23; 25:41.
PREPARAR(SE), Am 4:12 **p.** para encontrarte
  Jn 14:2 voy a **p.** un lugar para ustedes
  Ro 9:23 que él **p.** de antemano para gloria
  1Co 14:8 ¿quién se **p.** para combate?
  Heb 10:5 me **p.** un cuerpo
  Est 7:10; Sl 78:20; Pr 30:25; Mt 11:10.
PRESA, Sl 124:6 como **p.** a los dientes
  Col 2:8 se los lleve como **p.** mediante
  Isa 31:4; Eze 22:27; Na 2:13.
PRESA PRENDIDA EN LA RED, Pr 12:12.
PRESCIENCIA, Hch 2:23 consejo y **p.** de Dios
  1Pe 1:2 según la **p.** de Dios
PRESCRIPCIÓN, Esd 6:18 la **p.** del libro
PRESCRITO(TA), Job 23:12 para mí está **p.**
  Jer 5:24 semanas **p.** de la cosecha

PRESENCIA, Mt 24:3 la señal de tu **p.**
  Mt 24:37 la **p.** del Hijo del hombre
  1Co 15:23 pertenecen al Cristo durante su **p.**
  2Co 10:10 su **p.** en persona es débil
  Flp 2:12 obedecido, no durante **p.** solamente
  2Pe 1:16 el poder y la **p.** de nuestro Señor
  2Pe 3:4 ¿Dónde está esa prometida **p.** de él?
  1Jn 2:28 avergonzados al tiempo de su **p.**
  Mt 24:27; 1Te 4:15; Snt 5:7, 8; 2Pe 3:12.
PRESENTACIÓN, Mt 12:4; Lu 6:4.
PRESENTAR(SE), Ro 6:13 **p.** a Dios como
  Ro 8:33 ¿Quién **p.** acusación contra
  Ro 12:1 **p.** sus cuerpos como sacrificio vivo
  2Co 11:2 para **p.** cual virgen casta al Cristo
  Ef 5:27 para **p.** a sí mismo la congregación
  2Ti 2:15 para **p.** aprobado a Dios
  Sl 17:13; 59:10; Miq 6:6.
PRESENTE, Ro 7:18; 8:18; 1Co 5:3.
  Heb 2:6 ¿el hombre para que lo tengas **p.**
PRESIDENTE(S), Mr 5:22; Lu 8:49; 13:14; Hch
  13:15; 18:8.
PRESIDIR, 1Te 5:12 respeten a los que **p.**
  1Ti 3:5 si no sabe **p.** su propia casa, ¿cómo
  Ro 12:8; 1Ti 5:17.
PRESIÓN, Job 32:18; Sl 66:11; 2Co 1:8.
PRESO(S), Mt 27:15; Hch 16:25.
PRESTADO(DA), Dt 28:12 tú no tomarás **p.**
  Pr 22:7 el que toma **p.** es siervo
  Dt 15:6; 2Re 6:5; Sl 37:21; Isa 24:2; Mt 5:42.
PRESTADOR, Isa 24:2 mismo para el **p.**
PRÉSTAMO(S), Ne 5:4 tomado dinero a **p.**
  Pr 22:7 es siervo del hombre que hace el **p.**
  Pr 22:26 los que salen garantes por **p.**
PRESTAR, Sl 37:26 Todo el día está **p.**
  Lu 6:35 haciendo bien y **p.** sin interés
  Éx 22:25; Dt 28:44; Sl 112:5; Pr 19:17.
PRESTAR ATENCIÓN, 1Sa 15:22 **p.** que grasa
  Mal 3:16 Jehová siguió **p.** y escuchando
  1Ti 4:16 **P.** a ti mismo y a tu enseñanza
  Heb 2:1 que **p.** a cosas oídas por nosotros
  Isa 34:1; Lu 21:34; Hch 5:35; 20:28.
PRESTO, Snt 1:19 **p.** en cuanto a oír
PRESUMIDOS, Ro 1:30 altivos, **p.**
  2Ti 3:2 amadores del dinero, **p.,** altivos
PRESUNCIÓN, Dt 18:20 profeta que tenga **p.**
  Pr 13:10 Por la **p.** solo se ocasiona lucha
  Jer 50:31 contra ti, oh **P.,** venir tu día
  Pr 11:2; Jer 49:16; Eze 7:10; Snt 4:16.
PRESUNTUOSIDAD, Dt 17:12 se porte con **p.**
PRESUNTUOSO(SA), Sl 19:13 de actos **p.**
  Sl 119:78 Queden avergonzados los **p.**
  Isa 13:11 haré cesar el orgullo de los **p.**
  Sl 86:14; 119:21; Pr 21:24; Mal 3:15; 4:1.
PRETEXTO, Da 6:4 hallar **p.** contra Daniel
  Lu 20:47 por **p.** hacen largas oraciones
  2Co 11:12 quieren un **p.** para que se les halle
  Flp 1:18 sea por **p.** o sea por verdad
PREVALECER, Jue 16:5 con qué **p.** contra él
  Sl 129:2 no han **p.** contra mí
  Jer 1:19 pelearán contra ti, pero no **p.**
  Jer 20:11 los que me persiguen no **p.**
  Hch 19:20 palabra de Jehová siguió **p.**
  Rev 12:8 no **p.,** ni se halló lugar
PREVER, Heb 11:40 Dios **p.** algo mejor para
PRIMARIA, Heb 6:1 doctrina **p.** acerca del
PRIMERA LUZ, Job 24:14.
PRIMERAS COSAS, Isa 42:9 **p.** han llegado
  Isa 43:9 hacernos oír siquiera las **p.?**
PRIMERO(S), Isa 44:6 Yo soy el **p.**
  Mt 6:33 Sigan buscando **p.** el reino
  Mt 19:30 muchos **p.** serán últimos
  Hch 15:7 desde los días Dios hizo
  Hch 26:23 el **p.** en ser resucitado
  Ro 11:2 su pueblo, a quien **p.** reconoció
  Col 1:18 el que es **p.** en todas las cosas
  Isa 48:12; Mr 9:35; Heb 10:9; 3Jn 9.

PRIMEROS FRUTOS MADUROS, Éx 23:16.
Ne 10:35 traer **p.** a la casa de Jehová
PRIMER RECONOCIMIENTO, Ro 8:29 dio **p.**
PRIMICIAS, Le 23:10 **p.** de su siega
1Co 15:20 **p.** que se han dormido en muerte
Snt 1:18 fuéramos **p.** de sus criaturas
Ro 8:23; 11:16; 1Co 16:15; Rev 14:4.
PRIMO, Col 4:10 Marcos **p.** de Bernabé
PRIMOGÉNITO(S), Col 1:15 **p.** de la creación
Col 1:18 el **p.** de entre los muertos
Heb 1:6 introduce su **P.** en la tierra
Heb 12:23 congregación de los **p.** que
Éx 4:22; 12:29; Dt 21:17; Ro 8:29.
PRIMOGENITURA, Gé 25:34 despreció la **p.**
Gé 27:36 ¡Mi **p.** ya la ha tomado
PRINCESAS, 1Re 11:3; Est 1:18; Isa 49:23.
PRINCIPAL(ES), Nú 5:7 su **p.**, añadiendo
Pr 4:7 La sabiduría es la cosa **p.**
Eze 34:24 David un **p.** en medio de ellas
Eze 44:3 el **p.** se sentará en [la puerta]
1Pe 5:4 pastor **p.** haya sido manifestado
Gé 17:20; 1Re 8:1; Sl 137:6; Eze 7:27.
PRINCIPAL, AGENTE, Hch 3:15; 5:31.
Heb 2:10 **A.** de su salvación
PRÍNCIPE(S). Véanse también AGENTE
PRINCIPAL, CAPITÁN(ES),
GOBERNANTE(S), JEFE(S).
PRÍNCIPE(S), Sl 45:16 nombrarás **p.** en
Isa 9:6 Padre Eterno, **P.** de Paz
Isa 32:1 gobernarán **p.** para derecho mismo
Da 10:13 **p.** de la región real de Persia
Da 12:1 se pondrá de pie Miguel, el gran **p.**
Jos 5:14; Job 34:19; Da 8:11, 25; Sof 1:8.
PRINCIPIO, Gé 1:1 En el **p.** Dios creó
Pr 8:22 Jehová me produjo como el **p.**
Col 1:18 Él es el **p.**, el primogénito
1Jn 1:1 Lo que era desde el **p.**, hemos oído
1Jn 2:7 mandamiento han tenido desde el **p.**
Isa 46:10; Mt 24:8; Mr 10:6; Rev 3:14.
PRINCIPIOS. Véanse COSAS ELEMENTALES,
REGLA.
PRISCILA, Hch 18:2, 18, 26.
PRISIÓN(ES), Sl 149:8 sujetar reyes con **p.**
1Pe 3:19 predicó a los espíritus en **p.**
Rev 2:10 echando a algunos de ustedes en **p.**
Rev 20:7 Satanás será soltado de su **p.**
Mt 5:25; 25:36; Lu 22:33; Hch 5:19.
PRISIONERO(S), Isa 42:7 sacar al **p.**
Isa 49:9 decir a los **p.**: ¡Salgan!
Zac 9:12 Vuélvanse, **p.** de la esperanza
Ef 3:1 yo, Pablo, el **p.** de Cristo
2Ti 1:8 avergüences del Señor, ni de mí, **p.**
Job 3:18; Sl 69:33; 79:11; 102:20; Isa 14:17.
PRIVACIÓN, Sl 35:12 **p.** para mi alma
PRIVADAMENTE, Gál 2:2 predicando **p.**
PRIVADO(DA), Gé 43:14; Isa 38:10; 49:21; Mt 6:6; 1Te 2:17; 2Pe 1:20.
PRIVAR(SE), 1Co 7:5 No se **p.** de ello
Col 2:18 Que no los **p.** del premio nadie
PRIVILEGIO, Flp 1:29 a ustedes se dio el **p.**
2Pe 1:1 una fe, tenida en igualdad de **p.**
PROBADO(DA), Job 23:10 que él me haya **p.**
Job 34:36 Job **p.** hasta límite
Isa 28:16 una piedra **p.**, el precioso ángulo
Heb 4:15 ha sido **p.** en todo sentido igual
Heb 11:37 Fueron apedreados, fueron **p.**
PROBAR, Dt 13:3 Jehová está **p.**
2Cr 9:1 reina procedió a **p.** a Salomón
Mal 3:10 **p.**, por favor, en cuanto a esto
Ro 12:2 **p.** para ustedes mismos lo que es
1Co 3:13 el fuego mismo **p.** qué clase de obra
Gál 6:4 que **p.** lo que su propia obra es
1Te 2:4 Dios, que **p.** nuestros corazones
Jue 2:22; Jn 4:1.
PROBIDAD, 1Cr 29:17 **p.** de mi corazón
PROCEDER, Jer 8:6 Cada uno al **p.** popular

PROCEDIMIENTO(S), Le 5:10 conforme al **p.**
Nú 9:3 Conforme a todos los **p.** regulares
Nú 31:23 todo lo que se somete a **p.** de
PROCESIÓN(ES), Col 2:15 en una **p.** triunfal
Sl 68:24; 2Co 2:14.
PROCESIÓN FESTIVA, Sl 118:27 la **p.**
PROCLAMACIÓN, Jon 3:2 proclámale la **p.**
PROCLAMAR, Le 25:10 **p.** libertad en la
2Re 10:20 asamblea solemne, la **p.**
Isa 61:1 **p.** libertad a los cautivos
Jer 34:17 **p.** libertad cada uno a su hermano
Joe 3:9 **P.** esto entre las naciones:
Mr 5:20 comenzó a **p.** en la Decápolis
Lu 8:39 **p.** por todas partes de la ciudad
1Co 9:14 los que **p.** buenas nuevas, vivan de
1Co 11:26 siguen **p.** la muerte del Señor
Pr 20:6; Isa 61:2; Jer 19:2; 34:8, 15; Jon 3:5.
PROCÓNSUL(ES), Hch 13:7; 18:12; 19:38.
PROCURAR, Gál 1:10 **p.** agradar a hombres?
Jn 8:40; 1Pe 5:8.
PRODUCCIÓN, Dt 28:33 tu **p.** lo comerá un
PRODUCIR, 2Co 5:5 el que nos **p.** es Dios
PRODUCTO(S), Pr 3:9 Honra a Jehová con **p.**
Isa 27:6 llenarán tierra productiva de **p.**
Eze 34:27 la tierra misma dará su **p.**
Zac 8:12 la tierra dará su **p.**
Mt 26:29 este **p.** de la vid
Hch 2:45 distribuir el **p.** a todos, según
PROFANAR, Le 21:12 ni **p.** el santuario
Sl 89:34 No **p.** mi pacto
Eze 36:20 la gente **p.** mi santo nombre
Eze 39:7 no dejaré que mi nombre sea **p.**
Le 19:12; Sl 55:20; Isa 47:6; Jer 34:16; Eze 7:21; Da 11:31.
PROFANO(S), Eze 28:16 te pondré como **p.**
1Ti 1:9 **p.**, parricidas y matricidas
PROFECÍA, Mt 13:14 se cumple **p.** de Isaías
2Pe 1:20 ninguna **p.** de la Escritura proviene
2Pe 1:21 la **p.** no fue traída en ningún tiempo
2Cr 9:29; 15:8; Ne 6:12; Ro 12:6; Rev 1:3.
PROFETA(S), Gé 20:7 porque es **p.**
Dt 18:18 Les levantaré un **p.** de en medio
1Sa 9:9 al **p.** de hoy se le llamaba vidente
1Re 18:22 he quedado como **p.** de Jehová
2Re 10:19 llamen a todos los **p.** de Baal
Isa 9:15 el **p.** que da instrucción falsa
Jer 7:25 enviando a todos mis siervos los **p.**
Eze 33:33 tendrán que saber que un **p.**
Da 9:24 imprimir un sello sobre visión y **p.**
Am 3:7 revelado a sus siervos los **p.**
Mt 5:12 persiguieron a **p.** antes de ustedes
Mt 7:15 Guárdense de los falsos **p.**
Mt 13:57 El **p.** no carece de honra sino
Mr 13:22 se levantarán falsos **p.** y
Hch 3:21 habló Dios por sus santos **p.**
Hch 3:22 Dios levantará un **p.** semejante a mí
Snt 5:10 tomen por modelo a los **p.**
Rev 11:18 dar galardón a los **p.**
Rev 16:13 de la boca del falso **p.**
Éx 7:1; Nú 11:29; 1Cr 16:22; Isa 29:10; Jer 6:13; 14:14; 23:28; Miq 3:11; Zac 13:5; Mal 4:5; Mt 11:9; Jn 7:40; Rev 18:24; 19:20.
PROFETISA, 2Re 22:14 fueron a Huldá la **p.**
Lu 2:36, 37 **p.**, Ana, ochenta y cuatro años de
Éx 15:20; Isa 8:3; Rev 2:20.
PROFETIZAR, Jer 5:31 Los profetas **p.**
Jer 14:14 Falsedad están **p.** en mi nombre
Jer 26:12 Fue Jehová quien me envió a **p.**
Jer 28:9 En cuanto al profeta que **p.** paz
Joe 2:28 hijos y sus hijas **p.**
Hch 2:17 sus hijos y sus hijas **p.**
1Co 13:9 y **p.** parcialmente
1Co 14:1 pero preferiblemente que **p.**
1Co 14:3 el que **p.** edifica y anima
1Co 14:39 sigan procurando celosamente **p.**
Rev 19:10 Jesús es lo que inspira el **p.**

1Re 22:12; Jer 23:16; 27:10; Eze 39:1; Zac
13:3; 1Co 13:2; Rev 10:11; 11:3.
PROFUNDIDAD, Mt 13:5; Ro 8:39; Ef 3:18.
PROFUNDIDAD ACUOSA, Gé 1:2; 7:11; 8:2;
Job 28:14; 38:30; Sl 42:7.
Sl 36:6 decisión judicial es una vasta **p.**
PROFUNDO(DA), Job 12:22 saca cosas **p.**
Sl 69:2 Me he hundido en cieno **p.**
1Co 2:10 espíritu escudriña las cosas **p.**
Sl 92:5; Da 2:22; Lu 5:4; 2Co 8:2.
PROFUSIÓN, Isa 46:6 con **p.** sacan el oro
PROGRESADO, Flp 3:16 donde hayamos **p.**
PROGRESO, Jn 8:37; Gál 1:14; 2Ti 3:9.
PRÓJIMO, Lu 10:27 amar a tu **p.** como a ti
Lu 10:36; Ro 13:10; Ef 4:25.
PROLE, Sl 37:25 a su **p.** buscando pan
Gé 9:9; Sl 25:13; Isa 14:20; 59:21; 65:23.
PROLONGAR, Sl 85:5; Pr 28:16; Ec 8:13.
Isa 53:10 verá su prole, **p.** sus días
PROMESA(S), Ro 4:13 **p.** de ser heredero
Ro 9:4 el servicio sagrado y las **p.**
2Co 7:1 dado que tenemos estas **p.**
Gál 3:29 herederos con respecto a una **p.**
Heb 6:12 fe y paciencia heredan las **p.**
Heb 8:6 establecido sobre mejores **p.**
Heb 11:39 no obtuvieron cumplimiento de **p.**
2Pe 3:13 esperamos según su **p.**
Hch 2:39; Ro 4:14; Gál 3:16; Heb 11:13.
PROMETER, Tit 1:2 Dios **p.** antes de tiempos
Snt 1:12 corona de la vida, que Jehová **p.**
Snt 2:5 que él **p.** a los que lo aman
1Re 8:56; Hch 7:5; Ro 1:2; 4:21.
PROMETIDO, Dt 26:18 tal como te ha **p.**
Hch 2:33 el espíritu santo **p.**
Heb 10:23 fiel es el que ha **p.**
PROMINENTE(S), Mt 23:6; Lu 14:7, 8; Ro 3:7.
PROMOVER, Sl 140:8 No **p.** su maquinar
PROMULGAR, Da 2:5, 8; 1Ti 1:9.
PRONOSTICADORES DE SUCESOS,
Le 19:31 no consulten a **p.**
2Re 21:6; 23:24; Isa 19:3.
PRONOSTICADORES PROFESIONALES,
Le 20:6 alma que se vuelva a los **p.**
PRONTITUD, 2Co 8:11, 12; 9:2.
PRONUNCIAR, Job 32:3 a **p.** inicuo a Dios
Sl 72:17; 94:21.
PROPENSO A DESCAMINARSE, Sl 95:10.
PROPICIACIÓN, Ro 3:25 ofrenda para **p.**
PROPICIATORIO, 1Jn 2:2 es un sacrificio **p.**
Heb 2:17; 1Jn 4:10.
PROPIEDAD, Éx 19:5 ser mi **p.** especial
Dt 14:2 ser su pueblo, una **p.** especial
PROPIEDAD PARTICULAR, Dt 9:26 arruines **p.**
PROPIO(PIA), Jn 8:44 según su **p.** disposición
1Co 11:13 ¿Es **p.** que la mujer ore
Heb 2:10 fue **p.** a aquel por cuya
Mt 20:15; Lu 3:8; Hch 4:32; 1Co 10:24.
PROPONER(SE), Jue 14:12.
Eze 17:2 **p.** un enigma y compón
Hch 17:31 se **p.** juzgar tierra
Ef 1:9 según su beneplácito que él se **p.**
PROPORCIÓN, Nú 7:7; 1Pe 4:10.
Ro 12:6 la **p.** de fe que se nos haya dado
PROPORCIONAR, Mt 21:16 lactantes has **p.**
1Ti 1:4 **p.** cuestiones para
PROPÓSITO, Pr 16:4 Jehová para su **p.**
Ro 8:28 los llamados según su **p.**
Ef 3:11 según el **p.** eterno que él formó
Ro 9:11; Ef 1:11; 2Ti 1:9.
PRORRUMPIR, Gál 4:27 **p.** y clama en gozo
PROSCRIPCIÓN, Zac 14:11 no ocurrirá más **p.**
Dt 13:17; Esd 10:8; Miq 4:13.
PROSEGUIR, Flp 3:12 **p.** para si puedo asir
PRÓSPERAMENTE, 1Te 3:11 camino **p.**
PROSPERAR, Hch 15:29 Si se guardan, **p.**

PROSPERIDAD, Dt 28:11 rebosar con **p.**
1Re 10:7 Has superado en sabiduría y **p.**
Dt 30:9; Sl 68:6; Hch 19:25.
PROSTERNARSE, Isa 44:15 se **p.** ante ella
Isa 46:6 Se **p.**, sí, se inclinan
PROSTITUCIÓN(ES), Isa 23:17 cometer **p.**
Jer 3:1 cometido **p.** con muchos compañeros
Eze 23:3 En su juventud cometieron **p.**
Jer 3:9; Eze 16:29; 23:8; Na 3:4.
PROSTITUTA(S), Jos 6:25 Rahab la **p.**
1Re 22:38 estanque de Samaria **p.** se bañaban
Isa 1:21 ha llegado a ser **p.** la población!
Joe 3:3 daban un niño por una **p.**
Am 7:17 tu esposa, llegará a ser una **p.**
Pr 7:10; Os 4:14; Miq 1:7.
PROTECCIÓN, Pr 18:10 justo, y se le da **p.**
Ec 7:12 la sabiduría es para una **p.**
PROTECTOR, Pr 18:11 muro **p.** en su
PROTEGER, Sl 20:1; 59:1; 69:29.
PROVECHO, Hch 44:10; Mt 16:26; Jn 16:7.
Hch 20:20 las cosas que fueran de **p.**
Heb 12:10 nos disciplinaban para **p.** nuestro
Snt 2:16 para su cuerpo, ¿de qué **p.** es?
PROVECHOSO(SA), 1Ti 4:8 devoción **p.** para
2Ti 3:16 inspirada de Dios y **p.** para
Mt 5:29; 1Co 12:7; Tit 3:8.
PROVEEDOR, Sl 40:17 mi auxilio y **P.** de
2Sa 22:2; Sl 18:2; 144:2.
PROVEER, Ro 12:17 **p.** cosas excelentes
1Ti 5:8 si no **p.** para los que son suyos
PROVENIR, Flp 3:9 justicia que **p.** de Dios
PROVERBIO, Pr 1:6 para entender el **p.**
PROVISIÓN(ES), 2Cr 8:15 respecto a las **p.**
Pr 15:16 que una abundante **p.** y, confusión
Isa 30:6 sus **p.** sobre las gibas de camellos
2Co 8:21 hacemos **p.** honrada, no solo a
PROVOCACIÓN, Sl 106:32 **p.** en las aguas
PROVOCADO, 1Co 13:5 no se siente **p.**
Ef 4:26 el sol estando ustedes en estado **p.**
PROVOCAR, Heb 3:16 **p.** a amarga cólera?
PROYECTIL(ES), Ne 4:17 tenía asido el **p.**
Ef 6:16 apagar **p.** encendidos del inicuo
2Cr 23:10; 32:5; Job 20:25; 33:18.
PROYECTO(S), Pr 6:18 fabrica **p.** perjudiciales
Isa 8:10 ¡Planeen un **p.**, y será desbaratado!
Hch 5:38 si este **p.** proviene de hombres
Pr 15:26; Eze 22:29.
PRUDENTEMENTE, 1Sa 18:14 actuaba **p.**
1Sa 18:5, 30; 1Re 2:3; 2Re 18:7.
PRUDENTES, Ne 9:20 espíritu hacerlos **p.**
PRUEBA(S). Véanse también PONER(SE) A
PRUEBA, PUESTO(S) A PRUEBA.
Lu 8:13 tiempo de **p.** se apartan
Hch 25:7 para los cuales no podían mostrar **p.**
2Co 2:9 escribo para conseguir **p.** de ustedes
2Te 1:5 es **p.** del justo juicio de Dios
Heb 11:36 otros recibieron su **p.** por mofas
Snt 1:2 gozo, cuando se encuentren en **p.**
Snt 1:12 hombre que sigue aguantando la **p.**
Snt 1:13 Al estar bajo **p.**, nadie diga:
1Pe 4:12 que les está sucediendo para **p.**
2Pe 2:9 librar de la **p.** a personas
Rev 3:10 te guardaré de la hora de **p.**
Lu 22:28; Hch 1:3; Gál 4:14; Flp 2:22.
PÚA, Eze 28:24 no resultará haber una **p.**
PÚBLICA, Col 2:15 los exhibió a vista **p.**
PÚBLICAMENTE, Jn 7:13; 18:20; Hch 20:20.
PUBLICANO(S). Véase RECAUDADOR(ES)
DE IMPUESTOS.
PUBLICAR, Est 3:14; 8:13; Isa 52:7; Jer 4:15;
5:20; 31:7; Am 4:5; Hch 15:36.
PUBLICIDAD, Flp 1:18 dando **p.** a Cristo
Flp 1:16; Col 1:28.
PUDRIR(SE), Zac 14:12 el **p.** de la carne
Pr 10:7; Snt 5:2.
PUEBLO(S), Éx 19:5 especial de entre los **p.**

Dt 33:29 **p.** que goza de salvación
1Sa 12:22 a su cargo hacerlos **p.** suyo
Pr 14:28 En la multitud de **p.** está el adorno
Pr 29:2 inicuo gobierna, el **p.** suspira
Pr 29:18 el **p.** anda desenfrenado
Isa 33:3 muchos **p.** irán y dirán: Vengan
Jer 5:31 mi propio **p.** así lo ha amado
Jer 31:33 ellos mismos llegarán a ser mi **p.**
Os 2:23 a los que no son mi **p.**: eres mi **p.**
Hch 4:25 los **p.** meditaron cosas vacías?
Hch 15:14 para sacar un **p.** para su nombre
Ro 9:25 que no soy **p.** mío llamaré **p.** mío
Tit 2:14 un **p.** peculiarmente suyo, celoso
Heb 8:10 ellos mismos llegarán a ser mi **p.**
Heb 9:19 roció el libro y a todo el **p.**
Heb 11:25 ser maltratado con el **p.** de Dios
1Pe 2:9 un **p.** para posesión especial
Rev 7:9 todas las naciones y tribus y **p.**
Rev 17:15 aguas significan **p.** y naciones y
Rev 18:4 Sálganse de ella, **p.** mío, si
Éx 24:7; 2Sa 7:23; Est 8:17; Sl 48:2; Isa 6:5;
  32:18; 56:7; 62:10; Sof 3:9; Zac 8:22; Hch
  3:23; Ro 15:11; 2Co 6:16; Heb 10:30.
PUERTA(S), Gé 22:17 la **p.** de sus enemigos
Éx 12:22 de la **p.** con parte de la sangre
Dt 6:9 escribirlas sobre las jambas de las **p.**
Job 38:17 descubiertas **p.** de la muerte
Isa 26:20 cierra tus **p.** tras de ti
Isa 38:10 entraré por las **p.** del Seol
Isa 60:11 tus **p.** mantenidas abiertas
Isa 62:10 pasen afuera por las **p.**
Mt 7:14 angosta es la **p.** a la vida
Mt 16:18 **p.** del Hades no la subyugarán
Hch 14:27 abierto la **p.** a la fe
Rev 3:20 Estoy de pie a la **p.**
Dt 31:12; Jue 3:23; 16:3; Sl 127:5; Pr 1:21;
  Isa 26:2; 28:6; 60:18; Mt 24:33; 25:10; Lu
  16:20; 1Co 16:9; Heb 13:12.
PUERTO, Sl 107:30 guía al **p.** de deleite
PUESTA EN LIBERTAD, Éx 21:2.
PUESTO, Job 1:6 entraban para tomar su **p.**
Hch 1:20 Su **p.** tómelo otro
2Co 11:12 el **p.** del cual se jactan
1Ti 2:2 los que están en alto **p.**
1Ti 3:1 un **p.** de superintendente
PUESTO(S) A PRUEBA, Heb 2:18 al ser **p.**
Rev 2:10 para que sean **p.** plenamente
PULGA, 1Sa 24:14 ¿Tras una sola **p.**?
PULVERIZAR, 2Sa 22:43 como fango los **p.**
2Cr 15:16 ídolo lo **p.** y lo quemó
Miq 4:13 ciertamente **p.** a muchos pueblos
PUNTO DE VISTA, Ec 2:17; Zac 11:13; 1Pe 4:6.
1Sa 18:8 este dicho fue malo desde su **p.**
PUNZADOR DE HIGOS, Am 7:14.
PUNZAR, Jn 19:34 le **p.** el costado con una
PUNZÓN, Éx 21:6; Dt 15:17.
PUÑO, Dt 15:7 no ser como **p.** con pobre
Isa 58:4 golpear el **p.** de la iniquidad
PUREZA, 2Co 6:6 por **p.**, por conocimiento
PURIFICACIÓN, Jn 2:6; 3:25; Heb 1:3.
2Cr 30:19 sin la **p.** para lo que es santo
PURIFICAR(SE), 1Pe 1:22 almas por
Éx 29:36; Nú 19:12; Eze 45:18; Snt 4:8.
PURO(S), Sl 12:6 dichos de Jehová son **p.**
Pr 16:2 caminos del hombre **p.** a sus ojos
Sof 3:9 daré a pueblos un lenguaje **p.**
Mt 5:8 Felices son los de corazón **p.**
Sl 19:9; 1Jn 3:3.
PÚRPURA, Pr 31:22; Da 5:16; Hch 16:14.
PUTREFACCIÓN, Jer 49:7 sabiduría en **p.**?

Q

QADÉS, Gé 14:7; Dt 1:46; Sl 29:8.
QADÉS-BARNEA, Nú 32:8; 34:4; Dt 1:2; 9:23;
  Jos 10:41; 15:3.

QUE ACOMPAÑAN, 2Ti 2:22 deseos **q.** a la
QUEBRADO(S), Sl 34:20 ni uno ha sido **q.**
Isa 8:15 tropezarán y caerán y serán **q.**
Isa 28:13 tropiecen y sean **q.**
QUEBRANTADO(S), Sl 51:17; Isa 42:3.
Sl 119:126 Han **q.** tu ley
Isa 24:5 han **q.** el pacto duradero
Lu 4:18 despachar a los **q.**
Jn 19:36 Ni un hueso de él será **q.**
QUEBRANTO, Jer 6:14 tratan de sanar el **q.**
Isa 30:13; 65:14; Jer 30:12; 50:22.
QUEBRAR, Mt 5:19 que **q.** uno de estos
QUEDAR(SE), Dt 21:23 no **q.** toda la noche
Jos 23:7 naciones, estas que **q.** con ustedes
Pr 2:21 los exentos de culpa **q.** en ella
Jer 38:4 debilitando manos de hombres que **q.**
Jer 39:9; Mal 2:15; Hch 15:17.
QUEDES, Jos 20:7; Jue 4:9; 1Cr 6:72.
QUEHACERES, Ro 12:11 No holgazanes en **q.**
QUEJA, Mt 5:25 se **q.** contra ti en juicio
Col 3:13 causa de **q.** contra otro
QUEJUMBROSO(S), Pr 21:13 clamor **q.** del
Jud 16 Estos hombres son murmuradores, **q.**
QUEMADO(DA), Miq 1:7 regalos serán **q.** en
1Co 3:15 si la obra de alguien es **q.**
Rev 18:8 será **q.** por completo con fuego
QUEMAR, Isa 43:2 por el fuego, no te **q.**
Rev 17:16 odiarán a la ramera y la **q.**
Eze 39:9; Na 2:13; Mt 13:30.
QUENITA(S), Gé 15:19; Jue 1:16; 5:24.
QUERELLANTE, Mt 5:25 **q.** te entregue al
QUERER DECIR, Hch 2:12 ¿Qué **q.** esto?
QUERUBÍN(ES), Sl 18:10 cabalgando sobre **q.**
Eze 28:14 Tú eres el **q.** ungido que cubre
Heb 9:5 **q.** gloriosos que cubrían
Éx 25:22; 1Sa 4:4; Sl 99:1; Eze 10:2.
QUETURÁ, Gé 25:1.
QUIEN ESCAPARA, Jos 8:22.
QUIETO(TA), Sl 35:20 los **q.** de la tierra
Jer 47:7 ¿Cómo puede quedarse **q.**
1Ti 2:2 sigamos llevando una vida **q.**
1Pe 3:4 espíritu **q.** y apacible
QUIETUD, Job 34:29; 2Te 3:12.
Isa 32:17 **q.** y seguridad hasta tiempo
1Te 4:11 tener como mira el vivir en **q.**
QUIJADA, Jue 15:15 una **q.** húmeda de asno
QUIS, 1Sa 9:1; Est 2:5; Hch 13:21.
QUITAR, Dt 4:2 No deben **q.** de la palabra
1Co 5:7 **Q.** la levadura vieja

R

RABÁ, Dt 3:11 en **R.** de los hijos
2Sa 11:1; Jer 49:2; Eze 25:5.
RABÍ, Mt 23:8 no sean llamados **R.**
Jn 1:38; 3:2.
RABSAQUÉ, 2Re 18:17; Isa 36:2, 12; 37:4.
RACIÓN, Da 1:5 el rey señaló una **r.** diaria
RADIANTE(S), Eze 28:17 tu **r.** esplendor
Sl 34:5; Isa 60:5; Jer 31:12.
RAER, Éx 23:23; 2Cr 32:21; Sl 83:4.
RÁFAGA, 2Sa 22:16; Sl 18:15.
RAHAB, Heb 11:31 Por fe **R.** no pereció
Snt 2:25 **R.**, ¿no fue declarada justa
Jos 2:3; 6:17, 23, 25.
RAÍDO, Éx 9:15 fueras **r.** de la tierra
RAÍZ, Job 14:8 su **r.** envejece en la tierra
Isa 11:10 **r.** de Jesé que estará de pie
Ro 11:16 si la **r.** es santa, también las ramas
1Ti 6:10 amor al dinero **r.** de toda suerte
Heb 12:15 no brote ninguna **r.** venenosa
Pr 12:12; Mt 3:10; 12:33; Ro 11:18.
RAMÁ, Jer 31:15 En **R.** oyendo una voz
Jos 18:25; Jue 4:5; 1Sa 16:13; Mt 2:18.
RAMA(S), Le 23:40 tomar **r.** mayores

Da 4:14 desmochen sus r. mayores
Mt 21:8 otros a cortar r. de los árboles
Ro 11:21 no perdonó a las r. naturales
Mt 24:32; Lu 13:19; Ro 11:16.
RAMERA(S). Véase también PROSTITUTA(S).
Gé 38:15 la tomó por r.
Dt 23:18 No introducir el alquiler de r.
Mt 21:31 r. van delante de ustedes
1Co 6:15 los haré miembros de una r.?
Snt 2:25 Rahab la r., ¿no fue declarada justa
Rev 17:5 Babilonia, la madre de las r.
Rev 17:16 odiarán la r. y harán que quede
Lu 15:30; Heb 11:31; Rev 17:1, 15; 19:2.
RAMITA(S), Isa 11:1 salir r. de Jesé
Isa 53:2 subirá como una r. y una raíz
Joe 1:7 Las r. de ella han quedado blancas
RAMOT-GALAAD, 1Re 4:13; 22:3; 2Re 8:28.
RANAS, Éx 8:2 aquí voy a plagar de r.
Rev 16:13 expresiones que se parecían a r.
RAPACES, Isa 35:9 bestias de las r.
RAPACIDAD, Hab 2:17 r. sobre bestias aterra
RAPADA, 1Co 11:5 mujer con la cabeza r.
RAQUEL, Gé 29:28 dio a **R.** por esposa
Mt 2:18 **R.** lloraba a sus hijos
Gé 29:18; 30:22; Rut 4:11; Jer 31:15.
RARA, 1Sa 3:1 palabra se había hecho r.
RASGAR, Isa 64:1 que hubieras r. cielos
Joe 2:13 Y r. su corazón, y no prendas
2Sa 3:31; Ec 3:7.
RASGO, Heb 7:11 como r. se dio la Ley
RASGO CONSTANTE, Da 8:11; 11:31; 12:11.
RASTRO, Da 2:35 no se halló r. de ellos
RASTROJO, Isa 47:14 Se han hecho como r.
Mal 4:1 hacen iniquidad llegar a ser como r.
1Co 3:12 alguien edifica sobre fundamento r.
RAZA, 1Pe 2:9 son una r. escogida, un
RAZÓN, 1Pe 3:15 exija r. de la esperanza
Ec 7:25; Hch 18:14.
RAZONABLE(S), Flp 4:5 conocido lo r.
1Ti 3:3 no un golpeador, sino r.
Tit 3:2 sean r., desplieguen apacibilidad
Snt 3:17 r., lista para obedecer, llena de
RAZONAMIENTOS, 2Co 10:5 derrumbando r.
Mt 15:19; Lu 2:35; Ro 1:21; 1Co 3:20.
RAZÓN APREMIANTE, Ro 13:5 r. para sujeción
REAJUSTAR, Gál 6:1 traten de r. tal hombre
REAL(ES), Jn 7:28 que me ha enviado es r.
Da 10:13; Lu 7:25; 1Pe 2:9.
REALEZA, 2Cr 36:20 la r. de Persia
REALIDAD(ES), Col 2:17 r. pertenece al Cristo
Heb 9:24 lugar santo el cual es copia de la r.
Heb 11:1 demostración de r. aunque no se
REALIZAR, 2Cr 6:10 Jehová r. su palabra
Sl 21:11 ideas que no pueden r.
Sl 148:8 fuego y granizo, que r. su
Pr 13:19 deseo se r., es placentero
REALMENTE, 1Ti 6:19 la vida que r. lo es
REANIMAR, Sl 69:9 tú mismo tu r.
REBAJA, Le 27:18 una r. a la valoración
REBAÑO(S), Sl 65:13 prados vestidos de r.
Sl 79:13 y el r. de tu apacentamiento
Lu 12:32 No teman, r. pequeño
1Pe 5:3 sino haciéndose ejemplos del r.
Jue 5:16; Sl 78:52; Isa 13:20; 60:7; 61:5; Jer
25:34; Miq 2:12; Mt 26:31; 1Pe 5:2.
REBAÑO PEQUEÑO, Lu 12:32 No teman, r.
REBECA, Gé 24:51; 27:15; 49:31.
REBELAR(SE), Nú 14:9; 1Sa 12:14; 2Cr 13:6;
Ne 2:19; Sl 78:17, 40, 56; 105:28; Isa 63:10;
Eze 20:8, 13; Da 9:5; Sof 3:1.
REBELDE(S), Nú 20:10; Esd 4:12; Job 24:13; Sl
78:8; Isa 1:20; Eze 2:3.
REBELDEMENTE, Dt 9:23; Jos 1:18; Isa 3:8.
REBELDÍA, 1Sa 15:23 r. lo mismo que
Nú 17:10; Dt 31:27; Job 23:2; Sl 106:7;
107:11; Eze 44:6.

REBELIÓN, Esd 4:19; Pr 17:11; Eze 2:7.
REBUSCA, Le 19:9; 23:22.
RECAB, 2Re 10:15; 1Cr 2:55; Jer 35:6.
RECABITAS, Jer 35:2, 3, 5, 18.
RECAUDADOR(ES) DE IMPUESTOS,
Mt 11:19 amigo de r. y pecadores
Mt 21:32 r. y las rameras le creyeron
Mr 2:15 muchos r. reclinados con Jesús
Mr 2:16 ¿Come él con r. y pecadores?
Lu 3:12 hasta r. vinieron a bautizarse
Lu 18:10 el uno fariseo y el otro r.
Lu 18:11 gracias que no soy como este r.
Lu 19:2 Zaqueo; era principal r., y rico
Mt 5:46; 18:17; 21:31; Lu 7:29; 15:1.
RECEPCIÓN, Lu 5:29 Leví banquete de r.
RECEPTÁCULO(S), Mt 25:4 aceite en sus r.
1Sa 9:7; 17:40.
RECIBIR, Mt 10:8 **R.** gratis; den gratis
Mr 9:37 Cualquiera que r. a uno de tales
Jn 1:11 los suyos no lo r.
Ro 8:15 no r. un espíritu de esclavitud
Ro 14:3 al que come, porque Dios ha r.
Ro 15:7 r. así como Cristo los r.
Snt 4:3 piden, y sin embargo no r.
Mr 10:15; Ro 14:1; 16:2; Gál 4:5; 1Te 2:13;
Heb 10:26; Snt 1:12; 1Jn 2:27.
RECIBIR CON GUSTO, Lu 15:2 r. a pecadores
RECIÉN CONVERTIDO, 1Ti 3:6 no hombre r.
RECLAMACIÓN LEGAL, Sl 140:12 r. del afligido
RECLAMADA, Gé 42:22 su sangre siendo r.
RECLAMADOS, Sl 107:2 los r. de Jehová
RECLAMAR, Gé 9:5 r. el alma del hombre
Eze 33:6 su sangre r. de mano del atalaya
2Cr 24:22; Sl 106:10; Eze 34:10.
RECLINADO, Mt 26:20 se hallaba r. a la mesa
1Co 8:10 te viera, r. a una comida en templo
RECLINAR(SE), Mt 8:11 se r. con Abrahán
Lu 22:27 ¿el que se r. a la mesa
RECLUIDAS, Rut 1:13 ¿Se mantendrían r.
RECLUTADOS, 2Sa 20:24 r. para trabajo
RECOBRAR, Isa 40:31 en Jehová r. poder
Tit 2:4 hagan r. el juicio a mujeres jóvenes
RECOBRAR EL JUICIO, 1Re 8:47 r. en el país
RECOBRO, Isa 49:8 r. de posesiones desoladas
Isa 58:8 velozmente brotaría el r. para ti
Jer 8:22; 30:17; 33:6.
RECOGEDORES, Jos 9:21 r. de leña y agua
RECOGER, Mt 12:30 el que no r. conmigo
Jer 29:14; Miq 4:6; Mt 3:12; Jn 4:36.
RECOGIDOS, Jer 25:33 ni r. ni enterrados
RECOGIMIENTO, Sof 2:1 r., oh nación
RECOLECCIÓN, FIESTA DE LA, Éx 34:22.
RECOMENDAR(SE), Ro 5:8 Dios r. su amor
Ro 16:1; 2Co 3:1.
RECOMPENSA(S). Véanse también PAGO,
RETRIBUCIÓN(ES).
Jer 51:56 Jehová es un Dios de r.
Ro 1:27 la r. que se les debía por su error
2Co 6:13 como r. —hablo como a hijos
RECOMPENSADORAMENTE, Sl 13:6 tratado r.
RECOMPENSAR, Rut 2:12 Jehová r. tu obrar
Isa 59:18 él r. el debido tratamiento
Mt 16:27 r. a cada uno según comportamiento
Heb 10:30 Mía es la venganza; yo r.
RECOMPRADOR, Rut 4:6 r. dijo: No puedo
Isa 44:24 Jehová, tu **R.** y Formador
Isa 59:20 a Sión ciertamente vendrá el **R.**
Isa 63:16 Nuestro **R.** de mucho tiempo atrás
Jer 50:34 Su **R.** es fuerte, Jehová de los
Isa 41:14; 44:6; 48:17; 49:26; 54:5; 60:16.
RECOMPRADOS, Isa 35:9 r. tendrán que andar
Isa 51:10 un camino para que pasaran los r.?
Isa 52:3; 62:12; 63:4.
RECOMPRAR, Isa 47:4 Uno que nos está r.
Isa 43:1; 44:23; 48:20; 52:9.

RECONCILIACIÓN, Ro 5:11 hemos recibido r.
Ro 11:15; 2Co 5:18, 19.
RECONCILIADOS, Ro 5:10 fuimos r. con Dios
RECONCILIAR, Ef 2:16 r. a ambos pueblos
Col 1:20 mediante él r. de nuevo
RECONOCER(SE), Pr 26:24 imposible de r.
Jer 19:4 hacer que este lugar no pueda r.
Mt 7:20 por sus frutos r. a aquellos
Ro 11:2 pueblo, a quien primero r.
1Co 16:18 r. a hombres de esa clase
1Ti 3:16 se r. que el secreto es grande
Dt 33:9; Isa 2:12; Isa 61:9; Jer 14:20; Os 2:8;
11:3; 2Co 1:13.
RECONOCIDOS, 2Co 6:9 y, sin embargo,
RECONOCIMIENTO, Ro 14:11 r. abierto a Dios
RECOPILACIÓN, Lu 1:1 r. de declaración
RECORDADO(DA), Sl 83:4 nombre no sea r.
Isa 65:17 cosas anteriores no serán r.
Hch 10:31 tus dádivas de misericordia r.
RECORDAR, 1Re 17:18 para que se r. mi error
Isa 43:26 Hazme r.; cuenta tu relato
Eze 23:19 r. los días de su juventud
2Pe 1:12 dispuesto a r. estas cosas
2Pe 1:13 despertarlos por hacerles r.
RECORDADOR(S), 2Re 17:15 rechazando r.
Sl 19:7 El r. de Jehová es fidedigno
Sl 119:46 También hablaré de tus r.
Sl 119:129 Tus r. son maravillosos
2Pe 3:1 despertando sus facultades a r.
Sl 93:5; 119:14, 31, 99, 119; Jer 44:23.
RE-CREACIÓN, Mt 19:28 En la r., cuando
RECTAMENTE, Miq 2:7 del que anda r.?
Gál 2:14 andando r. conforme
RECTIFICAR LAS COSAS, 2Ti 3:16; Heb 9:10.
RECTITUD, Job 6:25 dichos de la r.
Job 33:23 para informar al hombre su r.
Sl 25:21 Integridad y r. me salvaguarden
Pr 16:8 abundancia de productos sin r.
1Cr 29:17; Job 33:3; Sl 143:10; Pr 14:2.
RECTO(TA). Véase también RECTIFICAR
LAS COSAS.
Gé 18:25 hacer lo que es r.?
Jue 17:6 lo que era r. acostumbraba hacer
2Re 10:15 ¿Es tu corazón r. conmigo, como
Job 1:8 hombre sin culpa y r., temeroso
Sl 11:7 Los r. contemplarán su rostro
Sl 19:8 Las órdenes de Jehová son r.
Sl 49:14 los r. los tendrán en sujeción
Sl 97:11 regocijo para los r. de corazón
Pr 2:21 los r. residirán en la tierra
Pr 12:6 la boca de los r. los librará
Pr 12:15 del tonto es r. a sus propios ojos
Pr 14:12 Existe un camino que es r.
Pr 15:8 oración de los r. es un placer
Pr 16:25 camino que es r. delante del hombre
Ec 7:29 Dios hizo a la humanidad r.
Jer 26:14 Hagan según lo r. a los ojos de
Miq 7:2 entre la humanidad no hay ningún r.
Lu 3:5 curvas en caminos r., y los lugares
Jn 1:23 Hagan r. el camino de Jehová
Heb 12:13 sigan haciendo sendas r. para
RECUERDO, Sl 109:15 corte él el r.
Pr 10:7 r. del justo le espera bendición
Ec 1:11 no habrá r. ni siquiera de ellos
Ec 9:5 el r. de ellos se ha olvidado
Mal 3:16 libro de r. empezó a ser escrito
Hch 10:4 Tus oraciones ascendieron como r.
2Ti 1:5 r. la fe que hay en ti
RECURSOS, Isa 60:11 r. de las naciones
Isa 61:6 r. de naciones ustedes comerán
Nú 6:21; Jer 15:13; 17:3; Eze 26:12; Mr 5:26.
RECHAZADO(DA), Mr 8:31; Heb 12:17.
1Pe 2:4 piedra viva, r., por hombres
RECHAZAR, 1Sa 8:7 es a mí a quien han r.
1Sa 15:23 Puesto que tú has r. la palabra

Job 5:17 ¡y la disciplina no r.!
Jer 8:9 han r. la palabra de Jehová
Mt 21:42 La piedra que los edificadores r.
1Sa 10:19; Sl 89:39; Jer 7:29.
RED(ES), Sl 9:15 en la r. que escondieron
Mt 13:47 reino semejante a r. barredera
Jn 21:11 aunque tantos, la r. no se reventó
Sl 10:9; Ec 7:26; 9:12; Isa 51:20; Eze 26:5;
47:10; Miq 7:2; Jn 21:6, 8.
REDENCIÓN. Véanse también LIBERACIÓN,
LIBERACIÓN POR RESCATE.
Éx 21:30; Nú 3:49; Sl 49:8; 111:9; 130:7.
REDENTOR. Véanse también
RECOMPRADOR, UNO QUE ESTÁ
RECOMPRANDO.
Job 19:25; Sl 19:14; Pr 23:11.
REDIL, Jn 10:16 otras ovejas, no de este r.
REDIMIDO(DA), Éx 13:15 a mis hijos r.
Le 27:29 Ninguna persona r.
Isa 1:27 Sión será r.
Isa 35:10 los r. por Jehová volverán
REDIMIR. Véanse también LIBERACIÓN POR
RESCATE, LIBRAR POR COMPRA.
2Sa 7:23 a quien Dios fue a r. como pueblo
Sl 34:22 está r. el alma de sus siervos
Sl 49:7 ni uno puede r. a un hermano
Os 13:14 De la mano del Seol los r.
Dt 9:26; Sl 31:5; 44:26; 49:15; 69:18; 71:23;
72:14; 78:42; Jer 15:21.
REDUCCIÓN, Éx 5:8 no deben hacerles r.
REDUCIDO(S), 1Sa 2:9 iniuos r. a silencio
1Co 7:29 el tiempo que queda está r.
REEDIFICACIÓN, Esd 6:8 r. de casa de Dios
REEDIFICADOS, Eze 36:10 devastados r.
REEDIFICAR, Isa 61:4 r. lugares devastados
Esd 5:17; Ne 2:17.
REFERENCIA, Ro 6:10 vive con r. a Dios
Ro 11:28 con r. a la selección de Dios
REFERENCIA ALUSIVA, Hab 2:6.
REFERIR, Éx 24:3 r. al pueblo palabras
REFINACIÓN, Da 11:35 para obra de r.
REFINADO(DA), 2Sa 22:31 dicho de Jehová r.
Da 12:10 se emblanquecerán y serán r.
Sl 12:6; Pr 30:5.
REFINADOR, Mal 3:3 como r. y limpiador de
REFINAR, Zac 13:9 los r. como la plata
Sl 17:3; 66:10; Isa 48:10.
REFLEJAR, 2Co 3:18 rostros r. como espejos
REFLEJO, Heb 1:3 r. de su gloria y
REFLEXIONAR, Sl 48:9; 77:12; 1Ti 4:15.
REFORMAS, Hch 24:2 se están efectuando r.
REFORZAR, Pr 24:5 hombre r. el poder
Am 2:14 nadie fuerte r. su poder
Na 2:1 R. muchísimo el poder
REFRÁN, Job 30:9 les sirvo de r.
REFRENADOS, Pr 10:19 tiene r. sus labios
REFRENAR, Isa 48:9 me r. que no se te corte
Snt 1:26 Si hombre no r. su lengua
REFRESCADOS, Flm 7 santos r. por ti
REFRESCAR, Sl 23:3 R. mi alma. Me guía
Mt 11:28 Vengan y yo los r.
1Co 16:18 han r. mi espíritu
REFRIGERIO, Mt 11:29 hallarán r. para sus
Hch 3:19 vengan tiempos de r.
REFUGIAR(SE), Sl 18:2 En él me r.
Sl 57:1 en ti mi alma se ha r.
Sof 3:12 se r. en el nombre de Jehová
REFUGIO, Nú 35:6 seis ciudades de r.
Isa 28:17 barrer el r. de una mentira
Jos 20:2; 21:13; Pr 14:26.
REGALO(S), Sl 68:29 reyes traerán r.
Rev 11:10 y se enviarán r. unos a otros
Isa 18:7; Mt 7:11.
REGAR, Pr 11:25 que liberalmente r. será
1Co 3:7 ni el que r., sino Dios que
Ec 2:6; Eze 17:7; Joe 3:18.
REGENERACIÓN. Véase RE-CREACIÓN.

REGIA, Sl 45:9 La r. consorte ha tomado
REGIÓN(ES), Ef 4:9 a las r. inferiores
  Dt 3:4; Jos 19:29; Mt 4:16.
REGIÓN MONTAÑOSA DE SEÍR, Gé 36:8; 2Cr
  20:10, 22, 23; Eze 35:3, 7, 15.
REGIÓN REAL, Jos 13:12, 21, 27, 30, 31.
REGIÓN RURAL, Mr 6:36, 56; Lu 9:12.
REGIR PRINCIPESCO, Isa 9:6.
REGIR REAL, 1Sa 15:28; Jer 26:1; Os 1:4.
REGISTRADOR, Hch 19:35 r. de la ciudad
REGISTRO(S) GENEALÓGICO(S), 1Cr 4:33;
  2Cr 31:16; Esd 8:1.
REGISTROS, Esd 4:15 libro de los r.
REGLA, 2Cr 8:14 conforme a la r. de David
  1Co 4:6 para que aprendan la r.:
  Gál 6:16 andar ordenadamente por esta r. de
REGOCIJADOS, 2Co 6:10 pero siempre r.
REGOCIJAR(SE), 1Re 8:66 r. y sintiéndose
  1Cr 29:9 David se r. con gran gozo
  Sl 97:1 ¡Jehová ha llegado a ser rey! **R.**
  Sl 104:15 vino que r. el corazón
  Pr 27:11 Sé sabio, hijo mío, y r. mi corazón
  Pr 29:2 justos ser muchos, pueblo se r.
  Isa 65:13 Mis propios siervos se r.
  Mt 5:12 **R.** y salten de gozo
  Jn 8:56 Abrahán el padre de ustedes se r.
  Hch 5:41 fueron de delante del Sanedrín, r.
  Ro 12:15 R. con los que se r.; lloren con
  Flp 4:4 Siempre r. en el Señor
  Col 1:24 Me r. ahora en mis sufrimientos
  Lu 13:17; Jn 16:20; Flp 4:10; 1Pe 1:8.
REGOCIJO, Est 8:17 había r. y alborozo
  Sl 97:11 r. para los rectos de corazón
  Sl 100:2 Sirvan a Jehová con r.
  Est 8:16; Ec 8:15.
REGRESAR, Sos 2:7.
REGULACIÓN, 1Co 7:5 por su falta de r.
REGULACIÓN MENTAL, Ef 6:4 r. de Jehová
REHABILITAR, Isa 49:8 para r. la tierra
REHENES, 2Re 14:14 los r. a Samaria
REHOBOAM, 1Re 12:1; 14:21, 29.
REHUSAR, Sl 141:5 no querría r.
  Isa 1:20 si r. y son rebeldes
REINA, Mt 12:42 r. del Sur será
  Rev 18:7 Estoy sentada r., y no soy viuda
  1Re 10:1; Est 2:17; Jer 7:18; Da 5:10.
REINAR, Éx 15:18 Jehová r. para siempre
  1Sa 8:9 derecho del rey que r. sobre ellos
  1Sa 15:11 De veras me pesa que Saúl r.
  Isa 32:1 Un rey r. para justicia
  Eze 20:33 con mano fuerte r. sobre ustedes
  Ro 5:14 muerte r. desde Adán hasta
  Ro 6:12 no dejen pecado r. en su cuerpo
  1Co 4:8 nosotros también r. con ustedes
  1Co 15:25 tiene que r. hasta que Dios
  2Ti 2:12 si seguimos aguantando, r.
  Rev 11:15 él r. para siempre jamás
  Rev 19:6 el Todopoderoso ha empezado a r.
  Rev 20:4 llegaron a vivir, y con
  1Sa 8:11; 24:20; 1Re 1:5; Job 34:30; Pr 30:22;
  Jer 23:5; Miq 4:7.
REINO(S), Éx 19:6 un r. de sacerdotes
  2Re 19:19 sepan todos los r. de la tierra
  1Cr 29:11 Tuyo es el r., oh Jehová
  Da 2:44 Dios del cielo establecerá un r.
  Da 7:27 Su r. es un r. de duración
  Sof 3:8 que junte r., a fin de derramar
  Mt 6:10 Venga tu r. Efectúese tu
  Mt 6:33 buscando primero r. y la
  Mt 24:14 estas buenas nuevas del r. se
  Mt 25:34 Vengan, hereden el r. preparado
  Lu 12:32 su Padre ha aprobado darles el r.
  Lu 22:29 hago pacto con ustedes, para un r.
  Jn 18:36 Mi r. no es parte de este mundo
  1Co 15:24 él entrega el r. a su Dios
  Col 1:13 nos transfirió al r. del Hijo

  Heb 11:33 que por fe derrotaron r.
  Rev 1:6 hizo que fuéramos un r., sacerdotes
  Rev 11:15 r. del mundo sí llegó a ser el r.
  Esd 1:2; Isa 9:7; 23:17; Jer 25:26; Mt 4:8; 2Ti
  4:1; Snt 2:5; Rev 5:10.
REINO DE DIOS, Mt 21:43 r. quitado a
  Mr 4:11 ha dado secreto sagrado del r.
  Lu 9:62 Nadie que mira atrás apto para el r.
  Lu 17:20 r. no viene de modo que sea
  Lu 17:21 ¡miren!, el r. está en medio
  Hch 14:22 entrar en el r. a través de
  Lu 6:20; Ro 14:17; 1Co 4:20.
REINO DE LOS CIELOS, Mt 3:2 r. acercado
  Mt 10:7 prediquen, diciendo: El r. se ha
  Mt 23:13 cierran el r. delante de hombres
REÍR(SE), Gé 18:13 ¿Por qué se r. Sara
  Sl 2:4 se sienta en los cielos se r.
  Sl 37:13 Jehová mismo se r. de él
  Pr 1:26 me r. del desastre de ustedes
  Hab 1:10 son algo de lo cual r.
  Lu 6:25 ¡Ay, ustedes que r. ahora
  Gé 18:15; 21:6; Sl 59:8; Ec 3:4.
RELACIÓN, Col 2:12; Flm 16.
RELACIONADO, 1Co 15:58 no en vano en lo r.
RELACIONES INMORALES, Nú 25:1 r. con
RELAJAR, Hch 24:23 que se r. la custodia
RELÁMPAGO(S), Job 38:35 ¿Puedes enviar r.
  Mt 24:27 r. sale de las partes orientales
  Lu 10:18 Satanás caído como r. del cielo
  Rev 11:19 ocurrieron r. y voces y granizo
  Job 37:3; Sl 97:4; Na 2:4; Rev 4:5; 8:5.
RELAMPAGUEO(S), Éx 20:18 pueblo viendo r.
  Lu 17:24 así como el relámpago, por su r.
RELATAR, Sl 40:5; 48:13; Jer 51:10.
  Jue 5:11 r. los actos justos de Jehová
RELEVO, Job 14:14 hasta que llegue mi r.
RELIGIÓN(ES). Véase también ADORACIÓN.
  2Re 17:26 naciones no han conocido la r.
  2Re 17:34 conforme a sus r. anteriores
RELINCHOS, Jer 13:27 adulterio y r.
RELUMBRÓN, Eze 21:15 espada para un r.
REMIENDO, Mt 9:16; Mr 2:21; Lu 5:36.
REMISIÓN. Véase PERDÓN.
REMOCIÓN, Heb 12:27 r. de cosas que son
REMORDIMIENTO, Mt 27:3 Judas sintió r.
REMOTAS, Isa 14:13 partes r. del norte
REMOVER, Eze 21:26 **R.** el turbante
  1Co 5:13 **R.** al hombre inicuo de entre
REMOVIDAS, Isa 54:10 montañas r., pero mi
REMUNERADOR, Heb 11:6 llega a ser r.
RENCOR, Le 19:18 No debes tener r.
RENDIR, 1Pe 4:5 estas personas r. cuenta
RENEGADO(DA), Isa 57:17; Jer 3:12, 14.
RENEGAR, Pr 1:32 el r. los matará
RENOVAR(SE), 2Cr 24:4 r. la casa de Jehová
  Sl 103:5 tu juventud sigue r. como un
  Isa 61:4 r. las ciudades devastadas
  2Co 4:16 hombre interiormente va r.
RENTA, Isa 23:3 la cosecha del Nilo, su r.
RENUNCIAR, 2Ti 2:19 r. la injusticia
REÑIR, Sl 31:20 Los esconderás del r.
  Pr 3:30 No r. sin causa con un hombre
  Mt 12:19 No r., ni levantará la voz
  Éx 17:7; Dt 1:12; Job 33:19.
REPARTIR, Isa 53:12 r. el despojo
  2Co 10:13 territorio que Dios nos r.
  Heb 7:2 Abrahán r. el décimo de todas
  Dt 4:19; Jos 18:5; Ne 9:22; Isa 34:17.
REPENTINA, Pr 3:25 No temer cosa r.
  1Te 5:3 entonces destrucción r. ha de
REPLICAR, Hch 4:14 nada que r.
REPOSAR, Isa 51:4 r. como una luz
REPOSO, Jer 31:2; 47:6; 50:34.
REPRENDER, Isa 17:13; 54:9.
  Job 19:3 diez veces procedieron a r.
  Zac 3:2 ¡Jehová te r., oh Satanás

REPRENSIÓN, Pr 13:1 burlador no ha oído r.
2Co 2:6 Esta r. dada por la mayoría
Sl 104:7; Ec 7:5; Isa 66:15.
REPRESADAS, Éx 7:19; Le 11:36 aguas r.
REPRESENTACIÓN, Esd 10:14 príncipes en r.
Heb 1:3 r. exacta de su mismo ser
REPRESENTACIÓN TÍPICA, Heb 8:5.
REPRESENTADO, Gál 3:1 Jesucristo fue r.
REPRESENTANTE, Éx 18:19 de r. al pueblo
Lu 8:49 r. del presidente de la sinagoga
Jn 7:29 soy r. de parte de Aquel
REPRIMIR, 1Pe 3:10 r. su lengua de lo malo
REPRODUCTIVA, 1Pe 1:23; 1Jn 3:9.
REPUDIADO, Lu 12:9 r. delante de ángeles
1Ti 5:8 ha r. la fe y es peor que
REPUDIAR(SE), Mt 8:34 r. a sí mismo y tome
Lu 12:9 el que me r. será repudiado
Tit 2:12 la impiedad y los deseos
Mt 10:33; Mr 14:30; Lu 9:23; Jn 13:38; Hch
3:14; 7:35; Tit 1:16.
REPUESTO, Pr 15:6 hay r. abundante
REPULSIVO, Isa 66:24 cadáveres r. para
REPUTACIÓN, 1Co 4:10 tiene buena r.
REQUERIR, Dt 23:21; Eze 20:40.
REQUISITO, Ro 8:4 justo r. de la Ley
REQUISITOS LEGALES, Lu 1:6 r. de Jehová
Heb 9:10 Eran r. que ver con la carne
RESBALADEROS, Jer 23:12 r. en tinieblas
RESBALOSOS, Sl 35:6 lugares r.
RESCATAR, Da 3:17 nuestro Dios puede r.
RESCATE, Job 33:24 ¡He hallado un r.!
Sl 49:7 ni uno puede dar a Dios un r.
Pr 21:18 inicuo es un r. para el justo
Mt 20:28 Hijo vino para dar su alma en r.
1Ti 2:6 dio a sí mismo como r. por todos
Éx 30:12; Job 36:18; Pr 6:35; Isa 43:3.
RESCATE CORRESPONDIENTE, 1Ti 2:6.
RESENTIDO, Sl 103:9; Jer 3:12; Na 1:2.
RESERVADO(DA), Col 1:5 esperanza está r.
Heb 9:27 está r. a hombres morir una vez
1Pe 1:4 Está r. en los cielos para ustedes
RESGUARDAR, 1Sa 30:23 Jehová nos r.
RESIDENTE, Sal 33:24 ningún r. dirá: Estoy
RESIDENTE(S) FORASTERO(S), Gé 15:13; Éx
22:21; Dt 10:18, 19; Sl 146:9; Isa 14:1; Jer
7:6; 22:3; Zac 7:10.
Le 24:22 r. ser lo mismo que el natural
Nú 35:15 para r. seis ciudades de refugio
Mal 3:5 contra los que apartan al r.
Ef 2:19 ustedes ya no son extraños y r.
RESIDENTES TEMPORALES,
Heb 11:13; 1Pe 2:11.
RESIDIR, Éx 12:48 que un residente r.
Le 25:45 hijos r. como forasteros
Isa 52:4 a Egipto bajó mi pueblo para r.
Hch 17:21 extranjeros que r. allí
Heb 11:9 Por fe r. como forastero en
Gé 12:10; 26:3; 47:4; Nú 9:14; Jue 17:8; Isa
23:7; Jer 42:17; Eze 47:22.
RESISTENCIA, Nú 22:32 salido para r.
Sl 13:2 ¿Hasta cuándo pondré r. en mi alma
Isa 18:2 Vayan, a una nación r. a tensión
Zac 3:1; 2Ti 4:1.
RESISTIDOR, 1Sa 29:4 se haga r. en la batalla
1Re 5:4 No hay r., y no hay nada malo
2Sa 19:22; 1Re 11:14, 23, 25; Sl 109:6.
RESISTIR, Lu 21:15 opositores no podrán r.
Hch 7:51 están ustedes r. el espíritu santo
Ef 6:13 armadura para que puedan r. en el
2Ti 3:8 Janes y Jambres r. a Moisés
Sl 38:20; 71:13; 109:4, 20, 29; Mt 5:39; Gál
2:11; Heb 12:4.
RESOLUCIÓN, Hch 27:42 r. de los soldados
RESONANTE, Sl 92:3 música r. en el arpa
RESONAR, 2Cr 29:28 mientras el canto r.

RESPECTIVO(VA), 1Co 12:28 personas r.
Ef 4:16 funcionamiento de cada miembro r.
RESPECTO, Ro 14:7 Ninguno vive con r. a sí
RESPETAR, Mr 12:6 diciendo: R. a mi hijo
RESPETO, Dt 32:19 ya no les tuvo r.
Ef 5:33 esposa tener profundo r. a esposo
Heb 12:9 padres, y les mostrábamos r.
1Pe 3:2 conducta casta junto con profundo r.
1Pe 3:15 con genio apacible y profundo r.
Lu 18:2; 2Pe 2:11.
RESPETUOSO TEMOR, Le 19:30 r. a santuario
Isa 29:23 con r. al Dios de Israel
RESPIRAR, Sl 150:6 que r. alabe a Jah
RESPLANDECER, Mt 5:16 r. luz de ustedes
Mt 13:43 los justos r. como el sol
Mt 17:2 transfigurado y su rostro r.
Ef 5:14 el Cristo r. sobre ti
Rev 21:23 no tiene necesidad de que sol r.
RESPLANDECIENTE, Isa 14:12 caído, tú, el r.
RESPLANDOR, Isa 60:3 reyes al r. de tu
Da 12:3 brillarán como r. de la expansión
Hch 26:13 luz, y su r. sobrepasaba el del
Isa 59:9; 62:1; Eze 10:4; Da 2:31.
RESPONDER, Pr 1:28 pero yo no r.
Pr 15:28 corazón del justo medita para r.
Pr 18:13 r. a un asunto antes de oírlo
Isa 65:24 antes que clamen yo r.
Mt 13:15 oídos han oído sin r.
Job 14:15; Isa 58:9; Jer 33:3.
RESPONDÓN, Ro 10:21 desobediente y r.
RESPONSABILIDAD, 1Cr 9:33 su r. en la obra
RESPONSABLE, Mt 5:21, 22 será r. al tribunal
Heb 5:9 r. de la salvación eterna
RESPUESTA, Col 4:6 sepan cómo dar r.
RESTABLECIDO, Da 4:36 r. sobre mi reino
RESTABLECIMIENTO, Jer 30:13; 46:11.
RESTANTE(S), Sl 76:10 lo r. de la furia
Isa 28:5 hermosura para los r. de su pueblo
Miq 5:7 los r. como rocío de Jehová
Sof 3:13 a los r. de Israel, no harán
Eze 9:8; Miq 2:12; Sof 2:9; Zac 8:12; 14:2.
RESTAURACIÓN, Hch 3:21 tiempos de r. de
RESTAURAR, Da 9:25 r. a Jerusalén
Mt 17:11 Elías viene, y r. todas las cosas
Hch 1:6 ¿estás r. el reino en este tiempo?
Job 33:26; Sl 51:12; Jer 27:22.
RESTITUCIÓN. Véase RESTAURACIÓN.
RESTO, 2Re 19:31 de Jerusalén saldrá un r.
Jer 23:3 juntaré al r. de todas las tierras
Eze 36:5 les dejaré como r. a los
Miq 4:7 haré de la que cojeaba un r.
Ro 9:27 es el r. lo que será salvo
Ro 11:5 ha llegado a haber un r. según
Isa 10:21, 22; 11:11, 16; Jer 8:3; 15:9.
RESTREGADA, Le 6:28 r. y enjuagada con
RESTRICCIÓN, 2Re 4:13; Sl 107:39.
Isa 53:8 A causa de r. fue quitado
2Te 2:7 obrando como r. llegue a estar
1Jn 4:18 porque el temor ejerce una r.
RESTRINGIR, Sl 40:9 No r. mis labios
Gál 5:1 no r. en un yugo de esclavitud
RESUCITAR, Hch 2:24 Dios lo r. desatando
Jn 6:39, 40, 44, 54.
RESUELTO(S), 2Cr 25:16 r. a arruinarte
2Co 9:7 tal como lo ha r. en su corazón
1Ti 6:9 los r. a ser ricos caen en tentación
RESULTADO, Ro 5:18 el r. a hombres fue
RESULTAR MÁS ASTUTOS, Mt 2:16.
RESULTAR SER, Éx 3:14 Yo r. lo que r.
RESUMEN, Ec 7:27 para averiguar el r.
RESURRECCIÓN, Mt 22:30 r., ni se casan
Jn 5:29 r. de vida, r. de juicio
Jn 11:25 Yo soy la r. y la vida
Hch 24:15 r. de justos como de injustos
Ro 6:5 unidos en la semejanza de su r.

1Co 15:42 Así también es la **r**. de muertos
Flp 3:11 puedo alcanzar la **r**. más temprana
2Ti 2:18 diciendo que la **r**. ya ha sucedido
Heb 11:35 Mujeres recibieron muertos por **r**.
Rev 20:6 cualquiera en la primera **r**.
1Co 15:12, 13, 21; Flp 3:10; Heb 6:2.
RESURRECCIÓN MEJOR, Heb 11:35.
RETEMBLAR, Isa 6:4 r. a la voz del que clamó
Os 3:5 vendrán r. a Jehová
RETENER, Job 33:18 **R**. del hoyo el alma
Hch 3:21 a quien el cielo tiene que **r**.
RETIRAR(SE), Mt 2:12; 14:13; Mr 3:7.
Sl 78:9 **r**. en el día de la pelea
RETIRO(S), Abd 3 resides en **r**. del peñasco
Lu 5:16 en **r**. en los desiertos
RETORCERSE, Sl 29:8 desierto se **r**.
RETRACTACIÓN, Hch 26:11 obligarlos a una **r**.
RETRACTAR, Job 42:6 me **r**., y de veras me
RETRAERSE, Heb 10:38 si se **r**., mi alma
RETRIBUCIÓN(ES), Dt 32:41 haré **r**. a
Sl 94:2 volver una **r**. sobre los altivos
Isa 34:8 un día de venganza, un año de **r**.
Ro 11:9 una trampa y tropiezo y **r**.
2Te 2:10 pereciendo, como **r**. porque no
Heb 2:2 recibió **r**. en conformidad con
RETRÓGRADOS, Jer 7:24 **r**. y no adelantadores
REUEL, Nú 10:29 Hobab hijo de **R**.
REUNIDO(DA), Mt 25:32; 1Co 5:4.
REUNIR, Sof 3:8 decisión **r**. naciones
Mt 23:37 quise **r**. a tus hijos, como la
Mt 24:31 de trompeta, y **r**. a los escogidos
Heb 10:25 sin abandonar el **r**., como algunos
Sl 50:5; Isa 11:12; Da 11:10; Miq 2:12; Mt
22:10; Jn 11:52; Rev 16:14, 16.
REUNIRSE EN MASA, Hch 4:26.
REVELACIÓN, 2Sa 7:27 Jehová hecho una **r**.
Ro 16:25 **r**. del secreto sagrado
1Co 1:7 **r**. de nuestro Señor Jesucristo
1Pe 4:13 durante la **r**. de su gloria
Ef 1:17; 2Te 1:7; 1Pe 1:7, 13; Rev 1:1.
REVELADO(DA), Isa 40:5 gloria será **r**.
Mt 11:25 escondido de sabios y las has **r**. a
Lu 17:30 día en que Hijo del hombre ser **r**.
Jn 12:38 brazo de Jehová, ¿a quien **r**.?
Ef 3:5 ha sido **r**. a apóstoles y profetas
2Te 2:8 será **r**. el desaforado
Da 2:30; 1Co 3:13.
REVELADOR, Da 2:28 Dios es un **R**. de
Da 2:47 Dios y un **R**. de secretos
REVELAR(SE), Isa 49:9 para decir: ¡**R**.!
Jer 33:6 les **r**. una abundancia de paz
Flp 3:15 Dios les **r**. la actitud
1Sa 2:27; Da 2:47; Ro 1:18; 1Co 2:10.
REVENTAR(SE), Isa 24:19 ha **r**. la tierra
Mt 9:17; Lu 5:37.
REVERENCIA, Heb 12:28 temor piadoso y **r**.
Job 4:6; 22:4; 2Te 2:4.
REVERENTE(S), Lu 2:25; Hch 2:5; 8:2; 22:12.
REVIVIFICADO, 2Re 8:1 hijo había **r**.
Flp 4:10 **r**. su pensar a favor de mí
REVIVIFICAR, Isa 57:15 **r**. el espíritu de
Heb 6:6 **r**. otra vez al arrepentimiento
REVIVIR, 2Re 1:2 si **r**. de esta enfermedad
REVOLCARSE, Jer 25:34 pastores **r**.
2Pe 2:22 la cerda a **r**. en el fango
REY(ES), 1Sa 8:19 un **r**. sobre nosotros
Sl 2:2 **r**. de la tierra toman su posición
Sl 110:5 hará pedazos a **r**. en el día de
Isa 32:1 Un **r**. reinará para justicia
Jer 10:10 Jehová es **R**. hasta tiempo
Mt 21:5 ¡Mira! Tu **R**. viene a ti
Mt 27:37 Jesús el **r**. de los judíos
Lu 21:12 llevados ante **r**. y gobernadores
Jn 1:49 Rabí, tú eres **R**. de Israel
Jn 18:37 Tú mismo dices que yo soy **r**.
Jn 19:15 No tenemos más **r**. que César

1Ti 1:17 **R**. de la eternidad, incorruptible
Rev 16:14 salen a los **r**. de toda la tierra
Rev 19:16 **R**. de **r**. y Señor de señores
Jue 5:19; 9:8; 2Cr 9:22; Sl 89:27; Isa 41:21;
Da 4:37; Zac 14:9; Hch 17:7; 1Ti 6:15.
REY DEL NORTE, Da 11:6-8, 15, 40.
REY DEL SUR, Da 11:5, 6, 9, 11, 25, 40.
REZONGAR, 1Pe 4:9 hospitalarios sin **r**.
RIBERA(S), 1Cr 12:15 desbordándose por sus **r**.
Mr 4:35; 5:21; 6:45; 8:13.
RICO(S), Pr 13:7 el que se da por **r**.
Jer 9:23 No se glorie el **r**. de sus riquezas
Lu 16:19 cierto hombre era **r**.
Lu 18:25 aguja de coser que un **r**.
2Co 8:9 aunque era **r**., se hizo pobre
1Ti 6:9 resueltos a ser **r**. caen
1Ti 6:18 sean **r**. en obras excelentes
Snt 2:5 **r**. en fe y herederos del reino
Snt 5:1 Vamos, ahora, **r**., lloren
Rev 3:17 Porque dices: Soy **r**.
RIÑA, Pr 17:14 antes que haya **r**.
Isa 41:11 hombres que tienen **r**. contigo
Isa 58:4 para **r**. ustedes ayunaban
Gé 13:7; Pr 15:18; 26:17, 21.
RIÑONES, Éx 29:13; Sl 7:9; Jer 11:20.
RÍO(S), Isa 66:12 paz como un **r**.
Rev 16:12 derramó su tazón sobre el **r**.
Rev 22:1 me mostró un **r**. de agua de vida
Gé 2:10; Sl 46:4; 107:33; Eze 29:3.
RIPIO, Am 6:11 gran casa hecha **r**.
RIQUEZA(S), Sl 52:7 confía en sus **r**.
Pr 11:28 El que confía en sus **r**.... caerá
Pr 13:22 **r**. del pecador atesorada para justo
Ec 5:10 ni amador de la **r**. con los ingresos
Isa 60:5 a ti se dirigirá la **r**. del mar
Mt 6:24 esclavos a Dios y a las **R**.
Lu 16:9 Háganse amigos por medio de las **r**.
Ro 9:23 dar a conocer las **r**. de su gloria
Ro 11:33 la profundidad de las **r**. de Dios!
Heb 11:26 estimaba el vituperio como **r**.
Snt 5:2 Sus **r**. se han podrido
1Re 3:11; Lu 16:11; Ef 3:8; Rev 18:17.
RISA, Sl 126:2 boca se llenó de **r**.
Jer 20:7 Vine a ser objeto de **r**. todo el
Snt 4:9 Que su **r**. se torne en lamento
Pr 14:13; Ec 2:2; 7:3; 10:19.
RIVALIDAD, Ec 4:4 significa **r**. de uno
Flp 1:15 están predicando al Cristo por **r**.
Nú 25:13; 2Re 10:16.
ROBADO, Dt 28:29 anda defraudado y **r**.
ROBAR, Mal 3:8 ¿**R**. el hombre a Dios?
2Co 11:8 **R**. a otras congregaciones, a fin de
Le 19:13; Jue 9:25; Pr 22:23; Ro 2:22.
ROBO, Pr 6:30 cometer **r**. para llenarse
Isa 61:8 odio el **r**.
Jer 21:12 libren a la víctima del **r**.
Os 4:2 Hay engaño y **r**. y actos de
Le 6:2; Sl 62:10; 69:4; Isa 3:14; Eze 18:7.
ROCA, Éx 17:6 tienes que golpear en la **r**.
Dt 32:4 La **R**., perfecta es su actividad
2Sa 22:3 Mi Dios es mi **r**. En él me
Isa 8:14 **r**. sobre la cual tropezar ambas
Dt 32:18; 1Sa 2:2; Sl 62:2.
ROCIADO(DA), Heb 9:13 cenizas **r**.
1Pe 1:2 **r**. con la sangre de Jesucristo:
ROCIADURA, Mr 7:4; Heb 10:22; 12:24.
ROCIAR, Heb 9:19, 21.
ROCÍO, Miq 5:7 muchos pueblos como **r**. de
Dt 32:2; Jue 6:37; Pr 19:12; Da 5:21.
ROCOSA, MASA. Véase MASA ROCOSA.
RODAJE, Eze 10:6 Toma fuego de entre el **r**.
RODAR, Jos 5:9 r. de ustedes el oprobio
Pr 16:3 Haz **r**. sobre Jehová tus obras
RODEADOS, Heb 11:30 muros de Jericó **r**.
RODEAR, Lu 19:43 tus enemigos te **r**.
RODILLA(S), Ro 11:4 no doblado **r**. ante Baal

Flp 2:10 nombre de Jesús se doble toda r.
Isa 45:23; Eze 7:17; Ro 14:11; Heb 12:12.
ROGAR, Gé 25:21 Isaac siguió r. a Jehová
Éx 8:30 Moisés le r. a Jehová
Jue 13:8 Manoah se puso a r. a Jehová
Sl 30:8 a Jehová seguí r. por favor
Isa 19:22 tendrá que dejarse r. por ellos
2Re 20:3; Isa 38:3; Lu 14:18; Hch 21:39; Ro
1:10; 2Co 5:20; 8:4; 10:2; Gál 4:12.
ROJEAR, Pr 23:31 vino cuando r.
ROJO(JA), Isa 63:2 ¿Por qué está r. tu ropa
Gé 25:25, 30; Nú 19:2; Na 2:3; Zac 1:8.
ROLLO(S), Isa 34:4 cielos como r. de libro
Zac 5:1 y ¡mire!, un r. que volaba
Lu 4:17 se le dio el r. del profeta Isaías
2Ti 4:13 trae la capa y los r.
Heb 10:7 en el r. del libro está escrito
Rev 5:5 ha vencido para abrir el r.
Rev 20:12 del trono, y se abrieron r.
Rev 21:27 en el r. de la vida del Cordero
Esd 6:2; Jer 36:2, 27, 32; Eze 2:9; 3:1; Gál
3:10; Rev 17:8.
ROMANO(S), Hch 16:37 hombres r.
Jn 11:48; Hch 23:27; 25:16; 28:17.
ROMPER, Jue 2:1 Nunca r. mi pacto
Sl 2:3 ¡R. sus ataduras
RONCA, Sl 69:3 mi garganta ha quedado r.
ROPA(S), Isa 63:1 honorable en su r.
Mt 6:25 ¿No significa más el cuerpo que la r.?
Pr 27:26; Da 7:9; Mt 6:28; Rev 6:11; 7:9, 13.
ROPA(S) LARGA(S), Mr 16:5 vestido de r.
Lu 15:22 ¡Pronto!, una r.
Lu 20:46 desean andar por todos lados en r.
Rev 7:14 lavado r. y las han emblanquecido
ROSTRO, Éx 10:29 no trataré de ver tu r.
Éx 33:20 No puedes ver mi r. y vivir
Isa 25:8 limpiará las lágrimas de todo r.
Mt 26:39 cayó sobre su r., orando
Hch 6:15 su r. era como el r. de un ángel
2Co 4:6 iluminarlos por el r. de Cristo
Hch 20:25; 2Co 3:7.
ROTO(TA), Ec 4:12 triple no puede ser r.
Gé 7:11; Jer 2:13.
RUBÉN, Gé 29:32; 49:3; Jue 5:15; Rev 7:5.
RUBÍ, Éx 28:17; 39:10; Eze 28:13.
RUECA, Pr 31:19 alargado manos a la r.
RUEDA(S), Eze 1:16 r. en medio de una r.
Snt 3:6 enciende en llamas la r. de la vida
Éx 14:25; Eze 1:20; Na 3:2.
RUEGO(S), Sl 28:2 Oye la voz de mis r.
2Co 1:11 coadyuvar con su r.
Ef 6:18 despiertos con r. a favor de
Heb 5:7 Cristo ofreció r. y peticiones
Snt 5:16 El r. del justo, tiene vigor
1Pe 3:12 sus oídos están hacia su r.
RUGIENTE(S), 1Pe 5:8 Diablo, como león r.
Sl 22:13; Eze 22:25; Sof 3:3.
RUGIR, Jer 25:30 Desde lo alto Jehová r.
Jer 51:38; Joe 3:16; Am 1:2.
RUIDO, Jer 25:31 Un r. ciertamente llegará
2Pe 3:10 cielos pasarán con r. de silbido
RUIDOSO ESTRELLARSE, Pr 16:18; Isa 1:28.
Pr 18:12 Antes de r. corazón del hombre
RUINA(S), Isa 6:11 ciudades caigan en r.
Eze 21:27 R., r., r. la haré. En cuanto a esta
Da 2:44 reino nunca será reducido a r.
Am 9:11 sus r. levantaré, como en los
Hch 15:16 reedificaré sus r. y la erigiré
RUINOSAMENTE, Dt 9:12 pueblo ha obrado r.
RUINOSO, Isa 54:16 hombre r. para obra
RUMIAR, Le 11:3; Dt 14:6.
RUPTURA, Gé 38:29 para ti una r. perineal?
Jue 21:15 Jehová había hecho una r. entre
RUT, Rut 1:4; 2:8; 3:9; 4:13; Mt 1:5.
RUTINA, Flp 3:16 en esta misma r.

S

SÁBADO(S), Éx 20:8 Acordándote del s.
Éx 31:13 Especialmente mis s. guardar
Le 25:8 contarte siete s. de años
Le 26:34 la tierra pagará sus s.
Eze 20:12 mis s. ser una señal entre yo y
Mt 12:8 Señor del s. es el Hijo del hombre
Mt 24:20 su huida no ocurra en día de s.
Mr 2:27 s. vino a existir por causa del hombre
Hch 1:12 camino de un s.
Col 2:16 nadie los juzgue respecto de un s.
Le 25:2; Isa 56:4; Eze 22:8; Os 2:11; Lu 14:5.
SABAOT. Véase EJÉRCITO(S).
SABÁTICO, Heb 4:9 queda un descanso s.
SABER, 1Sa 17:46 s. que existe un Dios
Job 42:5 De oídas he s. de ti
Sl 83:18 s. que tú, cuyo nombre es Jehová
Pr 9:9 a alguien justo, y aumentará en s.
Eze 2:5 s. que resultó haber un profeta
Eze 6:7 tendrán que s. que yo soy Jehová
Na 1:7 Jehová s. de los que buscan refugio
Mt 10:26 ni secreto que no haya de s.
Hch 26:24 gran s. te está impulsando a
Ro 8:28 s. que Dios hace que obras cooperen
Gál 1:11 les hago s., hermanos, que
Dt 4:39; Sl 20:6; Isa 43:10; 1Jn 3:2.
SABER QUE YO SOY JEHOVÁ, Éx 7:5; 14:4; Isa
49:23; Eze 6:7; 7:4; 11:12; 12:20; 13:23; 14:8;
15:7; 16:62; 20:44; 22:16; 25:5; 26:6; 28:22;
34:27; 35:9; 37:6; 38:23; 39:7, 28.
SABIDURÍA, Sl 111:10 temor principio de s.
Pr 1:20 s. sigue clamando a gritos en la
Pr 2:7 para rectos atesorará s. práctica
Pr 4:7 La s. es la cosa principal
Pr 8:11 la s. es mejor que corales
Ec 7:11 Buena es la s. y es ventajosa
Isa 29:14 s. de sus sabios perecer
Jer 8:9 ¿qué s. tienen?
Eze 28:17 Arruinaste tu s. por tu esplendor
Da 1:17 Dios dio perspicacia en toda s.
Da 2:21 da s. a los sabios y
Mt 11:19 s. probada justa por sus obras
Lu 16:8 obró con s. práctica
1Co 2:5 fe no en s. de hombres, sino de Dios
1Co 3:19 s. de este mundo es necedad.
Snt 1:5 si tiene deficiencia en s., que siga
Snt 3:17 la s. de arriba es pacífica
Dt 4:6; Pr 3:13; 24:3; 29:15; Ro 11:33.
SABIDURÍA PRÁCTICA, Job 11:6; 12:16.
Pr 2:7 para los rectos atesorará s.
Pr 2:11 Salvaguarda la s. y la capacidad de
Pr 8:14 Yo tengo consejo y s.
Pr 18:1 contra toda s. estallará
Miq 6:9 persona de s. temerá tu nombre
Lu 1:17 volver los corazones a s. de justos
SABIO(BIA). Véanse también DISCRETO(TA),
SAGAZ(CES).
Sl 19:7 hace s. al inexperto
Sl 49:10 aun los s. mueren
Sl 119:98 más s. que mis enemigos
Pr 3:7 No te hagas s. a tus propios ojos
Pr 9:9 Da a un s., y se hará aún más s.
Pr 15:20 Hijo s. regocija a un padre
Pr 27:11 Sé s., hijo mío, y regocija mi
Pr 30:24 cosas son instintivamente s.:
Mt 11:25 escondido estas cosas de los s.
1Co 1:25 cosa necia de Dios es más s. que
Ef 5:15 no como imprudentes, sino como s.
2Ti 3:15 escritos, que pueden hacerte s.
Job 35:11; Pr 1:5; 26:16; Lu 16:8; Ro 1:22.
SACADO, Gál 4:15 se habrían s. los ojos
SACADO POR FUERZA, 2Co 9:5 no algo s.
SACAR, Jue 16:21 le s. los ojos
Éx 12:21; Pr 20:5.

SACAR CONCLUSIONES, Lu 2:19 María iba **s.**
SACERDOCIO, Éx 40:15 como **s.** hasta tiempo
  Heb 7:24 tiene su **s.** sin sucesores
  1Pe 2:5 s. ofrecer sacrificios espirituales
  1Pe 2:9 un **s.** real, una nación santa
  Nú 25:13; Jos 18:7; Ne 13:29; Heb 7:11.
SACERDOTE(S), Gé 14:18 Melquisedec **s.** del
  Éx 40:13 Aarón, hacerme trabajo de **s.**
  Sl 110:4 ¡Tú eres **s.** hasta tiempo indefinido
  Isa 28:7 S. y profeta... se han descarriado
  Miq 3:11 sus **s.** instruyen solo por precio
  Heb 3:1 apóstol y sumo **s.:** Jesús
  Rev 20:6 s. de Dios y reinarán mil años
  1Sa 2:35; Zac 3:1; Jn 19:15; Heb 5:5; 9:25.
SACERDOTES PRACTICANTES DE MAGIA,
  Gé 41:8; Éx 7:11; 9:11; Da 1:20; 2:2; 4:7.
SACIAR, Hab 2:16 te **s.** de deshonra
SACO, Est 4:1; Sl 69:11; Rev 11:3.
SACRIFICAR, 1Co 10:20 s., a demonios **s.**
SACRIFICIO(S), 1Sa 15:22 obedecer mejor **s.**
  Sl 40:6 En **s.** y ofrenda no te deleitaste
  Sl 50:5 que celebraron mi pacto sobre **s.**
  Sl 51:17 **s.** para Dios espíritu quebrantado
  Pr 21:3 el juicio más preferible que el **s.**
  Jer 46:10 Jehová tiene un **s.** en la tierra
  Da 9:27 hará que cesen el **s.** y la ofrenda
  Os 6:6 me he deleitado, no en **s.**
  Mal 1:8 presentan un animal ciego para **s.**
  Mt 9:13 Quiero misericordia, y no **s.**
  Ro 12:1 presenten sus cuerpos como **s.** vivo
  Heb 10:1 nunca con los **s.** de año en año
  Heb 10:12 ofreció un solo **s.** por pecados
  Heb 10:26 no queda **s.** alguno por pecados
  Heb 13:15 ofrezcamos a Dios **s.** de alabanza
  1Pe 2:5 **s.** espirituales aceptos a Dios
  Eze 39:17; Sof 1:7; Ef 5:2.
SACRIFICIO(S) DE COMUNIÓN, Éx 20:24.
  Le 3:1 un **s.** de la vacada, un [animal] sano
SACUDIDO(S), Ne 5:13 quede **s.** y vacío
  Eze 21:21 Ha **s.** las flechas
  Mt 24:29 poderes de cielos **s.**
  Heb 12:28 un reino que no puede ser **s.**
SACUDIR(SE), 2Sa 22:8 tierra empezó a **s.**
  Ne 5:13 **s.** mi seno y entonces dije:
  Isa 52:2 S. y líbrate del polvo, levántate
  Mt 10:14 **s.** el polvo de los pies
  Hch 13:51 Estos **s.** el polvo de los pies
  Heb 12:26 su voz **s.** la tierra
  Job 34:20; Sl 18:7; Lu 6:48; 2Te 2:2.
SADOC, 2Sa 15:24; 1Cr 29:22; Eze 48:11.
SADRAC, Da 1:7; 2:49; 3:12-14, 28-30.
SADUCEOS, Mt 3:7; 22:23; Hch 23:6-8.
SAFIRA, Hch 5:1 Ananías, con S. su esposa
SAGACIDAD, Jos 9:4; Pr 1:4; 8:5, 12.
SAGAZ(CES), Pr 14:15 **s.** considera pasos
  Pr 15:5 que hace caso de la censura es **s.**
  Job 5:12; 15:5; Pr 12:23; 13:16; 14:8.
SAGRADAS DECLARACIONES FORMALES,
  Hch 7:38; Ro 3:2; Heb 5:12; 1Pe 4:11.
SAL, Gé 19:26 se convirtió en columna de **s.**
  Nú 18:19 Es un pacto de **s.** delante de Jehová
  Mt 5:13 Ustedes son la **s.** de la tierra
  Col 4:6 su habla sea sazonada con **s.**
  Le 2:13; 2Re 2:21; Job 6:6; Mr 9:50.
SALA DE CONFERENCIAS, Hch 19:9.
SALARIO, Gé 31:7 cambiado mi **s.** diez veces
  Ec 9:5 los no tienen conciencia, ni tienen más **s.**
  Zac 11:12 **s.,** treinta piezas de plata
  Lu 10:7 obrero es digno de su **s.**
  Ro 6:23 el **s.** que el pecado paga es muerte
  Snt 5:4 El **s.** que se debe a obreros que
  Le 19:13; Pr 11:18; Isa 49:4; Jer 22:13.
SALEM, Heb 7:2 S., es decir, Rey de Paz
  Gé 14:18; Sl 76:2.

SALIDA, 1Co 10:13 también dispondrá la **s.**
SALIR(SE), 2Co 6:17 s. de entre ellos
  Rev 18:4 S. de ella, pueblo mío
  Isa 52:11; Jer 51:45.
SALIR FULGUROSO, Ec 1:5 el sol ha **s.**
SALIVA, 1Sa 21:13 dejó correr la **s.** por la
SALMANASAR, 2Re 18:9 S. el rey de Asiria
SALMODIAR, 2Sa 1:17; 2Cr 35:25; Eze 27:32.
SALMOS, Lu 20:42; Ef 5:19; Snt 5:13.
SALOMÉ, Mr 15:40; 16:1.
SALOMÓN, 1Re 11:9 Jehová enojado con S.
  1Cr 29:23 S. empezó a sentarse sobre el trono
  2Cr 3:1 S. comenzó a edificar la casa de
  Mt 6:29 ni siquiera S. en toda su gloria
  Mt 12:42 algo más que S. está aquí
  1Re 4:29; 1Cr 22:9; Ne 13:26; Hch 7:47.
SALTAMONTES, Nú 13:33; Isa 40:22.
SALTAR, Hab 3:6 hizo que las naciones **s.**
  Lu 6:23 Regocíjense y **s.,** porque su galardón
SALTEADORES, Mt 21:13 la hacen cueva de **s.**
  Mr 15:27 con él fijaron en maderos a dos **s.**
  Jer 7:11; Lu 10:30.
SALUD, Pr 4:22 vida y **s.** a toda su carne
  Jer 33:6 Aquí voy a hacer subir **s.**
  Hch 15:29 absteniéndose de sangre. ¡Buena **s.**
SALUDO, 1Co 16:21 Aquí está mi **s.**
  2Jn 10 reciban en casa ni le digan un **s.**
SALVACIÓN, 2Re 13:17 ¡La flecha de **s.** de
  2Cr 20:17 vean la **s.** de Jehová
  Sl 3:8 **s.** pertenece a Jehová
  Sl 13:5 gozoso mi corazón en tu **s.**
  Sl 33:17 caballo es un engaño para la **s.**
  Sl 44:4 Ordena magnífica **s.** para Jacob
  Sl 85:9 **s.** está cerca de los que le temen
  Sl 116:13 La copa de magnífica **s.**
  Sl 119:155 **s.** está lejos de los inicuos
  Sl 149:4 Hermosea a los mansos con **s.**
  Pr 11:14 **s.** en la multitud de consejeros
  Pr 21:31 batalla, pero **s.** pertenece a Jehová
  Isa 12:3 agua de los manantiales de **s.**
  Isa 26:1 Él pone la **s.** por muros y antemural
  Isa 49:8 en día de **s.** te he ayudado
  Isa 52:7 los pies del que publica **s.**
  Isa 60:18 llamarás tus muros: S.
  Isa 61:10 vestido con prendas de **s.**
  Hab 3:18 gozoso en el Dios de mi **s.**
  Lu 1:69 levantado un cuerno de **s.**
  Lu 1:77 **s.** por el perdón de sus pecados
  Jn 4:22 **s.** se origina de los judíos
  Hch 4:12 no hay **s.** en ningún otro
  Ro 10:10 declaración pública para **s.**
  Ro 13:11 más cerca nuestra **s.** que
  2Co 6:2 en día de **s.** te ayudé
  2Co 7:10 tristeza arrepentimiento para **s.**
  Ef 6:17 acepten el yelmo de la **s.**
  Flp 2:12 sigan obrando su propia **s.**
  2Ti 3:15 pueden hacerte sabio para **s.**
  Heb 2:3 escaparemos si hemos descuidado **s.**
  Heb 2:10 Agente Principal de su **s.**
  Heb 5:9 **s.** eterna para los que obedecen
  Jud 3 **s.** que tenemos en común
  Rev 7:10 S. se la debemos a nuestro Dios
  Rev 12:10 ¡Ahora han acontecido la **s.**
  Isa 26:18; 45:17; Ro 1:16; Heb 9:28.
SALVADO(S), Jer 8:20 no hemos sido **s.!**
  1Co 1:18 los que estamos siendo **s.,** es
  1Co 5:5 que el espíritu sea **s.** en el día
  2Co 2:15 olor de Cristo entre los **s.**
  Ef 2:8 ustedes han sido **s.** mediante fe
  Sl 18:3; Isa 45:17; Jer 30:7.
SALVADOR(ES), Jue 3:15 levantó un **s.**
  2Sa 22:3 mi lugar adonde huir, mi S.
  Ne 9:27 con misericordia les dabas **s.**
  Sl 68:20 un Dios de hechos **s.**

Isa 43:11 fuera de mí no hay **s.**
Isa 49:26 yo, Jehová, soy tu **S.**
Abd 21 **s.** subirán al monte Sión
Lu 2:11 les ha nacido hoy un **S.**
Hch 5:31 este, como Agente Principal y **S.**
1Ti 4:10 Dios vivo, que es **S.** de hombres
1Jn 4:14 Padre ha enviado a su Hijo como **S.**
Isa 19:20; Jer 14:8; Hch 13:23; 2Ti 1:10.

SALVAGUARDAR, Sl 25:21 rectitud me **s.**
Sl 31:23 los fieles Jehová los está **s.**
Sl 34:13 **S.** tu lengua contra lo malo
Sl 40:11 bondad amorosa y verdad me **s.**
Pr 4:23 **s.** tu corazón, porque procedentes
Pr 16:17 El que está **s.** su camino
Isa 27:3; 49:8.

SALVAJE, Gé 1:24 bestia **s.** de la tierra

SALVAR(SE), 1Sa 14:6 Jehová **s.** por muchos o
1Sa 17:47 ni con lanza **s.** Jehová
Sl 20:6 Jehová **s.** a su ungido
Sl 34:18 **s.** a los aplastados en espíritu
Sl 69:35 Porque Dios **s.** a Sión y edificará
Isa 59:1 mano no acortado que no pueda **s.**
Isa 63:1 Aquel que abunda en poder para **s.**
Eze 34:22 ciertamente **s.** a mis ovejas
Mt 16:25 el que quiera **s.** su alma
Mt 24:22 acortaran días, ninguna carne se **s.**
Lu 2:30 mis ojos han visto tu medio de **s.**
Lu 3:6 toda carne verá el medio de **s.**
Lu 19:10 Hijo del hombre vino a buscar y **s.**
Jn 3:17 el mundo se **s.** por medio de él
1Co 10:33 no mi ventaja, sino para que se **s.**
1Ti 1:15 Jesús vino para **s.** a pecadores
1Ti 2:4 hombres de toda clase se **s.**
Heb 7:25 él puede **s.** completamente
Snt 2:14 Esa fe no puede **s.**, ¿verdad?
Snt 4:12 el que puede **s.** y destruir
Snt 5:20 **s.** su alma de la muerte
1Pe 3:21 Lo que corresponde a esto está **s.**
1Pe 4:18 el justo con dificultad se **s.**
Jos 10:6; 2Re 19:34; Sl 106:8; Isa 37:20;
43:12; Jer 2:27; 1Ti 4:16; Tit 3:5; Jud 23.

SALVO(S), Sl 12:5 Lo pondré en **s.**
Mt 10:22 aguantado hasta fin será **s.**
Hch 4:12 mediante cual tengamos que ser **s.**
Ro 10:9 en tu corazón ejerces fe serás **s.**
Ro 10:13 invoque nombre de Jehová será **s.**
Isa 45:22; Mt 19:25; Lu 8:12; Hch 28:1, 4.

SAMARIA, 1Re 16:24 la montaña de **S.**
Os 8:6 becerro de **S.** llegará a ser astillas
Am 8:14 que juran por la culpabilidad de **S.**
2Re 6:20; Isa 10:11; Jer 23:13; Os 13:16.

SAMARITANO(A), Lu 10:33 Pero cierto **s.**
Jn 4:9 Porque judíos no se tratan con **s.**
2Re 17:29; Mt 10:5; Lu 17:16; Hch 8:25.

SAMUEL, 1Sa 1:20 llamarlo por nombre **S.**
1Sa 8:7 **S.**: no es a ti a quien han rechazado
1Sa 15:28 dijo **S.**: Jehová ha arrancado
Jer 15:1 Si Moisés y **S.** delante de mí
1Sa 2:18; 3:1; 15:22; Sl 99:6; Heb 11:32.

SANADO(DA), Mt 8:13 criado fue **s.** en
Heb 12:13 para que lo cojo sea **s.**
1Pe 2:24 por sus heridas fueron **s.**
Rev 13:3 pero su golpe de muerte fue **s.**
Jer 17:14; Eze 47:9; Rev 13:12.

SANADOR(ES), 2Cr 16:12; Jer 8:22.
Pr 17:22 corazón gozoso hace bien como **s.**

SANAR, Éx 15:26 Jehová, quien te **s.**
Sl 6:2 **S.**, oh Jehová, porque mis huesos
Isa 30:26 Jehová **s.** la grave herida
Jer 6:14 **s.** el quebranto de mi pueblo
Jer 33:6 los **s.** y les revelaré paz y verdad
Jer 51:9 Hubiéramos querido **s.** a Babilonia
Mt 13:15 se vuelvan, y yo los **s.**
Snt 5:15 oración **s.** al indispuesto
Dt 32:39; 2Cr 7:14; Sl 107:20; 147:3; Ec 3:3;

Isa 19:22; Jer 3:22; 17:14; 30:13, 17; Eze
34:4; Lu 9:11; Hch 10:38.

SANDALIA(S), Dt 25:9 quitarle la **s.** y
Jn 1:27 no soy digno de desatar su **s.**
Éx 3:5; Jos 5:15; Rut 4:7; Sl 60:8; Mr 6:9.

SANDÍAS, Nú 11:5 nos acordamos de las **s.**

SANEDRÍN, Mt 26:59; Lu 22:66; Hch 5:21.

SANGRE, Gé 9:4 su **s.**— no deben comer
Le 7:26 no deben comer ninguna **s.**
Le 17:11 el alma de la carne está en la **s.**
Le 17:13 derramar la **s.** y cubrirla con
Le 17:14 No deben comer la **s.** de ninguna
Nú 35:12 refugio del vengador de la **s.**
Nú 35:33 la **s.** es lo que corrompe la tierra
1Cr 11:19 ¿La **s.** de estos debería beber
Jer 2:34 en tus faldas las marcas de **s.**
Mt 26:28 esto significa mi **s.** del pacto
Jn 6:54 bebe mi **s.** tiene vida eterna
Hch 15:20 que se abstengan de la **s.**
Hch 15:29 que sigan absteniéndose de **s.**
1Co 15:50 carne y **s.** no pueden heredar
Heb 9:22 a menos que se derrame **s.** no se
1Jn 1:7 **s.** de Jesús nos limpia de pecado
Rev 18:24 en ella se halló la **s.** de
Gé 4:10; Pr 6:17; Eze 3:18; Mt 23:35; 27:25;
Hch 20:28; Heb 9:20; Rev 7:14; 14:20.

SANGUIJUELAS, Pr 30:15 **s.** tienen dos hijas

SANGUINARIOS, Pr 29:10 hombres **s.** odian

SANO(NA), Éx 12:5 oveja debe resultar **s.**
Éx 29:1 y dos carneros, **s.**
1Pe 4:7 Sean de juicio **s.**, y vigilantes

SANSÓN, Jue 15:16 **S.**: ¡Con la quijada de
Jue 16:30 **S.**: Muera mi alma con los filisteos
Heb 11:32 si sigo contando de Barac, de **S.**
Jue 13:24; 14:1, 5.

SANTAS MIRÍADAS, Dt 33:2 con él **s.**
Jud 14 Jehová vino con sus **s.**

SANTIAGO 1., Mt 4:21; Mr 10:35; Lu 6:14.
SANTIAGO 2., Mt 10:3; Mr 15:40; Lu 24:10.
SANTIAGO 3., Mt 13:55; 1Co 15:7; Snt 1:1.

SANTIDAD, Éx 15:11 poderoso en **s.**
Isa 35:8 será llamada el Camino de la **S.**
Ro 6:19 esclavos a justicia con **s.** en mira
2Co 7:1 perfeccionando **s.** en temor de Dios
1Te 3:13 inculpables en **s.** delante de Dios
Sl 89:35; 93:5; Isa 65:5; Heb 12:10.

SANTIDAD PERTENECE A JEHOVÁ,
Éx 28:36; 39:30; Zac 14:20.

SANTIFICACIÓN, 1Co 1:30 son nuestro **s.**
1Te 4:3 voluntad de Dios: la **s.** de ustedes
1Te 4:4 tomar posesión de su vaso en **s.**
1Te 4:7 Dios nos llamó, con relación a **s.**
1Ti 2:15 continúen en fe y amor y **s.**
Heb 12:14 Sigan tras la paz y **s.** sin la cual
1Pe 1:2 con **s.** por el espíritu, con el

SANTIFICADO(S), 1Re 9:3 He **s.** esta casa
Isa 33:3 le dado la orden a mis **s.**
Sof 1:7 ha **s.** a sus invitados
Lu 11:2 Padre, **s.** sea tu nombre
1Co 6:11 ustedes han sido lavados, **s.**
1Co 7:14 esposo incrédulo **s.** con relación
2Ti 2:21 vaso para propósito honroso, **s.**
Heb 2:11 que están siendo **s.**, todos emanan
Heb 10:10 **s.** mediante el ofrecimiento
Le 22:32; Eze 20:41; 1Co 1:2.

SANTIFICAR(SE), Jos 3:5 **S.**, porque mañana
2Cr 7:16 **s.** esta casa para que mi nombre
Isa 5:16 Dios, se **s.** mediante la justicia
Isa 29:23 **s.** mi nombre, y al Santo de Jacob
Jer 1:5 te **s.** Profeta a las naciones
Eze 36:23 ciertamente **s.** mi gran nombre
Eze 38:16 cuando me **s.** en ti, oh Gog
Joe 3:9 ¡**S.** guerra! ¡Despierten a poderosos!
Jn 17:17 **S.** por medio de la verdad
Jn 17:19 Y me **s.** a favor de ellos

2Te 2:13 al **s.** con espíritu y por su fe
Heb 13:12 Jesús **s.** al pueblo con su sangre
1Pe 3:15 **s.** al Cristo en su corazón
Éx 13:2; 29:44; Nú 3:13; Dt 32:51; Jer 51:27;
   Eze 37:28; Ef 5:26; 1Ti 4:5.
SANTO(TA), Éx 26:33 el **S.** y el Santísimo
   Le 10:10 hacer distinción entre cosa **s.** y
   Da 7:18 los **s.** recibirán el reino
   Da 7:25 hostigará continuamente a los **s.**
   Da 7:27 los **s.** del Supremo
   Hch 26:10 los **s.** encerré en prisiones
   Ro 12:13 Compartan con los **s.** según las
   1Co 3:17 el templo de Dios es **s.**, ustedes
   1Co 6:2 los **s.** juzgarán al mundo?
   Ef 1:4 que fuéramos **s.** y sin tacha
   Ef 3:8 el más pequeño de todos los **s.**
   Ef 4:12 reajuste de los **s.**, para obra
   2Ti 3:15 has conocido los **s.** escritos
   Rev 4:8 **S.**, **s.**, **s.** es Jehová
   Rev 11:18 tiempo para dar galardón a los **s.**
   Rev 17:6 borracha con la sangre de los **s.**
   Éx 3:5; Sl 2:6; Isa 52:10; Da 4:17; 7:21, 22;
   Mt 24:15; 27:52; Ro 7:12; Rev 13:7; 18:24.
SANTUARIO(S), Éx 26:33 hacerme un **s.**
   Le 19:30 abrigar respetuoso temor a mi **s.**
   1Cr 28:10 Jehová ha escogido edificar un **s.**
   Eze 28:18 has profanado tus **s.**
   Eze 37:26 colocaré mi **s.** en medio de ellos
   Da 11:31 profanarán el **s.**, la plaza fuerte
   Mt 27:51 cortina del **s.** se rasgó en dos
   Le 26:31; Sl 78:69; Rev 15:8; 16:17.
SAQUEADORES, 1Cr 10:38 son ladrones y **s.**
   Hch 19:37 ni **s.** de templos ni
SAQUEAR, Gé 34:27; Dt 20:14; 2Cr 20:25.
SAQUEO, Eze 34:28 no algo para **s.**
   Isa 42:22; Da 11:33; Heb 10:34.
SARA, Gé 17:15 porque su nombre es **S.**
   Gé 17:19 **S.** tu esposa te va a dar un hijo
   Gé 21:2 **S.** encinta y le dio a luz un hijo
   Heb 11:11 Por fe **S.** recibió poder para
   1Pe 3:6 **S.** obedecía a Abrahán, llamándolo
   Gé 25:10; Isa 51:2; Ro 9:9.
SARMIENTO(S), Jn 15:2, 4, 6.
SARÓN, 1Cr 5:16 todas las dehesas de **S.**
   1Cr 27:29; Isa 33:9; 35:2; 65:10.
SATANÁS, 1Cr 21:1 **S.** incitar a David
   Job 1:6 **S.** procedió a entrar entre ellos
   Job 2:2 **S.** respondió a Jehová y dijo: De
   Zac 3:1 **S.** a su derecha para resistencia
   Mt 12:26 si **S.** expulsa a **S.**, ha llegado a
   Mt 16:23 ¡Ponte detrás de mí, **S.**!
   Mr 1:13 cuarenta días, y fue tentado por **S.**
   Lu 10:18 Contemplaba a **S.** ya caído
   Lu 22:3 **S.** entró en Judas, que estaba
   Ro 16:20 Dios aplastará a **S.** bajo los pies
   1Co 5:5 entregar a tal hombre a **S.**
   2Co 2:11 no seamos alcanzados por **S.**
   2Co 11:14 **S.** sigue transformándose en
   2Co 12:7 espina en la carne, un ángel de **S.**
   1Te 2:18 pero **S.** nos cortó el camino
   Rev 2:9 son una sinagoga de **S.**
   Rev 12:9 serpiente, llamado Diablo y **S.**
   Rev 20:2 **S.**, y lo ató por mil años
   Rev 20:7 **S.** será soltado de su prisión
   Mt 4:10; Mr 4:15; Hch 26:18; 2Te 2:9.
SATISFACCIÓN, 1Ti 5:6 **s.** sensual
SATISFACER(SE), Sl 91:16 Con días lo **s.**
   Sl 145:16 Estás **s.** el deseo de toda cosa
   Pr 27:20 tampoco se **s.** los ojos del hombre
   Pr 30:15 tres cosas que no se **s.**
   Miq 6:14 comerás y no te **s.**
   Job 38:39; Isa 58:10; Eze 7:19; 32:4.
SATISFACTORIO, Le 10:19 **s.** a los ojos de
SATISFECHO(CHA), Sl 17:15 **s.** despierte
   Sl 22:26 mansos comerán y quedarán **s.**
   Sl 37:19 en días de hambre quedarán **s.**

Pr 13:25 come hasta que su alma queda **s.**
Jer 31:14 mi pueblo quedará **s.**
Joe 2:26 comerán, quedando **s.**
Sl 107:9; Pr 19:23; Joe 2:19.
SÁTRAPAS, Esd 8:36; Est 8:9; Da 3:2, 3, 27.
SATURADO, Isa 43:24; Lam 3:15.
SAUCE, Eze 17:5 Cómo **s.** al lado de aguas
SAÚL, 1Sa 9:17 Y Samuel mismo vio a **S.**
   1Sa 10:11 está **S.** entre los profetas?
   1Sa 13:1 **S.** tenía [?] años de edad cuando
   1Sa 15:26 Samuel a **S.**: No volveré contigo
   1Sa 16:14 espíritu de Jehová se apartó de **S.**
   1Sa 18:12 a **S.** le dio miedo de David
   1Sa 31:4 **S.** dijo a su escudero: Desenvaina
   2Sa 1:17 David a salmodiar sobre **S.**
   1Cr 10:13 murió **S.** por su infidelidad
   1Sa 24:7; 26:2; 28:7; Hch 13:21.
SAULO, Hch 7:58 prendas a los pies de **S.**
   Hch 8:1 **S.** aprobaba el asesinato de él
   Hch 9:4 **S.**, ¿por qué me estás persiguiendo?
   Hch 13:9 **S.**, que también es Pablo
   Hch 9:1; 11:25; 12:25; 13:1; 22:7; 26:14.
SAZONES, Da 2:21 cambia tiempos y **s.**
   Hch 1:7 tiempos o **s.** que Padre ha colocado
   Gál 4:10 observando días y meses y **s.**
   1Te 5:1 en cuanto a los tiempos y a las **s.**
SCHIBOLET, Jue 12:6 Por favor, di **S.**
SEALTIEL, 1Cr 3:17; Esd 3:2; Mt 1:12.
SEAR-JASUB, Isa 7:3 Sal, tú y **S.** tu hijo
SEBA, 2Re 10:1; 20:9; Eze 27:22.
SEBNÁ, Isa 22:15; 36:3, 22; 37:2.
SEBNAH, 2Re 18:18 **S.** el secretario
SEBO, Le 1:8, 12 **s.** sobre el fuego del altar
SECADO, Gé 8:13 se habían **s.** las aguas
SECO(CA), Gé 1:9 se reúnan y aparezca lo **s.**
   Isa 19:5 el río se pondrá **s.**
   Mr 3:3 hombre que tenía la mano **s.**
SECRETARIO(S), 2Re 12:10; Est 3:12; Isa
   33:18; Jer 52:25; Eze 9:2.
SECRETO(TA). Véase también SECRETO(S)
   SAGRADO(S).
   Sl 44:21 enterado de los **s.** del corazón
   Sl 91:1 lugar **s.** del Altísimo
   Da 2:28 Dios es un Revelador de **s.**
   Mt 6:6 ora a tu Padre que está en lo **s.**
   1Co 14:25 **s.** de su corazón manifiestos
   Jue 3:19; Job 14:13; Da 2:30; Ro 2:16.
SECRETO, EN, Dt 13:6; 1Sa 19:2; Job 13:10; Pr
   9:17; Mt 6:4; Ef 5:12.
   Pr 21:14 dádiva hecha **e.** aplaca la cólera
   Jn 18:20 no hablé nada **e.**
SECRETO(S) SAGRADO(S), Mt 13:11; Mr
   4:11; Ro 11:25; Ef 3:3, 4; Col 4:3; Rev 1:20.
   Ro 16:25 **s.** que ha sido guardado en
   1Co 4:1 mayordomos de los **s.** de Dios
   1Co 13:2 estoy enterado de todos los **s.**
   1Co 14:2 él habla **s.** por el espíritu
   1Co 15:51 Les digo un **s.**: No todos nos
   Ef 1:9 dio a conocer el **s.** de su voluntad
   Col 1:26 el **s.** que fue escondido
   1Ti 3:16 el **s.** de esta devoción piadosa
   Rev 10:7 el **s.** de Dios, que declaró a sus
SECTA(S). Véase también DIVISIÓN(ES).
   Hch 24:5 **s.** de los nazarenos
   Hch 24:14 el camino que ellos llaman **s.**
   Hch 26:5 **s.** más estricta de nuestra forma
   1Co 11:19 tiene que haber **s.** entre ustedes
   Tit 3:10 al que promueve una **s.**, recházalo
   2Pe 2:1 introducirán calladamente **s.**
   Hch 5:17; 15:5; 28:22; Gál 5:20.
SECTAS DESTRUCTIVAS, 2Pe 2:1.
SECUESTRADORES, 1Ti 1:10.
SECUESTRAR, Gé 40:15 fui **s.** de la tierra
   Dt 24:7 se halle a un hombre **s.** a un alma
SED, Isa 49:10 hambre, ni padecerán **s.**
   Isa 65:13 ustedes mismos padecerán **s.**

Am 8:11 un hambre, y una s., no de agua
Mt 5:6 hambre y s. de justicia
Mt 25:44 ¿cuándo te vimos con s.
Jn 7:37 alguien tiene s., venga a mí
Rev 7:16 no tendrán hambre ni más s.
Rev 21:6 A cualquiera que tiene s. le daré
Rev 22:17 cualquiera que tenga s., venga
SEDEQUÍAS, 2Re 24:17; Jer 39:2; 52:11.
SEDICIÓN(ES), Lu 23:19 en prisión por s.
Hch 21:38 promovió una s. y condujo
Hch 24:5 pestilente y que promueve s.
SEDICIOSOS, Mr 15:7 en cadenas con s.
SEDIENTOS, Isa 55:1 ¡Oigan, todos los s.!
SEDIMENTO, Sl 40:2 desde el cieno del s.
SEDUCIR(SE), Éx 22:16 hombre s. a virgen
Job 31:27 mi corazón empezó a ser s.
Pr 7:21 Por la suavidad de sus labios lo s.
Ro 7:11 el pecado, me s., y me mató
Ro 16:18 con palabras melosas s.
1Co 3:18 nadie esté s. a sí mismo:
2Co 11:3 así como la serpiente s. a Eva
Pr 1:10; 16:29; 2Te 2:3.
SEFELÁ, Dt 1:7 región montañosa y la **S.**
SEGADOR(ES), Sl 129:7 s. no ha llenado
Mt 13:39 los s. son los ángeles
Jn 4:36 el s. está recibiendo salario
SEGAR, Ec 11:4 mirando las nubes no s.
Os 8:7 viento de tempestad es lo que s.
Miq 6:15 sembrarás, pero no s.
2Co 9:6 siembra parcamente también s.
Gál 6:7 cosa que hombre esté sembrando,
Gál 6:9 s. si no nos cansamos
Rev 14:15 Pon dentro tu hoz y s.
Mt 6:26; Lu 12:24; Jn 4:38; 1Co 9:11.
SEGLAR, 1Co 9:6 dejar de hacer trabajo s.?
SEGUIMIENTO, Jue 8:4 continuando el s.
SEGUIR, 1Re 18:21 Si es Dios, vayan s.
Mt 10:38 madero de tormento y s. en pos
Mt 19:28 ustedes que me han s. se sentarán
Jn 8:12 El que me s., de ninguna manera
1Co 14:1 S. tras el amor; sin embargo
1Pe 2:21 dechado para que s. sus pasos
Rev 19:14 le s. en caballos blancos
Sl 83:15; Jer 29:18; Mt 4:20; 16:24; Jn 10:5,
27; 1Co 10:4; 1Ti 4:6; 5:10; 2Pe 2:2.
SEGUIR TRAS, Pr 15:9 al que s. la justicia
Ro 9:30 naciones, aunque no s. la justicia
Ro 14:19 s. las cosas que contribuyen
1Pe 3:11 busque la paz y s. ella
SEGURIDAD, Sl 4:8 me haces morar en s.
Pr 1:33 al que me escucha, él residirá en s.
Pr 3:23 andarás con s. por tu camino
Col 2:2 plena s. de su entendimiento
1Te 5:3 estén diciendo: ¡Paz y s.!
Heb 6:11 plena s. de la esperanza
Le 25:18; Dt 33:28; Isa 14:30; Hch 27:34; 2Co
9:4; Flp 3:1; Heb 10:22.
SEGURO(RA), Heb 11:1 Fe la expectativa s.
2Pe 1:10 hacer s. llamamiento
2Pe 1:19 palabra profética hecha más s.
Isa 28:16; Heb 6:19.
SEÍR, Gé 36:8 Esaú se puso a morar en **S.**
2Cr 20:23 acabaron con los habitantes de **S.**
Nú 24:18; Jos 24:4; Eze 25:8; 35:15.
SEISCIENTOS SESENTA Y SEIS, Rev 13:18.
SELECCIÓN, Ro 11:5 según una s.
2Pe 1:10 hacer seguros su llamamiento y s.
Ro 9:11; 11:28.
SELECCIONAR, 2Te 2:13 Dios los s. desde
SELECTA, Jer 2:21 plantado como vid s.
SELLADO(DA), Isa 29:11 No puedo, está s.
Da 12:9 s. hasta el tiempo del fin
Ef 4:30 s. para un día de liberación
Rev 7:4 s., ciento cuarenta y cuatro mil
Ef 1:13; Rev 5:1; 7:3.

SELLAR, Da 12:4 Daniel, s. el libro
Rev 22:10 No s. las palabras de la profecía
SELLO(S), Isa 8:16 s. alrededor de la ley
Da 9:24 imprimir un s. sobre visión y
Jn 3:33 puesto su s. a esto: Dios es veraz
Jn 6:27 Dios, ha puesto su s. de aprobación
2Co 1:22 puesto su s. sobre nosotros y la
2Ti 2:19 y tiene este s.: Jehová conoce
Job 38:14; Can 8:6; Ro 4:11; Rev 5:1; 7:2.
SEM, Gé 5:32; 9:26; 11:10; Lu 3:36.
SEMANA(S), Éx 34:22 tu fiesta de las s.
Da 9:27 mitad de la s. hará que cesen
Gé 29:27, 28; Dt 16:9, 10, 16; Da 9:24-26.
SEMBLANTE, Gé 4:5; Dt 28:50.
SEMBRADAS, Eze 36:9 serán cultivadas y s.
SEMBRADOR, Mt 13:37 s. de semilla excelente
Jn 4:36 que s. y segador se regocijen juntos
SEMBRAR, Sl 126:5 Los que s. con lágrimas
Pr 11:18 el que s. justicia, sueldo verdadero
Os 8:7 es viento lo que siguen s.
Miq 6:15 s., pero no segarás
Mt 6:26 porque ellas no s.
Mt 13:20 que se s. sobre los pedregales
Lu 8:5 Un sembrador salió a s. semilla
1Co 15:44 Se s. cuerpo físico, se levanta
2Co 9:6 el que s. parcamente, segará
Gál 6:7 cualquier cosa que esté s., segará
Snt 3:18 fruto de justicia se s.
Ec 11:4; Os 10:12; Ag 1:6; Lu 19:22.
SEMEJANTE, Éx 20:16; 2Sa 12:11.
SEMEJANZA, Gé 1:26 hombre según nuestra s.
Ro 6:5 unidos en la s. de su muerte
Flp 2:7 llegó a estar en la s. de hombres
Isa 40:18; Da 10:16; Ro 8:3.
SEMEN, Le 15:16, 32; 18:20.
SEMILLA(S), Gé 1:11 cuya s. esté en él
Mt 13:38 s. excelente, estos son hijos
Lu 8:11 La s. es la palabra de Dios
1Co 15:38 a cada s. su propio cuerpo
SEMPITERNO(NAS), Ro 1:20 poder s. y
Jud 6 ha reservado con cadenas s.
SENAQUERIB, 2Re 18:13 S. el rey de
2Re 19:16, 20; 2Cr 32:1, 10, 22; Isa 37:21.
SENDA(S), Sl 16:11 conocer s. de la vida
Pr 4:18 la s. de los justos es como la luz
Isa 2:3 ciertamente andaremos en sus s.
Joe 2:7 y no alteran sus s.
Heb 12:13 sigan haciendo s. rectas
Sl 25:10; Pr 3:6; Isa 3:12; 26:7; Miq 4:2.
SENDEROS, Jue 5:6 no tránsito en los s.
Sl 23:3 Me guía por los s. trillados de
SENO, Lu 16:22; Jn 1:18; 13:23.
SENSACIÓN DE HORMIGUEO, Sl 119:120.
SENSATA, Pr 26:16 den respuesta s.
SENSATEZ, Pr 11:22 apartándose de la s.
SENSIBILIDADES, Ro 11:7 embotadas las s.
SENSUAL, Snt 5:5 se han dado al placer s.
Eze 23:11; 1Ti 5:6; Snt 4:1.
SENTADO(DA), Isa 42:7 s. en oscuridad
Rev 5:13; 7:10; 17:15.
SENTAR(SE), Isa 28:6; Mt 25:31.
Sl 1:1 en asiento de burladores no se ha s.
Sl 2:4 El que se s. en los cielos
Sl 29:10 Jehová se s. como rey
Sl 110:1 S. a mi diestra hasta que
Miq 4:4 se s., debajo de su vid y su higuera
Mt 19:28 ustedes se s. sobre doce tronos
Ef 2:6 nos s. en lugares celestiales
Rev 3:21 le concederé s. en mi trono
SENTENCIA, Ec 8:11 s. no se ha ejecutado
Lu 23:24 Pilato dictó s. de que se satisficiera
2Co 1:9 que habíamos recibido s. de muerte
SENTIDO, Ef 1:8; 4:19.
Da 2:14 Daniel se dirigió con buen s.
Mt 13:14 de ningún modo captarán el s. de

Ro 7:6 esclavos en un **s.** nuevo por el
Col 3:22 obedientes a amos en **s.** carnal
SENTIR PESAR, Éx 32:14 Jehová empezó a **s.**
Jue 21:6 Israel empezaron a **s.** de Benjamín
Zac 1:17 Jehová **s.** en cuanto a Sión
SENTIRSE APENADO, Dt 7:16 ojo no debe **s.**
Eze 9:5 No **s.** su ojo, ni sientan compasión
SEÑAL(ES), Éx 8:23 Mañana esta **s.**
Dt 6:8 atarlas como **s.** sobre tu mano
Dt 6:22 Jehová poniendo **s.** sobre Egipto
Isa 7:14 dará una **s.**: ¡Miren! La doncella
Isa 8:18 Yo y los hijos somos como **s.** y
Isa 11:10 **s.** enhiesta para los pueblos
Isa 19:20 para **s.** y para testimonio
Isa 49:22 a los pueblos alzaré mi **s.**
Isa 62:10 Levanten una **s.** para los pueblos
Jer 50:2 alcen una **s.**; publíquenlo
Da 4:3 ¡Cuán grandes sus **s.**, y poderosas
Mt 12:39 generación buscando **s.**, mas no **s.**
Mt 16:3 **s.** de tiempos no pueden interpretar
Mt 24:3 qué será la **s.** de tu presencia
Lu 11:29 no se dará **s.** sino la **s.** de Jonás
Lu 21:25 habrá **s.** en el sol y en la luna
Lu 23:8 Herodes esperaba ver alguna **s.**
Jn 7:31 no ejecutará más **s.** que este hombre
Hch 2:19 **s.** en tierra abajo, sangre y fuego
1Co 11:10 mujer tener una **s.** de autoridad
Rev 12:1 se vio en el cielo una gran **s.**
Rev 15:1 vi en el cielo otra **s.**
Rev 16:14 por demonios, y ejecutan **s.**
Gé 1:14; Nú 21:8; Isa 5:26; 13:2; 18:3; 31:9;
     44:25; Jer 4:6, 21; 51:12, 27; Jn 11:47; 20:30;
     Hch 4:16; 8:13; 1Co 1:22; 2Te 2:9.
SEÑALADO(DA), Jos 20:9 las ciudades **s.**
2Te 3:14 mantengan a este **s.**, dejen de
Jud 4 **s.** por las Escrituras a este juicio
Da 11:27, 35; Hch 17:26.
SEÑALADOR DE FALTAS, Job 40:2.
SEÑALADOR DE TAREAS, Zac 9:8 ya no un **s.**
SEÑAL DE ALARMA, Jer 49:2; Am 1:14; 2:2.
SEÑOR(ES), Dt 10:17 Jehová es **S.** de **s.**
Sl 110:1 expresión de Jehová a mi **S.** es:
Mal 3:1 el **S.**, a quien ustedes buscan
Mt 7:22 **S., S.,** ¿no profetizamos en tu
Mt 10:24 ni el esclavo superior a su **S.**
Mt 11:25 Te alabo, **S.** del cielo
Jn 20:18 ¡He visto al **S.!**
Jn 20:28 le dijo: ¡Mi **S.** y mi Dios!
1Co 7:39 libre para casarse, pero en el **S.**
1Co 8:5 hay muchos dioses y muchos **s.**
Ef 4:5 un **S.**, una fe, un bautismo
1Ti 6:15 **S.** de los que gobiernan como **s.**
1Pe 3:6 como Sara a Abrahán, llamándolo **s.**
Sl 136:3; Hch 17:24; 2Ti 2:24; Snt 2:1.
SEÑORES DEL EJE, Jos 13:3; Jue 3:3; 16:5.
SEÑORÍO(S), 2Pe 2:10 menosprecian el **s.**
Ef 1:21; Col 1:16; Jud 8.
SEÑOR SOBERANO, Sl 73:28 En el **S.** he
Jer 50:25 una obra que el **S.**, Jehová de los
Lu 2:29 **S.**, estás dejando que tu esclavo
Hch 4:24 **S.**, tú eres Aquel que hizo el cielo
Rev 6:10 ¡Hasta cuándo, **S.** santo y verdadero
Sl 109:21; 140:7; Isa 22:14; 28:22.
SEÑUELO, Jue 2:3 dioses servirán de **s.**
SEOL. Véase también HADES.
Gé 42:38 canas con desconsuelo al **S.**
1Sa 2:6 Jehová es Uno que hace bajar al **S.**
Job 7:9 el que va bajando al **S.** no subirá
Job 26:6 **S.** está desnudo enfrente de él
Sl 6:5 en el **S.**, ¿quién te elogiará?
Sl 9:17 gente inicua se volverá al **S.**
Sl 16:10 no dejarás mi alma en el **S.**
Sl 55:15 Desciendan vivos al **S.**
Sl 139:8 en el **S.**, tú estarías allí
Pr 15:24 para apartarse del **S.** allá abajo
Pr 27:20 El **S.** y el lugar de destrucción no se
Ec 9:10 ni conocimiento ni sabiduría en **S.**

Can 8:6 devoción tan inexorable como el **S.**
Isa 14:15 al **S.** se te hará bajar
Isa 28:15 con **S.** hemos efectuado visión
Isa 38:10 entraré por las puertas del **S.**
Isa 38:18 no es **S.** lo que puede elogiarte
Isa 57:9 bajaste los asuntos al **S.**
Eze 32:27 bajado al **S.** con armas de guerra?
Os 13:14 De la mano del **S.** los redimiré
Jon 2:2 Desde el vientre del **S.** grité
Dt 32:22; 2Sa 22:6; 1Re 2:6; Job 17:13; Sl
     49:15; Isa 5:14; 14:9, 11; Eze 32:21.
SEPARAR(SE), Nú 8:14 **s.** a los levitas
1Re 8:53 tú mismo los **s.** como herencia
Esd 10:11 **s.** de las esposas extranjeras
Mt 25:32 **s.** a la gente unos de otros
Hch 19:9 **s.** de ellos a los discípulos
Ro 8:35 ¿Quién nos **s.** del amor del Cristo?
Ro 8:39 **s.** del amor de Dios que está
2Co 6:17 **s.** y dejen de tocar cosa inmunda
Gál 1:15 **s.** de la matriz de mi madre
Ef 2:14 destruyó el muro que los **s.**
Mt 19:6; Mr 10:9.
SEPULCRO(S), Mt 23:27 **s.** blanqueados
Mt 23:29 edifican los **s.** de los profetas
Mt 27:61 María enfrente del **s.**
SEPULTADO(S), Hch 2:29 David fue **s.**
Ro 6:4 fuimos **s.** con él mediante bautismo
SEPULTURA(S), Sl 5:9 Su garganta es **s.**
Sl 88:11 declarará bondad amorosa en la **s.**
Isa 22:16 para que te hayas labrado una **s.**?
Isa 53:9 hará su **s.** con los inicuos
Isa 65:4; Jer 20:17; Eze 32:22; 37:12.
SÉQUITO, 2Cr 9:1 Seba con **s.** y camellos
SER, Heb 1:3 representación de su **s.**
SERAFINES, Isa 6:6 uno de los **s.** voló a mí
SER DIVINO, Flp 2:6 Aunque existía en forma de **s.** no semejante a oro
SERIEDAD, 1Ti 3:4 hijos en sujeción con **s.**
SERIO(RIA), 1Ti 3:8 siervos deben ser **s.**
Flp 4:8; 1Ti 3:11; Tit 2:2.
SERPIENTE(S), Gé 3:4 **s.** dijo a la mujer:
Gé 3:13 La **s.** me engañó, y comí
Éx 4:3 la arrojó y se convirtió en una **s.**
Nú 21:9 Moisés hizo una **s.** de cobre
2Re 18:4 trituró la **s.** de cobre que Moisés
Isa 65:25 **s.**, su alimento será polvo
Miq 7:17 Lamerán polvo como las **s.**
Mt 10:16 cautelosos como **s.**, inocentes como
Mt 23:33 **s.**, prole de víboras
Jn 3:14 como Moisés alzó **s.**, así ser el Hijo
Rev 12:9 arrojado el dragón, la **s.** original
Rev 20:2 prendió al dragón, la **s.** original
Gé 3:1; Sl 58:4; 2Co 11:3.
SERVICIO(S). Véase también SERVICIO
     SAGRADO.
Éx 12:25 tienen que guardar este **s.**
Nú 4:19 asignar a cada uno a su **s.** y carga
2Cr 7:6 sacerdotes en sus puestos de **s.**
2Cr 8:14 levitas en puestos de **s.**
Esd 8:20 netineos, a **s.** de los levitas
Mt 4:10 solo a él rendir **s.** sagrado
Jn 16:2 los mate se imaginará **s.** a Dios
Hch 27:23 a quien rindo **s.** sagrado
1Co 12:28 dones de curaciones; **s.** de ayuda
Rev 7:15 rindiendo **s.** sagrado día y noche
2Cr 31:2; 35:10; Eze 29:18; Ro 9:4.
SERVICIO MILITAR, Isa 40:2; Lu 3:14.
SERVICIO OBLIGATORIO, 1Re 11:28.
SERVICIO PÚBLICO, Heb 8:6 **s.** más admirable
Heb 10:11 de día en día para rendir **s.**
SERVICIO SAGRADO. También SERVICIO(S).
Mt 4:10 solo a Dios tienes que rendir **s.**
Ro 1:25 los que rindieron **s.** a la creación
Ro 9:4 la Ley y el **s.** y las promesas
Ro 12:1 presenten sus cuerpos un **s.**
Heb 12:28 rendir a Dios **s.** con temor y
SERVIDORES, Jn 18:36 mis **s.** habrían peleado

SERVIDUMBRE, Esd 9:9; 1Co 7:15.
SERVIR, Dt 7:16 no s. a sus dioses
Jos 24:15 escójanse a quién quieren s.
1Cr 28:9 y s. con corazón completo y
Sl 100:2 S. a Jehová con regocijo
Da 3:17 Dios a quien s. puede rescatarnos
Sof 3:9 para s. hombro a hombro
Ro 13:6 siervos que s. este mismo propósito
1Ti 3:13 hombres que s. excelentemente
2Ti 2:4 Ningún hombre que s. como soldado
Heb 1:14 espíritus enviados para s.
Heb 6:10 han s. y continúan s.
Éx 20:5; Sl 72:11; 106:36; Isa 60:12; Jer 27:6.
SERVIR AL AMO, Ef 6:6; Col 3:22.
SERVIR PARA NADA, Sl 18:4; Pr 6:12; 16:27; 19:28; Mt 25:30; Lu 17:10.
SET, Gé 4:25; 5:6-8; 1Cr 1:1; Lu 3:38.
SETENTA, Éx 1:5 llegaron a ser s. almas
Éx 24:1 Sube tú y s. de los ancianos
Nú 11:25 espíritu sobre cada uno de los s.
Isa 23:15 fin de s. años le sucederá a Tiro
Jer 25:11 servir a Babilonia s. años
Jer 29:10 cumplan s. años en Babilonia
Eze 8:11 s. hombres de edad madura con su
Da 9:2 devastaciones de Jerusalén, s. años
Da 9:24 s. semanas han sido determinadas
Zac 7:5 por s. años, ¿ayunaron realmente
Lu 10:1 designó a otros s. y los envió
Jue 9:56; Re 10:1; Jer 25:12.
SEVERA ESTRECHEZ, Isa 53:7 Estuvo en s.
SEVERAMENTE, Éx 10:2; 1Sa 6:6.
SEVERIDAD, Éx 8:1 s. de rostro cambiada
Ro 11:22 Para con los que cayeron hay s.
Tit 1:13 sigue censurándolos con s.
SEVERO(RA), Col 2:23 tratamiento s. del
2Sa 3:39; 19:43.
SÍ, Mt 5:37 signifique su S., S.
2Co 1:20 han llegado a ser S. mediante él
SICLO, Éx 30:13; Eze 45:12; Am 8:5.
SIDÓN, Eze 28:22 estoy contra ti, oh S.
Gé 10:19; Isa 23:4; Jer 47:4; Joe 3:4; Zac 9:2; Mt 11:21; Mr 3:8; Hch 27:3.
SIDONIOS, Hch 12:20 [Herodes] contra s.
SIEGA, Mt 13:39 La s. es conclusión de
Jn 4:35 miren campos, blancos para la s.
Pr 10:5; Jer 8:20; 51:33.
SIENES, Jue 4:21 clavó estaca en las s.
SIERVO(VA). Véase también ESCLAVO(VA).
Gé 16:1 Sarai tenía una s.
Sl 116:16 porque yo soy tu s.
Pr 30:23 s. cuando desposee a su ama
Isa 43:10 Ustedes son mis testigos, mi s.
Isa 49:3 Tú eres mi s., oh Israel
Isa 53:11 mi s. traerá una posición de justos
Isa 65:13 Mis s. comerán, pero ustedes
Isa 65:15 s. los llamará por otro nombre
Jer 25:9 aviso a Nabucodorosor, mi s.
Am 3:7 revelado su asunto a sus s.
Zac 3:8 voy a introducir a mi s. Brote!
Mt 12:18 ¡Mi s. a quien escogí
Hch 4:30 mediante el nombre de tu s. Jesús
Gé 12:16; Rut 2:13; Sl 123:2; Pr 11:29; Jer 7:25; Da 3:26.
SIERVO(S) PÚBLICO(S), Ro 13:6 s. de Dios
Ro 15:16 s. de Cristo a las naciones
Heb 8:2 s. del lugar santo y de la tienda
SIERVOS MINISTERIALES, Flp 1:1; 1Ti 3:8.
SIESTA, 2Sa 4:5 la-bóset durmiendo su s.
SIETE, Gé 7:4 s. días más hacer que llueva
Gé 41:27 las s. vacas flacas son s. años
1Re 6:38 le tomó s. años edificarla
Pr 26:16 que s. dan por respuesta sensata
Eze 39:9 tendrán que prender fuego s. años
Miq 5:5 levantar contra él s. pastores
Zac 3:9 Sobre esta piedra hay s. ojos
Rev 1:4 s. espíritus delante de su trono

Rev 1:20 s. estrellas y s. candelabros de oro
Rev 13:1 con diez cuernos y s. cabezas
Rev 15:6 los s. ángeles con s. plagas
Rev 17:10 s. reyes: cinco han caído
Isa 11:15; Zac 4:10; Hch 6:3; Rev 17:1.
SIETE TIEMPOS, Da 4:16 pasen s. sobre él
SIETE VECES, Le 16:19 salpicar s. con
Le 26:28 tendré que castigarlos s.
Jos 6:4 marchar alrededor de la ciudad s.
2Re 5:10 tienes que bañarte s. en el
Sl 12:6 dichos como plata clarificada s.
Sl 119:164 S. al día te he alabado
Pr 24:16 puede que el justo caiga s.
Mt 18:22 No s., sino: setenta y s.
Gé 33:3; 1Re 18:43; 2Re 4:35; Da 3:19.
SIGAN PONIÉNDOSE A PRUEBA, 2Co 13:5.
SIGNIFICADO, Mr 7:14; 8:21; Lu 8:10.
SIGNIFICAR, Heb 12:27 s. la remoción
SI JEHOVÁ QUIERE, 1Co 4:19 iré s.
Snt 4:15 S., viviremos y haremos
SILAS, Hch 15:22; 16:19; 17:4; 18:5.
SILBAR, Isa 5:26 le ha s. en la extremidad
Jer 50:13 quedará mirando pasmado y s.
Lam 2:15 s. y meneando la cabeza
Miq 6:16 algo de lo cual s.
Jer 18:16; 19:8; 25:9; 29:18; 51:37.
SILBIDO, 2Cr 29:8 pasmo y causa de s.
SILENCIO, Sl 37:7 Guarda s. delante de
Sl 115:17 ninguno que baja al s.
Jer 8:14 estemos en s. allí
Jer 49:26 hombres de guerra reducidos a s.
Hab 2:20 ¡Guarde s. delante de él, tierra!
Zac 2:13 Guarde s., toda carne, delante de
1Ti 2:11 Que la mujer aprenda con s.
Sl 30:12; 31:17; 39:2; 1Co 14:34; Rev 8:1.
SILENCIOSAMENTE, Isa 47:5 Siéntate s.
SILÓ, Gé 49:10 hasta que venga S.
1Sa 4:3 Tomémonos de S. el arca
Jer 26:6 esta casa sea como la de S.
Jos 18:1; Jue 18:31; Sl 78:60; Jer 26:9.
SILOAM, Lu 13:4; Jn 9:7, 11.
SILOÉ, Isa 8:6 ha rechazado aguas del S.
SILVESTRE, Ro 11:24 olivo que es s.
SIMA, Lu 16:26 s. entre nosotros y
SIMBÓLICO, Gál 4:24 quedan como drama s.
SÍMBOLO DE ARREPENTIMIENTO, Mr 1:4; Lu 3:3; Hch 19:4.
SÍMBOLO DE CELOS, Eze 8:3, 5.
SIMEÍ, 2Sa 16:5; 19:16; 1Re 2:8, 38, 44.
SIMEÓN, Gé 29:33; 42:24; 49:5; Éx 6:15.
SÍ MISMO(S), Lu 9:25 pero se pierda a s.
1Co 6:19 no se pertenecen a s.
2Ti 3:2 hombres serán amadores de s.
SIMÓN, Mt 4:18; 10:2; Mr 3:16.
SIMPLE, 2Sa 22:27 torcido actuarás como s.
Os 7:11 como paloma s. sin corazón
SIMPLICIDAD, Pr 9:13 Es la s. misma
SIMULACIÓN, Gál 2:13 en hacer esta s.
SIN 1., Éx 17:1; Nú 33:11.
Éx 16:1 Israel al desierto de S.
SIN 2., Eze 30:16 S. estará con dolores
SINAGOGA(S), Jn 18:20 enseñé en una s.
Rev 2:9 son una s. de Satanás
Rev 3:9 s. de Satanás, que dicen ser judíos
Mt 23:6; Hch 17:17; 18:26.
SINAÍ, Éx 19:20 descendió sobre monte S.
Éx 31:18 hablar con él en el monte S.
Éx 24:16; Ne 9:13; Sl 68:8; Hch 7:30, 38.
SINAR, Gé 10:10 Babel en la tierra de S.
Gé 11:2 descubrieron una llanura en S.
Isa 11:11; Da 1:2; Zac 5:11.
SIN AYUDA, 2Co 4:9 no se nos deja s.
SIN CASARSE, 1Co 7:11 permanezca s., que
SIN CASTIGO, Éx 20:7 Jehová no dejará s.
Jer 30:11; 49:12.

SINCERAMENTE, Job 33:3 sí profieren **s.**
SINCERIDAD, Hch 2:46 regocijo y **s.** de
1Co 5:8 tortas no fermentadas de **s.** y verdad
2Co 1:12 con santidad y **s.** piadosa
2Co 2:17 como movidos por **s.**, sí, como
Ef 6:5 con temblor en la **s.** de su corazón
Col 3:22 no agradar a hombres, sino con **s.**
Flp 2:15 resulten **s.** e inocentes
SIN CULPA, Job 2:3 un hombre **s.** y recto
Flp 2:15 resulten **s.** e inocentes
SIN ENGAÑO, Heb 7:26 leal, **s.**
SIN FE, Pr 14:14 es de corazón **s.**
SINGULAR, Eze 7:5 una calamidad **s.** viene
SIN HIPOCRESÍA, 1P 1:22 cariño **s.**
SIN HOGAR, 1Co 4:11 maltratados y **s.**
Lam 1:7; 3:19; 4:15.
SIN INTENCIÓN, Nú 15:29; Jos 20:3.
Nú 35:11 **s.**, hiera mortalmente a un alma
SIN LEVADURA. Véase NO FERMENTADAS.
SIN PRINCIPIOS, Isa 32:5 hombre **s.**
Isa 32:7 hombre **s.**, sus instrumentos malos
SIN QUE LES IMPORTARA, Mt 22:5.
SINRAZÓN, 2Co 11:1 soportaran un poco de **s.**
SIN RECELO, Jue 18:27 tranquilo y **s.**
SIN RESERVA, Gé 41:40 te obedecerá **s.**
SIN SABERLO, Heb 13:2 **s.**, hospedaron a
SIN TACHA, Ef 5:27 congregación santa y **s.**
Flp 2:15 **s.** en medio de generación torcida
Jud 24 al que puede ponerlos **s.**
Ef 1:4; Col 1:22; 1Pe 1:19; Rev 14:5.
SIN TOCAR, Ro 15:23 no tengo territorio **s.**
SINUOSIDAD, Pr 4:24 la **s.** de labios aleja
SINUOSO, Pr 3:32 el **s.** es cosa detestable
SIN VIDA, Jer 25:37 lugares de habitación **s.**
SIN VOZ, 2Pe 2:16 Una bestia de carga **s.**
SIÓN, Sl 2:6 instalado a mi rey sobre **S.**
Sl 110:2 vara de tu fuerza desde **S.**
Sl 132:13 Jehová ha escogido a **S.**
Isa 2:3 de **S.** saldrá ley y de Jerusalén
Isa 28:16 colocar como fundamento en **S.**
Isa 31:4 Jehová hacer guerra sobre monte **S.**
Isa 62:1 Por causa de **S.** no quedaré callado
Am 6:1 ¡Ay de los en desahogo en **S.**
Sof 3:14 ¡Gozosamente grita, oh hija de **S.**!
Mt 21:5 **S.:** ¡Mira! Tu Rey viene
Ro 11:26 Saldrá de **S.** el libertador
Heb 12:22 se han acercado a un monte **S.**
2Sa 5:7; Isa 66:8; Ro 9:33; 1Pe 2:6.
SIQUEM, Gé 12:6; Jue 9:1.
SIRIA, 2Re 13:3; 2Cr 16:7; Isa 17:3.
SIRÍACO, Isa 36:11 en el lenguaje **s.**
SIRIO, Gé 31:20; Dt 26:5.
SIRVIENTE(TA), Lu 16:13 Ningún **s.** puede ser
Ro 14:4 ¿Quién eres tú para juzgar al **s.**
Gál 4:30 Expulsa a la **s.** y a su hijo
Gál 4:31 no de **s.**, sino de mujer libre
Lu 22:56; Hch 12:13.
SÍSARA, Jue 5:20 estrellas pelearon contra **S.**
Jue 4:7, 9, 13-18, 22; 1Sa 12:9.
SISTEMA(S) DE COSAS, Sl 17:14 este **s.**
Sl 49:1 Presten oído, habitantes del **s.**
Mt 13:39 siega es una conclusión de un **s.**
Mt 24:3 señal de la conclusión del **s.?**
2Co 4:4 el dios de este **s.** ha cegado
Gál 1:4 librarnos del inicuo **s.**
Heb 1:2 mediante el cual hizo los **s.**
Mt 28:20; Mr 10:30; Lu 18:30; 1Ti 6:17.
SISTROS, 2Sa 6:5 con **s.** y con címbalos
SITUADOS, Gé 31:49 sin vernos el uno al
SOBERBIO, Hab 2:5 hombre capacitado es **s.**
SOBORNO, Dt 10:17 Jehová no acepta **s.**
Sl 26:10 cuya diestra está llena de **s.**
Miq 3:11 cabezas juzgan por un **s.**
Éx 23:8; Pr 17:23; Isa 1:23; 5:23; 33:15.
SOBRANTE, Mt 14:20; 2Co 8:14.
SOBRAR, Lu 21:4 dádivas de lo que les **s.**

SOBREABUNDANTEMENTE, Ef 3:20.
SOBREABUNDAR, 1Ti 1:14.
SOBRENATURAL(ES), Lu 1:22; 24:23.
2Co 12:1 visiones y revelaciones **s.**
SOBREPUJANTE, 1Co 12:31 camino **s.**
2Co 4:17 una gloria que es de más **s.** peso
Ef 1:19 cuál es la **s.** grandeza de su poder
SOBRESALIENTE, Flp 3:8 **s.** valor del
SOBRESALTOS, Isa 2:19 la tierra sufra **s.**
SOBRE TODOS, Ro 9:5 Dios, que está **s.**, sea
SOBREVENIR, Dt 31:29 calamidad les **s.**
SOBREVIVIENTES, Isa 1:9; Joe 2:32.
SOBREVIVIR, 1Te 4:17 los que **s.** arrebatados
SOBRINO, 1Cr 27:32 **s.** de David, consejero
SOBRIO, 1Co 15:34 Despierten el estado **s.**
SOCIO(S), Sl 45:7 aceite más que a tus **s.**
Ec 4:10 el otro puede levantar a su **s.**
Sl 119:63; Pr 28:24; Lu 5:7; Heb 1:9.
SOCORRO, Heb 2:18 en **s.** de los a prueba
SODOMA, Gé 19:24 azufre y fuego sobre **S.**
Mt 10:15 más soportable la tierra de **S.**
Rev 11:8 en sentido espiritual se llama **S.**
Gé 18:26; Isa 1:10; 13:19; 2Pe 2:6; Jud 7.
SO EXCUSA FALSA, Jue 9:31 mensajeros **s.**
SOFOCACIÓN, Job 7:15 mi alma escoge **s.**
SOGA(S), Jos 2:15; Sl 18:4; 129:4; Jer 38:13.
SOJUZGADOS, 1Sa 7:13 fueron **s.** los filisteos
SOJUZGAR, Gé 1:28 llenen la tierra y **s.**
Sl 110:2 Ve **s.** en medio de tus enemigos
Isa 45:1 Ciro, para **s.** delante de él
SOL, Jos 10:12 **S.**, tente inmóvil
Isa 49:10 ni los herirá calor ni **s.**
Isa 60:19 **s.** ya no resultará ser luz
Mal 4:2 el **s.** de la justicia brillará
Mt 13:43 justos resplandecerán como el **s.**
Hch 2:20 **s.** será convertido en oscuridad
Sl 89:36; Ec 1:9; Lu 21:25; Rev 7:16.
SOLAMENTE, Mt 4:4 No de pan **s.** vivir el
SOLAPADAS, 2Co 4:2 renunciado cosas **s.**
SOLDADO(S), 2Ti 2:3 Como **s.** de Cristo
Jn 19:23; Hch 10:7; 1Co 9:7; 2Ti 2:4.
SOLEMNE, 1Te 5:27 la **s.** obligación
SOLÍCITAMENTE, 1Sa 20:28 David **s.** pidió
SOLÍCITO, 2Co 8:17, 22; 2Pe 1:5.
SOLICITUD, 2Co 8:8 en vista de la **s.**
SÓLIDO(S), 2Ti 2:19 fundamento **s.** de Dios
Heb 5:12 necesitan leche, no alimento **s.**
Heb 5:14 el alimento **s.** a personas maduras
1Pe 5:9 pónganse contra él, **s.** en la fe
SOLITARIO(RIA), Sl 68:6; Lam 1:1; 3:28.
SOLO, Nú 9:6; Isa 2:11; Jn 16:32.
SOLTERO. Véase NO CASADO(DA).
SOMBRA, 1Cr 29:15 Cual **s.** nuestros días
Sl 17:8 en la **s.** de tus alas ocultarme
Sl 23:4 valle de **s.** profunda, no temo nada
Col 2:17 son una **s.** de cosas por venir
Heb 8:5 típica y **s.** de cosas celestiales
Heb 10:1 Ley tiene una **s.** de buenas cosas
Snt 1:17 con él no hay la variación de la **s.**
Sl 57:1; 91:1; 144:4; Isa 30:2.
SOMBRA PROFUNDA, Job 3:5; Sl 23:4; Isa 9:2.
SOMETER, Éx 10:3 ¿Hasta cuándo rehusar **s.**
SOMETER A PRUEBA, Jer 7:12; Snt 1:13.
SONAR, 1Co 15:52 **s.** la trompeta, y los
SONIDO, Ec 12:4; Sof 1:14; Ro 10:18.
Jos 6:5 al **s.** del cuerno, soltar grito
Isa 65:19 no se oirá más el **s.** de llanto
Isa 66:6 **s.** desde el templo! Es el **s.**
Joe 2:5 con el **s.** de carros
SONIDO DE TROMPETA, Mt 24:31 ángeles **s.**
SONIDOS DEL HABLA, 1Co 14:10 géneros de **s.**
SONREÍR, Job 29:24 Les **s.** —no lo creían—
SOPLAR, Jn 20:22 **s.** sobre ellos y dijo:
SOPLO, Isa 25:4 **s.** de los tiránicos
SOPORTAR(SE), Sl 69:7 he **s.** oprobio

Mal 3:2 **s**. el día de su venida
Ro 11:18 no eres tú quien **s**. la raíz
Ro 15:1 fuertes, debemos **s**. las debilidades
1Co 4:12 cuando se nos persigue, lo **s**.
1Co 10:13 tentados más de lo que pueden **s**.
Ef 4:2 **s**. unos a otros en amor
Job 34:31; Heb 13:13.

SORDO(S), Isa 35:5 oídos de **s**. destapados
Isa 42:19 quién es **s**. como mi mensajero
Isa 43:8 Saca a los **s**. aunque tienen oídos
Isa 42:18; Mt 11:5; Mr 7:37.

SORTÍLEGOS, Da 1:20; 2:2; 4:7; 5:7.

SOSEGADOS, Isa 30:15 en mantenerse

SOSPECHA(S), 1Sa 18:9 Saúl mirando con **s**.
1Ti 6:4 De estas cosas provienen **s**. inicuas

SOSTENER, Heb 1:3 **s**. todas las cosas por la

SUAVIDAD, Pr 23:31; Can 7:9.

SÚBDITOS, Sl 72:8 tendrá **s**. de mar a

SUBIR, Sof 1:9 que **s**. a la plataforma

SÚBITAMENTE, Mal 3:1 **s**. vendrá a Su

SUBLEVACIÓN, Dt 19:16 acusación de **s**.
Isa 1:5 puesto que añaden más **s**.?
Isa 31:6 han ido a lo profundo en **s**.
Jer 28:16 has hablado **s**. contra Jehová
Dt 13:5; Isa 59:13; Jer 29:32.

SUBORDINADOS, 1Co 4:1 Valórenos como **s**.

SUBSISTIR, 2Sa 21:5 no **s**. en territorio
Isa 8:10 ¡Hablen cualquier palabra, y no **s**.
Isa 66:22 nuevos cielos y nueva tierra **s**.
Da 2:44 reino **s**. hasta tiempos indefinidos

SUBVERTIR, Job 12:19; Pr 13:6.
Lu 23:2 lo hallamos **s**. a nuestra nación
2Ti 2:18 están **s**. la fe de algunos
Tit 1:11 hombres siguen **s**. casas enteras

SUBYUGAR, Mt 16:18 Hades no la **s**.
Jn 12:35 la oscuridad no los **s**.

SUCEDER, Ec 2:14 mismo les **s**. a todos
1Pe 4:12 les está **s**. para prueba
2Pe 2:22 Les ha **s**. el dicho del proverbio
Gé 49:1; 2Sa 20:1; Ro 11:25.

SUCESIÓN, Ro 3:24; Heb 7:23.

SUCESO IMPREVISTO, Ec 9:11 les **s**. a todos

SUCESORES, Heb 7:24 para siempre, sin **s**.

SUCESO RESULTANTE, Ec 2:14; 3:19; 9:2.

SUCIEDAD, Snt 1:21 desechen toda **s**.
1Pe 3:21 no el desechar la **s**. de la carne

SUCIO(CIA), Isa 28:8 mesas llenado de **s**.
Zac 3:4 Remueven prendas de vestir **s**.
Snt 2:2; Rev 22:11.

SUDOR, Gé 3:19 Con el **s**. de tu rostro

SUEGRO(GRA), Éx 4:18; 18:1; Dt 27:23; Jue
19:4; Rut 1:14; 2:11; Mt 8:14; 10:35; Mr 1:30.

SUELDO, Pr 11:18 siembra, **s**. verdadero

SUELO, Gé 2:7 al hombre del polvo del **s**.
Gé 3:17 maldito está el **s**. por tu causa
Éx 3:5 en el lugar donde estás es **s**. santo
Jos 3:17 **s**. seco, en medio del Jordán

SUEÑO(S), Sl 132:4 no daré **s**. a mis ojos
Isa 29:10 ha derramado un espíritu de **s**.
Jer 23:32 contra los profetas de **s**. falsos
Jer 51:57 dormir un **s**. de duración indefinida
Joe 2:28 sus viejos, **s**. soñarán
Jn 11:11 Lázaro, voy para despertarlo del **s**.
Ro 13:11 es hora de que despierten del **s**.
Gé 41:25; Jer 23:27; Da 2:28; Hch 2:17.

SUERTE(S), Pr 18:18; Hch 1:26.
Est 3:7 alguien echó Pur, es decir, la **S**.
Jn 19:24 sobre mi vestidura echaron **s**.
Hch 13:19 distribuyó por **s**. la tierra

SUFICIENTE, Mt 6:34 **S**. para cada día
2Co 12:9 Mi bondad inmerecida es **s**. para ti
Mt 28:12; Hch 17:9; 2Co 2:6.

SUFRIDO, 1Co 13:4 El amor es **s**. y

SUFRIMIENTOS, Hch 14:15 tenemos **s**. igual
Ro 8:18 **s**. de la época presente

2Co 1:7 así como son partícipes de los **s**.
Col 1:24 Me regocijo ahora en mis **s**.
Heb 10:32 aguantaron una contienda bajo **s**.
1Pe 5:9 las mismas cosas en cuanto a **s**.
Flp 3:10; Heb 2:10; 1Pe 1:11; 4:13.

SUFRIR, Lu 24:26 necesario que el Cristo **s**.
Ro 8:17 **s**. juntamente también glorificado
1Co 12:26 Y si un miembro **s**., todos **s**.
Flp 1:29 fe en él, sino **s**. a favor de él
2Te 1:9 **s**. el castigo judicial
2Ti 4:5 **s**. el mal, haz la obra de
Heb 2:9 por haber **s**. la muerte
Heb 5:8 obediencia por cosas que **s**.
Snt 5:10 tomen por modelo de **s**. el mal
Snt 5:13 ¿Hay alguno **s**. el mal entre
1Pe 2:21 Cristo **s**., dejándoles dechado
1Pe 3:17 **s**. porque estén haciendo el bien
1Pe 4:1 ha **s**. en la carne ha desistido de
Mt 16:21; Hch 26:23; Heb 2:18; 1Pe 3:14;
5:10; Rev 2:10.

SUJECIÓN, Gé 1:26 tengan en **s**. los peces
Gé 1:28 tengan en **s**. los peces y criaturas
Ro 13:1 Toda alma esté en **s**. a
Ef 5:22 esposas estén en **s**. a sus esposos
Ef 5:24 congregación está en **s**. al Cristo
Col 3:18 Esposas, estén en **s**. a sus esposos
1Pe 3:1 esposas, estén en **s**. a sus esposos
1Pe 5:5 de menos edad, estén en **s**. a los
Sl 49:14; 1Co 14:34; 1Ti 3:4; Tit 3:1.

SUJETADO(DA), Ro 8:20 fue **s**. a futilidad
1Pe 3:22 ángeles y poderes fueron **s**. a él

SUJETAR(SE), Sl 149:8 para **s**. a sus reyes
1Co 15:27 **s**. todas las cosas debajo de sus
Flp 3:21 para **s**. todas las cosas a sí
Heb 2:8 al **s**. todas las cosas a él
1Pe 2:13 **s**. a toda creación humana:
Ro 10:3; Col 2:20; Heb 12:9.

SUJETO(TA), Tit 2:5 **s**. a sus propios esposos
Heb 2:15 **s**. a esclavitud toda su vida
Lu 2:51; 10:20.

SUMA ALEGRÍA, Job 3:22 hasta **s**.

SUMERGIRSE, 2Re 5:14 **s**. en el Jordán

SUMIDERO DE DISOLUCIÓN, 1Pe 4:4 al bajo **s**.

SUMINISTRAR, 2Co 9:10 **s**. semilla al
Gál 3:5 el que les **s**. el espíritu y ejecuta

SUMISOS, 2Co 9:13 **s**. a las buenas nuevas
Heb 13:17 a los que llevan delantera, sean **s**.

SUMO, 2Pe 1:10 hagan lo **s**. por hacer seguros

SUMO POSIBLE, 2Ti 2:15 Haz lo **s**. para
Heb 4:11 lo **s**. para entrar en descanso
2Pe 3:14 hagan lo **s**. para que lo halle

SUMO SACERDOTE, Nú 35:25 muerte del **s**.
Heb 3:1 consideren al apóstol y **s**.
Heb 6:20 Jesús, que ha llegado a ser **s**.

SUNEM, Jos 19:18; 1Sa 28:4; 2Re 4:8.

SUPERAR, 2Co 3:10 gloria que lo **s**.
Flp 4:7 paz de Dios que **s**. todo pensamiento

SUPERFICIE, Gé 1:2 sobre la **s**. de las aguas

SUPERFINOS, 2Co 11:5 sus apóstoles **s**.

SUPERFLUO(FLUA), 2Co 9:1; Snt 1:21.

SUPERINTENDENCIA, Hch 1:20 puesto de **s**.
Nú 3:32; Sl 109:8; Eze 44:11.

SUPERINTENDENTE(S), Gé 41:34 Faraón **s**.
Hch 20:28 espíritu santo ha nombrado **s**.
1Ti 3:1 procurando alcanzar puesto de **s**.
1Ti 3:2 El **s**. debe ser irreprensible
1Pe 2:25 pastor y **s**. de sus almas
Ne 11:9; Isa 60:17; Jer 29:26; Tit 1:7.

SUPERIOR(ES), Éx 17:11 israelitas **s**.
1Sa 2:9 no por poder resulta **s**. un hombre
Sl 9:19 No resulte **s**. en fuerzas el hombre
Ro 13:1 sujeción a las autoridades **s**.
Flp 2:3 considerando los demás **s**. a ustedes
Flp 2:9 Dios lo ensalzó a un puesto **s**.
1Pe 2:13 sea a un rey como quien es **s**.

SUPERIORIDAD, Ec 3:19 no **s**. del hombre

Isa 2:19 Jehová y ante su espléndida **s.**
Isa 24:14 En la **s.** de Jehová clamarán
Miq 5:4 la **s.** del nombre de Jehová
Ro 3:1 ¿Cuál, pues, es la **s.** del juicio
SUPERLATIVA, Can 1:1 canción **s.,** de Salomón
SUPERSTICIONES. Véase TEMOR A LAS
  DEIDADES.
SUPERVISORES, 1Cr 23:4; Esd 3:8, 9.
SUPLANTADORES, Sl 49:5 el error de mis **s.**
SUPLANTAR, Jer 9:4 trata hermano **s.**
SÚPLICAS, Zac 12:10 el espíritu de **s.**
  2Cr 6:21; Da 9:18.
SUPLICAR, Gé 42:21 cuando **s.** compasión
  Job 9:15 De mi contricante **s.** favor
  Mr 7:32 le **s.** que pusiera la mano
  2Co 5:20 Dios estuviera **s.** mediante nosotros
  Dt 3:23; Est 4:8; Ro 12:1; 2Co 6:1.
SUPREMO, Da 7:18 los santos del **S.**
  Da 7:22, 25; 27.
SUPURADO, Sl 38:5 Mis heridas han **s.**
SUSA, Est 1:2; 9:6; Da 8:2.
SUSCITAR, Isa 41:25 He **s.** desde el norte
  Isa 41:2; 45:13.
SUSPENSO, Lu 12:29 en 10:24.
SUSPIRAR, Sl 12:5 **s.** de los pobres
  Sl 79:11 Que el **s.** del prisionero entre
  Pr 29:2 cuando inicuo gobierna, el pueblo **s.**
  Isa 35:10 el desconsuelo y el **s.** huir
  Eze 9:4 marca los hombres que están **s.** y
  Eze 24:17 S. sin palabras
  Éx 2:23; Sl 102:20; Isa 24:7; Eze 21:6.
SUSPIRO(S), Lam 1:22 son muchos mis **s.**
  Mal 2:13; Heb 13:17; Snt 5:9.
SUSTANCIA, Heb 10:1 Ley tiene, no la **s.** de
SUSTENTAR, Sl 55:22 él te **s.**
SUSTENTO, 1Ti 6:8 **s.** y con qué cubrirnos
SUSTITUCIÓN, 2Co 5:20 embajadores en **s.**
SUSTRAER, Ec 3:14 no hay nada que **s.**
SUSURRADORES, Ro 1:29 siendo **s.**
SUSURRO(S), Sl 90:9 terminado años como **s.**
  2Co 12:20 **s.,** hinchazón, desórdenes
SUYO(YA), Jn 1:11 los **s.** no lo recibieron
  Jn 15:19 mundo tendría afecto a lo que es **s.**
  Hch 4:32 ni uno decía que fuera **s.** propia

T

TABERNÁCULO, Éx 25:9 modelo del **t.**
  Sl 84:1 ¡Cuán amable es tu magnífico **t.**
  Eze 37:27 mi **t.** resultará estar sobre ellos
  2Pe 1:13 mientras estoy en este **t.**
  Éx 40:17; Sl 43:3; 78:60; 132:7.
TABLAS, Éx 34:28 escribir sobre las **t.**
  2Co 3:3 no **t.** de piedra, sino **t.** de carne
  Éx 32:16; 34:1; Heb 9:4.
TABOR, Jue 4:14 descendiendo del monte **T.**
TADEO, Mt 10:3; Mr 3:18.
TALADRADOS, Job 30:17 huesos han sido **t.**
TALENTO(S), Éx 38:25, 27; 1Re 10:10, 14; Mt
  18:24; 25:15; Rev 16:21.
TALÓN(ES), Gé 3:15 le magullarás en el **t.**
  Gé 49:17; Sl 41:9; Os 12:3; Jn 13:18.
TAMAR, Gé 38:6, 11; Rut 4:12; Mt 1:3.
TAMBALEANTES, Sl 46:2 montañas **t.** en mar
TAMBALEAR, Sl 46:5 ciudad; no se la hará **t.**
  Sl 55:22 Nunca permitirá que **t.** el justo
  Isa 28:7 han **t.** en cuanto a decisión
  Sl 15:5; 93:1; 121:3; 125:1; Isa 40:20.
TAMO, Da 2:35 triturados, como el **t.**
  Sl 35:5; Isa 41:15; Sof 2:2.
TAMUZ, Eze 8:14 llorando por el dios **T.**
TARDAR, Gé 34:19 el joven no **t.** en
  Jue 5:28 ¿Por qué ha **t.** su carro de guerra?
  Isa 46:13 mi salvación no **t.**

Heb 10:37 el que viene llegará y no **t.**
  Da 9:19; Hab 2:3.
TARÉ, Gé 11:24; Lu 3:34.
TARSIS, Isa 23:1 ¡Aúllen, naves de **T.!**
  2Cr 9:21; Sl 48:7; Eze 27:12, 25; Jon 1:3.
TÁRTARO, 2Pe 2:4 al echarlos en el **T.**
TATUAJE, Le 19:28 no ponerse marcas de **t.**
TAZÓN(ES), 2Re 21:13; Rev 16:1; 17:1.
TEATRAL, 1Co 4:9 a ser un espectáculo **t.**
TEATRO, Hch 19:29; Heb 10:33.
TECHO, Pr 27:15; Mr 2:4; Lu 7:6.
TELA, 1Cr 4:21; 2Cr 2:14; Est 1:6.
TEMA, Job 30:9 he venido a ser el **t.**
TEMBLAR, Jue 7:3 tema y **t.?** Que se retire
  2Sa 22:46 Extranjeros saldrán **t.** de sus
  Isa 66:5 los que están **t.** ante su palabra:
  Da 6:26 la gente **t.** delante del Dios de Daniel
  Miq 4:4 no habrá nadie que los haga **t.**
  Miq 7:17 A Jehová nuestro Dios vendrán **t.**
  Sof 3:13 no habrá nadie que los haga **t.**
  2Pe 2:10 no **t.** ante los gloriosos, sino
TEMBLOR, Job 4:14; Jer 30:5.
  Sl 2:11 Sirvan a Jehová gozosos con **t.**
  Flp 2:12 obrando salvación con temor y **t.**
TEMBLOR DE TIERRA, Zac 14:5.
TEMER, Sl 34:7; 1Pe 3:14.
  Jue 7:3 ¿Quién hay que **t.** y tiemble?
  1Sa 15:24 He pecado; **t.** al pueblo y obedecí
  1Cr 16:25 a Jehová se ha de **t.** más que
  Sl 25:14 intimidad con Jehová a los que le **t.**
  Sl 33:8 **T.** a Jehová toda la tierra
  Sl 118:6 no **t.** ¿Qué hacerme al hombre
  Pr 3:25 No tendrás que **t.** cosa pavorosa
  Pr 14:16 El sabio **t.** y se aparta
  Pr 31:30 la mujer que **t.** a Jehová se procura
  Lu 12:4 No **t.** a los que matan el cuerpo
  Hch 10:35 el que le **t.** y obra justicia
TEMEROSO. Véase INSPIRADOR(RA)
  DE TEMOR.
  Dt 20:8 ¿Quién es hombre **t.**
TEMOR, Sl 111:10 El **t.** de Jehová es
  Pr 8:13 El **t.** de Jehová, odiar lo malo
  Ro 13:7 al que pide **t.,** dicho **t.**
  Flp 2:12 obrando su salvación con **t.**
  1Pe 3:14 no teman lo que es objeto de **t.**
  1Jn 4:18 No hay **t.** en el amor
TEMOR A LAS DEIDADES, Hch 17:22.
TEMOR PIADOSO, Heb 5:7; 12:28.
TEMPESTAD DE VIENTO, Job 38:1; Mt 14:30.
  2Re 2:1 había de llevarse a Elías en una **t.**
TEMPLO(S), Sl 11:4 Jehová está en su **t.**
  Sl 27:4 mirar con aprecio a su **t.**
  Sl 29:9 en **t.** cada uno diciendo: ¡Gloria!
  Jer 7:4 ¡El **t.** de Jehová, el **t.** de Jehová
  Hab 2:20 en su santo **t.** ¡Guarde silencio
  Zac 6:12 edificará el **t.** de Jehová
  Mal 3:1 súbitamente vendrá a Su **t.**
  Jn 2:15 expulsó del **t.** a todos aquellos
  Jn 2:19 Derriben este **t.,** y en tres días
  Hch 17:24 no mora en **t.** hechos de manos
  1Co 3:16 ustedes son el **t.** de Dios
  2Co 6:16 ¿Y qué acuerdo tiene el **t.** de Dios
  Ef 2:21 creciendo para ser **t.** santo para
  2Te 2:4 se sienta en el **t.** del Dios
  Rev 3:12 columna en el **t.** de mi Dios, y ya
  Rev 7:15 servicio día y noche en su **t.**
  Rev 11:19 santuario del **t.** de Dios en el cielo
TEMPORALES, 2Co 4:18 cosas que se ven son **t.**
TEMPRANA, Flp 3:11 resurrección más **t.**
TENDENCIA, Eze 26:2 La **t.** será hacia mí
  Snt 4:5 con **t.** hacia la envidia que el espíritu
TENDONES, Eze 37:6 pondré sobre ustedes **t.**
  Eze 37:8 **t.** y carne subieron, y empezó piel
TENEBROSA, Éx 10:22.

TENEBROSIDAD, Isa 8:22; Joe 2:2; Sof 1:15.
TENER, Heb 7:27 no t. que ofrecer sacrificios
TENER HAMBRE, Gé 41:55 Egipto llegó a t.
TENER HIJOS, 1Ti 2:15 seguridad mediante t.
TENER PRESENTE, Gé 19:29 Dios t. a Abrahán
Ne 4:14 T. a Jehová el Grande y el Inspirador
Sl 8:4 hombre mortal para que lo t.
TENER QUE VER, Heb 2:17 t. con Dios
TENERSE POR, Ro 6:11 t. muertos, al pecado
TENIDO(S) POR, Pr 17:28 tonto t. sabio
1Ti 5:17 ancianos sean t. dignos de honra
TENTACIÓN, Mt 6:13 no nos metas en t.
Mt 26:41 para que no entren en t.
Lu 4:13 Diablo, habiendo concluido la t.
1Co 10:13 Ninguna t. los ha tomado salvo
1Ti 6:9 ricos caen en t. y en un lazo
TENTADO, Gál 6:1 por temor de que seas t.
TENTADOR, Mt 4:3 el T. vino y le dijo:
1Te 3:5 T. los hubiera tentado, y nuestra
TENTAR, 1Co 7:5 no siga a Satanás
TERAFIM, 1Sa 15:23 poder mágico y t.
Zac 10:2 t. han hablado lo que es mágico
Gé 31:19; 2Re 23:24; Eze 21:21; Os 3:4.
TERCER, 2Co 12:2 arrebatado hasta t. cielo
TERCER DÍA, Lu 9:22 muerto, y t. levantado
Hch 10:40 Dios levantó a Este al t.
Éx 19:11; Lu 13:32; 24:21; 1Co 15:4.
TERCO(CA), Jos 11:20 pusiera t. el corazón
Sl 78:8 una generación t. y rebelde
Isa 1:23 Tus príncipes son t. y socios de
Isa 30:1 ¡Ay de los hijos t.
Isa 65:2 extendido mis manos a pueblo t.
Dt 21:18; Jue 2:19; Sl 66:7; Pr 7:11.
TERMINADO, Lu 12:50 hasta que quede t.!
TERMINAR, Lu 13:32 al tercer día t.
Jn 4:34 me envió y t. su obra
Jn 17:4 he t. la obra que me has dado
2Ti 4:7 he corrido la carrera hasta t.
Lam 3:22; Hch 20:24.
TÉRMINOS, 2Pe 2:11 acusación en t. injuriosos
TÉRMINOS HUMANOS, Ro 6:19 hablando en t.
TERQUEDAD, Jer 3:17 la t. de su corazón
Jer 7:24; 9:14; 11:8; 13:10; 18:12.
TERRAPLENAR, Isa 62:10 T., la calzada
TERRATENIENTES, Jos 24:11; Jue 9:2; 20:5.
TERREMOTO(S), Mt 24:7 t. en un lugar
Mt 27:54; Lu 21:11; Rev 6:12.
TERRENAL(ES), Jn 3:12; Snt 3:15.
TERRESTRE, 2Co 5:1 si casa t. disuelta
TERRITORIO, Sl 147:14 paz en tu t.
Jer 31:17 volverán a su propio t.
Miq 5:6 cuando pise sobre nuestro t.
Mal 1:4 los llamará el t. de la iniquidad
Mt 13:57 El profeta en su propio t.
Ro 15:23 ya no tengo t. sin tocar
2Co 10:15 engrandecidos con relación a t.
Sl 78:54; Joe 3:6; Am 1:13; Sof 2:8.
TERROR(ES), Gé 9:2 t. a ustedes sobre toda
Gé 35:5 t. de Dios vino sobre ciudades
Sl 55:4 t. de muerte han caído sobre mí
Jer 8:15 tiempo de curación, pero, ¡t.!
Eze 3:9 no debes sobrecogerte de t.
Mal 2:5 a mi nombre él se sobrecogió de t.
Sl 73:19; Isa 51:7; Jer 10:2; Eze 26:21.
TESORERÍA, Mr 12:41; Lu 21:1; Jn 8:20.
TESORO(S), Pr 2:4 como a t. escondidos
Isa 33:6 temor de Jehová, el cual es su t.
Mt 6:20 acumulen t. en el cielo
Mt 6:21 está tu t., allí estará tu corazón
Mt 12:35 de su buen t. envía cosas buenas
Mt 13:44 reino semejante a un t. escondido
2Co 4:7 tenemos este t. en vasos de barro
Col 2:3 en él están los t. de sabiduría
Pr 10:2; Mt 19:21; Heb 11:26.

TESTAMENTO. Véase PACTO(S).
TESTARUDOS, 2Ti 3:4 traicioneros, t.
TESTÍCULOS, Jer 5:8 tienen t. fuertes
TESTIFICADO, 2Sa 1:16 tu propia boca ha t.
Isa 59:12 nuestros pecados, ha t. contra
Os 5:5 de Israel ha t. en su cara
TESTIFICAR, Nú 35:30 un testigo no puede t.
Miq 6:3 te he rendido? T. contra mí
TESTIGO(S), Gé 31:48 majano es t. entre
Éx 20:16 No testimonio falsamente como t.
Le 5:1 es t., si no lo informa, tiene que
Dt 19:15 Por boca de dos t. o por
Jos 24:22 han escogido a Jehová. Somos t.
Job 16:19 mi t. está en las alturas
Pr 14:25 Un t. verdadero librando almas
Isa 43:10 Ustedes son mis t. —es la
Isa 44:8 Y ustedes son mis t.
Miq 1:2 sirva Jehová de t. contra ustedes
Hch 1:8 serán t. de mí tanto en
Hch 10:39 somos t. de todas las cosas que
Hch 13:31 los cuales ahora son t. de él
Hch 20:26 sean t. de que estoy limpio
Hch 22:15 has de ser t. a todos
1Co 15:15 se nos halla falsos t. de Dios
1Ti 6:13 Cristo Jesús, que como t. hizo
Heb 12:1 tenemos tan grande nube de t.
Rev 1:5 Jesucristo, el T. Fiel
Rev 11:3 haré que mis dos t. profeticen
Rev 17:6 sangre de los t. de Jesús
TESTIGOS OCULARES, 1Pe 2:12 ellos son t.
TESTIMONIO(S). Véase también
RECORDATORIO(S).
Éx 25:22 querubines sobre el arca del t.
Éx 31:18 a dar a Moisés dos tablas del T.
Nú 1:50 levitas sobre el tabernáculo del T.
Dt 6:17 guardar los mandamientos y sus t.
Isa 19:20 ser para señal y para t.
Mt 10:18 ante reyes para un t.
Mt 24:14 del reino se predicarán para t.
Jn 4:44 Jesús dio t. que profeta no tiene honra
Jn 8:17 El t. de dos hombres es verdadero
Jn 18:37 he venido para dar t. de la verdad
Ro 8:16 El espíritu mismo da t. con
1Ti 2:6 ha de darse t. a sus tiempos
1Ti 3:7 excelente t. de los de afuera
2Ti 1:8 no te avergüences del t.
Heb 7:8 de quien se da t. de que vive
1Jn 5:7 Porque hay tres que dan t.:
Rev 6:9 degollados a causa de obra de t.
Rev 12:17 obra de dar t. de Jesús
Rev 20:4 ejecutados con hacha por t. de
1Re 2:3; 1Cr 29:19; 2Cr 23:11; Hch 18:5; Heb 3:5; Rev 19:10.
TIATIRA, Hch 16:14; Rev 1:11; 2:18, 24.
TIBIO, Rev 3:16 por cuanto eres t.
TIEMPO(S), Job 14:13; Sl 145:15.
Sl 31:15 Mis t. están en tu mano. Líbrame
Pr 15:23 palabra a t. apropiado, buena es!
Ec 3:1 t. para todo asunto bajo los cielos:
Ec 9:11 porque el t. y el suceso imprevisto
Isa 33:2 salvación en el t. de angustia
Isa 49:8 En t. de buena voluntad he
Da 4:16 pasen siete t. sobre él
Da 7:25 por un t., y t. y la mitad de un t.
Da 8:19 es para el señalado t. del fin
Da 11:27 fin todavía para el t. señalado
Da 12:4 libro, hasta el t. del fin
Mt 16:3 señales de t. no pueden interpretar
Mt 24:45 darles su alimento al t. apropiado?
Lu 21:24 t. señalados de las naciones
Hch 1:7 No pertenece conocimiento de los t.
Hch 3:19 que vengan t. de refrigerio
Hch 3:21 t. de restauración de las cosas
Hch 17:30 pasado por alto t. de ignorancia
1Co 7:29 t. que queda está reducido

Gál 6:9 al debido t. segaremos si no nos
Ef 5:16 comprándose el t. oportuno
1Te 5:1 en cuanto a los t. no necesidad
2Te 2:6 sea revelado a su propio t.
1Ti 2:6 testimonio a sus t. particulares
2Ti 3:1 últimos días t. críticos, difíciles
2Ti 4:2 predica la palabra, en t. favorable
Rev 12:12 sabiendo que tiene corto t.
Rev 12:14 por un t. y t. y medio t.
1Co 4:5; Gál 4:4; 1Pe 1:20; Rev 11:18.
TIEMPO DE ATENCIÓN, Jer 8:12; 51:18.
TIEMPO(S) INDEFINIDO(S), Gé 9:16 pacto t.
Gé 48:4 tierra a tu descendencia hasta t.
Éx 3:15 Jehová es mi nombre hasta t.
Éx 31:16 el sábado un pacto hasta t.
Sl 90:2 de t. a t. tú eres Dios
Sl 136:1-26 su bondad amorosa es hasta t.
Sl 145:13 gobernación real para todos t.
Isa 26:4 en Jah Jehová está la Roca de t.
Da 12:3 como las estrellas hasta t., aun
Sof 2:9 un yermo desolado, aun hasta t.
Gé 3:22; Pr 8:23; Jer 3:5; Da 9:24; Jon 2:6.
TIEMPO OPORTUNO, Ef 5:16; Col 4:5.
TIEMPO PASADO, Ne 12:46 días de David, en t.
Ro 1:2 él prometió en t. mediante sus
Ro 15:4 escritas en t. para instrucción
TIEMPOS CRÍTICOS, 2Ti 3:1 se presentarán t.
TIEMPO(S) SEÑALADO(S), Dt 11:14;
Est 9:27, 31; Job 39:1, 2; 1Ti 6:15; 1Pe 4:17.
Sl 104:19 ha hecho la luna para t.
Ec 3:1 Para todo hay un t., aun un tiempo
Hab 2:3 visión es todavía para el t.
Ro 5:6 Cristo murió por impíos al t.
TIENDA(S), Jue 5:24 mujeres en la t.
Sl 15:1 ¿quién será huésped en tu t.?
Isa 54:2 Alarga tus cuerdas de t.
Jer 35:7 en t. deben morar todos sus
Da 11:45 plantará sus t. palaciegas
Heb 9:11 t. perfecta no hecha de manos
Rev 21:3 La t. de Dios con la humanidad
Pr 14:11; Isa 40:22; 2Co 5:1; Heb 8:2.
TIERNO(NA), Ro 12:10 ténganse t. cariño
2Co 1:3; Col 3:12; Snt 5:11.
TIERRA(S), Gé 1:28 llenen la t.
Gé 13:15 t. que estás mirando, la voy a dar
Éx 3:8 t. buena y espaciosa, t. que mana
Sl 37:29 justos poseerán la t.
Sl 100:1 Griten a Jehová, toda la t.
Sl 115:16 la t. la ha dado a los hombres
Ec 1:4 t. subsiste hasta tiempo indefinido
Isa 14:12 caído del cielo, cortado a t.
Isa 45:18 t. la formó para ser habitada:
Isa 65:17 voy a crear una nueva t.
Isa 66:1 trono, y la t. escabel de mis pies
Da 11:41 en la t. de la Decoración
Hab 2:14 t. se llenará de conocer
Mt 5:5 de genio apacible, heredarán la t.
Lu 2:14 sobre t. paz entre hombres
2Pe 3:5 t. mantenida compactamente fuera
Rev 12:12 ¡Ay de la t. y del mar!
Le 26:34; Sl 45:16; 88:12; 107:3; Pr 10:30;
Isa 60:2; 66:8; Eze 36:35; 39:27; Joe 2:3; Mt
19:29; Lu 8:15; 2Pe 3:13; Rev 21:1.
TIERRA ALLÁ ABAJO, Eze 31:14; 32:18.
TIERRA DE CESACIÓN, Isa 38:11.
TIERRA DE DELEITE, Mal 3:12 a ser una t.
TIERRA DEL OLVIDO, Sl 88:12 en la t.?
TIERRA DE LOS VIVIENTES, Sl 52:5; 142:5; Isa
38:11; 53:8.
TIERRA HABITADA, Mt 24:14 nuevas en la t.
Lu 4:5 mostró todos los reinos de la t.
Hch 17:6 hombres han trastornado la t.
Heb 2:5 ha sujetado la t. por venir
Rev 3:10 prueba, que ha de venir sobre t.

Rev 16:14 reyes de toda la t.
Hch 17:31; Ro 10:18; Heb 1:6; Rev 12:9.
TIERRA PRODUCTIVA, Sl 9:8 juzgará la t.
Isa 26:9 los habitantes de la t.
Sl 24:1; 89:11; 96:10; Isa 13:11; 24:4.
TÍMIDO, Dt 20:3; Job 23:16; Isa 7:4.
TI MISMO, Éx 32:13 juraste por t.
Jn 17:5 glorifícame al lado de t. con la
TIMÓN, Snt 3:4 barcos, dirigidos por un t.
TIMONEL, Snt 3:4 la inclinación del t.
TIMOTEO, Hch 16:1; 1Co 4:17; 1Ti 1:2.
TINAS, Joe 2:24; 3:13; Zac 14:10.
TINIEBLAS, Dt 28:29; Pr 4:19; Isa 58:10.
TINTA, 2Co 3:3 no con t., sino con espíritu
Jer 36:18; 2Jn 12; 3Jn 13.
TINTERO, Eze 9:2, 3, 11 hombre con un t.
TÍO(A), Le 18:14 No acercarte a tu t.
Le 20:20; 25:49; 1Sa 10:15.
TIRANÍA, Éx 1:13; Le 25:43; Eze 34:4.
TIRÁNICAMENTE, Dt 24:7 hombre tratado t.
TIRÁNICOS, LOS, Sl 86:14; Jer 15:21.
TIRANIZAR, Isa 3:5 gente se t. uno a otro
TIRANOS, Job 27:13 herencia de los t.
Pr 11:16 los t. se asen de las riquezas
TIRAR A MORDER, Eze 36:3; Am 8:4.
TIRO, Isa 23:1 declaración formal de T.:
Isa 23:17 Jehová dirigirá su atención a T.
2Sa 5:11; 1Re 7:13; Sl 45:12; Eze 27:2.
TIRO DE ARCO, Gé 21:16 distancia de un t.
TITO, 2Co 2:13; 12:18; Gál 2:1; Tit 1:4.
TITUBEAR, Dt 7:10 No t. para con aquel
Ec 5:4 voto, no t. en pagarlo
Heb 10:23 asida esperanza sin t.
TÍTULO, Job 32:21 no otorgaré t.
Jn 19:19 Pilato escribió un t. y lo puso
TIZA, Isa 44:13 lo traza con t.
TOCAR, Gé 3:3 no t. para que no mueran
Le 5:2 alma t. alguna cosa inmunda
1Sa 16:17 Provéanme un hombre que t. bien
1Re 4:7 Le t. proveer alimento
1Cr 16:22 No t. a mis ungidos
Job 2:5 t. hasta su hueso y su carne, y ve
Sl 104:32 t. las montañas, y humean
Sl 105:15 No t. ustedes a mis ungidos
Isa 6:7 ha t. tus labios, y tu error se ha ido
Isa 52:11 sálganse de allí, no t. nada inmundo
Jer 1:9 hizo que esta me t. la boca
Ag 2:13 Si alguien inmundo t. cualquiera de
Zac 2:8 t. a ustedes está t. el globo de mi ojo
Mt 7:7 sigan t., y se les abrirá
Lu 11:46 ustedes no t. las cargas con
Hch 12:13 Cuando t. la puerta, Rode vino
2Co 6:17 dejen de t. la cosa inmunda
Col 2:21 No t., ni gustes, ni palpes
Rev 3:20 Estoy de pie a la puerta, y t.
Éx 30:29; Le 11:36; 2Re 13:21; Pr 6:29; Jer
12:14; Mt 8:3; 14:36; 20:34; Mr 5:30.
TOCÓN, Snt 11:1 ramita del t. de Jesé
TODOPODEROSO, Gé 17:1 Yo soy Dios T. Anda
Rev 16:14 guerra del gran día de Dios el T.
Éx 6:3; Job 8:3; Isa 13:6; Rev 1:8; 11:17.
TÓFET, 2Re 23:10; Isa 30:33.
TOLERAR, Gé 30:20 Por fin me t. mi esposo
Ro 9:22 Dios t. vasos de ira
TOLERAR NINGUNA RIVALIDAD,
Nú 25:13 no t. hacia su Dios
TOMAR, Zac 14:2 Jerusalén será t.
TOMÁS, Mt 10:3; Jn 20:24; Hch 1:13.
TONOS, 1Co 14:7 intervalo a los t.
TONTEDAD, Sl 69:5 conocer mi t.
Pr 26:4 estúpido conforme a su t.
2Sa 15:31; Pr 19:3; Isa 44:25.
TONTERÍA(S), Ec 1:17; 2:3, 13; Lu 24:11.
TONTO(S), Pr 1:7 y disciplina son lo que t.
Pr 12:15 El camino del t. es recto a sus

TORCER, Pr 10:9 está t. sus caminos se dará
Isa 24:1 tierra, ha t. la faz de ella
Hch 13:10 ¿no cesarás de t. los caminos
2Pe 3:16 indoctos t. las Escrituras
TORCIDO(DA), Dt 32:5 ¡Generación t. y aviesa
Sl 18:26 con el t. te mostrarás
Pr 11:20 t. de corazón son cosa detestable
Pr 19:1 que el que es t. en sus labios
Miq 3:9 los que hacen t. todo lo derecho
Flp 2:15 en medio de generación t.
TORCIMIENTO, Pr 11:3; 15:4.
TORILLOS, Heb 9:12 sangre de cabríos y t.
TORMENTA, Sl 83:15 tras ellos con tu t.
Jer 23:19 tempestad de Jehová, una t.
Jer 25:32 una gran t. será levantada
Am 1:14 t. en día del viento de tempestad
TORMENTO(S), Lu 16:23 existía en t., y vio
Rev 14:11 humo del t. de ellos asciende
Rev 18:7, 10.
TORO(S), Éx 21:28 t. ha de ser apedreado
Isa 1:3 Un t. conoce a su comprador
Isa 11:7 león comerá paja como el t.
1Co 9:9 No poner bozal al t. cuando
Heb 10:4 no es posible sangre de t. quite
Le 16:6; Sl 106:20; Pr 7:22.
TORRE, Gé 11:4 Edifiquémonos una t.
Pr 18:10 nombre de Jehová es una t. fuerte
2Re 9:17; Sl 61:3; Miq 4:8; Lu 13:4.
TORRENCIALES, Jer 31:9 valles t. de agua
TORRENTE, Jue 5:21 t. de Cisón los arrolló
Eze 47:7 en la margen del t. había árboles
TORRES DE HABITACIÓN, Sl 48:3 en sus t.
Sl 122:7 libertad de cuidado dentro de t.
Isa 13:22; Eze 19:7; Am 3:9; Miq 5:5.
TORTUOSIDAD, Pr 4:24 Quita t. del habla
TRABAJADOR(ES), Ne 4:22 noche y t. de día
2Ti 2:15 t. que no tiene de qué avergonzarse
TRABAJAR, Jn 5:17 Padre ha seguido t. y
Jn 6:27 T., no por el alimento que perece
Ro 4:4 al que t. no se le cuenta el pago
2Te 3:10 no quiere t., tampoco coma
TRABAJAR CON EFICACIA, Job 6:13.
TRABAJAR DURO, Sl 127:1 edificadores t.
Flp 2:16 corrí en vano, ni t. en vano
1Te 5:12 respeten a los que t. entre ustedes
1Ti 4:10 estamos t. y esforzándonos
1Ti 5:17 honra, los que t. en hablar y
TRABAJAR LABORIOSAMENTE, 1Co 15:10.
TRABAJO, Pr 14:23 Por t. afanoso llega a
Pr 22:29 hombre hábil en su t.?
Ec 9:10 no hay t. ni sabiduría en el Seol
1Te 5:13 en amor por causa de su t.
TRABAJO EFICAZ, Isa 28:29 obrado en t.
TRABAJO(S) FORZADO(S), Pr 12:24 para t.
Jue 1:28; 1Re 9:21.
TRABAJO OBLIGATORIO, Job 7:1; 14:14.
TRADICIÓN(ES), 1Cr 4:22 dichos t. antigua
Mt 15:3 traspasan a causa de su t.?
Mr 7:13 invalidan palabra de Dios por t.
Gál 1:14 celoso por las t. de mis padres
Col 2:8 vano engaño según la t. de hombres
Mr 7:3; 1Co 11:2; 2Te 2:15; 3:6.
TRADUCIR, Esd 4:7 t. al arameo
1Co 14:13 hable una lengua pueda t.
1Co 14:27 habla en una lengua, alguien t.
Jn 1:42; 9:7.
TRADUCTOR(ES), 1Co 12:30 No todos son t.
1Co 14:28 si no hay t., que guarde silencio
TRAER, Da 12:3 t. muchos a justicia
TRAGAR, 2Co 5:4 lo mortal sea t. por la vida
TRAICIÓN(ES), Jer 12:1 cometiendo t. son
Sof 3:4 Sus profetas eran hombres de t.
TRAICIONADO, Mt 27:3 Judas, que lo había t.
Lu 22:22 Hijo del hombre es t.!

TRAICIONAR, Mt 26:21 Uno de ustedes me t.
Isa 16:3; Jn 6:64; 13:2; 18:2.
TRAICIONERO(S), Sl 119:158 t. en tratos
Pr 2:22 los t. serán arrancados de ella
Isa 21:2 El que es t. trata traidoramente
TRAIDOR(ES), Sl 59:5; Lu 6:16.
TRAIDORAMENTE, Pr 13:2 los que tratan t.
Pr 21:18 el que obra t. toma el lugar de
Isa 33:1 ¡Ay de ti que estás tratando t.
Hab 1:13 miras a los que tratan t.
Hab 2:5 porque el vino trata t.
Mal 2:16 guardarse y no tratar t.
Pr 11:3; Isa 24:16; Jer 5:11; Mal 2:14.
TRAMAR, Est 8:3 Hamán t. contra judíos
Sl 17:3 no he t. Mi boca no transgredirá
Ef 4:14 astucia en t. el error
Ne 6:2; Sl 36:4.
TRAMAS, Da 11:24 t. hasta un tiempo
TRAMPA(S), Sl 11:6 hará llover t., fuego y
Sl 38:12 andan buscando mi alma tienden t.
Sl 64:5 hacen declaraciones de esconder t.
Jos 23:13; Sl 91:3; Jer 18:22; Ro 11:9.
TRANQUILA, Lu 12:19 pásalo t., come, bebe
1Ti 2:2 llevando una vida t. y quieta
TRANQUILIDAD, 1Cr 22:9; Pr 17:1; Ec 9:17.
TRANQUILIZADOR, Rut 2:13.
TRANSFERIDO, Heb 11:5 Por fe Enoc fue t.
TRANSFERIR(SE), Mt 17:20 a montaña: T. de
Col 1:13 nos t. al reino del Hijo
TRANSFIGURADO, Mt 17:2 fue t. delante de
TRANSFORMADOS, 2Co 3:18 t. en la misma
TRANSFORMAR(SE), Ro 12:2 t. rehaciendo su
2Co 11:14 Satanás sigue t. en ángel de luz
TRANSGREDIR, Sl 17:3 Mi boca no t.
Pr 18:19 El hermano contra quien se ha t.
Isa 43:27 tus voceros han t. contra mí
Jer 2:29; 33:8; Lam 3:42; Sof 3:11.
TRANSGRESIÓN(ES), Job 31:33 encubrí t.
Sl 19:13 permanecido inocente de mucha t.
Pr 17:9 El que encubre la t. busca amor
Isa 44:22 borraré tus t. tal como el nube
Isa 53:5 traspasando por nuestra t.
Eze 18:28 se vuelva de todas sus t. que
Da 9:24 semanas para poner fin a la t.
Miq 7:18 pasa por alto la t. del resto
Ro 4:15 donde no hay ley, tampoco t.
Gál 3:19 Ley? para poner de manifiesto t.
Pr 29:16; Isa 59:20; Hei 2:2; 9:15.
TRANSGRESIÓN QUE CAUSA DESOLACIÓN,
Da 8:13 ¿Cuánto durará la visión de la t.
TRANSGRESOR(ES), Sl 37:38 los t. serán
Sl 51:13 enseñaré a los t. tus caminos
Isa 53:12 con los t. fue contado
Isa 48:8; Da 8:23; Ro 2:25; Snt 2:11.
TRÁNSITO, Jue 5:6 no t. en los senderos
TRANSITORIO, Sl 39:4 yo sepa cuán t. soy
TRANSMITIDA, Hch 7:53 Ley t. por ángeles
Gál 3:19 fue t. mediante ángeles por mano
TRANSPORTACIÓN, 2Cr 28:15 t. en asnos
TRAS, Isa 38:17 t. tus espaldas
1Co 14:1 Sigan t. el amor; procurando
TRASLADAR, 2Sa 3:10 t. el reino
1Co 13:2 fe como para t. montañas
TRASPASADO(S), Jer 51:52; Lam 4:9.
TRASPASAR, Jue 5:26 Sísara, le t. la cabeza
1Sa 15:24 He pecado; he t. la orden
Isa 53:5 se le estuvo t. por nuestra
Mt 15:3 ¿Por qué t. el mandamiento de
Jn 19:37 Mirarán a Aquel a quien t.
Rev 1:7 todo ojo le verá, y los que la t.
Jos 7:11; 23:16; Jue 2:20; 2Cr 24:20; Sl 69:26;
Jer 34:18; Os 6:7; 8:1; Zac 12:10.
TRASPIÉ, Ro 14:13 ni causa para dar un t.

TRASTABILLAR, Sl 13:4; Pr 24:11; 25:26.
Am 8:12 Y t., pero no hallaran
TRATAMIENTO, Isa 3:11 Calamidad; pues el t.
2Co 4:10 el t. mortífero que se dio a Jesús
Col 2:23 un t. severo del cuerpo; pero no
TRATAR, Mr 9:10 t. de lo que quería decir
Lu 22:23 t. la cuestión de quién de ellos
TRATAR FALSAMENTE, Le 19:11 no deben t.
TRATO, Joe 3:4, 7; Abd 15.
TRAZAR, Isa 44:13 lo t. con tiza
TRÉMULO, Dt 28:65 te dará un corazón t.
TRENZADOS DEL CABELLO, 1Pe 3:3.
TRESCIENTOS, Jue 7:7 Por los t. hombres
TRETAS, 2Co 12:16 los pillé con t.
TRIBU(S), Gé 49:28 son las doce t. de
Sl 122:4 han subido las t., las t. de Jah
Isa 49:6 para levantar las t. de Jacob y para
Mt 19:28 tronos y juzgarán a las doce t.
Mt 24:30 todas t. de la tierra se golpearán
Snt 1:1 a las doce t. que están esparcidas
Rev 1:7 las t. de la tierra se golpearán
Rev 7:9 de naciones y t. y pueblos
Éx 28:21; Sl 74:2; Heb 7:13; Rev 21:12.
TRIBULACIÓN(ES), Mt 24:9 entregarán a t.
Mt 24:21 gran t. como no ha sucedido
Jn 16:33 En mundo t., pero ¡cobren ánimo!
Ro 12:12 esperanza. Aguanten bajo t.
1Co 7:28 que lo hagan tendrán t. en la carne
2Co 1:4 nos consuela en toda nuestra t.
2Co 4:17 t. es momentánea y liviana
1Te 1:6 aceptaron la palabra bajo mucha t.
2Te 1:6 pagar con t. a los que causan t.
Heb 10:33 expuestos a vituperios como a t.
Heb 11:37 en t., bajo maltratamiento
Snt 1:27 viudas en su t., sin mancha del
Rev 2:10 prueba, que tengan t. diez días
Rev 7:14 los que salen de la gran t.
Mr 4:17; Hch 7:10; 14:22; 20:23; Ro 2:9; 5:3;
8:35; 2Co 6:4; 1Co 2:4; 1Te 3:3.
TRIBUNA, Ne 8:4 sobre una t. de madera
TRIBUNAL(ES), Da 7:10 t. tomó asiento
Mt 5:22 continúe airado responsable al t.
Ro 14:10 de pie ante el t. de Dios
1Co 4:3 que sea examinado por t. humano
1Co 6:1 ¿Se atreve a ir al t. ante injustos
1Co 6:6 hermano va con hermano a t.
Snt 2:6 los arrastran ante los t.
Da 7:26; Mt 5:40; Lu 12:58; Jn 19:13; Hch
17:34; 18:12; 25:10; 2Co 5:10.
TRIBUNALES LOCALES, Mt 10:17; Mr 13:9.
TRIBUTO, Ro 13:7 Den al que pide t., el t.
Esd 4:13; 7:24; Sl 72:10.
TRIGO, Sl 147:14 grosura del t.
Mt 3:12; 13:25; Lu 22:31; Jn 12:24.
TRILLAR, Miq 4:13 Levántate y t., oh
Hab 3:12 En cólera fuiste t. las naciones
TRILLO, Isa 41:15 t., un nuevo trillador
TRISTE, Sl 38:6 todo el día he andado t.
Pr 25:20 canciones a un corazón t.
TRISTEZA, Isa 19:8 tendrán que expresar t.
2Co 2:1 no ir a ustedes otra vez con t.
2Co 7:10 t. piadosa obra arrepentimiento
TRITURADO(DA), Miq 1:7; 3:3.
TRITURAR, Da 2:44 T. y pondrá fin a reinos
Sl 89:23; Zac 11:6.
TRIUNFAL, 2Co 2:14 una procesión t. en
Col 2:15 los condujo en una procesión t.
TRIUNFALMENTE, Snt 2:13 se alboroza t.
TRIUNFO, Sl 41:11 enemigo no grita en t.
Sl 47:1 Griten en t. a Dios con el son
Sl 81:1 griten en t. al Dios de Jacob
TRIVIAL, Isa 49:6 más que asunto t.
TROCAR, Job 41:6 ¿T. por él los socios?
TROMPETA(S), Mt 6:2 dádivas, no toques t.

1Co 14:8 t. da un toque indistinto, ¿quién
1Co 15:52 cerrar de ojos, durante última t.
1Te 4:16 descenderá con t. de Dios
Heb 12:19; Rev 8:2.
TRONAR, 1Sa 2:10; 7:10; Job 37:5.
Job 40:9 con voz como la de él hacer t.?
Sl 29:3 el glorioso Dios ha t.
Sl 98:7 T. el mar y lo que lo llena
TRONO(S), 1Cr 29:23 sobre el t. de Jehová
Sl 45:6 Dios tu t. hasta tiempo indefinido
Sl 97:2 justicia lugar de su t.
Isa 9:7 sobre el t. de David y sobre su
Isa 14:13 encima de estrellas alzaré mi t.
Isa 66:1 cielos son mi t., y la tierra
Da 7:9 contemplando que se colocaron t.
Lu 22:30 sienten sobre t. juzgar a Israel
Heb 4:16 Acerquémonos, al t. de bondad
Heb 12:2 a la diestra del t. de Dios
Rev 3:21 concederé sentarse conmigo en t.
Rev 7:9 de pie delante del t. y sentaron
Rev 20:4 vi t., y hubo quienes se sentaron
Jer 3:17; Mt 25:31; Col 1:16.
TROPAS, 2Cr 25:10; Job 29:25.
TROPEZAR, Isa 8:14 roca sobre cual t.
Jer 20:11 los que me persiguen t.
Da 11:33 se les hará t. por espada y llama
Da 11:35 algunos de perspicacia se les hará t.
Mt 5:29 ojo derecho te está haciendo t.
Mt 13:41 juntarán las cosas que hacen t.
Mt 13:57 empezaron a t. por motivo de él
Mt 18:6 cualquiera que haga t. a estos
Mt 26:31 A ustedes se les hará t.
Flp 1:10 no hagan t. a otros
Pr 4:12; Isa 8:15; 59:10; Mt 15:12; Jn 16:1;
1Co 8:13; Snt 3:2.
TROPIEZO(S), Sl 119:165 no para ellos t.
Mt 18:7 ¡Ay del mundo, debido a los t.!
Ro 9:33 Coloco en Sión piedra de t.
Ro 16:17 a los que causan ocasiones de t.
TROZOS, Mt 14:20; 15:37.
TRUENO(S), Éx 9:23 Jehová dio t. y
Mr 3:17 Boanerges, significa Hijos del T.
Rev 6:1 decir con voz como de t.:
Sl 77:18; 81:7.
TUBERCULOSIS, Le 26:16; Dt 28:22.
TUÉTANO, Heb 4:12 dividir coyunturas y t.
TUMBA(S) CONMEMORATIVA(S),
Mt 23:29 adornan t. de los justos
Jn 5:28 todos en las t. oirán su voz
Mt 27:52, 60; Mr 6:29; Jn 11:17.
TUMULTO, Sl 2:1 en t. las naciones
Hch 21:34 no pudiendo a causa del t.
TUMULTUOSAS, Hch 4:25 t. las naciones
TÚNEL, 2Sa 5:8 jebuseos, por medio del t.
TURQUESA, Éx 28:18; Eze 27:16; 28:13.
TUTOR(ES), 1Co 4:15 diez mil t. en Cristo
Gál 3:24 Ley nuestro t. que conduce a Cristo

U

ÚLCERA(S), Os 5:13; Lu 16:21; Rev 16:2, 11.
ÚLTIMO(MA), Isa 44:6 Jehová el primero y ú.
Mt 19:30 muchos que son primeros serán ú.
1Co 15:26 ú. enemigo, la muerte a nada
1Co 15:45 ú. Adán espíritu dador de vida
Rev 22:13 Yo soy el primero y el ú.
Mt 20:8, 16; Mr 9:35; 1Jn 2:18; Rev 1:17.
ÚLTIMO(S) DÍA(S), Jn 6:54 lo resucitaré ú.
2Ti 3:1 en ú. se presentarán tiempos críticos
Snt 5:3 fuego es lo que han acumulado en ú.
2Pe 3:3 en los ú. vendrán burlones
Ne 8:18; Jn 11:24; 12:48.
UNÁNIMEMENTE, Éx 19:8.
UNCIÓN, 1Jn 2:20 una u. del santo
Éx 30:25; 40:15; Le 8:12; Nú 4:16.
UNGIDO(S), 1Sa 2:10 el cuerno de su u.

2Sa 19:21 invocó el mal contra el u. de
1Cr 16:22 No toquen a mis u.
Sl 2:2 reyes contra Jehová y su u.
Sl 20:6 Jehová salva a su u.
Sl 45:7 te ha u. con el aceite de alborozo
Sl 105:15 No toquen a mis u.
Isa 45:1 ha dicho Jehová a su u., a Ciro
Isa 61:1 Jehová me ha u. para anunciar
Eze 28:14 Tú eres el querubín u. que cubre
Hab 3:13 para salvar a tu u.
2Co 1:21 el que nos ha u. es Dios
UNGIR, Éx 28:41 u. y llenarles la mano
Jue 9:8 los árboles fueron a u. un rey
1Sa 16:13 Samuel lo u. en medio de sus
Heb 1:9 Dios te u. con el aceite
Éx 40:13, 15; 1Sa 16:12; 1Re 1:34; 19:16.
UNIDAD, Sl 133:1 hermanos moren en u.!
Miq 2:12 En u. los pondré, como rebaño
Ef 4:13 alcanzar u. en la fe
Isa 45:21; Os 1:11.
UNIDOR, Ef 4:3 vínculo u. de la paz
UNIDOS, Ro 6:5 u. con él en la semejanza
1Co 1:10 aptamente u. en la misma mente y
2Co 6:14 No u. bajo yugo con incrédulos
Flp 2:2 amor, estando u. en alma
Col 2:2 u. armoniosamente en amor
UNIFICAR, Sl 86:11 U. mi corazón para
UNIGÉNITO, Jn 1:18 el dios u.
Jn 3:16 dio a su Hijo u., para que
Heb 11:17 Abrahán, trató de ofrecer su u.
1Jn 4:9 Dios envió a su Hijo u.
Jn 1:14; 3:18.
UNIÓN, Zac 11:7 al otro llamé U.
1Co 1:30 ustedes estén en u. con Cristo
2Co 5:17 u. con Cristo, es nueva creación
Col 3:14 amor, es un vínculo perfecto de u.
UNIR(SE), Da 11:34 u. por melosidad
Mt 19:6 lo que Dios ha u. bajo un yugo
1Co 6:16 u. a una ramera es un solo cuerpo?
1Co 6:17 se u. al Señor es un solo espíritu
Gé 49:6; Isa 14:20.
UNÍSONO, Isa 52:8 Al u. siguen clamando
UNO QUE ESTÁ RECOMPRANDO, Isa 47:4.
UN SOLO DIOS, 1Co 8:4 no hay más que u.
UNTAR, Sl 23:5 Con aceite u. la cabeza
UR, Gé 11:28; 15:7.
URDIR, 1Sa 23:9 Saúl u. la maldad
URGENTE, 1Sa 21:8 el asunto resultó u.
URGENTEMENTE, 2Ti 4:2 en ello u. en tiempo
URIM Y TUMIM, Éx 28:30; Esd 2:63.
URÍAS, Jer 26:21 U. llegó a oír, le dio miedo
USO, 1Cr 7:31 los que hacen u. del mundo
USURA, Le 25:36; Ne 5:7.
USURPACIÓN, Flp 2:6 no a una u.
UTENSILIOS, 1Cr 22:19; 2Cr 36:7; Isa 52:11.
ÚTILES, Gé 27:3; Ec 9:18.
UVAS, Isa 5:2 esperando produjera u.
Jer 8:13; Mt 7:16; Rev 14:18.
UZAH, 2Sa 6:6 U. alargó la mano al arca
UZÍAS, 2Cr 26:21 U. continuó leproso
2Cr 26:1; Isa 6:1; Mt 1:8.

V

VACIADA, Isa 24:3 la tierra será v.
VACIAR, Mal 3:10 cielos y v. una bendición
VACILANTES, Isa 35:3 rodillas v.
VACÍO(A), 1Sa 20:18 tu asiento estará v.
Sl 2:1 grupos nacionales hablando cosa v.?
Pr 13:25; Ef 5:6.
VACUIDAD, Na 2:10 ¡Vacío y v.
VAGADO, Jer 2:31 han dicho: Hemos v.
VALER, Hch 19:19 quemaron libros que v.
VALEROSOS, Ez 27:11 hombres v. en tus
VALIDADO, Gál 3:15 Un pacto v. nadie lo
Gál 3:17 pacto previamente v. por Dios, la

VÁLIDO, Heb 9:17 v. sobre víctimas muertas
VALIENTE(S), Jue 6:12 v. y poderoso
Jue 11:1 Jefté se había hecho hombre v.
2Cr 26:17 ochenta hombres v. entraron
Heb 11:34 se hicieron v. en guerra
1Sa 16:18; 1Re 11:28; 2Re 5:1; 1Cr 7:5.
VALOR(ES), Pr 1:13 objetos de v.
Pr 8:18 v. hereditarios y justicia
Pr 31:10 esposa capaz? Su v. es mucho más
Mt 13:46 hallar una perla de gran v.
Flp 3:8 pérdida a causa del sobresaliente v.
Heb 10:29 estimado como de v. ordinario
1Pe 1:7 fe, de mucho más v. que el oro
1Pe 3:4 de gran v. a los ojos de Dios
VALOR APARENTE, 2Co 10:7.
VALORAR, 1Co 4:1 v. el hombre como
2Co 10:2 nos v. como si anduviéramos
VALOR MAJESTUOSO, Zac 11:13 tesoro... v.
VALLE, Sl 23:4 v. de sombra profunda
Isa 40:4 Que todo v. sea levantado
Eze 37:1 v., esta estaba llena de huesos
VALLE DE LA MUCHEDUMBRE DE GOG,
Eze 39:11, 15.
VANAGLORIARSE, Sl 94:4 todos siguen v.
1Co 13:4 El amor no se v.
VANAGLORIOSO, Isa 29:20 el v. terminarse
VANIDAD, Pr 13:11 resultan de la v.
Ec 3:19 no hay superioridad, todo es v.
Ec 1:2; 4:4; 11:10; Isa 49:4; Jer 10:15.
VANO(NA), Ec 7:15 visto durante mis días v.
Ec 9:9 todos los días de tu vida v. que
Zac 10:2 y en v. tratan de consolar
Mt 15:9 En v. siguen adorándome
1Co 15:58 labor no es en v. con el Señor
Gál 2:2 temor de que hubiera corrido en v.
Flp 2:16 no corrí en v., ni trabajé en v.
1Co 3:20; 1Ti 6:20; 2Ti 2:16; Tit 3:9.
VAPORES, Sl 135:7 haciendo ascender v.
Jer 10:13 y él hace que asciendan v.
VARA(S), Sl 110:2 La v. de tu fuerza
Pr 13:24 retiene su v. odia a su hijo
Isa 11:4 golpear la tierra con la v. de
Jer 28:13 tendrás que hacer v. de hierro
Eze 34:27 quiebre las v. de su yugo
1Co 4:21 ¿Iré a ustedes con v., o amor
Heb 9:4 contenía el maná y la v. de Aarón
Rev 2:27 pastoreará con v. de hierro
Rev 12:5 pastorear a las naciones con v.
Le 26:13; Sl 23:4; Pr 29:15; Miq 5:1.
VARA(S) DE YUGO, Isa 58:6 ataduras de v.
Jer 27:2 Hazte ataduras y v.
Eze 30:18 cuando yo quiebre las v. de Egipto
VARAZOS, Dt 25:3 Con cuarenta v. golpearlo
VARIACIÓN, Snt 1:17 con él no hay la v.
VARIEDADES, 1Co 12:4 v. de dones
VARÓN(ES), Ro 1:27 v. dejaron el uso natural
Eze 16:17; Hch 17:5.
VARÓN, HIJO, Isa 66:7 dio a luz un h.
Rev 12:13 había dado a luz al h.
VASO(S), Sl 2:9 v. de alfarero tú los harás
Jer 25:34 caer como un v. deseable!
Mt 10:42 cualquiera que dé de beber un v.
Hch 9:15 este hombre me es un v. escogido
Ro 9:21 un v. para uso honroso, otro
Ro 9:22 v. de ira hechos para destrucción
2Co 4:7 tesoro en v. de barro, para que
Rev 2:27 hechos pedazos como v. de barro
VASO DE REFINACIÓN, Pr 17:3 v. para plata
VECES, Le 26:18 castigarlos siete v.
Jos 6:15 marchar alrededor de ciudad siete v.
Pr 24:16 puede que el justo caiga siete v.
Mt 18:22 v., sino: Hasta setenta y siete v.
VECINO, Pr 27:10 Mejor es v. cerca que
VEGETACIÓN, Gé 1:11 v. que dé semilla
Sl 92:7 los inicuos brotan como la v.
Miq 5:7 como chaparrones copiosos sobre v.

Heb 6:7 tierra produce **v**. apropiada
Rev 9:4 no dañaran la **v**. de la tierra ni
VEHEMENCIA, Lu 23:10 acusándolo con **v**.
VEHEMENTE, Jue 8:1 **v**. trataron
VEHEMENTEMENTE DESEOSO, Pr 24:1.
VELADAS, Co 4:3 **v**. entre los que pereciendo
VELO, Éx 34:35 Moisés se ponía el **v**.
    2Co 3:13-16.
VELOCIDAD, Sl 147:15 con **v**. corre palabra
VELOZ(CES), Ec 9:11 **v**. no tienen la carrera
    Mal 3:5 testigo **v**. contra los hechiceros
    Ro 3:15 Sus pies **v**. para derramar sangre
VELLÓN, Jue 6:37-40.
VENCER, Ro 12:21 sigue **v**. al mal con el bien
    Rev 2:7 Al que **v**., le concederé comer del
    Rev 3:21 Al que **v**., le concederé sentarse
    Rev 11:7 la bestia salvaje los **v**.
    Rev 17:14 el Cordero los **v**.
    Rev 21:7 Cualquiera que **v**. heredará
    Éx 17:13; 1Jn 2:13; 4:4; 5:4, 5; Rev 2:11, 17,
    26; 3:5, 12; 5:5; 12:11.
VENCIDO(S), Job 14:10 muere y yace **v**.
    Jn 16:33 yo he **v**. al mundo
    Col 2:15 los exhibió como **v**.
    2Pe 2:20 se envuelven y son **v**.
    1Jn 5:4 la victoria que ha **v**. al mundo
VENDAR, Isa 61:1 enviado para **v**. a los
VENDAS, Lu 24:12; Jn 19:40; 20:5, 7.
VENDEDORES AMBULANTES, 2Co 2:17 no **v**.
VENDER, Gé 25:31 **v**., ante todo, tu derecho
    Pr 23:23 Compra verdad y no la **v**.
    Joe 3:8 **v**. sus hijos y sus hijas
    Mt 19:21 **v**. tus bienes y da a los pobres
    Le 25:14, 25; Jue 4:9; Mt 25:9; Lu 12:33.
VENENO, Snt 3:8 lengua, está llena de **v**.
VENERAR, Ro 1:25 **v**. y rindieron servicio
VENGADOR, Nú 35:12 refugio del **v**. de sangre
    Ro 13:4 ministro **v**. para expresar ira sobre
    Nú 35:21; Dt 19:6; Jos 20:9; Sl 78:35.
VENGANZA, Gé 4:15 sufrir **v**. siete veces
    Dt 32:35 Mía es la **v**., y la retribución
    Sl 79:10 **v**. de la sangre de tus siervos
    Isa 34:8 Jehová tiene un día de **v**.
    Isa 61:2 proclamar el día de la **v**.
    2Te 1:8 traer **v**. sobre los que no
    Dt 32:41, 43; Na 1:2; Ro 12:19.
VENGAR(SE), Isa 1:24 me **v**. de mis enemigos
    Jer 15:15 **v**. de mis perseguidores
    Ro 12:19 No se **v**., amados, sino cédanle
    Rev 19:2 ha **v**. la sangre de sus esclavos
    Jue 16:28; Est 8:13; Na 1:2; Rev 6:10.
VENIDA. Véase también PRESENCIA.
    Jer 8:7 tiempo de **v**. de cada uno
    Mal 3:2 soportando día de su **v**.
VENIR, Sl 40:7 he **v**., en el rollo está
    Isa 55:1 sedientos! **V**. al agua
    Mt 6:10 **V**. tu reino. Efectúese
    Mr 13:26 Hijo del hombre **v**. en las nubes
    Lu 12:45 Mi amo tarda en **v**., y comenzara
    Lu 21:26 por temor de las cosas que **v**.
    Ro 8:38 ni cosas aquí, ni cosas por **v**.
    Heb 10:1 sombra de buenas cosas por **v**.
    Rev 22:17 cualquiera que oiga, diga: ¡**V**.!
    Lu 5:28; Isa 2:3; Mt 16:28; 25:34; Heb 13:14.
VENTAJA, Pr 14:23 Por trabajo llega **v**.
    Ec 2:13 más **v**. para la sabiduría que para
    Ec 2:11; 1Co 7:35; 10:33.
VENTAJOSA(S), Ec 7:11 la sabiduría es **v**.
    1Co 6:12 no todas las cosas son **v**.
VENTANA, Hch 20:9 Sentado a la **v**., Eutico
    Gé 8:6; Jue 5:28; Pr 7:6; 2Co 11:33.
VER, Éx 33:20 ningún hombre puede **v**.
    Isa 66:8 ¿Quién ha **v**. cosas como estas?
    Jer 5:21 Tienen ojos, pero no pueden **v**.
    Mt 5:8 de corazón puro, **v**. a Dios
    Mt 13:14 mirarán, pero de ningún modo **v**.

Jn 1:18 A Dios ningún hombre lo ha **v**.
Jn 8:56 Abrahán se regocijó de **v**. mi día
Jn 14:9 me ha **v**. a mí ha **v**. al Padre
Jn 20:29 me has **v**. has creído?
Ro 1:20 cualidades invisibles se **v**.
Ro 8:24 cuando el hombre **v**. una cosa
2Co 4:18 ojos en las cosas no se **v**.
Heb 11:13 promesas, las **v**. desde lejos
1Jn 4:20 no ama a hermano, a quien ha **v**.
Rev 3:18 pomada para ojos, a fin de que **v**.
Gé 7:1; Isa 6:5; 60:2; 1Ti 6:16; Rev 11:19.
VERACIDAD, Sl 51:6 has deleitado en la **v**.
VERANO, Gé 8:22 nunca cesarán **v**. e
    Mt 24:32 hojas, saben que el **v**. está cerca
    Sl 74:17; Pr 30:25; Jer 8:20; Zac 14:8.
VERAZ(CES), Jn 3:33 su sello a esto: Dios es **v**.
    Ro 3:4 Dios hallado **v**., aunque todo hombre
    2Co 6:8 engañadores, sin embargo, **v**.
VERAZMENTE, Zac 8:16 Hablen **v**. unos con
VERDAD, Sl 43:3 Envía tu luz y **v**.
    Sl 119:160 sustancia de tu palabra es **v**.
    Pr 23:23 Compra la **v**. misma y no la vendas
    Isa 43:9 oigan y digan: ¡Es la **v**.!
    Jer 10:10 Pero Jehová es en **v**. Dios
    Jn 4:24 adorarlo con espíritu y **v**.
    Jn 8:32 conocerán la **v**., y la **v**. los libertará
    Jn 14:6 Yo soy el camino y la **v**. y la
    Jn 17:17 Santifícalos por **v**.; tu palabra es **v**.
    Jn 18:37 para dar testimonio de la **v**.
    1Co 5:8 tortas de sinceridad y **v**.
    2Co 13:8 no podemos hacer nada contra la **v**.
    Ef 6:14 los lomos ceñidos con la **v**.
    2Te 2:10 no aceptaron el amor de la **v**.
    1Ti 2:7 maestro de naciones en fe y **v**.
    1Ti 3:15 columna y apoyo de la **v**.
    2Ti 2:15 maneja la palabra de la **v**.
    Heb 10:26 conocimiento exacto de la **v**.
    2Pe 1:12 establecidos en la **v**. que está
    Jn 8:44; Ro 1:25; 2Ti 3:7.
VERDADERO(RA), Sl 19:9 decisiones son **v**.
    Pr 14:25 testigo **v**. está librando almas
    Jn 4:23 **v**. adoradores con espíritu y verdad
    Rev 3:14 el testigo fiel y **v**.
    Jn 1:9; 15:1; 17:3; 1Jn 5:20; Rev 19:11.
VEREDA(S), Sl 119:105 una luz para mi **v**.
    Mt 3:3 Hagan rectas las **v**.
    Pr 1:15; Isa 59:8; Jer 18:15.
VER EN VISIONES, Isa 30:10 No deben **v**.
VERGONZOSO(S), 1Co 14:35 es **v**. que mujer
    Ef 5:4 comportamiento **v**., ni habla
    Ro 1:26; 1Co 11:6.
VERGÜENZA, Esd 9:6 **v**. levantar mi rostro a
    Isa 30:3 ser para ustedes razón para **v**.
    Sof 3:5 injusto no conocía la **v**.
    Flp 3:19 su gloria consiste en su **v**.
    Heb 12:2 despreciando la **v**., se ha sentado
    Rev 16:15 la gente mire su **v**.
    Isa 65:13; Eze 7:18; Heb 6:6.
VERIFICADA, Heb 2:3 salvación fue **v**. por
VÉRTIGO, Sl 60:3 vino nos ha dado **v**.
VESÍCULA BILIAR, Job 16:13 vacía mi **v**.
VESTÍBULO, Mr 14:68 salió fuera al **v**.
VESTIDA, Rev 19:8 **v**. de lino fino
VESTIDO(S), Isa 3:22 los **v**. de ceremonia
    1Ti 2:9 en **v**. bien arreglado
    Rev 3:18; 4:4; 7:9; 11:3.
VESTIDO OFICIAL, Zac 13:4 **v**. de pelo
VESTIDOS DE CEREMONIA, Zac 3:4.
VESTIDURA, Hch 20:33 No he codiciado la **v**.
    1Pe 3:4 la **v**. incorruptible del espíritu
    1Sa 15:27; Esd 9:3; Sl 109:29.
VESTIDURA SIN MANGAS, Éx 28:4; Job 1:20;
    Isa 59:17; 61:10.
VESTIR(SE), Mt 6:29 ni siquiera Salomón se **v**.
    Col 3:12 **v**. de tiernos cariños

VIAJAR, Mt 21:33; Lu 15:13; 20:9; Rev 18:17.
VIAJE, Gé 33:14 el v. a mi comodidad
VIAJERO(S), Jue 19:17 v. en la ciudad
  Jer 9:2 desierto lugar de alojamiento de v.!
  Jer 14:8 Israel, como v. que se ha desviado
VÍAS, Pr 11:19 en v. de recibir la vida
VÍBORA(S), Mt 23:33 prole de v.
  Pr 23:32; Isa 30:6; 59:5; Mt 3:7; 12:34.
VICTORIA, 1Co 15:55 Muerte, ¿dónde tu v.?
  1Co 15:57 nos da la v. mediante Jesucristo!
  1Jn 5:4 la v. que ha vencido al mundo
  Rev 6:2 venciendo y para completar su v.
VICTORIOSOS, Ro 8:37 en todas cosas v.
  Rev 15:2 v. de la bestia y de su imagen
VID, Jer 2:21 plantado como una v. roja
  Joe 2:22 y la v. tienen que dar energía vital
  Miq 4:4 cada uno debajo de su v. y su higuera
  Jn 15:1 Yo soy la v. verdadera, y mi Padre
  Rev 14:18 vendimia la v. de la tierra
  Jue 9:13; Eze 17:8; Zac 8:12; Mt 26:29.
VIDA, Gé 2:7 aliento de v., y el hombre
  Gé 3:22 tome fruto del árbol de la v.
  1Sa 25:29 envuelta en la bolsa de la v.
  Sl 30:5 su buena voluntad es por toda la v.
  Sl 36:9 contigo está la fuente de la v.
  Da 12:2 despertarán, estos a v. indefinida
  Jon 2:6 del hoyo hacer subir mi v.
  Jn 3:16 no sea destruido, sino tenga v.
  Jn 5:26 Padre tiene v. en sí mismo
  Jn 11:25 soy la resurrección y la v.
  Jn 14:6 soy el camino y la verdad y la v.
  Jn 17:3 Esto significa v. eterna, el que
  Ro 6:23 don que Dios da es v. eterna
  1Jn 1:2 v. fue manifestada, y hemos visto
  Rev 2:10 te daré la corona de la v.
  Rev 20:15 no se halló en el libro de la v.
  Rev 22:14 autoridad de ir a árboles de la v.
  Rev 22:17 cualquiera tome el agua de la v.
  Dt 30:15; Sl 27:1; Pr 15:24; 22:4; Mal 2:5; Jn
  5:24; Snt 1:12; 1Pe 3:10; Rev 7:17.
VIDA, DURACIÓN DE, Job 11:17; Sl 39:5.
VIDA, HUMEDAD DE MI, Sl 32:4 La h. se ha
VIDA INDEFINIDA, Da 12:2 despertarán, a
VIDAS ESPIRITUALES, Heb 12:23 v. de justos
VIDENTE, 1Sa 9:9 al profeta se le llamaba v.
  2Cr 16:7 Hanani el v. vino a Asá
VIENTO(S), Ec 1:14 un esforzarse tras v.
  Ec 11:4 El que está vigilando el v. no
  Isa 26:18 por decirlo así, hemos dado a luz v.
  Mt 24:31 los escogidos desde los cuatro v.
  Ef 4:14 llevados de aquí allá por todo v.
  Rev 7:1 reteniendo los cuatro v. de
  Sl 104:3; Eze 37:9; Mt 7:25; Jn 3:8.
VIENTO DE TEMPESTAD, Os 8:7 v. segarán
  Pr 1:27; 10:25; Isa 66:15.
VIENTRE, Job 1:21 Desnudo salí del v.
  Sl 127:3 fruto del v. es un galardón
  Pr 13:25 v. de los inicuos estará vacío
  Jer 1:5 formándote en el v., te conocí
  Ro 16:18 hombres esclavos de su propio v.
  Flp 3:19 su dios es su v., y su gloria
  Gé 3:14; Da 2:32; Mt 12:40; 1Co 6:13.
VIGA, Lu 6:42 extrae la v. de tu propio ojo
VIGÍA, Isa 21:6 Ve, aposta un v.
VIGILANCIA, Sl 141:3 pon v. ante labios
VIGILANTE(S), Miq 7:7 me mantendré v.
  1Pe 4:7 v. en oraciones
  1Pe 5:8 sean v. Su adversario, el Diablo
VIGILAR, Pr 8:34 el que está a los postes
  Hab 2:1 v., para ver lo que él hablará
  Lu 12:37 el amo al llegar halle v.!
  Ro 16:17 que v. a los que causan divisiones
  Gál 6:1 v. a ti mismo, por temor seas tentado
  Flp 2:4 no v. con interés personal
  Heb 12:15 v. que nadie quede privado de

VIGILIA, Job 21:32 sobre tumba una v.
VIGOR, Da 9:27; Heb 9:17; Snt 5:16.
VIGORIZAR, Pr 31:17 v. sus brazos
  Isa 58:11 Jehová v. tus huesos
VIGOROSAMENTE, Lu 13:24 Esfuércense v.
VIGOROSO, Sl 89:8 ¿quién es v. como tú, oh
VIL(ES), Jn 5:29 practicaron cosas v.
  Tit 2:8 no tener nada v. que decir acerca
  Jn 3:20; Ro 9:11; 2Co 5:10; Snt 3:16.
VILLANÍA, Hch 13:10 toda suerte de v.
VINAGRE, Pr 10:26 Como v. a los dientes y
VÍNCULO, Ef 4:3 v. unidor de la paz
  Col 3:14 amor, es v. perfecto de unión
VINO, Sl 104:15 v. regocija el corazón
  Pr 23:31 No mires v. cuando rojea
  Isa 25:6 banquete de v. sobre las heces
  Isa 29:9 embriagado, pero no con v.
  Isa 55:1 compren v. y leche sin dinero
  Jer 25:15 Toma esta copa del v. de la furia
  Joe 3:18 montañas gotearán v. dulce
  Jn 2:9 agua había sido convertida en v.
  1Ti 3:8 siervos no dados a mucho v.
  1Ti 5:23 un poco de v. a causa de estómago
  Rev 18:3 a causa del v. de la cólera de su
  Jue 13:4; Jer 35:6; Mt 9:17; Ef 5:18.
VIÑA(S), Isa 5:7 v. de Jehová es la casa
  Isa 65:21 plantarán v., y comerán su fruto
  Sof 1:13 plantarán v., pero no beberán vino
  Mt 20:1 para contratar obreros para v.
  Lu 20:9 Un hombre plantó una v. y la arrendó
  Jer 12:10; Eze 28:26; Am 9:14; Mt 21:28.
VIÑADORES, 2Re 25:12; Isa 61:5.
VIOLACIÓN, Le 18:23 Es v. de lo natural
  Esd 6:12 cometer una v. y destruir esa
VIOLADA, Le 21:7, 14 No tomar mujer v.
VIOLAR, 1Ti 4:7; 6:20 v. lo que es santo
  2Ti 2:16 vanas palabrerías que v. lo santo
VIOLENCIA, Sl 73:6 v. los envuelve cual
  Ec 5:8 con v. se quita al juicio
  Isa 53:9 a pesar de que no había hecho v.
  Isa 60:18 Ya no se oirá la v. en tu tierra
  Eze 7:23 ciudad llegado a estar llena de v.
  Gé 6:11; Sl 11:5; Sof 1:9; Mal 2:16.
VIRGEN(ES), Sl 45:14 Las v. de su séquito
  Isa 47:1 oh v. hija de Babilonia
  Mt 25:1 reino a ser semejante a diez v.
  1Co 7:25 respecto a v. no tengo mandamiento
  2Co 11:2 presentarlos cual v. casta al Cristo
VIRGINIDAD, Jue 11:37 déjame llorar mi v.
  1Co 7:36 portando impropiamente con su v.
VIRTUD, 1Co 11:25 nuevo pacto en v. de
  Flp 4:8 cualquier v. que haya continúen
  Flp 4:13 fuerza en v. de aquel que me imparte
  2Pe 1:3 nos llamó mediante gloria y v.
  2Pe 1:5 suministren a su fe, v.; a su v.
VISIBLE(S), Da 4:11, 20 árbol era v.
  Mt 27:53 se hicieron v. a mucha gente
  Hch 26:16 me he hecho v. a ti
  Col 1:16 cosas v. y las cosas invisibles
VISIÓN(ES), Pr 29:18 Donde no hay v.
  Eze 13:16 profetas están viendo en v. una v.
  Joe 2:28 jóvenes, v. verán
  Hab 2:3 v. es todavía para tiempo señalado
  Zac 13:4 se avergonzarán, cada uno de su v.
  Mt 17:9 No digan a nadie la v. hasta que
  Eze 1:1; Da 10:14; Miq 3:6; Hch 16:9.
VISITAR, Lu 1:78 nos v. un amanecer desde
  Hch 15:36 volvamos y v. a los hermanos
VISTA, 2Co 5:7 andamos por fe, no por v.
  Mt 20:34; Lu 7:22; Hch 9:12.
VITUPERAR, Sl 55:12 enemigo a v.
  Sl 74:10 seguirá v. el adversario?
  Sl 74:18 El enemigo ha v.
  Mt 5:11 Felices son ustedes cuando los v.
  1Pe 4:14 los están v. por Cristo, felices

Sl 44:16; 79:12; 89:51; 119:42; Pr 14:31; Sof
 2:10; Lu 6:22; Ro 15:3.
VITUPERIO(S), Ro 15:3 Los v. de los que
 Heb 10:33 expuestos como en teatro a v.
 Heb 11:26 v. del Cristo como riqueza
VIUDA(S), Zac 7:10 defrauden a ninguna v.
 Lu 20:47 devoran casas de las v. y por
 Lu 21:2 vio a cierta v. necesitada echar dos
 1Ti 5:3 Honra a v. que realmente son v.
 Snt 1:27 cuidar de los huérfanos y v. en
 Rev 18:7 Estoy sentada reina, y no soy v.
 Isa 47:8; Mr 12:43; Lu 18:3; 1Co 7:8.
VIUDEZ, Gé 38:14; Isa 47:9; 54:4.
VIVIENTE(S), Job 33:30 con la luz de v.
 Sl 69:28 borrados del libro de los v.
 1Te 4:15 nosotros los v. que sobrevivamos
 Le 11:2; Sl 145:16; 1Te 4:17.
VIVIFICADOS, 1Co 15:22 en Cristo todos v.
VIVIFICAR, Ro 4:17 Dios, que v. a muertos
VIVIR, Dt 19:4 homicida huir allí y v.:
 Mt 4:4 No de pan solamente debe v. el hombre
 Jn 6:51 si come de este pan v. para siempre
 Jn 11:25 aunque muera, llegará a v.
 Ro 1:17 el justo por medio de fe v.
 Ro 6:10 la vida que v., la v. con referencia a
 Ro 10:5 justicia de la Ley v. por ella
 Ro 14:7 Ninguno v. con respecto a sí mismo
 Rev 1:18 ¡mira!, v. para siempre jamás
 Rev 15:7 Dios, que v. para siempre jamás
 Gé 3:22; Éx 33:20; Job 14:14; Eze 18:32; Lu
 15:12; Ro 8:13.
VIVIR CON REGALO, Ne 9:25 engordar y v.
VIVO(VA), Dt 5:26 oído la voz del Dios v.
 Sl 22:29 conservará v. su propia alma
 Sl 89:48 hombre v. no haya de ver la muerte?
 Ec 9:5 v. tienen conciencia de que morirán
 Jer 2:13 a mí, la fuente de agua v.
 Mt 22:32 es Dios, no de muertos, sino de v.
 Jn 4:10 él te habría dado agua v.
 Hch 10:42 sea juez de v. y muertos
 Ro 6:11 v. con referencia a Dios
 Ro 7:9 estaba v. aparte de ley; mas
 1Ti 3:15 la congregación del Dios v.
 Heb 4:12 palabra de Dios es v., y ejerce poder
 Heb 10:31 caer en las manos del Dios v.
 1Pe 1:3 nuevo nacimiento a esperanza v.
 1Pe 2:5 ustedes como piedras v. edificados
 Isa 38:19; Da 6:26; Zac 14:8; 2Co 13:4; Heb
 7:25; 1Pe 3:18; Rev 19:20.
VIVO INTERÉS, Ro 1:15 v. en declararles
VOCEROS, 2Cr 32:31 los v. de los príncipes
 Job 16:20 compañeros son v. contra mí
VOCIFERAR, Lu 23:21 v., diciendo: ¡Al madero
VOLAR, Rev 12:14 para que v. al desierto
VOLUNTAD, Sl 40:8 hacer tu v., Dios mío
 Sl 143:10 Enséñame a hacer tu v., mi Dios
 Mt 6:10 Efectúese tu v., como en el cielo
 Lu 22:42 no se efectúe mi v., sino la tuya
 Jn 5:30 no busco mi propia v., sino la v. del
 Hch 13:36 David sirvió según v. expresa de
 Ro 8:20 no de su propia v., sino por aquel
 Ro 12:2 acepta y la perfecta v. de Dios
 Ef 5:17 cuál es la v. de Jehová
 Col 1:9 conocimiento exacto de su v. en
 Heb 10:10 dicha v. hemos sido santificados
 Snt 1:18 su v., él nos produjo
 2Pe 1:21 profecía no por v. del hombre
 1Jn 2:17 el que hace v. de Dios permanece
 Rev 4:11 de tu v. existieron y fueron creadas
 Esd 7:18; Da 11:36; Mt 7:21; Jn 6:39.
VOLUNTARIAMENTE, 1Cr 29:17 ofrecido v.
 Esd 1:6 fortalecieron con cosas v.
 Esd 7:16 sacerdotes están dando v. a la casa
 Ne 11:2 ofrecieron v. morar en Jerusalén
VOLUNTARIO(S), Jue 5:9 Mi corazón por v.
 2Cr 17:16 Amasías el v. para Jehová

VOLUNTARIOSAMENTE, Heb 10:26 v. pecado
VOLUNTARIOSO(S), Tit 1:7; 2Pe 2:10.
VOLVER(SE), Gé 3:19 hasta que v. al suelo
 1Re 8:48 se v. a ti con todo su corazón
 Pr 26:11 como un perro que v. a su vómito
 Ec 3:20 polvo, y todos v. al polvo
 Ec 12:7 el espíritu v. al Dios
 Lu 10:21 Un simple resto v.
 Isa 55:11 palabra no v. a mí sin resultados
 Mal 3:7 V. a mí, y yo v. a ustedes
 Mr 13:16 que se halle en el campo no v. a
 Lu 19:12 conseguir poder real y v.
 Gál 4:9 se v. de nuevo a las débiles
 Snt 5:20 el que hace v. a un pecador
 Nú 10:36; Job 33:25; Ec 1:6; Miq 2:8.
VOMITAR, Le 20:22; Jer 25:27; Rev 3:16.
VÓMITO, Isa 28:8 mesas han llenado de v.
 2Pe 2:22 El perro ha vuelto a su v.
 Pr 26:11; Isa 19:14; Jer 48:26.
VOTADO, Lu 23:51 no había v. en apoyo
VOTO(S), Nú 30:2 haga un v. a Jehová
 Nú 30:5 padre ha prohibido sus v.
 Jue 11:30 Jefté hizo un v. a Jehová
 Sl 50:14 paga al Altísimo tus v.
 Sl 61:8 pague mis v. día tras día
 Ec 5:4 Siempre que hagas un v. a Dios, no
 Jon 2:9 Lo que he prometido en v., pagaré
 Hch 26:10 yo echaba mi v. contra ellos
 Dt 23:21, 23; Sl 76:11; 132:2; Jon 1:16.
VOZ, Dt 4:33 ¿Ha oído pueblo la v. de Dios
 Isa 52:8 atalayas han levantado la v.
 Isa 58:1 Levanta tu v. como un cuerno
 Joe 3:16 Jehová dará su v.
 Na 2:13 no más la v. de mensajeros
 Jn 5:28 en las tumbas oirán su v.
 Jn 10:27 Mis ovejas escuchan mi v.
VOZ BAJA, Jos 1:8 leer el en v.
 Sl 1:2 lee en su ley en v.
 Sl 71:24 proferirá en v. tu justicia
VOZ DE ALBOROZO, Jer 7:34 cesar v.
VULGO, Hch 4:13 hombres iletrados y del v.

Y

YELMO, Ef 6:17 el v. de la salvación
 1Sa 17:5; Isa 59:17; Jer 46:4; 1Te 5:8.
YERNO, Gé 19:12; Éx 3:1; Jue 1:16.
YO RESULTARÉ SER, Éx 3:14 Y. lo que
YO SECRETO, Sl 51:6 en el v. hacerme
YUGO, Mt 11:30 mi v. es suave y mi carga
 Mt 19:6 lo que Dios ha unido bajo un v.
 2Co 6:14 No unidos bajo v. con incrédulos
 Dt 28:48; Jer 28:14; Mt 11:29; Gál 5:1.

Z

ZABULÓN, Jue 5:18 Z. fue un pueblo que
 Gé 30:20; Nú 26:26; Sl 68:27; Rev 7:8.
ZACARÍAS 1., 1Cr 26:2, 14.
ZACARÍAS 2., 2Cr 24:20 Z. hijo de Jehoiadá
 Lu 11:51 hasta la sangre de Z.
ZACARÍAS 3., Esd 5:1; Zac 1:1, 7.
ZACARÍAS 4., Isa 8:2 Z. el hijo de
ZACARÍAS 5., Lu 1:5, 12, 18, 40, 67.
ZAMBULLIRSE, 2Re 5:14 z. en el Jordán
ZAQUEO, Lu 19:2, 5, 8.
ZARANDEAR, Am 9:9 z. la casa de Israel
ZARCILLOS, Isa 18:5 tiene que quitar los z.
ZARZA, Mr 12:26; Hch 7:30, 35.
ZEBEDEO, Mt 4:21; Lu 5:10; Jn 21:2.
ZIGZAG, Sl 60:4 huyan en z.
ZIPORÁ, Éx 2:21 dio Z. su hija a Moisés
ZODÍACO, 2Re 23:5 constelaciones del z.
ZOFAR, Job 2:11; 11:1.
ZOROBABEL, Esd 3:8; Ag 2:4; Zac 4:6, 7.
ZUREAR, Isa 59:11 como palomas seguimos z.

APÉNDICE

1

El nombre divino en las Escrituras Hebreas
y en las Escrituras Griegas Cristianas
"Jehová." Hebreo: יהוה (*YHWH* o *JHVH*)

"Jehová" (heb.: יהוה *YHWH*), el nombre personal de Dios, aparece por primera vez en Gé 2:4. El nombre divino es un verbo, la forma causativa, el estado imperfecto, del verbo hebreo הוה (*ha·wáh*, "llegar a ser"). Por lo tanto, el nombre divino significa: "Él Causa que Llegue a Ser". Esto revela a Jehová como Aquel que, mediante acción progresiva, por su propia causa llega a ser el Cumplidor de promesas, Aquel que siempre realiza sus propósitos.

La mayor ofensa que los traductores modernos cometen contra el Autor Divino de las Santas Escrituras es suprimir u ocultar su particular nombre personal. En realidad su nombre aparece en el texto hebreo 6.828 veces en la forma יהוה (*YHWH* o *JHVH*), llamada generalmente el Tetragrámaton (que literalmente significa: "que tiene cuatro letras"). Al emplear el nombre "Jehová" nos hemos apegado estrechamente a los textos en las lenguas originales y no hemos seguido la práctica de sustituir el nombre divino, el Tetragrámaton, por títulos como "Señor", "el Señor", "Adonay (Adonai)" o "Dios".

El nombre "Jehová" aparece 6.973 veces en el texto de las Escrituras Hebreas de la *Traducción del Nuevo Mundo*. En realidad el Tetragrámaton aparece 6.828 veces en el texto hebreo, incluso tres nombres que lo tienen combinado (Gé 22:14; Éx 17:15; Jue 6:24) y seis casos en que aparece en los encabezamientos de los Salmos (7; 18 [tres veces]; 36; 102). Vertimos el Tetragrámaton "Jehová" en los 6.828 lugares donde aparece, excepto en Jue 19:18, donde se leyó el pronombre de primera persona singular "mi" en vez del nombre divino. Además, basándonos en las lecturas que presenta la *Septuaginta,* hemos restituido el Tetragrámaton en Dt 30:16; 2Sa 15:20 y 2Cr 3:1. También hemos restituido el nombre divino en Isa 34:16 y Zac 6:8, donde se debe leer "Jehová" en vez del pronombre de primera persona singular "mi". Efectuamos otras 141 restituciones en los lugares donde los soferim alteraron el nombre divino para que se leyera *'Adho·nái* o *'Elo·hím.*

Para no pasarnos de los límites del traductor al campo de la exégesis, hemos obrado con gran cautela respecto a verter el nombre divino en las Escrituras Griegas Cristianas, y siempre hemos considerado cuidadosamente las Escrituras Hebreas como fondo o antecedente. Hemos buscado acuerdo con nosotros en versiones hebreas disponibles de las Escrituras Griegas Cristianas para confirmar nuestra traducción. El Tetragrámaton en caracteres hebreos (יהוה) se usó tanto en el texto hebreo como en la *Septuaginta* griega. Por lo tanto, fuera que Jesús y sus discípulos leyeran las Escrituras en hebreo o en griego, se encontrarían con el nombre divino. En la sinagoga de Nazaret, cuando Jesús se levantó y aceptó el libro de Isaías y leyó 61:1, 2, donde se usa el Tetragrámaton, pronunció el nombre divino. Esto estaba de acuerdo con su resolución de dar a conocer el nombre de Jehová,

como se puede ver por su oración a su Padre: "He puesto tu nombre de manifiesto a los hombres que me diste del mundo. [...] Yo les he dado a conocer tu nombre, y lo daré a conocer". (Jn 17:6, 26.)

Hemos vertido el nombre divino 237 veces en el cuerpo de nuestra traducción de las Escrituras Griegas Cristianas. En las diversas versiones hebreas se ha hallado respaldo para cada una de esas 237 restituciones en el cuerpo del texto.

---

2 "Gehena."—Símbolo de destrucción completa
Hebreo: גי הנם (*gueh hin·nóm*, "valle de Hinón"); griego: γέεννα (*gué·en·na*); latín: *ge·hén·na*

"Gehena" significa "valle de Hinón", pues es la forma griega del hebreo *gueh hin·nóm*. En Jos 18:16, donde aparece "valle de Hinón", la *Septuaginta* griega dice "Gehena". Este término aparece 12 veces en las Escrituras Griegas Cristianas, por primera vez en Mt 5:22. La *Traducción del Nuevo Mundo* lo vierte "Gehena" en todo lugar donde aparece, a saber: Mt 5:22, 29, 30; 10:28; 18:9; 23:15, 33; Mr 9:43, 45, 47; Lu 12:5; Snt 3:6.

El valle de Hinón llegó a ser el vertedero e incinerador de la basura de Jerusalén. Allí se arrojaban cuerpos de animales muertos para ser consumidos en los fuegos, a los cuales se añadía azufre para acelerar la quema. También se echaban allí cadáveres de criminales ejecutados a quienes no se consideraba merecedores de un entierro formal en una tumba conmemorativa. Si aquellos cadáveres caían en el fuego eran consumidos por las llamas, pero si caían sobre un saliente del profundo barranco su carne putrescente se infestaba de gusanos, o cresas, que no morían sino hasta que habían consumido las partes carnosas y dejado solo los esqueletos.

Al Gehena no se lanzaba ningún animal ni humano con vida para que fuera quemado vivo o atormentado. Por eso, aquel lugar nunca podría simbolizar una región invisible donde se atormentara eternamente a almas humanas en fuego literal, o donde esas almas fueran atacadas para siempre por gusanos que no murieran. Debido a que a los criminales muertos echados allí se les negaba un entierro formal en una tumba conmemorativa —el símbolo de la esperanza de una resurrección—, Jesús y sus discípulos usaron el Gehena como símbolo de *destrucción eterna, aniquilación de en medio del universo de Dios*, o *"muerte segunda"*, un castigo eterno.

3

"Alma."—Una criatura viviente, humana o animal; vida como persona inteligente; otros usos
Hebreo: נֶפֶשׁ (né·fesch); griego: ψυχή (psy·kjé)

En las Escrituras Hebreas la palabra hebrea *né·fesch* aparece 754 veces, primero en Gé 1:20.

En las Escrituras Griegas Cristianas la palabra griega *psy·kjé* aparece por sí sola 102 veces, primero en Mt 2:20. Entre ellas están Ef 6:6 y Col 3:23, donde se encuentra en la palabra la expresión "de toda alma".

Los animales son almas

Gé 1:20, 21, 24, 30; 2:19; 9:10, 12, 15, 16; Le 11:10, 46, 46; 24:18; Nú 31:28; Job 41:21; Eze 47:9.

Una persona o individuo viviente es un alma

Gé 2:7; 12:5; 14:21; 36:6; 46:15, 18, 22, 25, 26, 26, 27, 27; Éx 1:5, 5; 12:4, 16; 16:16; Le 2:1; 4:2, 27; 5:1, 2, 4, 15, 17; 6:2; 7:18, 20, 21, 25, 27; 17:10, 12, 15; 18:29; 20:6, 6; 22:6, 11; 23:29, 30; 27:2; Nú 5:6; 15:27, 28, 30; 19:18, 22; 31:35, 35, 40, 40, 46; 35:30; Dt 10:22; 24:6, 7; 1Sa 22:22; 2Sa 14:14; 2Re 12:4; 1Cr 5:21; Sl 19:7; Pr 11:25, 30; 16:24; 19:2, 15; 25:25; 27:7, 7, 9; Jer 43:6; 52:29; Lam 3:25; Eze 27:13; Hch 2:41, 43; 7:14; 27:37; Ro 13:1; 1Co 15:45; 1Pe 3:20; 2Pe 2:14.

El alma, la criatura, es mortal, destruible

Gé 12:13; 17:14; 19:19, 20; 37:21; Éx 12:15, 19; 31:14; Le 7:20, 21, 27; 19:8; 22:3; 23:30; 24:17; Nú 9:13; 15:30, 31; 19:13, 20; 23:10; 31:19; 35:11, 15, 30; Dt 19:6, 11; 22:26; 27:25; Jos 2:13, 14; 10:28, 30, 32, 35, 37, 37, 39; 11:11; 20:3, 9; Jue 5:18; 16:16, 30; 1Re 19:4; 20:31;

Job 7:15; 11:20; 18:4; 33:22; 36:14; Sl 7:2; 22:29; 66:9; 69:1; 78:50; 94:17; 106:15; 124:4; Pr 28:17; Isa 55:3; Jer 2:34; 4:10; 18:20; 38:17; 40:14; Eze 13:19; 17:17; 18:4; 22:25, 27; 33:6; Mt 2:20; 10:28, 28; 26:38; Mr 3:4; 14:34; Lu 6:9; 17:33; Jn 12:25; Hch 3:23; Ro 11:3; Heb 10:39; Snt 5:20; Rev 8:9; 12:11; 16:3.

Vida como persona inteligente

Gé 35:18; Éx 4:19; 21:23; 30:12; Jos 9:24; Jue 9:17; 12:3; 18:25; 2Re 7:7; 2Cr 1:11; Job 2:4; 6:11; Pr 1:18; 7:23; 22:23; 25:13; Mt 6:25; 10:39; 16:25; Lu 12:20; Jn 10:15; 13:38; 15:13; Hch 20:10; Ro 16:4; Flp 2:30; 1Te 2:8; Snt 1:21; 1Pe 1:22; 2:11, 25; 1Jn 3:16.

El alma librada del Seol o Hades ("infierno")

Sl 16:10; 30:3; 49:15; 86:13; 89:48; Pr 23:14; Hch 2:27.

Alma muerta, o cadáver

Le 19:28; 21:1, 11; 22:4; Nú 5:2; 6:6, 11; 9:6, 7, 10; 19:11, 13; Ag 2:13.

El alma diferenciada del espíritu

Flp 1:27; 1Te 5:23; Heb 4:12.

Dios tiene alma

1Sa 2:35; Sl 11:5; 24:4; Pr 6:16; Isa 1:14; 42:1; Jer 5:9; 6:8; 12:7; 14:19; 15:1; 32:41; 51:14; Lam 3:20; Eze 23:18; Am 6:8; Mt 12:18; Heb 10:38.

4

Los sesenta y seis lugares donde aparece Seol

"Seol" aparece 66 veces en la *Traducción del Nuevo Mundo* de las Escrituras Hebreas, a saber, en Gé 37:35; 42:38; 44:29, 31; Nú 16:30, 33; Dt 32:22; 1Sa 2:6; 2Sa 22:6; 1Re 2:6, 9; Job 7:9; 11:8; 14:13; 17:13, 16; 21:13; 24:19; 26:6; Sl 6:5; 9:17; 16:10; 18:5; 30:3; 31:17; 49:14, 14, 15; 55:15; 86:13; 88:3; 89:48; 116:3; 139:8; 141:7; Pr 1:12; 5:5; 7:27; 9:18; 15:11, 24; 23:14; 27:20; 30:16; Ec 9:10; Can 8:6; Isa 5:14; [7:11]; 14:9, 11, 15; 28:15, 18; 38:10, 18; 57:9; Eze 31:15, 16, 17; 32:21, 27; Os 13:14, 14; Am 9:2; Jon 2:2; Hab 2:5.

"Seol" aparece en las Escrituras Hebreas las 65 veces que aparece en el texto masorético hebreo, así como una vez en Isa 7:11, donde el texto tiene *sche'á·lah,* "sí pide", pero por un leve cambio de puntos vocálicos y de acuerdo con varias traducciones antiguas dice *sche'ó·lah,* "hacia [el] Seol" o "a[l] Seol". En todos los casos la *Traducción del Nuevo Mundo* usa "Seol" para la palabra hebrea *sche'óhl.* Por lo general la *Septuaginta* griega emplea *hái·des* para traducir *sche'óhl.*

Aunque se han ofrecido varias explicaciones en cuanto a la derivación de la palabra hebrea *sche'óhl,* parece que se deriva del verbo hebreo שָׁאַל (*scha·'ál*), que significa "pedir" o "solicitar". Esto indicaría que Seol es el lugar (no una condición) que pide o exige a todos sin distinción, puesto que recibe dentro de sí a los muertos de la humanidad. (Véase la *Biblia con Referencias:* Gé 37:35 e Isa 7:11, nn.) Está en la tierra y siempre está relacionado con los muertos, y claramente significa el sepulcro común de la humanidad, la sepultura, o la región terrestre (no marina) donde están los muertos. Por contraste, la palabra hebrea *qé·ver* significa una tumba, sepulcro o sepultura particular. (Gé 23:4, 6, 9, 20.)

Los diez lugares donde aparece Hades

"Hades", que quizás significa "el lugar no visto", aparece diez veces en la *Traducción del Nuevo Mundo* de las Escrituras Griegas Cristianas, a saber, en Mt 11:23; 16:18; Lu 10:15; 16:23; Hch 2:27, 31; Rev 1:18; 6:8; 20:13, 14.

En Hch 2:27, la cita de Sl 16:10 por Pedro muestra que Hades es el equivalente de Seol y se aplica al sepulcro común de la humanidad (por contraste con la palabra griega *tá·fos,* un sepulcro particular). La palabra latina que corresponde a Hades es *in·fér·nus* (a veces *in·fe·rus*). Significa "lo que yace debajo; la región inferior", y aplica con propiedad a la sepultura. Así que es una aproximación apropiada a los términos griego y hebreo.

En las Escrituras inspiradas las palabras "Seol" y "Hades" están asociadas con la muerte y los muertos, no con la vida ni los vivos. (Rev 20:13.) En sí mismas estas palabras no tienen ninguna idea ni connotación de placer ni dolor.

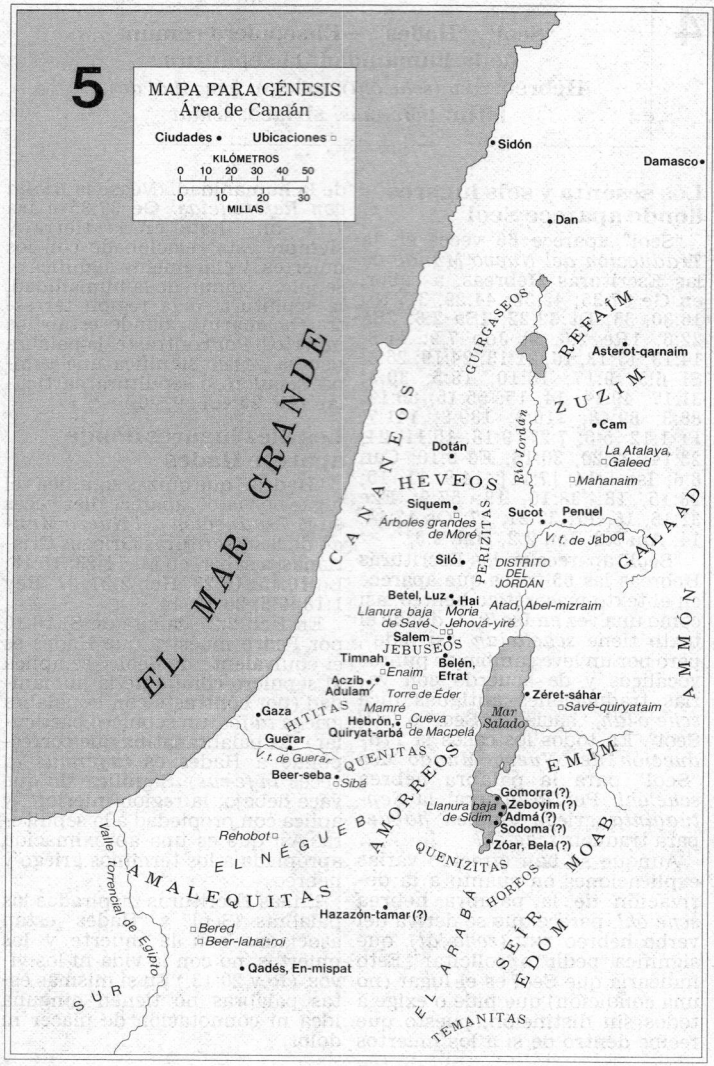

5

MAPA PARA GÉNESIS
Área de Canaán

Ciudades ●   Ubicaciones □

KILÓMETROS
0 10 20 30 40 50
0 10 20 30
MILLAS

● Sidón

Damasco ●

● Dan

GUIRGASEOS

REFAÍM

● Asterot-qarnaim

ZUZIM

● Cam

La Atalaya,
Galeed □

C A N A N E O S

Río Jordán

Dotán ●

□ *Mahanaim*

H E V E O S

Siquem ●

Árboles grandes
de Moré

P E R I Z I T A S

Sucot ●   Penuel ●

V. t. de Jaboq

G A L A A D

Siló ●

DISTRITO
DEL
JORDÁN

Betel, Luz ●   ● Hai

Llanura baja   Moria

de Savé   Jehová-yiré

□ Atad, *Abel-mizraim*

Salem □

J E B U S E O S

A M M Ó N

Timnah ●

● Belén,
Efrat

Aczib ●   □ *Énaim*

Adulam ●   □ Torre de Éder

Mamré

● Zéret-sáhar

Savé-quiryataim

● Gaza

H I T I T A S

Hebrón, □

Quiryat-arbá ●   Cueva

de Macpelá

Mar
Salado

Guerar ●

V. t. de Guerar

Q U E N I T A S

A M O R R E O S

E M I M

Beer-seba ●

□ Sibá

E L   N É G U E B

Rehobot □

Llanura baja   ● Gomorra (?)

de Sidim   ● Zeboyim (?)

● Admá (?)

● Sodoma (?)

● Zóar, Bela (?)

A M A L E Q U I T A S

QUENIZITAS

Hazazón-tamar (?) ●

M O A B

H O R E O S

□ Bered

□ Beer-lahai-roi

E L   A R A B Á

S U R

● Qadés, En-mispat

S E Í R   E D O M

Valle torrencial de Egipto

E L   M A R   G R A N D E

TEMANITAS

1644

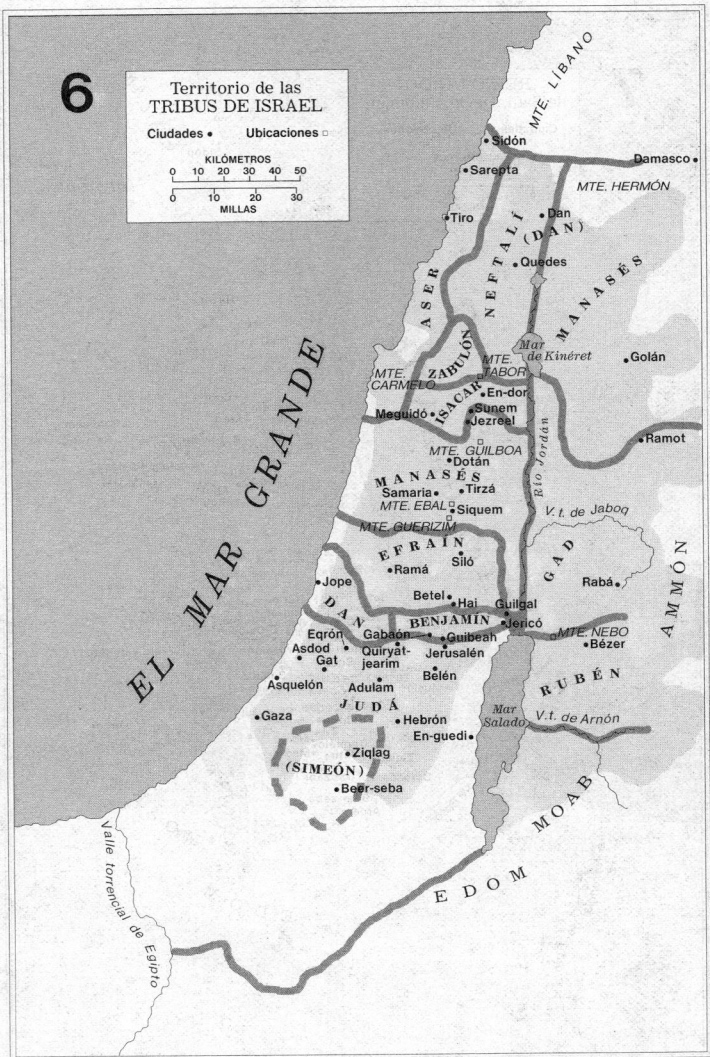

6

Territorio de las
TRIBUS DE ISRAEL

Ciudades •   Ubicaciones □

KILÓMETROS
0 10 20 30 40 50

MILLAS
0 10 20 30

EL MAR GRANDE

MTE. LÍBANO

• Sidón

• Sarepta

• Damasco

MTE. HERMÓN

• Tiro

ASER

NEFTALÍ
(DAN)

• Dan

• Quedes

MANASÉS

MTE. CARMELO

ZÁBULON

MTE. TABOR

Mar de Kinéret

• Golán

• En-dor

ISACAR

• Sunem

Meguidó •

• Jezreel

Río Jordán

• Ramot

MTE. GÜILBOA

• Dotán

MANASÉS

• Samaria

• Tirzá

MTE. EBAL

• Siquem

V. t. de Jaboq

MTE. GUERIZIM

EFRAÍN

GAD

• Ramá

Siló

• Rabá

• Jope

Betel •

• Hai

Guilgal

DAN

BENJAMÍN

• Jericó

Eqrón •

Gabaón •

• Guibeah

MTE. NEBO

Asdod •

Quiryât-

Jerusalén •

• Bézer

Gat •

jearim •

Asquelón •

Adulam •

• Belén

RUBÉN

JUDÁ

• Gaza

• Hebrón

Mar Salado

V. t. de Arnón

• Ziqlag

En-gedi •

AMMÓN

(SIMEÓN)

• Beёr-seba

MOAB

EDOM

Valle torrencial de Egipto

1645

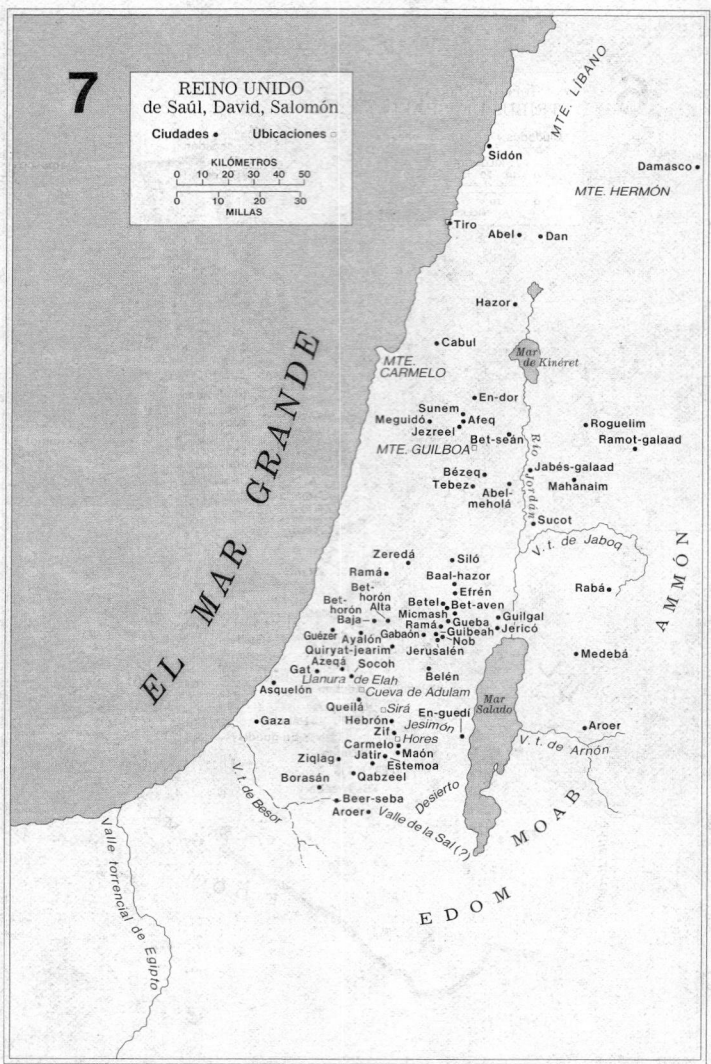

7

REINO UNIDO
de Saúl, David, Salomón

Ciudades •   Ubicaciones ▫

KILÓMETROS
0 10 20 30 40 50

0   10   20   30
MILLAS

MTE. LÍBANO

• Sidón

Damasco •

MTE. HERMÓN

• Tiro

Abel •   • Dan

Hazor •

EL MAR GRANDE

• Cabul

MTE. CARMELO

Mar de Kinéret

Sunem •   • En-dor
Meguidó •   • Afeq
Jezreel •
Bet-seán •

• Roguelim

Ramot-galaad

MTE. GUILBOA

Río Jordán

Bézeq •   • Jabés-galaad
Tebez •
Abel- •   Mahanaim
meholá

Sucot •

V. t. de Jaboq

A M M Ó N

Zeredá •   • Siló
Ramá •   Baal-hazor •
Bet- •
horón   • Efrén
Alta   Betel •   • Bet-aven
Bet-   Micmash •   Rabá •
horón   Ramá •   • Gueba
Baja   Gabaón •   Guilgal •
Guézer •   • Nob   Jericó •
Ayalón •
Quiryat-jearim •   Jerusalén •
Gat •   Azeqá •   Socoh •
Asquelón •   • Medebá
Llanura de Elah
Cueva de Adulam
Queilá •   • Belén
• Gaza   Hebrón •   Sirá •
Zif •   En-guedí •
Carmelo •   Jesimón
Ziqlag •   Jatir •   • Maón   Hores
Borasán •   • Estemoa
Qabzeel •
• Beer-seba   Desierto
Aroer •   Valle de la Sal (?)

V. t. de Besor

Mar Salado

Aroer •

V. t. de Arnón

M O A B

E D O M

Valle torrencial de Egipto

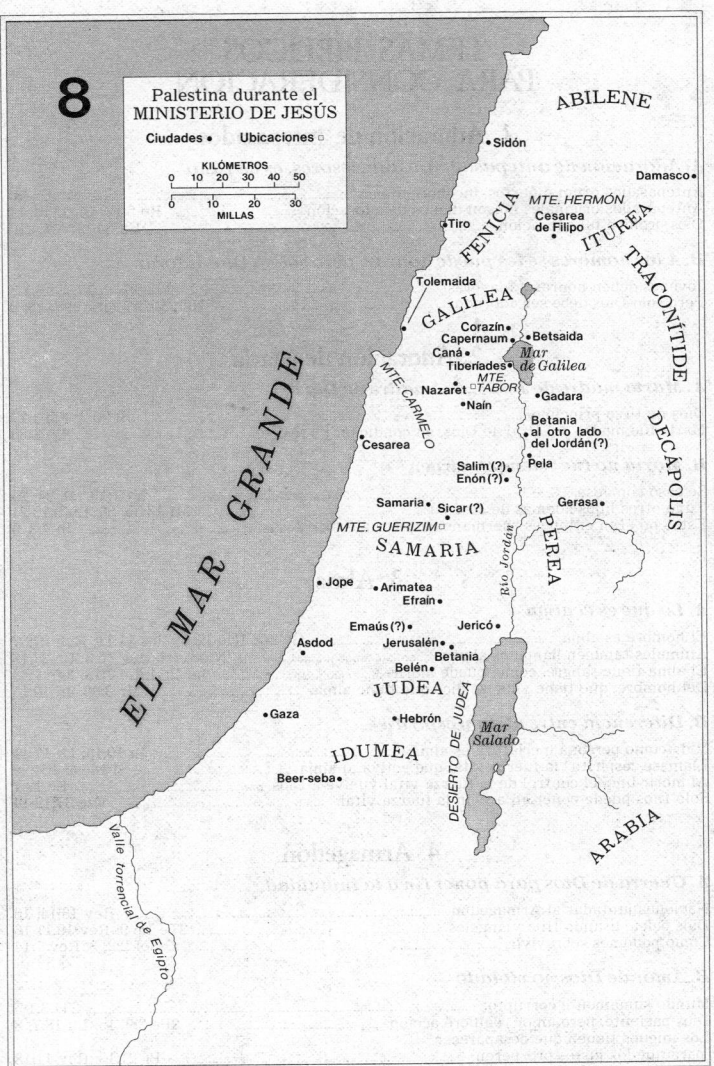

8

Palestina durante el
MINISTERIO DE JESÚS

Ciudades •   Ubicaciones □

KILÓMETROS
0 10 20 30 40 50

MILLAS
0   10   20   30

ABILENE

• Sidón

Damasco •

FENICIA

• Tiro

MTE. HERMÓN
Cesarea
de Filipo

ITUREA

TRACONÍTIDE

Tolemaida •

GALILEA

Corazín •
Capernaum •   • Betsaida
Caná •   Mar
Tiberíades •   de Galilea
Nazaret □   MTE.
    TABOR
• Naín   • Gadara

MTE. CARMELO

Betania
al otro lado
del Jordán (?)

Cesarea •

Pela •

DECÁPOLIS

Salim (?) •
Enón (?) •   • Sicar (?)   • Pela

Samaria •   • Sicar (?)

Gerasa •

MTE. GUERIZIM □

SAMARIA

PEREA

Río Jordán

• Jope   • Arimatea
    Efraín •

Emaús (?) •   Jericó •
Asdod •   Jerusalén •
    Belén •   • Betania

JUDEA

• Gaza   • Hebrón   Mar
Salado

IDUMEA

Beer-seba •

DESIERTO DE JUDEA

EL MAR GRANDE

ARABIA

Valle torrencial de Egipto

1647

TEMAS BÍBLICOS
PARA CONSIDERACIÓN

1. Adoración de antepasados

A. *Adoración de antepasados, o antecesores, es en vano*

Antepasados están muertos, inconscientes. .... Ec 9:5, 10
Antepasados originales no son dignos de adoración. .... Ro 5:12, 14; 1Ti 2:14
Dios prohíbe tal adoración. .... Éx 34:14; Mt 4:10

B. *A los hombres se les puede honrar, pero solo a Dios adorar*

Jóvenes deben honrar a mayores. .... 1Ti 5:1, 2, 17; Ef 6:1-3
Pero solo Dios debe ser adorado. .... Hch 10:25, 26; Rev 22:8, 9

2. Adoración de María

A. *María madre de Jesús, no "madre de Dios"*

Dios no tuvo principio. .... Sl 90:2; 1Ti 1:17
María fue madre del *Hijo* de Dios, en condición terrestre. .... Lu 1:35

B. *María no fue "siempre virgen"*

Se casó con José. .... Mt 1:19, 20, 24, 25
Tuvo otros hijos además de Jesús. .... Mt 13:55, 56; Lu 8:19-21
Éstos no eran entonces "hermanos espirituales" de Jesús. .... Jn 7:3, 5

3. Alma

A. *Lo que es el alma*

El hombre es alma. .... Gé 2:7; 1Co 15:45; Jos 11:11; Hch 27:37
Animales también llamados almas. .... Nú 31:28; Rev 16:3; Le 24:18
El alma tiene sangre, come, puede morir. .... Jer 2:34; Le 7:18; Eze 18:4
Del hombre, que tiene vida, se dice que tiene alma. .... Mr 8:36; Jn 10:15

B. *Diferencia entre alma y espíritu*

Vida como persona o criatura es alma. .... Jn 10:15; Le 17:11
Llámase "espíritu" la fuerza vital que activa al alma. .... Sl 146:4; 104:29
Al morir uno, el control de la fuerza vital vuelve a Dios. .... Ec 12:7
Solo Dios puede poner en acción la fuerza vital. .... Eze 37:12-14

4. Armagedón

A. *Guerra de Dios para poner fin a la iniquidad*

Naciones juntadas al Armagedón. .... Rev 16:14, 16
Dios pelea, usando Hijo y ángeles. .... 2Te 1:6-9; Rev 19:11-16
Cómo podemos sobrevivir. .... Sof 2:2, 3; Rev 7:14

B. *Amor de Dios no violado*

Mundo sumamente corrupto. 2Ti 3:1-5
Dios paciente, pero amor requiere acción. .... 2Pe 3:9, 15; Lu 18:7, 8
Los inicuos tienen que desaparecer
para que los justos prosperen. .... Pr 21:18; Rev 11:18

5. Bautismo

A. Un requisito cristiano

Ejemplo puesto por Jesús. .... Mt 3:13-15; Heb 10:7
Símbolo de repudiarse o dedicación. .... Mt 16:24; 1Pe 3:21
Solo para los que son de
 suficiente edad para ser enseñados. .... Mt 28:19, 20; Hch 2:41
Inmersión en agua es manera correcta. .... Hch 8:38, 39; Jn 3:23

B. No lava pecados

Jesús no fue bautizado para lavar pecados. 1Pe 2:22; 3:18
Sangre de Jesús limpia de pecados. 1Jn 1:7

6. Biblia

A. Palabra de Dios es inspirada

Hombres impulsados por espíritu de Dios para escribir. 2Pe 1:20, 21
Contiene profecías: .... Da 8:5, 6, 20-22; Lu 21:5, 6, 20-22; Isa 45:1-4
Entera Biblia es inspirada y útil. .... 2Ti 3:16, 17; Ro 15:4

B. Es guía práctica para nuestro día

Pasar por alto principios bíblicos es mortífero. .... Ro 1:28-32
Sabiduría del hombre no es sustitutivo. 1Co 1:21, 25; 1Ti 6:20
Defensa contra el enemigo más poderoso. .... Ef 6:11, 12, 17
Dirige al hombre en el camino correcto. .... Sl 119:105; 2Pe 1:19; Pr 3:5, 6

C. Escrita para gente de toda nación

Escritura de Biblia empezó en Oriente. .... Éx 17:14; 24:12, 16; 34:27
Provisión de Dios no solo para europeos. .... Ro 10:11-13; Gál 3:28
Dios acepta a hombres de toda clase. .... Hch 10:34, 35; Ro 5:18; Rev 7:9, 10

7. Cielo

A. Solo 144.000 van al cielo

Un número limitado; serán reyes con Cristo. .... Rev 5:9, 10; 20:4
Jesús fue precursor; otros escogidos después. .... Col 1:18; 1Pe 2:21
Muchos otros vivirán en la Tierra. .... Sl 72:8; Rev 21:3, 4
144.000 en puesto especial que no es para otros. .... Rev 14:1, 3; 7:4, 9

8. Creación

A. Está de acuerdo con la ciencia probada; refuta la evolución

La ciencia concuerda con orden de creación. .... Gé 1:11, 12, 21, 24, 25
Ley de Dios sobre "géneros" es verdadera. .... Gé 1:11, 12; Snt 3:12

B. Días creativos no son días de 24 horas

"Día" puede significar simplemente un período de tiempo. .... Gé 2:4
Un día para Dios puede ser largo tiempo. .... Sl 90:4; 2Pe 3:8

9. Cronología

A. 1914 (E.C.); terminan los tiempos de los gentiles

Se interrumpió línea de gobernantes del reino, 607 a. de la E.C. .... Eze 21:25-27
"Siete tiempos" pasarían hasta restauración del dominio. .... Da 4:32, 16, 17
Siete = 2 × 3½ tiempos, o 2 × 1.260 días. .... Rev 12:6, 14; 11:2, 3
Un día por cada año. [Equivale a 2.520 años] .... Eze 4:6; Nú 14:34
Continuarían hasta establecimiento del Reino. .... Lu 21:24; Da 7:13, 14

10. Cruz

A. Jesús colgado en un madero de ejecución como oprobio

Jesús fue colgado en un madero o árbol de ejecución. .... Hch 5:30; 10:39; Gál 3:13
Cristianos deben llevar madero como oprobio. .... Mt 10:38; Lu 9:23

B. No se debe adorar

El exhibir el madero de Jesús es un oprobio. .... Heb 6:6; Mt 27:41, 42
Uso de la cruz en adoración es idolatría. .... Éx 20:4, 5; Jer 10:3-5
Jesús es espíritu, no está en madero todavía. 1Ti 3:16; 1Pe 3:18

11. Curación, Lenguas

A. Curación espiritual resulta en bien permanente

Enfermedad espiritual es destructiva. .... Isa 1:4-6; 6:10; Os 4:6
Curación espiritual la comisión primaria. .... Jn 6:63; Lu 4:18
Quita pecados; da felicidad, vida. .... Snt 5:19, 20; Rev 7:14-17

B. Reino de Dios traerá curación física permanente

Jesús curó enfermedades, predicó bendiciones del Reino. .... Mt 4:23
Reino prometido como medio de curación permanente. .... Mt 6:10; Isa 9:7
Aun la muerte será abolida. .... 1Co 15:25, 26; Rev 21:4; 20:14

C. Curaciones por fe modernas carecen de prueba de aprobación divina

Discípulos no se curaron a sí mismos milagrosamente. 2Co 12:7-9; 1Ti 5:23
Dones milagrosos terminaron después del día de apóstoles. 1Co 13:8-11
Curación no es indicación segura del favor de Dios. .... Mt 7:22, 23; 2Te 2:9-11

D. Hablar en lenguas solamente una provisión temporal

Fue señal; habrían de buscarse mayores dones. 1Co 14:22; 12:30, 31
Se predijo que dones milagrosos de espíritu pasarían. 1Co 13:8-10
Obras maravillosas
no son prueba segura del favor de Dios. .... Mt 7:22, 23; 24:24

12. Diablo, Demonios

A. El Diablo es una persona de la región espiritual

No es el mal en uno mismo, sino una persona espiritual. 2Ti 2:26
El Diablo es persona igual como lo son los ángeles. .... Mt 4:1, 11; Job 1:6
Él mismo se hizo Diablo por deseo malo. .... Snt 1:13-15

B. El Diablo es el gobernante invisible del mundo

El mundo bajo su control como dios. .... 2Co 4:4; 1Jn 5:19; Rev 12:9
Permítesele permanecer hasta
decidirse punto en disputa. .... Éx 9:16; Jn 12:31
Será abismado, entonces destruido. .... Rev 20:2, 3, 10

C. Demonios son ángeles rebeldes

Se unieron a Satanás antes del Diluvio. .... Gé 6:1, 2; 1Pe 3:19, 20
Rebajados, cortados de todo esclarecimiento. .... 2Pe 2:4; Jud 6
Luchan contra Dios, oprimen a humanidad. .... Lu 8:27-29; Rev 16:13, 14
Serán destruidos junto con Satanás. .... Mt 25:41; Lu 8:31; Rev 20:2, 3, 10

13. Días de fiesta, Cumpleaños

A. Primeros cristianos no celebraron cumpleaños, Navidad

Los que no eran adoradores verdaderos los celebraron. .... Gé 40:20; Mt 14:6
Día de muerte de Jesús debe conmemorarse. .... Lu 22:19, 20; 1Co 11:25, 26
Diversiones estrepitosas
en celebración son incorrectas. .... Ro 13:13; Gál 5:21; 1Pe 4:3

14. Espíritu, Espiritismo

A. Lo que es el espíritu santo

Fuerza activa de Dios, no una persona. .... Hch 2:2, 3, 33; Jn 14:17
Usado en creación, inspiración de la Biblia, etc. .... Gé 1:2; Eze 11:5
Engendra, unge a miembros del cuerpo de Cristo. .... Jn 3:5-8; 2Co 1:21, 22
Da poder, dirige al pueblo de Dios hoy día. .... Gál 5:16, 18

B. Fuerza vital se llama espíritu

Principio de vida, sostenido por respiración. .... Snt 2:26; Job 27:3
Poder sobre fuerza vital reside en Dios. .... Zac 12:1; Ec 8:8
Fuerza vital de humanos, bestias, pertenece a Dios. .... Ec 3:19-21
Espíritu encomendado a Dios con esperanza de resurrección. .... Lu 23:46

C. El espiritismo tiene que evitarse por ser obra de demonios

Palabra de Dios lo prohíbe. .... Isa 8:19, 20; Le 19:31; 20:6, 27
Decir la buenaventura es demonismo; se condena. .... Hch 16:16-18
Conduce a destrucción. .... Gál 5:19-21; Rev 21:8; 22:15
Se prohíbe la astrología. .... Dt 18:10-12; Jer 10:2

15. Falsos profetas

A. Falsos profetas predichos; existieron en el día de los apóstoles

Regla para identificar a falsos profetas. .... Dt 18:20-22; Lu 6:26
Fueron predichos; se reconocen por frutos. .... Mt 24:23-26; 7:15-23

16. Iglesia

A. Iglesia espiritual, se edifica sobre Cristo

Dios no habita en templos hechos por hombres. .... Hch 17:24, 25; 7:48
Iglesia verdadera es templo espiritual de piedras vivas. 1Pe 2:5, 6
Cristo, piedra del ángulo; apóstoles, fundamento secundario. .... Ef 2:20
Dios ha de ser adorado con espíritu y verdad. .... Jn 4:24

B. Iglesia no edificada sobre Pedro

Jesús no dijo que se edificaría iglesia sobre Pedro. .... Mt 16:18
Jesús identificado como "roca" o "masa rocosa". 1Co 10:4
Pedro identificó a Jesús como fundamento. .... 1Pe 2:4, 6-8; Hch 4:8-12

17. Imágenes

A. Uso de imágenes o estatuas en adoración acarrea oprobio a Dios

Imposible hacer imagen de Dios. .... 1Jn 4:12; Isa 40:18; 46:5; Hch 17:29
Cristianos amonestados contra imágenes. 1Co 10:14; 1Jn 5:21
Hay que adorar a Dios con espíritu y verdad. .... Jn 4:24

B. El adorar imágenes le fue mortífero a la nación de Israel

La adoración de imágenes fue prohibida a judíos. .... Éx 20:4, 5
No pueden oír, hablar; se hacen como ellas sus hacedores. .... Sl 115:4-8
Causa de ruina y destrucción; un lazo. .... Sl 106:36, 40-42; Jer 22:8, 9

C. Adoración "relativa" no autorizada

Dios rehusó permitir adoración "relativa" de él. .... Isa 42:8
Dios es el único "Oidor de la oración". .... Sal 65:1, 2

18. Infierno (Hades, Seol)

A. No es lugar literal de tormento ardiente

El sufrido Job pidió en oración ir allí. .... Job 14:13
Un lugar de inactividad. .... Sl 6:5; Ec 9:10; Isa 38:18, 19
Jesús fue levantado del sepulcro, infierno. .... Hch 2:27, 31, 32; Sl 16:10
El infierno entregará otros muertos, será destruido. .... Rev 20:13, 14

B. Fuego es símbolo de aniquilación

Arrasamiento en muerte simbolizado por fuego. .... Mt 25:41, 46; 13:30
Inicuos no arrepentidos
 serán destruidos para siempre como por fuego. .... Heb 10:26, 27
"Tormento" ardiente de Satanás es muerte eterna. .... Rev 20:10, 14, 15

C. Relato del rico y Lázaro no es prueba del tormento eterno

Infierno, igual que seno de Abrahán, no es literal. .... Lu 16:22-24
Favor de Abrahán también se contrasta con tinieblas. .... Mt 8:11, 12
Aniquilación de Babilonia llamada un tormento ardiente. .... Rev 18:8-10, 21

19. Iniquidad, Angustia mundial

A. Quién tiene la culpa de la angustia mundial

Regir inicuo causa de tiempo difícil hoy día. .... Pr 29:2; 28:28
Gobernante del mundo es el enemigo de Dios. .... 2Co 4:4; 1Jn 5:19; Jn 12:31
Diablo trae calamidades, ayes; le queda poco tiempo. .... Rev 12:9, 12
Diablo atado, paz gloriosa después. .... Rev 20:1-3; 21:3, 4

B. Por qué se permite iniquidad

Diablo desafió a Dios respecto a lealtad de criaturas. .... Job 1:11, 12
Da oportunidad a fieles de probar lealtad. .... Ro 9:17; Pr 27:11
Diablo probado mentiroso, punto en disputa será terminado. .... Jn 12:31
Fieles recompensados con vida eterna. .... Ro 2:6, 7; Rev 21:3-5

C. Tiempo del fin prolongado es una provisión misericordiosa

Como en día de Noé, toma tiempo dar advertencia. .... Mt 24:14, 37-39
Dios no es lento, sino misericordioso. .... 2Pe 3:9; Isa 30:18
Biblia nos ayuda a no ser cogidos desprevenidos. .... Lu 21:36; 1Te 5:4
Busque provisión de Dios ahora para protección. .... Isa 2:2-4; Sof 2:3

D. Solución de angustia mundial no proviene del hombre

Hombres llenos de temor, perplejos. .... Lu 21:10, 11; 2Ti 3:1-5
El Reino de Dios, no el hombre, tendrá buen éxito. .... Da 2:44; Mt 6:10
Para vivir, pida la paz al Rey ahora. .... Sl 2:9, 11, 12

20. Jehová, Dios

A. El nombre de Dios

"Dios" término indefinido; nuestro Señor tiene nombre personal. 1Co 8:5, 6
Oramos que su nombre sea santificado. .... Mt 6:9, 10
Jehová es el nombre de Dios. .... Sl 83:18; Éx 6:2, 3; 3:15; Isa 42:8
Nombre en Versión *Torres Amat,* católica. .... Sl 82:19; Isa 42:8; Jer 33:2
Jesús dio a conocer el nombre. .... Jn 17:6, 26; 5:43; 12:12, 13, 28

B. Existencia de Dios

Imposible ver a Dios y vivir. .... Éx 33:20; Jn 1:18; 1Jn 4:12
No es necesario ver a Dios para creer. .... Heb 11:1; Ro 8:24, 25; 10:17
Se conoce a Dios por sus obras visibles. .... Ro 1:20; Sl 19:1, 2
Cumplimiento de profecías prueba la existencia de Dios. .... Isa 46:8-11

C. Atributos de Dios

Dios es amor. .... 1Jn 4:8, 16; Éx 34:6; 2Co 13:11; Miq 7:18
Sobresaliente en sabiduría. .... Job 12:13; Ro 11:33; 1Co 2:7
Es justo, ejerce justicia. .... Dt 32:4; Sl 37:28
Es omnipotente, tiene todo poder. .... Job 37:23; Rev 7:12; 4:11

1653

D. No todos sirven al mismo Dios

No siempre es correcto el proceder que parece bueno. .... Pr 16:25; Mt 7:21
Dos caminos; solo uno conduce a vida. .... Mt 7:13, 14; Dt 30:19
Muchos dioses pero solo un Dios verdadero. .... 1Co 8:5, 6; Sl 82:1
Conocimiento del Dios verdadero esencial para vida. .... Jn 17:3; 1Jn 5:20

21. Jesús

A. Jesús es el Hijo de Dios y Rey nombrado

Primogénito de Dios, por medio de quien se crearon todas las cosas. . Rev 3:14; Col 1:15-17
Hecho hombre nacido de mujer, inferior a ángeles. .... Gál 4:4; Heb 2:9
Nació del espíritu de Dios, con destino celestial. .... Mt 3:16, 17
Ensalzado más alto que antes de vivir como hombre. .... Flp 2:9, 10

B. El creer en Jesucristo es esencial para salvación

Cristo es Descendencia prometida de Abrahán. .... Gé 22:18; Gál 3:16
Jesús único Sumo Sacerdote, rescate. .... 1Jn 2:1, 2; Heb 7:25, 26; Mt 20:28
Vida viene mediante conocer a Dios y Cristo, obediencia. .... Jn 17:3; Hch 4:12

C. Se requiere más que creer en Jesús

Creencia tiene que estar acompañada de obras. .... Snt 2:17-26; 1:22-25
Hay que obedecer mandatos, hacer la obra que Jesús hizo. .... Jn 14:12, 15; 1Jn 2:3
No todo el que use nombre del Señor entrará en el Reino. .... Mt 7:21-23

22. Matrimonio

A. Unión matrimonial tiene que ser honorable

Asemejada a Cristo y su novia. .... Ef 5:22, 23
Lecho conyugal tiene que ser sin contaminación. .... Heb 13:4
Se aconseja a los cónyuges no separarse. 1Co 7:10-16
Porneia es la única base bíblica para divorcio. .... Mt 19:9

B. Cristianos tienen que respetar el principio de jefatura

Esposo como cabeza debe amar, cuidar a su familia. .... Ef 5:23-31
Esposa, en sujeción, ama, obedece a esposo. .... 1Pe 3:1-7; Ef 5:22
Hijos tienen que ser obedientes. .... Ef 6:1-3; Col 3:20

C. Responsabilidad de padres cristianos para con sus hijos

Tienen que mostrar amor, dándoles tiempo y atención. .... Tit 2:4
No los irriten. .... Col 3:21
Provean, incluso cosas espirituales. 2Co 12:14; 1Ti 5:8
Entrénenlos para vida. .... Ef 6:4; Pr 22:6, 15; 23:13, 14

D. Cristianos deben casarse sólo con cristianos

Casarse sólo "en el Señor". .... 1Co 7:39; Dt 7:3, 4; Ne 13:26

E. La poligamia no tiene apoyo bíblico

Originalmente el hombre había de tener una sola esposa. .... Gé 2:18, 22-25
Jesús restauró norma para cristianos. .... Mt 19:3-9
Primeros cristianos no fueron polígamos. .... 1Co 7:2, 12-16; Ef 5:28-31

23. Memorial, Misa

A. Conmemoración de la Cena del Señor

Se celebra una vez al año en fecha de Pascua. .... Lu 22:1, 17-20; Éx 12:14
Conmemora muerte de Cristo en sacrificio. .... 1Co 11:26; Mt 26:28
Participan de emblemas
 los que tienen esperanza celestial. .... Lu 22:29, 30; 12:32, 37
Cómo uno sabe que tiene esa esperanza. .... Ro 8:15-17

B. La misa es antibíblica

Perdón de pecados requiere derramamiento de sangre. .... Heb 9:22
Cristo es único Mediador de nuevo pacto. .... 1Ti 2:5, 6; Jn 14:6
Cristo en el cielo; el sacerdote no lo hace bajar. .... Hch 3:20, 21
No es necesario repetir sacrificio de Cristo. .... Heb 9:24-26; 10:11-14

24. Ministro

A. Todos los cristianos tienen que ser ministros

Jesús fue ministro de Dios. .... Ro 15:8, 9; Mt 20:28
Los cristianos siguen su ejemplo. 1Pe 2:21; 1Co 11:1
Tienen que predicar para efectuar el ministerio. 2Ti 4:2, 5; 1Co 9:16

B. Cómo califican para el ministerio

Tener espíritu de Dios y conocimiento de su Palabra. .... 2Ti 2:15; Isa 61:1-3
Seguir el modelo de Cristo en la predicación. 1Pe 2:21; 2Ti 4:2, 5
Dios entrena mediante el espíritu, organización. .... Jn 14:26; 2Co 3:1-3

25. Muerte

A. Causa de la muerte

El hombre tuvo principio perfecto, perspectiva de vida sin fin. .... Gé 1:28, 31
Desobediencia resultó en sentencia de muerte. .... Gé 2:16, 17; 3:17, 19
Se les pasó pecado y muerte a todos los hijos de Adán. .... Ro 5:12

B. Condición de los muertos

Adán fue hecho para ser alma, no se le dio una. .... Gé 2:7; 1Co 15:45
Es el hombre, el alma, lo que muere. .... Eze 18:4; Isa 53:12; Job 11:20
Los muertos están inconscientes, nada saben. .... Ec 9:5, 10; Sl 146:3, 4
Los muertos dormidos, esperando resurrección. .... Jn 11:11-14, 23-26; Hch 7:60

C. Es imposible hablar con los muertos

Los muertos no están vivos como espíritus con Dios. .... Sl 115:17; Isa 38:18
Se advierte contra el tratar de hablar con muertos. .... Isa 8:19; Le 19:31
Médium y sortílegos condenados. .... Dt 18:10-12; Gál 5:19-21

26. Oposición, Persecución

A. Razón por la oposición contra los cristianos

Jesús fue odiado, predijo oposición. .... Jn 15:18-20; Mt 10:22
El adherirnos a principios correctos condena al mundo. 1Pe 4:1, 4, 12, 13
Satanás, dios de este sistema, se opone al Reino. 2Co 4:4; 1Pe 5:8
El cristiano no teme, se apoya en Dios. .... Ro 8:38, 39; Snt 4:8

B. Esposa no debe dejar que su esposo la separe de Dios

Prevenida; otros quizás den informes erróneos a él. .... Mt 10:34-38; Hch 28:22
Ella debe acudir a Dios y Cristo. .... Jn 6:68; 17:3
Al ser fiel, tal vez lo salve a él también. 1Co 7:16; 1Pe 3:1-6
Esposo es cabeza, pero no para dictar adoración. .... 1Co 11:3; Hch 5:29

C. Esposo no debe dejar que esposa le impida servir a Dios

Debe amar a esposa y familia, querer vida para ellos. 1Co 7:16
Es su responsabilidad decidir, proveer. 1Co 11:3; 1Ti 5:8
Dios ama al hombre que defiende la verdad. .... Snt 1:12; 5:10, 11
El transigir por la paz trae desagrado de Dios. .... Heb 10:38
Dirija familia a felicidad en nuevo mundo. .... Rev 21:3, 4

27. Oración

A. Oraciones que Dios oye

Dios sí oye oraciones del hombre. .... Sl 145:18; 1Pe 3:12
No oye a injustos a menos que cambien proceder. .... Isa 1:15-17
Hay que orar en el nombre de Jesús. .... Jn 14:13, 14; 2Co 1:20
Hay que orar en armonía con la voluntad de Dios. 1Jn 5:14, 15
Es esencial la fe. .... Snt 1:6-8

B. No son eficaces la vana repetición, oraciones a María o "santos"

Hay que orar a Dios en nombre de Jesús. .... Jn 14:14; 16:23, 24
No se oirán vanas repeticiones. .... Mt 6:7

28. Pecado

A. Lo que es el pecado

Violación de la ley de Dios, su norma perfecta. 1Jn 3:4; 5:17
El hombre, por ser creación de Dios, responsable a él. .... Ro 14:12; 2:12-15
La ley definió el pecado, hizo al hombre consciente de él. .... Gál 3:19; Ro 3:20
Todos en pecado, lejos de norma perfecta de Dios. .... Ro 3:23; Sl 51:5

B. Por qué todos han sufrido debido al pecado de Adán

Adán pasó imperfección y muerte a todos. .... Ro 5:12, 18
Dios misericordioso al tolerar a la humanidad. .... Sl 103:8, 10, 14, 17
Sacrificio de Jesús expía pecados. 1Jn 2:2
El pecado y toda otra obra del Diablo serán borrados. 1Jn 3:8

C. El fruto prohibido fue desobediencia, no el acto sexual

Prohibición del árbol antecedió a creación de Eva. .... Gé 2:17, 18
Se les dijo a Adán y Eva que tuvieran hijos. .... Gé 1:28
Hijos no resultado de pecado, sino de bendición de Dios. .... Sl 127:3-5
Eva pecó cuando esposo no estaba presente; se adelantó. .... Gé 3:6; 1Ti 2:11-14
Adán, como cabeza, se rebeló contra ley de Dios. .... Ro 5:12, 19

D. Lo que es el pecado contra el espíritu santo (Mt 12:32; Mr 3:28, 29)

El pecado heredado no es de tal clase. .... Ro 5:8, 12, 18; 1Jn 5:17
Uno puede contristar espíritu, y aun recobrarse. .... Ef 4:30; Snt 5:19, 20
El practicar voluntariamente el pecado conduce a muerte. 1Jn 3:6-9
Dios juzga a tales, quita su espíritu. .... Heb 6:4-8
No debemos orar por estos que no se arrepienten. 1Jn 5:16, 17

29. Predestinación

A. El hombre no es predestinado

Es seguro el propósito de Dios. .... Isa 55:11; Gé 1:28
Individuos pueden escoger servir a Dios. .... Jn 3:16; Flp 2:12

30. Reino

A. Lo que el Reino de Dios hará para la humanidad

Hará que se efectúe la voluntad de Dios. .... Mt 6:9, 10; Sl 45:6; Rev 4:11
Un gobierno con rey y leyes. .... Isa 9:6, 7; 2:3; Sl 72:1, 8
Destruirá la iniquidad, regirá toda la Tierra. .... Da 2:44; Sl 72:8
Régimen de mil años restaurará humanidad, Paraíso. .... Rev 21:2-4; 20:6

B. Empieza a funcionar mientras enemigos de Cristo todavía activos

Después de resurrección Cristo tuvo larga espera. .... Sl 110:1; Heb 10:12, 13
Toma poder, guerrea contra Satanás. .... Sl 110:2; Rev 12:7-9; Lu 10:18
Reino establecido entonces, ayes para tierra siguen. .... Rev 12:10, 12
Angustia actual significa tiempo de ponerse de parte del Reino. .... Rev 11:15-18

C. No 'en corazones', no se desarrolla mediante esfuerzos humanos

Reino está en los cielos, no en la Tierra. .... 2Ti 4:18; 1Co 15:50; Sl 11:4
No 'en corazones'; Jesús hablaba a fariseos. .... Lu 17:20, 21
No es parte de este mundo. .... Jn 18:36; Lu 4:5-8; Da 2:44
Gobiernos, normas del mundo, serán reemplazados. .... Da 2:44

31. Religión

A. Solo una religión verdadera

Una esperanza, una fe, un bautismo. .... Ef 4:5, 13
Comisionados para hacer discípulos. .... Mt 28:19; Hch 8:12; 14:21
Se reconoce por sus frutos. .... Mt 7:19, 20; Lu 6:43, 44; Jn 15:8
Amor, armonía entre miembros. .... Jn 13:35; 1Co 1:10; 1Jn 4:20

B. Correctamente se condena doctrina falsa

Jesús condenó doctrina falsa. .... Mt 23:15, 23, 24; 15:4-9
Lo hizo para proteger a los que habían sido cegados. .... Mt 15:14
La verdad los hizo libres para ser discípulos de Jesús. .... Jn 8:31, 32

C. El cambiar de religión es esencial si se prueba que es incorrecta

Verdad da libertad; prueba que muchos están equivocados. .... Jn 8:31, 32
Israelitas, otros, abandonaron adoración anterior. .... Jos 24:15; 2Re 5:17
Primeros cristianos cambiaron de puntos de vista. .... Gál 1:13, 14; Hch 3:17, 19
Pablo cambió de religión. .... Hch 26:4-6
Todo el mundo bajo engaño; hay que rehacer la mente. .... Rev 12:9; Ro 12:2

D. Lo que parece "bueno en toda religión" no asegura el favor de Dios

Dios establece la norma para adoración. .... Jn 4:23, 24; Snt 1:27
No es buena si no se conforma a voluntad de Dios. .... Ro 10:2, 3
"Obras buenas" pueden ser rechazadas. .... Mt 7:21-23
Reconocimiento por sus frutos. .... Mt 7:20

32. Rescate

A. Vida humana de Jesús se pagó en "rescate [...] por todos"

Jesús dio su vida en rescate. .... Mt 20:28
Valor de sangre derramada provee remisión de pecado. .... Heb 9:14, 22
Un sacrificio bastó para siempre. .... Ro 6:10; Heb 9:26
Beneficios no son automáticos; tiene que haber reconocimiento. .... Jn 3:16

B. Fue precio correspondiente

Adán fue creado perfecto. .... Dt 32:4; Ec 7:29; Gé 1:31
Perdió perfección para sí mismo e hijos por pecado. .... Ro 5:12, 18
Hijos imposibilitados; se requería equivalente exacto de Adán. .... Sl 49:7; Dt 19:21
Vida humana perfecta de Jesús un rescate. 1Ti 2:5, 6; 1Pe 1:18, 19

33. Resurrección

A. Esperanza para los muertos

Todos los que están en las tumbas serán resucitados. .... Jn 5:28, 29
Resurrección de Jesús es una garantía. .... 1Co 15:20-22; Hch 17:31
Los que pecan contra el espíritu no se levantarán. .... Mt 12:31, 32
Se les asegura a los que muestran fe. .... Jn 11:25

B. Resurrección para vida ya sea en los cielos o en la Tierra

En Adán todos mueren; en Jesús reciben vida. .... 1Co 15:20-22; Ro 5:19
Diferencia en la naturaleza de los que resucitan. 1Co 15:40, 42, 44
Los que estarán con Jesús serán como él. .... 1Co 15:49; Flp 3:20, 21
Los que no regirán estarán en las tumbas la Tierra. .... Rev 20:4b, 5, 13; 21:3, 4

34. Sábado o día de descanso

A. Cristianos no están obligados a guardar el día sabático

La Ley fue abolida con muerte de Jesús como base. .... Ef 2:15
Cristianos no obligados a guardar sábado. .... Col 2:16, 17; Ro 14:5, 10
Censurados por observar el sábado, etc. .... Gál 4:9-11; Ro 10:2-4
Entran en descanso de Dios por fe y obediencia. .... Heb 4:9-11

B. Antiguo Israel fue el único que tuvo que guardar el sábado

Se guardó el sábado por primera vez después del Éxodo. .... Éx 16:26, 27, 29, 30
Singular para el Israel natural como señal. .... Éx 31:16, 17; Sl 147:19, 20
La Ley también exigía celebrar años sabáticos. .... Éx 23:10, 11; Le 25:3, 4
Día sabático no es observación necesaria para cristianos. .... Ro 14:5, 10; Gál 4:9-11

C. Descanso sabático de Dios (día séptimo de "semana" creativa)

Empezó al fin de creación terrestre. .... Gé 2:2, 3; Heb 4:3-5
Continuó después del día de Jesús en la Tierra. .... Heb 4:6-8; Sl 95:7-9, 11
Cristianos descansan de obras de propio interés. .... Heb 4:9, 10
Termina cuando Reino completa obra hacia Tierra. 1Co 15:24, 28

35. Salvación

A. Salvación proviene de Dios mediante sacrificio de rescate de Jesús

La vida es don de Dios por medio de su Hijo. .... 1Jn 4:9, 14; Ro 6:23
La salvación solo es posible mediante sacrificio de Jesús. .... Hch 4:12
No puede haber obras de arrepentimiento en "lecho de muerte". .... Snt 2:14, 26
Para conseguirla hay que trabajar enérgicamente. .... Lu 13:23, 24; 1Ti 4:10

B. "Una vez salvo, siempre salvo" no es bíblico

Participantes de espíritu santo pueden caer. .... Heb 6:4, 6; 1Co 9:27
Muchos israelitas fueron destruidos aunque salvos de Egipto. .... Jud 5
Salvación no es instantánea. .... Flp 2:12; 3:12-14; Mt 10:22
Los que se vuelven atrás quedan en peor condición que antes. 2Pe 2:20, 21

C. "Salvación universal" es antibíblica

Arrepentimiento es imposible para algunos. .... Heb 6:4-6
Dios no se complace en la muerte del inicuo. .... Eze 33:11; 18:32
Pero el amor no puede pasar por alto la injusticia. .... Heb 1:9
Inicuos serán destruidos. .... Heb 10:26-29; Rev 20:7-15

36. Sangre

A. Transfusiones violan lo sagrado de la sangre

Se le dijo a Noé que la sangre era sagrada, era vida. .... Gé 9:4, 16
Pacto de Ley prohibía alimentarse con sangre. .... Le 17:14; 7:26, 27
Prohibición repetida a cristianos. .... Hch 15:28, 29; 21:25

B. Asunto de salvar vida no justifica el quebrantar ley de Dios

El obedecer es mejor que sacrificio. .... 1Sa 15:22; Mr 12:33
Dar más importancia a su vida que a la ley de Dios es mortífero. .... Mr 8:35, 36

37. Testificación

A. Todo cristiano tiene que testificar, anunciar buenas nuevas

Para ser aprobado tiene que reconocer a Jesús ante hombres. .... Mt 10:32
Tiene que ser hacedor de la Palabra, demostrando fe. .... Snt 1:22-24; 2:24
También nuevos tienen que hacerse maestros. .... Mt 28:19, 20
Declaración pública trae salvación. .... Ro 10:10

B. Necesario visitar repetidas veces, testificación continua

Hay que dar advertencia del fin. .... Mt 24:14
Jeremías anunció por años el fin de Jerusalén. .... Jer 25:3
Igual que primeros cristianos, no podemos cesar. .... Hch 4:18-20; 5:28, 29

C. Hay que dar testimonio para no tener culpa por sangre

Hay que advertir del fin que se acerca. .... Eze 33:7; Mt 24:14
El no hacerlo trae culpa por sangre. .... Eze 33:8; 9; 3:18, 19
Pablo librado de culpa por sangre; habló toda la verdad. .... Hch 20:26, 27; 1Co 9:16
Salva tanto al testigo como al que escucha. 1Ti 4:16; 1Co 9:22

38. Testigos de Jehová

A. Origen de los testigos de Jehová

Jehová identifica a sus propios testigos. .... Isa 43:10-12; Jer 15:16
Línea de testigos fieles empezó con Abel. .... Heb 11:4, 39; 12:1
Jesús fue testigo fiel y verdadero. .... Jn 18:37; Rev 1:5; 3:14

39. Tierra

A. El propósito de Dios en cuanto a la Tierra

Se hizo un paraíso en la Tierra para humanos perfectos. .... Gé 1:28; 2:8-15
El propósito de Dios sin falta se cumplirá. .... Isa 55:11; 46:10, 11
La Tierra se llenará de humanidad perfecta, pacífica. .... Sl 72:7; Isa 45:18; 9:6, 7
El Paraíso será restaurado por el Reino. .... Mt 6:9, 10; Rev 21:3-5

B. Nunca será destruida ni quedará despoblada

La Tierra literal será permanente. .... Ec 1:4; Sl 104:5
La humanidad del día de Noé fue destruida, no la Tierra. .... 2Pe 3:5-7; Gé 7:23
Ejemplo da esperanza de sobrevivir en nuestro tiempo. .... Mt 24:37-39
Los inicuos serán destruidos;
 la "gran muchedumbre" sobrevivirá. .... 2Te 1:6-9; Rev 7:9, 14

40. Trinidad

A. Dios, el Padre, una sola Persona, la mayor del universo

Dios no es tres personas. .... Dt 6:4; Mal 2:10; Mr 10:18; Ro 3:29, 30
Hijo fue creado; Dios estuvo solo antes. .... Rev 3:14; Col 1:15; Isa 44:6
Dios es gobernante del universo a todo tiempo. .... Flp 2:5, 6; Da 4:35
Dios será ensalzado sobre todos. .... Flp 2:10, 11

B. El Hijo inferior al Padre antes y después de venir a la Tierra

El Hijo fue obediente en el cielo, *enviado* por el Padre. .... Jn 8:42; 12:49
Obediente en la Tierra; el Padre mayor. .... Jn 14:28; 5:19; Heb 5:8
Ensalzado al cielo, todavía sujeto. .... Flp 2:9; 1Co 15:28; Mt 20:23
Jehová es cabeza y Dios de Cristo. .... 1Co 11:3; Jn 20:17; Rev 1:6

C. Unidad de Dios y Cristo

Siempre en armonía completa. .... Jn 8:28, 29; 14:10
Unidad, semejante a la de esposo y esposa. .... Jn 10:30; Mt 19:4-6
Todos los creyentes tienen que tener la misma unidad. .... Jn 17:20-22; 1Co 1:10
Una sola adoración de Jehová mediante Cristo para siempre. .... Jn 4:23, 24

D. Espíritu santo de Dios es su fuerza activa

Una fuerza, no una persona. .... Mt 3:16; Jn 20:22; Hch 2:4, 17, 33
No es persona en el cielo con Dios y Cristo. .... Hch 7:55, 56; Rev 7:10
Dirigido por Dios para llevar a cabo propósitos. .... Sl 104:30; 1Co 12:4-11
Los que sirven a Dios lo reciben, son guiados por él. .... 1Co 2:12, 13; Gál 5:16

41. Últimos días

A. Qué significa "el fin del mundo"

Terminación del sistema de cosas. .... Mt 24:3; 2Pe 3:5-7; Mr 13:4
No fin de la Tierra, sino del sistema inicuo. 1Jn 2:17
El tiempo del fin precede a la destrucción. .... Mt 24:14
Escape para justos; después el nuevo mundo. .... 2Pe 2:9; Rev 7:14-17

B. Hay que estar alerta a señales de los últimos días

Señales provistas por Dios para guiarnos. 2Ti 3:1-5; 1Te 5:1-4
El mundo no se da cuenta de lo serio. .... 2Pe 3:3, 4, 7; Mt 24:39
Dios no es lento, pero suministra advertencia. 2Pe 3:9
Recompensa por estar alerta, interesado. .... Lu 21:34-36

42. Unión de fes

A. Unirse con otras religiones no es el modo aprobado por Dios

Solo un camino, es estrecho, pocos lo encuentran. .... Ef 4:4-6; Mt 7:13, 14
Se advierte que la doctrina falsa contamina. .... Mt 16:6, 12; Gál 5:9
Se manda mantenerse separados. .... 2Ti 3:5; 2Co 6:14-17; Rev 18:4

B. No es cierto que hay "algo bueno en toda religión"

Algunos tienen celo, pero no según Dios. .... Ro 10:2, 3
Lo malo contamina lo demás que pudiera ser bueno. .... 1Co 5:6; Mt 7:15-17
Falsos maestros acarrean destrucción. .... 2Pe 2:1; Mt 12:30; 15:14
La adoración limpia exige devoción exclusiva. .... Dt 6:5, 14, 15

43. Vida

A. Se asegura vida eterna para la humanidad obediente

Dios, que no puede mentir, ha prometido vida. .... Tit 1:2; Jn 10:27, 28
Se asegura vida eterna a los que ejercen fe. .... Jn 11:25, 26
La muerte será destruida. .... 1Co 15:26; Rev 21:4; 20:14; Isa 25:8

B. Vida celestial se limita a los que forman el cuerpo de Cristo

Dios selecciona miembros según le place. .... Mt 20:23; 1Co 12:18
Solo 144.000 tomados de la Tierra. .... Rev 14:1, 4; 7:2-4; 5:9, 10
Ni aun Juan el Bautizante estará en el Reino celestial. .... Mt 11:11

C. Se promete vida terrestre a un número ilimitado, "otras ovejas"

Número limitado en los cielos con Jesús. .... Rev 14:1, 4; 7:2-4
"Otras ovejas" no son los hermanos de Cristo. .... Jn 10:16; Mt 25:32, 40
Se junta a muchos ahora para sobrevivir en la Tierra. .... Rev 7:9, 15-17
Otros serán resucitados para vida en la Tierra. .... Rev 20:12; 21:4

44. Vuelta de Cristo

A. Vuelta será invisible a seres humanos

Les dijo a discípulos que el mundo no lo vería más. .... Jn 14:19
Solo discípulos vieron el ascenso; su vuelta es similar. .... Hch 1:6, 10, 11
En cielo, un espíritu invisible. .... 1Ti 6:14-16; Heb 1:3
Vuelve en poder del Reino celestial. .... Da 7:13, 14

B. Reconocida por hechos físicos

Discípulos pidieron señal de la presencia. .... Mt 24:3
Cristianos "ven" la presencia mediante entendimiento. .... Ef 1:18
Muchos sucesos forman evidencia de la presencia. .... Lu 21:10, 11
Enemigos "ven" al sobrevenirles la destrucción. .... Rev 1:7

¿Desea más información?

Escriba a la sucursal de los testigos de Jehová más cercana.

ALBANIA: PO Box 118, Tirana. **ALEMANIA:** Zweigbüro, Am Steinfels, 65618 Selters. **ANGOLA:** Caixa Postal 6877, Luanda Sul. **ANTIGUA:** PO Box 119, St. John's. **ARGENTINA:** Casilla 83 (Suc. 27B), C1427WAB Cdad. Aut. de Buenos Aires. **AUSTRALIA:** PO Box 280, Ingleburn, NSW 1890. **AUSTRIA:** PO Box 67, A-1134 Viena. **BAHAMAS:** PO Box N-1247, Nassau, NP. **BARBADOS, W.I.:** Crusher Site Road, Prospect, BB 24012 St. James. **BÉLGICA:** rue d'Argile-Potaardestraat 60, B-1950 Kraainem. **BENÍN:** 06 BP 1131, Akpakpa pk3, Cotonou. **BOLIVIA:** Casilla 6397, Santa Cruz. **BRASIL:** CP 92, Tatuí-SP, 18270-970. **CAMERÚN:** BP 889, Duala. **CANADÁ:** PO Box 4100, Georgetown, ON L7G 4Y4. **CENTROAFRICANA, REPÚBLICA:** BP 662, Bangui. **CHECA, REPÚBLICA:** PO Box 90, 198 00 Praha 9. **CHILE:** Casilla 267, Puente Alto. **CHIPRE:** PO Box 11033, CY-2550 Dali. **COLOMBIA:** Apartado 85058, Bogotá. **CONGO, REPÚBLICA DEMOCRÁTICA DEL:** BP 634, Limete, Kinshasa. **COREA DEL SUR:** PO Box 33, Pyungtaek PO, Kyunggi-do, 450-600. **COSTA RICA:** Apartado 187-3006, 40104 Barreal de Heredia. **CÔTE D'IVOIRE (COSTA DE MARFIL):** 06 BP 393, Abiyán 06. **CROACIA:** PP 58, HR-10090 Zagreb-Susedgrad. **CURAZAO, ANTILLAS HOLANDESAS:** PO Box 4708, Willemstad. **DINAMARCA:** PO Box 340, DK-4300 Holbæk. **DOMINICANA, REPÚBLICA:** Apartado 1742, Santo Domingo. **ECUADOR:** Casilla 09-01-1334, Guayaquil. **EL SALVADOR, C.A.:** Apartado 401, San Salvador. **ESLOVAQUIA:** PO Box 2, 830 04 Bratislava 34. **ESLOVENIA:** pp 22, SI-1241 Kamnik. **ESPAÑA:** Apartado 132, 28850 Torrejón de Ardoz (Madrid). **ESTADOS UNIDOS:** 25 Columbia Heights, Brooklyn, NY 11201-2483. **ESTONIA:** PO Box 1075, 10302 Tallin. **ETIOPÍA:** PO Box 5522, Adís Abeba. **FILIPINAS:** PO Box 2044, 1060 Manila. **FINLANDIA:** PO Box 68, FI-01301 Vantaa. **FIYI:** PO Box 23, Suva. **FRANCIA:** BP 625, F-27406 Louviers cedex. **GEORGIA:** PO Box 237, 0102 Tbilisi. **GHANA:** PO Box GP 760, Accra. **GRAN BRETAÑA:** The Ridgeway, Londres NW7 1RN. **GRECIA:** Kifisias 77, GR 151 24 Marousi. **GUADALUPE, F.W.I.:** Montmain, 97180 Sainte-Anne. **GUAM:** 143 Jehovah St, Barrigada, GU 96913. **GUATEMALA:** Apartado 711, 01901-Guatemala. **GUAYANA FRANCESA:** 328 CD 2, Route du Tigre, 97300 Cayenne. **GUINEA:** BP 2714, Conakry 1. **GUYANA:** 352-360 Tyrell St, Republic Park Phase 2 EBD. **HAITÍ:** PO Box 185, Port-au-Prince. **HAWAI:** 2055 Kamehameha IV Road, Honolulú, HI 96819-2619. **HONDURAS:** Apartado 147, 11102 Tegucigalpa. **HONG KONG:** 4 Kent Road, Kowloon Tong, Kowloon. **HUNGRÍA:** Budapest, Pf 20, H-1631. **INDIA:** PO Box 6441, Yelahanka, Bangalore-KAR 560 064. **INDONESIA:** PO Box 2105, Yakarta 10001. **IRLANDA:** Newcastle, Greystones, Co. Wicklow. **ISRAEL:** PO Box 29345, 61293 Tel Aviv. **ITALIA:** Via della Bufalotta 1281, I-00138 Roma RM. **JAMAICA:** PO Box 103, Old Harbour, St. Catherine. **JAPÓN:** 4-7-1 Nakashinden, Ebina City, Kanagawa-Pref, 243-0496. **KENIA:** PO Box 21290, Nairobi 00505. **LIBERIA:** PO Box 10-0380, 1000 Monrovia 10. **LUXEMBURGO:** BP 2186, L-1021 Luxemburgo. **MADAGASCAR:** BP 116, 105 Ivato. **MALASIA:** Peti Surat No. 580, 75760 Melaka. **MALAUI:** PO Box 30749, Lilongwe 3. **MARTINICA:** BP 585, 97207 Fort de France Cedex. **MÉXICO:** Apartado Postal 896, 06002 México, D.F. **MOZAMBIQUE:** PO Box 2600, 1100 Maputo. **MYANMAR:** PO Box 62, Yangon. **NEPAL:** PO Box 24438, GPO, Katmandú. **NICARAGUA:** Apartado 3587, Managua. **NIGERIA:** PMB 1090, Benin City 300001, Edo State. **NORUEGA:** Gaupeveien 24, NO-1914 Ytre Enebakk. **NUEVA CALEDONIA:** BP 1741, 98874 Pont des Français. **NUEVA ZELANDA:** PO Box 75142, Manurewa, Manukau 2243. **PAÍSES BAJOS:** Noordbargerstraat 77, NL-7812 AA Emmen. **PANAMÁ:** Apartado 0819 - 07567, Panama. **PAPÚA NUEVA GUINEA:** PO Box 636, Boroko, NCD 111. **PARAGUAY:** Casilla 482, 1209 Asunción. **PERÚ:** Apartado 18-1055, Lima 18. **POLONIA:** ul. Warszawska 14, PL-05830 Nadarzyn. **PORTUGAL:** Apartado 91, P-2766-955 Estoril. **PUERTO RICO:** PO Box 3980, Guaynabo, PR 00970. **RUANDA:** BP 529, Kigali. **RUSIA:** PO Box 182, 190000 San Petersburgo. **SALOMÓN, ISLAS:** PO Box 166, Honiara. **SUDÁFRICA:** Private Bag X2067, Krugersdorp, 1740. **SUDÁN:** PO Box 957, 11111, Khartoum State. **SUECIA:** PO Box 5, SE-732 21 Arboga. **SUIZA:** PO Box 225, 3602 Thun. **SURINAM:** PO Box 2914, Paramaribo. **TAHITÍ, POLINESIA FRANCESA:** BP 7715, 98719 Taravao. **TAILANDIA:** PO Box 7 Klongchan, Bangkok 10 240. **TAIWÁN:** 3-12, Shetze Village, Hsinwu 32746. **TANZANIA:** PO Box 7992, Dar es Salaam. **TOGO:** BP 2983, Lomé. **TRINIDAD Y TOBAGO:** Lower Rapsey Street & Laxmi Lane, Curepe. **TURQUÍA:** PO Box 23, 34377 Feriköy, Estambul. **UCRANIA:** PO Box 955, 79491 Lviv - Briukhovychi. **URUGUAY:** Casilla 17030, César Mayo Gutiérrez 2645 y Cno. Varzi, 12500 Montevideo. **VENEZUELA:** Apartado 20.364, Caracas, DC 1020A. **ZAMBIA:** PO Box 33459, 10101 Lusaka. **ZIMBABUE:** Private Bag WG-5001, Westgate.